Anne Bernier

VOX

# DICCIONARIO AVANZADO FRANCÉS

FRANÇAIS - ESPAGNOL
ESPAÑOL - FRANCÉS

# DICCIONARIO AVANZADO FRANCÉS

FRANÇAIS - ESPAGNOL
ESPAÑOL - FRANCÉS

Jean-Paul Vidal

*Han colaborado en esta obra*

Nora Haddad
Teresa Rojas
Francisca Sol
José Nuevo (*corrección*)
Marie-Christine Terán

*Para la presente edición*

Manuel Gallego
Béatrice Cazalaà
Paloma Cabot-Le Poullouin
Anabela Neves
Sophie Compagne (*maqueta*)

Diseño de cubierta: Carlos A. Medina (Medina Vilalta & Partners)



Edición julio 2001

Av. Diagonal, 407 bis, 10ª
08008 BARCELONA
vox@vox.es
www.vox.es

Impreso en España - Printed in Spain

ISBN: 84-8332-107-6
Depósito legal: NA. 1.767-2001

Impreso por: RODESA ROTATIVAS ESTELLA, S.A.
Pol. Ind. San Miguel
Parcelas E7 - E8
31132 VILLATUERTA (NAVARRA)

# Sommaire
# Índice

# Préface

Le présent ouvrage est une édition augmentée et mise à jour du dictionnaire « Hispano Bordas » dont on retrouve ici les caractéristiques qui ont fait de lui un instrument de travail sûr et apprécié. Avec un vocabulaire très actuel et une présentation d'une grande clarté, il se distingue par sa richesse en exemples. Empruntés à des textes variés, littéraires ou journalistiques, ou à la langue parlée, ces exemples donnent vie aux mots du français et de l'espagnol en les replaçant dans un contexte. Deux innovations : la typographie a été modifiée au profit d'une meilleure lisibilité et nous avons adopté, dans la partie espagnol-français, l'ordre alphabétique « international », en ne traitant plus à part les consonnes doubles **ch** et **ll**.

Le **vocabulaire** a été considérablement enrichi par rapport à la précédente édition mais sans viser à l'exhaustivité. Ainsi ont été résolument écartés tous ces mots rares qui traînent dans les colonnes des dictionnaires, nombre de mots tombés en désuétude ou de termes didactiques d'un emploi restreint et seulement connus des spécialistes: ils auraient encombré le livre sans aucun bénéfice pour le lecteur. En revanche, nous avons retenu les termes scientifiques et techniques que l'usage a vulgarisés et tous ces mots et toutes ces expressions qu'on rencontre quotidiennement dans les conversations, dans la presse, dans les émissions de radio ou de télévision, chez les écrivains contemporains et qui constituent le vocabulaire courant d'aujourd'hui. Si la priorité a été donnée dans ces pages à la **langue actuelle**, nous n'avons pas négligé toutefois quelques formes classiques. Nous avons aussi fait une bonne place aux néologismes, qui témoignent de la vitalité des langues (rejetant cependant certaines innovations fantaisistes), et au vocabulaire familier, voire argotique, mais en indiquant toujours le niveau de langue approprié. On ne saurait oublier le riche apport lexical des pays hispanophones d'Amérique latine. Aussi, dans la partie espagnol-français, trouvera-t-on de très nombreux **américanismes** (termes empruntés aux langues indigènes, archaïsmes castillans dont l'usage s'est maintenu, parfois avec un sens différent, régionalismes espagnols qui ont été adoptés en Amérique, néologismes forgés à partir de mots des langues des pays d'immigration), tous accompagnés de la mention *AMER*, l'aire géographique d'emploi du mot, aux frontières souvent incertaines, n'étant signalée que dans quelques cas précis. Enfin, nous avons jugé utile d'ajouter quelques sigles usuels (voir aussi le cahier central) et des **noms propres** de pays et d'habitants.

Le **plan des articles** se veut aussi clair que possible: chaque fois qu'un terme a plusieurs sens, ceux-ci sont numérotés et classés du sens propre au sens figuré. Si une même traduction convient pour toutes les acceptions d'un mot, nous ne la donnons, la plupart du temps, qu'une fois. On notera que les homographes font généralement l'objet d'articles séparés précédés d'un petit chiffre permettant de les distinguer.

Les expressions idiomatiques qui se rattachent par un lien sémantique à une acception suivent immédiatement cette acception. La traduction de ces expressions est donnée au mot le plus significatif, de préférence un substantif (exemple: «tirer son épingle du jeu» à l'article «épingle»). Pour faciliter la recherche, de nombreuses locutions sont citées à deux endroits, dont un avec un renvoi au mot où elle est traduite (exemple: à «comble», «faire salle comble, → salle» signifie que l'expression est traduite à l'article «salle», auquel le lecteur est invité à se reporter). Les locutions grammaticales courantes sont souvent regroupées à la fin de l'article.

Pour différencier les diverses significations d'un mot, on a recouru à des abréviations du type *ANAT*, *BOT*, *INFORM*, etc., ou à des indications entre parenthèses: elles guident le lecteur dans son choix de la traduction la plus juste. Parfois, plusieurs traductions sont proposées: en première place se trouve celle qui nous semble la meilleure, les autres donnant à l'usager la possibilité de varier sa traduction et d'enrichir ses moyens d'expression. Lorsqu'un terme ou une tournure n'ont pas d'equivalent exact, nous nous sommes efforcés de lui donner une traduction qui en rende au mieux le sens. Ce sont enfin les **exemples**, auxquels nous avons largement fait appel, comme nous le signalons plus haut, qui illustrent de la manière la plus parlante le sens des mots, précisant les limites de leurs équivalences en éclairant les nuances. Ils servent également à mettre le traducteur en garde contre les pièges de la syntaxe et du vocabulaire en faisant ressortir tout ce qui peut lui poser des problèmes: différences de construction, changements de genre, pluriels irréguliers, emplois différents des prépositions, auxquelles nous avons apporté une attention particulière, irrégularités dans la conjugaison, et singulièrement les cas de diphtongaison en espagnol, souvent illustrées par un ou plusieurs exemples à des formes personnelles, celles-ci étant plus vivantes, plus expressives que l'infinitif. Notons ici que les principales formes irrégulières des verbes les plus usuels sont signalées à leur place alphabétique avec un renvoi aux infinitifs correspondants (exemple: «*vais*» renvoie à «*aller*», «*yendo*» à «*ir*»).

Quant à la **prononciation**, elle n'est transcrite phonétiquement que lorsqu'elle peut présenter une difficulté, en l'occurrence dans la partie français-espagnol essentiellement, à l'intention des hispanophones. Les règles, très simples, de la prononciation espagnole sont rappelées en tête de l'abrégé de grammaire espagnole.

On remarquera que certains articles sont suivis de quelques lignes précédées du signe ►. Il s'agit d'une **observation** destinée au lecteur français ou espagnol, selon le cas, et portant sur un point de grammaire, une question d'étymologie, un fait de civilisation se rapportant au mot traité.

Les **résumés grammaticaux**, pour chaque langue, n'ont pas la prétention de remplacer des manuels de grammaire. Ils ont été conçus comme le prolongement de la partie lexicale et visent simplement à dégager certaines notions grammaticales liées au vocabulaire décrit dans ce dictionnaire. Ainsi, par exemple, un chapitre est consacré aux suffixes, un autre aux adverbes et à leur formation. En revanche, on n'a pas cru devoir traiter dans les résumés de grammaire les démonstratifs, les prépositions qui font l'objet d'articles détaillés à leur place alphabétique.

Il nous reste à soumettre ce dictionnaire à l'appréciation des usagers en souhaitant qu'il leur apporte une aide efficace. Les langues évoluent constamment et, de ce fait, un dictionnaire es une création toujours inachevée: aussi saurions-nous gré à nos lecteurs de nous signaler les lacunes, ou les erreurs, qu'ils pourraient rencontrer dans ces pages et de nous faire part de leurs suggestions pour nous permettre d'améliorer le **Diccionario Avanzado Français-Espagnol/Español-Francés**.

Jean-Paul VIDAL

# Prólogo

El presente diccionario es una edición ampliada y actualizada del diccionario «Hispano Bordas», con las mismas características que han hecho de él un instrumento de trabajo seguro y apreciado. Además de un vocabulario puesto al día y una presentación muy clara, esta obra se distingue por su riqueza de ejemplos. Extraídos de textos variados, literarios o periodísticos, o bien tomados de la lengua hablada, estos ejemplos dan vida a las palabras del español y del francés, situándolas en un contexto. Dos innovaciones: la tipografía ha sido modificada en beneficio de una mejor legibilidad y se ha adoptado, en la parte español-francés, el orden alfabético «internacional», por lo que los dígrafos **ch** y **ll** ya no se tratan como letras aparte.

El **vocabulario** ha sido enriquecido considerablemente con respecto a la edición anterior pero sin pretender que sea exhaustivo. Por ello hemos eliminado muchas palabras de uso muy escaso, que tanto abundan en los diccionarios, cantidad de arcaísmos o términos didácticos de uso restringido y conocidos únicamente por los especialistas, que hubieran recargado la obra sin ningún provecho para el lector. En cambio, se ha prestado especial atención a los tecnicismos científicos y técnicos que el uso ha vulgarizado, y a todos esos vocablos y expresiones que se encuentran diariamente en las conversaciones, en la prensa, en las emisiones de radio o de televisión, en textos literarios contemporáneos y que constituyen el vocabulario de hoy. Si bien el principal objetivo de esta obra era reflejar el **lenguaje actual**, no por ello se han dejado de lado ciertas voces clásicas, imprescindibles para mantener el rigor de la obra. También se ha dado cabida a numerosos neologismos que atestiguan la vitalidad del idioma (hemos rechazado, sin embargo, innovaciones efímeras) y al vocabulario familiar, y aun argótico, indicando siempre a qué campo semántico pertenece. Del mismo modo, resulta imprescindible contar con la rica aportación léxica de los países hispanohablantes de América. Así pues, hemos acogido en la parte español-francés un buen número de **americanismos** (palabras indígenas, arcaísmos castellanos cuyo uso se ha perpetuado, a veces con un sentido diferente, regionalismos españoles adoptados en América y neologismos creados a partir de vocablos de los idiomas de los países de inmigración), siempre acompañados de la abreviatura *AMER*, pero sin señalar el área geográfica de uso de la palabra, salvo en determinados casos, dada la imprecisión de sus fronteras. Finalmente, nos ha parecido útil añadir algunas siglas (véanse también las páginas centrales), algunos **nombres propios**, así como topónimos y gentilicios.

La **ordenación de los artículos** es clara y sencilla: cada vez que un término tiene varias acepciones, éstas van numeradas y clasificadas del sentido propio al sentido figurado. Si la misma traducción corresponde a todas las acepciones de una palabra, generalmente no la damos más que una vez. Por lo general, los homógrafos están tratados en artículos separados y encabezados por una cifra que permite diferenciarlos.

Las expresiones idiomáticas que se vinculan con una acepción aparecen inmediatamente después de ésta. La traducción de dichas expresiones se dan en la palabra más importante, preferentemente un sustantivo (ejemplo: «andar de capa caída» en el artículo «capa»). Para facilitar la búsqueda, muchas locuciones se dan en dos lugares diferentes, uno de los cuales tiene una referencia a la palabra donde se halla traducida (ejemplo: en «lobo», «meterse en la boca del lobo, → boca», significa que la expresión se ha traducido en la palabra indicada por la flechita, o sea «boca»). Las locuciones gramaticales usuales vienen agrupadas, a menudo, al final del artículo.

Para diferenciar los diversos significados de una palabra, hemos recurrido a abreviaturas como *ANAT*, *BOT*, *INFORM*, etc., o a indicaciones entre paréntesis, pues guían al lector en su selección de la traducción más adecuada. A veces, proponemos varias traducciones: la que nos parece mejor va en primer lugar; las demás ofrecen al usuario la posibilidad de utilizar sinónimos y de enriquecer sus medios de expresión. Cuando un término o un giro no tiene equivalente exacto, damos una traducción que refleje lo mejor posible el sentido. Por fin, los **ejemplos**, abundantísimos en esta obra, ilustran perfectamente los sentidos y matices de cada palabra, señalando los límites de sus equivalentes y poniendo, además, de relieve todo cuanto pueda resultar una dificultad para el traductor: orden de las palabras, diferencias de género, plurales irregulares, empleo de las preposiciones (analizadas con esmero), irregularidades en la conjugación y, especialmente, los casos de diptongación en castellano, acompañados de uno o varios ejemplos dados en formas personales, ya que éstas son siempre más vivas que el infinitivo. Por otra parte, las principales formas irregulares de los verbos se señalan en su orden alfabético con una remisión a los infinitos correspondientes (ejemplo: «*yendo*» remite a «*ir*», «*vais*» a «*aller*»).

En cuanto a la **transcripción fonética**, figura sólo cuando la pronunciación ofrece dificultad, o sea en la parte francés-español, principalmente en atención a los hispanohablantes.

A veces hay artículos que van seguidos de unas líneas encabezadas por el signo ▶. Se trata de una **observación**, dirigida al lector francés o español según el caso, que se refiere a un problema gramatical, una cuestión de etimología o un hecho de civilización relacionado con la palabra estudiada.

Los **compendios gramaticales** de cada idioma no pretenden reemplazar los manuales de gramática. Sólo intentan aclarar algunas nociones gramaticales relacionadas con el vocabulario recogido en este diccionario. Así, por ejemplo, un capítulo se refiere a los sufijos y otro, a los adverbios; en cambio, no hemos incluido en los resúmenes gramaticales los demostrativos y las preposiciones, ya que se tratan detalladamente en su orden alfabético.

Sometemos este diccionario al público esperando que pueda aportarle una ayuda eficaz. Su principal objetivo radica en la utilidad y sólo el usuario podrá dar cuenta del cumplimiento de nuestro fin. Consideramos, por otra parte, que un diccionario, dada la evolución continua de los idiomas, es una obra inacabada, susceptible de una permanente revisión. Así pues, serán siempre agradecidas las críticas o las sugerencias de nuestros lectores, que nos permitirán mejorar el **Diccionario Avanzado Français-Espagnol/Español-Francés** en ediciones sucesivas.

Jean-Paul VIDAL

# Abréviations employées dans ce dictionnaire
# *Abreviaturas usadas en este diccionario*

| | | |
|---|---|---|
| *a* | adjectif | adjetivo |
| *a/f* | adjectif et substantif féminin | adjetivo y sustantivo femenino |
| *a/m* | adjectif et substantif masculin | adjetivo y sustantivo masculino |
| *adv* | adverbe | adverbio |
| *AGR* | agriculture | agricultura |
| *AMÉR, AMER* | américanisme | americanismo |
| *ANAT* | anatomie | anatomía |
| *ANC, ANT* | ancien | antiguo |
| *ARCH, ARQ* | architecture | arquitectura |
| *art* | article | artículo |
| *ASTR* | astronomie, astrologie | astronomía, astrología |
| *auxil* | auxiliaire | auxiliar |
| *BIOL* | biologie | biología |
| *BOT* | botanique | botánica |
| *CHIM* | chimie | |
| *CULIN* | culinaire | culinario |
| *COM* | commerce, finances | comercio, finanzas |
| *conj* | conjonction | conjunción |
| *dém, dem* | démonstratif | demostrativo |
| *ÉCON, ECON* | économie | economía |
| *ÉLECT, ELECT* | électricité | electricidad |
| *f* | féminin | femenino |
| *FAM* | familier | familiar |
| *FIG* | figuré | figurado |
| *FÍS* | | física |
| *GÉOG, GEOG* | géographie | geografía |
| *GÉOL, GEOL* | géologie | geología |
| *GÉOM, GEOM* | géométrie | geometría |
| *GRAM* | grammaire | gramática |
| *HIST* | histoire | historia |
| *i* | intransitif | intransitivo |
| *impers* | impersonnel | impersonal |
| *indéf, indef* | indéfini | indefinido |
| *INFORM* | informatique | informática |
| *interj* | interjection | interjección |
| *interr* | interrogatif | interrogativo |
| *inv* | invariable | invariable |
| *irrég, irreg* | irrégulier | irregular |
| *JUR* | juridique | jurídico |
| *LIT* | | literario, literatura |
| *LITT* | littéraire, littérature | |
| *loc* | locution | locución |
| *m* | masculin | masculino |
| *MAR* | marine | marina |
| *MATH, MAT* | mathématique | matemáticas |
| *MÉD, MED* | médecine | medicina |
| *MIL* | militaire | militar |
| *MUS, MÚS* | musique | música |
| *np* | nom propre | nombre propio |

| | | |
|---|---|---|
| *num* | numéral | numeral |
| *PÉJOR, PEYOR* | péjoratif | peyorativo, despectivo |
| *pers* | personnel | personal |
| *PHYS* | physique | |
| *pl* | pluriel | plural |
| *POÉT* | poétique | poético |
| *POP* | populaire | popular |
| *pos* | possessif | posesivo |
| *pp* | participe passé | participio pasado |
| *pr* | pronominal | pronominal |
| *prép, prep* | préposition | preposición |
| *pron* | pronom | pronombre |
| *PROV* | proverbe | proverbio, refrán |
| *QUÍM* | | química |
| *rel* | relatif | relativo |
| *RELIG* | religion, liturgie | religión, liturgia |
| *s* | substantif | sustantivo |
| *sing* | singulier | singular |
| *TAUROM* | tauromachie | tauromaquia |
| *TEAT* | | teatro |
| *THÉÂT* | théâtre | |
| *TECHN, TECN* | technique, technologie | tecnicismo, tecnología |
| *t* | transitif | transitivo |
| *v* | verbe | verbo |
| *vi* | verbe intransitif | verbo intransitivo |
| *vt* | verbe transitif | verbo transitivo |
| *vpr* | verbe pronominal | verbo pronominal |
| *vt/i* | verbe transitif et intransitif | verbo transitivo e intransitivo |
| *VULG* | vulgaire ou très familier | vulgar o muy familiar |
| *ZOOL* | zoologie | zoología |

## Autres signes employés
## *Otros símbolos usados*

| | | |
|---|---|---|
| ~ | Remplace le mot (au singulier) ou l'infinitif du verbe dans les exemples ou les locutions. | Sustituye a la palabra (en singular) o al infinitivo del verbo considerado en los ejemplos y locuciones. |
| ◇ ◆ | Indique un changement de catégorie grammaticale à l'intérieur du mot considéré. | Indica que la palabra considerada cambia de categoría gramatical. |
| ◊ | Précède les idiotismes ou les locutions. | Precede a los modismos o locuciones. |
| → | Signifie : voir. | Significa: ver. |
| * | Indique un verbe irrégulier. | Indica un verbo irregular. |
| ▶ | Signifie : remarque, observation. | Significa: ¡ojo!, observación. |
| | Le genre et le nombre des substantifs ne sont mentionnés dans la traduction que s'ils diffèrent d'une langue à l'autre. | El género y el número de los sustantivos se mencionan en la traducción sólo cuando difieren de una lengua a otra. |

# Signes phonétiques et transcription
# *Signos fonéticos y transcripción*

| Voyelles | signes | français | espagnol |
|---|---|---|---|
| ***Vocales*** | *signos* | *francés* | *castellano* |
| | [a] | lac | calle |
| | [ɑ] | âme | laurel |
| | [e] | dé, donner | cabeza, hablé |
| | [ə] | le, repas | |
| | [ɛ] | lait, peine, très, forêt | guerra |
| | [i] | vite, cygne | vida |
| | [ɔ] | robe, fort | roca |
| | [o] | dos, gauche, agneau | habló |
| | [u] | mou, où, goût | agudo |
| | [y] | lune, mûr | |
| | [ø] | peu, nœud, jeûne | |
| | [œ] | œuf, peur | |
| | [ɑ̃] | ancre, vent | |
| | [ɛ̃] | vin, examen, main | |
| | [ɔ̃] | mon, ombre | |
| | [œ̃] | un, parfum | |

| Semi-consonnes | | | |
|---|---|---|---|
| ***Semiconsonantes*** | [j] | avion, yeux, billet | labio |
| | [w] | oui, toi | luego |
| | [ɥ] | huile, lui | |

| Consonnes | | | |
|---|---|---|---|
| ***Consonantes*** | [b] | balle | banco, vela |
| | [d] | dire | dar |
| | [f] | fin, photo | fuego |
| | [g] | gare, guerre | gato |
| | [k] | café, queue, écho | copa |
| | [l] | lit, mollet | lista |
| | [m] | mur, femme | maleta |
| | [n] | navet, canne | noche |
| | [p] | père | padre |
| | [r] | | arte |
| | [r̄] | | radio, ahorro |
| | [ʀ] | rue, arrondi | |
| | [s] | soupe, cela, garçon, notion | silencio |
| | [ʃ] | chat, schéma | chico (sin t) |
| | [t] | tapis | tambor |
| | [v] | vie | |
| | [z] | zèle, prison | asno |
| | [ʒ] | jeune, gigot | beige |
| | [θ] | | hacer |
| | [x] | | ojo (la jota) |
| | [ʎ] | | llave |
| | [ɲ] | agneau | año |
| | [ŋ] | camping | camping |

# Dictionnaire français-espagnol

## *Diccionario francés-español*

**[1]a** *m* a *f:* **un ~** una a ◊ **depuis ~ jusqu'à z, de ~ à z** de pe a pa; **prouver par ~ plus b** demostrar por a más b.

**[2]a → avoir.**

**à** *prép* (se contrae en **au** [o] con *le* (= à le), en **aux** [o] con *les* (= à les). *Au* sólo se usa delante de los masculinos que empiezan con consonante o *h* aspirada) **1.** *(direction)* a: **aller ~ Rome, au Chili** ir a Roma, a Chile; **je vais ~ l'aéroport** voy al aeropuerto **2.** *(situation)* en: **vivre ~ Rome, au Chili** vivir en Roma, en Chile; **née ~ Paris** nacida en París; **~ cent mètres d'ici** a cien metros de aquí **3.** *(temps)* **~ sept heures précises** a las siete en punto; **~ cette époque** en aquella época; **au XVIIIe siècle** en el siglo XVIII; *(futur)* **~ samedi!** ¡hasta el sábado!; *(époque approximative)* por: **~ Noël** por Navidad **4.** *(attribution)* a: **donner un bonbon ~ un enfant** dar un caramelo a un niño; *(dédicace)* **~ ma fille** a mi hija **5.** *(appartenance, prix)* de: **~ qui est ce disque?** ¿de quién es este disco?; **il est ~ Philippe** es de Felipe; **un timbre ~ deux francs** un sello de dos francos ◊ **c'est ~ toi de décider** a ti te toca decidir **6.** *(caractéristique)* de: **une montre ~ quartz** un reloj de cuarzo; **la fille aux yeux verts** la chica de los ojos verdes; *(détail)* con: **un violon aux cordes cassées** un violín con las cuerdas rotas **7.** *(moyen, instrument, manière)* a: **taper ~ la machine** escribir a máquina; **acheter ~ crédit** comprar a crédito; **thon ~ la catalane** atún a la catalana **8.** *(mélange, accompagnement)* con: **canard ~ l'orange, aux navets** pato con naranjas, con nabos; de: **soupe ~ l'oignon** sopa de cebolla **9.** *(association)* entre: **faire un travail ~ plusieurs** hacer un trabajo entre varios; **~ nous trois nous ne sommes pas arrivés à le convaincre** entre los tres no conseguimos convencerle **10.** *(évaluation)* **rouler à cent ~ l'heure** ir a cien kilómetros por hora; **6 litres aux 100** 6 litros por cada 100 km **11.** *(+ infinitif)* de: **facile ~ faire, ~ nettoyer** fácil de hacer, de limpiar; **j'ai ~ coudre ce bouton** tengo que coser este botón; **donner son pantalon ~ nettoyer** dar su pantalón para limpiar; **long ~ expliquer** largo de explicar; **les premiers ~ partir** los primeros en irse; **maison ~ louer** se alquila; **continuer ~ lire** seguir leyendo; **il passe son temps ~ se plaindre** se pasa el tiempo quejándose; **~ vouloir tout faire...** por querer hacerlo todo...; **~ l'en croire** si se le cree...; **~ l'entendre...** al escucharlo...

▶ L'emploi de «a» dans des tournures comme *une décision à prendre* una decisión a tomar; *un exemple à suivre* un ejemplo a seguir, etc., est un gallicisme aujourd'hui courant pour: «una decisión que se ha de tomar», etc.

**abaca** *m* abacá.

**abaisse-langue** *m* depresor lingual.

**abaissement** *m* **1.** baja *f,* descenso: **~ de la température** descenso de la temperatura **2.** FIG humillación *f.*

**abaisser** *vt* **1.** bajar, rebajar **2. ~ une perpendiculaire** trazar una perpendicular **3.** CULIN **~ la pâte** estirar la masa **4.** FIG humillar. ◆ **s'~** *vpr* **1.** bajar, descender **2.** FIG rebajarse, humillarse: **s'~ à demander une faveur** rebajarse a pedir un favor; **«quiconque s'abaissera sera élevé»** «quien se humilla será ensalzado».

**abajoue** *f* abazón *m.*

**abandon** *m* **1.** *(d'un lieu, d'un enfant, etc.)* abandono **2.** *(d'un bien, etc.)* dejación *f* ◊ **~ de poste** dejación de puesto **3.** *(manque d'entretien)* descuido *m* ◊ **le parc est à l'~** el parque está descuidado; **tout laisser à l'~** descuidar sus cosas **4.** FIG *(nonchalance)* abandono, indolencia *f* **5.** FIG *(confiance)* confianza *f.*

**abandonné, e** *a* **1. enfant ~** niño abandonado **2. maison abandonnée** casa abandonada.

**abandonner** *vt* **1.** abandonar: **une ville, ses enfants** abandonar una ciudad, a sus hijos **2.** renunciar a: **~ un projet, la lutte** renunciar a un proyecto, a la lucha ◊ **~ la partie** renunciar, desistir **3. il a abandonné ses fonctions de directeur** ha dejado su cargo de director. ◇ *vi* **coureur qui abandonne** corredor que abandona; **j'abandonne!** ¡basta ya! ◆ **s'~** *vpr* **1. s'~ au désespoir** abandonarse a la desesperación **2. s'~ à la paresse** entregarse a la pereza **3.** *(se laisser aller)* abandonarse, descuidarse, dejarse.

**abaque** *m* ábaco.

**abasourdir** *vt* **1.** ensordecer **2.** FIG dejar estupefacto, a: **cette nouvelle nous a abasourdis** esta noticia nos ha dejado estupefactos.

**abasourdissant, e** *a* **1.** ensordecedor, a **2.** FIG asombroso, a.

**abasourdissement** *m* estupefacción *f,* asombro.

**abâtardir** *vt* degenerar. ◆ **s'~** *vpr* degenerar.

**abâtardissement** *m* degeneración *f.*

**abat-jour** *m inv* pantalla *f.*

**abats** *m pl* **1.** *(de volailles)* menudillos **2.** *(de boucherie)* despojos.

**abat-son** *m inv* tornavoz.

**abattage** *m* **1.** *(arbre)* corta *f,* tala *f* **2.** *(animaux)* matanza *f* **3.** FAM brío: **avoir de l'~** tener brío.

**abattant** *m* tablero móvil: **secrétaire à ~** secreter con tablero móvil.

**abattement** *m* **1.** *(découragement)* abatimiento **2.** *(sur une somme)* deducción *f:* **un ~ de 10%** una deducción del 10% ◊ **~ à la base** exoneración *f* de base.

**abatteur** *m* **un grand ~ de besogne** una fiera para el trabajo.

**abattis** *m pl* **1.** *(de volailles)* menudillos **2.** FIG **tu peux numéroter tes ~ !** ¡ten cuidado!, ¡mucho ojo!

**abattoir** *m* **1.** matadero **2.** FIG **mener des troupes à l'~** llevar tropas al matadero.

**abattre*** *vt* **1.** derribar: **~ une maison, un avion** derribar una casa, un avión; **l'ouragan a abattu des centaines d'arbres** el huracán ha derribado centenares de árboles **2. ~ un arbre** cortar, talar un árbol **3.** *(tuer un animal, une personne)* matar **4. ~ ses cartes** tenderse **5. ~ de la besogne** cundirle a uno el trabajo, trabajar mucho **6.** *(fatiguer)* debilitar **7.** *(moralement)* desmoralizar ◊ **se laisser ~** desmoralizarse; **ne pas se laisser ~** no dejarse vencer. ◆ **s'~** *vpr* **1.** *(s'écrouler)* desplomarse **2.** *(tomber)* caer: **l'avion s'est abattu après un décollage difficile** el avión ha caído tras un despegue difícil **3.** abatirse: **l'aigle s'est abattu sur sa proie** el águila se abatió sobre su presa **4.** descargar: **un orage s'est abattu sur la région** una tormenta descargó sobre la comarca.

**abattu, e** *a FIG* abatido, a, deprimido, a.

**abat-vent** *m inv (de cheminée)* sombrerete.

**abat-voix** *m inv (de chaire)* tornavoz.

**abbatial, e** [abasjal] *a/f* abacial.

**abbaye** [abei] *f* abadía.

**abbé** *m* **1.** *(d'un monastère)* abad **2.** padre, cura: **l'~** el padre; **monsieur l'~** padre **3. l'~ Prévost** el abate Prévost.
▶ *Abate* s'applique aux prêtres français ou italiens

**abbesse** *f* abadesa.

**abc** [abece] *m* abecé.

**abcès** [apsɛ] *m* **1.** absceso. **2.** *FIG* **crever, vider l'~** atajar el mal.

**abdication** *f* abdicación.

**abdiquer** *vt/i* abdicar: **le roi a abdiqué en faveur de son fils** el rey ha abdicado en su hijo. ◇ *vt* abdicar de, renunciar a.

**abdomen** [abdɔmɛn] *m* abdomen.

**abdominal, e** *a* abdominal. ◇ *m pl* **les abdominaux** los abdominales.

**abducteur** *a/m ANAT* abductor: **muscles abducteurs** músculos abductores.

**abduction** *f* abducción.

**abécédaire** *m* abecedario.

**abeille** *f* **1.** abeja **2. en nid d'abeilles** de nido de abejas.

**Abélard** *np m* Abelardo.

**Abencérage** *np m HIST* abencerraje.

**aber** [abɛʀ] *m* ría *f.*

**aberrant, e** *a* **1.** aberrante **2. c'est ~ !** ¡es absurdo!, ¡es aberrante!

**aberration** *f* **1.** *(optique)* aberración **2.** *FIG* **c'est une ~ !** ¡es una aberración!, ¡es absurdo!

**abêtir** *vt* atontar, embrutecer, entontecer. ◆ **s'~** *vpr* embrutecerse, volverse tonto, a.

**abêtissant, e** *a* embrutecedor, a.

**abêtissement** *m* embrutecimiento.

**abhorrer** *vt* aborrecer, detestar, odiar.

**abîme** *m* **1.** abismo **2.** *FIG* abismo: **course à l'~** carrera hacia el abismo.

**abîmer** *vt* estropear, deteriorar: **la grêle a abîmé les récoltes** el granizo ha estropeado las cosechas. ◆ **s'~** *vpr* **1.** *(couler)* hundirse **2.** *(se plonger)* sumirse, abismarse. **3.** *(se détériorer)* estropearse, echarse a perder: **s'~ les yeux** estropearse la vista.

**abject, e** *a* abyecto, a.

**abjection** *f* abyección.

**abjuration** *f* abjuración.

**abjurer** *vt/i* abjurar: **~ sa foi, ses idées politiques** abjurar (de) su fe, de sus ideas políticas.

**ablatif** *m* ablativo: **~ absolu** ablativo absoluto.

**ablation** *f* ablación.

**ablette** *f* albur *m.*

**ablution** *f* ablución. ◇ *pl FAM* **faire ses ablutions** hacer sus abluciones, lavarse.

**abnégation** *f* abnegación.

**aboiement** [abwamɑ̃] *m* ladrido.

**abois (aux)** [ozabwa] *loc* **1.** *(animal)* acosado, a **2.** *FIG* **être ~** estar muy apurado, a, estar con el agua al cuello.

**abolir** *vt* abolir.

**abolition** *f* abolición: **l'~ de l'esclavage** la abolición de la esclavitud.

**abolitionnisme** *m* abolicionismo.

**abolitionniste** *a/s* abolicionista.

**abominable** *a* abominable: **un crime ~** un crimen abominable; **un temps ~** un tiempo abominable, horrible.

**abominablement** *adv* abominablemente, horrorosamente.

**abomination** *f* abominación ◊ **avoir en ~** detestar.

**abominer** *vt* abominar, detestar.

**abondamment** *adv* abundantemente, con abundancia, copiosamente.

**abondance** *f* **1.** abundancia ◊ **en ~** en abundancia, abundantemente; **vivre, nager dans l'~** vivir, nadar en la abundancia; *PROV* **~ de biens ne nuit pas** lo que abunda no daña **2. corne d'~** cuerno de la abundancia, cornucopia **3. parler d'~** improvisar.

**abondant, e** *a* **1.** abundante **2.** copioso, a: **abondantes chutes de neige** copiosas nevadas.

**abonder** *vi* **1.** abundar: **les truites abondent dans ce torrent** abundan las truchas en este torrente **2. j'abonde dans votre sens** soy del mismo parecer que usted.

**abonné, e** *a* → **abonner.** ◇ *s* **1.** *(au théâtre, téléphone, à un club)* abonado, a **2.** *(à une publication)* suscriptor, a.

**abonnement** *m* **1.** *(au théâtre, téléphone, etc.)* abono **2.** *(à une publication)* suscripción *f* ◊ **prendre un ~ à une revue** suscribirse a una revista.

**abonner** *vt* suscribir: **~ un ami à un journal** suscribir a un amigo a un periódico. ◆ **s'~** *vpr (au théâtre, téléphone, chemin de fer)* abonarse **1.** suscribirse, abonarse: **je me suis abonné à cette revue** me he suscrito a esta revista; **être abonné à un journal** estar suscrito a un periódico.

**abord** *m* **1.** *(accès)* acceso **2.** *(personne)* **il est d'un ~ facile** es de trato fácil **3.** *loc adv* **au premier ~, de prime ~** en el primer momento, a primera vista, al pronto; **d'~, tout d'~** primero, en primer lugar: **d'~, calme-toi** primero, tranquilízate; **je visiterai d'~ Cordoue et ensuite Séville** visitaré primero Córdoba y luego Sevilla. ◇ *pl* **les abords de la maison, d'une ville** los alrededores de la casa, las inmediaciones de una ciudad.

**abordable** *a* **1.** abordable **2. prix ~** precio asequible.

**abordage** *m* abordaje: **à l'~ !** ¡al abordaje!

**aborder** *vi/t (bateau)* abordar, atracar. ◇ *vt* **1. ~ une personne** abordar a una persona **2. ~ un sujet** abordar, tocar un tema.

**aborigène** *a/s* aborigen: **les aborigènes** los aborígenes.

**abortif, ive** *a/m* abortivo, a.

**aboucher** *vt* poner en contacto. ◆ **s'~** *vpr* **s'~ avec quelqu'un** ponerse en contacto, conchabarse con alguien.

**abouler** *vt POP* soltar, aflojar: **aboule le fric!** ¡suelta la pasta! ◆ **s'~** *vpr POP* venir, llegar.

**aboulie** *f* abulia.

**aboulique** *a* abúlico, a.

**about** *m TECHN* extremo.

**abouter** *vt TECHN* empalmar.

**aboutir** *vi* **1.** **~ à, dans** llevar a, salir a, acabar en: **la rue aboutit sur la place** la calle sale a la plaza; **~ à un échec** llevar a un fracaso **2.** *(réussir)* tener éxito, dar resultado: **les recherches ont abouti** las investigaciones dieron resultado; **sa demande n'a pas abouti** su demanda no obtuvo resultado.

**aboutissants → tenant.**

**aboutissement** *m* resultado, desenlace.

**aboyer*** [abwaje] *vi* **1.** ladrar: **le chien aboie** el perro ladra **2.** *FIG* **~ après quelqu'un** increpar a alguien.

**abracadabrant, e** *a* abracadabrante, estrafalario, a.

**Abraham** [abʀaam] *np m* Abraham.

**abraser** *vt TECHN* esmerilar.

**abrasif, ive** *a/m TECHN* abrasivo, a.

**abrasion** *f TECHN* abrasión.

**abrégé** *m* **1.** compendio, epítome **2. en ~** en resumen.

**abrégement** *m* abreviamiento.

**abréger*** *vt* **1.** abreviar, acortar: **~ son séjour** acortar su estancia **2.** *(un texte)* compendiar, resumir, abreviar **3. abrégeons!** ¡vamos al grano!

**abreuver** *vt* **1.** abrevar **2.** *FIG* **~ d'injures** colmar de insultos. ◆ **s'~** *vpr* beber.

**abreuvoir** *m* abrevadero.

**abréviation** *f (mot abrégé)* abreviatura, abreviación: **liste des abréviations employées dans ce dictionnaire** lista de abreviaturas empleadas en este diccionario.

**abri** *m* **1.** *(lieu)* abrigo, refugio: **~ antiatomique** refugio antiatómico **2. se mettre à l'~ sous un arbre** ponerse a cubierto, refugiarse debajo de un árbol **3.** *loc prép* **à l'~ de** al abrigo de, libre de, exento de: **personne n'est à l'~ de la misère, d'une maladie** nadie está al abrigo de la miseria, nadie está libre de una enfermedad; **à l'~ de tout soupçon** libre de toda sospecha.

**Abribus** [abʀibys] *m (nom déposé)* refugio.

**abricot** *m* albaricoque.

**abricoté, e** *a* con sabor a albaricoque.

**abricotier** *m* albaricoquero.

**abriter** *vt* **1.** abrigar: **une vallée abritée** un valle abrigado **2.** *(loger)* albergar: **l'immeuble abrite vingt familles** el inmueble alberga a veinte familias. ◆ **s'~** *vpr* **1.** ponerse a cubierto, refugiarse **2.** *FIG* **s'~ derrière un règlement** resguardarse, ampararse, parapetarse tras un reglamento.

**abrivent** *m AGR* abrigo contra el viento, albitana *f*.

**abrogation** *f* abrogación.

**abroger*** *vt* abrogar, derogar: **~ une loi** derogar una ley.

**abrupt, e** [abʀypt] *a* **1.** abrupto, a, escarpado, a **2.** *FIG* tosco, a.

**abruti, e** *a/s FAM* estúpido, a ◊ **espèce d'~ !** ¡so idiota!, ¡pasmado!

**abrutir** *vt* **1.** embrutecer, atontar: **l'alcool abrutit l'homme** el alcohol embrutece al hombre **2.** *FIG* agobiar: **~ de travail** agobiar de trabajo. ◆ **s'~** *vpr* embrutecerse.

**abrutissant, e** *a* embrutecedor, a, agobiador, a: **un travail ~** un trabajo embrutecedor.

**abrutissement** *m* embrutecimiento.

**Abruzzes** *np m pl* Abruzos.

**abscisse** [apsis] *f GÉOM* abcisa.

**abscons, e** *a* abstruso, a.

**absence** *f* **1.** ausencia: **en l'~ de...** en ausencia de...; **briller par son ~** brillar por su ausencia **2.** *(manque)* falta: **l'~ de preuves** la falta de pruebas **3. ~ de mémoire** fallo *m* de memoria; **avoir des absences** tener fallos de memoria.

**absent, e** *a/s* ausente: **il est ~ depuis une semaine** está ausente desde hace una semana ◊ *PROV* **les absents ont toujours tort** ni ausente sin culpa, ni presente sin disculpa. ◊ *a* **d'un air ~** con aire distraído, abstraído.

**absentéisme** *m* absentismo.

**absentéiste** *a/s* absentista.

**absenter (s')** *vpr* ausentarse: **je m'absenterai demain** me ausentaré mañana.

**abside** *f* ábside.

**absidial, e** *a* absidial.

**absidiole** *f* absidiola.

**absinthe** *f (plante, boisson)* ajenjo *m*.

**absolu, e** *a* absoluto, a. ◊ *m* **l'~** lo absoluto.

**absolument** *adv* **1.** *(totalement)* absolutamente **2. il veut ~ nous accompagner** quiere acompañarnos a toda costa **3. je n'ai ~ pas le temps** no tengo ni un minuto; **ce qui ne m'étonne ~ pas** lo que no me extraña en absoluto; **~ pas!** ¡en absoluto! **4.** *(évidemment)* desde luego, por supuesto **5.** *(oui)* sí.

**absolution** *f* absolución.

**absolutisme** *m* absolutismo.

**absolutiste** *a/s* absolutista.

**absolutoire** *a JUR* absolutorio, a.

**absorbable** *a* absorbible.

**absorbant, e** *a (matière, travail)* absorbente.

**absorber** *vt* **1.** absorber **2.** *(manger, boire)* tomar **3.** *FIG* absorber: **son travail l'absorbe** su trabajo lo absorbe; **entreprise absorbée par une multinationale** empresa absorbida por una multinacional. ◆ **s'~** *vpr* **s'~ dans** absorberse en, ensimismarse en.

▶ *Absorber* a deux participes passés: *absorbido* (régulier) et *absorto* (irrégulier, employé comme adjectif): *absorbé par le jeu* absorto en el juego.

**absorption** *f* absorción.

**absoudre*** *vt* absolver: **je vous absous** le absuelvo.

**absous, oute** *a* absuelto, a. ◊ *f (prières)* absolución.

**abstème** *a/s* abstemio, a.

**abstenir (s')*** *vpr* abstenerse: **abstenez-vous de fumer** absténgase de fumar; **quelques électeurs se sont abstenus** se han abstenido algunos electores; **je me suis abstenu de...** me abstuve de...

**abstention** *f* abstención.

**abstentionisme** *m* abstencionismo.

**abstentionniste** *a/s* abstencionista.

**abstinence** *f* abstinencia.

**abstinent, e** *a/s* abstinente.

**abstraction** *f* **1.** abstracción **2. faire ~ de** hacer caso omiso de, prescindir de; **~ faite de...** prescindiendo de...

**abstraire*** *vt* abstraer. ◆ **s'~** *vpr* abstraerse.

**abstrait, e** *a* abstracto, a: **idée abstraite** idea abstracta; **art ~** arte abstracto. ◊ *m* **dans l'~** en abstracto.

**abstraitement** *adv* abstractivamente, en abstracto, de manera abstracta.

**abstrus, e** *a* abstruso, a.

**absurde** *a* absurdo, a. ◊ *m* **la philosophie de l'~** la filosofía del absurdo; **raisonner par l'~** reducir al absurdo.

**absurdité** *f* **1. l'~ de ce raisonnement** lo absurdo de este razonamiento **2.** absurdo *m*, absurdidad: **dire des absurdités** decir absurdos, absurdidades.

**abus** *m* **1.** abuso ◊ *FAM* **il y a de l'~ !** ¡esto es un abuso!, ¡esto pasa de la raya! **2. ~ d'autorité, de pouvoir** abuso de autoridad; **~ de confiance** abuso de confianza.

**abuser** *vt/i* **1.** abusar: **~ de sa force** abusar de su fuerza **2.** *(tromper)* engañar **3. ~ d'une femme** violar a una mujer **4. tu abuses!** ¡exageras! ◆ **s'~** *vpr* equivocarse: **si je ne m'abuse** si no me equivoco.

**abusif, ive** *a* **1.** abusivo, a **2. mère abusive** madre abusiva.

**abusivement** *adv* abusivamente.

**abyssal** *a* abisal.

**abysse** *m* abiso.

**abyssin, e** *a/s* abisinio, a.

**Abyssinie** *np f* Abisinia.

**acabit** *m* índole *f*, ralea *f*, calaña *f*: **du même ~** de la misma ralea; **des gens de cet ~** gente de esta ralea.

**acacia** *m* acacia *f* ◊ **faux ~** acacia falsa.

**académicien, enne** *a/s* académico, a.

**académie** *f* **1.** academia **2.** *(circonscription universitaire)* distrito *m* universitario (en Francia) **3.** *(représentation d'un modèle nu)* academia.

▶ *L'Académie* = l'Académie française, fundada en 1635.

**académique** *a* académico, a.

**académisme** *m* academismo.

**Acadie** *np f* Acadia.

**acagnarder (s')** *vpr* apoltronarse.

**acajou** *m* caoba *f*: **meubles en ~** muebles de caoba.

**acanthe** *f* acanto *m*.

**acariâtre** *a* desabrido, a, gruñón, ona.

**acariens** *m pl* ZOOL acarios.

**accablant, e** *a* **1.** agobiante: **chaleur accablante** calor agobiante **2.** abrumador, a: **témoignage ~** testimonio abrumador.

**accablement** *m* abatimiento, desaliento.

**accabler** *vt* **1.** agobiar, abrumar: **cette chaleur m'accable** este calor me agobia; **accablé de travail, de dettes** agobiado de trabajo, de deudas; **accablé de fatigue** agotado, rendido **2.** abrumar: **cette triste nouvelle m'a accablé** esta triste noticia me ha abrumado **3. ~ d'injures** colmar de injurias **4. ~ de bienfaits** colmar de favores.

**accalmie** *f* **1.** calma: **moment d'~** momento de calma **2.** *(trève)* tregua.

**accaparement** *m* acaparamiento.

**accaparer** *vt* *(un produit commercial, l'attention, etc.)* acaparar.

**accapareur, euse** *s* acaparador, a.

**accastillage** *m* MAR acastillaje.

**accastiller** *vt* MAR acastillar.

**accéder*** *vi* **1. ~ à la grotte, au grenier** tener acceso a la gruta, entrar en el desván **2. ~ à un poste** acceder a un empleo; **~ au trône** acceder al trono **3. ~ à une prière** acceder a un ruego **4.** INFORM **~ à Internet** acceder a Internet.

**accélérateur** *m* **1.** acelerador: **appuyer sur l'~** pisar el acelerador ◊ **coup d'~** acelerón. **2.** PHYS **~ de particules** acelerador de partículas.

**accélération** *f* aceleración.

**accéléré, e** *a* acelerado, a. ◇ *m* *(cinéma)* **en ~** a cámara rápida.

**accélérer*** *vi/t* acelerar: **~ le pas** acelerar, aligerar el paso. ◆ **s'~** *vpr* acelerarse.

**accent** *m* **1.** acento: **l'~ andalou** el acento andaluz **2.** *(orthographique)* **~ aigu, grave, circonflexe** acento agudo, grave, circunflejo **3. mettre l'~ sur** hacer hincapié en, poner énfasis en, recalcar, subrayar: **le conférencier a mis l'~ sur l'importance de cette découverte** el conferenciante recalcó la importancia de este descubrimiento.

▶ Voir le mot *tilde* dans la partie espagnol-français.

**accentuation** *a* acentuación: **les règles de l'~** las reglas de la acentuación.

**accentuer** *vt* acentuar: **syllabe accentuée** sílaba acentuada. ◆ **s'~** *vpr* acentuarse.

**acceptable** *a* aceptable.

**acceptation** *f* aceptación.

**accepter** *vt* **1.** aceptar: **~ une invitation** aceptar una invitación; **il n'a pas accepté son échec** no aceptó su fracaso **2.** acceder: **il a accepté de venir avec nous** accedió a venir con nosotros.

**acception** *f* acepción: **ce mot a plusieurs acceptions** esta palabra tiene varias acepciones; **sans ~ de personne** sin acepción de personas.

**accès** [aksɛ] *m* **1.** acceso: **d'un ~ facile** de fácil acceso; **donner ~ à** dar acceso a **2.** entrada *f*: **l'~ des bureaux est interdit** se prohíbe la entrada a las oficinas **3. ~ de fièvre** acceso de fiebre; **~ de colère** ataque de ira; **~ de folie** arrebato de locura **4.** INFORM acceso.

**accessibilité** *f* accesibilidad.

**accessible** *a* **1.** accesible, asequible **2.** *(personne)* accesible, tratable **3. conférence ~ au grand public** conferencia accesible para el gran público.

**accession** *f* accesión.

**accessit** [aksesit] *m* accésit.

**accessoire** *a* accesorio, a, secundario, a. ◇ *m* **1.** *(d'automobile, pêche, etc.)* accesorio **2.** *(du vêtement féminin)* complemento **3.** *(théâtre, cinéma)* attrezzo ◊ **le magasin des accessoires** la guardarropía **4.** FIG **l'~** lo accesorio.

**accessoirement** *adv* accesoriamente.

**accessoiriste** *s* *(cinéma, etc.)* attrezzista.

**accident** *m* **1.** accidente: **~ de la route** accidente de carretera; **~ du travail** accidente laboral, de trabajo; **~ d'avion** accidente aéreo **2. par ~** por casualidad, por accidente **3. ~ de terrain** accidente, desigualdad *f* del terreno.

**accidenté, e** *a* **1.** *(terrain)* accidentado, a, desigual **2.** *(véhicule)* estropeado, a. ◇ *s* *(personne)* accidentado, a.

**accidentel, elle** *a* **1.** accidental **2.** *(fortuit)* casual, accidental.

**accidentellement** *adv* accidentalmente.

**accidenter** *vt* accidentar.

**acclamation** *f* **1.** aclamación, ovación **2. élu par ~** elegido por aclamación.

**acclamer** *vt* aclamar, vitorear.

**acclimatable** *a* aclimatable.

**acclimatation** *f* **1.** aclimatación **2. jardin d'~** parque zoológico y jardín botánico.

**acclimatement** *m* aclimatación *f*.

**acclimater** *vt* *(une plante, une idée, etc.)* aclimatar. ◆ **s'~** *vpr* *(s'habituer)* aclimatarse, acostumbrarse.

**accointance** *f* PÉJOR relación: **avoir des accointances** tener relaciones.

**accointer (s')** *vpr* FAM relacionarse, juntarse.

**accolade** *f* **1.** abrazo *m* ◊ **donner l'~ à** abrazar solemnemente a **2.** *(en typographie)* llave **3. arc en ~** arco conopial.

**accoler** *vt* juntar, unir.

**accommodant, e** *a* complaciente, tratable.

**accommodation** *f* acomodación.

**accommodement** *m* **1.** *(accord)* arreglo, acuerdo **2.** *(préparation culinaire)* aderezo.

**accommoder** *vt* **1.** arreglar: **~ un différend** arreglar una diferencia **2.** *(adapter)* acomodar, adaptar **3.** *(un mets)* aderezar, condimentar, sazonar, preparar: **~ la salade** sazonar la ensalada. ◆ **s'~** *vpr* **1. s'~ à** acomodarse a **2. s'~ de** contentarse con, conformarse con: **je m'accommode de peu** me contento con poco.

**accompagnateur, trice** *s* guía, acompañante, a.

**accompagnement** *m* **1.** acompañamiento: **chanter sans ~** cantar sin acompañamiento **2.** *CULIN* acompañamiento, guarnición *f.*

**accompagner** *vt* **1.** acompañar: **veux-tu m' ~ au cinéma?** ¿quieres acompañarme al cine?; **accompagnez-moi** acompáñeme **2. ~ un chanteur au piano** acompañar a un cantante con el piano. ◆ **s'~** *vpr* acompañarse: **s'~ à la guitare** acompañarse con la guitarra.

**accompli, e** *a* **1. mission accomplie** misión cumplida **2.** consumado, a, acabado, a: **un artiste ~** un consumado artista **3. devant le fait ~** ante el hecho consumado.

**accomplir** *vt* **1.** cumplir: **~ son service militaire** cumplir el servicio militar; **~ un ordre** cumplir una orden; **~ son devoir** cumplir con su deber **2.** realizar: **~ une bonne action** realizar una buena acción. ◆ **s'~** *vpr* cumplirse, realizarse: **son vœu s'est accompli** se ha realizado su voto.

**accomplissement** *m* **1.** *(d'un devoir)* cumplimiento **2.** *(d'un projet, etc.)* realización *f*, ejecución *f.*

**accon → acon.**

**accord** *m* **1.** acuerdo: **conclure un ~** concluir un acuerdo; **d'un commun ~** de común acuerdo; **se mettre d'~** ponerse de acuerdo; **être d'~ sur le fait que...** estar de acuerdo en que... ◊ **être d'~ sur l'essentiel** coincidir en lo esencial; **ils sont tombés d'~** quedaron acordes; **je suis d'~ avec toi, avec vous** estoy de acuerdo contigo, con usted **2. d'~ !** ¡de acuerdo!, ¡vale! **3.** aprobación *f*, conformidad *f*: **demandez l'~ de votre père** pida la aprobación de su padre; **donner son ~** dar su conformidad **4.** *(arrangement)* acuerdo, convenio: **~ commercial** acuerdo comercial **5.** *GRAM* concordancia *f* **6.** *MUS* acorde: **~ parfait** acorde perfecto.

**accordailles** *f pl ANC* esponsales *m.*

**accordé, e** *s ANC* novio, novia, prometido, a.

**accordéon** *m* **1.** acordeón: **jouer de l'~** tocar el acordeón **2. chaussettes en ~** calcetines como un acordeón.

**accordéoniste** *s* acordeonista.

**accorder** *vt* **1.** *(octroyer)* conceder, otorgar: **~ une faveur** conceder un favor; **~ un entretien** conceder una entrevista ◊ **~ de l'importance à** dar importancia a **2.** *(reconnaître)* reconocer, admitir: **vous avez raison, je vous l'accorde** tiene usted razón, lo reconozco **3.** *(mettre d'accord)* poner de acuerdo, conciliar **4.** *GRAM* concordar: **faire ~ l'adjectif avec le nom** hacer concordar el adjetivo con el nombre **5.** *MUS* afinar ◊ *FIG* **accordez vos violons!** ¡pónganse ustedes de acuerdo! ◆ **s'~** *vpr* **1.** ponerse de acuerdo **2.** coincidir: **tous s'accordent pour le dire** todos coinciden en decirlo **3.** *(bien s'entendre)* llevarse bien **4.** concordarse: **le verbe s'accorde avec son sujet** el verbo concuerda con el sujeto.

**accordeur** *m* afinador.

**accordoir** *m MUS* templador.

**accore** *a GÉOG* acantilado, a. ◇ *f MAR* escora.

**accorte** *a* amable, gentil.

**accostable** *a* abordable.

**accostage** *m MAR* atracada *f.*

**accoster** *vt* **1.** *MAR* acostar, atracar **2.** abordar: **un passant m'a accosté** un transeúnte me ha abordado.

**accotement** *m* arcén, andén: **stationner sur l'~** estacionarse en el arcén.

**accoter** *vt* apoyar. ◆ **s'~** *vpr* apoyarse: **il s'accota contre un arbre** se apoyó contra un árbol.

**accotoir** *m* **1.** apoyo **2.** *(accoudoir)* brazo **3.** *(pour la tête)* apoyacabezas.

**accouchée** *f* parturienta.

**accouchement** *m* parto: **~ prématuré, avant terme** parto prematuro; **~ sans douleur** parto sin dolor.

**accoucher** *vi* **1.** dar a luz: **elle a accouché d'une fille** dio a luz (a) una niña **2.** *FAM* **il a fini par ~ d'un long poème** terminó por dar a luz un extenso poema **3.** *POP* **alors, tu accouches?** ¿bueno, desembuchas? ◇ *vt (aider à accoucher)* asistir al parto de.

**accoucheur** *m* partero ◊ **médecin ~** tocólogo, partero.

**accouder (s')** *vpr* acodarse: **s'~ au parapet** acodarse en el pretil ◊ **accoudé sur la table** de codos en la mesa.

**accoudoir** *m (d'un fauteuil, etc.)* brazo.

**accouplement** *m* **1.** acoplamiento **2.** *(d'animaux)* apareamiento, acoplamiento.

**accoupler** *vt* **1.** acoplar **2.** *(animaux)* aparear, acoplar. ◆ **s'~** *vpr (des animaux)* aparearse.

**accourir*** *vi* acudir, precipitarse: **elle est accourue vers lui** se precipitó hacia él.

**accoutrement** *m* atavío ridículo.

**accoutrer** *vt* ataviar, vestir ridículamente. ◆ **s'~** *vpr* ataviarse ridículamente.

**accoutumance** *f* **1.** *(habitude)* hábito *m* **2.** *(à une drogue, etc.)* habituación.

**accoutumé, e** *a* **1.** habitual, acostumbrado, a **2. comme à l'accoutumée** como de costumbre.

**accoutumer** *vt* acostumbrar ◊ **être accoutumé à** tener costumbre de. ◆ **s'~ à** *vpr* acostumbrarse a, habituarse a.

**accréditer** *vt* **1. ~ un ambassadeur auprès de...** acreditar a un embajador ante... **2. ~ un bruit** abonar un rumor. ◆ **s'~** *vpr* **1.** acreditarse **2.** *(rumeur, nouvelle)* propagarse.

**accréditeur** *m* fiador.

**accréditif, ive** *a* acreditativo, a. ◇ *m* carta *f* de crédito bancaria.

**accro** *s FAM* **1.** *(d'une drogue)* drogota, drogata **2.** fan, forofo: **un ~ du jazz** un forofo del jazz.

**accroc** [akʀo] *m* **1.** *(déchirure)* desgarrón **2.** *FIG* contratiempo **le voyage s'est effectué sans ~** el viaje transcurrió sin ningún contratiempo.

**accrochage** *m* **1.** *(action de suspendre)* colgamiento **2.** *(de wagons)* enganche **3.** *(entre deux voitures)* choque, colisión *f* **4.** *FAM (dispute)* agarrada *f*, disputa *f*, altercado **5.** *MIL* escaramuza *f.*

**accroche** *f* eslogan *m*, dibujo *m* publicitario.

**accroche-coeur** [akʀɔʃkœʀ] *m* caracol, rizo de la sien.

**accroche-plat** *m* cuelgaplatos.

**accrocher** *vt* **1.** *(suspendre)* colgar: **j'ai accroché ma veste au portemanteau** he colgado mi chaqueta de la percha **2.** *(wagon, remorque)* enganchar **3.** *(heurter)* chocar con **4.** *FAM* detener: **il m'a accroché à la sortie** me detuvo a la salida **5.** llamar la atención: **une enseigne qui accroche (l'œil)** un rótulo que llama la atención. ◆ **s'~** *vpr* **1. s'~ à une branche** agarrarse de una rama **2. les deux voitures se sont accrochées** han chocado los dos coches **3.** *FIG* **s'~ à la vie** aferrarse a la vida **4.** *FAM* **s'~ à quelqu'un** pegarse a alguien **5.** *FAM* **s'~ avec quelqu'un** reñir con alguien; **il s'est accroché avec son collègue** tuvo un altercado con su colega **6.** *POP* **tu peux te l'~ !** ¡espérate sentado!

**accrocheur, euse** *a* **1.** *(personne)* tenaz, porfiado, a **2.** *(affiche, etc.)* que llama la atención.

**accroire** *vi* **en faire ~ à** engañar a.
▶ Sólo en infinitivo.

**accroissement** *m* crecimiento, incremento, aumento: **grave ~ du chômage** grave incremento del desempleo; **~ de la production** incremento de la producción.

**accroître*** *vt* acrecentar, incrementar, aumentar: **~ la pression fiscale** incrementar la presión fiscal. ◆ **s'~** *vpr* aumentar: **la tension s'est accrue en Amérique centrale** ha aumentado la tensión en América central.

**accroupir (s')** *vpr* ponerse en cuclillas, agacharse: **le spéléologue s'est accroupi** el espeleólogo se puso en cuclillas; **rester accroupi** mantenerse en cuclillas.

**accroupissement** *m* posición *f* en cuclillas.

**accru, e → accroître.**

**accu** *m* FAM acumulador, batería *f*: **recharger les accus** cargar la batería.

**accueil** [akœj] *m* acogida *f*: **un ~ chaleureux** una acogida calurosa; **centre d'~** centro de acogida ◊ **faire bon ~ à quelqu'un** acoger con amabilidad a alguien.

**accueillant, e** *a* acogedor, a.

**accueillir*** *vt* **1.** *(quelqu'un, une nouvelle, etc.)* acoger: **l'idée a été très bien accueillie** la idea ha sido muy bien acogida **2.** recibir: **il m'a accueilli chez lui, aimablement** me ha recibido en su casa, con amabilidad.

**acculer** *vt* acorralar: **acculé au mur** acorralado en la pared.

**acculturation** *f* aculturación.

**accumulateur** *m* acumulador.

**accumulation** *f* acumulación, cúmulo *m*.

**accumuler** *vt* acumular. ◆ **s'~** *vpr* acumularse, amontonarse.

**accusateur, trice** *a/s* acusador, a.

**accusatif** *m* GRAM acusativo.

**accusation** *f* acusación ◊ JUR **mettre en ~** acusar, demandar.

**accusé, e** *a* **traits accusés** rasgos marcados. ◇ *s* *(inculpé)* acusado, a, reo, a. ◇ *m* **~ de réception** acuse de recibo.

**accuser** *vt* **1.** *(incriminer)* acusar, culpar **2.** *(révéler)* revelar, evidenciar **3.** *(faire ressortir)* hacer resaltar **4.** **~ réception de** acusar recibo de **5.** **~ un coup** acusar un golpe ◊ FIG **~ le coup** mostrarse afectado, a **6.** **~ ses péchés** confesar sus pecados. ◆ **s'~** *vpr* **1.** acusarse **2.** *(s'accentuer)* acentuarse.

**acéphale** *a* acéfalo, a.

**acerbe** *a* acerbo, a.

**acéré, e** *a* **1.** acerado, a, afilado, a, puntiagudo, a **2.** FIG acerado, a, mordaz.

**acétate** *m* CHIM acetato.

**acétique** *a* acético, a: **acide ~** ácido acético.

**acétone** *f* acetona.

**acétylène** *m* acetileno.

**achalandé, e (bien)** *a* bien surtido, a: **ce magasin est bien ~** este almacén está bien surtido.

▶ Algunos gramáticos no admiten más que el sentido inicial de este adjetivo: «que tiene mucha clientela».

**acharné, e** *a* **1.** encarnizado, a: **combat ~** combate encarnizado **2.** *(personne)* porfiado, a, empedernido, a: **un joueur ~** un jugador empedernido.

**acharnement** *m* **1.** *(ardeur)* encarnizamiento **2.** *(opiniâtreté)* empeño, obstinación *f*.

**acharner (s')** *vpr* **1.** **s'~ sur sa victime** cebarse en su víctima **2.** **s'~ à** empeñarse a, obstinarse en: **il s'acharne à résoudre le problème** se empeña en resolver el problema.

**achat** *m* **1.** compra *f*: **un bon ~** una buena compra **2.** **faire l'~ de** comprar **3.** **pouvoir d'~** poder adquisitivo.

**ache** *f* apio *m* silvestre.

**achéen, enne** [akeɛ̃,ɛn] *a/s* HIST aqueo, a.

**acheminement** *m* **1.** encaminamiento **2.** *(du courrier)* despacho.

**acheminer** *vt* *(le courrier)* dirigir, enviar. ◆ **s'~** *vpr* **s'~ vers** encaminarse, dirigirse hacia.

**Acheron** [akeʀɔ̃] *np m* Aqueronte.

**acheter*** *vt* **1.** comprar: **j'ai acheté une poupée à ma fille** he comprado una muñeca a mi hija; **~ à crédit** comprar a crédito **2.** *(soudoyer)* sobornar, comprar: **~ des témoins** comprar testigos. ◆ **s'~** *vpr* comprarse.

**acheteur, euse** *s* comprador, a.

**achevé, e** *a* **1.** acabado, a **2.** **un imbécile ~** un imbécil rematado; **d'un ridicule ~** totalmente ridículo. ◇ *m* **~ d'imprimer** colofón.

**achèvement** *m* acabamiento, conclusión *f*.

**achever*** *vt* **1.** acabar, terminar: **j'ai achevé mon travail** he terminado mi trabajo **2.** **~ un blessé** rematar a un herido **3.** FIG **cette mauvaise nouvelle l'a achevé** esta mala noticia ha acabado con él. ◆ **s'~** *vpr* acabarse, terminarse: **mes préparatifs s'achèvent** están terminándose mis preparativos.

**Achille** *np m* **1.** Aquiles **2.** FIG **talon d'~** talón de Aquiles.

**achillée** [akile] *f* aquilea.

**achoppement** *m* **1.** obstáculo **2.** FIG **pierre d'~** escollo *m*.

**achopper** *vi* **~ sur** tropezar con.

**achromatique** [akʀɔmatik] *a* acromático, a.

**acide** *a* **1.** ácido, a **2.** FIG *(parole, etc.)* mordaz, cáustico, a. ◇ *m* **1.** CHIM ácido **2.** *(L.S.D.)* ácido.

**acidifiant, e** *a* acidificante.

**acidification** *f* acidificación.

**acidifier*** *vt* acidificar.

**acidité** *f* **1.** acidez **2.** **~ gastrique** acedía.

**acidose** *f* MÉD acidosis.

**acidulé, e** *a* **1.** acídulo, a **2.** **bonbons acidulés** caramelos ácidos.

**acier** *m* **1.** acero: **~ inoxydable, trempé** acero inoxidable, templado **2.** FIG **des muscles d'~** músculos de acero.

**aciérage** *m* TECHN acerado.

**aciérie** *f* acería.

**acmé** *f* apógeo *m*, punto *m* culminante.

**acné** *f* acné.

**acolyte** *m* acólito.

**acompte** [akɔ̃t] *m* anticipo, pago a cuenta: **verser un ~** depositar un anticipo.

**acon** *m* chalana *f*.

**aconit** [akonit] *m* acónito.

**acoquiner (s')** *vpr* conchabarse.

**Açores** *np f pl* Azores.

**à-côté** *m* **1.** **les à-côtés d'une question** los pormenores de un asunto **2.** *(gain)* extra: **il gagne tant, plus les à-côtés** gana tanto, más los extras.

**à-coup** *m* **1.** sacudida *f* **2.** **par à-coups** sin continuidad, a intermitencias, a trompicones.

**acousticien, enne** *s* especialista en acústica.

**acoustique** *a* acústico, a. ◇ *f* acústica.

**acquéreur** *m* comprador, adquiridor: **j'ai trouvé un ~ pour ma voiture** he encontrado a alguien que va a comprar mi coche.

**acquérir*** *vt* **1.** adquirir: **~ un terrain, une habitude** adquirir un terreno, una costumbre ◊ PROV **bien mal acquis ne profite jamais → bien 2.** **~ la sympathie de tous** granjearse la simpatía de todos; **~ l'affection de quelqu'un** ganar el afecto de alguien. ◆ **s'~** *vpr* adquirirse: **l'habilité s'acquiert en faisant longtemps le même travail** la destreza se adquiere haciendo el mismo trabajo mucho tiempo.

**acquêts** *m pl* JUR bienes gananciales.

**acquiescement** [akjɛsmɑ̃] *m* consentimiento, conformidad *f*.

**aquiescer*** [akjese] *vi* **1.** *(approuver)* asentir: **il acquiesça** asintió **2. ~ à** consentir.

**acquis, e** *pp d'***acquérir.** ◇ *a* **1.** adquirido, a: **vitesse acquise** velocidad adquirida **2.** adicto, a: **il est ~ à notre cause** es adicto a nuestra causa **3. considérer comme ~** dar por sentado. ◇ *m* **1.** experiencia *f*, saber: **avoir de l'~** tener experiencia **2. les ~ sociaux** los logros sociales.
▶ No confundir *acquis* y *acquit*.

**acquisitif, ive** *a JUR* adquisitivo, a.

**acquisition** *f* adquisición: **mes dernières acquisitions** mis últimas adquisiciones ◊ **faire l'~ de** adquirir, comprar.

**acquit** *m* **1.** recibo ◊ **pour ~** recibí **2. par ~ de conscience** para mayor tranquilidad, para no tener nada que reprocharse, por honradez.
▶ No confundir *acquit* y *acquis*.

**acquit-à-caution** *m* guía *f*.

**acquittement** *m* **1.** *(dette)* pago **2.** *(d'un accusé)* absolución *f*, inculpabilidad *f*.

**acquitter** *vt* **1.** *(ce qu'on doit)* pagar **2. ~ un accusé** absolver a un reo. ◆ **s'~** *vpr* **1. s'~ d'une dette** saldar una deuda **2. s'~ d'une mission** cumplir una misión.

**acre** *f (mesure anglaise)* acre *m*.

**âcre** *a* acre: **une saveur, un ton ~** un sabor, un tono acre.

**âcreté** *f* acritud.

**acrimonie** *f* acrimonia.

**acrimonieux, euse** *a* acrimonioso, a.

**acrobate** *s* acróbata.

**acrobatie** [akrobasi] *f* **1.** acrobacia: **~ aérienne** acrobacia aérea **2.** *FIG* **faire des acrobaties pour s'en tirer** hacer malabarismos para salir del paso.

**acrobatique** *a* acrobático, a.

**acroléine** *f CHIM* acroleína.

**acronyme** *m* acrónimo.

**acropole** *m* acrópolis.

**acrostiche** *m* acróstico.

**acrylique** *a/m* acrílico, a.

**acte** *m* **1.** acto: **~ réflexe** acto reflejo; **~ de terrorisme** acto de terrorismo; **~ médical** acto médico; **passage à l'~** paso al acto **2. faire ~ d'autorité, de courage** dar pruebas de autoridad, de valor; **faire ~ de présence** hacer acto de presencia **3.** *(juridique)* acta *f*, escritura *f*: **~ notarié, de vente** acta notarial, de venta ◊ **prendre ~ de** tomar nota de; **dont ~** y para que así conste **4. ~ de naissance, de décès** partida *f* de nacimiento, de defunción **5.** *THÉÂT* acto: **tragédie en cinq actes** tragedia en cinco actos **6.** *RELIG* **~ de contrition, de foi** acto de contrición, de fe. ◇ *pl* **1. les Actes des Apôtres** los Hechos de los Apóstoles **2.** *(d'un concile, etc.)* actas *f*.

**acteur, trice** *s* **1.** *(artiste)* actor, actriz: **deux célèbres actrices** dos actrices famosas **2.** *(protagoniste)* actor, a, protagonista.

**actif, ive** *a* **1.** activo, a **2. armée active** ejército permanente. ◇ *m* **1.** *COM* activo, haber **2.** *FIG* **avoir à son ~** tener en su haber, en su favor: **ce champion a six victoires à son ~** este campeón cuenta con seis victorias en su haber.

**actinie** *f* actinia.

**actinique** *a* actínico, a.

**action** *f* **1.** acción: **bonne, mauvaise** buena, mala acción; **homme d'~** hombre de acción; **liberté d'~** libertad de acción ◊ **bonne ~** *(scoutisme)* buena obra; **~ de grâces** acción de gracias; **~ d'éclat** hazaña; **mettre en ~** poner en acción; **passer à l'~** actuar **2.** *COM* acción: **société par actions** sociedad por acciones ◊ *FAM* **ses actions baissent** está perdiendo popularidad **3.** *JUR* **~ en justice** acción, demanda.

**actionnaire** *s* accionista.

**actionnariat** *m* accionariado.

**actionner** *vt* accionar, mover.

**activation** *f* activación.

**active** *f* ejército *m* permanente ◊ **officier d'~** oficial de carrera.

**activement** *adv* activamente.

**activer** *vt* **1.** activar **2.** *FAM* **allons, activez!** vamos, ¡más de prisa! **3. ~ le feu** avivar el fuego. ◆ **s'~** *vpr* **1.** afanarse: **les secouristes s'activent auprès des blessés** los socorristas se afanan para prestar auxilio a los heridos **2.** *(se dépêcher)* apresurarse.

**activisme** *m* activismo.

**activiste** *s* activista.

**activité** *f* **1.** actividad: **~ fébrile** actividad febril **2. fonctionnaire en ~** funcionario en activo; **volcan en ~** volcán en actividad. ◇ *pl (occupations)* actividades.

**actrice** → **acteur.**

**actuaire** *m* actuario.

**actualisation** *f* actualización.

**actualiser** *vt* actualizar.

**actualité** *f* actualidad: **sujet d'~** tema de actualidad. ◇ *pl (film)* **les actualités** el noticiario, el nodo; **les actualités télévisées** el telediario.

**actuel, elle** *a* actual ◊ **à l'heure actuelle** en la actualidad, actualmente; **à l'époque actuelle** hoy día; **dans l'état ~ des choses** tal y como vienen las cosas.

**actuellement** *adv* actualmente.

**acuité** *f* agudeza: **~ visuelle** agudeza visual.

**acupuncteur, acuponcteur, trice** *s* especialista en acupuntura.

**acupuncture, acuponcture** *f* acupuntura.

**adage** *m* adagio.

**adagio** [adadʒio] *m MUS* adagio.

**Adam** [adɑ̃] *np m* Adán: **~ et Ève** Adán y Eva ◊ **en costume d'~** en traje de Adán, en cueros; **la pomme d'~** la nuez.

**adaptabilité** *f* adaptabilidad.

**adaptable** *a* adaptable.

**adaptateur, trice** *s* adaptador, a.

**adaptation** *f* adaptación: **l'~ à la lumière** la adaptación a la luz; **~ cinématographique** adaptación cinematográfica.

**adapter** *vt* adaptar: **~ un roman à, pour la télévision** adaptar una novela para la televisión. ◆ **s'~** *vpr* adaptarse: **il s'est adapté facilement à son nouvel emploi** se ha adaptado fácilmente a su nuevo empleo.

**addenda** [adɛ̃da] *m inv* addenda, apéndice.

**additif** *m* cláusula *f* adicional.

**addition** *f* **1.** *(adjonction)* adición **2.** *(opération)* suma, adición ◊ **faire une ~** sumar **3.** *(au restaurant)* cuenta: **garçon, l'~ !** camarero, ¡la cuenta!

**additionnel, elle** *a* adicional.

**additionner** *vt* **1.** *(ajouter)* adicionar, añadir ◊ **vin additionné d'eau** vino con agua **2.** *(arithmétique)* sumar.

**additionneuse** *f* máquina de sumar, sumadora.

**adducteur** *a/m* **1.** *ANAT* aductor **2. canal ~** conducto de traída de agua.

**adduction** *f (d'eau)* traída de aguas.

**Adélaïde** *np f* Adelaida.

**Adèle** *np f* Adela.

**adénite** *f MÉD* adenitis.

**adénome** *m MÉD* adenoma.

**adepte** *s* adepto, a: **les adeptes d'une secte** los adeptos a una secta; **faire des adeptes** ganar adeptos.

**adéquat, e** [adekwa, at] *a* adecuado, a.

**adéquation** *f* adecuación.

**adhérence** *f* **1.** adherencia **2.** *(d'un pneu)* agarre *m* **3.** *MÉD* adherencia.

**adhérent, e** *a* adherente. ◇ *s (membre)* adherente, afiliado, a.

**adhérer*** *vi* **1.** *(coller)* adherirse **2.** *(pneu)* agarrar **3.** adherirse: **j'adhère à votre point de vue** me adhiero a su punto de vista **4.** afiliarse, adherirse: **j'ai adhéré à ce club** me he afiliado a este club; **l'Espagne a adhéré à la C.E.E. en 1986** España se adhirió a la C.E.E. en 1986.

**adhésif, ive** *a/m* adhesivo, a: **ruban ~** cinta adhesiva ◊ **pansement ~** esparadrapo, tirita *f.*

**adhésion** *f* adhesión ◊ **donner son ~** adherirse.

**ad-hoc** *loc adj* ad hoc, adecuado, a: **un instrument ~** un instrumento adecuado.

**adieu!** *interj* ¡adiós! ◇ *m* adiós, despedida *f:* **les adieux** la despedida, los adioses ◊ **faire ses adieux à quelqu'un** despedirse de alguien.

**à-dieu-va(t)!** *loc interj* pase lo que pase.

**Adige** *np m* Adigio.

**adipeux, euse** *a* adiposo, a.

**adiposité** *f* adiposidad.

**adjacent, e** *a* **1.** adyacente: **rues adjacentes** calles adyacentes **2.** *MATH* **angles adjacents** ángulos adyacentes.

**adjectif, ive** *a* adjetivo, a. ◇ *m* adjetivo: **~ possessif, qualificatif** adjetivo posesivo, calificativo.

**adjectivement** *adv* adjetivamente.

**adjectiver** *vt* adjetivar.

**adjoindre*** *vt* **1.** *(ajouter)* agregar, añadir **2.** *FIG* **le directeur va lui ~ un aide** el director va a proporcionarle un ayudante. ◆ **s'~** *vpr* tomar, coger: **il s'est adjoint un comptable** ha tomado un contable.

**adjoint, e** *a/s* adjunto, a, auxiliar: **professeur ~** profesor adjunto. ◇ *m* **~ au maire** teniente de alcalde.

**adjonction** *f* **1.** agregación **2.** *(chose adjointe)* añadidura.

**adjudant** *m MIL* **1.** ayudante, brigada **2.** suboficial (del ejército francés).

**adjudicataire** *s* adjudicatario, a.

**adjudicateur, trice** *s* adjudicador, a.

**adjudication** *f* **1.** adjudicación **2. vente par ~** subasta.

**adjuger*** *vt* **1.** *(attribuer)* adjudicar **2.** *(aux enchères)* adjudicar, rematar ◊ **adjugé!** ¡adjudicado! ◆ **s'~** *vpr* adjudicarse.

**adjuration** *f* súplica, ruego *m.*

**adjurer** *vt* suplicar, rogar encarecidamente: **je vous adjure de me répondre** le ruego que me conteste.

**adjuvant** *m* aditivo.

**ad libitum** [adlibitɔm] *loc adv* ad líbitum, a voluntad.

**admettre*** *vt* **1.** admitir: **nous l'avons admis dans notre groupe** le hemos admitido en nuestro círculo; **les pourboires ne sont pas admis** no se admiten propinas; **cette règle n'admet aucune exception** esta regla no admite ninguna excepción **2.** ingresar: **être admis à l'hôpital** ser ingresado en el hospital **3.** *(examen)* aprobar: **dix candidats ont été admis à l'écrit** diez candidatos han aprobado el escrito **4.** aceptar: **j'admets tes excuses** acepto tus excusas **5. en admettant que** suponiendo que; **admettons que j'ai tort** supongamos que me equivoco; **admettons!** ¡sea!, ¡bueno!, ¡lo admito!

**administrateur, trice** *s* administrador, a.

**administratif, ive** *a* administrativo, a.

**administration** *f* administración.

**administré, e** *s* administrado, a.

**administrer** *vt* **1.** *(pays, sacrement, médicament)* administrar **2.** *FAM* dar, propinar, administrar: **~ une raclée** propinar una paliza. ◆ **s'~** *vpr* administrarse.

**admirable** *a* admirable.

**admirablement** *adv* admirablemente.

**admirateur, trice** *a/s* admirador, a: **cette actrice a beaucoup d'admirateurs** esta actriz tiene muchos admiradores.

**admiratif, ive** *a* admirativo, a.

**admiration** *f* admiración ◊ **faire l'~ de** causar la admiración de; **il restait en ~ devant la cathédrale** quedaba admirado ante la catedral; **soulever l'~** provocar la admiración, admirar.

**admirer** *vt* admirar.

**admis, e** → **admettre.**

**admissibilité** *f* admisibilidad.

**admissible** *a* **1.** admisible **2.** *(candidat)* admisible, apto, a para realizar la segunda parte de un examen.

**admission** *f* **1.** admisión **2.** *(dans un hôpital, une école)* ingreso *m:* **examen d'~** examen de ingreso.

**admonestation** *f* amonestación.

**admonester** *vt* amonestar.

**admonition** *f* admonición, amonestación.

**ado** *s FAM* adolescente.

**adobe** *m* adobe.

**adolescence** *f* adolescencia.

**adolescent, e** *a/s* adolescente.

**Adolphe** *np m* Adolfo.

**Adonis** *np m* Adonis.

**adonis** *m (jeune homme)* adonis.

**adonner (s')** *vpr* **1.** dedicarse, consagrarse: **s'~ à l'étude** consagrarse al estudio **2. s'~ à la boisson** entregarse a la bebida.

**adoptable** *a* adoptable.

**adoptant, e** *s* adoptante.

**adopter** *vt* **1.** *(un enfant)* adoptar, prohijar: **~ un orphelin** adoptar a un huérfano **2.** *(une idée, une mode)* adoptar **3.** *(approuver par vote)* aprobar: **~ un projet de loi** aprobar un proyecto de ley.

**adoptif, ive** *a* adoptivo, a: **fils ~** hijo adoptivo.

**adoption** *f* **1.** adopción **2.** *(par vote)* aprobación **3. d'~** adoptivo, a: **patrie d'~** patria adoptiva.

**adorable** *a* adorable.

**adorateur, trice** *s* adorador, a.

**adoration** *f* **1.** adoración: **l'~ des Mages** la adoración de los Reyes Magos **2.** *FAM* **il est en ~ devant sa petite-fille** está en perpetua adoración ante su nieta.

**adorer** *vt* **1.** *(rendre un culte)* adorar, idolatrar **2.** *(aimer avec passion)* adorar **3.** *FAM* **j'adore les animaux** adoro los animales; **j'adore lire** me encanta leer; **j'adore les bandes dessinées** me encantan los cómics; **elle adore les glaces** le chalan los helados. ◆ **s'~** *vpr* adorarse: **ils s'adorent** se adoran.

**ados** *m AGR* caballón.

**adosser** *vt* adosar. ◆ **s'~** *vpr* respaldarse: **adossé au mur** respaldado contra la pared.

**adouber** *vt (un chevalier)* armar caballero.

**adoucir** *vt* **1.** suavizar: **crème pour ~ la peau** crema para suavizar el cutis; **~ la voix** suavizar la voz **2.** *(peine, souffrance)* calmar, aliviar **3. la musique adoucit les mœurs** la música templa los hábitos **4.** *(l'eau)* ablandar **5.** *TECHN (un métal, etc.)* pulir. ◆ **s'~** *vpr* suavizarse, ponerse suave: **le temps s'est adouci** el tiempo se ha puesto suave; **son caractère s'est adouci avec le temps** su carácter se ha suavizado con los años.

**adoucissant, e** *a (pommade, crème, etc)* suavizante.

**adoucissement** *m* **1.** *(de la température)* mejoramiento **2.** *(d'une peine)* alivio.

**adoucisseur** *m (d'eau)* suavizador de agua, filtro de agua.

**adragante** *a* adragante: **gomme ~** goma adragante.

**adrénaline** *f* adrenalina.

**adressage** *m INFORM* direccionamiento.

**adresse** *f* **1.** *(habileté)* destreza, habilidad, pericia ◊ **jeux d'~** juegos de mano **2.** *(agilité)* agilidad **3.** diplomacia, tacto *m* **4.** *(indication du domicile)* dirección, señas *pl:* **écrire l'~ sur l'enveloppe** escribir la dirección en el sobre; **voici mon ~ : 26, rue X** he aquí mi dirección, mis señas: calle X 26; **carnet d'adresses** libreta de direcciones ◊ **changement d'~** cambio de domicilio **5. à l'~ de** para **6.** *INFORM* dirección.

**adresser** *vt* **1.** dirigir: **~ la parole** dirigir la palabra **2.** enviar: **~ une lettre** enviar una carta **3. ~ ses excuses** presentar excusas. ◆ **s'~** *vpr* dirigirse: **je m'adresse à vous** me dirijo a usted; **adressez-vous en face** diríjase enfrente, razón enfrente.

**adret** *m* vertiente *f* soleada.

**Adriatique** *np f* Adriático *m.*

**Adrien** *np m* Adriano.

**Adrienne** *np f* Adriana.

**adroit, e** *a* **1.** hábil, diestro, a **2.** *(de ses mains)* mañoso, a **3.** *(astucieux)* sagaz.

**adroitement** *adv* hábilmente.

**adsorber** *vt CHIM* adsorber.

**adsorption** *f CHIM* adsorción.

**adulateur, trice** *a/s* adulador, a.

**adulation** *f* adulación.

**aduler** *vt* adular.

**adulte** *a/s* adulto, a.

**adultération** *f* adulteración.

**adultère** *m* adulterio: **commettre un ~** cometer un adulterio. ◇ *a* adúltero, a.

**adultérer** *vt* adulterar, falsificar.

**adultérin, e** *a* adulterino, a.

**advenir*** *vi* **1.** ocurrir, suceder, acaecer, resultar ◊ **qu'est-il advenu de lui?** ¿qué ha sido de él? **2. advienne que pourra, quoi qu'il advienne** pase lo que pase, ocurra lo que ocurra, suceda lo que suceda.

**adventice** *a* adventicio, a.

**adventiste** *a/s* adventista.

**adverbe** *m* adverbio.

**adverbial, e** *a* adverbial: **locution adverbiale** locución adverbial.

**adverbialement** *adv* adverbialmente.

**adversaire** *s* adversario, a.

**adversatif, ive** *a GRAM* adversativo, a.

**adverse** *a* adverso, a, contrario, a: **l'équipe ~** el equipo contrario.

**adversité** *f* adversidad.

**advienne → advenir.**

**aède** *m (poète)* aedo.

**aérateur** *m* ventilador.

**aération** *f* ventilación.

**aérer*** *vt* **1.** airear, ventilar **2.** *FIG* **~ un texte** airear un texto. ◆ **s'~** *vpr FAM* airearse, tomar el aire, oxigenarse: **je vais m'~ un peu** voy a oxigenarme un poco.

**aérien, enne** *a* aéreo, a: **lignes aériennes** líneas aéreas.

**aérobic** *m* aerobic.

**aérobie** *a/m BIOL* aerobio, a.

**aéro-club** *m* aeroclub.

**aérodrome** *m* aeródromo.

**aérodynamique** *a/f* aerodinámico, a.

**aérofrein** *m* freno aerodinámico.

**aérogare** *f* terminal.

**aéroglisseur** *m* hovercraft, aerodeslizador.

**aérographe** *m* aerógrafo.

**aérolithe** *m* aerolito.

**aéromodélisme** *m* aeromodelismo.

**aéronaute** *s* aeronauta.

**aéronautique** *a* aeronáutico, a. ◇ *f* aeronáutica.

**aéronaval, e** *a* aeronaval. ◇ *f* **l'aéronavale** las fuerzas aeronavales de la marina.

**aéronef** *m* aeronave *f.*

**aérophagie** *f* aerofagia.

**aéroplane** *m* aeroplano.

**aéroport** *m* aeropuerto.

**aéroporté, e** *a* aerotransportado, a: **troupes aéroportées** tropas aerotransportadas.

**aéropostal, e** *a* aeropostal.

**aérosol** *m* aerosol ◊ **bombe ~** spray *m.*

**aérospatial, e** [aeʀɔspasjal] *a* aeroespacial.

**aérostat** *m* aeróstato.

**aérostation** *f* aerostación.

**aérostatique** *a* aerostático, a.

**aérotrain** *m* aerotren.

**affabilité** *f* afabilidad.

**affable** *a* afable.

**affabulateur, trice** *s* fantasioso, a.

**affabulation** *f* **1.** *(d'un roman)* enredo *m,* trama **2.** *(en psychologie)* fabulación.

**affabuler** *vi* fantasear.

**affadir** *vt* **1.** *(un mets)* hacer insípido, a, quitar sabor a **2.** *FIG* volver insípido, a, insulso, a. ◆ **s'~** *vpr* perder su sabor.

**affadissement** *m* desabrimiento.

**affaiblir** *vt* debilitar: **la maladie l'a beaucoup affaibli** la enfermedad le ha debilitado mucho; **il est très affaibli** está muy débil, muy abatido. ◆ **s'~** *vpr* debilitarse ◊ **sa vue s'affaiblit de jour en jour** su vista baja día a día.

**affaiblissement** *m* debilitación *f,* debilitamiento.

**affaire** *f* **1.** asunto *m:* **une ~ urgente** un asunto urgente; **une sale ~** un asunto feo ◊ **une ~ d'honneur** un lance de honor; **une ~ de cœur** un lance amoroso **2.** cuestión, cosa: **c'est une ~ de patience** es cuestión de paciencia; **c'est l'~ d'une journée, d'une minute** es cosa de un día, de un minuto **3. exposez-moi votre ~** dígame cuál es su problema; **ce n'est pas une petite ~** no es cosa fácil, eso es un asunto muy complicado; **c'est mon ~** es cosa mía; **c'est ton ~** es cosa tuya; **c'est une autre ~** es otra cuestión; **c'est toute une ~** es un verdadero embrollo; **en voilà une ~ !** pues, ¡vaya cosa!; **la belle ~ !** ¡y qué!, ¿qué más da? **tirer quelqu'un d'~** poner a alguien fuera de peligro; **se tirer**

d'~ salir de un mal paso **4.** negocio *m:* **une bonne, une mauvaise ~** un buen, un mal negocio ◊ **achetez-le, c'est une (bonne) ~, une ~ en or** cómprelo, es una ganga; **j'ai là votre ~** aquí tengo lo que puede convenirle; **faire l'~** convenir; **cela fait mon ~** esto me conviene; **faire ~ avec quelqu'un** tratar, negociar con alguien **5.** empresa, negocio *m:* **une grosse ~ de bonneterie** un importante negocio de géneros de punto **6.** *JUR* causa, caso *m:* **instruire une ~** instruir una causa; **l'~ Dreyfus** el caso Dreyfus **7.** *(scandale)* affaire *m:* **l'~ des pots-de-vin** el affaire de los sobornos **8. avoir ~ à quelqu'un** tener que ver con alguien; **tu auras ~ à moi!** ¡te la verás conmigo! ◇ *pl* **1.** asuntos: **ministère des Affaires étrangères** ministerio de Asuntos Exteriores **2.** negocios *m:* **un homme d'affaires** un hombre de negocios; **voyage d'affaires** viaje de negocios; **chiffre d'affaires → chiffre; les affaires sont les affaires** el negocio es el negocio, los negocios son los negocios **3.** *(effets personnels)* cosas, trastos *m:* **range tes affaires!** ¡guarda tus cosas!; **il perd toutes ses affaires** pierde todas sus cosas.

**affairé, e** *a* atareado, a.

**affairement** *m* ajetreo, agitación *f.*

**affairer (s')** *vpr* afanarse, agitarse.

**affairisme** *m* mercantilismo.

**affairiste** *m* especulador.

**affaissement** *m* **1.** hundimiento: **un ~ de la chaussée** un hundimiento de la calzada **2.** *FIG* abatimiento.

**affaisser** *vt* hundir. ◆ **s'~** *vpr* **1.** hundirse: **le sol s'est affaissé** el suelo se ha hundido **2.** desplomarse: **pris d'une syncope, il s'affaissa** víctima de un síncope, se desplomó.

**affaler** *vt (un cordage)* arriar. ◆ **s'~** *vpr* desplomarse, dejarse caer: **il s'affala dans un fauteuil** se dejó caer en un sillón.

**affamé, e** *a* **1.** hambriento, a **2.** *FIG* **~ de** ávido, a de. ◇ *s* hambriento, a.

**affamer** *vt* **1.** hacer pasar hambre a **2.** dar hambre: **cette marche m'a affamé** esta caminata me ha dado hambre.

**affameur** *m* acaparador, logrero.

**affectation** *f* **1.** *(manque de naturel)* afectación **2.** *(à un poste, à une fonction)* destino *m* **3.** *(d'une somme, etc.)* asignación, aplicación.

**affecté, e** *a (non naturel)* afectado, a, amanerado, a.

**affecter** *vt* **1.** fingir, afectar, aparentar: **il affecte une totale indifférence** finge una total indiferencia; **il affecte d'être gai** finge estar alegre **2.** *(une forme)* presentar, tener **3.** destinar, asignar: **~ quelqu'un à un poste** asignar a alguien para un empleo; **~ des crédits** asignar créditos **4.** afectar, afligir: **la mort de son ami l'a beaucoup affecté** la muerte de su amigo lo ha afligido mucho. ◆ **s'~** *vpr* sufrir.

**affectif, ive** *a* afectivo, a.

**affection** *f* **1.** cariño *m*, afecto *m:* **il a beaucoup d'~ pour elle** le tiene mucho cariño a ella; **il a pris son neveu en ~** le ha tomado cariño a su sobrino **2.** *(maladie)* afección.

**affectionné, e** *a* **1.** *(cher)* querido, a **2.** *(dans une lettre)* afectísimo, a: **votre ~ neveu** su afectísimo sobrino.

**affectionner** *vt* **1.** *(quelqu'un)* querer, amar **2.** *(une chose)* tener afición a, predilección por: **il affectionne particulièrement les films d'épouvante** siente una especial predilección por las películas de terror.

**affectivité** *f* afectividad.

**affectueusement** *adv* afectuosamente.

**affectueux, euse** *a* afectuoso, a, cariñoso, a.

**affectuosité** *f* afectuosidad.

**afférent, e** *a* **1.** *JUR* correspondiente **2.** *ANAT* aferente.

**affermage** *m* arrendamiento, arriendo.

**affermer** *vt* arrendar.

**affermir** *vt* fortalecer, consolidar, afirmar: **~ son autorité** consolidar su autoridad. ◆ **s'~** *vpr* consolidarse, afirmarse.

**affermissement** *m* consolidación *f.*

**afféterie** [afɛtʀi] *f* afectación, amaneramiento *m.*

**affichage** *m* **1.** fijación *f* de carteles ◊ **tableau d'~** tablón de anuncios **2.** *INFORM* visualización *f:* **~ digital** visualización digital.

**affiche** *f* **1.** cartel *m*, anuncio *m:* **poser une ~** fijar un cartel; **~ lumineuse** anuncio luminoso; **affiches publicitaires** carteles publicitarios **2. film actuellement à l'~** película actualmente en cartel; **rester à l'~ , tenir l'~** mantenerse en cartel, continuar en cartel; **spectacle qui a tenu l'~ pendant trois ans de suite** espectáculo que se mantuvo en cartel tres años consecutivos.

▶ Le gallicisme *afiche* (un seul *f* et au masculin) est assez courant en Amérique latine.

**afficher** *vt* **1.** fijar: **défense d'~** prohibido fijar carteles **2.** *FIG* manifestar, ostentar, hacer alarde de: **~ du mépris pour l'argent** manifestar desdén por el dinero **3.** *INFORM* visualizar. ◆ **s'~** *vpr* exhibirse: **il s'affiche avec une chanteuse de cabaret** se exhibe con una cupletista.

**affichette** *f* cartelito *m.*

**afficheur** *m* cartelero.

**affichiste** *s* cartelista.

**affidé, e** *s* cómplice.

**affilage** *m* afilado, afiladura *f.*

**affilé, e → affiler.**

**affilée (d')** *loc adv* seguido, a: **six jours d'~** seis días seguidos.

**affiler** *vt* **1.** afilar **2. avoir la langue bien affilée** tener la lengua muy afilada.

**affiliation** *f* afiliación.

**affilié, e** *a/s* afiliado, a.

**affilier (s')*** *vpr* afiliarse: **s'~ à un club** afiliarse a un club.

**affiloir** *m* **1.** afiladera *f* **2.** *(de boucher)* chaira *f.*

**affinage** *m* **1.** *(d'un métal)* afinado, afinación *f* **2.** *(fromage)* maduración *f.*

**affinement** *m* afinamiento.

**affiner** *vt* **1.** *(métal)* afinar, refinar **2.** *(fromage)* madurar **3.** *(le goût, l'esprit, etc.)* afinar. ◆ **s'~** *vpr* afinarse: **sa sensibilité s'est affinée** su sensibilidad se ha afinado.

**affinité** *f* afinidad ◊ **affinités électives** afinidades electivas.

**affiquets** *m pl* joyas *f*, perifollos.

**affirmatif, ive** *a* afirmativo, a. ◇ *f* **répondre par l'affirmative** contestar afirmativamente, de modo afirmativo; **dans l'affirmative** en caso afirmativo.

**affirmation** *f* afirmación.

**affirmativement** *adv* afirmativamente.

**affirmer** *vt* afirmar: **j'affirme que c'est vrai** afirmo que es cierto ◊ **~ sur l'honneur** jurar. ◆ **s'~** *vpr* confirmarse: **son talent s'affirme de jour en jour** se confirma su talento de día en día.

**affixe** *m GRAM* afixo.

**affleurement** *m (d'un filon, etc.)* afloramiento.

**affleurer** *vi* **1.** *(apparaître)* aflorar **2.** *FIG* aflorar, apuntar. ◇ *vt TECHN* nivelar.

**afflictif, ive** *a JUR* aflictivo, a.

**affliction** *f* aflicción.

**affligé** *a/s* afligido, a: **consoler les affligés** consolar a los afligidos.

**affligeant, e** *a* **1.** aflictivo, a. **2.** *FAM* lamentable.

**affliger** *vt* **1.** *(attrister)* afligir, compungir **2.** aquejar: **il est affligé d'une surdité presque totale** está aquejado de una sordera casi total. ◆ **s'~** *vpr* afligirse.

**affluence** *f* afluencia: **métro aux heures d'~** metro en las horas de afluencia.

**affluent** *m* afluente.

**affluer** *vi* afluir: **les visiteurs affluent à l'exposition** los visitantes afluyen a la exposición.

**afflux** [afly] *m* **1.** *(de sang)* aflujo **2.** *(de personnes)* afluencia *f*: **~ de touristes** afluencia de turistas.

**affolant, e** *a* FAM enloquecedor, a ◊ **c'est ~** es para volverse loco.

**affolé, e** *a* enloquecido, a, perturbado, a.

**affolement** *m* enloquecimiento, pánico ◊ **allons, pas d'~ !** ¡calma, calma!

**affoler** *vt* **1.** enloquecer **2.** *(épouvanter)* aterrorizar. ◆ **s'~** *vpr* perder la cabeza, perder los estribos, encogerse, aturullarse ◊ **ne vous affolez pas** no pierda usted la calma, tómeselo con calma.

**affouiller** *vt (le rivage, les berges)* socavar.

**affranchi, e** *a/s (esclave)* liberto, a. ◇ *a* FAM emancipado, a, libre de prejuicios.

**affranchir** *vt* **1.** *(les esclaves)* manumitir **2.** *(une lettre)* franquear **3.** POP informar, poner al corriente. ◆ **s'~** *vpr* libertarse, independizarse, emanciparse.

**affranchissement** *m* **1.** *(esclaves)* manumisión *f* **2.** liberación *f* **3.** *(d'une lettre)* franqueo.

**affres** *f pl* ansias, congojas: **les ~ de la mort** las ansias de la muerte.

**affrètement** *m* fletamiento.

**affréter*** *vt* fletar.

**affréteur** *m* fletador.

**affreusement** *adv* **1.** horrorosamente, horriblemente **2.** *(très)* muy: **~ cher** muy caro, carísimo; **~ sale** la mar de sucio; **il danse ~ mal** baila fatal.

**affreux, euse** *a* **1.** horroroso, a: **un crime ~** un crimen horroroso **2.** FAM horrible, horroroso, a: **un temps ~** un tiempo horrible.

**affriolant, e** *a* atractivo, a, excitante.

**affrioler** *vt* atraer, seducir, tentar.

**affriquée** *a (consonne)* africada.

**affront** *m* afrenta *m*, desaire: **subir un ~** sufrir una afrenta ◊ **faire ~ à** afrentar a.

**affrontement** *m* enfrentamiento.

**affronter** *vt* **1.** afrontar, arrostrar: **~ un adversaire, la mort** afrontar a un adversario, la muerte; **~ un danger** arrostrar un peligro **2.** **~ les longs mois d'hiver** enfrentarse a los largos meses de invierno. ◆ **s'~** *vpr* enfrentarse: **les équipes s'affrontent** los equipos se enfrentan.

**affublement** *m* atavío ridículo, adefesio.

**affubler** *vt* **1.** vestir ridículamente, disfrazar **2.** **~ quelqu'un d'un sobriquet** poner a alguien un mote. ◆ **s'~** *vpr* vestirse ridículamente: **elle s'affubla d'un manteau rapé** se vistió con un abrigo raído.

**affût** *m* **1.** *(de chasseur)* puesto, acecho ◊ **chasser à l'~** cazar a espera; **être à l'~ de** estar al acecho de **2.** *(de canon)* cureña *f*.

**affûtage** *m* afilado.

**affûter** *vt* afilar, amolar.

**affûteur, euse** *s* afilador, a. ◇ *f (machine)* afiladora.

**affûtiaux** *m pl* chucherías *f*.

**afghan, e** *a/s* afgano, a.

**Afghanistan** *np m* Afganistán.

**aficionado** *m* aficionado.

**afin de** *loc prép* a fin de, para *(+ infinitif)*: **~ de se renseigner** a fin de informarse.

**afin que** *loc conj* a fin de que, con el fin de que, para que *(+ subjonctif)*: **~ qu'on sache...** para que se sepa...

**a fortiori** [afɔrsjɔri] *loc adv* a fortiori, con mayor razón.

**africain, e** *a/s* africano, a: **les Africains** los africanos.

**africanisme** *m* africanismo.

**africaniste** *s* africanista.

**afrikaner, afrikaander** *a/s* afrikánder.

**Afrique** *np f* África: **l'~ du Nord, du Sud** África del Norte, del Sur ◊ **République d'~ du Sud** República de Sudáfrica.

**afro** *m inv (mode)* afro.

**afro-américain, e** *a/s* afroamericano, a.

**afro-asiatique** *a/s* afroasiático, a.

**afro-cubain, e** *a/s* afrocubano, a.

**agaçant, e** *a* molesto, a, irritante.

**agacement** *m* irritación *f*.

**agacer** *vt* **1.** irritar, molestar **2.** **~ les dents** dar dentera **3.** FAM **tu m'agaces!** ¡me fastidias!

**agaceries** *pl* carantoñas.

**agami** *f* agamí.

**agapes** *f pl* ágape *sing*, festín *m sing*.

**agar-agar** *m* agar agar.

**agaric** *m (champignon)* agárico.

**agate** *f* ágata.

**Agathe** *np f* Águeda, Ágata.

**agave** *m* agave *f*, pita *f*.

**âge** *m* **1.** edad *f*: **elle s'est mariée à l'~ de 20 ans** se casó a la edad de 20 años; **quel ~ as-tu?** ¿qué edad tienes?, ¿cuántos años tienes?; **à mon ~** a mis años, con los años que tengo; **l'~ mental** la edad mental **2.** **le jeune ~** la infancia; **l'~ ingrat** la edad del pavo; **le bel ~** la juventud; **l'~ mûr** la edad madura; **le troisième ~** la tercera edad; **enfant d'~ scolaire** niño en edad escolar; **d'un certain ~** de cierta edad; **en bas ~** de poca edad; **entre deux âges** ni joven ni viejo; **elle est en âge de se marier** está en edad de casarse, de merecer; **il ne porte pas son ~** no aparenta la edad que tiene; **avancer en ~, prendre de l'~** envejecer; **ce n'est plus de mon ~** ya no estoy para tantos trotes **3.** *(époque)* edad *f*: **l'~ de la pierre, du bronze** la edad de la piedra, del bronce; **le Moyen Âge** la Edad Media; **l'~ d'or** la edad de oro.

**âgé, e** *a* **1.** **un homme ~** un hombre de edad avanzada, entrado en años; **les personnes âgées** los ancianos **2.** de edad: **elle est âgée de 18 ans** tiene 18 años de edad ◊ **il est plus ~ que moi** es mayor que yo.

**agence** *f* agencia: **~ de voyages** agencia de viajes; **~ de publicité** agencia de publicidad ◊ **l'Agence nationale pour l'emploi, A.N.P.E.** el Instituto nacional del empleo.

**agencement** *m* disposición *f*, arreglo.

**agencer*** *vt* disponer, arreglar, organizar: **appartement bien agencé** piso donde todo está dispuesto ordenadamente.

**agenda** [aʒɛ̃da] *m* agenda *f*.

**agenouillement** *m* arrodillamiento.

**agenouiller (s')** *vpr* arrodillarse: **le prêtre s'agenouilla** el sacerdote se arrodilló.

**agent** *m* **1.** agente: **~ atmosphérique** agente atmosférico **2.** agente: **~ d'assurances, de change** agente de seguros, de cambio y Bolsa **3.** *(de police)* policía, guardia, agente de policía: **je vais appeler un ~** voy a llamar a un guardia **4.** *GRAM* **complément d'~** complemento agente.

**agératum** [aʒeratɔm] *m* agerato.

**agglomérat** *m* conglomerado.

**agglomération** *f* **1.** aglomeración **2.** *(ville)* población, pueblo *m* ◊ **l'~ parisienne** París y sus suburbios.

**aggloméré** *m (bois)* conglomerado.

**agglomérer*** *vt* aglomerar. ◆ **s'~** *vpr* aglomerarse.

**agglutinant, e** *a/m* aglutinante ◊ **langue agglutinante** lengua aglutinante.

**agglutination** *f* aglutinación.

**agglutiner** *vt* aglutinar. ◆ **s'~** *vpr* aglutinarse.

**aggravant, e** *a* agravante: **circonstances aggravantes** circunstancias agravantes, agravantes *m*.

**aggravation** *f* agravación, empeoramiento *m*.

**aggraver** *vt* agravar. ◆ **s'~** *vpr* agravarse, empeorar, agudizarse: **la situation s'est aggravée** la situación se ha agravado, ha empeorado; **l'état du malade s'est aggravé** el enfermo ha empeorado.

**agile** *a* ágil: **des doigts agiles** dedos ágiles.

**agilement** *adv* ágilmente.

**agilité** *f* agilidad.

**agio** *m COM* agio.

**agiotage** *m COM* agiotaje.

**agioter** *vt COM* agiotar.

**agioteur** *m COM* agiotista.

**agir** *vi* **1.** actuar, obrar: **le moment d'~ est venu** ha llegado el momento de actuar **2.** *(se comporter)* obrar, comportarse: **tu as agi bêtement** has obrado tontamente; **~ à la légère** obrar de ligero; **bien ~** obrar bien **3. faire ~ quelqu'un** hacer intervenir a alguien **4. le remède commence à ~** el remedio empieza a hacer efecto, a surtir efecto. ◆ **s'~** *vpr* **1.** tratarse: **de quoi s'agit-il?** ¿de qué se trata?; **il ne s'agit pas de cela** de eso no se trata **2. il s'agit de se dépêcher** hay que darse prisa.

**âgisme** *m* discriminación *f* por razones de edad.

**agissant, e** *a* activo, a, eficaz.

**agissements** *m pl* maniobras *f*, artimañas *f*.

**agitateur, trice** *s* agitador, a, alborotador, a: **des groupes d'agitateurs** grupos de alborotadores. ◇ *m CHIM* agitador.

**agitation** *f* agitación.

**agité, e** *a* **1.** *(une personne, etc.)* agitado, a, inquieto, a, intranquilo, a **2. mer agitée** mar agitado, revuelto; **une vie agitée** una vida agitada, azarosa.

**agiter** *vt* **1.** agitar: **~ le flacon** agitar el frasco **2.** agitar, soliviantar: **~ la population, les esprits** soliviantar la población, los ánimos **3.** debatir, discutir: **~ une question** debatir una cuestión. ◆ **s'~** *vpr* **1.** *(remuer)* agitarse, menearse **2. le peuple s'agite** el pueblo se agita.

**agneau** *m* **1.** *(animal)* cordero **2.** *(fourrure)* cordero, agneau **3.** *(viande)* **un gigot d'~** una pierna de cordero **4.** *FIG* **doux comme un ~** manso como un cordero **5.** *RELIG* **l'Agneau mystique** el Cordero místico.

**agnelage** *m* parto de la oveja.

**agneler** *vi* parir (una oveja).

**agnelet** *m* corderillo.

**agnelle** *f* cordera.

**Agnès** [aɲɛs] *np f* Inés.

**agnosticisme** *m* agnosticismo.

**agnostique** *a/s* agnóstico, a.

**agonie** *f* agonía ◊ **être à l'~** agonizar, estar en la agonía.

**agonir** *vt* colmar: **~ d'injures** colmar de injurias.

**agonisant, e** *a/s* agonizante.

**agoniser** *vi* agonizar.

**agora** *f* ágora.

**agoraphobie** *f* agorafobia.

**agouti** *m* agutí.

**agrafage** *m* abrochadura *f*.

**agrafe** *f* **1.** *(de vêtement)* corchete *m* **2.** *(bijou)* broche *m* **3.** *(pour les papiers, pour fermer une plaie)* grapa.

**agrafer** *vt* **1.** *(un vêtement)* abrochar: **~ son soutien-gorge** abrocharse el sostén **2.** *(des papiers)* unir con grapas **3.** *FAM (un voleur)* echar el guante a.

**agrafeuse** *f* grapadora.

**agraire** *a* agrario, a.

**agrandir** *vt* **1.** ampliar, agrandar: **~ un local** ampliar un local **2.** *(élargir)* ensanchar **3.** *(une photo)* ampliar. ◆ **s'~** *vpr* **1.** *(une ville)* crecer, extenderse **2. industriel qui cherche à s'~** industrial que trata de agrandarse.

**agrandissement** *m* **1.** ampliación *f*, agrandamiento **2.** *(photographie)* ampliación *f*: **un bel ~ en couleurs** una bonita ampliación en color.

**agrandisseur** *m* ampliadora *f*.

**agréable** *a* **1.** agradable **2.** grato, a: **détails qui rendent la vie ~** detalles que hacen la vida grata; **~ à entendre** grato de escuchar; **~ surprise** grata sorpresa **3.** ameno, a: **lecture ~** lectura amena. ◇ *m* **l'utile et l'~** lo útil y lo agradable.

**agréablement** *adv* agradablemente, gratamente: **~ surpris** gratamente sorprendido.

**agréer** *vt* **1.** aceptar **2.** recibir: **veuillez ~ (l'expression de) mes salutations distinguées** reciba mis atentos saludos, le saluda atentamente. ◇ *vi* agradar: **si cela vous agrée** si esto le agrada.

**agrég** *FAM* → **agrégation.**

**agrégat** *m* agregado, conglomerado.

**agrégatif, ive** *s* opositor, a, a una cátedra.

**agrégation** *f* **1.** oposición a una cátedra de Instituto o Universidad **2.** *(titre)* título *m* de catedrático por oposición en un Instituto.

**agrégé, e** *s* catedrático, a.

**agréger*** *vt* agregar. ◆ **s'~** *vpr* agregarse.

**agrément** *m* **1.** *(consentement)* consentimiento, beneplácito **2.** *(charme)* encanto, atractivo: **l'~ d'une plage** el encanto de una playa **3.** recreo, placer: **voyage d'~** viaje de recreo, de placer.

**agrémenter** *vt* **1.** *(orner)* adornar **2.** *(rendre plus agréable)* amenizar.

**agrès** [agʀɛ] *m pl* **1.** *MAR* **les ~** la jarcia, los aparejos **2.** *(de gymnastique)* aparatos de gimnasia.

**agresser** *vt* agredir, atacar: **elle s'est fait ~ dans une rue déserte** la agredieron en una calle desierta; **être agressé par la publicité** ser agredido por la publicidad.

**agresseur** *m* agresor, asaltante.

**agressif, ive** *a* agresivo, a.

**agression** *f* **1.** agresión **2.** asalto *m*, atraco *m*: **~ à main armée** asalto a mano armada.

**agressivement** *adv* agresivamente.

**agressivité** *f* agresividad.

**agreste** *a* agreste.

**agricole** *a* agrícola.

**agriculteur, trice** *s* agricultor, a.

**agriculture** *f* agricultura.

**Agrigente** *np* Agrigento.

**agripper** *vt* agarrar. ◆ **s'~** *vpr* agarrarse: **il s'agrippa à la bouée** se agarró al salvavidas.

**Agrippine** *np f* Agripina.

**agroalimentaire** *a* agroalimentario, a.

**agrochimie** *f* agroquímica.

**agronome** *s* agrónomo, a: **ingénieur ~** ingeniero agrónomo.

**agronomie** *f* agronomía.

**agronomique** *a* agronómico, a.

**agrumes** *m pl* agrios, cítricos.

**aguerrir** *vt* **1.** *(exercer à la guerre)* aguerrir **2.** *(habituer)* avezar, curtir, foguear. ◆ **s'~** *vpr* **1.** curtirse **2. s'~ au froid** habituarse, avezarse al frío.

**aguets (aux)** [ozagɛ] *loc adv* al acecho.

**aguichant, e** *a* provocativo, a, provocante.

**aguicher** *vt* provocar, atraer con coqueterías.

**aguicheur, euse** *a* provocativo, a.

**ah!** *interj* ¡ah! ◊ **~ oui** ah sí.

**ahan** *m ANC* **à grand ~** haciendo muchos esfuerzos.

**ahaner** *vi ANC* jadear.

**ahuri, e** *a/s* pasmado, a, estupefacto, a, atolondrado, a: **quel ~ !** ¡vaya atolondrado!

**ahurir** *vt* dejar pasmado, a, dejar estupefacto, a: **cette nouvelle m'a ahuri** esta noticia me ha dejado estupefacto.

**ahurissant, e** *a* asombroso, a, increíble.

**ahurissement** *m* estupefacción *f.*

**ai → avoir.**

**aï** [ai] *m* aí, perezoso.

[1]**aide** *f* **1.** ayuda: **demander de l'~** pedir ayuda; **l'~ humanitaire** la ayuda humanitaria ◊ **à l'~ !** ¡socorro!; **venir en ~ à** ayudar a, acudir al auxilio de **2.** *loc prép* **à l'~ de** con: **à l'~ d'un marteau** con un martillo.

[2]**aide** *s* ayudante, auxiliar: **~ de laboratoire** ayudante de laboratorio; **~ familiale** persona que ayuda a las madres de familia; **~ ménagère** mujer que se ocupa de las faenas domésticas en casa de personas con pocos recursos económicos.

**aide-comptable** *m* auxiliar contable.

**aide-cuisinier** *m* mozo de cocina.

**aide-mémoire** *m inv* memorándum, prontuario.

**aide-opérateur** *m* ayudante del operador.

**aider** *vt* **1.** ayudar: **il aide son père** ayuda a su padre; **aide-moi** ayúdame ◊ **Dieu aidant** Dios mediante **2.** *(secourir)* auxiliar, socorrer **3. ~ à** contribuir a. ◆ **s'~** *vpr* **1.** ayudarse: **ils s'aident mutuellement** se ayudan mutuamente **2.** servirse, valerse: **il s'aide d'une canne** se sirve de un bastón **3.** *PROV* **aide-toi, le ciel t'aidera** a Dios rogando y con el mazo dando.

**aide-soignant, e** *s* auxiliar (de clínica, de hospital).

**aie, aies, aient → avoir.**

**aïe!** [aj] *interj* ¡ay!

**aïeul, e** [ajœl] *s* abuelo, a. ◇ *m pl* **1. aïeuls** abuelos **2. aïeux** antepasados.
▶ *Aïeul, aïeule* son palabras anticuadas reemplazadas hoy por: *grand-père, grand-mère* y, en plural *(aïeuls)*, por *grands-parents*. El masculino plural *aïeux* es literario = *ancêtres*. *(Mes aïeux!*, interjección familiar: ¡vaya por Dios!).

**aigle** *m* **1.** águila *f*: **~ royal** águila real ◊ **nez en bec d'~** nariz corva **2.** *FIG (personne supérieure)* águila: **ce n'est pas un ~** no es ningún águila. ◇ *f* **1.** *(femelle de l'aigle)* águila **2.** *(enseigne)* águila: **les aigles romaines** las águilas romanas.

**aiglefin** *m (poisson)* abadejo.

**aiglon** *m* aguilucho.

**aigre** *a* **1.** agrio, a: **vin ~** vino agrio **2.** *FIG* agrio, a, áspero, a: **ton ~** tono áspero. ◇ *m FAM* **tourner, virer à l'~** enconarse, tomar mal sesgo, ponerse agrio, a.

**aigre-doux, douce** *a* agridulce.

**aigrefin** *m (escroc)* estafador.

**aigrelet, ette** *a* agrete.

**aigrette** *f* **1.** *(sorte de héron)* garzota, garza **2.** *(plumes de certains oiseaux)* airón *m* **3.** *(ornement)* airón *m* penacho *m* **4.** *BOT* vilano *m.*

**aigreur** *f* agrura, acritud. ◇ *pl (d'estomac)* acedia *sing*, acidez *sing*: **avoir des aigreurs d'estomac** tener acidez estomacal.

**aigri, e** *a/s FIG* amargado, a, agriado, a, resentido, a: **une femme aigrie** una resentida.

**aigrir** *vt* **1.** agriar **2.** *FIG* agriar, amargar: **c'est un homme aigri** es un amargado. ◆ **s'~** *vpr* **1.** agriarse **2.** *FIG* agriarse, avinagrarse: **son caractère s'est aigri** se le agrió el carácter.

**aigrissement** *m* **1.** agrura *f* **2.** *FIG* acritud *f.*

**aigu, ë** *a* **1.** agudo, a **2.** agudo, a, vivo, a: **douleur aiguë** dolor agudo **3.** *FIG (intelligence)* penetrante, sutil **4. accent ~** acento agudo; **angle ~** ángulo agudo.

**aigue-marine** *f* aguamarina.

**aiguière** *f* aguamanil *m.*

**aiguillage** *m* **1.** *(système)* agujas *f pl* cambio de agujas: **poste d'~** cabina de cambio de agujas **2.** *(manœuvre)* maniobra *f* de las agujas **3.** *FIG* orientación *f.*

**aiguille** *f* **1.** aguja: **~ à tricoter** aguja de hacer punto; **~ aimantée** aguja magnética; **l'~ d'une seringue** la aguja de una jeringuilla; *FIG* **chercher une ~ dans une botte de foin** buscar una aguja en un pajar; **de fil en ~ → fil 2.** *(d'une montre, d'une horloge)* manecilla, aguja: **dans le sens des aiguilles d'une montre** en el sentido de las manecillas del reloj ◊ **la grande ~** el minutero; **la petite ~** el horario **3.** *(de pin)* aguja **4.** *(montagne)* picacho *m.*

**aiguiller** *vt* **1.** *(un train)* dirigir (cambiando las agujas) **2.** *FIG (quelqu'un)* orientar, encauzar, encaminar.

**aiguillette** *f* **1.** *(cordon)* agujeta **2.** *(de bœuf)* parte del lomo.

**aiguilleur** *m* **1.** guardagujas **2. ~ du ciel** controlador aéreo.

**aiguillon** *m* **1.** *(d'une abeille, etc.)* aguijón **2.** *(pour piquer les bœufs)* aguijada *f* **3.** *FIG (stimulant)* aguijón.

**aiguillonner** *vt* aguijonear.

**aiguisage** *m* afilado.

**aiguiser** [eg(y)ize] *vt* **1.** afilar, amolar: **~ un couteau** afilar un cuchillo **2.** *FIG* **~ l'appétit** aguzar el apetito.

**aiguisoir** *m* afiladera *f.*

**aïkido** *m* aikido.

**ail** [aj] *m* ajo: **une gousse d'~** un diente de ajo.
▶ Dos plurales: *ails, aulx*, ajos.

**aile** *f* **1.** *(d'un oiseau, papillon, etc.)* ala: **l'~** el ala ◊ *FIG* **avoir du plomb dans l'~ → plomb; battre de l'~** estar alicaído, a, andar de capa caída; **voler de ses propres ailes** volar con sus propias alas **2.** *(d'un avion)* ala: **~ en delta, ~ delta** ala delta **3.** *(d'un moulin)* aspa **4.** *(du nez, d'une voiture)* aleta **5.** *(d'une équipe, d'une armée)* ala: **l'~ droite** el ala derecha.

**ailé, e** *a* alado, a.

**aileron** *m* **1.** *(d'oiseau)* alón **2.** *(de poisson)* aleta *f*: **~ de requin** aleta de tiburón **3.** *(d'un avion)* alerón.

**ailette** *f (de torpille, etc.)* aleta.

**ailier** *m (sports)* extremo: **~ droit** extremo derecho.

**aille → aller.**

**ailler** *vt (du pain)* frotar con ajo; *(un gigot)* sazonar con ajo.

**ailleurs** [ajœʀ] *adv* **1.** en otra parte: **chercher ~** buscar en otra parte; **nulle part ~** en ninguna otra parte; **partout ~** en cualquier otra parte **2.** *FIG* **être ~** estar en la luna **3.** *loc adv* **d'~** por otra parte; **par ~** desde otro punto de vista; *(en outre)* además.

**ailloli** *m* ajiaceite, alioli.

**aimable** *a* **1.** amable: **c'est très ~ à vous d'être venu** es usted muy amable por haber venido ◊ **~ comme une porte de prison** muy poco amable, huraño, a **2. soyez assez ~ pour** tenga usted la amabilidad de.

**aimablemente** *adv* amablemente.

**¹aimant** *m* imán.

**²aimant, e** *a (affectueux)* cariñoso, a.

**aimantation** *f* imantación.

**aimanter** *vt* imantar ◊ **aiguille aimantée** aguja magnética.

**aimer** *vt* **1.** *(amour, affection)* querer: **elle aime son mari** quiere a su marido; *(style soutenu)* amar: **~ son prochain** amar al prójimo **2.** *(plaisir)* gustar: **j'aime le tennis** (a mí) me gusta el tenis; **j'aime les gâteaux** me gustan los pasteles; **tu aimes ma jupe?** ¿te gusta mi falda?; **j'aime tout** me gusta todo; **ma sœur aime beaucoup danser** a mi hermana le gusta mucho bailar; **il n'a pas aimé le film** (a él) no le gustó la película; **j'aimerais bien connaître votre avis** me gustaría conocer su opinión **3. ~ mieux** preferir: **j'aime mieux m'en aller** prefiero marcharme; **j'aime mieux que tu ne partes pas** prefiero que no salgas **4. j'aime autant que tu restes ici** prefiero que te quedes aquí; **j'aime autant ça!** ¡mejor! **5. j'aime à croire que...** espero que... ◆ **s'~** *vpr* quererse, amarse: **ils s'aiment tendrement** se quieren tiernamente; **aimez-vous les uns les autres** amaos los unos a los otros.

▶ Sens 2.: construire la phrase espagnole comme s'il s'agissait du verbe «plaire»: (à moi) me plaît le tennis, (à moi) me plaisent les gâteaux, etc.

**aine** *f* ingle.

**aîné, e** *a/s* **1.** primogénito, a **2.** mayor: **fils ~** hijo mayor; **sœur aînée** hermana mayor; **c'est l'~** es el mayor; **l'aînée** la mayor; **il est mon ~ d'un an** es un año mayor que yo, me lleva un año. ◇ *pl (aïeux)* **nos aînés** nuestros antepasados.

**aînesse** *f* primogenitura: **droit d'~** derecho de primogenitura.

**ainsi** *adv* **1.** así: **puisque il en est ~, je refuse** ya que es así, yo rehuso **2. c'est ~ que** así es como: **c'est ~ que j'agirais** así es como actuaría yo; **c'est ~ que commença ma maladie** así fue como empezó mi enfermedad; **c'est ~ que vous traitez vos employés?** ¿así trata usted a sus empleados?; **c'est ~, les choses sont ~** así están las cosas **3. ~ donc** conque, así que **4. ~ que** así como; **et ~ de suite** y así sucesivamente; **~ soit-il** así sea, amén; **pour ~ dire** por decirlo así.

**¹air** *m* **1.** aire: **l'~ pur** el aire puro; **~ comprimé, conditionné** aire comprimido, acondicionado; **au grand ~, en plein ~** al aire libre; **les seins à l'~** los senos al aire; **l'armée de l'~** el ejército del aire ◊ **changer d'~** cambiar de aires, mudar de aires; **prendre l'~** tomar el aire; **vivre de l'~ du temps** vivir del aire; **libre comme l'~** libre como el viento; *FIG* **jouer la fille de l'~** → **fille 2.** *FAM* **allez, de l'~ !** ¡aire!, ¡largo! **3. trou d'~** bache **4. en l'~** arriba: **regarder en l'~** mirar hacia arriba; **tirer en l'~** disparar al aire; **les bras en l'~ !** ¡los brazos en alto!, ¡manos arriba!; *FIG* **ce ne sont que paroles en l'~** no son más que palabras; **tout est en l'~ dans sa chambre** todo está revuelto, todo está patas arriba en su habitación; **de l'argent fichu en l'~** dinero tirado.

**²air** *m* **1.** *(aspect)* aire, aspecto: **un ~ de famille** un aire de familia; **d'un ~ décidé** con aire decidido; **elle prend de ces airs!** ¡se da unos aires! **un drôle d'~** un aspecto extraño **2.** *(visage)* cara *f*, pinta *f*: **prendre un ~ affolé, dégoûté** poner cara de susto, de asco; **ne prends pas cet ~ de martyr!** ¡no pongas esa cara de mártir!; **d'un ~ endormi, satisfait** con cara de sueño, de satisfacción **3. avoir l'~** parecer: **elle a l'~ fatiguée** parece cansada; **ils ont l'~ de s'ennuyer** parece que se aburren; **il a l'~ idiot, méchant** tiene cara de tonto, de malo; **il n'a pas l'~ méchant** no parece malo; **il est plus vieux qu'il n'en a l'~** tiene más edad de la que aparenta; **la grève n'a pas l'~ de vouloir prendre fin** la huelga no tiene trazas de acabar; **sans avoir l'~ de rien** como si nada; **sans en avoir l'~, il travaille plus que nous** parece que no pero trabaja más que nosotros **4.** *FAM* **de quoi ai-je l'~ ?** ¿qué pinto yo aquí?

**³air** *m (d'une chanson)* aire, música *f*: **l'~ et les paroles d'une chanson** la música y la letra de una canción.

**airain** *m* **1.** bronce **2.** *FIG* **d'~** implacable, inflexible.

**aire** *f* **1.** área: **~ d'atterrissage** área de aterrizaje; **~ de stationnement** área de estacionamiento; **l'~ d'un trapèze** el área de un trapecio **2.** *(d'un rapace)* nido *m* **3.** área, zona: **~ linguistique** área lingüística **4.** *(où l'on battait le grain)* era.

**airelle** *f* arándano *m*.

**aisance** *f* **1.** *(facilité, naturel)* soltura: **il s'exprime avec ~** se expresa con soltura **2.** holgura, desahogo *m*: **vivre dans l'~** vivir con holgura **3. cabinets, lieux d'~** escusado *m sing*, retrete *m sing*.

**aise** *f* **1.** comodidad: **aimer ses aises** tenerle apego a la comodidad ◊ **à l'~** a gusto, cómodo, a: **il est à l'~ partout** está a gusto en cualquier sitio; **mettez-vous à l'~** póngase cómodo; **vous serez plus à l'~ dans ce fauteuil** estará más cómodo en este sillón; **je tiens à vous mettre à l'~** quiero que usted se sienta a gusto ◊ **être mal à son ~** estar molesto, a, estar incómodo, a; **je me sens mal à l'~ en sa présence** me siento incómodo en su presencia **2.** *(financièrement)* **vivre à l'~** vivir con desahogo, con holgura **3.** *(plaisir)* gozo *m*: **ne pas se sentir d'~** no caber en sí de gozo **4. à votre ~ !** ¡como usted guste!; **il en prend à son ~** hace lo que quiere. ◇ *a* contento, a: **être bien ~ de** estar muy contento de ◊ **j'en suis fort ~** me alegro.

**aisé, e** *a* **1.** fácil: **~ à comprendre** fácil de comprender **2.** *(fortuné)* acomodado, a: **la bourgeoisie aisée** la burguesía acomodada **3.** *(style, langage)* suelto, a, natural.

**aisément** *adv* **1.** fácilmente: **résoudre ~ un problème** resolver un problema fácilmente **2.** holgadamente.

**aisselle** *f* **1.** sobaco *m*, axila: **les aisselles** los sobacos **2.** *BOT* axila.

**Aix-la-Chapelle** *np* Aquisgrán.

**Ajax** *np m* Ajax.

**ajonc** *m* aulaga *f*.

**ajour** *m* calado.

**ajouré, e** *a* calado, a: **une nappe ajourée** un mantel calado.

**ajournement** *m* **1.** aplazamiento **2.** *(d'un candidat)* suspensión *f*.

**ajourner** *vt* **1.** aplazar, diferir: **la séance à été ajournée** ha sido diferida la sesión **2.** *(un candidat)* suspender.

**ajout** *m* añadido.

**ajouter** *vt* **1.** añadir, agregar: **~ du sel, un mot** añadir sal, una palabra ◊ **je n'ai rien à ~** no tengo nada más que decir **2. ~ foi à** dar crédito a. ◇ *vi* **~ à** aumentar: **cela ajoute à mon trouble** esto aumenta mi turbación. ◆ **s'~** *vpr* añadirse, sumarse.

**ajustage** *m TECHN* ajuste.

**ajusté, e** *a (vêtement)* ajustado, a, ceñido, a.

**ajustement** *m* **1.** ajuste, adaptación *f* **2.** *(arrangement)* arreglo **3.** *ANC (toilette)* compostura *f*.

**ajuster** *vt* **1.** ajustar: **~ une pièce** ajustar una pieza. **2. ~ sa cravate** arreglarse la corbata **3.** *(viser)* apuntar: **le chasseur ajusta le lièvre** el cazador apuntó a la liebre. ◆ **s'~** *vpr* ajustarse.

**ajusteur** *m* ajustador.

**akène** *m BOT* aquenio.

**alacrité** *f* vivacidad, jovialidad.

**Aladin** *np m* Aladino.

**Alain** *np m* Alano.

**alaise, alèse** *f* sábana bajera de goma.

**alambic** [alɑ̃bɪk] *m* alambique.

**alambiqué, e** *a* alambicado, a, complicado, a.

**alanguir** *vt* **1.** debilitar **2. air alangui** aire lánguido. ◆ **s'~** *vpr* languidecer.

**alanguissement** *m* languidez *f*.

**alarmant, e** *a* alarmante: **des nouvelles alarmantes** noticias alarmantes.

**alarme** *f* alarma: **donner l'~** dar la alarma, dar la voz de alarma; **signal d'~** aparato de alarma; **fausse ~** falsa alarma; *FIG* **tirer la sonnette d'~** dar un aldabonazo.

**alarmer** *vt* alarmar. ◆ **s'~** *vpr* alarmarse.

**alarmiste** *a/s* alarmista.

**Alaska** *np m* Alaska.

**albanais, e** *a/s* albanés, esa.

**Albanie** *np f* Albania.

**albâtre** *m* alabastro.

**albatros** *m* albatros.

**Albert, e** *np* Alberto, a.

**albigeois, e** *a/s* albigense.

**albinisme** *m* albinismo.

**albinos** *a/s* albino, a.

**Albion** *np f* Albión: **la perfide ~** la pérfida Albión.

**album** [albɔm] *m* álbum: **des albums** álbumes.

**albumen** *m* albumen.

**albumine** *f* albúmina.

**albuminoïde** *m* albuminoide.

**albuminurie** *f MÉD* albuminuria.

**alcalde** *m* alcalde.

**alcali** *m* álcali.

**alcalin, e** *a* alcalino, a.

**alcalinité** *f* alcalinidad.

**alcaloïde** *m* alcaloide.

**alcarazas** *m* alcarraza *f*.

**alcazar** *m* alcázar.

**alchimie** *f* alquimia.

**alchimique** *a* alquímico, a.

**alchimiste** *m* alquimista.

**Alcibiade** *np m* Alcibíades.

**alcool** [alkɔl] *m* **1.** alcohol: **~ à 90 degrés** alcohol de 90 grados; **~ à brûler** alcohol de quemar; **réchaud à ~** hornillo de alcohol **2.** licor: **prendre un ~** tomar un licor **3.** *(eau-de-vie)* aguardiente.

**alcoolat** *m* alcoholato.

**alcoolémie** *f* alcoholemia: **contrôle d'~** control de alcoholemia.

**alcoolique** *a* alcohólico, a: **boisson ~** bebida alcohólica. ◇ *s* alcohólico, a, alcoholizado, a.

**alcooliser** *vt* alcoholizar. ◆ **s'~** *vpr FAM* alcoholizarse, emborracharse.

**alcoolisme** *m* alcoholismo.

**alcoomètre** *m* alcoholímetro.

**alcootest** *m (nom déposé)* alcohómetro, alcohotest.

**alcôve** *f* **1.** fondo *m* de una habitación cerrado por una cortina o una puerta de dos hojas, en que hay una cama **2.** *FIG* alcoba: **secrets d'~** secretos de alcoba.

**alcyon** *m* alción.

**aldéhyde** *m CHIM* aldehído.

**aléa** *m* **1.** *(risque)* riesgos: **cette affaire présente des aléas** este asunto presenta riesgos **2.** *(hasard)* azar, suerte *f*.

**aléatoire** *a* aleatorio, a, problemático, a.

**alémanique** *a/m* alemánico, a.

**alêne** *f* lezna.

**alentour** *adv* alrededor. ◇ *m pl* alrededores: **les alentours d'une ville** los alrededores de una ciudad; **il n'y a personne aux alentours** no hay nadie en los alrededores; **aux alentours de minuit** a eso de las doce de la noche; **aux alentours de Noël** por Navidad.

**Aléoutiennes (îles)** *np f* Aleutianas (islas).

**Alep** *np m* Alepo.

[1]**alerte** *a (vif)* vivo, a, ágil.

[2]**alerte** *f* alarma, alerta: **~ aérienne** alarma aérea; **~ rouge** alerta roja; **donner l'~** dar la alarma; **fausse ~** falsa alarma; **~ à la bombe** alarma de bomba.

**alertement** *adv* con rapidez, ágilmente.

**alerter** *vt* dar la alarma, alertar, avisar, llamar: **~ les pompiers** llamar a los bomberos.

**alésage** *m* **1.** *TECHN* escariado **2.** diámetro interior de un cilindro.

**alèse** → **alaise.**

**aléser*** *vt TECHN* escariar.

**aléseuse** *f TECHN* escariador *m*, mandrinadora.

**alésoir** *m TECHN* escariador.

**alevin** *m* alevín.

**aleviner** *vt* poblar con alevines.

**Alexandre** *np m* Alejandro.

**Alexandrie** *np f* Alejandría.

**alexandrin** *m* alejandrino.

**Alexis** *np m* Alejo.

**alezan, e** *a/m* alazán, ana.

**alfa** *m* esparto.

**alfange** *m ANC* alfanje.

**Alfred** *np m* Alfredo.

**algarade** *f* **1.** *(dispute)* altercado *m*, agarrada **2.** *(propos violent)* salida de tono, ex abrupto *m*.

**algèbre** *f* **1.** álgebra **2.** *FAM* **c'est de l'~ pour moi!** ¡esto es chino para mí!

**algébrique** *a* algébrico, a.

**algébriste** *s* algebrista.

**Alger** *np* Argel.

**Algérie** *np f* Argelia.

**algérien, enne** *a/s* argelino, a.

**algérois, e** *a/s* argelino, a.

**algide** *a* álgido, a.

**algie** *f MÉD* algia.

**algol** *m INFORM* algol.

**algorithme** *m* algoritmo.

**algue** *f* alga.

**alias** *adv* alias.

**alibi** *m* **1.** coartada *f*: **fournir un ~** presentar una coartada **2.** *FAM* pretexto.

**Alice** *np f* Alicia: **~ au pays des merveilles** Alicia en el país de las maravillas.

**aliénable** *a* alienable, enajenable.

**aliénant, e** *a* alienante.

**aliénation** *f* **1.** alienación **2. ~ mentale** enajenación mental.

**aliéné, e** *a/s* alienado, a, demente ◊ **asile d'aliénés** manicomio.

**aliéner*** *vt* enajenar, alienar: **~ un bien** enajenar un bien. ◆ **s'~** *vpr* enajenarse.

**aliéniste** *a/s* alienista.

**aligné, e** *a* alineado, a: **pays non alignés** países no alineados.

**alignement** *m* alineación *f*, fila *f*: **se mettre à l'~** ponerse en fila.

**aligner** *vt* **1.** *(mettre en ligne)* alinear **2.** *FIG* ajustar. ◆ **s'~** *vpr* **1.** alinearse, ponerse en fila **2.** *(en politique)* alinearse con.

**aliment** *m* alimento.

**alimentaire** *a* **1.** alimenticio, a: **produits, denrées alimentaires** productos alimenticios **2. industries alimentaires** industrias alimentarias; **le secteur ~** el sector alimentario.

**alimentation** *f* **1.** alimentación **2. magasin d'~** tienda de comestibles.

**alimenter** *vt* **1.** alimentar: **~ un malade** alimentar a un enfermo **2.** *(fournir)* abastecer, proveer **3. ~ la conversation** mantener la conversación. ◆ **s'~** *vpr* alimentarse, nutrirse.

**alinéa** *m* **1.** párrafo aparte **2.** *(en typographie)* renglón sangrado, sangría *f*.

**aliquote** *a MATH* **partie ~** parte alícuota.

**alisier** *m* aliso.

**alitement** *m* **trois jours d'~** tres días en la cama.

**aliter** *vt* hacer guardar cama. ◆ **s'~** *vpr* meterse en cama; **être alité** guardar cama.

**alizé** *a/m* alisio: **vent ~** viento alisio.

**Allah** *np m* Alá.

**allaitement** *m* lactancia *f*: **l'~ maternel, artificiel** la lactancia materna, artificial.

**allaiter** *vt* amamantar, criar.

**allant** *m* empuje, brío: **avoir de l'~** tener bríos; **plein d'~** brilloso, a, enérgico, a; **perdre son ~** desalentarse.

**alléchant, e** *a* **1.** apetitoso, a **2.** *FIG* atractivo, a, tentador, a.

**allécher*** *vt* atraer, seducir, engolosinar.

**allée** *f* **1.** *(d'arbres)* alameda **2.** *(dans un jardin)* calle **3.** *(archéologie)* **~ couverte** galería cubierta. ◇ *pl* **allées et venues** idas y venidas; *(démarches)* trámites *m*, gestiones.

**allégation** *f* alegación, afirmación.

**allège** *f* **1.** *(de fenêtre)* antepecho *m* **2.** *(bateau)* barcaza, gabarra.

**allégeance** [aleʒɑ̃s] *f* sumisión, vasallaje *m* ◊ **serment d'~** juramento de fidelidad.

**allégement** *m* **1.** aligeramiento, alivio **2.** disminución *f* ◊ **~ fiscal** desgravación *f*, rebaja *f* tributaria.

**alléger*** *vt* **1.** aligerar **2.** *(un chagrin, etc.)* aliviar, mitigar **3.** *(un impôt)* desgravar, reducir.

**allégorie** *f* alegoría.

**allégorique** *a* alegórico, a.

**allégoriquement** *adv* alegóricamente.

**allègre** *a* **1.** *(vif)* ágil, vivo, a **2.** *(joyeux)* alegre **3. marcher d'un pas ~** andar con paso ligero.

**allègrement** *adv* **1.** con agilidad, con rapidez **2.** alegremente.

**allégresse** *f* alegría, júbilo *m*.

**allegretto** *m MUS* alegreto.

**allegro** *m MUS* alegro.

**alléguer*** *vt* alegar, aducir: **il allégua des raisons de santé pour justifier son absence** alegó motivos de salud para justificar su ausencia.

**alléluia** *m* aleluya.

**Allemagne** *np f* Alemania: **l'~ de l'Est, de l'Ouest** Alemania oriental, occidental; **la réunification de l'~** la reunificación de Alemania.

**allemand, e** *a/s* alemán, ana: **les Allemands** los alemanes. ◇ *f (danse)* alemanda.

**[1]aller*** *vi* **1.** ir: **je vais à la gare** voy a la estación; **nous irons en Suisse cet été** iremos a Suiza este verano; **l'avion qui va de Madrid à Barcelone** el avión que va de Madrid a Barcelona; **il faut que j'aille chez le dentiste, chez le médecin** tengo que ir al dentista, al médico; **je suis allé à l'hôtel à pied** fui al hotel andando; **qui va là?** ¿quién va?; **se laisser ~** → **laisser** ◊ *FIG* **où allons-nous?** ¿dónde vamos a parar?; **il va sur ses 30 ans** anda por los 30 años **2.** *(+ infinitif)* ir a, irse a: **je vais sortir** voy a salir; **tu vas voir** vas a ver; **j'allais t'écrire** iba a escribirte; **va te coucher!** ¡vete a dormir!; **vas-tu te taire?** ¿te vas a callar o no?; **on dirait qu'il va pleuvoir** parece que va a llover; **n'allez surtout pas croire que...;** no vaya usted a creer que...; **~ chercher** → **chercher 3.** *(fonctionner, etc.)* ir, marchar, andar **4.** *(se porter)* estar, andar: **comment va le malade?** ¿qué tal anda el enfermo?; **il va de plus en plus mal** cada día anda peor; **comment ça va?** ¿qué tal?, ¿qué hay?, ¿cómo le va?; **ça va mieux, je vais mieux** estoy mejor; *FAM* **ça va pas la tête, non, mais ça va pas** pero tú estás mal de la cabeza, estás loco **5.** sentar, ir: **ce chemisier te va bien** esta blusa te sienta bien; **cette robe lui va affreusement mal** este vestido le va fatal **6.** convenir: **ça me va** me conviene; **ça te va samedi prochain?** ¿te viene bien el sábado próximo? ◊ *FAM* **ça va!** ¡de acuerdo!, ¡vale!; **ça ira** vale; **ça va comme ça** ya basta **7. ça va de soi, cela va sans dire** es evidente, eso cae por su peso **8. y ~** ir: **j'y vais** ¡voy!; **allons-y!** ¡vamos!; **vas-y!** ¡ánimo!; **y ~ de sa poche** poner de su bolsillo; **il y va de sa vie** su vida está en juego; **comme tu y vas!, tu y vas fort!** ¡exageras! ◇ *interj* **allons!, allez!** ¡vamos!, ¡vaya!, ¡anda ya!, ¡ea!: **allons, ne pleure pas!** ¡ea, no llores!; **allons, ne te fâche pas!** ¡anda!, no te enfades; **allons donc!** ¡vamos anda!, ¡qué va!; **va donc, eh tordu!** ¡vete a la porra, idiota! ◆ **s'en ~** *vpr* **1.** irse, marcharse: **je m'en vais** me voy; **va-t'en!** ¡vete!; **allons-nous-en** vámonos; **ne t'en va pas** no te vayas **2.** desaparecer: **la tache s'est en allée** la mancha ha desaparecido **3.** *FAM* **je m'en vais vous expliquer ce qui s'est passé** voy a explicarle lo que ha sucedido.

**[2]aller** *m* ida *f*: **~ et retour** ida y vuelta; **un billet ~** un billete de ida; **à l'~** a la ida.

**allergie** *f* alergia.

**allergique** *a* alérgico, a ◊ *FIG* **il est ~ au travail** es alérgico al trabajo.

**allergologue** *s* alergista, alergólogo, a.

**alleu** *m ANC* alodio.

**alliacé, e** *a* aliáceo, a.

**alliage** *m* aleación *f*: **des alliages légers** aleaciones ligeras.

**alliance** *f* **1.** *(entente)* alianza **2.** *(mariage)* matrimonio *m*, alianza ◊ **cousin par ~** primo político **3.** *(anneau)* alianza, anillo *m* de boda **4.** *(de couleurs, etc.)* combinación, unión.

**allié, e** *a/s* aliado, a. ◇ *np HIST* **les Alliés** los Aliados.

**allier** *vt* **1.** aliar, unir **2.** *(métaux)* alear, ligar. ◆ **s'~** *vpr* **1.** *(pays, familles)* aliarse **2.** unirse.

**alligator** *m* aligátor.

**allitération** *f* aliteración.

**allô!** *interj (appel)* ¡oiga!; *(réponse)* ¡diga!; *(en Amérique)* ¡hola!

**allocataire** *s* beneficiario, a de un subsidio.

**allocation** *f* **1.** asignación **2.** *(somme)* subsidio *m*: **allocations familiales** subsidios familiares; **~ de chômage** subsidio de desempleo, de paro.

**allocution** *f* alocución.

**allodial, e** *a* JUR alodial.

**allogène** *a* alógeno, a.

**allonge** *f (de boucher)* gancho *m*.

**allongé, e** *a* **1.** alargado, a: **crâne ~** cráneo alargado **2. mine allongée** cara larga **3. café ~** café con un poco de agua.

**allongement** *m* **1.** alargamiento **2.** *(de la scolarité, etc.)* ampliación *f*.

**allonger*** *vt* **1.** *(rendre plus long)* alargar **2.** *(bras, jambe)* estirar, alargar **3. ~ le pas** alargar el paso **4.** *(une sauce)* aclarar **5.** FAM largar, arrear, atizar: **~ une gifle** arrear una bofetada **6.** POP *(de l'argent)* aflojar: **les ~** aflojar la mosca. ◇ *vi* alargarse: **les jours allongent** los días se alargan. ◆ **s'~** *vpr* **1.** *(devenir plus long)* alargarse **2.** *(se coucher)* echarse, tenderse, tumbarse: **il s'allongea sur le lit** se echó en la cama; **allonge-toi!** ¡échate!; **allongez-vous sur le dos** túmbese boca arriba.

**allopathe** *a/s* alópata.

**allopathie** *f* alopatía.

**allotropie** *f* alotropía.

**allouer** *vt* asignar, conceder: **~ une indemnité** asignar una indemnización.

**allumage** *m* encendido: **retard à l'~** retraso de encendido.

**allume-cigares** *m inv* encendedor.

**allume-gaz** *m inv* encendedor.

**allumer** *vt* **1.** encender: **~ une bougie** encender una vela; **allume la radio!** ¡enciende la radio!; **la télévision était allumée** la televisión estaba encendida ◊ **~ l'électricité** encender la electricidad, dar la luz **2.** *(une pièce)* alumbrar **3.** FIG *(exciter)* encender, atizar **4.** FAM **un allumé** un exaltado. ◆ **s'~** *vpr* encenderse.

**allumette** *f* **1.** fósforo *m*, cerilla: **une boîte d'allumettes** una cajita de cerillas; **frotter une ~** rascar un fósforo **2. avoir des jambes comme des allumettes** tener las piernas como alambres **3. pommes allumettes** patatas fritas.
▶ *Cerilla* désigne les allumettes-bougies.

**allumeur** *m (de moteur)* explosivo.

**allumeuse** *f* FAM coqueta.

**allure** *f* **1.** *(vitesse)* velocidad ◊ **à toute ~** a toda mecha, a toda pastilla **2.** *(démarche)* andar *m*, paso *m* **3.** *(maintien)* porte *m*, garbo *m*, facha: **elle a de l'~** tiene garbo, buena facha **4.** aspecto *m*: **cette maison a beaucoup d'~** esta casa tiene mucho aspecto.

**allure, e** *a* chic.

**allusif, ive** *a* alusivo, a.

**allusion** *f* alusión ◊ **faire ~ à** aludir a, referirse a: **à quoi fais-tu ~ ?** ¿a qué te refieres?

**alluvial, e** *a* aluvial, de aluvión.

**alluvion** *f* aluvión *m*: **les alluvions d'un fleuve** los aluviones de un río.

**alluvionnement** *m* formación *f* de aluviones.

**almanach** [almana] *m* almanaque.

**almée** *f* almea.

**aloès** [alɔɛs] *m* áloe.

**aloi** *m* **1.** *(d'une monnaie)* ley *f* **2.** FIG **de bon ~** de buena ley, de calidad.

**alopécie** *f* alopecia.

**alors** *adv* **1.** entonces: **elle avait ~ trente ans** tenía entonces treinta años; **jusqu'~** hasta entonces; **les jeunes d'~** los jóvenes de entonces; **c'est ~ qu'il décida de...** fue entonces cuando decidió... **2.** conque: **~, on fume en cachette?** conque, ¿fumando a escondidas?; **~, on s'en va?** ¿nos vamos?, ¿así que nos vamos?; **~ tais-toi** así que cállate **3. et ~?** ¿pues qué?, ¿y qué?, ¿y bien?; **ça ~, je n'en reviens pas** ¡vamos!, no me lo creo; **non mais ~!** ¡el colmo!, ¡habráse visto! **4.** *loc conj* **~ que** mientras que, cuando.

**alose** *f* alosa, sábalo *m*.

**alouate** *m* mono aullador.

**alouette** *f* **1.** alondra **2.** FIG **il attend que les alouettes lui tombent toutes rôties** espera que se lo den todo servido.

**alourdir** *vt* **1.** hacer pesado, a **2.** *(impôts)* gravar **3.** *(style)* sobrecargar, hacer menos elegante. ◆ **s'~** *vpr* volverse pesado, a.

**alourdissement** *m* pesadez *f*, entorpecimiento.

**aloyau** [alwajo] *m* lomo de vaca, solomillo.

**alpaga** *m* alpaca *f*.

**alpage** *m* pasto en la montaña.

**alpaguer** *vt* POP coger, trincar.

**Alpes** [alp(ə)] *np f pl* **les ~** los Alpes.

**alpestre** *a* alpestre, alpino, a.

**alpha** *m* **1.** alfa *f*: **rayons ~** rayos alfa **2. l'~ et l'oméga** el principio y el fin, el alfa y omega.

**alphabet** *m* alfabeto.

**alphabétique** *a* alfabético, a: **par ordre ~** por orden alfabético.

**alphabétiquement** *adv* alfabéticamente.

**alphabétisation** *f* alfabetización.

**alphabétiser** *vt* alfabetizar.

**alphanumérique** *a* alfanumérico, a.

**Alphonse** *np m* Alfonso.

**Alphonsine** *np f* Alfonsina.

**alpin, e** *a* alpino, a.

**alpinisme** *m* alpinismo.

**alpiniste** *s* alpinista.

**alpiste** *m* alpiste.

**Alsace** *np f* Alsacia.

**alsacien, enne** *a/s* alsaciano, a.

**altérable** *a* alterable.

**altérant, e** *a* que da sed.

**altération** *f* **1.** *(changement)* alteración, cambio *m* **2.** falsificación **3.** MUS alteración.

**altercation** *f* altercado *m*.

**alter ego** *m* alter ego.

**altérer*** *vt* **1.** *(une denrée)* alterar **2.** *(une monnaie)* falsificar **3.** *(la vérité)* falsear **4.** *(assoiffer)* dar sed: **cette course m'a altéré** esta carrera me ha dado sed **5.** FIG **altéré de...** ávido de..., sediento de...

**alternance** *f* **1.** alternancia, alternación: **l'~ des cultures** la alternancia de cultivos **2.** *(au pouvoir)* alternativa (de poder).

**alternateur** *m* ÉLECT alternador.

**alternatif, ive** *a* **1.** alternativo, a **2. courant ~** corriente alterna.

**alternative** *f* **1.** alternativa, disyuntiva, opción: **se trouver devant une ~** encontrarse ante una alternativa **2.** *(succession)* alternancia **3.** *(solution de remplacement)* alternativa.

**alternativement** *adv* alternativamente.

**alterne** *a GÉOM* alterno, a.

**alterner** *vi* alternar.

**altesse** *f* alteza: **son ~ royale** su Alteza real.

**althæa** [altea] *f* altea.

**altier, ère** *a* altanero, a, altivo, a.

**altimètre** *m* altímetro.

**altiste** *s (musicien)* viola.

**altitude** *f* altitud, altura: **l'~ d'une montagne** la altitud de una montaña; **prendre de l'~** tomar altitud.

**alto** *m* **1.** *(instrument à cordes)* viola *f* alto **2.** *(voix)* contralto.

**altruisme** *m* altruismo.

**altruiste** *a/s* altruista.

**alu** *m FAM* aluminio.

**alumine** *f CHIM* alúmina.

**aluminium** [alyminjɔm] *m* aluminio.

**alun** [alœ̃] *m* alumbre.

**alunir** *vi* alunizar.

**alunissage** *m* alunizaje.

**alvéolaire** *a* alveolar.

**alvéole** *m* alvéolo.

**amabilité** *f* **1.** amabilidad **2. ayez l'~ de** tenga la bondad de: **auriez-vous l'~ de...?** ¿sería tan amable de...? ◇ *pl* amabilidades.

**amadou** *m* yesca *f* ◇ **briquet à ~** yesquero.

**amadouer** *vt* engatusar. ◆ **s'~** *vpr* ablandarse.

**amadouvier** *m* hongo yesquero.

**amaigri, e** *a* enflaquecido, a, adelgazado, a: **le visage ~ d'un malade** el rostro enflaquecido de un enfermo.

**amaigrir** *vt* enflaquecer, adelgazar.

**amaigrissant, e** *a* que hace adelgazar: **régime ~** dieta de adelgazamiento, régimen para adelgazar.

**amaigrissement** *m* **1.** adelgazamiento, enflaquecimiento **2. cure d'~** dieta de adelgazamiento.

**amalgame** *m* amalgama *f*.

**amalgamer** *vt* amalgamar. ◆ **s'~** *vpr* **1.** amalgamarse **2. s'~ à** fundirse con.

**amandaie** *f* almendral *m*.

**amande** *f* **1.** almendra: **~ douce, amère** almendra dulce, amarga; **pâte d'amandes** pasta de almendras **2. yeux en ~** ojos rasgados.

**amandier** *m* almendro.

**amanite** *f (champignon)* amanita: **~ phalloïde** amanita faloides.

**amant, e** *s* amante.

**amarante** *f (plante)* amaranto *m*.

**amarrage** *m* **1.** amarradura *f*, amarre **2.** *(d'engins spaciaux)* acoplamiento.

**amarre** *f* amarra: **larguer les amarres** largar amarras.

**amarrer** *vt* amarrar.

**amaryllis** [amarilis] *f* amarilis.

**amas** *m* **1.** montón, pila *f*, amasijo: **un ~ de ruines** un montón de ruinas **2.** *(d'étoiles)* conjunto.

**amasser** *vt* **1.** amontonar **2.** *(de l'argent)* atesorar. ◆ **s'~** *vpr* amontonarse.

**amateur** *a/s* **1.** aficionado, a: **il est ~ de musique pop** es aficionado a la música pop; **photographe ~** fotógrafo aficionado; **un ~ de bonne chère** un aficionado a la buena mesa **2.** aficionado, a, diletante: **elle poursuit ses études en ~** continúa sus estudios por afición **3.** *(acquéreur)* **pas d'~ pour ce tableau?** ¿no hay comprador para este cuadro?

▶ Le gallicisme *amateur* (prononcez [amatɛʀ]) est admis en espagnol et employé surtout dans le domaine sportif: *un footballeur ~* un futbolista amateur.

▶ *Amateur* no tiene forma femenina en francés.

**amateurisme** *m* diletantismo, amateurismo.

**Amazone** *np* **l'~** el Amazonas.

**amazone** *f* **1.** *(cavalière)* amazona **2. monter en ~** montar a mujeriegas.

**Amazonie** *np f* Amazonia.

**amazonien, enne** *a* amazónico, a.

**ambages** *f pl* ambages *m*: **sans ~** sin ambages, sin rodeos.

**ambassade** *f* embajada ◇ **attaché d'~** agregado diplomático.

**ambassadeur, drice** *s* embajador, a.

**ambiance** *f* **1.** ambiente *m*: **une ~ joyeuse** un ambiente alegre **2. mettre de l'~** animar; **il y a de l'~ ici!** ¡esto está animado! **3. musique d'~** música ambiental.

**ambiant, e** *a* **1.** ambiente, ambiental: **la température ambiante** la temperatura ambiental **2.** *FIG* circundante.

**ambidextre** *a* ambidextro, a.

**ambigu, ë** *a* ambiguo, a.

**ambiguïté** *f* ambigüedad.

**ambitieusement** *adv* ambiciosamente.

**ambitieux, euse** *a* ambicioso, a.

**ambition** *f* ambición.

**ambitionner** *vt* ambicionar.

**ambivalence** *f* ambivalencia.

**ambivalent, e** *a* ambivalente.

**amble** *f* ambladura ◇ **aller l'~** amblar.

**ambre** *m* ámbar: **~ gris** ámbar gris.

**ambré, e** *a* **1.** ambarino, a **2.** perfumado, a con ámbar.

**Ambroise** *np m* Ambrosio.

**ambroisie** *f* ambrosía.

**ambulance** *f* ambulancia.

**ambulancier, ère** *s* ambulanciero, a, enfermero, a de una ambulancia.

**ambulant, e** *a* ambulante: **marchand ~** vendedor ambulante ◇ **comédiens ambulants** cómicos de la legua; *FAM* **un cadavre ~** un auténtico esqueleto.

**ambulatoire** *a* ambulatorio, a.

**âme** *f* **1.** alma: **sauver son ~** salvar su alma; **comme une ~ en peine** como alma en pena; **de toute son ~** con toda el alma ◇ **avoir l'~ chevillée au corps** tener siete vidas como los gatos; **en mon ~ et conscience** con toda sinceridad; **fendre l'~ → fendre; rendre l'~** entregar el alma, morir; **Dieu ait son ~ !** ¡que en Gloria esté!, ¡que en paz descanse! **2.** espíritu *m*: **grandeur d'~** grandeza de espíritu **3.** *(habitant)* alma: **une ville de 100 000 âmes** una ciudad de 100 000 almas; **sans rencontrer ~ qui vive** sin encontrar alma viviente, sin encontrar ni un alma **4.** *FIG* alma: **il est l'~ du complot** es el alma del complot; **être l'~ damnée de quelqu'un** ser el instrumento ciego de alguien; **une bonne ~** un alma de Dios; **~ sœur** alter ego **5.** *(d'un canon, violon, etc.)* alma.

**Amédée** *np m* Amadeo.

**Amélie** *np f* Amelia.

**améliorable** *a* mejorable.

**amélioration** *f* **1.** mejora, mejoramiento *m* **2.** *(de la santé, etc.)* mejoría: **une légère ~** una ligera mejoría.

**améliorer** *vt* mejorar. ◆ **s'~** *vpr* mejorarse, mejorar: **le temps s'améliore** el tiempo se está mejorando; **le vin s'améliore en vieillissant** el vino mejora con los años.

**amen** [amen] *adv* **1.** amén **2.** *FAM* **dire ~ à tout** decir amén a todo.

**aménagement** *m* **1.** *(d'un lieu)* acondicionamiento, habilitación *f*, arreglo **2.** instalación *f*, disposición *f*: **les nouveaux aménagements** las nuevas instalaciones **3.** *(d'un emploi du temps, etc.)* organización *f* **4. ~ du territoire** ordenación *f* del territorio **5. aménagements fiscaux** reajustes fiscales.

**aménager*** *vt* **1.** acondicionar, habilitar: **~ un grenier en chambre** acondicionar un desván para habitación; **~ un cagibi en cabinet de toilette** habilitar un cuchitril para tocador **2.** arreglar, instalar **3.** *(un emploi du temps, etc.)* ajustar, regular.

**amendable** *a* enmendable.

**amende** *f* **1.** multa: **payer une ~** pagar una multa ◊ *FAM* **mettre à l'~** castigar **2. faire ~ honorable** excusarse, pedir perdón, cantar la palinodia.

**amendement** *m* **1.** *(d'un texte)* enmienda *f* **2.** *(engrais)* abono.

**amender** *vt* **1.** *(un texte)* enmendar **2.** *(un terrain)* abonar. ◆ **s'~** *vpr* enmendarse, corregirse.

**amène** *a* ameno, a.

**amenée** *f* traída de aguas.

**amener*** *vt* **1.** traer: **amenez votre frère** traiga a su hermano; **quel bon vent vous amène?** ¿qué le trae por aquí? **2.** acarrear, ocasionar: **cette imprudence pourrait nous ~ bien des ennuis** esta imprudencia nos podría acarrear muchos disgustos **3.** *(déterminer)* inducir: **ils l'ont amené à changer d'avis** lo indujeron a cambiar de parecer **4.** *MAR* **~ les couleurs, son pavillon** arriar la bandera; **~ une voile** amainar una vela **5.** *JUR* **mandat d'~** orden de comparecer. ◆ **s'~** *vpr FAM* venir: **alors, tu t'amènes?** ¿vienes o no?; **amène-toi!** ¡ven aquí!

**aménité** *f* amenidad, amabilidad ◊ **traiter quelqu'un sans ~** tratar a alguien duramente. ◇ *pl* amabilidades.

**aménorrhée** *f MÉD* amenorrea.

**amenuisement** *m* reducción *f*, disminución *f*.

**amenuiser** *vt* reducir. ◆ **s'~** *vpr* disminuir, reducirse.

**[1]amer, ère** [amɛʀ] *a* **1.** amargo, a **2.** *FIG* amargo, a, doloroso, a: **une amère déconvenue** un amargo desengaño.

**[2]amer** *m MAR* marca *f*.

**amèrement** *adv* amargamente, con amargura.

**américain, e** *a/s* americano, a.

▶ Lorsqu'il fait référence aux États-Unis d'Amérique, l'espagnol emploie les mots *estadounidense* ou *norteamericano, a*: *l'écrivain américain Faulkner* el escritor norteamericano Faulkner; *les Américains du Nord* los norteamericanos. *Les Américains du Sud* los sudamericanos.

**américanisation** *f* americanización.

**américaniser** *vt* americanizar. ◆ **s'~** *vpr* americanizarse.

**américanisme** *m* americanismo.

**américaniste** *a/s* americanista.

**amérindien, enne** *a/s* amerindio, a.

**Amérique** *np f* América: **l'~ du Nord, du Sud** América del Norte, del Sur; **l'~ centrale** América Central, Centroamérica; **l'~ latine** América Latina.

**amerloque, amerlo(t)** *s PÉJOR* gringo.

**amerrir** *vi* amarar.

**amerrissage** *m* amaraje.

**amertume** *f* amargura, amargor *m*.

**améthyste** *f* amatista.

**ameublement** *m* mobiliario, moblaje ◊ **rayon d'~** sección de muebles; **tissu d'~** tapicería *f*.

**ameublir** *vt* **1.** *(la terre)* mullir **2.** *JUR* convertir en bienes muebles.

**ameublissement** *m* acción *f* de mullir (la tierra).

**ameuter** *vt* alborotar, sublevar: **~ tout le voisinage** alborotar a toda la vecindad. ◆ **s'~** *vpr* amotinarse.

**ami, e** *a/s* amigo, a: **un ~ d'enfance** un amigo de la infancia; **un de mes amis** un amigo mío; **un de mes vieux amis** un amigo de toda la vida; **il est très ~ avec moi** es muy amigo mío ◊ **nous sommes devenus aussitôt très amis** intimamos en seguida. ◇ *s* **1.** *(amant)* amigo, a, querido, a **2. petit ~** amigo, novio; **petite amie** amiga, novia, amiguita.

**amiable** *a* **1.** amistoso, a **2. à l'~** amigablemente, amistosamente; **arrangement à l'~** arreglo amistoso; **vente à l'~** venta con acuerdo recíproco.

**amiante** *m* amianto.

**amibe** *f* ameba.

**amibiase** *f MÉD* amebiasis.

**amibien, enne** *a* amebiano, a.

**amical, e** *a* amistoso, a: **rapports amicaux** relaciones amistosas; **match ~** partido amistoso.

**amicale** *f* sociedad, asociación, peña.

**amicalement** *adv* amistosamente.

**amide** *m CHIM* amida *f*.

**amidon** *m* almidón.

**amidonnage** *m* almidonado.

**amidonner** *vt* almidonar.

**amincir** *vt/vi* adelgazar ◊ **cette robe l'amincit** este vestido la hace verse delgada. ◆ **s'~** *vpr* adelgazarse.

**amincissement** *m* adelgazamiento.

**amine** *f CHIM* amina.

**aminé, e** *a CHIM* **acide ~** aminoácido.

**amiral** *m* almirante. ◇ *a* **vaisseau ~** buque insignia.

**amirale** *f* almiranta.

**amirauté** *f* almirantazgo *m*.

**amitié** *f* **1.** amistad: **se lier d'~ avec quelqu'un** trabar amistad con alguien **2.** favor *m*: **faites-moi l'~ de venir** hágame el favor de venir. ◇ *pl* recuerdos *m*: **mes amitiés à votre frère** recuerdos a su hermano.

**ammoniac, ammoniaque** *a/m* amoníaco, a, amoniaco, a.

**ammoniacal, e** *a* amoniacal.

**ammoniaque** *f* amoníaco *m*, amoniaco *m*.

**ammonite** *f (fossile)* amonita.

**amnésie** *f* amnesia.

**amnésique** *a/s* amnésico, a.

**amniocentèse** *f* amniocentesis.

**amniotique** *a* amniótico, a: **liquide ~** líquido amniótico.

**amnistie** *f* amnistía, indulto *m*.

**amnistier*** *vt* amnistiar.

**amocher** *vt POP* **1.** *(abîmer)* estropear **2.** *(défigurer)* desfigurar **3.** *(blesser)* herir. ◆ **s'~** *vpr* herirse: **elle s'est bien amochée en tombant** se ha herido seriamente al caer.

**amodiation** *f* arriendo *m*.

**amodier*** *vt (une terre)* arrendar.

**amoindrir** *vt* aminorar, reducir. ◆ **s'~** *vpr* aminorarse, menguar.

**amoindrissement** *m* aminoración *f*, disminución *f*.

**amollir** *vt* **1.** ablandar **2.** *FIG (affaiblir)* debilitar.

**amollissant, e** *a* debilitante.

**amollissement** *m* ablandamiento.

**amonceler*** *vt* amontonar. ◆ **s'~** *vpr* amontonarse: **la neige s'amoncelle** la nieve se amontona.

**amoncellement** *m* amontonamiento.

**amont** *m* **1.** parte *f* alta (de un río) **2. en ~** río arriba; **en ~ de** más arriba de.

**amoral, e** *a* amoral.

**amoralisme** *m* amoralismo.

**amoralité** *f* amoralidad.

**amorçage** *m* cebadura *f.*

**amorce** *f* **1.** *(appât)* cebo *m* **2.** *(matière détonante)* cebo *m*, fulminante *m* **3.** *(début)* principio *m*, comienzo *m*: **l'~ d'une idylle** el principio de un idilio.

**amorcer*** *vt* **1.** *(appâter)* cebar **2. ~ l'hameçon** cebar, encarnar el anzuelo **3.** *(une charge explosive, une pompe)* cebar **4.** *(une discussion, une affaire)* iniciar **5. ~ un virage** entrar en la curva. ◆ **s'~** *vpr (commencer)* iniciarse, empezar.

**amorphe** *a* amorfo, a, apático, a.

**amorti** *m (tennis)* dejada *f.*

**amortir** *vt* **1.** *(choc, bruit)* amortiguar **2.** *(dette, dépense, etc.)* amortizar: **~ une maison en dix ans** amortizar una casa en diez años.

**amortissable** *a* amortizable.

**amortissement** *m* **1.** amortiguamiento **2.** *(d'une dette, d'un emprunt)* amortización *f.*

**amortisseur** *m* amortiguador.

**amour** *m* **1.** amor: **l'~ du prochain** el amor al prójimo; **le grand ~ de sa vie** el gran amor de su vida; **~ platonique, libre** amor platónico, libre ◊ **filer le parfait ~ → filer; pour l'~ du ciel!** ¡por el amor de Dios! **2.** *(affection)* cariño, afecto **3.** amor, pasión *f*: **l'~ de la musique** el amor a la música; **pour l'~ de l'art** por amor al arte **4. faire l'~** hacer el amor **5.** *FAM* **un ~ de petit chat** un encanto de gatito; **c'est un ~ d'enfant** es un niño encantador; **tu es un ~** eres un encanto, un ángel; **mon ~** amor mío, corazón mío **6.** *(representation artistique)* amorcillo.
▶ En poesía, se utiliza a veces la forma femenina en plural: *les premières amours* los primeros amores.

**amouracher (s')** *vpr* **~ de** encapricharse de, chalarse de.

**amourette** *f (flirt)* amorío *m*, idilio *m*, devaneo *m* amoroso.

**amourettes** *f pl CULIN* trozos *m* de tuétano.

**amoureusement** *adv* amorosamente.

**amoureux, euse** *a/s* **1.** enamorado, a: **il est ~ de sa voisine** está enamorado de su vecina; **les deux ~** los dos enamorados ◊ **tomber ~ de** enamorarse de: **elle est tombée amoureuse de lui** se ha enamorado de él **2.** *(d'une chose)* amante: **les ~ de la nature** los amantes de la naturaleza. ◇ *a* amoroso, a: **regard ~** mirada amorosa.

**amour-propre** *m* amor propio.

**amovibilité** *f* amovilidad.

**amovible** *a* amovible, de quita y pon, de quitaipón: **housse ~** funda de quitaipón.

**ampélopsis** *m* ampelopsis.

**ampérage** *m* amperaje.

**ampère** *m* amperio.

**amphé, amphète** *f FAM* anfeta.

**amphétamine** *f* anfetamina.

**amphi** *m FAM* **→ amphithéâtre (2).**

**amphibie** *a* anfibio, a.

**amphibiens** *m pl ZOOL* anfibios.

**amphibologie** *f* anfibología.

**amphibologique** *a* anfibológico, a.

**amphigouri** *m* galimatías.

**amphigourique** *a* confuso, a, ininteligible.

**amphithéâtre** *m* **1.** anfiteatro **2.** *(université)* aula *f*: **le grand ~** el aula magna.

**amphitryon** *m* anfitrión.

**amphore** *f* ánfora.

**ample** *a* **1.** amplio, a **2.** *(vêtement)* holgado, a, amplio, a **3.** abundante **4. de plus amples détails** más detalles.

**amplement** *adv* **1.** ampliamente **2. c'est ~ suffisant** es más que suficiente; **nous avons ~ le temps** tenemos bastante tiempo, tenemos tiempo de sobra.

**ampleur** *f* **1.** amplitud **2.** *(d'une jupe)* vuelo *m* **3.** importancia, magnitud: **l'~ des dégâts** la magnitud de los daños.

**ampli** *m FAM* amplificador.

**amplificateur** *m* amplificador.

**amplification** *f* amplificación.

**amplifier*** *vt* **1.** amplificar, ampliar **2.** *(exagérer)* exagerar **3.** *(développer)* incrementar. ◆ **s'~** *vpr* amplificarse, aumentar: **le bruit s'amplifie** el ruido aumenta.

**amplitude** *f* amplitud.

**ampoule** *f* **1.** *(pour médicaments)* ampolla **2.** *(électrique)* bombilla **3.** *(sous la peau)* ampolla.

**ampoulé, e** *a* ampuloso, a.

**amputation** *f* amputación.

**amputer** *vt* **1.** amputar: **on l'a amputé d'un bras** le han amputado un brazo **2.** *FIG* amputar, reducir.

**amulette** *f* amuleto *m.*

**amure** *f MAR* amura.

**amusant, e** *a* divertido, a, gracioso, a: **un film ~** una película divertida; **comme c'est ~ !** ¡qué divertido! ◊ **ce n'est pas ~ du tout** no tiene ninguna gracia.

**amuse-gueule** [amyzgœl] *m inv FAM* tapa *f.*

**amusement** *m* diversión *f*, entretenimiento.

**amuser** *vt* **1.** divertir, entretener, distraer **2.** hacer gracia: **sa façon de parler m'amuse** me hace gracia su manera de hablar; **ça ne m'amuse pas de faire ça** no me hace ninguna gracia hacer esto ◊ **viens si ça t'amuse** ven si quieres, si te apetece. ◆ **s'~** *vpr* **1.** divertirse, pasarlo bien: **nous nous sommes bien amusés** nos hemos divertido mucho; **amusez-vous bien!** ¡que se diviertan!; **on s'est drôlement bien amusés** lo hemos pasado bomba **2.** entretenerse, distraerse: **elle s'amuse à sauter** se entretiene saltando.

**amusette** *f* diversión, pasatiempo *m.*

**amuseur, euse** *s* bufón, ona.

**amygdale** *f* amígdala ◊ *FAM* **se faire opérer des amygdales** operarse de anginas.

**amygdalite** *f MÉD* amigdalitis, anginas *pl.*

**amylacé, e** *a* amiláceo, a.

**an** *m* año: **il y a six ans** hace seis años; **elle a 20 ans** tiene 20 años; **l'~ dernier, prochain** el año pasado, próximo; **le nouvel ~** el año nuevo; **le jour de l'~** el día de Año Nuevo; **en l'~ 2000** en el año 2000; *FAM* **bon ~ mal ~** un año con otro. **→ année.**
▶ Remarquez l'article ou le possessif dans *à 18 ans* a los 18 años; *à 40 ans il n'était pas encore marié* a sus 40 años aún no estaba casado.

**anabaptiste** [anabatist] *a/s* anabatista.

**anabolisant, e** *a/m BIOL* anabolizante.

**anacarde** *m* anacardo.

**anacardier** *m* anacardo.

**anachorète** [anakɔʀɛt] *m* anacoreta.

**anachronique** *a* anacrónico, a.

**anachronisme** [anakʀɔnism] *m* anacronismo.

**anacoluthe** *f* anacoluto *m*.

**anaconda** *m* anaconda *f*.

**anacréontique** *a* anacreóntico, a.

**anaérobie** *a* anaerobio, a.

**anagramme** *f* anagrama *m*.

**anal, e** *a* anal.

**analeptique** *a* MÉD analéptico, a.

**analgésique** *a/m* analgésico, a.

**analogie** *f* analogía: **par ~** por analogía.

**analogique** *a* analógico, a.

**analogiquement** *adv* analógicamente.

**analogue** *a* análogo, a. ◇ *m* equivalente.

**analphabète** *a/s* analfabeto, a.

**analphabétisme** *m* analfabetismo.

**analysable** *a* analizable.

**analyse** *f* **1.** análisis *m*: **une ~ de sang** un análisis de sangre; **~ logique** análisis lógico; **faire l'~ de** hacer el análisis de **2. en dernière ~** mirándolo bien, en el fondo **3.** psicoanálisis *m*, análisis *m*.
▶ *Análisis* est invariable: *des analyses* análisis.

**analyser** *vt* analizar.

**analyseur** *m* PHYS analizador.

**analyste** *s* **1.** analista **2.** *(psychanalyste)* analista, psicoanalista **3. ~ -programmeur** analista programador.

**analytique** *a* analítico, a.

**anamnèse** *f* MÉD anamnesis.

**anamorphose** *f* anamorfosis

**ananas** [anana(s)] *m* piña *f*, ananás.

**anaphore** *f* anáfora.

**anar** [anaʀ] *s* FAM *(anarchiste)* anarco, a, anarquista.

**anarchie** *f* anarquía.

**anarchique** *a* anárquico, a.

**anarchiquement** *adv* anárquicamente.

**anarchisme** *m* anarquismo.

**anarchiste** *a/s* anarquista.

**anarchosyndicalisme** [anaʀkosɛ̃dikalism] *m* anarcosindicalismo.

**Anastase, ie** *np* Anastasio, a.

**anastomose** *f* anastomosis.

**anastomoser (s')** *vpr* anastomosarse.

**anathématiser** *vt* anatematizar.

**anathème** *m* **1.** anatema **2. jeter l'~ sur quelqu'un** anatematizar a alguien.

**anatife** *m* percebe, anatife.

**Anatole** *np m* Anatolio.

**Anatolie** *np f* Anatolia.

**anatomie** *f* **1.** anatomía **2.** FAM **une belle ~** un cuerpo hermoso.

**anatomique** *a* anatómico, a.

**anatomiste** *s* anatomista.

**ancestral, e** *a* ancestral.

**ancêtre** *m* **1.** antepasado **2.** *(précurseur)* precursor. ◇ *pl* antepasados: **nos ancêtres** nuestros antepasados.

**anche** *f* MUS lengüeta.

**anchois** *m* **1.** *(poisson)* boquerón **2.** *(en conserve)* anchoa *f*: **filets d'~** filetes de anchoa.

**ancien, enne** *a* **1.** antiguo, a: **un monument ~** un monumento antiguo; **les civilisations anciennes** las civilizaciones antiguas ◊ FAM **c'est de l'histoire ancienne** lo pasado, pasado **2.** ex: **~ président** ex presidente; **~ député** ex diputado; **~ combattant** ex combatiente; **~ élève** ex alumno. ◇ *s (de l'Antiquité, d'une école)* antiguo, a.

**anciennement** *adv* antiguamente.

**ancienneté** *f* **1.** antigüedad **2.** *(temps de service)* antigüedad, veteranía.

**ancillaire** *a* doméstico, a.

**ancolie** *f* aguileña.

**ancrage** *m* **1.** *(action d'ancrer)* anclaje **2.** *(mouillage)* fondeadero, ancladero **3.** *(d'un câble, etc.)* fijación *f* **4.** FIG implantación *f*.

**ancre** *f* ancla: **jeter l'~** echar anclas, el ancla; **lever l'~** zarpar, levar anclas, el ancla ◊ **~ de miséricorde** ancla de la esperanza; **navire à l'~** barco anclado.

**ancrer** *vt* **1.** anclar **2.** FIG arraigar: **habitude bien ancrée** costumbre muy arraigada. ◆ **s'~** *vpr* arraigarse, aferrarse.

**andalou, se** *a/s* andaluz, a: **les Andalous** los andaluces.

**Andalousie** *np f* Andalucía.

**andante** *adv/m* MUS andante.

**Andes** *np f pl* **les ~** los Andes.

**andin, e** *a* andino, a.

**andorran, e** *a/s* andorrano, a.

**Andorre** *np f* Andorra.

**andouille** *f* **1.** especie de embutido *m* (a base de callos) **2.** FAM idiota, imbécil: **espèce d'~!** ¡pedazo de imbécil!; **faire l'~** hacer el bobo, el ganso.

**andouiller** *m (du cerf)* ramificación *f* de los cuernos.

**andouillette** *f* especie de embutido *m* (a base de callos).

**André, e** *np* Andrés, Andrea.

**andrinople** *f* tela de algodón encarnada.

**androgyne** *a/m* andrógino, a.

**Andromaque** *np f* Andrómaca.

**Andromède** *np f* Andrómeda.

**andropause** *f* andropausia.

**âne** *m* **1.** asno, burro, borrico, rucio ◊ FIG **têtu comme un ~** terco como una mula; **être comme l'~ de Buridan** estar indeciso, a, como el asno de Buridán **2. pont en dos d'~** puente formando lomo **3.** FIG *(personne sotte)* burro, bestia *f*: **c'est un ~ bâté** es un burro; **bonnet d'~** orejas de burro.
▶ *Asno* est le terme employé en zoologie et dans la langue littéraire; *burro* est le mot le plus courant; *borrico* et *rucio* sont familiers. *Pollino* est un jeune âne.

**anéantir** *vt* **1.** aniquilar **2.** FIG anonadar, aniquilar: **cette nouvelle m'a anéanti** esta noticia me ha dejado estupefacto.

**anéantissement** *m* **1.** aniquilación *f*, aniquilamiento **2.** *(épuisement)* anonadamiento.

**anecdote** *f* anécdota.

**anecdotique** *a* anecdótico, a.

**anémiant, e** *a* anemiante.

**anémie** *f* anemia.

**anémier*** *vt* **1.** volver anémico, a **2.** *(affaiblir)* debilitar.

**anémique** *a* anémico, a.

**anémomètre** *m* anemómetro.

**anémone** *f* **1.** *(plante)* anémona, anemone **2. ~ de mer** anémona de mar.

**ânerie** *f* burrada, estupidez: **dire des âneries** decir burradas, estupideces.

**ânesse** *f* burra, asna → **âne.**

**anesthésie** *f* anestesia: **~ locale, générale** anestesia local, general ◊ **être sous ~** estar anestesiado, a; **sous ~ générale** bajo la anestesia general.

**anesthésier*** *vt* anestesiar.

**anesthésique** *a/m* anestésico, a.

**anesthésiste** *s* anestesista.

**aneth** [anɛt] *m* eneldo.

**anévrisme** *m* MÉD aneurisma.

**anfractuosité** *f* cavidad, agujero *m*, anfractuosidad.

**ange** *m* **1.** ángel: **anges déchus** ángeles caídos; **~ gardien** ángel de la guarda, ángel custodio ◊ **beau comme un ~** hermoso como un sol; **une patience d'~** una paciencia inagotable; **être aux anges** estar en la gloria; **rire aux anges** reír como un bobo; **un ~ passe** hay un silencio embarazoso **2.** *(personne parfaite)* **sa femme est un ~** su mujer es un ángel, un encanto **3. une faiseuse d'anges** una abortadora.

**Angèle** *np f* Ángela.

**angélique** *a* **1.** angélico, a **2.** angelical: **un sourire ~** una sonrisa angelical. ◇ *f (plante)* angélica.

**angelot** *m* angelito.

**angélus** [ɑ̃ʒelys] *m (prière)* ángelus.

**angevin, e** *a/s* angevino, a.

**angine** *f* **1.** angina **2. ~ de poitrine** angina de pecho.

**angiographie** *f* MÉD angiografía.

**angiologie** *f* MÉD angiología.

**angiome** *m* MÉD angioma.

**angiospermes** *f pl* BOT angiospermas.

**anglais, e** *a/s* **1.** inglés, esa: **les Anglais** los ingleses **2. filer à l'anglaise** despedirse a la francesa. ◇ *m (langue)* inglés. ◇ *f pl (coiffure)* tirabuzones *m*.

**angle** *m* **1.** ángulo: **~ droit** ángulo recto; **~ aigu, obtus** ángulo agudo, obtuso; **à ~ droit** en ángulo recto **2.** *(d'une rue)* esquina *f*: **à l'~ de la rue Bonaparte** esquina (a) Bonaparte; **juste à l'~** en la misma esquina; **faire l'~** hacer esquina **3.** FIG aspecto, punto de vista: **sous cet ~** desde este ángulo, desde este punto de vista **4.** FIG **arrondir les angles** limar (las) asperezas.

**Angleterre** *np f* Inglaterra.

**anglican, e** *a/s* anglicano, a.

**anglicanisme** *m* anglicanismo.

**angliciser** *vt* imitar lo inglés. ◆ **s'~** *vpr* hacerse inglés.

**anglicisme** *m* anglicismo.

**angliciste** *s* anglicista.

**anglomanie** *f* anglomanía.

**anglo-normand, e** *a* anglonormando, a.

**anglophile** *a/s* anglófilo, a.

**anglophilie** *f* anglofilia.

**anglophobe** *a/s* anglófobo, a.

**anglophobie** *f* anglofobia.

**anglo-saxon, onne** *a/s* anglosajón, ona: **les Anglo-Saxons** los anglosajones.

**angoissant, e** *a* angustioso, a.

**angoisse** *f* angustia, congoja.

**angoissé, e** *a* angustiado, a: **être ~** estar angustiado.

**angoisser** *vt* angustiar, acongojar. ◆ **s'~** *vpr* angustiarse, atormentarse.

**angolais, e** *a/s* angoleño, a.

**angora** *a/m* **1.** *(laine)* angora *f* **2. chat ~** gato de angora.

**anguille** *f* anguila ◊ FIG **il y a ~ sous roche** hay gato encerrado.

**angulaire** *a* angular: **pierre ~** piedra angular.

**anguleux, euse** *a* anguloso, a.

**anhydride** *m* CHIM anhídrido: **~ sulfureux** anhídrido sulfuroso.

**anicroche** *f* FAM dificultad, engorro *m*, percance *m*.

**ânier** *m* arriero.

**aniline** *f* CHIM anilina.

**animal, e** *a* animal: **le règne ~** el reino animal. ◇ *m* **1.** animal: **animaux domestiques, sauvages** animales domésticos, salvajes **2.** FAM animal, bruto: **quel ~ !** ¡qué pedazo de animal!

**animalcule** *m* animálculo.

**animalier** *m* pintor, escultor de animales.

**animalité** *f* animalidad.

**animateur, trice** *s* animador, a.

**animation** *f* animación: **mettre de l'~ dans une réunion** animar una reunión, comunicar animación a una reunión; **un film d'~** una película de animación ◊ **parler avec ~** charlar animadamente.

**animé, e** *a* **1.** animado, a: **rue animée** calle animada **2. dessins animés** dibujos animados.

**animer** *vt* **1.** animar **2.** *(un spectacle)* animar, amenizar. ◆ **s'~** *vpr* **1.** animarse: **la conversation s'anime** la conversación se está animando **2. son regard s'anime** su mirada se llena de vida, se anima.

**animisme** *m* animismo.

**animiste** *a/s* animista.

**animosité** *f* animosidad.

**anion** *m* PHYS, CHIM anión.

**anis** [ani(s)] *m* anís: **~ étoilé** anís estrellado.

**anisé, e** *a* anisado, a: **liqueur anisée** licor anisado.

**anisette** *f* anisete *m*, anís *m*.

**ankylose** *f* anquilosis.

**ankylosé, e** *a* anquilosado, a.

**ankyloser** *vt* anquilosar. ◆ **s'~** *vpr* anquilosarse.

**annales** *f pl* anales *m*.

**annaliste** *m* analista.

**annamite** *a/s* anamita.

**Anne** *np f* Ana.

**anneau** *m* **1.** *(de rideaux)* anilla *f* **2.** *(bague)* anillo **3. les anneaux de Saturne** los anillos de Saturno **3.** *(d'un ver)* anillo. ◇ *pl (gymnastique)* anillas *f*: **exercices aux anneaux** ejercicios de anillas.

**année** *f* **1.** año *m*: **cette ~** este año; **l'~ dernière, prochaine** el año pasado, próximo; **dans les années 60** en los años 60; **d'~ en ~** año tras año; **bonne ~ !** ¡feliz Año Nuevo!; **souhaiter la bonne ~** felicitar por Año Nuevo **2. l'~ scolaire** el curso, el año escolar, el año académico; **étudiant en dernière ~ de droit** estudiante de último curso de derecho **3. ~ sabbatique** año sabático. → **an.**

**année-lumière** *f* año *m* de luz.

**annelé, e** *a* anillado, a.

**annélides** *m pl* ZOOL anélidos.

**Annette** *np f* Anita.

**annexe** *a* **1.** anejo, a, anexo, a: **chapelle ~** capilla aneja **2.** *(document)* adjunto, a. ◇ *f* anexo *m*: **coucher à l'~ de l'hôtel** dormir en el anexo del hotel.

**annexer** *vt* anexionar, anexar.

**annexion** *f* anexión.

**annexionniste** *a* anexionista.

**Annibal** *np m* Aníbal.

**annihilation** *f* aniquilación.

**annihiler** *vt* aniquilar.

**anniversaire** *m* **1.** cumpleaños: **c'est aujourd'hui mon ~** hoy es mi cumpleaños; **bon ~ !** ¡feliz cumpleaños!; **gâteau d'~** tarta de cumpleaños **2.** *(d'un événement)* aniversario: **le 14 juillet est l'~ de la prise de la Bastille** el 14 de julio es el aniversario de la toma de la Bastilla.

**annonce** *f* **1.** *(nouvelle)* noticia: **l'~ de son mariage** la noticia de su casamiento **2.** anuncio *m*: **insérer une ~ dans un journal** insertar un anuncio en un periódico; **petites annonces** anuncios por palabras **3.** *(indice)* indicio *m*, síntoma *m* **4.** *(cartes)* acuse *m*.

**annoncer*** *vt* **1.** anunciar: **~ une nouvelle** anunciar una noticia; **le baromètre annonce de la pluie** el barómetro anuncia lluvia; **cela n'annonce rien de bon** eso no anuncia nada bueno **2.** *(prédire)* predecir. ◆ **s'~** *vpr* **1.** anunciarse **2. l'entreprise s'annonce difficile** la empresa se revela difícil; **la récolte s'annonce abondante** la cosecha promete ser abundante; **ça s'annonce mal!** ¡eso tiene mal cariz!

**annonceur, euse** *s* **1.** *(dans un journal, etc.)* anunciante **2.** *(speaker)* locutor, a.

**annonciateur, trice** *a* precursor, a: **signes annonciateurs** signos precursores.

**Annonciation** *f* **l'~** la Anunciación.

**annoncier, ère** *s* encargado, a de los anuncios.

**annotation** *f* anotación.

**annoter** *vt* anotar.

**annuaire** *m* **1.** anuario **2. ~ des téléphones** guía *f* telefónica, guía *f* de teléfonos.

**annualité** *f* anualidad.

**annuel, elle** *a* anual, anuo, a: **rente annuelle** renta anual; **plante annuelle** planta anual.

**annuellement** *adv* anualmente.

**annuité** *f* anualidad.

**annulable** *a* anulable.

**annulaire** *a/m* anular.

**annulation** *f* anulación, cancelación.

**annuler** *vt* **1.** anular, cancelar: **~ un traité** anular un tratado; **~ un voyage** cancelar un viaje **2. ~ un ordre de grève** desconvocar una huelga. ◆ **s'~** *vpr* anularse.

**anoblir** *vt* ennoblecer.

**anoblissement** *m* ennoblecimiento.

**anode** *f* PHYS ánodo *m*.

**anodin, e** *a* anodino, a.

**anomal, e** *a* anómalo, a.

**anomalie** *f* anomalía.

**ânon** *m* borriquillo.

**anone** *f* anona, chirimoya.

**ânonnement** *m* balbuceo.

**ânonner** *vi* balbucir. ◇ *vt* farfullar.

**anonymat** *m* anonimato.

**anonyme** *a/m* anónimo, a: **société ~** sociedad anónima.

**anonymement** *adv* anónimamente.

**anophèle** *m* anofeles.

**anorak** *m* anorak.

**anorexie** *f* MÉD anorexia.

**anorexique** *a/s* anoréxico, a.

**anormal, e** *a* **1.** anormal: **c'est ~** es anormal **2. température anormale pour la saison** temperatura impropia de la estación. ◇ *a/s* anormal: **enfants anormaux** niños anormales, subnormales.

**anormalement** *adv* anormalmente.

**A.N.P.E.** → **agence.**

**anse** *f* **1.** asa: **l'~ d'une tasse** el asa de una taza ◊ FIG **faire danser l'~ du panier** sisar **2.** ARCH **arc en ~ de panier** arco carpanel **3.** GÉOG *(baie)* ensenada.

**Anselme** *np m* Anselmo.

**antagonique** *a* antagónico, a.

**antagonisme** *m* antagonismo.

**antagoniste** *a/s* antagonista.

**antalgique** *a/m* MÉD antálgico, a.

**antan (d')** *loc* de antaño.

**antarctique** *a* antártico, a. ◇ *np m* Antártico.

**antécédent** *m* antecedente. ◇ *pl* **les antécédents de l'accusé** los antecedentes del acusado.

**antéchrist** [ɑ̃tekʀist] *m* anticristo, antecristo.

**antédiluvien, enne** *a* antediluviano, a.

**antenne** *f* **1.** *(d'insecte, de crustacé)* antena **2.** *(radio, télévision)* antena: **~ parabolique** antena parabólica; **donner l'~ à un poste émetteur** dar antena a una emisora; **être sur l'~** estar en antena; **passer à l'~** pasar por antena; **sur notre ~, le célèbre chanteur...** en nuestro canal, el famoso cantante...; **temps d'~** espacio **3.** FIG **avoir des antennes** ser perspicaz, ser intuitivo, a **4. ~ chirurgicale** puesto *m* de socorro.

**antépénultième** *a* antepenúltimo, a.

**antérieur, e** *a* anterior: **la partie antérieure** la parte anterior; **un évènement ~ à sa naissance** un acontecimiento anterior a su nacimiento.

**antérieurement** *adv* anteriormente.

**antériorité** *f* anterioridad.

**anthère** *f* BOT antera.

**anthologie** *f* antología.

**anthracite** *m* antracita *f*.

**anthrax** [ɑ̃tʀaks] *m* ántrax.

**anthropocentrique** *a* antropocéntrico, a.

**anthropocentrisme** *m* antropocentrismo.

**anthropoïde** [ɑ̃tʀɔpɔid] *a* antropoideo, a. ◇ *m* antropoide.

**anthropologie** *f* antropología.

**anthropologique** *a* antropológico, a.

**anthropologiste, anthropologue** *s* antropólogo, a.

**anthropométrie** *f* antropometría.

**anthropométrique** *a* antropométrico, a.

**anthropomorphe** *a* antropomorfo, a.

**anthropomorphisme** *m* antropomorfismo.

**anthropophage** *a/s* antropófago, a.

**anthropophagie** *f* antropofagia.

**anthropopithèque** *m* antropopiteco.

**antiadhésif, ive** *a* antiadherente.

**antiaérien, enne** *a* antiaéreo, a.

**antialcoolique** *a* antialcohólico, a.

**antiatomique** *a* antiatómico, a.

**antiavortement** *a inv* antiabortista.

**antibiotique** *a/m* antibiótico, a.

**antiblocage** *m TECHN* **système ~** sistema antibloqueo.

**antibrouillard** *a* antiniebla: **phares antibrouillards** faros antiniebla.

**antibruit** *a* antirruido.

**antibuée** *a* antivaho.

**anticancéreux, euse** *a* anticanceroso, a.

**antichambre** *f* **1.** antesala, antecámara **2. faire ~** esperar **3.** *FIG* **l'~ de la mort** la antesala de la muerte.

**antichar** *a* antitanque: **grenades antichars** granadas antitanque.

**anticipation** *f* **1.** anticipación ◊ **par ~** por adelantado **2. roman d'~** novela de ciencia ficción.

**anticipé, e** *a* anticipado, a: **versement ~** pago anticipado ◊ **avec mes remerciements anticipés...** anticipándole las gracias...

**anticiper** *vt* anticipar. ◇ *vi* **1. n'anticipons pas** no anticipemos **2. ~ sur les événements** anticiparse a los acontecimientos.

**anticlérical, e** *a/s* anticlerical.

**anticléricalisme** *m* anticlericalismo.

**anticlinal** *m GÉOL* anticlinal.

**anticoagulant, e** *a/m* anticoagulante.

**anticolonialisme** *m* anticolonialismo.

**anticolonialiste** *a/s* anticolonialista.

**anticommunisme** *m* anticomunismo.

**anticommuniste** *a/s* anticomunista.

**anticonceptionnel, elle** *a/m* anticonceptivo, a.

**anticonformisme** *m* anticonformismo.

**anticonformiste** *a/s* anticonformista.

**anticonstitutionnel, elle** *a* anticonstitucional.

**anticorps** [ɑ̃tikɔʀ] *m* anticuerpo.

**anticorrosion** *a inv* anticorrosivo, a.

**anticyclone** *m* anticiclón: **l'~ des Açores** el anticiclón de las Azores.

**antidater** *m* antedatar.

**antidémocratique** *a* antidemocrático, a.

**antidépresseur** *m* antidepresivo.

**antidérapant, e** *a/m* antideslizante.

**antidétonant, e** *a/m* antidetonante.

**antidiphtérique** *a* antidiftérico, a.

**antidopage** *a* antidoping.

**antidote** *m* antídoto.

**antidrogue** *a* antidroga: **lutte ~** lucha antidroga.

**antiémeutes** *a* antidisturbios.

**antienne** *f* **1.** *(liturgie)* antífona **2.** *FAM* cantinela, estribillo *m*: **toujours la même ~ !** ¡siempre con la misma cantinela!

**antiesclavagiste** *a/s* antiesclavista.

**antifasciste** [ɑ̃tifaʃist(ə)] *a/s* antifascista.

**antigang** [ɑ̃tigɑ̃g] *a* antiatraco.

**antigel** *m* anticongelante.

**antigène** *m* antígeno.

**Antigone** *np f* Antígona.

**antigouvernemental, e** *a* antigubernamental.

**antigrippe** *a* antigripal.

**antihéros** *m* antihéroe.

**antihygiénique** *a* antihigiénico, a.

**anti-inflammatoire** *a* antiinflamatorio, a.

**anti-inflationniste** *a* antiinflacionista.

**antillais, e** *a/s* antillano, a.

**Antilles** *np f pl* Antillas: **les Grandes ~** las Antillas Mayores; **les Petites ~** las Antillas Menores.

**antilope** *f* antílope *m*.

**antimatière** *f* antimateria.

**antimilitarisme** *m* antimilitarismo.

**antimilitariste** *a/s* antimilitarista.

**antimissile** *a* antimisil.

**antimite(s)** *a/m* matapolilla.

**antimoine** *m* antimonio.

**antimonarchiste** *a/s* antimonárquico, a.

**antinévralgique** *a/m* antineurálgico, a.

**antinomie** *f* antinomia.

**antinomique** *a* antinómico, a.

**antinucléaire** *a* antinuclear.

**Antioche** *np f* Antioquía.

**antipape** *m HIST* antipapa.

**antiparasite** *a/m* antiparásito, a.

**antiparlementaire** *a* antiparlamentario *m*.

**antiparlementarisme** *a* antiparlementarismo.

**antiparticule** *f PHYS* antipartícula.

**antipathie** *f* antipatía: **j'ai de l'~ pour lui** siento antipatía hacia él.

**antipathique** *a* antipático, a: **il m'est ~** me resulta antipático.

**antipatriotique** *a* antipatriótico, a.

**antipelliculaire** *a* anticaspa: **lotion, shampoing ~** loción, champú anticaspa.

**antiphonaire** *m* antifonario.

**antiphrase** *f* antífrasis.

**antipode** *m* antípoda: **être aux antipodes de...** estar en las antípodas de...

**antipollution** *a* anticontaminación.

**antipyrétique** *a/m MÉD* antipirético, a.

**antiquaille** *f* antigualla.

**antiquaire** *s* anticuario *m*.

**antique** *a* **1.** antiguo, a: **la Rome ~** la Roma antigua **2.** *(démodé)* anticuado, a. ◇ *m* lo antiguo.

**antiquité** *f* **1.** antigüedad **2. de toute ~** desde siempre; **depuis la plus haute ~** desde la más remota antigüedad. ◇ *pl* antigüedades: **magasin d'antiquités** tienda de antigüedades.

**antirabique** *a* antirrábico, a.

**antiraciste** *a/s* antirracista.

**antiradar** *a* antirradar.

**antireflet** *a* antirreflejante.

**antireligieux, euse** *a* antirreligioso, a.

**antirides** *a inv* antiarrugas.

**antirouille** *a inv* antioxidante.

**antiscientifique** *a* anticientífico, a.

**antiscorbutique** *a MÉD* antiescorbútico, a.

**antisèche** *f FAM* chuleta.

**antiségrégationniste** *a* antisegregacionista.

**antisémite** *a/s* antisemita.

**antisémitique** *a* antisemítico, a.

**antisémitisme** *m* antisemitismo.

**antisepsie** *f* antisepsia.

**antiseptique** *a/m* antiséptico, a.

**antisocial, e** *a* antisocial.

**anti-sous-marin, e** *a* antisubmarino, a.

**antispasmodique** *a/m* antiespasmódico, a.

**antisportif, ive** *a* antideportivo, a.

**antitabac** *a* antitabaco: **campagnes ~** campañas antitabaco.

**antiterroriste** *a* antiterrorista.

**antitétanique** *a* antitetánico, a.

**antithèse** *f* antítesis.

**antithétique** *a* antitético, a.

**antitoxine** *f* antitoxina.

**antituberculeux, euse** *a* antituberculoso, a.

**antivariolique** *a* antivariólico, a.

**antiviral, e** *a* antiviral: **médicaments antiviraux** medicamentos antivirales.

**antivol** *a/m* antirrobo.

**Antoine** *np m* Antonio.

**Antoinette** *np f* Antonia, Antoñita ◊ **la reine Marie-Antoinette** la reina María Antonieta.

**antonyme** *m* antónimo.

**antonymie** *f* antonimia.

**antre** *m* antro.

**anurie** *f MÉD* anuria.

**anus** [anys] *m* ano.

**Anvers** *np* Amberes.

**anversois, e** *a/s* amberino, a.

**anxiété** *f* ansiedad.

**anxieusement** *adv* ansiosamente.

**anxieux, euse** *a* **1.** ansioso, a, angustiado, a **2. ~ de** ansioso por, impaciente por. ◇ *s* aprensivo, a: **c'est un ~** es un aprensivo.

**anxiogène** *a* ansiógeno, a.

**anxiolytique** *a/m MÉD* ansiolítico, a.

**aorte** *f* aorta.

**aortique** *a* aórtico, a.

**août** [u] *m* **1.** agosto: **le 6 ~ 1988** el 6 de agosto de 1988; **au mois d'~** en el mes de agosto **2. le Quinze-Août** la Virgen de Agosto.

**aoûtat** [auta] *m* ácaro.

**aoûtien, enne** *s* veraneante (persona que veranea en el mes de agosto).

**apache** *m* apache.

**apaisant, e** *a* tranquilizador, a.

**apaisement** *m* **1.** apaciguamiento **2.** *(calme)* sosiego, calma *f* **3.** *(promesse)* promesa *f*, garantía *f*.

**apaiser** *vt* **1.** apaciguar, calmar, aplacar: **~ la douleur** aplacar el dolor **2.** *(la faim, la soif)* apagar. ◆ **s'~** *vpr* calmarse, apaciguarse.

**apanage** *m* **être l'~ de** ser patrimonio de, ser la exclusividad de, ser privativo de: **autrefois, l'instruction était l'~ d'un nombre restreint de privilégiés** antes, la instrucción era la exclusividad de unos cuantos privilegiados.

**aparté** *m* **1.** conversación *f* aparte ◊ **en ~** confidencialmente **2.** *THÉÂT* aparte.

**apartheid** *m* apartheid.

**apathie** *f* apatía.

**apathique** *a* apático, a.

**apatride** *s* apátrida.

**Apennins** *np m pl* Apeninos.

**apercevoir*** *vt* **1.** divisar, percibir, avistar, distinguir: **on aperçoit une lumière au loin** se divisa una luz a lo lejos. ◆ **s'~** *vpr* **1.** *(se voir mutuellement)* verse **2. s'~ de** darse cuenta de, notar; **s'~ que** darse cuenta de que: **il s'est aperçu qu'il n'avait pas sa clef** se dio cuenta de que no tenía la llave; **je ne m'en suis pas aperçu** no me di cuenta; **sans s'en ~** sin darse cuenta.

**aperçu** *m* **1.** idea *f* general, visión *f* de conjunto: **un ~ de la situation** una visión de conjunto de la situación **2.** *(résumé)* resumen.

**apériodique** *a* aperiódico, a.

**apéritif, ive** *a* aperitivo, a. ◇ *m* aperitivo: **prendre l'~** tomar el aperitivo.

**apéro** *m POP* aperitivo.

**aperture** *f (d'une voyelle)* apertura.

**apesanteur** *f* ingravidez: **en état d'~** en estado de ingravidez.

**apétale** *a BOT* apétalo, a.

**à-peu-près** *m* aproximación *f*: **un ~** una aproximación.

**apeuré, e** *a* asustado, a, atemorizado, a.

**aphasie** *f* afasia.

**aphasique** *a/s* afásico, a.

**aphélie** *m ASTR* afelio.

**aphérèse** *f* aféresis.

**aphone** *a* afónico, a.

**aphonie** *f* afonía.

**aphorisme** *m* aforismo.

**aphrodisiaque** *a/m* afrodisíaco, a.

**Aphrodite** *np f* Afrodita.

**aphte** [aft(ə)] *m* afta *f*.

**aphteux, euse** *a* aftoso, a: **fièvre aphteuse** fiebre aftosa.

**api** *m* **pomme d'~** manzana pequeña y dulce.

**à-pic** [apik] *m inv* tajo, escarpa *f*.

**apical, e** *a* apical.

**apicole** *a* apícola.

**apiculteur** *m* apicultor.

**apiculture** *f* apicultura.

**apitoiement** *m* compasión *f*, lástima *f*.

**apitoyer*** *vt* conmover, enternecer. ◆ **s'~** *vpr* **s'~ sur les malheurs d'autrui** compadecerse de, apiadarse de las desgracias ajenas.

**aplanir** *vt* **1.** aplanar, allanar **2.** *FIG (les difficultés)* allanar.

**aplanissement** *m* allanamiento.

**aplati, e** *a* aplastado, a, achatado, a ◊ **un nez ~** una nariz chata.

**aplatir** *vt* aplastar, achatar. ◆ **s'~** *vpr* **1.** aplastarse **2.** *FIG* **s'~ devant quelqu'un** rebajarse, humillarse ante alguien.

**aplatissement** *m* aplastamiento, achatamiento.

**aplomb** *m* **1.** equilibrio, verticalidad *f* ◊ **à l'~** vertical; **d'~** en equilibrio, a plomo; *FIG* **remettre quelqu'un d'~** poner a alguien como nuevo; **se sentir d'~** encontrarse bien; **je ne suis pas d'~ aujourd'hui** no me encuentro bien, estoy pachucho hoy **2.** *(assurance)* aplomo **3.** *(toupet)* desfachatez *f*, descaro, cara *f*: **quel ~ !** ¡qué cara!

**apnée** *f MÉD* apnea: **en ~** en apnea.

**Apocalypse** *f* **l'~** el Apocalipsis.

**apocalypse** *f* apocalipsis *m*.

**apocalyptique** *a* apocalíptico, a.

**apocope** *f* apócope.

**apocryphe** *a* apócrifo, a: **les Évangiles apocryphes** los Evangelios apócrifos.

**apode** *a ZOOL* ápodo, a.

**apogée** *m* **1.** apogeo **2.** *FIG* **être à l'~ de** estar en el cenit de, en el apogeo de.

**apolitique** *a* apolítico, a.

**apolitisme** *m* apolitismo, apoliticismo.

**Apollon** *np m* Apolo.

**apologétique** *a* apologético, a. ◊ *f* apologética.

**apologie** *f* apología: **faire l'~ de** hacer la apología de.

**apologiste** *s* apologista.

**apologue** *m* apólogo.

**aponévrose** *f ANAT* aponeurosis.

**apophtegme** *m* apotegma.

**apophyse** *f ANAT* apófisis.

**apoplectique** *a* apoplético, a.

**apoplexie** *f* apoplejía: **une attaque d'~** un ataque de apoplejía.

**apostasie** *f* apostasía.

**apostasier** *vt/i* apostatar.

**apostat, e** *a/s* apóstata.

**a posteriori** *adv/a* a posteriori.

**apostille** *f* apostilla, anotación.

**apostiller** *vt* apostillar.

**apostolat** *m* apostolado.

**apostolique** *a* apostólico, a.

**apostrophe** *f* **1.** *(orthographe)* apóstrofo *m* **2.** *(interpellation)* apóstrofe *m*, increpación.

**apostropher** *vt* apostrofar. ◆ **s'~** *vpr* apostrofarse, injuriarse.

**apothéose** *f* apoteosis.

**apothicaire** *m* **1.** *ANC* boticario **2. comptes d'~** cuentas del Gran Capitán.

**apôtre** *m* **1.** apóstol: **les douze apôtres** los doce apóstoles **2. faire le bon ~** hacerse el santo **3.** *FIG* apóstol, defensor: **se faire l'~ d'une idée** convertirse en defensor de una idea.

**Appalaches** *np* **les ~** los Apalaches.

**apparaître*** *vi* **1.** aparecer: **la lune apparut au-dessus des toits** la luna apareció por encima de los tejados **2.** *(se manifester)* aparecerse, manifestarse: **la Vierge est apparue à deux enfants** la Virgen se apareció a dos niños **3. il apparaît que...** resulta que..., se deduce que... **4.** *(sembler)* parecer **5. faire ~** poner de manifiesto, arrojar.

**apparat** *m* **1.** *(pompe)* aparato, pompa *f*: **en grand ~** con gran aparato **2. costume, tenue d'~** traje de ceremonia **3. ~ critique** aparato crítico.

**apparatchik** *m* aparatchik.

**apparaux** *m pl MAR* aparejos.

**appareil** *m* **1.** aparato: **~ électroménager** aparato electrodoméstico; **~ de radio** aparato de radio **2. allô, qui est à l'~ ?** diga, ¿quién habla? **3. ~ photographique** cámara *f* fotográfica; **~ reflex** cámara reflex **4.** *(avion)* **l'~ décolle** el avión, el aparato despega **5.** *(dentaire)* **porter un ~** llevar un aparato, una prótesis dental **6. ~ de correction auditive** audífono **7.** *ANAT* **~ digestif, respiratoire** aparato digestivo, respiratorio **8.** *FAM* **dans le plus simple ~** en cueros **9. l'~ d'un parti** el aparato de un partido; **l'~ législatif** el aparato legislativo **10.** *ARCH* aparejo.

**appareillage** *m* **1.** *MAR (départ)* salida *f*; *(manoeuvres)* maniobras *f pl* para zarpar **2.** *(ensemble d'appareils)* equipo.

**appareiller** *vi MAR* hacerse a la mar, zarpar. ◊ *vt* **1.** *(assortir)* emparejar **2.** proveer de una prótesis: **~ un malentendant** proveer a un maloyente de un audífono **3.** *ARCH* aparejar.

**apparemment** [apaʀamɑ̃] *adv* al parecer, por lo visto, indudablemente.

**apparence** *f* **1.** *(air)* apariencias, aspecto *m* **2.** apariencia: **se fier aux apparences** fiarse de las apariencias; **sauver les apparences** guardar las apariencias **3.** *loc adv* **en ~** en apariencia, aparentemente.

**apparent, e** *a* **1.** aparente: **sans raison apparente** sin motivo aparente **2. poutres apparentes** vigas vistas; **briques apparentes** ladrillos vistos.

**apparentement** *m (élections)* agrupación *f*, coalición *f* electoral.

**apparenter (s')** *vpr* **1. s'~ à** emparentarse con: **elle s'apparenta à une famille d'industriels** se emparentó con una familia de industriales **2.** *(aux élections)* agruparse, unirse **3.** parecerse: **idées qui s'apparentent aux miennes** ideas que se parecen a las mías.

**apparier*** *vt* **1.** emparejar **2.** *(des animaux)* aparear. ◆ **s'~** *vpr* aparearse.

**appariteur** *m (de faculté)* bedel.

**apparition** *f* **1.** aparición **2. faire une ~** dejarse caer; **il n'a fait qu'une ~ à la fête** se detuvo muy poco tiempo en la fiesta **3. avoir des apparitions** ver visiones.

**apparoir*** *vi JUR* constar, ser evidente.
▶ Este verbo sólo se usa en infinitivo y en la 3.ª persona del sing. del pres. del indicativo: *il appert que...* consta que...

**appartement** *m* piso, apartamento: **~ de cinq pièces** piso de cinco habitaciones; **~ meublé** piso amueblado ◊ **plantes d'~** plantas de interior.
▶ Le mot *apartamento* désigne plutôt un petit appartement, un studio.

**appartenance** *f* pertenencia.

**appartenir*** *vi* pertenecer: **ce livre appartient à la bibliothèque** este libro pertenece a la biblioteca. ◊ *impers* incumbir, tocar: **il vous appartient de décider** le toca a usted decidir. ◆ **s'~** *vpr* ser dueño, a de sí, tener tiempo libre.

**apparu** → **apparaître.**

**appas** *m pl ANC* encantos, atractivos (en particular, los senos de una mujer).

**appât** *m* **1.** *(pour la pêche)* cebo **2.** *FIG* incentivo, aliciente: **l'~ du gain** el incentivo del lucro.

**appâter** *vt* **1.** *(la volaille)* cebar **2.** *(les poissons)* atraer con cebo **3.** *FIG (quelqu'un)* atraer, seducir.

**appauvrir** *vt* **1.** empobrecer **2.** *(la terre)* esquilmar. ◆ **s'~** *vpr* empobrecerse.

**appauvrissement** *m* empobrecimiento.

**appeau** *m* reclamo.

**appel** *m* **1.** llamada *f*: **répondre à un ~** responder a una llamada; **l'~ de la forêt** la llamada de la selva; **~ téléphonique** llamada telefónica; **un ~ au secours** una llamada de socorro **2.** llamamiento: **lancer un ~ au public** dirigir un llamamiento al público; **~ au calme** llamamiento a la calma; **~ sous les drapeaux** llamamiento a filas **3. un ~ du pied** una indirecta **4. faire l'~** pasar lista; **manquer à l'~** no estar presente **5. faire ~ à** recurrir a, acudir a: **je fais ~ à votre bon sens** recurro a su buen juicio **6.** *JUR* apelación *f*, recurso ◊ **faire ~** apelar, presentar recurso, recurrir la sentencia; **cour d'~ → cour; sans ~** inapelable; **jugement sans ~** juicio inapelable; **une décision sans ~** una decisión irrevocable **7.** *COM* **un ~ de fonds** una solicitación de fondos; **~ d'offres** licitación *f* **8. ~ d'air** aspiración *f* de aire **9.** *(sports)* impulso.

**appelé, e** *a* **~ à** destinado, a. ◊ *m* **1.** *MIL* recluta **2. il y a beaucoup d'appelés et peu d'élus** muchos son los llamados y pocos los escogidos.

**appeler*** *vt* **1.** llamar: **~ la police, le serveur** llamar a la policía, al camarero; **~ quelqu'un au téléphone** llamar a alguien por teléfono ◊ **~ le médecin** avisar al médico; **~ au secours** pedir socorro **2.** *(nommer)* llamar: **~ les choses par leur nom** llamar las cosas por su nombre ◊ **c'est ce qu'on appelle une idiotie** es lo que se dice una estupidez **3.** *MIL* **~ sous les drapeaux** llamar a filas **4. ~ quelqu'un à une fonction** designar a alguien para un cargo **5.** *JUR* **~ quelqu'un en justice** citar a alguien **6.** *(réclamer)* exigir, requerir: **mauvaise conduite qui appelle une sanction** mala conducta que requiere una sanción **7. en ~ à** apelar a, recurrir a. ◆ **s'~** *vpr* llamarse: **comment t'appelles-tu?** ¿cómo te llamas?; **je m'appelle Vincent** me llamo Vicente ◊ **voilà qui s'appelle parler!** ¡muy bien dicho!

**appellation** *f* denominación: **~ d'origine, controlée** denominación de origen.

**appendice** [apɛ̃dis] *m* apéndice.

**appendicite** *f* apendicitis: **une crise d'~** un ataque de apendicitis.

**appentis** *m* cobertizo.

**appert (il) → apparoir.**

**appesantir (s')** *vpr* **1.** hacerse más pesado, a **2. s'~ sur** insistir en.

**appesantissement** *m (lourdeur)* pesadez *f*, entorpecimiento.

**appétence** *f* apetencia.

**appétissant, e** *a* **1.** apetitoso, a: **un plat ~** un plato apetitoso **2.** *FAM (femme)* apetecible, deseable.

**appétit** *m* **1.** apetito: **avoir de l'~** tener apetito; **manger de bon ~** comer con buen apetito; **avoir un gros, un petit ~** tener mucho, poco apetito; **manger sans ~** comer sin ganas ◊ **bon ~ !** ¡que aproveche!, ¡buen provecho!; **mettre en ~ , ouvrir l'~** abrir boca; **couper l'~** quitar las ganas (de comer); *PROV* **l'~ vient en mangeant** el comer y el rascar, todo es empezar **2. ~ de** sed *f* de, deseo de.

**applaudimètre** *m* aplaudímetro.

**applaudir** *vi/t* **1.** aplaudir: **~ à tout rompre** aplaudir a rabiar **2. ~ à** aplaudir, aprobar: **j'applaudis à votre initiative** aplaudo su iniciativa. ◆ **s'~** *vpr* felicitarse.

**applaudissements** *m pl* aplausos, palmas *f*: **des salves d'~** salvas de aplausos; **des applaudissements nourris** un aplauso cerrado.

**applicable** *a* aplicable.

**application** *f* **1.** aplicación **2.** *(mise en pratique)* aplicación, cumplimiento *m* ◊ **entrer en ~** empezar a regir; **mettre en ~** dar cumplimiento a, poner en práctica; **la mise en ~ d'un accord** el cumplimiento de un acuerdo.

**applique** *f* aplique *m*, lámpara de pared.

**appliqué, e** *a* aplicado, a.

**appliquer** *vt* **1.** aplicar **2.** *(un coup)* dar, estampar. ◆ **s'~** *vpr* **1.** aplicarse **2. s'~ à** esforzarse a, empeñarse a: **il s'applique à bien prononcer la jota** se esfuerza en pronunciar bien la jota.

**appoint** *m* **1.** *(menue monnaie)* suelto: **faire l'~** dar el importe exacto **2.** *(aide)* ayuda *f* **3. d'~** suplementario, a, auxiliar: **chauffage d'~** calefacción suplementaria; **table d'~** mesa auxiliar.

**appointements** *m pl* sueldo *sing.*

**appointer** *vt* dar un sueldo a, pagar el sueldo a ◊ **être appointé au mois** cobrar mensualmente.

**appontage** *m* aterrizaje (en un portaaviones).

**appontement** *m* muelle (donde amarran los barcos).

**apponter** *vi* aterrizar (en un portaaviones).

**apport** *m* **1.** aportación *f*: **un ~ de fonds** una aportación de fondos **2.** *FIG* contribución *f*.

**apporter** *vt* **1.** traer: **apportez-moi mon petit déjeuner** tráigame mi desayuno; **j'apporte une lettre pour vous** traigo una carta para usted **2.** *(capitaux, preuves)* aportar **3.** *(occasionner)* causar, ocasionar **4. ~ du soin, de l'attention à** poner cuidado en, dedicar atención a.

**apposer** *vt* **1. ~ une affiche** fijar, colocar un cartel **2. ~ sa signature** firmar **3. ~ les scellés** poner los precintos, precintar.

**apposition** *f* **1.** colocación **2.** *GRAM* aposición: **mot en ~** palabra en aposición.

**appréciable** *a* apreciable.

**appréciatif, ive** *a* apreciativo, a.

**appréciation** *f* **1.** apreciación **2.** *(jugement)* apreciación, juicio *m*.

**apprécier*** *vt* apreciar ◊ **je n'ai pas du tout apprécié cette plaisanterie** esta broma no me ha hecho ninguna gracia.

**appréhender** *vt* **1.** *(arrêter)* detener, aprehender, prender: **~ un voleur** detener a un ladrón **2.** *(craindre)* temer: **j'appréhende de le recontrer** temo encontrarle.

**appréhension** *f (peur)* aprensión, temor *m*.

**apprenant, e** *s* alumno, a.

**apprendre*** **1.** aprender: **il apprend le russe** está aprendiendo el ruso; **~ à nager** aprender a nadar **2.** enterarse: **vous avez appris la nouvelle?** ¿se ha enterado usted de la noticia?; **j'ai appris qu'elle était malade** me enteré de que estaba enferma; **nous avons appris son mariage** nos enteramos de su boda **3.** enseñar: **il m'a appris à nager** me ha enseñado a nadar; **je vous apprendrai à vous moquer de moi!** ¡ya le enseñaré a burlarse de mí! ◊ **cela lui apprendra à vivre** esto le servirá de lección; **bien fait, ça lui apprendra!** bien hecho, ¡para que aprenda!. ◆ **s'~** *vpr* aprenderse.

**apprenti, e** *s* **1.** aprendiz, a: **un ~ maçon, menuisier** un aprendiz de albañil, de carpintero **2.** *(débutant)* principiante **3. l'~ sorcier** el aprendiz de brujo.

**apprentissage** *m* aprendizaje: **centre d'~** centro de aprendizaje ◊ **mettre un jeune en ~** colocar a un joven de aprendiz.

**apprêt** *m* **1.** *(manque de naturel)* afectación *f* **2.** *TECHN (d'un textile, etc.)* apresto. ◊ *pl (préparatifs)* preparativos.

**apprêté, e** *a (peu naturel)* afectado, a.

**apprêter** *vt* **1.** *(la nourriture)* preparar **2.** *TECHN (cuir, etc.)* aprestar. ◆ **s'~** *vpr* **1. s'~ à** disponerse a, prepararse a: **je m'apprête à partir** me dispongo a marchar **2.** *(faire sa toilette)* arreglarse.

**appris → apprendre.**

**apprivoisable** *a* domesticable.

**apprivoisement** *m* domesticación *f*.

**apprivoiser** *vt* **1.** *(animal)* domesticar, amansar: **panthère apprivoisée** pantera domesticada **2. ~ une personne** domesticar a una persona, hacer más sociable a una persona. ◆ **s'~** *vpr* **1.** domesticarse **2.** hacerse más sociable.

**approbateur, trice** *a* aprobador, a, de aprobación: **un regard ~** una mirada de aprobación.

**approbatif, ive** *a* aprobatorio, a.

**approbation** *f* aprobación, asentimiento *m*, asenso *m*: **donner son ~ à** dar su asentimiento a.

**approchable** *a* accesible, tratable.

**approchant, e** *a* similar, parecido, a: **quelque chose d'~** algo parecido, algo por el estilo.

**approche** *f* **1.** acercamiento *m* **2.** proximidad **3.** *(venue)* llegada ◊ **à l'~ de Noël** al aproximarse las Navidades **4.** *(manière d'aborder une étude)* enfoque *m*, aproximación: **une nouvelle ~ du problème** un nuevo enfoque del problema; **une ~ psychanalytique** una aproximación psicoanalítica **5. lunette d'~** anteojo *m* **6. travaux d'~** trabajos de zapa. ◇ *pl (d'une ville)* inmediaciones.

**approcher** *vt* **1.** acercar, aproximar: **~ une chaise de la table** acercar una silla a la mesa **2.** *(fréquenter)* codearse con ◊ **il est difficile à ~** es de trato difícil. ◇ *vi* **1.** acercarse: **nous approchons de Bordeaux** nos acercamos a Burdeos; **l'heure approche** se acerca la hora **2.** aproximarse: **les fêtes approchent** se aproximan las fiestas **3.** rondar: **elle approche de la cinquantaine** ronda la cincuentena. ◆ **s'~** *vpr* **s'~ de** acercarse a, aproximarse a: **il s'approcha du feu** se acercó al fuego; **il s'approche de moi** se acerca a mí, se me acerca: **je m'approchai de lui** me acerqué a él, me aproximé a él; **approche-toi!** ¡acércate!; **approchez!, approchez-vous!** ¡acérquense!

**approfondir** *vt* **1.** ahondar **2.** *FIG* profundizar, ahondar ◊ **une étude approfondie** un estudio minucioso.

**approfondissement** *m* **1.** ahondamiento **2.** *(étude)* estudio, análisis.

[1]**appropriation** *f* apropiación.

[2]**appropriation** *f (en Belgique, nettoyage)* limpia.

**approprié, e** *a* adecuado, a, apropiado, a.

[1]**approprier*** *vt* adaptar, acomodar. ◆ **s'~** *vpr* apropiarse: **il s'est approprié mon dictionnaire** se ha apropiado (de) mi diccionario.

[2]**approprier** *vt (en Belgique, nettoyer)* limpiar.

**approuver** *vt* **1.** aprobar: **j'approuve votre conduite** apruebo su conducta; **l'Assemblée a approuvé le projet de loi** la Asamblea ha aprobado el proyecto de ley **2. lu et approuvé** conforme **3.** *(être d'accord)* estar de acuerdo con: **je t'approuve** estoy de acuerdo contigo.

**approvisionnement** *m* abastecimiento, aprovisionamiento, suministro: **~ en eau** abastecimiento de agua.

**approvisionner** *vt* **1.** abastecer, proveer: **~ une ville en produits de première nécessité** abastecer una ciudad en productos de primera necesidad **2.** *(un compte bancaire)* cubrir. ◆ **s'~** *vpr* **s'~ en** abastecerse, proveerse de.

**approximatif, ive** *a* aproximado, a, aproximativo, a: **une durée, une idée approximative** una duración, una idea aproximada; **calcul ~** cálculo aproximativo.

**approximation** *f* aproximación.

**approximativement** *adv* aproximadamente.

**appui** *m* **1.** apoyo, sostén: **point d'~** punto de apoyo ◊ **prendre ~ sur** apoyarse en **2.** *(de fenêtre)* antepecho **3.** *(aide)* amparo, apoyo, respaldo: **offrir son ~ à un ami** brindar apoyo a un amigo; **l'~ des syndicats** el respaldo de los sindicatos **4.** *loc prép* **à l'~ de** en apoyo de ◊ **preuves à l'~** pruebas al canto.

**appui-bras, appuie-bras** *m* brazo.

**appui-livres** *m* atril.

**appui-main, appuie-main** *m* tiento.

**appui-tête, appuie-tête** *m* **1.** *(de voiture)* reposacabezas, apoyacabezas **2.** *(de fauteuil)* oreja *f*.

**appuyer*** *vt* **1.** apoyar: **~ les coudes sur la table** apoyar los codos en la mesa **2.** *(soutenir)* sostener **3.** *FIG (une personne)* apoyar, respaldar, apadrinar **4.** *(une demande, etc.)* apoyar, respaldar: **~ une candidature** apoyar una candidatura. ◇ *vi* **1.** *(reposer)* apoyarse: **la voûte appuie sur les arcs-boutants** la bóveda se apoya en los arbotantes **2.** apretar: **~ sur la détente** apretar el gatillo **3. ~ sur un bouton** oprimir, pulsar un botón **4.** *(avec le pied)* **~ sur l'accélérateur** pisar el acelerador **5. ~ sur un mot, sur une syllabe** recalcar una palabra, una sílaba **6.** *(insister)* insistir, hacer hincapié en **7.** ceñirse: **appuyez sur la droite** cíñase a la derecha. ◆ **s'~** *vpr* **1. s'~ sur une canne** apoyarse en un bastón **2.** *(compter sur quelqu'un)* contar con **3.** *(se fonder sur)* basarse en, fundarse en: **s'~ sur un témoignage** basarse en un testimonio **4.** *FAM* **s'~ un travail ennuyeux** apechugar con un trabajo fastidioso.

**âpre** *a* **1.** áspero, a: **un goût ~** un sabor áspero **2.** ávido, a: **~ au gain** ávido de ganancia.

**âprement** *adv* violentamente.

**après** *prep* **1.** después de: **~ avoir parlé** después de hablar; **~ dîner** después de cenar; **il est arrivé ~ moi** ha llegado después de mí; **~ qu'il eût fini de déjeuner** después que terminó su almuerzo **2.** *(dans l'espace, le temps, à la suite de)* después de, tras: **la rue ~ le carrefour** la calle después de la encrucijada; **l'un ~ l'autre** uno tras otro; **courir ~ quelqu'un** correr tras alguien; **jour ~ jour** día tras día; **~ une hésitation** tras una vacilación **3.** *FAM* **crier ~ quelqu'un** gritar contra alguien; **être toujours ~ quelqu'un** no dejar a uno en paz. ◇ *adv* **1.** después, luego: **mange d'abord, ~ tu te coucheras** come primero, después te acostarás; **peu de temps ~** poco tiempo después; **aussitôt ~** → **aussitôt 2.** *(derrière)* detrás **3. ~ coup** posteriormente; **~ quoi** después de lo cual; **~ tout** después de todo, bien mirado; **et puis ~ !** ¡y qué! **4. le mois d'~** el mes siguiente **5.** *loc conj* **~ que** después que, luego que **6.** *loc prép* **d'~** según: **d'~ les journaux** según los periódicos; **d'~ moi, toi** según yo, tú; **d'~ ce qu'a dit le médecin** según ha dicho el médico; **d'~ ce que j'ai entendu dire** según he oído decir; **d'~ ce que je sais** por lo que sé. ◇ *m* **l'~ ...** el período después de...; **l'~ -franquisme** el posfranquismo.

▶ Après *después* l'espagnol préfère les temps simples: ~ *avoir mangé* después de comer.

**après-demain** *adv* pasado mañana.

**après-guerre** *m* postguerra *f*.

**après-midi** *m/f inv* tarde *f*: **il est venu dans l'~, cet ~** ha venido por la tarde.

**après-rasage** *m* aftershave.

**après-skis** *m pl* botas *f* de descanso, descansos, botas de «après-ski».

**après-vente** *a* **service ~** servicio post-venta, postventa.

**âpreté** *f* **1.** aspereza **2.** *FIG* rigor *m*, severidad.

**a priori** *loc adv* a priori.

**apriorisme** *m* apriorismo.

**à-propos** *m* ocurrencia *f*, ingenio: **esprit d'~** viveza de ingenio.

**apte** *a* apto, a, capacitado, a: **~ à** apto para; **~ au service militaire** apto para el servicio militar.

**aptère** *a ZOOL* áptero, a.

**aptitude** *f* **1.** aptitud: **~ pour, à** aptitud para; **un métier en rapport avec ses aptitudes** un empleo de acuerdo con sus aptitudes **2. certificat d'~ professionnelle** certificado de capacidad profesional.

**Apulée** *np m* Apuleyo.

**apurement** *m* revisión *f* definitiva.

**apurer** *vt (un compte)* revisar y cerrar.

**aquaculture** → **aquiculture.**

**aquafortiste** [akwafɔrtist] *s* aguafuertista, acuafortista.

**aquaplane** [akwaplan] *m* acuaplano.

**aquarelle** [akwarɛl] *f* acuarela.

**aquarelliste** [akwarelist] *s* acuarelista.

**aquarium** [akwaʀjɔm] *m* acuario.

**aquatinte** [akwatɛ̃t] *f* acuatinta.

**aquatique** [akwatik] *a* acuático, a.

**aqueduc** [akdyk] *m* acueducto.

**aqueux, euse** *a* **1.** acuoso, a **2. humeur aqueuse** humor ácueo.

**aquiculture** [akɥikyltyʀ] *f* acuicultura.

**aquifère** [akɥifɛʀ] *a* acuífero, a.

**aquilin, e** *a* **nez ~** nariz aguileña.

**aquilon** *m (vent)* aquilón.

**aquitain, e** *a/s* aquitano, a.

**Aquitaine** *np f* Aquitania.

**ara** *m* guacamayo, ara.

**arabe** *a* **1.** árabe **2. chiffres árabes** cifras arábigas. ◇ *s* árabe: **les Arabes** los árabes.

**arabesque** *f* arabesco *m.*

**Arabie** *np f* Arabia: **l'~ Saoudite** Arabia Saudí.

**arabique** *a* **gomme ~** goma arábiga.

**arabisant, e** *s* arabista.

**arabisation** *f* arabización.

**arabiser** *vt* arabizar.

**arabisme** *m* arabismo.

**arable** *a* arable.

**arachide** *f* cacahuete *m*, maní: **huile d'~** aceite de cacahuete.

**arachnéen, enne** [aʀakneɛ̃, ɛn] *a* arácneo, a.

**arachnides** [aʀaknid] *m pl* ZOOL arácnidos.

**arachnoïde** [aʀaknɔid] *f* ANAT aracnoides.

**Aragon** *np m* Aragón.

**aragonais, e** *a/s* aragonés, esa.

**araignée** *f* **1.** araña ◊ **toile d'~** telaraña **2.** FAM **avoir une ~ au plafond** andar mal de la azotea **3. ~ de mer** centolla, araña de mar.

**araire** *m* arado (primitivo).

**araméen, enne** *a/s* arameo, a.

**arasement** *m* TECHN enrase.

**araser** *vt* **1.** TECHN enrasar **2.** GÉOL erosionar.

**aratoire** *a* aratorio, a.

**araucaria** *m* araucaria *f.*

**arbalète** *f* ballesta.

**arbalétrier** *m* **1.** *(soldat)* ballestero **2.** ARCH alfarda *f.*

**arbitrage** *m* arbitraje ◊ JUR **procédure d'~** procedimiento arbitral.

**arbitraire** *a* arbitrario, a. ◇ *m* **l'~** la arbitrariedad, el despotismo.

**arbitrairement** *adv* arbitrariamente.

**arbitral, e** *a* arbitral.

**arbitre** *m* **1.** *(juge, dans un match)* árbitro **2.** FIG **vous êtes l'~ de ma destinée** usted es el árbitro de mi destino **3. libre ~** libre albedrío.

**arbitrer** *vt* arbitrar: **~ un match de rugby** arbitrar un partido de rugby.

**arborer** *vt* **1.** *(vêtement, insigne)* lucir, ostentar **2.** *(opinion)* ostentar, hacer gala de.

**arborescence** *f* arborescencia.

**arborescent, e** *a* arborescente.

**arboretum** [aʀbɔʀetɔm] *m* arboreto.

**arboricole** *a* arborícola.

**arboriculteur, trice** *s* arboricultor, a.

**arboriculture** *f* arboricultura.

**arborisation** *f* arborización.

**arbouse** *f* madroño *m.*

**arbousier** *m* madroño.

**arbre** *m* **1.** árbol: **arbres fruitiers** árboles frutales; **~ à pain** árbol del pan; **~ de Judée** árbol de Judas ◊ **les arbres cachent la forêt** los árboles no dejan ver el bosque; **c'est au fruit qu'on connaît l'~** por el fruto se conoce el árbol **2. ~ de Noël** árbol de Navidad **3. ~ généalogique** árbol genealógico; **l'~ de Jessé** el árbol de Jesé **4.** TECHN árbol, eje: **~ à cames** árbol de levas; **~ de couche** árbol de la hélice.

**arbrisseau** *m* arbolito, arbusto.

**arbuste** *m* arbusto.

**arbustif, ive** *a* arbustivo, a.

**arc** [aʀk] *m* **1.** *(arme)* arco: **tirer à l'~** tirar con arco ◊ FIG **avoir plusieurs cordes à son ~** ser persona de muchos recursos **2.** GÉOM arco: **~ de cercle** arco de circunferencia; **en ~ de cercle** en forma de circunferencia **3.** ARCH arco: **~ en plein cintre,** arco de medio punto; **~ en fer à cheval, outrepassé** arco de herradura; **~ en accolade** arco conopial **4. ~ de triomphe** arco de triunfo **5. lampe à ~** lámpara de arco.

**arcade** *f* **1. ~ sourcilière** ceja **2. ~ alvéolaire, dentaire** arco *m* alveolar. ◇ *pl (galerie)* soportales *m*, arcadas.

**Arcadie** *np f* Arcadia.

**arcanes** *m pl* arcanos, entresijos, secretos, misterios.

**arcature** *f* arquería.

**arc-boutant** *m* ARCH arbotante.

**arc-bouter** *vt* apoyar. ◆ **s'~** *vpr* apoyarse, afianzarse: **s'~ contre un mur** apoyarse contra una pared.

**arceau** *m* arco, aro.

**arc-en-ciel** [aʀkɑ̃sjɛl] *m* arco iris.

**archaïque** [aʀkaik] *a* arcaico, a.

**archaïsant, e** [aʀkaizɑ̃, ɑ̃t] *a* arcaizante.

**archaïsme** [aʀkaism(ə)] *m* arcaísmo.

**archange** [aʀkɑ̃ʒ] *m* arcángel.

**arche** *f* **1.** *(d'un pont)* arco *m* **2. l'~ d'alliance** el arca de la alianza **3. l'~ de Noé** el arca de Noé.

**archéologie** [aʀkeɔlɔʒi] *f* arqueología.

**archéologique** [aʀkeɔlɔʒik] *a* arqueológico, a.

**archéologue** [aʀkeɔlɔg] *s* arqueólogo, a.

**archer** *m* arquero.

**archet** *m (de violon, etc.)* arco.

**archétype** [aʀketip] *m* arquetipo.

**archevêché** *m* arzobispado.

**archevêque** *m* arzobispo.

**archi** *préfixe* archi, muy, completamente: **histoire archiconnue** historia archisabida; **archicomble** lleno hasta la bandera.

**archidiacre** *m* arcediano, archidiácono.

**archidiocèse** *m* archidiócesis *f.*

**archiduc** *m* archiduque.

**archiduchesse** *f* archiduquesa.

**archiépiscopal** *a* arzobispal.

**archiépiscopat** *m* arzobispado.

**archifaux, archifausse** *a* completamente falso, a.

**archimandrite** *m* archimandrita.

**Archimède** *np m* Arquímedes: **le principe d'~** el principio de Arquímedes.

**archimillionnaire** *a/s* archimillonario, a.

**archipel** *m* archipiélago.

**archiprêtre** *m* arcipreste.

**architecte** *s* arquitecto, a ◊ **~ naval** ingeniero naval.

**architectonique** *a/f* arquitectónico, a.

**architectural, e** *a* arquitectural.

**architecture** *f* **1.** arquitectura **2.** *FIG* arquitectura, estructura, forma.

**architecturer** *vt* estructurar.

**architrave** *f ARCH* arquitrabe *m*.

**archivage** *m* acción *f* de archivar.

**archiver** *vt* archivar.

**archives** *f pl* archivo *m*: **les ~ de la Couronne d'Aragon** el archivo de la Corona de Aragón.

**archiviste** *s* archivero, a.

**archivolte** *f ARCH* arquivolta.

**arçon** *m* **1.** *(de la selle)* arzón, fuste **2. vider les arçons** caerse del caballo **3. cheval d'~** potro.

**arctique** *a* ártico, a: **cercle ~** círculo polar ártico.

**ardemment** [aʀdamɑ̃] *adv* ardientemente, vivamente.

**Ardennes (les)** *np f pl* las Ardenas.

**ardent, e** *a* **1.** ardiente, abrasador, a: **soleil ~** sol abrasador ◊ *FIG* **être sur les charbons ardents** estar en ascuas **2.** *FIG (passionné)* ardiente, apasionado, a, ferviente **3.** *(vif)* ardiente, vivo, a: **désir ~** deseo ardiente **4. chapelle ardente** capilla ardiente.

**ardeur** *f* **1.** ardor *m* **2.** *FIG* ardor *m*, entusiasmo *m*, pasión.

**ardillon** *m* hebijón.

**ardoise** *f* **1.** *(pierre)* pizarra **2.** *FAM (dette)* deuda.

**ardoisé, e** *a* pizarroso, a.

**ardoisier, ère** *a* pizarreño, a. ◇ *f* pizarral *m*.

**ardu, e** *a* arduo, a.

**are** *m (mesure)* área *f*.

**arec** *m* **1.** areca *f* **2. noix d'~** areca.

**arène** *f* **1.** *(piste)* redondel *m*, ruedo *m*: **le taureau rentre dans l'~** el toro sale al ruedo **2.** *FIG* arena, palestra, palenque *m*: **descendre dans l'~** salir a la palestra. ◇ *pl* **1.** anfiteatro *m sing* romano **2.** *TAUROM* plaza *sing* de toros: **les arènes de Madrid** la plaza de toros de Madrid.

**aréole** *f* aréola.

**aréomètre** *m* areómetro.

**aréopage** *m* areópago.

**aréquier** *m (palmier)* areca *f*.

**arête** *f* **1.** *(de poisson)* espina, raspa **2.** *(d'un cube)* arista **3.** *(d'un toit)* caballete *m* **4.** *(d'une chaîne de montagne)* cresta **5.** *(du nez)* caballete *m*.

**argent** *m* **1.** *(métal)* plata *f*: **cette médaille est en ~** esta medalla es de plata; **la parole est d'~ ...** → **parole 2.** *(monnaie, richesse)* dinero: **il gagne beaucoup d'~** gana mucho dinero; **un ~ fou** un dineral; **~ liquide** dinero líquido; **~ de poche** dinero para gastos menudos **3.** *FIG* **un homme d'~** un hombre codicioso; **en avoir pour son ~** sacarle jugo al dinero; **être à court d'~** estar alcanzado de dinero; **jeter l'~ par les fenêtres** tirar el dinero por la ventana; **mettre de l'~ de côté** ahorrar; **prendre pour ~ comptant** tomar como artículo de fe; **le temps c'est de l'~** el tiempo es oro.

▶ En Amérique latine, l'argent (sens 2) se dit *la plata*, comme le métal.

**argenté, e** *a* **1.** plateado, a, argentado, a **2.** *FAM (riche)* adinerado, a ◊ **je ne suis pas très ~ ce mois-ci** no ando bien de cuartos este mes.

**argenter** *vt* platear.

**argenterie** *f* vajilla de plata.

**argentier** *m FAM* **le grand ~** el ministro de Hacienda.

**argentifère** *a* argentífero, a.

**argentin, e** *a (son)* argentino, a. ◇ *a/s (de la république Argentine)* argentino, a.

**Argentine** *np f* Argentina: **la république ~** la República Argentina.

**argenture** *f* plateado *m*, plateadura.

**argile** *f* **1.** arcilla **2.** *FIG* barro *m*: **colosse aux pieds d'~** gigante con los pies de barro.

**argileux, euse** *a* arcilloso, a.

**argon** *m (gaz)* argón.

**argonaute** *m* **1.** *(héros grec)* argonauta **2.** *(mollusque)* argonauta.

**argot** [aʀgo] *m* jerga *f*, germanía *f*, argot.

▶ Le gallicisme *argot* (prononcez le *t* final) est courant en espagnol, à l'égal de *jerga*; *germanía* s'applique plutôt à l'argot des malfaiteurs; *caló* est celui des gitans; *el lunfardo* est l'argot de Buenos Aires.

**argotique** *a* de jerga, de argot, jergal: **expression ~** expresión jergal, achulada.

**arguer** *vt/i* **1.** *(déduire)* inferir, deducir **2. ~ que** argüir que **3. ~ de** alegar, pretextar.

**argument** *m* argumento ◊ **tirer ~ de** alegar.

**argumentaire** *m COM* argumentación *f*.

**argumentation** *f* argumentación.

**argumenter** *vi* argumentar.

**Argus** [aʀgys] *np m* Argos.

**argus** [aʀgys] *m* **1.** vigilante **2.** *(espion)* espía **3.** publicación *f* especializada: **l'~ automobile** publicación que informa del precio de los vehículos de ocasión.

**argutie** [aʀgysi] *f* argucia.

**aria** *m MUS* aria.

**Ariane** *np f* Ariana, Ariadna: **le fil d'~** el hilo de Ariadna.

**arianisme** *m RELIG* arianismo.

**aride** *a* árido, a: **terre ~** tierra árida; **un sujet ~** un tema árido.

**aridité** *f* aridez.

**ariette** *f MUS* arieta.

**Arioste** *np m* Ariosto.

**Aristide** *a/s* Arístides.

**aristo** *s FAM* aristócrata.

**aristocrate** *a/s* aristócrata.

**aristocratie** [aʀistɔkʀasi] *f* aristocracia.

**aristocratique** *a* aristocrático, a.

**aristoloche** *f* aristoloquia.

**Aristophane** *np m* Aristófanes.

**Aristote** *np m* Aristóteles.

**aristotélicien, enne** *a/s* aristotélico, a.

**aristotélisme** *m* aristotelismo.

**arithméticien, enne** *s* aritmético, a.

**arithmétique** *a* aritmético, a. ◇ *f* aritmética.

**arlequin** *m* arlequín.

**Arlésien, enne** *a/s* de Arles ◊ *FIG* **jouer l'Arlésienne** no dejarse ver.

**armada** *f* armada ◊ *HIST* **l'Invincible Armada** la Armada Invencible.

**armagnac** *m* aguardiente de Armagnac.

**Armand** *np m* Armando.

**armateur** *m* armador, naviero.

**armature** *f* **1.** *(ossature)* armazón ◊ **soutien-gorge à ~** → **soutien-gorge 2.** *MUS* armadura **3.** *FIG* base, soporte *m.*

**arme** *f* **1.** arma: **~ à feu, blanche** arma de fuego, blanca: **les armes conventionnelles, nucléaires** las armas convencionales, nucleares; **~ sur l'épaule!** ¡sobre el hombro, arma!; **présentez, armes!** ¡presenten armas! ◊ *FAM* **passer l'~ à gauche** estirar la pata, irse al otro barrio, diñarla **2.** *(un des corps de l'armée)* arma: **l'~ de l'artillerie** el arma de artillería. ◇ *pl* **1.** *(carrière militaire)* armas **2.** *(escrime)* **maître d'armes** maestro de armas **3. aux armes!** ¡a las armas!; **être en armes** estar armado; **prendre les armes** empuñar las armas, tomar las armas; **déposer les armes** rendirse; **passer par les armes** pasar por las armas, fusilar; *FIG* **faire ses premières armes** hacer sus primeras armas; **à armes égales** en las mismas condiciones; **avec armes et bagages** con armas y bagajes **4.** *(blason)* escudo *m sing* armas.

**armé, e** *a* **1.** armado, a: **~ d'un revolver** armado con un revólver; **~ jusqu'aux dents** armado hasta los dientes **2. béton ~** hormigón armado.

**armée** *f* **1.** ejército *m*: **l'~ de terre, de l'air** el Ejército de tierra, del aire; **l'~ de métier** el ejército profesional **2. ~ de mer** Armada **3. l'~ du salut** el Ejército de salvación **4.** *FIG (grand nombre)* ejército *m*, multitud.

**armement** *m* **1.** armamento **2. course aux armements** carrera de armamentos **3.** *MAR* equipo, tripulación *f* (de un barco).

**Arménie** *np f* Armenia.

**arménien, enne** *a/s* armenio, a.

**armer** *vt* **1.** *(pourvoir d'armes)* armar **2. ~ un navire** armar, equipar un barco **3.** *(une arme à feu, un appareil photo)* armar. ◆ **s'~** *vpr* **1. s'~ d'un fusil** armarse con un fusil **2. s'~ de courage, de patience** armarse de valor, de paciencia.

**armet** *m (casque)* almete.

**armillaire** *a* **sphère ~** esfera armilar.

**armistice** *m* armisticio.

**armoire** *f* **1.** armario *m* **2. ~ à la linge** armario ropero, ropero *m*; **~ à pharmacie** botiquín *m* **3. ~ à glace** armario de luna, *FIG FAM* persona con gran corpachón.

**armoiries** *f pl* escudo *m sing* de armas.

**armoise** *f* artemisa.

**Armorique** *np f* Armórica.

**armure** *f* **1.** armadura **2.** *(tissage)* ligamento *m*, textura.

**armurerie** *f* armería.

**armurier** *m* armero.

**arnaque** *f POP* timo *m*, estafa *f.*

**arnaquer** *vt POP* **1.** *(escroquer)* estafar **2.** *(arrêter)* trincar.

**arnaqueur** *m POP* estafador.

**Arnaud** *np m* Arnaldo.

**arnica** *f* árnica.

**aromate** *m* planta *f* aromática.

**aromatique** *a* aromático, a.

**aromatisant** *m* aromatizante.

**aromatiser** *vt* aromatizar.

**arôme** *m* aroma.

**aronde** *f* **1.** *ANC (hirondelle)* golondrina **2.** *TECHN* **en queue d'~** de cola de milano.

**arpège** *m MUS* arpegio.

**arpéger*** *vt MUS* arpegiar.

**arpent** *m* medida *f* agraria antigua (35 a 50 áreas).

**arpentage** *m* agrimensura *f.*

**arpenter** *vt* **1.** *(mesurer)* medir **2.** recorrer a grandes pasos: **il arpentait l'avenue** recorría la avenida a grandes pasos.

**arpenteur** *m* agrimensor.

**arpète, arpette** *f FAM* modistilla.

**arpion** *m POP* pinrel, pie.

**arqué, e** *a* arqueado, a: **des jambes arquées** piernas arqueadas.

**arquebuse** *f* arcabuz *m.*

**arquebusier** *m* arcabucero.

**arquer** *vt* arquear, combar.

**arrachage** *m* **1.** *(récolte)* recolección *f* **2.** *(d'un arbre, d'une vigne, etc.)* arranque, descuaje **3.** *(d'une dent)* extracción *f.*

**arraché** *m* **1.** *(haltérophilie)* arrancada *f* **2. à l'~** con gran esfuerzo.

**arrachement** *m* **1.** arrancamiento **2.** *FIG (déchirement)* desgarramiento.

**arrache-pied (d')** *adv* sin descansar, denodadamente, a brazo partido: **travailler, lutter ~** trabajar sin descansar, luchar a brazo partido.

**arracher** *vt* **1.** *(arbre, mauvaise herbe, etc.)* arrancar **2.** *(dent, œil, etc.)* sacar, arrancar: **je me suis fait ~ cette dent** me saqué esta muela; **~ un clou** arrancar un clavo **3.** *(pommes de terre, etc.)* cosechar **4. ~ des mains** arrancar, arrebatar de las manos **5.** *FIG (promesse, aveu, etc.)* arrancar, sacar: **~ des larmes** arrancar lágrimas **6. ~ quelqu'un à un état** sacar a alguien de un estado. ◆ **s'~** *vpr* **1.** arrancarse: **s'~ à** arrancarse de **2. s'~ les cheveux** mesarse los cabellos, tirarse de los pelos **3. s'~ au sommeil** abandonar el sueño **4. s'~ quelqu'un** disputarse, rifarse la compañía de alguien.

**arracheur, euse** *s* **1.** arrancador, a **2. ~ de dents** sacamuelas: **il ment comme un ~ de dents** miente como un sacamuelas, más que habla.

**arraisonnement** *m MAR* inspección *f*, apresamiento (de un barco).

**arraisonner** *vt MAR* inspeccionar, reconocer, apresar.

**arrangeant, e** *a* tratable, acomodaticio, a.

**arrangement** *m* **1.** arreglo **2.** *(accord)* arreglo, avenencia *f* **3.** *MUS* arreglo: **pour piano** arreglo para piano.

**arranger*** *vt* **1.** arreglar **2.** *(organiser)* organizar **3.** *(réparer)* arreglar, componer, reparar **4. cela m'arrange** esto me viene bien, me conviene **5.** *FAM (maltraiter)* maltratar, dejar malparado, a. ◆ **s'~** *vpr* **1.** *(se mettre d'accord)* arreglarse **2.** *(aller mieux)* arreglarse, mejorarse: **le temps s'arrange** se está arreglando el tiempo; **tout finit par s'~** todo termina por arreglarse; **ça peut ~** esto tiene arreglo **3.** *(se parer)* arreglarse **4.** *(se débrouiller)* arreglárselas, apañárselas, componérselas: **qu'il s'arrange tout seul!** ¡que se las arregle solo! **5.** procurar: **arrange-toi pour que personne ne te voie** procura que nadie te vea **6. s'~ d'une chose** contentarse con una cosa.

**arrangeur, euse** *s MUS* arreglista, adaptador, a.

**arrérages** *m pl* atrasos.

**arrestation** *f* detención: **l'~ d'un terroriste** la detención de un terrorista.

**arrêt** *m* **1.** *(d'un mouvement)* detención *f*, paro, parada *f*: **l'~ du moteur** la parada del motor; **~ du cœur** paro cardiaco ◊ **camion à l'~** camion parado; **temps d'~** pausa *f*: **marquer un temps d'~** marcar una pausa **2.** *(endroit où s'arrête un véhicule)* parada *f*: **attendre à l'~ de l'autobus** esperar en la parada del autobús **3.** *(d'une activité)* interrupción *f*, suspensión *f*, cese: **l'~ des**

**hostilités** el cese de las hostilidades **4. ~ de travail** baja *f:* **donner un ~ de travail de 48 heures** dar de baja por 48 horas; *(grève)* paro, huelga *f* **5. tomber en ~** quedarse pasmado, a **6.** *loc adv* **sans ~** sin cesar **7.** *(d'un tribunal)* fallo, sentencia *f* **8. mandat d'~** orden de detención; **maison d'~** cárcel. ◇ *pl MIL* arresto *sing:* **être aux arrêts** estar arrestado.

**¹arrêté** *m* **1.** decreto, bando: **~ municipal** bando municipal. **2. ~ de compte** estado de cuentas.

**²arrêté** *m* **1.** parado, a **2.** *(ferme)* firme **3. avoir des idées arrêtées** ser terco, a.

**arrêter** *vt* **1.** *(un mouvement, etc.)* detener, parar **2.** *(faire prisonnier)* detener: **le voleur a été arrêté** el ladrón ha sido detenido **3.** fijar: **~ la date d'un rendez-vous** fijar la fecha de una cita. ◇ *vi* **1.** parar, detenerse: **dis au chauffeur de taxi d'~ ici** di al taxista que pare aquí; **arrête!** ¡detente!; **arrêtez!** ¡deténgase! **2. elle n'arrête pas de pleurer** no para, no cesa de llorar; **le téléphone n'arrête pas de sonner** el teléfono no para de sonar **3. arrête de crier!** ¡deja de gritar! ◆ **s'~** *vpr* **1.** detenerse, pararse, parar: **je me suis arrêté au café** me detuve en el café; **la pendule s'est arrêtée** el reloj se ha parado; **le train s'arrête à toutes les gares** el tren para en todas las estaciones **2. s'~ de** dejar de **3. s'~ à des détails** parar mientes en detalles.

**arrhes** *f pl* **1.** *(dans un contrat)* arras **2.** *(commerce)* señal *sing:* **laisser des ~** dejar una señal.

**arriération** *f* atraso *m:* **~ mentale** atraso mental.

**arrière** *a inv* **1.** trasero, a: **feu, siège ~** luz trasera, asiento trasero, asiento de atrás; **roues ~** ruedas traseras **2. vent ~** viento en popa **3.** *loc adv* **en ~** atrás: **rester en ~** quedarse atrás; **pencher la tête en ~** inclinar la cabeza hacia atrás: **faire un pas en ~** dar un paso (hacia) atrás; **mouvement, saut en ~** movimiento, salto atrás; **cheveux coiffés en ~** pelo peinado hacia atrás; **à l'~** detrás, en la parte de atrás **4.** *loc prép* **en ~ de** detrás de. ◇ *interj* ¡atrás!: **~ !, tu embarrasses le passage** ¡atrás! estorbas. ◇ *m* **1.** parte *f* de atrás, parte *f* trasera: **l'~ d'une voiture** la parte de atrás de un coche **2.** *(sport)* defensa *f:* **les arrières** la defensa **3.** *MIL* **protéger ses arrières** proteger la retaguardia.

**arriéré, e** *a* retrasado, a, atrasado, a: **un enfant ~** un niño atrasado mental. ◇ *s* **un ~** un retrasado mental. ◇ *m* atrasos *pl:* **payer l'~** pagar los atrasos.

**arrière-ban** → **ban.**

**arrière-chœur** *m* trascoro.

**arrière-cour** *f* traspatio *m.*

**arrière-cuisine** *f* trascocina.

**arrière-garde** *f* retaguardia.

**arrière-goût** *m* **1.** resabio, gustillo, regusto **2.** *FIG* regusto.

**arrière-grand-mère** *f* bisabuela.

**arrière-grand-père** *m* bisabuelo.

**arrière-grands-parents** *m pl* bisabuelos.

**arrière-neveu** *m* sobrino segundo.

**arrière-nièce** *f* sobrina segunda.

**arrière-pays** *m inv* tierras *f pl* adentro, el interior: **habiter l'~** vivir tierra adentro.

**arrière-pensée** *f* segunda intención, reserva mental ◊ **agir sans ~** obrar de buena fe, sin «arrière pensée».

**arrière-petite-fille** *f* biznieta.

**arrière-petit-fils** *m* biznieto.

**arrière-petits-enfants** *m pl* biznietos.

**arrière-plan** *m* segundo plano, segundo término: **à l'~** al fondo.

**arrière-saison** *f* fin *m* del otoño.

**arrière-train** *m* **1.** *(d'un véhicule)* trasera *f* **2.** *(d'un animal)* cuarto trasero **3.** *FAM (d'une personne)* trasero, pompis.

**arrimage** *m* estiba *f.*

**arrimer** *vt MAR* estibar, amarrar, arrumar.

**arrimeur** *m MAR* estibador.

**arrivage** *m* arribo, arribada *f:* **~ de tomates** arribo de tomates.

**arrivant, e** *s* recién llegado, a: **les nouveaux arrivants** los recién llegados.

**arrivée** *f* **1.** llegada: **l'~ des coureurs, du printemps** la llegada de los corredores, de la primavera; **depuis son ~ au pouvoir** desde su llegada al poder ◊ **dès mon ~** apenas llegué **2. ligne d'~** línea de meta, meta.

**arriver** *vi* **1.** llegar: **elle est arrivée hier** llegó ayer; **le printemps est arrivé** ha llegado la primavera ◊ **j'arrive!** ¡ya voy!, ¡ahora voy!; **un malheur n'arrive jamais seul** una desgracia nunca viene sola **2.** *(atteindre)* llegar, alcanzar: **l'eau lui arrivait à la ceinture** el agua le llegaba a la cintura **3.** *(se produire)* suceder, pasar, ocurrir: **cela ne m'est jamais arrivé** esto no me ha ocurrido nunca; **c'est ce qui va t'~** eso te va a pasar a ti; **ça n'arrive qu'à moi** sólo a mí me sucede; **ça devait ~** tenía que suceder ◊ **tout arrive** todo llega **4. ~ à** (+ infinitif) conseguir, lograr, acertar, alcanzar a, llegar a: **je n'arrive pas à fermer la porte** no consigo cerrar la puerta; **je n'arrive pas à comprendre** no acierto a comprender, no llego a comprender, no acabo de entender; **je n'arrive pas à lire l'inscription** no alcanzo a leer la inscripción; **je n'arrive pas à y croire** no me lo creo **5. ~ à ses fins** salirse con la suya **6. en ~ à** llegar a: **parfois j'en arrive à me demander si...** a veces llego a preguntarme si... ◇ *v impers* **1. il est arrivé une lettre pour toi** ha llegado una carta para ti **2. il est arrivé un accident** ha habido un accidente **3. il m'est arrivé une fois de gagner le gros lot** una vez gané el gordo; **il lui arrive souvent de mentir** suele mentir a menudo; **il lui arrive souvent d'être malade** a menudo está enfermo; **il m'arrive d'oublier** a veces sucede que me olvido; **qu'est-ce qu'il t'arrive?** ¿qué te pasa? **4. quoi qu'il arrive** pase lo que pase, suceda lo que suceda **5. il arrive que...** ocurre que..., sucede que...

**arrivisme** *m* arribismo.

**arriviste** *s* arribista, trepador, a.

▶ *Trepador*, en abrégé *trepa* (du verbe *trepar*, grimper) est un mot familier pour désigner un arriviste.

**arrobe, arobe** *f (mesure de poids)* arroba.

**arroche** *f* armuelle *m.*

**arrogance** *f* arrogancia, altanería.

**arrogant, e** *a/s* arrogante, altanero, a.

**arroger (s')*** *vpr* arrogarse, atribuirse indebidamente.

**arrondi, e** *a* redondeado, a. ◇ *m* **l'~** lo redondeo.

**arrondir** *vt* **1.** redondear **2. ~ une somme** redondear una cantidad; **~ sa fortune** enriquecerse **3.** *FIG* **~ les angles** limar (las) asperezas. ◆ **s'~** *vpr* **1.** redondearse **2.** *(grossir)* engordar.

**arrondissement** *m (division administrative)* distrito.

**arrosage** *m* riego.

**arroser** *vt* **1.** regar: **n'oublie pas d'~ les géraniums** no te olvides de regar los geranios **2.** *(rivière, fleuve)* regar, bañar: **la Seine arrose le Bassin parisien** el Sena riega la cuenca de París **3.** *(un rôti, etc.)* rociar ◊ **café arrosé** café con alcohol **4. ~ son repas d'un bon vin** rociar la comida con un buen vino **5.** *FAM* **~ un succès** mojar un éxito; **il faut ~ ça!** ¡hay que festejarlo!; **ça s'arrose!** ¡eso merece mojarse! **6.** *FAM* **~ quelqu'un** dar dinero a alguien, sobornar a alquien **7.** *MIL* bombardear.

**arroseur, euse** *s* regador, a. ◇ *m (appareil)* aspersor, rociadera *f.* ◇ *f (véhicule)* camión *m* de riego.

**arrosoir** *m* regadera *f.*

**arsenal** *m* **1.** arsenal: **des arsenaux** arsenales **2.** *FIG* **un ~ de...** un arsenal de...

**Arsène** *np m* Arsenio.

**arsenic** *m* arsénico.

**arsénical, e** *a* arsenical.

**arsouille** *a/s* juerguista.

**art** *m* **1.** *(habileté)* arte, habilidad *f*, maña *f*, don: **il a l'~ de dissimuler** tiene maña para disimular **2.** *(technique)* arte: **l'~ culinaire** el arte culinario ◊ **l'homme de l'~** el especialista **3.** *(création des œuvres d'art)* arte: **l'~ abstrait, figuratif** el arte abstracto, figurativo; **l'~ pour l'~** el arte por el arte; **œuvre d'~** obra de arte; **un critique d'~** un crítico de arte; **le septième ~** el séptimo arte **4. les beaux-arts** las bellas artes; **les arts décoratifs** las artes decorativas; **les arts plastiques** las artes plásticas **5. les arts martiaux** las artes marciales.
▶ Le mot *arte* est féminin au pluriel.

**artère** *f* **1.** ANAT arteria **2.** *(rue)* arteria: **les grandes artères d'une ville** las grandes arterias de una ciudad.

**artériel, elle** *a* arterial: **le sang ~** la sangre arterial.

**artériole** *f* ANAT arteriola.

**artériosclérose** *f* MED arteriosclerosis.

**artésien** *a* **puits ~** pozo artesiano.

**arthrite** *f* MED artritis.

**arthritique** *a/s* artrítico, a.

**arthropodes** *m pl* ZOOL artrópodos.

**arthrose** *f* MED artrosis.

**Arthur** [aʀtyʀ] *np m* Arturo.

**artichaut** *m* alcachofa: **fond d'~** fondo de alcachofa ◊ FIG **un cœur d'~** un enamoradizo.

**artichautière** *f* alcachofal *m*.

**article** *m* **1.** *(d'une loi, d'un journal, etc.)* artículo ◊ **~ de foi** artículo de fe **2.** *(marchandise)* artículo, género: **articles de sport, de toilette** artículos de deporte, de tocador ◊ **faire l'~** hacer el artículo, ponderar una mercancía **3.** GRAM artículo: **défini, indéfini** artículo determinado, indeterminado **4.** *(des insectes)* artejo **4. à l'~ de la mort** in articulo mortis, a punto de morir.

**articulaire** *a* articular: **rhumatisme ~** reuma articular.

**articulation** *f* articulación: **les articulations** las articulaciones.

**articulé, e** *a* articulado, a.

**articuler** *vt* **1.** articular **2.** *(en parlant)* **bien ~** articular bien; **articule!** ¡habla de forma inteligible!. ◆ **s'~** *vpr* articularse.

**artifice** *m* **1.** artificio, truco **2.** *(ruse)* artimaña *f* **3. feux d'~** fuegos artificiales.

**artificiel, elle** *a* artificial: **des fleurs artificielles** flores artificiales.

**artificiellement** *adv* artificialmente.

**artificier** *m* pirotécnico.

**artificieux, euse** *a* artificioso, a.

**artillerie** *f* artillería.

**artilleur** *m* artillero.

**artimon (mât d')** *m* palo de mesana.

**artisan, e** *s* **1.** artesano, a **2.** FIG artífice, autor, a: **être l'~ de son malheur** ser el artífice de su desdicha.

**artisanal, e** *a* artesanal, de artesanía, artesano, a: **produits artisanaux** productos de artesanía, productos artesanos; **fabrication artisanale** elaboración artesana; **production artisanale** producción artesanal.

**artisanat** *m* **1.** artesanía *f* **2.** *(ensemble des artisans)* artesanado.

**artiste** *s* **1.** artista **2. ~ peintre** pintor de cuadros. ◇ *a* de artista: **tempérament ~** genio de artista.

**artistement** *adv* artísticamente.

**artistique** *a* artístico, a.

**artistiquement** *adv* artísticamente.

**arum** [aʀɔm] *m* aro, yaro, alcatraz.

**aruspice** *m* arúspice, adivino.

**aryen, enne** *a/s* ario, a.

**arythmie** *f* arritmia.

**arythmique** *a* arrítmico, a.

[1]**as** [as] *m* **1.** *(cartes, dés)* as: **poker d'~** poquer de ases **2.** FIG *(champion)* as, hacha: **un ~ de l'aviation, du volant** un as de la aviación, del volante; **c'est un ~** es un as **3.** FAM **être ficelé, fichu comme l'~ de pique** ir hecho un adefesio **4.** POP **être plein aux as** tener muchos cuartos, estar forrado, tener el riñón bien cubierto; **mon petit déjeuner est passé à l'~** tuve que prescindir del desayuno.

[2]**as** [a] → **avoir.**

**asbeste** *m (amiante)* asbesto.

**ascaris, ascaride** *m* ascáride *f*.

**ascendance** *f* ascendencia.

**ascendant, e** *a* ascendente, ascendiente. ◇ *m pl (parents)* ascendientes, antepasados. ◇ *m (influence)* ascendiente, influencia *f*, ascendencia *f*: **avoir de l'~ sur** tener ascendiente sobre.

**ascenseur** *m* **1.** ascensor **2.** FIG **renvoyer l'~** devolver el favor, actuar con reciprocidad.

**ascension** *f* **1.** ascensión, ascenso *m*: **l'~ de l'Éverest** la ascensión al Everest; **l'~ de la face nord** el ascenso a la cara norte **2.** RELIG **le jeudi de l'Ascension** el jueves de Ascensión.

**ascensionnel, elle** *a* ascensional.

**ascensionner** *vi* realizar una ascensión.

**ascensionniste** *s* ascensionista, alpinista.

**ascèse** [asɛz] *f* ascesis.

**ascète** [asɛt] *s* asceta.

**ascétique** [asetik] *a* ascético, a.

**ascétisme** [asetism(ə)] *m* ascetismo.

**asepsie** *f* asepsia.

**aseptique** *a* aséptico, a.

**aseptisation** *f* aseptización.

**aseptiser** *vt* aseptizar, esterilizar.

**asexué, e** *a* asexuado, a, asexual.

**asiatique** *a/s* asiático, a.

**Asie** *np f* Asia: **l'~ Mineure** el Asia Menor.

**asile** *m* **1.** asilo: **droit d'~** derecho de asilo; **~ politique** asilo político ◊ **donner ~** dar asilo, dar cobijo **2.** *(établissement)* asilo ◊ **~ d'aliénés** manicomio.

**asocial, e** *a* inadaptado, a a la vida en sociedad.

**aspect** [aspɛ] *m* **1.** aspecto: **bel ~** buen aspecto **2. au premier ~** a primera vista, al primer aspecto.

**asperge** *f* **1.** *(plante, légume)* espárrago *m* **2.** FAM *(personne)* persona larguirucha, grandullona, espingarda.

**asperger*** *vt* rociar, salpicar, asperjar: **~ le linge** rociar la ropa; **~ d'eau bénite** asperjar con agua bendita.

**aspérité** *f* aspereza.

**aspersion** *f* aspersión.

**aspersoir** *m* hisopo.

**asphaltage** *m* asfaltado.

**asphalte** *m* asfalto ◊ **arpenter l'~** callejear.

**asphalter** *vt* asfaltar.

**asphodèle** *m* asfódelo.

**asphyxiant, e** *a* asfixiante: **gaz asphyxiants** gases asfixiantes.

**asphyxie** *f* **1.** asfixia **2.** *FIG* asfixia, parálisis.

**asphyxié, e** *a/s* asfixiado, a.

**asphyxier*** *vt* asfixiar. ◆ **s'~** *vpr* asfixiarse.

**aspic** *m* **1.** *(vipère)* áspid **2.** *(mets)* aspic, fiambre con gelatina.

**aspidistra** *m* aspidistra *f*.

**aspirant, e** *a* **pompe aspirante** bomba aspirante. ◇ *m (militaire)* oficial alumno.

**aspirateur** *m* aspirador: **passer l'~ sur le tapis** pasar el aspirador por la alfombra.
▶ On emploie parfois le féminin: *una aspiradora*.

**aspiration** *f* aspiración.

**aspiré, e** *a* aspirado, a.

**aspirer** *vt* aspirar. ◇ *vi* **~ à** aspirar a, anhelar: **~ à une fonction** aspirar a un cargo; **j'aspire à la tranquillité** anhelo la tranquilidad; **les gens aspirent à la paix** la gente anhela la paz; **j'aspire au repos** aspiro al descanso.

**aspirine** *f* aspirina: **comprimé d'~** comprimido de aspirina.

**assagir** *vt* ajuiciar, sosegar. ◆ **s'~** *vpr* formalizarse, sosegarse.

**assagissement** *m* sosiego.

**assaillant, e** *s* asaltante, agresor, a.

**assaillir*** *vt* **1.** asaltar, atacar, acometer: **deux individus ont assailli un passant** dos individuos han asaltado a un transeúnte **2.** *FIG* acosar: **~ de questions** acosar a preguntas.

**assainir** *vt* **1.** sanear **2.** *(les finances)* sanear, equilibrar.

**assainissement** *m* saneamiento.

**assaisonnement** *m* **1.** *(action)* aliño **2.** *(ingrédient)* condimento.

**assaisonner** *vt* **1.** *(cuisine)* aderezar, aliñar, sazonar, condimentar: **~ la salade** aderezar, sazonar la ensalada **2.** *FIG* **~ de compliments** amenizar con elogios **3.** *FAM (critiquer)* reprender, amonestar.

**assassin, e** *a/s* asesino, a. ◇ *a FAM* **œillade assassine** guiño provocativo.

**assassinat** *m* asesinato.

**assassiner** *vt* asesinar.

**assaut** *m* **1.** asalto, ataque: **donner l'~ à** dar asalto a; **monter à l'~** lanzarse al asalto; **prendre d'~** tomar por asalto; **fusil d'~** fusil de asalto. **2. faire ~ de** rivalizar en, competir en: **elles font ~ d'élégance** compiten en elegancia.

**assèchement** *m* desecación *f*.

**assécher*** *vt* desecar, desaguar, dejar en seco.

**assemblage** *m* **1.** reunión *f*, conjunto **2.** *(menuiserie)* ensambladura *f*.

**assemblée** *f* **1.** asamblea: **réunir une ~** convocar una asamblea **2.** *COM* **~ générale des actionnaires** junta general de accionistas.
▶ *L'Assemblée nationale*: el Congreso de diputados en Francia.

**assembler** *vt* **1.** *(choses, personnes)* reunir, juntar **2.** *(personnes)* congregar **3.** *(menuiserie)* ensamblar **4.** *(les feuilles imprimées)* alzar. ◆ **s'~** *vpr* juntarse, reunir: **la foule s'assemble** la muchedumbre se junta; **qui se ressemble s'assemble → ressembler.**

**assembleur** *m INFORM* ensamblador.

**assener*** [asene] *vt* **1.** asestar, descargar: **il lui assena un coup** le asestó un golpe **2.** *FIG* **~ un argument** espetar, soltar un argumento.

**assentiment** *m* asentimiento, asenso.

**asseoir*** [aswaʀ] *vt* **1.** sentar **2.** *FIG* asentar, fundar, basar: **~ une théorie sur des données scientifiques** basar una teoría en datos científicos **3.** *(un impôt)* establecer.. ◆ **s'~** *vpr* sentarse: **elle s'est assise sur la chaise** se sentó en la silla; **asseyez-vous** siéntese; **assieds-toi** siéntate.

**assermenté, e** *a* juramentado, a, jurado, a: **interprète ~** intérprete jurado; **garde ~** guarda jurado.

**assertion** *f* aserción, aserto *m*.

**asservir** *vt* sojuzgar, avasallar, esclavizar. ◆ **s'~ à** *vpr* someterse a.

**asservissement** *m* **1.** *(soumission)* avasallamiento **2.** *(esclavage)* esclavitud *f*.

**assesseur** *m* asesor, magistrado adjunto.

**asseyais**, etc. → **asseoir.**

**assez** [ase] *adv* **1.** bastante: **il fait ~ froid** hace bastante frío; **~ souvent** bastante a menudo **2. ~ de** bastante; **~ de choses** bastantes cosas **3. as-tu ~ d'argent?** ¿tienes dinero suficiente?; **nous avons ~ d'essence** tenemos gasolina suficiente; **comme si nous n'avions pas ~ de problèmes!** ¡como si no tuviéramos suficientes problemas! **4. en avoir ~ de** estar harto a, de: **j'en ai ~ de toujours répéter la même chose** estoy harto de repetir siempre lo mismo; **j'en ai ~ !** ¡ya estoy harto! ◇ *interj* ¡basta!: **en voilà ~ !** ¡basta ya!; **~ parlé!, ~ de discours!** ¡basta de charla!

**assidu, e** *a* **1.** asiduo, a, perseverante **2.** constante.

**assiduité** *f* asiduidad. ◇ *pl (auprès d'une femme)* galanterías.

**assidûment** *adv* asiduamente.

**assiégé, e** *a/s* sitiado, a.

**assiégeant, e** *s* sitiador, a.

**assiéger*** *vt* **1.** *(une ville, place forte, etc.)* sitiar, asediar **2.** *FIG* asediar, acosar: **~ de questions** acosar a preguntas.

**assiette** *f* **1.** plato *m*: **~ plate, creuse, à soupe** plato llano, hondo, sopero **2.** *(son contenu)* plato *m*: **une ~ de potage** un plato de sopa **3. ~ anglaise** plato *m* de fiambres variados **4.** *FAM* **l'~ au beurre** un chollo, una bicoca **5.** *(équilibre)* equilibrio *m*, estabilidad **6.** base: **~ de l'impôt** base tributaria **7.** *FIG* **ne pas être dans son ~** no sentirse bien, estar pachucho, a.

**assiettée** *f* plato *m*: **une ~ de lentilles** un plato de lentejas.

**assignat** *m* asignado.

**assignation** *f* **1.** asignación **2.** *JUR* citación, requerimiento *m* ◊ **~ à résidence** arresto *m* domiciliario.

**assigner** *vt* **1.** asignar **2.** *(fixer)* fijar, señalar **3.** *JUR* citar, emplazar.

**assimilable** *a* asimilable.

**assimilation** *f* **1.** asimilación **2. ~ chlorophyllienne** fotosíntesis.

**assimilé, e** *a/s* asimilado, a.

**assimiler** *vt* asimilar. ◆ **s'~** *vpr* **1.** asimilarse **2. les immigrants se sont assimilés à la population autochtone** los inmigrantes se han asimilado, incorporado a la población autóctona.

**assis, e** *pp* de **asseoir.** ◇ *a* **1.** sentado, a **2. réputation bien assise** reputación bien establecida.

**Assise** *np* Asís.

[1]**assise** *f* **1.** *(de pierres, brique)* hilada, hilera **2.** *FIG* base, cimientos *m pl*.

[2]**assises** *f pl* **1.** *JUR* audiencia *sing* de lo criminal **2.** sesiones, reuniones ◊ **tenir ses ~** reunirse: **le congrès tiendra ses ~ à l'hôtel de ville** el congreso se reunirá en el Ayuntamiento.

**assistanat** *m* adjuntía *f*.

**assistance** *f* **1.** *(public)* asistencia, concurrencia: **une ~ nombreuse** una gran asistencia **2.** *(aide)* asistencia, auxilio *m*, socorro: **~ médicale** asistencia médica; **~ sociale** asistencia social **3. l'Assistance publique** la Beneficencia ◊ **un enfant de l'~** un inclusero.

**assistant, e** *s* **1.** *(auditeur)* asistente, a **2.** *(professeur)* ayudante, auxiliar, adjunto, a **3. assistante sociale** asistente social **4. ~ de production** ayudante de producción; **~ du metteur en scène** ayudante del director.
▶ *Asistenta* signifie aussi: femme de ménage.

**assisté, e** *a* asistido, a: **direction assistée** dirección asistida; **conception assistée par ordinateur** diseño asistido por ordenador.

**assister** *vi* **~ à** asistir a, presenciar: **~ à une conférence** asistir a una conferencia; **nous avons assisté à une magnifique corrida** hemos presenciado una corrida magnífica. ◇ *vt* **1.** *(aider)* asistir, ayudar **2.** *(secourir)* asistir, socorrer **3. Dieu vous assiste!** ¡Dios le ampare!

**associatif, ive** *a* asociativo, a: **mouvement ~** movimiento asociativo.

**association** *f* **1.** asociación **2. ~ d'idées** asociación de ideas.

**associé, e** *a* socio, a, asociado, a. ◇ *s* socio, a.

**associer*** *vt* asociar. ◆ **s'~** *vpr* **1.** *(s'allier)* asociarse, **les deux architectes se sont associés** los dos arquitectos se han asociado **2. s'~ à un point de vue** adherirse a un punto de vista. **3. s'~ à la joie de quelqu'un** compartir la alegría de alguien.

**assoiffé, e** *a* **1.** sediento, a **2.** *FIG* **~ de,** ávido, a de, sediento, a de.

**assoiffer** *vt* dar sed.

**assolement** *m AGR* rotación *f* de cultivos: **~ triénnal** rotación trienal.

**assombrir** *vt* **1.** oscurecer **2.** *FIG* ensombrecer, entristecer. ◆ **s'~** *vpr* **1.** oscurecerse: **le ciel s'assombrit** el cielo se oscurece **2.** *FIG* ensombrecerse, entristecerse: **son visage s'est assombri brusquement** su rostro se ensombreció bruscamente.

**assombrissement** *m* oscurecimiento.

**assommant, e** *a FAM* cargante, pesado, a, fastidioso, a: **un travail ~** un trabajo pesado.

**assommer** *vt* **1.** *(tuer)* matar **2.** *(d'un coup sur la nuque)* acogotar **3.** *(rouer de coups)* aporrear **4.** *FAM (ennuyer)* reventar, fastidiar: **tu nous assommes avec tes histoires** nos fastidias con tus cuentos.

**assommoir** *m ANC (cabaret)* tabernucho, taberna *f.*

**assomption** *f* asunción ◊ **l'Assomption de la Vierge** la Asunción de la Virgen.

**assomptionniste** *m* asuncionista.

**assonance** *f* asonancia.

**assonancé, e** *a* asonantado, a.

**assonant, e** *a* asonante.

**assorti, e** *a* **1. cravate et pochette assorties** corbata y pañuelo a juego; **chemisier ~ à la jupe** blusa haciendo juego con la falda, conjuntada con la falda **2. gâteaux secs assortis** galletas surtidas; **fromages assortis** quesos variados.

**assortiment** *m* **1.** combinación *f*: **un ~ de couleurs** una combinación de colores **2.** *(d'objets de même sorte)* juego, conjunto **3.** surtido: **un ~ de gâteaux secs** un surtido de galletas.

**assortir** *vt* **1.** combinar, armonizar: **~ les rideaux au papier peint** armonizar las cortinas con el papel pintado **2.** *(approvisionner)* surtir. ◆ **s'~** *vpr* **1.** *(s'harmoniser)* combinar, combinarse, hacer juego, conjuntar: **le manteau s'assortit à la robe** el abrigo hace juego con el vestido **2.** *(s'approvisionner)* surtirse **3.** *(s'accompagner)* acompañarse.

**assoupir** *vt* adormecer, amodorrar. ◆ **s'~** *vpr* adormecerse, amodorrarse: **Louise s'est assoupie** Luisa se ha adormecido.

**assoupissement** *m* sopor, modorra *f.*

**assouplir** *vt* **1.** dar flexibilidad a, flexibilizar **2.** *FIG (le caractère, etc.)* suavizar, flexibilizar. ◆ **s'~** *vpr* suavizarse.

**assouplissement** *m* **1.** flexibilidad *f*, soltura *f* **2. exercices d'~** ejercicios de flexibilidad.

**assourdir** *vt* **1.** ensordecer **2.** *(rendre moins sonore)* amortiguar, atenuar.

**assourdissant, e** *a* ensordecedor, a: **bruit ~** ruido ensordecedor.

**assourdissement** *m* ensordecimiento.

**assouvir** *vt* **1. ~ la faim** saciar el hambre **2.** *(un désir, une passion)* satisfacer, saciar.

**assouvissement** *m* saciedad *f.*

**Assuérus** *np m* Asuero.

**assuétude** *f MÉD* adicción, drogodependencia.

**assujettir** *vt* **1.** sujetar, someter: **~ quelqu'un à une règle** sujetar a alguien a una regla **2.** *(fixer)* sujetar, fijar. ◆ **s'~** *vpr* sujetarse.

**assujettissant, e** *a* penoso, a.

**assujettissement** *m* sujeción *f*, sumisión *f.*

**assumer** *vt* asumir. ◆ **s'~** *vpr* responsabilizarse (de sí mismo).

**assurance** *f* **1.** *(certitude)* seguridad **2.** firmeza, aplomo *m* convicción: **il répondit avec ~** contestó con convicción **3.** seguro *m*: **compagnie d'assurances** compañía de seguros: **~ contre l'incendie, contre le vol** seguro contra incendio, contra robo: **~ chômage** seguro de desempleo; **~ maladie** seguro de enfermedad; **~ vie** seguro de vida; **~ vieillesse** seguro de vejez; **assurances sociales** seguros sociales **4. recevez l'~ de mes sentiments distingués** le saludo con toda consideración.

**assuré, e** *a* **1.** *(sûr)* seguro, a, asegurado, a ◊ **soyez-en ~** no cabe ninguna duda **2.** decidido, a, firme: **d'un pas ~** con paso firme. ◇ *s (qui a contracté une assurance)* asegurado, a.

**assurément** *adv* ciertamente, indudablemente.

**assurer** *vt* **1.** *(affirmer)* asegurar: **je t'assure que c'est vrai** te aseguro que es verdad **2.** *(fixer)* fijar, asegurar **3.** *(contre le vol, etc.)* asegurar, garantizar **4. la surveillance du camp est assurée par deux gardiens** la vigilancia del campo corre a cargo de dos guardias. ◇ *vi FAM* ser dueño, a de la situación, dar la talla. ◆ **s'~** *vpr* **1.** *(vérifier)* asegurarse, cerciorarse: **assure-toi que tu ne te trompes pas** asegúrate de que no te equivoques; **assurez-vous que l'électricité est éteinte** cerciórese de que la luz está apagada **2.** asegurarse: **s'~ la collaboration de** asegurarse la colaboración de **3.** asegurarse: **je me suis assuré contre l'incendie, le vol** me he asegurado contra incendio, robo.

**assureur** *m* asegurador.

**Assyrie** *np f* Asiria.

**assyrien, enne** *a/s* asirio, a.

**assyriologie** *f* asiriología.

**aster** [astɛʀ] *m* aster.

**astérisque** *m* asterisco.

**asteroïde** *m ASTR* asteroide.

**asthénie** *m MÉD* astenia.

**asthénique** *a/s* asténico, a.

**asthmatique** *a/s* asmático, a.

**asthme** [asm(ə)] *m* asma *f*: **l'~** el asma; **avoir de l'~** padecer asma; **crise d'~** crisis de asma.

**asti** *m (vin italien)* asti.

**asticot** *m* gusano, cresa *f.*
▶ Larva del moscón empleada como cebo para los peces.

**asticoter** *vt FAM* fastidiar, chinchar.

**astigmate** *a/s* astigmático, a.

**astigmatisme** *m* astigmatismo.

**astiquage** *m* limpieza *f* (dando brillo a los metales).

**astiquer** *vt* dar brillo a, frotar.

**astragale** *m* **1.** ANAT, ARCH astrágalo **2.** *(planta)* astrágalo, tragacanto.

**astrakan** *m* astracán: **manteau d'~** abrigo de astracán.

**astral, e** *a* astral.

**astre** *m* **1.** astro **2. beau comme un ~** bello como un sol.

**astreignant, e** *a* penoso, a.

**astreindre*** *vt* obligar, constreñir. ◆ **s'~** *vpr* obligarse, imponerse: **elle s'astreint à suivre un régime** se obliga a seguir una dieta; **s'~ à un régime** sujetarse a un régimen.

**astringent, e** *a/m* astringente.

**astrolabe** *m* astrolabio.

**astrologie** *f* astrología.

**astrologique** *a* astrológico, a.

**astrologue** *m* astrólogo.

**astronaute** *s* astronauta.

**astronautique** *f* astronáutica.

**astronef** *m* astronave *f*.

**astronome** *s* astrónomo, a.

**astronomie** *f* astronomía.

**astronomique** *a* **1.** astronómico, a **2.** FAM **prix ~** precio astronómico.

**astrophysicien, enne** *s* astrofísico, a.

**astrophysique** *f* astrofísica.

**astuce** *f* **1.** astucia **2.** truco *m* **3.** *(plaisanterie)* chiste *m*: **une ~ vaseuse** un chiste sin gracia.

**astucieux, euse** *a* **1.** *(une personne)* astuto, a **2.** *(subtil)* sutil **3.** *(ingénieux)* ingenioso, a.

**asturien, enne** *a/s* asturiano, a.

**Asturies** *np f pl* Asturias.

**asymétrie** *f* asimetría.

**asymétrique** *a* asimétrico, a.

**asynchrone** *a* asincrónico, a.

**atavique** *a* atávico, a.

**atavisme** *m* atavismo.

**ataxie** *f* MÉD **~ locomotrice** ataxia locomotriz.

**ataxique** *a* MÉD atáxico, a.

**atchoum!** *interj* ¡achís!

**atèle** *m* ateles, mono araña.

**atelier** *m* **1.** taller: **~ de menuiserie** taller de carpintería **2.** *(d'artiste)* estudio, taller.

**atermoiement** *m* **1.** prórroga *f* plazo **2.** *(hésitation)* vacilación *f*.

**atermoyer*** *vi* andar con dilaciones, aplazar.

**athée** *a/s* ateo, a.

**athéisme** *m* ateísmo.

**athénée** *m* *(en Belgique)* colegio, instituto de enseñanza secundaria.

**Athènes** *np* Atenas.

**athénien, enne** *a/s* ateniense.

**athlète** *s* atleta.

**athlétique** *a* atlético, a.

**athlétisme** *m* atletismo.

**atlante** *m* atlante.

**Atlantide** *np f* Atlántida.

**atlantique** *a* atlántico, a. ◇ *np m* **l'Atlantique** el Atlántico.

**atlas** *m* atlas.

**Atlas** *np m* **l'~** el Atlas.

**atmosphère** *f* **1.** atmósfera **2.** FIG atmósfera, ambiente *m*: **une ~ cordiale** un ambiente cordial, una atmósfera cordial.

**atmosphérique** *a* atmosférico, a.

**atoll** [atɔl] *m* atolón.

**atome** *m* **1.** átomo **2.** FIG átomo, pizca *f*: **pas un ~ de sagesse** ni pizca de, ni un asomo de cordura **3.** FAM **avoir des atomes crochus avec quelqu'un** tener gran afinidad con, sentir mucha simpatía por alguien.

**atome-gramme** *m* CHIM átomo-gramo.

**atomique** *a* atómico, a: **énergie, bombe ~** energía, bomba atómica.

**atomisation** *f* atomización.

**atomiser** *vt* atomizar.

**atomiseur** *m* spray, atomizador.

**atomiste** *s* atomista.

**atone** *a* **1.** *(sans vie)* sin vigor, amorfo, a **2.** *(phonétique)* átono, a.

**atonie** *f* atonía.

**atours** *m pl* atavíos, atuendos, galas *f* ◊ *(ironique)* **ses plus beaux ~** sus mejores trapitos.

**atout** *m* **1.** *(carte)* triunfo ◊ **jouer ~** arrastrar **2.** FIG *(avantage)* ventaja *f* baza *f*: **son énergie est son meilleur ~** su energía es su mejor baza.

**atrabilaire** *a* atrabilario, a, malhumorado, a.

**âtre** *m* hogar.

**atrium** [atʀijɔm] *m* atrio.

**atroce** *a* **1.** atroz: **souffrances atroces** padecimientos atroces **2.** FIG atroz, horrible.

**atrocement** *adv* atrozmente.

**atrocité** *f* atrocidad: **commettre des atrocités** cometer atrocidades.

**atrophie** *f* atrofia.

**atrophier*** *vt* atrofiar. ◆ **s'~** *vpr* atrofiarse.

**attabler (s')** *vpr* sentarse a la mesa.

**attachant, e** *a* **1.** interesante, atractivo, a **2.** cautivador, a.

**attache** *f* **1.** *(lien)* atadura, ligadura ◊ **être à l'~** estar atado, a. **2. port d'~** puerto donde un barco está matriculado **3.** *(pour papiers)* grapa, clip *m*. ◇ *pl* **1. avoir les attaches fines** tener las muñecas y los tobillos finos **2.** *(relations)* relaciones.

**attaché, e** *a* atado, a, sujetado, a. ◇ *m* agregado: **~ d'ambassade, culturel** agregado diplomático, cultural.

**attaché-case** *m* maletín, attaché.

**attachement** *m* apego, cariño, afecto.

**attacher** *vt* **1.** *(lier)* atar, sujetar: **~ un animal, un paquet, les mains** atar un animal, un paquete, las manos **2.** *(avec des épingles, etc.)* sujetar, prender **3.** abrochar: **attachez vos ceintures!** ¡abróchense los cinturones! **4.** *(par des liens affectifs)* ligar, vincular **5.** *(accorder)* atribuir, dar: **~ de l'importance, de la valeur à** dar importancia, valor a. ◇ *vi (coller)* pegarse: **le riz a attaché** el arroz se ha pegado. ◆ **s'~** *vpr* **1.** atarse, sujetarse **2.** *(coller)* pegarse **3.** *(par des liens affectifs)* apegarse, encariñarse, tomar afecto a: **le chien s'attache à son maître** el perro se encariña con su amo; **je me suis attaché à ce village** me he encariñado con este pueblo **4.** *(se consacrer)* dedicarse **5.** *(s'efforcer)* esforzarse: **s'~ à être utile** esforzarse en ser útil.

**attaquant, e** *a/s* atacante, agresor, a. ◇ *m (sports)* atacante.

**attaque** *f* **1.** ataque *m:* **déclencher une ~** emprender un ataque **2.** asalto *m:* **l'~ du train postal** el asalto al tren correo ◊ **~ à main armée** atraco *m* **3.** *MÉD* ataque *m,* acceso *m:* **~ de rhumatismes** ataque de reumas; **elle a eu une ~ (d'apoplexie)** le dio un ataque (de apoplejía) **4.** *FAM* **être, se sentir d'~** estar en forma, sentirse fuerte.

**attaquer** *vt* **1.** atacar, acometer **2.** *(agresser)* agredir, asaltar: **~ un passant** asaltar a un transeúnte **3. ~ quelqu'un en justice** entablar una acción judicial contra alguien **4. la rouille attaque le fer** el orín ataca al hierro **5.** *FIG (critiquer)* combatir, criticar, atacar **6.** *(commencer)* atacar: **la fanfare attaqua une marche** la banda atacó una marcha **7.** *FAM* **attaquons ce rôti!** ¡ataquemos el asado! ◆ **s'~** *vpr* **1. s'~ à un adversaire** atacar a un adversario **2. s'~ aux préjugés** combatir los prejuicios **3.** *(commencer)* **s'~ à un travail** acometer una labor.

**attardé, e** *a/s* retrasado, a ◊ **un enfant ~** un niño retrasado mental.

**attarder (s')** *vpr* **1.** retrasarse, rezagarse: **elle s'est attardée en route** se ha retrasado en el camino **2. s'~ sur un sujet** pasar mucho tiempo examinando un tema.

**atteindre*** *vt* **1.** *(arriver à)* alcanzar, llegar a: **~ le but** alcanzar la meta; **~ l'âge de la retraite** llegar a la edad de la jubilación **2.** *(blesser)* alcanzar, herir: **la pierre l'a atteint au front** la piedra le hirió en la frente **3.** *FIG* alcanzar, lograr, conseguir: **~ un objectif, un résultat** alcanzar un objetivo, un resultado **4.** *(une grandeur, un chiffre)* alcanzar: **le chômage atteint des proportions inquiétantes** el paro alcanza proporciones inquietantes ◊ **il a atteint la soixantaine** ha cumplido los sesenta años **5.** *(par téléphone)* ponerse en contacto con **6.** *FIG* **ces critiques ne l'atteignent pas** estas críticas le dejan indiferente.

**atteint, e** *a* **1.** aquejado, a, afectado, a: **~ d'une grippe** aquejado de una gripe ◊ **il est ~ d'un cancer** sufre de cáncer; **il est ~ d'une paralysie complète** tiene una parálisis completa, le aqueja una parálisis completa **2.** *(blessé)* herido, a.

**atteinte** *f* **1.** *(dommage)* perjuicio *m,* daño *m* ◊ **porter ~ à quelqu'un** perjudicar a alguien; **porter ~ à la réputation de** atentar contra la reputación de; **porter ~ à la dignité de...** atentar contra la dignidad de...; **porter ~ aux libertés individuelles, aux principes démocratiques** vulnerar las libertades individuales, los principios democráticos **2.** *(d'une maladie)* ataque *m* **3. hors d'~** fuera de alcance.

**attelage** *m* **1.** *(chevaux)* tiro, atelaje **2.** *(bœufs)* yunta *f* **3.** *(wagons)* enganche.

**atteler*** *vt* **1.** *(un cheval, un véhicule)* enganchar **2.** *(bœufs)* uncir. ◆ **s'~** *vpr* consagrarse, aplicarse: **je me suis attelé à ce travail** me he consagrado a este trabajo.

**attelle** *f (pour fracture)* tablilla.

**attenant, e** *a* **~ à** contiguo, a, lindante con, colindante con: **le cloître ~ à l'église** el claustro colindante con la iglesia.

**attendant (en)** *loc* **1.** *(jusqu'à ce moment)* entretanto, mientras tanto **2.** *(toujours est-il)* de todos modos **3. en ~ votre réponse** en espera de, esperando su respuesta **4. en ~ que les invités arrivent** mientras que llegan los invitados.

**attendre*** *vt* **1.** esperar, aguardar: **nous attendons le médecin** estamos esperando al médico; **nous attendons qu'il arrive** aguardamos a que llegue; **je t'attends pour déjeuner** te espero a comer; **un échec l'attend** le espera un fracaso; **elle attend un enfant** está esperando (un niño) **2. j'attendais beaucoup de lui** esperaba mucho de él. ◇ *vi* **1.** esperar: **attends un peu pour voir!** ¡espera y verás!; **attends ici!** ¡espérate aquí!; **tu peux toujours ~ !** ¡espérate sentado! **2. ~ après quelqu'un** contar con alguien **3. se faire ~** hacerse esperar: **la réponse ne se fit pas ~** la respuesta no se hizo esperar **4. en attendant** mientras tanto. ◆ **s'~** *vpr* **1.** esperarse: **je m'y attendais** me lo esperaba; **au moment où l'on s'y attend le moins** cuando menos se lo espera uno; **comme il fallait s'y ~** como era de esperar ◊ **avec lui, on peut s'~ à tout!** ¡es capaz de todo! **2. s'~ à** contar con: **je m'attendais à un meilleur résultat** contaba con un resultado mejor: **je m'attendais à ce qu'il se mette en colère** contaba con que se iba a enojar.

**attendrir** *vt* **1.** ablandar **2.** *FIG* enternecer, conmover ◊ **un regard attendri** una tierna mirada.. ◆ **s'~** *vpr* **1.** enternecerse, ablandarse: **ne nous attendrissons pas** no nos ablandemos **2. s'~ sur le malheur d'autrui** compadecerse de la desgracia ajena.

**attendrissant, e** *a* enternecedor, a, conmovedor, a, entrañable.

**attendrissement** *m* enternecimiento, ternura *f.*

**attendrisseur** *m* aparato para ablandar la carne.

**attendu, e** *a (qu'on attend)* esperado, a. ◇ *prep* en vista de, teniendo en cuenta, considerando. ◇ *loc conj* **~ que** visto que, considerando que. ◇ *m JUR* considerando: **les attendus d'un jugement** los considerandos de un juicio.

**attentat** *m* **1.** atentado: **~ à la bombe, terroriste** atentado con bomba, terrorista; **être victime d'un ~** sufrir un atentado **2. ~ à la pudeur** ultraje al pudor; **~ aux mœurs** atentado contra las buenas costumbres.

**attentatoire** *a* atentatorio, a.

**attente** *f* **1.** espera: **salle d'~** sala de espera; **liste d'~** lista de espera **2. dans l'~ de vous lire** en espera de, pendiente de sus noticias **3. contre toute ~** al contrario de como se lo esperaba.

**attenter** *vi* atentar: **~ à la vie de** atentar contra la vida de; **~ à la sûreté de l'État** atentar contra la seguridad del Estado ◊ **~ à ses jours** intentar suicidarse.

**attentif, ive** *a* **1.** atento, a: **élève ~** alumno atento; **regard ~** mirada atenta **2.** *(empressé)* solícito, a.

**attention** *f* **1.** atención: **attirer l'~** llamar la atención **2.** cuidado *m:* **~ à l'auto!** ¡cuidado con el coche!: **attention!** ¡cuidado!, ¡ojo!, ¡atención! **3. faire ~ de ne pas tomber** tener cuidado de no caerse; **fais ~ qu'il ne s'échappe pas** ten cuidado de que no se escape; **faites ~ que la porte soit bien fermée** cuide de que la puerta esté bien cerrada; **il ne fait pas ~ à ce que je lui dis** no hace caso de lo que le digo: **fais ~ à ce que je dis!** ¡fíjate en lo que digo! ¡hágame caso!, haz caso de lo que digo; **il ne leur prêta aucune ~** no les hizo ningún caso; **personne n'y a prêté ~** nadie ha reparado en ello **4. une ~ délicate** una fineza, una gentileza, un detalle **5.** *loc prép* **à l'~ de monsieur le bibliothécaire** a la atención del señor bibliotecario. ◇ *pl (amabilités)* atenciones, gentilezas.

**attentionné, e** *a* atento, a, solícito, a.

**attentisme** *m* política *f* expectante.

**attentiste** *a/s* partidario, a de una política expectante.

**attentivement** *adv* atentamente, con atención.

**atténuant, e** *a* atenuante: **circonstances atténuantes** (circunstancias) atenuantes.

**atténuation** *f* atenuación.

**atténuer** *vt* atenuar. ◆ **s'~** *vpr* atenuarse.

**atterrages** *m pl MAR* atracadero *sing.*

**atterrant, e** *a* estupefaciente, asombroso, a.

**atterrer** *vt* anonadar, confundir, consternar, aterrar: **la nouvelle m'a atterré** la noticia me ha dejado consternado.

**atterrir** *vi* **1.** aterrizar: **l'avion vient d'~** el avión acaba de aterrizar **2.** *FAM* **~ dans un café** ir a parar, recalar a un café.

**atterrissage** *m* aterrizaje: **terrain d'~** pista de aterrizaje; **train d'~** tren de aterrizaje; **~ forcé** aterrizaje de emergencia.

**attestation** *f* **1.** atestación **2.** *(certificat)* certificado *m,* atestado *m.*

**attester** *vt* **1.** atestiguar, certificar **2.** *JUR* atestar.

**attiédir** *vt* entibiar.

**attiédissement** *m* entibiamiento, enfriamiento.

**attifer** *vt* emperejilar, emperifollar, acicalar: **elle attife sa fille** emperejila a su hija. ◆ **s'~** *vpr* emperifollarse.

**attiger*** *vi POP* exagerar.

**Attila** *np m* Atila.

**attique** *a* ático, a.

**attirail** [atiʀaj] *m* **1.** pertrechos *pl*, avíos *pl* **2.** *FAM* trastos *pl*, chismes *pl*: **l'~ du photographe** los trastos del fotógrafo.

**attirance** *f* atracción.

**attirant, e** *a (séduisant)* atractivo, a, atrayente.

**attirer** *vt* **1.** *(faire venir à soi)* atraer: **la lumière attire les papillons** la luz atrae a las mariposas; **ce cycle de conférences a attiré de nombreux spécialistes** este ciclo de conferencias atrajo a muchos especialistas **2. ~ les regards, la sympathie** atraer las miradas, la simpatía **3.** *(causer)* acarrear, ocasionar, atraer: **~ des ennuis** acarrear disgustos **4. ~ l'attention** llamar la atención. ◆ **s'~** *vpr* **1.** atraerse **2.** *FIG* granjearse, captarse, atraerse: **il s'est attiré la sympathie de tous** se ha granjeado la simpatía de todos; **s'~ les reproches de** exponerse a los reproches de.

**attiser** *vt* **1.** *(le feu)* atizar **2.** *FIG* avivar, excitar, atizar: **~ les désirs** avivar los deseos.

**attitré, e** *a* **1.** titular, titulado, a **2.** habitual: **fournisseur ~** proveedor habitual.

**attitude** *f* **1.** *(du corps)* actitud, postura **2.** *FIG* actitud, postura: **~ bienveillante** actitud benévola: **il a adopté une ~ intransigeante** ha adoptado una actitud intransigente; **son ~ à l'égard de ce problème** su postura frente a este problema.

**attouchement** *m* **1.** toque **2.** *(caresse)* caricia *f*.

**attractif, ive** *a* atractivo, a.

**attraction** *f* **1.** atracción: **l'~ universelle** la atracción universal **2.** *(centre d'intérêt)* atracción. ◇ *pl (spectacle)* atracciones: **parc d'attractions** parque de atracciones.

**attrait** *m* **1.** atractivo, aliciente: **l'~ de la nouveauté** el aliciente de la novedad **2.** *(goût)* inclinación *f* atracción *f*. ◇ *pl* encantos: **les attraits d'une femme** los encantos de una mujer.

**attrapade** *f FAM (réprimande)* bronca.

**attrape** *f* **1.** *(plaisanterie)* broma **2.** *(mystification)* engaño *m*, engañifa.

**attrape-couillon** *m VULG* engañabobos *inv*.

**attrape-mouches** *m (piège)* matamoscas.

**attrape-nigaud** *m* engañabobos *inv*.

**attraper** *vt* **1.** *(prendre)* coger **2.** *(saisir à la course)* atrapar, agarrar, pillar: **tu vas voir si je t'attrape!** ¡vas a ver como te atrape! **3. ~ le train, l'autobus** coger, pillar el tren, el autobús **4.** *FAM* **~ froid** coger frío: **~ un rhume** pillar un resfriado; **on l'a attrapé en train de voler** lo han pillado robando; **il a attrapé l'accent andalou** se le ha pegado el acento andaluz **5.** *(tromper)* engañar, embaucar ◊ **te voilà bien attrapé!** ¡vas arreglado! **6.** *FAM (réprimander)* regañar, reñir: **il s'est fait ~ par ses parents** sus padres le han reñido. ◆ **s'~** *vpr* **1.** *(maladie, habitude)* contagiarse **2.** *(accent)* pegarse.

**attrayant, e** [atʀejɑ̃, ɑ̃t] *a* atractivo, a, atrayente.

**attribuable** *a* atribuible.

**attribuer** *vt* **1.** *(octroyer)* otorgar: **~ un prix** otorgar un premio **2.** atribuir: **on attribue ce tableau à Rembrandt** se atribuye este cuadro a Rembrandt **3.** achacar: **~ la responsabilité, la faute à quelqu'un** achacar la responsabilidad, la culpa a alguien. ◆ **s'~** *vpr* atribuirse, adjudicarse: **il s'est attribué la meilleure part** se ha atribuido la mejor parte.

**attribut** *m* **1.** atributo **2.** *GRAM* predicado.

**attribution** *f* atribución. ◇ *pl* atribuciones ◊ **cela n'entre pas dans mes attributions** esto no es de mi incumbencia.

**attristant, e** *a* entristecedor, a, triste.

**attrister** *vt* entristecer, apenar: **ça m'attriste de te voir comme ça** me entristece verte así ◊ **un regard attristé** una mirada triste.

**attroupement** *m* aglomeración *f* de gente, grupo.

**attrouper** *vt* agrupar. ◆ **s'~** *vpr* agruparse, aglomerarse: **les manifestants s'attroupèrent devant la mairie** los manifestantes se agruparon delante del ayuntamiento.

**atypique** *n* atípico, a.

**au, aux** *prép* al: **aller ~ cinéma** ir al cine →**à.**

**aubade** *f* alborada.

**aubaine** *f* ganga, suerte inesperada: **quelle ~ !** ¡qué suerte!

[1]**aube** *f* **1.** *(point du jour)* alba ◊ **à l'~** al rayar el alba, al amanecer, de madrugada **2.** *FIG* **à l'~ d'une nouvelle ère** en los albores de una nueva era **3.** *(vêtement liturgique)* alba.

[2]**aube** *f* álabe *m*, paleta: **roue à aubes** rueda de álabes.

**aubépine** *f* espino *m* albar, majuelo *m*.

**aubère** *a (cheval)* overo, a.

**auberge** *f* **1.** posada, mesón *m* ◊ *(isolée)* venta **2. ~ de jeunesse** albergue *m* de juventud **3.** *FAM* **on n'est pas sorti de l'~** la que nos espera, el asunto se pone feo **4.** *FIG* **~ espagnole** sitio *m* donde no hay sino lo que se ha traído.

**aubergine** *f* berenjena: **aubergines farcies** berenjenas rellenas.

**aubergiste** *s* posadero, a, mesonero, a.

**aubette** *f* kiosko de periódicos.

**aubier** *m BOT* albura *f*.

**auburn** [obœʀn] *a* color caoba.

**aucuba** *m* aucuba *f*.

**aucun, e** *a/pron indéf* **1.** ninguno, a, ningún (devant un substantif masculin): **~ homme** ningún hombre; **aucune femme** ninguna mujer; **aucune ne m'a plu** ninguna me ha gustado; **dis-moi lequel des deux du préfères.- ~** dime cuál de los dos prefieres.- Ninguno ◊ **en aucune manière** de ninguna manera; **sans ~ problème** sin ningún problema **2.** *(dans une phrase négative ou après «sans», on peut employer aussi* alguno, a *postposé au nom)* **n'avoir ~ intérêt** no tener ningún interés, interés alguno; **sans aucune hésitation** sin vacilación alguna; **sans ~ doute** sin duda alguna; **aucune idée** ni idea. ◇ *pron* **1.** *(personne)* nadie **2. d'aucuns** algunos; **d'aucuns diront que...** algunos dirán que... ▶ *Aucun* toma una s cuando se encuentra delante de un sustantivo que carece de singular: *aucuns frais* ningún gasto.

**aucunement** *adv* de ningún modo, en absoluto: **il n'est ~ responsable** no es responsable en absoluto; **je n'ai ~ envie de le revoir** no tengo ganas alguna de volverlo a ver.

**audace** *f* **1.** audacia **2.** *(insolence)* atrevimiento *m*, osadía, descaro *m*, cara: **tu as l'~ de me demander de l'argent!** ¡tienes cara para pedirme dinero!; **quelle ~ !** ¡qué cara!

**audacieusement** *adv* audazmente.

**audacieux, euse** *a* audaz.

**au-deça, au-dedans, au-dehors, au-delà, au-dessous, au-dessus, au-devant** → **deça, dedans, dehors, delà, dessous, dessus, devant.**

**audibilité** *f* audibilidad.

**audible** *a* audible.

**audience** *f* **1.** *(entretien)* audiencia: **recevoir en ~ particulière** recibir en audiencia privada **2.** *(séance du tribunal)* audiencia **3.** *(attention)* interés *m*, aceptación **4.** *(à la télévision, radio)* audiencia.

**Audimat** [odimat] *m* **1.** audímetro televisivo **2.** *(audience)* panel de audiencia.

**audimètre** *m* audímetro.

**audiogramme** *m* audiograma.

**audiomètre** *m* audiómetro.

**audiométrie** *f* audiometría.

**audionumérique** *a* audionumérico, a.

**audiophone** *m* audífono.

**audiovisuel, elle** *a* audiovisual. ◇ *m* **l'~** los medios audiovisuales.

**audit** [odit] *m* **1.** *(contrôle)* auditoría *f* ◊ **cabinet d'~** auditoría *f* **2.** *(personne)* auditor.

**auditeur, trice** *s* **1.** *(d'une conférence, etc.)* oyente **2.** *(à la radio)* radioyente, radioescucha, oyente **3.** *(chargé de l'audit)* auditor.

**auditif, ive** *a* auditivo, a: **conduit ~** conducto auditivo ◊ **appareil ~** audífono.

**audition** *f* **1.** audición **2.** *(séance d'essai)* audición, prueba.

**auditionner** *vt* escuchar y juzgar. ◇ *vi* dar una audición.

**auditoire** *m* auditorio.

**auditorium** [oditɔʀjɔm] *m* auditorio, sala *f* de audiciones, auditórium.

**auditrice → auditeur.**

**auge** *f* **1.** pila, artesa **2.** *(de maçon)* cuezo *m* **3.** *(d'une roue hydraulique)* cangilón *m* **4.** *GÉOG* **vallée en ~** valle en artesa.

**auget** *m (d'une roue hydraulique)* cangilón.

**augmentation** *f* **1.** aumento *m*, incremento *m*, subida: **l'~ du coût de la vie, du prix de...** el aumento del coste de la vida, el incremento del precio de... **2.** *(accroissement)* ampliación: **~ de capital** ampliación de capital **3. demander une ~ (de salaire)** pedir un aumento de sueldo, un aumento salarial; **une ~ de 3%** un aumento del 3%.

**augmenter** *vt* **1.** aumentar **2.** *(salaires, prix)* aumentar, incrementar. ◇ *vi* **1.** *(croître)* aumentar, crecer, incrementarse: **la criminalité augmente** la criminalidad va aumentando **2.** *(devenir plus cher)* subir: **l'essence va ~ de vingt centimes** la gasolina va a subir veinte céntimos; **les tarifs ont augmenté de 6%** las tarifas subieron un 6%; **tout augmente** todo sube.

**Augsbourg** *np* Ausburgo.

**augure** *m* **1.** *(prêtre de l'Antiquité)* augur: **consulter les augures** consultar a los augures **2.** *(présage)* augurio, agüero: **de bon, de mauvais ~** de buen, de mal agüero.

**augurer** *vt* augurar, presagiar ◊ *FAM* **ça n'augure rien de bon** esto no huele bien.

**Auguste** *np m* Augusto.

**auguste** *a* augusto, a. ◇ *m (cirque)* payaso.

**Augustin** *np m* Agustín.

**aujourd'hui** *adv* **1.** hoy: **c'est ~ lundi** hoy es lunes; **c'est fini pour ~** por hoy ya hemos terminado ◊ **d'~ en huit** dentro de una semana; *FAM* **c'est pour ~ ou pour demain?** ¿es para cuándo? **2. les jeunes d'~** los jóvenes de hoy **3.** *(à l'heure actuelle)* hoy día.

**aulnaie, aunaie** *f* alisar *m*.

**aulne, aune** *m* aliso.

**aulx** [o] **→ ail.**

**aumône** *f* limosna: **demander, faire l'~** pedir, dar limosna.

**aumônerie** *f* capellanía.

**aumônier** *m* capellán: **~ militaire** capellán castrense.

**aumônière** *f ANC* escarcela.

**aunaie, aune → aulnaie, aulne.**

**aune** *f (mesure de longueur)* vara, ana. ◊ **à l' ~ de** según, en función de.

**auparavant** *adv* antes, primero.

**auprès** *adv* al lado, cerca.

**auprès de** *loc prép* **1.** al lado de, cerca de, junto a: **elle reste ~ du malade** se quedа al lado del enfermo **2.** al lado de, comparado con: **vos ennuis ne sont rien ~ des miens** sus disgustos no son nada al lado de los míos **3.** para: **il passe pour un impoli ~ d'elle** para ella es un maleducado **4.** cerca de, ante: **ambassadeur ~ du Saint-Siège** embajador cerca de la Santa Sede.

**auquel → lequel** ◊ **~ cas** en cuyo caso.

**¹aura** *f (émanation)* aura.

**²aura, aurai, auras → avoir.**

**Aurélie** *np f* Aurelia.

**Aurélien** *np m* Aureliano.

**auréole** *f* **1.** aureola **2.** *FIG* aureola, prestigio *m* **3.** *(tache sur un tissu, etc.)* cerco *m*: **détachant qui ne laisse pas d'~** quitamanchas que no deja cerco.

**auréoler** *vt* **1.** aureolar **2.** *FIG* aureolar.

**auréomycine** *f* aureomicina.

**auriculaire** *a* auricular. ◇ *m (doigt)* auricular, meñique.

**aurifère** *a* aurífero, a.

**aurifier*** *vt (une dent)* orificar.

**aurige** *m* auriga.

**aurique** *a MAR* **voile ~** vela áurica.

**aurochs** [ɔ(o)ʀɔk] *m* uro.

**aurore** *f* **1.** aurora **2. ~ polaire, boréale** aurora polar, boreal.

**auscultation** *f* auscultación.

**ausculter** *vt* auscultar: **~ un malade** auscultar a un enfermo.

**auspice** *m* auspicio: **sous d'heureux auspices** con buenos auspicios; **sous les auspices de** bajo los auspicios de.

**aussi** *adv* **1.** también: **toi ~** tú también **2. ~ ... que** tan... como: **il est ~ grand que moi** es tan alto como yo **3.** *(si)* tan: **je ne le croyais pas ~ jeune** no lo creía tan joven **4. ~ incroyable que cela paraisse** por increíble que parezca; **~ parfait soit-il** por perfecto que sea **5.** *(en outre)* además: **elle parle anglais et ~ l'allemand** habla inglés y además el alemán. ◇ *conj* **1.** *(pour cette raison)* por esto, por eso, así que: **il était fatigué, ~ est-il allé se coucher** estaba cansado, por eso se fue a acostar; **tu es déjà de trop ici, ~ tais-toi** ya sobras tú aquí, así que cállate **2. ~ bien** además, por otra parte **3.** *loc conj* **~ bien... que:** tanto... como, lo mismo... que; **~ bien vous que moi** tanto usted como yo; **~ bien en France qu'en Espagne** lo mismo en Francia que en España.

**aussière** *f MAR* guindaleza, estacha.

**aussitôt** *adv* **1.** en seguida, enseguida, en el acto: **le médecin est arrivé ~** el médico ha llegado en seguida **2.** en cuanto: **~ arrivé, il se coucha** en cuanto llegó se acostó ◊ **~ dit, ~ fait** dicho y hecho **3. ~ après** inmediatamente después, seguidamente: **~ après mon mariage** inmediatamente después de, a raíz de mi boda; **~ après avoir dîné** en seguida de cenar, nada más cenar **4.** *loc conj* **~ ... que** tan pronto... (como): **vous me préviendrez ~ qu'il sera là** usted me avisará tan pronto llegue.

**austère** *a* austero, a.

**austérité** *f* austeridad: **politique d'~** política de austeridad.

**austral, e** *a* austral.

**Australie** *np f* Australia.

**australien, enne** *a/s* australiano, a.

**austro-hongrois, e** *a/s* austrohúngaro, a.

**autant** *adv* **1.** *(tellement)* tanto **2.** lo mismo, otro tanto: **je suis capable d'en faire ~** soy capaz de hacer otro tanto; **je ne peux pas en dire ~** no puedo decir lo mismo ◊ **j'aime ~ rester chez moi** prefiero quedar en casa. **3. ~ de** tanto, a, os, as: **il y a ~ de filles que de garçons** hay tantas chicas como chicos **4. ~ que** tanto como: **j'ai couru ~ que j'ai pu** he corrido tanto como he podido ◊ **~ que je sache** que yo sepa; **~ que faire se peut** en lo posible **5.** *(+ infinitif)* es preferible, más vale: **~ (vaut) se taire** más vale callarse; **~ dire que je ne suis pas satisfait** ni que decir tiene que no estoy satisfecho **6. ~ elle est aimable, ~ il est acariâtre** ella es tan simpática como él desabrido **7. pour ~** por ello, por eso, sin embargo: **malgré son échec, il n'a pas renoncé pour ~ à son projet** a pesar de su fracaso, no ha renunciado por ello a su proyecto **8. d'~** proporcionalmente, en la misma proporción ◊ **d'~ plus** todavía más **9.** *loc conj* **d'~ plus que...** tanto más cuanto que...; **d'~ moins que...** tanto menos cuanto que...; **d'~ que** puesto que, visto que.

▶ Autant de (3) se traduit en espagnol par un adjectif qui s'accorde donc avec le nom.

**autarcie** *f* autarquía.

**autarcique** *a* autárquico, a.

**autel** *m* **1.** altar: **maître ~** altar mayor ◊ *FIG* **le trône et l'~** → **trône 2.** *(dans l'Antiquité)* ara *f*.

**auteur** *m* **1.** *(responsable)* autor **2.** *(homme, femme de lettres)* autor, a ◊ **femme ~** autora; **droits d'~** royalties.

**authenticité** *f* autenticidad.

**authentification** *f* autenticación.

**authentifier*** *vt* autenticar, autentificar.

**authentique** *a* auténtico, a.

**autisme** *m* autismo.

**autiste** *a/s* autista.

**auto** *f* coche *m*: **une ~** un coche.

**autoadhésif, ive** *a* autoadhesivo, a.

**autoallumage** *m* *TECHN* autoencendido.

**autobiographie** *f* autobiografía.

**autobiographique** *a* autobiográfico, a.

**autobus** *m* autobús.

**autocar** *m* autocar.

**autocélébration** *f* autobombo *m*.

**autocensure** *f* autocensura.

**autochenille** *f* autooruga *m*.

**autochtone** [ɔtɔktɔn] *a/s* autóctono, a.

**autoclave** *a* autoclave. ◇ *m* autoclave *f*.

**autocollant, e** *a* autoadhesivo, a. ◇ *m* pegatina *f*: **un ~** una pegatina.

**auto-couchettes** *a* autoexpreso.

**autocrate** *s* autócrata.

**autocratie** *f* autocracia.

**autocratique** *a* autocrático, a.

**autocritique** *f* autocrítica.

**autocuiseur** *m* olla *f* a presión.

**autodafé** *m* auto de fe.

**autodéfense** *f* autodefensa.

**autodestruction** *f* autodestrucción.

**autodétermination** *f* autodeterminación.

**autodidacte** *a/s* autodidacta.

**autodrome** *m* autódromo.

**auto-école** *f* autoescuela.

**autofinancement** *m* autofinanciación *f*.

**autofocus** [ɔtɔfɔkys] *a* autofocus, enfoque automático. ◇ *m* autofocus.

**autogène** *a* autógeno, a.

**autogestion** *f* autogestión.

**autogestionnaire** *a* autogestionario, a.

**autogire** *m* autogiro.

**autographe** *a/m* autógrafo, a.

**autographier** *vt* autografiar.

**autoguidage** *m* autodirección *f*.

**auto-intoxication** *f* autointoxicación.

**automate** *m* autómata.

**automation** *f* automación, automatización.

**automatique** *a* automático, a: **arme ~** arma automática. ◇ *m* teléfono automático.

**automatiquement** *adv* automáticamente.

**automatisation** *f* automatización.

**automatiser** *vt* automatizar.

**automatisme** *m* automatismo.

**automitrailleuse** *f* autoametralladora.

**automnal, e** *a* otoñal.

**automne** [ɔ(o)tɔn] *m* **1.** otoño **2.** *FIG* **à l'~ de sa vie** en el otoño de su vida.

**automobile** *a* automóvil ◊ **l'industrie ~** la industria automovilística, de la automoción. ◇ *f (voiture)* automóvil *m*.

**automobilisme** *m* automovilismo, automoción *f*.

**automobiliste** *s* automovilista.

**automoteur, trice** *a* automotor, a. ◇ *f* automotor *m*, autovía.

**automutilation** *f* automutilación.

**autonettoyant, e** *a* **four ~** horno autolimpiable.

**autonome** *a* autónomo, a.

**autonomie** *f* autonomía.

**autonomiste** *a* autonómico, a. ◇ *s (partisan)* autonomista: **les autonomistes basques** los autonomistas vascos.

**autoplastie** *f* *MÉD* autoplastia.

**autopompe** *f* autobomba.

**autoportrait** *m* autorretrato.

**autoproclamé, e** *a* autoproclamado, a.

**autopropulsé, e** *a* autopropulsado, a.

**autopropulsion** *f* autopropulsión.

**autopsie** *f* autopsia.

**autopsier** *vt* practicar la autopsia de.

**autoradio** *m* autorradio.

**autorail** *m* autovía *f*.

**autoréglage** *m* autoregulación *f*.

**autorisation** *f* autorización, permiso *m*: **demander l'~ de** pedir permiso para: **sortir sans ~** salir sin autorización.

**autorisé, e** *a* autorizado, a: **un avis ~** una opinión autorizada.

**autoriser** *vt* autorizar, facultar: **qui vous a autorisé à entrer?** ¿quién le autorizó para entrar?

**autoritaire** *a* autoritario, a: **un régime ~** un régimen autoritario.

**autoritarisme** *m* autoritarismo.

**autorité** *f* **1.** autoridad **2. de sa propre ~ , d'~** autoritariamente, sin consultar a nadie **3. cet historien fait ~** este historiador es una autoridad; **ce livre fait ~ auprès des scientifiques** este libro goza de gran crédito entre los científicos. ◇ *pl* **les autorités** las autoridades, la autoridad.

**autoroute** *f* autopista: **~ à péage** autopista de peaje; **les autoroutes de l'information** las autopistas de la información.

**autoroutier, ère** *a* de la autopista: **réseau ~** red de autopistas.

**autosatisfaction** *f* autosatisfacción.

**autostop** *m* autoestop: **faire de l'~** hacer autoestop.

**autostoppeur, euse** *s* autoestopista, persona que hace autoestop.

**autosuffisance** *f* autosuficiencia.

**autosuggestion** *f* autosugestión.

**¹autour** *adv* alrededor ◊ **tout ~** alrededor, por todos lados **2.** *loc prép* **~ de** alrededor de, en torno a: **la Terre tourne ~ du Soleil** la Tierra gira alrededor del Sol; **~ de lui** alrededor de él, alrededor suyo; **~ de mille francs** alrededor de mil francos, unos mil francos.

**²autour** *m (oiseau)* azor.

**autovaccin** *m MÉD* autovacuna *f.*

**autre** *a* **1.** otro, a: **un ~ jour** otro día; **il a une ~ sœur** tiene otra hermana; **deux autres sœurs** otras dos hermanas; **parlons d'~ chose** hablemos de otra cosa. (Pas d'article indéfini en espagnol.) ◊ **c'est tout ~ chose** es completamente distinto **2.** otro, a, más: **il n'y a pas d'~ solution** no hay más remedio **3. d'~ part** por otra parte **4. les abeilles et autres insectes** las abejas y demás insectos. **5.** *FAM* **nous autres** nosotros, nosotras; **vous autres** vosotros, vosotras. ◇ *pron* **1.** otro, a: **l'un mange, l'~ parle** uno come, el otro habla; **j'ai déjà lu ce livre, donnez-m'en un ~** he leído ya este libro, deme otro; **aimez-vous les uns les autres** amaos los unos a los otros; **comme dit l'~** como dice el otro **2. les autres, tous les autres** los demás, los otros **3. entre autres** entre otras personas, entre otras cosas **4. personne d'~** nadie más; **quelqu'un d'~** otra persona; **quoi d'~ ?** ¿qué más?; **rien d'~** nada más **5. j'en ai vu bien d'autres** estoy curado de espanto. ◇ *interj FAM* **à d'autres!** ¡a otro perro con ese hueso!, ¡cuéntaselo a tu abuela!

▶ *Nous autres, les Andalous* nosotros los andaluces (ou simplement, los andaluces).

**autrefois** *adv* en otro tiempo, antes, antaño: **les choses d'~** las cosas de antes.

**autrement** *adv* **1.** de otro modo, de otra manera: **agissons ~** actuemos de otra manera ◊ **~ dit** dicho de otro modo **2.** *(sinon)* si no, o, de lo contrario: **tiens-toi, ~ tu vas tomber** agárrate, si no te vas a caer **3. cela ne m'a pas ~ surpris** esto no me ha sorprendido mucho **4.** *(davantage)* mucho más: **c'est ~ intéressant** es mucho más interesante.

**Autriche** *np f* Austria.

**autrichien, enne** *a/s* austriaco, a.

**autruche** *f* **1.** avestruz *m* **2.** *FIG* **la politique de l'~** la política del avestruz; **pratiquer la politique de l'~** hacer como el avestruz **3.** *FIG* **il a un estomac d'~** come de todo sin problema.

**autrui** *pron* **1.** el prójimo: **le respect d'~** el respecto al prójimo **2. d'~** ajeno, a: **les biens d'~** los bienes ajenos.

**auvent** *m* tejadillo, colgadizo, voladizo.

**auvergnat** *a/s* auvernés, esa.

**Auvergne** *np f* Auvernia.

**aux → à.**

**auxiliaire** *a/s* auxiliar: **services auxiliaires** servicios auxiliares; **verbe ~** verbo auxiliar.

**auxquels → lequel.**

**avachi, e** *a* **1.** deformado, a, estropeado, a **2.** *(personne)* deshecho, a, flojo, a, decaído, a.

**avachir (s')** *vpr* **1.** deformarse, estropearse **2.** *(personne)* apoltronarse, abandonarse.

**avachissement** *m* **1.** deformación *f* **2.** *(personne)* apoltronamiento.

**¹aval** *m* río abajo ◊ **Tours est en ~ d'Orléans** Tours está más abajo que Orléans.

**²aval** *m* **1.** *(garantie)* aval **2. donner son ~ à** avalar.

**avalanche** *f* **1.** alud *m*, avalancha **2.** *FIG* avalancha: **une ~ de lettres** una avalancha de cartas.

**avaler** *vt* **1.** tragar, engullir: **il avala son sandwich** se tragó el bocadillo ◊ **j'ai avalé de travers** me he atragantado **2.** *FAM* tragarse, creer: **il avale tout ce qu'on lui dit** se traga todo lo que le dicen **3.** *FIG* **~ un livre** devorar un libro; **~ sa langue, sa salive, des couleuvres, la pilule → langue, salive, couleuvre, pilule.**

**avaleur** *m* **~ de sabres** tragasables.

**avaliser** *vt* **1.** *COM* avalar **2.** *FIG* aprobar, dar por bueno.

**à-valoir** *m inv* anticipo, señal *f.*

**avance** *f* **1.** *(progression)* adelanto *m*, avance *m* **2.** *(d'un coureur)* adelanto *m*, ventaja: **10 mètres d'~** 10 metros de ventaja **3.** *(dans le temps)* adelanto *m*: **arriver en ~** llegar con adelanto ◊ **je suis en ~ d'une heure** estoy adelantado una hora; **prendre de l'~ sur** adelantarse a **4.** *loc adv* **à l'~** con anticipación, con antelación: **avertissez-moi suffisamment à l'~** avíseme con la suficiente antelación; **une semaine d'~** una semana de anticipación, de antelación; **je vous remercie d'~ , par ~** le agradezco de antemano, por anticipado; **en vous remerciant par ~ ...** anticipándole las gracias...; **payer d'~** pagar por adelantado; **arriver en ~ sur l'horaire** llegar con anticipación al horario; **il est très en ~ sur ses camarades de classe** está muy adelantado comparado con sus compañeros de clase **5.** *(acompte)* anticipo *m*, adelanto *m*: **demander une ~** pedir un anticipo **6.** *TECHN* **~ à l'allumage** avance al encendido. ◇ *pl* **faire des avances** dar los primeros pasos; **son voisin lui faisait des avances** su vecino se le insinuaba.

**avancé, e** *a* **1.** avanzado, a, adelantado, a: **un poste ~** un puesto avanzado; **il est très ~ pour son âge** está muy adelantado para su edad **2. à une heure très avancée de la nuit** muy entrada la noche **3. idées avancées** ideas avanzadas **4.** *FAM* **nous voilà bien avancés!** ¡ahora sí que quedamos bien!, ¡estamos apañados! **5.** *(viande, etc., sur le point de se gâter)* pasado, a, manido, a.

**avancée** *f* **1.** *(d'un toit)* saledizo *m* **2.** *(saillie)* saliente *m*, resalto *m.*

**avancement** *m* **1.** *(progression)* adelanto, avance, progreso **2.** *(promotion)* ascenso: **~ à l'ancienneté** ascenso por escalafón; **demander de l'~** pedir un ascenso ◊ **tableau d'~** escalafón **3. l'~ de l'âge de la retraite** la anticipación de la edad de la jubilación.

**avancer*** *vt* **1.** adelantar, avanzar **2.** *(rapprocher)* acercar **3.** *(montre, etc.)* adelantar: **~ le réveil d'une heure** adelantar el despertador (en) una hora **4.** adelantar, anticipar: **j'ai avancé mon départ d'une semaine, de deux jours** he adelantado mi salida (en) una semana, (en) dos días **5.** *(de l'argent, en payant par avance)* adelantar, anticipar; *(prêter)* prestar; **peux-tu m'~ mille francs?** ¿puedes prestarme mil francos? **6.** *(affirmer)* afirmar, exponer **7. ~ une hypothèse** apuntar una hipótesis **8.** *FIG (des chiffres, des noms)* barajar. ◇ *vi* **1.** avanzar, adelantar: **~ rapidement** avanzar rápidamente; **~ d'un mètre** adelantar un metro **2.** adelantar: **ma montre avance de cinq minutes** mi reloj adelanta cinco minutos **3.** *(progresser)* adelantar, progresar **4.** *(faire saillie)* sobresalir **5. à quoi cela t'avance-t-il de te plaindre?** ¿qué sacas con quejarte?; **cela ne t'avancera à rien de...** no adelantarás nada con...; *FAM* **ça avance?** ¿todo va bien? ◆ **s'~** *vpr* **1.** adelantarse, adelantar: **il s'avança vers moi** se adelantó hacia mí **2.** *(s'approcher)* acercarse, aproximarse **3. la péninsule s'avance dans la mer** la península penetra en el mar **4.** *FIG (s'engager)* comprometerse: **vous vous êtes trop avancé** usted se ha comprometido demasiado.

**avanie** *f* afrenta, agravio *m.*

**¹avant** *prép* **1.** antes de: **~ le mois de juin** antes del mes de junio; **~ lundi** antes del lunes; **~ 9 heures** antes de las 9 **2.** antes que: **je suis parti ~ lui** me marché antes que él; **bien ~ lui** mucho antes que él; **~ nous** antes que nosotros **3.** *(avec négation)* hasta: **l'avion ne part pas ~ demain** el avión no sale hasta mañana; **je ne partirai pas ~ d'avoir fini mon travail** no me marcharé hasta haber terminado mi trabajo **4. ~ de** (+ infinitif), antes de: **penses-y ~ de te décider** piénsalo antes de decidirte, antes de que te decidas **5. ~ que** (+ subjonctif) antes de que: **~ qu'il n'arrive** antes de que llegue; **~ qu'il ne soit trop tard** antes de que sea demasiado tarde; **6. ~ tout** ante todo, antes que nada. ◇ *adv* **1.** *(auparavant)* antes: **ce n'est plus comme ~** ya no es como antes; **bien ~** mucho antes ◊ **quelques jours ~** unos días antes, unos días atrás; **le jour d'~** el día anterior **2.** *(en tête)* antes, delante **3. plus ~** más adelante, más adentro **4. en ~** *(devant)* delante; *(devant soi)* **se pencher en ~** inclinarse hacia adelante; **bond en ~** salto hacia adelante; **en ~ !** ¡adelante!; **mettre en ~** pretextar, alegar, evidenciar; **se mettre en ~** darse importancia, darse tono.

**²avant** *a inv* delantero, a: **roues ~** ruedas delanteras; **traction ~** tracción delantera. ◇ *m* **1.** *(partie antérieure)* parte *f* delantera, delantera *f*: **à l'~ de la voiture** en la parte delantera del coche **2.** *FIG* **aller de l'~** avanzar sin reparar en obstáculos **3.** *(sports)* delantero: **~ -centre** delantero centro; **les avants** los delanteros ◊ **la ligne des avants** la delantera.

**avantage** *m* **1.** ventaja *f*: **ce tissu a l'~ d'être infroissable** este tejido tiene la ventaja de ser inarrugable **2.** *(tennis)* ventaja *f* **3. se montrer à son ~** mostrarse en su mejor aspecto **4.** *(bénéfice)* provecho, beneficio: **à l'~ de** en provecho de; **tirer ~ de** sacar provecho de; **en sortir à son ~** salir airoso, a **5. vous auriez ~ à vous taire** mejor sería si usted se callara **6. avantages sociaux** ventajas sociales.

**avantager*** *vt* **1.** aventajar **2.** *(embellir)* agraciar, favorecer: **cette coiffure t'avantage** este peinado te favorece.

**avantageusement** *adv* ventajosamente, honorablemente.

**avantageux, euse** *a* **1.** ventajoso, a: **une offre avantageuse** una oferta ventajosa ◊ **prix ~** precio razonable **2.** *(prétentieux)* presuntuoso, a, presumido, a, fatuo, a: **un air ~** un aire fatuo.

**avant-bras** *m inv* antebrazo.

**avant-centre → ²avant.**

**avant-coureur** *a* precursor, a: **les signes avant-coureurs de l'hiver** los signos precursores del invierno.

**avant-dernier, ère** *a/s* penúltimo, a.

**avant-garde** *f* **1.** vanguardia **2.** *FIG* **à l'~ de** a la vanguardia de; **d'~** de vanguardia, vanguardista: **peintre d'~** pintor vanguardista.

**avant-gardisme** *m* vanguardismo.

**avant-gardiste** *a* vanguardista.

**avant-goût** *m* idea *f* previa, prefiguración *f*.

**avant-guerre** *m/f* período *m* anterior a la guerra.

**avant-hier** [avɑ̃tjɛʀ] *adv* anteayer ◊ **~ soir** anteanoche.

**avant-port** *m* antepuerto.

**avant-poste** *m MIL* puesto avanzado.

**avant-première** *f* primera función destinada a los críticos de una obra teatral, una película o una exposición, preestreno *m* ◊ **en ~** antes de su presentación al público.

**avant-projet** *m* anteproyecto.

**avant-propos** *m inv* prólogo, prefacio.

**avant-scène** *f* **1.** *(partie de la scène)* proscenio *m* **2.** *(loge)* palco *m* de proscenio.

**avant-toit** *m* alero.

**avant-train** *m* **1.** *(d'une voiture à cheval)* juego delantero **2.** *(d'un quadrupède)* cuarto delantero.

**avant-veille** *f* antevíspera.

**avare** *a/s* **1.** avaro, a **2. ~ de** parco, a en: **~ de paroles** parco en palabras.

**avarice** *f* avaricia.

**avaricieux, euse** *a* avariento, a, avaricioso, a.

**avarie** *f* avería.

**avarié, e** *a* averiado, a, echado, a a perder.

**avarier** *vt* echar a perder. ◆ **s'~** *vpr* averiarse.

**avatar** *m* **1.** avatar, transformación *f* **2.** *(mésaventure)* avatar, vicisitud *f*.

**à vau-l'eau → vau-l'eau (à).**

**ave, avé** *m (prière)* avemaría.

**avec** *prép* **1.** con: **il est venu ~ un ami** ha venido con un amigo; **conduire ~ prudence** conducir con prudencia **2. ~ moi, toi, soi** conmigo, contigo, consigo **3. elle s'est séparée d'~ son mari** se ha separado de su marido **4. et ~ ça** además; **et ~ ça?** ¿algo más? ◇ *adv FAM* también, además: **j'ai perdu mon portefeuille et mon argent ~** he perdido la cartera y mi dinero; **il faut faire ~** hay que darse por contento, que conformarse.

**aveline** *f (noisette)* avellana.

**aven** [avɛn] *m* sima *f*.

**¹avenant, e** *a* agradable, afable.

**²avenant** *m* **1.** acta *f* adicional **2.** *(assurance)* póliza *f* adicional **3. à l'~** en armonía, por el estilo, a tenor: **la conférence ennuyeuse et le débat à l'~** la conferencia aburrida y el debate por el estilo; **la santé est parfaite et le moral à l'~** la salud es perfecta y la moral también.

**avènement** *m* advenimiento: **l'~ du Christ** el advenimiento de Cristo; **l'~ au trône** el advenimiento al trono.

**avenir** *m* **1.** porvenir, futuro: **un bel ~** un buen porvenir; **dans un proche ~** en un futuro próximo ◊ **un métier d'~** una carrera profesional con un gran futuro, con buenas perspectivas **2. à l'~** en el futuro, en lo sucesivo, en adelante.

**avent** *m* Adviento: **dimanche de l'~** domingo de Adviento.

**aventure** *f* **1.** aventura: **roman d'aventures** novela de aventuras **2. dire la bonne ~ à quelqu'un** echar la buena ventura a alguien; **diseuse de bonne ~ → diseur 3. à l'~** a la ventura, a la buena de Dios; **d'~ , par ~** por ventura, por casualidad, casualmente.

**aventuré, e** *a* aventurado, a.

**aventurer** *vt* aventurar, arriesgar. ◆ **s'~** *vpr* aventurarse, arriesgarse.

**aventureux, euse** *a* **1.** *(téméraire)* atrevido, a **2.** *(hasardeux)* aventurado, a, arriesgado, a.

**aventureusement** *adv* arriesgadamente.

**aventurier, ère** *s* aventurero, a.

**aventurisme** *m* aventurismo.

**avenu, e** *a* **nul et non ~** nulo y sin valor.

**avenue** *f* **1.** avenida **2.** *FIG* camino *m*.

**avéré, e** *a* probado, a, indiscutible: **un fait ~** un hecho probado ◊ **il est ~ que** está demostrado que.

**avérer (s')** *vpr* resultar, aparecer, revelarse: **le remède s'avère inefficace** el remedio resulta ineficaz.

**avers** [avɛʀ] *m* anverso, cara *f*.

**averse** *f* aguacero *m*, chaparrón *m* chubasco *m*; **j'ai été surpris par l'~** me cogió el chaparrón; **une ~ de neige** un chubasco de nieve; **~ orageuse** chubasco tormentoso.

**aversion** *f* aversión: **avoir quelqu'un en ~** tener aversión a alguien; **son ~ pour...** su aversión a...

**averti, e** *a* **1.** avisado, a, advertido, a, enterado, a, experto, a: **un critique ~** un crítico advertido **2.** *PROV* **un homme ~ en vaut deux** hombre prevenido vale por dos.

**avertir** *vt* advertir, avisar: **je t'avertis que...** te advierto que...

**avertissement** *m* **1.** advertencia *f*, aviso **2.** *(réprimande, en sport)* amonestación *f* **3. ~ au lecteur** advertencias *f pl* previas, nota *f* preliminar.

**avertisseur** *m* **1.** *(d'automobile)* bocina *f* **2.** aparato de alarma **3. ~ d'incendie** sirena *f*.

**aveu** *m* **1.** confesión *f*: **je dois te faire un ~** tengo que hacerte una confesión **2.** declaración *f* **3. passer aux aveux** confesar de plano **4. de l'~ de** según testimonio de, según opinión de **5. un homme sans ~** un sinvergüenza.

**aveuglant, e** *a* cegador, a: **lumière aveuglante** luz cegadora.

**aveugle** *a/s* **1.** ciego, a: **être ~ de naissance** ser ciego de nacimiento **2.** *PROV* **au royaume des aveugles, les borgnes sont rois** en tierra de ciegos, el tuerto es rey **3.** *FIG* **la passion le rend ~** le ciega la pasión; **il faut être ~ pour ne pas...** hace falta estar ciego para no... **4. dégustation en ~** cata a ciegas.

**aveuglement** *m (égarement)* ceguera *f*, ofuscación *f*, obcecación *f*.

**aveuglément** *adv* ciegamente.

**aveugle-né, née** *a/s* ciego, a de nacimiento.

**aveugler** *vt* **1.** cegar **2.** *(éblouir)* cegar, deslumbrar: **les phares l'aveuglèrent** le cegaron los faros **3.** *FIG* cegar, ofuscar, obcecar: **la colère l'aveugle** le ciega la ira **4.** *(boucher)* tapar. ◆ **s'~** *vpr* equivocarse.

**aveuglette (à l')** *adv* a ciegas.

**aveulir** *vt* debilitar.

**aveulissement** *m* apatía *f*, abulia *f*.

**aviateur, trice** *s* aviador, a.

**aviation** *f* aviación.

**avicole** *a* avícola.

**aviculteur, trice** *s* avicultor, a.

**aviculture** *f* avicultura.

**avide** *a* ávido, a, ansioso, a: **~ de faveurs** ávido de favores; **être ~ de connaître la vérité** estar ansioso por conocer la verdad.

**avidement** *adv* ávidamente.

**avidité** *f* avidez, ansia.

**Avignon** *np* Aviñón.

**avilir** *vt* envilecer, degradar. ◆ **s'~** *vpr* envilecerse, rebajarse.

**avilissant, e** *a* envilecedor, a.

**avilissement** *m* envilecimiento.

**aviné, e** *a* **1.** *(ivre)* borracho, a. **2.** *(haleine)* aguardentoso, a.

**avion** *m* avión: **~ à réaction** avión de reacción; **~ de ligne** avión de línea; **par ~** por avión; **~-cargo** avión de carga; **~-citerne** avión cisterna; **~-école** avión escuela ◊ **accident d'~** accidente aéreo.

**avionique** *f* aviónica.

**avionneur** *m* constructor de aviones.

**aviron** *m* **1.** remo **2. championnat d'~** campeonato de remo; **faire de l'~** practicar el deporte del remo.

**avis** *m* **1.** parecer, opinión *f*: **j'ai changé d'~** he cambiado de opinión; **à mon ~** a mi parecer, en mi opinión; **de l'~ de...** en opinión de...; **je partage votre ~** abundo en su opinión, soy del mismo parecer que usted ◊ **tu as le droit de donner ton ~** tienes derecho a opinar; *PROV* **deux ~ valent mieux qu'un** cuatro ojos ven más que dos **2. je suis d'~ de partir, qu'on parte** mi parecer es que debemos marcharnos **3. demander, prendre l'~ de** consultar a: **sans demander l'~ de personne** sin consultarlo a nadie **4.** *(communiqué)* aviso, advertencia *f*: **~ au public** aviso al público; **sauf ~ contraire** salvo aviso en contrario.

**avisé, e** *a* avisado, a, prudente, sagaz, atinado, a ◊ **tu as été bien ~ de partir aussitôt** acertastes marchándote en seguida.

**aviser** *vt* **1.** *(informer)* avisar **2.** *(apercevoir)* advertir, divisar. ◇ *vi* **~ à** reflexionar en, pensar en; **nous aviserons** pensaremos en ello. ◆ **s'~** *vpr* **1.** ocurrirse: **il s'avisa de...** se le ocurrió... **2.** atreverse: **si tu t'avises de m'interrompre...** como te atrevas a interrumpirme...

**aviso** *m* aviso.

**avitailler** *vt* abastecer.

**avitaminose** *f* avitaminosis.

**aviver** *vt (feu, dispute)* avivar.

**avocaillon** *m PÉJOR* abogadillo.

**avocassier, ère** *a* abogadil.

**¹avocat, e** *s* **1.** abogado, a **2. l'~ du diable** el abogado del diablo **3. ~ général** fiscal.

**²avocat** *m (fruit)* aguacate (*AMÉR* palta *f*).

**avocat-conseil** *m* asesor jurídico.

**avocatier** *m* aguacate (*AMÉR* palto).

**avocette** *f* avoceta.

**avoine** *f* **1.** avena **2. folle ~** avena loca.

**¹avoir*** *vt* **1.** *(posséder)* tener: **j'ai une moto** tengo una moto; **Anne a de beaux yeux** Ana tiene unos ojos preciosos; **ils ont le même âge** tienen la misma edad; **nous avons le temps** tenemos tiempo; **~ pour ami** tener como amigo; **ayez la bonté de** tenga la bondad de **2.** *(éprouver, souffrir de)* tener: **as-tu soif?** ¿tienes sed? **~ de la fièvre** tener fiebre; **~ du diabète** padecer diabetes **3.** pasar, suceder, ocurrir: **qu'as-tu?** ¿qué te pasa?; **qu'avez-vous?** ¿qué le pasa? **4.** *(obtenir)* obtener, conseguir, tener: **où avez-vous eu cette invitation?** ¿dónde ha conseguido usted esta invitación?; **il vient d'~ son brevet de pilote** acaba de obtener el título de piloto **5.** *FAM (vaincre)* vencer: **on les aura!** ¡(les) venceremos! **6.** *FAM (tromper)* engañar ◊ **il nous a bien eus** nos la ha dado con queso **7. ~ à** tener que: **je n'ai rien à faire** no tengo nada que hacer; **as-tu quelque chose à manger?** ¿tienes algo de comer?; **il a dit tout ce qu'il avait à dire** ha dicho todo lo que tenía que decir **8. en ~ pour** costar: **j'en ai eu pour mille francs** me ha costado mil francos; tardar: **j'en ai pour une heure à finir ce travail** tardaré una hora en acabar este trabajo **9. en ~ contre quelqu'un** estar resentido contra alguien **10. tu n'avais qu'à le dire** bastaba con que lo dijeras. ◇ *auxil* haber: **j'ai lu** he leído; **il a beaucoup grandi** ha crecido mucho; **j'aurais préféré** hubiera preferido. ◇ *v impers* **1. il y a** hay: **il y a beaucoup de monde** hay mucha gente; **y a-t-il ici un interprète?** ¿hay aquí un intérprete?; **il n'y a pas de quoi** no hay de qué; **il y a des gens qui disent...** hay quien dice...; **il n'y a qu'à...** no hay más que...; **il n'y a plus qu'à fermer la porte** no hay más que cerrar la puerta **2.** *(temps)* hacer: **il y a deux ans** hace dos años; **il y a bien 10 ans de cela** hará unos 10 años que esto ocurrió; **la mode d'il y a 40 ans** la moda de 40 años atrás.
▶ *Avoir* auxiliaire: l'espagnol emploie le passé simple, plutôt que le passé composé, chaque fois que l'action rapportée au passé n'a pas de prolongement dans le présent: *je ne l'ai jamais su* nunca lo supe. D'autre part, attention de ne jamais séparer l'auxiliaire du participe passé: *j'ai bien mangé* he comido bien.

**²avoir** *m* **1.** *(fortune)* caudal **2.** *(comptabilité)* haber: **le doit et l'~** el debe y el haber.

**avoisinant, e** *a* vecino, a, cercano, a.

**avoisiner** *vi* **1.** estar próximo, a, lindar con **2.** rondar: **somme qui avoisine les 4 millions** cantidad que ronda los 4 millones.

**avortement** *m* **1.** aborto **2.** *FIG (échec)* fracaso, aborto.

**avorter** *vi* **1.** abortar ◊ **elle s'est fait ~** ha abortado **2.** *FIG* abortar, fracasar: **son projet a avorté** su proyecto ha abortado.

**avorteur, euse** *s PÉJOR* persona que provoca un aborto ilegal.

**avorton** *m* **1.** *(animal)* abortón **2.** *(individu chétif)* aborto, feto, engendro.

**avouable** *a* confesable.

**avoué** *m* procurador judicial.

**avouer** *vt* **1.** *(reconnaître)* confesar, reconocer: **j'avoue que je me suis trompé** confieso que me he equivocado; **j'ai eu peur, je l'avoue** tuve miedo, lo reconozco **2. l'assassin a avoué** el asesino confesó. ◆ **s'~** *vpr* confesarse, declararse: **s'~ coupable** declararse culpable; **s'~ vaincu** darse por vencido.

**avril** *m* **1.** abril: **le 4 ~ 1910** el 4 de abril de 1910 **2. poisson d'~** broma *f*, inocentada *f* del primero de abril.
▶ En Espagne et en Amérique latine, ces farces du 1er avril sont faites le 28 décembre, jour des Saints-Innocents, d'où le mot *inocentada*.

**avunculaire** *a* relativo, a a los tíos.

**axe** *m* **1.** eje: **l'~ d'une roue, de la Terre** el eje de una rueda, de la Tierra; **la Terre tourne sur son ~** la Tierra da vueltas sobre su eje; **~ de symétrie** eje de simetría **2. dans l'~ de la rue** en la prolongación de la calle **3.** *FIG (d'une politique, etc.)* eje.

**axer** *vt* **1.** dirigir, orientar **2.** *FIG* centrar: **~ une allocution sur le thème de** centrar una alocución sobre el tema de.

**axial, e** *a* axial, axil.

**axillaire** *a* axilar.

**axiomatique** *a* axiomático, a.

**axiome** *m* axioma.

**axis** *m ANAT* axis.

**axolotl** *m* ajolote, axolotl.

**ayant → avoir.**

**ayant cause** *m JUR* causahabiente.

**ayant droit** *m JUR* derechohabiente.

**ayatollah** *m* ayatollah.

**ayez, ayons → avoir.**

**azalée** *f* azalea.

**Azerbaïdjan** *np* Azerbaiyán.

**azerole** *f (fruit)* acerola.

**azerolier** *m* acerolo.

**azimut** [azimyt] *m* **1.** *ASTR* acimut **2.** *FAM* **dans tous les azimuts** en todas las direcciones.

**azote** *m* nitrógeno, ázoe.

**azoté, e** *a* nitrogenado, a.

**aztèque** *a/a* azteca.

**azur** *m* **1.** azul **2. l'~** el cielo **3. la Côte d'Azur** la Costa Azul.
▶ *Azul* n'est pas un mot littéraire comme «azur» en français.

**azuré, e** *a* azulado, a.

**azyme** *a* ácimo, a: **pain ~** pan ácimo.

# B

**b** *m* **1.** b *f*: **un ~** una b **2. le ~.a.-ba** los rudimentos.

**b.a.** [bea] *f (abrév de* bonne action) *FAM* buena obra.

[1]**baba** *m* **~ au rhum** bizcocho borracho.

[2]**baba** *a FAM* **en rester ~** quedarse bizco, a, de una pieza; **j'en suis resté ~** me quedé bizco.

**Babel** *np f* Babel: **la tour de ~** la torre de Babel.

**babeurre** *m* leche *f* magra.

**babil** [babil] *m* **1.** *(des jeunes enfants)* balbuceo **2.** *(bavardage)* cháchara *f*.

**babillage → babil.**

**babillard, e** *a* parlanchín, ina. ◇ *f POP (lettre)* carta.

**babiller** *vi* **1.** *(enfant)* balbucear **2.** charlar, parlotear.

**babines** *f pl* **1.** belfos *m*, morro *m sing* **2.** *FIG* **s'en lécher les ~** relamerse de gusto.

**babiole** *f* **1.** baratija **2.** *(vétille)* fruslería.

**bâbord** *m* babor: **à ~** a babor.

**babouche** *f* babucha.

**babouin** *m* babuino, zambo.

**Babylone** *np f* Babilonia.

**babylonien, enne** *a* babilónico, a. ◇ *s* babilonio, a.

**baby-foot** [babifut] *m inv* futbolín.

**baby-sitter** [babisitœʀ] *f* babysitter.

▶ Dans le langage familier on dit *una canguro* (littéralement une kangourou).

**baby-sitting** [babisitiŋ] *m* **faire du ~** hacer de canguro.

[1]**bac** *m* **1.** *(bateau)* barca *f*, transbordador **2.** *(à laver)* tina *f* **3.** *(d'un évier)* pila *f* **4.** *(dans un réfrigérateur)* **~ à glace** bandeja *f* para los cubitos de hielo; **~ à légumes** depósito para verduras **5.** *(pour révéler les photos)* cubeta *f* **6. ~ à fleurs** jardinera *f*.

[2]**bac** *m FAM* bachillerato: **passer son ~** aprobar el bachillerato.

**bacante → bacchantes.**

**baccalauréat** *m* bachillerato.

▶ *Baccalauréat*, en lenguaje corriente *bac*, designa el grado universitario y el examen para obtenerlo, pero no los estudios como la palabra bachillerato.

**baccara** *m (jeu)* bacará.

**bacchanale** [bakanal] *f* **1.** bacanal: **les bacchanales** las bacanales **2.** *FIG* bacanal, orgía.

**bacchante** [bakɑ̃t] *f* bacante. ◇ *pl POP (moustaches)* bigotes *m*.

**Bacchus** [bakys] *np m* Baco.

**bâche** *f* toldo *m*: **une ~ en toile, en plastique** un toldo de lona, de plástico.

**bachelier, ère** *s* bachiller, a.

**bâcher** *vt* entoldar: **camion bâché** camión entoldado.

**bachique** *a* báquico, a: **chanson ~** canción báquica.

[1]**bachot** *m FAM* bachillerato ◊ **boîte à ~** academia de bachillerato.

[2]**bachot** *m (petite barque)* bote.

**bachotage** *m* preparación *f* acelerada de un examen.

**bachoter** *vi* empollar.

**bacillaire** *a* bacilar.

**bacille** [basil] *m* bacilo.

**bâclage** *m FAM* trabajo mal hecho, chapucería *f*.

**bâcler** *vt* chapucear, frangollar, hacer de prisa: **c'est du travail bâclé** es un trabajo chapuceado.

**bacon** [bekɔn] *m* tocino ahumado, bacon: **œufs au ~** huevos con bacon.

**bactéricide** *a/m* bactericida.

**bactérie** *f* bacteria.

**bactérien, enne** *a* bacteriano, a.

**bactériologie** *f* bacteriología.

**bactériologique** *a* bacteriológico, a.

**bactériologiste** *s* bacteriólogo, a.

**bactériophage** *a* bacteriófago, a.

**badaboum!** *interj* ¡cataplum!

**badaud, e** *s* mirón, ona, papanatas, curioso, a: **un cercle de badauds** un círculo de mirones.

**badauder** *vi* callejear, curiosear.

**baderne** *f FAM* **une vieille ~** un vejestorio, un viejo militar.

**badge** *m* **1.** *(insigne)* distintivo, chapa *f*. **2.** *INFORM (carte)* tarjeta *f*.

**badiane** *f* **1.** *(arbre)* badián *m* **2.** *(graine)* badiana, anís *m* estrellado.

**badigeon** [badiʒɔ̃] *m* plaste, enlucido.

**badigeonnage** *m* **1.** plastecido **2.** *MÉD* toque.

**badigeonner** *vt* plastecer, enlucir. ◆ **se ~** *vpr* **se ~ la gorge** untarse la garganta.

[1]**badin, e** *a* burlón, ona, festivo, a: **d'un ton ~** con tono burlón.

[2]**badin** *m TECHN* badin, anemómetro.

**badinage** *m* chanza *f*, gracejo.

**badine** *f* varilla, varita.

**badiner** *vi* **1.** *(plaisanter)* bromear **2. il ne faut pas ~ avec sa santé** no hay que jugar con su salud; **on ne badine pas avec l'amour** con el amor no se juega.

**badminton** *m* bádminton.

**baffe** *f FAM* torta, tortazo *m*: **flanquer une ~** pegar una torta.

**baffle** *m* bafle, pantalla *f* acústica, caja *f* acústica.

**bafouer** *vt* ridiculizar, hacer mofa de.

**bafouillage** *m* farfulla *f*.

**bafouille** *f FAM (lettre)* carta.

**bafouiller** *vi FAM* farfullar. ◇ *vt* mascullar.

**bâfrer** *vt/i FAM* engullir.

**bâfreur, euse** *s FAM* tragón, ona.

**bagage** *m* **1.** equipaje *(généralement au singulier en espagnol)* **je n'ai pas de bagages** no llevo equipaje; **mes bagages sont à la consigne** mi equipaje está en la consigna; **~ à main** equipaje de mano **2.** *FIG* **plier ~** liar el petate; **avec armes et bagages** con armas y bagajes **3.** *FIG* bagaje: **~ intellectuel** bagaje intelectual.

**bagagiste** *m* mozo de equipajes.

**bagarre** *f* riña, pelea, camorra: **chercher la ~** buscar camorra.

**bagarrer (se)** *vpr* pelearse.

**bagarreur, euse** *a/s* camorrista, pendenciero, a.

**bagatelle** *f* **1.** bagatela, friolera: **perdre son temps à des bagatelles** gastar el tiempo en bagatelas; **ça m'a coûté la ~ de deux millions** me costó la friolera de dos millones **2.** *FAM* **la ~** el amor físico, el sexo.

**bagnard** *m* presidiario.

**bagne** *m* **1.** presidio **2.** *FIG* infierno.

**bagnole** *f FAM* coche *m*. ◊ **une grosse ~** un cochazo.

**bagou(t)** *m* labia *f*, facundia *f*: **avoir du ~** tener labia.

**bague** *f* **1.** *(bijou)* sortija, anillo *m*: **une ~ en or** una sortija de oro; **une ~ de fiançailles** un anillo de pedida **2.** *(d'un oiseau)* anilla **3.** *(d'un cigare)* vitola **4.** *TECHN* anillo *m*, abrazadera.

**baguenauder** *vi FAM* perder el tiempo, barzonear.

**baguenaudier** *m* espantalobos.

**baguer** *vt (un oiseau)* anillar.

**baguette** *f* **1.** varilla, varita ◊ **~ magique** varita mágica; *FIG* **d'un coup de ~ magique** como por encanto, por arte de birlibirloque; **mener à la ~** tratar a la baqueta **2.** *(de chef d'orchestre)* batuta **3.** *(de pain)* barra **4.** *(moulure)* moldura **5.** *(électrique)* cajetín *m*. ◇ *pl (de tambours, pour le riz)* palillos *m*.

**baguier** *m* joyero, cofrecito (para guardar sortijas, joyas).

**bah!** *interj* ¡bah!, ¡psché!, ¡pchs!

**bahut** [bay] *m* **1.** *(coffre)* arcón **2.** *(armoire)* armario rústico bajo **3.** *FAM (lycée)* cole.

**bai, baie** *a (cheval)* bayo, a.

**baie** *f* **1.** *(golfe)* bahía **2.** *(fenêtre)* ventanal *m*: **de larges baies** grandes ventanales **3.** *(fruit)* baya.

**baignade** *f* **1.** baño *m* ◊ **~ interdite** prohibido bañarse **2.** *(lieu)* playa.

**baigner** *vt* **1.** *(un bébé)* bañar **2. le front baigné de sueur** con la frente bañada en sudor, empapada en sudor: **les yeux baignés de larmes** los ojos bañados en lágrimas. ◇ *vi* **1. ~ dans...** estar sumergido, a en... **2. ~ dans son sang** estar anegado, a en sangre; *FAM* **~ dans l'huile** ir como una seda; **ça baigne!** ¡esto marcha! ◆ **s'~** *vpr* bañarse: **on va se ~?** ¿vamos a bañarnos?

**baigneur, euse** *s* bañista. ◇ *m (poupée)* muñeca *f* de celuloide.

**baignoire** *f* **1.** bañera **2.** *THÉAT* palco *m* de platea **3.** *MAR* parte superior de la torre de un submarino.

**bail** [baj] *(pl* **baux** [bo]) *m* **1.** arrendamiento ◊ **~ à céder** se traspasa; **prendre à ~** arrendar **2.** *FAM* **c'est un ~!** ¡hace un siglo!

**baillage** *m* bailía *f*.

**bâillement** *m* bostezo.

**bailler** *vt* **1.** *ANC* dar **2. vous me la baillez belle!** ¡usted me la quiere pegar!

**bâiller** *vi* **1.** bostezar: **~ de sommeil** bostezar de sueño **2.** *(porte, volet)* estar entreabierto, a **3. un col qui bâille** un cuello mal ajustado.

**bailleur, eresse** *s* **1.** arrendador, a **2. ~ de fonds** socio capitalista.

**bailli** *m (fonctionnaire royal)* baile.

**bâillon** *m* mordaza *f*.

**bâillonner** *vt* **1.** amordazar **2.** *FIG* **~ la presse** amordazar a la prensa.

**bain** *m* **1.** baño: **prendre un ~** tomar un baño, bañarse; **gel de ~** gel de baño; **~ moussant** espuma *f* de baño; **~ de vapeur** baño de vapor ◊ **prendre un ~ de soleil** tomar el sol **2.** *FIG* **être dans le ~** estar en el ajo; **se remettre dans le ~** readaptarse; **~ de foule** baño de multitud **3.** *(en photographie)* baño. ◇ *pl (publics)* baños públicos, balneario *sing*; **bains-douches** baños públicos; **garçon de ~** bañero.

**bain-marie** *m* baño (de) María: **chauffer au ~** calentar al baño María.

**baïonnette** [bajɔnɛt] *f* bayoneta: **mettre la ~ au canon** armar la bayoneta; **charge à la ~** carga a la bayoneta; **douille à ~** casquillo de bayoneta.

**baise** *f* **1.** *VULG* **la ~** la jodienda **2.** *(en Belgique)* **une ~** un besito.

**baisemain** *m* besamanos.

[1]**baiser** *vt* besar: **~ la main** besar la mano. ◇ *vt/i* **1.** *VULG* (fornicar) joder, follar **2.** *POP (tromper)* engañar ◊ **il s'est fait ~** lo hicieron pasar por tonto.

[2]**baiser** *m* beso: **il lui donna un ~ sur les lèvres** le dio un beso en los labios; **un petit ~** un besito; *FIG* **~ de Judas** beso de Judas.

**baiseur, euse** *a/s VULG* follador, a.

**baisse** *f* **1.** *(des eaux, des prix)* baja ◊ **jouer à la ~** jugar a la baja **2.** descenso *m*, disminución: **la ~ de la natalité** el descenso de la natalidad; **température en légère ~** temperatura en ligero descenso, en ligera disminución; **~ de rendement** disminución de rendimiento.

**baisser** *vt/i* **1. ~ les yeux, la voix** etc., bajar los ojos, la voz, etc.; **baisse la radio!** ¡baja la radio! **2. le sucre va ~** el azúcar va a bajar; **~ de 5%** bajar en un 5%; **~ d'un degré** bajar en un grado; **~ de deux francs** bajar dos francos **3.** *FIG* **~ les bras** darse por vencido, rendirse. ◇ *vi* **1.** *(température, etc.)* bajar, disminuir, menguar: **ma vue commence à ~** mi vista empieza a disminuir; **faire ~ la fièvre** bajar la fiebre **2.** decaer: **le malade a beaucoup baissé** el enfermo ha decaído mucho, ha dado un gran bajón. ◆ **se ~** *vpr* bajarse, agacharse. ◇ *m* **le ~ du rideau** la bajada del telón.

**baissier, ière** *s* bajista.

**bajoue** *f* **1.** *(d'animal)* carrillada **2.** *(d'une personne)* moflete *m*.

**bakchich** [bakʃiʃ] *m FAM* soborno.

**bakélite** *f* baquelita.

**bal** *m* baile: **~ masqué** baile de máscaras; **ouvrir le ~** abrir el baile.

**balade** *f FAM* paseo *m*, garbeo *m*: **faire une ~** dar un paseo, darse un garbeo.

**balader** *vt FAM* **1.** llevar de paseo **2.** *(traîner avec soi)* llevar **3. envoyer ~** mandar a paseo. ◆ **se ~** *vpr* pasear, pasearse, darse un garbeo.

**baladeur** *m* walkman.

**baladeur, euse** *a* **il a l'humeur baladeuse** le gusta pasear.

**baladeuse** *f* lámpara eléctrica portátil.

**baladin** *m ANC* saltimbanqui.

**balafre** *f* chirlo *m*, tajo *m*.

**balafrer** *vt* marcar con un chirlo: **visage balafré** cara marcada con un chirlo, con un tajo.

**balai** *m* **1.** escoba *f* ◊ **donner un coup de ~** dar un barrido; *FIG* **coup de ~** *(licenciement)* despido del personal; *(vente)* rebaja; *FAM* **du ~!** ¡aire!, ¡fuera!, ¡largo! *FAM* **manche à ~** *(d'avion)* palanca *f* de mando, *(personne maigre)* escoba *f* **2.** *(d'essuie-glace)* escobilla *f* **3.** *ÉLECT* escobilla *f* **4.** *POP (année d'âge)* taco, año.

**balai-brosse** *m* cepillo.

**balaie → balayer.**

**balaise → balèze.**

**balalaïka** *f* balalaica.

**balance** *f* **1.** balanza: **~ de précision** balanza de precisión; **~ romaine** romana ◊ *FIG* **faire pencher la ~ en faveur de** inclinar el fiel de la balanza a favor de; **mettre en ~** comparar, cotejar; **tenir la ~ égale** mantenerse imparcial **2. la ~ des forces** el equilibrio de las fuerzas **3.** *COM* **~ du commerce, des paiements** balanza comercial, de pagos **4.** *(pour pêcher les écrevisses)* red para pescar cangrejos, retel *m* **5.** *ASTR* **la Balance** Libra: **être ~** ser de Libra.

**balancé, e** *a FAM* **une femme bien balancée** una mujer bien plantada.

**balancelle** *f (de jardin)* balancín *m.*

**balancement** *m* **1.** *(du corps)* balanceo, contoneo **2.** *(d'un bateau)* balanceo **3.** *FIG (hésitation)* vacilación *f.*

**balancer*** *vt* **1.** balancear, mover **2.** *FAM* tirar, echar: **il m'a balancé un livre à la tête** me ha tirado un libro a la cabeza; **~ un employé** echar a un empleado ◊ **j'ai envie de tout ~** tengo ganas de echarlo todo a rodar **3. ~ le pour et le contre** medir el pro y el contra. ◇ *vi (hésiter)* vacilar, dudar. ◆ **se ~** *vpr* **1.** balancearse, mecerse: **l'enfant se balançait sur sa chaise** el niño se balanceaba en su silla **2.** *(sur une balançoire)* columpiarse **3.** *FAM* **je m'en balance** me importa un bledo, me importa un pepino.

**balancier** *m* **1.** *(d'une horloge)* pendola *f*, péndulo **2.** *(d'un danseur de corde, pour frapper les médailles)* balancín.

**balancine** *f MAR* amantillo *m.*

**balançoire** *f* columpio *m.*

**balata** *f* balata.

**balayage** *m* **1.** barrido **2.** *(électronique)* barrido.

**balayer*** [baleje] *vt* **1.** *(une salle, le trottoir)* barrer ◊ *FIG* **~ devant sa porte** meterse en lo suyo y no en lo ajeno **2.** *FIG* **le vent balaie les nuages** el viento barre las nubes **3.** *(un écran)* barrer.

**balayette** [balɛjɛt] *f* escobilla.

**balayeur** *m* barrendero.

**balayeuse** *f (véhicule)* barredora.

**balayures** *f pl* barreduras.

**balbutiant, e** *a* balbuceante.

**balbutiement** [balbysimɑ̃] *m* **1.** balbuceo **2.** *FIG (début)* balbuceo, inicio.

**balbutier*** [balbysje] *vi* balbucear, balbucir. ◇ *vt* mascullar.

**balbuzard** *m* águila *f* pescadora, halieto.

**balcon** *m* **1.** balcón: **sortir sur le ~** salir al balcón **2.** *THÉÂT* anfiteatro.

**balconnet** *m* balconnet.

**baldaquin** *m* baldaquín.

**Bâle** *np* Basilea.

**Baléares** *np f pl* Baleares.

**baleine** *f* **1.** ballena: **~ à bosse** ballena jorobada ◊ *FAM* **rire comme une ~** mondarse de risa **2.** *(de parapluie)* varilla, ballena.

**baleiné, e** *a* emballenado, a.

**baleineau** *m* ballenato.

**baleinier** *m* ballenero.

**baleinière** *f* lancha ballenera.

**balèze** *a/m POP* fortachón, ona.

**balinais, e** *a/s* balinense.

**balisage** *m* balizamiento.

**balise** *f* baliza: **~ flottante** baliza flotante.

**baliser** *vt* abalizar, balizar.

**balisier** *m* cañacoro.

**balistique** *a* balístico, a. ◇ *f* balística.

**baliveau** *m* resalvo.

**baliverne** *f* pamema, pamplina, sandez: **débiter des balivernes** decir sandeces.

**balkanique** *a* balcánico, a.

**balkanisation** *f* balcanización.

**Balkans** *np m pl* Balcanes.

**ballade** *f* balada.

**ballant, e** *a* **il restait immobile, les bras ballants** se quedaba inmóvil, con los brazos colgando. ◇ *m* oscilación *f*, balanceo ◊ **avoir du ~** oscilar.

**ballast** *m* **1.** *(de voie ferrée)* balasto **2.** *MAR* tanque de lastre.

**ballastière** *f* balastera.

[1]**balle** *f* **1.** *(jeu)* pelota: **~ de tennis, de golf** pelota de tenis, de golf ◊ *(tennis)* **faire des balles** pelotear; *FIG* **saisir la ~ au bond** aprovechar la ocasión; **renvoyer la ~** devolver la pelota; **se renvoyer la ~** devolverse la pelota, acusarse recíprocamente; **la ~ est dans votre camp** a usted le toca actuar, la pelota está en su campo. **2.** *(projectile)* bala: **~ de revolver** bala de revólver ◊ *FAM* **recevoir douze balles dans la peau** ser fusilado **3.** tiro *m*, balazo *m*: **il a été tué par une ~** fue matado de un balazo, de un tiro; **se tirer une ~ dans la tête** pegarse un tiro en la cabeza; **criblé de balles** acribillado a balazos **4.** *(paquet)* bala **5. enfant de la ~** niño que sigue la misma profesión que su padre, en el circo, el teatro **6.** *FAM* franco: **coûter cent balles** costar cien francos.

[2]**balle** *f (d'avoine, etc.)* cascabillo *m.*

**ballerine** [balʀin] *f* **1.** bailarina **2.** *(chaussure)* zapatilla de ballet, bailarina.

**ballet** [balɛ] *m* **1.** ballet **2. corps de ~** cuerpo de baile **3.** *FIG* **~ diplomatique** actividad *f* diplomática intensa.

**ballon** *m* **1.** balón, pelota *f*: **~ de football** balón de fútbol ◊ **le ~ rond** el fútbol; **le ~ ovale** el rugby **2.** *(jouet en baudruche)* globo **3.** *(aérostat)* globo: **~ captif** globo cautivo; **~ dirigeable** globo dirigible; **~-sonde** globo sonda **4.** *FIG* **lancer un ~ d'essai** tantear el terreno **5.** *(de laboratoire)* matraz, balón **6. ~ d'oxygène** balón de oxígeno **7.** *(de bande dessinée)* globo **8.** *FAM* **un ~ de rouge** un vaso de tinto.

**ballonné, e** *a* hinchado, a.

**ballonnement** *m* hinchazón *f* de vientre.

**ballon-sonde → ballon.**

**ballot** *m* **1.** *(paquet)* fardo, bulto **2.** *FAM (sot)* bobo, memo.

**ballottage** *m* resultado negativo en una elección al no haber obtenido la mayoría absoluta ningún candidato ◊ **scrutin de ~** segunda votación; **il y a ~** hay que proceder a una segunda votación, hay empate.

**ballotin** *m* cajita *f*: **~ de chocolats** cajita de bombones.

**ballottement** *m* bamboleo, balanceo.

**ballotter** *vt* sacudir, zarandear. ◇ *vi* bambolearse, zangolotearse.

**ballottine** *f* balotina.

**ball-trap** *m* **1.** *(appareil)* lanzaplatos **2.** *(sport)* tiro al plato.

**balluchon, baluchon** *m FAM* hatillo, hato ◊ **faire son ~** liar el petate.

**balnéaire** *a* balneario, a ◊ **station ~** estación balnearia, balneario *m.*

**balnéothérapie** *f* balneoterapia.

**bâlois, e** *a/s* basiliense.

**balourd, e** *a/s* torpe.

**balourdise** *f* **1.** tosquedad **2.** *(parole ou action)* patochada.

**balsa** *m (bois)* balsa *f.*

**balsamine** *f* balsamina.

**balsamique** *a* balsámico, a.

**balte** *a/s* báltico, a.

**Balthazar** *np m* Baltasar. ◇ *m* botella *f* grande de champaña.

**baltique** *a* báltico, a. ◇ *np f (mer)* **la Baltique** el Báltico.

**baluchon → balluchon.**

**balustrade** *f* **1.** barandilla, balaustrada **2.** *(garde-fou)* pretil *m.*

**balustre** *m* balaustre.

**balzan, e** *a* manialbo, a. ◇ *f* mancha blanca en la pata de un caballo.

**bambin** *m* niñito, chiquillo, nene.

**bambocher** *vi* andar de jarana, ir de juerga.

**bambocheur** *m* juerguista, jaranero.

**bambou** *m* **1.** bambú: **pousses de ~** brotes de bambú **2.** FAM **coup de ~** insolación *f;* **avoir le coup de ~** estar hecho polvo; **ici, c'est le coup de ~** aquí te clavan, abusan en el precio.

**bamboula** *f* FAM jarana: **faire la ~** andar de jarana.

**ban** *m* **1.** *(édit)* bando ◊ **mettre quelqu'un au ~ de la société** declarar indigno a alguien **2.** *(de tambour)* redoble (de tambor) **3. un ~ pour le chanteur!** ¡una ovación para el cantante! **4. le ~ et l'arrière-~** todo el mundo **5.** ANC *(exil)* destierro ◊ FIG **vivre en rupture de ~** vivir marginado. ◇ *pl (de mariage)* amonestaciones *f:* **publier les bans** correr las amonestaciones.

**banal, e** *a* común, trivial, vulgar, banal: **un sujet ~** un tema trivial ◊ **ça, ce n'est pas ~!** ¡qué curioso!, ¡parece mentira!
▶ L'adjectif espagnol *banal* est un gallicisme courant. *Trivial* n'a pas, en espagnol, le sens de «grossier».

**banalement** *adv* trivialmente.

**banalisation** *f* vulgarización.

**banaliser** *vt* **1.** hacer común, trivial **2. voiture de police banalisée** coche patrulla camuflado.

**banalité** *f* banalidad, trivialidad: **dire des banalités** decir banalidades.

**banane** *f* plátano *m:* **régime de bananes** racimo de plátanos; **bananes flambées** plátanos flameados **2.** *(coiffure)* tupé *m.*
▶ En Amérique latine, on emploie le mot *banano*, masculin, pour désigner le fruit.

**bananeraie** *f* platanal *m,* platanar *m.*

**bananier** *m* **1.** *(arbre)* banano, plátano **2.** *(cargo)* barco para el transporte de plátanos.

**banc** *m* **1.** banco ◊ **le ~ des ministres** el banco azul; **le ~ des accusés** el banquillo de los acusados; *(football)* **le ~ de touche** el banquillo **2. ~ de sable, de coraux** banco de arena, de corales **3. ~ de poissons** cardumen, banco de peces **4. ~ d'essai** banco de pruebas ◊ FIG **nouveaux programmes de télévision au ~ d'essai** nuevos programas de televisión puestos a prueba.

**bancaire** *a* bancario, a.

**bancal, e** *a* **1.** *(personne)* patituerto, a **2.** *(meuble)* cojo, a.

**banco** *m* **faire ~** copar la banca.

**bancroche** *a* FAM patituerto, a.

**bandage** *m* **1.** *(bandes de tissu)* venda *f,* vendaje ◊ **~ herniaire** braguero **2.** *(action de bander)* vendaje **3.** *(de roue)* llanta *f.*

**bandagiste** *s* ortopédico, a.

**bandant, e** *a* VULG **1.** excitante **2.** apasionante.

[1]**bande** *f* **1.** *(pansement)* venda: **~ Velpeau** venda de gasa **2.** *(pour entourer un journal, de terrain)* faja **3.** *(en papier, tissu, etc.)* tira, cinta: **~ adhésive** cinta adhesiva **4.** *(film)* cinta, película ◊ **~-annonce** avance *m,* trailer *m* **5.** banda: **~ de fréquence** banda de frecuencias; **~ sonore** banda sonora; **~-son** banda de sonido **6. ~ magnétique** cinta magnetofónica; **~ vidéo** cinta de vídeo **7. ~ de mitrailleuse** cinta de ametralladora **8. ~ dessinée, BD** cómic *m,* historieta: **amateur de bandes dessinées** aficionado a los cómics; **Salon de la ~ dessinée** Salón de la historieta; **une ~ dessinée** una tira **9.** *(rayure)* lista **10.** *(de billard)* banda. **11.** FAM **savoir par la ~** saber de manera indirecta, de refilón.

[2]**bande** *f* **1.** *(de personnes)* pandilla, panda, banda: **une ~ d'enfants** una pandilla de niños; **une ~ de malfaiteurs** una banda de malhechores; **des bandes rebelles** bandas rebeldes ◊ **faire ~ à part** hacer rancho aparte **2.** FAM **~ d'idiots!** ¡idiotas!; **~ de lâches!** ¡banda de cobardes! **3.** *(d'oiseaux)* bandada **4.** *(de loups, etc.)* manada.

[3]**bande** *f* MAR **donner de la ~** escorar.

**bandeau** *m* **1.** *(pour ceindre la tête)* cinta *f* **2.** *(pour les yeux)* venda ◊ FIG **avoir un ~ sur les yeux** llevar una venda en los ojos. ◇ *pl (cheveux)* mechones de cabello que cubren las sienes.

**bandelette** *f (de momie)* venda.

**bander** *vt* **1.** *(une partie du corps blessée)* vendar **2. ~ les yeux** vendar los ojos **3.** *(tendre)* poner tirante **4. ~ un arc** armar un arco. ◇ *vi* VULG empalmarse.

**banderille** *f* banderilla.

**banderole** *f* **1.** banderola **2.** *(de manifestants)* pancarta.

**bandit** *m* bandido.

**banditisme** *m* bandidaje.

**bandonéon** *m* bandoneón.

**bandoulière** *f* bandolera ◊ **en ~** en bandolera: **appareil photo en ~** cámara fotográfica en bandolera.

**bang** *interj m* bang.

**banjo** [bɑ̃(d)ʒo] *m* banjo.

**banlieue** *f* afueras *pl* cercanías *pl:* **la ~ parisienne** las afueras de París; **nous habitons en ~** vivimos en las afueras; **train de ~** tren de cercanías ◊ **la grande ~** el extrarradio.

**banlieusard, e** *s* habitante de las afueras.

**banne** *f* **1.** *(d'osier)* banasta **2.** *(toile)* toldo *m.*

**bannette** *f* canastilla.

**banni, e** *a/s* desterrado, a, proscrito, a.

**bannière** *f* **1.** pendón *m,* estandarte *m* ◊ FIG **se ranger sous la ~ de** alistarse en las filas de, bajo la bandera de; FAM **c'est la croix et la ~ pour le faire se lever le matin** para hacerle levantar por la mañana es una cruz **2.** MAR **voile en ~** vela flotando al viento **3.** FAM **en ~** con la camisa fuera.

**bannir** *vt* **1.** *(exiler)* desterrar **2.** *(écarter)* alejar, apartar **3. ~ l'usage du tabac** suprimir el tabaco.

**bannissement** *m* destierro.

**banque** *f* **1.** banco *m:* **déposer de l'argent à la ~** depositar dinero en el banco; **la succursale d'une ~** la sucursal de un banco; **billet de ~** billete de banco **2. ~ de données** banco de datos; **~ des yeux, du sang, du sperme** banco de ojos, de sangre, de esperma **3.** *(commerce de l'argent, jeu)* banca: **opérations de ~** operaciones de banca; **tenir la ~** llevar la banca ◊ **faire sauter la ~** desbancar.

**banquer** *vi* FAM pagar.

**banqueroute** *f* bancarrota, quiebra: **~ frauduleuse** quiebra fraudulenta ◊ **faire ~** quebrar.

**banqueroutier** *m* quebrado.

**banquet** *m* banquete.

**banqueter*** *vi* banquetearse.

**banquette** *f* **1.** *(siège)* asiento *m:* **la ~ arrière d'une voiture** el asiento trasero de un coche **2.** *(fortification)* banqueta **3.** *(chemin)* camino *m.*

**banquier, ère** *s* banquero, a.

**banquise** *f* banco *m* de hielo.

**bantou, e** *a/s* bantú.

**baobab** [baɔbab] *m* baobab.

**baptême** [batɛm] *m* **1.** *(sacrement)* bautismo: **extrait de ~** fe de bautismo ◊ **nom de ~** nombre de pila **2.** *(cérémonie)* bautizo **3. ~ de l'air, du feu** bautismo del aire, de fuego; **~ de la ligne** paso del ecuador.

**baptiser** [batize] *vt* **1. ~ un enfant, un bateau** bautizar a un niño, un barco; **~ du nom de** bautizar con el nombre de **2.** *(du lait, du vin)* aguar, bautizar.

**baptismal, e** [batismal] *a* bautismal: **les fonts baptismaux** la pila bautismal.

**baptiste** [batist] *a/s (secte)* bautista.

**baptistère** [batistɛʀ] *m* batisterio.

**baquet** *m* **1.** tina *f,* cubeta *f* **2. siège ~** asiento envolvente.

[1]**bar** *m* **1.** *(établissement)* bar **2.** *(comptoir)* barra *f:* **prendre un whisky au ~** tomar un whisky en la barra.

[2]**bar** *m (poisson)* róbalo, lubina *f.*

[3]**bar** *m (unité de pression)* bar.

**baragouin** *m* jerigonza *f,* guirigay.

**baragouinage** *m* farfulla *f.*

**baragouiner** *vt (une langue)* chapurrear: **elle baragouine l'espagnol** chapurrea el español. ◇ *vi* farfullar.

**baraka** *f FAM* suerte ◊ **avoir la ~** tener potra.

**baraque** *f* **1.** *(construction légère)* caseta, barraca, barracón *m:* **~ foraine** barracón de feria **2.** *PÉJOR (maison)* casucha, casa: **quelle ~!** ¡vaya una casa! ◊ **une grande ~** un caserón.

**baraqué, e** *a FAM* **il est bien ~** está bien plantado, está cachas.

**baraquement** *m* conjunto de barracas: **les baraquements d'un camp de concentration** los barracones de un campo de concentraciones.

**baraterie** *f JUR* baratería.

**baratin** *m FAM* camelo: **assez de ~!** ¡basta de camelo!; **faire du ~ à quelqu'un** dar el camelo a alguien.

**baratiner** *vt/i FAM* **~ un client, une femme** camelar a un cliente, a una mujer.

**baratineur, euse** *a/s FAM* camelista.

**barattage** *m* batido de la nata (para hacer mantequilla).

**baratte** *f* mantequera.

**baratter** *vt* mazar, batir.

**barbacane** *f (fortification)* barbacana.

**barbant, e** *a FAM* latoso, a, pesado, a.

**barbaque** *f POP* carne.

**barbare** *a/s* bárbaro, a.

**barbaresque** *a/s* berberisco, a.

**barbarie** *f* barbarie, crueldad.

**barbarisme** *m* barbarismo.

**Barbe** *np f* Bárbara.

**barbe** *f* **1.** barba: **il s'est laissé pousser la ~** se dejó crecer la barba; **fausse ~** barba postiza ◊ **se faire la ~** afeitarse; *FIG* **à la ~ de quelqu'un** en las barbas de alguien; **rire dans sa ~** reír para sus adentros **2.** *FAM* **une vieille ~** un vejestorio **3. ~ à papa** azúcar *m* hilado, algodón *m* **4.** *FAM* **la ~!** ¡ya basta!; **quelle ~!** ¡qué lata!, ¡qué engorro!, ¡vaya una lata!, ¡es un fastidio! ◇ *pl (d'une plume)* barbas; *(de poissons)* barbillas. ◇ *a/m (cheval)* caballo árabe.

**barbeau** *m* **1.** *(poisson)* barbo **2.** *POP (souteneur)* chulo.

**Barbe-Bleue** *np m* Barba Azul.

**barbecue** *m* barbacoa *f.*

**barbelé** *a/m* **fil de fer ~** alambre de espino, espino artificial.

**barber** *vt FAM* fastidiar, dar la lata: **ça me barbe d'aller à cette conférence** me fastidia ir a esa conferencia. ◆ **se ~** *vpr* aburrirse: **je me suis barbé** me he aburrido.

**barbet** *m* perro de agua.

**barbiche** *f* perilla.

**barbichette** *f* perillita.

**barbier** *m* barbero.

**barbifiant, e** *a FAM* latoso, a, pesado, a.

**barbillon** *m* **1.** *(de certains poissons)* barbilla *f* **2.** *(jeune barbeau)* barbo pequeño.

**barbiturique** *a/m* barbitúrico.

**barbon** *m FAM* vejete, vejestorio.

**barbotage** *m (dans l'eau)* chapoteo.

**barboter** *vi* **1.** *(patauger)* chapotear **2.** *(un gaz)* borbollar, burbujear. ◇ *vt FAM (voler)* afanar: **on m'a barboté mon vélo** me han afanado la bici.

**barboteuse** *f (d'enfant)* trajecito *m* sin perniles.

**barbotin** *m TECHN* rueda *f* dentada.

**barbotine** *f* barbotín *m.*

**barbouillage** *m* **1.** embadurnamiento **2.** *(mauvaise peinture)* pintarrajo, mamarracho **3.** *(écriture)* garabatos *pl.*

**barbouiller** *vt* **1.** *(salir)* embadurnar: **le visage barbouillé de confiture** el rostro embadurnado con mermelada **2.** *(peindre)* pintarrajear **3.** *(écrire)* emborronar **4.** *FAM* **~ l'estomac** levantar el estómago; **j'ai l'estomac barbouillé** tengo el estómago revuelto. ◆ **se ~** *vpr* embadurnarse.

**barbouilleur** *m (mauvais peintre)* pintamonas, mamarrachista.

**barbouze** *f FAM* barba. ◇ *m/f FAM* agente de la (policía) secreta.

**barbu, e** *a/m* barbudo, a.

**barbue** *f (poisson)* rodaballo *m,* remol *m.*

**barcarolle** *f* barcarola.

**barcelonais, e** *a/s* barcelonés, esa.

**Barcelone** *np* Barcelona.

**barcelonnette** → **bercelonnette.**

**barda** *m FAM* **il est parti camper avec tout son ~** se fue a acampar con sus pertrechos.

[1]**barde** *m (poète)* bardo.

[2]**barde** *f (de lard)* albardilla.

**bardeau** *m (pour les toits)* tablilla *f.*

**barder** *vt* **1.** *(couvrir d'une armure)* acorazar ◊ *FIG* **poitrine bardée de décorations** pecho cubierto de condecoraciones **2.** *(avec du lard)* enalbardillar. ◇ *vi POP* **ça barde!** ¡la cosa está que arde!; **ça va ~!** ¡se va a armar la gorda!

**bardot** *m (mulet)* buerdégano.

**barème** *m* baremo.

**barge** *f (péniche)* chalana.

**barguigner** *vi* **sans ~** sin vacilar.

**baril** [bari(l)] *m* **1.** barril **2.** *(de lessive)* tambor.

**barillet** *m* tambor, barrilete: **revolver à ~** revólver de tambor.

**bariolage** *m* abigarramiento.

**barioler** *vt* abigarrar: **étoffe bariolée** tela abigarrada.

**barjo** *a FAM* raro, a, chalado, a.

**barmaid** [barmɛd] *f* camarera de bar.

**barman** [barman] *m* barman.

**Barnabé** *np m* Bernabé.

**barnabite** *m* barnabita.

**baromètre** *m* barómetro.

**barométrique** *a* barométrico, a.

**baron, onne** *s* barón, onesa. ◇ *m* **~ d'agneau** cuarto trasero de cordero.

**baronnie** *f* baronía.

**baroque** *a/m (art, style)* barroco, a: **église ~** iglesia barroca. ◇ *a (bizarre)* extravagante, raro, a, estrafalario, a: **idée ~** idea extravagante.

**baroquisme** *m* barroquismo.

**baroud** [barud] *m FAM* pelea *f* ◊ **~ d'honneur** último combate.

**baroudeur** *m FAM* soldado pendenciero, belicoso.

**barouf, baroufle** *m POP* alboroto, jaleo, ruido, estrépito.

**barque** *f* barca ◊ *FIG* **bien mener sa ~** llevar bien el negocio.

**barquette** *f* **1.** *(tartelette)* tartaleta oblonga **2.** *(récipient)* tarrina.

**barracuda** *m* barracuda *f.*

**barrage** *m* **1.** *(barrière)* barrera *f* ◊ **faire ~ à** oponerse a, poner obstáculos a **2.** *(d'une voie de communication)* corte **3. ~ de police** cordón de policía **4.** presa *f*: **construire un ~ sur le Rhône** construir una presa en el Ródano; **le ~ d'Assouan** la presa de Asuán **5.** *(retenue d'eau)* embalse, pantano **6. match de ~** partido de desempate.

**barre** *f* **1.** *(de métal, bois, etc.)* barra ◊ **~ chocolatée** chocolatina; *FAM* **avoir un coup de ~** estar reventado, a; **ici, c'est le coup de ~** aquí, te clavan, abusan en el precio **2.** *(lingot)* barra, lingote *m*: **or en ~** oro en barra **3.** *(danse)* **exercices à la ~** ejercicios en la barra **4.** *(gymnastique)* **~ fixe** barra fija; **barres parallèles, assymétriques** barras paralelas, asimétricas; *(saut)* listón *m* ◊ *FIG* **placer la ~ très haut** poner el listón muy alto **5.** *(football)* **~ transversale** larguero *m* **6.** *FIG* **la ~ des 30%** la barrera del 30% **7.** *MAR (du gouvernail)* caña ◊ **être à la ~** llevar el timón, llevar la caña, estar al timón; **l'homme de ~** el timonel; **donner un coup de ~** cambiar de rumbo, meter timón **8.** *(trait)* barra **9.** *MUS* **~ de mesure** línea de medida **10.** *GÉOG (dans l'estuaire d'un fleuve)* barra **11.** *JUR* **être appelé à la ~** comparecer ante el tribunal **12. ~ à mine** barrena **13. ~ de direction** columna de dirección **14. avoir barre(s) sur quelqu'un** dominar a alguien.

**barré, e** *a* **1. rue barrée** calle cerrada al tráfico **2. chèque ~** cheque cruzado **3.** *MAR* **catamaran ~ par X** catamarán timoneado por X.

**barreau** *m* **1.** *(d'une cage, etc.)* barrote, barra *f* ◊ *FIG* **être sous les barreaux** estar entre rejas. **2.** *(d'une échelle, chaise)* travesaño **3.** *(dans un tribunal)* tribuna *f* para los abogados **4.** *(profession d'avocat)* abogacía *f*, foro ◊ **inscrit au ~ de Paris** inscrito en el Colegio de Abogados de París.

**barrement** *m (d'un chèque)* cruzamiento.

**barrer** *vt* **1.** cerrar, obstruir, cortar: **~ le passage** cerrar el paso; **une avalanche a barré la route** un alud ha obstruido la carretera **2. ~ une porte** atrancar una puerta **3. ~ un mot, une phrase** tachar una palabra, una frase **4. ~ un chèque** cruzar un cheque **5.** *MAR (une embarcation)* gobernar. ◆ **se ~** *vpr* **1.** *FAM* largarse, darse el piro, pirárselas: **barre-toi!** ¡lárgate!, ¡date el piro!; **il s'est barré** se las ha pirado **2. c'est mal barré** la cosa ha empezado fatal, me huele mal.

**¹barrette** *f* **1.** *(pour les cheveux)* pasador *m* **2.** *(bijou)* broche *m* alargado.

**²barrette** *f (d'ecclésiastique)* birreta.

**barreur, euse** *s* timonel: **le ~** el timonel, el caña.

**barricade** *f* **1.** barricada: **dresser une ~** levantar una barricada **2.** *FIG* **de l'autre côté de la ~** en el bando opuesto.

**barricader** *vt* **~ sa porte** atrancar la puerta. ◆ **se ~** *vpr* **1.** parapetarse, atrincherarse **2. se ~ chez soi** encerrarse en su casa y no dejarse ver por nadie.

**barrière** *f* **1.** barrera: **la ~ d'un passage à niveau** la barrera de un paso a nivel **2.** valla: **~ de sécurité** valla de seguridad **3. barrières douanières** barreras arancelarias; **barrières linguistiques** barreras lingüísticas.

**barrique** *f* barrica, tonel *m.*

**barrir** *vi* barritar, bramar.

**barrissement** *m* bramido (del elefante).

**bartavelle** *f* perdiz roja.

**Barthélemy** *np m* Bartolomé.

**barycentre** *m MATH* baricentro.

**barye** *f (unité de pression)* baria.

**baryton** *m* barítono.

**baryum** [barjɔm] *m* bario.

**¹bas, basse** *a* **1.** bajo, a: **une table basse** una mesa baja; **un couloir ~ de plafond** un pasillo de techo bajo; **coup ~** golpe bajo; **à ~ prix** a bajo precio; **à voix basse** en voz baja, en voz queda ◊ **marcher tête basse** andar cabizbajo; **les oreilles basses** con las orejas gachas; **avoir la vue basse** ser corto de vista **2. le ciel est ~** el cielo está nublado, encapotado **3. en ~ âge** de corta edad **4. les ~ quartiers** los barrios bajos; **les basses classes de la société** las clases bajas de la sociedad **4.** *(vil)* bajo, a, vil, infame **6.** *(dans le temps)* **le Bas-Empire** el Bajo Imperio. ◇ *adv* **1.** bajo: **les hirondelles volent ~** las golondrinas vuelan bajo; **tu parles si ~ que je ne t'entends pas** hablas tan bajo que no te oigo; **on n'était jamais tombé si ~** nunca se había caído tan bajo **2. en ~** abajo: **je reste en ~** me quedo abajo; **ma voiture est en ~** tengo mi coche abajo; **la tête en ~** con la cabeza abajo; **plus ~** más abajo; **parler tout ~** hablar en voz baja **3. le malade est bien ~** el enfermo está muy decaído; **son moral est bien ~** tiene la moral muy baja **4. mettre ~** *(animal)* parir; **mettre ~ les armes** deponer las armas **5. à ~ le tyran!** ¡abajo el tirano!. ◇ *m* **1. le ~ de l'armoire** la parte baja del armario **2. des hauts et des bas** altibajos **3.** *loc prép* **au ~ de l'escalier, de la page** al pie de la escalera, de la página; **en ~ de la côte** al final de la pendiente.

**²bas** *m* **1.** media *f*: **une paire de ~** un par de medias; **des ~ nylon** medias de nailón **2.** *FIG* **le ~ de laine** los ahorrillos.

**basalte** *m* basalto.

**basaltique** *a* basáltico, a.

**basane** *f* badana.

**basané, e** *a* moreno, a, atezado, a.

**bas-bleu** [bɑblø] *m* marisabidilla *f.*

**bas-côté** [bakote] *m* **1.** *(d'une église)* nave *f* lateral **2.** *(d'une route)* arcén: **stationner sur le ~** estacionar en el arcén.

**basculant, e** *a* que bascula.

**bascule** *f* **1.** báscula ◊ **balance à ~** báscula; **fauteuil à ~** mecedora *f* **2.** *(balançoire)* columpio *m* **3. politique de ~** política que se apoya alternativamente en los partidos opuestos.

**basculer** *vi (culbuter)* voltear. ◇ *vt* volcar, bascular.

**base** *f* **1.** base: **la ~ d'un triangle** la base de un triángulo; **~ aérienne, navale, de lancement** base aérea, naval, de lanzamiento **2.** *(d'une colonne)* basa **3. salaire de ~** salario base; **vocabulaire de ~** vocabulario básico **4.** *(ensemble des militants)* **la ~** la base **5.** *FIG* **servir de ~ à** servir de base a; **sur la ~ de...** tomando como base... **la chance est à la ~ de sa réussite** la suerte es un elemento básico de su éxito; **raisonnement que pèche par la ~** razonamiento sin fundamento, que cae por su base **6.** *CHIM* base **7.** *INFORM* **~ de données** base de datos **8.** *loc prép* **à ~ de** a base de.

**base-ball** [bɛzbol] *m* béisbol.

**baser** *vt* **~ sur** basar en. ◇ *vi* **avions basés à X** aviones con base en X. ◆ **se ~** *vpr* basarse.

**bas-fond** [bafɔ̃] *m* **1.** *(terrain)* hondonada *f* **2.** *(mer)* bajo. ◇ *pl FIG* **les bas-fonds d'une ville** los bajos fondos de una ciudad.

**basicité** *f CHIM* basicidad.

**Basile** *np m* Basilio.

**basilic** *m* **1.** *(plante)* albahaca *f* **2.** *(lézard)* basilisco.

**basilique** *f* basílica.

**basique** *a* básico, a.

**basket (-ball)** [baskɛt(bol)] *m* baloncesto: **match de ~** partido de baloncesto; **chaussures de ~** zapatillas de baloncesto.

**baskets** [baskɛt] *m pl* zapatillas *f* de deporte ◊ *FAM* **être à l'aise dans ses ~** sentirse cómodo, a; **lâche-moi les ~!** ¡olvídame!, ¡déjame en paz!

**basketteur, euse** *s* jugador, a de baloncesto, baloncestista.

**basoche** *f PÉJOR* **la ~** la curia.

**basquaise** *a/f* vasca ◊ **poulet ~** pollo a la vasca.

**¹basque** *a/s* vasco, a, vascongado, a: **pays ~** país vasco; **provinces basques** provincias vascongadas. ◇ *m (langue)* vascuence.

**²basque** *f* faldón *m* ◊ **être toujours pendu aux basques de quelqu'un** estar siempre agarrado a los faldones de alguien.

**bas-relief** [barəljɛf] *m* bajorrelieve.

**basse** *f MUS* **1.** bajo *m*: **voix de ~** voz de bajo; **continue, chantante** bajo continuo, cantante **2.** *(contrebasse)* contrabajo *m*.

**basse-cour** *f* **1.** corral *m* **2.** *(ensemble des volailles)* aves *pl* de corral.

**bassement** *adv* bajamente, con bajeza.

**bassesse** *f* bajeza, vileza.

**basset** *m (chien)* perro pachón.

**basse-taille** *f MUS* bajo *m* cantante.

**bassin** *m* **1.** *(citerne)* alberca *f* **2.** *(dans un parc)* estanque: **le ~ de Neptune** el estanque de Neptuno **3. le grand, petit ~ d'une piscine** la parte más, menos profunda de una piscina **4.** *(port)* dársena *f* ◊ **~ de radoub** dique seco **5.** cuenca *f*: **le ~ de l'Èbre** la cuenca del Ebro; **~ houiller, minier** cuenca hullera, minera **6.** *(hygiénique)* chata *f* **7.** *ANAT* pelvis *f*: **fracture du ~** fractura de la pelvis.

**bassinant, e** *a FAM* latoso, a, cargante.

**bassine** *f* lebrillo *m*.

**bassiner** *vt* **1.** *(le lit)* calentar **2.** *(une plaie)* humedecer, rociar **3.** *FAM (ennuyer)* fastidiar, dar la lata.

**bassinet** *m* **1.** *ANAT* pelvis *f* del riñón **2.** *FAM* **cracher au ~** aflojar la mosca.

**bassinoire** *f* calentador *m* de cama.

**bassiste** *m* contrabajo.

**basson** *m* **1.** bajón, fagot: **jouer du ~** tocar el bajón, el fagot **2.** *(musicien)* bajonista, fagotista.

**bastide** *f (en Provence)* quinta.

**Bastille** *np f* **la prise de la ~** la toma de la Bastilla.

**bastingage** *m* empalletado.

**bastion** *m* bastión, baluarte.

**bastonnade** *f* paliza, tunda (de palos).

**bastringue** *m FAM* **1.** baile popular **2.** *(tapage)* alboroto, jaleo: **quel ~!** ¡qué jaleo! **3.** *(attirail)* trastos *pl*, bártulos *pl*.

**bas-ventre** *m* bajo vientre.

**bât** [ba] *m* **1.** albarda *f* **2.** *FIG* **c'est là que le ~ le blesse** ahí está el quid, ahí le aprieta el zapato.

**bataclan** *m FAM* bártulos *pl*, cachivaches *pl*.

**bataille** *f* **1.** batalla: **champ de ~** campo de batalla; **~ rangée** batalla campal ◊ *FIG* **arriver après la ~** llegar demasiado tarde **2.** *FIG* **cheval de ~** caballo de batalla, tema predilecto **3. en ~** en desorden; **avoir les cheveux en ~** tener el pelo enmarañado **4.** *(jeu de cartes)* guerrilla.

**batailler** *vi* batallar, luchar, bregar.

**batailleur, euse** *a/s* batallador, a.

**bataillon** *m* batallón.

**bâtard, e** *a/s* bastardo, a ◊ **chien ~** perro cruzado. ◇ *f (écriture)* bastardilla. ◇ *m (pain)* barra *f* de pan.

**batardeau** *m* ataguía *f*, dique provisional.

**bâtardise** *f* bastardía.

**batave** *a/s* bátavo, a.

**batavia** *f* variedad de lechuga.

**bateau** *m* **1.** barco: **~ à voile, de pêche** barco de vela, pesca ◊ **~-citerne** buque cisterna; **~-lavoir** lavadero flotante; **~-mouche** barco para turistas que recorre el Sena, en París; **~-phare** barco faro; **~-pompe** barco bomba **2.** *FIG* **monter un ~ à quelqu'un, mener quelqu'un en ~** mistificar a alguien **3.** *(trottoir)* vado. ◇ *a* **1. encolure ~** escote barco **2. un sujet ~** un tema socorrido.

**batée** *f* batea.

**bateleur** *m* saltimbanqui.

**batelier, ère** *s* batelero, a: **les bateliers de la Volga** los bateleros del Volga.

**batellerie** *f* **1.** transporte *m* fluvial **2.** flota fluvial.

**bâter** *vt* **1.** albardar **2.** *FIG* **âne bâté** ignorante, tonto de remate.

**bat-flanc** [bɑ̃flɑ̃] *m* **1.** tabla *f* de separación **2.** *(lit)* catre.

**bath** [bat] *a POP* bárbaro, a, chipén.

**bathymètre** *m* batómetro, batímetro.

**bathymétrie** *f* batimetría.

**bathyscaphe** *m* batiscafo.

**¹bâti, e** *a* **1.** construido, a, edificado, a ◊ **terrain non ~** terreno sin edificar **2. une femme bien bâtie** una mujer bien hecha, bien proporcionada; **un homme mal ~** un hombre contrahecho, mal proporcionado.

**²bâti** *m* **1.** armazón *f* **2.** *(couture)* hilván.

**batifoler** *vi* juguetear, retozar.

**batik** *m* batik.

**bâtiment** *m* **1.** construcción *f*: **les ouvriers du ~** los obreros de la construcción ◊ **entreprise de ~** (empresa) constructora **2.** edificio: **un ~ moderne** un edificio moderno **3.** *(navire)* buque.

**bâtir** *vt* **1.** edificar, construir: **l'architecte qui a bâti le nouvel hôpital** el arquitecto que ha edificado el nuevo hospital ◊ **terrain à ~** solar **2.** *FIG* **~ une théorie** construir una teoría; **~ une grosse fortune** amasar una gran fortuna; **~ en l'air** forjarse ilusiones **3. ~ une robe** hilvanar un vestido.

**bâtisse** *f* edificio *m*: **une vieille ~** un edificio viejo.

**bâtisseur** *m* **1.** constructor **2.** *(d'empires, etc.)* fundador.

**batiste** *f* batista.

**bâton** *m* **1.** palo ◊ **coup de ~** palo; **donner des coups de ~** dar de palos; *FIG* **~ de vieillesse** báculo de la vejez; **c'est son ~ de maréchal** es el broche de oro de su carrera; **mener une vie de ~ de chaise** llevar una vida desordenada; **mettre des bâtons dans les roues** poner trabas, estorbar, poner piedras en el camino

**de uno; retour de ~** contragolpe, efecto bumerang **2.** *(de ski)* bastón **3.** *(d'agent de police)* porra *f* **4. ~ de commandement** bastón de mando **5. ~ de craie** barrita *f* de tiza; **~ de rouge à lèvres** barra *f* de labios, lápiz de labios **6.** *(écriture)* palote: **faire des bâtons** hacer palotes **7.** *POP* **un ~** 10 000 francos **8.** *loc adv* **à bâtons rompus** sin orden; **nous avons parlé à bâtons rompus** hemos hablado de todo.

**bâtonner** *vt* apalear.

**bâtonnet** *m* **1.** bastoncillo, palito **2.** *(de la rétine)* bastoncillo.

**bâtonnier** *m* decano del Colegio de Abogados.

**batracien** *m ZOOL* batracio.

**battage** *m* **1.** *(du grain)* trilla *f* **2.** *FAM* **~ publicitaire** publicidad *f* a bombos y platillos; **faire un ~ monstre pour une nouvelle lessive** anunciar con mucho bombo un nuevo detergente.

**battant, e** *a* **1. sous une pluie battante** bajo una lluvia diluviana **2. il attend le résultat de l'examen le cœur ~** está esperando el resultado del examen con el corazón en un puño **3. mener une affaire tambour ~ → tambour.** ◇ *m* **1.** hoja *f*: **porte à deux battants** puerta de dos hojas **2.** *(de cloche)* badajo **3.** *(personne)* **ce sportif est un ~** este deportista es combativo; **cet industriel est un ~** este industrial es emprendedor.

**batte** *f* **1.** *(à broyer)* maza **2.** *(de cricket, base-ball)* bate *m*.

**battement** *m* **1.** golpeo **2. ~ d'aile** aleteo; **~ de mains** palmada *f*, palmoteo; **~ de paupières** parpadeo **3.** *(du cœur)* latido ◊ **avoir des battements de cœur** tener palpitaciones **4.** *(du pouls)* pulsación *f* **5.** intervalo: **dix minutes de ~** diez minutos de intervalo.

**batterie** *f* **1. on entendit une ~ de tambour** se oyó tocar el tambor **2. ~ de jazz** batería de jazz; **tenir la ~, être à la ~** tocar la batería **3. ~ de cuisine** batería de cocina **4.** *(accumulateur)* batería ◊ *FIG* **recharger ses batteries** recuperarse **5. ~ de canons** batería de cañones; **mettre en ~** poner en posición de tiro; *FIG* **dresser ses batteries** tomar sus medidas; **changer de batteries** cambiar de táctica; **dévoiler ses batteries** descubrir sus intenciones **6. ~ de tests** batería de tests.

**batteur** *m* **1.** *(musicien)* **le ~ de la formation** el batería del conjunto **2.** *(appareil ménager)* batidora *f* **3.** *(cricket, base-ball)* bateador.

**batteuse** *f AGR* trilladora.

**battle-dress** [batəldʀɛs] *m* cazadora *f* de tela.

**battoir** *m (pour le linge)* pala *f* de lavandera. ◇ *pl FAM (mains)* manazas *f*.

**battre*** *vt* **1.** pegar: **il a battu son petit frère** ha pegado a su hermanito **2. ~ un tapis** sacudir una alfombra; **~ la semelle → semelle 3. ~ le fer sur l'enclume** batir el hierro en el yunque ◊ *PROV* **il faut ~ le fer pendant qu'il est chaud** al hierro candente, batir de repente **4.** *(le blé)* trillar **5.** *CULIN* **~ les œufs en neige** batir los huevos a punto de nieve **6. ~ le tambour** tocar el tambor **7.** azotar, golpear: **la pluie bat les vitres** la lluvia azota los cristales **8.** recorrer: **les chasseurs battent les bois** los cazadores van recorriendo el monte **9. ~ les cartes** barajar las cartas **10.** *(vaincre)* derrotar, vencer, batir: **~ l'adversaire** vencer al adversario; **X a battu Y par 6 à 0** X derrotó, venció a Y por 6 a 0; **il a été battu en demi-finale** fue derrotado en semifinal; **~ un record** batir un récord ◊ **~ à plate couture** dar la gran paliza; **ne pas se tenir pour battu** no darse por vencido; **se laisser ~** dejarse ganar **11.** *MUS* **~ la mesure** llevar el compás. ◇ *vi* **1.** golpear: **volet qui bat contre le mur** postigo que golpea la pared **2.** *(cœur, pouls)* latir: **cœur qui bat** corazón que late **3.** *(tambour)* redoblar, sonar **4. ~ des mains** palmotear, aplaudir **5. ~ de l'aile → aile.** ◆ **se ~** *vpr* **1.** pelear, pelearse: **ils se sont battus à la sortie de l'école** se han peleado a la salida de la escuela **2.** luchar, combatir: **nos troupes se sont battues courageusement** nuestras tropas lucharon con valor **3. se ~ en duel** batirse en duelo **4.** *FIG* **il faut se ~ dans la vie** hay que luchar en la vida; **se ~ pour ses idées** luchar por sus ideas **5.** *POP* **je m'en bats l'œil** me importa un bledo.

**battu, e** *pp* de **battre.** ◇ *a* **1. fer ~** hierro batido; **court en terre battue** pista de tenis de tierra batida; **jouer sur terre battue** jugar en tierra batida **2. air de chien ~** aire de perro apaleado **3. yeux battus** ojos cansados **4. sortir des sentiers battus** salirse de los caminos trillados.

**battue** *f (chasse)* batida.

**bau** *m MAR* bao: **maître ~** bao maestro.

**baudet** *m* borrico, burro: **chargé comme un ~** cargado como un burro.

**baudrier** *m* tahalí, portacaja *f*.

**baudroie** *f* rape *m*, pejesapo *m*.

**baudruche** *f* **1. ballon en ~** globo de goma **2.** *(homme)* **une ~** un Juan Lanas.

**bauge** *f* **1.** *(du sanglier)* porquera **2.** *FIG* pocilga.

**baume** *m* **1.** bálsamo: **~ du Pérou** bálsamo del Perú **2.** *FIG* bálsamo ◊ **ces paroles me mettent du ~ dans le cœur** estas palabras son para mí un consuelo.

**baux** [bo] *pl* de **bail.**

**bauxite** *f* bauxita.

**bavard, e** *a/s* **1.** hablador, a, charlatán, ana, parlanchín, ina: **vous n'êtes pas très ~** no es usted muy hablador ◊ **c'est un homme peu ~** es un hombre de pocas palabras **2.** *(cancanier)* chismoso, a, indiscreto, a ◊ *FIG* **être trop ~** irse del pico.

**bavardage** *m* **1.** charla *f* **2.** *(cancan)* habladuría *f*, palabrería *f*: **trève de bavardages!** ¡basta de habladurías!

**bavarder** *vi* **1.** charlar, parlotear **2.** *(jaser)* chismear, chismorrear.

**bavarois, e** *a/s* bávaro, a. ◇ *m/f (entremets)* dulce hecho en un molde con azúcar, leche, yemas de huevo, gelatina, etc.

**bave** *f* baba.

**baver** *vi* **1.** babear, babosear ◊ *FIG* **~ d'admiration** quedarse boquiabierto, a de admiración; **~ de jalousie** morirse de envidia **2. ~ sur quelqu'un** calumniar a alguien **3.** *POP* **en ~** pasar las de Caín, pasarlas negras, pasarlas canutas; **il m'en a fait ~** me las hizo pasar negras.

**bavette** *f* **1.** *(de bébé)* babero *m* **2.** *FAM* **tailler une ~** echar una parrafada, pegar la hebra **3.** *(viande)* lomo *m* bajo.

**baveux, euse** *a* **1.** baboso, a **2. omelette baveuse** tortilla poco hecha **3.** *(écriture)* borroso, a.

**Bavière** *np f* Baviera.

**bavochure** *f (encre)* tinta corrida.

**bavoir** *m* babero.

**bavolet** *m* antiguo tocado de aldeana, papalina *f*.

**bavure** *f* **1.** *(d'encre)* mancha, tinta corrida **2.** *(de ciment, métal)* rebaba **3.** *FIG (erreur)* desacierto *m*, patinazo *m*, error *m*: **~ policière** error de la policía; **nouvelle ~ dans cette affaire de trafic de drogue** otro desacierto en este affaire de tráfico de droga ◊ **sans ~** irreprochable, impecable.

**bayadère** *f* bayadera.

**bayer*** *vi* **~ aux corneilles** pensar en las musarañas.

**Bayonne** *np* Bayona.

**bazar** *m* **1.** bazar **2.** *FAM* **quel ~!** ¡qué desorden!, ¡qué follón! **3. emporter tout son ~** liar los bártulos.

**bazarder** *vt (vendre)* vender, deshacerse de; *(jeter)* tirar.

**bazooka** [bazuka] *m* bazuca *f*, bazoca *f*.

**B.C.B.G.** *abrév* de bon chic, bon genre **→ genre.**

**B.C.G.** [beseʒe] *m* vacuna *f* antituberculosa.

**B.D.** [bede] *f (bande dessinée)* cómic *m*, historieta.

**béant, e** *a* abierto, a: **une plaie béante** una llaga abierta.

**Béarn** *np m* Bearne.

**béarnais, e** *a/s* bearnés, esa ◊ *CULIN* **sauce béarnaise** salsa bearnesa.

**béat, e** *a* plácido, a, beatífico, a: **une vie béate** una vida plácida; **un sourire ~** una sonrisa beatífica.

**béatement** *adv* con beatitud, beatíficamente.

**béatification** *f* beatificación.

**béatifier*** *vt* beatificar.

**béatitude** *f* **1.** *(éternelle)* beatitud, bienaventuranza **2.** *(félicité)* felicidad, placidez, beatitud. ◇ *pl* **les Béatitudes** las Bienaventuranzas.

**Béatrice** *np f* Beatriz.

**beau, bel, belle** [bo, bɛl] *a* (*bel* se usa delante de los masculinos que empiezan por vocal o *h* muda) **1.** hermoso, a, bello, a: **un ~ paysage** un hermoso paisaje; **elle a de beaux yeux** tiene unos ojos hermosos; **un très ~ poème** un poema muy hermoso; **un bel avion** un hermoso avión; **la vie est belle** la vida es bella; **le ~ sexe** el bello sexo (*Bello* appartient à la langue choisie et s'emploie plutôt au figuré) **2.** *(personne)* hermoso, a, guapo, a, bello, a: **une belle femme** una mujer guapa; **elle est très belle** es guapísima; **il est ~ garçon** es guapo ◊ **se faire ~** ponerse guapo, acicalarse; **porter ~** tener buena presencia **3.** *(temps)* bueno, a, buen: **quel ~ temps!** ¡qué tiempo más bueno!; **il fait ~** hace buen tiempo ◊ **un ~ jour** un buen día, cierto día **4.** bueno, a, buen: **un ~ match** un buen partido; **une belle action** una buena acción; **de beaux bénéfices** buenos beneficios; grande: **c'est le plus ~ jour de ma vie** es el día más grande de mi vida **5.** *(ironiquement)* **un ~ menteur** un buen embustero, un grandísimo embustero; **une belle peur** un susto mayúsculo; **tu m'as fait une belle peur!** ¡buen susto me has dado!; **la belle affaire!** ¡bonito negocio!, ¡vaya negocio!; **un ~ salaud** un cabrón de primera **6.** FAM **ce n'est pas ~ ce que tu fais là** no está bien lo que estás haciendo **7. avoir ~** «por más que», «por mucho que»: **il a ~ dire, faire** por más que diga, haga; **j'ai ~ me creuser la cervelle** por más que me quiebre la cabeza; **tu as ~ parler, il ne fait pas attention à ce que tu dis** por mucho que hablas, no te hace caso; **on a ~ dire** por más que se diga; **il ferait ~ voir que...** no faltaría más que... **8.** *loc adv* **bel et bien** completamente, realmente; **je me suis bel et bien trompé** me he equivocado completamente; **de plus belle** a más y mejor; **l'orage recommence de plus belle** arrecia el temporal. ◇ *m* **1.** lo bello, lo hermoso: **l'amour du ~** el amor a lo bello **2. le temps est au ~** hace buen tiempo **3. le plus ~ de l'histoire** lo mejor del caso **4.** FAM **c'est du ~!** ¡muy bonito!, ¡qué vergüenza!, ¡qué horror! **5. chien qui fait le ~** perro que se para en las patas traseras. ◇ *f* **1.** *(amie)* amada ◊ **ma belle** hija mía, guapa, mona **2. jouer la belle** jugar el partido de desempate **3.** FAM **j'en apprends de belles sur ton compte!** ¡lindas cosas me dicen de ti!; **en faire de belles** hacer tonterías.

▶ *Avoir beau*: «por más que», «por mucho que» sont suivis de l'indicatif (fait certain) ou du subjonctif (hypothèse). Mais le subjonctif est d'un emploi plus fréquent que l'indicatif.

**beaucoup** [boku] *adv* **1.** mucho: **il a ~ changé** ha cambiado mucho; **c'est ~ plus cher** es mucho más caro; **c'est ~ dire** es mucho decir; **il reste ~ à faire** queda mucho por hacer ◊ **à ~ près** ni con mucho; **~ trop** demasiado **2. ~ de** mucho, a, os, as: **~ de bruit, d'eau, d'enfants** mucho ruido, mucha agua, muchos niños **3. de ~** con mucho: **elle est, de ~, la plus jolie** es, con mucho, la más bonita; **il s'en faut de ~ que...** falta mucho para que... ◇ *pron* muchos, as: **~ pensent que...** muchos piensan que...; **des cassettes, en avez-vous ~?** cassettes, ¿tiene usted muchas?

**beauf** *m* **1.** FAM *(beau-frère)* cuñado **2.** PÉJOR pequeñoburgués de pocos alcances y machista.

**beau-fils** [bofis] *m* **1.** yerno, hijo político **2.** *(fils de l'autre conjoint)* hijastro.

**beau-frère** *m* cuñado, hermano político.

**beaujolais** *m* vino tinto de la región de Beaujolais.

**beau-père** *m* **1.** suegro, padre político **2.** *(second mari de la mère)* padrastro.

**beaupré** *m* MAR bauprés.

**beauté** *f* **1.** belleza: **produits de ~** productos de belleza ◊ **de toute ~** hermosísimo, a, maravilloso, a: **une bague de toute ~** una sortija hermosísima; FAM **se refaire une ~** arreglarse, retocarse **2. une ~** una belleza, una beldad **3. finir en ~** acabar brillantemente, con éxito.

**beaux-arts** [bozaʀ] *m pl* bellas artes *f.*

**beaux-parents** [bopaʀɑ̃] *m pl* suegros.

**bébé** *m* **1.** bebé, nene, a: **elle attend un ~** está esperando bebé **2. ~ -éprouvette** bebé probeta **3. ~-phoque** bebé foca, cría *f* de foca **4.** FIG **c'est un vrai ~** es como un niño.

**bébête** *a* FAM necio, a, simple. ◇ *f* FAM bichito *m*, animalito *m*.

**bec** *m* **1.** *(d'oiseau)* pico ◊ **coup de ~** picotazo **2.** FAM *(bouche)* boca *f*, pico: **la pipe au ~** con la pipa en la boca; **essuie ton ~!** ¡límpiate la boca!; **ferme ton ~!** ¡cierra el pico!; **je lui ai cloué le ~** le cerré el pico, le dejé cortado ◊ FAM **prise de ~** agarrada, disputa; **avoir une prise de ~ avec quelqu'un** reñir con alguien; **laisser quelqu'un le ~ dans l'eau** dejar chasqueado a alguien **3.** *(d'une cruche)* pitorro **4. un ~ fin** un gastrónomo refinado **5.** *(d'une plume)* punta *f* **6.** *(d'un instrument de musique)* boquilla *f* **7. ~ de gaz** farola *f* ◊ FAM **tomber sur un ~** dar en hueso **8. ~ Bunsen** mechero Bunsen.

**bécane** *f* FAM bici.

**bécarre** *f* MUS becuadro.

**bécasse** *f* **1.** chocha, becada **2.** FAM *(femme)* tonta.

**bécassine** *f* **1.** agachadiza **2.** FAM tontita.

**bec-de-cane** *m* *(de serrure)* picaporte.

**bec-de-corbeau, bec-de-corbin** *m* *(pince)* pico de cuervo.

**bec-de-lièvre** *m* labio leporino.

**béchamel** *a/f* *(sauce)* bechamel, besamela.

**bêche** *f* laya.

**[1]bêcher** *vt* layar, labrar con la laya.

**[2]bêcher** *vi* FAM presumir, fardar.

**bêcheur, euse** *a/s* FAM presumido, a, fantasmón, ona, fardón, ona, repipi: **un petit ~** un fanfarrón.

**bécot** *m* FAM besito.

**bécoter** *vt* FAM besuquear. ◆ **se ~** *vpr* FAM besarse.

**becquée, béquée** *f* comida que el ave da a su cría con el pico ◊ **donner la ~** dar de comer.

**becquet** *m* **1.** *(papier)* banderilla *f* **2.** *(d'une automobile)* alerón.

**becquetance, bectance** *f* FAM manduca, manducatoria, comida.

**becqueter*, béqueter*, becter** [bɛkte] *vt* **1.** picotear **2.** POP *(manger)* jalar.

**bedaine** *f* FAM panza, barriga.

**bédane** *f* escoplo *m.*

**bédé** *f* FAM comic *m*, historieta.

**bedeau** *m* pertiguero.

**bédéphile** *s* aficionado, a a los cómics.

**bedon** *m* FAM panza *f.*

**bedonnant, e** *a* FAM barrigudo, a.

**bedonner** *vi* FAM echar tripa.

**bédouin, e** *a/s* beduino, a.

**bée** [be] *a* **bouche ~** con la boca abierta; **rester bouche ~** quedar boquiabierto, a.

**béer** *vi* **~ d'étonnement** quedarse boquiabierto, a.

**beffroi** *m* atalaya *f.*

**bégaiement** *m* **1.** tartamudeo **2.** *(des enfants)* balbuceo.

**bégayer*** [begeje] *vi* tartamudear. ◇ *vt* balbucir, farfullar: **~ une excuse** balbucir una excusa.

**bégonia** *m* begonia *f.*

**bègue** *a/s* tartamudo, a.

**bégueule** *a* mojigato, a. ◇ *f* gazmoña, mojigata.

**béguin** *m* **1.** *(de religieuse)* toca **2.** *(de bébé)* gorro **3.** FAM capricho amoroso ◊ **avoir le ~ pour quelqu'un** estar encaprichado con alguien **4.** FAM *(personne)* enamorado, a.

**béguinage** *m* beguinaje, beaterio.

**béguine** *f* beguina.

**bégum** [begəm] *f* begum.

**beige** [bɛʒ] *a/m* beige.
▶ Se pronunce «beis» en espagnol.

**beigne** *f* POP *(gifle)* torta, tortazo *m*; *(coup)* mamporro *m*, guantazo *m*.

**beignet** *m* buñuelo.

**bel** → **beau.**

**bêlement** *m* balido.

**bélemnite** *f (fossile)* belemnita.

**bêler** *vi* balar.

**belette** *f* comadreja.

**belge** *a/s* belga.

**Belgique** *np f* Bélgica: **la ~** Bélgica.

**Belgrade** *np* Belgrado.

**bélier** *m* **1.** morueco **2.** *(machine de guerre)* ariete **3.** **~ hydraulique** ariete hidráulico; **coup de ~** golpe de ariete **4.** ASTR **le Bélier** Aries: **être du Bélier** ser de Aries.

**bélinographe** *m* belinógrafo.

**Belize** *np m* Belice.

**belladone** *f* belladona.

**bellâtre** *f* hombre guapo y presumido.

**belle** → **beau.**

**Belle au bois dormant (la)** *np f* la Bella durmiente del bosque.

**belle-de-jour** *f* dondiego *m* de día.

**belle-de-nuit** *f* dondiego *m* de noche.

**belle-famille** *f* familia política.

**belle-fille** [bɛlfij] *f* **1.** nuera, hija política **2.** *(fille de l'autre conjoint dans un mariage précédent)* hijastra.

**belle-mère** [bɛlmɛʀ] *f* **1.** suegra, madre política **2.** *(seconde femme du père)* madrastra.

**belles-lettres** *f pl* bellas letras, buenas letras.

**belle-sœur** [bɛlsœʀ] *f* **1.** cuñada, hermana política **2.** *(demi-sœur)* hermanastra.

**bellicisme** *m* belicismo.

**belliciste** *a/s* belicista.

**belligérance** *f* beligerancia.

**belligérant, e** *a/s* beligerante.

**belliqueux, euse** *a* belicoso, a.

**belluaire** *m* **1.** HIST beluario **2.** *(dompteur)* beluario, domador de fieras.

**belon** *f* variedad de ostra.

**belote** *f* juego *m* de naipes.

**bélouga, béluga** *m* marsopa *f*.

**belvédère** *m* mirador.

**Belzébuth** [bɛlzebyt] *np m* Belcebú.

**bémol** *a/m* **1.** MUS bemol **2.** FIG **mettre un ~** bajar el tono.

**bémoliser** *vt* MUS abemolar, bemolar.

**ben** [bɛ̃] *adv* FAM bien..., pues...: **~ quoi?** ¿pues qué?

**bénédicité** *m* benedicite.

**bénédictin, e** *a/s* benedictino, a ◊ **travail de ~** labor benedictina, trabajo de chino. ◇ *f (liqueur, nom déposé)* benedictino *m*.

**bénédiction** *f* bendición: **le pape a donné sa ~ à la foule** el Papa ha impartido su bendición a la muchedumbre ◊ FAM **...que c'est une ~** ...que es una bendición (de Dios).

**bénef** *m* FAM beneficio.

**bénéfice** *m* **1.** *(gain)* beneficio **2.** *(avantage)* beneficio, provecho: **tirer ~ de** sacar provecho de **3.** **sous ~ d'inventaire** a beneficio de inventario **4.** *loc prép* **au ~ de** a beneficio de: **tombola au ~ de la Croix-Rouge** rifa a beneficio de la Cruz Roja; **au ~ de l'âge** por tener más edad.

**bénéficiaire** *a/s* **1.** beneficiado, a **2.** **marge ~** margen de beneficio **3.** JUR beneficiario, a.

**bénéficier*** *vi* **~ d'une ristourne** beneficiarse de un descuento; **~ d'une remise de peine** beneficiarse de, obtener un indulto.

**bénéfique** *a* beneficioso, a.

**benêt** [bənɛ] *a/m* FAM bobo, inocente, pánfilo.

**bénévolat** *m* trabajo benévolo, voluntariado.

**bénévole** *a* voluntario, a, benévolo, a: **infirmier ~** enfermero voluntario.

**bénévolement** *adv* desinteresadamente, gustosamente.

**Bengale** *np m* Bengala *f* ◊ **feu de ~** → **feu.**

**bengali** *a/s (du Bengale)* bengalí. ◇ *m (oiseau)* bengalí.

**béni, e** → **bénir.**

**bénignité** *f* benignidad.

**bénin, igne** *a* benigno, a: **tumeur bénigne** tumor benigno.

**Bénin** *np m* Benín.

**béni-oui-oui** *m inv* FAM borrego, persona que dice amén a todo.

**bénir** *vt* bendecir: **le pape a béni les fidèles** el Papa bendijo a los fieles; **je bénis l'homme qui m'a sauvé la vie** bendigo al hombre que me salvó la vida; **Dieu vous bénisse!** ¡Dios le bendiga!; **Dieu soit béni!** ¡loado sea Dios!
▶ *Bénir* tiene dos participios: *bénit, e* (bendito) y *béni, e* (bendecido). Con el auxiliar *avoir*, úsase siempre *béni* (sin *t*), excepto en la forma pasiva: *la médaille a été bénite par...* la medalla fue bendecida por...

**bénit, e** *a* bendito, a: **eau bénite** agua bendita.

**bénitier** *m* pila *f* de agua bendita ◊ FAM **grenouille de ~** → **grenouille.**

**benjamin, e** *s* el más joven, la más joven, el benjamín, la benjamina.

**benjoin** *m* benjuí.

**benne** *f* **1.** *(de mine, etc.)* vagoneta **2.** *(de téléphérique)* cabina **3.** *(de camion)* caja ◊ **camion à ~ basculante** volquete.

**Benoît** *np m* **1.** Benito **2.** *(pape)* Benedicto.

**benoît, e** *a* ANC hipócrita, gazmoño, a.

**benoîtement** *adv* hipócritamente.

**benthos** *m* bentos.

**benzène** [bɛ̃zɛn] *m* benceno.

**benzine** [bɛ̃zin] *f* bencina.

**benzol** [bɛ̃zɔl] *m* benzol.

**Béotie** [beɔsi] *np f* Beocia.

**béotien, enne** *a/s* beocio, a.

**béquée** → **becquée.**

**béquet** → **becquet.**

**béqueter** → **becqueter.**

**béquille** *f* **1.** *(d'infirme)* muleta **2.** *(de moto, etc.)* soporte *m*, caballete *m*.

**ber** *m MAR* basada *f.*

**berbère** *a/s* bereber, berebere, beréber.

**bercail** [bɛʀkaj] *m* **1.** *(bergerie)* redil **2.** *FIG* casa *f,* hogar: **rentrer au ~** volver al hogar.

**berceau** *m* **1.** cuna *f* ◊ **dès le ~** desde el nacimiento, de niño **2. voûte en ~** bóveda de cañón **3.** *(tonnelle)* glorieta *f* **4.** *FIG* **le ~ de la civilisation** la cuna de la civilización **5.** *TECHN (d'un moteur)* soporte.

**bercelonnette** *f* cuna colgante.

**bercement** *m* balanceo.

**bercer*** *vt* **1.** mecer, acunar: **~ un bébé** mecer a un bebé **2.** *(par un chant)* arrullar. ◆ **se ~** *vpr* **1.** mecerse, balancearse **2. se ~ d'illusions** ilusionarse.

**berceuse** *f* **1.** *(chanson)* canción de cuna **2.** *(au Canada, siège)* mecedora.

**Bercy** *np* **1.** ministerio de Hacienda, en París **2.** sala polideportiva parisiense.

**béret** *m* boina *f:* **un ~ basque** una boina.

**Bergame** *np* Bérgamo.

**bergamote** *f* bergamota.

[1]**berge** *f (d'un cours d'eau)* ribera, ribazo *m.*

[2]**berge** *f POP (année d'âge)* año *m,* taco *m.*

[1]**berger, ère** *s* **1.** pastor, a **2. l'étoile du ~** el lucero del alba; **l'heure du ~** la hora propicia para los enamorados **3. le Bon Berger** el Buen Pastor **4. la réponse du ~ à la bergère** una réplica tajante. ◇ *m (chien)* pastor: **un ~ allemand** un pastor alemán.

[2]**bergère** *f (fauteuil)* poltrona.

**bergerie** *f* redil *m,* aprisco *m.*

**bergeronnette** *f* aguzanieves.

**béribéri** *m* beriberi.

**Berlin** *np* Berlín.

**berline** *f* berlina.

**berlingot** *m* **1.** *(bonbon)* caramelo **2.** *(emballage)* bolsita *f,* envase tetraédrico.

**berlinois, e** *a/s* berlinés, esa: **les Berlinois** los berlineses.

**berlue** *f* **avoir la ~** ver visiones.

**berme** *f (chemin)* berma.

**bermuda** *m* bermudas: **un ~ à fleurs** bermudas de flores.

**Bermudes** *np f pl* Bermudas.

**bernache, bernacle** *f* **1.** *(oiseau)* barnacla *m* **2.** *(crustacé)* percebe *m.*

**Bernard** *np m* Bernardo.

**bernardin, e** *s* bernardino, a.

**bernard-l'ermite, bernard-l'hermite** *m* ermitaño.

**Berne** *np* Berna.

**berne (en)** *loc (drapeau)* a media asta.

**berner** *vt (tromper)* burlarse de, poner en ridículo a, engañar.

**bernicle, bernique** *f* lapa.

**bernique!** *interj FAM* ¡narices!, ¡nada de eso!

**bernois, e** *a/s* bernés, esa: **les Bernois** los berneses.

**Berthe** *np f* Berta.

**Bertrand** *np m* Beltrán.

**béryl** *m* beril.

**béryllium** [beʀiljɔm] *m* berilio.

**berzingue (à toute)** *loc adv FAM* a toda leche, a toda pastilla.

**bésef, bézef** [bezɛf] *adv POP* **pas ~** poco.

**bésicles** *f pl* antiparras.

**besogne** *f* tarea, trabajo *m* ◊ **abattre de la ~** trabajar mucho; **aller vite en ~** actuar rápidamente.

**besogner** *vi* afanar, bregar.

**besogneux, euse** *a* menesteroso, a.

**besoin** *m* **1.** necesidad *f:* **éprouver le ~ de...** sentir la necesidad de... **2. avoir ~ de** necesitar: **as-tu ~ de quelque chose?** ¿necesitas algo?; **je n'ai ~ de rien** no necesito nada; **j'ai ~ de ton aide** necesito tu ayuda; **j'ai ~ de toi** te necesito; **j'ai ~ de me reposer** necesito descansar; **la salle de bains à ~ d'être repeinte** hace falta volver a pintar el cuarto de baño; **avoir ~ que** hacerle falta a alguien que: **j'aurais ~ qu'on m'aide** haría falta que me ayudaran **3. être dans le ~** estar necesitado, a **4.** *loc adv* **au ~** si es preciso, en caso de necesidad; **si ~ est** si hay caso. ◇ *pl* **1. faire ses (petits) besoins** hacer sus necesidades **2. pour les besoins de la cause** para las necesidades del caso.

**besson, onne** *s* mellizo, a.

**bestiaire** *m* **1.** *(gladiateur)* bestiario **2.** *(recueil)* recopilación *f* de fábulas o historias de animales.

**bestial, e** *a* bestial.

**bestialité** *f* bestialidad.

**bestiaux** *m pl* ganado *sing,* reses *f.*

**bestiole** *f* bicho *m,* bichito *m.*

**best-seller** [bɛstsɛlœʀ] *m* best seller.

[1]**bêta** *m* beta: **rayons ~** rayos beta.

[2]**bêta, asse** *a/s* bobo, a, tontuelo, a: **gros ~!** ¡qué bobo!

**bêtabloquant** *a/m MÉD* betabloqueante.

**bétail** [betaj] *m* ganado: **gros ~** ganado mayor; **menu ~** ganado menor; **tête de ~** cabeza de ganado ◊ **traiter les gens comme du ~** tratar a la gente sin miramientos.

**bétaillère** *f* vehículo *m* para el transporte del ganado.

**bêtatron** *m PHYS* betatrón.

**bête** *f* **1.** animal *m,* bestia: **~ de somme** bestia de carga; **~ de trait** animal de tiro; **bêtes féroces** animales feroces **2.** *(petite)* bicho *m* ◊ **~ à bon Dieu** mariquita; *FIG* **chercher la petite ~** ser chinche; **ce surveillant est la ~ noire de tout l'atelier** este vigilante es la bestia negra de todo el taller; **ma ~ noire** mi pesadilla; **regarder quelqu'un comme une ~ curieuse** mirar a alguien como a bicho raro; *PROV* **morte la ~, mort le venin** muerto el perro se acabó la rabia **3.** *(sot)* tonto, a: **faire la ~** hacerse el tonto **4.** *FAM* **grosse ~!** ¡tontuelo! ◇ *a* **1.** tonto, a, estúpido, a, bobo, a: **que tu es ~!** ¡qué tonto eres!; **il est ~ comme ses pieds** es un tonto de capirote; **suis-je ~!** ¡qué tonto soy!; **il est loin d'être ~** no es ningún tonto ◊ **l'âge ~** la edad del pavo, la adolescencia **2. ce n'est pas ~** no es mala idea; **ce travail est ~ comme chou** este trabajo es facilísimo **3.** *(dommage)* **que c'est ~!** ¡qué lástima!; **c'est ~ que vous ne soyez pas venu** es una lástima que usted no haya venido.

**bétel** *m* betel.

**bêtement** *adv* tontamente, bobamente.

**Bethléem** [bɛtleɛm] *np* Belén.

**bêtifier** *vi* hacer, decir niñerías, bobear.

**Bétique** *np f* Bética.

**bêtise** *f* **1.** *(défaut d'intelligence)* tontería **2.** *(action, parole)* tontería, bobada, necedad, sandez: **il ne dit que des bêtises** no dice más que tonterías **3. se fâcher pour une ~** enfadarse por una tontería, por nada.

**bêtisier** *m* repertorio de sandeces.

**béton** *m* **1.** hormigón: **~ armé** hormigón armado **2.** *(football)* **faire le ~** hacer el cerrojo **3.** *FIG* **un argument en ~** un argumento muy sólido.

**bétonner** *vt* construir, recubrir con hormigón. ◇ *vi (football)* hacer el cerrojo.

**bétonnière, bétonneuse** *f* hormigonera.

**bette, blette** *f* acelga.

**betterave** *f* remolacha: **~ fourragère** remolacha; **~ sucrière** remolacha azucarera; **~ rouge** remolacha.

**betteravier, ère** *a/s* remolachero, a.

**beuglement** *m* **1.** *(bovins)* mugido **2.** FAM berrido.

**beuglante** *f* POP **1.** canción **2.** *(cri)* grito *m.*

**beugler** *vi* **1.** *(bovins)* mugir **2.** FAM *(crier)* berrear.

**beur** *s* joven magrebí nacido en Francia de padres emigrados.
▶ Femenino: *beure, beurette.*

**beurre** *m* **1.** mantequilla *f:* **du ~ salé** mantequilla salada; **raie au ~ noir** raya a la mantequilla negra ◊ **avoir un œil au ~ noir** tener un ojo a la funerala; **faire son ~** hacer su agosto, forrarse; **mettre du ~ dans les épinards** mejorar la situación; FAM **il compte pour du ~** no le hacen caso; **avoir le ~ et l'argent du ~** sacar ventaja de todo **2. ~ de cacao** manteca *f* de cacao **3.** pasta *f,* crema *f:* **~ d'anchois** pasta de anchoa.

**beurré, e** → **beurrer.** ◇ *m (poire)* variedad de pera *f.*

**beurrée** *f* tostada de pan con mantequilla.

**beurrer** *vt* untar con mantequilla: **pain beurré** pan con mantequilla. ◆ **se ~** *vpr* POP emborracharse ◊ **être beurré** estar hecho una cuba.

**beurrier, ère** *a* mantequero, a. ◇ *m (récipient)* mantequera *f.*

**beuverie** *f* borrachera.

**bévue** *f* pifia, desacierto *m* ◊ **commettre une ~** meter la pata, tirarse una plancha.

**bey** [bɛ] *m* bey.

**Beyrouth** *np* Beirut.

**bézef** → **bésef.**

**biais** [bjɛ] *m* **1.** bies, sesgo: **tailler un tissu dans le ~** cortar una tela al bies ◊ **de ~, en ~** oblicuamente, al sesgo **2.** FIG aspecto, lado: **je ne sais par quel ~ aborder cette question** no sé por qué lado abordar esta cuestión **3.** FIG *(détour)* rodeo, pretexto ◊ **par le ~ de** a través de.

**biaiser** *vi* **1.** oblicuar **2.** FIG andar con rodeos.

**bibelot** [biblo] *m* bibelot.

**biberon** *m* biberón: **nourrir un enfant au ~** criar a un niño con biberón ◊ FIG **être encore au ~** ser todavía un bebé, ser muy niño.

**biberonner** *vi* FAM pimplar.

**bibi** *m* FAM *(chapeau)* sombrerito de señora. ◇ *pron* POP *(moi)* mi menda: **c'est à ~** es de mi menda.

**bibine** *f* FAM bebistrajo *m.*

**Bible** *np* Biblia ◊ **papier ~** papel biblia.

**bibliobus** *m* biblioteca *f* ambulante, bibliobús.

**bibliographe** *s* bibliógrafo, a.

**bibliographie** *f* bibliografía.

**bibliographique** *a* bibliográfico, a.

**bibliophile** *s* bibliófilo, a.

**bibliophilie** *f* bibliofilia.

**bibliothécaire** *s* bibliotecario, a.

**bibliothèque** *f* biblioteca.

**biblique** *a* bíblico, a.

**bic** *m (nom déposé)* boli, bic.

**bicaméralisme, bicamérisme** *m* bicameralismo.

**bicarbonate** *m* bicarbonato.

**bicentenaire** *m* bicentenario.

**bicéphale** *a* bicéfalo, a.

**biceps** [bisɛps] *m* bíceps ◊ **avoir des ~** tener buenos bíceps.

**biche** *f* **1.** cierva **2.** FAM **ma ~** querida, mona.

**bicher** *vi* **1.** FAM ir bien, marchar: **ça biche** esto marcha; **ça biche?** ¿van bien las cosas? **2.** POP *(se réjouir)* alegrarse.

**bichette** *f* cervatilla.

**bichon, onne** *s* perrito, a de lanas.

**bichonner** *vt* **1.** emperejilar, componer **2. il bichonne sa moto** acicala su moto. ◆ **se ~** *vpr* emperejilarse, componerse.

**bicolore** *a* bicolor.

**biconcave** *a* bicóncavo, a.

**biconvexe** *a* biconvexo, a.

**bicoque** *f* FAM casita, casucha.

**bicorne** *m* bicornio.

**bicross** *m* bicicleta *f* de montaña.

**bicyclette** *f* bicicleta: **aller à ~** ir en bicicleta.

**bidasse** *m* FAM soldado, quinto, guripa.

**Bidassoa** *np f* Bidasoa *m.*

**bide** *m* **1.** POP *(ventre)* panza *f,* barriga *f* **2.** FAM *(échec)* fracaso: **un ~ complet** un fracaso completo ◊ **faire un ~** fracasar.

**bidet** *m* **1.** *(cheval)* jaca *f* **2.** *(cuvette)* bidé, bidet.

**bidoche** *f* POP carne.

**bidon** *m* **1.** bidón, lata *f* **2.** *(de soldat)* cantimplora *f* **3.** POP *(ventre)* panza *f,* barriga *f* **4.** FAM **c'est du ~** es un camelo; **ce n'est pas du ~** es cierto. ◇ *a* FAM **un attentat ~** un atentado simulado; **une affaire ~** un negocio ficticio.

**bidonnant, e** *a* FAM mondante.

**bidonner (se)** *vpr* FAM troncharse de risa, mondarse de risa.

**bidonville** *m* barrio de chabolas.

**bidouiller** *vt* FAM arreglar chapuceramente, chapucear.

**bidouilleur, euse** *s* FAM chapucero, a.

**bidule** *m* FAM chisme, trasto.

**bief** *m* **1.** *(de canal)* tramo **2.** *(de moulin)* saetín, caz.

**bielle** *f* biela: **couler une ~** fundir una biela.

**Biélorussie** *np f* Bielorrusia.

**bien** *adv* **1.** bien: **elle chante ~** canta bien; **nous avons ~ mangé** hemos comido bien; **on est ~ ici** se está bien aquí; **je me porte ~** estoy bien de salud; **tu as ~ fait de t'en aller** has hecho bien en marcharte; **tu aurais ~ pu me prévenir** bien podías haberme avisado ◊ **tant ~ que mal** mal que bien **2.** *(très)* muy: **~ content** muy contento; **c'est ~ de lui** es muy de él **3.** *(beaucoup)* mucho: **~ mieux** mucho mejor; **~ plus** mucho más **4.** ya: **nous verrons ~** ya veremos **5.** *(avec un numéral)* **il y a ~ dix ans de cela** hace por lo menos diez años **6. ~ de, du, des** mucho, a, os, as: **~ des gens** mucha gente; **~ de la chance** mucha suerte; **~ des années après** muchos años después **7.** *loc conj* **~ que** aunque, a pesar de que *(+ indicatif):* **~ qu'il soit malade...** aunque está enfermo...; **si ~ que** de tal modo que. ◇ *interj* ¡bien!, ¡bueno!; **eh ~!** ¡bueno!; **eh ~, peut-être** pues, quizá. ◇ *a* **1.** bien ◊ FAM **des gens ~** gente bien; **c'est une fille ~** es una chica bien **2. elle est ~ de sa personne** es muy guapa **3. nous voilà ~!** ¡estamos apañados! **4.** *(à l'aise)* a gusto, cómodo, a: **je me sens ~ ici** me siento a gusto aquí; **être ~ avec quelqu'un** llevarse bien con alguien. ◇ *m* **1.** bien: **faire le ~** hacer el bien; **dire du ~ de...** hablar bien de...; **c'est pour ton ~** es por tu bien; **pour le ~ des hommes** en bien de los hombres; **le grand air vous fera du ~** el aire puro le sentará bien; **vouloir du ~ à quelqu'un** desearle bien a alguien ◊ **changer en ~** mejorar; FAM **en tout ~ tout honneur** con buen fin; **grand ~ vous fasse!** ¡no importa!; **grand ~ lui fasse!** ¡con su pan se lo coma! **2. être ~ avec quelqu'un** estar en buenos términos, estar a bien con alguien **3.** *(fortune)* **avoir du ~** tener fortuna; PROV **~ mal acquis ne profite jamais**

bien mal adquirido a nadie ha enriquecido **4.** bien: **le ~ public** el bien público; **biens meubles et immeubles** bienes muebles e inmuebles; **biens d'équipement** bienes de equipo ◊ **marchand de biens** agente inmobiliario.

**bien-aimé, e** [bjẽneme] *a/s* amado, a.

**bien-être** [bjẽnɛtʀ] *m* bienestar.

**bienfaisance** [bjẽfəzɑ̃s] *f* beneficencia ◊ **gala de ~** gala benéfica.

**bienfaisant, e** [bjẽfəzɑ̃, ɑ̃t] *a* benéfico, a.

**bienfait** *m* **1.** beneficio, favor: **combler de bienfaits** colmar de favores **2.** *(avantage)* ventaja *f.*

**bienfaiteur, trice** *s* bienhechor, a, benefactor, a.

**bien-fondé** *m* **le ~ de** lo bien fundado de.

**biens-fonds** [bjẽfɔ̃] *m pl* bienes raíces.

**bienheureux, euse** [bjẽnœʀø, øz] *a/s* **1.** RELIG bienaventurado, a, beato, a **2.** bendito, a: **la bienheureuse Vierge Marie** la bendita Virgen María; **dormir comme un ~** dormir como un bendito. ◇ *a* dichoso, a, feliz.

**biennal, e** *a* bienal, bisanual. ◇ *f* bienal.

**bien-pensant, e** *a/s* bienpensante.

**bienséance** *f* **1.** decoro *m*, decencia **2. les bienséances** las conveniencias.

**bienséant, e** *a* decoroso, a, decente, conveniente.

**bientôt** *adv* **1.** pronto, dentro de poco: **je reviendrai ~** volveré dentro de poco; **à ~!** ¡hasta pronto! **2. cela est ~ dit!** ¡esto está dicho pronto!

**bienveillance** *f* benevolencia.

**bienveillant, e** *a* benévolo, a, indulgente, benigno, a.

**bienvenu, e** *a/s* bienvenido, a: **soyez le ~** sea usted bienvenido. ◇ *f* bienvenida: **souhaiter la bienvenue** dar la bienvenida.

**¹bière** *f* **1.** cerveza: **~ blonde, brune, sans alcool** cerveza rubia, negra, sin alcohol; **~ à la pression** cerveza de barril **2.** FAM **ce n'est pas de la petite ~!** ¡no es moco de pavo!

**²bière** *f (cercueil)* ataúd *m*, féretro *m.*

**biffe** *f* POP infantería.

**biffer** *vt* tachar, borrar.

**biffeton** *m* FAM billete (de banco).

**biffin** *m* POP soldado de infantería.

**bifteck** *m* **1.** bistec, bisté: **~ saignant** bistec poco hecho **2.** FIG **gagner son ~** ganarse los garbanzos, ganarse la vida.
▶ En Amérique latine bifteck se dit *bife.*

**bifurcation** *f* bifurcación.

**bifurquer** *vi* **1.** bifurcarse: **ici, la route bifurque** aquí, la carretera se bifurca **2.** FIG **~ vers** orientarse hacia.

**bigame** *a/s* bígamo, a.

**bigamie** *f* bigamia.

**bigarré, e** *a* abigarrado, a.

**bigarreau** *m* cereza *f* gordal.

**bigarrer** *vt* abigarrar.

**bigarrure** *f* abigarramiento *m.*

**bigle** *a/s* FAM bizco, a.

**bigler** *vi* FAM bizquear. ◇ *vt* FAM mirar con el rabillo del ojo.

**bigleux, euse** *a/s* FAM **1.** *(qui louche)* bizco, a **2.** *(myope)* miope, corto, a de vista.

**bigophone** *m* FAM teléfono.

**bigorne** *f (petite enclume)* bigornia.

**bigorneau** *m* bígaro.

**bigorner** *vt* POP estropear. ◆ **se ~** *vpr* POP pelearse, pegarse.

**bigot, e** *a/s* santurrón, ona, beato, a.

**bigoterie** *f* santurronería, beatería.

**bigoudi** *m* bigudí, torcido: **en bigoudis** con bigudíes.

**bigre!** *interj* FAM ¡caramba!, ¡demonio!

**bigrement** *adv* FAM extremadamente, atrozmente.

**bihebdomadaire** *a* bisemanal.

**bijou** *m* **1.** joya *f*, alhaja *f*: **bijoux en or** joyas de oro **2.** *(chef-d'œuvre)* joya *f*, alhaja *f*: **cette voiture est un ~** este coche es una joya.

**bijouterie** *f* joyería.
▶ Le mot *bisutería* s'applique aux bijoux de fantaisie.

**bijoutier, ère** *s* joyero, a.

**bikini** *m (nom déposé)* biquini, bikini.

**bilan** *m* **1.** balance ◊ **déposer son ~** declararse en quiebra; **dépôt de ~** declaración *f* en quiebra **2. faire le ~ de la situation** hacer el balance de la situación **3. ~ de santé** chequeo.

**bilatéral, e** *a* bilateral.

**bilboquet** *m* boliche.

**bile** *f* **1.** bilis **2.** FAM **échauffer la ~ de quelqu'un** sulfurar a alguien; **se faire de la ~** apurarse, hacerse mala sangre.

**biler (se)** *vpr* FAM apurarse, hacerse mala sangre.

**bileux, euse** *a* FAM **il n'est pas ~** no se apura, no es angustioso.

**biliaire** *a* biliar: **vésicule ~** vesícula biliar.

**bilieux, euse** *a* **1.** bilioso, a **2.** FIG bilioso, a.

**bilingue** *a* bilingüe.

**bilinguisme** *m* bilingüismo.

**billard** *m* **1.** *(jeu)* billar ◊ **~ américain** billar americano; **~ électrique** flipper **2.** *(table)* mesa *f* de billar, billar **3.** FAM mesa *f* de operaciones: **passer sur le ~** sufrir una operación quirúrgica, pasar por el quirófano **4.** FAM **c'est du ~!** ¡es pan comido!

**bille** *f* **1.** *(jeu d'enfant)* canica: **jouer aux billes** jugar a las canicas; **~ en verre** canica de cristal **2.** *(de billard)* bola **3. roulement à billes** rodamiento a bolas; **stylo à ~** bolígrafo; **un stylo ~** un boli **4.** FAM *(visage)* cara *f*: **une bonne ~** una cara simpática **5.** *(pièce de bois)* madero *m.*

**billet** *m* **1.** billete: **~ d'aller et retour** billete de ida y vuelta; **~ d'avion, de loterie** billete de avión, de lotería; **~ de banque** billete de banco; **faux ~** billete falso **2.** *(pour un spectacle)* billete, entrada *f*: **j'ai pris deux billets pour le concert de demain** he sacado dos entradas para el concierto de mañana ◊ **~ de faveur** pase de favor **3.** *(lettre)* cartita *f*: **~ doux** cartita de amor **4.** FAM **je vous en donne mon ~** se lo aseguro **5.** COM **~ à ordre** pagaré; **~ au porteur** efecto al portador **6.** MIL **~ de logement** boleta *f* de alojamiento.
▶ En Amérique latine, un billet d'avion, etc.: *un pasaje.*

**billetterie** *f* cajero *m* automático.

**billevesées** [bɪjvəze] *f pl* pamplinas, simplezas.

**billion** *m* billón.

**¹billon** *m (monnaie)* vellón.

**²billon** *m* AGR caballón, camellón.

**billot** *m* **1.** *(de boucher, de bourreau)* tajo **2.** *(de cordonnier)* banquillo.

**bimane** *a/s* bimano, a.

**bimbeloterie** *f* **1.** comercio *m* de baratijas **2.** *(articles)* baratijas *pl.*

**bimensuel, elle** *a* bimensual.

**bimestriel, elle** *a* bimestral.

**bimétallisme** *m* bimetalismo.

**bimoteur** *a/m* bimotor.

**binage** *m AGR* bina *f.*

**binaire** *a* binario, a.

**biner** *vt AGR* binar.

**binette** *f* **1.** *AGR* azadilla **2.** *FAM (visage)* cara.

**bineuse** *f AGR* máquina binadora.

**bing!** *interj* ¡crak!

**bingo** *m* bingo.

**biniou** *m* gaita *f* bretona.

**binoclard, e** *s FAM* cuatrojos.

**binocle** *m* binóculo, quevedos *pl.* ◇ *pl FAM (lunettes)* gafas *f.*

**binoculaire** *a* binocular.

**binôme** *m* binomio.

**biochimie** *f* bioquímica.

**biochimiste** *s* bioquímico, a.

**biodégradable** *a* biodegradable.

**biodiversité** *f* biodiversidad.

**bioéthique** *f* bioética.

**biogenèse** *f* biogénesis.

**biographe** *m* biógrafo.

**biographie** *f* biografía.

**biographique** *a* biográfico, a.

**biologie** *f* biología.

**biologique** *a* biológico, a.

**biologiste** *s* biólogo, a.

**biomasse** *f* biomasa.

**bionique** *f* biónica.

**biophysique** *f* biofísica.

**biopsie** *f MÉD* biopsia.

**biorythme** *m* biorritmo.

**biosphère** *f* biosfera.

**biotechnologie** *f* biotecnología.

**bioxyde** *m CHIM* bióxido.

**bipartite** *a* bipartito, a.

**bipède** *a/s* bípedo, a.

**biphasé, e** *a ÉLECT* bifásico, a.

**biplace** *a* de dos plazas, biplaza.

**biplan** *m* biplano.

**bipolaire** *a* bipolar.

**bipolarisation** *m* bipolarización.

**bique** *f* **1.** *FAM* cabra **2.** *PÉJOR* **une grande ~** una espingarda; **une vieille ~** una vieja.

**biquet, ette** *s FAM* cabrito, a.

**birbe** *m FAM* **un vieux ~** un vejancón, un viejo.

**biréacteur** *a/m* birreactor.

**birman, e** *a/s* birmano, a.

**Birmanie** *np f* Birmania.

[1]**bis, bise** [bi, biz] *a* bazo, a, moreno, a: **pain ~** pan moreno.

[2]**bis** [bis] *adv* bis: **6 ~, rue...** calle... n.° 6 bis. ◇ *interj* ¡otra!, ¡otra!

**bisaïeul, e** [bizajœl] *s* bisabuelo, a.

**bisannuel, elle** *a* **1.** bienal **2.** *BOT* bisanuo, a.

**bisbille** *f FAM* pelotera, pique *m.*

**biscaïen, enne** [biskajɛ̃, ɛn] *a/s* vizcaíno, a.

**Biscaye** [biskaj] *np f* Vizcaya.

**biscornu, e** *a* **1.** irregular **2.** *FIG* extravagante, estrambótico, a.

**biscoteau** *m FAM* bíceps: **des gros biscoteaux** buenos bíceps.

**biscotte** *f* tostada, biscote *m.*

**biscuit** *m* **1.** *(gâteau sec)* galleta *f:* **~ à la cuiller** galleta de champaña **2.** bizcocho: **~ de Savoie** bizcocho **3.** *(porcelaine)* bizcocho, biscuit: **un ~ de Saxe** un biscuit de Sajonia.

**biscuiterie** *f* fábrica de galletas.

[1]**bise** *f (vent)* cierzo *m.*

[2]**bise** *f FAM (baiser)* besito *m*, beso *m:* **une grosse ~** un beso muy fuerte; **faire la ~** dar un besito.

**biseau** *m* bisel ◊ **en ~** biselado, a.

**biseauter** *vt* **1.** biselar: **glace biseautée** espejo biselado **2.** *(carte à jouer)* marcar.

**biser** *vt FAM* besar.

**biset** *m* paloma *f* bravía.

**bisexualité** *f* bisexualidad.

**bisexué, e** *a* bisexual, hermafrodita.

**bisexuel, elle** *a/s* bisexual.

**bismuth** [bismyt] *m* bismuto.

**bison** *m* bisonte.

▶ *Bison fûté*: nombre dado a un organismo que informa a los conductores sobre el estado de carreteras, la circulación y rutas alternativas.

**bisou** *m FAM* besito.

**bisque** *f* sopa de cangrejos.

**bisquer** *vi FAM* rabiar, fastidiarse: **bisque, bisque, rage!** ¡rabia!, ¡rabia!, ¡fastídiate!; **faire ~ quelqu'un** fastidiar a alguien.

**bissectrice** *f* bisectriz.

**bisser** *vt* **1.** *(un morceau de musique, une chanson)* bisar **2.** hacer repetir: **~ un chanteur** hacer repetir a un cantante.

**bissextile** *a* **année ~** año bisiesto.

**bistouri** *m* bisturí.

**bistre** *m* bistre.

**bistré, e** *a* moreno, a, de color humo.

**bistro(t)** *m FAM* tasca *f*, taberna *f*, cafetucho.

**bit** *m INFORM* bit.

**bite, bitte** *f POP (pénis)* polla.

**bitos** [bitos] *m FAM* sombrero.

**bitte** *f* **1.** *MAR* bita, noray *m* **2.** → **bite.**

**bitter** [bitɛʀ] *m (bebida)* bíter.

**bitture** *f POP* **1. prendre une ~** coger una mona, una curda **2. à toute ~** a toda mecha, volando.

**bitumage** *m* asfaltado.

**bitume** *m* asfalto.

**bitumer** *vt* asfaltar.

**bitumeux, euse, bitumineux, euse** *a* bituminoso, a.

**biture → bitture.**

**bivalent, e** *a* bivalente.

**bivalve** *a* bivalvo, a.

**bivouac** *m* vivaque.

**bivouaquer** *vi* vivaquear.

**bizarre** *a* raro, a, extraño, a: **comme c'est ~!** ¡qué raro!; **il est un peu ~** es rarito.

**bizarrerie** *f* rareza, singularidad.

**bizarroïde** *a FAM* raro, a.

**bizness → business.**

**bizut, bizuth** [bizy] *m FAM* novato.

**bizutage** *m FAM* novatada *f.*

**blablabla** *m FAM* parlería *f,* blablá.

**blackboulage** *m* derrota *f* (electoral).

**blackbouler** *vt* **1.** derrotar, rechazar **2.** *(dans un examen)* calabacear.

**black-out** [blakawt] *m* oscurecimiento total de una ciudad contra la aviación enemiga.

**blafard, e** *a* descolorido, a, pálido, a.

**blague** *f* **1. ~ à tabac** petaca **2.** *FAM (mensonge)* bola, mentira, embuste *m:* **raconter des blagues** meter bolas **3.** *(plaisanterie)* broma, chanza: **faire une ~ à quelqu'un** gastar una broma a alguien; **une sale ~** una broma pesada, un bromazo ◊ **~ à part!** ¡broma aparte!; **sans ~!** ¡en serio!

**blaguer** *vi FAM* bromear: **je ne blague pas** yo no bromeo. ◇ *vt* burlarse de, pinchar.

**blagueur, euse** *a/s* bromista, guasón, ona.

**blair** *m POP* napias *f pl.*

**blaireau** *m* **1.** *(animal)* tejón **2.** *(brosse)* brocha *f* de afeitar.

**blairer** *vt POP* aguantar, sufrir, tragar: **je ne peux pas le ~** no lo puedo tragar, le tengo entre cejas y cejas.

**Blaise** *np m* Blas.

**blâmable** *a* reprochable, censurable.

**blâme** *m* reprobación *f,* censura *f.*

**blâmer** *vt* reprobar, censurar.

**blanc, blanche** *a* **1.** blanco, a: **arme, race blanche** arma, raza blanca; **sauce blanche** salsa blanca; **vin ~** vino blanco; **il est devenu ~ comme un linge** se puso blanco como el papel **2.** *(cheveux)* blanco, a, cano, a: **cheveux blancs** canas *f pl* **3. voix blanche** voz sin timbre **4. passer une nuit blanche** pasar la noche en blanco **5. mariage ~** matrimonio no consumido. ◇ *s* blanco, a: **les Blancs** los blancos; **la traite des Blanches** la trata de Blancas. ◇ *m* **1.** blanco: **peindre en ~** pintar de blanco; **~ d'Espagne, de zinc** blanco de España, de cinc; **~ cassé** blanco roto **2. une ligne en ~** una línea en blanco; **chèque en ~** cheque en blanco **3.** *(de poulet)* pechuga *f* **4.** *(d'œuf)* clara *f:* **battre les blancs en neige** batir las claras a punto de nieve **5. le ~ de l'œil** el blanco del ojo; **regarder quelqu'un dans le ~ des yeux** clavar los ojos en alguien **6.** *(linge)* lencería *f:* **exposition de ~** exposición de lencería **7. chauffer à ~** calentar al rojo blanco; **saigner à ~** desangrar; **tirer à ~** disparar sin bala. ◇ *f* **1.** *MUS* blanca **2.** *FAM (héroïne)* caballo *m.*

**blanc-bec** *m* mocoso.

**blanchâtre** *a* blanquecino, a.

**blanche → blanc.**

**Blanche** *np f* Blanca.

**Blanche-Neige** *np f* Blancanieves.

**blancheur** *f* blancura.

**blanchiment** *m (tissus, papier)* blanqueo.

**blanchir** *vt* **1.** blanquear **2.** lavar: **~ le linge** lavar la ropa **3.** *(en cuisine)* sancochar **4.** *FIG (innocenter quelqu'un)* disculpar **5. ~ de l'argent** blanquear dinero. ◇ *vi* encanecer, echar canas: **ses cheveux blanchissent** sus cabellos encanecen; **elle commence à ~** empieza a echar canas. ◆ **se ~** *vpr FIG* exculparse.

**blanchissage** *m* lavado de ropa.

**blanchissement** *m* blanqueo: **le ~ de l'argent de la drogue** el blanqueo del dinero de la droga.

**blanchisserie** *f* lavadero *m* de ropa, lavandería.

**blanchisseur, euse** *s* lavandero, a.

**blanc-manger** *m CULIN* manjar blanco.

**blanc-seing** [blɑ̃sɛ̃] *m* firma *f* en blanco.

**blanquette** *f* **1.** *CULIN* estofado *m* de carne blanca con salsa de yema: **~ de veau** estofado de ternera **2.** *(vin)* vino *m* blanco espumoso.

**blasé, e** *a* de vuelta de todo, hastiado, a, de todo: **il est ~** está de vuelta de todo.

**blaser** *vt* hastiar.

**blason** *m* blasón ◊ *FIG* **redorer son ~** volver a ocupar su rango; casarse con una rica heredera (para dar mayor lustre a sus títulos de nobleza).

**blasphémateur, trice** *s* blasfemo, a, blasfemador, a.

**blasphématoire** *a* blasfematorio, a, blasfemo, a.

**blasphème** *m* blasfemia *f.*

**blasphémer*** *vt* blasfemar.

**blastoderme** *m BIOL* blastodermo.

**blastomère** *m BIOL* blastómero.

**blatérer** *vi* balar, berrear.

**blatte** *f* cucaracha, blata.

**blazer** [blazɛʀ] *m* blazer.

**blé** *m* **1.** trigo ◊ **un champ de ~** un trigal; *FIG* **manger son ~ en herbe** comerse la renta antes de cobrarla **2. ~ noir** alforfón **3.** *POP (argent)* parné, pasta *f.*

**bled** [blɛd] *m FAM* **1.** *(village)* poblacho **2. en plein ~** en pleno campo.

**blême** *a* muy pálido, a, lívido, a: **~ de colère** lívido de rabia.

**blêmir** *vi* palidecer, ponerse lívido, a.

**blêmissement** *m* palidez *f.*

**blennorragie** *f* blenorragia.

**blennorrhée** *f* blenorrea.

**blépharite** *f* blefaritis.

**blèsement** *m* seseo.

**bléser*** *vi* sesear, cecear.

**blessant, e** *a* ofensivo, a, mortificante.

**blessé, e** *a/s* herido, a: **grièvement ~** herido de gravedad; **~ par balle** herido de bala; **un mort et deux blessés graves** un muerto y dos heridos graves.

**blesser** *vt* **1.** herir: **la pierre le blessa au front** la piedra lo hirió en la frente **2.** hacer daño, lastimar: **ces chaussures neuves me blessent** estos zapatos nuevos me hacen daño **3.** *FIG* ofender, agraviar, herir, escocer: **un mot qui blesse** una palabra que ofende; **~ l'amour-propre** herir el amor propio; **parfois la vérité blesse** a veces la verdad escuece, amarga. ◆ **se ~** *vpr* **1.** herirse, lastimarse: **il s'est blessé en sautant** se ha lastimado saltando **2.** *(un sportif)* lesionarse: **l'avant-centre s'est blessé au genou** el delantero centro se ha lesionado en la rodilla.

**blessure** *f* **1.** herida **2.** *(d'un sportif)* lesión **3.** *FIG* herida, agravio *m,* ofensa: **une ~ d'amour-propre** una herida de amor propio.

**blet, ette** *a* pasado, a.

**blette → bette.**

**blettir** *vi* pasarse.

**bleu, e** *a* **1.** azul: **yeux bleus** ojos azules; **zone bleue** zona azul **2. bifteck ~** bistec poco hecho **3. colère bleue** rabia; **une peur bleue** un miedo horrible, un miedo cerval. ◇ *m* **1.** *(couleur)* azul: **peindre en ~** pintar de azul; **~ ciel, marine, outremer, de Prusse** azul celeste, marino, de ultramar, de Prusia ◊ *FIG* **n'y voir que du ~** no entender nada **2.** *(de lessive)* añil, azulete **3.** *(ecchymose)* moretón, cardenal: **le corps couvert de bleus** el cuerpo lleno de cardenales **4.** *(vêtement)* mono: **un ~ de mécanicien** un mono de mecánico **5.** *FAM (nouvelle recrue)* quinto, bisoño **6.** *(nouvel élève)* novato **7.** *(fromage)* queso azul (con moho interno de color azul) **8.** *ANC* telegrama.

**bleuâtre** *a* azulado, a.

**bleuet, bluet** *m* aciano.

**bleuir** *vt* azular. ◇ *vi* volverse azul.

**bleusaille** *f FAM* **la ~** los reclutas, los quintos.

**bleuté, e** *a* azulado, a.

**blindage** *m* blindaje.

**blinde (à toute)** *loc adv* a toda pastilla.

**blindé, e** *a* **1.** blindado, a: **voiture blindée** coche blindado; **division blindée** división blindada **2.** *FIG* **je suis ~** estoy curado de espanto. ◇ *m MIL* vehículo blindado.

**blinder** *vt* **1.** blindar **2.** *FIG* curtir. ◆ **se ~** *vpr FIG* curtirse.

**blizzard** [blizaR] *m* ventisca *f*.

**bloc** [blɔk] *m* **1.** bloque: **un ~ de marbre, d'immeubles** un bloque de mármol, de viviendas **2.** *(de feuillets)* taco, bloc **3.** coalición *f*, agrupación *f* de partidos ◊ **~ monétaire** bloque monetario; **faire ~** formar una piña, unirse; **en ~** en conjunto, en bloque **4. ~ moteur** bloque del motor **5. ~ opératoire** quirófano **6.** *FAM (prison)* **conduire au ~** meter en chirona **7.** *loc adv* **à ~** al máximo, lo más posible.

**blocage** *m* **1.** bloqueo **2.** *FIG (des prix, etc.)* congelación *f*: **le ~ des salaires** congelación de salarios, la congelación salarial **3.** *(en psychologie)* bloqueo.

**bloc-diagramme** *m* bloque diagrama.

**blockhaus** [blɔkos] *m* blocao.

**bloc-moteur → bloc.**

**bloc-notes** *m* bloc, bloque de notas.

**blocus** [blɔkys] *m* bloqueo.

**blond, e** *a/s* rubio, a: **elle a les cheveux blonds** tiene el pelo rubio; **~ cendré, platiné** rubio ceniza, platino; **une fausse blonde** una rubia teñida; **«les Hommes préfèrent les blondes»** *(Hawks)* Los caballeros las prefieren rubias; *FAM* **les têtes blondes** los niños; **tabac ~** tabaco rubio.

**blondasse** *a* rubiajo, a.

**blondeur** *f* color *m* rubio.

**blondinet, ette** *a/s* rubito, a: **une blondinette** una rubita.

**blondir** *vi* volverse rubio, a.

**bloquer** *vt* **1.** reunir **2.** *(immobiliser, obstruer)* bloquear: **les manifestants bloquent la route** los manifestantes bloquean la carretera **3.** *(football)* bloquear, blocar: **~ le ballon** blocar el balón **4.** *COM* **~ le crédit** bloquear el crédito; **~ les prix, les salaires** congelar los precios, los salarios. ◆ **se ~** *vpr (se coincer)* agarrotarse, bloquearse: **l'engrenage s'est bloqué** el engranaje se ha bloqueado.

**blottir (se)** *vpr* **1.** acurrucarse, agazaparse **2. se ~ dans les bras de...** refugiarse en los brazos de...

**blousant, e** *a (vêtement)* ablusado, a.

**blouse** *f* **1.** *(d'infirmière, de médecin)* bata: **~ blanche** bata blanca **2.** *(d'écolier)* guardapolvo *m* **3.** *(chemisier)* blusa **4.** *(de billard)* tronera.

**¹blouser** *vt FAM (tromper)* engañar.

**²blouser** *vi (vêtement)* caer ablusado, a.

**blouson** *m* **1.** cazadora *f*: **un ~ en cuir** una cazadora de cuero **2. ~ noir** gamberro, chorizo.

**blue-jean** [bludʒin] *m* pantalón vaquero, tejano: **des blue-jeans** pantalones vaqueros, tejanos.

**blues** [bluz] *m* **1.** *MUS* blues **2.** *FAM (mélancolie)* esplín.

**bluet → bleuet.**

**bluff** [blœf] *m* **1.** bluff, farol, infundio: **c'est du ~** es un farol **2.** *(au jeu de cartes)* farol.

**bluffer** *vi* farolear.

**bluffeur, euse** *a/s* fanfarrón, ona.

**blutage** *m* cernido.

**bluter** *vt* cerner.

**blutoir** *m* cedazo, tamiz.

**boa** *m* **1.** *(serpent)* boa *f* **2.** *(écharpe)* boa.

**¹bob** *m* gorro de tela.

**²bob → bobsleigh.**

**bobard** *m* bulo.

**bobèche** *f* arandela.

**bobinage** *m* bobinado.

**bobine** *f* **1.** *(de fil à coudre, etc.)* bobina, carrete *m* **2.** *(de film, pellicule photographique)* carrete *m* **3.** *ÉLECT* bobina **4.** *FAM (visage)* cara: **tu en fais une drôle de ~!** ¡vaya una cara!; **faire une drôle de ~** poner cara larga.

**bobiner** *vt (fil)* devanar, bobinar.

**bobinette** *f* aldabilla.

**bobineuse** *f TECHN* devanadera.

**bobinoir** *m TECHN* devanadera *f*.

**bobo** *m FAM* pupa *f*: **faire ~** hacer pupa; **se faire ~** hacerse pupa.

**bobonne** *f FAM (épouse)* cara mitad, la parienta.

**bobsleigh** [bɔbslɛg], **bob** [bɔb] *m* bobsleigh.

**bocage** *m* **1.** soto **2.** *(paysage rural)* bocage.

**bocal** *m* **1.** tarro, bote de cristal **2. ~ à poissons rouges** pecera *f*.

**boche** *a/s PÉJOR* alemán, ana.

**bock** [bɔk] *m* **1.** bock, vaso de cerveza **2.** *(pour lavements)* irrigador.

**body** *m* body.

**boer** [bɔeR] *a/s* bóer.

**bœuf** [bœf, *pl* bø] *m* **1.** buey: **une paire de bœufs** una yunta de bueyes **2.** *(viande)* buey, vaca *f*: **rôti de ~** asado de buey; **~ -mode** estofado de buey, buey a la moda **3.** *FIG* **fort comme un ~** fuerte como un toro; **avoir un ~ sur la langue** permanecer callado, guardar un secreto. ◇ *a FAM* enorme ◊ **un succès ~** un exitazo.

**bof!** *interj FAM* ¡pche!, ¡psché!, ¡psé!, ¡qué más da!

**bogie, boggie** [bɔʒi] *m* bogie.

**bogue** *f* **1.** *(de châtaigne)* erizo *m* **2.** *INFORM* error *m*.

**Bohème** *np f* Bohemia.

**bohème** *a/s* **1.** bohemio, a **2. mener la vie de ~** llevar vida bohemia.

**bohémien, enne** *a/s* bohemio, a, gitano, a.

**¹boire*** *vt/i* **1.** beber: **il ne boit que de l'eau** sólo bebe agua; **j'ai trop bu** he bebido demasiado; **~ comme un trou** beber como una cuba; **donner à ~** dar de beber ◊ **~ un coup** echar un trago; *FIG* **il y a à ~ et à manger** hay de todo; **~ un bouillon, la tasse → bouillon, tasse;** *PROV* **qui a bu, boira** quien hace un cesto hará ciento **2.** brindar, beber: **buvons au succès de...** brindemos por el éxito de...; **je bois à ta santé** bebo a tu salud, por tu salud **3.** absorber, chupar: **le buvard boit l'encre** el papel secante chupa la tinta **4.** *FIG* **~ les paroles de quelqu'un** estar pendiente de los labios de alguien.

**²boire** *m* bebida *f*: **le ~ et le manger** la bebida y la comida ◊ *FAM* **en perdre le ~ et le manger** estar completamente absorbido, a.

**bois** [bwa] *m* **1.** *(lieu planté d'arbres)* bosque: **un ~ de châtaigniers** un bosque de castaños **2.** *(matière)* madera *f*: **une table en ~** una mesa de madera; **l'industrie du ~** la industria maderera; *FIG* **touchons du ~!** ¡toquemos madera! **3.** *(de chauffage)* leña *f*: **feu de ~ fuego de leña; couper du ~** cortar leña; **~ mort** leña, ramas secas ◊ *FAM* **il verra de quel ~ je me chauffe!** ¡verá cómo las gasto! **4. ~ de rose** palo de rosa **5. ~ de lit** armazón *f* de cama. ◇ *pl* **1.** *MUS* **les ~** los instrumentos de viento **2. les ~ d'un cerf** la cornamenta de un ciervo.

**boisage** *m* **1.** *(action de boiser une mine)* entibado **2.** *(pièce de bois)* entibo.

**boisé, e** *a* poblado, a de árboles.

**boisement** *m* plantación *f* de bosques.

**boiser** *vt* **1.** poblar de árboles **2.** *(une mine)* entibar.

**boiserie** *f* revestimiento *m* de madera.

**boisseau** *m* **1.** celemín **2. mettre sous le ~** ocultar.

**boisson** *f* bebida: **~ chaude, rafraîchissante** bebida caliente, refrescante; **s'adonner à la ~** darse a la bebida ◊ **être pris de ~** estar borracho, bebido; *(au restaurant)* **et comme ~?** ¿para beber?

**boîte** *f* **1.** caja: **~ à outils, d'allumettes** caja de herramientas, de cerillas; **une ~ de crayons** una caja de lápices; **~ à musique** caja de música ◊ *FIG* **mettre quelqu'un en ~** tomarle el pelo a alguien **2.** *(en fer-blanc)* lata: **une ~ de sardines** una lata de sardinas **3.** *(généralement cylindrique)* bote *m*: **~ à sel** bote para la sal; **une ~ de peinture** un bote de pintura **4. ~ aux lettres** buzón *m*; **mettre une lettre à la ~** echar una carta al buzón; **~ postale** apartado *m* de correos **5. ~ à ordures** cubo *m* de la basura **6. ~ à gants** guantera **7.** *TECHN* **~ de vitesses** caja de cambios; **~ noire** *(d'un avion)* caja negra **8.** *FAM* *(entreprise)* empresa: **il travaille dans une grosse ~** trabaja en una empresa importante; *(bureau)* oficina; *(lycée)* cole *m* **9. ~ de nuit** sala de fiestas, discoteca, club *m* nocturno, club *m* de noche **10.** *FAM* **ferme ta ~!** ¡cállate!, ¡cierra el pico!

**boitement** *m* cojera *f*.

**boiter** *vi* cojear.

**boiterie** *f* cojera.

**boiteux, euse** *a/s* cojo, a. ◇ *a* *FIG* *(phrase, etc.)* cojo, a.

**boîtier** *m* caja *f*: **le ~ d'une montre, d'une lampe de poche** la caja de un reloj, de una linterna de bolsillo.

**boitiller** *vi* cojear ligeramente.

**boit-sans-soif** *m* *FAM* borrachín.

**bol** *m* **1.** tazón **2.** *FAM* **prendre un bon ~ d'air** airearse; **en avoir ras le ~** estar hasta las narices, hasta el gorro; **avoir du ~** tener potra; **manque de ~!** ¡qué mala pata! **3. ~ alimentaire** bolo alimenticio.

**bolchevik, bolcheviste** *a/s* bolchevique.

**bolchevisme** *m* bolchevismo.

**boldo** *m* boldo.

**bolée** *f* tazón *m*.

**boléro** *m* bolero.

**bolet** *m* seta *f*.

**bolide** *m* bólido.

**bolivar** *m* *(monnaie)* bolívar.

**Bolivie** *np f* Bolivia.

**bolivien, enne** *a/s* boliviano, a.

**Bologne** *np* Bolonia.

**bolonais, e** *a/s* boloñés, esa.

**bombage** *m* **1.** pintura *f*, bombeo (con spray) **2.** *(inscription)* pintada *f*.

**bombance** *f* **faire ~** ir de francachela.

**bombarde** *f* *(canon ancien, instrument à vent)* bombarda.

**bombardement** *m* bombardeo.

**bombarder** *vt* **1.** bombardear **2.** *FIG* **~ de questions** acribillar a preguntas **3.** *FAM* ascender inesperadamente: **il vient d'être bombardé directeur commercial** acaban de ascenderle a director comercial de sopetón **4.** *PHYS* bombardear.

**bombardier** *m* bombardero.

**bombe** *f* **1.** bomba: **~ atomique, à neutrons** bomba atómica, de neutrones; **alerte à la ~** alarma de bomba; *GÉOL* **~ volcanique** bomba volcánica; *MÉD* **~ au cobalt** bomba de cobalto ◊ *FIG* **faire l'effet d'une ~** caer como una bomba **2.** *(atomiseur)* spray *m*, bomba: **une ~ de mousse à raser** un spray de espuma de afeitar **3. ~ glacée** helado *m* (en molde) **4.** *(de cavalier)* gorra de montar **5.** *FAM* **faire la ~** ir de juerga.

**bombé, e** *a* abombado, a.

**bombement** *m* combeo.

**bomber** *vt* **1.** combar, abombar **2. ~ la poitrine** sacar el pecho, sacar pecho; *FIG* **~ le torse** pavonearse, darse importancia **3.** *(peindre à la bombe)* pintar con spray: **~ des slogans sur les murs** pintar esloganes en las paredes. ◇ *vi* combarse, arquearse.

**bombyx** [bɔ̃biks] *m* bómbice.

**bôme** *f* *MAR* botavara.

**[1]bon, bonne** *a* **1.** bueno, buen (devant un masculin), buena: **ce gâteau est très ~** este pastel está muy bueno; **un ~ acteur** un buen actor; **~ voyage!** ¡buen viaje!; **une bonne idée** una buena idea ◊ **~ à manger** bueno de comer; **ces vieilles chaussures sont bonnes à jeter** estos zapatos usados son para tirarlos; **il n'est ~ à rien** no sirve para nada; **c'est un ~ à rien** es un inútil, un cero **2. ~ pour le service** apto para el servicio militar **3.** fuerte: **~ en maths** fuerte en mates **4.** *(heureux)* feliz: **~ anniversaire!** ¡feliz cumpleaños! **5. ce ticket n'est plus ~** este billete ya no es válido **6.** *(intensif)* **une bonne gifle** una buena bofetada; **un ~ rhume** un catarro muy fuerte; **deux bonnes heures** dos horas largas; **une bonne partie de...** una gran parte de...; **il est arrivé ~ dernier** llegó el último de todos **7.** *FAM* **en voilà une bien bonne!** ¡buena es ésa! ◇ *s* **les bons et les méchants** los buenos y los malos.

**[2]bon** *adv* **1.** bien: **cette rose sent ~** esta rosa huele bien; **il fait ~ ici** se está bien aquí **2. tenir ~** aguantar, resistir **3. à quoi ~?** ¿para qué?; **faites comme ~ vous semble** haga como le parezca; **pour de ~** de verdad, realmente, en serio; **c'est pour de ~** esto va en serio. ◇ *interj* ¡bueno!, ¡bien!; **allons ~!** ¡anda!; **c'est ~!** ¡está bien!, ¡basta!

**[3]bon** *m* **1.** vale, cupón: **~ pour cent francs** vale por cien francos; **~ de commande, d'essence** cupón de pedido, de gasolina **2. ~ du Trésor** bono del Tesoro; **~ de caisse** bono de caja.

**bonace** *f* bonanza.

**bonapartiste** *a/s* bonapartista.

**bonasse** *a* bonachón, ona.

**Bonaventure** *np m* Buenaventura.

**bonbon** *m* caramelo: **~ acidulé, fourré** caramelo ácido, relleno; **~ à la menthe** caramelo de menta.

▶ Le mot espagnol *bombón* désigne un bonbon au chocolat.

**bonbonne** *f* bombona.

**bonbonnière** *f* **1.** bombonera **2.** *FIG* bombonera, casita elegante.

**bond** *m* **1.** salto, brinco: **faire un ~** pegar un salto; **~ en avant** salto hacia adelante; **le grand ~ en avant** el gran salto adelante; **d'un ~** de un salto; **je ne fais qu'un ~ jusqu'à la banque** voy volando al banco **2.** *FIG* **faire faux ~** dar un plantón, faltar a su palabra, a un compromiso.

**bonde** *f* **1.** *(d'étang)* compuerta **2.** *(ouverture)* desagüe *m* **3.** *(de tonneau)* piquera **4.** *(bouchon)* tapón *m*.

**bondé, e** *a* abarrotado, a, atestado, a, a tope: **train ~** tren abarrotado, tren atestado; **les restaurants sont bondés** los restaurantes están a tope.

**bondieuseries** *f pl* *FAM* objetos *m* de piedad.

**bondir** *vi* **1.** saltar, brincar: **~ de joie** brincar de alegría **2. ~ sur** arrojarse sobre **3.** *FIG* *(d'indignation)* **faire ~** indignar, sulfurar, hacer saltar; **ça me fait ~** es indignante, eso me indigna.

**bondissant, e** *a* brincador, a, saltador, a.

**bondissement** *m* salto, brinco.

**bon enfant** *a inv* campechano, a, bonachón, ona.

**bonheur** [bɔnœʀ] *m* **1.** felicidad *f*, dicha *f*: **l'argent ne fait pas le ~** el dinero no hace la felicidad; **rayonnant de ~** radiante de dicha; **quel ~!** ¡qué alegría! **2.** *(chance)* suerte *f*, fortuna *f*: **cela porte ~** eso trae suerte; **il ne connaît pas son ~** no se da cuenta de la suerte que tiene **3.** *loc adv* **par ~** por suerte; **au petit ~ (la chance)** a lo que salga, a la buena de Dios, al buen tuntún.

**bonheur-du-jour** *m* escritorio, secreter.

**bonhomie** [bɔnɔmi] *f* bondad.

**bonhomme** [bɔnɔm] *m* **1.** *FAM* hombre, tío: **un vieux ~** un hombre viejo; **quel drôle de ~!** ¡qué tío más raro! **2. un petit ~ de cinq ans** un pequeñuelo de cinco años; **ne pleure pas, mon ~** no llores, hijo mío **3.** monigote: **dessiner des bonshommes** dibujar monigotes **4. ~ de neige** muñeco de nieve **5. aller son petit ~ de chemin** adelantar poco a poco.
▶ → **bonne femme.**

**boni** *m COM* **1.** exceso, superávit **2.** beneficio.

**boniche** *f FAM* chacha, criada.

**bonification** *f* bonificación.

**bonifier*** *vt* mejorar, bonificar. ◆ **se ~** *vpr* mejorarse, mejorar: **le vin se bonifie en vieillissant** el vino mejora con los años.

**boniment** *m* **1.** *(d'un camelot)* perorata *f* **2.** *(propos mensonger)* mentira *f*, camelo.

**bonimenter** *vi* contar cuentos chinos.

**bonimenteur** *m* charlatán.

**bonite** *f* bonito *m*.

**bonjour** *m* **1.** *(le matin)* buenos días: **souhaiter le ~** dar los buenos días **2.** *(l'après-midi)* buenas tardes **3. dire ~** saludar **4. c'est simple comme ~** → **simple**. ◇ *interj FAM* ¡hola!; **bien le ~ !** ¡hola!

**bon marché** → **marché.**

**bonne** *a* → **bon.** ◇ *f* **1.** criada: **~ à tout faire** criada para todo **2. ~ d'enfant** niñera.

**bonne femme** → **femme.**

**bonne-maman** *f* abuelita.

**bonnement** *adv* simplemente; **tout ~** simplemente, lisa y llanamente.

**bonnet** *m* **1.** gorro: **~ de bain, de nuit** gorro de baño, de dormir; **~ phrygien** gorro frigio **2. ~ de police** gorra *f* de cuartel; **~ à poil** birretina *f*; **~ d'âne** → **âne** **3.** *FIG* **quel ~ de nuit!** ¡qué tío más triste!; **un gros ~** un pez gordo; **avoir la tête près du ~** tener el genio vivo; **c'est blanc ~ et ~ blanc** viene a ser lo mismo; **jeter son ~ par-dessus les moulins** independizarse, soltar el pelo **4.** *(de soutien-gorge)* cazuela *f* **5.** *ZOOL (des ruminants)* bonete, redecilla *f*.

**bonneteau** *m* juego de tres cartas.

**bonneterie** *f* géneros *m pl* de punto.

**bonnetier, ère** *s* fabricante, vendedor, a de géneros de punto. ◇ *f (meuble)* armario *m* alto y estrecho.

**bonnette** *f (photo)* lente suplementaria.

**bonniche** → **boniche.**

**bon-papa** *m* abuelito.

**bonsaï** [bɔ̃zai] *m* bonsai.

**bonsoir** *m* **1.** buenas noches *f pl*: **souhaiter le ~** dar las buenas noches **2.** *(avant la nuit)* buenas tardes *f pl* **3.** *FAM (indique qu'on se désintéresse d'une affaire)* ¡si no te he visto, no me acuerdo! **4.** *FAM* **~ de ~!** ¡caramba!

**bonté** *f* **1.** bondad **2. voulez-vous avoir la ~ de...** haga el favor de..., tenga la bondad de... **3. ~ divine!** ¡por Dios! ◇ *pl* bondades.

**bon vivant** *a/m* «bon vivant», comodón, ona, regalón, ona.

**bonze** *m* **1.** bonzo **2.** *FIG FAM* mandamás.

**bonzerie** *f* monasterio *m* búdico.

**boom** [bum] *m* boom.

**boomerang** [bumʀɑ̃g] *m* boomerang, bumerang.

**boots** [buts] *m pl* botines.

**boqueteau** *m* bosquecillo.

**borate** *m* borato.

**borax** *m* bórax.

**borborygme** *m* borborigmo.

**bord** *m* **1.** borde: **plein jusqu'au ~** lleno hasta el borde; **au ~ de la route** al borde de la carretera **2.** *(rive)* orilla *f*, borde: **au ~ de la rivière** en la orilla del río; **au ~ de la mer** a orillas del mar, al borde del mar **3.** *(d'un vêtement)* orla *f*, ribete, borde **4.** *(d'un chapeau)* ala *f*: **chapeau à larges bords** sombrero de alas anchas **5.** *FIG* **être au ~ de** estar al borde de; **au ~ des larmes** al borde del llanto, de las lágrimas; **au ~ de la crise de nerfs, de la faillite** al borde del ataque de nervios, de la quiebra ◊ *FAM* **un peu artiste sur les bords** con ribetes de artista **6.** *MAR* bordo: **monter à ~ d'un voilier** subir a bordo de un velero ◊ **livre de ~** cuaderno de bitácora; **ordinateur de ~** ordenador de a bordo; **tirer des bords** dar bordos; **jeter par-dessus ~** echar por la borda **7.** *FIG* **être du même ~** ser de la misma cuerda, tener la misma opinión **8.** *loc adv* **~ à ~** junto, pegado; **à ras ~** → **ras.**

**bordage** *m MAR* borda *f*.

**Bordeaux** [bɔʀdo] *np* Burdeos.

**bordeaux** *m* vino de Burdeos. ◇ *a (couleur)* burdeos, rojo violado.

**bordée** *f* **1.** *(artillerie)* descarga, andanada **2.** *FIG* **une ~ d'injures** una sarta de insultos **3.** *MAR* bordada: **tirer des bordées** dar bordadas; *FIG* **courir, tirer une ~** ir de juerga.

**bordel** *m* **1.** *VULG* burdel **2.** *POP* gran desorden, follón: **quel ~!** ¡qué follón!, ¡menudo follón!; **mettre le ~** armar follón. ◇ *interj POP* ¡mierda!, ¡leche!

**bordelais, e** *a/s* bordelés, esa. ◇ *f (tonneau)* bordelesa.

**bordélique** *a POP* desordenado, a, patas arriba.

**border** *vt* **1.** bordear, orillar: **une route bordée d'arbres** una carretera bordeada de árboles **2.** *(vêtement)* ribetear, orlar **3. ~ le lit** remeter la ropa de la cama; **~ un enfant** arropar a un niño **4.** *MAR (une voile)* cazar.

**bordereau** *m* albarán, borderó, extracto de cuenta ◊ **~ de vente** factura *f*.

**bordure** *f* **1.** borde *m*: **en ~ de la route** en el borde de la carretera **2. une ~ de fleurs** una hilera de flores **3.** *(d'un rideau, etc.)* cenefa **4.** *(d'un vêtement)* ribete *m* **5.** *(d'un bois)* lindero *m* **6. la ~ du trottoir** el bordillo de la acera.

**bore** *m* boro.

**boréal, e** *a* boreal.

**borgne** *a/s* **1.** tuerto, a **2. hôtel ~** hotel de mala fama.

**borique** *a CHIM* bórico, a.

**boriqué, e** *a CHIM* boricado, a.

**bornage** *m* amojonamiento.

**borne** *f* **1.** mojón *m*, hito *m* **2. ~ kilométrique** poste *m* kilométrico **3.** *FAM* kilómetro: **il y a environ 100 bornes d'ici à la frontière** hay unos 100 kilómetros desde aquí hasta la frontera **4.** *ÉLECT* borne *m* **5.** *FIG* límite *m* ◊ **dépasser les bornes** pasarse de la raya, extralimitarse, pasarse; **une ambition sans ~** una ambición sin límites, ilimitada.

**borné, e** *a FIG* de pocos alcances; **esprit ~** espíritu de pocos alcances, cerrado de mollera.

**borne-fontaine** *f* fuente pública.

**borner** *vt* **1.** *(un terrain)* acotar, limitar **2.** *FIG* limitar. ◆ **se ~ à** *vpr* limitarse a, atenerse a: **borne-toi à faire ce que je te dis** limítate a hacer lo que te digo.

**bosco** *m MAR* contramaestre, nostramo.

**bosniaque** *a/s* bosnio, a.

**Bosnie** *np f* Bosnia.

**Bosphore** *np m* Bósforo.

**bosquet** *m* bosquecillo.

**bossage** *m ARCH* almohadilla *f.*

**bosse** *f* **1.** joroba, giba: **la ~ d'un dromadaire** la joroba de un dromedario ◊ *FIG* **rouler sa ~** correr mundo, rodar por el mundo **2.** chichón *m:* **je me suis fait une ~ au front** me he hecho un chichón en la frente **3.** *(sur une plaque de métal)* abolladura **4.** *(du terrain)* relieve *m*, abultamiento *m*, prominencia **5.** *FAM* don *m*, disposición: **il a la ~ du commerce** tiene disposición para el comercio. **6.** *MAR* boza.

**bosselage** *m* repujado.

**bosseler*** *vt* **1.** *(cabosser)* abollar **2.** *(orfèvrerie)* repujar.

**bosselure** *f* **1.** abolladura **2.** *(orfèvrerie)* repujado *m.*

**bosser** *vi FAM* currar, dar el callo.

**bosseur, euse** *a/s FAM* empollón, ona, currante.

**bossoir** *m MAR (d'embarcation)* serviola *f*, pescante.

**bossu, e** *a/s* jorobado, a ◊ *FAM* **rire comme un ~** reír como un descosido.

**boston** *m (danse, jeu)* bostón.

**bot, e** *a* zopo, a: **pied ~** pie zopo.

**botanique** *a* botánico, a. ◇ *f* botánica.

**botaniste** *s* botánico, a.

[1]**botte** *f* **1.** *(de paille, foin)* haz *m*, gavilla **2.** manojo *m:* **une ~ d'asperges, de radis** un manojo de espárragos, de rábanos.

[2]**botte** *f* **1.** *(chaussure)* bota: **des bottes en caoutchouc** botas de goma; **bottes à l'écuyère** botas de montar **2.** *FAM* **avoir du foin dans ses bottes → foin; lècher les bottes de quelqu'un** hacer la pelotilla a alguien; **en avoir plein les bottes** estar rendido, a, estar hecho polvo **3. à propos des bottes** sin venir a cuento.

[3]**botte** *f (escrime)* estocada, botonazo *m.*

**botteler** *vt* agavillar.

**botteleuse** *f* agavilladora.

**botter** *vt* **1.** *(chausser)* calzar con botas ◊ **le chat botté** el gato con botas **2.** *FAM* **je vais lui ~ les fesses** le voy a dar una patada en el trasero **3.** *(le ballon)* botar, tirar **4.** *FAM* **ça me botte** esto me conviene, me chifla.

**bottier** *m* zapatero a la medida.

**bottillon** *m* botín.

**Bottin** *m (nom déposé)* listín (de teléfonos).

**bottine** *f* botina.

**botulisme** *m* botulismo.

**boubou** *m* túnica *f* (en África).

**bouc** [buk] *m* **1.** macho cabrío **2. ~ émissaire** chivo expiatorio **3.** *(barbe)* perilla *f.*

**boucan** *m FAM* ruido, barullo, estrépito, jaleo: **faire du ~** armar un bochinche, armar jaleo; **un ~ de tous les diables** un ruido tremendo.

**boucaner** *vt* acecinar, ahumar ◊ **viande boucanée** cecina.

**boucanier** *m* bucanero.

**bouchage** *m* tapadura *f.*

**bouche** *f* **1.** boca: **parler la ~ pleine** hablar con la boca llena ◊ *FIG* **faire la fine ~** hacerse el desdeñoso, ser exigente; **faire la ~ en cœur** hacer remilgos; **une fine ~** un gastrónomo; **cela me fait venir l'eau à la ~** esto me hace la boca agua; **pour la bonne ~** para el final; **les bouches inutiles** los ociosos; **la réussite, il n'a que ce mot à la ~** el éxito, no habla más que de esto. **2.** *(servant à la parole)* boca: **ne pas ouvrir la ~** no decir esta boca es mía; **~ cousue!** ¡punto en boca!; **ta ~ (bébé)!** ¡cierra el pico! ◊ **de ~ à oreille** en confidencia **3.** *(d'une chose)* boca: **la ~ d'un four** la boca de un horno; **~ d'incendie, de métro** boca de incendio, de metro ◊ **~ d'égout** sumidero *m;* **~ de chaleur** salida de aire caliente. ◇ *pl (d'un fleuve)* bocas.

**bouché, e** *a* **1.** tapado, a: **avoir le nez ~** tener la nariz tapada **2. ciel ~** cielo encapotado **3. cidre ~** sidra embotellada **4.** *FAM* **il est ~ (à l'émeri)** es tonto de capirote.

**bouche-à-bouche** *m* boca a boca: **faire le ~ à un noyé** hacerle el boca a boca a un ahogado.

**bouchée** *f* **1.** bocado *m:* **une ~ de viande** un bocado de carne **2.** *FIG* **ne faire qu'une ~ de quelqu'un** meterse a alguien en el bolsillo; **mettre les bouchées doubles** apretar, intensificar su esfuerzo, trabajar por cuatro; **pour une ~ de pain** por un precio irrisorio, por una bicoca **3. ~ à la reine** volován *m* **4.** *(au chocolat)* bombón relleno.

[1]**boucher** *vt* **1.** *(un trou)* tapar, obstruir: **~ une fissure** tapar una grieta; **avoir le nez bouché** tener la nariz tapada **2.** *(une bouteille)* tapar, taponar **3.** *(engorger)* atascar: **la baignoire est bouchée** la bañera está atascada **4. ~ l'horizon** cerrar el horizonte; **~ le passage à quelqu'un** cerrar el paso a alguien **5.** *POP* **ça t'en bouche un coin!** ¡no te lo creías! ◆ **se ~** *vpr* **1.** atascarse **2. se ~ le nez, les oreilles** taparse la nariz, los oídos.

[2]**boucher, ère** *s* carnicero, a.

**boucherie** *f* **1.** carnicería **2.** *FIG (massacre)* matanza, carnicería.

**bouche-trou** *m (personne)* tapagujeros, suplente.

**bouchon** *m* **1.** *(de liège, verre, plastique)* tapón: **le ~ d'une bouteille** el tapón de una botella **2.** *(de liège)* corcho ◊ **goût de ~** sabor a corcho **3.** *(de ligne de pêche)* boya *f*, flotador ◊ *FIG* **envoyer le ~ un peu loin** exagerar **4. ~ de cérumen** tapón de cerumen; **~ de paille** estropajo **5.** *(sur une route)* atasco, retención *f*, tapón, embotellamiento: **de nombreux bouchons se sont formés sur l'autoroute** numerosos atascos, muchas retenciones se produjeron en la autopista.

**bouchonner** *vt (un cheval)* friccionar, estregar. ◇ *vi FAM* **ça bouchonne sur l'autoroute** se está produciendo un atasco en la autopista.

**bouchot** *m* vivero de mariscos.

**bouclage** *m* **1.** *(par la police)* acordonamiento **2.** *(d'un journal, etc.)* cierre.

**boucle** *f* **1.** hebilla: **~ de ceinture** hebilla de cinturón **2. ~ d'oreille** pendiente *m*, zarcillo *m* **3.** *(gros anneau)* argolla **4.** *(d'un nœud de ruban, de lacet)* lazada **5.** *(de cheveux)* rizo *m*, bucle *m* **6.** *(d'un fleuve)* curva **7.** *(looping)* rizo m **8.** *INFORM* bucle *m.*

**boucler** *vt* **1.** abrochar: **~ une ceinture** abrochar un cinturón **2.** cerrar: **~ une valise** cerrar una maleta **3.** *(emprisonner)* encerrar **4.** *(par des forces de police)* acordonar **5.** *(un avion)* **~ la boucle** rizar el rizo; *FIG* volver a su punto de partida **6. ~ son budget** equilibrar el presupuesto **7.** *FAM (se taire)* **la ~** callarse; **boucle-la!** ¡cierra la boca!, ¡cállate! ◇ *vi* rizarse: **ses cheveux bouclent** se le riza el pelo; **cheveux bouclés** pelo rizado.

**bouclette** *f* ricito *m*, pequeño bucle *m.*

**bouclier** *m* **1.** escudo **2.** *FIG* **levée de boucliers** protesta general.

**Bouddha** *np m* Buda.

**bouddhique** *a* búdico, a.

**bouddhisme** *m* budismo.

**bouddhiste** *a/s* budista.

**bouder** *vi* **1.** estar de morros, estar enfurruñado, a, poner cara larga: **enfant qui boude** niño enfurruñado **2. ~ à la besogne** mostrarse perezoso, a **3.** *FAM* **~ contre son ventre** no comer por despecho. ◇ *vt* **1.** pone mala cara: **il boude ses collègues** pone mala cara a sus colegas **2.** *FIG (les plaisirs, les réceptions, etc.)* hacer ascos a.

**bouderie** *f* enojo *m*, mohína, pique *m*.

**boudeur, euse** *a/s* mohíno, a.

**boudin** *m* **1.** *(charcuterie)* morcilla *f* ◊ FAM **s'en aller en eau de ~** volverse agua de cerrajas **2. ressort à ~** muelle en espiral.

**boudiné, e** *a* **1. des doigts boudinés** dedos amorcillados **2. boudinée dans sa robe** embutida, ceñida en su vestido.

**boudiner** *vt* **1.** *(un fil)* torcer **2.** *(serrer)* ceñir demasiado.

**boudoir** *m* **1.** *(petit salon)* boudoir, camarín **2.** *(biscuit)* galleta *f* de champaña.

**boue** *f* **1.** barro *m*, lodo *m* ◊ FIG **traîner dans la ~** arrastrar por el lodo **2. bain de ~** baño de barro.

**bouée** *f* **1.** boya **2. ~ de sauvetage** salvavidas *m*.

**boueur, boueux** *m* *(éboueur)* basurero.

**boueux, euse** *a* fangoso, a, cenagoso, a.

**bouffant, e** *a* **1.** *(cheveux)* ahuecado, a **2. pantalon ~** pantalón bombacho **3. manches bouffantes** mangas de farol.

**bouffarde** *f* FAM pipa grande, cachimba.

[1]**bouffe** *a* **opéra ~** ópera bufa.

[2]**bouffe** *f* POP *(nourriture)* manduca, comida ◊ **il aime la bonne ~** le gusta comer bien; **faire la ~** guisar.

**bouffée** *f* **1.** bocanada: **une ~ d'air** una bocanada de aire; **une ~ de fumée** una bocanada de humo **2.** chupada: **tirer une ~ de sa pipe** dar una chupada de la pipa **3.** arranque *m*, acceso *m*: **une ~ de colère, d'orgueil** un arranque de ira, de orgullo **4. ~ de chaleur** bochorno *m*.

[1]**bouffer** *vi* ahuecarse: **cheveux qui bouffent** cabellos que se ahuecan.

[2]**bouffer** *vt/i* POP **1.** *(manger)* jalar, jamar, comer, manducar: **il ne pense qu'à ~** sólo piensa en jalar; **il aime bien ~** le gusta jalar bien; **à quelle heure on bouffe?** ¿a qué hora se come?; **il a tout bouffé** se lo ha jamado todo ◊ FIG **je l'aurais bouffée** por poco la mato **2. cette auto bouffe beaucoup d'essence** este coche consume mucha gasolina **3. ~ du curé → curé.** ◆ **se ~** *vpr* POP **se ~ le nez** reñir, altercar violentamente.

**bouffetance** *f* POP → [2]**bouffe.**

**bouffi, e** *a* **1.** *(visage, yeux)* hinchado, a, abotagado, a, abotargado, a, entumecido, a: **un visage ~** un rostro abotargado **2.** FIG **~ d'orgueil** hinchado de orgullo. ◇ *m* *(hareng)* arenque ahumado.

**bouffir** *vt* hinchar, abotagar, abotargar.

**bouffissure** *f* hinchazón.

**bouffon, onne** *a/s* bufón, ona. ◇ *m* THÉÂT gracioso.

**bouffonnerie** *f* bufonada.

**bougainvillée** *f*, **bougainvillier** *m* buganvilla *f*.

**bouge** *m* **1.** *(taudis)* tugurio **2.** *(café)* taberna *f*, antro; *(hôtel)* hotel de mala fama.

**bougeoir** [buʒwaʀ] *m* palmatoria *f*.

**bougeotte** [buʒɔt] *f* FAM **il a la ~** es culo de mal asiento.

**bouger*** *vi* **1.** moverse: **ne bouge pas!** ¡no te muevas!; **que personne ne bouge!** ¡que nadie se mueva! **2. cet après-midi, je ne bougerai pas de chez moi** esta tarde no saldré de casa, no me moveré de casa **3.** FIG agitarse: **les syndicats commencent à ~** los sindicatos empiezan a agitarse. ◇ *vt* **1.** mover: **un rhumatisme l'empêche de ~ la jambe droite** un reuma le impide mover la pierna derecha **2.** FAM **bouge-toi de là!** ¡quítate de ahí!

**bougie** *f* **1.** vela, bujía **2.** *(d'un moteur à explosion)* bujía **3.** *(unité d'intensité lumineuse)* bujía **3.** *(sonde chirurgicale)* candelilla.

**bougna(t)** *m* FAM carbonero.

**bougon, onne** *a/s* gruñón, ona, regañón, ona.

**bougonnement** *m* refunfuño, rezongo.

**bougonner** *vi* refunfuñar, gruñir, rezongar.

**bougre, esse** *s* FAM **1.** tío, sujeto: **il est têtu, le ~!** ¡qué cabezota, el tío! **2. un bon ~** una buena persona; **un pauvre ~** un pobre diablo **3.** PÉJOR **~ d'idiot!** ¡so idiota!, ¡pedazo de idiota! ◇ *interj* ¡caramba!, ¡demonio!

**bougrement** *adv* FAM extremadamente, sumamente, terriblemente.

**boui-boui** *m* FAM cafetucho.

**bouillabaisse** *f* bullabesa, sopa de pescado.

**bouillant, e** *a* **1. eau bouillante** agua hirviendo **2.** muy caliente, que quema: **un thé ~** un té muy caliente **3.** FIG fogoso, a, ardiente.

**bouille** *f* FAM cara, facha: **une bonne ~** una cara simpática.

**bouilleur** *m* destilador: **~ de cru** cosechero destilador.

**bouilli** *m* *(viande)* carne *f* del cocido.

**bouillie** *f* **1.** papilla, gachas *pl* ◊ FAM **c'est de la ~ pour les chats** es incomprensible **2. mettre en ~** hacer polvo; **en ~** hecho, a papilla: **le visage en ~** la cara hecha papilla **3.** AGR caldo *m*: **~ bordelaise** caldo bordelés.

**bouillir*** *vi* **1.** hervir: **l'eau bout à 100 degrés** el agua hierve a los 100 grados; **faire ~ du lait** hervir leche **2.** cocer: **faites ~ des pommes de terre...** se cuecen patatas...; **viande bouillie** carne cocida ◊ FAM **faire ~ la marmite → marmite 3.** FIG **~ d'impatience** arder de impaciencia; **ça me fait ~** esto me exaspera.

**bouilloire** *f* hervidor *m*.

**bouillon** *m* **1.** caldo: **~ de légumes** caldo de verduras; **~ gras** caldo del cocido ◊ FAM **boire un ~** *(avaler de l'eau)* tragar agua; *(faire une mauvaise affaire)* hacer un mal negocio **2.** borbotón: **bouillir à gros bouillons** hervir a borbotones; **l'eau sort à gros bouillons** el agua mana a borbotones **3. ~ de culture** caldo de cultivo **4.** FAM **~ d'onze heures** bebedizo, veneno. ◇ *pl* *(journaux)* periódicos sin vender.

**bouillon-blanc** *m* gordolobo.

**bouillonnant, e** *a* **1.** hirviente **2.** FIG ardiente.

**bouillonnement** *m* **1.** borboteo **2.** FIG efervescencia *f*, agitación *f*.

**bouillonner** *vi* **1.** borbotear, borbollar **2.** FIG hervir, agitarse **3.** *(un journal)* tener ejemplares sin vender.

**bouillotte** *f* **1.** calentador *m* **2. ~ en caoutchouc** bolsa de agua caliente.

**boulange** *f* ramo *m* de la panadería.

**boulanger, ère** *s* panadero, a.

**boulangerie** *f* panadería.

**boule** *f* **1.** bola: **~ de neige** bola de nieve ◊ **se rouler en ~** hacerse un ovillo; FIG **faire ~ de neige** ir aumentando **2.** *(pour jouer)* bocha: **jouer aux boules** jugar a las bochas **3. ~ de gomme** pastilla de goma **4.** FAM **mettre quelqu'un en ~** exasperar a uno, poner a uno negro; **se mettre en ~** sulfurarse **5.** FAM **avoir la ~ à zéro** tener la cabeza rapada; **perdre la ~** perder la cabeza **6.** FAM **avoir les boules** tener el corazón en un puño.

**bouleau** *m* abedul.

**boule-de-neige** *f* *(arbuste)* mundillo *m*.

**bouledogue** *m* buldog.

**bouler** *vi* **1.** rodar **2.** FAM **envoyer ~** mandar a paseo.

**boulet** *m* **1.** *(de canon)* bala *f* ◊ FIG **tirer à boulets rouges sur quelqu'un** atacar duramente a alguien **2.** *(de bagnard)* hierros *pl* ◊ FIG **traîner un ~** llevar la cruz a cuestas **3.** *(de charbon)* aglomerado de carbón.

**boulette** *f* **1.** bolita **2.** *(de viande hachée)* albóndiga **3.** FAM pifia, plancha, coladura: **faire une ~** cometer una pifia, meter la pata.

**boulevard** [bulvaʀ] *m* **1.** bulevar, paseo, avenida *f* **2. théâtre de ~** comedia *f* ligera.

**boulevardier, ère** *a* del bulevar ◊ **comédie boulevardière** comedia ligera.

**bouleversant, e** *a* conmovedor, a.

**bouleversement** *m* trastorno.

**bouleverser** *vt* **1.** *(mettre en désordre)* trastornar, revolver **2.** *FIG* trastornar, conmover hondamente: **cette terrible nouvelle m'a bouleversé** esta horrible noticia me ha trastornado.

**boulier** *m* ábaco.

**boulimie** *f* bulimia, hambre canina.

**boulimique** *a* bulímico, a, hambriento, a.

**bouline** *f MAR* **naviguer a la ~** navegar de bolina.

**boulingrin** *m* cuadro de césped.

**bouliste** *s* jugador, a de bochas.

**boulle** *m* mueble con incrustaciones artísticas de cobre, estaño, etc.
▶ De André Charles Boulle, ebanista francés (1642-1732).

**boulocher** *vi* hacer bolitas (en la lana).

**boulodrome** *m* sitio donde se juega a las bochas.

**boulon** *m* perno.

**boulonner** *vt* empernar. ◇ *vi FAM (travailler)* currar, currelar, ¡trabajar.

[1]**boulot, otte** *a/s* **1.** *(rondelet)* regordete, a, gordinflón, ona **2. une petite boulotte** una rechonchita.

[2]**boulot** *m FAM (travail)* curro, tajo, trabajo: **c'est mon nouveau ~** es mi nuevo curro; **aller au ~** ir al tajo, al curro; **un petit ~** un trabajillo ◊ **au ~!** ¡a trabajar!, ¡manos a la obra!

**boulotter** *vt/i FAM* jalar, jamar, manducar.

**boum!** *interj* ¡pum! ◇ *m FAM* **en plein ~** en plena actividad. ◇ *f FAM (surboum)* guateque *m.*

**boumer** *vi FAM* **ça boume!** ¡esto pita!

**bouquet** *m* **1.** ramo, ramillete: **un ~ de fleurs, de tulipes** un ramo de flores, de tulipanes **2.** *(de persil, thym, etc.)* manojo ◊ **~ garni** ramillete, ramito **3. ~ d'arbres** bosquecillo **4.** *(d'un vin)* aroma, buqué, bouquet **5.** *FIG* coronamiento ◊ **c'est le ~!** ¡lo que faltaba! **6.** *(télévision)* paquete: **~ de chaînes a thèmes** paquete de canales temáticos **7.** *(crevette)* camarón.

**bouquetière** *f* ramilletera.

**bouquetin** *m* cabra *f* montés.

**bouquin** *m FAM* libro, libraco.

**bouquiner** *vi FAM* leer.

**bouquiniste** *s* librero, a de viejo.

**bourbe** *f* cieno *m*, fango *m*.

**bourbeux, euse** *a* cenagoso, a.

**bourbier** *m* **1.** cenagal, lodazal, barrizal **2.** *FIG* atolladero.

**Bourbon** *np m* Borbón.

**bourbon** *m* whisky americano.

**bourbonien, enne** *a* borbónico, a: **nez ~** nariz borbónica.

**bourdaine** *f* arraclán *m*.

**bourde** *f FAM* error *m* vulgar, burrada.

**bourdon** *m* **1.** *(insecte)* abejorro ◊ **faux ~** zángano **2.** *(cloche)* campana *f* mayor **3.** *FAM* **avoir le ~** tener la depre **4.** *(bâton de pèlerin, corde de certains instruments)* bordón.

**bourdonnement** *m* **1.** zumbido ◊ **j'ai des ~ d'oreilles** me zumban los oídos **2.** *(de voix, etc.)* rumor, murmullo.

**bourdonner** *vi* zumbar: **mes oreilles bourdonnent** me zumban los oídos.

**bourg** [buʀ] *m* población *f*, burgo.

**bourgade** *f* aldea, lugar *m*.

**bourgeois, e** *a/s* burgués, esa: **les ~** los burgueses ◊ **un grand ~** un miembro de la alta burguesía; **en ~** de paisano; **petit-~** pequeño burgués. ◇ *a* **cuisine bourgeoise** cocina casera. ◇ *f POP* **ma bourgeoise** mi parienta.

**bourgeoisement** *adv* de manera burguesa.

**bourgeoisie** *f* burguesía: **petite, moyenne, grande ~** pequeña, mediana, alta burguesía.

**bourgeon** *m* yema *f*, botón.

**bourgeonnement** *m* brotadura *f*.

**bourgeonner** *vi* **1.** brotar **2. son nez bourgeonne** se le cubre la nariz de granos.

**bourgeron** *m* blusa *f* corta (de obrero).

**bourgmestre** *m* **1.** burgomaestre **2.** *(maire)* alcalde.

**Bourgogne** *np f* Borgoña.

**bourgogne** *m* vino de Borgoña.

**bourguignon, onne** *a/s* **1.** borgoñón, ona **2. bœuf ~** guisado de buey con vino tinto y cebollas.

**bourlinguer** *vi* **1.** *MAR* barloventear **2.** *FAM* correr mundo, viajar.

**bourlingueur, euse** *s* trotamundos *inv.*

**bourrache** *f* borraja.

**bourrade** *f* golpe *m*, empujón *m*, empellón *m*: **donner une ~** dar un empujón.

**bourrage** *m* **1.** relleno **2.** *FAM* **~ de crâne** propaganda *f* machacona.

**bourrasque** *f* **1.** borrasca **2. ~ de neige** ventisca.

**bourratif, ive** *a* empachoso, a, amazacotado, a, atarugante.

**bourre** *f* **1.** borra **2.** *(dans une cartouche)* taco *m* **3.** *BOT* pelusa **4.** *POP* **de première ~** excelente **5.** *POP* **être à la ~** ir retrasado.

**bourré, e** *a* **1.** atestado, a, repleto, a, cuajado, a, plagado, a: **lettre bourrée de fautes d'orthographe** carta cuajada de faltas de ortografía; **portefeuille ~ de billets** cartera repleta de billetes ◊ **être ~ de complexes** estar muy acomplejado, a **2.** *POP (ivre)* **être ~** estar curda, llevar una curda, estar como una mona. ◇ *f* → **bourrée.**

**bourreau** *m* **1.** verdugo **2.** *FIG* **un ~ des cœurs** un don Juan; **un ~ de travail** una fiera para el trabajo; **un ~ d'enfants** un verdugo de niños.

**bourrée** *f* danza de Auvernia.

**bourrelé, e** *a* **~ de remords** atormentado, a por los remordimientos.

**bourrelet** *m* **1.** burlete **2.** *(de graisse)* michelín, rosco: **des bourrelets** michelines.

**bourrelier** *m* guarnicionero.

**bourrellerie** *f* guarnicionería.

**bourrer** *vt* **1.** *(une valise, etc.)* atiborrar **2. ~ sa pipe** cargar su pipa **3.** *(de nourriture)* atracar, atiborrar **4.** *FAM* **~ le crâne de quelqu'un** comer el coco a alguien, engañar a alguien, hincharle la cabeza a alguien **5. ~ quelqu'un de coups** moler a palos a alguien. ◆ **se ~** *vpr* **1. se ~ de gâteaux** atiborrarse, hincharse de pasteles **2.** *FAM (s'enivrer)* emborracharse.

**bourriche** *f* banasta.

**bourrichon** *m FAM* **se monter le ~** hacerse ilusiones.

**bourricot** *m* borriquito.

**bourride** *f* sopa de pescado.

**bourrin** *m FAM* penco.

**bourrique** *f* **1.** borrica, burra ◊ *FAM* **faire tourner quelqu'un en ~** volver tarumba a alguien; **têtu comme une ~** tozudo como una mula **2.** *FIG* borrico *m*.

**bourru, e** *a* **1.** brusco, a, áspero, a: **ton ~** tono áspero **2. vin ~** vino nuevo, sin fermentar; **lait ~** leche fresca no esterilizada.

**[1]bourse** *f* **1.** *(sac)* bolsa ◊ *FIG* **à la portée de toutes les bourses** al alcance de todos los bolsillos; **tenir les cordons de la ~** llevar las cuentas; **sans ~ délier** sin soltar un céntimo **2.** *(d'études)* beca **3.** *ANAT* bolsa.

**[2]Bourse** *f* Bolsa: **les cours de la ~** las cotizaciones de la Bolsa; **~ du travail** Bolsa del Trabajo.

**boursicoter** *vi* hacer pequeñas jugadas de Bolsa.

**[1]boursier, ère** *s (étudiant)* becario, a.

**[2]boursier, ère** *a (de la Bourse)* bursátil: **opérations boursières** operaciones bursátiles. ◊ *m (spécialiste de la Bourse)* bolsista.

**boursouflé, e** *a* **1.** hinchado, a **2.** *FIG (style)* ampuloso, a.

**boursoufler** *vt* hinchar, ahuecar. ◆ **se ~** *vpr* hincharse, ahuecarse.

**boursouflure** *f* **1.** hinchazón **2.** *FIG (du style)* ampulosidad.

**bous → bouillir.**

**bousculade** *f* **1.** *(de la foule)* atropello *m*, remolino *m*, tumulto *m*: **il s'est produit une ~ devant la porte** se formó un tumulto ante la puerta **2.** precipitación.

**bousculer** *vt* **1.** atropellar, empujar, dar un empujón; **un passant m'a bousculé** un peatón me dio un empujón **2.** *FAM* meter prisa: **il n'aime pas qu'on le bouscule** no le gusta que le metan prisa ◊ **j'ai été très bousculé cette semaine** he tenido mucho trajín esta semana. ◆ **se ~** *vpr* atropellarse: **les gens se bousculent à la sortie du métro** la gente se atropella a la salida del metro.

**bouse** *f* boñiga.

**bouseux** *m FAM* patán, cateto, paleto.

**bousier** *m* escarabajo pelotero.

**bousillage** *m FAM* chapucería *f*.

**bousiller** *vt FAM* **1.** *(détériorer)* estropear, cargarse: **j'ai bousillé mon embrayage** me he cargado el embrague **2.** *(tuer)* cepillar, matar.

**boussole** *f* **1.** brújula **2.** *FAM* **perdre la ~** perder la chaveta.

**boustifaille** *f FAM* manduca.

**[1]bout** *m* **1.** extremo: **au ~ de la table** en el extremo de la mesa **2.** punta *f*: **le ~ du nez, de la langue** la punta de la nariz, de la lengua; **du ~ des doigts** con la punta de los dedos ◊ **le ~ du sein** el pezón; *FIG* **joindre les deux bouts → joindre; on ne sait pas par quel ~ le prendre** no se sabe por qué lado tomarlo **3.** final, cabo, fin: **au ~ de la rue** al final de la calle; **j'ai lu votre article jusqu'au ~** he leído su artículo hasta el final; **le ~ du tunnel** el fin del túnel; **au ~ d'un an, d'une semaine** al cabo de un año, de una semana; **il n'est pas arrivé au ~ de ses peines** muchas dificultades aún le esperan; **être au ~ de son rouleau → rouleau** **4. être à ~** estar rendido, a; **ma patience est à ~** se me agotó la paciencia; **à ~ de forces** sin fuerzas; **à ~ de ressources** sin más recursos; **pousser, mettre quelqu'un à ~** acabar la paciencia a alguien, exasperar, sulfurar a alguien; **venir à ~ d'un travail** llevar a cabo un trabajo; **venir à ~ d'un plat** acabar un plato; **venir à ~ d'une difficulté, d'un rival** vencer una dificultad, a un rival; *FAM* **tenir le bon ~** ir por buen camino **5.** *loc adv* **câbles attachés ~ à ~** cables atados uno tras otro; **à ~ de bras** a pulso; **à ~ portant** a quemarropa, a bocajarro; **au ~ du compte** en resumidas cuentas; **d'un ~ à l'autre, de ~ en ~** de cabo a rabo: **j'ai lu l'article d'un ~ à l'autre** leí el artículo de cabo a rabo; **il a dormi d'un ~ à l'autre du voyage** ha dormido durante todo el viaje; **du ~ des dents, des lèvres → dent, lèvre; sur le ~ du doigt** al dedillo **6.** *(extrémité d'une canne, d'un parapluie)* contera *f* **7.** *(morceau)* pedacito, trozo, fragmento: **un ~ de pain** un pedacito de pan; **un ~ de fil** un trocito de hilo ◊ **un ~ de jardin** un jardincito; **faire un ~ de chemin ensemble** caminar un trecho juntos; **un ~ de conversation** un poco de conversación; **ça fait un ~ de temps** hace mucho tiempo; *FAM* **un petit ~ d'homme** un hombre bajito; **en connaître un ~** estar muy al corriente; **il en connaît un ~** sabe un rato **8.** *(cinéma)* **~ d'essai** prueba *f* **9.** *MAR (cordage)* cabo. ◊ *pl FAM* **mettre les bouts** largarse, coger el tole.

**[2]bout → bouillir.**

**boutade** *f* ocurrencia, ex abrupto *m*, salida de tono.
▶ L'espagnol emploie aussi le gallicisme *boutade*.

**boute-en-train** *m* bromista, quitapesares.

**boutefeu** *m* botafuego.

**bouteille** *f* **1.** botella: **une bonne ~** una botella de buen vino ◊ *FAM* **aimer la ~** darse a la bebida; **prendre de la ~** envejecer; **c'est la bouteille à l'encre** eso es un asunto muy complicado **2. mettre du vin en ~** embotellar vino; **mise en ~** embotellado *m* **3.** *(de gaz butane, d'oxygène)* bombona **4. ~ de Leyde** botella de Leiden.

**bouter** *vt ANC* expulsar, echar.

**boutique** *f* **1.** tienda ◊ **ouvrir ~** poner una tienda; **fermer ~** cerrar, abandonar el negocio **2. ~ de modes** tienda de modas, boutique **3.** *PÉJOR* **sale ~** maldito sitio.
▶ L'espagnol emploie couramment le mot français *boutique* pour désigner une boutique de modes.

**boutiquier, ère** *s* tendero, a.

**boutoir** *m* **1.** *(de sanglier)* jeta *f* **2.** *FIG* **coup de ~** ataque brusco, palabra *f* mordaz.

**bouton** *m* **1.** *(d'un vêtement, d'un appareil électrique)* botón: **il manque un ~ à ma veste** falta un botón a mi chaqueta; **des boutons en nacre** botones de nácar; **appuyer sur le ~** pulsar el botón **2. boutons de manchette** gemelos; **~-pression** automático **3.** *(de porte)* pomo **4.** *(sur la peau)* grano: **couvert de boutons** llenos de granos ◊ **~ d'acné** espinilla *f* **5.** *(bourgeon)* yema *f*, botón **6.** *(de fleuret)* botón.

**bouton-d'or** *m* botón de oro.

**boutonnage** *m* abrochamiento.

**boutonner** *vt* abrochar, abotonar. ◆ **se ~** *vpr* abrocharse, abotonarse: **ce corsage se boutonne par derrière** esta blusa se abrocha por detrás.
▶ *Abrochar* est plutôt plus usuel que *abotonar*.

**boutonneux, euse** *a* granujiento, a.

**boutonnière** *f* ojal *m*: **une rose à la ~** una rosa en el ojal.

**bouton-pression → bouton.**

**bouts-rimés** *m pl* pies forzados.

**bouturage** *m* desqueje.

**bouture** *f* esqueje *m*.

**bouturer** *vt* desquejar.

**bouvet** *m* acanalador.

**bouvier, ère** *s* boyero, a, vaquero, a. ◊ *m (chien)* perro pastor.

**bouvillon** *m* boyezuelo, ternero.

**bouvreuil** *m* pardillo.

**bovidés** *m pl* bóvidos.

**bovin, e** *a/m* bovino, a, vacuno, a. ◊ *m pl* **les bovins** los bovinos, los vacunos, el ganado vacuno.

**bowling** [bɔliŋ] *m* **1.** *(jeu)* bolos *pl* **2.** *(lieu)* bolera *f*, «bowling».

**bow-window** [bowindo] *m* mirador.

**box** *m* **1.** compartimiento, «box» ◊ **~ des accusés** departamento en el que está el banquillo de los acusados. **2.** garaje individual.

**box-calf, box** *m* box-calf.

**boxe** *f* boxeo *m*: **la ~** el boxeo.

**[1]boxer** *vi* boxear. ◊ *vt FAM* dar puñetazos a.

**[2]boxer** [bɔksɛʀ] *m (chien)* bóxer.

**boxeur** *m* boxeador.

**boy** [bɔj] *m* boy.

**boyard** *m* boyardo.

**boyau** [bwajo] *m* **1.** tripa *f*: **corde de ~** cuerda de tripa ◊ *FAM* **rendre tripes et boyaux** echar las tripas, vomitar **2.** *(pneu)* tubular **3.** *(passage)* pasadizo **4.** *(tranchée)* trinchera *f*.

**boycott** [bɔjkɔt], **boycottage** *m* boicoteo.

**boycotter** *vt* boicotear.

**boy-scout** [bɔjskut] *m* explorador, boy scout.

**brabançon, onne** *a/s* brabanzón, ona.

**Brabant** *np m* Brabante.

**bracelet** *m* **1.** pulsera *f*: **un ~ en or** una pulsera de oro **2. ~-montre** reloj de pulsera.

**brachial, e** [bʀakjal] *a ANAT* braquial.

**brachiopodes** [bʀakjɔpɔd] *m pl ZOOL* braquiópodos.

**brachycéphale** [bʀakisefal] *a/s* braquicéfalo, a.

**braconnage** *m (chasse)* caza *f* furtiva; *(pêche)* pesca *f* furtiva.

**braconner** *vi (chasser)* cazar furtivamente; *(pêcher)* pescar furtivamente.

**braconnier** *m (chasseur)* cazador furtivo; *(pêcheur)* pescador furtivo.

**bractée** *f BOT* bráctea.

**brader** *vt* **1.** liquidar, rematar, rebajar: **on brade les stocks!** ¡liquidamos el stock! **2.** *FIG* **~ sa liberté** sacrificar su libertad.

**braderie** *f* **1.** venta de mercancías de lance **2.** liquidación **3.** *(marché)* mercado *m* de ropavejería.

**braguette** *f* bragueta.

**brahmane** *m* brahmán, bracmán.

**brahmanisme** *m* brahmanismo.

**brai** *m* brea *f*.

**braies** *f pl* pantalón *m sing* de los galos.

**braillard, e** *a/s* gritón, ona, chillón, ona.

**braille** *m* braille: **lire en ~** leer braille.

**braillement** *m* berrido, grito.

**brailler** *vi* berrear, chillar, gritar: **enfant qui braille** niño que berrea.

**braiment** *m* rebuzno.

**braire*** *vi* **1.** *(l'âne)* rebuznar **2.** *FAM* chillar, berrear ◊ **faire ~** fastidiar.

**braise** *f* **1.** brasa, ascua: **cuire sur la ~** cocer a la brasa **2.** *FIG* **yeux de ~** ojos brillantes como luceros.

**braiser** *vt CULIN* cocer a fuego lento (en un recipiente bien tapado).

**brame, bramement** *m* bramido.

**bramer** *vi* bramar.

**brancard** *m* camilla *f*: **transporter un blessé sur un ~** transportar a un herido en camilla. ◇ *pl (d'une charrette)* varas *f* ◊ *FIG* **ruer dans les brancards → ruer.**

**brancardier, ère** *s* camillero, a.

**branchage** *m* ramaje.

**branche** *f* **1.** *(d'arbre, d'arbre généalogique)* rama: **~ morte** rama seca ◊ *FIG* **être comme l'oiseau sur la ~** estar con un pie en el aire **2.** *(d'un chandelier)* brazo *m* **3.** *(de lunette)* varilla, patilla **4.** *(d'éventail)* varilla **5.** *(de compas)* pierna **6.** *FIG (d'une science, etc.)* rama **7.** *(de l'industrie)* ramo *m*: **la ~ de la confection** el ramo de la confección **8.** *FAM* **avoir de la ~** tener mucha clase, muy buena planta; **vieille ~!** ¡hombre!, ¡macho!

**branché, e** *a FAM* **être ~** estar en la onda, estar al tanto.

**branchement** *m* **1.** *(électrique)* conexión *f* **2.** *(d'une conduite)* empalme, acometida *f* **3.** ramificación *f*.

**brancher** *vt* **1.** conectar, enchufar: **~ la télé** conectar la tele; **~ un appareil électrique sur le secteur** conectar un aparato eléctrico a la red; **le fer à repasser est resté branché** la plancha ha quedado conectada **2.** *(une conduite)* empalmar. ◆ **se ~** *vpr* **1.** *(un oiseau)* posarse **2.** *ÉLECT* conectarse **3.** *FAM* **être branché → branché 4.** *FAM* chiflar, molar: **le jazz, ça me branche** me chifla el jazz; **ça te branche d'aller au cinéma?** ¿te mola ir al cine? **5.** *(un oiseau)* posarse.

**branchette** *f* ramita.

**branchial, e** *a* branquial.

**branchies** *f pl* branquias.

**branchu, e** *a* ramoso, a.

**brandade** *f (de morue)* bacalao *m* a la provenzal machacado con aceite de oliva.

**Brandebourg** *np m* Brandeburgo.

**brandebourgeois, e** *a/s* brandeburgués, esa ◊ *MUS* **Concertos ~** Conciertos de Brandeburgo.

**brandebourgs** *m pl* alamares.

**brandir** *vt* blandir, esgrimir: **il brandissait sa canne** blandía su bastón.

**brandon** *m* **1.** *(torche)* hachón, tea *f* ◊ *FIG* **le ~ de la discorde** la tea de la discordia **2.** *(débris enflammé)* pavesa *f*.

**branlant, e** *a* tambaleante.

**branle** *m* **1.** vaivén, oscilación *f*, bamboleo **2. mettre en ~** poner en movimiento.

**branle-bas** [bʀɑ̃lbɑ] *m inv* **1. ~ de combat** zafarrancho de combate **2.** *FIG* agitación *f*, tumulto.

**branlement** *m* meneo.

**branler** *vt* **~ la tête** menear la cabeza. ◇ *vi* tambalearse: **chaise qui branle** silla que se tambalea; **dent qui branle** muela suelta ◊ *FIG* **~ dans le manche** estar en el aire, inseguro. ◆ **se ~** *vpr VULG* **1.** hacerse una paja **2. je m'en branle** me importa un carajo.

**branleur** *m VULG (bon à rien)* gandul, inútil.

**braquage** *m* **1.** giro: **rayon de ~** círculo de giro **2.** *POP (attaque à main armée)* asalto, atraco.

**braque** *m (chien)* braco, perro perdiguero. ◇ *a FAM (bizarre)* chiflado, a, atolondrado, a, pasmado, a.

**braquer** *vt* **1.** *(une arme)* apuntar, dirigir: **il braqua son pistolet sur moi** me apuntó con su pistola **2.** *(téléscope, etc.)* enfilar **3. ~ les yeux sur** fijar la mirada en **4.** *POP (une banque, etc.)* asaltar. ◇ *vi* girar: **voiture qui braque bien** coche que gira bien; **braquez à droite, à fond!** ¡gire a la derecha, a fondo! ◆ **se ~** *vpr* cerrarse a la banda ◊ **il s'est braqué contre moi** se volvió contra mí.

**braquet** *m* demultiplicación *f*.

**braqueur, euse** *s POP* atracador, a.

**bras** *m* **1.** brazo: **donner le ~ à quelqu'un** dar el brazo a alguien; **elle entra au ~ de son mari** entró del brazo de su marido; **dans les ~** en brazos; **voiture à ~** carro de mano ◊ *loc adv* **à bout de ~** a pulso; **à ~ ouverts** con los brazos abiertos; **à ~-le-corps** por la cintura; *FIG* a brazo partido; **à ~ raccourcis** con violencia; **à tour de ~** con todas las fuerzas; **ils allaient ~ dessus, ~ dessous** iban cogidos del brazo; **en ~ de chemise** en mangas de camisa **2.** *FIG* **avoir le ~ long** tener influencias; **baisser les ~** darse por vencido, rendirse; **se jeter dans les ~ de quelqu'un** echarse en los brazos de alguien; **être le ~ droit de quelqu'un** ser el brazo derecho de alguien; **elle a six enfants sur les ~** tiene seis hijos a cargo; **couper ~ et jambes** abatir, hacer perder el ánimo; *(surprendre)* dejar estupefacto, a; **les ~ m'en tombent!** ¡no me lo creo!; **rester les ~ croisés** estar mano sobre mano, con los brazos cruzados; **se croiser les ~** cruzarse de brazos **3. une partie de ~ de fer, un ~ de fer** un pulso **4. ~ d'honneur** corte de mangas **5.** *(d'un fauteuil, d'une grue, d'un électrophone)* brazo **6. ~ de mer** estrecho. ◇ *pl* **l'agriculture manque de ~** la agricultura necesita brazos.

**brasage** *m TECHN* soldadura *f*.

**braser** *vt TECHN* soldar.

**brasero** [bʀa(a)zeʀo] *m* brasero.

**brasier** *m* hoguera *f*.

**brasiller** *vi (la mer)* rielar, centellear.

**bras-le-corps (à)** → **bras.**

**brassage** *m* **1.** *(de la bière)* fabricación *f* de la cerveza **2.** *(mélange)* mezcla *f* **3. le ~ des races** el cruzamiento de razas.

**brassard** *m* brazal.

**brasse** *f (mesure, nage)* braza: **nager la ~** nadar a braza; **~ papillon** braza mariposa.

**brassée** *f* brazado *m*, brazada.

**brasser** *vt* **1. ~ la bière** fabricar la cerveza **2.** *(la pâte)* amasar **3. ~ des affaires** manejar muchos negocios; **~ de l'argent** manejar mucho dinero **4.** *(mélanger)* mezclar.

**brasserie** *f* cervecería.

**[1]brasseur** *m* **1.** *(qui fabrique de la bière)* cervecero **2. ~ d'affaires** hombre de negocios.

**[2]brasseur, euse** *s (nageur)* bracista.

**brassière** *f* **1.** camisita de bebé **2.** *MAR* **~ de sauvetage** chaleco *m* salvavidas.

**brasure** *f* soldadura.

**bravache** *a/s* bravucón, ona.

**bravade** *f* bravata.

**brave** *a* **1.** *(courageux)* valiente: **faire la ~** echárselas de valiente **2.** bueno, buen, a: **un ~ garçon** un buen chico; **c'est un ~ type** es un buen hombre; **de braves gens** buena gente; **ce ~ André** el buenazo de Andrés. ◇ *m* **1.** valiente: **faire le ~** echárselas de valiente **2.** *FAM* **mon ~** amigo mío.

**bravement** *adv* con valentía.

**braver** *vt* **1. ~ l'ennemi** desafiar al enemigo **2. ~ un danger** arrostrar, desafiar un peligro.

**bravo!** *interj* ¡bravo! ◇ *m* **un ~** una aclamación *f.*

**bravoure** *f* **1.** valentía, bravura **2. morceau de ~** trozo brillante (de una obra artística).

**break** [brɛk] *m* **1.** *(voiture)* break **2.** *(tennis, jazz)* break.

**brebis** *f* **1.** oveja **2.** *FIG* **~ égarée** oveja descarriada; **la ~ galeuse** el garbanzo negro, la oveja negra.

**[1]brèche** *f* **1.** brecha: **battre en ~** batir en brecha; **être toujours sur la ~** estar en la brecha; **ouvrir une ~** abrir brecha **2.** *(à un couteau)* mella **3.** *FIG* **faire une ~ à sa fortune** hacer mella a su fortuna.

**[2]brèche** *f (roche)* brecha.

**bréchet** *m* quilla *f* (de ave).

**bredouille** *a* **rentrer ~** volver con las manos vacías.

**bredouillement** *m* balbuceo.

**bredouiller** *vi* farfullar, balbucir. ◇ *vt* **~ une excuse** balbucir una excusa.

**bref, brève** *a* **1.** breve: **à ~ délai** en breve plazo; **soyez ~** sea breve; **voyelle brève** vocal breve **2. ton ~** tono imperativo. ◇ *adv* total, en una palabra: **~, il s'est trompé** total, se equivocó. ◇ *m (du pape)* breve. ◇ *f* **1.** *(note, syllabe)* breve **2.** *(journalisme)* **une brève** una noticia breve, un breve.

**bréhaigne** *a* estéril.

**brelan** *m (jeu de cartes)* berlanga *f* ◇ **~ d'as** trío de ases.

**breloque** *f* **1.** *(bijou)* dije *m* **2.** *FIG* **battre la ~** *(montre)* andar irregularmente; *(cœur)* batir irregularmente; *(personne)* desatinar, desbarrar.

**brème** *f (poisson)* brema.

**Brême** *np* Brema.

**Brésil** *np m* Brasil: **le ~** (el) Brasil.

**brésilien, enne** *a/s* brasileño, a.

**brésiller** *vi* pulverizarse.

**Bretagne** *np f* Bretaña.

**bretèche** *f* fortificación almenada.

**bretelle** *f* **1.** *(courroie)* correa **2.** *(de fusil)* portafusil *m* **3.** *(chemin de fer)* agujas *pl* **4.** *(d'autoroute)* carretera de enlace. ◇ *pl (de pantalon, etc.)* tirantes *m*: **les bretelles d'un soutien-gorge** los tirantes de un sostén.

**breton, onne** *a/s* bretón, ona.

**bretteur** *m* espadachín.

**bretzel** *m* pastelillo duro y salado, en forma de 8.

**breuvage** *m* brevaje.

**brève** *a/s* → **bref.**

**brevet** *m* **1.** patente *f*: **~ d'invention** patente de invención **2.** *(d'études)* diploma **3.** *(professionnel)* título: **~ de pilote** título de piloto.

**breveté, e** *a* **1.** *(invention)* patentado, a **2.** *(personne)* diplomado, a.

**breveter*** *vt* patentar ◇ **faire ~ une invention** patentar un invento.

**bréviaire** *m* breviario.

**briard, e** *a/s* de la Brie (región de Francia). ◇ *m (chien)* perro pastor.

**bribes** *f pl* **1. des ~ de conversation** retazos *m* de conversación, trozos *m* de conversación **2.** migajas, restos *m*: **les dernières ~ de l'héritage** las últimas migajas de la herencia.

**bric-à-brac** *m* **1.** *(magasin)* baratillo **2.** *(amas d'objets)* batiborrillo, batiburrillo **3.** parafernalia *f*: **tout le ~ folklorique** toda la parafernalia folclórica.

**bric et de broc (de)** *loc adv* de cualquier modo, de aquí y de allá, de manera heteróclita.

**brick** *m* bergantín.

**bricolage** *m* **1.** bricolage, bricolaje; **amateur de ~** aficionado al bricolaje **2.** *(réparation)* chapuza *f*, remiendo: **c'est du ~** es una chapuza, una chapucería.

**bricole** *f* **1.** *(harnais)* petral *m* **2.** *(courroie)* correa **3.** *(babiole)* fruslería **4.** *(menu travail)* chapuza, chapuz *m*: **il gagne sa vie en faisant des bricoles** se gana la vida haciendo chapuzas.

**bricoler** *vi* bricolar, arreglar cosas: **il adore ~** le encanta bricolar, el bricolaje. ◇ *vt* arreglar, reparar provisionalmente.

**bricoleur, euse** *a/s* aficionado, a al bricolaje ◇ **un bon ~** un manitas, un hombre muy mañoso, un bricolador.

**bride** *f* **1.** brida ◇ **à ~ abattue, à toute ~** a rienda suelta **2.** *FIG* **lâcher la ~, laisser la ~ sur le cou à quelqu'un** dar rienda suelta a alguien; **tenir la ~ haute à quelqu'un, serrer la ~ à quelqu'un** atar corto a alguien, sujetar a alguien; **tourner ~** volver grupas **3.** *(d'un chapeau)* cinta **4.** *(boutonnière)* presilla **5.** *TECHN* abrazadera.

**bridé, e** *a* **yeux bridés** ojos rasgados.

**brider** *vt* **1.** *(un cheval)* embridar **2.** *(une volaille)* atar **3.** *FIG* reprimir.

**[1]bridge** *m* bridge: **jouer au ~** jugar al bridge.

**[2]bridge** *m (dent)* puente.

**bridger** *vi* jugar al bridge.

**bridgeur, euse** *s* jugador, a de bridge.

**bridon** *m* bridón.

**brie** [bʀi] *m (fromage)* queso de Brie.

**briefer** [bʀife] *vt FAM* informar.

**brièvement** *a* brevemente.

**brièveté** *f* brevedad.

**brigade** *f* **1.** brigada **2.** *(de gendarmes)* destacamento *m* **3. Brigades internationales** Brigadas internacionales.

**brigadier** *m* **1.** general de brigada **2.** *(artillerie, cavalerie, gendarmerie)* cabo **3.** *(police)* brigada.

**brigand** *m* **1.** bandido, salteador **2.** *(enfant)* tunante: **petit ~!** ¡tunantuelo!

**brigandage** *m* bandidaje.

**brigantin** *m* bergantín.

**Brigitte** *np f* Brígida.

**brigue** *f* intriga.

**briguer** *vt* pretender, solicitar: **~ une faveur** solicitar un favor.

**brillamment** *adv* brillantemente, airosamente.

**brillance** *f* brillo *m*, luminancia.

**brillant, e** *a* **1.** brillante **2.** *FIG* brillante: **un ~ orateur** un orador brillante **3. la situation n'est pas brillante** la situación no es halagüeña; **sa santé n'est pas brillante** su salud es mediocre. ◇ *m* **1.** *(éclat)* brillo, lustre **2.** *(diamant)* brillante.

**brillantine** *f* brillantina.

**briller** *vi* **1.** brillar, resplandecer, relucir **2.** *FIG* brillar, sobresalir ◊ **~ par son absence** brillar por su ausencia **3.** *PROV* **tout ce qui brille n'est pas or** no es oro todo lo que reluce.

**brimade** *f* **1.** *(aux nouveaux élèves)* novatada **2.** vejación, humillación.

**brimbaler → bringuebaler.**

**brimborion** *m* fruslería *f*.

**brimer** *vt* molestar, humillar: **mesure qui brime le public** medida que molesta al público; **se sentir brimé** sentirse humillado.

**brin** *m* **1. un ~ d'herbe** un tallito, una brizna de hierba; **un ~ de muguet** una ramita de muguete; **un ~ de paille** una brizna de paja **2.** *(de corde)* hebra *f* **3.** *(un petit peu)* **un ~ de** un poquito, una pizca de: **un ~ de causette** un poquito de charla; **un ~ de fièvre** una pizca de fiebre; **pas un ~ de pain** ni pizca de pan; **pas le moindre ~ de bon sens** ni pizca, ni un asomo de sensatez **4.** *FAM* **il est un ~ flemmard** es un poco gandul; **un ~ enrhumé** un pelín acatarrado **5.** *FAM* **un beau ~ de fille** una real moza.

**brindezingue** *a FAM (fou)* chiflado, a.

**brindille** *f* ramita.

**bringue** *f POP* **1. une grande ~** una espingarda, una grandullona **2.** juerga: **faire la ~** irse de juerga.

**bringuebaler, brinquebaler** *vi* bambolearse.

**brio** *m* brío, vivacidad *f*.

**brioche** *f* **1.** *(pâtisserie)* bollo *m* **2.** *FAM* **prendre de la ~** echar tripa.

**brioché, e** *a* **pain ~** pan inglés.

**brique** *f* **1.** ladrillo *m* ◊ *POP* **bouffer des briques** no tener nada que llevarse a la boca **2. ~ crue** adobe *m* **3.** *POP* **une ~** un millón de francos antiguos.

**briquer** *vt* **1.** *(frotter)* restregar **2.** *FAM (astiquer)* sacar lustre a.

**briquet** *m* **1.** encendedor, mechero: **~ à gaz** encendedor de gas **2.** *(chien)* perro raposero.

**briqueterie** *f* fábrica de ladrillos.

**briquetier** *m* ladrillero.

**briquette** *f* aglomerado *m* de carbón.

**bris** *m* **1.** *(de pare-brise, etc.)* rotura *f* **2.** fractura *f* **3. ~ de scellés** quebrantamiento de sellos.

**brisant** *m (écueil)* rompiente, escollo.

**briscard** *m MIL* veterano.

**brise** *m* brisa, airecillo *m*.

**brisé, e** *a* **1. ligne brisée** línea quebrada; **arc ~** arco apuntado **2. pâte brisée** masa quebrada **3. → briser.**

**brise-bise** *m* visillo.

**brisées** *f pl* rastro *m sing* ◊ **aller sur les ~ de...** entrar en rivalidad con...

**brise-fer → brise-tout.**

**brise-glace(s)** *m* **1.** *(navire)* rompehielos **2.** *(d'un pont)* espolón.

**brise-jet** *m* tubo amortiguador de chorro.

**brise-lames** *m* rompeolas.

**brisement** *m FIG* **~ de cœur** dolor profundo.

**brise-mottes** *m AGR* grada *f* de discos.

**briser** *vt* **1.** romper, quebrar: **~ une vitre** romper un cristal; **voix brisée par l'émotion** voz quebrada por la emoción **2.** quebrantar, truncar: **~ la résistance** quebrantar la resistencia; **~ la carrière de quelqu'un, un espoir** truncar la carrera de alguien, una esperanza **3. ~ le cœur** destrozar el corazón **4.** *(fatiguer)* moler, rendir: **brisé de fatigue** rendido **5.** *FIG* **un homme brisé** un hombre roto. ◇ *vi* **1.** *(la mer)* romper **2. ~ avec quelqu'un** romper con alguien; **j'ai brisé avec lui** he roto con él **3. brisons là!** ¡acabemos!, ¡no hablemos más! ◆ **se ~** *vpr* **1.** romperse **2.** *(les vagues)* estrellarse **3. sa voix se brisa** se le quebró la voz.

**brise-tout** *s inv* destrozón, ona.

**briseur** *m* **~ de grève** rompehuelgas, esquirol.

**brise-vent → abrivent.**

**brisquard → briscard.**

**brisque** *f (jeu de cartes)* brisca.

**bristol** *m* **1.** *(papier fort)* cartulina *f* **2.** tarjeta de visita.

**brisure** *f* rotura, fractura.

**britannique** *a/s* británico, a.

**broc** [bro] *m* jarro grande.

**brocante** *f* **1.** *(commerce)* chamarileo *m* **2.** *(magasin)* tienda *f* de antigüedades **3.** *(marché)* mercadillo de antigüedades.

**brocanter** *vi* chamarilear.

**brocanteur, euse** *s* chamarilero, a, anticuario, a.

**brocard** *m (raillerie)* pulla *f*, dicho mordaz.

**brocarder** *vt* lanzar pullas contra.

**brocart** *m (tissu)* brocado.

**brochage** *m* encuadernación *f* en rústica.

**brochant** *a FIG* **et ~ sur le tout...** y además..., para colmo...

**broche** *f* **1.** *(pour rôtir)* asador *m*, espetón *m*: **poulet à la ~** pollo asado **2.** *(bijou)* broche *m* **3.** *TECHN (en filature)* broca, huso *m*; *(en chirurgie)* clavo *m*; *(d'une prise de courant)* clavija, macho *m*. ◇ *pl (du sanglier)* colmillos *m*.

**brocher** *vt* **1.** encuadernar en rústica: **livre broché** libro encuadernado en rústica **2.** *(tisser)* briscar.

**brochet** *m* lucio.

**brochette** *f* **1.** broqueta, brocheta: **une ~ de rognons** una brocheta de riñones **2.** serie: **une ~ de décorations** una serie de condecoraciones **3.** *FAM* **une ~ de généraux** un grupo de generales.

**brocheur, euse** *s* encuadernador, a en rústica.

**brochure** *f* folleto *m*: **une ~ publicitaire** un folleto publicitario.

**brocoli** *m* brécol, bróculi.

**brodequin** *m* borceguí: **une paire de brodequins** un par de borceguíes.

**broder** *vt* **1.** bordar: **mouchoir brodé** pañuelo bordado **2.** *FIG* exagerar, inventar: **vous brodez!** ¡usted exagera!

**broderie** *f* bordado *m*: **faire de la ~** hacer bordados, bordar.

**brodeur, euse** *s* bordador, a.

**broiement → broyage.**

**brome** *m CHIM* bromo.

**bromure** *m* bromuro.

**bronche** *f* bronquio *m*: **les bronches** los bronquios.

**broncher** *vi* **1.** *(trébucher)* tropezar **2.** *(bouger)* moverse **3.** *(hésiter)* vacilar **4.** *(protester)* **sans ~** sin chistar, sin rechistar.

**bronchiole** *f* bronquiolo *m*.

**bronchique** *a* bronquial.

**bronchite** *f* bronquitis.

**bronchitique** *a* bronquítico, a.

**broncho-pneumonie** *f* bronconeumonía.

**bronchoscopie** *f MÉD* broncoscopia.

**brontosaure** *m* brontosauro.

**bronzage** *m* bronceado: **~ intégral** bronceado integral ◊ **crème pour le ~** crema bronceadora, bronceador *m*.

**bronzant, e** *a* **crème, huile bronzante** bronceador *m*.

**bronze** *m* bronce.

**bronzer** *vt* **1.** broncear **2.** *(la peau)* broncear, curtir ◊ **lampe à ~** lámpara de rayos UVA. ◇ *vi/pr* broncearse: **se ~ au soleil** broncearse al sol; **elle a bronzé cet été** se ha puesto morena este verano; **il est bronzé** está moreno.

**bronzeur, bronzier** *m* broncista.

**brossage** *m* cepillado: **le ~ des dents** el cepillado de los dientes.

**brosse** *f* **1.** cepillo *m*: **~ à dents** cepillo de dientes; **~ à cheveux, à habits** cepillo para el pelo, para la ropa; **~ métallique** cepillo metálico **2.** *(pinceau)* brocha **3. cheveux en ~** pelo (cortado) al cepillo **4.** *FAM* **manier la ~ à reluire** dar coba.

**brosser** *vt* **1.** cepillar: **brosse tes chaussures** cepíllate los zapatos **2.** *(peindre)* pintar con brocha **3.** *FIG* describir, pintar: **~ un tableau de la situation** pintar un cuadro de la situación. ◆ **se ~** *vpr* **1.** cepillarse **2. se ~ les dents** cepillarse los dientes **3.** *FAM* **tu peux te ~!** ¡ya puedes esperar sentado!

**brosserie** *f* industria, comercio *m* del cepillo.

**brou** *m* **1.** cáscara *f* verde **2. ~ de noix** nogalina *f*.

**brouet** *m* **1.** *ANC* caldo claro **2.** *PÉJOR* bodrio.

**brouette** *f* carretilla.

**brouettée** *f* carretillada.

**brouetter** *vt* acarrear en carretilla.

**brouhaha** *m* batahola *f*, algarabía *f*.

**brouillage** *m (radiophonique)* interferencia *f*.

**brouillamini** *m* batiburrillo, confusión *f*, lío.

**brouillard** *m* **1.** niebla *f*: **brouillards matinaux** nieblas matutinas; **~ à couper au couteau** niebla muy densa **2.** *FIG* **être dans le ~** no ver clara la situación; **foncer dans le ~** lanzarse a lo loco, sin reparar en obstáculos **3.** *COM (livre)* libro borrador.

**brouillasse** *f FAM* llovizna.

**brouillasser** *vi FAM* lloviznar.

**brouille** *f* desavenencia.

**brouiller** *vt* **1.** *(mêler)* revolver, mezclar ◊ **œufs brouillés** huevos revueltos **2. ~ les cartes** enredarlo todo **3.** *(une émission de radio)* perturbar **4.** confundir: **tes explications ne font que ~ mes idées** tus explicaciones sólo me sirven para confundir las ideas **5.** *(rendre trouble)* enturbiar ◊ **les yeux brouillés de larmes** los ojos anegados en lágrimas **6.** *(les personnes)* malquistar, enemistar **7.** *FAM* **il est brouillé avec l'orthographe** a él la ortografía se le da fatal. ◆ **se ~** *vpr* **1. le ciel se brouille** el cielo se está nublando; **ma vue se brouille** la vista se me nubla **2.** confundirse: **tout se brouille dans ma mémoire** todo se confunde en mi memoria **3.** enemistarse, reñir: **il s'est brouillé avec sa famille** se ha enemistado con su familia; **ils se sont brouillés** han reñido.

**brouillerie** *f* desavenencia.

**brouillon, onne** *a* desordenado, a: **un élève ~** un alumno desordenado. ◇ *m* borrador ◊ **cahier de ~** borrador; **au ~** en sucio.

**broussaille** *f* **1.** maleza, broza **2. cheveux en ~** pelo enmarañado.

**broussailleux, euse** *a* **1.** cubierto, a de maleza **2.** enmarañado, a: **sourcils ~** cejas enmarañadas.

**brousse** *f* **1.** sabana arbolada **2.** *FAM* región salvaje, campo *m*.

**brouter** *vt* **1.** *(l'herbe)* pacer **2.** *(les feuilles)* ramonear. ◇ *vi (un mécanisme)* vibrar.

**broutille** *f* fruslería, nimiedad.

**brownien** [bʀo(aw)njɛ̃] *a PHYS* **mouvement ~** movimiento browniano.

**browning** [bro(aw)niŋ] *m* browning *f*, pistola *f* automática.

**broyage** *m* trituración *f*, molienda *f*.

**broyer*** [bʀwaje] *vt* **1.** moler, triturar, machacar: **~ les aliments** triturar los alimentos **2.** *(écraser)* aplastar **3.** *FIG* **~ du noir** tener las ideas negras **4.** *(chanvre, lin)* agramar.

**broyeur, euse** *a/m* triturador, a: **~ à ordures** triturador de basuras.

**brrr!** *interj* **1.** *(froid)* ¡huy, qué frío! **2.** *(peur)* ¡qué horror!

**bru** *f* nuera, hija política.

**bruant** *m* verderón.

**brucelles** *f pl* pinzas finas.

**brucellose** *f MÉD* brucelosis.

**Bruges** *np f* Brujas.

**brugnon** *m* griñón.

**bruine** *f* llovizna, cernícalo *m*.

**bruiner** *v impers* lloviznar.

**bruire*** *vi* susurrar, murmurar.

**bruissement** *m* **1.** susurro, murmullo **2.** *(des insectes)* zumbido.

**bruit** *m* **1.** ruido: **un ~ assourdissant** un ruido ensordecedor; **faire du ~** hacer ruido; **~ de fond** ruido de fondo **2.** *(nouvelle)* rumor, voz *f*: **le ~ court que...** corre la voz de que... ◊ **un faux ~** una noticia falsa **3.** *FIG* **à grand ~** a bombo y platillos; **beaucoup de ~ pour rien** mucho ruido y pocas nueces; **la nouvelle va faire beaucoup de ~** la noticia va a armar mucho ruido.

**bruitage** *m* efectos *pl* sonoros.

**bruiteur** *m* técnico encargado de efectos sonoros.

**brûlage** *m* quema *f*.

**brûlant, e** *a* **1. un thé ~** un té muy caliente **2.** abrasador, a ◊ **il a le front ~** su frente abrasa **3.** *FIG* **s'engager sur un terrain ~** meterse en un terreno peligroso; **une question brûlante** una cuestión candente; **une foi brûlante** una fe ardiente.

**brûlé, e** *a* **1.** quemado, a: **peau brûlée par le soleil** piel quemada por el sol, del sol; **politique de la terre brûlée** política de tierra quemada **2.** *FIG* **une tête brûlée** un calavera **3.** *(démasqué)* descubierto, a. ◇ *m* **1. une odeur de ~** un olor a quemado; **sentir le ~** oler a quemado, a chamusquina **2. les grands brûlés** los grandes quemados.

**brûle-gueule** *m* pipa *f* de tubo muy corto.

**brûle-parfum** *m* pebetero.

**brûle-pourpoint (à)** *adv* a quema ropa, a quemarropa.

**brûler** *vt* **1.** quemar: **je vais ~ ces vieux journaux** voy a quemar estos viejos periódicos; **la fumée me brûle les yeux** el humo me quema los ojos ◊ *FIG* **~ ses vaisseaux** quemar las naves **2.** *(le café)* tostar **3.** *(de l'électricité, etc.)* consumir, gastar **4. train qui brûle une gare** tren que pasa por una estación sin parar; **~ un feu rouge** saltarse un semáforo en rojo; **il a brûlé tous les feux rouges** se ha saltado todos los semáforos en rojo ◊ **~ les étapes** quemar etapas **5.** *FIG* **~ le pavé, la politesse, les planches → pavé, politesse, planche.** ◇ *vi* **1.** arder: **un feu de bois brûle dans la cheminée** un fuego de leña arde en la chimenea **2.** quemarse: **le rôti brûle!** ¡el asado se quema! **3.** abrasar: **elle a de la fièvre: son front brûle** tiene fiebre: su frente abrasa **4. ~ d'envie de...** arder en deseos de..., morirse por...; **~ d'impatience de...** arder por... **5.** *(dans les devinettes)* **tu brûles!** ¡que te quemas! ◆ **se ~** *vpr* **1.** quemarse: **je me suis brûlé la langue** me he quemado la lengua **2. se ~ la cervelle** saltarse la tapa de los sesos.

**brûlerie** *f* **1.** *(de café)* tostadero *m* **2.** *(d'eau-de-vie)* destilería.

**brûleur** *m* *(à gaz, mazout)* quemador: **les brûleurs d'une chaudière** los quemadores de una caldera.

**brûlis** *m* chamizera *f* ◊ **culture sur ~** cultivo sobre cenizas.

**brûlot** *m* **1.** *(navire)* brulote **2.** *(eau-de-vie)* aguardiente caramelizado **3.** *FIG* texto incendiario.

**brûlure** *f* **1.** quemadura: **~ du premier, deuxième degré** quemadura de primer, segundo grado **2.** *(sensation)* quemazón **3. avoir des brûlures d'estomac** tener acidez estomacal.

**brumaire** *m* brumario.

**brumasse** *f* neblina.

**brume** *f* bruma.

**brumeux, euse** *a* brumoso, a.

**brumisateur** *m* spray.

**brun, e** *a* **1.** pardo, a: **ours ~** oso pardo **2. tabac ~** tabaco negro; **bière brune** cerveza negra. ◇ *a/s* moreno, a: **elle a les cheveux bruns** tiene el pelo castaño oscuro; **une petite brune** una morenita.

**brunâtre** *a* pardusco, a, tirando a moreno.

**brune** *f* *ANC* **à la ~** al atardecer.

**brunette** *f* morenita.

**brunir** *vt* **1.** tostar, atezar **2.** *TECHN* *(un métal)* bruñir. ◇ *vi* ponerse moreno, a, broncearse: **elle a bruni pendant les vacances** se ha puesto morena durante las vacaciones. ◆ **se ~** *vpr* broncearse.

**brunissage** *m* *TECHN* bruñido.

**brunissement** *m* bronceado.

**brusque** *a* **1.** *(violent)* brusco, a **2.** *(inattendu)* brusco, a, repentino, a: **un changement ~** un cambio brusco.

**brusquement** *adv* bruscamente.

**brusquer** *vt* **1.** *(malmener)* tratar con rudeza **2.** precipitar, apresurar: **~ son départ** apresurar la salida.

**brusquerie** *f* brusquedad.

**brut** [bRyt] *a* **1. diamant ~** diamante en bruto **2. pétrole ~** petróleo crudo **3. sucre ~** azúcar sin refinar **4. champagne ~** champán seco **5. poids ~** peso bruto; **cent kilos ~** cien kilos en bruto **6.** *COM* **marge brute** margen bruto. ◇ *m* *(pétrole)* crudo.

**brutal, e** *a* **1.** brutal: **des hommes brutaux** hombres brutales **2.** brusco, a: **coup de frein ~** frenazo brusco.

**brutalement** *adv* brutalmente.

**brutaliser** *vt* maltratar, tratar brutalmente.

**brutalité** *f* brutalidad.

**brute** *f* bruto *m*, bestia: **cet individu est une ~** este individuo es un bruto; **une ~ épaisse, une sombre ~** un bruto de marca; *FAM* **sale ~!** ¡pedazo de animal!, ¡so bestia!

**Bruxelles** [bRysɛl] *np* Bruselas.

**bruxellois, e** *a/s* bruselense.

**bruyamment** [bRyijamɑ̃] *adv* ruidosamente.

**bruyant, e** [bRyijɑ̃, ɑ̃t] *a* ruidoso, a.

**bruyère** [bRy(yi)ɛR] *f* **1.** *(plante)* brezo *m* ◊ **terre de ~** tierra de brezo **2.** *(lieu couvert de bruyère)* brezal *m*.

**bryone** *f* *(plante)* nueza.

**bu, e → boire.**

**buanderie** *f* lavadero *m*.

**bubon** *m* bubón.

**bubonique** *a* **peste ~** peste bubónica.

**Bucarest** *np* Bucarest.

**buccal, e** *a* bucal: **cavité buccale** cavidad bucal.

**buccin** *m* **1.** *(mollusque)* buccino **2.** *ANC* trompeta *f* romana.

**Bucéphale** *np m* Bucéfalo.

**bûche** *f* **1.** *(morceau de bois)* leño *m* **2. ~ de Noël** bizcocho *m* en forma de leño (que se come por Navidad) **3.** *FAM* *(sot)* zoquete, estúpido, a **4.** *FAM* *(chute)* caída ◊ **ramasser une ~** coger una liebre, pegarse un batacazo.

[1]**bûcher** *m* **1.** *(local pour ranger le bois)* leñera *f* **2.** *(tas de bois)* hoguera *f*, pira *f*: **mourir sur le ~** morir en la hoguera.

[2]**bûcher** *vt/i* *FAM* empollar, trabajar afanosamente: **il bûche son latin** empolla el latín.

**bûcheron, onne** *m* leñador, a.

**bûchette** *f* leño *m* pequeño.

**bûcheur, euse** *s* *FAM* empollón, ona, currante.

**bucolique** *a/f* bucólico, a.

**budget** *m* presupuesto.

**budgétaire** *a* presupuestario, a: **déficit ~** déficit presupuestario.

**budgétiser** *vt* presupuestar.

**budgétivore** *a/m* *FAM* presupuestívoro, a.

**buée** *f* vaho *m* ◊ **couvert de ~** empañado.

**Buenos Aires** *np* Buenos Aires.

**buffet** [byfɛ] *m* **1.** *(meuble)* aparador **2. ~ de cuisine** armario **3.** *(table garnie de mets)* buffet, bufé: **~ campagnard** buffet en que se sirven embutidos y vinos; **~ froid** buffet frío **4. le ~ de la gare** la fonda de la estación **5.** *(d'un orgue)* caja *f* **6.** *POP* estómago, barriga *f* **7.** *FAM* **danser devant le ~** no tener nada que comer.

**buffle, bufflonne** *s* búfalo, a.

**buffleterie** *f* correaje *m*.

**bugle** *m* *MUS* bugle, cornetín de llaves.

**building** [bildin] *m* edificio grande, rascacielos, building.

**buire** *f* aguamanil *m*.

**buis** [byi] *m* boj.

**buisson** *m* **1.** matorral, zarzal ◊ **battre les buissons** ojear la caza; *FIG* indagar; **faire ~ creux** volver con las manos vacías **2. le ~ ardent** *(Bible)* la zarza ardiente **3. ~ d'écrevisses** pirámide *f* de cangrejos de río.

**buisson-ardent** *m* espino albar.

**buissonneux, euse** *a* breñoso, a, cubierto, a de maleza.

**buissonnier, ère** *a* **1.** montaraz **2. faire l'école buissonnière** hacer novillos.

**bulbe** *m* *BOT, ANAT* bulbo: **~ rachidien** bulbo raquídeo.

**bulbeux, euse** *a* bulboso, a.

**bulgare** *a/s* búlgaro, a.

**Bulgarie** *np f* Bulgaria.

**bulldozer** [byldozœʀ] *m* excavadora *f*, bulldozer.

**bulle** *f* **1.** *(d'air)* burbuja **2. ~ de savon** pompa de jabón **3.** *(du pape)* bula **4.** *(de bande dessinée)* bocadillo *m*, globo *m* **5.** FAM **coincer la ~** descansar. ◇ *a* **papier ~** papel de estraza.

**bulletin** *m* **1.** *(publication)* boletín **2.** parte, boletín: **~ d'information** boletín informativo; **~ de santé** parte facultativo; **le ~ météo** el tiempo **3. ~ de bagages** talón de equipaje **4. ~ de vote** papeleta *f* de voto; **~ blanc** papeleta en blanco **5. ~ de paye, de salaire** hoja *f* de paga **6. ~ de naissance** partida *f* de nacimiento ◊ FAM **avaler son ~ de naissance** diñarla, espicharla, morir **7. ~ scolaire** expediente académico **8. ~-réponse** cupón.

**bulot** *m (mollusque)* buccino.

**bungalow** [bœ̃galo] *m* bungalow.

**bunker** [bunkeʀ] *m* búnker.

**buraliste** *s* **1.** *(d'un bureau de tabac)* estanquero, a **2.** encargado, a de un despacho de rentas del Estado.

**bure** *f* **1.** *(étoffe de laine)* paño *m* buriel **2. robe de ~** sayal *m*.

**bureau** *m* **1.** *(table)* mesa *f* de despacho, escritorio: **déposez ce dossier sur mon ~** ponga este expediente en mi mesa **2.** *(pièce)* despacho: **le directeur est dans son ~** el director está en su despacho; **~ ministériel** despacho ministerial **3.** oficina *f*: **travailler dans un ~** trabajar en una oficina; **les bureaux d'une agence** las oficinas de una agencia; **~ de poste** oficina de correos **4. ~ de placement** agencia *f* de colocaciones **5.** *(spectacles)* **~ de location** contaduría *f*; **jouer à bureaux fermés** actuar con un lleno total **6. ~ de tabac** estanco **7.** *(d'une assemblée)* mesa *f* **8.** *(politique)* buró, comité **9. ~ de vote** colegio electoral.

**bureaucrate** *s* burócrata.

**bureaucratie** [byʀokʀasi] *f* burocracia.

**bureaucratique** *a* burocrático, a.

**bureaucratisation** *f* burocratización.

**bureautique** *f* ofimática.

**burette** *f* **1.** alcuza, vinagrera **2.** *(d'église)* vinatera **3.** *(de mécanicien)* aceitera.

**burgrave** *m* burgrave.

**Buridan** *np m* **l'âne de ~** el asno de Buridán.

**burin** *m* buril: **graver au ~** grabar con el buril.

**buriné, e** *a* **visage ~** rostro de rasgos muy marcados; **traits burinés** rasgos muy marcados.

**buriner** *vt* burilar, grabar.

**burlesque** *a* **1.** burlesco, a **2.** absurdo, a. ◇ *m* **le ~** el género burlesco, lo burlesco.

**burnous** *m* albornoz.

**buron** *m* cabaña *f* de pastor.

**bus** [bys] *m* FAM autobús, bus.

**busard** *m* dardabasí, alfaneque.

**busc** *m* ballena *f* de corsé.

**buse** *f* **1.** *(oiseau)* ratonero *m*, águila ratera **2.** FAM *(sot)* estúpido, a, cernícalo *m* **3.** *(tuyau)* tubo *m*, conducto *m*.

**business** [biznɛs] *m* FAM **1.** *(affaire)* asunto complicado **2.** *(chose)* chisme.

**busqué, e** *a* arqueado, a, corvo, a: **nez ~** nariz corva.

**buste** *m* **1.** busto **2.** *(sculpture)* busto.

**bustier** *m* sujetador largo, «bustier».

**but** [by, byt] *m* **1.** *(cible)* blanco: **toucher le ~** dar en el blanco **2.** objetivo, rumbo, objeto, fin: **marcher sans ~ précis** andar sin rumbo, sin objetivo preciso; **ces mesures ont pour ~ de réduire certaines inégalités** estas medidas tienen como objeto reducir ciertas desigualdades; **quel est le ~ de votre visite?** ¿cuál es el objeto de su visita?; **dans le ~ de...** con el fin de... ◊ **aller droit au ~** ir al grano **3.** *(football, etc.)* **les buts** la portería, la meta; **ligne de ~** línea de gol **4.** *(point)* tanto **5.** *(au football)* gol: **marquer un ~** meter un gol; **gagner par deux buts à zéro** ganar por dos goles a cero **6.** *loc adv* **de ~ en blanc** de golpe y porrazo, de buenas a primeras.

**butane** *m* butano: **gaz ~** gas butano.

**butanier** *m* barco butanero.

**buté, e** *a* obstinado, a, emperrado, a, terco, a ◊ **un visage ~** una cara de pocos amigos.

**butée** *f* **1.** *(d'un pont)* estribo *m* **2.** *(pièce mécanique)* tope *m*.

**buter** *vi* **~ contre une pierre, un problème** tropezar contra una piedra, un problema. ◇ *vt* **1.** *(étayer)* apuntalar **2. ~ quelqu'un** hacer que alguien se obstine **3.** POP *(tuer)* liquidar, apiolar, cargarse. ◆ **se ~** *vpr (s'entêter)* cerrarse a la banda.

**buteur** *m (football)* goleador.

**butin** *m* botín.

**butiner** *vi/t (les abeilles)* libar. ◇ *vt* FIG recoger.

**butoir** *m* **1.** TECHN tope **2. date ~** fecha tope.

**butor** *m* **1.** *(oiseau)* alcaraván **2.** FIG zopenco, zoquete.

**buttage** *m* AGR aporcadura *f*.

**butte** *f* **1.** *(monticule)* loma, cerro *m*, colina **2. ~ de tir** terrero *m*, blanco *m* para tirar ◊ **être en ~ aux moqueries** estar expuesto, a a las mofas, ser el blanco de las mofas.

**butter** *vt* AGR *(légumes)* aporcar; *(arbres)* acollar.

**butyrique** *a* CHIM butírico, a.

**buvable** *a* bebible.

**buvais,** etc. → **boire.**

**buvard** *a/m* **papier ~** papel secante; **un ~** una hoja de papel secante. ◇ *m (sous-main)* carpeta *f*.

**buvette** *f* **1.** *(d'une gare)* cantina, bar *m* **2.** quiosco *m* de bebidas, aguaducho *m* **3.** quiosco *m* de aguas termales.

**buveur, euse** *s* bebedor, a.

**buvez, buvons** → **boire.**

**Byzance** *np f* Bizancio *m*.

**byzantin, e** *a/s* bizantino, a: **querelles byzantines** controversias bizantinas; **discussions byzantines** discusiones bizantinas.

# C

**c** [se] *m* c *f*: **un ~** una c.

**c'** → **ce.**

**¹ça** *pron dém* (contracción familiar de *cela*) **1.** esto, eso, aquello: **qu'est-ce que c'est que ~?** ¿qué es esto?; **à part ~** aparte de eso; **ce n'est pas ~** no es eso ◊ **~ y est** ya está; **c'est comme ~** es así; **alors, comme ~, tu t'en vas?** ¿de modo que te vas?; **~ va?** ¿qué tal?; **avec ~** además; **c'est toujours ~!** ¡algo es algo!; **pas de ~!** ¡ni hablar! **2.** *(approbation)* **c'est ~!** ¡eso es!, ¡ya está!, ¡eso mismo! **3. où ~?** ¿dónde?; **qui ça?** ¿quién? ◇ *m (psychanalyse)* ello.

▶ *Ça* es la forma usual en la lengua hablada → **cela**

**²ça** *adv* **1. ~ et là** aquí y allá **2. ah ~!** ¡vamos!

**cabale** *f* **1.** *(doctrine)* cábala **2.** *(intrigue)* intriga, complot *m*: **mener une ~ contre...** armar una intriga contra... **3.** *(coterie)* camarilla.

**cabalistique** *a* cabalístico, a: **signe ~** signo cabalístico.

**caban** *m* chaquetón.

**cabane** *f* **1.** cabaña, choza **2. ~ à lapins** conejar *m*.

**cabanon** *m* **1.** chozuela *f* **2.** *(pour aliénés)* loquera *f* ◊ **il est bon pour le ~** está loco de atar **3.** *(maison de campagne)* casa *f* de campo.

▶ Sentido 3: palabra usada en Provenza.

**cabaret** *m* **1.** taberna *f* **2.** *(boîte de nuit)* cabaré, cabaret, sala *f* de fiestas **3.** *(service à liqueurs)* licorera *f*.

**cabaretier, ère** *s* tabernero, a.

**cabas** *m (en sparterie)* capacho, capazo; *(sac à provisions)* bolsa *f* para la compra.

**cabestan** *m* cabrestante.

**cabiai** [kabjɛ] *m* capibara, carpincho.

**cabillaud** *m* bacalao fresco.

**cabine** *f* **1.** *(de bateau)* camarote *m* **2.** *(de camion, avion, ascenseur, etc.)* cabina **3. ~ téléphonique** cabina telefónica, locutorio *m* **4. ~ de bain** caseta de baño **5. ~ d'essayage** probador *m*.

**cabinet** *m* **1.** *(petite pièce)* pequeño aposento **2. ~ de toilette** cuarto de aseo, tocador **3. ~ noir** cuartito sin ventana; ANC *(dans un restaurant)* **~ particulier** reservado **4.** *(bureau)* gabinete, despacho **5.** *(d'un avocat)* bufete **6.** *(d'un médecin)* consulta *f*: **le docteur X vient d'ouvrir un ~** el doctor X acaba de abrir una consulta **7. ~ de groupe** consultorio **8. ~ d'affaires** gestoría *f*. **9.** *(les ministres)* gabinete: **chef de ~** jefe de gabinete **10. le ~ d'un ministre** la secretaría de un ministro **11. ~ de lecture** gabinete de lectura **12.** *(meuble)* bargueño. ◇ *pl* **les cabinets (d'aisance)** el retrete; **aller aux cabinets** ir al retrete.

**câblage** *m* cableado.

**câble** *m* **1.** cable: **poser un ~** tender un cable; **télévision par cable(s)** televisión por cable **2.** *(câblogramme)* cablegrama, cable.

**câbler** *vt* **1.** *(des fils)* torcer, retorcer **2.** *(un message)* cablegrafiar **3.** *(munir d'un réseau câblé)* cablear: **~ une ville** cablear una ciudad.

**cablier** *m (navire)* cablero.

**câblogramme** *m* cablegrama.

**cabochard, e** *a/s* testarudo, a, cabezota.

**caboche** *f* FAM *(tête)* chola, cholla.

**cabochon** *m (pierre précieuse)* cabujón.

**cabosser** *vt* abollar: **le choc a cabossé la carrosserie** el choque ha abollado la carrocería.

**cabot** *m* FAM **1.** *(chien)* chucho **2.** *(caporal)* cabo **3.** *(cabotin)* comicastro, comediante.

**cabotage** *m* MAR cabotaje.

**caboter** *vi* MAR costear, hacer cabotaje.

**caboteur** *m (bateau)* barco de cabotaje.

**cabotin, e** *s* **1.** *(comédien)* comicastro **2.** FIG comediante, farolón.

**cabotinage** *m* fanfarronada *f*, histrionismo.

**cabotiner** *vi* fanfarronear.

**caboulot** *m* FAM cafetín, tabernucho.

**cabrer** *vt* **1.** *(cheval, avion)* hacer encabritarse **2.** *(personne)* irritar, encolerizar. ◆ **se ~** *vpr* **1.** encabritarse **2.** FIG irritarse, indignarse.

**cabri** *m* cabrito, chivo.

**cabriole** *f* voltereta, cabriola: **faire des cabrioles** dar volteretas, hacer cabriolas.

**cabrioler** *vi* hacer cabriolas.

**cabriolet** *m (voiture)* cabriolé.

**caca** *m* FAM caca *f*: **faire ~** hacer caca. ◇ *a* **couleur ~ d'oie** color verdoso.

**cacaber** *vi (la perdrix)* cuchichiar.

**cacahuète, cacahouète** *f* cacahuete *m*.

**cacao** *m* cacao: **beurre de ~** manteca de cacao.

**cacaoté, e** *a* con cacao.

**cacaoyer, cacaotier** *m* cacao.

**cacarder** *vi (l'oie)* graznar.

**cacatoès** [kakatɔɛs] *m* cacatúa *f*.

**cacatois** *m* MAR sobrejuanete.

**cachalot** *m* cachalote.

**cache** *f* **1.** escondrijo *m* **2.** *(d'armes, etc.)* zulo *m*. ◇ *m (photo)* ocultador.

**caché, e** *a* oculto, a: **trésor ~** tesoro oculto; **la face cachée de la Lune** la cara oculta de la luna; **caméra cachée** cámara oculta.

**cache-cache** *m inv* escondite: **jouer à ~** jugar al escondite.

**cache-col** *m inv* bufanda *f.*

**Cachemire** *np m* Cachemira *f.*

**cachemire** *m (tissu)* casimir, cachemir, cachemira *f*: **pull en ~** jersey de cachemir.

**cache-misère** *m* sobretodo.

**cache-nez** *m inv* bufanda *f.*

**cache-pot** *m inv* cubretiesto.

**cache-poussière** *m inv* guardapolvo.

**cacher** *vt* **1.** esconder **2.** ocultar, disimular, encubrir: **~ la vérité** ocultar la verdad; **je ne vous cache pas que...** no le oculto que...; **~ son jeu** disimular sus intenciones ◊ **pour ne rien vous ~** a decir verdad, para serle sincero. ◆ **se ~** *vpr* **1. se ~ derrière un arbre** esconderse detrás de un árbol **2.** ocultarse: **le soleil s'est caché** el sol se ha ocultado **3. je suis paresseux, je ne le cache pas** soy holgazán, lo confieso, lo digo con franqueza.

**cache-radiateur** *m inv* cubrerradiador.

**cache-sexe** *m inv* taparrabo.

**cachet** *m* **1.** *(sceau)* sello **2.** *(marque de la poste)* matasellos **3.** *(médicament)* sello, pastilla *f* **4.** *(originalité)* sello, distintivo, originalidad *f*, carácter: **ce village a du ~** este pueblo tiene su sello **5.** *(d'un artiste)* retribución *f* ◊ **courir le ~** dar clases particulares.

**cache-tampon** *m* juego de niños.

**cacheter*** *vt* **1.** sellar **2.** *(à la cire)* lacrar ◊ **cire à ~** lacre *m*; **pain à ~** oblea *f* **3.** *(une enveloppe)* cerrar.

**cachette** *f* **1.** escondrijo *m*, escondite *m*. **2. en ~** a escondidas; **il fume en ~ de son père** fuma sin que lo sepa su padre, a espaldas de su padre.

**cachexie** *f* MÉD caquexia.

**cachot** *m* calabozo.

**cachotterie** *f* tapujo *m*, secreto *m*.

**cachottier, ère** *a/s* que anda con secretos, con rodeos, callado, a, misterioso, a.

**cachou** *m* cato, cachú.

**cacique** [kasik] *m* **1.** cacique **2.** *(élève)* primero (de su promoción).

**cacochyme** *a* cacoquímico, a, achacoso, a.

**cacolet** *m* artolas *f pl.*

**cacophonie** *f* cacofonía.

**cacophonique** *a* cacofónico, a.

**cactées** *f pl* BOT cactáceas, cácteas.

**cactus** [kaktys] *m* **1.** cacto **2.** FIG FAM dificultad *f*, problema.

**cadastral, e** *a* catastral.

**cadastre** *m* catastro.

**cadastrer** *vt* hacer el catastro de, catastrar.

**cadavéreux, euse** *a* cadavérico, a.

**cadavérique** *a* cadavérico, a: **rigidité ~** rigidez cadavérica.

**cadavre** *m* cadáver ◊ **un ~ ambulant → ambulant.**

**caddie** *m* **1.** *(golf)* caddie **2.** *(chariot, nom déposé)* carrito de la compra.

**cade** *m* **1.** enebro **2. huile de ~** miera.

**cadeau** *m* regalo, obsequio: **offrir un ~** ofrecer un regalo ◊ **faire ~ de** regalar: **il m'a fait ~ d'une montre** me ha regalado un reloj; FAM **il ne lui a pas fait de ~** no se ha dejado ablandar.

**cadenas** [kadna] *m* candado.

**cadenasser** *vt* cerrar con candado. ◆ **se ~** *vpr* encerrarse.

**cadence** *f* **1.** cadencia **2.** *(rythme)* compás *m*, ritmo *m*: **en ~** a compás; **à la ~ de** al ritmo de.

**cadencé, e** *a* acompasado, a, cadencioso, a, rítmico, a ◊ **marcher au pas ~** marcar el paso.

**cadencer*** *vt* dar ritmo a, cadencia a.

**cadet, ette** *a* menor: **fils ~** hijo menor; **ma sœur cadette** mi hermana menor. ◇ *s* **1.** *(de la famille)* hijo, hija menor, benjamín **2.** *(des frères et sœurs)* hermano, hermana menor **3. il est mon ~ d'un an** es un año menor que yo **4.** *(gentilhomme)* cadete **5.** *(sports)* **les cadets** los juveniles **6.** FIG **c'est le ~ de mes soucis** es lo que menos me importa.

**cadi** *m (magistrat musulman)* cadí.

**Cadix** *np* Cádiz.

**cadmium** [kadmjɔm] *m* cadmio.

**cadrage** *m (photo, cinéma)* encuadre.

**cadran** *m* **1.** *(d'une montre, etc.)* esfera *f* **2.** *(du téléphone)* disco, dial **3. ~ solaire** reloj de sol **4.** FAM **faire le tour du ~** dormir doce horas de un tirón.

**cadre** *m* **1.** *(d'un tableau, d'une porte, d'une raquette)* marco **2.** *(d'une bicyclette)* cuadro **3.** *(châssis)* bastidor **4.** FIG marco, ambiente: **un ~ enchanteur** un marco encantador ◊ **dans le ~ de...** en el marco de..., en los límites de... **5.** cuadro, mando: **les cadres de l'armée** los cuadros, los mandos del ejército ◊ **le ~ de réserve** la escala de reserva; **rayer des cadres** dar de baja a **6. les cadres d'une entreprise** los directivos, los dirigentes de una empresa; **~ supérieur** alto ejecutivo; **un jeune ~ dynamique** un joven y dinámico ejecutivo; **elle est ~** es ejecutiva.
▶ Au sens propre, *cuadro* signifie «tableau» et non son cadre.

**cadrer** *vi* cuadrar, ajustarse, encajar: **cela cadre avec mes prévisions** esto se ajusta a mis previsiones. ◇ *vt (photo)* encuadrar.

**caduc, que** *a* caduco, a.

**caducée** *m* caduceo.

**caducité** *f* caducidad.

**cæcal, e** [sekal] *a* ANAT cecal.

**cæcum** [sekɔm] *m* ANAT intestino ciego.

[1]**cafard, e** *a/s* **1.** *(bigot)* gazmoño, a **2.** *(hypocrite)* hipócrita: **un air ~** un aspecto hipócrita. ◇ *m (rapporteur)* soplón, chivato.

[2]**cafard** *m* **1.** *(insecte)* cucaracha *f* **2.** FAM *(tristesse)* tristeza *f*, morriña *f*, murria *f*, depre *f*: **avoir le ~** tener la depre; **donner le ~** desmoralizar, deprimir, dar murria; **j'ai eu un coup de ~** se me ha venido la moral abajo.

**cafardage** *m* FAM soplonería *f.*

**cafarder** *vt* FAM *(moucharder)* chivarse, soplonear.

**cafardeur** *m* soplón, chivato.

**cafardeux, euse** *a* FAM melancólico, a, triste, tristón, ona: **je suis un peu ~** me encuentro tristón.

**café** *m* **1.** café: **~ noir** café solo; **~ au lait** café con leche; **~ crème** cortado; **~ arrosé** carajillo **2. la terrasse d'un ~** la terraza de un café ◊ **garçon de ~** camarero **3.** FAM **c'est un peu fort de ~!** ¡es un poco fuerte!, ¡es exagerado! ◇ *a* **couleur ~ au lait** color café con leche.

**café-concert** *m* café cantante.

**caféier** *m* cafeto.

**caféière** *f* cafetal *m*.

**caféine** *f* cafeína.

**cafetan, caftan** *m* caftán.

**cafétéria** *f* cafetería.

**cafetier** *m* tabernero, cafetero.

**cafetière** *f* **1.** cafetera: **~ électrique** cafetera eléctrica **2.** FAM *(tête)* chola.

**cafouillage** *m FAM (en parlant)* farfulla *f*; *(désordre)* follón.

**cafouiller** *vi FAM* **1.** *(en parlant)* farfullar, equivocarse; *(en agissant)* obrar desordenadamente **2.** *(moteur)* fallar, funcionar mal.

**cafouillis → cafouillage.**

**caftan → cafetan.**

**cage** *f* **1.** jaula: **la ~ aux lions** la jaula de los leones ◊ **mettre en ~** enjaular; **tourner comme un ours en ~** dar vueltas como un oso enjaulado **2.** *(d'un escalier, d'un ascenseur)* hueco *m* **3.** *(sports)* portería **4. ~ thoracique** caja torácica, cavidad torácica.

**cageot** [kaʒo] *m* caja *f* (de mimbre o de listones).

**cagette** *f* caja pequeña.

**cagibi** *m* cuchitril, habitación *f* pequeña; *(débarras)* trastero.

**cagna** *f POP* choza, refugio *m*.

**cagneux, euse** *a* patizambo, a.

**cagnotte** *f* **1.** *(tirelire)* hucha **2.** *(somme)* banca, monte *m*.

**cagot, otte** *a/s* santurrón, ona, mojigato, a.

**cagoterie** *f* santurronería.

**cagoule** *f* **1.** *(de moine)* cogulla **2.** *(de pénitent)* capirote *m* **3.** *(de bandit)* capucha **4.** *(d'enfant)* verdugo *m*.

**cahier** [kaje] *m* **1.** cuaderno **2.** *(d'imprimerie)* cuadernillo **3. ~ de doléances** libro de reclamaciones; **~ des charges** pliego de condiciones **4.** *(de papier à cigarettes)* librillo.

**cahin-caha** *adv* **1.** dando tumbos **2.** *(tant bien que mal)* así así, tal cual, medianamente: **ses affaires vont ~** sus negocios van así así.

**cahot** [kao] *m* **1.** tumbo, traqueteo **2.** *FIG* vicisitud *f*.

**cahotant, e** *a* **1.** *(véhicule)* que traquetea **2.** *(chemin)* lleno, a de baches, desigual.

**cahoter** *vt* **1.** agitar, sacudir **2.** *FIG* **cahoté par la vie** baqueteado por la vida. ◇ *vi* dar tumbos, traquetear.

**cahoteux, euse** *a* desigual, lleno, a de baches.

**cahute** *f* choza.

**caïd** [kaid] *m* **1.** caid **2.** *FAM* capitoste.

**caïeu** *m BOT* bulbillo.

**caillasse** *f* guijarros *m pl*.

**caille** *f* codorniz.

**caillé** *m (lait caillé)* cuajada *f*, requesón.

**caillebotis** [kajbɔti] *m* enjaretado.

**cailler** *vt* cuajar, coagular: **lait caillé** leche cuajada. ◇ *vi POP* helarse: **on caille ici!** ¡aquí se hiela uno! ◆ **se ~** *vpr* cuajarse, coagularse.

**caillette** *f ZOOL* cuajar *m*.

**caillot** *m* coágulo, cuajarón: **un ~ de sang** un coágulo de sangre.

**caillou** *m* **1.** piedra *f*, guijarro, guija *f*, china *f* **2.** *FAM (tête)* chola *f*, cholla *f*.
▶ *China* désigne un petit caillou; *guijarro* et *guija* un caillou arrondi et poli.

**cailloutage** *m* empedrado.

**caillouter** *vt* enguijarrar.

**caillouteux, euse** *a* pedregoso, a.

**cailloutis** *m* grava *f*.

**caïman** *m* caimán.

**Caïn** *np m* Caín.

**Caïphe** *np m* Caifás.

**caïque** *m* caique.

**Caire (Le)** *np m* El Cairo.

**cairote** *a/s* cairota.

**caisse** *f* **1.** *(emballage, son contenu)* caja **2.** *(d'une voiture)* caja **3.** *(à fleurs)* macetón *m* **4.** *MUS (tambour)* tambor *m* ◊ **grosse ~** bombo *m* **5.** *COM* caja: **~ enregistreuse** caja registradora; **tenir la ~** estar encargado de la caja ◊ **faire sa ~** hacer arqueo; **passer à la ~** ir a cobrar **6.** *(organisme)* caja: **~ d'épargne** caja de ahorros; **~ de retraite** caja de pensiones ◊ **~ de secours** montepío *m* **7. les caisses de l'État** las arcas del Estado; **~ noire** fondos *m* clandestinos **8.** *ANAT* **~ du tympan** caja del tímpano **9.** *POP (automobile)* coche *m*.

**caissette** *f* cajita.

**caissier, ère** *s* **1.** *(d'une banque)* cajero, a **2.** *(d'un cinéma, etc.)* taquillero, a.

**caisson** *m* **1.** *MIL* arcón **2.** *TECHN (pour travailler sous l'eau)* cajón, campana *f* de buzo **3.** *(d'un plafond)* artesón, lagunar ◊ **plafond à caissons** artesonado **4.** *POP* **se faire sauter le ~** levantarse la tapa de los sesos.

**cajoler** *vt* mimar.

**cajolerie** *f* mimo *m*, arrumaco *m*.

**cajoleur, euse** *a/s* zalamero, a.

**cajou** *m* **1.** acajú **2. noix de ~** anacardo *m*.

**cake** [kɛk] *m* cake.

**cal** *m* callosidad *f*, callo.

**calabrais, e** *a/s* calabrés, esa.

**Calabre** *np f* Calabria.

**calage** *m* **1.** *(avec une cale)* calzadura *f* **2.** *(étayage)* apuntalamiento **3.** *(d'un moteur)* calado.

**calaison** *f MAR* calado *m*.

**calamar → calmar.**

**calamine** *f* **1.** *(minerai)* calamina **2.** *(dans un moteur)* residuo *m* carbónico, carbonilla.

**calaminé, e** *a* cubierto, a de residuos carbónicos.

**calamistré, e** *a* rizado, a.

**calamité** *f* calamidad.

**calamiteux, euse** *a* calamitoso, a.

**calancher** *vi POP (mourir)* estirar la pata.

**calandrage** *m TECHN* calandrado.

**calandre** *f* **1.** *TECHN (pour lisser, lustrer, glacer)* calandria **2.** *(d'un radiateur d'auto)* calandra, rejilla, parrilla del radiador **3.** *(oiseau)* calandria.

**calandrer** *vt TECHN* calandrar.

**calanque** *f* cala.
▶ En el litoral del Mediterráneo.

**calao** *m* cálao.

**calcaire** *a* calcáreo, a: **eau ~** agua calcárea. ◇ *m* caliza *f*.

**calcanéum** [kalkaneɔm] *m ANAT* calcáneo.

**calcédoine** *f* calcedonia.

**calcification** *f* calcificación.

**calcifier (se)** *vpr* calcificarse.

**calcin** *m TECHN (pour les émaux)* calcina *f*.

**calciner** *vt* calcinar. ◆ **se ~** *vpr* calcinarse.

**calcite** *f* calcita.

**calcium** [kalsjɔm] *m* calcio.

[1]**calcul** *m* cálculo: **~ mental** cálculo mental; **~ différentiel** cálculo diferencial; **règle à ~** regla de cálculo; **d'après nos calculs** según nuestros cálculos ◊ **agir par ~** obrar por interés.

[2]**calcul** *m MÉD* cálculo: **~ rénal, biliaire** cálculo renal, biliar.

**calculateur, trice** *a/s* calculador, a. ◇ *m* calculador. ◇ *f* calculadora: **calculatrice de poche** calculadora de bolsillo.

**calculer** *vt* **1.** calcular: **~ de tête** calcular mentalmente **2. machine à ~** calculadora.

**calculette** *f* calculadora de bolsillo.

**Calcutta** *np* Calcuta.

**cale** *f* **1.** calce *m*, calza, cuña **2.** *(d'un bateau)* bodega, cala ◊ *FIG, FAM* **être à fond de ~** estar sin blanca **3.** *MAR* **~ sèche** dique *m* seco **4.** *MAR (de construction)* grada.

**calé, e** *a FAM* **1.** empollado, a: **il est ~ en mathématiques** está empollado en matemáticas **2.** difícil, complicado, a.

**calebasse** *f* **1.** *(fruit)* calabaza **2.** *(récipient)* calabacino *m*.

**calèche** *f* calesa, carretela.

**caleçon** *m* **1.** *(d'homme)* calzoncillos *pl* **2. ~ de bain** bañador **3.** *(de femme)* pantalón «stretch», pantalón elástico.

**Calédonie** *np f* Caledonia.

**calédonien, enne** *a/s* caledonio, a.

**calembour** *m* juego de palabras, retruécano, «calembur».

**calembredaine** *f* tontería, patochada.

**calendes** *f pl* calendas ◊ *FIG* **les ~ grecques** las calendas griegas; **renvoyer aux ~ grecques** dejar para el día del juicio final.

**calendrier** *m* **1.** calendario: **~ perpétuel** calendario perpetuo **2.** programa.

**cale-pied** *m inv (de bicyclette)* estribo de pedal.

**calepin** *m* carné, agenda *f*.

**caler** *vt* **1.** *(un meuble, une roue)* calzar **2.** *(avec une pierre)* apear **3.** *(un moteur)* parar. ◇ *vi* **1.** pararse, calarse: **le moteur a calé** el motor se ha calado **2.** *MAR* calar **3.** *FAM* ceder, rajarse: **alors, tu cales?** conque, ¿te rajas? ◆ **se ~** *vpr* **1. se ~ dans un fauteuil** repantigarse, arrellanarse, apoltronarse en una butaca **2.** *FAM* **se ~ les joues** comer bien, ponerse morado.

**caleter** → **calter.**

**calfat** *m MAR* calafate.

**calfatage** *m MAR* calafatado.

**calfater** *vt MAR* calafatear.

**calfeutrage** *m* puesta *f* de burletes.

**calfeutrer** *vt* colocar burletes a. ◆ **se ~** *vpr* encerrarse: **l'hiver il se calfeutre chez lui** en invierno se encierra en casa.

**calibrage** *m* **1.** calibrado **2.** clasificación *f*.

**calibre** *m* **1.** *(d'une arme, etc.)* calibre: **pistolet de gros ~** pistola de grueso calibre **2.** *(instrument pour mesurer)* calibre, calibrador **3.** *FIG* calibre, importancia, calaña *f*: **des individus du même ~** individuos de la misma calaña.

**calibrer** *vt* **1.** calibrar **2.** *(fruits)* clasificar.

**calice** *m* **1.** cáliz ◊ *FIG* **boire le ~ jusqu'à la lie** apurar el cáliz hasta las heces **2.** *BOT* cáliz.

**calicot** *m* **1.** *(toile)* calicó **2.** *(avec des inscriptions)* pancarta *f* **3.** *ANC (commis de magasin)* dependiente.

**califat** *m* califato.

**calife** *m* califa.

**Californie** *np f* California.

**californien, enne** *a/s* californiano, a.

**califourchon (à)** *loc adv* a horcajadas.

**câlin, e** *a/s* mimoso, a, cariñoso, a, dulce: **un enfant ~** un niño cariñoso. ◇ *m FAM* **un gros ~** una caricia; **faire des câlins** acariciar.

**câliner** *vt* mimar, acariciar.

**câlinerie** *f* mimo *m*.

**calisson** *m* pastelillo de turrón (de figura de rombo).

**Calixte** *np m* Calixto.

**calleux, euse** *a* **1.** calloso, a: **mains calleuses** manos callosas **2.** *ANAT* **corps ~** cuerpo calloso.

**calligraphe** *s* calígrafo, a.

**calligraphie** *f* caligrafía.

**calligraphier*** *vt* caligrafiar.

**calligraphique** *a* caligráfico, a.

**callosité** *f* callosidad.

**calmant, e** *a/m* calmante, sedante.

**calmar** *m* calamar: **calmars farcis** calamares rellenos.

**calme** *a* **1.** tranquilo, a: **un endroit ~** un lugar tranquilo **2. la mer est ~** el mar está en calma. ◇ *m* **1.** calma *f*, sosiego: **perdre son ~** perder la calma **2.** *MAR* **~ plat** calma chicha **3. du ~!** ¡tranquilo!, ¡calma!; **du ~ petit!** ¡tranquilo, chico!

**calmement** *adv* con calma, tranquilamente: **prendre les choses ~** tomar las cosas con calma.

**calmer** *vt* **1.** calmar, mitigar: **~ une douleur** calmar un dolor; **~ la soif** mitigar la sed **2.** sosegar, tranquilizar, apaciguar, aquietar, calmar: **~ les esprits** apaciguar los ánimos **3. ~ le jeu** → **jeu.** ◆ **se ~** *vpr* **1.** calmarse, sosegarse: **le vent s'est calmé** se ha calmado el viento **2.** calmarse, tranquilizarse, aquietarse: **calme-toi!** ¡cálmate!; **calmez-vous!** ¡tranquilícese!; *FAM* **on se calme!** ¡tranquilo!, ¡calma!

**calomel** *m* calomelanos *pl*.

**calomniateur, trice** *a/s* calumniador, a.

**calomnie** *f* calumnia.

**calomnier*** *vt* calumniar.

**calomnieux, euse** *a* calumnioso, a.

**calorie** *f* caloría: **aliment qui fournit beaucoup de calories** alimento que proporciona muchas calorías; **régime basses calories** dieta baja en calorías; **édulcorant pauvre en calories** edulcorante bajo en calorías.

**calorifère** *m* calorífero.

**calorifique** *m* calorífico, a.

**calorifuge** *a* calorífugo, a.

**calorifuger** *vt* cubrir con un aislante, calorifugar.

**calorimétrie** *f* calorimetría.

**calorimétrique** *a* calorimétrico, a.

**calorique** *a* calórico, a.

**calot** *m* **1.** *(coiffure militaire)* gorro de cuartel **2.** *(bille)* canica *f*.

**calotin** *m PÉJOR* clerical.

**calotte** *f* **1.** *(d'un ecclésiastique)* solideo *m* ◊ *PÉJOR* **la ~** el clero **2. ~ du crâne** coronilla **3. ~ sphérique** casquete *m* esférico; **~ glaciaire** casquete glaciar **4. la ~ des cieux** la bóveda celeste **5.** *FAM (gifle)* torta.

**calotter** *vt FAM* pegar una torta a.

**calquage** *m* calcado.

**calque** *m* calco ◊ **papier-calque** papel de calcar.

**calquer** *vt* **1.** calcar **2.** *(imiter)* calcar.

**calter, caleter** *vi POP* darse el piro, pirárselas: **calte!** ¡date el piro!
▶ Se usa también la forma pronominal *se calter*.

**calumet** *m* pipa *f* de los indios norteamericanos: **fumer le ~ de la paix** fumar la pipa de la paz.

**calvados** [kalvados] *m* aguardiente de sidra.
▶ Forma abreviada familiar: *calva*.

**calvaire** *m* **1.** calvario **2.** *FIG* calvario, vía crucis.

**calville** *f (pomme)* camuesa.

**Calvin** *np m* Calvino.

**calvinisme** *m* calvinismo.

**calviniste** *a/s* calvinista.

**calvitie** [kalvisi] *f* calvicie.

**Calypso** *np f* Calipso.

**camaïeu** [kamajø] *m* **1.** *(pierre)* camafeo **2. en ~** monocromo, a.

**camail** [kamaj] *m* **1.** *(ecclésiastique)* muceta *f* **2.** *(armure)* almófar.

**camarade** *s* **1.** *(de travail, d'école)* compañero, a, camarada: **un ~ d'étude** un compañero de estudios **2.** *(politique)* camarada.

**camaraderie** *f* compañerismo *m*, camaradería.

**camard, e** *a* chato, a. ◇ *f* **la Camarde** la Muerte.

**Camargue** *np f* Camarga.

**cambiste** *s* cambista.

**Cambodge** *np m* Camboya *f.*

**cambodgien, enne** *a/s* camboyano, a.

**cambouis** *m* grasa *f* sucia.

**cambrage, cambrement** *m* combadura *f*, encorvadura *f*, arqueo.

**cambrer** *vt* arquear: **~ les reins** arquear el lomo. ◆ **se ~** *vpr* echar el busto hacia atrás ◊ **taille cambrée** talle airoso.

**cambrien, enne** *a/m* GÉOL cámbrico, a.

**cambriolage** *m* robo (con efracción).

**cambrioler** *vt* robar: **sa villa a été cambriolée** robaron en su chalet; **nos voisins ont été cambriolés** entraron a robar en casa de nuestros vecinos.

**cambrioleur, euse** *s* ladrón, ona.

**cambrousse** *f* FAM campo *m.*

**cambrure** *f* **1.** combadura, arqueo *m* **2.** *(de la taille, etc.)* encorvadura.

**cambuse** *f* **1.** *(dans un bateau)* pañol *m* **2.** FAM buhardilla.

**came** *f* **1.** leva: **arbre à cames** árbol de levas **2.** POP droga.

**camé, e** *s* POP drogadicto, a, drogota, drogata.

**camée** *m* camafeo.

**caméléon** *m* camaleón.

**camélia** *m* camelia *f*: **la Dame aux camélias** La Dama de las camelias.

**camelot** *m* **1.** vendedor callejero **2. ~ du roi** militante monárquico.

**camelote** *f* FAM **1.** *(marchandise de mauvaise qualité)* baratija, porquería: **ce briquet, c'est de la ~** este encendedor es una porquería **2.** *(ouvrage mal fait)* chapucería.

**camembert** *m* queso de Camembert.

**camer (se)** *vpr* POP drogarse.

**caméra** *f* cámara cinematográfica ◊ **~ de télévision** cámara de televisión; **~ d'amateur** tomavistas *m.*

**cameraman** [kameʀaman] *m* cámara, operador, cameraman.

**camérier** *m* camarero del Papa o de un cardenal.

**caméristе** *f* **1.** camarista **2.** FAM doncella.

**camerlingue** *m* camarlengo.

**Cameroun** *np* Camerún.

**Camille** *np m/f* Camilo, Camila.

**camion** *m* **1.** camión: **~ de déménagement** camión de mudanza ◊ **chauffeur de ~** camionero **2.** *(pot de peinture)* cubo.

**camion-citerne** *m* camión cisterna.

**camionnage** *m* camionaje.

**camionnette** *f* camioneta.

**camionneur** *m* camionero.

**camisole** *f* **1.** *(de femme)* camisola **2. ~ de force** camisa de fuerza.

**camomille** *f* manzanilla, camomila.

**camouflage** *m* **1.** MIL camuflaje **2.** disimulación *f.*

**camoufler** *vt* **1.** MIL camuflar **2.** *(cacher)* disimular, ocultar, disfrazar.

**camouflet** *m* LITT *(affront)* desaire, feo, afrenta *f.*

**camp** *m* **1.** *(campement)* campamento, campo: **~ volant** campamento provisional; **lever le ~** levantar el campo ◊ **feu de ~** fogata *f* **2.** FAM **ficher le ~** largarse; **fous-moi le ~!** ¡lárgate!; **tout fout le ~** todo va mal **3. ~ de concentration, de réfugiés** campo de concentración, de refugiados **4.** *(parti)* campo, partido, bando: **le ~ révisionniste** el campo revisionista; **passer dans le ~ adverse** pasarse al bando opuesto **5.** *(partie de terrain de sport)* área *f.*

**campagnard, e** *a/s* campesino, a.

**campagne** *f* **1.** campo *m*: **il vit à la ~** vive en el campo; **maison de ~** casa de campo; **en rase ~** a campo raso **2.** *(militaire)* campaña: **artillerie de ~** artillería de campaña **3.** campaña: **une ~ de presse, électorale** una campaña de prensa, electoral; **~ publicitaire** campaña publicitaria ◊ **faire ~ pour** militar a favor de.

▶ Le mot *campiña* évoque une vaste plaine fertile.

**campagnol** *m* campañol, ratón de campo.

**campanile** *m* campanil.

**campanule** *f* campánula, farolillo *m.*

**campé, e** *a* FIG plantado, a, apuesto, a: **un gaillard bien ~** un mozo bien plantado → **camper.**

**campêche** *m* campeche.

**campement** *m* campamento.

**camper** *vi* **1.** *(des troupes)* acampar **2.** hacer camping, acampar: **nous avons campé près d'une rivière** acampamos junto a un río. ◇ *vt* **1.** componer, construir: **récit bien campé** relato bien compuesto **2. ~ son chapeau** ponerse el sombrero. ◆ **se ~** *vpr* **se ~ devant quelqu'un** plantarse ante alguien.

**campeur, euse** *s* campista.

**camphre** *m* alcanfor.

**camphré, e** *a* alcanforado, a: **alcool ~** alcohol alcanforado.

**camphrier** *m* alcanforero.

**camping** *m* camping: **faire du ~** hacer camping ◊ **terrain de ~** camping, campamento.

▶ Le mot *acampada* s'emploie également à la place de *camping*: *~ sauvage* acampada libre, camping salvaje.

**camping-car** *m* caravana *f.*

**campos** [kɑ̃po] *m* FAM asueto: **donner ~ à** dar asueto a.

**campus** [kɑ̃pys] *m inv* campus, recinto.

**camus, e** *a* **nez ~** nariz chata.

**Canada** *np m* Canadá.

**canadien, enne** *a/s* canadiense. ◇ *f* **1.** *(veste)* canadiense, chaquetón *m* forrado de piel **2.** *(canot)* piragua.

**canaille** *f* **1.** *(pègre)* canalla, chusma **2.** canalla *m*: **cet individu est une ~** este individuo es un canalla. ◇ *a* canallesco, a, chabacano, a.

**canaillerie** *f* canallada.

**canal** *m* **1.** canal: **le ~ de Suez** el canal de Suez; **des canaux** canales **2. ~ d'irrigation** canal de riego, acequia *f* **3.** ANAT canal: **~ médullaire** canal medular **4.** FIG conducto: **par le ~ de votre ami** por conducto de su amigo.

**canalisable** *a* canalizable.

**canalisation** *f* **1.** canalización **2.** *(tuyau)* cañería, canalización.

**canaliser** *vt* **1.** canalizar **2.** *FIG* dirigir, encauzar, canalizar.

**cananéen, enne** *a/s* cananeo, a.

**canapé** *m* **1.** sofá, canapé ◊ **~-lit, ~ convertible** sofá cama **2.** *(tranche de pain)* canapé.

**canard** *m* **1.** pato: **~ sauvage** pato silvestre; **~ aux navets, aux olives, à l'orange** pato con nabos, con aceitunas, con naranjas **2.** *FAM* **froid de ~** frío que pela **3.** *FAM (fausse note)* gallo **4.** *PÉJOR (journal)* periodicucho **5.** *FAM (fausse nouvelle)* bulo **6.** *FIG* **~ boîteux** fábrica, empresa poco productiva, poco rentable **7.** *(sucre)* terrón de azúcar mojado en aguardiente o café.

**canardeau** *m* anadón, anadino.

**canarder** *vt (tirer)* disparar a.

**canari** *m (oiseau)* canario. ◇ *a (jaune)* amarillo verdoso.

**canarien, enne** *a/s* canario, a.

**Canaries** *np f pl* Canarias.

**canasson** *m POP* penco.

**canasta** *f (jeu de cartes)* canasta.

**cancan** *m* **1.** *(commérage)* → **cancans 2.** *(danse)* cancán.

**cancaner** *vi* chismear, chismorrear, comadrear, cotillear.

**cancanier, ère** *a/s* chismoso, a.

**cancans** *m pl* habladurías *f*, chismes, cotilleos.

**cancer** [kɑ̃sɛʀ] *m* **1.** cáncer: **~ de l'estomac, du poumon, de la prostate** cáncer de estómago, de pulmón, de próstata; **il a un ~** tiene cáncer; **il est mort d'un ~** murió de cáncer **2.** *ASTR* **tropique du ~** trópico de Cáncer; **le Cancer** el Cáncer: **être du ~** ser de Cáncer.

**cancéreux, euse** *a/s* canceroso, a.

**cancérigène** *a* cancerígeno, a.

**cancérisation** *f* cancerización.

**cancérologie** *f* cancerología.

**cancérologue** *s* cancerólogo, a.

**cancre** *m FAM* mal estudiante, gandul.

**cancrelat** *m* cucaracha *f*.

**candélabre** *m* **1.** *(grand chandelier)* candelabro **2.** *(lampadaire)* farola *f*.

**candeur** *f* candor *m*.

**candi** *a* **sucre ~** azúcar cande, candi.

**candidat, e** *s* candidato, a.

**candidature** *f* candidatura: **poser sa ~** presentar su candidatura.

**candide** *a* cándido, a, ingenuo, a.

**candidement** *adv* cándidamente, con candor.

**cane** *f (femelle du canard)* pata.

**caner** *vi FAM (céder)* rajarse; *(mourir)* hincar el pico.

**caneton** *m* anadón.

[1]**canette, cannette** *f* **1.** *(bobine)* canilla **2.** *(de bière)* botellín *m* (de cerveza).

[2]**canette** *f (petite cane)* pata pequeña.

**canevas** *m* **1.** *(toile)* cañamazo **2.** *(ébauche)* bosquejo, plan, esbozo.

**caniche** *m* caniche.

**caniculaire** *a* canicular.

**canicule** *f* **1.** *(époque)* canícula **2.** *(chaleur)* bochorno *m*.

**canif** *m* navaja *f*, cortaplumas.

**canin, e** *a* canino, a: **race canine** raza canina. ◇ *f (dent)* colmillo *m*.

**canisse** → **cannisse.**

**canitie** [kanisi] *f* canicie.

**caniveau** *m* arroyo.

**canna** *m (plante)* cañacoro.

**cannabis** *m* cáñamo índico, cannabis.

**cannage** *m (partie cannée)* asiento, respaldo de rejilla.

**cannaie** *f* **1.** cañaveral *m* **2.** *(de cannes à sucre)* cañamelar *m*.

**canne** *f* **1.** *(pour s'appuyer)* bastón *m*: **une ~ à pommeau d'argent** un bastón con puño de plata ◊ **les cannes blanches** los ciegos **2.** caña: **~ à sucre** caña de azúcar **3. ~ à pêche** caña de pescar.

**canné, e** *a* **chaise cannée** silla de rejilla.

**cannelé, e** *a* acanalado, a.

**canneler*** *vt* acanalar, estriar.

**cannelle** *f* **1.** *(épice)* canela **2.** *(de tonneau)* canilla, espita.

**cannelloni** *m pl* canelones.

**cannelure** *f* acanaladura, estría.

**canner** *vt (un siège)* poner asiento de rejilla a.

**cannette** → **canette.**

**cannibale** *a/s* caníbal.

**cannibalisme** *m* canibalismo.

**cannisse** *f* caña.

**canoë** [kanɔe] *m* canoa *f*, piragua *f*.

**canoéisme** *m* piragüismo.

**canoéiste** *s* piragüista.

[1]**canon** *m* **1.** *(pièce d'artillerie)* cañón: **~ antiaérien** cañón antiaéreo ◊ **coup de ~** cañonazo; **chair à ~** carne de cañón **2.** *(tube d'une arme à feu)* cañón **3.** *FAM (verre de vin)* chato.

[2]**canon** *m* **1.** *(loi, règle, idéal esthétique)* canon **2.** *(partie de la messe)* canon **3.** *MUS* canon. ◇ *a* **1. droit ~** derecho canónico **2.** *FAM* estupendo, a, cañón: **elle est ~** está cañón; **une fille ~** una chica despampanante.

**cañon, canyon** *m* cañón: **les cañons du Colorado** los cañones del Colorado.

**canonial, e** *a* **1.** canónico, a: **heures canoniales** horas canónicas **2.** *(du chanoine)* canonical.

**canonicat** *m* canonjía *f*, canonicato.

**canonique** *a* canónico, a: **livres canoniques** libros canónicos ◊ **d'un âge ~** bastante viejo, a.

**canonisation** *f* canonización.

**canoniser** *vt* canonizar.

**canonnade** *f* cañoneo *m*.

**canonner** *vt* cañonear.

**canonnier** *m* artillero.

**canonnière** *f MAR* lancha cañonera, cañonero *m*.

**canot** *m* bote, lancha *f*: **~ pneumatique** bote neumático; **~ de sauvetage** bote salvavidas; **~ automobile** lancha motora.

**canotage** *m* remo ◊ **faire du ~** remar, pasearse remando.

**canoter** *vi* remar, pasearse en bote.

**canotier** *m* **1.** *(rameur)* remero **2.** *(chapeau)* canotié.

**cantabrique** *a* cantábrico, a: **la côte ~** la costa cantábrica.

**cantal** *m (fromage)* queso de Cantal.

**cantaloup** *m* melón redondo de carne anaranjada.

**cantate** *f* cantata.

**cantatrice** *f* cantante.

**cantharide** *f (insecto)* cantárida.

**cantilène** *f* cantilena.

**cantine** *f* **1.** *(restaurant)* cantina, refectorio *m* **2.** *(malle)* baúl *m* metálico.

**cantinier, ère** *s* cantinero, a.

**cantique** *m* **1.** cántico **2. le Cantique des Cantiques** el Cantar de los Cantares.

**canton** *m* **1.** cantón: **les cantons suisses** los cantones suizos **2.** *(de voie)* tramo.

**cantonade** *f* THÉÂT **à la ~** mirando hacia el foro, hacia los bastidores ◊ **parler à la ~** hablar al paño.

**cantonais, e** *a/s* cantonés, esa: **riz à la cantonaise** arroz a la cantonesa.

**cantonal, e** *a* cantonal.

**cantonnement** *m* acantonamiento.

**cantonner** *vt* acantonar. ◇ *vi* *(troupes)* acantonarse. ◆ **se ~** *vpr* **1.** *(se retirer)* aislarse **2.** FIG limitarse: **il se cantonne dans l'art aztèque** se limita al arte azteca **3. se ~ dans le silence** atrincherarse en el silencio.

**cantonnier** *m* peón caminero.

**canulant, e** *a* POP cargante.

**canular** *m* FAM broma.

**canule** *f* cánula.

**canuler** *vt* POP jeringar, fastidiar.

**canut** *m* obrero tejedor de seda (en Lyon).

**canyon → cañon.**

**caoutchouc** [kautʃu] *m* **1.** caucho: **~ synthétique** caucho sintético **2.** goma *f*: **bottes, semelles en ~** botas, suelas de goma; **gants de ~** guantes de goma; **~ mousse** goma espuma **3.** *(élastique)* goma *f*, tira *f* elástica **4.** *(plante d'intérieur)* ficus. ◇ *pl* *(chaussures)* zapatos de goma.

**caoutchouter** *vt* encauchar, engomar.

**caoutchouteux, euse** *a* blando, a.

**cap** *m* **1.** cabo: **le ~ de Bonne Espérance** el cabo de Buena Esperanza ◊ FIG **doubler, franchir le ~ de la cinquantaine** pasar de los cincuenta **2.** *(direction)* rumbo: **mettre le ~ sur** hacer rumbo a; **changer de ~** cambiar de rumbo **3.** *loc adv* **de pied en ~** de pies a cabeza.

**C.A.P.** *abrév de* certificat d'aptitude professionnelle ou pédagogique.

**capable** *a* capaz: **ces individus sont capables de tout** esos individuos son capaces de todo; **un ministre ~** un ministro capaz.

**capacité** *f* **1.** *(contenance)* capacidad **2.** capacidad: **capacités intellectuelles** capacidades intelectuales; **~ de travail** capacidad de trabajo **3.** JUR **~ légale** capacidad.

**caparaçon** *m* caparazón.

**caparaçonner** *vt* encaparazonar.

**cape** *f* **1.** capa ◊ **roman de ~ et d'épée** novela de capa y espada **2.** *(de torero)* capote *m* **3.** *(de cigare)* capa **4.** FIG **rire sous ~** reír para sus adentros **5.** MAR capa: **être à la ~** estar a la capa.

**capéer → capeyer.**

**capelage** *m* MAR encapilladura *f*.

**capeler*** *vt* MAR encapillar.

**capeline** *f* **1.** *(chapeau de femme)* pamela **2.** *(casque médiéval)* capellina, capelina.

**capétien, enne** *a* de los Capetos.

**capeyer** *vi* MAR capear, hacer capa.

**capharnaüm** [kafaʀnaɔm] *m* leonera *f*, cajón de sastre.

**capillaire** [kapil(l)ɛʀ] *a/m* capilar: **lotion ~** loción capilar; **vaisseau ~** vaso capilar. ◇ *m* *(fougère)* calantrillo.

**capillarité** *f* capilaridad.

**capilotade** *f* FAM **mettre en ~** hacer papilla; **j'ai les reins en ~** tengo el lomo hecho polvo, hecho puré, hecho cisco.

**capitaine** *m* **1.** MIL MAR capitán **2.** *(d'une équipe sportive)* capitán.

**capital, e** *a* capital: **les sept péchés capitaux** los siete pecados capitales; **une erreur capitale** un error capital; **peine capitale** pena capital. ◇ *m* capital: **il a investit tout son ~ dans cette entreprise** ha invertido todo su capital en esta empresa. ◇ *f* **1.** capital: **Lima est la capitale du Pérou** Lima es la capital de Perú **2.** *(lettre)* mayúscula, versal: **en capitales** en mayúsculas.

**capitalisable** *a* capitalizable.

**capitalisation** *f* capitalización.

**capitaliser** *vt* capitalizar.

**capitalisme** *m* capitalismo.

**capitaliste** *a/s* capitalista.

**capiteux, euse** *a* embriagador, a, que sube a la cabeza.

**Capitole** *np m* Capitolio.

**capiton** *m* borra *f*.

**capitonnage** *m* acolchado.

**capitonner** *vt* acolchar: **fauteuil capitonné** butaca acolchada.

▶ Le mot espagnol *capitoné* s'applique à certains camions de déménagement dont l'intérieur est capitonné.

**capitulaire** *a* capitular: **salle ~** sala capitular. ◇ *m* capitular.

**capitulard** *m* FAM abandonista.

**capitulation** *f* capitulación, rendición.

**capitule** *m* BOT cabezuela *f*.

**capituler** *vi* capitular, rendirse.

**capon, onne** *a* ANC cobarde.

**caporal** *m* **1.** MIL cabo: **~-chef** cabo primero **2.** tabaco común.

**caporaliser** *vt* militarizar.

**caporalisme** *m* **1.** militarismo **2.** autoritarismo.

[1]**capot** *m* *(d'une auto)* capó, capot, morro.

[2]**capot** *a* *(aux cartes)* **être ~** quedarse zapatero.

**capotage** *m* vuelco.

**capote** *f* **1.** *(manteau)* capote *m* **2.** *(de voiture)* capota **3.** FAM **~ anglaise** condón *m*, goma, funda.

**capoter** *vi* **1.** *(un véhicule)* volcar, capotar **2.** FIG *(échouer)* fracasar.

**Capoue** *np* Capua.

**câpre** *f* alcaparra.

**caprice** *m* capricho.

**capricieux, euse** *a* caprichoso, a.

**capricorne** *m* **1.** *(insecte)* algavaro **2.** ASTR **tropique du Capricorne** trópico de Capricornio; **être du Capricorne** ser de Capricornio.

**câprier** *m* alcaparro.

**caprin, e** *a* caprino, a, cabruno, a, cabrío, a.

**capsulage** *m* capsulado.

**capsule** *f* **1.** cápsula **2.** *(de bouteille)* chapa, cápsula **3. ~ spatiale** cápsula espacial.

**capsuler** *vt* tapar, capsular.

**captage** *m* *(d'une source)* captación *f*.

**capter** *vt* **1.** captar: **~ une source** captar las aguas de un manantial; **~ un message** captar un mensaje **2. ~ l'attention** captar la atención; **~ la confiance** captarse la confianza.

**capteur** *m* **1.** sensor **2. ~ solaire** célula *f* solar.

**captieux, euse** [kapsjø, øz] *a* capcioso, a.

**captif, ive** *a/s* cautivo, a.

**captivant, e** *a* cautivador, a.

**captiver** *vt* cautivar.

**captivité** *f* cautiverio *m*, cautividad: **en ~** en cautiverio, prisionero, a.

**capture** *f* **1.** captura **2.** *(d'un navire, d'un criminel)* captura, aprehensión, apresamiento *m*.

**capturer** *vt* **1.** capturar **2.** *(un navire)* apresar.

**capuce** *m (de moine)* capilla *f*, capucha *f*.

**capuche** *f* capucha.

**capuchon** *m* **1.** *(capuche)* capucha *f* **2.** *(pèlerine)* capa *f* con capucha **3.** *(de stylo)* capuchón, caperuza *f*.

**capucin, e** *s* capuchino, a.

**capucine** *f (plante)* capuchina.

**capverdien, enne** *a/s* caboverdiano, a.

**caque** *f* barril *m* ◊ *FIG* **la ~ sent toujours le hareng** la cabra siempre tira al monte.

**caquet** *m* **1.** *(de la poule)* cacareo **2.** *FIG* charla *f*, habladuría *f* ◊ **rabattre le ~ à quelqu'un** hacer callar a alguien, bajar los humos a alguien.

**caquetage** *m* **1.** cacareo **2.** *(bavardage)* parloteo, charla *f*.

**caquètement** *m* cacareo.

**caqueter*** *vi* **1.** cacarear **2.** *(bavarder)* charlar.

[1]**car** *conj* pues, porque: **dépêche-toi ~ il est tard** date prisa pues es tarde.

[2]**car** *m* autocar.

**carabe** *m* cárabo.

**carabin** *m FAM* estudiante de medicina.

**carabine** *f* carabina: **~ à air comprimé** carabina de aire comprimido.

**carabiné, e** *a FAM* muy fuerte, violento, a: **un rhume ~** un catarro de alivio.

**carabinier** *m* carabinero.

**caraco** *m* **1.** chambra **2.** *(sous-vêtement)* caracó, camisola *f*.

**caracoler** *vi* caracolear.

**caractère** *m* **1.** carácter, letra *f*: **caractères typographiques** caracteres tipográficos; **en caractères d'imprimerie** en letras de molde, de imprenta **2.** *(signe caractéristique)* carácter **3.** carácter, genio, índole *f*: **incompatibilité de caractères** incompatibilidad de caracteres; **un ~ violent, optimiste** un carácter violento, optimista; **il a bon, mauvais ~** tiene buen, mal genio; **un ~ de cochon, un fichu ~** un geniazo **4.** *FIG* originalidad *f*, personalidad *f*: **sa maison a du ~** su casa tiene originalidad; **cet homme a du ~** este hombre tiene personalidad, (mucho) carácter; **une femme de ~** una mujer de carácter.
▶ Le pluriel de *carácter* est *caracteres*, sans accent.

**caractériel, elle** *a* del carácter: **troubles caractériels** trastornos del carácter. ◇ *s* inadaptado, a, caracterial.

**caractérisation** *f* caracterización.

**caractériser** *vt* caracterizar. ◆ **se ~** *vpr* caracterizarse.

**caractéristique** *a* característico, a. ◇ *f* característica.

**caractérologie** *f* caracterología.

**caracul** *m* caracul.

**carafe** *f* **1.** jarra **2.** *FAM* **rester en ~** quedarse plantado, a.

**carafon** *m* jarrita *f*.

**caraïbe** *a/s* caribe. ◇ *np* **la mer des Caraïbes** el mar Caribe; **voyage aux Caraïbes** viaje al Caribe.

**carambolage** *m* **1.** *(billard)* carambola *f* **2.** *(de véhicules)* serie *f* de colisiones, choques *pl* en serie: **il y a eu un ~ sur l'autoroute** hubo una serie de colisiones en la autopista.

**caramboler** *vt* chocar. ◆ **se ~** *vpr* chocar: **plusieurs voitures se sont carambolées** han chocado varios coches.

**carambouillage** *m FAM* estafa *f* del que vende una mercancía sin haberla pagado.

**caramel** *m* **1.** caramelo **2.** *(bonbon au caramel)* pastilla *f* de café con leche **3. une crème ~** un flan. ◇ *a (couleur)* rojizo, a.
▶ Le mot *caramelo* désigne les bonbons en général.

**caraméliser** *vt* caramelizar, acaramelar.

**carapace** *f* **1.** caparazón *m* **2.** *(de tortue)* concha.

**carapater (se)** *vpr POP* pirárselas, darse el bote.

**carat** *m* quilate: **or à 18 carats** oro de 18 quilates.

**Caravage** *np m* el Caravaggio.

**caravane** *f* **1.** caravana **2.** *(de camping)* caravana, roulotte, rulot.
▶ Sens 2: le gallicisme «roulotte», hispanisé en «rulot», est très usité.

**caravanier** *m* caravanero.

**caravaning** *m* caravaning.

**caravansérail** *m* caravasar.

**caravelle** *f* carabela.

**carbon(n)ade** *f* carbonada.

**carbonarisme** *m* carbonarismo.

**carbonaro** *m* carbonario.

**carbonate** *m CHIM* carbonato.

**carbone** *m* **1.** carbono: **~ 14** carbono 14 **2. papier ~** papel carbón.

**carbonifère** *a/m GÉOL* carbonífero, a.

**carbonique** *a* carbónico, a: **gaz ~** gas carbónico; **neige ~** nieve carbónica.

**carbonisation** *f* carbonización.

**carboniser** *vt* carbonizar.

**carburant** *m* carburante.

**carburateur** *m* carburador.

**carburation** *f* carburación.

**carbure** *m* carburo.

**carburer** *vt/i* **1.** carburar **2.** *FAM* carburar, marchar, ir bien: **ça carbure?** ¿eso marcha?, ¿va bien?

**carcailler** *vi (la caille)* cuchichiar.

**carcan** *m* **1.** argolla *f* de la picota **2.** *FIG* sujeción *f*.

**carcasse** *f* **1.** osamenta, esqueleto *m* **2.** *(d'une volaille)* caparazón *m* **3.** *(armature)* armazón, carcasa **4.** *FAM (corps)* cuerpo *m*.

**carcéral, e** *a* carcelario, a.

**carcinogène** *a MÉD* carcinógeno, a.

**carcinologie** *f MÉD* carcinología.

**carcinome** *m MÉD* carcinoma.

**cardage** *m* carda *f*, cardadura *f*.

**cardamine** *f* mastuerzo *m*, cardamina.

**cardamome** *f* cardamomo *m*.

**cardan** *m* cardán.

**carde** *f* **1.** *(côte comestible)* penca del cardo **2.** *TECHN* carda.

**carder** *vt* cardar.

**cardère** *f* cardencha.

**cardeur, euse** *s* cardador, a. ◇ *f TECHN* carda.

**cardiaque** *a/s* cardíaco, a, cardiaco, a: **une crise ~** un ataque cardíaco, un ataque al corazón; **être ~** padecer del corazón.

**cardigan** *m* cárdigan, rebeca *f*: **~ en mohair** cárdigan de mohair.

**cardinal, e** *a* cardinal: **les points cardinaux** los puntos cardinales; **vertus cardinales** virtudes cardinales. ◇ *m* **1.** *(prélat)* cardenal **2.** *(oiseau)* cardenal.
▶ Attention au *e* de *cardenal*, désignant un prélat.

**cardinalat** *m* cardenalato.

**cardinalice** *a* **pourpre ~** púrpura cardenalicia.

**cardiogramme** *m* cardiograma.

**cardiographie** *f* cardiografía.

**cardiologie** *f* cardiología.

**cardiologue** *s* cardiólogo, a.

**cardiovasculaire** *a* cardiovascular: **maladies cardiovasculaires** enfermedades cardiovasculares.

**cardon** *m* cardo comestible.

**carême** *m* cuaresma *f*: **le ~** la cuaresma; **faire ~** ayunar la cuaresma ◇ *FIG* **arriver comme marée, comme mars en ~** venir como pedrada en ojo de boticario, indefectiblemente, de perillas; **face de ~** cara de viernes.

**carême-prenant** *m* carnestolendas *f pl*, carnaval.

**carénage** *m* **1.** *MAR (action)* carena *f*, carenadura *f* **2.** *MAR (lieu)* carenero **3.** carrocería *f* aerodinámica.

**carence** *f* **1.** ineptitud, insuficiencia **2.** *(manque)* carencia: **maladie par ~** enfermedad por carencia; **~ affective** carencia afectiva.

**carène** *f MAR* obra viva.

**caréner*** *vt* carenar.

**caressant, e** *a* **1.** *(affectueux)* cariñoso, a **2.** *(voix, etc.)* acariciador, a.

**caresse** *f* **1.** caricia **2.** *FIG (de la brise, etc.)* caricia.

**caresser** *vt* **1.** acariciar **2.** *FIG* **~ du regard** mirar con cariño; **~ un projet** acariciar un proyecto.

**caret** *m* **fil de ~** filástica *f*.

**carex** *m BOT* carrizo.

**cargaison** *f* cargamento *m*, carga.

**cargo** *m* buque de carga, carguero.

**cargue** *f MAR* briol *m*.

**carguer** *vt* **~ les voiles** cargar las velas.

**cari** → **curry.**

**cariatide** *f* cariátide.

**caribou** *m* caribú.

**caricatural, e** *a* caricaturesco, a.

**caricature** *f* caricatura.

**caricaturer** *vt* caricaturizar.

**caricaturiste** *s* caricaturista.

**carie** [kari] *f* caries: **~ dentaire** caries dental.

**carier*** *vt* cariar: **dent cariée** diente cariado. ◆ **se ~** *vpr* cariarse.

**carillon** *m* **1.** *(ensemble de cloches)* carillón **2.** *(sonnerie)* campanilleo **3.** *(horloge)* reloj de pared con carillón.

**carillonner** *vi* **1.** *(cloches)* repicar **2.** *(à une porte)* campanillear **3. fête carillonnée** fiesta repicada. ◇ *vt (proclamer)* pregonar.

**carillonneur** *m* campanero.

**caritatif, ive** *a* benéfico, a.

**carlin** *m (chien)* doguillo.

**carlingue** *f* **1.** *(d'avion)* carlinga **2.** *MAR* sobrequilla.

**carlisme** *m HIST* carlismo.

**carliste** *a/s* carlista.

**carmagnole** *f* carmañola.

**carme** *m* carmelita: **carmes déchaux, déchaussés** carmelitas descalzos.

**Carmel** *np (ordre)* Carmen.

**carmélite** *f* carmelita.

**carmin** *m* carmín. ◇ *a* de color carmín.

**carminé, e** *a* carmíneo, a.

**carnage** *m* matanza *f*, degollina *f*, carnicería *f*.

**carnassier, ère** *a/m* carnicero, a, carnívoro, a. ◇ *f (sac de chasseur)* morral *m*.

**carnation** *f* tez, color *m*.

**carnaval** *m* carnaval.

**carnavalesque** *a* carnavalesco, a.

**carne** *f FAM* carne mala, carnezucha.

**carné, e** *a* **1.** *(nourriture)* a base de carne **2.** *(couleur)* encarnado, a, de color carne.

**carnet** *m* **1.** *(petit cahier)* libreta *f*: **~ d'adresses** libreta de direcciones; **~ de notes** libreta de apuntes **2. ~ de chèques** talonario de cheques (*AMÉR* chequera *f*); **~ de commandes** cartera *f* de pedidos **3.** *(de tickets, etc.)* taco.

**carnier** *m (carnassière)* morral.

**carnivore** *a/m* carnívoro, a: **plante ~** planta carnívora; **les carnivores** los carnívoros.

**Caroline** *np f* Carolina.

**carolingien, enne** *a/s* carolingio, a.

**Caron** *np m* Caronte.

**caroncule** *f ANAT ZOOL* carúncula.

**carotène** *m* caroteno.

**carotide** *a/f ANAT* carótida.

**carottage** *m TECHN* extracción *f* de muestras.

**carotte** *f* **1.** zanahoria: **carottes râpées** zanahorias ralladas ◇ *FAM* **les carottes sont cuites!** ¡es el acabóse!; **la ~ ou le bâton** el palo o la zanahoria **2.** *(échantillon de terrain)* muestra.

**carotter** *vt FAM* timar, sablear.

**carotteur, euse** *s FAM* estafador, a, timador, a.

**caroube** *f* algarroba.

**caroubier** *m* algarrobo.

**Carpates** *np f pl* Cárpatos *m*.

[1]**carpe** *m ANAT* carpo.

[2]**carpe** *f* **1.** *(poisson)* carpa ◇ *(plongeon)* **saut de ~** salto de la carpa **2.** *FIG* **muet comme une ~** mudo como un pez; **bâiller comme une ~** bostezar desmesuradamente.

**carpelle** *m BOT* carpelo.

**carpette** *f* **1.** alfombrilla **2.** *FIG* **une vraie ~** un adulador.

**carpien, enne** *a ANAT* carpiano, a.

**carquois** *m* carcaj, aljaba *f*.

**carrare** *m (marbre)* mármol de Carrara.

**carre** *f (de ski)* canto *m*.

**carré, e** *a* **1.** cuadrado, a **2.** *FIG* franco, a, categórico, a: **réponse carrée** respuesta categórica **3. mètre ~** metro cuadrado; **racine carrée** raíz cuadrada. ◇ *m* **1.** *(quadrilatère)* cuadrado **2.** *(de terrain)* bancal **3.** *(foulard)* **un ~ de soie** un pañuelo cuadrado de seda **4.** *MAR* cámara *f* de oficiales **5.** *MIL* formación *f* en cuadro **6. élever un nombre au ~** elevar un número al cuadrado **7. ~ d'as** poker de ases.

**carreau** *m* **1.** cuadro: **jupe à carreaux** falda a cuadros **2.** *(pour le sol)* loseta *f*, baldosa *f* **3.** *(sol)* **laver le ~** lavar el suelo **4.** *(de fenêtre)* cristal, vidrio: **le vitrier a remplacé un ~ cassé** el vidriero ha reemplazado un vidrio roto **5.** *(jeu de cartes)* diamante, carreau **6.** *(de mine)* terreno cerca de la boca del pozo **7.** *FAM* **rester sur le ~** quedarse en el sitio; **se garder, se tenir à ~** estar a la defensiva.

**carrée** *f FAM* habitación.

**carrefour** *m* **1.** cruce, encrucijada *f*: **ralentir au ~** aminorar la marcha en el cruce **2.** *FIG* **être à un ~** estar en una encrucijada **3.** *(réunion)* mesa *f* redonda.

**carrelage** *m* solado, embaldosado.

**carreler*** *vt* enlosar.

**carrelet** *m* **1.** *(poisson)* platija *f*, acedía *f* **2.** *(filet)* red *f* cuadrada.

**carreleur** *m* solador.

**carrément** *adv* rotundamente, francamente: **je lui ai dit ~ ce que je pensais** le he dicho muy claramente lo que opinaba.

**carrer** *vt* cuadrar. ◆ **se ~** *vpr* **se ~ dans un fauteuil** arrellanarse, repantigarse en una butaca.

**carrier** *m* cantero, pedrero.

**carrière** *f* **1.** *(de pierre)* cantera: **~ de marbre à ciel ouvert** cantera de mármol a cielo abierto **2.** *(profession)* carrera: **faire ~ dans...** hacer carrera en...; **la ~** la carrera diplomática; **plan de ~** plan de carrera; **militaire de ~** militar profesional ◊ **donner ~ à** dar rienda suelta a.

**carriérisme** *m* arribismo.

**carriériste** *a/s* arribista, trepa.

**carriole** *f* **1.** carreta **2.** *PÉJOR* carricoche *m*.

**carrossable** *a* transitable.

**carrosse** *m* carroza *f* ◊ *FIG* **rouler ~** vivir a lo grande.

**carrosser** *vt* carrozar, poner carrocería a.

**carrosserie** *f* carrocería.

**carrossier** *m* **1.** carrocero **2.** *(tôlier)* chapista.

**carrousel** *m* carrusel.

**carrure** *f* **1.** anchura de espaldas **2.** *FIG* personalidad, envergadura.

**carry → curry.**

**cartable** *m* cartera *f*.

**carte** *f* **1.** tarjeta: **~ d'abonnement, de crédit** tarjeta de abono, de crédito; **~ de visite** tarjeta de visita; **~ d'invitation** tarjeta de invitación ◊ *FIG* **donner ~ blanche à** dar carta blanca a **2. ~ postale** tarjeta postal, postal: **une ~ postale en couleurs** una postal en colores; **des cartes postales** postales; **~ de vœux** crismas *m* **3.** *(pièce attestant l'identité)* carnet *m*, carné *m*: **la ~ d'identité** el documento nacional de identidad, el carné de identidad; **~ grise** documentación de un automóvil; **~ de presse** carnet *m* de periodista **4.** *(à jouer)* naipe *m*, carta: **battre les cartes** barajar los naipes; **un jeu de cartes** una baraja; **château de cartes** castillo de naipes ◊ *FIG* **brouiller les cartes** enredarlo todo; **jouer cartes sur table** jugar a cartas vistas; **jouer la ~ de...** jugar la carta de...; **le dessous des cartes** lo encubierto de un asunto **5.** *(dans un restaurant)* carta, menú *m*, minuta: **à la ~** a la carta; *FIG* **retraite, vacances à la ~** jubilación, vacaciones a la carta **6. ~ perforée** ficha perforada; **~ à puce** tarjeta con chip **7.** *(géographique)* mapa *m*: **une ~ géologique** un mapa geológico; **une ~ routière** un mapa de carreteras; **~ muette** mapa mudo **8. ~ marine** carta de marear, mapa marítimo.

**cartel** *m* **1.** *(pendule)* reloj de pared **2.** *(association)* cártel, cartel: **les cartels de la drogue** los cárteles de la droga.

**carte-lettre** *f* tarjeta.

**carter** [kaRtɛR] *m* **1.** *(de bicyclette)* cubrecadena **2.** *(d'un moteur)* cárter.

**cartésianisme** *m* cartesianismo.

**cartésien, enne** *a* cartesiano, a.

**Carthage** *np* Cartago.

**Carthagène** *np* Cartagena.

**carthaginois, e** *a/s* cartaginés, esa.

**cartilage** *m* cartílago.

**cartilagineux, euse** *a* cartilaginoso, a.

**cartographe** *s* cartógrafo, a.

**cartographie** *f* cartografía.

**cartographique** *a* cartográfico, a.

**cartomancie** *f* cartomancia.

**cartomancien, enne** *s* cartomántico, a.

**carton** *m* **1.** cartón: **une boîte en ~** una caja de cartón **2. ~-pâte** cartón piedra; *FIG* **en ~-pâte** ficticio, a, falso, a **3. ~ à dessin** carpeta *f*, cartera *f* (de dibujo) **4.** *(d'écolier)* cartera *f* **5.** *(boîte)* caja *f* de cartón **6. ~ à chapeaux** sombrerera *f* **7.** *(modèle d'une tapisserie, etc)* **les cartons de Goya** los cartones de Goya **8.** *(cible)* blanco: **faire un ~** tirar al blanco **9.** *(football)* **le ~ jaune, rouge** la tarjeta amarilla, roja.

**cartonnage** *m* **1.** cartonaje **2.** *(reliure)* encartonado **3.** *(emballage)* embalaje.

**cartonner** *vt* encartonar ◊ **livre cartonné** libro en cartoné.

**cartonnerie** *f* cartonería.

**cartonnier** *m* **1.** cartonero **2.** *(meuble)* clasificador.

**carton-pâte → carton.**

**cartouche** *f* **1.** *(d'une arme)* cartucho *m* ◊ *FIG* **brûler ses dernières cartouches** quemar sus últimos cartuchos **2.** *(de stylo, briquet)* recambio *m*, cartucho *m* **3. une ~ de cigarettes** un cartón de cigarrillos. ◇ *m (ornement)* tarjeta *f*.

**cartoucherie** *f* fábrica de cartuchos.

**cartouchière** *f* **1.** *(de soldat)* cartuchera **2.** *(de chasseur)* canana.

**cartulaire** *m (livre)* cartulario, becerro.

**carvi** *m* alcaravea *f*.

**caryatide → cariatide.**

**cas** *m* **1.** caso: **un ~ particulier** un caso particular; **dans un ~ semblable** en caso parecido; **dans le ~ contraire** en caso contrario; **un ~ de rougeole** un caso de sarampión ◊ **en ~ de besoin** en caso de necesidad; **en aucun ~** de ninguna manera; **en ce ~** en ese caso; **en tout ~** en todo caso, en cualquier caso; **le ~ échéant** llegado el caso; **c'est le ~ de le dire** es el momento a propósito ◊ *loc conj* **au ~ où, dans le ~ où tu ne pourrais pas venir** (en) caso de que, en el supuesto de que no pudieras venir; **au ~ où ce serait impossible** caso de que fuera imposible; **au ~ où je mourrais** en caso de morir yo; **au ~ où tu ne le saurais pas** por si no lo sabes; **c'était dans le ~ où tu aurais voulu sortir avec moi** era por si querías salir conmigo **2. ce garçon est un ~** este chico es un caso **3. ~ de conscience** caso de conciencia **4.** *GRAM* caso.

**casanier, ère** *a/s* casero, a.

**casaque** *f* casaca ◊ *FIG* **tourner ~** volver casaca.

**casbah** [kasba] *f* alcazaba.

**cascade** *f* **1.** cascada **2.** *FIG* **en ~** en serie.

**cascader** *vi* caer en cascada.

**cascadeur, euse** *s* **1.** acróbata **2.** *(au cinéma)* cascador, a, doble.

**case** *f* **1.** *(hutte)* choza ◊ **la ~ de l'oncle Tom** La cabaña del tío Tom **2.** *(compartiment)* compartimiento *m* **3.** *(d'un damier, papier quadrillé, etc)* casilla **4.** *FAM* **il a une ~ vide** le falta un tornillo.

**caséeux, euse** *a* caseoso, a.

**caséification** *f* caseificación.

**caséine** *f* caseína.

**casemate** *f* casamata.

**caser** *vt* **1.** *(placer)* colocar **2.** *(dans une situation, marier)* colocar: **il a bien casé sa fille** ha colocado bien a su hija. ◆ **se ~** *vpr* **1.** *(se placer)* acomodarse **2.** *(trouver une situation)* encontrar una colocación **3.** *(se marier)* casarse.

**caserne** *f* cuartel *m*.

**casernement** *m* **1.** acuartelamiento **2.** *(caserne)* cuartel.

**caserner** *vt* acuartelar.

**cash** [kaʃ] *adv FAM* **payer ~** pagar al contado.

**casher** → **kasher.**

**casier** *m* **1.** casillero ◊ **~ à bouteilles** botellero; **~ à musique** musiquero **2. ~ judiciaire** registro de antecedentes penales; **avoir un ~ judiciaire chargé** tener malos antecedentes.

**Casimir** *np m* Casimiro.

**casino** *m* casino.

**casoar** *m* **1.** *(oiseau)* casuario **2.** *(de saint-cyrien)* penacho de plumas.

**Caspienne (mer)** *a/np f* mar Caspio *m.*

**casque** *m* **1.** *(de militaire, motocycliste, pompier, etc.)* casco: **les Casques bleus** los Cascos azules; **le port du ~** el uso del casco ◊ **~ colonial** salacot **2.** *(à écouteurs)* auriculares *pl,* casco **3.** *(de coiffeur)* secador.

**casqué, e** *a* con casco.

**casquer** *vi POP (payer)* aflojar la mosca, apoquinar, pagar.

**casquette** *f* **1.** gorra **2.** *FAM* **avoir plusieurs casquettes** desempeñar varios cargos importantes.

▶ Casquette d'uniforme: *gorra de plato.*

**cassable** *a* rompible.

**cassage** *m* **1.** rotura *f* **2.** *FAM* **~ de gueule** pelea *f.*

**Cassandre** *np f* Casandra.

**cassant, e** *a* **1.** quebradizo, a **2.** *FIG* terminante, tajante, duro, a: **ton ~** tono tajante **3.** *FAM* **pas ~** fácil.

**cassate** *f* postre *m* helado.

**cassation** *f* **1.** casación: **pourvoi en ~** recurso de casación ◊ **Cour de ~** Tribunal *m* Supremo; **se pourvoir en ~** apelar al Tribunal Supremo **2.** *MIL* degradación.

[1]**casse** *f* **1.** *(action)* rotura **2.** *(ce qui est cassé)* lo roto: **payer la ~** pagar lo roto **3.** *(de voitures)* desguace *m* ◊ **mettre à la ~ sa vieille voiture** enviar su coche viejo al desguace, vender como chatarra su coche viejo **4.** *(imprimerie)* caja: **haut de ~** caja alta; **bas de ~** caja baja **5.** *(pulpe du fruit du cassier)* casia, cañafístula.

[2]**casse** *m POP (vol)* robo con efracción.

**cassé, e** *a* **1.** roto, a: **un carreau de ~** un cristal roto **2.** *(fêlé)* cascado, a **3. un vieillard tout ~** un anciano achacoso **4. voix cassée** voz cascada **5. blanc ~** blanco roto.

**casse-cou** *m inv* **1.** *(lieu)* resbaladero **2.** *(personne)* persona temeraria **3. crier ~ à quelqu'un** advertir a alguien del peligro que está corriendo. ◇ *a* temerario, a, atolondrado, a.

**casse-croûte** *m inv* bocadillo, refrigerio: **le ~ de 10 heures** el bocadillo de las 10.

**casse-cul** *a/m POP* pelma, pelmazo.

**casse-gueule** *m inv FAM* **1.** *(lieu)* resbaladero **2.** *(entreprise)* empresa *f* peligrosa. ◇ *a (risqué)* peligroso, a, temerario, a.

**cassement** *m* **~ de tête** quebradero de cabeza.

**casse-noisettes, casse-noix** *m inv* cascanueces.

**casse-pieds** *a/m inv FAM* pesado, pelmazo, pelma: **ce qu'il peut être ~!** ¡vaya tío pelmazo!; **ne sois pas ~!** ¡no seas pelmazo!

**casse-pipes** *m inv FAM* guerra *f.*

**casser** *vt* **1.** *(briser)* romper: **elle a cassé deux verres** ha roto dos vasos; **mon parapluie est cassé** mi paraguas está roto **2.** *(en fendant)* cascar, quebrantar, partir: **~ une noix** cascar una nuez **3.** *FAM* **~ la figure à** romper la cara a; **~ la tête** cansar, fastidiar; **~ les pieds** dar la lata, incordiar; **tu nous les casses** no incordies; **~ la croûte, sa pipe** → **croûte, pipe 4.** *FIG* **~ les prix** reventar los precios **5.** *JUR (un jugement, etc.)* anular, casar **6.** *MIL (un gradé)* degradar **7.** *FAM* **à tout ~** *(au maximum)* a lo más; **une fête à tout ~** una fiesta por todo lo alto; **ça ne casse rien** no es nada del otro mundo. ◇ *vi* romperse: **la branche pourrait ~** la rama podría romperse. ◆ **se ~** *vpr* **1.** romperse: **il s'est cassé un bras** se ha roto un brazo; **se ~ la figure** → **figure 2.** *FAM* **ne pas se ~** no matarse; **se ~ la tête** devanarse los sesos; **se ~ le nez, le cou, les reins** fracasar **3.** *FAM (partir)* largarse: **on se casse?** ¿nos vamos?

**casserole** *f* cazo *m,* cacerola: **une ~ en aluminium** un cazo de aluminio.

▶ *Cacerola* désigne surtout un faitout.

**casse-tête** *m inv* **1.** *(massue)* porra *f* **2.** *FIG* rompecabezas, quebradero de cabeza **3.** *(jeu)* **~ chinois** rompecabezas.

**cassette** *f* **1.** *(coffret)* cofrecito *m,* arqueta **2.** *(de magnétophone)* casete, cassette: **~ préenregistrée** casete pregrabada.

▶ Le mot espagnol *casete* est parfois employé au masculin et, dans ce cas, peut désigner aussi un «lecteur de cassettes». La forme *casete* est l'adaptation orthographique proposée par l'Académie du gallicisme *cassette* également très employé sous cette forme en espagnol.

**casseur, euse** *a/s* rompedor, a. ◇ *m* **1.** *(au cours d'une manifestation)* depredador **2.** *(de vieilles voitures)* chatarrero **3. ~ d'assiettes** camorrista **4.** *POP (cambrioleur)* caco.

**cassier** *m* cañafístula *f,* casia *f.*

[1]**cassis** *m* **1.** *(arbrisseau)* grosellero negro, casis *f* **2.** *(fruit)* grosella *f* negra **3.** *(liqueur)* licor de casis **4.** *FAM (tête)* chola *f.*

[2]**cassis** *m (en travers d'une route)* badén.

**cassolette** *f* pebetero *m,* perfumador *m.*

**cassonade** *f* azúcar *m* mascabado.

**cassoulet** *m* especie de fabada *f* al estilo del Languedoc.

**cassure** *f* **1.** rotura **2.** *(fracture)* fractura **3.** *FIG* ruptura.

**castagne** *f POP* **la ~** la pelea.

**castagnettes** *f pl* castañuelas: **jouer des ~** tocar las castañuelas.

**caste** *f* casta.

**castel** *m* casa *f* solariega.

**castillan, e** *a/s* castellano, a.

**Castille** *np f* Castilla: **la Vieille ~** Castilla la Vieja; **la Nouvelle ~** Castilla la Nueva.

**castor** *m* castor.

**Castor** *np m* Cástor: **~ et Pollux** Cástor y Pólux.

**castrat** *m* castrado.

**castration** *f* castración, capadura: **complexe de ~** complejo de castración.

**castrer** *vt* castrar.

**castrisme** *m* castrismo.

**castriste** *a/s* castrista.

**casuiste** *m* casuista.

**casuistique** *f* casuística.

**catachrèse** [katakʀɛz] *f* catacresis.

**cataclysme** *m* cataclismo, desastre.

**catacombes** *f pl* catacumbas.

**catadioptre** *m* catafaro, catafoto.

**catafalque** *m* catafalco, túmulo.

**cataire** *f (plante)* nébeda.

**catalan, e** *a/s* catalán, ana: **les Catalans** los catalanes.

**catalanisme** *m* catalanismo.

**catalepsie** *f* catalepsia.

**cataleptique** *a/s* cataléptico, a.

**catalogage** *m* catalogación *f.*

**Catalogne** *np f* Cataluña.

**catalogue** *m* catálogo.

**cataloguer** *vt* catalogar ◊ *PÉJOR* **je l'ai catalogué tout de suite** le calé en seguida.

**catalpa** *m* catalpa *f.*

**catalyse** *f* catálisis.

**catalyser** *vt* catalizar.

**catalyseur** *m* catalizador.

**catalytique** *a* catalítico, a ◊ **pot ~** catalizador.

**catamaran** *m* catamarán.

**cataphote** *m* catafoto.

**cataplasme** *m* cataplasma *f.*

**catapulte** *f* catapulta.

**catapulter** *vt* catapultar.

**cataracte** *f* **1.** catarata: **les cataractes du Niagara** las cataratas del Niágara **2.** *(maladie de l'œil)* catarata: **se faire opérer de la ~** operarse de la catarata, de cataratas.

**catarrhe** *m* catarro.

**catarrheux, euse** *a* catarroso, a.

**catastrophe** *f* **1.** catástrofe, desastre *m* **2. en ~** a la desesperada, con precipitación **3. scénario ~** escenario catastrófico **4.** *FAM* **~!, j'ai perdu mon passeport** ¡maldita sea!, he perdido mi pasaporte.

**catastropher** *vt FAM* dejar hecho polvo: **la nouvelle l'a catastrophée** la noticia la ha dejado hecha polvo.

**catastrophique** *a* catastrófico, a.

**catch** *m* catch.

**catcher** *vi* practicar el catch.

**catcheur, euse** *s* luchador, a de catch.

**catéchèse** [kateʃɛz] *f* catequesis.

**catéchiser** *vt* catequizar.

**catéchiste** *s* catequista.

**catéchumène** [katekymɛn] *s* catecúmeno, a.

**catégorie** *f* categoría.

**catégorique** *a* categórico, a, rotundo, a, tajante: **refus ~** rechazo categórico; **il est ~** es categórico.

**catégoriquement** *adv* categóricamente, rotundamente, tajantemente, en redondo: **refuser ~** negarse en redondo.

**caténaire** *a/f* catenario, a.

**cathare** *a/s* cátaro, a: **l'hérésie ~** la herejía cátara.

**catharsis** *f* catarsis.

**cathartique** *a* catártico, a.

**cathédrale** *f* catedral.

**Catherine** *np f* Catalina ◊ **coiffer sainte ~** quedarse para vestir santos.

**catherinette** *f* joven soltera de 25 años de edad que celebra el día de Santa Catalina.

**cathéter** [kateter] *m MÉD* catéter.

**cathode** *f* cátodo *m.*

**cathodique** *a* **1.** *PHYS* catódico, a: **rayons cathodiques** rayos catódicos; **tube ~** tubo catódico **2.** *FIG* televisivo, a: **une vedette ~** una «vedette» televisiva.

**catholicisme** *m* catolicismo.

**catholicité** *f* catolicidad.

**catholique** *a* **1.** católico, a: **les Rois Catholiques** los Reyes Católicos **2. pas très ~** no muy católico, poco ortodoxo, dudoso, a. ◊ *s* católico, a.

**catimini (en)** *loc adv FAM* a escondidas, a hurtadillas.

**catin** *f* buscona, ramera.

**cation** *m PHYS* catión.

**catir** *vt TECHN* aprestar, lustrar.

**catogan** *m* cinta *f* para el pelo.

**Caton** *np m* Catón.

**catoptrique** *a/f PHYS* catóptrico, a.

**Caucase** *np m* Cáucaso.

**caucasien, enne** *a/s* caucásico, a.

**cauchemar** *m* **1.** pesadilla *f*: **faire un ~** tener una pesadilla **2.** *FAM* **les examens, quel ~!** los exámenes, ¡qué pesadilla!

**cauchemarder** *vi* tener pesadillas.

**cauchemardesque** *a* de pesadilla.

**caudal, e** *a* caudal.

**causal, e** *a* causal.

**causalité** *f* causalidad.

**causant, e** *a FAM* hablador, a, comunicativo, a.

**cause** *f* **1.** causa, motivo *m*: **être ~ de** ser causa de; **rapport de ~ à effet** relación de causa-efecto ◊ *loc prép* **à ~ de** a causa de, por motivo de, por: **à ~ de son âge** por su edad; *(par la faute de)* **à ~ de lui** por culpa suya; **fermé pour ~ de maladie** cerrado por enfermedad; *loc interj* **et pour ~!** ¡y con razón! **2.** *JUR* causa: **plaider une ~** defender una causa ◊ **avoir gain de ~** salirse con la suya; **être en ~** estar en juego; **mettre en ~** acusar; **en connaissance de ~** con conocimiento de causa; **en désespoir de ~** como último recurso; **en tout état de ~** en todo caso, de todas formas, sea lo que sea **3.** causa: **épouser une ~** abrazar una causa ◊ **faire ~ commune avec quelqu'un** hacer causa común con alguien; **prendre fait et ~ pour** tomar la defensa, el partido de.

**causer** *vt* causar, provocar, originar: **le feu a causé d'importants dégâts** el fuego ha originado importantes daños; **l'explosion a causé la mort de...** la explosión ha causado la muerte de... ◊ *vi* conversar, hablar, charlar: **nous avons causé de nos projets** hemos hablado de nuestros proyectos.

**causerie** *f* charla.

**causette** *f FAM* charla, palique *m* ◊ **faire la ~, faire un brin de ~** estar de palique.

**causeur, euse** *a/s* conversador, a: **un fin ~** un ameno conversador. ◊ *f (siège)* confidente *m.*

**causse** *m* meseta *f* calcárea.

**causticité** *f* causticidad.

**caustique** *a* **1.** cáustico, a **2.** *FIG* cáustico, a, mordaz.

**cauteleux, euse** *a* cauteloso, a.

**cautère** *m* cauterio ◊ *FIG* **c'est un ~ sur une jambe de bois** no sirve para nada, es la carabina de Ambrosio.

**cautérisation** *f* cauterización.

**cautériser** *vt* cauterizar.

**caution** *f* **1.** fianza, caución: **liberté sous ~** libertad bajo fianza **2.** *(garantie)* aval *m*, garantía: **apporter sa ~** dar su aval **3.** *(personne)* fiador *m*: **se porter ~ pour** salir fiador por **4. être sujet à ~** ser poco seguro, dudoso.

**cautionnement** *m* fianza *f.*

**cautionner** *vt* **1.** salir fiador por **2.** avalar, garantizar.

**cavalcade** *f* cabalgata.

**cavalcader** *vi* cabalgar, correr.

**cavale** *f* **1.** *POÉT (jument)* yegua **2.** *FAM (évasion)* fuga.

**cavaler** *vi FAM* correr. ◆ **se ~** *vpr FAM* largarse.

**cavalerie** *f* caballería.

[1]**cavalier** *m* **1.** *(homme à cheval)* jinete: **un bon ~** un buen jinete; **les Quatre Cavaliers de l'Apocalypse** los Cuatro Jinetes del Apocalipsis **2.** *(militaire)* soldado de caballería ◊ *FIG* **faire ~ seul** hacer rancho aparte **3.** *(au bal)* pareja *f* **4. ~ servant** galán **5.** *(échecs)* caballo **6.** *(crampon)* grapa *f.*

**²cavalier, ère** *a* **1.** *(désinvolte)* desenvuelto, a, impertinente **2. allée cavalière** camino reservado a la equitación. ◇ *f* **1.** *(femme à cheval)* amazona, jinete **2.** *(au bal)* pareja.

**cavalièrement** *adv* bruscamente, con desfachatez.

**¹cave** *a* **1.** hundido, a: **joues caves** mejillas hundidas **2. veine ~** vena cava.

**²cave** *f* **1.** *(à vin)* bodega **2.** *(sous-sol)* sótano *m* **3. ~ à liqueurs** licorera.

**caveau** *m* **1.** *(petite cave)* pequeña bodega *f* **2.** *(sépulture)* panteón, tumba *f*: **~ de famille** panteón familiar.

**caverne** *f* **1.** *(grotte)* cueva, caverna: **l'homme des cavernes** el hombre de las cavernas ◊ *FIG* **une ~ de voleurs** una cueva de ladrones **2.** *(pulmonaire)* caverna.

**caverneux, euse** *a* cavernoso, a: **voix caverneuse** voz cavernosa.

**cavernicole** *a* cavernícola.

**caviar** *m* caviar.

**caviardage** *m* censura *f*.

**caviarder** *vt (censurer)* censurar.

**caviste** *m* bodeguero.

**cavité** *f* cavidad.

**Cayenne** *np* Cayena.

**C.C.P.** *abrév de* compte chèque postal.

**C.D.D., C.D.I.** → **contrat.**

**ce, c'** *pron dém* **1.** *(devant un relatif)* lo: **~ que je dis** lo que digo; **~ qui est certain** lo que es cierto; **c'est ~ dont je vous parle** es de lo que le estoy hablando; **pour ~ qui est de...** por lo que se refiere a...; **c'est ~ qui va t'arriver** eso te va a pasar a ti; *FAM* **~ qu'il est drôle!** ¡lo gracioso que es!; **~ qu'on est bien ici!** ¡qué bien que se está aquí! **2.** *(+ être, ne se traduit généralement pas)*: **c'est vrai** es verdad; **~ n'est pas facile** no es fácil; **c'est moi** soy yo; **c'est toi** eres tú; **~ sont mes enfants** son mis hijos; **c'est là qu'il s'est marié** allí se casó; **c'est à mourir de rire** es para morirse de risa **3.** *(= cela)* esto: **~ disant** diciendo esto; **sur ~** en esto **4. qu'est-ce que** → **que.**

**²ce, cet, cette,** *pl* **ces** [sə, sɛt, se] *a dém (ce qui est ici)* este, esta, estos, estas; *(ce qui est là)* ese, esa, esos, esas; *(ce qui est très éloigné)* aquel, aquella, aquellos, aquellas: **~ livre-ci** este libro; **cet arbre-là** ese, aquel árbol; **en ~ temps-là** en aquel tiempo; **cette nuit-là** aquella noche; **cette colline là-bas** aquella colina ◊ *FAM* **cette question!** ¡vaya una pregunta!; **j'ai un de ces sommeils** tengo un sueño que no veo; **un de ces rhumes** un catarro que para qué.

▶ Con las partículas adverbiales *ci* o *là* agregadas al sustantivo con un guión, el francés señala con mayor precisión lo que está cerca o lejos.

▶ *Ese* a souvent une valeur péjorative renforcée s'il est placé après le nom: *ce gars-là* el tío ese; *cette gamine* la chica esa.

**céans** *adv ANC* aquí, en esta casa ◊ **le maître de ~** el amo de esta casa.

**ceci** *pron dém* esto: **~ et cela** esto y aquello.

**Cécile** *np f* Cecilia.

**cécité** *f* ceguera.

**céder*** *vt* **1.** *(laisser)* ceder ◊ **~ la parole** dar la palabra **2.** *(vendre)* traspasar: **~ son fonds** traspasar su comercio; **bail à ~** se traspasa **3. ~ du terrain** perder terreno, retroceder **4. il ne lui cède en rien en perspicacité** es tan perspicaz como él. ◇ *vi* **1.** ceder: **la corde a cédé** ha cedido la cuerda **2.** *(une personne)* ceder, someterse, rendirse **3. ~ à la tentation** sucumbir a la tentación.

**Cedex** *abrév de* Courrier d'Entreprise à Distribution Exceptionnelle.

**cédille** *f* cedilla.

**cédrat** *m* **1.** *(arbre)* cidro **2.** *(fruit)* cidra *f*.

**cédratier** *m* cidro.

**cèdre** *m* cedro.

**cédule** *f* cédula.

**ceindre*** *vt* **1.** ceñir **2.** *(par un mur, etc.)* ceñir, rodear.

**ceint, e** *pp* de **ceindre.** ◇ *a* ceñido, a: **le front ~ de...** la frente ceñida por...

**ceinture** *f* **1.** cinturón *m*: **~ de sauvetage** cinturón salvavidas; **~ de sécurité** cinturón de seguridad; **attachez vos ceintures!** ¡abróchense los cinturones!; **~ noire** cinturón negro (judo) ◊ *FIG* **se mettre, se serrer la ~** apretarse el cinturón **2.** *(en tissu, orthopédique)* faja **3.** *(du corps, de murailles)* cintura: **jusqu'à la ~** hasta la cintura **4. chemin de fer de ~** ferrocarril de circunvalación.

**ceinturer** *vt* **1.** *(une ville)* rodear, cercar **2.** *(un adversaire, etc.)* atrapar por la cintura a.

**ceinturon** *m* cinto, cinturón.

**cela** *pron dém* **1.** eso, esto, aquello (aquello désigne ce qui est le plus éloigné): **prends ~** toma eso **2.** *(désigne ce qui vient d'être dit)* esto: **n'oubliez pas ~** no olvidéis esto; **il y a de ~ dix ans** hace de esto diez años ◊ **à ~ près** con esta excepción; **et avec ~** y además; **~ dit** dicho esto; **c'est ~** eso es; **comment ~?** ¿cómo?; **où ~?** ¿dónde?; **quand ~?** ¿cuándo?

▶ Le pronom neutre *ello* peut s'employer aussi dans le sens de «cela», surtout précédé d'une préposition: *il se sert pour ~ d'un vieux marteau* utiliza para ello un viejo martillo; *tout ~ lui rappelait...* todo ello le recordaba...

▶ La lengua hablada utiliza la contracción *ça* → **ça.**

**céladon** *a (couleur)* celadón, verdeceledón.

**célébrant** *m* celebrante.

**célébration** *f* celebración.

**célèbre** *a* famoso, a, célebre.

**célébrer*** *vt* **1.** celebrar **2.** *(messe)* oficiar, celebrar: **une messe sera célébrée en l'église de...** se oficiará una misa en la iglesia de...

**célébrité** *f* **1.** celebridad **2. les célébrités de l'écran** las celebridades de la pantalla, los famosos de la pantalla; **une ~** un famoso, una famosa.

**celer*** *vt LITT* ocultar, encubrir, callar.

**céleri** *m* **1.** apio **2. ~-rave** apio rábano.

**célérité** *f* celeridad.

**céleste** *a* **1.** celeste: **phénomènes célestes** fenómenos celestes **2.** *(du paradis)* celestial **3. le Céleste Empire** el Celeste Imperio.

**Célestin, e** *np* Celestino, a.

**célibat** *m* soltería *f*, celibato.

▶ Le mot *celibato* s'applique essentiellement au célibat ecclésiastique.

**célibataire** *a/s* soltero, a, célibe: **elle est ~** es soltera; **un ~ endurci** un solterón.

**celle, celles** → **celui.**

**cellier** *m* bodega *f*.

**cellophane** *f* celofán *m*.

**cellulaire** *a* **1.** celular **2. voiture ~** coche celular **3. téléphone ~** teléfono celular.

**cellule** *f* **1.** *(de couvent, de prison)* celda **2.** célula: **~ nerveuse** célula nerviosa; **~ photo-électrique** célula fotoeléctrica **3.** *(des abeilles)* celdilla **4.** *(en politique)* célula **5. ~ de crise** gabinete *m* de crisis.

**cellulite** *f* celulitis.

**celluloïde** *m (nom déposé)* celuloide.

**cellulose** *f* celulosa.

**cellulosique** *a* celulósico, a.

**celte** *a/s* celta.

**celtique** *a* céltico, a, celta.

**celui, celle, ceux, celles** *pron dém* **1.** *(+ de, que, qui)* el, la, los, las: **~ de mon oncle** el de mi tío; **ceux qui voyagent en avion** los que viajan en avión **2.** *(+ dont, avec, pour, etc.)* aquel, aquella, aquellos, aquellas: **celle dont on parle** aquella de quien se habla; **ce livre s'adresse à tous ceux qui...** este libro se dirige a todos aquellos que..., a todos los que... **3. il fait ~ qui ne comprend pas** hace como quien no entiende **4. celui-ci, celle-ci, ceux-ci, celles-ci** éste, ésta, éstos, éstas **5. celui-là, celle-là, ceux-là, celles-là** ése, ésa, ésos, ésas, aquél, aquélla, aquéllos, aquéllas; **qu'est-ce qu'il veut, celui-là?** ¿qué quiere el tío ese?

▶ L'accent écrit de *éste, ése, aquél*, etc. distingue les pron. démonstratifs des adjectifs. Voir *ce, cette*, etc.

**cémentation** *f TECHN* cementación.

**cémenter** *vt TECHN* cementar.

**cénacle** *m* cenáculo.

**cendre** *f* **1.** ceniza: **réduire en cendres** reducir a cenizas **2. le mercredi des Cendres** el miércoles de ceniza **3. renaître de ses cendres** renacer de sus cenizas.

**cendré, e** *a* **1.** ceniciento, a: **blond ~** rubio ceniciento **2. piste cendrée** pista de ceniza.

**cendrée** *f* **1.** *(plomb de chasse)* mostacilla **2.** *(piste)* pista de ceniza.

**cendrier** *m* cenicero.

**Cendrillon** *np f* Cenicienta.

**cène** *f* cena: **la Cène** la Última Cena.

**cénobite** *m* cenobita.

**cénotaphe** *m* cenotafio.

**cens** [sɛ̃s] *m* censo.

**censé, e** *a* **il est ~ être dans son bureau** se supone que está en su despacho; **je ne suis pas ~ le savoir** no tengo por qué saberlo; **nul n'est ~ ignorer la loi** se supone que nadie ignora la ley.

**censément** *adv* como si dijéramos, virtualmente.

**censeur** *m* **1.** censor **2.** *(de lycée)* subdirector.

**censitaire** *s* censatario, a.

**censure** *f* censura.

**censurer** *vt* censurar.

**cent** *a/m* **1.** ciento, cien: **page ~** página cien; **~ deux** ciento dos; **~ francs** cien francos; **~ fois** cien veces; **~ mille** cien mil ◊ **deux cents, trois cents, etc.** doscientos, as, trescientos, as, etc.: **deux cents pages** doscientas páginas **2. tant pour ~** tanto por ciento; **catholique ~ pour ~** católico cien por cien; **dix pour ~ des victimes...** el diez por ciento de las víctimas...; **intérêt à 6%** interés del 6% **3. je te l'ai dit ~ fois** te lo he dicho mil veces; **vous avez ~ fois raison** tiene razón que le sobra; **faire les ~ pas, les quatre cents coups** → **pas, coup;** *FAM* **~ sept ans** un tiempo indefinido, un siglo.

▶ *Ciento* s'apocope en *cien* devant un nom, *mil, millones*. Notez qu'un pourcentage s'exprime toujours avec un article masculin singulier: *les vols à main armée ont augmenté de 3%* los atracos aumentaron un 3%.

**centaine** *f* **1.** *(cent unités)* centena **2.** *(environ cent)* centenar *m*: **par centaines** a centenares; **une ~ de francs** unos cien francos; **des centaines de milliers** cientos de miles.

**centaure** *m* centauro.

**centaurée** *f (plante)* centaura.

**centenaire** *a/s* centenario, a. ◇ *m (anniversaire)* centenario.

**centésimal, e** *a* centesimal.

**centiare** *m* centiárea *f*.

**centième** *a/s* centésimo, a: **un ~ de seconde** una centésima de segundo.

**centigrade** *a/m* centígrado.

**centigramme** *m* centigramo.

**centilitre** *m* centilitro.

**centime** *m* céntimo ◊ *FAM* **n'avoir pas un ~** no tener un céntimo, estar sin blanca.

**centimètre** *m* centímetro: **~ carré** centímetro cuadrado.

**centon** *m (poème)* centón.

**centrage** *m* determinación *f* del centro.

**central, e** *a* **1.** central: **pouvoirs centraux** poderes centrales; **chauffage ~** calefacción central **2.** *(dans une ville)* céntrico, a: **quartiers centraux** barrios céntricos. ◇ *m* central *f*: **un ~ téléphonique** una central telefónica. ◇ *f* central: **une centrale électrique, nucléaire** una central eléctrica, nuclear; **centrale syndicale** central sindical.

**centralisateur, trice** *a* centralizador, a.

**centralisation** *f* centralización.

**centraliser** *vt* centralizar.

**centralisme** *m* centralismo.

**centre** *m (en géométrie, politique, etc.)* centro: **~ de gravité** centro de gravedad; **le ~ de la ville** el centro de la ciudad; **~ commercial, industriel, touristique** centro comercial, industrial, turístico ◊ **le ~-ville** el casco urbano.

**centrer** *vt* **1.** centrar **2.** *FIG* **~ sur** centrar sobre.

**centrifugation** *f* centrifugación.

**centrifuge** *a* **force ~** fuerza centrífuga.

**centrifuger** *vt* centrifugar.

**centrifugeuse** *f* centrifugadora.

**centripète** *a* **force ~** fuerza centrípeta.

**centriste** *a/s* centrista.

**centuple** *a/m* céntuplo, a.

**centupler** *vt* centuplicar.

**centurie** *f* centuria.

**centurion** *m* centurión.

**cep** [sɛp] *m* cepa *f*.

**cépage** *m* viduño, vidueño.

**cèpe** *m* hongo, boletus edulis.

▶ L'espagnol désigne ce champignon par son nom latin.

**cependant** *adv/conj* **1.** *(toutefois)* sin embargo **2.** *(pendant ce temps)* entretanto, en tanto **3. ~ que** mientras que.

**céphalée** *f* cefalea.

**céphalique** *a* cefálico, a.

**céphalopode** *m ZOOL* cefalópodo.

**céphalo-rachidien, enne** *a* cefalorraquídeo, a.

**céramique** *f* cerámica.

**céramiste** *a/s* ceramista.

**cerbère** *m* cancerbero.

**cerceau** *m* **1.** *(jouet)* aro **2.** *(de tonneau)* cerco, aro.

**cercle** *m* **1.** círculo: **~ polaire** círculo polar; *FIG* **~ vicieux** círculo vicioso **2.** *(de tonneau)* cerco, fleje, aro **3.** *(d'amis, etc.)* círculo ◊ **faire ~ autour de quelqu'un** formar un círculo alrededor de alguien; **le ~ de famille** la familia reunida **4.** *(club)* círculo, casino.

**cercler** *vt* poner cercos en.

**cercueil** *m* ataúd, féretro.

**Cerdagne** *np f* Cerdaña.

**céréale** *f* cereal *m*: **manger des céréales au petit déjeuner** desayunar cereales.

**céréalier, ère** *a/m* cerealista.

**cérébral, e** *a/s* cerebral: **hémisphères cérébraux** hemisferios cerebrales; **travail ~** trabajo cerebral.

**cérébro-spinal, e** *a* cerebroespinal.

**cérémonial** *m* ceremonial.

**cérémonie** *f* **1.** ceremonia, acto *m*: **~ d'inauguration** acto de inauguración; **les cérémonies officielles** los actos oficiales **2.** cumplido *m*: **faire des cérémonies** hacer cumplidos; **sans ~** sin cumplidos.

**cérémonieusement** *adv* ceremoniosamente.

**cérémonieux, euse** *a* ceremonioso, a.

**Cérès** *np f* Ceres.

**cerf** [sɛʀ] *m* ciervo.

**cerfeuil** *m* perifollo.

**cerf-volant** [sɛʀvɔlɑ̃] *m* **1.** *(insecte)* ciervo volante **2.** *(jouet)* cometa *f*: **le ~ s'élève en l'air** la cometa se eleva en el aire.

**cerisaie** *f* cerezal *m*.

**cerise** *f* cereza ◊ *FIG* **c'est la ~ sur le gâteau** es la guinda en la tarta. ◇ *a (couleur)* cereza, rojo vivo.

**cerisier** *m* cerezo.

**cerne** *m* **1.** *(des yeux)* ojera *f* **2.** *(d'une tache)* cerco **3.** *(de la lune)* auréola *f*.

**cerné, e** *a* **avoir les yeux cernés** estar ojeroso, a, tener ojeras.

**cerneau** *m (de noix)* carne *f* de nuez verde.

**cerner** *vt* **1.** *(entourer)* cercar, rodear **2.** *(un dessin)* contornear **3.** *FIG (une question, un problème)* circunscribir, delimitar.

**certain, e** *a* **1.** *(sûr)* cierto, a, seguro, a: **c'est ~** eso es cierto; **je suis ~ de ce que je dis** estoy seguro de lo que digo; **sûr et ~** completamente seguro; **ce qui est ~ c'est que...** lo cierto es que... **2.** cierto, a (pas d'article en espagnol) **d'un ~ âge** de cierta edad; **jusqu'à un ~ point** hasta cierto punto **3. un ~ Henri** un tal Enrique. ◇ *a/pron pl* algunos, as: **certains disent...** algunos dicen, hay quien dice...; **certaines d'entre nous** algunas de nosotras; **dans certains cas** en algunos casos. ◇ *m* **le ~** lo cierto.

**certainement** *adv* **1.** *(incontestablement)* indudablemente, seguro: **il est ~ coupable** seguro que es culpable **2.** *(bien sûr)* desde luego, por supuesto: **viendrez-vous? - ~** ¿vendrá usted? - desde luego ◊ **~ pas** ni pensarlo.

**certes** *adv* **1.** *(assurément)* desde luego, sin duda alguna **2.** *(en réponse)* por cierto, ciertamente.

**certificat** *m* **1.** certificado: **~ médical** certificado médico; **~ de scolarité** certificado de escolaridad **2. ~ d'études** certificado de estudios primarios.

**certifié, e** *a* **1. copie certifiée conforme** copia conforme con el original **2.** *(professeur)* diplomado, a, apto, a para enseñar en los Colegios de Segunda Enseñanza.

**certifier*** *vt* **1.** *(attester)* atestiguar, certificar **2.** *(affirmer)* garantizar, asegurar: **je vous certifie que je ne le connais pas** le aseguro que no le conozco.

**certitude** *f* **1.** certidumbre, seguridad, certeza ◊ **j'ai la ~ que...** estoy seguro que... **2. c'est une ~** es una certeza.

**céruléen, enne** *a LITT* cerúleo, a.

**cérumen** [seʀymɛn] *m* cerumen.

**céruse** *f* cerusa.

**cerveau** *m* **1.** cerebro ◊ **transport au ~** ataque cerebral **2.** *FIG* cerebro: **exode, fuite des cerveaux** fuga de cerebros ◊ **un ~ brûlé** una cabeza loca, un exaltado; *FAM* **avoir le ~ dérangé, fêlé** estar tocado, chiflado **3.** *FIG (celui qui dirige)* cerebro gris, cerebro.

**cervelas** *m* salchicha *f* corta y gruesa.

**cervelet** *m* cerebelo.

**cervelle** *f* **1.** sesos *m pl* ◊ *FIG* **se brûler la ~** levantarse la tapa de los sesos; **se creuser la ~** devanarse los sesos, comerse el coco; **une ~ d'oiseau, une tête sans ~** una cabeza de chorlito **2.** *CULIN* sesos *m pl*, sesada: **une ~ de mouton au beurre** sesos de cordero con mantequilla.

**cervical, e** *a* cervical: **vertèbres cervicales** vértebras cervicales.

**cervidé** *m* cérvido.

**cervier** → **loup-cervier.**

**cervoise** *f ANC* cerveza.

**ces** → **ce.**

**César** *np m* César ◊ **rendre à ~ ce qui est à ~** dar al César lo que es del César.

**césarien, enne** *a/s* cesariano, a. ◇ *f MÉD* cesárea.

**césarisme** *m* cesarismo.

**césium** [sezjɔm] *m* cesio.

**cessant, e** *a* **toute affaire cessante** con exclusión de todo lo demás.

**cessation** *f* **1.** cese *m*, cesación: **la ~ des hostilités** el cese de las hostilidades **2.** suspensión: **~ de paiements** suspensión de pagos; **~ des travaux** suspensión de las obras.

**cesse** *f* **1. il n'a eu de ~ qu'il n'ait obtenu...** no se quedó tranquilo hasta que no logró... **2.** *loc adv* **sans ~** sin cesar, sin parar, continuamente.

**cesser** *vi* cesar, parar: **le vent a cessé** el viento ha cesado; **cessez!** ¡basta! ◇ *vt* **1.** interrumpir, suspender, cesar: **~ un travail** suspender un trabajo; **il a cessé ses fonctions de directeur** ha cesado como director **2. ~ de** dejar de: **cesse de te plaindre!** ¡deja de quejarte!; **il n'a pas cessé de pleuvoir** no ha dejado de llover.

**cessez-le-feu** *m inv* alto el fuego.

**cessible** *a* cesible.

**cession** *f* **1.** cesión **2.** *(d'un commerce)* traspaso *m*.

**cessionnaire** *s* cesionario, a.

**c'est-à-dire** [sɛ(e)tadiʀ] *loc conj* es decir, o sea.

**césure** *f* cesura.

**cet** → **ce.**

**cétacé** *m* cetáceo.

**cétone** *f CHIM* cetona.

**cette** → **ce.**

**ceux** → **celui.**

**Ceylan** *np* Ceilán.

**chabichou** *m* queso de cabra.

**chabot** *m (poisson)* coto.

**chacal** *m* chacal.

**chaconne, chacone** *f (danse)* chacona.

**chacun, e** *pron indéf* **1.** cada uno, cada una: **~ de vous** cada uno de vosotros; **dix francs ~** diez francos cada uno **2.** *(toute personne)* cada cual, cada uno, todos, as: **~ a ses soucis** cada cual tiene sus preocupaciones; **~ est comme il est** cada cual es como es; **~ le pense** todos lo piensan; **tout un ~** cada quisque, todo quisque.

**chafouin, e** *a* taimado, a, socarrón, ona.

[1]**chagrin, e** *a* triste, malhumorado, a. ◇ *m* pena *f*, pesar, tristeza *f*: **un profond ~** una pena profunda; **~ d'amour** pena de amor; **j'ai du ~** tengo pena; **faire du ~** causar pena, apenar; *FAM* **noyer son ~** ahogar sus penas.

[2]**chagrin** *m (cuir)* **peau de ~** piel de zapa.

**chagriner** *vt* afligir, apenar.

**chah** *m* sha, cha.

**chahut** [ʃay] *m FAM* alboroto, jaleo, follón: **faire du ~** armar follón.

**chahuter** *vt* **~ un professeur** abuchear a un profesor. ◇ *vi* alborotar, armar follón.

**chahuteur, euse** *a/s* alborotador, a.

**chai** *m* bodega *f* ◊ **maître de ~** bodeguero.

**chaîne** *f* **1.** cadena: **~ de bicyclette** cadena de bicicleta; **~ d'arpenteur** cadena de agrimensor; **~ sans fin** cadena sin fin **2. ~ de montagnes** cordillera, sierra, cadena de montañas **3.** *(de tissu)* urdimbre **4. ~ de montage** cadena de montaje; **travail à la ~** trabajo en cadena; **faire la ~** hacer cadena **5. réaction en ~** reacción en cadena **6.** *(de télévision)* cadena, canal *m*: **sur la deuxième ~** en la segunda cadena; **chaînes thématiques** canales temáticos; **nouvelle ~ internationale** nuevo canal internacional **7. ~ haute fidélité** equipo *m* alta fidelidad; **une ~ stéréo** una cadena estéreo **8.** *(de magasins, hôtels)* cadena **9. ~ alimentaire** cadena alimenticia **10.** *FIG* **briser ses chaînes** libertarse.

**chaînette** *f* **1.** cadenita **2. point de ~** cadeneta *f*.

**chaînon** *m* **1.** *(d'une chaîne)* eslabón **2.** *(de montagne)* ramal **3.** *FIG* eslabón: **~ manquant** eslabón perdido.

**chair** *f* **1.** carne ◊ **en ~ et en os** en carne y hueso; **être bien en ~** estar metido, a en carnes, rellenito, a; **avoir la ~ de poule** tener carne de gallina; **donner la ~ de poule** poner la carne de gallina; **j'ai la ~ de poule** se me pone la carne de gallina **2.** *(comestible)* **~ à saucisses** carne picada; **ni ~ ni poisson** ni carne ni pescado **3.** *(le corps)* **la ~ est faible** la carne es débil; **la résurrection de la ~** la resurrección de la carne. ◇ *a* **couleur ~** color carne.

**chaire** *f* **1.** *(d'église)* púlpito *m*: **monter en ~** subir al púlpito **2.** *(d'un professeur)* cátedra **3. la ~ de saint Pierre** la cátedra de san Pedro.

**chaise** *f* **1.** silla ◊ **~ longue** tumbona, meridiana; **~ électrique** silla eléctrica; **~ percée** silla retrete; **~ à porteurs** silla de manos **2.** *FIG* **être assis entre deux chaises** estar en una situación inestable.

**chaisier, ère** *s* sillero, a.

**chaland** *m* **1.** *(bateau)* chalana *f* **2.** *ANC (client)* comprador, a.

**chalandise** *f COM* **zone de ~** zona de atracción comercial.

**chalcographie** [kalkɔgʀafi] *f* calcografía.

**Chaldée** [kalde] *np f* Caldea.

**chaldéen, enne** [kaldeɛ̃, ɛn] *a/s* caldeo, a.

**châle** *m* mantón, chal.

**chalet** *m* chalet.

► En espagnol, le mot *chalet* désigne principalement une villa, un pavillon.

**chaleur** *f* **1.** calor *m*: **la ~ est accablante aujourd'hui** el calor es agobiante hoy; **une ~ étouffante** un calor sofocante; **vague de ~** ola de calor **2.** *FIG* calor *m*, ardor *m*: **dans la ~ de la discussion** en el calor de la discusión **3. chatte en ~** gata en celo.

**chaleureusement** *adv* calurosamente.

**chaleureux, euse** *a* caluroso, a, cálido, a, efusivo, a: **un accueil ~** una acogida calurosa; **applaudissements ~** cálidos aplausos.

**châlit** *m* armadura *f* de cama.

**challenge** *m* **1.** prueba *f*, challenge **2.** *FIG (défi)* reto.

**challenger** [ʃalɑ̃ʒœʀ] *m* aspirante, challenger, rival.

**chaloir** *vi* importar.

► Hoy se usa solamente en: *peu m'en chaut* no me importa, me importa poco.

**chaloupe** *f* chalupa, lancha.

**chaloupé, e** *a* contoneado, a.

**chalumeau** *m* **1.** *(paille)* caña *f* **2.** *(flûte)* caramillo **3.** *(pour souder)* soplete.

**chalut** *m* traína *f*, red *f* barredera.

**chalutier** *m* bou.

**chamade** *f* **son cœur battait la ~** el corazón se le salía del pecho, latía descompasadamente.

**chamailler (se)** *vpr* reñir, andar a la greña: **ils sont tout le temps en train de se ~** siempre andan riñendo, siempre andan a la greña.

**chamaillerie** *f* riña, disputa.

**chamailleur, euse** *a/s* peleón, ona, pendenciero, a.

**chaman** *m* chamán.

**chamanisme** *m* chamanismo.

**chamarrer** *vt* recargar de adornos: **uniforme chamarré** uniforme recargado.

**chamarrures** *f pl* adornos *m* de mal gusto.

**chambard** *m FAM* alboroto, jaleo.

**chambardement** *m FAM* desorden, desbarajuste, revolución *f*.

**chambarder** *vt FAM* alborotar, trastornar, ponerlo todo patas arriba.

**chambellan** *m* chambelán.

**chambouler → chambarder.**

**chambranle** *m (de porte)* marco, chambrana *f*, jambaje.

**chambre** *f* **1.** habitación, cuarto *m*: **les chambres de cet hôtel sont spacieuses** las habitaciones de este hotel son espaciosas; **~ à deux lits** habitación de dos camas; **~ pour deux personnes** habitación doble ◊ **~ à coucher** dormitorio *m*, alcoba; **musique, pot, robe de ~ → musique, pot, robe; faire ~ à part** dormir en habitaciones separadas; **garder la ~** no salir de su casa; **travailler en ~** trabajar a domicilio **2.** cámara: **~ des députés, de commerce** cámara de diputados, de comercio; **~ de compensation** cámara de compensación **3.** *(d'un tribunal)* sala; **~ criminelle** sala de lo criminal **4.** cámara: **~ à air** cámara de aire; **~ à gaz** cámara de gas; **~ froide** cámara frigorífica; **~ noire** cámara oscura.

**chambrée** *f* dormitorio *m* de tropas.

**chambrer** *vt* **1.** *(isoler quelqu'un)* aislar (a alguien para convencerlo mejor) **2.** *(un vin)* poner a la temperatura ambiente **3.** *FAM (se moquer de quelqu'un)* tomar el pelo a.

**chambrette** *f* cuartito *m*.

**chambrière** *f* **1.** *(fouet)* látigo *m* **2.** *(de charrette)* tentemozo *m*.

**chameau** *m* **1.** camello ◊ **poil de ~** pelo de camello **2.** *FAM* **cette femme est un vieux ~** esta mujer es un mal bicho.

**chamelier** *m* camellero.

**chamelle** *f* camella.

**chamois** *m* **1.** gamuza *f* **2. peau de ~** gamuza, piel de gamuza. ◇ *a (couleur)* gamuzado, a.

**chamoiser** *vt* agamuzar.

**champ** [ʃɑ̃] *m* **1.** campo: **un ~ de pommes de terre** un campo de patatas **2. ~ de bataille** campo de batalla; **tombé au ~ d'honneur** caído en el campo del honor **3. ~ clos** palenque; **~ de courses** hipódromo; **~ de foire** real de la feria **4.** *FIG* campo, esfera *f*, ámbito: **~ d'action** campo de acción; **~ d'application** ámbito de aplicación; **laisser le ~ libre à quelqu'un** dejar el campo libre a alguien; **prendre du ~** tomar distancia **5. ~ opératoire** campo operatorio, **~ magnétique** campo magnético; **~ visuel** campo visual **6. ~ sémantique** campo semántico **7.** *loc adv* **à tout bout de ~** a cada instante, cada dos por tres; **sur-le-champ** en el acto. ◇ *pl* **1. les travaux des champs** las faenas del campo; **fleurs des champs** flores silvestres **2.** *loc adv* **à travers champs** a campo traviesa **3.** *MIL* **sonner aux champs** dar un toque de honor con la corneta.

► Pour désigner un champ où poussent des plantes semblables, l'espagnol emploie couramment les suffixes *-ar*, *-al*: *un ~ de blé, de maïs, de fraises, de pommes de terre* un trigal, un maizal, un fresal, un patatal.

**Champagne** *np f* Champaña.

**champagne** *m (vin)* champaña, champán. ◇ *f* **fine ~** especie de coñac.

► Voir le mot *cava* dans la partie espagnol-français.

**champagnisation** *f* champañización.

**champagniser** *vt* achampañar, champañizar.

**champenois, e** *a/s* de Champaña.

**champêtre** *a* **1.** campestre **2. garde ~** guarda rural.

**champignon** *m* **1.** hongo, seta *f*: **ramasser des champignons** buscar setas; **champignons vénéneux** setas venenosas, hongos venenosos; *FIG* **pousser comme des champignons** crecer como setas, crecer como hongos **2. ~ de couche, de Paris** champiñón **3. ~ atomique** hongo atómico **4.** *FAM* **appuyer sur le ~** pisar el acelerador **5. ville ~** ciudad hongo.
▶ *Hongo* est le terme botanique pour désigner tout végétal sans chlorophyle; *seta* est le mot courant qui s'applique particulièrement aux champignons à chapeau. Le gallicisme *champiñón* désigne uniquement les champignons de couche.

**champignonnière** *f* criadero *m* de champiñones.

**champion, onne** *s* **1.** campeón, ona: **champions olympiques** campeones olímpicos **2.** *(d'une cause)* campeón, ona, paladín. ◇ *a FAM* **c'est ~!** ¡estupendo!, ¡guay!

**championnat** *m* campeonato.

**champlever*** [ʃãlve] *vt TECHN* ahuecar con el buril ◊ **émail champlevé** esmalte campeado.

**Chanaan** [kanaã] *np* Canaán.

**chançard, e** *a/s FAM* afortunado, a, potroso, a ◊ **être ~** tener potra.

**chance** *f* **1.** suerte, fortuna: **avoir de la ~** tener suerte; **tentez votre ~!** ¡pruebe su suerte! ◊ **bonne ~!** ¡suerte!, ¡que le vaya bien!; **pas de ~!** ¡mala suerte!; **c'est un coup de ~** es una casualidad afortunada; **c'est bien ma ~!** ¡qué mala suerte!; **tu m'as porté ~!** ¡me has dado suerte!; **par ~** por suerte, afortunadamente; *FAM* **c'est la faute à pas de ~** estaba escrito **2.** posibilidad, oportunidad: **c'est votre dernière ~** es su última posibilidad; **calculer ses chances de réussite** calcular las posibilidades de éxito; **donner sa ~ à** darle su oportunidad a; **l'égalité des chances** la igualdad de oportunidades. ◊ **il a des chances de réussir** es probable que tenga éxito; **il y a peu de chances que...** es poco probable que...

**chancelant, e** *a* **1.** vacilante, tambaleante **2.** *FIG* **santé chancelante** salud frágil.

**chanceler*** *vi* **1.** vacilar, tambalearse: **il chancela** se tambaleó **2.** *(faiblir)* flaquear.

**chancelier** *m* canciller ◊ **le ~ de l'Échiquier** el canciller del Exchequer.

**chancelière** *f (pour les pieds)* folgo *m*.

**chancellerie** *f* cancillería.

**chanceux, euse** *a* afortunado, a.

**chancir** *vi* enmohecerse.

**chancre** *m MÉD* chancro.

**chandail** [ʃãdaj] *m* jersey.

**chandeleur** *f* candelaria.

**chandelier** *m* candelero, candelabro: **le ~ à sept branches** el candelabro de siete brazos.

**chandelle** *f* **1.** vela, candela **2.** *FIG* **brûler la ~ par les deux bouts** gastar más de la cuenta; **faire des économies de bouts de ~** hacer ahorros ridículos, ahorros insignificantes, ahorrar el chocolate del loro; **le jeu n'en vaut pas la ~** la cosa no vale la pena; **en voir trente-six chandelles** ver las estrellas; **je vous dois une fière ~** le quedo muy agradecido **3. monter en ~** subir verticalmente **4.** *(au football)* balón *m* bombeado.

**chanfrein** *m* **1.** *(pan coupé)* chaflán **2.** *(d'un cheval)* testera *f*, testuz.

**change** *m* **1.** cambio: **bureau, lettre de ~** oficina, letra de cambio; **contrôle des changes** control de cambios; **agent de ~** agente de cambio y Bolsa ◊ **le cours des changes** la cotización **2.** *FIG* **donner le ~** engañar; **gagner, perdre au ~** ganar, perder con el cambio **3.** *(pour bébé)* pañal, bragapañal.

**changeable** *a* cambiable.

**changeant, e** *a* **1.** *(personne, humeur)* mudable, tornadizo, a, inconstante **2.** *(temps)* variable.

**changement** *m* **1.** cambio: **~ de programme** cambio de programa; **j'aime le ~** me gusta el cambio **2.** *(de température)* variación *f* **3.** *THÉÂT* **~ de décor** mutación *f* **4.** *TECHN* **~ de vitesses** cambio de velocidades.

**changer*** *vt* **1.** cambiar: **~ des francs contre des pesetas** cambiar francos en pesetas **2.** convertir: **~ de l'eau en vin** convertir agua en vino **3. ~ un enfant** mudar a un niño **4.** transformar: **cette coiffure la change complètement** este peinado la transforma completamente **5. viens avec nous, ça te changera les idées** ven con nosotros, eso te distraerá de tus preocupaciones. ◇ *vi* **1.** cambiar: **il a changé de voiture** ha cambiado de coche; **~ de place** cambiar de sitio; **le temps change** el tiempo cambia; **~ du tout au tout** cambiar completamente; **changeons de sujet** cambiemos de tema **2.** cambiar, mudar, variar: **~ d'avis** cambiar de parecer, mudar de opinión ◊ **il changea de visage** se le demudó la cara **3.** *(de train)* hacer trasbordo: **nous changerons à Limoges** haremos trasbordo en Limoges **4. il ne change pas!** ¡no varía! ◆ **se ~** *vpr* cambiarse de ropa, mudarse de ropa: **je suis trempé, je vais me ~** estoy hecho una sopa, voy a mudarme, a cambiarme.

**changeur** *m* cambista.

**chanoine** *m* canónigo.

**chanoinesse** *f* canonesa.

**chanson** *f* **1.** canción: **chansons d'amour, à boire** canciones de amor, báquicas **2. ~ de geste** cantar *m* de gesta; **la ~ de Roland** el cantar de Roland **3.** *FAM* **c'est toujours la même ~** es siempre la misma cantinela; **voilà une autre ~** eso es otro cantar. ◇ *pl FIG* **chansons que tout cela** todo esto son cuentos.

**chansonnette** *f* cancioncilla.

**chansonnier** *m* **1.** cancionista **2.** *(recueil)* cancionero.

[1]**chant** *m* **1.** canto: **chants populaires** cantos populares; **~ grégorien** canto gregoriano; **poème en 24 chants** poema en 24 cantos; **au ~ du coq** al canto del gallo, al cantar el gallo; *FIG* **le ~ du cygne** el canto del cisne **2. ~ flamenco** cante flamenco.

[2]**chant** *m (côté)* canto: **poser de ~** colocar de canto.

**chantage** *m* chantaje: **faire du ~** chantajear.

**chantant, e** *a* melodioso, a.

**chanteau** *m (de pain)* canto.

**chantepleure** *f (de tonneau)* espita.

**chanter** *vi* **1.** cantar ◊ **~ juste** cantar entonado; **~ faux** cantar desafinado, desafinar; **c'est comme si on chantait** es como quien oye llover; **si cela vous chante** si eso le place, le apetece; **quand ça vous chantera** cuando le venga en gana **2. faire ~ quelqu'un** hacer chantaje, chantajear a alguien. ◇ *vt* **1.** cantar **2.** *FAM* contar: **que me chantez-vous là?** ¿qué me cuenta usted? **3. ~ victoire** cantar victoria; **~ les louanges de → louange.**

**chanterelle** *f* **1.** *(corde)* prima, cantarela ◊ *FIG* **appuyer sur la ~** insistir **2.** *(champignon)* rebozuelo *m*.

**chanteur, euse** *s* **1.** cantante: **~ de rock** cantante de rock; **une chanteuse d'opéra** una cantante de ópera; **~ de charme** cantante romántico **2. maître ~** chantajista. ◇ *a* **oiseau ~** ave cantora, ave canora; **les Maîtres chanteurs de Nuremberg** *(Wagner)* Los Maestros cantores de Nuremberg.
▶ Un chanteur de chant flamenco se dit: *cantaor*.

**chantier** *m* **1.** *(de construction)* obra *f*: **chef de ~** jefe de obra **2. ~ naval** astillero **3.** *(dépôt)* depósito **4.** *(pour tonneaux)* combo **5. mettre un travail en ~** comenzar una obra; **avoir un travail en ~** tener un trabajo en curso **6.** *FAM* **quel ~ ici!** ¡qué alboroto hay aquí!

**chantonnement** *m* canturreo.

**chantonner** *vi/t* canturrear.

**chantourner** *vt* seguetear, contornear.

**chantre** *m* **1.** *(dans une église)* chantre **2.** *FIG* cantor.

**chanvre** *m* cáñamo ◊ **~indien** cáñamo índico.

**chaos** [kao] *m* caos.

**chaotique** [kaotik] *a* caótico, a.

**chapardage** *m FAM* hurto.

**chaparder** *vt FAM* birlar, afanar, hurtar.

**chapardeur, euse** *a/s* ladronzuelo, a.

**chape** *f* **1.** *(manteau de cérémonie)* capa, capa pluvial **2.** *(de poulie)* horquilla **3.** *(en ciment)* capa.

**chapeau** *m* **1.** sombrero ◊ **~ haut de forme** sombrero de copa, chistera *f*; **~ melon** sombrero hongo, bombín; **~ mou** sombrero flexible; *FIG* **mettre ~ bas, tirer son ~** quitarse el sombrero, descubrirse; **porter le ~** pagar el pato; *FAM* **chapeau!** ¡muy bien!, ¡bravo!, ¡chapeau!; **il travaille du ~** anda mal de la azotea, está mal de la chaveta **2.** *(de champignon)* sombrerete **3.** *(d'un article de journal)* entradilla *f*, sumario, breve introducción *f* **4.** *MUS* **~chinois** chinesco **5.** *FAM* **sur les chapeaux de roues** a toda velocidad; **démarrer sur les chapeaux de roues** arrancar bruscamente.

**chapeauté, e** *a* con el sombrero puesto.

**chapeauter** *vt FAM (contrôler)* respaldar, patrocinar.

**chapelain** *m* capellán.

**chapelet** *m* **1.** rosario: **dire son ~** rezar el rosario **2.** *(d'oignons, d'aulx)* ristra *f* **3.** *FIG* ristra *f*, serie *f*, sarta *f*: **un ~ d'injures** una ristra de improperios.

**chapelier, ère** *s* sombrerero, a.

**chapelle** *f* **1.** capilla ◊ **ardente** capilla ardiente; **maître de ~** maestro de capilla **2.** *(coterie)* camarilla.

**chapellerie** *f* sombrerería.

**chapelure** *f* pan *m* rallado.

**chaperon** *m* **1.** caperuza *f* ◊ **le Petit Chaperon rouge** Caperucita Roja **2.** *(dame de compagnie)* carabina.

**chaperonner** *vt (une jeune fille)* acompañar.

**chapiteau** *m* **1.** capitel: **chapiteaux corinthiens** capiteles corintios **2.** *(de cirque)* carpa *f*, toldo.

**chapitre** *m* **1.** *(d'un livre)* capítulo **2.** *(d'un budget)* renglón, partida *f* **3.** materia *f*, tema: **il n'y a plus rien à dire sur ce ~** no hay nada más que decir sobre este tema **4.** *(de chanoines)* cabildo, capítulo **5.** **avoir voix au ~** tener voz y voto.

**chapitrer** *vt (réprimander)* reprender, llamar a capítulo a.

**chapon** *m* **1.** *(coq châtré)* capón **2.** corteza *f* de pan untada con ajo.

**chaptaliser** *vt* agregar azúcar al mosto antes de que fermente.

**chaque** *a indéf* **1.** cada: **~ chose à sa place** cada cosa en su lugar **2.** *FAM* cada uno, cada una: **dix francs ~** diez francos cada uno.

**¹char** *m* **1.** carro, carreta *f* **2.** *(de carnaval)* carroza *f* **3.** **~ d'assaut, de combat** carro de combate; **~ léger** carro de combate ligero, tanqueta *f* **4.** **~ funèbre** coche fúnebre.

**²char** *m FAM* **arrête ton ~!** ¡no exageres!, ¡basta de bromas!

**charabia** *m* jerigonza *f*, galimatías ◊ **c'est du ~** es una jerga, un galimatías.

**charade** *f* charada.

**charançon** *m* gorgojo.

**charbon** *m* **1.** carbón: **~ de terre, de bois** carbón mineral, vegetal ◊ *FIG* **être sur des charbons ardents** estar en ascuas **2.** *(pour dessiner)* carboncillo, carbón **3.** *MÉD* carbuco **4.** *(maladie des plantes)* carbón, tizón.

**charbonnages** *m pl* minas *f* hulleras.

**charbonner** *vi* carbonizarse sin llama. ◇ *vt (noircir)* tiznar con carbón.

**charbonneux, euse** *a* **1.** carbonoso, a **2.** *MÉD* carbuncoso, a.

**charbonnier, ère** *a/s* carbonero, a ◊ *FIG* **la foi du ~** la fe del carbonero; *PROV* **~ est maître dans sa maison** cada cual es rey en su casa. ◇ *m (bateau)* barco carbonero. ◇ *f (oiseau)* paro *m* carbonero.

**charcuter** *vt FAM (un chirurgien)* operar torpemente.

**charcuterie** *f* **1.** *(boutique)* salchichería, chacinería, tienda de embutidos **2.** *(aliments)* embutidos *m pl*, fiambres *pl*: **manger de la ~** comer embutidos; **une assiette de ~** un plato de fiambres.

▶ Le gallicisme *charcutería* est fréquent, notamment dans le sens de: boutique du charcutier.

**charcutier, ère** *s* salchichero, a.

**chardon** *m* **1.** cardo **2.** **~ à foulon** cardencha *f*.

**chardonneret** *m* jilguero.

**charentaise** *f* zapatilla (de lana o fieltro).

**charge** *f* **1.** *(poids)* carga **2.** *(d'une arme, d'explosifs, d'un accumulateur)* carga **3.** *FIG* carga: **charges sociales** cargas sociales **4.** *(emploi, responsabilité)* cargo *m* ◊ *FIG* **à la ~ de** a cargo de; **les frais sont à la ~ de...** los gastos son de cuenta de, corren por cuenta de, corren a cargo de...; **être à ~ à** molestar a; **prendre en ~** hacerse cargo de: **il a pris en ~ la direction du service de publicité** se ha hecho cargo del departamento de publicidad; **elle a pris en ~ les deux orphelins** ha tomado a su cargo a los dos huérfanos; **avoir ~ d'âme** ser responsable; **avoir deux enfants à ~** tener dos hijos a cargo; **ceci est à ma ~** esto es de mi incumbencia **5.** *JUR* cargo *m*: **témoin à ~** testigo de cargo **6.** *(caricature)* caricatura **7.** *loc prép* **à ~ pour vous de...** con la condición de que usted...; **à ~ de revanche** a la recíproca **8.** *(attaque)* carga: **~ de police** carga de la policía; **au pas de ~** a paso de carga ◊ **revenir à la ~** volver a la carga. ◇ *pl (en plus du loyer)* gastos *m* de comunidad.

**chargé, e** *a* **1.** cargado, a: **le pistolet est ~** la pistola está cargada **2.** **lettre chargée** certificado *m* de valores declarados **3.** **langue chargée** lengua sucia **4.** **une journée chargée** un día muy ajetreado. ◇ *m* encargado: **~ d'affaires** encargado de negocios; **~ de cours** encargado temporal de una cátedra, profesor adjunto.

**chargement** *m* **1.** *(action de charger)* carga *f* **2.** *(cargaison)* cargamento: **un ~ d'armes** un cargamento de armas **3.** *(d'un appareil photo)* carga *f*.

**charger*** *vt* **1.** cargar: **~ un bateau, un fusil** cargar un barco, un fusil; **~ une batterie d'accumulateurs** cargar una batería **2.** cargar: **~ d'impôts** cargar de impuestos **3.** encargar: **il m'a chargé de te remercier** me ha encargado que te dé las gracias **4.** *JUR* **~ un accusé** declarar contra un reo **5.** *(une description)* recargar, caricaturizar **6.** *(attaquer)* cargar: **~ les manifestants** cargar contra los manifestantes. ◇ *vi* **la police a chargé** la policía ha cargado. ◆ **se ~** *vpr* **1.** cargarse **2.** encargarse: **je me charge de le prévenir** me encargo de avisarle.

**chargeur** *m* cargador.

**chariot** *m* **1.** *(de ferme)* carro **2.** *(à bagages, etc.)* carretilla *f*: **~ élévateur** carretilla elevadora **3.** *(table roulante)* carrito **4.** *(de machine à écrire)* carro **5.** *ASTR* **Grand, Petit ~** Carro Mayor, Menor, Osa *f* Mayor, Menor.

**charismatique** [karismatik] *a* carismático, a: **leader ~** líder carismático.

**charisme** [karism] *m* carisma.

**charitable** *a* caritativo, a.

**charitablement** *adv* caritativamente.

**charité** *f* **1.** caridad ◊ *PROV* **~ bien ordonnée commence par soi-même** la caridad bien ordenada empieza por uno mismo **2.** **demander la ~** pedir limosna, mendigar.

**charivari** *m* **1.** *(vacarme)* alboroto, bulla *f* **2.** *(devant la maison d'un veuf nouvellement remarié)* cencerrada *f*.

**charlatan** *m* charlatán, ana, embaucador, a.

**charlatanesque** *a* charlatanesco, a.

**charlatanisme** *m* charlatanismo.

**Charlemagne** *np m* Carlomagno ◊ **faire ~** no dar desquite (en el juego).

**Charles** *np m* Carlos.

**charleston** *m* charlestón.

[1]**Charlotte** *np f* Carlota.

[2]**charlotte** *f (entremets)* carlota.

**charmant, e** *a* **1.** encantador, a **2.** FAM **c'est ~!** ¡no faltaba más!

[1]**charme** *m* **1.** encanto, hechizo **2.** *(agrément)* encanto, atractivo, ángel: **elle a beaucoup de ~** tiene mucho ángel, mucho encanto ◊ **chanteur de ~** cantante romántico; **faire du ~** coquetear; **se porter comme un ~** rebosar de salud. ◇ *pl (d'une femme)* encantos.

[2]**charme** *m (arbre)* carpe, ojaranzo.

**charmer** *vt* encantar.

**charmeur, euse** *a/s* encantador, a, seductor, a. ◇ *m* **~ de serpents** encantador de serpientes.

**charmille** *f* cenador *m* de arbustos.

**charnel, elle** *a* carnal: **désirs charnels** deseos carnales.

**charnier** *m* fosa *f* común, osario.

**charnière** *f* **1.** bisagra, charnela **2.** FIG eje *m*, nexo *m*, período *m* de transición.

**charnu, e** *a* carnoso, a: **des lèvres charnues** labios carnosos.

**charognard** *m* buitre, gallinazo.

**charogne** *f* carroña.

**Charon** *np m* Caronte.

**charpente** *f* **1.** *(d'un édifice)* armazón ◊ **bois de ~** madera de construcción **2.** *(du corps)* osamenta, esqueleto *m* **3.** FIG armazón, estructura.

**charpenter** *vt* **1.** labrar **2.** *(une œuvre littéraire)* planear, estructurar, construir: **discours bien charpenté** discurso bien construido **3. homme solidement charpenté** hombre bien plantado.

**charpentier** *m* carpintero ◊ **~ de marine** carpintero de ribera.

**charpie** *f* **1.** *(pour pansements)* hilas *pl* **2.** FIG **mettre en ~** hacer añicos, hacer trizas.

**charretée** *f* carretada.

**charretier** *m* carretero: **jurer comme un ~** blasfemar como un carretero.

**charrette** *f* **1.** carreta **2. ~ à bras** carro *m* de mano.

**charriage** *m* acarreo, arrastre.

**charrier*** *vt* **1.** *(véhicule)* acarrear, transportar **2.** *(torrent, etc.)* acarrear, arrastrar **3.** FAM *(se moquer)* pitorrearse de. ◇ *vi* FAM **tu charries!** ¡te estás pasando de la raya!, ¡exageras!; **il ne faut pas ~** no hay que exagerar.

**charroi** *m* acarreo, carretaje.

**charron** *m* carretero, carpintero de carros.

**charroyer*** [ʃarwaje] *vt* acarrear.

**charrue** *f* arado *m* ◊ FIG **mettre la ~ devant les bœufs** empezar la casa por el tejado.

**charte** *f* **1.** carta: **Grande Charte** Carta Magna **2. École des chartes** Escuela de archiveros paleógrafos **3.** MAR **charte-partie** póliza de fletamento.

**charter** [ʃartɛr] *a/m* charter: **vol ~** vuelo charter.

**chartiste** *s* alumno, a de la Escuela de archiveros paleógrafos de París.

**chartreuse** *f* **1.** cartuja **2.** *(liqueur)* chartreuse.

**chartreux** *m* cartujo.

**Charybde** [karibd] *np* Caribdis ◊ **tomber de ~ en Scylla** salir de Escila para caer en Caribdis.

**chas** *m (d'une aiguille)* ojo.

**chasse** *f* **1.** caza: **aller à la ~** ir de caza; **la ~ au canard sauvage, au tigre** la caza del pato silvestre, del tigre; **permis de ~** licencia *f* de caza ◊ **~ à courre** caza de montería; **partie de ~** cacería; **la ~ est ouverte** se ha levantado la veda; **~ sous-marine** pesca submarina; PROV **qui va à la ~ perd sa place** quien fue a Sevilla perdió su silla **2. ~ à l'homme** caza del hombre; **~ aux sorcières** caza de brujas; **donner la ~ à** dar caza a **3.** *(lieu où l'on chasse)* coto *m* de caza; **~ gardée** vedado *m*, coto *m* **4. avion de ~** avión de caza; **pilote de ~** piloto de caza. **5. ~ d'eau** cisterna del inodoro; **actionner la ~** tirar de la cadena.

**châsse** *f* relicario *m*.

**chassé** *m* paso de danza.

**chassé-croisé** *m* **1.** paso de danza **2.** FIG idas y venidas *f pl*.

**chasselas** *m* uva *f* albilla.

**chasse-mouches** *m inv (éventail)* mosqueador.

**chasse-neige** *m inv* quitanieves.

**chasse-pierres** *m inv* quitapiedras (de locomotora).

**chasser** *vt* **1.** cazar: **~ le sanglier** cazar jabalíes; **~ le renard** cazar zorros **2.** echar, expulsar, despedir: **~ un solliciteur** echar a un solicitante; **~ un domestique** despedir a un criado **3.** *(odeur, nuage, etc.)* disipar **4.** *(idée, souci, etc.)* ahuyentar, desechar, alejar **5.** *(les mouches, etc.)* espantar. ◇ *vi* **1.** cazar **2.** *(une roue)* patinar **3.** *(une ancre)* no agarrar **4. ~ sur ses ancres** garrar.

**chasseresse** *f* POÉT cazadora: **Diane ~** Diana cazadora.

**chasse-roue** *m* guardacantón.

**chasseur, euse** *s* cazador, a. ◇ *m* **1.** *(soldat)* cazador **2.** *(avion)* caza, avión de caza **3.** *(groom)* botones **4. ~ d'images** reportero gráfico **5.** FAM **~ de têtes** cazatalentos.

**chassie** *f* legaña.

**chassieux, euse** *a* legañoso, a: **yeux ~** ojos legañosos.

**châssis** *m* **1.** *(de tableau, de fenêtre)* bastidor **2.** *(photo, auto)* chasis **3.** *(pour semis)* semillero.

**chaste** *a* casto, a.

**chastement** *adv* castamente.

**chasteté** *f* castidad.

**chasuble** *f* casulla.

**chat, chatte** *s* gato, a: **~ siamois, persan** gato siamés, persa; **~ de gouttière** gato callejero; **~ sauvage** gato montés; **un petit ~** un gatito ◊ **appeler un ~ un ~** llamar al pan pan y al vino vino; **acheter ~ en poche** comprar a ciegas; **avoir un ~ dans la gorge** tener carraspera; **il n'y a pas un ~** no hay un alma; **il n'y a pas de quoi fouetter un ~ → fouetter;** PROV **à bon ~ bon rat** donde las dan, las toman; **la nuit tous les chats sont gris** de noche todos los gatos son pardos; **~ échaudé craint l'eau froide → échauder.**

**châtaigne** *f* **1.** *(fruit)* castaña **2.** FAM *(coup de poing)* puñetazo *m*, castaña.

**châtaigneraie** *f* castañar *m*.

**châtaignier** *m* castaño.

**châtain, e** *a/m* castaño, a.

**château** *m* **1.** *(fortifié)* castillo ◊ **~ fort** castillo, alcázar; FIG **~ de cartes** castillo de naipes; **bâtir des châteaux en Espagne** hacer castillos en el aire; **mener la vie de ~** vivir a lo grande **2.** *(demeure royale ou seigneuriale)* palacio: **le ~ de Versailles** el palacio de Versalles **3.** *(manoir)* mansión *f* señorial **4. ~ d'eau** arca *f* de agua.

**chateaubriand, châteaubriant** *m* solomillo de buey a la parrilla, chateaubriand.

**châtelain, e** *s* **1.** *(d'un château fort)* castellano, a **2.** dueño, a de una mansión señorial. ◇ *f (bijou)* cadena.

**châtelet** *m* pequeño castillo.

**chat-huant** [ʃayɑ̃] *m* autillo.

**châtier*** *vt* **1.** castigar ◊ *PROV* **qui aime bien châtie bien** quien bien te quiere te hará llorar **2.** *FIG* pulir, limar: **~ son style** pulir el estilo.

**chatière** *f* gatera.

**châtiment** *m* castigo.

**chatoiement** *m* tornasol, viso, cambiante.

**chaton** *m* **1.** *(petit chat)* gatito **2.** *(d'une bague)* engaste **3.** *(fleur)* amento.

**chatouille** *f FAM* **faire des chatouilles** hacer cosquillas.

**chatouillement** *m* **1.** cosquillas *f pl* **2.** *(sensation)* cosquilleo.

**chatouiller** *vt* **1.** cosquillear, hacer cosquillas: **tu me chatouilles** me haces cosquillas **2.** *FIG* excitar, picar: **~ la curiosité** excitar la curiosidad **3.** *(flatter)* lisonjear, halagar, satisfacer.

**chatouilleux, euse** *a* **1.** cosquilloso, a **2.** *FIG* susceptible, quisquilloso, a.

**chatouillis** *m FAM* cosquilleo.

**chatoyant, e** [ʃatwajɑ̃, ɑ̃t] *a* cambiante, tornasolado, a.

**chatoyer*** [ʃatwaje] *vi* hacer visos, cambiantes, tornasoles.

**châtrer** *vt* castrar, capar.

**chatte → chat.** ◇ *f VULG (sexe féminin)* chumino *m.*

**chattemite** *f* gazmoña, mosquita muerta.

**chatterie** *f* **1.** *(câlinerie)* zalamería **2.** *(friandise)* golosina.

**chatterton** [ʃatɛʀtɔn] *m* cinta *f* aislante.

**chat-tigre** *m* ocelote.

**chaud, e** *a* **1.** caliente: **eau chaude** agua caliente; **air ~** aire caliente; **le radiateur est ~** el radiador está caliente; **tout ~** calentito, a ◊ **la saison chaude** el verano; **pleurer à chaudes larmes → larme 2.** cálido, a: **climat ~** clima cálido; **les courants chauds** las corrientes cálidas **3. vêtements chauds** ropa de abrigo, que abriga ◊ **tenir ~** abrigar **4.** *FIG* ardiente, apasionado, a: **un ~ admirateur de...** un ferviente admirador de... ◊ **avoir la tête chaude** ser impulsivo, a; **je ne suis pas très ~ pour ce genre de spectacle** no soy muy partidario de esa clase de espectáculos **5.** reciente, fresco, a: **une nouvelle toute chaude** una noticia fresquita, calentita **6.** *(discussion)* acalorado, a, vivo, a **7.** *(couleur)* cálido, a **8. voix chaude** voz cálida **9.** *(marqué par une agitation politique ou sociale)* **un automne ~** un otoño caliente. ◇ *m* **1.** *(chaleur)* calor *m*: **il fait ~** hace calor ◊ *FIG* **cela ne me fait ni ~ ni froid** eso a mí ni me va ni me viene, no me da ni frío ni calor; **un ~ et froid** un enfriamiento **2. rester au ~** quedarse en casa, en lo calentito; **tenir au ~** mantener caliente. ◇ *adv* **1.** caliente: **boire ~** beber caliente **2.** *FIG* **j'ai eu ~!** ¡de buena me libré! **3. à ~** en caliente: **opérer à ~** operar en caliente.

**chaudement** *adv* **1. s'habiller ~** abrigarse **2.** *FIG* calurosamente, vivamente: **féliciter ~** felicitar calurosamente.

**chaude-pisse** *f FAM* blenorragia.

**chaud-froid** *m CULIN* fiambre de ave.

**chaudière** *f* caldera: **~ à vapeur** caldera de vapor.

**chaudron** *m* caldero.

**chaudronnerie** *f* calderería.

**chaudronnier, ère** *s* calderero, a.

**chauffage** *m* **1.** calefacción *f*: **le ~ central** la calefacción central; **~ au mazout** calefacción de fuel oil **2. bois de ~** leña *f.*

**chauffagiste** *m* técnico de calefacción.

**chauffant, e** *a* **couverture chauffante** manta térmica.

**chauffard** *m FAM* mal conductor, dominguero.

**chauffe** *f* **1.** calefacción: **surface de ~** superficie de calefacción **2. bleu de ~** mono (de mecánico).

**chauffe-assiettes** *m inv* calientaplatos.

**chauffe-bain** *m* calentador.

**chauffe-eau** *m* calentador.

**chauffe-pieds** *m inv* calientapiés.

**chauffe-plat** *m inv* calientaplatos.

**chauffer** *vt* **1.** calentar **2.** *FIG (un élève)* preparar intensamente a. ◇ *vi* **1.** calentarse: **la soupe chauffe** se calienta la sopa **2. faire ~ de l'eau** calentar agua **3.** *(à l'excès)* arder **4.** *FAM* **ça va ~!** ¡se va a armar la gorda! ◆ **se ~** *vpr* calentarse: **se ~ au soleil** calentarse al sol; **nous nous chauffons à l'électricité** nos calentamos con electricidad; *FAM* **il verra de quel bois je me chauffe! → bois.**

**chaufferette** *f* calientapiés *m*, estufilla.

**chaufferie** *f* sala de calderas.

**chauffeur** *m* **1.** *(de chaudière, machine à vapeur)* fogonero **2.** *(d'automobile)* chófer, conductor: **louer une voiture sans ~** alquilar un coche sin conductor ◊ *FAM* **les chauffeurs du dimanche** los domingueros **3. ~ de taxi** taxista.

**chauffeuse** *f* silla baja.

**chaulage** *m* encaladura *f.*

**chauler** *vt* encalar.

**chaume** *m* **1.** *(paille)* bálago **2.** *(tige, champ)* rastrojo **3. toit de ~** techo de paja.

**chaumière** *f* choza.

**chaussant, e** *a* que calza bien.

**chausse** *f (filtre)* manga. ◇ *pl (haut-de-chausses)* calzas ◊ *FIG* **tirer ses chausses** irse, largarse.

**chaussée** *f* **1.** calzada: **élargissement de la ~** ensanche de la calzada **2.** firme *m*: **~ glissante, déformée sur 2 km** firme deslizante, en mal estado en 2 km **3.** *(talus)* terraplén *m*, dique *m.*

**chausse-pied** *m* calzador.

**chausser** *vt* **1.** calzar: **je chausse du 39** calzo un 39 **2. ~ ses skis** ponerse los esquíes **3. ces souliers vous chaussent bien** estos zapatos le quedan bien **4. ~ des lunettes** calarse las gafas **5.** *AGR* acollar. ◆ **se ~** *vpr* calzarse.

**chausses → chausse.**

**chausse-trap(p)e** *f* **1.** *(pour animaux)* trampa **2.** *(système défensif)* abrojo *m* **3.** *FIG* trampa, ardid *m.*

**chaussette** *f* calcetín *m*: **une paire de chaussettes** un par de calcetines ◊ *FAM* **du jus de ~** café malo.

**chausseur** *m* zapatero.

**chausson** *m* **1.** zapatilla *f* **2.** *(pâtisserie)* empanadilla *f* (rellena de compota).

**chaussure** *f* **1.** zapato *m*: **une paire de chaussures** un par de zapatos ◊ *FIG* **trouver ~ à son pied** hallar la horma de su zapato **2.** *(montante)* bota: **chaussures de ski** botas de esquí **3. ~ de sport** zapatilla de deporte; **~ de basket, de tennis** zapatilla de baloncesto, de tenis **4.** calzado *m*: **l'industrie de la ~** la industria del calzado; **salon de la ~** salón del calzado.

► *Calzado* est un nom collectif: *el calzado* la chaussure. *Zapato* désigne une chaussure basse: *un zapato* une chaussure.

**chaut → chaloir.**

**chauve** *a/s* calvo, a.

**chauve-souris** *f* murciélago *m.*

**chauvin, e** *a/s* patriotero, a, chauvinista, chovinista.

**chauvinisme** *m* patriotería *f*, chauvinismo, chovinismo.

**chaux** *f* cal: **~ vive, éteinte** cal viva, muerta; **~ hydraulique** cal hidráulica; **lait de ~** lechada de cal ◊ *FIG* **être bâti à ~ et à sable** ser de cal y canto, muy robusto, a.

**chavirer** *vi* **1.** *(bateau)* zozobrar **2.** *(véhicule)* volcar **3. ses yeux chavirèrent** se le pusieron los ojos en blanco. ◇ *vt FAM (émouvoir)* trastornar.

**chébec** *m MAR* jabeque.

**chéchia** *f* fez *m*.

**check-up** [(t)ʃɛkœp] *m inv* chequeo.

**chef** *m* **1.** jefe: **~ de chantier** jefe de obra; **chef de bureau** jefe de negociado; **~ de rayon** jefe de sección; **~ de service** jefe de servicio; **~ de gare** jefe de estación; **~ d'État** jefe de Estado ◊ **petit ~** jefecillo **2. ~ de famille** cabeza de familia **3. ~ d'orchestre** director de orquesta **4.** *(maître cuisinier)* jefe de cocina, «chef» **5.** *JUR* **~ d'accusation** cargo de acusación **6.** *ANC (tête)* cabeza *f* **7.** *loc adv* **en ~** en jefe; **rédacteur en ~** redactor jefe; **général en ~** generalísimo; **au premier ~** ante todo; **de son propre ~** de por sí.
▶ Le féminin est *jefa*.

**chef-d'œuvre** [ʃɛdœvʀ] *m* obra *f* maestra: **un ~** una obra maestra.
▶ L'espagnol emploie parfois le gallicisme «chef-d'œuvre».

**chef-lieu** [ʃɛfljø] *m* **1.** *(d'un département, d'une province)* capital *f* **2.** cabeza *f*: **~ d'arrondissement, de canton** cabeza de partido.

**cheftaine** *f* jefa de exploradores.

**cheik** [ʃɛk] *m* jeque.

**chelem** [ʃlɛm] *m* **1.** *(cartes)* capote **2.** *(sports)* **le grand ~** el gran slam.

**chemin** *m* **1.** camino: **~ muletier** camino de herradura; **le plus court ~** el camino más corto; **~ de ronde** camino de ronda; **c'est sur mon ~** me viene de camino; **le ~ de Damas** el camino de Damasco; **le ~ des écoliers** el camino más corto; **voleur de grand ~** salteador ◊ *loc adv* **~ faisant, en ~** de camino, de paso **2. ~ de croix** vía crucis **3.** *FIG* **aller son petit bonhomme de ~ → bonhomme; faire du ~** llegar lejos; **faire son ~** progresar, adelantar; **montrer le ~** dar ejemplo; **ne pas y aller par quatre chemins** no andarse con rodeos, no andarse por las ramas; **passer son ~** seguir adelante; **rebrousser ~ → rebrousser;** *PROV* **tous les chemins mènent à Rome** por todas partes se va a Roma.

**chemin de fer** *m* ferrocarril: **les chemins de fer espagnols** los ferrocarriles españoles (la RENFE) ◊ **voyager par ~** viajar en tren.

**chemineau** *m* vagabundo.

**cheminée** *f* **1.** chimenea **2.** *(d'intérieur)* chimenea **3.** *(d'un volcan)* chimenea.
▶ Voir observation au mot *chimenea*, dans la partie espagnol-français.

**cheminement** *m* marcha *f*, progreso.

**cheminer** *vi* caminar.

**cheminot** *m* ferroviario.

**chemise** *f* **1.** camisa: **en manches de ~** en mangas de camisa ◊ **~ de nuit** camisón *m*, camisa de dormir; *FAM* **il s'en soucie comme de sa première ~** le importa un bledo; **il change d'avis comme de ~** cambia de parecer a cada momento, es un veleta; **mouiller sa ~** no regatear esfuerzo; **être comme cul et ~ → cul 2.** *(pour documents)* carpeta **3.** *TECHN* camisa.

**chemiserie** *f* camisería.

**chemisette** *f* **1.** *(d'homme)* camiseta **2.** *(de femme)* blusa.

**chemisier, ère** *s* camisero, a. ◇ *m (corsage)* blusa *f* ◊ **robe-~** traje camisero.

**chênaie** *f* robledal *m*, encinar *m*.

**chenal** *m* canal.

**chenapan** *m* pillo, bribón.

**chêne** *m* **1.** *(rouvre)* roble **2. ~ vert** encina *f* **3. ~-liège → chêne-liège.**

**chéneau** *m* canalón.

**chêne-liège** *m* alcornoque.

**chenet** *m* morillo.

**chènevis** [ʃɛnvi] *m* cañamón.

**chenil** [ʃ(ə)ni(l)] *m* perrera *f*.

**chenille** *f* **1.** *(larve, de véhicule)* oruga **2.** *(passementerie)* felpilla.

**chenillette** *f* coche *m* oruga.

**chenu, e** *a* **1.** *(tête)* cano, a **2.** blanco, a.

**cheptel** *m* **1.** cabaña *f*: **le ~ ovin** la cabaña ovina **2. ~ mort** aperos de labranza; **~ vif** ganado.

**chèque** *m* **1.** cheque, talón: **faire un ~** extender un cheque; **toucher un ~** cobrar un cheque; **~ au porteur, barré, de voyage** cheque al portador, cruzado, de viaje; **~ en blanc** cheque en blanco; **~ sans provision** cheque sin fondos. **2. ~ postal** talón postal.

**chéquier** *m* talonario de cheques, chequera *f*.
▶ *Chequera* s'emploie surtout en Amérique latine.

**cher, ère** *a* **1.** *(aimé)* querido, a: **chère amie** querida amiga; **un être ~** un ser querido ◊ **c'est mon vœu le plus ~** es lo que deseo con más fuerza **2.** *(dans la correspondance)* **~ Jean** querido Juan; **~ Monsieur** estimado señor; **chère Madame** distinguida señora **3. oui, mon ~** sí, hombre **4.** *(coûteux)* caro, a: **ce restaurant est très ~** este restaurante es muy caro. ◇ *adv* **1.** caro: **ça coûte ~** cuesta caro; *FIG* **il me le paiera ~** lo pagará caro; **son insolence lui a coûté ~** su desfachatez le ha costado cara (accord en espagnol) **2. cet homme ne vaut pas ~** este hombre no vale gran cosa.
▶ Sens 2: *caro* est employé dans le style soutenu ou par plaisanterie.

**chercher** *vt* **1.** buscar: **je cherche la solution** busco la solución; **~ du travail** buscar trabajo **2. aller ~** ir a buscar, ir (a) por: **va ~ le médecin** ve a buscar al médico; **va ~ le pain!** ¡ve a por pan! **3. ~ à** procurar, intentar, tratar de: **je cherche à comprendre** trato de comprender; **elle cherche à plaire** intenta caer bien; *FAM* **il ne faut pas ~ à comprendre** es incomprensible **4.** *FAM* **c'est toi qui le cherches!** ¡eres tú el que lo busca!; **tu l'as bien cherché!** ¡lo tienes bien merecido! **5.** *FAM* **ça va ~ dans les mille francs** esto costará unos mil francos **6.** *(imaginer)* **qu'est-ce que tu va ~ là?, où vas-tu ~ tout cela?** ¡las cosas que se te ocurren!
▶ Après les verbes *aller*, *envoyer*, *venir*, etc., *chercher* peut se rendre simplement par *por* ou, dans la langue parlée, par *a por*: *elle l'envoya ~ un litre de vin* le mandó a por un litro de vino; *je viendrai vous ~* vendré a por usted.

**chercheur, euse** *s* **1.** buscador, a: **~ d'or** buscador de oro **2.** *(scientifique)* investigador, a. ◇ *a* **tête chercheuse** *(d'une fusée)* cabeza buscadora.

**chère** *f* comida ◊ **il aime la bonne ~** le gusta comer bien; **faire bonne ~** comer bien.

**chèrement** *adv* **1.** caro, a alto precio ◊ **vendre ~ sa vie** vender cara su vida **2.** *ANC (affectueusement)* cariñosamente.

**chéri, e** *a/s* **1.** querido, a **2. mon ~** querido, pichoncito; **ma petite chérie** queridita, corazón **3.** *FIG* **l'enfant ~ de...** el niño mimado de...

**chérif** *m* jerife.

**chérifien, enne** *a* jerifiano, a.

**chérir** *vt LITT* **1.** amar tiernamente **2.** venerar.

**chérot** *a FAM* carillo, caro.

**cherry** *m* aguardiente de cerezas.

**cherté** *f* carestía: **la ~ de la vie** la carestía de la vida.

**chérubin** *m* **1.** *(ange)* querubín **2.** *(enfant)* querubín.

**chétif, ive** *a* **1.** *(personne)* enclenque, raquítico, a, enfermizo, a **2.** *FIG* pobre, mezquino, a.

**chevaine → chevenne.**

**cheval** *m* **1.** caballo: **~ de course, de trait** caballo de carreras, de tiro; **monter à ~** montar a caballo; **à ~ sur une branche** a caballo en una rama; **à ~ sur deux siècles** a caballo de dos siglos 2. *FIG* **fièvre de ~** fiebre muy alta; **remède de ~** remedio drástico; **être à ~ sur les principes** ser inflexible respecto a los principios; **monter sur ses grands chevaux** subirse a la parra, amontonarse **3.** equitación *f*: **faire du ~** practicar la equitación **4. ~ d'arçon** potro; *FIG* **~ de bataille** caballo de batalla, tema predilecto; **~ de frise** caballo de frisa; **chevaux de bois** tiovivo *sing*; **petits chevaux** *(jeu)* caballitos **5.** *FIG* **cette femme, c'est un grand ~!** esta mujer, ¡es una espingarda!; **c'est un vrai ~** es una fiera para el trabajo; **~ de retour** reincidente **6. ~ -vapeur** caballo de vapor; **une deux-chevaux** un dos caballos.

**chevalement** *m (d'un mur, etc.)* apeo, apuntalamiento.

**chevaleresque** *a* caballeresco, a.

**chevalerie** *f* caballería: **~ errante** caballería andante; **roman de ~** novela de caballerías; **ordre de ~** orden de caballería.

**chevalet** *m* **1.** *(de peintre)* caballete **2.** *(de scieur)* caballete, asnilla *f* **3.** *(de violon)* puente.

**chevalier** *m* **1.** caballero: **~ errant** caballero andante ◊ **~ servant** galán **2. ~ d'industrie** estafador, petardista, caballero de industria **3.** *(oiseau)* picudilla *f*.

**chevalière** *f* anillo *m* de sello.

**chevalin, e** *a* **1.** caballar, equino, a: **race chevaline** raza caballar **2.** caballuno, a: **profil ~** perfil caballuno **3. boucherie chevaline** carnicería caballar.

**cheval-vapeur → cheval.**

**chevauchée** *f* **1.** *(promenade)* paseo *m* a caballo **2.** *(militaire)* correría **3.** *(des Walkyries)* cabalgata.

**chevauchement** *m* superposición *f*.

**chevaucher** *vi* **1.** *(aller à cheval)* cabalgar **2.** superponerse. ◇ *vt* estar sobre, montar. ◆ **se ~** *vpr* superponerse.

**chevêche** *f* mochuelo *m*, lechuza pequeña.

**chevelu, e** *a* **1.** cabelludo, a: **cuir ~** cuero cabelludo **2.** *(qui a de longs cheveux)* melenudo, a.

**chevelure** *f* **1.** cabellera **2.** *ASTR* **~ d'une comète** cabellera, cola de un cometa.

**chevenne, chevesne** *m* cacho, pez de río.

**chevet** *m* **1.** cabecera *f*: **au ~ du malade** a la cabecera del enfermo ◊ **table de ~** mesita de noche **2.** *(d'une église)* ábside.

**cheveu** *m* **1.** pelo, cabello: **il a les cheveux blonds, frisés** tiene el pelo rubio, rizado; **se faire couper les cheveux** cortarse el pelo; **il perd ses cheveux** está perdiendo pelo ◊ *FIG* **comme un ~ sur la soupe** a destiempo; **couper les cheveux en quatre** sutilizar, hilar delgado; **faire dresser les cheveux sur la tête** poner los pelos de punta; **il s'en est fallu d'un ~ que je rate mon train** por poco pierdo el tren; **s'en prendre aux cheveux** andar a la greña; **ne tenir qu'à un ~** estar pendiente de un hilo; **tiré par les cheveux** traído por los pelos, rebuscado; *FAM* **avoir mal aux cheveux** tener resaca; **il y a un ~** hay un problema **2. ~ blanc** cana *f*; **vieillard à cheveux blancs** viejo canoso ◊ *FIG* **se faire des cheveux (blancs)** estar muy preocupado, a, inquietarse **3.** *CULIN* **cheveux d'ange** fideos.

▶ *Pelo* est plus usité que *cabello*, tant au singulier qu'au pluriel: *les cheveux* el pelo.

**chevillard** *m* carnicero al por mayor.

**cheville** *f* **1.** *(de bois, de métal)* clavija ◊ **~ ouvrière** clavija maestra; *FIG* agente *m* principal, alma; **être en ~ avec quelqu'un** estar en connivencia con alguien **2.** *ANAT* tobillo *m*: **je me suis foulé la ~** me he torcido el tobillo; **robe qui arrive à la ~** vestido que llega al tobillo ◊ *FIG* **ne pas arriver à la ~ de quelqu'un** no llegarle a alguien a la suela del zapato **3.** *(versification)* ripio *m*.

**cheviller** *vt* **1.** enclavijar **2.** *FIG* **avoir l'âme chevillée au corps** tener siete vidas como los gatos.

**chevillette** *f* clavijilla.

**cheviotte** *f* cheviot *m*.

**chèvre** *f* **1.** cabra: **~ sauvage** cabra montés; **fromage de ~** queso de cabra ◊ *FIG* **ménager la ~ et le chou** encender una vela a Dios y otra al Diablo; **il me rend ~** me vuelve tarumba **2.** *TECHN* cabria.

**chevreau** *m* **1.** cabrito **2.** *(peau)* cabritilla *f*.

**chèvrefeuille** *m* madreselva *f*.

**chevrette** *f* cabrita.

**chevreuil** *m* corzo.

**chevrier, ère** *s* cabrero, a.

**chevron** *m* **1.** *(poutre)* cabrio **2.** *(motif)* espiga *f*: **veste à chevrons** chaqueta de espiga.

**chevrotant, e** *a (voix)* trémulo, a, tembloroso, a.

**chevrotement** *m* temblor de la voz.

**chevroter** *vi* hablar con voz trémula.

**chevrotine** *f (plomb de chasse)* posta.

**chewing-gum** [ʃwiŋgɔm] *m* chicle.

**chez** [ʃe] *prép* **1.** *(sans mouvement)* en casa de: **il habite ~ son oncle, ~ moi** vive en casa de su tío, en mi casa; **il n'est pas ~ lui** no está en casa; **chacun ~ soi** cada uno en su casa; **les femmes qui veulent travailler hors de ~ elles** las mujeres que quieren trabajar fuera de casa ◊ **faites comme ~ vous** aquí tiene usted su casa **2.** *(avec mouvement)* a casa de: **je vais ~ mon oncle, ~ toi** voy a casa de mi tío, a tu casa; **je sors de ~ lui** salgo de su casa; **je ne bouge pas de ~ moi** no salgo de casa **3.** a, al: **aller ~ le médecin, ~ le coiffeur** ir al médico, al peluquero **4.** *(parmi)* entre: **~ les Grecs** entre los griegos **5.** en: **c'est ~ lui une habitude** es una costumbre en él **6.** *(dans l'œuvre de)* en la obra de: **~ Sartre** en la obra de Sartre **7.** *FAM* **bien de ~ nous** castizo, a, típico, a.

**chez-soi, chez-moi, chez-toi** *m inv FAM* **1. avoir un chez-soi** tener casa propia **2. mon chez-moi** mi casa.

**chiader** *vt/i FAM* empollar.

**chialer** *vi POP* llorar.

**chiant, e** *a POP* cargante.

**chiasse** *f VULG* cagalera.

**chic** *m* **1.** elegancia *f*, chic ◊ **cette robe a du ~** este vestido es elegante **2.** *FAM* **avoir le ~ pour** darse buena maña para; **elle a le ~ pour m'irriter** tiene la habilidad de enfadarme **3. dessiner, peindre de ~** dibujar, pintar sin modelo. ◇ *a* **1.** elegante, chic, de postín: **une robe ~** un vestido elegante; **un hôtel ~** un hotel de postín **2.** estupendo, a, simpático, a, bueno, a: **un ~ type** un tío estupendo; **une très ~ fille** una muy buena chica; **c'est ~ de ta part** es muy amable por tu parte. ◇ *interj FAM* **~ alors!** ¡estupendo!, ¡qué bien!

▶ Dans le sens d'«élégance», «distinction», le gallicisme *chic* est usuel.

**chicane** *f* **1.** *(procédure)* pleitos *m pl* **2.** *(querelle)* lío *m*, disputa ◊ **chercher ~ à quelqu'un** buscarle camorra a alguien **3.** *(passage)* paso *m* en zigzag.

**chicaner** *vt* buscar camorra a. ◇ *vi* buscar disputas.

**chicanerie** *f* sutileza, trapacería.

**chicaneur, euse, chicanier, ère** *a/s* quisquilloso, a, puntilloso, a.

**¹chiche** *a* **1.** *(avare)* tacaño, a **2.** mezquino, a, miserable **3.** parco, a: **~ de paroles** parco en palabras.

**²chiche** *a* **pois ~** garbanzo.

**³chiche** *interj* ¿a que no?, ¿a que sí?; **~ que je bois la bouteille** a que me bebo la botella; **tu n'es pas ~ de le lui dire** ¿tendrás cara para decírselo?

**chichement** *adv* mezquinamente.

**chichi** *m FAM* afectación *f* ◊ **faire des chichis** hacer melindres, hacer dengues; **pas tant de chichis!** ¡menos complicaciones!; **des gens à ~** gente cursi, finolis.

**chichiteux, euse** *a FAM* amanerado, a, melindroso, a.

**chicorée** *f* achicoria.

**chicot** *m (d'une dent)* raigón.

**chicotin** *m* **amer comme ~** amargo como el acíbar.

**chien, enne** *s* **1.** perro, a: **~ de berger, de chasse, de garde** perro de pastor, de caza, de guarda; **~ d'arrêt, couchant** perro de muestra; **~ policier, d'agrément** perro policial, de compañía; **attention, ~ méchant!** ¡cuidado con el perro! ◊ *FIG* **entre ~ et loup** al atardecer; **une vie de ~** una vida de perros; **quel temps de ~!** ¡qué tiempo de perros!; **caractère de ~** muy mal genio; **être d'une humeur de ~** estar de muy mala leche; **j'ai eu un mal de ~ à traduire ce poème** me costó lo indecible, una barbaridad traducir este poema; **recevoir quelqu'un comme un ~ dans un jeu de quilles** recibir a alguien como a un perro, muy mal; **traiter quelqu'un comme un ~** tratar a alguien como a un perro; **traiter ses collaborateurs comme des chiens** tratar a sus colaboradores a patadas, a coces; **vivre comme ~ et chat** llevarse como perros y gatos; **je lui garde un chien de ma chienne** me las pagará; **se regarder en chiens de faïence** mirarse con recelo; *PROV* **qui veut noyer son ~ l'accuse de la rage** quien a su perro ha de matar, de rabia lo ha de levantar; **bon ~ chasse de race** → **race 2.** *(d'une arme à feu)* gatillo ◊ **être couché en ~ de fusil** estar acurrucado **3.** *FAM* **elle a du ~** tiene gancho, un aquel, salero **4. ~ de mer** cazo **5.** *ASTR* **Grand, Petit Chien** Can mayor, menor. ◇ *interj* **nom d'un ~!** ¡hombre, por Dios! ◇ *a FAM (avare)* **être ~** ser agarrado, tacaño, roñica.

**chiendent** *m* grama *f.*

**chienlit** *f* **1.** máscara **2.** *FAM* espectáculo *m* escandaloso, desorden *m.*

**chien-loup** *m* perro lobo.

**chienne** *f* **1.** → **chien 2.** *FAM* **~ de vie!** ¡qué vida más perra!

**chier** *vi VULG* **1.** cagar **2. tu me fais ~** me estás jodiendo; **fais pas ~** no jodas; **se faire ~** aburrirse; **ça me fait ~** eso me jode.

**chiffe** *f (homme mou)* **c'est une ~!** ¡es un Juan Lanas!

**chiffon** *m* **1.** trapo **2. ~ de papier** papel mojado **3.** *FAM* **parler chiffons** hablar de trapos, de modas.

**chiffonner** *vt* **1.** arrugar, ajar **2.** *FIG* contrariar, molestar. ◆ **se ~** *vpr* arrugarse.

**chiffonnier, ère** *s* trapero, a ◊ **se disputer comme des chiffonniers** pelearse como perros, andar siempre riñendo, andar a la greña. ◇ *m (meuble)* chiffonier.

**chiffrable** *a* cuantificable.

**chiffrage, chiffrement** *m* cifrado.

**chiffre** *m* **1.** cifra *f*: **écrire un nombre en chiffres** escribir un número en cifras **2.** número: **chiffres arabes, romains** números arábigos, romanos; **en chiffres ronds** en números redondos **3.** *(signe de convention, code)* cifra *f* **4.** *(d'un coffre-fort)* combinación *f*, clave *f* **5. ~ d'affaires** facturación *f*, volumen de negocios: **un ~ d'affaires de 100 millions de dollars** una facturación de 100 millones de dólares; **réaliser un ~ d'affaires de 100 millions** facturar 100 millones **6.** *(marque)* marca *f*, monograma, iniciales *f pl.*

**chiffrer** *vt* **1.** *(évaluer)* evaluar, calcular **2.** *(numéroter)* numerar **3.** *(un message)* cifrar: **message chiffré** mensaje cifrado, mensaje en cifra. ◇ *vi* alcanzar una cantidad elevada. ◆ **se ~** *vpr* **se ~ à** cifrarse en.

**chignole** *f (perceuse)* taladro *m* de mano.

**chignon** *m* **1.** moño **2.** *FIG* **se crêper le ~** andar a la greña.

**chiite** *a/s* chiíta.

**Chili** *np m* Chile.

**chilien, enne** *a/s* chileno, a.

**chimère** *f* quimera.

**chimérique** *a* quimérico, a.

**chimie** *f* química: **~ organique, minérale** química orgánica, inorgánica.

**chimiothérapie** *f* quimioterapia.

**chimique** *a* químico, a; **industrie ~** industria química; **produit ~** producto químico.

**chimiquement** *adv* químicamente.

**chimiste** *s* químico, a.

**chimpanzé** [ʃɛ̃pɑ̃ze] *m* chimpancé.

**chinchard** *m (poisson)* jurel.

**chinchilla** [ʃɛ̃ʃila] *m* chinchilla *f.*

**¹chine** *m* **1.** porcelana *f* de China **2.** *(papier)* papel de China.

**²chine** *f (brocante)* chamarileo *m.*

**Chine** *np f* China ◊ **encre de ~** tinta china.

**chiné, e** *a* chiné.

**chiner** *vi (brocanter)* chamarilear. ◇ *vt FAM (railler)* burlarse de, tomar el pelo a.

**chineur, euse** *s* aficionado, a a los mercadillos de chamarileros.

**chinois, e** *a/s* chino, a. ◇ *a* **ombres chinoises** sombras chinescas. ◇ *m* **1.** *(langue)* chino ◊ **c'est du ~ pour moi** eso es chino para mí **2.** *(passoire)* chino.

**chinoiserie** *f* **1.** *(bibelot)* chuchería de China **2.** *FIG* sutileza, complicación.

**chiot** [ʃjo] *m* cachorro.

**chiottes** *f pl FAM* **les ~** el cagadero, el retrete.

**chiourme** *f* chusma.

**chiper** *vt FAM* birlar.

**chipie** *f* arpía: **une vieille ~** una arpía, una mala pécora; **une petite ~** un demonio.

**chipolata** *f* salchicha pequeña y delgada.

**chipotage** *m FAM* **1.** *(marchandage)* regateo **2.** *(discussion)* tiquismiquis.

**chipoter** *vt FAM* **1.** *(manger sans plaisir)* comiscar **2.** *(marchander)* regatear **3.** *(ergoter)* reparar en pelillos, pararse en pelillos.

**chipoteur, euse** *a FAM* **1.** *(pointilleux)* quisquilloso, a, tiquismiquis **2.** *(lent)* remolón, ona.

**chips** [ʃips] *m pl* patatas *f* fritas.

**chique** *f* **1.** *(de tabac)* mascada de tabaco **2.** *(puce)* nigua.

**chiqué** *m* afectación *f*, farol: **c'est du ~!** ¡es un farol! ◊ **faire du ~** darse aires.

**chiquenaude** *f* capirotazo *m*, papirotazo *m.*

**chiquer** *vi/t* mascar (tabaco): **tabac à ~** tabaco de mascar.

**chiromancie** [kiʀɔmɑ̃si] *f* quiromancia.

**chiromancien, enne** [kiʀɔmɑ̃sjɛ̃, ɛn] *s* quiromántico, a.

**chiropracteur** [kiʀɔpʀaktœʀ] *m* quiropráctico.

**chiropractie** [kiʀɔpʀakti], **chiropraxie** [kiʀɔpʀaksi] *f* quiropráctica.

**chirurgical, e** *a* quirúrgico, a.

**chirurgie** *f* cirugía: **~ esthétique, plastique** cirugía estética, plástica; **petite ~** cirugía menor.

**chirurgien** *m* cirujano.

**chirurgien-dentiste** *s* dentista, odontólogo, a.

**chistera** *f* cesta (de peloteros).

**chiure** *f (de mouche)* cagada (de mosca).

**chlamyde** [klamid] *f* clámide.

**chlorate** [klɔʀat] *m CHIM* clorato.

**chlore** [klɔʀ] *m CHIM* cloro.

**chloré, e** [klɔʀe] *m* clorado, a.

**chlorhydrique** [klɔʀidʀik] *a* clorhídrico, a.

**chloroforme** [klɔʀɔfɔʀm(ə)] *m* cloroformo.

**chloroformer** [klɔʀɔfɔʀme] *vt* cloroformizar.

**chlorophylle** [klɔʀɔfil] *f* clorofila.

**chlorophyllien, enne** [klɔʀɔfiljɛ̃, ɛn] *a* clorofílico, a.

**chlorose** [klɔʀoz] *f MÉD* clorosis.

**chlorotique** [klɔʀɔtik] *a* clorótico, a.

**chlorure** [klɔʀyʀ] *m* cloruro: **~ de sodium** cloruro de sodio.

**chnouf → schnouf.**

**choc** *m* **1.** choque: **onde de ~** onda de choque **2.** *MIL* choque, encuentro: **troupes de ~** tropas de choque ◊ **un syndicaliste de ~** un sindicalista de primera línea **3.** *FIG* choque, conflicto: **~ des opinions** conflicto de opiniones **4.** *FIG* emoción *f* fuerte, impacto: **ça m'a fait un ~** me produjo una fuerte impresión **5.** *FIG* **~ en retour** consecuencia *f* **6.** *MÉD* shock: **~ opératoire** shock quirúrgico; **traitement de ~** tratamiento de shock **7. des prix-~** precios de choque.

**chochotte** *f FAM* cursi, finolis.

**chocolat** *m* **1.** chocolate: **~ au lait** chocolate con leche; **~ à croquer** chocolate en barra **2.** *(bonbon)* bombón: **une boîte de chocolats** una caja de bombones. ◇ *a* **1.** de color de chocolate **2.** *FAM* **je suis ~** me quedo con un palmo de narices.

**chocolaté, e** *a* con chocolate ◊ **barre chocolatée** chocolatina.

**chocolaterie** *f* chocolatería.

**chocolatier, ère** *a/s* chocolatero, a. ◇ *f (récipient)* chocolatera.

**chocottes** *f pl POP* **avoir les ~** tener mieditis.

**chœur** [kœʀ] *m* **1.** coro ◊ *loc adv* **en ~** a coro: **chanter en ~** cantar a coro **2.** *(partie d'une église)* coro ◊ **enfant de ~** monaguillo.

**choir*** *vi* **1.** *LITT* caer **2.** *FAM* **laisser ~** abandonar.

**choisi, e** *a* escogido, a, selecto, a ◊ **morceaux choisis** trozos seleccionados.

**choisir** *vt* **1.** *(une chose)* escoger, elegir; **choisissez un gâteau** escoja un pastel **2.** elegir: **il a été choisi comme représentant** ha sido elegido como representante **3. ~ de** optar por: **il a choisi de partir** optó por marcharse.

**choix** *m* **1.** elección *f*: **le ~ d'un métier** la elección de un oficio ◊ *loc adv* **au ~** a elegir **2.** opción *f*, alternativa *f*: **vous n'avez pas le ~** usted no tiene opción; **il n'y a pas le ~** no hay opción **3.** *(assortiment)* surtido: **un ~ de cahiers** un surtido de cuadernos **4. un ~ de poèmes** una selección de poemas **5. de ~** escogido, a, de calidad; **une place de ~** un lugar preferente **6. premier, second ~** primera, segunda calidad.

**cholédoque** [kɔledɔk] *a ANAT* **canal ~** colédoco.

**choléra** [kɔleʀa] *m* cólera: **~ morbus** cólera morbo.

**cholestérol** [kɔlesteʀɔl] *m* colesterol.

**chômable** *a (jour)* festivo, a, feriado, a.

**chômage** *m* paro, desempleo: **~ technique, saisonnier** paro técnico, estacional; **le ~ des jeunes** el paro juvenil; **être en ~** estar en paro; **réduire au ~** dejar en el paro; **allocation de ~** subsidio de paro, subsidio de desempleo.

**chômé, e** *a* **jour ~** día inhábil.

**chômer** *vi* **1.** *(un chômeur)* estar en paro (forzoso) **2.** *(ne pas travailler)* descansar, holgar **3. je n'ai pas chômé aujourd'hui!** ¡hoy no he parado un momento!

**chômeur, euse** *s* parado, a.

**chope** *f* bock *m*, jarra.

**choper** *vt FAM* agarrar, pescar, pillar: **~ un rhume** agarrar un resfriado ◊ **il s'est fait ~** lo detuvieron.

**chopine** *f* **1.** cuartillo *m* **2.** *FAM* botella.

**choquant, e** *a* chocante.

**choquer** *vt* **1. ~ les verres** brindar **2.** *FIG* chocar, ofender, disgustar: **cela me choque** eso me choca; **je suis choqué que...** me choca que... **3.** *(commotionner)* conmocionar. ◆ **se ~** *vpr FIG* ofenderse, picarse.

**choral, e** [kɔʀal] *a MUS* coral. ◇ *m* coral: **des chorals de Bach** corales de Bach. ◇ *f* coro *m*, masa coral: **faire partie d'une chorale** formar parte de un coro.

**chorée** [kɔʀe] *f MÉD* corea.

**chorégraphe** [kɔʀegʀaf] *s* coreógrafo, a.

**chorégraphie** [kɔʀegʀafi] *f* coreografía.

**chorégraphique** [kɔʀegʀafik] *a* coreográfico, a.

**choriste** [kɔʀist(ə)] *s* corista.

**chorizo** *m* chorizo.

**choroïde** [kɔʀɔid] *f ANAT* coroides.

**chorus** [kɔʀys] *m* **1. faire ~** hacer coro **2.** *(jazz)* solo.

**chose** *f* **1.** cosa ◊ **à peu de ~ près** aproximadamente; **avant toute ~** ante todo, antes que nada; **de deux choses l'une** una de dos; **pas grand-~** poca cosa **→ grand-chose; ce n'est pas la même ~** no es lo mismo; **c'est tout autre ~** es muy diferente; **il m'est arrivé la même ~ qu'à toi** me ha pasado lo mismo que a ti; **~ promise, ~ due** lo prometido es deuda **2. quelque ~ → quelque chose 3.** *FAM* **se sentir tout ~** sentirse raro **4. monsieur ~** el señor fulano. ◇ *pl* **1.** cosas: **il prend les choses trop au sérieux** toma las cosas demasiado en serio; **aller au fond des choses** ir al fondo de las cosas; **dans l'état actuel des choses** tal y como están las cosas; **les choses étant ce qu'elles sont** puestas así las cosas ◊ **parler de choses et d'autres** hablar de esto y de aquello **2. les bonnes choses** la buena comida **3. bien des choses à...** muchos recuerdos a...

**chosification** *f* cosificación.

**chott** *m* lago salado.

**chou** *m* **1.** col *f*, berza *f*: **soupe aux choux** sopa de coles; **~ de Bruxelles** col de Bruselas ◊ **~ pommé** repollo **2.** *FAM* **une feuille de ~** un periodicucho; **aller planter ses choux** retirarse al campo; **bête comme ~ → bête**; **faire ~ blanc** fracasar; **faire ses choux gras de** sacar provecho de; **rentrer dans le ~ de** arremeter contra **3.** *FAM* **mon ~, mon petit ~** querido mío, cielo; **tu es un ~** eres un encanto; **bout de ~** niño, niña **4. ~ à la crème** pastelillo, lionesa *f*.

**chouan** *m* chuán.

**chouannerie** *f* insurrección de los chuanes.

**choucas** [ʃuka] *m* chova *f*.

**chouchou, oute** *s FAM* preferido, a: **le ~ du professeur** el ojito derecho del profesor. ◇ *m (pour les cheveux)* coletero.

**chouchouter** *vt FAM* mimar.

**choucroute** *f* chucrut, choucroute.

**chouette** *f (oiseau)* lechuza. ◇ *a FAM* **elle est ~ ta moto** estupenda tu moto; **il a été très ~ avec nous** ha estado fantástico con nosotros. ◇ *interj FAM* ¡estupendo!, ¡qué guay!

**chou-fleur** *m* coliflor *f*: **des choux-fleurs** coliflores.

**chou-rave** *m* colinabo.

**choyer*** [ʃwaje] *vt* mimar.

**chrême** [kʀɛm] *m RELIG* crisma *f*.

**chrétien, enne** [kʀetjɛ̃, jɛn] *a/s* cristiano, a.

**chrétiennement** [kʀetjɛnmɑ̃] *adv* cristianamente.

**chrétienté** [kʀetjɛ̃te] *f* cristiandad.

**Christ** [kʀist] *np m* Cristo: **le ~** Cristo, Jesucristo; **le ~ devant Pilate** Cristo ante Pilatos. ◇ *m* crucifijo: **un ~ en ivoire** un crucifijo de marfil.

**Christian** [kʀistjɑ̃] *np m* Cristián.

**Christiane** [kʀistjan] *np f* Cristiana.

**christianisation** [kʀistjanizasjɔ̃] *f* cristianización.

**christianiser** [kʀistjanize] *vt* cristianizar.

**christianisme** [kʀistjanism(ə)] *m* cristianismo.

**Christine** [kʀistin] *np f* Cristina.
**Christophe** [kʀistɔf] *np m* Cristóbal.
**chromage** [kʀɔmaʒ] *m* cromado.
**chromatique** [kʀɔmatik] *a* cromático, a.
**chromatisme** [kʀɔmatism] *m* cromatismo.
**chrome** [kʀom] *m* cromo.
**chromer** [kʀɔme] *vt* cromar: **acier chromé** acero cromado.
**chromo** [kʀɔmo] *m* cromo.
**chromolithographie** [kʀɔmolitɔgʀafi] *f* cromolitografía.
**chromosome** [kʀɔmozom] *m* cromosoma.
**chromosomique** [kʀɔmozomik] *a* cromosómico, a.
**chronique** [kʀɔnik] *a* crónico, a. ◇ *f* crónica: **~ sportive, théâtrale** crónica deportiva, teatral.
**chroniqueur** [kʀɔnikœʀ] *m* cronista.
**chronologie** [kʀɔnɔlɔʒi] *f* cronología.
**chronologique** [kʀɔnɔlɔʒik] *a* cronológico, a.
**chronologiquement** [kʀɔnɔlɔʒikmɑ̃] *adv* cronológicamente.
**chronométrage** [kʀɔnɔmetʀaʒ] *m* cronometraje.
**chronomètre** [kʀɔnɔmɛtʀ(ə)] *m* cronómetro.
**chronométrer*** [kʀɔnɔmetʀe] *vt* cronometrar.
**chronométreur** [kʀɔnɔmetʀœʀ] *m* cronometrador.
**chrysalide** [kʀizalid] *f* crisálida.
**chrysanthème** [kʀizɑ̃tɛm] *m* crisantemo.
**Chrysostome** [kʀizostɔm] *np m* Crisóstomo.
**chu, e → choir.**
**chuchotement** *m* cuchicheo, murmullo, susurro.
**chuchoter** *vi* cuchichear, murmurar: **il chuchota quelques mots à l'oreille de sa voisine** cuchicheó algo al oído de su vecina.
**chuchoterie** *f* cuchicheo *m*.
**chuintant, e** *a (consonne)* sibilante.
**chuintement** *m* silbido.
**chuinter** *vi* **1.** *(la chouette, la vapeur)* silbar **2.** pronunciar la *z* como *j* y la *s* como *ch*.
**chut!** [ʃyt] *interj* ¡chis!, ¡chitón!, ¡silencio!
**chute** *f* **1.** caída ◊ **faire une ~** caerse; **~ de neige** nevada; **~ libre** caída libre; **la ~ du jour** la caída de la tarde **2. ~ d'eau** salto *m* de agua; catarata: **les chutes du Zambèze** las cataratas del Zambeze **3.** *(disgrâce, échec)* caída: **la ~ du gouvernement** la caída del gobierno **4.** *(de la température, des prix, etc.)* caída **5.** *RELIG* **la ~ d'Adam** la caída de Adán **6.** *(de tissu, papier)* recorte *m* **7. la ~ des reins** la región lumbar.
**chuter** *vi FAM* **1.** *(tomber)* caer **2.** *(échouer)* fracasar.
**chyle** *m* quilo.
**chyme** *m* quimo.
**Chypre** *np* Chipre.
**chypriote** *a/s* chipriota.
**ci** *adv* **1.** aquí: **~-gît** aquí yace. Abrev. de *ici* colocada delante de un adjetivo o de un participio: **~-après** a continuación; **~-contre** al lado, en la página de enfrente; **~-dessous** más abajo, a continuación; **~-dessus** más arriba; **~-inclus → inclus; ~-joint → joint 2. de-~ de-là** de aquí y de allí; **comme ~, comme ça** así así; **par-~, par-là** aquí y allí **3. un ~-devant** un ex noble, en el lenguaje de la Revolución francesa.
▶ Agregado a un sustantivo después de un demostrativo, el adv *ci* indica la proximidad. **→ ce, celui.**
**ci-après → ci.**
**cible** *f* **1.** blanco *m*: **tirer à la ~** tirar al blanco **2.** *FIG* **être la ~ des railleries...** ser el blanco de las burlas...
**cibler** *vt* enfocar.
**ciboire** *m* copón.
**ciboule** *f* cebollino *m*.
**ciboulette** *f* cebolleta.
**ciboulot** *m POP* chola *f*.
**cicatrice** *f* cicatriz: **des cicatrices** cicatrices.
**cicatriciel, elle** *a* cicatrizal.
**cicatrisant, e** *a/m* cicatrizante.
**cicatrisation** *f* cicatrización.
**cicatriser** *vt* cicatrizar. ◆ **se ~** *vpr* cicatrizarse: **la plaie s'est cicatrisée** la llaga se ha cicatrizado.
**Cicéron** *np m* Cicerón.
**cicérone** *m* cicerone, guía.
**cicéronien, enne** *a* ciceroniano, a.
**ci-contre, ci-dessus, ci-devant → ci.**
**cidre** *m* sidra *f*.
**cidrerie** *f* fábrica de sidra.
**C^ie^** *abrév de* compagnie, Cía.
**ciel** *m (plural: cieux* [sjø]*, en pintura, meteorología ciels)* **1.** cielo: **~ nuageux** cielo nublado; **à ~ ouvert** a cielo abierto ◊ *FIG* **être au septième ciel** estar en el séptimo cielo; **remuer ~ et terre** remover cielo y tierra, revolver Roma con Santiago; **tombé du ~** llovido del cielo **2.** *RELIG* cielo: **le royaume des Cieux** el reino de los cielos; **Notre Père qui es aux Cieux** Padre nuestro que estás en los cielos; **il monta au ~** ascendió a los cielos, a las alturas ◊ **ciel!** ¡cielos!; **fasse le ~ que...** quiera Dios que...; *PROV* **aide-toi, le ~ t'aidera** a Dios rogando y con el mazo dando **3. ~ de lit** cielo de la cama (plural: *ciels de lit*). ◇ *a* **bleu ~** azul celeste.
**cierge** *m* **1.** cirio: **~ pascal** cirio pascual ◊ *FIG* **droit comme un ~** derecho como una vela **2.** *(plante)* cirio.
**cieux → ciel.**
**cigale** *f* cigarra.
**cigare** *m* cigarro puro, puro.
**cigarette** *f* cigarrillo *m*: **fumer une ~** fumar un cigarrillo ◊ **papier à ~** papel de fumar.
▶ *Pitillo m* est un synonyme, un peu familier, de *cigarrillo*.
**cigarillo** *m* cigarrillo.
**cit-gît → ci.**
**cigogne** *f* cigüeña.
**ciguë** [sigy] *f* cicuta.
**ci-inclus, ci-joint → inclus, joint.**
**cil** *m* **1.** pestaña *f*: **faux cils** pestañas postizas ◊ **battre des cils** pestañear **2.** *BIOL* **cils vibratiles** pestañas vibrátiles, cilios.
**cilice** *m* cilicio.
**ciliés** *m pl ZOOL* ciliados.
**cillement** *m* pestañeo.
**ciller** *vi* pestañear.
**cimaise** *f* cimacio *m*.
**cime** *f* cima, cumbre, cúspide: **les cimes neigeuses des Andes** las cumbres nevadas de los Andes.
**ciment** *m* cemento: **~ armé** cemento armado.
**cimenter** *vt* **1.** unir con cemento **2.** *FIG* consolidar, cimentar.
**cimenterie** *f* fábrica de cemento.
**cimeterre** *m* cimitarra *f*.
**cimetière** *m* cementerio.
**cimier** *m* cimera *f*.

**cinabre** *m* cinabrio.

**ciné** *m* FAM cine.
▶ Le mot espagnol *cine* n'est pas familier comme le français «ciné».

**cinéaste** *s* cineasta.

**ciné-club** [sineklœb] *m* cine-club.

**cinéma** *m* **1.** cine: **~ muet, parlant** cine mudo, sonoro; **aller au ~** ir al cine **2.** FAM **c'est du ~** es un farol; **arrête ton ~!** ¡no hagas tantos aspavientos!

**cinémascope** *m* cinemascope.

**cinémathèque** *f* filmoteca, cinemateca.

**cinématique** *f* cinemática.

**cinématographe** *m* cinematógrafo.

**cinématographique** *a* cinematográfico, a.

**cinéphile** *s* cinéfilo, a.

**cinéraire** *a* cinerario, a. ◇ *f (plante)* cineraria.

**cinérama** *m* cinerama.

**cinéroman** *m* novela *f* cinematográfica.

**cinétique** *a* cinético, a: **énergie ~** energía cinética; **art ~** arte cinético. ◇ *f* cinética.

**cinglant, e** *a* hiriente, mordaz: **une réplique cinglante** una réplica hiriente.

**cinglé, e** *a* FAM chiflado, a, majareta.

**cingler** *vt* **1.** cimbrar, cruzar: **~ à coups de fouet** cimbrar a latigazos **2.** azotar: **la pluie lui cinglait le visage** la lluvia le azotaba la cara. ◇ *vi* MAR singlar.

**cinnamome** *m* cinamomo.

**cinoche** *m* FAM cine.

**cinoque** *a* FAM chiflado, a, chalado, a.

**cinq** [sɛ̃k] *a/m* **1.** cinco: **il est ~ heures** son las cinco ◊ FIG **il était moins ~** faltó poco; **en ~ sec** en un dos por tres **2. Charles ~** Carlos quinto **3. ~ cents** quinientos, as.

**cinquantaine** *f* **1.** cincuentena **2. il approche de la ~** anda por los cincuenta (años); **une ~ de kilomètres** unos cincuenta kilómetros.

**cinquante** *a/m* cincuenta.

**cinquantenaire** *a* cincuentón, ona. ◇ *m (anniversaire)* cincuentenario.

**cinquantième** *a/s* quincuagésimo, a.

**cinquième** *a/s* quinto, a: **j'habite au ~ (étage)** vivo en el quinto piso.

**cinquièmement** *adv* en quinto lugar.

**cintrage** *m* cimbreo.

**cintre** *m* **1.** *(courbure)* cimbra *f*, cintra *f* ◊ **arc en plein ~** arco de medio punto **2.** *(échafaudage)* cimbra *f* **3.** *(pour suspendre les vêtements)* percha *f* **4.** *(théâtre)* telar.

**cintré, e** *a* **1.** cimbrado, a **2.** *(vêtement)* entallado, a, ceñido, a: **veste cintrée** chaqueta entallada **3.** FAM *(fou)* chalado, a.

**cintrer** *vt* **1.** cimbrar, combar **2.** *(un vêtement)* entallar, ajustar, ceñir.

**cipaye** *m* cipayo.

**cirage** *m* **1.** *(du parquet)* encerado **2.** *(des chaussures)* lustre **3.** *(produit pour cirer les chaussures)* betún, crema *f* para el calzado **4.** FAM **être dans le ~** estar aturullado, a.

**circassien, enne** *a/s* circasiano, a.

**circoncire*** *vt* circuncidar.

**circoncis** *a/s* circunciso.

**circoncision** *f* circuncisión.

**circonférence** *f* circunferencia.

**circonflexe** *a* **accent ~** acento circunflejo.

**circonlocution** *f* circunloquio *m*, circunlocución *f*.

**circonscription** *f* circunscripción.

**circonscrire*** *vt* **1.** *(une surface)* circunscribir **2.** *(limiter)* circunscribir, limitar: **~ un incendie** aislar un incendio. ◆ **se ~** *vpr* limitarse.

**circonscrit, e** *a* circunscrito, a, circunscripto, a.

**circonspect, e** *a* circunspecto, a, prudente.

**circonspection** *f* circunspección.

**circonstance** *f* **1.** circunstancia: **un concours de circonstances** un concurso de circunstancias; **circonstances atténuantes, aggravantes** (circunstancias) atenuantes, agravantes **2. figure de ~** cara de circunstancias **3. en pareille ~** en estas circunstancias; **pour la ~** para la ocasión.
▶ *Circonstances atténuantes, aggravantes* se dit souvent: atenuantes, agravantes (sans le mot «circunstancia»).

**circonstancié, e** *a* circunstanciado, a, detallado, a.

**circonstanciel, elle** *a* circunstancial.

**circonvenir*** *vt (suborner)* embaucar, engañar.

**circonvolution** *f* circunvolución: **les circonvolutions cérébrales** las circunvoluciones cerebrales.

**circuit** *m* **1.** circuito: **~ touristique** circuito turístico **2. ~ imprimé, intégré** circuito impreso, integrado; **mettre hors ~** desconectar **3.** FIG **être hors ~** estar desconectado de la realidad.

**circulaire** *a* circular. ◇ *f* circular: **adresser une ~** dirigir una circular.

**circulation** *f* **1.** *(des véhicules)* circulación, tráfico *m*: **il y a beaucoup de ~** hay mucha circulación, mucho tráfico; **~ routière, aérienne** tráfico rodado, aéreo; **accident de la ~** accidente de circulación **2.** *(du sang, de l'argent, etc.)* circulación: **mettre en ~** poner en circulación; **retirer de la ~** retirar de la circulación **3.** FIG **disparaître de la ~** desaparecer del mapa.

**circulatoire** *a* circulatorio, a: **appareil ~** aparato circulatorio.

**circuler** *vi* **1.** circular: **l'eau circule dans les canalisations** el agua circula por las cañerías; **circulez!** ¡circulen!; **des bruits alarmants circulent** circulan rumores alarmantes **2.** *(par route)* circular, transitar.

**circumnavigation** *f* circunnavegación.

**circumpolaire** *a* circumpolar.

**cire** *f* **1.** cera: **~ vierge** cera virgen **2. ~ à cacheter** lacre *m* **3.** *(cérumen)* cera de los oídos.

**ciré, e** *a* **1.** *(parquet)* encerado, a **2.** *(chaussure)* lustrado, a **3. toile cirée** hule *m*. ◇ *m* impermeable de hule.

**cirer** *vt* **1.** *(le parquet)* encerar **2.** *(les chaussures)* dar crema a, lustrar **3.** FAM **je n'en ai rien à ~** me importa un pepino.

**cireur** *m* **1.** encerador **2.** *(de chaussures)* limpiabotas.

**cireuse** *f (appareil ménager)* enceradora.

**cireux, euse** *a* ceroso, a, céreo, a.

**cirier, ère** *a* cerífero, a.

**cirque** *m* **1.** circo **2.** GÉOG anfiteatro, circo **3.** FAM *(agitation)* desbarajuste ◊ **faire tout un ~** hacer un número.

**cirrhose** *f* cirrosis.

**cirrus** [si(ʀ)ʀys] *m (nuage)* cirro.

**cisaille** *f (machine, rognure)* cizalla. ◇ *pl (de jardinier)* tijeras de podar.

**cisaillement** *m* cizalladura *f*.

**cisailler** *vt* cizallar.

**cisalpin, e** *a* cisalpino, a.

**ciseau** *m* **1.** *(de sculpteur)* cincel **2.** *(à bois)* formón, escoplo **3. ~ à froid** cortafrío. ◇ *pl* **1. une paire de ciseaux** tijeras *f*; **des**

**ciseaux à ongles** tijeras para las uñas ◊ **coup de ciseaux** tijeretazo **2. saut en ciseaux** salto de tijeras.

**ciseler*** *vt* cincelar.

**ciseleur** *m* cincelador.

**ciselure** *f* cinceladura.

**Cisjordanie** *np f* Cisjordania.

**cistercien, enne** *a* cisterciense.

**citadelle** *f* ciudadela.

**citadin, e** *a/s* ciudadano, a.

**citation** *f* **1.** *(passage d'un auteur)* cita **2.** *JUR* citación ◊ **~ à comparaître** cédula de emplazamiento **3.** *MIL* mención: **~ à l'ordre du jour** mención en la orden del día.

**cité** *f* **1.** *(ville)* ciudad: **~ ouvrière, universitaire** ciudad obrera, universitaria **2. droit de ~** derecho de ciudadanía **3.** parte antigua (de una ciudad) **4. la Cité de Dieu** *(saint Augustin)* La ciudad de Dios.

**Cîteaux** *np m* Cister.

**cité-dortoir** *f* ciudad dormitorio.

**cité-jardin** *f* ciudad jardín.

**citer** *vt* **1.** *(un auteur, une phrase)* citar **2.** *(nommer)* nombrar, mencionar: **~ quelqu'un en exemple** nombrar a alguien para que sirva de ejemplo **3.** *JUR* citar.

**citerne** *f* cisterna.

**cithare** *f* cítara.

**cithariste** *s* citarista.

**citoyen, enne** [sitwajɛ̃, ɛn] *s* **1.** ciudadano, a **2.** *FAM* **un drôle de ~** un tío raro.

**citoyenneté** *f* ciudadanía.

**citrate** *m CHIM* citrato.

**citrin, e** *a* cetrino, a.

**citrique** *a* cítrico, a.

**citron** *m* **1.** limón: **~ pressé** zumo de limón **2.** *FAM (tête)* chola. ◇ *a* **jaune ~** amarillo limón.

**citronnade** *f* limonada, refresco *m* de limón.
▶ Limonade se dit *gaseosa.*

**citronnelle** *f* toronjil *m*, cidronela.

**citronnier** *m* limonero, limón.

**citrouille** *f* calabaza, calabacera.

**civet** *m* guisado, civet: **~ de lièvre** guisado de liebre.

**¹civette** *f (mammifère)* gato *m* de algalia, civeta.

**²civette** *f (plante)* cebollino *m*.

**civière** *f* camilla, parihuelas *pl*: **transporter un blessé sur une ~** transportar a un herido en camilla.

**civil, e** *a* civil: **droits civils** derechos civiles; **guerre civile** guerra civil; **mariage ~** matrimonio civil. ◇ *m* **1. les civils et les militaires** los civiles y los militares; **s'habiller en ~** vestirse de paisano; **policier en ~** policía de paisano **2. dans le ~** en la vida civil.

**civilement** *adv* **se marier ~** casarse por lo civil.

**civilisateur, trice** *a/s* civilizador, a.

**civilisation** *f* civilización: **les civilisations précolombiennes** las civilizaciones precolombinas.

**civiliser** *vt* civilizar. ◆ **se ~** *vpr* civilizarse, afinarse.

**civilité** *f* civilidad, urbanidad. ◇ *pl* cumplidos *m*, saludos *m*, expresiones: **présenter ses civilités à** saludar a.

**civique** *a* cívico, a.

**civisme** *m* civismo.

**clabaudage** *m* **1.** ladrido **2.** *(criaillerie)* griterío *f* **3.** *FIG (médisance)* murmuración *f*.

**clabauder** *vi* **1.** *(aboyer)* ladrar (a destiempo) **2.** *FIG (médire)* chismear, murmurar.

**clabauderie** *f* **1.** *(criaillerie)* griterío **2.** *FIG (médisance)* murmuración, chisme *m*.

**clac!** *interj* ¡clac!

**clafoutis** *m* pastel de cerezas.

**claie** *f* **1.** *(d'osier)* cañizo *m*, zarzo *m* **2.** *(treillage)* enrejado *m*.

**¹clair, e** *a* **1.** claro, a: **bleu ~** azul claro; **voix claire** voz clara **2. le ciel est ~** el cielo está despejado; **il fait ~** hay luz **3. c'est bien ~?** ¿la cosa está clara?; **~ comme de l'eau de roche** más claro que el agua; **il est ~ que...** está claro que... ◇ *m* **1.** claro: **~ de lune** claro de luna **2.** *FIG* **charger sabre au ~** cargar con el sable desenvainado; **tirer au ~** poner en claro; **mettre des notes au ~** poner notas en limpio; **message en ~** mensaje no cifrado; **il passe le plus ~ de son temps...** pasa la mayor parte de su tiempo...

**²clair** *adv* **1.** claro, claramente: **parler ~** hablar claro ◊ **parler ~ et net** hablar con franqueza **2. voir ~** ver bien; **essayons d'y voir ~** tratemos de ver las cosas claramente.

**claire** *f* **1.** *(bassin)* criadero *m* de ostras **2. fine de ~** ostra (criada en una «claire»).

**Claire** *np f* Clara.

**clairement** *adv* claramente, claro: **parler ~** hablar claro; **disons-le ~** digámoslo claro.

**clairet** *a (vin)* clarete.

**claire-voie** *f* **1.** *(treillage)* enrejado *m*, rejilla **2. à ~** calado, a; **porte à ~** verja.

**clairière** *f* claro *m* (en un bosque).

**clair-obscur** *m* claroscuro.

**clairon** *m* **1.** *(dans l'armée)* corneta *f* **2.** *(soldat qui sonne du clairon)* corneta **3.** *MUS* clarín.

**claironnant, e** *a* **voix claironnante** voz estentórea.

**claironner** *vt* pregonar, vocear.

**clairsemé, e** *a* **1.** *(cheveu, plantes)* ralo, a **2.** *(villages, population)* disperso, a.

**clairvoyance** [klɛʀvwajɑ̃s] *f* clarividencia, perspicacia.

**clairvoyant, e** *a* clarividente.

**clamecer → clamser.**

**clamer** *vt* clamar.

**clameur** *f* clamor *m*, clamoreo *m*.

**clamper** *vt MÉD* clampar.

**clamser** *vi POP* palmarla, cascarla, diñarla.

**clan** *m* clan.

**clandé** *m POP* prostíbulo clandestino.

**clandestin, e** *a* **1.** clandestino, a **2. passager ~** polizón **3.** *(travail, emploi)* sumergido, a: **le travail ~** la economía sumergida **4.** ilegal: **immigrants clandestins** inmigrantes ilegales.

**clandestinement** *adv* clandestinamente.

**clandestinité** *f* clandestinidad.

**clap** *m* claqueta.

**clapet** *m* **1.** *(soupape)* válvula *f* **2.** *(d'une pompe)* chapaleta *f* **3.** *POP (bouche)* boca *f*, pico; **ferme ton ~** cállate.

**clapier** *m* conejera *f*, jaula *f* para conejos.

**clapman** [klapman] *s* claquetista.

**clapotement → clapotis.**

**clapoter** *vi* chapotear.

**clapotis** *m* chapoteo.

**clappement** *m* chasquido (de la lengua).

**clapper** *vi* chascar (con la lengua).

**claquage** *m* tirón muscular.

**claquant, e** *a FAM* agotador, a.

**claque** *f* **1.** *(gifle)* torta, bofetada: **une paire de claques** un par de tortas ◊ *FAM* **il a une tête à claques** es insoportable **2.** *THÉÂT* **la ~** «la claque», los alabarderos **3.** *POP* **en avoir sa ~** estar hasta las narices. ◇ *m (chapeau)* clac.

**claquement** *m* **1.** *(de fouet, de la langue)* chasquido **2.** *(des dents)* castañeteo **3.** *(des doigts)* castañeta *f* **4.** *(d'une porte)* portazo.

**claquemurer (se)** *vpr* encerrarse, enclaustrarse, recluirse: **il se claquemura dans sa chambre** se encerró en su habitación.

**claquer** *vi* **1. faire ~ sa langue, les doigts** chascar, chasquear la lengua, los dedos **2. il claquait des dents** daba diente con diente **3.** *(fouet)* chasquear, restallar **4.** *(volet)* golpear **5. ~ des mains** aplaudir **6.** *FAM (mourir)* cascarla, palmarla: **il a failli ~** estuvo a punto de palmarla **7.** *FAM* **~ du bec** tener carpanta. ◇ *vt* **1.** *(gifler)* abofetear **2. ~ la porte** dar un portazo; **~ la porte au nez de** dar con la puerta en las narices de **3.** *FAM* pulirse, liquidar: **il a claqué toutes ses économies** se ha pulido todos sus ahorros **4.** *FAM (fatiguer)* reventar. ◆ **se ~** *vpr* **1. se ~ un muscle** distenderse un músculo **2.** *FAM (se fatiguer)* reventarse ◊ **je suis claqué** estoy hecho polvo.

**claqueter*** *vi (la poule)* cacarear.

**claquette** *f (cinéma)* claqueta. ◇ *pl* **faire des claquettes** hacer un zapateado.

**clarification** *f* clarificación.

**clarifier*** *vt* **1.** clarificar **2.** *FIG* aclarar, dilucidar.

**clarinette** *f* clarinete *m*: **jouer de la ~** tocar el clarinete.

**clarinettiste** *s* clarinetista.

**clarisse** *f* clarisa.

**clarté** *f* claridad. ◇ *pl (connaissances)* luces, ideas.

**classe** *f* **1.** clase: **la ~ ouvrière** la clase obrera; **les classes moyennes** las clases medias; **la lutte des classes** la lucha de clases; **un billet de ~ touriste** un billete de clase turista **2.** *(élèves, cours)* clase, curso *m*: **camarades de ~** compañeros de curso; **faire la ~** dar, impartir clase; **la rentrée des classes** la vuelta al colegio; **livre de ~** libro escolar **3.** *(salle de classe)* aula, clase ◊ **aller en ~** ir a la escuela **4.** categoría, clase: **hôtel de grande ~** hotel de mucha categoría; **avoir de la ~** tener clase, tener prestancia **5.** *MIL* quinta: **il appartient à la ~ 81** es de la quinta del 81; **il est de la même ~ que moi** es de mi quinta.

**classement** *m* **1.** clasificación *f* **2.** *(rang)* **un bon ~** una buena clasificación; **troisième au ~ mondial** tercero en la clasificación mundial.

**classer** *vt* **1.** clasificar, ordenar: **les mots sont classés par ordre alphabétique** las palabras están ordenadas por orden alfabético **2. ~ une affaire** archivar un asunto, dar carpetazo a un asunto ◊ **affaire classée** asunto concluido **3.** *(un monument, un site)* declarar de interés artístico **4.** *(une personne)* catalogar **5.** *FAM* **être membre de ce club, ça vous classe** ser miembro de este club farda mucho. ◆ **se ~** *vpr* **se ~ premier, dernier** clasificarse primero, último.

**classeur** *m* **1.** *(chemise)* carpeta *f* **2.** *(meuble)* archivador, clasificador.

**classicisme** *m* clasicismo.

**classificateur, trice** *a/m* clasificador, a.

**classification** *f* clasificación.

**classifier*** *vt* clasificar.

**classique** *a* clásico, a. ◇ *m* **les classiques latins** los clásicos latinos.

**Claude** *np* Claudio, a.

**claudication** *f* cojera.

**Claudine** *np f* Claudina.

**claudiquer** *vi* cojear.

**clause** *f* cláusula.

**claustral, e** *a* claustral.

**claustration** *f* enclaustramiento *m*.

**claustrophobie** *f* claustrofobia.

**claveau** *m ARCH* dovela *f*, clave *f*.

**clavecin** *m* clavicordio, clave: **jouer du ~** tocar el clavicordio ◊ **Le ~ bien tempéré** *(Bach)* El clave bien temperado.

**claveciniste** *s* clavecinista.

**clavette** *f* chaveta.

**clavicule** *f* clavícula.

**clavier** *m (de piano, machine à écrire, etc.)* teclado.

**clayette** [klɛjɛt] *f* **1.** *(cageot)* caja **2.** *(dans un réfrigérateur)* parrilla.

**clayonnage** *m* estacado, encañado.

**clé → clef.**

**clearing** [kliʀiŋ] *m COM* compensación *f* bancaria.

**clébard, clebs** *m FAM* perro, chucho.

**clef, clé** [kle] *f* **1.** llave: **fermer à ~** cerrar con llave; **~ de contact** llave de contacto; **fausse ~** llave falsa; **acheter un appartement clefs en main** comprar un piso llaves en mano ◊ **mettre sous ~** poner bajo llave; *FIG* **mettre la ~ sous la porte** marcharse furtivamente; **prendre la ~ des champs** tomar las de Villadiego **2. ~ anglaise** llave inglesa **3.** *ARCH* **~ de voûte** llave; *FIG* piedra angular **4.** *MUS* clave: **~ de sol** clave de sol **5.** *FIG* clave: **la ~ de l'énigme** la clave del enigma; **roman à ~** novela de clave **6.** *(judo, lutte)* llave. ◇ *a* clave: **position ~** posición clave; **industrie ~** industria clave.

**clématite** *f* clemátide.

**Clémence** *np f* Clemencia.

**clémence** *f* clemencia.

**Clément** *np m* Clemente.

**clément, e** *a* **1.** *(personne)* clemente **2.** *(temps)* benigno, a.

**clémentine** *f* clementina.

**clenche** *f* barrita del picaporte.

**Cléopâtre** *np f* Cleopatra.

**cleptomane** *s* cleptómano, a.

**cleptomanie** *f* cleptomanía.

**clerc** [klɛʀ] *m* **1.** *(religieux)* clérigo **2.** *(savant)* sabio, intelectual ◊ **il ne faut pas être, pas besoin d'être grand ~ pour...** no hace falta ser un genio para..., no necesita ser muy inteligente para... **3.** *(d'avoué, de notaire)* pasante, escribiente **4.** *FIG* **faire un pas de ~** cometer un error, una torpeza, meter la pata.

**clergé** *m* clero: **~ régulier, séculier** clero regular, secular.

**clergyman** *m* clergyman, pastor protestante.

**clérical, e** *a/s* clerical.

**cléricalisme** *m* clericalismo.

**clic!** *interj* ¡clic!

**cliché** *m* **1.** *(imprimerie, photo)* clisé, cliché **2.** *(lieu commun)* tópico, frase *f* hecha, cliché, lugar común.
▶ Le gallicisme *cliché* est courant, dans les deux sens.

**client, e** *s* cliente, a.
▶ Le mot *parroquiano, a* s'emploie, plus familièrement, pour désigner le client d'un commerce, d'un bar, etc.

**clientèle** *f* clientela: **avoir une grosse ~** tener una gran clientela.

**clientélisme** *m* clientelismo.

**clignement** *m* **1. ~ d'yeux** pestañeo **2.** *(volontaire)* guiño.

**cligner** *vt* **~ les yeux** entornar los ojos, parpadear. ◇ *vi* **~ de l'œil** guiñar el ojo.

**clignotant, e** *a* intermitente. ◇ *m* **1.** *(d'un véhicule)* intermitente: **mettre son ~** poner el intermitente **2.** *(en économie)* indicador económico.

**clignotement** *m* parpadeo.

**clignoter** *vi* **1.** *(les yeux)* parpadear, pestañear **2.** *(une lumière)* parpadear.

**climat** *m* **1.** clima **2.** *(ambiance)* ambiente, clima.

**climatérique** *a* climatérico, a.

**climatique** *a* climático, a.

**climatisation** *f* climatización, acondicionamiento *m* de aire.

**climatiser** *vt* **1.** climatizar **2. salle climatisée** local climatizado.

**climatiseur** *m* acondicionador de aire.

**climatologie** *f* climatología.

**climatologique** *a* climatológico, a.

**climax** *m* clímax.

**clin d'œil** [klẽdœj] *m* **1.** guiño, pestañeo ◊ **il me fit un ~** me guiñó el ojo **2.** *loc adv* **en un ~** en un abrir y cerrar de ojos, en un santiamén.

**clinfoc** *m* MAR petifoque.

**clinicien** *m* médico clínico.

**clinique** *a* clínico, a. ◇ *f* clínica: **~ privée** clínica privada.

**clinquant, e** *a* brillante, chillón, ona, de relumbrón. ◇ *m* **1.** oropel **2.** FIG oropel, relumbrón.

**[1]clip** *m (pince)* clip.

**[2]clip** *m (vidéo)* clip, vídeo musical.

**clipper** [klipœʀ] *m* clíper.

**clique** *f* **1.** MIL banda de tambores y trompetas **2.** *(groupe)* pandilla. ◇ *pl* FAM **prendre ses cliques et ses claques** liar los bártulos.

**cliquer** *vi* INFORM hacer clic.

**cliquet** *m* TECHN trinquete, palanquilla *f.*

**cliqueter*** *vi* sonar entrechocándose.

**cliquetis** *m* ruido (de cosas que se entrechocan).

**clisse** *f* **1.** *(pour fromages)* encella **2.** *(pour bouteilles)* funda de mimbre.

**clitoris** *m* clítoris.

**clivage** *m* **1.** *(d'un minéral)* exfoliación *f* **2.** FIG división *f*: **clivages sociaux** divisiones sociales.

**cliver** *vt* exfoliar.

**cloaque** *m* **1.** cloaca *f* **2.** ZOOL cloaca *f.*

**clochard, e** *s* vagabundo, a, mendigo, a.

**clochardisation** *f* pauperización.

**cloche** *f* **1.** campana ◊ FIG **son de ~** parecer, opinión *f*; FAM **déménager à la ~ de bois** mudar de casa sigilosamente; **sonner les cloches à quelqu'un** echar un rapapolvo a alguien **2. ~ à fromage** quesera **3. ~ à plongeur** campana de buzo **4. chapeau ~** sombrero de copa redonda **5.** FAM **se taper la ~** darse una comilona. ◇ *a/f* FAM *(sot)* tonto, a, bobo, a: **quelle ~!** ¡vaya tonto! ◇ *f* FAM **la ~** los mendigos.

**cloche-pied (à)** *loc adv* a la pata coja.

**[1]clocher** *m* **1.** campanario: **le ~ de l'église** el campanario de la iglesia **2. esprit de ~** mentalidad *f* localista; **querelles de ~** disputas pueblerinas.

▶ Le mot féminin *espadaña* désigne un clocher-mur ou clocher à arcades.

**[2]clocher** *vi* **1.** cojear **2.** FIG fallar, no ir bien: **il y a quelque chose qui cloche** hay algo que no va bien.

**clocheton** *m* torrecilla *f.*

**clochette** *f* campanilla.

**clodo** *m* FAM vagabundo, mendigo.

**cloison** *f* **1.** tabique *m*: **une ~ de briques** un tabique de ladrillos; **~ nasale** tabique nasal **2. ~ étanche** mamparo *m* estanco.

**cloisonnement** *m* división *f* en compartimientos.

**cloisonner** *vt* tabicar, dividir con tabiques, en compartimientos ◊ **émail cloisonné** esmalte tabicado.

**cloître** *m* claustro.

**cloîtrer** *vt* **1.** enclaustrar **2.** FIG encerrar. ◆ **se ~** *vpr* enclaustrarse, recluirse: **elle se cloître chez elle** se recluye en su casa.

**clonage** *m* BIOL clonación *f.*

**clone** *m* BIOL clon.

**cloner** *vt* BIOL clonar.

**clope** *m/f* POP **1.** *(mégot)* colilla *f* **2.** *(cigarette)* pitillo *m*, pito *m*.

**clopin-clopant** *loc adv* FAM cojeando, renqueando.

**clopiner** *vi* renquear.

**clopinettes** *f pl* FAM **des ~** absolutamente nada.

**cloporte** *m* cochinilla *f.*

**cloque** *f* ampolla, vejiga, habón *m*.

**cloquer** *vi* **1.** avejigarse, levantarse formando ampollas **2. étoffe cloquée** tejido gofrado.

**clore** *vt* **1.** *(fermer)* cerrar **2.** *(clôturer)* cercar, rodear **3.** cerrar, clausurar, concluir: **~ un débat, une discussion** cerrar un debate, una discusión; **~ une séance** clausurar una sesión; **la séance est close** ha concluido la sesión.

**clos, e** *a* **1.** cerrado, a: **bouche close** boca cerrada ◊ **à huis ~** a puerta cerrada **2. à la nuit close** entrada la noche **3.** *(entouré)* cercado, a. ◇ *m (terrain)* cercado, finca *f.*

**Clotilde** *np f* Clotilde.

**clôture** *f* **1.** cercado *m*, cerca, valla: **~ métallique** cercado metálico **2.** *(dans un couvent)* clausura **3.** *(de la Bourse)* cierre *m* **4.** *(d'une séance, etc.)* clausura: **séance de ~** sesión de clausura.

**clôturer** *vt* **1.** *(un terrain)* cercar, vallar, cerrar **2.** *(Bourse)* cerrar **3.** *(séance, etc.)* clausurar, cerrar.

**clou** *m* **1.** clavo ◊ PROV **un ~ chasse l'autre** un clavo saca otro clavo; FIG **river son ~ à quelqu'un** apabullar a alguien; FAM **maigre comme un ~** → **maigre 2. le ~ de la fête** la principal atracción, lo más sobresaliente de la fiesta **3. ~ de girofle** clavo **4.** *(furoncle)* divieso **5.** FIG **un vieux ~** un cacharro **6.** FAM **ça ne vaut pas un ~** eso no vale un pito; **des clous!** ¡ni hablar!, ¡naranjas de la China! **7.** FAM ANC *(le mont-de-piété)* peñaranda *f*: **mettre au ~** empeñar.

**clouer** *vt* **1.** clavar: **~ une planche** clavar una tabla **2.** FIG **rester cloué au lit** quedarse clavado en la cama; **rester cloué sur place** quedar petrificado; **avion cloué au sol** avión en la imposibilidad de volar **3.** FIG **~ le bec à quelqu'un** cerrar el pico a alguien.

**clouté, e** *a* **1.** claveteado, a **2. passage ~** paso de peatones **3. pneus cloutés** neumáticos con clavos.

**clouter** *vt* clavetear.

**Clovis** *np m* Clodoveo.

**clovisse** *f* almeja.

**clown** [klun] *m* payaso.

**clownerie** [klunʀi] *f* payasada.

**clownesque** [klunɛsk] *a* propio, a de un payaso.

**club** [klœb] *m* **1.** club: **les clubs** los clubs, los clubes **2.** *(de golf)* palo.

**clunisien, enne** *a* cluniacense.

**cluse** *f GÉOG* corte *m* transversal.

**clystère** *m ANC* lavativa *f,* clister.

**C.N.R.S.** *abrév de* Centre national de la recherche scientifique.

**coaccusé, e** *a/s* coacusado, a.

**coach** [kotʃ] *m (sports)* entrenador, preparador.

**coacquéreur** *m* coadquiridor.

**coadjuteur** *m* coadjutor.

**coagulant, e** *a/m* coagulante.

**coagulation** *f* coagulación.

**coaguler** *vt* coagular. ◆ **se ~** *vpr* coagularse, cuajarse.

**coalisé, e** *a/s* coligado, a.

**coaliser** *vt* unir. ◆ **se ~** *vpr* coligarse, mancomunarse.

**coalition** *f* coalición.

**coaltar** *m* alquitrán de hulla.

**coassement** *m* canto de la rana, croar.

**coasser** *vi* croar.

**coassocié, e** *s* consocio, a.

**coati** *m* coatí, cuatí.

**coauteur** [kootœʀ] *m* coautor.

**coaxial, e** *a* coaxial: **cables coaxiaux** cables coaxiales.

**cobalt** *m* cobalto: **bleu de ~** azul de cobalto; **bombe au ~** bomba de cobalto.

**cobaye** [kɔbaj] *m* conejillo de Indias, cobaya, cobayo.

**cobelligérant, e** *a/s* aliado, a.

**cobol** *m INFORM* cobol.

**cobra** *m* cobra *f.*

**coca** *m/f* coca *f.* ◇ *m* **boire un ~** beber una Coca Cola.

**cocagne** *f* **1. pays de ~** Jauja **2. un mât de ~** una cucaña *f.*

**cocaïne** *f* cocaína.

**cocaïnomane** *s* cocainómano, a.

**cocarde** *f* escarapela, cucarda.

**cocardier, ère** *a/s* patriotero, a.

**cocasse** *a* chusco, a, cómico, a.

**cocasserie** *f* chuscada, gracia.

**coccinelle** *f* mariquita, vaca de san Antón.

**coccyx** [kɔksis] *m ANAT* cóccix, coxis.

[1]**coche** *m* diligencia *f* ◊ *FIG* **manquer le ~** perder la ocasión; **faire la mouche du ~ → mouche.**

[2]**coche** *f (marque)* muesca.

**cochenille** *f* cochinilla.

[1]**cocher** *m* cochero.

[2]**cocher** *vt* marcar con una muesca, señal, rayita: **cochez votre nom** marque su nombre con una señal, con una x.

**cochère** *a* **porte ~** puerta cochera.

**cochevis** [kɔʃvis] *m* cogujada *m,* totovía *f.*

**Cochinchine** *np f* Cochinchina.

**cochléaire** [kɔkleɛʀ] *f (plante)* coclearia.

**cochlée** [kɔkle] *f ANAT* cóclea.

[1]**cochon** *m* **1.** *(porc)* cerdo, cochino, puerco ◊ **il mange comme un ~** come como un cerdo **2. ~ de lait** lechoncillo **3. ~ d'Inde** conejillo de Indias **4.** *FAM* **un temps de ~** un tiempo de perros; **un tour de ~** una faena, una cochinada, una guarrada; **ils sont copains comme cochons** están a partir un piñón.

[2]**cochon, onne** *a/m FAM (malpropre)* cochino, a, guarro, a. ◇ *a (licencieux)* libertino, a, indecente: **histoire cochonne** historia indecente, *(pornographique)* pornográfico, a.

**cochonceté** *f FAM* grosería.

**cochonnaille** *f* embutidos *m pl.*

**cochonner** *vt FAM* chapucear, ensuciar.

**cochonnerie** *f FAM* **1.** porquería, cochinería **2.** *(paroles)* grosería.

**cochonnet** *m* **1.** lechoncillo **2.** *(boule)* boliche.

**cocker** [kɔkɛʀ] *m (chien)* cocker.

**cockpit** [kɔkpit] *m* **1.** *MAR* bañera *f* **2.** *(d'avion)* puesto de pilotaje.

**cocktail** [kɔktɛl] *m* **1.** cóctel, combinado **2.** *(réunion)* cóctel **3. ~ Molotov** cóctel molotov.

**coco** *m* **1.** *(fruit)* coco: **lait de ~** leche de coco; **noix de ~** coco *m* **2.** *(boisson)* bebida *f* preparada con regaliz **3.** *FAM (œuf)* huevo **4.** *FAM* individuo: **un drôle de ~** un pájaro de cuenta **5.** *FAM* **mon ~** queridito, monín. ◇ *f FAM* cocaína. ◇ *s FAM* comunista.

**cocon** *m* capullo.

**cocorico** *m* quiquiriquí ◊ **pousser un ~** lanzar un cacareo; **pousser des cocoricos** cacarear; *FIG FAM* **~!** ¡viva Francia!

**cocotier** *m* cocotero.

**cocotte** *f* **1.** *(poule, dans le langage enfantin)* gallina **2. ~ en papier** pajarita de papel **3.** *FAM* **ma ~** queridita **4.** *(femme de mœurs légères)* mujer galante **5.** *(marmite)* cazuela, cacerola ◊ **~-minute** *(marque déposée)* olla a presión.

**cocu** *a/s FAM* cornudo ◊ **avoir une chance de ~** tener potra.

**cocufier** *vt FAM* poner los cuernos a.

**coda** *f MUS* coda.

**codage** *m* codificación *f.*

**code** *m* **1.** código: **~ de la route** código de circulación; **~ postal** código postal; **~-barre, ~ à barres** código de barras; **~ génétique** código genético; **~civil, pénal** código civil, penal **2. numéro de ~** número clave **3. phares ~** luces *f* de cruce; **se mettre en ~** poner la luz de cruce.

**codéine** *f* codeína.

**coder** *vt* cifrar, codificar: **informations codées** informaciones codificadas.

**codétenu** *m* compañero de prisión.

**codeur** *m* codificador.

**codex** *m* farmacopea *f.*

**codicille** [kɔdisil] *m* codicilo.

**codification** *f* codificación.

**codifier*** *vt* codificar.

**codirecteur, trice** *s* codirector, a.

**coédition** *f* coedición.

**coefficient** *m* coeficiente.

**cœlacanthe** [selakɑ̃t] *m* celacanto.

**cœlentérés** [selɑ̃teʀe] *m pl ZOOL* celentéreos.

**coéquipier, ère** *s* compañero, a de equipo.

**coercitif, ive** *a* coercitivo, a, coactivo, a: **mesures coercitives** medidas coactivas.

**coercition** *f* coerción.

**cœur** [kœʀ] *m* **1.** corazón: **le ~ bat** el corazón late; **opération à ~ ouvert** operación a corazón abierto ◊ *FIG* **à ~ ouvert** francamente; **avoir mal au ~** marearse, tener náuseas; **soulever le ~** revolver el estómago, dar náuseas; **un coup au ~** un sofocón; **faire le joli ~** darse aires de seductor. **2.** *(poitrine)* pecho: **presser quelqu'un contre son ~** estrechar a alguien contra el pecho **3.** *FIG* corazón: **homme de ~** hombre de corazón ◊ **aller droit au ~** llegar al alma; **avoir bon ~** tener buen corazón; **il n'a pas de ~** es un desalmado; **avoir le ~ gros, serré** tener el corazón metido en un puño; **avoir le ~ sur la main** ser muy generoso, a; **s'en donner à ~ joie** pasarlo en grande; **en avoir le ~ net** saber a qué atenerse, salir de dudas; **fendre le ~** partir el alma; **ouvrir son ~** abrir su corazón, sincerarse; **je ne le porte pas dans mon ~** me cae muy antipático; **prendre à ~** tomar a pecho; **le ~ n'y est pas** falta el entusiasmo; **si le ~ vous en dit** si le apetece; **cela me tient à ~** esto me interesa mucho **4.** *FIG (audace)* valor, ánimo: **donner du ~ au ventre** dar ánimo, levantar el ánimo **5.** *(d'une laitue, etc.)* cogollo **6.** *(centre)* corazón, centro: **le ~ d'une ville** el corazón de una ciudad **7.** *(d'un réacteur nucléaire)* corazón **8. au ~ de l'hiver** en pleno invierno **9.** *loc adv* **de bon ~** de buena gana; **de tout ~** de (todo) corazón, con toda el alma: **remercier de tout ~, du fond du ~** agradecer de corazón; **apprendre, savoir par ~** aprender, saber de memoria.

**coexistence** *f* coexistencia: **~ pacifique** coexistencia pacífica.

**coexister** *vi* coexistir.

**coffrage** *m* encofrado.

**coffre** *m* **1.** arca *f*, cofre, baúl **2.** *(d'une voiture)* maletero **3.** *(coffre-fort)* caja *f* fuerte ◊ **les coffres de l'État** las arcas del Estado **4.** *FAM* **avoir du ~** tener mucha voz.

**coffre-fort** *m* caja *f* fuerte.

**coffrer** *vt* **1.** *(maçonnerie)* encofrar **2.** *FAM (emprisonner)* meter en chirona, encarcelar.

**coffret** *m* cofrecillo, arqueta *f*: **~ à bijoux** cofrecillo de joyas.

**coffreur** *m* encofrador.

**cogérance** *f* cogerencia.

**cogérer*** *vt* cogestionar.

**cogestion** *f* cogestión.

**cogitation** *f* cogitación.

**cogiter** *vi* cavilar, cogitar.

**cognac** *m* coñac.

► L'espagnol emploie également le mot *brandy* pour désigner le cognac, notamment sur les étiquettes des bouteilles.

**cognassier** *m* membrillo.

**cogne** *m POP* policía.

**cognée** *f* hacha, segur *m* ◊ *FIG* **jeter le manche après la cognée** desistir, abandonar el campo.

**cognement** *m* **1.** golpeteo **2.** *(moteur)* picado.

**cogner** *vt* **1.** golpear **2.** *(frapper)* pegar. ◇ *vi* **1. ~ à la porte** llamar a la puerta; **~ du poing sur** dar golpes con el puño en **2.** *(un moteur)* picar. ◆ **se ~** *vpr* **1.** darse un golpe, chocar: **je me suis cogné contre un arbre** he chocado con un árbol **2.** *POP (se battre)* pelearse.

**cohabitation** *f* cohabitación.

**cohabiter** *vi* cohabitar, convivir.

**cohérence** *f* coherencia.

**cohérent, e** *a* coherente.

**cohéritier, ère** *s* coheredero, a.

**cohésion** *f* cohesión.

**cohorte** *f* **1.** cohorte **2.** *FAM* grupo *m*, tropa.

**cohue** [kɔy] *f* **1.** *(foule)* muchedumbre, gentío *m* **2.** *(bousculade)* atropello *m*.

**coi, coite** *a ANC* quieto, a, callado, a: **se tenir ~** estarse quieto, callar.

**coiffe** *f* **1.** *(coiffure féminine)* cofia, toca **2.** *(doublure de chapeau)* forro *m*.

**coiffé, e** *a* **1.** *(cheveux)* peinado, a: **mal ~** mal peinado; **~ en brosse** peinado al cepillo **2.** tocado, a, cubierto, a: **coiffée d'une mantille** tocada con mantilla **3.** *FAM* **être né ~** haber nacido de pie.

**coiffer** *vt* **1.** cubrir la cabeza de, poner ◊ *FIG* **~ Sainte Catherine** quedarse para vestir imágenes **2.** sentar, ir: **ce chapeau vous coiffe bien** este sombrero le sienta bien **3.** *(peigner)* peinar, tocar **4.** *(un sommet)* coronar **5.** *FIG (diriger)* reunir bajo su mando **6. ~ au poteau** batir por una cabeza, pasar delante. ◆ **se ~** *vpr* **1. se ~ d'une casquette** ponerse una gorra **2.** peinarse: **elle se coiffe seule** se peina sola; **elle est en train de se ~** está peinándose.

**coiffeur, euse** *s* peluquero, a: **~ pour dames** peluquero de señoras ◊ **aller chez le ~** ir a la peluquería. ◇ *f (meuble)* tocador *m*.

**coiffure** *f* **1.** *(chapeau)* sombrero *m* **2.** *(des cheveux)* peinado *m*: **une nouvelle ~ avec frange** un nuevo peinado con flequillo **3. salon de ~** peluquería *f*; **la haute ~** la alta peluquería.

**coin** *m* **1.** *(angle saillant)* esquina *f*: **le café du ~** el café de la esquina: **au ~ de la rue** a la vuelta de la esquina; **le jeu des quatre coins** el juego de las cuatro esquinas ◊ **au ~ du feu** al amor de la lumbre **2.** *(angle rentrant)* rincón **3.** *(d'un meuble)* pico **4. le ~ de la bouche** la comisura de los labios; **regarder du ~ de l'œil** mirar con el rabillo del ojo; **un sourire en ~** una sonrisa socarrona **5.** rincón, lugar: **un ~ tranquille** un lugar tranquilo ◊ **un petit ~ de terre** un pequeño terreno; **j'habite dans le ~** vivo cerca, aquí cerca **6.** *FAM* **le petit coin** el retrete; **tu m'en bouches un ~!** ¡me sorprendes muchísimo! **7.** *(pour fendre le bois)* cuña *f* **8.** *(poinçon)* cuño, troquel ◊ **frappé au bon ~** de buena ley.

**coincé, e** *a FAM* crispado, a, cohibido, a.

**coincer*** *vt* **1.** *(avec une cale)* acuñar, calzar **2.** *(immobiliser)* bloquear **3.** *FAM* coger, pillar: **on a coincé le voleur** han cogido al ladrón; **il s'est fait ~** lo han cogido, lo tienen cogido **4.** *(acculer)* arrinconar, acorralar, atrapar ◊ **il s'est fait ~ par l'examinateur** no supo qué contestar al examinador. ◆ **se ~** *vpr* agarrotarse, atascarse, bloquearse: **le mécanisme s'est coincé** el mecanismo se ha agarrotado; **la fermeture Éclair s'est coincée** la cremallera se ha bloqueado.

**coïncidence** *f* coincidencia.

**coïncider** *vi* coincidir.

**coin-coin** *m* cuac, cuac.

**coing** [kwɛ̃] *m* membrillo: **pâte de ~** dulce de membrillo.

**coït** [kɔit] *m* coito.

**coke** *m* coque.

**cokéfier** *vt TECHN* coquizar.

**cokerie** *f* fábrica de coque.

**col** *m* **1.** cuello: **pull à ~ roulé** jersey de cuello cisne, de cuello alto; **~ cassé** cuello de pajarita; **~ dur** cuello duro; **faux ~** cuello postizo, *FAM (de la bière)* espuma *f*; *FAM* **~ blanc** oficinista **2.** *ANAT* **~ du fémur** cuello del fémur; **~ de l'utérus** cuello del útero **3.** *(entre deux montagnes)* puerto, paso.

**cola** *m* cola *f*.

**col-bleu** *m FAM* marino.

**Colchide** *np f* Cólquida.

**colchique** *m* cólquico.

**coléoptère** *m* coleóptero.

**colère** *f* **1.** cólera, ira ◊ **ça m'a mis en ~** esto me ha puesto furioso; **être en ~** estar furioso, a; **se mettre en ~** ponerse furioso, a, encolerizarse, montar en cólera; **décharger, passer sa ~ sur quelqu'un** desahogar su ira en alguien **2.** *(d'enfant)* rabieta, berrinche *m*: **il a piqué une ~** le dio un berrinche **3. la ~ des flots** el furor de las olas.

**coléreux, euse, colérique** *a* colérico, a, iracundo, a.

**colibacille** *m* colibacilo.

**colibacillose** *f MÉD* colibacilosis.

**colibri** *m* colibrí.

**colifichet** *m* **1.** *(babiole)* chuchería *f* **2.** *(de parure)* perifollo.

**colimaçon** *m* **1.** caracol **2. escalier en ~** escalera *f* de caracol.

**colin** *m (poisson)* merluza *f*.

**colineau, colinot** *m* merluza *f* pequeña.

**colin-maillard** *m* gallina *f* ciega.

**colinot → colineau.**

**colique** *f* **1.** cólico *m:* **~ hépatique, néphrétique** cólico hepático, nefrético **2. avoir la ~** tener diarrea **3.** FAM **avoir la ~** *(peur)* morirse de miedo; **quelle ~!** ¡qué tostón!, ¡qué fastidio!

**colis** *m* paquete: **~ postal** paquete postal.

**Colisée** *np m* Coliseo.

**colistier, ère** *s* candidato, a con otro.

**colite** *f* MÉD colitis.

**collabo** *s* PÉJOR colaboracionista.

**collaborateur, trice** *s* **1.** colaborador, a **2.** *(avec l'ennemi)* colaboracionista.

**collaboration** *f* colaboración.

**collaborer** *vi* colaborar: **~ à un journal** colaborar en un periódico.

**collage** *m* **1.** pegadura *f,* encolado **2.** *(composition artistique)* collage **3.** FAM *(concubinage)* lío, apaño.

**collant, e** *a* **1.** pegajoso, a **2.** *(ajusté)* ceñido, a **3.** FAM *(ennuyeux)* pesado, a. ◇ *m* **1.** *(de danseur)* leotardo **2.** *(sous-vêtement)* panty: **des collants et des bas** pantys y medias.

**collante** *f* FAM *(convocation)* convocatoria a un examen.

**collapsus** [kɔ(l)lapsys] *m* MÉD colapso.

**collargol** *m* colargol.

**collatéral, e** *a/m* colateral: **parents collatéraux** parientes colaterales; **nef collatérale** nave colateral.

**collation** *f* **1.** *(comparaison)* cotejo *m,* colación **2.** *(repas léger)* colación, refacción.

**collationnement** *m* cotejo.

**collationner** *vt* cotejar, colacionar. ◇ *vi* merendar, tomar una colación.

**colle** *f* **1.** cola, pegamento *m:* **un tube de ~** un tubo de pegamento; **~ forte** cola de carpintero ◊ **~ de pâte** engrudo *m;* FAM **c'est un vrai pot de ~!** ¡es una lapa! **2.** FAM **poser une ~** poner una pega **3.** *(punition)* castigo *m* **4.** POP **être à la ~** estar liado, vivir en concubinato.

**collecte** *f* **1.** *(de dons, etc.)* colecta **2.** *(du lait, des déchets)* recogida.

**collecter** *vt* colectar, recaudar: **~ des fonds** recaudar fondos.

**collecteur, trice** *a/s* colector, a. ◇ *m (égout)* colector, cloaca *f.*

**collectif, ive** *a* colectivo, a. ◇ *m* **1.** *(groupe de personnes)* colectivo **2.** *(budgétaire)* presupuesto complementario.

**collection** *f* colección ◊ **faire ~ de** coleccionar.

**collectionner** *vt* coleccionar.

**collectionneur, euse** *s* coleccionista.

**collectivement** *adv* colectivamente.

**collectivisation** *f* colectivización.

**collectiviser** *vt* colectivizar.

**collectivisme** *m* colectivismo.

**collectiviste** *a/s* colectivista.

**collectivité** *f* **1.** colectividad **2.** *(circonscription)* entidad, ente.

**collège** *m* **1.** *(établissement scolaire)* colegio **2. ~ électoral** colegio, cuerpo electoral **3. Sacré ~** Sacro Colegio.

▶ *Collège* (sentido 1) designa un establecimiento de segunda enseñanza (4 años de curso). En los *lycées* son 7 años.

**collégial, e** *a* colegial. ◇ *f (église)* colegiata.

**collégien, enne** *s* colegial, a.

**collègue** *s* colega.

**coller** *vt* **1.** *(fixer)* pegar, encolar: **~ un timbre sur une enveloppe** pegar un sello en un sobre **2.** pegar: **~ son oreille à une porte** pegar el oído a una puerta **3.** *(du vin)* encolar, clarificar **4.** FAM **~ une gifle** pegar, largar una bofetada **5.** FAM catear, suspender: **~ un candidat à l'examen** suspender a un candidato en el examen; **je me suis fait ~** me han cateado, me han dado un cate **6.** FAM *(par une question embarrassante)* apabullar, reducir al silencio **7.** FAM poner: **colle ta valise ici** pon tu maleta aquí. ◇ *vi* **1.** pegarse, adherirse: **la glu colle aux doigts** la liga se pega a los dedos **2.** *(un vêtement)* ceñirse, ajustarse **3.** FAM **ça colle?** ¿vale?; **ça colle!** ¡de acuerdo!, ¡todo va bien!, ¡vale!; **~ aux fesses** seguir muy de cerca. ◆ **se ~** *vpr* **1.** pegarse **2.** POP *(avec quelqu'un)* amancebarse.

**collerette** *f* cuello *m* (de encaje, bordado, etc.), gorguera.

**collet** *m* **1.** *(d'un vêtement)* cuello ◊ FIG **prendre, saisir quelqu'un au ~** echar el guante a alguien **2.** *(d'une dent)* cuello **3.** BOT cuello **4.** *(pour chasser)* lazo. ◇ *a* **~ monté** *(une personne)* encopetado, a, presumido, a, tieso, a.

**colleter* (se)** *vpr* agarrarse, pelearse, luchar a brazo partido.

**colleur, euse** *s* **1.** empapelador, a **2. ~ d'affiches** cartelero, fijador de carteles. ◇ *f (pour les films)* encoladora.

**collier** *m* **1.** *(de chien, bijou)* collar **2.** *(harnais)* collera *f* **3.** FIG **donner un coup de ~** hacer un esfuerzo; **reprendre le ~** reanudar el trabajo; **~ de misère** trabajo penoso; **franc du ~** resuelto, animoso **4.** *(de barbe)* sotobarba *f* **5.** TECHN abrazadera *f,* collar.

**colliger*** *vt* recopilar.

**collimateur** *m* **1.** colimador **2.** FIG **avoir quelqu'un dans son ~** tener a alguien en su punto de mira.

**colline** *f* colina.

**collision** *f* **1.** colisión, choque *m* ◊ **entrer en ~ avec un camion** entrar en colisión, colisionar con un camión **2. une ~ d'intérêts** un conflicto de intereses.

**collodion** *m* CHIM colodión.

**colloïdal, e** *a* coloidal.

**colloïde** *m* CHIM coloide.

**colloque** *m* coloquio.

**collusion** *f* colusión.

**collutoire** *m* colutorio.

**collyre** *m* colirio.

**colmatage** *m* taponamiento, relleno.

**colmater** *vt (une fissure)* obstruir, taponar, tapar.

**colocataire** *s* coinquilino, a.

**Cologne** *np* Colonia ◊ **eau de ~** colonia, agua de Colonia.

**Colomb** *np m* Colón.

**colombage** *m* entramado.

**colombe** *f* paloma.

**Colombie** *np f* Colombia.

**colombien, enne** *a/s* colombiano, a.

**colombier** *m* palomar.

**colombophile** *a/s* colombófilo, a.

**colombophilie** *f* colombofilia.

**colon** *m* colono.

**côlon** *m* ANAT colon.

**colonel** *m* coronel.

**colonelle** *f* coronela.

**colonial, e** *a* colonial. ◇ *s (habitant d'une colonie)* colono, a. ◇ *f* ANC infantería colonial.

**colonialisme** *m* colonialismo.

**colonialiste** *a/s* colonialista.

**colonie** *f* **1.** colonia **2. ~ de vacances** colonia de vacaciones.

**colonisateur, trice** *a/s* colonizador, a.

**colonisation** *f* colonización.

**coloniser** *vt* colonizar.

**colonnade** *f* columnata.

**colonne** *f* **1.** columna **2. ~ vertébrale** columna vertebral **3. ~ montante** canalización vertical (en un inmueble) **4. en ~ par 4** en columna de a 4, en filas de 4 **5. la cinquième ~** la quinta columna.

**colonnette** *f* columnita.

**colophane** *f* colofonia.

**coloquinte** *f* **1.** coloquíntida **2.** *POP (tête)* cholla.

**colorant, e** *a/m* colorante.

**coloration** *f* coloración.

**coloré, e** *a* **1.** coloreado, a **2.** de colores vivos **3.** *(style)* brillante.

**colorer** *vt* colorear. ◆ **se ~** *vpr* colorearse, colorarse.

**coloriage** *m* **1.** iluminación *f* **2. album de coloriages** álbum de colorear, para pintar.

**colorier*** *vt* colorear.

**coloris** *m* colorido.

**coloriste** *s* colorista.

**colossal, e** *a* colosal: **des travaux colossaux** obras colosales.

**colosse** *m* coloso, gigante ◊ *FIG* **~ aux pieds d'argile** gigante con los pies de barro.

**colportage** *m* **1.** venta *f* ambulante **2.** *FIG* divulgación *f*.

**colporter** *vt* **1.** vender como buhonero **2.** *FIG (des nouvelles)* propagar, divulgar.

**colporteur, euse** *s* buhonero, a, vendedor, a ambulante.

**colt** *m* colt.

**coltiner** *vt* llevar. ◆ **se ~** *vpr FAM (un travail)* cargarse.

**columbarium** [kolɔ̃baʀjɔm] *m* columbario.

**col-vert** *m* pato silvestre común.

**colza** *m* colza *f*: **huile de ~** aceite de colza.

**coma** *m* coma: **être dans le ~** estar en coma.

**comateux, euse** *a* comatoso, a.

**combat** *m* **1.** combate: **être mis hors de ~** quedar fuera de combate **2. ~ de boxe** pugilato; **~ de coqs** riña *f* de gallos **3.** *FIG* lucha *f*.

**combatif, ive** *a* **1.** combativo, a, peleón, ona **2.** *(agressif)* agresivo, a, belicoso, a.

**combativité** *f* combatividad, acometividad.

**combattant, e** *a/m* **1.** combatiente **2. ancien ~** ex combatiente.

**combattre*** *vt/i* combatir, luchar: **~ l'injustice** combatir la injusticia; **~ pour la liberté** luchar por la libertad.

**combe** *f GÉOG* depresión, valle *m*.

**combien** *adv* **1.** cuánto: **~ vous dois-je?** ¿cuánto le debo?; **c'est ~ le kilo?** ¿a cuánto es el kilo?; **ça fait ~?** ¿cuánto es?; **~ font 2 fois 3?** ¿cuánto es 2 por 3? **2. ~ de** cuánto, a, os, as: **~ de temps?** ¿cuánto tiempo?; **~ de frères as-tu?** ¿cuántos hermanos tienes?; **~ de fois?** ¿cuántas veces? **3.** (= *à quel point)* qué, cuan, lo... que: **~ je suis heureux!** ¡qué feliz estoy!; **tu sais ~ il est timide** sabes cuán tímido es, lo tímido que es. ◇ *m inv* **le ~ sommes-nous?** ¿a cuánto estamos?; **le ~ êtes-vous au classement?** ¿qué puesto ocupa usted en la clasificación?; **le bus passe tous les ~?** ¿cada cuánto pasa el autobús?

**combinaison** *f* **1.** *(arrangement, mélange, chiffre d'ouverture d'un coffre-fort)* combinación **2.** *(de femme)* combinación **3.** *(de travail)* mono *m* **4. ~ de ski** mono *m* (de esquiar) **5.** *(spatiale)* traje *m*.

**combinard, e** *s FAM* **un ~** un vivo.

**combinat** *m* combinado, complejo industrial.

**combinatoire** *a (mathématiques)* combinatorio, a.

**combine** *f FAM* combina, truco *m*, sistema *m*.

**combiné** *m* **1.** aparato telefónico, teléfono **2.** *(ski)* combinada *f*: **le ~ alpin** la combinada alpina.

**combiner** *vt* **1.** combinar **2.** *PÉJOR* tramar, urdir.

**comble** *a* abarrotado, a, repleto, a, atestado, a, a tope: **la salle était ~** la sala estaba abarrotada, estaba a tope ◊ **faire salle ~** → **salle.** ◇ *m* **1.** colmo: **au ~ de la surprise** en el colmo del asombro; **c'est un ~!** ¡es el colmo!; **pour ~** para colmo, para más inri; **pour ~ de malheur** para colmo de desgracia; **sa colère était à son ~** su ira había llegado al máximo **2.** *(grenier)* desván: **loger sous les combles** vivir en el desván **3. de fond en ~** de arriba abajo, enteramente.

**combler** *vt* **1.** *(remplir)* colmar, llenar **2.** *(un puits)* rellenar, cegar **3.** *FIG* colmar: **~ d'attentions** colmar de atenciones **4. ~ un vœu** colmar, satisfacer un deseo **5. vous me comblez!** ¡usted me colma!; **je suis comblé** estoy muy contento.

**comburant, e** *a/m* comburante.

**combustible** *a/m* combustible.

**combustion** *f* combustión.

**Côme** *np* **1.** Cosme **2.** Como: **le lac de ~** el lago de Como.

**comédie** *f* **1.** comedia: **~ d'intrigue, de mœurs** comedia de enredo, de costumbres; **~ musicale** comedia musical **2.** *FIG FAM* **c'est de la ~!** ¡es una comedia!; **jouer la ~** hacer comedia, fingir **3.** *FAM* lío *m*: **quelle ~ pour se faire servir ici!** ¡vaya lío para que le atiendan a uno aquí!

**comédien, enne** *s* **1.** comediante, a **2.** *(simulateur)* comediante, a, farsante: **quel ~!** ¡qué farsante es!

**comédon** *m* comedón, espinilla *f*.

**comestible** *a* comestible: **denrées comestibles** productos comestibles. ◇ *m pl* comestibles.

**comète** *f* cometa *m* ◊ *FIG* **tirer des plans sur la ~** hacer castillos en el aire.

▶ Attention!: *cometa*, au féminin, signifie «cerf-volant».

**comices** *m pl* comicios.

**comique** *a* cómico, a. ◇ *m* **1. le ~** lo cómico **2.** *(acteur)* actor cómico.

**comité** *m* **1.** comité: **~ de lecture** comité de lectura **2. ~ d'entreprise** comité de empresa, jurado de empresa; **~ directeur** junta directiva **3. petit ~** reunión *f* íntima; **en petit ~** entre pocos.

**commandant** *m* comandante: **~ en chef** comandante en jefe; **~ de bord** comandante de a bordo.

**commande** *f* **1.** pedido *m*, encargo *m*: **passer une ~** hacer un pedido; **~ ferme** pedido en firme; **sur ~** de encargo ◊ **de ~** fingido, a, impuesto, a **2.** *(dispositif)* mando *m*, órgano *m* de dirección, de transmisión: **~ à distance** mando a distancia; **poste de ~** puesto de mando **3.** *FIG* **tenir les commandes** llevar los mandos.

**commandement** *m* **1.** mando: **exercer le ~** ejercer el mando **2.** *(ordre)* mandato, orden: **vous partirez à mon ~** ustedes saldrán a mi orden **3.** *RELIG* **les dix commandements** los diez mandamientos **4. le haut ~** el alto mando.

**commander** *vt* **1.** *(une armée, etc.)* mandar **2.** mandar, ordenar: **je te commande de sortir** te mando que salgas **3.** encargar, pedir: **j'ai commandé un costume** he encargado un traje; **~ une pizza par téléphone** encargar una pizza por teléfono; **j'ai commandé un dessert** he pedido un postre **4.** *FIG (le respect, etc.)* imponer **5.** *(un mécanisme)* accionar, hacer funcionar **6.** *(un lieu)* dominar. ◇ *vi* **1.** mandar: **ici, c'est moi qui commande!** ¡aquí mando yo!; **à toi de ~** tú mandas **2. ~ à**

**ses passions** dominar sus pasiones. ◆ **se ~** *vpr* **1.** dominarse **2.** *(des salles)* comunicarse: **les trois chambres se commandent** las tres habitaciones se comunican. **3. l'héroïsme ne se commande pas** uno no nace héroe.

**commandeur** *m* comendador.

**commanditaire** *m* socio comanditario.

**commandite** *f* **société en ~** sociedad en comandita.

**commanditer** *vt* comanditar.

**commando** *m* comando.

**comme** *adv/conj* **1.** como: **blanc ~ neige** blanco como la nieve; **faites ~ moi** haga como yo, haga lo que yo **2.** *(exclamatif)* qué, cuán: **¡~ tu es pâle!** ¡qué pálido estás!; **~ c'est joli!** ¡qué bonito! **~ il est difficile de contenter tout le monde!** ¡cuán difícil es contentar a todos! **3.** *(en tant que)* de: **prendre ~ secrétaire** tomar de secretaria; **qu'y a-t-il ~ dessert?** ¿qué hay de postre? **4. ~ si** como si, igual que si *(+ subjonctif)*: **~ si c'était hier** como si fuera ayer **5. ~ cela, ~ ça** así: **c'est ~ ça** así es, pues así **6.** *loc adv* FAM **~ ci ~ ça** así así; **jolie ~ tout** muy guapa; **c'est tout ~** es lo mismo, es igual; **~ qui dirait** como quien dice; **~ quoi** por eso, de ahí, así pues: **~ quoi j'avais raison** así que yo tenía razón **7.** FAM **il traite ses employés, il faut voir ~, Dieu sait ~** trata a sus empleados de un modo increíble. ◇ *conj* **1.** *(cause)* como: **~ il n'était pas prêt, nous sommes partis sans lui** como no estaba listo, nos marchamos sin él **2.** *(temps)* cuando: **il entrait ~ je sortais** entraba él cuando salía yo; **~ six heures sonnaient** al dar las seis.

▶ Dans les comparaisons stéréotypées, «comme» se rend souvent par «más que» (plus que): *riche ~ Crésus* más rico que Creso, etc.

**commémoratif, ive** *a* conmemorativo, a.

**commémoration** *f* conmemoración.

**commémorer** *vt* conmemorar.

**commençant, e** *a/s* principiante.

**commencement** *m* principio, comienzo: **le ~ de la fin** el principio del fin ◊ **au ~** al principio; **au ~ de** a principios de.

**commencer*** *vt/i* empezar, comenzar: **le match commence à 4 heures** el partido empieza a las 4; **il commença par me dire...** empezó diciéndome...; **pour ~** para empezar; **commençons par le commencement** empecemos por el principio; **il commence à neiger** empieza a nevar ◊ **ça commence bien, mal!** ¡comienza bien, mal esto!; **ça commence à bien faire!** ¡ya está bien!, ¡basta!

**commensal, e** *s* **1.** *(hôte)* comensal **2.** BIOL comensal.

**commensurable** *a* conmensurable.

**comment** *adv* **1.** cómo: **~ allez-vous?** ¿cómo está usted?; **grand ~?** ¿cómo de grande?; **je ne sais pas ~ il s'y est pris** no sé cómo se las arregló; **~ cela?, ~ ça s'est fait?** ¿cómo es eso?, ¿por qué?; **Dieu sait ~** → **comme 2.** FAM qué tal: **~ va ton genou?** ¿qué tal tu rodilla?; **~ ça va?** ¿qué tal?. ◇ *interj* **1. comment?** ¿cómo? **2.** FAM **et ~!** ¡y tanto!, ¡ya lo creo!; **mais ~ donc!** ¡por supuesto!. ◇ *m* **le ~** el cómo.

**commentaire** *m* comentario: **cela se passe de ~, sans ~** huelgan los comentarios.

**commentateur, trice** *s* comentarista.

**commenter** *vt* comentar.

**commérage** *m* comadreo, chisme, chismografía *f*, cotilleo.

**commerçant, e** *a (rue, quartier)* comercial ◇ *s* comerciante: **un petit ~** un pequeño comerciante, un tendero ◊ **~ en gros, en détail** mayorista, detallista.

**commerce** *m* **1.** comercio: **le ~ de gros, de détail** el comercio al por mayor, al por menor; **le ~ extérieur** el comercio exterior; **voyageur de ~** viajante (de comercio) ◊ **faire du ~** comerciar **2.** *(boutique)* comercio, tienda *f*, negocio: **un petit ~** un pequeño comercio **3.** *(fréquentation)* trato: **il est d'un ~ agréable** tiene un trato agradable.

**commercer*** *vi* comerciar, negociar.

**commercial, e** *a* **1.** comercial: **centre ~** centro comercial **2. droit ~** derecho mercantil. ◇ *f* furgoneta.

**commercialisation** *f* comercialización.

**commercialiser** *vt* comercializar.

**commère** *f* comadre.

**commettre*** *vt* **1.** cometer: **il a commis une erreur** ha cometido un error **2.** *(désigner)* comisionar, nombrar. ◆ **se ~** *vpr* comprometerse.

**comminatoire** *a* conminatorio, a.

**commis** *m* **1.** *(d'un magasin)* dependiente **2.** *(de bureau)* empleado **3. ~ voyageur** viajante **4. les grands ~ de l'État** los altos funcionarios.

**commisération** *f* conmiseración.

**commissaire** *m* **1.** comisario **2.** *(sports)* juez **3. ~ aux comptes** censor jurado de cuentas **4. ~ de bord** contador.

**commissaire-priseur** *m* tasador, subastador.

**commissariat** *m* comisaría *f*: **aller au ~** ir a la comisaría.

**commission** *f* **1.** encargo *m*, recado *m*: **voudriez-vous faire une ~ à votre père?** ¿quiere usted darle un recado a su padre? **2.** *(prime)* comisión: **toucher une ~** cobrar una comisión **3.** *(réunion)* comisión: **~ parlementaire** comisión parlamentaria; **comissions mixtes** comisiones mixtas **4.** FAM **faire sa grosse, sa petite ~** hacer caca, hacer pis. ◇ *pl (achats)* **faire les commissions** ir de compras, ir a la compra.

**commissionnaire** *m* **1.** *(coursier)* recadero, mandadero **2.** COM comisionista.

**commissionner** *vt* comisionar.

**commissure** *f* **~ des lèvres** comisura de los labios.

**commode** *a* **1.** *(pratique)* cómodo, a **2.** *(aisé)* fácil, cómodo, a: **~ à manier** fácil de manejar **3.** *(aimable)* accesible, tratable. ◇ *f (meuble)* cómoda.

**commodément** *adv* cómodamente.

**commodité** *f* comodidad. ◇ *pl* **1.** *(élements de confort)* comodidades **2.** ANC *(lieux d'aisance)* excusado *m sing*.

**commodore** *m* comodoro.

**commotion** *f* conmoción: **~ cérébrale** conmoción cerebral.

**commotionner** *vt* conmocionar, trastornar, turbar.

**commuer** *vt* conmutar: **~ en** conmutar por.

**commun, e** *a* **1.** común: **des caractères communs** caracteres comunes; **nom ~** nombre común; **d'un ~ accord** de común acuerdo; **faire cause commune** hacer causa común ◊ **une intelligence peu commune** una inteligencia excepcional; **deux choses qui n'ont rien de ~ entre elles** dos cosas totalmente diferentes **2.** *(vulgaire)* ordinario, a, vulgar. ◇ *m* **1. le ~ des mortels** el común de los mortales, el común de las gentes ◊ **hors du ~** extraordinario, a, excepcional **2. le ~** el vulgo **3. en ~** en común: **posséder en ~** poseer en común; **transports en ~** transportes colectivos. ◇ *pl (d'une maison)* dependencias *f*.

**communal, e** *a* municipal. ◇ *pl* → **communaux.**

**communard, e** *s* partidario, a de la *Commune* de París en 1871.

**communautaire** *a* **1.** colectivo, a **2.** *(du Marché Commun)* comunitario, a: **législation ~** legislación comunitaria.

**communauté** *f* **1.** comunidad: **~ religieuse** comunidad religiosa; **la ~ internationale** la comunidad internacional ◊ **vivre en ~** vivir en comunidad **2.** *(de goûts, etc.)* identidad.

**communaux** *m pl* bienes de un municipio.

**commune** *f* municipio *m*. ◇ *npf* **1. la Commune** la Comuna (revolución de París en 1871) **2. les Communes** los Comunes (en Gran Bretaña).

**communément** *adv* comúnmente, generalmente.

**communiant, e** *s* comulgante.

**communicable** *a* comunicable.

**communicant, e** *s* comunicante: **vases communicants** vasos comunicantes.

**communicatif, ive** *a* comunicativo, a.

**communication** *f* **1.** comunicación **2.** **~ téléphonique** comunicación telefónica; **~ interurbaine** conferencia interurbana; **~ en P.C.V.** conferencia a cobro revertido. ◇ *pl (routières, aériennes, etc.)* comunicaciones.

**communier*** *vi* comulgar.

**communion** *f* comunión: **la ~ des fidèles** la comunión de los fieles; **première ~** primera comunión.

**communiqué** *m* comunicado, parte.

**communiquer** *vt* **1.** comunicar: **je lui ai communiqué la nouvelle** le comuniqué la noticia **2.** *(une maladie)* comunicar, transmitir. ◇ *vi* **1.** *(des personnes)* comunicarse **2.** comunicar, comunicarse: **nos chambres communiquent** nuestros dormitorios comunican; **canal qui fait ~ deux rivières** canal que comunica dos ríos. ◆ **se ~** *vpr* **1.** comunicarse **2.** *(se propager)* propagarse.

**communisant, e** *a/s* simpatizante comunista.

**communisme** *m* comunismo.

**communiste** *a/s* comunista.

**commutateur** *m* conmutador.

**commutation** *f* conmutación: **~ de peine** conmutación de pena.

**compacité** *f* compacidad.

**compact, e** [kɔ̃pakt] *a* compacto, a: **appareil photo ~** cámara compacta. ◇ *m (disque)* disco compacto.

**Compact Disc** *m (nom déposé)* disco compacto, compact disc.

**compacter** *vt TECHN* compactar.

**compacteur** *m* apisonadora *f.*

**compagne** *f* compañera.

**compagnie** *f* **1.** compañía ◊ **dame de ~** señora de compañía; **en ~ de** en compañía de; **fausser ~ à quelqu'un** dejar plantado a alguien; **tenir ~ à** hacer compañía a; **animaux de ~** animales de compañía; **être en galante ~** estar con una mujer **2.** *(d'oiseaux)* bandada **3.** *COM* **et Cie** y Cía **4.** *RELIG* **la ~ de Jésus** la Compañía de Jesús.

**compagnon** *m* **1.** compañero, camarada: **~ de voyage** compañero de viaje **2.** *(ouvrier)* oficial artesano, obrero **3.** *(qui partage la vie)* conviviente.

**compagnonnage** *m (association)* gremio de oficiales artesanos.

**comparable** *a* comparable.

**comparaison** *f* comparación ◊ **en ~ de** en comparación con; **sans ~** sin comparación.

**comparaître*** *vi* comparecer: **~ devant le juge** comparecer ante el juez.

**comparatif, ive** *a/m* comparativo, a.

**comparatisme** *m* comparatismo.

**comparatiste** *a/s* comparatista.

**comparativement** *adv* comparativamente ◊ **~ à** en comparación con.

**comparé, e** *a (littérature, etc.)* comparado, a.

**comparer** *vt* comparar: **~ à** comparar con. ◆ **se ~** *vpr* **1.** compararse **2.** **ces deux écrivains ne se comparent pas** estos dos escritores no son comparables.

**comparse** *s* comparsa, figurante.

**compartiment** *m* **1.** *(d'un tiroir, etc.)* compartimiento **2.** *(d'un wagon)* compartimiento, compartimento, departamento.

**compartimenter** *vt* dividir en compartimientos.

**comparution** *f JUR* comparecencia, comparición.

**compas** [kɔ̃pa] *m* **1.** compás ◊ *FIG* **avoir le ~ dans l'œil** medir a ojo **2.** *(boussole)* brújula *f*, compás.

**compassé, e** *a* afectado, a, tieso, a.

**compassion** *f* compasión.

**compatibilité** *f* compatibilidad.

**compatible** *a* compatible.

**compatir** *vi* **~ à** compadecerse de: **je compatis à votre peine** me compadezco de su pena.

**compatissant, e** *a* compasivo, a.

**compatriote** *s* compatriota.

**compendium** [kɔpɛ̃djɔm] *m inv* compendio.

**compénétrer (se)** *vpr* compenetrarse.

**compensateur, trice** *a* compensador, a.

**compensation** *f* **1.** compensación: **en ~** en compensación; **en ~ de** como compensación de **2.** *(finances, etc.)* compensación.

**compensatoire** *a* compensatorio, a.

**compenser** *vt* compensar. ◆ **se ~** *vpr* compensarse.

**compère** *m* **1.** compadre **2.** compinche, cómplice.

**compère-loriot** *m* orzuelo.

**compétence** *f* **1.** competencia, capacidad **2.** *JUR* competencia **3.** **ce n'est pas de ma ~** no es de mi competencia, de mi incumbencia.

**compétent, e** *a* competente.

**compétiteur, trice** *s* competidor, a.

**compétitif, ive** *a* competitivo, a.

**compétition** *f* competición: **~ sportive** competición deportiva ◊ **être en ~** estar en competencia, rivalizar.

**compétitivité** *f* competitividad.

**compilateur, trice** *s* compilador, a.

**compilation** *f* compilación.

**compiler** *vt* compilar, recopilar.

**complainte** *f* endecha.

**complaire*** *vi* complacer, dar gusto. ◆ **se ~** *vpr* **se ~ à** complacerse en.

**complaisamment** *adv* amablemente.

**complaisance** *f* **1.** *(amabilité)* amabilidad **2.** **certificat de ~** certificado de favor; **pavillon de ~** → **pavillon** **3.** *(contentement)* complacencia, satisfacción.

**complaisant, e** *a* **1.** *(serviable)* solícito, a, amable **2.** complaciente, indulgente.

**complément** *m* **1.** complemento: **~ d'objet direct, indirect** complemento directo, indirecto; **~ circonstanciel** complemento circunstancial **2.** **~ d'information** suplemento informativo.

**complémentaire** *a* complementario, a.

**complémentarité** *f* complementariedad.

**complet, ète** *a* **1.** completo, a: **œuvres complètes** obras completas; **l'hôtel est ~** el hotel está completo **2.** *(dans un théâtre)* «no hay billetes» **3.** **pain ~** pan integral **4.** *FAM* **c'est ~ !** ¡no faltaba más! **5.** *loc adv* **l'assemblée au ~, au grand ~** la asamblea en pleno. ◇ *m (costume)* terno.

**complètement** *adv* completamente.

**compléter*** *vt* completar. ◆ **se ~** *vpr* completarse, complementarse.

**complétif, ive** *a* completivo, a.

**complexe** *a* complejo, a. ◇ *m* **1.** *(industriel)* complejo **2.** **~ sportif** polideportivo **3.** complejo: **~ d'infériorité** complejo de inferioridad ◊ *FAM* **avoir des complexes** estar acomplejado, a, tener complejo; **donner des complexes** acomplejar, inhibir.

**complexé, e** *a FAM* acomplejado, a.
**complexion** *f* complexión, temperamento *m*.
**complexité** *f* complejidad.
**complication** *f* complicación. ◇ *pl MÉD* complicaciones.
**complice** *a/s* cómplice.
**complicité** *f* complicidad.
**complies** *f pl RELIG* completas.
**compliment** *m (éloge)* cumplido. ◇ *pl* **1.** *(félicitations)* felicitaciones *f*, enhorabuena *f sing:* **je vous fais mes compliments** le doy mi enhorabuena **2.** elogios **3.** *(ironiquement)* **mes compliments!** ¡le felicito! **4.** saludos, recuerdos: **avec les compliments de...** con los atentos saludos de...; **vous présenterez mes compliments à...** salude de mi parte a..., saludos a...
**complimenter** *vt* cumplimentar, felicitar.
**complimenteur, euse** *a/s* cumplimentero, a.
**compliqué, e** *a* complicado, a.
**compliquer** *vt* complicar. ◆ **se ~** *vpr* complicarse: **se ~ la vie** complicarse la vida **2.** *(s'aggraver)* agravarse.
**complot** [kɔ̃plo] *m* complot.
**comploter** *vt* tramar, maquinar. ◇ *vi* complotar, conspirar.
**comploteur** *m* conspirador.
**componction** *f* gravedad, compunción.
**comporte** *f* comporta.
**comportement** *m* comportamiento ◊ **psychologie du ~** psicología de la conducta.
**comportemental, e** *a* conductista.
**comporter** *vt* **1.** *(inclure)* incluir, implicar, conllevar, comportar: **~ des risques** conllevar riesgos **2.** *(contenir)* constar de. ◆ **se ~** *vpr* portarse, comportarse: **il s'est bien comporté avec moi** se ha portado bien conmigo.
► Sens 1: *comportar* est un gallicisme.
**composant, e** *a/m* componente. ◇ *f* componente *m*.
**composé, e** *a/m* compuesto, a: **mot ~** palabra compuesta; **~ chimique** compuesto químico. ◇ *f pl BOT* compuestas.
**composer** *vt* **1.** componer: **ce musicien a composé plusieurs symphonies** este músico ha compuesto varias sinfonías **2.** *(constituer)* integrar, componer: **le jury est composé de cinq personnes** el jurado está integrado por cinco personas **3. ~ un numéro de téléphone** marcar un número de teléfono **4. ~ son visage** poner cara de circunstancias. ◇ *vi (transiger)* transigir. ◆ **se ~** *vpr* componerse: **l'air se compose d'azote et d'oxygène** el aire se compone de nitrógeno y oxígeno.
**composite** *a ARCH* compuesto, a.
**compositeur, trice** *s* **1.** *(musicien)* compositor, a **2.** *(typographe)* cajista, tipógrafo, a **3.** *JUR* **amiable ~** amigable componedor.
**composition** *f* **1.** composición **2.** *(scolaire)* prueba, ejercicio *m* escrito **3.** *FAM* **de bonne ~** acomodaticio, a, de buen trato.
**compost** [kɔ̃pɔst] *m AGR* compost, abono.
**composter** *vt (un billet)* picar, marcar.
**composteur** *m* marcador, fechador.
**compote** *f* **1.** compota **2.** *FAM* **en ~** hecho papilla, hecho puré, hecho polvo.
**compotier** *m* compotera *f*.
**compréhensible** *a* comprensible.
**compréhensif, ive** *a* comprensivo, a.
**compréhension** *f* comprensión.
**comprendre*** *vt* **1.** comprender, incluir: **la propriété comprend une maison et un jardin** la finca comprende una casa y una huerta **2.** comprender, entender: **je ne comprends pas ce que tu dis** no entiendo lo que dices; **il comprend vite** comprende las cosas rápidamente; **se faire ~** hacerse comprender; **il dit que personne ne le comprend** dice que nadie le comprende; **vous comprenez?** ¿comprende usted?; **j'ai compris!** ¡entendido!; **je comprends!** ¡ya caigo!, ¡ya entiendo!; **ça se comprend** es comprensible; **c'est à ni rien ~** es realmente incomprensible; **il comprend les choses** es comprensivo. ◆ **se ~** *vpr* comprenderse, entenderse: **ils ne se sont jamais compris** no se han entendido nunca; **je me comprends** yo ya me entiendo.
**comprenette** *f FAM* **il a la ~ un peu dure** no es muy espabilado, es muy tardo en comprender.
**compresse** *f* compresa.
**compresseur** *a/m* compresor.
**compressibilité** *f* compresibilidad.
**compressible** *a* compresible.
**compression** *f* **1.** compresión **2.** recorte *m:* **compressions budgétaires** recortes presupuestarios; **~ de personnel** recorte, reducción de la plantilla.
**comprimé, e** *a* comprimido, a: **air ~** aire comprimido. ◇ *m (médicament)* comprimido.
**comprimer** *vt* comprimir.
**compris, e** *pp* de **comprendre.** ◇ *a* **1.** comprendido, a, incluido, a: **service ~** servicio incluido; **la boisson non comprise** sin incluir la bebida; **100 francs tout ~** 100 francos todo incluido, en total **2.** *loc prép* **y ~** incluso, a, incluido, a, inclusive: **le vin y ~** vino incluido; **jusqu'à la page 40 y ~** hasta la página 40 inclusive.
**compromettant, e** *a* comprometedor, a.
**compromettre*** *vt* **1.** comprometer **2.** *(risquer)* arriesgar. ◆ **se ~** *vpr* comprometerse.
► No tiene este verbo el sentido de *obligarse* = s'engager.
**compromis** *m* **1.** convenio, avenencia *f* **2.** *JUR* compromiso.
**compromission** *f* **1.** comprometimiento *m*, compromiso *m* **2.** *PÉJOR* contemporización.
**comptabiliser** *vt* contabilizar.
**comptabilité** [kɔ̃tabilite] *f* **1.** contabilidad **2.** *(bureau)* contaduría.
**comptable** [kɔ̃tabl(ə)] *m (employé)* contable, tenedor de libros. ◇ *a* **1.** contable **2. être ~ de** ser responsable de.
**comptage** *m* cuenta *f*, recuento.
**comptant** [kɔ̃tɑ̃] *a* contante, efectivo, a: **argent ~** dinero contante ◊ *FIG* **prendre pour argent ~** tomar como cosa segura. ◇ *adv* al contado: **payer ~** pagar al contado ◊ **au ~** al contado.
**compte** [kɔ̃t] *m* **1.** cuenta *f:* **faire le ~ de** hacer la cuenta de; **tenir les comptes** llevar las cuentas; **avoir un ~ en banque** tener una cuenta bancaria; **~ courant** cuenta corriente; **le ~ à rebours** la cuenta atrás ◊ **travailler à son ~** trabajar por su cuenta, por cuenta propia, por libre: **tu travailles pour ton ~?** ¿trabajas por libre?; **pour le ~ de...** por cuenta de...; **laisser pour ~** dejar de cuenta; **prendre à son ~** hacerse cargo de; **prendre en ~** tomar en cuenta; **rendre ~ de** dar cuenta de; **tu n'as de ~ à rendre à personne** no tienes que dar cuentas a nadie; **tenir ~ de l'âge...** tener en cuenta la edad...; **tenir ~ d'un conseil** hacer caso de un consejo; **~ tenu de...** ateniéndose a..., en atención a...; *FAM* **régler son ~ à quelqu'un** ajustarle las cuentas a alguien; **son ~ est bon!** ¡buena le espera!; **les bons comptes font les bons amis** cuentas claras amistades largas; *FAM* **comment as-tu fait ton ~?** ¿cómo hiciste? **2.** *loc adv* **à bon ~** a buen precio, barato; **s'en tirer à bon ~** salir indemne; **à ce ~ là** según eso; **au bout du ~, en fin de ~** en resumidas cuentas, al fin y al cabo; **tout ~ fait** bien mirado todo, pensándolo bien **3. trouver son ~ à** hallar ventaja en; **il y trouve son ~** eso le viene muy bien **4. se rendre ~** darse cuenta; **je me rends ~ que...** me doy cuenta de que...; **tu te rends ~!** ¡te das cuenta!, ¡fíjate!; **tu te rends ~ d'une surprise!** ¡fíjate qué sorpresa!

**rendez-vous ~!** ¡fíjese usted! **5. ~ rendu** *(d'une séance, etc.)* acta *f*; *(rapport)* informe; *(critique d'une œuvre littéraire, scientifique)* reseña *f*.

**compte-fils** [kɔ̃tfil] *m inv* cuentahilos.

**compte-gouttes** [kɔ̃tgut] *m inv* cuentagotas: **au ~** con cuentagotas.

**compter** [kɔ̃te] *vt* **1.** contar: **sans ~ les enfants** sin contar a los niños; **je le compte parmi mes amis** le cuento entre mis amigos ◊ **à pas comptés** pausadamente; **ses jours sont comptés** tiene los días contados **2.** facturar, cobrar: **l'hôtelier a compté un supplément** el hotelero ha facturado un suplemento **3.** pensar, esperar: **je compte partir demain** pienso marcharme mañana ◊ **j'y compte bien** confío en ello; **compte là-dessus (et bois de l'eau fraîche!)** ¡espérate sentado!. ◇ *vi* **1.** contar: **~ sur ses doigts** contar con los dedos ◊ **dépenser sans ~** gastar sin medida **2. ~ avec...** tener en cuenta... **3. ~ sur** contar con: **je compte sur toi, sur lui** cuento contigo, con él **4.** valer, tener importancia, contar: **c'est le résultat qui compte** lo que cuenta es el resultado; **ça ne compte pas!** ¡no vale! **5.** *loc prép* **à ~ de lundi prochain** a partir del lunes próximo, a contar del lunes próximo.

**compte rendu → compte.**

**compte-tours** *m inv* cuentarrevoluciones.

**compteur, euse** *a* contador, a. ◇ *m (appareil)* contador.

**comptine** [kɔ̃tin] *f* canción infantil.

**comptoir** [kɔ̃twaʀ] *m* **1.** *(d'un magasin, dans un aéroport)* mostrador **2.** *(d'un café)* barra *f*: **prendre une bière au ~** tomar una cerveza en la barra **3. ~ d'escompte** banco de descuento **4.** *(à l'étranger)* factoría *f*, agencia *f* comercial.

**compulser** *vt* compulsar.

**compulsif, ive** *a* compulsivo, a, maniático, a.

**compulsion** *f* compulsión.

**comput** [kɔ̃pyt] *m* RELIG cómputo.

**comtal, e** *a* condal.

**comte** *m* conde.

**comté** *m* **1.** *(fief, circonscription)* condado **2.** *(fromage)* queso parecido al gruyère.

**comtesse** *f* condesa.

**contoise** *f* reloj *m* de pared de péndola.

**con** *m* VULG **1.** coño **2. un ~** un gilipollas. ◇ *a* VULG **ne sois pas conne** no seas gilí, no seas tonta.

**connard, e** *a/s* VULG gilí, imbécil.

**concasser** *vt* triturar, machacar, quebrantar.

**concasseur** *m* machacadora *f*.

**concave** *a* cóncavo, a.

**concavité** *f* concavidad.

**concéder*** *vt* conceder.

**concélébrer** *vt* concelebrar.

**concentration** *f* **1.** concentración: **camp de ~** campo de concentración **2.** *(d'esprit)* reconcentración mental, concentración.

**concentrationnaire** *a* de los campos de concentración.

**concentré, e** *a/m* concentrado, a: **du ~ de tomate** concentrado de tomate.

**concentrer** *vt* concentrar. ◆ **se ~** *vpr* concentrarse, ensimismarse, reflexionar.

**concentrique** *a* concéntrico, a.

**concept** [kɔ̃sɛpt] *m* concepto.

**concepteur** *m* diseñador.

**conception** *f* **1.** concepción **2. l'Immaculée ~** la Purísima Concepción **3. ~ assistée par ordinateur** diseño *m* asistido por ordenador.

**conceptualisation** *f* conceptualización.

**conceptualiser** *vt* conceptualizar.

**conceptuel, elle** *a* conceptual.

**concernant** *prép* concerniente a, relativo, a a, referente a.

**concerner** *vt* **1.** concernir, atañer: **ceci vous concerne** esto le concierne **2. en ce qui concerne...** en lo que concierne a, por lo que se refiere a, por lo que respecta a...; **en ce qui me concerne** por lo que a mí me respecta, por lo que a mí me toca.

**concert** *m* **1.** concierto **2. de ~** de común acuerdo.

**concertant, e** *a* MUS concertante.

**concertation** *f* concertación.

**concerter** *vt* concertar, ajustar. ◆ **se ~** *vpr* concertarse, ponerse de acuerdo.

**concertina** *m* concertina *f*.

**concertiste** *s* concertista.

**concerto** *m* concierto: **~ pour piano et orchestre** concierto para piano y orquesta.

**concessif, ive** *a* concesivo, a.

**concession** *f* **1.** concesión **2. faire des concessions** hacer concesiones.

**concessionnaire** *a/s* concesionario, a.

**concevable** *a* concebible.

**concevoir*** *vt* **1.** *(un enfant)* concebir **2.** concebir, comprender: **je conçois que...** concibo que... **3.** *(plan, projet)* concebir, idear, pensar: **conçu pour...** pensado para... **4. une lettre ainsi conçue** una carta redactada así. ◆ **se ~** *vpr* **cela se conçoit facilement** esto se comprende fácilmente.

**conchyliculture** [kɔ̃kilikyltyʀ] *f* cultivo *m* de mariscos.

**conchyliologie** [kɔ̃kiljɔlɔʒi] *f* conquiliología.

**concierge** *s* **1.** portero, a **2.** *(d'édifice public)* conserje.

**conciergerie** *f* portería, conserjería.

**concile** *m* concilio: **le ~ de Trente** el concilio de Trento.

**conciliable** *a* conciliable.

**conciliabule** *m* conciliábulo.

**conciliaire** *a* conciliar.

**conciliant, e** *a* conciliador, a.

**conciliateur, trice** *a/s* conciliador, a.

**conciliation** *f* conciliación.

**concilier*** *vt* conciliar. ◆ **se ~** *vpr* conciliarse, granjearse.

**concis, e** *a* conciso, a.

**concision** *f* concisión.

**concitoyen, enne** [kɔ̃sitwajɛ̃, ɛn] *s* conciudadano, a.

**conclave** *m* cónclave.

**concluant, e** *a* concluyente.

**conclure*** *vt* **1.** *(un traité, un accord)* concertar, ajustar **2. ~ un marché** cerrar un trato; **marché conclu!** ¡trato hecho! **3.** *(terminer)* concluir, terminar, acabar **4.** deducir: **j'en conclus que...** de lo cual deduzco que..., saco la conclusión de que... ◇ *vi* **1.** concluir, acabar, terminar **2. ~ à** pronunciarse por.

**conclusion** *f* conclusión: **tirer une ~** sacar una conclusión; **je suis arrivé à la ~ que...** he llegado a la conclusión de que...; **en ~** en conclusión, en resumen.

**concocter** *vt* FAM cocer, elaborar.

**conçois → concevoir.**

**concombre** *m* pepino.

**concomitance** *f* concomitancia.

**concomitant, e** *a* concomitante.

**concordance** *f* concordancia: **la ~ des temps** la concordancia de los tiempos.

**concordant, e** *a* concordante.

**concordat** *m* **1.** *(accord)* convenio **2.** RELIG concordato.

**concordataire** *a* concordatario, a.

**concorde** *f* concordia.

**concorder** *vi* concordar: **témoignages qui concordent** testimonios que concuerdan.

**concourant, e** *a* concurrente, convergente.

**concourir*** *vi* **1.** competir: **~ pour un prix** competir por un premio **2.** *(passer un concours)* hacer oposiciones **3.** **~ à** concurrir a: **vous avez tous concouru au succès de cette entreprise** habéis concurrido todos al éxito de esta empresa.

**concours** *m* **1.** *(épreuve)* concurso: **~ de beauté** concurso de belleza; **~ hippique** concurso hípico **2.** *(pour un emploi, surtout administratif, universitaire)* oposiciones *f pl* **3.** concurso, ayuda *f*: **prêter son ~** prestar su concurso **4.** *(de personnes)* concurrencia *f*, concurso **5.** **~ de circonstances** concurso de circunstancias.

**concret, ète** *a* concreto, a.

**concrètement** *adv* concretamente.

**concrétion** *f* concreción.

**concrétisation** *f* concretización.

**concrétiser** *vt* concretar. ◆ **se ~** *vpr* concretarse, plasmarse, formalizarse.

**conçu, e** → **concevoir.**

**concubin** *m* amante.

**concubinage** *m* concubinato: **vivre en ~** vivir en concubinato.

**concubine** *f* concubina.

**concupiscence** *f* concupiscencia.

**concupiscent, e** *a* concupiscente.

**concurremment** [kɔ̃kyʀamɑ̃] *adv* conjuntamente.

**concurrence** *f* **1.** competencia: **libre ~** libre competencia; **~ déloyale, illicite** competencia desleal, ilícita ◊ **faire ~ à** competir con, hacer la competencia a; **se faire ~** hacerse la competencia; **être en ~** competir **2. jusqu'à ~ de** hasta la cantidad de.

**concurrencer*** *vt* hacer la competencia a. ◆ **se ~** *vpr* competir, hacerse la competencia.

**concurrent, e** *a/s* *(rival)* competidor, a. ◇ *s* *(scolaire)* concursante, opositor, a.

**concurrentiel, elle** *a* competitivo, a: **prix concurrentiels** precios competitivos.

**concussion** *f* concusión.

**condamnable** *a* condenable.

**condamnation** *f* **1.** *(peine)* condena **2.** *(blâme)* condenación, reprobación **3.** **~ centralisée des portes** cierre *m* centralizado.

**condamnatoire** *a* JUR condenatorio, a.

**condamné, e** *a/s* condenado, a. ◇ *a* *(malade)* desahuciado, a.

**condamner** [kɔ̃da(a)ne] *vt* **1.** *(un coupable)* condenar: **il a été condamné à 3 ans de prison** ha sido condenado a 3 años de cárcel **2.** sancionar: **les travailleurs ont été condamnés à 15 jours de mise à pied** los trabajadores fueron sancionados con 15 días de suspensión de empleo **3.** *(un malade)* desahuciar **4.** *(une porte, etc.)* condenar: **porte condamnée** puerta inutilisable, condenada; FIG **~ sa porte** rechazar a alguien.

**condé** *m* POP poli.

**condensateur** *m* condensador.

**condensation** *f* condensación.

**condensé, e** *a* condensado, a: **lait ~** leche condensada. ◇ *m* resumen, compendio.

**condenser** *vt* condensar. ◆ **se ~** *vpr* condensarse.

**condenseur** *m* condensador.

**condescendance** *f* condescendencia.

**condescendant, e** *a* condescendiente.

**condescendre*** *vi* condescender: **~ à** condescender a.

**condiment** *m* condimento.

**condisciple** *m* condiscípulo.

**condition** *f* **1.** condición: **conditions atmosphériques** condiciones atmosféricas; **conditions de paiement** condiciones de pago: **être en bonne ~ physique** estar en buenas condiciones físicas; **se rendre sans ~** rendirse sin condiciones; **à une seule ~** con una sola condición ◊ **dans ces conditions** en este caso **2.** *(sociale)* condición **3.** requisito *m*, condición: **remplir certaines conditions** satisfacer ciertos requisitos **4.** *loc conj* **à ~ que** a condición de que, con tal que, siempre que: **à ~ que tu nous téléphones avant** con tal que nos telefonees antes; *loc prép* **à ~ de prévenir à temps** con tal de avisar a tiempo.

**conditionné, e** *a* **1.** *(réflexe)* condicionado, a **2. air ~** aire acondicionado **3.** *(produits)* envasado, a.

**conditionnel, elle** *a* condicional. ◇ *m* GRAM potencial, condicional.

**conditionnement** *m* **1.** acondicionamiento **2.** *(emballage)* envase, envasado.

**conditionner** *vt* **1.** condicionar **2.** *(produits)* acondicionar, envasar.

**condoléances** *f pl* pésame *m sing*, condolencia *sing*: **présenter ses ~** dar el pésame; **toutes mes ~** mi más sentido pésame, mi más sincera condolencia; **lettre de ~** carta de condolencia, de pésame.

**condom** *m* condón.

**condominium** [kɔ̃dɔminjɔm] *m* condominio.

**condor** *m* cóndor.

**condottière** *m* condotiero.

**conductance** *f* PHYS conductancia.

**conducteur, trice** *a/s* conductor, a: **fil ~** hilo conductor. ◇ *m* **1.** *(d'automobile)* conductor, chófer **2.** *(de travaux)* capataz, sobrestante.

**conductibilité** *f* PHYS conductibilidad.

**conduction** *f* conducción.

**conduire*** *vt/i* *(un véhicule)* conducir: **ce chauffeur de taxi conduit très bien** este taxista conduce muy bien; **permis de ~** carnet de conducir. ◇ *vt* **1.** *(mener)* llevar, conducir: **conduisez-moi à la gare** lléveme a la estación; **~ quelqu'un au suicide** llevar a alguien al suicidio; **~ à la catastrophe** conducir a la catástrofe **2. ~ à penser que** llevar a pensar que **3.** *(commander)* dirigir, conducir: **~ une entreprise** dirigir una empresa **4.** *(l'électricité, la chaleur)* conducir. ◆ **se ~** *vpr* portarse, conducirse: **il s'est bien conduit avec elle** se ha portado bien con ella.

▶ Conduire (un véhicule): en Amérique latine, se dit *manejar*.

**conduit** *m* **1.** conducto **2.** ANAT **~ auditif, lacrymal** conducto auditivo, lagrimal.

**conduite** *f* **1.** *(d'un véhicule, etc.)* conducción: **~ sportive** conducción deportiva ◊ FAM **je vais vous faire un bout de ~** voy a acompañarle **2.** *(auto)* **une ~ intérieure** un coche *m* cerrado **3.** *(comportement)* conducta, comportamiento *m*: **avoir une bonne ~** llevar una buena conducta ◊ FAM **acheter une ~** enmendarse, sentar la cabeza. **4.** *(direction)* dirección, mando *m* **5.** *(d'eau, de gaz)* cañería, tubería, conducción.

**condyle** *m* ANAT condilo.

**cône** *m* **1.** GEOM cono **2.** BOT cono.

**confection** *f* **1.** confección **2.** *(vêtement)* confección, ropa hecha: **magasin de ~** tienda de confección; **costume de ~** traje de confección; **s'habiller en ~** vestirse de confección.

**confectionner** *vt* confeccionar, fabricar.

**confédéral, e** *a* confederal.

**confédération** *a* confederación.

**confédéré, e** *a/s* confederado, a.

**confédérer*** *vt* confederar.

**conférence** *f* **1.** conferencia: **~ au sommet** conferencia en la cumbre; **faire une ~** dar una conferencia **2. ~ de presse** rueda de prensa.

**conférencier, ère** *s* conferenciante.

**conférer*** *vt (accorder)* conferir, otorgar. ◇ *vi (s'entretenir)* tener una entrevista.

**confesse** *f* FAM **aller à ~** ir a confesarse.

**confesser** *vt* confesar: **~ ses péchés** confesar sus pecados; **je confesse que j'ai mal agi** confieso que he obrado mal. ◆ **se ~** *vpr* confesarse: **se ~ à** confesarse con.

**confesseur** *m* confesor.

**confession** *f* confesión ◊ FAM **on lui donnerait le bon Dieu sans ~** parece un santito, una santita, parece no haber roto un plato en su vida.

**confessionnal** *m* confesionario.

**confessionnel, elle** *a* confesional.

**confetti** *m* confeti: **lancer des confettis** arrojar confeti.
▶ Le pl espagnol *confetis* est inusité.

**confiance** *f* confianza ◊ **avoir ~ en** tener confianza en, fiarse de: **il n'a ~ en personne** no se fía de nadie; **~ en soi** confianza en sí mismo, seguridad en sí mismo; **elle n'a pas ~ en elle** no tiene seguridad en sí misma; **faire ~ à...** confiar en..., depositar su confianza en...; **faites-moi ~** créame; **abus de ~** abuso de confianza; **en toute ~** con toda confianza; **personne de ~** persona de confianza; **cet homme ne m'inspire pas ~** este hombre no es de fiar **2. question, vote de ~** cuestión, voto de confianza.

**confiant, e** *a* confiado, a, esperanzado, a ◊ **trop ~** crédulo, a.

**confidence** *f* **1.** confidencia **2. en ~** confidencialmente.

**confident, e** *s* confidente.

**confidentiel, elle** *a* confidencial.

**confidentiellement** *adv* confidencialmente, confidentemente.

**confier*** *vt* confiar. ◆ **se ~** *vpr* confiarse: **elle s'est confiée à une amie** se ha confiado a una amiga.

**configuration** *f* **1.** configuración **2.** INFORM configuración.

**confiné, e** *a (air)* viciado, a.

**confinement** *m* confinamiento, reclusión *f*.

**confiner** *vi* **1. ~ à** confinar con **2.** FIG rayar: **~ au mauvais goût** rayar en el mal gusto. ◇ *vt (enfermer)* confinar, recluir. ◆ **se ~** *vpr* **1.** recluirse, confinarse, aislarse; **il se confine chez lui** se recluye en su casa **2.** *(se cantonner)* limitarse.

**confins** *m pl* confines: **aux ~ de** en los confines de.

**confire*** *vt* **1.** *(dans du sucre)* confitar **2.** *(dans du vinaigre)* encurtir **3.** *(dans de la graisse)* conservar en manteca.

**confirmation** *f* confirmación.

**confirmer** *vt* **1.** confirmar: **l'exception confirme la règle** la excepción confirma la regla **2.** RELIG confirmar. ◆ **se ~** *vpr* confirmarse.

**confiscation** *f* confiscación.

**confiserie** *f* **1.** *(magasin)* confitería **2.** *(friandise)* dulce *m*.

**confiseur, euse** *s* confitero, a.

**confisquer** *vt* **1.** confiscar **2.** *(produits de contrebande, etc.)* decomisar.

**confit, e** *pp* de **confire.** ◇ *a* **1. fruits confits** frutas confitadas **2.** *(dans du vinaigre)* encurtido, a **3.** *(dans de la graisse)* conservado, a en manteca **4.** FIG **~ en dévotion → dévotion.** ◇ *m (viande confite)* carne *f* conservada en manteca, confit: **~ d'oie, de canard** confit de oca, de pato.

**confiture** *f* mermelada, confitura: **~ de fraises, de pêches** mermelada de fresa, de melocotón; **~ maison** mermelada casera.
▶ Dans le langage courant, on emploie de préférence le mot *mermelada.*

**conflagration** *f* conflagración.

**conflictuel, elle** *a* conflictivo, a.

**conflit** *m* conflicto: **un ~ armé** un conflicto armado; **des conflits d'intérêts** conflictos de intereses.

**confluent** *m (de deux cours d'eau)* confluencia *f*.

**confluer** *vi* confluir.

**confondre*** *vt* **1.** confundir: **je t'ai confondu avec ton frère** te confundí con tu hermano; **je confonds toujours vos noms** siempre confundo sus apellidos **2.** *(troubler)* confundir ◊ **rester confondu** quedarse confuso. ◆ **se ~** *vpr* **1.** confundirse **2. se ~ en excuses** deshacerse en excusas.

**confondu, e** *pp* de **confondre.** ◇ *a* **toutes tendances confondues** globalmente.

**conformation** *f* conformación.

**conforme** *a* **1.** conforme: **copie ~ à l'original** copia conforme con el original: **pour copie ~** conforme con el original **2. ~ à** conforme con, acorde con.

**conformément** *adv* **~ à** conforme a, de conformidad con, en conformidad con, con arreglo a: **~ à la loi** conforme a la ley, con arreglo a la ley; **~ à ce qui a été prévu** de conformidad con lo previsto.

**conformer** *vt (adapter)* conformar, ajustar. ◆ **se ~** *vpr* conformarse, ajustarse: **conformez-vous à mes instructions** ajústese a mis instrucciones.

**conformisme** *m* conformismo.

**conformiste** *a/s* conformista.

**conformité** *f* **1.** conformidad **2. en ~ avec** de conformidad con, en conformidad con, conforme a, acorde con.

**confort** *m* comodidad *f*, confort: **un hôtel tout ~** un hotel con todas las comodidades ◊ **elle aime son petit ~** le gusta la comodidad, le gusta sentirse cómoda.
▶ Le gallicisme *confort* (et ses dérivés) est aujourd'hui très usité.

**confortable** *a* **1.** confortable, cómodo, a: **un siège ~** un asiento cómodo **2.** FIG importante, de consideración.

**confortablement** *adv* confortablemente, cómodamente.

**conforter** *vt (donner du courage)* ayudar, sostener.

**confraternel, elle** *a* confraternal.

**confrère** *m* **1.** *(d'une confrérie)* cofrade **2.** *(collègue)* colega.

**confrérie** *f* cofradía.

**confrontation** *f* **1.** *(des personnes)* confrontación, careo *m*: **une ~ avec le suspect** un careo con el sospechoso **2.** *(des textes, etc.)* confrontación, cotejo *m*.

**confronter** *vt* **1.** *(des personnes)* confrontar, carear ◊ **être confronté à un problème** tener que hacer frente a un problema. **2.** *(des textes, etc.)* confrontar, cotejar: **~ la copie avec l'original** cotejar la copia con el original.

**confucianisme** *m* confucianismo.

**Confucius** [kɔ̃fysjys] *np m* Confucio.

**confus, e** *a* **1.** confuso, a **2.** FIG *(troublé)* confuso, a, turbado, a ◊ **je suis ~ de vous déranger** siento molestarle; **je suis ~** lo lamento mucho, lo siento de veras.

**confusément** *adv* confusamente.

**confusion** *f* confusión.

**congé** *m* **1.** *(permission de s'absenter)* permiso de ausentarse, licencia *f* **2. ~ de maladie, de maternité** baja *f* por enfermedad, por maternidad; **être en ~ de maternité** estar de baja por maternidad **3.** *(vacances)* vacaciones *f pl*: **être en ~** estar de vacaciones; **congés payés** vacaciones pagadas **4. jour, semaine de ~** día, semana de asueto **5.** *(renvoi)* despido ◊ **donner son ~ à** despedir a **6. prendre ~** despedirse: **je prends ~ de vous** me despido de usted.

**congédiement** *m* despido.

**congédier*** *vt* despedir.

**congelable** *a* congelable.

**congélateur** *m* congelador.

**congélation** *f* congelación.

**congeler*** *vt* congelar: **viande congelée** carne congelada; **embryons congelés** embriones congelados.

**congénère** *a/s* congénere.

**congénital, e** *a* congénito, a: **maladie congénitale** enfermedad congénita.

**congère** *f* nieve amontonada por el viento.

**congestif, ive** *a* congestivo, a.

**congestion** *f* congestión: **~ pulmonaire, cérébrale** congestión pulmonar, cerebral.

**congestionner** *vt* congestionar.

**conglomérat** *m* conglomerado.

**congolais, e** *a/s* congoleño, a.

**congratulations** *f pl* congratulaciones.

**congratuler** *vt* congratular. ◆ **se ~** *vpr* congratularse.

**congre** *m* congrio.

**congréganiste** *s* congregante. ◇ *a* religioso, a.

**congrégation** *f* congregación.

**congrès** *m* congreso.

**congressiste** *s* congresista.

**congru, e** *a* **1.** congruente, congruo, a **2. portion congrue** porción congrua ◊ *FIG* **être réduit à la portion congrue** tener apenas para vivir.

**congruence** *f MATH* congruencia.

**conifère** *m* conífera *f*.

**conique** *a/f* cónico, a.

**conjectural, e** *a* conjetural.

**conjecture** *f* conjetura: **se perdre en conjectures** hacer conjeturas, hipótesis.

**conjoint, e** *a* conjunto, a. ◇ *s* cónyuge, consorte: **les conjoints** los cónyuges.

**conjointement** *adv* conjuntamente.

**conjonctif, ive** *a* conjuntivo, a.

**conjonction** *f* conjunción.

**conjonctive** *f ANAT* conjuntiva.

**conjonctivite** *f MÉD* conjuntivitis.

**conjoncture** *f* **1.** coyuntura, ocasión **2.** *(économique, politique)* coyuntura.

**conjoncturel, elle** *a* coyuntural.

**conjugable** *a* conjugable.

**conjugaison** *f* conjugación.

**conjugal, e** *a* conyugal: **la vie conjugale** la vida conyugal.

**conjugalement** *adv* conyugalmente, maritalmente.

**conjuguer** *vt* **1.** *(un verbe)* conjugar **2.** *(unir)* **~ les efforts** aunar los esfuerzos. ◆ **se ~** *vpr* conjugarse.

**conjuration** *f* conjura, conjuración.

**conjuré, e** *a/s* conjurado, a.

**conjurer** *vt* **1.** *(écarter le mauvais sort, un danger)* conjurar **2.** *(supplier)* suplicar: **je vous en conjure** se lo suplico.

**connaissance** *f* **1.** conocimiento *m* ◊ **à ma ~** que yo sepa; **en ~ de cause** con conocimiento de causa; **avoir ~ de** tener conocimiento de, enterarse de; **porter à la ~ de** poner en conocimiento de; **prendre ~ d'une lettre** enterarse de lo que dice una carta **2. perdre ~** perder el conocimiento; **être sans ~** estar sin sentido; **reprendre ~** recobrar el conocimiento **3.** *(personne connue)* conocido *m*, persona conocida: **une vieille connaissance** un viejo conocido ◊ **faire ~** conocerse: **nous avons fait ~ en Angleterre** nos hemos conocido en Inglaterra; **une personne de ~** un conocido mío; **être en pays de ~** estar en su ámbito familiar. ◇ *pl* conocimientos *m*: **des connaissances très étendues** amplios conocimientos ◊ **faire étalage de ses connaissances** presumir de saber mucho.

**connaisseur, euse** *a/s* conocedor, a, entendido, a, experto, a: **~ en vins** experto en vinos.

**connaître*** *vt* **1.** conocer: **je ne connais pas l'allemand, cette personne** no conozco el alemán, a esta persona; **un artiste très connu** un artista muy conocido; **connaissez-vous Rome?** ¿conoce usted Roma?; **se faire ~** darse a conocer **2.** entender, saber: **je ne connais pas grand-chose à la mode** poco entiendo de moda; **je n'y connais rien en peinture** no entiendo nada de pintura; **je n'y connais rien** no sé nada **3. il n'a jamais connu la faim** nunca ha pasado hambre **4. sa bonté ne connaît pas de limites** su bondad no tiene límites **5. l'argent, il ne connaît que ça** sólo le interesa el dinero. ◇ *vi JUR* entender de. ◆ **se ~** *vpr* conocerse: **nous nous sommes connus à Londres** nos conocimos en Londres; **ils se connaissent depuis longtemps** se conocen desde hace mucho tiempo; **connais-toi toi-même** conócete a ti mismo **2. il ne se connaît plus!** ¡está fuera de sí! **3. s'y ~, se ~ en** entender de, saber de, conocer de: **il s'y connaît en mécanique** entiende de mecánica.

**conne** → **con.**

**connecter** *vt* conectar. ◆ **se ~** *vpr* conectarse: **se ~ au réseau** conectarse a la red.

**connerie** *f VULG* gilipollez, gilipollada, estupidez.

**connétable** *m* condestable.

**connexe** *a* conexo, a.

**connexion** *f* conexión.

**connivence** *f* connivencia: **être de ~** estar en connivencia.

**connotation** *f* connotación.

**connoter** *vt* connotar.

**connu** *pp* de **connaître.** ◇ *a* **1.** conocido, a **2.** sabido, a: **c'est bien ~** es bien sabido **3. ni vu ni ~** ni visto ni oído. ◇ *m* lo conocido.

**conque** *f* caracola, concha.

**conquérant, e** *a/s* conquistador, a: **d'un air ~** con aire conquistador; **Guillaume le Conquérant** Guillermo el Conquistador; **les grands conquérants** los grandes conquistadores.

**conquérir*** *vt* **1.** *(un territoire, etc.)* conquistar **2.** *FIG* conquistar.

**conquête** *f* **1.** conquista ◊ **faire la ~ de** conquistar **2.** *(femme séduite)* conquista.

**conquis, e** *pp* de **conquérir.** ◇ *a* conquistado, a.

**Conrad** *np m* Conrado.

**consacré, e** *a* **1.** consagrado, a **2. expression consacrée** expresión consagrada; **consacrée par l'usage** avalada por el uso.

**consacrer** *vt* **1.** *(une église, hostie, etc.)* consagrar **2.** *(destiner)* dedicar, consagrar: **~ sa vie à** dedicar su vida a: **une vie consacrée à l'art** una vida dedicada al arte; **peux-tu me ~ dix minutes?** ¿puedes dedicarme cinco minutos? **3.** *(ratifier)* consagrar, avalar. ◆ **se ~** *vpr* consagrarse, dedicarse.

**consanguin, e** *a* consanguíneo, a: **frères consanguins** hermanos consanguíneos.

**consanguinité** *f* consanguinidad.

**consciemment** [kɔ̃sjamɑ̃] *adv* conscientemente.

**conscience** *f* conciencia: **cas de ~** caso de conciencia; **~ professionnelle** conciencia profesional ◊ **avoir ~, prendre ~ de** tener conciencia, tomar conciencia de; **prise de ~** concienciación; **avoir bonne ~** tener la conciencia limpia; **dormir la ~ tranquille** dormir con la conciencia tranquila; **avoir quelque chose sur la ~** tener algo que reprocharse **2. perdre, reprendre ~** perder, recobrar el conocimiento **3.** *loc adv* **en ~, en toute ~** en conciencia; **par acquit de ~ → acquit.**

**consciencieusement** *adv* concienzudamente, a conciencia.

**consciencieux, euse** *a* concienzudo, a.

**conscient, e** *a* consciente: **je suis ~ du fait que...** soy consciente de que...

**conscription** *f* MIL reclutamiento *m.*

**conscrit** *m* recluta, quinto. ◇ *a* **les Pères conscrits** los Padres conscriptos.

**consécration** *f* consagración.

**consécutif, ive** *a* **1.** consecutivo, a **2. ~ à** debido, a a.

**conseil** *m* **1.** consejo: **prendre ~ de, demander ~ à quelqu'un** pedir consejo a alguien; **sur le ~ de** con el consejo de ◊ **un homme de bon ~** un buen consejero **2. avocat-~** abogado consultor; **ingénieur-~** ingeniero asesor; **cabinet-~** asesoría *f* **3.** *(réunion)* consejo: **~ d'administration** consejo de administración; **~ de famille** consejo de familia; **~ de guerre** consejo de guerra; **~ des ministres** consejo de ministros; **le Conseil de sécurité** el Consejo de seguridad ◊ **tenir ~** celebrar consejo **4. ~ général** diputación *f* provincial; **~ municipal** concejo municipal, ayuntamiento **5. ~ de l'ordre des avocats** colegio de Abogados **6. ~ des professeurs** claustro de profesores **7. ~ de révision** junta *f* de revisión.

**conseiller** *vt* aconsejar: **je vous conseille d'être prudent** le aconsejo que sea prudente.

**conseiller, ère** *s* **1.** consejero, a **2.** asesor, a: **~ fiscal** asesor impositivo **3. ~ municipal** concejal, edil.

**conseilleur** *m* PROV **les conseilleurs ne sont pas les payeurs** una cosa es predicar y otra dar trigo.

**consensuel, elle** *a* consensual.

**consensus** [kɔ̃sɛ̃sys] *m* consenso.

**consentant, e** *a* que consiente.

**consentement** *m* consentimiento, acuerdo, asenso: **donner son ~** dar su consentimiento **~ mutuel** mutuo acuerdo, mutuo consenso.

**consentir*** *vi/t* **1.** consentir: **~ à** consentir en, acceder a; **il a consenti à me rembourser rapidement** consintió en reembolsarme rápidamente ◊ PROV **qui ne dit mot consent** quien calla otorga **2.** *(accorder)* otorgar, conceder.

**conséquemment** *adv* en consecuencia.

**conséquence** *f* **1.** consecuencia: **subir les conséquences** sufrir las consecuencias ◊ **tirer à ~** tener importancia, traer consecuencias; **cela ne porte pas, ne tire pas à ~** esto no tiene importancia; **sans ~** sin importancia **2. en ~** en consecuencia; **agir en ~** obrar en consecuencia.

**conséquent, e** *a* **1.** consecuente **2.** *loc adv* **par ~** por consiguiente, por (lo) tanto, por ende.

**conservateur, trice** *a/s* conservador, a. ◇ *m* **1.** *(d'un musée)* conservador **2. ~ des hypothèques** registrador de la propiedad **3.** *(produit)* conservante: **sans conservateurs ni colorants** sin conservantes ni colorantes.

**conservation** *f* **1.** conservación: **instinct de ~** instinto de conservación **2.** *(des hypothèques)* registro *m* de la propiedad.

**conservatisme** *m* conservadurismo.

**conservatoire** *m* conservatorio.

[1]**conserve** *f* conserva: **boîte de ~** lata de conserva; **faire des conserves** hacer conservas.

[2]**conserve (de)** *loc adv* MAR en conserva, conjuntamente.

**conserver** *vt* conservar.

**conserverie** *f* **1.** industria conservera, conservería **2.** *(usine)* fábrica de conservas.

**considérable** *a* considerable.

**considérablement** *adv* considerablemente, enormemente.

**considérant** *m* JUR considerando.

**considération** *f* **1.** consideración: **prendre en ~** tomar en consideración ◊ *loc adv* **en ~ de** en consideración a, en atención a, en gracia a **2. agréez l'assurance de ma ~ distinguée** muy atentamente. ◇ *pl* *(motifs)* motivos.

**considérer*** *vt* **1.** considerar: **on le considère comme un héros** se le considera como un héroe **2. à tout bien ~** mirándolo bien, bien mirado todo.

**consignataire** *m* JUR consignatario.

**consignation** *f* consignación.

**consigne** *f* **1.** *(ordre)* consigna ◊ FAM **manger la ~** olvidarse de cumplir un encargo **2.** consigna: **laisser une valise à la ~** dejar una maleta en la consigna; **~ automatique** consigna automática **3.** *(somme remboursable)* importe *m* de la consigna **4.** *(punition)* castigo *m* **5.** MIL arresto *m.*

**consigner** *vt* **1.** *(par écrit)* consignar, notar **2.** *(des bagages)* dejar en un depósito de equipajes **3.** *(un emballage)* facturar ◊ **emballage non consigné** envase sin vuelta **4.** *(un élève)* castigar **5.** MIL *(un militaire)* arrestar, (des troupes) acuartelar.

**consistance** *f* **1.** consistencia ◊ **prendre ~** tomar cuerpo **2. bruit sans ~** rumor sin consistencia, infundado.

**consistant, e** *a* consistente.

**consister** *vi* consistir: **~ à, dans, en** consistir en.

**consistoire** *m* consistorio.

**consistorial, e** *a* consistorial.

**consœur** *f* FAM colega.

**consolable** *a* consolable.

**consolant, e** *a* consolador, a.

**consolateur, trice** *a/s* consolador, a.

**consolation** *f* **1.** consuelo *m:* **c'est une ~** es un consuelo **2. lot, prix de ~** premio de consolación.

**console** *f* **1.** *(meuble, d'ordinateur)* consola **2.** ARCH ménsula, repisa.

**consoler** *vt* consolar: **cela me console** esto me consuela. ◆ **se ~** *vpr* consolarse: **console-toi** consuélate; **je me console en pensant que...** me consuelo pensando que...

**consolidation** *f* consolidación.

**consolidé, e** *a* *(finances)* consolidado, a.

**consolider** *vt* consolidar. ◆ **se ~** *vpr* consolidarse.

**consommable** *a* consumible.

**consommateur, trice** *s* consumidor, a.

**consommation** *f* **1.** consumo *m:* **biens de ~** bienes de consumo; **la ~ d'essence d'une voiture** el consumo de gasolina de un coche; **société de ~** sociedad de consumo **2.** *(dans un café)* consumición: **payer les consommations** pagar las consumiciones **3. la ~ des siècles** la consumación de los siglos.

**consommé, e** *a* **1.** consumido, a **2.** *(parfait)* consumado, a, perfecto, a: **un artiste ~** un consumado artista. ◇ *m (bouillon)* consomé, caldo.

**consommer** *vt* **1.** *(aliments, combustibles, etc.)* consumir: **cette voiture consomme beaucoup d'essence** este coche consume mucha gasolina, gasta mucho **2.** *(accomplir)* consumir, llevar a cabo: **~ un crime** consumar un crimen. ◇ *vi (dans un café)* consumir.

**consomption** *f* consunción.

**consonance** *f* consonancia.

**consonant, e** *a* consonante.

**consonantique** *a* GRAM consonántico, a.

**consonne** *f* GRAM consonante.

**consort** *a* **prince ~** príncipe consorte. ◇ *m pl* consocios, compinches ◊ PÉJOR **et consorts** y compañía.

**consortium** [kɔ̃sɔʀsjɔm] *m* COM consorcio: **un ~ bancaire** un consorcio de bancos.

**conspirateur, trice** *s* conspirador, a.

**conspiration** *f* conspiración.

**conspirer** *vi* **1.** conspirar **2. ~ à** conspirar a.

**conspuer** *vt* abuchear.

**constamment** *adv* constantemente.

**Constance** *np (ville, lac)* Constanza.

**constance** *f* constancia.

**constant, e** *a* constante. ◇ *f* constante: **une constante** una constante.

**Constantin** *np m* Constantino.

**Constantinople** *np* Constantinopla.

**constat** *m* **1.** *(de la police, etc.)* atestado **2.** *(d'huissier)* acta *f*: **dresser un ~** levantar acta **3.** *(bilan)* balance.

**constatation** *f* comprobación, constatación.

**constater** *vt* **1.** *(remarquer)* notar, observar, advertir **2.** *(vérifier)* comprobar, constatar.

**constellation** *f* constelación.

**consteller** *vt* **1.** sembrar de estrellas: **ciel constellé** cielo sembrado de estrellas, tachonado de estrellas **2.** *(d'ornements)* cuajar, cubrir.

**consternant, e** *a* aflictivo, a, lamentable.

**consternation** *f* consternación.

**consterner** *vt* consternar, afligir.

**constipation** *f* estreñimiento *m*: **laxatif contre la ~** laxante contra el estreñimiento.

**constipé, e** *a* **1.** estreñido, a **2.** FAM adusto, a, severo, a.

**constiper** *vt* estreñir: **aliments qui constipent** alimentos que estriñen.

▶ *Constipar* a le sens de «enrhumer».

**constituant, e** *a* constituyente.

**constituer** *vt* **1.** *(une société, une rente, etc.)* constituir **2.** constituir, integrar: **les joueurs qui constituent l'équipe** los jugadores que integran, que constituyen el equipo **3. être bien, mal constitué** estar bien, mal conformado, constituido. ◆ **se ~** *vpr* constituirse: **se ~ prisonnier** constituirse prisionero, rendirse.

**constitutif, ive** *a* constitutivo, a.

**constitution** *f* **1.** constitución **2. loi conforme à la Constitution** ley conforme a la Constitución.

**constitutionnel, elle** *a* constitucional: **monarchie constitutionnelle** monarquía constitucional.

**constitutionnellement** *adv* constitucionalmente.

**constricteur** *a/m* constrictor.

**constriction** *f* constricción.

**constructeur, trice** *a/s* constructor, a.

**constructif, ive** *a* constructivo, a.

**construction** *f* construcción.

**construire*** *vt* **1.** construir: **~ une maison, une théorie** construir una casa, una teoría **2. il construit ses phrases avec élégance** construye sus frases con elegancia; **phrase bien construite** frase bien construida.

**consubstantiation** *f* consubstanciación.

**consubstantiel, elle** *a* consubstancial.

**consul** *m* cónsul.

**consulaire** *a* consular.

**consulat** *m* consulado.

**consultant, e** *a (médecin)* consultor, a. ◇ *s* consultante.

**consultatif, ive** *a* consultivo, a: **comité ~** comité consultivo.

**consultation** *f* **1.** consulta **2.** *(d'un médecin)* consulta ◊ **le cabinet de ~** la consulta, el consultorio.

**consulter** *vt* consultar: **~ un avocat** consultar a un abogado; **~ un dictionnaire** consultar un diccionario; **~ sa montre** consultar su reloj. ◇ *vi* tener la consulta: **ce médecin consulte de 4 à 6 heures** este médico tiene la consulta de 4 a 6; **~ à domicile** pasar consulta a domicilio. ◆ **se ~** *vpr* consultarse.

**consumer** *vi* consumir. ◆ **se ~** *vpr* consumirse.

**contact** *m* **1.** contacto: **au ~ de l'air** en contacto con el aire; **entrer en ~ avec** entrar en contacto con; **prendre ~ avec** ponerse en contacto con; **prise de ~** toma de contacto ◊ **verres de ~** lentes de contacto **2. mettre, couper le ~** conectar, desconectar el encendido **3.** FIG **avoir le ~ facile, avoir le sens des contacts** tener don de gentes.

**contacter** *vt* FAM contactar con, ponerse en contacto con.

**contagieux, euse** *a/s* contagioso, a **2.** FIG **rire ~** risa contagiosa.

**contagion** *f* contagio *m*.

**container** [kɔ̃tɛnɛʀ] *m* contenedor.

**contamination** *f* contaminación.

**contaminer** *vt* contaminar: **sang contaminé** sangre contaminada.

**conte** *m* cuento: **~ de fées** cuento de hadas ◊ **~ à dormir debout → dormir.**

**contemplateur, trice** *s* contemplador, a.

**contemplatif, ive** *a/s* contemplativo, a.

**contemplation** *f* contemplación: **être en ~ devant...** estar en la contemplación de, estar contemplando...

**contempler** *vt* contemplar.

**contemporain, e** *a/s* contemporáneo, a.

**contempteur, trice** *a/s* despreciador, a, denigrador, a.

**contenance** *f* **1.** *(capacité)* cabida, capacidad, contenido *m* **2.** *(attitude)* actitud, continente *m* ◊ **faire bonne ~** mostrar aplomo; **perdre ~** turbarse, inmutarse, cortarse; **se donner une ~** aparentar serenidad.

**contenant** *m* continente.

**conteneur → container.**

**contenir*** *vt* **1.** contener: **ce réservoir contient 100 litres** este depósito contiene 100 litros **2. ce parking contient 1500 véhicules** este aparcamiento es capaz para 1.500 vehículos, en este aparcamiento caben 1.500 vehículos **3.** FIG *(un sentiment)* contener, reprimir. ◆ **se ~** *vpr* contenerse.

**content, e** *a* **1.** contento, a: **être ~ de** estar contento con; **je suis ~ de toi** estoy contento contigo ◊ **je suis ~ de te voir** me alegro de verte; **non ~ de...** no contento con... **2. ~ de soi** satisfecho de sí mismo, pagado de sí mismo.

**contentement** *m* satisfacción *f*, contento.

**contenter** *vt* contentar, satisfacer. ◆ **se ~** *vpr* contentarse, conformarse, satisfacerse: **je me contente de peu** me contento con, me conformo con poco, me satisfago con poco.

**contentieux, euse** *a/m* contencioso, a. ◇ *m* litigio.

**¹contention** *f* aplicación, esfuerzo *m* prolongado.

**²contention** *f* *(immobilisation)* contención.

**contenu** *m* contenido.

**conter** *vt* contar ◊ **en ~ à quelqu'un** contar un cuento chino a alguien; **s'en laisser ~** dejarse engañar.

**contestable** *a* discutible, dudoso, a, contestable.

**contestataire** *a/s* contestatario, a.

**contestation** *f* **1.** disputa, controversia, polémica ◊ **sans ~ possible** sin disputa, sin duda alguna. **2.** *(refus de l'ordre établi)* contestación.

**conteste (sans)** *loc adv* sin duda alguna, indiscutiblemente.

**contester** *vt* **1.** discutir, negar: **personne ne le conteste** nadie se lo discute **2.** *(réfuter)* impugnar ◊ **théorie très contestée** teoría muy rebatida. ◇ *vi* **1.** discutir **2.** *(refuser l'ordre établi)* contestar.

**conteur, euse** *s* **1.** narrador, a **2.** *(auteur de contes)* cuentista.

**contexte** *m* contexto.

**contextuel, elle** *a* contextual.

**contexture** *f* contextura.

**contigu, ë** *a* contiguo, a.

**contiguïté** *f* contigüidad.

**continence** *f* continencia.

**¹continent, e** *a* continente.

**²continent** *m* continente: **l'Ancien, le Nouveau ~** el Antiguo, el Nuevo continente.

**continental, e** *a* continental.

**contingence** *f* contingencia.

**¹contingent, e** *a* contingente.

**²contingent** *m* **1.** *MIL* contingente, quinta *f* **2.** *COM* contingente, cupo.

**contingentement** *m* limitación *f*, contingentación *f*.

**contingenter** *vt* contingentar, fijar un contingente para, limitar.

**continu, e** *a* continuo, a: **journée continue** jornada continua ◊ **courant ~** corriente continua.

**continuateur, trice** *s* continuador, a.

**continuation** *f* continuación ◊ *FAM* **bonne ~!** ¡usted siga bien!

**continuel, elle** *a* continuo, a.

**continuellement** *adv* continuamente.

**continuer** *vt/i* **1.** continuar, proseguir: **il continue ses études** prosigue sus estudios **2.** continuar, seguir: **la crise continue** continúa la crisis; **il continua à, de marcher** siguió andando; **si tu continues de fumer comme ça** si sigues fumando así; **continuez!** ¡siga!

**continuité** *f* continuidad: **solution de ~** solución de continuidad.

**continûment** *adv* continuamente.

**contondant, e** *a* contundente.

**contorsion** *f* contorsión: **faire des contorsions** hacer contorsiones.

**contorsionner (se)** *vpr* hacer contorsiones, contorsionarse.

**contorsionniste** *s* contorsionista.

**contour** *m* contorno, perímetro.

**contourné, e** *a* **1.** torcido, a **2.** *(style)* alambicado, a, afectado, a.

**contourner** *vt* **1.** *(faire le tour de)* rodear, dar la vuelta a **2.** *(déformer)* torcer, deformar **3.** *(éviter)* eludir, evitar, esquivar: **~ la difficulté** eludir la dificultad.

**contraceptif, ive** *a/m* anticonceptivo, a, contraceptivo, a: **pilule contraceptive** píldora anticonceptiva; **un ~** un anticonceptivo.

**contraception** *f* anticoncepción, contracepción.

**contractant, e** *a/s JUR* contratante, contrayente.

**contracté, e** *a* **1.** contraído, a **2.** *FIG* nervioso, a, crispado, a: **il est très ~** está muy nervioso **3.** *GRAM* contracto, a.

**contracter** *vt* **1.** contraer: **~ un muscle** contraer un músculo **2. ~ une habitude, une maladie** contraer una costumbre, una enfermedad **3.** *(par contrat)* contratar: **~ une assurance** contratar un seguro. ◆ **se ~** *vpr* contraerse: **le cœur se contracte** el corazón se contrae.

**contractile** *a* contráctil.

**contraction** *f* contracción.

**contractuel, elle** *a* contractual. ◇ *s* agente contratado por el Estado (policía no funcionario), auxiliar de la policía.

**contracture** *f MÉD* contractura.

**contradicteur** *m* contradictor, a.

**contradiction** *f* contradicción ◊ **avoir l'esprit de ~** tener espíritu de contradicción.

**contradictoire** *a* contradictorio, a.

**contraignant, e** *a* apremiante.

**contraindre*** *vt* forzar, obligar, constreñir: **les circonstances l'ont contraint à, de...** las circunstancias le forzaron a.... ◆ **se ~** *vpr* forzarse, obligarse.

**contraint, e** *a* **1.** *(gêné)* molesto, a, violento, a, forzado, a: **sourire ~** risa forzada **2. ~ et forcé** a la fuerza, a rastras.

**contrainte** *f* **1.** coacción ◊ **sous la ~** por la fuerza; **agir sans ~** obrar con libertad **2.** *(gêne)* molestia, violencia **3.** *JUR* apremio *m* ◊ **~ par corps** prisión por deudas.

**contraire** *a* **1.** contrario, a, opuesto, a: **sauf avis ~** salvo aviso en contrario ◊ **vent ~** viento en contra **2.** *(nuisible)* perjudicial. ◇ *m* **1. le ~** lo contrario ◊ **jusqu'à preuve du ~** mientras no se demuestre lo contrario **2.** *loc adv* **au ~** al contrario; **bien au ~** muy al contrario, todo lo contrario; *loc prép* **au ~ de** al contrario de, a la inversa de.

**contrairement** *adv* al contrario de, al revés de, a la inversa de, contra: **~ à ce que je pensais** al contrario de lo que yo pensaba; **~ à ses habitudes** contra su costumbre, en contra de su costumbre.

**contralto** *m* contralto.

**contrariant, e** *a* **1.** *(fâcheux)* molesto, a, enojoso, a **2.** *(porté à contrarier)* que gusta de contrariar ◊ **il n'est pas ~** es muy acomodatizo, dice amén a todo.

**contrarier*** *vt* **1.** *(empêcher)* contrariar **2.** *(ennuyer)* contrariar, disgustar: **ça me contrarie beaucoup** esto me contraría mucho ◊ **être contrarié** llevarse un disgusto **3.** *(les couleurs)* contraponer.

**contrariété** *f* contrariedad, disgusto *m*.

**contraste** *m* contraste.

**contraster** *vt* hacer contrastar. ◇ *vi* contrastar ◊ **photo contrastée** foto con contraste.

**contrat** *m* **1.** contrato: **~ de travail** contrato laboral; **~ à durée déterminée, C.D.D., indéterminée, C.D.I.** contrato temporal, indefinido; **signer un ~** firmar un contrato **2. ~ de mariage** capitulaciones *f pl* matrimoniales.

**contravention** *f* **1.** *(délit)* contravención, infracción **2.** *(amende)* multa: **dresser une ~ pour excès de vitesse** poner una multa por exceso de velocidad; **attraper une ~** ganarse una multa.

**contre** *prép* **1.** contra: **lutter ~ quelqu'un** luchar contra alguien; **pastilles ~ la toux** pastillas contra la tos; **serrer ~ la poitrine** estrechar contra su pecho **2.** *(près de)* junto a: **~ le mur** junto a la pared ◊ **tout ~** muy cerca **3.** por: **échanger ~** cambiar por **4. tout se retourne ~ lui** todo se vuelve en contra suya. ◇ *adv* **1.** en contra: **voter ~** votar en contra **2.** *loc adv* **ci-~** al lado; **par ~** en cambio. ◇ *m* **1.** contra: **le pour et le ~** el pro y el contra **2.** *(escrime)* contra *f* **3.** *(bridge)* doble.

**contre-allée** *f* contracalle.

**contre-amiral** *m* contraalmirante.

**contre-appel** *m* segunda lista *f*.

**contre-attaque** *f* contraataque *m*.

**contre-attaquer** *vt* contraatacar.

**contrebalancer*** *vt* contrapesar, contrabalancear, compensar. ◆ **se ~** *FAM vpr* **je m'en contrebalance** me importa un bledo, a mí me da igual.

**contrebande** *f* **1.** contrabando *m*, matute *m*: **faire de la ~** hacer contrabando; **introduire en ~** introducir de contrabando, de matute **2.** *(marchandises)* contrabando *m*, alijo *m*.

**contrebandier, ère** *s* contrabandista.

**contrebas (en)** *loc adv* más abajo, a un nivel inferior.

**contrebasse** *f* contrabajo *m*: **jouer de la ~** tocar el contrabajo.

**contrebassiste** *s* contrabajo.

**contrebasson** *m* contrafagot.

**contrecarrer** *vt* contrarrestar.

**contrechamp** *m* plano contra plano.

**contre-chant** *m MUS* contracanto.

[1]**contrecœur (à)** *loc adv* de mala gana, a regañadientes.

[2]**contrecœur** *m (de cheminée)* trashoguero.

**contrecoup** *m* **1.** rechazo, rebote: **par ~** de rechazo **2.** *FIG* consecuencia *f*, repercusión *f*.

**contre-courant (à)** *loc adv* a contracorriente, contra la corriente.

**contredanse** *f* **1.** contradanza **2.** *FAM (amende)* multa.

**contredire*** *vt* contradecir, llevar la contraria: **ne me contredis pas** no me contradigas; **il ne pouvait pas supporter qu'un subalterne le contredise** no podía soportar que un subalterno le llevara la contraria. ◆ **se ~** *vpr* contradecirse: **il se contredit toujours** se contradice siempre.

**contredit (sans)** *loc adv* sin disputa.

**contrée** *f* comarca, región.

**contre-écrou** *m* contratuerca *f*.

**contre-épreuve** *f* contraprueba.

**contre-espionnage** *m* contraespionaje.

**contre-expertise** *f* peritaje *m* (para comprobar otro examen pericial).

**contrefaçon** *f* **1.** *JUR* falsificación **2.** *(objet imité)* imitación.

**contrefacteur** *m* falsificador.

**contrefaire*** *vt* **1.** *(imiter)* remedar, imitar **2.** *(voix, écriture)* desfigurar, alterar **3.** *(une signature, une monnaie)* falsificar.

**contrefait, e** *a (mal bâti)* contrahecho, a.

**contre-feu** *m* contrafuego.

**contreficher (se)** *vpr POP* **je me contrefiche de...** me importa un pepino...

**contre-filet** *m* filete.

**contrefort** *m ARCH* contrafuerte. ◇ *pl (d'une montagne)* estribaciones *f*.

**contrefoutre (se)** *VULG* → **contreficher.**

**contre-indication** *f* contraindicación.

**contre-indiquer** *vt* contraindicar: **ce médicament est contre-indiqué** este medicamento está contraindicado.

**contre-jour** *m* contraluz: **à ~** a contraluz.

**contre-la-montre** *m inv* contrarreloj *f*.

**contremaître** *m* capataz.

**contre-manifestation** *f* contramanifestación.

**contremarche** *f* **1.** *(d'escalier)* contrahuella **2.** *MIL* contramarcha.

**contremarque** *f (ticket)* contraseña de salida.

**contre-offensive** *f* contraofensiva.

**contre-orde** → **contrordre.**

**contrepartie** *f* **1.** contrapartida, compensación: **en ~** como contrapartida **2. soutenir la ~** llevar la contraria.

**contre-pente** *f* contrapendiente.

**contre-performance** *f* fracaso *m*.

**contrepèterie** *f* lapsus *m* burlesco por inversión de sílabas o de letras.

**contre-pied** *m* **le ~** lo contrario ◊ **à ~** a contramano.

**contre-placage** *m* contrachapado, contrachapeado.

**contre-plaqué** *m* contrachapado.

**contrepoids** *m* contrapeso ◊ **faire ~** compensar.

**contre-poil (à)** *loc adv* a contrapelo.

**contrepoint** *m MUS* contrapunto.

**contrepoison** *m* contraveneno.

**contre-porte** *f* contrapuerta.

**contre-pouvoir** *m* contrapoder.

**contre-productif, ive** *a* contraproducente.

**contre-projet** *m* contraproyecto.

**contreproposition** *f* contraproposición.

**contrer** *vt FAM* oponerse a.

**contre-réforme** *f* contrarreforma.

**contre-révolution** *f* contrarrevolución.

**contre-révolutionnaire** *a/s* contrarrevolucionario, a.

**contrescarpe** *f* contraescarpa.

**contreseing** *m* refrendo.

**contresens** *m* **1.** contrasentido **2.** *loc adv* **à ~** en sentido contrario.

**contresigner** *vt* refrendar.

**contretemps** *m* **1.** contratiempo **2.** *loc adv* **à ~** a destiempo.

**contre-terrorisme** *m* contraterrorismo.

**contre-terroriste** *a/s* contraterrorista.

**contre-torpilleur** *m* cazatorpedero.

**contretype** *m* contratipo.

**contre-valeur** *f* contravalor *m*.

**contrevenant, e** *s* contraventor, a.

**contrevenir*** *vi* contravenir: **~ à la loi, au règlement** contravenir la ley, el reglamento.

**contrevent** *m* contraventana *f*, postigo.

**contrevérité** *f* mentira.

**contre-visite** *f* revisión médica de control.

**contre-voie (à)** *loc adv* del lado opuesto al muelle.

**contribuable** *s* contribuyente.

**contribuer** *vi* contribuir: **mesures qui contribuent à...** medidas que contribuyen a...

**contribution** *f* **1.** contribución **2. mettre quelqu'un à ~** echar mano de alguien **3. contributions directes, indirectes** contribuciones directas, indirectas.

**contrister** *vt LITT* contristar.

**contrit, e** *a* contrito, a, compungido, a.

**contrition** *f* contrición: **acte de ~** acto de contrición.

**contrôlable** *a* controlable.

**contrôle** *m* **1.** *(vérification)* control, verificación *f*: **~ des passeports** control de los pasaportes **2.** *(surveillance)* control, vigilancia *f* ◊ **tour de ~** torre de control **3.** control, dominio: **perdre le ~ de soi-même, de ses nerfs** perder el dominio de sí mismo, el control de sus nervios; **perdre le ~ du volant** perder el control del volante **4. ~ des naissances** control de la natalidad **5.** *(liste de personnes)* nómina *f*, escalafón.
▶ Le mot *control* est aujourd'hui très usité.

**contrôler** *vt* **1.** *(vérifier)* controlar, verificar, comprobar **2.** *(surveiller)* controlar, vigilar **3.** *(les billets)* revisar **4.** dominar, controlar: **~ ses nerfs** dominar sus nervios. ◆ **se ~** *vpr* controlarse, dominarse: **il ne sait pas se ~** no sabe controlarse.

**contrôleur, euse** *s* **1.** *(de train, d'autobus)* revisor, a **2.** *(des finances, etc.)* inspector, a **3. ~ aérien** controlador aéreo. ◇ *m (appareil)* aparato de control.

**contrordre** *m* contraorden *f*: **sauf ~** salvo contraorden, salvo orden en contra.

**controuvé, e** *a* inventado, a.

**controversable** *a* controvertible.

**controverse** *f* controversia.

**controverser** *vt* controvertir.

**¹contumace** *f JUR* rebeldía, contumacia: **par ~** en rebeldía.

**²contumace, contumax** *m* rebelde, contumaz.

**contus, e** *a* contuso, a.

**contusion** *f* contusión.

**contusionné, e** *a* contuso, a, magullado, a.

**contusionner** *vt* contusionar, contundir.

**conurbation** *f* conurbación.

**convaincant, e** *a* convincente.

**convaincre*** *vt* convencer: **tes explications m'ont convaincu** tus explicaciones me han convencido; **se laisser ~** dejarse convencer, dejarse persuadir.

**convaincu, e** *a* convencido, a: **je suis ~ que...** estoy convencido de que...

**convalescence** *f* convalecencia ◊ **être en ~** estar convaleciente; **maison de ~** casa de convalecencia.

**convalescent, e** *a/s* convaleciente.

**convecteur** *m* convector.

**convection** *f* convección.

**convenable** *a* **1.** conveniente **2.** *(approprié)* adecuado, a **3.** *(décent)* decente.

**convenablement** *adv* **1.** convenientemente **2.** correctamente, decorosamente: **~ vêtu** vestido decorosamente.

**convenance** *f* conveniencia: **mariage de ~** matrimonio de conveniencia. ◇ *pl* conveniencias.

**convenir*** *vi* **1.** convenir: **ta proposition me convient** tu propuesta me conviene ◊ **la personne qui convient** la persona idónea **2.** reconocer, admitir: **~ de ses torts** reconocer sus errores; **j'en conviens** lo reconozco **3.** acordar, quedar: **nous avons convenu, nous sommes convenus de rester** hemos acordado quedarnos; **convenons d'un jour pour déjeuner ensemble** quedemos en un día para almorzar juntos ◊ **comme convenu** según lo acordado, como se ha decidido **4. ~ d'un prix** ajustar un precio. ◇ *v impers* **il convient de se dépêcher** conviene darse prisa.

**convention** *f* **1.** *(accord)* convenio *m*, convención: **~ collective** convenio colectivo **2.** *(en politique)* convención **3. de ~** convencional. ◇ *pl (convenances)* convenciones, formalidades.

**conventionné, e** *a* vinculado, a por un convenio (para aplicar las tarifas de la Seguridad Social).

**conventionnel, elle** *a* convencional.

**conventionnellement** *adv* convencionalmente.

**conventuel, elle** *a* conventual.

**convenu, e** *pp* de **convenir.** ◇ *a* **1.** convenido, a: **prix ~** precio convenido; **heure convenue** hora convenida; **comme ~** → **convenir 2.** *PÉJOR* convencional, artificial.

**convergence** *f* convergencia.

**convergent, e** *a* convergente: **lentilles convergentes** lentes convergentes.

**converger*** *vi* converger, convergir.

**convers, e** *a* lego, a, converso, a.

**conversation** *f* conversación: **engager la ~** trabar conversación; **soutenir une ~** mantener una conversación.

**converser** *vi* conversar.

**conversion** *f* conversión.

**converti, e** *a/s* convertido, a ◊ *FIG* **prêcher un ~** gastar saliva.

**convertibilité** *a* convertibilidad.

**convertible** *a* convertible. ◇ *m* sofá cama.

**convertir** *vt* convertir. ◆ **se ~** *vpr* convertirse: **il s'est converti au catholicisme** se convirtió al catolicismo.

**convertisseur** *m TECHN* convertidor.

**convexe** *a* convexo, a.

**convexité** *f* convexidad.

**conviction** *f* **1.** convicción, convencimiento *m*: **j'ai la ~ que...** tengo el convencimiento de que... ◊ **sans ~** sin convicción **2. pièce à ~** pieza de convicción. ◇ *pl (croyances)* convicciones.

**convient** → **convenir.**

**convier*** *vt* convidar, invitar.

**convive** *s* convidado, a, comensal.

**convivial, e** *a* amistoso, a, sociable.

**convivialité** *f* convivencia.

**convocation** *f* convocatoria.

**convoi** *m* **1.** convoy **2.** *(train)* convoy, tren **3. ~ funèbre** cortejo fúnebre, séquito fúnebre.

**convoiter** *vt* codiciar.

**convoitise** *f* codicia.

**convoler** *vi FAM* **~ (en justes noces)** casarse.

**convoquer** *vt* convocar.

**convoyer*** [kɔ̃vwaje] *vt* escoltar, convoyar.

**convoyeur** [kɔ̃vwajœʀ] *m* **1.** *(bateau)* barco que escolta un convoy **2.** *TECHN* transportador automático.

**convulsé, e** *a* convulsionado, a, convulso, a.

**convulser** *vt* convulsionar. ◆ **se ~** *vpr* retorcerse.

**convulsif, ive** *a* convulsivo, a.

**convulsion** *f* **1.** convulsión **2.** *FIG* **convulsions sociales** convulsiones sociales.

**convulsionner** *vt* convulsionar.

**cool** [kul] *a FAM* tranquilo, a.

**coolie** [kuli] *m* culí.

**coopérateur, trice** *s* cooperador, a, socio, a.

**coopératif, ive** *a* cooperativo, a. ◇ *f* cooperativa.

**coopération** *f* cooperación.

**coopératisme** *m* cooperativismo.

**coopérer*** *vi* cooperar.

**cooptation** *f* cooptación.

**coopter** *vt* cooptar.

**coordinateur, trice** *a/s* coordinador, a.

**coordination** *f* coordinación.

**coordonnateur, trice** *a/s* coordinador, a.

**coordonné, e** *a* **1.** coordinado, a **2. chemisier et jupe coordonnés** blusa y falda a juego. ◇ *f pl* **1.** *GÉOM* coordenadas **2.** *FAM* **donnez-moi vos coordonnées** déme usted sus señas.

**coordonner** *vt* coordinar.

**copain** *m FAM* camarada, compañero, amigote: **~ de classe** compañero de curso. ◇ *a FAM* **être très copains** ser uña y carne.

**copal** *m (résine)* copal.

**copartageant, e** *a/s JUR* copartícipe.

**copeau** *m* viruta *f*.

**Copenhague** *np* Copenhague.

**Copernic** *np m* Copérnico.

**copernicien, enne** *a* copernicano, a.

**copie** *f* **1.** copia **2.** *(manuscrit)* original *m* ◊ **pour ~ conforme → conforme 3.** *(feuille volante)* hoja, cuartilla **4.** *(exercice)* ejercicio *m* **5.** *(d'un film)* copia.

**copier*** *vt* copiar.

**copieur, euse** *s* copión, ona. ◇ *m* fotocopiadora *f*.

**copieux, euse** *a* copioso, a, abundante: **un repas ~** una comida copiosa.

**copilote** *m* copiloto.

**copinage** *m FAM* amiguismo, enchufismo.

**copine** *f FAM* camarada, compañera.

**copiner** *vi FAM* **~ avec** hacerse amigo con, estar a partir un piñón con.

**copiste** *s* copista.

**coprah, copra** *m* copra *f*.

**coproduction** *f* coproducción.

**coprophage** *a* coprófago, a.

**copropriétaire** *s* copropietario, a.

**copropriété** *f* copropiedad ◊ **immeuble en ~** edificio en régimen de comunidad.

**copte** *a/s* copto, a.

**copulatif, ive** *a GRAM* copulativo, a.

**copulation** *f* cópula.

**copule** *f GRAM* cópula.

**copuler** *vi* copularse.

[1]**coq** *m* **1.** gallo ◊ **au chant du ~** al amanecer **2. ~ de bruyère** urogallo **3.** *FIG* **des mollets de ~** piernas muy delgadas; **le ~ du village** el gallito del lugar; **être comme un ~ en pâte** estar a cuerpo de rey; **passer du ~ à l'âne** pasar de un tema a otro **4.** *(poulet, en cuisine)* pollo: **~ au vin** estofado de pollo al vino tinto. ◇ *a* **poids ~** peso gallo.

[2]**coq** *m (cuisinier à bord d'un navire)* cocinero.

**coq-à-l'âne** *m inv* despropósito.

**coquart** *m POP* ojo a la funerala.

**coque** *f* **1. œuf à la ~** huevo pasado por agua **2.** *(de noix, etc.)* cáscara **3.** *(coquillage comestible)* berberecho *m* **4.** *(de bateau)* casco *m* **5.** *(d'auto)* carrocería **6.** *(de cheveux)* coca **7.** *(de ruban)* nudo *m*, lazo *m*.

**coquelet** *m* gallo joven.

**coquelicot** *m* amapola *f*.

**coqueluche** *f* **1.** tos ferina **2.** *FIG* **être la ~ de** ser el favorito de.

**coquet, ette** *a* **1.** coqueto, a, bonito, a, elegante: **il est très ~** es muy coqueto; **un appartement ~** un piso bonito **2.** *FAM* **la coquette somme de...** la friolera de..., la modesta suma de.... ◇ *a/f (femme coquette)* coqueta.

**coquetier** *m* huevera *f*.

**coquettement** *adv* con coquetería, coquetamente.

**coquetterie** *f* coquetería.

**coquillage** *m* **1.** *(mollusque)* marisco **2.** *(coquille)* concha *f*.

**coquille** *f* **1.** *(de mollusque)* concha ◊ **~ Saint-Jacques** venera, concha de peregrino; *FIG* **rentrer dans sa ~** meterse en su concha **2.** *(d'œuf, de noix)* cáscara, cascarón *m* ◊ **~ de noix** *(bateau)* cascarón de nuez **3.** *(faute typographique)* errata.

**coquillettes** *f pl* pasta alimenticia en forma de tubo acodado.

**coquin, e** *a/s* pillo, a, picaruelo, a. ◇ *a (regard)* vivo, a; *(histoire)* picante, verde.

**coquinerie** *f* pillería, bellaquería.

[1]**cor** *m* **1.** trompa *f*: **~ de chasse** trompa de caza **2. ~ anglais** corno inglés ◊ **à ~ et à cri** a voz en cuello, con mucha insistencia.

[2]**cor** *m (durillon)* callo.

**corail** [kɔʀaj] *m* coral: **des coraux** corales.

**corallien, enne** *a* coralino, a.

**Coran** *np m* **le ~** el Corán, el Alcorán.

**coranique** *a* coránico, a.

**corbeau** *m* **1.** *(oiseau)* cuervo **2.** *FIG* autor de cartas anónimas **3.** *ARCH* ménsula *f*, can.

**corbeille** *f* **1.** cesto *m*, canasta, canastilla: **~ à papier** cesto de los papeles; **~ à ouvrage** canastilla de la costura; **~ à pain** panera **2. ~ de mariage** ajuar *m* **3.** *(dans un jardin)* macizo *m* redondo **4.** *(à la Bourse)* **la ~** el corro **5.** *(dans une salle de spectacle)* piso *m* principal.

**corbillard** *m* coche fúnebre.

**cordage** *m* **1.** cabo, cuerda *f* **2.** *(d'une raquette de tennis)* cordaje, cuerdas *f pl*.

**corde** *f* **1.** *(de chanvre, etc.)* cuerda, soga: **~ lisse, à nœuds** cuerda lisa, de nudos; **~ raide** cuerda floja ◊ *FIG* **être sur la ~ raide** bailar en la cuerda floja; **parler de ~ dans la maison d'un pendu** mentar la soga en casa del ahorcado; **il ne vaut pas la ~ pour le pendre** es un ser despreciable, un cero; **la ~ au cou** con la soga al cuello **2.** *(de violon, raquette, d'arc)* cuerda: **instrument à cordes** instrumento de cuerda ◊ *FIG* **avoir plusieurs cordes à son arc** tener muchos recursos **3. ~ à sauter** comba: **sauter à la ~** saltar a la comba **4.** *(d'un tissu)* trama ◊ **usé jusqu'à la ~** raído; **un sujet usé jusqu'à la ~** un tema sobado, manido **5.** *(bord d'un virage)* **prendre un virage à la ~** ceñirse al borde de la curva, tomar una curva muy cerrada **6.** *FIG* **toucher la ~ sensible** conmover. ◇ *pl* **1. cordes vocales** cuerdas vocales **2.** *(d'un ring)* cuerdas: **dans les cordes** contra las cuerdas **3.** *FIG* **il tombe des cordes** llueve a cántaros **4.** *FIG* **ce n'est pas dans mes cordes** no es de mi competencia.

**cordeau** *m* **1.** cordel: **tiré au ~** trazado a cordel, *FIG* muy recto **2.** *(de maçon)* tendel.

**cordée** *f* cordada ◊ **le premier de ~** el que encabeza la cordada.

**cordelette** *f* cuerdecita.

**cordelier, ère** *s* franciscano, a.

**cordelière** *f (ceinture)* cordón *m.*

**corder** *vt* **1.** *(attacher)* atar con cuerda **2.** *(une raquette)* poner cuerdas a.

**corderie** *f* cordelería.

**cordial, e** *a/m* cordial.

**cordialement** *adv* cordialmente.

**cordialité** *f* cordialidad.

**cordier** *m* cordelero.

**cordillère** *f* cordillera.

**cordon** *m* **1.** *(petite corde)* cordón ◊ *FIG* **tenir les cordons de la bourse** llevar las cuentas **2.** *(décoration)* banda *f* **3. ~ de police, sanitaire** cordón de policía, sanitario **4. ~ ombilical** cordón umbilical ◊ *FIG* **couper le ~** cortar el cordón umbilical **5.** *GÉOG* **~ littoral** cordón litoral.

**cordon-bleu** *s* excelente cocinero, cocinera, «cordon-bleu».

**cordonnerie** *f* zapatería.

**cordonnet** *m* **1.** cordoncillo **2.** *(de soie)* torzal.

**cordonnier, ère** *s* zapatero, a.

**Cordoue** *np* Córdoba.

**Corée** *np f* Corea.

**coréen, enne** *a/s* coreano, a.

**coreligionnaire** *s* correligionario, a.

**Corfou** *np* Corfú.

**coriace** *a* **1.** coriáceo, a, correoso, a **2.** *FAM (tenace)* terco, a, tozudo, a.

**coriandre** *f* cilantro *m.*

**coricide** *m* callicida.

**corindon** *m* corindón.

**Corinthe** *np* Corinto.

**corinthien, enne** *a/s* corintio, a.

**cormoran** *m* cormorán, cuervo marino, mergo.

**cornac** *m* **1.** cornaca, cornac **2.** *FAM* guía, mentor, cicerone.

**cornaline** *f* cornalina.

**cornard** *m FAM* cornudo.

**corne** *f* **1.** cuerno *m* ◊ **un coup de ~** una cornada; **les bêtes à cornes** el ganado vacuno; **prendre le taureau par les cornes → taureau;** *FAM* **faire porter les cornes à son mari** poner cuernos a su marido **2.** *(matière)* asta, cuerno *m:* **peigne en ~** peine de cuerno **3. ~ d'abondance** cornucopia, cuerno de la abundancia **4. ~ à chaussure** calzador *m* **5.** *(trompe)* bocina ◊ **~ de brume** bocina de niebla **6.** *(d'un chapeau, d'une page de livre, etc.)* pico *m.* ◇ *np f (à Istanbul)* **la Corne d'Or** el Cuerno de Oro.

**corné, e** *a* córneo, a. ◇ *f (de l'œil)* córnea.

**cornéen, enne** *a* de la córnea ◊ **lentilles cornéennes** lentes de contacto.

**corneille** *f* corneja.

**cornélien, enne** *a* propio, a de Corneille.

**cornemuse** *f* cornamusa, gaita.

[1]**corner** *vi* **1.** *(une auto)* tocar la bocina **2. les oreilles me cornent** me zumban los oídos. ◇ *vt* **1.** *(une page de livre, etc.)* doblar el pico de **2.** *(une nouvelle)* pregonar, cacarear.

[2]**corner** [kɔʀnɛʀ] *m (au football)* saque de esquina, córner.

**cornet** *m* **1. ~ à piston** cornetín, corneta *f* de llaves **2.** *(de papier, de glace)* cucurucho **3. ~ à dés** cubilete **4.** *ANAT (du nez)* cornete **5. ~ acoustique** trompetilla *f.*

**cornette** *f* **1.** *(de religieuse)* toca **2.** *(salade)* variedad de escarola.

**cornettiste** *s* cornetín, corneta.

**corniaud** *m* **1.** *(chien)* perro bastardo **2.** *FAM* bobo.

**corniche** *f* cornisa.

**cornichon** *m* **1.** pepinillo **2.** *FAM* tonto, bobo, idiota.

**cornier, ère** *a* angular. ◇ *f* barra en forma de L, cantonera.

**corniste** *m* trompa.

**Cornouailles** *np f* Cornualles.

**cornouiller** *m* cornejo.

**cornu, e** *a* cornudo, a.

**cornue** *f* retorta.

**Corogne (La)** *np f* La Coruña.

**corollaire** *m* corolario.

**corolle** *f BOT* corola.

**coron** *m* caserío minero.

**coronaire** *a/f ANAT* coronario, a: **artère, veine ~** arteria, vena coronaria.

**coronarien, enne** *a MÉD* coronario, a: **maladie coronarienne** enfermedad coronaria.

**corozo** *m* corozo, corojo.

**corporal** *m (linge consacré)* corporales *pl.*

**corporatif, ive** *a* corporativo, a.

**corporation** *f* corporación.

**corporatisme** *m* corporatismo.

**corporel, elle** *a* corporal.

**corps** [kɔʀ] *m* **1.** cuerpo: **lutter ~ à ~** luchar cuerpo a cuerpo ◊ **un ~ à ~** una lucha cuerpo a cuerpo **2.** *(cadavre)* cadáver, cuerpo **3.** *JUR* **le ~ du délit** el cuerpo del delito **4. le ~ diplomatique, enseignant** el cuerpo diplomático, docente: **~ d'armée** cuerpo de ejército; **~ de garde → garde; ~ de métier** gremio, corporación *f* **5. ~ de bâtiment** edificio **6.** *CHIM* **~ simple, composé** cuerpo simple, compuesto **7.** *(d'une lettre)* cuerpo **8. faire ~ avec** formar bloque con; **prendre ~** tomar cuerpo, cuajar **9.** *loc adv* **à ~ perdu** sin vacilar; **à mon, son ~ défendant** a pesar mío, suyo, de mala gana; **~ et âme** en cuerpo y alma; **se donner ~ et âme à...** entregarse en cuerpo y alma a...; **perdu ~ et biens** hundido con bienes y personas.

**corpulence** *f* corpulencia.

**corpulent, e** *a* corpulento, a.

**corpus** [kɔʀpys] *m (linguistique)* corpus.

**corpusculaire** *a* corpuscular.

**corpuscule** *m* corpúsculo.

**correct, e** *a* **1.** correcto, a **2.** *(passable)* decente: **un hôtel ~** un hotel decente.

**correctement** *adv* correctamente.

**correcteur, trice** *s* corrector, a.

**correctif, ive** *a/m* correctivo, a.

**correction** *f* **1.** corrección **2. texte rempli de corrections** texto lleno de correcciones **3.** *(punition)* **une bonne ~** una buena paliza.

**correctionnel, elle** *a* correccional. ◇ *f* tribunal *m* correccional.

**corrélatif, ive** *a* correlativo, a.

**corrélation** *f* correlación.

**correspondance** *f* **1.** correspondencia: **entretenir une ~ avec quelqu'un** mantener correspondencia con, cartearse con alguien **2.** *(moyen de transport)* empalme *m*, enlace *m:* **train qui assure la ~ avec** tren que empalma con **3.** *(courrier)* correo *m*, correspondencia: **vote par ~** voto por correo; **vente par ~** venta por correo.

**correspondancier, ère** *s* encargado, a del correo.

**correspondant, e** *a* correspondiente. ◇ *s* **1.** *(d'un journal)* corresponsal: **de notre ~ à Londres** de nuestro corresponsal en Londres **2.** *(par lettres)* comunicante, corresponsal **3.** *(d'une académie, etc.)* miembro correspondiente.

**correspondre*** vi **1.** *(concorder)* **~ à** corresponder a **2.** *(par lettres)* cartearse, mantener correspondencia: **nous avons correspondu pendant plusieurs années** nos hemos carteado durante muchos años **3.** *(trains, etc.)* empalmar, enlazar: **ce train correspond avec le rapide de...** este tren empalma con el rápido de... **4.** *(locaux)* comunicarse, corresponderse: **des chambres qui correspondent** habitaciones que se comunican.

**corrida** *f* **1.** corrida **2.** *FAM* **quelle ~!** ¡qué follón!

**corridor** *m* corredor, pasillo.

**corrigé** *m* modelo.

**corriger*** *vt* **1.** corregir: **l'auteur corrige les épreuves de son livre** el autor corrige las pruebas de su libro **2.** *(punir)* castigar. ◆ **se ~** *vpr* corregirse.

**corroborer** *vt* corroborar.

**corroder** *vt* corroer.

**corrompre*** *vt* **1.** corromper **2.** *(sur le plan moral)* corromper.

**corrompu, e** *a* corrompido, a, corrupto, a: **un député ~** un diputado corrupto; **un régime politique ~** un régimen político corrupto.
▶ *Corrompido*: participe passé régulier; *corrupto*, irrégulier.

**corrosif, ive** *a/m* corrosivo, a.

**corrosion** *f* corrosión.

**corroyage** [kɔRwajaʒ] *m (du cuir)* zurra *f*, curtido.

**corroyer*** [kɔRwaje] *vt (le cuir)* zurrar, curtir.

**corroyeur** [kɔRwajœR] *m* zurrador, curtidor.

**corrupteur, trice** *a/s* corruptor, a.

**corruption** *f* **1.** corrupción **2.** *(d'un fonctionnaire public)* cohecho *m*.

**corsage** *m* blusa *f*.

**corsaire** *m* corsario ◊ **pantalon ~** pantalón pirata.

**Corse** *np f* Córcega.

**corse** *a/s* corso, a.

**corsé, e** *a* **1.** fuerte **2.** escabroso, a, verde: **une histoire corsée** un cuento verde.

**corselet** *m (d'insecte)* coselete.

**corser** *vt* dar fuerza, vigor a. ◆ **se ~** *vpr* complicarse ◊ **l'affaire se corse!** ¡la cosa se pone seria!

**corset** *m* corsé.

**corseter*** *vt* encorsetar.

**corsetier, ère** *s* corsetero, a.

**corso** *m* desfile de carrozas adornadas con flores.

**cortège** *m* **1.** cortejo, séquito, comitiva *f*: **le ~ funèbre** el cortejo fúnebre **2.** desfile.

**cortex** *m* cortex, corteza *f*.

**cortical, e** *a* cortical.

**cortisone** *f* cortisona.

**corvée** *f* **1.** prestación personal **2.** *MIL* faena, servicio *m* de cuartel **3.** *(obligation désagréable)* lata, pejiguera, fastidio *m*, incordio *m*: **quelle ~!** ¡qué fastidio!

**corvette** *f MAR* corbeta.

**coryphée** *m* corifeo.

**coryza** *m* coriza *f*.

**cosaque** *m* cosaco.

**cosignataire** *s* firmante.

**cosinus** [kɔsinys] *m MATH* coseno.

**cosmétique** *a/m* cosmético, a.

**cosmique** *a* cósmico, a.

**cosmogonie** *f* cosmogonía.

**cosmogonique** *a* cosmogónico, a.

**cosmographie** *f* cosmografía.

**cosmographique** *a* cosmográfico, a.

**cosmologie** *f* cosmología.

**cosmonaute** *s* cosmonauta.

**cosmopolite** *a* cosmopolita.

**cosmopolitisme** *m* cosmopolitismo.

**cosmos** [kɔsmɔs] *m* cosmos.

**cossard, e** *a FAM* gandul.

[1]**cosse** *f* **1.** *(de certaines plantes)* vaina **2.** *ÉLECT* terminal *m*.

[2]**cosse** *f FAM (paresse)* galbana, pereza: **avoir la ~** tener pereza.

**cossu, e** *a* **1.** *(personne)* rico, a, acaudalado, a, acomodado, a **2.** *(maison, etc.)* muy confortable.

**costal, e** *a* costal.

**costard** *m POP* traje (de hombre).

**costaud, e** *a FAM* fortísimo, a, robusto, a. ◇ *m FAM* fortachón, hombre robusto.

**costume** *m* **1.** traje: **~ régional** traje regional **2.** *(d'homme)* traje: **~ sur mesure** traje a la medida; **~ de ville** traje de calle **3.** *FAM* **en ~ d'Adam** en traje de Adán, en pelotas.

**costumé, e** *a* **1.** *(déguisé)* disfrazado, a **2. bal ~** baile de disfraces.

**costumer** *vt (déguiser)* disfrazar. ◆ **se ~** *vpr* disfrazarse.

**costumier, ère** *s* sastre, vendedor, a, alquilador, a de trajes.

**cotation** *f COM* cotización.

**cote** *f* **1.** *(en Bourse)* cotización **2.** *(appréciation)* aprecio *m* ◊ *FAM* **avoir la ~** estar cotizado, a, apreciado, a; **~ de popularité** cota de popularidad **3.** *(dans une bibliothèque, etc.)* signatura **4.** *(topographie)* cota **5.** *(niveau)* nivel *m*: **~ d'alerte** nivel de alarma **6. ~ mal taillée** compromiso *m*, convenio *m*, arreglo *m*.

**côte** *f* **1.** *ANAT* costilla ◊ *FAM* **caresser les côtes à quelqu'un** medirle las costillas a alguien; **se tenir les côtes** desternillarse de risa; **avoir les côtes en long** ser un gandul, ser más vago que la chaqueta de un guardia **2.** *(en bouches)* chuleta: **~ de veau** chuleta de ternera **3.** *(feuille charnue)* penca **4. chandail à côtes** jersey acanalado **5.** *(pente)* cuesta, pendiente: **gravir une ~** subir una cuesta **6.** *(rivage)* costa: **la ~ d'Azur** la Costa Azul ◊ *FIG* **être à la ~** estar mal de dinero **7.** *loc adv* **~ à ~** uno al lado del otro.

**côté** *m* **1.** *(du corps)* costado: **point de ~** dolor de costado **2.** *(partie latérale)* lado: **d'un ~ de la cheminée** a un lado de la chimenea; **des deux côtés de** a ambos lados de; **les côtés d'un triangle** los lados de un triángulo **3.** *(aspect)* lado, aspecto: **le bon, le mauvais ~ des choses** el lado bueno, malo de las cosas; **le ~ humain** el lado humano **4. laisser de ~** dejar a un lado, dar de lado, abandonar; **mettre de l'argent de ~** ahorrar dinero, economizar **5.** *loc adv* **à ~** al lado, cerca: **regarder de ~** mirar de soslayo; **de mon, son ~** por mi, su parte; **d'un autre ~** por otro lado, por otra parte; **de tous côtés** por todas partes, por todos lados **6.** *loc prép* **à ~ de** al lado de, junto a: **assis à ~ de moi** sentado a mi lado; **à ~ de cela** junto a ello; **à ~ du sien, mon salaire est maigre** comparado con el suyo, mi sueldo es escaso; **de l'autre ~ de** al otro lado de; **rester aux côtés de** quedarse al lado de; **se diriger du ~ de la sortie** dirigirse hacia la salida; **il habite du ~ de la gare** vive cerca de la estación; **italien du ~ de son père** italiano por parte de su padre **7.** *FAM* **~ santé, ça va** en cuanto a la salud, todo va bien.

**coté, e** *a* cotizado, a.

**coteau** *m* **1.** *(petite colline)* otero, loma *f*, colina *f* **2.** *(versant)* ladera *f*.

**Côte-d'Ivoire** *np f* Costa de Marfil.

**côtelé, e** *a* acanalado, a ◊ **velours ~** pana *f*.

**côtelette** *f* chuleta: **~ de mouton** chuleta de cordero.

**coter** *vt* **1.** *(en Bourse)* cotizar **2.** *(numéroter)* numerar **3.** *(topographie)* acotar **4.** *FIG* apreciar, cotizar.

**coterie** *f* corrillo *m*, camarilla.

**cothurne** *m* coturno.

**côtier, ère** *a* costero, a, costanero, a: **pêche côtière** pesca costanera.

**cotignac** *m* dulce de membrillo.

**cotillon** *m* **1.** *(jupon)* refajo ◊ *FIG* **courir le ~** ser mujeriego **2.** *(danse)* cotillón.

**cotinga** *m (oiseau)* cotinga.

**cotisant, e** *a/s* cotizante.

**cotisation** *f* cuota, cotización: **payer sa ~ à la Sécurité sociale** pagar su cotización a la Seguridad social.

**cotiser** *vi* pagar su cuota, cotizar. ◆ **se ~** *vpr* aportar (algo cada uno).

**coton** *m* **1.** algodón: **~ hydrophile** algodón hidrófilo: **chaussettes en ~** calcetines de algodón **2.** *FIG* **élevé dans du ~** criado entre algodones; **filer un mauvais ~** ir de capa caída; **avoir les jambes en ~** estar muy débil. ◇ *a FAM* difícil; **c'est ~!** ¡no es nada fácil!

**cotonéaster** [kɔtɔneastɛʀ] *m BOT* cotoneaster, griñolera *f*.

**cotonnade** *f* cotonada.

**cotonneux, euse** *a* algodonoso, a.

**cotonnier, ère** *a* algodonero, a. ◇ *m (arbrisseau)* algodonero.

**coton-poudre** *m* algodón pólvora.

**coton-tige** *m (nom déposé)* bastoncillo con algodón.

**côtoyer*** *vt* **1.** *(longer)* bordear, costear **2.** *(fréquenter)* codearse con, frecuentar **3.** *(friser)* rayar en, bordear: **cela côtoie le ridicule** esto raya en lo ridículo.

**cotre** *m* cúter, balandro.

**cotte** *f* **1.** *(jupe)* saya **2.** *(de travail)* mono *m* **3. ~ de mailles** cota de mallas.

**cotylédon** *m BOT* cotiledón.

**cou** *m* **1.** cuello ◊ **sauter au ~ de quelqu'un** abrazar con efusión a alguien; **se rompre le ~** romperse la crisma; **tordre le ~** retorcer el pescuezo; **prendre ses jambes à son ~** → **jambe** **2.** *FIG* **il est dans la misère jusqu'au ~** está hundido en la miseria hasta las cachas; **endetté jusqu'au ~** empeñado hasta las cejas.

**couac** *m* gallo, nota *f* falsa: **faire un ~** soltar un gallo.

**couard, e** *a* cobarde.

**couardise** *f* cobardía.

**couchage** *m* **1.** el pernoctar **2. sac de ~** saco de dormir.

**couchant, e** *a* **1. chien ~** perro de muestra **2. soleil ~** sol poniente. ◇ *m* **le ~** el poniente, el ocaso.

**couche** *f* **1.** *(lit)* cama, lecho *m* **2.** *(lange)* pañal *m*, metedor *m*: **les couches d'un bébé** los pañales de un bebé ◊ **~-culotte** braga-pañal *m*, braguita **3.** *(de beurre, vernis, etc.)* capa: **~ de peinture** capa, mano de pintura; **passer une ~ de vernis** dar una mano de barniz **4.** *(géologique, atmosphérique, sociale, etc.)* capa: **la ~ d'ozone** la capa de ozono; **couches de population** capas de población **5.** *FAM* **il en tient une ~!** ¡es muy tonto! ◇ *pl (enfantement)* parto *m sing*: **en couches** de parto ◊ **une fausse ~** un aborto espontáneo, un mal parto.

**couché, e** *a* **1.** acostado, a, tendido, a **2. papier ~** papel cuché.

[1]**coucher** *vt* **1.** *(dans un lit)* acostar: **~ un enfant** acostar a un niño **2.** *(sur le sol)* tender, tumbar **3.** *(pencher)* inclinar **4. ~ par écrit** asentar por escrito **5. ~ quelqu'un en joue** apuntar a alguien. ◇ *vi* **1.** dormir, pernoctar: **nous avons couché dans une pension** hemos dormido en una pensión; **~ à la belle étoile** dormir al raso ◊ *FAM* **un nom à ~ dehors** un apellido complicadísimo **2.** *FAM* acostarse: **il couche avec elle** se acuesta con ella; **ils couchent ensemble** se acuestan juntos. ◆ **se ~** *vpr* **1.** acostarse: **je me couche tôt** me acuesto temprano; **le malade s'est couché** el enfermo se ha acostado; **couchez-vous** acuéstese **2.** *(s'étendre)* echarse, tumbarse, tirarse: **se ~ sur le dos** tumbarse boca arriba; **couchez-vous par terre!** ¡tírese al suelo! **3.** *(un astre)* ponerse: **le soleil se couche** el sol se pone.

[2]**coucher** *m* **1. l'heure du ~** la hora de acostarse; **avant le ~** antes de acostarse **2. le ~ du soleil** la puesta del sol.

**coucherie** *f FAM* asunto *m* de cama.

**couche-tard** *a/s* persona que suele acostarse tarde, trasnochador, a.

**couche-tôt** *a/s* persona que suele acostarse temprano.

**couchette** *f* litera.

**coucheur, euse** *a FAM* **un mauvais ~** un hombre de mal genio.

**couci-couça** [kusikusa] *loc adv FAM* así así, tal cual.

**coucou** *m* **1.** *(oiseau)* cuclillo **2.** *(pendule)* reloj de cuco **3.** *(plante)* narciso silvestre. ◇ *interj* ¡hola!

**coude** *m* **1.** codo: **les coudes sur la table** de codos en la mesa ◊ **coup de ~** codazo; **jouer des coudes** abrirse paso con los codos; **lever le ~** empinar el codo; **se serrer les coudes** ayudarse mutuamente, cerrar filas; **travailler ~ à ~** trabajar codo con codo; *FAM* **huile de ~** → **huile** **2.** *(d'un vêtement)* **pull usé aux coudes** jersey gastado en los codos **3.** *(d'un chemin, etc.)* recodo.

**coudée** *f* **1.** *ANC (mesure)* codo *m* **2. avoir ses coudées franches** obrar con libertad.

**cou-de-pied** *m* garganta *f* del pie.

**couder** *vt* acodar, acodillar: **tuyau coudé** tubo acodado.

**coudoiement** [kudwamɑ̃] *m* contacto, relación *f*.

**coudoyer*** [kudwaje] *vt* codearse con.

**coudraie** *f* avellaneda.

**coudre*** *vi/t* coser: **elle cousait en écoutant la radio** cosía mientras escuchaba la radio ◊ **machine à ~** máquina de coser.

**coudrier** *m* avellano.

**couenne** [kwan] *f* corteza de tocino.

**couette** *f* **1.** *(matelas)* colchón *m* de pluma **2.** *(de cheveux)* coleta.

**couffin** *m* **1.** sera *f*, serón **2.** *(berceau)* moisés.

**cougouar** *m* puma.

**couic!** *interj* ¡ay!

**couille** *f VULG* cojón *m*, huevo *m*.

**couillon** *a/m POP* gilipollas.

**couillonner** *vt POP* **je me suis fait ~** me han dado gato por liebre.

**couinement** *m* chillido.

**couiner** *vi* chillar, gritar.

**coulage** *m* **1.** *(d'un métal fondu)* vaciado **2.** *(gaspillage)* despilfarro, derroche.

**coulant, e** *a* **1.** *(liquide)* fluyente **2. nœud ~** nudo corredizo **3.** *FIG* **style ~** estilo fluido, natural **4.** *FAM (accommodant)* indulgente, comprensivo, a ◊ **être ~** ser de manga ancha. ◇ *m (anneau)* anillo, pasador.

**coule** *f* **1.** *(des religieux)* cogulla **2.** *FAM* **être à la ~** estar al corriente, al tanto, en el ajo.

**coulée** *f* **1.** *(de métal)* colada, vaciado *m* **2.** corriente: **~ de lave** corriente de lava.

**coulemelle** *f* lepiota, agárico *m* comestible.

**couler** *vi* **1.** *(liquide)* correr, fluir: **l'eau coule** el agua corre **2.** *(récipient, etc.)* salirse, gotear: **le robinet coule** el grifo gotea **3.** pasar, huir, transcurrir: **comme le temps coule!** ¡cómo pasa el tiempo! **4.** FIG **cela coule de source** es evidente, eso cae por su peso **5.** hundirse, irse a pique, zozobrar: **le bateau a coulé** se hundió el barco. ◇ *vt* **1.** *(un métal, etc.)* vaciar **2.** *(un bateau)* hundir, echar a pique **3.** FIG *(ruiner)* arruinar, hundir **4.** **~ des jours heureux** pasar días felices. ◇ *vpr* **1.** *(se glisser)* deslizarse, colarse **2.** FAM **se la ~ douce** darse la gran vida.

**couleur** *f* **1.** color *m*: **la ~** el color; **film, télévision en couleurs** película, televisión en color; **homme de ~** hombre de color ◊ **changer de ~** demudarse, mudar de color; **être haut en ~** ser subido de color; **la ~ locale** lo pintoresco, el tipismo; **c'est très ~ locale** es muy típico **2.** *loc prép* **sous ~ de** so color de **3.** *(peinture)* color *m* ◊ **marchand de couleurs** droguero **4.** *(carte à jouer)* palo *m*. ◇ *pl* **1. les couleurs nationales** los colores nacionales ◊ **hisser les couleurs** izar la bandera **2.** FIG **en voir de toutes les couleurs** pasarlas negras, pasarlas moradas, pasar las de Caín.

**couleuvre** *f* **1.** culebra **2.** FIG **avaler des couleuvres** tragar saliva; **paresseux comme une ~** más vago que la chaqueta de un guardia.

**couleuvrine** *f* culebrina.

**coulis** *a* **vent ~** aire colado. ◇ *m* CULIN salsa *f* cocida y pasada por un colador ◊ **~ de tomates** sofrito de tomate.

**coulissant, e** *a* **porte coulissante** puerta deslizante, puerta de corredera.

**coulisse** *f* **1.** ranura, corredera: **porte à ~** puerta de corredera **2.** *(ourlet)* jareta **3.** *(au théâtre)* **les coulisses** los bastidores; **dans les coulisses** entre bastidores **4.** *(à la Bourse)* bolsín *m* **5. regard en ~** mirada de soslayo.

**coulisser** *vi* deslizarse sobre correderas.

**coulissier** *m* corredor de Bolsa.

**couloir** *m* **1.** *(dans un appartement)* corredor, pasillo **2.** *(dans un wagon)* pasillo **3.** **~ aérien** corredor aéreo; **couloirs humanitaires** corredores humanitarios **4.** *(réservé aux autobus)* carril-bus **5.** *(sur une piste d'athlétisme, dans une piscine)* calle *f* **6.** FIG **bruits de ~** rumores.

**coulomb** *m* ÉLECT culombio.

**coulpe** *f* **battre sa ~** reconocer su culpabilidad.

**coulure** *f* **1.** *(d'un liquide, etc.)* derrame *m* **2.** *(de la vigne)* corrimiento *m*.

**coup** [ku] *m* **1.** golpe: **recevoir un ~** recibir un golpe; **~ bas** golpe bajo; *(au tennis)* **~ droit** golpe derecho **2.** **~ de...** le mot espagnol se forme généralement avec les suffixes *-ada* ou *-azo*: **~ de coude** codazo; **~ de couteau** cuchillada *f*; **~ d'épée** estocada *f*; **~ de filet** redada *f*; **~ de fouet** latigazo; **~ de griffe** zarpazo; **~ de marteau** martillazo; **~ d'œil** ojeada *f*; **~ de pied** patada *f*, puntapié; **~ de pinceau** pincelada *f*; **~ de poing** puñetazo; **~ de vent** ráfaga *f*; **~ de volant** volantazo **3.** *(accidentel)* **~ de chance** chiripa *f*, casualidad *f* favorable, suerte *f*; **~ de folie** arranque de locura; **~ de foudre** flechazo; **~ de hasard** golpe de fortuna; **~ de Jarnac** traición *f*; **~ de sang** congestión *f* cerebral; **~ de soleil** insolación *f*; **~ de tête** calaverada *f*, acción *f* desesperada; **~ d'État** golpe de Estado; **~ de force** golpe de Estado, pronunciamiento; **~ dur** desgracia *f* **4.** *(blessure)* herida *f* **5.** *(de fusil, etc.)* tiro, disparo ◊ **~ de feu** tiro, disparo; **~ de canon** cañonazo; **pistolet à 6 coups** pistola de 6 tiros; FIG **faire ~ double** matar dos pájaros de un tiro **6.** *(de liquide)* trago, sorbo: **boire un ~** echar un trago ◊ FAM **avoir un ~ dans le nez** → **nez 7.** *(au jeu)* jugada *f* **8.** *(fois)* vez *f*: **encore un ~** una vez más, otra vez; **à tous les coups** cada vez; **du même ~** al mismo tiempo; **du premier ~** a la primera **9.** **~ de sonnette** llamada *f*, timbrazo; **sur le ~ de 10 heures** sobre las 10 **10.** FAM **donner un ~ de main à** echar una mano a; **être aux cent coups** estar muy preocupado, a; **être dans le ~** *(au courant)* estar en el ajo, *(à la page)* estar en la onda; **faire d'une pierre deux coups** matar dos pájaros de un tiro; **faire les quatre cents coups** llevar una vida disipada; **manquer son ~** errar el golpe; **marquer le ~** → **marquer; monter le ~ à quelqu'un** engañar a alguien; **sa réputation en a pris un ~** su reputación ha salido menoscabada; **ça vaut le ~** vale la pena **11.** *loc adv* **à ~ sûr** sobre seguro, de fijo; **après ~** después; **du ~** por esto, como consecuencia; **~ sur ~** sin interrupción; **sur le ~** en el acto; **tout à ~**, **tout d'un ~** de repente, de golpe **12.** *loc prép* **à ~ de** a fuerza de, gracias a, a golpe de: **il dort à ~ de soporifiques** duerme a fuerza de somníferos; **être sous le ~ d'une émotion** estar bajo los efectos de una emoción.

▶ Voir aussi aux mots *accélérateur, balai, bâton, fer, fil, grâce, main, téléphone, théâtre*, etc. les expressions formées avec «coup de».

**coupable** *a/s* culpable: **déclarer ~** declarar culpable; **se sentir ~** sentirse culpable.

**coupage** *m* mezcla *f* de vinos.

**coupant, e** *a* **1.** cortante **2.** FIG tajante, autoritario, a. ◇ *m* filo, corte.

**coup-de-poing** [kudpwɛ̃] *m* *(arma)* llave *f* inglesa, manopla *f*.

[1]**coupe** *f* **1.** *(verre à boire, trophée)* copa: **une ~ de champagne** una copa de champán; **la ~ Davis** la copa Davis ◊ PROV **il y a loin de la ~ aux lèvres** de la mano a la boca se pierde la sopa **2.** **~ à fruits** frutero *m*.

[2]**coupe** *f* **1.** *(de cheveux, d'un vêtement, etc.)* corte *m* **2.** *(dessin en coupe)* sección, corte *m*: **~ d'un moteur** sección de un motor **3.** *(d'arbres)* tala ◊ FIG **faire une ~ sombre dans le personnel** reducir drásticamente la plantilla, recortar la plantilla; **mettre en ~ réglée** explotar a **4.** *(aux cartes)* corte *m*, alza **5.** **être sous la ~ de quelqu'un** depender de alguien.

**coupé** *m* *(voiture)* cupé.

**coupe-choux** *m inv* FAM sable corto.

**coupe-cigares** *m inv* cortapuros.

**coupe-circuit** *m inv* cortacircuito.

**coupe-coupe** *m* machete.

**coupée** *f* MAR portalón *m*.

**coupe-faim** *m inv* **1.** *(alimento)* tentempié **2.** medicamento para apagar el hambre.

**coupe-feu** *m inv* cortafuego.

**coupe-file** *m inv* pase, permiso de circulación.

**coupe-gorge** *m inv* lugar poco seguro, sitio peligroso.

**coupe-jarret** *m* ANC asesino.

**coupelle** *f* copela.

**coupe-ongles** *m inv* cortauñas.

**coupe-papier** *m inv* plegadera *f*, abrecartas.

**couper** *vt/i* **1.** cortar: **~ en morceaux, en rondelles** cortar en trozos, en rodajas; **se faire ~ les cheveux** cortarse el pelo; **la route est coupée** está cortada la carretera ◊ FIG **~ bras et jambes** → **bras. 2.** *(au téléphone)* cortar: **on nous a coupés** se ha cortado la línea; **ne coupez pas!** ¡no corte! **3.** *(arbres)* talar **4.** *(une boisson)* aguar **5.** *(au tennis)* **~ la balle** cortar la pelota **6.** **~ la parole à quelqu'un** cortar la palabra a alguien; **~ les vivres à** suprimir los subsidios a **7.** **être coupé du monde** estar desconectado del mundo **8.** *(châtrer)* castrar. ◇ *vi* **1.** *(au jeu de cartes)* cortar, alzar **2.** *(prendre un raccourci)* atajar: **~ par un sentier** atajar por un sendero **3.** FAM **~ à une corvée** librarse de un trabajo fastidioso; **tu n'y couperas pas!** ¡no te librarás de ello! **4.** **~ court à** → **court.** ◆ **se ~** *vpr* **1.** cortarse: **je me suis coupé au doigt** me he cortado en el dedo **2.** *(se contredire)* contradecirse.

**couperet** *m* cuchilla *f*.

**couperose** *f* **1.** caparrosa **2.** *(de la peau du visage)* barrillos *m pl*.

**couperosé, e** *a* rojizo, a.

**coupeur, euse** *s* **1.** cortador, a **2.** FAM **~ de cheveux en quatre** tiquismiquis.

**coupe-vent** *m inv* cortaviento.

**couplage** *m TECHN* acopladura *f*.

**couple** *m* **1.** *(de personnes, d'animaux)* pareja **: un ~ de danseurs** una pareja de bailarines; **vivre en ~** vivir en pareja **2.** *(en mécanique)* par.

**coupler** *vt* **1.** *(des chiens)* atraillar **2.** *(en mécanique)* acoplar **3.** *ÉLECT* conectar.

**couplet** *m* estrofa *f*, copla *f*, tonadilla *f*.

**coupleur** *m TECHN* acoplador.

**coupole** *f* cúpula: **~ sur pendentifs** cúpula sobre pechinas. ◇ *np FAM* **être reçu sous la Coupole** recibirse de miembro de la Academia francesa.

**coupon** *m* **1.** *(de tissu)* retal **2.** *(d'un titre, ticket)* cupón ◊ **~ réponse** cupón de respuesta.

**coupure** *f* **1.** *(blessure)* corte *m* **2.** *(dans un texte, un film, d'électricité)* corte *m*: **~ de courant** corte de corriente; **~ publicitaire** corte publicitario **3. ~ de presse** recorte *m* de prensa **4.** *(billet de banque)* billete *m* de banco.

**couque** *f* pan *m* de especias.

**cour** *f* **1.** *(d'une maison)* patio *m*: **les enfants jouent dans la ~** los niños están jugando en el patio **2.** *(d'une ferme)* corral *m* **3.** *(d'un souverain)* corte ◊ **être bien en ~ auprès de,** gozar del favor de **4.** corte, galanteo *m*: **faire la ~ à** hacer la corte a **5.** tribunal *m*, audiencia: **~ d'appel** audiencia territorial; **~ d'assises** audiencia de lo criminal, sala de lo criminal; **Cour de cassation** Tribunal de casación; **Cour des comptes** Tribunal de Cuentas; **~ martiale** tribunal militar; **Haute Cour** Tribunal Supremo especial. ◇ *a THÉÂT* **côté ~** lado del escenario a la derecha del espectador.

**courage** *m* valor, ánimo: **je n'ai pas le ~ de faire cela** no tengo ánimo para, no tengo valor para hacer eso ◊ **s'armer de ~** armarse de valor; **donner, redonner du ~** dar ánimo, dar ánimos, alentar; **perdre ~** desalentarse; **prendre son ~ à deux mains** hacer de tripas corazón, sacar fuerzas de flaqueza. ◇ *interj* **~!, bon ~!,** ¡ánimo!

**courageusement** *adv* valientemente.

**courageux, euse** *a* valiente, valeroso, a.

**couramment** *adv* **1. il parle ~ anglais** habla inglés de corrido, con soltura **2.** *(habituellement)* corrientemente, comúnmente.

[1]**courant, e** *a* **1.** corriente: **eau courante** agua corriente **2.** *(en cours)* en curso **3.** *(mois, année)*: **le 20 ~** el 20 del corriente mes; **fin ~** a fines del corriente **4. chien ~** perro corredor **5.** *COM* **compte ~** cuenta corriente **6. écriture courante** letra cursiva **7.** *FIG* **c'est monnaie courante** es moneda corriente.

[2]**courant** *m* **1.** *(d'un fluide, etc.)* corriente *f*: **un ~ froid** una corriente fría; **~ d'air** corriente de aire; **~ alternatif, continu** corriente alterna, continua **2.** transcurso: **dans le ~ de l'année** en el transcurso del año **3.** *FIG* corriente *m*: **un ~ d'idées nouvelles** una corriente de ideas nuevas; **suivre le ~** seguir la corriente, dejarse llevar de la corriente **4. être au ~ de** estar al corriente de, al tanto de: **il est au ~ de tout ce qui se passe** está al tanto de todo lo que pasa; **mettre au ~** poner al corriente; **tenez-moi au ~** manténgame informado.

**courante** *f POP* diarrea, cagalera.

**courbatu, e → courbaturé.**

**courbature** *f* agujetas *pl*.

**courbaturé, e** *a* derrengado, a, molido, a, dolorido, a, con agujetas.

**courbaturer** *vt* llenar de agujetas.

**courbe** *a* curvo, a. ◇ *f* curva ◊ **~ de température** curva de temperatura; **~ de niveau** curva de nivel.

**courber** *vt* **1.** encorvar **2.** *(plier)* doblar, inclinar **3.** *FIG* **~ la tête** bajar, agachar la cabeza. ◆ **se ~** *vpr* **1.** encorvarse, doblarse **2.** inclinarse **3.** *FIG (se soumettre)* doblegarse, humillarse.

**courbette** *f (d'un cheval)* corveta. ◇ *pl FIG* zalemas, reverencias serviles: **faire des courbettes** hacer zalemas.

**courbure** *f* curvatura.

**courette** *f* patinillo *m*.

**coureur, euse** *s* **1.** corredor, a: **coureurs cyclistes** corredores ciclistas; **~ automobile** corredor de coches, automovilista de carreras **2. un ~ (de filles, de jupons)** un mujeriego; **un ~ de dots** un cazador de dotes. ◇ *a/s ZOOL* **oiseaux coureurs** aves corredoras. ◇ *f* **une coureuse** una buscona.

**courge** *f* calabaza.

**courgette** *f* calabacín *m*.

**courir*** *vi* **1.** correr: **~ à toutes jambes, à fond de train, comme un dératé** correr como un descosido; **je cours chez le pharmacien** voy corriendo a la farmacia; **j'y cours!** ¡voy volando!; **~ à sa perte** correr a su perdición ◊ **~ après quelqu'un** correr tras alguien, perseguir a alguien; *FAM* **laisser ~** dejar correr, no preocuparse; **tu peux toujours ~!** ¡espérate sentado! **2.** correr, cundir, circular: **le bruit court que...** corre el rumor que..., cunde el rumor que... ◊ **par les temps qui courent** actualmente. ◇ *vt* **1.** correr: **~ le cent mètres** correr los cien metros **2. ~ les cafés** frecuentar los cafés; **~ les magasins** ir de tiendas; **~ les filles** andar tras las chicas; **~ les honneurs** perseguir los honores **3. ~ les rues → rue 4. ~ un danger, un risque** correr un peligro, un riesgo **5.** *POP (ennuyer)* **~ sur le haricot** fastidiar, incordiar, jorobar: **tu nous cours!** ¡no incordies!, ¡nos estás jorobando!

**courlis** *m (oiseau)* zarapito.

**couronne** *f* **1.** *(de fleurs, royale, etc.)* corona **2.** *(prothèse dentaire)* corona **3.** *(unité monétaire)* corona.

**couronné, e** *a* **1.** coronado, a: **tête couronnée** testa coronada **2.** *(qui a reçu un prix)* premiado, a, galardonado, a.

**couronnement** *m* **1.** *(d'un souverain)* coronación *f*: **le ~ de la Vierge** la coronación de la Virgen **2.** *(achèvement, ornement)* coronamiento, remate, colofón ◊ **le ~ d'une longue carrière** el broche de oro de una larga carrera.

**couronner** *vt* **1.** coronar **2.** *(un lauréat, un ouvrage)* galardonar, premiar **3.** *FIG* coronar: **le succès a couronné nos efforts** el éxito ha coronado nuestros esfuerzos **4. et pour ~ le tout** y encima de todo, y por si fuera poco. ◆ **se ~** *vpr (un cheval)* hacerse rodilleras.

**courre** *f* **chasse à ~** caza de montería.

**courrier** *m* **1.** correo: **par retour du ~** a vuelta de correo ◊ **~ électronique** correo electrónico **2.** correspondencia *f*: **dicter son ~** dictar la correspondencia; **recevoir beaucoup de ~** recibir mucha correspondencia **3.** *(d'un journal)* crónica *f*: **le ~ des sports** la crónica deportiva; **le ~ du cœur** el consultorio sentimental; **~ des lecteurs** cartas *f pl* al director.

**courriériste** *s* cronista.

**courroie** *f* correa: **~ de transmission** correa de transmisión.

**courroucer*** *vt* enojar, enfurecer.

**courroux** *m LITT* cólera *f*, furor.

[1]**cours** *m* **1.** curso: **le ~ des astres, de la vie** el curso de los astros, de la vida ◊ **~ d'eau** río; **navigation au long ~** navegación de altura **2. au ~ de l'été, du déjeuner** en el transcurso del verano, durante el almuerzo; **au ~ de la conversation** en el curso de la conversación ◊ **l'année en ~** el año en curso; **donner libre ~ à** dar rienda suelta a; **suivre son ~** seguir su curso, su camino; **reprendre son ~** volver a la normalidad; **en ~ de restauration** en proceso de restauración; **en ~ de route** en camino **3.** *(en Bourse)* cotización *f*, curso: **le ~ du dollar** la cotización del dólar; **la chute des ~** la caída de las cotizaciones; **~ légal, forcé** curso legal, forzoso ◊ **avoir ~** tener curso **4.** curso, clase *f*: **un ~ d'histoire** un curso de historia; **il n'y a pas ~ aujourd'hui** hoy no hay clase; **donner des ~ de...** dar clases de...; **~ particuliers** clases particulares; **~ du soir** clase nocturna; **des ~ d'été** cursos de verano **5.** *(livre)* curso **6.** *(établissement)* academia *f*: **elle est inscrite à un ~ de secrétariat** está matriculada en una academia de secretariado **7.** *(avenue)* paseo, avenida *f*.

▶ *Dar clase de...* peut signifier «suivre un cours de...», en parlant d'un élève.

**²cours → courir.**

**course** *f* **1.** *(action de courir, compétition)* carrera: **~ à pied, de chevaux** carrera pedestre, de caballos; **cheval, voiture de ~** caballo, coche de carreras; **~ en sac** carrera de sacos ◊ **~ aux armements** carrera de armamentos, armamentista; *FAM* **je ne suis pas dans la ~** no estoy al día, al corriente; **être à bout de ~** estar agotado, a **2. ~ de taureaux** corrida **3.** *(en taxi)* carrera, recorrido *m*: **je réglai la ~** pagué la carrera. **4.** *(achats)* compra, recado *m*: **aller faire ses courses** ir de compras ◊ **garçon de courses** recadero **5.** *(d'un piston, d'une pédale)* carrera, recorrido *m*. ◇ *pl (de chevaux)* carreras.

**¹coursier, ère** *s (commissionnaire)* recadero, a.

**²coursier** *m LITT (cheval)* corcel.

**coursive** *f MAR (à l'extérieur)* corredor *m*, *(à l'intérieur)* callejón *m*.

**¹court → courir.**

**²court, e** *a* **1.** corto, a: **le chemin le plus ~** el camino más corto ◊ *FIG* **avoir la vue courte** ser corto, a de vista; **avoir la mémoire courte** ser olvidadizo, a **2.** *(bref)* breve, corto, a **3.** *FIG* **aller au plus ~** echar por el atajo. ◇ *adv* **1.** corto **2.** bruscamente, súbitamente ◊ **s'arrêter ~** pararse en seco **3. couper ~ à** salir al paso de, dar fin a: **couper ~ aux rumeurs** salir al paso de los rumores; **être à ~ d'argent** estar alcanzado de dinero; **prendre de ~** coger de improviso, coger por sorpresa; **demeurer, rester ~** cortarse; **tourner ~** cambiar, pararse bruscamente **4.** *loc adv* **tout ~** simplemente, a secas.

**³court** *m* pista *f* de tenis, cancha *f* de tenis.

**courtage** *m* corretaje.

**courtaud, e** *a (personne)* rechoncho, a.

**court-bouillon** [kuʀbujɔ̃] *m* caldo corto, caldo para cocer pescado.

**court-circuit** *m* cortocircuito.

**court-circuiter** *vt* **1.** producir un cortocircuito **2.** *FIG* dejar a un lado a, pasar por encima de.

**courtepointe** *f* colcha.

**courtier, ère** *s* corredor, a, comisionista: **~ d'assurances** corredor de seguros.

**courtillière** *f* cortón *m*.

**courtine** *f ANC* cortina.

**courtisan** *m* cortesano.

**courtisane** *f* cortesana.

**courtiser** *vt* cortejar, requebrar.

**court-jus** *m FAM* cortocircuito.

**court-métrage → métrage.**

**courtois, e** *a* cortés, esa.

**courtoisie** *f* cortesía, urbanidad.

**court-vêtu, e** *a* que lleva vestidos cortos.

**couru, e** *pp* de **courir.** ◇ *a* **1.** *(spectacle, etc.)* en boga, concurrido, a **2.** *FAM* **c'est ~ d'avance** eso es cierto, seguro; **c'était ~** lo estaba viendo.

**couscous** [kuskus] *m* alcuzcuz.

**cousette** *f* modistilla.

**¹cousin, e** *s* primo, a: **cousins germains** primos hermanos; **cousins issus de germains** primos segundos ◊ **~ à la mode de Bretagne** primo lejano.

**²cousin** *m (moustique)* mosquito.

**cousinage** *m* **1.** primazgo **2.** *(famille)* parentela *f*.

**cousiner** *vi* llevarse bien, hacer buenas migas.

**coussin** *m* **1.** cojín **2.** *TECHN* almohadilla *f* **3. ~ d'air** colchón de aire.

**coussinet** *m* **1.** cojincillo **2.** *TECHN* cojinete.

**cousu, e** *pp* de **coudre.** ◇ *a* **1.** cosido, a: **~ main,** cosido a mano **2.** *FIG* **~ de fil blanc** visible, patente; **~ d'or** muy rico, forrado; **bouche cousue → bouche.**

**coût** *m* coste, costo: **le ~ de la vie** el coste de la vida; **~ de production** coste de producción.

**coûtant** *a* **à prix ~** a precio de coste.

**couteau** *m* **1.** *(de table)* cuchillo **2.** *(pliant)* navaja *f*: **~ de poche** navaja de muelle ◊ *FIG* **être à couteaux tirés** estar a matar; **mettre le ~ sur la gorge de** amenazar a **3.** *FAM* **second ~** acólito **4.** *(coquillage)* navaja *f*.

**coutelas** [kutla] *m* machete, cuchilla *f*.

**coutelier** *m* cuchillero.

**coutellerie** *f* cuchillería.

**coûter** *vi/t* **1.** costar: **combien coûte cette valise?** ¿cuánto cuesta esta maleta?; **elle coûte cher** cuesta caro; **~ les yeux de la tête** costar un ojo de la cara, un riñón **2.** costar: **cela me coûte (il m'en coûte) de lui demander ce service** me cuesta pedirle este servicio **3.** *loc adv* **coûte que coûte** cueste lo que cueste.

**coûteux, euse** *a* costoso, a.

**coutil** [kuti] *m* cotí, cutí.

**coutre** *m (de la charrue)* cuchilla *f*.

**coutume** *f* **1.** costumbre, uso *m* **2. avoir ~ de** tener la costumbre, soler: **il a ~ de passer ses vacances dans son village natal** suele pasar sus vacaciones en su pueblo natal **3.** *PROV* **une fois n'est pas ~** una vez al año no hace daño, por esta vez puede pasar **4.** *loc adv* **de ~** de costumbre, habitualmente.

**coutumier, ère** *a* **1.** habitual, acostumbrado, a **2. droit ~** derecho consuetudinario **3. il est ~ du fait** reincide.

**couture** *f* **1.** costura: **la haute ~** la alta costura ◊ *FIG* **battre à plate ~** derrotar completamente; *FAM* **examiner sur toutes les coutures** examinar detenidamente **2.** *(cicatrice)* cicatriz, costurón *m*.

**couturier** *m* modista, modisto: **un grand ~** un gran modista.

**couturière** *f* costurera, modista.

**couvain** *m* cresa *f*, carrocha *f*.

**couvée** *f* **1.** *(poussins)* pollada **2.** *(nichée)* nidada.

**couvent** *m* convento ◊ **entrer au ~** entrar en religión.

**couver** *vt* **1.** *(des œufs)* empollar, incubar ◊ *FIG* **~ des yeux** comerse con los ojos **2. ~ quelqu'un** mimar a alguien **3.** *(un projet, etc.)* tramar, abrigar **4. ~ une maladie** incubar una enfermedad: **je suis en train de ~ une grippe** estoy incubando una gripe. ◇ *vi* **1.** *(une poule, etc.)* empollar, incubar **2. le feu couve sous la cendre** el rescoldo se mantiene bajo la ceniza **3.** *FIG* estar latente.

**couvercle** *m* tapa *f*, tapadera *f*: **le ~ d'une marmite** la tapa de una olla.

**couvert, e** *pp* de **couvrir.** ◇ *a* **1.** cubierto, a **2.** *(habillé)* abrigado, a, arropado, a: **bien ~** muy abrigado **3.** *(ciel)* cubierto, a, nublado, a **3. à mots couverts** con palabras encubiertas **5.** *(par une assurance)* cubierto, a. ◇ *m* **1.** *(ustensiles de table)* cubierto: **couverts en argent** cubiertos de plata ◊ **mettre le ~** poner la mesa; **ôter le ~** quitar la mesa, levantar la mesa **2. un banquet de trente couverts** un banquete de treinta comensales **3. être à ~** estar cubierto, al abrigo **4.** *loc prép* **sous le ~ de** bajo la responsabilidad de, *(sous l'apparence de)* bajo capa de, so capa de.

**couverte** *f* vidriado *m*, barniz *m* transparente.

**couverture** *f* **1.** *(de lit, etc.)* manta, cobertor *m*: **~ chauffante** manta eléctrica; **~ de voyage** manta de viaje; *FAM* **tirer la ~ à soi** arrimar el ascua a su sardina, barrer para dentro **2.** *(toiture)* tejado *m*, techumbre **3.** *(de livre)* tapa, cubierta **4.** *(de magazine)* portada **5.** *(pour protéger un livre, un cahier)* forro *m* **6.** *COM* cobertura, garantía: **~ sociale** cobertura social.

**couveuse** *f* **1.** *(poule)* clueca **2.** *(appareil)* incubadora.

**couvre-chef** *m FAM* sombrero.

**couvre-feu** *m* **1.** queda *f*: **sonner le ~** tocar a queda **2.** *(signal)* toque de queda.

**couvre-lit** *m* cubrecama, cubre.

**couvre-livre** *m* forro, cubierta *f*.

**couvre-nuque** *m* cogotera *f*, cubrenuca *f*.

**couvre-pied(s)** *m* cubrepiés.

**couvreur** *m* techador.

**couvrir*** *vt* **1.** cubrir: **~ un fauteuil d'une housse** cubrir un sillón con un forro; **couvert de poussière** cubierto de polvo ◊ *FIG* **~ de caresses, d'éloges** cubrir de caricias, de elogios **2.** *(avec un couvercle)* tapar: **~ une casserole** tapar un cazo **3.** *(avec un vêtement)* arropar, abrigar **4.** *(un livre)* forrar **5.** *(protéger, garantir)* cubrir: **assurance qui couvre un risque** seguro que cubre un riesgo **6. ~ une distance** cubrir, recorrer una distancia **7.** *(dans le langage de l'information)* **~ un événement** cubrir un suceso. ◆ **se ~** *vpr* **1.** cubrirse **2.** abrigarse, taparse: **couvre-toi bien** tápate, abrígate bien **3. se ~ de gloire** cubrirse de gloria **4.** nublarse, cubrirse: **le temps se couvre** se nubla el cielo.

**cover-girl** [kɔvœʀgœʀl] *f* cover-girl, modelo *m*.

**cow-boy** [kɔbɔj] *m* cowboy, vaquero.

**coxal, e** *a ANAT* coxal.

**coxalgie** *f MÉD* coxalgia.

**coyotte** *m* coyote.

**crabe** *m* cangrejo de mar ◊ *FIG* **un panier de crabes** un nido de víboras.

**crac!** *interj* ¡crac!, ¡zas!

**crachat** *m* **1.** escupitajo, esputo **2.** *FAM* placa *f*, medalla *f*.
▶ *Escupitajo* est familier; *esputo* appartient à la langue soutenue ou médicale.

**craché, e** *a FAM* **c'est son père tout ~** es clavado a su padre, es escupido su padre ◊ **c'est elle tout ~!** ¡es muy de ella!

**crachement** *m* **1.** expectoración *f* ◊ **un ~ de sang** un escupo de sangre **2.** *(radio)* chisporroteo **3.** crepitación *f*.

**cracher** *vi/t* **1.** escupir: **~ par terre, au visage** escupir en el suelo, a la cara **2.** *FAM* **il ne crache pas sur le bon vin** no hace ascos al buen vino; **~ dans la soupe → soupe.** ◇ *vt* **1.** *(de la fumée, lave, etc.)* escupir, arrojar, expeler ◊ *FIG* **~ ses poumons → poumon; ~ le morceau → morceau 2.** *FAM* *(payer)* pagar (de mala gana); *(débourser)* aflojar.

**crachin** *m* llovizna *f*.

**crachiner** *v impers* lloviznar.

**crachoir** *m* escupidera *f* ◊ *FAM* **tenir le ~** hablar por los codos.

**crachoter** *vi* **1.** escupir con frecuencia **2.** *(radio, etc.)* chisporrotear.

**crack** *m* **1.** *(cheval)* favorito **2.** *FAM* as.

**cracking** *m TECHN* cracking.

**Cracovie** *np* Cracovia.

**cracra, cradingue, crado** *a POP* asqueroso, a, guarro, a.

**craie** *f* **1.** *(minéral)* creta **2.** *(pour écrire)* tiza: **écrire à la ~** escribir con tiza.

**craindre*** *vt* **1.** temer: **il craint son père** teme a su padre; **il est à ~ que** es de temer que; **ne craignez rien** no tema, no temáis **2.** temerse: **je crains qu'il ne vienne pas** me temo que no venga **3.** sufrir: **ces plantes craignent le froid** estas plantas sufren con el frío ◊ **craint l'humidité** se altera con la humedad. ◇ *vi FAM* **ça craint** no está bien.

**crainte** *f* **1.** temor *m*: **la ~ du châtiment** el temor al castigo; **sans ~ de me tromper** sin temor a equivocarme **2. soyez sans ~** no se preocupe **3.** *loc prép* **de ~ de** por miedo a, por temor a **4.** *loc conj* **de ~ que** por temor de que, temiendo que.

**craintif, ive** *a* temoroso, a, medroso, a.

**craintivement** *adv* tímidamente, con miedo.

**cramer** *vt FAM* quemar. ◇ *vi* quemarse, arder.

**cramoisi, e** *a* carmesí.

**crampe** *f* **1.** calambre *m* **2. ~ d'estomac** calambre *m* de estómago, dolor *m* de estómago.

**crampon** *m* **1.** *(pour assembler)* grapa *f*, laña *f* **2.** *(pour chaussures de football)* taco **3.** *(alpinisme)* crampón **4.** *FAM* *(personne ennuyeuse)* latoso, pelma: **quel ~!** ¡vaya tío pelma!

**cramponner** *vt FAM* *(importuner)* fastidiar. ◆ **se ~** *vpr* **1.** agarrarse: **il se cramponne à la bouée** se agarra al salvavidas **2.** *FIG* aferrarse, agarrarse: **se ~ à une idée, au pouvoir** aferrarse a una idea, al poder.

**cran** *m* **1.** *(entaille)* muesca *f* ◊ **~ d'arrêt** muelle; **~ de sûreté** seguro **2.** *(d'une ceinture)* punto: **descendre ou monter d'un ~** bajar o subir un punto **3.** *FAM* **avoir du ~** tener arrojo, tener agallas; **être à ~** estar al borde de un ataque de nervios.

[1]**crâne** *m* **1.** cráneo **2.** *(tête)* cabeza *f* ◊ *FAM* **bourrer le ~ à quelqu'un → bourrer.**

[2]**crâne** *a* arrogante, valentón, ona.

**crâner** *vi FAM* fanfarronear, presumir, chulear.

**crâneur, euse** *a/s FAM* fanfarrón, ona, presumido, a, fardón, ona.

**crânien, enne** *a* craneano, a, craneal: **boîte crânienne** caja craneal; **traumatisme ~** traumatismo craneal.

**cranter** *vt* hacer muescas a.

**crapahuter** *vi FAM* andar (por un terreno accidentado).

**crapaud** *m* **1.** *(batracien)* sapo **2.** *(fauteuil)* sillón muy bajo **3.** defecto.

**crapaudine** *f* *(de tuyau, etc.)* alcachofa.

**crapule** *f* **1.** crápula **2.** *(vaurien)* granuja *m*, estafador *m*, pillo *m*, canalla.

**crapulerie** *f* canallada.

**crapuleux, euse** *a* crapuloso, a, infame.

**craquage** *m TECHN* cracking.

**craquant, e** *a FAM* encantador, a: **une petite fille craquante** una niña encantadora, una ricura de niña.

**craque** *f POP* bola, embuste *m*.

**craqueler*** *vt* agrietar, resquebrajar: **terre craquelée** tierra agrietada.

**craquelure** *f* resquebrajadura, grieta.

**craquement** *m* chasquido, crujido.

**craquer** *vi* **1.** chasquear, crujir ◊ *FIG* **plein à ~** lleno hasta los topes **2.** *FIG* *(se désorganiser)* tambalearse, desmoronarse **3.** *FIG* **ses nerfs ont craqué, il a craqué** le fallaron los nervios; **je suis sur le point de ~** estoy a punto de echarlo todo a rodar. ◇ *vt* **~ une allumette** frotar un fósforo, rascar una cerilla.

**craquètement** *m* castañeteo, chisporroteo.

**craqueter*** *vi* castañetear, chisporrotear.

**crash** [kraʃ] *m* accidente (aéreo).

**crasher (se)** [kraʃe] *vpr* *(un avion)* estrellarse.

**crasse** *f* **1.** *(saleté)* mugre **2.** *FAM* **faire une ~ à quelqu'un** hacer una mala jugada, jugar una mala partida, una mala pasada a alguien. ◇ *a* **ignorance ~** ignorancia crasa, ignorancia supina.

**crasseux, euse** *a* mugriento, a.

**crassier** *m* escorial.

**cratère** *m* **1.** *(de volcan)* cráter **2.** *(vase)* crátera *f*.

**cravache** *f* fusta.

**cravacher** *vt* fustigar, dar latigazos a. ◇ *vi FAM* trabajar mucho, batir el cobre.

**cravate** *f* **1.** corbata: **une ~ unie** una corbata lisa ◊ *FAM* **s'en jeter un derrière la ~ → jeter 2.** *(de drapeau, décoration)* corbata.

**cravater** *vt (saisir)* agarrar. ◆ **se ~** *vpr* ponerse la corbata ◊ **cravaté** con corbata.

**crawl** [kRol] *m* crol, crawl.

**crawler** [kRole] *vi* nadar crol.

**crayeux, euse** [kRejø, øz] *a* yesoso, a.

**crayon** [kRejɔ̃] *m* **1.** lápiz: **une boîte de crayons de couleur** una caja de lápices de color **2. ~ à bille** bolígrafo; **~ d'ardoise** pizarrín; **~ feutre** rotulador **3.** *(dessin)* dibujo al lápiz **4. ~ optique** lápiz fotosensible.

**crayonnage** *m* dibujo al lápiz.

**crayonner** *vt* **1.** dibujar al lápiz **2.** *(ébaucher)* bosquejar.

**créance** *f* **1.** *(confiance)* crédito *m*, confianza, fe ◊ **lettres de ~** credenciales **2.** COM crédito *m*: **~ hypothécaire** crédito hipotecario.

**créancier, ère** *s* acreedor, a.

**créateur, trice** *s* **1.** creador, a **2. Le Créateur** el Sumo Hacedor, el Creador.

**création** *f* creación: **la ~ du monde** la creación del mundo; **~ d'emplois** creación de puestos de trabajo.

**créatif, ive** *f* creativo, a.

**créativité** *f* inventiva, creatividad.

**créature** *f* **1.** criatura **2.** *(protégé)* hechura, protegido *m* **3.** *(femme)* mujer de mala vida.

**crécelle** *f* **1.** carraca, matraca **2. voix de ~** voz chillona.

**crécerelle** *f* cernícalo *m*.

**crèche** *f* **1.** *(mangeoire)* pesebre *m* **2.** *(de Noël)* nacimiento *m* belén *m* **3.** *(pour enfants)* guardería infantil.

**crécher*** *vi* FAM vivir.

**crédence** *f (buffet)* aparador *m*.

**crédibilité** *f* credibilidad.

**crédible** *a* credible.

**crédit** *m* **1.** *(confiance)* crédito, confianza *f* **2.** COM crédito: **accorder un ~** conceder un crédito; **lettre de ~** carta de crédito ◊ **acheter à ~** comprar a plazos; **vendre à ~** vender a crédito; **la maison ne fait pas de ~** no se fía **3.** *(d'un compte)* haber ◊ **porter au ~ d'un compte** abonar en cuenta.

**crédit-bail** [kRedibaj] *m* ÉCON **«leasing»** arrendamiento con opción de compra.

**créditer** *vt* abonar: **~ un compte de...** abonar en cuenta...

**créditeur, trice** *a/s* acreedor, a.

**credo** *m* credo.

**crédule** *a* crédulo, a.

**crédulité** *f* credulidad.

**créer** *vt* **1.** crear **2.** *(causer)* ocasionar, causar: **~ des ennuis** ocasionar disgustos. ◆ **se ~** *vpr* crearse: **rien ne se crée** nada se crea.

**crémaillère** *f* **1.** *(de cheminée)* llares *m pl* ◊ **pendre la ~** estrenar la casa **2.** TECHN cremallera: **chemin de fer à ~** ferrocarril de cremallera.

**crémant** *m (vin)* cava, vino espumoso.

**crémation** *f* cremación.

**crématoire** *a/m* crematorio, a: **four ~** horno crematorio.

**crématorium** [kRematɔRjɔm] *m* crematorio.

**crème** *f* **1.** *(du lait)* nata: **~ fraîche** nata fresca; **~ fouettée** nata batida, montada; **café ~** cortado, café con leche **2.** *(entremets)* natillas *pl*, crema: **~ au chocolat** natillas con chocolate, crema de chocolate, **~ pâtissière** crema pastelera; **~ brûlée** crema catalana ◊ **~ Chantilly** chantillí *m*; **~ renversée** flan *m*; **~ glacée** helado *m*; **~ de marrons** puré *m* de castañas **3.** licor *m*: **~ de cacao** licor de cacao **4.** crema: **~ à raser** crema de afeitar; **~ hydratante** crema hidratante **5.** FIG **la ~** la flor y nata. ◊ *a (couleur)* crema.

**crémerie** *f* lechería, mantequería.

**crémeux, euse** *a* **1.** mantecoso, a, con mucha nata **2. blanc ~** blanco cremoso.

**crémier, ère** *s* lechero, a, mantequero, a.

**Crémone** *np* Cremona.

**crémone** *f* falleba.

**créneau** *m* **1.** *(fortification)* almena *f* **2.** *(entre deux voitures)* espacio libre **3.** *(sur le marché économique)* segmento de mercado.

**crénelé, e** *a* **1.** *(muraille)* almenado, a **2.** dentado, a.

**créole** *a/s* criollo, a.

**créosote** *f* creosota.

**crêpage** *m* **1.** *(des tissus)* aprestado **2.** *(des cheveux)* cardado **3. ~ de chignon** riña *f* entre mujeres, altercado.

[1]**crêpe** *f (galette)* crêpe, hojuela.

▶ Le gallicisme *crêpe* est aujourd'hui courant.

[2]**crêpe** *m* **1.** *(étoffe)* crespón, crep: **~ de Chine** crespón, crep de la China **2.** *(de deuil)* gasa *f* **3.** *(caoutchouc)* crepé: **semelles de ~** suelas de crepé.

**crêpelé, e** *a* encrespado, a.

**crêper** *vt* **1.** *(une étoffe)* encrespar **2. ~ les cheveux** cardar el pelo. ◇ *vpr* FAM **se ~ le chignon** andar a la greña.

**crêperie** *f* crepería.

**crépi** *m* revoque, enlucido.

**Crépin** *np m* Crispín.

**crépine** *f* **1.** *(boucherie)* redecilla de grasa **2.** *(de tuyau)* alcachofa.

**crépinette** *f* salchicha aplastada.

**crépir** *vt* revocar, enlucir.

**crépissage** *m* revoque, enlucido.

**crépitation** *f*, **crépitement** *m* **1.** *(du feu)* chisporroteo *m*, crepitación *f* **2. le crépitement d'une mitrailleuse** el tableteo de una ametralladora.

**crépiter** *vi* **1.** crepitar: **le feu crépite dans la cheminée** el fuego crepita en la chimenea **2.** *(une mitrailleuse)* tabletear.

**crépon** *m* crespón.

**crépu, e** *a* crepo, a.

**crépusculaire** *a* crepuscular.

**crépuscule** *m* **1.** crepúsculo **2.** FIG **le ~ des dieux** el ocaso de los dioses; **au ~ de sa vie** en el ocaso de su vida.

**crescendo** [kReʃɛndo] *adv/m* MUS crescendo ◊ FIG **aller ~** ir aumentando.

**cresson** [kResɔ̃] *m* **1.** berro **2. ~ alénois** mastuerzo.

**cressonnière** *f* berrizal *m*.

**Crésus** *np m* Creso: **riche comme ~** más rico que Creso.

**crésyl** *m* cresilo.

**crétacé, a** *a/m* GÉOL cretáceo, a.

**Crète** *np f* Creta.

**crête** *f* **1.** *(d'oiseau, d'une montagne, d'une vague)* cresta **2.** *(d'un mur)* albardilla.

**crêté, e** *a* crestado, a.

**crétin, e** *a/s* cretino, a, bobo, a, imbécil: **quel ~!** ¡qué bobo!

**crétinerie** *f* estupidez.

**crétiniser** *vt* atontar, entontecer.

**crétinisme** *m* cretinismo.

**crétois, e** *a/s* cretense.

**cretonne** *f* cretona.

**creusage, creusement** *m* excavación, *f* cavadura *f.*

**creuser** *vt* **1.** excavar, cavar: **~ une galerie** excavar una galería **2.** *(évider)* ahuecar **3.** *(un sillon, etc.)* abrir **4. ~ l'estomac** abrir el apetito **5.** *FIG* **~ une question** profundizar, ahondar una cuestión. ◆ **se ~** *vpr* **1.** *(les joues)* chuparse **2.** *FIG* **se ~ la cervelle** quebrarse la cabeza, devanarse los sesos.

**creuset** *m* crisol.

**creux, euse** *a* **1.** hueco, a **2. assiette creuse** plato hondo **3. joues creuses** mejillas chupadas; **yeux creux** ojos hundidos **4.** *(chemin)* encajonado, a **5.** *(son)* hueco, a ◊ **sonner ~** sonar a hueco **6.** *FIG* **tête creuse** cabeza hueca **7.** huero, a, vacío, a: **discours ~** discurso huero; **palores creuses** palabrería huera **8. heures creuses** *(électricité, etc.)* horas de menor consumo; *(service de transport)* horas de poca actividad. ◇ *m* **1.** hueco, concavidad *f,* hoyo **2. le ~ de la main** el hueco de la mano; **le ~ de l'estomac** la boca del estómago **3. avoir un ~ dans l'estomac** tener hambre.

**crevaison** *f* pinchazo *m.*

**crevant, e** *a FAM* **1.** *(fatigant)* agotador, a **2.** *(drôle)* mondante.

**crevasse** *f* grieta.

**crevasser** *vt* agrietar. ◆ **se ~** *vpr* agrietarse.

**crève** *f FAM* **attraper la ~** pescar un catarro de alivio.

**crevé, e** *a FAM (fatigué)* **je suis ~** estoy reventado, a, hecho, a puré.

**crève-cœur** [krɛvkœr] *m inv* disgusto, pesar, desconsuelo.

**crève-la-faim** *m inv* muerto de hambre.

**crever*** *vt* **1.** *(un ballon, etc.)* reventar **2.** *(un œil)* saltar ◊ *FIG* **cela crève les yeux** esto salta a la vista, es evidente; **~ le cœur** partir el corazón. ◇ *vi* **1.** reventar, reventarse **2.** *(pneu)* pinchar: **le pneu de mon vélo a crevé** el neumático de mi bici ha pinchado ◊ **nous avons crevé en route** hemos tenido un pinchazo en la carretera **3.** *FIG* **~ d'orgueil** reventar de orgullo **4.** *FAM* **~ de faim, de soif** morirse de hambre, de sed **5.** morir: **chien crevé** perro muerto **6.** *POP (mourir)* palmarla, cascarla. ◆ **se ~** *vpr FAM* **se ~ à la tâche** reventarse, matarse trabajando; **il se crève au travail** se mata a trabajar.

**crevette** *f* **1.** *(grise)* camarón *m* quisquilla **2.** *(rose et grosse)* gamba.

**cri** *m* **1.** grito: **pousser des cris** dar gritos; **cris de joie** gritos de alegría; *FIG* **jeter les hauts cris** poner el grito en el cielo **2.** *(d'animal, appel)* grito, voz *f:* **à grands cris** a gritos, a voces, a grito pelado **3.** *(perçant, aigu)* chillido **4.** *(d'un marchand)* pregón **5. le dernier ~** el último grito, la última moda; **manteau dernier ~** abrigo a la última.

**criailler** *vi* chillar, gritar.

**criaillerie** *f* chillido *m,* grito *m.*

**criant, e** *a* **1.** *(choquant)* indignante, escandaloso, a **2.** *(manifeste)* patente.

**criard, e** *a* **1.** chillón, ona: **voix criarde** voz chillona **2.** chillón, ona, llamativo, a: **couleurs criardes** colores chillones.

**criblage** *m* cribado.

**crible** *m* criba *f,* tamiz, cedazo ◊ **passer au ~** pasar por el tamiz, por la criba.

**cribler** *vt* **1.** cribar, ahechar **2.** acribillar: **~ de balles** acribillar a balazos **3.** *FIG* **être criblé de dettes** estar acribillado de deudas.

**cribeur, euse** *s* cribador, a.

**criblures** *f pl* acribilladuras.

**cric** *m (pour soulever)* gato, cric.

**cric!** *interj* ¡cric!

**cricket** *m* cricquet.

**cricri** *m FAM* **1.** *(onomatopée)* cricri **2.** *(grillon)* grillo.

**criée** *f* subasta de pescado, almoneda.

**crier*** *vi* **1.** gritar, vocear, chillar: **~ comme un sourd** gritar como un loco; **ne crie pas si fort!** ¡no grites tanto!, ¡no chilles tanto! **2.** *(grincer)* chirriar, rechinar **3. ~ après, contre quelqu'un** reñir a alguien **4. ~ à l'injustice** clamar contra la injusticia; **~ au miracle** extasiarse. ◇ *vt* **1.** gritar **2.** proclamar, clamar: **~ son innocence** clamar su inocencia ◊ **~ grâce** pedir merced; **~ vengeance** clamar venganza **3. ~ famine** llorar de hambre **4.** *(rendre public)* pregonar.

**crieur** *m* **1. ~ de journaux** vendedor ambulante de periódicos **2. ~ public** pregonero.

**crime** *m* crimen: **crimes de guerre** crímenes de guerra.

**Crimée** *np f* Crimea.

**criminaliste** *s* criminalista.

**criminalité** *f* criminalidad.

**criminel, elle** *a/s* criminal.

**criminologie** *f* criminología.

**criminologiste, criminologue** *s* criminólogo, a.

**crin** *m* **1.** crin *f,* cerda *f:* **~ végétal** crin vegetal **2. un réactionnaire à tous crins** un ardiente reaccionario **3.** *FAM* **être comme un ~** ser arisco, irritable, estar de mala leche.

**crincrin** *m FAM* mal violín.

**crinière** *f* **1.** *(du cheval)* crines *pl* **2.** *(du lion)* melena **3.** *FAM (cheveux)* melena, greñas *pl.*

**crinoline** *f* miriñaque *m,* crinolina.

**crique** *f* cala.

**criquet** *m* langosta *f,* saltamontes.

**crise** *f* **1.** crisis **~: de croissance** crisis de crecimiento; **~ économique** crisis económica; **~ ministérielle** crisis ministerial; **cellule de ~** gabinete *m* de crisis **2.** ataque *m:* **une ~ de nerfs** un ataque de nervios; **~ d'asthme** ataque de asma; **~ cardiaque** ataque al corazón; **~ de jalousie** ataque de celos **3.** *FAM* **piquer une ~** montar en cólera.

**crispant, e** *a* irritante.

**crispation** *f* crispadura, crispamiento *m.*

**crisper** *vt* **1.** cripar: **visage crispé par la douleur** rostro crispado por el dolor **2.** *FIG* irritar, crispar, sulfurar. ◆ **se ~** *vpr* crisparse.

**crissement** *m* crujido, rechinamiento.

**crisser** *vi* **1.** crujir **2.** *(dents)* rechinar.

**cristal** *m* **1. ~ de roche** cristal de roca **2.** *(verre)* cristal (fino): **coupe en ~** copa de cristal **3.** cristal: **des cristaux de neige** cristales de nieve **4. affichage à cristaux liquides** pantalla de cristal líquido.

▶ Sens 2: en espagnol *cristal* désigne aussi le verre ordinaire.

**cristallerie** *f* cristalería.

**cristallin, e** *a* **1.** *(eau)* cristalino, a **2.** *(son, voix)* claro, a. ◇ *m (de l'œil)* cristalino.

**cristallisation** *f* cristalización.

**cristalliser** *vt/i* cristalizar. ◆ **se ~** *vpr* cristalizarse.

**cristallisoir** *m* cristalizador.

**cristallographie** *f* cristalografía.

**critère** *m* **1.** criterio **2. ce n'est pas un ~** no es una prueba suficiente.

**critérium** [kriterjɔm] *m* **1.** *(sports)* prueba *f* de clasificación **2.** criterio.

**critiquable** *a* criticable.

**critique** *a* crítico, a: **sens ~** sentido crítico; **âge ~** edad crítica. ◇ *m* crítico: **~ littéraire** crítico literario. ◇ *f* crítica:

**faire une ~ hacer una crítica; la ~ est très partagée** la crítica está muy dividida.

**critiquer** *vt* criticar.

**critiqueur** *m* criticón.

**croassement** *m* graznido.

**croasser** *vi* graznar.

**croate** *a/s* croata.

**Croatie** [kʀɔasi] *np f* Croacia.

**croc** [kʀo] *m* **1.** *(crochet)* garfio ◊ **moustaches en crocs** bigotes retorcidos **2.** *(de marinier)* bichero **3.** *(dent)* colmillo (puntiagudo) ◊ *FIG* **montrer les crocs** enseñar los colmillos, amenazar; *FAM* **avoir les crocs** tener un hambre que no ve.

**croc-en-jambe** [kʀɔkɑ̃ʒɑ̃b] *m* zancadilla *f*: **faire un ~** echar la zancadilla.

**croche** *f MUS* corchea: **double ~** semicorchea; **triple ~** fusa; **quadruple ~** semifusa.

**croche-pied → croc-en-jambe.**

**crochet** *m* **1.** *(pour suspendre)* gancho, garfio **2.** *(pour serrures)* ganzúa *f* **3.** *(aiguille)* ganchillo: **bonnet au ~** boina de ganchillo **4.** *(travail au crochet)* crochet, labor *f* de ganchillo **5.** *(typographie)* corchete: **mettre entre crochets** poner entre corchetes **6.** *(boxe)* gancho, croché: **~ du droit** gancho de derecha **7.** *(détour)* rodeo: **il a fait un ~ pour me saluer** dio un rodeo para saludarme **8.** *FIG* **vivre aux crochets de quelqu'un** vivir a expensas de alguien.

**crocheter*** *vt (une serrure)* forzar.

**crocheteur** *m (voleur)* ladrón (con ganzúa).

**crochu, e** *a* **1.** ganchudo, a: **nez ~** nariz ganchuda **2.** *FAM* **avoir les doigts crochus** ser agarrado, a **3. atomes crochus → atome.**

**croco** *m FAM* cocodrilo.

**crocodile** *m* cocodrilo ◊ *FIG* **larmes de ~** lágrimas de cocodrilo.

**crocus** [kʀɔkys] *m* azafrán, croco.

**croire*** *vt/i* **1.** creer: **je crois que tu as raison** creo que tienes razón; **~ en Dieu** creer en Dios; **~ à la magie** creer en la magia; **j'ai cru qu'il viendrait** creí que vendría; **je crois bien!** ¡ya lo creo!; **vous ne croyez pas?** ¿no cree usted?; **croyez-moi** créame; **qui l'eût cru?** ¿quién lo hubiera creído?, ¿quien lo iba a pensar?; **personne ne l'a cru** nadie lo creyó; *FAM* **je te crois!** ¡ya lo creo! ◊ **à ce que je crois** en mi opinión; **à l'en ~** según él; **je n'en crois pas mes yeux, mes oreilles** no lo creo; **si vous m'en croyez** si usted da crédito a lo que digo **2. on croirait qu'il dort** parece que está durmiendo; **il a cru entendre un appel** le ha parecido oír una llamada **3.** hacer: **je te croyais mort** yo te hacía muerto. ◆ **se ~** *vpr* creerse, presumir: **il se croit supérieur** se cree superior; **elle se croit belle** presume de guapa ◊ **qu'est-ce qu'il se croit!** ¡será fardón!; **il se croit tout permis** cree que puede hacer todo lo que le da la gana.

▶ Dans la langue parlée, *creer* s'emploie souvent à la forme pronominale (sens de «penser, s'imaginer que»): *il a cru que...* se ha creído que...; *et tu y crois!* ¡y tú te lo crees!

**croisade** *f* **1.** *HIST* cruzada ◊ **cela remonte aux croisades** esto es de (los) tiempos de Maricastaña **2.** *(campagne)* cruzada.

**croisé, e** *a* cruzado, a: **veste croisée** chaqueta cruzada. ◇ *m (participant à une croisade)* cruzado.

**croisée** *f* **1.** *(fenêtre)* ventana **2. la ~ des chemins** la encrucijada **3. ~ du transept** crucero *m*.

**croisement** *m* **1.** cruce ◊ **feux de ~** luces de cruce **2.** *(de races)* cruzamiento.

**croiser** *vt* **1.** cruzar: **~ les jambes** cruzar las piernas **2.** cruzarse: **je l'ai croisée dans l'escalier** me crucé con ella en la escalera **3.** *(des races)* cruzar. ◇ *vi MAR* cruzar. ◆ **se ~** *vpr* cruzarse: **nos regards se sont croisés** nuestras miradas se cruzaron; **se ~ les bras** cruzarse de brazos; **les bras croisés** cruzado de brazos.

**croiseur** *m MAR* crucero.

**croisière** *f* **1.** crucero *m*: **faire une ~** hacer un crucero **2. vitesse de ~** velocidad de crucero.

**croisillon** *f* **1.** travesaño **2.** *(du transept)* crucero.

**croissance** *f* crecimiento *m*: **crise de ~** crisis de crecimiento; **~ économique** crecimiento económico; **~ zéro** crecimiento cero.

**croissant, e** *a* creciente. ◇ *m* **1.** *(lune, forme)* media luna *f* **2.** *(pâtisserie)* croissant.

**croître*** *vi* **1.** crecer: **les plantes croissent** las plantas van creciendo; **«croissez et multipliez»** creced y multiplicaos **2.** *jours)* alargarse **3.** *(en nombre, en importance)* crecer, aumentar.

**croix** *f* **1.** cruz: **le signe de la ~** la señal de la cruz; **des ~** cruces; **chemin de ~ → chemin;** *FIG* **chacun porte sa ~** cada uno lleva su cruz **2. ~ de Saint-André** cruz de San Andrés; **~ gammée** esvástica, cruz gamada; **la Croix-Rouge** la Cruz Roja **3. les bras en ~** con los brazos en cruz **4.** *ASTR* **la Croix du Sud** la Cruz del Sur.

**cromlech** [kʀɔmlɛk] *m* crónlech.

**croquant, e** *a* crujiente. ◇ *s PÉJOR (paysan)* paleto, a, cateto, a.

**croque-au-sel (à la)** *loc adv* sólo con sal.

**croque-mitaine** *m* coco, bu.

**croque-monsieur** [kʀɔkməsjø] *m* bocadillo caliente de jamón y queso.

**croque-mort** *m* empleado de funeraria, sepulturero.

**croquenot** *m POP* zapato.

**croquer** *vi* crujir: **la pomme croque sous la dent** la manzana cruje al masticarla ◊ **~ dans une pomme** morder una manzana. ◇ *vt* **1.** *(broyer)* ronzar, ronchar **2.** *(manger)* comer **3.** *(mâcher)* mascar **4.** *(dessiner)* bosquejar: **~ une scène de marché** bosquejar una escena de mercado **5.** *FAM* **elle est (jolie) à ~** es guapísima.

**croquet** *m* **1.** *(jeu)* croquet **2.** *(biscuit)* galleta *f* con almendras.

**croquette** *f* **1.** *(viande, etc.)* croqueta **2.** disco *m* de chocolate.

**croquignolet, ette** *a FAM* mono, a.

**croquis** [kʀɔki] *m* croquis, bosquejo.

**cross** *m* cross.

**crosse** *f* **1.** *(d'évêque)* báculo *m* pastoral, cayado *m* **2.** *(de hockey)* palo *m* **3. la ~ de l'aorte** el cayado de la aorta **4.** *(d'arme à feu)* culata ◊ **mettre la ~ en l'air** rendirse **5.** *FAM* **chercher des crosses à quelqu'un** buscar las cosquillas a alguien.

**crotale** *m* crótalo.

**croton** *m (arbuste)* crotón.

**crotte** *f* **1.** cagarruta, cagajón *m* ◊ *FAM* **c'est de la ~ de bique!** ¡eso no vale un pito!; **il ne se prend pas pour de la ~ de bique** se cree alguien, no necesita abuela **2.** *FAM* caca, mierda: **~ de chien** caca de perro **3.** *(boue)* barro *m* **4. ~ de chocolat** bombón de chocolate. ◇ *interj* ¡cáspita!

**crotté, e** *a* manchado, a de barro, embarrado, a.

**crottin** *m* **1.** boñiga *f* de caballo, estiércol de caballo **2.** *(fromage)* queso de cabra.

**croulant, e** *a* ruinoso, a. ◇ *m POP (personne âgée)* viejo, vejestorio, carroza.

**crouler** *vi* **1.** hundirse, desplomarse **2. la salle croulait sous les applaudissements** la sala se venía abajo con los aplausos.

**croup** [kʀup] *m* crup, garrotillo.

**croupe** *f* grupa, ancas *pl*: **porter en ~** llevar a la grupa.

**croupetons (à)** *loc adv* en cuclillas.

**croupi, e** *a* **eau croupie** agua estancada.

**croupier** *m* crupier.

**croupière** *f* baticola ◊ *LITT* **tailler des croupières à** poner dificultades a.

**croupion** *m* **1.** *(d'un oiseau)* rabadilla *f* **2.** *FAM* culo.

**croupir** *vi* **1.** *(les eaux)* estancarse, corromperse **2.** *FIG* **~ dans la misère** hundirse en la miseria.

**croupissant, e** *a* estancado, a, corrompido, a.

**croupissement** *m* estancamiento, corrupción *f*.

**croustade** *f* *(pâté)* empanada.

**croustillant, e** *a* **1.** crujiente, que cruje (al ser mascado) **2.** *FIG* *(une histoire, etc.)* picante, libre, picaresco, a.

**croustiller** *vi* crujir, cuscurrear.

**croûte** *f* **1.** *(du pain, du fromage)* corteza **2. une ~ de pain** un cuscurro de pan ◊ *FAM* **casser la ~** comer; **gagner sa ~** ganarse los garbanzos, el pan **3. pâté en ~** empanada *f* **4. ~ terrestre** corteza terrestre **5.** *(d'une plaie)* costra, postilla ◊ **croûtes de lait** usagre *m* **6.** *FAM* *(mauvais tableau)* churro *m*, mamarracho *m*.

**croûter** *vi* *FAM* *(manger)* jamar.

**croûton** *m* **1.** *(de pain)* cuscurro, mendrugo, crostón: **croûtons de pain** crostones de pan **2.** *(de pain frit)* taco de pan frito, cuscurrito: **potage aux croûtons** sopa con tacos de pan frito **3.** *FAM* **un vieux ~** un paleto.

**croyable** [krwajabl] *a* creíble: **c'est à peine ~** es poco creíble.

**croyais**, etc. → **croire.**

**croyance** [krwajɑ̃s] *f* creencia.

**croyant, e** [krwajɑ̃, ɑ̃t] *a/s* creyente.

**C.R.S.** [seeɛrɛs] *m* agente de las «Compagnies républicaines de sécurité»

[1]**cru** *m* **1.** *(vignoble)* viñedo **2.** *(vin)* caldo **3.** *(terroir)* terruño, tierra *f*, país: **vin du ~** vino del país **4.** *FIG* **de son ~** de su cosecha.

[2]**cru, e** → **croire.**

[3]**cru, e** *a* **1.** *(aliment, lumière, etc.)* crudo, a **2.** *FIG* *(plaisanterie, etc.)* chocante, picante. ◇ *adv* **1. je vous le dis tout ~** se lo digo sin rodeos **2. monter à ~** montar en pelo.

**crû, e** → **croître.**

**cruauté** *f* crueldad.

**cruche** *f* **1.** cántaro *m* ◊ *PROV* **tant va la ~ à l'eau qu'à la fin elle se casse** tanto va el cántaro a la fuente que al fin se rompe **2.** *(à bec)* botijo *m* **3.** *FAM* *(personne)* mentecato, a, cernícalo, a.

**cruchon** *m* cantarillo.

**crucial, e** *a* crucial.

**crucifère** *a/f* *BOT* crucífero, a.

**crucifié, e** *a/s* crucificado, a: **le Crucifié** el Crucificado.

**crucifiement** *m* crucifixión *f*.

**crucifier*** *vt* crucificar.

**crucifix** [krysifi] *m* crucifijo.

**crucifixion** *f* crucifixión.

**cruciverbiste** *s* crucigramista.

**crudité** *f* **1.** *(du langage, etc.)* crudeza **2.** *(de la lumière)* viveza. ◇ *pl* **une assiette de crudités** un plato de verduras frescas.

**crue** *f* *(d'un cours d'eau)* crecida, avenida.

**cruel, elle** *a* cruel.

**cruellement** *adv* cruelmente.

**crûment** *adv* crudamente.

**crûmes, crus**, etc. → **croire**

**crustacé** *m* crustáceo.

**cryogène** *a/m* *PHYS* criogénico, a.

**cryogénie** *f* *PHYS* criogenia.

**cryoscopie** *f* *PHYS* crioscopia.

**cryptage** *m* codificación *f*.

**crypte** *f* cripta.

**cryter** *vt* codificar: **chaîne cryptée** cadena codificada.

**cryptogame** *m* *BOT* criptógamo.

**cryptogamique** *a* criptogámico, a.

**cryptogramme** *m* criptograma.

**cryptographie** *f* criptografía.

**cryptographique** *a* criptográfico, a.

**csardas** *m* *(danse)* czarda, zarda.

**Cuba** *np* Cuba.

**cubage** *m* cubicación *f*.

**cubain, e** *a/s* cubano, a.

**cube** *m* **1.** cubo **2.** *(de glace)* cubito **3.** *FAM* **gros ~** moto *f* de gran cilindrada. ◇ *a* cúbico, a: **mètre ~** metro cúbico.

**cuber** *vt* cubicar.

**cubique** *a* cúbico, a: **racine ~** raíz cúbica.

**cubisme** *m* cubismo.

**cubiste** *a/s* cubista.

**cubitus** [kybitys] *m* *ANAT* cúbito.

**cucul** *a* *FAM* tontuelo, a, necio, a.

**cucurbitacée** *f* cucurbitácea.

**cueille-fruits** *m inv* cogedera *f*.

**cueillette** *f* recolección, cosecha, recogida: **la ~ des olives** la recolección de las aceitunas.

**cueillir*** *vt* **1.** *(fruit, fleurs)* coger, recoger: **~ des fraises** recoger fresas **2.** *(quelqu'un)* recoger **3.** *FAM* **~ un voleur** atrapar, coger, pillar a un ladrón.

**cueilloir** *m* cogedera *f*.

**cui-cui** *m inv* pío pío.

**cuiller, cuillère** [kyijɛʀ] *f* **1.** cuchara: **~ à soupe** cuchara sopera; **~ en bois** cuchara de palo, cuchara de madera ◊ **~ à café, petite ~** cucharilla **2. ~ à pot** cucharón *m*, cazo *m* **3.** *FAM* **en deux coups de ~ à pot** en un santiamén; **ne pas y aller avec le dos de la ~** no andarse con chiquitas; **être à ramasser à la petite ~** estar hecho polvo **4.** *(pour la pêche)* cucharilla, cuchara.

**cuillerée** [kyij(ə)ʀe] *f* cucharada.

**cuir** *m* **1.** *(peau tannée)* cuero, piel *f*: **semelle, ceinture en ~** suela, cinturón de cuero; **valise en ~** maleta de piel; **articles de ~** artículos de piel **2. ~ chevelu** cuero cabelludo **3.** *(peau d'un animal)* piel *f* **4.** *FAM* error de pronunciación: **faire un ~** cometer un error de pronunciación.

**cuirasse** *f* **1.** coraza **2.** *FIG* **le défaut de la ~** el punto débil, el punto flaco.

**cuirassé, e** *a* acorazado, a. ◇ *m* *(navire)* acorazado.

**cuirasser** *vt* acorazar. ◆ **se ~** *vpr* *FIG* acorazarse, hacerse insensible.

**cuirassier** *m* *MIL* coracero.

**cuire*** *vt* **1.** cocer: **~ à la vapeur** cocer al vapor **2.** *(au four)* asar **3.** *(frire)* freír **4.** *(porcelaine, briques, etc.)* cocer. ◇ *vi* **1.** cocerse: **ces lentilles cuisent mal** estas lentejas no se cuecen; **faire ~ à feu doux, a petit ~** cocer a fuego suave, a fuego lento; **faire ~ à four doux** cuézase en horno suave **2.** *(douleur)* escocer ◊ **il vous en cuira** usted se arrepentirá de esto **3.** *FAM* **on cuit ici!** ¡aquí se asa uno!

**cuisant, e** *a* **1.** *(douleur)* agudo, a, punzante **2.** *(blessant)* humillante, hiriente.

**cuiseur** *m* caldera *f*.

**cuisine** *f* **1.** *(pièce, art, mets)* cocina: **livre de ~** libro de cocina **2. faire la ~** cocinar, guisar **3.** *FAM* **la ~ électorale** los trapicheos electorales.

**cuisiné, e** a **plat ~** plato preparado.

**cuisiner** *vi/t* cocinar, guisar. ◇ *vt* FAM interrogar hábilmente.

**cuisinier, ère** *s* cocinero, a. ◇ *f* cocina: **cuisinière électrique, à gaz** cocina eléctrica, de gas.

**cuissardes** *f pl* botas.

**cuisse** *f* **1.** muslo *m* **2.** *(boucherie)* pierna **3. une ~ de poulet** un muslo de pollo **4. ~ de grenouille** anca de rana **5.** FAM **se croire sorti de la ~ de Jupiter** tener muchos humos.

**cuisseau** *m (de veau)* pierna *f* (de ternera).

**cuisson** *f* **1.** cocción **2.** *(céramique, pain)* cochura **3.** *(douleur)* escozor *m*.

**cuissot** *m* pernil, pierna *f* de venado.

**cuistance** *f* FAM cocina ◊ **faire la ~** cocinar, guisar.

**cuistot** *m* FAM cocinero.

**cuistre** *m* pedante.

**cuistrerie** *f* pedantería.

**cuit, e** *pp* de **cuire** ◇ *a* **1.** cocido, a; **~à point** cocido en su punto **2.** FAM **être ~** estar perdido, a, quedar chasqueado, a ◇ *f* **1.** TECHN cochura **2.** FAM mona, curda, borrachera, trompa, melopea: **prendre une cuite** pescar una mona, agarrar una borrachera, coger una trompa.

**cuiter (se)** *vpr* POP emborracharse, coger una trompa.

**cuivre** *m* cobre ◊ **~ jaune** latón. ◇ *pl* MUS **les cuivres** los cobres, el metal.

**cuivré, e** *a* **1.** cobrizo, a **2.** *(voix)* sonoro, a.

**cuivreux, euse** *a* **1.** CHIM cuproso, a **2.** cobrizo, a.

**cul** [ky] *m* **1.** FAM culo **2.** *(d'un récipient)* culo ◊ **faire ~ sec** apurar el vaso de un trago **3.** FAM **faire la bouche en ~ de poule** poner hociquito **4.** FAM **être comme ~ et chemise** estar a partir un piñón; VULG **en avoir plein le ~** estar hasta el gorro **5. faux ~** ANC polisón, FAM *(hypocrite)* hipócrita.

**culasse** *f* **1.** *(d'arme à feu, de moteur)* culata **2. ~ mobile,** cerrojo *m*.

**cul-bénit** *m* FAM meapilas, santurrón.

**culbute** *f* **1.** *(cabriole)* voltereta **2.** *(chute)* caída ◊ **il a fait une ~** ha rodado por el suelo, ha caído **3.** *(voiture)* vuelta de campana **4.** FAM **faire la ~** *(faillite)* hundirse.

**culbuter** *vt* **1.** tumbar, derribar **2.** *(une armée)* derrotar. ◇ *vi* **1.** rodar por el suelo, caer **2.** *(une voiture)* volcar.

**culbuteur** *m* TECHN balancín.

**cul-de-four** *m* ARCH media naranja *f*.

**cul-de-jatte** [kydʒat] *m* lisiado sin piernas.

**cul-de-lampe** [kydlɑ̃p] *m* **1.** *(en typographie)* viñeta *f* **2.** ARCH repisa.

**cul-de-sac** [kydsak] *m* callejón sin salida.

**culée** *f* **1.** *(de pont)* estribo *m* **2.** *(d'un arc)* machón *m*, macho *m*, botarel *m*.

**culer** *vi* MAR dar marcha atrás.

**culinaire** *a* culinario, a.

**culminant, e** *a* culminante.

**culmination** *f* culminación.

**culminer** *vi* culminar.

**culot** *m* **1.** *(d'ampoule, de cartouche)* casquillo **2.** *(résidu)* residuo (en un crisol, en una pipa) **3.** FAM cara *f*, caradura *f*, frescura *f*, aplomo: **avoir du ~** tener cara; **il a eu le ~ de venir,** ha tenido la cara de venir; **quel ~!** ¡qué cara!, ¡qué cara más dura!; **y aller au ~** farolear, tirarse un farol.

**culotte** *f* **1.** *(d'homme)* calzón *m*, pantalón *m*: **culottes courtes** pantalones cortos; **~ de cheval** pantalón de montar; *(adiposité)* exceso *m* de grasa en los muslos; FAM **faire dansa sa ~** cagarse de miedo ◊ FIG **porter la ~** llevar los pantalones **2.** *(de femme)* bragas *pl* **3.** FAM *(au jeu)* paliza ◊ **prendre une ~** perder mucho dinero en el juego.

**culotté, e** *a* FAM fresco, a, cara: **il est ~** es un fresco, es una cara.

**culotter** *vt* **1.** poner los pantalones a **2. ~ une pipe** curar una pipa.

**culpabiliser** *vt* culpabilizar, culpar. ◇ *vi* sentirse culpable.

**culpabilité** *f* culpabilidad: **sentiment de ~** sentimiento de culpabilidad.

**culte** *m* culto: **rendre un ~ à** rendir culto a; **le ~ de la beauté, du corps** el culto a la belleza, al cuerpo; **le ~ de la personnalité** el culto a la personalidad ◊ **film-~** película de culto; **livre-~** obra de culto.

**cul-terreux** *m* PÉJOR paleto, cateto.

**cultisme** *m* culteranismo.

**cultivable** *a* cultivable.

**cultivateur, trice** *s* labrador, a. ◇ *m (appareil)* cultivador.

**cultivé, e** *a* **1.** cultivado, a **2.** *(une personne)* culto, a, instruido, a.

**cultiver** *vt* **1.** cultivar **2.** FIG cultivar. ◆ **se ~** *vpr* instruirse.

**cultuel, elle** *a* cultual.

**culture** *f* **1.** cultivo *m*: **la ~ des céréales** el cultivo de los cereales; **bouillon de ~** caldo de cultivo **2.** *(de l'esprit)* cultura, instrucción: **une personne de vaste ~** una persona de amplia cultura; **la ~ classique** la cultura clásica **3. ~ physique** cultura física.

**culturel, elle** *a* cultural.

**culturisme** *m* culturismo.

**culturiste** *a/s* culturista.

**cumin** *m* comino.

**cumul** *m* **1.** acumulación *f*, cúmulo **2. ~ d'emplois** pluriempleo.

**cumulard** *m* FAM pluriempleado, acaparador de cargos.

**cumuler** *vt* acumular, acaparar.

**cumulus** [kymylys] *m (nuage)* cúmulo.

**cunéiforme** *a* cuneiforme.

**cuniculiculture** *f* cunicultura.

**cupide** *a* codicioso, a, ávido, a.

**cupidité** *f* codicia, avidez.

**Cupidon** *np m* Cupido.

**cuprifère** *a* cuprífero, a.

**cuprique** *a* cúprico, a.

**cupule** *f* BOT cúpula.

**curable** *a* curable.

**Curaçao** *np* Curazao.

**curaçao** *m (liqueur)* curasao.

**curage** *m* limpia *f*.

**curare** *m* curare.

**curatelle** *f* JUR curatela.

**curateur, trice** *s* JUR curador, a.

**curatif, ive** *a* curativo, a.

[1]**cure** *f* **1.** cura: **~ thermale** cura termal; **faire une ~ de repos** hacer una cura de reposo **2. ~ d'amaigrissement** dieta de adelgazamiento **3. n'avoir ~ de rien** no preocuparse por nada.

[2]**cure** *f* **1.** *(presbytère)* casa del cura **2.** *(fonction du curé)* curato *m*.

**curé** *m* **1.** cura, párroco: **monsieur le ~** señor cura **2.** PÉJOR **les curés** los curas; **bouffer, manger du ~** ser anticlerical.

**cure-dent(s)** *m* mondadiente.
**curée** *f* **1.** *(chasse)* encarne *m* **2.** *FIG* lucha (por los empleos, etc.).
**cure-ongles** *m* limpiauñas.
**cure-oreille** *m* escarbaorejas.
**cure-pipe** *m* limpiapipa.
**curer** *vt* limpiar. ◆ **se ~** *vpr* **se ~ les dents** hurgarse los dientes.
**curetage** *m MÉD* raspado, legrado, legradura *f.*
**cureter** *f MÉD* raspar, legrar.
**curette** *f* **1.** raspador *m* **2.** *MÉD* legra, raspador *m.*
**¹curie** *f (à Rome)* curia.
**²curie** *m (unité de radioactivité)* curie.
**curieux, euse** *a* **1.** curioso, a: **un esprit ~** un espíritu curioso; **je suis ~ de savoir** estoy curioso por saber **2.** *(étrange)* raro, a, extraño, a: **ça ne vous paraît pas ~?** ¿no le parece a usted extraño?; **un ~ personnage** un tío raro. ◇ *s* **1.** curioso, a **2.** *(badaud)* **les ~** los mirones. ◇ *m* **le plus ~ de...** lo más curioso de...
**curiosité** *f* **1.** curiosidad **2.** *(chose curieuse)* curiosidad, rareza **3. magasin de curiosités** tienda de curiosidades.
**curiste** *s* agüista.
**curriculum vitæ** *m* currículum vitae, historial profesional.
**curry** *m* curry.
**curseur** *m* cursor.
**cursif, ive** *a* cursivo, a.
**cursus** [kyʀsys] *m* estudios *pl* universitarios.
**curule** *a* **chaise ~** silla curul.
**curviligne** *a* curvilíneo, a.
**custode** *f* **1.** *(voile)* paño *m* del copón **2.** *(ciboire)* viril *m* **3.** *(d'automobile)* **glace de ~** ventanilla de atrás.
**cutané, e** *a* cutáneo, a.
**cuticule** *f* cutícula.
**cuti-réaction** *f MÉD* intradermorreación, cutirreacción.
▶ Abreviatura familiar: *cuti.*
**cutter** [kœtœʀ] *m* «cutter».
**cuve** *f* **1.** tina **2.** depósito *m*, tanque *m*: **~ à mazout** depósito de fuel-oil **3.** *(servant au développement des photos)* cubeta **4.** *(d'un réacteur nucléaire)* vasija.
**cuvée** *f* **1.** cuba **2.** *(récolte)* cosecha.
**cuvelage** *m TECHN* entibación *f.*
**cuveler*** *vt TECHN* entibar.
**cuver** *vi* fermentar, cocer. ◇ *vt FAM* **~ son vin** dormir la mona, dormir el vino.
**cuvette** *f* **1.** *(de toilette, etc.)* palangana, jofaina: **~ en plastique** palangana de plástico **2. la ~ des cabinets** la taza del retrete **3.** *(de baromètre)* cubeta **4.** *(dépression)* hondonada: **lac situé au centre d'une ~** lago situado en el centro de una hondonada.
**cuvier** *m* tina *f* para la colada.
**cyanhydrique** *a CHIM* cianhídrico, a.
**cyanose** *f MÉD* cianosis.
**cyanure** *m* cianuro.
**Cybèle** *np f* Cibeles.
**cybercafé** *m* cibercafé.
**cyberespace** *m* ciberespacio.
**cybernaute** *s* cibernauta.
**cybernéticien, enne** *s* especialista en cibernética.
**cybernétique** *f* cibernética.
**cyclable** *a* para ciclistas ◊ **piste ~** carril-bici *m.*
**Cyclades** *np f pl* Cícladas.
**cyclamen** [siklamɛn]m ciclamen, ciclamino.
**¹cycle** *m (lunaire, romanesque, etc.)* ciclo.
**²cycle** *m* vehículo de dos ruedas, bicicleta *f.*
**cyclique** *a* cíclico, a.
**cyclisme** *m* ciclismo.
**cycliste** *a/s* ciclista.
**cyclo-cross** *m* ciclocross.
**cyclomoteur** *m* ciclomotor.
**cyclomotoriste** *s* ciclomotorista.
**cyclone** *m* ciclón ◊ **l'œil du ~** el ojo del huracán.
**cylope** *m* cíclope.
**cyclopéen, enne** *a* ciclópeo, a.
**cyclothymie** *f MÉD* ciclotimia.
**cyclothymique** *a MÉD* ciclotímico, a.
**cyclotourisme** *m* cicloturismo.
**cyclotouriste** *s* cicloturista.
**cyclotron** *m PHYS* ciclotrón.
**cygne** *m* cisne ◊ *FIG* **le chant du ~** el canto del cisne.
**cylindrage** *m TECHN* cilindrado.
**cylindre** *m* cilindro.
**cylindrée** *f* cilindrada: **une grosse ~** una gran cilindrada.
**cylindrer** *vt* **1.** cilindrar **2.** *(une route)* apisonar.
**cylindrique** *a* cilíndrico, a.
**cymbale** *f* platillo *m.*
**cymbalier, cymbaliste** *s* cimbalero.
**cynégétique** *a/f* cinegético, a.
**cynique** *a* cínico, a.
**cynisme** *m* cinismo.
**cynocéphale** *m* cinocéfalo.
**cynodrome** *m* canódromo.
**cyphose** *f MÉD* cifosis.
**cyprès** *m* ciprés: **des ~** cipreses.
**Cyprien** *np m* Cipriano.
**cyprin** *m* ciprino.
**cypriote** *a/s* chipriota.
**Cyrénaïque** *np f* Cirenaica.
**Cyrille** [siʀil] *np m* Cirilo.
**cyrillique** *a* cirílico, a.
**Cyrus** [siʀys] *np m* Ciro.
**cystique** *a* cístico, a.
**cystite** *f MÉD* cistitis.
**Cythère** *np f (île)* Citera.
**cytise** *m* citiso.
**cytologie** *f* citología.
**cytologique** *a* citológico, a.
**cytoplasme** *m BIOL* citoplasma.
**czar → tsar.**

# D

**d** *m* **1.** d *f*: **un ~** una d **2.** *FAM* **système D,** → **système.**

**d'** → **de.**

**d'abord** → **abord.**

**d'accord** → **accord.**

**dace** *a/s* dacio, a.

**Dacie** *np f* Dacia.

**dactylo** *f* **1.** *(personne)* mecanógrafa **2.** *(dactylographie)* mecanografía.

**dactylographe** → **dactylo.**

**dactylographie** *f* mecanografía.

**dactylographier*** *vt* mecanografiar.

**dactylographique** *a* mecanográfico, a.

**dada** *m* **1.** *(cheval, dans le langage enfantin)* caballo **2.** *FAM* manía *f*, tema **3.** *(dadaïsme)* dadaísmo. ◇ *a* dadaísta.

**dadais** *m* bobo, necio.

**dadaïsme** *m* dadaísmo.

**dadaïste** *a/s* dadaísta.

**dague** *f* **1.** *(épée)* daga **2.** *(du cerf)* mogote *m*.

**daguerréotype** *m* daguerrotipo.

**daguerréotypie** *f* daguerrotipia.

**daguet** *m* cervato.

**dal (que)** → **dalle.**

**dalhia** *m* dalia *f*.

**daigner** *vt* dignarse: **il n'a même pas daigné m'écouter** no se ha dignado siquiera escucharme ◊ **daignez accepter...** sírvase aceptar...

**daim** [dɛ̃] *m* **1.** *(animal)* gamo **2.** *(peau)* ante: **blouson de ~** cazadora de ante.

**daine** *f* gama.

**dais** *m* **1.** *(de trône, autel)* dosel **2.** *(de statue)* doselete.

**dallage** *m* enlosado.

**dalle** *f* **1.** losa **2.** *POP* **se rincer la ~** echarse un trago; **avoir la ~ en pente** ser aficionado al trago **3.** *POP* **je n'y entrave que ~** no entiendo ni jota.

**daller** *vt* enlosar.

**dalmate** *a/s* dálmata.

**Dalmatie** *np f* Dalmacia.

**dalmatien** *m (chien)* dálmata.

**dalmatique** *f* dalmática.

**dalot** *m MAR* imbornal.

**daltonien, enne** *a/s* daltoniano, a.

**daltonisme** *m* daltonismo.

**dam** [dɑ̃] *m LITT* perjuicio: **au grand ~ de** con gran perjuicio de.

**damage** *m* apisonamiento.

**damas** [dama] *m* **1.** *(étoffe)* damasco **2.** *(acier)* acero pavonado.

**Damas** [damas] *np* Damasco: **le chemin de ~** el camino de Damasco.

**damascène** *a/s* damasceno, a.

**damasquinage** *m* damasquinado.

**damasquiner** *vt* damasquinar.

**damassé, e** *a (tissu)* adamascado, a. ◇ *m (étoffe)* damasco.

**damasser** *vt (tissu)* adamascar.

[1]**dame** *f* **1.** señora: **qui est cette ~?** ¿quién es esta señora?; **coiffeur pour dames** peluquero de señoras; **~ de compagnie** señora de compañía ◊ *POP* **votre ~** su mujer, su señora **2.** *(femme noble)* dama: **la ~ de ses pensées** la dama de sus pensamientos ◊ **la première ~ de France** la primera dama de Francia **3. Notre-Dame** Nuestra Señora **4.** *(du jeu d'échec, de dames, de cartes)* dama: **jeu de dames** juego de damas; **jouer aux dames** jugar a las damas **5.** *(outil pour enfoncer)* pisón *m* **6.** *MAR* **~ de nage** horquilla.

[2]**dame!** *interj FAM* ¡toma!, ¡vaya!; **~ oui!** ¡claro que sí!; **~ non!** ¡no, hombre!

**dame-jeanne** *f* damajuana.

**damer** *vt* **1.** *(tasser)* apisonar: **~ la neige** apisonar la nieve **2. ~ le pion à quelqu'un** ganarle a alguien por la mano.

**Damien** *np m* Damián.

**damier** *m* **1.** *(du jeu de dames)* tablero, damero **2. toile en ~** tela a cuadros.

**damnable** [danabl] *a* condenable.

**damnation** [da(a)nasjɔ̃] *f* condenación eterna ◊ **la ~ de Faust** *(Berlioz)* La condenación de Fausto.

**damné, e** [dane] *a/s* condenado, a, réprobo, a: **souffrir comme un ~** sufrir como un condenado. ◇ *a FAM* maldito, a, condenado, a: **ces damnés gamins!** ¡esos malditos chavales!

**damner** [dane] *vt* **1.** condenar **2.** *FIG* **faire ~ quelqu'un** irritar, enfurecer a alguien. ◆ **se ~** *vpr* condenarse.

**Damoclès** *np m* Damocles: **l'épée de ~** la espada de Damocles.

**damoiseau** *m ANC* **1.** doncel **2.** *FIG* galancete.

**damoiselle** *f ANC* doncella.

**damper** *m TECHN* dámper.

**dan** *m (judo)* dan.

**Danaïdes** *np f pl* Danaides.
**dancing** *m* dancing, sala *f* de baile.
**dandinement** *m* contoneo, balanceo.
**dandiner (se)** *vpr* contonearse, balancearse.
**dandy** *m* dandi, dandy, elegante, currutaco.
**dandysme** *m* dandismo.
**Danemark** *np m* Dinamarca *f*.
**danger** *m* **1.** peligro: **en ~ de mort** en peligro de muerte; **mettre en ~** poner en peligro ◊ **être en ~** estar en peligro, correr peligro, peligrar; **sa vie est en ~** su vida está en peligro; **je suis en ~** corro peligro **2. il n'y a pas de ~ qu'il vienne me voir!** ¡no hay peligro de que venga a verme! **3.** *FAM* **un ~ public** un sujeto peligroso, un sujeto de cuidado.
**dangereusement** *adv* peligrosamente.
**dangereux, euse** *a* **1.** peligroso, a **2.** *(personne)* peligroso, a, de cuidado.
**dangerosité** *f* peligrosidad.
**Daniel** *np m* Daniel.
**Danièle** *np f* Daniela.
**danois, e** *a/s* danés, esa. ◇ *m (chien)* perro danés, alano.
**dans** *prép* **1.** *(lieu sans mouvement)* en: **il est ~ son bureau** está en su despacho; **j'ai lu ça ~ le journal** he leído esto en el periódico **2.** *(avec mouvement)* por: **se promener ~ la campagne** pasearse por el campo; **la nouvelle circula ~ le village** la noticia circuló por el pueblo **3.** *(vers)* a: **elle monta ~ sa chambre** subió a su cuarto **4.** *(situation, intention)* en: **il vit ~ l'oisiveté** vive en el ocio: **~ ton intérêt** en beneficio tuyo **5.** *(délai)* dentro de: **~ un mois** dentro de un mes **6.** *(époque)* en: **~ le temps** en otra época; por: **il est arrivé ~ la soirée** llegó por la noche **7.** *(évaluation)* alrededor de, unos, unas: **ça coûte ~ les mille francs** esto cuesta alrededor de los mil francos, unos mil francos; **il a ~ les cinquante ans** tiene alrededor de cincuenta años.
**dansant, e** *a* **1.** bailable **2. thé ~** té con baile; **soirée dansante** baile de noche.
**danse** *f* **1.** baile *m*, danza: **une ~ à la mode** un baile de moda; **elle aime la ~** le gusta el baile, le gusta bailar **2.** *MÉD* **~ de Saint-Guy** baile de San Vito **3.** *FIG* **entrer en ~** entrar en danza; **mener la ~** llevar la voz cantante.
▶ *Danza* désigne plutôt l'art de la danse et évoque surtout la danse classique ou sacrée: *cours de ~ classique* curso de danza clásica; *~ macabre* danza de la muerte, danza macabra; *la ~ du ventre* la danza del vientre.
**danser** *vi/t* **1.** bailar, danzar: **il invita la jeune fille à ~** sacó a bailar a la joven; **~ une valse** bailar un vals **2.** *FIG* **ne pas savoir sur quel pied ~** no saber a qué atenerse, a qué carta quedarse.
**danseur, euse** *s* **1.** *(professionnel)* bailarín, ina: **première danseuse** primera bailarina **2. ~ de corde** volatinero, a **3.** *(cavalier, cavalière)* pareja *f* ◊ **Étienne est un bon ~** Esteban baila bien **4.** *(cyclisme)* **en danseuse** de pie sobre los pedales.
▶ Danseur de danses «flamenco» se dit *baila(d)or, a.*
**Dante** *np m* Dante.
**dantesque** *a* dantesco, a.
**Danube** *np m* Danubio: **le Beau ~ bleu** El bello Danubio azul.
**danubien, enne** *a* danubiano, a.
**Daphné** *np f* Dafne.
**Daphnis** *np m* Dafnis: **~ et Chloé** Dafnis y Cloe.
**dard** [daʀ] *m* **1.** *(d'insectes)* aguijón **2.** *(de serpent)* résped **3.** *(arme)* dardo.
**Dardanelles** *np f pl* Dardanelos *m*.
**darder** *vt* **1.** *(lancer)* lanzar, arrojar **2. le soleil darde ses rayons** el sol resplandece.
**dare-dare** *loc adv FAM* a escape, a toda mecha.
**Darius** [daʀjys] *np m* Darío.
**darne** *f* rodaja, rueda: **une ~ de colin** una rodaja de merluza.
**darse** *f MAR* dársena.
**dartre** *f* dartros *m pl*, empeine *m*.
**darwinisme** *m* darvinismo.
**datable** *a* fechable.
**datation** *f* datación.
**date** *f* fecha: **~ de naissance** fecha de nacimiento; **à quelle ~?** ¿en qué fecha?; **en ~ du 3 avril** con fecha 3 de abril ◊ **de longue ~** desde hace mucho tiempo, de muy antiguo; **un ami de longue ~** un viejo amigo, un amigo de toda la vida; **de fraîche ~** de fecha reciente; **faire ~** hacer época, dejar huella; **prendre ~** señalar fecha; **le premier en ~** el primero; **le dernier en ~** el último.
**dater** *vt* fechar ◊ **lettre datée du 5 février** carta de fecha 5 de febrero. ◇ *vi* **1.** datar: **édifice qui date du règne de...** edificio que data del reinado de... ◊ **cela ne date pas d'hier** no es cosa de ayer; **à ~ de** a partir de **2.** *(faire date)* hacer época **3.** *(être démodé)* estar pasado, a de moda, estar anticuado, a.
**dateur** *m* fechador.
**datif** *m GRAM* dativo.
**dation** *f JUR* dación.
**datte** *f* dátil *m*: **des dattes** dátiles.
**dattier** *m* datilera *f*: **palmier ~** palmera datilera.
**daube** *f* **1.** *(préparation)* adobo *m* **2.** *(viande)* adobado *m*, estofado *m* **3. bœuf en ~** estofado de buey.
**dauber** *vt/i LITT* **~ sur** mofarse de.
[1]**dauphin** *m (cétacé)* delfín.
[2]**dauphin** *m (fils aîné du roi)* delfín.
**dauphine** *f* delfina, esposa del delfín.
**Dauphiné** *np m* Delfinado.
**dauphinois, e** *a/s* delfinés, esa.
**daurade** *f* dorada.
**davantage** *m* **1.** más: **je ne vous en dis pas ~** no le digo más **2.** más tiempo: **reste ~** quédate más tiempo **3. ~ de temps** más tiempo; **veux-tu ~ de potage?** ¿quieres más sopa?
**davier** *m (de dentiste)* tenacillas *f pl*, gatillo.
**de** *prép (delante de vocal o h muda, se elide en* **d'**. *Se une con los artículos* **le → du, les → des**) **1.** *(lieu d'où l'on vient, origine)* de: **en sortant ~ l'église, ~ l'hôtel** al salir de la iglesia, del hotel; **originaire ~ Bordeaux** oriundo de Burdeos **2.** *(temps)* de: **il est arrivé ~ nuit** llegó de noche; en: **il n'a pas dit un mot ~ toute la journée** no ha dicho una palabra en todo el día **3.** *(appartenance, parenté)* de: **la voiture ~ Philippe** el coche de Felipe; **le fils ~ Paul** el hijo de Pablo **4.** *(manière, moyen)* con: **parler d'une voix forte** hablar con voz fuerte; **manger ~ bon appétit** comer con buen apetito; **saluer ~ la main** saludar con la mano **5.** *(matière, contenu, mesure, valeur)* de: **une barre ~ fer** una barra de hierro; **une tasse ~ thé** una taza de té; **une propriété ~ vingt hectares** una finca de veinte hectáreas; **un billet de cent francs** un billete de cien francos **6.** *(détermination)* de: **la ville ~ Nantes** la ciudad de Nantes **7.** *(= par)* por: **aimé ~ tous** querido por todos; **60 francs ~ l'heure** 60 francos por hora **8.** en: **augmenter ~ 10%** aumentar en un 10% **9. l'amour ~ la patrie** el amor a la patria; **rêver ~ ...** soñar con... **10.** *(devant un adjectif ou un participe passé, ne se traduit pas)* **un moment ~ libre** un momento libre; **quelque chose ~ bon** algo bueno; **dix hommes ~ blessés** diez hombres heridos; *(attribut)* **traiter quelqu'un ~ lâche** tratar a alguien de cobarde **11.** *(devant un infinitif sujet ou complément direct, ne se traduit pas)* **il est facile ~ dire...** es fácil decir...; **je regrette d'arriver si tard** siento llegar tan tarde; *(avec verbes de prière, de défense, que + subj.)* **dites-lui ~ venir** dígale que venga; **je te défends ~ répéter cela** te prohibo que repitas eso; *(infinitif de narration)* **et tout le monde ~ rire** y todo el mundo se rió. ◇ *art partitif* ne se traduit pas: **je n'ai pas d'enfants** no tengo hijos; **manger ~ la viande** comer carne; **boire ~ l'eau** beber agua *(sauf si le substantif est déterminé:*

**donne-moi ~ ce vin** dame de aquel vino). ◇ *art indéf (= des)* unos, unas: **~ beaux meubles** unos hermosos muebles.

**dé** *m* **1.** dado: **jouer aux dés** jugar a los dados ◊ *FIG* **coup de dés** chamba *f*, chiripa *f*; **les dés sont jetés** la suerte está echada **2.** *(petit cube)* cubito **3.** *(à coudre)* dedal.

**dealer** [dilœʀ] *m* camello.

**déambulatoire** *m ARCH* deambulatorio.

**déambuler** *vi* deambular.

**débâcher** *vt* desentoldar.

**débâcle** *f* **1.** *(dégel)* deshielo *m* **2.** *FIG (défaite)* desastre *m*, derrota, debacle.

▶ Le gallicisme *debacle (sans accents)* s'emploie plutôt avec une nuance humoristique.

**déballage** *m* **1.** desembalaje **2.** *(étalage)* exposición *f* de mercancías **3.** *FAM (aveu)* confesión *f*.

**déballer** *vt* **1.** desembalar, desempacar **2.** *FAM (avouer)* soltar.

**débandade** *f* **1.** desbandada **2. à la ~** a la desbandada, en desorden; **tout va à la ~** todo anda de cualquier modo, de mal en peor.

**débander** *vt* **1.** desvendar, quitar la venda a ◊ *FIG* **~ les yeux à quelqu'un** abrir los ojos a alguien **2.** *(un arc, un resort)* aflojar. ◆ **se ~** *vpr* dispersarse, desbandarse.

**débaptiser** [debatize] *vt (une rue, etc.)* cambiar el nombre de (una calle, etc.).

**débarbouillage** *m* lavado, aseo.

**débarbouiller** *vt* lavar la cara a. ◆ **se ~** *vpr* lavarse la cara.

**débarcadère** *m* desembarcadero, muelle.

**débardeur** *m* **1.** *(de port)* descargador, estibador **2.** *(tricot)* camiseta *f*.

**débarquement** *m* **1.** *(des voyageurs)* desembarco **2.** *(des marchandises)* desembarque **3.** *MIL* desembarco.

**débarquer** *vt* desembarcar. ◇ *vi* **1.** desembarcar: **~ à Barcelone** desembarcar en Barcelona **2.** *FAM* llegar, descolgarse, plantarse: **des cousins ont débarqué chez nous hier** unos primos llegaron ayer a casa, se descolgaron ayer por casa.

**débarras** *m* **1.** *(pièce)* trastero **2.** *FAM* alivio ◊ **bon ~ !** ¡buen viaje!, ¡muy buenas!, ¡adiós!

**débarrasser** *vt* **1.** *(un local, etc.)* desocupar, desembarazar **2. ~ la table** quitar la mesa **3. ~ quelqu'un de son manteau** coger el abrigo a alguien **4.** *FAM* **~ le plancher** largarse, ahuecar el ala. ◆ **se ~** *vpr* **1.** *(de quelque chose)* deshacerse **2. se ~ de son manteau** quitarse el abrigo; **débarrassez-vous** quítese el abrigo **3. se ~ de quelqu'un** quitarse a alguien de encima.

**débat** *m* debate **~ télévisé** debate transmitido por televisión, teledebate. ◇ *pl* debates.

**débâtir** *vt (un vêtement)* deshilvanar.

**débattre*** *vi* debatir, discutir ◊ **prix à ~** precio a convenir. ◆ **se ~** *vpr* forcejear, bregar: **il se débattait comme un forcené** forcejeaba como un loco.

**débauchage** *m (licenciement)* despido.

**débauche** *f* **1.** libertinaje *m*, relajamiento *m*, desenfreno *m* ◊ **exciter à la ~** corromper, enviciar **2.** *FIG* derroche *m*, profusión: **une ~ de couleurs** un derroche de colores.

**débauché, e** *a* libertino, a vicioso, a. ◇ *s* perdido, a, juerguista. ◇ *f* mujer de la vida.

**débaucher** *vt* **1.** *(renvoyer)* despedir **2.** *(détourner d'un travail)* hacer abandonar el trabajo **3.** *(pervertir)* corromper, pervertir. ◆ **se ~** *vpr* entregarse al libertinaje.

**débecter** *vt POP* producir asco, repugnar.

**débet** *m (d'un compte)* débito, saldo deudor.

**débile** *a* **1.** débil, endeble, delicado, a **2.** *FAM* idiota. ◇ *s* **un ~ mental** un atrasado mental, un subnormal.

**débilitant, e** *a* debilitante.

**débilité** *f* debilidad.

**débiliter** *vt* debilitar.

**débine** *f POP* miseria, ruina ◊ **être dans la ~** estar sin una perra.

**débiner** *vt FAM* denigrar, criticar. ◆ **se ~** *vpr FAM* largarse, pirárselas.

**débit** *m* **1.** *COM* debe, débito ◊ **porter au ~ d'un compte** adeudar en una cuenta **2.** *(vente)* venta *f*, salida *f* **3. ~ de boissons** despacho de bebidas; **~ de tabac** estanco, expendeduría *f* **4.** *(d'un cours d'eau, d'une source)* caudal **5.** *(d'un orateur)* habla, elocución *f*.

**débitant, e** *s* **1.** vendedor, a **2.** *(de tabac)* estanquero, a.

**débiter** *vt* **1.** *COM* adeudar, cargar en cuenta: **~ un compte d'une somme** cargar un importe en una cuenta **2.** *(vendre)* vender, despachar **3.** *(bois, viande)* cortar **4.** *(liquide, gaz, électricité)* suministrar **5.** *(un texte)* recitar, declamar **6.** *FIG* **~ des mensonges, des sottises** ensartar, soltar mentiras, tonterías.

**débiteur, trice** *a/s* **1.** deudor, a **2. compte ~** cuenta deudora.

**déblai** *m* desmonte. ◇ *pl* escombros.

**déblaiement** *m* **1.** *(nettoyage)* limpia *f* **2.** *(d'un terrain)* descombro, desescombro: **travaux de ~** tareas de desescombro.

**déblatérer** *vi FAM* despotricar: **~ contre quelqu'un** despotricar contra alguien.

**déblayage** [debleja3] *m* desescombro.

**déblayer*** [debleje] *vt* **1.** despejar, descombrar, desescombrar, limpiar: **les ouvriers déblaient la route** los obreros despejan la carretera **2.** *(aplanir)* desmontar, nivelar **3.** *FIG* **~ le terrain** allanar el terreno.

**déblocage** *m* **1.** *COM* desbloqueo, liberación *f* **2.** *FIG* **le ~ de la situation** el desbloqueo de la situación.

**débloquer** *vt* **1.** *(un mécanisme)* desbloquear **2.** *(des crédits, etc.)* desbloquear, liberar: **~ les salaires** desbloquear los salarios. ◇ *vi POP (déraisonner)* disparatar, decir tonterías, desvariar.

**débobiner** *vt* desbobinar, desenrollar.

**déboire** *m* sinsabor, desengaño: **il a connu de nombreux déboires** ha tenido muchos sinsabores.

**déboisement** *m* desmonte, tala *f*, desforestación *f*.

**déboiser** *vt* desmontar, talar. ◆ **se ~** *vpr* despoblarse de árboles.

**déboîtement** *m* dislocación *f*, desencajamiento.

**déboîter** *vt* desencajar. ◆ **se ~** *vpr* desencajarse, dislocarse: **il s'est déboîté le genou** se ha dislocado la rodilla. ◇ *vi (une auto)* salirse de la fila: **il a déboîté sans prévenir** se ha salido de la fila sin avisar.

**débonder (se)** *vpr FIG* desahogarse.

**débonnaire** *a* bonachón, ona.

**débordant, e** *a* **1.** desbordante: **joie débordante** alegría desbordante; **activité débordante** actividad desbordante; **~ d'enthousiasme** desbordante de entusiasmo **2. ~ de santé** rebosante de salud.

**débordé, e** *a* agobiado, a, abrumado, a: **je suis ~ de travail** estoy agobiado de trabajo, no doy abasto.

**débordement** *m* **1.** *(d'une rivière)* desbordamiento **2.** *FIG* **un ~ d'injures** una profusión de insultos. ◇ *pl* desenfreno *sing*, libertinaje *sing*, excesos.

**déborder** *vi* **1.** desbordarse, desbordar: **fleuve qui déborde** río que se desborda **2.** *(un récipient)* rebosar: **la baignoire déborde** la bañera rebosa; **plein à ~** lleno a rebosar ◊ **c'est la goutte d'eau qui fait ~ le vase** es la gota de agua que colma la medida, que desborda el vaso **3.** *(un liquide)* salirse: **le lait va ~** la leche se va a salir **4.** *FIG* **~ de joie** rebosar (de) alegría, no caber en sí de alegría; **ils débordaient tous d'enthousiasme** todos rebosaban entusiasmo. ◇ *vt* **1.** *(dépasser)* sobrepasar, rebasar, exceder **2.** *MIL* desbordar **3.** *(le lit)* destapar. ◆ **se ~** *vpr (en dormant)* desarroparse.

**débosseler*** *vt* desabollar.

**débotter** *vt* **1.** descalzar **2. au débotté** al llegar.

**débouchage** *m* **1.** *(d'une bouteille)* descorche, destapadura *f* **2.**(*d'un conduit, tuyau)* desatascamiento.

**débouché** *m* **1.** *(d'une vallée, etc.)* salida *f*, desembocadura *f* **2.** *(pour une marchandise)* salida *f*, venta *f*, mercado **3.** *(accès à un emploi)* salida *f*, posibilidad *f*, perspectiva *f*: **l'industrie offre des débouchés aux ingénieurs** la industria ofrece posibilidades a los ingenieros, salidas profesionales a los ingenieros.

**déboucher** *vt* **1. ~ une bouteille** descorchar una botella **2.** *(un conduit)* desobstruir **3. ~ un lavabo** desatascar un lavabo. ◇ *vi* **1.** salir, surgir: **l'auto déboucha du carrefour** el coche salió de la encrucijada **2. ~ sur** desembocar en.

**déboucheur** *m* desatascador.

**déboucler** *vt (dégrafer)* desabrochar.

**débouler** *vi* **1.** *(lièvre)* huir **2.** rodar cuesta abajo. ◇ *vt* **~ l'escalier** rodar escalera abajo.

**déboulonner** *vt* **1.** desmontar, desempernar **2.** *FIG (quelqu'un)* echar abajo, destituir, dejar cesante.

**débourber** *vt* **1.** *(un étang, etc.)* desenlodar, quitar el lodo a **2.** *(une voiture)* desatascar.

**débourrer** *vt* **1.** quitar la borra a, desborrar **2.** *(un cheval)* desbravar, domar.

**débours** [debuʀ] *m pl* gastos, desembolsos.

**déboursement** *m* desembolso.

**débourser** *vt* desembolsar ◊ **sans rien ~, sans ~ un sou** sin soltar un cuarto.

**déboussolé, e** *a FAM* perdido, a, desorientado, a.

**debout** *adv* **1.** en pie, de pie: **se mettre ~** ponerse en pie; **rester ~** mantenerse de pie; **voyager ~** viajar de pie; **le conférencier a parlé ~** el conferentiante ha hablado de pie; **dormir ~ → dormir 2.** *FIG* **être encore ~** seguir en pie; **ça ne tient pas ~** es inverosímil; **ton argument ne tient pas ~** tu argumento no tiene sentido **3.** levantado, a: **ce matin, Jean était ~ à 6 heures** esta mañana, Juan estaba levantado a las 6 **4.** *MAR* **vent ~** viento contrario, de proa. ◇ *interj* ¡arriba!

**débouté** *m JUR* denegación *f*.

**débouter** *vt JUR* desestimar, denegar la demanda a.

**déboutonner** *vt* desabrochar, desabotonar: **j'ai déboutonné mon col** me desabroché el cuello. ◆ **se ~** *vpr* **1.** desabrocharse, desabotonarse **2.** *FIG* desahogarse, abrir su corazón.

**débraillé, e** *a* **1.** descuidado, a, desaliñado, a: **une tenue débraillée** un aspecto desaliñado **2.** *FIG* libre. ◇ *m* desaliño.

**débrailler (se)** *vpr* descuidarse, abandonarse.

**débrancher** *vt* desenchufar, desconectar.

**débrayage** *m* [debʀejaʒ] *m* **1.** *(en mécanique)* desembrague **2.** *(grève)* paro.

**débrayer** [debʀeje] *vt (en mécanique)* desembragar. ◇ *vi (des travailleurs)* suspender el trabajo.

**débridé, e** *a* desenfrenado, a, desbocado, a, desatado, a: **imagination débridée** imaginación desatada.

**débrider** *vt* **1.** *(un cheval)* desembridar **2.** *MÉD* desbridar **3.** *(une volaille)* descoser **4. sans ~** de un tirón, sin interrupción.

**débris** *m* **1.** *(d'une chose brisée)* pedazo **2.** *(déchet)* resto, residuo. ◇ *pl FIG* restos, ruinas *f*.

**débrouillard, e** *a/s* listo, a, despabilado, a, desenvuelto, a.

**débrouillardise** *f* maña, astucia, habilidad.

**débrouiller** *vt* **1.** *(démêler)* desenredar, desenmarañar, desembrollar **2.** *FIG* aclarar. ◆ **se ~** *vpr FAM* **1.** arreglárselas, apañárselas, componérselas, manejárselas: **je me débrouille comme je peux** me las apaño como puedo; **débrouille-toi!** ¡arréglatelas!; **qu'il se débrouille comme il pourra** que se las componga como pueda; **débrouillez-vous comme vous pouvez!** ¡apáñeselas como pueda! **2. se ~ en anglais** defenderse en inglés.

**débroussailler** *vt* desbrozar.

**débucher** *vi (le gibier)* salir del bosque, desemboscarse.

**débusquer** *vt* **1.** hacer salir del bosque **2.** *(l'ennemi)* desalojar.

**début** *m* principio, comienzo: **au ~** al principio; **du ~ jusqu'à la fin** desde el principio hasta el fin. ◇ *pl* **1.** *(d'un artiste)* debut *sing*: **ses débuts comme acteur** su debut como actor **2.** *(dans une carrière)* primeros pasos **3. faire ses débuts dans le monde** presentarse en sociedad, entrar en sociedad. ▶ *Debut*, sans accent aigu en espagnol.

**débutant, e** *a* principiante, novel: **peintres débutants** pintores noveles. ◇ *s* principiante: **pour débutants** para principiantes. ◇ *f (jeune fille de la haute société)* debutante.

**débuter** *vt* **1.** principiar, comenzar: **poème qui débute par ces vers** poema que principia con estos versos **2.** *(un artiste)* debutar: **cet acteur a débuté en 1980** este actor ha debutado en 1980 **3.** *(dans une carrière)* comenzar: **elle a débuté comme dactylo** comenzó como mecanógrafa **4. ~ dans le monde** presentarse en sociedad, entrar en sociedad.

**deçà** *adv* **1. en ~** de este lado, del lado de acá **2.** *loc prép* **en ~ de la rivière** de este lado del río; **résultat en ~ des prévisions** resultado inferior a las previsiones.

**déca** *m FAM* café descafeinado.

**décacheter*** *vt* **~ une lettre** abrir una carta.

**décade** *f* década.

**décadence** *f* decadencia ◊ **tomber en ~** decaer.

**décadent, e** *a* decadente. ◇ *s (artiste)* decadente, decadentista.

**décadentisme** *m* decadentismo.

**décaèdre** *m MATH* decaedro.

**décaféiné** *a* **café ~** café descafeinado.

**décagone** *m MATH* decágono.

**décagramme** *m* decagramo.

**décalage** *m* **1.** *(dans l'espace)* desplazamiento **2.** *(dans le temps)* diferencia *f*: **~ horaire** diferencia horaria **3.** *FIG (écart)* desfase.

**décalaminer** *vt* descalaminar.

**décalcification** *f* descalcificación.

**décalcifier** *vt* descalcificar. ◆ **se ~** *vpr* descalcificarse.

**décalcomanie** *f* calcomanía.

**décaler** *vt* **1.** *(ôter une cale)* descalzar **2.** *(déplacer)* desplazar, correr de sitio **3.** *(avancer)* adelantar; *(retarder)* retrasar: **~ de huit jours la date d'une réunion** adelantar, retrasar ocho días la fecha de una reunión.

**décalitre** *m* decalitro.

**décalogue** *m* decálogo.

**décalquage** *m* calcado.

**décalque** *m* calco.

**décalquer** *vt* calcar.

**décamètre** *m* decámetro.

**décamper** *vi (fuir)* largarse, poner pies en polvorosa, tomar el portante.

**décanat** *m* decanato.

**décaniller** *vi FAM* largarse, tomar el portante.

**décantage** *m*, **décantation** *f* decantación *f*.

**décanter** *vt* decantar. ◆ **se ~** *vpr* **1.** decantarse **2.** *FIG* aclararse.

**décapage** *m* decapado.

**décapant, e** *a* **1.** decapante **2.** *FIG* cáustico, a. ◇ *m* decapante.

**décaper** *vt* **1.** *(métal)* decapar, desoxidar **2.** *(bois, pierre)* limpiar.

**décapitation** *f* decapitación.

**décapiter** *vt* **1.** decapitar **2.** *FIG* descabezar.

**décapotable** *a* descapotable: **une voiture ~** un coche descapotable. ◇ *f* **une ~** un descapotable.

**décapoter** *vt* descapotar.

**décapsuler** *vt* destapar, abrir.

**décapsuleur** *m* abrebotellas, abridor.

**décarcasser (se)** *vpr FAM* desvivirse.

**décasyllabe** *m* decasílabo.

**décathlon** *m* decatlón.

**décati, e** *a FAM* marchito, a, ajado, a.

**décatir** *vt* *(étoffe)* deslustrar. ◆ **se ~** *vpr FAM* *(une personne)* ajarse.

**décavé, e** *a* **1.** *(au jeu)* desbancado, a **2.** *FAM* arruinado, a, pelado, a.

**décéder*** *vi* fallecer: **il est décédé hier** falleció ayer.

**déceler*** *vt* **1.** descubrir **2.** *(révéler)* revelar, descubrir.

**décélération** *f* deceleración.

**décembre** *m* diciembre: **le 5 ~ 1910** el 5 de diciembre de 1910.

**décemment** [desamɑ̃] *adv* **1.** decentemente **2.** razonablemente.

**décence** *f* decencia, decoro *m*.

**décennal, e** *a* decenal.

**décennie** *f* decenio *m*, década.

**décent, e** *a* decente.

**décentralisation** *f* descentralización.

**décentraliser** *vt* descentralizar.

**décentrer** *vt* descentrar.

**déception** *f* decepción, desilusión, desengaño *m*: **causer une ~** causar un desengaño; **éprouver une ~** sufrir una desilusión, un desengaño; **une amère ~** un amargo desengaño.

**décerner** *vt* otorgar, conceder: **~ un prix** otorgar un premio.

**décervelage** *m FIG* lavado de cerebro, entontecimiento.

**décerveler*** *vt* **1.** saltar la tapa de los sesos a **2.** *FIG* idiotizar, entontecer.

**décès** *m* **1.** fallecimiento **2. acte de ~** partida de defunción; **faire-part de ~** esquela de defunción.

**décevant, e** *a* decepcionante, desilusionante.

**décevoir*** *vt* decepcionar, defraudar, desilusionar, desengañar: **le film m'a déçu** la película me ha decepcionado; **je suis déçu** estoy decepcionado; **tu me déçois** me decepcionas; **j'ai été très déçu par lui** me he llevado un gran desengaño con él.

**déchaîné, e** *a* **1.** *(vent, etc.)* desencadenado, a **2. cet enfant est ~** este niño está muy excitado, está imposible.

**déchaînement** *m* desencadenamiento.

**déchaîner** *vt* **1.** desencadenar **2.** *FIG* *(colère, etc.)* desencadenar, desatar. ◆ **se ~** *vpr* **1.** desencadenarse **2.** *FIG* desencadenarse, enfurecerse.

**déchanter** *vi FAM* reducir sus pretensiones, perder las ilusiones, desilusionarse.

**décharge** *f* **1.** *(d'une arme à feu, électrique, etc.)* descarga **2.** *(dépôt d'ordures)* **~ publique** vertedero *m*, escombrera **3. tuyau de ~** tubo de desagüe **4.** *(d'une dette, obligation)* liberación **5.** *JUR* descargo *m*: **témoin à ~** testigo de descargo; **à sa ~** en su descargo.

**déchargement** *m* descarga *f*.

**décharger*** *vt* **1.** descargar **2.** *(une arme à feu, une batterie électrique)* descargar: **~ son pistolet sur...** descargar su pistola sobre... **3.** *FIG* **~ quelqu'un d'une obligation** descargar a alguien de una obligación **4.** *FAM* **~ sa bile** desahogar su ira, dar rienda suelta a su mal humor. ◆ **se ~** *vpr* descargarse: **il s'est déchargé de ses responsabilités sur...** se ha descargado de sus responsabilidades en...

**déchargeur** *m* descargador.

**décharner** *vt* descarnar, enflaquecer ◊ **un visage ~** una cara demacrada.

**déchaumer** *vt AGR* rastrojar.

**déchaussement** *m* *(d'une dent)* descarnadura *f*.

**déchaussé** *a* *(moine)* descalzo.

**déchausser** *vt* descalzar. ◆ **se ~** *vpr* **1.** descalzarse, quitarse los zapatos: **déchausse-toi** quítate los zapatos **2.** *(une dent)* descarnarse: **dent déchaussée** diente descarnado.

**dèche** *f FAM* miseria ◊ **être dans la ~** estar sin una perra, estar tronado, a.

**déchéance** *f* **1.** *(physique)* decaimiento *m* **2.** *(morale)* decadencia **3.** *(d'un droit)* pérdida, caducidad **4.** *(d'un roi)* deposición.

**déchet** *m* **1.** desperdicio **2.** *FIG* *(personne)* deshecho. ◇ *pl* **1.** restos, sobras *f*, residuos **2.** residuos: **déchets industriels** residuos industriales; **le recyclage des déchets** el reciclaje de los residuos; **déchets radioactifs** residuos radiactivos.

**déchiffrable** *a* descifrable.

**déchiffrage** *m* descifrado.

**déchiffrer** *vi* **1.** descifrar **2.** *MUS* repentizar.

**déchiqueté, e** *a* **1.** despedazado, a, hecho, a pedazos, destrozado, a: **le corps ~ de la victime** el cuerpo destrozado de la víctima **2. littoral ~** litoral recortado.

**déchiqueter*** *vt* despedazar, desmenuzar, desgarrar.

**déchirant, e** *a* desgarrador, a: **des cris déchirants** gritos desgarradores.

**déchirement** *m* **1.** *(d'une étoffe, etc.)* desgarramiento **2.** *FIG* aflicción *f*, gran dolor **3.** *(discorde)* división *f*.

**déchirer** *vt* **1.** romper, rasgar, desgarrar: **~ une lettre** romper una carta; **elle a déchiré sa robe** se ha roto el vestido, se le ha desgarrado el vestido **2.** *FIG* **~ les oreilles** lastimar los oídos; **~ le cœur** desgarrar, destrozar el corazón **3.** dividir, desgarrar: **guerre civile qui déchire le pays** guerra civil que divide al país; **pays déchiré entre deux camps** país desgarrado entre dos campos **4.** *FIG* **~ quelqu'un à belles dents** desollar a uno vivo. ◆ **se ~** *vpr* **1. se ~ un muscle** desgarrarse un músculo **2.** *FIG* hacerse daño mutuamente.

**déchirure** *f* **1.** desgarradura, rasgón *m* **2.** *(d'un muscle)* desgarrón *m*.

**déchoir*** *vi* **1.** *(s'abaisser)* rebajarse, venir a menos **2.** *(baisser)* decaer, bajar.

**déchristianisation** *f* descristianización.

**déchristianiser** *vt* descristianizar. ◆ **se ~** *vpr* descristianizarse.

**déchu, e** *pp* de **déchoir.** ◇ *a* **1. roi ~** rey destituido **2. noble ~** noble venido a menos **3. ange ~** ángel caído **4. ~ de ses droits** desposeído de sus derechos.

**décibel** *m* decibel, decibelio.

**décidé, e** *a* **1.** decidido, a: **je suis ~ à faire cet achat** estoy decidido a hacer esta compra **2.** *(résolu)* decidido, a, resuelto, a **3. d'un pas ~** con paso firme, con paso decidido.

**décidément** *adv* **1.** decididamente **2.** finalmente, indudablemente, verdaderamente: **~, je n'ai pas de chance** indudablemente, no tengo suerte.

**décider** *vt/i* **1.** decidir, acordar, resolver: **j'ai décidé de partir demain** he decidido marcharme mañana; **le gouvernement a décidé de promouvoir...** el Gobierno ha acordado promover...; **les électeurs décideront** los electores decidirán **2.** quedar: **nous avons décidé de nous voir à 8 heures** hemos quedado en vernos a las 8 **3.** decidir: **cet examen décidera de mon avenir** este examen decidirá mi porvenir **4.** *(inciter à)* determinar. ◆ **se ~** *vpr* **1.** decidirse: **elle s'est décidée à changer de coiffure** se ha decidido a cambiar de peinado **2. décide-toi!** ¡anímate!, ¡decídete!

**décideur** *s* responsable.

**décigramme** *m* decigramo.

**décilitre** *m* decilitro.

**décimal, e** *a* decimal. ◇ *f MATH* decimal *m*.

**décimer** *vt* diezmar.

**décimètre** *m* decímetro.

**décintrer** *vt ARCH* descimbrar.

**décisif, ive** *a* decisivo, a ◊ **moment ~** momento crucial.

**décision** *f* **1.** decisión: **une ~ hâtive** una decisión precipitada; **prendre une ~, des décisions** tomar una decisión, decisiones **2.** decisión, acuerdo *m*: **j'agirai selon votre ~** actuaré según lo acordado por usted; **revenir sur sa ~** volverse atrás.

**décisionnaire** *s* responsable.

**déclamation** *f* declamación.

**déclamatoire** *a* declamatorio, a.

**déclamer** *vt/i* declamar.

**déclaration** *f* **1.** declaración **2. faire sa ~ à une jeune fille** declararse a una joven **3. ~ d'impôts → impôt.**

**déclarer** *vt* declarar: **~ la guerre, ses intentions** declarar la guerra, sus intenciones ◊ *(à la douane)* **rien à ~?** ¿nada que declarar? ◆ **se ~** *vpr* declararse: **se ~ pour, favorable à** declararse por, favorable a; **un incendie s'est déclaré** se ha declarado un incendio.

**déclassé, e** *a/s* venido, a a menos: **c'est un ~** es un hombre venido a menos.

**déclassement** *m* cambio de categoría, desclasificación *f*.

**déclasser** *vt* **1.** *(déranger)* desordenar, desclasificar **2.** *FIG* bajar de categoría **3.** *(un sportif)* desclasificar. ◆ **se ~** *vpr (se rabaisser)* rebajarse.

**déclenchement** *m* **1.** *(d'un mécanisme)* disparo **2.** *FIG* iniciación *f*, desencadenamiento.

**déclencher** *vt* **1.** *(un ressort)* soltar **2.** *(une sonnerie)* poner en funcionamiento, accionar **3.** *FIG* **~ une crise** desencadenar una crisis; **~ une grève** desencadenar una huelga; **~ la guerre** desatar la guerra. ◆ **se ~** *vpr* desencadenarse, desatarse: **une campagne de presse s'est déclenchée** se ha desencadenado una campaña de prensa.

**déclencheur** *m* disparador.

**déclic** [deklik] *m* **1.** disparador **2.** *(bruit)* clic, ruido seco, chasquido.

**déclin** *m* **1. le ~ du jour** la caída de la tarde, el ocaso **2.** *FIG* ocaso, decadencia *f*: **le ~ de la vie** el ocaso de la vida; **civilisation sur son ~** civilización en decadencia.

**déclinable** *a GRAM* declinable.

**déclinaison** *f* declinación.

**décliner** *vi* **1.** *(le soleil, le jour)* declinar **2.** *(santé, etc.)* decaer, debilitarse **3.** *(talent, etc.)* declinar. ◇ *vt* **1.** rechazar, rehusar, declinar: **il a décliné mon offre** ha rechazado mi oferta; **nous déclinons toute responsabilité** declinamos toda responsabilidad; **~ une invitation** declinar una invitación **2.** *(nom, adresse)* dar a conocer **3.** *GRAM* declinar. ◆ **se ~** *vpr COM* **ce modèle se décline en plusieurs couleurs** este modelo se presenta en varios colores.

**déclivité** *f* declive *m*, pendiente: **en ~** en declive.

**décloisonner** *vt FIG* quitar las barreras entre.

**déclouer** *vt* desclavar.

**décocher** *vt* **1.** *(une flèche)* disparar **2.** *(un coup)* soltar **3.** *FIG (un regard)* lanzar **4.** *(une remarque)* espetar.

**décoction** *f* decocción.

**décodage** *m* descodificación *f*, desciframiento.

**décoder** *vt* descodificar.

**décodeur** *m* descodificador.

**décoffrer** *vt TECHN* desencofrar.

**décoiffer** *vt* **1.** *(dépeigner)* despeinar **2.** *FAM (surprendre)* impresionar, epatar. ◆ **se ~** *vpr* quitarse el sombrero.

**décoincer** *vt* desencajar. ◆ **se ~** *vpr FIG FAM* relajarse.

**déçois,** etc. → **décevoir.**

**décolérer*** *vi* desencolerizarse ◊ **elle n'a pas décoléré de la journée** estuvo echando chispas todo el día.

**décollage** *m* **1.** *(action de décoller)* despegadura *f* **2.** *(d'un avion)* despegue **3.** *FIG (économique)* despegue.

**décollation** *f* degollación, decolación: **la ~ de Saint Jean-Baptiste** la degollación de san Juan Bautista.

**décollement** *m* **1.** despegadura *f* **2. ~ de la rétine** desprendimiento de la retina.

**décoller** *vt* **1.** despegar, desencolar: **~ un timbre, une affiche** despegar un sello, un cartel **2.** *(un coureur)* **~ du peloton** descolgarse del pelotón. ◇ *vi* despegar: **l'avion décolle** el avión despega. ◆ **se ~** *vpr* despegarse.

**décolleté, e** *a* escotado, a: **une robe très décolletée** un vestido muy escotado. ◇ *m* **1.** escote: **~ carré, en V, en pointe** escote cuadrado, en V, en pico; **~ profond, plongeant** escote profundo **2.** *(gorge)* garganta *f*.

**décolleter** *vt* **1.** *(un vêtement)* escotar **2.** *(vis, boulon)* aterrajar. ◆ **se ~** *vpr (une femme)* descubrirse el cuello, los hombros.

**décolonisation** *f* descolonización.

**décoloniser** *vt* descolonizar.

**décolorant, e** *a/m* decolorante.

**décoloration** *f* decoloración.

**décolorer** *vt* **1.** descolorar, decolorar **2.** *(cheveux)* decolorar. ◆ **se ~** *vpr* decolorarse: **les rideaux se sont décolorés au soleil** las cortinas se han decolorado con el sol.

**décombres** *m pl* **1.** escombros **2.** *FAM* ruinas *f*.

**décommander** *vt* **1.** *(marchandise)* anular el pedido de **2.** *(une invitation)* cancelar **3. ~ des invités** anular la invitación **4. ~ une grève** desconvocar una huelga. ◆ **se ~** *vpr* excusarse.

**décomposable** *a* descomponible.

**décomposé, a** *a* descompuesto, a.

**décomposer** *vt* descomponer. ◆ **se ~** *vpr* **1.** descomponerse **2. son visage se décomposa** se le descompuso la cara.

**décomposition** *f* descomposición: **cadavre en état de ~ avancée** cadáver en avanzado estado de descomposición.

**décompresser** *vi FAM* relajarse, desconectar.

**décompression** *a* descompresión.

**décomprimer** *vt* descomprimir.

**décompte** [dekɔ̃t] *m* **1.** *(réduction)* descuento **2.** *(compte détaillé)* detalle, cuenta *f* detallada, recuento.

**décompter** [dekɔ̃te] *vt (déduire)* descontar.

**déconcentrer** *vt* desconcentrar.

**déconcertant, e** *a* desconcertante.
**déconcerter** *vt* desconcertar, turbar.
**déconfit, e** *a* confuso, a, turbado, a.
**déconfiture** *f* **1.** derrota **2.** ruina, hundimiento *m* ◊ **ce banquier est en ~** este banquero está arruinado.
**décongeler** *vt* descongelar, deshelar.
**décongestionner** *vt* descongestionar.
**déconnecter** *vt* **1.** desconectar **2.** *FIG* **être déconnecté du monde actuel** estar desconectado del mundo actual.
**déconner** *vi POP* disparatar, decir tonterías, hacer tonterías.
**déconseiller** *vt* **1.** no recomendar: **je vous déconseille cette marque** no le recomiendo esta marca **2. je vous déconseille d'acheter ce magnétoscope** le aconsejo que no compre este magnetoscopio; **c'est tout à fait déconseillé** no es recomendable.
**déconsidération** *f* descrédito *m.*
**déconsidérer*** *vt* desacreditar, desprestigiar. ◆ **se ~** *vpr* desacreditarse.
**décontamination** *f* descontaminación.
**décontaminer** *vt* descontaminar.
**décontenancer*** *vt* desconcertar, turbar. ◆ **se ~** *vpr* turbarse, inmutarse.
**décontracté, e** *a* **1.** *(muscle)* relajado, a **2.** *FAM* tranquilo, a, relajado, a, tan campante: **il est très ~** está muy relajado; **il arriva très ~** llegó tan campante.
**décontracter** *vt* relajar. ◆ **se ~** *vpr* relajarse.
**décontraction** *f* relajación.
**déconvenue** *f* contrariedad, chasco *m,* decepción.
**décor** *m* **1.** decoración *f,* adorno **2.** *(cadre)* ambiente, marco **3.** *THÉÂT* decoración *f* ◊ *FIG* **changement de ~** cambio de situación; **l'envers du ~ → envers 4.** *FAM* **entrer dans le ~** derrapar.
**décorateur, trice** *s* decorador, a.
**décoratif, ive** *a* **1.** decorativo, a **2. arts décoratifs** artes decorativas.
**décoration** *f* **1.** decoración, adorno *m* **2.** *(insigne)* condecoración: **porter plusieurs décorations** llevar varias condecoraciones.
**décorer** *vt* **1.** *(orner)* decorar, adornar **2.** *(remettre une décoration)* condecorar: **~ un soldat** condecorar a un soldado: **~ d'une médaille** condecorar con una medalla, distinguir con una medalla.
**décorner** *vt* **1.** descornar **2.** *FAM* **vent à ~ les bœufs** viento de mil demonios.
**décorticage** *m (du riz, etc.)* descascarillado, monda *f.*
**décortiquer** *vt* **1.** *(un arbre)* descortezar **2.** *(riz, amande)* descascarillar, mondar **3.** *(crustacé)* pelar **4.** *FIG (un texte)* desmenuzar.
**décorum** [dekɔʀɔm] *m* decoro, etiqueta *f,* ceremonial.
**décote** *f* exoneración fiscal.
**découcher** *vi* dormir fuera de casa.
**découdre*** *vt* descoser. ◆ **se ~** *vpr* descoserse. ◇ *vi* **en ~** batirse, pelear.
**découler** *vi* resultar, desprenderse, derivarse: **les conséquences qui découlent de cette décision** las consecuencias que se derivan de esta decisión; **il découle de cette analyse...** se desprende de este análisis...
**découpage** *m* **1.** *(action de découper)* recorte, recortado **2.** *(de la viande)* trinchado **3.** *(image)* recortable: **découpages pour enfants** recortables para niños **4.** *(cinéma)* desglose **5. ~ électoral** establecimiento de las circunscripciones electorales.
**découpé, e** *a* recortado, a.
**découper** *vt* **1.** *(de la viande)* trinchar: **~ un poulet** trinchar un pollo ◊ **couteau, fourchette à ~** trinchante *m* **2.** *(des images, dans un journal)* recortar. ◆ **se ~** *vpr* recortarse: **les tours du château se découpent sur le ciel** las torres del castillo se recortan en el cielo.
**découplé, e** *a* **bien ~** bien plantado, a.
**découpler** *vt (chiens)* desatraillar.
**découpure** *f* **1.** *(action)* recorte *m,* recortadura **2.** *(morceau découpé)* recorte *m* **3.** *(bord découpé)* accidentes *m pl.*
**décourageant, e** *a* desalentador, a, descorazonador, a: **des résultats décourangeants** resultados descorazonadores.
**découragement** *m* desaliento, desánimo.
**décourager*** *vt* **1.** desalentar, desanimar, descorazonar: **je suis découragé** estoy desalentado **2.** *(dissuader)* disuadir: **je l'ai découragé de partir** le disuadí de marcharse. ◆ **se ~** *vpr* desanimarse, desalentarse.
**découronner** *vt (un roi)* descoronar.
**décousu, e** *a* **1.** descosido, a **2.** *FIG* deshilvanado, a: **propos décousus** palabras deshilvanadas.
**découvert, e** *a* **1.** descubierto, a **2.** *(non boisé)* despoblado, a de árboles ◊ **à ~** *(non protégé)* al descubierto; **à visage ~** a cara descubierta. ◇ *m (banque)* descubierto: **être à ~** estar en descubierto.
**découverte** *f* **1.** descubrimiento *m:* **la ~ de l'Amérique, d'un virus** el descubrimiento de América, de un virus **2. aller à la ~** ir de exploración, de reconocimiento.
**découvreur, euse** *s* descubridor, a.
**découvrir*** *vt* **1.** descubrir: **il a découvert un trésor, un vaccin, le secret** ha descubierto un tesoro, una vacuna, el secreto **2.** *(ôter un couvercle)* destapar **3. ~ son jeu** descubrir su juego, enseñar la oreja **4. de ma fenêtre, on découvre un magnifique panorama** desde mi ventana, se descubre un magnífico panorama. ◆ **se ~** *vpr* **1.** *(pour saluer)* descubrirse **2.** *(au lit)* destaparse **3.** *(le ciel)* despejarse **4. elle s'est découvert un talent pour la peinture** descubrió que tenía aptitud para la pintura.
**décrassage** *m* limpieza *f* a fondo.
**décrasser** *vt* **1.** quitar la mugre a, limpiar a fondo **2.** *FIG (une personne)* afinar, desbastar.
**décrépir** *vt* **1.** *(un mur)* quitar el enlucido de **2. mur décrépi** pared desconchada.
**décrépit, e** *a* decrépito, a.
**décrépitude** *f* decrepitud.
**decrescendo** [dekʀeʃendo] *adv/m MUS* decresendo ◊ *FIG* **aller ~** ir disminuyendo.
**décret** *m* decreto ◊ **~-loi** decreto ley.
**décréter*** *vt* **1.** decretar, ordenar **2.** *(décider)* decidir.
**décrier*** *vt* criticar, desprestigiar: **un écrivain aujourd'hui décrié** un escritor hoy criticado.
**décrire*** *vt* **1.** describir **2.** *(une ligne courbe)* describir, trazar.
**décrispation** *f* distención.
**décrisper** *vt* calmar, apaciguar.
**décrochage** *m* **1.** descolgamiento **2.** *MIL* repliegue **3.** *(d'un avion)* pérdida *f* de sustentación.
**décrochement** *m* **1.** *(retrait)* rincón **2.** *GÉOL* fractura *f.*
**décrocher** *vt* **1.** *(ce qui est suspendu)* descolgar: **décrochez le récepteur** descuelgue el auricular **2.** *(wagon, remorque)* desenganchar **3.** *FAM* obtener, lograr, pescar, conseguir: **~ une bonne place** conseguir una buena colocación ◊ **~ la timbale → timbale 4. ~ le peloton** descolgarse del pelotón. ◇ *vi* **1.** retirarse **2.** *(vis-à-vis d'une drogue)* desengancharse **3.** *FAM (suspendre une activité, etc.)* desconectar: **je te conseille de ~** te aconsejo desconectar. ◆ **se ~** *vpr* descolgarse, desengancharse.

**décrochez-moi-ça** *m FAM* tienda *f* del ropavejero.

**décroiser** *vt* descruzar: **~ les jambes** descruzar las piernas.

**décroissance** *f* disminución.

**décroissant, e** *a* decreciente: **en ordre ~** en orden decreciente.

**décroître*** *vi* **1.** decrecer, menguar, disminuir: **la mortalité infantile décroît** la mortalidad infantil va disminuyendo **2. les jours décroissent** los días se acortan **3.** *(la lune)* menguar.

**décrotter** *vi* **1.** limpiar de barro, desenlodar **2.** *FIG FAM* desasnar, afinar, quitar el pelo de la dehesa.

**décrottoir** *m* limpiabarros *inv*.

**décrue** *f (des eaux)* descenso *m*.

**décryptage** *m* desciframiento.

**décrypter** *vt* descifrar.

**déçu, e** *pp* de **décevoir.** ◇ *a* **1.** decepcionado, a **2.** frustrado, a, fallido, a, defraudado, a: **un espoir ~** una esperanza fallida.

**décubitus** [dekybitys] *m* **~ dorsal, ventral** decúbito supino, prono.

**déculottée** *f FAM* paliza.

**déculotter** *vt* quitar los pantalones a. ◆ **se ~** *vpr* quitarse los pantalones.

**déculpabiliser** *vt* desculpabilizar.

**décupler** *vt/i* **1.** *(augmenter dix fois)* decuplicar **2. ~** *FIG (les forces, etc.)* centuplicar.

**dédaignable** *a* **ce n'est pas ~** no es nada desdeñable, es apreciable.

**dédaigner** *vt* **1.** desdeñar, despreciar **2. il a dédaigné de répondre** no se dignó contestar **3. ce n'est pas à ~** es apreciable.

**dédaigneusement** *adv* desdeñosamente, con desdén.

**dédaigneux, euse** *a* desdeñoso, a.

**dédain** *m* desdén, desprecio.

**dédale** *m* dédalo, laberinto.

**dedans** *adv* **1.** dentro ◊ **en ~** dentro, hacia dentro; **là- ~** ahí dentro; *FIG* en eso **2.** *FAM* **mettre ~** engañar, embaucar; **son adversaire lui est rentré ~** su adversario se echó sobre él; **l'auto lui est rentrée ~** el coche ha chocado con él; **je me suis fichu ~** me he equivocado, me he colado. ◇ *m* **1. le ~** el interior **2.** *loc adv* **au-~** dentro, en el interior; *loc prép* **au-~ de** en el interior de.

**dédicace** *f* **1.** *(d'une église)* dedicación **2.** *(d'un livre)* dedicatoria.

**dédicacer*** *vt (livre, photo)* dedicar ◊ **exemplaire dédicacé** ejemplar con dedicatoria.

**dédier*** *vt* dedicar.

**dédire*** *vt* desmentir. ◆ **se ~** *vpr* **1.** desdecirse, retractarse: **il s'est dédit** se ha retractado **2. se ~ d'une promesse** no cumplir una promesa.

**dédit** *m* **1.** retractación *f* **2.** *(somme)* indemnización *f*: **payer un ~** pagar una indemnización.

**dédommagement** *m* **1.** indemnización *f*, resarcimiento **2.** *(moral)* desagravio, compensación *f*.

**dédommager*** *vt* **1.** *(payer)* indemnizar, resarcir **2.** *(remercier)* recompensar. ◆ **se ~** *vpr* resarcirse.

**dédorer** *vt* desdorar.

**dédouanement** *m* **1.** tramites *pl* aduaneros **2.** *FIG* rehabilitación *f*.

**dédouaner** *vt* **1.** *(faire sortir de la douane)* sacar de la aduana **2.** *(payer)* pagar los derechos de aduana por **3.** *FIG (quelqu'un)* disculpar, rehabilitar. ◆ **se ~** *vpr* rehabilitarse.

**dédoublement** *m* desdoblamiento ◊ **~ de la personalité** desdoblamiento de la personalidad.

**dédoubler** *vt* **1.** desdoblar **2.** *(une classe)* dividir en dos **3. ~ un train** poner un tren suplementario **4.** *(un vêtement)* quitar el forro a. ◆ **se ~** *vpr* desdoblarse.

**dédramatiser** *vt* desdramatizar.

**déductible** *a* deducible: **frais déductibles** gastos deducibles.

**déductif, ive** *a* deductivo, a.

**déduction** *f* **1.** *(soustraction)* deducción, descuento *m* ◊ **~ faite de la somme...** descontada la cantidad... **2.** *(conséquence)* deducción.

**déduire*** *vt* **1.** *(une somme)* deducir, descontar, rebajar: **~ les frais** descontar los gastos **2.** deducir, inferir: **j'en ai déduit que...** (de ello) he deducido que...; **on peut ~ que...** se deduce que...

**déesse** [dees] *f* diosa.

**défaillance** *f* **1.** *(évanouissement)* desmayo *m* desfallecimiento *m* ◊ **avoir une ~** desmayarse **2.** *(de mémoire, d'un mécanisme)* fallo *m*: **mémoire sans ~** memoria sin fallo **3.** *JUR* incumplimiento *m*.

**défaillant, e** *a* **1.** desfalleciente **2. mémoire défaillante** memoria que falla.

**défaillir*** *vi* **1.** *(s'évanouir)* desmayarse, desfallecer: **il défaillit** se desmayó **2.** fallar, flaquear: **ma mémoire défaille** mi memoria flaquea.

**défaire*** *vt* **1.** deshacer: **~ une couture, le lit** deshacer una costura, la cama **2. ~ un paquet, un nœud** desatar un paquete, un nudo. **3.** aflojar: **il défit sa cravate** se aflojó la corbata **4.** *(une armée)* derrotar. ◆ **se ~** *vpr* **1.** deshacerse **2.** deshacerse, desprenderse: **il s'est défait de sa collection de timbres** se deshizo de su colección de sellos **3. se ~ d'une manie,** corregirse de una manía.

**défait, e** *a* **1.** deshecho, a: **lit ~** cama deshecha; **la coiffure défaite** el peinado deshecho **2.** *(nœud)* desatado, a **3. visage ~** cara descompuesta.

**défaite** *f* **1.** derrota: **essuyer une ~** sufrir una derrota **2.** *(échec)* derrota, fracaso *m*, descalabro *m*: **~ électorale** derrota electoral.

**défaitisme** *m* **1.** derrotismo **2.** abandonismo, pesimismo.

**défaitiste** *s* derrotista, pesimista.

**défalcation** *f* deducción, rebaja.

**défalquer** *vt* deducir, rebajar, descontar.

**défausser** *vt TECHN* enderezar. ◆ **se ~** *vpr (au jeu)* descartarse.

**défaut** *m* **1.** *(imperfection morale ou physique)* defecto, falta *f*: **un ~ incorrigible** un defecto incorregible **2.** *(manque)* falta *f*: **un ~ d'attention** una falta de atención; **~ de mémoire** fallo de la memoria ◊ **faire ~** faltar; **le temps me fait ~ pour...** me falta tiempo para...; **être en ~** fallar; **sa mémoire n'est jamais en ~** nunca le falla la memoria; **prendre en ~** coger en falta. **3.** *FIG* **le ~ de la cuirasse → cuirasse 4.** *loc prép* **à ~ de** a falta de **5.** *loc adv* **à ~** en su defecto; *JUR* **par ~** en rebeldía.

**défaveur** *f* descrédito *m*, disfavor *m* ◊ **être en ~** estar en desgracia.

**défavorable** *a* desfavorable.

**défavorablement** *adv* desfavorablemente.

**défavoriser** *vt* perjudicar, desfavorecer: **les classes les plus défavorisées** las clases más desfavorecidas.

**défécation** *f* defecación.

**défectif, ive** *a GRAM* defectivo, a.

**défection** *f* **1.** defección ◊ **faire ~** desertar, abandonar **2.** ausencia.

**défectueux, euse** *a* defectuoso, a.

**défectuosité** *f* defecto *m*, imperfección.

**défendable** *a* defendible.

**défendeur, eresse** *a JUR* demandado, a.

**défendre*** *vt* **1.** defender: **l'avocat défend son client** el abogado defiende a su cliente **2. ~ du froid** defender, proteger del frío **3.** *(interdire)* prohibir: **le médecin m'a défendu de sortir** el médico me ha prohibido salir; **il est défendu de fumer** se prohibe fumar **4. à mon, son corps défendant** a pesar mío, suyo, de mala gana. ◆ **se ~** *vpr* **1.** defenderse **2.** *FAM* **il se défend bien pour son âge** con la edad que tiene, se defiende bien **3. se ~ de** *(nier)* negar; *(éviter)* evitar **4.** *FAM* **cela se défend** esto se justifica.

**défenestration** *f* defenestración.

**défenestrer** *vt* defenestrar.

**défense** *f* **1.** defensa: **légitime ~** legítima defensa ◊ **être sans ~** estar indefenso, a; **prendre la ~ de** salir en defensa de **2.** *JUR* **la ~** la defensa **3.** *(sports)* **la ~** la defensa, la zaga **4.** *(interdiction)* prohibición ◊ **~ d'entrer** se prohibe la entrada; **~ d'afficher** prohibido fijar carteles; **~ de fumer** prohibido fumar **5.** *(de l'éléphant)* colmillo *m*: **les défenses de l'éléphant sont en ivoire** los colmillos del elefante son de marfil.

**défenseur** *m* **1.** defensor, a **2.** *JUR* abogado defensor **3. se faire le ~ de** abogar por.

**défensif, ive** *a* defensivo, a. ◇ *f* defensiva: **être, se tenir sur la défensive** ponerse a la defensiva.

**déféquer*** *vi* defecar.

**déférence** *f* deferencia, consideración.

**déférent, e** *a* deferente.

**déférer*** *vi* deferir ◊ **~ à l'avis de** adoptar la opinión de. ◇ *vt JUR* **~ quelqu'un devant un tribunal** llevar a alguien ante un tribunal.

**déferlante** *f* ola que rompe, rompiente *m*.

**déferlement** *m* oleada *f*.

**déferler** *vi* **1.** *(les vagues)* romper, estrellarse **2.** *FIG (la foule, etc.)* afluir, abalanzarse.

**déferrer** *vt* desherrar.

**défi** *m* desafío, reto ◊ **lancer un ~ à** desafiar a; **mettre au ~ de...** apostar a que...; **relever le ~** recoger el guante, aceptar el desafío ◊ **un ~ au bon sens** un disparate, una aberración.

**défiance** *f* desconfianza, recelo *m*.

**défiant, e** *a* desconfiado, a, receloso, a.

**défribillation** *f MÉD* desfibrilación.

**déficeler*** *vt* desatar.

**déficience** *f* deficiencia.

**déficient, e** *a* **1.** deficiente **2. ~ mental** subnormal.

**déficit** [defisit] *m* **1** déficit **2.** *MÉD* déficit.

**déficitaire** *a* deficitario, a: **budget ~** presupuesto deficitario.

**défier*** *vt* **1.** desafiar, retar: **~ quelqu'un à la course** desafiar a alguien a correr **2. ~ le danger** desafiar el peligro **3. prix qui défient toute concurrence** precios que resisten a toda competencia **4.** apostar: **je vous défie de le faire** apuesto a que usted no lo hace. ◆ **se ~** *vpr* desconfiar: **je me défie des flatteurs** desconfío de los aduladores.

**défigurer** *vt (le visage, la vérité, etc.)* desfigurar.

**défilé** *m* **1.** *(entre deux montagnes)* desfiladero, paso **2.** *(de troupes, manifestants, mannequins, etc.)* desfile.

**défiler** *vt (des perles)* desensartar. ◇ *vi* **1.** desfilar: **les manifestants ont défilé en silence** los manifestantes desfilaron en silencio **2.** *(des images, souvenirs, etc)* ir pasando, sucederse. ◆ **se ~** *vpr FAM (s'esquiver)* escabullirse, esquivarse, escurrir el bulto, hurtar el hombro.

**défini, e** *a* **1.** definido, a **2. article ~** artículo determinado **3. passé ~** pretérito indefinido.

**définir** *vt* definir, precisar. ◆ **se ~** *vpr* definirse: **il se définit lui-même comme un dilettante** se define a sí mismo como un diletante.

**définissable** *a* definible.

**définitif, ive** *a* **1.** definitivo, a **2.** *loc adv* **en définitive** en definitiva, finalmente.

**définition** *f* definición ◊ **par ~** por esencia, por antonomasia.

**définitivement** *adv* definitivamente.

**défiscaliser** *vt* eximir de impuestos.

**déflagration** *f* deflagración.

**déflation** *f* deflación.

**déflationniste** *a* deflacionista.

**déflecteur** *m* deflector.

**défleurir** *vi* desflorecer.

**déflorer** *vt* **1.** desflorar **2.** *(une fille)* desflorar, desvirgar.

**défoliant** *a/m* defoliante.

**défoliation** *f* defoliación.

**défonce** *f FAM* **1.** drogadicción **2.** viaje *m*, cuelgue *m*.

**défoncer** *vt* **1.** *(un tonneau, etc.)* desfondar **2. ~ une porte** derribar una puerta **3.** *(un toit, etc.)* hundir **4.** *(labourer profondément)* desfondar **5.** llenar de baches: **route défoncée** carretera llena de baches. ◆ **se ~** *vpr* **1.** hundirse **2.** *FAM* drogarse, colocarse **3.** *FAM (se démener)* echar los hígados; *(s'amuser)* pasarlo bomba.

**défonceuse** *f AGR* roturadora.

**déforestation** *f* desforestación.

**déformation** *f* deformación ◊ **~ professionnelle** deformación profesional.

**déformer** *vt* **1.** deformar **2.** *FIG* **~ la vérité** deformar la verdad. ◆ **se ~** *vpr* deformarse.

**défoulement** *m* desfogue.

**défouler** *vt* liberar. ◆ **se ~** *vpr* desfogarse.

**défraîchir** *vt* ajar, deslucir: **un rideau défraîchi** una cortina ajada.

**défrayer*** [defreje] *vt* **1.** reembolsar **2.** *FIG* **~ la conversation** hacer el gasto de la conversación; **~ la chronique** ser noticia, ser la comidilla de todos.

**défrichage, défrichement** *m* roturación *f*, desmonte.

**défricher** *vt* **1.** roturar **2.** *FIG (un sujet)* desbrozar.

**défriper** *vt* desarrugar, alisar.

**défriser** *vt* **1.** desrizar **2.** *FAM* contrariar, saber mal, dejar chasqueado, a.

**défroisser** *vt* desarrugar.

**défroque** *f* pingajos *m pl*, pingos *m pl*.

**défroqué, e** *a* que ha colgado los hábitos. ◇ *m* religioso, monje que ha colgado los hábitos.

**défroquer (se)** *vpr* colgar los hábitos.

**défunt, e** *a/s* difunto, a, finado, a.

**dégagé, e** *a* **1.** libre **2. ciel ~** cielo despejado **3. front ~** frente despejada; **cheveux bien dégagés** el pelo corto **4.** *(air, allure)* despejado, a, desenvuelto, a **5.** *(style)* suelto, a.

**dégagement** *m* **1.** *(d'un passage, d'une route)* despejo ◊ **itinéraire de ~** itinerario alternativo, ruta alternativa **2.** *(d'un blessé)* rescate **3.** *(d'une odeur, d'un gaz)* desprendimiento **4.** *(espace libre)* espacio libre **5.** *(passage)* pasadizo **6.** *(football)* saque.

**dégager*** *vt* **1.** *(un gage)* desempeñar **2.** *(sa parole, sa responsabilité)* retirar **3. ~ un blessé des décombres** sacar a un herido de los escombros **4.** *(de ce qui encombre)* desescombrar **5.** *(une voie, une piste)* despejar: **dégagez, s'il vous plaît!** ¡despejen, por favor!; **dégage!** ¡lárgate! **6. coiffure qui dégage la nuque** peinado que deja la nuca al descubierto **7.** *(odeur, gaz)* despedir: **le jasmin dégage un parfum délicat** el jazmín despide un olor delicado **8.** *(une idée, une conclusion)* poner de manifiesto **9.** *(football)* **~ (son camp)** botar el balón **10.** *MÉD* descongestionar. ◆ **se ~** *vpr* **1.** *(d'un lien)* desasirse, liberarse **2.** *(d'un engagement)* liberarse **3.** desprenderse: **odeur, chaleur, impression qui se dégage** olor, calor, impresión que se desprende **4. le ciel commença à se ~** el cielo empezó a despejarse; **le ciel se dégage** el cielo se está despejando.

**dégaine** *f FAM* facha, poca gracia: **quelle ~ !** ¡qué facha!

**dégainer** *vt (une arme)* desenvainar, desenfundar: **il dégaina son revolver** desenfundó su pistola: **le policier n'eut pas le temps de ~** el policía no tuvo tiempo de desenfundar su pistola.

**déganter (se)** *vpr* quitarse los guantes, desguantarse.

**dégarnir** *vt* desguarnecer. ◆ **se ~** *vpr* **1.** despoblarse: **son crâne se dégarnit** su cráneo se despuebla **2.** ir vaciándose: **la salle se dégarnit** la sala va vaciándose.

**dégât** *m* daño, estrago: **dégâts matériels** daños materiales; **faire des dégâts** causar daños ◊ *FAM* **limiter les dégâts** evitar mayores disgustos, evitar que la situación vaya peor.

**dégauchir** *vt* **1.** *(dégrossir)* desbastar **2.** *(redresser)* desalabear.

**dégazage** *m* **1.** *TECHN* desgasificación *f* **2.** limpieza *f* de la cisterna.

**dégazer** *vi* **1.** *TECHN* desgasificar **2.** *(un pétrolier)* limpiar sus cisternas.

**dégel** *m* **1.** *(de la glace, neige)* deshielo **2.** *ÉCON* descongelación *f*.

**dégelée** *f FAM* paliza, tunda.

**dégeler*** *vt* **1.** deshelar **2.** *(des crédits)* descongelar, desbloquear **3.** *FIG (quelqu'un)* animar, alegrar. ◇ *vi* deshelarse: **le lac dégèle** el lago se deshiela. ◆ **se ~** *vpr FIG* animarse.

**dégénératif, ive** *a* degenerativo, a.

**dégénéré, e** *a/s* degenerado, a.

**dégénérer*** *vi* **1.** degenerar **2. ~ en** convertirse en, degenerar en.

**dégénérescence** *f* degeneración.

**dégingandé, e** *a FAM* desgalichado, a, desgarbado, a.

**dégivrage** *m* descongelación *f*.

**dégivrer** *vt* **1.** deshelar **2.** *(un réfrigérateur)* descongelar.

**dégivreur** *m* descongelador.

**déglacer*** *vt* **1.** deshelar **2.** *(papier)* deslustrar.

**déglinguer** *vt FAM* desvencijar ◊ **une voiture déglinguée** un coche destartalado.

**déglutir** *vt/i* deglutir.

**déglutition** *f* deglución.

**dégobiller** *vi/t FAM* vomitar.

**dégoiser** *vt FAM* soltar, decir: **~ des crétineries** decir bobadas. ◇ *vi (parler)* charlotear, parlotear.

**dégommer** *vt FAM* destituir, dejar cesante a.

**dégonflage** *m* desinflado.

**dégonflard, e** *s FAM* cagueta, culeras.

**dégonflé, e** *s FIG FAM* rajado, a.

**dégonfler** *vt* desinflar, deshinchar. ◆ **se ~** *vpr* **1.** desinflarse: **pneu qui se dégonfle** neumático que se desinfla **2.** *FAM* rajarse, acobardarse: **Paul s'est dégonflé** Pablo se ha rajado.

**dégorgeoir** *m* **1.** desaguadero **2.** *(de pêcheur)* horquilla *f* para sacar el anzuelo.

**dégorger** *vt* **1.** *(vomir)* vomitar, devolver **2.** *(un tuyau, un évier bouché)* desatascar. ◇ *vi* **1.** *(se déverser)* desbordarse, desaguar **2 faire ~ des concombres** poner a macerar pepinos; **faire ~ des escargots** purgar los caracoles **3.** *TECHN (la laine, etc.)* desgrasar, lavar.

**dégoter, dégotter** *vt FAM* encontrar, dar con, pillar, agenciarse: **~ une bonne place** pillar una buena colocación; **où as-tu dégoté ce disque?** ¿dónde has encontrado este disco?

**dégouliner** *vi FAM* chorrear, gotear.

**dégoupiller** *vt (une grenade)* quitar la clavija de la palanca de disparo de.

**dégourdi, e** *a* listo, a, espabilado, a: **il n'est pas très ~** no es muy espabilado.

**dégourdir** *vt* **1.** desentumecer, desentorpecer **2.** *(de l'eau)* entibiar **3.** *FIG (une personne)* despabilar. ◆ **se ~** *vpr* **1. se ~ les jambes** estirar las piernas **2.** *FIG* despabilarse.

**dégoût** *m* **1.** asco: **inspirer du ~** producir asco; **prendre en ~** coger asco a **2.** repugnancia *f* **3. ~ de la vie** tedio, hastío.

**dégoûtant, e** *a* repugnante, asqueroso, a, repelente ◊ **c'est ~ de voir que...** da asco ver que...; **c'est ~ !** ¡qué asco!, ¡da asco!

**dégoûtation** *f FAM* horror *m*.

**dégoûté, e** *a* **1. ~ de tout** hastiado, a, de todo, de vuelta de todo; **être ~ de la vie** estar harto de vivir **2.** *(délicat)* delicado, a, difícil ◊ **prendre un air ~** poner cara de asco; **faire le ~** hacerse el delicado.

**dégoûter** *vt* **1.** dar asco, asquear, repugnar: **la viande me dégoûte** la carne me da asco; **sa lâcheté me dégoûte** su cobardía me asquea **2. ~ quelqu'un de travailler** quitarle a uno las ganas de trabajar; **c'est à vous ~ d'être aimable** ¿para qué ser amable? ◆ **se ~** *vpr* hastiarse, hartarse.

**dégoutter** *vi* gotear, chorrear.

**dégradant, e** *a* degradante.

**dégradation** *f* **1.** degradación **2.** *(détérioration)* deterioro *m* **3. ~ du temps** empeoramiento *m* del tiempo.

**dégradé, e** *a/s* degradado, a.

**dégrader** *vt* **1.** *(quelqu'un)* degradar **2.** *(endommager)* deteriorar **3.** *(les couleurs)* degradar. ◆ **se ~** *vpr* **1.** degradarse **2.** empeorarse: **la situation s'est dégradée** la situación (se) ha empeorado.

**dégrafer** *vt* desabrochar, desabrocharse: **elle dégrafa son corsage** se desabrochó la blusa.

**dégraissage** *m* **1.** *(d'un vêtement)* limpiado **2.** *FAM (licenciement)* despido, compresión *f* de plantilla, reducción *f* de plantilla.

**dégraisser** *vt* **1.** *(ôter la graisse)* desengrasar, desgrasar **2.** *(un vêtement)* limpiar, quitar las manchas a.

**degré** *m* **1.** grado: **un ~ au-dessous de zéro** un grado bajo cero; **parents au premier ~** parientes en primer grado; **équation du premier ~, brûlure au premier ~** ecuación, quemadura de primer grado; **baisser d'un ~** bajar en un grado; **au plus haut ~** en sumo grado ◊ **par degrés** gradualmente **2. à un ~ tel** hasta tal punto **3. enseignement du second ~** enseñanza media **4.** *(marche)* peldaño.

**dégressif, ive** *a* decreciente.

**dégrèvement** *m (d'impôt)* desgravación *f* (fiscal).

**dégrever*** *vt* desgravar.

**dégriffé, e** *a* **manteau ~** abrigo rebajado (del cual se ha quitado la etiqueta).

**dégringolade** *f FAM* caída.

**dégringoler** *vi FAM* **1.** caer rodando **2.** *FIG* venirse abajo, hundirse. ◇ *vt* **~ l'escalier** rodar por las escaleras.

**dégriser** *vt* **1.** desembriagar **2.** *FIG* desengañar, desilusionar.

**dégrossir** *vt* **1.** desbastar **2.** *FAM (quelqu'un)* desbastar, afinar, quitar el pelo de la dehesa. ◆ **se ~** *vpr* desbastarse, civilizarse ◊ **un garçon mal dégrossi** un chico tosco, poco refinado.

**dégrossissage** *m* desbaste.

**dégrouiller (se)** *vpr FAM* aligerar: **dégrouille-toi!** ¡aligera!

**déguenillé, e** *a* harapiento, a, andrajoso, a.

**déguerpir** *vi* largarse, huir.

**dégueulasse** *a POP* repugnante, asqueroso, a: **c'est ~ !** ¡qué asco!

**dégueuler** *vi POP* vomitar.

**déguisement** *m* disfraz.

**déguiser** *vt* **1.** disfrazar **2.** *FIG (sa voix)* desfigurar **3.** *(la vérité)* encubrir. ◆ **se ~** *vpr* disfrazarse: **il s'est déguisé en Pierrot** se ha disfrazado de Pierrot.

**dégustateur, trice** *s* catador, a.

**dégustation** *f* **1.** degustación **2.** *(de vin)* cata: **une ~ à l'aveugle** una cata a ciegas, una cata ciega.

**déguster** *vt* **1.** *(un vin)* catar, probar, degustar **2.** *(savourer)* saborear, paladear, degustar: **~ un foie-gras** degustar un foie-gras **3.** *FAM* **qu'est-ce que je vais ~ !** ¡la bronca que me espera!

**déhaler** *vt MAR* halar (por medio de las amarras).

**déhanchement** *m (en marchant)* contoneo.

**déhancher (se)** *vpr* contonearse.

**déharnacher** *vt* desenjaezar.

**dehors** [dəɔʀ] *adv* **1.** fuera, afuera: **passer la nuit ~** pasar la noche fuera; **mettre quelqu'un ~** echar fuera a alguien **2. au-~** fuera; **de ~, du ~** de fuera, desde fuera; **se pencher au ~** asomarse al exterior **3** *loc prép* **en ~ de ceci** fuera de esto, esto aparte; **c'est en ~ de mes compétences** es ajeno a mis competencias. ◇ *m* **1.** exterior **2.** apariencia *f*: **sous des ~ agréables** bajo apariencias agradables.

**déhoussable** *a* desenfundable.

**déifier*** *vt* **1.** deificar **2.** *FIG* divinizar.

**déisme** *m* deísmo.

**déiste** *s* deista.

**déité** *f* deidad, divinidad.

**déjà** *adv* **1.** ya: **j'ai ~ fini** ya he terminado; **c'est ~ fini?** ¿ya se ha terminado?; **tu me l'as ~ dit cent fois** ya me lo has dicho cien veces; **~ huit heures!** ¡ya son las ocho!, ¡las ocho ya! **2.** *(en fin de phrase, peut ne pas se traduire)* **à quelle heure partez-vous, ~ ?** ¿a qué hora se marcha usted?

**dejanté, e** *a FAM* chiflado, a, majareta.

**déjanter** *vt (un pneu)* sacar de la llanta. ◇ *vi FAM* disparatar.

**déjà-vu** *m/inv FAM* **du ~** algo ya muy visto, una banalidad.

**déjection** *f* deyección.

**déjeter*** *vt* torcer. ◆ **se ~** *vpr (gauchir)* alabearse.

[1]**déjeuner** *vi* **1.** *(prendre le petit déjeuner)* desayunar **2.** *(à midi)* almorzar, comer: **au-tu bien déjeuné?** ¿has comido bien?; **j'ai déjeuné d'un sandwich** almorcé un bocadillo.
▶ *Comer* (manger) s'emploie souvent à la place de *almorzar*.

[2]**déjeuner** *m* **1.** *(à midi)* almuerzo, comida *f*: **~ d'affaires** almuerzo, comida de negocios; **un ~ sur l'herbe** una comida campestre, un picnic. **2. petit ~** desayuno ◊ **je prends du thé au petit ~** me desayuno con té.

**déjouer** *vt* **1.** *(une intrigue, un complot)* desbaratar, frustrar **2.** *(la vigilance)* burlar.

**déjuger* (se)** *vpr* volverse atrás, cambiar de opinión.

**delà** *adv* **1.** allende **2.** *loc adv* **au-~** más allá, más lejos **3.** *loc prép* **au-~ de** más allá de: **au-~ de nos différences** más allá de nuestras diferencias; **au-~ d'une simple explication** más allá de una mera explicación; **au-~ du pont** al otro lado del puente; **au-~ des mers** allende los mares: **par-~ les Alpes** allende los Alpes; **par-~ les apparences** más allá de las apariencias. ◇ *m* **l'au-~** el más allá, la otra vida.

**délabrement** *m* ruina *f*.

**délabrer** *vt* deteriorar, arruinar, estropear. ◆ **se ~** *vpr* **1.** arruinarse, deteriorarse ◊ **vieille maison délabrée** vieja casa destartalada, arruinada **2. sa santé se délabre** su salud se está arruinando.

**délacer*** *vt* **~ ses chaussures** desatarse los zapatos.

**délai** *m* **1.** plazo: **dans un ~ d'un mois** en el plazo de un mes; **à bref ~** en breve plazo ◊ **dans les plus brefs délais** a la mayor brevedad **2.** demora *f*, dilación *f* ◊ **sans ~** sin demora, en el acto **3.** *(sursis)* prórroga *f* ◊ **venez demain, dernier ~** venga mañana a más tardar.

**délaissement** *m* abandono, desamparo.

**délaisser** *vt* desasistir, abandonar, desatender: **~ sa famille** desasistir a su familia; **~ une activité** abandonar una actividad ◊ **se sentir délaissé** sentirse abandonado, solo.

**délassant, e** *a* descansado, a, relajante.

**délassement** *m* descanso, recreo.

**délasser** *vt* **1.** *(reposer)* descansar, relajar **2.** *(distraire)* recrear, entretener. ◆ **se ~** *vpr* descansar, solazarse.

**délateur, trice** *s* delator, a.

**délation** *f* delación.

**délaver** *vt* deslavar, descolorir: **bleu délavé** azul pálido; **un jean délavé** un pantalón vaquero descolorido.

**délayage** [delejaʒ] *m (écrit)* palabrería *f*, ripio.

**délayer*** [deleje] *vt* **1.** desleír, diluir **2.** *FIG (pensée, discours)* diluir.

**delco** *m TECHN* delco.

**deleatur** *m/inv* dele, deléatur.

**délectable** *a* deleitoso, a, deleitable.

**délectation** *f* delectación, deleite *m*.

**délecter (se)** *vpr* delcitarse.

**délégation** *f* delegación.

**délégué, e** *a/s* **1.** delegado, a **2. ~ syndical** enlace sindical.

**déléguer*** *vt* **1.** delegar **2. ~ des pouvoirs à quelqu'un** apoderar a alguien, delegar en alguien.

**délestage** *m* **1.** *(navire)* deslastre **2.** *(d'un réseau)* descongestión *f* ◊ **itinéraire de ~** itinerario alternativo, ruta alternativa.

**délester** *vt* **1.** *(navire)* deslastrar **2.** *FAM* **~ quelqu'un de son portefeuille** sustraer a alguien la cartera **3.** *(un réseau, une route)* descongestionar.

**délétère** *a* deletéreo, a: **gaz ~** gas deletéreo.

**délibérant, e** *a* deliberante.

**délibératif, ive** *a* deliberativo, a.

**délibération** *f* **1.** deliberación **2. après mûre ~** bien mirado todo. ◇ *pl* deliberaciones.

**délibéré, e** *a* **1.** deliberado, a ◊ **de propos ~** de propósito, adrede, con intención, deliberadamente **2. d'un air ~** con aire resuelto, decidido. ◇ *m JUR* consulta *f*.

**délibérément** ◊ *adv* deliberadamente, intencionadamente.

**délibérer*** *vi* deliberar.

**délicat, e** *a* **1.** *(mets, parfum, etc)* delicado, a **2.** *(santé)* delicado, a, frágil: **leur fils est d'une santé délicate** su hijo es delicado de salud **3. question, situation délicate** cuestión, situación delicada **4. une attention délicate** un detalle, una fineza. ◇ *s* **faire le ~** hacerse el delicado.

**délicatement** *adv* delicadamente, con delicadeza.

**délicatesse** *f* **1.** delicadeza **2.** *(dans l'exécution d'une chose)* primor *m*, delicadeza **3.** *(courtoisie)* delicadeza, finura.

**délice** *m* **1.** delicia *f*, deleite **2. ce gâteau est un ~** este pastel es una delicia, es riquísimo. ◇ *f pl* delicia *sing*, delicias: **faire**

**les délices de** hacer las delicias de, ser la delicia de; **les délices de Capoue** las delicias de Capua.

**délicieusement** *adv* deliciosamente.

**délicieux, euse** *a* **1.** *(mets)* delicioso, a, rico, a, exquisito, a **2.** *(temps, lieu, etc.)* delicioso, a **3** *(personne)* encantador, a, delicioso, a.

**délictueux, euse** *a* delictivo, a: **fait ~** hecho delictivo.

**délié, e** *a* **1.** fino, a, delgado, a **2.** *FIG* agudo, a, sutil, penetrante: **esprit ~** mente aguda **3. avoir la langue bien déliée** no tener pelillos en la lengua. ◇ *m (d'une lettre)* perfil.

**délier*** *vt* **1.** desatar **2.** *FIG (d'une promesse)* desligar **3.** *FAM* **~ la langue de quelqu'un** hacer hablar a alguien.

**délimitation** *f* **1.** delimitación **2.** *(ligne de séparation)* límite *m.*

**délimiter** *vt* **1.** delimitar, fijar **2.** *(un terrain)* deslindar.

**délinquance** *f* delincuencia: **~ juvénile** delincuencia juvenil.

**délinquant, e** *a/s* delincuente.

**déliquescence** [delikesɑ̃s] *f* **1.** delicuescencia **2.** *FIG* decadencia.

**deliquescent, e** [delikesɑ̃,ɑ̃t] *a* **1.** delicuescente **2.** *FIG* decadente.

**délirant, e** *a* **1.** *(imagination, etc.)* delirante **2. joie délirante** alegría desbordante.

**délire** *m* **1.** delirio: **~ des grandeurs** delirio de grandezas **2. foule en ~** multitud delirante **3.** *FAM* **c'est du ~!** ¡es una locura!

**délirer** *vi* **1.** delirar **2.** *FIG* delirar, desvariar, disparatar.

**delirium tremens** [deliʀjɔmtʀemɛ̃s] *m MÉD* delírium tremens.

**délit** *m* **1.** delito: **le corps du ~** el cuerpo del delito; **~ de droit commun** delito común **2. prendre en flagrant ~** sorprender en flagrante, in fraganti.

**délivrance** *f* **1.** *(d'un prisonnier, etc.)* liberación **2.** *(soulagement)* alivio *m* **3.** *(d'un passeport, etc.)* expedición, entrega **4.** *(fin de l'accouchement)* alumbramiento *m.*

**délivrer** *vt* **1.** *(un prisonnier, etc.)* liberar **2.** *(d'un souci, d'une crainte, etc.)* librar: **délivre-nous du mal** líbranos del mal **3.** *(un passeport, certificat, billet)* expedir **4.** *(un reçu)* dar, entregar. ◆ **se ~** *vpr* librarse.

**délocalisation** *f* deslocalización.

**délocaliser** *vt* deslocalizar.

**déloger** *vt* desalojar, expulsar. ◇ *vi (s'en aller)* marcharse.

**déloyal, e** [delwajal] *a* desleal.

**déloyauté** [delwajote] *f* deslealtad.

**Delphes** [dɛlf(ə)] *np* Delfos.

**delta** *m* **1.** *(lettre)* delta *f* **2.** delta: **le ~ du Nil** el delta del Nilo.

**deltaplane** *m* ala *f* delta.

**deltoïde** *a/s (muscle)* deltoides.

**déluge** *m* **1.** diluvio ◊ **cela remonte au ~** esto es de (los) tiempos de Maricastaña; **après moi le ~!** después de mí el diluvio, el que venga detrás que arree, mientras dura, vida y dulzura **2.** *FIG (de paroles, etc.)* diluvio, lluvia *f*, aluvión *f.*

**déluré, e** *a* **1.** *(vif)* espabilado, a, despabilado, a, vivo, a, despierto, a **2.** *PÉJOR (effronté)* desvergonzado a ◊ **elle est très délurée** es muy pizpireta.

**délurer (se)** *vpr* avisparse, despabilarse.

**démagogie** *f* demagogia.

**démagogique** *a* demagógico, a.

**démagogue** *m* demagogo.

**démailler (se)** *vpr (un bas)* tener una carrerilla.

**démailloter** *vt (un bébé)* quitar los pañales a.

**demain** *adv/m* mañana: **~ matin** mañana por la mañana; **~ en huit** de mañana en ocho días; **après ~** pasado mañana; **à ~ !** ¡hasta mañana! ◊ **~ il fera jour** mañana será otro día; **remettre à ~** dejar para mañana; **ce n'est pas pour ~, ce n'est pas ~ la veille** va para largo, aún falta mucho tiempo.

**démancher** *vt* quitar el mango a, desmangar. ◆ **se ~** *vpr FAM* dislocarse: **je me suis démanché l'épaule** me he dislocado el hombro.

**demande** *f* **1.** petición: **à la ~ générale** a petición general; **à sa ~** a petición propia; **à la ~ de...** a petición de..., a instancias de... ◊ **~ en mariage** petición de mano **2.** *(réclamation)* solicitud: **présenter une ~** presentar una solicitud; **les demandes devront être adressées à...** las solicitudes deberán dirigirse a...; **~ d'emploi** solicitud de empleo **3.** *COM* demanda: **l'offre et la ~** la oferta y la demanda; **la ~ interne** la demanda interna **4.** *(question)* pregunta.

**demander** *vt* **1.** pedir: **~ la permission** pedir permiso; **combien le garagiste t'a-t-il demandé?** ¿cuánto te pidió el garajista?; **je vous demande de vous taire** le pido que se calle **2.** *(questionner)* preguntar: **il m'a demandé pourquoi je n'étais pas venu** me preguntó por qué no había venido; **le médecin m'a demandé mon âge** el médico me ha preguntado cuántos años tengo **3.** *(réclamer)* solicitar: **demandez notre brochure** solicite nuestro folleto ◊ *PROV* **qui ne demande rien n'a rien** el que no llora no mama **4.** requerir, necesitar: **cela demande du temps** eso requiere tiempo; **on demande deux secrétaires** se necesitan dos secretarias **5.** *(quelqu'un)* llamar, preguntar por: **on vous demande au téléphone** le llaman al teléfono **6. je ne demande qu'à vous aider** sólo deseo ayudarle; **je ne demande pas mieux que d' y aller** iré con mucho gusto; **je ne demande pas mieux** qué más quisiera yo **7.** *FAM* **je ne t'ai pas demandé l'heure qu'il est** ¿por qué te metes?; **je vous demande un peu!** ¡es increíble!, ¡es la monda! **8.** *JUR* demandar. ◆ **se ~** *vpr* **1.** preguntarse: **je me demande pourquoi il est parti** me pregunto por qué se ha marchado ◊ *FAM* **ça ne se demande pas!** ¡es evidente! **2. je me demande si je prendrai l'avion** dudo si tomaré el avión.

**demandeur, euse** *s* **~ d'emploi** demandante de empleo.

**demandeur, eresse** *s JUR* demandante.

**démangeaison** [demɑ̃ʒɛzɔ̃] *f* **1.** comezón, picazón **2.** *FIG (envie)* gana.

**démanger*** *vt/i* **1.** picar: **la cheville me démange** me pica el tobillo **2** *FIG* **la langue me démange de lui dire...** tengo muchas ganas de decirle...; **la main lui démange** le pican las manos.

**démantèlement** *m* **1.** desmantelamiento **2.** *FIG (d'un gang, etc.)* desarticulación *f.*

**démanteler*** *vt* **1.** desmantelar **2.** *FIG (un gang, etc.)* desarticular.

**démantibuler** *vt FAM* desvencijar, descomponer, dislocar.

**démaquillant, e** *a* desmaquillador, a: **lait ~** leche desmaquilladora ◇ *m* desmaquillador, demaquillador.

**démaquiller** *vt* desmaquillar, demaquillar. ◆ **se ~** *vpr* desmaquillarse.

**démarcation** *f* **1.** demarcación **2.** *FIG* límite *m*, separación.

**démarchage** *m* venta *f* a domicilio.

**démarche** *f* **1.** *(manière de marcher)* paso *m*, andar *m*: **une ~ légère** un andar ligero **2.** diligencia, gestión, trámite *m*: **faire des démarches auprès de quelqu'un** hacer gestiones, hacer trámites ante alguien; **poursuivre ses démarches** seguir sus gestiones **3. la ~ de sa pensée** el curso que sigue su reflexión.

**démarcheur, euse** *s* vendedor, a a domicilio, corredor *m.*

**démarquage** *m* **1.** *(plagiat)* plagio **2.** *(sport)* desmarque.

**démarque** *f COM* rebaja.

**démarquer** *vt* **1.** quitar la marca de **2.** bajar el precio de ◊ **prix démarqués** precios rebajados **3.** *(plagier)* plagiar **4.** *(sport)* desmarcar. ◆ **se ~** *vpr (sport, etc.)* desmarcarse.

**démarrage** *m* **1.** *(d'un véhicule)* arranque: **~ à froid** arranque en frío **2.** *FIG (d'une entreprise, etc.)* comienzo, despegue.

**démarrer** *vi* **1.** arrancar: **la voiture démarre** el coche arranca **2.** *FIG* ponerse en marcha: **leur entreprise démarre lentement** su empresa se pone en marcha lentamente **3. faire ~** poner en marcha, arrancar **4.** *MAR* desamarrar.

**démarreur** *m* motor de arranque.

**démasquer** *vt* **1** desenmascarar **2.** *FIG* **~ ses batteries** descubrir su juego. ◆ **se ~** *vpr* quitarse la careta.

**démâtage** *m MAR* desarbolo, desmantelamiento.

**démâter** *vt MAR* desarbolar, desmantelar.

**démêlage** *m (de la laine)* carmenadura *f*.

**démêlé** *m* **1.** *(dispute)* altercado **2.** *(ennui)* lío, dificultad *f*: **avoir des démêlés avec la justice** tener líos con la justicia.

**démêler** *vt* **1.** *(fil, etc.)* desenredar **2.** *(la laine)* carmenar **3.** *FIG (une affaire)* desembrollar, aclarar **4.** *(distinguer)* distinguir. ◆ **se ~** *vpr* **1.** desenredarse **2.** *FIG* desembrollarse.

**démêloir** *m (peigne)* batidor, escarpidor.

**démembrement** *m* desmembración *f*, desmembramiento.

**démembrer** *vt* desmembrar.

**déménagement** *m* mudanza *f*: **entreprise, camion de ~** empresa, camión de mudanzas.

**déménager*** *vt (meubles)* trasladar. ◇ *vi* **1.** mudarse (de casa, de domicilio): **nous déménageons ce mois-ci** nos mudamos de casa este mes **2.** *FAM* **tu déménages!** ¡disparatas!

**déménageur** *m* **1.** *(entrepreneur)* empresario de mudanza **2.** *(employé)* mozo de mudanza.

**démence** *f* **1.** demencia: **~ précoce** demencia precoz **2.** *FIG* **c'est de la ~!** ¡es una locura!

**démener* (se)** *vpr* **1.** agitarse **2.** *FIG (se donner du mal)* menearse, ajetrearse, afanarse, bregar.

**dément, e** *a/s* demente.

**démenti** *m* mentís, desmentida *f*: **opposer un ~ formel à...** dar un rotundo mentís a...

**démentiel, elle** *a* demente, loco, a.

**démentir*** *vt* desmentir, contradecir: **on le croit noble et lui ne le dément pas** creen que es noble y él no lo desmiente. ◆ **se ~** *vpr* **1.** desdecirse **2. son dévouement ne s'est jamais démenti** su abnegación no ha cambiado nunca, nunca fue desmentida.

**démerdard** *a/m POP* listo.

**démerder (se)** *vpr POP* apañárselas.

**démérite** *m* demérito, desmerecimiento.

**démériter** *vi* desmerecer ◊ **il n'a jamais démérité** nunca ha caído en falta.

**démesure** *f* desmesura, exceso *m*.

**démesuré, e** *a* **1.** desmesurado, a, desmedido, a: **ambition démesurée** ambición desmesurada **2.** *(énorme)* descomunal.

**démesurément** *adv* desmesuradamente.

**Déméter** *np f* Deméter.

**démettre*** *vt* **1.** *(os, articulation)* dislocar **2.** *(de ses fonctions)* destituir. ◆ **se ~** *vpr* **1.** dislocarse: **elle s'est démis la cheville** se ha dislocado el tobillo **2. se ~ de ses fonctions** dimitir de su cargo.

**demeurant (au)** *loc adv* en fin de cuentas, después de todo, en resumen.

**demeure** *f* **1.** *(domicile)* morada, residencia: **une humble ~** una humilde morada; **la dernière ~** la última morada **2.** *(logement)* vivienda **3. mise en ~** intimación, requerimiento *m*; **mettre quelqu'un en ~ de faire...** intimar a alguien a que haga... **4.** *loc adv* **à ~** para siempre, de manera permanente.

**demeuré, e** *a/s FAM* retrasado, a.

**demeurer** *vi* **1.** *(habiter)* residir, vivir: **il demeure à Limoges** vive en Limoges **2.** *(rester)* permanecer, quedarse: **il est demeuré indifférent** se quedó indiferente; **je demeurai perplexe, sans bouger** me quedé perplejo, sin moverme **3. en ~ là** no continuar: **demeurons-en là** no hablemos más; **l'affaire en est demeurée là** el asunto no tuvo consecuencias, no trajo cola, no pasó a mayores.

**demi, e** *a* **1.** medio, a. (Es invariable delante del sustantivo y se une con él mediante un guión. L'article indéfini ne se traduit pas en espagnol: **un ~-litre** medio litro; **une ~-heure** media hora; **il y avait une ~- douzaine de personnes** había media docena de personas. Varía de género después del sustantivo: **une heure et demie** una hora y media) **2.** *loc adv* **a ~** a medias: **faire les choses à ~** hacer las cosas a medias; *(presque)* medio: **à ~ satisfaite** medio satisfecha; **à ~ plein, vide** mediado: **une bouteille à ~ pleine** una botella mediada; **une bouteille de vin à demi entamée** una botella de vino ya mediada. ◇ *m* **1.** *(une moitié)* medio, mitad *f* **2.** *(de bière)* caña *f*: **un ~** una caña **3.** *(sport)* medio. ◇ *f (heure)* **il est la demie** es la media.

**demi-bouteille** *f* botella de medio litro.

**demi-écrémé** → **écrémer.**

**demi-cercle** *m* semicírculo: **en ~** en semicírculo.

**demi-dieu** *m* semidiós.

**demi-douzaine** *f* media docena.

**demi-fin, e** *a* semifino, a.

**demi-finale** *f* semifinal.

**demi-finaliste** *s* semifinalista.

**demi-fond** *m* medio fondo.

**demi-frère** *m* hermanastro, medio hermano.

**demi-gros** *m* comercio entre mayorista y minorista.

**demi-heure** *f* media hora: **dans une ~** dentro de media hora; **toutes les demi-heures** cada media hora.

**demi-jour** *m inv* media luz *f*, luz *f* crespuscular.

**demi-journée** *f* media jornada.

**démilitarisation** *f* desmilitarización.

**démilitariser** *vt* desmilitarizar.

**demi-litre** *m* medio litro.

**demi-longueur** *f* medio largo *m*.

**demi-lune** *f* media luna.

**demi-mal** *m* mal menor ◊ **il n'y a que ~** el daño es poco.

**demi-mesure** *f* término *m* medio, paliativo *m*.

**demi-mondaine** *f* mujer galante.

**demi-monde** *m* mundo de la vida alegre.

**demi-mort, e** *a* mediomuerto, a.

**demi-mot (à)** *loc adv* a medias palabras.

**déminage** *m* limpieza *f* de minas.

**déminer** *vt* limpiar de minas.

**démineur** *m* especialista encargado de desactivar minas.

**déminéraliser** *vt* desmineralizar.

**demi-obscurité** *f* semioscuridad.

**demi-pension** *f* media pensión.

**demi-pensionnaire** *a/s* mediopensionista.

**demi-place** *f* medio billete *m*.

**demi-portion** *f FAM* alfeñique *m*, persona débil.

**demi-reliure** *f* media pasta.

**démis, e** *a* **1.** *(os, articulation)* dislocado, a **2.** *(d'un emploi)* destituido, a.

**demi-saison** *f* entretiempo *m*: **costume de ~** traje de entretiempo.

**demi-sec** *a* semiseco.

**demi-sel** *a* medio salado, a. ◇ *m (fromage)* queso un poco salado.

**demi-sœur** *f* hermanastra, media hermana.

**demi-solde** *f* media paga. ◇ *m inv* militar que no está en activo.

**demi-sommeil** *m* duermevela *f*.

**demi-soupir** *m MUS* silencio de corchea.

**demi-sourire** *m* semisonrisa *f*.

**démission** *f* dimisión ◊ **donner sa ~** dimitir, presentar su dimisión; **il a donné sa ~ hier** dimitió ayer.

**démissionnaire** *a/s* dimisionario, a.

**démissionner** *vi* dimitir: **il a démissionné (de ses fonctions de magistrat)** ha dimitido (de su cargo de magistrado).

**demi-tarif** *m* media tarifa *f*.

**demi-teinte** *f* **1.** medio tono *m*, media tinta **2.** *FIG* **un récit en demi-teintes** un relato con muchos matices, armonioso.

**demi-ton** *m MUS* semitono.

**demi-tour** *m* media vuelta *f*: **faire ~** dar media vuelta.

**démiurge** *m* demiurgo.

**démobilisation** *f* desmovilizaión.

**démobiliser** *vt* desmovilizar.

**démocrate** *a/s* demócrata.

**démocrate-chrétien, enne** *a/s* democristiano, a.

**démocratie** *f* democracia.

**démocratique** *a* democrático, a.

**démocratiquement** *adv* democráticamente.

**démocratisation** *f* democratización.

**démocratiser** *vt* democratizar.

**démodé, e** *a* pasado, a de moda, anticuado, a: **un manteau ~** un abrigo pasado de moda.

**démoder (se)** *vpr* pasarse de moda.

**démographe** *s* demógrafo, a.

**démographie** *f* demografía.

**démographique** *a* demográfico, a.

**demoiselle** *f* **1.** señorita: **une vieille ~** una vieja señorita ◊ **rester ~** quedarse soltera **2. ~ d'honneur** dama de honor **3.** *(libellule)* libélula **4.** *(de paveur)* pisón *m*.

**démolir** *vt* **1.** derribar, echar abajo, demoler: **on va ~ le vieux pont** van a derribar el viejo puente **2.** *(mettre en pièces)* hacer pedazos, destrozar **3.** *FIG (un projet, etc.)* echar por tierra, demoler **4.** *FIG* destrozar, dejar hecho, a polvo: **cette mauvaise nouvelle m'a démoli** esta mala noticia me ha destrozado **5.** *FAM (battre)* moler a palos **6.** *(critiquer)* despellejar, desacreditar.

**démolisseur** *m* demoledor: **la pioche des démolisseurs** la piqueta de los demoledores.

**démolition** *f* derribo *m*, demolición: **entreprise de ~** empresa de derribos. ◇ *pl* derribos *m*.

**démon** *m* **1.** demonio **2.** *FIG (personne méchante)* demonio **3.** *FAM* **quel petit ~!** ¡qué diablillo!; **cet enfant est un petit ~** este niño es el mismísimo demonio **4. le ~ de midi** una pasión tardía.

**démonétisation** *f* desmonetización.

**démonétiser** *vt* desmonetizar.

**démoniaque** *a* demoníaco, a, endemoniado, a.

**démonstrateur, trice** *s* demostrador, a.

**démonstratif, ive** *a* **1.** demostrativo, a **2.** *(caractère)* expansivo, a, exuberante. ◇ *m GRAM* demostrativo.

**démonstration** *f* **1.** demostración **2.** *(d'un sentiment)* demostración, alarde *m*: **de grandes démonstrations d'amitié** grandes demostraciones de amistad **3.** *(militaire)* demostración, exhibición.

**démontable** *a* desmontable.

**démontage** *m* desmontaje.

**démonté, e** *a* **mer démontée** mar enfurecido, embravecido.

**démonte-pneu** *m* desmontable.

**démonter** *vt* **1.** *(une machine, etc.)* desmontar, desarmar **2. ~ un cavalier** desmontar a un jinete **3.** *FIG (troubler)* desconcertar, turbar. ◆ **se ~** *vpr FIG* inmutarse, encogerse: **il ne s'est pas démonté** no se ha inmutado, no se ha encogido.

**démontrable** *a* demostrable.

**démontrer** *vt* **1.** demostrar: **~ un théorème** demostrar un teorema **2.** demostrar, probar: **cela démontre qu'il ignorait la vérité** eso demuestra que ignoraba la verdad.

**démoralisant, e** *a* desmoralizador, a.

**démoralisation** *f* desmoralización.

**démoraliser** *vt* desmoralizar.

**démordre*** *vi* **ne pas ~ de** no dejar en; **il ne veut pas en ~** se mantiene en sus trece, no da su brazo a torcer.

**Démosthène** *np m* Demóstenes.

**démotique** *a* demótico, a.

**démotivation** *f* desmotivación.

**démotiver** *vt* hacer perder toda motivación, desmotivar: **être démotivé** estar desmotivado.

**démoulage** *m* vaciado.

**démouler** *vt* sacar del molde.

**démultiplication** *f* desmultiplicación.

**démultiplier** *vt* desmultiplicar.

**démunir** *vt* desproveer: **démuni d'argent** desprovisto de dinero. ◆ **se ~** *vpr* desprenderse, despojarse.

**démuseler*** *vt* quitar el bozal a.

**démystification** *f* desengaño *m*.

**démystifier*** *vt* desengañar.

**démythifier*** *vt* desmitificar.

**dénatalité** *f* disminución de la natalidad.

**dénationalisation** *f* desnacionalización.

**dénationaliser** *vt* desnacionalizar.

**dénatter** *vt* destrenzar.

**dénaturé, e** *a* desnaturalizado, a: **alcool ~** alcohol desnaturalizado; **un fils ~** un hijo desnaturalizado.

**dénaturer** *vt* **1.** *(un produit, etc.)* desnaturalizar **2.** desfigurar, tergiversar, desvirtuar: **~ les faits** desfigurar los hechos; **vous dénaturez mes propos** usted tergiversa mis palabras.

**dénégation** *f* denegación.

**déneiger** *vt* limpiar de nieve.

**dengue** *f (maladie)* dengue *m*.

**déni** *m* denegación *f*: **~ de justice** denegación de justicia.

**déniaiser** *vt* despabilar, avispar.

**dénicher** *vt* **1.** *(un oiseau)* sacar del nido **2.** *FIG (faire sortir quelqu'un)* desalojar, hacer salir **3.** *FAM (trouver)* hallar, encontrar: **où as-tu déniché ce tableau?** ¿dónde has encontrado este cuadro?.

**denier** *m* **1.** *(monnaie romaine)* denario **2.** *(monnaie ancienne)* dinero ◊ **du culte** impuesto religioso, óbolo para el culto; **le ~ de Saint-Pierre** el óbolo de San Pedro. ◇ *pl* **1. deniers publics** fondos del Estado **2. de ses propres deniers** con su propio dinero.

**dénier*** *vt* denegar, negar: **je vous dénie ce droit** le deniego este derecho.

**dénigrement** *m* desprestigio: **campagne de ~** campaña de desprestigio.

**dénigrer** *vt* desprestigiar, denigrar, desacreditar.

**Denis, e** *np* Dionisio, a.

**déniveler*** *vt* desnivelar.

**dénivellation** *f*, **dénivellement** *m* *(différence de niveau)* desnivel *m*.

**dénombrable** *a* numerable.

**dénombrement** *m* **1.** enumeración *f*, recuento **2.** *(recensement)* censo, empadronamiento.

**dénombrer** *vt* **1.** contar **2.** *(recenser)* hacer el censo de.

**dénominateur** *m* denominador: **~ commun** denominador común.

**dénomination** *f* denominación.

**dénommé, e** *a/s* llamado, a: **le ~ Dumont** el llamado Dumont, el tal Dumont.

**dénommer** *vt* denominar.

**dénoncer*** *vt* **1.** *(annuler)* denunciar **2.** delatar, denunciar: **~ ses complices** denunciar a sus cómplices; **~ le coupable** delatar al culpable **3.** *(révéler)* revelar, indicar, denotar, denunciar.

**dénonciateur, trice** *a/s* delator, a.

**dénonciation** *f* denuncia: **~ calomnieuse** denuncia falsa.

**dénoter** *vt* denotar.

**dénouement** [denumɑ̃] *m* desenlace: **un ~ heureux, tragique** un desenlace feliz, trágico.

**dénouer** *vt* **1.** desanudar, desatar: **~ une corde** desatar una cuerda; **il dénoua sa cravate** se desató la corbata ◊ **les cheveux dénoués** el pelo suelto **2.** FIG *(résoudre)* resolver, solucionar. ◆ **se ~** *vpr* **1.** desanudarse, desatarse **2.** FIG resolverse: **la crise se dénoue** la crisis se resuelve **3.** FIG **sa langue se dénoua** se le desató la lengua, empezó a hablar.

**dénoyauter** [denwajote] *vt* deshuesar.

**denrée** *f* producto *m*, género *m*: **denrées périssables** productos perecedores ◊ **denrées alimentaires** productos alimenticios, comestibles *m*.

**dense** *a* denso, a.

**densité** *f* densidad.

**dent** *f* **1.** diente *m*: **~ de lait** diente de leche ◊ **coup de ~** dentellada; FIG crítica **2.** *(molaire)* muela: **~ de sagesse** muela del juicio; **rage de dents** dolor de muelas; **se faire arracher une ~** sacarse una muela ◊ FIG **armé jusqu'aux dents** armado hasta los dientes; **avoir la ~ dure** ser mordaz; **avoir les dents longues** picar muy alto; **avoir une ~ contre quelqu'un** tener ojeriza a alguien, tener tirria a alguien; **claquer des dents** dar diente con diente; **être sur les dents** ir de cabeza; **manger du bout des dents** comer sin ganas; **montrer les dents** enseñar los dientes; **ne pas desserrer les dents** no despegar los labios; **s'y casser les dents** fracasar; FAM **avoir la ~** tener un hambre que no ve, tener mucha hambre: **j'ai la ~** tengo un hambre que no veo **3.** *(d'une scie, d'un engrenage)* diente *m* ◊ **en dents de scie** dentado, a **4.** *(d'une fourche, d'un peigne)* púa.

**dentaire** *a* **1.** dental, dentario, a **2. cabinet ~** consultorio odontológico: **école ~** escuela de odontología.

**dental, e** *a/f* dental.

**dent-de-lion** *f* diente *m* de león.

**denté, e** *a* dentado, a, dentallado, a.

**denteler*** *vt* recortar formando dientes.

**dentelle** *f* encaje *m*: **~ au fuseau, à l'aiguille** encaje de bolillos, de aguja; **col de ~** cuello de encaje **2.** FAM **ne pas faire dans la ~** ser poco refinado.

**dentellier, ère** *a/s* encajero, a.

**dentelure** *f* festón *m*, borde *m* dentado.

**dentier** *m* dentadura *f* postiza.

**dentifrice** *a* **pâte, eau ~** pasta, agua dentífrica. ◇ *m* dentífrico.

**dentine** *f* dentina.

**dentiste** *s* dentista, odontólogo, a.

**dentisterie** *f* odontología.

**dentition** *f* dentición.

**denture** *f* **1.** *(d'une personne)* dentadura **2.** *(d'une roue)* dientes *m pl*.

**dénucléarisation** *f* desnuclearización.

**dénucléariser** *vt* desnuclearizar.

**dénuder** *vt* **1.** desnudar **2.** pelar: **terrain, crâne dénudé** terreno pelado, cabeza pelada. ◆ **se ~** *vpr* desnudarse.

**dénué, e** *a* desprovisto, a, falto, a, carente: **~ de ressources** falto de recursos: **~ d'intérêt, de charme** carente de interés, de gracia.

**dénuement** [denymɑ̃] *m* miseria *f*, indigencia *f*.

**dénuer** *vt* privar, despojar.

**dénutri, e** *a* desnutrido, a.

**dénutrition** *f* desnutrición.

**déodorant** *m* desodorante.

**déontologie** *f* deontología.

**dépannage** *m* reparación *f* ◊ **voiture de ~** grúa remolque.

**dépanner** *vt* **1.** reparar, arreglar **2.** FAM sacar de apuros, aviar: **voici mille francs pour vous ~** he aquí mil francos para sacarle de apuros.

**dépanneur** *m* **1.** *(mécanicien)* mecánico **2.** reparador.

**dépanneuse** *f* grúa remolque.

**dépaqueter*** *vt* desempaquetar.

**dépareiller** *vt* desparejar, descabalar: **service de table dépareillé** vajilla despareja.

**déparer** *vt* *(enlaidir)* afear, deslucir: **cet édifice dépare le paysage** este edificio afea el paisaje.

**départ** *m* **1.** salida *f*, partida *f*, marcha *f*: **le ~ d'une course, d'un train** la salida de una carrera, de un tren; **prendre le ~** tomar la salida; **l'heure du ~** la hora de la partida; *(sport)* **faux ~** salida nula ◊ FIG **prendre un bon ~** empezar bien, empezar con buen pie **2.** *(commencement)* comienzo, principio ◊ **au ~** al principio, en un principio; **point de ~** punto de partida, punto de arranque **3.** *(démission)* dimisión *f*; *(licenciement)* despido **4. faire le ~ entre...** establecer una distinción entre...

**départager*** *vt* **1.** *(dans un vote)* desempatar: **~ deux concurrents** desempatar a dos competidores **2.** separar actuando de árbitro.

**département** *m* **1.** departamento **2.** *(dans une administration)* departamento, sección *f*.
▶ El *département* es una división territorial de Francia más o menos equivalente a la provincia en España.

**départemental, e** *a* **1.** departamental, de provincia **2. route départementale** carretera comarcal, secundaria.

**départir*** *vt* *(attribuer)* conceder. ◆ **se ~ de** *vpr* abandonar, desistir de: **se ~ de son calme** abandonar su serenidad.

**dépassement** *m* **1.** *(en auto)* adelantamiento. **2.** FIG superación *f*.

**dépassé, e** *a* **1.** *(qui n'a plus cours)* caduco, a, superado, a, desfasado, a **2. je suis ~ par les évènements** los acontecimientos me desbordan.

**dépasser** *vt* **1. ~ une voiture** adelantar un coche; **une moto nous a dépassés** una moto nos ha pasado **2.** *(une limite)* rebasar, ir más allá de, sobrepasar; **sa renommée dépasse les frontières** su fama rebasa las fronteras ◊ **~ les bornes** pasar de la raya, extralimitarse, excederse; **cela dépasse l'entendement** es increíble **3.** *(un chiffre, une somme, etc.)* superar, rebasar, sobrepasar, exceder: **~ les 200 kilomètres à l'heure,** superar los 200 kilómetros por hora; **~ la cinquantaine,** rebasar la cincuentena; **la température dépassait 30 degrés** la temperatura sobrepasaba los 30 grados; **~ d'un million** exceder en un millón ◊ **le trajet ne dépasse pas une heure** el trayecto no dura más de una hora **4. ~ en hauteur** ser más alto que; **il me dépasse de cinq centimètres** me lleva cinco centímetros, me sobrepasa cinco centímetros, me pasa cinco centímetros **5.** *(surpasser)* aventajar, superar: **~ ses concurrents** aventajar a sus competidores; **~ en intelligence** superar en inteligencia; **cette théorie est dépassée** esta teoría está superada, está pasada de moda; **la réalité dépasse la fiction** la realidad supera la ficción **6.** *FAM* **cela me dépasse!** ¡no me lo creo!, ¡eso me parece increíble! ◇ *vi (être plus long)* sobresalir: **son jupon dépasse** sobresalen sus enaguas. ◆ **se ~** *vpr* superarse (a sí mismo): **j'essaie de me ~** trato de superarme.

**dépatouiller (se)** *vpr FAM* apañárselas, arreglárselas.

**dépaver** *vt* desempedrar, desadoquinar.

**dépaysement** [depeizmɑ̃] *m* **1.** cambio (agradable) **2.** desorientación *f.*

**dépayser** [depeize] *vt* desorientar, despistar ◊ **je me sens dépaysé ici** me encuentro desambientado aquí.

**dépeçage** *m* **1.** despedazamiento **2.** *(d'un animal)* descuartizamiento, despiece.

**dépecer*** *vt* **1.** despedazar **2.** *(un animal)* descuartizar **3.** *(un pays)* desmembrar.

**dépêche** *f* **1.** despacho *m,* parte *m* **2.** *(télégramme)* telegrama *m.*

**dépêcher** *vt (envoyer)* despachar, enviar. ◆ **se ~** *vpr* apresurarse, darse prisa: **dépêche-toi!** ¡date prisa!; **je me dépêche de manger** me apresuro a comer; **dépêchons!** ¡de prisa!

**dépeigner** *vt* despeinar.

**dépeindre*** *vt* pintar, describir.

**dépenaillé, e** *a* andrajoso, a, harapiento, a.

**dépénalisation** *f* despenalización.

**dépénaliser** *vt* despenalizar: **~ l'avortement** despenalizar el aborto.

**dépendance** *f* dependencia: **être sous la ~ de** estar bajo la dependencia de. ◇ *pl (d'un château)* dependencias.

**dépendant, e** *a* dependiente.

**dépendre*** *vi* depender: **je ne dépends de personne** no dependo de nadie; **tout dépend des conditions** todo depende de las condiciones ◊ **ça dépend** eso depende, según; **faire ~ de** hacer depender de, supeditar a. ◇ *impers* **il dépend de vous que...** depende de usted que... ◇ *vt (décrocher)* descolgar.

**dépens** *m pl* **1.** *JUR* costas *f* **2.** *loc prép* **aux ~ de** a costa de, a expensas de: **il vit aux ~ d'un ami** vive a costa de un amigo; **rire aux ~ de quelqu'un** reír a costa de alguien; **il l'a appris à ses ~** lo ha aprendido a costa suya.

**dépense** *f* **1.** gasto *m:* **une ~ imprévue** un gasto imprevisto; **les dépenses du ménage** los gastos de la casa; **une grosse ~** un gasto importante; **les dépenses publiques** el gasto público ◊ **ne pas regarder à la ~** no reparer en gastos; **pousser à la ~** incitar a gastar mucho **2. une ~ d'énergie** un gasto de energía.

**dépenser** *vt* gastar: **~ de l'argent, beaucoup de temps** gastar dinero, mucho tiempo; **cette voiture dépense beaucoup (d'essence)** este coche gasta mucho; *FAM* **~ sa salive** gastar saliva. ◆ **se ~** *vpr* **1.** *(se donner du mal)* desvivirse, deshacerse, prodigarse **2. cet enfant a besoin de se ~** este niño necesita ejercicio.

**dépensier, ère** *a/s* derrochador, a, pródigo, a.

**déperdition** *f* pérdida.

**dépérir** *vi* **1.** debilitarse, desmedrarse, empeorar: **le malade dépérissait** el enfermo empeoraba **2.** *(une plante)* marchitarse **3.** *(une affaire)* deteriorarse, decaer.

**dépérissement** *m* **1.** decaimiento, desmejoramiento **2.** deterioro, decadencia *f.*

**dépersonnalisation** *f* despersonalización.

**dépersonnaliser** *vt* despersonalizar.

**dépêtrer** *vt* librar. ◆ **se ~** *vpr* **1.** librarse **2.** *FIG* **je suis arrivé à me ~ seul** conseguí salir de apuro solo.

**dépeuplement** *m* despoblación *f.*

**dépeupler** *vt* despoblar. ◆ **se ~** *vpr* despoblarse: **la région se dépeuple** la región va despoblándose.

**déphasage** *m* desfase.

**déphaser** *vt* **1.** desfasar **2.** *FIG* **être déphasé** estar desfasado, desconectado.

**dépiauter** *vt* despellejar.

**dépilatoire** *a/m* depilatorio, a.

**dépiler** *vt* depilar.

**dépiquage** *m AGR* trilla *f.*

**dépiquer** *vt* **1.** *AGR* trillar, desgranar **2.** *(une couture)* descoser.

**dépistage** *m* chequeo, diagnóstico precoz, prueba *f:* **test de ~** «screening».

**dépister** *vt* **1.** *(le gibier)* rastrear **2.** *(découvrir)* descubrir: **~ une maladie** descubrir una enfermedad **3.** *(faire perdre la trace)* despistar.

**dépit** *m* **1.** despecho: **des larmes de ~** lágrimas de despecho; **causer du ~** causar despecho; **par ~** por despecho **2** *loc prép* **en ~ de** a pesar de, pese a; **en ~ du bon sens** de cualquier modo, atropelladamente, muy mal.

**dépité, e** *a* contrariado, a.

**dépiter** *vt* contrariar, despechar.

**déplacé, e** *a* **1.** *(inopportun)* fuera de lugar **2.** *(inconvenant)* impropio, a, fuera de lugar: **propos déplacés** palabras fuera de lugar **3. personnes déplacées** desplazados *m,* personas desplazadas.

**déplacement** *m* **1.** desplazamiento, cambio de sitio **2.** *(d'un os, etc.)* dislocación *f* **3.** *(d'un fonctionnaire)* traslado **4.** *(voyage)* viaje corto, desplazamiento: **être en ~** estar de viaje; **frais, indemnités de ~** gastos de desplazamiento, dietas *f;* **moyens de ~** medios de locomoción **5.** *MAR* desplazamiento.

**déplacer*** *vt* **1.** desplazar, trasladar **2.** *(un fonctionnaire)* trasladar **3.** *(la conversation, etc.)* cambiar, desviar **4.** *MAR* desplazar: **ce navire déplace mille tonneaux** este buque desplaza mil toneladas **4.** *MÉD (un os)* dislocar. ◆ **se ~** *vpr* **1.** *(voyager)* desplazarse **2.** *(bouger)* moverse, desplazarse.

**déplafonner** *vt* suprimir el tope de (un crédito, etc.)

**déplaire*** *vi* **1.** desagradar, disgustar: **son attitude m'a beaucoup déplu** me desagradó mucho su actitud ◊ **ne vous en déplaise** mal que le pese, con perdón sea dicho **2. ce garçon me déplaît** no me gusta este chico; **ce film m'a déplu** no me ha gustado esta película; **ça ne me déplaît pas** me gusta bastante. ◆ **se ~** *vpr* no estar a gusto, hallarse a disgusto: **il se déplaît ici** no está a gusto aquí.

**déplaisant, e** *a* **1.** desagradable **2.** *(gênant)* molesto, a.

**déplaisir** *m* desagrado, descontento, disgusto.

**déplanter** *vt* desplantar.

**déplâtrage** *m* desenyesado, desescayolado.

**déplâtrer** *vt* desenyesar, desescayolar.

**dépliant** *m (prospectus)* propecto, folleto.

**dépliant, e** *a* extensible.

**déplier*** *vt* desplegar, desdoblar: **~ sa serviette** desdoblar su servilleta.

**déplisser** *vt* desfruncir, desarrugar.

**déploiement** [deplwamã] *m* **1.** despliegue: **un ~ de forces de police** un despliegue de fuerzas de la policía **2.** *FIG* alarde, ostentación *f*: **un ~ de virtuosité** un alarde de virtuosismo.

**déplomber** *vt* **1.** *(un colis, wagon)* quitar los precintos de **2.** *(une dent)* desempastar.

**déplorable** *a* lamentable, deplorable.

**déplorer** *vt* lamentar, deplorar: **on ne déplore aucune victime** no hay que lamentar ninguna víctima; **je déplore que...** lamento que...

**déployer** [deplwaje] *vt* **1.** *(ailes, troupes, etc.)* desplegar **2.** *FIG* hacer alarde de, mostrar, manifestar, desplegar: **il a déployé beaucoup de courage** ha desplegado mucho valor **3 rire à gorge déployée** reír a carcajadas. ◆ **se ~** *vpr* desplegarse: **les troupes se déployèrent** las tropas se desplegaron.

**déplumer (se)** *vpr* **1.** desplumarse **2.** *FAM* perder el pelo ◊ **crâne déplumé** cabeza calva, pelada.

**dépoétiser** *vt* despoetizar.

**dépoitraillé, e** *a FAM* despechugado, a, descamisado, a.

**dépolariser** *vt PHYS* despolarizar.

**dépolir** *vt (le verre)* esmerilar: **verre dépoli** vidrio esmerilado.

**dépolitisation** *f* despolitización.

**dépolitiser** *vt* despolitizar.

**dépolluer** *vt* descontaminar.

**dépollution** *f* descontaminación.

**déponent, e** *a GRAM* deponente.

**dépopulation** *f* despoblación.

**déportation** *f* deportación.

**déporté, e** *a/s* deportado, a.

**déporter** *vt* **1.** *(exiler)* deportar **2.** *(un véhicule)* desviar.

**déposant, e** *s* **1.** *(qui dépose de l'argent)* depositante **2.** *JUR* declarante, deponente.

**dépose** *f* desmontaje *m*.

**déposer** *vt* **1.** depositar: **~ une couronne devant le monument aux Morts** depositar una corona ante al monumento a los Caídos **2.** *(des fonds)* depositar, ingresar: **~ de l'argent à la banque** depositar dinero en el banco ◊ **~ son bilan → bilan 3.** *(laisser dans un endroit)* dejar: **déposez-moi ici** déjeme aquí **4.** *(démonter un moteur, etc.)* desmontar **5. ~ les armes** deponer las armas **6. ~ une plainte** presentar una denuncia **7.** *(un souverain)* deponer **8.** *(un dépôt, en parlant d'un liquide)* depositar **9.** *(une marque, etc.)* registrar, patentar: **marque déposée** marca registrada. ◇ *vi* **1.** *(un liquide)* formar poso **2.** *JUR* deponer, declarar. ◆ **se ~** *vpr* depositarse.

**dépositaire** *s* **1.** depositario, a **2.** consignatario, a.

**déposition** *f* **1.** *(destitution)* deposición **2.** *JUR (d'un témoin)* deposición, declaración: **faire sa ~** prestar declaración **3. ~ de Croix** la Deposición.

**déposséder*** *vt* desposeer.

**dépossession** *f* desposeimiento *m*.

**dépôt** *m* **1.** depósito: **~ bancaire** depósito bancario; **~ à vue** depósito a la vista; **mettre en ~** poner en depósito ◊ **~ de bilan → bilan 2.** *(magasin)* almacén **3.** *(d'autobus, etc.)* garaje **4.** *(maison d'arrêt)* prisión *f* preventiva: **mandat de ~** auto de prisión **5.** *(des liquides)* poso, sedimento **6. ~ d'ordures** vertedero.

**dépoter** *vt (une plante)* sacar del tiesto, trasplantar.

**dépotoir** *m* **1.** *(décharge)* vertedero, basurero **2.** *FAM (débarras)* trastero **3.** *(usine)* fábrica de transformación de residuos.

**dépouille** *f* **1. ~ mortelle** restos *m pl* mortales **2.** *(d'un animal)* piel. ◇ *pl (butin)* despojos *m*, botín *m sing*.

**dépouillement** *m* **1.** despojo, expoliación *f* **2.** *(du scrutin)* escrutinio, recuento de votos **3.** *(d'un document, etc.)* examen **4.** *(du style, etc.)* sobriedad *f*.

**dépouiller** *vt* **1.** *(animaux)* desollar **2.** *(personne)* despojar **3.** *(un document, etc.)* examinar, revisar: **~ son courrier** revisar el correo **4.** *(un livre)* vaciar **5. ~ le scrutin** hacer el escrutinio, escrutar los votos **6. style dépouillé** estilo escueto. ◆ **se ~** *vpr (d'un vêtement, de ses biens)* despojarse.

**dépourvu, e** *a* **1.** desprovisto, a, privado, a, carente, falto, a: **~ de moyens** carente de recursos **2.** *loc adv* **au ~** de improviso, desprevenido, a: **vous me prenez au ~** usted me coge desprevenido.

**dépoussiérage** *m* desempolvadura *f*, limpieza *f*.

**dépoussiérer*** *vt* desempolvar.

**dépravation** *f* depravación.

**dépravé, e** *a/s* depravado, a.

**dépraver** *vt* depravar, pervertir.

**déprécier*** *vt* depreciar, desvalorizar. ◆ **se ~** *vpr (la monnaie)* desvalorizarse.

**déprédation** *f* depredación.

**dépressif, ive** *a* depresivo, a.

**dépression** *f* **1.** depresión **2. ~ nerveuse** depresión nerviosa **3.** *(crise économique)* depresión.

**déprimant, e** *a* deprimente.

**déprime** *f FAM* depre: **j'ai la ~** estoy con la depre.

**déprimer** *vt* deprimir: **je suis complètement déprimé** estoy muy deprimido.

**déprogrammer** *vt* anular.

**dépuceler*** *vt FAM* desvirgar.

**depuis** *prép* **1.** *(temps, lieu)* desde: **~ le matin jusqu'au soir** desde la mañana hasta la noche; **~ Paris jusqu'à Lyon** desde París hasta Lyon; **~ lors** desde entonces; **~ longtemps** desde hace mucho tiempo; **~ toujours** desde siempre; **~ dimanche** desde el domingo; **~ six heures** desde las seis; **~ que** desde que; **~ que tu es parti** desde que te fuiste **2.** *(durée)* desde hace: **j'habite ici ~ un an** vivo aquí desde hace un año; **il n'était pas revenu ici ~ vingt ans** no había vuelto aquí desde hacía veinte años **3. des cravates ~ 50 francs** corbatas a partir de 50 francos. ◇ *adv* entonces: **on ne l'a pas vu ~** no se le ha visto desde entonces.

► L'idée de durée exprimée par «depuis» peut également se rendre par des constructions avec le verbe *llevar*: *je n'ai pas mangé ~ deux jours* llevo dos días sin comer; *je suis ici ~ une semaine* llevo aquí una semana.

**dépuratif, ive** *a/m* depurativo, a.

**dépurer** *vt* depurar, purificar.

**députation** *f* diputación.

**député** *m* diputado: **la Chambre des députés** la Cámara de diputados ◊ **~-maire** diputado que ejerce también de alcade.

**députer** *vt* diputar.

**déraciné, e** *a/s* desarraigado, a, desterrado, a.

**déracinement** *m* desarraigo.

**déraciner** *vt* **1.** desarraigar **2.** *FIG (un préjugé, etc.)* extirpar, eliminar.

**déraillement** *m* descarrilamiento.

**dérailler** *vi* **1.** *(un train)* descarrilar **2.** *FAM (une personne)* desvariar, disparatar.

**dérailleur** *m* cambio de velocidades (en la bicicleta).

**déraison** *f* desatino *m*.

**déraisonnable** *a* poco razonable, irrazonable.

**déraisonner** *vi* desatinar, disparatar.

**dérangeant, e** *a* incómodo, a.

**dérangement** *m* **1.** *(dérèglement)* desarreglo, desorden ◊ **ligne téléphonique en ~** línea telefónica averiada; **«en ~»**

«no funciona» **2. ~ intestinal** descomposición *f* de vientre **3.** *(gêne)* molestia *f* **4. spectacle qui vaut le ~** espectáculo que vale la pena ir a verlo.

**déranger*** *vt* **1.** *(déplacer)* desordenar **2.** *(dérégler)* desarreglar **3.** *(la santé, etc)* alterar, descomponer, estropear: **j'ai l'estomac dérangé** tengo el estómago descompuesto ◊ **avoir l'esprit dérangé** no estar en su sano juicio **4.** perturbar, estorbar: **la pluie a dérangé nos projets** la lluvia ha estorbado nuestros planes **5.** *(gêner)* molestar: **excusez-moi de vous déranger** perdone que le moleste; **je regrette de vous avoir dérangé** siento haberle molestado; **est-ce que je vous dérange?** ¿le molesto? ◊ **ça ne me dérange pas** no es ninguna molestia. ◆ **se ~** *vpr* **1.** *(se déplacer)* moverse **2.** molestarse: **ne vous dérangez pas!** ¡no se moleste!

**dérapage** *m* **1.** *(auto)* patinazo, derrapaje **2.** *MAR* desaferrado **3.** *FIG* **le ~ des prix** el disparo de los precios.

**déraper** *vi* **1.** *(un véhicule)* derrapar, patinar: **l'auto a dérapé sur le verglas** el coche derrapó sobre la calzada helada **2.** *(glisser)* resbalar **3.** *MAR* desaferrarse **4.** *FIG* **les prix ont dérapé en janvier** los precios se han disparado, han subido en enero.

► *Derrapar* est un gallicisme très usité dans le langage de l'automobile.

**dératé** *m FAM* **courir comme un ~** correr como un descosido, como un endemoniado; **il court comme un ~** corre que se las pela.

**dératisation** *f* desratización.

**dératiser** *vt* desratizar.

**derby** *m* derby.

**derechef** [dәʀәʃɛf] *adv* de nuevo, nuevamente.

**dérèglement** *m* **1.** *(d'un mécanisme)* desajuste, desarreglo **2.** *(du temps, etc.)* alteración *f* **3.** *(de l'esprit)* perturbación *f* **4.** *(moral)* desorden.

**dérégler*** *vt* **1.** *(un mécanisme)* desajustar, descomponer **2.** *(estomac, etc.)* indisponer, descomponer **3.** *(vie, conduite)* desordenar, desarreglar: **vie déréglée** vida desordenada. ◆ **se ~** *vpr* desajustarse: **l'appareil s'est déréglé** el aparato se ha desajustado.

**déréliction** *f LITT* abandono *m*, desamparo *m*.

**déresponsabiliser** *vt* hacer que uno no se sienta responsable.

**dérider** *vt (égayer)* alegrar, hacer sonreír. ◆ **se ~** *vpr* sonreír, reír.

**dérision** *f* **1.** burla, irrisión ◊ **par ~** en broma; **tourner en ~** tomar a broma, hacer burla de, poner en solfa: **il tourne tout en ~** hacer burla de todo **2. c'est une ~!** ¡es ridículo!

**dérisoire** *a* irrisorio, a.

**dérivatif** *m* distracción *f*.

**dérivation** *f* **1.** derivación **2.** *(routière)* desvío *m* **3.** *(linguistique)* derivación.

**dérive** *f* **1.** deriva ◊ **aller à la ~** ir a la deriva: **l'entreprise allait à la ~** la empresa iba a la deriva; *MAR* **en ~** al garete **2.** *MAR (pièce verticale mobile)* orza **3.** *(d'un avion)* deriva, estabilizador *m* vertical **4.** *GÉOL* **la ~ des continents** la deriva continental **5.** *FIG* proceso *m* incontrolado.

**dérivé, e** *a/m* derivado, a: **les dérivés du pétrole** los derivados del petróleo. ◇ *f MATH* derivada.

**dériver** *vt* **1.** *(un cours d'eau)* desviar **2.** *MATH* derivar. ◇ *vi* **1.** *(bateau, avion)* derivar **2.** *FIG* **~ de** derivarse de, provenir de: **mot qui dérive du latin** palabra que (se) deriva del latín.

**dériveur** *m* derivador.

**dermatologie** *f* dermatología.

**dermatologique** *a* dermatológico, a.

**dermatologue** *s* dermatólogo, a.

**dermatose** *f MÉD* dermatosis.

**derme** *m* dermis *f*.

**dermique** *s* dérmico, a.

**dernier, ère** *a* **1.** último, a: **le ~ jour de l'année** el último día del año; **les dernières nouvelles** las últimas noticias; **pour la dernière fois** por última vez; **à la dernière mode** a la última moda, a la última; **le ~ rang** la última fila; **rendre le ~ soupir** exhalar el último suspiro **2.** pasado, a: **le mois ~** el mes pasado; **lundi ~** el lunes pasado; **le 6 mars ~** el pasado 6 de marzo **3.** *(extrême)* extremo, a, mayor: **au ~ degré de** en el grado extremo de; **de la dernière importance** de la mayor importancia. ◇ *s* **1.** último, a: **le ~ à sortir** el último en salir **2.** peor: **le ~ des hommes** el peor de los hombres ◊ **on le traite comme le ~ des derniers** le tratan como a un cualquiera **3. le petit ~** el benjamín; **le ~-né, la dernière-née** el hijo último, la hija última **4.** *loc adv* **en ~** al final, por último.

**dernièrement** *adv* últimamente.

**dernier-né** → **dernier.**

**dérobade** *f* **1.** escapatoria **2.** *(d'un cheval)* espantada, huida.

**dérobé, e** *a* **1.** secreto, a, excusado, a, falso, a: **porte dérobée** puerta falsa **2.** *loc adv* **à la dérobée** a hurtadillas, a escondidas.

**dérober** *vt* **1.** *(voler)* hurtar, robar, sustraer **2.** *(cacher)* ocultar: **~ quelque chose aux regards** ocultar algo a las miradas. ◆ **se ~** *vpr* **1.** *(se cacher)* ocultarse: **se ~ aux regards** ocultarse a las miradas **2.** *(s'esquiver)* zafarse, escurrir el bulto **3.** esquivar, eludir: **se ~ à une obligation** esquivar una obligación **4. mes jambes se dérobent sous moi** me flaquean las piernas **5.** *(le sol)* hundirse **6.** *(un cheval)* dar una espantada.

**dérogation** *f* infracción, excepción.

**dérogatoire** *a JUR* derogatorio, a.

**déroger*** *vi* **1. ~ à une loi, un règlement** ir contra, infringir una ley, un reglamento **2.** *(s'abaisser)* rebajarse.

**dérouillée** *f FAM* paliza.

**dérouiller** *vt* **1.** *(le fer)* desoxidar, desherrumbrar **2.** *FAM (battre)* pegar. ◇ *vi FAM* **si tu continues de m'embêter, tu vas ~** si sigues fastidiando, te voy a pegar una paliza. ◆ **se ~** *vpr FIG* **se ~ les jambes** estirar las piernas.

**déroulement** *m* desarrollo.

**dérouler** *vt* **1.** *(une bobine, etc.)* desarrollar, desenrrollar **2.** *(montrer)* mostrar. ◆ **se ~** *vpr (avoir lieu)* celebrarse, efectuarse, desarrollarse: **la fête s'est déroulée sans incident** la fiesta se celebró sin incidente; **l'action se déroule au siècle dernier** la acción se desarrolla en el siglo pasado.

**déroutant, e** *a* desconcertante.

**déroute** *f* derrota, desbandada ◊ **mettre en ~** derrotar, arrollar.

**dérouter** *vt* **1.** *(faire changer de route)* desviar **2.** *FIG* desconcertar, despistar.

**derrick** *m* torre *f* de perforación.

**derrière** *prép* detrás de, tras: **~ la porte** detrás de la puerta; **ils marchaient l'un ~ l'autre** andaban uno tras otro. ◇ *adv* **1.** detrás, atrás: **reste ~!** ¡quédate atrás!; **plus loin ~** más atrás **2. par-~** por detrás. ◇ *m* **1.** *(l'arrière)* parte *f* posterior **2. de ~** trasero, a: **pattes de ~** patas traseras; **porte de ~** puerta trasera **3.** *(les fesses)* trasero, asentaderas *f pl*: **il tomba sur le ~** se cayó sentado, de culo.

**derviche** *m* derviche.

**des** *art déf* (contracción de *de* y *les*) de los, de las: **le prix ~ oranges** el precio de las naranjas. ◇ *art partitif* (ne se traduit pas) **manger ~ fraises** comer fresas; **vous avez ~ timbres?** ¿tiene sellos? ◇ *art indéf* unos, as: **vous êtes ~ menteurs** sois unos mentirosos; **les huîtres sont à ~ prix!** ¡las ostras están a unos precios!

**dès** *prép* desde: **~ le début** desde el comienzo; **~ à présent** desde ahora ◊ **~ son arrivée** apenas llegó, inmediatamente después de haber llegado **2** *loc adv* **~ lors** desde entonces; *(cause)* por lo tanto; *loc conj* **~ que je pourrai** tan pronto como pueda, en cuanto yo pueda; **il démarra ~ qu'il eut fermé la portière** arrancó en cuanto hubo cerrado la portezuela; **téléphone-moi ~ que tu seras rentré** llámame apenas vuelvas; **~ lors que** puesto que, ya que.

**désabonner (se)** *vpr* desabonarse, darse de baja.

**désabuser** *vt* desengañar ◊ **d'un air désabusé** con aire desengañado.

**désaccord** *m* desacuerdo, disconformidad *f*, desavenencia *f* ◊ **être en ~ avec quelqu'un** no estar de acuerdo con alguien, estar disconforme con alguien.

**désaccordé, e** *a (instrument de musique)* desafinado, a, destemplado, a.

**désaccorder** *vt (un instrument de musique)* desafinar, destemplar.

**désaccoupler** *vt TECHN* desacoplar.

**désaccoutumance** *f* desuso *m*.

**désaccoutumer** *vt* desacostumbrar. ◆ **se ~** *vpr* desacostumbrarse.

**désacralisation** *f* desacralización.

**désacraliser** *vt* desacralizar.

**désactiver** *vt PHYS* desactivar.

**désaffecté, e** *a* **1.** *(édifice public)* abandonado, a **2. église désaffectée** iglesia secularizada.

**désaffection** *f* desafecto *m*, desafección.

**désagréable** *a* desagradable.

**désagréablement** *adv* desagradablemente.

**désagrégation** *f* **1.** disgregación **2.** *FIG* descomposición, disgregación.

**désagréger*** *vt* disgregar. ◆ **se ~** *vpr* disgregarse.

**désagrément** *m* disgusto, sinsabor: **cela m'a apporté bien des désagréments** esto me ha proporcionado muchos sinsabores.

**désaimanter** *vt* desimantar, desimanar.

**désajuster** *vt* desajustar, desarreglar.

**désaltérant, e** *a* refrescante, que quita la sed.

**désaltérer*** *vt* quitar la sed. ◆ **se ~** *vpr* beber.

**désamorçage** *m* **1.** descebadura *f* **2.** *(d'une bombe)* desactivación *f*.

**désamorcer** *vt* **1.** *(arme, pompe)* descebar **2.** *(bombe)* desactivar: **grenade désarmorcée** granada desactivada **3.** *FIG* detener.

**désappointé, e** *a* decepcionado, a, contrariado, a.

**désappointement** *m* decepción *f*, contrariedad *f*.

**désappointer** *vt* decepcionar, contrariar.

**désapprendre*** *vt* olvidar, desaprender.

**désapprobateur, trice** *a* desaprobador, a, de desaprobación.

**désapprobation** *f* desaprobación.

**désapprouver** *vt* desaprobar: **je désapprouve sa conduite** desapruebo su conducta.

**désapprovisiomement** *m* desabastecimiento.

**désapprovisionner** *vt (un magasin)* desabastecer.

**désarçonner** *vt* **1.** desarzonar, desmontar **2.** *FIG* confundir, desconcertar.

**désargenté, e** *a* **1.** *(cuiller, etc.)* que ha perdido el baño de plata **2.** *FAM* **être ~** estar apurado, a, estar sin blanca.

**désarmant, e** *a* conmovedor, a.

**désarmement** *m* desarme.

**désarmer** *vt* **1.** *(personne, pays, bateau)* desarmar **2.** *(arme à feu)* desmontar **3.** *(fléchir)* desarmar, desconcertar. ◇ *vi* **1.** *(un pays)* desarmar **2.** *(cesser)* ceder: **une haine qui ne désarme pas** un odio que no cede.

**désarrimer** *vt MAR* desarrumar.

**désarroi** *m* **1.** desasosiego, desconcierto **2. en ~** desconcertado, a, turbado, a.

**désarticulation** *f* desarticulación.

**désarticuler** *vt* desarticular. ◆ **se ~** *vpr* desarticularse.

**désassembler** *vt* desensamblar.

**désassimilation** *f* desasimilación.

**désassortir** *vt* **1.** desparejar, descabalar, desemparejar: **service à thé désassorti** juego de té desparejo **2.** *(un magasin)* dejar sin surtido, desproveer.

**désastre** *m* **1.** desastre ◊ **courir au ~** correr a la catástrofe **2. la conférence a été un vrai ~** la conferencia fue un desastre.

**désastreux, euse** *a* desastroso, a.

**désavantage** *m* **1.** desventaja *f* **2. cela peut tourner à votre ~** eso puede volverse en contra suya, redundar en perjuicio suyo.

**désavantager*** *vt* perjudicar, desfavorecer.

**désavantageux, euse** *a* desventajoso, a, desfavorable, desaventajado, a.

**désaveu** *m* **1.** *(condamnation)* desaprobación *f* **2.** *(reniement)* negación *f* **3.** retractación *f*.

**désavouer** *vt* **1.** *(condamner)* desaprobar, condenar **2.** *(renier)* no reconocer, desconocer **3.** retractar **4.** *(un mandataire)* desautorizar. ◆ **se ~** *vpr* retractarse, desdecirse.

**désaxé, e** *a/s (personne)* desequilibrado, a, desquiciado, a.

**désaxer** *vt* **1.** desviar del eje **2.** *FIG* desequilibrar, trastornar.

**descellement** [deselmã] *m* desempotramiento.

**desceller** [desele] *vt* desempotrar, arrancar. ◆ **se ~** *vpr* desempotrarse.

**descendance** *f* descendencia.

**descendant, e** *a (qui descend)* descendente ◊ **garde, marée descendante** → **garde, marée.** ◇ *s (enfants, etc.)* descendiente.

**descendeur, euse** *s (sports)* especialista en descenso.

**descendre*** *vi* **1.** bajar, descender: **~ au sous-sol** bajar al sótano; **la route descend en lacets** la carretera baja en zigzag; **le thermomètre descend** las temperaturas bajan; **~ dans la rue** → **rue 2.** *(d'un véhicule)* bajarse, apearse: **il descendit du train** se bajó del tren; **je descends à la prochaine** me bajo en la próxima; **descendons!** ¡bajémonos!; **tout le monde descend!** ¡bajen todos! **3. ~ à l'hôtel** parar en el hotel **4.** *(un juge, la police sur les lieux)* personarse **5.** descender: **il descend d'une famille noble** desciende de una familia noble **6. nous descendons du singe** venimos del mono. ◇ *vt* **1.** bajar: **j'ai descendu l'escalier** he bajado la escalera; **descends cette valise** baja esta maleta **2. ~ la rivière** ir río abajo **3. ~ un avion** derribar, abatir un avión **4.** *FAM (tuer)* cargarse: **le gangster a descendu le gardien** el gángster se ha cargado al vigilante.

**descente** *f* **1.** *(action)* bajada **2.** *(à ski, canoë, parachute)* descenso *m* **3.** *(pente)* **~ dangereuse** pendiente peligrosa **4. ~ de police** operación policiaca **5. ~ de croix** descendimiento *m* de la cruz, desprendimiento *m* **6. ~ de lit** alfombrilla **7. tuyau de ~** canalón *m* **8.** *MÉD (d'un organe)* prolapso, descenso (de un órgano) **9.** *POP* **avoir une bonne ~** tener buen saque, ser capaz de beber mucho.

**descriptif, ive** *a* descriptivo, a. ◇ *m* plan detallado.

**description** *f* descripción.

**déséchouer** *vt* desencallar.

**désembourber** *vt* desatascar.

**désemparé, e** *a* **1.** *(personne)* perdido, a, desconcertado, a **2.** *(navire)* al garete.

**désemparer** *vi* **sans ~** sin parar, sin interrupción.

**désemplir** *vi* **la boutique ne désemplit pas** la tienda está siempre llena de clientes.

**désempoissonner** *vt* despoblar de peces.

**desencadrer** *vt* sacar del marco.

**désenchanté, e** *a* desilusionado, a.

**désenchantement** *m* desengaño, desilusión *f*.

**désenclaver** *vt* desenclavar.

**désencoller** *vt* desencolar.

**désencombrer** *vt* desembarazar.

**désencrasser** *vt* limpiar.

**désendetter (se)** *vpr* ÉCON quedar libre de deudas.

**désenfiler** *vt* **1.** *(aiguille)* desenhebrar **2.** *(perles)* desensartar.

**désenfler** *vi* deshincharse: **ma cheville a désenflé** se me ha desinflado el tobillo.

**désengorger** *vt* desatascar.

**désenivrer** [dezãnivʀe] *vt* desembriagar.

**désennuyer*** *vt* distraer.

**désenrayer*** [dezãʀeje] *vt* *(une arme)* desencasquillar.

**désensabler** *vt* **1.** desarenar **2.** *(un chenal)* dragar.

**désensibiliser** *vt* insensibilizar.

**désensorceler*** *vt* deshechizar.

**désentoiler** *vt* *(un tableau)* quitar el lienzo de.

**désentortiller** *vt* desenmarañar.

**déséquilibre** *m* **1.** desequilibrio **2.** desajuste: **~ entre l'offre et la demande** desajuste entre la oferta y la demanda.

**déséquilibré, e** *a/s* desequilibrado, a.

**déséquilibrer** *vt* desequilibrar.

**désert, e** *a* desierto, a: **île déserte** isla desierta; **les trottoirs sont déserts** las aceras están desiertas. ◇ *m* desierto ◊ *FIG* **prêcher dans le ~** clamar en el desierto; **la traversée du ~** la travesía del desierto.

**déserter** *vt* **1.** dejar, abandonar **2.** *(une cause)* abandonar, traicionar. ◇ *vi* MIL desertar.

**déserteur** *m* desertor, prófugo.

**désertification** *f* desertización.

**désertion** *f* deserción.

**désertique** *a* desértico, a: **climat ~** clima desértico; **région ~** región desértica.

**désespérance** *f* LITT desesperanza.

**désespérant, e** *a* desesperante.

**désespéré, e** *a/s* desesperado, a: **le malade est dans un état ~** el enfermo se encuentra en estado desesperado, ha sido desahuciado.

**désespérément** *adv* desesperadamente.

**désespérer*** *vt/i* desesperar: **je désespère de le trouver** desespero de encontrarlo; **il ne faut jamais ~** no hay que desesperarse nunca. ◆ **se ~** *vpr* desesperarse, desanimarse.

**désespoir** *m* **1.** desesperación *f*: **sombrer dans le ~** caer en la desesperación; **au grand ~ de...** con gran desesperación de... ◊ **être au ~** estar desconsolado, a; **faire le ~ de...** ser la desesperación de... **2.** *loc adv* **en ~ de cause** como último recurso, en último extremo.

**déshabillage** *m* acción *f* de desnudarse.

**déshabillé** *m* *(vêtement)* deshabillé.
▶ Gallicisme usuel pour: *traje de casa.*

**déshabiller** *vt* desnudar, desvestir. ◆ **se ~** *vpr* desnudarse, quitarse la ropa: **déshabillez-vous!** ¡quítese la ropa!, ¡desnúdese!

**déshabituer** *vt* desacostumbrar. ◆ **se ~** *vpr* desacostumbrarse, deshabituarse.

**désherbant** *m* herbicida.

**désherber** *vt* desherbar, escardar.

**déshérité, e** *a/s* desheredado, a.

**déshériter** *vt* desheredar.

**déshonnête** *a* LITT deshonesto, a, indecoroso, a.

**déshonneur** *m* deshonor, deshonra *f*.

**déshonorant, e** *a* deshonroso, a.

**déshonorer** *vt* **1.** deshonrar **2.** *(enlaidir)* afear, desfigurar. ◆ **se ~** *vpr* deshonrarse.

**déshumanisation** *f* deshumanización.

**déshumaniser** *vt* deshumanizar.

**déshydratation** *f* deshidratación.

**déshydrater** *vt* deshidratar; **peau déshydratée** piel deshidratada ◊ FAM **je suis complètement déshydraté** tengo una sed terrible.

**desiderata** *m pl* desiderata, deseos.

**design** [dizajn] *m* diseño industrial.

**désignation** *f* designación, nombramiento *m*.

**[1]désigner** *vt* **1.** *(montrer)* designar, señalar **2.** significar **3.** *(nommer)* designar, nombrar ◊ **être tout désigné pour...** ser el más indicado para...

**[2]designer** [dizajnœʀ] *m* diseñador.

**désillusion** *f* desilusión, desengaño *m*.

**désillusionner** *vt* desilusionar.

**désincarné, e** *a* desencarnado, a.

**désindexation** *f* ÉCON desindexación.

**désinence** *f* desinencia.

**désinfectant, e** *a/m* desinfectante.

**désinfecter** *vt* desinfectar: **~ une blessure** desinfectar una herida.

**désinfection** *f* desinfección.

**désinformation** *f* desinformación.

**désinsectisation** *f* desinsectación.

**désintégration** *f* desintegración.

**désintégrer*** *vt* desintegrar. ◆ **se ~** *vpr* desintegrarse.

**désintéressé, e** *a* desinteresado, a.

**désintéressement** *m* desinterés.

**désintéresser** *vt* *(dédommager)* indemnizar, resarcir. ◆ **se ~** *vpr* desinteresarse, desatenderse, no ocuparse de: **je me désintéresse de cette affaire** me desintereso de este asunto.

**désintérêt** *m* desinterés, indiferencia *f*.

**désintoxication** *f* desintoxicación.

**désintoxiquer** *vt* desintoxicar. ◆ **se ~** *vpr* desintoxicarse.

**désinvolte** *a* desenvuelto, a.

**désinvolture** *f* **1.** desenvoltura **2.** *(sans-gêne)* frescura.

**désir** *m* **1.** deseo: **satisfaire ses désirs** satisfacer sus deseos **2.** *(vif désir)* anhelo, afán: **~ de changement** anhelo de cambio **3** *(sexuel)* deseo, apetito sexual.

**désirable** *a* deseable.

**désirer** *vt* **1.** desear: **que désirez-vous?** ¿qué desea? ◊ **laisser à ~** dejar bastante que desear; **se faire ~** hacerse desear

2. *(désirer ardemment)* anhelar **3.** *(vouloir)* **je désirerais savoir** me gustaría saber.

**désireux, euse** *a* deseoso, a.

**désistement** *m* desistimiento.

**désister (se)** *vpr* desistir, renunciar.

**desman** *m (mammifère)* desmán.

**désobéir** *vi* desobedecer: **~ à un ordre** desobedecer una orden.

**désobéissance** *f* desobediencia.

**désobéissant, e** *a* desobediente.

**désobligeant, e** *a* descortés, desagradable.

**désobliger*** *vt* disgustar, ofender, contrariar.

**désobstruer** *vt* desobstruir.

**désodorisant, e** *a/m* desodorante.

**désœuvré, e** [dezœvʀe] *a/s* desocupado, a, ocioso, a.

**désœuvrement** [dezœvʀəmɑ̃] *m* ociosidad *f*, ocio.

**désolant, e** *a* **1.** desolador, a, triste: **un spectacle ~** un espectáculo desolador **2.** *(fâcheux)* enojoso, a, lamentable.

**désolation** *f* desolación.

**désolé, e** *a* **1.** *(endroit)* desolado, a **2. je suis ~ mais...** lo siento mucho, pero...: **je suis ~ de ne pas pouvoir...** siento mucho no poder...

**désoler** *vt* **1.** *(affliger)* afligir **2.** *(contrarier)* contrariar **3.** *(dévaster)* asolar. ◆ **se ~** *vpr* afligirse, desconsolarse.

**désolidariser (se)** *vpr* desolidarizarse.

**désopilant, e** *a* jocoso, a, hilarante, mondante.

**désordonné, e** *a* desordenado, a, desarreglado, a.

**désordre** *m* **1.** desorden: **en ~** en desorden; **mettre en ~** desarreglar **2.** *(pagaïe)* desbajaruste. ◇ *pl (émeutes)* disturbios, desórdenes.

**désorganisation** *f* desorganización.

**désorganiser** *vt* desorganizar.

**désorienter** *vt* **1.** desorientar **2.** *FIG* desorientar, desconcertar, despistar: **il est tout désorienté** está desorientado, está despistado.

**désormais** *adv* en adelante, en lo sucesivo.

**désosser** *vt* deshuesar: **viande désossée** carne deshuesada.

**désoxyribonucléique** *a BIOL* **acide ~** ácido desoxirribonucléico.

**despote** *m* déspota.

**despotique** *a* despótico, a.

**despotisme** *m* despotismo: **~ éclairé** despotismo ilustrado.

**desquamation** [deskwamasjɔ̃] *f MÉD* descamación.

**desquamer** [deskwame] *vt* descamar, escamar.

**desquel, desquelles → lequel.**

**dessaisir** *vt* desposeer. ◆ **se ~** *vpr* **1.** desprenderse, desposeerse **2.** *(un tribunal)* desistirse.

**dessalage** *m* desaladura *f*.

**dessalé, e** *a FAM (une personne)* astuto, a, vivo, a.

**dessaler** *vt* **1.** *(morue, etc.)* desalar **2.** *FAM (une personne)* avispar, despabilar, espabilar. ◆ **se ~** *vpr FAM* despabilarse.

**dessangler** *vt* descinchar.

**dessaouler → dessoûler.**

**desséchant, e** *a* desecante.

**dessèchement** *m* desecación *f*.

**dessécher*** *vt* **1.** desecar, secar, resecar: **lèvres desséchées par le froid** labios resecos por el frío **2.** *(amaigrir)* enflaquecer, consumir **3.** *FIG (le cœur)* endurecer. ◆ **se ~** *vpr* **1.** *(une personne)* enflaquecer, acartonarse **2.** *(plantes)* secarse, agostarse.

**dessein** *m* **1.** propósito, designio, intención *f*: **les desseins de Dieu** los designios de Dios; **dans le ~ de** con el propósito de **2.** *loc adv* **à ~** adrede, a propósito, aposta.

**desseller** *vt* desensillar.

**desserrage** *m* aflojamiento.

**desserrer** *vt* **1.** aflojar, desapretar: **~ une vis, un nœud** aflojar un tornillo, un nudo **2. ne pas ~ les dents** no despegar los labios. ◆ **se ~** *vpr* aflojarse.

**dessert** *m* postre, postres *pl*: **au ~** a los postres; **comme ~** de postre.

**desserte** *f* **1.** *(meuble)* trinchero *m*, aparador *m* **2.** *(transports, marchandises)* servicio *m* de comunicación.

**desservant** *m* **1.** cura párroco **2.** capellán.

**desservir*** *vt* **1. ~ la table** quitar la mesa **2.** hacer el servicio de comunicación ◊ **quartier bien desservi** barrio bien comunicado; **un autocar dessert ce village** un autocar lleva a este pueblo **3.** *(un prêtre)* **~ une paroisse** servir en una parroquia **4.** *FIG (nuire)* perjudicar.

**dessication** *f* desecación.

**dessiller** *vt* **~ les yeux à, de quelqu'un** abrir los ojos a, desengañar a alguien.

**dessin** *m* **1.** dibujo: **~ d'après nature** dibujo del natural; **~ au crayon, à la plume, humoristique** dibujo a lápiz, a pluma, humorístico **2. ~ industriel** diseño industrial **3.** *(contour)* diseño, contorno, perfil **4. dessins animés** dibujos animados.

**dessinateur, trice** *s* **1.** dibujante **2. ~ industriel** delineante.

**dessiner** *vt* **1.** dibujar, diseñar: **~ à la plume** dibujar con pluma **2.** *(faire ressortir)* destacar, resaltar. ◆ **se ~** *vpr* **1.** dibujarse **2.** *(s'esquisser)* esbozarse **3.** *(se préciser)* precisarse, concretarse.

**dessouder** *vt* desoldar. ◆ **se ~** *vpr* desoldarse.

**dessoûler** *vt* desemborrachar. ◇ *vi* **il n'a pas dessoûlé depuis trois jours** no ha dejado de estar borracho desde hace tres días.

**dessous** *adv* **1.** debajo, abajo: **il n'y a rien ~** no hay nada debajo; **nos voisins du ~** nuestros vecinos de abajo **2.** *loc adv* **au-~** debajo; **ci-~** a continuación, más abajo; **en ~** debajo, por debajo; **rire en ~** reírse por lo bajo, a escondidas; **regarder en ~** mirar de soslayo; **agir en ~** obrar de manera hipócrita; **là-~** allá debajo; *FIG* **il y a quelque chose là-~** hay algo, hay gato encerrado; **par-~** por debajo; *FAM* **traiter par-~ la jambe → jambe 3.** *loc prép* **au-~ de** (por) debajo de; **au-~ du genou** por debajo de la rodilla; **au-~ de la moyenne** debajo de la media; **six degrés au-~ de zéro** seis grados bajo cero; *FIG* **il est au-~ de tout** es lamentable, es un desastre; **sortir de ~ les décombres** sacar de debajo de los escombros. ◇ *m* **1. le ~** la parte inferior **2.** *FIG* **avoir le ~** hallarse en desventaja **3.** *FAM* **être dans le trente-sixième ~** estar en una situación muy mala. ◇ *pl* **1.** *(lingerie)* **des ~ en soie** ropa *f sing* interior de seda **2. les ~ de la politique** los arcanos de la política, los entresijos de la política.

**dessous-de-bouteille** *m inv* salvamanteles.

**dessous-de-bras** *m inv* sobaquera *f*.

**dessous-de-table** *m inv* soborno, lo que se da por debajo de cuerda.

**dessus** *adv* **1.** encima, arriba: **mets-le ~** ponlo encima; **nos voisins de ~** nuestros vecinos de arriba ◊ *FIG* **marcher ~** pisar; **tomber ~** venirse encima; **mettre la main ~** encontrarlo; **mettre le doigt ~ → doigt 2.** *loc adv* **au-~** encima; **ci-~** más arriba; **en ~** encima, sobre; **là-~** encima de esto; *FIG (sur ce)* en eso, *(sur ce sujet)* a este respecto, de eso; **compte là-~!** ¡espérate sentado!; **par-~** encima **3.** *loc prép* **au-~ de l'armoire** por encima del armario; **au- ~ du genou** por encima de la rodilla; **vivre au-~ de ses moyens** vivir por encima de sus posibilidades; **dix degrés au-~ de zéro** diez grados sobre cero; **nous volons au-~ de l'Espagne** volamos sobre España; **par-~ tout** por encima de todo. ◇ *m* **1. le ~** la parte de arriba **2.** *FIG* **le ~ du panier** lo mejor, lo más escogido, la flor y nata **3 avoir le ~** llevar la ventaja; **reprendre le ~** rehacerse, reponerse.

**dessus-de-lit** *m inv* colcha *f*.

**dessus-de-table** *m inv* centro de mesa, tapete.

**destabilisation** *f* desestabilización.

**destabiliser** *vt* desestabilizar.

**destin** *m* **1.** destino, hado, sino: **le ~ en a décidé ainsi** el destino lo quiso así; **on n'échappe pas à son ~** no se puede nada contra el destino **2.** *(avenir)* porvenir.

**destinataire** *m* destinatario, a.

**destination** *f* destino *m*: **arriver à ~** llegar a su punto de destino, a su destino; **à ~ de** con destino a.

**destinée** *f* destino *m*, hado *m*.

**destiner** *vt* destinar. ◆ **se ~** *vpr* pensar dedicarse: **elle se destine à l'enseignement** piensa dedicarse a la enseñanza.

**destituer** *vt* destituir.

**destitution** *f* destitución.

**destrier** *m* caballo de batalla.

**destroyer** [dɛstʀwaje] *m MAR* destructor.

**destructeur, trice** *a/s* destructor, a.

**destructible** *a* destructible.

**destructif, ive** *a* destructivo, a.

**destruction** *f* destrucción.

**déstructurer** *vt* desorganizar.

**désuet, ète** *a* anticuado, a, desusado, a.

**désuétude** *f* desuso *m*: **tomber en ~** caer en desuso.

**désuni, e** *a* desavenido, a: **couple ~** matrimonio desavenido.

**désunion** *f* desunión, desavenencia.

**désunir** *vt* desunir.

**détachable** *a* suelto, a.

**détachage** *m* limpiado.

**détachant** *m* quitamanchas.

**détaché, e** *a* **1.** suelto, a ◊ **pièces détachées** piezas de recambio **2.** *FIG* indiferente, despreocupado, a: **ton ~** tono indiferente.

**détachement** *m* **1.** *(de soldats)* destacamento **2.** *(indifférence)* despego, indiferencia *f*, desprendimiento **3.** *(d'un fonctionnaire)* destino provisional.

[1]**détacher** *vt* **1.** soltar, desatar: **~ un chien** soltar un perro **2.** *(décoller)* despegar **3.** *(écarter)* apartar, separar ◊ **~ les yeux de** apartar la mirada de **4.** *(un fonctionnaire)* delegar, asignar **5.** *MIL* destacar **6. ~ les mots** recalcar las palabras **7.** *MUS* picar. ◆ **se ~** *vpr* **1.** *(tomber)* desprenderse, caer **2.** *(se désintéresser)* desapegarse, desinteresarse **3.** destacarse: **couleur qui se détache sur le fond blanc** color que se destaca sobre el fondo blanco.

[2]**détacher** *vt* quitar las manchas, desmanchar: **donner au teinturier une jupe à ~** dar al tintorero una falda para que le quite las manchas.

**détail** [detaj] *m* **1.** detalle, pormenor: **donner des détails** dar detalles ◊ **en ~** detalladamente, con detalles, con todo detalle; **raconter en ~** contar con todos los detalles; **sans entrer dans les détails** sin parar en minucias, sin pararse en barras **2.** *COM* **commerce de ~** menudeo, venta *f* al por menor; **vendre au ~, faire le ~** vender al por menor, al detalle, al detall **3.** *(énumération)* desglose.

**détaillant, e** *s* detallista, minorista.

**détailler** *vt* **1.** *(vendre)* vender al por menor, detallar **2.** *FIG* detallar, pormenorizar: **un rapport détaillé** un informe detallado, pormenorizado.

**détaler** *vi FAM* tomar el portante, huir.

**détartrant** *m* desincrustante.

**détartrer** *vt* **1.** *(radiateur, etc.)* desincrustar **2.** *(dents)* quitar el sarro de.

**détaxation, détaxe** *f* desgravación.

**détaxer** *vt* desgravar: **produit détaxé** producto desgravado.

**détecter** *vt* **1.** detectar **2.** *(déceler)* descubrir.

**détecteur, trice** *a/m* detector, a.

**détection** *f* detección.

**détective** *m* detective: **~ privé** detective privado.

**déteindre*** *vt* desteñir, descolorar. ◇ *vi* **1.** desteñir, desteñirse: **étoffe qui déteint** tela que destiñe **2.** *FIG* **~ sur quelqu'un** contagiar a alguien, influir en alguien.

**dételer*** *vt* **1.** *(chevaux)* desenganchar **2.** *(bœufs)* desuncir. ◇ *vi* parar, descansar: **travailler sans ~** trabajar sin parar.

**détendre*** *vt* **1.** *(ce qui est tendu)* aflojar **2.** *(un gaz)* descomprimir **3.** *(une personne)* relajar. ◆ **se ~** *vpr* **1.** aflojarse: **le ressort s'est détendu** el muelle se ha aflojado **2.** *(une personne)* relajarse, descansarse, esparcirse: **elle s'est montrée très détendue** se mostró muy relajada; **détendez-vous** relájese.

**détendu, e** *a* **1.** *(personne)* relajado, a, distendido, a **2. atmosphère détendue** atmósfera tranquila, calma; **une conversation détendue** una charla distendida.

**détenir*** *vt* **1.** *(quelque chose, un secret)* guardar **2. ~ le record du monde** tener, poseer el récord del mundo **3. ~ le pouvoir** detentar el poder **4.** *(un prisonnier, un otage)* mantener preso, a, retener.

**détente** *f* **1.** *(d'une arme)* disparador *m*, gatillo *m*: **appuyer sur la ~** apretar el gatillo ◊ *FIG FAM* **être dur à la ~** *(avare)* ser agarrado, tacaño **2.** *(d'un gaz)* expansión **3.** *(en sports)* resorte *m* **4.** *FIG (délassement)* esparcimiento *m*, descanso *m*, tranquilidad **5.** *(en politique)* distensión: **~ internationale** distensión internacional.

**détenteur, trice** *s* poseedor, a.

**détention** *f* **1. ~ d'armes** tenencia de armas **2.** *(emprisonnement)* detención, prisión: **~ préventive, provisoire** prisión preventina.

**détenu, e** *a/s* recluso, a, preso, a.

**détergent, e** *a/m* detergente.

**détérioration** *f* deterioro *m*.

**détériorer** *vt* deteriorar, destrozar, estropear. ◆ **se ~** *vpr* **1.** deteriorarse, estropearse **2. leurs relations se sont détériorées** sus relaciones han empeorado.

**déterminant, e** *a/m* determinante.

**déterminatif, ive** *a/m* determinativo, a.

**détermination** *f* determinación.

**déterminé, e** *a* **1.** determinado, a **2.** *(résolu)* decidido, a, resuelto, a ◊ **être ~ à...** estar decidido a...

**déterminer** *vt* **1.** determinar **2.** *(décider)* **~ quelqu'un à agir** determinar a alguien a obrar. ◆ **se ~** *vpr* determinarse, decidirse.

**déterminisme** *m* determinismo.

**déterministe** *a/s* determinista.

**déterrer** *vt* desenterrar. ◇ *FIG* **une mine de déterré** un aspecto cadavérico.

**détersif, ive** *a/m* detergente.

**détestable** *a* detestable.

**détester** *vt* **1.** aborrecer, detestar, odiar **2.** *(par exagération)* **je déteste les asperges** no puedo ver los espárragos; **je déteste le bruit** detesto el ruido.

**détonant, e** *a* detonante: **mélange ~** mezcla detonante.

**détonateur** *m* **1.** detonador **2.** *FIG* **servir de ~ à** ser el detonante de.

**détonation** *f* detonación, estampido *m.*

**détoner** *vi (exploser)* detonar.

**détonner** *vi* **1.** *MUS* desentonar **2.** *FIG (couleurs, etc.)* desentonar, discordar.

**détordre*** *vt* destorcer.

**détour** *m* **1.** *(tournant)* vuelta *f,* curva *f,* recodo: **au ~ du chemin** a la vuelta del camino, en el recodo del camino **2.** rodeo: **faire un ~ par...** dar un rodeo por...; **ça vaut le ~** vale la pena dar un rodeo, vale la pena el desplazamiento **3.** *FIG* rodeo: **parler sans détours** hablar sin rodeos, sin ambajes.

**détourné, e** *a FIG (moyen)* indirecto, a.

**détournement** *m* **1.** *(d'un cours d'eau, etc.)* desvío, desviación *f* **2. ~ de fonds** malversación *f* de fondos, desvío de fondos, desfalco **3. ~ d'avion** secuestro aéreo **4. ~ de mineur** corrupción *f* de menores.

**détourner** *vt* **1.** *(un cours d'eau, la conversation)* desviar **2. ~ la tête** desviar, volver la cabeza; **~ les yeux** desviar los ojos, la vista, apartar la vista **3.** *(de l'argent)* desfalcar, malversar **4.** *(un avion)* secuestrar, desviar **5.** *(le sens d'un mot)* desnaturalizar, tergiversar **6.** *FIG* **~ quelqu'un d'un projet** disuadir a alguien de llevar a ejecución un proyecto. ◆ **se ~** *vpr* **1.** desviar la vista **2. se ~ de** *(projet, etc.)* abandonar.

**détracteur, trice** *s* detractor, a.

**détraqué, e** *a (estomac, nerfs, etc.)* estropeado, a, descompuesto, a. ◇ *a/s (personne)* desequilibrado, a, chiflado, a: **il est ~** está chiflado.

**détraquement** *m* descompostura *f,* desarreglo.

**détraquer** *vt* **1.** *(une machine, l'estomac, etc.)* descomponer, desarreglar, estropear **2.** *(l'esprit)* trastornar, perturbar. ◆ **se ~** *vpr* **se ~ l'estomac** descomponerse el estómago; **le temps se détraque** el tiempo se pone malo, empeora el tiempo.

**détrempe** *f* **1.** temple *m:* **peinture à la ~** pintura al temple **2.** *(de l'acier)* destemple *m.*

**détremper** *vt* **1.** *(la terre)* empapar, remojar: **sol détrempé** suelo empapado **2.** *(couleurs)* desleír **3.** *(acier)* destemplar.

**détresse** *f* **1.** *(angoisse)* angustia, desamparo *m* **2.** *(misère)* miseria, apuro *m* **3.** peligro *m:* **bateau en ~** barco en peligro ◊ **signaux de ~** señales de socorro.

**détriment** *m* detrimento, perjuicio: **au ~ de** en detrimento de; **à ton ~** en perjuicio tuyo.

**détritique** *a GÉOL* detrítico, a.

**détritus** [detʀitys] *m pl* desperdicios, desechos, residuos, basura *f sing:* **un tas de ~** un montón de desperdicios.
▶ Les mots espagnols *detrito* et *detritus* s'emploient surtout en géologie.

**détroit** *m* estrecho.

**détromper** *vt* desengañar. ◆ **se ~** *vpr* desengañarse: **détrompez-vous!** ¡desengáñese usted!

**détrôner** *vt* **1.** *(un roi)* destronar **2.** *FIG (supplanter)* destronar, desbancar.

**détrousser** *vt* saltear, atracar.

**détrousseur** *m* salteador, atracador.

**détruire*** *vt* **1.** destruir: **le tremblement de terre a détruit la ville** el terremoto destruyó la ciudad; **produit qui détruit les insectes** producto que destruye los insectos **2.** *FIG* arruinar, destrozar. ◆ **se ~** *vpr* suicidarse.

**dette** *f* **1.** deuda: **acquitter, rembourser une ~** pagar una deuda ◊ **faire des dettes** contraer deudas, endeudarse **2. ~ publique** deuda pública **3.** *FIG* **j'ai une ~ envers vous** estoy en deuda con usted.

**deuil** [dœj] *m* **1.** *(affliction, cortège funèbre)* duelo: **~ national** duelo nacional; **conduire le ~** presidir el duelo **2.** luto: **prendre le ~** ponerse de luto; **porter le ~** llevar luto; **être en ~** ir de luto; **une femme en ~** una mujer vestida de luto, una mujer enlutada; **grand ~** luto riguroso; *FAM* **les ongles en ~** las uñas sucias **3.** *FAM* **faire son ~ de** decir adiós a, despedirse de.

**Deutéronome** *m RELIG* Deuteronomio.

**deux** *a/m* **1.** dos: **~ fois** dos veces; **~ et ~ font quatre** dos más dos son cuatro; **le ~ mai** el dos de mayo ◊ **couper en ~** cortar por la mitad, partir en dos; **faire quelque chose à ~** hacer algo entre dos; **~ par ~** de dos en dos, en parejas; **un jour sur ~** un día sí y otro no; **de ~ choses l'une** una de dos; **bâtir un projet et le réaliser, ça fait ~** forjar un proyecto y llevarlo a cabo son dos cosas diferentes, es otra cosa; *FAM* **en moins de ~** en un dos por tres, en un santiamén, en menos que canta un gallo; *FAM* **têtu comme pas ~** terco a más no poder, muy terco; **ne faire ni une ni ~ → un 2.** *(personnes ou choses allant par paires)* ambos, ambas: **il l'embrassa sur les ~ joues** la besó en ambas mejillas; **des ~ sexes** de ambos sexos; **à ~ mains** con ambas manos; **piquer des ~ → piquer 3.** *(dans la numération des souverains, tomes, chapitres de livres)* segundo: **Philippe ~** Felipe segundo; **chapitre ~** capítulo segundo **4. ~ cents** doscientos, as. ◇ *pron indéf* **tous (les) deux** los dos, ambos; **ils sont venus tous les deux** ambos han venido.

**deuxième** [døzjɛm] *a/s* segundo, a: **au ~ étage** en el segundo piso; **j'habite au ~** vivo en el segundo piso.

**deuxièmement** *adv* en segundo lugar.

**deux-mâts** *m inv* barco de dos palos.

**deux-pièces** *m inv* **1.** *(vêtement, maillot)* dos piezas **2.** *(appartement)* piso de dos habitaciones.

**deux-roues** *m inv* vehículo de dos ruedas *(bicicleta, moto).*

**deux-temps** *m inv* motor de dos tiempos.

**dévaler** *vt/i* bajar rápidamente ◊ **~ l'escalier** correr escalera abajo, bajar la escalera de dos en dos.

**dévaliser** *vt* desvalijar.

**dévalorisation** *f* desvalorización.

**dévaloriser** *vt* desvalorizar.

**dévaluation** *f* devaluación.

**dévaluer** *vt* devaluar: **~ le franc de 4%** devaluar el franco en un 4%.

**devancer*** *vt* **1.** *(être devant)* preceder **2.** adelantarse, anticiparse: **~ son temps** adelantarse a su época **3.** *(surpasser)* aventajar: **~ ses rivaux** aventajar a sus rivales **4. ~ l'appel** alistarse como voluntario.

**devancier, ère** *s* antecesor, a, predecesor, a.

**devant** *prép* **1.** delante de, ante: **~ la porte** delante de la puerta; **~ vous** delante de usted; **il a un bel avenir ~ lui** tiene un hermoso porvenir por delante (de él); **tu as toute la vie ~ toi** tienes toda la vida por delante **2.** *(en présence de)* ante: **~ les invités** ante los invitados; **~ Dieu** ante Dios; **parler ~ les caméras** hablar ante las cámaras; **~ le danger** ante el peligro; **égaux ~ la loi** iguales ante la ley. ◇ *adv* delante: **marcher ~** andar delante. ◇ *m* **1. le ~** la parte delantera, la delantera **2.** *(d'une maison)* fachada **3. pattes, roues de ~** patas, ruedas delanteras **4. ~ d'autel** frontal **5. prendre les devants** tomar la delantera **6.** *loc prép* **au-~ de** al encuentro de; **par-~ notaire** ante notario.

**devanture** *f* escaparate *m:* **en ~** en el escaparate.

**dévastateur, trice** *a/s* devastador, a: **les effets dévastateurs de la crise** los efectos devastadores de la crisis.

**dévastation** *f* devastación.

**dévaster** *vt* devastar, asolar: **zone dévastée par le typhon** zona devastada por el tifón.

**déveine** *f FAM* mala suerte, mala sombra, mala pata: **quelle ~!** ¡qué mala suerte!

**développement** *m* **1.** *(du corps, de l'économie, etc.)* desarrollo: **pays en voie de ~** país en vías de desarrollo; **en plein ~** en pleno desarrollo **2.** *(photographie)* revelado.

**développer** *vt* **1.** *(les muscles, l'intelligence, etc.)* desarrollar **2.** *(ce qui est enveloppé)* desenvolver **3.** *(photographie)* revelar. ◆ **se ~** *vpr* desarrollarse.

[1]**devenir*** *vi* **1.** *(changement essentiel)* volverse; *(volontaire, progressif)* hacerse: **il devient plus raisonnable** se vuelve más razonable; **il est devenu avare** se ha vuelto avaro; **c'est à ~ fou!** ¡esto es para volverse loco!; **~ professeur** hacerse profesor; **~ vieux** hacerse viejo; **l'atmosphère devint irrespirable** la atmósfera se hizo irrespirable; **nous devînmes très amis** nos hicimos muy amigos **2.** *(changement accidentel)* ponerse: **elle est devenue pâle** se ha puesto pálida; **~ malade** ponerse enfermo **3.** convertise en: **il est devenu l'idole des jeunes** se ha convertido en el ídolo de la juventud; **cette région est devenue une des principales zones touristiques** esta comarca se ha convertido en una de las principales zonas turísticas **4.** *(aboutissement)* llegar a ser, venir a ser: **~ ministre** llegar a ser ministro, llegar a ministro; **~ aveugle, sourd** quedarse ciego, sordo **5.** ser: **que vais-je ~?** ¿qué va a ser de mí?; **que devenez-vous?** ¿qué es de usted?; **qu'est-ce que tu deviens?** ¿qué es de tu vida? **6.** parar: **je me demande ce que tout cela va ~** me pregunto en qué parará todo esto.

[2]**devenir** *m (en philosophie)* devenir.

**dévergondage** *m* desenfreno, exceso.

**dévergondé, e** *a/s* desvergonzado, a.

**dévergonder (se)** *vpr* perder la vergüenza.

**dévernir** *vt* quitar el barniz de.

**déverrouiller** *vt* descorrer el cerrojo de.

**devers (par)** *loc prép* **1.** ante **2. par ~ soi** en su poder.

**déverser** *vt* **1.** *(répandre)* verter, derramar **2.** *FIG* **~ sa colère** desahogar su ira. ◆ **se ~** *vpr* verterse, derramarse: **se ~ dans** verterse en.

**déversoir** *m* vertedero, desaguadero.

**dévêtir*** *vt* desvestir, desnudar. ◆ **se ~** *vpr* desvestirse, desnudarse.

**déviance** *f* desviación.

**déviant, e** *a FIG* marginal. ◇ *m* marginado.

**déviation** *f* **1.** *(d'un rayon lumineux, de la colonne vertébrale, etc.)* desviación **2.** *(route)* desvío *m*, desviación.

**déviationnisme** *m* desviacionismo.

**déviationniste** *a/s* desviacionista.

**dévider** *vt* **1.** *(un écheveau)* devanar **2.** *(un chapelet)* pasar las cuentas de ◊ *FAM* **~ son chapelet** desahogarse.

**dévidoir** *m* devanadera *f*.

**deviens, devient** → [1]**devenir**.

**dévier*** *vi* desviarse: **la balle a dévié** la bala se ha desviado; **~ de ses opinions** desviarse de sus opiniones. ◇ *vt* desviar.

**devin, eresse** *s* adivino, a.

**devinable** *a* adivinable.

**deviner** *vt* adivinar: **devine qui est venu** adivina quién ha venido.

**devinette** *f* adivinanza, acertijo *m*.

**devint** → [1]**devenir.**

**devis** *m* presupuesto: **demander un ~** pedir un presupuesto.

**dévisager*** *vt* mirar de hito en hito, encararse con: **il me dévisagea** se encaró conmigo, me miró de hito en hito.

**devise** *f* **1.** *(sentence)* lema *m*, divisa **2.** *(monnaie)* divisa.

**deviser** *vi* platicar.

**dévissage** *m* destornillamiento.

**dévisser** *vt* destornillar, desatornillar, desenroscar: **~ le capuchon d'un stylo** desenroscar el capuchón de una estilográfica. ◇ *vi (alpinisme)* caer.

**dévitaliser** *vt (une dent)* desvitalizar.

**dévoiement** [devwamã] *m ARCH* desviación *f*.

**dévoilement** *m* descubrimiento, revelación *f*.

**dévoiler** *vt* **1.** descubrir, quitar el velo de **2.** *FIG (projet, intentions, etc.)* desvelar, descubrir, revelar: **~ un secret** desvelar un secreto **3.** *TECHN (une roue)* enderezar. ◆ **se ~** *vpr* descubrirse.

[1]**devoir*** *vt* **1.** deber: **il me doit mille francs** me debe mil francos **2.** *(obligation)* tener que, deber: **je dois m'en aller, vous faire un aveu** me tengo que ir, tengo que hacerle una confesión; **ce qui se passe ne doit pas nous surprendre** lo que está ocurriendo no nos tiene que extrañar; **tu devrais lire ce roman** deberías leer esta novela; **vous auriez dû le dire avant** usted debería haberlo dicho antes **3.** *(supposition)* deber de, haber de: **il doit être tard** debe de, ha de ser tarde; *(le futur peut exprimer l'hypothèse)* **vous devez avoir faim** tendrá usted hambre **4. dussé-je** aunque debiera. ◆ **se ~** *vpr* deberse: **tu te dois à ta famille** tú te debes a tu familia.

[2]**devoir** *m* **1.** deber: **le sens du ~** el sentido del deber; **faire son ~** cumplir con su deber; **la satisfaction du ~ accompli** la satisfacción del deber cumplido; **il est de mon ~ de vous prévenir** mi deber es avisarle ◊ **se mettre en ~ de** disponerse a; **se faire un ~ de...** tener a mucho... **2.** *(scolaire)* deber, tarea *f*: **faire ses devoirs** hacer los deberes. ◇ *pl* **1.** respetos, atenciones *f* **2. derniers devoirs** honras *f* fúnebres.

**dévolu, e** *a* atribuido, a. ◇ *m* **jeter son ~ sur** poner los ojos en, echar el ojo a, poner sus miras en.

**dévolution** *f JUR* transmisión.

**dévon** *m* cebo artificial en forma de pez.

**dévorant, e** *a* **1.** devorador, a, devastador, a **2.** *FIG* insaciable, voraz: **faim dévorante** hambre voraz; **passion dévorante** pasión ardiente.

**dévorer** *vt* **1.** devorar **2.** *FIG* devorar: **la jalousie le dévore** le devoran los celos; **~ un roman** devorar una novela ◊ **~ des yeux** devorar, comerse con los ojos ◇ *vi* devorar, comer con glotonería.

**dévot, e** *a/s* devoto, a. ◇ *m* **faux ~** santurrón, hipócrita.

**dévotion** *f* devoción ◊ **elle est confite en ~** es una beata, una santurrona. ◇ *pl* **faire ses dévotions** cumplir con los preceptos religiosos.

**dévoué, e** *a* **1.** adicto, a, fiel: **un domestique très ~** un criado muy adicto **2. votre tout ~** su afectísimo.

**dévouement** [devumã] *m* **1.** abnegación *f*, sacrificio **2.** *(à une œuvre, etc.)* dedicación *f*, devoción *f*.

**dévouer (se)** *vpr* **1.** sacrificarse: **se ~ pour quelqu'un** sacrificarse por alguien **2.** dedicarse, consagrarse: **se ~ à une tâche** dedicarse a una tarea.

**dévoyé, e** [devwaje] *a* descarriado, a, extraviado, a. ◇ *s (délinquant)* golfo, a, perdido, a, delincuente.

**dévoyer*** [devwaje] *vt FIG* descarriar. ◆ **se ~** *vpr* descarriarse, descaminarse.

**devrai,** etc. → **devoir.**

**dextérité** *f* destreza.

**dextre** *a* diestro, a. ◇ *f (main droite)* diestra.

**dextrine** *f CHIM* dextrina.

**dextrose** *f CHIM* dextrosa.

**diabète** *m MÉD* diabetes *f*.

**diabétique** *a/s* diabético, a.

**diable** *m* **1.** diablo, demonio ◊ *FIG* **un bon ~** un buen hombre; **un pauvre ~** un pobre diablo, un infeliz; **cet enfant est un vrai ~** este niño es el mismísimo demonio; **avoir le ~ au corps** tener el diablo en el cuerpo; **c'est bien le ~ si...** sería sorprendente si...; **envoyer au ~** mandar al diablo, al cuerno; **allez au ~!** ¡váyase al diablo, al cuerno!; **faire le ~ à quatre**

armar la gorda; **tirer le ~ par la queue** no tenir ni un céntimo, esta a la cuarta pregunta; **un bruit de tous les diables** un ruido infernal; **un vent du ~** un viento terrible **2.** *loc adv* **à la ~** de cualquier modo; **habiter au ~ (Vauvert)** vivir en el quinto infierno, en los quintos infiernos, donde Cristo dio las tres voces; **comme un ~** como un desesperado; **sévère en ~** muy severo, la mar de severo **3.** *interj* ¡diablos!, ¡demonios!; **que ~!** ¡qué diablos!, ¡qué demonios!, ¡qué caramba! **4.** *(chariot)* carretilla *f*.

**diablement** *adv FAM* terriblemente, endiabladamente: **c'est ~ compliqué** es terriblemente complicado, complicadísimo.

**diablerie** *f* **1.** diablura **2.** maleficio *m*, brujería.

**diablesse** *f* diablesa.

**diablotin** *m* diablillo.

**diabolique** *a* diabólico, a.

**diaboliquement** *adv* diabólicamente.

**diaboliser** *vt* satanizar.

**diabolo** *m* **1.** *(jouet)* diábolo **2.** *(boisson)* gaseosa *f* con menta.

**diachronie** [djakʀɔni] *f GRAM* diacronía.

**diaconat** *m* diaconato.

**diaconesse** *f* diaconisa.

**diacre** *m* diácono.

**diacritique** *a GRAM* diacrítico, a.

**diadème** *m* diadema *f*.

**diagnostic** *m* diagnóstico.

**diagnostique** *a MÉD* diagnóstico, a.

**diagnostiquer** *vt* diagnosticar.

**diagonal, e** *a/f* diagonal ◊ **en ~** diagonalmente.

**diagonalement** *adv* diagonalmente.

**diagramme** *m* diagrama.

**dialectal, e** *a* dialectal.

**dialecte** *m* dialecto.

**dialecticien, enne** *s* dialéctico, a.

**dialectique** *a* dialéctico, a. ◇ *f* dialéctica.

**dialectologie** *f* dialectología.

**dialogue** *m* diálogo ◊ **un ~ de sourds** un diálogo de sordos.

**dialoguer** *vi/t* dialogar.

**dialoguiste** *s* dialoguista.

**dialyse** *f* diálisis.

**dialyser** *vt* dializar.

**diamant** *m* diamante.

**diamantaire** *m* diamantista.

**diamanté, e** *a* adornado, a con diamantes.

**diamantifère** *a* diamantífero, a.

**diamétralement** *adv* diametralmente: **opinions ~ opposées** opiniones diametralmente opuestas.

**diamètre** *m* diámetro.

**diane** *f MIL* diana, toque *m* de diana: **battre la ~** tocar diana.

**Diane** *np f* Diana.

**diantre!** *interj* ¡diantre!

**diapason** *m* **1.** diapasón **2.** *FIG* **se mettre au ~ de quelqu'un** ponerse a tono con alguien; **être au ~ de** sintonizar con.

**diaphane** *a* diáfano, a.

**diaphragme** *m* **1.** *ANAT* diafragma **2.** *(en photographie, d'un téléphone)* diafragma **3.** *(contraceptif)* diafragma.

**diaphyse** *f ANAT* diáfisis.

**diapo** *f FAM* diapositiva.

**diapositive** *f* diapositiva.

**diapré, e** *a* matizado, a, esmaltado, a.

**diaprure** *f* matices *m pl*.

**diarrhée** *f* diarrea.

**diaspora** *f* diáspora.

**diastase** *f (ferment)* diastasa.

**diastole** *f (du cœur)* diástole.

**diatomée** *f* diatomea.

**diatonique** *a MUS* diatónico, a.

**diatribe** *f* diatriba.

**dichotomie** [dikɔtɔmi] *f* dicotomía.

**dico** *m FAM* diccionario.

**dicotylédone** *a/f BOT* dicotiledóneo, a.

**dictame** *m* díctamo.

**dictaphone** *m (nom déposé)* dictáfono.

**dictateur** *m* dictador.

**dictatorial, e** *a* dictatorial: **régimes dictatoriaux** regímenes dictatoriales.

**dictature** *f* dictadura.
▶ Attention au 2e *d* en espagnol.

**dictée** *f* **1.** dictado *m* **2. écrire sous la ~** escribir al dictado.

**dicter** *vt* dictar: **~ une lettre** dictar una carta; **décision dictée par la prudence** decisión dictada por la prudencia.

**diction** *f* dicción.

**dictionnaire** *m* diccionario: **~ bilingue** diccionario bilingüe.

**dicton** *m* refrán, dicho.

**didacticiel** *m* software pedagógico.

**didactique** *a* didáctico, a.

**Didon** *np f* Dido.

**dièdre** *a/m GÉOM* diedro.

**diérèse** *f GRAM* diéresis.

**dièse** *a/m MUS* sostenido.

**diesel** *m* diesel: **moteur Diesel** motor Diesel.

**diéser*** *vt MUS* anotar con sostenido ◊ **note diésée** nota sostenida.

[1]**diète** *f* dieta: **être à la ~** estar a dieta.
▶ *Dieta* a souvent le sens de «régime» (alimentaire).

[2]**diète** *f (assemblée)* dieta.

**diététicien, enne** *s* especialista en dietética, bromatólogo, a.

**diététique** *a* dietético, a. ◇ *f* dietética.

**Dieu** *np m* **1.** Dios: **~ le Père** Dios Padre; *FAM* **le bon ~** Dios ◊ **recevoir le bon ~** comulgar, recibir a Dios; **on lui donnerait le bon ~ sans confession** → **confession 2. ~ merci, grâce à ~** gracias a Dios; **~ sait si, quand...** sabe Dios si, cuando...; **~ seul le sait!** ¡Dios sabe!; **si ~ le veut, s'il plaît à ~** si Dios quiere; **mon ~!** ¡Dios mío!; **pour l'amour de ~!** ¡por Dios! **3.** *(jurons)* **bon ~!** ¡santo Dios!; **nom de ~!** ¡santo Dios! ◇ *m* **1.** dios: **les dieux** los dioses; **beau comme un ~** más hermoso que un sol **2. jurer ses grands dieux** jurar por lo más sagrado.

**diffamateur, trice** *a/s* difamador, a.

**diffamation** *f* difamación.

**diffamatoire** *a* difamatorio, a.

**diffamer** *vt* difamar.

**différé** *a/m* diferido, a: **émission en ~** emisión en diferido.

**différemment** [difeʀamɑ̃] *adv* diferentemente, de manera diferente.

**différence** *f* **1.** diferencia **2. à la ~ de** a diferencia de; **à cette ~ près que...** con la sola diferencia de que...

**différenciation** *f* diferenciación.

**différencier*** *vt* diferenciar.

**différend** *m* **1.** *(désaccord)* diferencia *f*, discrepancia *f*, desacuerdo **2.** *(litige)* litigio: **régler un ~** arreglar un litigio.

**différent, e** *a* diferente, distinto, a: **son caractère est ~ du mien** su carácter es diferente al mío; **c'est tout à fait ~** es totalmente distinto, no es lo mismo.

**différentiation** *f* diferenciación.

**différentiel, elle** *a* diferencial. ◇ *m* TECHN diferencial. ◇ *f* MATH diferencial.

**différer*** *vi* diferir, discrepar: **mon opinion diffère de la tienne** mi opinión difiere de la tuya. ◇ *vt (retarder)* diferir, aplazar, demorar.

**difficile** *a* **1.** difícil: **~ à faire** difícil de hacer; **un enfant ~** un niño difícil; **des circonstances difficiles** circunstancias difíciles; **moment ~** paso difícil ◊ **rendre ~** dificultar, hacer difícil; **ce n'est pas plus ~ que ça!** ¡así de fácil! **2. faire le ~** ser exigente, ser descontentadizo.

**difficilement** *adv* difícilmente, con dificultad.

**difficulté** *f* **1.** dificultad: **faire des difficultés pour...** poner dificultades para...; **en ~** en dificultades, en apuros: **entreprise en ~** empresa en dificultades **2. difficultés financières** apuros *m* económicos.

**difficultueux, euse** *a* dificultoso, a.

**difforme** *a* deforme.

**difformité** *f* deformidad.

**diffraction** *f* PHYS difracción.

**diffus, e** *a* difuso, a.

**diffuser** *vt* **1.** difundir **2.** *(par radio)* radiar, emitir: **~ en direct** emitir en directo.

**diffuseur** *m* difusor.

**diffusion** *f* difusión.

**digérer*** *vt* **1.** digerir: **il digère mal** digiere mal **2.** FIG digerir, asimilar **3.** FAM *(admettre)* tragar, aguantar, digerir: **il a mal digéré son échec** no ha digerido su fracaso.

**digest** [dizɛst] *m (résumé)* digesto, compendio.

**digeste, digestible** *a* digerible.

**digestif, ive** *a* digestivo, a. ◇ *m* licor *m*.

**digestion** *f* digestión.

**digit** *m* INFORM dígito.

**digital, e** *a* **1.** digital, dactilar: **empreintes digitales** huellas dactilares **2.** *(numérique)* digital. ◇ *f (plante)* digital, dedalera.

**digitaline** *f* digitalina.

**digitaliser** *vt* INFORM digitalizar.

**digitigrades** *m pl* ZOOL digitigrados.

**digne** *a* digno, a ◊ **être ~ de** ser digno de, ser merecedor de; **~ d'éloge** digno de encomio; **une réplique ~ de lui** una réplica digna de él; **une maison ~ de ce nom** una casa merecedora de este nombre.

**dignement** *adv* dignamente.

**dignitaire** *m* dignitario.

**dignité** *f* dignidad.

**digramme** *m* digrafo.

**digression** *f* digresión.

**digue** *f* **1.** dique *m* **2.** FIG **mettre une ~ à** poner dique a.

**diktat** [diktat] *m* imposición *f*.

**dilapidateur, trice** *a/s* dilapidador, a.

**dilapidation** *f* dilapidación.

**dilapider** *vt* dilapidar.

**dilatable** *a* dilatable.

**dilatation** *f* dilatación.

**dilater** *vt* **1.** dilatar **2.** FIG **~ le cœur** ensanchar el corazón. ◆ **se ~** *vpr* dilatarse ◊ **se ~ la rate → rate.**

**dilatoire** *a* JUR dilatorio, a.

**dilemme** *m* dilema: **poser un ~** plantear un dilema.

**dilettante** *s* diletante.

**dilettantisme** *m* diletantismo.

**diligemment** [diliʒamɑ̃] *adv* diligentemente.

**diligence** *f* **1.** *(zèle)* diligencia ◊ **faire ~** darse prisa **2.** *(voiture)* diligencia.

**diligent, e** *a* diligente.

**diluant** *m* diluyente.

**diluer** *vt* diluir.

**dilution** *f* dilución.

**diluvien, enne** *a* **pluie diluvienne** lluvia torrencial.

**dimanche** *m* **1.** domingo: **~ dernier** el domingo pasado; **~ des Rameaux, de Pâques** domingo de Ramos, de Resurrección **2.** FAM **conducteur du ~** dominguero, mal conductor; **costume du ~** traje dominguero; **les promeneurs du ~** los domingueros.

**dîme** *f* diezmo *m*.

**dimension** *f* **1.** dimensión: **espace à deux, trois dimensions** espacio de dos, tres dimensiones **2.** *(importance)* magnitud, dimensión, calibre *m*: **une faute de cette ~** un error de este calibre.

**diminué, e** *a* **1. tricot ~** jersey menguado **2.** *(physiquement)* disminuido, a, desmejorado, a.

**diminuer** *vt* **1.** disminuir **2.** FIG *(rabaisser)* rebajar. ◇ *vi* **1.** disminuir: **le froid diminue** disminuye el frío; **la population rurale diminue** la población rural disminuye **2.** *(les jours)* acortarse **3.** *(prix)* bajar, disminuir **4.** *(tricot)* menguar.

**diminutif, ive** *a/m* diminutivo, a.

**diminution** *f* **1.** disminución **2.** *(sur un prix)* rebaja.

**dimorphisme** *m* dimorfismo.

**dinanderie** *f* latonería.

**dinar** *m (monnaie)* dinar.

**dinde** *f* **1.** *(femelle du dindon)* pava **2.** FAM *(femme)* pava, sosaina, tontina.

▶ Dans le langage culinaire, on emploire le masculin *pavo (dindon)*: *dinde farcie* pavo relleno.

**dindon** *m* **1.** pavo **2.** FIG **être le ~ de la farce** ser la víctima, el hazmerreír.

**dindonneau** *m* pavipollo.

**dindonner** *vt* FAM engañar.

[1]**dîner** *vi* **1.** cenar **2. ~ de** cenar: **~ d'un potage** cenar una sopa **3. ~ en ville** cenar, comer fuera de casa.

[2]**dîner** *m* cena *f*: **le ~** la cena; **un ~ léger** una cena ligera.

**dînette** *f* comidita.

**dîneur, euse** *s* comensal.

**ding-ding-dong** [diŋdɛ̃gdɔ̃g] *onomatopée* talán, talán.

**dinghy** [dingi] *m* bote neumático.

[1]**dingo** *m (chien sauvage)* dingo.

[2]**dingo, dingue** *a/s* FAM chalado, a, chiflado, a, majareta: **il est complètement dingue** está completamente chalado; **une vie de dingue** una vida de locos.

**dinguer** *vi* POP **1.** *(tomber)* caer **2. envoyer ~ quelqu'un** mandar a paseo a alguien.

**dinosaure** *m* dinosaurio.

**diocésain, e** *a* diocesano, a.

**diocèse** *m* diócesis *f*.

**Dioclétien** *np m* Diocleciano.

**diode** *f* diodo *m*.

**Diogène** *np m* Diógenes.

**dionysiaque** *a* dionisíaco, a.

**Dionysos** *np m* Dionisos.

**dioptrie** *f PHYS* dioptría.

**dioptrique** *f PHYS* dióptrica.

**diorama** *m* diorama.

**dioxyde** *m CHIM* dióxido, bióxido: **~ de carbone** dióxido de carbono.

**diphasé, e** *a* difásico, a.

**diphtérie** *f MÉD* difteria.

**diphtérique** *a/s* diftérico, a.

**diphtongaison** *f GRAM* diptongación.

**diphtongue** [diftɔ̃g] *f GRAM* diptongo *m*.

**diphtonguer** *vt GRAM* diptongar. ◆ **se ~** *vpr* diptongarse.

**diplodocus** [diplɔdɔkys] *m* diplodoco.

**diplomate** *m* diplomático. ◇ *a (habile)* diplomático a: **il est très ~** es muy diplomático. ◇ *m (gâteau)* bizcocho con natillas y frutas confitadas.

**diplomatie** [diplɔmasi] *f* diplomacia.

**diplomatique** *a* diplomático, a: **corps ~** cuerpo diplomático; **valise ~** valija diplomática. ◇ *f* diplomática.

**diplôme** *m* diploma, título: **~ de bachelier** título de bachiller.

**diplômé, e** *a/s* titulado, a, graduado, a.

**dipsomane** *a/s* dipsomaníaco, a.

**dipsomanie** *f* dipsomanía.

**diptère** *a ZOOL* díptero, a.

**diptyque** *m* díptico, a.

**¹dire*** *vt* **1.** decir: **je dis ce que je pense** digo lo que pienso; **ne me faites pas ~ ce que je n'ai pas dit** no me haga decir lo que no he dicho; **dites-lui de venir** dígale que venga; **je t'ai dit de rester** yo he dicho que te quedes; **dis-le franchement!** ¡dílo francamente!; **comme dit l'autre** como dice el otro; **je vous l'avais bien dit!** ¡ya se lo había dicho!; **il fallait le ~!** ¡haberlo dicho!; **viens, disons mardi à six heures** ven, digamos el martes a las seis; **je m'en tiens à ce qui a été dit** me atengo a lo dicho ◊ *FAM* **à qui le dites-vous!** ¡dígamelo usted a mí!; **c'est tout ~** con lo dicho basta; **pour tout ~** en suma; **comme qui dirait** como quien dice; **dit-on** al parecer; **quoi qu'on dise, il n'y a pas à ~** digan lo que digan; *FAM* **dites donc!** ¡oiga!; **dis-donc!** ¡oye! **2. vouloir ~** querer decir, significar; **qu'est-ce que ça veut ~?** ¿qué quiere decir esto? **3. on dirait que...** parece que...; **on dirait du marbre** parece mármol; **~ qu'il est déjà six heures!** ¡parece mentira que ya sean las seis! **4.** sonar: **ce nom me dit quelque chose** me suena este apellido; **ça me dit quelque chose** me suena a algo **5.** *(plaire)* apetecer, gustar: **ça vous dit d'aller au cinéma?** ¿le apetece ir al cine?; **si le cœur vous en dit** si le apetece; **ça ne me dit rien** no me apetece **6. ~ des vers** recitar versos; **~ la messe** decir misa **7.** *loc adv* **à vrai ~** a decir verdad; **cela va sans ~** ni que decir tiene, es evidente; **c'est-à-~** es decir, o sea; **pour ainsi ~** por decirlo así **8.** → **dit** ◆ **se ~** *vpr* **1.** decirse **2. dis-toi que...** hazte cuenta de que... **3.** hacerse pasar por: **il se dit avocat** se hace pasar por abogado.

**²dire** *m* afirmación *f*, declaración *f*, parecer: **selon ses dires** según sus afirmaciones ◊ **au ~ de** al decir de, a juicio de, en opinión de.

**direct, e** *a* directo, a. ◇ *m* **1.** *(boxe)* directo **2. transmettre en ~** transmitir en directo.

**directement** *adv* directamente.

**directeur, trice** *a/s* director, a. ◇ *a* **1. idée directrice** idea rectora; **ligne directrice** línea directriz **2. comité ~** junta directiva.

**direction** *f* **1.** dirección: **sous la ~ de** bajo la dirección de **2.** *(orientation)* dirección, rumbo *m*: **en ~ de** en dirección a, con rumbo a **3.** *(mécanisme)* dirección: **~ à crémaillère, assistée** dirección de cremallera, asistida.

**directives** *f pl* directrices.

**directoire** *m* directorio.

**directorial, e** *s* directorial.

**directrice** → **directeur.**

**dirigeable** [diʀiʒabl(ə)] *a/m* dirigible.

**dirigeant, e** [diʀiʒɑ̃, ɑ̃t] *a/s* dirigente.

**diriger*** *vt* dirigir. ◆ **se ~** *vpr* dirigirse, encaminarse: **il se dirigea vers la porte** se dirigió a, hacia la puerta.

**dirigisme** *m* dirigismo, economía *f* dirigida.

**dirigiste** *a/s* dirigista, intervencionista.

**dirimant, e** *a JUR* dirimente.

**dirlo** *m FAM (directeur)* dire.

**dis, disant** → **dire.**

**discal, e** *a MÉD* **hernie discale** hernia discal, de disco.

**discernable** *a* discernible.

**discernement** *m* discernimiento.

**discerner** *vt* **1.** distinguir, diferenciar **2.** *(par la pensée)* discernir.

**disciple** *m* discípulo.

**disciplinaire** *a* disciplinario, a.

**discipline** *f* **1.** disciplina: **une ~ de fer** una disciplina de hierro **2.** *ANC (fouet)* disciplinas *pl*.

**discipliner** *vt* disciplinar.

**disc-jockey** *m* pinchadiscos, disc-jockey.

**discobole** *m* discóbolo.

**discographie** *f* discografía.

**discographique** *a* discográfico, a.

**discontinu, e** *a* discontinuo, a: **ligne discontinue** línea discontinua.

**discontinuer** *vi* cesar ◊ **sans ~** sin cesar, sin interrupción.

**disconvenance** *f* desproporción, incompatibilidad, desacuerdo *m*.

**disconvenir*** *vi* disentir, negar: **je n'en disconviens pas** no lo niego.

**discophile** *s* discófilo, a.

**discordance** *f* discordancia.

**discordant, e** *a* discordante.

**discorde** *f* discordia: **semer la ~** sembrar la discordia.

**discothèque** *f* discoteca.

**discount** *m* descuento, «discount».

**discoureur, euse** *s* palabrero, a, parlanchín, ina.

**discourir*** *vi* hablar, charlar, perorar.

**discours** *m* **1.** discurso; **prononcer un ~** pronunciar un discurso **2.** *(laïus)* perorata *f* ◊ **assez de ~** basta de charla **3.** *GRAM* **les parties du ~** las partes de la oración **4. Discours de la méthode** *(Descartes)* Discurso del método.

**discourtois, e** *a* descortés.

**discourtoisie** *f* descortesía.

**discrédit** *m* descrédito, desprestigio ◊ **jeter le ~ sur quelqu'un** desacreditar a alguien.

**discréditer** *vt* desacreditar, desprestigiar.

**discret, ète** *a* discreto, a.

**discrètement** *adv* discretamente.

**discrétion** *f* **1.** *(retenue)* discreción, reserva **2. pain à ~** pan a discreción, a voluntad.

**discrétionnaire** *a* discrecional.

**discriminant** *m* discriminante.

**discrimination** *f* discriminación: **~ raciale** discriminación racial.

**discriminatoire** *a* discriminatorio, a.

**discriminer** *vt* discriminar, distinguir.

**disculpation** *f* disculpa.

**disculper** *vt* disculpar. ◆ **se ~** *vpr* disculparse, justificarse.

**discursif, ive** *a* discursivo, a.

**discussion** *f* discusión ◊ **pas de ~!** ¡hemos terminado!, ¡se acabó!, ¡basta!

**discutable** *a* discutible.

**discutailler** *vi* FAM discutir por pequeñeces.

**discuter** *vi/t* discutir: **~ (de) politique** discutir de política ◊ FAM **~ le coup** parlotear; **ne discutez pas!** ¡se acabó!

**dise**, etc. → **dire.**

**disert, e** *a* diserto, a.

**disette** *f* **1.** *(pénurie)* carestía, escasez, penuria **2.** *(famine)* hambre.

**diseur, euse** *s* **1. ~ de bons mots** contador de chistes **2. diseuse de bonne aventure** gitana que echa la buenaventura, vidente.

**disgrâce** *f* desgracia: **tomber en ~** caer en desgracia.

**disgracié, e** *a* **1.** caído, a, en desgracia **2.** *(laid)* desgraciado, a, feo, a.

**disgracier*** *vt* privar del favor a.

**disgracieux, euse** *a* sin gracia, falto, a de gracia.

**disjoindre*** *vt* **1.** desunir **2.** JUR desglosar.

**disjoint, e** *a* separado, a: **planches disjointes** tablas separadas.

**disjoncter** *vi* **1.** ÉLECT desconectarse automáticamente **2.** FAM *(une personne)* desconectar.

**disjoncteur** *m* ÉLECT disyuntor.

**disjonctif, ive** *a* disyuntivo, a.

**disjonction** *f* disyunción.

**dislocation** *f* **1.** dislocación **2.** *(d'un empire, etc.)* desmembramiento *m* **3.** *(d'un cortège)* dispersión.

**disloquer** *vt* **1.** *(membre)* dislocar, descoyuntar **2.** *(chaise, etc.)* desvencijar **3.** *(empire, etc.)* desmembrar. ◆ **se ~** *vpr* **1. se ~ l'épaule** dislocarse, descoyuntarse el hombro **2. le cortège s'est disloqué** se ha dispersado la comitiva.

**disons** → **dire.**

**disparaître*** *vi* **1.** desaparecer: **la tache a disparu** la mancha ha desaparecido; **l'assassin a disparu** el asesino ha desaparecido; **des traditions qui disparaissent** tradiciones que van desapareciendo ◊ **faire ~** hacer desaparecer, suprimir, quitar: **faire ~ une tache** quitar una mancha **2.** *(mourir)* morir.

**disparate** *a* heterogéneo, a, dispar, inconexo, a.

**disparité** *f* disparidad, desigualdad.

**disparition** *f* desaparición.

**disparu, e** *pp* de **disparaître.** ◇ *a* desaparecido, a. ◇ *s* *(mort)* difunto, a ◊ **soldat porté ~** soldado dado de baja, declarado desaparecido.

**dispatching** [dispatʃiŋ] *m* puesto de mando.

**dispendieux, euse** *a* dispendioso, a.

**dispensaire** *m* dispensario, ambulatorio, consultorio.

**dispense** *f* dispensa.

**dispenser** *vt* **1. ~ quelqu'un d'assister à** dispensar, eximir a alguien de asistir a; **cet élève est dispensé de gymnastique** este alumno está dispensado de hacer gimnasia **2.** *(donner)* dar, prodigar, impartir **3. je vous dispense de vos réflexions** guárdese lo que piensa. ◆ **se ~** *vpr* abstenerse: **se ~ de répondre** abstenerse de contestar.

**disperser** *vt* **1.** dispersar, desperdigar: **sa famille est dispersée** su familia está despertigada **2.** *(un attroupement)* disolver **3. ~ ses efforts** desperdigar sus esfuerzos. ◆ **se ~** *vpr* **1.** *(foule)* dispersarse, desperdigarse **2.** *(l'attention)* dispersarse **3.** *(dans diverses activités)* desperdigarse.

**dispersion** *f* dispersión.

**disponibilité** *f* **1.** disponibilidad **2. en ~** *(fonctionnaire)* disponible, excedente. ◇ *pl* disponibilidades.

**disponible** *a* disponible.

**dispos, e** *a* en forma, en buenas condiciones: **être frais et ~** estar bien dispuesto, en forma.

**disposer** *vt* *(placer)* disponer, colocar. ◇ *vi* **1.** disponer: **les moyens dont je dispose** los recursos de que dispongo; **êtes-vous disposé à m'écouter?** ¿está usted dispuesto a escucharme?; **être bien, mal disposé** estar bien, mal dispuesto **2. vous pouvez ~** puede usted retirarse. ◆ **se ~** *vpr* **se ~ à partir** disponerse a, para marcharse.

**dispositif** *m* dispositivo.

**disposition** *f* **1.** disposición: **je suis à votre ~** estoy a su disposición; **mettre à la ~ de** poner a disposición de **2.** *(tendance)* propensión, predisposición. ◇ *pl* **1.** *(aptitudes)* **avoir des dispositions pour** tener disposición, aptitud para **2. prendre ses dispositions** tomar sus disposiciones **3. être dans de bonnes dispositions** estar en buena disposición.

**disproportion** *f* desproporción.

**disproportionné, e** *a* desproporcionado, a.

**dispute** *f* altercado *m*, riña, disputa ◊ **chercher la ~** buscar bronca.

**disputer** *vt* **1.** disputar **2.** FAM *(réprimander)* reñir. ◇ *vi* **~ de** rivalizar en. ◆ **se ~** *vpr* **1. le match se disputera dimanche** el partido se disputará el domingo **2.** reñir: **ils passent leur vie à se ~** se pasan la vida riñendo; **elle s'est disputée avec son frère** ha reñido con su hermano ◊ **ne nous disputons pas** tengamos la fiesta en paz.

**disquaire** *s* vendedor, a, de discos.

**disqualification** *f* descalificación.

**disqualifier*** *vt* descalificar. ◆ **se ~** *vpr* descalificarse.

**disque** *m* **1.** disco: **~ compact** disco compacto; **~ souple** disco flexible; **~ dur** disco duro ◊ FAM **change de ~!** ¡cambia el disco! **2. lancement du ~** lanzamiento de disco **3.** TECHN **frein à ~** freno de disco **4.** ANAT disco.

**disquette** *f* diskette *m*, disquete *m*.

**dissection** *f* disección.

**dissemblable** *a* desemejante, diferente.

**dissemblance** *f* desemejanza, diferencia.

**dissémination** *f* diseminación.

**disséminer** *vt* diseminar. ◆ **se ~** *vpr* diseminarse.

**dissention** *f* disensión.

**dissentiment** *m* disentimiento.

**disséquer*** *vt* **1.** disecar **2.** FIG analizar.
▶ *Disecar* a aussi le sens d'«empailler» un animal.

**dissertation** *f* **1.** disertación **2.** *(scolaire)* redacción.

**disserter** *vi* disertar: **~ sur, de** disertar sobre.

**dissidence** *f* disidencia.

**dissident, e** *a/s* disidente.

**dissimilation** *f* disimilación.

**dissimilitude** *f* disimilitud.

**dissimulateur, trice** *a/s* disimulador, a.

**dissimulation** *f* disimulación, disimulo *m*.

**dissimuler** *vt (cacher, feindre)* disimular. ◆ **se ~** *vpr* ocultarse.

**dissipation** *f* **1.** disipación **2.** *(d'un élève)* falta de atención, indisciplina.

**dissipé, e** *a* **1.** *(élève)* indisciplinado, a, díscolo, a, distraído, a **2. vie dissipée** vida disoluta.

**dissiper** *vt* **1.** *(brume, etc.)* disipar **2.** *(fortune, etc.)* disipar, derrochar **3.** *(élève)* distraer. ◆ **se ~** *vpr* **1.** disiparse: **mes soupçons se sont dissipés** mis sospechas se han disipado **2.** *(élève)* distraerse.

**dissociable** *a* disociable.

**dissociation** *f* disociación.

**dissocier*** *vt* disociar.

**dissolu, e** *a* disoluto, a, licencioso, a.

**dissolution** *f* **1.** disolución **2.** *FIG* corrupción, relajación **3.** *(colle)* disolución.

**dissolvant, e** *a/m* disolvente. ◇ *m (pour les ongles)* quitaesmalte.

**dissonance** *f* disonancia.

**dissonant, e** *a* disonante.

**dissoner** *vi* disonar.

**dissoudre*** *vt* disolver. ◆ **se ~** *vpr* disolverse: **le sucre se dissout dans l'eau** el azúcar se disuelve en el agua; **assemblée dissoute** asamblea disuelta.

**dissous, oute** *a* disuelto, a.

**dissuader** *vt* disuadir: **nous l'avons dissuadé de partir** le disuadimos de marcharse.

**dissuasion** *f* disuasión ◊ **force de ~** poder disuasivo.

**dissylabe** *a/m* bisílabo, a.

**dissymétrie** *f* disimetría.

**dissymétrique** *a* disimétrico, a.

**distance** *f* distancia: **à ~** a distancia; **~ focale** distancia focal ◊ **garder ses distances** guardar las distancias; **prendre ses distances** marcar distancias; **tenir à ~** tener a raya, mantener a distancia.

**distancer*** *vt* **1.** adelantar, dejar atrás, distanciar **2.** *(surpasser)* aventajar.

**distanciation** *f* distanciamiento *m*.

**distant, e** *a* **1.** distante: **~ de deux mètres** distante dos metros **2.** *FIG* distante, reservado, a.

**distendre*** *vt* distender, aflojar. ◆ **se ~** *vpr* aflojarse, relajarse.

**distension** *f* distensión.

**distillateur** *m* destilador.

**distillation** *f* destilación.

**distiller** [distile] *vt/i* destilar ◊ **eau distillée** agua destilada.

**distillerie** *f* destilería.

**distinct, e** [distɛ̃, ɛ̃kt] *a* **1.** *(différent)* distinto, a **2** *(net)* claro, a, neto, a.

**distinctement** *adv (parler)* claramente.

**distinctif, ive** *a* distintivo, a.

**distinction** *f* **1.** distinción, diferencia: **sans ~ d'âge** sin distinción de edades **2.** *(récompense)* galardón *m* **3.** *(élégance)* distinción.

**distinguable** *a* distinguible.

**distingué, e** *a* **1.** distinguido, a **2. veuillez agréer l'expression de mes sentiments distingués** queda de usted seguro servidor.

**distinguer** *vt* distinguir. ◆ **se ~** *vpr* **1.** distinguirse **2.** *FIG (se signaler)* distinguirse, lucirse.

**distinguo** [distɛ̃go] *m* distingo.

**distique** *m* dístico.

**distordre*** *vt* torcer.

**distorsion** *f* **1.** distorsión **2.** *FIG* desequilibrio *m*, disparidad.

**distraction** *f* **1.** *(inattention)* distracción, descuido *m* ◊ **par ~** por inadvertencia, distraídamente **2.** *(divertissement)* distracción, entretenimiento *m*, recreo *m*.

**distraire*** *vt* **1.** distraer **2.** *(l'attention)* apartar, distraer. ◆ **se ~** *vpr (s'amuser)* distraerse, entretenerse.

**distrait, e** *a/s* distraído, a.

**distrayant, e** [distʀɛjɑ̃,ɑ̃t] *a* entretenido, a, ameno, a.

**distribuer** *vt* **1.** distribuir, repartir: **~ des tracts** repartir octavillas **2. appartement bien distribué** piso bien distribuido.

**distributeur, trice** *a/s* distribuidor, a. ◇ *m* **~ automatique** expendedor automático.

**distributif, ive** *a* distributivo, a.

**distribution** *f* **1.** distribución, reparto *m*: **la ~ du courrier** el reparto del correo **2.** *(d'une pièce de théâtre, d'un film)* reparto **3.** *(agencement d'un appartement)* distribución **4.** *COM* distribución.

**district** [distʀikt] *m* distrito.

**dit, e** *pp* de **dire.** ◇ *a* **1.** dicho, a: **aussitôt ~, aussitôt fait** dicho y hecho; **soit ~ en passant** dicho sea de paso **2.** llamado, a: **Alphonse, ~ le Sage** Alfonso, llamado el Sabio **3.** fijado, a: **à l'heure dite** a la hora fijada. ◇ *m* dicho, sentencia *f*.

**dithyrambe** *m* ditirambo.

**dithyrambique** *a* ditirámbico, a.

**dito** *adv* ídem.

**diurétique** *a* diurético, a.

**diurne** *a* diurno, a.

**diva** *f (cantatrice)* diva.

**divagation** *f* divagación. ◇ *pl* disparates *m*, elucubraciones.

**divaguer** *vi* **1.** *(déraisonner)* divagar, desatinar, disparatar: **tu divagues!** ¡disparatas! **2.** *(errer)* vagar, errar.

**divan** *m* **1.** *(siège)* diván, sofá **2.** *HIST* diván.

**divergence** *f* **1.** divergencia **2.** *FIG (d'idées)* discrepancia.

**divergent, e** *a* **1.** divergente **2.** *FIG (opinions, etc.)* discrepante.

**diverger*** *vi* **1.** divergir **2.** *FIG* divergir, discrepar.

**divers, e** *a* diverso, a, vario, a, distinto, a, diferente: **en diverses occasions** en diversas, en varias ocasiones; **de diverses façons** de distintas maneras; **frais ~** gastos varios; **fait ~** → **fait.**

**diversification** *f* diversificación.

**diversifier** *vt* diversificar, variar. ◆ **se ~** *vpr* diversificarse.

**diversion** *f* **1.** diversión, entretenimiento *m* **2.** *MIL* diversión **3. faire ~** desviar la atención.

**diversité** *f* diversidad, variedad.

**divertir** *vt* divertir, distraer. ◆ **se ~** *vpr* divertirse, distraerse.

**divertissant, e** *a* divertido, a, distraído, a.

**divertissement** *m* **1.** diversión *f*, recreo **2.** *MUS* intermedio **3.** *JUR (de fonds)* distracción *f*.

**dividende** *m* dividendo.

**divin, e** *a* **1.** divino, a: **la divine Providence** la divina Providencia ◊ **le ~ Enfant** el niño Jesús **2.** *FIG* divino, a. ◇ *m* **le ~** lo divino.

**divination** *f* adivinación.

**divinatoire** *a* adivinatorio, a.

**divinement** *adv* divinamente.

**divinisation** *f* divinización.

**diviniser** *vt* divinizar.

**divinité** *f* divinidad.

**diviser** *vt* dividir: **~ par 6** dividir por 6; **l'opinion publique est très divisée sur ce sujet** la opinión pública está muy dividida sobre este tema. ◆ **se ~** *vpr* dividirse: **ce livre se divise en 3 parties** este libro se divide en 3 partes.

**diviseur** *m MATH* divisor.

**divisibilité** *f* divisibilidad.

**divisible** *a* divisible.

**division** *f* **1.** división **2.** *(dans l'administration)* sección **3. ~ du travail** división del trabajo **4.** *BIOL* **~ cellulaire** división celular **5.** *MIL* división.

**divisionnaire** *a* divisionario, a.

**divorce** *m* divorcio: **~ par consentement mutuel** divorcio por mutuo acuerdo; **demande en ~** petición de divorcio.

**divorcé, e** *a/s* divorciado, a.

**divorcer*** *vi* divorciarse: **ils ont divorcé** se han divorciado.

**divulgation** *f* divulgación.

**divulguer** *vt* divulgar.

**dix** [dis, di, diz] *a/m* diez: **le ~ mai** el diez de mayo; **il est ~ heures** son las diez; **~ mille** diez mil. ◇ *a* décimo, a: **Charles ~** Carlos décimo.

**dix-huit** [dizɥit] *a/m* dieciocho.

**dix-huitième** *a/s* **1.** decimoctavo, a **2. le ~ siècle** el siglo dieciocho.

**dixième** [dizjɛm] *a/m* décimo, a. ◇ *m* **1. le ~** la décima parte; **un ~ de millimètre** una décima de milímetro **2.** *(loterie)* décimo.

**dixièmement** *adv* en décimo lugar.

**dix-neuf** [diznœf] *a/m* diecinueve.

**dix-neuvième** *a/m* **1.** decimonomo, a, decimonoveno, a **2. le ~ siècle** el siglo diecinueve.

**dix-sept** [dissɛt] *a/m* diecisiete.

**dix-septième** *a/m* **1.** decimoséptimo, a **2. le ~ siècle** el siglo diecisiete.

**dizain** *m (strophe)* décima *f*.

**dizaine** *f* **1.** decena **2. une ~ de** unos, unas diez, una decena de: **une ~ de jours** unos diez días **3.** *(de chapelet)* decena.

**djellaba** [dʒelaba] *f* chilaba.

**Djibouti** *np* Yibuti.

**Djihad** *m* Yihad *f*.

**djinn** [dʒin] *m* geniecillo.

**do** *m MUS* do.

**docile** *a* dócil.

**docilité** *f* docilidad.

**dock** [dɔk] *m* **1.** *(bassin)* dársena *f*, dock **2.** *(entrepôt)* dock **3. ~ flottant** dique seco.

**docker** [dɔkɛʀ] *m* descargador de muelle, estibador.

**docte** *a* docto, a.

**doctement** *adv* doctamente.

**docteur** *m* **1.** doctor: **~ ès sciences, en droit** doctor en ciencias, en derecho **2.** *(médecin)* médico, doctor: **bonjour, ~** buenos días, doctor **3. les docteurs de l'Église** los doctores de la Iglesia.

**doctoral, e** *a* doctoral.

**doctorat** *m* doctorado.

**doctoresse** *f FAM* doctora.

**doctrinaire** *a* doctrinario, a.

**doctrinal, e** *a* doctrinal.

**doctrine** *f* **1.** doctrina **2. ~ chrétienne** doctrina cristiana.

**document** *m* documento.

**documentaire** *a/m* documental.

**documentaliste** *s* documentalista.

**documentation** *f* documentación.

**documenter** *vt* documentar: **elle est bien documentée** está muy documentada. ◆ **se ~** *vpr* documentarse.

**dodécaèdre** *m GÉOM* dodecaedro.

**dodécagone** *m GÉOM* dodecágono.

**Dodécanèse** *np m* Dodecaneso.

**dodécaphonique** *a MUS* dodecafónico, a.

**dodeliner** *vi* **~ de la tête** cabecear.

**dodo** *m FAM (lenguaje infantil)* **aller au ~** irse a la cama; **faire ~** dormir; **~ l'enfant do** arrorró, mi tesoro.

**dodu, e** *a* rollizo, a, regordete.

**doge** *m* dux.

**dogmatique** *a* dogmático, a.

**dogmatiser** *vi* dogmatizar.

**dogmatisme** *m* dogmatismo.

**dogme** *m* dogma.

**dogue** *m (chien)* dogo ◊ *FAM* **être d'une humeur de ~** estar de mala leche.

**doigt** [dwa] *m* **1.** dedo ◊ **petit ~** meñique; **doigts de pied** dedos del pie; **compter sur ses doigts** contar con los dedos; **montrer du ~** señalar con el dedo; *FIG* **on peut compter sur les doigts de la main...** pueden contarse con los dedos de la mano...; **être comme les deux doigts de la main** ser carne y uña; **mettre le ~ dessus** dar en el clavo; **mettre le ~ dans l'engrenage → engrenage; ne pas lever, remuer le petit ~** no mover un dedo, no intervenir; **obéir au ~ et à l'œil** obedecer sin chistar, exactamente; **savoir sur le bout du ~** saber al dedillo; *FAM* **se mettre le ~ dans l'œil** equivocarse totalmente, estar en un error; **se mordre les doigts de** arrepentirse de; **s'en lécher les doigts** relamerse de gusto; **les doigts dans le nez → nez 2.** *(mesure)* **un ~ de vin** un dedo de vino; **être à deux doigts de** estar a dos dedos de.

**doigté** *m* **1.** *MUS* digitación *f* **2.** *FIG* tacto, habilidad *f*, ten con ten.

**doigtier** *m* dedil.

**dois, doit → devoir.**

**doit** *m COM* debe.

**dol** *m JUR* dolo.

**doléances** *f pl* quejas, reclamaciones.

**dolent, e** *a LITT* doliente, quejumbroso, a.

**dolichocéphale** *a* dolicocéfalo, a.

**dollar** *m* dólar: **cent dollars** cien dólares.

**dolman** *m* dormán.

**dolmen** [dɔlmɛn] *m* dolmen.

**doloire** *f (de tonnelier)* doladera.

**dolomite** *f* dolomita.

**dolomitique** *a* dolomítico, a.

**dolosif, ive** *a JUR* doloso, a.

**dom** [dɔ̃] *m* dom.

**domaine** *m* **1.** *(agricole)* finca *f*, hacienda **2. ~ royal** patrimonio real; **le ~ de l'État** los bienes del Estado; **~ public** dominio público. **tomber dans le ~ public** ser del dominio público **3.** *(d'une science, d'un art, etc.)* dominio, campo, área, terreno, ámbito: **le ~ de la physique** el campo de la física; **le ~ artistique** el terreno artístico **4.** competencia *f*: **cela n'est pas de mon ~** esto no es de mi competencia.

**domanial, e** *a* del Estado, estatal, nacional.

**dôme** *m* **1.** cúpula *f*, domo: **le ~ de Saint-Pierre de Rome** la cúpula de San Pedro de Roma **2.** *GÉOG* domo.

**domestication** *f* domesticación.

**domesticité** *f* **1.** domesticidad **2.** *(ensemble des domestiques)* servidumbre.

**domestique** *a* doméstico, a: **travaux domestiques** faenas domésticas; **animaux domestiques** animales domésticos, caseros. ◇ *s* criado, a.

**domestiquer** *vt* **1.** domesticar **2.** *(l'énergie)* aprovechar.

**domicile** *m* **1.** domicilio: **élire ~** fijar su domicilio, domiciliarse **2. livrer à ~** entregar a domicilio; **vente à ~** venta domiciliaria **3. personne sans ~ fixe, S. D. F.** transeúnte.

**domiciliaire** *a* domiciliario, a.

**domiciliation** *f* domiciliación: **~ bancaire** domiciliación bancaria.

**domicilier*** *vt* **1.** domiciliar **2. être domicilié à Bordeaux** residir en Burdeos; **monsieur X., domicilié à Paris** el señor X, con domicilio en París.

**dominant, e** *a* **1.** dominante: **vent ~** viento dominante; **caractère ~** carácter dominante **2.** *(idée, etc.)* imperante. ◇ *f* **1.** *MUS* dominante **2.** *(couleur)* color *m* dominante.

**dominateur, trice** *a/s* dominador, a.

**domination** *f* **1.** dominación **2.** *(influence)* dominio *m*: **sous la ~ de** bajo el dominio de.

**dominer** *vt* dominar: **la colline domine la ville** el cerro domina la ciudad; **~ ses sentiments** dominar sus sentimientos; **~ la situation** dominar la situación ◊ **il domine son sujet** conoce a fondo el tema. ◇ *vi (prédominer)* dominar, predominar, imperar, sobresalir. ◆ **se ~** *vpr* dominarse, sobreponerse: **il n'a pas pu se ~** no pudo dominarse; **dominez-vous!** ¡sobrepóngase usted!

**dominicain, e** *a/s* **1.** *(religieux)* dominico, a **2.** *(de la République Dominicaine)* dominicano, a.

**Dominicaine (République)** *np f* República Dominicana.

**dominical, e** *a* dominical.

**dominion** *m* dominio.

**Dominique** *np m* Domingo. ◇ *np f* **1.** Dominga, Dominica **2.** *(Antilles)* La Dominica.

**domino** *m* **1.** *(déguisement)* dominó **2.** *(pièce de jeu)* ficha *f* de dominó **3. jouer aux dominos** jugar al dominó, jugar una partida de dominó.

**Domitien** *np m* Domiciano.

**dommage** *m* **1.** daño, perjuicio: **dommages matériels** daños materiales ◊ **dommages et intérêts** daños y perjuicios **2.** lástima *f*: **c'est ~** es una lástima, es una pena; **quel ~!** ¡qué lástima!; **~ que tu n'aies pas pu venir!** ¡lástima que no hayas podido venir!

**dommageable** [dɔmaʒabl(ə)] *a* perjudicial.

**domotique** *f* automatización doméstica.

**domptage** [dɔ̃taʒ] *m* domadura *f*, doma *f*.

**dompter** [dɔ̃te] *vt* **1.** domar **2.** *FIG (ses instincts)* domeñar.

**dompteur, euse** [dɔ̃tœʀ, øz] *s* domador, a.

**don** *m* **1.** *(cadeau)* donativo, dádiva *f*, regalo: **faire un ~** hacer un donativo **2.** *JUR* donación *f*: **faire ~ de** donar; **~ du sang** donación de sangre **3.** *(aptitude)* don: **elle a un ~ pour les langues** tiene un don para los idiomas; **le ~ de la parole** el don de la palabra **4.** *FAM* **il a le ~ de m'agacer** tiene el don de irritarme.

**Donat** *np m* Donato.

**donataire** *s JUR* donatario, a.

**donateur, trice** *s* donador, a.

**donation** *f JUR* donación.

**donc** *conj* **1.** luego, pues: **je pense, ~ je suis** pienso, luego existo **2. ~, vous partez?** así pues, ¿se marcha usted? **3.** *(refuerza una pregunta, orden o ruego)* **pourquoi ~?** pero, ¿por qué?; **tais-toi ~!** pero, ¡cállate!; **asseyez-vous ~!** pero, ¡siéntese!; **viens ~!** ¡pues ven!; **et moi ~!** ¡y yo!; **allons ~!** ¡pero, vamos!, ¡bah!, ¡vamos anda!

**dondon** *f FAM* mujer gordinflona, jamona: **une grosse ~** una tía gorda.

**donjon** *m* torre *f* del homenaje, torreón.

**don Juan** *m (séducteur)* donjuán, tenorio.

**donjuanesque** *a* donjuanesco, a.

**donjuanisme** *m* donjuanismo.

**donnant, e** *a* **1.** generoso, a **2. ~ ~** toma y daca.

**donne** *f* **1.** acción de dar los naipes **2. fausse ~** error *m* en el reparto de las cartas.

**donné, e** *a* **1.** dado, a **2.** determinado, a: **en un temps ~** en un tiempo determinado; **à un moment ~** en un momento dado **3.** *loc prép* **étant ~** dado, a, os, as: **étant ~ un carré** dado un cuadrado; **étant ~ les circonstances** dadas las circunstancias **4.** *loc conj* **étant ~ que** dado que.

▶ Attention à l'accord en espagnol dans la locution prépositive.

**donnée** *f* **1.** dato *m*: **les données d'un problème** los datos de un problema; **banque de données** banco de datos **2.** *(notion servant de base)* base, idea.

**donner** *vt* **1.** dar: **je te le donne** te lo doy; **je lui ai donné cent francs** le he dado cien francos; **donne-moi la main** dame la mano; **~ à boire, à manger** dar de beber, de comer; **donne ton avis** da tu opinión; **que ne donnerais-je pas pour...** lo que daría yo por... ◊ **~ un costume à nettoyer** llevar a limpiar un traje; **100 francs, c'est donné!** ¡100 francos, está tirado! **2.** dar, impartir: **~ des cours** impartir clases **3.** echar: **quel âge lui donnez-vous?** ¿qué edad le echa usted?; **je lui donne environ soixante ans** le calculo unos sesenta años **4. on donne un bon film à la télévision** dan, ponen una buena película en la televisión **5.** contagiar, pegar: **il m'a donné sa grippe** me ha pegado la gripe **6.** *(causer)* **~ soif, la nausée** dar sed, náuseas; **~ de l'appétit** abrir el apetito; **ces démarches n'ont rien donné** estas gestiones no obtuvieron resultado. ◇ *vi* **1. ~ à penser, à rire** dar que pensar, que reír **2. ~ de la tête contre un poteau** dar de cabeza contra un poste **3. ~ dans le piège** caer en la trampa **4. ~ sur** dar a: **la fenêtre donne sur la rue** la ventana da a la calle **5.** *MIL* entrar en acción, atacar, combatir **6.** *(en parlant d'un tissu)* dar de sí. ◆ **se ~** *vpr* **1. se ~ à** darse, entregarse a: **il se donne à fond à son travail** se da a fondo a su trabajo **2. s'en ~ (à cœur joie)** pasarlo en grande **3. se ~ pour** hacerse pasar por.

**donneur, euse** *s* donante: **~ de sang** donante de sangre.

**Don Quichotte** *np m* Don Quijote. ◇ *m* **un ~** un quijote.

**donquichottisme** *m* quijotismo.

**dont** *pron rel* **1.** *(personnes)* de quien, de quienes, del que, de la que, etc: **la femme ~ je vous parle** la mujer de quien le hablo: **les personnes ~ je t'ai parlé** las personas de las que te he hablado; **il y avait plusieurs personnes, ~ mes cousins** había varias personas, entre ellas mis primos; **six blessés, ~ deux grièvement** seis heridos, dos de gravedad **2.** *(choses)* del que, de la que, etc., del cual, de la cual, de los cuales, de las cuales: **la**

ville ~ je parle la ciudad de la que hablo; les tableaux ~ il était si fier los cuadros de los que estaba tan orgulloso; six tableaux, ~ l'un est de Goya seis cuadros, uno de los cuales es de Goya **3.** *(idée de possession; ne pas traduire l'article)* cuyo, a, os, as: mon voisin ~ le fils est médecin mi vecino cuyo hijo es médico; ~ je connais la fille cuya hija conozco; ~ j'aperçois la maison cuya casa diviso **4.** ce ~ de lo que: voici ce ~ il s'agit he aquí de lo que se trata; ce ~ je vous parle eso de lo que le estoy hablando **5.** *(d'où)* de donde: la famille ~ je descends la familia de donde procedo.

**donzelle** *f* mocita, damisela.

**dopage** → **doping.**

**dopant, e** *a/m* estimulante.

**dope** *f FAM* droga.

**doper** *vt* **1.** dopar, drogar **2.** *FIG* estimular, incentivar: ~ les ventes estimular las ventas. ◆ **se** ~ *vpr* doparse.

**doping** *m* doping, drogado.

**dorade** *f* dorada.

**doré, e** *a* dorado, a.

**dorénavant** *adv* en adelante, en lo sucesivo.

**dorer** *vt* **1.** dorar **2.** *FIG* ~ la pilule dorar la píldora **3.** se faire ~ au soleil broncearse al sol.

**doreur, euse** *s* dorador, a.

**Doride** *np f* Dorida.

**dorien, enne** *a/s* dorio, a.

**dorique** *a* dórico, a: ordre ~ orden dórico.

**dorloter** *vt* mimar. ◆ **se** ~ *vpr* cuidarse mucho.

**dormant, e** *a* **1.** eau dormante agua estancada **2.** *TECHN (fixe)* fijo, a. ◇ *m* bastidor.

**dormeur, euse** *a* **1.** durmiente **2.** *(qui aime dormir)* dormilón, ona. ◇ *f (boucle d'oreille)* dormilona, pendiente *m*.

**dormir*** *vi* dormir: l'enfant dort el niño duerme; ~ à poings fermés dormir a pierna suelta; ~ comme une souche, comme un loir dormir como un tronco, como un lirón; je n'ai pas dormi de la nuit no he dormido en toda la noche; dormons! ¡durmamos! ◊ ~ debout caerse de sueño; ~ sur ses deux oreilles dormir en paz; ne ~ que d'un œil dormir con un ojo; histoire, conte à dormir debout patraña, cuento *m*; empêcher de ~ quitar el sueño.

**dormitif, ive** *a* soporífico, a.

**dormition** *f (de la Vierge)* tránsito *m*.

**Dorothée** *np f* Dorotea.

**dorsal, e** *a* dorsal. ◇ *f GÉOG* dorsal.

**dortoir** *m* **1.** dormitorio común **2.** cité-~, ville-~ ciudad dormitorio.

**dorure** *f* dorado *m*, doradura.

**doryphore** *m* dorífora *f*.

**dos** *m* **1.** *(de l'homme)* espalda *f*, espaldas *f pl*: les mains dans le ~ con las manos en la espalda; robe décolletée dans le ~ vestido escotado en la espalda; le ~ au feu de espaldas al fuego; il nous tourna le ~ nos dio la espalda ◊ porter sur le ~ llevar a cuestas; s'allonger sur le ~ echarse boca arriba; *FIG* avoir bon ~ tener aguante, tener buenas espaldas; *FAM* en avoir plein le ~ estar hasta la coronilla, estar hasta las narices; *FIG* agir dans le ~ de quelqu'un obrar a espaldas de alguien; il est toujours sur mon ~ está siempre encima de mí, no me deja a sol ni a sombra; se mettre quelqu'un à ~ enemistarse con alguien; tourner le ~ à volver la espalda a ◊ *loc adv* vu de ~ visto por detrás; renvoyer deux plaideurs ~ à ~ no dar la razón a ninguno de los dos litigantes **2.** *(d'un animal)* lomo ◊ à ~ de mulet montado en un mulo; pont en ~ d'âne puente formando lomo **3.** *(d'un livre)* lomo **4.** *(de la main, d'une page, d'un chèque, etc.)* dorso: voir au ~ véase al dorso ◊ au ~ de la photo en el reverso de la foto **5.** *(d'un couteau)* canto, lomo **6.** *(d'une chaise)* respaldo.

**dosable** *a* dosificable.

**dosage** *m* dosificación *f*.

**dose** *f* dosis: à petites doses en pequeñas dosis.

**doser** *vt* dosificar.

**dossard** *m* dorsal.

**dosseret** *m ARCH* pilastra *f*.

**dossier** *m* **1.** *(d'un siège)* respaldo **2.** *(documents)* expediente, dossier: ~ de presse dossier de prensa.

▶ Sens 2: le gallicisme *dossier* est courant.

**dot** [dɔt] *f* dote *m/f*.

**dotal, e** *a JUR* dotal.

**dotation** *f* dotación.

**doter** *vt* dotar: doté de dotado con, de.

**douairière** *f* **1.** viuda noble **2.** *FAM* vieja señora.

**douane** *f* aduana ◊ droits de ~ derechos arancelarios.

**douanier, ère** *a* aduanero, a, arancelario, a: barrières douanières barreras arancelarias; tarifs douaniers tarifas arancelarias. ◇ *m* aduanero.

**douar** *m* aduar.

**doublage** *m* **1.** *(d'un vêtement)* forro **2.** *(d'un film)* doblaje.

**double** *a* **1.** doble: stationner en ~ file aparcar en doble fila; comptabilité en partie ~ contabilidad por partida doble; mener une ~ vie llevar una doble vida; phrase à ~ sens frase de doble sentido; faire ~ emploi → emploi **2.** agent ~ espía. ◇ *adv* voir ~ ver doble. ◇ *m* **1.** 6 est le ~ de 3 6 es el duplo de 3; ça vaut le ~ vale el doble **2.** *(duplicata)* duplicado, copia *f*: en ~ por duplicado **3.** *(tennis)* doble: ~ messieurs, mixte doble masculino, mixto.

**doublé** *m* **1.** *(métal)* dublé, plaqué **2.** *(chasse)* doblete.

**doubleau** *m ARCH* arco perpiaño.

**double-croche** → **croche.**

**¹doublement** *adv* doblemente, dos veces más, mucho más.

**²doublement** *m* duplicación *f*.

**doubler** *vt* **1.** *(rendre double)* duplicar, doblar ◊ ~ le pas acelerar el paso **2.** *(un vêtement)* forrar **3.** ~ un cap doblar un cabo **4.** ~ une voiture adelantar un coche; défense de ~ prohibido adelantar **5.** *(remplacer un acteur)* sustituir **6.** ~ un film, un acteur doblar una película, a un actor; film doublé en français película doblada al francés. ◇ *vi* duplicarse, doblar: les dépenses ont doublé los gastos se han duplicado; le nombre des chômeurs a doublé el número de parados se ha duplicado.

**doublet** *m GRAM* doblete.

**¹doublon** *m (monnaie)* doblón.

**²doublon** *m (en typographie)* repetición *f*.

**doublure** *f* **1.** forro *m*: une ~ en viscose un forro de viscosa **2.** *(acteur)* doble *m*, suplente *m*.

**douce** → **doux.**

**douce-amère** *f* dulcamara.

**douceâtre** [dusatʀ] *a* dulzón, ona, dulzarrón, ona.

**doucement** *adv* **1.** *(sans violence)* suavemente, dulcemente **2.** *(lentement)* lentamente, despacio **3.** parler ~ hablar bajito **4.** *(ni bien ni mal)* regular, así así, tirando; ça va?, -tout ~ ¿qué tal?, -así, así, tirando. ◇ *interj* ¡calma!, ¡tranquilo!

**doucereux, euse** *a* meloso, a, almibarado, a.

**doucettement** *adv FAM* así así.

**douceur** *f* **1.** *(au goût)* dulzura **2.** *(au toucher, de la voix, de la température, etc.)* suavidad **3.** *(du climat)* benignidad **4.** *(du caractère, etc.)* dulzura, suavidad **5.** en ~ despacio. ◇ *pl (friandises)* golosinas.

**douche** *f* **1.** ducha: prendre une ~ tomar una ducha, darse una ducha **2.** *FIG FAM (déception)* chasco *m* ◊ ~ écossaise serie de noticias buenas y malas; ~ froide ducha de agua fría.

**doucher** *vt* **1.** duchar ◊ *FAM* **je ne suis fait ~ par l'averse** me cogió el chaparrón **2.** *FIG (décevoir)* dar un chasco. ◆ **se ~** *vpr* ducharse, tomar una ducha.

**doucine** *f (moulure)* cimacio *m*, gola.

**doudoune** *f (veste)* chaquetón *m* de pluma, plumífero *m*.

**doué, e** *a* **1. ~ de** dotado, a de **2. être ~ pour les mathématiques** tener facilidad para las matemáticas; **élève doué** alumno bien dotado.

**douer** *vt* dotar.

**douille** *f (d'une balle, ampoule électrique)* casquillo *m*.

**douillet, ette** *a* **1.** *(moelleux)* blando, a, mullido, a **2.** confortable **3.** *(personne)* delicado, a, sensible. ◇ *f (manteau ouaté)* abrigo *m* acolchado.

**douillettement** *adv* **élever ~** criar entre algodones.

**douleur** *f* dolor *m*: **une ~ sourde, aigüe** un dolor sordo, agudo. ◇ *pl (rhumatismes)* reumas *m*, reumatismos *m*.

**douloureux, euse** *a* **1.** doloroso, a **2.** *(pénible)* penoso, a. ◇ *f FAM* **la ~** la dolorosa, la cuenta, la factura.

**Douro** *np m* Duero.

**doute** *m* **1.** duda *f*: **hors de ~** fuera de dudas; **mettre en ~** poner en duda, poner en tela de juicio; **il n'y a pas de ~** no cabe duda; **il n'y a pas de ~ que..., nul ~ que...** no cabe duda que... **2.** *loc adv* **sans ~** sin duda, *(peut-être)* tal vez, quizás *(+subjonctif)* ; **sans aucun ~, sans nul ~** sin duda alguna, sin lugar a dudas.

**douter** *vi/t* **1.** dudar: **je doute qu'il puisse venir** dudo que pueda venir; **j'en doute** lo dudo; **je n'en doute pas** no lo dudo, no dudo de ello ◊ **ne ~ de rien** confiar demasiado en sí **2.** *(se méfier)* no fiarse, dudar: **je doute de sa parole** no me fío de lo que dice. ◆ **se ~** *vpr* sospechar, figurarse, imaginarse: **je m'en doute** lo sospecho, me lo figuro; **je m'en doutais** me lo figuraba; **tu peux t'en ~** ya te lo puedes imaginar.

**douteux, euse** *a* **1.** *(incertain, suspect)* dudoso, a: **il est ~ que...** es dudoso que... ◊ **il n'est pas ~ que...** es cierto que... **2.** ambiguo, a **3. d'un goût ~** más bien feo, a, de dudoso gusto **4.** *(un peu sale)* un poco sucio, a: **des draps ~** sábanas más bien sucias.

**douve** *f* **1.** *(de tonneau)* duela **2.** *(fossé)* foso *m* **3.** *(ver parasite)* duela.

**doux, douce** *a* **1.** *(au goût)* dulce: **amande, eau douce** almendra, agua dulce **2.** *(peau, voix, vent, caresse, etc.)* suave **3.** *(climat, temps)* templado, a, benigno, a ◊ **il fait ~** hace una temperatura agradable **4. à feu ~** a fuego lento **5. pente douce** cuesta suave **6.** *(caractère)* afable, manso, a, blando, a **7.** *(animaux)* manso, a. **8.** *(galant)* tierno, a, amoroso, a ◊ **billet ~** cartita *f* de amor **9.** *(agréable)* grato, a: **de ~ moments** momentos muy gratos **10. filer ~** ser dócil, someterse **11.** *loc adv* **en douce** a la chita callando; **tout ~!** ¡calma!

**douzaine** *f* **1.** docena: **à la ~** por docenas **2. une ~ de** unos, unas doce: **une ~ de jours** unos doce días.

**douze** *a/m* doce.

**douzième** *a/s* **1.** duodécimo, a, dozavo, a **2. le ~ siècle** el siglo doce.

**douzièmement** *adv* en duodécimo lugar.

**doyen, enne** [dwajɛ̃, ɛn] *s* decano, a. ◇ *m (d'une cathédrale)* deán.

**doyenné** [dwajene] *m* decanato.

**drachme** [dʀakm] *f* dracma.

**draconien, enne** *a* draconiano, a: **des mesures draconiennes** medidas draconianas.

**dragage** *m* dragado.

**dragée** *f* **1.** *(bonbon)* peladilla ◊ *FIG* **tenir la ~ haute à quelqu'un** hacerle pagar caro a alguien lo que pide **2.** *(médicament)* gragea.

**drageoir** [dʀaʒwaʀ] *m* confitera *f*.

**drageon** [dʀaʒɔ̃] *m BOT* serpollo, retoño.

**dragline** [draglajn] *f* dragalina.

**dragon** *m* **1.** dragón **2.** *MIL* dragón.

**dragonne** *f* fiador *m*, dragona, correa.

**dragonnier** *m* drago.

**drague** *f* **1.** *(engin et bateau)* draga **2.** *FAM (racolage)* ligue *m*: **la ~** el ligue.

**draguer** *vt* dragar. ◇ *vt/i FAM (chercher à racoler)* ligar.

**dragueur, euse** *s* **1.** *(bateau)* dragador ◊ **~ de mines** dragaminas **2.** *FAM* ligón, ona.

**drain** *m* **1.** cañería *f* de drenaje **2.** *MÉD* cánula *f*, dren.

**drainage** *m* drenaje.

**drainer** *vt* **1.** *(le sol)* drenar, avenar **2.** *MÉD* drenar **3.** *(attirer)* atraer, absorber.

**dramatique** *a* dramático, a. ◇ *f* obra de teatro representada en la televisión.

**dramatiquement** *adv* dramáticamente.

**dramatisation** *f* dramatización.

**dramatiser** *vt/i* dramatizar, exagerar.

**dramaturge** *m* dramaturgo.

**dramaturgie** *f* dramaturgia.

**drame** *m* **1.** drama **2.** *FAM* **il ne faut pas en faire un ~** no hay que hacer un drama (de eso); **n'en fais pas un ~** tómalo con calma.

**drap** *m* **1.** *(tissu)* paño **2.** *(de lit)* sábana *f*: **~ de dessus, de dessous** sábana encimera, bajera ◊ *FAM* **nous voilà dans de beaux draps!** ¡estamos aviados!, ¡estamos frescos!; **se mettre dans de beaux draps** meterse en un berenjenal, en un lío **3. ~ de bain** toalla *f* de baño.

**drapeau** *m* bandera *f*: **le ~ blanc** la bandera blanca ◊ **appeler sous les drapeaux** llamar a filas, llamar a quintas; **être sous les drapeaux** estar haciendo el servicio militar.

**drapé** *m* drapeado.

**draper** *vt* revestir, cubrir. ◆ **se ~** *vpr* **1.** envolverse **2.** *FIG* **se ~ dans sa dignité** envolverse en su dignidad.

**draperie** *f* **1.** *(tenture)* colgadura **2.** *(étoffe formant des plis)* ropaje *m* **3.** *(commerce du drap)* pañería.

**drapier, ère** *s* pañero, a.

**drastique** *a* drástico, a.

**dressage** *m* **1.** erección *f*, levantamiento **2.** *(d'une tente)* instalación *f* **3.** *(d'un animal)* amaestramiento, adiestramiento.

**dresser** *vt* **1.** poner derecho, a, levantar: **~ la tête** levantar la cabeza ◊ **~ l'oreille** aguzar el oído **2.** *(statue)* erigir, levantar **3. ~ une tente** armar una tienda de campaña **4. ~ la table** poner la mesa **5.** *(une liste, etc.)* redactar, establecer **6.** *(un plan)* trazar **7. ~ une personne contre une autre** enfrentar a una persona contra otra **8.** *(animaux)* amaestrar, adiestrar, domar: **~ un chien** amaestrar, adiestrar un perro; **~ des fauves** domar fieras **9.** *FAM (un enfant)* corregir **10.** *TECHN (aplanir)* aplanar. ◆ **se ~** *vpr* **1.** ponerse de pie, levantarse ◊ **se ~ sur la pointe des pieds** ponerse de puntillas; **se ~ sur son séant** incorporarse **2.** *(s'élever)* elevarse, erguirse: **un platane se dresse au milieu de la place** un plátano se yergue en medio de la plaza **3.** *(cheveux)* erizarse, ponerse de punta: **les cheveux se dressèrent sur ma tête** los pelos se me pusieron de punta **4.** *FIG* **se ~ contre** levantarse, sublevarse contra.

**dresseur, euse** *s* domador, a, adiestrador, a, amaestrador, a: **~ de chiens** amaestrador de perros.

**dressoir** *m* aparador, trinchero.

**dreyfusard, e** *a/s HIST* partidario, a de Dreyfus (1859-1935).

**dribble** *m* regate, dribling.

**drille** *m* **un joyeux ~** un tío gracioso.

**dring** [dʀiŋ] *m (d'une sonnette)* tilín.

**drisse** *f MAR* driza.

**drive** [dʀajv] *m (tennis, golf)* drive.

**drogue** *f* droga: **~ douce, dure** droga blanda, dura ◊ **trafic de ~** narcotráfico.

**drogué, e** *s* drogadicto, a.

**droguer** *vt* drogar. ◆ **se ~** *vpr* drogarse.

**droguerie** *f* droguería.

**droguiste** *s* droguista.

[1]**droit, e** *a* **1.** derecho, a, recto, a: **ligne droite** línea recta; **le ~ chemin** el camino recto; **la dernière ligne droite** la recta final; **~ comme un i → i 2.** *(vertical)* derecho, a: **tiens-toi ~** ponte derecho **3.** *GÉOM* **angle ~** ángulo recto **4.** *FIG* recto, a, franco, a: **esprit ~** espíritu recto **5.** *(opposé à gauche)* derecho, a: **côté ~** lado derecho; **bras ~** brazo derecho. ◇ *f* **1.** *(ligne)* recta **2.** derecha, diestra: **tenez votre droite** cíñase a la derecha; **à droite** a la derecha, a mano derecha; **assis à droite de** sentado a la derecha de; **c'est sur votre droite** está a mano derecha ◊ **de droite et de gauche** a diestro y siniestro **3.** *(en politique)* **la droite** la derecha; **voter à droite** votar por la derecha; **être de droite** ser de derechas ◊ **un homme de droite** un derechista. ◇ *adv* **1. tout ~** todo derecho, todo seguido; **marcher ~** andar derecho **2. aller ~ au but** ir al grano; **regarder ~ dans les yeux** mirar fijo a los ojos.

[2]**droit** *m* **1.** derecho: **~ de vote** derecho al voto; **~ civil, commercial, pénal** derecho civil, mercantil, penal; **faire son ~** estudiar derecho; **droits de douane** derechos arancelarios; **droits d'auteur** derechos de autor, royalties; **les droits de l'homme** los derechos humanos **2. avoir ~ de** tener derecho a: **tu n'as pas le ~ de te plaindre** no tienes derecho a quejarte; **de quel ~?** ¿con qué derecho?; **être dans son ~** estar en su derecho ◊ **à qui de ~** a quien corresponde; **de plein ~** con pleno derecho.

**droitier, ère** *a/s* **1.** *(qui se sert de la main droite)* diestro, a **2.** *(en politique)* derechista.

**droiture** *f* rectitud, equidad.

**drolatique** *a* chistoso, a, divertido, a.

**drôle** *a* **1.** *(amusant)* gracioso, a, divertido, a: **un acteur très ~** un actor muy gracioso ◊ **ce n'est pas ~ du tout** maldita la gracia que tiene; **je n'ai pas trouvé ça ~** no me hizo ninguna gracia; **une histoire ~** un chiste **2.** *(bizarre)* raro, a, extraño, a: **un ~ de type** un tío raro; **quelle ~ d'idée!** ¡qué idea más rara!; **ça me fait ~ de le voir...** me resulta extraño verle... ◊ **c'est ~ qu'il ne soit pas encore là** es raro que no esté ya aquí; **ça c'est ~!** ¡tiene gracia la cosa!; **je me sens tout ~** me siento raro **3.** *FAM* **c'est un ~ de flemmard!** ¡menudo gandul es!; **~ d'histoire!** ¡menudo lío! ◇ *m ANC (coquin)* bribón.

**drôlement** *adv* **1.** *(bizarrement)* extrañadamente **2.** *FAM* **~ sympathique** la mar de simpático, muy simpático; **on s'est ~ ennuyé** nos hemos aburrido de lo lindo, nos hemos aburrido un mogollón.

**drôlerie** *f* bufonada, gracia.

**drôlesse** *f ANC* bribona, mujerzuela.

**dromadaire** *m* dromedario.

**drop-goal, drop** *m* drop.

**droppage** *m MIL* lanzamiento desde un avión.

**droséra, drosera** *f* drosera.

**drosophile** *f* drosófila.

**drosse** *f MAR (del timón)* guardín *m*.

**drosser** *vt MAR* arrastrar.

**dru, e** *a (épais)* tupido, a, espeso, a. ◇ *adv* copiosamente, abundamente.

**drugstore** [dʀœgstɔʀ] *m* drugstore.

**druide** *m* druida.

**druidesse** *f* druidesa.

**druidique** *a* druídico, a.

**drupe** *f BOT* drupa.

**druze** *a/s* druso, a.

**dryade** *f* dríada.

**du** *art contr (= de le)* del: **revenir ~ cinéma** volver del cine ◊ **faire le tour ~ monde** dar la vuelta al mundo; **frapper ~ pied** golpear con el pie. ◇ *art partitif (ne se traduit pas)* **boire ~ vin** beber vino **→ de.**

**dû, e** *pp* de **devoir.** ◇ *a* debido, a. ◇ *m* **1.** lo debido **2.** *FIG* **avoir son ~** llevar su merecido.

**dualisme** *m* dualismo.

**dualiste** *a/s* dualista.

**dualité** *f* dualidad.

**dubitatif, ive** *a* dubitativo, a.

**Dublin** *np* Dublín.

**duc** *m* **1.** duque **2.** *(oiseau)* **grand ~** búho; **petit ~** buharro.

**ducal, e** *a* ducal.

**ducasse** *f* fiesta, kermesse.

**ducat** *m* ducado.

**duché** *m* ducado.

**duchesse** *f* **1.** duquesa **2.** *(poire)* pera de agua.

**ductile** *a* dúctil.

**ductilité** *f* ductilidad.

**duègne** *f* dueña.

**duel** *m* **1.** duelo, desafío: **se battre en ~** batirse en duelo **2.** *GRAM* dual.

**duelliste** *m* duelista.

**duettiste** *s* duetista.

**duetto** *m MUS* dueto.

**duffle-coat** [dœfəlkot] *m* trenca *f*.

**dulcinée** *f* dulcinea.

**dûment** *adv* debidamente.

**dumper** [dœmpœʀ] *m* dúmper, volquete.

**dumping** [dœmpiŋ] *m ÉCON* dumping.

**dune** *f* duna.

**dunette** *f MAR* toldilla.

**duo** *m* dúo: **chanter en ~** cantar a dúo.

**duodécimal, e** *a* duodecimal.

**duodénal, e** *a ANAT* duodenal.

**duodénum** [dyɔdenɔm] *m ANAT* duodeno.

**dupe** *a/f* fácil de engañar, inocente ◊ **je ne suis pas ~ de...** no me dejo engañar por...; **je ne suis pas ~** ya lo sé, no caigo en el señuelo. ◇ *f* víctima.

**duper** *vt* engañar, embaucar.

**duperie** *f* engaño *m*.

**duplex** *m* dúplex.

**duplicata** *m* duplicado.

**duplicateur** *m* multicopista *f*.

**duplicité** *f* duplicidad, doblez.

**dupliquer** *vt* duplicar.

**duquel → lequel.**

**dur, e** *a* **1.** duro, a: **œuf ~** huevo duro; *FIG* **avoir la tête dure** ser duro de mollera; **être ~ d'oreille** ser duro de oído, ser tardo de oído ◊ **croire ~ comme fer → fer 2.** difícil, duro, a: **~ à faire** difícil de hacer ◊ *FAM* **~ à avaler** duro de tragar; **le plus ~ reste à faire** aún queda el rabo por desollar **3. avoir la vie dure, mener la vie dure à → vie 4. un homme ~ à la tâche** un hombre duro para el trabajo. ◇ *m* **1.** *FAM* **un ~** un matón, un duro; **jouer les durs** dárselas de recio **2. construit en ~** construido con materiales de fábrica. ◇ *f* **coucher sur la dure** dormir en el suelo; **il a été élevé à la dure** fue criado con dureza, con severidad. ◇ *adv* duro, fuerte, de firme: **cogner ~** pegar duro; **travailler ~** trabajar de firme; **le soleil tape ~** el sol aprieta de firme.

**durable** *a* durable, duradero, a: **une impression ~** una impresión duradera.

**durablement** *adv* duraderamente.

**duralumin** *m (nom déposé)* duraluminio.

**durant** *prép* durante: **sa vie ~** durante toda su vida.

**durcir** *vt* endurecer ◊ *FIG* **~ sa position** endurecer su postura. ◇ *vi/pr* endurecerse: **le ciment durcit en séchant** el cemento se endurece al secarse.

**durcissement** *m* endurecimiento.

**durée** *f* duración: **la ~ du spectacle** la duración del espectáculo; **longue ~** larga duración ◊ **un bonheur de courte ~** una felicidad efímera; **pendant une ~ de quinze jours** por espacio de quince días.

**durement** *adv* duramente.

**dure-mère** *f ANAT* duramadre.

**durer** *vi* **1.** durar: **pourvu que cela dure!** ¡ojalá dure!; **faire ~ le plaisir** hacer durar el placer **2. le temps me dure** el tiempo se me hace largo.

**Dürer** *np m* Durero.

**dureté** *f* dureza.

**durillon** *m* callosidad *f*, callo.

**durit** *f (nom déposé)* tubo *m* flexible de goma.

**dus, dussé-je → devoir.**

**duvet** *m* **1.** *(des oiseaux)* plumón, flojel **2.** *(poils)* vello: **le ~ superflu** el vello superfluo **3.** *(des fruits)* pelusilla *f* **4.** *(sac de couchage)* saco de dormir, saco de plumas.

**duveté, e, duveteux, euse** *a* velloso, a.

**dynamique** *a* dinámico, a. ◇ *f* dinámica.

**dynamisant, e** *a* dinamizador, a.

**dynamisation** *f* vitalización.

**dynamiser** *vt* dinamizar, vitalizar.

**dynamisme** *m* dinamismo.

**dynamitage** *m* voladura *f* con dinamita, dinamitazo.

**dynamite** *f* dinamita: **attentat à la ~** atentado con dinamita.

**dynamiter** *vt* volar con dinamita, dinamitar.

**dynamiteur, euse** *s* dinamitero, a.

**dynamo** *f ÉLECT* dinamo, dínamo.

**dynamomètre** *m* dinamómetro.

**dynastie** *f* dinastía.

**dynastique** *a* dinástico, a.

**dyne** *f PHYS* dina.

**dysenterie** *f MÉD* disentería.

**dysfonctionnement** *m* disfunción *f*.

**dyslexie** *f* dislexia.

**dyslexique** *a/s* disléxico, a.

**dysménorrhée** *f MÉD* dismenorrea.

**dyspepsie** *f MÉD* dispepsia.

**dyspepsique, dyspeptique** *a/s* dispéptico, a.

**dyspnée** *f MÉD* disnea.

**dysurie** *f MÉD* disuria.

# E

**e** *m e f:* **un ~** una e.

**eau** *f* **1.** agua: **l'~ coule** el agua corre; **~ douce, salée, minérale** agua dulce, salada, mineral; **~ potable** agua potable; **~ gazeuse, plate** agua con gas, sin gas; **ces chaussures prennent l' ~** a estos zapatos les entra agua; **laver le sol à grande ~** lavar el suelo abundantemente ◊ *FIG* **apporter de l'~ au moulin de** llevar el agua al molino de; **mettre de l'~ dans son vin** echarle agua al vino; **j'en ai l'~ à la bouche** se me hace la boca agua; **pêcher en ~ trouble → pêcher; projet qui tombe à l'~** proyecto que se va a pique, que fracasa; **se jeter à l'~** echarse al agua, arriesgarse; **il a passé beaucoup d'~ sous les ponts depuis → pont;** *FAM* **compte là-dessus et bois de l'~ fraîche! → compter** **2.** *(pluie)* lluvia: **le temps est à l'~** amenaza lluvia, va a llover **3. ~ de Cologne** colonia, agua de Colonia; **~ de Javel** lejía; **~ oxygénée** agua oxigenada; **~ de Seltz** sifón *m* **4.** *(sueur)* **être tout en ~** estar empapado en sudor **5.** *MAR* **mettre un navire à l'~** botar un barco; **navire qui fait ~** barco que hace agua **6.** *(d'une pierre précieuse)* aguas *pl:* **diamant de la plus belle ~** diamante de hermosas aguas. ◊ *pl* **1.** *(thermales)* aguas: **prendre les eaux** tomar las aguas **2.** aguas: **eaux territoriales** aguas jurisdiccionales; **eaux usées** aguas residuales **3. hautes, basses eaux** marea alta, baja **4.** *(sillage d'un navire)* estela *f* **5. les grandes eaux** las fuentes, los surtidores **6. les Eaux et Forêts** la Administración de Montes; **ingénieur des Eaux et Forêts** ingeniero de Montes.

**eau-de-vie** *f* aguardiente *m.*

**eau-forte** *f* aguafuerte *m:* **deux eaux-fortes de Goya** dos aguafuertes de Goya.

**ébahi, e** *a FAM* pasmado, a, asombrado, a ◊ **regarder d'un air ~** mirar boquiabierto.

**ébahir** *vt* pasmar, asombrar, dejar boquiabierto, a.

**ébahissement** *m* pasmo, asombro, estupefacción *f.*

**ébarbage** *m TECHN* desbarbado.

**ébarber** *vt TECHN* desbarbar.

**ébats** *m pl* retozos, jugueteos.

**ébattre (s')*** *vpr* retozar, juguetear.

**ébaubi, e** *a* pasmado, a, embobado, a, atónito, a: **rester ~** quedarse atónito.

**ébauchage** *m TECHN* desbaste.

**ébauche** *f* **1.** esbozo *m,* boceto *m* **2.** *FIG* **l'~ d'un sourire** el esbozo de una sonrisa.

**ébaucher** *vt* **1.** bosquejar, esbozar **2.** *FIG* **~ un salut, un sourire** esbozar un saludo, una sonrisa **3.** *TECHN* desbastar.

**ébauchoir** *m TECHN* desbastador.

**ébène** *f* **1.** *(madera)* ébano *m* **2.** *FIG* **bois d'~** esclavos *pl* negros.

**ébénier** *m (arbre)* ébano.

**ébéniste** *s* ebanista.

**ébénisterie** *f* ebanistería.

**éberlué, e** *a* desconcertado, a, estupefacto, a.

**éblouir** *vt* **1.** deslumbrar, cegar, encandilar, ofuscar: **les phares l'ont ébloui** los faros lo deslumbraron; **la réverbération de la neige éblouissait** la reverberación de la nieve ofuscaba **2.** *FIG* deslumbrar, fascinar, asombrar, impresionar: **son éloquence m'a ébloui** su elocuencia me ha deslumbrado; **il veut nous ~** nos quiere impresionar.

**éblouissant, e** *a* **1.** deslumbrador, a, cegador, a **2.** *FIG* maravilloso, a, deslumbrante: **sa beauté est éblouissante** su belleza es deslumbrante.

**éblouissement** *m* **1.** deslumbramiento **2.** *FIG (émerveillement)* pasmo, asombro **3.** *(malaise)* mareo.

**ébonite** *f* ebonita.

**éborgner** *vt* **1.** dejar tuerto, a **2.** *AGR* desyemar. ◆ **s' ~** *vpr* saltarse un ojo, quedarse tuerto, a.

**éboueur** *m* basurero.

**ébouillanter** *vt* escaldar. ◆ **s'~** *vpr* escaldarse.

**éboulement** *m* **1.** *(de terre, de rochers)* desprendimiento **2.** *(d'un mur)* derrumbamiento **3.** *(matériaux éboulés)* escombros *pl.*

**ébouler (s')** *vpr* desplomarse, derrumbarse, desprenderse: **talus qui s'éboule** talud que se desploma.

**éboulis** *m* escombros *pl.*

**ébourgeonner** *vt AGR* desyemar.

**ébouriffant, e** *a FAM* asombroso, a, increíble.

**ébouriffer** *vt* **1.** desgreñar: **être tout ébouriffé** estar totalmente desgreñado **2.** *FAM (surprendre)* pasmar, sorprender, poner los pelos de punta.

**ébrancher** *vt* desramar, podar.

**ébranlement** *m* **1.** sacudida *f,* estremecimiento **2.** *FIG* trastorno, conmoción *f.*

**ébranler** *vt* **1.** sacudir, estremecer **2.** *FIG (le moral, les convictions, etc.)* quebrantar, socavar, debilitar ◊ **son autorité est ébranlée** su autoridad se tambalea **3.** *(émouvoir)* conmover. ◆ **s'~** *vpr* ponerse en movimiento: **le cortège s'ébranle** la comitiva se pone en movimiento.

**ébrasement** *m,* **ébrasure** *f* derrame *m.*

**ébraser** *vt ARCH* dar derrame a.

**Èbre** *np m* Ebro.

**ébrécher*** *vt* **1.** *(un couteau)* mellar **2.** *(une assiette)* desportillar: **une assiette ébréchée** un plato desportillado **3.** *FIG* menoscabar, mermar.

**ébréchure** *f* melladura.

**ébriété** *f* embriaguez, ebriedad: **en état d'~** en estado de ebriedad.

**ébrouement** *m (du cheval)* resoplido.

**ébrouer (s')** *vpr* **1.** *(le cheval)* resoplar **2.** sacudirse: **il s'ébroua en sortant de l'eau** se sacudió al salir del agua.

**ébruitement** *m* divulgación *f*.

**ébruiter** *vt* propalar, divulgar: **~ une nouvelle** propalar una noticia. ◆ **s'~** *vpr* propalarse, divulgarse.

**ébullition** *f* **1.** ebullición ◊ **porter à ~** dar un hervor a; **entrer en ~** levantar el hervor, empezar a hervir **2.** *FIG* **en ~** en ebullición, en estado de agitación.

**éburnéen, enne, éburné, e** *a LITT* ebúrneo, a.

**écaillage** *m (des huîtres)* acción *f* de desbullar (ostras).

**écaille** *f* **1.** *(de poisson)* escama **2.** *(de coquillage)* concha **3.** *(matière)* concha, carey *m*: **peigne en ~** peine de carey; **des lunettes d'~** gafas de concha **4.** *FIG* **les écailles me sont tombées des yeux** se me cayó la venda de los ojos.

**écailler** *vt* **1.** *(un poisson)* escamar, descamar, quitar las escamas a **2.** *(des huîtres)* abrir, desbullar. ◆ **s'~** *vpr* **1.** *(peinture)* desconcharse **2.** *(vernis à ongles)* descascarillarse.

**écailler, ère** *s* ostrero, a.

**écailleux, euse** *a* escamoso, a.

**écaillure** *f (d'un crépi, etc.)* desconchado *m*.

**écale** *f (des noix, etc.)* cáscara externa.

**écaler** *vt (noix, etc.)* descascarar, pelar.

**écarlate** *a/f* escarlata. ◇ *a FIG* encarnado, a, colorado, a: **le menteur est devenu ~** el mentiroso se ha puesto encarnado.

**écarquiller** *vt* **~ les yeux** abrir desmesuradamente los ojos, mirar con ojos desorbitados.

**écart** *m* **1.** distancia *f* **2.** intervalo **3.** *(de prix, température)* diferencia *f* **4. faire le grand ~** hacer un «grand écart» **5. le cycliste fit un ~** el ciclista se echó a un lado **6. un ~ de langage** una incorrección; **~ de conduite** descarrío, extravío **7.** *loc adv/prép* **à l'~** apartado, a, alejado, a, a un lado, al margen; **il est resté à l'~ de la polémique** se ha mantenido apartado de la polémica.

**écarté, e** *a* apartado, a, aislado, a: **un endroit ~** un lugar apartado. ◇ *m (jeu)* écarté.

**écartèlement** *m (supplice)* descuartizamiento.

**écarteler*** *vt* **1.** descuartizar **2.** *FIG* **être écartelé entre deux forces contraires** sentirse atraído por dos fuerzas opuestas.

**écartement** *m* **1.** separación *f* **2.** distancia *f* ◊ **l'~ des rails** el ancho de la vía.

**écarter** *vt* **1. ~ les jambes, les bras** abrir, separar las piernas, los brazos; **les bras écartés** los brazos abiertos **2.** *(éloigner)* alejar **3.** apartar, alejar: **l'agent écarta les badauds** el guardia apartó a los mirones **4.** *FIG (une crainte, etc.)* alejar, desechar **5.** *(rejeter)* desechar, descartar: **~ une pensée, un soupçon** desechar un pensamiento, una sospecha; **~ une hypothèse** desechar una hipótesis. ◆ **s'~** *vpr* **1.** apartarse, alejarse: **écartez-vous!** ¡apártese Vd.!, ¡apártense! **2. s'~ du sujet** apartarse del tema.

**ecce homo** [ɛksеɔmo] *m inv* ecce homo.

**ecchymose** [ekimoz] *f* equimosis, cardenal *m*.

**ecclésial, e** *a* eclesial.

**Ecclésiaste** *np* Eclesiastés.

**ecclésiastique** *a/m* eclesiástico, a.

**écervelé, e** *a/s* atolondrado, a, cabeza hueca.

**échafaud** *m* **1.** cadalso, patíbulo: **monter sur l'~** subir al cadalso **2.** pena *f* de muerte.

**échafaudage** *m* **1.** andamiaje, andamio: **dresser un ~** levantar un andamio **2.** *(amoncellement)* pila *f*, montón **3.** *FIG* sistema, combinación *f*.

**échafauder** *vi* levantar un andamio. ◇ *vt* **1.** *FIG* preparar, proyectar, hilvanar: **~ des plans, des projets** hilvanar planes, proyectos **2.** echar las bases de, combinar.

**échalas** *m* **1.** *AGR* rodrigón **2.** *FAM (personne)* : **un grand ~** un grandullón, un tipo larguirucho, *(femme)* una espingarda.

**échalasser** *vt AGR* rodrigar.

**échalote** *f* escalonia, chalote *m*.

**échancré, e** *a* **1.** *(robe, corsage)* escotado, a **2.** *(feuille)* recortado, a.

**échancrer** *vt* **1.** *(l'encolure)* escotar **2.** *(l'emmanchure)* sisar, escotar.

**échancrure** *f* **1.** *(d'une robe, d'un corsage)* escote *m*, escotadura **2.** *(d'une côte)* cala.

**échange** *m* **1.** *(de biens, de personnes, etc.)* cambio **2.** *(de prisonniers, de notes diplomatiques)* canje **3.** intercambio: **un ~ de cadeaux** un intercambio de regalos; **échanges commerciaux, culturels** intercambios comerciales, culturales; **~ de politesses** intercambio de cumplidos **4. ~ de balles** peloteo; **~ de coups de feu** tiroteo **5.** *COM* **le volume des échanges** el volumen de contratación; **zone de libre-~** zona de libre cambio **6.** *loc adv/prép* **en ~** a cambio; **en ~ de** a cambio de.

**échangeable** *a* canjeable.

**échanger*** *vt* **1.** cambiar, trocar: **~ des timbres, des impressions** cambiar sellos, impresiones; **pouvez-vous m'~ ce livre contre un autre?** ¿puede cambiarme este libro por otro? ◊ **cet article ne peut être ni repris ni échangé** no se admiten cambios ni devoluciones **2.** *(prisonniers, notes diplomatiques, bons)* canjear: **~ contre** canjear por **3.** *(des idées)* cambiar, intercambiar: **~ des impressions** cambiar impresiones **4.** *(regards, sourires, mots, etc.)* cruzar.

**échangeur** *m (d'autoroute)* cruce a distinto nivel, intercambiador.

**échangisme** *m* intercambio de parejas, de «partenaires».

**échanson** *m* copero.

**échantillon** *m* **1.** *(de marchandises, tissus)* muestra *f* **2.** ejemplo, prueba *f*: **voici un ~ de son manque d'éducation** he aquí una prueba de su falta de educación **3.** *(statistiques)* muestra *f*: **un ~ de population** una muestra de población.

**échantillonnage** *m* **1.** preparación *f* del muestrario **2.** *(collection)* muestrario **3.** *(statistiques)* muestreo.

**échantillonner** *vt* escoger muestras de.

**échappatoire** *f* escapatoria, salida, solución.

**échappée** *f* **1.** *(d'un cycliste)* escapada, fuga **2.** vista: **une belle ~ sur la montagne** una bonita vista a la montaña.

**échappement** *m TECHN* escape: **~ libre** escape libre; **tuyau d'~** tubo de escape; **les gaz d'~** los gases de escape ◊ **pot d'~** silenciador.

**échapper** *vi* **1.** escapar, escaparse: **~ à un danger** escapar de un peligro; **laisser ~ un cri** dejar escapar un grito **2.** *FIG* escapar, escaparse: **rien ne lui échappe** no se le escapa nada **3. le sens de la phrase m'échappe** no comprendo, no entiendo el sentido de la frase **4. ~ des mains** irse de las manos: **le vase m'a échappé (des mains)** el vaso se me ha ido de las manos **5. votre nom m'échappe** no recuerdo su apellido. ◇ *vt* **l'~ belle** salvarse de milagro, librarse de una buena, escaparse de buena; **nous l'avons échappé belle** nos libramos de una buena, nos escapamos de buena. ◆ **s'~** *vpr* **1.** escaparse, evadirse: **le prisonnier s'est échappé** el prisionero se ha escapado **2.** *(un liquide, un gaz, etc.)* escaparse, salirse: **une fumée noire s'échappe de la cheminée** sale humo negro de la chimenea **3.** *(partir discrètement)* salir, escapar(se): **j'ai pu m'~ pour aller téléphoner** pude escaparme para ir a telefonear.

**écharde** *f* astilla, rancajo *m*.

**écharner** *vt (les peaux)* descarnar.

**écharpe** *f* **1.** *(insigne de dignitaire)* faja **2.** *(cache-nez)* bufanda, echarpe *m* **3.** cabestrillo *m*: **le bras en ~** el brazo en cabestrillo

4. *loc adv* **en ~** *(en bandoulière)* en bandolera; *(en oblique)* **la voiture a failli prendre le cycliste en ~** por poco el coche cogió al ciclista de refilón.
▶ Le gallicisme *echarpe* (masculin en espagnol et sans accent aigu) désigne essentiellement une écharpe de femme.
▶ *Écharpe tricolore*: faja que llevan los alcaldes en los actos oficiales.

**écharper** *vt (lyncher)* linchar.

**échasse** *f* **1.** *(pour marcher)* zanco *m* **2.** *(oiseau)* zancudo *m*.

**échassiers** *m pl (oiseaux)* zancudas *f*.

**échauder** *vt* **1.** *(ébouillanter)* escaldar ◊ *PROV* **chat échaudé craint l'eau froide** gato escaldado del agua fría huye **2.** *FIG* **il vient de se faire ~, d'être échaudé** acaba de llevarse un chasco.

**échauffant, e** *a* astringente.

**échauffement** *m* **1.** calentamiento, recalentamiento **2.** *(d'un sportif)* calentamiento: **exercices d'~** ejercicios de calentamiento **3.** *(fermentation)* fermentación *f* **4.** irritación *f*.

**échauffer** *vt* **1.** calentar, caldear **2.** *FIG* acalorar, irritar ◊ **~ la bile, les oreilles** exasperar, encenderle a uno la sangre. ◆ **s'~** *vpr* **1.** calentarse: **s'~ les muscles** calentarse los músculos **2.** *FIG (en parlant)* acalorarse, enardecerse.

**échauffourée** *f* escaramuza, refriega.

**échauguette** *f* garita.

**èche** → **esche.**

**échéance** *f* **1.** *(d'un délai, d'un paiement)* vencimiento *m*, término *m* ◊ **arriver à ~** vencer **2.** plazo *m*, término *m*: **emprunt à longue ~** préstamo a largo plazo **3. à brève ~** en breve, pronto.

**échéancier** *m* registro de vencimientos.

**échéant** *a* **le cas ~** llegado el caso, si se presenta el caso, si se tercia.

**échec** *m* **1.** fracaso, revés: **subir un ~ à l'examen** sufrir un fracaso en el examen; **essuyer un ~** sufrir un fracaso; **se solder par un ~** resultar un fracaso **2. jaque: ~ et mat** jaque mate ◊ **tenir en ~** tener en jaque; **faire ~ au chômage** combatir el desempleo. ◇ *pl (jeu)* ajedrez *sing*: **jouer aux échecs** jugar al ajedrez ◊ **joueur d'échecs** ajedrecista.

**échelle** *f* **1.** escalera (de mano): **~ d'incendie** escalera de incendios; **~ double** escalera de tijera; **~ de corde** escala de cuerda ◊ **faire la courte ~** aupar; *FIG* **monter à l'~** picarse, tomar en serio una broma; **tirer l'~** poner punto final; **il n'y a plus qu'à tirer la ~** apaga y vámonos **2.** *(graduation)* escala: **~ des valeurs** escala de valores; **~ mobile** escala móvil; **l'~ de Richter** la escala de Richter; **sur une grande ~** en gran escala **3.** *(hiérarchie)* jerarquía **4. à l'~** a escala; **à l'~ mondiale** a escala mundial; **carte à l'~ de 1/5000** mapa en escala de 1/5000. ◇ *pl HIST* puertos *m*.

**échelon** *m* **1.** *(d'une échelle)* escalón, peldaño **2.** *(d'une hiérarchie)* grado: **gravir un ~** ascender un grado ◊ **à l'~ régional** a nivel regional; **par échelons** gradualmente.

**échelonnement** *m* escalonamiento.

**échelonner** *vt* escalonar, graduar. ◆ **s'~** *vpr* repartirse escalonadamente.

**écheniller** *vt AGR* descocar, limpiar de orugas.

**écheveau** *m* **1.** madeja *f* **2.** *FIG* enredo, maraña *f*, confusión *f*.

**échevelé, e** *a* **1.** desgreñado, a **2.** *FIG (effréné)* desenfrenado, a, desordenado, a.

**écheveler*** *vt* desgreñar, desmelenar.

**échevin** *m* **1.** concejal, regidor **2.** *(en Belgique)* teniente de alcalde.

**échine** *f* **1.** espinazo *m* , espina dorsal ◊ *FIG* **courber, plier l'~** doblar el espinazo; **avoir l'~ souple** ser servil **2.** *(des animaux)* lomo *m*.

**échiner (s')** *vpr FAM* deslomarse, matarse.

**échinodermes** [ekinɔdɛʀm] *m pl ZOOL* equinodermos.

**échiquier** *m* **1.** *(échecs)* tablero ◊ **en ~** escaqueado, a, en cuadros alternados **2.** *FIG* **l'~ européen** el tablero europeo **3. chancelier de l'Échiquier** ministro de Hacienda.

**écho** [eko] *m* **1.** eco ◊ **à tous les échos** a los cuatro vientos; **se faire l'~ de** hacerse eco de; **ma proposition n'a trouvé aucun ~** mi propuesta no tuvo eco **2.** *(d'un journal)* eco, gacetilla *f*.

**échographie** [ekɔgʀafi] *f MÉD* ecografía.

**échoir*** *vi* **1.** tocar, caer, corresponder: **le gros lot m'est échu** me ha tocado el gordo **2.** *(un délai)* vencer: **le terme échoit demain** el plazo vence mañana.

**écholalie** [ekolali] *f* ecolalia.

**échoppe** *f* **1.** *(petite boutique)* tenderete *m*, puesto *m* **2.** *(burin)* buril *m*.

**échotier** [ekɔtje] *m* gacetillero.

**échouage** *m MAR* **1.** varadura *f* **2.** *(lieu)* varadero.

**échouement** *m MAR* varadura *f*, encalladura *f*.

**échouer** *vi* **1.** *MAR* encallar, varar: **le bateau échoua près de la côte** el barco encalló cerca de la costa; **barque échouée** barca varada **2.** *FIG* fracasar, salir mal: **son projet a échoué** su proyecto le salió mal, fracasó **3.** *(examen)* suspender: **trois étudiants ont échoué à l'examen** han suspendido a tres estudiantes en el examen **4.** *FAM* ir a parar: **nous avons échoué dans un self-service** fuimos a parar a un autoservicio. ◆ **s'~** *vpr (un bateau)* encallar, embarrancar.

**échu, e** *pp* de **échoir.** ◇ *a* **à terme ~** a plazo vencido.

**écimer** *vt (un arbre)* desmochar.

**éclaboussement** *m* salpicadura *f*.

**éclabousser** *vt* **1.** salpicar **2.** *FIG* salpicar, manchar, mancillar.

**éclaboussure** *f* **1.** salpicadura **2.** *FIG* mancha, mancilla.

**éclair** *m* **1.** relámpago ◊ **avec la rapidité de l'~** con la rapidez del rayo; **comme l'~** como una exhalación, como un relámpago **2.** *FIG* destello, chispa *f*: **un ~ de lucidité** destellos de lucidez ◊ **un ~ de génie** un momento de inspiración **3.** *(gâteau)* pastelillo de crema **4.** *(d'un flash)* fogonazo. ◇ *a* relámpago: **visite ~** visita relámpago; **guerre, voyage ~** guerra, viaje relámpago.

**éclairage** *m* **1.** *(de la voie publique)* alumbrado: **~ électrique** alumbrado eléctrico; **~ au gaz** alumbrado con gas; **l'~ public** el alumbrado público **2.** iluminación *f*, luz *f*: **un ~ insuffisant** una iluminación insuficiente; **~ indirect** iluminación indirecta **3.** *FIG* enfoque, punto de vista.

**éclairagiste** *s* luminotécnico, a.

**éclaircie** *f* escampada, claro *m*, clara: **de belles éclaircies** grandes claros.

**éclaircir** *vt* **1.** *(une couleur, etc.)* aclarar **2.** *FIG (une affaire, une énigme)* esclarecer **3.** *(les cheveux)* entresacar **4.** *(arbres, plantes)* aclarar. ◆ **s'~** *vpr* **1.** aclararse, despejarse: **le temps s'est éclairci** se ha despejado el tiempo **2. s'~ la voix, la gorge** aclararse la voz, carraspear **3.** *(les cheveux)* caerse.

**éclaircissement** *m* aclaración *f*.

**éclairé, e** *a FIG (sage)* ilustrado, a.

**éclairement** *m* iluminación *f*, claridad *f*.

**éclairer** *vt* **1.** alumbrar, iluminar: **~ au néon** alumbrar con neón: **une lampe halogène éclaire le salon** una lámpara halógena alumbra el salón; **rue mal éclairée** calle mal iluminada **2.** *FIG* ilustrar, instruir **3.** *(expliquer)* aclarar. ◇ *vi* alumbrar: **cette lampe éclaire mal** esta lámpara alumbra mal. ◆ **s'~** *vpr* **1. s'~ à la chandelle** alumbrarse con velas **2.** *(visage)* iluminarse **3.** *FIG* **enfin, tout s'éclaire** por fin, todo se aclara.

**éclaireur, euse** *s (scoutisme)* explorador, a. ◇ *m MIL* explorador ◊ **partir en ~** ir a reconocer el terreno.

**éclat** *m* **1.** *(morceau)* fragmento, pedazo ◊ **~ d'obus** casco de obús; **voler en éclats** estallar **2.** *(de bois)* astilla *f* **3. ~ de rire**

carcajada *f*; **rire aux éclats** reírse a carcajadas; **des éclats de voix** gritos, voces **4.** escándalo: **faire un ~** armar un escándalo **5.** *(lumière, etc.)* brillo, resplandor: **l'~ de son regard** el brillo de su mirada **6.** *(somptuosité)* esplendor, magnificencia *f* **7. une action d' ~, un coup d' ~** una hazaña; **coup d' ~** escándalo.

**éclatant, e** *a* **1.** *(son)* estrepitoso, a **2.** *(lumière)* brillante, resplandeciente **3. succès ~** éxito clamoroso; **preuve ~** prueba patente **4. ~ de santé** rebosante de salud.

**éclatement** *m* **1.** estallido **2.** *(d'un pneu)* reventón **3.** *FIG (d'un parti)* fraccionamiento.

**éclater** *vi* **1.** *(bombe)* estallar, *(ballon, pneu, etc.)* estallar, reventar **2. ~ de rire, en sanglots** prorrumpir en carcajadas, en sollozos **3.** *(incendie, guerre, scandale, etc.)* estallar: **la révolte va ~** la rebelión va a estallar **4. il était si indigné qu'il éclata** estaba tan indignado que estalló **5.** *(un parti, groupe)* fragmentarse. ◆ **s' ~** *vpr FAM* divertirse en grande, pasarlo bomba.

**éclectique** *a* ecléctico, a.

**éclectisme** *m* eclectismo.

**éclipse** *f* eclipse *m*.

**éclipser** *vt* eclipsar. ◆ **s' ~** *vpr* eclipsarse, escabullirse: **elle s'est éclipsée** se ha escabullido.

**écliptique** *m ASTR* eclíptica *f*.

**éclisse** *f* **1.** *(chemin de fer)* **2.** *MÉD* tablilla.

**éclisser** *vt MÉD* entablillar.

**éclopé, e** *a/s* **1.** *(boiteux)* cojo, a **2.** *(estropié)* lisiado, a.

**éclore*** *vi* **1.** *(des poussins)* salir del huevo, nacer **2.** *(un œuf, une fleur)* abrirse **3.** *FIG (le jour)* despuntar.

**éclosion** *f* **1.** eclosión, nacimiento *m* **2.** *FIG* aparición, eclosión: **l'~ une idée** la aparición de una idea.

**écluse** *f* esclusa.

**écluser** *vt* **1.** hacer pasar por una esclusa **2.** *POP (boire)* echarse al cuerpo, trincarse.

**éclusier, ère** *s* encargado, a de una esclusa.

**écobuer** *vt AGR* artigar.

**écœurant, e** *a* **1.** *(trop sucré)* empalagoso, a **2.** *FIG* repugnante, asqueroso, a **3.** *(révoltant)* indignante.

**écœurement** *m* asco, repugnancia *f*.

**écœurer** *vt* **1.** asquear, repugnar, dar asco **2.** *FIG (décourager)* desanimar.

**école** *f* **1.** escuela: **~ primaire** escuela primaria; **~ communale** escuela pública; **~ maternelle** escuela de párvulos, parvulario *m*; **École normale** Escuela normal; **l'École des Beaux-Arts** la Escuela de Bellas Artes ◊ **faire l'~ buissonnière** hacer novillos, hacer rabona **2.** *(cours privé)* academia: **~ de langues** academia de idiomas **3. l'~ romantique, flamande** la escuela romántica, flamenca; **faire ~** hacer, formar escuela **4.** *FIG* **l'~ de la vie** la escuela de la vida; **vous êtes à bonne ~** usted está en buenas manos.

▶ Le mot *colegio (= collège, lycée)* peut désigner également un établissement assurant l'enseignement primaire: *école libre* colegio privado.

▶ Las «grandes écoles» *(École normale supérieure, École centrale, polytechnique, etc.)* son establecimientos de enseñanza superior aparte de la Universidad.

**écolier, ère** *s* escolar, colegial, a ◊ *FIG* **le chemin des écoliers** el camino más largo.

**écolo** *a/s FAM* ecologista, verde: **les écolos** los verdes.

**écologie** *f* ecología.

**écologique** *a* ecológico, a.

**écologisme** *m* ecologismo.

**écologiste** *a/s* ecologista.

**éconduire*** *vt* **1.** despedir, echar: **~ un importun** echar a un inoportuno **2.** rechazar: **la jeune fille a éconduit deux soupirants** la joven ha rechazado a dos pretendientes.

**économat** *m* economato.

**économe** *a* **1.** ahorrativo, a, económico, a **2.** *FIG* **être ~ de ses paroles** ser parco en palabras. ◇ *s (intendant)* ecónomo, a.

**économétrie** *f* econometría.

**économie** *f* **1.** economía: **~ dirigée** economía planificada; **le ministre de l'Économie et des Finances** el ministro de Economía y Hacienda **2. faire l'~ d'une démarche** ahorrarse un trámite. ◇ *pl* ahorros *m*, economías: **placer ses économies** colocar sus ahorros ◊ **faire des économies** ahorrar; **des économies de bouts de chandelle → chandelle.**

**économique** *a* económico, a.

**économiquement** *adv* económicamente.

**économiser** *vt* economizar, ahorrar, ahorrarse: **~ l'énergie** ahorrar energía; **~ pour ses vieux jours** ahorrar para la vejez.

**économiste** *s* economista.

**écope** *f MAR* achicador *m*.

**écoper** *vt MAR* achicar. ◇ *vi* **1.** *FAM* cargarse: **il va ~ d'une amende** se va a cargar una multa; **~ de six mois de prison** cargarse seis meses de cárcel **2.** cobrar, pagar el pato: **c'est toujours lui qui écope pour les autres** siempre paga el pato.

**écorçage** *m* descortezamiento, descorche.

**écorce** *f* **1.** *(d'un arbre)* corteza **2.** *(de certains fruits)* corteza, cáscara: **~ d'orange** cáscara de naranja **3. ~ terrestre** corteza terrestre **4.** *FIG* apariencia, corteza.

**écorcer*** *vt* **1.** *(arbres)* descortezar **2.** *(le chêne-liège)* descorchar.

**écorché** *m* **1.** figura *f* anatómica desollada **2.** *FAM* **un ~ vif** una persona muy emotiva **3.** *TECHN* sección *f*, corte.

**écorcher** *vt* **1.** desollar, despellejar **2.** *(égratigner)* arañar, excoriar **3.** *FIG* herir, lastimar: **sa voix m'écorche les oreilles** su voz me hiere los oídos **4.** *(une langue)* chapurrear, hablar mal, estropear. ◆ **s' ~** *vpr* arañarse.

**écorcheur** *m* desollador.

**écorchure** *f (de la peau)* rasguño *m*, arañazo *m*, desolladura.

**écorner** *vt* **1.** *(les vaches)* descornar **2.** *(une page)* doblar la punta de **3.** *FAM (sa fortune, etc.)* mermar.

**écornifleur, euse** *s* gorrón, ona, sablista.

**écossais, e** *a/s* escocés, esa ◊ **douche écossaise → douche.**

**Écosse** *np f* Escocia.

**écosser** *vt (des pois, des haricots)* pelar, desgranar.

**écosystème** *m* ecosistema.

**écot** *m* cuota *f*, parte *f*, escote: **chacun paiera son ~** cada uno pagará su parte.

**écoulement** *m* **1.** *(d'un liquide)* derrame, salida *f* ◊ **~ des eaux** desagüe **2.** *(d'une foule)* circulación *f* **3.** *(des marchandises)* salida *f*, despacho, venta *f*.

**écouler** *vt* **1.** *(des marchandises)* despachar, vender, dar salida a: **~ les stocks** dar salida a los stocks **2. ~ de faux billets** hacer circular billetes falsos. ◆ **s' ~** *vpr* **1.** *(liquides)* correr, fluir, derramarse **2.** *(le temps)* transcurrir, pasar: **trois ans se sont écoulés** han transcurrido tres años **3.** *(la foule)* irse, retirarse.

**écourter** *vt* acortar, abreviar: **~ son séjour** abreviar su estancia.

**¹écoute** *f MAR* escota.

**²écoute** *f* **1.** escucha ◊ **à l'~** a la escucha, escuchando: **vous êtes à l'~ des dernières nouvelles** están escuchando las últimas noticias **2. indice d' ~** índice de audiencia **3. écoutes téléphoniques** escuchas telefónicas; **mettre sur (table d') ~ un téléphone** intervenir, pinchar un teléfono; **son téléphone était sur ~** su teléfono estaba intervenido **4. être aux écoutes** estar al acecho.

**écouter** *vt* **1.** escuchar: **~ de la musique, la radio** escuchar música, la radio; **écoute ce que je vais te dire** escucha lo que te voy a decir ◊ **n' ~ que d'une oreille** prestar poca atención **2.** oír: **écoutez!** ¡oiga!; **écoute!** ¡oye!, ¡mira!; **allô!, j'écoute** ¡dígame! ◊ **je vous écoute** usted dirá **3.** atender, hacer caso: **il n'écoute pas ses parents** no hace caso a lo que dicen sus padres **4. n' ~ que son devoir** no atender más que a su deber. ◆ **s' ~** *vpr* **1.** escucharse **2. si je m'écoutais...** si me dejara llevar... **3.** *FAM* **il s'écoute trop** se preocupa demasiado por su salud.

**écouteur** *m (de téléphone)* auricular: **les deux écouteurs d'un casque de baladeur** los dos auriculares de un casco de walkman.

**écoutille** *f MAR* escotilla.

**écouvillon** *m* **1.** *MIL* escobillón **2.** *(de boulanger)* barredero.

**écrabouiller** *vt FAM* aplastar.

**écran** *m* **1.** pantalla *f*: **le petit ~** la pequeña pantalla ◊ **un roman porté à l'~** una novela llevada a la pantalla; *FIG* **crever l'~** sobresalir por su actuación brillante **2. un ~ de fumée** una cortina de humo **3. faire un ~ de sa main** hacer pantalla con la mano.

**écrasant, e** *a* **1.** aplastante **2.** *FIG* abrumador, a, arrollador, a, aplastante: **une responsabilité écrasante** una responsabilidad abrumadora; **décision adoptée à une écrasante majorité** decisión adoptada por abrumadora mayoría; **victoire écrasante** victoria arrolladora.

**écrasé, e** *a* chato, a, aplastado, a: **avoir le nez ~** tener la nariz chata.

**écrasement** *m* aplastamiento.

**écraser** *vt* **1.** *(quelque chose, une armée)* aplastar **2.** *(les grains)* triturar **3.** *(un véhicule)* atropellar, arrollar: **il s'est fait ~ par une voiture** ha sido atropellado por un coche **4.** *FIG* agobiar, abrumar: **être écrasé de travail** estar abrumado de trabajo; **écrasé d'impôts** agobiado de impuestos **5.** *POP* **en ~** dormir como un tronco; **écrase!** ¡calla!, ¡basta! ◆ **s' ~** *vpr* **1.** estrellarse: **l'avion s'est écrasé** el avión se ha estrellado; **l'auto est allée s'~ contre un arbre** el coche ha ido a estrellarse contra un árbol **2.** *(s'entasser)* estrujarse **3.** *POP* cerrar el pico, achantarse.

**écrémer*** *vt* **1.** desnatar, descremar: **lait écrémé** leche desnatada, descremada; **lait demi-écrémé** leche semidesnatada, semidescremada **2.** *FIG* tomar lo mejor de.

**écrémeuse** *f* desnatadora, descremadora.

**écrevisse** *f* cangrejo *m* de río ◊ *FIG* **devenir rouge comme une ~** ponerse colorado como un cangrejo, como un tomate.

**écrier (s')*** *vpr* exclamar, gritar.

**écrin** *m* **1.** joyero **2.** *(pour l'argenterie)* estuche.

**écrire*** *vi/t* escribir: **Laure a écrit une longue lettre à son oncle** Laura ha escrito una larga carta a su tío; **~ à la machine** escribir a máquina; **~ un mot** escribir unas líneas. ◆ **s' ~** *vpr* escribirse: **ils s'écrivent souvent** se escriben frecuentemente; **ce mot s'écrit avec deux t** esta palabra se escribe con dos t.

**écrit, e** *a* **1.** escrito, a **2.** *FIG* **c'était ~** estaba escrito. ◇ *m* **1.** escrito ◊ **par ~** por escrito **2.** examen escrito: **il a été reçu à l'~** ha aprobado el examen escrito.

**écriteau** *m* letrero.

**écritoire** *f* escribanía.

**écriture** *f* **1.** escritura **2.** *(façon d'écrire)* letra: **avoir une belle ~** tener buena letra **3. l'Écriture sainte** la Sagrada Escritura. ◇ *pl COM* libros *m*, cuentas ◊ **tenir les écritures** llevar los libros, la contabilidad; **employé aux écritures** escribiente, amanuense.

**écrivailler** *vi FAM* emborronear cuartillas.

**écrivailleur, euse, écrivaillon** *s PÉJOR* escritorzuelo, a.

**écrivain** *m* escritor, a: **elle est un des meilleurs écrivains de sa génération** es una de las mejores escritoras de su generación ◊ **femme ~** escritora.

**écrivassier, ère → écrivailleur.**

**écrou** *m* **1.** tuerca *f* **2.** *JUR* inscripción *f* en el registro de la cárcel, encarcelamiento ◊ **levée d' ~** puesta en libertad.

**écrouelles** *f pl MÉD* escrófulas, lamparones *m*.

**écrouer** *vt* **1.** *(incarcérer)* encarcelar **2.** escribir en el registro de la cárcel.

**écrouir** *vt TECHN* batir, martillear.

**écroulement** *m (d'un édifice, d'un régime, etc.)* derrumbamiento, hundimiento.

**écrouler (s')** *vpr* **1.** hundirse, derrumbarse, venirse abajo: **le mur s'écroula** la pared se derrumbó, se vino abajo **2.** *(une personne)* desplomarse: **il s'écroula dans son fauteuil** se desplomó en su sillón **3.** *FIG (projets, etc.)* venirse abajo, derrumbarse **4.** *FAM* **être écroulé (de rire)** estar muerto de risa.

**écru, e** *a* crudo, a: **toile écrue** tela cruda.

**ectoplasme** *m* ectoplasma.

**écu** *m* **1.** *(arme)* escudo **2.** *(blason)* escudo de armas, escudo **3.** *(monnaie)* escudo.

**écubier** *m MAR* escobén.

**écueil** [ekœj] *m* **1.** escollo **2.** *FIG* escollo.

**écuelle** *f* escudilla.

**éculé, e** *a* **1. chaussure éculée** zapato con el tacón gastado **2. calembour bien ~** juego de palabras muy gastado, manido.

**écumage** *m* despumación *f*.

**écumant, e** *a* **1.** *(qui écume)* espumante **2.** *FIG* **il est ~ de rage** está rabioso.

**écume** *f* **1.** *(mousse)* espuma **2.** *(salive)* espumarajo *m* **3.** *(sueur)* sudor *m* **4.** *FIG (de la société)* escoria, hez **5. ~ de mer** espuma de mar.

**écumer** *vi* **1.** *(la mer)* espumear, cubrirse de espuma **2.** *FIG* **~ de rage** estar uno que bufa, echar espumarajos (de rabia). ◇ *vt* **1.** espumar, quitar la espuma de: **~ le pot-au-feu** espumar el puchero **2. ~ les mers** piratear **3.** *(piller)* saquear.

**écumeur** *m* **~ de mer** pirata.

**écumeux, euse** *a* espumoso, a.

**écumoire** *f* espumadera.

**écureuil** *m* ardilla *f*.

**écurie** *f* **1.** *(local)* cuadra, caballeriza **2.** *(de chevaux)* caballeriza **3.** *(de voitures de course)* escudería **4. les écuries d'Augias** los establos de Augias.

**écusson** *m* **1.** escudo pequeño **2.** *AGR* escudete: **greffe en ~** injerto en escudete.

**écussonner** *vt AGR* injertar en escudete.

**écuyer** [ekyije] *m* **1.** *(gentilhomme)* escudero ◊ **grand ~** caballerizo mayor **2.** *(cavalier)* jinete **3.** *(de cirque)* artista ecuestre, caballista.

**écuyère** *f* **1.** *(cavalière)* amazona **2.** *(de cirque)* artista ecuestre **3. bottes à l'~** botas de montar.

**eczéma** [ɛgzema] *m* eccema.

**eczémateux, euse** *a* eccematoso, a.

**edelweiss** [edɛlvajs, -vɛs] *m inv* edelweiss.

**éden** [edɛn] *m* edén, paraíso terrenal.

**édénique** *a* edénico, a.

**édenté, e** *a* desdentado, a. ◇ *m pl ZOOL (mammifères)* desdentados.

**édicter** *vt (des lois)* dictar, promulgar.

**édicule** *m* edículo.

**édifiant, e** *a* edificante, aleccionador, a: **une vie édifiante** una vida edificante.

**édification** *f* edificación.

**édifice** *m* edificio.

**édifier*** *vt* **1.** *(un édifice)* edificar **2.** *(une théorie)* construir **3.** *FIG* edificar, dar buen ejemplo a **4. cela va vous ~ sur son**

**comportement** esto le va a abrir los ojos sobre su comportamiento.

**édile** *m* edil, concejal.

**Édimbourg** [edɛ̃buʀ] *np* Edimburgo.

**édit** *m* edicto.

**éditer** *vt* editar, publicar: **~ un livre** editar, publicar un libro; **~ un disque** editar un disco.

**éditeur, trice** *s* editor, a.

**édition** *f* **1.** edición: **~ revue et corrigée** edición revisada y corregida; **~ critique** edición crítica **2. maison d' ~** editorial; **les éditions Bordas** la editorial Bordas.

**éditorial** *m* editorial, artículo de fondo.

**éditorialiste** *s* editorialista.

**Edmond** *np m* Edmundo.

**Édouard** *np m* Eduardo.

**édredon** *m* edredón.

**éducateur, trice** *s* educador, a.

**éducatif, ive** *a* educativo, a.

**éducation** *f* educación: **ministère de l'Éducation nationale** ministerio de Educación y Ciencia; **~ physique, sexuelle** educación física, sexual; **un manque d' ~** una falta de educación.

**édulcorant** *m* edulcorante.

**édulcorer** *vt* **1.** endulzar, edulcorar **2.** *FIG* suavizar.

**éduquer** *vt* educar.

**effacé, e** *a* **1.** borrado, a, borroso, a **2.** *FIG (personne)* modesto, a, retraído, a **3. rôle ~** papel secundario.

**effacement** *m* **1.** borradura *f* **2.** *FIG* reserva *f.*

**effacer*** *vt* **1.** *(faire disparaître, faire oublier)* borrar: **~ une inscription, une trace, un mauvais souvenir** borrar una inscripción, una huella, un mal recuerdo **2. ~ les épaules** echar los hombros atrás. ◆ **s' ~** *vpr* **1.** borrarse **2.** *(pour laisser passer)* echarse a un lado **3.** *(se tenir à l'écart)* mantenerse apartado, a.

**effarant, e** *a* asombroso, a, increíble: **c'est ~!** ¡es increíble!

**effarement** *m* asombro, estupefacción *f.*

**effarer** *vt* asombrar, pasmar ◊ **un regard effaré** una mirada extraviada.

**effarouchement** *m* alarma *f,* miedo.

**effaroucher** *vt* **1.** espantar **2.** *(faire peur)* asustar. ◆ **s' ~** *vpr* asustarse.

**effectif, ive** *a* efectivo, a. ◇ *m* **1.** *(d'une administration)* plantilla *f:* **réduire les effectifs** reducir la plantilla **2.** *(d'une école)* alumnado. ◇ *m pl MIL* efectivos.

**effectivement** *adv* **1.** efectivamente **2.** *(comme réponse)* en efecto, efectivamente, eso sí.

**effectuer** *vt* efectuar, realizar. ◆ **s' ~** *vpr* efectuarse.

**efféminé, e** *a/m* afeminado, a.

**efférent, e** *a ANAT* eferente.

**effervescence** *f* **1.** efervescencia **2.** *FIG* efervescencia, agitación: **être en ~** estar en efervescencia.

**effervescent, e** *a* efervescente.

**effet** *m* **1.** efecto ◊ **à cet ~** a dicho efecto, a tal efecto; **prendre ~** entrar en vigor; **rester sans ~** no surtir efecto, ser ineficaz; **sous l'~ de l'anesthésie** bajo los efectos de la anestesia **2.** *(impression)* efecto, impresión *f:* **faire de l'~** surtir efecto, causar efecto; **ça va faire un ~ monstre** eso va a causar sensación; **faire mauvais ~** hacer mal efecto, mala impresión; **il me fait l'~ d'un intrigant** me da la impresión de ser un intrigante **3. faire des effets** lucir: **elle adore faire des effets de jambes** le encanta lucir las piernas; **manquer son ~** fallar **4.** *(au tennis, ping-pong)* efecto **5. ~ de commerce** efecto de comercio; **effets publics** efectos públicos **6.** *PHYS* **~ Joule** efecto Joule **7.** *loc adv* **en ~** en efecto. ◇ *pl* **1.** *(vêtements)* prendas *f,* efectos **2.** *(cinéma)* **effets spéciaux** efectos especiales.

**effeuillage** *m* deshojadura *f.*

**effeuillaison** *f,* **effeuillement** *m* deshoje *m.*

**effeuiller** *vt* **1.** deshojar **2. ~ la marguerite** deshojar la margarita.

**effeuilleuse** *f FAM* mujer que hace strip-tease.

**efficace** *a* eficaz.

**efficacement** *adv* eficazmente.

**efficacité** *f* eficacia.

**efficience** *f* eficiencia.

**efficient, e** *a* eficiente.

**effigie** [efiʒi] *f* efigie.

**effilé, e** *a* afilado, a, fino, a: **doigts effilés** dedos finos.

**effiler** *vt* **1.** deshilar, deshilachar. ◆ **s' ~** *vpr* deshilarse, deshilacharse.

**effilochage** *m* deshilachado, desflecado.

**effilocher** *vt* deshilachar. ◆ **s' ~** *vpr* deshilacharse, desflecarse.

**effilochure** *f* hilacha, hilacho *m.*

**efflanqué, e** *a* flaco, a, enjuto, a.

**effleurement** *m* roce.

**effleurer** *vt* **1.** rozar, tocar ligeramente **2.** *(un sujet)* tratar superficialmente: **il a seulement effleuré le problème** no ha hecho más que tratar superficialmente el problema **3.** pasar por la cabeza: **cette idée ne m'avait jamais effleuré** esta idea nunca me había pasado por la cabeza.

**efflorescence** *f* **1.** *CHIM* eflorescencia **2.** *LITT* desarrollo *m,* expansión.

**efflorescent, e** *a CHIM* eflorescente.

**effluve** *m* efluvio.

**effondrement** *m* **1.** hundimiento, derrumbamiento **2.** *(des cours de la Bourse, etc.)* desplome, hundimiento, caída *f:* **l'~ du bloc communiste** el hundimiento del bloqueo comunista.

**effondrer** *vt* hundir, derrumbar. ◆ **s'~** *vpr* **1.** *(un mur, un toit, etc.)* hundirse, derrumbarse **2.** desplomarse: **fatigué, il s'effondra sur son lit** cansado, se desplomó sobre la cama **3.** *FIG* bajar bruscamente, venirse abajo, desplomarse: **les cours de la Bourse se sont effondrés** las cotizaciones han bajado bruscamente: **le prix du pétrole s'est effondré** el precio del petróleo se ha desplomado; **un empire qui s'effondre** un imperio que se desploma **4.** *FIG* abatirse: **être effondré** estar abatido.

**efforcer (s')** *vpr* esforzarse: **il s'efforce de me convaincre** se esfuerza en convencerme; **il s'efforce d'être agréable** se esfuerza por, en ser agradable; **je m'efforcai de ne pas pleurer** me esforcé por no llorar ◊ **je m'y efforce** hago lo posible.

**effort** *m* esfuerzo: **faire un ~ d'imagination** hacer un esfuerzo de imaginación; **la loi du moindre ~** la ley del mínimo esfuerzo ◊ **sans ~** sin esfuerzo, fácilmente; **encore un petit ~!** ¡ánimo!, ¡ea!

**effraction** *f* fractura, efracción: **vol avec ~** robo con fractura.

**effraie** [efʀɛ] *f* lechuza (de color claro).

**effranger*** *vt* desflecar. ◆ **s'~** *vpr* desflecarse.

**effrayant, e** [efʀejɑ̃, ɑ̃t] *a* **1.** espantoso, a, horroroso, a **2.** *FAM* **il est d'un cynisme ~** es de un cinismo extraordinario.

**effrayer*** [efʀeje] *vt* **1.** asustar, espantar **2.** *(inquiéter)* preocupar. ◆ **s'~** *vpr* asustarse, espantarse: **il s'effraie d'un rien** se asusta por nada.

**effréné, e** *a* **1.** desenfrenado, a: **course effrénée** carrera desenfrenada **2.** desmesurado, a: **luxe ~** lujo desmesurado.

**effritement** *m* **1.** *(d'une roche, etc.)* disgregación *f* **2.** *(d'une monnaie, valeur)* descenso.

**effriter** *vt* desmenuzar. ◆ **s'~** *vpr* **1.** desmenuzarse, deshacerse en polvo **2.** FIG disgregarse.

**effroi** *m* terror, espanto.

**effronté, e** *a/s* descarado, a, desvergonzado, a.

**effrontément** *adv* descaradamente.

**effronterie** *f* descaro *m*, desvergüenza.

**effroyable** [efʀwajabl] *a* espantoso, a, horrible.

**effroyablement** *adv* horriblemente.

**effusion** *f* **1.** efusión, derramamiento *m*: **sans ~ de sang** sin derramamiento de sangre **2.** *(manifestation de tendresse)* efusión: **embrasser avec ~** besar con efusión, efusivamente.

**égailler (s')** *vpr* dispersarse, diseminarse.

**égal, e** *a* **1.** igual, idéntico, a: **deux nombres égaux** dos números iguales; **être ~ à soi-même** ser igual a sí mismo **2.** igual, uniforme, constante: **caractère ~** carácter igual; **d'une voix égale** con voz monótona **3.** *(surface)* liso, a **4. tout lui est ~** todo le es igual; **ça m'est (bien) ~** me da igual, me da lo mismo; **ça m'est parfaitement ~** me importa un bledo **5. c'est ~, il aurait pu prévenir** vamos, hubiera podido avisar. ◇ *m* **1.** igual: **traiter d'~ à ~** tratar de igual a igual ◊ **sans ~** sin igual, sin par **2. sa vanité n'a d'~ que sa stupidité** su vanidad sólo puede compararse con su estupidez **3.** *loc prép* **à l'~ de** al igual que, tanto como, como: **j'aime ses poèmes à l'~ de ses romans** me gustan sus poemas tanto como sus novelas.

**égalable** *a* igualable.

**également** *adv* **1.** igualmente, de igual forma **2.** *(aussi)* igualmente, también.

**égaler** *vt* **1.** igualar **2. 3 plus 2 égale 5** 3 más 2 son 5 **3.** *(comparer)* equiparar.

**égalisateur** *a* **but ~** gol de empate.

**égalisation** *f* **1.** igualación **2.** *(sports)* empate *m*, igualada: **obtenir l'~** conseguir el empate, lograr la igualada.

**égaliser** *vt* **1.** igualar, unificar **2.** *(aplanir)* igualar, allanar. ◇ *vi (sports)* empatar, igualar.

**égalitaire** *a* igualitario, a.

**égalitarisme** *m* igualitarismo.

**égalité** *f* **1.** igualdad: **une plus grande ~ de chances** una mayor igualdad de oportunidades; **sur un pied d'~** en pie de igualdad **2. ~ d'humeur** ecuanimidad **3.** *(sports)* **être à ~** estar empatados, as, estar igualados, as: **les deux joueurs sont à ~** los dos jugadores están empatados; **l'Espagne est à ~ avec le Brésil** España está igualada a Brasil **4.** *(au tennis)* **~** iguales.

**égard** *m* **1.** consideración *f*, respeto: **je l'ai fait par ~ pour sa famille** lo he hecho por consideración a su familia; **sans ~ pour son grand âge** sin consideración para con su edad avanzada ◊ **avoir ~ à** tener en cuenta, tomar en consideración **2. à cet ~** a este respecto; **à certains égards** en ciertos aspectos; **à tous (les) égards** bajo todos los aspectos, por todos conceptos **3.** *loc prép* **à l'~ de** con respecto a; **à mon ~** conmigo, para conmigo; **eu ~ à** en atención a, con respecto a. ◇ *pl* consideraciones *f*, atenciones *f*, miramientos: **il a beaucoup d'égards pour moi** tiene muchas atenciones (para) conmigo; **on m'a traité avec beaucoup d'égard** me han tratado con mucha deferencia.

**égaré, e** *a* **1.** *(perdu)* extraviado, a, perdido, a **2.** extraviado, a, desorientado, a: **des yeux égarés** ojos extraviados **3.** FIG **brebis égarée** oveja descarriada.

**égarement** *m* extravío, perturbación *f*, ofuscación *f*: **Paul la frappa dans un moment d'~** Pablo la golpeó en un momento de extravío.

**égarer** *vt* **1.** *(quelque chose)* perder, extraviar: **j'ai égaré mes clefs** he extraviado mis llaves **2.** FIG desorientar, perturbar: **la haine vous égare** el odio lo perturba. ◆ **s'~** *vpr* **1.** perderse: **nous nous sommes égarés dans un bois** nos hemos perdido en un bosque **2.** *(l'esprit)* extraviarse.

**égayer*** [egeje] *vt* **1.** alegrar, poner contento, a **2.** alegrar: **ces rideaux vont ~ la chambre** estas cortinas van a alegrar la habitación.

**Égée** *np* Egeo: **la mer ~** el mar Egeo.

**égéen, enne** *a* egeo, a.

**égérie** *f* ninfa Egeria.

**égide** *f* égida: **sous l'~ de** bajo la égida de.

**églantier** *m* rosal silvestre, agavanzo.

**églantine** *f* rosa silvestre, agavanza.

**églefin** *m (poisson)* abadejo.

**église** *f* iglesia: **l'Église catholique, orthodoxe** la Iglesia católica, ortodoxa; **une ~ romane** una iglesia románica; **se marier à l'~** casarse por la Iglesia.

**églogue** *f* égloga.

**ego** *m inv* ego.

**égocentrique** *a/s* egocéntrico, a.

**égocentrisme** *m* egocentrismo.

**égoïne** [egɔin] *f* serrucho *m*.

**égoïsme** [egɔism] *m* egoísmo.

**égoïste** [egɔist] *a/s* egoísta.

**égoïstement** *adv* egoístamente, de manera egoísta.

**égorgement** *m* degollación *f*, degüello.

**égorger*** *vt* degollar.

**égorgeur** *m* degollador.

**égosiller (s')** *vpr* desgañitarse: **les enfants s'égosillaient pendant la récréation** los niños se desgañitaban durante el recreo.

**égotisme** *m* egotismo.

**égotiste** *a/s* egotista.

**égout** *m* alcantarilla *f*, cloaca *f*, albañal ◊ **bouche d'~** boca de alcantarilla, sumidero *m*; **tout-à-l'~** colector.

**égoutier** *m* alcantarillero, pocero.

**égoutter** *vt* escurrir: **faire ~ la vaisselle** escurrir los platos. ◆ **s'~** *vpr* escurrirse.

**égouttoir** *m* escurreplatos, escurridero.

**égrapper** *vt (le raisin)* descobajar, desgranar.

**égratigner** *vt* **1.** arañar, rasguñar **2.** FIG zaherir, pinchar.

**égratignure** *f* **1.** arañazo *m*, rasguño *m* **2.** FIG herida (en el amor propio).

**égrenage** *m* desgrane.

**égrener** *vt* **1.** desgranar **2. ~ un chapelet** pasar las cuentas de un rosario. ◆ **s'~** *vpr (foule)* esparcirse.

**égrillard, e** *a* libre, picante: **des chansons égrillardes** canciones picantes.

**égruger*** *vt (du poivre, du sel)* moler.

**Égypte** *np f* Egipto *m*.

**égyptien, enne** *a/s* egipcio, a.

**égyptologie** *f* egiptología.

**égyptologue** *s* egiptólogo, a.

**eh!** *interj* **1.** ¡eh!, ¡ah! **2. ~ bien!** ¡bueno!; **~ bien, peut-être** pues, quizá; **~ bien oui** pues sí **3. ~ là!** ¡eh!; **~ là-bas!** ¡eh!, ¡oye!, ¡oiga!

**éhonté, e** *a* desvergonzado, a.

**eider** [ɛdɛʀ] *m* pato de flojel.

**éjaculation** *f* eyaculación: **~ précoce** eyaculación precoz.

**éjaculer** *vt* eyacular.

**éjectable** *a* **siège ~** asiento eyectable.

**éjecter** *vt* **1.** eyectar **2.** *FAM (renvoyer)* poner de patitas en la calle; **il s'est fait ~** lo pusieron de patitas en la calle, lo echaron.

**éjecteur** *m* eyector, expulsor.

**éjection** *f* expulsión.

**élaboration** *f* elaboración.

**élaborer** *vt* elaborar.

**élagage** *m* poda *f*, escamonda *f*.

**élaguer** *vt* **1.** *(un arbre)* podar, escamondar, mondar **2** *FIG (un texte)* quitar lo superfluo de.

[1]**élan** *m* **1.** impulso, arranque: **avant de sauter, prends ton ~** antes de saltar, toma impulso **2.** *FIG* impulso, arrebato, acceso: **~ de générosité** impulso de generosidad; **~ d'enthousiasme** arrebato de entusiasmo.

[2]**élan** *m (cerf)* alce, anta *f*.

**élancé, e** *a* esbelto, a.

**élancement** *m (douleur)* punzada *f*.

**élancer** *vi (une douleur)* dar punzadas: **la dent m'élance** el diente me da punzadas. ◆ **s'~** *vpr* **1.** lanzarse, arrojarse, abalanzarse: **il s'élança vers la sortie** se abalanzó hacia la salida **2.** *(s'élever)* levantarse.

**élargir** *vt* **1.** ensanchar: **il faut ~ cette rue** hay que ensanchar esta calle **2.** *FIG* ampliar, aumentar, extender ◊ **une majorité élargie** una mayoría ampliada **3.** *(un prisonnier)* poner en libertad, soltar. ◆ **s'~** *vpr* ensancharse.

**élargissement** *m* **1.** *(d'une chaussée)* ensanchamiento **2.** *(d'un accord, etc.)* ampliación *f* **3.** *(d'un prisonnier)* liberación *f*, excarcelación *f*.

**élasticité** *f* elasticidad.

**élastique** *a/m* **1.** elástico, a **2.** *FIG* elástico, a ◊ **conscience ~** conciencia poco escrupulosa. ◇ *m (ruban, bracelet en caoutchouc)* goma *f* ◊ **saut à l'~** puenting.

**élastomère** *m* elastómero.

**Elbe** *np* Elba.

**eldorado** *m* edén.

**électeur, trice** *s* elector, a.

**électif, ive** *a* electivo, a.

**élection** *f* elección: **élections législatives, municipales** elecciones legislativas, municipales.

**électoral, e** *a* electoral: **campagne électorale** campaña electoral.

**électoralisme** *m* electoralismo.

**électoraliste** *a* electoralista.

**électorat** *m* electorado.

**Électre** *np f* Electra.

**électricien, enne** *s* electricista.

**électricité** *f* **1.** electricidad ◊ *FAM* **il y a de l'~ dans l'air** la gente está sobreexcitada **2.** *FAM* **allumer, éteindre l'~** encender, apagar la luz ◊ **une panne d'~** un apagón.

**électrification** *f* electrificación.

**électrifier** *vt* electrificar.

**électrique** *a* eléctrico, a.

**électriser** *vt* electrizar.

**électroaimant** *m* electroimán.

**électrocardiogramme** *m MÉD* electrocardiograma.

**électrochimie** *f* electroquímica.

**électrochoc** *m* electroshock, electrochoque.

**électrocuter** *vt* electrocutar. ◆ **s'~** *vpr* electrocutarse.

**électrocution** *f* electrocución.

**électrode** *f* electrodo *m*.

**électrodynamique** *a/f* electrodinámico, a.

**électroencéphalogramme** *m MÉD* electroencefalograma, encefalograma: **~ plat** electroencefalograma plano.

**électroencéphalographie** *f MÉD* electroencefalografía.

**électrogène** *a* **groupe ~** grupo electrógeno.

**électrolyse** *f CHIM* electrólisis.

**électrolyte** *m CHIM* electrólito.

**électrolytique** *a CHIM* electrolítico, a.

**électromagnétique** *a* electromagnético, a.

**électromagnétisme** *m* electromagnetismo.

**électroménager** *a/m* **appareil ~** aparato electrodoméstico; **l'~** los electrodomésticos.

**électromoteur, trice** *a/m* electromotor, triz.

**électron** *m* electrón.

**électronicien, enne** *s* especialista en electrónica.

**électronique** *a* electrónico, a. ◇ *f* electrónica.

**électronucléaire** *a* electronuclear.

**électrophone** *m* electrófono.

**électrostatique** *a/f* electrostático, a.

**électrothérapie** *f* electroterapia.

**électuaire** *m* electuario.

**élégamment** *adv* elegantemente, con elegancia.

**élégance** *f* elegancia.

**élégant, e** *a/s* elegante.

**élégiaque** *a* elegíaco, a.

**élégie** *f* elegía.

**élément** *m* **1.** elemento **2. être dans son ~** estar en su elemento **3.** *CHIM, PHYS* elemento **4.** *TECHN* elemento, módulo: **~ préfabriqué** elemento prefabricado. ◇ *pl* **1.** *(forces naturelles)* elementos **2.** *(principes fondamentaux d'une science)* elementos.

**élémentaire** *a* **1.** elemental **2.** *(évident)* **c'est ~** es elemental, es obvio.

**Eléonore** *np f* Leonor.

**éléphant** *m* **1.** elefante ◊ **avoir une mémoire d'~** tener una memoria de elefante; **pantalons à pattes d'~** pantalones de pata ancha **2. ~ de mer** elefante marino.

**éléphanteau** *m* cría *f* de elefante.

**éléphantesque** *a* enorme.

**éléphantiasis** *m MÉD* elefantiasis *f*, elefancía *f*.

**élevage** *m* **1.** cría *f*: **l'~ du bétail** la cría de ganado **2.** ganadería *f*: **un ~ de taureaux** una ganadería de toros ◊ **un pays d'~** un país ganadero **3.** criadero: **un ~ de poulets, de truites** un criadero de pollos, de truchas.

**élévateur, trice** *a* elevador, a: **muscles élévateurs** músculos elevadores. ◇ *m (appareil)* elevador.

**élévation** *f* **1.** elevación **2.** *(d'une statue)* erección **3.** *(des tarifs, température, etc.)* subida, alza, elevación **4.** *RELIG* elevación, alzar *m*: **à l'~** al alzar **5.** *ARCH* alzado *m*.

**élève** *s* **1.** *(écolier, collégien, etc.)* alumno, a: **ancien ~** ex alumno **2.** discípulo, a: **c'est un ~ de Pasteur** es un discípulo de Pasteur.

**élevé, e** *s* **1.** alto, a: **les prix sont élevés** los precios son altos **2.** *(haut, noble)* elevado, a **3. bien, mal ~** bien, mal educado: **une personne bien élevée** una persona bien educada.

**élever*** *vt* **1.** *(faire monter)* elevar: **~ d'un degré la température de...** elevar en un grado la temperatura de... ◊ **~ au cube**

elevar al cubo **2.** *(un monument, etc.)* levantar, erigir **3.** **~ la voix, le ton** alzar la voz, el tono **4.** *(à un grade, une dignité)* ascender, elevar **5.** *(une objection)* oponer. **6.** *FIG (l'âme, etc.)* elevar **7.** *(un enfant, un animal)* criar: **~ au biberon** criar con biberón **8.** *(éduquer)* educar. **◆ s'~** *vpr* **1.** elevarse **2.** *(la température)* subir **3.** ascender: **les dégâts s'élèvent à un million** los daños ascienden a un millón **4. s'~ contre** alzarse, protestar contra.

**éleveur, euse** *s* **1.** *(de bétail)* ganadero, a **2.** *(de chevaux, etc.)* criador, a.

**elfe** *m* elfo.

**élider** *vt GRAM* elidir. **◆ s'~** *vpr* elidirse.

**Élie** *np m* Elías.

**éligibilité** *f* elegibilidad.

**éligible** *a* elegible.

**élimer** *vt* raer, gastar: **un costume élimé** un traje raído.

**élimination** *f* eliminación.

**éliminatoire** *a* eliminatorio, a: **épreuve ~** prueba eliminatoria. ◇ *f* eliminatoria.

**éliminer** *vt* eliminar.

**élingue** *f MAR* eslinga.

**élire*** *vt* **1.** elegir: **~ un député** elegir a un diputado; **il a été élu** ha sido elegido **2. ~ domicile** fijar domicilio.

**Élisabeth** [elizabɛt] *np f* Isabel.

**élisabéthain, e** *a* elisabetiano, a.

**Élise** *np f* Elisa.

**élision** *f* elisión.

**élite** *f* élite, elite, lo más selecto: **l'~** la élite; **tireur d'~** tirador de élite ◊ **un sujet d'~** una persona excepcional.

**élitisme** *m* elitismo.

**élitiste** *a* elitista.

**elixir** [eliksiʀ] *m* elixir.

**elle, elles** *pron pers f* ella, ellas *(comme sujet: généralement omis, servent à insister)*: **~ est jolie** es bonita; **~-même** ella misma; **je suis allé au cinéma avec ~** fui al cine con ella.

**ellébore** *m* eléboro.

**ellipse** *f* **1.** *GÉOM* elipse **2.** *GRAM* elipsis.

**ellipsoïdal, e** *a* elipsoidal.

**ellipsoïde** *m* elipsoide.

**elliptique** *a* elíptico, a.

**élocution** *f* elocución ◊ **facilité d'~** facilidad de palabra.

**éloge** *m* **1.** elogio, encomio: **digne d'éloges** digno de encomio ◊ **faire l'~ de quelqu'un** elogiar, encomiar, alabar a alguien; **ne pas tarir d'éloges sur** hacerse lenguas de **2. ~ funèbre** elogio fúnebre, panegírico; **Éloge de la folie** *(Érasme)* Elogio de la locura.

**élogieusement** *adv* de un modo elogioso.

**élogieux, euse** *a* elogioso, a, laudatorio, a.

**éloigné, e** *a* **1.** alejado, a, lejano, a, distante **2.** *(dans le temps)* remoto, a, lejano, a: **dans un avenir peu ~** en un futuro no muy lejano **3.** *(parent)* lejano, a **4.** *FIG* **je ne suis pas ~ de croire...** no estoy lejos de creer...

**éloignement** *m* **1.** alejamiento **2.** distancia *f*.

**éloigner** *vt* **1.** alejar, apartar **2.** *(une date)* diferir. **◆ s'~** *vpr* **1.** alejarse, apartarse **2. s'~ du sujet** apartarse del tema.

**élongation** *f MÉD* elongación.

**éloquemment** [elɔkamɑ̃] *adv* elocuentemente.

**éloquence** *f* elocuencia.

**éloquent, e** *a* elocuente.

**élu, e** *a/s* **1.** elegido, a **2.** *(mais qui n'a pas encore exercé sa charge)* electo, a: **président ~** presidente electo **3.** *RELIG* **le peuple ~** el pueblo elegido **4.** *FAM* **l'heureuse élue** la futura.

**élucidation** *f* elucidación.

**élucider** *vt* elucidar, dilucidar.

**élucubration** *f* elucubración.

**éluder** *vt* eludir, soslayar.

**Élysée** *np m* Elíseo. ◇ *a* **champs Élysées** campos Elíseos.
▶ *(Le palais de) l'Élysée:* la presidencia de la República francesa.

**élytre** *m* élitro.

**elzévir** *m* elzevir, elzevirio.

**émacié, e** *a* demacrado, a, chupado, a: **un visage ~** una cara demacrada, una cara chupada.

**émacier (s')*** *vpr* demacrarse.

**émail** [emaj] *m* esmalte: **des émaux cloisonnés** esmaltes alveolados.

**émaillage** *m* esmaltado.

**émailler** *vt* **1.** esmaltar **2.** *FIG* esmaltar, salpicar: **~ un récit de métaphores** salpicar un relato de metáforas.

**émailleur, euse** *s* esmaltador, a.

**émanation** *f* emanación.

**émancipateur, trice** *a* emancipador, a.

**émancipation** *f* emancipación.

**émanciper** *vt* emancipar. **◆ s'~** *vpr* **1.** emanciparse **2.** *FIG* independizarse.

**émaner** *vi* **1.** emanar **2.** *FIG* emanar, dimanar.

**émargement** *m* **1.** nota *f* al margen **2. feuille d'~** nómina.

**émarger*** *vt* **1.** *(couper)* recortar el margen de **2.** *(signer)* marginar, firmar en el margen de. ◇ *vi (percevoir un traitement)* cobrar.

**émasculation** *f* emasculación.

**émasculer** *vt* emascular, capar.

**émaux → émail.**

**emballage** *m* **1.** *(action d'emballer, boîte, etc.)* embalaje **2.** *(récipient surtout pour liquides)* envase: **~ perdu** envase sin vuelta **3. papier d'~** papel de envolver.

**emballement** *m* **1.** *FAM (enthousiasme)* entusiasmo, arrebato **2.** *(d'un moteur)* exceso de velocidad, aceleración *f*.

**emballer** *vt* **1.** embalar, empaquetar **2. ~ un moteur** embalar un motor **3.** *FAM* encantar, entusiasmar: **ce projet m'a emballé** este proyecto me ha entusiasmado. **◆ s'~** *vpr* **1.** *(cheval)* desbocarse **2.** *(moteur)* embalarse **3.** *FAM* entusiasmarse **4.** *FAM (par colère)* encolerizarse ◊ **ne nous emballons pas!** ¡calma!

**emballeur, euse** *s* embalador, a, empaquetador, a.

**embarcadère** *m* embarcadero.

**embarcation** *f* embarcación.

**embardée** *f* **1.** *(d'un navire)* guiñada **2.** *(d'une voiture)* bandazo *m*: **faire une ~** dar un bandazo.

**embargo** *m* embargo ◊ **mettre l'~ sur** embargar; **lever l'~** alzar el embargo, levantar el embargo.

**embarquement** *m* embarque, embarco: **carte d'~** tarjeta de embarque ◊ **quai d'~** embarcadero.

**embarquer** *vt* **1.** embarcar: **~ des marchandises, des passagers** embarcar mercancías, pasajeros **2.** *FIG* embarcar, llevar, enredar: **se laisser ~ dans une affaire** dejarse embarcar en un negocio **3.** *FAM (arrêter)* prender, detener: **~ un voleur** detener a un ladrón. ◇ *vi (monter à bord)* embarcar, embarcarse: **j'embarque demain à Marseille** embarco mañana en Marsella. **◆ s'~** *vpr* **1.** embarcarse, embarcar: **s'~ pour l'Amérique** embarcar para América **2.** *FIG* enzarzarse, embarcarse: **il s'est embarqué dans une affaire compliquée** se ha enzarzado en un asunto complicado.

**embarras** *m* **1.** *(gêne)* apuro, aprieto, estrechez *f*: **être dans l'~** estar en un apuro; **mettre dans l'~** poner en un aprieto;

**tirer d'~** sacar de apuro; **avoir des ~ d'argent** pasar estrecheces **2.** *(obstacle)* obstáculo, estorbo **3.** *(trouble)* turbación *f*, confusión *f*, embarazo **4. n'avoir que l'~ du choix** tener de sobra qué escoger **5. faire des ~** hacer remilgos **6.** *(de voitures)* atasco **7. ~ gastrique** desarreglo gástrico, empacho.

**embarrassant, e** *a* embarazoso, a, molesto, a: **situation embarrassante** situación embarazosa.

**embarrassé, e** *a* **1.** FIG confuso, a, cohibido, a, embarazado, a, perplejo, a, incómodo, a: **air ~** aire perplejo; **être ~ de sa personne** estar incómodo; **explications embarrassées** explicaciones confusas **2. avoir l'estomac ~** sufrir empacho.

**embarrasser** *vt* **1.** estorbar: **cette valise m'embarrasse** esta maleta me estorba **2.** *(troubler)* confundir, turbar, poner en un apuro. ◆ **s'~** *vpr* **1.** embarazarse **2.** apurarse: **ne s'~ de rien** no apurarse por nada.

**embastiller** *vt* encarcelar.

**embauchage** *m*, **embauche** *f* contratación *f*.

**embaucher** *vt* contratar, ajustar.

**embauchoir** *m* horma *f*.

**embaumement** *m* embalsamiento.

**embaumer** *vt (un cadavre, parfumer)* embalsamar. ◇ *vi* oler muy bien: **ces roses embaument** estas rosas huelen muy bien; **le jardin embaume le jasmin** el jardín huele a jazmín.

**embellie** *f* escampada, clara.

**embellir** *vt* embellecer. ◇ *vi* volverse más hermoso, a ◊ **elle embellit de jour en jour** cada día está más guapa.

**embellissement** *m* embellecimiento.

**emberlificoter** *vt* FAM liar, enredar, embaucar. ◆ **s'~** *vpr* FAM **s'~ dans** enzarzarse en.

**embêtant, e** *a* FAM **1.** *(ennuyeux)* fastidioso, a **2.** *(contrariant)* molesto, a.

**embêtement** *m* FAM disgusto, molestia *f*, contrariedad *f*.

**embêter** *vt* FAM *(ennuyer, contrarier)* fastidiar; **ça m'embête qu'il vienne** me fastidia que venga; **arrête de m'~!** ¡no me fastidies más! ◆ **s'~** *vpr* aburrirse: **je me suis rudement embêté** me aburrí de lo lindo ◊ **il ne s'embête pas!** ¡lo pasa bien!

**emblavage** *m* AGR siembra *f* de trigo.

**emblaver** *vt* AGR sembrar de trigo, empanar.

**emblée (d')** *loc adv* de entrada, de golpe.

**emblématique** *a* emblemático, a, simbólico, a.

**emblème** *m* emblema.

**embobeliner, embobiner** *vt* FAM *(tromper)* embaucar, engatusar.

**embobiner** *vt (du fil)* bobinar.

**emboîtage** *m (d'un livre)* estuche de cartón.

**emboîtement** *m (de deux pièces)* encaje, ajuste.

**emboîter** *vt* **1.** encajar, ajustar **2. ~ le pas à quelqu'un** seguir los pasos de alguien. ◆ **s'~** *vpr* encajarse.

**embolie** *f* embolia.

**embonpoint** *m* gordura *f* ◊ **prendre de l'~** engordar, echar carnes.

**embosser** *vt* MAR acoderar.

**embouche** *f* dehesa, prado *m*.

**embouché, e** *a* FAM **mal ~** mal hablado, a.

**embouchure** *f* **1.** MUS boquilla **2.** *(d'un fleuve)* desembocadura.

**embourber (s')** *vpr* atascarse, encenagarse.

**embourgeoisement** *m* aburguesamiento.

**embourgeoiser (s')** *vpr* aburguesarse.

**embout** *m* contera *f*.

**embouteillage** *m* **1.** *(action)* embotellamiento **2.** *(de véhicules)* atasco, embotellamiento.

**embouteiller** *vt* **1.** *(mettre en bouteilles)* embotellar **2.** embotellar, atascar: **rue embouteillée** calle atascada.

**emboutir** *vt* **1.** *(métal)* embutir, estampar **2.** chocar contra: **un camion a embouti la voiture** un camión ha chocado contra el coche.

**emboutissage** *m* **1.** *(du métal)* estampado, repujado **2.** choque.

**embranchement** *m* **1.** ramificación *f* **2.** *(de voies ferrées)* empalme, ramal **3.** *(de routes)* bifurcación *f*, encrucijada *f* **4.** ZOOL, BOT rama *f*.

**embrancher** *vt* empalmar. ◆ **s'~** *vpr* empalmar.

**embraquer** *vt* MAR tesar.

**embrasement** *m* **1.** incendio **2.** iluminación *f*.

**embraser** *vt* **1.** abrasar, incendiar **2.** iluminar **3.** FIG inflamar, agitar. ◆ **s'~** *vpr* arder.

**embrassade** *f* abrazo *m*, beso *m*.

**embrasse** *f* alzapaño *m*.

**embrassement** *m* abrazo, beso.

**embrasser** *vt* **1.** besar: **~ sur la bouche, sur le front** besar en la boca, en la frente; **embrasse-moi** bésame ◊ *(à la fin d'une lettre)* **je t'embrasse** un saludo afectuoso, cariños **2.** *(serrer dans ses bras)* abrazar **3.** FIG abarcar: **qui trop embrasse mal étreint** quien mucho abarca, poco aprieta **4.** *(un parti, une cause, etc.)* abrazar. ◆ **s'~** *vpr* besarse: **ils s'embrassèrent tendrement** se besaron con ternura.

**embrasure** *f* hueco *m*, vano *m*: **dans l'~ de la porte** en el hueco, el vano de la puerta.

**embrayage** [ɑ̃bʀejaʒ] *m* embrague.

**embrayer*** [ɑ̃bʀeje] *vt/i* embragar.

**embrigadement** *m* alistamiento, reclutamiento.

**embrigader** *vt* alistar, reclutar.

**embringuer** *vt* FAM liar. ◆ **s'~** *vpr* FAM embarcarse, meterse, enzarzarse: **s'~ dans une affaire risquée** enzarzarse en un negocio arriesgado.

**embrocation** *f* embrocación.

**embrocher** *vt* espetar, ensartar.

**embrouillamini** FAM → **brouillamini.**

**embrouille** *f* FAM lío *m*.

**embrouillement** *m* embrollo, enmarañamiento.

**embrouiller** *vt* **1.** *(des fils, etc.)* embrollar, enmarañar **2.** FIG confundir, trastornar. ◆ **s'~** *vpr* embrollarse, enredarse, liarse: **il s'est embrouillé dans ses explications** se ha embrollado con sus propias explicaciones, se ha liado.

**embroussaillé, e** *a* **1.** lleno, a de maleza **2.** FIG enmarañado, a.

**embrumer** *vt* **1.** anublar **2.** FIG ensombrecer.

**embruns** [ɑ̃bʀœ̃] *m pl* rocíon *sing* de las olas.

**embryogenèse** *f* embriogenia, embriogénesis.

**embryologie** *f* embriología.

**embryologique** *a* embriológico, a.

**embryon** [ɑ̃bʀijɔ̃] *m* embrión.

**embryonnaire** *a* embrionario, a.

**embryopathie** *f* MED embriopatía.

**embûches** *f pl* dificultades, obstáculos *m*, trampas.

**embuer** *vt* empañar, cubrir de vaho. ◆ **s'~** *vpr* empañarse: **ses yeux s'embuèrent de larmes** sus ojos se empañaron de lágrimas; **vitre embuée** cristal empañado.

**embuscade** *f* emboscada.

**embusquer** *vt* emboscar. ◆ **s'~** *vpr* emboscarse.

**éméché, e** *a FAM* achispado, a, bebido, a.

**émeraude** *a/f* esmeralda.

**émergence** *f* **1.** emergencia **2.** *FIG* aparición, afloramiento *m*.

**émerger*** *vi* **1.** *(de l'eau)* emerger **2.** *FIG* asomar, surgir **3.** *FIG (se distinguer)* sobresalir **4.** *FAM (se réveiller)* despertarse.

**émeri** *m* esmeril ◊ **papier ~** papel de lija; *FAM* **bouché à l'~** cerrado de mollera.

**émerillon** *m* **1.** *(oiseau)* esmerejón **2.** *TECHN* eslabón giratorio.

**émérite** *a* **1.** *(en retraite)* emérito, a **2.** *FIG* consumado, a.

**émersion** *f ASTR* emersión.

**émerveillement** *m* admiración *f*.

**émerveiller** *vt* maravillar. ◆ **s'~** *vpr* maravillarse.

**émétique** *a/m* emético, a.

**émetteur, trice** *a* emisor, a: **poste ~** estación emisora; **banque émettrice** banco emisor. ◊ *m* emisora *f*: **~ radiophonique** emisora radiofónica.

**émettre*** *vt* **1. ~ un son, des rayons, un jugement** emitir un sonido, rayos, un juicio **2.** emitir: **la banque a émis de nouveaux billets** el banco ha emitido nuevos billetes. ◊ *vi (radio)* emitir.

**émeu** *m (oiseau)* emú.

**émeute** *f* motín *m*, revuelta.

**émeutier, ère** *s* amotinado, a, insurrecto, a.

**émiettement** *m* **1.** desmenuzamiento **2.** *FIG* dispersión *f*.

**émietter** *vt* **1.** *(du pain)* desmigajar, desmenuzar **2.** *FIG* esparcir.

**émigrant, e** *s* emigrante.

**émigration** *f* emigración.

**émigré, e** *a/s* emigrado, a.

**émigrer** *vi* emigrar: **~ en Israël** emigrar a Israel.

**Émile** *np m* Emilio.

**Émilie** *np f* Emilia.

**Émilien, enne** *np* Emiliano, a.

**émincé** *m* loncha *f* fina.

**émincer*** *vt* rebanar, cortar en lonchas finas.

**éminemment** [eminamɑ̃] *adv* eminentemente, sumamente.

**éminence** *f* **1.** eminencia **2. ~ grise** eminencia gris.

**éminent, e** *a* eminente.

**émir** *a* emir.

**émirat** *m* emirato.

**émis, e** → **émettre.**

**émissaire** *m* emisario. ◊ *a* **bouc ~** chivo expiatorio.

**émission** *f* **1.** emisión **2.** *(radio, télévision)* emisión ◊ **~ télévisée** espacio *m* televisivo **3.** *(de titres bancaires, etc.)* emisión.

**emmagasinage** [ɑ̃magazinaʒ] *m* almacenamiento.

**emmagasiner** [ɑ̃magazine] *vt* almacenar.

**emmailloter** [ɑ̃majɔte] *vt* envolver en pañales, fajar.

**emmancher** [ɑ̃mɑ̃ʃe] *vt* **1.** poner mango a, enmangar **2.** *FIG FAM* poner en marcha. ◆ **s'~** *vpr FAM* empezar.

**emmanchure** [ɑ̃mɑ̃ʃyʀ] *f* sisa: **un manteau large aux emmanchures** un abrigo ancho de sisa.

**Emmanuel, elle** *np* Manuel, Manuela.

**Emmaüs** *np* Emaús.

**emmêlement** [ɑ̃mɛlmɑ̃] *m* enredijo, maraña *f*.

**emmêler** [ɑ̃mele] *vt* **1.** *(cheveux, fils)* enmarañar **2.** *FIG* enmarañar, embrollar.

**emménagement** [ɑ̃menaʒmɑ̃] *m* instalación *f* (en un nuevo piso).

**emménager*** [ɑ̃menaʒe] *vi* instalarse.

**emmener*** [ɑ̃mne] *vt* llevar, conducir: **il a emmené sa fille au cirque** ha llevado a su hija al circo; **emmenez-le!** ¡lléveselo!, ¡lleváoslo!

**emmenthal** [emɑ̃tal] *m* queso de Gruyère.

**emmerdant, e** [ɑ̃mɛʀdɑ̃, ɑ̃t] *a POP* que joroba, que chincha, latoso, a, aburrido, a: **un film ~** una película aburrida.

**emmerdement** [ɑ̃mɛʀdəmɑ̃] *m POP* lío, joroba *f*, follón: **comme si je n'avais pas assez d'emmerdements** como si no tuviera bastante follón.

**emmerder** [ɑ̃mɛʀde] *vt POP* jorobar, hacer la puñeta, joder ◊ **mon voisin?, je l'emmerde!** ¿mi vecino?, ¡que se vaya al cuerno! ◆ **s'~** *vpr POP* aburrirse, fastidiarse.

**emmerdes** *f pl POP* líos *m*.

**emmerdeur, euse** [ɑ̃mɛʀdœʀ, øz] *s POP* pelmazo, a, pelma.

**emmitoufler** [ɑ̃mitufle] *vt* abrigar, arropar. ◆ **s'~** *vpr* arrebujarse, abrigarse.

**emmouscailler** *POP* → **emmerder.**

**emmurer** [ɑ̃myʀe] *vt* encerrar, emparedar, sepultar.

**émoi** *m* **1.** emoción *f*, alarma *f* **2. toute la ville est en ~** toda la ciudad está en efervescencia.

**émollient, e** *a/m* emoliente.

**émoluments** *m pl* emolumentos.

**émondage** *m* escamonda *f*, poda *f*.

**émonder** *vt* escamondar, mondar.

**émotif, ive** *a/s* emotivo, a.

**émotion** *f* **1.** emoción: **pleurer d'~** llorar de emoción **2. donner des émotions** dar un susto, asustar, inquietar; **se remettre de ses émotions** reponerse del susto, serenarse.

**émotionnel, elle** *a* emocional.

**émotionner** *vt FAM* emocionar.

**émotivité** *f* emotividad.

**émotter** *vt* desterronar.

**émouchet** *m* cernícalo.

**émouleur** *m* afilador.

**émoulu, e** *a FIG* **frais ~ de** recién salido, a de.

**émousser** *vt* **1.** *(un couteau, etc.)* desafilar, embotar **2.** *FIG (affaiblir)* embotar, debilitar. ◆ **s' ~** *vpr FIG* debilitarse.

**émoustillant, e** *a FAM* excitante.

**émoustiller** *vt FAM* alegrar, animar.

**émouvant, e** *a* conmovedor, a, emocionante, emotivo, a.

**émouvoir*** *vt* conmover, emocionar: **cette nouvelle m'a ému** me ha emocionado esta noticia; **ses larmes m'émeuvent** sus lágrimas me conmueven. ◆ **s' ~** *vpr* emocionarse.

**empaillé, e** *a* **1.** *(animal)* disecado, a: **un hibou ~** un búho disecado **2.** *FAM (niais)* torpe, bobo, a.

**empailler** *vt* **1.** *(un animal)* disecar **2.** *(une chaise)* poner un nuevo asiento de paja a **3.** cubrir con paja, empajar.

**empailleur** *m (taxidermiste)* disecador.

**empaler** *vt* empalar.

**empan** *m* palmo.

**empanacher** *vt* empenachar.

**empanner** *vi MAR* ponerse en facha.

**empaquetage** *m* empaquetamiento, empaquetado.

**empaqueter*** *vt* empaquetar.

**emparer (s')** *vpr* apoderarse, adueñarse: **s'~ du pouvoir** adueñarse del poder; **la peur s'empara de lui** el miedo se adueñó de él.

**empâtement** *m* **1.** *(du visage)* engrosamiento **2.** *(en peinture)* empaste.

**empâter** *vt* **1.** empastar **2.** *(bouche, langue)* poner pastoso, a. ◆ **s' ~** *vpr* engrosar, engordar, hincharse: **visage empâté** cara hinchada, abotagada.

**empattement** *m* **1.** *(d'un mur)* zócalo, base *f* **2.** *(d'une voiture)* batalla *f*, distancia *f* de eje a eje.

**empaumer** *vt* FAM **se laisser ~** dejarse engañar.

**empêchement** *m* impedimento, inconveniente: **j'ai eu un ~** he tenido un inconveniente.

**empêcher** *vt* impedir: **il m'empêche de parler** me impide hablar; **qu'est-ce qui t'en empêche?** ¿qué te lo impide? ◇ *impers* **(il) n'empêche que...** eso no impide que... eso no quita para que...; **il n'empêche** quiera que no. ◆ **s' ~** *vpr* no poder menos de: **je n'ai pas pu m'~ de sourire** no pude menos de sonreír; **elle ne pouvait s'empêcher de penser à...** no podía menos de pensar en...; **je ne pouvais m'~ de rire** no podía contener la risa.

**empêcheur, euse** *s* FAM **~ de danser en rond** aguafiestas.

**empeigne** *f* empeine *m*.

**empennage** *m* **1.** *(d'un avion)* planos *pl* de estabilización **2.** *(d'une torpille)* aletas *f pl* **3.** *(d'une flèche)* plumas *f pl*.

**empenner** *vt (une flèche)* emplumar.

**empereur** *m* emperador.

**emperler** *vt* FIG *(rosée, sueur)* cubrir de gotas.

**empesage** *m* almidonado.

**empesé, e** *a* **1.** almidonado, a **2.** FIG *(attitude)* afectado, a, estirado, a; *(style)* afectado, a.

**empeser*** *vt* almidonar.

**empester** *vt/i* apestar: **~ l'ammoniaque** apestar a amoníaco.

**empêtrer** *vt* trabar, enredar. ◆ **s' ~** *vpr* FIG enredarse, embrollarse, liarse.

**emphase** *f* énfasis *m*.

**emphatique** *a* enfático, a.

**emphysémateux, euse** *a/s* enfisematoso, a.

**emphysème** *m* enfisema.

**emphytéose** *f* JUR enfiteusis.

**emphytéote** *s* JUR enfiteuta.

**empiècement** *m* canesú.

**empierrement** *m* **1.** *(action)* empedramiento **2.** empedrado, macadán.

**empierrer** *vt* empedrar.

**empiétement** *m* **1.** invasión *f*, avance **2.** FIG usurpación *f*.

**empiéter*** *vi* **1. ~ sur le champ du voisin** desbordar en el campo del vecino **2. ~ sur un droit** usurpar un derecho.

**empiffrer (s')** *vpr* FAM atracarse.

**empilement** *m* apilamiento.

**empiler** *vt* **1.** apilar **2.** FAM *(duper)* estafar. ◆ **s' ~** *vpr* amontonarse.

**empire** *m* **1.** imperio **2.** FIG **pas pour un ~!** ¡por nada del mundo!, ¡aunque me pagaran! **3.** FIG **avoir de l'~ sur soi-même** dominarse; **sous l'~ de** bajo el efecto de **4. le Saint-Empire romain germanique** el Sacro Imperio romano germánico.

**empirer** *vi* empeorar.

**empirique** *a* empírico, a.

**empiriquement** *adv* empíricamente.

**empirisme** *m* empirismo.

**emplacement** *m* sitio, lugar, emplazamiento, ubicación *f*: **à l'~ de** en el lugar de.

**emplâtre** *m* **1.** emplasto **2.** FAM *(aliment)* pegote **3.** FAM *(personne)* incapaz.

**emplette** *f* compra: **aller faire ses emplettes** ir de compras ◊ **faire l'~ de** comprar.

**emplir** *vt* llenar.

**emploi** *m* **1.** *(utilisation)* empleo, uso ◊ **~ du temps** horario; **faire double ~** ser inútil, estar en doble **2.** *(situation)* empleo, destino, plaza *f*, puesto: **création d'emplois** creación de puestos de trabajo; **créer de nouveaux emplois** crear nuevos puestos de trabajo; **être sans ~** no tener trabajo, estar desempleado; **offre d'~** oferta de trabajo; **la bourse de l'~** la bolsa del trabajo **3.** THÉÂT *(rôle)* papel.

**employé, e** [ɑ̃plwaje] *s* **1.** empleado, a **2. ~ de bureau** oficinista, administrativo; **~ de maison** criado, a, doméstico, a, empleado, a de hogar; **~ aux écritures** → **écriture**.

**employer*** [ɑ̃plwaje] *vt* emplear. ◆ **s' ~** *vpr* **1.** emplearse, usarse: **mot qui ne s'emploie guère** palabra que apenas se usa **2. s'~ à** empeñarse en, aplicarse a, ocuparse en.

**employeur, euse** [ɑ̃plwajœʀ, øz] *s* **1.** patrono, a **2.** *(d'une entreprise)* empresario, a.

**emplumé, e** *a* cubierto, a de plumas.

**empocher** *vt* embolsarse: **il a empoché un million** se ha embolsado un millón.

**empoignade** *f* agarrada, altercado *m*.

**empoigne** *f* FAM **foire d'~** merienda de negros, puerto *m* de arrebatacapas.

**empoigner** *vt* **1.** agarrar **2.** FIG *(émouvoir)* conmover. ◆ **s' ~** *vpr* agarrarse, pelearse.

**empois** *m* engrudo.

**empoisonnant, e** *a* FAM fastidioso, a, latoso, a.

**empoisonnement** *m* **1.** envenenamiento, intoxicación *f* **2.** FAM fastidio, engorro.

**empoisonner** *vt* **1.** envenenar: **flèche empoisonnée** flecha envenenada ◊ FIG **cadeau empoisonné** regalo envenenado **2.** intoxicar **3.** *(l'air)* infestar **4.** FIG amargar: **des voisins qui m'empoisonnent l'existence** vecinos que me amargan la existencia **5.** FAM *(ennuyer)* fastidiar. ◆ **s' ~** *vpr* **1.** envenenarse **2.** FAM *(s'ennuyer)* aburrirse.

**empoisonneur, euse** *s* **1.** envenenador, a **2.** FAM tostón, ona, pelma.

**empoissonner** *vt* poblar de peces.

**emporté, e** *a (irritable)* violento, a, colérico, a.

**emportement** *m* **1.** arrebato, vehemencia *f* **2.** *(colère)* cólera *f*, ira *f*.

**emporte-pièce** *m inv* **1.** sacabocados **2. à l'~** mordaz, incisivo, a, punzante, tajante, categórico, a: **des jugements à l'~** juicios categóricos.

**emporter** *vt* **1.** llevarse, llevar: **j'ai emporté quelques sandwiches** me he llevado algunos bocadillos; **la crue a tout emporté** la crecida se lo llevó todo; **boisson à ~** bebida para llevar ◊ FAM **cette sauce emporte la gueule** esta salsa pica una barbaridad, quema la boca; **que le diable t'emporte!** ¡vete al diablo!; **tu ne l'emporteras pas au paradis** me las pagarás; FIG **~ le morceau** triunfar, llevarse el gato al agua **2. se laisser ~ par la colère** dejarse llevar por la ira **3. l'~** vencer; **l'~ sur quelqu'un** aventajar, superar a alguien. ◆ **s' ~** *vpr* **1.** arrebatarse, encolerizarse **2.** *(cheval)* desbocarse.

**empoté, e** *a/s* FAM torpe, zopenco, a.

**empoter** *vt (une plante)* poner en tiestos.

**empourprer** *vt LITT* teñir de púrpura, enrojecer. ◆ **s' ~** *vpr* enrojecer, ruborizarse.

**empreindre*** *vt* imprimir, marcar.

**empreint, e** *a* **~ de** impregnado, a de; **poème ~ de mélancolie** poema teñido de melancolía.

**empreinte** *f* **1.** huella: **empreintes digitales** huellas digitales, dactilares **2.** *FIG (marque durable)* impronta, marca, sello *m* **3.** *(moulage)* molde *m* **4.** *BIOL* **~ génétique** impronta genética.

**empressé, e** *a* **1.** afanoso, a **2.** *(dévoué)* solícito, a, atento, a.

**empressement** *m* **1.** diligencia *f* **2.** solicitud *f*, afán, empeño: **son ~ à nous aider** su empeño en ayudarnos.

**empresser (s')** *vpr* **1. s'~ de** apresurarse a: **je m'empresse de vous répondre** me apresuro a contestarle **2. s'~ auprès de** mostrarse solícito para con.

**emprise** *f* influencia, dominio *m*: **sous l'~ de** bajo la influencia de.

**emprisonnement** *m* encarcelamiento.

**emprisonner** *vt* encarcelar, aprisionar.

**emprunt** *m* **1.** préstamo **2.** *(public)* empréstito: **lancer un ~** lanzar un empréstito **3.** copia *f*, imitación *f* **4. nom d'~** nombre falso **5. mot d'~** extranjerismo; **un ~ de l'anglais** un anglicismo.

**emprunté, e** *a (peu naturel)* cohibido, a.

**emprunter** *vt* **1.** pedir prestado: **il m'a emprunté de l'argent, cent francs** me pidió dinero prestado, me pidió prestados cien francos **2.** *FIG* tomar, sacar: **de nombreux mots français sont empruntés à l'anglais** numerosas palabras francesas están tomadas del inglés **3.** tomar: **nous allons ~ la route nationale** vamos a tomar la carretera nacional.

**emprunteur, euse** *a/s* que pide prestado.

**empuantir** *vt* apestar.

**empyrée** *m* empíreo.

**ému, e** *pp* de **émouvoir.** ◇ *a* conmovido, a, emocionado, a: **être ~ aux larmes** estar conmovido hasta las lágrimas.

**émulation** *f* emulación.

**émule** *s* émulo, a.

**émulsifiant** *m CHIM* emulsionante.

**émulsion** *f* emulsión.

**émulsionner** *vt* emulsionar.

**¹en** *prép* **1.** *(lieu)* en: **être ~ Belgique** estar en Bélgica; **le mariage sera célébré ~ l'église de...** la boda se celebrará en la iglesia de... **2.** *(lieu avec mouvement)* a: **aller ~ Amérique** ir a América; **il est parti ~ Argentine** se marchó a Argentina; **pèlerinage ~ Terre Sainte** peregrinación a Tierra Santa; **conduire ~ prison** llevar a la cárcel **3.** *(temps, durée)* en: **né ~ 1985, ~ été** nacido en 1985, en verano; **~ ce temps-là** en aquel tiempo; **s'habiller ~ cinq minutes** vestirse en cinco minutos ◊ **~ son absence** durante su ausencia **4.** *(moyen, manière, spécialité, vêtement)* en: **~ voiture** en coche; **répondre ~ espagnol** contestar en castellano; **docteur ~ médecine** doctor en medicina; **~ maillot de bain** en bañador; **~ robe du soir** en vestido de noche **5.** *(matière, couleur, tenue, état)* de: **sac ~ plastique** bolso de plástico; **chemise ~ coton** camisa de algodón; **peindre ~ jaune, ~ vert** pintar de amarillo, de verde; **~ bonne santé** en buena salud; **~ civil** de paisano; **~ vacances** de vacaciones **6.** como: **agir ~ soldat** actuar como soldado; **~ bon chrétien** como buen cristiano **7.** *(devant un participe présent exprimant la manière)* ne se traduit pas: **~ lisant** leyendo; **il arriva ~ courant** llegó corriendo, ou se traduit par al + infinitif *(idée de «moment précis»)*: **~ arrivant** al llegar; **~ sortant du cinéma** al salir del cine; *(simultanéité)* **elle bavarde tout ~ épluchant des pommes de terre** charla y monda patatas al mismo tiempo, charla mientras monda patatas.

**²en** *adv* **1.** de allí, de ahí: **j'~ viens** de allí vengo **2. s'~ aller** marcharse; **va- t'en** vete.

**³en** *pron* **1.** de él, de ella, de ellos, de ellas, de ello, de eso: **sa voisine?, il ~ est amoureux** ¿su vecina?, está enamorado de ella; **qu'~ pensez-vous?** *(= de cela)*, ¿qué piensa usted de ello?; **j'~ suis sûr** estoy seguro de ello; **j'~ prends note** tomo nota de ello; **tu ~ sais plus que moi** de eso sabes más que yo; **ma vieille machine à écrire, je ne sais pas quoi ~ faire** mi vieja máquina de escribir, no sé qué hacer de ella **2.** *(comme partitif, ne se traduit généralement pas ou se traduit par «lo, la, los, las» ou encore par une expression de nombre ou de quantité)*: **combien ~ voulez-vous?** ¿cuántos quiere usted?; **j'~ veux deux** quiero dos; **je n'~ peux plus** no puedo más; **j'~ ai besoin** lo necesito; **des disques?, oui j'~ ai** ¿discos?, sí tengo algunos; **il y ~ a** los hay, las hay **3.** por ello: **je vous ~ remercie** le doy las gracias por ello, se lo agradezco; **je m'~ félicite** me felicito por ello **4. c'~ est assez** ya es bastante; **c' ~ est fait** se acabó; **s'~ prendre à quelqu'un** tomarla con alguien; **ne t'~ fais pas!** ¡no te preocupes!

**E.N.A.** *siglas* de **École nationale d'administration.**

**enamourer (s')** *vpr* enamorarse.

**énarque** *s* antiguo alumno de la E.N.A.

**encablure** *f MAR* cable *m* (200 metros) ◊ *FAM* **à quelques encablures d'ici** bastante cerca de aquí.

**encadré** *m* recuadro.

**encadrement** *m* **1.** *(cadre)* marco **2.** *(du personnel)* encuadramiento **3.** *MIL* **l'~** los cuadros de mando.

**encadrer** *vt* **1.** *(un dessin, une gravure, etc.)* encuadrar, enmarcar **2.** escoltar, custodiar: **deux gendarmes encadraient le malfaiteur** dos guardias custodiaban al malhechor **3.** *(troupes ou personnel)* proveer de mandos, mandar.

**encadreur, euse** *s* el, la que hace, pone marcos.

**encagoulé, e** *a/s* encapuchado, a.

**encaissable** *a* cobrable.

**encaisse** *f* ingreso *m*, hacer *m* en caja, fondos *m pl.*

**encaissé, e** *a (vallée, etc.)* encajonado, a.

**encaissement** *m* **1.** *(d'une vallée, etc.)* encajonamiento **2.** *COM* cobranza *f*, cobro.

**encaisser** *vt* **1.** *(une somme)* cobrar, ingresar, recaudar **2.** *FAM (un coup, etc.)* encajar, recibir **3.** *FAM (remontrance, quelqu'un)* tragar, aguantar: **je ne peux pas l'~** no lo puedo tragar.

**encaisseur** *m* cobrador.

**encan (à l')** *loc adv* en pública subasta, al mejor postor.

**encanailler (s')** *vpr* encanallarse.

**encapuchonner** *vt* encapuchar.

**encart** *m* encarte.

**encarter** *vt TECHN* encartar.

**en-cas** *m inv* tentempié, piscolabis.

**encastrement** *m* empotramiento.

**encastrer** *vt* empotrar: **four encastré** horno empotrado. ◆ **s' ~** *vpr* empotrarse.

**encausticage** *m* encerado.

**encaustique** *f* encáustico *m.*

**encaustiquer** *vt* dar encáustico, a.

**enceindre*** *vt* cercar, rodear.

**¹enceinte** *f* **1.** muralla **2** *(espace)* recinto *m* **3. ~ acoustique** caja acústica, pantalla acústica.

**²enceinte** *a (femme)* embarazada, encinta: **elle est ~** está embarazada, está en estado; **~ de six mois** embarazada de seis meses; **tomber ~** quedarse embarazada; **il l'a mise ~** la dejó embarazada.

**encens** *m* incienso.

**encensement** *m* incensación *f.*

**encenser** *vt* **1.** incensar **2.** *FIG* incensar, adular.

**encenseur** *m FIG* adulador.

**encensoir** *m* incensario ◊ *FIG FAM* **manier l'~** dar coba, hacerla pelotilla.

**encéphale** *m ANAT* encéfalo.

**encéphalite** *f MÉD* encefalitis.

**encéphalogramme** *m MÉD* encefalógramo.

**encéphalographie** *f MÉD* encefalografía.

**encéphalopathie** *f MÉD* **~ spongiforme** encefalopatía espongíforme.

**encerclement** *m* cerco.

**encercler** *vt* cercar, circundar, rodear.

**enchaîné** *m (cinéma)* fundido encadenado.

**enchaînement** *m* **1.** encadenamiento **2.** *FIG (de circonstances, etc.)* concatenación *f*, encadenamiento **3.** *(liaison)* enlace, ilación *f*.

**enchaîner** *vt* **1.** encadenar **2.** *FIG (lier)* enlazar, encadenar. ◆ **s' ~** *vpr* encadenarse.

**enchanté, e** *a* **1.** encantado, a, mágico, a ◊ **la Flûte enchantée** → **flûte 2.** *FIG* **~ de faire votre connaissance** encantado de conocerlo.

**enchantement** *m* **1.** encantamiento, encanto, hechizo ◊ **comme par ~** como por arte de magia, como por ensalmo **2.** *FIG (plaisir)* placer, delicia *f*.

**enchanter** *vt* **1.** encantar **2.** *FIG (charmer)* encantar, embelesar **3.** *(plaire)* entusiasmar ◊ **ton idée ne m'enchante pas** tu idea no me gusta nada.

**enchanteur, eresse** *a/s* encantador, a, hechicero, a: **Merlin l'Enchanteur**/Merlín el Encantador; **un lieu ~** un lugar encantador.

**enchâssement** *m* engarce.

**enchâsser** *vt* **1.** *(pierre précieuse)* engastar **2.** *(citation, etc.)* intercalar.

**enchère** *f* **1.** puja **2. vente aux enchères** subasta; **mettre aux enchères** sacar a subasta; **vendre aux enchères** vender en pública subasta, subastar.

**enchérir** *vi* **1.** *(aux enchères)* pujar **2.** *(devenir plus cher)* encarecer **3. ~ sur** sobrepujar, superar a, ir más allá de.

**enchérissement** *m* encarecimiento.

**enchérisseur** *m* postor, licitador.

**enchevêtrement** *m* enredo, embrollo, confusión *f*.

**enchevêtrer** *vt* enredar, embrollar. ◆ **s' ~** *vpr* embrollarse, enredarse.

**enchifrené, e** *a ANC* acatarrado, a, resfriado, a.

**enclave** *f* enclave *m*.

**enclaver** *vt (un terrain, etc.)* enclavar, incluir.

**enclenchement** *m* enganche.

**enclencher** *vt* **1.** *TECHN* engranar **2.** *(une affaire)* entablar. ◆ **s' ~** *vpr* **1.** engranar **2.** *(commencer)* empezar.

**enclin, e** *a* propenso, a, proclive: **il est ~ à la paresse** es propenso a la holgazanería.

**enclitique** *a/s* enclítico, a.

**enclore*** *vt (clôturer)* cercar.

**enclos** *m* cercado.

**enclouure** *f* clavadura.

**enclume** *f* **1.** yunque *m* ◊ *FIG* **être entre l'~ et le marteau** estar entre la espada y la pared **2.** *ANAT (de l'oreille)* yunque *m*.

**encoche** *f* muesca.

**encocher** *vt* entallar, hacer una muesca a.

**encoder** *vt INFORM* codificar.

**encodeur** *m INFORM* codificador.

**encoignure** [ɑ̃kɔɲyʀ] *f* **1.** *(angle)* rincón *m* **2.** *(meuble)* rinconera.

**encollage** *m* encolado.

**encoller** *vt* encolar, engomar.

**encolure** *f* **1.** *(du cheval)* cuello *m* **2.** *(mesure)* medida del cuello **3.** *(décolleté)* abertura, escote *m*.

**encombrant, e** *a* **1.** voluminoso, a, muy grande ◊ **ce fauteuil est ~** este sillón ocupa mucho espacio **2.** *FIG (importun)* molesto, a, fastidioso, a.

**encombre (sans)** *loc adv* sin dificultad, sin novedad.

**encombrement** *m* **1.** *(amas)* amontonamiento, acumulación *f*, aglomeración *f* **2.** *(de voitures)* atasco, embotellamiento **3.** *(dimension)* volumen, tamaño.

**encombrer** *vt* **1.** *(rue, passage)* estorbar, obstruir **2.** atestar, abarrotar, llenar: **table encombrée de papiers** mesa abarrotada de papeles **3.** *(la mémoire)* recargar. ◆ **s' ~** *vpr* cargarse.

**encontre de (à l')** *loc prép* en contra de: **cela va à l'~ de mes projets** esto va en contra de mis proyectos.

**encorbellement** *m* salidizo, saledizo, voladizo: **balcon en ~** balcón voladizo.

**encorder (s')** *vpr* encordarse.

**encore** *adv* **1.** aún, todavía: **il n'est pas ~ arrivé** no ha llegado todavía, aún no ha llegado; **pas ~** todavía no; **~ mieux** todavía mejor; **~ plus** todavía más **2.** más: **~ un peu de café?** ¿un poco más de café?; **~ une fois** una vez más; **mais ~?** ¿y qué más? **3. non seulement... mais ~** no sólo... sino también **4.** otra vez: **merci ~** gracias otra vez; **~!** ¡otra vez!; **~ vous!** ¡otra vez usted! **5. si ~ il faisait beau** si al menos hiciera buen tiempo **6.** *loc conj* **~ que** aunque; **elle est sympathique ~ qu'un peu prétentieuse** es simpática aunque un poco presumida.

▶ Dans le sens de «toujours», on peut employer le verbe «seguir»: *il dort encore* sigue durmiendo.

**encorner** *vt* cornear, empitonar.

**encornet** *m* calamar.

**encourageant, e** *a* alentador, a: **des résultats encourageants** resultados alentadores.

**encouragement** *m* **1.** estímulo, aliento, ánimo **2.** *(à la production, etc.)* fomento, incentivo.

**encourager*** *vt* **1.** *(quelqu'un)* alentar, animar **2.** *(arts, production, etc.)* fomentar, estimular, incentivar: **~ l'épargne** incentivar el ahorro.

**encourir*** *vt* incurrir en.

**encrage** *m* entintado.

**encrasser** *vt* ensuciar (de grasa, etc.). ◆ **s' ~** *vpr* ensuciarse.

**encre** *f* **1.** tinta: **~ de Chine** tinta china; **~ d'imprimerie, sympathique** tinta de imprenta, simpática; **écrire à l'~** escribir con tinta ◊ *FIG* **c'est la bouteille à l'~** es un lío; **faire couler beaucoup d'~** dar mucho que hablar **2. calmars à l'~** calamares en su tinta.

**encrer** *vt* entintar.

**encrier** *m* tintero.

**encroûter (s')** *vpr FIG* volverse rutinario, a.

**enculé** *s VULG* maricón.

**encyclique** *f* encíclica.

**encyclopédie** *f* enciclopedia.

**encyclopédique** *a* enciclopédico, a.

**encyclopédiste** *s* enciclopedista.

**endémie** *f* endemia.

**endémique** *a* endémico, a.

**endettement** *m* deuda *f*.

**endetter** *vt* cargar de deudas. ◆ **s' ~** *vpr* endeudarse, contraer deudas, entramparse, empeñarse: **être endetté** tener deudas; **endetté jusqu'au cou** empeñado hasta las cejas.

**endeuiller** *vt* enlutar.

**endêver** *vi FAM* rabiar.

**endiablé, e** *a* endemoniado, a, endiablado, a, frenético, a.

**endiguer** *vt* **1.** poner un dique a **2.** *FIG* refrenar, contener.

**endimancher (s')** *vpr* endomingarse, emperejillarse.

**endive** *f* endibia.

**endocarde** *m ANAT* endocardio.

**endocarpe** *m BOT* endocarpio.

**endocrine** *a BIOL* **glande ~** glándula endocrina.

**endocrinien, enne** *a* endocrino, a.

**endocrinologie** *f* endocrinología.

**endoctrinement** *m* adoctrinamiento.

**endoctriner** *vt* adoctrinar.

**endogame** *a* endogámico, a.

**endogamie** *f* endogamia.

**endogène** *a* endógeno, a.

**endolori, e** *a* dolorido, a.

**endolorir** *vt* causar dolor.

**endommager*** *vt* **1.** dañar: **les gelées ont endommagé les vignobles** las heladas han dañado los viñedos **2.** deteriorar, estropear, destrozar.

**endormant, e** *a (ennuyeux)* soporífero, a, aburrido, a: **un discours ~** un discurso soporífero.

**endormi, e** *a* **1.** dormido, a **2.** *FIG* adormecido, a, indolente, perezoso, a.

**endormir*** *vt* **1.** dormir: **~ un enfant** dormir a un niño **2.** *MÉD* anestesiar, dormir: **~ un patient** dormir a un paciente **3.** *FIG (une douleur)* adormecer **4.** *(la vigilance)* distraer **5.** *(ennuyer)* aburrir, dar sueño. ◆ **s' ~** *vpr* **1.** dormirse, adormecerse: **je me suis endormi** me he dormido **2. je n'arrive pas à m'~** no logro conciliar el sueño.

**endos** *m COM* endoso.

**endoscope** *m MÉD* endoscopio.

**endoscopie** *f MÉD* endoscopia.

**endossable** *a COM* endosable.

**endossataire** *s COM* endosatario, a.

**endossement** *m COM* endoso.

**endosser** *vt* **1.** *(un vêtement)* ponerse **2.** *FIG (assumer)* cargar con **3.** *COM* endosar: **~ une traite, un chèque** endosar una letra, un cheque.

**endosseur** *m COM* endosante.

**endroit** *m* **1.** lugar, sitio: **un ~ tranquille** un lugar tranquilo ◊ **à quel ~?** ¿dónde?; **par endroits** en algunas partes, acá y allá **2.** punto ◊ *FIG* **l'~ sensible** el punto flaco **3.** *(d'un tissu)* derecho: **remettez votre pull à l'~!** ¡póngase el jersey del derecho!; **l'envers et l'~** el revés y el derecho **4.** *(d'une monnaie)* cara *f* **5.** *FAM* **le petit ~** el retrete **6.** *loc prép* **à l'~ de** para con.

**enduire*** *vt* **1.** untar: **~ de vaseline** untar con vaselina **2.** *(un mur)* enlucir. ◆ **s' ~** *vpr* untarse, embadurnarse.

**enduit** *m* enlucido, revestimiento.

**endurance** *f* resistencia.

**endurant, e** *a* resistente, sufrido, a.

**endurci, e** *a FIG* empedernido, a ◊ **un célibataire ~** un solterón.

**endurcir** *vt* **1.** *(aguerrir)* endurecer, curtir **2.** *FIG* endurecer, insensibilizar. ◆ **s' ~** *vpr* endurecerse.

**endurcissement** *m* endurecimiento.

**endurer** *vt* soportar, aguantar, sufrir.

**enduro** *m* enduro.

**Enée** *np m* Eneas.

**Énéide (l')** *np f* la Eneida.

**énergétique** *a* energético, a: **politique ~** política energética. ◇ *f PHYS* energética.

**énergie** *f* **1.** *(vigueur)* energía **2.** *PHYS* **~ mécanique, nucléaire, solaire, etc.** energía mecánica, nuclear, solar, etc.

**énergique** *a* enérgico, a.

**énergiquement** *adv* enérgicamente.

**énergisant, e** *a/m* estimulante.

**énergumène** *s* energúmeno, a.

**énervant, e** *a (exaspérant)* irritante.

**énervé, e** *a* nervioso, a: **je suis très énervée** estoy muy nerviosa.

**énervement** *m* nerviosidad *f*, irritación *f*.

**énerver** *vt* poner nervioso, a, irritar. ◆ **s' ~** *vpr* ponerse nervioso, a: **me t'énerve pas!** ¡no te pongas nervioso!

**enfaîteau** *m (tuile)* cobija *f*.

**enfaîtement** *m* caballete (de tejado).

**enfance** *f* **1.** infancia: **un ami d'~** un amigo de la infancia; **dès sa plus tendre ~** desde su más tierna infancia ◊ **dès son ~** de niño; **retomber en ~** chochear **2. c'est l'~ de l'art** está tirado.

**enfant** *s* **1.** niño, a: **un petit ~** un niño pequeño, un niñito; **l'~ Jésus** el niño Jesús; **une charmante ~** una niña encantadora ◊ *FIG* **l'~ chéri** el niño mimado; **l'~ terrible du parti** el «enfant terrible» del partido; **c'est un jeu d'~** → **jeu; faire l'~** hacer niñerías; **mode pour enfants** moda infantil; **aliments, revues pour enfants** alimentos, revistas infantiles **2.** *(fils, fille)* hijo, a: **~ adoptif** hijo adoptivo; **~ naturel** hijo natural; **il a trois enfants** tiene tres hijos; **ménage sans enfants** matrimonio sin hijos; **mon ~** hijo mío, hija mía; **l'~ prodigue** el hijo pródigo ◊ **~ trouvé** expósito, a; **attendre un ~** estar embarazada; *FAM* **faire un ~ à une femme** poner encinta, dejar embarazada a una mujer **3. ~ de chœur** monaguillo, *(naïf)* inocentón. ◇ *a* **1. elle est encore très ~** es todavía muy niña **2. bon ~** bonachón, ona, campechano, a.

**enfantement** *m* alumbramiento, parto: **les douleurs de l'~** los dolores del alumbramiento.

**enfanter** *vt* **1.** parir, dar a luz, alumbrar: **«tu enfanteras dans la douleur»** parirás con dolor **2.** *FIG* crear, dar a luz.

**enfantillage** *m* niñería *f*, puerilidad *f*.

**enfantin, e** *a* **1.** infantil: **chansons enfantines** canciones infantiles **2. visage ~** cara aniñada **3.** *(facile)* muy fácil.

**enfariné, e** *a* enharinado, a ◊ *FAM* **le bec ~, la gueule enfarinée** tan tranquilo.

**enfer** [ɑ̃fɛʀ] *m* **1.** infierno ◊ *PROV* **l'~ est pavé de bonnes intentions** el infierno está empedrado de buenas intenciones **2.** *FIG* **sa vie est un ~** su vida es un infierno **3. à un train d'~** a una velocidad endiablada; **bruit d'~** ruido infernal; **feu d'~** fuego muy intenso; *FAM* **un match d'~** un partido magnífico.

**enfermer** *vt* encerrar ◊ *FAM* **il est bon à ~** es loco de atar. ◆ **s' ~** *vpr* encerrarse, recluirse: **il s'est enfermé dans sa chambre** se ha encerrado en su cuarto.

**enferrer (s')** *vpr* **1.** arrojarse sobre (la espada) **2.** *FIG* embrollarse, enredarse.

**enfeu** *m* arcosolio.

**enfiévrer*** *vt FIG* excitar, inflamar.

**enfilade** *f* **1.** fila, hilera: **une ~ de pièces** una fila de habitaciones **2.** *MIL* enfilada.

**enfiler** *vt* **1. ~ une aiguille** enhebrar una aguja **2 ~ des perles** ensartar perlas, *FIG* perder el tiempo **3.** *(vêtement)* ponerse: **elle enfila son jean** se puso los vaqueros **4.** *(une rue)* tomar, enfilar por, meterse por: **il enfila une ruelle** enfiló por una callejuela. ◆ **s' ~** *vpr POP (avaler)* zamparse.

**enfin** *adv* **1.** por fin, al fin: **l'hiver est ~ terminé** por fin se acabó el invierno; **~ seuls!** ¡al fin solos!, ¡por fin solos!

2. *(bref)* en fin: **~, mieux vaut tard que jamais** en fin, más vale tarde que nunca **3.** *(dans une énumération)* por último **4.** bueno: **elle chante bien, ~ assez bien** canta bien, bueno, bastante bien.

**enflammé, e** *a* **1.** *MÉD* inflamado, a **2.** *FIG* entusiasmo, a, apasionado, a.

**enflammer** *vt* inflamar. ◆ **s' ~** *vpr* **1.** inflamarse **2.** *FIG* inflamarse, exaltarse.

**enflé, e** *a* hinchado, a: **joue enflée** mejilla hinchada. ◇ *s FAM* idiota.

**enfléchure** *f MAR* flechaste *m.*

**enfler** *vt* **1.** *(gonfler)* hinchar, inflar **2. ~ la voix** ahuecar la voz **3** *FIG* exagerar. ◇ *vi* hincharse: **ma cheville a enflé** se me ha hinchado el tobillo.

**enflure** *f* **1.** hinchazón **2.** *FIG (du style)* ampulosidad.

**enfoiré, e** *a/s VULG* imbécil, gilí.

**enfoncé, e** *a (yeux)* hundido, a.

**enfoncement** *m* **1.** hundimiento **2.** fractura *f* **3.** *(renfoncement)* hueco, concavidad *f.*

**enfoncer*** *vt* **1.** *(clou)* clavar **2.** *(pieu)* clavar, hincar **3. ~ son chapeau** calarse el sombrero; **le béret enfoncé jusqu'aux yeux** la boina calada hasta los ojos **4.** *(porte)* derribar: **ouvrez ou nous enfonçons la porte** abran o derribamos la puerta **5.** *(un adversaire)* derrotar **6.** *FAM* **enfonce-toi ça dans la tête!** ¡métetelo en la cabeza! **7.** *FIG* **~ une porte ouverte** descubrir el Mediterráneo. ◆ **s' ~** *vpr* **1.** hundirse: **bateau qui s'enfonce** barco que se hunde **2.** *(clou, etc.)* clavarse **3. s' ~ dans un bois** internarse, adentrarse en un bosque **4.** *FIG (dans la méditation)* sumirse en; *(dans la débauche)* abandonarse a.

**enfonceur, euse** *s FAM* **~ de portes ouvertes** fanfarrón, ona.

**enfouir** *vt* **1.** enterrar **2.** *(cacher)* esconder, ocultar. ◆ **s' ~** *vpr* **1.** enterrarse **2.** *(se blottir)* refugiarse, esconderse.

**enfouissement** *m* enterramiento.

**enfourcher** *vt* **1.** montar: **il enfourcha sa bicyclette** montó en su bicicleta **2.** *FAM* **~ son dada** volver a su tema.

**enfourner** *vt* **1.** meter en el horno, enhornar **2.** *FAM (avaler)* zamparse. ◆ **s' ~** *vpr* meterse: **il s'enfourna dans un cinéma** se metió en un cine.

**enfreindre*** *vt* infringir, conculcar, vulnerar.

**enfuir (s')** *vpr* **1.** huir, escaparse, escapar, fugarse: **il s'est enfui à l'étranger** ha huido al extranjero; **le prisonnier s'est enfui** el prisionero se ha fugado **2.** *FIG (les jours, etc.)* huir.

**enfumé, e** *a* lleno, a de humo.

**enfumer** *vt* ahumar.

**engagé, e** *a* **1.** *(écrivain, etc.)* comprometido, a **2. colonne engagée** columna embebida. ◇ *m (soldat)* voluntario.

**engageant, e** *a* **1.** *(attrayant)* atractivo, a **2.** prometedor, a.

**engagement** *m* **1.** compromiso, promesa *f*: **sans ~ de votre part** sin compromiso por su parte; **manquer à ses engagements** incumplir sus compromisos **2.** *(d'un objet)* empeño **3.** *(d'un employé, artiste)* contrata *f*, ajuste **4.** *(d'un soldat)* alistamiento **5.** *(politique)* compromiso **6.** *MIL (combat)* encuentro, combate **7.** *(des négociations, etc.)* principio **8.** *(football)* saque.

**engager** *vt* **1.** *(un objet, sa parole)* empeñar **2.** *(créer une obligation)* comprometer: **cela n'engage à rien** eso no compromete a nada **3.** *(un domestique, un artiste)* contratar, ajustar **4.** *(un soldat)* reclutar, alistar **5.** *(introduire)* meter **6.** *(combat, négociations, poursuites judiciaires, etc.)* entablar **7. je vous engage à persévérer** le aconsejo que persevere; **le beau temps engage à sortir** el buen tiempo invita a salir. ◆ **s' ~** *vpr* **1.** *(par une promesse, une obligation)* comprometerse: **il s'est engagé à m'aider** se ha comprometido a ayudarme **2.** meterse, internarse, adentrarse: **il s'engagea dans la forêt** se internó en la selva **3.** *(un débat, combat, etc.)*, empezar, entablarse **4.** *(en politique, littérature)* tomar partido, comprometerse **5.** *(dans l'armée)* alistarse.

**engazonner** *vt* cubrir con césped, encespedar.

**engeance** [ɑ̃ʒɑ̃s] *f PÉJOR* casta, ralea.

**engelure** *f* sabañón *m.*

**engendrer** *vt* **1.** engendrar **2.** *(causer)* generar.

**engin** *m* **1.** artefacto, aparato: **~ explosif** artefacto explosivo **2. engins de pêche** artes *f* de pesca **3.** *MIL* misil, cohete: **engins sol-air** misiles superficie-aire **4. engins blindés** vehículos blindados **5.** *FAM (machin)* chisme.

**engineering** [ɛndʒiniʀiŋ] *m* ingeniería *f.*

**englober** *vt* englobar, abarcar.

**engloutir** *vt* **1.** *(avaler)* engullir **2.** *(faire disparaître)* tragar, tragarse, zamparse **3.** *(dépenser)* disipar, derrochar, comerse: **il a englouti son héritage en six mois** disipó su herencia en seis meses.

**engloutissement** *m* **1.** sumersión *f* **2.** *(de la fortune, etc.)* disipación *f*, hundimiento.

**engluer** *vt* enviscar, enligar.

**engobe** *m* engobe.

**engoncer*** *vt* dar la impresión de tener el cuello hundido entre los hombros ◊ **engoncé dans** embutido en; **engoncée dans un vieux manteau** embutida en un abrigo viejo.

**engorgement** *m* atasco, obstrucción *f.*

**engorger*** *vt* atascar, obstruir. ◆ **s' ~** *vpr* atascarse.

**engouement** [ɑ̃gumɑ̃] *m* entusiasmo, admiración *f.*

**engouer (s')** *vpr* **s' ~ de, pour** encapricharse con, por.

**engouffrer** *vt* **1.** *(avaler)* tragar, tragarse **2.** *(dépenser)* disipar, comerse. ◆ **s' ~** *vpr* **1.** *(eau, vent)* penetrar con violencia **2.** *(personnes)* precipitarse, meterse.

**engoulevent** *m* chotacabras.

**engourdir** *vt* **1.** entumecer: **doigts engourdis** dedos entumecidos **2.** *FIG (l'esprit)* entorpecer, embotar. ◆ **s' ~** *vpr* **1.** entumecerse, dormirse **2.** *FIG* entorpecerse.

**engourdissement** *m* **1.** *(d'un membre)* entumecimiento **2.** *FIG (de l'esprit)* embotamiento.

**engrais** *m* abono, fertilizante: **~ chimiques** abonos químicos.

**engraissement** *m* cebadura *f*, engorde.

**engraisser** *vt* **1.** *(animaux)* cebar, engordar **2.** *AGR* abonar, fertilizar. ◇ *vi* **1.** engordar **2.** *FIG (s'enrichir)* enriquecerse.

**engrangement** *m* almacenamiento.

**engranger*** *vt* **1.** almacenar, entrojar **2.** *FIG* almacenar.

**engrenage** *m* **1.** engranaje **2.** *FIG* engranaje, encadenamiento ◊ **mettre le doigt dans l'~** ponerse en una situación irreversible.

**engrènement** *m* engranaje.

**engrener*** *vt* engranar. ◆ **s' ~** *vpr* engranarse.

**engrosser** *vt FAM* embarazar (a una mujer).

**engueulade** *f POP* bronca, filípica.

**engueuler** *vt POP* echar una bronca a ◊ **~ quelqu'un comme du poisson pourri** poner a alguien como un trapo. ◆ **s' ~** *vpr* regañar: **ils se sont engueulés** han regañado.

**enguirlander** *vt* **1.** *(décorer)* enguirnaldar **2.** *FAM (engueuler)* echar una bronca a.

**enhardir** *vt* animar, envalentonar. ◆ **s' ~** *vpr* atreverse, envalentonarse.

**énième** *a* enésimo, a: **pour la ~ fois** por enésima vez.

**énigmatique** *f* enigmático, a.

**énigme** *f* enigma *m*: **une ~** un enigma; **la clef de l'~** la clave del enigma.

**enivrant, e** [ɑ̃nivʀɑ̃, ɑ̃t] *a* embriagador, a.

**enivrement** [ɑ̃nivʀəmɑ̃] *m* embriaguez *f.*

**enivrer** [ɑ̃nivʀe] *vt* **1.** embriagar **2.** *FIG* embriagar, enajenar. ◆ **s'~** *vpr* embriagarse.

**enjambée** *f* zancada, tranco *m:* **faire de grandes enjambées** dar zancadas; **à grandes enjambées** a grandes trancos.

**enjambement** *m (en poésie)* encabalgamiento.

**enjamber** *vt* **1.** *(en faisant un grand pas)* salvar, saltar: **~ un fossé** salvar una zanja **2.** *(pont)* salvar, pasar por encima de.

**enjeu** *m* **1.** *(au jeu)* puesta *f* **2.** *FIG* lo que está en juego, objetivo.

**enjoindre*** *vt LITT* ordenar, mandar.

**enjôler** *vt* engatusar, embaucar.

**enjôleur, euse** *a/s* engatusador, a, zalamero, a.

**enjolivement** *m* adorno.

**enjoliver** *vt* adornar, embellecer.

**enjoliveur** *m (de roues)* tapacubos.

**enjoué, e** *a* alegre, jovial, festivo, a.

**enjouement** *m* jovialidad *f,* buen humor.

**enkysté, e** *a MÉD* enquistado, a.

**enkystement** *m MÉD* enquistamiento.

**enkyster (s')** *vpr MÉD* enquistarse.

**enlacement** *m (étreinte)* abrazo.

**enlacer*** *vt* **1.** enlazar **2.** *(étreindre)* abrazar: **il enlaça sa cavalière** abrazó a su pareja. ◆ **s'~** *vpr* abrazarse.

**enlaidir** *vt* afear, hacer feo, a: **cette coiffure enlaidit son visage** este peinado le afea el rostro. ◇ *vi* volverse feo, a: **elle a enlaidi** se ha vuelto fea.

**enlaidissement** *m* afeamiento.

**enlèvement** *m* **1.** *(ramassage)* recogida *f:* **l'~ des ordures** la recogida de la basura **2.** *(kidnapping)* secuestro, rapto: **l'~ des Sabines, de Ganymède** el rapto de las sabinas, de Ganimedes **3.** *MIL* toma *f.*

**enlever*** *vt* **1.** *(ôter)* quitar, sacar: **~ une tache** quitar una mancha ◊ **~ le couvert** quitar la mesa, recoger la mesa; **on lui a enlevé un rein** le han extraído un riñón **2.** *(vêtement, etc.)* quitarse: **enlève ton manteau** quítate el abrigo; **il enleva ses lunettes** se quitó las gafas **3.** *(emporter)* llevarse **4.** *(kidnapper)* secuestrar, raptar **5.** *MIL (une position)* conquistar, tomar **6.** *(une course)* adjudicarse **7.** *FIG (l'auditoire)* entusiasmar, arrebatar **8.** *(soulever)* levantar **9.** *(un morceau de musique)* ejecutar con viveza.

**enlisement** *m* hundimiento (en la arena).

**enliser** *vt* hundir. ◆ **s'~** *vpr* atascarse.

**enluminer** *vt* **1.** iluminar **2.** *(le teint)* enrojecer, colorear.

**enlumineur, euse** *s* iluminador, a (de estampas).

**enluminure** *f* **1.** *(art)* iluminación **2.** miniatura, estampa iluminada.

**enneigé, e** *a* nevado, a: **pentes enneigées** pendientes nevadas.

**enneigement** *m* estado de la nieve ◊ **bulletin d'~** parte de nieve.

**ennemi, e** [ɛnmi] *a/s* enemigo, a: **l'~ public numéro un** el enemigo público número uno; **passer à l'~** pasarse al enemigo.

**ennoblir** *vt* ennoblecer.

**ennoblissemnt** *m* ennoblecimiento.

**ennui** [ɑ̃nyi] *m* **1.** aburrimiento, fastidio, tedio: **quel ~!** ¡qué fastidio! **2.** *(contrariété)* disguto, molestia *f* ◊ **avoir des ennuis** tener problemas **3. avoir des ennuis d'argent** tener apuros de dinero; **ennuis de santé** achaques; **ennuis mécaniques** fallos mecánicos.

**ennuyer*** [ɑ̃nyije] *vt* **1.** aburrir: **ce roman m'ennuie** esta novela me aburre **2.** *(contrarier)* fastidiar, molestar: **ça m'ennuie qu'il ne soit pas venu** me molesta que no haya venido. ◆ **s'~** *vpr* aburrirse; **s' ~ à mourir, à périr, comme un rat mort** aburrirse como una ostra.

**ennuyeux, euse** [ɑ̃nyijø, øz] *a* **1.** aburrido, a, pesado, a: **discours ~** discurso aburrido **2.** *(contrariant)* molesto, a, fastidioso, a **3. l'~, c'est que...** lo malo es que...

**énoncé** *m* enunciado.

**énoncer*** *vt* enunciar.

**énonciation** *f* enunciación.

**enorgueillir** *vt* enorgullecer. ◆ **s'~** *vpr* jactarse.

**énorme** *a* enorme.

**énormément** *adv* **1.** enormemente **2 ~ d'argent** muchísimo dinero.

**énormité** *f* **1.** enormidad **2.** enormidad, disparate *m:* **dire des énormités** decir disparates.

**enquérir (s')*** *vpr* **s'~ de** informarse sobre, de, preguntar por: **enquérez-vous du prix de...** infórmese del precio de...

**enquête** *f* **1.** *(sondage)* encuesta **2.** *(de la police)* investigación, indagación, pesquisa ◊ **commission d'~** comisión investigadora; **la police procède à une ~ sur les activités des terroristes** la policía investiga las actividades de los terroristas **3.** *JUR* sumario *m.*

**enquêter** *vi* investigar el caso, conducir una investigación, indagar: **la police enquête sur les causes de...** la policía investiga las causas de...

**enquêteur, euse, trice** *s* **1.** investigador, a **2. juge ~** juez instructor **3.** *(sondages)* entrevistador, a.

**enquiquinant, e** *a FAM* pesado, a, latoso, a.

**enquiquiner** *vt FAM* chinchar, incordiar, jeringar.

**enquiquineur, euse** *s FAM* pelmazo, chinche.

**enquis, enquit → enquérir.**

**enraciné, e** *a FIG* arraigado, a: **une coutume profondément enracinée** una costumbre muy arraigada.

**enracinement** *m* arraigo.

**enraciner** *vt* arraigar. ◆ **s'~** *vpr* arraigarse, echar raíces.

**enragé, e** *a* **1.** rabioso, a: **chien ~** perro rabioso **2.** *FAM* **manger de la vache enragée** pasar hambre, pasar privaciones. ◇ *a/s* fanático, a, entusiasta, apasionado, a: **un ~ de rugby** un fanático del rugby.

**enrageant, e** *a* exasperante.

**enrager*** *vi* rabiar: **faire ~ quelqu'un** hacer rabiar a alguien ◊ **j'enrage** estoy furioso, a.

**enrayage** [ɑ̃ʀɛjaʒ] *m* encasquillamiento.

**enrayer*** [ɑ̃ʀɛje] *vt* **1.** bloquear **2.** *FIG* atajar, detener: **~ l'inflation** atajar la inflación. ◆ **s'~** *vpr (une arme à feu)* encasquillarse: **mon pistolet s'est enrayé** la pistola se me ha encasquillado.

**enrégimenter** *vt* enrolar, alistar, incorporar.

**enregistrement** *m* **1.** *(sur un registre)* registro **2.** *(des bagages)* facturación *f* **3.** *(du son)* grabación *f,* registro: **l'~ du son** la grabación del sonido **4.** *(disque, bande)* grabación *f:* **un nouvel ~ du «Barbier de Séville»** una nueva grabación del «Barbero de Sevilla».

**enregistrer** *vt* **1.** *(consigner par écrit)* registrar: **~ un mot dans un dictionnaire** registrar una palabra en un diccionario **2. faire ~ ses bagages** facturar su equipaje **3. ~ un disque** grabar un disco; **~ sur une bande magnétique** grabar en una banda magnetofónica **4.** *FIG (retenir)* tomar buena nota de, anotar ◊ *FAM* **j'enregistre** tomo buena nota de ello, no lo olvidaré.

**enregistreur, euse** *a/m* registrador, a: **caisse enregistreuse** caja registradora.

**enrhumer** *vt* resfriar, constipar: **être enrhumé** estar resfriado. ◆ **s'~** *vpr* resfriarse, constiparse, acatarrarse: **je me suis enrhumé hier** me resfrié ayer.

**enrichi, e** *a* enriquecido, a.

**enrichir** *vt* enriquecer. ◆ **s'~** *vpr* enriquecerse.

**enrichissant, e** *a* FIG instructivo, a.

**enrichissement** *m* enriquecimiento.

**enrobage, enrobement** *m* baño.

**enrobé, e** *a* FAM *(grassouillet)* rellenito, a.

**enrober** *vt* recubrir, bañar: **~ de chocolat** bañar con chocolate.

**enrôlement** *m* alistamiento.

**enrôler** *vt* enrolar, reclutar, alistar. ◆ **s'~** *vpr* **1.** enrolarse: **s'~ dans les Brigades internationales** enrolarse en las Brigadas internacionales **2.** *(dans un parti)* alistarse.

**enroué, e** *a* ronco, a: **voix enrouée** voz ronca.

**enrouement** [ɑ̃rumɑ̃] *m* ronquera *f*.

**enrouer** *vt* enronquecer. ◆ **s'~** *vpr* enronquecerse.

**enroulement** *m* **1.** arrollamiento, enrollamiento, enroscadura *f* **2.** ARCH voluta *f*.

**enrouler** *vt* enrollar. ◆ **s'~** *vpr* **1.** enrollarse **2.** *(s'envelopper)* envolverse.

**enrubanner** *vt* adornar con cintas.

**ensablement** *m* enarenamiento.

**ensabler** *vt* enarenar. ◆ **s'~** *vpr* **1.** *(un bateau)* enarenarse, encallar **2.** *(un port, etc.)* llenarse de arena.

**ensachage** *m* envase.

**ensacher** *vt* empaquetar, ensacar.

**ensanglanter** *vt* **1.** ensangrentar, manchar de sangre **2.** FIG ensangrentar.

**enseignant, e** *a* docente: **le corps ~** el personal docente. ◇ *s* profesor, a. ◇ *s pl* **les enseignants** los enseñantes, los docentes, los profesores.

**enseigne** *f* **1.** letrero *m*, rótulo *m*: **une ~ au néon** un letrero de neón ◊ FIG **être logés à la même ~** estar en la misma situación **2.** *(drapeau)* estandarte *m* **3.** *loc conj* **à telle ~ que...** prueba de ello es que.... ◇ *m* **1.** MAR alférez **2.** ANC abanderado.

**enseignement** *m* **1.** enseñanza *f*: **l'~ primaire** la enseñanza primaria; **~ secondaire** enseñanza secundaria, media; **~ supérieur** enseñanza superior; **~ privé** enseñanza privada; **liberté de l'~** libertad de enseñanza **2. elle est dans l'~** es profesora.

**enseigner** *vt/i* enseñar.

**ensemble** *adv* **1.** juntos, as: **ils vivent ~** viven juntos **2.** *(en même temps)* simultáneamente, a un tiempo **3. aller ~** armonizarse, combinarse. ◇ *m* **1.** conjunto: **~ vocal** conjunto vocal; **elle porte un joli ~ noir** viste un bonito conjunto negro **2. vue d'~** vista general **3. ~ immobilier** bloque de viviendas; **grand ~** urbanización *f* **4.** *loc adv* **dans l'~** en líneas generales, a grandes rasgos.

**ensemblier** *m* decorador especialista en conjuntos.

**ensemencement** *m* siembra *f*.

**ensemencer*** *vt* sembrar.

**enserrer** *vt* ceñir, apretar.

**ensevelir** *vt* **1.** *(dans un linceul)* amortajar **2.** *(enterrer)* sepultar. ◆ **s'~** *vpr* enterrarse.

**ensevelissement** *m* **1.** amortajamiento **2.** enterramiento.

**ensilage** *m* AGR ensilado.

**ensiler** *vt* AGR ensilar.

**ensoleillé, e** *a* soleado, a: **temps ~** tiempo soleado.

**ensoleillement** *m* **1.** soleamiento **2.** *(durée)* insolación *f*.

**ensoleiller** *vt* **1.** solear ◊ **une pièce ensoleillée** una habitación soleada, con mucho sol **2.** FIG iluminar, alegrar.

**ensommeillé, e** *a* adormilado, a.

**ensorcelant, e** *a* fascinante, hechicero, a.

**ensorceler*** *vt* **1.** hechizar **2.** FIG *(captiver)* fascinar, seducir.

**ensorceleur, euse** *a/s* hechicero, a.

**ensorcellement** *m* hechizo.

**ensuite** *adv* después, luego, a continuación: **d'abord lui, ~ son frère** primero él, después su hermano; **et ~?** ¿y qué más?; **~ de quoi** después de lo cual.

**ensuivre (s')** *vpr* resultar: **il s'ensuit que...** resulta que... ◊ **et tout ce qui s'ensuit** y todo lo que esto lleva consigo.

**entablement** *m* ARCH entablamiento, cornisa *f*.

**entacher** *vt* **1.** mancillar **2.** JUR **acte entaché de nullité** escritura con vicio de nulidad.

**entaille** *f* **1.** *(encoche)* muesca **2.** *(blessure)* corte *m*.

**entailler** *vt* cortar. ◆ **s'~** *vpr* cortarse.

**entame** *f* primer trozo *m* que se corta, primera tajada.

**entamer** *vt* **1.** *(commencer)* empezar, comenzar: **~ une bouteille** empezar una botella **2.** *(couper)* cortar **3.** FIG *(capital, réputation)* mermar **4.** entablar, iniciar: **~ une conversation** entablar una conversación.

**entartrer** *vt* cubrir de sarro. ◆ **s'~** *vpr* cubrirse de sarro.

**entassement** *m* **1.** *(de choses)* amontonamiento, hacinamiento **2.** *(de personnes)* hacinamiento.

**entasser** *vt* amontonar. ◆ **s'~** *vpr* *(des personnes)* hacinarse, apiñarse: **les voyageurs s'entassaient dans la salle d'attente** los viajeros se hacinaban en la sala de espera.

**entendement** *m* entendimiento, juicio ◊ **cela dépasse l'~** es increíble.

**entendeur** *m* entendedor: **à bon ~, salut** a buen entendedor, pocas palabras bastan.

**entendre*** *vt* **1.** oír: **j'entends des pas** oigo pasos: **j'ai entendu dire que...** he oído decir que...; **en entendant cela** al oír esto; **tu entends ce que je te dis** oyes lo que te estoy diciendo; **ce qu'il ne faut pas ~!** ¡lo que hay que oír! **2.** escuchar: **~ un concert** escuchar un concierto. **3.** *(comprendre)* entender, comprender: **je n'entends rien à ces propos** no entiendo nada de estas palabras **4.** querer, exigir: **j'entends que vous soyez ponctuels** quiero que seáis puntuales **5. je ne veux plus ~ parler de cet individu** no quiero que me hablen más de este tío; **il ne veut rien ~** se cierra a la banda **6. faites comme vous l'entendez** haga como le parezca **7. qu'entendez-vous par là?** ¿qué quiere usted decir con eso? **8. ~ raison** → **raison;** *loc adv* **à l'~** si se le diera crédito. ◇ *vi* oír: **il entend mal** oye mal. ◆ **s'~** *vpr* **1.** entenderse: **entendons-nous bien** entendámonos ◊ **cela s'entend** naturalmente, desde luego **2.** *(bien, mal)* entenderse, llevarse, congeniar: **elle s'entend bien avec sa bru** se lleva bien con su nuera; **elles s'entendent très bien** se entienden muy bien **3. s'y ~** entender de.

**entendu, e** *pp* de **entendre.** ◇ *a* **1. il est bien ~ que...** queda entendido que... ◊ **c'est ~, c'est une affaire entendue** de acuerdo; **entendu!** ¡de acuerdo!, ¡entendido! **2. prendre un air ~** darse por enterado. ◇ *loc adv* **bien ~** por supuesto, desde luego, ciertamente.

**entente** *f* **1.** armonía, comprensión, buena inteligencia **2.** *(entre États)* alianza, acuerdo *m*, convenio *m* ◊ **~ cordiale** entente cordial **3. mot à double ~** palabra de doble sentido.

**enter** *vt* injertar.

**entériner** *vt* ratificar, confirmar.

**entérite** *f* MÉD enteritis.

**entérocolite** *f* MÉD enterocolitis.

**enterrement** *m* **1.** entierro **2.** FIG **figure d'~** cara de alma en pena, de entierro, de velatorio.

**enterrer** *vt* **1.** enterrar, sepultar ◊ *FIG* **il nous enterrera tous** nos enterrará a todos. ◆ **s'~** *vpr FIG* **s'~ dans un village perdu** enterrarse en un pueblo lejano.

**en-tête** *m* **1.** membrete: **papier à ~** papel con membrete **2.** *(d'un écrit)* encabezamiento.

**entêté, e** *a/s* testarudo, a, terco, a.

**entêtement** *m* testarudez *f*, terquedad *f*, empecinamiento.

**entêter** *vt (étourdir)* marear. ◆ **s'~** *vpr* empeñarse, obstinarse: **il s'entête à...** se empeña en...

**enthousiasmant, e** *a* apasionante.

**enthousiasme** *m* entusiasmo.

**enthousiasmer** *vt* entusiasmar. ◆ **s'~** *vpr* entusiasmarse.

**enthousiaste** *a/s (personne)* entusiasta. ◇ *a* entusiástico, a.

**enticher (s')** *vpr* **1. ~ de quelqu'un** enamoriscarse, encapricharse de alguien; **il s'est entiché d'elle** se ha encaprichado de ella **2. ~ de quelque chose** encapricharse con, chiflarse por algo.

**entier, ère** *a* **1.** entero, a **2. l'assemblée tout entière** la asamblea entera, completa, toda la asamblea **3.** *MATH* **nombre ~** número entero **4.** *(caractère, esprit, etc.)* obstinado, a, categórico, a. ◇ *m* **1.** entero ◊ **dans son ~** en su totalidad **2.** *loc adv* **en ~** por entero, completamente, íntegramente.

**entièrement** *adv* enteramente, completamente.

**entité** *f* entidad.

**entoiler** *vt* montar sobre lona.

**entôler** *vt POP* estafar.

**entomologie** *f* entomología.

**entomologique** *a* entomológico, a.

**entomologiste** *s* entomólogo, a.

**entonner** *vt* **1.** *(un chant)* entonar ◊ **~ l'éloge de** hacer elogios de **2.** *(un liquide)* envasar.

**entonnoir** *m* embudo.

**entorse** *f* **1.** esguince *m*: **se faire une ~** hacerse un esguince **2.** *FIG* infracción: **faire une ~ au règlement** infringir el reglamento.

**entortiller** *vt* **1.** envolver (torciendo) **2.** *(embrouiller)* embrollar ◊ **une phrase entortillée** una frase alambicada, complicada **3.** *FAM (tromper)* embaucar. ◆ **s'~** *vpr* enredarse.

**entourage** *m* **1.** *(ce qui entoure)* cerco, contorno **2.** *(d'une personne)* allegados *pl*, familiares *pl*, relaciones *f pl*, íntimos *pl*: **une personne de son ~** uno de sus familiares **3.** *(milieu)* entorno: **plusieurs personnes de l'~ de x** varias personas del entorno de x.

**entourer** *vt* rodear: **le monde qui nous entoure** el mundo que nos rodea. ◆ **s'~** *vpr* **1.** rodearse: **s'~ d'amis, de précautions** rodearse de amigos, de precauciones **2. elle est très entourée** tiene muchos amigos.

**entourloupette, entourloupe** *f FAM* jugarreta, mala pasada: **faire une ~ à** jugar una mala pasada a.

**entournure** *f* **1.** *(d'une manche)* sisa, sesgadura **2.** *FIG* **être gêné aux entournures** estar incómodo, violento.

**entracte** *m* entreacto, intermedio.

**entraide** *f* ayuda mutua.

**entraider (s')** *vpr* ayudarse mutuamente.

**entrailles** *f pl* **1.** entrañas **2. le fruit de vos ~ est béni** bendito sea el fruto de tu vientre **3.** *FIG* **être sans ~** no tener entrañas; **les entrailles de la terre** las entrañas de la tierra.

**entrain** *m* **1.** ardor, ánimo, brío: **travailler sans beaucoup d'~** trabajar sin mucho ánimo; **être plein d'~** tener muchos bríos **2.** animación *f*, vivacidad *f*.

**entraînant, e** *a (musique, etc.)* alegre.

**entraînement** *m* **1.** *(transmission d'un mouvement)* arrastre **2.** *(sport)* entrenamiento.

**entraîner** *vt* **1.** arrastrar: **~ quelqu'un dans sa chute** arrastrar a alguien en su caída; **entraîné par le courant** arrastrado por la corriente **2.** *(emmener)* llevar: **se laisser ~** dejarse llevar **3.** *(avoir pour conséquence)* acarrear, llevar consigo, ocasionar, generar: **~ des dépenses** ocasionar gastos ◊ **négligence ayant entraîné la mort** negligencia con resultado de muerte **4.** *(transmettre un mouvement)* poner en movimiento, accionar **5.** *(un sportif)* entrenar: **être bien entraîné** estar bien entrenado. ◆ **s'~** *vpr* **1. s'~ au saut** entrenarse para saltar **2. s'~ à** habituarse a, acostumbrarse a.

**entraîneur** *m* **1.** *(sports)* entrenador **2.** *(équitation)* picador.

**entraîneuse** *f* tanguista, chica de alterne.

**entr'apercevoir*** *vt* entrever.

**entrave** *f* **1.** traba **2.** *FIG* traba, estorbo *m*.

**entraver** *vt* **1.** trabar **2.** *FIG* poner trabas a, obstaculizar, dificultar: **~ la circulation** obstaculizar el tráfico **3.** *POP (comprendre)* entender, comprender: **je n'y entrave que dalle** no entiendo ni jota de ello.

**entre** *prép* **1.** entre: **~ Lyon et Marseille** entre Lyon y Marsella; **~ dix et onze heures** entre las diez y las once; **~ la vie et la mort** entre la vida y la muerte ◊ **~ nous soit dit** dicho sea entre nosotros **2. d'~** de: **l'un d'~ eux** uno de ellos; **le meilleur d'~ nous** el mejor de nosotros **3. entre les deux** así así, ni bien ni mal.

**entrebâillement** *m* resquicio, abertura *f*.

**entrebâiller** *vt* entreabrir, entornar: **porte entrebâillée** puerta entornada.

**entrebâilleur** *m* cadenilla *f*.

**entrechat** *m* trenzado, entrechat.

**entrechoquer** *vt* chocar uno con otro. ◆ **s'~** *vpr* chocar entre sí.

**entrecôte** *f* entrecot *m*, solomillo *m*.

**entrecouper** *vt* entrecortar: **voix entrecoupée de sanglots** voz entrecortada por los sollozos; **elle parlait d'une voix entrecoupée** hablaba entrecortadamente.

**entrecroisement** *m* entrecruzamiento.

**entrecroiser** *vt* entrecruzar.

**entre-déchirer (s')** *vpr* **1.** desgarrarse uno a otro **2.** *FIG* criticarse mutuamente con ensañamiento.

**entre-deux** *m inv* entredós.

**entre-deux-guerres** *m inv* período entre las dos guerras mundiales.

**entre-dévorer (s')** *vpr* comerse unos a otros.

**entrée** *f* **1.** entrada: **~ interdite** prohibida la entrada ◊ **avoir ses entrées chez...** tener entrada libre en casa de...; **faire son ~ dans le monde** presentarse en sociedad, ponerse de largo **2.** *(vestibule)* recibidor *m*, vestíbulo *m* **3.** *(début)* principio *m*, comienzo *m*: **à l'~ de l'hiver** a principios del invierno ◊ **~ en matière** preámbulo *m*; **~ en fonctions du nouveau recteur** toma de posesión del nuevo rector **4.** *(dans une société, etc.)* ingreso *m*: **examen d' ~** examen de ingreso **5.** *(d'un menu)* entrada, entrante *m*, primer plato *m* **6.** *(mot dans un dictionnaire, en informatique)* entrada **7.** *THÉÂT* **~ en scène** salida a escena; **par ordre d'~ en scène** por orden de aparición **8.** *loc adv* **d'~ de jeu** de entrada, desde el principio.

**entrefaites (sur ces)** *loc adv* en esto, en éstas.

**entrefilet** *m* suelto, entrefilete.

**entregent** *m* don de gentes, mundología *f* ◊ **avoir de l'~** tener habilidad para tratar con la gente.

**entrejambe** *m* entrepiernas.

**entrelacement** *m* entrelazado.

**entrelacer*** *vt* entrelazar.

**entrelacs** [ɑ̃tʀəla] *m ARCH* almocárabe, lacería *f*.

**entrelarder** *vt* **1.** *(la viande)* mechar **2.** *FIG* salpicar: **~ un discours de citations** salpicar con citas un discurso.

**entremêler** *vt* **1.** entremezclar **2.** *FIG* **~ de** entremezclar con. ◆ **s'~** *vpr* entremezclarse.

**entremets** *m* postre de cocina.
▶ Le mot espagnol *entremés* signifie «hors-d'œuvre».

**entremetteur, euse** *s* alcahuete, a.

**entremettre (s')*** *vpr* mediar, intervenir.

**entremise** *f* mediación: **par l'~ de** por mediación de.

**entrepont** *m* entrepuente.

**entreposer** *vt* almacenar, depositar.

**entrepôt** *m* depósito, almacén.

**entreprenant, e** *a* **1.** *(actif)* emprendedor, a **2.** *(galant)* atrevido, a.

**entreprendre*** *vt* **1.** emprender, acometer, comenzar: **~ une tâche** acometer una labor; **~ un voyage** emprender un viaje **2. ~ de** intentar, tratar de, comenzar a **3. ~ quelqu'un** abordar a alguien; **il m'a entrepris sur l'écologie** se puso a hablar de ecología **4.** *(une femme)* cortejar, galantear.

**entrepreneur** *m* **1.** *(en bâtiment)* contratista **2.** *(de pompes funèbres)* empresario.

**entreprise** *f* **1.** empresa: **~ de bâtiment** empresa constructora; **petite ~** pequeña empresa **2. chef d'~** empresario.

**entrer** *vi* **1.** entrar: **j'entrai dans l'église** entré en la iglesia; **nous entrons en hiver** entramos en el invierno; **je ne fais qu'~ et sortir** sólo me quedo un segundo ◊ **défense d'~** se prohibe la entrada; **entrez!** ¡adelante!; **faites-le ~** dígale que pase **2. ~ à l'université, à l'hôpital** ingresar en la Universidad, en el hospital; **~ dans l'armée, dans un parti politique** ingresar, entrar en el ejército, en un partido político; **~ en religion** entrar en religión; **~ chez les carmélites** ingresar en las carmelitas **3. il est entré dans une violente colère** montó en violenta cólera **4. cela n'entre pas dans mes projets** esto no forma parte de mis proyectos **5. ~ en action** entrar en acción **6. ~ en scène** salir a escena **7.** *FAM* **~ dans un arbre** chocar contra un árbol. ◊ *vt* entrar, introducir.

**entresol** *m* entresuelo.

**entre-temps** *adv* entre tanto, mientras tanto.

**entretenir*** *vt* **1.** mantener: **~ le feu, sa maison, une famille** mantener el fuego, la casa, una familia; **~ des relations avec** mantener relaciones con **2.** cuidar, mantener, conservar: **~ son jardin** cuidar el jardín **3.** hablar: **nous allons l'~ de cette affaire** le vamos a hablar de este asunto. ◆ **s'~** *vpr* conversar, departir: **nous nous sommes entretenus de...** hemos conversado sobre...; **le ministre s'est longuement entretenu avec...** el ministro departió largo rato con...

**entretenu, e** *a* **1. voiture bien entretenue** coche bien cuidado **2.** *(femme)* mantenida.

**entretien** *m* **1.** mantenimiento: **l'~ d'une voiture** el mantenimiento de un coche; **frais d'~** gastos de mantenimiento **2.** conservación *f*: **l'~ d'une route, du linge** la conservación de una carretera, de la ropa **3. produits d'~** productos de limpieza **4.** *(d'une famille, etc.)* manutención *f*, sustento **5.** *(conversation)* conversación *f*, entrevista *f*: **accorder un ~** conceder una entrevista ◊ **avoir un ~ avec...** mantener una conversación con..., entrevistarse con...; **les deux ministres ont eu un ~** los dos ministros se han entrevistado.

**entretoise** *f TECHN* tirante *m*.

**entre-tuer (s')** *vpr* matarse uno a otro.

**entrevoir*** *vt* **1.** vislumbrar, entrever ◊ **je l'ai à peine entrevue** apenas si la he visto **2.** *FIG* **j'entrevois une solution** vislumbro una solución.

**entrevue** *f* entrevista.

**entropie** *f PHYS* entropía.

**entrouvert, e → entrouvrir.**

**entrouvrir*** *vt* entreabrir, entornar: **porte entrouverte** puerta entreabierta; **yeux entrouverts** ojos entornados, entreabiertos.

**énucléation** *f MÉD* enucleación.

**énumératif, ive** *a* enumerativo, a.

**énumération** *f* enumeración.

**énumérer*** *vt* enumerar.

**énurésie** *f MÉD* enureris.

**envahir** *vt* **1.** invadir **2.** *FIG* **le doute m'envahit** me invade la duda.

**envahissant, e** *a (personne)* entrometido, a, indiscreto, a.

**envahissement** *m* invasión *f*.

**envahisseur** *m* invasor.

**envasement** *m* encenagamiento.

**envaser (s')** *vpr* **1.** hundirse en el cieno **2.** *(un lac, canal)* cegarse.

**enveloppant, e** *a* **1.** envolvente: **mouvement ~** movimiento envolvente **2.** *FIG* cautivador, a, atrayente.

**enveloppe** *f* **1.** *(d'une lettre)* sobre *m*: **mettre sous ~** poner en un sobre **2.** envoltura, cubierta **3.** *(d'un pneu)* cubierta **4.** *FIG* apariencia, cubierta **5. l'~ budgétaire** el presupuesto **6.** *(pot-de-vin)* soborno *m*.

**enveloppement** *m* **1.** *(action)* envolvimiento **2.** *(ce qui enveloppe)* envoltura *f*.

**envelopper** *vt* **1.** envolver: **enveloppé dans un papier** envuelto en un papel **2.** *(entourer)* rodear. ◆ **s'~** *vpr* envolverse: **il s'enveloppa dans une couverture pour dormir** se envolvió en una manta para dormir.

**envenimement** *m* enconamiento.

**envenimer** *vt* enconar. ◆ **s'~** *vpr* **1.** *(plaie)* enconarse, infectarse **2.** *FIG (discussion, conflit, etc.)* empeorarse, enconarse, deteriorarse **3. des propos envenimés** palabras agrias, hirientes.

**envergure** *f* **1.** envergadura **2.** *FIG* **de grande ~** de mucha envergadura: **un homme d'~** un hombre de fuste, superior.

**enverrai,** etc. **→ envoyer.**

**envers** *m* **1.** revés, reverso: **l'~ de la médaille** el reverso de la medalla **2.** *FIG* **l'~ du décor** la cara oculta de la realidad, la cruda realidad **3.** *loc adv* **à l'~** al revés; **il a mis son pull à l'~** se ha puesto el jersey del revés; *FIG* **la tête à l'~** la cabeza trastornada; **le monde va à l'~** todo va mal. ◊ *prép* **1.** para con, con, hacia: **devoirs ~ le prochain** deberes para con el prójimo; **charitable ~ les pauvres** caritativo con los pobres **2. ~ et contre tous (tout)** a despecho de todos, a pesar de todo.

**envi (à l')** *loc adv* a porfía, a cual mejor.

**enviable** *a* envidiable.

**envie** *f* **1.** envidia: **faire ~** dar envidia **2.** *(besoin)* **avoir ~ de** tener ganas de: **j'ai très ~ de dormir** tengo muchas ganas de dormir **3.** *(désir)* **j'ai ~ d'une glace** me apetece un helado; **je n'ai pas ~ de sortir** no me apetece salir; **il meurt d'~ d'avoir une moto** se muere (de ganas) por tener una moto; **j'en meurs d'~** me estoy muriendo de ganas; **l'~ m'a pris de faire ce voyage** se me han entrado ganas de, se me ha antojado hacer este viaje **4.** *(tache sur la peau)* antojo *m* **5.** *(autour des ongles)* padrastro *m*.

**envier*** *vt* **1.** envidiar ◊ **je t'envie** te tengo envidia **2.** *(convoiter)* ambicionar.

**envieux, euse** *a/s* envidioso, a ◊ **faire des ~** suscitar envidia.

**environ** *adv* aproximadamente, alrededor de, cosa de, unos, unas: **à ~ deux kilomètres** a cosa de dos kilómetros; **90 kilos ~** unos 90 kilos. ◊ *m pl* **1. les environs** los alrededores; **aux environs de Paris** en los alrededores de París **2. aux environs de Noël** por Navidad.

**environnant,e** *a* circundante.

**environnement** *m* **1.** medio ambiente: **la protection de l'~** la protección del medio ambiente **2.** entorno: **l'~ social** el entorno social.

**environnemental, e** *a* medioambiental, ambiental.

**environner** *vt* circundar, rodear.

**environs** → **environ.**

**envisageable** [ɑ̃vizaʒabl(ə)] *a* posible, pensable.

**envisager*** *vt* **1.** considerar, enfocar: **~ les conséquences d'un échec** considerar las consecuencias de un fracaso; **envisageons le problème objectivement** enfoquemos el problema objetivamente **2.** proyectar, planear: **il envisage d'apprendre le russe** proyecta aprender el ruso.

**envoi** *m* **1** envío **2.** *COM (ce qui a été envoyé)* envío, remesa *f* ◊ **frais d'~** gastos de expedición **3.** *(sport)* **coup d'~** saque **4.** *(vers)* estrofa *f* final de una balada.

**envol** *m* **1.** *(d'un oiseau)* vuelo **2.** *(d'un avion)* despegue.

**envolée** *f* **1.** vuelo *m* **2.** *FIG* arrebato *m* **3. l'~ du yen** el disparo del yen.

**envoler (s')** *vpr* **1.** echarse a volar, alzar el vuelo **2.** despegar: **l'avion s'est envolé** el avión ha despegado **3.** *(être emporté par le vent)* volar, volarse: **les copies qui étaient sur la table se sont envolées** se han volado las cuartillas que estaban en la mesa **4.** *FAM (disparaître subitemente)* desaparecer, evaporarse.

**envoûtant, e** *a* que hechiza, embrujador, a.

**envoûtement** *m* hechizo, maleficio.

**envoûter** *vt* hechizar, embrujar.

**envoyé, e** [ɑ̃waje] *s* enviado, a: **~ spécial** enviado especial.

**envoyer** [ɑ̃vwaje] *vt* **1.** enviar, mandar: **~ son fils étudier à l'étranger** enviar a su hijo a estudiar al extranjero; **je vous enverrai une carte postale** le enviaré una postal ◊ **~ chercher** mandar por, enviar a buscar; *FAM* **~ promener, balader** mandar a paseo → **promener 2.** tirar, lanzar: **~ la balle** lanzar la pelota; **~ une fusée dans l'espace** lanzar un cohete al espacio **3.** *FAM (coup, etc.)* dar, arrimar, propinar: **~ une gifle** arrimar una bofetada **4.** *MIL* **~ les couleurs** izar las banderas. ◆ **s'~** *vpr FAM* **1.** atizarse: **il s'est envoyé un litre de rouge** se atizó un litro de tinto **2.** *(un travail)* cargarse **3.** *VULG (posséder sexuelement)* tirarse a **4.** *VULG* **s'~ en l'air** echar un polvo.

**envoyeur, euse** *s* remitente ◊ **retour à l'~** devolución a su procedencia.

**enzymatique** *a* enzimático, a.

**enzyme** *f CHIM* enzima.

**éocène** *m GÉOL* eoceno.

**Éole** *np m* Eolo.

**Éolide, Eolie** *np f* Eolia.

**éolien, enne** *a* cólico, a: **énergie, érosion éolienne** energía, erosión eólica. ◇ *f* aeromotor *m*, motor *m* eólico.

**épagneul, e** *s* podenco, a, epagneul.

**épais, aisse** *a* **1.** grueso, a, espeso, a: **une planche épaisse** una tabla gruesa; **un mur d'un mètre** un muro de un metro de espesor **2.** *(liquide, sauce, fumée)* espeso, a **3.** *(feuillage, etc.)* espeso, a, tupido, a, cerrado, a **4.** *(barbe, etc.)* poblado, a **5. langue épaisse** lengua pastosa **6.** *FIG (esprit)* obtuso, a.

**épaisseur** *f* **1.** espesor *m*, grosor *m*, grueso *m*: **l'~ d'un mur** el espesor de un muro: **un mur d'un mètre d'~** una pared de un metro de grosor; **une couche d'un millimètre d'~** una capa de un milímetro de grueso **2.** *(du feuillage)* espesura.

**épaissir** *vt* espesar. ◇ *vi* **1.** *(une sauce, etc.)* espesarse **2.** *(grossir)* engordar. ◆ **s'~** *vpr* espesarse.

**épaississant** *m* espesante.

**épaississement** *m* **1.** espesamiento **2.** *(de la taille)* aumento.

**épanchement** *m* **1.** *(d'un liquide)* derrame: **~ de synovie** derrame sinovial **2.** *FIG* efusión *f*, desahogo.

**épancher** *vt* **1.** derramar **2.** *FIG* desahogar. ◆ **s'~** *vpr* **1.** *(liquide)* derramarse **2.** *FIG* desahogarse, explayarse, sincerarse.

**épandage** *m* **1.** estercoladura *f* **2. champ d'~** estercolero.

**épandre*** *vt* esparcir, desparramar.

**épanouir** *vt* **1.** *(fleur)* abrir **2.** *(esprit)* dilatar **3.** alegrar: **visage épanoui** cara alegre. ◆ **s'~** *vpr* **1.** abrirse: **les roses s'épanouissent au soleil** las rosas se abren al sol **2.** *FIG (une personne)* desarrollarse.

**épanouissement** *m* **1.** *(des fleurs)* abertura *f* **2.** *FIG (développement)* expansión *f*, desarrollo **3.** *FIG (plénitude)* plenitud *f*.

**épargnant, e** *a/s* ahorrador, a: **petits épargnants** pequeños ahorradores.

**épargne** *f* ahorro *m*: **encourager l'~** incentivar el ahorro: **caisse d'~** caja de ahorros; **compte d'~- logement** cuenta de ahorro vivienda.

**épargner** *vt* **1.** ahorrar, economizar **2.** *FIG* ahorrar: **nous n'épargnerons rien pour vous donner satisfaction** no ahorraremos ningún esfuerzo para complacerle **3.** *(faire grâce à)* perdonar la vida a **4. n'~ personne dans ses attaques** no exceptuar a nadie en sus ataques **5. la grippe l'a épargné** la gripe no le ha atacado, le ha dejado a salvo.

**éparpillement** *m* esparcimiento, diseminación *f*.

**éparpiller** *vt* **1.** esparcir, dispersar, desparramar **2.** *FIG* **~ ses efforts, son attention** dispersar sus esfuerzos, su atención. ◆ **s'~** *vpr* dispersarse.

**épars, e** *a* **1.** disperso, a: **quelques averses éparses** algunos chubascos dispersos **2. cheveux ~** cabello suelto.

**épatamment** [epatamɑ̃] *adv FAM* estupendamente.

**épatant, e** *a FAM* estupendo, a, la mar de bien.

**épate** *f FAM* faroleo *m*, fachenda ◊ **faire de l'~** darse pisto, darse tono, darse postín.

**épaté, e** *a* **1. nez ~** nariz aplastada, chata **2.** *FAM* estupefacto, a, pasmado, a, boquiabierto, a.

**épatement** *m* **1.** *(du nez, etc.)* achatamiento, aplastamiento **2.** *FAM (surprise)* estupefacción *f*, asombro.

**épater** *vt FAM* dejar asombrado, a, asombrar, deslumbrar, impresionar: **il veut nous ~** nos quiere impresionar.
▶ Le gallicisme *epatar* s'emploie parfois.

**épaulard** *m* orca *f*.

**épaule** *f* **1.** hombro *m*: **le fusil sur l'~** con la escopeta al hombro; **hausser les épaules** encogerse de hombros ◊ *FIG* **avoir la tête sur les épaules** tener juicio; **donner un coup d'~ à quelqu'un** echar una mano a alguien; **changer son fusil d'~** → **fusil 2.** *(d'un quadrupède)* espaldilla **3.** *(de mouton)* espaldilla, codillo *m*, paletilla: **~ d'agneau** espaldilla de cordero.

**épaulement** *m (mur)* espaldón, parapeto.

**épauler** *vt* **1. ~ un fusil** echarse el fusil al hombro **2.** *FIG (aider quelqu'un)* apoyar, ayudar **3.** *(un mur)* apuntalar. ◆ **s'~** *vpr* ayudarse mutuamente.

**épaulette** *f* **1.** *(lingerie)* tirante *m* **2.** *(rembourrage)* hombrera **3.** *MIL* charretera.

**épave** *f* **1.** *(d'un navire)* restos *m pl* **2.** *(voiture abandonnée)* coche *m* abandonado **3.** *FIG (personne)* deshecho *m*, ruina.

**épée** *f* **1.** espada ◊ *FIG* **~ de Damoclès** espada de Damocles; **passer au fil de l'~** pasar a cuchillo; **coup d'~ dans l'eau** esfuerzo inútil **2. celui qui se sert de l'~ périra par l'~** quien a hierro mata, a hierro muere.

**épeiche** *f* pájaro *m* carpintero.

**épeler*** *vt* deletrear: **~ son nom** deletrear su nombre.

**épépiner** *vt* despepitar.

**éperdu, e** *a* **1.** *(fou)* loco, a: **~ de joie** loco de alegría **2.** violento, a.

**éperdument** *adv* **1.** perdidamente, locamente: **être ~ amoureux** estar perdidamente enamorado **2 je m'en moque ~** me importa un pito.

**éperlan** *m* eperlano.

**éperon** *m* **1.** *(du cavalier)* espuela *f* **2.** *(promontoire, d'un navire, d'un pont)* espolón.

**éperonner** *vt* **1.** espolear **2.** *(un navire)* embestir con la borda **3.** *FIG* aguijonear.

**épervier** *m* **1.** *(oiseau)* gavilán **2.** *(filet)* esparavel.

**éphèbe** *m* efebo.

**éphélide** *f* efélide.

**éphémère** *a* efímero, a. ◇ *m (insecte)* efímera *f*, cachipolla *f*.

**éphéméride** *f* efemérides *pl*.

**Éphèse** *np* Éfeso.

**épi** *m* **1.** *(du blé, orge)* espiga *f*, *(du maïs)* mazorca *f*, panoja *f* **2.** *(de cheveux)* remolino **3.** *(jetée)* espigón **4. se garer en ~** aparcar en batería.

**épicarpe** *m BOT* epicarpio.

**épice** *f* especia.

**épicé, e** *a* **1.** sazonado, a, con especias **2.** *FIG* verde, picante, subido, a de color.

**épicéa** *m* picea *f*.

**épicentre** *m* epicentro: **l'~ du tremblement de terre** el epicentro del terremoto.

**épicer*** *vt* sazonar, salpimentar.

**épicerie** *f* **1.** tienda de comestibles, tienda de ultramarinos **2.** *(produits)* comestibles *m pl*.

**épicier, ère** *s* tendero, a (de comestibles).

**Épicure** *np m* Epicuro.

**épicurien, enne** *a/s* epicúreo, a.

**épicurisme** *m* epicuréismo.

**épidémie** *f* epidemia.

**épidémiologie** *f* epidemiología.

**épidémique** *a* epidémico, a.

**épiderme** *m* epidermis *f* ◊ *FIG* **avoir l'~ sensible** ser susceptible.

**épidermique** *a* epidérmico, a.

**épier*** *vt* espiar, acechar.

**épierrer** *vt* despedregar.

**épieu** *m* venablo.

**épigastre** *m ANAT* epigastrio.

**épiglotte** *f ANAT* epiglotis.

**épigone** *m* epígono.

**épigramme** *f* epigrama *m*.

**épigraphe** *f* epígrafe *m*.

**épigraphie** *f* epigrafía.

**épigraphique** *a* epigráfico, a.

**épilation** *f* depilación: **~ à la cire** depilación a la cera.

**épilatoire** *a/m* depilatorio, a.

**épilepsie** *f MÉD* epilepsia.

**épileptique** *a/s* epiléptico, a.

**épiler** *vt* depilar: **se faire ~ les jambes** depilarse las piernas. ◆ **s'~** *vpr* depilarse.

**épilogue** *m* **1.** epílogo **2.** *FIG (dénouement)* desenlace, conclusión *f*.

**épiloguer** *vi* **~ sur** extenderse en comentarios sobre, comentar.

**épinard** *m* espinaca *f*. ◇ *pl* espinacas *f* ◊ **mettre du beurre dans les épinards → beurre.**

**épine** *f* **1.** espina ◊ *FIG* **il n'y a pas de rose sans épines** no hay rosa sin espinas; **tirer à quelqu'un une ~ du pied** sacar a alguien de apuros **2.** *ANAT* **~ dorsale** espina dorsal.

**épinette** *f MUS* espineta.

**épineux, euse** *a* **1.** espinoso, a **2.** *FIG* peliagudo, a, espinoso, a: **question épineuse** cuestión espinosa.

**épine-vinette** *f* agracejo *m*.

**épingle** *f* **1.** alfiler *m*: **~ à cravate** alfiler de corbata ◊ *FIG* **tiré à quatre épingles** de punta en blanco; **tirer son ~ du jeu** salir a flote, salir bien de un apuro; **monter en ~** poner de relieve, hinchar, exagerar **2. ~ de nourrice, de sûreté** imperdible *m* **3. ~ à cheveux** horquilla ◊ **virage en ~ à cheveux** curva muy cerrada **4. ~ à linge** pinza para tender la ropa.

**épingler** *vt* **1.** prender con alfileres **2.** *FAM (faire prisonnier)* prender, trincar, echar el guante a: **il s'est fait ~ par la police** lo trincó la policía.

**épinière** *a* **moelle ~** médula espinal.

**épinoche** *f* picón *m*.

**Épiphanie** *f* Día *m* de los Reyes, Epifanía.

**épiphénomène** *m* epifenómeno.

**épiphyse** *f ANAT* epífisis.

**épiphyte** *a BOT* epifito, a.

**épiploon** [epiplɔɔ̃] *m ANAT* epiplón.

**épique** *a* épico, a.

**Épire** *np f* Epiro *m*.

**épiscopal, e** *a* episcopal.

**épiscopat** *m* episcopado.

**épisiotomie** *f MÉD* episiotomía.

**épisode** *m* **1.** episodio **2. film à épisodes** serial.

**épisodique** *a* episódico, a.

**épisodiquement** *adv* episódicamente.

**épisser** *vt* **1.** *MAR* ayustar **2.** *(fils électriques)* empalmar.

**épissure** *f* **1.** *MAR* ayuste *m* **2.** *(de fils électriques)* empalme *m*.

**épistémologie** *f* epistemología.

**épistémologique** *a* epistemológico, a.

**épistolaire** *a* epistolar.

**épistolier, ère** *a/s FAM* aficionado, a a escribir cartas.

**épitaphe** *f* epitafio *m*.

**épithalame** *m* epitalamio.

**épithélial, e** *a BIOL* epitelial: **tissu ~** tejido epitelial.

**épithélium** [epiteljɔm] *m BIOL* epitelio.

**épithète** *f* epíteto *m*.

**épitoge** *f* muceta.

**épître** *f* **1.** *(lettre)* epístola **2. les épitres des Apôtres** las epístolas de los Apóstoles.

**épizootie** [epizɔɔti] *f* epizootia.

**éploré, e** *a (persona)* desconsolado, a; *(air, etc.)* lloroso, a, triste, afligido, a.

**épluchage** *m* **1.** monda *f*, peladura *f* **2.** *FIG* examen minucioso, espulgo.

**épluche-légumes** *m inv* pelapatatas.

**éplucher** *vt* **1.** *(légumes, fruits)* pelar, mondar **2.** *(nettoyer)* limpiar **3.** *FIG* examinar minuciosamente, espulgar.

**épluchure** *f* peladura, mondadura, monda: **épluchures de pommes de terre** mondaduras de patatas.

**épode** *f* epoda, epodo *m*.

**épointage** *m* despuntadura *f*.

**épointer** *vt* despuntar.

**éponge** *f* **1.** esponja ◊ *FIG* **boire comme une ~** beber como una esponja; **passer l'~ sur** olvidar, perdonar; **passons l'~** borrón y cuenta nueva; **jeter l'~** arrojar la toalla, tirar la toalla **2. ~ métallique** estropajo *m* metálico. **3. tissu ~** rizo, tela de rizo; **serviette ~** toalla de rizo, de felpa.

**éponger*** *vt* **1.** secar una esponja **2.** *FIG* enjugar, absorber: **~ un déficit** enjugar un déficit. ◆ **s'~** *vpr* enjugarse: **s'~ le front avec un mouchoir** enjugarse la frente con un pañuelo.

**éponyme** *a/s* epónimo, a.

**épopée** *f* epopeya.

**époque** *f* **1.** época: **à l'~ de** en la época de; **à pareille ~** en aquella época; **faire ~** hacer época ◊ **à l'~ où...** cuando...; **à cette ~-là** por aquel entonces, en aquella época; **à l'~** a la sazón **2. la Belle Époque** los principios del siglo XX, la «Belle Époque» **3. meuble d'~** mueble antiguo **4. quelle ~ (nous vivons)!** ¡qué tiempos!

**épouiller** *vt* despiojar.

**époumoner (s')** *vpr* desgañitarse.

**épousailles** *f pl ANC* esponsales *m*, boda *sing.*

**épouse → époux.**

**épouser** *vt* **1.** casarse con **2.** *FIG (idées, opinion)* abrazar, adherirse a **3.** *(une forme)* adaptarse a, ajustarse a.

**époussetage** *m* desempolvadura *f.*

**épousseter*** *vt* desempolvar, quitar el polvo de.

**époustouflant, e** *a FAM* asombroso, a, pasmoso, a, despampanante, deslumbrante.

**époustoufler** *vt FAM* dejar atónito, a.

**épouvantable** *a* espantoso, a, horroroso, a.

**épouvantablement** *adv* horriblemente.

**épouvantail** *m* **1.** espantajo, espantapájaros **2.** *(personne)* esperpento.

**épouvante** *f* espanto *m*, terror *m*: **film d'~** película de terror.

**épouvanter** *vt* espantar, aterrorizar.

**époux, épouse** *s* esposo, a. ◇ *m pl* **1. les ~** los esposos **2. les futurs ~** los novios; **les jeunes ~** los recién casados.

**éprendre (s')*** *vpr* enamorarse.

**épreuve** *f* **1.** prueba: **mettre à l'~** poner a prueba; **à toute ~** a toda prueba, muy resistente, a prueba de bomba **2.** *(scolaire)* examen *m*: **~ écrite** examen escrito **3.** *(imprimerie, photo)* prueba **4.** *(sport)* prueba **5.** *(malheur)* desgracia, pena, infortunio *m*, adversidad **6.** *loc prép* **à l'~ de** a prueba de.

**épris, e** *a* enamorado, a.

**éprouvant, e** *a* duro, a, penoso, a.

**éprouver** *vt* **1.** *(expérimenter)* probar, ensayar, poner a prueba **2.** *(frapper)* castigar, afectar: **zone durement éprouvée par le séisme** zona fuertemente castigada por el seísmo **3.** sufrir, padecer: **~ une déception** sufrir un desengaño **4.** *(ressentir)* experimentar, sentir: **~ une sensation** experimentar una sensación **5 ~ des difficultés** encontrar dificultades.

**éprouvette** *f* probeta, tubo *m* de ensayo ◊ **bébé ~** bebé probeta.

**epsilon** [ɛpsilɔn] *m* epsilon *f.*

**épucer*** *vt* espulgar.

**épuisant, e** *a* agotador, a.

**épuisé, e** *a* **1.** *(livre, stock)* agotado, a **2.** *(personne)* agotado, a, exhausto, a, rendido, a.

**épuisement** *m* **1.** *(d'un stock, etc.)* agotamiento **2.** *(faiblesse)* agotamiento, extenuación *f.*

**épuiser** *vt* **1.** *(des réserves, la patience, etc.)* agotar **2.** *(une personne)* agotar. ◆ **s'~** *vpr* **1.** agotarse **2. je m'épuise à vous répéter...** me mato repitiéndole...

**épuisette** *f* red de mano, manga.

**épuration** *f* **1.** depuración ◊ **station d'~** planta depuradora **2.** *FIG* depuración.

**épure** *f* **1.** diseño *m* **2.** *ARCH* montea.

**épurer** *vt* **1.** depurar **2.** *(un groupe)* depurar **3.** *(langage, etc.)* depurar, refinar.

**équanimité** [ekwanimite] *f* ecuanimidad.

**équarrir** *vt* **1.** *(rendre carré)* escuadrar **2.** *(animal mort)* descuartizar.

**équarrissage** *m* **1.** escuadreo **2.** *(d'animaux)* descuartizamiento, despiece.

**équarrisseur** *m* desollador, descuartizador.

**équateur** [ekwatœʀ] *m* ecuador. ◇ *np m* **l'Équateur** el Ecuador.

**équation** [ekwasjɔ̃] *f* ecuación: **~ à deux inconnues** ecuación de dos incógnitas; **~ du second degré** ecuación de segundo grado.

**équatorial, e** [ekwatorjal] *a/m* ecuatorial.

**équatorien, enne** [ekwatorjɛ̃, jɛn] *a/s* ecuatoriano, a.

**équerre** *f* **1.** escuadra; **fausse ~** falsa escuadra **2. à l'~, d'~, en ~** a escuadra, en ángulo recto.

**équestre** *a* ecuestre.

**équeuter** *vt* quitar el rabillo a.

**équidés** *m pl ZOOL* équidos.

**équidistant, e** [ekɥidistɑ̃, ɑ̃t] *a* equidistante.

**équilatéral, e** [ekɥilateral] *a* equilátero, a: **triangles équilatéraux** triángulos equiláteros.

**équilibrage** *m* equilibrado.

**équilibre** *m* equilibrio: **perdre l'~** perder el equilibrio; **le budget est en ~** el presupuesto está en equilibrio; **mettre en ~** poner en equilibrio; **~ instable** equilibrio inestable ◊ **faire ~** equilibrar, compensar.

**équilibré, e** *a* equilibrado, a: **un garçon bien ~** un chico muy equilibrado.

**équilibrer** *vt* equilibrar, compensar.

**équilibriste** *s* equilibrista.

**équille** *f (poisson)* aguja.

**équin, e** *a* equino, a.

**équinoxe** *m* equinoccio: **l'~ de printemps, d'automne** el equinoccio de primavera, de otoño.

**équinoxial, e** *a* equinoccial.

**équipage** *m* **1.** *(d'un bateau, avion, etc.)* tripulación *f*: **l'~** la tripulación ◊ **membre de l'~** tripulante **2.** *ANC (d'un prince)* séquito; *(meute)* jauría *f* **3.** *MIL* bagaje.

**équipe** *f* **1.** equipo *m*: **travailler en ~** trabajar en equipo; **esprit d'~** espíritu de equipo **2.** *(d'ouvriers)* cuadrilla **3.** *(sport)* equipo *m*: **une ~ de football** un equipo de fútbol **4.** *(d'amis)* pandilla.

**équipée** *f* **1.** escapatoria, correría **2.** *(fredaine)* calaverada.

**équipement** *m* **1.** equipo: **~ de ski** equipo de esquí **2.** instalación *f*: **~ électrique** instalación eléctrica **3.** equipamiento: **équipements touristiques, sportifs** equipamientos turísticos, deportivos.

**équiper** *vt* **1.** *(quelqu'un, etc.)* equipar **2.** *(munir)* dotar: **~ un navire d'un radar puissant** dotar un barco de un radar potente. ◆ **s'~** *vpr* **1. s'~ pour la plongée sous-marine** pertrecharse para la natación submarina **2. pays qui commence à s'~** país que empieza a equiparse.

**équipier, ère** *s* **1.** miembro de un equipo **2.** *(sport)* jugador, a **3.** *(dans un voilier)* tripulante.

**équitable** *a* equitativo, a.

**équitablement** *adv* equitativamente.

**équitation** *f* equitación: **faire de l'~** practicar equitación.

**équité** *f* equidad.

**équivalence** *f* equivalencia.

**équivalent, e** *a/m* equivalente.

**équivaloir*** *vi* equivaler: **votre réponse équivaut à un refus** su respuesta equivale a una negativa. ◆ **s'~** *vpr* ser equivalente.

**équivoque** *a* equívoco, a. ◇ *f* equívoco *m*, ambigüedad.

**érable** *m* arce.

**éradication** *f* erradicación.

**éradiquer** *vt* erradicar.

**érafler** *vt* rasguñar, arañar.

**éraflure** *f* rasguño *m*, arañazo *m*.

**éraillé, e** *a* **1.** *(tissu)* raído, a **2. voix éraillée** voz cascada.

**érailler** *vt* rasgar. ◆ **s'~** *vpr (la voix)* enronquecerse.

**éraillure** *f* rasgón *m*, rasgadura.

**Érasme** *np m* Erasmo.

**ère** *f* **1.** era: **l'~ chrétienne** la era cristiana; **une ~ de prosperidad** una era de prosperidad **2.** *GÉOL* era: **~ primaire** era primaria.

**érectile** *a* eréctil.

**érection** *f (d'un organe, d'un monument)* erección ◊ **pénis en ~** pene erecto.

**éreintant, e** *a* extenuante.

**éreintement** *m* **1.** extenuación *f* **2.** *FAM* vapuleo, crítica *f* mordaz.

**éreinter** *vt* **1.** *(fatiguer)* extenuar, agotar: **cette promenade m'a éreinté** este paseo me ha extenuado **2.** *FAM (critiquer)* vapulear, despellejar: **il s'est fait ~ par la presse** fue vapuleado por la prensa. ◆ **s'~** *vpr* derrengarse, deslomarse.

**érémitique** *a* eremítico, a.

**érésipèle** → **érysipèle.**

[1]**erg** *m FÍS* ergio.

[2]**erg** *m (dunes)* erg.

**ergonomie** *f* ergonomía.

**ergonomique** *a* ergonómico, a.

**ergot** *m* **1.** *(du coq, etc.)* espolón ◊ *FIG* **se dresser sur ses ergots** gallear **2.** *BOT (des céréales)* cornezuelo.

**ergoter** *vi* discutir por naderías.

**ergoteur, euse** *a/s* discutidor, a, quisquilloso, a.

**ergothérapie** *f* ergoterapia.

**ériger*** *vt* erigir: **~ un monument** erigir un monumento; **~ en norme** erigir en norma. ◆ **s'~** *vpr* erigirse; **s'~ en juge** erigirse en juez.

**ermitage** *m* **1.** ermita *f* **2.** casita *f* de campo solitaria.

**ermite** *m* ermitaño.

**Ernest** [ɛʀnɛst] *np m* Ernesto.

**Ernestine** *np f* Ernestina.

**éroder** *vt* desgastar, erosionar, minar.

**érogène** *a* erógeno, a.

**Éros** *np m* Eros.

**érosif, ive** *a* erosivo, a.

**érosion** *f* erosión.

**érotique** *a* erótico, a.

**érotisation** *f* erotización.

**érotiser** *vt* erotizar.

**érotisme** *m* erotismo.

**erpétologie** *f ZOOL* herpetología.

**errance** *f LITT* vagabundeo *m*.

**errant, e** *a* **1.** errante **2.** vagabundo, a: **chien ~** perro vagabundo **3. chevalier ~** caballero andante.

**errata** *m inv* fe *f* de errata.

**erratique** *a* errático, a.

**erratum** [ɛʀatɔm] *m* errata *f*.

**erre** *f MAR* salida, arrancada: **prendre de l'~** coger salida; **casser l'~** parar la arrancada.

**errements** *m pl* hábitos, procedimientos habituales.

**errer** *vi* andar errante, vagabundear.

**erreur** *f* **1.** error *m*: **une ~ grossière** un error de bulto; **~ judiciaire** error judicial; **faire une ~** cometer un error ◊ **faire ~, être dans l'~** equivocarse, estar en un error; **vous faites ~** usted se equivoca, usted está equivocado; **sauf ~ de ma part** si no me equivoco; **grave ~, profonde ~** craso error; *FAM* **il n'y a pas d'~** no cabe duda **2.** *(de conduite)* yerro *m*: **erreurs de jeunesse** yerros de (la) juventud.

**erroné, e** *a* erróneo, a.

**erronément** *adv* erróneamente.

**ers** [ɛʀ] *m (plante)* yero.

**ersatz** [ɛʀzats] *m inv* sucedáneo.

**éructation** *f* eructo *m*.

**éructer** *vi* eructar. ◇ *vt (injures)* proferir.

**érudit, e** *a/s* erudito, a.

**érudition** *f* erudición.

**éruptif, ive** *a* eruptivo, a.

**éruption** *f (volcanique, cutanée)* erupción.

**érysipèle** *m MÉD* erisipela *f*.

**érythème** *m MÉD* eritema.

**Érythrée** *np f* Eritrea.

**es** → **être.**

**ès** [ɛs] *prép* en: **docteur ~ lettres** doctor en letras.

**Esaü** [ezay] *np m* Esaú.

**esbroufe** *f FAM* faroleo *m*, fachenda ◊ **faire de l'~** farolear, darse postín.

**esbroufer** *vt FAM* farolear, darse tono.

**esbroufeur, euse** *a/s FAM* fanfarrón, ona, farolero, a.

**escabeau** *m* escabel.

**escabèche** *f CULIN* escabeche *m*.

**escadre** *f MAR* escuadra.

**escadrille** *f* escuadrilla.

**escadron** *m* escuadrón.

**escalade** *f* **1.** *(d'une montagne, d'un mur, etc.)* escalada ◊ **faire de ~** practicar la escalada **2.** *(de la violence, etc.)* escalada **3. l'~ des prix** la escalada de los precios.

**escalader** *vt* escalar, trepar.

**escalator** [ɛskalatɔʀ] *m (nom déposé)* escalera *f* mecánica.

**escale** *f* escala: **faire ~ à** hacer escala en; **vol sans ~** vuelo sin escala.

**escalier** *m* **1.** escalera *f*: **descendre l'~** bajar la escalera; **grimper l'~ quatre à quatre** subir la escalera de dos en dos; **~ en colimaçon** escalera de caracol **2. ~ roulant**, escalera mecánica **3** *FAM* **avoir l'esprit de l'~** ser lento en reaccionar.

**escalope** *f* escalope *m*, filete *m*.

**escamotable** *a* plegable.

**escamotage** *m* escamoteo.

**escamoter** *vt* **1.** escamotear **2.** *(une difficulté)* eludir **3.** *(un mot)* saltarse **4.** *(train d'atterrissage)* replegar.

**escamoteur, euse** *s* escamoteador, a.

**escampette** *f FAM* **prendre la poudre d'~** poner pies en polvorosa, tomar las de Villadiego.

**escapade** *f* **1.** *(évasion)* escapatoria **2.** *(fugue)* calaverada.

**escarbille** *f* carbonilla.

**escarboucle** *f* carbunclo *m.*

**escarcelle** *f* **1.** *ANC* escarcela **2.** *(bourse)* bolsa.

**escargot** *m* caracol.

**escarmouche** *f* escaramuza.

**escarpé, e** *a* escarpado, a.

**escarpement** *m* escarpadura *f,* pendiente *f.*

**escarpin** *m* zapato de tacón, escarpín.

**escarpolette** *f* columpio *m.*

**escarre, eschare** *f MÉD* escara.

**Escaut** *np m* Escalda.

**eschatologie** [ɛskatɔlɔʒi] *f* escatología.

**esche** *f* cebo *m.*

**Eschyle** *np m* Esquilo.

**escient** *loc adv* **à bon ~** a sabiendas.

**esclaffer (s')** *vpr* soltar la carcajada.

**esclandre** *m* escándalo: **faire un ~** armar un escándalo.

**esclavage** *m* esclavitud *f*: **réduire en ~** reducir a la esclavitud.

**esclavagiste** *a/s* esclavista.

**esclave** *a/s* esclavo, a ◊ *FIG* **~ de son travail** esclavo de su trabajo.

**escogriffe** *m FAM* **grand ~** grandullón, altaricón.

**escompte** [ɛskɔ̃t] *m COM* descuento.

**escompter** [ɛsfkɔ̃te] *vt* **1.** *COM* descontar **2.** *(espérer)* contar con, esperar; **j'escompte un succès** cuento con un éxito; **le succès escompté** el éxito esperado.

**escopette** *f ANC* trabuco *m.*
▶ Le mot espagnol *escopeta* signifie: fusil de chasse.

**escorte** *f* escolta ◊ **faire ~ à** escoltar a.

**escorter** *vt* escoltar.

**escorteur** *m* barco de escolta.

**escouade** *f* **1.** cuadrilla **2.** *MIL* escuadra.

**escrime** *f* esgrima: **faire de l'~** practicar esgrima.

**escrimer (s')** *vpr* afanarse, esforzarse: **il s'escrime à faire...** se esfuerza en hacer...

**escrimeur, euse** *s* esgrimidor, a.

**escroc** [ɛskʀo] *s* estafador, timador.

**escroquer** *vt* estafar, timar.

**escroquerie** *f* **1.** *(délit)* estafa **2.** *(action malhonnête)* timo *m.*

**Esculape** *np m* Esculapio.

**Escurial** *np m* **l'~** el Escorial.

**esgourdes** *f pl FAM* oído *m sing.*

**eskimo → esquimau.**

**Ésope** *np m* Esopo.

**ésotérique** *a* esotérico, a.

**ésotérisme** *m* esoterismo.

**espace** *m* **1.** espacio: **la conquête de l'~** la conquista del espacio; **~ vital** espacio vital; **~-temps** espacio tiempo **2. espaces verts** zonas *f* verdes **3 ~ publicitaire** espacio publicitario **4.** *loc prép* **en l'~ d'une semaine** por espacio de una semana. ◇ *f (imprimerie)* espacio *m.*

**espacement** *m* **1.** espacio **2.** distancia *f* **3.** *(dans le temps)* escalonamiento.

**espacer*** *vt* espaciar: **le médecin a décidé d'~ ses visites** el médico ha decidido espaciar sus visitas.

**espace-temps → espace.**

**espadon** *m* pez espada.

**espadrille** *f* alpargata.

**Espagne** *np f* España: **l'~ et le Marché commun** España y el Mercado Común.

**espagnol, e** *a/s* español, a: **les Espagnols** los españoles. ◇ *m (langue)* español, castellano.

**espagnolette** *f* falleba.

**espagnoliser** *vt* españolizar.

**espalier** *m* **1.** *AGR* espaldera *f* **2.** *(gymnastique)* espalderas *f pl.*

**espèce** *f* **1.** *(en histoire naturelle)* especie: **l'~ humaine** la especie humana **2.** especie, clase: **de toute ~** de toda clase; **une ~ de** una especie de ◊ **en l'~** en este caso **3.** *FAM* **~ de** pedazo de, so: **~ d'idiot!** ¡so idiota!; **~ de brute** pedazo de animal. ◇ *pl* **1.** metálico *m sing*: **payer en espèces** pagar en metálico, en efectivo ◊ **espèces sonnantes et trébuchantes** dinero contante y sonante **2.** *RELIG* especies sacramentales.

**espérance** *f* **1.** esperanza **2. ~ de vie** esperanza de vida, expectativa de vida. ◇ *pl (héritage)* herencia *sing* en perspectiva.

**espérantiste** *a/s* esperantista.

**espéranto** *m* esperanto.

**espérer*** *vt* **1.** esperar: **j'espère vous revoir bientôt** espero volver a verle pronto; **j'espère que tu viendras** espero que vengas ◊ **espérons!** ¡confiemos en ello! **2 ~ en** confiar en, esperar en.

**espiègle** *a/s* travieso, a.

**espièglerie** *f* travesura.

**espion, onne** *s* espía.

**espionnage** *m* espionaje; **roman d'~** novela de espionaje; **~ industriel** espionaje industrial.

**espionner** *vt* espiar.

**esplanade** *f* esplanada.

**espoir** *m* **1.** esperanza *f*: **j'ai peu d'~ d'être reçu à l'examen** tengo pocas esperanzas de que me aprueben el examen; **reprendre ~** recuperar la esperanza ◊ **dans l'~ de votre réponse** en espera de su respuesta **2.** ilusión *f*: **j'attends avec un certain ~...** espero con cierta ilusión... **3. avoir ~ que...** confiar en que...

**esprit** *m* **1.** espíritu: **le Saint-Esprit** el Espíritu Santo; **rendre l'~** exhalar el espíritu; **un pur ~** un espíritu puro **2.** pensamiento, mente *f*: **un ~ logique** una mente lógica; **venir à l'~** ocurrírsele a uno, venir a la mente; **c'est la première explication qui me soit venue à l'~** es la primera explicación que se me haya ocurrido ◊ **dans mon ~** para mí **3.** juicio: **perdre l'~** perder el juicio **4.** ánimo, espíritu: **état d'~** disposición de ánimo; **~ de contradiction** espíritu de contradicción; **~ de suite, de l'escalier → suite, escalier**; **calmer les esprits** calmar los ánimos ◊ **avoir l'~ ailleurs** estar distraído, a; **avoir le bon ~ de** tener la buena idea de, hacer bien en **5.** *(humour)* ingenio, agudeza *f*: **avoir de l'~** tener ingenio ◊ **faire de l'~** ser, mostrarse ocurrente, dárselas de gracioso, *(plaisanter)* bromear; **un trait d'~** una agudeza, un dicho ingenioso **6.** *(caractère)* carácter: **~ changeant** carácter desigual ◊ **avoir mauvais ~** ser mal pensado; **quelques mauvais esprits** algunos mal pensados; **être large d'~** ser tolerante **7. bel ~** hombre culto; **~ fort** incrédulo **8.** *(d'une loi, d'un texte)* espíritu: **l'~ et la lettre** el espíritu y la letra **9.** *(fantôme)* aparecido, fantasma, espíritu: **croire aux esprits** creer en fantasmas, en los espíritus **10. ~ de corps, d'équipe** espíritu de cuerpo, de equipo. ◇ *pl* **1. perdre ses esprits** perder el conocimiento, desmayarse **2. reprendre ses esprits** recobrar el sentido, volver en sí.

**esprit-de-sel** *m* espíritu de sal.

**esprit-de-vin** *m* espíritu de vino.

**esquif** [ɛskif] *m* esquife.

**esquille** *f* esquirla.

**esquimau, de** *a/s* esquimal. ◇ *m (glace, nom déposé)* polo.

**esquintant, e** *a* FAM derrengador, a.

**esquinter** *vt* FAM **1.** *(abîmer)* estropear **2.** *(fatiguer)* derrengar, deslomar **3.** *(critiquer)* echar por tierra. ◆ **s'~** *vpr* FAM reventarse: **il s'esquinte à travailler** se revienta trabajando.

**esquisse** *f* esbozo *m*, bosquejo *m*.

**esquisser** *vt* **1.** esbozar, bosquejar **2.** *(un geste)* esbozar: **elle esquissa un sourire** esbozó una sonrisa.

**esquive** *f* regate *m*.

**esquiver** *vt* esquivar, eludir. ◆ **s'~** *vpr* escabullirse.

**essai** *m* **1.** ensayo, prueba *f*: **pilote d'~** piloto de prueba; **essais nucléaires** pruebas nucleares; **tube à ~** tubo de ensayo ◊ **mettre à l'~** poner a prueba; **un mois à l'~** un mes a prueba; **un coup d'~** una tentativa, un primer intento **2.** *(au rugby)* ensayo **3.** *(ouvrage littéraire)* ensayo **4. bout d'~** secuencia *f* de película (para poner a prueba a un debutante).

**essaim** [esɛ̃] *m* enjambre.

**essaimage** *m* enjambrazón *f*.

**essaimer** *vi* **1.** *(abeilles)* enjambrar **2.** FIG multiplicarse.

**essayage** [esejaʒ] *m* **1.** prueba *f*: **un ~ gratuit** una prueba gratuita **2. cabine, salon d'~** probador *m*.

**essayer*** [eseje] *vt* **1.** probar, probarse: **~ une robe** probarse un vestido; **est-ce que je peux ~ ce costume** ¿puedo probarme este traje? **2. ~ un nouveau procédé** ensayar un nuevo procedimiento. ◇ *vi* **~ de** intentar, tratar de, procurar: **j'essaie de la convaincre** trato de convencerla; **j'ai essayé de le rattraper** traté de, intenté alcanzarle; **essaie de parler plus lentement** procura hablar más lentamente. ◆ **s'~** *vpr* ejercitarse en.

**essayeur, euse** [esɛjœʀ, øz] *s* probador, a.

**essayiste** [esɛjist(ə)] *s* ensayista.

**essence** *f* **1.** *(carburant)* gasolina: **~ sans plomb** gasolina sin plomo; **une pompe à ~** un surtidor de gasolina **2.** esencia: **~ de lavande** esencia de espliego; **~ de térébenthine** esencia de trementina **3.** *(en philosophie)* esencia: **par ~** por esencia **4.** BOT especie.

**essentiel, elle** *a* esencial. ◇ *m* **l'~** lo esencial; **l'~ est de s'en tirer** lo esencial es salir adelante ◊ **aller à l'~** ir al grano.

**essentiellement** *adv* esencialmente.

**esseulé, e** *a* solo, a, solitario, a.

**essieu** *m* eje.

**essor** [esɔʀ] *m* **1.** vuelo: **prendre son ~** alzar el vuelo **2.** *(développement)* desarrollo ◊ **en plein ~** en auge.

**essorage** *m* secado.

**essorer** *vt* escurrir, secar.

**essoreuse** *f* **1.** secadora, escurridora **2.** *(à salade)* centrifugadora.

**essoufflé, e** *a* sofocado, a, jadeante.

**essoufflement** *m* ahogo, sofocación *f*.

**essouffler** *vt* ahogar, sofocar. ◆ **s'~** *vpr* ahogarse, sofocarse, perder el aliento.

**essuie-glace** *m* limpiaparabrisas *inv*.

**essuie-main(s)** *m* toalla *f*.

**essuie-tout** *m* papel absorbante.

**essuyage** [esyijaʒ] *m* secado.

**essuyer*** [esyije] *vt* **1.** secar: **~ la vaisselle** secar los platos; **~ ses mains** secarse las manos **2.** *(la poussière)* limpiar **3.** *(la sueur, etc.)* enjugar, secar: **elle essuie ses larmes** se enjuga las lágrimas **4.** FIG sufrir, aguantar: **~ une défaite** sufrir una derrota; **~ un refus** sufrir un desaire; **~ les plâtres → plâtre.** ◆ **s'~** *vpr* secarse, enjugarse: **il s'essuya le front** se enjugó la frente.

**¹est** [ɛ] → **être.**

**²est** [ɛst] *m* este: **à l'~ de** al este de; **vent d'~** viento este; **les pays de l'Est** los países del Este.

**estacade** *f* estacada.

**estafette** *f* estafeta.

**estafilade** *f* cuchillada, chirlo *m*.

**estaminet** *m* cafetín.

**estampage** *m* TECHN estampación *f*.

**estampe** *f (image)* estampa.

**estamper** *vt* **1.** estampar **2.** FAM *(voler)* estafar, clavar: **je me suis fait ~ par...** me dejé estafar por...

**estampeur** *m* **1.** estampador **2.** FAM *(escroc)* estafador.

**estampillage** *m* estampillado.

**estampille** *f* sello *m*, estampilla.

**est-ce que** [ɛskə] *loc interr (ne se traduit pas)* **~ tu viens avec nous?** ¿vienes con nosotros?; **quand est-ce qu'il est arrivé?** ¿cuándo ha llegado?; **qu'~ tu dis?** ¿qué dices?

**ester** [ɛstɛʀ] *m* CHIM éster.

**Esther** [ɛstɛʀ] *np f* Ester.

**esthète** *a/s* esteta.

**esthéticien, enne** *s* diplomado, a en estética, estheticienne.

**esthétique** *a* estético, a: **chirurgie ~** cirugía estética. ◇ *f* estética.

**esthétiquement** *adv* estéticamente.

**esthétisme** *m* esteticismo.

**estimable** *a* estimable.

**estimatif, ive** *a* estimatorio, a.

**estimation** *f* **1.** estimación, evaluación: **d'après les estimations de la police** según las estimaciones de la policía **2.** *(expertise)* tasación pericial.

**estime** *f* **1.** estima, aprecio *m*: **j'ai de l'~ pour vous** le tengo estima; **jouir de l'~ de ses supérieurs** gozar del aprecio de sus superiores ◊ **il a baissé dans mon ~** no lo aprecio como antes; **un succès d'~** un éxito mediano (debido a la aprobación de los críticos en contra del público) **2.** MAR estima ◊ FIG **à l'~** a ojo de buen cubero.

**estimer** *vt* **1.** estimar, valorar: **tableau estimé mille dollars** cuadro valorado en mil dólares **2.** *(apprécier)* estimar. ◆ **s'~** *vpr* **1.** estimarse **2.** considerarse **3. s'~ satisfait** darse por satisfecho.

**estival, e** *a* estival.

**estivant, e** *s* veraneante.

**estoc** [ɛstɔk] *m* estoque ◊ **frapper d'~ et de taille** tirar tajos y estocadas.

**estocade** *f* estocada.

**estomac** *m* **1.** estómago: **le creux de l'~** la boca del estómago **2.** FAM **avoir de l'~** tener agallas; **avoir l'~ dans les talons → talon; son repas lui est resté sur l'~** le ha sentado mal la comida.

**estomaquer** *vt* FAM dejar estupefacto, a.

**estompe** *f* esfumino *m*, difumino *m*.

**estomper** *vt* difuminar, esfumar. ◆ **s'~** *vpr* esfumarse, borrarse: **souvenir qui s'estompe** recuerdo que se esfuma.

**Estonie** *np f* Estonia.

**estonien, enne** *a/s* estonio, a.

**estourbir** *vt* FAM **1.** *(assommer)* acogotar **2.** *(tuer)* matar.

**estrade** *f* tarima.

**estragon** *m* estragón.

**estrapade** *f* suplicio *m* de la cuerda.

**Estrémadoure** *np f* Extremadura.

**estrope** *f* MAR estrobo *m*.

**estropié, e** *a/s* lisiado, a.

**estropier*** *vt* **1.** lisiar **2.** FIG *(un mot, etc.)* desfigurar, alterar.

**estuaire** *m* estuario.

**estudiantin, e** *a* estudiantil.

**esturgeon** [ɛstyʀʒɔ̃] *m* esturión.

**et** [e] *conj* **1.** y: **Adam ~ Ève** Adán y Eva **2.** *(devant un mot commençant par i ou hi)* e: **Tristan ~ Iseut** Tristán e Iseo; **père ~ fils** padre e hijo **3. ~ alors?** ¿y qué?

**étable** *f* establo *m*.

**établi** *m* banco: **~ de menuisier** banco de carpintero.

**établir** *vt* **1.** establecer **2.** *(dans un emploi)* colocar **3.** *(marier)* casar **4.** *(sa réputation, etc.)* asentar. ◆ **s'~** *vpr* **1.** *(dans un lieu)* establecerse, afincarse, avecindarse: **s'~ à Nantes** afincarse en Nantes 2. **s'~ à son compte** establecerse por su cuenta; **il s'est établi boulanger** se ha establecido de panadero, ha puesto una panadería.

**établissement** *m* **1.** *(fondation, etc.)* establecimiento **2.** *(de commerce, scolaire, etc.)* establecimiento ◊ **~ bancaire** entidad *f* bancaria; **~ thermal** balneario.

**étage** *m* **1.** piso: **immeuble de six étages** edificio de seis pisos; **au cinquième ~** en el quinto piso **2.** *(d'une fusée)* cuerpo **3.** FIG **des gens de bas ~** gente de baja estofa.

**étagement** *m* escalonamiento.

**étager*** *vt* escalonar.

**étagère** *f* **1.** estante *m*, anaquel *m* **2.** *(meuble)* estantería.

**étai** *m* **1.** puntal **2.** MAR estay.

**étain** *m* estaño ◊ **papier d'~** papel de estaño.

**étais,** etc. → **être.**

**étal** *m* **1.** *(dans un marché)* puesto **2.** *(de boucher)* mostrador (de carnicería).

**étalage** *m* **1.** *(vitrine)* escaparate **2.** FIG ostentación *f*, alarde: **faire ~** hacer alarde de, lucir **3.** *(déploiement)* despliegue: **avec un grand ~ publicitaire** con gran despliegue publicitario.

**étalagiste** *s* escaparatista.

**étale** *a* *(mer)* en calma, estacionario, a.

**étalement** *m* *(dans le temps)* escalonamiento.

**étaler** *vt* **1.** *(exposer)* exponer ◊ **~ ses cartes** poner las cartas boca arriba **2.** *(déplier)* extender, desplegar **3.** *(peinture, etc.)* extender ◊ **~ du beurre sur du pain** untar el pan con mantequilla **4.** *(échelonner)* escalonar **5.** FIG *(luxe, son savoir, etc.)* ostentar, hacer alarde de. ◆ **s'~** *vpr* FAM caerse: **il s'est étalé de tout son long** se cayó cuan largo era.

[1]**étalon** *m* patrón: **~-or** patrón oro.

[2]**étalon** *m* **1.** *(cheval)* semental **2.** *(âne)* garañón.

**étalonnage, étalonnement** *m* contraste.

**étalonner** *vt* **1.** *(poids et mesures)* contrastar **2.** *(marquer)* marcar **3.** graduar.

**étamage** *m* **1.** estañadura *f* **2.** *(d'un miroir)* azogamiento.

**étambot** *m* MAR codaste.

**étamer** *vt* **1.** estañar **2.** *(miroirs)* azogar.

**étameur** *m* **1.** estañador **2.** azogador.

**étamine** *f* **1.** *(tissu)* estameña ◊ **passer à l'~** pasar por el tamiz **2.** BOT estambre *m*.

**étanche** *a* **1.** hermético, a **2.** impermeable **3.** estanco, a: **cloison ~** compartimiento estanco.

**étanchéité** *f* hermeticidad, estanqueidad.

**étancher** *vt* **1. ~ le sang** restañar la sangre **2 ~ la soif** apagar la sed **3.** *(les larmes)* enjugar **4.** *(un liquide)* estancar.

**étançon** *m* puntal.

**étançonner** *vt* apuntalar.

**étang** *m* **1.** *(artificiel)* estanque **2.** *(naturel)* laguna *f* ◊ **~ salé** , albufera *f*.

**étant** → **être.**

**étape** *f* etapa: **faire ~ à** hacer etapa en; **l'~ contre la montre** la etapa contrarreloj ◊ FIG **brûler les étapes** quemar etapas.

**état** *m* **1.** estado: **~ de santé** estado de salud; **~ d'âme** estado de ánimo; **en bon, mauvais ~** en buen, mal estado; **à l'~ pur** en estado puro; **~ d'esprit** disposición *f* de ànimo ◊ **hors d'~** fuera de uso, inservible; **remettre en ~** reparar, arreglar; FIG **ne pas être en ~ de faire** no estar en condiciones de, estar imposibilitado para hacer; **être dans tous ses états** estar muy excitado, estar fuera de sí; **ne vous mettez pas dans cet ~** no se ponga usted así **2. ~ de choses** situación *f* ◊ **en tout ~ de cause** → **cause 3.** *(écrit)* estado, lista *f*, relación *f* ◊ **~ des lieux** descripción *f* del local **4 ~ civil** estado civil; **registre d'~ civil** registro civil; **fiche d'~ civil** fe de vida **5.** oficio: **cordonnier de son ~** de oficio zapatero **6. faire ~ de...** tener en cuenta... **7.** Estado: **chef d'État** jefe de Estado; **coup d'État** golpe de Estado; **raison d'~** razón de Estado ◊ **homme d'État** estadista.

**étatisation** *f* nacionalización.

**étatiser** *vt* estatificar, nacionalizar.

**étatisme** *m* estatismo.

**étatiste** *a/s* partidario, a del estatismo.

**état-major** *m* estado mayor, plana *f* mayor.

**États-Unis** *np m pl* Estados Unidos: **l'actuel président des ~** el actual presidente de Estados Unidos; **les ~ et le Japon** Estados Unidos y Japón.

**étau** *m* tornillo de banco.

**étayage** [etɛjaʒ] *m* apuntalamiento.

**étayer*** [etɛje] *vt* **1.** apuntalar **2.** FIG apoyar, sostener.

**et cætera, et cetera** *adv/m* etcétera *f*.

[1]**été** *m* verano, estío: **en plein ~** en pleno verano ◊ **résidence d'~** residencia veraniega: **passer l'~ sur la Côte d'Azur** veranear en la Costa Azul.

[2]**été** *pp* de **être.**

**éteignoir** *m* **1.** apagavelas, apagador **2.** FIG *(personne)* aguafiestas.

**éteindre*** *vt* **1.** apagar: **~ un incendie** apagar un incendio; **~ l'électricité, la radio** apagar la luz, la radio **2.** *(la soif, une couleur)* apagar **3.** *(une dette)* extinguir, saldar. ◆ **s'~** *vpr* **1.** apagarse: **le feu s'est éteint** el fuego se ha apagado **2.** *(mourir)* apagarse, morir.

**éteint, e** *a* apagado, a: **volcan ~** volcán apagado; **couleur éteinte** color apagado.

**étendage** *m* tendido.

**étendard** *m* estandarte ◊ **lever l'~ de la révolte** rebelarse.

**étendoir** *m* tendedero.

**étendre*** *vt* **1.** extender, alargar: **~ le bras** alargar el brazo; **~ la nappe sur la table** extender el mantel sobre la mesa; **~ une couche de vernis** extender una capa de barniz **2.** tender, acostar: **~ un blessé sur une civière** acostar a un herido en una camilla **3 ~ le linge** tender la ropa **4.** *(diluer)* diluir **5.** FIG *(agrandir)* ampliar: **~ ses relations, son activité** ampliar sus relaciones, su actividad **6.** FAM catear, dar un cate: **je me suis fait ~ en physique** me han dado un cate en física. ◆ **s'~** *vpr* **1.** extenderse: **la plaine s'étend jusqu'à l'horizon** la llanura se extiende hasta el horizonte **2. s'~ sur l'herbe** tumbarse en la hierba **3.** *(se propager)* extenderse, propagarse **4.** *(en parlant)* extenderse, explayarse: **le conférencier s'est trop étendu** el conferenciante se ha extendido demasiado.

**étendu, e** *a* **1.** extenso, a, amplio, a: **des connaissances étendues** unos conocimientos amplios; **pouvoirs étendus** poderes amplios **2. vin ~ d'eau** vino mezclado con agua.

**étendue** *f* **1.** *(surface)* extensión **2.** *(de la voix)* extensión, alcance *m* **3.** *FIG (importance)* amplitud, extensión.

**éternel, elle** *a* **1.** eterno, a: **la vie éternelle** la vida eterna; **le Père ~** el Padre eterno; **amour ~** amor eterno **2. neiges éternelles** nieves perpetuas **3.** *FIG* **d'éternelles disputes** eternas riñas; **avec son ~ cigare** con el consabido puro. ◇ *m* **l'Éternel** el Eterno, el Padre eterno.

**éternellement** *adv* eternamente, siempre.

**éterniser** *vt* eternizar. ◆ **s'~** *vpr* eternizarse.

**éternité** *f* **1.** eternidad **2. de toute ~** desde siempre, desde tiempo inmemorial *f* **3.** *FIG* **une ~** una eternidad; **ça fait une ~ que j'attends...** llevo una eternidad esperando...

**éternuement** [etɛʀnymɑ̃] *m* estornudo.

**éternuer** *vi* estornudar.

**êtes** → **être.**

**étêtage** *m AGR* desmoche.

**étêter** *vt AGR* desmochar.

**éthane** *m CHIM* etano.

**éther** [etɛʀ] *m* **1.** *CHIM* éter **2.** *(fluide, espace)* éter.

**éthéré, e** *a* etéreo, a.

**éthéromane** *a/s* eterómano, a.

**éthéromanie** *f* eteromanía.

**Éthiopie** *np f* Etiopía.

**éthiopien, enne** *a/s* etíope.

**éthique** *a* ético, a. ◇ *f* ética.

**ethnie** *f* etnia.

**ethnique** *a* étnico, a.

**ethnographe** *s* etnógrafo, a.

**ethnographie** *f* etnografía.

**ethnographique** *a* etnográfico, a.

**ethnolinguistique** *f* etnolinguística.

**ethnologie** *f* etnología.

**ethnologique** *a* etnológico, a.

**ethnologue** *s* etnólogo, a.

**éthologie** *f* etología.

**éthologique** *a* etológico, a.

**éthylène** *m CHIM* etileno.

**éthylique** *a CHIM* etílico, a: **alcool ~** alcohol etílico. ◇ *s (personne alcoolique)* alcohólico,a, bebedor, a, borracho, a.

**éthylisme** *m* etilismo.

**étiage** *m* estiaje.

**Étienne** *np m* Esteban.

**étincelant, e** *a* **1.** centelleante, deslumbrante **2.** *FIG* brillante **3. yeux étincelants de colère** ojos relampagueantes de ira.

**étinceler*** *vi* centellear, relumbrar.

**étincelle** *f* **1.** chispa: **jeter des étincelles** echar chispas **2.** *FIG* chispa, destello *m* **3.** *FAM* **faire des étincelles** lucirse.

**étincellement** *m* centelleo.

**étiolement** *m* marchitamiento, debilitamiento.

**étioler** *vt* **1.** marchitar **2.** *(affaiblir)* debilitar. ◆ **s'~** *vpr* **1.** *(plantes)* marchitarse, ahilarse **2.** *(personne)* marchitarse, desmedrar.

**étiologie** *f* etiología.

**étique** *a* descarnado, a, seco, a, esquelético, a.

**étiquetage** *m* etiquetado.

**étiqueter*** *vt* **1.** etiquetar, rotular **2.** *FIG* etiquetar, clasificar.

**étiquette** *f* **1.** etiqueta ◊ **la valse des étiquettes** → **valse 2.** *FIG (désignation)* etiqueta: **sans ~** sin etiqueta ◊ **on lui a mis l'~ de...** le han colgado el sambenito de... **3.** *(protocole)* **l'~** la etiqueta.

**étirage** *m TECHN* estirado.

**étirer** *vt* **1.** estirar, alargar **2.** *TECHN* estirar. ◆ **s'~** *vpr* estirarse, desperezarse.

**étoffe** *f* **1.** tela **2.** *FIG* **avoir de l'~** tener buena madera; **il a l'~ d'un chef** tiene madera de jefe, pasta de jefe; **il n'est pas de l'~ dont on fait les héros** no tiene pasta de héroe; **manquer d'~** tener poca personalidad.

**étoffer** *vt (un récit, etc.)* llenar, enriquecer, dar consistencia a. ◆ **s'~** *vpr (une personne)* engordar: **il s'est étoffé** ha engordado.

**étoile** *f* **1.** estrella: **l'~ polaire** la estrella polar; **~ filante** estrella fugaz; **l'~ du berger** → **berger** ◊ **coucher à la belle ~** dormir al raso; **être né sous une bonne ~** haber nacido con buena estrella **2 ~ de mer** estrellamar **3.** *(vedette)* estrella. ◇ *a* **danseuse ~** primera bailarina; **danseur ~** primer bailarín.

**étoilé, e** *a* estrellado, a.

**étoiler** *vt* estrellar, sembrar de estrellas.

**étole** *f* estola.

**étonnamment** *adv* asombrosamente.

**étonnant, e** *a* **1.** asombroso, a **2.** sorprendente: **il serait ~ que...** sería sorprendente que... ◊ **ce n'est pas ~** no es de extrañar; **quoi d'~ à ce que...?** ¿qué tiene de extraño que...?

**étonnement** *m* asombro, extrañeza *f*, sorpresa *f*.

**étonner** *vt* **1.** asombrar **2.** sorprender, extrañar: **cela m'a beaucoup étonné** esto me ha sorprendido mucho; **ça ne m'étonnerait pas** no me sorprendería; **ça m'étonne que, je suis étonné que...** me extraña que... **3.** *FAM* **ça m'étonnerait!** ¡no me lo creo! ◆ **s'~** *vpr* asombrarse: **ne s'~ de rien** no asombrarse por nada ◊ **je ne m'étonne plus de rien** estoy curado de espanto.

**étouffant, e** *a* sofocante.

**étouffée (à l')** *loc adv CULIN* estofado, a, al vapor.

**étouffement** *m* ahogo, sofocación *f*.

**étouffer** *vt* **1.** ahogar, sofocar: **le manque d'air m'étouffe** la falta de aire me ahoga; **~ un incendie** sofocar un incendio **2.** *(bruit)* amortiguar, apagar **3.** *(cri, soupir, sanglot)* ahogar, sofocar: **~ un bâillement** ahogar un bostezo; **il étouffa un cri** sofocó un grito **4.** *(une affaire, un scandale)* silenciar, echar tierra a. ◇ *vi* **1.** ahogarse: **on étouffe ici** aquí se ahoga uno **2. ~ de rire** reventar de risa. ◆ **s'~** *vpr* ahogarse, asfixiarse.

**étouffoir** *m* **1.** *(de piano)* apagador **2.** *FAM* (lieu) horno.

**étoupe** *f* estopa.

**étouper** *vt* calafatear.

**étoupille** *f* estopín *m*.

**étourderie** *f* **1.** distracción, despiste *m*, atolondramiento *m* **2. une ~, une faute d'~** un descuido.

**étourdi, e** *a/s* atolondrado, a.

**étourdiment** *adv* irreflexionamente, atolondradamente.

**étourdir** *vt* **1.** *(un choc)* aturdir, atolondrar **2.** *(griser)* aturdir, marear. ◆ **s'~** *vpr* aturdirse.

**étourdissant, e** *a* **1.** aturdidor, a: **vacarme ~** alboroto aturdidor **2.** *FIG* extraordinario, a, sensacional.

**étourdissement** *m (malaise)* mareo, vértigo.

**étourneau** *m* **1.** *(oiseau)* estornino **2.** *(une personne)* cabeza *f* de chorlito.

**étrange** *a* extraño, a, raro, a, curioso, a: **ça ne vous semble pas ~?** ¿no le parece a usted extraño?

**étrangement** *adv* de manera extraña, extrañamente.

**étranger, ère** *a/s* **1.** *(d'une autre nation)* extranjero, **langue étrangère** lengua extranjera ◊ **ministère des Affaires étrangères** ministerio de Asuntos exteriores; **ministre des Affaires étrangères** ministro de Exteriores **2.** *(d'une autre ville)* forastero, a **3.** *(d'un autre groupe familial, social)* extraño, a. ◇ *a* **1. corps ~** cuerpo extraño **2. ~ à** ajeno, a a: **personne étrangère au service** persona ajena al servicio. ◇ *m* extranjero: **voyager à l'~** viajar al extranjero.

**étrangeté** *f* extrañeza, rareza.

**étranglé, e** *a* **1.** estrangulado, a **2. d'une voix étranglée** con voz ahogada, estrangulada.

**étranglement** *m* **1.** estrangulación *f* **2.** *(rétrécissement)* estrechamiento.

**étrangler** *vt* **1.** estrangular **2.** *FIG* estrangular, ahogar. ◆ **s'~** *vpr* **1.** *(en avalant)* atragantarse **2.** *(de colère, etc.)* ahogarse.

**étrangleur, euse** *s* estrangulador, a.

**étrave** *f MAR* roda.

**¹être*** *vi* ser, estar **1.** *(pour définir, exprimer une qualité essentielle du sujet, avec un possessif, un numéral)* ser: **je suis comme je suis** soy como soy; **chacun est comme il est** cada uno es como es: **tous les hommes sont mortels** todos los hombres son mortales; **tu es tout pour moi** eres todo para mí; **cette chemise est en coton** esta camisa es de algodón; **il est architecte** es arquitecto; **Sylvie est française, de Bordeaux, elle est très belle** Silvia es francesa, de Burdeos, es muy guapa: **ces disques sont à moi, à mon frère** estos discos son míos, de mi hermano; **nous sommes cinq** somos cinco; **cela étant** siendo así; **soit !** ¡sea! ◊ **il n'est plus** ha dejado de existir **2. c'est** es: **c'est vrai** es verdad; **c'est aujourd'hui lundi** hoy es lunes; **qui est-ce?** ¿quién es? **c'est moi** soy yo; **c'est toi, Philippe?** ¿eres tú, Felipe?; **ce sont mes cousins** son mis primos; **c'est ici le musée?** ¿es aquí el museo?; **c'est ici** aquí es; **c'est en 1492 que...** fue en 1492 que...; **c'est ainsi que...** así es como...; **c'était quelque chose d'indescriptible** era algo indescriptible; **c'est ce qui est arrivé** eso es lo que ha pasado; **ne serait-ce que...** aunque sólo sea...; **fût-ce...** aunque fuese...; **c'est bien** está bien; **c'est ça** eso es, así es, vale; **c'est à toi de parler** a ti te corresponde hablar, a ti te toca hablar **3.** *(exprime le lieu, le temps, un état, une situation momentanée)* estar: **où es-tu?** ¿dónde estás?; **je suis dans le salon** estoy en el salón; **nous sommes en été, le 10 août** estamos en verano, a 10 de agosto; **cette chemise est sale** esta camisa está sucia; **aujourd'hui Sylvie est ravissante avec sa nouvelle robe** hoy Silvia está preciosa con su vestido nuevo; **elle est très contente de son achat** está muy contenta con su compra; **tout est prêt** todo está listo; **taxi vous êtes libre?** ¡taxi! ¿está libre?; **~ en manches de chemise** estar en mangas de camisa ◊ **si j'étais vous** yo que usted, si yo estuviera en su lugar **4. ~ à** *(+ infinitif)* estar por: **tout est à refaire** todo está por rehacer; estar + gérondif: **il est toujours à se plaindre** siempre está quejándose. **5. y ~** caer: **j'y suis!** ¡ya caigo!; **ça y est!** ¡ya está!; **vous n'y êtes pas** usted no ha comprendido; **je n'y suis pour rien** no tengo nada que ver con esto **6.** *(avec* en*)* **à quelle page en êtes-vous?** ¿a qué página ha llegado usted?; **je ne sais plus où j'en suis** estoy completamente despistado; **j'en suis pour mon argent** he gastado mi dinero en balde **7. je suis à vous** estoy a su disposición. ◇ *v impers* **1.** ser: **il est trois heures** son las tres; **il est tard** es tarde **2.** haber: **il n'est pire sourd que celui qui ne veut pas entendre** no hay peor sordo que el que no quiere oír; **s'il en est** si los hay; *LITT* **il est** *(= il y a)* hay. ◇ *v auxil* **1.** *(dans les temps composés)* haber: **il est arrivé** ha llegado; **nous sommes allés** hemos ido *(ou le prétérit: fuimos)* **2.** *(voix passive)* indiquant l'action, considérée dans son accomplissement, ser: **son discours a été très applaudi** su discurso fue muy aplaudido; **deux suspects ont été arrêtés hier** dos sospechosos fueron detenidos ayer; indiquant l'état résultant, estar: **la voiture est réparée** el coche está arreglado; **le musée est fermé** el museo está cerrado **3.** On peut aussi traduire **être** par «resultar» ou «quedar» pour exprimer une conséquence (**il a été élu** resultó elegido; **le film est amusant** la película resulta entretenida; **l'assemblée est dissoute** queda disuelta la asamblea), par «ir», «andar», «venir» pour indiquer un certain mouvement (**l'autobus était bondé** el autobús iba abarrotado; **il est très affairé** anda muy atareado; **où en es-tu de ton roman?** ¿por dónde andas de tu novela?; **vous devez ~ fatigués** vendrán ustedes cansados; **il était nerveux** venía nervioso), par «seguir», «continuar» pour exprimer la durée (**il est toujours à l'hôpital** sigue en el hospital; **elle est toujours aussi drôle** continúa tan graciosa como siempre).
► Le choix entre *ser* et *estar* est souvent délicat. Avec un adjectif, *ser* = idée de «toujours», *estar* = idée de «à un moment donné»: *il est fou* es loco (pathologiquement), está loco (dans le moment présent). Notez aussi la nuance affective: *je suis bien vieux!* ¡qué viejo soy! (= c'est la réalité), ¡qué viejo estoy! (= je me sens vieux).
► *C'est qui?* ¿quién es?; *c'est quoi?* ¿qué es?; *c'est où?* ¿dónde está?, etc., son expresiones muy familiares. *Est-ce que* → **est-ce que;** *n'est-ce pas* → **n'est-ce pas.**

**²être** *m* **1.** ser: **l'Être suprême** el Ser supremo; **un ~ cher** un ser querido: **les êtres vivants** los seres vivos **2. de tout mon ~** con toda mi alma.

**étreindre*** *vt* **1.** *(dans ses bras)* abrazar ◊ **qui trop embrasse mal étreint** → **embrasser 2.** *(serrer)* estrechar **3.** *(opprimer)* oprimir. ◆ **s'~** *vpr* abrazarse.

**étreinte** *f* abrazo *m.*

**étrenne** *f* **1.** *(cadeau)* aguinaldo *m:* **les étrennes du concierge** el aguinaldo del portero **2. avoir l'~ de** estrenar.

**étrenner** *vt* estrenar: **~ une robe** estrenar un vestido. ◇ *vi FAM* pagar el pato.

**étrésillon** *m* codal.

**étrier** *m* **1.** estribo ◊ *FIG* **avoir le pied à l'~** estar a punto de irse, tener el pie en el estribo; **le coup de l'~** el trago de la despedida; **vider les étriers** perder los estribos **2.** *ANAT* estribo.

**étrille** *f* **1.** *(pour panser un cheval)* almohaza **2.** *(crabe)* nécora.

**étriller** *vt* **1.** almohazar **2.** *FAM (réprimander)* reprender **3.** *FAM (faire payer trop cher)* desplumar, clavar.

**étriper** *vt* destripar. ◆ **s'~** *vpr FAM* matarse (uno a otro).

**étriqué, e** *a* **1.** estrecho, a **2.** *FIG* mezquino, a.

**étrivière** *f* ación, estribera ◊ *FIG* **donner les étrivières** azotar.

**étroit, e** *a* **1.** *(un couloir, vêtement, etc.)* estrecho, a **2.** *(esprit)* de pocos alcances, mezquino, a **3.** *(strict)* estricto, a **4.** *loc adv* **à l'~** *(pauvrement)* con estrechez; **être logés à l'~** vivir hacinados.

**étroitement** *adv* **1.** estrechamente **2. surveiller ~** vigilar muy de cerca.

**étroitesse** *f* **1.** estrechez **2. ~ d'esprit** mentalidad estrecha.

**étron** *m* mojón, cagajón.

**Étrurie** *np f* Etruria.

**étrusque** *a/s* etrusco, a.

**étude** *f* **1.** estudio *m:* **ce projet est à l'~** este proyecto está en estudio; **une ~ de Chopin** un estudio de Chopin **2.** sala de estudios **3.** *(de notaire, d'avocat)* bufete *m.* ◇ *pl* carrera *sing,* estudios *m:* **les études universitaires** la carrera universitaria; **faire ses études** hacer una carrera: **j'ai terminé mes études** he terminado la carrera; **diplôme de fin d'études** título de fin de carrera; **faire des études d'architecte** estudiar para arquitecto, estudiar, cursar la carrera de arquitecto; **il n'a pas fait d'études** no tiene estudios.

**étudiant, e** *s* estudiante.

**étudié, e** *a (gestes, prix, etc.)* estudiado, a.

**étudier*** *vt* estudiar: **~ le russe, un projet** estudiar ruso, un proyecto.

**étui** *m* **1.** estuche, funda *f:* **~ à lunettes** estuche para gafas; **~ à compas** estuche de compases ◊ **~ à cigarettes** pitillera *f* **2.** *(à violon, etc.)* funda *f.*

**étuve** *f* **1.** estufa **2.** *FIG (endroit où il fait chaud)* estufa, horno *m.*

**étuvée (à l')** *loc adv CULIN* al vapor, estofado, a.

**étuver** *vt* **1.** desinfectar en estufa **2.** *CULIN* estofar.

**étymologie** *f* etimología.

**étymologique** *a* estimológico, a.

**étymologiquement** *adv* etimológicamente.

**étymologiste** *s* etimólogo, a.

**eu, eue → avoir.**

**eucalyptus** [økaliptys] *m* eucalipto.

**Eucharistie** [økaRisti] *f* Eucaristía.

**eucharistique** [økaRistik] *a* eucarístico, a.

**Euclide** *np m* Euclides.

**euclidien, enne** *a GÉOM* euclidiano, a.

**Eugène** *np m* Eugenio.

**Eugénie** *np f* Eugenia.

**eugénique** *f*, **eugénisme** *m* eugenesia *f.*

**euh!** [ø] *interj* ¡pues...!

**Eulalie** *np f* Eulalia.

**eunuque** *m* eunuco.

**euphémique** *a* eufemístico, a.

**euphémisme** *m* eufemismo.

**euphonie** *f* eufonía.

**euphonique** *a* eufónico, a.

**euphorbe** *f* euforbio *m.*

**euphorie** *f* euforia.

**euphorique** *a* eufórico, a.

**euphorisant, e** *a/m* euforisante.

**Euphrate** *np m* Eufrates.

**Eurasie** *np f* Eurasia.

**eurasien, enne** *a/s* curasiático, a.

**eurêka!** *interj* ¡eureka!

**Euripide** *np m* Eurípides.

**eurodevise** *f* eurodivisa.

**eurodollar** *m* eurodólar.

**euromarché** *m* euromercado.

**euromissile** *m* euromisil.

**Europe** *np f* Europa: **l'~ centrale** Europa central.

**européanisation** *f* europeización.

**européaniser** *vt* europeizar.

**européanisme** *m* europeísmo.

**européen, enne** *a/s* europeo, a.

**eurosceptique** *a/s* euroescéptico, a.

**eurovision** *f* eurovisión.

**Eurydice** *np f* Eurídice.

**eus,** etc. **→ avoir.**

**Eusèbe** *np m* Eusebio.

**Eustache** *np m* Eustaquio ◊ *ANAT* **trompe d'~** trompa de Eustaquio.

**euthanasie** *f* eutanasia.

**eutrophisation** *f (écologie)* eutrofización.

**eux** *pron pers* ellos: **ce sont ~** son ellos.

**évacuation** *f* evacuación.

**évacuer** *vt* **1.** evacuar **2. faire ~ la salle** desalojar la sala.

**évadé, e** *a/s* evadido, a, fugitivo,a.

**évader (s')** *vpr* evadirse, fugarse: **s'~ d'une prison** fugarse de una cárcel; **deux prisonniers se sont évadés** dos presos se han fugado, evadido.

**évaluation** *f* evaluación, valoración, cálculo *m.*

**évaluer** *vt* evaluar, valorar, estimar: **tableau évalué (à) mille dollars** cuadro estimado en, valorado en mil dólares.

**évanescent, e** *a* evanescente.

**évangéliaire** *m* evangeliario.

**évangélique** *a* evangélico, a.

**évangélisateur, trice** *a/m* evangelizador, a.

**évangélisation** *f* evangelización.

**évangéliser** *vt* evangelizar: **~ les infidèles** evangelizar a los infieles.

**évangéliste** *m* evangelista.

**évangile** *m* **1.** *(avec une majuscule)* Evangelio: **l'Évangile selon saint Luc** el Evangelio según San Lucas **2.** evangelio ◊ *FIG* **parole d'~** el evangelio, artículo de fe, verdad indiscutible.

**évanouir (s')** *vpr* **1.** *(une personne)* desmayarse: **elle s'est évanouit pendant l'enterrement** se desmayó durante el entierro **2.** *(disparaître)* desvanecerse.

**évanouissement** *m* desmayo.

**évaporation** *f* evaporación.

**évaporé, e** *a (écervelé)* atolondrado, a, casquivano, a.

**évaporer** *vt* evaporar. ◆ **s'~** *vpr* **1.** evaporarse **2.** *FIG* eclipsarse.

**évasé, e** *a* **1.** ancho, a de boca, abocinado, a **2.** *(jupe)* acampanada, «évasé».

**évaser (s')** *vpr* ensancharse.

**évasif, ive** *a* evasivo, a: **réponse évasive** respuesta evasiva.

**évasion** *f* **1.** evasión **2. ~ de capitaux** fuga de capitales; **~ fiscale** evasión fiscal.

**évasivement** *adv* evasivamente.

**Ève** *np f* Eva ◊ *FAM* **je ne le connais ni d'~ ni d'Adam** no lo conozco en absoluto, no sé quién es.

**évêché** *m* obispado.

**éveil** *m* **1.** despertar **2. donner l'~** dar la voz de alarma, llamar la atención; **être en ~** estar alerta, estar sobre aviso; **mettre en ~** poner en guardia.

**éveillé, e** *a* **1.** despierto, a **2.** *fig (vif)* despierto, a, despabilado, a.

**éveiller** *vt* **1.** despertar **2.** *fig* **~ des soupçons** despertar sospechas. ◆ **s'~** *vpr* despertarse.

**événement** *m* **1.** acontecimiento, suceso **2. un heureux ~** un feliz acontecimiento.

**évent** *m (des cétacés)* orificio nasal.

**éventail** *m* **1.** abanico ◊ **en ~** en abanico **2.** *FIG* abanico, gama *f*: **large ~ de prix** amplio abanico de precios; **~ des salaires** abanico salarial.

**éventaire** *m* puesto de venta, tenderete.

**éventé, e** *a* **1.** *(vin)* echado a perder, picado, a **2.** *(secret)* divulgado, a.

**éventer** *vt* **1.** airear, ventilar **2.** *(avec un éventail)* abanicar **3.** *FIG* divulgar ◊ **~ la mèche** descubrir el pastel. ◆ **s'~** *vpr* **1.** abanicarse **2.** *(vin, etc.)* echarse a perder, alterarse.

**éventrer** *vt* destripar, despanzurrar.

**éventreur** *m* destripador: **Jack l'Éventreur** Jack el Destripador.

**éventualité** *f* eventualidad.

**éventuel, elle** *a* eventual, hipotético, a.

**éventuellement** *adv* eventualmente, llegado el caso.

**évêque** *m* obispo.

**évertuer (s')** *vpr* esforzarse, afanarse, desvivirse: **je m'évertue à lui expliquer** me esfuerzo en explicarle.

**éviction** *f* evicción.

**évidage** *m* vaciado.

**évidement** *m* **1.** vaciado **2.** *(creux)* hueco.

**évidemment** [evidamɑ̃] *adv* desde luego, naturalmente, por supuesto, claro.

**évidence** *f* **1.** evidencia ◊ **mettre en ~** poner de manifiesto, evidenciar; **se rendre à l'~** rendirse ante la evidencia; **c'est l'~ même** se ve a la legua **2.** *loc adv* **de toute ~** a todas luces, sin duda alguna.

**évident, e** *a* evidente, obvio, a: **il est ~ que...** es evidente que..., resulta obvio que...; **pour des raisons évidentes** por razones obvias; **c'est bien ~** es evidente; *FAM* **c'est pas ~** no es nada fácil.

**évider** *vt* vaciar.

**évier** *m* fregadero, pila *f*.

**évincer*** *vt* **1.** *JUR* desposeer **2.** *(éloigner)* apartar **3.** *(exclure)* excluir, eliminar, desbancar.

**éviscérer*** *vt* quitar las vísceras de.

**évitable** *a* evitable.

**évitement** *m* **voie d'~** apartadero.

**éviter** *vt* **1.** evitar: **~ un accident** evitar un accidente **2.** *(le regard, un importun, etc.)* evitar, rehuir **3. il évite de me parler** evita hablar conmigo **4.** *(une peine, etc.)* ahorrar: **je voulais t'~ cet ennui** quería ahorrarte este disgusto. ◆ **s'~** *vpr* procurar no encontrarse, evitarse.

**évocateur, trice** *a* evocador, a, sugestivo, a.

**évocation** *f* evocación.

**évolué, e** *a* **1.** *(personne)* de ideas modernas **2. pays ~** país desarrollado, moderno, adelantado.

**évoluer** *vi* **1.** *MIL* evolucionar **2.** evolucionar, transformarse, progresar.

**évolutif, ive** *a* evolutivo, a.

**évolution** *f* evolución.

**évolutionnisme** *m* evolucionismo.

**évolutionniste** *a/s* evolucionista.

**évoquer** *vt* **1.** *(faire penser)* evocar: **~ des souvenirs** evocar recuerdos **2.** *(mentionner)* apuntar **3.** *JUR* avocar.

**ex** *prép* ex: **~-ministre** ex ministro; **l'~-URSS** la antigua URSS, la ex URSS.

**exacerbation** *f* exacerbación.

**exacerbé, e** *a* intenso, a, desmedido, a.

**exacerber** *vt* exacerbar.

**exact, e** [ɛgza(kt), ɛgzakt(ə)] *a* **1.** exacto, a: **c'est ~** es exacto; **l'heure exacte** la hora exacta; **sciences exactes** ciencias exactas **2.** *(ponctuel)* exacto, a, puntual.

**exactement** *adv* exactamente.

**exaction** *f* exacción.

**exactitude** *f* exactitud.

**ex aequo** [ɛgzeko] *loc adv* ex aequo.

**exagération** *f* exageración.

**exagéré, e** *a* exagerado, a.

**exagérément** *adv* exageradamente.

**exagérer*** *vt/i* **1.** exagerar **2. il ne faut rien ~** no hay que exagerar; **tu exagères!** ¡no seas exagerado!

**exaltation** *f* exaltación.

**exalté, e** *a/s* exaltado, a.

**exalter** *vt* exaltar, ensalzar. ◆ **s'~** *vpr* entusiasmarse.

**examen** [exzamɛ̃] *m* **1.** examen: **~ d'entrée** examen de ingreso ◊ **passer un ~** examinarse, sufrir, pasar un examen: **~ blanc** prueba *f* preliminar; **~ de conscience** examen de conciencia **2.** *MÉD* **~ médical** reconocimiento médico, revisión *f* médica; **~ de la vue** examen de la vista **3.** *JUR* **mettre en ~** inculpar; **mise en ~** inculpación.

**examinateur, trice** *a/s* examinador, a.

**examiner** *vt* **1.** examinar **2 ~ un malade** reconocer a un enfermo; **je suis allé chez le médecin pour qu'il m'examine** fui al médico para que me visitara.

**exanthème** *m MÉD* exantema.

**exaspérant, e** *a* exasperante.

**exaspération** *f* exasperación.

**exaspérer*** *vt* exasperar ◊ **être exaspéré** estar exasperado, furioso, fuera de sí.

**exaucement** *m (d'un vœu, d'une prière)* cumplimiento, satisfacción *f*.

**exaucer*** *vt* **1.** *(écouter)* atender ◊ **Dieu m'a exaucé** Dios me ha escuchado **2.** *(une prière, un vœu)* satisfacer, cumplir **3.** *(une demande)* otorgar.

**excavateur, trice** *s* excavadora *f*.

**excavation** *f* excavación.

**excédant, e** *a (irritant)* exasperante, cargante.

**excédent** *m* **1.** *(de poids, etc.)* exceso, sobrante, excedente: **~ de bagages** exceso de equipaje; **excédents agricoles** excedentes agrícolas **2.** *(dans un budget)* superávit.

**excédentaire** *a* sobrante, excedente, excedentario, a.

**excéder*** *vt* **1.** exceder, sobrepasar **2 ~ son pouvoir** excederse en el poder **3.** *(exaspérer)* exasperar, crispar ◊ **je suis excédé** estoy harto, exasperado.

**excellemment** [ɛksɛlamɑ̃] *adv* excelentemente.

**excellence** *f* **1.** excelencia ◊ **par ~** por excelencia, por antonomasia **2. votre Excellence** su Excelencia.

**excellent, e** *a* **1.** excelente **2. en excellente santé** en perfecto estado de salud.

**exceller** *vi* sobresalir, descollar, destacar, llevarse la palma.

**excentricité** *f* excentricidad.

**excentrique** *a/s* excéntrico, a: **c'est une ~** es una excéntrica. ◇ *m TECHN* excéntrica *f*.

**excepté** *prép* excepto, salvo, menos: **toutes, ~ ma fille aînée** todas menos mi hija mayor; **~ quand il pleut** salvo cuando llueve; **~ que** salvo que. ◇ *a* exceptuado, a: **ma fille aînée exceptée** exceptuada mi hija mayor.

**excepter** *vt* exceptuar.

**exception** *f* **1.** excepción: **l'~ confirme la règle** la excepción confirma la regla; **tous sans ~** todos sin excepción; **à de rares exceptions près** salvo contadas excepciones; **~ faite de** excepción hecha de; **faire ~** constituir una excepción **2.** *loc prép* **à l'~ de** a excepción de, con excepción de.

**exceptionnel, elle** *a* excepcional.

**exceptionnellement** *adv* excepcionalmente.

**excès** *m* **1.** exceso: **~ de poids, de vitesse** exceso de peso, de velocidad; **~ de pouvoir** exceso de poder ◊ **avec ~** en demasía **2.** *loc adv* **à l'~** con exceso, en exceso. ◇ *pl* **1.** excesos, desmanes: **commettre des ~** cometer excesos; **~ de langage** groserías *f* **2. ~ de table** abusos de comida.

**excessif, ive** *a* excesivo, a.

**excessivement** *adv* excesivamente.

**exciper** *vi JUR* **~ de** alegar.

**excipient** *m MÉD* excipiente.

**exciser** *vt MÉD* sacar.

**excision** *f MÉD* excisión.

**excitabilité** *f* excitabilidad.

**excitable** *a* excitable.

**excitant, e** *a* excitante. ◇ *m* excitante, estimulante.

**excitateur, trice** *a/s* excitador, a.

**excitation** *f* excitación.

**excité, e** *s FAM* energúmeno, a.

**exciter** *vt* **1.** excitar **2. ~ à** excitar a. ◆ **s'~** *vpr* **1.** excitarse: **ne t'excite pas** no te excites **2. s'~ sur un projet** apasionarse por un proyecto.

**exclamatif, ive** *a* exclamativo, a.

**exclamation** *f* **1.** exclamación **2. point d'~** signo de admiración.

**exclamer (s')** *vpr* exclamar: **dit-il en s'exclamant** dijo exclamando.

**exclu, e** *a* **1.** excluido, a, eliminado, a **2. jusqu'au samedi ~** hasta el sábado exclusive **3. il n'est pas ~ que...** es posible que...; **c'est tout à fait ~** está fuera de cuestión.

**exclure*** *vt* **1.** excluir: **~ un candidat** excluir a un candidato **2.** *(écarter)* descartar.

**exclusif, ive** *a* exclusivo, a. ◇*f* **1.** exclusiva, reserva **2. jeter l'exclusive contre** excluir a.

**exclusion** *f* **1.** exclusión **2. à l'~ de** con exclusión de.

**exclusive** → **exclusif.**

**exclusivement** *adv* exclusivamente.

**exclusivisme** *m* exclusivismo.

**exclusiviste** *a/s* exclusivista.

**exclusivité** *f* **1.** exclusiva: **article en ~** artículo en exclusiva **2. cinéma d'exclusivités** cine de estreno.

**excommunication** *f* excomunión.

**excommunier*** *vt* excomulgar.

**excoriation** *f MÉD* excoriación.

**excrément** *m* excremento.

**excréter*** *vt* excretar.

**excréteur, trice** *a* excretorio, a: **canal ~** conducto excretorio.

**excrétion** *f* excreción.

**excrétoire** *a* excretorio, a.

**excroissance** *f* excrecencia.

**excursion** *f* excursión: **faire une ~** ir de excursión, hacer una excursión.

**excursionner** *vi* ir de excursión.

**excursionniste** *a/s* excursionista.

**excusable** *a* excusable, disculpable.

**excuse** *f* excusa. ◇ *pl* excusas, disculpas ◊ **faire, présenter ses excuses** disculparse; **je vous fais mes excuses** le ruego me disculpe.

**excuser** *vt* **1.** disculpar, excusar, dispensar: **excusez-moi** dispénseme, perdóneme usted; **excusez-moi d'arriver si tôt** disculpe que venga tan temprano **2.** *FAM* **excusez du peu!** ¡casi nada! ◆ **s'~** *vpr* **1. s'~ auprès de quelqu'un** disculparse con alguien **2.** *FAM* **je m'excuse** perdone.

**exeat** [egzeat] *m* permiso, licencia *f* (de salida).

**exécrable** *a* execrable.

**exécration** *f* execración.

**exécrer*** *vt* execrar.

**exécutant, e** *s* ejecutante.

**exécuter** *vt* **1.** *(un projet, travail, morceau de musique)* ejecutar **2.** *(un ordre, etc.)* ejecutar, cumplir **3.** *(un condamné)* ejecutar, ajusticiar. ◆ **s'~** *vpr* decidirse, resolverse, someterse.

**exécuteur, trice** *s* **1.** ejecutor, a ◊ **~ testamentaire** albacea, testamentario **2. ~ des hautes œuvres** ejecutor de la justicia, verdugo.

**exécutif, ive** *a/m* ejecutivo, a: **le pouvoir ~** el poder ejecutivo.

**exécution** *f* **1.** *(d'un projet, etc.)* ejecución **2. mettre à ~** poner en ejecución **3.** *(d'un engagement, etc.)* cumplimiento *m* ◊ **non-~** incumplimiento *m* **4.** *(d'un condamné)* ejecución, ajusticiamiento *m* ◊ **peloton d'~** → **peloton.**

**exécutoire** *a JUR* ejecutorio, a.

**exégèse** *f* exégesis.

**exégète** *m* exégeta.

**exemplaire** *a* ejemplar: **châtiment ~** castigo ejemplar. ◇ *m* ejemplar ◊ **en double ~** por duplicado; **en triple ~** por triplicado.

**exemple** *m* **1.** ejemplo: **donner, montrer l'~** dar ejemplo; **prendre ~ sur quelqu'un** seguir el ejemplo de alguien; **citer en ~** poner de ejemplo a; **prêcher d'~** predicar con el ejemplo; **servir d'~** servir de ejemplo; **prenons à titre d'~** pongamos por caso **2.** *loc adv* **par ~** por ejemplo **3.** *FAM* **ça, par ~!** ¡vaya!, ¡no es posible!, ¡qué sorpresa!

**exempt, e** [ɛgzɑ̃, ɑ̃t] *a* exento, a, libre: **~ d'impôts, de tout souci** libre de impuestos, de preocupaciones.

**exempté, e** [ɛgzɑ̃te] *a/s MIL* rebajado, a.

**exempter** [ɛgzɑ̃te] *vt* eximir.

**exemption** *f* exención.

**exercer*** *vt* **1.** *(le corps, l'esprit)* ejercitar, cultivar: **~ sa mémoire** ejercitar la memoria **2.** *(une profession)* ejercer **3.** *(action, pouvoir, etc.)* ejercer: **~ son influence sur** ejercer su influencia en. ◇ *vi* ejercer: **ce médecin n'exerce plus** este médico ya no ejerce. ◆ **s'~** *vpr* **1. s'~ à** ejercitarse en, adiestrarse en, entrenarse en **2.** *(en faveur de, contre)* manifestarse.

**exercice** *m* **1.** ejercicio: **prendre, faire de l'~** hacer ejercicio; **tu devrais faire un peu d'~** deberías hacer un poco de ejercicio **2.** *(scolaire)* ejercicio **3. en ~** en activo, en ejercicio **4. l'~ du pouvoir** el ejercicio del poder; **dans l'~ de ses fonctions** en el desempeño de sus funciones.

**exergue** *m* **1.** exergo **2.** epígrafe: **en ~** como epígrafe **3. mettre en ~** poner de relieve.

**exfoliation** *f* exfoliación.

**exfolier (s')*** *vpr* exfoliarse.

**exhalaison** *f* emanación.

**exhaler** *vt* **1.** *(odeur, soupir)* exhalar **2.** *FIG* dar libre curso a. ◆ **s'~** *vpr (odeur)* desprenderse.

**exhaussement** *m* elevación *f*.

**exhausser** *vt* elevar, levantar.

**exhaustif, ive** *a* exhaustivo, a: **sans prétendre être ~** sin pretender ser exhaustivo.

**exhaustivement** *adv* exhaustivamente.

**exhiber** *vt* **1.** exhibir **2.** lucir: **elle exhibait ses jambes nues** lucía las piernas desnudas. ◆ **s'~** *vpr* exhibirse.

**exhibition** *f* exhibición.

**exhibitionnisme** *m* exhibicionismo.

**exhibitionniste** *a/s* exhibicionista.

**exhortation** *f* exhortación.

**exhorter** *vt* exhortar.

**exhumation** *f* exhumación.

**exhumer** *vt* **1.** exhumar **2.** *FIG* exhumar, desenterrar.

**exigeant, e** *a* exigente: **ne sois pas ~** no seas exigente.

**exigence** *f* exigencia.

**exiger*** *vt* **1.** exigir **2.** *(nécessiter)* exigir, reclamar, requerir.

**exigible** *a* exigible.

**exigu, uë** [ɛgzigy] *a* exiguo, a.

**exiguïté** *f* exigüidad.

**exil** *m* exilio, destierro: **vivre en ~** vivir en el exilio.

**exilé, e** *s* desterrado, a, exiliado, a, exilado, a.

**exiler** *vt* desterrar, exiliar. ◆ **s'~** *vpr* **1.** exiliarse, expatriarse **2.** *(se retirer)* retirarse.

**existant, e** *a* existente.

**existence** *f* **1.** existencia **2.** vida: **moyens d'~** medios de vida.

**existentialisme** *m* existencialismo.

**existentialiste** *a/s* existencialista.

**existentiel, elle** *a* existencial.

**exister** *vi* **1.** existir: **les diplodocus n'existent plus** los diplodocos ya no existen. **2. il existe un train direct Paris-Limoges** hay un tren directo París-Limoges **3. en dehors de la musique, rien n'existe pour lui** fuera de la música, nada cuenta para él.

**ex-libris** [ɛkslibʀis] *m inv* ex libris.

**exocet** [ɛgzɔsɛ] *m* pez volador.

**exocrine** *a* **glande ~** glándula exocrina.

**exode** *m* **1.** éxodo: **~ rural** éxodo rural **2 ~ des cerveaux** fuga *f* de cerebros.

**exogame** *a* exogámico, a.

**exogamie** *f* exogamia.

**exogène** *a* exógeno, a.

**exonération** *f* exoneración, exención.

**exonérer*** *vt* exonerar.

**exophtalmie** *f* MÉD exoftalmía.

**exophtalmique** *a/s* exoftálmico, a.

**exorbitant, e** *a* exorbitante, desorbitado, a: **sommes exorbitantes** cantidades exorbitantes, desorbitadas.

**exorbité, e** *a* desorbitado, a: **yeux exorbités** ojos desorbitados.

**exorciser** *vt* exorcizar.

**exorcisme** *m* exorcismo.

**exorciste** *m* exorcista.

**exorde** *m* exordio.

**exotique** *a* exótico, a.

**exotisme** *m* exotismo.

**expansé, e** *a* TECHN expandido, a.

**expansible** *a* expansible.

**expansif, ive** *a* **1.** PHYS expansivo, a **2.** FIG expansivo, a: **caractère ~** carácter expansivo.

**expansion** *f* expansión.

**expansionnisme** *m* expansionismo.

**expansionniste** *a/s* expansionista.

**expansivité** *f* expansividad.

**expatriation** *f* expatriación.

**expatrier*** *vt* expatriar. ◆ **s'~** *vpr* expatriarse, emigrar.

**expectant, e** *a* expectante.

**expectative** *f* expectativa: **rester dans l'~** quedarse a la expectativa.

**expectorant, e** *a/m* MÉD expectorante.

**expectoration** *f* expectoración.

**expectorer** *vt/i* expectorar.

**expédient, e** *a* conveniente, oportuno, a. ◇ *m* **1.** *(palliatif)* recurso, remedio, solución *f*, paños calientes *pl* **2. vivre d'expédients** ir tirando.

**expédier*** *vt* **1.** *(envoyer)* enviar, expedir, mandar: **~ un colis par la poste** mandar un paquete por correo **2.** FAM *(faire rapidement)* despachar: **~ une affaire urgente** despachar un asunto urgente **3.** FAM *(se débarrasser de quelqu'un)* despachar, quitarse de encima ◊ **~ quelqu'un dans l'autre monde** mandar a alguien al otro mundo.

**expéditeur, trice** *s* remitente: **retour à l'~** devolución al remitente. ◇ *a* expedidor, a.

**expéditif, ive** *a* expeditivo, a.

**expédition** *f* **1.** *(envoi)* expedición, envío *m* **2.** *(militaire, scientifique)* expedición **3.** JUR copia auténtica.

**expéditionnaire** *a/s* **1. corps ~** cuerpo expedicionario **2.** *(employé)* escribiente.

**expérience** *f* **1.** experiencia: **avoir de l'~** tener experiencia; **il manque d'~** le falta experiencia; **connaître par ~** conocer por experiencia ◊ **faire l'~ de** experimentar **2.** *(scientifique)* experimento *m*: **une ~ de chimie** un experimento de química.

**expérimental, e** *a* experimental: **méthode expérimentale** método experimental; **science expérimentale** ciencia experimental; **à titre ~** a título de experimento.

**expérimentalement** *adv* experimentalmente.

**expérimentateur, trice** *a/s* experimentador, a.

**expérimentation** *f* experimentación.

**expérimenté, e** *a* experimentado, a.

**expérimenter** *vt* experimentar.

**expert, e** *a* **1.** experto, a, perito, a: **~ à** experto en; **~ en la matière** perito en la materia **2. d'une main experte** con mucha destreza. ◇ *m* perito, experto: **le rapport des experts** el informe de los peritos; **~-comptable** perito mercantil.

**expertise** *f* **1.** *(examen)* peritaje *m*, peritación **2.** *(rapport de l'expert)* informe *m* pericial **3.** *(estimation)* tasación pericial.

**expertiser** *vt* estimar, tasar: **faire ~ un bijou** hacer estimar una alhaja.

**expiation** *f* expiación.

**expiatoire** *a* expiatorio, a: **victime ~** víctima expiatoria.

**expier*** *vt* expiar: **~ une faute** expiar una culpa.

**expirant, e** *a* expirante, moribundo, a.

**expiration** *f* **1.** expiración **2.** *(d'un délai, etc.)* vencimiento *m* ◊ **arriver à ~, venir à ~** vencer.

**expirer** *vt* *(de l'air)* expirar. ◇ *vi* **1.** *(mourir)* expirar **2.** *(un délai, etc.)* vencer.

**explétif, ive** *a* GRAM expletivo, a.

**explicable** *a* explicable.

**explication** *f* **1.** explicación: **je ne vois pas d'autre ~** no se me ocurre otra explicación; **demander des explications** pedir explicaciones **2. une ~ de texte** un análisis de texto.

**explicatif, ive** *a* explicativo, a.

**explicite** *a* explícito, a.

**explicitement** *adv* explícitamente, de manera explícita.

**expliciter** *vt* aclarar.

**expliquer** *vt* explicar: **laissez-moi vous ~** déjeme que le explique. ◆ **s'~** *vpr* explicarse: **je ne m'explique pas comment...** no me explico cómo...; **expliquez-vous!** ¡explíquese! ◊ **tout s'explique!** ¡todo queda claro!

**exploit** *m* **1.** hazaña *f*, proeza *f*: **réaliser un ~** realizar una hazaña **2.** JUR notificación *f*.

**exploitable** *a* explotable.

**exploitant, e** *a* explotador, a. ◇ *s* **1.** *(agricole)* agricultor, a **2.** *(d'une salle de cinéma)* empresario.

**exploitation** *f* **1.** explotación **2. ~ agricole** explotación agrícola, finca **3.** *COM* **compte d'~** cuenta *f* de resultados **4.** *(abus)* explotación.

**exploiter** *vt* **1.** *(une mine, etc.)* explotar **2.** *FIG* **~ les travailleurs** explotar a los trabajadores **3.** *(tirer profit)* sacar provecho de.

**exploiteur, euse** *s* explotador, a, aprovechador, a: **les exploiteurs et les exploités** los explotadores y los explotados.

**explorateur, trice** *s* explorador, a.

**exploration** *f* exploración.

**explorer** *vt* explorar.

**exploser** *vi* **1.** estallar, explotar, hacer explosión, explosionar: **bombe qui explose** bomba que estalla, que explosiona: **faire ~ une charge de dynamite** explosionar una carga de dinamita **2.** *FIG* estallar: **sa colère explosa** su cólera estalló.

**explosible** *a* explosivo, a.

**explosif, ive** *a* explosivo, a. ◇ *m* explosivo.

**explosion** *f* **1.** explosión: **moteur à ~** motor de explosión; **faire ~** hacer explosión **2.** *FIG (de colère, etc.)* explosión **3. ~ démographique** explosión demográfica.

**exponentiel, elle** *a MATH* exponencial.

**exportable** *a* exportable.

**exportateur, trice** *a/s* exportador, a.

**exportation** *f* exportación.

**exporter** *vt* exportar.

**exposant, e** *s (exposition, foire)* expositor, a. ◇ *m MATH* exponente.

**exposé** *m* **1.** *(rapport)* informe, ponencia *f* **2.** *(récit)* exposición *f*, relación *f*: **l'~ des faits** la relación de los hechos ◊ **faire un ~ sur un sujet** hablar sobre un tema.

**exposer** *vt* **1.** *(tableau, etc.)* exponer, exhibir **2.** orientar: **façade exposée au nord** fachada orientada al norte **3.** *(au soleil, à la lumière)* exponer: **plante exposée au soleil** planta expuesta al sol **4.** *FIG* **~ sa vie** exponer su vida; **je lui ai exposé mes raisons** le expuse mis razones. ◆ **s'~** *vpr* exponerse: **je m'expose ainsi à un refus** me expongo así a una negativa.

**exposition** *f* **1.** exposición: **~ universelle** exposición universal **2.** *(d'un édifice)* orientación, exposición.

**¹exprès** [ɛkspʀɛs] *a* urgente: **lettre ~** carta urgente. ◇ *m* mensajero.

**²exprès** [ɛkspʀɛ] *adv* **1.** adrede, aposta: **il fait ~ de se tromper** se equivoca aposta ◊ **on dirait un fait ~** parece que es adrede **2. sans le faire ~** sin querer; **je ne l'ai pas fait ~** lo hice sin querer.

**³exprès, esse** [ɛkspʀɛs] *a (ordre)* expreso, a, terminante: **défense expresse de fumer** se prohibe terminantemente fumar.

**express** [ɛkspʀɛs] *a/m* **1.** *(train)* tren expreso, exprés **2.** *(café)* exprés.

**expressément** *adv* expresamente, explícitamente.

**expressif, ive** *a* expresivo, a.

**expression** *f* **1.** expresión: **liberté d'~** libertad de expresión; **~ corporelle** expresión corporal **2. une ~ toute faite** un tópico **3. réduire à sa plus simple ~** reducir a la mínima expresión **4. veuillez agréer l'~ de mes sentiments distingués** → **agréer.**

**expressionnisme** *m* expresionismo.

**expressionniste** *a/s* expresionista.

**expressivité** *f* expresividad.

**exprimer** *vt* **1.** *(sa pensée, etc.)* expresar **2.** *(le jus)* exprimir, extraer. ◆ **s'~** *vpr* expresarse: **il s'exprime bien en espagnol** se expresa bien en español.

**expropriation** *f* expropiación.

**exproprier*** *vt* expropiar.

**expulser** *vt* **1.** expulsar **2.** *(un locataire)* desahuciar.

**expulsion** *f* **1.** expulsión **2.** *(d'un locataire)* desahucio *m*.

**expurger*** *vt* expurgar.

**exquis, e** *a* **1.** exquisito, a: **politesse exquise** cortesía exquisita **2.** *(mets)* exquisito,a, riquísimo, a, delicioso, a.

**exsangue** [ɛgzɑ̃g, ɛksɑ̃g] *a* exangüe.

**exsudat** *m MÉD* exudado.

**exsudation** *f MÉD* exudación.

**exsuder** *vi/t* exudar.

**extase** *f* éxtasis *m*: **être en ~ devant** quedar en éxtasis ante.

**extasier (s')*** *vpr* extasiarse.

**extatique** *a* extático, a.

**extenseur** *a* extensor: **muscle ~** músculo extensor. ◇ *m* extensor.

**extensibilité** *f* extensibilidad.

**extensible** *a* extensible.

**extensif, ive** *a* extensivo, a.

**extension** *f* **1.** extensión **2.** *(développement)* desarrollo *m* ◊ **prendre de l'~** desarrollarse **3.** *loc adv* **par ~** por extensión.

**exténuant, e** *a* agotador, a, extenuante.

**exténuation** *f* extenuación.

**exténuer** *vt* extenuar, agotar: **être exténué de fatigue** estar agotado.

**extérieur, e** *a* **1.** exterior: **aspect ~** aspecto exterior; **porte extérieure** puerta exterior; **commerce ~** comercio exterior **2.** externo, a: **signes extérieurs de richesse** signos externos de riqueza. ◇ *m* **1.** exterior **2. à l'~** fuera; **vu de l'~** visto desde fuera **3.** *(aspect)* apariencia *f*, exterior. ◇ *pl (cinéma)* exteriores.

**extérieurement** *adv* exteriormente.

**extériorisation** *f* exteriorización.

**extérioriser** *vt* exteriorizar. ◆ **s'~** *vpr* exteriorizarse, manifestarse.

**extériorité** *f* exterioridad.

**exterminateur, trice** *a/s* exterminador, a: **l'ange ~** el ángel exterminador.

**extermination** *f* exterminio *m*.

**exterminer** *vt* exterminar.

**externat** *m* externado.

**externe** *a/s* externo, a: **à usage ~** de uso externo.

**extincteur** *m* extintor.

**extinction** *f* **1.** *(d'un incendie)* extinción **2 ~ de voix** afonía **3. espèce en voie d'~** especie en vías de extinción.

**extirpation** *f* extirpación.

**extirper** *vt* extirpar.

**extorquer** *vt* **1.** arrancar, arrebatar: **~ une promesse** arrancar una promesa **2.** *(de l'argent)* apropiarse por violencia o amenaza **3.** *(un secret, etc.)* sonsacar.

**extorsion** *f* extorsión.

**extra** *a FAM* extra, superior, de primera: **qualité ~** calidad superior. ◇ *m inv* **1. faire un ~** hacer un extra **2.** *(domestique)* criado suplementario (contratado para un servicio accidental).

**extracteur** *m* extractor.

**extractif, ive** *a* extractivo, a.

**extraction** *f* extracción.

**extrader** *vt* extraditar, extradir: **~ un terroriste** extraditar a un terrorista.

**extradition** *f* extradición: **demande d'~** solicitud de extradición.

**extrados** *m ARCH* extradós.

**extra-fin, e, extrafin, e** *a* superfino, a.

**extra-fort, extrafort** *m (ruban)* cinta *f*, galón.

**extraire*** *vt* **1.** extraer, sacar: **~ une dent de sagesse** extraer una muela del juicio **2.** *(citation, phrase)* sacar **3.** *MATH* **~ une racine carrée** extraer una raíz cuadrada.

**extrait** *m* **1.** *(d'une substance)* extracto **2.** *(d'un livre, film, etc.)* extracto, trozo **3 ~ de naissance** partida *f* de nacimiento: **~ de baptême** fe *f* de bautismo.

**extrajudiciaire** *a JUR* extrajudicial.

**extralucide** *a* **voyante ~** vidente.

**extraordinaire** *a* **1.** extraordinario, a **2. ce film n'a rien d'~** esta película no tiene nada de excepcional **3. par ~** por casualidad.

**extraordinairement** *adv* extraordinariamente, extremadamente.

**extraplat, e** *a* extraplano, a.

**extrapolation** *f* extrapolación.

**extrapoler** *vt* extrapolar.

**extraterrestre** *a/s* extraterrestre.

**extraterritorialité** *f* extraterritorialidad.

**extra-utérin, e** *a MÉD* extrauterino, a.

**extravagance** *f* extravagancia.

**extravagant, e** *a/s* extravagante.

**extravaguer** *vi* disparatar, desatinar.

**extravaser (s')** *vpr* extravasarse.

**extraversion** *f* extraversión.

**extraverti, e, extroverti, e** *a/s* extrovertido, a.

**extrême** *a* **1.** extremo, a: **l'~ droite** la extrema derecha **2.** sumo, a: **avec une ~ prudence** con suma prudencia **3.** *(excessif)* extremado, a. ◇ *m* **1.** extremo: **les extrêmes se touchent** los extremos se tocan; **passer d'un ~ à l'autre** pasar de un extremo a otro **2.** *loc adv* **à l'~** en extremo, en sumo grado; **pousser à l'~** extremar.

**extrêmement** *adv* extremadamente, sumamente: **être ~ fatigué** estar sumamente cansado; **conditions ~ défavorables** condiciones sumamente desfavorables.

▶ On peut aussi employer le superlatif: ~ *fatigué* cansadísimo...

**extrême-onction** *f* extremaunción.

**Extrême-Orient** *np m* Extremo Oriente.

**extrême-oriental, e** *a* de Extremo Oriente.

**extrémisme** *m* extremismo.

**extrémiste** *a/s* extremista.

**extrémité** *f* **1.** extremo *m*, extremidad: **à l'~ de l'aile** en el extremo del ala **2. être à la dernière ~** estar en las últimas. ◇ *pl* **1.** *(pieds, mains)* extremidades **2.** actos *m* de violencia, excesos *m*: **avoir recours aux pires extrémités** recurrir a los peores actos de violencia.

**extrinsèque** *a* extrínseco, a.

**extroverti, e → extraverti.**

**exubérance** *f* exuberancia.

**exubérant, e** *a* exuberante.

**exultation** *f* exultación, júbilo *m*.

**exulter** *vi* exultar, regocijarse.

**exutoire** *m* **1.** *MÉD* exutorio **2.** *FIG* derivativo.

**ex-voto** *m inv* exvoto.

**eyra** *m* eyrá.

**Ézéchiel** *np m* Ezequiel.

# F

**f** [ɛf] *m* f *f*: **un ~** una f.

**fa** *m* MUS fa: **la clé de ~** la clave de fa.

**Fabien, enne** *np* Fabián, ana.

**fable** *f* **1.** fábula **2. il est la ~ du village** es el hazmerreír del pueblo.

**fabliau** *m* «fabliau», cuento en verso de la Edad Media.

**fablier** *m* fabulario, repertorio de fábulas.

**fabricant, e** *s* fabricante.

**fabrication** *f* **1.** fabricación, producción: **défaut de ~** defecto de fabricación; **~ en série** fabricación en serie **2.** elaboración: **~ artisanale** elaboración artesana.

**Fabrice** *np m* Fabricio.

**fabrique** *f* fábrica.

**fabriquer** *vt* **1.** fabricar **2.** FAM hacer: **qu'est-ce qu'il peut bien ~?** ¿qué estará haciendo?

**fabulation** *f* fabulación.

**fabuler** *vi* fabular.

**fabuleusement** *adv* fabulosamente.

**fabuleux, euse** *a* fabuloso, a.

**fabuliste** *m* fabulista.

**fac** [fak] *f* FAM facu, facultad.

**façade** *f* **1.** fachada **2.** FIG **un optimisme de ~** un optimismo de apariencia.

**face** *f* **1.** cara, rostro *m*: **les os de la ~** los huesos de la cara ◊ FIG **perdre la ~** salir malparado, a; **sauver la ~** salvar las apariencias **2. faire ~ à** estar frente a; **faire ~ à l'ennemi** hacer frente al enemigo; FIG **faire ~ à ses engagements** hacer frente a sus compromisos; **faire ~ aux difficultés** encarar las dificultades; **faire ~** dar la cara **3.** *(langue soutenue)* faz: **la Sainte Face** la Santa Faz **4.** *(côté d'une médaille, etc.)* cara: **la ~ cachée de la lune** la cara oculta de la luna **5.** *(d'une montagne)* vertiente, cara: **la ~ nord** la vertiente norte **6.** FIG *(aspect)* aspecto *m*, cariz *m*, faceta, faz: **la ~ du monde a totalement changé** la faz del mundo ha cambiado totalmente **7.** *loc adv* **de ~** de frente; **une place de ~** un asiento en el sentido de la marcha; **le café d'en ~** el café de enfrente; **regarder les choses en ~** mirar las cosas de cara; **regarder quelqu'un en ~** mirarle a uno a la cara; **je le lui ai dit en ~** se lo dije cara a cara; **~ à ~** cara a cara, frente a frente **8.** *loc prép* **à la ~ de** en presencia de, a los ojos de; **en ~ de** enfrente de, frente a: **l'un en ~ de l'autre** el uno enfrente del otro; **une chambre ~ à la mer** una habitación frente al mar.

**face-à-face** *m inv* encaramiento, careo ◊ **il y aura un ~ entre les deux journalistes** los dos periodistas se van a encarar.

**face-à-main** *m* impertinentes *pl*.

**facétie** [fasesi] *f* chanza, bufonada, broma.

**facétieux, euse** [fasesjø, øz] *a* chancero, a, bromista.

**facette** *f* **1.** faceta **2. tempérament à facettes** temperamento polifacético.

**fâché, e** *a* **1.** enojado, a, enfadado, a: **il est ~ contre moi** está enojado conmigo ◊ **avoir l'air ~** tener cara de enfado **2. nous sommes fâchés** , estamos reñidos **3.** *(contrarié)* **je suis ~ qu'il ne soit pas ici** me desagrada el que no esté aquí.

**fâcher** *vt* enfadar, enojar, disgustar: **tu as réussi à la ~** has logrado enfadarla. ◆ **se ~** *vpr* **1.** enfadarse, enojarse: **il se fâche pour un rien** se enoja por una nadería ◊ FAM **se ~ tout rouge** sulfurarse **2.** *(se brouiller)* reñir, enemistarse.

**fâcherie** *f* desavenencia, disensión, disgusto *m*.

**fâcheusement** *adv* desgraciadamente.

**fâcheux, euse** *a* **1.** enojoso, a, malo, a **2. il est en fâcheuse posture** está en una situación apurada **3.** *(inopportun)* inoportuno, a ◊ **c'est ~** es lamentable. ◇ *m* ANC **un ~** un importuno.

**facho** *m* FAM facha.

**facial, e** *a* facial: **nerf ~** nervio facial; **muscles faciaux** músculos faciales.

**faciès** [fasjɛs] *m* **1.** *(en sciences)* facies *f* **2.** *(visage)* semblante, cara *f*.

**facile** *a* **1. ~ à, de** fácil de; **~ à nettoyer** fácil de limpiar; **c'est ~ comme tout** es facilísimo, es muy fácil ◊ **c'est ~ à dire** no se hace así como así; **avoir la larme ~** llorar por nada **2.** *(style)* suelto, a **3.** *(caractère)* fácil: **il est ~ à vivre** es de fácil vivir, es complaciente.

**facilement** *adv* **1.** fácilmente, con facilidad **2.** *(au moins)* por lo menos: **il pèse ~ cent kilos** pesa tranquilamente cien kilos, pesará sus cien kilos.

**facilité** *f* **1.** facilidad: **il a de la ~ pour les études** tiene facilidad para los estudios; **~ de parole** facilidad de palabra **2.** *(aisance)* soltura. ◇ *pl* facilidades: **facilités de paiement** facilidades (de pago).

**faciliter** *vt* facilitar.

**façon** *f* **1.** manera, modo *m*, forma: **je n'aime pas sa ~ de s'habiller** no me gusta su manera de vestirse, el modo cómo se viste; **écris d'une ~ bien lisible** escribe de forma bien legible; **je ne sais pas de quelle ~ lui expliquer** no sé en qué forma explicarle, no sé cómo explicarle; **d'une ~ ou d'une autre** de una u otra forma, de una forma o de otra; **de la même ~** de igual manera; **de la ~ dont la situation va évoluer...** de cómo la situación va a evolucionar... ◊ **d'une ~ générale** generalmente; **c'est une ~ de parler** es un decir, es una forma de hablar **2.** *(confection)* hechura **3.** imitación: **armoire ~ acajou** armario imitación caoba **4.** AGR labor **5.** *loc adv* **travailler à ~** trabajar a destajo (utilizando la materia prima suministrada por el cliente); **de toute ~** de todos modos, de todas formas; **en aucune ~** de ningún modo, en absoluto **6.** *loc conj/prép* **de ~ à** de tal modo que; **de (telle) ~ que** de manera que. ◇ *pl* **1.** *(comportement)* modales *m*: **en voilà des façons!** ¡vaya unos modales! **2. faire des façons** hacer cumplidos; **sans façon(s)** sin cumplidos.

**faconde** *f* facundia.

**façonnage, façonnement** *m* confección *f*, hechura *f*.

**façonner** *vt* **1.** dar forma a, trabajar **2.** *(fabriquer)* fabricar, hacer **3.** *(modeler)* modelar, tornear **4.** *FIG (une personne)* educar, formar.

**fac-similé** *m* facsímil, facsímile.

**factage** *m* **1.** porte (a domicilio) **2.** *(du courrier)* reparto.

**facteur** *m* **1.** *(des postes)* cartero **2. ~ d'orgues** organero, fabricante de órganos **3.** *MATH* factor **4. ~ Rhésus** factor Rhesus **5.** *FIG* factor: **les facteurs de la crise** los factores de la crisis.

**factice** *a* **1.** *(faux)* facticio, a **2.** artificial.

**factieux, euse** [faksjø, øz] *a/s* faccioso, a.

**faction** [faksjɔ̃] *f* **1.** facción **2.** *MIL* guardia: **en ~** de centinela; **être en ~** montar la guardia.

**factionnaire** *m* centinela.

**factoriel, elle** *a/f MATH* factorial.

**factotum** [faktɔtɔm] *m* factótum.

**factrice** *f* repartidora de cartas.

**factum** [faktɔm] *m* libelo, panfleto.

**facturation** *f* facturación.

**facture** *f* **1.** *(note)* factura: **fausse ~** factura falsa **2.** *(façon)* factura, hechura, ejecución.

**facturer** *vt COM* facturar.

**facturier, ère** *s* facturador, a.

**facultatif, ive** *a* facultativo, a ◊ **arrêt ~** parada discrecional.

**facultativement** *adv* facultativamente.

**faculté** *f* **1.** *(possibilité)* facultad **2.** *(université)* facultad: **~ de droit, de médecine** facultad de derecho, de medicina; **la Faculté** el Cuerpo *m* facultativo, los médicos. ◇ *pl* facultades (mentales), capacidades: **il est en pleine possession de ses facultés** está en la plenitud de sus facultades, está en su sano juicio.

▶ En la acepción de establecimiento universitario, *faculté* se abrevia en *fac* en lenguaje familiar.

**fada** *m FAM* chiflado, tonto.

**fadaise** *f* insulsez, sosería, necedad.

**fadasse** *a FAM* muy soso, a.

**fade** *a (propre et figuré)* soso, a, insulso, a.

**fadeur** *f (propre et figuré)* sosería, insulsez.

**fading** [fadiŋ] *m* fading, desvanecimiento.

**fafiot** *m POP* billete de banco.

**fagot** *m* **1.** haz de leña, gavilla *f* **2.** *FIG* **ça sent le ~** huele a chamusquina **3.** *FAM* **un vin de derrière les fagots** un vino excelente, un vinillo muy rico.

**fagoter** *vt FAM* vestir con mal gusto ◊ **il est mal fagoté** está hecho un adefesio. ◆ **se ~** *vpr* vestirse como un adefesio.

**faiblard, e** *a FAM* debilucho, a.

**faible** *a* **1.** débil: **une personne, une voix ~** una persona, una voz débil; **une ~ clarté** una débil claridad **2.** flojo, a: **vent ~** viento flojo; **vin ~ en alcool** vino flojo; **élève ~ en orthographe** alumno flojo en ortografía **3.** *(peu considérable)* escaso, a: **de faibles chutes de neige** escasas nevadas; **bombe de ~ puissance** bomba de escasa potencia; **~ hauteur** escasa altura; **de faibles revenus** escasos recursos **4. à ~ distance** a poca distancia, a corta distancia **5.** *(indice, rendement, etc.)* bajo, a **6.** *(argument)* endeble, flojo, a **7. la chair est ~** la carne es débil, es flaca **8. point ~** punto flaco, punto débil. ◇ *m* **1.** débil: **les faibles d'esprit** los débiles mentales **2.** *(penchant)* debilidad *f*, flaco: **le chocolat, c'est son ~** el chocolate es su flaco; **il a un ~ pour sa fille cadette** siente debilidad por su hija menor.

**faiblement** *adv* débilmente.

**faiblesse** *f* **1.** debilidad **2.** *(malaise)* desmayo *m* **3** *FIG (de caractère, défaut)* flaqueza: **j'ai eu la ~ de...** tuve la flaqueza de... **4.** *(petitesse)* escasez.

**faiblir** *vi* **1.** debilitarse, decaer: **il faiblit de jour en jour** va debilitándose cada día más **2.** *FIG* decaer: **son enthousiasme est en train de ~** su entusiasmo está decayendo **3.** *(vent)* amainar.

**faïence** *f* **1.** loza **2. carreau de ~** azulejo *m* **3.** *FAM* **se regarder en chiens de ~ → chien.**

**faïencerie** *f* **1.** *(fabrique)* fábrica de loza **2.** *(articles de faïence)* objetos *m pl* de loza.

**faignant, e → feignant.**

**¹faille** *f* **1.** *GÉOL* falla **2.** *FIG (point faible)* fallo *m*, defecto *m*.

**²faille** *f (tissu)* faya.

**³faille → falloir.**

**failli, e** *a JUR* quebrado, a. ◇ *s* comerciante quebrado, a.

**faillibilité** *f* falibilidad.

**faillible** *a* falible.

**faillir*** *vi* **1.** estar a punto de, estar a pique de: **j'ai failli manquer le train** he estado a punto de perder el tren; **il a failli se noyer** casi se ha ahogado, por poco se ahoga, faltó poco para que se ahogara **2.** *(le cœur, la mémoire)* fallar, flaquear **3. ~ à** faltar a: **il a failli à son devoir** ha faltado a su deber.

**faillite** *f* **1.** *COM* quiebra ◊ **faire ~** quebrar **2.** *(échec)* quiebra, fracaso *m*.

**faim** *f* **1.** hambre: **la ~** el hambre; **j'ai très ~** tengo mucha hambre; **souffrir de la ~** pasar hambre; **avoir une ~ de loup** tener un hambre que no ve; **je crève de ~** tengo un hambre que no veo, me muero de hambre; **il ne mange pas à sa ~** no tiene qué comer **2.** *FIG (désir ardent)* hambre, sed, ansia ◊ **rester sur sa ~** quedarse con las ganas; **je suis resté sur ma ~** me he quedado con las ganas.

**faine** *f* hayuco *m*, fabuco *m*.

**fainéant, e** *a/s* holgazán, ana, gandul, a.

**fainéanter** *vi* holgazanear, gandulear.

**fainéantise** *f* holgazanería, gandulería.

**¹faire*** *vt* **1.** hacer: **je ferai ça demain** haré esto mañana; **qu'est-ce que tu fais?** ¿qué es lo que estás haciendo?; **que veux-tu que je fasse?** ¿qué quieres que haga?; **fais ce que tu voudras** haz lo que quieras; **fais quelque chose** haz algo; **il faisait comme s'il n'entendait pas** hacía como que no oía ◊ **ce qui est fait est fait** a lo hecho pecho **2. ~ du diabète, de la bronchite** tener diabetes, bronquitis **3. ~ un tour, une promenade** dar una vuelta, un paseo; **~ du 100 à l'heure** ir a 100 kilómetros por hora **4. ~ sa chambre** arreglar su cuarto; **~ les vitres** limpiar los cristales; **fais le lit** haz la cama **5. ~ du sport** practicar deportes; **~ du ski, du judo, du tennis** practicar esquí, el judo, jugar al tenis **6. ~ du piano, du violon** tocar el piano, el violín **7. ~ son droit** estudiar derecho; **~ sa médecine** estudiar para médico; **~ les Beaux-Arts** estudiar en la escuela de Bellas Artes; **~ des études supérieures** cursar estudios superiores **8.** *(feindre)* **~ l'innocent** dárselas de inocente; **il fait l'idiot** hace el tonto **9.** *(tenir le rôle de)* interpretar el papel de **10.** *(former)* hacer: **je ferai de lui un médecin** haré de él un médico **11.** *(durer)* durar: **ce manteau m'a fait dix ans** este abrigo me ha durado diez años **12.** *(visiter)* recorrer, visitar: **il a fait le Népal** ha recorrido Nepal **13.** *(égaler)* ser: **dix plus cinq font quinze** diez más cinco son quince **14.** *FAM* vender, dar por, dejar por: **je vous le fais (à) 200 francs** se lo dejo por 200 francos

**15.** *(paraître)* parecer: **elle fait vieux, vieille** parece vieja; **il ne fait pas son âge** no representa la edad que tiene; **il ne fait pas 60 ans** no aparenta 60 años; **ça fait moderne** tiene un aspecto de moderno; **ça fait vulgaire** resulta vulgar **16.** *(dire)* decir: **non, fit-elle** no, dijo **17. je n'ai que ~ de tes conseils** no necesito para nada tus consejos; **il ne faut pas me la ~** no hay que contarme cuentos, no hay que venirme con cuentos; **il faut le ~!** ¡parece mentira!, ¡no es nada fácil!; **avoir à ~ avec quelqu'un** tener algo que ver con alguien; **rien à ~!** ¡ni hablar!,¡no hay manera!; **qu'est-ce que ça peut ~**? ¿qué más da?; **qu'est-ce que ça peut bien te ~?** ¿y a ti qué te importa?, ¿qué más te da?; **ça ne fait rien** no importa, es igual **18.** *(+ infinitif)* **tu la fais pleurer** la haces llorar: **~ nettoyer une jupe** mandar limpiar una falda; **il ne fait que mentir** no hace más que mentir; **il ne fait qu'arriver** acaba de llegar; **faites-le entrer** dígale que entre; **~ voir** mostrar, enseñar; **~ bouillir, ~ chauffer, ~ cuire, ~ fondre, etc.** hervir, calentar, cocer, derretir, etc.: **faites bouillir un litre de lait** se hierve un litro de leche **19.** *(mesures)* **cette table fait un mètre de large** esta mesa mide un metro de ancho; **ce réservoir fait cent litres** este depósito contiene cien litros; *(pointure)* **je fais du 39** calzo un 39. ◇ *vi* **1. ~ pour le mieux** hacer lo posible; **faites vite!,** ¡apresúrese!, ¡dése prisa! **2. il sait y ~** sabe cómo arreglárselas, apañárselas **3. tu as bien fait de...** has hecho bien en...; **ça commence à bien ~!** ¡ya basta!, ¡ya está bien!; **cette cravate fait bien avec mon nouveau costume** esta corbata va bien con mi nuevo traje: **ça fait bien dans cette pièce** queda bien en esta habitación; **c'est bien fait pour toi!** ¡qué te chinches!, ¡qué te fastidies!, ¡chínchate!, ¡lo tienes bien merecido! **4. faites comme chez vous** está usted en su casa **5. elle n'en fait qu'à sa tête** obra a su antojo, hace lo que le da la gana **6. tu ferais mieux de te taire** mejor sería que te callaras **7. le chat a fait sous le lit** el gato ha hecho sus necesidades debajo de la cama. ◇ *v impers* **1. quel temps fait-il?** ¿qué tiempo hace?; **il fait froid** hace frío; **par le froid qu'il fait** con el frío que hace; **demain il fera beau** mañana hará buen tiempo; **il fait nuit** es de noche **2. il fait bon vivre ici** es agradable vivir aquí **3. ça fait une semaine qu'il est parti** se ha marchado hace una semana; **ça fait un mois qu'il voyage** lleva un mes viajando **4.** *(prix)* **ça fait trop cher** esto es demasiado caro, cuesta demasiado. ◆ **se ~** *vpr* **1.** *(un fromage)* madurar **2. se ~ vieux** hacerse viejo, envejecer; **se ~ bouddhiste** hacerse budista; **se ~ moine** hacerse monje, meterse monje **3.** *(s'habituer)* hacerse, acostumbrarse: **elle ne se fait pas à Paris** no se acostumbra a París **4. se ~ beau** ponerse guapo; **fais-toi belle** ponte guapa **5. se ~ connaître** darse a conocer **6. il se fait tard** ya es tarde **7. il pourrait se ~ que...** podría suceder que... **8. se laisser ~** no oponer resistencia **9. il s'est fait ~ un autre costume** se mandó, se encargó hacer otro traje **10.** *FAM* **s'en ~ pour quelqu'un** preocuparse, inquietarse por alguien; **ne vous en faites pas** no se preocupe; **il ne s'en fait pas, celui-là!** ¡es un fresco! → **fait.**

**²faire** *m* estilo, ejecución *f.*

**faire-part** *m inv* **1.** *(de décès)* esquela *f* mortuoria **2.** *(de mariage)* participación *f* de boda.

**faire-valoir** *m inv (personne)* comparsa.

**fair-play** *m* juego limpio, «fair play». ◇ *a* **il est ~** juega limpio.

**faisable** [fəzabl] *a* factible, hacedero, a.

**faisan** [fəzã] *m* **1.** faisán **2.** *POP (escroc)* estafador.

**faisandeau** *m* pollo de faisán.

**faisander** *vt* manir: **viande faisandée** carne manida.

**faisanderie** *f* faisanería.

**faisane** *f* **poule ~** faisana.

**faisant → faire.**

**faisceau** *m* **1.** *(de branches, etc.)* haz, manojo **2.** haz: **des faisceaux lumineux** haces luminosos **3.** *FIG (ensemble)* conjunto: **un ~ de preuves** un conjunto de pruebas **4.** *MIL* pabellón. ◇ *pl (de licteur)* fasces *f.*

**faiseur, euse** [fəzœʀ, øz] *s* **1. un ~ de bons mots** un bromista; **un ~ de vers** un poetastro; **un ~ d'embarras** un pretencioso; **un ~ de troubles** un alborotador, un agitador; **une faiseuse d'anges** una abortadora **2.** *(hâbleur)* **un ~** un fanfarrón, un intrigante.

**faisselle** *f* encella (para quesos).

**fait, e** *pp* de **faire.** ◇ *a* **1.** *(mûr)* hecho, a: **un homme ~** un hombre hecho **2.** *(conclu)* concluido, a: **c'est une affaire faite** asunto concluido **3. des jambes bien faites** piernas bien formadas **4. vêtements tout faits** ropa hecha; **une expression toute faite** una expresión hecha, estereotipada; **des idées toutes faites** ideas hechas, preconcebidas **5. c'en est ~** se acabó; *FAM* **c'en est ~ de lui** está perdido. ◇ *m* **1.** hecho: **c'est un ~** es un hecho; **le ~ est que** el hecho es que, el caso es que; **le ~ que les gens...** el hecho de que la gente... ◊ **le ~ est** es verdad; **venons-en au ~!** ¡al grano!; **je vais lui dire son ~** le voy a decir las verdades del barquero; **elle est au ~ de ce qui se passe** está al tanto de lo que pasa; **tu es sûr de ton ~?** ¿estás seguro de lo que afirmas?; **prendre ~ et cause pour quelqu'un** tomar el partido, la defensa de alguien; **on l'a pris sur le ~** lo cogieron in fraganti **2. un ~ divers** un caso; **faits divers** sucesos **3. haut ~** hazaña *f;* **~ d'armes** hecho de armas, hazaña *f;* **les faits et gestes de...** la vida y milagros de... **4.** *loc adv* **au ~** a propósito; **de ce ~** por esto, por tanto; **de ~** de hecho; **en ~** en realidad, de hecho; **tout à ~** completamente, por completo, del todo, totalmente: **il est tout à ~ rétabli** está completamente recuperado; **tout à ~ satisfait** muy satisfecho; **c'est tout à ~ surprenant** resulta del todo sorprendente **5.** *loc prép* **du ~ de** a consecuencia de; **en ~ de** en lo tocante a, en materia de **6.** *loc conj* **du ~ que** por el hecho de que.

**faîte** *m* **1.** *(d'un toit)* techumbre *f,* remate **2.** *(d'un arbre, d'une montagne)* cima *f,* cumbre *f* ◊ **ligne de ~** línea divisoria **3.** *FIG* **au ~ de la gloire** en la cumbre de la gloria.

**faites → faire.**

**faîtière** *f* buhardilla. ◇ *a/f* **tuile ~** cobija.

**fait-tout, faitout** *m* cacerola *f.*

► *Casserole* se dit plutôt *cazo.*

**faix** *m* carga *f,* peso.

**fakir** *m* faquir, fakir.

**fakirisme** *m* faquirismo.

**falaise** *f* acantilado *m.*

**falbalas** *m pl* perifollos, arrequives.

**fallacieux, euse** *a* falaz.

**falloir*** *v impers* **1.** *(+ infinitif)* ser necesario, ser preciso, ser menester, haber que: **il faut changer la roue** hay que cambiar la rueda; **il ne faut pas exagérer** no hay que exagerar; **il faudra se décider** habrá que decidirse; **il faut voir comment...** hay que ver cómo...; **il le faut** es necesario; *FAM* **il fallait le dire avant!** ¡haberlo dicho antes! **2.** *(+ nom)* hacer falta, necesitar: **il faut un passeport** hace falta un pasaporte; **il me faut deux secrétaires** necesito, me hacen falta dos secretarias **3.** *(+ que et subjonctif)* tener que, ser necesario que, ser preciso que, haber de: **il faut que je m'en aille, que j'aille chez le coiffeur** me tengo que marchar, he de irme, tengo que ir a la peluquería; **il a fallu que je parte** tuve que irme; **il faut que nous vous voyions** es preciso que nos veamos **4. quelqu'un comme il faut** alguien como es debido, como Dios manda. ◆ **s'en ~** *vpr* **1. s'en ~ de peu** por poco, faltar poco: **il s'en est fallu de peu, d'un cheveu qu'il ne rate le train** por poco pierde el tren, poco le faltó para que perdiera el tren; **ou peu s'en faut** o casi **2. tant s'en faut** ni mucho menos.

► 3. *Tener que* exprime une obligation plus impérative que *haber de.* Par ailleurs, ne pas oublier la concordance des temps: *il fallait que tu le saches* era preciso que lo supieras.

**¹falot** *m (lanterne)* farol.

**²falot, e** *a (terne)* insulso, a, insignificante.

**falsificateur, trice** *s* falsificador, a.

**falsification** *f* falsificación.

**falsifier*** *vt* **1.** *(document, signature)* falsificar **2.** *(aliment)* adulterar.

**falzar** *m POP* pantalón.

**famé, e** *a* **quartier mal ~** barrio de mala fama.

**famélique** *a* famélico, a.

**fameusement** *adv FAM (très)* muy.

**fameux, euse** *a* **1.** *(réputé)* famoso, a, célebre **2.** *(plat)* excelente, estupendo, a, riquísimo, a **3.** *FIG* **un ~ imbécile** un perfecto, un grandísimo imbécil; **une fameuse grippe** una gripe muy fuerte; **c'est cela ta fameuse idée?** ¿ésta es tu idea tan famosa, tu tan cacareada idea?

**familial, e** *a* familiar. ◇ *f (voiture)* coche *m* familiar.

**familiariser** *vt* familiarizar. ◆ **se ~** *vpr* **se ~ avec** familiarizarse con.

**familiarité** *f* familiaridad. ◇ *pl* familiaridades, libertades, confianzas: **se permettre des familiarités** tomarse confianzas.

**familier, ère** *a* **1.** familiar: **expression familière** expresión familiar ◊ **devenir trop ~ avec** tomarse confianzas con **2. animaux familiers** animales caseros. ◇ *s* **1.** íntimo, a **2.** *(habitué)* asiduo, a.

**familièrement** *adv* familiarmente.

**familistère** *m* cooperativa *f*.

**famille** *f* familia: **père de ~** padre de familia; **être chargé de ~** estar cargado de familia; **~ nombreuse** familia numerosa; **j'ai de la ~ à Toulouse** tengo familia en Tolosa; **de bonne ~** de buena familia; **en ~** en familia ◊ **des raisons de ~** razones familiares; **nom de ~** apellido.

**famine** *f* **1.** *(faim)* hambre: **la ~ dans le monde** el hambre en el mundo ◊ *FIG* **crier ~** quejarse de hambre; **crier ~ sur un tas de blé** quejarse de vicio; **salaire de ~** sueldo de miseria **2.** *(disette)* carestía, escasez de víveres.

**fan** [fan] *a/s* fan, admirador, a, forofo, a: **les fans de X** los fans de X; **club de fans, ~ club** club de fans.

**fana** *a/s FAM* apasionado, a, forofo, a: **un ~ de jazz** un forofo del jazz.

**fanal** *m* **1.** *(lanterne)* farol **2.** *MAR* fanal.

**fanatique** *a/s* fanático, a.

**fanatiser** *vt* fanatizar.

**fanatisme** *m* fanatismo.

**fandango** *m* fandango.

**fane** *f* **1** *(feuille)* hoja **2.** *(sèche)* hoja seca.

**fané, e** *a* **1.** *(fleurs)* marchito, a **2.** *(tissu)* ajado, a **3.** *(visage)* marchito, a.

**faner** *vt* **1.** *(l'herbe)* secar **2.** *(fleurs)* marchitar **3.** *(tissu)* ajar. ◆ **se ~** *vpr* marchitarse, ajarse: **ces fleurs se sont fanées** estas flores se han marchitado.

**faneur, euse** *s* forrajero, a. ◇ *f (machine)* secadora de hierba, henificadora.

**fanfare** *f* **1.** *(air)* marcha militar ◊ *FIG* **réveiller en ~** despertar con gran estruendo **2.** *(musiciens)* charanga, banda.

**fanfaron, onne** *a/s* fanfarrón, ona, baladrón, ona ◊ **faire le ~** fanfarronear, baladronear.

**fanfaronnade** *f* fanfarronada, baladronada.

**fanfaronner** *vi* fanfarronear, baladronear.

**fanfreluche** *f* perendengue *m*.

**fange** *f* **1.** fango *m* **2.** *FIG* **traîner dans la ~** arrastrar por el fango, por el lodo.

**fangeux, euse** *a* fangoso, a.

**fanion** *m* banderín.

**fanon** *m* **1.** *(de mitre)* cinta *f* colgante **2.** *(de baleine)* ballena *f*, barba *f* **3.** *(de cheval)* cerneja *f* **4.** *(de bœuf)* papada *f*.

**fantaisie** *f* **1.** *(imagination)* fantasía **2.** *(caprice)* capricho *m*, antojo *m*: **tu passes toutes ses fantaisies** satisfaces todos sus caprichos; **agir à sa ~** obrar a su antojo **3. il lui a pris la ~ d'acheter un banjo** se le ha antojado comprar un banjo; **un bijou de ~** una joya de fantasía **4.** *MUS (pièce musicale)* fantasía.

**fantaisiste** *a* **1.** caprichoso, a **2.** *(manquant de sérieux)* informal. ◇ *s (artiste)* fantasista, artista de variedades.

**fantasmagorie** *f* fantasmagoría.

**fantasmagorique** *a* fantasmagórico, a.

**fantasmatique** *a* fantasmal, imaginario, a.

**fantasme** *m* fantasma.

**fantasmer** *vi* fantasear.

**fantasque** *a* antojadizo, a, caprichoso, a.

**fantassin** *m* infante, soldado de infantería.

**fantastique** *a* fantástico, a ◊ **littérature ~** literatura fantástica. ◇ *m* **le ~** lo fantástico.

**fantoche** *m* **1.** títere, fantoche **2.** *FIG* fantoche, monigote ◊ **gouvernement ~** gobierno títere.

**fantomatique** *a* fantasmal.

**fantôme** *m* fantasma. ◇ *a* **le Vaisseau ~** el Buque Fantasma.

**fanzine** *m* fanzine.

**faon** [fɑ̃] *m* **1.** *(petit cerf)* cervato, cervatillo **2.** *(petit daim)* gamezno **3.** *(petit chevreuil)* corcino.

**faquin** *m ANC* bribón, bellaco.

**far** *m* flan bretón con ciruelas pasas.

**farad** [faʀad] *m PHYS* faradio.

**faramineux, euse** *a FAM* asombroso, a, fantástico, a, prodigioso, a, enorme.

**farandole** *f* farándola, baile *m* provenzal.

**faraud, e** *a/s* presumido, a, fatuo, a.

**farce** *f* **1.** *CULIN* relleno *m* **2.** *THÉÂT* farsa **3.** *(plaisanterie)* broma, bufonada: **magasin de farces et attrapes** tienda de artículos de broma; **faire des farces** gastar bromas; **une mauvaise ~** un bromazo.

**farceur, euse** *a/s* bromista.

**farci, e** *a* **1.** *CULIN* relleno, a: **olives farcies** aceitunas rellenas; **tomates farcies** tomates rellenos **2.** *FAM* atiborrado, a, repleto, a: **texte ~ de fautes** texto repleto de errores.

**farcir** *vt* **1.** *CULIN* rellenar **2.** *FAM (bourrer)* atiborrar, abarrotar. ◆ **se ~** *vpr FAM* **j'ai dû me ~ tout le travail** tuve que apechugar, cargar(me) con todo el trabajo.

**fard** *m* **1** cosmético, maquillaje **2.** *FIG* **sans ~** sin disimulo **3.** *FAM* **elle a piqué un ~** se le ha subido el pavo, se ha ruborizado.

**fardeau** *m* carga *f*, peso.

**farder** *vt* **1.** maquillar, pintar **2.** *FIG* encubrir, disfrazar, disimular: **~ la vérité** disimular la verdad. ◆ **se ~** *vpr* maquillarse, pintarse.

**fardier** *m ANC* carro fuerte.

**farfadet** *m* duendecillo.

**farfelu, e** *a* extravagante, estrafalario, a.

**farfouiller** *vi FAM* revolver: **~ dans les affaires de** revolver las cosas de.

**faribole** *f* pamplina.

**farigoule** *f* tomillo *m*.

**farine** *f* harina: **~ de blé, de froment** harina de trigo; **~ lactée** harina lacteada ◊ *FIG* **de la même ~** de la misma calaña; *FAM* **rouler dans la ~ → rouler.**

**fariner** *vt* enharinar.

**farineux, euse** *a* harinoso, a, farináceo, a. ◇ *m (légume)* vegetal farináceo, farinácea *f*.

**Farnèse** *np m* Farnesio.

**farniente** *m* farniente.

**farouche** *a* **1.** *(sauvage)* salvaje **2.** *(acharné)* feroz: **un combat ~** un combate feroz **3.** *(insociable)* huraño, a, arisco, a.

**farouchement** *adv* violentamente.

**fart** [faʀ(t)] *m* cera *f*, grasa *f* (para los esquís).

**farter** *vt* encerar, dar cera a.

**fascicule** *m* **1.** fascículo **2 ~ de mobilisation** hoja *f* de movilización.

**fascinant, e** *a* fascinante.

**fascinateur, trice** *a/s* fascinador, a.

**fascination** *f* fascinación.

**fascine** *f* MIL fajina.

**fasciner** *vt* fascinar: **les machines à sous le fascinent** le fascinan las tragaperras.

**fascisant, e** *a/s* fascista.

**fascisme** [fas(ʃ)ism(ə)] *m* fascismo.

**fasciste** [fas(ʃ)ist(ə)] *a/s* fascista.

**faseyer** *vi* MAR flamear.

**fasse → faire.**

**¹faste** *m (apparat)* fausto, boato, magnificencia *f*.

**²faste** *a* fasto, a: **une année ~** un año fasto.

**fast-food** *m* hamburguesería *f*, restaurante *m* de comida rápida.

**fastidieux, euse** *a* fastidioso, a, pesado, a, aburrido, a: **un travail ~** un trabajo fastidioso.

**fastoche** *a* FAM muy fácil.

**fastueux, euse** *a* fastuoso, a.

**fat, e** *a/s* fatuo, a.

**fatal, e** *a* fatal: **le moment ~** el momento fatal; **femme fatale** mujer fatal.

**fatalement** *adv* fatalmente, inevitablemente.

**fatalisme** *m* fatalismo.

**fataliste** *a/s* fatalista.

**fatalité** *f* fatalidad.

**fatidique** *a* fatídico, a: **jour ~** día fatídico.

**fatigant, e** *a* **1.** fatigoso, a, cansado, a: **un travail ~** un trabajo fatigoso **2.** *(qui ennuie)* aburrido, a, fastidioso, a: **des discussions fatigantes** discusiones aburridas **3.** *(une personne)* cansado, a.

**fatigue** *f* cansancio *m*, fatiga: **tomber de ~** caerse de cansancio; **mort de ~** muerto de cansancio, rendido.

**fatigué, e** *a* **1.** cansado, a: **je suis ~** estoy cansado **2. avoir l'estomac ~** no andar bien del estómago **3.** FIG **vêtements fatigués** ropa usada.

**fatiguer** *vt* **1.** cansar, fatigar: **ça me fatigue de faire ce trajet** me cansa hacer este trayecto **2. ~ la vue** cansar la vista **3.** FIG *(ennuyer)* aburrir, fastidiar: **tu me fatigues!** ¡me fastidias! ◇ *vi (une poutre)* trabajar. ◆ **se ~** *vpr* cansarse, fatigarse: **il se fatigue vite de...** se cansa enseguida de...

**Fatima** *np f* Fátima.

**fatras** *m* fárrago, amasijo.

**fatuité** *f* fatuidad.

**fauber(t)** *m* MAR lampazo.

**faubourg** *m* arrabal, suburbio: **les faubourgs** los arrabales.

**faubourien, enne** *a/s* **1.** arrabalero, a **2.** FIG populachero, a.

**faucarder** *vt* desherbar (un río, etc.)

**fauchage** *m*, **fauchaison** *f* siega *f*.

**fauche** *f* FAM *(vol)* rapiña, ratería, robo *m*.

**fauché, e** *a* FAM **je suis ~** estoy pelado, a, estoy mal de dinero.

**faucher** *vt* **1.** AGR guadañar, segar **2.** atropellar: **un camion l'a fauchée** la ha atropellado un camión **3.** FAM *(voler)* birlar: **il m'a fauché mon portefeuille** me ha birlado la cartera.

**faucheur, euse** *s* segador, a, guadañador, a. ◇ *f (machine)* segadora, guadañadora. ◇ *np f* FIG **la Faucheuse** la Guadañadora, la Muerte.

**faucheux** *m (insecte)* segador.

**faucille** *f* hoz ◊ **la ~ et le marteau** la hoz y el martillo.

**faucon** *m* halcón.

**fauconneau** *m* halconcillo.

**fauconnerie** *f* **1.** *(chasse)* halconería **2.** *(dressage)* cetrería.

**fauconnier** *m* halconero, cetrero.

**faudra → falloir.**

**faufil** [fofil] *m* hilván.

**faufilage** *m* hilvanado.

**faufiler** *vt* hilvanar. ◆ **se ~** *vpr* colarse, deslizarse, escurrirse: **ils se faufilèrent entre les voitures** se colaron por entre los coches.

**faufilure** *f* hilván *m*.

**¹faune** *m* fauno.

**²faune** *f* fauna: **la ~ et la flore** la fauna y la flora.

**faussaire** *s* monedero falso.

**fausse → faux.**

**faussement** *adv* **1.** *(à tort)* falsamente **2.** *(sans sincérité)* con falsedad.

**fausser** *vt* **1.** *(dénaturer)* falsear, falsificar, tergiversar: **~ la vérité** falsear la verdad **2.** *(tordre)* doblar, torcer: **il a faussé sa clef** ha torcido su llave **3. elle lui a faussé compagnie** lo ha dejado plantado.

**fausset** *m* **1. voix de ~** voz de falsete **2.** *(de tonneau)* botana *f*.

**fausseté** *f* falsedad.

**Faust** *np m* Fausto.

**Faustin, e** *np* Faustino, a.

**faut → falloir.**

**faute** *a* **1.** falta: **~ d'orthographe** falta de ortografía ◊ **~ de frappe** error *m* de máquina; **~ d'impression** errata (de imprenta) ; **~ d'étourderie, d'inattention** descuido *m* **2.** culpa: **c'est arrivé par ma ~** ocurrió por culpa mía; **c'est (de) ma ~** es culpa mía; **ce n'est pas ma ~ s'il est tombé** no tengo la culpa de que se haya caído; **à qui la ~?** ¿de quién es la culpa? ◊ **prendre quelqu'un en ~** pillar, coger a alguien in fraganti, coger a alguien en falta **3.** *(dans un sport)* fallo *m* **4.** *(manque)* falta: **sans ~** sin falta; **on le relâcha ~ de preuves** lo soltaron por falta de pruebas; **~ de mieux** a falta de otra cosa mejor; **~ de quoi** si no **5 ~ de** *(+ infinitif)* por no: **~ d'être arrivé à temps...** por no haber llegado a tiempo... **6. ne pas se faire ~ de...** no dejar de, no privarse de...

**fauter** *vi* ANC cometer una falta, un desliz.

**fauteuil** *m* **1.** sillón: **~ relax** sillón relax; **~ tournant** sillón giratorio ◊ **~ à bascule** mecedora *f*; **~ roulant** silla *f* de ruedas, silla *f* de inválido **2. ~ d'orchestre** butaca *f* de patio **3. occuper le ~** presidir **4.** FAM **arriver dans un ~** llegar fácilmente.

**fauteur, trice** *s* promotor, a: **~ de troubles** alborotador, promotor de disturbios, agitador.

**fautif, ive** *a* **1.** falible: **mémoire fautive** memoria falible **2.** *(erroné)* erróneo, a, equivocado, a: **expression fautive** expresión errónea. ◇ *a/s (coupable)* culpable: **il est ~** es culpable.

**fauve** *a* **1.** *(couleur)* leonado, a **2. bêtes fauves** fieras **3.** *(art)* fauvista. ◇ *m* **1.** *(animal)* fiera *f* ◊ FAM **ça sent le ~** huele a tigre **2.** *(peinture)* fauvista, pintor de la escuela del fauvismo.

**fauverie** *f* sección de las fieras.

**fauvette** *f* curruca.

**fauvisme** *m* fauvismo.

[1]**faux** *f (pour faucher)* guadaña.

[2]**faux, fausse** *a* **1.** falso, a: **un ~ témoignage** un falso testimonio; **un ~ nom** un nombre falso; **une fausse nouvelle** una noticia falsa; **un ~ passeport** un pasaporte falso; **~ billets** billetes falsos; **fausse alerte** falsa alarma; **fausse modestie** falsa modestia **2.** *(hypocrite)* falso, a, hipócrita ◊ *FAM* **c'est un ~ jeton** es un hipócrita, es más falso que Judas. **3.** vano, a: **un ~ espoir** una esperanza vana **4.** *(postiche)* postizo, a: **un ~ nez** una nariz postiza; **une fausse barbe** una barba postiza; **~ cils** pestañas falsas; **~ col** cuello postizo **5.** *MUS* **fausse note** nota falsa; **le piano est ~** el piano está desafinado, desentonado ◊ *FIG* **il n'y a eu aucune fausse note** no ha habido ninguna nota discordante **6. ~ pli → pli 7. fausse couche → couche 8. fausse clé → clef 9. un ~ mouvement** un movimiento en falso; **faire un ~ pas → pas; faire fausse route → route.** ◇ *m* **1.** *(mensonge)* lo falso ◊ **plaider le ~ pour savoir le vrai** decir mentira para sacar verdad **2. être dans le ~** estar en un error, estar errado, a **3.** falsedad *f*, falsificación *f*: **~ en écriture publique** falsedad en documento público ◊ **faire un ~** falsificar un documento; **ce tableau est un ~** este cuadro es falso **4. s'inscrire en ~ contre quelque chose** atacar algo de falsedad **5. porter à ~** estar en falso ◊ *FIG* **en porte à ~** en falso, sin fundamento. ◇ *adv* **chanter, jouer ~** desafinar.

**faux-bourdon** *m MUS* fabordón.

**faux-filet** *m* solomillo bajo.

**faux-fuyant** *m* escapatoria *f*, evasiva *f*.

**faux-monnayeur** *m* monedero falso.

**faux-semblant** *m* apariencia *f* engañosa.

**faux sens → sens.**

**favela** *f* favela.

**faverole → féverole.**

**faveur** *a* **1.** favor *m*: **solliciter une ~** solicitar un favor; **faites-nous la ~ de...** háganos el favor de...; **billet de ~** pase de favor **2. être en ~** estar de moda; **être en ~ auprès de quelqu'un** gozar de la estima, del favor de alguien **3.** *loc prép* **en ~ de** a favor de, en favor de, en beneficio de; **à la ~ de** a favor de; **à la ~ de la nuit** aprovechando la noche, al amparo de la noche **4.** *(ruban)* cinta de seda, chamberga.

**favorable** *a* favorable.

**favorablement** *adv* favorablemente.

**favori, ite** *a/s* favorito, a. ◇ *s (d'un roi)* **le ~** el valido, el privado; **la favorite** la favorita. ◇ *m pl (barbe)* patillas *f*.

**favorisé, e** *a/s* favorecido, a.

**favoriser** *vt* favorecer.

**favoritisme** *m* favoritismo.

**fax** *m* fax: **envoyer des ~** enviar faxes.

**faxer** *vt* enviar por fax.

**fayot** *m* **1.** *FAM (haricot)* judía *f* seca, frijol **2.** *FAM (flatteur)* adulón, cobista.

**fayoter** *vi FAM* hacer méritos.

**féal, e** *a ANC* fiel.

**fébrifuge** *a/m* febrífugo, a.

**fébrile** *a* febril.

**fébrilement** *adv* febrilmente.

**fébrilité** *f* febrilidad.

**fécal, e** *a* fecal: **matières fécales** materias fecales.

**fèces** *f pl* heces.

**fécond, e** *a* **1.** fecundo, a **2.** *FIG* fecundo, a.

**fécondant, e** *a* fecundante.

**fécondation** *f* fecundación: **~ artificielle, in vitro** fecundación artificial, in vitro.

**féconder** *vt* fecundar, fecundizar.

**fécondité** *f* fecundidad.

**fécule** *f* fécula.

**féculent, e** *a/m* feculento, a.

**fedayin** [fedajin] *m* fedayin.

**fédéral, e** *a/m* federal: **les fédéraux** los federales.

**fédéralisme** *m* federalismo.

**fédéraliste** *a/s* federalista.

**fédératif, ive** *a* federativo, a.

**fédération** *f* federación.

**fédéré, e** *a/s* federado, a.

**fédérer*** *vt* federar. ◆ **se ~** *vpr* federarse.

**fée** *f* hada: **la ~ Mélusine** el hada Melusina; **conte de fées** cuento de hadas ◊ **elle a des doigts de ~** es muy hábil.

**féerie** [fe(e)ʀi] *f* **1.** *THÉAT* comedia de magia **2.** *FIG* espectáculo *m* maravilloso.

**féerique** [fe(e)ʀik] *a* **1.** mágico, a **2.** *(merveilleux)* maravilloso, a.

**feignant, e** *a/s FAM* holgazán, ana, gandul, a.

**feindre*** *vt* **1.** fingir, simular: **~ la surprise** fingir sorpresa **2. ~ de** fingir, hacer como que, como si: **je feins de la croire** finjo creerla; **il feignit de ne pas me connaître** hizo como que no me conocía, como si no me conociera.

**feint, e** *a* fingido, a: **douleur feinte** dolor fingido.

**feinte** *f* **1.** *(dissimulation)* fingimiento *m* **2.** *(sports)* finta **3.** *FAM (ruse)* trampa, ardid *m*.

**feinter** *vt FAM (tromper)* engañar. ◇ *vi (sports)* hacer una finta.

**feldspath** [feldspat] *m* feldespato.

**fêlé, e** *a/s FAM* **il a le cerveau ~** está chiflado, le falta un tornillo; **il est fêlé** está guillado; **les fêlés du surf** los forofos al surf.

**fêler** *vt* **1.** cascar, rajar: **voix fêlée** voz cascada **2.** *FAM* **→ fêlé.** ◆ **se ~** *vpr* rajarse.

**félibre** *m* felibre.

**félicitation** *f* **1.** felicitación: **recevoir des félicitations** recibir felicitaciones **2.** enhorabuena: **je lui ai adressé mes félicitations** le he dado la enhorabuena.

**félicité** *f* felicidad.

**féliciter** *vt* felicitar, dar la enhorabuena a: **je te félicite pour ton succès** te felicito por tu éxito. ◆ **se ~ de** *vpr* felicitarse de, por, congratularse de.

**félidés** *m pl ZOOL* félidos.

**félin, e** *a/s* felino, a.

**Félix** *np m* Félix.

**fellah** *m* felá, fellah.

**fellation** *f* felación.

**félon, onne** *a/s* felón, ona.

**félonie** *f* felonía.

**felouque** *f* falúa, falucho *m*.

**fêlure** *f* raja, cascadura.

**femelle** *a/f* hembra; **un perroquet ~** un papagayo hembra; **une prise ~** un enchufe hembra.

**féminin, e** *a* femenino, a. ◇ *a/m GRAM* femenino, a: **ce mot est du ~** esta palabra es femenina; **au ~** en femenino.

**féminisation** *f* feminización.

**féminiser** *vt* **1.** afeminar **2.** *BIOL* feminizar **3.** *GRAM* dar a una voz el género femenino. ◆ **se ~** *vpr* afeminarse.

**féminisme** *m* feminismo.

**féministe** *a/s* feminista.

**féminité** *f* feminidad.

**femme** [fam] *f* **1.** mujer: **les femmes** las mujeres; **~ d'intérieur** mujer de su casa; **une ~ de tête** una mujer enérgica; **une jeune ~** una mujer joven; **une brave ~** una buena mujer; **~-objet** mujer objeto; **~ au foyer → foyer 2. ~ de chambre** doncella; **~ de ménage** asistenta; **~ de lettres** escritora; **~ ministre** ministra; **un professeur ~** una profesora **3.** *(épouse)* esposa, mujer: **ma ~** mi mujer ◊ **prendre ~** casarse, tomar mujer **4.** *FAM* **bonne ~** mujer, tía: **qui est cette bonne ~?** ¿quién es esa tía?; **une vieille bonne ~** una vieja; **une petite bonne ~** una niña; **remèdes de bonne ~ → remède.**

▶ Sens 3: *mujer* est un peu plus familier que *esposa.*

**femmelette** *f* mujercilla, gallina *m*: **ton mari est une ~** tu marido es un gallina.

**fémoral, e** *a* femoral: **artère fémorale** arteria femoral.

**fémur** [femyʀ] *m* fémur.

**fenaison** *f* siega del heno.

**fendillement** *m* resquebrajadura *f.*

**fendiller** *vt* resquebrajar. ◆ **se ~** *vpr* resquebrajarse.

**fendre** *vt* **1.** hender, rajar **2.** *(en deux)* partir ◊ *FIG* **~ l'âme** producir mucha lástima; **elle pleurait à ~ l'âme** lloraba que daba pena; **tu me fends le cœur** me partes el corazón **3.** *FIG* hender: **la flèche fend l'air** la flecha hiende el aire **4. ~ la foule** abrirse paso por entre la muchedumbre. ◆ **se ~** *vpr* **1.** partirse, henderse, rajarse **2.** *POP* **se ~ de 1000 francs** soltar, aflojar 1000 francos; **il ne s'est pas fendu** es un agarrado **3.** *POP* **se ~ la pipe, la gueule, la pêche** mondarse de risa, troncharse de risa.

**fendu, e** *pp* de **fendre.** ◇ *a* **1. jupe fendue sur le côté** falda abierta por el costado **2. bouche fendue jusqu'aux oreilles** boca como un buzón; **yeux fendus en amande** ojos rasgados.

**fenêtre** *f* **1.** ventana: **se pencher à la ~** asomarse a la ventana; **~ à guillotine** ventana de guillotina **2.** *FIG* **il jette son argent par les fenêtres** tira la casa por la ventana **3. enveloppe à ~** sobre de ventanilla.

**fenil** *m* henil.

**fennec** *m* zorro del Sáhara, fenec.

**fenouil** *m* hinojo.

**fente** *f* **1.** *(fissure)* hendidura, hendedura, grieta **2.** *(d'une machine)* ranura: **mettre un jeton dans la ~** introducir una ficha en la ranura **3.** *(d'une jupe, etc.)* abertura.

**féodal, e** *a* feudal: **régimes féodaux** regímenes feudales.

**féodalisme** *m* feudalismo.

**féodalité** *f* feudalidad.

**fer** *m* **1.** hierro: **~ forgé** hierro forjado ◊ *FIG* **croire dur comme ~** creer a pies juntillas **2.** *(arme)* **le ~ homicide** el acero homicida; **~ de lance** punta *f* de lanza; **en ~ de lance** en punta de lanza; **croiser le ~ avec quelqu'un** batirse a espada **3. ~ à cheval** herradura *f* ◊ **en ~ à cheval** en herradura; **tomber les quatre fers en l'air** caer patas arriba **4. ~ à souder** soldador **5. ~ à repasser** plancha *f*; **~ à vapeur** plancha a vapor ◊ **donner un coup de ~** dar un planchazo **6. ~ à friser** tenacillas *f pl* de rizar el pelo **7. ~ rouge** hierro candente **8.** *FIG* **une discipline de ~** una disciplina férrea; **une volonté, une santé de ~** una voluntad, una salud férrea; **d'une main de ~** con mano férrea; **bras de ~ → bras.** ◇ *pl* **1.** grilletes, grillos, hierros, cadenas *f*: **mettre un prisonnier aux fers** poner grilletes a un preso ◊ *FIG* **briser ses fers** romper las cadenas **2.** *MÉD* fórceps *sing.*

**ferai, fera,** etc. **→ faire.**

**fer-blanc** *m* hojalata *f* ◊ **une boîte en ~** una lata.

**ferblanterie** *f* hojalatería ◊ *FAM (décorations)* chatarra.

**ferblantier** *m* hojalatero.

**Ferdinand** *np m* Fernando.

**férié, e** *a* festivo, a, feriado, a: **jour ~** día festivo; **fermé le dimanche et jours fériés** cerrado los domingos y festivos.

**férir** *vt ANC* **sans coup ~** sin combate; *FIG (aisément)* sin dificultad.

**fermage** *m* arrendamiento rústico.

**fermail** [fɛʀmaj] *m ANC* broche.

**¹ferme** *a* **1.** firme: **terre ~** tierra firme **2.** *(assuré)* firme, seguro, a: **une voix ~** una voz segura; **de pied ~** a pie firme **3.** *(caractère)* enérgico, a, firme **4.** *(chair)* prieto, a **5.** *(résolution, etc.)* firme, decidido, a **6.** *COM* **un achat ~** una compra en firme; **commande ~** pedido en firme; **prix ~ et définitif** precio cerrado. ◇ *adv* **1. tenir ~** mantenerse firme, resistir: **il a tenu ~, il est resté ~** se ha mantenido firme **2.** *(intensément)* de firme: **il étudie ~** estudia de firme ◊ **s'ennuyer ~** aburrirse muchísimo, de lo lindo.

**²ferme** *f* **1.** *(exploitation agricole)* granja, alquería: **une ~ modèle** una granja modelo **2.** *(louage)* arrendamiento *m*, arriendo *m*: **prendre à ~** tomar en arriendo; **bail à ~** arrendamiento.

▶ Une ferme andalouse se dit *un cortijo.*

**fermé, e** *a* **1.** cerrado, a **2. la chasse est fermée** hay veda **3. ~ à** insensible a **4.** *(visage)* impenetrable, hosco, a.

**fermement** *adv* firmemente, con firmeza.

**ferment** *m* fermento.

**fermentation** *f* fermentación.

**fermenter** *vi* fermentar.

**fermentescible** *a* fermentable.

**fermer** *vt* **1.** cerrar: **ferme la porte!** ¡cierra la puerta!; **~ à clef** cerrar con llave ◊ **~ boutique → boutique 2.** *(rideau)* correr **3.** *(eau, gaz, électricité)* cortar **4.** *(lumière, radio)* apagar **5.** *FIG* **~ les yeux sur quelque chose → œil 6.** *POP* **ferme-la!, la ferme!** ¡cierra la boca! ◇ *vi* **1.** cerrar: **tiroir qui ferme mal** cajón que cierra mal **2. cette pharmacie ferme le lundi** esta farmacia cierra los lunes; **on ferme!** ¡vamos a cerrar!, ¡cerramos! ◆ **se ~** *vpr* cerrarse: **la porte, la plaie s'est fermée toute seule** la puerta, la llaga se ha cerrado sola.

**fermeté** *f* **1.** firmeza: **parler avec ~** hablar con firmeza **2.** *(en Bourse)* firmeza, fortaleza.

**fermette** *f* pequeña granja.

**fermeture** *f* **1.** cierre *m*: **la ~ des magasins** el cierre de las tiendas; **~ automatique** cierre automático **2.** *(chasse, pêche)* veda **3. ~ Éclair, à glissière** cremallera.

**fermier, ère** *s* **1.** *(exploitant)* granjero, a **2.** *(locataire)* arrendatario, a. ◇ *a* de granja: **poulets fermiers** pollos de granja.

**fermoir** *m* **1.** *(de bijou, etc.)* cierre **2.** *(de sac à main)* boquilla *f.*

**Fernand** *np m* Fernando, Hernando.

**Fernande** *np f* Fernanda.

**féroce** *a* **1.** feroz: **bêtes féroces** animales feroces **2. une bête ~** una fiera **3. il a un appétit ~** tiene un apetito feroz, es insaciable.

**férocité** *f* ferocidad.

**ferrage** *m* herraje.

**ferraille** *f* **1.** *(débris de fer)* chatarra **2** *FAM (petite monnaie)* **de la ~** calderilla.

**ferrailler** *vi* **1.** *(se battre)* batirse a espada, con sable **2.** *(faire un bruit de ferraille)* hacer ruido de chatarra.

**ferrailleur** *m* **1.** *(marchand de ferraille)* chatarrero **2.** *(ouvrier de la construction)* ferrallista **3.** *FIG (bagarreur)* pendenciero.

**ferrant** *a* **maréchal-~** herrador.

**ferré, e** *a* **1.** *(cheval)* herrado, a **2. voie ferrée** vía férrea **3.** *FIG* **il est très ~ en géographie** está muy empollado en geografía.

**ferrer** *vt* **1.** *(animal)* herrar **2.** *(poisson)* enganchar con el anzuelo **3.** *(garnir de fer)* guarnecer de hierro.

**ferret** *m (de lacet)* herrete, cabete.

**ferreux, euse** *a CHIM* ferroso, a.

**ferrique** *a CHIM* férrico, a.

**ferronickel** *m* ferroníquel.

**ferronnerie** *f* ferretería ◊ **~ d'art** artesanía de hierro forjado.

**ferronnier** *m* ferretero.

**ferroviaire** *a* ferroviario, a.

**ferrugineux, euse** *a* ferruginoso, a.

**ferrure** *f* herraje *m*.

**ferry-boat** [feʀibot], **ferry** [feʀi] *m* ferry boat, ferry, transbordador.

**fertile** *a* **1.** fértil, feraz: **des terres fertiles** tierras fértiles **2.** *FIG* fecundo, a, fértil: **une imagination ~** una imaginación fecunda; **année ~ en évènements** año fértil en, rico en acontecimientos.

**fertilisant, e** *a/m* fertilizante.

**fertilisation** *f* fertilización.

**fertiliser** *vt* fertilizar.

**fertilité** *f* fertilidad.

**féru, e** *a* apasionado, a: **il est ~ d'archéologie** está apasionado por la arqueología.

**férule** *f* férula: **il est encore sous la ~ de son père** sigue bajo la férula de su padre.

**fervent, e** *a* ferviente, fervoroso, a: **un ~ admirateur** un admirador ferviente, un fervoroso admirador.

**Fès** *np* Fez.

**fesse** *f* **1.** nalga: **les fesses** las nalgas ◊ *FAM* **donner un coup de pied aux fesses** dar una patada en el culo; **il serrait les fesses** se le encogía el ombligo; **ça coûte la peau des fesses** cuesta un dineral, cuesta un ojo de la cara; **poser ses fesses** sentarse; **une histoire de fesses** un asunto relativo al sexo **2.** *(de cheval)* anca.

**fessée** *f* paliza, tunda, zurra: **donner la ~ à un enfant** dar una paliza a un niño.

**fesser** *vt* dar una paliza a, zurrar, azotar.

**fessier, ère** *a* glúteo, a: **muscle ~** músculo glúteo. ◇ *m FAM (les fesses)* posaderas *f pl*, trasero.

**fessu, e** *a* nalgudo, a, culón, ona.

**festif, ive** *a* festivo, a.

**festin** *m* festín.

**festival** *m* festival: **des festivals** festivales.

**festivité** *f* festividad: **les festivités** las festividades.

**feston** *m* festón.

**festonner** *vt* festonear.

**festoyer*** *vt ANC* festejar. ◇ *vi* festejarse, banquetear.

**fêtard, e** *s FAM* juerguista, jaranero, a.

**fête** *f* **1.** fiesta: **~ nationale** fiesta nacional; **~ d'obligation** fiesta de guardar, de precepto; **la ~ du travail** la fiesta del trabajo; **les fêtes de Noël** las fiestas navideñas ◊ **un air de ~** un aire festivo **2. ~ foraine** feria **3.** *(fête du saint)* santo *m*, día *m* onomástico, días *m pl*: **il m'a souhaité ma ~** me ha felicitado por mi santo; **c'est la ~ de Sophie** es el santo de Sofía; **bonne ~!** ¡felicidades! **4.** día *m*: **la ~ des mères** el día de la madre **5. faire la ~** juerguearse, jaranear, parrandear, estar de juerga **6. faire ~ à quelqu'un** festejar a alguien, hacer fiestas a alguien **7. se faire une ~ de** ilusionarse: **je me faisais une ~ d'aller au théâtre** me ilusionaba ir al teatro **8. je n'avais jamais été à pareille ~** nunca lo había pasado tan estupendamente **9.** *FAM* **ça va être ta ~!** ¡te van a dar una buena!

**Fête-Dieu** *f* **la ~** el día de Corpus.

**fêter** *vt* **1.** *(une fête)* celebrar **2.** *(une personne)* festejar, agasajar **3. on va ~ ça** vamos a festejarlo.

**fétiche** *m* fetiche.

**fétichisme** *m* fetichismo.

**fétichiste** *a/s* fetichista.

**fétide** *a* fétido, a.

**fétidité** *f* fetidez.

**fétu** *m (de paille)* brizna *f* de paja.

**feu** *m* **1.** fuego: **faire du ~** encender fuego; **au ~!** ¡fuego!; **avez-vous du ~?** ¿tiene fuego?; **mettre le ~ à** pegar fuego a, prender fuego a ◊ **~ de camp** fuego de campamento; **~ de joie** fogata *f*; **~ d'artifice** fuegos *pl* artificiales; **~ de Bengale** luz *f* de Bengala; **~ follet** fuego fatuo; *FIG* **~ de paille** entusiasmo pasajero; **le ~ sacré** el fuego sagrado; *FAM* **avoir le ~ au derrière** ir siempre a paso de carga; **faire ~ de tout bois** emplear todos los medios; **faire long ~** fracasar; **faire la part du ~ → part; jouer avec le ~** jugar con fuego; **ne pas faire long ~** no durar mucho; **n'y voir que du ~** no enterarse de nada; **à petit ~** a fuego lento; **à ~ et à sang → sang 2.** lumbre *f*: **au coin du ~** al amor de la lumbre **3. armes à ~** armas de fuego; **puissance de ~** potencia de fuego; **faire ~** disparar, hacer fuego; **~!** ¡fuego!; **ouvrir le ~** abrir fuego; **coup de ~** tiro, disparo; **un échange de coups de ~** un tiroteo; *FIG* **être pris entre deux feux** estar cogido entre dos fuegos **4. feux de signalisation** semáforo; **s'arrêter aux feux** detenerse en el semáforo; **griller un ~ rouge** saltarse un semáforo en rojo; **le ~ passe au rouge** el semáforo se pone (en) rojo; *FIG* **donner le ~ vert à** dar luz verde a **5.** *(d'auto)* **~ arrière, rouge** luz *f* trasera, piloto; **~ clignotant** intermitente; **~ de position** luz de situación; **~ de recul** luz de marcha atrás; **feux de croisement** luces de cruce **6.** *(foyer)* **un hameau de dix feux** una aldea de diez familias ◊ **n'avoir ni ~ ni lieu** no tener casa ni hogar **7.** *FIG* ardor, exaltación *f*, fuego ◊ **être tout ~ tout flamme** ser muy entusiasta; **prendre ~** enfadarse **8.** *FIG* **les joues en ~** las mejillas encendidas. ◇ *pl THÉÂT* **les feux de la rampe** las candilejas.

**feu, feue** *a* difunto, a: **~ mon père** mi difunto padre.

**feudataire** *s* feudatario, a.

**feuillage** *m* follaje.

**feuillaison** *f* foliación.

**feuille** *f* **1.** *(d'arbre, de papier)* hoja: **~ morte** hoja seca; **~ de vigne** *(peinte, sculptée)* hoja de parra ◊ *FIG* **trembler comme une ~** temblar como un azogado; *FAM* **être dur de la ~** ser duro, tardo de oído **2.** *(journal)* hoja, periódico *m* ◊ *FAM* **~ de chou** periodicucho *m* **3. ~ de route** hoja de ruta; **~ de paye** hoja de paga; **~ d'impôt** impreso *m* para la declaración de la renta **4. bonnes feuilles** pliegos *m* corregidos.

**feuillée** *f* enramada. ◇ *pl* letrinas.

**feuille-morte** *a (couleur)* color de hoja seca.

**feuillet** *m* **1.** *(d'un livre)* hoja *f*, folio **2.** *(de bois)* chapa *f* **3.** *(des ruminants)* libro.

**feuilleté, e** *a* **1.** *(roche, verre)* laminado, a **2. pâte feuilletée** masa hojaldrada, hojaldre *m*. ◇ *m (pâtisserie)* hojaldre.

**feuilleter** *vt* **1.** *(livre)* hojear **2.** *(pâte)* hojaldrar.

**feuilleton** *m* **1.** folletín **2.** *(radio, télévision)* serial **3. roman-~** novela *f* por entregas.

**feuilletoniste** *m* folletinista.

**feuillette** *f* tonel *m* (de unos 120 litros).

**feuillu, e** *a* frondoso, a, hojoso, a.

**feuillure** *f* renvalso *m*.

**feulement** *m* bufido (del tigre, del gato).

**feuler** *vi* dar bufidos, gruñir.

**feutrage** *m* **1.** enfurtido **2.** *(usure)* desgaste.

**feutre** *m* **1.** *(tissu)* fieltro **2.** *(chapeau)* sombrero de fieltro, fieltro **3.** *(stylo)* **un ~, un crayon ~** un rotulador.

**feutré, e** *a* **1.** *(bruit, etc.)* amortiguado, a **2.** *FIG* **une existence feutrée** una existencia tranquila **3. à pas feutrés** sin hacer ruido, con mucho sigilo.

**feutrer** *vt FIG* amortiguar. ◆ **se ~** *vpr* ponerse como fieltro.

**feutrine** *f* fieltro *m* ligero.

**fève** *f* **1.** haba **2.** *(de la galette des Rois)* haba: **il a eu la ~** le tocó el haba.

**féverole** [fevRɔl] *f* haba panosa.

**février** *m* febrero: **le 5 ~ 1960** el 5 de febrero de 1960.

**fez** [fɛz] *m* fez.

**fi** *interj* **1.** ¡vaya!, ¡quita! **2. faire ~ de** no hacer caso de, desatender, desoír: **je fais ~ de les conseils** desoigo tus consejos.

**fiabilité** *f* fiabilidad.

**fiable** *a* fiable.

**fiacre** *m* simón, coche de punto.

**fiançailles** *f pl* **1.** *(engagement)* esponsales *m*, dichos *m* ◊ **bague de ~** anillo de pedida **2.** *(temps)* noviazgo *m sing*.

**fiancé, e** *a/s* novio, a.

**fiancer*** *vt* prometer en matrimonio, desposar. ◆ **se ~** *vpr* prometerse, desposarse: **elle s'est fiancée avec, à** se ha prometido con; **ils se fiancèrent** se prometieron.

**fiasco** *m* fiasco ◊ **faire ~** fracasar.

**fiasque** *f* garrafa.

**fibranne** *f* fibrana.

**fibre** *f* **1.** fibra: **~ musculaire** fibra muscular; **~ textile** fibra textil; **~ de carbone, de verre** fibra de carbono, de vidrio **2. ~ optique** fibra óptica **3.** *FIG* sensibilidad.

**fibreux, euse** *a* fibroso, a.

**fibrillation** *f MÉD* fibrilación.

**fibrille** *f* fibrilla.

**fibrine** *f BIOL* fibrina.

**fibrociment** *m* fibrocemento.

**fibrome** *m MÉD* fibroma.

**fibroscopie** *f MÉD* fibroscopia.

**fibule** *f* fíbula.

**ficelage** *m* atadura *f*.

**ficelé, e** *a* **1.** atado, a, encordelado, a **2.** *FAM* arreglado, a: **il est mal ~** va mal arreglado ◊ **un travail bien ~** un trabajo bien hecho.

**ficeler*** *vt* atar, encordelar.

**ficelle** *f* **1.** bramante *m*, guita, cuerda fina **2.** *(pain)* barra de pan muy delgada **3.** *FAM (d'un métier)* triquiñuela, truco *m* ◊ **tenir, tirer les ficelles** mover los hilos, llevar la batuta: **c'est lui qui tire les ficelles** es él quien mueve los hilos.

**fiche** *f* **1.** *(feuille)* papeleta, ficha: **~ anthropométrique, perforée** ficha antropométrica, perforada ◊ **~ d'état civil** fe de vida **2.** *(au jeu)* ficha **3.** *(d'arpenteur)* piquete *m* **4.** *ÉLECT* enchufe *m*.

**¹ficher** *vt* **1.** *(planter)* hincar, clavar **2.** *FAM (= donner)* largar, soltar: **il m'a fichu une baffe** me ha largado un tortazo **3.** *FAM (= mettre)* **~ quelqu'un à la porte** echar a alguien a la calle **4.** *FAM (= faire)* hacer: **je n'ai rien fichu aujourd'hui** hoy no he hecho nada; pintar: **qu'est- ce que tu fiches ici?** ¿qué pintas tú aquí? **5.** *FAM* **~ en l'air** tirar **6.** *FAM* **~ le camp** largarse: **fichons le camp!** ¡larguémonos! **7.** *FAM* **~ la paix à quelqu'un** dejar en paz a alguien; **je t'en fiche!** ¡ni hablar!, ¡qué va! **8.** *POP* **va te faire fiche!** ¡que te zurzan!, ¡vete a la porra! ◆ **se ~** *vpr* **1.** hincarse, clavarse: **la flèche se ficha dans l'arbre** la flecha se clavó en el árbol **2.** *FAM* **se ~ une idée dans la tête** meterse una idea en la cabeza **3.** *FAM (se moquer)* reírse, burlarse: **tu te fiches de lui** te ríes de él ◊ **je m'en fiche (fous) comme de l'an quarante, je m'en fiche pas mal** me importa un comino, un bledo; **il se fiche pas mal de son travail** su trabajo le importa un comino; **je me fiche pas mal de ce que les autres pensent de moi** me trae sin cuidado lo que los demás piensan de mí **4.** *FAM* **se ~ dedans** equivocarse, colarse: **tu t'es fichu dedans!** ¡te has colado! **5.** *FAM* **il s'est fichu par terre** se ha roto las narices.
▶ Se emplea, como eufemismo, en lugar de *foutre*. En los giros populares, el infinitivo puede tomar la forma *fiche*, y el participio pasivo la forma *fichu, e*.

**²ficher** *vt (inscrire sur une fiche)* fichar.

**fichier** *m* fichero ◊ **~ central** registro central.

**fichtre!** *interj FAM* ¡caramba!, ¡caray!, ¡cáspita!; ¡jo!

**fichtrement** *adv FAM* extremadamente, de lo más.

**¹fichu, e** *pp* de **ficher**. ◇ *a FAM* **1.** *(perdu)* perdido, a: **il est ~** está perdido **2.** *(détérioré)* estropeado, a, echado, a a perder: **le moteur est ~** el motor está estropeado **3.** *(gaspillé)* tirado, a, malgastado, a: **tout cet argent ~!** ¡tanto dinero malgastado!; **mille francs fichus en l'air** mil francos tirados **4. mal ~** *(souffrant)* malucho, a: **je suis mal ~** estoy malucho **5.** *(mauvais)* mal, dichoso, a, pijotero, a, maldito, a, cochino, a, puñetero, a: **un ~ caractère** un mal carácter; **~ travail!** ¡dichoso trabajo! **6.** capaz: **il n'est pas ~ de passer un coup de fil** no es capaz de dar un telefonazo **7. elle est fichue comme l'as de pique** está hecha una facha, un adefesio **8. des jambes bien fichues** piernas bien hechas, bonitas.
▶ Eufemismo en lugar de *foutu*.

**²fichu** *m (pièce d'étoffe)* toquilla *f*, pañoleta *f*, pañuelo.

**fictif, ive** *a* ficticio, a, supuesto, a.

**fiction** *f* ficción.

**ficus** [fikys] *m* ficus.

**fidéicommis** *m JUR* fideicomiso.

**fidèle** *a* fiel: **un client, un récit ~** un cliente, un relato fiel; **~ à ses convictions** fiel a sus convicciones. ◇ *a/s (croyant)* fiel: **les fidèles** los fieles.

**fidèlement** *adv* fielmente, con fidelidad.

**fidéliser** *vt (un client)* hacer que (un cliente) siga fiel a un producto, ganarse la confianza de (un cliente).

**fidélité** *f* **1.** fidelidad: **~ conjugale** fidelidad conyugal **2. haute ~** alta fidelidad.

**fiduciaire** *a* fiduciario, a.

**fief** [fiɛf] *m* feudo.

**fieffé, e** *a FAM* redomado, a, rematado, a, empedernido, a, de siete suelas: **un ~ menteur** un embustero redomado; **c'était un ~ coquin** era un pícaro de siete suelas.

**fiel** *m* hiel *f*.

**fielleux, euse** *a* **1.** amargo, a, de hiel **2.** *(parole)* mordaz.

**fiente** *f* **1.** excremento *m* **2.** *(de pigeon)* palomina.

**fienter** *vi* excretar.

**fier (se)*** *vpr* **se ~ à quelqu'un** fiar en, fiarse de, confiar en alguien: **tu peux te ~ à moi** puedes confiar en mí.

**fier, fière** [fjɛR] *a* **1.** altivo, a, altanero, a: **regard ~** mirada altanera **2.** *(orgueilleux)* orgulloso, a: **il est ~ de sa famille** está orgulloso de su familia; **je suis ~ de toi** estoy orgulloso de ti; **vous pouvez être fière d'avoir une fille aussi jolie** puede usted estar orgullosa de tener una hija tan bonita; **je le dis et j'en suis ~** lo digo a mucha honra **3.** *FIG* **il n'y a pas de quoi être ~ de...** no hay por qué enorgullecerse de... **4.** *FAM* valiente, de siete suelas: **une fière canaille** un valiente canalla.

**fier-à-bras** *m* fierabrás, matasiete.

**fièrement** *adv* orgullosamente.

**fiérot, e** *a FAM* fanfarrón, ona.

**fierté** *f* **1.** *(orgueil)* orgullo *m*, soberbia, altivez **2.** *(amour-propre)* dignidad.

**fièvre** *f* **1.** calentura, fiebre: **j'ai de la ~** tengo fiebre; **forte ~** fiebre alta; **il a une ~ de cheval** tiene mucha fiebre, un calenturón ◊ **~ jaune** fiebre amarilla; **~ quarte, tierce** cuartana, terciana; **~ typhoïde** fiebre tifoidea.

**fiévreusement** *adv* febrilmente.

**fiévreux, euse** *a* **1.** febril, calenturiento, a **2.** *FIG* febril, inquieto, a: **attente fiévreuse** espera febril.

**fifille** *f* hijita, nena.

**fifre** *m* **1.** pífano **2.** *FIG FAM* **sous-~** subalterno.

**fifty-fifty** [fiftififti] *adv* a medias, mitad y mitad.

**figer*** *vt* **1.** cuajar, coagular **2.** *FIG (immobiliser)* paralizar, petrificar: **la surprise le figea** el asombro lo petrificó ◊ **un sourire figé** una sonrisa estereotipada **3. phrase figée** frase hecha. ◆ **se ~** *vpr* **1.** cuajarse, coagularse **2.** *FIG* **son sang se figea** se le heló la sangre.

**fignolage** *m* esmero, último toque, acabado.

**fignoler** *vt* perfilar, dar el último toque a: **~ un détail** perfilar un detalle.

**fignoleur, euse** *s* persona *f* minuciosa, perfeccionista.

**figue** *f* **1.** higo *m*: **~ de Barbarie** higo chumbo, tuna **2.** *FIG* **mi-~ mi-raisin** ambiguo, a, así así.

**figuier** *m* higuera *f* ◊ **~ de Barbarie** higuera *f* chumba, chumbera *f*, tuna *f*, nopal.

**figuline** *f* figulina.

**figurant, e** *s* **1.** *(théâtre)* comparsa, figurante **2.** *(cinéma)* extra.

**figuratif, ive** *a* figurativo, a: **art ~** arte figurativo; **peintre ~** pintor figurativo.

**figuration** *f* **1.** *(théâtre)* comparsa, figurantes *m pl* **2.** *(cinéma)* extras *m pl* ◊ **faire de la ~** ser extra.

**figure** *f* **1.** figura: **~ géométrique** figura geométrica **2.** *(visage)* cara, rostro *m*: **faire bonne, mauvaise ~ à quelqu'un** poner buena, mala cara a alguien; *FIG* **jeter à la ~** echar en cara ◊ **elle fait triste ~** parece preocupada; *FAM* **je vais lui casser la ~** le voy a romper las narices; **se casser la ~** romperse la crisma, partirse la crisma **3. faire ~ de** pasar por, estar considerado, a como, ser tenido, a por: **il fit ~ de héros** fue tenido por un héroe **4.** *FIG* **les grandes figures de l'histoire** las grandes figuras de la historia **5.** *(danse, patinage artistique)* figura **6.** *FIG* **cas de ~** situación *f*, aspecto **7.** *MAR* **~ de proue** mascarón *m* de proa.

**figuré** *m* sentido figurado: **parler au ~** hablar en sentido figurado.

**figurer** *vt* **1.** figurar **2.** *(représenter)* representar. ◇ *vi* **1.** figurar, constar: **ceci ne figure pas dans mes attributions** esto no figura entre mis atribuciones **2.** *(au théâtre)* hacer de comparsa; *(au cinéma)* hacer de extra. ◆ **se ~** *vpr* figurarse, imaginarse: **ne te figure pas qu'il pense à toi** no te figures que piensa en ti; **figure-toi que je le savais** figúrate que lo sabía.

**figurine** *f* estatuilla.

**fil** *m* **1.** hilo: **~ à coudre** hilo; **chaussettes en ~** calcetines de hilo ◊ **~ à plomb** plomada *f* **2. ~ de fer** alambre; **~ (de fer) barbelé** alambre de espino, alambre de púas **3.** *(de canne à pêche)* sedal **4.** *FAM* **donner un coup de ~** dar un telefonazo, telefonear; **avoir quelqu'un au bout du ~** estar en comunicación telefónica con alguien; **téléphone sans ~** teléfono inalámbrico **5.** *(de certains légumes)* hebra *f*, fibra *f* **6.** *FIG* **cousu de ~ blanc** visible, patente; **de ~ en aiguille** poco a poco, progresivamente; **donner du ~ à retordre** dar mucha guerra; **il a un ~ à la patte** está atado (de pies y manos); **tu n'as pas inventé le ~ à couper le beurre** no has inventado la pólvora; **ne tenir qu'à un ~** estar pendiente de un hilo **7.** *FIG (d'un récit, discours)* curso, hilo: **perdre le ~** perder el hilo; **~ conducteur** hilo conductor ◊ *loc prép* **au ~ de l'eau** siguiendo la corriente; **au ~ des années** al transcurrir los años, con el paso de los años **8.** *(tranchant)* filo: **le ~ du rasoir** el filo de la navaja; **passer au ~ de l'épée** pasar a cuchillo, acuchillar.

**filage** *m* hilado.

**filament** *m* filamento.

**filamenteux, euse** *a* filamentoso, a.

**filandière** *f* hilandera.

**filandreux, euse** *a* fibroso, a, hebroso, a.

**filant, e** *a* **1.** fluente **2. étoile filante** estrella fugaz.

**filasse** *f* estopa, hilaza. ◇ *a inv* **cheveux blond ~** pelo rubio de estopa.

**filateur** *m* fabricante de hilados, propietario de una hilandería.

**filature** *f* **1.** *(usine)* fábrica de hilados, hilandería **2.** *(action de filer)* hilado *m* **3.** *FIG (d'un suspect)* seguimiento *m*: **prendre un voleur en ~** seguir la pista de un ladrón.

**fildefériste** *s* funámbulo, a, volatinero, a.

**file** *f* **1.** fila: **~ de voitures** fila de coches, caravana de coches; **stationner en double ~** aparcar en doble fila ◊ **en ~ indienne** en fila india; **2. ~ d'attente** cola; **prendre la ~** ponerse en la cola **3. le chef de ~ de l'opposition** el líder de la oposición **4.** *(de chevaux)* reata, hilera **5.** *loc adv* **à la ~** en fila, sucesivamente.

**filer** *vt* **1.** hilar: **~ la laine** hilar lana **2.** *(l'araignée)* hilar, tejer **3. je viens de ~ mon bas** acaba de corrérseme la media **4.** *MAR (une amarre, etc.)* largar, soltar ◊ **~ vingt nœuds** marchar a veinte nudos **5.** *FIG* **~ des jours heureux** llevar una vida feliz **6.** *FAM* **ils filent le parfait amour** se quieren como tórtolos, están muy amartelados **7.** *FAM* **~ un voleur** seguir la pista, los pasos a un ladrón **8.** *FAM* dar: **file-moi cent francs** dame cien francos. ◇ *vi* **1.** *(liquide)* fluir lentamente **2.** *(matière visqueuse)* formar hilos, hebras **3.** *(bas)* correrse un punto **4.** *FAM (aller vite)* ir de prisa, ir volando: **je file à la mairie** voy volando al ayuntamiento ◊ **~ à l'anglaise** despedirse a la francesa; **file!** ¡lárgate!; **~ doux** ser dócil, someterse, no rechistar **5.** *FAM (le temps)* pasar volando **6.** *FAM* **l'argent file** el dinero se va de las manos.

**filet** *m* **1.** *(de bœuf, de veau)* filete, solomillo, lomo: **faux ~** lomo bajo; *(de porc)* lomo; *(de poisson)* filete **2.** *(de liquide)* chorrillo, hilo: **un ~ de vinaigre** un chorrillo de vinagre **3. un ~ de voix** un hilo, un hilillo de voz **4.** *(trait d'imprimerie)* filete **5.** *(de pêche, tennis, volley-ball, etc.)* red *f*: **tendre ses filets** echar las redes; **monter au ~** subir a la red; **montée au ~** subida a la red **6.** *(à bagages)* rejilla *f* **7.** *(à cheveux)* redecilla *f* **8. ~ à provisions** redecilla *f* (de la compra) **9.** *FIG* **coup de ~** redada *f*.

**filetage** *m* **1.** *(du métal)* estirado **2.** *(de vis)* roscado, fileteado.

**fileter*** *vt* **1.** *(métal)* estirar **2.** *(vis)* roscar, filetear.

**fileur, euse** *s* hilandero, a, hilador, a.

**filial, e** *a* filial: **les devoirs filiaux** los deberes filiales.

**filiale** *f* filial.

**filiation** *f* filiación.

**filière** *f* **1.** *TECHN (pour métal)* hilera; *(pour vis)* terraja **2.** *FIG* trámites *m pl*, tramitación ◊ **suivre la ~, passer par la ~** *(une personne)* ascender en el escalafón **3. ~ clandestine** red clandestina.

**filiforme** *a* filiforme.

**filigrane** *m* filigrana *f* ◊ **lire en ~** leer entre líneas.

**filigrané, e** *a* afiligranado, a.

**filin** *m MAR* beta *f*, cabo.

**fille** *f* **1.** *(relation de parenté)* hija: **ma ~ cadette** mi hija menor; **~ aînée** hija mayor ◊ **~ de la Charité** hija de la Caridad; *FIG* **jouer la ~ de l'air** tomar el portante, escabullirse **2.** *(célibataire)* soltera: **~ mère** madre soltera ◊ **vieille ~** solterona; **rester vieille ~** quedarse para vestir imágenes **3.** *(jeune femme)* chica, muchacha, joven: **les filles et les garçons** las chicas y los chicos; **une jolie ~** una chica bonita ◊ **petite ~** niña, chiquilla; **une jeune ~** una joven; **courir les filles → courir 4. ~ de joie, des rues, perdue, publique** mujerzuela, mujer de mala vida, mujer pública, ramera **5.** *(employée)* **~ d'auberge** moza de mesón; **~ de salle** muchacha de servicio.

**fillette** *f* **1.** niña, chiquilla **2.** *FAM (bouteille)* media botella.

**filleul, e** *s* ahijado, a.

**film** *m* **1.** película *f*, film, filme: **un ~ d'aventures** una película de aventuras; **~ muet, parlant** película muda, sonora; **tourner un ~** rodar una película **2.** *(couche)* capa *f*.

**filmage** *m* rodaje, filmación *f*.

**filmer** *vt* filmar, rodar.

**filmographie** *f* filmografía.

**filmologie** *f* filmología.

**filmothèque** *f* colección de microfilmes.

**filon** *m* **1.** filón, veta *f* **2.** FIG filón, mina *f*, ganga *f*.

**filoselle** [filɔzɛl] *f* filadiz *m*.

**filou** *m* ratero, timador.

**filouter** *vt* FAM hurtar con habilidad, timar, petardear.

**filouterie** *f* ratería, timo *m*.

**fils** [fis] *m* **1.** hijo: **~ aîné** hijo mayor; **~ unique** hijo único **2.** FAM **~ à papa** hijo de papá, señorito **3. il est le ~ de ses œuvres** es hijo de sus obras, es un «self-made-man» **4. le Fils de Dieu** el Hijo de Dios. ◇ *pl* **les ~ d'Adam** los hijos de Adán.

**filtrage** *m* filtración *f*, filtrado.

**filtrant, e** *a* filtrante.

**filtration** *f* filtración.

**filtre** *m* filtro: **~ à air** filtro de aire.

**filtrer** *vt* filtrar. ◇ *vi* filtrarse: **le soleil filtrait à travers le feuillage** el sol se filtraba a través de las hojas.

[1]**fin** *f* **1.** *(terme)* fin *m*, final *m*, término *m*: **la ~ du monde** el fin del mundo; **à la ~ de la réunion** al término de la reunión; **à la ~ de la semaine** a fines de semana; **~ mai** a fines de mayo; **mener une affaire à bonne ~** llevar un asunto a (buen) término; **mettre ~ à** poner término a, acabar con; **mettre ~ à ses jours** poner término a sus días, quitarse la vida, suicidarse; **tout a une ~** todo tiene término ◊ **en ~ d'après-midi** a última hora de la tarde; **le délai prend ~** el plazo finaliza, se termina; **le récit touchait à sa ~** el relato se estaba acabando; **le malade était près de la ~** el enfermo estaba en las últimas; **avoir des fins de mois difficiles → mois**; FAM **c'est la ~ de tout!, des haricots!** ¡(esto) es el acabóse! **2.** *loc adv* **à la ~** al fin; FAM **ça suffit à la ~!** ¡ya basta!; **qu'est-ce que tu veux à la ~?** pero, bueno, ¿qué quieres?; **en ~ de compte** al fin y al cabo, en resumidas cuentas, en fin de cuentas; **sans ~** sin fin **3.** *(but)* fin *m*, finalidad: **la ~ justifie les moyens** el fin justifica los medios; **à quelle ~?**, ¿con qué fin?; **il parviendra à ses fins** logrará sus fines, se saldrá con la suya **4.** JUR **~ de non-recevoir** desestimación, recusación de una demanda **5.** *loc adv* **à cette ~** con este fin, con esta finalidad; **à toutes fins utiles** por si hace falta, por si hiciera falta, a todos sus efectos. ◇ *pl (théologie)* **les fins dernières** las postrimerías, el destino final del hombre.

[2]**fin, e** *a* **1.** fino, a: **sable ~** arena fina; **fines herbes** hierbas finas ◊ **avoir l'ouïe fine** tener el oído muy fino; **vins fins** vinos selectos. **2. un ~ diplomate** un diplomático muy hábil, sagaz; **une fine cuisinière** una excelente cocinera **3. le ~ fond → fond** **4.** FAM **c'est ~!** ¡vaya una gracia!; **j'avais l'air ~** me quedé lucido. ◇ *m* **le ~ du ~** lo mejor de lo mejor. ◇ *adv* **1.** finamente: **moudre ~** moler finamente **2. être ~ prêt** estar listo.

**final, e** *a* final: **point ~** punto final; FIG **mettre un point ~ à** poner punto final a. ◇ *f* **la finale de football** la final de fútbol; **quart de finale** cuarto de final. ◇ *m* **le ~ d'un opéra** el final de una ópera.

▶ El adjetivo masculino plural se escribe *finals* o *finaux*; el sustantivo con sentido musical se escribe *le final* o *le finale*.

**finalement** *adv* finalmente.

**finaliste** *a/s* finalista.

**finalité** *f* finalidad.

**finance** *f* mundo *m* financiero, banca ◊ **moyennant ~** con dinero contante. ◇ *pl* **1.** *(publiques)* hacienda *sing*: **ministre, inspecteur des Finances** ministro, inspector de Hacienda **2.** *(argent)* dinero *m sing*, fondos *m*: **mes finances vont mal** estoy mal de fondos.

**financement** *m* financiación *f*: **le ~ des partis politiques** la financiación de los partidos políticos.

**financer*** *vt* financiar, costear: **~ une campagne électorale** financiar una campaña electoral.

**financier, ère** *a* financiero, a: **le marché ~** el mercado financiero. ◇ *m* financiero, hacendista.

**financièrement** *adv* FAM pecuniariamente.

**finasser** *vi* trapacear, usar subterfugios.

**finasserie** *f* trapacería.

**finaud, e** *a/s* ladino, a, astuto, a.

**finauderie** *f* astucia.

**fine** *f* **1.** *(eau-de-vie)* aguardiente *m* de calidad **2. ~ champagne** coñac *m*.

**finesse** *f* **1.** *(minceur)* delgadez, finura **2.** *(délicatesse)* fineza, finura, delicadeza **3.** *(sveltesse)* esbeltez **4.** *(de l'ouïe, de la vue)* agudeza **5.** FIG *(subtilité)* sutileza, agudeza: **les finesses de la langue** las sutilezas del idioma **6.** FIG *(ruse)* ardid *m*, triquiñuela.

**finette** *f* muletón *m*.

**fini, e** *a* **1.** *(terminé)* acabado, a, terminado, a, concluido, a ◊ **c'est ~!** ¡se acabó! **2.** *(limité)* limitado, a **3.** *(parfait)* perfecto, a, acabado, a **4.** FAM rematado, a, consumado, a: **c'est un flemmard ~** es un consumado gandul **5.** FIG acabado, a, arruinado, a, quemado, a: **un homme ~** un hombre acabado. ◇ *m (finition)* acabado, última mano *f*.

**finir** *vt* acabar, terminar. ◇ *vi* **1.** acabar, finalizar, terminar, concluir: **je ne sais pas comment ça va ~** no sé cómo acabará esto; **ça devait ~ comme ça** así tenía que terminar; **finies les vacances!** ¡se acabaron las vacaciones! **2.** *(mourir)* morir: **il a fini dans la misère** ha muerto en la miseria **3. pour en ~ avec cette affaire** para acabar con este asunto; **finis-en une fois pour toutes!** ¡acaba de una vez!; **on n'en finira jamais** esto es el cuento de nunca acabar ◊ **des discussions à n'en plus ~** discusiones interminables, de nunca acabar **4. nous avons fini par aller à...** hemos terminado yendo a...; **il a fini par accepter** ha terminado, ha concluido por aceptar; **il finira par céder** acabará cediendo.

**finish** [finiʃ] *m* último esfuerzo ◊ **au ~** por abandono.

**finissage** *m* última mano *f*, acabado, remate.

**finissant, e** *a* que (se) acaba.

**finition** *f* última mano, acabado *m*, remate *m*.

**finlandais, e** *a/s* finlandés, esa.

**Finlande** *np f* Finlandia.

**finnois, e** *a/s* finés, esa.

**fiole** *f* **1.** *(flacon)* frasquito *m* **2.** FAM *(visage)* cara ◊ **se payer la ~ de quelqu'un** tomarle el pelo a alguien.

**fiord → fjord.**

**fioriture** *f* **1.** floritura **2.** *(à une signature)* ringorrango *m*.

**fioul → fuel.**

**firmament** *m* firmamento.

**firme** *f* firma.

**Firmin** *np m* Fermín.

**fis → faire.**

**fisc** *m* fisco.

**fiscal, e** *a* tributario, a, fiscal: **politique, réforme fiscale** política, reforma tributaria, fiscal; **paradis fiscaux** paraísos fiscales.

**fiscalisation** *f* tributación, fiscalización.

**fiscaliser** *vt* tributar, fiscalizar.

**fiscalité** *f* sistema *m* tributario, régimen *m* tributario.

**fissible** *a* físil, fisible.

**fissile** *a* físil.

**fission** *f* PHYS fisión: **la ~ d'un noyau d'uranium** la fisión de un núcleo de uranio.

**fissuration** *f* fisura.

**fissure** *f* **1.** *(fente)* grieta, hendidura, raja **2.** GÉOL fisura **3.** FIG *(faille)* fisura, fallo *m*.

**fissurer** *vt* agrietar, hender. ◆ **se ~** *vpr* agrietarse.

**fiston** *m* FAM hijito, chaval.

**fistule** *f* MÉD fístula.

**fistuleux, euse** *a* MÉD fistuloso, a.

**fivète** *f* BIOL fecundación asistida.

**fixage** *m* **1.** *(action)* fijación **2.** *(résultat)* fijado *m*.

**fixateur** *m* **1.** fijador **2.** *(pour les cheveux)* fijador, fijapelo.

**fixatif** *m* fijador, fijativo.

**fixation** *f* **1.** fijación **2. skis avec fixations de sécurité** esquíes con fijaciones de seguridad **3.** *(psychanalyse)* fijación.

**fixe** *a* fijo, a: **prix ~** precio fijo ◇ **idée ~** idea fija, obsesión. ◇ *m (salaire)* sueldo fijo. ◇ *interj* MIL ¡firmes!

**fixement** *adv* fijamente: **regarder quelqu'un ~** mirar fijamente a alguien.

**fixer** *vt* **1.** *(attacher)* fijar **2. ~ son attention** fijar su atención; **~ quelqu'un des yeux** mirar fijamente, de hito en hito a alguien **3.** *(une date, une heure)* fijar, determinar: **sans ~ de date** sin fijar fecha ◊ **~ un rendez-vous à quelqu'un** dar una cita, citar a alguien; **dans les délais fixés** en los plazos acordados **4. ~ son choix** decidirse, escoger; **je ne suis pas encore très fixé** no me he decidido todavía **5.** *(informer)* informar ◊ **nous voici fixés sur son compte!** ¡ya sabemos a qué atenernos con él! ◆ **se ~** *vpr* **1.** *(s'établir)* establecerse, fijarse, radicarse **2.** *(se stabiliser)* asentarse, estabilizarse **3. se ~ un objectif** proponerse alcanzar un objetivo.

**fixisme** *m* BIOL fijismo.

**fixiste** *a* fijista.

**fixité** *f* fijeza: **~ du regard** fijeza de la mirada.

**fjord** [fjɔʀ(d)] *m* fiordo.

**flac!** *interj* ¡paf!

**flaccidité** [flaksidite] *f* flaccidez, flacidez.

**flacon** *m* frasco.

**fla-fla** *m inv* farolería *f*, bambolla *f*, ostentación *f* ◊ **faire du ~** farolear, darse pisto.

**flagada** *a* FAM pachucho, a.

**flagellation** *f* flagelación.

**flagelle** *m* BIOL flagelo.

**flagellé, e** *a/m* BIOL flagelado, a.

**flageller** *vt* flagelar. ◆ **se ~** *vpr* flagelarse.

**flageoler** [flaʒɔle] *vi* flaquear, vacilar, temblar: **j'ai les jambes qui flageolent** me flaquean las piernas; **jambes flageolantes** piernas que tiemblan.

[1]**flageolet** [flaʒɔlɛ] *m* MUS chirimía *f*, flautín.

[2]**flageolet** *m (haricot)* frijol, fréjol.

**flagorner** *vt* adular, lisonjear, incensar.

**flagornerie** *f* adulación, lisonja.

**flagorneur, euse** *a/s* adulón, ona, zalamero, a.

**flagrant, e** *a* flagrante ◊ **en ~ délit** in fraganti, en flagrante delito.

**flair** *m* **1.** olfato: **il a du ~** tiene (buen) olfato **2.** FIG olfato, «flair».

**flairer** *vt* **1.** olfatear, husmear **2.** FIG oler, presentir: **il flaira le danger** presintió el peligro.

**flamand, e** *a/s* flamenco, a.

**flamant** *m (oiseau)* flamenco.

**flambage** *m* flameado.

**flambant, e** *a* **1.** llameante **2.** FIG flamante: **une voiture flambante, ~ neuve** un coche flamante.

**flambard, flambart** *m* FAM **faire le ~** fanfarronear, baladronear.

**flambeau** *m* **1.** *(torche)* antorcha *f*, hacha *f*: **une retraite aux flambeaux** un desfile con antorchas **2.** *(chandelier)* candelero, candelabro **3.** FIG **le ~ de la liberté** la antorcha de la libertad; **reprendre le ~** recoger la antorcha.

**flambée** *f* **1.** fogata, llamarada **2.** FIG ola, brote *m*: **une ~ de violence** una ola de violencia ◊ **la ~ des prix** el disparo de los precios, el alza súbita de los precios.

**flamber** *vt* **1.** chamuscar: **~ un poulet** chamuscar un pollo **2.** flamear: **bananes flambées** plátanos flameados **3.** MÉD flamear **4.** FAM *(gaspiller)* fumarse, derrochar, despilfarrar: **il a flambé son héritage** se ha fumado la herencia **5.** FAM **être flambé** estar perdido, arruinado. ◇ *vi* **1.** arder, quemarse: **la maison était en train de ~** la casa estaba ardiendo **2.** *(les prix)* dispararse.

**flamberge** *f* tizona, espada ◊ **mettre ~ au vent** desenvainar la espada.

**flamboiement** [flɑ̃bwamɑ̃] *m* resplandor, brillo.

**flamboyant, e** [flɑ̃bwajɑ̃, ɑ̃t] *a* **1.** llameante **2.** *(brillant)* resplandeciente, brillante **3.** ARCH **gothique ~** gótico flamígero. ◇ *m (arbre)* framboyán, ceibo.

**flamboyer*** [flɑ̃bwaje] *vi* **1.** *(jeter des flammes)* llamear **2.** *(briller)* resplandecer, brillar.

**flamenco** *a/m* **chant ~** cante flamenco; **guitare ~** guitarra flamenca.

**flamiche** *f* tarta de puerros.

**flamine** *m* flamen.

**flamingant, e** *a* de habla flamenca. ◇ *s* nacionalista flamenco, nacionalista flamenca.

**flamme** *f* **1.** llama **2.** FIG llama, ardor *m*, pasión: **déclarer sa ~** declarar su pasión **3.** *(pavillon)* gallardete *m*, banderín *m*, grímpola. ◇ *pl* **1.** fuego *m*: **condamner aux flammes** condenar al fuego **2. l'avion est tombé en flammes** el avión cayó envuelto en llamas **3.** FIG **retour de ~** contragolpe, efecto bumerang.

**flammèche** *f* pavesa, chispa.

**flan** *m* **1.** *(gâteau)* flan **2.** POP **c'est un travail à la ~** es un trabajo mal hecho, chapuceado; **une histoire à la ~** un camelo; **ils en sont restés comme deux ronds de ~** quedaron patidifusos, patitiesos, con la boca abierta, de una pieza.

**flanc** *m* **1.** *(d'une personne)* costado ◊ FIG **il est sur le ~** *(alité)* está en cama, *(épuisé)* está rendido; **mettre sur le ~** rendir, dejar hecho polvo; **se battre les flancs** deslomarse, desriñonarse por nada; FAM **il tire au ~** escurre el bulto **2.** *(d'un animal)* ijada *f*, ijar **3.** *(d'un objet)* costado, flanco **4.** *(d'une montagne)* ladera *f*, falda *f*: **à ~ de colline** en la falda de la colina **5.** MIL flanco **6.** FIG **prêter le ~ à la critique** dar pie a la crítica.

**flancher** *vi* flaquear, ceder, fallar: **il est en train de ~** está flaqueando; **j'ai la mémoire qui flanche** me falla la memoria.

**flanchet** *m (de bœuf)* falda *f*.

**Flandre** *np f sing*, **Flandres** *np f pl* Flandes *m sing*.

**flandrin** *m* FAM **grand ~** hombre larguirucho.

**flanelle** *f* franela.

**flâner** *vi* errar, vagar, callejear: **ils flânent dans les rues** van errando por las calles.

**flânerie** *f* callejeo *m*, paseo *m*.

**flâneur, euse** *s* paseante.

**flanquer** *vt* **1.** flanquear **2. être flanqué de deux gardes du corps** estar escoltado por dos guardaespaldas **3.** FAM **~ à la porte** echar a la calle **4.** FAM **~ un coup** arrear, largar, asestar, atizar, propinar un golpe; **il lui flanqua une gifle** le atizó un bofetón; **~ la frousse à quelqu'un** dar miedo a alguien. ◆ **se ~** *vpr* FAM **se ~ par terre** caerse, darse un porrazo.

**flapi, e** *a* FAM reventado, a.

**flaque** *f* charco *m*.

**flash** [flaʃ] *m* flash: **~ incorporé** flash incorporado; **~ d'information** flash informativo.

**flash-back** [flaʃbak] *m* flash back.

**flasher** *vi* FAM **je flashe sur...** me flipa...

[1]**flasque** *a* **1.** fofo, a, flojo, a, lacio, a, fláccido, a: **chair ~** carne fofa **2.** FIG *(personne)* blanducho, a, blandengue.

[2]**flasque** *m (enjoliveur)* tapacubos.

[3]**flasque** *f (flacon)* frasquito *m.*

**flatter** *vt* **1.** *(louer)* halagar, lisonjear, adular **2.** *(caresser)* acariciar **3.** *(plaire)* agradar, deleitar: **~ l'oreille, le palais** deleitar el oído, el paladar **4.** *(embellir)* favorecer, embellecer: **cette coiffure te flatte** este peinado te favorece. ◆ **se ~** *vpr* jactarse, preciarse: **il se flatte de tout comprendre** se jacta de comprenderlo todo.

**flatterie** *f* halago *m,* adulación, lisonja.

**flatteur, euse** *a* halagüeño, a, lisonjero, a, zalamero, a: **des mots flatteurs** palabras halagüeñas. ◇ *s* adulador, a, zalamero, a.

**flatulence** *f* flatulencia.

**flatulent, e** *a* flatulento, a.

**flatuosité** *f* flato *m.*

**fléau** *m* **1.** AGR mayal **2.** *(de balance)* astil **3.** FIG azote, plaga *f,* peste *f,* calamidad *f,* lacra *f:* **les fléaux du Moyen Âge** las plagas de la Edad Media; **cet homme est un ~!** ¡este hombre es un azote!; **le ~ du terrorisme** la lacra del terrorismo; **Attila, le ~ de Dieu** Atila, el azote de Dios.

**fléchage** *m* señalización *f* por flechas.

**flèche** *f* **1.** flecha, saeta ◊ FIG **faire ~ de tout bois** echar mano de todo, poner toda la carne en el asador; **elle fila comme une ~** salió disparada, como una flecha, pitando; **monter en ~** subir rápidamente, *(les prix)* dispararse: **le prix des appartements est monté en ~** el precio de los pisos se ha disparado **2.** *(signalisation)* flecha **3. ~ de sable** faja de arena **4.** *(de clocher)* aguja **5.** *(d'une grue)* aguilón *m* **6.** *(attelage)* **en ~** de reata.

**flécher** *vt* señalizar por flechas.

**fléchette** *f* dardo *m.*

**fléchir** *vt* **1.** doblar, doblegar, flexionar: **~ le genou** doblar la rodilla; **les genoux légèrement fléchis** las rodillas ligeramente flexionadas **2.** FIG ablandar: **il n'a pas pu ~ son père** no pudo ablandar a su padre; **se laisser ~** dejarse ablandar. ◇ *vi* **1.** doblarse, doblegarse: **la poutre commence à ~** la viga empieza a doblarse **2.** FIG flaquear, flojear, ceder: **sa colère fléchissait** su cólera iba cediendo **3.** FIG bajar: **le cours de l'or va ~** la cotización del oro va a bajar.

**fléchissement** *m* **1.** *(du corps)* flexión *f* **2.** FIG ablandamiento **3.** *(en Bourse)* baja *f.*

**fléchisseur** *a/s* flexor.

**flegmatique** *a* flemático, a, imperturbable.

**flegmatiquement** *adv* imperturbablemente.

**flegme** *m* flema *f.*

**flegmon** *m* MÉD flemón.

**flemmard, e** *a/s* FAM gandul, a, vago, a, holgazán, ana.

**flemmarder** *vi* FAM gandulear, no dar golpe, haraganear.

**flemme** [flɛm] *f* FAM gandulería, pereza, galbana: **j'ai la ~ de sortir** me da pereza salir ◊ **tirer sa ~** haraganear, no dar golpe, gandulear.

**flétan** *m* rodaballo.

**flétri, e** *a* **1.** *(fleur)* marchito, a **2.** *(teint, tissu)* ajado, a.

**flétrir** *vt* **1.** *(fleur, teint)* marchitar, ajar **2.** FIG mancillar, manchar: **~ une réputation** mancillar una reputación **3.** FIG *(réprouver)* condenar, reprobar. ◆ **se ~** *vpr* ajarse, marchitarse.

**flétrissure** *f* **1.** marchitez, ajamiento *m* **2.** FIG mancha, mancilla.

**fleur** *f* **1.** flor: **bouquet de fleurs** ramo de flores; **fleurs des champs** flores silvestres; **en ~** en flor; **tissu à fleurs** tela estampada con flores **2.** FIG **couvrir quelqu'un de fleurs** echar flores a alguien **3. ~ de lis** flor de lis; **~ d'oranger** azahar *m* **4.** FIG **à la ~ de l'âge** en la flor de la edad **5.** FAM **comme une ~** muy fácilmente **6.** FAM **je lui ai fait une ~** le he hecho un favor **7. la fine ~** la flor y nata **8.** *loc prép* **à ~ de peau** a flor de piel; **yeux à ~ de tête** ojos saltones. ◇ *a* FAM **~ bleue** sentimental: **il est très ~ bleue** es muy sentimental, romántico.

**fleurdelisé, e** *a* flordelisado, a.

**fleurer** *vi* oler, despedir olor a: **ça fleure bon le thym** huele a tomillo.

**fleuret** *m* florete.

**fleurette** *f* **1.** florecilla **2.** FIG **conter ~ à une femme** requebrar, galantear, cortejar a una mujer.

**fleuri, e** *a* **1.** florido, a: **un balcon ~** un balcón florido **2.** *(teint)* lozano, a, fresco, a **3.** FIG **style ~** estilo florido.

**fleurir** *vt* adornar con flores, florear. ◇ *vi* **1.** *(être en fleur)* florecer: **ces rosiers fleurissent au printemps** estos rosales florecen en primavera **2.** FIG estar floreciente, prosperar, florecer.

**fleuriste** *s* **1.** *(jardinier)* floricultor, a **2.** *(vendeur)* florista **3.** *(magasin)* floristería *f:* **chez le ~** en la floristería.

**fleuron** *m* **1.** florón **2.** FIG florón.

**fleuve** *m* **1.** río **2.** FIG río: **un ~ de sang** un río de sangre **3. roman-~** novelón.

**flexibilité** *f* flexibilidad.

**flexible** *a* flexible ◊ **horaire ~** horario flexible. ◇ *m (tuyau)* flexible.

**flexion** *f* flexión.

**flexionnel, elle** *a* GRAM flexional.

**flibuste** *f* filibusterismo *m.*

**flibusterie** *f* filibusterismo *m.*

**flibustier** *m* **1.** filibustero **2.** FIG *(voleur)* ladrón, estafador, bandido.

**flicard** *m* POP policía, poli.

**flic** *m* POP policía, poli: **un flic** un poli ◊ **vingt-deux, voilà les flics!** ¡leche, la poli!, ¡la bofia!, ¡la pasma!

**flingue** *m* POP *(fusil)* chopo, *(revolver)* pistola *f.*

**flinguer** *vt* POP matar a tiros. ◆ **se ~** *vpr* pegarse un tiro.

[1]**flipper** [flipœR] *m (jeu)* flipper.

[2]**flipper** *vi* FAM *(être en état de manque, dépressif)* estar amuermado, a.

**flirt** [flœRt] *m* **1.** flirteo, flirt, coqueteo **2.** *(personne)* plan, flirt.

**flirter** [flœRte] *vi* flirtear, coquetear.

**flirteur, euse** [flœRtœR, øz] *a/s* galanteador, a.

**floc!** *interj* ¡plaf!

**flocon** *m* **1.** copo: **~ de neige, d'avoine** copo de nieve, de avena **2.** *(de laine)* vedija *f.*

**floconner** *vi* formar copos.

**floconneux, euse** *a* **1.** *(aspect)* en copos **2.** *(consistance)* con consistencia de copo.

**floculation** *f* CHIM floculación.

**flonflons** *m pl* chinchín *sing,* tatachín *sing:* **les ~ de la fête** el chinchín de la fiesta.

**flop** *m* FAM *(échec)* fracaso ◊ **faire un ~** fracasar.

**flopée** *f* POP montón *m,* caterva: **une ~ d'enfants** un montón de niños.

**floraison** *f* floración, florescencia.

**floral, e** *a* floral: **jeux floraux** juegos florales.

**floralies** *f pl* exposición *sing* de flores.

**flore** *f* **1.** flora **2.** *MÉD* **~ intestinale** flora intestinal.

**floréal** *m* floreal.

**Florence** *np f* Florencia.

**Florent** *np m* Florencio.

**florentin, e** *a/s* florentino, a.

**florès** [flɔʀɛs] *m* **faire ~** tener gran éxito, brillar en sociedad.

**floriculture** *f* floricultura.

**Floride** *np f* **la ~** Florida.

**florifère** *a* florífero, a.

**florilège** *m* florilegio.

**florin** *m* florín.

**florissant, e** *a* **1.** *(prospère)* floreciente, próspero, a, boyante: **une affaire florissante** un boyante negocio **2. santé florissante** salud muy buena; **une mine florissante** una cara resplandeciente.

**flot** *m* **1.** ola *f*, oleada *f* ◊ **les flots** el mar **2.** *(marée montante)* marea *f* ascendente, flujo **3.** *FIG* **~ de lumière** chorro de luz; **~ d'injures** torrente de injurias. ◊ **à flots** a mares, a chorros, a raudales **4. à ~** a flote: **remettre à ~** sacar a flote.

**flottabilité** *f* flotabilidad.

**flottable** *a* flotable.

**flottage** *m* transporte de maderas a flote.

**flottaison** *f MAR* flotación: **ligne de ~** línea de flotación.

**flottant, e** *a* **1.** flotante: **côtes flottantes** costillas flotantes **2.** *(vêtement)* con vuelo, amplio, a **3.** *(indécis)* fluctuante, indeciso, a **4.** *ÉCON* flotante: **dette flottante** deuda flotante. ◇ *m* short amplio.

**flotte** *f* **1.** flota: **~ aérienne** flota aérea **2.** *MAR* flota, armada: **la ~ de commerce, de guerre** la flota mercante, de guerra **3.** *FAM (eau)* agua, *(pluie)* lluvia.
▶ Sens 2: *armada*, ensemble des forces navales d'un pays.

**flottement** *m* **1.** flotación *f*, flotamiento **2.** *(indécision)* vacilación *f*, fluctuación *f*: **un moment de ~** un momento de vacilación **3.** *(monnaies)* flotación *f*, fluctuación *f*.

**flotter** *vi* **1.** flotar **2.** *(dans l'air)* flotar, ondear: **sa chevelure flottait au vent** su cabellera ondeaba en el viento **3.** *(hésiter)* vacilar, fluctuar **4.** *(monnaies)* flotar **5.** *FAM (pleuvoir)* llover: **il a flotté toute la journée** ha llovido todo el día.

**flotteur** *m* **1.** *(d'hydravion, etc.)* flotador **2.** *(de ligne de pêche)* boya *f*, flotador.

**flottille** *f* flotilla.

**flou, e** *a* **1.** vago, a, borroso, a: **des contours flous** contornos borrosos **2.** *(photographie)* movido, a **3.** *(non ajusté)* vaporoso, a: **une robe floue** un vestido vaporoso **4.** *FIG* impreciso, a, confuso, a, vago, a: **des idées floues** ideas imprecisas.

**flouer** *vt FAM* estafar, timar, engañar.

**flouse, flouze** *m POP (argent)* tela *f*, quita *f*, parné.

**fluctuant, e** *a* fluctuante.

**fluctuation** *f* fluctuación.

**fluctuer** *vi* fluctuar.

**fluet, fluette** *a* **1.** *(menu)* delgado, a, endeble **2. voix fluette** voz débil.

**fluide** *a* **1.** fluido, a **2.** *FIG (style, etc.)* fluido, a **3.** *(la circulation routière)* fluido, a. ◇ *m* fluido.

**fluidifier*** *vt* fluidificar.

**fluidité** *f* fluidez.

**fluor** *m* flúor.

**fluorescence** *f* fluorescencia.

**fluorescent, e** *a* fluorescente.

**fluorine** *f* fluorina, fluorita.

**fluorure** *m CHIM* fluoruro.

**flûte** *f* **1.** flauta: **~ douce, à bec** flauta dulce; **~ traversière** flauta travesera; **jouer de la ~** tocar la flauta; **la Flûte enchantée de Mozart** la Flauta mágica de Mozart ◊ **~ de Pan** flauta de Pan, zampoña **2.** *(verre)* copa: **~ de champagne** copa de champaña **3.** *(pain)* barra de pan muy delgada. ◇ *pl FAM* **jouer des flûtes** pirárselas. ◇ *interj FAM* ¡caramba!, ¡caracoles!, ¡cáspita!, ¡mecachis!

**flûté, e** *a* **voix flûtée** voz aflautada.

**flûteau, flûtiau** *m* flautilla *f*, caramillo.

**flûtiste** *s* flautista.

**fluvial, e** *a* fluvial: **ports fluviaux** puertos fluviales.

**fluviatile** *a* fluviátil.

**flux** [fly] *m* flujo.

**fluxion** *f* fluxión ◊ **~ de poitrine** fluxión de pecho, neumonía.

**foc** [fɔk] *m MAR* foque ◊ **petit ~** petifoque.

**focal, e** *a/f PHYS* focal: **distance focale** distancia focal.

**focaliser** *vt* focalizar.

**foëne, foène** [fwɛn] *f* fisga, arpón *m*.

**fœtal, e** [fetal] *a* fetal.

**fœtus** [fetys] *m* feto.

**fofolle → fou.**

**foi** *f* **1.** fe: **bonne, mauvaise ~** buena, mala fe; **avoir ~ en quelqu'un** tener fe en alguien ◊ **une personne digne de ~** una persona digna de confianza; **un témoignage digne de ~** un testimonio fidedigno; **ajouter ~ à** dar crédito a; **il est de bonne ~** es sincero; **j'ai ~ en lui** tengo fe, confianza en él **2.** *RELIG* fe: **acte de ~** acto de fe; **la ~ transporte, soulève les montagnes** la fe mueve montañas ◊ **n'avoir ni ~ ni loi** no temer ni a Dios ni al diablo, no respetar ni rey ni Roque **3.** *loc adv* **ma ~, par ma ~** a fe mía; **en toute bonne ~** con toda franqueza; **sous la ~ du serment** bajo juramento.

**foie** *m* **1.** hígado **2. ~ gras** «foie gras» **3.** *POP* **avoir les foies** tener canguelo, tener mieditis.
▶ *Foie-gras* se prononce (et s'écrit parfois) «fuagrás» en espagnol. Voir l'article «pâté» dans la partie français-espagnol.

**foin** *m* **1.** heno ◊ **rhume des foins** rinitis *f* alérgica, coriza *f* **2.** *(d'artichaut)* pelusa *f* **3.** *FAM* **avoir du ~ dans ses bottes** tener el riñón bien cubierto, estar forrado, a; **faire du ~** armar jaleo, armar la de Dios es Cristo. ◇ *interj* **~ de...** basta de..., al diablo con...

**foirail** [fwaraj] *m* ferial.

**foire** *f* **1.** feria: **~-exposition** feria de muestras ◊ **champ de ~** ferial *m* **2.** *FIG* **~ d'empoigne** merienda de negros, puerto *m* de arrebatacapas **3.** *FAM* tumulto *m* , confusión **4.** *POP* jolgorio *m*, juerga ◊ **faire la ~** ir de juerga, jaranear **5.** *POP (diarrhée)* cagalera.

**foirer** *vi* **1.** *(une vis)* pasarse de rosca **2.** *(fusée)* fallar **3.** *FAM (échouer)* fallar, fracasar, joderse: **sa tentative a foiré** su tentativa ha fracasado; **tout a foiré** se ha jodido todo.

**foireux, euse** *a FAM* que fracasa: **projet ~** proyecto que fracasa.

**fois** *f* **1.** vez: **une ~ par an** una vez al año; **trois ~ de suite** tres veces seguidas; **il était une ~** érase una vez; **c'est bon pour cette ~!** ¡pase por esta vez!; **en plusieurs ~** en veces; **y regarder à deux ~** pensarlo dos veces; **pour la première ~ de ma vie** por primera vez en mi vida; **pour la dernière ~** por última vez; **pour la énième ~** por enésima vez; **pour une ~, tu as raison** por una vez tienes razón **2. deux ~ deux font quatre** dos por dos son cuatro **3.** *loc adv* **à la ~** a la vez, a un tiempo; **bien des ~, maintes ~** muchas veces; **encore une ~, une ~ de plus** una vez más, otra vez; **en une seule ~** de una (sola) vez; **une autre ~...**

la próxima vez...; **une ~ pour toutes, une bonne ~** de una vez, de una vez para siempre, de una vez por todas; *FAM* **des ~** a veces; **non mais des ~!** ¡no faltaba más! **4.** *loc conj* **chaque ~ que** cada vez que, siempre que; **une ~ que tu seras là-bas, tu me téléphoneras** en cuanto estés allí, me telefonearás.

**foison (à)** *loc adv* a porrillo, en abundancia, con profusión.

**foisonnant, e** *a* abundante, copioso, a.

**foisonnement** *m (abondance)* copia *f*, abundancia *f*, proliferación *f*.

**foisonner** *vi* abundar, pulular: **~ de** abundar en.

**fol → fou.**

**folâtre** *a* retozón, ona, juguetón, ona.

**folâtrer** *vi* retozar, juguetear.

**foliation** *f BOT* foliación.

**folichon, onne** *a* **1.** alegre **2. pas ~** nada divertido: **cette lecture n'est pas très folichonne** esta lectura no es nada divertida.

**folie** *f* **1.** locura: **un coup de ~** un acceso, un ataque de locura; **commettre des folies** cometer locuras; **c'est de la ~** es una locura, una aberración **2. la ~ des grandeurs** el delirio, la manía de grandezas **3.** *loc adv* **à la ~** con locura, a rabiar.

**folié, e** *a BOT* foliado, a.

**folio** *m* folio: **in-~** en folio.

**foliole** *f BOT* folíolo *m*.

**folioter** *vt* foliar, paginar.

**folklore** *m* foklore, folclore.

**folklorique** *a* folklórico, a, folclórico, a.

**folkloriste** *s* folklorista, folclorista.

**folle → fou.**

**follement** *adv* locamente, muy: **~ amoureux** locamente enamorado.

**follet, ette** *a* **1.** locuelo, a, alocado, a **2. feu ~** fuego fatuo **3. poil ~** bozo, vello.

**folliculaire** *m* foliculario.

**follicule** *m ANAT* folículo.

**folliculine** *f BIOL* foliculina.

**fomentateur, trice** *a/s* fomentador, a.

**fomenter** *vt* fomentar, promover: **~ une rébellion** fomentar una rebelión.

**foncé, e** *a* oscuro, a: **vert ~** verde oscuro.

**foncer*** *vt (une couleur)* oscurecer. ◇ *vi* **1.** *(devenir foncé)* oscurecer **2. ~ sur quelqu'un** arremeter contra, abalanzarse sobre alguien **3.** *FIG* correr, volar, ir volando: **je fonce à la mairie** voy volando al ayuntamiento; **~ dans le brouillard → brouillard.**

**fonceur, euse** *a/s FAM* dinámico, a, de rompe y rasga.

**foncier, ère** *a* **1.** relativo, a a las haciendas, a los bienes raíces ◊ **propriété foncière** finca agrícola, bienes *m pl* raíces; **propriétaire ~** terrateniente, hacendado **2. crédit ~** crédito hipotecario **3.** *FIG (inné)* congénito, a, innato, a **4.** *FIG* fundamental, básico, a.

**foncièrement** *adv* profundamente, fundamentalmente ◊ **une personne ~ honnête** una persona honrada a carta cabal.

**fonction** *f* **1.** función, cargo *m*, empleo *m*: **exercer une ~** ejercer una función; **la ~ publique** la función pública; **se démettre de ses fonctions** cesar en su cargo; **entrer en fonctions** entrar en funciones, tomar posesión de un cargo, de un empleo; **prise de ~** toma de posesión; **en ~** en activo ◊ **il fait ~ de juge** hace las veces de juez; **voiture de ~** coche oficial, coche de servicio **2.** *BIOL, CHIM, MATH* función **3.** *FIG* **être ~ de** depender de **4.** *loc prép* **en ~ de** en función de, con arreglo a.

**fonctionnaire** *s* funcionario, a ◊ **haut ~** alto cargo.

**fonctionnarisation** *f* asimilación a los funcionarios.

**fonctionnariser** *vt* asimilar a los funcionarios.

**fonctionnarisme** *m* funcionarismo.

**fonctionnel, elle** *a* funcional.

**fonctionnement** *m* funcionamiento.

**fonctionner** *vi* funcionar.

**fond** *m* **1.** fondo: **le ~ d'un puits, d'une bouteille** el fondo de un pozo, de una botella; **valise à double ~** maleta de doble fondo; **au ~ du couloir** al fondo, en el fondo del pasillo; **~ sonore** fondo sonoro; **toucher le ~** tocar fondo; **au fin ~ de la Sibérie** en un lugar muy lejano de Siberia **2.** *(d'un pantalon)* fondillos *pl* **3. ~ de teint** maquillaje de fondo, crema *f* de base **4.** *MAR* **envoyer un bateau par le ~** echar un barco a pique; **les grands fonds** los abismos marinos; **à ~ de cale → cale 5.** *THÉÂT (de la scène)* foro **6.** *FIG (l'essentiel)* fondo ◊ **le fin ~ de l'affaire** lo más intrincado del asunto; **aller au ~ des choses** profundizar las cosas, analizar a fondo las cosas **7.** *FIG* **cet enfant a un bon ~** este niño tiene un buen fondo **8. article de ~** artículo de fondo **9. course, ski de ~** carrera, esquí de fondo **10.** *loc adv* **à ~** a fondo: **connaître à ~** conocer a fondo; **à ~ de train** a todo correr, a escape, a tope: **rouler à ~** correr a tope; **au ~, dans le ~, il est à plaindre** en el fondo, es digno de compasión: **de ~ en comble** de arriba abajo, enteramente.

**fondamental, e** *a* fundamental, básico, a: **des principes fondamentaux** principios fundamentales.

**fondamentalement** *adv* básicamente.

**fondamentalisme** *m* fundamentalismo.

**fondamentaliste** *a/s* fundamentalista.

**fondant, e** *a* que se funde, que se derrite, que se deshace ◊ **poire fondante** pera de agua. ◇ *m* **1.** *CHIM* fundente **2.** *(bonbon)* dulce, «fondant».

**fondateur, trice** *a/s* fundador, a.

**fondation** *f* fundación. ◇ *pl ARCH* **les fondations** los cimientos.

**fondé, e → fonder.** ◇ *m* **~ de pouvoir** apoderado.

**fondement** *m* **1.** fundamento: **sans ~** sin fundamento **2.** *FAM (anus)* ano. ◇ *pl (bases)* cimientos.

**fonder** *vt* **1.** fundar: **~ un empire, un hôpital** fundar un imperio, un hospital **2.** *FIG* **~ sur** fundar, fundamentar, basar en ◊ **être fondé à dire quelque chose** estar autorizado para decir algo. ◆ **se ~** *vpr* fundarse, basarse, fundamentarse: **se ~ sur une opinion** fundarse en una opinión.

**fonderie** *f* fundición.

**fondeur** *m* fundidor.

**fondre*** *vt* **1.** *(un métal)* fundir **2.** *(sucre, sel)* disolver **3.** *(beurre, neige)* derretir **4.** *(dans un moule)* fundir, vaciar **5.** *(mélanger)* mezclar, fundir. ◇ *vi* **1.** derretirse: **la neige fond au soleil** la nieve se derrite al sol ◊ **faire ~ du beurre** derretir mantequilla **2.** *(dans un liquide)* disolverse, deshacerse **3.** *FAM (maigrir)* adelgazar, consumirse **4.** *FIG* **l'argent fond entre ses mains** el dinero se esfuma, se derrite entre sus manos **5. ~ en larmes** prorrumpir en llanto **6. ~ sur** echarse, abalanzarse sobre: **il fondit sur son adversaire** se abalanzó sobre su adversario. ◆ **se ~** *vpr (se mêler)* fundirse, mezclarse.

**fondrière** *f* hoyo *m* cenagoso, bache *m* fangoso.

**fonds** *m* **1.** *(terre)* fundo, finca *f*, heredad *f* **2.** *COM* comercio, establecimiento ◊ **~ de commerce** negocio, comercio **3.** fondo: **~ commun de placement** fondo de inversión; **~ de pension** fondo de pensiones; **le Fond monétaire international** el Fondo Monetario Internacional ◊ **prêter à ~ perdu** prestar a fondo perdido, sin esperanza de recobrar el dinero **4.** *FIG (d'érudition, etc.)* fondo. ◇ *pl* fondos, capital *sing*: **fonds publics** fondos públicos; **mise de ~** aportación de fondos; **il lui manque les ~** le falta el capital; **je suis en ~** estoy en fondos; **je ne suis pas très en ~** no ando bien de dinero ◊ **rentrer dans ses ~** recobrar su dinero.

[1]**fondu, e** → **fondre.**

[2]**fondu** *m* **1.** *(dessin)* degradación *f*, difuminación *f* **2.** *(cinéma)* fundido: **~ enchaîné** fundido encadenado.

**fondue** *f* «fondue», plato hecho con queso derretido en vino blanco.

**fongible** *a JUR* fungible.

**fongicide** *a/m* fungicida.

**font** → **faire.**

**fontaine** *f* fuente: **~ publique** fuente pública ◊ *PROV* **il ne faut pas dire: «~, je ne boirai pas de ton eau»** nadie diga: «de esta agua no beberé».

**fontanelle** *f ANAT* fontanela.

**fontange** *m ANC* tocado con lazos.

**Fontarabie** *np* Fuentarrabia.

[1]**fonte** *f* **1.** *(fusion)* fundición **2.** *(action de fondre)* derretimiento *m*, fusión ◊ **la ~ des neiges** el deshielo **3.** *(moulage)* fundición, vaciado *m* **4.** *(alliage)* fundición, hierro *m* colado: **un poêle en ~** una estufa de hierro colado **5.** *(imprimerie)* fundición, casta.

[2]**fonte** *f (de pistolet)* pistolera, funda de arzón.

**fonts** [fɔ̃] *m pl* **les ~ baptismaux** la pila bautismal, la fuente bautismal ◊ **tenir un enfant sur les ~ baptismaux** ser el padrino (o la madrina) de un niño.

**foot** [fut] *FAM abrév de* **football.**

**football** [futbol] *m* fútbol, balompié: **match de ~** partido de fútbol; **~ américain** fútbol americano; **~ en salle** fútbol sala.

**footballeur** *m* futbolista.

**footing** [futiŋ] *m* paseo.

**for** *m* fuero: **dans son ~ intérieur** en su fuero interno.

**forage** *m* perforación *f*: **le ~ d'un puits de pétrole** la perforación de un pozo de petróleo; **plateforme de ~** plataforma de perforación.

**forain, e** *a* **1.** de feria: **baraques foraines** barracas de feria **2. fête foraine** feria *f*, verbena *f* **3. marchand ~** feriante, vendedor ambulante. ◇ *m* feriante, vendedor ambulante.

**foraminifères** *m pl ZOOL* foraminíferos.

**forban** *m* **1.** *(pirate)* pirata **2.** *FIG* bandido.

**forçage** *m* activación *f* de la maduración.

**forçat** *m* **1.** presidiario, forzado **2.** *FIG* **travailler comme un ~** trabajar como un burro.

**force** *f* **1.** fuerza: **~ centrifuge** fuerza centrífuga; **la ~ du vent** la fuerza del viento ◊ **être à bout de ~** estar agotado, a; **dans la ~ de l'âge** en la fuerza de la edad; *FIG* **être une ~ de la nature** ser una fuerza de la naturaleza, ser de una vitalidad increíble **2.** *MIL* **~ de frappe** fuerza de disuasión, poder disuasivo; **épreuve de ~** prueba de fuerza ◊ **coup de ~** golpe militar **3.** capacidad: **être de même ~** tener la misma capacidad ◊ **je ne me sens pas de ~ à...** no me siento capaz de...; **il est de première ~ en mathématiques** sobresale en matemáticas **4. ~ de caractère** entereza **5. un cas de ~ majeure** un caso de fuerza mayor; **~ lui fut d'avouer la vérité** se vio obligado a confesar la verdad **6.** *ÉLECT* fuerza **7.** *loc adv* **de ~** a la fuerza; **de gré ou de ~** → **gré; revenir en ~** volver con fuerza; **par ~** a la fuerza, por fuerza; **par la ~ des choses** forzosamente, inevitablemente, por fuerza; **à toute ~** a todo trance **8.** *loc prép* **à ~ de privations** a fuerza de privaciones; **à ~ de réfléchir** de tanto reflexionar. ◇ *pl* **1.** fuerzas: **reprendre des forces** cobrar fuerzas, recobrar las fuerzas; **perdre ses forces** debilitarse; **de toutes ses forces** con todas sus fuerzas **2.** *MIL* fuerzas: **les forces aériennes** las fuerzas aéreas **3. les forces de l'ordre** la policía, las fuerzas del orden **4. les forces vives** las fuerzas vivas. ◇ *adv* muchos, as: **il y eut ~ protestations** hubo muchas protestas.

**forcé, e** *a* **1.** forzado, a: **amabilité forcée** amabilidad forzada **2.** *(inévitable)* forzoso, a: **visite forcée** visita forzosa ◊ **c'était ~!** ¡no podía ser de otra manera! **3. travaux forcés** trabajos forzados.

**forcément** *adv* forzosamente.

**forcené, e** *a* furioso, a, loco, a. ◇ *s (fou)* loco, a.

**forceps** [fɔrsɛps] *m* fórceps: **au ~** utilizando los fórceps.

**forcer*** *vt* **1.** forzar, obligar: **on m'a forcé à partir** me forzaron, me obligaron a irme; **être forcé à, de** estar forzado de ◊ **~ la main** → **main 2. ~ une porte** forzar una puerta **3.** *(une serrure)* falsear **4. ~ sa nature** abusar de las propias fuerzas **5. ~ le pas** acelerar el paso **6. ~ le respect, l'admiration** ganarse el respeto, provocar la admiración **7.** *(un cheval)* fatigar, *(un cerf)* acosar **8.** exagerar, aumentar: **~ la dose d'un médicament** aumentar exageradamente la dosis de un medicamento **9. ~ la note** cargar las tintas, exagerar. ◇ *vi* **1.** hacer mucho esfuerzo: **il a gagné sans ~** ha ganado sin mucho esfuerzo **2. ~ sur les avirons** remar con más fuerza. ◆ **se ~** *vpr* esforzarse: **il se force à rire** se esfuerza por reír.

**forcerie** *f* invernáculo *m*, estufa.

**forcing** *m* **1.** acoso, presión *f* **2.** esfuerzo intenso.

**forcir** *vi* **1.** *(grossir)* engordar, fortalecerse **2.** *(le vent)* arreciar, aumentar.

**forclos, e** *a JUR* que ha dejado prescribir su derecho.

**forclusion** *f JUR* prescripción, caducidad de un derecho.

**forer** *vt* **1.** *(percer)* barrenar, taladrar, horadar **2. ~ un puits** perforar un pozo.

**forestier, ère** *a* **1.** forestal **2. garde ~** guardabosque.

**foret** *m* barrena *f*, taladro.

**forêt** *f* **1.** *(d'étendue modeste)* bosque *m*: **la ~ de Rambouillet** el bosque de Rambouillet ◊ **incendie de ~** incendio forestal **2.** *(de grande étendue)* selva: **la ~ amazonienne** la selva amazónica; **~ tropicale, vierge** selva tropical, virgen ◊ *FIG* **les arbres cachent la ~** los árboles no dejan ver el bosque **3. Eaux et Forêts** → **eau.**

**foreur** *m* taladrador, barrenero.

**foreuse** *f* barrenadora, taladradora.

**forfaire*** *vi* **~ à un devoir** faltar a un deber.

[1]**forfait** *m (crime)* crimen, fechoría *f*.

[2]**forfait** *m* **1.** *(travail)* destajo, tanto alzado, precio alzado: **travail à ~** trabajo a destajo **2.** *(prix)* precio fijo, precio a tanto alzado, «forfait»: **les remontées mécaniques sont comprises dans le ~** los remontes están incluidos en el «forfait».

[3]**forfait** *m* indemnización *f*, resarcimiento ◊ **déclarer ~** renunciar, retirarse de la competición.

**forfaitaire** *a* **1.** global: **prix ~** precio fijo todo incluido, a tanto alzado **2. impôt ~** impuesto concertado.

**forfaiture** *f* **1.** *(prévarication)* prevaricación **2.** *ANC (trahison)* traición, felonía.

**forfanterie** *f* baladronada, valentonada, fanfarronada.

**forge** *f* **1.** *(fourneau)* fragua **2.** *(atelier, usine)* herrería, forja.

**forgeage** *m* forja *f*.

**forger*** *vt* **1.** forjar: **fer forgé** hierro forjado ◊ *PROV* **c'est en forgeant qu'on devient forgeron** el uso hace el maestro **2.** *FIG* forjar, inventar, fraguar: **une histoire forgée de toutes pièces** una historia completamente inventada **3.** *FIG* **~ un mot nouveau** acuñar un término nuevo.

**forgeron** *m* herrero.

**forgeur, euse** *s* **~ de chimères** inventor de quimeras. ◇ *m (forgeron)* herrero.

**formaliser (se)** *vpr* disgustarse, molestarse: **ne te formalise pas pour si peu!** ¡no te disgustes por tan poca cosa!

**formalisme** *m* formalismo.

**formaliste** *a/s* formalista.

**formalité** *f* requisito *m*, trámite *m*, formalidad: **accomplir une ~** cumplir con un requisito; **c'est une simple ~** es una mera formalidad, un puro trámite, un simple trámite.

**format** *m* **1.** *(d'un imprimé)* formato **2.** *(d'un objet)* tamaño.

**formater** *vt INFORM* formatear.

**formateur, trice** *a/s* formador, a.

**formation** *f* **1.** formación **2.** *(parti politique)* partido *m* **3.** *(sports)* alineación **4.** *MIL* formación **5. ~ professionnelle** formación profesional; **stage de ~** cursillo de capacitación.

**forme** *f* **1.** forma: **en ~ de coupole** en forma de cúpula; **médicament sous ~ de comprimé** fármaco en forma de comprimido ◊ *FIG* **le projet commence à prendre ~** el proyecto empieza a tomar forma **2.** *(pour chapeaux, chaussures)* horma **3.** *(d'imprimerie)* forma, molde *m* **4.** *GRAM* forma: **~ pronominale** forma pronominal **5.** *FIG* **être en ~** estar en forma; **en pleine ~** en plena forma; **j'ai pris un cognac pour me mettre en ~** he tomado un coñac para entonarme **6.** *JUR* **vice de ~** vicio de forma; **en bonne et due ~** en (buena y) debida forma **7.** *FIG* **respecter les formes** guardar las formas; **y mettre les formes** atenuar lo que se dice **8.** *loc adv* **pour la ~** por fórmula; **agir dans les formes** actuar con todas las de la ley.

**formel, elle** *a* **1.** formal: **logique formelle** lógica formal **2.** *(catégorique)* rotundo, a, tajante: **un démenti ~** un mentís rotundo.

**formellement** *adv* terminantemente, rotundamente: **il est ~ interdit** queda terminantemente prohibido; **il a démenti ~** ha desmentido rotundamente.

**former** *vt* **1.** formar **2.** *(un projet)* concebir **3. ~ des vœux pour quelqu'un** formular votos por alguien **4.** formar, capacitar: **~ un apprenti** formar a un aprendiz **5. ~ le goût** educar el gusto **6.** *(composer)* integrar: **les livres qui forment le fonds de la bibliothèque** los libros que integran el fondo de la biblioteca. ♦ **se ~** *vpr* formarse.

**formeret** *m ARCH* formero.

**formica** *m (nom déposé)* fórmica *f*.

**formidable** *a* **1.** formidable **2.** *FAM* formidable, estupendo, a: **un type ~** un tío estupendo.

**formidablement** *adv* enormemente.

**formique** *a* fórmico, a.

**formol** *m* formol.

**Formose** *np f* Formosa.

**formulaire** *m* **1.** *(recueil de formules)* formulario **2.** *(imprimé)* impreso.

**formulation** *f* formulación.

**formule** *f* fórmula: **~ de politesse** fórmula de cortesía; **~ chimique** fórmula química; **pilote de ~ 1** piloto de fórmula 1.

**formuler** *vt* formular.

**fornication** *f* fornicación.

**forniquer** *vi* fornicar.

**fors** *prép ANC* excepto, salvo, menos.

**forsythia** [fɔrsisja] *m* forsythia *f*.

[1]**fort, e** *a* **1.** fuerte: **~ comme un Turc** fuerte como un toro **2.** *(gros)* grueso, a, gordo, a: **une femme forte** una mujer gruesa; **elle est forte des hanches** tiene las caderas anchas **3.** fuerte, fortificado, a: **place forte** plaza fuerte **4.** *(lumière, saveur, voix, etc.)* fuerte **5. une forte pente** una pendiente abrupta **6. une haleine forte** un mal aliento **7. forte somme** cantidad importante, considerable **8. il est ~ en anglais** sabe mucho inglés, está fuerte, empollado en inglés **9. un esprit ~** un incrédulo **10.** excesivo, a, desmedido, a: **le mot n'est pas trop ~** no es una palabra excesiva; **le prix ~** un precio excesivo, muy elevado **11.** *FAM* **c'est un peu ~!** ¡eso pasa de la raya!, ¡es un poco fuerte!, ¡es el colmo! **12. c'est plus ~ que moi** eso me puede, no lo puedo remediar **13. se faire ~ de** decirse capaz de, pretender ser capaz de.

[2]**fort** *adv* **1.** fuerte, fuertemente: **appuyer ~** apoyar fuerte; **ne parle pas si ~** no hables tan fuerte, tan alto; **sentir ~** despedir un olor muy fuerte **2.** *(beaucoup)* mucho: **j'en doute ~** lo dudo mucho **3.** *(très)* muy: **~ jolie** muy bonita **4.** *FAM* **y aller ~** exagerar, pasarse de la raya: **tu y es allé ~ avec elle** te has pasado de la raya con ella.

[3]**fort** *m* **1.** fuerte: **la loi du plus ~** la ley del más fuerte **2. ~ des Halles** mozo de cuerda (del antiguo mercado central de París) **3.** *(forteresse)* fuerte **4.** *(point fort)* fuerte: **le dessin n'est pas mon ~** el dibujo no es mi fuerte **5.** *FAM* **~ en thème →** **thème 6. au plus ~ du combat** en lo más recio del combate; **au plus ~ de l'orage** en plena tormenta.

**fortement** *adv* **1.** fuertemente **2.** *(très)* muy.

**forteresse** *f* fortaleza.

**fortiche** *a FAM* **1.** *(malin)* listo, a **2.** *(fort)* fuerte.

**fortifiant, e** *a/m* reconstituyente, fortificante.

**fortification** *f* fortificación.

**fortifier*** *vt* **1.** fortificar: **~ une ville** fortificar una ciudad **2.** *FIG* fortalecer.

**fortin** *m* fortín.

**fortiori (a)** [afɔrsjɔri] *loc adv* a fortiori, con mayor motivo.

**Fortran** *m INFORM* Fortran.

**fortuit, e** *a* fortuito, a, casual: **événement ~** acontecimiento fortuito.

**fortuitement** *adv* fortuitamente.

**fortune** *f* **1.** *(chance)* suerte, fortuna: **tenter ~** probar fortuna ◊ **à la ~ du pot** a la buena de Dios, a la pata la llana; **faire contre mauvaise ~ bon cœur** poner al mal tiempo buena cara **2.** *(richesse)* fortuna, caudal *m*: **faire ~** hacer fortuna; **une grosse ~** una gran fortuna; **les grandes fortunes** las grandes fortunas; **il a de la ~** tiene fortuna **3.** *FAM* **une ~** un dineral, un potosí: **ça coûte une ~** esto cuesta un dineral **4. de ~** improvisado, a.

**fortuné, e** *a* **1.** *(riche)* rico, a **2.** *ANC (heureux)* afortunado, a.

**forum** [fɔrɔm] *m* foro.

**fosse** *f* **1.** *(tombe)* hoyo *m*, fosa: **~ commune** fosa común ◊ *FIG* **avoir un pied dans la ~** tener un pie en la sepultura **2. ~ septique** fosa séptica; **~ d'aisance** letrina **3.** *GÉOL* fosa **4.** *ANAT* **fosses nasales** fosas nasales **5.** *(athlétisme)* foso *m* **6. ~ d'orchestre** foso *m* de orquesta **7. Daniel dans la ~ aux lions** Daniel en el foso de los leones.

**fossé** *m* **1.** *(tranchée)* zanja *f*, foso **2.** *(au bord d'une route)* cuneta *f* **3.** *FIG* abismo: **il y a un ~ entre nous** hay un abismo entre nosotros.

**fossette** *f* hoyuelo *m*, hoyito *m*.

**fossile** *a/m* fósil.

**fossilisation** *f* fosilización.

**fossiliser** *vt* fosilizar. ♦ **se ~** *vpr* fosilizarse.

**fossoyeur** [fo(ɔ)swajœr] *m* sepulturero.

[1]**fou, fol, folle** *a* **1.** loco, a: **~ à lier** loco de atar, de remate; **un fol espoir** una esperanza loca; **allure folle** velocidad loca; **tu es ~!** ¡estás loco!; **~ de joie** loco de alegría; **il y a de quoi devenir ~** es para volverse loco **2. être ~ de musique** estar loco por la música; **je suis ~ de cette fille** esta chica me tiene loco **3. avoir une envie folle de** tener unas ganas locas de **4.** *(considérable)* **un monde ~** mucha gente; **ça coûte un argent ~, un prix ~** cuesta una locura; **d'une gaieté folle** muy alegre **5. c'est ~ ce que le temps passe vite!** ¡qué barbaridad, cómo pasa el tiempo! **6.** *TECHN (poulie, etc.)* loco, a **7. foufou, fofolle** ligero, a de cascos. ◇ *m (aliéné)* loco ◊ **une maison de fous** un manicomio; **une histoire de fous** una historia de locos; **s'amuser comme un (petit) ~** divertirse como un enano. ◇ *f* **1.** loca **2.** *FIG* **la folle du logis** la loca de la casa, la imaginación **3.** *FAM (homosexuel)* mariquita *m*.

► Se emplea *fol* delante de un sustantivo masculino singular que comienza por vocal o h muda: *fol amour*.

**[2]fou** *m* **1.** *(du roi)* bufón **2.** *(aux échecs)* alfil.

**[3]fou** *m (oiseau palmipède)* alcatraz.

**fouace** *f* torta, hogaza.

**fouailler** *vt* **1.** azotar, zurrar **2.** *FIG* fustigar.

**foucade** *f* capricho *m*, repente *m*.

**[1]foudre** *f* **1.** rayo *m*: **la ~** el rayo; **s'abattre comme la ~** caer como el rayo **2. coup de ~** *(amour)* flechazo ◊ **j'ai eu le coup de ~ pour cet appartement** este piso me ha hecho tilín. ◇ *pl* reproches *m*, críticas.

**[2]foudre** *m* **1. un ~ de guerre** un guerrero temible **2.** *(tonneau)* cuba *f*.

**foudroiement** *m* fulminación *f*.

**foudroyant, e** [fudʀwajɑ̃, ɑ̃t] *a* fulminante: **apoplexie foudroyante** apoplejía fulminante.

**foudroyer*** [fudʀwaje] *vt* **1.** *(par la foudre, un courant électrique)* fulminar **2.** *FIG* aterrar, anonadar: **cette nouvelle m'a foudroyé** me ha aterrado esta noticia **3. ~ du regard** fulminar con la mirada: **il la foudroya du regard** la fulminó con la mirada.

**fouet** *m* **1.** látigo, azote ◊ **donner le ~** dar latigazos, azotar **2. coup de ~** latigazo; *FIG* **mesure qui va donner un coup de ~ à l'économie** medida que va a estimular, reactivar la economía **3.** *CULIN* batidor **4. de plein ~** de frente.

**fouetter** *vt* **1.** azotar ◊ *FIG* **j'ai d'autres chats à ~** tengo otras cosas más importantes que hacer; **il n'y a pas de quoi ~ un chat** no es para tanto, la cosa no tiene importancia, no es nada del otro jueves **2.** *CULIN* batir, montar: **crème fouettée** nata montada, crema batida **3.** *FIG* excitar, estimular. ◇ *vi/t* azotar: **la pluie fouette (contre) les volets** la lluvia azota los postigos.

**foufou → fou.**

**fougasse** *f* especie de pan *m* (que puede ir relleno de aceitunas, etc.).

**fougeraie** *f* helechal *m*.

**fougère** *f* helecho *m*.

**fougue** *f* fogosidad, ardor *m*, ímpetu *m*: **parler avec ~** hablar con fogosidad.

**fougueusement** *adv* fogosamente, impetuosamente.

**fougueux, euse** *a* fogoso, a.

**fouille** *f* **1.** *(archéologique)* excavación **2.** *(à la douane)* registro *m* **3.** *(d'un suspect)* cacheo *m*.

**fouillé, e** *a FIG* rebuscado, a, profundizado, a.

**fouiller** *vt* **1.** *(un terrain)* excavar, hacer excavaciones en **2.** *(un suspect)* cachear **3.** *(des bagages)* registrar **4.** *FIG* ahondar en, profundizar: **~ un sujet** ahondar en un tema. ◇ *vi* **1.** *(fouir)* escarbar, hozar **2.** registrar, rebuscar, hurgar: **~ dans ses poches** registrarse los bolsillos, hurgar en sus bolsillos; **il fouilla dans mes papiers** hurgó en mis papeles; **~ dans une armoire** rebuscar (en) un armario. ◆ **se ~** *vpr* **tu peux te ~!** ¡espérate sentado!

**fouillis** *m* revoltillo, revoltijo, fárrago, desorden: **en ~** en desorden; **quel ~!** ¡menudo desorden!

**fouinard, e** *a/s FAM* fisgón, ona, hurón, ona.

**fouine** *f* **1.** *(animal)* garduña, fuina **2.** *FIG* hurón, ona.

**fouiner** *vi* **1.** fisgonear, huronear, curiosear **2.** *(dans les affaires de)* hurgar.

**fouineur, euse → fouinard, e.**

**fouir** *vt* escarbar, hozar.

**fouisseur, euse** *a* cavador, a, escarbador, a.

**foulage** *m* **1.** *(du raisin)* pisa *f* **2.** *(du drap)* batanado, enfurtido **3.** *(des peaux)* sobadura *f*.

**foulant, e** *a* **1. pompe foulante** bomba impelente **2.** *FAM* **ce travail n'est pas ~** este trabajo está tirado.

**foulard** *m* **1.** *(étoffe)* fular **2.** *(écharpe)* pañuelo (de cabeza). ▶ Sens 2: le gallicisme *foulard* est assez usuel.

**foule** *f* **1.** muchedumbre, gentío *m*, multitud ◊ **en ~** en masa, en tropel; **il y avait ~** había mucha gente **2.** *(le peuple)* vulgo *m*, multitud **3. une ~ de** un montón de, un sinfín de, una multitud de, la mar de: **il sait une ~ de choses** sabe un montón de cosas, un sinfín de cosas.

**foulée** *f* **1.** tranco *m*, paso *m* **2.** *FIG* **marcher dans la ~ de quelqu'un** seguir las pisadas de alguien **3.** *FIG* **dans la ~** inmediatamente después, de camino, al mismo tiempo.

**fouler** *vt* **1.** pisar, hollar: **~ l'herbe** pisar la hierba; **~ le sol de la patrie** hollar el suelo patrio ◊ *FIG* **~ aux pieds** pisotear, hollar **2.** *(tordre)* torcer **3.** *(les draps)* batanar, abatanar, enfurtir **4.** *(le raisin)* pisar. ◆ **se ~** *vpr* **1.** torcerse, hacerse un esguince en: **il s'est foulé la cheville** se ha torcido el tobillo **2.** *FAM* descoyuntarse, fatigarse: **il ne s'est pas ~ (la rate)** no se ha fatigado mucho.

**fouleur, euse** *s (de draps)* batanero, a.

**foulon** *m* **1.** *(machine)* batán **2. terre à ~** tierra de batán.

**foulque** *f* fúlica, foja.

**foultitude** *f FAM* **une ~ de** un montón de, un sinfín de.

**foulure** *f* esguince *m*.

**four** *m* **1.** horno: **~ de boulanger, à réverbère, à micro-ondes** horno de panadero, de reverbero, de microondas; **mettre au ~** meter en el horno; **faire cuire à ~ doux** cocer a horno suave; **~ crématoire** crematorio ◊ **il fait noir comme dans un ~** está oscuro como boca de lobo **2. petit ~** pasta *f* **3.** *FIG (échec)* fracaso, fiasco.

**fourbe** *a* taimado, a, trapacero, a, pérfido, a.

**fourberie** *f* trapacería, taimería, picardía.

**fourbi** *m FAM* **1.** *(attirail)* pertrechos *pl*, avíos *pl* **2.** *(bric-à-brac)* baturrillo, batiborrillo, parafernalia *f* **3.** *(chose)* chisme.

**fourbir** *vt* bruñir, acicalar ◊ *FIG* **~ ses arguments** preparar sus argumentos.

**fourbissage** *m* bruñido, acicalamiento.

**fourbu, e** *a* **1.** *(cheval)* que padece infosura **2.** *(personne)* rendido, a, agotado, a: **je suis ~** estoy rendido.

**fourbure** *f* infosura.

**fourche** *f* **1.** *AGR* horca, horcón *m* **2.** *(de bicyclette)* horquilla **3.** *(de branche)* horcadura **4.** *(bifurcation)* bifurcación **5. passer sous les fourches caudines** pasar por las horcas caudinas.

**fourchée** *f* horconada.

**fourcher** *vi* trabarse: **la langue m'a fourché, ma langue a fourché** se me ha trabado la lengua.

**fourchette** *f* **1.** tenedor *m*: **une ~** un tenedor ◊ **il a un bon coup de ~** es un comilón **2.** *(os fourchu)* espoleta **3.** *(en statistique)* horquilla; **la ~ des prix** la diferencia entre dos precios extremos.

**fourchu, e** *a* **1.** *(arbre)* ahorquillado, a **2. pied ~** pie hendido, a; **animal aux pieds fourchus** animal patihendido.

**[1]fourgon** *m* **1.** furgón: **~ blindé** furgón blindado; **~ de queue** furgón de cola **2. ~ mortuaire** carroza *f* fúnebre.

**[2]fourgon** *m (tisonnier)* hurgón, atizadero.

**fourgonner** *vi* **1.** *(tisonner)* hurgonear **2.** *FAM (fouiller)* hurgar.

**fourgonnette** *f* furgoneta.

**fourguer** *vt POP* colar, deshacerse de.

**fourme** *f* queso *m* de Auvernia.

**fourmi** *f* **1.** hormiga **2.** *FIG (personne)* hormiguita **3. j'ai des fourmis dans les jambes** tengo hormigueo en las piernas, me hormiguean las piernas.

**fourmilier** *m (tamanoir)* oso hormiguero.

**fourmilière** *f* hormiguero *m*.

**fourmi-lion, fourmilion** *m* hormiga león *f.*

**fourmillement** *m* **1.** *(picotement)* hormigueo, hormiguilla *f* **2.** *(grouillement)* hormigueo.

**fourmiller** *vi* **1.** hormiguear: **les gens fourmillent sur la place** la gente hormiguea en la plaza **2.** *(picoter)* hormiguear: **les jambes me fourmillent** me hormiguean las piernas, tengo hormigueo en las piernas **3. ~ de** abundar en, estar lleno, a de: **ce livre fourmille d'exemples** este libro abunda en ejemplos.

**fournaise** *f* **1.** *(feu vif)* hoguera **2.** *FIG (lieu très chaud)* horno *m,* estufa.

**fourneau** *m* **1. haut ~** alto horno **2.** *(de cuisine)* fogón, hornillo: **~ à gaz** hornillo de gas; **les fourneaux d'un restaurant** los fogones de un restaurante **3.** *(de la pipe)* cazoleta *f.*

**fournée** *f* **1.** hornada **2.** *FIG (de personnes)* hornada.

**fourni, e** *a* **1.** *(épais)* tupido, a, poblado, a, espeso, a: **une chevelure fournie** una cabellera tupida; **des sourcils fournis** cejas pobladas **2.** *(approvisionné)* abastecido, a, provisto, a: **une boutique bien fournie** una tienda bien abastecida.

**fournil** [fuRni] *m* amasadero.

**fourniment** *m* **1.** *MIL* fornituras *f pl* **2.** *FIG* pertrechos *pl,* avíos *pl.*

**fournir** *vt* **1.** producir, dar: **les abeilles fournissent le miel** las abejas producen miel **2.** *(ravitailler)* proveer, abastecer, suministrar: **~ des vivres à une armée, ~ une armée en vivres** suministrar víveres a un ejército, abastecer de víveres un ejército **3.** *(procurer)* facilitar, proporcionar: **~ des renseignements, des détails** facilitar datos, detalles **4.** *FIG* **~ des efforts** hacer esfuerzos. ◇ *vi* **1. ~ aux besoins de quelqu'un** subvenir a las necesidades de alguien **2. ~ aux frais** satisfacer los gastos. ◆ **se ~** *vpr* abastecerse, proveerse.

**fournisseur, euse** *s* **1.** abastecedor, a, proveedor, a, suministrador, a: **un des principaux pays fournisseurs de la France** uno de los principales suministradores de Francia **2.** *INFORM* **~ d'accès** proveedor de acceso.

**fourniture** *f* **1.** *(approvisionnement)* abastecimiento *m,* suministro *m* **2.** *(provisions)* suministro *m,* abasto *m,* provisión. ◇ *pl* material *m sing,* artículos *m:* **fournitures scolaires** artículos para la escuela, material escolar.

**fourrage** *m* forraje.

**fourrager*** *vi FAM (fouiller)* hurgar, registrar: **~ dans ses papiers** hurgar en sus papeles. ◇ *vt FAM (mettre en désordre)* revolver.

**fourrager, ère** *a* forrajero, a: **plantes fourragères** plantas forrajeras.

**fourragère** *f* **1.** *MIL* forrajera **2.** *(charrette)* carro *m* (para forraje).

**fourré** *m* maleza *f,* matorral, espesura *f.*

**fourré, e** *a* **1.** *(garni intérieurement)* relleno, a: **gâteau ~** pastel relleno; **chocolats fourrés** bombones rellenos **2.** *(doublé)* forrado: **gants fourrés** guantes forrados **3. coup ~** *(escrime)* golpe doble; *FIG (coup en traître)* mala jugada *f,* jugarreta *f.*

**fourreau** *m* **1.** *(d'épée)* vaina *f* **2.** *(de parapluie)* funda *f* **3.** *(gaine protectrice)* forro **4.** *(robe)* vestido tubo.

**fourrer** *vt* **1.** *(farcir)* rellenar **2.** *(doubler)* forrar de pieles **3.** *FAM (mettre)* meter: **qui t'a fourré cette idée en tête?** ¿quién te ha metido esta idea en la cabeza?; **~ son nez dans les affaires d'autrui** → **nez.** ◆ **se ~** *vpr* meterse: **où a-t-elle bien pu se ~?** ¿dónde se habrá metido?

**fourre-tout** *m inv* **1.** *(pièce)* trastero **2.** *(sac)* bolso de viaje **3.** *FIG FAM* cajón de sastre.

**fourreur** *m* peletero.

**fourrier** *m MIL* furriel.

**fourrière** *f* **1.** *(pour véhicules)* depósito *m* **2.** *(pour chiens)* perrera.

**fourrure** *f* **1.** piel: **manteau de ~** abrigo de piel **2.** *(vêtement)* prenda de piel **3.** *(pelleterie)* peletería **4.** *(d'un animal)* pelaje.

**fourvoiement** *m* descarrío, extravío.

**fourvoyer*** *vt* descarriar, extraviar. ◆ **se ~** *vpr* descarriarse, extraviarse: **tu te fourvoies complètement** te extravías por completo.

**foutaise** *f POP* bagatela, fruslería, pamplina.

**foutoir** *m POP* cajón de sastre, leonera *f.*

**foutre** *vt VULG* → **ficher 1. fous-moi la paix!** ¡déjame en paz!; **qu'ils aillent se faire ~!** ¡pues, que se jodan!; **je n'en ai rien à ~** me importa un carajo **2. il ne fout rien** no da (ni) golpe **3. ça la fout mal** es de mal efecto. ◆ **se ~** *vpr* → **se ficher.**

**foutre!** *interj VULG* ¡diablos!, ¡caramba!, ¡caray!

**foutu, e** *a VULG* jodido, a, puñetero, a: **~ métier** jodido oficio; **ce ~ pays** este puñetero país → **fichu, e.**

**fox-terrier** *m* fox-terrier.

**fox-trot** [fɔkstRɔt] *m inv* fox-trot.

**foyer** [fwaje] *m* **1.** *(où l'on fait du feu)* hogar **2.** *FIG* foco: **~ de corruption** foco de corrupción; **~ d'infection** foco de infección **3.** *(maison)* hogar, residencia *f:* **~ universitaire** hogar universitario; **fonder un ~** fundar un hogar ◊ **femme au ~** ama de casa **4.** *THÉÂT* salón de descanso, «foyer» **5.** *(optique, géométrie)* foco ◊ **lunettes à double ~** gafas bifocales. ◇ *pl* hogar *sing:* **rentrer dans ses foyers** volver al hogar.

**frac** *m* frac, fraque.

**fracas** *m* estrépito, estruendo, fragor ◊ **avec pertes et ~** → **perte.**

**fracassant, e** *a* **1.** estrepitoso, a, estruendoso, a **2.** *FIG* ruidoso, a, resonante, estrepitoso, a: **une déclaration fracassante** una declaración estrepitosa.

**fracasser** *vt* romper, estrellar. ◆ **se ~** *vpr* estrellarse.

**fraction** *f* **1.** *(du pain)* fracción **2.** fracción, parte: **une ~ de seconde** una fracción de segundo; **une ~ de l'électorat** una fracción del electorado **3.** *MATH* fracción, quebrado *m:* **~ décimale** fracción decimal.

**fractionnaire** *a* fraccionario, a: **nombre ~** número fraccionario, quebrado.

**fractionnel, elle** *a* fraccional.

**fractionnement** *m* fraccionamiento.

**fractionner** *vt* fraccionar. ◆ **se ~** *vpr* dividirse.

**fracture** *f* fractura: **~ de la hanche, du crâne, du tibia** fractura de cadera, de cráneo, de tibia.

**fracturer** *vt* fracturar: **~ un coffre-fort** fracturar una caja de caudales. ◆ **se ~** *vpr* fracturarse: **il s'est fracturé le tibia** se ha fracturado la tibia.

**fragile** *a* **1.** *(cristal, etc.)* frágil, quebradizo, a **2.** *(santé)* frágil **3.** *(personne)* delicado, a, frágil: **il est ~ des bronches** está delicado de los bronquios; **avoir l'estomac ~** estar delicado del estómago; **il a une santé ~** está delicado de salud.

**fragiliser** *vt* debilitar.

**fragilité** *f* fragilidad.

**fragment** *m* fragmento.

**fragmentaire** *a* fragmentario, a.

**fragmentation** *f* fragmentación.

**fragmenter** *vt* fragmentar.

**fragon** *m* brusco.

**fragrance** *f LITT* fragancia.

**frai** *m* **1.** *(ponte)* desove, freza *f:* **la saison du ~, le ~** el desove **2.** *(œufs)* freza *f,* hueva *f.*

**fraîche** → **frais.**

**fraîchement** *adv* **1.** *(froidement)* fríamente, con frialdad: **il m'a accueilli ~** me ha acogido fríamente **2.** *(récemment)* recién, recientemente: **fleurs ~ écloses** flores recién abiertas.

► *Recientemente* s'apocope en *recién* devant un participe passé employé comme adjectif.

**fraîcheur** *f* **1.** frescura, frescor *m*, fresco *m*: **la ~ de l'air** la frescura del aire **2.** *(de ce qui respire la santé)* lozanía, frescura **3.** *FIG (d'un accueil, etc.)* frialdad.

**fraîchir** *vi* refrescar.

**frairie** *f* fiesta parroquial, fiesta patronal.

**¹frais, fraîche** *a* **1.** fresco, a, frío, a: **eau fraîche** agua fresca; **une bière bien fraîche** una cerveza bien fría; **vent ~** viento fresco **2.** *(éclatant)* lozano, a, fresco, a: **un teint ~** una tez fresca ◊ **être ~ comme une rose** estar como una rosa, fresco como una lechuga **3.** *(œufs, poisson, etc.)* fresco, a **4.** *(pain)* fresco, a, tierno, a **5. des troupes fraîches** tropas frescas **6.** *(récent)* fresco, a, reciente: **des nouvelles fraîches** noticias frescas **7.** *(argent)* disponible **8.** *(accueil, réception)* frío, a **9.** *FAM* **me voilà ~!** ¡apañado estoy!, ¡estoy aviado!; **nous voilà ~!** ¡la hemos liado! ◇ *m* **1.** fresco: **prendre le ~** tomar el fresco **2.** *MAR (vent)* viento fresco. ◇ *adv* **1. boire ~** beber fresco; **il fait ~** hace fresco **2.** *(devant un participe passé)* recién: **fleur fraîche cueillie** flor recién cogida; **rasé de ~** recién afeitado.

**²frais** *m pl* **1.** gastos: **faux ~** gastos imprevistos; **prendre à ses ~, prendre les ~ à sa charge** correr con los gastos ◊ **à grands ~** costosamente, con grandes gastos; **à peu de ~** económicamente, con pocos gastos; **tous ~ payés** todo pagado **2. rentrer dans ses ~** cubrir sus gastos **3.** *FIG* **faire les ~ de la conversation** hacer el gasto de la conversación; **faire les ~ d'une réforme** ser víctima de una reforma **4. se mettre en ~** meterse en gastos; *FIG (se contraindre)* hacer esfuerzos **5.** *FAM* **il en est pour ses ~** ha obrado en vano, ha perdido el tiempo **6.** *loc prép* **aux ~ de** a costa de, a expensas de; *FAM* **aux ~ de la princesse** de gorra.

**fraisage** *m TECHN* avellanado, fresado.

**¹fraise** *f* **1.** *(fruit)* fresa: **~ des bois** fresa silvestre; **glace à la ~** helado de fresa; *(de culture)* fresón *m* **2.** *(tache sur la peau)* antojo *m* **3.** *POP (figure)* cara ◊ *FAM* **ramener sa ~** → **ramener.** ◇ *a* **couleur ~** color fresa.

**²fraise** *f* **1.** *(de l'intestin du veau)* redaño *m* **2.** *(du dindon)* carúncula **3.** *(collerette)* gorguera, cuello *m* alechugado.

**³fraise** *f* **1.** *TECHN* fresa, avellanador *m* **2.** *(du dentiste)* fresa.

**fraiser** *vt TECHN* fresar, avellanar.

**fraiseraie** *f* fresal *m*.

**fraiseur** *m* fresador.

**fraiseuse** *f TECHN* fresadora, avellanador *m*.

**fraisier** *m* fresa *f*, fresera *f*.

**fraisière** *f* fresal *m*.

**framboise** *f* frambuesa.

**framboisier** *m* frambueso.

**framée** *f* framea.

**¹franc** *m (monnaie)* franco.

**²franc, franche** *a* **1.** franco, a, sincero, a: **un homme ~ et sympathique** un hombre franco y simpático; **je serai ~ avec toi** te seré sincero **2.** *(affranchi)* libre ◊ **port ~** puerto franco; **~ de port** franco de porte, porte pagado **3.** *(sports)* **coup ~** golpe franco **4.** *(évident)* manifiesto, a, claro, a: **une franche hostilité** una hostilidad manifiesta **5.** *(vrai)* verdadero, a, rematado, a: **un ~ scélérat** un desalmado rematado **6. trois jours francs** tres días cabales. ◇ *adv* francamente, claro: **parlons ~** hablemos claro.

**³franc, franque** *a/s* franco, a: **langue franque** lengua franca.

**français, e** *a/s* francés, esa: **les Français** los franceses. ◇ *m (langue)* francés; **parlez-vous (le) ~?** ¿habla usted francés?; **en ~** en francés ◊ **parler le ~ comme une vache espagnole** → **vache.**
► Voir l'observation au mot *galo* dans la partie espagnol-français.

**franc-alleu** *m HIST* alodio.

**franc-bourgeois** *m HIST* burgués exento de impuestos.

**France** *np f* Francia: **la ~** Francia.

**Francfort** *np* Frankfurt.

**franche** → **franc.**

**Franche-Comté** *np f* Franco Condado *m*.

**franchement** *adv* **1.** francamente, realmente: **personne ~ antipathique** persona realmente antipática **2. à ~ parler** dicha sea la verdad **3. ~, tu exagères** francamente, exageras.

**franchir** *vt* **1.** pasar, franquear, atravesar: **~ une frontière** pasar una frontera; **~ un précipice** franquear un precipicio; **~ le mur du son** atravesar la barrera del sonido; *FIG* **~ le Rubicon** pasar el Rubicón **2. ~ une distance** recorrer una distancia **3. ~ un obstacle** salvar un obstáculo **4.** *FIG* **~ le pas** decidirse, lanzarse al agua.

**franchisage** *m COM* franquicia *f*.

**¹franchise** *f* franquicia: **~ postale** franquicia postal ◊ **en ~** en franquía.

**²franchise** *f* franqueza, sinceridad: **parler en toute ~** hablar con toda franqueza, con toda sinceridad.

**franchisé, e** *a COM* **magasin ~** tienda en régimen de franquicia.

**franchissable** *a* franqueable, salvable.

**franchissement** *m* **1.** *(d'une frontière)* paso **2.** *(d'une distance)* recorrido **3.** *(d'un obstacle, etc.)* salto, franqueamiento.

**franchouillard, e** *a FAM PÉJOR* propio de los franchutes.

**francilien, enne** *a/s* de Île-de-France (región parisiense).

**francique** *m* fráncico.

**francisation** *f* afrancesamiento *m*.

**franciscain, e** *a/s* franciscano, a.

**franciser** *vt* afrancesar.

**francisque** *f* francisca, segur *m*.
► Emblema del régimen de Vichy (1940-1944).

**franc-maçon, onne** *a/s* masón, a, francmasón, ona.

**franc-maçonnerie** *f* masonería, francmasonería.

**franco** *adv* franco: **~ de port** franco de porte.

**François, e** *np* Francisco, a.

**francophile** *a/s* francófilo, a.

**francophilie** *f* francofilia.

**francophobe** *a/s* francófobo, a.

**francophobie** *f* francofobia.

**francophone** *a/s* francófono, a, de habla francesa.

**francophonie** *f* francofonía.

**franc-parler** *m* franqueza *f* ◊ **il a son ~** no tiene pelos en la lengua.

**franc-tireur** *m* francotirador, guerrillero.

**frange** *f* **1.** *(passementerie)* fleco *m*, franja **2.** *(de cheveux)* flequillo *m*, fleco *m* **3.** *FIG* **une ~ de la population** una fracción marginal de la población.

**franger*** *vt* guarnecer con flecos.

**frangin, e** *s FAM* hermano, a.

**frangipane** *f* **1.** *(crème)* crema de almendras **2.** *(gâteau)* pastel *m* de almendras.

**franglais** *m* francoinglés.

**franquette (à la bonne)** *loc adv* a la pata la llana; sin ceremonia, sin cumplidos.

**franquisme** *m* franquismo.

**franquiste** *a/s* franquista.

**frape** → **²frappe.**

**frappant, e** *a* **1.** sorprendente, pasmoso, a: **une ressemblance frappante** un parecido sorprendente **2.** evidente.

**¹frappe** *f* **1.** *(des monnaies)* acuñación **2.** *(en dactylographie)* tecleo *m* ◊ **une faute de ~** un error de máquina **3.** *MIL* **force de ~** poder *m* disuasivo; **~ aérienne** ataque *m* aéreo **4.** *(boxe)* pegada.

**²frappe, frape** *f POP (voyou)* golfo *m.*

**frappement** *m* golpeo.

**frapper** *vt* **1.** *(heurter)* golpear **2.** *(battre)* pegar, golpear **3.** *(une monnaie)* acuñar **4.** *(atteindre)* alcanzar: **la balle l'a frappé à la poitrine** la bala le ha alcanzado en el pecho **5.** *FIG* afectar, castigar: **cette mesure vous frappe tous** esta medida os afecta a todos; **épidémie qui frappe les enfants** epidemia que afecta a los niños; **le chômage qui frappe les jeunes** el desempleo que castiga a los jóvenes **6.** *(impressionner)* impresionar ◊ **être frappé de stupeur** quedarse estupefacto **7.** llamar la atención: **je suis frappé de voir...** me sorprende ver...; **plusieurs détails le frappèrent** varios detalles le llamaron la atención **8.** *(le champagne)* enfriar, helar: **champagne frappé** champán helado. ◇ *vi* **1. la balle alla ~ contre le mur** la pelota fue a dar contra la pared **2. ~ à la porte** llamar a la puerta; **entrez sans ~** entrar sin llamar **3. ~ dans les mains** *(pour applaudir)* batir palmas, *(pour appeler)* dar palmadas. ◆ **se ~** *vpr FAM* preocuparse, inquietarse: **ne te frappe pas!** ¡no te preocupes!

**frappeur** *a* **esprit ~** espíritu que se manifiesta en las sesiones de espiritismo.

**frasque** *f* calaverada.

**fraternel, elle** *a* fraternal.

**fraternellement** *adv* fraternalmente.

**fraternisation** *f* fraternización.

**fraterniser** *vi* fraternizar.

**fraternité** *f* fraternidad.

**fratricide** *a/s* fratricida. ◇ *m (crime)* fraticidio.

**fratrie** *f* fratria.

**fraude** *f* fraude *m*: **la ~ électorale** el fraude electoral; **~ fiscale** fraude fiscal ◊ **en ~** fraudulentamente, con fraude.

**frauder** *vt* defraudar: **~ le fisc** defraudar el fisco. ◇ *vi* cometer fraudes.

**fraudeur, euse** *s* defraudador, a.

**frauduleusement** *adv* fraudulentamente.

**frauduleux, euse** *a* fraudulento, a.

**frayer*** [fʀeje] *vt* **1.** abrir: **~ un sentier** abrir una senda **2.** *FIG* **~ la voie, le chemin** abrir camino. ◇ *vi* **1.** *(poissons)* desovar, frezar **2. ~ avec quelqu'un** tratar con, tener trato con, frecuentar a alguien. ◆ **se ~** *vpr* abrirse: **se ~ un chemin** abrirse paso, abrirse camino.

**frayeur** [fʀejœʀ] *f* espanto *m*, susto *m*, pavor *m*: **quelle ~!** ¡qué susto!

**fredaine** *f* calaverada.

**Frédéric, ique** *np* Federico, a.

**fredonnement** *m* canturreo, tarareo.

**fredonner** *vt* canturrear, tararear.

**freesia** *m (plante)* freesia *f.*

**freezer** [fʀizœʀ] *m* congelador.

**frégate** *f* **1.** *(navire)* fragata **2.** *(oiseau)* fragata, rabihorcado *m.*

**frein** *m* **1.** freno: **~ à main, à disque** freno de mano, de disco ◊ **coup de ~** frenazo **2.** *ANAT* frenillo **3.** *(du cheval)* freno, bocado ◊ *FIG* **ronger son ~** tascar el freno **4.** *FIG* freno: **mettre un ~ aux abus** poner un freno a los desmanes; **une imagination sans ~** una imaginación sin freno, desenfrenada.

**freinage** *m* frenado.

**freiner** *vt/i* **1.** frenar: **~ brusquement, pile** frenar en seco **2.** *FIG* frenar, moderar: **~ l'inflation** frenar la inflación. ◆ **se ~** *vpr FAM* moderarse.

**frelatage** *m* adulteración *f.*

**frelater** *vt* adulterar, falsificar: **vin frelaté** vino adulterado.

**frêle** *a* frágil, endeble.

**frelon** *m* avispón.

**freluquet** *m FAM* mequetrefe, chiquilicuatro.

**frémir** *vi* **1.** estremecerse, temblar: **les feuilles frémissent sous le vent** las hojas se estremecen con el viento ◊ **faire ~** estremecer; **c'est à faire ~!** ¡es espantoso! **2.** *(l'eau)* empezar a hervir.

**frémissant, e** *a* tembloroso, a, trémulo, a.

**frémissement** *m* temblor, estremecimiento.

**frênaie** *f* fresneda.

**french-cancan** [fʀɛnʃkɑ̃kɑ̃] *m* cancán.

**frêne** *m* fresno.

**frénésie** *f* frenesí *m.*

**frénétique** *a* frenético, a.

**frénétiquement** *adv* frenéticamente.

**fréquemment** [fʀekamɑ̃] *adv* frecuentemente, con frecuencia: **assez ~** con bastante frecuencia; **très ~** con mucha frecuencia.

**fréquence** *f* **1.** frecuencia **2. haute, basse ~** alta, baja frecuencia; **modulation de ~** frecuencia modulada.

**fréquent, e** *a* frecuente.

**fréquentable** *a* que se puede frecuentar, frecuentable.

**fréquentatif** *a/m GRAM* frecuentativo, a.

**fréquentation** *f* **1.** frecuentación **2.** *(personne fréquentée)* relación, compañía: **les mauvaises fréquentations** las malas compañías.

**fréquenté, e** *a* concurrido, a: **boulevard ~** bulevar concurrido ◊ **quartier mal ~** barrio de mala fama.

**fréquenter** *vt* **1.** *(un endroit)* frecuentar **2.** *(une personne)* tratar con, alternar con, tener trato con: **nous ne fréquentons pas nos voisins** no tratamos con nuestros vecinos; **quels gens fréquente-t-il?** ¿con qué gente suele alternar? **3.** *(sortir avec)* salir con, hablar con: **il fréquente ma sœur** sale con mi hermana. ◆ **se ~** *vpr* tratarse, mantener relaciones.

**frère** *m* **1.** hermano: **~ aîné** hermano mayor; **~ de lait** hermano de leche; **mon petit ~** mi hermanito ◊ **faux ~** traidor **2. ~ d'armes** compañero de armas **3.** *(religieux)* hermano, fraile: **~ des Écoles chrétiennes** hermano de las Escuelas Cristianas **4.** *(suivi du prénom)* **~ Louis** Fray Luis. ◇ *a* hermano: **pays frères** países hermanos.

**frérot** *m FAM* hermanito.

**fresque** *f* **1.** fresco *m*, pintura al fresco **2.** *FIG (littéraire)* cuadro *m.*

**fresquiste** *s* fresquista.

**fressure** *f* asadura.

**fret** *m* flete.

**fréter*** *vt* **1.** *(un navire)* fletar **2.** *(un véhicule)* fletar, alquilar.

**fréteur** *m* fletador.

**frétillant, e** *a* **1.** *(animal)* que colea, coleando **2.** *(personne)* vivaracho, a, bullidor, a.

**frétillement** *m* **1.** *(d'un animal)* coleo **2.** *(d'une personne)* agitación *f*, meneo.

**frétiller** *vi* **1.** *(animal)* colear: **le chien frétille de la queue** el perro colea, menea la cola **2.** *(personne)* agitarse, menearse, bullir: **~ d'impatience** bullir de impaciencia.

**fretin** *m* **1.** *(poissons)* morralla *f*, boliche **2.** *FIG (personnes)* **le menu ~** la gente de poco más o menos, la gente insignificante, la morralla.

**frette** *f TECHN* zuncho *m*, abrazadera.

**fretter** *vt TECHN* enzunchar.

**freudien, enne** *a/s* freudiano, a.

**freudisme** *m* freudismo.

**freux** *m (oiseau)* grajo.

**friabilité** *f* friabilidad.

**friable** *a* desmenuzable, que se desmenuza fácilmente, friable: **roche ~** roca desmenuzable.

[1]**friand** *m (pâté)* empanada *f.*

[2]**friand, e** *a* **être ~ de** ser muy aficionado, a a: **~ de compliments** aficionado a los elogios.

**friandise** *f* golosina, chuchería.

**Fribourg** *np m* Friburgo.

**fric** [fʀik] *m POP* pasta *f,* guita *f,* parné, tela *f:* **il gagne beaucoup de ~** gana mucha pasta; **un ~ fou** un pastón; **des gens à ~** gente de pasta.

**fricandeau** *m* fricandó.

**fricassée** *f* fricasé *m,* salteado *m.*

**fricasser** *vt* saltear.

**fricative** *a/f* fricativa: **consonne ~** consonante fricativa.

**fric-frac** [fʀikfʀak] *m FAM* robo con fractura.

**friche** *f* **1.** erial *m,* baldío *m* **2. en ~** yermo, a, baldío, a, sin cultivar: **terrain en ~** terreno baldío **3. ~ industrielle** zona industrial abandonada.

**frichti, fricot** *m FAM* guiso, guisado.

**fricotage** *m FAM* chanchullo.

**fricoter** *vt* **1.** *(cuisiner)* guisar **2.** *FAM (manigancer)* urdir, tramar. ◇ *vi FAM* trapichear, trapacear, tramar, andar en trapicheos: **qu'est-ce qu'il fricote?** ¿qué estará tramando?

**fricoteur, euse** *s FAM* trapacista, trapisondista, chanchullero, a, traficante.

**friction** *f* **1.** fricción: **faire une ~** dar una fricción **2.** *FIG (heurt)* roce *m,* fricción, choque *m.*

**frictionner** *vt* friccionar, dar fricciones a.

**frigidaire** *m (nom déposé)* frigorífico, nevera *f.*

**frigide** *a* frígido, a.

**frigidité** *f* frigidez.

**frigo** *m FAM* frigorífico, nevera *f.*

**frigorifier*** *vt* **1.** *(viande)* congelar **2.** *FAM* helar: **je suis frigorifiée** estoy helada.

**frigorifique** *a* frigorífico, a: **camion ~** camión frigorífico.

**frileux, euse** *a/s* friolero, a.

**frilosité** *f FIG* pusilanimidad.

**frimaire** *m* frimario.

**frimas** *m (brouillard)* niebla *f* helada.

**frime** *f FAM* camelo *m,* comedia: **tout ça, c'est de la ~** es puro camelo; **ses larmes sont de la ~** sus lágrimas son pura farsa; **pour la ~** de cara a la galería.

**frimer** *vi FAM* fardar.

**frimeur, euse** *a/s FAM* fanfarrón, ona, fardón, ona.

**frimousse** *f FAM* carita, palmito *m.*

**fringale** *f FAM* **1.** carpanta, gazuza: **avoir la ~** estar hambriento **2.** *(désir)* ganas *pl.*

**fringant, e** *a* **1.** *(cheval)* fogoso, a **2.** *(personne)* vivaracho, a, airoso, a.

**fringuer** *vt POP* vestir. ◆ **se ~** *vpr* vestirse, trajearse ◊ **il est bien fringué** está bien trajeado, fardado, maqueado.

**fringues** *f pl POP* ropa *sing,* trapos *m,* vestidos *m.*

**friper** *vt* **1.** *(froisser)* arrugar, chafar **2.** *(rider)* arrugar, ajar: **visage fripé** cara arrugada.

**friperie** *f* **1.** *(vieux habits)* pingos *m pl,* trapos *m pl* **2.** *(commerce)* ropavejería, prendería, trapería.

**fripes** *f pl FAM* ropa *sing* de ocasión.

**fripier, ère** *s* ropavejero, a, prendero, a.

**fripon, onne** *a/s* tunante, a, pícaro, a, bribón, ona, pillo, a ◊ **petit ~** bribonzuelo. ◇ *a (air, etc.)* malicioso, a.

**friponnerie** *f* tunantería, picardía, bribonería, pillería.

**fripouille** *f* canalla *m,* granuja *m:* **cet homme est une ~** este hombre es un canalla.

**fripouillerie** *f* canallada, granujada.

**friqué, e** *a POP* de pasta: **des gens friqués** gente de pasta.

**friquet** *m (moineau)* gorrioncito.

**frire*** *vt* freír ◊ **faire ~** freír. ◇ *vi* freírse: **le poisson était en train de ~** el pescado se estaba friendo.

▶ *Freír* a deux participes passés: *freído* et *frito* (irrég. et le plus usuel).

**frisant, e** *a* rasante: **lumière frisante** luz rasante.

[1]**frise** *f* **1.** *ARCH* friso *m* **2.** *(bande ornementale)* friso *m.*

[2]**frise (cheval de)** *m* caballo de frisa.

**Frise** *np f* Frisia.

**frisée** *f (salade)* escarola rizada.

**friselis** *m* ligero temblor.

**friser** *vt* **1.** rizar: **cheveux frisés** pelo rizado **2.** *(frôler)* rozar **3.** *(être proche)* rayar en, frisar, rondar: **il frise la cinquantaine** frisa (en) la cincuentena; **ça frise l'insolence** eso raya en la insolencia. ◇ *vi* rizarse.

**frisette** *f FAM* rizo *m,* sortijilla.

**frisotter** *vt* rizar ligeramente. ◇ *vi* ensortijarse, rizarse.

**frisquet, ette** *a FAM* fresquito, a: **il fait ~** hace fresquito.

**frisson** *m* escalofrío, estremecimiento: **avoir le ~, des frissons** sentir escalofríos ◊ *FIG* **donner des frissons** producir escalofríos.

**frissonnant, e** *a* trémulo, a, estremecido, a.

**frissonnement** *m* estremecimiento, temblor.

**frissonner** *vi* **1.** *(personne)* tiritar, sentir escalofríos **2.** estremecerse: **les feuilles frissonnent dans les arbres** las hojas se estremecen en los árboles.

**frisure** *f* rizado *m.*

**frit, e** *pp* de **frire.** ◇ *a* **1.** frito, a: **poisson ~** pescado frito **2.** *FAM* frito, a, aviado, a: **il est ~!** ¡está frito! ◇ *f* patata frita: **cornet de frites** cucurucho de patatas fritas ◊ *FAM* **avoir la ~** estar en forma.

**friterie** *f* freiduría.

**friteuse** *f* freidora.

**fritons** *m pl* chincharrones.

**friture** *f* **1.** *(cuisson)* freidura, freimiento *m* **2.** *(aliments frits)* fritada, fritura: **une ~ de poissons** una fritura de pescado **3.** *(huile)* aceite *m* **4.** *(radio, téléphone)* frituras *pl,* ruidos *m* parásitos.

**frivole** *a* frívolo, a.

**frivolité** *f* frivolidad. ◇ *pl ANC (articles de mode)* adornos *m,* perendengues *m.*

**froc** [fʀɔk] *m* **1.** *(des moines)* hábito: **prendre le ~** tomar los hábitos; **jeter le ~ aux orties** colgar los hábitos **2.** *POP (pantalon)* pantalón.

**froid, e** *a* **1.** frío, a: **eau froide** agua fría; **ce café est ~** este café está frío; **un caractère ~** un carácter frío **2.** *FIG* **la nouvelle le laissa ~** la noticia lo dejó frío; **garder la tête froide** no inmutarse **3.** *loc adv* **à ~** en frío: **opérer à ~** operar en frío. ◇ *m* **1.** frío: **j'ai ~** tengo, siento frío; **il fait très ~** hace mucho frío; **un ~ de canard** un frío que pela ◊ **prendre, attraper ~** coger frío, resfriarse; **j'ai attrapé un coup de ~** he pescado un resfriado **2.** *FAM* **ne pas avoir ~ aux yeux** tener agallas; **ça m'a fait ~ dans le dos** me ha dado mucho miedo **3.** *FIG* frío, frialdad *f* ◊ **ils sont en ~** están tirantes, están de punta; **jeter, produire un ~** provocar, causar un malestar.

**froidement** *adv* **1.** fríamente, con frialdad: **ils le reçurent ~** lo recibieron con frialdad **2.** *(cyniquement)* cínicamente, con cinismo: **mentir ~** mentir cínicamente.

**froideur** *f* frialdad: **traiter avec ~** tratar con frialdad.

**froidure** *f* LITT frío *m*.

**froissable** *a* arrugable.

**froissement** *m* **1.** *(d'un papier, tissu)* arrugamiento **2.** *(d'un muscle)* magullamiento **3.** FIG *(friction)* rozamiento, disgusto.

**froisser** *vt* **1.** *(un vêtement)* arrugar, chafar **2.** *(un muscle)* magullar **3.** FIG *(vexer)* herir, ofender, escocer. ◆ **se ~** *vpr* **1.** arrugarse, chafarse **2.** *(un muscle)* retorcerse, magullarse **3.** FIG *(se vexer)* ofenderse.

**frôlement** *m* rozamiento, roce.

**frôler** *vt* **1.** rozar: **j'ai frôlé le mur** rocé la pared **2.** FIG **~ une catastrophe** rozar una catástrofe **3. il frôle le ridicule** raya en lo ridículo.

**fromage** *m* **1.** queso: **~ de brebis, de chèvre** queso de oveja, de cabra; **~ rapé** queso rallado ◊ **~ blanc** requesón **2. ~ de tête** queso de cerdo **3.** FAM chollo, breva *f*, canonjía *f*: **il a obtenu un bon ~ grâce à ses relations** ha obtenido una buena breva gracias a sus relaciones.

**fromager, ère** *a* quesero, a: **industrie fromagère** industria quesera. ◇ *m* **1.** *(fabriçant, marchand de fromage)* quesero **2.** *(arbre)* ceiba *f*.

**fromagerie** *f* quesería.

**froment** *m* trigo candeal.

**fronçage** *m* fruncimiento.

**fronce** *f* frunce *m*, fruncido *m*.

**froncement** *m* fruncimiento.

**froncer*** *vt* fruncir: **il fronça les sourcils** frunció el ceño.

**frondaison** *f* **1.** aparición de las hojas **2.** *(feuillage)* frondosidad, fronda.

**fronde** *f* *(arme)* honda.

**Fronde (la)** *npf* HIST La Fronda.

**fronder** *vt* criticar, ridiculizar. ◇ *vi* FIG levantarse, oponerse.

**frondeur, euse** *a/s* *(rebelle)* sedicioso, a, rebelde. ◇ *m* ANC *(soldat)* hondero.

**front** *m* **1.** frente *f*: **~ haut, large, fuyant** frente alta, despejada, deprimida ◊ FIG **relever le ~** levantar la cabeza **2.** *(audace)* **avoir le ~ de** tener el descaro de, la frescura de **3.** MIL frente **4.** *(rassemblement)* frente: **le Front populaire** el Frente Popular **5. faire ~** resistir; **faire ~ à** hacer frente a **6.** *(partie antérieure, en météorologie)* frente **7. ~ de mer** paseo marítimo **8.** *loc adv* **de ~** de frente: **attaquer de ~** atacar de frente; **mener plusieurs travaux de ~** hacer varios trabajos al mismo tiempo, simultáneamente; **mener de ~ les études et le travail** compaginar los estudios con el trabajo.

▶ Notez: dans le sens de «partie de la face», le mot *frente* est féminin.

**frontal, e** *a/m* frontal: **les os frontaux** los huesos frontales.

**frontalier, ère** *a/s* fronterizo, a: **ville frontalière** ciudad fronteriza.

**frontière** *f* frontera: **~ naturelle** frontera natural; **l'Europe sans frontières, médecins sans frontières** Europa, médicos sin frontera. ◇ *a* fronterizo, a: **ville ~** ciudad fronteriza.

**frontispice** *m* frontis, frontispicio.

**fronton** *m* frontón.

**frottage** *m* *(du parquet)* encerado, enceramiento.

**frottée** *f* FAM *(raclée)* paliza.

**frottement** *m* **1.** frotamiento, frote **2.** FIG roce, desavenencia *f* **3.** *(en mécanique)* rozamiento.

**frotter** *vt* **1.** frotar: **~ une allumette** frotar una cerilla **2.** *(pour nettoyer)* estregar, restregar: **~ une casserole** estregar un cazo **3.** *(cirer)* **~ un parquet** lustrar, encerar un parqué **4.** FAM **je vais lui ~ les oreilles** le voy a calentar las orejas. ◇ *vi* rozar. ◆ **se ~** *vpr* **1. se ~ les yeux** restregarse los ojos **2.** FIG **se ~ les mains** frotarse las manos **3.** *(fréquenter)* tratar con **4.** FAM **se ~ à quelqu'un** desafiar, provocar a alguien; **ne vous y frottez pas!** ¡mucho ojo! ◊ **qui s'y frotte s'y pique** quien se acerca mucho a la lumbre se quema.

**frottis** *m* **1.** *(de couleur)* veladura *f* **2.** MÉD frotis.

**frottoir** *m* *(pour allumettes)* rascador.

**frou-frou, froufrou** *m* frufrú.

**froufroutant, e** *a* que produce frufrú.

**froufrouter** *vi* producir frufrú.

**froussard, e** *a/s* FAM gallina, miedica, cagueta.

**frousse** *f* FAM mieditis, canguelo *m*: **avoir la ~** tener mieditis.

**fructidor** *m* fructidor.

**fructification** *f* fructificación.

**fructifier*** *vi* **1.** fructificar **2. faire ~ son capital** hacer fructificar su capital.

**fructueux, euse** *a* fructífero, a, fructuoso, a: **un échange de vues ~** un cambio de impresiones fructífero.

**frugal, e** *a* frugal: **des repas frugaux** comidas frugales.

**frugalement** *adv* frugalmente.

**frugalité** *f* frugalidad.

**frugivore** *a/s* frugívoro, a.

**fruit** *m* **1.** *(en général)* fruto: **les fruits de la terre** los frutos de la tierra; **fruits secs** frutos secos ◊ **c'est au ~ qu'on connaît l'arbre → arbre 2.** *(comestible)* fruta *f*: **avez-vous des fruits?** ¿tiene fruta?; **fruits de saison** fruta del tiempo; **fruits confits** frutas confitadas; FIG **le ~ défendu** la fruta prohibida **3. fruits de mer** mariscos **4.** FIG fruto: **le ~ d'un travail, d'une réflexion** el fruto de un trabajo, de una reflexión; **porter ses fruits** dar sus frutos; **«le ~ de vos entrailles est béni»** «bendito sea el fruto de tu vientre» ◊ **avec ~** con provecho, con fruto **5.** FIG **c'est un ~ sec** es un fracasado.

**fruité, e** *a* con sabor a fruta.

**fruiterie** *f* frutería.

**fruitier, ère** *a* frutal: **arbres fruitiers** árboles frutales. ◇ *s* *(marchand)* frutero, a. ◇ *m* *(local)* madurero. ◇ *f* *(fromagerie)* quesería.

**frusques** *f pl* pingos *m*, trapos *m*.

**frusquin → saint-frusquin.**

**fruste** *a* **1.** *(médaille, etc.)* gastado, a **2.** *(grossier)* tosco, a, zafio, a: **des mœurs frustes** costumbres toscas.

**frustrant, e** *a* frustrante.

**frustration** *f* frustración, defraudación.

**frustrer** *vt* frustrar, defraudar: **~ un héritier** defraudar a un heredero; **se sentir frustré** sentirse frustrado.

**fuchsia** [fyʃja] *m* fucsia *f*.

**fuchsine** [fyksin] *f* fucsina.

**fucus** [fykys] *m* fuco.

**fuégien, enne** *a/s* fueguino, a.

**fuel** [fjul], **fuel-oil** [fjulɔjl] *m* fuel, fuel-oil.

**fugace** *a* fugaz: **impressions fugaces** impresiones fugaces.

**fugacité** *f* fugacidad.

**fugitif, ive** *a* fugitivo, a. ◇ *s* fugitivo, a, prófugo, a.

**fugitivement** *adv* fugazmente.

**fugue** *f* **1.** fuga, escapada ◊ **faire une ~** fugarse, escaparse **2.** MUS fuga.

**fuguer** *vi* FAM fugarse.

**fugueur, euse** *a/s* fugitivo, a.

**führer** [fyʀœʀ] *m* führer.

**fuir*** *vi* **1.** huir: **en fuyant à travers champs** huyendo a campo traviesa **2.** *(le temps)* huir, correr: **les années fuient** los años huyen **3.** *(un récipient)* salirse: **l'arrosoir fuit** la regadera se sale **4. faire ~** ahuyentar. ◇ *vt* huir de, rehuir: **il me fuit** me huye, me rehúye; **fuyons les envieux!** ¡huyamos de los envidiosos!; **elle fuit les cocktails** rehúye los cócteles, huye de los cócteles. ◆ **se ~** *vpr* evitarse.

**fuite** *f* **1.** huida, fuga: **la ~ en Égypte** la huida a Egipto; **la ~ des capitaux** la fuga de capitales; **~ en avant** huida hacia adelante ◊ **prendre la ~** huir, darse a la fuga; **mettre en ~** ahuyentar, poner en fuga, hacer huir; **il est en ~** está huido **2.** *(d'eau, de gaz)* escape *m,* fuga: **~ radioactive** escape radiactivo **3.** *(fissure)* hendidura **4.** *FIG (indiscrétion)* indiscreción, filtración **5. point de ~** centro de la perspectiva.

**fulgurant, e** *a* fulgurante.

**fulguration** *f* **1.** fulgor *m* **2.** *MÉD* fulguración.

**fulgurer** *vi* fulgurar.

**fuligineux, euse** *a* fuliginoso, a.

**fulmicoton** *m* fulmicotón, algodón pólvora.

**fulminant, e** *a* fulminante.

**fulminate** *m CHIM* fulminato.

**fulmination** *f* fulminación.

**fulminer** *vi* **1.** hacer explosión **2. ~ contre quelqu'un** tronar contra alguien, echar pestes contra alguien. ◇ *vt* fulminar: **~ une excommunication, une invective** fulminar una excomunión, una invectiva.

**fumage** *m* **1.** *(d'une viande)* ahumado **2.** *AGR* estercoladura *f.*

**fumant, e** *a* **1.** humeante: **assiette fumante** plato humeante **2.** *FAM* **il était ~ de colère** echaba espumarajos de ira **3.** *FAM* **un coup ~** una jugada de primera.

**fumé, e** *a* ahumado, a: **lard, saumon ~** tocino, salmón ahumado; **verre ~** cristal ahumado.

**fume-cigare, fume-cigarette** *m inv* boquilla *f.*

**fumée** *f* **1.** humo *m*: **la ~ d'une cigarette** el humo de un cigarrillo ◊ *FIG* **s'en aller en ~** convertirse en humo, desvanecerse **2.** *PROV* **il n'y a pas de ~ sans feu** algo tendrá el agua cuando la bendicen, cuando el río suena, agua lleva. ◇ *pl (de l'alcool)* vapores *m.*

**fumer** *vi* **1.** *(produire de la fumée)* echar humo, humear **2.** fumar: **défense de ~** prohibido fumar; **~ comme un sapeur** fumar como un carretero **3.** *FAM* rabiar, bufar, echar chispas. ◇ *vt* **1. ~ une cigarette, la pipe** fumar un cigarrillo, en pipa **2.** *(jambon, etc.)* ahumar **3.** *AGR (un champ)* estercolar, abonar.

**fumerie** *f* **~ d'opium** fumadero *m* de opio.

**fumerolle** *f* fumarola.

**fumeron** *m* tizón.

**fumet** *m* **1.** *(d'un mets)* olorcillo, aroma **2.** *(d'un vin)* embocadura *f,* buqué **3.** *(d'un animal)* olor, tufo.

**fumeterre** *f* fumaria.

**fumeur, euse** *s* fumador, a: **non fumeurs** no fumadores.

**fumeux, euse** *a* **1.** humoso, a **2.** *(brumeux)* neblinoso, a **3.** *FIG* nebuloso, a, confuso, a: **une pensée fumeuse** un pensamiento confuso.

**fumier** *m* **1.** estiércol **2.** *(amas de fumier)* muladar, estercolero **3.** *POP (homme abject)* canalla, sinvergüenza, cabrón.

**fumigateur** *m* fumigador.

**fumigation** *f* fumigación.

**fumigène** *a* fumígeno, a ◊ **grenade ~** bote de humo.

**fumiste** *m (ouvrier)* fumista. ◇ *s FAM (farceur)* bromista, *(mystificateur)* camelista, embaucador, a, *(peu sérieux)* informal, cantamañanas.

**fumisterie** *f* **1.** *(métier de fumiste)* fumistería **2.** *FAM* broma, engaño, camelo *m*: **c'est une vaste ~** es un gran camelo.

**fumivore** *a* fumívoro, a.

**fumoir** *m* **1.** *(local pour fumer)* fumadero **2.** *(pour les aliments)* ahumadero.

**fumure** *f* **1.** *AGR* abono *m,* estercoladura **2.** *(engrais)* estiércol *m,* abono *m.*

**funambule** *s* funámbulo, a, volatinero, a.

**funambulesque** *a* funambulesco, a.

**funèbre** *a* **1.** fúnebre: **pompes funèbres** pompas fúnebres; **convoi ~** cortejo fúnebre ◊ **cérémonie ~** funeral *m* **2.** *FIG* fúnebre.

**funérailles** *f pl* funeral *m sing,* funerales *m*: **assister aux ~ de...** asistir al funeral, a los funerales de...

**funéraire** *a* funerario, a, mortuorio, a: **masque ~** máscara funeraria.

**funeste** *a* funesto, a, infausto, a.

**funiculaire** *m* funicular.

**fur** *m* **au ~ et à mesure** poco a poco; **au ~ et à mesure que** a medida que, conforme, según; **au ~ et à mesure de** según.

**furent** → **être.**

**furet** *m* **1.** *(animal)* hurón **2.** *(jeu)* sortija *f,* anillo.

**fureter*** *vi FIG* fisgonear, huronear, husmear.

**fureteur, euse** *a/s* fisgón, ona, hurón, ona.

**fureur** *f* **1.** furor *m* ◊ **entrer en ~** ponerse furioso, a; **elle entra en ~** se puso furiosa; **mettre quelqu'un en ~** poner furioso, enfurecer a alguien; **être dans une ~ noire** estar hecho, a un basilisco **2. faire ~** hacer furor; **s'aimer à la ~** quererse con locura, a rabiar.

**furibard, e** *a FAM* furibundo, a, furioso, a ◊ **être ~** echar chispas, estar que bota, estar que trina.

**furibond, e** *a* furibundo, a, furioso, a: **un regard ~** una mirada furibunda; **être ~** estar furioso, a.

**furie** *f* furia ◊ **en ~** furioso, a: **il m'a mise en ~** me ha puesto furiosa.

**Furies** *np f pl* Furias.

**furieusement** *adv* **1.** furiosamente **2.** *LITT (très)* muy.

**furieux, euse** *a* **1.** furioso, a: **je suis ~ contre lui** estoy furioso contra él; **fou ~** loco furioso, loco de atar **2. une furieuse envie de dormir** unas ganas locas, furiosas de dormir.

**furoncle** *m* furúnculo.

**furonculose** *f* furunculosis.

**furtif, ive** *a* furtivo, a ◊ **avion ~** avión invisible.

**furtivement** *adv* furtivamente, a escondidas.

**fus** → **être.**

**fusain** *m* **1.** *(arbrisseau)* bonetero **2.** *(crayon)* carboncillo **3.** *(dessin)* dibujo al carboncillo, al carbón.

**fusant, e** *a* **1.** *(poudre)* que arde sin deflagración **2.** *(obus)* que estalla en el aire.

**fuseau** *m* **1.** *(pour filer)* huso **2.** *(de dentellière)* bolillo **3. ~ horaire** huso horario **4.** *(pantalon)* pantalón tubo: **des fuseaux** pantalones tubo, pantalones «fuseau».

**fusée** *f* **1.** cohete *m*: **une ~ spatiale** un cohete espacial; **~ porteuse** cohete portador; **~ sol-air, sol-sol** cohete tierra aire, tierra tierra **2.** *(d'un obus)* espoleta **3.** *(d'un essieu)* manga.

**fuselage** *m* fuselaje.

**fuselé, e** *a* ahusado, a: **doigts fuselés** dedos ahusados.

**¹fuser** *vi (jaillir)* brotar, surgir: **les rires fusèrent** brotaron las risas.

**²fuser** *vi* **1.** *(fondre)* derretirse **2.** *(crépiter)* crepitar **3.** *(brûler sans détoner)* arder sin deflagración.

**fusible** *a/m* fusible.

**fusiforme** *a* fusiforme.

**fusil** [fyzi] *m* **1.** *(de guerre)* fusil: **~ d'assaut** fusil de asalto ◊ **coup de ~** disparo **2.** **~ de chasse** escopeta *f*: **~ à deux coups** escopeta de dos cañones **3.** *FIG* **il a changé son ~ d'épaule** ha cambiado de chaqueta, ha vuelto casaca, ha chaqueteado; *FAM* **dans ce restaurant, c'est le coup de ~** en este restaurante te clavan **4.** *(tireur)* **c'est un fameux ~** es una escopeta, un tirador de primera **5.** *(pour aiguiser)* chaira *f*, afilón.

**fusilier** *m* fusilero ◊ **~ marin** soldado de infantería de marina.

**fusillade** *f* **1.** tiroteo *m*, fusilería **2.** *(exécution)* fusilamiento *m*.

**fusiller** *vt* **1.** *(exécuter)* fusilar **2.** *FIG* **~ du regard** fulminar con la mirada **3.** *FAM (abîmer)* estropear.

**fusil-mitrailleur** *m* fusil ametrallador.

**fusion** *f* **1.** fusión: **~ nucléaire** fusión nuclear **2.** *FIG (d'entreprises, etc.)* fusión.

**fusionner** *vt* fusionar. ◇ *vi* fusionarse: **ces sociétés vont ~** estas sociedades van a fusionarse.

**fusse, fussent → être.**

**fustanelle** *f* enagüillas *pl*.

**fustiger*** *vt* **1.** *(battre)* fustigar **2.** *FIG (criticar)* fustigar.

**fut, fût → être.**

**fût** *m* **1.** *(d'un arbre)* tronco **2.** *ARCH* fuste, caña *f* **3.** *(d'une arme à feu)* caja *f* **4.** *(tonneau)* tonel, barril, barrica *f*.

**futaie** *f* monte *m* alto, oquedal *m*.

**futaille** *f* **1.** *(fût)* tonel *m*, pipa **2.** *(ensemble de tonneaux)* tonelería.

**futé, e** *a FAM* listo, a, astuto, a ◊ **il n'est pas très ~** es muy simple; **un petit ~** un listillo.

**futile** *a* fútil.

**futilité** *f* futilidad.

**futur, e** *a/s* futuro, a: **les temps futurs** los tiempos futuros; **son ~ mari** su futuro marido; **le ~** el futuro. ◇ *m GRAM* **~ simple, antérieur** futuro imperfecto, perfecto.

**futurisme** *m* futurismo.

**futuriste** *a/s* futurista.

**futurologie** *f* futurología.

**futurologue** *s* futurólogo, a.

**fuyant, e** [fɥijɑ̃, ɑ̃t] **→ fuir.** ◇ *a* **1.** **lignes fuyantes** líneas que huyen **2.** **front ~** frente deprimida **3.** **regard ~** mirada huidiza.

**fuyard, e** [fɥijaʀ, aʀd(ə)] *s* fugitivo, a, prófugo, a.

# G

**g** [ʒe] *m* g *f*: **un g** una g.

**gabardine** *f* gabardina.

**gabare** *f (bateau)* gabarra.

**gabarit** *m* **1.** *(pour wagons)* gálibo **2.** *(taille)* tamaño, estatura *f*, dimensión *f* **3.** *FIG* tipo, modelo: **du même ~** del mismo tipo.

**gabegie** [gabʒi] *f* **1.** *(gaspillage)* despilfarro *m* **2.** *(désordre)* desbarajuste *m*.

**gabelle** *f HIST* gabela, impuesto *m* sobre la sal.

**gabelou** *m PÉJOR* aduanero.

**gabier** *m MAR* gaviero.

**gabion** *m MIL* gavión.

**gable, gâble** *m ARCH* gablete.

**Gabon** *np m* Gabón.

**gabonais, e** *a/s* gabonés, esa.

**Gabriel, elle** *np* Gabriel, a.

**gâchage** *m* **1.** mezcla *f* **2.** *FIG* despilfarro.

**gâche** *f (de serrure)* cerradero *m*.

**gâcher** *vt* **1.** *(plâtre, mortier)* mezclar, amasar **2.** *FIG (gaspiller)* malgastar, echar a perder: **~ son argent, son temps** malgastar el dinero, el tiempo **3.** arruinar, desperdiciar: **j'ai gâché mes vacances** he desperdiciado mis vacaciones; **une vie gâchée** una vida arruinada **4. ~ le plaisir à quelqu'un** aguarle la fiesta a alguien **5.** deslucir: **la pluie a gâché la procession** la lluvia ha deslucido la procesión **6. ~ le métier** trabajar a bajo precio.

**gâchette** *f (d'arme à feu)* gatillo *m*: **appuyer sur la ~** apretar el gatillo.

**gâcheur, euse** *a/s (qui gaspille)* chapucero, a. ◇ *m (ouvrier)* peón de albañil, amasador.

**gâchis** *m* **1.** *(mortier)* argamasa *f* **2.** *(gaspillage)* despilfarro: **quel ~!** ¡qué despilfarro! **3.** *FIG (situation confuse)* confusión *f*, lío.

**gadget** [gadʒɛt] *m* gadget, chisme.

**gadin** *m FAM* **ramasser un ~** caerse, dar con el cuerpo en tierra, pegarse un batacazo, coger una liebre.

**gaditain, e** *a/s (de Cadix)* gaditano, a.

**gadoue** *f* **1.** *(engrais)* abono *m* **2.** *(boue)* lodo *m*, fango *m*.

**gaélique** *a/s* gaélico, a.

**Gaétan** *np m* Cayetano.

**gaffe** *f* **1.** *(perche)* bichero *m* **2.** *FAM (bévue)* plancha, coladura, metedura de pata, pifia: **faire une ~** tirarse una plancha; **quelle ~!** ¡qué metedura de pata! **3.** *POP* **faire ~** tener cuidado; **fais ~!** ¡ándate con ojo!, ¡cuidado!, ¡conque ojo!

**gaffer** *vi FAM (faire une gaffe)* meter la pata. ◇ *vt POP (regarder)* mirar.

**gaffeur, euse** *a/s FAM* torpe: **Gilles est un ~** Gil siempre mete la pata.

**gag** [gag] *m* gag: **des gags** gag, gags.

**gaga** *a FAM* chocho, a.

**gage** *m* **1.** prenda *f*: **laisser en ~** dejar en prenda ◊ **mettre en ~** empeñar; **prêter sur ~** prestar con fianza **2.** *(preuve)* prueba *f*: **un ~ d'amitié** una prueba de amistad. ◇ *pl* **1.** *(salaire d'un domestique)* sueldo *sing* ◊ **être aux gages de** estar al servicio de **2. tueur à gages** asesino profesional, sicario.

**gager*** *vt* apostar: **je gage que...** apuesto a que; **gageons que...** apostemos a que...

**gageure** [gaʒyʀ] *f* **1.** apuesta **2. c'est une ~** es casi imposible.

**gagiste** *m JUR* acreedor con prenda.

**gagnant, e** *a/s* **1.** *(au jeu)* ganador, a **2.** *(à la loterie)* agraciado, a, premiado, a: **les gagnants du gros lot** los agraciados con el premio gordo; **numéro ~** número premiado **3.** *(d'un concours)* acertante.

**gagne-pain** *m inv* sustento, medio de subsistencia.

**gagne-petit** *m inv* trabajador que gana muy poco.

**gagner** *vt* **1.** ganar: **il gagne tant par mois** gana tanto al mes; **~ au jeu** ganar en el juego; **~ le match** ganar el partido ◊ **~ sa vie, son pain** ganarse la vida, el pan; **c'est toujours ça de gagné!** ¡menos da una piedra! **2. j'ai gagné le gros lot** me ha tocado el gordo **3. ~ du temps** ganar tiempo; **faire ~ du temps** ahorrar tiempo **4.** *(atteindre)* alcanzar: **~ la côte en nageant** alcanzar la costa nadando **5.** dirigirse: **elle gagna la sortie** se dirigió hacia la salida **6. ~ l'estime, la sympathie de tous** granjearse el aprecio, la simpatía de todos **7. l'ennui me gagne** el aburrimiento se apodera de mí; **gagné par le sommeil** vencido por el sueño **8. ~ quelqu'un de vitesse** adelantarse a alguien **9. ~ du terrain** ganar terreno. ◇ *vi* **1.** ganar: **il a gagné par 6-3** ganó por 6-3 **2.** *(se propager)* extenderse, propagarse: **l'épidémie gagne** la epidemia se extiende **3.** *(s'améliorer)* mejorarse: **le bon vin gagne en vieillissant** el buen vino se mejora con los años **4. ~ à être connu** ganar con el trato.

**gai, e** *a* **1.** *(personne, couleur)* alegre ◊ **~ comme un pinson → pinson 2. être un peu ~** estar alegre, achispado **3.** *FAM* **c'est ~!** ¡no faltaba más!

**gaïac** *m (arbre)* gayacán, guayaco.

**gaiement** [gemɑ̃] *adv* alegremente.

**gaieté** [gete] *f* **1.** alegría: **perdre sa ~** perder la alegría **2. de ~ de cœur** de buena gana.

**gaillard, e** *a* **1.** *(solide)* robusto, a, vigoroso, a **2.** *(un peu libre)* licencioso, a, atrevido, a, libre. ◇ *m* **1. un grand ~** un buen mozo, un mocetón **2.** *FAM* tipo, pillo, pícaro ◊ **mon ~** hijo **3.** *MAR* **~ d'avant** castillo de proa; **~ d'arrière** alcázar, castillo de popa.

**gaillardement** *adv* gallardamente, con gallardía.

**gaillardise** *f* **1.** *(gaieté)* gallardía, desenfado *m* **2.** *(propos)* chocarrería, dicho *m* libre.

**gaillet** *m (plante)* galio.

**gaîment → gaiement.**

**gain** *m* **1.** ganancia *f* ◊ **âpre au ~** ávido de lucro **2. avoir ~ de cause** *(procès)* ganar el pleito, *(dans une discussion)* salirse con la suya **3. un ~ de temps, de place** una economía de tiempo, de sitio.

**gaine** *f* **1.** vaina, funda, estuche *m*: **~ isolante** funda aislante **2.** *(sous-vêtement)* faja: **~-culotte** faja braga **3.** *BOT* vaina **4.** *(piédestal)* zócalo *m*, pedestal *m*.

**gainer** *vt* **1.** *(un câble, etc.)* forrar **2.** *(mouler)* moldear.

**gainerie** *f* fábrica de vainas o estuches.

**gainier** *m* **1.** *(fabricant d'étuis, etc.)* estuchista, vainero **2.** *(arbre)* ciclamor.

**gaîté → gaieté.**

**gala** *m* **1.** gala *f*, función *f* de gala: **un ~ de bienfaisance** una función de beneficencia, una gala benéfica; **un ~ à l'Opéra** una fiesta de gala en la Ópera **2. soirée de ~** fiesta de gala; **dîner de ~** cena de gala.

**galactique** *a* galáctico, a.

**galactose** *f CHIM* galactosa.

**galalithe** *f* galalita.

**galamment** *adv* galantemente.

**galandage** *m ARCH* tabique de panderete.

**galant, e** *a* **1.** galante, atento, a, cortés: **un homme ~** un hombre galante ◊ **se conduire en ~ homme** ser un caballero; **en galante compagnie** con mujeres **2. femme galante** mujer galante, cortesana. ◇ *m* **1.** galán **2. un vert ~** un viejo verde.

**galanterie** *f* **1.** *(courtoisie)* galantería, finura, cortesía **2.** *(propos galant)* requiebro *m*, piropo *m* ◊ **dire des galanteries** piropear.

**galantine** *f* galantina.

**galapiat** *m FAM* pillo, pilluelo.

**galate** *a/s* gálata.

**Galatée** *np f* Galatea.

**galaxie** *f ASTR* galaxia.

**galbe** *m* perfil, contorno, curva *f*.

**galbé, e** *a* torneado, a, bien perfilado, a: **jambes bien galbées** piernas bien torneadas.

**galber** *vt* dar forma, perfil a.

**gale** *f* **1.** sarna, roña **2.** *FAM* **une ~** un bicho malo.

**galée** *f (imprimerie)* galera.

**galéjade** *f* broma.

**galéjer*** *vi* bromear.

**galène** *f* galena: **poste à ~** radio de galena.

**galénique** *a* galénico, a.

**galère** *f* **1.** *(navire)* galera **2. et vogue la ~!** ¡y ruede la bola! **3.** *FIG* infierno *m* ◊ **une vie de ~** una vida perra **4.** *FAM* **c'est la ~!** ¡menudo follón! ◇ *pl (peine)* galeras.

**galérer*** *vi FAM* **1.** pasarlo muy mal **2.** vivir al día.

**galerie** [galʀi] *f* **1.** galería: **~ de tableaux** galería de cuadros; **~ marchande** galería comercial **2.** *THÉÂT* galería **3. la ~** el público ◊ **amuser la ~** llamar la atención; **pour la ~** para la galería, de cara a la galería **4.** *(d'une auto)* baca, portaequipajes *m*.

**galérien** *m* galeote ◊ *FIG* **travailler comme un ~** trabajar como un forzado.

**galeriste** *s* galerista.

**galerne** *f (viento)* galerna.

**galet** *m* **1.** canto rodado, guijarro: **une plage de galets** una playa de cantos rodados **2.** *TECHN* ruedecilla *f*, rodillo.

**galetas** [galta] *m* **1.** *(mansarde)* buhardilla *f* **2.** *(taudis)* tugurio, cuchitril.

**galette** *f* **1.** *(gâteau)* torta **2. ~ des Rois** roscón *m* de Reyes **3.** *FAM (argent)* guita, pasta, parné *m*: **avoir de la ~** tener guita.

**galeux, euse** *a/s* **1.** sarnoso, a **2.** *FIG* **la brebis galeuse** la oveja negra.

**Galice** *np f* Galicia.

**galicien, enne** *a/s (de Galice)* gallego, a.

**Galien** *np m* Galeno.

**Galilée** *np m* Galileo.

**Galilée** *np f* Galilea.

**galiléen, enne** *a/s* galileo, a ◊ **le Galiléen** el Galileo.

**galimatias** [galimatja] *m* galimatías.

**galion** *m* galeón.

**galiote** *f* galeota.

**galipette** *f* cabriola, brinco *m*: **faire des galipettes** dar brincos.

**galle** *f BOT* agalla.

**Galles** [gal] *np m* **le pays de ~** Gales, el país de Gales; **le prince de ~** el príncipe de Gales.

**gallican, e** *a* galicano, a.

**gallicanisme** *m* galicanismo.

**gallicisme** *m* galicismo.

**gallinacés** *m pl ZOOL* gallináceas *f*.

**gallois, e** *a/s* galés, esa: **les Gallois** los galeses.

**gallomanie** *f* galomanía.

**gallon** *m* galón.

**gallo-romain, e** *a/s* galorromano, a.

**galoche** *f* **1.** galocha, zueco *m* **2. menton en ~** barbilla prominente, de vieja.

**galon** *m* **1.** *(ruban)* galón, trencilla *f* **2.** *MIL* galón ◊ **il a pris du ~** le ascendieron de grado; **arroser ses galons** celebrar su ascenso.

**galonner** *vt* galonear, ribetear.

**galop** *m* **1.** galope: **au ~** a galope; **au grand ~** a galope tendido **2.** *FIG* **un ~ d'essai** un test, una prueba **3.** *(danse)* galop.

**galopade** *f* galopada.

**galopant, e** *a* galopante: **inflation, phtisie galopante** inflación, tisis galopante.

**galoper** *vi* **1.** galopar **2.** *(courir)* correr.

**galopin** *m* galopín, pilluelo, golfillo: **petit ~** granujilla.

**galoubet** *m (en Provence)* flauta *f* rústica.

**galuchat** *m* piel *f* de pescado curtida.

**galurin** *m POP* sombrero.

**galvanique** *a* galvánico, a.

**galvanisation** *f* galvanización.

**galvaniser** *vt* **1.** galvanizar **2.** *FIG* galvanizar, electrizar: **~ les troupes** electrizar a las tropas.

**galvanomètre** *m* galvanómetro.

**galvanoplastie** *f* galvanoplastia.

**galvauder** *vt* mancillar, deshonrar, prostituir: **~ son nom, son talent, sa réputation** prostituir su nombre, su talento, su reputación. ◇ *vi FAM (traîner)* vagar, vagabundear. ◆ **se ~** *vpr FIG* rebajarse, deshonrarse.

**galvaudeux, euse** *s FAM* vagabundo, a, golfo, a.

**gamba** *f (crevette)* gamba.

**gambade** *f* brinco *m,* cabriola: **faire des gambades** dar brincos.

**gambader** *vi* brincar, dar brincos.

**gamberger** *vi POP* cavilar, pensar, reflexionar.

**gambette** *f FAM (jambe)* pierna, remo *m.*

**Gambie** *np f* Gambia.

**gambiller** *vi FAM (danser)* bailotear.

**gambit** *m (aux échecs)* gambito.

**gamelle** *f* **1.** fiambrera, tartera **2.** *FAM* **ramasser une ~** dar con sus huesos por tierra.

**gamète** *m BIOL* gameto.

**gamin, e** *s* **1.** *(enfant)* chiquillo, a, rapaz **2.** *(garnement)* golfillo, a. ◇ *a (espiègle)* travieso, a.

**gaminerie** *f* **1.** niñería, niñada **2.** *(espièglerie)* travesura.

**gamma** *m inv* gamma *f.*

**gamme** *f* **1.** escala, gama: **~ majeure, mineure** escala mayor, menor: **faire des gammes** hacer escalas **2.** *(de couleurs, etc.)* gama, serie: **la ~ des bleus** la gama de los azules; **modèle haut de ~** modelo de gama alta.

**gammée** *a* **croix ~** esvástica, cruz gamada.

**gamopétale** *a BOT* gamopétalo, a.

**gamosépale** *a BOT* gamosépalo, a.

**ganache** *f* **1.** *(de cheval)* barbada **2.** *FAM* **vieille ~** zoquete *m,* estúpido *m* **3.** *CULIN* crema de chocolate.

**Gand** *np* Gante.

**gandin** *m* pisaverde, gomoso.

**gang** [gɑ̃g] *m* gang, cuadrilla *f,* pandilla *f.*

**Gange** *np m* Ganges.

**ganglion** *m ANAT* ganglio.

**gangrène** *f* **1.** gangrena **2.** *FIG* corrupción, gangrena.

**gangrener*** *vt* causar gangrena, corromper. ◆ **se ~** *vpr* gangrenarse.

**gangreneux, euse** *a* gangrenoso, a.

**gangster** [gɑ̃gstɛʀ] *m* gángster.

**gangstérisme** *m* gangsterismo.

**gangue** *f* ganga.

**ganse** *f* cordón *m,* trencilla, presilla.

**ganser** *vt* adornar con trencilla.

**gant** *m* **1.** guante: **une paire de gants** un par de guantes; **~ de caoutchouc, de cuisine** guantes de goma ◊ *FIG* **jeter le ~** arrojar el guante, desafiar; **aller comme un ~** sentar de maravilla, venir como anillo al dedo; **prendre des gants** obrar con reparo; **je lui ai dit ce que je pensais sans prendre de gants** le dije con toda franqueza lo que pensaba; **souple comme un ~** dócil como la seda, como un guante; **relever le ~** recoger el guante, aceptar un desafío; **retourner quelqu'un comme un ~** manejar a alguien a su antojo **2. ~ de toilette** manopla *f* **3. ~ de boxe** guante de boxeo **4. boîte à gants** guantera.

**ganté, e** *a* enguantado, a.

**gantelet** *m* guantelete, manopla *f.*

**ganter** *vt* enguantar. ◆ **se ~** *vpr* ponerse los guantes.

**ganterie** *f* guantería.

**gantier, ère** *s* guantero, a.

**gantois, e** *a/s* gantés, esa.

**Ganymède** *np m* Ganímedes.

**garage** *m* **1.** garaje: **rentrer sa voiture au ~** meter el coche en el garaje **2. voie de ~** apartadero *m,* vía muerta; *FIG* **mettre quelqu'un sur une voie de ~** dejar a alguien de lado.

**garagiste** *m* garajista.

**garance** *f (plante)* granza, rubia. ◇ *a* grancé.

**garant, e** *a/s* **1.** fiador, a, garante: **se porter ~ de** salir fiador de **2. être ~ de** avalar. ◇ *m* garantía *f.*

**garantie** *f* **1.** garantía, fianza: **laisser en ~** dejar como garantía, dejar en fianza **2. certificat de ~** certificado de garantía: **deux ans de ~** dos años de garantía.

**garantir** *vt* **1.** garantizar: **cet appareil est garanti contre...** este aparato está garantizado contra... **2.** *(protéger)* preservar, resguardar **3.** *(assurer)* asegurar, garantizar: **je vous garantis que...** le garantizo que, le aseguro que.... ◆ **se ~** *vpr* protegerse.

**garce** *f POP* **1.** mujerzuela, furcia, zorra **2. ~ de pluie!** ¡maldita lluvia!

**garçon** *m* **1.** muchacho, chico, niño: **les garçons et les filles** los chicos y las chicas; **c'est un brave ~** es un buen chico; **un petit ~** un niño ◊ **un ~ manqué,** una muchacha con modales de chico; **un beau ~** un buen mozo; **~ d'honneur** joven que acompaña al novio en una boda **2.** *(enfant de sexe masculin)* varón: **il a deux garçons** tiene dos hijos varones **3.** *(célibataire)* soltero ◊ *FAM* **vieux ~** solterón: **rester vieux ~** quedarse solterón; **enterrer sa vie de ~** despedirse de su vida de soltero **4.** *(employé)* mozo: **~ d'hôtel** mozo de hotel; **~ d'écurie** mozo de cuadra ◊ **~ de café** camarero, mozo; **~ épicier,** dependiente de una tienda de comestibles; **~ boucher** dependiente de una carnicería; **~ de courses** recadero, mandadero, chico de los recados; **~ de recettes** cobrador.

**garçonne** *f* marimacho *m* ◊ **à la ~** a lo chico.

**garçonnet** *m* niño.

**garçonnière** *f* piso *m* de soltero.

**garde** *f* **1.** guardia, custodia, vigilancia: **la ~ d'un enfant** la custodia de un niño; **elle a obtenu le droit de garde de ses enfants** ha logrado la custodia de sus hijos ◊ **chien de ~** perro de guarda, perro guardián; **médecin, pharmacie de ~** médico de guardia, farmacia de turno; **être de ~** estar de guardia; **être, se tenir sur ses gardes** estar a la defensiva; **mettre quelqu'un en ~** poner en guardia a alguien, alertar a alguien; **mise en ~** toque *m* de atención **2. prendre ~** tener cuidado; **prenez ~ à, de ne pas glisser** tenga cuidado en no resbalar; **prenez ~!** ¡cuidado!; **prenez ~ qu'il ne vous voie pas** cuidado con que no le vea a usted **3.** *JUR* **~ à vue** detención preventiva **4.** *MIL* guardia: **~ montante, descendante** guardia entrante, saliente; **monter la ~** montar la guardia; **la relève de la ~** el relevo de la guardia; **la vieille ~** la vieja guardia ◊ **la ~ mobile** la gendarmería; **corps de ~** cuerpo de guardia; **plaisanterie de corps de ~** chiste de muy mal gusto **5.** *(d'un livre, d'une serrure)* guarda **6.** *(d'une épée)* guarda, guarnición. ◇ *m* **1.** guarda, guardia ◊ **~ champêtre** guarda rural; **~ du corps** guardaespaldas, escolta; **~ forestier** guardabosque; **~ de nuit** guarda de noche; **un ~ mobile** un gendarme **2. ~ des Sceaux** ministro de Justicia.

**garde-à-vous** *m inv MIL* **se mettre au ~** cuadrarse, ponerse firme(s); **être au ~** estar cuadrado. ◇ *interj* ¡firme!, ¡firmes!

**garde-barrière** *s* guardabarrera.

**garde-boue** *m inv* guardabarros.

**garde-chasse** *m* guarda de caza.

**garde-chiourme** *m* **1.** *ANC* cabo de vara, cómitre **2.** *PÉJOR* vigilante brutal.

**garde-corps** *m inv* pretil, guardalado.

**garde-côte** *a/m* guardacostas.

**garde-feu** *m inv* pantalla *f.*

**garde-fou** *m* **1.** antepecho, pretil: **s'accouder au ~** acodarse en el pretil **2.** *FIG* protección *f.*

**garde-magasin** *m* guardalmacén.

**garde-malade** *s* enfermero, a.

**garde-manger** *m inv* fresquera *f.*

**garde-meubles** *m inv* guardamuebles.

**gardénia** *m* gardenia *f.*

**garden-party** *f* garden-party.

**garde-pêche** *m* **1.** *(surveillant)* guarda de pesca **2.** *(bateau)* guardapesca.

**garder** *vt* **1.** guardar: **~ un secret** guardar un secreto; **~ le lit, le silence** guardar cama, silencio **2.** quedarse con: **il a gardé son manteau** se ha quedado con el abrigo; **gardez la monnaie!** ¡quédese con la vuelta! **3.** conservar, guardar: **~ les aliments** conservar los alimentos; **~ un bon souvenir de, son sang-froid** conservar un buen recuerdo de, la sangre fría; **~ la ligne** guardar la línea; **~ son sérieux** mantenerse serio **4. ~ quelqu'un à déjeuner** retener a alguien a almorzar **5.** *(quelqu'un)* cuidar: **~ des enfants** cuidar niños **6.** *(un lieu)* vigilar, guardar, custodiar ◊ **chasse gardée** reserva de caza, coto *m* de caza. ◆ **se ~** *vpr* **1.** *(les aliments)* conservarse **2. se ~ de** guardarse de: **je me garderai bien de lui répondre** ya me guardaré de contestarle; **je me gardai bien de la contredire** me cuidé mucho de contradecirle.

**garderie** *f* guardería.

**garde-robe** *f* **1.** *(armoire)* guardarropa *m* **2.** *(vêtements)* vestuario *m:* **la ~ féminine** el vestuario femenino, la guardarropa femenina; **choisir sa ~** elegir el vestuario.

**gardian** *m* vaquero en Camarga.

**gardien, enne** *s* **1.** *(de jardin public, de musée)* guarda **2.** *(concierge)* portero, a **3. ~ de nuit** sereno **4. ~ de la paix** guardia municipal, policía **5. ~ de but** guardameta, portero **6. ~ de prison** carcelero **7.** *FIG* depositario, a.

**gardiennage** *m* guarda *f.*

**gardon** *m (poisson)* escardino ◊ *FIG* **frais comme un ~** fresco como una lechuga.

**[1]gare** *f* **1.** *(chemin de fer)* estación: **le train entre en ~** el tren entra en la estación; **~ terminus** estación terminal; **chef de ~** jefe de estación; **~ maritime** estación marítima **2. ~ routière** estación de autobús.

**[2]gare** *interj* **1.** ¡atención!, ¡ojo!, ¡cuidado!: **~ aux contraventions!** ¡cuidado con las multas!; **~ à toi si je t'y reprends** pobre de ti si lo vuelves a hacer **2. sans crier ~** sin decir agua va, sin avisar.

**garenne** *f* **1.** vivar *m,* conejar *m* **2. lapin de ~** conejo de campo.

**garer** *vt* **1.** *(un train)* llevar a una vía muerta **2.** aparcar: **j'ai garé ma voiture en double file** he aparcado el coche en doble fila; **ma voiture est garée devant l'hôtel** tengo el coche aparcado delante del hotel; **voiture mal garée** coche mal aparcado **3.** dejar en un garaje **4.** *(mettre à l'abri)* poner a cubierto. ◆ **se ~** *vpr* **1.** aparcar: **je me suis garé loin d'ici** he aparcado lejos de aquí **2.** *(se protéger)* apartarse, guarecerse, ponerse a cubierto.

**Gargantua** *np m* Gargantúa.

**gargantuesque** *a* pantagruélico, a.

**gargariser (se)** *vpr* **1.** hacer gárgaras, gargarizar **2.** *FIG* **il se gargarise de mots savants** se gargariza con palabras cultas.

**gargarisme** *m* **1.** *(médicament)* gargarismo **2.** *(action)* gárgaras *f pl.*

**gargote** *f* figón *m,* tasca, bodegón *m.*

**gargotier, ère** *s* figonero, a.

**gargouille** *f* **1.** *(sculpture)* gárgola **2.** *(conduit)* canalón *m.*

**gargouillement** *m* **1.** *(de l'eau)* gorgoteo **2.** *(intestinal)* borborigmo.

**gargouiller** *vi* **1.** gorgotear, hacer gorgoteos **2.** *(l'intestin)* hacer borborigmos.

**gargouillis** → **gargouillement.**

**gargoulette** *f* alcarraza.

**garnement** *m* pillo, granuja: **mauvais ~** granuja, bribón.

**garni** *m* habitación *f* amueblada.

**garnir** *vt* **1.** guarnecer **2.** *(orner)* adornar: **la couturière garnit la robe d'un ruban** la modista adorna el vestido con un galón **3.** *(munir)* proveer con **4.** *(meubler)* alhajar, amueblar **5.** *CULIN* **plat de viande garni** plato de carne con guarnición **6.** *(un fauteuil)* rellenar **7. il a le portefeuille bien garni** tiene mucho dinero **8.** *(un espace)* llenar, ocupar. ◆ **se ~** *vpr (se remplir)* **les tribunes commençaient à se ~ de spectateurs** las tribunas empezaban a llenarse de espectadores.

**garnison** *f MIL* guarnición: **être en ~** estar de guarnición.

**garnissage** → **garniture.**

**garniture** *f* **1.** *(ornement)* adorno *m,* guarnición **2.** *(assortiment)* juego *m* **3.** *(intérieur d'une voiture)* tapicería **4.** *CULIN* guarnición **5.** *TECHN (du piston)* guarnición, *(de frein)* forro *m* **6. ~ périodique** compresa.

**Garonne** *np f* **la ~** el Garona.

**garou** *m (plante)* torvisco.

**garrigue** *f* garriga, carrascal *m.*

**garrot** *m* **1.** *(supplice)* garrote **2.** *MÉD* torniquete **3.** *(des quadrupèdes)* cruz *f* ◊ **hauteur au ~** alzada.

**garrotte** *f (supplice)* garrote *m.*

**garrotter** *vt* **1.** agarrotar **2.** *FIG* **~ la presse** amordazar a la prensa.

**gars** [ga] *m FAM* **1.** mozo, muchacho, chaval: **un petit ~** un muchacho; **un beau ~** un buen mozo **2. ça va, mon ~?** ¿qué tal?, chico; **salut les ~!** ¡hola chicos!

**Gascogne** *np f* Gascuña.

**gascon, onne** *a/s* gascón, ona. ◇ *m FIG* exagerador, fanfarrón.

**gasconnade** *f* gasconada.

**gas-oil** [gazɔjl] *m* gasoil, gasóleo.

**Gaspard** *np m* Gaspar.

**gaspillage** *m* despilfarro, derroche, desperdicio.

**gaspiller** *vt* **1.** despilfarrar, desperdiciar, malgastar: **il gaspille son argent pour des bêtises** malgasta, despilfarra el dinero en tonterías **2. ~ son temps** perder su tiempo.

**gaspilleur, euse** *a/s* despilfarrador, a, gastador, a.

**gastéropodes** *m pl ZOOL* gasterópodos.

**Gaston** *np m* Gastón.

**gastralgie** *f MÉD* gastralgia.

**gastrique** *a* gástrico, a: **suc ~** jugo gástrico; **embarras ~** → **embarras.**

**gastrite** *f MÉD* gastritis.

**gastroentérologue** *s* gastroenterólogo, a.

**gastro-intestinal, e** *a* gastrointestinal.

**gastronome** *s* gastrónomo, a.

**gastronomie** *f* gastronomía.

**gastronomique** *a* gastronómico, a.

**gâté** → **gâter.**

**gâteau** *m* **1.** pastel: **~ à la crème** pastel de crema **2. petit ~** pastelillo, galleta *f;* **~ sec** galleta *f* **3.** tarta *f:* **~ d'anniversaire** tarta de cumpleaños **4.** *FIG* **se partager le ~** repartir el provecho; **vouloir sa part du ~** luchar por un pedazo de la tarta; *FAM* **c'est du ~!** ¡es tortas y pan pintado! **5.** *(de miel)* panal. ◇ *a* **papa ~, maman ~** padrazo, madraza.

**gâter** *vt* **1.** *(endommager)* dañar, estropear, echar a perder **2.** *(fruit, dent)* picar: **une dent gâtée** un diente picado **3.** *FIG (gâcher)* estropear, echar a perder: **tout ~** echarlo todo a perder **4.** *(choyer)* mimar, consentir: **enfant gâté** niño mimado ◊ **vous me gâtez!** ¡usted es muy amable!; *FAM* **je suis gâté!** ¡vaya una suerte! ◆ **se ~** *vpr* **1.** *(s'abîmer)* echarse a perder **2. le temps se gâte** empeora el tiempo **3.** *FAM* **ça se gâte!** ¡el asunto se pone feo!

**gâterie** *f* mimo *m*. ◇ *pl (friandises)* golosinas.

**gâte-sauce** *m inv* pinche.

**gâteux, euse** *a/s* chocho, a.

**gâtisme** *m* chochez *f*.

**gauche** *a* **1.** izquierdo, a: **main ~** mano izquierda **2.** *(maladroit)* torpe **3.** *(de travers)* torcido, a. ◇ *f* **1.** izquierda: **première rue à ~** primera calle a la izquierda; **assis à ~ de** sentado a la izquierda de; **c'est sur votre ~** está a mano izquierda; *FAM* **passer l'arme à ~ → arme 2.** *(en politique)* **la ~** la izquierda; **voter à ~** votar por la izquierda; **un homme de ~** un izquierdista, un hombre de izquierdas; **être de ~** ser de izquierdas. ◇ *m (boxe)* **crochet du ~** croché de izquierda.

**gauchement** *adv* torpemente.

**gaucher, ère** *a/s* zurdo, a.

**gaucherie** *f* torpeza.

**gauchir** *vt* torcer, alabear. ◇ *vi (se déformer)* torcerse, alabearse.

**gauchisant, e** *a/s* izquierdista.

**gauchissement** *m* torcimiento, alabeo.

**gauchiste** *a/s* que representa la extrema izquierda.

**gaucho** *m* gaucho.

**gaude** *f (plante)* gualda.

**gaudriole** *f FAM* chiste *m* picante ◊ **la ~** el amor físico.

**gaufrage** *m* estampado, gofrado.

**gaufre** *f (pâtisserie)* barquillo *m*.

**gaufrer** *vt* estampar, gofrar.

**gaufrette** *f* barquillo *m*.

**gaufrier** *m* barquillero.

**gaufrure** *f* estampado *m*.

**Gaule** *np f* Galia.

**gaule** *f* **1.** *(perche)* vara **2.** *(canne à pêche)* caña de pescar.

**gauler** *vt AGR* varear.

**gaullisme** *m* gaullismo, gaulismo.

**gaulliste** *a/s* gaullista.

**gaulois, e** *a/s* galo, a. ◇ *a FIG* picante, verde.

**gauloiserie** *f* dicho *m* picaresco, dicho *m* verde.

**gausser (se)** *vpr* burlarse, reírse.

**gavage** *m* ceba *f*, cebadura *f*.

**gave** *m* torrente (en los Pirineos) .

**gaver** *vt (animaux)* embuchar la comida a, cebar. ◆ **se ~** *vpr* atracarse, hincharse: **se ~ de bonbons** atracarse de caramelos.

**gavotte** *f* gavota.

**gavroche** *a/m* golfillo.

**gay** [gɛ] *a/m* gay.

**gaz** *m inv* **1.** gas: **~ naturel** , gas natural; **~ d'éclairage, de ville** gas de alumbrado, gas ciudad; **faire la cuisine au ~** cocinar con gas; **bec de ~** farol de gas; **~ des marais** gas de los pantanos ◇ *FAM* **à pleins ~** a todo gas; **mettre les ~** acelerar **2. ~ asphyxiants, lacrymogènes** gases asfixiantes, lacrimógenos **3. avoir des ~** padecer flatos, gases intestinales **4.** *FAM* **il y a de l'eau dans le ~** la cosa está que arde.

**Gaza** *np* Gaza: **la bande de ~** la franja de Gaza.

**gaze** *f* gasa.

**gazé, e** *a/s* que ha sufrido la acción de los gases asfixiantes.

**gazéification** *f* gasificación.

**gazéifier*** *vt* gasificar.

**gazelle** *f* gacela.

**gazer** *vt* someter a la acción de los gases asfixiantes. ◇ *vi FAM* **1.** ir de prisa, pitar, carburar **2. ça gaze!** ¡va bien!

**gazette** *f* **1.** *ANC (journal)* gaceta **2.** *(personne bavarde)* gaceta, correveidile.

**gazeux, euse** *a* **1.** gaseoso, a **2. eau gazeuse** agua con gas; **eau non gazeuse** agua sin gas.

**gazinière** *f* cocina de gas.

**gazoduc** *m* gasoducto.

**gazogène** *m* gasógeno.

**gazole** *m* gasoil, gasóleo.

**gazomètre** *m* gasómetro.

**gazon** *m* césped: **tondre le ~** cortar el césped.

**gazonner** *vt* cubrir con césped, encespedar.

**gazouillement** *m* **1.** *(d'oiseau)* gorjeo **2.** *(d'enfant)* balbuceo **3** *(d'un ruisseau)* murmullo, susurro.

**gazouiller** *vi* **1.** *(oiseau)* gorjear **2.** *(enfant)* balbucear **3.** *(un ruisseau)* murmullar, susurrar.

**gazouillis → gazouillement.**

**geai** [ʒɛ] *m* arrendajo.

**géant, e** *a* gigante. ◇ *s* gigante, a ◊ **à pas de ~** a pasos agigantados.

**gecko** *m* salamanquesa *f*.

**géhenne** *f* gehena.

**geignard, e** *a (plaintif)* quejumbroso, a. ◇ *a/s FAM* quejicoso, a, quejica.

**geignement** *m* gemido.

**geindre*** *vi* **1.** *(un malade)* gemir **2.** *(se lamenter)* gimotear, quejarse.

**geindre*** *vi* **1.** *(un malade)* gemir **2.** *(se lamenter)* gimotear, quejarse.

**gel** *m* **1.** helada *f* **2.** época *f* de los hielos **3.** *CHIM* gel **4.** gel: **~ de bain** gel de baño **5.** *FIG (des crédits, etc.)* congelación *f*.

**gélatine** *f* gelatina.

**gélatineux, euse** *a* gelatinoso, a.

**gelé, e** *a* **1.** helado, a **2.** *FAM* **je suis ~** estoy helado **3.** *(capitaux, crédits)* congelado, a.

**gelée** *f* **1.** helada: **gelées tardives** heladas tardías **2. ~ blanche,** escarcha **3.** *(de fruits)* jalea **4.** *(de viande)* gelatina **5. ~ royale** jalea real.

**geler*** *vt* helar, congelar. ◇ *vi* helarse: **l'étang a gelé** el estanque se ha helado; **on gèle ici!** ¡aquí se hiela uno! ◇ *v impers* helar: **il gèle** hiela; **~ à pierre fendre** hacer un frío que pela. ◆ **se ~** *vpr (avoir très froid)* helarse, pasar mucho frío.

**gélif, ive** *a* que se agrieta con el hielo.

**gélifier** *vt* gelificar.

**gélinotte** *f* **1.** ganga **2. ~ des bois** ortega.

**gélivure** *f* grieta causada por la helada.

**gélule** *f* cápsula.

**gelure** *f MÉD* congelación.

**gémeaux** *m pl* gemelos.

**Gémeaux** *np pl* Géminis: **être des ~** ser de Géminis.

**gémellaire** *a* gemelo, a: **grossesse ~** embarazo gemelo.

**géminé, e** *a* geminado, a: **colonnes géminées** columnas geminadas.

**gémir** *vi* **1.** gemir: **le malade gémissait** el enfermo gemía; **le vent gémit** el viento gime **2.** *(se plaindre)* quejarse.

**gémissant, e** *a* lloroso, a, quejumbroso, a: **voix gémissante** voz quejumbrosa.

**gémissement** *m* gemido, quejido.

**gemmage** *m* resinación *f.*

**gemme** *f* **1.** *(minéral)* gema **2.** *(résine)* resina de pino. ◇ *a* **sel ~** sal gema.

**gémonies** *f pl* **1.** *HIST* gemonías **2. vouer quelqu'un aux ~** humillar, estigmatizar a alguien.

**gênant, e** *a* molesto, a.

**gencive** *f* encía.

**gendarme** *m* **1.** *(en France)* gendarme **2.** *(en Espagne)* guardia civil **3. jouer aux gendarmes et aux voleurs** jugar a policías y ladrones; *FIG* **faire le ~** mandar **4.** *FAM (femme autoritaire)* marimacho, sargentona **5.** *FAM (hareng)* arenque ahumado, *(saucisse)* salchicha *f* aplastada.

**gendarmer (se)** *vpr* **1.** enfadarse, irritarse **2.** protestar vivamente.

**gendarmerie** *f* **1.** *(en France)* gendarmería **2.** *(en Espagne)* guardia civil.

**gendre** *m* yerno, hijo político.

**gène** *m BIOL* gen.

**gêne** *f* **1.** molestia, incomodidad, dificultad: **~ à respirer** dificultad para respirar **2.** *(embarras)* encogimiento *m*, embarazo *m* **3.** *(manque d'argent)* estrechez, apuro *m*: **vivre dans la ~** vivir en un apuro de dinero **4. sans-~ → sans-gêne.**

**gêné, e** *a* **1.** molesto, a, embarazado, a, violento, a **2.** *(sans argent)* apurado, a.

**généalogie** *f* genealogía.

**généalogique** *a* genealógico, a: **arbre ~** árbol genealógico.

**généalogiste** *s* genealogista.

**gêner** *vt* **1.** molestar: **la fumée me gêne** me molesta el humo ◊ **si cela ne vous gêne pas** si no le es molestia; **ça ne vous gêne pas que je regarde votre photo?.** ¿le importa que mire su foto? **2.** *(encombrer)* dificultar, estorbar: **~ le passage** estorbar el paso; **~ l'avance des troupes** dificultar el avance de las tropas **3. cela me gêne de parler de ces choses-là** me es violento hablar de esas cosas **4.** *(pécuniairement)* poner en un apuro. ◆ **se ~** *vpr* **1.** molestarse, violentarse: **ne vous gênez pas pour moi** no se moleste por mí **2.** *(ironique)* **il ne se gêne pas!** ¡es un fresco!; **ne vous gênez pas!** ¡vaya una frescura!

**général, e** *a/s* **1.** general: **des caractères généraux** caracteres generales **2. le mauvais temps est ~** el mal tiempo es general **3.** *THÉÂT* **répétition générale** ensayo *m* general **4.** *loc adv* **en ~** por lo general, generalmente. ◇ *m* general: **~ en chef** general en jefe; **~ de brigade, de division** general de brigada, le división ◊ **~ d'armée** capitán general; **~ de corps d'armée** teniente general. ◇ *f* **1.** *(femme de général)* generala **2.** *MIL* **battre la générale** tocar generala.

**généralement** *adv* generalmente, por lo común.

**généralisation** *f* generalización.

**généraliser** *vt* **1.** generalizar **2.** *FIG* pluralizar, generalizar: **ne généralise pas!** ¡no pluralices!. ◆ **se ~** *vpr* generalizarse: **l'usage des microordinateurs s'est généralisé** se ha generalizado el uso de los microordenadores.

**généralissime** *m* generalísimo.

**généraliste** *a/m* **médecin ~** médico generalista.

**généralité** *f* generalidad: **dire des généralités** decir generalidades.

**générateur, trice** *a* generador, a. ◇ *m TECHN* generador. ◇ *f GÉOM* generatriz.

**génération** *f* generación: **~ spontanée** generación espontánea; **la jeune ~** la generación actual; **les générations à venir** las generaciones venideras.

**générer*** *vt* generar.

**généreux, euse** *a* **1** generoso, a **2. vin ~** vino generoso; **poitrine généreuse** pecho muy desarrollado, grandes pechos.

**générique** *a* genérico, a: **nom ~** nombre genérico. ◇ *m (cinéma)* ficha *f* técnica.

**générosité** *f* generosidad.

**Gênes** *np f* Génova.

**genèse** *f* génesis.

**Genèse (la)** *np f* el Génesis *m.*

**génésique** *a* genésico, a.

**genêt** *m* **1.** retama *f*, ginesta *f* **2. ~ d'Espagne** gayomba *f.*

**généticien, enne** *s* genetista.

**génétique** *a* genético, a: **manipulations génétiques** manipulaciones genéticas. ◇ *f* genética.

**genette** *f* gineta.

**gêneur, euse** *a/s* molesto, a, importuno, a.

**Genève** *np* Ginebra.

**Geneviève** *np f* Genoveva.

**genevois, e** *a/s* ginebrino, a.

**genévrier** *m* enebro.

**génial, e** *a (personne, chose)* genial.

**génie** *m* **1.** carácter, índole *f*, genio: **le ~ d'une langue** el genio de una lengua **2.** disposición *f*, aptitud *f*, don: **il a le ~ des affaires** tiene aptitud para los negocios **3. c'est un ~** es un genio; **un homme, une idée de ~** un hombre, una idea genial **4.** *(être surnaturel)* genio: **bon, mauvais ~** buen, mal genio **5.** *MIL* **~ militaire** cuerpo de ingenieros militares **6. ~ civil** ingeniería *f* civil, cuerpo de ingenieros civiles; **~ génétique** ingeniería genética.

**genièvre** *m* **1.** *(arbre)* enebro **2.** *(baie)* enebrina *f* **3.** *(alcool)* ginebra *f.*

**génique** *a BIOL* génico, a: **thérapie ~** terapia génica.

**génisse** *f* becerra.

**génital, e** *a* genital: **organes génitaux** órganos genitales.

**géniteur, trice** *a/s* genitor, a.

**génitif** *m GRAM* genitivo.

**génito-urinaire** *a ANAT* genitourinario, a.

**génocide** *m* genocidio.

**génois, e** *a/s* genovés, esa. ◇ *f* pastel *m* de almendras.

**génome** *m BIOL* genoma.

**génotype** *m BIOL* genotipo.

**genou** *m* **1.** *ANAT* rodilla *f* ◊ **être à genoux** estar de rodillas, de hinojos; **se mettre à genoux** arrodillarse, poner de rodillas; *FIG* **être à genoux devant quelqu'un** hincar la rodilla ante alguien **2. elle assit l'enfant sur ses genoux** sentó al niño en sus rodillas, en su regazo **3.** *FAM* **être sur les genoux** estar agotado, a, estar hecho, a cisco.

**genouillère** *f* rodillera.

**genre** *m* **1.** género: **le ~ humain** el género humano **2.** especie *f*, clase *f*, tipo, estilo: **quel ~ d'individu est-ce?** ¿qué clase de individuo es? ◊ **du même ~** por el estilo; **en tout ~, en tous genres** de todos tipos, de toda clase; **ce n'est pas mon ~** no es ése mi estilo **3. tableau de ~** cuadro de costumbres; **peintre de ~** costumbrista, pintor de cuadro de costumbres **4. faire du ~** tener modales afectados; **avoir mauvais ~** tener mala pinta, tener malas maneras; **il a bon ~** tiene modales distinguidos; *PÉJOR* **bon chic, bon ~** algo esnob **5.** *GRAM* **le ~ et le nombre** el género y el número.

**gens** *m pl* **1.** gente *f sing*: **beaucoup de ~** mucha gente; **de braves ~, d'honnêtes ~** gente honrada; **les ~ arrivaient** la gente llegaba ◊ **il y a des ~ qui disent, qui affirment que...** hay quien dice, quien afirma que... **2. les jeunes ~** la gente joven, los jóvenes **3. les ~ de lettres** la gente de letras, los escritores, los literatos; **les ~ de robe** los togados; **les ~ de maison** los criados,

los domésticos, los empleados de hogar **4. droit des ~** derecho de gentes.
► Le mot *gente* a un sens collectif: *les gens* la gente; il commande le féminin des adjectifs: *les ~ riches* la gente rica, et l'emploi du verbe au singulier: *si on demande aux ~ s'ils sont racistes*... si se pregunta a la gente si es racista... Se traduit aussi par «monde». Complément, il est généralement précédé de la préposition *«a»: je connais ces* **~** conozco a esa gente. S'emploie parfois au pluriel: *las gentes*, notamment dans la langue actuelle.
► *Gens* es masculino. No obstante, si un adjetivo le precede inmediatamente, este adjetivo se pone en femenino: *de vieilles ~* ancianos; *de petites ~* gente modesta.

**gent** *f* gente.

**gentiane** *f* genciana.

**gentil, ille** *a* **1.** *(gracieux)* gracioso, a, mono, a: **une gentille petite fille** una niña muy mona **2.** *(aimable)* amable, bueno, a, delicado, a ◊ **ce n'est pas ~** no está bien; **vous êtes trop ~** usted es muy amable; *FAM* **sois ~ de me passer le sel,** quieres pasarme la sal, por favor; **soyez ~ de fermer la porte,** tenga la amabilidad de cerrar la puerta, cierre la puerta, por favor **3.** *(important)* bonito, a, bueno, a: **il m'a donné une gentille somme,** me ha dado una bonita suma. ◇ *m (païen)* gentil: **l'apôtre des gentils** el apóstol de las gentes, de los gentiles.

**gentilhomme** *m* **1.** hidalgo **2.** gentilhombre: **des gentilshommes** gentileshombres.

**gentilhommière** *f* casa solariega.

**gentillesse** *f* **1.** gentileza, amabilidad: **il a eu la ~ de venir me voir** tuvo la amabilidad de venir a verme **2. une ~** una fineza.

**gentillet, ette** *a* graciosillo, a, monín, ina.

**gentiment** *adv* gentilmente, amablemente.

**gentleman** *m* gentleman, caballero.

**génuflexion** *f* genuflexión: **faire une ~** hacer una genuflexión.

**géocentrique** *a* geocéntrico, a.

**géode** *f* geoda.

**géodésie** *f* geodesia.

**géodésique** *a* geodésico, a.

**Geoffroi** [ʒɔfʀwa] *np m* Godofredo.

**géographe** *s* geógrafo, a.

**géographie** *f* geografía: **~ physique, humaine** geografía física, humana.

**géographique** *a* geográfico, a.

**géographiquement** *adv* geográficamente.

**geôle** [ʒol] *f* prisión, cárcel.

**geôlier, ère** [ʒolje, jɛr] *s* carcelero, a.

**géologie** *f* geología.

**géologique** *a* geológico, a.

**géologue** *s* geólogo, a.

**géomancie** *f* geomancia.

**géomètre** *m* **1.** geómetra **2. ~ arpenteur** agrimensor.

**géométrie** *f* **1.** geometría: **~ plane, dans l'espace** geometría plana, del espacio **2. avion à ~ variable** avión de geometría variable.

**géométrique** *a* geométrico, a.

**géomorphologie** *f* geomorfología.

**géophysique** *f* geofísica.

**géopolitique** *f* geopolítica.

**Georges** [ʒɔʀʒ] *np m* Jorge.

**Georgette** [ʒɔʀʒɛt] *np f* Georgina.

**Géorgie** [ʒeɔʀʒi] *np f* Georgia.

**géorgien, enne** *a/s* georgiano, a.

**Géorgiques (les)** *np f pl* las Geórgicas.

**géostationnaire** *a* geoestacionario, a: **satellite ~** satélite geoestacionario.

**géostratégie** *f* geoestrategia.

**géostratégique** *a* geoestratégico, a.

**géosynclinal** *m GÉOL* geosinclinal.

**géothermie** *f* geotermia.

**géothermique** *a* geotérmico, a.

**géotropisme** *m BIOL* geotropismo.

**gérance** *f* gerencia.

**géranium** [ʒeʀanjɔm] *m* geranio.

**gérant, e** *s* gerente.

**Gérard** *np m* Gerardo.

**gerbe** *a* **1.** *(de blé)* gavilla, haz *m* **2. une ~ de fleurs** un ramo de flores **3.** *(d'eau)* chorro *m* **4.** *(d'étincelles)* chorro *m*.

**gerber** *vt* **1.** engavillar **2.** *(des tonneaux)* apilar. ◇ *vi VULG (vomir)* vomitar.

**gerbier** *m* tresnal.

**gerboise** *f* gerbo *m*, jerbo *m*.

**gercer*** *vt* agrietar. ◆ **se ~** *vpr* agrietarse: **lèvres gercées** labios agrietados.

**gerçure** *f* grieta.

**gérer*** *vt* administrar, regentar, gestionar: **~ des biens** administrar bienes; **~ une succursale** regentar una sucursal.

**gerfaut** *m* gerifalte.

**gériatre** *s* geriatra.

**gériatrie** *f* geriatría.

**gériatrique** *a* geriátrico, a.

**Germain, e** *np* Germán, ana.

**germain, e** *a/s* germano, a. ◇ *a* **1.** hermano, a: **cousins germains** primos hermanos **2. frères germains** hermanos carnales.

**germandrée** *f* teucrio *m*.

**Germanie** *np f* Germania.

**germanique** *a* germánico, a.

**germanisation** *f* germanización.

**germaniser** *vt* germanizar.

**germanisme** *m* germanismo.

**germaniste** *a/s* germanista.

**germanium** [ʒɛʀmanjɔm] *m CHIM* germanio.

**germanophile** *a/s* germanófilo, a.

**germanophobe** *a/s* germanófobo, a.

**germe** *m* **1** *BIOL* germen: **germes pathogènes** gérmenes patógenos **2.** *(de l'œuf)* galladura *f* **3.** *BOT* germen **4.** *FIG* germen ◊ **~ de discorde** principio de discordia.

**germer** *vi* **1.** germinar, brotar **2.** *FIG* germinar, nacer: **une idée germa dans son esprit** germinó una idea en su mente.

**germinal** *m* germinal.

**germinatif, ive** *a* germinativo, a.

**germination** *f* germinación.

**gérondif** *m GRAM* gerundio.

**Gérone** *np* Gerona.

**gérontocratie** *f* gerontocracia.

**gérontologie** *f* gerontología.

**gérontologique** *a* gerontológico, a.

**gérontologue** *s* gerontólogo, a.

**Gertrude** *np f* Gertrudis.

**Gervais, e** *np* Gervasio, a.

**gésier** *m* mollera *f*.

**gésir*** *vi* yacer: **ci-gît** aquí yace; **il gisait** yacía.

**gesse** *f* almorta.

**gestation** *f* gestación.

**gestatoire** *a* ANC **chaise ~** silla gestatoria.

[1]**geste** *m* **1.** *(mouvement)* ademán, movimiento, gesto: **des gestes brusques** unos ademanes bruscos; **s'exprimer par gestes** expresarse por medio de ademanes **2.** señal *f*: **faire un ~ de la main** hacer una señal con la mano **3.** FIG acción *f*, gesto: **joindre le ~ à la parole** unir la acción a la palabra; **un beau ~** un gesto.

▶ *Gesto* signifie «expression du visage», «grimace», mais son emploi dans le sens de «geste» (mouvement du corps ou action généreuse) est aujourd'hui courant.

[2]**geste** *f* **chanson de ~** cantar de gesta. ◇ *pl* **les faits et gestes de quelqu'un** la vida y milagros de alguien.

**gesticulation** *f* ademanes *m pl*.

**gesticuler** *vi* hacer ademanes, gesticular: **il parle en gesticulant** hace muchos ademanes cuando habla.

▶ *Gesticular* signifie essentiellement «faires des grimaces».

**gestion** *f* gestión: **~ de portefeuille** gestión de cartera.

**gestionnaire** *a/s* gestor, a, gerente: **un bon ~** un buen gestor; **s'entourer de bons gestionnaires** rodearse de buenos gestores.

**gestuel, elle** *a* gestual.

**geyser** [ʒɛzɛʀ] *m* geiser.

**ghanéen, enne** *a/s* ghanés, esa.

**ghetto** [gɛ(e)to] *m* gueto.

**gibbon** *m* gibón.

**gibbosité** *f* giba.

**gibecière** *f* **1.** moral *m*, zurrón *m* **2.** *(d'écolier)* cartera, cartapacio *m*.

**gibelin, e** *a/s* HIST gibelino, a.

**gibelotte** *f* CULIN guiso *m* de conejo con vino blanco.

**giberne** *f* MIL cartuchera.

**gibet** *m* **1.** horca *f* **2.** *(échafaud)* patíbulo.

**gibier** *m* **1.** caza *f*: **gros ~** caza mayor; **menu ~** caza menor; **~ à poil, à plume** caza de pelo, de pluma: **manger du ~** comer caza **2.** FIG **~ de potence** malhechor, bandido.

**giboulée** *f* aguacero *m*, chubasco *m*.

**giboyeux, euse** [ʒibwajø, øz] *a* abundante en caza.

**gibus** [ʒibys] *m* clac.

**giclée** *f (jet)* chorro *m*.

**giclement** *m* salpicadura *f*.

**gicler** *vi* saltar, salpicar: **le sang gicla,** la sangre saltó.

**gicleur** *m* TECHN surtidor, inyector.

**gifle** *f* bofetada, guantada, bofetón *m*: **elle lui donna une bonne ~** le dio un bofetón.

**gifler** *vt* abofetar.

**gigantesque** *a* gigantesco, a.

**gigantisme** *m* gigantismo.

**gigogne** *a* **lits gigognes** camas nido; **tables gigognes** mesas nido.

**gigolo** *m* FAM chulo, gigoló.

**gigot** *m* **1.** pierna *f* de cordero **2. manches ~** mangas de jamón.

**gigoter** *vi* FAM **1.** *(agiter les jambes)* pernear, patalear **2.** agitarse mucho.

**gigue** *f* **1.** *(danse)* giga **2.** FAM *(jambe)* pierna, zanca **3.** POP **une grande ~** una espingarda, una chica larguirucha.

**Gilbert, e** *np* Gilberto, a.

**gilet** *m* **1.** chaleco **2.** *(sous- vêtement)* camiseta *f* **3. ~ de sauvetage** chaleco salvavidas; **~ pare-balles** chaleco antibalas.

**gille** *m* **1.** payaso de feria **2.** FAM bobo.

**Gilles** *np m* Gil.

**gimblette** *f* rosquilla.

**gin** [dʒin] *m* ginebra *f*.

**gingembre** *m* jengibre.

**gingival, e** *a* gingival.

**gingivite** *f* MÉD gingivitis.

**ginseng** [ʒinsɛŋ] *m* ginseng.

**girafe** *f* **1.** jirafa ◊ FAM **peigner la ~** hacer por hacer **2.** *(cinéma, télévision)* jirafa.

**girafeau, girafon** *m* cría *f* de jirafa.

**girandole** *f* **1.** *(de feu d'artifice)* girándola **2.** *(chandelier)* candelabro *m* de muchos brazos **3.** guirnalda.

**giration** *f* giro *m*, rotación.

**giratoire** *a* giratorio, a: **sens ~** sentido de giro obligatorio, sentido giratorio.

**girl** [gœʀl] *f* corista, «girl».

**girofle** *m* **clou de ~** clavo de olor.

**giroflée** *f* **1.** alhelí *m* **2.** FAM **une ~ à cinq feuilles** un bofetón, una torta.

**giroflier** *m* clavero.

**girolle** *f* rebozuelo *m*.

**giron** *m* **1.** regazo **2.** FIG regazo, seno: **le ~ de l'Église** el seno de la Iglesia; **le ~ maternel** el regazo materno **3.** ARCH *(d'une marche d'escalier)* huella *f*.

**girond, e** *a* FAM guapetón, ona.

**Gironde** *np f* Gironda *m*.

**girondin, ine** *a* girondino, a.

**girouette** *f* **1.** veleta, giralda **2.** FIG **c'est une vraie ~** es una verdadera veleta.

**gisait, gisent → gésir.**

**gisant, e** *a/m* yacente. ◇ *m (statue)* estatua *f* yacente.

**gisement** *m* yacimiento.

**gît → gésir.**

**gitan, e** *a/s* gitano, a.

[1]**gîte** *m* **1.** *(logement)* alojamiento, albergue, morada *f*: **il cherche un nouveau ~** busca un nuevo alojamiento **2.** *(du gibier)* madriguera *f*, cama *f* **3.** *(de minerai)* yacimiento **4.** CULIN **~ à la noix** codillo de vaca.

[2]**gîte** *f* MAR escora ◊ **donner de la ~** escorar, dar de banda.

**gîter** *vi* **1.** albergarse **2.** *(gibier)* encamarse **3.** MAR escorar, dar de banda.

**givre** *m* escarcha *f*.

**givré, e** *a* **1.** escarchado, a **2.** FAM *(fou)* chalado, a, chiflado, a, guillado, a.

**givrer** *vt* escarchar.

**glabre** *a* lampiño, a, glabro, a.

**glaçage** *m* glaseado.

**glaçant, e** *a* **1.** helador, a **2.** FIG glacial.

**glace** *f* **1.** hielo *m*: **une couche de ~** una capa de hielo; **~ pilée** hielo picado ◊ FIG **cet homme est de ~** este hombre es más frío que el hielo; **rompre la ~** romper el hielo **2.** *(crème glacée)* helado *m:* **une ~ au chocolat, à la vainille** un helado de chocolate, de vainilla **3.** *(miroir)* espejo *m:* **se regarder dans la ~** mirarse al espejo **4. armoire à ~** armario de luna **5.** *(verre)* cristal *m* **6.** *(de voiture)* luna, ventanilla: **glaces teintées** lunas coloreadas.

**glacé, e** *a* **1** helado, a ◊ **crème glacée** helado *m* **2. marrons glacés** castañas confitadas **3.** *FIG* glacial: **un ton ~** un tono glacial **4. papier ~** papel satinado.

**glacer*** *vt* **1.** helar, congelar **2.** *FIG* dejar helado, a: **cette histoire me glace** esta historia me deja helado **3.** *CULIN* glasear, alcorzar **4.** *TECHN* glasear. ◆ **se ~** *vpr* **son sang se glaça dans ses veines** se le heló la sangre.

**glaciaire** *a* glaciario, a: **période ~** período glaciario.

**glacial, e** *a* **1.** glacial: **vents glacials** vientos glaciales **2.** *FIG* **un accueil ~** una acogida glacial.

**glaciation** *f* glaciación.

**glacier** *m* **1.** glaciar, helero, ventisquero: **les glaciers des Alpes** los glaciares de los Alpes; **les crevasses d'un ~** las grietas de un glaciar **2.** *(qui vend des crèmes glacées)* heladero.

**glacière** *f* nevera.

**glaciologie** *f* glaciología.

**glacis** *m* **1.** *(fortification)* glacis, explanada *f* **2.** *(talus)* talud, declive **3.** *(peinture)* veladura *f* **4.** *ARCH* vierteaguas.

**glaçon** *m* **1.** témpano, carámbano **2.** *(pour les boissons)* cubito de hielo **3.** *FIG* **c'est un vrai ~** es un pedazo de hielo.

**gladiateur** *m* gladiador.

**glaïeul** [glajœl] *m* gladiolo.

**glaire** *f* **1.** *(d'œuf)* clara de huevo **2.** *MÉD* flema.

**glaise** *f* arcilla, greda, barro *m.*

**glaiseux, euse** *a* arcilloso, a.

**glaisière** *f* gredal *m.*

**glaive** *m* **1.** *(épée)* espada *f* **2.** *FIG LITT* **le ~** la espada, el poder.

**glamour** *m* glamour.

**glanage** *m* espigueo.

**gland** *m* **1.** *(pompon)* borla *f* **2.** *BOT* bellota *f* **3.** *ANAT* bálano, glande **4.** *FAM* **quel ~!** ¡vaya lelo!

**glande** *f* **1.** glándula: **~ endocrine** glándula endocrina **2.** *FAM* **avoir les glandes** *(peur)*, cagarse de miedo.

**glander, glandouiller** *vi FAM* gandulear, perder el tiempo.

**glandeur** *m FAM* gandul.

**glandulaire** *a* glandular.

**glanduleux, euse** *a* glanduloso, a.

**glane** *f AGR* manojo *m* de espigas, moraga.

**glaner** *vt* **1.** espigar **2.** *FIG* rebuscar.

**glaneur, euse** *s* espigador, a.

**glanure** *f* lo espigado *m*, espigueo *m.*

**glapir** *vi* **1.** *(chien)* gañir, *(renard)* chillar **2.** *FIG* chillar, gritar.

**glapissement** *m* gañido, chillido.

**glas** *m* toque de ánimas, de muerto ◊ **sonner le ~** tocar a muerto, doblar a muerto; **pour qui sonne le ~?** ¿por quién doblan las campanas?

**glaucome** *m MÉD* glaucoma.

**glauque** *a* glauco, a.

**glaviot** *m POP* escupitajo, pollo.

**glèbe** *f* gleba, tierra de labor.

**gléner*** *vt MAR* adujar.

**glissade** *f* **1.** resbalón *m* ◊ **faire des glissades sur la glace** deslizarse por el hielo **2.** *(danse)* paso *m* de lado **3.** *(endroit)* patinadero *m.*

**glissant, e** *a* **1.** resbaladizo, a: **route glissante** carretera resbaladiza **2.** *FIG* **s'engager sur un terrain ~** tocar un tema delicado.

**glissement** *m* resbalamiento, deslizamiento ◊ **un ~ de terrain** un corrimiento de tierras.

**glisser** *vi* **1.** resbalar, resbalarse: **j'ai glissé sur une peau de banane** me he resbalado con una piel de plátano; **les gouttes glissaient sur la vitre** las gotas resbalaban por el cristal **2.** *(volontairement)* deslizarse: **~ sur la glace** deslizarse por, sobre el hielo **3.** escurrirse, escaparse: **le voleur a glissé entre les mains de la police** el ladrón se escurrió de entre las manos de la policía **4.** *(ne pas approfondir)* pasar por alto, dejar de lado ◊ **glissons!** ¡dejemos eso de lado! **5.** *FIG* **il glisse dans le vice** cae en el vicio. ◇ *vt* **1.** deslizar: **~ une lettre sous la porte** deslizar una carta por debajo de la puerta **2.** *(introduire)* introducir **3.** *FIG* insinuar. ◆ **se ~** *vpr* **1.** deslizarse, colarse: **je me glissai le long du mur** me deslicé a lo largo de la pared **2.** *FIG* **une erreur s'est glissée dans mon rapport** se ha deslizado un error en mi informe.

**glissière** *f* **1.** *TECHN* corredera: **porte à ~** puerta de corredera **2. fermeteure à ~** cremallera **3. ~ de sécurité** raíl *m* de seguridad.

**glissoire** *f* *(patinoire)* patinadero *m.*

**global, e** *a* global.

**globalement** *adv* globalmente.

**globalisation** *f* globalización.

**globaliser** *vt* globalizar.

**globalité** *f* globalidad.

**globe** *m* **1.** globo: **~ terrestre** globo terráqueo; **~ de l'œil** globo del ojo **2.** *(de lampe)* globo **3.** *(de pendule, etc.)* fanal: **mettre sous ~** meter en un fanal.

**globe-trotter** [glɔbtʀɔtœʀ] *m* trotamundos.

**globulaire** *a* globoso, a.

**globule** *m* glóbulo: **~ blanc, rouge** glóbulo blanco, rojo.

**globuleux, euse** *a* **1.** globuloso, a, globular **2. yeux ~** ojos saltones.

**gloire** *f* **1.** gloria: **se couvrir de ~** cubrirse de gloria; **une des gloires de la France** una de las glorias de Francia **2.** *(auréole de lumière)* aureola, nimbo *m* **3. travailler pour la ~** trabajar por amor al arte; **se faire ~ de** vanagloriarse de, tener a gala **4. ~ à Dieu** gloria a Dios **5.** *loc prép* **à la ~ de** en honor de.

**gloria** *m RELIG* gloria.

**gloriette** *f* glorieta, cenador *m.*

**glorieusement** *adv* gloriosamente.

**glorieux, euse** *a* **1.** glorioso, a **2.** *(orgueilleux)* ufano, a, orgulloso, a.

**glorification** *f* glorificación.

**glorifier*** *vt* glorificar. ◆ **se ~** *vpr* gloriarse, ufanarse, vanagloriarse: **il se glorifie de ses succès** se gloria de sus éxitos.

**gloriole** *f* vanagloria, ufanía.

**glose** *f* **1.** glosa **2.** *FAM* crítica.

**gloser** *vi* **1.** glosar **2.** *FAM* criticar.

**glossaire** *m* glosario.

**glossateur** *m* glosador.

**glotte** *f* glotis.

**glouglou** *m FAM* gluglú.

**glouglouter** *vi* hacer gluglú.

**gloussement** *m* **1.** *(de la poule)* cloqueo **2.** *FIG.* *(petit rire)* risa *f* sofocada.

**glousser** *vi* **1.** *(la poule)* cloquear **2.** *FIG* reír sofocadamente.

**glouton, onne** *a/s* glotón, ona, tragón, ona.

**gloutonnerie** *f* glotonería.

**glu** *f* **1.** liga **2.** *FIG* **il est collant comme de la ~** se pega como una lapa.

**gluant, e** *a* viscoso, a, pegajoso, a.

**gluau** *m* varita *f* untada con liga.

**glucide** *m CHIM* glúcido.

**glucose** *m CHIM* glucosa *f.*

**gluten** [glytɛn] *m* gluten.

**glycémie** *f MÉD* glucemia.

**glycérine** *f* glicerina.

**glycine** *f* glicina.

**glycogène** *m* glucógeno, glicógeno.

**glycosurie** *f MÉD* glucosuria, glicosuria.

**glyphe** *m ARCH* glifo.

**glyptique** *f* glíptica.

**glyptothèque** *f* gliptoteca.

**gnangnan** [ɲɑ̃ɲɑ̃] *a FAM* ñoño, a, soso, a.

**gnaule** → **gnôle.**

**gneiss** [gnɛs] *m* gneis.

**gniole** → **gnôle.**

**gnocchi** [ɲɔki] *m CULIN* ñoqui.

**gnognote** [ɲɔɲɔt] *f FAM* **c'est de la ~** eso no vale nada.

**gnôle** [ɲol] *f FAM* aguardiente *m.*

**gnome** [gnom] *m* gnomo.

**gnomon** [gnɔmɔ̃] *m* gnomon.

**gnon** [ɲɔ̃] *m POP* porrazo, mamporro.

**gnose** [gnoz] *f* gnosis.

**gnosticisme** [gnɔstisism(e)] *m* gnosticismo.

**gnostique** [gnɔstik] *a* gnóstico, a.

**gnou** [gnu] *m* ñu.

**go (tout de)** *loc adv FAM* de sopetón, de buenas a primeras, de rondón.

**goal** [gol] *m* portero, guardameta.
▶ Le mot espagnol *gol* signifie «but».

**gobelet** *m* **1.** *(pour boire, pour les dés)* cubilete **2.** *(en plastique, etc.)* vaso.

**gobe-mouches** *m inv* papamoscas.

**gober** *vt* **1.** engullir, sorber: **~ un œuf** sorber un huevo **2.** *FIG* tragarse: **il gobe tout ce qu'on lui dit** se traga todo lo que le dicen **3.** *FAM* tragar: **je ne peux pas le ~** no lo puedo tragar.

**goberger (se)*** *vpr FAM* regodearse, pasarlo en grande.

**gobeur, euse** *s FIG FAM* crédulo, a.

**godailler** → **goder.**

**godasse** *f POP* zapato *m.*

**Godefroi** *np m* Godofredo.

**godelureau** *m* pisaverde.

**goder** *vi* abolsar, hacer pliegues.

**godet** *m* **1.** *(à boire)* cubilete, cortadillo **2.** *(de noria)* cangilón **3.** *(de peintre)* salserilla *f* **4.** *(pli)* pliegue.

**godiche** *a/s FAM (niais)* tontaina, simple, *(maladroit)* torpe, desmañado, a.

**godille** *f MAR* espadilla.

**godiller** *vi MAR* cinglar.

**godillot** *m POP* zapato, botaza *f.*

**godron** *m* **1.** *ARCH* óvolo **2.** *(orfèvrerie)* bollo de relieve **3.** *(pli)* lechuga *f.*

**godronner** *vt* **1.** *(un tissu)* alechugar, concañonar **2.** *(orfèvrerie)* abollonar.

**goéland** *m* gaviota *f* grande.

**goélette** *f MAR* goleta.

**goémon** *m* fuco, ova *f.*

**¹gogo** *m FAM* primo, inocente.

**²gogo (à)** *loc adv* a porrillo, a voluntad.

**goguenard, e** *a* guasón, ona, socarrón, ona.

**goguenardise** *f* guasa, sorna.

**goguette** *f FAM* **en ~** *(un peu ivre)* achispado, a, *(en train de faire la fête)* de jarana.

**goinfre** *a/m* glotón, tragón.

**goinfrer (se)** *vpr FAM* atracarse, atiborrarse.

**goinfrerie** *f* glotonería.

**goitre** *m* bocio, papera *f.*

**goitreux, euse** *a/s* que tiene bocio.

**golden** [gɔldɛn] *f* manzana golden.

**golf** *m* **1.** golf: **jouer au ~** jugar al golf; **terrain, parcours de ~ à 18 trous** campo de golf de 18 hoyos ◊ **joueur de ~** golfista; **~ miniature, mini-~** minigolf **2. culottes de ~** pantalones bombachos.

**golfe** *m* golfo: **le ~ du Mexique** el golfo de México; **le ~ Persique** el golfo Pérsico.

**golfeur, euse** *s* golfista.

**Golgotha** *np m* Gólgota.

**Goliath** *np m* Goliat.

**gomina** *f* gomina.

**gommage** *m* engomado.

**gomme** *f* **1.** *BOT* goma: **~ arabique** goma arábiga **2.** *(pour effacer)* goma de borrar **3. boule de ~** pastilla de goma **4.** *FAM* **à la ~** de chicha y nabo **5.** *FAM* **mettre toute la ~** ir a todo gas.

**gomme-gutte** *f* gutagamba.

**gommer** *vt* **1.** *(enduire de gomme)* engomar **2.** *(effacer)* borrar.

**gomme-résine** *f* gomorresina.

**gommeux, euse** *a/s* gomoso, a.

**Gomorrhe** *np f* Gomorra.

**gonade** *f BIOL* gónada.

**gond** *m* **1.** gozne **2.** *FIG* **sortir de ses gonds** salirse de sus casillas; **mettre quelqu'un hors de ses gonds** sacar a uno de quicio.

**gondolage** *m* alabeo.

**gondolant, e** *a FAM* mondante, desternillante, para mondarse de risa.

**gondole** *f* **1.** góndola **2.** *COM* góndola.

**gondolement** → **gondolage.**

**gondoler** *vi* alabearse, abarquillarse. ◆ **se ~** *vpr FAM* desternillarse de risa, mondarse de risa.

**gondolier, ère** *s* gondolero, a.

**gonfalon, gonfanon** *m* gonfalón.

**gonflable** *a* inflable, hinchable.

**gonflage** *m* inflado.

**gonflé, e** *a* **1.** hinchado, a: **yeux gonflés de sommeil** ojos hinchados por el sueño **2.** *FIG FAM* **il est ~ à bloc** está muy entusiasmado **3.** *FAM (qui exagère)* **il est ~!** ¡es un fresco!, ¡es un cara!

**gonflement** *m* **1.** inflamiento, inflado **2.** *(enflure)* hinchazón *f.*

**gonfler** *vt* **1.** hinchar, inflar: **~ un pneu** inflar un neumático; **~ un ballon à l'hélium** inflar un globo con helio; **le vent gonfle les voiles** el viento hincha las velas **2.** *(un cours d'eau)* hinchar **3.** *(la voix)* ahuecar **4.** *FIG (remplir)* llenar **5.** *FIG (exagérer)* hinchar, aumentar **6.** *VULG (exaspérer)* fastidiar, joder. ◇ *vi* hincharse: **mon genou a gonflé** se me ha hinchado la rodilla. ◆ **se ~** *vpr* **1.** hincharse **2.** *(d'orgueil)* infatuarse, ensorbecerse, engreírse.

**gonflette** *f FAM* musculación.

**gonfleur** *m* inflador, bomba *f* para hinchar.

**gong** [gɔ̃g] *m* gong, batintín.

**gongorisme** *m* gongorismo.

**goniomètre** *m* goniómetro.

**gonocoque** *m* gonococo.

**gonzesse** *f POP* gachí, tía.

**gordien** *a* **nœud ~** nudo gordiano.

**goret** *m* **1.** *(jeune cochon)* gorrino, lechón **2.** *FAM (personne)* cerdo, gorrino.

**gorge** *f* **1.** garganta: **j'ai mal à la ~** me duele la garganta: **avoir la ~ serrée** tener un nudo en la garganta; **cette odeur vous prend à la ~** este olor se pega a la garganta ◊ **chanter à pleine ~** cantar a voz de cuello: **rire à ~ déployée** reírse a mandíbula batiente, a carcajadas **2.** *(cou)* cuello *m* ◊ **couper la ~** degollar; *FIG* **mettre le couteau sous la ~ de** poner a uno el puñal en el pecho **3.** *(de femme)* pecho *m*, escote *m*: **une belle ~** un hermoso escote **4.** *FIG* **faire des gorges chaudes de** reírse abiertamente de, burlarse de; **rendre ~** restituir lo robado **5.** *GÉOG* garganta, desfiladero *m* **6.** *TECHN* garganta **7.** *ARCH* mediacaña.

**gorge-de-pigeon** *a inv* tornasolado, a.

**gorgée** *f* trago *m*, sorbo *m*: **boire à petites gorgées** beber a sorbos.

**gorger*** *vt* hartar. ◆ **se ~** *vpr* **1.** hartarse, atracarse: **les enfants se sont gorgés de sucreries** los niños se atracaron de dulces **2. terre gorgée d'eau** tierra saturada de agua.

**gorgerin** *m (d'une armure)* gorjal, gorguera *f*.

**gorgone** *f* gorgona.

**gorille** *m* **1.** gorila **2.** *FAM (garde du corps)* gorila, guardaespaldas.

**gosier** *m* **1.** garguero, gaznate ◊ *FAM* **avoir le ~ sec** tener seco el gaznate **2. chanter à plein ~** cantar a voz de cuello.

**gosse** *s FAM* chiquillo, a, chaval, a, crío, a ◊ **sale ~** bribón, pillo, pilluelo: **beau ~** buen mozo; **il est beau ~** tiene buena presencia.

**goth** [go] *m* godo.

**gothique** *a/m* gótico, a: **cathédrale ~** catedral gótica; **~ flamboyant** gótico flamígero.

**gouache** *f (peinture)* gouache *m*, guache *m*, aguazo *m*.

**gouacher** *vt* pintar a la aguada.

**gouaillerie** *f FAM* guasa, burla.

**gouailleur, euse** *a FAM* guasón, ona, burlón, ona.

**goualante** *f POP* canción popular.

**gouape** *f POP* golfo *m*, granuja *m*.

**goudron** *m* alquitrán.

**goudronnage** *m* alquitranado.

**goudronner** *vt* alquitranar.

**goudronneux, euse** *a* alquitranado, a. ◇ *f* máquina de alquitranar.

**gouet** *m* **1.** *(serpe)* podón **2.** *(plante)* aro.

**gouffre** *m* **1.** abismo, sima *f* **2.** *(tourbillon)* vorágine *f*, remolino **3.** *FIG* abismo: **être au bord du ~** estar al borde de un abismo **4.** *FIG (occasion de dépenses)* pozo sin fondo, chorreo.

**gouge** *f* gubia.

**gouine** *f POP* tortillera.

**goujat** *m (malotru)* grosero, patán, mal educado.

**goujaterie** *f* grosería.

**goujon** *m* **1.** *(poisson)* gobio **2.** *TECHN* clavija *f*, pasador.

**goulache** *m* gulasch.

**goulag** *m* gulag.

**goulasch → goulache.**

**goulée** *f* **1.** *(gorgée)* trago *m* **2.** bocanada: **une ~ d'air frais** una bocanada de aire fresco.

**goulet** *m* **1.** *(d'un port)* boca *f* estrecha, bocana *f* **2.** *(passage)* paso estrecho, paso angosto.

**gouleyant, e** *a FAM (vin)* ligero y agradable al gusto.

**goulot** *m* **1.** gollete, cuello: **boire au ~** beber del gollete **2.** *(passage étroit)* paso angosto.

**goulu, e** *a/s* tragón, ona, glotón, ona.

**goulûment** *adv* glotonamente.

**goumier** *m* jinete argelino.

**goupille** *f* chaveta, clavijita, pasador *m*.

**goupiller** *vt* **1.** enclavijar **2.** *FAM (arranger)* combinar, arreglar. ◆ **se ~** *vpr FAM* **ça se goupille mal** la cosa no va bien.

**goupillon** *m* **1.** *RELIG* hisopo **2.** *(pour bouteilles)* escobilla *f*.

**gourbi** *m* **1.** choza *f* árabe **2.** *FAM (taudis)* tugurio, cuchitril.

**gourd, e** *a (mains, doigts)* entumecido, a.

**gourde** *f* **1.** *(courge)* calabaza **2.** *(bouteille)* cantimplora. ◇ *a/f* necio, a, bobo, a, zoquete: **quelle ~, cette fille!** ¡qué chica más necia!

**gourdin** *m* garrote.

**gourer (se)** *vpr POP* equivocarse, meter la pata.

**gourgandine** *f FAM* zorra, pelandusca, buscona.

**gourmand, e** *a/s* **1.** goloso, a: **un enfant ~** un niño goloso **2.** *FIG* ansioso, a. ◇ *m AGR* chupón.

**gourmander** *vt* reprender, reñir.

**gourmandise** *f* **1.** *(défaut)* gula **2.** *(friandise)* golosina.

**gourme** *f* **1.** *(vétérinaire)* muermo *m* **2.** *MÉD* usagre *m* **3.** *FIG* **jeter sa ~** echar una cana al aire, hacer locuras, correrla.

**gourmé, e** *a* estirado, a, tieso, a.

**gourmet** *m* **1.** gastrónomo **2. un fin ~** un «gourmet».
▶ Le gallicisme «gourmet» est courant.

**gourmette** *f* **1.** *(pour fixer le mors)* barbada **2.** *(bracelet)* esclava **3.** *(de montre)* cadena.

**gourou** *m* gurú.

**gousse** *f* **1.** *BOT* vaina **2. ~ d'ail** diente *m* de ajo.

**gousset** *m* **1.** *ANC* bolsa *f* pequeña **2.** *(de gilet)* bolsillo **3.** *FIG* **avoir le ~ vide** no tener un cuarto.

**goût** *m* **1.** *(sens)* gusto **2.** sabor, gusto: **un ~ de brûlé, de framboise** un sabor a quemado, a frambuesa; **cette sauce n'a aucun ~** esta salsa no tiene ningún sabor, no sabe a nada **3.** gusto: **elle s'habille avec ~** se viste con gusto; **bon, mauvais ~** buen, mal gusto; **du plus mauvais ~** del peor gusto; **homme de ~** hombre de buen gusto **4.** *(penchant)* afición *f*: **elle a du ~ pour la musique** tiene afición a la música ◊ **prendre ~ à** aficionarse a; **il n'a ~ à rien** no le apetece nada; **tous les goûts sont dans la nature** sobre gustos no hay nada escrito **5.** *(préférence)* gusto: **pour mon ~** para mi gusto; **des cadeaux pour tous les goûts** regalos para todos los gustos; **il y en avait pour tous les goûts** había para todos los gustos; **c'est à mon ~** me gusta **6. au ~ du jour** de moda **7. dans le ~ de...** al estilo de...; **quelque chose dans ce ~-là** algo por el estilo.

[1]**goûter** *vt* **1.** *(un mets, une boisson)* probar, catar: **goûtez cette sauce, à cette sauce** pruebe esta salsa; **~ un vin** catar un vino **2.** *(savourer)* saborear **3.** *FIG* apreciar. ◇ *vi* merendar: **les enfants ont goûté** los niños han merendado.

**²goûter** *m* merienda *f*: **l'heure du ~** la hora de la merienda.

**goûteux, euse** *a* sabroso, a.

**goutte** *f* **1.** gota: **une ~ d'eau** una gota de agua; **il n'est tombé que quelques gouttes** sólo ha caído cuatro gotas; **se ressembler comme deux gouttes d'eau** parecerse como dos gotas de agua; **suer à grosses gouttes** sudar mucho; **c'est la ~ d'eau qui fait déborder le vase,** → **déborder;** *FAM* **avoir la ~ au nez** tener la gota en la nariz **2.** *FAM* **une ~ de cognac?** ¿una copita de coñac?; **boire la goutte** tomar una copita **3.** *MÉD* gota **4.** *loc adv* **~-à-~** gota a gota. ◇ *adv* nada, ni gota: **n'entendre ~** no oír nada; **je n'y vois ~** no veo ni gota.

**goutte-à-goutte** *m inv MÉD* **1.** gota a gota, perfusión *f* **2.** *(appareil)* gota a gota, gotero.

**gouttelette** *f* gotita.

**goutter** *vi* gotear, dejar caer unas gotas.

**goutteux, euse** *a/s* gotoso, a.

**gouttière** *f* **1.** *(de toit)* canalón *m* ◊ **chat de ~** gato callejero **2.** *MÉD* entablillado *m* **3.** *(écoulement du plafond)* gotera.

**gouvernable** *a* gobernable.

**gouvernail** [guvɛRnaj] *m* **1.** timón **2.** *FIG* **tenir le ~** llevar el timón, las riendas.

**gouvernant, e** *a/s* gobernante. ◇ *f* **1.** *(d'un homme seul)* ama de llaves **2.** *(d'un enfant)* aya. ◇ *m pl* gobernantes.

**gouverne** *f* gobierno *m*: **je vous le dis pour votre ~** se lo digo para su gobierno. ◇ *f pl (d'un avion)* estabilizadores *m*.

**gouvernement** *m* gobierno: **~ démocratique, parlementaire** gobierno democrático, parlamentario; **chef du ~** jefe de Gobierno.

**gouvernemental, e** *a* gubernamental: **presse gouvernementale** prensa gubernamental.

**gouverner** *vt* **1.** gobernar: **ceux qui nous gouvernent** los que nos gobiernan **2. elle se laisse ~ par son mari** se deja gobernar por su marido **3.** *GRAM* regir. ◇ *vi* gobernar. ◆ **se ~** *vpr* gobernarse.

**gouverneur** *m* gobernador.

**goyave** [gɔjav] *f* guayaba.

**goyavier** [gɔjavje] *m* guayabo.

**Graal (le)** *np m* el Grial.

**grabat** *m* camastro.

**grabataire** *a/s* enfermo, a.

**grabuge** *m POP* gresca *f*, riña *f*, follón: **faire du ~** meter gresca, armar follón; **il va y avoir du ~** se va a armar la gorda.

**grâce** *f* **1.** *(charme)* gracia: **elle danse avec ~** baila con gracia **2.** favor *m*: **faites-moi la ~ de...** hágame el favor de...; **les bonnes grâces de quelqu'un** los favores de alguien; **rentrer en ~ auprès de...** tener de nuevo los favores de... **3.** *JUR (d'un condamné)* indulto *m*: **recours en ~** petición de indulto ◊ **demander ~** pedir perdón; **crier ~** suplicar; **trouver ~** ser perdonado; **faire ~ à un condamné** indultar a un condenado; **il ne nous a pas fait ~ d'un détail** no nos ha perdonado ni un detalle; **donner le coup de ~** dar el golpe de gracia, dar la puntilla, rematar **4.** *RELIG* **action de grâces** acción de gracias; **en état de ~** en estado de gracia; **en l'an de ~ 1431** en el año de gracia de 1431; **rendre ~ à Dieu** dar gracias a Dios **5.** *loc adv* **de ~** por favor, por Dios, por piedad; **de bonne, mauvaise ~** de buena, mala gana **6.** *loc prép* **~ à** gracias a: **~ à Dieu** gracias a Dios. ◇ *pl* **1. faire des grâces** hacer melindres **2. les trois Grâces** las tres Gracias.

**gracier*** *vt* indultar: **~ un condamné** indultar a un reo.

**gracieusement** *adv* **1.** *(avec grâce)* con gracia, airosamente **2.** *(gratuitement)* gratuitamente.

**gracieuseté** *f* atención, afabilidad.

**gracieux, euse** *a* **1.** gracioso, a: **cette petite fille est très gracieuse** esta niña es muy graciosa **2.** *(aimable)* amable, afable **3.** gratuito, a ◊ **à titre ~** gratuitamente **4. Sa Gracieuse Majesté** Su Graciosa Majestad.

► *Gracioso* a aussi le sens d'«amusant».

**gracile** *a* grácil.

**gracilité** *f* gracilidad.

**gradation** *f* gradación.

**grade** *m* **1.** grado ◊ **monter en ~** ascender **2.** *FAM* **en prendre pour son ~** recibir lo suyo **3.** *GÉOM* grado.

**gradé** *a/m MIL* suboficial, oficial subalterno.

**gradient** *m* gradiente.

**gradin** *m* grada *f*. ◇ *pl (d'un stade)* graderías *f* ◊ **en gradins** formando gradas.

**graduation** *f* graduación.

**graduel, elle** *a/m* gradual.

**graduellement** *adv* gradualmente, progresivamente.

**graduer** *vt* graduar: **thermomètre gradué** termómetro graduado.

**graffiter** *vt* pintar pintadas con spray en.

**graffiteur, euse** *s* pintor, a de pintadas.

**graffiti** *m pl* **1.** *(inscriptions anciennes)* grafitos **2.** *(de nos jours)* pintadas *f*: **des graffiti antifascistes** pintadas antifascistas.

**grailler** *vt POP (manger)* jamar.

**graillon** *m* **1.** sobras *f pl* de grasa quemada **2. ça sent le ~** huele a grasa quemada **3.** *FAM (crachat)* escupitajo, gargajo.

**graillonner** *vi* **1.** oler a grasa quemada **2.** *FAM (cracher)* gargajear **2.** *(parler d'une voix enrouée)* hablar ronco.

**grain** *m* **1.** grano: **~ de blé, de café, de raisin** grano de trigo, de café, de uva; **~ de sable** grano de arena ◊ **un ~ de poussière** una mota de polvo; *FIG* **mettre son ~ de sel** meter baza **2.** *FIG* pizca *f*: **pas un ~ de bon sens** ni pizca de buen sentido **3.** *(de chapelet)* cuenta *f* **4. ~ de beauté** lunar **5.** *(de la peau, du cuir)* grano **6.** *FAM* **avoir un ~** estar guillado, a, estar chiflado, a, andar mal de la azotea **7.** *(averse)* aguacero **8.** *MAR* chubasco: **essuyer un ~** aguantar un chubasco ◊ *FIG* **veiller au ~** vigilar, estar sobre aviso.

**graine** *f* **1.** *BOT* semilla ◊ **~ de tournesol** pipa; **monter en ~** espigarse **2.** *FIG* **mauvaise ~** mala hierba **3.** *FAM* **en prendre de la ~** escarmentar en cabeza ajena; **prends-en de la ~** tómalo por ejemplo **4.** *FAM* **casser la ~** comer.

**graineterie** *f* comercio *m* de granos.

**grainetier, ère** *s* comerciante en granos.

**graissage** *m* engrase.

**graisse** *f* **1.** *(animale, végétale)* grasa **2.** *(de porc)* tocino *m*, manteca **3.** *FIG* **prendre de la ~** engordar **4.** *(pour machines)* grasa.

**graisser** *vt* **1.** engrasar **2.** *(salir)* manchar de grasa **3.** *FIG FAM* **~ la patte à quelqu'un** untar a alguien, untar el carro a alguien.

**graisseur, euse** *a/m* engrasador, a.

**graisseux, euse** *a* **1.** *(sale)* grasiento, a, pringoso, a **2.** *(qui contient de la graisse)* graso, a.

**graminacées** → **graminées.**

**graminées** *f pl BOT* gramíneas, gramináceas.

**grammaire** *f* gramática.

**grammairien, enne** *s* gramático, a.

**grammatical, e** *a* gramatical.

**grammaticalement** *adv* gramaticalmente.

**gramme** *m* gramo.

**gramophone** *m* gramófono.

**grand, e** *a* **1.** grande *(gran devant un substantif singulier)*: **une grande maison** una casa grande; **de grandes difficultés** grandes dificultades; **ce pull est trop ~ pour moi** este jersey me viene grande; **un ~ écrivain** un gran escritor; **une grande nation** una gran nación; **en grande partie** en gran parte ◊ **plus ~, moins ~** mayor, menor **2.** *(taille)* alto, a: **un homme ~** un hombre alto; **une grande femme** una mujer alta ◊ **devenir ~** crecer **3.** *(long)* largo, a: **il a un ~ nez** tiene una nariz larga **4.** *(adulte)* mayor, adulto, a: **les grandes personnes** las personas mayores; **quand tu seras ~** cuando seas mayor; **mon ~ frère** mi hermano mayor ◊ **je suis assez ~ pour me décider tout seul** soy muy capaz de decidirme solo **5.** *(dignité)* mayor: **~ veneur** montero mayor **6.** largo, a: **deux grandes heures** dos horas largas ◊ **il est ~ temps de** ya es hora de **7.** importante: **une grande nouvelle** una noticia importante **8.** fuerte: **un ~ coup** un golpe fuerte; **un ~ cri** un grito muy fuerte **9. grande vitesse** alta velocidad **10. un ~ timide** una persona muy tímida; **un ~ mangeur** un comilón; **un ~ blessé** un herido grave **11. au ~ air** al aire libre; **au ~ jour** a la luz del día; **de ~ cœur** con mucho gusto **12. ~ âge** edad avanzada **13. pas ~ monde** poca gente; **sans ~ intérêt** poco interesante **14.** *ANC (beaucoup)* mucho, a: **j'ai ~-soif** tengo mucha sed **15. ~-rue** calle mayor. ◇ *m* **1.** grande, magnate: **les grands d'Espagne** los grandes de España; **les grands de ce monde** los magnates de este mundo; **les quatre Grands** los cuatro Grandes ◊ **Alexandre le Grand** Alejandro Magno **2. les grands** *(adultes)* los mayores, *(élèves)* los alumnos de más edad. ◇ *adv* **1. voir ~** ver en grande **2. ~ ouvert** abierto de par en par. ◇ *loc adv* **1. à ~-peine** a duras penas **2. en ~** a gran escala, a lo grande.

**grand-chose** *pron indéf* **1. ça ne vaut pas ~** no vale gran cosa, vale poca cosa **2. il ne fait pas ~** no hace gran cosa. ◇ *s inv FAM* **un pas ~** un don nadie, un cualquiera.

**grand-croix** *f inv* gran cruz.

**grand-duc** *m* **1.** gran duque ◊ *FAM* **faire la tournée des grands-ducs** rondar los restaurantes y las boites de lujo **2.** *(hibou)* búho.

**grand-duché** *m* gran ducado.

**Grande-Bretagne** *np f* Gran Bretaña.

**grande-duchesse** *f* gran duquesa.

**grandement** *adv* **1.** *(beaucoup)* mucho **2. il serait ~ temps de vous décider** ya es tiempo de sobra que usted se decida **3. nous ne sommes pas ~ logés** nos falta espacio en casa.

**grand-ensemble** *m* urbanización *f*, grupo de viviendas.

**grandesse** *f* grandeza.

**grandeur** *f* **1.** *(importance)* magnitud: **ordre de ~** orden de magnitud **2.** *(taille)* tamaño *m*, grandor *m*: **~ nature** de tamaño natural **3.** *FIG (morale)* grandeza, nobleza: **~ d'âme** grandeza de ánimo, magnanimidad **4.** *ASTR* magnitud: **étoile de première ~** estrella de primera magnitud **5.** *FAM* **une idiotie de première ~** una tontería de marca mayor **6.** *FIG* **du haut de sa ~** con una gran altanería, con desdén **7.** *(évêques, archevêques)* **sa Grandeur** su Ilustrísima. ◇ *pl* **la folie des grandeurs** la manía de grandezas.

**grand-guignolesque** *a* exageradamente horrible.

**grandiloquence** *f* grandilocuencia.

**grandiloquent, e** *a* grandilocuente.

**grandiose** *a/m* grandioso, a. ◇ *m* grandiosidad *f*.

**grandir** *vi* crecer: **il a beaucoup grandi** ha crecido mucho: **le vacarme grandissait** el tumulto iba creciendo. ◇ *vt* **1. ses talons la grandissent** sus tacones la hacen parecer más alta **2.** *(amplifier)* ampliar, amplificar **3.** *(ennoblir)* engrandecer: **son abnégation le grandit** su abnegación le engrandece. ◆ **se ~** *vpr FIG* engrandecerse.

**grandissant, e** *a* creciente, que va en aumento.

**grand-livre** *m* libro mayor.

**grand-maman** *f FAM* abuelita.

**grand-mère** *f* abuela.

**grand-messe** *f* **1.** misa mayor **2.** *FIG* ceremonia, manifestación.

**grand-oncle** *m* tío abuelo.

**grand-papa** *m FAM* abuelito.

**grand-peine (à) → peine.**

**grand-père** *m* abuelo.

**grands-parents** *m pl* abuelos.

**grand-place** *f* plaza mayor.

**grand-route** *f* carretera mayor.

**grand-rue** *f* calle mayor.

**grand-tante** *f* tía abuela.

**grand-voile** *f* vela mayor.

**grange** *f* granero *m*, troje *m*.

**granit, granite** [gʀanit] *m* granito.

**granité, e** *a* granitado, a, semejante al granito. ◇ *m (glace)* granizado.

**granitique** *a* granítico, a.

**granivore** *a/s* granívoro, a.

**granulaire** *a* granular.

**granulation** *f* granulación.

**granule** *m* gránulo.

**granulé, e** *a* granulado, a. ◇ *m* gránulo: **une cuillerée de granulés** una cucharada de gránulos.

**granuleux, euse** *a* granilloso, a.

**grape-fruit** [gʀɛpfʀut] *m* pomelo.

**graphie** *f* grafía.

**graphique** *a* gráfico, a. ◇ *m* gráfico, gráfica *f*.

**graphisme** *m* grafismo.

**graphite** *m* grafito.

**graphologie** *f* grafología.

**graphologique** *a* grafológico, a.

**graphologue** *s* grafólogo, a.

**grappe** *f* racimo *m*: **une ~ de raisin** un racimo de uvas.

**grappillage** *m* rebusca *f*.

**grappiller** *vi* **1.** *(raisins)* racimar, rebuscar racimos de uvas **2.** *FIG* sacar provechos menudos. ◇ *vt* **1.** *(de la nourriture)* picotear **2.** *FIG* recoger, sacar.

**grappillon** *m* racimo, gajo, redrojo.

**grappin** *m* **1.** *MAR* rezón **2.** *(croc)* garfio **3. jeter, mettre le ~ sur quelqu'un** echar la garra a alguien.

**gras, grasse** *a* **1.** *(personne)* gordo, a, grueso, a **2.** graso, a: **matière grasse, fromage ~** materia grasa, queso graso **3.** *(graisseux)* grasiento, a, pringoso, a: **peau grasse, cheveux ~** piel grasienta, pelo grasiento; **papiers ~** papeles pringosos **4. bouillon ~** caldo de carne; **eaux grasses** lavazas **5.** *RELIG* **mardi ~** martes de Carnaval; **jour ~** día de carne; **faire ~** comer carne **6.** *BOT* **plante grasse** planta carnosa **7. terre grasse** tierra arcillosa y fértil **8. toux grasse** tos bronca **9.** *(imprimerie)* **caractère ~** negrita *f*, negrilla *f* **10.** *FIG* **vaches grasses** vacas gordas. ◇ *m* **1. le ~ de la viande** lo gordo de la carne **2. le ~ de la jambe** la pantorrilla *f*.

**gras-double** *m* callos *pl*.
► Preparado con estómago de vaca.

**grassement** *adv* **1.** *(vivre)* cómodamente **2.** *(payer)* generosamente.

**grasseyer*** *vi* pronunciar guturalmente la r.

**grassouillet, ette** *a* regordete, a, llenito, a.

**grateron → gratteron.**

**graticuler** *vt* cuadricular.

**Gratien** *np m* Graciano.

**gratifiant, e** *a* gratificante.

**gratification** *f* gratificación, plus *m.*

**gratifier*** *vt* **1.** gratificar, recompensar **2.** atribuir **3.** *(ironiquement)* **on l'a gratifié d'une amende** le han puesto una multa.

**gratin** *m* **1.** *CULIN* gratén: **au ~** al gratén; **~ dauphinois** patatas cortadas en rodajas con nata al gratén **2.** *FIG FAM* **le ~** la flor y nata, la crema: **il fréquente le ~ de la société** frecuenta la flor y nata de la sociedad.

**gratiné, e** *a* **1.** *CULIN* **pommes de terre gratinées** patatas gratinadas, al gratén. **2.** *FAM* **une cuite gratinée** una borrachera fenomenal, de órdago; **c'est ~!** ¡es la monda!; **une histoire gratinée** una historia que se las trae. ◇ *f (soupe)* sopa de cebolla gratinada.

**gratiner** *vt CULIN* gratinar.

**gratis** [gRatis] *adv* gratis, de balde.

**gratitude** *f* gratitud.

**grattage** *m* rascadura *f,* raspadura *f.*

**gratte** *f* **1.** *FAM* sisa ◊ **faire de la ~** sisar **2.** *FAM* guitarra.

**gratte-ciel** *m inv* rascacielos.

**gratte-cul** *m (de l'églantier)* tapaculo.

**grattement** *m* **1.** rascamiento **2. on entendit un ~ à la porte** oímos que rascaban a la puerta.

**gratte-papier** *m inv FAM* chupatintas.

**gratter** *vt* **1.** rascar **2.** *(racler, effacer)* raspar **3.** *(le sol)* escarbar **4.** *FAM (démanger)* picar, dar picor, raspar: **ce col me gratte** este cuello me pica, me da picor **5.** *(récupérer)* sacar, pescar **6.** *FAM (dépasser)* adelantar. ◇ *vi* **1. ~ de la guitare** rascar la guitarra **2. ~ à la porte** llamar bajito a la puerta **3.** *PROV* **trop parler nuit, trop ~ cuit** por la boca muere el pez. ◆ **se ~** *vpr* rascarse: **il se gratta la tête** se rascó la cabeza; **arrête de te ~ le nez** deja de rascarte la nariz.

**gratteron** *m* galio.

**grattoir** *m* **1.** *(de bureau)* raspador **2.** *(outil)* rascador.

**gratuit, e** *a* **1.** gratuito, a: **voyage ~** viaje gratuito **2.** *(arbitraire)* gratuito, a.

**gratuité** *f* gratuidad.

**gratuitement** *adv* gratuitamente, gratis.

**gravats** *m pl* cascotes, escombros.

**grave** *a* **1.** grave: **une erreur ~** un error grave; **ce n'est pas ~** no es grave **2. une voix ~** una voz grave **3. accent ~** acento grave.

**graveleux, euse** *a FIG* escabroso, a, verde, indecente.

**gravelle** *f* mal *m* de piedra.

**gravement** *adv* **1.** gravemente **2. être ~ malade** estar enfermo de gravedad, estar grave; **~ blessé** herido de gravedad.

**graver** *vt* grabar: **~ sur cuivre** grabar en cobre ◊ *FIG* **~ dans la mémoire** grabar en la memoria.

**graveur** *m* grabador.

**gravide** *a* grávido, a.

**gravier** *m* grava *f,* casquijo, guijo.

**gravillon** *m* gravilla *f,* grava *f* menuda.

**gravillonner** *vt* cubrir con gravilla.

**gravimétrie** *f PHYS* gravimetría.

**gravir** *vt* **1.** *(montagne)* trepar, escalar **2.** *(côte)* subir.

**gravitation** *f* gravitación.

**gravité** *f* **1.** gravedad: **sans ~** sin gravedad **2.** *PHYS* **centre de ~** centro de gravedad.

**graviter** *vi* **1.** *PHYS* gravitar: **la Lune gravite autour de la Terre** la Luna gravita alrededor de la Tierra **2.** *FIG* gravitar: **~ dans l'entourage de quelqu'un** gravitar entre los familiares de alguien.

**gravois** → **gravats.**

**gravure** *f* grabado *m:* **une ~ à l'eau-forte** un grabado al agua fuerte; **~ sur bois, sur cuivre** grabado en madera, en cobre; **~ en taille-douce** grabado en dulce ◊ **~ de mode** figurín *m.*

**gré** *m* **1. agir à son ~** obrar a su capricho; **de son plein ~** por su propia voluntad, con plena voluntad **2. contre mon ~** a pesar mío, mal de mi grado; **contre le ~ de quelqu'un** contra la voluntad de alguien; **de bon ~** de buen grado; **de ~ ou de force** por las buenas o por las malas, por las malas; **bon ~ mal ~** de grado o por fuerza, de buena o de mala gana **3. au ~ des flots** a merced de las olas **4.** *COM* **de ~ à ~** amigablemente **5. savoir ~ à quelqu'un de** agradecer a alguien por; **je vous sais ~ d'être venu** le agradezco por haber venido.

**grèbe** *m* somorgujo.

**grec, grecque** *a/s* griego, a: **les Grecs** los griegos.

**Grèce** *np f* Grecia.

**gréciser** *vt* grecizar, helenizar.

**gréco-latin, e** *a* grecolatino, a.

**gréco-romain, e** *a* grecorromano, a.

**grecque** *f ARCH* greca.

**gredin, e** *s* miserable, canalla, bribón, ona.

**gredinerie** *f* bribonada.

**gréement** [gRemɑ̃] *m MAR* aparejo.

**gréer** *vt MAR* aparejar.

**greffage** *m* injerto.

[1]**greffe** *m JUR* escribanía *f.*

[2]**greffe** *f* **1.** *BOT* injerto *m* **2.** *MÉD* injerto *m,* trasplante *m:* **une ~ de peau, de la cornée** un injerto de piel, de córnea; **une ~ du cœur, du rein** un trasplante de corazón, de riñón.

**greffer** *vt* **1.** *BOT* injertar **2.** *MÉD* injertar, trasplantar: **~ un rein** trasplantar un riñón. ◆ **se ~** *vpr FIG* añadirse, sumarse.

**greffier** *m JUR* escribano.

**greffon** *m* injerto.

**grégaire** *a* gregario, a.

**grégarisme** *m* gregarismo.

**grège** *a* **soie ~** seda cruda.

**Grégoire** *np m* Gregorio.

**grégeois** *a* **feu ~** fuego griego.

**grégorien, enne** *a* gregoriano, a: **calendrier, chant ~** calendario, canto gregoriano.

**grègues** *f pl ANC* gregüescos *m* ◊ **tirer ses ~** tomar las de Villadiego.

[1]**grêle** *a* **1.** *(mince)* delgado, a **2. voix ~** voz ahilada, tenue **3. intestin ~** intestino delgado.

[2]**grêle** *f* **1.** granizo *m* ◊ **averse de ~** granizada **2.** *FIG* granizada, chaparrón *m,* lluvia, rociada: **une ~ de coups** una lluvia de golpes.

**grêlé, e** *a (visage)* picado, a.

**grêler** *v impers* granizar.

**grelin** *m MAR* calabrote.

**grêlon** *m* granizo, pedrisco.

**grelot** *m* **1.** cascabel **2.** *FIG* **attacher le ~** poner el cascabel al gato **3.** *FAM* **avoir les grelots** temblar de miedo.

**grelottant, e** *a* tiritando.

**grelottement** *m (de froid, fièvre)* tiritona *f,* temblor.

**grelotter** *vi* tiritar.

**grenache** *m* garnacha *f.*

**grenade** *a* **1** *(fruit)* granada **2.** *(projectile)* granada: **~ à main:** granada de mano; **~ fumigène** bomba de humo, bote *m* de humo.

**Grenade** *np f* **1.** Granada **2.** *(Antilles)* **la ~** Granada.

**grenadier** *m* **1.** *(arbre)* granado **2.** MIL granadero.

**grenadin, e** *a (de Grenade)* granadino, a. ◇ *f (boisson)* granadina.

**grenaille** *f* granalla.

**grenaison** *f* granazón.

**grenat** *a/m* granate.

**grener** *vi* granar. ◇ *vt* TECHN granear.

**grènetis** *m* gráfila *f*.

**grenier** *m* **1.** *(à grains)* granero **2.** *(sous les toits)* desván **3.** *(à foin)* henil **4.** *(à sel)* depósito de sal.

**grenouillage** *m* FAM chanchullos *pl*, manejos *pl*.

**grenouille** *f* **1.** rana: **cuisse de ~** anca de rana **2.** FAM **~ de bénitier** beatona, tragasantos *m*.

**grenouillère** *f* **1.** *(de bébé)* pelele *m* **2.** *(marécage)* charca *f* (donde abundan las ranas).

**grenu, e** *a* granoso, a.

**grès** [gʀɛ] *m* **1.** *(roche)* asperón, arenisca *f* **2.** *(poterie)* gres.

**gréseux, euse** *a* arenisco, a.

**grésil** [gʀezil] *m* granizo menudo.

**grésillement** *m* **1.** chisporroteo **2.** *(du grillon)* chirrido.

**grésiller** *v impers (tomber du grésil)* granizar. ◇ *vi* chisporrotear: **l'huile grésille dans la poêle** el aceite chisporrotea en la sartén.

**gressin** *m (pain)* colín, barrita *f* de pan.

**grève** *f* **1.** *(rivage)* playa, arenal *m* **2.** huelga: **être en ~, faire ~** estar en huelga; **se mettre en ~** declararse en huelga; **lancer un ordre de ~** convocar huelga; **~ de la faim** huelga de hambre; **~ tournante** huelga alternativa; **~ sur le tas** huelga de brazos caídos: **~ sauvage** huelga salvaje **3. ~ patronale** cierre *m* patronal.

**grever*** *vt* gravar: **~ un budget de dépenses excessives** gravar un presupuesto con gastos excesivos.

**gréviste** *a/s* huelguista.

**gribiche** *a* CULIN **sauce ~** vinagreta con huevo duro picado.

**gribouillage** *m* FAM garrapato, garabato, garabateo.

**gribouille** *m* FAM necio, tonto.

**gribouiller** *vi* FAM garrapatear, escarabajear. ◇ *vt* **1.** *(peindre)* pintorrear **2.** *(écrire)* garabatear, garrapatear.

**gribouilleur, euse** *s* FAM garrapateador, a, pintamonas.

**gribouillis** *m* FAM garabato, escarabajo.

**grièche → pie-grièche.**

**grief** [gʀijɛf] *m* **1.** queja *f*, agravio: **exposer ses griefs** exponer sus quejas **2. faire ~ de** reprochar.

**grièvement** *adv* gravemente: **~ blessé** gravemente herido, herido de gravedad.

**griffe** *f* **1.** *(d'un animal)* garra, zarpa, uña: **griffes rétractiles** uñas retráctiles ◊ **coup de ~** *(chat)* arañazo, *(tigre, etc.)* zarpazo; FIG **montrer, sortir ses griffes** enseñar las uñas; **tomber dans les griffes de, sous la ~ de** caer en las garras de **2.** *(de bijou)* garra **3.** *(signature)* firma, rúbrica **4.** *(cachet)* estampilla **5.** *(marque)* marca, etiqueta **6.** FIG *(style)* estilo *m*.

**griffé, e** *a (vêtement)* de marca.

**griffer** *vt* arañar: **ce chat griffe** este gato araña.

**griffon** *m* **1.** *(mythologie)* grifo **2.** *(chien)* grifón.

**griffonnage** *m* garrapato.

**griffonner** *vt* garrapatear, garabatear, borronear.

**griffu, e** *a* que tiene garras.

**griffure** *f* arañazo *m*.

**grignotement** *m* roedura *f*.

**grignoter** *vt* **1.** *(manger)* roer, mordisquear **2.** FIG *(son capital)* comerse poco a poco.

**grigou** *m* FAM tacaño, roñica.

**gri-gri, grigri** *m* grisgrís, amuleto.

**gril** [gʀil] *m* **1.** parrilla *f*: **côtelettes cuites sur le ~** chuletas asadas a la parrilla **2.** FIG **être sur le ~** estar en ascuas.

**grill → grill-room.**

**grillade** *f* carne asada a la parrilla.

**grillage** *m (de fenêtre, porte)* enrejado, *(métallique)* alambrera *f*.

**grillager*** *vt* enrejar, poner alambreras: **fenêtre grillagée** ventana enrejada.

**grille** *f* **1.** *(clôture)* verja, rejado *m* **2.** *(porte)* cancela, verja **3.** *(de fenêtre)* reja, verja **4.** *(d'un poêle, d'un fourneau)* rejilla **5.** *(de mots croisés)* cuadrícula **6.** *(pour déchiffrer un message)* clave **7. ~ des salaires** escala jerarquizada de los salarios de una profesión **8. la ~ des programmes de la première chaîne** la rejilla de programación, la parrilla de programación del primer canal.

**grille-pain** *m inv* tostador de pan.

**griller** *vt* **1.** *(viande, poisson)* asar **2.** *(pain, café)* tostar: **pain grillé** pan tostado **3.** *(une ampoule)* fundir: **l'ampoule est grillée** se ha fundido la bombilla **4.** *(une résistance électrique)* quemar, fundir **5.** FAM **~ une cigarette, en ~ une** echar un pitillo **6.** AGR *(une plante, par le soleil, les gelées)* quemar **7. ~ une étape** pasar de largo una etapa; **~ un feu rouge** saltarse un semáforo en rojo. ◇ *vi* **1.** *(rôtir)* asarse, tostarse **2.** FAM **on grille ici** se asa uno aquí **3.** FIG **je grille d'envie de te voir** ardo en deseos de verte **4.** FAM **il est grillé** está perdido, arruinado

**grilloir** *m* tostadero.

**grillon** *m* grillo.

**grill-room, grill** *m* grill-room, parrilla *f*.

**grimaçant, e** *a* que hace muecas.

**grimace** *f* **1.** mueca, gesto *m*, visaje *m*: **faire des grimaces** hacer muecas ◊ **faire la ~ à** poner mala cara a; **faire une ~ de douleur** torcer el gesto de dolor; PROV **on n'apprend pas à un vieux singe à faire la ~ → singe 2.** *(faux pli)* arrugas *f pl*. ◇ *pl (simagrées)* monadas, melindres.

**grimacer** *vi* **1.** gesticular, hacer gestos, hacer muecas **2.** *(vêtement)* hacer arrugas.

**grimacier, ère** *a/s* que hace gestos.

**grimage** *m* THÉÂT maquillaje.

**grime** *m* THÉÂT viejo ridículo, barba.

**grimer** *vt* maquillar. ◆ **se ~** *vpr* maquillarse.

**grimoire** *m* **1.** libro de magia **2.** *(texte indéchiffrable)* escrito ilegible.

**grimpant, e** *a* trepador, a: **plante grimpante** planta trepadora. ◇ FAM pantalón.

**grimpe** *f* escalada.

**grimper** *vi* **1.** trepar, subir: **~ à un arbre** trepar a un árbol **2.** subirse: **~ sur un tabouret** subirse a un taburete **3. ce sentier grimpe dur** esta senda es muy empinada **4.** FIG subir, dispararse: **les prix ont grimpé** los precios se han disparado; **le dollar a grimpé** el dólar ha subido. ◇ *vt* **~ un escalier quatre à quatre** correr escalera arriba, subir por la escalera de dos en dos.

**grimpette** *f* FAM repecho *m*.

**grimpeur, euse** *s* **1.** escalador, a **2.** *(cycliste)* escalador, trepador. ◇ *m pl (oiseaux)* trepadoras *f pl*.

**grinçant, e** *a* **1.** rechinante **2.** FIG *(aigre)* agrio, a.

**grincement** *m* **1.** rechinamiento, chirrido: **le ~ d'une porte** el chirriar de una puerta **2. ~ de dents** rechinamiento de dientes; *FIG* **des pleurs et des grincements de dents** el llorar y el crujir de dientes.

**grincer*** *vi* **1.** *(roue, etc.)* rechinar, chirriar **2. il grince des dents** le rechinan los dientes; **faire ~ les dents** hacer rechinar los dientes.

**grincheux, euse** *a/s* gruñón, ona, refunfuñador, a.

**gringalet** *m* alfeñique, mequetrefe.

**gringo** *m PÉJOR* gringo.

**gringue** *m POP* **faire du ~ à** camelar a.

**griotte** *f (cerise)* guinda.

**grippage** *m TECHN* agarrotamiento, gripado.

**grippal, e** *a* gripal.

**grippe** *f* **1.** gripe: **avoir la ~** tener gripe; **une grosse grippe** un gripazo **2.** *FIG* **prendre quelqu'un en ~** tomar tirria a alguien, coger manía a alguien.

**grippé, e** *a* **1. être grippé** estar con gripe **2.** *(moteur, etc.)* agarrotado, a.

**gripper** *vi (se coincer)* adherirse, agarrotarse. ◆ **se ~** *vpr (moteur, etc.)* agarrotarse.

**grippe-sou** *m* avaro, agarrado, tacaño.

**gris, e** *a* **1.** gris: **un chandail ~** un jersey gris: **des tons ~** tonos grises ◊ **papier ~** papel de embalaje; **cheval ~ pommelé** caballo tordo con manchas; **cheveux ~** pelo entrecano **2.** *FIG* **faire grise mine** poner mala cara **3.** *(temps)* cubierto, a, plomizo, a **4.** *FIG (ivre)* chispo, a, achispado, a **5. matière grise** materia gris. ◇ *m* **1.** color gris, gris: **~ perle** gris perla; **peindre en ~** pintar de gris **2.** *(tabac)* tabaco común.

**grisaille** *f* **1.** *(peinture)* grisalla **2.** *FIG* tristeza.

**grisant, e** *a* embriagador, a: **un air ~** un aire embriagador.

**grisâtre** *a* grisáceo, a.

**grisbi** *m POP* parné.

**grisé** *m* tono gris que se da a un grabado.

**griser** *vt* **1.** achispar **2.** *FIG* exaltar, embriagar: **grisé par le succès** embriagado con el éxito. ◆ **se ~** *vpr* **1.** *(s'enivrer)* achisparse **2.** *FIG* embriagarse.

**griserie** *f* embriaguez.

**grisette** *f ANC (couturière)* modistilla, griseta.

**grison, onne** *a* **1.** gris, grisáceo, a **2.** *(cheveux)* canoso, a. ◇ *m* asno. ◇ *a/s (suisse)* grisón, ona.

**grisonnant, e** *a* entrecano, a: **une barbe grisonnante** una barba entrecana.

**grisonnement** *m* encanecimiento.

**grisonner** *vi* encanecer.

**Grisons (les)** *np m pl* los Grisones.

**grisou** *m* grisú: **coup de ~** explosión de grisú.

**grive** *f* **1.** tordo *m* **2.** *PROV* **faute de grives, on mange des merles** a falta de pan, buenas son tortas.

**grivèlerie** *f* delito *m* que consiste en comer, beber, sin tener con qué pagar.

**grivois, e** *a* picaresco, a, licencioso, a, verde: **une chanson grivoise** un cuplé verde; **une histoire grivoise** un chiste verde.

**grivoiserie** *f* dicho *m* picaresco.

**Groenland** [grɔɛnlɑd] *np m* Groenlandia *f*.

**groenlandais, e** *a/s* groenlandés, esa.

**grog** [grɔg] *m* grog, ponche.

**groggy** *a inv* **1.** *(boxeur)* grogui **2.** *FIG* grogui.

**grognard** *m HIST* soldado de la guardia de Napoleón.

**grogne** *f FAM* cabreo *m*.

**grognement** *m* gruñido, refunfuño.

**grogner** *vi* gruñir, refunfuñar.

**grognon, onne** *a/s* gruñón, ona, regañón, ona, refunfuñador, a.

**grognonner → grogner.**

**groin** [grwɛ̃] *m* **1.** *(du porc)* hocico **2.** *FIG* jeta *f*.

**grole, grolle** *f POP* zapato *m*.

**grommellement** *m* refunfuño.

**grommeler*** *vi* refunfuñar, rezongar: **obéir en grommelant** obedecer refunfuñando. ◇ *vt* mascullar: **~ des insultes** mascullar insultos.

**grondant, e** *a* rugiente.

**grondement** *m* **1.** gruñido **2.** *(du tonnerre, etc.)* retumbo, fragor.

**gronder** *vi* **1.** *(animal)* gruñir **2.** *(tonnerre, canon)* retumbar **3.** *(vent)* bramar. ◇ *vt* regañar, reñir, reprender: **~ un enfant** regañar a un niño.

**gronderie** *f* reprimenda, regaño *m*.

**grondeur, euse** *a/s* regañón, ona, gruñón, ona.

**grondin** *m (poisson)* rubio.

**groom** [grum] *m* botones.

**gros, grosse** *a* **1.** grueso, a, gordo, a: **un ~ arbre** un árbol grueso; **écrire en ~ caractères** escribir en caracteres gruesos; **une grosse femme** una mujer gorda, una mujer gruesa; **le ~ lot** el premio gordo, el gordo ◊ **un ~ bébé** un bebé rollizo; **~ bétail, ~ gibier** ganado mayor, caza mayor; *FIG* **avoir le cœur ~** tener el corazón encogido; **faire la grosse voix** ahuecar la voz; **faire le ~ dos** arquear el lomo; *FAM* **~ bonnet** pez gordo **2.** grande, gran: **une très grosse voiture** un coche muy grande; **une grosse poitrine** un pecho grande; **un ~ orage** una gran tormenta; **~ propriétaire** gran propietario; **une grosse clientèle** una gran clientela; **grosse cylindrée** gran cilindrada **3.** *(volumineux)* abultado, a: **avoir un ~ ventre** tener un viente abultado, mucha barriga **4. une grosse erreur** un gran error; **une grosse faute** una falta grave **5.** importante: **une grosse somme** una suma importante; **de ~ bénéfices** pingües beneficios **6.** fuerte: **grosse voix, fièvre** voz, calentura fuerte; **un ~ soupir** un fuerte, un hondo suspiro ◊ **jouer ~ jeu** jugar fuerte **7.** *(riche)* rico, a, acaudalado, a: **un ~ industriel** un acaudalado industrial **8. grosse mer** mar agitado; **~ temps** temporal **9.** *(grossier)* basto, a, tosco, a, vulgar: **du ~ drap** paño basto; **de ~ traits** facciones vulgares **10. un ~ mot** una palabrota *f*, un taco **11.** *ANC* **femme grosse** mujer encinta, embarazada **12. une décision grosse de conséquences** una decisión que puede acarrear graves consecuencias **13.** *PÉJOR* **~ bêta, ~ nigaud** bobalicón. ◇ *m* **1.** grueso: **le ~ de l'armée** el grueso del ejército; **le ~ de l'affaire** lo esencial del asunto **2.** *COM* **commerce de ~** comercio al por mayor; **prix de ~** precio al por mayor **3.** *FAM* **un petit ~** un gordito; **les ~** los ricachos, los pudientes. ◇ *adv* **1.** mucho: **gagner ~** ganar mucho **2. jouer ~** jugar fuerte **3. en avoir ~ sur le cœur, sur la patate** estar amargado, a **4.** *loc adv* **en ~** *COM* al por mayor; *(sans entrer dans les détails)* en líneas generales, a grandes rasgos.

▶ On peut aussi adjoindre un suffixe augmentatif à certains mots (*une grosse fortune*, un fortunón; *une grosse voix*, un vozarrón; *un ~ nuage* un nubarrón; *une grosse larme* un lagrimón, etc.), le suffixe donnant parfois au mot une valeur péjorative (*gros mangeur* comilón; *de grosses mains* unas manazas).

**groseille** *f* grosella ◊ **~ à maquereau** uva espina.

**groseillier** *m* grosellero ◊ **~ à maquereau** grosellero espinoso.

**gros-grain** *m* **1.** *(tissu)* otomán **2.** *(ruban)* cinta *f* de otomán.

**Gros-Jean** *m* **être ~ comme devant** quedar chasqueado, quedarse compuesta y sin novio.

**gros-porteur** *m* avión gigante, jumbo.

**grosse** *a* **→ gros.** ◇ *f* **1.** *COM (douze douzaines)* gruesa **2.** *(copie)* copia, traslado *m*, ejecutorio *m*.

**grossesse** *f* embarazo *m*, preñez: **interruption volontaire de ~** interrupción voluntaria del embarazo; **test de ~** test de embarazo; **~ nerveuse** falso embarazo, embarazo psicológico.

**grosseur** *f* **1.** grosor *m*, gordura, corpulencia **2.** *(tumeur)* tumor *m* **3.** *(bosse)* bulto *m*.

**grossier, ère** *a* **1.** grosero, a, soez: **un homme ~** un hombre grosero **2.** *(rudimentaire)* tosco, a, basto, a **3. erreur grossière** craso error, error de bulto.

**grossièrement** *adv* **1.** *(sans soin)* groseramente, toscamente **2.** *(approximativement)* aproximadamente **3.** *(impoliment)* groseramente.

**grossièreté** *f* **1.** *(impolitesse)* grosería **2.** *(rusticité)* tosquedad.

**grossir** *vt* **1.** engrosar, abultar, engordar: **~ les rangs** engrosar las filas; **~ son capital** engrosar su capital **2.** *(avec une loupe, un microscope)* aumentar, amplificar **3.** *FIG* abultar, exagerar. ◇ *vi* **1.** engordar: **elle a grossi de deux kilos** ha engordado dos kilos ◊ **faire ~** engordar; **un aliment qui ne fait pas ~** un alimento que no engorda **2.** *FIG* crecer, aumentar: **sa fortune grossissait** su fortuna iba aumentando.

**grossissant, e** *a* **1.** creciente **2. verres grossissants** lentes de aumento.

**grossissement** *m* **1.** *(d'une personne)* engrosamiento **2.** *(en optique)* aumento **3.** amplificación *f*.

**grossiste** *s COM* mayorista, comerciante al por mayor.

**grosso modo** *adv* grosso modo, aproximadamente.

**grotesque** *a* grotesco, a. ◇ *m pl (décors)* grutescos, grotescos.

**grotesquement** *adv* grotescamente.

**grotte** *f* gruta, cueva, caverna: **~ préhistorique** cueva prehistórica.

**grouillant, e** *a* que hormiguea, hormigueante, bullente.

**grouillement** *m* hormigueo, bullicio.

**grouiller** *vi* hormiguear, bullir. ◆ **se ~** *vpr POP* aligerar, apresurarse, arrear: **grouille-toi!** ¡aligera!

**grouillot** *m* empleado.

**groupage** *m* agrupamiento.

**groupe** *m* **1.** grupo: **~ de pression** grupo de presión; **~ sanguin** grupo sanguíneo **2. ~ scolaire** escuela *f*.

**groupement** *m* agrupación *f*.

**grouper** *vt* agrupar. ◆ **se ~** *vpr* agruparse.

**groupie** *s FAM* forofo, a.

**groupuscule** *m* grupúsculo, grupo político muy reducido.

**gruau** [gʀyo] *m* **1.** sémola *f* **2.** *(d'orge)* farro **3.** flor *f* de harina: **pain de ~** pan de flor.

**grue** *f* **1.** *(oiseau)* grulla **2.** *FAM* **faire le pied de ~** estar de plantón **3.** *POP (prostituée)* furcia, buscona **4.** *(machine)* grúa **5.** *(cinéma)* grúa.

**gruger*** *vt FIG (duper)* timar, embaucar.

**grume** *f* tronco *m* (de árbol con su corteza).

**grumeau** *m* grumo.

**grumeler (se)*** *vpr* agrumarse.

**grumeleux, euse** *a* grumoso, a.

**grutier** *m* conductor de una grúa.

**gruyère** [gʀyjɛʀ] *m* queso gruyere.

**Guadeloupe** *np f* Guadalupe.

**guadeloupéen, enne** *a/s* guadalupeño, a.

**guanaco** [gwanako] *m* guanaco.

**guano** [gwano] *m* guano.

**Guatemala** *np m* Guatemala.

**guatémaltèque** *a/s* guatemalteco, a.

**guéable** *a* vadeable.

**gué** *m* **1.** vado **2. passer à ~** vadear.

**guéguerre** *f FAM* rivalidad, conflicto *m*.

**guelfe** *m HIST* güelfo.

**guelte** *f COM* comisión sobre la venta.

**guenille** *f* **1.** harapo *m*, andrajo *m* **2. en guenilles** harapiento, a.

**guenon** *f* **1.** *(femelle du singe)* mona **2.** *FAM (femme laide)* adefesio *m*, petardo *m*.

**guépard** *m* onza *f*, guepardo.

**guêpe** *f* **1.** avispa **2. taille de ~** cintura de avispa **3.** *FAM* **pas folle la ~!** ¡muy listo!, ¡muy lista!

**guêpier** *m* **1.** avispero **2.** *FIG* avispero, lío: **tomber dans un ~** meterse en un lío **3.** *(oiseau)* abejaruco.

**guêpière** *f* faja.

**guère** *adv* **1.** no mucho, poco; **je l'ai vue il n'y a ~ longtemps** la vi no hace mucho; **il n'a ~ d'argent** tiene poco dinero; **il n'est ~ aimable** es poco amable **2.** apenas: **il n'y a ~ que deux kilomètres** hay apenas dos kilómetros; **il ne s'alimente ~** apenas si se alimenta; **il ne boit ~ que de l'eau** casi no bebe sino agua **3. il n'y a ~ que lui qui...** no hay más que él que...

**guéret** *m* barbecho.

**guéridon** *m* velador.

**guérilla** *f* guerrilla.

**guérillero** *m* guerrillero.

**guérir** *vt* curar: **ce remède guérit les rhumatismes** este remedio cura el reuma. ◇ *vi* curar, sanar, curarse: **j'espère qu'il guérira bientôt** espero que curará pronto; **je suis guérie** estoy curada; **il est complètement guéri** está completamente curado. ◆ **se ~** *vpr* curarse.

**guérison** *f* curación, cura.

**guérissable** *a* curable.

**guérisseur, euse** *s* curandero, a, ensalmador, a.

**guérite** *f* garita.

**guerre** *f* **1.** guerra: **~ civile, froide** guerra civil, fría; **~ sainte** guerra santa; **~ des nerfs** guerra de nervios; **~ d'usure** guerra de desgaste; **~ éclair** guerra relámpago; **la ~ des prix** la guerra de precios; **être en ~** estar en guerra; **être sur le pied de ~** estar en pie de guerra; **industrie de ~** industria bélica; **matériel de ~** material bélico ◊ *PROV* **à la ~ comme à la ~** cual el tiempo, tal el tiento **2. de ~ lasse** cansado, a de resistir, de luchar; **de bonne ~** en buena lid **3.** *FIG* **faire la ~ aux abus** luchar contra los abusos; **partir en ~ contre la corruption** declarar la guerra a la corrupción **4. nom de ~** seudónimo.
▶ *La Grande Guerre:* la primera guerra mundial.

**guerrier, ère** *a* guerrero, a. ◇ *m* guerrero.

**guerroyer*** *vi* guerrear.

**guet** *m* **1.** acecho, vigilancia *f*: **faire le ~** estar al acecho **2.** *ANC* ronda *f*, patrulla *f* nocturna.

**guet-apens** [gɛtapɑ̃] *m* **1.** celada *f*, emboscada *f* **2.** *FIG* asechanza *f*, celada *f*.

**guêtre** *f* polaina.

**guetter** *vt* **1.** acechar **2.** *(attendre)* aguardar, esperar **3.** *(menacer)* amenazar: **une nouvelle crise de nerfs le guette** un nuevo ataque de nervios le amenaza.

**guetteur** *m* **1.** vigía *f*, atalaya *f* **2.** centinela *f*.

**gueulante** *f POP* grito *m* ◊ **pousser une ~** dar grandes voces.

**'gueulard, e** *a/s POP* **1.** vocinglero, a **2.** *(gourmand)* goloso, a **3.** *(couleur)* chillón, ona.

[2]**gueulard** *m (d'un haut fourneau)* boca *f*, tragante.

**gueule** *f* **1.** *(des animaux)* hocico *m*, boca ◊ *FIG* **se jeter dans la ~ du loup,** meterse en la boca del lobo **2.** *(d'un canon)* boca **3.** *(d'un four)* boca, entrada **4.** *FAM (visage)* cara, jeta, *(aspect)* pinta: **il a une bonne ~** tiene una cara simpática; **il a une sale ~** tiene una cara antipática, *(mauvaise mine)* tiene mala cara; **elle a de la ~** tiene buena pinta ◊ **faire la ~** estar de jeta, de morros, poner jeta; **tu en fais une ~!** ¡la cara que pones! **5.** *POP* **se casser la ~** romperse la cara, la crisma; **~ cassée,** mutilado de guerra con la cara herida; **les gueules noires** los mineros **6.** *POP (bouche)* boca; **ta ~!** ¡calla! ◊ **avoir la ~ de bois** tener resaca **7.** *POP* **une grande ~, un fort en ~** un bocazas *m*; **un coup de ~** un grito de protesta **8. une fine ~** un gastrónomo, un «gourmet».

**gueule-de-loup** *f* becerra, dragón *m*.

**gueulement** *m FAM* grito, voz *f*. ◇ *pl* voces *f*.

**gueuler** *vi FAM* **1.** gritar, vociferar **2. faire ~ la radio** poner la radio a todo volumen.

**gueules** *m pl (héraldique)* gules.

**gueuleton** *m FAM* comilona *f*: **un bon ~** una buena comilona.

**gueuletonner** *vi FAM* estar de comilona, banquetear.

[1]**gueuse** *f (lingot de fonte)* lingote *m* de arrabio.

[2]**gueuse** *f* → **gueux.**

[3]**gueuse** → **gueuze.**

**gueuserie** *f* pordiosería, tunantería.

**gueux, euse** *a/s* **1.** *(mendiant)* pordiosero, a **2.** pícaro, a, bribón, ona. ◇ *f FAM* **courir la gueuse** tratar con mujeres.

**gueuze** *f (bière)* cerveza belga.

**gugusse** *m (clown)* payaso.

**gui** *m* **1.** *(planta)* muérdago, visco **2.** *MAR* botavara *f*.

**guibolle** *f POP* zanca, pierna.

**guiches** *f pl* ricitos *m*, sortijillas.

**guichet** *m* **1.** ventanilla *f*, taquilla *f*: **il y avait la queue au ~ 6,** había cola ante la ventanilla número 6; **à n'importe quel ~** en cualquier taquilla **2. jouer à guichets fermés** actuar con un lleno absoluto **3. ~ automatique** cajero automático.

**guichetier, ère** *s* taquillero, a.

**guidage** *m* **1.** dirección *f* **2.** *(aéronautique)* guiado.

**guide** *m* **1.** *(personne)* guía **2.** *(d'aveugle)* lazarillo **3.** *(livre)* guía *f*: **un ~ touristique** una guía turística. ◇ *f pl* riendas ◊ **mener la vie à grandes guides** vivir a lo grande.

**guider** *vt* **1.** guiar, dirigir **2.** *FIG (orienter)* guiar, orientar. ◆ **se ~** *vpr* guiarse: **se ~ sur...** guiarse por...

**guidon** *m* **1.** *(de bicyclette)* manillar **2.** *MIL* punto de mira **3.** *MAR* gallardete.

**guignard, e** *a/s FAM* que tiene mala pata.

**guigne** *f* **1.** *(cerise)* guinda ◊ *FAM* **je me soucie comme d'une ~ de...** me importa un pepino... **2.** *FAM* mala suerte ◊ **porter la ~** ser gafe; **avoir la ~** tener el cenizo, la negra.

**guigner** *vi* mirar de soslayo, con disimulo, de reojo. ◇ *vt FIG FAM* codiciar, echar el ojo a.

**guignol** *m* **1.** polichinela **2.** teatro de polichinelas, guiñol **3.** *FAM* **faire le ~** hacerse el payaso.

**guignolet** *m* licor de guindas.

**guignon** *m ANC* mala suerte *f*.

**guili-guili** [giligili] *m inv FAM* cosquillas *f pl*.

**Guillaume** *np m* Guillermo.

**guillaume** *m TECHN* guillame.

**guilledou** *m FAM* **courir le ~** andar de picos pardos.

**guillemet** *m* comilla *f*: **entre guillemets** entre comillas ◊ **mettre entre guillemets** entrecomillar.

**guillemeter*** *vt* entrecomillar.

**guillemot** *m* pájaro bobo.

**guilleret, ette** *a* **1.** vivo, a, alegre **2.** *(propos)* libre, picante **3. être tout ~** estar como unas pascuas.

**guillochage** *m* labor *f* con buril.

**guillocher** *vt* grabar con rayas que se entrecruzan.

**guillochis** *m*, **guillochure** *f* labor *f* de rayas que se entrecruzan.

**guillotine** *f* **1.** guillotina **2. fenêtre à ~** ventana de guillotina.

**guillotiner** *vt* guillotinar.

**guimauve** *f* **1.** malvavisco *m* **2. pâte de ~** melcocha **3.** *FIG (ce qui est mièvre)* ñoñería.

**guimbarde** *f* **1.** *FAM (voiture)* carricoche *m* **2.** *MUS* birimbao *m*.

**guimpe** *f* **1.** *(de religieuse)* toca **2.** *(plastron de femme)* camisolín *m*.

**guincher** *vi POP* bailar, menear el esqueleto.

**guindé, e** *a* afectado, a, tieso, a, estirado, a.

**guindeau** *m MAR* molinete.

**guinder** *vt MAR* izar, guindar. ◆ **se ~** *vpr* engreírse.

**guinderesse** *f MAR* guindaleza.

**Guinée** *np f* Guinea.

**guinée** *f (monnaie)* guinea.

**guinéen, enne** *a/s* guineo, a.

**guingois (de)** *loc adv* de soslayo, de través.

**guinguette** *f* merendero *m*, ventorrillo *m*.

**guipure** *f* guipur *m*.

**guirlande** *f* guirnalda.

**guise** *f* **1.** guisa, manera, antojo *m*: **à sa ~** a su antojo **2.** *loc prép* **en ~ de** a guisa de, a manera de: **en ~ d'exemple** a manera de ejemplo.

**guitare** *f* guitarra: **jouer de la ~** tocar la guitarra; **~ électrique** guitarra eléctrica.

**guitariste** *s* guitarrista.

**guitoune** *f FAM* tienda de campaña.

**guivre** *f (blason)* serpiente.

**guru** → **gourou.**

**gus** [gys] *m FAM* tío, tipo.

**gustatif, ive** *a* gustativo, a.

**gustation** *f* gustación.

**Gustave** *np m* Gustavo.

**gutta-percha** *f* gutapercha.

**guttural, e** *a* gutural: **cris gutturaux** gritos guturales.

**Guy** *np m* **1.** Guido **2. danse de Saint-Guy** baile de San Vito.

**guyanais, e** *a/s* guayanés, esa.

**Guyane** [gyijan] *np f* Guayana.

**Guyenne** [gyijen] *np f* Guyena.

**guzla** *f* guzla.

**gym** [ʒim] *f FAM* gimnasia.

**gymkhana** *m* gymkhana *f*.

**gymnase** *m* gimnasio.

**gymnaste** *s* gimnasta.

**gymnastique** *f* **1.** gimnasia: **faire de la ~** hacer gimnasia: **~ corrective, rythmique, suédoise** gimnasia correctiva, rítmica, sueca **2. au pas (de) ~** al paso gimnástico.

**gymnique** *a* gímnico, a.
**gymnospermes** *f pl* BOT gimnospermas.
**gymnote** *m* gimnoto.
**gynécée** *m* gineceo.
**gynéco** *s* FAM ginecólogo, a.
**gynécologie** *f* ginecología.
**gynécologique** *a* ginecológico, a.
**gynécologue** *s* **1.** ginecólogo, a **2.** *(accoucheur)* tocólogo, a.
**gypaète** *m* quebrantahuesos.
**gypse** *m* yeso.
**gypsophile** *f* jabonera de la Mancha.
**gyrophare** *m* girofaro.
**gyroscope** *m* giróscopo.
**gyrostat** *m* girostato.

El signo **'** indica que la *h* es aspirada.

**h** [aʃ] *m/f* h *f*: **un ~ aspiré** una h aspirada; **l'heure H** la hora H.

**'ha!** *interj* **1.** ¡ah! **2.** *(rire)* **~! ~! ~!, comme tu es drôle!** ¡ja ja ja! ¡qué gracioso estás!

**habile** *a* **1.** *(adroit)* hábil, diestro, a: **il est très ~ de ses mains** es muy diestro; **~ à broder** hábil para bordar **2.** *(malin)* hábil, astuto, a **3.** *JUR* **~ à** capacitado, a para.

**habilement** *adv* hábilmente.

**habileté** *f* habilidad.

**habilitation** *f JUR* habilitación.

**habilité** *f JUR* capacidad, aptitud.

**habiliter** *vt JUR* habilitar, capacitar, facultar: **il est habilité à signer** está capacitado para firmar.

**habillage** *m* **1.** el vestir **2.** *CULIN* preparación *f*.

**habillé, e** *a* **1. il s'est couché tout ~** se acostó sin quitarse la ropa **2.** elegante, de vestir: **un costume ~** un traje de vestir; **des chaussures habillées** zapatos de vestir; **une robe très habillée** un vestido de mucho vestir.

**habillement** *m* **1.** el vestir **2.** *(vêtements)* vestido, indumentaria *f* **3.** *MIL* vestuario **4.** *(profession)* confección *f*.

**habiller** *vt* **1.** vestir: **elle est en train d'~ son bébé** está vistiendo a su bebé; **elle est toujours habillée en noir** siempre viste de negro **2.** *(déguiser)* disfrazar: **~ un enfant en clown** disfrazar a un niño de payaso **3.** sentar, ir: **cette robe vous habille bien** este vestido le sienta bien; **un rien l'habille** cualquier vestido le sienta bien **4.** *(couvrir)* cubrir: **~ le fauteuil d'une housse** cubrir el sillón con una funda **5.** *CULIN* preparar. ◆ **s'~** *vpr* vestirse: **elle s'habille élégamment** se viste con elegancia; **elle ne sait pas s'~** se viste con mal gusto, no sabe vestirse; **il s'habille chez le meilleur tailleur de la ville** se viste en el mejor sastre de la ciudad.

**habilleuse** *f THÉÂT* mujer que ayuda a los actores a vestirse, camarera.

**habit** *m* **1.** traje **2.** *(de cérémonie)* frac, traje de etiqueta **3.** *(religieux)* hábito: **prendre l'~** tomar el hábito ◊ *PROV* **l'~ ne fait pas le moine** el hábito no hace al monje. ◇ *pl* ropa *f sing*: **mettre ses habits** ponerse la ropa ◊ **marchand d'habits** ropavejero.

▶ *L'~ vert*, traje con adornos verdes de los miembros de la Academia Francesa.

**habitabilité** *f* habitabilidad.

**habitable** *a* habitable.

**habitacle** *m* **1.** *(d'un avion)* cabina *f*, puesto de pilotaje **2.** *MAR* bitácora *f*.

**habitant, e** *s* **1.** *(d'un pays, d'une ville)* habitante: **ville de trois millions d'habitants** ciudad de tres millones de habitantes **2.** *(d'une ville, d'un quartier)* vecino, a **3. loger chez l'~** alojarse en una casa particular.

**habitat** *m* **1.** *BOT, ZOOL* hábitat, medio geográfico **2. améliorer l'~** mejorar las condiciones de alojamiento, la vivienda **3. ~ rural, dispersé** poblamento rural, disperso.

**habitation** *f* **1.** vivienda **2. ~ à loyer modéré (H.L.M.)** vivienda de protección oficial (VPO), vivienda de renta limitada **3. taxe d'~** impuesto *m* de radicación.

▶ Le sigle VPO est beaucoup moins usuel que H.L.M.

**habiter** *vt/i* **1.** vivir, habitar: **il habite la campagne, (à) Nantes** vive en el campo, en Nantes; **il habite chez son oncle** vive en casa de su tío; **nous habitons le quartier depuis dix ans** vivimos en este barrio desde hace diez años **2. satellite habité** satélite tripulado.

**habitude** *f* **1.** costumbre, hábito *m*: **prendre l'~ de** coger la costumbre de; **mauvaises habitudes** malas costumbres; **la force de l'~** la fuerza de la costumbre; **nos petites habitudes** nuestros hábitos cotidianos ◊ **avoir l'~ de** tener la costumbre de, soler, acostumbrar: **j'ai l'~ de passer mes vacances en Espagne** suelo veranear en España; **il a l'~ de faire la sieste** acostumbra dormir la siesta **2. ce n'est pas dans mes habitudes de tout critiquer** no tengo por costumbre criticarlo todo; **par ~,** maquinalmente **3.** *loc adv* **d'~** de ordinario, de costumbre, habitualmente, generalmente: **d'~, je me lève tard** de costumbre me levanto tarde; **comme d'~** lo de siempre, como de costumbre.

▶ Le mot *hábito*, moins employé que *costumbre*, s'applique plutôt à un comportement inconscient.

**habitué, e** *a* habituado, a, acostumbrado, a: **je suis ~ à vivre seul** estoy acostumbrado a vivir solo. ◇ *s* **1.** habituado, a, cliente, parroquiano, a: **les habitués d'un restaurant** los clientes de un restaurante **2.** *(familier)* íntimo, a.

**habituel, elle** *a* habitual, acostumbrado, a.

**habituellement** *adv* habitualmente.

**habituer** *vt* habituar, acostumbrar. ◆ **s'~** *vpr* habituarse, acostumbrarse: **je me suis habitué au nouvel horaire** me he acostumbrado al nuevo horario.

**'hâblerie** *f* jactancia, fanfarronería, bravata.

**'hâbleur, euse** *a/s* fanfarrón, ona.

**'Habsbourg** *np* Habsburgo.

**'hachage** *m* picadura *f*, picado.

**'hache** *f* hacha, segur: **avec la ~, à la ~** con el hacha ◊ **coup de ~** hachazo; **à coups de ~** a hachazos.

**'haché, e** *a* **1.** picado, a: **viande hachée** carne picada **2.** *FIG* **style ~** estilo cortado.

**'hacher** *vt* **1.** *(en petits morceaux)* picar **2.** *(les récoltes)* destrozar **3.** entrecortar: **~ ses phrases** entrecortar las frases.

**'hachette** *f* destral *m*, hacha pequeña.

**'hache-viande** *m inv* máquina *f* de picar carne, trinchacarne.

**'hachis** [aʃi] *m* **1.** picadillo (de carne, de legumbres) **2. ~ Parmentier** picadillo de carne con puré de patatas.

**'hachisch → haschisch.**

**'hachoir** *m* **1.** *(couteau)* tajadera *f* **2.** *(planche)* picador, tajo.

**'hachure** *f* plumeado *m*, raya.

**'hachurer** *vt (un dessin)* plumear.

**'haddock** [adɔk] *m* bacalao ahumado.

**'hagard, e** *a* **1.** despavorido, a, azorado, a **2.** extraviado, a: **des yeux hagards** la mirada extraviada.

**hagiographe** *s* hagiógrafo, a.

**hagiographie** *f* hagiografía.

**hagiographique** *a* hagiográfico, a.

**'haie** *f* **1.** seto *m*: **~ vive** seto vivo **2.** *(hippisme, sports)* **course de haies** carrera de vallas; **la finale du 400 mètres haies** la final de 400 metros vallas **3.** *(de personnes, soldats)* fila, hilera, cordón *m* ◊ **faire la ~** alinearse, formar calle.

**'haillon** [ajɔ̃] *m* **1.** harapo, andrajo **2. en haillons** harapiento, a, andrajoso, a.

**'haine** *f* odio *m*. ◊ **avoir en ~, avoir la ~ de** odiar; **prendre en ~** tomar odio a; **par ~ de** por odio a.

**'haineusement** *adv* con odio.

**'haineux, euse** *a* **1.** rencoroso, a **2.** de odio: **regard ~** mirada de odio.

**'haïr*** *vt* odiar, aborrecer: **je hais les menteurs** odio a los mentirosos. ◆ **se ~** *vpr* odiarse: **ils se haïssent** se odian mutuamente.

**'haire** *f* cilicio *m*.

**'haïssable** *a* odioso, a, detestable, aborrecible.

**Haïti** *np* Haití.

**'haïtien, ienne** *a/s* haitiano, a.

**'halage** *m* **1.** sirga *f* **2. chemin de ~** camino de sirga.

**'hâle** *m* bronceado: **le ~ de l'été** el bronceado del verano.

**'hâlé** *a* bronceado, a, tostado, a, atezado, a: **un visage ~** un rostro tostado.

**haleine** *f* **1.** aliento *m*: **avoir mauvaise ~** tener mal aliento ◊ **courir à perdre ~** correr hasta no poder más; **être hors d'~** estar jadeando, sin aliento; **reprendre ~** tomar aliento; **d'une seule ~, tout d'une ~** sin tomar aliento, de un tirón **2. travail de longue ~** obra de larga duración **3. tenir en ~** tener en vilo: **la rumeur nous a tenus en ~** el rumor nos tuvo en vilo.

**'haler** *vt* **1.** *MAR* halar, jalar **2.** *(une péniche)* sirgar.

**'hâler** *vt* **1.** *(peau)* broncear **2.** *(plantes)* marchitar, secar.

**'haletant, e** *a* **1.** jadeante: **respiration haletante** respiración jadeante **2.** *FIG* anhelante: **elle attendait, haletante, l'arrivée du train** esperaba, anhelante, la llegada del tren.

**'halètement** *m* jadeo.

**'haleter*** *vi* **1.** jadear **2.** *FIG* estar anhelante: **~ d'émotion** estar anhelante de emoción.

**halieutique** *a* haliéutico, a. ◇ *f* haliéutica.

**'hall** [ol] *m* **1.** hall, vestíbulo, entrada *f* **2. ~ de gare** hall de estación.

▶ L'anglicisme *hall* se proponce [xol] en espagnol.

**hallali** *m* toque de acoso.

**'halle** *f* **1.** mercado *m*, plaza **2. ~ au blé** alhóndiga. ◇ *pl* **1.** mercado *m* central **2. les Halles** antiguo mercado de mayoristas de París ◊ **fort des Halles** cargador del mercado, mozo de cuerda.

**'hallebarde** *f* **1.** alabarda **2.** *FIG* **il pleut, il tombe des hallebardes** llueve a cántaros.

**'hallebardier** *m MIL* alabardero.

**'hallier** *m* matorral.

**hallucinant, e** *a (extraordinaire)* alucinante, extraordinario, a, asombroso, a.

**hallucination** *f* alucinación: **avoir des hallucinations** tener alucinaciones.

**hallucinatoire** *a* alucinador, a.

**halluciné, e** *a/s* alucinado, a.

**halluciner** *vt* alucinar.

**hallucinogène** *a/m* alucinógeno, a.

**'halo** *m* **1.** halo **2.** *FIG* halo, aureola *f*.

**halogène** *a/m CHIM* halógeno, a: **lampe (à) ~** lámpara halógena; **projecteurs à ~** focos halógenos.

**'halte** *f* **1.** parada, alto *m* ◊ **faire une ~** pararse, detenerse **2.** *(train)* apeadero *m*. ◇ *interj* ¡alto!; **~ -là!** ¡alto ahí!

**'halte-garderie** *f* guardería infantil.

**haltère** *m* pesa *f* de gimnasia, haltera *f*: **des haltères** pesas.

**haltérophile** *s* halterófilo, a, levantador de pesos.

**haltérophilie** *f* halterofilia.

**'hamac** [amak] *m* **1.** hamaca *f* **2.** *MAR* coy.

**hamamélis** *m* hamamelis.

**Hambourg** *np* Hamburgo.

**hambourgeois, e** *a/s* hamburgués, esa.

**'hamburger** [ɑ̃burgœr] *m* hamburguesa *f*.

**'hameau** *m* caserío, aldea *f*.

**hameçon** *m* **1.** anzuelo **2.** *FIG* **mordre à l'~** picar en el anzuelo, morder el anzuelo.

**'hamman** [amam] *m* baños *pl* turcos.

**'hampe** *f* **1.** *(de drapeau)* asta **2.** *(de pinceau)* mango *m* **3.** *BOT* bohordo *m* **4.** *(viande)* falda.

**'hamster** [amstɛr] *m* hámster.

**'han!** *interj* ¡ah!

**'hanap** [anap] *m ANC* copa *f* grande.

**'hanche** *f* **1.** cadera: **tour de hanches** perímetro de caderas; **rouler les hanches** menear las caderas ◊ **mettre les poings sur les hanches** ponerse en jarras **2.** *(du cheval)* anca.

**'handball** *m* balonmano.

**'handballeur, euse** *s* balonmanista, jugador, a de balonmano.

**'handicap** *m* **1.** *(sport)* handicap: **avoir un ~ de douze au golf** tener un handicap de doce en el golf **2.** *(déficience)* minusvalidez, *f*, discapacidad *f* **3.** *FIG* obstáculo, desventaja *f*, handicap: **ne pas parler anglais est aujourd'hui un ~** hoy en día, no hablar inglés es un obstáculo.

**'handicapé, e** *a/s* **1.** minusválido, a: **un centre de handicapés** un centro de minusválidos **2. être ~** estar disminuido físicamente **3. handicapés mentaux** disminuidos psíquicos.

**'handicaper** *vt* **1.** desfavorecer **2. sa mauvaise vue le handicape** su mala vista lo perjudica.

**'hangar** [ɑ̃gar] *m* **1.** *(pour avions)* hangar **2.** *(agricole)* cobertizo.

**'hanneton** *m* abejorro.

**'Hanovre** *np* Hannover.

**'hanovrien, enne** *a/s* hannoveriano, a.

**'hanse** *f HIST* hansa, ansa.

**'hanséatique** *a* hanseático, a, anseático, a.

**'hanté, e** *a* encantado, a: **maison hantée** casa encantada.

**'hanter** *vt* **1.** *(un lieu)* frecuentar **2.** *(quelqu'un)* andar con ◊ *PROV* **dis-moi qui tu hantes, je te dirai qui tu es** dime con quién andas y te diré quién eres **3.** FIG obsesionar, perseguir: **je suis hantée par son souvenir** estoy obsesionada por su recuerdo.

**'hantise** *f* obsesión.

**'happening** *m* happening.

**'happer** *vt* **1.** atrapar: **la pauvre femme s'est fait ~ par le train** la pobre mujer fue atrapada por el tren **2.** *(animaux)* atrapar de un bocado.

**'haquenée** *f* ANC hacanea.

**'haquet** *m* ANC carro estrecho.

**'hara-kiri** *m* harakiri, haraquiri: **se faire ~** hacerse el haraquiri.

**'harangue** *f* arenga.

**'haranguer** *vt* **1.** arengar **2.** FIG sermonear.

**'haras** [aʀa] *a* **1.** acaballadero **2.** MIL remonta *f*.

**'harassant, e** *a* agotador, a, agobiador, a, abrumador, a: **une tâche harassante** una tarea agotadora.

**'harassé, e** *a* agotado, a, agobiado, a, abrumado, a: **je suis ~ !** ¡estoy agotado!

**'harassement** *m* agotamiento.

**'harasser** *vt* agobiar, agotar.

**'harcèlement** *m* **1.** MIL hostigamiento **2.** acoso, acosamiento: **~ sexuel** acoso sexual.

**'harceler*** *vt* **1.** hostigar: **~ l'ennemi** hostigar al enemigo **2.** *(importuner)* acosar: **~ de questions** acosar a preguntas.

**'harde** *f* **1.** *(d'animaux sauvages)* manada **2.** *(de chiens)* traílla.

**'hardes** *f pl (guenilles)* guiñapos *m*, harapos *m*.

**'hardi, e** *a* **1.** atrevido, a, osado, a **2.** *(effronté)* descarado, a. ◇ *interj* ¡ánimo!

**'hardiesse** *f* **1.** atrevimiento *m*, osadía **2.** *(effronterie)* descaro *m*.

**'hardiment** *adv* **1.** atrevidamente **2.** *(effrontément)* descaradamente.

**'hardware** [aʀdwɛʀ] *m* INFORM «hardware», soporte físico.

**'harem** [aʀɛm] *m* harén, harem.

**'hareng** *m* arenque: **~ saur** arenque ahumado ◊ FAM **être serrés comme des harengs** estar como sardinas en lata.

**'harengère** *f* arrabalera, verdulera.

**'hargne** *f* mal humor *m*, hosquedad, rabia.

**'hargneux, euse** *a* huraño, a, hosco, a, arisco, a.

**'haricot** *m* **1.** judía *f*, alubia *f*: **haricots verts, secs** judías verdes, secas; **~ blanc** judía blanca, alubia, faba *f*; **~ rouge** alubia roja ◊ FAM **c'est la fin des haricots!** ¡es el acabóse!; **courir sur le ~** → **courir 2.** CULIN **~ de mouton** guiso de carnero con patatas y nabos.
▶ Selon les régions, ou les variétés, haricot peut se traduire également par *habichuela f*, *frijol*, et, en Amérique, *poroto*.

**'haridelle** *f* jamelgo *m*, penco *f*.

**harmonica** *m* armónica *f*, harmónica *f*: **jouer de l'~** tocar la armónica.

**harmonie** *f* **1.** MUS armonía **2.** armonía: **~ imitative** armonía imitativa; **vivre en ~** vivir en buena armonía ◊ **être en ~** armonizar **3.** *(fanfare)* banda.

**harmonieusement** *adv* armoniosamente.

**harmonieux, euse** *a* armonioso, a.

**harmonique** *a* armónico, a.

**harmonisation** *f* armonización.

**harmoniser** *vt* armonizar. ◆ **s'~** *vpr* armonizar, entonar: **couleurs qui s'harmonisent** colores que armonizan.

**harmonium** [aʀmɔnjɔm] *m* armonio.

**'harnachement** *m* **1.** *(action)* enjaezamiento **2.** *(harnais)* arreos *pl*, guarniciones *pl* **3.** FIG *(accoutrement)* atavío ridículo.

**'harnacher** *vt* **1.** enjaezar **2.** FIG ataviar ridículamente.

**'harnais** *m* **1.** *(d'un cheval)* arreos *pl*, arneses *pl* **2.** FIG **blanchir sous le ~** envejecer en el oficio.

**'harnois** *m* ANC → **harnais.**

**'haro** *m* FIG **crier ~ sur quelqu'un** alzarse con indignación contra, protestar contra alguien.

**harpagon** *m* avaro, tacaño.

**'harpe** *f* **1.** MUS arpa: **jouer de la ~** tocar el arpa **2.** *(construction)* adaraja.

**'harpie** *f (monstre, femme méchante)* arpía.

**'harpiste** *s* arpista.

**'harpon** *m* arpón.

**'harponner** *vt* **1.** arponear **2.** FAM *(arrêter)* pillar.

**'harponneur** *m* arponero.

**'hasard** *m* **1.** casualidad *f*, azar: **un pur ~** una pura casualidad, un puro azar; **c'est un heureux ~** es una feliz casualidad; **le ~ a voulu que...** dio la casualidad de que..., la casualidad quiso que...; **les hasards de la vie** las casualidades de la vida ◊ **jeu de ~** juego de azar **2. un coup du ~** un lance de fortuna, un suceso imprevisto **3.** *loc adv* **au ~** al azar; **à tout ~** por si acaso; **par ~** por casualidad, acaso, casualmente: **si par ~ j'arrive avant toi** si acaso llego antes que tú; **je l'ai rencontré par ~** lo encontré casualmente, por casualidad; **c'est par ~ qu'ils se sont rencontrés** es casual que se hayan encontrado; **ce n'est pas par ~ si...** no es casual que...; **par le plus grand des hasards** por milagro.

**'hasardé, e** *a* arriesgado, a.

**'hasarder** *vt* arriesgar. ◆ **se ~** *vpr* arriesgarse, aventurarse: **il se hasarda à sortir** se arriesgó a salir.

**'hasardeux, euse** *a* arriesgado, a, aventurado, a, temerario, a.

**'haschisch** [aʃiʃ] *m* hachís.
▶ FAM *hasch*, chocolate.

**'hase** *f* liebre hembra.

**hast** *m* **arme d'~** arma de asta.

**'hâte** *f* **1.** prisa: **j'ai ~ d'arriver** tengo prisa por llegar **2.** *loc adv* **à la ~** precipitadamente, sin cuidado; **en ~** de prisa; **en toute ~** a toda prisa.

**'hâter** *vt* apresurar, acelerar: **~ le pas** apresurar el paso. ◆ **se ~** *vpr* **1. se ~ de** apresurarse a: **je me hâte de vous répondre** me apresuro a contestarle. **2. hâtez-vous** dése prisa.

**'hâtif, ive** *a* **1.** apresurado, a: **une décision hâtive** una decisión apresurada **2.** *(bâclé)* hecho, a demasiado de prisa **3.** *(légumes, fruits)* temprano, a.

**'hâtivement** *adv* apresuradamente.

**'hauban** *m* MAR obenque.

**'haubert** *m* cota *f* de malla.

**'hausse** *f* **1.** subida, alza: **la ~ des prix** la subida, el alza de los precios; **la ~ des tarifs postaux** la subida de las tarifas postales **2.** *(de la température)* subida, aumento *m*, ascenso *m* **3. être en ~** estar en alza **4.** COM **jouer à la ~** jugar al alza; **réviser à la ~** revisar al alza; **tendance à la ~** tendencia alcista **5.** *(d'un fusil)* alza.

**'hausse-col** *m* MIL gola *f*.

**'haussement** *m* **1.** elevación *f* **2. ~ d'épaules** encogimiento de hombros.

**'hausser** *vt* **1.** alzar, levantar ◊ **~ la voix** levantar la voz **2. ~ les épaules** encogerse de hombros **3.** *(prix)* subir. ◇ *vi* subir. ◆ **se ~** *vpr* **se ~ sur la pointe des pieds** empinarse.

**'haussier** *m* alcista.

**'haussière** → **aussière.**

**'haut, e** *a* **1.** alto, a: **talons hauts** tacones altos; **un mur ~ de 2 mètres** una tapia de 2 metros de alto ◊ **marcher la tête haute** ir con la frente alta; **lire à haute voix** leer en voz alta; **~ fonctionnaire** alto funcionario; **la haute société** la alta sociedad; **haute trahison** alta traición; **le ~ Rhin** el alto Rin; **le plus ~ responsable** el máximo responsable; **de la plus haute importance** de la mayor importancia, de suma importancia; **du plus ~ intérêt** de sumo interés; **~ en couleur** subido de color **2. la haute antiquité** la remota antigüedad; **le ~ Moyen Âge** la alta Edad Media. ◇ *adv* **1.** alto: **voler ~** volar alto **2. parlez plus ~** hable más fuerte; **parler tout ~** hablar en voz alta; **dire tout ~** decir abiertamente, sin rodeos **3.** arriba: **voir plus ~** véase más arriba **4. ~ les mains!** ¡manos arriba!; **~ les cœurs!** ¡arriba los corazones!, ¡ánimo! **5. ~ la main** con mucha facilidad. ◇ *m* **1.** alto, altura *f*: **une tour de 80 mètres de ~** una torre de 80 metros de alto **2. le ~** lo alto, la parte alta: **du ~ de** desde lo alto de; **en ~ de** en lo alto de, en la parte alta de ◊ *FIG* **regarder de ~** mirar con desprecio; **le prendre de ~** reaccionar con arrogancia; **tomber de (son) ~** quedar muy sorprendido, a, desilusionarse; **des hauts et des bas** altibajos **3.** *(d'un arbre)* cima *f* **4. le Très-Haut** el Altísimo **5.** *loc adv* **de ~ en bas** de arriba abajo; **en ~** arriba: **il habite en ~** vive arriba; **tout en ~** arriba del todo; **l'ordre vient d'en ~** la orden viene de arriba; **en ~ lieu** → **lieu**; **là-~** allá arriba **6. les Hauts de Hurlevent** *(E. Brontë)* Cumbres borrascosas.

**'hautain, e** *a* altivo, a.

**'hautbois** *m* oboe: **jouer du ~** tocar el oboe.

**'hautboïste** [obɔist] *s* oboe.

**'haut-de-chausse(s)** *m* calzas *f pl*.

**'haut-de-forme** *m* sombrero de copa, chistera *f*.

**'haute** *f POP* **la ~** la alta sociedad.

**haute-contre** *f MUS* contralto *m*.

**'haute-fidélité** *f* alta fidelidad.

**'hautement** *adv* **1.** claramente, abiertamente **2.** *(à un haut degré)* en sumo grado, sumamente, sobremanera, muy: **~ improbable** sumamente improbable.

**'hauteur** *f* **1.** *(d'une tour, d'un triangle, etc.)* altura: **saut en ~** salto de altura ◊ **prendre de la ~** tomar altura, elevarse; *FIG* **~ de vues** altura de miras; **ne pas être à la ~ de la situation** no estar a la altura de las circunstancias; **il n'est pas à la ~** no actúa como corresponde **2.** *(lieu élevé)* altura, alto *m*: **notre maison est sur une ~** nuestra casa está en un alto **3.** *FIG (arrogance)* altanería, altivez **4.** *(d'un son)* grado *m* de agudeza.

**'haut-fond** *m* bajo, bajo fondo.

**'haut fourneau → fourneau.**

**'haut-le-cœur** [olkœʀ] *m inv* náusea *f*, basca *f*: **avoir, donner des ~** sentir, dar náuseas.

**'haut-le-corps** [olkɔʀ] *m inv* sobresalto, respingo: **avoir un ~** dar un respingo.

**'haut-parleur** *m* altavoz: **des haut-parleurs** altavoces.
▶ Americanismo: *altoparlante* ou *parlante*.

**'haut-relief** *m* alto relieve.

**'hauturier, ère** *a MAR* de altura: **navigation hauturière** navegación de altura.

**'havanais, e** *a/s* habanero, a.

**'havane** *m (cigare)* habano. ◇ *a (couleur)* habano, a.

**'Havane (La)** *np f* La Habana.

**'hâve** *a* macilento, a, pálido, a.

**'haveuse** *f TECHN* rozadora.

**'havre** *m* **1.** puerto natural **2.** *FIG* **~ de paix** remanso de paz, refugio.

**'havresac** *m* mochila *f*, macuto.

**Hawaii** *np* Hawai.

**hawaïen, enne** *a/s* hawaiano, a.

**'Haye (La)** *np f* La Haya.

**'hayon** [ɛjɔ̃] *m* portón trasero.

**hé** *interj* ¡eh!; **~ oui** pues sí.

**'heaume** *m* yelmo.

**hebdomadaire** *a* semanal. ◇ *m (publication)* semanario, revista *f* semanal.

**hébergement** *m* alojamiento.

**héberger*** *vt* albergar, hospedar, alojar.

**hébétement** *m* atontamiento.

**hébété, e** *a* atontado, a, alelado, a.

**hébéter*** *vt* atontar, embrutecer.

**hébétude** *f* embobamiento *m*.

**hébraïque** *a* hebraico, a.

**hébraïsant, e** *a/s* hebraizante.

**hébraïsme** *m* hebraísmo.

**hébraïste** *s* hebraísta.

**hébreu** *a/s* hebreo, a. ◇ *m* hebreo ◊ *FAM* **c'est de l'~** eso es griego para mí.

**hécatombe** *f* **1.** hecatombe **2.** *FIG* hecatombe, matanza.

**hectare** *m* hectárea *f*.

**hectogramme** *m* hectogramo.

**hectolitre** *m* hectolitro.

**hectomètre** *m* hectómetro.

**Hector** *np m* Héctor.

**hectowatt** [ɛktɔwat] *m* hectovatio.

**hédonisme** *m* hedonismo.

**hédoniste** *a/s* hedonista.

**hégélianisme** *m* hegelianismo.

**hégélien, enne** *a* hegeliano, a.

**hégémonie** *f* hegemonía.

**hégémonique** *a* hegemónico, a.

**hégire** *f* hégira.

**'hein?** *interj* ¿eh?, ¿cómo?, ¿no?: **quel type, ~?** qué tipo, ¿eh?; **tu m'écriras, ~?** me escribirás, ¿no?

**hélas!** [elas] *interj* **1.** ¡ay! **2. ~ non** desgraciadamente, no.

**Hélène** *np f* **1.** *(sainte)* Elena **2.** *(fille de Léda)* Helena.

**'héler*** *vt* llamar.

**hélianthe** *m* helianto, girasol.

**hélice** *f* hélice.

**hélicoïdal, e** *a* helicoidal.

**hélicoptère** *m* helicóptero.

**héliogravure** *f* heliograbado *m*.

**héliothérapie** *f MÉD* helioterapia.

**héliotrope** *m* heliotropo.

**héliotropisme** *m* heliotropismo.

**héliport** *m* helipuerto.

**héliporté, e** *a* helitransportado, a.

**hélitreuiller** *vt* levantar mediante un helicóptero.

**hélium** [eljɔm] *m CHIM* helio.

**hélix** *m ANAT* hélice *f*.

**hellène** *a/s* heleno, a.

**hellénique** *a* helénico, a.

**hellénisant, e** *s* helenista.

**helléniser** *vt* helenizar.

**hellénisme** *m* helenismo.

**helléniste** *s* helenista.

**hellénistique** *a* helenístico, a.

**'hello!** *interj* ¡hola!

**helminthe** *m (ver)* helminto.

**Héloïse** *np f* Eloísa.

**helvète** *a/s* helvecio, a.

**Helvétie** [ɛlvesi] *np f* Helvecia.

**helvétique** *a* helvético, a: **la Confédération ~** la Confederación helvética.

**'hem!** [ɛm] *interj* ¡eh!, ¡humm!

**hématie** [ɛmasi] *f* BIOL hematíe *m*.

**hématite** *f* hematites.

**hématologie** *f* hematología.

**hématologique** *a* hematológico, a.

**hématologue** *s* hematólogo, a.

**hématome** *m* hematoma.

**hématurie** *f* MÉD hematuria.

**hémicycle** *m* hemiciclo.

**hémiplégie** *f* MÉD hemiplejía.

**hémiplégique** *a/s* hemipléjico, a.

**hémiptère** *a/m* ZOOL hemíptero, a. ◇ *m pl* hemípteros.

**hémisphère** *m* hemisferio.

**hémisphérique** *a* hemisférico, a.

**hémistiche** *m* hemistiquio.

**hémodialyse** *f* MÉD hemodiálisis.

**hémoglobine** *f* hemoglobina.

**hémopathie** *f* hemopatía.

**hémophilie** *f* MÉD hemofilia.

**hémophile** *a/s* hemofílico, a.

**hémoptysie** *f* MÉD hemoptisis.

**hémorragie** *f* **1.** hemorragia: **~ interne** hemorragia interna ◊ **~ cérébrale** derrame *m* cerebral **2.** FIG *(de devises, etc.)* fuga.

**hémorragique** *a* hemorrágico, a.

**hémorroïdal, e** *a* hemorroidal.

**hémorroïdes** *f pl* hemorroides, almorranas.

**hémostatique** *a* hemostático, a: **pansement ~** apósito hemostático.

**hendécasyllabe** *a/m* endecasílabo, a.

**'henné** *m* alheña *f*, henna *f*.

**'hennin** *m* capirote.

**'hennir** *vi* relinchar.

**'hennissement** *m* relincho.

**Henri, ette** *np* Enrique, Enriqueta.

**'hep!** [ɛp] *interj* ¡he!: **~!, taxi** ¡he!, taxi.

**hépatique** *a/s* hepático, a.

**hépatite** *f* MÉD hepatitis: **~ virale** hepatitis vírica.

**hépatologie** *f* MÉD hepatología.

**heptaèdre** *m* heptaedro.

**heptagone** *m* heptágono.

**heptamètre** *m* heptámetro.

**Héraclès** *np m* Heracles.

**Héraclite** *np m* Heráclito.

**héraldique** *a* heráldico, a. ◇ *f* heráldica.

**héraldiste** *s* heraldista.

**'héraut** *m* heraldo.

**herbacé, e** *a* BOT herbáceo, a.

**herbage** *m (prairie)* prado, herbazal.

**herbe** *f* **1.** hierba: **mauvaise ~** mala hierba; **fines herbes** hierbas finas ◊ **un déjeuner sur l'~** una comida campestre; FIG **couper l'~ sous le pied de quelqu'un** minar el terreno a alguien, ganar por la mano a alguien **2.** *(gazon)* césped **3. ~ aux chats** nébeda **4.** *(drogue)* **fumer de l'~** fumar hierba **5.** *loc adv* **en ~** en cierne, no maduro, a; FIG **avocat en ~** abogado en cierne, en agraz; **manger son blé en ~** gastar su renta por adelantado.
▶ L'orthographe *yerba* est rare ou désigne le «maté».

**herbeux, euse** *a* herboso, a.

**herbicide** *a/m* herbicida.

**herbier** *m* herbario.

**herbivore** *a/m* herbívoro, a.

**herborisation** *f* herborización.

**herboriser** *vi* herborizar.

**herboriste** *s* herbolario, a.

**herboristerie** *f* tienda del herbolario, herboristería.

**herbu, e** *a* herboso, a.

**'hercher** *vt* empujar vagonetas.

**Hercule** *np m* Hércules.

**herculéen, enne** *a* hercúleo, a.

**hercynien, enne** *a* GÉOL herciniano, a.

**'hère** *m* **1.** cervato **2. un pauvre ~** un pobre diablo.

**héréditaire** *a* hereditario, a: **maladie ~** enfermedad hereditaria.

**hérédité** *f* herencia.

**herésiarque** *m* heresiarca.

**hérésie** *f* **1.** herejía **2.** FAM **quelle ~!** ¡qué herejía!, ¡qué disparate!

**hérétique** *a* herético, a. ◇ *s* hereje.

**'hérissé, e** *a* **1.** erizado, a **2.** FIG **~ de difficultés, d'obstacles** erizado, a de dificultades, de obstáculos.

**'hérisser** *vt* **1.** erizar **2.** FIG *(exaspérer)* exasperar, enfadar. ◆ **se ~** *vpr* **1.** erizarse, ponerse de punta **2.** FIG enfadarse.

**'hérisson** *m* **1.** erizo **2.** FIG *(personne)* erizo **3.** *(de ramoneur)* deshollinador.

**héritage** *m* **1.** herencia *f* ◊ **faire un ~** heredar **2.** FIG **~ culturel** legado cultural; **~ spirituel** herencia espiritual.

**hériter** *vt/i* heredar: **~ (d') une maison** heredar una casa; **~ de son oncle** heredar de su tío: **il a hérité le caractère de son père** ha heredado el carácter de su padre.

**héritier, ère** *s* heredero, a: **l'~ du trône** el heredero al trono; **une riche héritière** una rica heredera.

**hermaphrodisme** *m* BIOL hermafrodismo.

**hermaphrodite** *a/m* hermafrodita.

**Hermès** *np m* [ɛrmɛs] *np m* Hermes.

**hermétique** *a* hermético, a.

**hermétiquement** *adv* herméticamente.

**hermétisme** *m* hermetismo.

**hermine** *f* armiño *m*.

**herminette** *f* azuela.

**'herniaire** *a* herniario, a.

**'hernie** *f* hernia: **~ étranglée** hernia estrangulada.

**Hérode** *np m* Herodes.

**Hérodote** *np m* Herodoto.

**héroïne** *f* **1.** heroína **2.** *(d'un roman, etc.)* protagonista, heroína **3.** *(drogue)* heroína.

**héroïnomane** *s* heroinómano, a.

**héroïque** *a* heroico, a ◊ **les temps héroïques** los tiempos heroicos.

**héroïquement** *adv* heroicamente.

**héroïsme** *m* heroísmo.

**'héron** *m* garza *f.*

**'héros** *m* héroe.

**herpès** [ɛʀpɛs] *m MÉD* herpe, herpes.

**herpétologie** *f* herpetología.

**'hersage** *m AGR* gradeo.

**herscher → hercher.**

**'herse** *f* **1.** *AGR* grada **2.** *(de château fort)* rastrillo *m* **3.** *THÉÂT* luces *f pl* en el telar.

**'herser** *vt AGR* gradar.

**hertz** *m* hertz, hercio.

**hertzien, ienne** *a PHYS* hertziano, a: **ondes hertziennes** ondas hertzianas.

**hésitant, e** *a* vacilante, indeciso, a: **être ~** estar indeciso ◊ **voix hésitante** voz titubeante.

**hésitation** *f* vacilación, titubeo *m*: **sans ~** sin vacilaciones, sin titubeo; **après une ~** tras una vacilación.

**hésiter** *vi* **1.** vacilar: **il hésita avant de répondre** vaciló antes de contestar **2. ~ à** vacilar en, dudar en: **j'hésitai à accepter** vacilé en aceptar, dudé en aceptar; **n'hésitez pas à nous consulter** no duden en consultarnos; **n'hésitez pas** no lo duden.

**Hespérides** *np f pl* Hespérides.

**hétaïre** *f* hetera, hetaira.

**hétéroclite** *a* heteróclito, a.

**hétérodoxe** *a/s* heterodoxo, a.

**hétérodoxie** *f* heterodoxia.

**hétérodyne** *m* heterodino.

**hétérogène** *a* heterogéneo, a.

**hétérogénéité** *f* heterogeneidad.

**hétéromorphe** *a* heteromorfo, a.

**hétéroplastie** *f MÉD* heteroplastia.

**hétérosexualité** *f* heterosexualidad.

**hétérosexuel, elle** *a/s* heterosexual.

**'hêtraie** *f* hayedo *m*, hayal *m.*

**'hêtre** *m* haya *f.*

**'heu!** *interj* ¡pues!

**heur** *m* suerte *f*, fortuna *f*: **je n'ai pas eu l'~ de lui plaire** así que no le caí en gracia.

**heure** *f* **1.** hora: **cent kilomètres à l'~** cien kilómetros por hora; **heures supplémentaires** horas extraordinarias; **être payé à l'~** estar pagado por horas; **50 francs de l'~** a 50 francos la hora; **une petite ~** una hora escasa, una horita; **24 heures sur 24 → vingt 2. l'~ légale, d'été** la hora oficial, de verano; **quelle ~ est-il?** ¿qué hora es?; **il est une ~** es la una; **il est six heures dix** son las seiz y diez; **sept heures et demie** las siete y media; **à neuf heures juste, pile, tapantes** a las nueve en punto; **il est l'~ d'aller se coucher** ya es hora de irse a la cama; **mettre sa montre à l'~** poner el reloj en hora; **être à l'~** ser puntual; **arriver à l'~** llegar puntualmente; *FIG* **passer un mauvais quart d'~** pasar un mal rato, pasarlo fatal; *FAM* **je ne vous demande pas l'~ qu'il est!** ¡no se meta en lo que no le importa! **3. l'heure H** la hora H; **l'~ suprême** la hora suprema **4.** *loc adv* **à l'~ qu'il est** en este momento, actualmente; **à toute ~** a todas horas; **à une ~ indue** a deshora; **à une ~ avancée** muy tarde, a las tantas; **il travaille à ses heures** trabaja cuando le da la gana; **de bonne ~** temprano; **de très bonne ~** muy temprano, muy de mañana; **pour l'~, sur l'~** inmediatamente, en el acto; **tout à l'~** *(bientôt)* pronto, *(il n'y a pas longtemps)* hace poco; **à tout à l'~!** ¡hasta luego! ◊ *interj* **à la bonne ~!** ¡muy bien!, ¡así me gusta!

**heureusement** *adv* **1.** felizmente **2.** *(par chance)* afortunadamente **3. ~!** ¡menos mal!

**heureux, euse** *a* **1.** feliz, dichoso, a, afortunado, a: **un ménage ~** un matrimonio feliz; **vivre ~** vivir feliz; **rendre les autres ~** hacer felices a los demás; **le plus ~ des hommes** el más dichoso de los hombres; **~ ceux qui...** dichosos los que...; **un ~ hasard** una feliz casualidad; **bonne et heureuse année!** ¡feliz año nuevo!; **les ~ gagnants** los afortunados ganadores; **une coïncidence heureuse** una coincidencia afortunada **2.** *(judicieux)* acertado, a, feliz: **une heureuse initiative** una iniciativa acertada **3.** *FIG* **avoir la main heureuse** tener acierto en las empresas; **être ~ de** alegrarse de; **très ~ de vous connaître** tanto gusto en conocerle; **s'estimer ~** darse por contento **4.** *FAM* **c'est (encore) ~!** ¡menos mal!

**'heurt** *m* **1.** choque, colisión *f* **2.** *FIG* antagonismo.

**'heurté, e** *a (style, ton)* contrastado, a.

**'heurter** *vt* **1.** chocar, tropezar con: **~ une voiture** chocar con un coche; **~ un piéton** tropezar con un transeúnte **2.** *FIG* contrariar, herir, chocar. ◇ *vi* chocar, tropezar. ◆ **se ~** *vpr* **1.** chocar, colisionar: **se ~ à un poteau** chocar contra un poste; **deux voitures se sont heurtées** colisionaron dos coches **2.** *FIG* **se ~ à une difficulté** tropezar con una dificultad **3.** *(s'affronter)* enfrentarse.

**'heurtoir** *m* **1.** *(de porte)* aldaba *f* **2.** *(butoir)* tope.

**hévéa** *m* hevea.

**hexaèdre** *m* hexaedro.

**hexagonal, e** *a* **1.** hexagonal **2.** *FIG* francés, esa.

**hexagone** *m* **1.** hexágono **2. l'Hexagone** Francia.

**hexamètre** *m* hexámetro.

**hexapode** *a/m ZOOL* hexápodo.

**hiatus** [jatys] *m* **1.** hiato **2.** *FIG* hiato, interrupción *f.*

**hibernal, e** *a* hibernal, invernal.

**hibernant, e** *a* hibernante.

**hibernation** *f* hibernación.

**hiberner** *vi* hibernar.

**hibiscus** *m* hibiscus.

**'hibou** *m* búho.

**'hic** [ik] *m FAM* quid, busilis, intríngulis: **voilà le ~** ahí está el quid, ahí está el detalle.

**'hickory** *m* nogal de América.

**'hideur** *f* fealdad horrible.

**'hideux, euse** *a* **1.** horroroso, a, feísimo, a **2.** *(repoussant)* horrible, repulsivo, a.

**'hie** [i] *f* pisón *m.*

**hier** [jɛʀ] *adv* **1.** ayer: **~ matin** ayer por la mañana **2. ~ soir** anoche **3. avant-hier** anteayer; **avant-hier soir** anteanoche **4.** *FAM* **ne pas être né d'~** no chuparse el dedo.

**'hiérarchie** *f* jerarquía.

**'hiérarchique** *a* jerárquico, a.

**'hiérarchiser** *vt* jerarquizar.

**'hiérarque** *m* jerarca.

**hiératique** *a* hierático, a.

**'hiératisme** *m* hieratismo.

**hiéroglyphe** *m* jeroglífico.

**hiéroglyphique** *a* jeroglífico, a.

**hiéronymite** *m* jerónimo.

**'hi-fi** *a/f* hi-fi, alta fidelidad.

**'hi-han** *m* hi ha.

**Hilaire** *np m* Hilario.

**hilarant, e** *a* hilarante.

**hilare** *a* alegre.

**hilarité** *f* hilaridad.

**Himalaya** *np m* Himalaya.

**himalayen, enne** *a* himalayo, a.

**hindou, e** *a/s* hindú.

**hindouisme** *m* hinduismo.

**hindouiste** *a/s* hinduista.

**Hindoustan** *np m* Indostán, Hindostán.

**hindoustani** *m* indostaní.

**hinterland** *m* hinterland.

**'hippie, 'hippy** *s* hippy, jipi.

**hippique** *a* hípico, a: **concours ~** concurso hípico.

**hippisme** *m* hipismo.

**hippocampe** *m* hipocampo.

**Hippocrate** *np m* Hipócrates ◊ **serment d'~** juramento hipocrático.

**hippocratique** *a* hipocrático, a.

**hippodrome** *m* hipódromo.

**Hippolyte** *np m* Hipólito.

**hippomobile** *a* hipomóvil.

**hippophagie** *f* hipofagia.

**hippopotame** *m* hipopótamo.

**'hippy → hippie.**

**hirondelle** *f* **1.** golondrina **2. ~ de mer** golondrina de mar **3.** *PROV* **une ~ ne fait pas le printemps** una golondrina no hace verano.

▶ Remarquez, dans le proverbe, que le mot printemps est traduit en espagnol par été (*verano*).

**hirsute** *a* hirsuto, a.

**hispanique** *a* hispánico, a.

**hispanisant, e** *s* hispanista.

**hispanisme** *m* hispanismo.

**hispano-américain, e** *a* hispanoamericano, a.

**hispano-arabe** *a* hispanoárabe.

**hispanophone** *a/s* hispanohablante.

**'hisser** *vt* **1.** *(drapeau, etc.)* izar **2.** subir **3. ho! hisse!** ¡aúpa! ◆ **se ~** *vpr* auparse.

**histamine** *f* histamina.

**histoire** *f* **1.** historia: **~ universelle** historia universal; **~ sainte** historia sagrada: **~ naturelle** historia natural **2.** *(récit)* historia, cuento *m* ◊ **une ~ à dormir debout** una patraña, un cuento; **une ~ drôle** un chiste **3.** *(affaire)* asunto *m*, cuestión: **une ~ d'héritage** una cuestión de herencia ◊ **c'est toute une ~** es largo de contar; **c'est une autre ~** ése es otro cantar, eso es otra cosa; **c'est toujours la même ~** es la historia de siempre, la misma cantinela; **quelle ~!** ¡vaya historia!; **n'en faites pas toute une ~!** ¡no es para tanto!; **le plus beau de l'~** lo mejor del caso, lo más curioso del caso **4.** *(mensonge)* cuento *m*, mentira, historia: **tu nous racontes des histoires** tú nos vienes con cuentos; **ne me raconte pas d'histoires** no me vengas con cuentos, con historias **5.** *(ennui)* lío *m*, cuestión: **je ne veux pas d'histoires** no quiero líos, cuestiones ◊ *FAM* **faire des histoires** poner dificultades, *(simagrées)* hacer cumplidos **6.** *FAM* **~ de rire** en plan de broma; **je suis sorti, ~ de prendre l'air** salí para tomar el aire.

**histologie** *f* histología.

**histologique** *a* histológico, a.

**historicisme** *m* historicismo.

**historicité** *f* historicidad.

**historié, e** *a* historiado, a.

**historien, enne** *s* historiador, a.

**historier*** *vt* historiar.

**historiette** *f* historieta.

**historiographe** *s* historiógrafo, a.

**historiographie** *f* historiografía.

**historique** *a* histórico, a. ◇ *m (exposé)* exposición *f*, reseña *f* histórica, historial *m*: **faire l'~ d'un évènement** hacer la reseña de un suceso.

**historiquement** *adv* históricamente.

**histrion** *m* histrión.

**hitlérien, enne** *a/s* hitleriano, a.

**hitlérisme** *m* hitlerismo.

**'hit-parade** *m* **1.** lista *f* de éxitos **2.** *(classement)* ranking.

**'hittite** *a/s HIST* hitita.

**hiver** [ivɛʀ] *m* **1.** invierno **2. aller aux sports d'hiver** ir a la montaña a practicar los deportes de invierno.

**hivernage** *m* **1.** *(saison)* invernada *f* **2.** *(lieu)* invernadero.

**hivernal, e** *a* invernal.

**hiverner** *vi* invernar.

**H.L.M.** [aʃɛlɛm] *f* vivienda de protección oficial, de renta limitada.

▶ Véase la palabra «habitation».

**'ho!** *interj* ¡oh!, ¡ah!

**'hobby** [ɔbi] *m* hobby.

**'hobereau** *m* hidalgo campesino.

**'hochement** *m* **~ de tête** cabeceo.

**'hochequeue** *m* aguzanieves *f*.

**'hocher** *vt* sacudir, menear ◊ **~ la tête** mover, menear la cabeza, cabecear, *(pour approuver)* asentir con la cabeza.

**'hochet** *m* sonajero.

**'hockey** *m* hockey: **~ sur glace, sur gazon** hockey sobre hielo, sobre hierba.

**'hockeyeur** *m* jugador de hockey.

**hoirie** *f JUR* herencia, sucesión.

**'holà!** *interj* ¡hola!, ¡he! ◊ **mettre le ~ à** poner fin a.

**'holding** *m* holding.

**'hold-up** [ɔldœp] *m* atraco: **~ d'une banque** atraco a un banco; **commettre un ~ dans une banque** atracar un banco.

**'hollandais, e** *a/s* holandés, esa.

**'Hollande** *np f* Holanda.

**'hollande** *m (fromage)* queso de bola. ◇ *f (toile)* holanda.

**holocauste** *m* holocausto.

**holographe → olographe.**

**holographie** *f* holografía.

**holothurie** *f* holoturia.

**'homard** *m* bogavante: **~ à l'américaine** bogavante a la americana.

**'home** *m* hogar.

**homélie** *f* homilía.

**homéopathe** *a/s* homeópata.

**homéopathie** *f* homeopatía.

**homéopathique** *a* homeopático, a: **dose ~** dosis homeopática.

**Homère** *np m* Homero.

**homérique** *a* homérico, a.

**homicide** *a/s* homicida. ◇ *m (crime)* homicidio.

**hominidés** *m pl* homínidos.

**hominisation** *f* hominización.

**hommage** *m* **1.** homenaje: **rendre ~ à** rendir homenaje a, homenajear a **2. ~ de l'auteur** cortesía, obsequio del autor; **faire l'~ d'un livre** regalar un libro. ◇ *pl* respetos: **présenter ses hommages** ofrecer sus respetos.

**hommasse** *a PÉJOR* hombruno, a.

**homme** *m* **1.** hombre: **un ~ d'action** un hombre de acción; **un brave ~** un buen hombre; **les grands hommes** los hombres célebres; **l'~ de la rue** el hombre de la calle ◊ **les droits de l'~** los derechos humanos; **un jeune ~** un joven; **~ d'affaires** hombre de negocios: **un ~ à femmes** un mujeriego; **~ de lettres** literato, hombre de letras; **~ de loi** jurista; **~ d'Église** eclesiástico; **~ d'État** estadista; **~ de main → main; ~ du monde** hombre de mundo; **~ de peine** peón, mozo; **un galant ~** un caballero; **comme un seul ~** como un solo hombre; **parlons d'~ à ~** hablemos con franqueza; **être ~ à** ser hombre para, ser capaz de **2.** caballero: **rayon pour hommes** sección de caballeros **3.** *POP* **mon ~** mi marido **4.** *RELIG* **le Fils de l'~** el Hijo del hombre; **dépouiller le vieil ~** dejar la piel del hombre viejo **5.** *PROV* **un ~ averti en vaut deux** hombre prevenido vale por dos.

**homme-grenouille** *m* hombre rana.

**homme-sandwich** *m* hombre anuncio.

**homo** *m FAM* gay.

**homogène** *a* homogéneo, a.

**homogénéisation** *f* homogeneización.

**homogénéiser** *vt* homogeneizar.

**homogénéité** *f* homogeneidad.

**homographe** *a/m* homógrafo, a.

**homologation** *f* homologación.

**homologue** *a* homólogo, a. ◇ *s* colega.

**homologuer** *vt* homologar: **le record n'a pas été homologué** el récord no fue homologado.

**homoncule → homuncule.**

**homonyme** *a/m* homónimo, a.

**homonymie** *f* homonimia.

**homophone** *a/m* homófono, a.

**homosexualité** *f* homosexualidad.

**homosexuel, elle** *a/s* homosexual.

**homuncule** *m* hombrecillo, hominicaco.

**Honduras** *np m* Honduras *f.*

**'hondurien, enne** *a/s* hondureño, a.

**'hongre** *a* castrado. ◇ *m* caballo castrado.

**'Hongrie** *np f* Hungría.

**'hongrois, e** *a/s* húngaro, a.

**honnête** *a* **1.** honrado, a, probo, a, honesto, a: **un homme ~** un hombre honrado ◊ **~ homme** hombre de bien **2.** *(vertueux)* honesto, a **3.** razonable: **un prix ~** un precio razonable **4.** *(moyen)* regular: **un repas ~** una comida regular.

**honnêtement** *adv* **1.** honradamente **2.** sinceramente **3.** bien.

**honnêteté** *f* **1.** *(probité)* honradez **2.** *(décence)* honestidad, decencia.

**honneur** *m* **1.** honor: **affaire, parole d'~** lance, palabra de honor; **place d'~** sitio de honor ◊ **point d'~** pundonor; **bras d'~ → bras 2. faire ~ à sa réputation de...** hacer honor a su reputación de...; **faire ~ à sa famille** honrar a su familia; **faire ~ à ses engagements** cumplir con su palabra; **faire ~ à un plat** dar buena cuenta de un plato; **se faire ~ de** honrarse de; **être en ~** estar en boga **3.** *(réputation)* honra *f* **4. j'ai l'~ de vous informer** tengo el honor de comunicarle; **à vous l'~!** ¡primero usted!; **pour l'~** desinteresadamente **5.** *loc prép* **en l'~ de** en honor de; **en mon ~** en honor mío; *FAM* **en quel ~?** ¿a santo de qué? ◇ *pl* **1.** honores, dignidades *f* **2. rendre les honneurs** rendir honores **3. honneurs funèbres** honras fúnebres **4.** *(jeu de cartes)* triunfos.

**'honnir** *vt* **1.** vilipendiar, denigrar **2. honni soit qui mal y pense** vergüenza para quien piense mal.

**honorabilité** *f* honorabilidad.

**honorable** *a* honorable.

**honorablement** *adv* honorablemente.

**honoraire** *a* honorario, a: **président ~** presidente honorario. ◇ *pl (d'un médecin, avocat, etc.)* honorarios.

**Honoré** *np m* Honorato.

**honorer** *vt* **1.** honrar; **~ son père et sa mère** honrar padre y madre; **~ Dieu** honrar a Dios; **~ de sa présence** honrar con su presencia; **très honoré de votre visite** muy honrado con su visita **3. votre honorée du 6 mai** su atenta del 6 de mayo **3.** *COM* **~ une traite** pagar una letra **4.** hacer honor a. ◆ **s'~ de** *vpr* honrarse, enorgullecerse de.

**honorifique** *a* honorífico, a ◊ **président à titre ~** presidente honorario.

**'honte** *f* **1.** vergüenza: **c'est une ~!** ¡es una vergüenza! ◊ **avoir ~** sentir vergüenza, avergonzarse: **j'ai ~** siento vergüenza; **tu n'as pas ~ de...?** ¿no te da vergüenza...?; **je n'ai pas ~ de le dire** no me da vergüenza decirlo; **tu me fais ~** me das vergüenza, me avergüenzas **2. à ma grande ~** para gran vergüenza mía **3. fausse ~** respeto *m* humano.

**'honteusement** *adv* vergonzosamente.

**'honteux, euse** *a* **1.** *(déshonorant, timide)* vergonzoso, a ◊ **c'est ~!** ¡es una vergüenza! **2.** *(confus)* avergonzado, a **3. pauvre ~** pobre vergonzante.

**'hooligan, 'houligan** [uligan] *m* hooligan, gamberro.

**'hop!** [ɔp, hɔp] *interj* ¡hala!

**hôpital** *m* hospital: **~ de jour** hospital de día; **~ psychiatrique** hospital psiquiátrico.

**'hoquet** *m* hipo: **avoir le ~** tener hipo.

**'hoqueter*** *vt* **1.** hipar, tener hipo **2. il parlait en hoquetant** hablaba gimoteando.

**Horace** *np m* Horacio.

**horaire** *a* horario, a ◊ **salaire ~** salario por horas. ◇ *m* horario: **l'~ des trains** el horario de los trenes; **les horaires de travail** los horarios laborales; **~ variable** horario flexible.

**'horde** *f* horda.

**'horion** *m* golpe, porrazo.

**horizon** *m* **1.** horizonte: **à l'~** en el horizonte; **la ligne d'~** la línea del horizonte **2.** *FIG* horizonte ◊ **faire un tour d'~ de la situation internationale** pasar revista a la situación internacional.

**horizontal, e** *a* horizontal ◇ **à l'horizontale** horizontalmente.

**horizontalement** *adv* horizontalmente.

**horizontalité** *f* horizontalidad.

**horloge** *f* **1.** reloj *m*: **remonter une ~** dar cuerda a un reloj; **il est deux heures à l'~ de l'église** son las dos en el reloj de la iglesia **2. attendre deux heures d'~** esperar dos horas enteras.
▶ *Horloge* se aplica a los relojes de grandes dimensiones, de pared o de torre.

**horloger, ère** *s* relojero, a ◊ **industrie horlogère** industria de la relojería.

**horlogerie** *f* relojería.

**'hormis** *prép* excepto, salvo.

**hormonal, e** *a* hormonal.

**hormone** *f* hormona.

**'Horn (cap)** *np m* cabo de Hornos.

**horodateur** *m* **1.** aparato que imprime la fecha y la hora en un ticket, etc. **2.** *(de stationnement)* parquímetro.

**horoscope** *m* horóscopo.

**horreur** *f* **1.** horror *m*: **avoir ~ de, avoir en ~** tener horror a, abominar: **j'ai ~ des hypocrites** tengo horror a los hipócritas; **faire ~** causar horror, horrorizar; **quelle ~!** ¡qué horror!; **la nature a ~ du vide** la naturaleza abomina del vacío ◊ **être saisi d'~** estar horrorizado; **faire ~** horrorizar **2. film d'~** película de terror **3. ce tableau est une ~** este cuadro es horroroso, una birria. ◇ *pl* horrores *m*.

**horrible** *a* horrible, horroroso, a.

**horriblement** *adv* **1.** horriblemente, horrorosamente, atrozmente **2. il danse ~ mal** baila fatal **3. ~ cher** carísimo.

**horrifier*** *vt* horrorizar, aterrar.

**horrifique** *a* horrorífico, a, hórrido, a.

**horripilant, e** *a* exasperante.

**horripiler** *vt* exasperar, irritar.

**'hors** *prép* **1.** *(sauf)* excepto, menos, salvo: **tous ~ moi** todos menos yo ◊ **~ série** fuera de serie; **~ ligne** excepcional; **~ pair** sin par, sin igual **2. ~ de** fuera de: **~ d'affaire** fuera de cuidado; **~ d'atteinte, ~ de portée** fuera de alcance; **~ de combat** fuera de combate; **~ de danger** fuera de peligro; **~ de doute** fuera de duda; **être ~ de soi** estar fuera de sí; **~ d'ici!** ¡fuera de aquí!; **mettre ~ d'état de nuire** someter **3. ~ de prix** carísimo, a.

**'hors-bord** *m inv* fueraborda, fuera borda.

**'hors-concours** *a/s inv* fuera de concurso.

**'hors-d'œuvre** *m inv* entremeses *pl*.

**'hors-jeu** *m inv* fuera de juego.

**'hors-la-loi** *m inv* persona fuera de la ley, forajido.

**hors-piste** *m inv* esquí practicado fuera de pistas balizadas.

**'hors-texte** *m inv* grabado fuera de texto.

**Hortense** *np f* Hortensia.

**hortensia** *m* hortensia *f*.

**horticole** *a* hortícola.

**horticulteur, trice** *s* horticultor, a.

**horticulture** *f* horticultura.

**hosanna** *m* hosanna.

**hospice** *m* hospicio.

**hospitalier, ère** *a* **1.** hospitalario, a **2. centre ~** centro hospitalario; **établissement ~** hospital; **personnel ~** plantilla *f* de un hospital.

**hospitalisation** *f* hospitalización.

**hospitaliser** *vt* hospitalizar, internar: **il a été hospitalisé dans une clinique de Dijon** ha sido internado en una clínica de Dijon ◊ **se faire ~** hospitalizarse.

**hospitalité** *f* hospitalidad.

**hostellerie** *f* hostal *m*, hostelería.

**hostie** *f* hostia.

**hostile** *a* hostil.

**hostilité** *f* hostilidad. ◇ *pl (guerre)* hostilidades: **engager les hostilités** romper las hostilidades.

**hosto** *m* FAM hospital.

**'hot-dog** [ɔtdɔg] *m* perrito caliente, hot dog.

**hôte, esse** *s* huésped, a ◊ **table d'~** mesa redonda. ◇ *f* **1.** *(dans une exposition, etc.)* **~ d'accueil** azafata, señorita encargada **2. hôtesse de l'air** azafata, aeromoza. ◇ *m* BIOL huésped.

**hôtel** *m* **1.** hotel: **descendre à l'~ X** parar en el hotel X; **chaîne d'hôtels** cadena de hoteles; **~ trois étoiles** hotel de tres estrellas ◊ **maître d'~** jefe de comedor, maître **2. ~ particulier** palacete **3. ~ de ville** ayuntamiento, casa *f* consistorial **4. ~ des Monnaies** Casa *f* de la Moneda **5. ~ de passe → passe.**

**hôtel-Dieu** *m* hospital.

**hôtelier, ère** *a/s* hotelero, a.

**hôtellerie** *f* **1. → hostellerie 2.** *(profession)* hostelería, industria hotelera.

**hôtesse → hôte.**

**'hotte** *f* **1.** *(panier)* cuévano *m* **2.** *(de cheminée)* campana **3. ~ aspirante** campana extractora.

**'hottentot, e** *a/s* hotentote, a.

**'hou!** *interj* ¡hale!

**'houblon** *m* lúpulo.

**'houblonnière** *f* plantío *m* de lúpulo.

**'houe** [u] *f* azada, azadón *m*.

**'houille** *f* **1.** hulla **2. ~ blanche** hulla blanca.

**'houiller, ère** *a* hullero, a: **bassin ~** cuenca hullera. ◇ *f* hullera, mina de hulla.

**'houle** *f* marejada: **grosse ~** fuerte marejada ◊ **légère** marejadilla.

**'houlette** *f* **1.** cayado *m* de pastor **2.** FIG **sous la ~ de** bajo el mando de.

**'houleux, euse** *a* **1.** agitado, a, movido, a **2.** FIG **séance houleuse** sesión movida.

**'houligan → hooligan.**

**'houppe** *f* **1.** *(pompon)* borla *f* **2.** *(de plumes)* penacho *m* **3.** *(de cheveux)* copete *m*.

**'houppelande** *f* hopalanda.

**'houppette** *f (à poudre)* borlita.

**'hourdis** *m* obra *f* grosera de albañilería.

**houri** *f* huri.

**'hourra!** *interj* ¡hurra!

**'hourvari** *m* jaleo, bulla *f*, algazara *f*.

**'houspiller** *vt* reprender, reñir.

**'housse** *f* **1.** funda **2.** *(de cheval)* gualdrapa.

**'houx** [u] *m* acebo.

**hovercraft** *m* hovercraft, aerodeslizador.

**Hubert** *np m* Humberto.

**'hublot** *m* **1.** *(de bateau)* portilla *f* **2.** *(d'avion)* ventanilla *f*.

**'huche** *f* **1.** *(pétrin)* artesa **2.** *(coffre)* arcón *m*.

**'hue!** *interj* **1.** ¡arre! **2. à ~ et à dia** a un lado y a otro.

**'huée** *f* abucheo *m*: **au milieu des huées** en medio de un abucheo.

**'huer** *vt* abuchear: **~ un orateur** abuchear a un orador. ◇ *vi (le hibou)* silbar.

**'huguenot, e** *a/s* hugonote.

**Hugues** *np m* Hugo.

**huilage** *m* engrase.

**huile** *f* **1.** aceite *m*: **l'~ d'olive** el aceite de oliva; **~ d'arachide, de colza** aceite de cacahuete, de colza; **sardines à l'~** sardinas en aceite; **vérifier le niveau d'~** comprobar el nivel de aceite ◊ FIG **jeter de l'~ sur le feu** echar leña al fuego; **faire tache d'~**

extenderse como una mancha de aceite; *FAM* **baigner dans l'~** → **baigner**; **~ de coude** energía **2.** óleo *m*: **peinture à l'~** pintura al óleo; **une ~ sur toile** un óleo sobre lienzo **3.** *FAM* pez *m* gordo, personaje *m* importante: **les huiles** los peces gordos. ◇ *pl* **les saintes huiles** los santos óleos.

**huiler** *vt* aceitar.

**huilerie** *f* fábrica de aceite.

**huileux, euse** *a* aceitoso, a.

**huilier** *m* vinagreras *f pl*, angarillas *f pl*.

**huis** *m* **1.** *ANC* puerta *f* **2. à ~ clos** a puerta cerrada.

**huisserie** *f* marco *m* de las puertas y ventanas.

**huissier** *m* **1.** *(tribunaux)* ujier **2.** *(ministères)* ordenanza *f*.

**'huit** [ɥi(t)] *a/m* **1.** ocho: **~ étages** ocho pisos; **il est ~ heures** son las ocho ◊ **~ cents** ochocientos **2. d'aujourd'hui en ~** dentro de una semana; **mardi en ~** el martes de la semana próxima **3. Charles ~** Carlos octavo.

**'huitain** *m* octava *f*.

**'huitaine** *f* **1.** unos ocho, unas ocho: **une ~ de personnes** unas ocho personas **2. dans une ~** dentro de ocho días.

**'huitième** *a/s* octavo, a ◊ **habiter au ~** vivir en el octavo piso.

**'huitièmement** *adv* en octavo lugar.

**huître** *f* **1.** ostra **2. ~ perlière** madreperla.

**'huit-reflets** *m inv FAM* chistera *f*.

**'hulotte** *f* autillo *m*.

**'hululement** → **ululement.**

**'hululer** → **ululer.**

**'hum!** [oem, hœm] *interj* ¡humm!, ¡ejem!

**humain, e** *a/m* humano, a: **les êtres humains** los seres humanos; **le genre ~** el género humano.

**humainement** *adv* humanamente.

**humanisation** *f* humanización.

**humaniser** *vt* humanizar.

**humanisme** *m* humanismo.

**humaniste** *a/s* humanista.

**humanitaire** *a* humanitario, a: **aide ~** ayuda humanitaria; **organisations humanitaires** organizaciones humanitarias.

**humanité** *f* humanidad. ◇ *pl* humanidades: **faire ses humanités** estudiar humanidades.

**Humbert** *np m* Humberto.

**humble** [œbl(e)] *a* humilde: **un ~ bûcheron** un humilde leñador ◊ **à mon ~ avis** a mi humilde parecer.

**humblement** *adv* humildemente.

**humecter** *vt* humedecer. ◆ **s'~** *vpr* humedecerse.

**'humer** *vt* **1.** *(l'air, etc.)* aspirar **2.** *(sentir)* oler.

**huméral, e** *a* humeral.

**humérus** [ymeʀys] *m* húmero.

**humeur** *f* **1.** humor *m*: **être de bonne, de mauvaise ~** estar de buen, de mal humor; **de méchante ~** de mal humor; **être d'une ~ massacrante, exécrable, de chien** estar de un humor de perros, de muy mala leche ◊ **je ne suis pas d'~ à plaisanter** no estoy para bromas; **incompatibilité d'~** incompatibilidad de caracteres **2. un mouvement d'~** un (mal) pronto **3.** *ANAT* humor *m*: **~ aqueuse** humor ácueo.

**humide** *a* húmedo, a: **climat ~** clima húmedo.

**humidificateur** *m* humectador.

**humidification** *f* humedecimiento *m*.

**humidifier*** *vt* humedecer.

**humidité** *f* humedad.

**humiliant, e** *a* humillante.

**humiliation** *f* humillación.

**humilier*** *vt* humillar ◊ **se sentir humilié** sentirse humillado. ◆ **s'~** *vpr* humillarse.

**humoral, e** *a* humoral.

**humoriste** *a/s* humorista.

**humoristique** *a* humorístico, a: **dessin ~** dibujo humorístico.

**humour** *m* humor: **avoir le sens de l'~** tener sentido del humor; **~ noir** humor negro ◊ **faire de l'~** bromear.

**humus** [ymys] *m* humus, mantillo.

**'hune** *f MAR* cofa.

**'hunier** *m MAR* gavia *f*.

**'Huns** [œ̃] *np m pl HIST* Hunos.

**'huppe** *f* **1.** *(touffe de plumes)* copete *m*, moño *m* **2.** *(oiseau)* abubilla.

**'huppé, e** *a* **1.** *(oiseau)* moñudo, a **2.** *FAM* encopetado, a, de alto copete.

**'hure** *f* cabeza cortada de cerdo o jabalí.

**'hurlement** *m* **1.** *(d'un animal)* aullido **2.** *(d'une personne)* alarido: **pousser des hurlements** dar alaridos; **il poussa un ~** lanzó un alarido **3.** *(du vent, etc.)* rugido, bramido.

**'hurler** *vi* **1.** *(animaux)* aullar **2.** *(personnes)* gritar **3.** *(vent, etc.)* rugir, bramar **4.** *(couleurs)* chillar **5.** *FIG* **~ avec les loups** → **loup** **6. ~ de rire** partirse de risa. ◇ *vt* gritar: **il hurlait des injures** gritaba insultos.

**'hurleur** *a* **singe ~** mono aullador.

**hurluberlu** *m* atolondrado, cabeza *f* hueca.

**'huron, onne** *a/s* hurón, ona.

**'hurrah!** *interj* ¡hurra!

**'hussard** *m* **1.** húsar **2. à la hussarde** bruscamente, sin miramientos.

**'hussite** *m HIST* husita.

**'hutte** *f* choza.

**hybridation** *f* hibridación.

**hybride** *a/m* híbrido, a.

**hybrider** *vt* hibridar.

**hydracide** *m* hidrácido.

**hydratant, e** *a* hidratante: **crème hydratante** crema hidratante.

**hydratation** *f* hidratación.

**hydrate** *m CHIM* hidrato.

**hydrater** *vt* hidratar.

**hydraulique** *a* hidráulico, a: **frein ~** freno hidráulico. ◇ *f* hidráulica.

**hydravion** *m* hidroavión.

**hydre** *f* hidra.

**hydrocarbure** *m* hidrocarburo.

**hydrocéphale** *a/s* hidrocéfalo.

**hydrocéphalie** *f MÉD* hidrocefalia.

**hydrocution** *f* hidrocución.

**hydrodynamique** *a* hidrodinámico, a. ◇ *f* hidrodinámica.

**hydro-électrique** *a* hidroeléctrico, a.

**hydrofuge** *a* hidrófugo, a.

**hydrogénation** *f* hidrogenación.

**hydrogène** *m* hidrógeno: **bombe à ~** bomba de hidrógeno.

**hydrogéner** *vt* hidrogenar.
**hydroglisseur** *m* hidroplano.
**hydrographie** *f* hidrografía.
**hydrographique** *a* hidrográfico, a.
**hydrologie** *f* hidrología.
**hydrologique** *a* hidrológico, a.
**hydrolyse** *f CHIM* hidrólisis.
**hydromel** *m* aguamiel *f*, hidromiel.
**hydrométrie** *f* hidrometría.
**hydrométrique** *a* hidrométrico, a.
**hydrophile** *a* hidrófilo, a: **coton ~** algodón hidrófilo.
**hydrophobe** *a/s* hidrófobo, a.
**hydrophobie** *f* hidrofobia.
**hidropique** *a/s* hidrópico, a.
**hydropisie** *f* hidropesia.
**hydrosphère** *f* hidrosfera.
**hydrostatique** *a* hidroestático, a. ◇ *f* hidroestática.
**hydrothérapie** *f* hidroterapia.
**hydrothérapique** *a* hidroterápico, a.
**hydroxyde** *m CHIM* hidróxido.
**hydrure** *m CHIM* hidruro.
**hyène** *f* hiena.
**hygiène** *f* higiene: **~ dentaire, mentale** higiene dental, mental.
**hygiénique** *a* higiénico, a: **papier ~** papel higiénico ◊ **serviette ~** compresa.
**hygiéniste** *s* higienista.
**hygromètre** *m* higrómetro.
**hygrométrie** *f* higrometría.
**hygrométrique** *a* higrométrico, a.
**hymen** [imɛn] *m* **1.** *(mariage)* himeneo **2.** *ANAT* himen.
**hyménée** *m* himeneo.
**hyménoptères** *m pl* himenópteros.
**hymne** *m* himno: **~ national** himno nacional; **l'Hymne à la joie** el Himno a la alegría. ◇ *f* himno *m*.
**hyperbole** *f* **1.** *GRAM* hipérbole **2.** *GÉOM* hipérbola.
**hyperbolique** *a* hiperbólico, a.
**hyperboréen, enne** *a LITT* hiperbóreo, a.
**hyperglycémie** *f MÉD* hiperglucemia.
**hypermarché** *m* hipermercado.
**hypermétrope** *a/s* hipermétrope.
**hypermétropie** *f* hipermetropía.
**hypernerveux, euse** *a/s* hipernervioso, a.
**hypersensibilité** *f* hipersensibilidad.
**hypersensible** *a/s* hipersensible.
**hypersonique** *a* hipersónico, a.
**hypertendu, e** *a/s* hipertenso, a.
**hypertension** *f* hipertensión.
**hypertexte** *m INFORM* hipertexto.
**hypertrophie** *f* hipertrofia.
**hypertrophier*** *vt* hipertrofiar. ◆ **s'~** *vpr* hipertrofiarse.
**hypertrophique** *a* hipertrófico, a.
**hypnose** *f* hipnosis.
**hypnotique** *a* hipnótico, a.
**hypnotiser** *vt* hipnotizar.
**hypnotiseur** *m* hipnotizador.
**hypnotisme** *m* hipnotismo.
**hypocondriaque** *a/s* hipocondríaco, a.
**hypocondrie** *f* hipocondría.
**hypocrisie** *f* hipocresía.
**hypocrite** *a/s* hipócrita.
**hypocritement** *adv* hipócritamente.
**hypodermique** *a* hipodérmico, a: **piqûre ~** inyección hipodérmica.
**hypogastre** *m ANAT* hipogastrio.
**hypogée** *m* hipogeo.
**hypoglycémie** *f MÉD* hipoglucemia.
**hypophyse** *f ANAT* hipófisis.
**hypotendu, e** *a* hipotenso, a.
**hypotenseur** *m MÉD* hipotensor.
**hypotension** *f* hipotensión.
**hypoténuse** *f MATH* hipotenusa.
**hypothalamus** [ipɔtalamys] *m ANAT* hipotálamo.
**hypothécaire** *a* hipotecario, a: **prêt ~** préstamo hipotecario.
**hypothèque** *f* **1.** hipoteca: **purger une ~** cancelar una hipoteca; **lever une ~** levantar una hipoteca **2. conservateur des hypothèques** registrador de la propiedad.
**hypothéquer*** *vt* **1.** hipotecar **2.** *FIG* **~ l'avenir** hipotecar el porvenir.
**hypothèse** *f* **1.** hipótesis **2. dans l'~ où...** en el supuesto de que..., en la hipótesis de que...
**hypothétique** *a* hipotético, a.
**hypothétiquement** *adv* hipotéticamente.
**hysope** *f* hisopo *m*.
**hystérie** *f* histeria: **~ collective** histeria colectiva.
**hystérique** *a/s* histérico, a.

**i** *m* i *f*: **un ~** una i ◊ **être droit comme un ~** ser más tieso que un ajo, derecho como un huso; **mettre les points sur les ~** poner los puntos sobre las íes.

**ïambe** *m (en poésie)* yambo.

**ïambique** *a* yámbico, a.

**ibère** *a/s* íbero, a.

**Ibérie** *np f* Iberia.

**ibérique** *a* ibérico, a: **la péninsule ~** la península ibérica.

**ibidem** *adv* ibídem.

**ibis** [ibis] *m* ibis *f*.

**icaquier** *m* hicaco, icaco.

**Icare** *np m* Ícaro.

**iceberg** [ajsbɛʀg; isbɛʀg] *m* iceberg: **la partie émergée de l'~** la punta del iceberg.

**ice-cream** [ajskʀim] *m* helado.

**ichtyologie** [iktjɔlɔʒi] *f* ictiología.

**ichtyologiste** [iktjɔlɔʒist] *s* ictiólogo, a.

**ichtyophage** [iktjɔfaʒ] *a/s* ictiófago.

**icktyosaure** [iktjozɔʀ] *m* ictiosauro.

**ici** *adv* **1.** *(lieu)* aquí, acá: **~ et là** aquí y allí, acá y allá; **viens ~** ven aquí; **c'est ~ que nous habitons** aquí es donde vivimos; **par ~** por aquí; **d'~ à la gare** desde aquí a la estación ◊ *loc adv* **~-bas** en este (bajo) mundo, de tejas abajo **2.** *(temps)* **d'~ à demain** de aquí a mañana; **d'~ (à) un mois** de aquí a un mes; **jusqu'~** hasta aquí ◊ *loc adv* **d'~ là** entretanto; **d'~ peu** dentro de poco.

▶ *Aquí* désigne un lieu plus précis que *acá*. En Amérique latine, on emploie *acá* de préférence à *aquí*.

**icône** *f* **1.** *(image)* icono *m* **2.** INFORM icono *m*.

**iconoclaste** *a/s* iconoclasta.

**iconographie** *f* iconografía.

**iconographique** *a* iconográfico, a.

**iconostase** *f* iconostasio *m*.

**ictère** *m* MÉD ictericia *f*.

**idéal, e** *a* ideal. ◇ *m* **1.** ideal: **des idéaux, des idéals politiques** ideales políticos **2. ce serait l'~** sería lo ideal.

**idéaliser** *vt* idealizar.

**idéalisation** *f* idealización.

**idéalisme** *m* idealismo.

**idéaliste** *a/s* idealista.

**idée** *f* **1.** idea: **~ directrice** idea rectora; **l'~ du beau** la idea de lo bello; **se faire une ~ de** formarse una idea de; **je n'ai pas la moindre ~ de...** no tengo la más remota idea de...; **aucune ~!** ¡ni idea! ◊ **~ fixe** idea fija, obsesión; **idées reçues** prejuicios *m*, ideas preconcebidas; **à l'~ de partir...** con sólo pensar en marcharme...; **j'ai ~ que, j'ai dans l'~ que** me parece que, creo que; **avoir une ~ derrière la tête** tener una idea en la cabeza; **parler avec une idée derrière la tête** hablar con segunda; **avoir des idées noires** ser pesimista; **dans un autre ordre d'~** → **ordre** **2.** ocurrencia, idea: **quelle ~!** ¡qué ocurrencia!; **quelle drôle d'~!, en voilà une ~!** ¡vaya idea!, ¡vaya ocurrencia! ◊ **a-t-on ~!, on n'a pas ~ de cela!** ¡a quién se le ocurre!; **il m'est venu à l'~ de...** se me ha ocurrido...; **il ne vient à l'~ de personne de dire...** a nadie se le ocurre decir... **3.** *(opinion)*: **j'ai mon ~ sur la question** tengo mi opinión sobre el asunto; **avoir une haute ~ de** tener una excelente idea de **4.** *(fantaisie)* antojo *m*: **vivre à son ~** vivir a su antojo. ◇ *pl* **1. idées politiques** ideas, opiniones políticas **2. se faire des idées** hacerse ilusiones **3. ce sont peut-être des idées à moi** a lo mejor son figuraciones mías.

**idée-force** *f* idea rectora.

**idem** *adv* ídem.

**identifiable** *a* identificable.

**identification** *f* identificación.

**identifier** *vt* identificar. ◆ **s'~** *vpr* identificarse: **romancier qui s'identifie à, avec ses personnages** novelista que se identifica con sus personajes.

**identique** *a* idéntico, a, semejante.

**identité** *f* identidad: **carte d'~** documento nacional de identidad, carné de identidad; **crise d'~** crisis de identidad.

**idéogramme** *m* ideograma.

**idéographique** *a* ideográfico, a.

**idéologie** *f* ideología.

**idéologique** *a* ideológico, a.

**idéologue** *s* ideólogo, a.

**ides** *f pl* idus *m*.

**idiomatique** *a* idiomático, a.

**idiome** *m* idioma.

**idiosyncrasie** *f* idiosincrasia.

**idiot, e** *a/s* **1.** idiota, imbécil ◊ **rendre ~** volver idiota, idiotizar **2.** FAM tonto, a: **ne sois pas ~** no seas tonto; **l'~ du village** el tonto del pueblo; **faire l'~** hacer el tonto, el idiota; **une question idiote** una pregunta tonta ◊ **ce serait trop ~** sería una idiotez.

**idiotie** [idjɔsi] *f* **1.** idiotez **2.** *(parole, action)* idiotez, tontería, estupidez: **dire des idioties** decir tonterías.

**idiotisme** *m* GRAM idiotismo.

**idoine** *a* idóneo, a.

**idolâtre** *a/s* idólatra.

**idolâtrer** *vt* idolatrar.

**idolâtrie** *f* idolatría.

**idole** *f* **1.** ídolo *m* **2.** *FIG* **l'~ des jeunes** el ídolo de la juventud.

**iduméen, enne** *a/s* idumeo, a.

**idylle** *f* idilio *m.*

**idyllique** *a* idílico, a.

**Iéna** *np* Jena.

**if** *m (arbre)* tejo.

**igloo, iglou** [iglu] *m* iglú.

**Ignace** *np m* Ignacio.

**igname** *f* ñame *m.*

**ignare** *a/s* ignaro, a, ignorante.

**igné, e** *a* ígneo, a.

**ignifuge** [ignifyʒ] *a* ignífugo, a.

**ignifuger*** *vt* ignifugar.

**ignition** *f* ignición.

**ignoble** *a (action, personne)* innoble, vil, despreciable, abyecto, a: **un ~ individu** un individuo abyecto.

**ignoblement** *adv* de manera innoble, abyecta.

**ignominie** *f* ignominia, canallada.

**ignominieusement** *adv* ignominiosamente.

**ignominieux, euse** *a* ignominioso, a.

**ignorance** *f* ignorancia: **tenir quelqu'un dans l'~ de quelque chose** mantener a alguien en la ignorancia de algo; **~ crasse** → **crasse.**

**ignorant, e** *a/s* **1.** ignorante **2. faire l'~** hacerse de nuevas.

**ignoré, e** *a* ignorado, a, desconocido, a.

**ignorer** *vt* ignorar, desconocer, no saber: **j'ignore tout de cette affaire** no sé nada de este asunto; **on ignore les causes de l'incendie** se desconocen las causas del incendio. ◆ **s'~** *vpr* desconocerse.

**iguane** *m* iguana *f.*

**il, ils** *pron pers m* él, ellos (généralement omis, servent a insister): **~ arriva en personne** llegó él en persona; **ils sont jeunes** son jóvenes; **sont-ils arrivés?** ¿han llegado?. ◇ *pron impers* (ne se traduit pas): **~ paraît que** parece que; **~ neige** nieva; **~ est dix heures** son las diez; **~ est vrai** es verdad.

**île** *f* **1.** isla **2. ~ flottante** postre *m* hecho con natillas y claras de huevo batidas a punto de nieve.

**iléon** *m ANAT* íleon.

**Iliade** *np f* Ilíada.

**iliaque** *a ANAT* ilíaco, a: **os ~** hueso ilíaco; **fosse ~** fosa ilíaca.

**ilion** *m ANAT* ilion.

**illégal, e** *a* ilegal.

**illégalement** *adv* ilegalmente.

**illégalité** *f* ilegalidad.

**illégitime** *a* ilegítimo, a.

**illégitimité** *f* ilegitimidad.

**illettré, e** *a/s* iletrado, a, analfabeto, a.

**illicite** *a* ilícito, a.

**illico** *adv FAM* en el acto, enseguida, inmediatamente.

**illimité, e** *a* ilimitado, a.

**illisible** *a* ilegible.

**illogique** *a* ilógico, a.

**illogisme** *m* falta *f* de lógica.

**illumination** *f* **1.** iluminación: **les illuminations de la place** las iluminaciones de la plaza **2.** *FIG* inspiración, idea genial.

**illuminé, e** *a/s* iluminado, a.

**illuminer** *vt* iluminar. ◆ **s'~** *vpr* iluminarse, inundarse de luz: **son visage s'illumina** se le iluminó la cara.

**illuminisme** *m* iluminismo.

**illusion** *f* ilusión: **~ d'optique** ilusión óptica ◊ **faire ~** dar, crear ilusión. ◇ *pl* **se faire des illusions** forjarse, hacerse ilusiones; **perdre ses illusions** desengañarse, perder las ilusiones; **se nourrir d'illusions** vivir de ilusiones.

**illusionner** *vt* ilusionar. ◆ **s'~** *vpr* ilusionarse, forjarse ilusiones, hacerse ilusiones.

**illusionniste** *m* ilusionista, prestidigitador.

**illusoire** *a* ilusorio, a.

**illustrateur, trice** *s* ilustrador, a.

**illustration** *f* ilustración.

**illustre** *a* ilustre ◊ *FAM* **un ~ inconnu** un ilustre desconocido.

**illustré** *m* **1.** revista *f* ilustrada **2.** *(pour enfants)* tebeo.

**illustrer** *vt* ilustrar. ◆ **s'~** *vpr* hacerse ilustre.

**Illyrie** *np f* Iliria.

**illyrien, enne** *a* ilírico, a, ilirio, a.

**îlot** *m* **1.** *(île)* islote **2.** *(de maisons)* manzana *f* **3. ~ de verdure** isla *f* de árboles **4. ~ de résistance** núcleo de resistencia.

**ilote** *m HIST* ilota.

**image** *f* **1.** imagen: **Dieu créa l'homme à son ~** Dios creó al hombre a su imagen; **à l'~ de** a imagen y semejanza de **2.** *(illustration)* estampa, estampita: **~ pieuse** estampa religiosa; **livre d'images** libro con ilustraciones ◊ **~ d'Épinal** aleluya; *FIG* **sage comme une ~** bueno como un ángel; **être l'~ même de la désolation** ser la estampa misma, la viva imagen de la desolación **3.** imagen: **style riche en images** estilo rico en imágenes **4. ~ de marque** imagen de marca.

**imagé, e** *a* **1.** lleno, a de imágenes **2.** gráfico, a: **un style très ~** un estilo muy gráfico.

**imagerie** *f* **1.** colección de estampas **2. l'~ populaire** las estampas populares **3.** *MÉD* **~ médicale** diagnóstico *m.* por la imagen.

**imagier** *m* fabricante de estampas.

**imaginable** *a* imaginable ◊ **difficilement ~** difícil de imaginar.

**imaginaire** *a* **1.** imaginario, a **2. malade ~** enfermo de aprensión. ◇ *m* **l'~** lo imaginario.

**imaginatif, ive** *a/s* imaginativo, a.

**imagination** *f* imaginación: **~ créatrice** imaginación creadora.

**imaginer** *vt* **1.** imaginar: **tu ne peux pas ~ à quel point je le regrette** no te puedes imaginar lo mucho que lo siento; **imaginez que...** imagínese usted que... **2.** *(inventer)* idear **3.** suponer: **vous plaisantez, j'imagine** supongo, me imagino que habla en broma. ◆ **s'~** *vpr* imaginarse, figurarse: **je me l'imaginais plus grand** me lo figuraba más alto; **tu t'imagines!** ¡figúrate!; **il s'imagine qu'il sait tout** cree que lo sabe todo.

**imam** [imam] *m* imán.

**imbattable** *a* invencible, imbatible.

**imbécile** *a/s* imbécil, idiota.

**imbécillité** *f* imbecilidad. ◇ *pl* imbecilidades, tonterías.

**imberbe** *a* imberbe.

**imbiber** *vt* embeber, empapar: **~ d'eau** empapar en, de agua; **coton imbibé d'éther** algodón empapado en éter. ◆ **s'~** *vpr* embeberse, empaparse ◊ *FAM* **imbibé (de vin, d'alcool)** borracho.

**imbrication** *f* imbricación.
**imbriqué, e** *a* imbricado, a.
**imbriquer (s')** *vpr* **1.** imbricarse **2.** *FIG* entrelazarse, religarse.
**imbroglio** [ɛ̃bʀɔljo] *m* embrollo, lío.
**imbu, e** *a* poseído, a, imbuido, a: **il est très ~ de sa supériorité** está muy poseído de su superioridad ◊ **très ~ de sa personne** muy creído de sí mismo, muy pagado de sí mismo.
**imbuvable** *a* **1.** imbebible **2.** *FAM (personne)* insoportable.
**imitable** *a* imitable.
**imitateur, trice** *a/s* imitador, a.
**imitatif, ive** *a* imitativo, a: **harmonie ~** armonía imitativa.
**imitation** *f* **1.** imitación: **bijou en ~** joya de imitación; **sac ~ croco** bolso imitación de cocodrilo; **manteau ~ astrakan** abrigo imitación astracán **2. à l'~ de** a imitación de.
**imiter** *vt* imitar.
**immaculé, e** *a* inmaculado, a. ◇ *npf* **l'Immaculée Conception** la Inmaculada Concepción.
**immanence** *f* inmanencia.
**immanent, e** *a* inmanente.
**immangeable** [ɛ̃mɑ̃ʒabl(ə)] *a* incomible.
**immanquable** *a* infalible, indefectible.
**immanquablement** *adv* infaliblemente.
**immarcescible** *a* inmarcesible.
**immariable** *a* incasable.
**immatérialité** *f* inmaterialidad.
**immatériel, elle** *a* inmaterial.
**immatriculation** *f* **1.** matriculación, matrícula **2. plaque d'~, numéro d'~** matrícula *f.*
**immatriculer** *vt* matricular ◊ **voiture immatriculée en Dordogne**, coche con matrícula de Dordogne.
**immature** *a* inmaduro, a.
**immaturité** *f* inmadurez, falta de madurez.
**immédiat, e** *a* inmediato, a. ◇ *m* **dans l'~** por ahora, por el momento.
**immédiatement** *a* inmediatamente.
**immémorial, e** *a* inmemorial: **depuis des temps immémoriaux** desde tiempos inmemoriales.
**immense** *a* inmenso, a.
**immensément** *adv* **1.** inmensamente **2. il est ~ riche** es inmensamente rico, es riquísimo.
**immensité** *f* inmensidad.
**immerger** *vt* sumergir. ◆ **s'~** *vpr* sumergirse.
**immérité, e** *a* inmerecido, a.
**immersion** *f* inmersión.
**immettable** *a* que no se puede poner: **cette vieille robe est ~** este vestido viejo ya no me lo puedo poner.
**immeuble** *a* inmueble: **biens immeubles** bienes inmuebles. ◇ *m* inmueble, edificio: **un ~ de six étages** un edificio de seis pisos; **~ de rapport** edificio con viviendas de alquiler.
**immigrant, e** *a/s* inmigrante.
**immigration** *f* inmigración.
**immigré, e** *a/s* inmigrado, a.
**immigrer** *vi* inmigrar.
**imminence** *f* inminencia.
**imminent, e** *a* inminente.
**immiscer (s')** *vpr* inmiscuirse, meterse, entrometerse: **s'~ dans les affaires d'autrui** entrometerse en los asuntos ajenos.
**immixtion** *f* intromisión.
**immobile** *a* inmóvil: **rester ~** permanecer inmóvil.
**immobilier, ère** *a* **1.** inmobiliario, a: **agence immobilière** agencia inmobiliaria **2. société immobilière** inmobiliaria. ◇ *m* **l'~** el sector inmobiliario.
**immobilisation** *f* inmovilización.
**immobiliser** *vt* inmovilizar. ◆ **s'~** *vpr* inmovilizarse.
**immobilisme** *m* inmovilismo.
**immobilité** *f* inmovilidad.
**immodéré, e** *a* inmoderado, a, excesivo, a.
**immodérement** *adv* inmoderadamente.
**immodeste** *a* inmodesto, a.
**immodestie** *f* inmodestia, impudor *m.*
**immolation** *f* **1.** inmolación **2.** *FIG* sacrificio *m.*
**immoler** *vt* inmolar. ◆ **s'~** *vpr* sacrificarse, inmolarse.
**immonde** *a* inmundo, a.
**immondices** *f pl* inmundicia *sing.*
**immoral, e** *a* inmoral.
**immoralité** *f* inmoralidad.
**immortaliser** *vt* inmortalizar. ◆ **s'~** *vpr* inmortalizarse.
**immortalité** *f* inmortalidad.
**immortel, elle** *a* inmortal. ◇ *m FAM (académicien)* miembro de la Academia Francesa. ◇ *f (plante)* siempreviva, perpetua.
**immotivé, e** *a* inmotivado, a.
**immuable** *a* inmutable.
**immunisation** *f* inmunización.
**immuniser** *vt* **1.** inmunizar **2.** *FIG* **être immunisé contre** estar inmunizado contra.
**immunitaire** *a MÉD* inmunitario, a.
**immunité** *f* **1.** *MÉD* inmunidad **2. ~ diplomatique, parlementaire** inmunidad diplomática, parlamentaria.
**immunodéficience** *f MÉD* inmunodeficiencia.
**immunologie** *f* inmunología.
**immunothérapie** *f* inmunoterapia.
**immutabilité** *f* inmutabilidad.
**impact** [ɛ̃pakt] *m* impacto ◊ **point d'~** impacto.
**impair, e** *a* impar: **nombre ~** número impar. ◇ *m FIG* pifia *f,* torpeza *f:* **commettre un ~** cometer una pifia, meter la pata.
**impalpable** *a* impalpable.
**imparable** *a (un coup)* imposible de evitar.
**impardonnable** *a* imperdonable.
**imparfait, e** *a* imperfecto, a. ◇ *m GRAM* pretérito imperfecto.
**impartial, e** *a* imparcial.
**impartialement** *adv* imparcialmente.
**impartialité** *f* imparcialidad.
**impartir** *vt* conceder, otorgar: **délai imparti** plazo otorgado, fijado.
**impasse** *f* **1.** callejón *m* sin salida: **habiter dans une ~** vivir en un callejón sin salida **2.** *FIG* **la situation est dans une ~** la situación está en un callejón sin salida, en un punto muerto; **aboutir à une ~** llegar a un punto muerto **3. ~ budgétaire** déficit *m* del presupuesto **4.** *(bridge)* impás *m,* impasse *m* **5.** *FAM* **faire l'~ sur une matière du programme** no estudiar una asignatura.
▶ Le gallicisme «impasse», au masculin, s'emploie parfois en espagnol dans le sens 2.
**impassibilité** *f* impasibilidad.

**impassible** *a* impasible.

**impatiemment** [ɛ̃pasjamɑ̃] *adv* impacientemente.

**impatience** *f* impaciencia ◊ **je brûle d'~ de connaître la nouvelle** ardo por conocer la noticia.

**impatiens** [ɛ̃pasjɑ̃s] *f* balsamina.

**impatient, e** *a* impaciente: **être ~ de savoir** estar impaciente por saber. ◇ *f (plante)* balsamina.

**impatienter** *vt* impacientar. ◆ **s'~** *vpr* impacientarse.

**impavide** *a* impávido, a.

**impayable** [ɛ̃pɛjabl(ə)] *a* **1.** impagable, inapreciable **2.** *FIG (comique)* muy divertido, a, graciosísimo, a ◊ **cet imitateur est ~** este imitador es la monda.

**impayé, e** *a* impagado, a, no pagado, a. ◇ *m COM* impagado.

**impeccabilité** *f* impecabilidad.

**impeccable** *a* impecable.

**impeccablement** *adv* impecablemente.

**impécuniosité** *f* falta de recursos.

**impédance** *f ÉLECT* impedancia.

**impedimenta** *m pl* impedimenta *f sing.*

**impénétrable** *a* **1.** impenetrable **2.** *FIG (mystère, visage)* impenetrable.

**impénitence** *f* impenitencia.

**impénitent, e** *a* impenitente, empedernido, a: **fumeur ~** fumador empedernido.

**impensable** *a* impensable, inconcebible.

**imper** [ɛ̃pɛʀ] *m FAM* impermeable.

**impératif, ive** *a* imperativo, a. ◇ *m* **1.** *GRAM* imperativo **2.** imperativo, necesidad *f*, obligación *f*.

**impératrice** *f* emperatriz.

**imperceptible** *a* imperceptible: **un sourire ~** una sonrisa imperceptible.

**imperceptiblement** *adv* imperceptiblemente.

**imperdable** *a* imperdible.

**imperfection** *f* imperfección.

**impérial, e** *a* imperial.

**impériale** *f* **1.** *(d'un véhicule)* imperial ◊ **autobus à ~** autobús de dos pisos **2.** *(barbe)* perilla.

**impérialisme** *m* imperialismo.

**impérialiste** *a/s* imperialista.

**impérieusement** *adv* imperiosamente.

**impérieux, euse** *a* **1.** *(ton, etc.)* imperioso, a **2.** **un besoin ~** una necesidad imperiosa.

**impérissable** *a* imperecedero, a.

**impéritie** [ɛ̃peʀisi] *f* impericia.

**imperméabilisation** *f* impermeabilización.

**imperméabiliser** *vt* impermeabilizar.

**imperméabilité** *f* impermeabilidad.

**imperméable** *a/m* impermeable.

**impersonnalité** *f* impersonalidad.

**impersonnel, elle** *a* impersonal.

**impertinence** *f* impertinencia.

**impertinent, e** *a/s* impertinente.

**imperturbable** *a* imperturbable, impertérrito, a.

**imperturbablement** *adv* imperturbablemente.

**impétigo** *m MÉD* impétigo.

**impétrant, e** *a/s* impetrador, a.

**impétueusement** *adv* impetuosamente.

**impétueux, euse** *a* impetuoso, a.

**impétuosité** *f* impetuosidad, ímpetu *m*.

**impie** *a/s* impío, a.

**impiété** *f* impiedad.

**impitoyable** [ɛ̃pitwajabl(ə)] *a* despiadado, a.

**impitoyablement** *adv* despiadadamente, sin piedad.

**implacable** *a* implacable.

**implacablement** *adv* implacablemente.

**implant** *m MÉD* implante.

**implantation** *f* **1.** implantación **2.** *MÉD* implantación **3.** *(de réfugiés, etc.)* asentamiento *m*.

**implanter** *vt* implantar. ◆ **s'~** *vpr* implantarse.

**implication** *f* implicación.

**implicite** *a* implícito, a.

**implicitement** *adv* implícitamente.

**impliquer** *vt* **1.** *(entraîner comme conséquence)* implicar, conllevar **2.** *(mêler)* implicar, involucrar: **être impliqué dans une affaire louche** estar involucrado en un asunto poco limpio.

**implorant, e** *a* suplicante.

**imploration** *f* imploración.

**implorer** *vt* implorar.

**imploser** *vi* hacer implosión.

**implosif, ive** *a* implosivo, a.

**implosion** *f* implosión.

**impoli, e** *a/s* descortés, mal educado, a, incivil.

**impoliment** *adv* descortésmente.

**impolitesse** *f* **1.** descortesía, falta de educación, incivilidad **2.** *(acte, parole)* grosería.

**impondérable** *a* imponderable. ◇ *m pl* imponderables.

**impopulaire** *a* impopular.

**impopularité** *f* impopularidad.

[1]**importable** *a COM* importable.

[2]**importable** *a (vêtement)* imposible de llevar.

**importance** *f* **1.** importancia: **attacher de l'~ à** conceder, dar importancia a; **cela n'a aucune ~** no tiene ninguna importancia ◊ **quelle ~?** ¿qué importa? **2. d'~** de importancia, importante; **l'erreur est d'~** el error es grave.

**important, e** *a* **1.** importante **2. il est ~ que...** conviene que..., es importante que... ◇ *m* **1. l'~ est...** lo importante es... **2. faire l'~** dárselas, presumir de importante, darse tono.

**importateur, trice** *a/s* importador, a.

**importation** *f* importación: **licence d'~** licencia de importación; **le volume des importations** el volumen de importaciones.

[1]**importer** *vt* importar: **~ du pétrole, une mode** importar petróleo, una moda.

[2]**importer** *vi* importar, tener importancia: **la seule chose qui importe** lo único que importa; **peu m'importe votre opinion** me importa poco su opinión. ◇ *v impers* **1. il importe de le faire** es importante hacerlo **2. n'importe** no importa; **qu'importe!** ¡tanto da!; **peu importe!** ¡qué importa! **3.** *loc adv* **n'importe comment** de cualquier modo; **n'importe où** donde quiera, en cualquier lugar; **n'importe quand** en cualquier momento. ◇ *a indéf* **n'importe quel jour** cualquier día; **à n'importe quel prix** a cualquier precio, al precio que sea. ◇ *pron indéf* **1. n'importe qui** cualquiera: **ça peut arriver à n'importe qui** a cualquiera puede sucederle; **n'importe quoi** cualquier cosa, lo que sea:

**dire n'importe quoi** decir cualquier cosa, decir disparates; **prends un gâteau, n'importe lequel** toma un pastel, cualquiera **2.** *FAM* **ce n'est pas n'importe qui** no es un cualquiera.

**import-export** *m COM* importación y exportación *f*.

**importun, e** *a/s* importuno, a, pesado, a.

**importuner** *vt* importunar, molestar.

**importunité** *f* importunidad.

**imposable** *a* imponible.

**imposant, e** *a* imponente.

**imposé, e** *a* impuesto, a: **prix ~** precio impuesto.

**imposer** *vt* **1.** *(taxer)* someter a, gravar con un impuesto **2.** imponer: **~ une loi** imponer una ley; **~ le silence** imponer silencio **3. en ~** imponer, impresionar: **sa gravité en impose** su gravedad impone, impresiona **4. ~ les mains** imponer las manos. ◆ **s'~** *vpr* **1.** imponerse: **s'~ des sacrifices** imponerse sacrificios; **elle s'est imposée par son talent** se ha impuesto por su talento **2. cette visite s'impose** esta visita es indispensable; **beaucoup de prudence s'impose** mucha prudencia es necesaria.

**imposition** *f* **1.** imposición **2.** *(impôt)* tributación.

**impossibilité** *f* imposibilidad: **être dans l'~ de...** estar en la imposibilidad de...

**impossible** *a* **1.** imposible: **il m'est ~ de venir** me es imposible venir **2.** insoportable: **un enfant ~** un niño insoportable **3. rendre la vie ~** hacer la vida imposible: **il lui rendait la vie ~** le hacía la vida imposible. ◇ *m* **1.** lo imposible: **faire l'~** hacer lo imposible; **demander l'~** pedir imposibles **2. si, par ~, je gagne** si, cosa imposible, gano, si, por rara casualidad, gano **3.** *PROV* **à l'~ nul n'est tenu** a lo imposible nadie está obligado.

**imposte** *f ARCH* imposta.

**imposteur** *m* impostor, a.

**imposture** *f* impostura.

**impôt** *m* **1.** impuesto: **~ sur le revenu** impuesto sobre la renta; **~ sur le capital** impuesto sobre el patrimonio; **~ sur les sociétés** impuesto sobre sociedades; **~ foncier** contribución *f* territorial rústica; **~ sur les grandes fortunes** tributación *f* a las grandes fortunas ◊ **faire sa déclaration d'impôts** hacer la declaración de la renta; **assiette de l'~** base imponible **2. l'~ du sang** el servicio militar.

**impotence** *f* invalidez.

**impotent, e** *a/s* tullido, a, lisiado, a, imposibilitado, a.

**impraticable** *a* **1.** impracticable **2.** *(chemin)* intransitable.

**imprécation** *f* imprecación: **proférer des imprécations** proferir imprecaciones.

**imprécis, e** *a* impreciso, a.

**imprécision** *f* imprecisión, vaguedad.

**imprégnation** *f* impregnación.

**imprégner*** *vt* **1.** impregnar **2.** *FIG* imbuir. ◆ **s'~** *vpr* impregnarse, imbuirse: **s'~ d'une idée** imbuirse de una idea.

**imprenable** *a* **1.** inexpugnable, inatacable: **une place forte ~** una plaza fuerte inexpugnable **2. vue ~** vista que no ocultará ninguna construcción.

**imprésario** *m* empresario.

**imprescriptible** *a* imprescriptible.

**impression** *f* **1.** impresión: **il m'a fait bonne ~** me ha causado buena impresión; **échanger des impressions** cambiar impresiones ◊ **j'ai l'~ que...** tengo la impresión de que..., tengo la sensación de que..., me da la sensación de que..., me parece que... **2.** *(imprimerie)* impresión ◊ **faute d'~** error de imprenta; **livre à l'~** libro en prensa **3.** *(textiles)* estampación **4.** *TECHN (apprêt)* imprimación.

**impressionnable** *a* impresionable.

**impressionnant, e** *a* impresionante.

**impressionner** *vt* **1.** *(photo)* impresionar **2.** *FIG* impresionar: **se laisser ~** dejarse impresionar.

**impressionnisme** *m* impresionismo.

**impressionniste** *a/s* impresionista.

**imprévisible** *a* imprevisible.

**imprévision** *f* imprevisión.

**imprévoyance** [ɛ̃pʀevwajɑ̃s] *f* imprevisión.

**imprévoyant, e** *a/s* imprevisor, a.

**imprévu, e** *a* imprevisto, a. ◇ *m* **un ~** un imprevisto; **sauf ~** salvo imprevisto; **en cas d'~** en el caso de que ocurriera un imprevisto.

**imprimable** *a* imprimible.

**imprimante** *f* impresora: **~ (à) laser, à jet d'encre** impresora láser, de inyección de tinta.

**imprimatur** [ɛ̃pʀimatyʀ] *m inv* imprimátur.

**imprimé, e** *a* **1.** impreso, a: **livre ~ en Espagne** libro impreso en España **2.** *(tissu)* estampado, a. ◇ *m* **1.** *(journal, etc.)* impreso **2.** *(tissu)* estampado: **robe en ~ à fleurs** vestido estampado con flores.

**imprimer** *vt* **1.** *(un texte, etc.)* imprimir **2. se faire ~** hacerse editar **3.** *(tissu)* estampar **4.** *(d'une couche de peinture)* imprimar **5.** *FIG (peur, crainte)* infundir. ◆ **s'~** *vpr* imprimirse.
▶ Participe passé irrég.: *impreso.*

**imprimerie** *f* imprenta ◊ **caractères d'~** letras de molde.

**imprimeur** *m* impresor.

**improbabilité** *f* improbabilidad.

**improbable** *a* improbable.

**improductif, ive** *a* improductivo, a.

**impromptu, e** *a (visite, etc.)* improvisado, a, repentino, a. ◇ *adv* improvisadamente, sin preparación, de improviso. ◇ *m* **1.** *LITT* improvisación *f* **2.** *MUS* impromptu.

**imprononçable** *a* impronunciable.

**impropre** *a* impropio, a, inadecuado, a: **mot ~** palabra impropia; **~ à la consommation** impropio para el consumo.

**improprement** *adv* impropiamente.

**impropriété** *f* impropiedad.

**improvisateur, trice** *a/s* improvisador, a, repentista.

**improvisation** *f* **1.** improvisación **2.** *MUS* improvisación.

**improviser** *vt/i* improvisar: **~ un discours** improvisar un discurso. ◆ **s'~** *vpr* **on ne s'improvise pas maçon** uno no se hace albañil así como así, sin que sea su oficio.

**improviste (à l')** *loc adv* de improviso: **prendre quelqu'un ~** coger a alguien de improviso.

**imprudemment** [ɛ̃pʀydamɑ̃] *adv* imprudentemente.

**imprudence** *f* imprudencia.

**imprudent, e** *a/s* imprudente.

**impubère** *a/s* impúber.

**impubliable** *a* impublicable.

**impudemment** [ɛ̃pydamɑ̃] *adv* descaradamente.

**impudence** *f* impudencia.

**impudent, e** *a/s* impudente.

**impudicité** *f* impudicia, deshonestidad.

**impudique** *a/s* impúdico, a.

**impuissance** *f* impotencia.

**impuissant, e** *a* impotente: **il se sentit ~ face à la situation** se sintió impotente frente a la situación. ◇ *a/m MÉD* impotente.

**impulsif, ive** *a/s* impulsivo, a.

**impulsion** *f* **1.** impulso *m* **2. agir sous l'~ de la colère** actuar bajo el efecto de la cólera.

**impulsivité** *f* impulsividad.

**impunément** *adv* impunemente.

**impuni, e** *a* impune.

**impunité** *f* impunidad.

**impur, e** *a* impuro, a.

**impureté** *f* impureza.

**imputable** *a* **1. ~ à** imputable a, achacable a **2.** *(somme, etc.)* imputable.

**imputation** *f* imputación.

**imputer 1.** *vt (attribuer)* **~ à** imputar a, achacar a **2.** *(somme, dépense, etc.)* imputable.

**imputrescible** *a* imputrescible.

**inabordable** *a* **1.** *(un lieu)* inabordable **2.** *(une personne)* inabordable, inaccesible **3.** *(très cher)* carísimo, a: **le saumon est ~** el salmón es carísimo.

**inaccentué, e** *a* inacentuado, a.

**inacceptable** *a* inaceptable.

**inaccessible** *a* **1.** inaccesible, inasequible **2.** insensible: **~ à la musique** insensible a la música.

**inaccompli, e** *a* incumplido, a.

**inaccoutumé, e** *a* desacostumbrado, a, insólito, a.

**inachevé, e** *a* sin terminar, sin acabar, inconcluso, a: **un tableau ~** un cuadro sin terminar ◊ **la «Symphonie inachevée de Schubert»** la «Sinfonía inacabada» de Schubert.

**inachèvement** *m* estado de algo sin terminar.

**inactif, ive** *a* inactivo, a.

**inaction** *f* inacción.

**inactivité** *f* **1.** inactividad **2. fonctionnaire en ~** funcionario cesante.

**inactuel, elle** *a* no actual.

**inadaptation** *f* inadaptación.

**inadapté, e** *a/s* inadaptado, a.

**inadéquat, e** [inadekwa, at] *a* inadecuado, a.

**inadéquation** *f* inadecuación.

**inadmissible** *a* inadmisible.

**inadvertance** *f* inadvertencia, descuido *m* ◊ **par ~** por inadvertencia.

**inaliénabilité** *f* inalienabilidad.

**inaliénable** *a* inalienable.

**inaltérabilité** *f* inalterabilidad.

**inaltérable** *a* inalterable.

**inaltéré, e** *a* inalterado, a, sin alteración.

**inamical, e** *a* hostil, poco amistoso, a.

**inamovibilité** *f* inamovilidad.

**inamovible** *a* inamovible.

**inanimé, e** *a* **1.** inanimado, a **2. tomber ~** perder el conocimiento.

**inanité** *f* inanidad.

**inanition** *f* inanición ◊ **tomber d'~** desfallecer de inanición.

**inapaisable** *a* imposible de aplacar, de apaciguar.

**inaperçu, e** *a* inadvertido, a, desapercibido, a: **passer ~** pasar desapercibido, pasar inadvertido; **son départ est passé ~** su salida pasó desapercibida.

**inappétence** *f* inapetencia.

**inapplicable** *a* inaplicable.

**inapplication** *f* **1.** *(d'un élève)* desaplicación **2.** *(d'une loi, etc.)* no aplicación.

**inappliqué, e** *a* **1.** *(un élève)* desaplicado, a **2.** *(non mis en pratique)* inaplicado, a.

**inappréciable** *a* inapreciable.

**inapprivoisable** *a* indomesticable.

**inapprivoisé, e** *a* indoméstico, a.

**inapte** *a/s* **1.** no apto, a, incapaz: **~ à gérer cette entreprise** no apto para administrar esta empresa **2. ~ au service militaire** no apto para el servicio militar.

**inaptitude** *f* incapacidad, ineptitud.

**inarticulé, e** *a* inarticulado, a.

**inassimilable** *a* inasimilable.

**inassouvi, e** *a* no saciado, a, insatisfecho, a: **désir ~** deseo insatisfecho.

**inassouvissement** *m* insaciabilidad *f*.

**inattaquable** *a* **1.** inatacable **2.** *(argument)* irrebatible, irrefutable.

**inattendu, e** *a* inesperado, a. ◇ *m* **l'~** lo inesperado.

**inattentif, ive** *a* desatento, a, distraído, a, descuidado, a: **élève ~** alumno desatento.

**inattention** *f* descuido *m*, distracción, desatención: **faute d'~** error por descuido; **un moment d'~** un momento de descuido.

**inaudible** *a* inaudible.

**inaugural, e** *a* inaugural.

**inauguration** *f* inauguración ◊ **discours d'~** discurso inaugural.

**inaugurer** *vt (un monument, une mode, etc.)* inaugurar.

**inauthenticité** *f* falta de autenticidad.

**inauthentique** *a* no auténtico, a.

**inavouable** *a (honteux)* inconfesable, vergonzoso, a.

**inavoué, e** *a* no confesado, a.

**inca** *a* inca, incaico, a: **l'Empire ~** el Imperio inca. ◇ *s* inca.

**incalculable** *a* incalculable.

**incandescence** *f* incandescencia.

**incandescent, e** *a* incandescente.

**incantation** *f* **1.** encantamiento *m*, hechizo *m* **2.** fórmulas *pl* mágicas.

**incantatoire** *a* encantador, a, mágico, a: **formule ~** fórmula mágica.

**incapable** *a/s* **1.** incapaz: **il est ~ de faire ce travail** es incapaz de hacer este trabajo **2. c'est un ~** es un incapaz, un cero a la izquierda.

**incapacité** *f* **1.** incapacidad: **être dans l'~ de...** estar en la incapacidad de... **2. ~ de travail** inhabilitación para el trabajo.

**incarcération** *f* encarcelamiento *m*.

**incarcérer*** *vt* encarcelar.

**incarnat, e** *a/m* encarnado, a, rosicler.

**incarnation** *f* **1.** encarnación **2.** RELIG **l'Incarnation** la Encarnación.

**incarné, e** *a* **1. ongle ~** uña encarnada **2.** FAM **il est le mensonge ~** es la mentira personificada; **c'est le diable ~** es el diablo en persona.

**incarner** *vt* encarnar: **~ un idéal** encarnar un ideal. ◆ **s'~** *vpr* encarnarse.

**incartade** *f* **1.** *(de conduite)* locura, extravagancia, extravío *m*: **faire des incartades** cometer extravíos **2.** *(écart d'un cheval)* espantada, extraño *m*.

**incasique** *a* incaico, a.

**incassable** *a* irrompible.

**incendiaire** *a (bombe, discours, etc.)* incendiario, a. ◇ *s (personne)* incendiario, a.

**incendie** *m* incendio: **~ criminel, volontaire** incendio intencionado; **~ de forêt** incendio forestal.

**incendier*** *vt* **1.** incendiar **2.** *FIG* caldear, excitar **3.** *POP* insultar: **se faire ~** ser insultado.

**incertain, e** *a* **1.** incierto, a, dudoso, a: **le résultat est ~** el resultado no es seguro **2.** *(temps)* variable, incierto, a **3.** *(peu net)* impreciso, a, vago, a **4.** *(hésitant)* indeciso, a, perplejo, a.

**incertitude** *f* incertidumbre: **être dans l'~** estar en la incertidumbre, en la duda.

**incessamment** *adv (bientôt)* muy pronto, sin tardar, en seguida.

**incessant, e** *a* incesante.

**incessible** *a* intransferible.

**inceste** *m* incesto.

**incestueux, euse** *a/s* incestuoso, a.

**inchangé, e** *a* sin cambiar, igual, mismo, a: **la situation reste inchangée** la situación sigue siendo la misma.

**inchauffable** *a* que no se puede calentar.

**inchoatif, ive** [ɛ̃kɔatif, iv] *a GRAM* incoativo, a: **verbe ~** verbo incoativo.

**incidemment** [ɛ̃sidamɑ̃] *adv* incidentemente, accidentalmente.

**incidence** *f* **1.** *GÉOM* incidencia: **angle d'~** ángulo de incidencia **2.** *FIG* repercusión ◊ **avoir une ~ sur** incidir sobre.

**incident, e** *a* **1.** incidente **2.** *(remarque, proposition)* incidental. ◇ *m* incidente: **voyage sans ~** viaje sin incidente ◊ **~ technique** dificultad *f* técnica, avería *f*; **~ de parcours** → **parcours.**

**incinération** *f* incineración.

**incinérer*** *vt* incinerar.

**incinérateur** *m* incinerador.

**incise** *f* inciso *m.*

**inciser** *vt* **1.** hacer una incisión en, incidir en, cortar **2.** *(un abcès)* sajar **3.** *(un arbre)* entallar.

**incisif, ive** *a* incisivo, a. ◇ *f (dent)* incisivo *m.*

**incision** *f* incisión.

**incitation** *f* incitación.

**inciter** *vt* **1.** incitar: **~ à** incitar a **2. ~ à la révolte** incitar, instigar a la rebelión.

**incivil, e** *a* incivil.

**incivilité** *f* incivilidad.

**incivisme** *m* falta *f* de civismo.

**inclassable** *a* inclasificable.

**inclémence** *f* inclemencia, rigor *m.*

**inclément, e** *a* inclemente.

**inclinable** *a* abatible, reclinable.

**inclinaison** *f* **1.** *(d'un mur, en astronomie, etc.)* inclinación: **~ magnétique** inclinación magnética **2.** *(d'une route, etc.)* declive *m.*

**inclination** *f* **1.** inclinación, propensión: **avoir une ~ à mentir** tener propensión a mentir **2.** afecto *m*, amor *m*: **mariage d'~** casamiento de amor **3.** inclinación: **une légère ~ de la tête** una leve inclinación de la cabeza.

**incliner** *vt* inclinar. ◇ *vi* inclinarse: **j'incline à croire** me inclino a creer. ◆ **s'~** *vpr* **1.** inclinarse: **s'~ devant...** inclinarse ante... **2.** *FIG* **j'ai dû m'~** tuve que inclinarme.

**inclure*** *vt* incluir.

**inclus, e** *a* **1.** incluso, a, incluido, a **2.** inclusive: **jusqu'à mardi ~** hasta el martes inclusive **3. ci-~** adjunto, a: **ci-~ les lettres que...** adjunto las cartas que...; **la lettre ci-incluse** la carta adjunta; **nous vous remettons ci-inclus(e) la liste...** le remitimos adjunta la lista...
▶ *Adjunto, a* s'accorde avec le mot auquel il se rapporte (cf. le dernier exemple).

**inclusif, ive** *a* inclusivo, a.

**inclusion** *f* inclusión.

**inclusivement** *adv* inclusivamente, inclusive.

**incoercible** *a* incoercible.

**incognito** [ɛ̃kɔpɲito] *adv* de incógnito: **voyager ~** viajar de incógnito. ◇ *m* incógnito: **garder l'~** guardar el incógnito.

**incohérence** *f* incoherencia.

**incohérent, e** *a* incoherente.

**incollable** *a* **1.** *FAM* que contesta a todas las pegas: **il est ~ en histoire** en materia de historia, no hay nadie tan entendido como él **2.** *(riz)* que no se pega.

**incolore** *a* incoloro, a.

**incomber** *vi/impers* incumbir: **c'est à vous qu'il incombe de...** a usted le incumbe...; **il incombe au notaire de...** incumbe al notario...

**incombustible** *a* incombustible.

**incommensurable** *a* inconmensurable.

**incommodant, e** *a* molesto, a, incómodo, a: **une odeur incommodante** un olor molesto.

**incommode** *a* **1.** incómodo, a: **position ~** postura incómoda **2.** *(gênant)* molesto, a.

**incommoder** *vt* **1.** *(gêner)* incomodar, molestar: **l'odeur du tabac l'incommodait** el olor a tabaco le molestaba **2.** *(rendre malade)* indisponer: **être incommodé** estar indispuesto.

**incommodité** *f* incomodidad, molestia.

**incommunicable** *a* incomunicable.

**incommutable** *a* inconmutable.

**incomparable** *a* incomparable.

**incomparablement** *adv* incomparablemente.

**incompatibilité** *f* incompatibilidad: **~ d'humeur** incompatibilidad de caracteres.

**incompatible** *a* incompatible: **c'est ~ avec** es incompatible con.

**incompétence** *f* **1.** incompetencia, ineptitud **2.** *JUR* incompetencia.

**incompétent, e** *a* incompetente.

**incomplet, ète** *a* incompleto, a.

**incompréhensible** *a* incomprensible.

**incompréhensif, ive** *a* incomprensivo, a.

**incompréhension** *f* incomprensión.

**incompressibilité** *f PHYS* incompresibilidad.

**incompressible** *a* **1.** *PHYS* incompresible **2.** *FIG* que no se puede reducir.

**incompris, e** *a/s* incomprendido, a: **un ~** un incomprendido.

**inconcevable** *a* inconcebible.

**inconciliable** *a* inconciliable.

**inconditionnel, elle** *a/s* incondicional: **adhésion inconditionnelle** adhesión incondicional; **les inconditionnels de...** los incondicionales de...

**inconditionnellement** *adv* incondicionalmente.

**inconduite** *f* mala conducta.

**inconfort** *m* incomodidad *f*.

**inconfortable** *a* inconfortable, incómodo, a: **un siège ~** un asiento incómodo.

**incongru, e** *a* incongruente.

**incongruité** *f* incongruencia.

**incongrûment** *adv* incongruentemente.

**inconnaissable** *a* incognoscible.

**inconnu, e** *a/s* desconocido, a ◊ *FAM* **~ au bataillon** totalmente desconocido. ◇ *m* **l'~** lo desconocido: **la peur de l'~** el miedo a lo desconocido. ◇ *f MATH* incógnita: **dégager l'inconnue** despejar la incógnita; **équation à deux inconnues** ecuación de dos incógnitas.

**inconsciemment** [ẽkɔ̃sjamɑ̃] *adv* inconscientemente.

**inconscience** *f* inconsciencia: **c'est de l'~!** ¡qué inconsciencia!

**inconscient, e** *a/s* inconsciente. ◇ *m (en psychologie)* **l'~** el inconsciente.

**inconséquence** *f* inconsecuencia.

**inconséquent, e** *a* inconsecuente.

**inconsidéré, e** *a* inconsiderado, a.

**inconsidérément** *adv* inconsideradamente, irreflexivamente.

**inconsistance** *f* inconsistencia.

**inconsistant, e** *a* inconsistente.

**inconsolable** *a* inconsolable.

**inconsolé, e** *a* desconsolado, a.

**inconsommable** *a* que no se puede comer, incomible.

**inconstance** *f* inconstancia.

**inconstant, e** *a/s* inconstante.

**inconstitutionnalité** *f* inconstitucionalidad.

**inconstitutionnel, elle** *a* inconstitucional.

**incontestable** *a* incontestable, indiscutible, incuestionable: **preuve ~** prueba indiscutible ◊ **il est ~ que...** es evidente que...

**incontestablement** *adv* indudablemente.

**incontesté, e** *a* indiscutible, indiscutido, a, inconcuso, a, incontestado, a: **chef ~** jefe indiscutible.

**incontinence** *f* incontinencia.

**incontinent, e** *a* incontinente. ◇ *adv (aussitôt)* incontinenti, enseguida.

**incontournable** *a* insoslayable, ineludible, inevitable.

**incontrôlable** *a* incontrolable, imposible de comprobar.

**incontrôlé, e** *a* descontrolado, a, clandestino, a.

**inconvenance** *f* inconveniencia.

**inconvenant, e** *a* **1.** *(choquant)* inconveniente **2.** indecente.

**inconvénient** *m* **1.** inconveniente: **je ne vois aucun ~ à...** no tengo ningún inconveniente en... ◊ **si vous n'y voyez pas d'~** si usted no tiene inconveniente, si a usted le parece bien; **je n'y vois pas d'~** no veo inconveniente en ello **2. les inconvénients du métier** los gajes del oficio.

**inconvertible** *a* inconvertible.

**incoordination** *f* incoordinación.

**incorporation** *f* incorporación.

**incorporel, elle** *a* incorpóreo, a, incorporal.

**incorporer** *vt* incorporar: **~ à, dans** incorporar a, con, en. ◆ **s'~** *vpr* incorporarse.

**incorrect, e** *a (faux, grossier)* incorrecto, a.

**incorrectement** *adv* incorrectamente, de modo incorrecto.

**incorrection** *f* incorrección.

**incorrigible** *a* incorregible.

**incorruptible** *a* incorruptible.

**incrédibilité** *f* incredibilidad.

**incrédule** *a/s* incrédulo, a.

**incrédulité** *f* incredulidad.

**incréé, e** *a* increado, a.

**increvable** *a* **1.** que no se pincha: **pneu ~** neumático que no se pincha **2.** *FIG FAM* incansable, infatigable: **il est ~!** ¡es incansable!

**incriminer** *vt* incriminar.

**incrochetable** *a (porte, coffre)* inviolable, que no se puede forzar.

**incroyable** [ẽkʀwajabl(ə)] *a* **1.** increíble **2. c'est ~!** ¡es increíble!, ¡parece mentira!; **c'est tout de même ~ que...!** ¡parece mentira que...!

**incroyance** *f* incredulidad, falta de fe.

**incroyant, e** *a/s* incrédulo, a, descreído, a.

**incrustation** *f* incrustación: **des incrustations d'ivoire** incrustaciones de marfil.

**incruster** *vt* incrustar: **~ de la nacre dans de l'ébène** incrustar nácar en ébano. ◆ **s'~** *vpr* **1.** incrustarse **2.** *FAM* pegarse ◊ **il s'est incrusté chez moi** se instaló en casa.

**incubateur** *m (appareil)* incubadora *f*.

**incubation** *f* incubación.

**incube** *m* íncubo.

**inculpation** *f* inculpación.

**inculpé, e** *a/s* acusado, a, procesado, a, reo, a.

**inculper** *vt* inculpar, culpar.

**inculquer** *vt* inculcar.

**inculte** *a* **1.** *(terre, personne)* inculto, a **2. barbe ~** barba enmarañada.

**incultivable** *a* incultivable.

**inculture** *f* incultura.

**incunable** *a/m* incunable.

**incurable** *a/s* incurable: **maladie ~** enfermedad incurable.

**incurie** *f* incuria, negligencia.

**incuriosité** *f* falta de curiosidad, de interés.

**incursion** *f* incursión, raid *m*.

**incurvation** *f* encorvamiento *m*, curvatura.

**incurvé, e** *a* curvo, a.

**incurver** *vt* encorvar. ◆ **s'~** *vpr* curvarse.

**Inde** *np f* India: **les Indes** las Indias.

**indéboulonnable** *a FAM* inamovible.

**indécemment** [ẽdesamɑ̃] *adv* indecentemente.

**indécence** *f* indecencia.

**indécent, e** *a/s* indecente.

**indéchiffrable** *a* indescifrable.

**indéchirable** *a* que no puede rasgarse, romperse.

**indécis, e** *a* **1.** indeciso, a: **il reste ~** permanece indeciso **2.** *(flou)* borroso, a. ◇ *s* **c'est un ~** es un indeciso.

**indécision** *f* indecisión.

**indéclinable** *a* indeclinable.

**indécollable** *a* que no puede despegarse.

**indécrottable** *a* **1.** que no se puede limpiar, quitar el barro **2.** *FIG FAM* incorregible: **il est ~** es incorregible.

**indéfectible** *a* indefectible.

**indéfendable** *a* indefendible.

**indéfini** *a* **1.** indefinido, a **2.** *GRAM* **passé ~** pretérito perfecto; **article ~** artículo indeterminado.

**indéfiniment** *adv* indefinidamente.

**indéfinissable** *a* indefinible.

**indéformable** *a* que no se puede deformar, indeformable.

**indéfrichable** *a* incultivable.

**indéfrisable** *f (coiffure)* permanente.

**indélébile** *a* indeleble.

**indélicat, e** *a* indelicado, a, desaprensivo, a.

**indélicatesse** *f* indelicadeza, falta de corrección.

**indémaillable** *a* indesmallable.

**indemne** [ɛ̃dɛmn(ə)] *a* indemne, ileso, a: **sortir ~ d'un accident** salir ileso de un accidente.

**indemnisation** *f* indemnización.

**indemniser** *vt* indemnizar: **~ les sinistrés** indemnizar a los damnificados.

**indemnité** *f* **1.** indemnidad, indemnización: **~ de licenciement** indemnización por despido **2.** dieta, subsidio *m*: **~ de déplacement** dieta de viaje; **~ de logement** subsidio de vivienda; **~ parlementaire** dietas *pl.*

**indémodable** *a* siempre de moda, que no se pasará de moda.

**indémontrable** *a* indemostrable.

**indéniable** *a* innegable, indiscutible, indudable: **il est ~ que...** es innegable que...; **preuve ~** prueba indiscutible.

**indéniablement** *adv* indiscutiblemente.

**indépendamment** *adv* **1.** independientemente **2. ~ de** independientemente de **3. ~ de cela** fuera de esto.

**indépendance** *f* independencia.

**indépendant, e** *a* **1.** independiente **2.** ajeno, a: **pour des raisons indépendantes de notre volonté** por razones ajenas a nuestra voluntad **3. rendre un pays ~** independizar a un país.

**indépendantisme** *m* independentismo.

**indépendantiste** *a/s* independentista, autonómico, a.

**indéracinable** *a* que no se puede desarraigar.

**indéréglable** *a* que no se puede desarreglar.

**indescriptible** *a* indescriptible.

**indésirable** *a* indeseable.

**indestructible** *a* indestructible.

**indétermination** *f* indeterminación.

**indéterminé, e** *a* indeterminado, a.

**index** [ɛ̃dɛks] *m* **1.** *(doigt)* índice **2.** *(table alphabétique)* índice **3.** *RELIG* Índice: **ce livre est à l'Index** ese libro está en el Índice **4.** *(aiguille)* aguja *f* indicadora.

**indexation** *f* ajustamiento *m* (a la variación de precios).

**indexer** *vt* ajustar: **~ sur** ajustar de acuerdo con.

**indianisme** *m* indianismo.

**indic** *m POP* confidente, soplón, informador.

**indicateur, trice** *a* indicador, a. ◇ *m* **1.** *(de chemin de fer, des rues)* guía *f* **2.** *(de la police)* confidente, soplón, informador **3. ~ économique** indicador económico.

**indicatif, ive** *a* indicativo, a ◊ **à titre ~** a título de información. ◇ *m* **1.** *GRAM* indicativo **2.** *(radio, télévision)* sintonía *f* **3.** *(téléphone)* prefijo.

**indication** *f* indicación. ◇ *pl* indicaciones.

**indice** *m* **1.** *(signe, preuve)* indicio **2.** *MATH, PHYS* índice **3.** *(rapport)* índice: **~ des prix** índice de precios; **l'~ du coût de la vie** el índice del coste de la vida.

**indicible** *a* indecible, inefable.

**indien, enne** *a/s* indio, a. ◇ *a* **océan Indien** Océano Índico. ◇ *f (tissu imprimé)* indiana, zaraza.

**indifféremment** [ɛ̃difeʀamɑ̃] *adv (sans préférence)* indistintamente.

**indifférence** *f* indiferencia.

**indifférencié, e** *a* que no se diferencia.

**indifférent, e** *a/s* indiferente ◊ **ça m'est ~** a mí me da igual; **cette affaire me laisse ~** este asunto me trae sin cuidado.

**indifférer*** *vt FAM* dejar indiferente: **cela m'indiffère complètement** me es indiferente, me importa un pepino.

**indigence** *f* indigencia.

**indigène** *a/s* indígena.

**indigénisme** *m* indigenismo.

**indigéniste** *a/s* indigenista.

**indigent, e** *a/s* indigente.

**indigeste** *a* **1.** indigesto, a **2.** *FIG (confus)* confuso, a, indigesto, a.

**indigestion** *f* **1.** indigestión **2.** *FIG* **j'ai une ~ de romans policiers** me he dado un atracón de novelas policíacas.

**indignation** *f* indignación.

**indigne** *a* indigno, a: **être ~ de...** ser indigno de...; **parents indignes** padres indignos.

**indigné, e** *a* indignado, a.

**indignement** *adv* indignamente, de forma indigna.

**indigner** *vt* indignar. ◆ **s'~** *vpr* indignarse.

**indignité** *f* indignidad.

**indigo** *m* índigo, añil.

**indigotier** *m (plante)* índigo, añil.

**indiquer** *vt* **1.** indicar, señalar: **~ quelque chose du doigt** señalar algo con el dedo **2.** indicar: **je lui ai indiqué un hôtel tranquille** le indiqué un hotel tranquilo **3.** *(dénoter)* denotar **4. ce traitement est tout indiqué** este tratamiento conviene perfectamente; **ce n'est pas très indiqué** no es muy aconsejable **5. à l'endroit indiqué** en el lugar convenido.

**indirect, e** *a* indirecto, a.

**indirectement** *adv* indirectamente.

**indiscernable** *a* indiscernible.

**indiscipline** *f* indisciplina.

**indiscipliné, e** *a* indisciplinado, a, díscolo, a.

**indiscret, ète** *a/s* **1.** indiscreto, a **2. méfiez-vous des oreilles indiscrètes → oreille.**

**indiscrètement** *adv* indiscretamente.

**indiscrétion** *f* indiscreción.

**indiscutable** *a* indiscutible, incuestionable.

**indiscutablement** *adv* indiscutiblemente.

**indiscuté, e** *a* indiscutido, a.

**indispensable** *a* indispensable, imprescindible: **il est ~ que...** es indispensable, es imprescindible que...; **se rendre ~** hacerse imprescindible. ◇ *m* **l'~** lo indispensable.

**indisponibilité** *f* indisponibilidad.

**indisponible** *a* indisponible.

**indisposé, e** *a* **1.** indispuesto, a **2.** *(femme)* **être indisposée** estar indispuesta, estar con el mes.

**indisposer** *vt* **1.** indisposer: **la fumée l'avait indisposé** el humo lo había indispuesto **2.** *(mécontenter)* enojar, indisponer.

**indisposition** *f* indisposición.

**indissociable** *a* inseparable.

**indissolubilité** *f* indisolubilidad.

**indissoluble** *a* indisoluble.

**indissolublement** *adv* indisolublemente.

**indistinct, e** [ɛ̃distɛ̃(kt), ɛ̃kt] *a* indistinto, a, indistinguible.

**indistinctement** *adv* indistintamente.

**individu** *m* **1.** individuo **2.** *PÉJOR* **un ~ suspect** un tipo sospechoso; **quel drôle d'~!** ¡vaya un tipo!, ¡qué tío más raro!

**individualiser** *vt* individualizar. ◆ **s'~** *vpr* individualizarse.

**individualisme** *m* individualismo.

**individualiste** *a/s* individualista.

**individualité** *f* individualidad.

**individuel, elle** *a* individual.

**individuellement** *adv* individualmente.

**indivis, e** *a* indiviso, a: **par ~** pro indiviso.

**indivisibilité** *f* indivisibilidad.

**indivisible** *a* indivisible.

**indivision** *f* indivisión.

**Indochine** *np f* Indochina.

**indochinois, e** *a/s* indochino, a.

**indocile** *a* indócil.

**indocilité** *f* indocilidad.

**indo-européen, enne** *a/s* indoeuropeo, a.

**indolemment** [ɛ̃dɔlamɑ̃] *adv* indolentemente.

**indolence** *f* indolencia.

**indolent, e** *a/s* indolente.

**indolore** *a* indoloro, a.

**indomptable** [ɛ̃dɔ̃tabl(ə)] *a* indomable.

**indompté, e** [ɛ̃dɔ̃te] *a* **1.** indomado, a, indómito, a **2.** *FIG* incontenible, irreprimible.

**Indonésie** *np f* Indonesia.

**indonésien, enne** *a/s* indonesio, a.

**indu, e** *a* **1.** indebido, a **2. à une heure indue** a deshora.

**indubitable** *a* indudable.

**indubitablement** *adv* indudablemente.

**inductance** *f ÉLECT* inductancia.

**inducteur, trice** *a/m* inductor, a.

**induction** *f* inducción.

**induire*** *vt* **1.** inducir: **il nous a induit en erreur** nos indujo a error **2.** *(conclure)* deducir, inferir, concluir: **de ces mots, j'en induis que...** de esas palabras deduzco que, infiero, concluyo que...

**induit, e** *a/m PHYS* inducido, a.

**indulgence** *f* **1.** indulgencia **2.** *RELIG* indulgencia.

**indulgent, e** *a* indulgente.

**indult** [ɛ̃dylt] *m (du pape)* indulto.

**indûment** *adv* indebidamente.

**induration** *f MÉD* induración.

**Indus** [ɛ̃dys] *np m* Indo.

**industrialisation** *f* industrialización.

**industrialiser** *vt* industrializar. ◆ **s'~** *vpr* industrializarse ◊ **les pays industrialisés** los países industrializados.

**industrie** *f* **1.** industria: **~ légère, lourde** industria ligera, pesada; **l'~ automobile, alimentaire, textile** la industria del automóvil, de la alimentación, textil **2.** *PÉJOR* **chevalier d'~** caballero de industria, estafador.

**industriel, elle** *a* **1.** industrial **2.** *FAM* **en quantité industrielle** en gran cantidad, a montones. ◇ *m* industrial.

**industriellement** *adv* industrialmente.

**industrieux, euse** *a* **1.** industrioso, a **2.** *FAM (adroit)* mañoso, a.

**inébranlable** *a* **1.** *(personne)* inconmovible **2.** *(croyance)* inquebrantable: **une foi ~** una fe inquebrantable.

**inédit, e** *a* inédito, a: **de l'~** algo inédito. ◇ *m (œuvre)* **publier un ~** publicar una obra inédita.

**ineffable** *a* inefable.

**ineffaçable** *a* imborrable, indeleble: **un souvenir ~** un recuerdo imborrable.

**inefficace** *a* ineficaz: **des mesures inefficaces** medidas ineficaces.

**inefficacité** *f* ineficacia.

**inégal, e** *a* **1.** desigual: **combats inégaux** combates desiguales **2.** *(humeur, etc.)* desigual, inconstante.

**inégalable** *a* inigualable.

**inégalé, e** *a* inigualado, a.

**inégalement** *adv* diversamente.

**inégalité** *f* desigualdad: **les inégalités sociales** las desigualdades sociales.

**inélégamment** *adv* sin elegancia.

**inélégance** *f* inelegancia.

**inélégant, e** *a* **1.** inelegante, poco elegante **2.** *FIG* descortés: **geste ~** gesto descortés.

**inéligible** *a* inelegible.

**inéluctable** *a* ineluctable.

**inéluctablement** *adv* ineluctablemente.

**inemployé, e** [inɑ̃plwaje] *a* no empleado, a, sin emplear.

**inénarrable** *a* **1.** inenarrable **2.** *(drôle)* muy divertido, a, cómico, a: **c'était ~!** ¡fue la monda!

**inenvisageable** *a* impensable.

**inepte** *a* inepto, a, necio, a, incapaz.

**ineptie** [inɛpsi] *f* inepcia, necedad: **dire des inepties** decir necedades.

**inépuisable** *a* inagotable.

**inéquation** [inekwasjɔ̃] *f MATH* inecuación.

**inéquitable** *a* poco equitativo, a, injusto, a.

**inerte** *a* inerte.

**inertie** [inɛrsi] *f* **1.** inercia **2.** *PHYS* **force d'~** fuerza de inercia.

**inespéré, e** *a* inesperado, a.

**inesthétique** *a* antiestético, a.

**inestimable** *a* inestimable.

**inévitable** *a* **1.** inevitable: **c'était ~** era inevitable, no había remedio **2.** *FAM* consabido, a: **l'~ plaisanterie** el consabido chiste.

**inévitablement** *adv* inevitablemente, forzosamente.

**inexact, e** [inɛgza(kt), akt] *a* inexacto, a.

**inexactitude** *f* inexactitud.

**inexcusable** *a* inexcusable.

**inexécutable** *a* irrealizable, impracticable.

**inexécution** *f* **1.** no ejecución **2.** *(d'un ordre)* incumplimiento *m*.

**inexercé, e** *a* inexperto, a.

**inexigible** *a* no exigible.

**inexistant, e** *a* inexistente.

**inexistence** *f* inexistencia.

**inexorable** *a* inexorable.

**inexorablement** *adv* inexorablemente.

**inexpérience** *f* inexperiencia.

**inexpérimenté, e** *a (personne)* inexperto, a.

**inexpert, e** *a* inexperto, a.

**inexpiable** *a* inexpiable.

**inexplicable** *a* inexplicable.

**inexpliqué, e** *a* inexplicado, a, misterioso, a.

**inexploitable** *a* inexplotable.

**inexploité, e** *a* inexplotado, a.

**inexploré, e** *a* inexplorado, a.

**inexplosible** *a* que no puede explotar, que no puede estallar.

**inexpressif, ive** *a* inexpresivo, a: **un visage ~** una cara inexpresiva.

**inexprimable** *a* indecible, inexpresable.

**inexprimé, e** *a* sobreentendido, a, tácito, a.

**inexpugnable** *a* inexpugnable.

**inextensible** *a* inextensible.

**in extenso** [inɛkstɛ̃so] *loc adv* por entero: **publier un discours ~** publicar un discurso por entero.

**inextinguible** *a* inextinguible.

**in extremis** [inɛkstʀemis] *loc adv* in extremis.

**inextricable** *a* inextricable.

**infaillibilité** [ɛ̃fajibilite] *f* infalibilidad: **~ pontificale** infalibilidad pontificia.

**infaillible** [ɛ̃fajibl(ə)] *a* infalible: **un remède ~** un remedio infalible; **nul n'est ~** nadie es infalible.

**infailliblement** *adv* infaliblemente.

**infaisable** [ɛ̃fɛzabl(ə)] *a* imposible, que no se puede hacer, irrealizable.

**infalsifiable** *a* infalsificable.

**infamant, e** *a* infamante.

**infâme** *a* infame.

**infamie** *f* infamia.

**infant, e** *s (en Espagne ou au Portugal)* infante, a.

**infanterie** *f* infantería: **il fait son service dans l'~** hace la mili en infantería; **~ de marine** infantería de marina.

**infanticide** *m* infanticidio. ◇ *a/s (meurtrier d'un enfant)* infanticida.

**infantile** *a* **1.** infantil **2.** *(puéril)* infantil.

**infantilisme** *m* infantilismo.

**infarctus** [ɛ̃faʀktys] *m* MÉD infarto: **~ du myocarde** infarto de miocardio; **avoir un ~** sufrir un infarto.

**infatigable** *a* incansable, infatigable.

**infatuer (s')** *vpr* infatuarse, engreírse ◊ **infatué de sa personne** engreído, creído de sí mismo.

**infécond, e** *a* infecundo, a.

**infécondité** *f* infecundidad.

**infect, e** [ɛ̃fɛkt] *a* **1.** *(odeur, etc.)* infecto, a, hediondo, a **2.** *(très mauvais)* **un ragoût ~** un guisado malísimo; **un temps ~** un tiempo horrible **3.** *(moralement)* repugnante, asqueroso, a.

**infecter** *vt* **1.** infectar, inficionar, infeccionar **2.** FIG *(les mœurs)* inficionar, corromper. ◆ **s'~** *vpr* infectarse, inficionarse: **la plaie s'est infectée** la llaga se ha infectado.

**infectieux, euse** *a* infeccioso, a: **maladie infectieuse** enfermedad infecciosa.

**infection** *f* **1.** infección: **~ intestinale** infección intestinal; **foyer d'~** foco de infección **2.** *(grande puanteur)* hedor *m*, peste: **quelle ~ ici!** ¡qué peste hay aquí!

**inféoder** *vt* enfeudar. ◆ **s'~** *vpr* someterse, entregarse.

**inférence** *f* inferencia.

**inférer*** *vt* inferir, inducir.

**inférieur, e** *a/s* inferior: **membres inférieurs** miembros inferiores; **qualité inférieure** calidad inferior; **un nombre ~ à dix** un número inferior a diez; **aimable avec ses inférieurs** amable con sus inferiores.

**infériorité** *f* inferioridad: **complexe d'~** complejo de inferioridad.

**infernal, e** *a* **1.** infernal: **des bruits infernaux** ruidos infernales **2.** FAM endiablado, a ◊ **cet enfant est ~** este niño es el mismísimo demonio.

**infertile** *a* infecundo, a, estéril, yermo, a.

**infertilité** *f* esterilidad.

**infesté, e** *a* infestado, a: **jardin ~ d'orties** jardín infestado de ortigas.

**infester** *vt* infestar.

**infidèle** *a/s* **1.** infiel: **~ à** infiel a, con, para, para con **2.** *(récit, traduction, etc.)* infiel, inexacto, a **3. les infidèles** los infieles.

**infidélité** *f* **1.** *(déloyauté)* infidelidad **2.** *(d'une traduction, etc.)* falta de exactitud, infidelidad.

**infiltration** *f* infiltración.

**infiltrer (s')** *vpr* **1.** infiltrarse **2.** FIG **des espions se sont infiltrés dans les rangs ennemis** se infiltraron espías en las filas enemigas.

**infime** *a* ínfimo, a.

**infini, e** *a* infinito, a. ◇ *m* **1.** infinito **2. à l'~** hasta lo infinito.

**infiniment** *adv* **1.** infinitamente: **~ supérieur** infinitamente superior **2. merci ~** muchísimas gracias; **je le regrette ~** lo siento muchísimo.

**infinité** *f* infinidad.

**infinitésimal, e** *a* infinitesimal.

**infinitif, ive** *a/m* GRAM infinitivo, a.

**infirme** *a/s* impedido, a, baldado, a, lisiado, a ◊ **~ moteur** minusválido.

**infirmer** *vt* JUR invalidar, infirmar.

**infirmerie** *f* enfermería.

**infirmier, ère** *s* enfermero, a: **infirmière diplômée** enfermera diplomada.

**infirmité** *f* dolencia habitual, achaque *m*: **les infirmités de la vieillesse** los achaques de la vejez.

**inflammable** *a* inflamable.

**inflammation** *f* inflamación.

**inflammatoire** *a* MÉD inflamatorio, a: **processus ~** proceso inflamatorio.

**inflation** *f* ÉCON inflación.

**inflationniste** *a* ÉCON inflacionista, inflacionario, a: **politique ~** política inflacionista.

**infléchir** *vt* **1.** *(plier)* doblar, encorvar **2.** desviar **3.** FIG modificar, influir en: **~ la politique d'un parti** modificar la política de un partido. ◆ **s'~** *vpr* doblarse, desviarse.

**infléchissement** *m* modificación *f* ligera.

**inflexibilité** *f* inflexibilidad.

**inflexible** *a* inflexible.

**inflexion** *f* inflexión.

**infliger*** *vt* **1.** infligir: **~ une défaite, un châtiment** infligir una derrota, un castigo **2.** imponer: **~ une amende** imponer una multa **3.** *(un discours ennuyeux)* endilgar.

**inflorescence** *f* BOT inflorescencia.

**influençable** *a* que se deja influir.

**influence** *f* influencia: **il a eu beaucoup d'~ sur son fils** ha tenido mucha influencia sobre su hijo.

**influencer*** *vt* ejercer influencia sobre, en, influir en, influenciar ◊ **se laisser ~** dejarse influenciar.

**influent, e** *a* influyente.

**influenza** *f* MÉD influenza, gripe.

**influer** *vi* **~ sur** influir sobre, en: **le climat influe sur nos nerfs** el clima influye en nuestros nervios.

**influx** *m* **~ nerveux** impulso nervioso.

**info** *f* FAM información.

**infographie** *f (nom déposé)* infografía.

**in-folio** *a inv* en folio. ◇ *m inv* infolio.

**informateur, trice** *s* informador, a.

**informaticien, enne** *s* especialista en informática, técnico, a en computadora. ◇ *a* **ingénieur ~** ingeniero en informática.

**information** *f* **1.** información, noticia: **à titre d'~** a título de información **2.** JUR información **3. traitement de l'~** proceso de datos. ◇ *pl* **1.** *(renseignements)* informes *m* **2. écouter les informations à la radio** escuchar los informativos en la radio; **informations sportives** informaciones deportivas; **le bulletin d'informations de 8 heures** el informativo de las 8; **flash d'informations** flash informativo.

**informatique** *f* informática. ◇ *a* informático, a.

**informatisation** *f* informatización.

**informatiser** *vt* informatizar.

**informe** *a* informe.

**informer** *vt/i* informar. ◆ **s'~** *vpr* informarse.

**infortune** *f* infortunio *m*, desgracia: **pour comble d'~** para colmo de desgracia ◊ **mon compagnon d'~** una víctima como yo.

**infortuné, e** *a/s* infortunado, a, desafortunado, a.

**infraction** *f* infracción: **commettre une ~** cometer una infracción.

**infranchissable** *a* **1.** infranqueable **2.** FIG insuperable.

**infrarouge** *a/m* infrarrojo, a: **rayons infrarouges** rayos infrarrojos.

**infrason** *m* PHYS infrasonido.

**infrastructure** *f* infraestructura.

**infroissable** *a* inarrugable.

**infructueux, euse** *a* infructuoso, a: **démarche infructueuse** gestión infructuosa.

**infule** *f* ínfula.

**infumable** *a* infumable.

**infus, e** *a* FAM **avoir la science infuse** tener la ciencia infusa.

**infuser** *vt* **1.** hacer una infusión: **faire ~ du thé** hacer una infusión de té **2.** FIG infundir: **~ du courage** infundir valor. ◆ **s'~** *vpr* hacerse: **le thé s'infuse** el té se hace.

**infusion** *f* infusión.

**infusoires** *m pl* ZOOL infusorios.

**ingambe** [ɛ̃gɑ̃b] *a* ágil, ligero, a de piernas.

**ingénier (s')*** *vpr* **~ à** ingeniárselas para.

**ingénierie** *f* ingeniería ◊ **~ génétique** ingeniería genética.

**ingénieur** *m* **1.** ingeniero: **~ agronome, chimiste, des Mines** ingeniero agrónomo, químico, de Minas **2. ~ du son** ingeniero de sonido.

**ingénieusement** *adv* ingeniosamente.

**ingénieux, euse** *a* ingenioso, a.

**ingéniosité** *f* ingenio *m*, ingeniosidad.

**ingénu, e** *a/s* ingenuo, a: **faire l'~** hacerse el ingenuo.

**ingénuité** *f* ingenuidad.

**ingénument** *adv* ingenuamente.

**ingérence** *f* injerencia ◊ **non ~** no injerencia.

**ingérer*** *vt* ingerir. ◆ **s'~** *vpr* **s'~ dans** ingerirse, entrometerse en.

**ingestion** *f* ingestión.

**ingouvernable** *a* ingobernable.

**ingrat, e** *a* **1.** ingrato, a: **fils ~** hijo ingrato **2.** *(pénible)* penoso, a, ingrato, a: **une tâche ingrate** una tarea ingrata **3.** poco afortunado, a: **il a un visage ~** tiene una cara poco afortunada **4. l'âge ~** la edad del pavo. ◇ *s* ingrato, a.

**ingratitude** *f* ingratitud, desagradecimiento *m*.

**ingrédient** *m* ingrediente.

**inguérissable** *a* incurable.

**inguinal, e** *a* inguinal.

**ingurgiter** *vt* engullir, ingurgitar.

**inhabile** *a* **1.** inhábil: **~ à** inhábil en **2.** JUR incapaz.

**inhabileté** *f* inhabilidad.

**inhabilité** *f* **1.** JUR incapacidad legal **2.** inhabilidad.

**inhabitable** *a* inhabitable.

**inhabité, e** *a* deshabitado, a, inhabitado, a: **appartement ~** piso deshabitado, a.

**inhabituel, elle** *a* inusual, raro, a.

**inhalateur** *m* inhalador.

**inhalation** *f* inhalación.

**inhaler** *vt* inhalar.

**inhérent, e** *a* inherente: **~ à** inherente a.

**inhiber** *vt* inhibir.

**inhibiteur** *m* CHIM inhibidor.

**inhibition** *f* inhibición.

**inhospitalier, ère** *a* **1.** inhospitalario, a **2.** *(lieu)* inhóspito, a.

**inhumain, e** *a* inhumano, a.

**inhumanité** *f* inhumanidad.

**inhumation** *f* inhumación.

**inhumer** *vt* inhumar.

**inimaginable** *a* inimaginable.

**inimitable** *a* inimitable.

**inimitié** *f* enemistad.

**ininflammable** *a* ininflamable.

**inintelligence** *f* falta de inteligencia, insensatez.

**inintelligent, e** *a* falto, a de inteligencia, ininteligente.

**inintelligible** *a* ininteligible.

**inintéressant, e** *a* sin interés, falto, a de interés.

**ininterrompu, e** *a* ininterrumpido, a.

**inique** *a* inicuo, a.

**iniquité** *f* iniquidad.

**initial, e** *a* inicial. ◇ *f (lettre)* inicial.

**initialement** *adv* al principio, inicialmente.

**initialiser** *vt* INFORM inicializar.

**initiateur, trice** *a/s* iniciador, a.

**initiation** *f* iniciación.

**initiatique** *a* iniciático, a.

**initiative** *f* **1.** iniciativa: **prendre l'~** tomar la iniciativa; **sur l'~ de** por iniciativa de **2. syndicat d'~** oficina de turismo.

**initié, e** *a/s* **1.** iniciado, a **2.** JUR **délit d'~** utilización *f* de informaciones privilegiadas en operaciones bursátiles.

**initier*** *vt* iniciar: **il m'a initié à la peinture** me inició en la pintura. ◆ **s'~** *vpr* **s'initier à** iniciarse en.

**injectable** *a* inyectable ◊ **une ampoule ~** un inyectable.

**injecté, e** *a* **1.** inyectado, a: **yeux injectés de sang** ojos inyectados de sangre **2.** *(visage)* encendido, a.

**injecter** *vt* inyectar. ◆ **s'~** *vpr* inyectarse.

**injecteur** *m* inyector.

**injection** *f* inyección: **moteur à ~** motor de inyección.

**injonction** *f* orden terminante, conminación, exhortación.

**injure** *f* **1.** injuria, insulto *m*: **proférer des injures** proferir insultos ◊ **faire ~** injuriar, ofender **2.** FIG **l'~ du temps** los estragos del tiempo.

**injurier*** *vt* injuriar, agraviar. ◆ **s'~** *vpr* injuriarse.

**injurieux, euse** *a* injurioso, a.

**injuste** *a* injusto, a.

**injustement** *adv* injustamente.

**injustice** *f* injusticia.

**injustifiable** *a* injustificable.

**injustifié, e** *a* injustificado, a.

**inlassable** *a* incansable.

**inlassablement** *adv* incansablemente.

**inné, e** *a* innato, a.

**innervation** *f* inervación.

**innerver** *vt* inervar.

**innocemment** [inɔsamɑ̃] *adv* inocentemente.

**innocence** *f* inocencia.

**Innocent** *np m* Inocencio.

**innocent, e** *a/s* **1.** inocente: **faire l'~** hacerse el inocente. ◇ *m pl* **les Saints Innocents** los Santos Inocentes.

**innocenter** *vt* declarar inocente a.

**innocuité** *f* inocuidad.

**innombrable** *a* innumerable, incontable.

**innommable** *a (vil)* innoble, infame, inmundo, a.

**innovateur, trice** *a/s* innovador, a.

**innovation** *f* innovación.

**innover*** *vt/i* innovar.

**inobservance** *f* inobservancia.

**inoccupé, e** *a* desocupado, a.

**in-octavo** [inɔktavo] *a/m inv* en octavo.

**inoculation** *f* inoculación.

**inoculer** *vt* **1.** inocular **2.** FIG transmitir, contagiar.

**inodore** *a* inodoro, a.

**inoffensif, ive** *a* **1.** *(animal, personne)* inofensivo, a **2.** *(un produit, etc.)* inocuo, a.

**inondation** *f* inundación.

**inonder** *vt* **1.** inundar **2.** FIG **~ le marché de produits...** inundar el mercado con productos... **3. yeux inondés de larmes** ojos anegados en lágrimas; **salon inondé de lumière** salón inundado de luz.

**inopérable** *a* MÉD inoperable.

**inopérant, e** *a* inoperante, sin efecto.

**inopiné, e** *a* inopinado, a, imprevisto, a.

**inopinément** *adv* inopinadamente.

**inopportun, e** *a* inoportuno, a.

**inopportunité** *f* inoportunidad.

**inorganique** *a* inorgánico, a.

**inoubliable** *a* inolvidable.

**inouï, e** [inwi] *a* **1.** inaudito, a: **des efforts inouïs** esfuerzos inauditos ◊ **une chance inouïe** una suerte loca **2.** FAM **c'est ~!** ¡es increíble!; **tu es ~** eres la monda.

**inox** [inɔks] *m* acero inoxidable.

**inoxydable** *a* inoxidable. ◇ *m (acier)* acero inoxidable.

**in petto** [inpe(ɛ)to] *loc adv* para sus adentros, en secreto.

**inqualifiable** *a* incalificable.

**in-quarto** [inkwaʀto] *a/m inv* en cuarto.

**inquiet, ète** *a* **1.** inquieto, a, preocupado, a: **je suis ~ à son sujet** estoy preocupado por él ◊ **je suis ~ de son absence** me preocupa su ausencia **2. un regard ~** una mirada inquieta.

**inquiétant, e** *a* inquietante.

**inquiéter*** *vt* preocupar, inquietar: **son retard m'inquiète** me preocupa su retraso. ◆ **s'~** *vpr* inquietarse, preocuparse, alarmarse: **il n'y a pas de quoi s'~** no hay de qué preocuparse, no es para alarmarse; **s'~ de quelque chose** inquietarse por algo.

**inquiétude** *f* **1.** inquietud **2. soyez sans ~** no se preocupe, descuide.

**inquisiteur, trice** *a* inquisidor, a, inquiridor, a, inquisitivo, a. ◇ *m (juge)* inquisidor.

**inquisition** *f* inquisición: **l'Inquisition** la Inquisición.

**inquisitorial, e** *a* inquisitorial.

**irracontable** *a* incontable.

**insaisissable** *a* **1.** que no se puede coger, inasequible **2.** JUR inembargable **3.** FIG imperceptible: **image ~** imagen imperceptible.

**insalubre** *a* insalubre.

**insalubrité** *f* insalubridad.

**insane** *a* loco, a, demente, insano, a.

**insanité** *f* **1.** insanía, locura **2.** *(propos)* insensatez, estupidez, sandez: **dire des insanités** decir sandeces.

**insatiabilité** *f* insaciabilidad.

**insatiable** [ɛ̃sasjabl] *a* insaciable.

**insatisfaction** *f* insatisfacción.

**insatisfait, e** *a* insatisfecho, a.

**inscription** *f* **1.** inscripción **2.** *(maritime, à l'université)* matrícula **3.** JUR registro *m*.

**inscrire*** *vt* **1.** inscribir: **je l'ai inscrit sur la liste** lo he inscrito en la lista **2.** *(à l'université)* matricular **3.** COM asentar, registrar **4.** GÉOM inscribir. ◆ **s'~** *vpr* **1.** inscribirse, matricularse, apuntarse: **elle s'est inscrite à la faculté de droit** se ha matriculado en la facultad de derecho; **s'~ au chômage, sur les listes de demandeurs d'emploi** apuntarse al paro, en las listas de demandantes de empleo **2.** JUR **s'~ en faux** alegar la falsedad de **3.** entrar: **ces négociations s'inscrivent dans le cadre de la diplomatie** esas negociaciones entran en el marco de la diplomacia.

**inscrit, e** *a/s* **1.** inscrito, a **2.** *(à l'université)* matriculado, a. ◇ *a GÉOM* **polygone ~** polígono inscrito.

**insecte** *m* insecto.

**insecticide** *a/m* insecticida.

**insectivore** *a/s* insectívoro, a.

**insécurité** *f* inseguridad: **~ dans les zones urbaines** inseguridad ciudadana.

**in-seize** *a/m inv* en dieciseisavo.

**insémination** *f* **~ artificielle** inseminación artificial.

**insensé, e** *a* **1.** insensato, a **2. c'est ~!** ¡es una locura! ◇ *s (fou)* loco, a.

**insensibilisation** *f* insensibilización.

**insensibiliser** *vt* insensibilizar. ◆ **s'~** *vpr* insensibilizarse.

**insensibilité** *f* insensibilidad.

**insensible** *a* insensible.

**insensiblement** *adv* insensiblemente.

**inséparable** *a* inseparable.

**insérer*** *vt* insertar, incluir. ◆ **s'~** *vpr* introducirse.

**insertion** *f* inserción: **l'~ des jeunes dans le monde du travail** la inserción de los jóvenes en el mundo del trabajo.

**insidieux, euse** *a* **1.** insidioso, a **2.** *MÉD* **maladie insidieuse** enfermedad insidiosa.

**insigne** *a (important)* insigne. ◇ *m (d'un club, etc.)* insignia *f*, distintivo, divisa *f*.

**insignifiance** *f* insignificancia.

**insignifiant, e** *a* insignificante, nimio, a, irrelevante: **des détails insignifiants** detalles nimios.

**insincérité** *f LITT* insinceridad.

**insinuant, e** *a* insinuante.

**insinuation** *f* insinuación, indirecta.

**insinuer** *vt* insinuar: **que voulez-vous ~?** ¿qué insinúa usted? ◆ **s'~** *vpr* insinuarse.

**insipide** *a (aliment, conversation, etc.)* insípido, a, insulso, a, soso, a.

**insipidité** *f* insipidez.

**insistance** *f* insistencia ◊ **avec ~** insistentemente, con insistencia.

**insistant, e** *a* insistente.

**insister** *vi* **1.** insistir, hacer hincapié en: **~ sur la nécessité de** insistir, hacer hincapié en la necesidad de; **il a insisté pour que j'aille le voir** me insistió para que fuera a verle; **n'insiste pas!** ¡no insistas en ello! **2. ~ auprès de quelqu'un** insistir a, instar a alguien: **j'ai insisté auprès de ma sœur pour qu'elle me téléphone** insistí a mi hermana para que me llamara por teléfono.

**insociabilité** *f* insociabilidad.

**insociable** *a* insociable.

**insolation** *f* insolación.

**insolemment** [ɛ̃sɔlamɑ̃] *adv* insolentemente.

**insolence** *f* insolencia.

**insolent, e** *a/s* insolente ◊ **il a été ~ avec son chef** se insolentó con su jefe.

**insoler** *vt* insolar, exponer al sol.

**insolite** *a* insólito, a.

**insolubilité** *f* insolubilidad.

**insoluble** *a* **1.** *(dans l'eau)* insoluble **2.** *FIG* **problème ~** problema insoluble.

**insolvabilité** *f* insolvencia.

**insolvable** *a* insolvente.

**insomniaque, insomnieux, euse** *a/s* insomne.

**insomnie** *f* insomnio *m*, desvelo *m*: **avoir des insomnies** sufrir de insomnio, tener insomnios.

**insomnieux → insomniaque.**

**insondable** *a* **1.** insondable **2.** *FIG (impénétrable)* insondable **3.** *(immense)* inmenso, a, inconmensurable.

**insonore** *a* insonoro, a.

**insonorisation** *f* insonorización.

**insonoriser** *vt* insonorizar.

**insouciance** *f* despreocupación.

**insouciant, e** *a* despreocupado, a ◊ **être ~ de l'avenir** no preocuparse por el día de mañana.

**insoucieux, euse** *a* despreocupado, a.

**insoumis, e** *a* insumiso, a, rebelde. ◇ *a/s MIL* **soldat ~** prófugo.

**insoumission** *f* **1.** insumisión **2.** *MIL* rebeldía.

**insoupçonnable** *a* **1.** insospechable **2.** *FIG (irréprochable)* intachable: **honnêteté ~** honestidad intachable.

**insoupçonné, e** *a* insospechado, a.

**insoutenable** *a* **1.** insostenible **2.** *(vision, etc.)* insoportable.

**inspecter** *vt* inspeccionar.

**inspecteur, trice** *s* inspector, a: **~ de police** inspector de policía.

**inspection** *f* inspección.

**inspirateur, trice** *a/s* inspirador, a.

**inspiration** *f* **1.** *(créatrice, d'air)* inspiración **2.** *(idée)* ocurrencia, inspiración.

**inspiré, e** *a* **1.** inspirado, a **2. tu as été bien ~ d'acheter cette voiture avant que les prix augmentent** has estado atinado al comprar este coche antes de que subieran los precios.

**inspirer** *vt* **1.** *(un sentiment, etc.)* inspirar: **~ de la compassion** inspirar compasión **2. ~ de la haine** infundir odio; **~ du courage** dar ánimo. ◇ *vt/i (de l'air)* inspirar. ◆ **s'~ de** *vpr* inspirarse en.

**instabilité** *f* inestabilidad.

**instable** *a* inestable: **équilibre ~** equilibrio inestable; **temps, caractère ~** tiempo, carácter inestable.

**installateur** *m* instalador.

**installation** *f* instalación.

**installer** *vt* instalar. ◆ **s'~** *vpr* **1.** instalarse: **il s'est installé chez moi** se ha instalado en mi casa **2. s'~ dans un fauteuil** acomodarse en un sillón.

**instamment** *adv* encarecidamente, insistentemente.

**instance** *f* **1.** *(insistance)* insistencia **2.** *JUR* instancia: **tribunal de première ~** tribunal de primera instancia ◊ **en ~** pendiente **3.** *loc prép* **en ~ de divorce** en vía de divorcio; **en ~ de départ** a punto de partir. ◇ *pl* **1.** *(sollicitations)* instancias **2.** directiva: **les instances d'un parti** la directiva, los altos estamentos de un partido.

[1]**instant, e** *a* urgente, perentorio, a, apremiante: **demande instante** petición urgente.

[2]**instant** *m* **1.** *(moment)* instante, momento, rato: **un ~!** ¡un momento! **2.** *loc adv* **à l'~** al instante, al momento; **à chaque ~, à tout ~** a cada instante, a cada momento; **par instants** a ratos, a veces, por momentos; **pour l'~** por el momento, de momento **3.** *loc conj* **dès l'~ que** desde el momento en que **4. de tous les instants** constante, continuo, a.

**instantané, e** *a* instantáneo, a. ◇ *m (photo)* instantánea *f*.

**instantanément** *adv* instantáneamente.

**instar de (à l')** [alɛ̃staʀd(ə)] *loc prép* a ejemplo de, a la manera de.

**instauration** *f* instauración.

**instaurer** *vt* instaurar.

**instigateur, trice** *s* instigador, a.

**instigation** *f* instigación ◇ **à l'~ de** siguiendo los consejos de, bajo la influencia de.

**instillation** [ɛ̃stilasjɔ̃] *f* instilación.

**instiller** [ɛ̃stile] *vt* instilar.

**instinct** [ɛ̃stɛ̃] *m* instinto: **~ maternel, de conservation** instinto materno, de conservación; **d'~** por instinto.

**instinctif, ive** *a* instintivo, a.

**instinctivement** *adv* instintivamente.

**instit** [ɛ̃stit] *s FAM* maestro, a de escuela.

**instituer** *vt* instituir.

**institut** [ɛ̃stity] *m* **1.** instituto **2. l'Institut de France** las cinco Academias francesas reunidas.
▶ *Instituto* a surtout le sens de «lycée», en Espagne.

**institutes** *f pl JUR* institutas.

**instituteur, trice** *s* maestro, a de escuela. ◇ *f (à domicile)* institutriz.

**institution** *f* institución. ◇ *pl (lois)* instituciones.

**institutionnalisation** *f* institucionalización.

**institutionnaliser** *vt* institucionalizar.

**institutionnel, elle** *a* institucional.

**instructeur** *a/m* **1.** instructor **2. juge ~** juez de instrucción.

**instructif, ive** *a* instructivo, a, aleccionador, a.

**instruction** *f* **1.** instrucción: **~ publique** instrucción pública ◊ **avoir de l'~** ser culto, instruido; **sans ~** inculto, a **2.** *JUR (d'une cause pénale)* sumario *m* ◊ **juge d'~** juez instructor; **le secret de l'~** el secreto sumarial **3.** *INFORM* instrucción. ◇ *pl (directives)* instrucciones.

**instruire*** *vt* **1.** *(enseigner)* instruir **2.** *(faire savoir)* informar, hacer saber: **instruisez-moi de vos projets** infórmeme de sus proyectos **3.** *JUR* **~ une affaire** instruir un pleito. ◆ **s'~** *vpr* instruirse, aprender.

**instruit, e** *a* instruido, a, culto, a.

**instrument** *m* **1.** instrumento: **~ de mesure** instrumento de medida; **~ de musique** instrumento musical; **~ à cordes, à vent** instrumento de cuerda, de viento **2.** *FIG (moyen)* instrumento. ◇ *pl (d'un chirurgien, cosmonaute, etc.)* **les instruments** el instrumental.

**instrumentaire** *a JUR* instrumental: **témoin ~** testigo instrumental.

**instrumental, e** *a MUS* instrumental.

**instrumentation** *f MUS* instrumentación.

**instrumenter** *vi* **1.** *JUR* levantar acta **2.** *MUS* instrumentar.

**instrumentiste** *s* instrumentista.

**insu (à l'insu de)** *loc prép* **à l'~ de ses parents** sin que lo sepan sus padres; **à mon ~** sin saberlo yo, a mis espaldas.

**insubmersible** *a* insumergible.

**insubordination** *f* insubordinación.

**insubordonné, e** *a* insubordinado, a.

**insuccès** [ɛ̃syksɛ] *m* fracaso, revés, mal suceso.

**insuffisamment** *adv* insuficientemente.

**insuffisance** *f* **1.** insuficiencia **2.** *MÉD* **~ cardiaque, respiratoire** insuficiencia cardíaca, respiratoria.

**insuffisant, e** *a* insuficiente.

**insuffler** *vt* insuflar.

**insulaire** *a/s* insular, isleño, a.

**insularité** *f* insularidad.

**Insulinde** *np f* Insulindia.

**insuline** *f* insulina.

**insultant, e** *a* insultante, ofensivo, a: **paroles insultantes** palabras ofensivas.

**insulte** *f* insulto *m*, ofensa: **une ~** un insulto.

**insulter** *vt* **1.** insultar **2. ~ à** ofender.

**insupportable** *a* insoportable, inaguantable.

**insurgé, e** *a/s* insurrecto, a, insurgente.

**insurger (s')*** *vpr* sublevarse, insurreccionarse.

**insurmontable** *a* insuperable, insalvable, invencible: **un obstacle ~** un obstáculo insuperable; **difficultés insurmontables** dificultades insuperables.

**insurpassable** *a* insuperable, inmejorable.

**insurrection** *f* insurrección.

**insurrectionnel, elle** *a* **gouvernement ~** gobierno insurrecto; **mouvement ~** rebelión *f*.

**intact, e** [ɛ̃takt(ə)] *a* intacto, a.

**intaille** [ɛ̃taj] *f* piedra preciosa grabada en hueco.

**intangibilité** *f* intangibilidad.

**intangible** *a* intangible, intocable.

**intarissable** *a* **1.** inagotable, inextinguible **2. il est ~ sur ce sujet** cuando habla de este tema, no hay quien le haga callar.

**intégral, e** *a* **1.** integral: **calcul ~** cálculo integral **2.** *(entier)* entero, a, íntegro, a: **remboursement ~** reembolso íntegro; **film en version intégrale** película en versión íntegra. ◇ *f MATH* integral.

**intégralement** *adv* integralmente, enteramente.

**intégralité** *f* integridad ◊ **dans son ~** integralmente.

**intégrant, e** *a* integrante: **faire partie intégrante de** formar parte integrante de.

**intégration** *f* integración.

**intègre** *a* íntegro, a.

**intégré, e** *a* integrado, a.

**intégrer*** *vt* **1.** integrar **2.** *(une grande école)* ingresar en. ◆ **s'~** *vpr* integrarse: **s'~ à, dans** integrarse en.

**intégrisme** *m* integrismo.

**intégriste** *a/s* integrista.

**intégrité** *f* **1.** *(totalité)* integridad, totalidad **2.** *(honnêteté)* integridad.

**intellect** [ɛ̃telɛkt] *m* intelecto.

**intellectualiser** *vt* intelectualizar.

**intellectualisme** *m* intelectualismo.

**intellectualiste** *a/s* intelectualista.

**intellectualité** *f* intelectualidad.

**intellectuel, elle** *a/s* intelectual: **les intellectuels** los intelectuales.

**intellectuellement** *adv* intelectualmente.

**intelligemment** [ɛ̃teliʒamɑ̃] *adv* inteligentemente.

**intelligence** *f* **1.** inteligencia **2. vivre en bonne ~ avec ses voisins** llevarse bien con los vecinos **3.** complicidad: **agir d'~ avec quelqu'un** actuar con la complicidad de alguien **4. un regard d'~** una mirada de inteligencia.

**intelligent, e** *a* inteligente.

**intelligentsia** [ɛ̃teliʒɛnsja] *f* intelligentsia.

**intelligibilité** *f* inteligibilidad.

**intelligible** *a* inteligible ◊ **à haute et ~ voix** en voz alta y de manera inteligible.

**intello** *s FAM* intelectual.

**intempérance** *f* intemperancia.

**intempérant, e** *a* intemperante.

**intempéries** *f pl* intemperie *sing*, inclemencia *sing*: **exposé aux ~** expuesto a la intemperie.

**intempestif, ive** *a* intempestivo, a.

**intemporel, elle** *a* intemporal.

**intenable** *a* **1.** insostenible **2.** *(chaleur, enfant)* insoportable.

**intendance** *f* intendencia ◊ *FIG* **problèmes d'~** problemas secundarios.

**intendant, e** *s* **1.** intendente, a **2.** *(d'un lycée, etc.)* administrador, a.

**intense** *a* intenso, a.

**intensément** *adv* intensamente.

**intensif, ive** *a* intensivo, a.

**intensification** *f* intensificación.

**intensifier*** *vt* intensificar. ◆ **s'~** *vpr* intensificarse.

**intensité** *f* intensidad.

**intensivement** *adv* intensivamente, intensamente.

**intenter** *vt JUR* entablar, incoar: **~ un procès à** poner pleito a, entablar un pleito contra.

**intention** *f* **1.** intención: **mauvaise ~** mala intención; **c'est l'~ qui compte** lo que cuenta es la intención **2.** propósito *m*, intención: **quelles sont vos intentions?** ¿cuáles son sus propósitos?; **j'ai l'~ de partir** tengo la intención, el propósito de marcharme; **intentions de vote** intenciones de voto; **dans l'~ de** con la intención de, con el propósito de **3.** *loc prép* **à l'~ de** por: **à ton ~** por ti; **j'ai acheté ce disque à votre ~** compré este disco para usted; **fête à l'~ de son départ à la retraite** fiesta con motivo de su jubilación.

**intentionné, e** *a* **être bien, mal ~** ser bien, mal intencionado, a.

**intentionnel, elle** *a* intencional.

**intentionnellement** *adv* intencionalmente, intencionadamente, adrede.

**inter** [ɛ̃tɛʀ] *m* **1.** *FAM* teléfono interurbano **2.** *(au football)* interior.

**interactif, ive** *a* interactivo, a: **réseau ~** red interactiva.

**interaction** *f* interacción.

**interactivité** *f INFORM* interactividad.

**interallié, e** *a MIL* interaliado, a.

**interarmes** *a MIL* **École ~** Academia General Militar.

**intercalaire** *a* **1.** *(jour)* intercalar **2.** *(feuillet)* intercalado, a.

**intercalation** *f* intercalación.

**intercaler** *vt* intercalar. ◆ **s'~** *vpr* intercalarse.

**intercéder*** *vi* interceder, mediar.

**intercepter** *vt* interceptar.

**intercepteur** *m (avion)* interceptor.

**interception** *f* intercepción.

**intercesseur** *m* intercesor.

**intercession** *f* intercesión.

**interchangeable** *a* intercambiable.

**interclasse** *m* descanso, tiempo intercalado entre dos clases.

**interconnecter** *vt* interconectar.

**interconnexion** *f* interconexión.

**intercontinental, e** *a* intercontinental: **fusée intercontinentale** cohete intercontinental.

**intercostal, e** *a ANAT* intercostal: **muscles intercostaux** músculos intercostales.

**interdépendance** *f* interdependencia.

**interdépendant, e** *a* interdependiente.

**interdiction** *f* **1.** interdicción, prohibición ◊ **~ de fumer** se prohíbe fumar, prohibido fumar **2.** *JUR* inhabilitación, incapacitación **3.** *(d'un ecclésiastique, fonctionnaire)* suspensión.

**interdigital, e** *a* interdigital.

**interdire*** *vt* **1.** prohibir: **on lui a interdit de venir** se le ha prohibido venir **2.** *(empêcher)* impedir **3.** *(ecclésiastique, fonctionnaire)* suspender **4.** *JUR* inhabilitar, incapacitar. ◆ **s'~ de** *vpr* abstenerse de.

**interdisciplinaire** *a* interdisciplinario, a.

**interdit, e** *a* **1.** prohibido, a: **film ~ aux moins de dix-huit ans** película prohibida a menores de dieciocho años; **passage ~** prohibido el paso; **entrée interdite** prohibida la entrada; **stationnement ~** prohibido aparcar. **2.** *(ébahi)* desconcertado, a, cortado, a: **rester tout ~** quedarse cortado. ◇ *m* **1.** *RELIG* entredicho **2.** tabú.

**intéressant, e** *a* **1.** interesante: **voilà qui devient ~** eso se pone interesante **2. prix ~** precio ventajoso **3. dans une position, situation intéressante** *(grossesse)* en estado interesante. ◇ *m* **faire l'~** hacerse el interesante.

**intéressé, e** *a/s* interesado, a: **~ à** interesado en; **les intéressés** los interesados.

**intéressement** *m* participación *f*.

**intéresser** *vt* **1.** interesar **2.** importar: **ce qui l'intéressait le plus, c'était de...** lo que más le importaba era... ◆ **s'~ à** *vpr* interesarse por: **il ne s'intéresse à rien** no se interesa por nada.

**intérêt** *m* **1.** interés: **j'ai écouté la conférence avec beaucoup d'~** he escuchado la conferencia con mucho interés ◊ **porter de l'~ à** interesarse por; **un film sans ~** una película falta de interés; **une déclaration du plus haut ~** una declaración sumamente interesante **2.** *(avantage)* interés: **je le dis dans ton ~** lo digo en interés tuyo; **défendre ses intérêts** defender sus intereses; **tu as ~ à te dépêcher** convendría que te dieras prisa; **dans l'~ de** en interés de, en beneficio de **3.** *COM* **intérêts composés** intereses compuestos; **un ~ de 12%** un interés de un 12%.

**interethnique** *a* interétnico, a.

**interface** *f INFORM* interfaz, interface.

**interférence** *f* interferencia.

**interférer*** *vi* interferir, producir interferencias.

**interféron** *m* interferón.

**intérieur** *a* interior. ◇ *m* **1.** interior ◊ **à l'~** dentro; **à l'~ de** dentro de **2.** *(maison)* casa *f*; *(appartement)* piso: **un ~ modeste** un piso modesto; **une femme d'~** una mujer de su casa; **vêtement d'~** traje para estar en casa **3.** *(en Espagne)* **ministère de l'Intérieur** Ministerio de la Gobernación; **ministre de l'Intérieur** ministro de Interior.

**intérieurement** *adv* interiormente.

**intérim** [ɛ̃teʀim] *m* **1.** interinidad *f*, ínterin **2.** *loc adv* **par ~** interinamente, provisionalmente; **président par ~** presidente interino, accidental **3. faire de l'~** hacer trabajos temporales; **société d'~** empresa de empleo temporal, de subcontratación de servicios.

**intérimaire** *a/s* **1.** interino, a **2. employé ~** empleado temporal.

**intériorisation** *f* interiorización.

**intérioriser** *vt* interiorizar.

**intériorité** *f* interioridad.

**interjectif, ive** *a* interjectivo, a.

**interjection** *f* **1.** *GRAM* interjección **2.** *JUR* interposición, recurso *m*.

**interjeter*** *vt JUR* **~ appel** interponer apelación, recurrir.

**interlignage** *m* interlineación *f*.

**interligne** *m* **1.** interlínea *f* **2. taper à double ~** escribir a doble espacio **3.** *MUS* espacio. ◇ *f* interlínea.

**interligner** *vt* **1.** entrerrenglonar, interlinear **2.** *(imprimerie)* regletear.

**interlocuteur, trice** *s* interlocutor, a: **~ valable** interlocutor válido; **interlocuteurs sociaux** interlocutores sociales.

**interlope** *a* **1.** *(illégal)* intérlope, fraudulento, a **2.** *FIG (suspect)* equívoco, a, sospechoso, a.

**interloquer** *vt* desconcertar, confundir, dejar patidifuso, a: **sa réponse m'a interloqué** su respuesta me desconcertó, me dejó patidifuso.

**interlude** *m* interludio.

**intermède** *m* **1.** intermedio **2.** *THÉÂT* entreacto, entremés.

**intermédiaire** *a/s* **1.** intermediario, a **2. sans ~** directamente **3.** *loc prép* **par l'~ de** por mediación de, por intermedio de, por conducto de, a través de: **par l'~ d'une agence, d'une banque** a través de una agencia, de un banco.

**interminable** *a* interminable.

**interministériel, elle** *a* interministerial.

**intermittence** *f* intermitencia ◇ **par ~** intermitentemente, irregularmente, con intermitencias.

**intermittent, e** *a* intermitente.

**intermoléculaire** *a* intermolecular.

**internat** *m* internado.

**international, e** *a/f* internacional: **organismes internationaux** organismos internacionales. ◇ *f* **l'Internationale** la Internacional.

**internationalisation** *f* internacionalización.

**internationaliser** *vt* internacionalizar.

**internationalisme** *m* internacionalismo.

**internaute** *s* internauta.

**interne** *a/s* interno, a.

**interné, e** *a/s* internado, a.

**internement** *m* **1.** internamiento, reclusión *f* **2.** *(dans un établissement psychiatrique)* internamiento.

**interner** *vt* **1.** internat, recluir **2.** *(dans un établissement psychiatrique)* internar.

**interniste** *s (médecin)* internista.

**interocéanique** *a* interoceánico, a.

**interosseux, euse** *a ANAT* interóseo, a.

**interpellateur, trice** *s* interpelador, a.

**interpellation** *f* **1.** interpelación **2.** *(par la police)* detención.

**interpeller** *vt* **1.** interpelar **2.** *(la police)* detener.

**interpénétration** *f* interpenetración.

**interpénétrer (s')*** *vpr* penetrarse mutuamente.

**interphone** *m* intercomunicador, interfono.

**interplanétaire** *a* interplanetario, a.

**interpolation** *f* interpolación.

**interpoler** *vt* interpolar.

**interposé, e** *a* **par personne interposée** por persona interpuesta, por interpósita persona.

**interposer** *vt* **1.** interponer **2.** *FIG* **~ son autorité** hacer intervenir su autoridad. ◆ **s'~** *vpr* interponerse, mediar: **il s'interposa entre eux** se interpuso entre ellos.

**interposition** *f* interposición.

**interprétariat** *m* interpretariado.

**interprétation** *f* interpretación.

**interprète** *s* intérprete.

**interpréter*** *vt* interpretar: **mal ~** interpretar mal.

**interprofessionnel, elle** *a* común a todas las profesiones.

**interrègne** *m* interregno.

**interrogateur, trice** *a* interrogante, interrogador, a: **un regard ~** una mirada interrogante. ◇ *s (à un examen)* examinador, a.

**interrogatif, ive** *a* interrogativo, a.

**interrogation** *f* **1.** interrogación **2. point d'~** signo de interrogación; *FIG* interrogante **3.** *(scolaire)* prueba.

**interrogatoire** *m* interrogatorio.

**interroger*** *vt* **1.** interrogar, preguntar: **~ un témoin** interrogar a un testigo; **interrogé sur les motifs de...** preguntado sobre los motivos de... **2.** *(consulter)* consultar **3.** *(sondage)* **les personnes interrogées** los encuestados. ◆ **s'~** *vpr* preguntarse a sí mismo: **je m'interroge sur ce que je vais faire** me pregunto lo que voy a hacer.

**interrompre*** *vt* interrumpir. ◆ **s'~** *vpr* interrumpirse.

**interrompu, e** *a* interrumpido, a.

**interrupteur** *m* interruptor.

**interruption** *f* **1.** interrupción **2. sans ~** ininterrumpidamente **3. ~ volontaire de grossesse** interrupción voluntaria del embarazo.

**intersection** *f* **1.** intersección: **à l'~ des rues...** en la intersección de las calles... **2.** *(de routes)* cruce *m*.

**intersidéral, e** *a* intersideral.

**interstellaire** *a* interestelar.

**interstice** *m* intersticio.

**interstitiel, elle** *a MÉD* intersticial.

**intertropical, e** *a* intertropical.

**interurbain, e** *a* interurbano, a. ◇ *m* teléfono interurbano.

**intervalle** *m* **1.** intervalo: **dans l'~** en el intervalo; **à deux jours d'~** con un intervalo de dos días **2. par intervalles** de vez en cuando, a intervalos **3.** *MUS* intervalo.

**intervenir*** *vi* **1.** intervenir: **la police est intervenue rapidement** la policía intervino rápidamente; **~ dans un débat** intervenir en un debate **2.** *(en faveur de)* intervenir, mediar, terciar.

**intervention** *f* **1.** intervención: **une ~ armée** una intervención armada **2.** actuación: **la rapide ~ des pompiers** la rápida actuación de los bomberos **3. ~ chirurgicale** intervención quirúrgica; **subir une ~** ser intervenido quirúrgicamente, ser operado.

**interventionniste** *a/s* intervencionista.

**interversion** *f* inversión.

**intervertir** *vt* invertir: **~ les rôles** invertir los papeles.

**interview** [ɛ̃tɛʀvju] *f* interviú *m*, entrevista, interview *m*.

**¹interviewer** [ɛ̃tɛʀvjuve] *vt* **~ un ministre** entrevistarse con, interviuvar a un ministro.

**²interviewer** [ɛ̃tɛʀvjuvœʀ] *s* interviuvador, a.

**intestat** *a/s JUR* intestado, a, sin testamento.

**intestin, e** *a* intestino, a: **querelles intestines** querellas intestinas. ◇ *m ANAT* intestino: **~ grêle** intestino delgado; **gros ~** intestino grueso.

**intestinal, e** *a* intestinal: **vers intestinaux** lombriz *f sing* intestinal.

**intimation** *f* **1.** intimación **2.** *JUR* citación, convocación.

**intime** *a/s* íntimo, a: **ami ~** amigo íntimo.

**intimement** *adv* íntimamente.

**intimer** *vt* **1. ~ l'ordre de** intimar, conminar a que **2.** *JUR* citar, convocar.

**intimidant, e** *a* que intimida.

**intimidation** *f* intimidación, amedrentamiento *m:* **campagne d'~** campaña de amedrentamiento.

**intimider** *vt* intimidar, cohibir. ◇ **se laisser ~** intimidarse.

**intimiste** *a/s* intimista.

**intimité** *f* intimidad: **dans l'~** en la intimidad; **dans la plus stricte ~** en la más estricta intimidad.

**intitulé** *m* título.

**intituler** *vt* titular, intitular. ◆ **s'~** *vpr* titularse, intitularse.

**intolérable** *a* intolerable.

**intolérance** *f* intolerancia.

**intolérant, e** *a/s* intolerante.

**intonation** *f* entonación.

**intouchable** *a* intocable. ◇ *s (en Inde)* paria, intocable.

**intox** *f FAM* intoxicación.

**intoxication** *f* **1.** intoxicación: **~ alimentaire** intoxicación alimentaria **2.** *(en politique)* intoxicación.

**intoxiquer** *vt* intoxicar. ◆ **s'~** *vpr* intoxicarse.

**intradermique** *a* intradérmico, a.

**intradermo-réaction** *f* intradermorreacción.

**intrados** *m ARCH* intradós.

**intraduisible** *a* intraducible.

**intraitable** *a* intransigente, inflexible, intratable.

**intra-muros** *loc adv* intramuros.

**intramusculaire** *a* intramuscular: **piqûre ~** inyección intramuscular.

**intransigeance** [ɛ̃tʀɑ̃ziʒɑ̃s] *f* intransigencia.

**intransigeant, e** *a/s* intransigente.

**intransitif, ive** *a/m GRAM* intransitivo, a.

**intransmissible** *a* intransmisible.

**intransportable** *a* intransportable.

**intrant** *m ÉCON* insumo.

**intra-utérin, e** *a* intrauterino, a.

**intraveineux, euse** *a* intravenoso, a: **piqûre intraveineuse** inyección intravenosa.

**intrépide** *a* intrépido, a.

**intrépidité** *f* intrepidez.

**intrigant, e** *a/s* intrigante.

**intrigue** *f* **1.** intriga: **nouer des intrigues** tramar intrigas **2.** *(amoureuse)* aventura galante **3. comédie d'~** comedia de enredo.

**intriguer** *vi* intrigar. ◇ *vt* intrigar, despertar la curiosidad: **sa vie m'intrigue** su vida me intriga.

**intrinsèque** *a* intrínseco, a.

**intrinsèquement** *adv* intrínsecamente.

**introducteur, trice** *s* introductor, a.

**introduction** *f* **1.** introducción **2. lettre d'~** carta de recomendación.

**introduire*** *vt* **1.** introducir: **introduisez le jeton dans la fente** introduzca la ficha en la ranura **2.** *(une personne)* presentar. ◆ **s'~** *vpr* introducirse: **il s'est introduit dans le salon** se introdujo en el salón.

**introït** [ɛ̃tʀɔit] *m* introito.

**intronisation** *f* entronización.

**introniser** *vt* entronizar.

**introspection** *f* introspección.

**introuvable** *a* **1.** imposible de encontrar, de hallar **2.** *(très rare)* rarísimo, a.

**introversion** *f* introversión.

**introverti, e** *a/s* introvertido, a.

**intrus, e** *a/s* intruso, a.

**intrusion** *f* intrusión.

**intubation** *f MÉD* intubación.

**intuitif, ive** *a/s* intuitivo, a.

**intuition** *f* **1.** intuición: **avoir de l'~** tener intuición ◊ **par ~** intuitivamente **2.** *(pressentiment)* presentimiento *m.*

**intuitivement** *adv* intuitivamente.

**intumescence** *f* intumescencia, hinchazón.

**inusable** *a* que no se desgasta con el uso ◊ **cette robe est ~!** ¡este vestido va a durar siempre!

**inusité, e** *a* inusitado, a.

**inutile** *a* **1.** inútil: **des objets inutiles** objetos inútiles; **il est ~ que tu écrives** es inútil que escribas **2. il est ~ d'insister** no vale la pena insistir; **~ de dire que...** ni que decir tiene que..., huelga decir que..., inútil decir que... ◇ *m* **un ~** un inútil.

**inutilement** *adv* inútilmente.

**inutilisable** *a* inservible.

**inutilisé, e** *a* no utilizado, a.

**inutiliser** *vt* inutilizar.

**inutilité** *f* inutilidad.

**invagination** *f MÉD* invaginación.

**invaincu, e** *a* invicto, a, imbatido, a.

**invalidation** *f* invalidación.

**invalide** *a/s* inválido, a.

**invalider** *vt* anular, invalidar: **~ une élection** anular una elección.

**invalidité** *f* invalidez.

**invariable** *a* invariable.

**invariablement** *adv* invariablemente.

**invasion** *f* invasión: **les invasions barbares** las invasiones bárbaras.

**invective** *f* invectiva.

**invectiver** *vi/t* **~ contre quelqu'un, ~ quelqu'un** dirigir invectivas contra alguien, increpar a alguien.

**invendable** *a* invendible.

**invendu, e** *a* sin vender, no vendido, a. ◇ *m* artículo sin vender.

**inventaire** *m* **1.** inventario: **faire, dresser l'~** hacer el inventario **2. sous bénéfice d'~** a beneficio de inventario; **vente après ~** venta post-balance.

**inventer** *vt* **1.** *(découvrir)* inventar **2.** *(imaginer)* inventarse: **je n'invente rien** no me invento nada; **il a inventé une excuse** se inventó una excusa.

**inventeur, trice** *s* **1.** inventor, a **2.** *(d'un trésor, etc.)* descubridor, a.

**inventif, ive** *a* inventivo, a.

**invention** *f* **1.** invención, invento *m:* **c'est une ~ à moi** es un invento mío; **brevet d'~** patente de invención **2.** *(chose imaginée)* ficción, invención ◊ **de son ~** de su cosecha **3.** *RELIG* **l'Invention de la Sainte Croix** la Invención de la Santa Cruz.

**inventivité** *f* inventiva.

**inventorier*** *vt* inventariar, hacer el inventario de.

**invérifiable** *a* incomprobable, que no puede comprobarse: **son hypothèse est ~** su hipótesis es incomprobable.

**inverse** *a* inverso, a, contrario, a, opuesto, a: **en sens ~** en sentido opuesto. ◇ *m* lo contrario: **faire l'~** hacer lo contrario; **à l'~** a la inversa, al contrario.

**inversement** *adv* inversamente.

**inverser** *vt* invertir.

**inversion** *f* inversión.

**invertébré, e** *a/s* invertebrado, a.

**inverti, e** *a/s* homosexual, invertido, a.

**invertir** *vt* invertir.

**investigateur, trice** *a/s* investigador, a.

**investigation** *f* investigación.

**investir** *vt* **1. ~ quelqu'un d'une fonction** investir a alguien con un cargo **2.** *(des capitaux)* invertir, colocar **3.** *FIG* **~ quelqu'un de sa confiance** otorgarle a alguien su confianza **4.** *MIL (entourer)* cercar, asediar. ◇ *vi (en psychologie)* **~ dans** consagrarse enteramente a.

**investissement** *m* **1.** *(de capitaux)* inversión *f*: **un bon ~** una buena inversión **2.** *MIL* cerco, asedio **3.** *(en psychologie)* carga *f*.

**investisseur** *s* inversionista.

**investiture** *f* investidura.

**invétéré, e** *a* **1.** *(habitude, etc.)* inveterado, a, arraigado, a **2.** empedernido, a: **un ivrogne ~** un borracho empedernido.

**invétérer (s')*** *vpr* echar raíces, arraigar.

**invincible** *a* invencible ◊ **l'~ Armada** la Armada Invencible.

**inviolabilité** *f* inviolabilidad.

**inviolable** *a* inviolable.

**inviolé, e** *a* inviolado, a.

**invisible** *a* invisible.

**invitation** *f* **1.** invitación **2.** *(carte)* invitación.

**invite** *f* **1.** *(jeux de cartes)* envite *m* **2.** *FIG* incitación.

**invité, e** *a/s* invitado, a.

**inviter** *vt* **1.** invitar, convidar: **il m'a invité à son mariage** me invitó a su boda **2. ~ à danser** sacar a bailar **3.** *FIG* invitar, rogar: **je t'invite à te taire** te ruego que te calles.

**invivable** *a* insoportable.

**invocation** *f* **1.** invocación **2.** *RELIG* **sous l'~ de...** bajo la advocación de...

**involontaire** *a* involuntario, a.

**involontairement** *adv* involuntariamente.

**involucre** *m BOT* involucro.

**involution** *f BIOL* involución.

**invoquer** *vt* **1.** invocar **2.** *(comme justification)* invocar, alegar, aducir: **il invoqua toutes sortes de prétextes** adujo toda clase de pretextos.

**invraisemblable** *a* **1.** inverosímil: **nouvelle ~** noticia inverosímil ◊ **aussi ~ que cela paraisse** aunque parezca mentira **2.** *FAM (extravagant)* **une tenue ~** una indumentaria extravagante.

**invraisemblance** *f* inverosimilitud.

**invulnérable** *a* invulnerable.

**iode** [jɔd] *m* yodo.

**iodé, e** *a* yodado, a.

**iodoforme** *m* yodoformo.

**iodure** *m* yoduro.

**ion** *m* ión.

**Ionie** *np f* Jonia.

**ionien, enne** *a/s* jonio, a, jónico, a.

**ionique** *a/m ARCH* jónico, a: **ordre ~** orden jónico.

**ionisation** *f CHIM* ionización.

**ioniser** *vt CHIM* ionizar.

**ionosphère** *f* ionosfera.

**iota** [jɔta] *m* **1.** *(lettre grecque)* iota *f* **2.** *FIG* **il n'y manque pas un ~** no falta un ápice.

**ipéca, ipécacuana** *m* ipecuana *f*.

**Iphigénie** *np f* Ifigenia.

**ira, irai,** etc. → **aller.**

**Irak** *np m* Irak.

**irakien, enne, iraquien, enne** *a/s* iraquí.

**Iran** *np m* Irán.

**iranien, enne** *a/s* iraní.

**iraquien** → **irakien.**

**irascibilité** *f* irascibilidad.

**irascible** *a* irascible.

**ire** *f ANC* ira.

**Irène** *np f* Irene.

**irez** → **aller.**

**iridescent, e** *a* iridescente.

**iridium** [iridjɔm] *m* iridio.

**iris** [iris] *m* **1.** *ANAT (de l'œil)* iris **2.** *(plante)* lirio.

**irisation** *f* irisación.

**iriser** *vt* irisar. ◆ **s'~** *vpr* irisarse.

**irlandais, e** *a/s* irlandés, esa.

**Irlande** *np f* Irlanda: **l'~ du Nord** Irlanda del Norte.

**ironie** *f* **1.** ironía ◊ **faire de l'~** ironizar **2.** *FIG* **une ~ du sort** ironías *pl* de la vida.

**ironique** *a* irónico, a.

**ironiquement** *adv* irónicamente.

**ironiser** *vi* ironizar.

**ironiste** *s* ironista.

**irons** → **aller.**

**iroquois, e** *a/s* iroqués, a.

**irradiation** *f* irradiación.

**irradier*** *vi/t* irradiar.

**irraisonné, e** *a* infundado, a: **crainte irraisonnée** temor infundado.

**irrationnel, elle** *a* **1.** irracional **2.** *MATH* irracional.

**irréalisable** *a* irrealizable.

**irréalisme** *m* falta *f* de realismo.

**irréalité** *f* irrealidad.

**irrecevable** *a* inadmisible, inaceptable.

**irréconciliable** *a* irreconciliable.

**irrécouvrable** *a* irrecuperable, incobrable.

**irrécupérable** *a* irrecuperable.

**irrécusable** *a* irrecusable.

**irrédentisme** *m* irredentismo.

**irréductible** *a* irreductible, irreducible.

**irréel, elle** *a* irreal.

**irréfléchi, e** *a* irreflexivo, a.

**irréflexion** *f* irreflexión.

**irréfragable** *a LITT* irrefutable, irrefragable.

**irréfutable** *a* irrefutable.

**irrégularité** *f* **1.** irregularidad **2. commettre des irrégularités** cometer irregularidades.

**irrégulier, ère** *a* **1.** irregular **2.** *(élève)* irregular.

**irrégulièrement** *adv* irregularmente.

**irréligieux, euse** *a* irreligioso, a.

**irréligion** *f* irreligión.

**irréligiosité** *f* irreligiosidad.

**irrémédiable** *a* irremediable.

**irrémédiablement** *adv* irremediablemente.

**irrémissible** *a* irremisible.

**irremplaçable** *a* irreemplazable, insustituible.

**irréparable** *a* irreparable.

**irrépréhensible** *a* irreprensible.

**irrépressible** *a* irreprimible, que no se puede reprimir.

**irréprochable** *a* irreprochable, intachable: **conduite ~** conducta intachable.

**irrésistible** *a* **1.** irresistible, arrollador, a: **force ~** fuerza irresistible **2.** *(drôle)* muy gracioso, cómico, a.

**irrésistiblement** *adv* irresistiblemente.

**irrésolu, e** *a* irresoluto, a, indeciso, a: **il a un caractère ~** tiene un carácter indeciso.

**irrésolution** *f* irresolución.

**irrespect** [iʀ(ʀ)ɛspɛ] *m* falta *f* de respeto, irrespeto.

**irrespectueux, euse** *a* irrespetuoso, a.

**irrespirable** *a* irrespirable: **une atmosphère ~** una atmósfera irrespirable.

**irresponsabilité** *f* irresponsabilidad.

**irresponsable** *a/s* irresponsable.

**irrétrécissable** *a* que no puede encoger.

**irrévérence** *f* irreverencia.

**irrévérencieusement** *adv* irreverentemente.

**irrévérencieux, euse** *a* irreverente.

**irréversibilité** *f* irreversibilidad.

**irréversible** *a* irreversible.

**irrévocabilité** *f* irrevocabilidad.

**irrévocable** *a* irrevocable.

**irrévocablement** *adv* irrevocablemente.

**irrigateur** *m* irrigador.

**irrigation** *f* **1.** irrigación, riego *m* **2. canal d'~** acequia *f* **3.** *(du sang)* riego *m* sanguíneo.

**irriguer** *vt* **1.** irrigar, regar **2.** *MÉD* irrigar.

**irritabilité** *f* irritabilidad.

**irritable** *a* irritable.

**irritant, e** *a* irritante.

**irritation** *f* **1.** irritación **2.** *(démangeaison)* irritación.

**irriter** *vt* irritar. ◆ **s'~** *vpr (se mettre en colère)* irritarse, exasperarse.

**irruption** *f* **1.** irrupción **2. faire ~ dans** irrumpir en: **les manifestants firent ~ dans la salle** los manifestantes irrumpieron en la sala.

**Isaac** *np m* Isaac.

**Isabelle** *np f* Isabel.

**isabelle** *a (couleur)* isabelino, a.

**Isaïe** [izai] *np m* Isaías.

**isard** *m* gamuza *f*, rebeco.

**isba** *f* isba.

**ischion** [iskjɔ̃] *m ANAT* isquion.

**Iseut** *np f* Iseo.

**Isidore** *np m* Isidoro, Isidro.

**islam** [islam] *m* islam.

**islamique** *a* islámico, a.

**islamisation** *f* islamización.

**islamiser** *vt* islamizar.

**islamisme** *m* islamismo.

**islamiste** *a/s* islamita.

**islandais, e** *a/s* islandés, esa.

**Islande** *np f* Islandia.

**Ismaël** [ismaɛl] *np m* Ismael.

**ismaélite** *a/s* ismaelita.

**isobare** *a* isobárico, a. ◇ *f* isobara, línea isobárica.

**isocèle** *a GÉOM* isósceles: **triangle ~** triángulo isósceles.

**isochrone** [izɔkʀɔn] *a* isócrono, a.

**isolable** *a* aislable.

**isolant, e** *a/m* aislante.

**isolateur** *m (électrique)* aislador.

**isolation** *f* aislamiento *m*: **~ thermique** aislamiento térmico.

**isolationnisme** *m* aislacionismo.

**isolationniste** *a/s* aislacionista.

**isolé, e** *a* aislado, a: **village, cas ~** pueblo, caso aislado.

**isolement** *m* aislamiento, apartamiento.

**isolément** *adv* aisladamente, apartadamente.

**isoler** *vt* aislar. ◆ **s'~** *vpr* aislarse, apartarse: **j'ai besoin de m'~** necesito aislarme.

**isoloir** *m* cabina *f* donde el elector prepara su voto.

**isomère** *a/m CHIM* isómero, a.

**isomérie** *f CHIM* isomería.

**isomorphe** *a* isomorfo, a.

**isomorphisme** *m* isomorfismo.

**isotherme** *a* isotermo, a. ◇ *f* isoterma.

**isotope** *m* isótopo.

**Israël** [isʀaɛl] *np m* Israel.

**israélien, enne** *a/s* israelí.

**israélite** *a/s* israelita.

**issu, e** *a* **1.** descendiente, nacido, a, salido, a: **être ~ de** ser descendiente de, proceder de ◊ **cousins issus de germains** primos segundos **2.** *FIG* que resulta de.

**issue** *f* **1.** salida: **~ de secours** salida de emergencia **2.** *FIG* escape *m*, salida, solución: **je ne vois pas d'autre ~** no veo otra salida; **c'est notre seule ~** es nuestra única salida; **se ménager une ~** buscar una solución **3.** *(fin)* final, desenlace *m*: **heureuse ~** final feliz **4.** *loc prép* **à l'~ de** al final de; **un rapport sera fait à l'~ de la séance** se hará un informe al final de la sesión. ◇ *pl* **1.** *(de céréales)* afrecho *m*, salvado *m* **2.** *(boucherie)* despojos *m*.

**Istanbul** *np* Estambul.

**isthme** [ism] *m* istmo.

**isthmique** *a* ístmico, a.

**italianisant, e** *s* italianista.

**italianisme** *m* italianismo.

**Italie** *np f* Italia.

**italien, enne** *a/s* italiano, a.

**italique** *a* itálico, a. ◇ *m (écriture)* cursiva *f*, bastardilla *f*, itálica *f*: **en ~** en bastardilla.

**itératif, ive** *a* iterativo, a, reiterado, a, repetido, a.

**Ithaque** *np f* Itaca.

**itinéraire** *m* itinerario, ruta *f*: **~ bis, recommandé, de délestage** itinerario alternativo, ruta alternativa.

**itinérant, e** *a* ambulante, itinerante, que se desplaza: **cirque ~** circo ambulante.

**itou** *adv* FAM igualmente, también.

**ivoire** *m* marfil ◊ **tour d'~** torre de marfil; **Côte d'Ivoire** Costa de Marfil.

**ivoirien, enne** *a/s* de la Costa de Marfil.

**ivoirin, e** *a* marfileño, a.

**ivraie** *f* **1.** *(plante)* cizaña **2.** *FIG* **séparer le bon grain de l'~** separar los buenos de los malos, el bien del mal.

**ivre** *a* **1.** ebrio, a, borracho, a: **~ mort** borracho perdido; **être complètement ~** estar completamente borracho **2.** *FIG* loco, a, ciego, a: **~ de bonheur** loco de felicidad; **~ de colère** ciego de ira.

**ivresse** *f* **1.** embriaguez, borrachera **2.** *FIG* euforia, entusiasmo *m*.

**ivrogne** *a/m* borracho, a, borrachín, ina ◊ **serment d'~** promesa *f* que no se cumple.

**ivrognerie** *f* embriaguez, alcoholismo *m*.

**ivrognesse** *f* POP borracha, borrachina.

# J

**j** [ʒi] *m* j *f*, jota *f*. ◊ **le jour ~** el día D; **j'** → **je**.

**jabiru** *m* jabirú.

**jabot** *m* **1.** ZOOL buche **2.** *(ornement)* chorrera *f*.

**jaboter** *vi* FAM parlotear, charlotear, cotorrear.

**jacaranda** *m* jacarandá.

**jacassement** *m (bavardage)* parloteo, charloteo, cotorreo.

**jacasser** *vi* **1.** *(la pie)* parlar, chillar **2.** *(bavarder)* parlotear, charlotear, cotorrear.

**jacasserie** *f* parlería, charladuría, cotorreo *m*.

**jacasseur, euse** *a/s* hablador, a, charlador, a.

**jachère** *f* barbecho *m*: **terre en ~** tierra en barbecho.

**jacinthe** *f* jacinto *m*.

**jackpot** [(d)ʒakpɔt] *m* **1.** *(machine)* máquina tragaperras **2.** *(le gros lot)* el gordo.

**jaco** → **jacquot.**

**Jacob** *np m* Jacob.

**jacobin, e** *a/s* jacobino, a.

**jacobinisme** *m* jacobinismo.

**jacquard** *a/m* **1.** *(métier)* telar de Jacquard **2. pull ~** jersey jacquar.

**Jacqueline** *np f* Jacoba.

**jacqueline** *f (cruche)* vasija de gres.

**jacquemart** → **jaquemart.**

**jacquerie** *f* levantamiento *m* de campesinos.

**Jacques** *np m* **1.** Santiago, Diego, Jaime, Jacobo **2.** FAM **faire le ~** hacer el bobo.
▶ Saint Jacques se dit *Santiago*. *Jacobo* s'applique plus particulièrement aux rois dÉcosse. J.-J. Rousseau se dit *Juan Jacobo Rousseau*.

**jacquet** *m (jeu)* chaquete.

**jacquot** *m (perroquet)* loro, papagayo.

**jactance** *f* jactancia.

**jacter** *vi* POP rajar, garlar.

**jaculatoire** *a* RELIG **oraison ~** oración jaculatoria.

**jacuzzi** *m (nom déposé)* jacuzzi.

**jade** *m* jade.

**jadis** [ʒadis] *adv* **1.** antaño, antiguamente **2. au temps ~** antaño, en otros tiempos.

**Jaffa** *np* Jafa, Jaffa.

**jaguar** *m* jaguar, yaguar.

**jaillir** *vi* **1.** *(liquide)* brotar, manar, surgir **2.** *(étincelle)* saltar **3.** *(lumière)* brotar, surgir **4.** *(idée)* brotar.

**jaillissant, e** *a* que brota.

**jaillissement** *m* **1.** chorro **2.** FIG surgimiento.

**jais** *m* azabache: **yeux de ~** ojos de azabache.

**jalon** *m* **1.** *(topographique)* hito **2.** *(repère)* hito, señal: **marquer un ~** marcar un hito ◊ FIG **planter, poser des jalons** preparar el terreno.

**jalonnement** *m* jalonamiento.

**jalonner** *vt* jalonar.

**jalouse** → **jaloux.**

**jalousement** *adv* **1. il veille ~ sur son bien** cuida celosamente sus bienes; **garder ~ un secret** guardar celosamente un secreto **2.** envidiosamente.

**jalouser** *vt* envidiar. ◆ **se ~** *vpr* envidiarse.

**jalousie** *f* **1.** *(envie)* envidia **2.** *(amour)* celos *m pl*: **une crise de ~** un ataque de celos; **sa ~ n'est pas fondée** tiene celos infundados **3.** *(contrevent)* celosía.

**jaloux, ouse** *a/s* **1.** envidioso, a: **être ~ du succès d'autrui** estar envidioso del éxito ajeno, envidiar el éxito ajeno **2.** *(en amour)* celoso, a: **il est ~ de sa petite sœur** está celoso de su hermana menor; **un mari ~** un marido celoso ◊ **il est affreusement ~** tiene unos celos espantosos; **elle le rend ~** le da celos **3. être ~ de ses prérogatives** tener apego a sus prerrogativas **4. sa richesse fait des ~** muchos envidian su riqueza.

**jamaïquain, e, jamaïcain, e** *a/s* jamaicano, a.

**Jamaïque** [ʒamaik] *np f* Jamaica.

**jamais** *adv* **1.** *(valeur négative)* nunca, jamás: **il ne vient ~** no viene nunca, nunca viene; **je n'ai ~ vu de corrida** nunca he visto una corrida; **on ne sait ~** nunca se sabe; **~ plus** nunca más ◊ **au grand ~** jamás de los jamases, nunca jamás; **~ de la vie** *(pour réfuter)* nunca jamás; **~ de la vie!** ¡ni soñarlo!; *(dans le passé)* en mi vida: **~ de la vie je n'ai vu un pareil menteur** en mi vida he visto semejante mentiroso; **c'est le moment ou ~** es ahora o nunca **2.** *(valeur positive)* **à ~** para siempre; **si ~ tu reviens ici, je t'assomme** como vuelvas aquí, te mato **3. a-t-on ~ vu pareil bluffeur?** ¿habráse visto a semejante camelista?

**jambage** *m* **1.** *(de lettre)* trazo vertical **2.** TECHN jamba *f*.

**jambe** *f* **1.** pierna: **à mi-~** a media pierna ◊ **avoir de bonnes jambes** ser andador, a; **jouer des jambes** correr, irse corriendo; **prendre ses jambes à son cou** salir disparado, a, salir pitando; **se sauver à toutes jambes** escaparse a toda velocidad, a todo correr; **en avoir plein les jambes, ne plus pouvoir se tenir sur ses jambes** estar rendido, a, estar hecho, a polvo; **traîner, tirer la ~** andar con dificultad, renquear; **faire des ronds de ~** hacer zalamerías; FAM **ça me fait une belle ~!** ¡menudo negocio!, ¡estoy arreglado, a!; **tenir la ~ à quelqu'un** dar la lata a alguien; **il la traite par-dessous la ~** la trata sin consideración; **il fait son**

**travail par-dessous la ~** hace su trabajo en un dos por tres, chapucea su trabajo **2.** *(d'un animal)* pierna, pata **3.** *(de pantalon)* pernera **4. ~ de bois** pata de palo **5.** *ARCH* **~ de force** riostra, puntal *m*, jabalcón *m*.
▶ Se emplea también la locución familiar: *par-dessus la jambe*.

**jambière** *f* polaina.

**jambon** *m* jamón: **sandwich au ~** bocadillo de jamón; **~ de pays, cru, de montagne** jamón serrano, curado; **~ de París, ~ blanc** jamón en dulce.

**jambonneau** *m* brazuelo de cerdo.

**janissaire** *m* jenízaro.

**jansénisme** *m* jansenismo.

**janséniste** *a/s* jansenista.

**jante** *f* llanta.

**Janus** [ʒanys] *np m* Jano.

**janvier** *m* enero: **le premier ~** el primero de enero.

**Japon** *np m* Japón.

**japon** *m (papier)* papel japonés.

**japonais, e** *a/s* japonés, esa: **les Japonais** los japoneses.

**japonaiserie** *f* objeto *m* del Japón.

**japonisant, e** *a/s* aficionado, a a la cultura japonesa.

**jappement** *m* ladrido.

**japper** *vi* ladrar.

**jaquemart** *m* autómata que da la hora.

**jaquette** *f* **1.** *(d'homme)* chaqué *m* **2.** *(de femme)* chaqueta **3.** *(de livre)* sobrecubierta.

**jardin** *m* **1. ~ d'agrément** jardín; **~ des plantes, botanique** jardín botánico **2. ~ potager** huerto **3. ~ public** parque **4. ~ d'hiver** invernáculo **5. ~ d'enfants** jardín de infancia, parvulario **6.** *FIG* **cultiver son ~** vivir apaciblemente.

**jardinage** *m* **1.** horticultura *f* **2.** *(d'agrément)* jardinería *f*.

**jardiner** *vi* cuidar de un jardín ◊ **il aime ~** le gusta la jardinería.

**jardinet** *m* **1.** *(d'agrément)* jardincillo, jardincito **2.** *(potager)* huertecito.

**jardinier, ère** *s* **1.** *(fleuriste)* jardinero, a **2.** *(maraîcher)* hortelano, a. ◊ *f* **1. jardinière d'enfants** jardinera de infancia **2.** *(caisse à fleurs)* jardinera **3. jardinière de légumes** menestra de verduras.

**jargon** *m* **1.** jerga *f*, jerigonza *f*: **le ~ des médecins** la jerga de los médicos **2.** *(charabia)* jerigonza *f*, galimatías.

**jargonner** *vi* hablar en jerga.

**Jarnac (coup de)** *m* jugarreta *f*, mala jugada *f*.

**jarre** *f* tinaja, jarra de barro.

**jarret** *m* **1.** *(de l'homme)* corva *f* **2.** *(de l'animal)* corva *f*, corvejón, jarrete **3.** *(boucherie)* jarrete, morcillo.

**jarretelle** *f* liga.

**jarretière** *f* jarretera. ◊ *np f (ordre)* Jarretera.

**jars** [ʒaʀ] *m* ganso.

**jas** [ʒa] *m (de l'ancre)* cepo.

**jaser** *vi* **1.** *(bébé)* balbucear **2.** *(oiseau)* parlar, hablar **3.** *(médire)* chismorrear, cotillear, murmurar: **ça va faire ~** la gente va a chismorrear.

**jaseur, euse** *a/s* hablador, a, chismoso, a.

**jasmin** *m* jazmín.

**jaspe** *m* jaspe.

**jaspé, e** *a* jaspeado, a.

**jaspiner** *vi POP* cascar, rajar.

**jaspure** *f* jaspeado *m*.

**jatte** *f* cuenco *m*.

**jauge** *f* **1.** *(capacité)* cabida, aforo *m* **2.** *(de niveau d'huile)* varilla graduada **3.** *MAR* arqueo *m*, tonelaje *m* **4.** *TECHN* calibrador *m* **5.** *AGR* **mettre en ~** trasplantar provisionalmente.

**jaugeage** *m* **1.** aforo, aforamiento **2.** *MAR* arqueo, arqueamiento **3.** *FIG* valoración *f*, evaluación *f*.

**jauger** *vt* **1.** aforar **2.** *MAR* arquear **4.** *FIG (évaluer)* valorar, evaluar, tasar: **~ un nouvel employé** valorar a un nuevo empleado. ◊ *vi* **ce navire jauge vingt-mille tonneaux** este barco tiene veinte mil toneladas de arqueo.

**jaunâtre** *a* amarillento, a.

**jaune** *a* amarillo, a: **race ~** raza amarilla; **fièvre ~** fiebre amarilla, vómito *m* negro. ◊ *m* **1.** *(couleur)* amarillo **2. ~ d'œuf** yema *f* **3.** *(briseur de grève)* rompehuelgas, esquirol. ◊ *adv* **rire ~** reír con risa forzada, sin ganas.
▶ *Le drapeau rouge et jaune* (espagnol) se dit «la bandera roja y gualda».

**jaunir** *vi* ponerse amarillo, a, amarillear: **les feuilles jaunissent** las hojas se ponen amarillas. ◊ *vt* poner amarillo, a.

**jaunissant, e** *a* que amarillea.

**jaunisse** *f* **1.** ictericia **2.** *FAM* **il ne faut pas en faire une ~** no es para ponerse enfermo, no es para tanto.

**jaunissement** *m* amarilleo.

**Java** *np* Java.

**java** *f* **1.** *(danse)* java **2.** *FAM* **faire la ~** ir de juerga.

**javanais, e** *a/s* javanés, esa. ◊ *m* **1.** *(langue de Java)* javanés **2.** *(argot)* jerigonza *f* que obedece a un código.

**Javel (eau de)** *f* lejía.

**javeline** *f* jabalina.

**javelle** *f* gavilla.

**javelliser** *vt* esterilizar con lejía.

**javelot** *m* **1.** *(arme de jet)* venablo **2.** *(athlétisme)* jabalina *f*: **lancer le ~** lanzar la jabalina.

**jazz** [dʒaz] *m* jazz.

**jazzique, jazzistique** *a* jazzístico, a.

**jazzman** *m* músico de jazz, jazzman.

**jazzy** *a* jazzístico, a.

**je, j'** *pron* yo *(en général omis, sert à insister)*: **~ suis français** (yo) soy francés; **j'ai soif** tengo sed.

**jean** [dʒin] *m* **1.** *(tissu)* tejano: **blouson en ~** cazadora de tejano **2.** pantalón vaquero: **elle porte des jeans** lleva vaqueros, tejanos. → **blue-jean.**

**Jean** [ʒɑ̃] *np m* **1.** Juan **2.** *POP* **un ~-foutre** un mequetrefe.

**Jeanne** *np f* Juana ◊ **~ d'Arc** Juana de Arco.

**Jeannette** *np f* Juanita.

**jeannette** *f* **1.** *(croix)* pequeña cruz de collar **2.** *(à repasser)* tablita de planchar **3.** niña afiliada a los scouts.

**Jeannot** [ʒano] *np m* Juanito.

**jeep** [(d)ʒip] *f (nom déposé)* jeep *m*.

**Jéhovah** *np m* Jehová: **les témoins de ~** los testigos de Jehová.

**jéjunum** [ʒeʒynɔm] *m ANAT* yeyuno.

**je-m'en-fichisme, je-m'en-foutisme** *m FAM* despreocupación *f*, indiferencia *f*, pasotismo.

**je-m'en-fichiste, je-m'en-foutiste** *a/s FAM* pasota, viva la Virgen.

**je ne sais quoi (un)** *m inv* un no sé qué.

**jérémiade** *f* jeremiada.

**Jérémie** *np m* Jeremías.

**jerez** → **xérès.**

**Jéricho** [ʒeriko] *np* Jericó.

**jéroboam** *m* botella *f* de unos tres litros.

**Jérôme** *np m* Jerónimo.

**jerrycan, jerricane** [(d)ʒeʀikan] *m* jerrycan, bidón de unos 20 litros para gasolina.

**jersey** *m* **1.** *(tissu)* género de punto **2.** *(vêtement)* jersey, jersei.

**Jérusalem** *np f* Jerusalén.

**jésuite** *a/s* jesuita.

**jésuitique** *a* jesuítico, a.

**jésuitisme** *m* jesuitismo.

**Jésus** [ʒezy] *np m* Jesús: **le petit ~** el niño Jesús. ◇ *m (saucisson)* salchichón grueso.

**Jésus-Christ** [ʒezykʀi] *np m* Jesucristo ◊ **l'an VI avant ~** el año VI antes de Cristo.

[1]**jet** *m* **1.** *(action)* lanzamiento, tiro: **à un ~ de pierre de...** a un tiro de piedra de... **2.** *(sport)* lanzamiento **3.** *(d'un fluide)* chorro: **~ de vapeur, de salive** chorro de vapor, de saliva **4.** *BOT* retoño, brote **5. ~ d'eau** surtidor **6. arme de ~** arma arrojadiza **7.** *(ébauche)* **premier ~** boceto, bosquejo, esbozo **8.** *loc adv* **d'un seul ~** de un tirón, de una tirada; **du premier ~** del primer golpe; **à ~ continu** sin interrupción, ininterrumpidamente.

[2]**jet** [dʒet] *m* avión de reacción, jet.

**jetable** *a* desechable: **briquet, seringue ~** mechero, jeringuilla desechable.

**jeté** *m* **1.** *(danse)* salto **2.** *(haltères)* levantamiento.

**jetée** *f* escollera, espigón *m*, malecón *m*.

**jeter*** *vt* **1.** tirar, arrojar: **~ des pierres dans l'eau** tirar piedras al agua; **ces vieux journaux sont bons à ~** estos periódicos viejos son para tirar; *FIG* **~ l'éponge, la pierre** → **éponge, pierre** ◊ *FAM* **n'en jetez plus (la cour est pleine)!** ¡basta ya! **2.** echar: **~ l'ancre** echar el ancla; **~ des étincelles** echar chispas; **~ les fondements** echar los cimientos; **~ par terre** echar al suelo; *FIG* **~ à la figure, a la tête** echar en cara **3. ~ un pont, une passerelle** tender un puente, una pasarela **4. ~ un cri** dar un grito **5. ~ un regard** echar una mirada; **~ les yeux sur** echar el ojo a; **jette un coup d'œil sur cette brochure** echa una ojeada, un vistazo a este folleto **6. ~ des idées sur un papier** anotar unas ideas **7. ~ dans l'embarras** poner en aprieto **8. ~ la terreur** infundir terror **9.** meter: **~ en prison** meter en la cárcel **10.** *FAM* **elle en jette!** ¡hace un efecto bárbaro! ◆ **s'~** *vpr* **1.** tirarse, lanzarse: **il s'est jeté par la fenêtre, dans l'étang** se tiró por la ventana, al estanque ◊ *FIG* **se ~ à l'eau** lanzarse al agua **2.** echarse, arrojarse, abalanzarse: **le chien s'est jeté sur lui** el perro se arrojó sobre él; **il se jeta dans les bras de sa mère** se echó a los brazos de su madre **3. l'Amazone se jette dans l'Atlantique** el Amazonas desemboca en el Atlántico **4.** *FIG* **se ~ dans une entreprise** lanzarse en una empresa **5.** *FAM* **s'en ~ un (derrière la cravate)** echarse un trago, tomar una copa.

**jeton** *m* **1.** *(au jeu, du téléphone, etc.)* ficha *f* **2.** *FIG* **faux ~** hipócrita, mátalas callando **3.** *POP* **avoir les jetons** tener mieditis **4. ~ de présence** dietas *f pl.*

**jeu** *m* **1.** juego: **jeux de société, de hasard, d'esprit** juegos de salón, de azar, de ingenio; **~ de mots** juego de palabras; **perdre de l'argent au ~** perder dinero en el juego; **par ~** por juego, por jugar; *PROV* **jeux de mains, jeux de vilains** juegos de manos, juegos de villanos **2.** *FIG* **c'est un ~ d'enfant** es un juego de niños, es muy fácil; **ce n'est pas de ~!** ¡no hay derecho!; **tu as beau ~ de...** es fácil para ti...; **cacher son ~** disimular sus intenciones; **être en ~** estar en juego; **faire le ~ de quelqu'un** hacerle a uno el caldo gordo, servir los intereses de alguien; **jouer le grand ~** no ahorrar medios; **jouer double ~** jugar con dos barajas; **jouer franc ~, jouer le ~** jugar limpio; **mettre en ~** poner en juego; **il s'est pris au ~** le cogió el gusto; **calmer le ~** hacer menos tirante la situación, quitar hierro al asunto, calmar los ánimos **3. faites vos jeux!** ¡hagan juego!; **jouer gros ~** apostar fuerte; *FIG* **les jeux son faits** la suerte está echada **4. un ~ de cartes** una baraja, un juego de naipes **5.** *(au tennis)* juego: **gagner par 6 jeux à 3** ganar por 6 juegos a 3 **6.** *(d'un acteur)* actuación *f* **7.** *(d'un musicien)* ejecución *f* **8.** *(ensemble)* juego: **un ~ de clefs** un juego de llaves; **jeux de lumière** juegos de luces **9.** *(fonctionnement)* juego: **le ~ des institutions** el juego de las instituciones **10.** *(d'un mécanisme, etc.)* juego, holgura *f*: **avoir du ~** tener juego **11. vieux ~** chapado a la antigua: **elle est très vieux ~** es muy chapada a la antigua. ◇ *pl* **Jeux olympiques** juegos Olímpicos.

**jeudi** *m* jueves: **il partira ~** se marchará el jueves ◊ *FAM* **la semaine des quatre jeudis** el día del juicio, cuando las ranas críen pelos, la semana que no tenga viernes.

**jeun (à)** [aʒœ̃] *loc adv* en ayunas: **un verre d'eau ~** un vaso de agua en ayunas; **être ~** estar en ayunas.

**jeune** *a* **1.** joven: **il est très ~** es muy joven; **un ~ garçon** un chico joven; **un ~ arbre** un árbol joven **2.** joven, pequeño, a: **un ~ chat** un gato joven, un gatito; **mon ~ frère** mi hermano pequeño; **mon plus ~ frère** mi hermano menor **3. un ~ homme** un joven; **une ~ fille** una joven; **les jeunes gens** los jóvenes **4.** juvenil: **un visage ~** una cara juvenil **5. mes jeunes années** mi juventud **6. jeunes mariés** recién casados **7.** *FAM* **c'est un peu ~!** ¡es insuficiente!, ¡es poco!. ◇ *s* joven: **les jeunes** los jóvenes. ◇ *adv* **elle fait ~** parece joven; **elle s'habille ~** se viste de forma joven.

**jeûne** [ʒøn] *m* ayuno.

**jeûner** [ʒøne] *vi* ayunar.

**jeunesse** *f* juventud: **la ~ d'aujourd'hui** la juventud de hoy; **si ~ savait, si vieillesse pouvait** si la juventud supiera, si la edad pudiera; **~ dorée** juventud dorada.

**jeunet, ette** *a* jovencito, a.

**jeunot, otte** *a/s* jovenzuelo, a.

**Jihad** *m* Yihad *f*.

**jingle** [dʒingœl] *m* jingle, tonadilla *f*, musiquilla *f*.

**jiu-jitsu** [ʒiyʒitsy] *m* jiu-jitsu.

**Joachim** *np m* Joaquín.

**joaillerie** [ʒɔajʀi] *f* joyería.

**joaillier, ère** [ʒɔaje, ɛʀ] *s* joyero, a.

**job** [dʒɔb] *m FAM* trabajito, trabajo.

**Job** *np m* Job ◊ **pauvre comme ~** más pobre que las ratas, que una rata.

**jobard, e** *a* bobo, a, ingenuo, a, pánfilo, a.

**jobarderie, jobardise** *f* bobería, ingenuidad, panfilismo *m*.

**jockey** *m* jockey, yóquei.

**Joconde (la)** *np f* la Gioconda.

**jocrisse** *m* bobalicón, simplote, inocentón.

**jogging** [dʒɔgiŋ] *m* **1.** jogging: **faire du ~** hacer jogging **2.** *(survêtement)* chándal.

**joie** *f* **1.** alegría: **la ~ de vivre** la alegría de vivir; **fou de ~** loco de alegría; **c'est une ~ pour moi de savoir...** es una alegría para mi saber...; **à ma grande ~** para mayor alegría mía ◊ **j'acceptai avec ~** acepté encantado; **mettre en ~** alegrar; **s'en donner à cœur ~** → **cœur; fille de ~** → **fille 2.** gozo *m*: **ne pas se sentir de ~** no caber en sí de gozo **3. je me fais une ~ de vous revoir** me alegro de volverle a ver. ◇ *pl* **les joies de la vie** los placeres de la vida.

**joindre*** *vt* **1.** *(rapprocher)* juntar: **elle joignit les mains** juntó las manos **2.** *(unir)* unir, reunir: **~ l'utile à l'agréable** unir lo útil con lo agradable ◊ *FIG* **~ les deux bouts** ir tirando; **avoir du mal à ~ les deux bouts** vivir con mucha estrechez, hacer equilibrios para vivir **3.** ponerse, entrar en contacto con: **je n'arrive pas à vous ~** no logro ponerme en contacto con usted **4.** adjuntar: **je vous joins quelques photos** le adjunto unas fotos **5.** acompañar: **joignez un chèque à votre demande** acompañe su pedido con un cheque. ◇ *vi* encajar: **les planches joignent parfaitement** las tablas encajan perfectamente. ◆ **se ~**

*vpr* **1.** *(s'assembler)* juntarse **2.** unirse, incorporarse: **ils se joignirent à nous** se nos unieron; **il se joignit à la conversation** se incorporó a la conversación **3.** *(à un groupe, une manifestation, etc.)* sumarse: **se ~ à un mouvement de protestation** sumarse a un movimiento de protesta.

**[1]joint, e** *a* **1.** junto, a: **les mains jointes** con las manos juntas ◊ **à pieds joints** a pie juntillas **2.** que encaja: **des planches bien jointes** tablas que encajan bien **3. la facture ci-jointe** la factura adjunta; **je vous envoie ci-~ deux chèques** le adjunto dos cheques **4. pièce jointe** anexo *m.*

▶ *Ci-joint* es invariable al principio de una frase y delante de un sustantivo sin artículo.

**[2]joint** *m* **1.** juntura *f* **2.** TECHN junta *f*: **le ~ d'un robinet** la junta de un grifo **3.** FIG **trouver le ~** encontrar la coyuntura, la solución **4.** FAM *(drogue)* porro.

**jointif, ive** *a* juntado, a por los bordes.

**jointoyer*** *vt* TECHN ajustar con hormigón.

**jointure** *f* **1.** *(joint)* juntura **2.** *(articulation)* coyuntura, juntura.

**[1]jojo** *m* FAM **un affreux ~** un niño insoportable, un maleducado.

**[2]jojo** *a* FAM *(joli)* bonito, a.

**joker** [ʒɔkɛʀ] *m* comodín.

**joli, e** *a* **1.** bonito, a, lindo, a: **une jolie fille** una chica bonita; **une jolie voix** una voz bonita; **elle a de jolis yeux** tiene unos ojos lindos **2.** FAM *(considérable)* bonito, a: **une jolie somme** una bonita suma **3.** *(ironique)* **quels jolis amis tu as!** ¡menudos amigos tienes!. ◇ *m* **1. le plus ~ de l'affaire** lo bueno, lo mejor del caso **2.** FAM **c'est du ~!** ¡qué bonito!; **c'est du ~ ce que tu as fait!** ¡buena la has hecho!

**joliesse** *f* LITT lindeza, preciosidad, monería.

**joliment** *adv* **1.** *(agréablement)* primorosamente, muy bien: **une enfant ~ habillée** una niña primorosamente vestida **2.** FAM *(très, beaucoup)* muy, mucho, de lo lindo: **j'ai eu ~ peur** tuve mucho miedo; **se sentir ~ bien** sentirse muy bien; **s'ennuyer ~** aburrirse de lo lindo.

**Jonas** *np m* Jonás.

**jonc** [ʒɔ̃] *m* **1.** *(plante)* junco **2.** *(canne)* junco **3.** *(bague)* anillo.

**jonchaie** *f* juncal *m.*

**jonchée** *f* **1.** alfombra (de flores, de ramas) **2.** *(couche)* capa.

**joncher** *vt* cubrir, sembrar, alfombrar: **allée jonchée de feuilles mortes** alameda sembrada de hojas secas.

**joncheraie, jonchère** *f* juncal *m.*

**jonchet** *m* palillo.

**jonction** *f* **1.** unión, reunión **2. point de ~** punto de confluencia.

**jongler** *vi* **1.** hacer juegos malabares, hacer malabarismo **2.** FIG hacer malabarismos, jugar: **~ avec les chiffres** hacer malabarismos con los números.

**jonglerie** *f* **1.** malabarismo *m* **2.** FIG malabarismo *m,* habilidad.

**jongleur, euse** *s* **1.** *(de cirque)* malabarista **2.** ANC *(baladin)* juglar.

**jonque** *f* junco *m.*

**jonquille** *f* junquillo *m.*

**Jordanie** *np f* Jordania.

**jordanien, enne** *a/s* jordano, a.

**Joseph** [ʒozɛf] *np m* José.

**Joséphine** *np f* Josefa, Josefina.

**Josette** *np f* Pepita.

**jota** [xɔta] *f (danse, lettre)* jota.

▶ En phonétique internationale, la *jota* est transcrite [x]; sensiblement identique au *ch* allemand, elle n'a pas d'équivalent en français.

**jouable** *a* **1.** *(musique)* tocable **2.** *(jeu)* jugable **3.** *(théâtre)* representable **4.** *(cinéma)* interpretable.

**joual** *m* habla popular de los canadienses francófonos.

**joubarbe** *f* jusbarba.

**joue** *f* **1.** mejilla, carrillo *m:* **avoir les joues en feu** tener las mejillas encendidas: **danser ~ contre ~** bailar mejilla a mejilla, bailar agarrado ◊ **grosses joues** mofletes *m* **2. mettre, coucher en ~** apuntar; **en ~!, feu!** ¡apunten!, ¡fuego! **3.** *(de poulie)* chapa lateral **4.** *(de siège)* tablero *m* lateral.

**jouer** *vi* **1.** jugar: **les enfants jouent au ballon** los niños juegan a la pelota; **~ aux cartes, au tennis** jugar a las cartas, al tenis; **à moi de ~** ahora, juego yo; **~ avec sa santé** jugar con su salud; **~ gros** jugar fuerte ◊ **bien joué!** ¡muy bien! **2.** *(d'un instrument)* **~ du piano, du violon, de la flûte** tocar el piano, el violín, la flauta **3.** *(un acteur)* actuar: **elle ne joue pas dans cette pièce** no actúa en esta obra; **~ à la télévision** actuar en televisión ◊ FIG **il joue les grands seigneurs** se las da de señor **4.** *(fonctionner)* funcionar **5.** *(avoir du jeu)* tener juego: **cette porte joue** esta puerta tiene juego **6. ~ des coudes** abrirse paso con los codos **7. ~ de malchance** tener mala suerte; **~ sur les mots** andar con equívocos **8.** FIG intervenir, entrar en juego, jugar: **ça va ~ en ta faveur** eso va a intervenir en tu favor; **le temps jouait en sa faveur** el tiempo jugaba en su favor; **ses influences vont ~** sus influencias van a entrar en juego. ◇ *vt* **1.** jugar: **~ un as, un match de football, une partie d'échecs** jugar un as, un partido de fútbol, una partida de ajedrez **2.** *(risquer)* jugar, poner en juego: **il a joué sa réputation** ha puesto en juego su reputación; **~ sa vie** jugarse el pellejo **3.** MUS **~ une sonate** tocar una sonata; **que voulez-vous que je joue?** ¿qué quiere usted que toque?; **~ du Bach** tocar Bach **4. ~ une tragédie, Don Juan** representar una tragedia, a Don Juan ◊ FIG **~ un rôle** desempeñar un papel; **~ la comédie** hacer comedia; **~ les martyrs → martyr; ~ le jeu → jeu 5. qu'est-ce qu'on joue au cinéma Lux?** ¿qué ponen en el cine Lux? **6.** fingir, simular: **il joua l'étonnement** fingió sorpresa **7.** *(tromper)* engañar, embaucar. ◆ **se ~** *vpr* **1. se ~ des difficultés** reírse de, tomar a risa las dificultades **2.** *(se moquer)* burlarse, reírse: **il s'est joué de moi** se ha burlado de mí.

**jouet** *m* **1.** juguete ◊ **l'industrie du ~** la industria de la juguetería **2.** FIG **être le ~ de** ser el juguete de.

**joueur, euse** *s* **1.** *(sports, jeux d'argent, etc.)* jugador, a: **les joueurs de l'équipe** los jugadores del equipo ◊ **être beau ~** saber perder; **être mauvais ~** no saber perder **2.** *(d'un instrument)* tocador, a: **~ d'accordéon** tocador de acordeón. ◇ *a* juguetón, ona: **des enfants joueurs** niños juguetones.

**joufflu, e** *a* mofletudo, a, carrilludo, a.

**joug** [ʒu] *m* **1.** yugo **2.** FIG **secouer le ~** sacudir el yugo.

**jouir** *vi* **1.** disfrutar, gozar: **~ de la vie** disfrutar de la vida; **~ d'une bonne santé** disfrutar (de) buena salud, gozar de buena salud; **il jouit d'une bonne mémoire** goza de buena memoria; **de mon temps nous jouissions d'une liberté relative** en mis tiempos disfrutábamos de una relativa libertad **2.** *(sexuellement)* gozar.

**jouissance** *f* **1.** goce *m,* disfrute *m* **2.** JUR posesión, usufructo *m.*

**jouisseur, euse** *s* regalón, ona.

**jouissif, ive** *a* FAM regocijador, a.

**joujou** *m* FAM **1.** juguete **2. faire ~** jugar.

**joule** *m* PHYS julio, joule.

**jour** *m* **1.** día: **travailler de ~** trabajar de día; **~ et nuit** día y noche, de día y de noche; **il fait ~** es de día ◊ **au petit ~** al amanecer; **le ~ se lève** está amaneciendo, sale el sol; **il commençait à faire ~** comenzaba a clarear; FIG **se ressembler comme le ~ et la nuit** parecerse como el día a la noche; **demain il fera ~** mañana será otro día **2.** *(journée)* día: **il gagne cinq mille pesetas par ~** gana cinco mil pesetas por día; **une fois par ~** una vez al día; **ils vivent au ~ le ~** viven al día, a salto de mata

**3.** *(date)* día: **le ~ de l'an** el día de Año Nuevo; **quel ~ sommes-nous?** ¿qué día es hoy?; **le ~ J** el día D; **~ ouvrable, férié** día laborable, festivo ◊ **les comptes sont à ~** las cuentas están al día; **une robe de tous les jours** un vestido de diario, para todos los días; **le ~ où tu te marieras** el día (en) que te cases; **le ~ suivant** el día siguiente, al otro día; **un ~ nous serons riches** algún día seremos ricos; **un de ces jours il va se faire arrêter** cualquier día, un día de estos, el día menos pensado le van a detener; *FAM* **à un de ces jours!** ¡hasta otro día!; **ça dépend des jours** un día sí y otro no **4.** *loc adv* **de ~ en ~** de día en día; **de nos jours** hoy en día, el día de hoy, actualmente; **du ~ au lendemain** de la noche a la mañana; **~ après ~** día a día, día tras día; **il y a un an ~ pour ~** hace un año exactamente; **un ~ ou l'autre** un día a otro, tarde o temprano **5.** *(lumière)* luz *f*: **en plein ~** a la luz del día; **faux ~** iluminación *f* defectuosa ◊ **donner le ~ à un enfant** dar a luz a un niño; **voir le ~** ver la luz, nacer; *FIG* **ce projet n'a pas vu le ~** este proyecto no ha salido a la luz; **percer à ~ un secret** sacar a la luz un secreto; **agir au grand ~** actuar abiertamente **6.** aspecto: **connaître quelqu'un sous un autre ~** conocer a alguien bajo otro aspecto; **présenter sous un ~ favorable** presentar bajo un aspecto favorable; **apparaître sous son vrai ~** mostrarse tal como es **7.** *(ouverture)* luz *f*, hueco, vano **8.** *(broderie)* calado ◊ **une mantille à jours** una mantilla calada. ◇ *pl* **1.** *(vie)* días: **à la fin de ses jours** al fin de sus días; **pour le reste de ses jours** para el resto de sus días ◊ **attenter à ses jours** tratar de suicidarse; **ses jours sont en danger** está en peligro de muerte **2. les vieux jours** la vejez *f sing* **3.** tiempos: **dans l'attente de jours meilleurs** a la espera de tiempos mejores.

**Jourdain** *np m* Jordán.

**journal** *m* **1.** *(quotidien)* periódico, diario: **les journaux du matin** los periódicos de la mañana **2. ~ parlé** diario hablado; **~ télévisé** telediario **3. le Journal officiel** el Boletín Oficial del Estado **4. ~ intime** diario íntimo **5.** *COM* diario **6.** *MAR* **~ de bord** diario de a bordo.

**journalier, ère** *a* diario, a: **les dépenses journalières** los gastos diarios. ◇ *s* jornalero, a, bracero.

**journalisme** *m* periodismo.

**journaliste** *s* periodista.

**journalistique** *a* periodístico, a.

**journée** *f* **1.** *(jour)* día *m*: **une belle ~ de printemps** un hermoso día de primavera; **toute la sainte ~** todo el santo día **2. ~ de travail** jornada laboral, jornada de trabajo; **~ de grève, de deuil national** jornada de huelga, de duelo nacional; **~ continue** jornada intensiva; **~ de huit heures** jornada de ocho horas ◊ **homme, femme de ~** jornalero, a; **travailler à la ~** trabajar a jornal **3.** *(salaire)* jornal *m* **4.** *THÉÂT* jornada.

**journellement** *adv* diariamente, a diario.

**joute** *f* **1.** *(combat)* justa **2.** justa: **joutes littéraires** justas literarias.

**jouteur** *m* justador.

**Jouvence** *np f* **1.** Juventa **2. fontaine de ~** fuente de la juventud.

**jouvenceau, elle** *s* mocito, a, jovencito, a, doncel, ella.

**jouxte** *prép ANC* junto a, colindante con.

**jouxter** *vt* lindar con, ser contiguo, a a.

**jovial, e** *a* jovial: **des hommes joviaux, jovials** hombres joviales.

**jovialité** *f* jovialidad.

**joyau** [ʒwajo] *m* joya *f*: **les joyaux de la couronne** las joyas de la corona.

**joyeusement** *adv* alegremente.

**joyeux, euse** [ʒwajø, øz] *a* **1.** alegre: **des fillettes joyeuses** niñas alegres **2. ~ Noël!** ¡feliz Navidad!, ¡felices Pascuas!

**jubarte** *f* yubarta.

**jubé** *m ARCH* galería *f* elevada y transversal entre el coro y la nave de ciertas iglesias.

**jubilaire** *a* jubilar.

**jubilation** *f* júbilo *m*.

**jubilatoire** *a FAM* jubiloso, a.

**jubilé** *m* **1.** jubileo **2.** *(d'un prêtre)* quincuagésimo año de sacerdocio **3.** *(d'un couple)* bodas *f pl* de oro.

**jubiler** *vi* alegrarse.

**jucher** *vi* posarse, encaramarse. ◇ *vt* encaramar. ◆ **se ~** *vpr* **1.** posarse, encaramarse **2.** *(personnes)* encaramarse: **il s'était juché sur un mur** se había encaramado a un muro.

**juchoir** *m* percha *f*.

**judaïque** [ʒydaik] *a* judaico, a.

**judaïsme** [ʒydaism(ə)] *m* judaísmo.

**Judas** [ʒyda] *np m* Judas.

**judas** *m* **1.** *(traître)* judas **2.** *(de porte)* mirilla *f*.

**Judée** *np f* **1.** Judea **2. arbre de ~** árbol de Judas, ciclamor.

**judéo-chrétien, enne** *a/s* judeocristiano, a.

**judéo-espagnol, e** *a/s* judeoespañol, a.

**judiciaire** *a* **1.** judicial: **pouvoir ~** poder judicial **2. casier ~** registro de antecedentes penales.

**judicieusement** *adv* juiciosamente, sensatamente, con discernimiento.

**judicieux, euse** *a* **1.** *(personne)* juicioso, a **2.** *(remarque, etc.)* juicioso, a, atinado, a, acertado, a.

**Judith** *np f* Judit.

**judo** *m* judo, yudo: **faire du ~** practicar el judo.

**judoka** *s* judoka, yudoka.

**juge** *m* **1.** juez: **juges d'instruction** jueces de instrucción; **~ de paix** juez municipal **2.** *(sports)* juez: **~ de touche** juez de línea **3. je vous fais ~ de ma conduite** juzgue usted mi conducta; **je vous en fais ~** juzgue usted mismo **4. être ~ et partie** ser juez y parte.

**jugé (au)** *m* **1.** *(dans un calcul)* a bulto **2. tirer au ~** disparar a ojo.

**jugement** *m* **1.** juicio: **~ par contumace** juicio en rebeldía; **le Jugement dernier** el Juicio final **2.** *(sentence)* fallo, sentencia *f*: **prononcer un ~** dictar un fallo **3.** juicio, opinión *f*: **porter un ~ sur quelqu'un** emitir un juicio sobre alguien **4.** *(bon sens)* juicio, cordura *f*, sentido común: **il a beaucoup de ~** tiene mucho juicio **5. ~ de valeur** juicio de valor.

**jugeote** [ʒyʒɔt] *f FAM* caletre *m*, sentido *m* común, pesquis *m*, sensatez: **il a manqué de ~** le faltó sentido común ◊ **il n'a pas pour deux sous de ~** no tiene dos dedos de juicio.

**juger*** *vt* **1.** *JUR* juzgar: **~ un accusé** juzgar a un reo **2.** *(estimer)* juzgar, considerar: **je la juge incompétente** la considero incompetente; **~ bon de...** juzgar oportuno de...; **~ indispensable de...** juzgar indispensable de... ◊ **à en ~ d'après** a juzgar por; **c'est à toi de ~** tú verás, ve tú **3.** *(imaginer)* figurarse: **jugez de ma surprise** figúrese mi sorpresa **4. au ~** → **jugé.**

**jugulaire** *a ANAT* **veine ~** vena yugular. ◇ *f (d'un casque)* barboquejo *m*.

**juguler** *vt* **1.** sujetar: **~ un bandit** sujetar a un bandido **2.** *FIG* **~ une conspiration** yugular una conspiración; **~ un incendie** dominar un incendio.

**juif, ive** *a/s* judío, a.

**juillet** *m* julio: **le 14 ~ 1789** el 14 de julio de 1789.

**juin** *m* junio: **le 30 ~ 1905** el 30 de junio de 1905.

**juive** → **juif.**

**jujube** *m (fruit)* azufaifa *f*.

**juke-box** [dʒykbɔks] *m* juke-box, máquina-tocadiscos *f*.

**julep** [ʒylɛp] *m* julepe.

**Jules** *np m* Julio. ◇ *m POP* amante.

**Julie** *np f* Julia.

**Julien** *np m* Juliano.

**julien, enne** *a* juliano, a: **calendrier ~** calendario juliano. ◇ *f* **1.** *(plante)* juliana **2.** *(soupe)* sopa juliana. **3.** *(poisson)* maruca.

**Juliette** *np f* Julieta.

**jumeau, elle** *a/s* gemelo, a, mellizo, a: **des frères jumeaux, des jumeaux** hermanos gemelos, mellizos. ◇ *a* gemelo, a: **lits jumeaux** camas gemelas. ◇ *m pl (muscles)* gemelos. ◇ *f pl* → **jumelles.**

**jumelage** *m* **1.** *(d'objets)* emparejamiento **2.** *(de villes)* hermanamiento.

**jumeler** *vt* **1.** *(objets)* emparejar **2. villes jumelées** ciudades hermanadas.

**jumelle** → **jumeau.**

**jumelles** *f pl* gemelos *m*, prismáticos *m*: **jumelles de théâtre** gemelos de teatro.

**jument** *f* yegua.

**jumping** [dʒœmpiŋ] *m* jumping.

**jungle** [ʒɔ̃gl(ə), ʒœgl(ə)] *f* jungla, selva: **la loi de la ~** la ley de la selva; **le Livre de la ~** *(Kipling)* El libro de la selva.

**junior** *a/s* **1.** *(cadet)* menor, júnior **2.** *(sports)* júnior, juvenil.

**junkie** *m* yonki, yonqui.

**Junon** *np f* Juno.

**junte** [ʒœt] *f* junta: **~ militaire** junta militar.

**jupe** *f* falda: **~ droite, plissée** falda recta, plisada; **~-culotte** falda pantalón ◊ *FIG* **pendu aux jupes de sa mère** cosido a las faldas de su madre.

**jupette** *f* faldita.

**Jupiter** [ʒypitɛʀ] *np m* Júpiter.

**jupon** *m* enagua *f*, enaguas *f pl* ◊ *FIG* **courir le ~** ser un hombre faldero, un mujeriego; **un coureur de ~** un mujeriego.

**Jura** *np m* Jura.

**jurande** *f ANC (charge)* verduría, gremio *m*.

**jurassique** *a/m GÉOL* jurásico, a.

**juré, e** *a* jurado, a: **des ennemis jurés** enemigos jurados. ◇ *m* jurado: **les jurés** el jurado.

**jurer** *vt* **1.** jurar: **~ fidélité** jurar fidelidad **2.** *(assurer)* jurar, asegurar: **je te jure que c'est vrai** te juro que es verdad; **je vous le jure!** ¡se lo juro!; **ils jurèrent de ne rien dire** juraron que no dirían nada; **~ ses grands dieux que...** jurar y perjurar que... ◊ **j'en jurerais** lo creo sinceramente; *FAM* **je vous jure!** ¡francamente! ◇ *vi* **1.** *(faire un serment)* jurar **2.** jurar, blasfemar, soltar ajos: **il jure comme un charretier** suelta ajos como un carretero **3. il ne jure que par son moniteur** rinde un verdadero culto a su monitor **4.** *(choquer)* desdecir, desentonar, disonar: **la cravate jure avec le costume** la corbata desdice del traje; **ces couleurs jurent** estos colores desentonan. ◆ **se ~** *vpr* **ils se sont juré un amour éternel** afirmaron que se amarían para siempre.

**juridiction** *f* jurisdicción.

**juridique** *a* jurídico, a.

**juridiquement** *adv* jurídicamente.

**jurisconsulte** *m* jurisconsulto.

**jurisprudence** *f* jurisprudencia.

**juriste** *s* jurista.

**juron** *m* juramento, taco, voto, ajo: **lâcher des jurons** soltar tacos.

**jury** *m* **1.** *(justice)* jurado **2.** *(concours)* tribunal: **~ d'examen** tribunal de examen ◊ **avec les félicitations du ~** con matrícula de honor.

**jus** *m* **1.** zumo: **~ de tomate, d'orange** zumo de tomate, de naranja **2.** *(de viande)* jugo **3.** *POP (café)* café solo ◊ **~ de chapeau, de chaussette** café malo **4.** *POP (courant)* corriente *f* eléctrica **5.** *POP (eau)* agua *f* **6.** *POP* **ça vaut le ~!** ¡vale la pena! **7.** *FAM* **pur ~** auténtico, a.

**jusant** *m MAR* menguante *f*, reflujo.

**jusqu'au-boutisme** *m* extremismo.

**jusqu'au-boutiste** *a/s* extremista.

**jusque** *prép* **1.** hasta: **jusqu'aux chevilles, ~ chez lui** hasta los tobillos, hasta su casa; **jusqu'où?** ¿hasta dónde?; **compter jusqu'à cent** contar hasta cien; **jusqu'à un certain point** hasta cierto punto **2.** *(temps)* **~ vers onze heures** hasta las once aproximadamente; **jusqu'à présent** hasta ahora **3.** *(même)* **j'irai jusqu'à lui parler s'il le faut** hasta le hablaré, si es necesario **4.** *FAM* **j'en ai ~ là** estoy hasta las narices; **s'en mettre ~ là** ponerse morado, hartarse de comer. ◇ *conj* **jusqu'à ce que** hasta que: **nous attendrons jusqu'à ce qu'ils arrivent** esperaremos hasta que lleguen.

▶ Se elide la *e* final de *jusque* delante de una palabra que empiece por vocal.

**jusquiame** *f* beleño *m*.

**justaucorps** *m* casaca *f*, jubón.

**juste** *a* **1.** justo, a: **une loi ~** una ley justa: **il est ~ qu'elle veuille se reposer** es justo que quiera descansar ◊ *FAM* **ce n'est pas ~!** ¡no hay derecho! **2.** justo, a, exacto, a: **raisonnement ~** razonamiento justo, certero. ◊ **c'est ~!** ¡es verdad!; **très ~!** ¡eso es! **3. voix ~** voz afinada; **avoir l'oreille ~** tener buen oído **4.** *(instrument)* afinado, a **5.** *(étroit)* justo, a, estrecho, a: **ma robe est ~** mi vestido me está justo. ◇ *adv* **1. parler ~** hablar con acierto; **tomber ~** dar en el clavo, acertar **2.** *(exactement)* justo, exactamente: **tu arrives ~ quand il faut** llegas justo cuando es necesario; **c'est ~ ce que je pensais** es cabal lo que pensaba **3. chanter ~** cantar entonado, afinado **4.** *(heure)* en punto: **à deux heures ~** a las dos en punto **5.** *(à peine)* **il gagne ~ assez pour vivre** gana apenas lo suficiente para vivir; *(seulement)* tan sólo, solamente **6.** *loc adv* **de quoi s'agit-il au ~?** ¿de qué se trata exactamente?; **il se plaignait à ~ titre** se quejaba con toda la razón, con mucha razón; **il sait tout ~ lire** apenas sabe leer; **comme de ~** como es de suponer, naturalmente. ◇ *m* justo.

**justement** *adv* **1.** justamente **2.** precisamente, justamente: **nous parlions ~ de toi** estábamos hablando de ti precisamente ◊ **c'est ~ pourquoi** por eso mismo, por eso cabalmente.

**justesse** *f* **1.** precisión, exactitud: **la ~ d'une remarque** la exactitud de una observación **2.** *loc adv* **de ~** por los pelos, por un pelo, por escaso margen: **un résultat obtenu de ~** un resultado conseguido por los pelos.

**justice** *f* **1.** justicia ◊ **c'est ~** es de justicia, es justo; **en bonne ~** como es justo, en justicia, a decir verdad; **se faire ~** *(se venger)* hacerse justicia, *(se suicider)* suicidarse; **rendre ~** hacer justicia; **je dois te rendre cette ~ que tu as tout essayé** tengo que reconocer que lo has intentado todo **2.** *JUR* **rendre la ~** juzgar, administrar justicia; **poursuivre en ~** demandar (ante el juez) **3.** *FAM* **raide comme la ~** más tieso que un ajo.

**justiciable** *a* **1.** justiciable, de la incumbencia de **2.** merecedor, a: **~ d'une amende** merecedor de una multa.

**justicier, ère** *a/s* justiciero, a.

**justifiable** *a* justificable.

**justificateur, trice** *a/s* justificador, a.

**justificatif, ive** *a* justificativo, a: **pièces justificatives** documentos justificativos. ◇ *m* justificante.

**justification** *f* **1.** justificación **2.** *(en imprimerie)* justificación.

**justifier** *vt* justificar: **la fin justifie les moyens** el fin justifica los medios; **je ne vois rien qui justifie tes critiques** no veo nada que justifique tus críticas. ◇ *vi* **~ de sa bonne foi** acreditar su buena fe. ◆ **se ~** *vpr* justificarse: **ne te justifie pas!** ¡no te justifiques!

**Justinien** *np m* Justiniano.
**jute** *m* **1.** yute **2. toile de ~** yute *m*.
**juteux, euse** *a* **1.** jugoso, a: **un fruit ~** una fruta jugosa **2.** FAM *(qui rapporte)* pingüe, cuantioso, a. ◇ *m* FAM *(adjudant)* brigada.
**juvénile** *a* juvenil.
**juvénilité** *f* calidad de lo juvenil.
**juxtalinéaire** *a* yuxtalinear.
**juxtaposer** *vt* yuxtaponer: **mots juxtaposés** palabras yuxtapuestas.
**juxtaposition** *f* yuxtaposición.

**k** [ka] *m* k *f*: **un ~** una k.
**k7** [kaset] *f* casete, cassette.
**Kaboul** *np* Kabul.
**kabyle** *a/s* cabila.
**kafkaïen, enne** *a* kafkiano, a.
**kaiser** [kajzœʀ, kezɛʀ] *m* káiser.
**kakemono** *m* kakemono.
**kaki** *a inv (couleur)* caqui. ◇ *m (arbre, fruit)* caqui.
**kaléidoscope** *m* calidoscopio.
**kamikaze** *m* kamikaze.
**kangourou** *m* canguro.
**kantien, enne** *a* kantiano, a.
**kantisme** *m* kantismo.
**kaolin** *m* caolín.
**kapok** [kapɔk] *m* miraguano, capoc, kapok.
**kapokier** *m* ceiba *f*.
**karaté** *m* kárate.
**karatéka** *s* karateca.
**kart** [kaʀt] *m* kart.
**karting** *m* karting, carrera *f* de karts.
**kascher** [kaʃɛʀ] *a inv* dícese de la carne que se puede comer según los preceptos de la religión judía.
**kayak, kayac** [kajak] *m* kayac ◊ **faire du ~** practicar el piragüismo.
**kéfir** → **képhir.**
**Kenya** *np m* Kenia.
**képhir, kéfir** *m* kéfir.
**képi** *m* quepis.
**kératine** *f* queratina.
**kermès** [kɛʀmɛs] *m* **1.** *(insecte)* quermes **2. chêne ~** coscoja *f*.
**kermesse** *f* kermesse, quermese.
**kérosène** *m* keroseno, queroseno.
**ketch** *m* MAR queche.
**ketchup** [kɛtʃœp] *m* ketchup.
**keuf** *m* FAM poli, policía.
**khâgne** *f* clase de preparación para la Escuela Normal Superior de letras.
**khan** [kɑ̃] *m (prince)* kan.
**khédive** *m* jedive.
**khmer, ère** *a/s* jemer, khmer: **les khmers rouges** los jemeres rojos.
**khôl, kohol** *m (fard)* alcohol.
**kibboutz** [kibuts] *m* kibutz.
**kidnapper** *vt* secuestrar.
**kidnappeur, euse** *s* secuestrador, a, raptor, a.
**kidnapping** *m* secuestro, rapto.
**kif** *m* kif.
**kif-kif** [kifkif] *a inv* FAM **c'est ~** es lo mismo, idem de lienzo.
**kiki** *m* FAM *(gorge)* gaznate, garganta *f*: **serrer le ~** oprimir la garganta, estrangular.
**kil** *m* POP **un ~ de rouge** un litro de tinto.
**kilim** *m (tapis)* kilim.
**kilo** *m* kilo.
**kilocycle** *m* kilociclo.
**kilofranc** *m* mil francos.
**kilogramme** *m* kilogramo.
**kilométrage** *m* kilometraje.
**kilomètre** *m* kilómetro: **cent kilomètres à l'heure** cien kilómetros por hora; **~ carré** kilómetro cuadrado.
**kilométrique** *a* kilométrico, a.
**kilowatt** [kilɔwat] *m* kilovatio.
**kilowattheure** *m* kilovatio-hora.
**kilt** *m (de los escoceses)* kilt.
**kimono** *m* kimono, quimono.
**kinesithérapeute** *s* kinesiterapeuta.
**kinésithérapie** *f* kinesiterapia, cinesiterapia.
**kinesthésique** *a* kinestésico, a.
**kiosque** *m* **1.** quiosco, kiosco: **~ à journaux** quiosco de periódicos **2.** MAR *(de sous-marin)* torreta *f* de mando.
**kir** *m* vino blanco con licor de grosellero negro.
**kirsch** *m* kirsch.
**kit** [kit] *m* kit.
**kitchenette** *f* cocina armario.
**kitsch** *a* kitsch, de mal gusto.
**kiwi** *m (oiseau, fruit)* kiwi.
**klaxon** [klaksɔn] *m (nom déposé)* claxon, bocina *f* ◊ **coup de ~** claxonazo, bocinazo.
**klaxonner** *vi* tocar el claxon.
**kleptomane** *a/s* cleptómano, a.
**kleptomanie** *f* cleptomanía.

**knock-out** [nɔkawt], **K.-O.** [kao] *m* knock-out, KO: **mettre ~** dejar KO. ◇ *a* fuera de combate.

**knout** *m* knut.

**K.-O.** → **knock-out.**

**koala** *m* koala.

**kohol** → **khôl.**

**kola** *m* cola.

**kolkhoz(e)** *m* koljoz.

**kolkhozien, enne** *a/s* koljoziano, a.

**kopeck** [kɔpɛk] *m* copec, kopec.

**kouglof** *m* pastel alsaciano.

**Koweït** *np m* Kuwait.

**koweïtien, enne** *a/s* kuwaití.

**krach** [kʀak] *m* crac, crak, quiebra *f.*

**kraft** *m* kraft, papel fuerte.

**krill** *m* krill.

**krypton** *m* criptón, kriptón.

**kummel** *m* kummel.

**kumquat** [kumkwat] *m* tipo de naranja muy pequeña.

**kurde** *a/s* curdo, a, kurdo, a.

**kyrie** [kiʀije], **kyrie eleison** [kiʀijeeleisɔn] *m inv* kirie, kirieleisón.

**kyrielle** *f* letanía, sarta, retahíla.

**kyste** *m MÉD* quiste.

# L

**l** [ɛl] *m* l *f*: **un ~** una l.

**l' → le.**

**[1]la** *art/pron pers* la **→ le.**

**[2]la** *m (note)* la: **donner le ~** dar el la.

**là** *adv* **1.** *(près)* ahí, *(loin)* allí: **ôtez-vous de ~** quítese de ahí; **reste ~ où tu es** quédate ahí donde estás; **il habite par là** vive por ahí; **est-ce que Christine est ~?** ¿está (ahí) Cristina?; **elle n'est pas ~** no está; **c'est ~ qu'elle s'est mariée** allí se casó ◊ *FAM* **être un peu ~** ser imponente **2.** *(à ce moment)* entonces, allí: **jusque-~, il s'était tu** hasta allí había permanecido callado ◊ **à quelques jours de ~** algunos días después **3.** *(= cela)* **de ~ son échec** de ahí su fracaso; **il faut en passer par ~** hay que pasar por ello; ◊ **restons-en ~** quedemos en esto, no hablemos más; **pour en arriver ~** para llegar a este extremo **4.** (para dar mayor precisión, suele unirse al demostrativo o al sustantivo por medio de un guión) **celui-~** ése, aquél; **ces hommes-~** esos, aquellos hombres; **en ce temps-~** en aquel tiempo **5.** *loc adv* **~-bas** allá, allá lejos; **~-haut, ~-dedans, ~-dessous, ~-dessus → haut, dedans, dessous, dessus** ◊ **interj 1. hé ~!** ¡vamos!, ¡ea! **2. oh ~ ~!** ¡oh!, ¡anda!, ¡ay!, ¡vaya!

**labarum** [labaʀɔm] *m* lábaro.

**là-bas → là.**

**label** *m* **1.** etiqueta *f* **2.** marca *f.*

**labeur** *m* trabajo: **vivre de son ~** vivir de su trabajo.

**labiacées** *f pl BOT* labiadas.

**labial, e** *a/f* labial: **consonne labiale** consonante labial.

**labiodental, e** *a/f* labiodental.

**labié, e** *a/f BOT* labiado, a.

**labo** *m FAM* laboratorio.

**laborantin, e** *s* auxiliar de laboratorio.

**laboratoire** *m* laboratorio: **~ pharmaceutique** laboratorio farmacéutico; **~ de langue** laboratorio de idiomas.

**laborieusement** *adv* difícilmente.

**laborieux, euse** *a* **1.** trabajador, a, laborioso, a ◊ **les classes laborieuses** los trabajadores **2.** *(difficile)* laborioso, a, trabajoso, a **3.** *FAM* **c'est ~!** ¡es penoso!

**labour** *m* labranza *f.* ◇ *pl (terres labourées)* campos labrados.

**labourable** *a* arable ◊ **terre ~** tierra de labor, labrantío *m.*

**labourage** *m* labranza *f.*

**labourer** *vt* **1.** *(avec la charrue)* arar, labrar, *(avec un outil à main)* cavar **2.** *FIG (sillonner)* surcar; *(lacérer)* arañar.

**laboureur** *m* labrador.

**labrador** *m (chien)* labrador.

**labre** *m (poisson)* labro.

**labyrinthe** *m* **1.** laberinto **2.** *ANAT* laberinto.

**lac** *m* lago ◊ *FIG, FAM* **tomber dans le ~** fracasar, irse al agua, hundirse.

**laçage** *m* atadura *f.*

**Lacédémone** *np f* Lacedemonia.

**lacédémonien, enne** *a/s* lacedemonio, a.

**lacer*** *vt* atar: **~ ses chaussures** atarse los zapatos.

**lacération** *f* desgarramiento *m.*

**lacérer*** *vt* desgarrar, lacerar.

**lacet** *m* **1.** *(de chaussures)* cordón: **mon ~ s'est cassé** se me ha roto el cordón de los zapatos **2.** zigzag, curva *f*: **route en lacets** carretera en zigzag **3.** *(piège)* lazo.

**lâchage** *m* **1.** aflojamiento **2.** *FAM* abandono.

**lâche** *a* **1.** *(non serré)* flojo, a **2.** *(action)* vil. ◇ *a/s (poltron)* cobarde.

**lâchement** *adv* **1.** *(peureusement)* cobardemente **2.** *(honteusement)* vergonzosamente.

**[1]lâcher** *vt* **1.** *(desserrer)* aflojar **2.** soltar: **~ un ballon** soltar un globo; **lâchez-moi!** ¡suéltenme!; **~ une bêtise, un juron** soltar una tontería, un taco ◊ *FIG* **~ pied** ceder terreno, retroceder; **~ prise** ceder; *FAM (de l'argent)* **les ~** aflojar la mosca **3.** *(un coup de feu)* disparar **4.** *(ses études, etc.)* abandonar **5.** *FAM (un ami)* plantar, dejar plantado. ◇ *vi* **1. la poutre a lâché** se soltó, se rompió la viga **2.** fallar: **ses nerfs ont lâché** le fallaron los nervios; **les freins peuvent ~** los frenos pueden fallar.

**[2]lâcher** *m (de pigeons, ballons)* suelta *f.*

**lâcheté** *f* **1.** cobardía **2.** *(action)* bajeza, ruindad.

**lâcheur, euse** *s FAM* descastado, a.

**lacis** *m* entrelazamiento, red *f*: **un ~ de ruelles** una red de callejuelas.

**laconique** *a* lacónico, a.

**laconiquement** *adv* lacónicamente.

**laconisme** *m* laconismo.

**lacrymal, e** *a* lagrimal: **canal ~** conducto lagrimal; **glandes lacrymales** glándulas lagrimales.

**lacrymogène** *a* **gaz ~** gas lacrimógeno.

**lacs** [lɑ] *m (nœud coulant)* lazo.

**lactaire** *m (champignon)* **~ délicieux** mízcalo, níscalo.

**lactation** *f* **1.** lactación **2.** *(période d'allaitement)* lactancia.

**lacté, e** *a* **1.** lácteo, a: **produits lactés** productos lácteos; **régime ~** régimen lácteo **2.** lacteado, a: **farine lactée** harina lacteada **3. Voie lactée** Vía láctea.

**lactique** *a CHIM* láctico, a: **acide ~** ácido láctico.

**lactose** *m CHIM* lactosa *f*, lactina *f*.

**lacunaire** *a* incompleto, a.

**lacune** *f* laguna, omisión, fallo *m*: **on remarque quelques lacunes dans son rapport** se advierten algunas lagunas en su informe.

**lacustre** *a* lacustre.

**lad** [lad] *m* mozo de cuadra.

**là-dedans** → **dedans.**

**là-dessous** → **dessous.**

**là-dessus** → **dessus.**

**Ladislas** *np m* Ladislao.

**ladite** → **ledit.**

**ladre** *a/s (avare)* roñoso, a, tacaño, a, avaro, a.

**ladrerie** *f* **1.** *(avarice)* tacañería, avaricia sórdida **2.** *ANC (léproserie)* leprosería, malatería.

**lagon** *m* laguna *f* de atolón.

**lagune** *f* laguna, albufera.

**là-haut** → **haut.**

[1]**lai, e** *a RELIG* lego, a.

[2]**lai** *m (poème)* lay.

**läic** → **laïque.**

**laîche** *f* carrizo *m*.

**laïcisation** *f* laicización.

**laïciser** *vt* laicizar, secularizar.

**laïcisme** *m* laicismo.

**laïcité** *f* laicismo *m*, laicidad.

**laid, e** *a/s* **1.** feo, a: **être ~ à faire peur, comme un pou** ser más feo que Picio **2. c'est ~ de mentir** es feo mentir. ◇ *m* **le ~** lo feo.

**laidement** *adv* feamente.

**laideron** *m* petardo, callo, feto, mujer *f* fea.

**laideur** *f* fealdad.

**laie** *f* **1.** *(femelle du sanglier)* jabalina **2.** *(sentier)* sendero *m*, senda.

**lainage** *m* **1.** tejido de lana: **robe en ~** vestido de lana **2.** *(vêtement)* prenda *f* de lana, jersey.

**laine** *f* **1.** lana: **~ vierge** lana virgen; **pure ~** pura lana ◊ **bêtes à ~** ganado *m* lanar; *FIG* **se laisser manger la ~ sur le dos** dejarse despojar **2. ~ de verre** lana de vidrio.

**laineux, euse** *a* **1.** lanoso, a, lanudo, a **2.** *BOT* lanoso, a.

**lainier, ère** *a* lanoso, a.

**laïque, laïc** [laik] *a/s* laico, a: **école laïque** escuela laica; **les laïcs** los laicos.

**laisse** *f* **1.** correa ◊ **les chiens doivent être tenus en ~** los perros deben ir atados **2.** *FIG* **tenir quelqu'un en ~** dominar a alguien, manejar a alguien.

**laissé-pour-compte** [lesepurkɔ̃t] *m* **1.** *COM* mercancía *f* rechazada, maula *f* **2.** *(personne)* persona *f* dejada de lado, marginado, a: **les laissés-pour-compte de la société** las víctimas de la sociedad.

**laisser** *vt* **1.** dejar: **laisse-moi tranquille** déjame en paz; **laissez-le sortir** déjele que salga; **laisse-moi te dire une chose** deja que te diga una cosa; **laisse-moi faire** deja, déjalo; **laisse ça!** ¡deja eso! ◊ **c'est à prendre ou à ~** lo toma(s) o lo deja(s); **~ tomber** → **tomber 2. ~ à penser** dar qué pensar; **~ à désirer** dejar bastante que desear **3. il y a laissé sa vie, sa peau** le ha costado la vida. ◆ **se ~** *vpr* **1.** dejarse: **se ~ insulter** dejarse insultar **2. se ~ aller** abandonarse, descuidarse; **laissez-vous aller!** ¡abandónese!; **se ~ faire** dejarse llevar, no oponer resistencia; **se ~ entraîner** dejarse llevar.

**laisser-aller** *m inv* abandono, dejadez *f*, descuido.

**laisser-passer** *m inv* pase, permiso de circulación.

**lait** *m* **1.** leche *f*: **le ~ de vache et le ~ maternel** la leche de vaca y la leche materna; **~ écrémé, condensé, en poudre** leche desnatada, condensada, en polvo; **~ caillé** leche cuajada; **chocolat au ~** chocolate con leche; **frères de ~** hermanos de leche ◊ *FIG* **boire du ~, du petit-~** no caber en sí de alegría **2. ~ de poule** yema *f* mejida **3. ~ d'amandes** leche *f* de almendras **4. ~ de chaux** lechada *f* de cal.

**laitage** *m* producto lácteo.

**laitance, laite** *f* lecha.

**laiterie** *f* **1.** *(dans une ferme)* lechería **2.** *(usine)* empresa láctea.

**laiteron** *m (plante)* cerraja *f*.

**laiteux, euse** *a* lechoso, a.

[1]**laitier, ère** *a* **1.** lechero, a: **vache laitière** vaca lechera **2.** lácteo, a: **industrie laitière** industria láctea; **produits laitiers** productos lácteos. ◇ *s (marchand)* lechero, a.

[2]**laitier** *m (scorie)* escoria *f*.

**laiton** *m* latón.

**laitue** *f* lechuga.

**laïus** [lajys] *m FAM* discurso, perorata *f*.

**laïusser** *vi FAM* discursear.

**laïusseur, euse** *s FAM* charlatán, ana.

[1]**lama** *m (animal)* llama *f*.

[2]**lama** *m (prêtre)* lama.

**lamaïsme** *m RELIG* lamaísmo.

**lamaïste** *a* lamaísta.

**lamanage** *m MAR* practicaje, pilotaje.

**lamaneur** *m MAR* práctico de puerto, piloto práctico.

**lamantin** *m* manatí.

**lamaserie** *f* lamasería.

**lambada** *f (danse)* lambada.

**lambda** *m* **1.** *(lettre)* lambda *f*. **2. l'électeur ~** un elector cualquiera.

**lambeau** *m* **1.** jirón: **chemise en lambeaux** camisa hecha jirones; **mettre en lambeaux** desgarrar, hacer jirones **2.** fragmento, trozo: **des lambeaux de conversation** fragmentos de conversación.

**lambic, lambick** *m* cerveza *f* fuerte de Bélgica.

**lambin, e** *a/s* remolón, ona, roncero, a.

**lambiner** *vi* remolonear.

**lambourde** *f (poutre)* carrera.

**lambrequin** *m* friso, frontal.

**lambris** *m* revestimiento decorativo.

**lambrisser** *vt* revestir.

**lame** *f* **1.** *(d'un couteau, d'une scie)* hoja: **~ de rasoir** hoja de afeitar, cuchilla de afeitar ◊ *FIG* **visage en ~ de couteau** rostro afilado **2.** *FIG* **une fine ~** un buen espadachín **3.** *(lamelle)* lámina **4. ~ de parquet** tabla **5.** *(vague)* ola ◊ **~ de fond** mar de fondo.

**lamé, e** *a* laminado, a. ◇ *m* lamé: **robe en ~** vestido de lamé.

**lamelle** *f* laminilla, lámina fina: **couper en lamelles** cortar en láminas finas.

**lamellibranches** *m pl ZOOL* lamelibranquios.

**lamentable** *a* lamentable.

**lamentablement** *adv* lamentablemente.

**lamentation** *f* lamentación, lamento *m*: **se répandre en lamentations** prorrumpir en lamentos, lamentarse; **un chœur**

**de lamentations** un coro de lamentos ◊ **le mur des Lamentations** el Muro de las Lamentaciones; **les Lamentations de Jérémie** las Lamentaciones de Jeremías.

**lamenter (se)** *vpr* lamentarse: **se ~ sur son sort** lamentarse de su suerte.

**lamento** *m* lamento.

**lamie** *f (monstre, requin)* lamia.

**laminage** *m* laminado.

**laminer** *vt* **1.** *TECHN* laminar **2.** *FIG (réduire)* mermar **3.** *FIG* **je suis laminé** estoy hecho polvo.

**lamineur** *m TECHN* laminador.

**laminoir** *m (machine)* laminador.

**lampadaire** *m* **1.** *(de roue)* farola *f,* farol **2.** *(d'intérieur)* lámpara *f* de pie.

**lampant** *a* **pétrole ~** petróleo refinado.

**lampe** *f* **1.** lámpara: **~ à pétrole** lámpara de petróleo; **~ de chevet** lámpara ◊ **~ de bureau (à tige flexible)** flexo *m;* **~ à bronzer** lámpara de rayos UVA **2. ~ de poche** linterna de bolsillo **3.** *(ampoule)* bombilla **4.** *(de radio)* lámpara, válvula **5. ~ à souder** soplete *m* **6.** *FAM* **s'en mettre plein la ~** ponerse morado, ponerse como un trompo, hartarse de comer.

**lampée** *f FAM* buen trago *m.*

**lamper** *vt FAM* beber a grandes tragos.

**lampion** *m* farolillo (veneciano).

**lampiste** *m* **1.** lamparista **2.** *FAM (subalterne)* pagano.

**lampisterie** *f* lamparería.

**lamproie** *f* lamprea.

**lance** *f* **1.** lanza: **~ en arrêt** lanza en ristre; **en fer de ~** en punta de lanza ◊ **coup de ~** lanzada *f* **2. ~ d'incendie** lanza **3.** *FIG* **rompre une ~, des lances avec quelqu'un** discutir acaloradamente con alguien.

**lancée** *f* impulso *m:* **continuer sur sa ~** aprovechar el impulso inicial.

**lance-flammes** *m inv* lanzallamas.

**lance-fusées** *m inv* lanzacohetes.

**lance-grenades** *m inv* lanzagranadas.

**lancement** *m* **1.** lanzamiento: **~ du disque** lanzamiento de disco; **rampe de ~** rampa de lanzamiento **2.** *(d'un bateau)* botadura *f:* **le ~ d'un pétrolier** la botadura de un petrolero **3.** *FIG (d'un produit, etc.)* lanzamiento.

**lancéolé, e** *a BOT* lanceolado, a.

**lance-pierres** *m inv* tirador, tiragomas ◊ *FAM* **manger avec un ~** comer a toda prisa.

**¹lancer*** *vt* **1.** lanzar: **~ le disque, une fusée dans l'espace** lanzar el disco, un cohete al espacio **2.** tirar, arrojar: **~ des pierres** tirar piedras **3.** *(des coups, etc.)* soltar: **~ des injures** soltar injurias **4. ~ un regard** lanzar, echar una mirada **5.** *(un ordre, etc.)* dar, emitir **6. ~ un produit nouveau sur le marché** lanzar un producto nuevo al mercado; **~ une mode, un artiste** lanzar una moda, a un artista **7.** *MAR (un bateau)* botar. ◆ **se ~** *vpr* **1. se ~ dans le vide** lanzarse, tirarse al vacío **2. se ~ dans la politique** lanzarse a la política; **se ~ dans des dépenses** lanzarse a hacer gastos.

**²lancer** *m* **1.** *(athlétisme)* lanzamiento: **~ du disque, du poids** lanzamiento de disco, de peso **2. pêche au ~** pesca al lanzado.

**lance-roquettes** *m inv* bazuca *f.*

**lance-torpilles** *m inv* lanzatorpedos.

**lancette** *f* lanceta.

**lanceur, euse** *s* **1.** lanzador, a: **~ de javelot** lanzador de jabalina **2.** promotor, a. ◇ *m (spatial)* lanzador.

**lancier** *m* lancero. ◇ *pl (danse)* lanceros.

**lancinant, e** *a* lancinante, punzante.

**lanciner** *vi* punzar, lancinar. ◇ *vt* atormentar.

**landais, e** *a/s* landés, esa.

**landau** *m* **1.** *(voiture à cheval)* landó **2.** *(d'enfant)* cochecito de niño.

**lande** *f* landa, páramo *m.*

**landier** *m* morillo grande.

**laneret** *m* alcotán.

**langage** *m* lenguaje: **~ technique** lenguaje técnico ◊ **en voilà un ~!** ¡vaya un modo de hablar!

**langagier, ère** *a* lingüístico, a, relativo, a al lenguaje.

**lange** *m* mantillas *f pl,* pañal.

**langer*** *vt* envolver en pañales a.

**langoureusement** *adv* lánguidamente.

**langoureux, euse** *a* lánguido, a.

**langouste** *f* langosta.

**langoustine** *f* cigala.

**langue** *f* **1.** lengua: **tirer la ~** sacar la lengua; **sur le bout de la ~** en la punta de la lengua ◊ *FIG* **avaler sa ~** no decir ni pío; **avoir la ~ bien pendue** hablar por los codos; **je donne ma ~ au chat** me rindo; **tenir sa ~** callarse; **ne pas savoir tenir sa ~** irse de la lengua; **prendre ~ avec quelqu'un** ponerse en contacto con alguien; **une mauvaise ~** una lengua viperina; **ne pas avoir la ~ dans sa poche** → **poche 2.** lengua, idioma *m:* **il parle trois langues** habla tres idiomas; **~ vivante, morte** lengua viva, muerta; **~ maternelle** lengua materna; **la ~ de Cervantès** la lengua de Cervantes ◊ **~ verte** germanía **3.** habla: **pays de ~ espagnole** países de habla española **4. ~ de bois** lenguaje *m* eufemístico, estereotipado **5.** lengua: **~ de terre** lengua de tierra.

**langue-de-chat** *f* lengua de gato.

**Languedoc** [lãgdɔk] *np m* Languedoc.

**languedocien, enne** *a/s* languedociano, a.

**languette** *f* lengüeta.

**langueur** *f* languidez.

**languide** *a LITT* lánguido, a.

**languir** *vi* **1.** languidecer **2.** *(en prison)* consumirse **3. ne me fais pas ~!** ¡no me hagas desear! **4. ~ de** suspirar por.

**languissant, e** *a* lánguido, a, mustio, a.

**lanier** *m (faucon)* alcotán.

**lanière** *f* tira de cuero, correa.

**lanoline** *f* lanolina.

**lanterne** *f* **1.** farol *m,* linterna ◊ **~ sourde** linterna sorda; **~ magique** linterna mágica; **~ vénitienne** farolillo *m* veneciano; *FIG* **la ~ rouge** el farolillo rojo, el último; **éclairer la ~ de quelqu'un** poner a alguien al corriente **2.** *ARCH* linterna. ◇ *pl (d'automobile)* luces de población.

**lanterneau, lanternon** *m ARCH* linternón, cupulino.

**lanterner** *vi* **1.** perder el tiempo en tonterías, bobear **2. faire ~** hacer esperar.

**lanthane** *m CHIM* lantano.

**Laocoon** [laɔkɔɔ̃] *np m* Laocoonte.

**laotien, enne** *a/s* laosiano, a.

**La Palice** *np m* **vérité de ~** verdad de Perogrullo, perogrullada.

**lapalissade** *f* perogrullada.

**laparoscopie** *f MÉD* laparoscopia.

**lapement** *m* lengüetada *f.*

**laper** *vt/i* beber a lengüetadas.

**lapereau** [lapro] *m* gazapo, conejito.

**lapidaire** *a/m* lapidario, a.

**lapidation** *f* lapidación: **la ~ de saint Étienne** la lapidación de san Estebán.

**lapider** *vt* lapidar.

**lapilli** [lapili] *m pl* lapilli.

**lapin, e** *s* **1.** conejo, a: **~ de garenne** conejo de monte; **~ domestique** conejo casero **2.** *FIG FAM* **un fameux ~** un pícaro; **un chaud ~** un tío cachondo; **mon petit ~** pichón, ona **3.** *FAM* **poser un ~** dar un plantón.

**lapis-lazuli** [lapislazyli] *m* lapislázuli.

**lapon, e** *a/s* lapón, ona.

**Laponie** *np f* Laponia.

**laps** [laps] *m* **~ de temps** lapso de tiempo.

**lapsus** [lapsys] *m* lapsus, lapso: **faire des ~** tener lapsus.

**laquage** *m* laqueado.

**laquais** *m* lacayo.

**laque** *f* **1.** laca **2.** *(pour cheveux)* laca. ◇ *m (objet)* laca *f.*

**laquelle → lequel.**

**laquer** *vt* **1.** barnizar con laca, laquear **2. cheveux laqués** pelo con laca **3. canard laqué** pato lacado.

**larbin** *m FAM* criado.

**larcin** *m* hurto.

**lard** *m* **1.** tocino, lardo: **~ gras, fumé** tocino gordo, ahumado ◊ *FAM* **se demander si c'est du ~ ou du cochon** no saber qué decir **2.** *FAM (d'une personne)* grasa *f* ◊ **faire du ~** engordar; **un gros ~** un tío gordo **3.** *POP* **tête de ~** cabezota, cabezón.

**larder** *vt* **1.** *CULIN* mechar **2.** *FIG* acribillar, coser: **~ de coups de poignard** acribillar a puñaladas **3.** *(un texte de citations)* recargar, rellenar.

**lardoire** *f* aguja mechera.

**lardon** *m* **1.** pedacito de tocino, torrezno **2.** *POP (enfant)* niño, crío.

**lares** *m pl* lares.

**largable** *a* lanzable.

**largage** *m* lanzamiento.

**large** *a* **1.** ancho, a, amplio, a: **une rue ~** una calle ancha; **un ~ trottoir** una acera ancha; **une ~ zone** una amplia zona **2.** *(vêtement)* holgado, a: **un manteau très ~** un abrigo muy holgado **3.** amplio, a: **un ~ sourire** una amplia sonrisa; **une ~ diffusion** una amplia difusión; **~ victoire** amplia, holgada victoria **4.** *(généreux)* generoso, a, liberal **5. vie ~** vida desahogada, fácil **6. avoir les idées larges** tener el espíritu amplio, ser tolerante. ◇ *m* **1.** anchura *f,* ancho: **six mètres de ~** seis metros de ancho **2.** *MAR* **gagner le ~** hacerse a la mar; **au ~ de Brest** a la altura de Brest **3.** *FAM* **prendre le ~** largarse **4.** *loc adv* **être au ~** estar a sus anchas; **de long en ~** de un lado para otro; **en long et en ~ → long.** ◇ *adv* **1. calculer ~** calcular con generosidad; **voir ~** ver en grande **2.** *FAM* **ne pas en mener ~** no tenerlas todas consigo, no llegarle a uno la camisa al cuerpo.

**largement** *adv* **1. fenêtre ~ ouverte** ventana abierta de par en par **2.** generosamente **3. vivre ~** vivir con holgura **4.** ampliamente, con creces: **dépasser ~** superar con creces; **j'ai ~ le temps** tengo tiempo de sobras.

**largesse** *f* largueza, generosidad. ◇ *pl* dádivas, regalos *m.*

**largeur** *f* **1.** anchura, ancho *m* **2.** *FIG (d'esprit, etc.)* amplitud **3.** *FAM* **dans les grandes largeurs** por completo, de medio a medio, completamente.

**largo** *m MUS* largo.

**larguer** *vt* **1.** *MAR* largar, soltar, arriar: **~ les amarres** largar amarras **2.** *(d'un avion)* lanzar **3.** *FAM (abandonner)* abandonar, *(renvoyer)* despedir **4.** *FAM* **être largué** no entender.

**larigot → tire-larigot (à).**

**larme** *f* **1.** lágrima: **pleurer à chaudes larmes** llorar a lágrima viva; **en larmes** llorando; **au bord des larmes** al borde del llanto; **avoir la ~ facile, avoir la ~ à l'œil** llorar por menos de nada; **avoir les larmes aux yeux** estar a punto de llorar; **avoir du mal à retenir ses larmes** no poder reprimir las lágrimas; **elle était toute en larmes** lloraba a mares; **fondre en larmes** deshacerse en llanto; **rire aux larmes** llorar de risa **3.** *FIG* **larmes de crocodile** lágrimas de cocodrilo; **cette vallée de larmes** este valle de lágrimas **3.** *FAM* **une ~ de...** una gota de...

**larmoiement** [laʀmwamɑ̃] *m* lagrimeo.

**larmoyant, e** *a* **1.** lagrimoso, a, lloroso, a **2.** *FIG* sensiblero, a.

**larmoyer*** [laʀmwaje] *vi* **1.** lagrimear **2.** *(se plaindre)* lloriquear.

**larron** *m* **1.** *(voleur)* ladrón: **le bon ~** el buen ladrón ◊ *PROV* **l'occasion fait le ~** la ocasión hace al ladrón **2.** *FIG* **ils s'entendent comme larrons en foire** están a partir un piñón.

**larvaire** *a* larvario, a.

**larve** *f* **1.** *ZOOL* larva **2.** *PÉJOR* persona abúlica.

**larvé, e** *a* larvado, a.

**laryngé, e** *a* laríngeo, a.

**laryngien, enne** *a* laríngeo, a.

**laryngite** *f* laringitis.

**laryngologie** *f* laringología.

**laryngologiste, laryngologue** *s* laringólogo, a.

**larynx** [laʀɛ̃ks] *m* laringe *f.*

**[1]las, lasse** *a* **1.** cansado, a **2.** *FIG* **~ de** cansado de, harto de.

**[2]las!** [las] *interj ANC* ¡ay!

**lasagne** *f* lasaña.

**lascar** *m FAM* **un drôle de ~** un pícaro, un bribón.

**lascif, ive** *a* lascivo, a.

**lascivement** *adv* lascivamente.

**lascivité** *f* lascivia.

**laser** [lazeʀ] *m* láser: **rayon ~** rayo láser.

**lassant, e** *a* pesado, a, fastidioso, a, cansado, a.

**lasse → las.**

**lasser** *vt* cansar. ◆ **se ~** *vpr* **se ~ de** cansarse de, aburrirse de: **une chose que je ne me lasse jamais de répéter** una cosa que yo nunca me canso de repetir.

**lassitude** *f* **1.** *(fatigue)* cansancio *m* **2.** *(ennui)* fastidio *m,* hastío *m.*

**lasso** *m* lazo.

**lastex** *m (nom déposé)* lástex.

**latent, e** *a* latente.

**latéral, e** *a* lateral.

**latéralement** *adv* lateralmente.

**latéralisation** *f* lateralización.

**latérite** *f* laterita.

**latex** [latɛks] *m* látex.

**latifundium** [latifɔ̃djɔm] *m* latifundio.

**latin, e** *a/s* latino, a: **l'Amérique latine** América Latina; **Église latine** Iglesia latina; **voile latine** vela latina ◇ *m (langue)* latín: **bas ~** latín vulgar, bajo latín ◊ *FAM* **~ de cuisine** latín macarrónico; **j'y perds mon ~** no veo claro en esto, me quedo in albis.

**latinisation** *f* latinización.

**latiniser** *vt* latinizar.

**latinisme** *m* latinismo.

**latiniste** *s* latinista.

**latinité** *f* latinidad.

**latino-américain, e** *a/s* latinoamericano, a.

**latitude** *f* **1.** latitud: **à 45° de ~ nord** a 45° de latitud norte **2.** libertad: **je vous laisse toute ~ pour...** le doy toda libertad para...

**Latium** [lasjɔm] *np m* Lacio.

**Latran** *np m* Letrán.

**latrie** *f* latría.

**latrines** *f pl* letrina *sing.*

**lattage** *m* obra *f* de tablas.

**latte** *f* tabla, tablilla, listón *m.*

**latter** *vt* enlistonar.

**lattis** *m* armazón *f* de listones.

**laudanum** [lodanɔm] *m* láudano.

**laudatif, ive** *a* laudatorio, a.

**laudes** *f pl* RELIG laudes.

**Laure** *np f* Laura.

**lauréat, e** *a/s* laureado, a, galardonado, a.

**Laurence** *np f* Lorenza.

**Laurent** *np m* Lorenzo.

**laurier** *m* **1.** laurel: **~-sauce** laurel común **2. ~-rose** adelfa *f* **3.** FIG **s'endormir sur ses lauriers** dormirse sobre sus laureles.

**Lausanne** *np* Lausana.

**lavable** *a* lavable.

**lavabo** *m* **1.** lavabo **2.** RELIG *(moment de la messe)* lavatorio. ◇ *pl (toilettes)* **les lavabos** el servicio, los aseos.

**lavage** *m* **1.** lavado: **le ~ et le repassage** el lavado y el planchado **2.** FAM **~ de tête** rapapolvo; **~ de cerveau** lavado de cerebro.

**lavallière** *f* chalina.

**lavande** *f* **1.** *(plante)* espliego *m*, lavanda **2. eau de ~** agua de lavanda.

**lavandière** *f* **1.** lavandera **2.** *(oiseau)* aguzanieves.

**lavasse** *f* aguachirle, calducho *m.*

**lave** *f* lava.

**lave-glace** *m* lavaparabrisas.

**lave-linge** *m inv* lavadora *f.*

**lavement** *m* **1.** MÉD lavativa *f*, ayuda *f* **2.** *(lavage)* lavado **3.** RELIG **~ des pieds** lavatorio.

**laver** *vt* **1.** lavar: **~ le linge** lavar la ropa ◊ **machine à ~** lavadora, máquina de lavar **2. ~ la vaisselle** fregar los platos **3.** FIG *(un affront, etc.)* lavar **4.** FAM **~ la tête à quelqu'un** dar un jabón a alguien. ◆ **se ~** *vpr* lavarse: **se ~ les mains, les dents** lavarse las manos, los dientes ◊ FIG **je m'en lave les mains** me lavo las manos.

**laverie** *f* **~ automatique** lavandería (de autoservicio).

**lavette** *f* **1.** estropajo *m* **2.** FAM *(homme mou)* baldragas *m*, Juan Lanas *m.*

**laveur, euse** *s* **1.** *(de vaisselle)* lavaplatos **2.** *(de carreaux)* lavacristales **3.** *(de voitures)* lavacoches.

**lave-vaisselle** *m inv* lavavajillas.

**lavis** *m* aguada *f*, lavado: **dessin au ~** dibujo a la aguada.

**lavoir** *m* lavadero.

**lavure** *f* lavazas *f pl.*

**laxatif, ive** *a/m* laxante.

**laxisme** *m* laxismo.

**laxiste** *a/s* laxista.

**layetier** *m* baulero.

**layette** [lɛjɛt] *f* canastilla.

**layon** [lɛjɔ̃] *m* sendero.

**Lazare** *np m* Lázaro.

**lazaret** *m* lazareto.

**lazariste** *m* lazarista.

**lazulite** *f* lazulita, lapis-lazuli.

**lazzi** [la(d)zi] *m* broma *f*, burla *f.*

**le, la, l', les** *art* **1.** el, la, los, las: **~ père, la mère et l'enfant** el padre, la madre y el niño; **les garçons et les filles** los chicos y las chicas **2. fermé ~ lundi** *(= chaque)* cerrado los lunes **3. de l'** del: **je viens de l'aéroport** vengo del aeropuerto **4.** *devant la plupart des noms de pays, pas d'article défini* **(la France** Francia; **l'Espagne** España) *sauf s'ils sont déterminés* **(l'Espagne d'aujourd'hui** la España de hoy). ◇ *pron pers* lo, le, la, los, las *(enclitiques avec l'infinitif, le gérondif, l'impératif)* **je ~ sais** ya lo sé; **dis-~ moi** dímelo; **ne l'oublions pas** no lo olvidemos; **je l'ai rencontré dans le métro** lo encontré en el metro; **en la voyant** viéndola; **il les montra du doigt** los señaló con el dedo; **je les ai vues** las he visto.

▶ La forme normale du complément direct au masculin singulier est *lo* mais on peut aussi employer *le* pour les personnes (toujours *lo* pour les choses); au pluriel *los* est préféré à *les*. Lorsqu'il y a deux pronoms compléments, l'indirect se place toujours avant le direct: *donne-la moi* dámela.

**lé** *m* ancho (de una tela, de un rollo de papel pintado).

**leader** [lidœʀ] *m* **1.** líder: **les leaders syndicaux** los líderes sindicales **2.** *(en sports)* el número uno, el primero.

**leadership** [lidœʀʃip] *m* liderato, liderazgo.

**leasing** [liziŋ] *m* COM «leasing», arrendamiento con opción a compra.

**léchage** *m* FAM **~ de bottes** coba *f.*

**lèche** *f* FAM **faire de la ~ à** hacer la pelotilla, la rosca a.

**lèche-bottes** *m inv* FAM pelotillero, cobista.

**lèche-cul** *m inv* FAM lameculos.

**lèchefrite** *f* grasera.

**lécher*** *vt* **1.** lamer **2.** FAM **~ les bottes de quelqu'un** hacer la pelotilla a alguien; **~ les vitrines** mirar los escaparates **3.** *(fignoler)* pulir ◊ **tableau trop léché** cuadro demasiado lamido, demasiado bien acabado. ◆ **se ~** *vpr* **1.** lamerse **2.** FIG **s'en ~ les doigts, les babines** chuparse los dedos, relamerse de gusto.

**lécheur, euse** *s* FAM pelotillero, a, cobista.

**lèche-vitrine** *m* FAM **faire du ~** mirar los escaparates, ir de tiendas.

**lécithine** *f* lecitina.

**leçon** *f* **1.** lección: **étudier ses leçons** estudiar las lecciones **2.** clase: **leçons particulières** clases particulares **3.** *(avertissement)* lección, advertencia, *(réprimande)* escarmiento *m:* FIG **donner une ~ à** dar una lección a, un escarmiento a; **faire la ~ à quelqu'un** cantar a alguien la cartilla; **servir de ~** servir de escarmiento, de lección; **que cela vous serve de ~** que eso le sirva a usted de escarmiento.

**lecteur, trice** *s* lector, a. ◇ *m* **1. ~ de microfilms** lector de microfilmes; **~ de cassettes** lector de cassettes **2. ~ optique** lectora *f* óptica.

**lectorat** *m* **1.** conjunto de los lectores (de un periódico, etc.) **2.** *(dans une université)* lectorado.

**lecture** *f* lectura ◊ **j'aime la ~** me gusta leer; **je t'ai apporté de la ~** te he traído algo que leer.

**ledit, ladite, lesdits, lesdites** *a* dicho, a, os, as.

**légal, e** *a* legal.

**légalement** *adv* legalmente.

**légalisation** *f* legalización.

**légaliser** *vt* legalizar.

**légaliste** *a/s* legalista.

**légalité** *f* legalidad.

**légat** *m* legado.

**légataire** *s JUR* legatario, a.

**légation** *f* legación.

**legato** *adv MUS* ligado.

**légendaire** *a* legendario, a.

**légende** *f* **1.** leyenda: **entrer dans la ~** entrar en la leyenda ◊ **La Légende dorée** Leyenda áurea **2.** *(d'une illustration, photo)* pie *m* **3.** *(monnaie, médaille)* inscripción.

**léger, ère** *a* **1.** ligero, a: **d'un pas ~** con paso ligero; **repas ~** comida ligera **2.** *(peu grave, peu important)* leve, ligero, a: **blessure légère** herida leve; **un ~ sourire** una leve sonrisa; **avoir le sommeil ~** tener sueño ligero **3.** *loc adv* **à la légère** a la ligera, de ligero, así como así: **se décider, agir ~** decidirse, obrar a la ligera.

**légèrement** *adv* **1.** ligeramente **2.** **~ blessé** levemente herido **3.** **agir ~** actuar con ligereza.

**légèreté** *f* **1.** ligereza **2.** *FIG* ligereza, irreflexión.

**légiférer*** *vi* legislar.

**légion** *f* **1.** legión **2.** **la Légion étrangère, la Légion** la Legión extranjera, el Tercio.

**légionnaire** *m* **1.** legionario **2.** miembro de la Legión de Honor.

**législateur, trice** *a/s* legislador, a.

**législatif, ive** *a* legislativo, a: **pouvoir ~** poder legislativo; **l'Assemblée législative** la Asamblea legislativa; **élections législatives** elecciones legislativas.

**législation** *f* legislación: **selon la ~ en vigueur** conforme con la legislación vigente.

**législature** *f* legislatura.

**légiste** *m* legista. ◊ *a* **médecin ~** médico forense.

**légitimation** *f* legitimación.

**légitime** *a* legítimo, a: **enfant ~** hijo legítimo; **en état de ~ défense** en legítima defensa.

**légitimement** *adv* legítimamente.

**légitimer** *vt* **1.** legitimar **2.** *(justifier)* justificar.

**légitimiste** *a/s* legitimista.

**légitimité** *f* legitimidad.

**legs** [lɛ, lɛg] *m* legado, manda *f.*

**léguer*** *vt* legar.

**légume** *m* **1.** verdura *f:* **bouillon de légumes** caldo de verduras; **manger des légumes** comer verdura(s) **2.** **légumes secs** legumbres *f.* ◊ *f FAM* **une grosse ~** un pez gordo.

**légumier, ère** *a* leguminoso, a. ◊ *m (plat)* fuente *f* para verduras.

**légumineux, euse** *a* leguminoso, a. ◊ *f pl BOT* leguminosas.

**leitmotiv** [lajtmɔtif] *m* leitmotiv, tema.

**Léman (lac)** *np m* lago Lemán.

**lémuriens** *m pl ZOOL* lemúridos.

**lendemain** *m* **1.** al día siguiente: **il arriva le ~** llegó al día siguiente; **le ~ de la mort de X...** al día siguiente de morir X...; **le ~ matin** a la mañana siguiente; **le ~ soir** a la noche siguiente **2.** *(avenir)* **penser au ~** pensar en el mañana; **sans ~** sin porvenir; **des lendemains heureux** un futuro prometedor **3.** *loc adv* **du jour au ~** de la noche a la mañana.

**lénifiant, e** *a* calmante, tranquilizador, a.

**lénifier*** *vt* lenificar.

**Lénine** *np m* Lenin.

**léninisme** *m* leninismo.

**léniniste** *a/s* leninista.

**lénitif, ive** *a/m* lenitivo, a.

**lent, e** *a* **1.** lento, a: **d'un pas ~** con paso lento **2.** tardo, a: **~ à comprendre** tardo en comprender.

**lente** *f (œuf du pou)* liendre.

**lentement** *adv* despacio, lentamente.

**lenteur** *f* lentitud.

**lentigo** *m MÉD* lentigo, peca *f.*

**lentille** *f* **1.** *(comestible)* lenteja: **un plat de lentilles** un plato de lentejas **2.** **~ d'eau** lenteja de agua **3.** *(en optique)* lente: **~ convergente, divergente** lente convergente, divergente ◊ **~ cornéenne** lente de contacto, lentilla.

**lentisque** *m* lentisco.

**lento** *adv MUS* lento.

**Léon** *np m* León.

**Léonard, e** *np* Leonardo, a.

**léonin, e** *a* leonino, a.

**léopard** *m* leopardo. ◊ *a MIL* **tenue ~** uniforme *m* de camuflaje.

**Léopold** [leɔpɔl] *np m* Leopoldo.

**Lépante** *np* Lepanto.

**lépidoptères** *m pl ZOOL* lepidópteros.

**lépiote** *f* lepiota.

**lépisme** *m* lepisma *f.*

**lèpre** *f* lepra.

**lépreux, euse** *a/s* leproso, a. ◊ *a (mur)* enmohecido, a.

**léproserie** *f* leprosería.

**lequel, laquelle, lesquels, lesquelles** *pron interr* cuál, cuáles: **~ préfères-tu?** ¿cuál te gusta más?; **lesquels voulez-vous?** ¿cuáles quiere usted?. ◊ *pron rel* **1.** el cual, la cual, los cuales, las cuales, el que, la que, los que, las que, que: **un silence pendant ~...** un silencio durante el cual...; **la raison pour laquelle...** la razón por (la) que; **la hauteur à laquelle...** la altura a que... **2.** *(= qui)* quien: **Jean, ~ est au chômage** Juan, quien está en paro **3.** con las preposiciones *à* y *de* forma los compuestos **auquel, auxquels, auxquelles** al que, a los que, a las que, al cual, a los cuales, a las cuales; **duquel, desquels, desquelles** del cual, de los cuales, de las cuales, del que, etc., cuyo: **l'hôtel près duquel...** el hotel cerca del cual...; **un immeuble au dernier étage duquel...** un edificio, en cuyo último piso...

**lérot** *m* lirón gris.

**les** → **le.**

**lès** *prép ANC* junto a.

**lesbienne** *a/f* lesbiana.

**lesdits** → **ledit.**

**lèse-majesté** *f* lesa majestad.

**léser*** *vt* **1.** perjudicar **2.** *(blesser)* lesionar, dañar.

**lésine** *f* tacañería, cicatería.

**lésiner** *vi* **~ sur** escatimar, cicatear, regatear.

**lésinerie** → **lésine.**

**lésion** *f* lesión.

**lesquels, elles** → **lequel.**

**lessivage** *m* **1.** *(du linge)* colada *f* **2.** *(des murs, etc.)* fregado.

**lessive** *f* **1.** *(liquide alcalin)* lejía **2.** *(en poudre)* detergente *m* **3.** colada, lavado *m:* **faire la ~** hacer la colada, lavar la ropa **4.** *(linge)* ropa: **rincer la ~** aclarar la ropa.

**lessiver** *vt* **1.** lavar, fregar con detergente: **~ un mur** fregar una pared con detergente **2.** *FAM (très fatigué)* **être lessivé** estar hecho polvo, estar hecho unos zorros **3.** *FAM (au jeu)* **il s'est fait ~** se quedó sin camisa.

**lessiveuse** *f* cubo *m* para colada.

**lest** [lɛst] *m* lastre ◊ *FIG* **jeter du ~** soltar lastre.

**leste** *a* **1.** ágil, ligero, a **2.** *FIG* libre, atrevido, a, picante: **une plaisanterie un peu ~** una broma un poco atrevida **3.** *FIG* **avoir la main ~** ser largo de manos.

**lestement** *adv* ágilmente.

**lester** *vt* lastrar.

**létal, e** *a* letal.

**letchi → litchi.**

**léthargie** *f* letargo *m*.

**léthargique** *a* letárgico, a.

**Léthé** *np m* Leteo.

**letton, onne** *a/s* letón, ona.

**Lettonie** *np f* Letonia.

**lettre** *f* **1.** letra: **~ majuscule, minuscule** letra mayúscula, minúscula; **écrire en toutes lettres** escribir con todas las letras; **en lettres d'or** con letras de oro; *FIG* **à la ~, au pied de la ~** al pie de la letra; **rester ~ morte** ser papel mojado **2.** carta: **envoyer une ~** enviar una carta; **j'ai reçu ta ~** recibí tu carta; **~ recommandée** carta certificada; **~ ouverte** carta abierta; **lettres de créances** cartas credenciales; *FAM* **c'est passé comme une ~ à la poste** ha pasado sin ninguna dificultad **3.** *COM* **~ de change** letra de cambio; **~ de crédit** carta de crédito. ◇ *pl* **1.** letras: **les belles lettres** las bellas letras; **faculté des lettres** facultad de letras **2. homme, femme de lettres** literato, a.

▶ *Les cinq lettres*: eufemismo por «merde».

**lettré, e** *a* culto, a. ◇ *s* erudito, a.

**lettrine** *f* **1.** *(ornée)* letra florida **2.** *(dans un dictionnaire)* letra volada.

**leu → queue.**

**leucémie** *f* leucemia.

**leucémique** *a/s* leucémico, a.

**leucocytaire** *a BIOL* leucocitario, a.

**leucocyte** *m BIOL* leucocito.

**leucome** *m MÉD* leucoma.

**leucorrhée** *f MÉD* leucorrea.

**¹leur** *pron pers* **1.** les *(enclitique à l'infinitif, au gérondif, à l'impératif)*: **je ~ demandai si...** les pregunté si...; **donne-~ à boire** dales de beber **2.** *(après un autre pronom de la 3ᵉ personne)* se: **je le ~ dirai** se lo diré; **dites-le ~** dígaselo.

▶ *Se* se place toujours en premier: *le ~* se lo; *la ~* se la; *les ~* se los, las.

**²leur** *a poss* su: **~ voiture** su coche; **leurs enfants** sus hijos. ◇ *pron poss* **1. le ~, la ~, les leurs** el suyo, la suya, los suyos, las suyas: **je prends ma bicyclette et ils prennent la ~** tomo mi bicicleta y ellos toman las suyas **2. ils devront y mettre du ~** tendrán ellos que poner de lo suyo **3.** *(au pluriel = parents)* **un des leurs** uno de los suyos.

**leurre** *m* **1.** añagaza *f*, señuelo **2.** *(pour la pêche)* cebo artificial.

**leurrer** *vt* embaucar, engañar. ◆ **se ~** *vpr* hacerse ilusiones, engañarse: **il ne faut pas se ~** no hay que engañarse; **ne nous leurrons pas** no nos engañemos.

**levage** *m* levantamiento ◊ **appareils de ~** elevadores.

**levain** *m* levadura *f*.

**levant** *a* **soleil ~** sol naciente. ◇ *m* levante: **le Levant** el Levante.

**levantin, e** *a/s* levantino, a.

**levé, e** *a* levantado, a **→ lever.** ◇ *m (d'un plan)* levantamiento.

**levée** *f* **1.** levantamiento *m*: **la ~ du corps** el levantamiento del cadáver; **la ~ de l'embargo** el levantamiento del embargo **2.** *(du courrier)* recogida: **heures de ~** horas de recogida **3.** *(des troupes)* leva, reclutamiento *m* ◊ **~ en masse** movilización general **4.** *(d'impôts)* recaudación **5.** *(au jeu de cartes)* baza **6.** *FIG* **~ de boucliers** protesta general **7.** *(remblai)* terraplén *m*, dique *m*.

**lève-glace** *m* elevalunas.

**¹lever*** *vt* **1.** levantar, alzar: **~ la tête** levantar la cabeza; **~ le doigt** alzar el dedo; **je levai les yeux** alcé los ojos; **il leva son verre** alzó su vaso; **~ les bras au ciel** alzar los brazos al cielo; **voter à main levée** votar a mano alzada ◊ **~ les épaules** encogerse de hombros; *FAM* **~ le coude** empinar el codo; **au pied levé → pied 2.** *(enlever)* levantar, quitar ◊ *FIG* **~ le masque** quitarse la careta **3. ~ la séance, le siège, une excommunication** levantar la sesión, el sitio, una excomunión **4.** *(le courrier)* recoger **5.** *(un plan)* levantar, trazar **6.** *(le gibier)* levantar **7.** *(des soldats)* levar, reclutar **8.** *(les impôts)* recaudar. ◇ *vi* **1.** *(les plantes)* nacer, brotar **2.** *(la pâte)* fermentar. ◆ **se ~** *vpr* **1.** levantarse: **je me suis levé à six heures** me he levantado a las seis; **lève-toi** levántate; **se ~ de table** levantarse de la mesa; **le vent se lève** se está levantando el viento **2.** salir: **le soleil se lève** sale el sol ◊ **le jour se lève** está amaneciendo, está clareando **3.** *(le temps)* despejarse, aclararse.

**²lever** *m* **1. à son ~** al levantarse de la cama **2. le ~ du soleil** la salida del sol; **au ~ du jour** al amanecer **3.** *THÉÂT* **au ~ du rideau** al levantarse el telón; **un ~ de rideau** un entremés, un sainete.

**lève-tard** *s inv FAM* dormilón, ona.

**lève-tôt** *s inv FAM* madrugador, a.

**lève-vitre** *m* elevalunas.

**Léviathan** *np m* Leviatán.

**levier** *m* palanca *f*: **~ de commande** palanca de mando; **~ de changement de vitesse** palanca de cambio.

**levis → pont.**

**lévitation** *f* levitación.

**lévite** *m* levita. ◇ *f (redingote)* levitón *m*.

**levraut** *m* lebrato.

**lèvre** *f* **1.** labio *m*: **le sourire aux lèvres** con la sonrisa en los labios ◊ **être suspendu aux lèvres de...** estar pendiente de los labios de...; **manger du bout des lèvres** comer con desgana, sin ganas; **rire du bout des lèvres** reír sin ganas; **accepter du bout des lèvres** aceptar a regañadientes; **s'en mordre les lèvres** arrepentirse **2. les lèvres d'une plaie** los labios de una llaga. ◇ *pl (de la vulve)* **grandes, petites lèvres** labios *m* mayores, menores.

**levrette** *f* galga.

**lévrier** *m* galgo, lebrel: **course de lévriers** carrera de galgos.

**levure** *f* levadura: **~ de bière** levadura de cerveza.

**lexical, e** *a* lexical.

**lexicaliser** *vt* lexicalizar.

**lexicographe** *s* lexicógrafo, a.

**lexicographie** *f* lexicografía.

**lexicographique** *a* lexicográfico, a.

**lexicologie** *f* lexicología.

**lexicologique** *a* lexicológico, a.

**lexicologue** *s* lexicólogo, a.

**lexique** *m* léxico.

**lez → lès.**

**lézard** *m* **1.** lagarto **2. ~ gris, des murailles** lagartija *f* **3.** *FIG FAM* **faire le ~** tomar el sol.

**lézarde** *f (fente)* grieta.

**lézardé, e** *a* agrietado, a: **mur ~** pared agrietada.

**lézarder** *vt* agrietar. ◇ *vi FAM (au soleil)* tomar el sol, gandulear. ◆ **se ~** *vpr* agrietarse.

**liaison** *f* **1.** unión, enlace *m*, ilación **2.** relación: **~ d'affaires** relación de negocios **3.** *(en phonétique)* enlace *m*, ligazón **4.** *(communication)* conexión, comunicación: **liaisons aériennes** conexiones aéreas; **liaisons téléphoniques** comunicaciones telefónicas ◊ **entrer en ~ avec** ponerse en contacto con **5. agent de ~** agente de enlace, enlace **6.** *(amoureuse)* relación ilícita, amorío *m*, apaño *m*, ligue *m*: **avoir une ~ avec** mantener relaciones con ◊ **les Liaisons dangereuses** *(Laclos)* Las amistades peligrosas **7.** *MUS* ligado *m*.

**liane** *f* bejuco *m*.

**liant, e** *a* afable, sociable: **caractère ~** carácter sociable. ◇ *m* **1.** afabilidad *f*, sociabilidad *f* **2.** *(mortier)* argamasa *f*.

**liard** *m (monnaie)* cuarto: **il n'a pas un (rouge) ~** no tiene ni un cuarto.

**liasse** *f* **1.** *(papiers)* legajo *m* **2.** *(de billets)* fajo *m*.

**Liban** *np m* Líbano.

**libanais, e** *a/s* libanés, esa.

**libation** *f* libación.

**libelle** *m* libelo.

**libellé** *m* redacción *f*: **le ~ d'un jugement** la redacción de un juicio.

**libeller** *vt* **1.** redactar **2.** *(un chèque)* extender.

**libellule** *f* libélula.

**liber** [libɛʀ] *m BOT* líber.

**libérable** *a (soldat)* licenciable.

**libéral, e** *a/s* liberal.

**libéralisation** *f* liberalización.

**libéraliser** *vt* liberalizar.

**libéralisme** *m* liberalismo.

**libéralité** *f* liberalidad.

**libérateur, trice** *a/s* libertador, a, liberador, a.

**libération** *f* **1.** liberación: **la ~ des otages** la liberación de los rehenes; **le Mouvement de ~ de la femme** el Movimiento de liberación de la mujer **2.** *(d'un soldat)* licenciamiento *m* **3.** *HIST* **la Libération** la Liberación (de Francia ocupada por los alemanes, 1944-45).

**libérer*** *vt* **1.** *(un prisonnier)* poner en libertad, libertar **2.** *(un soldat)* licenciar **3.** *(un pays)* libertar **4.** *(d'une obligation)* librar, liberar **5.** *PHYS (de l'énergie)* liberar: **la fission de l'atome libère une grande quantité d'énergie** la fisión del átomo libera una gran cantidad de energía. ◆ **se ~** *vpr* liberarse.

**libérien, enne** *a/s (du Liberia)* liberiano, a.

**libéro** *m (football)* líbero.

**libertaire** *a/s* libertario, a.

**liberté** *f* **1.** libertad: **~ provisoire** libertad provisional; **vivre en ~** vivir en libertad; **mettre en ~** poner en libertad; **je prends la ~ de...** me tomo la libertad de...; **en toute ~** con toda libertad; **~ de conscience, d'opinion** libertad de conciencia, de opinión; **~ du culte** libertad de culto; **~ de la presse** libertad de prensa, de imprenta **2. prendre des libertés** tomarse libertades, tomarse confianzas **3. pendant ses moments de ~** durante sus ratos libres, de ocio.

**libertin, e** *a/s* libertino, a.

**libertinage** *m* libertinaje.

**libidineux, euse** *a* libidinoso, a.

**libido** *f* libido.

**libraire** *s* librero, a.

**librairie** *f* librería.

**libre** *a* **1.** libre: **un homme ~** un hombre libre; **entrée ~** entrada libre; **à l'air ~** al aire libre ◊ **~ arbitre** libre albedrío; **~ pensée** librepensamiento *m*; **~ penseur** librepensador **2.** *(propos)* licencioso, a, atrevido, a **3.** libre, desocupado, a: **avoir du temps ~** tener tiempo libre; **êtes-vous ~ ce soir?** ¿está usted libre esta noche? **4.** libre, dueño, a: **tu es ~ d'agir à ton gré** tú eres libre, dueño de obrar a tu gusto ◊ **~ à vous de...** es usted muy dueño de..., usted puede...; **~ à toi** eres muy dueño **5. je suis très ~ avec lui** le trato con mucha confianza **6.** privado, a: **l'enseignement ~** la enseñanza privada.

**libre-échange** *m* librecambio.

**libre-échangiste** *a/s* librecambista.

**librement** *adv* **1.** libremente **2.** *(avec franchise)* con franqueza.

**libre pensée, libre penseur → libre.**

**libre-service** *m* autoservicio.

**librettiste** *s* libretista.

**Libye** *np f* Libia.

**libyen, enne** *a/s* libio, a.

[1]**lice** *f* liza, palestra ◊ **entrer en ~** lanzarse a la palestra, echarse al ruedo, entrar en liza.

[2]**lice → lisse.**

**licence** *f* **1.** licencia: **~ d'importation** licencia de importación **2.** *(grade universitaire)* licenciatura ◊ **obtenir sa ~ en droit** licenciarse en derecho.

**licencié, e** *a/s* licenciado, a: **~ ès lettres, en droit** licenciado en letras, en derecho.

**licenciement** [lisɑ̃simɑ̃] *m* **1.** *(renvoi)* despido: **~ individuel, collectif** despido individual, colectivo; **~ abusif** despido improcedente **2.** *(d'un soldat)* licenciamiento.

**licencier*** *vt* despedir: **~ un ouvrier** despedir a un obrero.

**licencieux, euse** *a* licencioso, a.

**lichen** [likɛn] *m* líquen.

**lichette** *f FAM* **une ~ de...** un trocito de...

**licitation** *f JUR* licitación, subasta forzosa.

**licite** *a* lícito, a.

**licitement** *adv* lícitamente.

**licol → licou.**

**licorne** *f* unicornio *m*.

**licou** *m* cabestro, ronzal.

**licteur** *m* lictor.

**lie** *f* **1.** heces *pl* ◊ **boire le calice jusqu'à la ~** apurar el cáliz hasta las heces **2.** *FIG* **la ~ de la société** la hez de la sociedad. ◇ *a (couleur)* **~-de-vin** color heces de vino, color rojo violáceo.

**lié → lier.**

**lied** [lid] *m* lied.

**liège** *m* corcho.

**Liège** *np* Lieja.

**liégeois, e** *a/s* **1.** liejés, esa **2. café ~** café helado con nata.

**lien** *m* **1.** ligadura *f*, atadura *f* **2.** *FIG* lazo, vínculo: **liens de parenté, du sang** vínculos de parentesco, de la sangre; **liens d'amitié** lazos de amistad **3.** *FIG* relación *f*: **~ de cause à effet** relación de causa a efecto; **faire le ~ entre...** establecer una relación entre...

**lier*** *vt* **1.** *(attacher)* atar: **~ avec une corde** atar con una cuerda; **fou à ~** loco de atar; **pieds et poings liés** atado de pies y manos **2.** *FIG* unir, ligar, vincular: **une vieille amitié nous lie** nos liga una vieja amistad; **~ son destin à...** vincular su destino a...; **la crise est liée à un déséquilibre structurel** la crisis está relacionada con un desequilibrio estructural ◊ **avoir partie liée avec quelqu'un** haberse puesto de acuerdo con alguien **3. ~ ses idées** enlazar sus ideas **4. ~ une sauce** espesar, ligar una salsa **5. ~ amitié** trabar amistad; **~ conversation** entablar conversación **6.** *MUS* ligar. ◆ **se ~** *vpr* **1. se ~ (d'amitié) avec quelqu'un** trabar amistad, intimar, ligarse con alguien ◊ **ils sont très liés** están muy unidos **2.** *(par serment, vœu, etc.)* comprometerse, obligarse, ligarse.

**lierre** *m* hiedra *f*, yedra *f*.

**liesse** *f* alborozo *m*, regocijo *m*, jolgorio *m* ◊ **en ~** rebosante de alegría, entusiasmado, a.

[1]**lieu** *m* **1.** lugar: **~ de naissance** lugar de nacimiento ◊ **~ public** lugar público; **mettre en ~ sûr** poner a salvo, en sitio seguro; **n'avoir ni feu ni ~** → **feu 2. avoir ~** tener lugar, verificarse, celebrarse: **l'enterrement eut lieu le matin** el entierro se verificó por la mañana; **la fête aura ~ dimanche** la fiesta se celebrará el domingo; **avoir ~ de** tener motivos para; **il y a ~ de...** conviene...; **s'il y a ~** si procede, si hay caso; **donner ~ à** dar motivos para; **tenir ~ de** servir de, hacer las veces de **3. ~ commun** lugar común, tópico **4.** *loc adv* **en premier ~** en primer lugar; **en dernier ~** por último, en último lugar; **en haut ~** en las altas esferas **5.** *loc prép* **au ~ de** en lugar de, en vez de. ◇ *pl* **1.** lugar *sing:* **sur les lieux de l'accident, du crime** en el lugar del accidente, del crimen ◊ **se rendre sur les lieux** personarse; **vider les lieux** desocupar el local, irse **2. les Lieux Saints** los Santos Lugares **3. les lieux d'aisance** el retrete.

[2]**lieu** *m (poisson)* merluza *f*.

**lieu-dit, lieudit** *m* lugar llamado ◊ **un ~** un lugar.

**lieue** *f* legua: **à cent lieues à la ronde** a cien leguas a la redonda ◊ **j'étais à cent lieues de supposer cela** estaba muy lejos de suponer eso.

**lieuse** *f AGR* agavilladora.

**lieutenant** *m* **1.** *MIL* teniente **2.** *(adjoint)* lugarteniente.

**lieutenant-colonel** *m* teniente coronel.

**lièvre** *m* liebre *f* ◊ *FIG* **lever un ~** levantar la liebre; **courir deux lièvres à la fois** tener dos actividades al mismo tiempo; **avoir une mémoire de ~** tener poca memoria.

**lifter** *vt (une balle)* liftar.

**liftier** *m* ascensorista.

**lifting** [liftiŋ] *m* lifting: **se faire faire un ~** hacerse un lifting.

**ligament** *m ANAT* ligamento.

**ligamenteux, euse** *a* ligamentoso, a.

**ligature** *f* ligadura.

**ligaturer** *vt* ligar, atar con una ligadura.

**lige** *a* **homme ~** adicto.

**lignage** *m* **1.** *(filiation)* linaje, alcurnia *f* **2.** *(d'un texte)* número de líneas.

**ligne** *f* **1.** línea: **~ droite, brisée** línea recta, quebrada ◊ **le passage de la ~** el paso del Ecuador; **la ~ médiane, la ~ blanche continue** la línea continua; **la ~ d'arrivée** la meta; **la dernière ~ droite** la recta final **2.** *(d'écriture)* línea, renglón *m* ◊ **point à la ~** punto y aparte; **lire entre les lignes** leer entre líneas; **aller à la ~** comenzar un nuevo párrafo, hacer párrafo aparte **3.** *(de la main)* línea **4.** *(pour la pêche)* sedal *m* ◊ **pêcher à la ~** pescar con caña **5.** *(électrique, téléphonique, de chemin de fer, etc.)* línea: **~ aérienne** línea aérea; *(au téléphone)* **la ~ est occupée** está comunicando **6.** *(silhouette)* línea: **garder la ~** guardar la línea **7.** fila: **en ~ pour le départ!** ¡en fila para la salida! **8. hors ~** fuera de serie, excepcional, sin par **9. sur toute la ~** en toda la línea, completamente: **échouer, se tromper sur toute la ~** fracasar en toda la línea, equivocarse de medio a medio **10. entrer en ~ de compte** entrar en cuenta **11. descendants en ~ directe** descendientes por línea recta **12.** *FIG* **~ de conduite** línea de conducta; **la ~ du parti** la línea del partido **13.** *COM* **une nouvelle ~ de produits** una nueva línea de productos **14.** *INFORM* **en ~** en línea.

**lignée** *f* descendencia, prole.

**ligneux, euse** *a* leñoso, a.

**lignite** *m* lignito.

**ligotage** *m* atadura *f*.

**ligoter** *vt* atar de pies y manos.

**ligue** *f* liga.

**liguer** *vt* coligar. ◆ **se ~** *vpr* ligarse, coligarse.

**ligueur, euse** *s* **1.** miembro de una liga **2.** *HIST* miembro de la «Sainte Ligue» (1576-1594).

**ligure, ligurien, enne** *a/s* ligur.

**Ligurie** *np f* Liguria.

**lilas** *m* lila *f*. ◇ *a inv (couleur)* lila.

**liliacées** *f pl BOT* liliáceas.

**Lille** *np* Lila.

**Lilliput** [lilipyt] *np m* Liliput.

**lilliputien, enne** [lilipysjɛ̃, ɛn] *a/s* liliputiense.

**lillois, e** *a/s* de Lila (Lille).

**limace** *f* babosa.

**limaçon** *m* **1.** *(escargot)* caracol **2.** *(de l'oreille)* caracol.

**limage** *m* limado, limadura *f*.

**limaille** *f* limaduras *pl*.

**limande** *f* **1.** platija **2.** *FAM* **elle est plate comme une ~** → **plat.**

**limbes** *m pl* limbo *sing:* **être dans les ~** estar en el limbo.

**lime** *f* lima: **~ à ongles** lima de uñas.

**limer** *vt* limar.

**limier** *m* **1.** *(chien)* sabueso **2.** *FIG* **un fin ~** un sabueso, un policía.

**liminaire** *a* liminar, preliminar.

**limitatif, ive** *a* limitativo, a.

**limitation** *f* limitación.

**limite** *f* límite *m:* **~ d'âge** límite de edad; **dépasser les limites** rebasar los límites ◊ **à la ~** si acaso, en último caso; *FIG* **connaître ses limites** conocer sus limitaciones. ◇ *a* tope, máximo, a, límite: **âge, prix ~** edad, precio tope; **vitesse ~** velocidad máxima, límite; **date ~** fecha límite; **des cas limites** casos límites.

**limité, e** *a* limitado, a: **stationnement ~** estacionamiento limitado; **tirage ~** tirada limitada.

**limiter** *vt* limitar: **~ ses dépenses** limitar sus gastos. ◆ **se ~** *vpr* limitarse.

**limitrophe** *a* limítrofe, lindante.

**limogeage** [limɔʒaʒ] *m FAM* destitución *f*.

**limoger*** *vt FAM* destituir, deponer, dejar cesante: **après avoir été limogé...** tras ser destituido...

**limon** *m* **1.** *(alluvion)* limo, légamo, lodo **2.** *(de charrette)* limonera *f* **3.** *(d'escalier)* zanca *f* **4.** *(citron)* limón.

**limonade** *f* gaseosa.

**limonadier** *m* cafetero, dueño de un bar o café.

**limoneux, euse** *a* limoso, a, legamoso, a.

**Limousin** *np m* Lemosín.

**limousin, e** *a/s* lemosín, ina. ◇ *f (auto)* limusina.

**limpide** *a* límpido, a.

**limpidité** *f* limpidez.

**lin** *m* **1.** lino **2. huile de ~** aceite de linaza.

**linceul** *m* mortaja *f*, sudario.

**linéaire** *a* lineal: **dessin ~** dibujo lineal.

**linéament** *m* lineamiento, delineación *f*.

**linge** *m* **1.** ropa *f*, ropa *f* blanca: **~ sale** ropa sucia ◊ **~ de maison** ropa blanca, lencería *f* de hogar; **~ de table** mantelería *f*; *FAM* **laver son ~ sale en famille** lavar la ropa sucia en casa **2. ~ de corps** ropa interior; **changer de ~** mudarse de ropa interior; **du ~ de rechange** una muda limpia **3.** *(chiffon)* trapo, paño:

**essuyer avec un ~ doux** secar con un trapo suave ◊ **blanc comme un ~** blanco como el papel **4.** *POP* **le beau ~** la flor y nata de la sociedad.

**lingère** *f* costurera de blanco.

**lingerie** *f* **1.** *(linge de corps féminin)* lencería, ropa interior de señoras **2.** *(local)* lencería.

**lingot** *m* lingote.

**lingual, e** *a* lingual.

**lingue** *f (poisson)* maruca.

**linguiste** *s* lingüista.

**linguistique** *a* lingüístico, a. ◊ *f* lingüística.

**linier, ère** *a* del lino.

**liniment** *m MÉD* linimento.

**Linné** *np m* Lineo.

**lino** *m FAM (linoléum)* linóleo.

**linoléum** [linɔleɔm] *m* linóleo.

**linon** *m* linón.

**linotte** *f (oiseau)* pardillo *m*, pardilla ◊ *FIG* **tête de ~** cabeza de chorlito.

**linotype** *f (nom déposé, machine)* linotipia.

**linotypie** *f* linotipia.

**linotypiste** *s* linotipista.

**linteau** *m* dintel.

**lion, lionne** *s* **1.** león, leona ◊ **courageux comme un ~** valiente como un león; **se battre comme un ~** pelear como una fiera; **se tailler la part du ~** llevarse la parte del león; *FAM* **il a mangé du ~** da muestras de una vitalidad sorprendente **2. ~ de mer** león marino **3.** *(zodiaque)* Leo: **être du ~** ser de Leo.

**lionceau** *m* cachorro de león.

**lionne → lion.**

**lipide** *m CHIM* lípido.

**liposuccion** *f* liposucción.

**lippe** *f* **1.** bezo *m* **2.** *FAM* **faire la ~** poner hocico, estar de morros.

**lippu, e** *a* bezudo, a, hocicudo, a.

**liquéfaction** *f* licuefacción.

**liquéfiable** *a* licuable.

**liquéfier*** *vt* licuar. ◆ **se ~** *vpr* **1.** licuarse **2.** *FIG* desanimarse, perder el ánimo.

**liquette** *f FAM* camisa.

**liqueur** *a* **1.** licor *m*: **bombons à la ~** bombones de licor **2. vin de ~** vino generoso **3. cave à ~** licorera.

**liquidateur, trice** *s JUR* liquidador, a.

**liquidation** *f* liquidación.

**liquide** *a* **1.** líquido, a **2. argent ~** dinero en efectivo; **payer en ~** pagar en efectivo **3. consonne ~** consonante líquida. ◊ *m* líquido.

**liquider** *vt* **1.** liquidar: **~ un compte, le stock** liquidar una cuenta, las existencias; **~ une affaire** liquidar un asunto **2.** *FAM* **~ une personne** liquidar, quitar de en medio a una persona.

**liquidité** *f COM* liquidez. ◊ *pl* disponibilidades.

**liquoreux, euse** *a* **1.** licoroso, a **2. vin ~** vino generoso.

**¹lire*** *vt* leer: **j'ai lu dans le journal** he leído en el periódico; **en lisant sa lettre** leyendo su carta; **~ à haute voix** leer en voz alta; **~ Balzac** leer a Balzac ◊ **lu et approuvé** conforme; **dans l'attente de vous ~** en espera de sus noticias. ◆ **se ~** *vpr* leerse: **la peur se lisait sur son visage** el miedo se le leía en la cara.

**²lire** *f (monnaie)* lira.

**lis, lys** [lis] *m* **1.** *(fleur)* azucena *f* **2.** *(héraldique)* **fleur de ~** flor de lis.

**Lisbonne** *np* Lisboa.

**lisbonnin, e** *a/s* lisboeta.

**liseré, liséré** *m* ribete, cenefa *f*.

**liseron** *m* enredadera *f*.

**liseur, euse** *s* aficionado, a a la lectura, lector, a.

**liseuse** *f* **1.** *(signet)* plegadera **2.** *(couvre-livre)* cubierta **3.** *(veste)* mañanita.

**lisibilité** *f* legibilidad.

**lisible** *a* legible.

**lisiblement** *adv* de manera legible.

**lisier** *m AGR* estiércol líquido.

**lisière** *f* **1.** *(d'un tissu)* orillo *m*, orilla **2.** *(d'un bois, etc.)* lindero *m*, linde *m* **3. tenir en lisières** tener a raya a.

**lissage** *m* alisadura *f*.

**¹lisse** *a* **1.** liso, a **2. peau ~** piel tersa.

**²lisse** *f MAR* regala.

**³lisse, lice** *f TECHN* **haute, basse ~** lizo *m* alto, bajo.

**lisser** *vt* **1.** alisar: **~ ses cheveux** alisarse el pelo **2.** *(cuir)* lustrar.

**lissoir** *m* alisador.

**listage** *m INFORM* listado.

**liste** *f* **1.** lista: **~ noire** lista negra; **~ de mariage** lista de boda; **tête de ~** cabeza de lista **2.** lista, relación: **~ des gagnants, des victimes** relación de los acertantes, de las víctimas **3. ~ civile** asignación otorgada al Jefe del Estado o a la Casa Real.

**listel** *m ARCH* listel.

**lister** *vt INFORM* listar.

**listériose** *f MÉD* listeriosis.

**listing** [listiŋ] *m INFORM* listado.

**lit** *m* **1.** cama *f*: **~ à deux places** cama de matrimonio; **lits jumeaux** camas gemelas; **~ pliant, ~-cage** cama plegable; **~ de camp** cama de campaña; **~ de sangle** catre; **faire le ~** hacer la cama; **se mettre au ~** meterse en la cama; **au ~!** ¡a la cama!; **garder le ~** guardar cama; **faire ~ à part** dormir en camas separadas; **un hôpital de cent lits** un hospital de cien camas; **~ de mort** lecho mortuorio **2.** *(mariage)* **enfants du premier ~** hijos del primer matrimonio **3.** *(couche)* lecho, capa *f* **4.** *(d'un cours d'eau)* madre *f*, lecho: **la rivière est sortie de son ~** el río se ha salido de madre **5.** *MAR* **le ~ du vent** la dirección del viento.

**litanies** *f pl (prière)* **les ~ de la Vierge** las letanías de la Virgen. ◊ *sing* **1.** letanía, sarta **2. c'est toujours la même ~** siempre con la misma canción, cantinela.

**lit-cage → lit.**

**litchi, letchi** *m* lichi.

**liteau** *m* **1.** *(raie)* lista *f*, raya *f* **2.** *(en bois)* listón.

**literie** *f* ropa de cama.

**lithiase** *f MÉD* litiasis.

**lithium** [litjɔm] *m CHIM* litio.

**lithographe** *s* litógrafo, a.

**lithographie** *f* litografía.

**lithographier*** *vt* litografiar.

**lithographique** *a* litográfico, a.

**lithosphère** *f* litosfera.

**lithuanien, enne → lituanien.**

**litière** *f* **1.** *(véhicule)* litera **2.** *(dans une étable, etc.)* cama de paja **3.** *FIG* **faire ~ de** hacer caso omiso de, despreciar.

**litige** *m* litigio: **être en ~** estar en litigio.

**litigieux, euse** *a* litigioso, a.

**litorne** *f* zorzal *m.*

**litote** *f* lítote.

**litre** *m* litro.

**litron** *m* POP litro de vino.

**littéraire** *a* literario, a. ◇ *s* literato, a.

**littérairement** *adv* literariamente.

**littéral, e** *a* literal: **traduction littérale** traducción literal ◊ **arabe ~** árabe escrito, clásico.

**littéralement** *adv* literalmente.

**littéralité** *f* literalidad.

**littérateur** *m* literato.

**littérature** *f* literatura.

**littoral, e** *a/m* litoral.

**Lituanie** *np f* Lituania.

**lituanien, enne** *a/s* lituano, a.

**liturgie** *f* liturgia.

**liturgique** *a* litúrgico, a.

**livarot** *m* queso de Livarot.

**livide** *a* lívido, a.

**lividité** *f* lividez.

**living** [liviŋ] *m* cuarto de estar, living.

**livrable** *a* a entregar.

**livraison** *f* **1.** entrega: **payable à la ~** pagadero a su entrega: **délai de ~** plazo de entrega **2.** reparto *m*: **voiture de ~** coche de reparto ◊ **~ à domicile** servicio, reparto a domicilio.

[1]**livre** *m* **1.** libro: **~ de poche** libro de bolsillo; **~ de cuisine** libro de cocina; **~ blanc** libro blanco; **~ d'or** libro de oro, de honor ◊ **parler comme un ~** hablar como un libro; **à ~ ouvert** a libro abierto, de corrido, sin preparación **2.** COM **grand-~** libro mayor; **tenir les livres** llevar los libros.

[2]**livre** *f (poids, monnaie)* libra.

**livrée** *f* **1.** librea: **portier en ~** portero de librea **2.** *(d'un animal)* librea, pelaje, *(d'un oiseau)* plumaje *m.*

**livrer** *vt* **1.** entregar: **~ une commande** entregar un pedido; **~ un voleur à la police** entregar a un ladrón a la policía **2.** **~ à domicile** repartir a domicilio **3.** *(un secret)* revelar **4.** **~ bataille** batallar, librar una batalla. ◆ **se ~** *vpr* **1.** *(à la police, à un vice, etc.)* entregarse **2.** *(se consacrer)* entregarse, dedicarse: **se ~ à l'étude** dedicarse al estudio **3.** *(s'abandonner)* abandonarse, confiarse.

**livresque** *a* libresco, a.

**livret** *m* **1.** *(petit livre)* librito **2.** cartilla *f*, libreta *f*: **~ de caisse d'épargne** libreta, cartilla de caja de ahorros; **~ militaire** cartilla militar; **~ scolaire** cartilla de escolaridad **3.** **~ de famille** libro de familia **4.** *(d'opéra)* libreto.

**livreur, euse** *s* repartidor, a.

**lob** *m (tennis)* lob, globo.

**lobby** *m* lobby.

**lobe** *m* ANAT, ARCH, BOT lóbulo.

**lobé, e** *a* lobulado, a: **feuille lobée** hoja lobulada.

**lobectomie** *f* MÉD lobectomía.

**lober** *vt (un ballon, une balle)* bombear.

**lobotomie** *f* MÉD lobotomía.

**lobule** *m* lobulillo.

**local, e** *a* local: **les impôts locaux** los impuestos locales; **couleur locale → couleur.** ◇ *m* local: **des locaux commerciaux** locales comerciales.

**localement** *adv* localmente.

**localisation** *f* localización.

**localiser** *vt* localizar.

**localité** *f* localidad, lugar *m.*

**locataire** *s* **1.** inquilino, a **2.** *(d'une terre)* arrendatario, a.

**locatif, ive** *a* **1.** *(immeuble)* de alquiler **2.** **impôt ~** impuesto de inquilinato **3.** **valeur locative** valor en alquiler, valor locativo. ◇ *m* GRAM locativo.

**location** *f* **1.** alquiler *m*: **la ~ d'une villa** el alquiler de un chalet; **skis, voiture en ~** esquíes, coche de alquiler ◊ **prendre en ~** alquilar; **~-vente** alquiler con opción de venta **2.** *(d'une terre)* arrendamiento *m* **3.** *(d'une place)* reserva **4.** THÉÂT **bureau de ~** contaduría *f.*

**loch** [lɔk] *m* MAR corredera *f.*

**loche** *f* **1.** *(poisson)* locha **2.** *(limace)* babosa.

**lochies** *f pl* MÉD loquios *m.*

**lock-out** [lɔkawt] *m inv* cierre patronal, lock-out.

**locomobile** *f* locomóvil.

**locomoteur, trice** *a* locomotor, a.

**locomotion** *f* locomoción.

**locomotive** *f* locomotora.

**locution** *f* locución, frase.

**loden** [lɔdɛn] *m* **1.** *(tissu)* loden **2.** *(manteau)* abrigo de loden.

**lœss** [løs] *m* loess.

**lof** *m* MAR barlovento ◊ **virer ~ pour ~** virar por redondo, virar en redondo.

**lofer** *vi* MAR orzar.

**loft** *m* almacén o taller acondicionado.

**logarithme** *m* logaritmo.

**logarithmique** *a* logarítmico, a.

**loge** *f* **1.** *(de concierge)* portería **2.** THÉÂT *(des acteurs)* camarín *m*, *(des spectateurs)* palco *m* ◊ FIG **être aux premières loges** estar en primera fila **3.** *(de francs-maçons)* logia **4.** *(pour les candidats dans un concours)* celda.

**logeable** [lɔʒable] *a* habitable.

**logement** *m* **1.** alojamiento: **donner le ~ à** dar alojamiento a **2.** vivienda *f*: **la crise du ~** la crisis de la vivienda; **la politique du ~** la política de la vivienda; **construire des logements sociaux** construir viviendas sociales; **un ~ spacieux** una vivienda espaciosa **3.** *(appartement)* piso: **un ~ de deux pièces** un piso de dos habitaciones.

**loger*** *vi* vivir, hospedarse, alojarse: **il loge chez ses parents, à l'hôtel** vive en casa de sus padres, en un hotel; **~ chez l'habitant** alojarse en casa particular. ◇ *vt* **1.** alojar, hospedar, albergar: **~ des soldats** alojar soldados; **cet hôtel peut ~ trente pensionnaires** este hotel puede albergar (a) treinta pensionistas **2.** *(mettre)* meter, alojar, dar con: **~ une balle dans la cible** dar con una bala en el blanco. ◆ **se ~** *vpr* **1.** alojarse, vivir: **ils ont enfin trouvé à se ~** por fin encontraron donde vivir **2.** *(balle, flèche, etc.)* alojarse, meterse.

**logeur, euse** *s* hospedero, a, alquilador, a de habitaciones amuebladas.

**loggia** [lɔdʒja] *f* **1.** loggia **2.** *(balcon couvert)* mirador *m.*

**logiciel** *m* INFORM software, soporte lógico.

**logicien, enne** *s* lógico, a.

**logique** *a* lógico, a: **il est ~ que...** es lógico que... ◊ **être ~ avec soi-même** ser consecuente consigo mismo. ◇ *f* lógica ◊ **son raisonnement manque de ~** su razonamiento carece de lógica, es incoherente ◊ **en toute ~** lógicamente; **c'est dans la ~ des choses** es normal.

**logiquement** *adv* lógicamente.

**logis** *m* **1.** vivienda *f*, casa *f*: **rentrer au ~** volver a casa **2.** **corps de ~** cuerpo de edificio, parte principal de un edificio **3.** **la folle du ~ → fou.**

**logistique** *a* logístico, a. ◇ *f* logística.

**logo** *m* logotipo.

**logomachie** *f* logomaquia.

**logopédie** *f* logopedia.

**logorrhée** *f* logorrea, verbosidad.

**loi** *f* **1.** ley: **obéir aux lois** obedecer las leyes; **projet de ~** proyecto de ley ◊ **homme de ~** jurista; **mettre hors la ~** poner fuera de la ley; *FIG* **faire la ~** mandar, llevar la batuta **2.** *FIG* **se faire une ~ de...** imponerse como una obligación...

**loi-cadre** *f* ley de bases.

**loin** *adv* **1.** lejos: **il habite ~** vive lejos; **c'est ~?** ¿está lejos? ◊ *FIG* **aller trop ~** ir demasiado lejos, exagerar, pasarse; **ce garçon ira ~** este muchacho llegará lejos; **sans aller plus ~** sin ir más lejos; **ça ne va pas plus ~** de ahí no pasa; **ça n'a pas été plus ~** la cosa no pasó a mayores; **cela peut aller ~** esto puede traer consecuencias; **il y a ~ de... à...** hay mucha distancia entre ... y...; **cette méthode est ~ d'être parfaite** este método dista mucho de ser perfecto; **il revient de ~** estuvo a punto de morir **2.** *(dans le temps)* lejos ◊ **voir ~** ver venir las cosas **3.** *loc adv* **au ~** a lo lejos; **de ~** desde lejos; **il est de ~ le meilleur** es con mucho el mejor; **de ~ en ~** de tarde en tarde, de cuando en cuando, a intervalos **4.** *loc prép* **~ de** lejos de: **j'étais ~ de penser que...** estaba lejos de pensar que...; **pas ~ de deux millions** casi dos millones; **il n'est pas ~ de six heures** son casi las seis; **~ de là!, ~ s'en faut!** ¡ni mucho menos! ¡al contrario!; *PROV* **~ des yeux, ~ du cœur** ojos que no ven, corazón que no siente **5.** *loc conj* **d'aussi ~ que, du plus ~ que je l'ai vue** cuando la vi a lo lejos; **d'aussi ~ que je m'en souvienne** desde siempre.

**lointain, e** *a* lejano, a. ◇ *m* lontananza *f*, lejanía *f*: **dans le ~** en lontananza, a lo lejos, en la lejanía.

**loir** *m* lirón ◊ **dormir comme un ~** dormir como un lirón.

**Loire** *np f* **la ~** el Loira.

**loisible** *a* lícito, a, permitido, a.

**loisir** *m* **1.** tiempo libre, ocio: **avoir des loisirs** tener tiempo libre, ratos de ocio; **la civilisation des loisirs** la civilización del ocio; **je n'ai pas encore eu le ~ de...** todavía no tuve tiempo para... **2.** distracciones *f pl*: **des loisirs coûteux** distracciones costosas **3.** *loc adv* **à ~** sin prisas, con toda tranquilidad, a placer.

**lolo** *m* **1.** *FAM (lait)* leche *f* **2.** *POP (sein)* teta *f*.

**lombago → lumbago.**

**lombaire** *a ANAT* lumbar.

**lombard, e** *a/s* lombardo, a ◊ *ARCH* **bandes lombardes** bandas lombardas.

**Lombardie** *np f* Lombardía.

**lombes** *f pl ANAT* lomos *m*.

**lombric** [lɔ̃brik] *m* lombriz *f*.

**londonien, enne** *a/s* londinense.

**Londres** [lɔ̃dʀ(ə)] *np* Londres.

**long, longue** *a* **1.** largo, a: **un nez ~** una nariz larga; **un ~ voyage** un largo viaje; **~ d'un mètre** de un metro de largo; **un ~ moment** un largo rato; **je trouve le temps ~** se me hace largo el tiempo; **de longue date → date** ◊ *loc adv* **à la longue** a la larga **2.** tardo, a, lento, a: **~ à comprendre** tardo en comprender ◊ **comme tu es ~ à te décider!** ¡cuánto tardas en decidirte!; **ce ne sera pas ~** no tardará mucho **3.** *GRAM* **voyelle longue** vocal larga. ◇ *m* **1.** largo, longitud *f*: **d'un kilomètre de ~** de un kilómetro de largo ◊ **il est tombé de tout son long** se ha caído cuan largo era **2.** *loc adv* **de ~ en large** de un lado para otro; **étudier un problème en ~ et en large** estudiar un problema detalladamente, con todo detalle; **tout du ~** con todo detalle **3.** *loc prép* **le ~ de, au ~ de** a lo largo de; **tout le ~ de l'année** durante todo el año. ◇ *adv* **1. en savoir ~** saber mucho **2. son attitude en dit ~** su actitud es muy reveladora.

**longanimité** *f LITT* longanimidad.

**long-courrier** *m* **1.** barco de altura **2.** avión de largas distancias.

**longe** *f* **1.** *(courroie)* ronzal *m* **2.** *(boucherie)* lomo *m* (de ternera).

**longer*** *vt* **1.** bordear **2.** *MAR* costear.

**longeron** *m* larguero.

**longévité** *f* longevidad.

**longiligne** *a* larguirucho, a.

**longitude** *f* longitud: **à 35° de ~ ouest** a 35° de longitud oeste.

**longitudinal, e** *a* longitudinal.

**long-métrage → métrage.**

**longtemps** [lɔ̃tɑ̃] *adv* **1.** mucho tiempo: **depuis ~** desde hace mucho tiempo ◊ **je suis ici depuis ~** llevo aquí mucho rato; **vous êtes mariée depuis ~?** ¿lleva usted mucho tiempo de casada? **2. il y a ~ que...** hace tiempo que...; **plus ~** más tiempo; **trop ~** demasiado tiempo; **il n'y a pas si ~** no hace tanto tiempo; **je n'en ai pas pour ~** no tardaré mucho; *FAM* **il n'en a plus pour ~** está a punto de morir.

**longue → long.**

**longuement** *adv* largamente, detenidamente ◊ **il a insisté ~ sur...** insistió largo y tendido sobre...

**longuet, ette** *a FAM* larguito, a. ◇ *m (pain)* colín, barrita *f* de pan.

**longueur** *f* **1.** longitud, largo *m*: **saut en ~** salto de longitud; **~ d'onde** longitud de onda; **la ~ et la largeur d'un terrain** el largo y el ancho de un terreno ◊ *MAR* **~ hors tout** eslora total **2.** *(dans une course)* largo *m*, cuerpo *m*: **cheval qui gagne d'une ~** caballo que gana por un cuerpo, por un largo; **une ~ d'avance** un largo de ventaja; **faire trois longueurs de piscine** hacer tres largos **3.** extensión: **la ~ d'un récit** la extensión de un relato **4.** *(durée)* duración ◊ **traîner en ~** durar mucho, no acabar nunca; **faire traîner une affaire en ~** dar largas a un asunto **5.** *loc prép* **à ~ de journée** todo el santo día; **à ~ d'année** todo el año.

**longue-vue** *f* anteojo *m* de larga vista, catalejo *m*.

**look** [luk] *m* look.

**looping** [lupiŋ] *m* looping, rizo.

**lopette** *f POP* mierdica.

**lopin** *m* parcela *f*: **un ~ de terre** una parcela.

**loquace** *a* locuaz.

**loquacité** *f* locuacidad.

**loque** *f* **1.** pingajo *m*, andrajo *m*, harapo *m*: **vêtu de loques** vestido con andrajos ◊ **vêtement en loques** traje hecho jirones **2.** *FIG* **une ~ humaine** una piltrafa humana.

**loquet** *m* picaporte, pestillo.

**loqueteau** *m* pestillo, palanca *f*.

**loqueteux, euse** *a* harapiento, a, andrajoso, a.

**lord** [lɔʀ] *m* lord ◊ **la Chambre des lords** la Cámara de los lores.

**lordose** *f ANAT* lordosis.

**Lorette** *np* Loreto. ◇ *f ANC* coqueta, mujer liviana.

**lorgner** *vt* **1.** mirar de soslayo: **~ une femme du coin de l'œil** mirar de soslayo a una mujer **2.** *(convoiter)* codiciar, echar el ojo a: **~ une place** codiciar un puesto.

**lorgnette** *f* gemelos *m pl* ◊ *FIG* **regarder par le petit bout de la ~** verlo todo de una manera mezquina.

**lorgnon** *m* quevedos *pl*, lentes *f pl* de pinza.

**loriot** *m (oiseau)* oropéndola *f*.

**lorrain, e** *a/s* lorenés, esa.

**Lorraine** *np f* Lorena.

**lors** *adv* **1.** entonces: **depuis ~** desde entonces ◊ **dès ~** desde ese momento; **pour ~** entonces **2.** *loc prép* **~ de** cuando: **~ de**

**son dernier voyage** cuando su último viaje **3.** *loc conj* **~ même que** aun cuando, aunque; **dès ~ que → dès.**

**lorsque** *conj* cuando: **~ nous arrivâmes** cuando llegamos, al llegar; **lorsqu'il arrivera** cuando llegue.

▶ Pour marquer l'hypothèse l'espagnol emploie le subjonctif présent à la place du futur de l'indicatif français. La forme *al* + infinitif peut aussi marquer la simultanéité.

**losange** *m* rombo.

**lot** *m* **1.** *(part)* lote **2.** *(dans une loterie)* premio ◊ **le gros ~** el premio gordo, el gordo; **si je gagnais le gros ~** si a mí me tocase el gordo; **lots de consolation** pedrea *f sing* **3.** *FIG (destin)* suerte *f*, sino.

**loterie** *f* **1.** lotería: **Loterie nationale** Lotería nacional **2.** *FIG* lotería.

**Loth** [lɔt] *np m* Lot.

**loti, e** *a* **1. bien ~** favorecido, a; **mal ~** desfavorecido, a **2.** *FAM* **me voilà bien ~ avec cette grippe!** ¡estoy aviado con esta gripe!

**lotion** *f* loción: **~ capillaire** loción capilar.

**lotionner** *vt* dar lociones a, lavar.

**lotir** *vt (un terrain)* dividir en lotes, parcelar.

**lotissement** *m* **1.** repartición *f* por lotes, parcelación *f* **2.** *(terrain)* parcela *f* **3.** *(résidence)* urbanización *f*.

**loto** *m* **1.** *(jeu de hasard)* lotería *f* **2.** *(jeu national)* lotería *f* rápida.

**lotte** *f* rape *m*.

**lotus** [lɔtys] *m* loto.

**louable** *a* **1.** *(digne de louange)* loable, encomiable **2.** *(qu'on peut prendre en location)* susceptible de alquilarse.

**louage** *m* alquiler: **voiture de ~** coche de alquiler.

**louange** *f* **1.** alabanza ◊ **à la ~ de** en elogio de **2. chanter les louanges de** hacerse lenguas de, ensalzar, encomiar.

**louanger*** *vt* alabar, ensalzar, encomiar.

**louangeur, euse** *a* elogioso, a, lisonjero, a.

**loubard** *m FAM* gamberro, chorizo.

**¹louche** *a* **1.** *(qui louche)* bizco, a **2.** *FIG* turbio, a, sospechoso, a: **affaire ~** asunto turbio; **un individu ~** un tipo sospechoso; **un bar ~** un bar de mala fama.

**²louche** *f (pour servir la soupe)* cucharón *m*.

**loucher** *vi* **1.** bizcar **2.** *FAM* **~ sur** codiciar.

**loucherie** *f* bizquera, estrabismo *m*.

**loucheur, euse** *s* bizco, a.

**¹louer** *vt* **1.** *(maison, automobile)* alquilar: **à ~** se alquila **2.** *(place de train, etc.)* reservar **3.** *(une terre)* arrendar.

**²louer** *vt (complimenter, glorifier)* alabar: **Dieu soit loué!** ¡alabado sea Dios! ◆ **se ~** *vpr* **1. se ~ de quelqu'un** estar muy satisfecho, a de alguien **2.** congratularse: **je me loue d'avoir accepté** me congratulo de haber aceptado.

**loueur, euse** *s* alquilador, a.

**loufoque** *a FAM (personne)* chiflado, a; *(chose)* extravagante, burlesco, a.

**loufoquerie** *f FAM* extravagancia, chifladura.

**Louis, e** *np* Luis, Luisa.

**Louisiane** *np f* Luisiana.

**loukoum** *m* dulce oriental, lukum.

**loulou** *m* **1.** *(chien)* perro faldero **2.** *FAM (terme d'affection)* chatito **3. → loubard.**

**loup** *m* **1.** lobo ◊ **une faim de ~** un hambre canina, un hambre que no ve; **froid de ~** frío que pela; **connu comme le ~ blanc** más conocido que la ruda; **hurler avec les loups** bailar al son que tocan; **se jeter dans la gueule du ~** meterse en la boca del lobo; **le grand méchant ~** el lobo feroz; *PROV* **quand on parle du ~, on en voit la queue** en nombrando al ruin de Roma, por la puerta asoma **2.** *(poisson)* róbalo, lubina *f*: **~ au fenouil** lubina al hinojo **3. ~ de mer** *(phoque)* lobo marino, *(vieux marin)* lobo de mar **4.** *FAM* **un jeune ~** un joven arribista **5.** *(masque)* antifaz **6.** *(faute)* falta *f*, error.

**loupage** *m FAM* fracaso.

**loup-cervier** *m* lobo cerval, lince.

**loupe** *f* **1.** lupa: **regarder à la ~** mirar con lupa **2.** *MÉD (excroissance)* lupía, lobanillo *m* **3.** *BOT* nudo *m*: **~ d'orme** nudo de olmo.

**louper** *vt FAM* **1.** *(rater)* fallar **2.** *(le train, l'occasion)* perder, dejar escapar **3. ça n'a pas loupé** estaba escrito; **il n'en loupe pas une!** ¡siempre mete la pata!

**loup-garou** *m* duende, coco.

**loupiot, otte** *s FAM* chiquillo, a, churumbel.

**loupiote** *f FAM* lamparilla.

**lourd, e** *a* **1.** pesado, a: **la tête lourde** la cabeza pesada; **artillerie lourde** artillería pesada; **industrie lourde** industria pesada; **sommeil ~** sueño pesado **2.** *(chaleur, temps)* pesado, a, bochornoso, a ◊ **il fait ~** hace bochorno **3.** *(de forme)* macizo, a **4.** *(démarche, etc.)* torpe **5.** *(style, plaisanterie)* pesado, a **6. une lourde faute** una falta grave **7.** lleno, a, cuajado, a: **avenir ~ de menaces** porvenir cuajado de amenazas **8.** *FIG* **avoir la main lourde** pegar fuerte; poner más de la cuenta. ◇ *adv* **1.** mucho: **peser ~** pesar mucho **2.** *FAM* **il n'en sait pas ~** no sabe mucho.

**lourdaud, e** *a* torpe. ◇ *s* zopenco, a.

**lourde** *f FAM (porte)* puerta.

**lourdement** *adv* **1.** pesadamente ◊ **~ chargé** excesivamente cargado **2. insister ~** insistir pesadamente **3. se tromper ~** equivocarse torpemente.

**lourder** *vt POP* poner de patitas en la calle.

**lourdeur** *f* **1.** pesadez ◊ **lourdeurs d'estomac** pesadez *sing* de estómago **2.** *(gaucherie)* torpeza **3.** *(lenteur)* lentitud.

**lourdingue** *a FAM* tosco, a.

**loustic** *m FAM* bromista ◊ **un drôle de ~** un tío raro.

**loutre** *f* nutria ◊ **~ de mer** nutria marina.

**Louvain** *np* Lovaina.

**louve** *f* loba.

**louveteau** *m* **1.** lobezno, lobato **2.** scout joven, lobato.

**louvoiement** [luvwamɑ̃] *m FIG* rodeos *pl*.

**louvoyer*** [luvwaje] *vi* **1.** *MAR* barloventear, voltejear, dar bordadas **2.** *FIG* andar con rodeos.

**lover (se)** *vpr* enroscarse.

**loyal, e** [lwajal] *a* leal: **des amis loyaux** amigos leales.

**loyalement** *adv* lealmente.

**loyalisme** *m* fidelidad.

**loyauté** [lwajote] *f* lealtad.

**loyer** [lwaje] *m* **1.** alquiler: **payer le ~ d'un appartement** pagar el alquiler de un piso **2.** *(de terres, etc.)* arriendo **3. le ~ de l'argent** el tanto por ciento de interés.

**lu, lue → lire.**

**lubie** *f* capricho *m*, antojo *m*: **je ne vais pas satisfaire toutes ses lubies** no voy a satisfacer todos sus caprichos.

**lubricité** *f* lubricidad.

**lubrifiant** *a/m* lubricante.

**lubrification** *f* lubrificación.

**lubrifier*** *vt* lubricar.

**lubrique** *a* lúbrico, a.

**Luc** *np m* Lucas.

**lucarne** *f* **1.** *(petite fenêtre)* tragaluz *m*, buhardilla **2.** *FAM* **la petite ~, les étranges lucarnes** la pequeña pantalla, la pantalla chica, la tele, la caja boba **3.** *(des buts, au football)* escuadra.

**lucide** *a* lúcido, a.

**lucidement** *adv* lúcidamente.

**lucidité** *f* lucidez.

**Lucie** *np f* Lucía.

**Lucien, enne** *np* Luciano, a.

**Lucifer** *np m* Lucifer.

**luciférien, enne** *a* luciferino, a.

**Lucile** *np f* Lucila.

**luciole** *f* luciérnaga.

**lucratif, ive** *a* lucrativo, a ◊ **association à but non ~** asociación sin ánimo de lucro.

**lucre** *m* lucro.

**Lucrèce** *np f* Lucrecia.

**ludion** *m* ludión.

**ludique** *a* lúdico, a, lúdicro, a.

**ludothèque** *f* ludoteca.

**luette** *f ANAT* campanilla, galillo *m*.

**lueur** *f* **1.** luz tenue **2.** *(d'un éclair)* fulgor *m* **3.** *(du regard)* brillo *m*, destello *m* **4.** *FIG* vislumbre, chispa, resquicio *m*, atisbo *m*: **une ~ d'espoir** una chispa, un atisbo de esperanza.

**luge** *f* pequeño trineo *m*.

**lugubre** *a* lúgubre.

**¹lui** *pron pers* **1.** *(masculin)* él: **~ et sa femme** él y su mujer; **c'est ~ qui le dit** es él quien lo dice; **je pense à ~** pienso en él; **pour ~** para él ◊ **~-même est venu** él mismo ha venido; **le directeur ~-même** el propio director; **de ~-même** por su propia decisión **2.** *(réfléchi)* sí: **il parle toujours de ~** siempre habla de sí mismo; **il était hors de ~** estaba fuera de sí ◊ **à ~ tout seul** por sí solo; **avec ~** consigo; **il a toujours la photo de sa fiancée sur ~** siempre lleva consigo la foto de su novia **3. à ~** suyo, a, propio, a de él: **il n'a rien à ~** no tiene nada propio **4.** *(masculin ou féminin)* le: **elle ~ parle** ella le está hablando; **je ~ demandai** le pregunté; **dis-~ de venir** dile que venga; **donne-~** dale **5.** *(après un autre pronom de la 3ᵉ personne)* se: **je le ~ dirai** se lo diré; **donne-les-~** dáselos.

► Attention à l'enclise des pronoms *le* et *se* à l'infinitif, à l'impératif, au gérondif. Notez que le pronom indirect *se* se place toujours en premier: *le lui*, se lo; *la lui*, se la; *les lui*, se los, se las.

**²lui → luire.**

**luire*** *vi* brillar, relucir, resplandecer: **le soleil luit** el sol brilla; **son crâne chauve luisait** su calva brillaba, relucía.

**luisant, e** *a* **1.** brillante, reluciente **2. ver ~** luciérnaga *f*, gusano de luz. ◇ *m (d'une étoffe)* lustre, brillo.

**lumbago** [lɔ̃bago] *m MÉD* lumbago.

**lumière** *f* **1.** luz: **la vitesse de la ~** la velocidad de la luz; **les lumières s'éteignent** las luces se apagan; **que la ~ soit!** ¡hágase la luz! ◊ **à la ~ de** a la luz de; **faire (toute) la ~ sur...** arrojar, echar luz sobre...; **mettre en ~** poner en evidencia, poner en claro, hacer resaltar **2.** *(personne éminente)* lumbrera: **ce n'est pas une ~** no es ninguna lumbrera. ◇ *pl* **1.** *(d'une personne)* luces ◊ **j'aurais besoin de vos lumières** me gustaría que me ayudara a comprender **2. le Siècle des lumières** el siglo de las luces.

**lumignon** *m* **1.** *(mèche)* pábilo **2.** *(bout de bougie)* cabo de vela **3.** *(lampe)* lamparilla *f*.

**luminaire** *m* **1.** *(cierges)* luminaria *f* **2.** *(éclairage)* alumbrado.

**luminescence** *f* luminiscencia.

**luminescent, e** *a* luminiscente.

**lumineux, euse** *a* **1.** luminoso, a **2. idée lumineuse** idea luminosa.

**luminosité** *f* luminosidad.

**lump** [lœp] *m* **œufs de ~** huevas de ciclóptero, sucedáneo de caviar.

**lunaire** *a* lunar.

**lunaison** *f* lunación.

**lunatique** *a/s* lunático, a.

**lunch** [lœntʃ, lœʃ] *m* lunch.

**lundi** *m* lunes: **~ prochain** el lunes que viene; **le ~ de Pâques, de Pentecôte** el lunes de Resurrección, de Pentecostes.

**lune** *f* **1.** luna: **pleine ~** luna llena; **nouvelle ~** luna nueva; **~ rousse** luna rosa; **marcher sur la Lune** pisar la Luna ◊ *FIG* **être dans la ~** estar en la luna, estar en Babia; **demander la ~** pedir la luna, pedir lo imposible; **visage de pleine ~** cara redonda **2. ~ de miel** luna de miel **3. les vieilles lunes** el tiempo pasado.

**luné, e** *a FAM* **être bien, mal ~** estar de buena, de mala luna.

**lunetier, ère** *a/s* óptico, a.

**lunette** *f* **1.** anteojo *m*: **~ d'approche** anteojo de larga vista **2.** *(des W.-C.)* abertura **3.** *(d'une auto)* **~ arrière** luneta trasera. ◇ *pl* gafas: **porter des lunettes** llevar gafas; **lunettes de soleil** gafas de sol; **lunettes noires** gafas negras; **lunettes de plongée** gafas submarinas, gafas de bucear.

**lunetterie** *f* fabricación de gafas, profesión de óptico.

**lunettier → lunetier.**

**lunule** *f* lúnula.

**lupanar** *m* lupanar.

**lupin** *m* altramuz.

**lupus** [lypys] *m MÉD* lupus.

**lurette** *f* **il y a belle ~ que...** hace mucho tiempo que..., hace un siglo que..., hace la tira que...

**luron, onne** *s* mocetón, ona ◊ **un gai ~** un viva la Virgen, un tarambana.

**lus → lire.**

**Lusitanie** *np f* Lusitania.

**lusitanien, enne** *a/s* lusitano, a.

**lustrage** *m* lustrado, bruñido.

**lustral, e** *a* lustral: **eau lustrale** agua lustral.

**lustre** *m* **1.** *(cinq ans)* lustro **2.** *(éclat)* lustre, brillo **3.** *(appareil d'éclairage)* araña *f*: **un ~ à pendeloques de cristal** una araña de caireles.

**lustrer** *vt* lustrar, dar brillo a.

**lustrine** *f* lustrina.

**Lutèce** *np f* Lutecia.

**luth** [lyt] *m* **1.** laúd: **jouer du ~** tocar el laúd **2.** *(tortue)* laúd.

**Luther** [lytɛʀ] *np m* Lutero.

**luthéranisme** *m* luteranismo.

**lutherie** *f* fabricación, comercio *m* de instrumentos de cuerda.

**luthérien, enne** *a/s* luterano, a.

**luthier** *m* violero, constructor de instrumentos de cuerda.

**luthiste** *s* lautista, tocador de laúd.

**lutin** *m* **1.** duendecillo **2.** *(enfant)* diablillo.

**lutiner** *vt* molestar con diabluras, permitirse familiaridades con.

**lutrin** *m* facistol.

**lutte** *f* lucha: **la ~ pour la vie, des classes** la lucha por la vida, de clases; **~ contre la pollution** lucha contra la contaminación ◊ **de haute ~** a fuerza de puños, a viva fuerza.

**lutter** *vi* luchar: **~ pour l'indépendance** luchar por la independencia ◊ **~ de vitesse** competir.

**lutteur, euse** *s* luchador, a.

**luxation** *f* luxación.

**luxe** *m* lujo: **articles de ~** artículos de lujo; **se payer, s'offrir le ~ de** permitirse el lujo de; **avec un grand ~ de détails** con gran lujo de detalles.

**Luxembourg** *np m* Luxemburgo.

**luxembourgeois, e** *a/s* luxemburgués, esa.

**luxer** *vt* dislocar. ◆ **se ~** *vpr* dislocarse.

**luxueusement** *adv* lujosamente.

**luxueux, euse** *a* lujoso, a.

**luxure** *f* lujuria.

**luxuriance** *f* exuberancia.

**luxuriant, e** *a* lujuriante, exuberante.

**luxurieux, euse** *a* lujurioso, a.

**luzerne** *f* alfalfa.

**lycée** *m* instituto de Enseñanza Media: **~ d'enseignement professionel** instituto de formación profesional.
▶ Le mot *liceo* est employé en Amérique latine.

**lycéen, enne** *s* alumno, a de un instituto de Enseñanza Media.

**Lydie** *np f* Lidia.

**lydien, enne** *a/s* lidio, a.

**lymphatique** *a* linfático, a.

**lymphatisme** *m* linfatismo.

**lymphe** [lɛ̃f] *f* linfa.

**lymphocyte** *m* linfocito.

**lymphoïde** *a* linfoide: **tissu ~** tejido linfoide.

**lynchage** *m* linchamiento.

**lyncher** *vt* linchar.

**lynx** [lɛ̃ks] *m* lince: **des yeux de ~** ojos de lince.

**lyonnais, e** *a/s* lionés, esa, de Lyon.

**lyophilisation** *f* liofilización.

**lyophiliser** *vt* liofilizar: **café lyophilisé** café liofilizado.

**lyre** *f* lira.

**lyrique** *a/m* lírico, a.

**lyriquement** *adv* líricamente.

**lyrisme** *m* lirismo.

**lys → lis.**

# M

**m** *m* **1.** *f:* **un ~** una m **2. M. Dumont** Sr. Dumont.

**m'** → **me.**

**ma** *a pos* mi → **mon.**

**Maastricht** *np* Maastricht.

**maboul, e** *a/s FAM* chiflado, a.

**mac** *m POP* chulo, macarra.

**macabre** *a* **1.** macabro, a **2. danse ~** danza de la muerte.

**macadam** [makadam] *m* macadam, macadán.

**macadamiser** *vt* macadamizar.

**macaque** *m* macaco.

**macareux** *m* frailecillo.

**macaron** *m* **1.** *(gâteau)* macarrón, mostachón **2.** *(natte)* rodete **3.** *(décoration)* insignia *f.*

**macaroni** *m* macarrones *pl:* **~ au fromage** macarrones con queso.

**macaronique** *a* macarrónico, a.

**macassar** *m (bois)* ébano.

**Macchabée** [makabe] *np m* Macabeo.

**macchabée** *m POP* fiambre, cadáver.

**Macédoine** *np f* Macedonia.

**macédoine** *f (de légumes ou fruits)* macedonia.

**macédonien, enne** *a/s* macedonio, a.

**macération** *f* **1.** maceración **2.** mortificación física.

**macérer*** *vt/i* macerar ◊ **faire ~ des fruits** macerar frutas. ♦ **se ~** *vpr* macerarse, mortificarse.

**machaon** [makaɔ̃] *m* macaón.

**mâche** *f* canónigos *m pl,* hierba de los canónigos.

**mâchefer** [maʃfɛʀ] *m* cagafierro.

**mâcher** *vt* **1.** masticar, mascar ◊ *FIG* **~ le travail, la besogne à quelqu'un** dárselo todo mascado a alguien; **ne pas ~ ses mots** no tener pelos en la lengua; **il ne mâche pas ses mots** no se muerde la lengua **2. papier mâché** papel maché.

**machette** *f* machete *m.*

**Machiavel** [makjavɛl] *np m* Maquiavelo.

**machiavélique** [makjavelik] *a* maquiavélico, a.

**machiavélisme** [makjavelism(ə)] *m* maquiavelismo.

**mâchicoulis** *m* matacán.

**machin** *m FAM* **1.** *(objet)* chisme **2. j'ai rencontré Machin, Machin Chouette** he encontrado a Fulano.

**machinal, e** *a* maquinal.

**machinalement** *adv* maquinalmente.

**machination** *f* maquinación, intriga.

**machine** *f* **1.** máquina: **~ à vapeur** máquina de vapor; **~ à coudre, à calculer, à écrire** máquina de coser, de calcular, de escribir; **tapé à la ~** escrito a máquina; **~ à laver** lavadora; **~ à laver la vaisselle** lavavajillas; **~ à sous** (máquina) tragaperras ◊ **faire ~ arrière** dar marcha atrás **2.** *(locomotive)* locomotora, máquina **3. salle des machines** sala de máquinas.

**machine-outil** *m* máquina herramienta.

**machiner** *vt* maquinar, tramar, urdir.

**machinerie** *f* **1.** maquinaria **2.** *(d'un navire)* sala de máquinas.

**machinisme** *m* maquinismo.

**machiniste** *m* **1.** *(au théâtre, studio de cinéma)* tramoyista **2.** *(conducteur)* conductor **3.** *(mécanicien)* maquinista.

**machisme** *m* machismo.

**machiste, macho** *a/m* machista.

**mâchoire** *f* **1.** mandíbula, quijada: **~ supérieure, inférieure** mandíbula superior, inferior ◊ **bâiller à se décrocher la ~** bostezar mucho **2.** *TECHN* mordaza **3.** *(de frein)* zapata.

**mâchonner** *vt* **1.** mascar: **~ du chewing-gum** mascar chicle **2.** *(mordiller)* mascujar, mordisquear **3.** *FIG (marmonner)* mascullar.

**mâchouiller** *vt FAM* mascujar, mascar.

**mâchurer** *vt (écraser)* estrujar.

**macle** *f (cristal)* macla.

**maçon** *m* **1.** albañil **2.** *(franc-maçon)* masón.

**maçonner** *vt* **1.** mampostear, construir **2.** *(boucher)* tapiar, tabicar.

**maçonnerie** *f* **1.** albañilería **2.** *(franc-maçonnerie)* masonería.

**maçonnique** *a* masónico, a.

**macramé** *m* macramé.

**macreuse** *f* **1.** *(canard)* negreta **2.** *(viande)* espaldilla.

**macrobiotique** *a* macrobiótico, a. ◇ *f* macrobiótica.

**macrocéphale** *a* macrocéfalo, a.

**macrocosme** *m* macrocosmo.

**macroéconomie** *f* macroeconomía.

**macroéconomique** *a* macroeconómico, a.

**macrophotographie** *f* macrofotografía.

**macroscopique** *a* macroscópico, a.

**macule** *f* **1.** *(du soleil)* mácula **2.** *(tache)* mancha.

**maculer** *vt* macular, manchar.

**madame** *f* (*pl* **mesdames**) **1.** señora: **merci, ~** gracias, señora; **~ Dupuis** la señora Dupuis; **~ la Directrice** la señora Directora; **~ la Député** la señora Diputada; **~ la baronne** la señora baronesa; **~ n'est pas là** la señora no está; **comment va ~ votre mère?** ¿cómo está su madre? **2.** (*devant un prénom*) señora doña **3.** (*en tête d'une lettre*) **chère ~** muy señora mía, estimada señora. ◇ *pl* **mesdames et messieurs** señoras y señores.
▶ Abréviations: *Mme Louise Dupuis* Sra. Da. Louise Dupuis.

**Madeleine** *np f* Magdalena ◊ *FAM* **pleurer comme une ~** llorar como una Magdalena.

**madeleine** *f* (*gâteau*) magdalena.

**mademoiselle** [madmwazɛl] *f* (*pl* **mesdemoiselles**) señorita: **bonjour, ~** buenos días, señorita; **~ Anne** la señorita Ana ◊ **la grande Mademoiselle** la duquesa de Montpensier. ◇ *pl* **mesdemoiselles** señoritas.
▶ Abréviations: *Mlle Anne Dumas* Srta. Da. Anne Dumas.

**madère** *m* vino de Madera.

**madone** *f* madona.

**madrague** *f* almadraba.

**madras** [madʀas] *m* madrás.

**madré, e** *a* astuto, a, ladino, a.

**madrépore** *m* madrépora *f*.

**Madrid** *np* Madrid.

**madrier** *m* madero.

**madrigal** *m* madrigal.

**madrilène** *a/s* madrileño, a.

**maelström, malstrom** [malstʀɔm] *m* malstrom.

**maestria** *f* maestría.

**maestro** *m* maestro.

**maffia, mafia** *f* mafia.

**maffieux, mafieux, euse** *a* de la mafia.

**maffioso, mafioso** *m* mafioso.

**mafflu, e** *a* mofletudo, a.

**magasin** *m* **1.** (*entrepôt*) almacén, depósito **2.** almacén, tienda *f*: **grands magasins** grandes almacenes; **un ~ d'alimentation, d'électroménager, de meubles** una tienda de comestibles, de electrodomésticos, de muebles; **courir, faire les magasins** ir de tiendas **3.** (*d'une arme à feu*) recámara *f*, almacén **4.** (*d'un appareil photo*) almacén.

**magasinage** *m* almacenaje, almacenamiento.

**magasinier** *m* almacenero.

**magazine** *m* **1.** (*publication*) magazine, revista *f* ilustrada **2.** (*radio, télévision*) emisión *f* periódica.

**mage** *m* mago: **les Rois mages** los Reyes Magos.

**Magellan** *np m* Magallanes.

**Maghreb** *np m* Magreb.

**maghrébin, e** *a/s* magrebí.

**magicien, enne** *s* mago, a.

**magie** *f* magia: **~ noire** magia negra ◊ **tour de ~** truco.

**magique** *a* mágico, a.

**magistère** *m* magisterio.

**magistral, e** *a* (*cours, ton, etc.*) magistral.

**magistralement** *adv* magistralmente.

**magistrat** *m* magistrado.

**magistrature** *f* **1.** magistratura **2. ~ assise** los jueces **3. ~ debout** los fiscales.

**magma** *m* magma.

**magnanerie** *f* **1.** (*local*) criadero *m* de gusanos de seda **2.** sericultura *f*.

**magnanime** *a* magnánimo, a.

**magnanimité** *f* magnanimidad.

**magnat** [magna] *m* magnate: **les magnats de la finance** los magnates de las finanzas.

**magner (se)** *FAM* → **manier.**

**magnésie** *f* magnesia.

**magnésium** [maɲezjɔm] *m* magnesio.

**magnétique** *a* magnético, a: **bande ~** cinta magnética.

**magnétisation** *f* magnetización.

**magnétiser** *vt* magnetizar.

**magnétiseur, euse** *s* magnetizador, a.

**magnétisme** *m* magnetismo.

**magnéto** *f* *ÉLECT* magneto. ◇ *m* *FAM* magnetófono.

**magnétophone** *m* magnetófono.

**magnétoscope** *m* vídeo, magnetoscopio.

**magnificat** [magnifikat] *m inv* magníficat.

**magnificence** *f* magnificencia.

**magnifier*** *vt* magnificar.

**magnifique** *a* magnífico, a.

**magnifiquement** *adv* magníficamente.

**magnitude** *f* magnitud.

**magnolia** *m* magnolia *f*.

**magnum** [magnɔm] *m* botella *f* de alrededor de dos litros.

**magot** *m* **1.** (*argent caché*) hucha *f*, ahorros *pl*, gato **2.** (*singe*) mona *f* de Gibraltar **3.** (*statuette*) monigote, figura *f* grotesca **4.** *FAM* (*homme laid*) mamarracho, hombre feo, macaco.

**magouillage** *m*, **magouille** *f* *FAM* chanchullo *m*, trapicheo *m*.

**magouiller** *vi* *FAM* hacer chanchullos.

**magouilleur, euse** *a/s* *FAM* chanchullero, a.

**magret** *m* filete magro: **~ de canard** «magret» de pato.

**magyar** *a/s* magiar.

**maharadjah, maharaja** *m* maharajá, marajá.

**Mahomet** *np m* Mahoma.

**mahométan** *a/s* mahometano, a.

**mahous, ousse** → **maous.**

**mai** *m* mayo: **le premier Mai** el primero de Mayo.

**maie** *f* (*pétrin*) artesa, arca.

**maïeutique** [majøtik] *f* mayéutica.

**maigre** *a* **1.** delgado, a, flaco, a: **grand et ~** alto y delgado ◊ **être ~ comme un clou** estar hecho un fideo, un espárrago **2.** (*sans graisse*) magro, a: **lard ~** tocino magro; **fromage ~** queso magro ◊ **jours maigres** días de vigilia, de abstinencia; **faire ~** comer de vigilia **3.** *FIG* escaso, a, pobre: **un ~ salaire** un escaso sueldo; **un ~ repas** una comida frugal; **de maigres résultats** resultados mediocres **4.** (*terrain*) seco, a, árido, a. ◇ *m* lo magro, carne *f* magra. ◇ *s* **un ~** un hombre delgado.

**maigrelet, ette** *a* delgado, a, flacucho, a.

**maigrement** *adv* pobremente.

**maigreur** *f* **1.** delgadez, flacura **2.** *FIG* pobreza, escasez.

**maigrichon, onne, maigriot, otte** *a/s* delgaducho, a, flacucho, a.

**maigrir** *vi* adelgazar: **elle a beaucoup maigri** ha adelgazado mucho; **~ de 2 kilos** adelgazar 2 kilos ◊ **faire ~** adelgazar. ◇ *vt* adelgazar.

**mail** [maj] *m* paseo público.

**mailing** [mɛliŋ] *m* mailing.

**maille** *f* **1.** *(d'un tricot)* punto *m* **2.** *(d'un filet)* malla ◊ *FIG* **glisser entre les mailles d'un filet** escabullirse **3.** *(d'une chaîne)* eslabón *m* **4. cotte de mailles** cota de mallas **5.** *(ancienne pièce de monnaie)* cuarto *m* ◊ **n'avoir ni sou ni ~** no tener ni una blanca; **avoir ~ à partir avec quelqu'un** tener diferencias, un altercado con alguien.

**maillechort** [majʃɔʀ] *m* alpaca *f*, metal blanco.

**maillet** *m* **1.** mazo **2.** *(de croquet)* maza *f*.

**mailloche** *f* **1.** mazo *m* **2.** *MUS* maza (de bombo).

**maillon** *m (d'une chaîne)* eslabón.

**maillot** *m* **1.** *(de cycliste)* camiseta *f*, maillot ◊ **le ~ jaune** el maillot amarillo, el jersey amarillo **2. ~ de corps** camiseta *f* **3.** *(de danseur)* traje de malla **4. ~ de bain** traje de baño, bañador; **~ une pièce** bañador de una pieza; **~ deux-pièces** bañador de dos piezas, bikini **5.** *(d'enfant)* pañales *pl*, mantillas *f pl*: **enfant au ~** niño en pañales.

**main** *f* **1.** mano: **~ droite, gauche** mano derecha, izquierda; **ils allaient la ~ dans la ~** iban cogidos de la mano; **un revolver à la ~** un revólver en la mano; **fait (à la) ~** hecho a mano; **cousu ~** cosido a mano; **à deux mains** con ambas manos; **haut les mains!** ¡manos arriba!; **battre des mains → battre; tendre la ~** tender la mano; **politique de la ~ tendue** política de mano tendida; **je vais te flanquer la ~ sur la figure** te voy a pegar una torta ◊ **un homme de ~** un pistolero, un sicario; **avoir la ~ leste → leste; avoir la ~ lourde → lourd; avoir la haute ~** llevar la voz cantante; **avoir sous la ~** tener a mano; **demander la ~ d'une jeune fille** pedir la mano de una joven; **donner un coup de ~ à quelqu'un** echar una mano a alguien; **être en bonnes mains** estar en buenas manos; **faire ~ basse sur** apoderarse de, arramblar con; **se faire la ~** entrenarse; **forcer la ~ à quelqu'un** obligar a alguien a que haga algo contra su voluntad; *FIG* **se frotter les mains** frotarse las manos; **mettre la ~ à la pâte** participar en el trabajo; **je mettrais ma ~ au feu que...** pondría la mano en el fuego que...; **mettre la ~ sur quelque chose** echar mano a algo, apoderarse de algo; **mettre la dernière ~ à** dar la última mano a, el último toque a, ultimar; **ne pas y aller de ~ morte** no andarse con chiquitas; **passer la ~ dans le dos de** dar coba a; **perdre la ~** perder la práctica; **prendre la ~ dans le sac** coger con las manos en la masa; **tomber aux mains, entre les mains de...** caer en manos de, caer en poder de...; **en venir aux mains** llegar a las manos, venir a las manos; **voter à ~ levée** votar a mano alzada **2.** *loc adv* **à pleines mains** a manos llenas; **de ~ en ~** de mano en mano; **de la ~ à la ~** sin intermediario; **de haute ~** con mucha facilidad; **de longue ~** desde hace mucho; **de ~ de maître** con mano maestra; **de première ~** de primera mano; **remettre en main(s) propre(s)** entregar en propia mano, personalmente; **en sous-~** bajo mano, encubiertamente; **en un tour de ~** en un periquete, en un santiamén **3.** *(au jeu de cartes)* mano: **avoir la ~** ser mano **4. petite ~** aprendiza de costura; **première ~** primera oficiala de costura **5.** *MIL* **un coup de ~** un asalto **6. ~ de toilette** manopla **7. ~ courante** pasamano *m* **8.** *(de papier)* mano.

**Main** *np m (rivière)* Meno.

**main-d'œuvre** [mɛ̃dœvʀ(ə)] *f* mano de obra.

**main-forte** *f* ayuda, auxilio *m*: **prêter ~** prestar ayuda.

**mainlevée** *f JUR* desembargo *m*.

**mainmise** *f* **1.** embargo *m*, confiscación **2.** *(domination)* dominio *m*.

**mainmorte** *f JUR* **biens de ~** bienes inalienables.

**maint, e** *a* mucho, a, vario, a: **en maints endroits** en muchos sitios ◊ **à maintes reprises** en muchas ocasiones, repetidamente; **maintes et maintes fois** repetidamente, muy frecuentemente, miles de veces.

**maintenance** *f* mantenimiento *m*.

**maintenant** *adv* ahora: **à partir de ~** de ahora en adelante.

**maintenir*** *vt* mantener: **une cale maintient la porte ouverte** una cuña mantiene la puerta abierta; **je maintiens mon point de vue** mantengo mi punto de vista. ◆ **se ~** *vpr* **1.** mantenerse: **se ~ en équilibre** mantenerse en equilibrio **2. le malade se maintient** el enfermo sigue igual **3.** *FAM* **ça va? – je me maintiens** ¿qué tal? –voy tirando.

**maintien** *m* **1.** mantenimiento **2.** *(attitude)* porte, compostura *f*, actitud *f* **3.** permanencia *f*.

**maire** *m* alcalde.

**mairie** *f* ayuntamiento *m*, alcaldía.

**mais** *conj* **1.** pero, mas: **il est intelligent ~ paresseux** es inteligente pero holgazán ◊ **~ oui** claro que sí; **~ non** claro que no; **ah ~!** ¡por Dios!; **non ~!** ¡pero vamos! **2.** *(après une négation)* sino: **pas celui-ci ~ l'autre** no éste sino el otro; **non seulement... ~ encore** no sólo... sino que. ◇ *m* pero: **il y a un ~** hay un pero; **il n'y a pas de ~ qui tienne** no hay pero que valga. ◇ *adv ANC* **n'en pouvoir ~** no poder más.

▶ *Mas* (sans accent à la différence de l'adverbe) appartient à la langue littéraire.

**maïs** [mais] *m* maíz ◊ **champ de ~** maizal.

**maison** *f* **1.** casa: **rester à la ~** quedarse en casa; **viens à la ~** ven a casa ◊ **~ de campagne** casa de campo, chalet; **~ de retraite** asilo *m* de ancianos; **~ de santé** clínica; **~ de rapport** casa de vecindad; **~ close, de passe, de tolérance** casa de citas, casa de lenocinio; **~ d'arrêt** cárcel, prisión **2.** casa, familia: **un ami de la ~** un amigo de la familia ◊ **les gens de ~** los criados **3.** *(entreprise)* casa, firma: **~ mère** casa matriz **4.** casa: **la ~ d'Autriche** la casa de Austria. ◇ *a inv FAM* casero, a: **un gâteau ~** un pastel casero; **confiture ~** mermelada casera. ◇ *np* **la Maison-Blanche** la Casa Blanca.

**maisonnée** *f* familia.

**maisonnette** *f* casita.

**maistrance** *f FAM* maestranza.

**maître, esse** *s* **1.** amo, a, señor, a: **le ~ et ses serviteurs** el amo y sus servidores; **le chien et son ~** el perro y su amo; **~ de maison** amo de casa; **maîtresse de maison** ama de casa ◊ *PROV* **les bons maîtres font les bons valets** el buen amo hace al buen criado; **nul ne peut servir deux maîtres à la fois** servir a dos señores no es servir a ninguno; **tel ~, tel valet** cual el dueño, tal el perro **2.** *(propriétaire)* dueño, a, propietario, a ◊ *FIG* **être ~ de** ser dueño de; **~ de son temps** dueño de su tiempo; **rester ~ de la situation** quedar dueño de la situación; **être ~ de soi** ser dueño de sí mismo, dominarse; **se rendre ~ de** adueñarse de **3.** *(instituteur)* maestro, a: **~, maîtresse d'école** maestro, maestra de escuela **4.** *(de musique, danse, etc.)* profesor, a ◊ **~ de conférences** profesor. ◇ *m* **1.** título que se da en Francia a los abogados, procuradores y notarios **2.** *(titre d'un ordre militaire)* maestre **3.** *(artiste, écrivain, etc.)* maestro: **un des maîtres de la peinture moderne** uno de los maestros de la pintura moderna; **tableaux de ~** cuadros de grandes maestros; **~ à penser** maestro, guía intelectual **4. ~ de ballet** maestro de ballet; **~ de chapelle** maestro de capilla; **~ d'hôtel** jefe de comedor, maître; **~ queux → queux; ~ chanteur → chanteur 5.** *MAR* **~ d'équipage** contramaestre. ◇ *a* **1. poutre maîtresse** viga maestra **2. une maîtresse femme** una mujer enérgica **3.** principal, esencial, mayor: **sa qualité maîtresse** su cualidad esencial **4.** *(fieffé)* redomado, a, consumado, a: **un ~ fripon** un pillo redomado. ◇ *f (concubine)* querida, amante.

**maître-autel** *m* altar mayor.

**maître-chien** *m* amaestrador de perros.

**maîtresse → maître.**

**maîtrisable** *a* dominable.

**maîtrise** *f* **1.** *(contrôle)* dominio *m*: **conserver sa ~** conservar el dominio de sí mismo; **~ de soi** autodominio *m* **2.** *(habileté)* maestría ◊ **bonne ~ de l'anglais** dominio del inglés **3.** *(dignité de maître)* magisterio *m* **4. agent de ~** contramaestre, capataz **5.** *(dans une église)* escolanía.

**maîtriser** *vt* **1.** dominar **2. ~ un incendie** sofocar un incendio **3.** *(passion, etc.)* dominar, reprimir. ◆ **se ~** *vpr* dominarse, contenerse.

**majesté** *f* majestad: **Sa Majesté** Su Majestad ◊ **pluriel de ~** plural mayestático.

**majestueusement** *adv* majestuosamente.

**majestueux, euse** *a* majestuoso, a.

**majeur, e** *a* **1.** mayor: **la majeure partie** la mayor parte **2.** primordial, capital: **d'un intérêt ~** de un interés primordial **3.** *MUS* mayor: **en fa ~** en fa mayor **4. le lac Majeur** el lago Mayor. ◇ *a/s* mayor de edad: **elle est majeure** es mayor de edad; **enfants majeurs** hijos mayores de edad. ◇ *m (doigt)* dedo medio, dedo del corazón.

**majolique** *f* mayólica.

**major** *a MIL* mayor. ◇ *m* **1.** mayor, sargento mayor **2.** *(médecin)* médico militar **3.** *(d'une promotion)* primero.

**majoration** *f* recargo *m*, aumento *m*.

**majordome** *m* mayordomo.

**majorer** *vt* recargar, aumentar: **~ de 6%** recargar en un 6%.

**majorette** *f* majorette.

**majoritaire** *a* mayoritario, a.

**majorité** *f* **1.** mayoría: **~ absolue** mayoría absoluta; **élu à la ~** elegido por mayoría de votos; **les congressistes sont, en ~, des avocats** los congrésistas son abogados en su mayoría; **dans la ~ des cas** en la mayoría de los casos, en la mayor parte de los casos **2.** *(âge)* mayoría de edad.

**Majorque** *np f* Mallorca.

**majorquin, e** *a/s* mallorquín, ina.

**majuscule** *a/f* mayúsculo, a.

**¹mal** *m* **1.** mal: **le bien et le ~** el bien y el mal; **«mais délivre-nous du ~»** mas líbranos del mal; **le ~ est fait** el mal está hecho; **vouloir du ~ à** desear mal a ◊ *PROV* **de deux maux, il faut choisir le moindre** del mal el menos **2.** daño: **faire du ~ à quelqu'un** hacer daño a alguien ◊ **se faire ~** hacerse daño, lastimarse: **je me suis fait ~ au genou** me he lastimado en la rodilla **3.** dolor: **avoir ~ à la tête** tener dolor de cabeza; **maux d'estomac** dolores de estómago; **avoir ~ à** dolerle a uno: **j'ai ~ à la tête, aux dents** me duele la cabeza, me duelen las muelas; **elle a ~ aux pieds** le duelen los pies **4.** *(maladie)* enfermedad *f*: **le remède est pire que le ~** el remedio es peor que la enfermedad ◊ **~ de mer** mareo; **avoir le mal de mer, de l'air** marearse; **avoir ~ au cœur** tener náuseas; **le ~ des montagnes** el mal de montañas; **avoir le ~ du pays** sentir añoranza de su país, sufrir de morriña; **~ blanc** panadizo; **haut ~** epilepsia *f*; **prendre (du) ~** ponerse enfermo, a, enfermar **5.** mal: **dire du ~ de** hablar mal de; **je n'ai rien fait de ~** no he hecho nada mal ◊ **penser à ~** tener mala intención; **il n'y a pas de ~ à cela** no hay mal en ello; **je ne veux de ~ à personne** yo no quiero el mal de nadie **6. avoir du ~ à** costarle trabajo a uno: **j'ai du ~ à...** me cuesta trabajo...; **j'ai eu du ~ à obtenir ce poste** me ha costado trabajo obtener este puesto; **se donner du ~** hacer un gran esfuerzo, darse, tomarse trabajo; **se donner un ~ fou, de chien** partirse en cuatro, matarse.

▶ Dans les Andes, on donne le nom de *soroche* au mal des montagnes.

**²mal** *a inv* **1. être ~ à l'aise** estar incómodo, a; **il est au plus ~** está muy grave **2. être ~ avec quelqu'un** estar a mal con alguien **3.** *FAM* **cette fille n'est pas ~** esta chica es bastante bonita; **pas ~ de** mucho, a, os, as: **pas ~ de choses** muchas cosas; *FAM* un rato, un montón de: **pas ~ de monde** un montón de gente.

**³mal** *adv* **1.** mal, malamente: **il se conduit ~** se porta mal; **enfant ~ élevé** niño mal educado ◊ **ça va ~!** ¡eso va mal!, ¡esto anda mal!; **ça tombe ~!** ¡la cosa se pone fea!; **tant bien que ~** mal que bien; **prendre ~ une remarque** tomar a mal una observación; **il l'a très ~ pris** se lo ha tomado muy mal; **se trouver ~** desmayarse **2. elle ne chante pas ~** canta bastante bien; **pas ~ du tout** muy bien, nada mal; **il s'en moque pas ~** le importa tres pepinos.

**malabar** *m FAM* fortachón.

**malachite** [malakit] *f* malaquita.

**malade** *a* **1.** enfermo, a: **il est ~** está enfermo, está malo ◊ **être gravement ~** estar muy grave; **tomber ~** ponerse enfermo, a, ponerse malo, a, caer enfermo, a, enfermar; **rendre ~** poner enfermo, a; *FAM* **j'en suis ~, ça me rend ~** me sabe muy mal **2.** *FAM (fou)* loco, a: **t'es pas ~?** ¿estás loco?, ¿no estás bien de la cabeza? **3.** *FAM (abîmé)* estropeado, a, en mal estado: **ce livre est bien ~** este libro está en muy mal estado. ◇ *s* enfermo, a: **un ~ mental** un enfermo mental: **les malades atteints du sida** los enfermos de sida; **~ imaginaire** enfermo de aprensión.

▶ *Estar malo* être malade mais *ser malo* être méchant.

**maladie** *f* **1.** enfermedad: **maladies infectieuses** enfermedades infecciosas; **~ mentale, professionnelle** enfermedad mental, profesional **2.** *FAM* **en faire une ~** estar muy contrariado, a **3.** *FAM* manía: **elle a la ~ du rangement** tiene la manía de tenerlo todo bien ordenado.

**maladif, ive** *a* enfermizo, a.

**maladivement** *adv* de manera enfermiza.

**maladrerie** *f ANC* malatería.

**maladresse** *f* **1.** torpeza **2.** *(gaffe)* metedura de pata, plancha, patinazo *m*.

**maladroit, e** *a/s* torpe, inhábil.

**maladroitement** *adv* torpemente, con torpeza.

**malaga** *m (vin)* málaga.

**malais, e** *a/s* malayo, a.

**malaise** *m* **1.** malestar **2. elle a eu un ~** ha sufrido una indisposición **3. petit ~** arrechucho **4.** *FIG* malestar, inquietud *f*, desazón *f*.

**malaisé, e** *a* dificultoso, a, trabajoso, a, penoso, a, difícil: **~ à faire** difícil de hacer.

**malaisément** *adv* difícilmente.

**Malaisie** *np f* Malasia.

**malandrin** *m* malandrín, salteador.

**malappris, e** *a/s* grosero, a, mal criado, a, mal educado, a ◊ **un ~** un maleducado.

**malard** *m* pato silvestre, lavanco.

**malaria** *f* malaria.

**malavisé, e** *a* imprudente.

**malaxage** *m* amasado.

**malaxer** *vt* amasar, malaxar.

**malaxeur** *m* mezcladora *f*.

**malbâti, e** *a* malhecho, a, contrahecho, a.

**malchance** *f* mala suerte, desgracia: **jouer de ~** tener mala suerte; **par ~** por desgracia; **pour comble de ~** para colmo de desgracia.

**malchanceux, euse** *a* desgraciado, a, desafortunado, a.

**malcommode** *a* incómodo, a.

**Maldives** *m f pl* Maldivas.

**maldonne** *f* error *m*.

**mâle** *a/m* **1.** *(animaux)* macho **2.** *(hommes)* varón. ◇ *a* **1.** masculino, a **2.** varonil, viril: **un ~ courage** un valor viril **3.** *TECHN* **pièce ~** macho *m*, pieza que encaja en otra; **prise ~** clavija.

**malédiction** *f* maldición.

**maléfice** *m* maleficio.

**maléfique** *a* maléfico, a.

**malencontreusement** *adv* desgraciadamente.

**malencontreux, euse** *a* desgraciado, a, inoportuno, a, intempestivo, a.

**mal-en-point** *a* algo enfermo, en una situación apurada.

**malentendant, e** *a/s* sordo, a, que tiene una audición deficiente.

**malentendu** *m* malentendido.

**malfaçon** *f* defecto *m* de fabricación.

**malfaisance** *f* malignidad, maldad.

**malfaisant, e** *a* **1.** *(animal)* dañino, a **2.** *(personne)* maligno, a **3.** *(idées, etc.)* pernicioso, a.

**malfaiteur** *m* maleante, malhechor, delincuente.

**malfamé, e** *a* de mala fama.

**malformation** *f* malformación: **malformations congénitales** malformaciones congénitas.

**malfrat** *m* POP maleante, malhechor.

**malgache** *a/s* malgache.

**malgré** *prép* a pesar de, pese a: **~ moi** a pesar mío; **~ lui** a pesar suyo; **~ cela** pese a ello; **~ tout** a pesar de todo, pese a todo, con todo.

**malhabile** *a* torpe, inhábil.

**malheur** *m* **1.** desgracia *f*, desdicha *f*: **quel ~!** ¡qué desgracia! ◊ **par ~** por desgracia, desgraciadamente; PROV **à quelque chose ~ est bon** no hay mal que por bien no venga **2.** *(malchance)* mala suerte *f*: **porter ~** traer mala suerte; **jouer de ~** tener siempre mala suerte ◊ **oiseau de ~** pájaro de mal agüero; **j'ai eu le ~ de le contrarier** he cometido un desacierto al contrariarle **3.** FAM **retenez-moi, ou je fais un ~!** ¡sujetadme o no respondo de mí!; **faire un ~** *(grand succès)* arrasar, tener mucho éxito: **chanteuse qui fait un ~** cantante que arrasa. ◇ *interj* **~!** ¡maldición!; **~ à lui!** ¡ay de él!

**malheureusement** *adv* desgraciadamente.

**malheureux, euse** *a/s* desgraciado, a, infeliz, desdichado, a: **~ que je suis!** ¡qué desgraciado soy!; **secourir les ~** socorrer a los desgraciados ◊ **~ comme les pierres** muy poco feliz; **rendre les autres ~** hacer sufrir a los demás. ◇ *a* **1.** *(air)* triste, lamentable **2. c'est bien ~** es una lástima **3. une initiative malheureuse** una iniciativa poco afortunada, desgraciada **4.** *(insignifiant)* miserable, triste: **pour un ~ centime** por un miserable céntimo.

**malhonnête** *a* **1.** *(qui n'est pas honnête)* falto, a de probidad, de honradez, desaprensivo, a ◊ **un commerçant ~** un estafador **2.** *(indécent)* deshonesto, a.

**malhonnêtement** *adv* sin probidad, sin honradez, desaprensivamente.

**malhonnêteté** *f* **1.** falta de probidad, de honradez **2.** *(escroquerie)* estafa **3.** indelicadeza.

**malice** *f* **1.** ANC malicia ◊ **entendre ~ à** interpretar mal **2.** *(espièglerie)* picardía, travesura.
▶ *Malicia* a le sens, vieilli en français, de «méchanceté».

**malicieusement** *adv* con picardía, en tono burlón.

**malicieux, euse** *a* pícaro, a, travieso, a.

**malien, enne** *a/s* maliense, malí.

**malignité** *f* malignidad.

**malin, igne** *a* **1.** *(méchant)* maligno, a ◊ **il éprouve un ~ plaisir à me mettre hors de moi** se regodea poniéndome fuera de mí **2.** MÉD maligno, a: **tumeur maligne** tumor maligno. ◇ *a* **1.** *(rusé)* vivo, a, astuto, a, listo, a: **il est très ~** es muy listo; **il est ~ comme un singe** es más listo que el hambre, que Cardona; **jouer au plus ~** pasarse de listo; **tu te crois ~!** ¡te las das de listo! **2.** FAM **ce n'est pas ~** no es muy difícil; *(intelligent)* **ce n'est pas ~ d'avoir dit ça** no es muy inteligente haber dicho eso; **c'est ~!** ¡qué astuto!, ¡vaya una broma!; **c'est ~ de m'avoir réveillé!** ¡vaya idea despertarme! ◇ *m* **1. c'est un ~, un petit ~** es un vivo, un listo, un listillo; **faire le ~** dárselas de listo; **ne fais pas le ~!** ¡no te hagas el listo! **2. le Malin** el demonio.

**Malines** *np* Malinas.

**malingre** *a* enclenque, esmirriado, a.

**malintentionné, e** *a* malintencionado, a.

**malle** *f* **1.** baúl *m* ◊ FAM **faire sa ~, ses malles** liar el petate **2.** *(d'une auto)* maletero *m* **3.** *(poste)* mala.

**malléabilité** *f* maleabilidad.

**malléable** *a* maleable.

**malléole** *f* ANAT maléolo *m*.

**malle-poste** *f* ANC coche *m* correo.

**mallette** *f* maletín *m*.

**malmener*** *vt* **1.** maltratar, tener a mal traer **2.** *(critiquer)* vapulear.

**malnutrition** *f* malnutrición.

**malodorant, e** *a* maloliente.

**malotru, e** *as* bestia, patán.

**malouin, e** *a/s* de Saint-Malo.

**Malouines** *np f pl* Malvinas.

**malpoli, e** *a* mal educado, a, descortés.

**malpropre** *a* **1.** *(sale)* sucio, a **2.** FIG indecente.

**malpropreté** *f* **1.** suciedad, desaseo *m* **2.** FIG indecencia.

**malsain, e** *a* **1.** malsano, a **2.** FIG *(imagination, etc.)* enfermizo, a **3.** FIG *(lecture, etc.)* nocivo, a, pernicioso, a, inmoral.

**malséant, e** *a* descortés, indecoroso, a.

**malsonnant, e** *a* malsonante.

**malstrom** → **maelström.**

**malt** [malt] *m (orge germée)* malta *f*.

**maltais, e** *a/s* maltés, esa.

**Malte** *np* Malta: **croix de ~** cruz de Malta; **l'ordre de ~** la orden de Malta.

**malté, e** *a* malteado, a.

**malterie** *f* maltería.

**malthusianisme** *m* maltusianismo.

**malthusien, enne** *a/s* maltusiano, a.

**maltose** *f* maltosa.

**maltraiter** *vt* maltratar.

**malvacées** *f* BOT malváceas.

**malveillance** *f* malevolencia, maldad.

**malveillant, e** *a* malévolo, a, maligno, a.

**malvenu, e** *a (intempestif)* inoportuno, a ◊ **vous seriez ~ de vous plaindre** usted no tiene motivo para quejarse.

**malversation** *f* malversación.

**malvoisie** *f* malvasía.

**malvoyant, e** [malvwajɑ̃, ɑ̃t] *a/s* invidente.

**maman** *f* **1.** mamá **2. bonne-~, grand-~** abuelita.

**mambo** *m (danse)* mambo.

**mamelle** *f* **1.** mama, teta **2.** *(de la vache)* ubre **3.** *(sein)* seno *m* ◊ **enfant à la ~** niño de pecho.

**mamelon** *m* **1.** *(bout de sein)* pezón **2.** *(colline)* mamelón.

**mamelonné, e** *a* ondulado, a.

**mamelouk, mameluk** *m* mameluco.

**mamelu, e** *a* FAM tetuda, pechugona.

**mamie** *f* FAM *(grand-mère)* abuelita.

**mammaire** *a* mamario, a.

**mammifère** *m* mamífero.

**mammographie** *f* MÉD mamografía.

**mammouth** [mamut] *m* mamut.

**mamours** *m pl* FAM arrumacos, carantoñas *f*: **faire des ~ à** hacer carantoñas a.

**mam'selle, mam'zelle** *f* FAM → **mademoiselle.**

**manade** *f* manada, rebaño *m* (en Provenza).

**management** [manaʒmɑ̃] *m* management, gestión *f* de empresas.

**manager** [manadʒɛʀ] *m* **1.** *(d'un sportif)* apoderado, manager **2.** *(d'une entreprise)* empresario, manager.

**manant** *m* rústico, patán.

**¹manche** *f* **1.** manga: **corsage sans manches** blusa sin mangas; **à manches courtes** de manga corta; **en manches de chemise** en mangas de camisa ◊ *FIG* **avoir quelqu'un dans sa ~** tener a alguien en el bolsillo; **c'est une autre paire de manches** esto es harina de otro costal; **retrousser ses manches** arremangarse **2.** *(au jeu)* manga, mano, partida: **la première ~** la primera manga **3.** *(tuyau)* manga, manguera: **~ à incendie** manguera; **~ à air** manga de aire **4.** *POP* **faire la ~** pedir limosna, mendigar.

**²manche** *m* **1.** *(d'un couteau, d'une raquette, etc.)* mango ◊ *FIG* **branler dans le ~** estar con un pie en el aire; **se mettre du côté du ~** arrimarse al sol que más calienta ◊ **jeter le ~ après la cognée → cognée 2. ~ à balai** palo de escoba; *(d'avion)* palanca *f* de mando **3.** *(os)* hueso **4.** *(de guitare)* mástil, mango **5.** *FAM (maladroit)* zopenco ◊ **il s'y prend comme un ~** todo lo hace con los pies.

**Manche (la)** *np f* **1.** *(en Espagne)* la Mancha **2. le tunnel sous la ~** el túnel bajo el canal de la Mancha.

**mancheron** *m* esteva *f*, mancera *f*.

**manchette** *f* **1.** *(de chemise)* puño *m* **2.** *(fausse manche)* manguito *m*: **~ de lustrine** manguito de lustrina **3.** *(titre d'un journal)* titular *m*: **de grosses manchettes** grandes titulares **4.** *(coup)* golpe *m* dado con el antebrazo.

**manchon** *m* **1.** *(pour les mains)* manguito **2.** *TECHN* **~ d'accouplement** manguito de acoplamiento **3.** *(à incandescence)* camisa *f*.

**manchot, e** *a/m* manco, a ◊ *FAM* **il n'est pas ~** no es manco, es muy hábil. ◇ *m (oiseau)* pájaro bobo.

**mandant, e** *s* mandante.

**mandarin** *m* **1.** mandarín **2.** *PÉJOR (personne influente)* mandarino, pez gordo.

**mandarinat** *m* mandarinismo, mandarinato.

**mandarine** *f* mandarina.

**mandarinier** *m* mandarino, mandarinero.

**mandat** *m* **1.** *(pouvoir)* mandato, procuración *f* **2.** giro: **~ postal, télégraphique** giro postal, telegráfico **3.** *JUR* auto, orden *f*: **~ de comparution** auto de comparecencia; **~ d'arrêt, d'amener** orden de detención, de comparecer.

**mandataire** *s* mandatario, a.

**mandat-carte** *m* giro postal en forma de tarjeta postal.

**mandater** *vt* **1.** *(déléguer)* delegar, comisionar **2.** *(payer)* librar *(una orden de pago)*.

**mandat-lettre** *m* giro postal en forma de carta.

**mandchou, e** *a/s* manchú.

**Mandchourie** *np f* Manchuria.

**mander** *vt* **1.** *ANC (communiquer)* hacer saber **2.** *(appeler)* llamar.

**mandibule** *f* mandíbula ◊ *FAM* **jouer des mandibules** menear el bigote, comer.

**mandoline** *f* mandolina.

**mandore** *f (luth)* bandola.

**mandorle** *f* nimbo *m* ovalado.

**mandragore** *f* mandrágora.

**mandrill** [mɑ̃dʀil] *m* mandril.

**mandrin** *m TECHN* mandril.

**manécanterie** *f* escuela de canto de una parroquia, escolanía.

**manège** *m* **1.** ejercicios *pl* de equitación **2.** *(endroit où l'on dresse les chevaux)* picadero **3.** *(de chevaux de bois)* tiovivo **4.** *(intrigue)* tejemaneje, maniobra *f*, manejo.

**mânes** *m pl* manes.

**manette** *f* manecilla, palanca.

**manganèse** *m* manganeso.

**mangeable** [mɑ̃ʒabl(ə)] *a* comible, comestible.

**mangeaille** [mɑ̃ʒaj] *f FAM* manduca, condumio *m*.

**mangeoire** [mɑ̃ʒwaʀ] *f* **1.** comedero *m* **2.** *(d'étable, écurie)* pesebre *m*.

**¹manger*** *vt/vi* **1.** comer: **~ de la viande** comer carne; **je mange de tout** como de todo; **tu manges trop vite** comes demasiado deprisa; **nous avons bien mangé** hemos comido bien; **donner à ~** dar de comer; **~ comme quatre → quatre 2.** *FIG* **~ ses mots** comerse las palabras; **~ des yeux** comerse con los ojos; **le directeur?, il ne vous mangera pas!** ¿el director?, ¡no hay que tenerle miedo!, ¡no va a comerlo!; *FAM* **~ la consigne, le morceau → consigne, morceau 3.** *(ronger)* roer, carcomer ◊ **mangé des vers** carcomido **4.** *(dépenser)* consumir, gastar ◊ **~ son capital** comerse el capital **5.** *FAM* **ça ne mange pas de pain** no cuesta nada.

▶ *Comer* peut s'employer à la forme pronominale lorsque la quantité absorbée est déterminée: *il a mangé un demi-poulet* se ha comido medio pollo; *j'ai tout mangé* me lo he comido todo.

**²manger** *m* comida *f*: **le boire et le ~** la bebida y la comida.

**mange-tout** *m inv* **1.** *(pois)* tirabeque, guisante mollar **2.** *(haricot)* judía *f* tierna.

**mangeur, euse** *s* comedor, a ◊ **gros ~** tragón, a, comilón, ona.

**mangouste** *f* mangosta.

**mangue** *f* mango *m*.

**manguier** *m* mango.

**maniabilité** *f* maniobrabilidad.

**maniable** *a* **1.** manejable **2.** *FIG* tratable, flexible.

**maniacodépressif, ive** *a/s* maniacodepresivo, a.

**maniaque** *a/s* maniático, a.

**maniaquerie** *f* manía.

**manichéen, enne** [manikeɛ̃, ɛn] *a/s* maniqueo, a.

**manichéisme** [manikeism(ə)] *m* maniqueísmo.

**manie** *f* **1.** manía **2. ~ de la persécution** manía persecutoria.

**maniement** [manimɑ̃] *m (d'un outil, d'une langue)* manejo.

**manier*** *vt* manejar. ◆ **se ~** *vpr FAM* apurarse, aligerar: **manie-toi!** ¡menéate!, ¡date prisa!

**manière** *f* **1.** manera, modo *m*, forma: **je n'aime pas sa ~ d'agir** no me gusta su modo de obrar ◊ **de cette ~** de este modo, así; **de toute ~** de todos modos, de todas formas; **d'une ~ générale** en general; **d'une certaine ~** en cierto modo; **en aucune ~** de ningún modo; **employer la ~ forte** emplear la fuerza; **cela dépend de la ~ dont...** eso depende de cómo... **2.** *(d'un artiste, écrivain)* estilo *m* **3.** *GRAM* **adverbe, complément de ~** adverbio, complemento de modo **4.** *(sorte)* **une ~ de...** una especie de... **5.** *loc prép* **à la ~ de** como, al estilo de; **de ~ à** con objeto de, a fin de; **en ~ de** a manera de **6.** *loc conj* **de (telle) ~ que, de ~ à ce que** de (tal) manera que, de modo que. ◇ *pl* **1.** modales *m*, maneras: **bonnes manières** buenos modales; **en voilà des manières!** ¡vaya modales! **2. faire des manières** hacer melindres, andarse con remilgos.

**maniéré, e** *a* amanerado, a, afectado, a.

**maniérisme** *m* **1.** *(en art)* manierismo **2.** amaneramiento, afectación *f*.

**maniériste** *a/s* manierista.

**manif** *f FAM* mani.

**manifestant, e** *s* manifestante.

**manifestation** *f* manifestación.

**manifeste** *a (évident)* manifiesto, a, evidente. ◇ *m* manifiesto.

**manifestement** *adv* a todas luces, evidentemente.

**manifester** *vt* manifestar: **~ l'intention de** manifestar la intención de. ◇ *vi* manifestarse: **plus de dix mille personnes ont manifesté** más de diez mil personas se han manifestado. ◆ **se ~** *vpr* manifestarse, mostrarse.

**manigance** *f* FAM tejemaneje, artimaña, treta.

**manigancer** *vt* FAM tramar, maquinar, trapichear, amañar.

**Manille** *np f* Manila.

**manille** *f* **1.** *(jeu de cartes)* manilla **2.** MAR grillete *m*.

**manioc** *m* mandioca *f*, yuca *f*.

**manipulateur, trice** *s* manipulador, a, operador, a.

**manipulation** *f* **1.** manipulación: **manipulations génétiques** manipulaciones genéticas **2.** FIG manipulación, manejo *m*.

**manipule** *m* manípulo.

**manipuler** *vt* **1.** manipular **2.** *(une personne, un groupe)* manipular, manejar.

**manitou** *m* **1.** manitú **2.** FAM **un grand ~** un mandamás.

**manivelle** *f* **1.** manivela, manubrio *m* **2.** *(cinéma)* **donner le premier tour de ~** empezar a rodar una película **3.** FIG **retour de ~** cambio brusco, efecto bumerang.

[1]**manne** *f* **1.** *(nourriture miraculeuse)* maná *m*: **la ~** el maná **2.** BOT maná *m*.

[2]**manne** *f* *(panier)* canasta.

**mannequin** *m* **1.** maniquí **2.** *(jeune femme)* maniquí *f*, modelo *f*: **défilé de mannequins** desfile de modelos, de maniquíes **3. taille ~** talle de modelo.

**manœuvrabilité** *f* maniobrabilidad.

**manœuvrable** *a* manejable.

**manœuvre** *f* **1.** maniobra **2.** MAR *(cordage)* jarcia, maniobra **3.** MIL **être en manœuvres** estar de maniobras **4.** FIG maniobra, intriga. ◇ *m* *(ouvrier)* peón, bracero.

**manœuvrer** *vi* **1.** maniobrar **2.** FIG intrigar. ◇ *vt* **1.** *(manier)* manejar **2.** *(des personnes)* manejar, dominar.

**manœuvrier, ère** *a* maniobrero, a. ◇ *m* político hábil, hombre de negocios hábil.

**manoir** *m* casa *f* solariega.

**manomètre** *m* manómetro.

**manouche** *s* cíngaro, a, gitano, a.

**manquant, e** *a* que falta. ◇ *s* ausente.

**manque** *m* **1.** falta *f*, carencia *f*: **un ~ d'appétit, de sommeil, d'éducation** una falta de apetito, de sueño, de educación; **un ~ de moyens** una falta de medios ◊ **~ de chance** mala suerte; **par ~ de** por falta de **2.** *(d'un toxicomane)* **état de ~** síndrome de abstinencia, mono **3. ~ à gagner** lucro cesante, beneficio no obtenido **4.** FAM **à la ~** de tres al cuarto. ◇ *pl* omisiones *f*.

**manqué, e** *a* **1.** fallido, a, fracasado, a: **coup d'État ~** golpe de Estado fallido; **acteur ~** actor fracasado **2. un garçon ~** una muchacha con modales de chico.

**manquement** *m* **1.** *(faute)* falta *f* **2.** infracción *f* **3. ~ à une promesse** incumplimiento de una promesa.

**manquer** *vi* **1.** faltar: **un bouton manque à ma veste** le falta un botón a mi chaqueta **2.** *(être rare)* escasear: **les critiques ne manquent pas** las críticas no escasean **3.** *(être absent)* faltar, estar ausente **4.** *(rater)* fallar, fracasar: **le coup a manqué** el tiro ha fallado **5. le pied lui a manqué** se le ha ido el pie, le ha fallado el pie **6. ~ à son devoir, à sa parole** faltar a su deber, a su palabra **7.** carecer: **~ d'argent** carecer de dinero; **je manque de renseignements** carezco de datos ◊ **il a manqué de courage** le faltó el valor; **il n'a jamais manqué de rien** nunca le faltó de nada **8. vous me manquez beaucoup** le echo mucho de menos **9. ne pas ~ de** no dejar de: **je ne manquerai pas de vous téléphoner** no dejaré de telefonearle; **ne manque pas de me répondre** no dejes de contestarme; **je n'y manquerai pas** no faltaré **10.** *(+ infinitif)* faltar, estar a punto de: **il a manqué (de) se noyer** estuvo a punto de ahogarse; **j'ai manqué tomber** poco faltó que me cayera. ◇ *impers* faltar: **il manque deux verres sur la table** faltan dos vasos en la mesa; **ça manque de sel!** ¡falta sal! ◊ **il ne manquerait plus que cela!** ¡no faltaría más; **il ne manquait plus que ça** lo que faltaba. ◇ *vt* **1.** errar: **~ la cible, son coup** errar el blanco, el golpe **2. ~ l'occasion** perder, desaprovechar la ocasión; **~ son train** perder el tren ◊ FAM **il n'en manque pas une!** ¡no se pierde (ni) una! **3. ~ un rendez-vous** faltar a una cita. ◆ **se ~** *vpr* **nous nous sommes manqués** no nos hemos encontrado.

**mansarde** *f* buhardilla.

**mansardé, e** *a* abuhardillado, a.

**mansuétude** *f* mansedumbre.

**mante** *f* **1.** *(de femme)* capa **2. ~ religieuse** santateresa.

**manteau** *m* **1.** abrigo: **~ de fourrure** abrigo de piel ◊ **~ de pluie** impermeable; FIG **sous le ~** clandestinamente **2. ~ de cheminée** campana *f* de chimenea **3.** FIG capa *f*, manto: **un ~ de neige** una capa de nieve.

**mantille** *f* mantilla.

**Mantoue** *np* Mantua.

**manucure** *s* manicuro, a.

**manucurer** *vt* **se faire ~** hacerse la manicura.

**manuel, elle** *a* manual. ◇ *m* *(livre)* manual.

**manuellement** *adv* manualmente.

**manufacture** *f* manufactura, fábrica.

**manufacturer** *vt* manufacturar.

**manufacturier, ère** *a* manufacturero, a.

**manuscrit, e** *a* manuscrito, a. ◇ *m* manuscrito.

**manutention** *f* **1.** manutención, manipulación **2.** *(local)* depósito *m*, almacén *m*.

**manutentionnaire** *m* almacenista.

**maoïsme** *m* maoísmo.

**maoïste** *a/s* maoísta.

**maori** *a/s* maorí.

**maous, maousse** *a* FAM enorme.

**mappemonde** *f* mapamundi *m*.

**maquereau** *m* **1.** *(poisson)* caballa *f*: **filets de ~** filetes de caballa **2.** POP *(proxénète)* chulo, macarra.

**maquerelle** *f* POP patrona de casa de trato.

**maquette** *f* maqueta.

**maquettiste** *s* maquetista.

**maquignon** *m* chalán.

**maquignonnage** *m* chalaneo.

**maquignonner** *vi* chalanear.

**maquillage** *m* **1.** maquillaje **2.** FIG falsificación *f*.

**maquiller** *vt* **1.** maquillar **2.** FIG maquillar, disfrazar, falsificar: **~ la vérité** disfrazar la verdad. ◆ **se ~** *vpr* maquillarse.

**maquilleur, euse** *s* maquillador, a.

**maquis** [maki] *m* **1.** *(végétation)* maquis, monte **2.** resistencia *f* francesa contra los alemanes, maquis ◊ **prendre le ~** irse al monte **3.** FIG *(complication)* embrollo.

**maquisard** *m* guerrillero, maquis, resistente.

**marabout** *m* **1.** *(ermite)* morabito **2.** *(oiseau)* marabú.

**maraca** *f* MUS maraca.

**maraîcher, ère** *a* hortense ◊ **culture maraîchère** cultivo de hortalizas. ◇ *s* hortelano, a.

**marais** *m* **1.** pantano, zona *f* pantanosa **2.** *(en bordure de mer)* marisma *f* ◊ **~ salant** salina *f* **3. fièvre des ~** paludismo; **gaz des**

~ metano, gas de los pantanos. ◇ *np m* **le Marais** el Marais (barrio antiguo de París).

**marasme** *m* marasmo.

**marathon** *m* maratón.

**marathonien, enne** *a* maratoniano, a.

**marâtre** *f* **1.** madrastra **2.** FIG mala madre.

**maraud, e** *s* pillo, a, tunante.

**maraudage** *m*, **maraude** *f* **1.** merodeo *m*, ratería *f* **2. taxi en maraude** taxi que circula lentamente en busca de clientes.

**marauder** *vi* **1.** merodear **2.** *(taxi)* circular lentamente en busca de clientes.

**maraudeur, euse** *s* merodeador, a.

**marbre** *m* **1.** mármol: **un escalier en ~** una escalera de mármol ◊ FIG **rester de ~** quedarse impasible **2.** *(dans une imprimerie)* platina *f*.

**marbré, e** *a* **1.** jaspeado, a **2.** *(peau)* amoratado, a.

**marbrer** *vt* **1.** *(le papier)* jaspear **2.** *(la peau)* poner amoratado, a, amoratar.

**marbrerie** *f* marmolería.

**marbrier, ère** *a* del mármol. ◇ *m* marmolista. ◇ *f (carrière)* cantera de mármol.

**marbrure** *f* **1.** jaspeado *m* **2.** *(sur la peau)* mancha de la piel amoratada.

**Marc** [maʀk] *np m* Marcos.

**¹marc** [maʀ] *m* JUR **au ~ le franc** a prorrata.

**²marc** [maʀ] *m* **1.** *(de raisin, pommes)* orujo **2. ~ de café** poso del café **3.** *(eau-de-vie)* aguardiente.

**marcassin** *m* jabato.

**marcassite** *f* marcasita.

**Marc-Aurèle** *np m* Marco Aurelio.

**Marcel, elle** *np* Marcelo, a.

**Marcelin, e** *np* Marcelino, a.

**marchand, e** *s* **1.** comerciante, vendedor, a ◊ **~ en gros, au détail** mayorista, detallista; **~ ambulant** buhonero; **~ de biens** agente inmobiliario; **~ de chevaux** tratante en caballerías; **~ de couleurs** droguero; **~ de glaces** vendedor de helados; **~ de journaux** vendedor de periódicos; **~ de légumes** verdulero; **marchande des quatre-saisons** vendedora ambulante de hortalizas, verdulera; FAM **~ de canons** fabricante de armas; **~ de soupe** director de colegio; dueño de un restaurante malo **2. les marchands du Temple** los mercaderes del Templo. ◇ *a* **1.** comercial: **valeur marchande** valor comercial **2. marine marchande** marina mercante; **navire ~** buque mercante.

**marchandage** *m* **1.** regateo **2.** PÉJOR manejo, tejemaneje.

**marchander** *vi* **1.** regatear: **il paya sans ~** pagó sin regatear ◊ **~ un bibelot** debatir el precio de un bibelot **2.** FIG escatimar: **ne pas ~ les éloges** no escatimar los elogios.

**marchandisage** *m* COM merchandising.

**marchandise** *f* mercancía: **train de marchandises** tren de mercancías ◊ FAM **faire valoir sa ~** hacer el artículo.

**marchant, e** *a* FIG **l'aile marchante** el ala más activa.

**¹marche** *f* **1.** marcha, andar *m* ◊ **j'aime la ~** me gusta andar; **à une heure de ~** a una hora andando; **ouvrir, fermer la ~** abrir, cerrar la marcha; **ralentir la ~** aflojar el paso; **~ arrière** marcha atrás; **faire ~ arrière** dar marcha atrás **2.** *(fonctionnement)* funcionamiento *m* ◊ **mettre en ~** poner en marcha; **en état de ~** en estado de funcionamiento **3.** transcurso *m*, curso: **la ~ du temps** el transcurso del tiempo **4. la ~ à suivre** la manera de actuar, el método **5.** *(sport)* marcha **6.** *(manifestation)* **~ de protestation** marcha de protesta **7.** MIL marche: **à ~ forcée** a marchas forzadas **8.** MUS marcha: **~ militaire, nuptiale, funèbre** marcha militar, nupcial, fúnebre **9.** *(d'escalier)* peldaño *m*, escalón *m*: **attention à la ~!** ¡cuidado con el escalón!

**²marche** *f (région frontière)* marca.

**marché** *m* **1.** mercado: **jour de ~** día de mercado; **~ aux fleurs** mercado de flores; **~ aux bestiaux** mercado de ganado ◊ **faire son ~** ir a la compra; **~ noir** mercado negro, estraperlo: **acheter au ~ noir** comprar en el mercado negro, de estraperlo; **~ aux puces** mercado de compraventa de objetos usados, el Rastro (à Madrid) **2.** COM mercado: **lancer un produit sur le ~** lanzar un producto al mercado; **une étude de ~** un estudio de mercado; **~ des changes** mercado de cambio; **~ du travail** mercado laboral, de trabajo ◊ **~ à terme** operación *f* a plazos **3.** *(accord)* trato, ajuste: **conclure un ~** cerrar un trato; **~ conclu** trato hecho ◊ *loc adv* **par-dessus le ~** por añadidura, además; **et par-dessus le ~ tu te plains!** ¡y encima te quejas! **4. Marché commun** Mercado Común **5. bon ~** barato, a: **des sandales bon ~** sandalias baratas; **à bon ~** a buen precio, barato; **à meilleur ~** más barato; **revenir meilleur ~** salir más barato; **faire bon ~ d'une remarque** tener en poco, tener a menos, despreciar una advertencia; **faire bon ~ de sa santé** descuidar su salud.

**marchepied** *m* **1.** estribo **2.** FIG *(moyen)* medio, trampolín.

**marcher** *vi* **1.** andar, marchar, ir: **~ d'un bon pas** andar a buen paso; **j'ai marché toute la nuit** anduve toda la noche; **lève-toi et marche** levántate y anda; **~ à quatre pattes** andar a gatas; **l'auto marchait à 100 à l'heure** el coche iba a 100 (kilómetros) por hora ◊ **~ sans but** deambular, callejear; **l'armée marche sur la capitale** el ejército avanza hacia la capital **2. ~ sur** pisar: **défense de ~ sur le gazon** prohibido pisar el césped; **~ sur la Lune** pisar la Luna; **~ sur les pieds de quelqu'un** pisar a alguien ◊ FIG **ne pas se laisser ~ sur les pieds** no dejarse pisar; **~ sur les traces de** seguir las huellas de **3.** *(fonctionner)* marchar, funcionar, andar: **ma radio ne marche pas** mi radio no funciona **4.** FIG marchar: **les affaires marchent bien** los negocios marchan bien; **~ comme sur des roulettes** marchar sobre ruedas ◊ FAM **ça marche?** ¿todo va bien?, ¿cómo va eso? **5.** FAM *(accepter)* aceptar, conformarse: **je ne marche pas!** ¡no lo acepto! **6.** FAM *(croire)* creerse: **il a marché** se lo ha creído ◊ **faire ~ quelqu'un** engañar, darla con queso a alguien; **il nous fait ~** nos está engañando, se burla de nosotros **7.** MIL **en avant, marche!** ¡de frente, mar!

**marcheur, euse** *a/s* andarín, ina: **un bon ~** un andador.

**marcottage** *m* AGR acodadura *f*.

**marcotte** *f* AGR acodo *m*.

**marcotter** *vt* AGR acodar.

**mardi** *m* martes: **~ dernier, prochain** el martes pasado, que viene; **~ gras** martes de Carnaval.

**mare** *f* **1.** *(d'eau)* charca **2.** *(de sang)* charco *m* **3.** FAM **la ~ aux harengs** el Atlántico Norte, el charco.

**marécage** *m* ciénaga *f*, terreno pantanoso.

**marécageux, euse** *a* pantanoso, a.

**maréchal** *m* **1.** mariscal ◊ FIG **bâton de ~** → **bâton 2. ~ des logis** sargento de caballería **3.** *(maréchal-ferrant)* herrador.

**maréchalat** *m* mariscalía *f*, mariscalato.

**maréchale** *f* mariscala.

**maréchalerie** *f* **1.** oficio *m* del herrador **2.** *(forge)* herrería.

**maréchal-ferrant** *m* herrador.

**maréchaussée** *f* gendarmería.

**marée** *f* **1.** marea ◊ **~ montante** flujo *m*, marea entrante; **~ descendante** reflujo *m*, marea saliente; **à ~ haute, basse** en plenamar, bajamar; **~ noire** marea negra **2.** *(poisson)* pescado *m* fresco ◊ FIG **arriver comme ~ en carême** → **carême 3.** FIG **~ humaine** oleada de gente.

**marelle** *f (jeu)* rayuela.

**marengo** *a* **1.** color marengo **2.** CULIN **à la ~** en pepitoria.

**marennes** *f* ostra de Marennes.

**mareyeur, euse** [maʀɛjœʀ, øz] *s* pescadero, a al por mayor.

**margarine** *f* margarina.

**margay** [marge] *m* marguay, gato montés.

**marge** *f* **1.** margen *m*: **écrire dans la ~** escribir en el margen **2.** *(temps)* tiempo *m*: **avoir de la ~** tener tiempo **3.** *FIG* **~ de manœuvre** margen de maniobra; **~ bénéficiaire** margen *m* de beneficios **4.** *loc adv* **en ~** al margen: **rester en ~** mantenerse al margen; *loc prép* **en ~ de** al margen de.
▶ Pluriel: *márgenes*.

**margelle** *f (d'un puits)* brocal *m*.

**margeur** *m* marginador.

**marginal, e** *a* marginal. ◇ *m pl* **les marginaux** los marginados.

**marginalisation** *f* marginación.

**marginaliser** *vt* marginar.

**marginalité** *f* marginalidad.

**marginer** *vt* apostillar.

**Margot** *np f* Margarita.

**margoulette** *f POP* jeta, cara.

**margoulin** *m FAM* mercachifle.

**margrave** *m* margrave.

**Marguerite** *np f* Margarita.

**marguerite** *f* **1.** margarita ◊ **effeuiller la ~** deshojar la margarita **2.** *(de machine à écrire)* margarita.

**marguillier** *m* mayordomo (de una parroquia).

**mari** *m* marido.

**mariable** *a* casadero, a.

**mariage** *m* **1.** *(union, sacrement)* matrimonio: **~ civil, religieux** matrimonio civil, religioso; **contracter ~** contraer matrimonio; **faire un ~ d'argent** casarse por interés ◊ **demande en ~** petición de mano; **contrat de ~** capitulaciones *f pl* (matrimoniales); **faire un bon ~** casarse bien; **relations sexuelles hors ~** relaciones sexuales extramatrimoniales **2.** *(cérémonie, fête)* boda *f*, casamiento: **assister au ~ d'un ami** asistir a la boda de un amigo; **cadeau, liste de ~** regalo, lista de boda **3. ils divorcèrent après dix ans de ~** se divorciaron después de diez años de casados **4.** *FIG* unión *f*, combinación *f*: **un ~ de couleurs** una combinación de colores.

**marial, e** *a* mariano, a.

**Marianne** *np f* **1.** Mariana **2.** *FAM* la República francesa.

**Marie** *np f* María.

**marié, e** *a/s* casado, a: **ils vivent ensemble sans être mariés** viven juntos sin estar casados; **les jeunes mariés** los recién casados. ◇ *s* **le ~** el novio; **la mariée** la novia; **robe de mariée** vestido de novia ◊ *FAM* **se plaindre que la mariée est trop belle** quejarse de vicio.

**marier*** *vt* **1.** casar: **~ sa fille à un avocat** casar a su hija con un abogado ◊ **fille à ~, en âge d'être mariée** chica casadera, en edad de merecer **2.** *(couleurs)* armonizar. ◆ **se ~** *vpr* **1.** casarse, contraer matrimonio: **se ~ civilement, à l'église** casarse por lo civil, por la Iglesia; **il s'est marié avec sa voisine** se casó con su vecina **2. ces couleurs se marient bien** estos colores combinan bien.

**marie-salope** *f MAR* gánguil *m*.

**marigot** *m* brazo muerto de un río.

**marijuana, marihuana** *f* marijuana.

**marin, e** *a* **1.** marino, a **2. carte marine** carta náutica **3. avoir le pied ~** tener (el) pie marino. ◇ *m* **1.** *(navigateur)* marino: **un bon ~** un buen marino **2.** *(matelot)* marinero: **les marins de l'équipage** los marineros de la tripulación.

**marina** *f* marina.

**marinade** *f* **1.** *(poisson)* escabeche *m*: **~ de thon** atún en escabeche **2.** *(viande)* adobo *m*.

**marine** *f* **1.** marina: **~ de guerre, marchande** marina de guerra, mercante **2.** *(peinture)* marina. ◇ *a inv* **bleu ~** azul marino. ◇ *m MIL* soldado de infantería de marina; **il fait son service dans la ~** hace la mili en marina.

**mariner** *vt* **faire ~** *(poisson)* escabechear, marinar, *(viande)* adobar. ◇ *vi* estar en escabeche, en adobo: **sardines marinées** sardinas en escabeche.

**marinier** *m* barquero, lanchero.

**marinière** *f* **1.** *(corsage)* marinera **2.** *CULIN* **à la ~** a la marinera.

**mariol, mariolle** *a/s POP* listo, a ◊ **faire le ~** hacerse el interesante, dárselas de listo.

**Marion** *np f* Mariquita, Maruja.

**marionnette** *f* títere *m*, marioneta: **théâtre de marionnettes** teatro de marionetas; **~ à gaine** títere de guante ◊ **montreur de marionnettes** titiritero.
▶ Le gallicisme *marioneta* désigne surtout une marionnette à fil ou *marioneta de hilo*.

**marionnettiste** *m* titiritero, marionetista.

**mariste** *m* marista.

**marital, e** *a* marital.

**maritalement** *adv* maritalmente, haciendo vida marital.

**maritime** *a* marítimo, a: **pin ~** pino marítimo; **gare ~** estación marítima.

**maritorne** *f* maritornes.

**Marius** [marjys] *np m* Mario.

**marivaudage** *m* discreteo, galanteo.

**marivauder** *vi* discretear, galantear.

**marjolaine** *f* mejorana.

**mark** *m (monnaie)* marco.

**marketing** *m* marketing, mercadotecnia *f*.

**marli** *m* borde.

**marlou** *m POP* chulo, rufián.

**marmaille** *f* chiquillería.

**marmelade** *f* **1.** mermelada **2. en ~** hecho, a papilla, hecho, a puré: **le nez en ~** la nariz hecha papilla.

**marmite** *f* olla, marmita ◊ *FIG* **faire bouillir la ~** ganar el puchero, mantener a la familia; **nez en pied de ~** nariz ancha y respingona.

**marmiton** *m* marmitón, pinche (de cocina).

**marmonnement** *m* mascullamiento, barboteo.

**marmonner** *vi* refunfuñar. ◇ *vt* mascullar, barbotear.

**marmoréen, enne** *a* marmóreo, a.

**marmot** *m* **1.** *FAM* crío, chaval **2.** *FIG* **croquer le ~** estar de plantón.

**marmotte** *f* **1.** marmota ◊ **dormir comme une ~** dormir como una marmota **2.** *(boîte à échantillons)* maleta, muestrario *m* **3.** *(cerise)* cereza garrafal.

**marmottement** *m* mascullamiento, barboteo.

**marmotter** *vt* mascullar, bisbisear.

**marne** *f* marga.

**Marne** *np f* Marne *m*.

**marner** *vt AGR* abonar con marga, margar. ◇ *vi POP (travailler)* currar.

**marneux, euse** *a* margoso, a.

**marnière** *f* marguera.

**Maroc** *np m* Marruecos: **le ~** Marruecos.

**marocain, e** *a/s* marroquí: **les Marocains** los marroquíes.

**maronite** *a/s* maronita.

**maronner** *vi FAM* refunfuñar.

**maroquin** *m* **1.** *(peau tannée)* tafilete **2.** *FAM* cartera *f* de ministro.

**maroquinerie** *f* marroquinería.

**maroquinier** *m* comerciante en artículos de cuero.

**marotte** *f* **1.** cetro *m* de bufón **2.** *(idée fixe)* manía, monomanía, tema *m* ◊ **à chacun sa ~** cada loco con su tema.

**marouflage** *m* encolado.

**maroufle** *f* cola fuerte.

**maroufler** *vt* encolar (una pintura).

**marquage** *m* **1.** acción *f* de marcar, marca *f* **2.** *(sports)* marcaje.

**marquant, e** *a* notable, destacado, a: **une des figures les plus marquantes** una de las figuras más destacadas.

**marque** *f* **1.** *(signe)* señal, marca **2.** marca: **~ de fabrique, déposée** marca de fábrica, registrada; **produits de ~** productos de marca **3.** *(trace)* huella **4.** *(preuve)* muestra, prueba, testimonio *m*: **une ~ de confiance** una muestra de confianza; **une ~ d'affection** una prueba de afecto **5.** *(score)* tanteo *m* ◊ **ouvrir la ~** abrir, inaugurar el marcador; **mener à la ~** ir por delante en el marcador **6. à vos marques, prêts, partez!** ¡preparados, listos, ya! **7. trouver ses marques** situarse, definirse **8.** *FIG* **de ~** notable, de alcurnia; **des hôtes de ~** huéspedes ilustres.

**marqué, e** *a* **1.** marcado, a: **le prix ~** el precio marcado **2.** acentuado, a: **traits marqués** rasgos acentuados **3.** *(visage)* envejecido, a **4.** *(différence, etc.)* muy fuerte, marcado, a, claro, a.

**marquer** *vt* **1.** *(au moyen d'une marque)* marcar **2.** señalar, marcar: **la pendule marque midi** el reloj señala las doce **3.** *(noter)* apuntar, anotar: **~ ses dépenses sur un agenda** apuntar sus gastos en una agenda **4.** *(laisser une trace)* dejar una huella en, marcar **5.** *(accentuer)* acentuar: **l'âge a marqué ses traits** la edad ha acentuado sus rasgos **6.** *(manifester)* mostrar: **~ sa désapprobation** mostrar su disconformidad **7.** *FIG* afectar, impresionar: **ce deuil l'a profondément marqué** este duelo le ha afectado profundamente **8. ~ un point** marcar un tanto, apuntarse un tanto **9.** *(football)* **~ un but** apuntarse un gol **10. ~ le coup** celebrar el acontecimiento, acusar el golpe **11. ~ le pas** marcar el paso. ◇ *vi* **1.** dejar sus huellas, distinguirse: **un événement qui marque** un acontecimiento que deja su huella **2.** *FAM* **~ mal** tener mala pinta, dar una mala impresión.

**marqueter*** *vt* **1.** taracear **2.** *(tacheter)* motear.

**marqueterie** [markɛtʀi] *f* marquetería, taracea.

**marqueur** *m* **1.** marcador **2.** *(joueur qui marque un but)* goleador **3.** *(crayon feutre)* rotulador.

**marquis** *m* marqués.

**marquisat** *m* marquesado.

**marquise** *f* **1.** marquesa **2.** *(auvent)* marquesina **3.** *(bague)* sortija con un adorno ovalado.

**Marquises (îles)** *np f* Marquesas (islas).

**marraine** *f* madrina.

**marrant, e** *a FAM (drôle)* chusco, a, gracioso, a; *(bizarre)* curioso, a ◊ **ce n'est pas ~** tiene muy poca gracia.

**marre** *adv FAM* **en avoir ~** estar harto, a, estar hasta las narices: **j'en ai ~ de...** estoy harto de...; **y en a ~!** ¡basta!, ¡basta ya!

**marrer (se)** *vpr FAM (rire)* troncharse de risa, cachondearse; *(s'amuser)* pasarlo en grande, divertirse; **on s'est bien marré** lo pasamos bomba.

**marri, e** *a ANC* pesaroso, a, mohíno, a.

[1]**marron** *m* **1.** castaña *f*: **~ d'Inde** castaña de Indias; **~ glacé** castaña confitada, marrón glacé; **crème, purée de marrons** puré de castañas ◊ *FIG* **tirer les marrons du feu** sacar las castañas del fuego **2.** *FAM (coup de poing)* puñetazo, castaña *f*. ◇ *a inv/m (couleur)* marrón.

[2]**marron, onne** *a* **1.** *(esclave)* cimarrón, ona **2.** *FIG* clandestino, a.

**marronnier** *m* castaño: **~ d'Inde** castaño de Indias.

**Mars** [maʀs] *np m* Marte.

**mars** [maʀs] *m* marzo: **le 6 ~ 1995** el 6 de marzo de 1995 ◊ *FIG* **arriver comme ~ en carême → carême.**

**marseillais, e** *a/s* marsellés, esa. ◇ *f* **la Marseillaise** la Marsellesa.

**Marseille** *np* Marsella.

**marsouin** *m* marsopa *f*.

**marsupial, e** *a/s ZOOL* marsupial.

**marte → martre.**

**marteau** *m* **1.** martillo: **~ pneumatique, ~ piqueur** martillo neumático; **~-pilon** martillo pilón ◊ **coup de ~** martillazo **2.** *(heurtoir)* aldaba *f* **3.** *(de piano)* macillo **4.** *ANAT* martillo **5.** *(athlétisme)* martillo: **lancement du ~** lanzamiento de martillo. ◇ *a FAM* **être ~** estar chiflado, a, estar locatis.

**martel** *m ANC* martillo ◊ **se mettre ~ en tête** quemarse la sangre.

**martelage** *m* martilleo.

**martèlement** *m* martilleo, golpeteo.

**marteler*** *vt* **1.** martillar, martillear **2.** *(frapper fort)* golpear, pegar **3.** *(syllabes, etc.)* recalcar, articular.

**Marthe** *np f* Marta.

**martial, e** [maʀsjal] *a* **1.** marcial **2. cour martiale** tribunal *m* militar **3. loi martiale** ley marcial **4. arts martiaux** artes marciales.

**martien, enne** [maʀsjɛ̃, jɛn] *a/s* marciano, a.

**Martin, e** *np* Martín, Martina.

**martinet** *m* **1.** *(oiseau)* vencejo **2.** *(fouet)* disciplinas *f pl*.

**martingale** *f* **1.** *(du harnais)* gamarra **2.** *(d'étoffe)* trabilla **3.** *(au jeu)* martingala.

**Martinique** *np f* Martinica.

**martin-pêcheur** *m* martín pescador.

**martre** *f* marta: **~ zibeline** marta cebellina.

**martyr, e** *s* mártir: **martyrs chrétiens** mártires cristianos ◊ **prendre des airs de ~, jouer les martyrs** hacerse el mártir, la mártir; **ne prends pas ces airs de ~** no te hagas el (la) mártir.

**martyre** *m* **1.** martirio **2. souffrir le ~** sufrir atrozmente.

**martyriser** *vt* martirizar.

**martyrologe** *m* martirologio.

**marxisme** *m* marxismo.

**marxiste** *a/s* marxista.

**mas** [ma(s)] *m* masía *f*, masada *f*.
► Casa típica de Provenza.

**mascara** *m* máscara *f* (de pestañas).

**mascarade** *f* mascarada.

**mascaret** *m* macareo.

**mascaron** *m ARCH* mascarón.

**mascotte** *f* mascota.

**masculin, e** *a* masculino, a. ◇ *a/m GRAM* masculino, a: **ce mot est du ~** esta palabra es masculina; **au ~** en masculino.

**masculinité** *f* masculinidad.

**maso** *a/s FAM* masoca.

**masochisme** *m* masoquismo.

**masochiste** *a/s* masoquista.

**masque** *m* **1.** *(en carton, bois)* careta *f*, máscara *f*, *(de chirurgien)* máscara *f* ◊ **~ à oxygène** máscara de oxígeno **2.** *(loup)* antifaz **3.** *(personne masquée)* máscara *f/m* **4.** *(d'escrimeur, d'apiculteur)* careta *f* **5. ~ à gaz** careta antigás **6. ~ de plongée** máscara *f* (para la pesca submarina) **7.** *(moulage)* **~ mortuaire** mascarilla *f* **8.** *(physionomie)* fisonomía *f*, expresión *f*, rostro ◊ **~ de grossesse** cloasma **9.** *(apparence)* máscara *f*, capa *f* ◊ **lever, jeter le ~** quitarse la máscara, desenmascararse.

**masqué, e** *a* **1.** enmascarado, a ◊ **un bandit ~** un bandido encapuchado, un enmascarado **2. bal ~** baile de máscaras, de disfraces.

**masquer** *vt* **1.** *(cacher à la vue)* ocultar, tapar **2.** *FIG* encubrir, disfrazar, enmascarar: **~ la vérité** disfrazar la verdad.

**massacrant, e** *a* **être d'une humeur massacrante** estar de un humor de perros, estar de mala leche.

**massacre** *m* **1.** *(tuerie)* matanza *f*, degollina **2. le ~ des Innocents** la degollación de los Santos Inocentes **3. jeu de ~** pim pam pum **4.** *(d'une œuvre musicale)* mala ejecución *f* **5.** *(travail mal fait)* chapucería *f* **6.** *(bois de cerf)* astas *f pl* de ciervo.
▶ Le gallicisme *masacre* (un seul s et au féminin en espagnol) s'emploie aujourd'hui fréquemment dans le sens de «tuerie de personnes», surtout en Amérique latine.

**massacrer** *vt* **1.** exterminar, matar, masacrar **2.** *(égorger)* degollar **3.** *FIG (abîmer)* destrozar, estropear, *(défigurer)* desfigurar: **~ un morceau de musique** destrozar una pieza musical.

**massacreur** *m* **1.** asesino **2.** *FIG* chafallón.

**massage** *m* masaje: **faire des massages** dar masajes.

**¹masse** *f* **1.** *(d'eau, d'air)* masa **2.** *(amas)* montón *m*, masa: **une ~ de décombres** un montón de escombros ◊ **tomber comme une ~** caer pesadamente, como un plomo, desplomarse **3.** *(d'un édifice, d'un navire)* mole, bulto *m*: **la ~ de la cathédrale** la mole de la catedral **4.** montón *m*: **j'ai une ~ de choses à faire** tengo que hacer un montón de cosas ◊ *FAM* **des masses de** montones de: **elle a des masses d'admirateurs** tiene montones de admiradores; **des collaborateurs comme lui, il n'y en a pas des masses** colaboradores como él hay muy pocos **5.** *(foule)* masa, multitud: **les masses populaires, laborieuses** las masas populares ◊ *loc adv* **en ~** en masa; **levée en ~** movilización general **6.** *(caisse d'une société, etc.)* caudal *m* **7.** *PHYS* masa: **~ critique** masa crítica.

**²masse** *f* **1.** *(maillet)* mazo *m* ◊ **un coup de ~** un mazazo, una mazada **2.** *(d'armes, de cérémonie)* maza.

**massepain** *m* mazapán.

**masser** *vt* **1.** *(assembler)* agrupar, concentrar, amontonar **2.** dar masaje a: **~ un muscle** dar masaje a un músculo; **se faire ~** hacerse dar masajes. ◆ **se ~** *vpr* congregarse, aglomerarse: **la foule se massait devant la sortie** la muchedumbre se aglomeraba delante de la salida.

**massette** *f* **1.** *(de tailleur de pierres)* almádena **2.** *(plante aquatique)* espadaña.

**masseur, euse** *s* masajista.

**massicot** *m TECHN* guillotina *f*.

**massicoter** *vt TECHN* guillotinar.

**massif, ive** *a* **1.** macizo, a: **argent ~** plata maciza **2.** *(lourd)* macizo, a **3.** masivo, a: **dose massive** dosis masiva **4. départs massifs en vacances** salidas de vacaciones en masa; **pertes massives** pérdidas importantes; **approbation massive** aprobación total. ◇ *m* **1.** *(de fleurs)* macizo **2.** *(de montagnes)* macizo.

**massification** *f* masificación.

**mass media** *m pl* mass media, medios de comunicación de masa.

**massue** *f* **1.** porra, cachiporra, maza ◊ **coup de ~** porrazo; *FAM* mazazo **2. argument ~** argumento contundente.

**mastaba** *m* mastaba *f*.

**mastère** *m* máster.

**mastic** [mastik] *m* **1.** *(pour fixer les vitres, boucher les trous)* masilla *f* **2.** *(résine)* almáciga *f* **3.** *(erreur d'impression)* empastelamiento.

**masticage** *m* enmasillado.

**masticateur, trice** *a* masticador, a.

**masticatoire** *a/m* masticatorio, a.

**mastiquer** *vt* **1.** *(mâcher)* masticar **2.** *(avec du mastic)* enmasillar.

**mastoc** [mastɔk] *a inv FAM* pesado, a, tosco, a.

**mastodonte** *m* mastodonte.

**mastoïde** *a/f ANAT* mastoides.

**mastoïdite** *f MÉD* mastoiditis.

**mastroquet** *m FAM* **1.** *(cafetier)* tabernero **2.** *(café)* taberna *f*.

**masturbation** *f* masturbación.

**masturber (se)** *vpr* masturbarse.

**m'as-tu-vu** [matyvy] *m inv* presumido.

**masure** *f* casucha, casa en ruinas.

**¹mat** [mat] *m* mate: **faire échec et ~** dar jaque mate.

**²mat, e** [mat] *a* **1.** *(sans éclat)* mate **2.** *(bruit)* sordo, a, apagado, a.

**mât** [mɑ] *m* **1.** *(d'un bateau)* palo, mástil ◊ **grand ~** palo mayor; **~ d'artimon** mesana *f*; **~ de misaine** trinquete; **~ de hune** mastelero **2.** *(poteau)* poste, palo **3. ~ de cocagne** cucaña *f*.

**matador** *m TAUROM* matador, espada, diestro.

**matamore** *m* matamoro, matasiete.

**match** *m* **1.** partido, encuentro, match: **un ~ de football** un partido de fútbol; **~-aller, ~-retour** partido de ida, de vuelta **2.** *(de boxe)* combate **3. ~ nul** empate; **faire ~ nul** empatar; **on a fait ~ nul** hemos empatado.

**maté** *m (plante, infusion)* mate.

**matelas** *m* **1.** colchón **2. ~ pneumatique** colchón hinchable, colchoneta *f*.

**matelasser** *vt* **1.** acolchar **2.** *(un vêtement)* enguatar, acolchar: **robe de chambre matelassée** bata enguatada; **manteau matelassé** abrigo acolchado.

**matelassier, ère** *s* colchonero, a.

**matelot** *m* marinero.

**matelote** *f CULIN* caldereta ◊ **sauce ~** salsa a base de vino tinto y cebollas.

**¹mater** *vt* **1.** *(au jeu d'echecs)* dar mate **2.** *(dompter)* domar, domeñar.

**²mater** *vt POP (regarder)* mirar.

**mâter** *vt MAR* arbolar.

**mater dolorosa** [matɛʀdɔlɔʀoza] *f* dolorosa.

**matérialisation** *f* materialización.

**matérialiser** *vt* materializar. ◆ **se ~** *vpr* materializarse.

**matérialisme** *m* materialismo: **~ dialectique** materialismo dialéctico.

**matérialiste** *a/s* materialista.

**matérialité** *f* materialiadd.

**matériau** *m* material. ◇ *pl* materiales: **matériaux de construction** materiales de construcción.

**matériel, elle** *a* **1.** material ◊ **le temps ~** el tiempo material, necesario **2.** *FIG* materialista, prosaico, a. ◇ *m* **1.** material: **~ de camping** material para el camping **2. ~ agricole** maquinaria *f* agrícola.

**matériellement** *adv* materialmente: **c'est ~ impossible** es materialmente imposible.

**maternel, elle** *a* **1.** materno, a: **lait ~** leche materna; **grand-père ~** abuelo materno; **langue maternelle** lengua materna **2.** *(amour, instinct, soin, etc.)* maternal. ◇ *f (école)* parvulario *m*, escuela de párvulos.

**maternellement** *adv* maternalmente.

**materner** *vt* cuidar maternalmente.

**maternisé** *a* **lait ~** leche maternizada.

**maternité** *f* **1.** maternidad **2.** *(accouchement)* parto *m*, alumbramiento *m* **3.** *(clinique)* maternidad.

**math, maths** *f pl* FAM mates: **prof de maths** profe de mates.

**mathématicien, enne** *s* matemático, a.

**mathématique** *a* matemático, a. ◇ *f pl* matemáticas.

**mathématiquement** *adv* matemáticamente.

**matheux, euse** *s* FAM matemático, a.

**Mathieu → Matthieu.**

**Mathilde** *np f* Matilde.

**Mathusalem** [matyzalɛm] *np m* Matusalén.

**matière** *f* **1.** materia: **~ première** materia prima ◊ **~ grasse** grasa; **matières plastiques** materiales plásticos; **~ grise** materia gris, sustancia gris; FAM **faire travailler sa ~ grise** reflexionar, cavilar mucho **2.** *(sujet)* tema *m* ◊ **table des matières** índice *m* **3.** causa, motivo *m*: **il n'y a pas ~ à rire** no hay motivo para reírse ◊ **donner ~ à** dar pábulo a, dar pie a; **entrer en ~** entrar en materia **4.** *(d'enseignement)* asignatura, materia: **~ à option** asignatura optativa **5.** *loc prép* **en ~ de** en materia de. ◇ *pl* **matières (fécales)** heces.

**Matignon** *np* residencia oficial del primer ministro en París.

**matin** *m* **1.** mañana *f*: **ce ~** esta mañana; **par un triste ~ d'hiver** en una triste mañana de invierno; **elle travaille le ~** trabaja por la mañana; **je me suis réveillé à deux heures du ~** me desperté a las dos de la mañana, de la madrugada; **un quotidien du ~** un diario matutino ◊ **de bon, de grand ~** de madrugada, muy de mañana; **du ~ au soir** todo el día, de la mañana a la noche, de sol a sol; **un beau ~, un de ces quatre matins** un buen día, cualquier día, cualquier día de éstos **2. le petit ~** el alba, la madrugada. ◇ *adv* **1.** temprano: **se lever ~** levantarse temprano **2.** por la mañana: **lundi ~** el lunes por la mañana; **hier ~** ayer por la mañana; **demain ~** mañana por la mañana; **à demain ~!** ¡hasta mañana por la mañana!

**mâtin, e** *a/s* FAM tunante, bribón, ona. ◇ *m (chien)* mastín. ◇ *interj* ANC ¡caramba!

**matinal, e** *a* **1.** matutino, a, mañanero, a, matinal: **la douche matinale** la ducha matutina; **brouillards matinaux** nieblas matutinas, matinales **2.** *(qui se lève tôt)* madrugador, a, mañanero, a.

**mâtiné, e** *a* **1.** *(chien)* cruzado, a **2. ~ de** mezclado con.

**matinée** *f* **1.** mañana: **il a plu toute la ~** ha llovido durante toda la mañana; **en fin de ~** al final de la mañana ◊ **faire la grasse ~** levantarse tarde **2.** *(spectacle)* función de tarde.
▶ Dans cette dernière acception, le gallicisme *matinée* est aussi employé, surtout en Amérique latine.

**matines** *f pl* maitines.

**matir** *vt* TECHN poner mate.

**matité** *f* matidez.

**matois, e** *a/s* taimado, a, lagarto, a, lagartón, ona: **un fin ~** un tunante.

**maton, onne** *s* FAM *(gardien de prison)* carcelero, a.

**matou** *m* gato.

**matraquage** *m* **1.** aporreamiento **2. ~ publicitaire** propaganda machacona.

**matraque** *f* porra, cachiporra ◊ **coup de ~** porrazo.

**matraquer** *vt* aporrear.

**matras** [matʀa] *m* CHIM matraz.

**matriarcal, e** *a* matriarcal.

**matriarcat** *m* matriarcado.

**matrice** *f* **1.** ANAT matriz, útero *m* **2.** TECHN matriz, molde *m* **3.** *(registre)* matriz, registro *m* **4.** MATH matriz.

**matricule** *f* matrícula. ◇ *m* número de registro. ◇ *a* **1. numéro ~** número de registro **2. livret ~** cartilla *f* militar.

**matriculer** *vt* matricular.

**matrimonial, e** *a* matrimonial: **agence matrimoniale** agencia matrimonial.

**matrone** *f* matrona.

**Matthieu** *np m* Mateo.

**maturation** *f* maduración.

**mâture** *f* MAR arboladura.

**maturité** *f* **1.** *(d'un fruit)* madurez, sazón: **arriver à ~** llegar a la sazón **2.** madurez: **~ d'esprit** madurez, experiencia; **il manque de ~** le falta madurez.

**maudire*** *vt* maldecir: **Dieu a maudit Caïn** Dios maldijo a Caín; **je maudis cet homme** maldigo a ese hombre.

**maudit, e** *a/s* maldito, a, condenado, a: **~ soit...!** ¡maldito sea...!; **ce ~ gamin** este maldito chiquillo. ◇ *np m* **le Maudit** el demonio.
▶ Dans les formes composées du verbe, on emploie le participe passé régulier «maldecido»: *j'ai maudit* he maldecido.

**maugréer** *vi* refunfuñar, mascullar.

**maure, more** *a/s* moro, a.

**mauresque, moresque** *a/s* morisco, a, moruno, a.

**Maurice** *np m* Mauricio.

**Mauritanie** *np f* Mauritania.

**mauritanien, enne** *a/s* mauritano, a.

**mausolée** *m* mausoleo.

**maussade** *a* **1.** *(revêche)* hosco, a, huraño, a, malhumorado, a **2.** *(temps, ciel)* desapacible, desabrido, a, triste.

**maussaderie** *f* hosquedad, desabrimiento *m*.

**mauvais, e** *a/s* **1.** malo, a *(mal devant un masculin)*:) **ce vin est ~** este vino está malo; **mauvaise mémoire** mala memoria; **~ caractère** mal carácter; **un très ~ film** una película muy mala; **en ~ état** en mal estado; **une mauvaise nouvelle** una mala noticia ◊ **avoir ~ esprit** ser mal pensado; **avoir de ~ yeux** tener mala vista; **mauvaise plaisanterie** broma pesada; **un ~ sujet** un individuo de cuidado; **un regard ~** una mirada llena de odio; **une mauvaise langue → langue 2. plus ~** peor: **du plus ~ goût** del peor gusto **3. la mer est mauvaise** el mar está agitado **4. arriver au ~ moment** llegar en un momento poco oportuno; **j'ai pris la mauvaise route** tomé otra carretera por equivocación **5.** FAM **je l'ai trouvée mauvaise** no me ha hecho ninguna gracia, me supo mal. ◇ *adv* mal: **ça sent ~** huele mal ◊ **il fait ~** hace mal tiempo.

**mauve** *f (plante)* malva. ◇ *a/m (couleur)* malva.

**mauviette** *f* **1.** *(alouette)* alondra **2.** FAM persona enclenque, alfeñique *m*.

**mauvis** *m (grive)* malvís.

**maux → mal.**

**max** *m* FAM **un ~** muchísimo, cantidad.

**maxi** *a inv* FAM **vitesse ~** velocidad tope.

**maxillaire** *m* ANAT maxilar.

**maxima** *a pl* máxima.

**maximal, e** *a* máximo, a: **vitesse maximale** velocidad máxima.

**Maxime** *np m* Máximo.

**maxime** *f* máxima.

**Maximilien** *np m* Maximiliano.

**maximum** [maksimɔm] *a* máximo, a: **délai ~** plazo máximo. ◇ *m* máximo: **faire le ~** hacer lo máximo ◊ *loc adv* **au ~** como máximo.
▶ Plural: *maximums* y, en lenguaje científico, *maxima*.

**maya** *a/s* maya.

**Mayence** *np f* Maguncia.

**mayonnaise** *f* mayonesa.

**mazette!** *interj FAM* ¡caramba!, ¡cáspita!

**mazout** [mazut] *m* fuel-oil, fuel.

**mazouté, e** *a* contaminado, a por el petróleo (como consecuencia de una marea negra).

**mazurka** *f* mazurca.

**me** (m' *delante de vocal) pron pers* me: **je ~ lève** me levanto; **il m'ennuie** me aburre; **je vais ~ lever** voy a levantarme; **en ~ voyant** viéndome ◊ **~ voici** aquí estoy yo, heme aquí.

**mea-culpa** *m inv* mea culpa ◊ **faire son ~** arrepentirse.

**méandre** *m* **1.** meandro **2.** *FIG* rodeo.

**méat** *m ANAT* meato: **~ urinaire** meato urinario.

**mec** [mɛk] *m POP* **1.** tío, individuo, gachó ◊ **salut ~!** ¡hola macho! **2.** *(amant)* **son ~** su querido.

**mécanicien, enne** *s* **1.** mecánico, a **2.** *(de locomotive)* maquinista **3. ~-dentiste** protésico dental.

**mécanique** *a* mecánico, a. ◇ *f* **1.** mecánica: **~ céleste, quantique** mecánica celeste, cuántica **2.** *(mécanisme)* mecánica, mecanismo *m* **3.** *FAM* **rouler des mécaniques** chulear.

**mécanisation** *f* mecanización.

**mécaniser** *vt* mecanizar, maquinizar.

**mécanisme** *m* mecanismo.

**mécano** *m FAM* mecánico.

**mécanographe** *s* mecanógrafo, a.

**mécanographie** *f* mecanografía.

**mécénat** *m* mecenazgo.

**mécène** *m* mecenas.

**méchamment** *adv* malignamente, con mala intención, malvadamente.

**méchanceté** *f* **1.** maldad: **agir sans ~** actuar sin maldad **2.** mala intención **3. faire une ~ à quelqu'un** hacerle una mala pasada a alguien **4. dire des méchancetés** decir cosas desagradables.

**méchant, e** *a* **1.** malo, a, malvado, a: **être ~** ser malo **2.** *(dangereux)* peligroso, a ◊ **attention chien ~** cuidado con el perro **3.** *(enfant)* revoltoso, a, malo, a **4.** *(malveillant)* malintencionado, a, avieso, a **5. une méchante affaire** un asunto feo; **une méchante bicoque** una miserable casucha **6. être de méchante humeur** estar de mal humor **7.** *FAM* grave: **rien de ~** nada grave. ◇ *s* malo, a, malvado, a: **le ~** el malo.

**mèche** *f* **1.** mecha: **allumer la ~** encender la mecha ◊ *FAM* **éventer la ~** descubrir el pastel; **vendre la ~** írsele la lengua; **il a vendu la ~** se le ha ido la lengua **2.** *(de bougie)* pábilo *m*, torcida **3.** *(de cheveux)* mechón *m* **4.** *(de fouet)* tralla **5.** *(de vilebrequin, perceuse)* broca **6.** *FAM* **être de ~ avec...** estar en connivencia con...; **il n'y a pas ~** no hay tu tía.

**méchoui** *m* cordero asado.

**mécompte** [mekɔ̃t] *m (déception)* chasco, desengaño.

**méconium** [mekɔnjɔm] *m MÉD* meconio.

**méconnaissable** *a* desconocido, a, irreconocible: **elle est ~ depuis sa maladie** está desconocida desde su enfermedad; **Sonia était ~, on aurait dit une autre femme** Sonia estaba desconocida, parecía otra mujer.

**méconnaissance** *f* ignorancia.

**méconnaître*** *vt* **1.** desconocer, ignorar **2.** *(mépriser)* no apreciar en su justo valor.

**méconnu, e** *a* no apreciado, a, ignorado, a.

**mécontent, e** *a/s* descontento, a, insatisfecho, a: **~ de son sort** descontento con su suerte; **ils sont mécontents de lui** están descontentos con él.

**mécontentement** *m* descontento ◊ **un sujet de ~** un disgusto.

**mécontenter** *vt* disgustar, contrariar.

**Mecque (la)** *np f* la Meca.

**mécréant, e** *a/s* **1.** incrédulo, a, descreído, a **2.** *(infidèle)* infiel.

**médaille** *f* medalla: **~ d'or, d'argent** medalla de oro, de plata ◊ *FIG* **le revers de la ~** el reverso de la medalla.

**médaillé, e** *a/s* condecorado, a. ◇ *s (sportif)* medallista.

**médailleur** *m* medallista.

**médaillier** *m* **1.** colección *f* de medallas **2.** *(meuble)* mueble para guardar las medallas.

**médalliste** *m* medallista.

**médaillon** *m* medallón.

**Médard** *np m* Medardo.

**mède** *a/s* medo, a.

**médecin** *m* médico: **~ de campagne** médico rural; **~ légiste** médico forense; **~ traitant** médico de cabecera ◊ **femme ~** médica.

**médecine** *f* medicina: **~ générale, du travail** medicina general, laboral; **~ légale** medicina legal; **~ du sport** medicina deportiva; **étudiant en ~** estudiante de medicina ◊ **faire sa ~** estudiar para médico.

**Médée** *np f* Medea.

**media** *m* medio de comunicación: **les médias** los medios de comunicación, los medios.

**médian, e** *a* que está en el medio, central. ◇ *f GÉOM* mediana.

**médiat, e** *a* mediato, a.

**médiateur, trice** *a/s* mediador, a. ◇ *f GÉOM* mediatriz.

**médiathèque** *f* mediateca.

**médiation** *f* mediación.

**médiatique** *a* mediático, a.

**médiatisation** *f* popularización.

**médiatiser** *vt* popularizar (gracias a los medios de comunicación).

► *Mediatizar* a le sens d'influencer.

**médiatrice → médiateur.**

**médical, e** *a* médico, a: **visite médicale** reconocimiento médico ◊ **le corps ~** el cuerpo facultativo.

**médicament** *m* medicamento: **prescrire un ~** recetar un medicamento.

► Le mot *medicina* (féminin) est familier; *fármaco* est plus savant.

**médicamenteux, euse** *a* medicamentoso, a.

**médication** *f* medicación.

**médicinal, e** *a* medicinal.

**médico-légal, e** *a* medicolegal.

**médiéval, e** *a* medieval.

**médiéviste** *s* medievalista.

**médiocre** *a* mediocre, mediano, a, regular: **vie ~** vida mediocre; **élève ~** alumno regular.

**médiocrement** *adv* mediocremente.

**médiocrité** *f* mediocridad.

**médique** *a HIST* médico, a.

**médire*** *vi* **~ de** hablar mal de, denigrar a, murmurar de.

► Conjug. como *dire* excepto en la segunda pers. del pl. del pres. del indic.: *vous médisez*.

**médisance** *f* maledicencia, murmuración.

**médisant, e** *a/s* maldiciente, murmurador, a.

**méditatif, ive** *a* meditabundo, a, meditativo, a.

**méditation** *f* meditación.

**méditer** *vt/i* **1.** meditar: **~ sur la mort** meditar sobre la muerte **2. ~ de** proyectar, planear.

**Méditerranée** *np f* **la (mer) ~** el (mar) Mediterráneo.

**méditerranéen, enne** *a/s* mediterráneo, a.

**médium** [medjɔm] *m* **1.** *(spiritisme)* médium **2.** *MUS* registro intermedio de la voz.

**médius** [medjys] *m* dedo medio.

**médullaire** *a* medular.

**Méduse** *np f* Medusa.

**méduse** *f* medusa.

**méduser** *vt* dejar estupefacto, a, dejar patidifuso, a.

**meeting** [mitiŋ] *m* **1.** mitin: **des meetings** mítines **2. ~ d'aviation** festival aéreo.

**méfait** *m* **1.** *(mauvaise action)* fechoría *f*, mala acción *f* **2.** *(effet nuisible)* daño, estrago.

**méfiance** *f* desconfianza, recelo *m*.

**méfiant, e** *a/s* desconfiado, a, receloso, a.

**méfier* (se)** *vpr* desconfiar: **méfiez-vous des imitations** desconfiad de las imitaciones ◊ **méfiez-vous de cet homme** cuidado con este hombre; **méfiez-vous!** ¡cuidado!, ¡ojo!

**mégalithe** *m* megalito.

**mégalithique** *a* megalítico, a.

**mégalo** *a/s FAM* megalómano, a.

**mégalomane** *a/s* megalómano, a.

**mégalomanie** *f* megalomanía.

**mégaphone** *m* megáfono.

**mégapole** *f* megalópolis.

**mégarde (par)** *loc adv* por descuido, por inadvertencia.

**mégatonne** *f* megatón *m*.

**mégère** *f* **1.** *FAM* arpía, furia **2. la Mégère apprivoisée** *(Shakespeare)* La fierecilla domada.

**mégir, mégisser** *vt* curtir en blanco.

**mégisserie** *f* industria del cuero.

**mégissier** *m* curtidor de pieles en blanco.

**mégot** *m FAM* colilla *f*.

**mégotage** *m FAM* cicatería *f*.

**mégoter** *vt FAM* cicatear, escatimar, regatear.

**méhari** *m* meharí.

**méhariste** *m* soldado que monta un meharí.

**meilleur, e** *a* mejor: **les meilleures chansons** las mejores canciones; **bien ~** mucho mejor ◊ **~ marché** más barato; **de meilleure heure** más temprano; **devenir ~** mejorar; **meilleure santé!** ¡que se mejore! ◇ *adv* **1. il fait ~ aujourd'hui** hace mejor tiempo hoy **2. il fait ~ ici** se está más a gusto aquí. ◇ *s* **1.** mejor: **le ~ des hommes** el mejor de los hombres; **donner le ~ de soi-même** dar lo mejor de sí mismo ◊ **pour le ~ et pour le pire** para bien y para mal **2.** *FAM* **c'est la meilleure!** ¡es lo último!

**méiose** *f BIOL* meiosis.

**méjuger*** *vt* juzgar equivocadamente, juzgar mal. ◆ **se ~** *vpr* subestimarse a sí mismo.

**mélancolie** *f* melancolía.

**mélancolique** *a* melancólico, a.

**mélancoliquement** *adv* melancólicamente.

**Mélanésie** *np f* Melanesia.

**mélanésien, enne** *a/s* melanesio, a.

**mélange** *m* **1.** mezcla *f*: **un ~ de races** una mezcla de razas; **~ explosif** mezcla explosiva **2. un bonheur sans ~** una felicidad sin nubes. ◇ *pl (recueil d'écrits)* misceláneas *f*.

**mélanger*** *vt* **1.** mezclar: **~ à** mezclar con **2. public mélangé** público heterogéneo. ◆ **se ~** *vpr* mezclarse.

**mélangeur** *m* mezclador.

**mélanine** *f* melanina.

**mélanome** *m* melanoma.

**mélasse** *f* **1.** melaza **2.** *FAM* **être dans la ~** estar en apuros, estar a la cuarta pregunta.

**Melchior** [mɛlkjɔʀ] *np m* Melchor.

**mêlé, e** *a* **1. pluie mêlée de neige** lluvia mezclada con nieve **2. société très mêlée** sociedad muy heterogénea.

**mêlée** *f* **1.** *(combat)* refriega, pelea **2.** *FIG* disputa ◊ **se jeter dans la ~** salir a la palestra; **rester au-dessus de la ~** no intervenir **3.** *(rugby)* melée.

**mêler** *vt* **1.** mezclar **2.** *(les cartes)* barajar **3. ~ quelqu'un à une affaire** implicar a alguien en un asunto. ◆ **se ~** *vpr* **1.** mezclarse: **il se mêla à la foule** se mezcló en, entre la muchedumbre **2. se ~ à la conversation** incorporarse a la conversación; **se ~ des affaires des autres** entremeterse, inmiscuirse en asuntos ajenos **3.** meterse: **mêlez-vous de ce qui vous regarde!** ¡no se meta en lo que no le importa!; **de quoi te mêles-tu?** ¿por qué te metes? **4. il se mêle de faire des vers** le da por escribir versos.

**mélèze** *m* alerce.

**méli-mélo** *m* mezcolanza *f*, baturrillo, batiburrillo.

**mélinite** *f* melinita.

**mélisse** *f* melisa.

**mellifère** *a* melífero, a.

**mélo** *m FAM* melodrama.

**mélodie** *f* melodía.

**mélodieux, euse** *a* melodioso, a.

**mélodique** *a* melódico, a.

**mélodramatique** *a* melodramático, a.

**mélodrame** *m* melodrama.

**méloé** *m* carraleja *f*.

**mélomane** *s* melómano, a.

**melon** *m* **1.** melón **2. ~ d'eau** sandía *f* **3. chapeau ~** sombrero hongo, bombín.

**mélopée** *f* melopea.

**membrane** *f* membrana.

**membraneux, euse** *a* membranoso, a.

**membre** *m* **1.** miembro: **membres supérieurs, inférieurs** miembros superiores, inferiores ◊ **~ viril** miembro viril, pene **2.** *(de la famille)* miembro, *(d'une société, d'un club)* socio, miembro **3.** *(d'une commission, etc.)* componente, vocal **4. ~ de phrase** período de la frase. ◇ *a* **État ~** Estado miembro; **les pays membres** los países miembros.

**membrure** *f* **1.** *(d'une personne)* miembros *m pl* **2.** *(d'un navire)* cuadernas *pl*, armazón.

**même** *a* mismo, a: **la ~ quantité** la misma cantidad; **en ~ temps** al mismo tiempo ◊ **c'est la ~ chose** es lo mismo; **il lui est arrivé la ~ chose qu'à moi** le pasó lo que a mí; **c'est cela ~** eso es; **Jean lui-~** el mismo Juan, el propio Juan; **le président lui-~** el propio presidente; **eux-mêmes** ellos mismos; **de lui-~** por sí mismo, por sí solo; **elle est la bonté ~** ella es la bondad personificada. ◇ *pron indéf* mismo: **cela revient au ~** es lo mismo, eso viene a ser lo mismo; **c'est du pareil au ~** es exactamente igual; **tu es toujours le ~** eres el de siempre; **il n'est plus le ~** está irreconocible. ◇ *adv* **1.** aún, incluso, hasta: **tous, ~ le directeur** todos, hasta el director; **je dirai ~...** incluso diré...; **~ de cette façon...** aún así... **2. pas ~, ~ pas** ni siquiera: **elle n'a ~ pas pleuré** ni siquiera lloró; **je ne veux pas ~ y penser** no quiero ni pensarlo **3. ici ~** aquí mismo; **aujourd'hui ~** hoy mismo **4. à ~** directamente: **boire à ~ la bouteille** beber directamente de la botella; **à ~ le sol** en el mismo suelo; **à ~ la peau** directamente en la piel **5. être à ~ de...** estar en condiciones de..., ser capaz de... **6.** *loc adv* **de ~** del mismo modo, asimismo, lo mismo: **faire de ~** hacer lo mismo; **moi de ~** yo también; **quand ~, tout de ~** *(malgré tout)* a pesar de todo, sin embargo; **quand ~!** ¡vamos!, ¡vaya! **7.** *loc conj* **de ~ que** así como, lo mismo que; **~ si, quand bien ~** aún cuando, aunque: **je ne pourrais pas ~ si je voulais** no podría aunque quisiera.

**mémé** *f FAM* → **mémère.**

**mémento** *m* **1.** agenda *f* **2.** *(résumé)* compendio.

**mémère** *f FAM* **1.** *(grand-mère)* abuelita **2.** *(vieille femme)* vieja.

**[1]mémoire** *f* **1.** memoria: **j'ai une bonne ~** tengo buena memoria; **rafraîchir la ~** refrescar la memoria; **avoir la ~ des chiffres** tener memoria para los números; **trou de ~** fallo de memoria ◊ **ne pas avoir de ~** ser olvidadizo, a, ser flaco de memoria; **si j'ai bonne ~** si mal no recuerdo; **remettre en ~** hacer recordar; **de ~** de memoria; **de ~ d'homme** desde tiempo inmemorial; **à la ~ de** a la memoria de; **en ~ de** en memoria de; **de triste ~** de infausta memoria **2. pour ~** a título de información **3.** *INFORM* memoria: **~ de masse** memoria de masa; **~ vive, morte** memoria RAM, ROM ◊ **mettre en ~** almacenar; **mise en ~** almacenamiento *m.*

**[2]mémoire** *m* **1.** *(rapport)* memoria *f*, informe, relación *f* **2.** *COM (facture)* cuenta *f* **3.** *(pour obtenir la licence)* tesina *f.* ◇ *pl* memorias *f*: **écrire ses mémoires** escribir sus memorias.

**mémorable** *a* memorable.

**mémorandum** [memɔʀɑ̃dɔm] *m* memorándum.

**mémorial** *m* **1.** memorial **2.** *(monument)* monumento conmemorativo.

**mémorialiste** *s* memorialista.

**mémorisation** *f* memorización.

**mémoriser** *vt* **1.** memorizar **2.** *INFORM* almacenar.

**Memphis** *np* Menfis.

**menaçant, e** *a* amenazador, a.

**menace** *f* **1.** amenaza **2.** *(indice)* amago *m*, amenaza: **une ~ de crise** un amago de crisis.

**menacer*** *vt* **1.** amenazar: **~ du poing** amenazar con el puño; **~ de rompre les relations diplomatiques** amenazar con romper las relaciones diplomáticas; **il le menaça de le tuer** le amenazó con matarle; **la maison menace de s'effondrer** la casa amenaza derrumbarse; **~ ruine** amenazar ruina **2.** amagar: **il menace de pleuvoir, la pluie menace** está amagando lluvia.

**ménade** *f* ménade.

**ménage** *m* **1.** *(travaux domestiques)* quehaceres *pl* domésticos, limpieza *f* ◊ **faire le ~** hacer la limpieza; **faire des ménages** trabajar como asistenta; **femme de ~** asistenta; **pain de ~** pan casero **2.** *(ustensiles)* ajuar, menaje ◊ **monter son ~** montar su casa **3.** *(couple)* matrimonio: **jeune ~** matrimonio joven ◊ **se mettre en ~** amancebarse, decidir vivir juntos; **scène de ~** riña conyugal, bronca familiar; **il fait bon ~ avec** se lleva bien con, hace buenas migas con; *FAM* **~ à trois** triángulo, matrimonio de tres **4.** *(famille)* familia *f*, casa *f*: **un ~ de cinq personnes** una familia de cinco personas.

**ménagement** *m* miramiento, consideración *f* ◊ **sans ménagements** sin contemplaciones.

**ménager*** *vt* **1.** *(épargner)* ahorrar, economizar **2.** cuidar, velar por: **~ sa santé** cuidar de su salud **3. ~ ses forces, son temps** escatimar sus fuerzas, el tiempo; **ne pas ~ sa peine pour...** no regatear esfuerzo para... **4.** *(ses paroles, etc.)* mesurar, medir ◊ **ménagez vos expressions!** ¡cuidado con lo que usted dice! **5.** *(quelqu'un)* tratar con consideración **6.** *(une place)* reservar **7.** *(installer)* instalar, disponer. **8. ~ une surprise** preparar una sorpresa; **~ une entrevue** arreglar una entrevista. ◆ **se ~** *vpr* cuidarse.

**ménager, ère** *a* doméstico, a, casero, a: **travaux ménagers** faenas domésticas ◊ **appareils ménagers** aparatos de uso doméstico; **les arts ménagers** las artes del hogar. ◇ *f* **1.** *(femme)* ama de casa ◊ **le panier de la ménagère** la cesta de la compra **2.** *(service de couverts)* cubertería, servicio *m* de cubiertos.

**ménagerie** *f* **1.** casa de fieras **2.** *(animaux)* fieras *pl.*

**mendélisme** *m BIOL* mendelismo.

**mendiant, e** *a/s* **1.** mendigo, a, pordiosero, a **2. ordre ~** orden mendicante. ◇ *m (dessert)* almendras, avellanas, higos secos y pasas.

**mendicité** *f* mendicidad ◊ **être réduit à la ~** estar obligado a mendigar, no tener dónde caerse muerto.

**mendier*** *vi* mendigar, pedir limosna. ◇ *vt* mendigar.

**mendigot, e** *s FAM* pordiosero, a.

**meneau** *m ARCH* parteluz.

**menées** *f pl* intrigas, manejos *m.*

**mener*** *vt* **1.** llevar, conducir: **~ sa fille à l'école** llevar a su hija a la escuela ◊ *FIG* **~ loin** llevar lejos; **cela ne vous mènera à rien** eso no le conducirá a nada; **~ de front** → **front 2. ~ le deuil** presidir el duelo **3.** *(diriger)* dirigir, llevar: **~ une politique modérée** llevar una política moderada ◊ **~ une enquête** investigar; **~ à bien, à bonne fin** llevar a cabo **4. ~ une vie tranquille** llevar una vida tranquila; **~ grand train** vivir a todo tren **5.** *GÉOM* trazar. ◇ *vi* **1.** *(sports)* ganar: **l'équipe mène par 4 à 3** el equipo gana por 4 a 3 **2.** *(cyclisme)* liderar.

**ménestrel** *m* trovador.

**ménétrier** *m* violinista rural.

**meneur, euse** *s* **1.** *(chef d'un mouvement populaire)* cabecilla, jefe **2. ~ d'hommes** líder **3. ~ de jeu** animador, a.

**menhir** [meniʀ] *m* menhir.

**ménine** *f* menina.

**méninge** *f ANAT* meninge ◊ *FAM* **ne pas se fatiguer les méninges** no quebrarse la cabeza; **se creuser les méninges** comerse el coco.

**méningé, e** *a* meníngeo, a.

**méningite** *f MÉD* meningitis.

**méningocoque** *m MÉD* meningococo.

**ménisque** *m* menisco.

**ménopause** *f* menopausia.

**menotte** *f FAM (main d'enfant)* manecita. ◇ *pl* esposas: **passer les menottes à quelqu'un** ponerle esposas a alguien.

**mensonge** *m* mentira *f*, embuste ◊ **un pieux ~** una mentira piadosa.

**mensonger, ère** *a* mentiroso, a, falso, a, engañoso, a: **publicité mensongère** publicidad engañosa.

**menstruation** *f* menstruación.

**menstruel, elle** *a* menstrual.

**menstrues** *f pl* menstruo *m sing*, menstruación *sing.*

**mensualisation** *f* mensualización.

**mensualiser** *vt* mensualizar.

**mensualité** *f* mensualidad.

**mensuel, elle** *a* mensual.

**mensuellement** *a* mensualmente.

**mensurations** *f pl* medidas.

**mental, e** *a* mental: **âge ~** edad mental; **débiles mentaux** débiles mentales.

**mentalement** *adv* mentalmente.

**mentalité** *f* mentalidad.

**menterie** *f* embuste *m.*

**menteur, euse** *a/s* mentiroso, a, embustero, a.

**menthe** *f* **1.** *(plante)* menta, hierbabuena **2.** *(liqueur, etc.)* menta: **une ~ à l'eau** una menta, un refresco de menta; **pastille de ~** pastilla de menta.

**menthol** *m* mentol.

**mentholé, e** *a* mentolado, a.

**mention** *f* **1.** mención ◊ **faire ~ de** mencionar, hacer mención de **2. ~ honorable** mención honorable; **~ passable** aprobado; **~ assez bien** bien; **~ bien** notable; **~ très bien** sobresaliente.

**mentionner** *vt* mencionar.

**mentir*** *vi* mentir: **il ment comme il respire** miente más que habla; **il m'a menti en me disant...** mintió diciéndome... ◊ **sans ~** a decir verdad; *PROV* **à beau ~ qui vient de loin** de luengas tierras, luengas mentiras.

**menton** *m* **1.** barbilla *f,* mentón: **le ~ pointu** la barbilla puntiaguda; **~ en galoche** barbilla prominente, de vieja **2. double ~** papada *f.*

**mentonnière** *f* **1.** *(d'un casque)* barboquejo *m* **2.** *(de violon)* placa para apoyar la barbilla.

**mentor** *m* mentor.

**menu, e** *a* menudo, a ◊ **en menus morceaux** en pedacitos; **~ bétail** ganado menor; **menue monnaie** dinero suelto, calderilla; **le ~ peuple** la plebe; **menus frais** gastos menores. ◇ *adv* **hacher ~** picar fino. ◇ *m* **1. raconter par le ~** contar por la menuda, detalladamente **2.** *(liste de mets)* menú, minuta *f,* carta *f* **3.** *(menu dont le prix est déterminé)* cubierto: **~ touristique** cubierto turístico **4.** *INFORM* menú.

**menuet** *m* minué.

**menuiserie** *f* carpintería.

**menuisier** *m* carpintero.

**Méphistophélès** [mefistɔfelɛs] *np m* Mefistófeles.

**méphistophélique** *a* mefistofélico, a.

**méphitique** *a* mefítico, a.

**méplat** *m* plano.

**méprendre (se)*** *vpr* equivocarse, confundirse, engañarse: **il s'est mépris sur mes intentions** se ha engañado acerca de mis propósitos; **à s'y ~** hasta el punto de confundirse; **je me suis mépris sur lui** no le he juzgado bien.

**[1]mépris → méprendre (se).**

**[2]mépris** *m* **1.** desprecio, desdén, menosprecio: **le ~ du danger** el desprecio del peligro; **avoir du ~ pour** sentir desprecio por **2.** *loc prép* **au ~ de** sin tener en cuenta; **au ~ des convenances** despreciando las conveniencias.

**méprisable** *a* despreciable.

**méprisant, e** *a* despreciativo, a.

**méprise** *f* error *m,* confusión, equivocación: **par ~** por equivocación.

**mépriser** *vt (quelqu'un, une chose)* despreciar, menospreciar.

**mer** [mɛʀ] *f* **1.** mar *m/f* Le plus souvent au masculin: **la ~ Noire, Rouge, Baltique** el mar Negro, Rojo, Báltico. Féminin dans le langage des marins, des pêcheurs et dans certaines expressions: **haute ~, pleine ~** alta mar; **par grosse ~** en mar gruesa; **prendre la ~** hacerse a la mar ◊ **~ d'huile** mar en calma; **basse ~** bajamar; **les gens de ~** la gente de la mar, los marinos; **un coup de ~** una oleada; **un homme à la ~!** ¡hombre al agua!; **mal de ~ → mal 2.** *FIG* **ce n'est pas la ~ à boire** no es nada del otro mundo **3.** *FIG (de sable, de sang)* mar *m.*

**mercanti** *m PÉJOR* mercachifle.

**mercantile** *a* mercantil.

**mercantilisme** *m* mercantilismo.

**mercatique** *f ÉCON* mercadotecnia.

**mercenaire** *a/s* mercenario, a.

**mercerie** *f* mercería.

**mercerisé** *a TECHN* mercerizado.

**merchandising → marchandisage.**

**merci** *m/interj* gracias: **~ bien, beaucoup** muchas gracias; **un grand ~, ~ infiniment** muchísimas gracias; **~ de votre accueil** gracias por su acogida; **~ d'être venu** gracias por haber venido; **dire ~** dar las gracias. ◇ *f* **1.** merced, gracia, favor: **implorer ~** implorar merced **2. lutte sans ~** lucha sin cuartel; **Dieu ~** a Dios gracias **3.** *loc prép* **à la ~ de** a la merced de.

**mercier, ère** *s* mercero, a.

**mercredi** *m* miércoles: **~ dernier, prochain** el miércoles pasado, que viene; **~ des cendres** miércoles de ceniza.

**Mercure** *np m* Mercurio.

**mercure** *m (métal)* mercurio.

**[1]mercuriale** *f (plante)* mercurial.

**[2]mercuriale** *f (remontrance)* amonestación, reprensión.

**merde** *f POP* mierda ◊ **être dans la ~** estar en un apuro; **ce film, c'est de la ~** esta película es una porquería; **il ne se prend pas pour de la ~** se da mucho postín. ◇ *interj POP* ¡leche!, ¡coño!

**merdeux, euse** *a POP* merdoso, a. ◇ *s POP (enfant)* mocoso, a.

**merdier** *m POP* atolladero.

**merdique** *a POP* malísimo, a.

**mère** *f* **1.** madre: **~ de famille** madre de familia; **la fête des mères** el día de la madre; **~ célibataire** madre soltera; **~ porteuse** madre alquilada; **~ patrie** madre patria **2.** *PROV* **l'oisiveté est ~ de tous les vices** la ociosidad es la madre de todos los vicios **3.** *(religieuse)* madre: **oui, ma ~** sí, madre **4. maison ~** casa madre, casa matriz **5.** *FAM (femme d'un certain âge)* tía, seña: **la ~ Jeanne** la tía Juana **6.** *(du vinaigre)* madre.

**mère-grand** *f FAM* abuela, abuelita.

**merguez** *f* salchicha picante.

**méridien, enne** *a* meridiano, a. ◇ *m ASTR* meridiano. ◇ *f* **1.** *ASTR* meridiana **2.** *(sieste)* siesta **3.** *(canapé)* tumbona.

**méridional, e** *a/s* meridional.

**meringue** *f* merengue *m.*

**meringué, e** *a* merengado, a.

**mérinos** [meʀinos] *m* merino.

**merise** *f* cereza silvestre.

**merisier** *m* cerezo silvestre.

**méritant, e** *a* meritorio, a.

**mérite** *m* mérito.

**mériter** *vt* merecer: **~ une récompense** merecer una recompensa; **qu'ai-je fait pour ~ ça?** ¿qué he hecho yo para merecerme esto?; **un repos bien mérité** un merecido descanso ◊ **il l'a bien mérité!** ¡se lo tiene bien merecido! ◇ *vi* **bien ~ de la patrie** merecer bien de la patria.

**méritoire** *a* meritorio, a.

**merlan** *m (poisson)* pescadilla *f.*

**merle** *m* mirlo ◊ **le ~ blanc** el mirlo blanco.

**merlin** *m* **1.** *(masse)* maza *f.* **2.** *(hache)* hacha *f* **3.** *MAR* merlín.

**merlon** *m* merlón.

**merlu** *m* merluza *f.*

**merluche** *f* bacalao *m* seco.

**mérou** *m* mero.

**mérovingien, enne** *a/s* merovingio, a.

**merveille** *f* **1.** maravilla: **les sept merveilles du monde** las siete maravillas del mundo; **Alice au pays des merveilles** Alicia en el país de las maravillas ◊ **une petite ~** una preciosidad; **faire des merveilles** hacer maravillas; **faire ~** dar muy buenos resultados, obrar maravillas **2. cette robe te va à ~** este vestido te queda de maravilla, te está que ni pintado; **ils s'entendent à ~** se llevan a las mil maravillas; **il se porte à ~** está de maravilla.

**merveilleusement** *adv* maravillosamente ◊ **~ bien** perfectamente.

**merveilleux, euse** *a* maravilloso, a ◊ **le ~** lo maravilloso.

**mes** *a pos* **1.** mis: **~ parents** mis padres **2.** *(après le substantif)* mío, a: **un de ~ cousins** un primo mío → **mon.**

**mésalliance** *f* casamiento *m* desigual.

**mésallier* (se)** *vpr* casarse con una persona de condición inferior.

**mésange** *f* paro *m*: **~ charbonnière** paro carbonero; **~ bleue** herrerillo *m* común.

**mésaventure** *f* contratiempo *m*.

**mescaline** *f* mezcalina.

**mesdames, mesdemoiselles** *pl* de **madame, mademoiselle.**

**mésentente** *f* desacuerdo *m*, desavenencia.

**mésentère** *m* ANAT mesenterio.

**mésestime** *f* menosprecio *m*, poca estimación.

**mésestimer** *vt* menospreciar, desestimar.

**mésintelligence** *f* desacuerdo *m*, desavenencia.

**mésocarpe** *m* BOT mesocarpio.

**mésolithique** *a/m* mesolítico, a.

**Mésopotamie** *np f* Mesopotamia.

**mésopotamien, enne** *a/s* mesopotámico, a.

**mésosphère** *f* mesosfera.

**mesquin, e** *a* **1.** mezquino, a, ruin **2.** *(avare)* mezquino, a, tacaño, a.

**mesquinerie** *f* mezquindad, ruindad.

**mess** [mɛs] *m inv* MIL comedor de oficiales o suboficiales.

**message** *m* **1.** mensaje **2.** *(commission)* recado, encargo.

**messager, ère** *s* mensajero, a. ◇ *m* *(commissionnaire)* cosario, servicio *m*.

**messagerie** *f* **1.** mensajería, servicio *m* de transporte **2. messageries de presse** agencia distribuidora.

**Messaline** *np f* Mesalina.

**messe** *f* misa: **aller à la ~** ir a misa; **dire la ~** decir misa; **servir la ~** ayudar a misa; **grand-~** → **grand-messe; ~ basse** misa rezada; **~ de minuit** misa del gallo; **~ noire** misa negra; **livre de ~** libro de misa, devocionario; **~ en si mineur de Bach** misa en si menor de Bach ◊ **faire des messes basses** cuchichear.

**messeoir** [meswaʀ] *vi* LITT no convenir, ir mal.

**messianique** *a* mesiánico, a.

**messianisme** *m* mesianismo.

**messidor** *m* mesidor.

**Messie** *m* Mesías.

**messieurs** [mesjø] *pl* de **monsieur.**

**Messine** *np* Mesina.

**messire** *m* ANC señor, don.

**mesurable** *a* mensurable.

**mesure** *f* **1.** medida: **costume sur ~** traje a la medida ◊ **dans une certaine ~** en cierta medida; **dans la ~ où** en la medida en que; **dans la ~ du possible** en la medida de lo posible, en lo que cabe, si cabe; FIG **un monde à la ~ de l'homme** un mundo a la medida humana; **il n'y a pas de commune ~ entre...** no se admite comparación entre...; **donner sa ~** mostrar lo que uno es capaz **2.** *(limite)* **dépasser la ~** pasarse de la raya; **outre ~** en exceso, en demasía, excesivamente **3.** ración, dosis **4.** MUS compás *m*: **battre la ~** llevar el compás; **~ à quatre temps** compás mayor, compasillo *m* **5.** *(retenue)* moderación, mesura **6. prendre des mesures de sécurité** tomar medidas de seguridad **7. être en ~ de** estar en condiciones de **8.** *loc conj* **à ~ que, au fur et à ~ que** conforme, a medida que, según: **à ~ que je montais l'escalier** según iba subiendo la escalera; **à ~ qu'il avançait en âge** a medida que iba avanzando en años; **à ~ que le temps passait** conforme pasaba el tiempo; **à ~ que les travaux avançaient** conforme avanzaban las obras.

**mesuré, e** *a* FIG comedido, a, mesurado, a: **~ dans ses propos** comedido en sus palabras.

**mesurer** *vt* **1.** medir: **Antoine mesure 1,80 m** Antonio mide 1,80 m. de alto **2. ~ ses paroles** medir las palabras. ◆ **se ~** *vpr* **1. se ~ avec quelqu'un** competir, luchar, rivalizar con alguien **2. se ~ du regard** medirse con la mirada.

**mésuser** *vi* **~ de** hacer mal uso de.

**métabolisme** *m* metabolismo.

**métacarpe** *m* ANAT metacarpo.

**métairie** *f* **1.** finca explotada en aparcería **2.** *(bâtiments)* granja.

**métal** *m* metal: **métaux précieux** metales preciosos.

**métalangage** *m*, **métalangue** *f* metalenguaje *m*.

**métallifère** *a* metalífero, a.

**métallique** *a* metálico, a.

**métallisation** *f* metalización.

**métalliser** *vt* metalizar.

**métallo** *m* FAM obrero metalúrgico.

**métalloïde** *m* metaloide.

**métallurgie** *f* metalurgia.

**métallurgique** *a* metalúrgico, a.

**métallurgiste** *m* metalúrgico.

**métamorphique** *a* metamórfico, a.

**métamorphisme** *m* metamorfismo.

**métamorphose** *f* metamorfosis.

**métamorphoser** *vt* metamorfosear: **~ en** metamorfosear en ◊ FIG **ce voyage l'a métamorphosé** este viaje le ha metamorfoseado. ◆ **se ~** *vpr* metamorfosearse.

**métaphore** *f* metáfora.

**métaphorique** *a* metafórico, a.

**métaphoriquement** *adv* metafóricamente.

**métaphysicien, enne** *s* metafísico, a.

**métaphysique** *a* metafísico, a. ◇ *f* metafísica.

**métapsychique** *a* metapsíquico, a.

**métastase** *f* MÉD metástasis.

**métatarse** *m* ANAT metatarso.

**métathèse** *f* GRAM metátesis.

**métayage** [metejaʒ] *m* aparcería *f*.

**métayer, ère** [meteje, jɛʀ] *s* aparcero, a, colono, a.

**métazoaire** *m* metazoo.

**méteil** *m* comuña *f*, morcajo.

**métempsycose** *f* metempsicosis.

**météo** *f* FAM meteorología ◊ **bulletin ~** parte, boletín meteorológico.

**météore** *m* meteoro.

**météorique** *a* meteórico, a.

**météorisme** *m* MÉD meteorismo.

**météorite** *m/f* meteorito *m*.

**météorologie** *f* meteorología.

**météorologique** *a* meteorológico, a: **bulletin ~** parte, boletín meteorológico.

**météorologiste, météorologue** *s* meteorólogo, a.

**métèque** *m* **1.** meteco **2.** *PÉJOR* extranjero.

**méthadone** *f* metadona.

**méthane** *m CHIM* metano.

**méthanier** *m* metanero.

**méthode** *f* método *m*: **une nouvelle ~** un nuevo método; **travailler avec ~** trabajar con método.

**méthodique** *a* metódico, a.

**méthodiquement** *adv* metódicamente.

**méthodisme** *m* metodismo.

**méthodiste** *a/s* metodista.

**méthodologie** *f* metodología.

**méthyle** *m CHIM* metilo.

**méthylène** *m CHIM* metileno.

**méthylique** *a* metílico, a.

**méticuleusement** *adv* meticulosamente.

**méticuleux, euse** *a* meticuloso, a.

**méticulosité** *f* meticulosidad.

**métier** *m* **1.** oficio, profesión *f*: **~ manuel** oficio manual; **il est horloger de son ~** es relojero de oficio; **être du ~** ser del oficio; **le plus vieux ~ du monde** el oficio más viejo del mundo; **les inconvenients du ~** los gajes del oficio ◊ **avoir du ~** tener experiencia; **un homme de ~** un especialista; **l'armée de ~** el ejército profesional; **terme de ~** tecnicismo; **le ~ des armes** la carrera de las armas; **chacun son ~** zapatero a tus zapatos **2.** *(rôle)* papel **3.** *TECHN (à broder)* bastidor **4. ~ à tisser** telar ◊ *FIG* **mettre sur le ~** emprender, poner en el telar.

**métis, isse** [metis] *a/s* mestizo, a. ◇ *a (toile)* de algodón y lino.

**métissage** *m* mestizaje.

**métisser** *vt* mestizar.

**métonymie** *f* metonimia.

**métrage** *m* **1.** medición *f* por metros **2.** *(longueur de tissu)* largo **3.** *(film)* **long ~** largometraje; **court ~** cortometraje, corto.

**mètre** *m* **1.** metro: **~ carré** metro cuadrado; **~ cube** metro cúbico; **la finale du 110 mètres haies** la final de 110 metros vallas **2. un ~ pliant** un metro plegable; **~ à ruban** cinta métrica.

**métrer*** *vt* medir por metros.

**métreur** *m* medidor.

**métrique** *a* métrico, a: **système ~** sistema métrico. ◇ *f* métrica.

**métrite** *f MÉD* metritis.

**métro** *m* metro: **~ aérien** metro elevado; **ticket de ~** billete de metro.

**métronome** *m* metrónomo.

**métropole** *f* metrópoli.

**métropolitain, e** *a/m* metropolitano, a.

**métropolite** *m* metropolita.

**¹mets → mettre.**

**²mets** [mɛ] *m* plato, manjar.

**mettable** *a* **cette robe n'est plus ~** este vestido ya no se puede llevar.

**metteur** *m* **1. ~ en scène** *(théâtre)* escenógrafo, *(cinéma)* realizador **2. ~ en ondes** director de emisión **3. ~ en pages** compaginador.

**mettre*** *vt* **1.** poner: **mets ça là** pon esto aquí; **~ à sécher** poner a secar; **il a mis son fils en apprentissage** ha puesto a su hijo de aprendiz; **~ la radio** poner la radio **2.** *(introduire)* meter: **~ dans un sac** meter en un saco **3.** echar: **~ une lettre à la poste** echar una carta al correo; **~ à la porte** echar a la calle **4.** *(vêtement)* poner, ponerse: **elle a mis sa robe neuve** se ha puesto el vestido nuevo; **mets ta jupe blanche** ponte la falda blanca **5.** *(temps)* tardar: **~ une heure à...** tardar una hora en...; **combien de temps mettrez-vous à...?** ¿cuánto tiempo tardará en...? **6.** *(dépenser)* gastar **7.** *(espoir, confiance, etc.)* depositar: **j'ai mis toute ma confiance en lui** tengo depositada toda mi confianza en él **8.** *(supposer)* poner, suponer: **je m'absenterai, mettons huit jours** me ausentaré, pongamos ocho días; **mettons que je n'ai rien dit** pongamos por caso que no he dicho nada **9. y ~ du sien** poner de su parte; *FAM* **~ les bouts, les voiles** largarse; **on les met?** ¿nos vamos? **10. ~ bas, de côté, en bouteille, en pièces, en train, etc. → bas, côté, bouteille, pièce, train, etc.** ◆ **se ~** *vpr* **1.** ponerse: **se ~ à genoux** ponerse de rodillas; **se ~ au travail** ponerse a trabajar; **mettez-vous à l'aise** póngase cómodo; **mets-toi à sa place** ponte en su lugar **2. se ~ au lit** meterse en la cama; **se ~ à table → table; se ~ à la fenêtre** asomarse a la ventana; **il se savait pas où se ~** no sabía dónde meterse **3. se ~ à** *(+ inf.)* echarse, echar, romper a: **il se mit à courir** (se) echó a correr; **se ~ à pleurer** romper a llorar; **il s'est mis à pleuvoir** rompió a llover **4.** ponerse, vestirse: **elle s'est mise en bikini** se puso en bikini; **être bien mis** ir bien vestido **5. se ~ en colère, en rogne → colère, rogne 6. cet élève se met aux mathématiques** este alumno empieza a interesarse por las matemáticas; **il est temps de s'y ~** ya es hora de poner manos a la obra.

**meuble** *a* **1.** *JUR* **biens meubles** bienes muebles **2.** *(terre)* blando, a. ◇ *m* mueble: **meubles anciens** muebles antiguos; **meubles de bureau** mueble de oficina ◊ **être dans ses meubles** vivir en casa propia.

**meublé, e** *a* amueblado, a. ◇ *m* **un ~** un piso amueblado.

**meubler** *vt* **1.** amueblar **2.** *FIG (remplir)* llenar. ◆ **se ~** *vpr* comprarse muebles.

**meuf** *f POP* mujer.

**meuglement** *m* mugido.

**meugler** *vi* mugir.

**meuh!** *interj* ¡mu!

**meule** *f* **1.** *(de moulin)* muela, rueda **2.** *(pour aiguiser)* muela **3.** *(de foin, paille)* almiar *m* **4.** *(de fromage)* rueda grande (de queso).

**meuler** *vt* amolar.

**meulière** *f (pierre)* moleña.

**meunerie** *f* molinería.

**meunier, ère** *s* molinero, a. ◇ *a CULIN* **sole meunière** lenguado a la «meunière», rebozado en harina y cocido con manteca.

**meure, meurt → mourir.**

**meurette** *f CULIN* salsa a base de vino tinto.

**meurt-de-faim** *m inv* muerto de hambre.

**meurtre** *m* asesinato, homicidio, crimen.

**meurtrier, ère** *s* asesino, a, homicida. ◇ *a* **1.** mortal, mortífero, a: **arme meurtrière** arma mortífera **2.** *(combat, etc.)* sangriento, a. ◇ *f (fortification)* tronera.

**meurtrir** *vt* **1.** magullar **2.** *(les fruits)* machucar **3.** *(moralement)* herir.

**meurtrissure** *f* **1.** magulladura, cardenal *m* **2.** *(des fruits)* maca **3.** *(morale)* herida.

**meus, meut → mouvoir.**

**Meuse** *np f* Mosa *m*.

**meute** *f (de chiens, de personnes)* jauría.

**meuve → mouvoir.**

**mévendre*** *vt* malvender.

**mévente** *f* mala venta.

**mexicain, e** *a/s* mexicano, a, mejicano, a.
▶ Au Mexique, s'écrit toujours avec *x*.

**Mexique** *np m* México, Méjico.

**mezigue** *pron* POP menda, mi menda.

**mezzanine** [mɛdzanin] *f* entrepiso *m*, entreplanta.

**mezzo-soprano** *m* MUS mezzo-soprano.

**¹mi** *m* MUS mi.

**²mi** *préfixe inv* ▶ Se une con guión al término siguiente: *à ~-hauteur* a media altura; *à ~-jambe* a media pierna; *à la ~-août* a mediados de agosto; *la ~-juin* la mitad de junio, etc. Véase más abajo.

**miam-miam** *interj* FAM ñam ñam.

**miaou** *m* miau.

**miasme** *m* miasma.

**miaulement** *m* maullido.

**miauler** *vi* maullar.

**miauleur, euse** *a* maullador, a.

**mi-bas** *m inv* calcetín.

**mica** *m* mica *f*.

**mi-carême** *f* **la ~** el jueves de la tercera semana de cuaresma.

**micaschiste** *m* micacita *f*.

**miche** *f* hogaza, pan *m* redondo. ◇ *pl* FAM *(fesses)* cachas.

**Michel, èle** *np* Miguel, Micaela.

**Michel-Ange** [mikɛlɑ̃ʒ] *np m* Miguel Ángel.

**micheline** *f* autovía *m*.

**mi-chemin (à)** *loc adv* a medio camino, a mitad de camino.

**mi-clos, e** *a* entornado, a, medio cerrado, a: **yeux ~** ojos entornados.

**micmac** *m* FAM tejemaneje, chanchullo, lío.

**micocoulier** *m* almez.

**mi-corps (à)** *loc adv* hasta medio cuerpo.

**mi-côte (à)** *loc adv* a media cuesta.

**micro** *m* FAM **1.** *(microphone)* micro ◊ **au ~, notre correspondant** al habla, nuestro corresponsal **2.** *(micro-ordinateur)* microordenador.

**microbe** *m* microbio.

**microbien, enne** *a* microbiano, a.

**microbiologie** *f* microbiología.

**microcéphale** *a/s* microcéfalo, a.

**microchirurgie** *f* microcirugía.

**microclimat** *m* microclima.

**microcoque** *m* BIOL microco.

**microcosme** *m* microcosmo.

**micro-cravate** *m* micrófono de presilla.

**microfibre** *f* microfibra.

**microfiche** *f* microficha.

**microfilm** *m* microfilme.

**micro-informatique** *f* microinformática.

**micron** *m* micra *f*.

**micro-onde** *f* microonda: **four à micro-ondes** horno de microondas; **cuisine au micro-ondes** cocina con microondas.

**micro-ordinateur** *m* micrordenador, microordenador.

**micro-organisme** *m* microorganismo.

**microphone** *m* micrófono.

**microprocesseur** *m* microprocesador.

**microscope** *m* microscopio: **~ électronique** microscopio electrónico; **observer au ~** observar al microscopio.

**microscopique** *a* microscópico, a.

**microsillon** *m* microsurco.

**micro-trottoir** *m* sondeo de opinión realizado en la calle para la radio o la televisión.

**miction** *f* micción.

**midi** *m* **1.** mediodía: **le magasin ferme à ~** el almacén cierra a mediodía; **le repas de ~** el almuerzo **2.** *(heure)* **il est ~** son las doce del mediodía, es mediodía; **~ et demi** las doce y media; **hier à ~** a mediodía de ayer ◊ FIG **chercher ~ à quatorze heures** buscar tres pies al gato **3.** sur, mediodía: **chambre exposée au ~** habitación que da al sur **4. le Midi de la France** el Mediodía de Francia.

**midinette** *f* modistilla.

**mie** *f* **1.** *(du pain)* miga **2. pain de ~** pan de molde.

**miel** *m* miel *f*: **le ~** la miel ◊ FIG **lune de ~** luna de miel; **être tout sucre tout ~** ser excesivamente amable.

**mielleux, euse** *a* meloso, a, almibarado, a.

**mien, enne** *a/pron pos* mío, mía. ◇ *m pl (parents)* **les miens** los míos. ◇ *m* **j'y ai mis du ~** hice todo lo posible.

**miette** *f* **1.** migaja **2. mettre en miettes** hacer añicos, hacer trizas **3. il n'a pas perdu une ~ du discours** ha escuchado el discurso con muchísima atención; **il n'en perd pas une ~** no se pierde detalle.

**mieux** *adv* **1.** mejor: **beaucoup ~, bien ~** mucho mejor; **pour ~ comprendre** para entender mejor ◊ **j'aime ~** prefiero, me gusta más; **le malade va ~** el enfermo está mejor, se encuentra mejor; **ça va ~?, tu vas ~?** ¿estás mejor?; **il vaut ~ que tu t'en ailles** mejor que te marches; **~ vaut ne pas insister** más vale no insistir, mejor no insistir; **tu ferais ~ de te taire** mejor sería que callaras; **être au ~ avec...** estar a partir un piñón con...; **faute de ~** a falta de otra cosa mejor; **je ne demande pas ~** es lo que quiero; **je ne demanderais pas ~** qué más quisiera yo; **c'est on ne peut ~** es perfecto; **c'est ce qu'il y a de ~** es lo mejor que hay; **rien de ~** nada mejor; **il a changé en ~** ha mejorado **2.** *loc adv* **à qui ~ ~** a cual mejor; **au ~** lo mejor posible; **en mettant les choses au ~** en el mejor de los casos; **de ~ en ~** cada vez mejor; **d'autant ~** con mayor razón; **tant ~** mejor, tanto mejor; **tant ~ pour lui!** ¡mejor para él! **3.** *loc prép* **au ~ des intérêts de quelqu'un** de la manera más ventajosa para alguien. ◇ *m* **1. le ~** lo mejor **2. faire pour le ~** hacer lo mejor posible; **j'ai fait de mon ~** hice todo lo posible; **tout est pour le ~** todo va muy bien; **le ~ du monde** a la perfección **3.** *(dans la santé)* **un ~** una mejoría. ◇ *a* **1.** mejor: **aujourd'hui, je suis ~** hoy, estoy mejor **2.** FAM **elle est ~ que sa sœur** es más guapa que su hermana; **vous serez ~ dans ce fauteuil** usted estará más cómodo en este sillón.

**mieux-être** [mjøzɛtʀ] *m* mayor bienestar.

**mièvre** *a* almibarado, a, insulso, a, soso, a, ñoño, a: **des paroles mièvres** palabras insulsas.

**mièvrerie** *f* afectación, amaneramiento *m*, insulsez.

**mignard, e** *a* FAM melindroso, a.

**mignardise** *f* **1.** melindres *m pl*, remilgos *m pl* **2.** *(œillet)* clavellina.

**mignon, onne** *a* **1.** *(joli)* mono, a, lindo, a, bonito, a: **un ~ petit chat** un gatito muy mono; **~ tout plein** muy mono, monísimo **2.** *(gentil)* amable: **sois ~, ferme la porte** cierra la puerta, por favor **3.** FIG **péché ~** punto flaco. ◇ *s* FIG **mon ~** rico; **ma mignone** rica, monada. ◇ *m* HIST favorito.

**mignonnette** *f* *(œillet)* clavellina.

**migraine** *f* jaqueca, dolor *m* de cabeza.
▶ Le mot *migraña* est peu usité.

**migraineux, euse** *s* que padece jaqueca.

**migrant, e** *a/s* emigrante.

**migrateur, trice** *a* migratorio, a ◊ **oiseaux migrateurs** aves de paso.

**migration** *f* migración.

**migratoire** *a* migratorio, a: **mouvement ~** movimiento migratorio.

**mi-jambe (à)** *loc adv* a media pierna.

**mijaurée** *f* cursilona.

**mijoter** *vt/i (cuire)* cocer a fuego lento. ◇ *vt FAM* tramar, maquinar. ◆ **se ~** *vpr FAM* cocerse, tramarse: **quelque chose se mijote** algo se cuece.

[1]**mil** *a num* mil: **~ neuf cent** mil novecientos.

[2]**mil** *m (millet)* mijo.

**milan** *m (oiseau)* milano.

**Milan** *np* Milán.

**milanais, e** *a/s* milanés, esa.

**Milanais** *np m* Milanesado.

**mildiou** *m* mildeu.

**mile** [majl] *m (mesure anglo-saxonne)* milla *f*.

**milice** *f* milicia.

**milicien, enne** *s* miliciano, a.

**milieu** *m* **1.** *(centre)* medio, centro: **le doigt du ~** el dedo medio ◊ *(football)* **~ de terrain** centrocampista **2.** *(moitié)* mitad *f* **3.** *loc prép* **au ~ de la route** en medio de la carretera; **au beau ~ de, en plein ~ de** justo en medio de, en pleno centro de; **au ~ du dîner** en mitad de la cena; **au ~ des rires** entre las risas **4. vers le ~ de la semaine** a mediados de la semana, mediada la semana **5.** *FIG* término medio ◊ **le juste ~** el justo medio **6.** *(environnement social)* medio, entorno: **adaptation au ~** adaptación al medio; **le ~ ambiant** el medio ambiente; **le ~ rural** el medio rural **7. le ~** *(la pègre)* el hampa. ◇ *pl* medios, círculos: **dans les milieux autorisés** en los medios autorizados; **milieux intellectuels** medios intelectuales.

**militaire** *a/s* militar: **service ~ → service; les militaires** los militares.

**militairement** *adv* militarmente.

**militant, e** *a/s* militante: **~ de base** militante de la base, de a pie.

**militantisme** *m* militancia *f*, militantismo.

**militarisation** *f* militarización.

**militariser** *vt* militarizar.

**militarisme** *m* militarismo.

**militariste** *a/s* militarista.

**militer** *vi* **1.** militar: **ils militent dans le même parti** militan en el mismo partido **2.** *FIG* **~ en faveur de** militar, abogar en favor de.

**milk-shake** [milkʃɛk] *m* batido.

**mille** [mil] *a/m inv* mil: **deux ~** dos mil; **~ fois** mil veces; **les Mille et une nuits** Las mil y una noche ◊ **je vous le donne en ~** ¿a qué no lo sabe?; **mettre dans le ~** dar en el blanco; *FAM* **gagner des ~ et des cents** ganar un dineral. ◇ *m (mesure de longueur)* milla *f*: **~ marin, nautique** milla marina.

**mille-feuille** [milfœj] *m (gâteau)* milhojas.

**millénaire** *a* milenario, a. ◇ *m* **1.** *(période)* milenio: **le troisième ~** el tercer milenio **2.** *(anniversaire)* milenario.

**mille-pattes** [milpat] *m inv* ciempiés.

**millepertuis** *m* corazoncillo.

**millésime** [milezim] *m* **1.** fecha *f* de acuñación de una moneda, etc. **2.** *(vin)* año de la cosecha.

**millésimé, e** *a (bouteille, vin)* con el año de la cosecha.

**millet** *m* mijo.

**milliaire** *a HIST (colonne, etc.)* miliar.

**milliard** [miljaʀ] *m* mil millones.

**milliardaire** [miljaʀdɛʀ] *a/s* multimillonario, a.

**millibar** *m* milibar.

**millième** [miljɛm] *a/s* milésimo, a.

**millier** [milje] *m* millar. ◇ *pl* miles, millares: **des centaines de milliers de manifestants** cientos de miles de manifestantes; **des milliers de fois** millares de veces; **par milliers** a millares.

**milligramme** [miligʀam] *m* miligramo.

**millilitre** *m* mililitro.

**millimètre** [milimɛtʀ(ə)] *m* milímetro.

**millimétré, e** *a* **papier ~** papel milimetrado.

**million** [miljɔ̃] *m* millón: **dix millions** diez millones ◊ **être riche à millions** estar forrado.

**millionième** [miljɔnjɛm] *a/s* millonésimo, a.

**millionnaire** [miljɔnɛʀ] *a/s* millonario, a.

**milord** *m* milord.

**mi-lourd** *a/m* semipesado.

**mime** *m (acteur, pièce)* mimo.

**mimer** *vt* **1.** representar en pantomima, mimar **2.** *(singer)* imitar, remedar.

**mimétisme** *m* mimetismo.

**mimique** *f* mímica.

**mimodrame** *m* mimodrama.

**mimosa** *m* mimosa *f*.

**minable** *a FAM* **1.** lamentable, calamitoso, a **2.** *(très médiocre)* fatal: **son discours a été ~** su discurso resultó fatal; **un hôtel ~** un hotel de mala muerte. ◇ *m* pobre tipo.

**minaret** *m* alminar.

**minauder** *vi* hacer melindres, hacer remilgos.

**minauderie** *f* melindre *m*, remilgo *m*, monería.

**minaudier, ère** *a/s* melindroso, a, dengoso, a.

**minbar** *m* almimbar.

**mince** *a* **1.** delgado, a, fino, a: **en tranches très minces** en rodajas muy finas; **une jeune fille ~** una joven delgada **2.** *FIG* pobre, escaso, a, insignificante. ◇ *interj* ¡diablos!, ¡caray!; **~ alors!** ¡qué caramba!

**minceur** *f* delgadez.

**mincir** *vi* adelgazar.

[1]**mine** *f* **1.** *(aspect extérieur)* aspecto *m*, apariencia ◊ **ne pas payer de ~** no tener buen aspecto; **il fit ~ de se lever** hizo ademán de levantarse; **il fit ~ de partir** hizo como si se marchara; *FAM* **~ de rien** como quien no quiere la cosa **2.** *(aspect du visage)* cara, rostro *m*: **tu as mauvaise ~ aujourd'hui** tienes mala cara hoy; **~ renfrognée** cara de pocos amigos; **faire grise ~** poner mala cara; *FAM* **j'avais bonne ~!** ¡quedé en ridículo! ◇ *pl* melindres *m*, remilgos *m*: **faire des mines** hacer melindres.

[2]**mine** *f* **1.** *(gisement)* mina: **~ de charbon à ciel ouvert** mina de carbón a cielo abierto; **ingénieur des Mines** ingeniero de Minas **2.** *FIG* **une ~ de renseignements** una mina de informaciones **3.** *(de crayon)* mina **4.** *(engin explosif)* mina.

**miner** *vt* **1.** minar **2.** *FIG* minar, consumir: **les soucis le minent** los disgustos le consumen. ◆ **se ~** *vpr* consumirse.

**minerai** *m* mineral.

**minéral, e** *a/m* mineral: **eau minérale** agua mineral; **les minéraux** los minerales.

**minéralisation** *f* mineralización.

**minéraliser** *vt* mineralizar.

**minéralogie** *f* mineralogía.

**minéralogique** *a* **1.** mineralógico, a **2. numéro ~** número de matrícula.

**minéralogiste** *s* mineralogista.

**Minerve** *np f* Minerva.

**minerve** *f* **1.** *(machine à imprimer)* minerva **2.** *(appareil orthopédique)* collarín *m.*

**minestrone** *m* sopa *f* italiana.

**minet, ette** *s FAM (chat)* gatito, a, minino, a. ◇ *m FAM (jeune homme)* pollo. ◇ *f* **1.** *FAM (jeune fille)* pollita **2.** *(minerai de fer)* mineral *m* de hierro.

**¹mineur** *m (ouvrier)* minero.

**²mineur, e** *a* menor: **ordres mineurs** órdenes menores. ◇ *a/s* menor de edad, menor: **des enfants mineurs** hijos menores de edad.

**miniature** *f* **1.** miniatura **2. en ~** en miniatura **3. golf ~** minigolf.

**miniaturisation** *f* miniaturización.

**miniaturiser** *vt* miniaturizar.

**miniaturiste** *s* miniaturista.

**minibus** [minibys] *m* microbús.

**minichaîne** *f* minicadena.

**minier, ère** *a* minero, a.

**minigolf** *m* minigolf.

**minijupe** *f* minifalda.

**minima → minimum.**

**minimal, e** *a* mínimo, a.

**minimaliste** *a* minimalista.

**minime** *a* mínimo, a. ◇ *s (sportif)* infantil. ◇ *m (religieux)* mínimo.

**minimiser** *vt* minimizar, trivializar, quitar hierro a, restar: **~ l'importance de** restar importancia a.

**minimum** [minimɔm] *a* mínimo, a. ◇ *m* **1.** mínimo, minimum: **un ~ de...** un mínimo de...; **~ vital** salario mínimo vital **2. au ~** como mínimo.
▶ Plural: *minimums* o *minima.* Femenino: puede usarse también la forma *minima.*

**ministère** *m* **1.** ministerio: **~ de l'Intérieur, des Finances** ministerio de la Gobernación, de Hacienda; **~ des Affaires étrangères** ministerio de Asuntos Exteriores; **~ de l'Éducation nationale** ministerio de Educación Nacional; **~ de la Défense** ministerio de Defensa **2.** *JUR* **~ public** ministerio público, fiscal.

**ministériel, elle** *a* ministerial.

**ministrable** *a FAM* ministrable.

**ministre** *m* ministro ◊ **premier ~** primer ministro, presidente del Gobierno; **~ sans portefeuille** ministro sin cartera. ◇ *a* **papier ~** papel de formato oficial.
▶ Le féminin *ministra* s'emploie en espagnol.

**Minitel** *m* guía *f* telefónica electrónica.

**minium** [minjɔm] *m* minio.

**minois** *m* carita *f*, palmito: **joli ~** buen palmito.

**minorer** *vt* **1.** minimizar **2.** reducir **3.** *(sous-estimer)* infravalorar.

**minoritaire** *a* minoritario, a.

**minorité** *f* **1.** *(groupe)* minoría: **être en ~** estar en minoría: **minorités ethniques** minorías étnicas **2.** *(âge)* minoría de edad.

**Minorque** *np f* Menorca.

**minorquin, e** *a/s* menorquín, ina.

**Minotaure** *np m* Minotauro.

**minoterie** *f* molino *m* harinero.

**minotier** *m* harinero.

**minou → minet.**

**minuit** *m* **1.** medianoche *f*: **le soleil de ~** el sol de medianoche **2. il est ~** son las doce de la noche; **~ et demi** las doce y media de la noche **3. messe de ~** misa del gallo.

**minus** [minys] *m FAM* débil mental.

**minuscule** *a* minúsculo, a. ◇ *f (lettre)* minúscula.

**minutage** *m* cronometraje.

**¹minute** *f (temps, angle)* minuto *m*: **je reviens dans une ~** vuelvo dentro de un minuto ◊ **à la ~** al instante; **d'une ~ à l'autre** de un momento a otro: **une petite ~** un momentito, un segundo; **la ~ de vérité → vérité; FAM clé ~** llaves al instante; **talon ~** el rápido. ◇ *interj* **~, papillon!** ¡espere!, ¡un momento!

**²minute** *f (d'un acte juridique)* minuta.

**minuter** *vt* cronometrar.

**minuterie** *f* interruptor *m* automático.

**minutie** [minysi] *f* **1.** *(soin)* minuciosidad **2.** *(bagatelle)* minucia.

**minutieusement** *adv* minuciosamente, con minuciosidad.

**minutieux, euse** [minysjø, øz] *a* minucioso, a.

**mioche** *s FAM* chaval, a, mocoso, a.

**mirabelle** *f* ciruela amarilla.

**miracle** *m* milagro: **par ~** de milagro ◊ **crier au ~** extasiarse; **tenir du ~** ser milagroso, a.

**miraculé, e** *a/s* curado, a milagrosamente.

**miraculeusement** *adv* milagrosamente.

**miraculeux, euse** *a* milagroso, a.

**mirador** *m* **1.** mirador **2.** *MIL* torre *f* de observación.

**mirage** *m* **1.** espejismo **2.** *FIG* espejismo, ilusión *f.*

**mire** *f* **1.** mira: **ligne de ~** línea de mira; **point de ~** punto de mira, blanco **2.** *(télévision)* carta de ajuste.

**mirer** *vt* **1.** *(un œuf)* mirar al trasluz **2.** *(refléter)* reflejar. ◆ **se ~** *vpr* **1.** *(se regarder)* mirarse **2.** *(se refléter)* reflejarse.

**mirettes** *f pl FAM (yeux)* ojos *m.*

**mirifique** *a* mirífico, a.

**mirliflore** *m ANC* lechuguino, pisaverde.

**mirliton** *m* **1.** flauta *f* de caña **2. vers de ~** versos malos, aleluyas *f.*

**miro** *a FAM* miope, corto, a de vista.

**mirobolant, e** *a FAM* mirífico, a, extraordinario, a, maravilloso, a.

**miroir** *m* **1.** espejo: **la Vénus au ~ de Vélasquez** la Venus del espejo de Velázquez; **~ ardent** espejo ustorio **2.** *FIG* **les yeux sont le ~ de l'âme** los ojos son el espejo del alma **3. ~ aux alouettes** señuelo.

**miroitant, e** *a* espejeante.

**miroitement** *m* reflejo, reverberación *f.*

**miroiter** *vi* **1.** espejear, brillar **2.** *FIG* **faire ~ certains avantages aux yeux de quelqu'un** hacer relucir ciertas ventajas a los ojos de alguien.

**miroiterie** *f* **1.** taller *m* de espejos **2.** *(magasin)* tienda de espejos, cristalería.

**miroitier** *m* fabricante, vendedor de espejos.

**miroton** *m CULIN* guiso de buey.

**mis, e** *pp* de **mettre.**

**misaine** *f MAR* trinquete *m.*

**misanthrope** *a/s* misántropo.

**misanthropie** *f* misantropía.

**miscellanées** [misɛlane] *f pl LITT* miscelánea *sing.*

**miscible** [misibl] *a* miscible, mezclable.

**mise** *f* **1.** *(action de mettre)* puesta: **~ en marche** puesta en marcha ◊ **~ à feu** encendido *m;* **~ à jour** puesta al día; *FIG* aclaración; **~ à la retraite** jubilación; **~ à pied** suspensión de empleo; **~ au point** *(mécanisme)* puesta a punto, *FIG* puntualización, *(photo)* enfoque *m;* **~ bas** parto *m; FAM* **~ en boîte** tomadura de pelo; **~ en bouteilles** embotellado *m;* **~ en état** arreglo *m;* **~ en garde** toque *m* de atención; **~ en liberté** liberación; **~ en ondes, en pages → onde, page;** **~ en place** colocación; **~ en plis** marcado *m;* **~ en scène** escenificación, puesta en escena; **~ en valeur** valoración; **~ sur pied** creación, organización **2.** *(argent, au jeu)* apuesta **3.** *COM* **~ de fonds** aportación, inversión de fondos **4.** *JUR* **~ en examen → examen** **5.** *TAUROM* **~ à mort** el tercio de muerte **6.** *(tenue)* arreglo *m* personal, vestimenta: **soigner sa ~** cuidar su buen aspecto **7. être de ~** ser admisible, ser apropiado, a.

**miser** *vt* **1.** hacer una puesta, apostar: **~ aux courses** apostar en las carreras de caballos ◊ *FIG* **~ sur deux tableaux** jugar con dos barajas **2.** *(compter sur)* **~ sur** contar con, confiar en.

**misérabilisme** *m* tendencia *f* artística que intenta reflejar el aspecto más sórdido de la vida.

**misérable** *a/s* miserable.

**misérablement** *adv* miserablemente.

**misère** *f* **1.** miseria: **vivre dans la ~** vivir en la miseria ◊ **crier ~** lamentarse de su pobreza; **salaire de ~** sueldo de hambre, de miseria **2.** *(malheur)* desgracia, calamidad **3.** *FAM* **faire des misères à quelqu'un** hacer rabiar, fastidiar a alguien **4.** *(babiole)* miseria, insignificancia **5. quelle ~!** ¡qué desgracia!

**miséreux, euse** *a/s* menesteroso, a, miserable.

**miséricorde** *f* **1.** misericordia **2.** *(de stalle d'église)* coma, misericordia **3. ancre de ~ → ancre.**

**miséricordieux, euse** *a* misericordioso, a.

**misogyne** *a/s* misógino, a.

**misogynie** *f* misoginia.

**miss** *f inv* miss.

**missel** *m* misal.

**missile** *m* misil: **missiles tactiques, de croisière** misiles tácticos, de crucero: **~ air-air, air-sol** misil aire-aire, aire-superficie.

**mission** *f* misión: **~ scientifique** misión científica; **~ accomplie** misión cumplida. ◇ *pl RELIG* misiones.

**missionnaire** *a/s* misionero, a.

**Mississippi** *np m* Misisipí.

**missive** *f* misiva, carta.

**Missouri** *np m* Misuri.

**mistigri** *m FAM (chat)* minino, gato.

**mistoufle** *f POP* miseria.

**mistral** *m (vent)* mistral.

**mitaine** *f* mitón *m.*

**mite** *f* polilla ◊ **pull mangé des mites, aux mites** jersey apolillado.

**mité, e** *a* apolillado, a.

**mi-temps** [mitɑ̃] *f* **1. la première, la deuxième ~** el primer, el segundo tiempo **2.** *(pause)* descanso *m* **3. travailler à ~** trabajar media jornada.

**miter (se)** *vpr* apolillarse.

**miteux, euse** *a FAM* pobre, miserable.

**Mithridate** *np m* Mitrídates.

**mithridatiser** *vt* mitridatizar.

**mitigé, e** *a* moderado, a, reservado, a.

**mitiger*** *vt* mitigar.

**mitonner** *vi (cuire)* cocer a fuego lento. ◇ *vt* **1.** guisar **2.** *FIG* preparar.

**mitose** *f BIOL* mitosis.

**mitoyen, enne** [mitwajɛ̃, ɛn] *a* medianero, a: **mur ~** pared medianera.

**mitraillade** *f* descarga.

**mitraille** *f* **1.** metralla **2.** *FAM (monnaie)* calderilla.

**mitrailler** *vt* ametrallar.

**mitraillette** *f* metralleta.

**mitrailleur** *a* **fusil ~** fusil ametrallador. ◇ *m* soldado ametrallador.

**mitrailleuse** *f* ametralladora: **~ lourde** ametralladora pesada.

**mitral, e** *a ANAT* mitral: **valvule mitrale** válvula mitral.

**mitre** *f* **1.** *(de prélat)* mitra **2.** *(de cheminée)* sombrerete *m.*

**mitré, e** *a* mitrado, a.

**mitron** *m* oficial panadero, oficial pastelero.

**mi-voix (à)** [amivwa] *loc adv* a media voz.

**mixage** *m* mezcla *f* de sonidos.

**mixer, mixeur** [miksœʀ] *m* batidora *f.*

**mixité** *f* coeducación.

**mixte** *a* mixto, a: **école ~** escuela mixta; **train ~** tren mixto.

**mixture** *f* **1.** mixtura **2.** *PÉJOR* brebaje *m.*

**Mlle** *abrév* de **Mademoiselle** Srta.

**MM** *abrév* de **Messieurs** Sres.

**Mme** *abrév* de **Madame** Sra.

**mnémotechnique** *a* mnemotécnico, a.

**mob** *f FAM (mobylette)* ciclomotor *m* → **mobylette.**

**mobile** *a* **1.** móvil, movible: **fêtes mobiles** fiestas movibles; **téléphone ~** teléfono móvil **2. feuille ~** hoja suelta **3.** *(changeant)* inestable, cambiante. ◇ *m* **1.** *(corps en mouvement)* móvil **2.** *(cause)* móvil: **crime sans ~ apparent** crimen sin móvil aparente **3.** *(œuvre d'art)* móvil.

**mobilier, ère** *a* mobiliario, a. ◇ *m* mobiliario, muebles *pl:* **~ de style** mobiliario de estilo.

**mobilisable** *a* movilizable.

**mobilisation** *f* movilización.

**mobiliser** *vt* movilizar: **~ les jeunes** movilizar a los jóvenes. ◆ **se ~** *vpr* movilizarse.

**mobilité** *f* movilidad.

**mobylette** *f (nom déposé)* ciclomotor *m.*

**mocassin** *m* mocasín.

**moche** *a FAM* **1.** *(laid)* feo, a, feúcho, a **2.** desagradable: **c'est ~** es desagradable.

**mocheté** *f FAM (femme)* callo *m,* feto *m.*

**modal, e** *a GRAM* modal.

**modalité** *f* modalidad.

[1]**mode** *m* **1.** *(manière)* modo, forma *f:* **~ de vie** modo de vida ◊ **~ d'emploi** instrucciones *f pl* para el uso **2.** *GRAM, MUS* modo.

[2]**mode** *f* **1.** moda: **une plage à la ~** una playa de moda; **être à la ~** estar de moda; **revenir à la ~** estar de nuevo de moda; **journal de ~** revista de moda ◊ **s'habiller à la dernière ~** vestirse a la última; **teintes ~** colores de moda **2. bœuf ~** guiso de carne de buey con cebollas y zanahorias.

**modelage** *m* modelado.

**modèle** *a/m* modelo: **le dernier ~** el último modelo; **un élève ~** un alumno modelo; **avion ~ réduit** avión a tamaño reducido.

**modelé** *m* modelado.

**modeler*** *vt* **1.** modelar **2. ~ sur** ajustar a. ◆ **se ~ sur** *vpr* ajustarse a, amoldarse a.

**modeleur, euse** *a/s* modelador, a.

**modélisme** *m* modelismo.

**modéliste** *s* modelista.

**modem** *m INFORM* modem.

**Modène** *np* Módena.

**modérateur, trice** *a/s* moderador, a. ◇ *m TECHN* regulador.

**modération** *f* moderación.

**modéré, e** *a/s* moderado, a.

**modérément** *adv* moderadamente, con moderación.

**modérer*** *vt* moderar. ◆ **se ~** *vpr* moderarse.

**moderne** *a* moderno, a. ◇ *m* **le ~** lo moderno.

**modernisation** *f* modernización.

**moderniser** *vt* modernizar. ◆ **se ~** *vpr* modernizarse.

**modernisme** *m* modernismo.

**moderniste** *a/s* modernista.

**modernité** *f* modernidad.

**modern style** *m* «modern style», «art nouveau».

**modeste** *a* modesto, a.

**modestement** *adv* modestamente.

**modestie** *f* modestia: **fausse ~** falsa modestia.

**modicité** *f* modicidad.

**modifiable** *a* modificable.

**modification** *f* modificación.

**modifier*** *vt* modificar. ◆ **se ~** *vpr* modificarse.

**modillon** *m ARCH* modillón.

**modique** *a* módico, a.

**modiste** *f* sombrerera.

**modulable** *a* **1.** adaptable **2. horaire ~** horario flexible.

**modulation** *f* **1.** modulación **2. ~ de fréquence** frecuencia modulada.

**module** *m* **1.** módulo **2. ~ lunaire** módulo lunar.

**moduler** *vt* modular. ◇ *vi MUS* moduler.

**moelle** [mwal] *f* **1.** *ANAT, BOT* médula: **~ épinière** médula espinal ◊ *FIG* **jusqu'à la ~** hasta los tuétanos **2.** *(substance comestible)* tuétano *m* ◊ **os à ~** hueso de caña **3.** *FIG* meollo *m*.

**moelleux, euse** [mwalø, øz] *a* **1.** *(siège, lit)* mullido, a, blando, a **2.** *(tissu, vin)* suave.

**moellon** [mwalɔ̃] *m* morrillo.

**mœurs** [mœʀ] *f pl* **1.** costumbres, hábitos *m*: **attentat aux ~** atentado a las buenas costumbres ◊ **femme de ~ faciles, légères** mujer de la vida **2. roman de ~** novela costumbrista.

**mohair** [mɔɛʀ] *m* mohair, tela *f* de pelo de cabra de Angora.

**moi** *pron pers* **1.** *(sujet)* yo: **toi et ~** tú y yo; **~?, je ne sais rien** ¿yo?, yo no sé nada; **c'est ~ qui...** soy yo quien...; **~-même** yo mismo; **~ non plus** yo tampoco **2.** *(complément)* mí: **pour ~** para mí; **fais-le pour ~** hazlo por mí; **il se moque de ~** se burla de mí; **quant à ~** en cuanto a mí; **à ~!** ¡socorro! **3. ce livre est à ~** este libro es mío; **une amie à ~** una amiga mía; **avec ~** conmigo; **je suis chez ~** estoy en casa **4.** *(avec l'impératif)* me: **dis-~** dime; **laisse-~ tranquille** déjame en paz; **dites-le-~** dígamelo. ◇ *m* **le ~** el yo.

**moignon** *m* **1.** muñón **2.** *(de branche)* garrón.

**moi-même** → **moi.**

**moindre** *a* **1.** menor: **au ~ bruit** al menor ruido; **pas le ~ doute** ni la menor duda; **pas la ~ idée** ni la menor idea; **un ~ mal** un mal menor ◊ **c'est la ~ des choses** es lo de menos **2. le ~ effort** el mínimo esfuerzo; **jusque dans les moindres détails** hasta en los más mínimos detalles; **pas le ~ commentaire** ni el más mínimo comentario.

**moindrement** *adv* lo más mínimo.

**moine** *m* monje, fraile ◊ **gras comme un ~** muy gordo; **l'habit ne fait pas le ~** → **habit.**

**moineau** *m* gorrión ◊ *FIG* **un vilain ~** un mal bicho.

**moinillon** *m* frailecito.

**moins** *adv* **1.** menos: **il est ~ grand que son frère** es menos alto que su hermano; **l'hôtel le ~ cher** el hotel menos caro; **dix ans de ~** diez años menos; **~ de dix kilos** menos de diez kilos; **~ de vent, d'argent** menos viento, dinero; **~... ~** cuanto menos... menos; **les enfants âgés de ~ de 4 ans** los niños menores de 4 años ◊ **au ~, du ~, pour le ~, tout au ~** al menos, por lo menos, siquiera; **au ~ mille francs** por lo menos mil francos; **donne-moi au ~ ton numéro de téléphone** dame siquiera tu número de teléfono; **tu es d'accord, au ~?** ¿estás de acuerdo, no?; **de ~ en ~** cada vez menos; **plus ou ~** más o menos; **pas le ~ du monde** de ningún modo, en absoluto, en lo más mínimo; *FAM* **en ~ de rien, en ~ de deux** en un santiamén, en menos que canta un gallo, en un periquete **2.** *loc prép* **à ~ de** a menos de: **à ~ d'avoir un bon salaire...** a menos que se tenga un buen sueldo; **à ~ d'un refus de sa part** excepto en caso de una negativa de su parte **3.** *loc conj* **à ~ que** a menos que, a no ser que; **je n'irai pas à ~ que tu ne m'accompagnes** no iré a no ser que me acompañes. ◇ *prép* menos: **trois heures ~ dix** las tres menos diez; **cinq ~ deux font trois** cinco menos dos son tres; **il fait ~ six degrés** hace seis grados bajo cero ◊ *FAM* **il était ~ une, ~ cinq que je rate le train** por poco falto el tren. ◇ *m* **1.** menos: **le ~ qu'on puisse dire...** lo menos que se puede decir... **2.** *MATH* menos.

**moins-value** *f ÉCON* minusvalía.

**moire** *f* **1.** *(tissu)* muaré *m* **2.** *(reflets)* aguas *pl*, visos *m pl*.

**moiré, e** *a* tornasolado, a.

**moirure** *f* aguas *pl*, visos *m pl*.

**mois** *m* **1.** mes: **au ~ de mars** en el mes de marzo; **dans six ~** dentro de seis meses **2.** *(salaire)* mensualidad *f*, mes ◊ **avoir des fins de ~ difficiles** pasar las estrecheces de los finales de mes; **toucher un treizième ~** cobrar una mensualidad suplementaria.

**moïse** *m (berceau)* moisés, cuna *f*.

**Moïse** [mɔiz] *np m* Moisés: **~ sauvé des eaux** Moisés salvado de las aguas.

**moisi, e** *a* enmohecido, a. ◇ *m* moho: **sentir le ~** oler a moho.

**moisir** *vi* **1.** enmohecerse **2.** *FAM (languir)* criar moho. ◇ *vt* enmohecer.

**moisissure** *f* moho *m*.

**moisson** *f* **1.** siega, cosecha ◊ **faire la ~** cosechar **2.** *FIG* cosecha.

**moissonner** *vt* **1.** *(faucher)* segar, *(récolter)* cosechar **2.** *FIG* cosechar.

**moissonneur, euse** *s* segador, a. ◇ *f (machine)* segadora ◊ **moissonneuse-batteuse** cosechadora trilladora; **moissonneuse-lieuse** segadora agavilladora.

**moite** *a* húmedo, a.

**moiteur** *f* humedad ligera.

**moitié** *f* **1.** mitad ◊ **faire les choses à ~** hacer las cosas a medias **2. à ~ mort de faim** medio muerto de hambre; **à ~ cuit** a medio cocer; **à ~ chemin** a medio camino, a mitad de camino; **bouteille à ~ pleine** botella medio llena, botella mediada; **à ~ prix** a mitad de precio; **réduire de ~** reducir a la mitad; **~ laine, ~ coton** mitad lana, mitad algodón; **~-~** mitad y mitad, a medias **3.** *FAM (épouse)* costilla, cara mitad, media naranja.

**moka** *m* moca.

**mol** → **mou.**

**molaire** *f (dent)* molar *m*, muela.

**Moldavie** *np f* Moldavia.

**môle** *m* **1.** *(brise-lames)* rompeolas **2.** *(digue)* malecón, muelle.

**moléculaire** *a* molecular.

**molécule** *f* molécula.

**moleskine** *f* molesquín *m*.

**molester** *vt* atropellar, maltratar.

**molette** *f* **1.** ruedecilla estriada **2.** *(d'éperon)* estrella, rodaja **3. clé à ~** llave inglesa.

**mollard** *m POP* escupitajo, pollo.

**mollasse** *a* **1.** blanducho, a, fofo, a **2.** *(personne)* flojo, a, apático, a.

**mollasson, onne** *a/s FAM* blandengue.

**molle → mou.**

**mollement** *adv* **1.** blandamente **2.** flojamente, perezosamente.

**mollesse** *f* **1.** blandura **2.** *(indolence)* flojedad, apatía **3.** *(volupté)* molicie, voluptuosidad.

**[1]mollet, ette** *a* **1.** blando, a **2. œuf ~** huevo pasado por agua.

**[2]mollet** *m (partie de la jambe)* pantorrilla *f*.

**molletière** *a/f* **1.** polaina **2. bande ~** venda de lana para la pantorrilla.

**molleton** *m* muletón.

**molletonné, e** *a* enguantado, a.

**mollir** *vi* **1.** *(se ramollir)* ablandarse **2.** *(le vent)* amainar **3.** *FIG (faiblir)* flaquear, debilitarse.

**mollo** *adv FAM* **vas-y ~!** ¡tranquilo!, ¡ojo!

**mollusque** *m* molusco.

**molosse** *m (chien)* moloso.

**Moluques** *np f pl* Molucas.

**molybdène** *m* molibdeno.

**môme** *s FAM* chaval, a, chico, a.

**moment** *m* **1.** momento, rato: **dans un ~** dentro de un momento; **nous avons passé un bon ~ ensemble** hemos pasado un buen rato juntos; **un ~!** ¡un momento!, ¡un momentito!; **je n'ai pas un ~ à moi** no tengo ni un momento libre ◊ **à un ~ donné** en un momento dado; **à ses moments perdus** a ratos perdidos; **on en a pour un ~** hay para rato; **c'est le ~ ou jamais** es el momento ideal; **ce n'est pas le ~** no está el horno para bollos **2.** *loc adv* **à ce ~-là** entonces, en aquel momento; **à tout ~** a cada momento; **à aucun ~** nunca; **d'un ~ à l'autre** de un momento a otro; **en ce ~** ahora mismo, en este momento; **par moments** de vez en cuando; **pour le ~** de momento, por de pronto; **sur le ~** en un principio, al pronto **3.** *loc prép* **au ~ de** en el momento de **4.** *loc conj* **au ~ où** en el momento en que; **du ~ que** puesto que **5.** *PHYS* momento.

**momentané, e** *a* momentáneo, a.

**momentanément** *adv* momentáneamente.

**momie** *f* momia.

**momifier*** *vt* momificar.

**mon, ma, mes** *a pos* mi, mis: **~ père, ma mère, mes enfants** mi padre, mi madre, mis hijos; **~ ami, ~ amie** mi amigo, mi amiga; **à vos ordres, ~ colonel !** ¡a la orden, mi coronel! ◊ **~ Dieu!** ¡Dios mío!; **dis-moi, ~ enfant** dime, hijo mío.

**monacal, e** *a* monacal.

**monachisme** [mɔnaʃism] *m RELIG* monacato.

**Monaco** *np* Mónaco.

**monarchie** *f* monarquía.

**monarchique** *a* monárquico, a.

**monarchiste** *a/s* monárquico, a.

**monarque** *m* monarca.

**monastère** *m* monasterio.

**monastique** *a* monástico, a.

**monceau** *m* montón.

**mondain, e** *a/s* **1.** mundano, a **2. police mondaine** cuerpo de la policía encargado del control de la prostitución.

**mondanités** *f pl* **les ~** los usos de la vida mundana.

**monde** *m* **1.** mundo: **faire le tour du ~** dar la vuelta al mundo; **depuis que le ~ est ~** desde que el mundo es mundo; **l'Ancien, le Nouveau Monde** el Antiguo, el Nuevo Mundo; **c'est le ~ à l'envers** anda el mundo al revés ◊ **courir le ~** correr mundo; **de par le ~** por todo el orbe; **venir au ~** nacer, venir al mundo; **mettre au ~** dar a luz; **passer dans l'autre ~** irse de este mundo; **au bout du ~** lejísimo; **il y a un ~ entre...** hay un abismo entre...; **pour rien au ~** por nada del mundo; **se faire un ~ de** hacerse una montaña de; **le moins du ~ → moins** **2.** *(société)* mundo, sociedad *f*: **femme du ~** mujer de mundo; **le grand ~** la alta sociedad, el gran mundo **3.** *(milieu social)* mundo, mundillo: **le ~ des affaires** el mundo de los negocios; **le ~ du théâtre** el mundillo teatral **4.** *(gens)* gente *f*: **que de ~ ici!** ¡cuánta gente aquí!; **il y a beaucoup de ~** hay mucha gente; **un ~ fou** muchísima gente; **peu de ~, pas grand ~** poca gente ◊ *FAM* **tu te moques, tu te fiches du ~!** ¡me estás tomando el pelo! **5. tout le ~** todo el mundo, todos **6. tiers-monde → tiers.**

**mondial, e** *a* mundial.

**mondialement** *adv* universalmente.

**mondialisation** *f* universalización.

**mondialiser** *vt* universalizar.

**monégasque** *a/s* monegasco, a.

**monétaire** *a* monetario, a.

**monétarisme** *m ÉCON* monetarismo.

**monétiser** *vt ÉCON* monetizar.

**mongol, e** *a/s* mongol.

**Mongolie** *np f* Mongolia.

**mongolien, enne** *a/s MÉD* mongólico, a.

**mongolique** *a* mongólico, a.

**mongolisme** *m MÉD* mongolismo.

**mongoloïde** *a* mongoloide.

**moniale** *f* monja.

**Monique** *np f* Mónica.

**moniteur, trice** *s* **1.** *(sports)* monitor, a, profesor, a: **~ de ski** monitor de esquí **2.** *(auto-école)* instructor, a. ◊ *m INFORM, TECHN* monitor.

**monitorat** *m* **1.** formación *f* de monitor **2.** función *f* de monitor.

**monnaie** *f* **1.** moneda: **fausse ~** moneda falsa; **la ~ unique** la moneda única ◊ *FAM* **payer en ~ de singe** pagar con buenas palabras, burlarse; **c'est ~ courante** es moneda corriente **2.** *(pièces)* dinero *m* suelto, suelto *m*: **avez-vous de la ~?** ¿tiene usted suelto? ◊ **petite ~** calderilla **3.** cambio *m*, vuelta: **la ~ de cent francs** el cambio de cien francos; **rendre la ~** dar el cambio, la vuelta; **gardez la ~!** ¡quédese con el cambio! ◊ **faire de la ~** cambiar dinero; *FIG* **rendre à quelqu'un la ~ de sa pièce** pagar a alguien con la misma moneda.

**monnayable** [mɔnɛjabl] *a* vendible.

**monnayer** [mɔneje] *vt* **1.** transformar en dinero en efectivo **2.** *FIG* sacar dinero de.

**monnayeur** *m* **faux ~** monedero falso.

**monochrome** *a* monocromo, a.

**monocle** *m* monóculo.

**monocoque** *a* monocasco.
**monocorde** *a* monocorde.
**monocotylédone** *a/f* BOT monocotiledóneo, a.
**monoculture** *f* monocultivo *m*.
**monogame** *a* monógamo, a.
**monogamie** *f* monogamia.
**monogramme** *m* monograma.
**monographie** *f* monografía.
**monographique** *a* monográfico, a.
**monokini** *m* monokini.
**monolingue** *a* monolingüe.
**monolithe** *a* monolítico, a. ◇ *m* monolito.
**monolithique** *a* monolítico, a.
**monologue** *m* monólogo.
**monologuer** *vi* monologar.
**monomanie** *f* monomanía.
**monôme** *m* **1.** *(algèbre)* monomio **2.** *(d'étudiants)* desfile estudiantil.
**monomoteur** *a* monomotor.
**monoparentale** *a* **famille ~** familia monoparental.
**monophasé, e** *a* ÉLECT monofásico, a.
**monoplace** *a/m* monoplaza.
**monoplan** *m* monoplano.
**monopole** *m* monopolio.
**monopolisation** *f* monopolización.
**monopoliser** *vt* monopolizar ◊ **~ l'attention** monopolizar la atención.
**monorail** *m* monocarril.
**monoski** *m* monoesquí.
**monospace** *m* monovolumen.
**monosyllabe** *a/m* monosílabo, a: **répondre par monosyllabes** contestar con monosílabos.
**monosyllabique** *a* monosilábico, a.
**monothéisme** *m* monoteísmo.
**monothéiste** *a/s* monoteísta.
**monotone** *a* monótono, a.
**monotonie** *f* monotonía.
**monotype** *f* monotipo *m*.
**monoxyde** *m* CHIM **~ de carbone** monóxido de carbono.
**monseigneur** *m* **1.** monseñor **2.** *(en parlant à un évêque)* Su Ilustrísima **3. pince ~** palanqueta de ladrón, ganzúa.
**monsieur** [məsjø] *m* (*pl* **messieurs**) **1.** señor: **bonjour, ~** buenos días, señor; **~ Leblanc** el señor Leblanc; **~ le Directeur** el señor Director; **~ le comte** el señor conde; **~ est sorti** el señor ha salido ◊ **un vilain ~** un pajarraco **2.** *(devant un prénom)* señor don **3.** *(en tête d'une lettre)* **cher ~** muy señor mío **4.** *(homme)* señor, caballero: **que désirez-vous ~?** ¿qué desea usted, caballero?; **un vieux ~** un señor viejo. ◇ *pl* **1.** señores: **messieurs les voyageurs** señores viajeros **2. rayon pour messieurs** sección de caballeros.
▶ Abréviation: M. *Charles Moreau* Sr. D. Charles Moreau.
**monstre** *m* monstruo ◊ **~ sacré** monstruo sagrado. ◇ *a* FAM enorme, monstruo, fenomenal: **un meeting ~** un mitin monstruo; **un succès ~** un exitazo.
**monstrueusement** *adv* monstruosamente.
**monstrueux, euse** *a* monstruoso, a.
**monstruosité** *f* monstruosidad.

**mont** *m* **1.** monte: **le ~ Blanc** el monte Blanco ◊ FIG **par monts et par vaux** por dondequiera; **promettre monts et merveilles** prometer el oro y el moro **2.** ANAT **~ de Vénus** monte de Venus.
**montage** *m (d'un appareil, film)* montaje.
**montagnard, e** *a/s* montañés, esa.
**montagne** *f* **1.** montaña **2.** FIG **se faire une ~ de** hacerse una montaña de; **c'est la ~ qui accouche d'une souris** es el parto de los montes; **la foi soulève les montagnes** la fe mueve montañas **3. vacances à la ~** vacaciones en la sierra **4.** *(amoncellement)* montaña: **une ~ de livres** una montaña de libros **5. montagnes russes** montañas rusas.
**montagneux, euse** *a* montañoso, a.
**montant, e** *a* **1.** *(mouvement)* ascendente **2.** *(marée)* creciente **3.** *(col)* cerrado, a **4.** MIL **garde montante** guardia entrante. ◇ *m* **1.** *(somme)* importe, total, cuantía *f*: **le ~ des dépenses** el importe de los gastos **2.** *(pièce verticale)* larguero, montante: **les montants d'une échelle** los largueros de una escalera de mano.
**mont-de-piété** *m* monte de piedad.
**monte** *f* monta.
**monté, e** → **monter.** ◇ *a* **1.** *(police, etc.)* montado, a **2. coup ~** golpe preparado, tejemaneje.
**monte-charge** *m inv* montacargas.
**montée** *f* **1.** *(d'une pente, des prix)* subida **2.** *(tennis)* **~ au filet** subida a la red **3.** *(côte)* cuesta.
**monte-en-l'air** *m inv* FAM ladrón.
**monténégrin, e** *a/s* montenegrino, a.
**Monténégro** *np m* Montenegro.
**monter** *vi* **1.** subir: **~ au grenier, dans le train, en voiture** subir al desván, al tren, al coche; **il monta sur une chaise** (se) subió a una silla; **~ sur le trône** subir al trono; **~ sur les planches** → **planche 2.** montar: **~ à cheval, à bicyclette, en avion** montar a caballo, en bicicleta, en avión ◊ **~ à l'assaut** → **assaut 3.** *(s'élever)* ascender, subir ◊ **~ en grade** ascender; **le vin m'est monté à la tête** el vino se me ha subido a la cabeza; **les larmes lui montèrent aux yeux** se le saltaron las lágrimas a los ojos **4.** *(un fleuve, la mer, les plantes)* crecer **5.** *(augmenter)* subir, aumentar, crecer: **la température a monté** ha subido la temperatura; **les prix ont monté** han subido los precios ◊ **faire ~ les prix** disparar los precios **6.** elevarse, ascender: **la facture monte à mille francs** la factura asciende a mil francos. ◇ *vt* **1.** *(gravir)* subir: **~ une côte, l'escalier** subir una cuesta, la escalera **2. ~ un cheval** montar un caballo **3.** *(assembler)* armar, montar: **~ une tente** armar una tienda de campaña **4.** *(pierre précieuse)* engastar **5. ~ une affaire** montar un negocio **6.** *(un commerce)* poner, montar: **~ un restaurant** poner un restaurante; **il monta une agence de voyages** puso una agencia de viajes **7.** *(un spectacle)* montar **8.** *(un complot, etc.)* tramar, armar **9. ~ la tête à quelqu'un** calentarle la cabeza a alguien. ◆ **se ~** *vpr* **1.** ascender: **les frais se montent à mille francs** los gastos ascienden a mil francos **2.** proveerse, abastecerse: **se ~ en draps** proveerse de sábanas ◊ **je suis bien monté en cravates** ando bien de corbatas **3.** *(se mettre en colère)* encolerizarse, irritarse: **il est très monté contre moi** está muy irritado contra mí **4.** FAM **se ~ la tête** exaltarse, excitarse.
**monteur, euse** *s (d'appareils, films, etc.)* montador, a.
**montgolfière** *f* montgolfier *m*.
**monticule** *m* montículo.
**montoir** *m (pour monter à cheval)* montador.
**montrable** *a* mostrable, presentable.
[1]**montre** *f* reloj *m*: **une ~ à quartz** un reloj de cuarzo; **il est six heures à ma ~** tengo las seis; **course contre la ~** carrera contra reloj; → **contre-la-montre**; **~-bracelet** reloj de pulsera.
[2]**montre** *f* **faire ~ de** hacer alarde de, dar pruebas de.
**montrer** *vt* **1.** *(faire voir)* mostrar, enseñar: **montrez-moi votre photo** enséñeme su foto; **~ les dents** enseñar los dientes

**2.** *(indiquer)* señalar, indicar: **~ du doigt** señalar con el dedo **3.** mostrar, manifestar: **il montre sa surprise:** muestra, manifiesta su sorpresa; **~ du courage** mostrar valor **4. ~ l'exemple → exemple.** ◆ **se ~** *vpr* **1.** mostrarse: **il se montra prudent** se mostró prudente **2.** exhibirse.

**montreur, euse** *s* **1.** exhibidor, a **2. ~ de marionnettes** titiritero.

**montueux, euse** *a* montuoso, a.

**monture** *f* **1.** *(cheval)* montura, cabalgadura **2.** *(de lunettes, etc.)* montura ◊ **lunettes sans ~** gafas montadas al aire.

**monument** *m* monumento: **~ aux morts** monumento a los caídos.

**monumental, e** *a* **1.** monumental **2.** FAM monumental, mayúsculo, a: **bêtise monumentale** estupidez mayúscula; **une erreur monumentalé** un error garrafal, mayúsculo.

**moquer (se)** *vpr* **1.** burlarse, reírse, mofarse: **ils se moquent de lui** se burlan, se ríen de él **2. je me moque pas mal de tes conseils** me importan un pepino tus consejos; **je m'en moque** me da igual; **je m'en moque comme de l'an quarante, comme de ma première chemise** me importa un pepino, un bledo: **tu te moques tu monde!** ¡me estás tomando el pelo!

**moquerie** *f* burla, mofa.

**moquette** *f* moqueta.

**moquetter*** *vt* enmoquetar.

**moqueur, euse** *a/s* burlón, ona: **rire ~** risa burlona.

**moraine** *f* GÉOL morrena, morena.

**moral, e** *a* moral: **principes moraux** principios morales. ◇ *m* ánimo, moral *f*: **remonter, relever le ~** levantar el ánimo; **avoir très bon ~** ir con mucha moral; **avoir le ~ à zéro** tener la moral por los suelos; **je n'ai pas le ~** estoy muy desanimado, muy deprimido.

**morale** *f* **1.** moral: **la ~ chrétienne** la moral cristiana **2. faire la ~ à quelqu'un** sermonear a alguien **3.** *(d'une fable)* moraleja.

**moralement** *adv* moralmente.

**moralisateur, trice** *a/s* moralizador, a.

**moraliser** *vi/t* moralizar.

**moraliste** *s* moralista.

**moralité** *f* **1.** moralidad **2.** *(d'une fable)* moraleja.

**morasse** *f* última prueba (de un periódico).

**moratoire** *a* moratorio, a. ◇ *m* JUR moratoria *f*.

**moratorium** [mɔʀatɔʀjɔm] *m* JUR moratoria *f*.

**Moravie** *np f* Moravia.

**morbide** *a* mórbido, a.

**morbidité** *f* morbosidad.

**morbleu!** *interj* ¡diantre!

**morceau** *m* **1.** pedazo, trozo ◊ **mettre en morceaux** hacer pedazos; **couper en morceaux** cortar en trozos, trocear; **les bas morceaux** la carne de tercera calidad **2. ~ de sucre** terrón de azúcar **3.** *(tranche)* tajada *f* **4.** FAM **manger un ~** tomar un bocado; **cracher, lâcher, manger le ~** desembuchar, confesar de plano; **emporter le ~ → emporter 5.** *(littéraire)* **morceaux choisis** trozos escogidos **6. ~ de musique** trozo, fragmento de música.

**morceler*** *vt* **1.** dividir **2.** *(terrain)* parcelar.

**morcellement** *m* **1.** división *f*, partición *f* **2.** *(d'un terrain)* parcelación *f*.

**mordant, e** *a* **1.** mordiente **2.** *(froid)* penetrante **3.** *(caustique)* mordaz, incisivo, a, cáustico, a. ◇ *m* **1.** TECHN mordiente **2.** FIG *(combativité)* acometividad *f* **3.** *(agressivité)* mordacidad *f*.

**mordicus** [mɔʀdikys] *adv* FAM porfiadamente: **il soutient ~ qu'il n'a pas vu le feu rouge** sostiene porfiadamente que no ha visto el disco rojo.

**mordiller** *vt* mordisquear, mordiscar.

**mordoré, e** *a* de color castaño, con reflejos dorados.

**mordre*** *vt/i* **1.** morder: **un chien m'a mordu** me ha mordido un perro; **chien qui mord** perro que muerde; **~ dans une pomme** morder una manzana; **la lime mord le métal** la lima muerde el metal **2.** *(insecte, poisson)* picar: **ça mord?** ¿pican?; FIG **~ à l'hameçon** picar el anzuelo **3.** FIG **il ne mord pas au latin** no se le da el latín. ◆ **se ~** *vpr* **1.** morderse **2.** FIG **s'en ~ les doigts** morderse las manos, arrepentirse.

**mordu, e** *a/s* FAM **~ pour, de** apasionado, a por, con ◊ **un ~ du tennis** un apasionado del tenis, un forofo del tenis.

**more, moresque → maure, mauresque.**

**morfil** *m* filván.

**morfondre* (se)** *vpr* aburrirse, consumirse esperando.

**morganatique** *a* morganático, a.

**¹morgue** *f* *(arrogance)* altanería.

**²morgue** *f* depósito *m* de cadáveres, morgue.
▶ Le gallicisme *morgue* est usuel.

**moribond, e** *a/s* moribundo, a.

**moricaud, e** *a/s* FAM morenillo, a.

**morigéner*** *vt* reprender, corregir.

**morille** *f* colmenilla, morilla, cagarria.

**morion** *m* *(casque)* morrión.

**mormon, e** *s* mormón, ona.

**morne** *a* **1.** *(personne)* sombrío, a, taciturno, a, melancólico, a **2.** triste. ◇ *m* *(petite montagne)* morro.

**mornifle** *f* FAM soplamocos *m*, torta.

**morose** *a* taciturno, a, sombrío, a, tristón, ona.

**morosité** *f* melancolía.

**Morphée** *np m* Morfeo ◊ **dans les bras de ~** en brazos de Morfeo.

**morphème** *m* morfema.

**morphine** *f* morfina.

**morphinisme** *m* morfinismo.

**morphinomane** *a/s* morfinómano, a.

**morphologie** *f* morfología.

**morphologique** *a* morfológico, a.

**morpion** *m* POP **1.** *(pou)* ladilla *f* **2.** *(gamin)* mocoso.

**mors** [mɔʀ] *m* *(du cheval)* bocado, freno ◊ FIG **prendre le ~ au dents** montar en cólera, embalarse.

**¹morse** *m* *(animal)* morsa *f*.

**²morse** *m* *(alphabet)* morse.

**morsure** *f* **1.** mordedura **2.** *(d'un insecte)* picadura.

**¹mort** *f* **1.** muerte ◊ **à la ~ de sa femme** al morir su mujer; **à la vie et à la ~** para siempre; **blessé à ~** herido de muerte; **mettre à ~** dar muerte, matar; **mourir de sa belle ~** morir de muerte natural; **silence de ~** silencio sepulcral; **se donner la ~** quitarse la vida, suicidarse; **trouver la ~ dans un accident** resultar muerto en un accidente; **souffrir mille morts** sufrir atrozmente; **il accepta, la ~ dans l'âme** aceptó muy a pesar suyo **2. à ~!** ¡muera!; **~ aux traîtres!** ¡mueran los traidores!, ¡abajo los traidores **3.** FAM **freiner à ~** frenar al máximo; **être brouillé à ~ avec quelqu'un** estar a matar con alguien.

**²mort, e** *pp* de **mourir.** ◇ *a* **1.** muerto, a: **~ et enterré** muerto y enterrado ◊ FIG **être ~ de peur** estar muerto de miedo; **je suis morte de fatigue** estoy muerta de cansancio, rendida **2.** *(bois, branche)* seco, a **3. langue morte** lengua muerta; **point ~ → point 4. la mer Morte** el mar Muerto. ◇ *s* muerto, a ◊ **jour des morts** día de difuntos; **tête de ~** calavera; **faire le ~** hacerse el muerto.

**mortadelle** *f* mortadela.

**mortaise** *f* TECHN muesca.

**mortaiser** *vt* TECHN escoplear.

**mortalité** *f* **1.** mortalidad: **~ infantile** mortalidad infantil **2.** *(due aux catastrophes, aux accidents, etc.)* mortandad.

**mort-aux-rats** *f* matarratas *m*.

**morte-eau** *f* marea baja.

**mortel, elle** *a/s* mortal: **péché ~** pecado mortal; **les mortels** los mortales; **le commun des mortels → commun.**

**mortellement** *adv* mortalmente.

**morte-saison** *f* temporada de actividad económica reducida.

**mortier** *m* **1.** *(récipient)* mortero, almirez **2.** *(mélange utilisé par les maçons)* mortero, argamasa *f* **3.** *(pièce d'artillerie)* mortero.

**mortifiant, e** *a* mortificante, humillante.

**mortification** *f* mortificación.

**mortifier*** *vt* mortificar. ◆ **se ~** *vpr* mortificarse.

**mort-né, e** *a/s* nacido muerto, nacida muerta.

**mortuaire** *a* **1.** mortuorio, a: **maison ~** casa mortuoria **2. cérémonie, fourgon ~** ceremonia, coche fúnebre.

**morue** *f* **1.** *(poisson)* bacalao *m* **2.** VULG zorra, prostituta.

**morutier, ère** *a* bacaladero, a. ◇ *m* **1.** *(bateau)* bacaladero **2.** pescador de bacalao.

**morve** *f* **1.** *(du cheval)* muermo *m* **2.** *(de l'homme)* moco *m*.

**morveux, euse** *a/s* mocoso, a: **un petit ~** un mocoso, un mocosuelo. ◇ *a (cheval)* muermoso, a.

**mosaïque** *a (relatif à Moïse)* mosaico, a. ◇ *f* mosaico *m*: **une ~ byzantine** un mosaico bizantino.

**Moscou** *np* Moscú.

**moscovite** *a/s* moscovita.

**Moselle** *np f* Mosela *m*.

**mosquée** *f* mezquita.

**mot** *m* **1.** palabra *f*: **peser ses mots** medir sus palabras; **à ces mots...** dichas estas palabras... **2.** GRAM palabra *f*, voz *f*, vocablo: **un ~ archaïque** una voz arcaica **3. bon ~, ~ d'esprit** chiste, agudeza *f*, ocurrencia *f*; **gros ~** palabrota *f*, taco; **le fin ~ de...** la clave de...; **le ~ de la fin** la conclusión; **~ d'ordre** consigna *f*; **~ de passe** santo y seña; **~ savant** cultismo; **jeu de mots** juego de palabras; **avoir le dernier ~** salir con la suya; **avoir son ~ à dire** tener derecho de dar su parecer; **avoir toujours le ~ pour rire** ser muy chistoso, a; **prendre quelqu'un au ~** coger, tomar la palabra a alguien: **je te prends au ~** te tomo la palabra; **se donner le ~** ponerse de acuerdo; PROV **qui ne dit ~ consent** quien calla otorga **4. mots croisés** crucigrama *sing* **5.** *(phrase)* sentencia *f*, frase *f*, máxima *f* **6.** *(courte communication)* líneas *f pl*, letras *f pl*: **écrire un ~ à quelqu'un** escribir unas líneas a alguien; **un petit ~** unas líneas **7.** *loc adv* **à demi-~, à mots couverts** con medias palabras, con palabras encubiertas; **au bas ~** por lo menos; **en un ~** en una palabra; **~ à ~** literalmente; **sans ~ dire, sans souffler ~** sin decir palabra, sin chistar.

**motard** *m* FAM motorista, motociclista: **un ~ de la police** un motorista de la policía.

**mot-clef** *m* palabra clave.

**motel** *m* motel.

**motet** *m* MUS motete.

**moteur, trice** *a* motor, triz: **nerfs moteurs** nervios motores; **roues motrices** ruedas motrices. ◇ *m* motor: **~ à explosion** motor de explosión; **~ à deux, à quatre temps** motor de dos, de cuatro tiempos.

**motif** *m* **1.** motivo: **sans ~** sin motivo, sin razón **2.** *(d'un tableau)* motivo **3.** MUS motivo.

**motilité** *f* motilidad.

**motion** *f* moción: **~ de censure** moción de censura.

**motivant, e** *a* motivador, a.

**motivation** *f* motivación.

**motiver** *vt* **1.** *(expliquer)* explicar **2.** *(pousser à agir)* motivar, incentivar: **être très motivé, peu motivé** estar muy motivado, poco incentivado.

**moto** *f* moto: **à ~** en moto; **une ~ de grosse cylindrée** una moto de gran cilindrada.

**moto-cross** *m* motocross.

**motoculteur** *m* motocultivadora *f*.

**motocyclette** *f* motocicleta.

**motocyclisme** *m* motociclismo.

**motocycliste** *s* motociclista.

**motopompe** *f* motobomba.

**motorisation** *f* motorización.

**motoriser** *vt* motorizar: **troupes motorisées** tropas motorizadas.

**motrice → moteur.** ◇ *f* locomotora.

**motricité** *f* motricidad.

**motte** *f* **1.** *(de terre)* terrón *m* **2.** *(de beurre)* pella.

**motus!** [mɔtys] *interj* FAM ¡chitón!, ¡silencio!; **~ et bouche cousue!** ¡punto en boca!

[1]**mou, mol** *(delante de vocal)*, **molle** *a* **1.** *(souple)* blando, a **2.** *(flasque)* fofo, a, flojo, a ◊ **j'ai les jambes molles** me flaquean las piernas **3.** *(doux)* suave **4. temps ~** tiempo húmedo **5.** *(sans énergie)* flojo, a, blando, a, poco enérgico, a. ◇ *m* **1.** *(homme sans énergie)* blandengue **2. donner du ~ à une corde** aflojar una cuerda.

[2]**mou** *m* **1.** *(abats)* bofe **2.** POP **bourrer le ~ à quelqu'un** engañar a alguien.

**mouchard, e** *s* FAM *(délateur)* soplón, ona, chivato, a. ◇ *m* aparato de control, chivato.

**mouchardage** *m* FAM soplonería *f*, chivatazo.

**moucharder** *vt* FAM *(dénoncer)* chivar, dar el chivatazo.

**mouche** *f* **1.** mosca ◊ **~ à miel** abeja; **pêcher à la ~** pescar con mosca artificial; FIG **une fine ~** una persona astuta, un lince; **pattes de ~** garabatos *m*; **prendre la ~** picarse, amoscarse, mosquearse; **quelle ~ vous pique?** ¿qué mosca le pica?; **faire la ~ du coche** ajetrearse en balde; **on aurait entendu une ~ voler** había un silencio absoluto; FAM **tomber comme des mouches** caer como chinches **2.** *(barbe)* mosca, perilla **3.** *(sur la peau)* lunar *m* postizo **4.** *(de fleuret)* botón *m* protector, zapatilla **5. faire ~** dar en el blanco **6. bateau ~** golondrina **7.** *(boxe)* **poids ~** peso mosca.

**moucher** *vt* **1.** limpiar las narices de, sonar ◊ **~ du sang** echar sangre al sonarse **2.** *(chandelle)* despabilar **3.** FIG *(réprimander)* dar una lección a, corregir. ◆ **se ~** *vpr* sonarse, limpiarse las narices: **elle se moucha** se sonó las narices; **mouche-toi** suénate ◊ FIG **ne pas se ~ du coude, du pied** tener muchos humos, creerse alguien.

**moucheron** *m* mosquita *f*.

**moucheter*** *vt* **1.** motear: **peau mouchetée** piel moteada **2.** *(un fleuret)* poner un botón a, embotonar.

**mouchettes** *f pl (pour les chandelles)* despabiladeras.

**moucheture** *f* pinta, mota.

**mouchoir** *m* pañuelo: **~ de poche** pañuelo de bolsillo ◊ **grand comme un ~ de poche** muy pequeño, como un pañuelo; **faire un nœud à son ~** hacer un nudo en el pañuelo.

**mouclade** *f* plato *m* de mejillones con nata.

**moudre*** *vt* moler.

**moue** *f* mohín *m*, mueca: **une ~ de mécontentement** un mohín de disgusto ◊ **faire la ~** poner hocico.

**mouette** *f* gaviota.

**moufette** *f* mofeta.

**moufle** *f* **1.** *(gant)* manopla **2.** *TECHN (de poulies)* aparejo *m*.

**mouflet, ette** *s FAM* chiquillo, a, mocoso, a.

**mouflon** *m* carnero salvaje.

**mouillage** *m* **1.** *MAR (action)* fondeo **2.** *MAR (lieu)* fondeadero, ancladero **3.** *(du lait, vin)* acción *f* de aguar.

**mouillé, e** *a* **1.** mojado, a **2. ~ jusqu'aux os** calado hasta los huesos; **yeux mouillés de larmes** ojos llenos de lágrimas **3. poule mouillée → poule.**

**mouiller** *vt* **1.** mojar **2.** *(le lait, le vin)* aguar **3.** *MAR* **~ l'ancre** echar el ancla, fondear; **~ une mine** colocar una mina **4.** *FAM* **~ sa chemise → chemise 5.** *GRAM (une consonne)* palatalizar. ◇ *vi MAR* fondear, surgir. ◆ **se ~** *vpr* **1.** mojarse **2.** *FAM* comprometerse, complicarse, mojarse.

**mouillette** *f* trozo *m* de pan para comer un huevo pasado por agua.

**mouilleur** *m* **1.** mojador **2. ~ de mines** minador.

**mouillure** *f* mojadura.

**mouise** *f POP* piojería, miseria ◊ **être dans la ~** estar a la cuarta pregunta.

**moujik** *m* mujic.

**moulage** *m* **1.** *(action de mouler)* moldeado, vaciado **2.** *(objet en plâtre)* vaciado de yeso.

**moulant, e** *a (vêtement)* ajustado, a, ceñido, a: **pantalon ~** pantalón ceñido.

**¹moule** *m (pour mouler)* molde: **~ à tarte** molde para tartas ◊ *FIG* **ils sont faits sur le même ~** están cortados en el mismo patrón.

**²moule** *f* **1.** *(mollusque)* mejillón *m*: **moules marinières** mejillones a la marinera **2.** *FIG FAM* zoquete *m*.

**mouler** *vt* **1.** moldear, vaciar ◊ **pain moulé** pan de molde **2.** *(vêtement)* ceñir, ajustar: **sa robe la moule** su vestido la ciñe; **pantalon moulant → moulant 3.** *(une lettre)* escribir con esmero ◊ **lettre moulée** letra de molde.

**moulin** *m* **1.** molino: **~ à eau, à vent** molino de agua, de viento ◊ *FIG* **faire venir l'eau à son ~** llevar el agua a su molino; **maison où l'on entre comme dans un ~** casa de tócame Roque **2. ~ à café, à poivre** molinillo de café, de pimienta; **~ à légumes** pasapurés **3. ~ à prière** molino de plegarias **4.** *FIG* **~ à paroles** tarabilla *f* **5.** *FAM* motor.

**moulinet** *m* **1.** *(de canne à pêche)* carrete **2.** *(de treuil)* torniquete **3.** *(mouvement)* molinete.

**moulinette** *f* pasapurés *m* ◊ *FIG* **passer à la ~** criticar duramente.

**moult** *adv ANC* mucho, a.

**moulu, e** *pp de* **moudre.** ◇ *a FIG* molido, a: **je suis ~** estoy molido.

**moulure** *f* moldura.

**moulurer** *vt* moldurar.

**moumoute** *f FAM* peluca.

**mourant, e** *a/s* moribundo, a. ◇ *a* **voix mourante** voz desmayada, lánguida.

**mourir*** *vi* morir, morirse: **il est mort** ha muerto; **il mourut à la guerre** murió en la guerra; **je meurs de faim, de soif** me muero de hambre, de sed; **c'est à ~ de rire** es para morirse de risa; **être mort de froid** estar muerto de frío; **~ à la peine** morir al pie del cañón; **~ de sa belle mort** morir de muerte natural; **~ d'envie → envie; s'ennuyer à ~ → ennuyer.** ◆ **se ~** *vpr* estar muriéndose, morirse.

**mouroir** *m PÉJOR* asilo, hospital donde se acogen ancianos en espera de su muerte.

**mouron** *m* **1.** murajes *pl* **2. ~ des oiseaux** álsine **3.** *POP* **se faire du ~** preocuparse mucho.

**mousmé** *f* musmé.

**mousquet** *m* mosquete.

**mousquetaire** *m* mosquetero: **les Trois mousquetaires** Los tres mosqueteros.

**mousqueterie** *f* mosquetería.

**mousqueton** *m* mosquetón.

**moussaillon** *m FAM* grumete, grumetillo.

**moussant, e** *a* **1.** espumoso, a **2. bain ~** espuma *f* de baño.

**¹mousse** *m (apprenti matelot)* grumete.

**²mousse** *a (émoussé)* romo, a. ◇ *f* **1.** *(plante)* musgo *m* **2.** *(écume)* espuma **3. ~ à raser** espuma de afeitar; **caoutchouc ~** goma espuma **4.** crema: **~ au chocolat** crema de chocolate.

**mousseline** *f (étoffe)* muselina. ◇ *a* **pommes ~** puré de patatas muy ligero.

**mousser** *vi* **1.** hacer espuma, espumar: **savon qui mousse** jabón que hace espuma **2.** *FAM* **faire ~ quelqu'un** poner a alguien por las nubes; **se faire ~** darse autobombo.

**mousseron** *m* agárico.

**mousseux, euse** *a* espumoso, a. ◇ *m (vin)* espumoso.

**mousson** *f* monzón *m* ◊ **l'Asie des moussons** el Asia monzónica.

**moussu, e** *a* musgoso, a, cubierto, a de musgo.

**moustache** *f* bigote *m*: **il porte une fine ~** gasta bigote fino; **une grosse ~** grandes bigotes; **une petite ~** un bigotito; **les moustaches d'un chat** los bigotes de un gato.

**moustachu, e** *a* bigotudo, a.

**moustiquaire** *f* mosquitero *m*.

**moustique** *m* mosquito.

**moût** *m* mosto.

**moutard** *m FAM* chaval, chiquillo.

**moutarde** *f* mostaza ◊ *FAM* **la ~ lui est montée au nez** se le subió el humo a las narices, se le hincharon las narices.

**moutardier** *m* **1.** *(pot à moutarde)* mostacera *f* **2.** *FAM* **il se croit le premier ~ du pape** se da mucha importancia, se cree el archipámpano de las Indias.

**mouton** *m* **1.** carnero, borrego ◊ *FIG* **revenons à nos moutons** volvamos a nuestro asunto; **~ à cinq pattes** rara avis; **être frisé comme un ~** tener el pelo muy rizado; **les moutons de Panurge** los borregos de Panurgo **2.** *(viande)* cordero; **côtelette de ~** chuleta de cordero; **ragoût de ~** estofado de cordero **3.** *(fourrure)* **manteau en ~** abrigo de cordero **4.** *FIG (personne douce)* cordero **5.** *(espion)* chivato, soplón **6.** *TECHN* martinete. ◇ *pl* **1.** *(vagues)* cabrillas *f*, borregos **2.** *(poussière)* pelusa *f sing* borra *f sing.*

▶ Le mot «oveja» (brebis) est souvent employé à la place de «carnero»: *un troupeau de moutons* un rebaño de ovejas; *le berger et ses moutons* el pastor y sus ovejas. Pour désigner la viande de mouton, l'espagnol emploie le mot «cordero» qui signifie agneau. Un «borrego» est une jeune mouton.

**moutonné, e** *a* **1. tête moutonnée** cabeza con el pelo encrespado **2. ciel ~** cielo aborregado.

**moutonnement** *m* cabrilleo.

**moutonner** *vi (la mer)* cabrillear.

**moutonnier, ère** *a* gregario, a.

**mouture** *f* **1.** molienda **2.** *FIG (d'un texte)* refrito *m*.

**mouvance** *f* **1.** esfera de influencia, órbita: **la ~ islamiste** la esfera de influencia islamita **2.** *HIST* dependencia de un feudo.

**mouvant, e** *a* movedizo, a: **sables mouvants** arenas movedizas.

**mouvement** *m* **1.** movimiento: **~ perpétuel** movimiento continuo ◊ **un faux ~** un movimiento en falso; **aimer le ~** ser activo, a; **se donner du ~** ajetrearse **2.** *(accès)* arranque, arrebato, movimiento: **~ de colère** arranque de ira; **un ~ d'humeur** un pronto ◊ **un bon ~** un gesto **3.** reacción *f* ◊ **de son propre ~** de su propia iniciativa **4.** *(d'horlogerie)* mecanismo **5.** *(du sol)* accidente **6.** *FIG (artistique, littéraire, social)* movimiento **7.** *FAM* **être dans le ~** estar al día, estar en la onda **8.** *MUS* movimiento.

**mouvementé, e** *a* **1.** *(terrain)* accidentado, a **2.** *(récit)* animado, a **3.** movido, a: **la séance fut mouvementée** la sesión fue movida.

**mouvoir*** *vi* mover: **mû par l'envie** movido por la envidia. ◆ **se ~** *vpr* moverse.

**moyen, enne** [mwajɛ̃, ɛn] *a* **1.** medio, a: **~ terme** término medio; **classes moyennes** clases medias; **le Moyen Âge** la Edad Media **2.** *(courant)* medio, a, corriente: **le Français ~** el francés medio **3.** *(ni grand ni petit, ni bon ni mauvais)* mediano, a, regular: **un homme de taille moyenne** un hombre de estatura mediana; **intelligence moyenne** inteligencia mediana; **élève ~** alumno regular. ◇ *m* **1.** medio: **essayer par tous les moyens** intentar por todos los medios; **~ de transport** medio de transporte ◊ **il n'y a pas ~ de...** no hay forma de, manera de...; **employer les grands moyens** poner toda la carne en el asador; **trouver le ~ de...** lograr... **2.** *loc adv* **par ses propres moyens** por sus propios medios **3.** *loc prép* **au ~ de** por medio de. ◇ *pl* **1.** *(capacités)* facultades *f*, aptitudes *f* ◊ **perdre ses moyens** turbarse **2.** *(pécuniaires)* recursos económicos, medios económicos, posibilidades, posibles: **il a les moyens** tiene medios, tiene dinero; **vivre au-dessus de ses moyens** vivir por encima de sus posibilidades |→ **moyenne.**

**moyenâgeux, euse** *a* medieval.

**moyen-courrier** *m* avión de distancias medias.

**moyennant** *prép* **1.** *(avec)* mediante, con **2.** *(en échange de)* a cambio de ◊ **~ finance** pagando **3. ~ quoi** gracias a lo cual.

**moyenne** *f* **1.** media: **~ arithmétique** media aritmética **2.** *(pourcentage moyen)* promedio *m*: **faire du 80 de ~** hacer un promedio de 80 km por hora ◊ **en ~** por término medio, como promedio **3.** *(dans les études)* nota, clasificación media ◊ **obtenir sa ~** obtener el aprobado **4. au-dessous de la ~** mediocre.

**moyennement** *adv* medianamente, así así.

**moyeu** [mwajø] *m (de roue)* cubo.

**mozarabe** *a/s* mozárabe.

**mû → mouvoir.**

**mucilage** *m* mucílago.

**mucilagineux, euse** *a* mucilaginoso, a.

**mucosité** *f* mucosidad.

**mucoviscidose** *f MÉD* mucoviscidosis.

**mucus** [mykys] *m* mucosidad *f*, moco.

**mudéjar** *a/s* mudéjar.

**mue** *f* **1.** *(des animaux, de la voix)* muda **2.** *AGR (cage)* caponera **3.** *FIG* transformación.

**muer** *vi* mudar, cambiar: **sa voix mue** muda de voz. ◆ **se ~** *vpr* **se ~ en** cambiarse, transformarse en.

**muet, ette** *a/s* mudo, a ◊ *FAM* **la grande muette** el ejército. ◇ *a* **1.** *(silencieux)* mudo, a, callado, a ◊ **~ d'étonnement** pasmado **2. cinéma ~** cine mudo; **carte muette** mapa mudo **3.** *(lettre)* mudo, a.

**muezzin** *m* almuédano.

**mufle** *m* **1.** *(d'animal)* morro, hocico **2.** *FAM (malotru)* patán.

**muflerie** *f FAM* grosería, patanería.

**muflier** *m* dragón.

**mufti** *m* muftí.

**muge** *m (poisson)* mujol.

**mugir** *vi* mugir.

**mugissement** *m* mugido.

**muguet** *m* **1.** muguete **2.** *MÉD* muguete.

**muid** [myi] *m* moyo.

**mulassier, ère** *a* mular.

**mulâtre, tresse** *a/s* mulato, a.

**mule** *f* **1.** mula **2.** *(pantoufle)* chinela **3.** *(du pape)* mula **4.** *FAM* **têtu comme une ~** terco como una mula.

**mulet** *m* **1.** mulo **2.** *(poisson)* mujol.

**muletier, ère** *a* **chemin ~** camino de herradura. ◇ *m* mulero, arriero, muletero.

**mulot** *m* ratón campesino.

**multicellulaire** *a BIOL* multicelular.

**multicolore** *a* multicolor.

**multicoque** *a MAR* multicasco.

**multidisciplinaire** *a* multidisciplinario, a.

**multiforme** *a* multiforme.

**multilatéral, e** *a* **accords multilatéraux** acuerdos multilaterales.

**multilingue** *a* plurilingüe.

**multimédia** *a* multimedia.

**multimillionnaire** *a/s* multimillonario, a.

**multinational, e** *a/f* multinacional: **une multinationale** una multinacional.

**multiple** *a* múltiple ◊ **à multiples reprises** muchísimas veces. ◇ *a/m MATH* múltiplo, a: **le plus petit commun ~** el mínimo común múltiplo.

**multipliable** *a* multiplicable.

**multiplicande** *m MATH* multiplicando.

**multiplicateur** *m MATH* multiplicador.

**multiplication** *f* **1.** multiplicación: **le miracle de la ~ des pains** el milagro de la multiplicación de los panes **2.** *MATH* multiplicación ◊ **table de ~** tabla de multiplicar.

**multiplicité** *f* multiplicidad.

**multiplier** *vt* multiplicar ◊ **«croissez et multipliez»** creced y multiplicaos. ◆ **se ~** *vpr* multiplicarse.

**multiprogrammation** *f* multiprogramación.

**multiracial, e** *a* multirracial.

**multisalle** *m* multisala *f*.

**multitude** *f* **1.** *(grand nombre)* multitud **2.** *(foule)* multitud, muchedumbre.

**munichois, e** *a/s* muniqués, esa.

**municipal, e** *a* municipal ◊ **conseiller ~** concejal.

**municipalité** *f* municipalidad, municipio *m*.

**munificence** *f* munificencia.

**munificent, e** *a* munífico, a, munificente.

**munir** *vt* **1.** *(pourvoir)* proveer **2.** proveer, dotar: **l'appareil photo est muni d'un téléobjectif** la cámara va provista de un teleobjetivo. ◆ **se ~** *vpr* **1.** proveerse **2. se ~ de patience** armarse de paciencia.

**munitions** *f pl* municiones.

**muphti → mufti.**

**muqueux, euse** *a* mucoso, a. ◇ *f* mucosa.

**mur** *m* **1.** muro: **~ de soutènement** muro de contención **2.** *(d'une maison)* muro, pared *f*: **~ mitoyen** pared medianera **3.** *(d'une ville, etc.)* muro, muralla *f* ◊ *HIST* **le ~ de Berlin** el muro de Berlín **4.** *(de clôture)* tapia *f* **5.** *FIG* **entre quatre murs** entre cuatro paredes; **faire le ~** salir sin permiso; **les murs ont des oreilles** las paredes oyen; **mettre au pied du ~** poner entre la espada y la pared; **coller au ~** llevar al paredón, fusilar **6.** *FIG* barrera *f*, obstáculo **7. le ~ du son** la barrera del sonido.

**mûr, e** *a* **1.** maduro, a **2. âge ~** edad madura **3. après mûre réflexion** pensándolo bien.

**muraille** *f* muralla: **la Grande Muraille de Chine** la Gran Muralla de China.

**mural, e** *a* mural: **peintures murales** pinturas murales.

**muralisme** *m* muralismo.

**Murcie** *np* Murcia.

**mûre** *f* **1.** *(fruit)* mora **2. ~ sauvage** zarzamora.

**mûrement** *adv* mucho ◊ **après avoir ~ réfléchi** habiéndolo pensado a fondo.

**murène** *f* morena, murena.

**murer** *vt* **1.** *(entourer de murs)* amurallar **2.** *(une porte, etc.)* tapiar **3.** *(une personne)* emparedar. ◆ **se ~** *vpr* aislarse, encerrarse.

**muret** *m*, **murette** *f* tapia *f* baja.

**murex** [myʀɛks] *m* múrice.

**mûrier** *m* morera *f*.

**mûrir** *vt/i* madurar: **les raisins mûrissent** van madurando las uvas.

**mûrissage, mûrissement** *m* maduración *f*.

**mûrisserie** *f* maduradero *m*.

**murmurant, e** *a* murmurante.

**murmure** *m* murmullo, susurro.

**murmurer** *vt/i* murmurar, susurrar. ◇ *vi* protestar.

**musaraigne** *f* musaraña.

**musarder** *vi* callejear, vagar, barzonear.

**musc** [mysk] *m* almizcle.

**muscade** *a/f* moscada: **noix ~** nuez moscada ◊ *FIG* **passez ~** ni visto, ni oído.

**muscadet** *m* vino blanco seco.

**muscadin** *m ANC* petimetre (en tiempos de la Revolución francesa).

**muscat** *a/m* moscatel.

**muscle** *m* músculo ◊ *FAM* **avoir du ~** tener mucha musculatura.

**musclé, e** *a* **1.** musculoso, a **2.** *FAM* enérgico, a, brutal.

**muscler** *vt* desarrollar los músculos.

**musculaire** *a* muscular.

**musculation** *f* musculación, culturismo *m*: **exercices de ~** ejercicios de musculación.

**musculature** *f* musculatura.

**musculeux, euse** *a* musculoso, a.

**muse** *f* musa.

**museau** *m* hocico.

**musée** *m* museo.

**museler*** *vt* **1.** poner bozal a, abozalar **2.** *FIG* amordazar, hacer callar: **~ la presse** amordazar a la prensa.

**muselière** *f* bozal *m*.

**muséographie** *f* museografía.

**muséologie** *f* museología.

**muser** *vi* vagar, barzonear.

**muserolle** *f* muserola.

**musette** *f* **1.** *(sac)* morral *m* **2.** *MUS (cornemuse)* gaita **3. bal ~** baile popular.

**muséum** [myzeɔm] *m* museo.

**musical, e** *a* **1.** musical **2. comédie musicale** comedia musical, musical *m*.

**musicalité** *f* musicalidad.

**music-hall** [myzikol] *m* music-hall.

**musicien, enne** *a/s* músico, a.

**musicographie** *f* musicografía.

**musicologie** *f* musicología.

**musicologue** *s* musicólogo, a.

**musique** *f* **1.** música: **~ de chambre** música de cámara; **~ instrumentale, vocale** música instrumental, vocal; **~ de film** música de cine; **mettre un poème en ~** poner música a un poema ◊ *FAM* **connaître la ~** conocer el paño; **c'est toujours la même ~** siempre la misma canción **2. papier à ~** papel pautado; **vie réglée comme du papier à ~** vida perfectamente organizada **3.** *(fanfare)* banda.

**musiquette** *f* musiquilla.

**musoir** *m (d'une jetée)* morro (del espigón).

**musqué, e** *a* almizclado, a.

**musulman, e** *a/s* musulmán, ana.

**mutant, e** *a/s* mutante.

**mutation** *f* **1.** *(changement)* cambio *m* **2.** *(d'un fonctionnaire)* traslado *m* **3.** *(en biologie)* mutación.

**muter** *vt* trasladar, cambiar de destino.

**mutilation** *f* mutilación.

**mutilé, e** *a/s* mutilado, a.

**mutiler** *vt* mutilar.

**mutin, e** *a* **1.** *(espiègle)* travieso, a **2.** *(vif)* vivaracho, a, pícaro, a. ◇ *m (rebelle)* amotinado, rebelde.

**mutiner (se)** *vpr* amotinarse, rebelarse.

**mutinerie** *f (révolte)* motín *m*, sublevación.

**mutisme** *m* mutismo.

**mutité** *f* mudez.

**mutualiste** *a/s* mutualista.

**mutualité** *f* mutualidad.

**mutuel, elle** *a* mutuo, a. ◇ *f* mutualidad.

**mutuellement** *a* mutuamente.

**myasthénie** *f MÉD* miastenia.

**Mycènes** *np* Micenas.

**mycénien, enne** *a/s* micénico, a.

**mycologie** *f* micología.

**mycose** *m MÉD* micosis.

**myéline** *f ANAT* mielina.

**myélite** *f MÉD* mielitis.

**mygale** *f* migala.

**myocarde** *m ANAT* miocardio.

**myome** *m (tumeur)* mioma.

**myopathie** *f MÉD* miopatía.

**myope** *a/s* miope ◊ **être ~ comme une taupe** no ver tres en un burro.

**myopie** *f* miopía.

**myosotis** [mjozɔtis] *m* misota *f*, raspilla *f*.

**myriade** *f* miríada.

**myriapode** *m ZOOL* miriápodo.

**myrrhe** *f* mirra.

**myrte** *m* mirto, arrayán.

**myrtille** *f* arándano *m*, mirtillo *m*.

**mystère** *m* **1.** misterio ◊ **faire ~ de** ocultar, callar; *FAM* **~ et boule de gomme** ni idea **2.** *(théâtre médiéval)* misterio.

**mystérieusement** *adv* misteriosamente.

**mystérieux, euse** *a* misterioso, a.

**mysticisme** *m* misticismo.

**mystificateur, trice** *a/s* embaucador, a.

**mystification** *f* **1.** *(tromperie)* mistificación, engaño *m* **2.** *(blague)* broma, burla.

**mystifier*** *vt* mistificar, embaucar, engañar.

**mystique** *a/s* místico, a. ◇ *f* mística.

**mythe** *m* mito.

**mythique** *a* mítico, a.

**mythologie** *f* mitología.

**mythologique** *a* mitológico, a.

**mythomane** *a/s* mitómano, a.

**mythomanie** *f* mitomanía.

**mytiliculture** *f* mitilicultura, cría de mejillones.

**myxomatose** *f* mixomatosis.

# N

**n** [ɛn] *m* n *f*: **un ~** una ene.

**n'** → **ne.**

**na!** *interj FAM* ¡pues sí!, ¡qué no!: **je suis plus fort que toi, ~!** ¡soy más fuerte que tú, ¡pues sí!
▶ Lenguaje infantil.

**nabab** [nabab] *m* nabab.

**nabot, e** *s* enano, a, retaco, a.

**Nabuchodonosor** [nabykɔdɔnɔzɔʀ] *np m* Nabucodonosor.

**nacelle** *f (petit bateau, d'un aérostat)* barquilla.

**nacre** *f* nácar *m*.

**nacré, e** *a* nacarado, a.

**nadir** *m ASTR* nadir.

**nævus** [nevys] *m MÉD* tumorcito.

**nage** *f* **1.** natación: **~ sous-marine** natación subacuática ◊ **les quatre sortes de ~** los cuatro estilos; **~ libre** estilo libre; **200 mètres quatre nages** 200 metros estilos **2. traverser une rivière à la ~** atravesar un río a nado **3. être en ~** estar sudando a mares, estar bañado, a en sudor **4. chef de ~** jefe de un equipo de remeros.

**nageoire** [naʒwaʀ] *f* aleta: **~ caudale** aleta caudal.

**nageoter** [naʒɔte] *vi FAM* nadar mal.

**nager** *vi* **1.** nadar: **~ sur le dos** nadar de espalda **2.** flotar, nadar: **~ sur l'eau** flotar en el agua, nadar sobre el agua **3.** *FIG* **~ dans l'opulence** nadar en la opulencia; **~ dans le bonheur** rebosar de felicidad; **~ entre deux eaux** nadar entre dos aguas **4.** *FIG* **~ dans ses vêtements** flotar en sus vestidos **5.** *FAM* **le candidat nageait complètement** el candidato estaba pez, estaba desorientado. ◇ *vt* **~ le crawl** nadar el crawl; **~ un 100 mètres** nadar un 100 metros.

**nageur, euse** *a/s* **1.** nadador, a **2. maître ~** profesor de natación, bañero **3. ~ de combat** hombre rana.

**naguère** *adv* hace poco, no hace mucho.

**naïade** [najad] *f* náyade.

**naïf, ïve** *a/s* **1.** inocente, ingenuo, a, cándido, a: **jouer les naïfs** hacerse el ingenuo **2.** *(art)* naïf.

**nain, e** *a/s* enano, a: **Blanche-Neige et les sept nains** Blancanieves y los siete enanitos. ◇ *a* **rosier ~** rosal enano; **poule naine** gallina enana.

**naissain** *m* larva *f* (de ostra o mejillón).

**naissance** *f* **1.** nacimiento *m*: **aveugle de ~** ciego de nacimiento; **lieu de ~** lugar de nacimiento; **acte de ~** partida *f* de nacimiento; **bulletin de ~** → **bulletin** ◊ **contrôle des naissances** control de (la) natalidad; **donner ~ à un enfant** dar a luz a un niño **2.** *(extraction)* linaje *m*, cuna, alcurnia: **de haute ~** de alcurnia **3.** origen *m*, comienzo *m* ◊ **la ~ du jour** el amanecer; **ses commentaires ont donné ~ à une controverse** sus comentarios han originado una controversia; **prendre ~** nacer **4. à la ~ du cou, de la gorge** en el nacimiento del cuello, del pecho.

**naissant, e** *a* **1.** naciente: **jour ~** día naciente **2. barbe ~** barba incipiente.

**naître*** *vi* **1.** nacer: **il est né à Paris en 1984** nació en París en 1984 ◊ **il est né d'une mère espagnole** es hijo de madre española; **être né sous une bonne étoile** haber nacido con buena estrella; **être né pour** haber nacido para; *FIG* **je ne suis pas né d'hier, de la dernière pluie** no soy ningún crío **2. le doute est né dans mon esprit** me surgió una duda **3. faire ~** originar, provocar.
▶ Se conjuga con el verbo auxiliar *être*.

**naïve** → **naïf.**

**naïvement** *adv* con ingenuidad.

**naïveté** [naivte] *f* ingenuidad, inocencia, candidez.

**naja** *m* naja *f*, cobra *f*.

**Namibie** *np f* Namibia.

**nana** *f POP* gachí, niña, tía.

**nanan** *m FAM* dulce, golosina *f* ◊ **c'est du ~** está rico, es canela fina.

**nanar** *m FAM (film)* película *f* mala.

**nandou** *m* ñandú.

**nanisme** *m* enanismo.

**nankin** *m (tissu)* nanquín.

**Nankin** *np* Nankín.

**nansouk** [nɑ̃suk] *m* nansú.

**nantais, e** *a/s* nantés, esa, de Nantes.

**nanti, e** *a/s* rico, a. ◇ *m pl* **les nantis** los ricos, los ricachos.

**nantir** *vt* proveer. ◆ **se ~** *vpr* proveerse: **je me suis nanti d'une somme importante** me he provisto de una cantidad importante.

**nantissement** *m* fianza *f*, prenda *f*, garantía *f*.

**napalm** *m* napalm: **bombe au ~** bomba de napalm.

**naphtaline** [naftalin] *f* naftalina: **boule de ~** bola de naftalina.

**naphte** [naft] *m* nafta *f*.

**Naples** *np* Nápoles.

**Napoléon** *np m* Napoleón.

**napoléonien, enne** *a* napoleónico, a.

**napolitain, e** *a/s* **1.** napolitano, a **2. tranche napolitaine** tarta helada.

**nappage** *m* **1.** mantelería *f* **2.** CULIN capa *f*.

**nappe** *f* **1.** mantel *m*: **une ~ brodée** un mantel bordado **2. ~ d'autel** sabanilla del altar **3. ~ d'eau, de gaz** capa de agua, de gas **4. ~ de brouillard** banco *m* de niebla; **~ phréatique** capa freática.

**napper** *vt* CULIN cubrir (con una salsa, etc.).

**napperon** *m* **1.** tapete, mantelito **2.** *(individuel)* mantel individual.

**naquis, naquit** → **naître.**

**Narbonne** *np* Narbona.

**narcisse** *m (plante)* narciso.

**Narcisse** *np m* Narciso.

**narcissique** *a* narcisista.

**narcissisme** *m* narcisismo.

**narcose** *f* MÉD narcosis.

**narcotique** *a/m* narcótico, a.

**narcotrafic** *m* narcotráfico.

**narcotrafiquant** *m* narcotraficante.

**nard** *m* nardo.

**narguer** *vt* **1.** burlarse de, provocar **2. ~ le danger** desafiar el peligro.

**narguilé, narghilé, narghileh** *m* narguile.

**narine** *f* ventana de la nariz.

**narquois, e** *a* socarrón, ona, burlón, ona, malicioso, a: **d'un air ~** con aire burlón.

**narrateur, trice** *s* narrador, a.

**narratif, ive** *a* narrativo, a.

**narration** *f* **1.** narración, relato *m* **2. présent de ~** presente histórico **3.** *(rédaction)* redacción.

**narrer** *vt* narrar, relatar.

**narthex** [naʀtɛks] *m* ARCH nártex.

**narval** *m* narval.

**nasal, e** *a* nasal: **fosses nasales** fosas nasales. ◇ *f (voyelle, consonne)* nasal.

**nasalisation** *f* nasalización.

**nasaliser** *vt* nasalizar.

[1]**nase, naze** *m* POP *(nez)* napias *f pl*, nariz *f*.

[2]**nase, naze** *a* POP **1.** *(en mauvais état)* estropeado, a, jodido, a **2.** *(fatigué)* rendido, a **3.** *(stupide)* chalado, a.

**naseau** *m* ollar: **les naseaux d'un cheval** los ollares de un caballo.

**nasillard, e** *a* gangoso, a: **voix nasillarde** voz gangosa.

**nasillement** *m* **1.** gangueo **2.** *(d'un micro, etc.)* sonidos nasales.

**nasiller** *vi* **1.** *(personne)* ganguear **2.** *(micro, etc.)* resonar, emitir sonidos nasales.

**nasique** *m (singe)* násico.

**nasse** *f (pour la pêche)* nasa.

**natal, e** *a* **1.** natal: **mon village ~** mi pueblo natal **2. pays ~** país natal, país nativo.

**nataliste** *a* natalista.

**natalité** *f* natalidad: **taux de ~** índice de natalidad.

**natation** *f* natación.

**natatoire** *a* natatorio, a: **vessie ~** vejiga natatoria.

**Nathalie** *np f* Natalia.

**natif, ive** *a* **1.** nativo, a, natural, originario, a: **il est ~ de Strasbourg** es natural de Estrasburgo **2.** *(minéral)* nativo, a. ◇ *s* **les natifs d'un pays** los nativos de un país.

**nation** *f* **1.** nación **2. Organisation des Nations Unies** Organización de las Naciones Unidas.

**national, e** *a/s* nacional: **hymne ~** himno nacional; **route nationale** carretera nacional. ◇ *m pl* **les nationaux** los nacionales.

**nationalisation** *f* nacionalización.

**nationaliser** *vt* nacionalizar: **banque nationalisée** banco nacionalizado.

**nationalisme** *m* nacionalismo.

**nationaliste** *a/s* nacionalista.

**nationalité** *f* nacionalidad.

**national-socialisme** *m* nacionalsocialismo.

**national-socialiste** *a/s* nacionalsocialista.

**nativité** *f* **1.** natividad **2. la Nativité** la Natividad, Navidad **3.** *(tableau)* Natividad, Nacimiento *m*.

**natte** *f* **1.** *(de cheveux)* trenza **2.** *(tapis)* estera.

**natter** *vt* trenzar: **~ ses cheveux** trenzarse el pelo.

**naturalisation** *f* **1.** naturalización **2.** *(d'un animal mort)* taxidermia, naturalización.

**naturaliser** *vt* **1.** naturalizar ◊ **se faire ~** naturalizarse, nacionalizarse: **il s'est fait ~ français** se naturalizó francés, se nacionalizó francés **2.** *(acclimater)* aclimatar **3.** *(empailler)* disecar: **lynx naturalisé** lince disecado.

**naturalisme** *m* naturalismo.

**naturaliste** *a* naturalista. ◇ *s* **1.** *(savant)* naturalista **2.** *(empailleur)* taxidermista, disecador.

**nature** *f* **1.** naturaleza: **les lois de la ~** las leyes de la naturaleza **2.** *(tempérament)* índole, naturaleza, carácter *m*, natural *m*: **il est timide par ~** es tímido por naturaleza, es de índole tímida; **une ~ robuste** una naturaleza robusta; **ce n'est pas dans sa ~** es ajeno a su carácter ◊ **une petite ~** un debilucho, una debilucha; **c'est une (forte) ~** es un gran temperamento **3.** *(genre)* clase, naturaleza: **des difficultés de toute ~** dificultades de toda clase **4. de ~ à** capaz de **5. ~ morte** bodegón *m*, naturaleza muerta **6. dessiner d'après ~** dibujar del natural **7. payer en ~** pagar en especie. ◇ *a inv* **1. café ~** café solo **2.** FAM **elle est très ~** es muy natural.

**naturel, elle** *a* **1.** natural: **sciences naturelles** ciencias naturales; **soie naturelle** seda natural; **c'est tout ~!** ¡es muy natural! **2. enfant ~** hijo natural. ◇ *m* **1.** *(caractère)* natural, índole *f* ◊ PROV **chassez le ~, il revient au galop** genio y figura hasta la sepultura **2.** *(aisance)* naturalidad *f*: **répondre avec ~** contestar con naturalidad **3. thon au ~** atún al natural **4.** *(originaire d'un lieu)* natural.

**naturellement** *adv* **1.** naturalmente **2. tout ~** con la mayor naturalidad **3.** *(bien sûr)* naturalmente, por supuesto.

**naturisme** *m* naturismo, desnudismo.

**naturiste** *s* naturista.

**naufrage** *m* **1.** naufragio ◊ **faire ~** naufragar **2.** FIG ruina *f*, hundimiento.

**naufragé, e** *a/s* náufrago, a.

**naufrageur** *m* provocador de naufragios.

**nauséabond, e** *a* nauseabundo, a.

**nausée** *f* **1.** náusea: **avoir la ~** sentir náuseas **2.** FIG asco *m*: **ça me donne la ~** me da asco.

**nauséeux, euse** *a* nauseoso, a.

**nautile** *m* nautilo.

**nautique** *a* **1.** náutico, a: **les sports nautiques** los deportes náuticos **2. ski ~** esquí acuático.

**nautisme** *m* deportes *pl* náuticos.

**navaja** *f* navaja.

**naval, e** *a* **1.** naval: **les forces navales** las fuerzas navales **2. chantiers navals** astilleros.

**navarin** *m* estofado de carnero y verduras.

**navarrais, e** *a/s* navarro, a.

**Navarre** *np f* Navarra.

**navet** *m* **1.** *(légume)* nabo **2.** *FAM (tableau, etc.)* mamarracho, churro ◊ **ce film est un ~** esta película es una birria, no vale nada **3. avoir du sang de ~ → sang.**

[1]**navette** *f* **1.** *(de métier à tisser)* lanzadera **2.** *(de machine à coudre)* canilla **3.** tren *m*, autocar *m* que va y viene de un punto a otro ◊ **faire la ~** ir y venir; **ce car fait la ~ entre...** este autocar asegura la comunicación entre...; **la ~ «Le Shuttle»** el tren lanzadera, la lanzadera «Le Shuttle» **4. ~ spatiale** transbordador *m* espacial.

[2]**navette** *f (plante)* variedad de nabo *m*.

**navigabilité** *f* **1.** navegabilidad **2. certificat de ~** certificado de navegación.

**navigable** *a* navegable.

**navigant, e** *a* **personnel ~** personal de vuelo, tripulación *f*.

**navigateur** *m* **1.** navegante **2.** piloto.

**navigation** *f* navegación: **~ au long cours, fluviale** navegación de altura, fluvial; **~ de plaisance** navegación de recreo; **~ aérienne** navegación aérea.

**naviguer** *vi* **1.** navegar **2.** *FIG* **savoir ~** conocer la aguja de marear **3.** *FAM* viajar, ir y venir, correr mundo; **il a beaucoup navigué** ha corrido mundo **4.** *INFORM* **~ sur Internet** navegar por Internet.

**navire** *m* navío, buque: **~ de guerre, de commerce** buque de guerra, de comercio.

**navire-citerne** *m* barco cisterna, tanque.

**navire-école** *m* buque escuela.

**navrant, e** *a* **1.** lamentable: **un accident ~** un accidente lamentable **2.** triste, desconsolador, a, desolador, a.

**navrer** *vt* **1.** afligir, apenar, desconsolar **2. j'en suis navré** lo siento en el alma.

**nazaréen, enne** *a/s* nazareno, a.

**Nazareth** *np m* Nazaret.

**naze → nase.**

**nazi, e** *a/s* nazi.

**nazisme** *m* nazismo.

**ne** *(n' delante de vocal o h muda) adv* **1.** no: **je ~ sais pas ce que j'ai** no sé lo que tengo; **il ~ sourit jamais** no sonríe nunca, nunca sonríe **2. ne... que** no... sino, no... más que: **elle ~ boit que de l'eau** no bebe sino agua; **elle n'a qu'un enfant** no tiene más que un hijo, sólo tiene un hijo; **je ~ vois qu'une solution** sólo veo una solución **3.** *(explétif: ne se traduit pas)* **je crains qu'il ~ soit trop tard** me temo que sea demasiado tarde; **il est plus fort qu'on ~ croit** es más fuerte de lo que se cree.

**né, e** *pp* de **naître.** ◇ *a* **1.** nacido, a ◊ **bien ~** de buena familia **2. Madame Morin, née Dumant** señora Dumant de Morin, señora Morin, de soltera Dumant **3.** nato, a: **criminel ~** criminal nato **4.** de nacimiento: **aveugle-~** ciego de nacimiento.

**néanmoins** *adv* sin embargo, no obstante.

**néant** *m* **1.** nada *f*: **tirer du ~** sacar de la nada **2. réduire à ~** aniquilar. ◇ *adv* **signes particuliers, ~** señales particulares, ninguna.

**nébuleuse** *f ASTR* nebulosa.

**nébuleux, euse** *a* **1.** nebuloso, a **2.** *FIG* nebuloso, a, confuso, a.

**nébuliseur** *m* nebulizador.

**nébulosité** *f* nubosidad, nebulosidad.

**nécessaire** *a* **1.** necesario, a **2. il est ~ d'agir avec prudence** es necesario, es preciso, es menester obrar con prudencia. ◇ *m* **1. faire le ~** hacer lo necesario; **le strict ~** lo estrictamente necesario **2. ~ de voyage** neceser; **~ de toilette** neceser de tocador.

**nécessairement** *adv* necesariamente.

**nécessité** *f* **1.** necesidad: **de première ~** de primera necesidad; **faire de ~ vertu** hacer de la necesidad virtud ◊ **par ~** forzosamente, por obligación; **il est de toute ~ de...** es imprescindible... **2. être dans la ~** estar en la miseria. ◇ *pl* necesidades.

**nécessiter** *vt* necesitar, requerir: **son état nécessite une cure de repos** su estado requiere una cura de reposo.

**nécessiteux, euse** *a/s* necesitado, a, indigente.

**nec plus ultra (le)** *m inv* el nec plus ultra.

**nécrologie** *f* necrología.

**nécrologique** *a* necrológico, a.

**nécromancie** *f* nigromancia.

**nécromancien, enne** *s* nigromántico, a.

**nécromant** *m* nigromante.

**nécrophage** *a ZOOL* necrófago, a.

**nécrophilie** *f* necrofilia.

**nécropole** *f* necrópolis.

**nécrose** *f MÉD* necrosis.

**nécroser** *vt BIOL* mortificar, producir necrosis en. ◆ **se ~** *vpr* sufrir necrosis.

**nectar** *m* néctar.

**nectarine** *f* briñón *m*.

**néerlandais, e** *a/s* neerlandés, esa: **les Néerlandais** los neerlandeses.

**nef** [nɛf] *f* **1.** *ARCH* nave **2.** *ANC (navire)* nave, nao.

**néfaste** *a* nefasto, a, funesto, a: **époque, influence ~** época, influencia nefasta.

**nèfle** *f* **1.** níspero *m* **2.** *FAM* **des nèfles!** ¡naranjas de la China!

**néflier** *m* níspero.

**négatif, ive** *a/s* negativo, a. ◇ *m (photo)* negativo. ◇ *f* **1. répondre par la négative** responder negativamente **2. dans la négative** en caso de negativa, en caso contrario.

**négation** *f* negación.

**négativement** *adv* negativamente.

**négligé, e** *a* descuidado, a. ◇ *m* **1.** *(laisser-aller)* descuido **2.** *(vêtement d'intérieur)* deshabillé, bata *f* de casa ◊ **être en ~** estar de trapillo.

**négligeable** [negliʒabl] *a* **1.** despreciable, desdeñable, insignificante: **un détail ~** un detalle insignificante **2. traiter quelqu'un comme quantité ~** tratar a alguien como si fuera nadie.

**négligemment** [negliʒamɑ̃] *adv* **1.** negligentemente **2.** con indiferencia.

**négligence** *f* **1.** negligencia, descuido *m* **2.** *(dans la tenue)* desaliño *m*, descuido *m* **3. une ~** un descuido.

**négligent, e** *a/s* negligente, descuidado, a.

**négliger*** *vt* **1.** descuidar, desatender, descuidarse de: **il néglige son travail** desatiende su trabajo; **~ sa santé** descuidarse de su salud **2. ~ ses amis** desatender a, despreocuparse de sus amigos **3. ~ un conseil** no hacer caso de, desatender un consejo **4. ~ de** olvidarse de, dejar de: **il a négligé de me prévenir** se ha olvidado de avisarme. ◆ **se ~** *vpr* descuidarse, abandonarse: **depuis la mort de sa femme, il se néglige** desde la muerte de su mujer, se descuida.

**négoce** *m* negocio, comercio.

**négociable** *a* negociable.

**négociant, e** *s* negociante.

**négociateur, trice** *s* negociador, a.

**négociation** *f* negociación: **engager des négociations** entablar negociaciones.

**négocier*** *vi* negociar. ◇ *vt* **1.** *(un effet de commerce)* negociar **2. ~ un virage** sortear una curva.

[1]**nègre** *a* negro, a: **musique ~** música negra; **masque ~** máscara africana.

[2]**nègre, négresse** *s* negro, a ◊ **travailler comme un ~** trabajar como un condenado. ◇ *m* **1.** FAM *(personne rétribuée par un écrivain)* negro **2. parler petit-~ → petit-nègre.**

▶ *Nègre* es despectivo en francés. *Negro* n'a pas de valeur péjorative.

**négrier** *a/m* negrero.

**négrillon, onne** *s* negrito, a.

**négritude** *f* negritud.

**négroïde** *a* negroide.

**négus** [negys] *m* negus.

**neige** *f* **1.** nieve: **~ poudreuse** nieve en polvo ◊ **~ fondue** aguanieve; **chute de ~** nevada; **blanc comme ~** blanco como la nieve; FIG **faire boule de ~** hacer bola de nieve **2. ~ carbonique** nieve carbónica **3.** CULIN **œufs en ~** huevos a punto de nieve **4.** *(cocaïne)* polvo *m* blanco, nieve.

**neiger*** *impers* nevar: **il a neigé hier** nevó ayer.

**neigeux, euse** *a* **1.** *(couvert de neige)* nevado, a **2. temps ~** tiempo de nieve.

**nénés** *m pl* POP tetas *f*, limones.

**nénette** *f* FAM *(jeune femme)* niña, tía, gachí.

**nenni** *adv* FAM no, nones, ¡que no!

**nénuphar** *m* nenúfar.

**néo-calédonien, enne** *a/s* neocaledonio, a.

**néocapitalisme** *m* neocapitalismo.

**néoclassicisme** *m* neoclasicismo.

**néoclassique** *a* neoclásico, a.

**néocolonialisme** *m* neocolonialismo.

**néogothique** *a/m* neogótico, a.

**néolatin, e** *a* neolatino, a.

**néolibéralisme** *m* neoliberalismo.

**néolithique** *a/m* neolítico, a.

**néologisme** *m* neologismo.

**neón** *m* neón: **enseigne au ~** letrero de neón; **tube au ~** tubo de neón.

**néonatal, e** *a* neonatal.

**néonazi, e** *a/s* neonazi.

**néophyte** *s* neófito, a.

**néoplasme** *m* MÉD neoplasma.

**néoplatonicien, enne** *a/s* neoplatónico, a.

**néoplatonisme** *m* neoplatonismo.

**néoprène** *m* neopreno.

**néo-zélandais, e** *a/s* neocelandés, esa.

**Népal** *np m* Nepal.

**népalais, e** *a/s* nepalés, esa.

**néphrétique** *a* MÉD nefrítico, a: **colique ~** cólico nefrítico.

**néphrite** *f* MÉD nefritis.

**néphrologie** *f* nefrología.

**népotisme** *m* nepotismo.

**Neptune** *np m* Neptuno.

**néréide** *f* nereida.

**nerf** [nɛʀ] *m* **1.** nervio: **faire une crise de nerfs** tener un ataque de nervios ◊ FAM **un paquet de nerfs** un manojo de nervios; **avoir les nerfs en boule, en pelote, à vif** estar con los nervios de punta, estar de los nervios, estar nerviosísimo, a; **porter, taper sur les nerfs** crispar los nervios, poner los nervios de punta; **je suis à bout de nerfs** se me han puesto los nervios de punta **2.** FIG nervio, energía *f*: **elle manque de ~** le falta energía ◊ **allons du ~!** ¡ea!, ¡ánimo! **3. ~ de bœuf** vergajo **4.** *(reliure)* nervio.

**Néron** *np m* Nerón.

**nerprun** *m* aladierno, aladierna *f*.

**nerveux, euse** *a* **1.** nervioso, a: **système ~** sistema nervioso; **rendre ~** poner nervioso **2. viande nerveuse** carne con nervios **3.** FIG **style ~** estilo vigoroso; **voiture nerveuse** coche nervioso.

**nervi** *m* asesino, pistolero.

**nervosité** *f* nerviosidad, nervosidad, nerviosismo *m*: **donner des signes de ~** dar muestras de nerviosismo.

**nervure** *f* **1.** BOT nervio *m* **2.** ARCH nervadura **3.** *(reliure)* nervura.

**Nessus** *np m* Neso.

**n'est-ce pas?** *adv* **1.** ¿verdad? **2. ~ que...?** ¿no es cierto que...?

**Nestor** *np m* Néstor.

**net, nette** *a* **1.** *(propre)* limpio, a: **mettre au ~** poner en limpio ◊ FIG **en avoir le cœur ~** saber a qué atenerse; **faire place nette** *(quitter les lieux)* marcharse, *(congédier)* despedir a todo el personal, *(débarrasser)* quitar todo lo que estorba **2.** *(image, photo)* nítido, a **3.** *(voix)* puro, a **4.** *(idées, explication, etc.)* claro, a: **nette amélioration de...** clara mejoría de... **5.** *(réponse, refus)* categórico, a **6.** neto, a: **bénéfice, poids, salaire ~** beneficio, peso, salario neto ◊ **~ d'impôts** exento de impuestos. ◇ *adv* **1. casser ~** romper de un golpe **2. s'arrêter ~** pararse en seco **3. refuser ~** negar rotundamente, en redondo **4. cent francs ~** cien francos en limpio.

**nettement** *adv* **1.** netamente, claramente **2.** mucho: **il se sent ~ mieux** está mucho mejor.

**netteté** *f* **1.** limpieza **2.** *(clarté)* nitidez, claridad.

**nettoiement** *m* limpieza *f*.

**nettoyage** [netwajaʒ] *m* limpieza *f*, limpiado *m*: **~ à sec** limpieza en seco ◊ FIG **faire le ~ par le vide** quitar todo lo que estorba; **~ ethnique** limpieza étnica.

**nettoyer*** [netwaje] *vt* **1.** *(vêtement, vitre, etc.)* limpiar **2.** *(un lieu)* limpiar **3.** FAM *(au jeu)* **il s'est fait ~** lo desplumaron. ◆ **se ~** *vpr* limpiarse.

**nettoyeur, euse** *s* limpiador, a.

[1]**neuf** *a/m* **1.** nueve: **il est ~ heures** son las nueve; **le ~ juin** el nueve de junio **2. Charles IX** Carlos noveno **3. ~ cents** novecientos, as.

▶ Se pronuncia [nœv] delante de *ans* y *heures*.

[2]**neuf, neuve** *a* **1.** nuevo, a: **un manteau ~** un abrigo nuevo; **tout ~** completamente nuevo, nuevecito ◊ **flambant ~** flamante **2. être ~ dans le métier** ser novato en la profesión. ◇ *m* **1. être habillé de ~** ir vestido con ropa nueva; **remettre à ~** poner como nuevo **2.** FAM **quoi de ~?** ¿qué hay de nuevo?, ¿hay novedad?

**neume** *m* MUS neuma.

**neurasthénie** *f* MÉD neurastenia.

**neurasthénique** *a/s* neurasténico, a.

**neurochirurgie** *f* neurocirugía.

**neurochirurgien** *m* neurocirujano.

**neuroleptique** *m* neuroléptico.

**neurologie** *f* neurología.

**neurologue** *s* neurólogo, a.

**neurone** *m ANAT* neurona *f.*

**neurophysiologie** *f* neurofisiología.

**neuropsychiatre** *s* neuropsiquiatra.

**neuropsychiatrie** *f* neuropsiquiatría.

**neurovégétatif, ive** *a* neurovegetativo, a.

**neutralisation** *f* neutralización.

**neutraliser** *vt (un État, une substance chimique)* neutralizar.

**neutralisme** *m* neutralismo.

**neutraliste** *a/s* neutralista.

**neutralité** *f* neutralidad.

**neutre** *a* **1.** neutro, a **2.** neutral: **pays ~** país neutral; **il est resté ~ dans la discussion** permaneció neutral en la discusión. ◇ *m GRAM* neutro.

**neutrino** *m PHYS* neutrino.

**neutron** *m PHYS* neutrón.

**neuvaine** *f* novena, novenario *m.*

**neuve → neuf.**

**neuvième** *a/s* noveno, a: **la ~ symphonie de Beethoven** la novena sinfonía de Beethoven. ◇ *m (fraction)* **le ~** la novena parte.

**neuvièmement** *adv* en noveno lugar.

**névé** *m* nevero, ventisquero.

**neveu** *m* sobrino ◊ **~ à la mode de Bretagne** sobrino segundo.

**névralgie** *f MÉD* neuralgia.

**névralgique** *a* neurálgico, a.

**névrite** *f MÉD* neuritis.

**névropathe** *a/s* neurópata.

**névropathie** *f MÉD* neuropatía.

**névrose** *f* neurosis: **~ obsessionnelle** neurosis obsesiva.

**névrosé, e** *a/s* neurótico, a.

**névrotique** *a* neurótico, a.

**New York** *np* Nueva York.

**new-yorkais, e** *a/s* neoyorquino, a.

**nez** *m* **1.** nariz *f*: **un ~ aquilin, camus, retroussé** una nariz aguileña, chata, respingona; **avoir le ~ bouché** tener la nariz tapada ◊ **parler du ~** hablar con la nariz, ganguear; **saigner du ~** sangrar por la nariz; **mettre le ~ à la fenêtre** asomarse a la ventana **2.** *(odorat)* olfato: **avoir du ~, le ~ fin** tener (buen) olfato; *FIG* **avoir bon ~** ser perspicaz **3.** *FIG* **faire un pied de ~ à** burlarse de; **elle mène son père par le bout du ~** hace lo que quiere con su padre; **ne pas voir plus loin que le bout de son ~** no ver más allá de sus narices; **rire au ~ de quelqu'un** *(se moquer)* reírse en las (propias) narices de alguien; **se trouver ~ à ~ avec quelqu'un** encontrarse cara a cara con, darse de narices con alguien; *FAM* **il m'a dans le ~** me tiene entre ojos, me tiene rabia, me tiene entre ceja y ceja; **avoir un verre, un coup dans le ~** estar entre dos luces, estar curda; **les doigts dans le ~** con facilidad, sin dificultad; **faire un drôle de ~** poner mala cara; **fourrer son ~ dans les affaires d'autrui** meter sus narices en asuntos ajenos, entrometerse en asuntos ajenos; **ce contrat m'est passé sous le ~** este contrato se me fue de las manos; **ça lui pend au ~** seguro que le va a pasar a él; **se casser le ~** encontrar la puerta cerrada, *(échouer)* fracasar; *POP* **se bouffer le ~** reñir, altercar violentamente **4.** *loc adv* **à vue de ~** a ojo de buen cubero **5.** *loc prép* **au ~ (et à la barbe) de** en las propias narices de, en las barbas de **6.** *(d'un avion, d'une fusée)* morro **7.** *(d'un bateau)* proa *f.*

▶ Notez l'emploi fréquent du pluriel *(narices)* en espagnol.

**ni** *conj* ni: **~ l'un ~ l'autre ne sont venus** ni uno ni otro han venido; **il ne fume ~ ne boit** ni fuma ni bebe.

**niable** *a* negable.

**Niagara** *np* Niágara: **les chutes du ~** las cataratas del Niágara.

**niais, e** *a/s* necio, a, bobo, a, simple.

**niaiserie** *f* bobería.

**niaiseux, euse** *a (au Canada)* tonto, a, bobo, a.

**Nicaragua** *np m* Nicaragua *f.*

**nicaraguayen, enne** *a/s* nicaragüense.

**Nice** *np* Niza.

**Nicée** *np* Nicea.

**niche** *f* **1.** *(dans l'épaisseur d'un mur)* nicho *m* **2.** *(à chien)* caseta, perrera **3. ~ écologique** nicho ecológico **4.** *(farce)* broma, travesura: **faire une ~ à quelqu'un** gastar una broma a alguien.

**nichée** *f* **1.** *(oiseaux)* nidada, pollada **2.** *(autres animaux)* camada **3.** *FAM (enfants)* prole.

**nicher** *vi* **1.** *(oiseaux)* anidar **2.** *FAM* vivir. ◆ **se ~** *vpr* **1.** *(oiseaux)* anidar **2.** *FIG (se cacher)* esconderse, meterse.

**nichoir** *m* nidal.

**nichons** *m pl POP* limones, tetas *f.*

**nickel** *m* níquel. ◇ *a FAM* **c'est ~ chez eux** tienen la casa como los chorros de oro, muy limpia.

**nickelage** *m* niquelado.

**nickeler*** *vt* niquelar.

**niçois, e** *a* nizardo, a.

**Nicolas** *np m* Nicolás.

**nicotine** *f* nicotina.

**nicotinisme** *m* nicotinismo.

**nid** *m* **1.** nido **2. ~ de guêpes** avispero **3.** *FIG* **~ de mitrailleuses** nido de ametralladoras; **~ d'aigle** búnker **4.** *FAM* **~ à poussière** nido de polvo **5. nids-d'abeilles** frunces, nidos de abeja **6. ~-de-poule** bache.

**nidifier*** *vi* nidificar.

**nièce** *f* sobrina ◊ **~ à la mode de Bretagne** sobrina segunda.

**niellage → niellure.**

**nielle** *m TECHN* niel. ◇ *f* **1.** *(des céréales)* añublo *m*, tizón *m* **2.** *(plante)* neguilla.

**nieller** *vt TECHN* nielar.

**niellure** *f TECHN* nielado *m.*

**nième → énième.**

**nier*** *vt* negar: **il nie les faits** niega los hechos; **je ne le nie pas** yo no lo niego.

**nietzschéen, enne** *a/s* nietscheano, a.

**nigaud, e** *a/s* bobo, a, memo, a, mentecato, a.

**nigauderie** *f* necedad, mentecatez.

**Niger** *np m* Níger.

**Nigeria** *np m* Nigeria.

**nigérian, e** *a/s* nigeriano, a.

**nigérien, enne** *a/s* nigerino, a.

**nihilisme** *m* nihilismo.

**nihiliste** *a/s* nihilista.

**Nil** *np m* Nilo.

**nimbe** *m* nimbo, aureola *f.*

**nimber** *vt* nimbar, aureolar.

**nimbus** [nɛ̃bys] *m* nimbo.

**n'importe qui,** etc. **→ importer.**

**nipper** *vt FAM* vestir, ataviar, trajear: **il est toujours bien nippé** siempre va bien trajeado. ◆ **se ~** *vpr* vestirse, ataviarse.

**nippes** *f pl* ropa vieja *sing*, trapos *m*, pingos *m.*

**nippon, one, onne** *a/s* nipón, ona.

**nique** *f FAM* **faire la ~ à** burlarse de.

**nirvana** *m* nirvana.

**nitouche (sainte)** *f FAM* mosquita muerta.

**nitrate** *m* nitrato: **~ d'argent** nitrato de plata; **~ de soude** nitrato sódico.

**nitre** *m* nitro.

**nitrique** *a* nítrico, a: **acide ~** ácido nítrico.

**nitrobenzène** *m CHIM* nitrobenceno.

**nitrocellulose** *f* nitrocelulosa.

**nitroglycérine** *f* nitroglicerina.

**nival, e** *a* de la nieve.

**niveau** *m* **1.** nivel: **au ~ de la mer** al nivel del mar ◊ **~ à bulle** nivel de aire; **courbes de ~** curvas de nivel; **passage à ~** paso a nivel; **l'eau arrivait au ~ des genoux** el agua llegaba a la altura de las rodillas **2.** *FIG* **~ de vie** nivel de vida; **~ intellectuel** nivel intelectual; **au ~ international** a nivel internacional; **être du même ~** estar a un mismo nivel **3.** *(étage)* piso **4.** *loc prép* **au ~ de** al nivel de, al mismo nivel que.

**nivelage** *m* nivelación *f.*

**niveler*** *vt* nivelar.

**niveleur, euse** *s* nivelador, a.

**niveleuse** *f TECHN* niveladora.

**nivellement** *m* **1.** nivelación *f* **2.** *FIG* nivelación *f.*

**nivôse** *m* nivoso.

**nobiliaire** *a/m* nobiliario, a: **titre ~** título nobiliario.

**noblaillon, onne** *s PÉJOR* hidalgüelo, a.

**noble** *a/s* noble.

**noblement** *adv* noblemente.

**noblesse** *f* **1.** nobleza: **petite ~** pequeña nobleza **2.** *FIG* **~ oblige** nobleza obliga.

**nobliau → noblaillon.**

**noce** *f* **1.** boda: **voyage de noces** viaje de bodas: **nuit de noces** noche de boda; **les noces de Cana** las bodas de Caná; **noces d'argent, d'or** bodas de plata, de oro **2. épouser quelqu'un en secondes noces** contraer matrimonio con alguien en segundas nupcias **3.** *FAM* **faire la ~** ir de juerga; **n'être pas à la ~** estar en un apuro.

**noceur, euse** *a/s* juerguista, calavera.

**nocif, ive** *a* nocivo, a.

**nocivité** *f* nocividad.

**noctambule** *a/s* noctámbulo, a, trasnochador, a.

**nocturne** *a* nocturno, a. ◇ *m MUS* nocturno. ◇ *f/m* **1.** *(match)* partido nocturno **2. magasin ouvert en ~** almacén abierto por la noche.

**nodosité** *f* nudosidad.

**nodule** *m* nódulo.

**Noé** *np m* Noé.

**Noël** [nɔɛl] *m* **1.** Navidad *f*: **joyeux ~!** ¡feliz Navidad!; **nuit de ~** nochebuena; *FAM* **à la ~** por Navidad **2. arbre, sapin de ~** árbol, abeto navideño; **fêtes, vacances de ~** fiestas, vacaciones navideñas **3.** *(chant)* villancico **4.** *(cadeau)* regalo de Navidad, regalo navideño **5. le Père ~** Papá Noel; *FIG* **croire au père ~** ser crédulo, a.

▶ En Espagne, les cadeaux de Noël s'offrent plutôt le jour de l'Épiphanie (6 janvier) car ce sont les Rois mages (*los Reyes Magos*) qui les apportent, selon la tradition.

**nœud** *m* **1.** nudo: **~ coulant** nudo corredizo; **~ gordien** nudo gordiano; **faire un ~ à son mouchoir** hacer un nudo en el pañuelo **2. ~ papillon** pajarita *f* **3.** *(du bois, ferroviaire, etc.)* nudo **4.** *MAR (unité de longueur)* nudo: **filer 20 nœuds** ir a 20 nudos por hora **5.** *PHYS* nodo **6.** *FIG* **le ~ de la question** el quid, el nudo de la cuestión. ◇ *pl FIG* **les nœuds du mariage** los lazos del matrimonio.

**noir, e** *a* **1.** negro, a: **yeux noirs** ojos negros ◊ **café ~** café solo; **pain ~** pan moreno **2.** oscuro, a: **chambre noire** cámara oscura ◊ **il fait ~** ya es de noche **3.** *FIG* **avoir des idées noires** ser pesimista; **humour noir** humor negro; **roman ~** novela negra; **misère noire** miseria absoluta; **jeter un regard ~** mirar con hostilidad; **trottoir ~ de monde** acera repleta de gente **4.** *FIG* **ma bête noire → bête 5. travail (au) ~** trabajo negro **6.** *FAM (ivre)* borracho, a, trompa: **il était complètement ~** estaba trompa. ◇ *m* **1.** negro: **photo en ~ et blanc** foto en blanco y negro; **le ~ te va bien** el negro te sienta bien; **~ de fumée** negro de humo **2.** *FIG* **broyer du ~** tener ideas negras; **voir tout en ~** verlo todo negro; **pousser les choses en ~** ser alarmista; **c'est écrit ~ sur blanc** queda muy claro **3.** *(obscurité)* oscuridad *f*: **dans le ~** en la oscuridad. ◇ *a/s* negro, a: **race noire** raza negra; **les Noirs d'Afrique** los negros de África. ◇ *f MUS* negra.

**noirâtre** *a* negruzco, a.

**noiraud, e** *a/s FAM* moreno, a.

**noirceur** *f* **1.** negrura **2.** *FIG (méchanceté)* maldad.

**noircir** *vt* **1.** ennegrecer, ensombrecer **2.** *FAM* **~ du papier** emborronar cuartillas **3.** *FIG (diffamer quelqu'un)* calumniar, infamar. ◇ *vi/pr* ennegrecerse: **la couleur a noirci** el color se ha ennegrecido.

**noircissement** *m* ennegrecimiento.

**noircissure** *f* mancha negra.

**noire** *f MUS* negra.

**noise** *f* **chercher ~ à quelqu'un** buscar camorra a alguien.

**noisetier** *m* avellano.

**noisette** *f* **1.** *(fruit)* avellana **2.** *(de beurre)* trocito *m.* ◇ *a inv* color de avellana.

**noix** *f* **1.** nuez: **des ~** nueces **2. ~ de coco** nuez de coco; **~ muscade** nuez moscada; **~ de galle** agalla **3. ~ de veau** rabada de ternera **4.** *FAM* **à la ~** de tres al cuarto; **une vieille ~** un imbécil.

**nom** *m* **1.** nombre: **~ commun, propre** nombre común, propio **2.** *(de famille)* apellido: **l'employé du ~ de Duval** el empleado, Duval de apellido ◊ **~ d'emprunt** nombre supuesto, seudónimo; **avoir pour ~** llamarse; **se faire un ~** volverse célebre; **son chien répond au ~ de Boby** su perro atiende por Boby **3.** *(prénom)* nombre ◊ **~ de baptême, petit ~** nombre **4. ~ déposé** nombre registrado **5. une bêtise sans ~** una tontería que no tiene nombre, incalificable; **appeler les choses par leur ~** llamar las cosas por su nombre, llamar al pan pan y al vino vino; **traiter quelqu'un de tous les noms** poner a alguien de vuelta y media **6.** *loc prép* **au ~ de** en nombre de; **en mon ~** en mi nombre. ◇ *interj* **~ d'une pipe!, ~ d'un chien!** ¡caramba!, ¡caracoles!

**nomade** *a/s* nómada. ◇ *s (personne sans domicile fixe)* transeúnte.

**nomadisme** *m* nomadismo.

**no man's land** *m* tierra *f* de nadie.

**nombre** *m* **1.** número: **~ entier** número entero; **~ premier** número primo; **le ~ des victimes...** el número de víctimas...; **un grand ~ de...** un gran número de... **2. le plus grand ~ de** la mayor parte de, la mayoría de; **(bon) ~ de** muchos, as, numerosos, as; **~ d'entre eux** muchos de ellos; **un certain ~ d'électeurs** algunos electores; **surpasser en ~** superar numéricamente **3. des difficultés sans ~** dificultades sin cuento, sin número, innumerables dificultades **4.** *loc prép* **ils sont au ~ de sept** son siete; **je suis du ~ de ses meilleurs amis** cuento entre sus mejores amigos. ◇ *np pl (Bible)* Nombres.

▶ Attention! *nombre*, en espagnol, signifie «prénom», «nom».

**nombreux, euse** *a* numeroso, a. ◇ *pl* **1.** numerosos, as, muchos, as: **dans de ~ cas** en muchos casos **2. peu ~** pocos, pocas.

**nombril** [nɔ̃bʀi] *m* ombligo.

**nombrilisme** *m* egocentrismo.

**nomenclature** *f* nomenclatura.

**nomenklatura** [nɔmɛnklatura] *f* «nomenclatura».

**nominal, e** *a* nominal.

**nominatif, ive** *a* nominativo, a: **titre ~** título nominativo. ◇ *m GRAM* nominativo.

**nomination** *f* **1.** nombramiento *m* **2.** *(pour un prix)* nominación.

**nommé, e** *a* **1.** nombrado, a, llamado, a, apodado, a: **le ~ Martineau** el llamado Martineau **2.** *loc adv* **à point ~** en el momento oportuno.

**nommément** *adv* **1.** nominalmente **2.** especialmente.

**nommer** *vt* **1.** llamar, poner de nombre: **ses parents l'ont nommé Jean** sus padres le pusieron de nombre Juan **2.** *(citer)* mencionar, nombrar, citar: **un ami que je ne nommerai pas** un amigo a quien no nombraré **3.** nombrar: **on l'a nommé directeur** le nombraron director. ◆ **se ~** *vpr* llamarse, nombrarse: **il se nomme Boivin** se llama Boivin.

**non** *adv* **1.** no: **oui ou ~?** ¿sí o no?; **c'est horrible, ~?** es horrible, ¿no?; **ça ~!** ¡eso sí que no!; **dire ~, répondre ~** decir que no, contestar que no; **~ seulement... mais encore** no sólo... sino también ◊ **il fit signe que ~ de la tête** denegó con la cabeza **2. moi ~ plus** yo tampoco **3. ~ que, ~ pas que je sois...** no es que yo sea... **4.** *(+ adjectif)* sin *(+ infinitif)*: **zone ~ urbanisée** zona sin urbanizar; **corps ~ identifiés** cuerpos sin identificar. ◇ *m inv* no: **un ~ catégorique** un no rotundo; **des ~** nones.

**non-activité** *f* **1.** *(d'un fonctionnaire)* excedencia, cesantía **2.** *(d'un militaire)* reemplazo *m*.

**nonagénaire** *a/s* nonagenario, a.

**non-agression** *f* no agresión.

**non-aligné, e** *a/s* no alineado, a.

**non-alignement** *m* no alineación *f*.

**nonante** *a* noventa.

▶ Se usa en Bélgica y Suiza.

**non-assistance** *f* **1.** falta de asistencia **2. ~ à personne en danger** denegación de auxilio.

**non-belligérance** *f* no beligerancia.

**nonce** *m* nuncio: **~ apostolique** nuncio apostólico.

**nonchalamment** *adv* indolentemente.

**nonchalance** *f* indolencia, flojedad, abandono *m*.

**nonchalant, e** *a* indolente.

**nonciature** *f* nunciatura.

**non-conformisme** *m* inconformismo, no conformismo.

**non-conformiste** *a/s* inconformista, no conformista.

**non-croyant, e** *a/s* no creyente.

**non-dit** *m* secreto, misterio.

**none** *f (heure)* nona. ◇ *pl HIST* nonas.

**non-existence** *f* no existencia.

**non-figuratif, ive** *a* abstracto, a.

**non-ingérence** *f* no injerencia.

**non-inscrit, e** *a/s* independiente.

**non-intervention** *f* no intervención.

**non-interventionniste** *a/s* no intervencionista.

**non-lieu** *m JUR* sobreseimiento.

**nonne** *f* monja.

**nonnette** *f* **1.** *FAM* monjita **2.** *(gâteau)* pastelillo *m* redondo de alajú.

**nonobstant** *prép (malgré)* a pesar de. ◇ *adv (pourtant)* no obstante, sin embargo.

**non-paiement** *m* falta *f* de pago.

**non-recevoir** *m* **fin de ~ → fin.**

**non-résident, e** *s* no residente.

**non-retour** *m* **point de ~** punto de no retorno.

**non-sens** *m inv* absurdo, disparate, sinrazón *f*: **c'est un ~** es absurdo.

**non-stop** *a* **1.** *(vol)* sin escala **2.** ininterrumpido, a.

**non-valeur** *f* **1.** valor *m* nulo **2.** *FIG* nulidad *f*.

**non-violence** *f* no violencia.

**non-voyant, e** *a/s* invidente.

**nopal** *m* nopal, chumbera *f*.

**Norbert** *np m* Norberto.

**nord** *m* **1.** norte: **au ~ de** al norte de; **l'Amérique du Nord** América del Norte ◊ **le Grand Nord** las regiones árticas **2.** *FAM* **perdre le ~** perder la chaveta, perder la brújula. ◇ *a inv* **pôle Nord** polo Norte.

**nord-africain, e** *a/s* norteafricano, a.

**nord-américain, e** *a/s* norteamericano, a.

**nord-est** [nɔʀɛst] *a/m* nordeste.

**nordique** *a* nórdico, a.

**nord-ouest** [nɔʀwɛst] *a/m* noroeste.

**noria** *f* noria.

**normal, e** *a* **1.** normal: **c'est tout ~** es muy normal; **redevenir ~** volver a la normalidad; **en temps ~** normalmente **2. École normale** Escuela Normal. ◇ *f* **la normale** la normalidad, lo normal.

▶ *École normale supérieure*: donde se forman profesores de enseñanza secundaria o superior.

**normalement** *adv* normalmente.

**normalien, enne** *s* **1.** normalista **2.** alumno, a de la «École normale supérieure».

**normalisation** *f* normalización.

**normaliser** *vt* normalizar, unificar. ◆ **se ~** *vpr* normalizarse.

**normalité** *f* normalidad.

**normand, e** *a/s* **1.** normando, a **2. réponse de Normand** respuesta evasiva, ambigua; **trou ~ → trou.**

**Normandie** *np f* Normandía.

**normatif, ive** *a* normativo, a.

**norme** *f* norma, pauta.

**noroît, norois** *m MAR* viento noroeste.

**Norvège** *np f* Noruega.

**norvégien, enne** *a/s* noruego, a.

**nos → notre.**

**nosographie** *f MÉD* nosografía.

**nosologie** *f MÉD* nosología.

**nostalgie** *f* nostalgia.

**nostalgique** *a* nostálgico, a.

**nota** *m inv* **1.** nota **2. ~ bene** nota bene *f*, nota *f*.

**notabilité** *f* notabilidad.

**notable** *a/m* **1.** notable **2. les notables** los notables.

**notablement** *adv* notablemente.

**notaire** *m* **1.** notario **2. étude de ~** notaría.

**notamment** *adv* en particular, especialmente.

**notarial, e** *a* notarial.

**notariat** *m* notariado.

**notarié, e** *a* notarial: **acte ~** acta notarial.

**notation** *f* **1.** notación **2.** *(scolaire)* puntuación.

**note** *f* **1.** nota: **prendre ~ de** tomar nota de, apuntar; **~ diplomatique** nota diplomática; **ce trimestre il a eu de très bonnes notes** este trimestre ha sacado muy buenas notas **2.** apunte *m:* **prendre des notes** tomar apuntes **3.** cuenta, factura: **demander la ~ de l'hôtel** pedir la cuenta del hotel **4.** *MUS* nota: **fausse ~** nota falsa ◊ **être dans la ~** no desentonar, estar a tono **5.** *FIG* nota: **une ~ de mélancolie** una nota de melancolía.

**noter** *vt* **1.** apuntar, anotar: **j'ai noté votre adresse** he apuntado su dirección **2.** *(remarquer)* notar, observar, advertir: **notez que je n'ai rien dit** advierta usted que no he dicho nada **3.** *(un devoir)* poner una nota a, puntuar: **chaque matière sera notée de 0 à 10** cada asignatura será puntuada de 0 a 10.

**notice** *f* nota, reseña, folleto *m:* **~ biographique** reseña biográfica; **~ explicative** folleto explicativo.

**notification** *f* notificación.

**notifier*** *vt* notificar.

**notion** *f* noción: **des notions d'algèbre** nociones de álgebra.

**notoire** *a* notorio, a.

**notoirement** *adv* notoriamente.

**notoriété** *f* **1.** *(réputation)* notoriedad, predicamento *m* **2. il est de ~ publique que...** es notorio que...

**notre** (*pl* **nos**) *a pos* nuestro, a, os, as: **~ maison** nuestra casa; **nos parents** nuestros padres ◊ **~ Père qui es aux cieux** Padre nuestro que estás en los cielos; **~ pain de chaque jour** el pan nuestro de cada día.

**nôtre** *a/pron pos* **1.** nuestro, a: **cette maison est la ~** esta casa es la nuestra **2. faire ~** adoptar. ◇ *m pl* **les nôtres** los nuestros.

**Notre-Dame** *np f* Nuestra Señora.

**nouba** *f FAM* juerga: **faire la ~** estar de juerga.

**noue** *f ARCH* lima hoya.

**noué, e** *a* **1.** anudado, a **2.** *FIG* **avoir la gorge nouée** tener un nudo en la garganta, tener la garganta agarrotada.

**nouer** *vt* **1.** atar, anudar: **~ sa cravate** anudarse la corbata **2.** *FIG* trabar, entablar: **~ une amitié** trabar una amistad; **~ une conversation** entablar una conversación **3. ~ une intrigue** urdir una intriga. ◆ **se ~** *vpr* anudarse, atarse.

**noueux, euse** *a* **1.** nudoso, a **2. doigts ~** dedos sarmentosos.

**nougat** *m* turrón, almendrado.

**nouille** *f* **1.** tallarín: **nouilles au gratin** tallarines al gratén **2.** *FAM (niais)* bobo, a, bobalicón, ona, ganso, a: **c'est une ~** es un bobo.

**nounou** *f FAM* chacha, tata.

**nounours** [nunuʀs] *m FAM* osito.

**nourri, e** *a* **1.** nutrido, a, alimentado, a: **bien, mal ~** bien, mal nutrido **2.** *(abondant)* nutrido, a ◊ **feu ~** fuego nutrido, graneado **3.** *(style)* rico, a.

**nourrice** *f* **1.** nodriza: **mettre un enfant en ~** dar a criar a un niño (a una nodriza) ◊ **épingle de ~** imperdible *m* **2.** *(réservoir)* nodriza.

**nourricier, ère** *a* nutricio, a: **père ~** padre nutricio.

**nourrir** *vt* **1.** alimentar, nutrir: **le lait nourrit** la leche alimenta **2.** *(allaiter)* criar: **~ au biberon** criar con biberón; **~ au sein** amamantar **3.** *(entretenir)* mantener, alimentar: **il nourrit toute sa famille** mantiene a toda su familia **4.** *FIG (l'esprit)* alimentar **5.** *(un espoir, des rancunes, etc.)* abrigar, albergar. ◆ **se ~** *vpr* **1.** alimentarse, nutrirse: **elle se nourrit de fruits** se alimenta con, de frutas **2.** *FIG* **se ~ d'illusions** vivir de ilusiones.

**nourrissant, e** *a* nutritivo, a.

**nourrisson** *m* niño de pecho, lactante.

**nourriture** *f* **1.** comida, alimento *m:* **une ~ abondante** una comida abundante; **dépenser beaucoup pour la ~** gastar mucho en comida; **~ pour animaux** alimentos para animales **2.** alimentación **3.** *(de l'esprit)* alimento *m.*

**nous** *pron pers pl* **1.** *(sujet)* nosotros, as *(souvent omis, sert à insister):* **~ voulons** queremos; **~ autres Français** nosotros los franceses; **~-mêmes** nosotros mismos, nosotras mismas; **c'est ~ qui...** somos nosotros, nosotras quienes... **2.** *(complément)* nos: **il ~ appelle** (él) nos llama; **nous ~ connaissons depuis longtemps** nos conocemos desde hace mucho tiempo; **asseyons-~** sentémonos; **allons-~ en** vámonos **3. à ~** nuestro, a: **cette maison est à ~** esta casa es nuestra; **un ami à ~** un amigo nuestro **4. entre ~ soit dit** de ti para mí **5.** *(pluriel de majesté)* nos.

▶ Sens 2. dans les deux derniers exemples, remarquez la chute du s final dans l'enclise de *nos.*

**nouveau** *(delante de vocal o h muda* **nouvel***)*, **elle** *a* **1.** nuevo, a: **un ~ magasin** un nuevo almacén; **le Nouvel An** el día de Año Nuevo; **la nouvelle année** el año nuevo; **la nouvelle lune** la luna nueva; **~ riche** nuevo rico ◊ *FAM* **ça, c'est ~!** ¡la primera noticia! **2.** *(sens adverbial)* recién: **~ venu** recién llegado; **nouveaux mariés** recién casados **3.** *loc adv* **à ~** de nuevo; **de ~** de nuevo, una vez más, nuevamente *(ou le verbe «volver»)*: **il tira de ~** volvió a disparar; **il l'embrasse de ~** vuelve a besarla. ◇ *s (élève, revue)* nuevo, a, novato, a. ◇ *m* **1. du ~** algo nuevo **2. quoi de ~?** ¿qué hay de nuevo?, ¿hay novedad?; **rien de ~** nada nuevo, sin novedad.

**nouveau-né, e** *a/s* recién nacido, a.

**nouveauté** *f* **1.** novedad **2. magasin de nouveautés** tienda de novedades.

**nouvel → nouveau.**

**nouvelle** *f* **1.** noticia: **fausse ~** noticia falsa; **dernières nouvelles** últimas noticias; **donnez-nous de vos nouvelles** dénos noticias; **je suis sans nouvelles de lui** estoy sin noticias suyas, no sé nada de él; **voici un mois que nous sommes sans nouvelles de lui** hace un mes que no sabemos de él; *FAM* **première ~!** ¡la primera noticia! ◊ **demander des nouvelles de** preguntar por; *FIG* **il aura de mes nouvelles** ya verá cómo las gasto; **vous m'en direz des nouvelles** verá usted que no exagero **2. la Bonne Nouvelle** la Buena Nueva **3.** *(récit)* novela corta, cuento *m:* **romans et nouvelles** novelas y novelas cortas.

▶ Sens 3. Le mot «cuento» traduit souvent le mot «nouvelle»: *une nouvelle de G. García Márquez* un cuento de G. García Márquez.

**Nouvelle-Calédonie** *np f* Nueva Caledonia.

**Nouvelle-Guinée** *np f* Nueva Guinea.

**nouvellement** *adv* recientemente.

**Nouvelle-Zélande** *np f* Nueva Zelandia.

**nouvelliste** *s* autor, a de novelas cortas.

**nova** *f ASTR* nova.

**novateur, trice** *a/s* novador, a, innovador, a.

**novembre** *m* noviembre: **le 11 ~ 1918** el 11 de noviembre de 1918.

**novice** *a/s* **1.** *(religieux)* novicio, a **2.** *(débutant)* novato, a. ◇ *a* cándido, a, inocente.

**noviciat** *m* noviciado.

**novocaïne** *f* novocaína.

**noyade** *f* ahogamiento *m* en el agua.

**noyau** [nwajo] *m* **1.** *(d'un fruit)* hueso: **noyaux d'olive** huesos de aceituna; **fruit à ~** fruto de hueso **2.** *BIOL PHYS* núcleo **3.** *(petit groupe)* núcleo **4.** *ÉCON* **~ dur** núcleo duro ◊ **le ~ dur d'un parti** las personas más intransigentes de un partido **5.** *(d'escalier)* árbol.

**noyautage** [nwajotaʒ] *m* infiltración *f.*

**noyauter** *vt* introducir propagandistas, elementos hostiles en.

**noyé, e** *a/s (mort par noyade)* ahogado, a.

[1]**noyer** [nwaje] *vt* **1.** ahogar **2.** *(un terrain)* anegar, inundar **3. yeux noyés de larmes** ojos bañados de lágrimas **4.** *FIG* **~ son**

**chagrin** ahogar sus penas; **~ le poisson** dar largas al asunto **5.** *(les couleurs, etc.)* diluir. ◆ **se ~** *vpr* **1.** ahogarse ◊ *FIG* **se ~ dans un verre d'eau** ahogarse en un vaso de agua **2. se ~ dans les détails** perderse en los detalles.

**²noyer** *m (arbre)* nogal.

**¹nu, e** *a* **1.** desnudo, a: **~ comme un ver, tout ~** completamente desnudo; **les jambes nues** con las piernas desnudas; **la vérité toute nue** la verdad escueta; **à l'œil ~** a simple vista **2.** *JUR* nudo, a: **nue-propriété** nuda propiedad **3. mettre à ~** poner al descubierto; **mettre son cœur à ~** franquearse, abrir su corazón. ◇ *m (peinture, sculpture)* desnudo.
▶ Delante del nombre, el adjetivo *nu* es invariable y se une con él mediante un guión; después del nombre, concuerda con él y no lleva guión: *nu-pieds, pieds nus* descalzo, a; *nu-tête* con la cabeza descubierta.

**²nu** *m (lettre grecque)* ny *f.*

**nuage** *m* **1.** nube *f* **2. gros ~** nubarrón; **petit ~** nubecilla *f* **3.** *FIG* **être dans les nuages** estar en las nubes, en babia **4.** *(de poussière)* nube *f* **5.** *(de lait)* gota *f.*

**nuageux, euse** *a* **1.** nuboso, a: **ciel ~** cielo nuboso **2.** *FIG* nebuloso, a.

**nuance** *f* matiz *m*: **toutes les nuances** todos los matices.

**nuancé, e** *a* matizado, a.

**nuancer*** *vt* matizar.

**Nubie** *np f* Nubia.

**nubile** *a* núbil ◊ **âge ~** nubilidad *f.*

**nubilité** *f* nubilidad.

**nucléaire** *a* nuclear: **énergie ~** energía nuclear; **armes nucléaires** armas nucleares; **centrale ~** central nuclear. ◇ *m* **le ~** la energía nuclear.

**nucléarisation** *f* nuclearización.

**nucléariser** *vt* nuclearizar.

**nucléique** *a* **acides nucléiques** ácidos nucleicos.

**nucléole** *m BIOL* nucléolo.

**nudisme** *m* nudismo, desnudismo.

**nudiste** *s* nudista.

**nudité** *f* desnudez.

**nue** *f* **1.** nube **2.** *FIG* **porter aux nues** poner por las nubes; **tomber des nues** caer de las nubes.

**nuée** *f* **1.** nubarrón *m*, nube **2.** *FIG (grand nombre)* nube, enjambre *m*, multitud.

**nuire*** *vi* perjudicar, dañar: **le tabac nuit à la santé** el tabaco perjudica (a) la salud; **cela nuira à sa réputation** esto dañará su reputación. ◆ **se ~** *vpr* dañarse, perjudicarse.

**nuisance** *f* agente *m* contaminante, agente *m* nocivo.

**nuisette** *f* camisón *m* muy corto, picardías *m.*

**nuisible** *a* **1.** perjudicial, dañino, a **2.** *(animal)* dañino, a.

**nuit** *f* **1.** noche: **il fait ~** es de noche; **il faisait ~ noire** era noche cerrada; **~ blanche** noche en blanco; **bonne ~!** ¡buenas noches!; **je n'aime pas conduire la ~** no me gusta conducir por la noche; **passer la ~ à l'hôtel** hacer noche en el hotel; **travailler de ~** trabajar por la noche; **~ et jour** día y noche; **dans la ~ des temps** en la noche de los tiempos **2. à la ~ tombante, à la tombée de la ~** al anochecer **3. service de ~** servicio nocturno; **train de ~** tren nocturno; **voyage de ~** viaje nocturno; **oiseaux de ~** aves nocturnas **4.** *PROV* **la ~ tous les chats sont gris → chat.**

**nuitamment** *adv* de noche.

**nuitée** *f* pernoctación.

**¹nul** *pron indéf (personne)* nadie: **~ ne le sait** nadie lo sabe; **~ n'est parfait** nadie es perfecto.

**²nul, nulle** *a* **1.** nulo, a ◊ **match ~ → match; partie nulle aux échecs** tablas *pl* **2. cet élève est ~** este alumno es una nulidad; **il est ~ en maths** es nulo para las mates. ◇ *a indéf* ningún, ninguno, a: **~ espoir** ninguna esperanza; **nulle part** en ninguna parte; **sans ~ doute** sin duda alguna, sin ninguna duda.

**nullard, e** *a FAM* nulo, a.

**nullement** *adv* de ningún modo, de ninguna manera.

**nullité** *f* **1.** nulidad **2.** *FIG* **cet homme est une ~** este hombre es una nulidad, una calamidad.

**Numance** *np f* Numancia.

**numéraire** *a* numerario, a. ◇ *m (monnaie)* numerario, metálico.

**numéral, e** *a* numeral: **adjectifs numéraux** adjetivos numerales.

**numérateur** *m MATH* numerador.

**numération** *f* **1.** numeración **2. ~ globulaire** recuento *m* de glóbulos.

**numérique** *a* numérico, a: **calcul ~** cálculo numérico; **caméscope ~** videocámara numérica.

**numérisation** *f INFORM* digitalización.

**numériser** *vt INFORM* digitalizar.

**numéro** *m* **1.** *(d'une maison, billet de loterie, journal, spectacle, etc.)* número: **~ de téléphone** número de teléfono; **~ vert** número de teléfono gratuito; **le ~ un des top-models** el número uno de los top-models ◊ *FIG* **tirer le bon ~** tener suerte; **tirer le mauvais ~** tocarle a uno la china **2.** *(d'une voiture)* **~ d'immatriculation** matrícula *f* **3.** *FAM* **un drôle de ~** un tipo raro, un caso; **quel ~!** ¡vaya tío!, ¡vaya ejemplar!, ¡menudo elemento! **4. faire son ~** hacer un número.

**numérotage** *m*, **numérotation** *f* numeración *f.*

**numéroter** *vt* numerar: **édition numérotée** edición numerada.

**numéroteur** *m* numerador.

**numide** *a/s* númida.

**Numidie** *np f* Numidia.

**numismate** *s* numismático, a.

**numismatique** *a* numismático, a. ◇ *f* numismática.

**nunuche** *a/f* tontaina, sosaina: **cette fille est un peu ~** esta muchacha es algo tontaina.

**nu-pieds** *m inv (chaussure légère)* sandalia *f.*

**nuptial, e** [nypsjal] *a* nupcial.

**nuptialité** [nypsjalite] *f* nupcialidad: **taux de ~** tasa de nupcialidad.

**nuque** *f* nuca.

**nurse** [nœʀs] *f* niñera, nurse.

**nutritif, ive** *a* nutritivo, a: **la valeur nutritive des aliments** el valor nutritivo de los alimentos.

**nutrition** *f* nutrición.

**nutritionniste** *s* nutriólogo, a.

**nyctalope** *a/s* nictálope.

**nylon** *m (nom déposé)* nylon, nilón, nailón: **en ~** de nylon.

**nymphe** [nɛ̃f] *f* **1.** ninfa **2.** *ZOOL* ninfa. ◇ *pl ANAT* ninfas.

**nymphéa** [nɛ̃fea] *m* ninfea.

**nymphette** *f FAM* ninfa, pollita.

**nymphomane** *a/f* ninfómana.

**nymphomanie** [nɛ̃fɔmani] *f MÉD* ninfomanía.

**o** *m* o *f*: **un ~** una o.

**ô** [o] *interj* ¡oh!

**oasien, enne** *a* del oasis. ◇ *s* habitante de un oasis.

**oasis** [ɔazis] *f* **1.** oasis *m*: **une ~** un oasis **2.** *FIG* oasis *m*.

**obédience** *f* **1.** obediencia **2. les pays d'~ communiste** los países bajo el poder comunista.

**obéir** *vi* obedecer: **~ à quelqu'un** obedecer a alguien; **~ à un ordre** obedecer (a) una orden; **tais-toi et obéis** calla y obedece; **~ à une impulsion** obedecer a un impulso; **se faire ~** hacerse obedecer; **~ au doigt et à l'œil → doigt.**

**obéissance** *f* obediencia: **prêter ~** prestar obediencia.

**obéissant, e** *a* obediente.

**obélisque** *m* obelisco.

**obéré, e** *a* cargado, a de deudas.

**obérer*** *vt* cargar de deudas.

**obèse** *a/s* obeso, a.

**obésité** *f* obesidad.

**obier** *m* mundillo.

**obituaire** *m RELIG* obituario.

**objecter** *vi* **1.** objetar: **je n'ai rien à ~** no tengo nada que objetar **2. ~ la fatigue** pretextar cansancio; **on lui objecta son trop jeune âge** pretextaron que era demasiado joven.

**objecteur** *m* **1.** objetante **2. ~ de conscience** objetor de conciencia.

**objectif, ive** *a* objetivo, a. ◇ *m* **1.** *(but à atteindre)* objetivo **2.** *(d'un appareil photo)* objetivo.

**objection** *f* **1.** objeción, reparo *m*, pero *m* **2. faire des objections à** poner reparos, objeciones a; **je n'ai aucune ~ à faire à** no tengo ningún reparo, ninguna objeción que hacer a.

**objectivement** *adv* objetivamente.

**objectivité** *f* objetividad.

**objet** *m* **1.** objeto: **objets trouvés** objetos perdidos ◇ **être, faire l'~ de** ser objeto de; **sans ~** sin objeto **2.** *GRAM* **complément d'~** complemento.

**objurgation** *f* desaprobación, censura.

**oblat, e** *s* oblato, a.

**oblation** *f* oblación.

**obligataire** *s COM* obligacionista.

**obligation** *f* **1.** obligación ◇ **je suis dans l'~ de partir** estoy obligado a irme **2. avoir des obligations envers...** deber favores a... **3.** *(engagement)* compromiso *m*: **sans ~ de votre part** sin compromiso por su parte **4.** *COM* obligación: **actions et obligations** acciones y obligaciones.

**obligatoire** *a* **1.** obligatorio, a **2.** *FAM* **c'était ~!** ¡era inevitable!

**obligé, e** *a* obligado, a: **être ~ de** estar obligado a; **tu n'es pas ~ de le faire** no estás obligado a hacerlo **2.** obligado, a, obligatorio, a: **le rendez-vous ~ des noctambules** la cita obligada de los noctámbulos; **c'est ~!** ¡es obligatorio! ◇ *s* agradecido, a: **je vous serais très ~ de...** le estaría muy agradecido si...

**obligeamment** [ɔbliʒamɑ̃] *adv* amablemente, atentamente.

**obligeance** [ɔbliʒɑ̃s] *f* **1.** complacencia, amabilidad, cortesía: **auriez-vous l'~ de...?** ¿tendría la amabilidad de...? **2. ayez l'~ de** hágame el favor de.

**obligeant, e** [ɔbliʒɑ̃, ɑ̃t] *a* complaciente, servicial.

**obliger*** *vt* **1.** obligar ◇ **je suis obligé de partir** tengo que marcharme **2. vous m'obligeriez beaucoup si...** le estaría muy agradecido si.... ◆ **s'~** *vpr* obligarse, comprometerse.

**oblique** *a* oblicuo, a ◇ **en ~** diagonalmente, oblicuamente.

**obliquement** *adv* oblicuamente.

**obliquer** *vi* torcer: **~ à droite** torcer a la derecha.

**obliquité** *f* oblicuidad.

**oblitérateur, trice** *a* obliterador, a. ◇ *m* matasellos.

**oblitération** *f* **1.** *(marque)* matasellos *m* **2.** *MÉD* obliteración.

**oblitérer*** *vt* **1.** *MÉD* obliterar **2. ~ un timbre** poner el matasellos, matar un sello **3.** *(effacer)* borrar.

**oblong, gue** *a* oblongo, a.

**obnubiler** *vt* obsesionar.

**obole** *f* óbolo *m*.

**obscène** *a* obsceno, a.

**obscénité** *f* obscenidad.

**obscur, e** *a* **1.** *(sombre)* oscuro, a, obscuro, a **2.** *FIG* oscuro, a, obscuro, a.

▶ Dans la langue actuelle, les mots de cette famille s'écrivent surtout sans *b*.

**obscurantisme** *m* oscurantismo.

**obscurantiste** *a/s* oscurantista.

**obscurcir** *vt* oscurecer. ◆ **s'~** *vpr* oscurecerse: **le ciel s'obscurcit** el cielo se oscurece.

**obscurcissement** *m* oscurecimiento.

**obscurément** *adv* oscuramente.

**obscurité** *f* oscuridad, obscuridad: **être dans l'~** estar en la oscuridad, a oscuras.

**obsédant, e** *a* obsesivo, a.

**obsédé, e** *pp* de **obséder.** ◇ *s* **~ sexuel** obseso sexual, maniático sexual.

**obséder*** *vt* obsesionar: **être obsédé par une idée** estar obsesionado con, por una idea: **il est obsédé par les problèmes d'argent** está obsesionado con los problemas de dinero; **obsédé d'ordre** obsesionado con el orden.

**obsèques** *f pl* exequias, funerales *m*, funeral *m sing*: **assister aux ~ de** asistir a los funerales de, al funeral de.

**obséquieux, euse** *a* obsequioso, a, zalamero, a.

**obséquiosité** *f* obsequiosidad.

**observable** *a* observable.

**observance** *f* observancia.

**observateur, trice** *a/s* observador, a.

**observation** *f* **1.** observación ◊ **malade en ~** enfermo en observación **2.** *(remarque)* observación: **faire quelques observations** hacer algunas observaciones; **faire une ~ à quelqu'un** criticar a alguien.

**observatoire** *m* observatorio.

**observer** *vt* **1.** observar: **on nous observe** nos observan **2.** cumplir: **il faut ~ les règles du jeu** hay que cumplir las reglas del juego **3. je vous fais ~ que** le advierto, le hago notar que **4. ~ les distances** guardar las distancias. ◆ **s'~** *vpr (se surveiller)* controlarse, mostrarse circunspecto, a.

**obsession** *f* obsesión.

**obsessionnel, elle** *a* obsesivo, a: **névrose obsessionnelle** neurosis obsesiva.

**obsidienne** *f* obsidiana.

**obsolescence** *f* obsolescencia.

**obsolète** *a* obsoleto, a.

**obstacle** *m* obstáculo ◊ **faire ~ à** poner obstáculos a, obstaculizar; **course d'obstacles** carrera de obstáculos.

**obstétricien, enne** *s* obstetra, tocólogo, a.

**obstétrique** *f* obstetricia.

**obstination** *f* obstinación.

**obstiné, e** *a/s* obstinado, a, terco, a.

**obstinément** *adv* obstinadamente.

**obstiner (s')** *vpr* **s'~ à, dans** obstinarse en, empeñarse en: **il s'obstine à...** se obstina en...

**obstruction** *f* obstrucción: **faire de l'~** hacer obstrucción.

**obstructionnisme** *m* obstruccionismo.

**obstruer** *vt* obstruir. ◆ **s'~** *vpr* obstruirse.

**obtempérer*** *vi* obedecer, obtemperar: **~ à un ordre** obedecer una orden.

**obtenir*** *vt* obtener, lograr, conseguir: **comment as-tu obtenu ce résultat?** ¿cómo conseguiste, obtuviste este resultado?; **on obtient cet acide...** se obtiene este ácido... ◆ **s'~** *vpr* obtenerse.

**obtention** *f* obtención, logro *m*.

**obturateur, trice** *a/m* obturador, a.

**obturation** *f* obturación.

**obturer** *vt* obturar, tapar.

**obtus, e** [ɔpty, yz] *a* **1.** obtuso, a **2.** *GÉOM* **angle ~** ángulo obtuso.

**obtusangle** *a GÉOM* obtusángulo.

**obus** [ɔby] *m* bala *f* (de cañón), obús.

**obusier** *m (canon)* obús.

**obvier*** *vi* obviar: **~ à un inconvénient** obviar un inconveniente.

**oc** [ɔk] *m* **langue d'~** lengua de oc.

**ocarina** *m* ocarina *f*.

**occase** *f POP* ganga, chollo *m*.

**occasion** *f* **1.** ocasión, oportunidad: **avoir l'~ de voir quelqu'un** tener (la) ocasión de ver a alguien; **profiter de l'~** aprovechar la oportunidad; **une ~ en or** una oportunidad de oro; **sauter sur l'~** coger la oportunidad al vuelo; **c'est l'~ ou jamais** es el momento más oportuno; **laisser passer l'~** dejar escapar la ocasión, desperdiciar la oportunidad; **l'~ fait le larron** la ocasión hace al ladrón; **il ne perd pas une ~ de le rabaisser** no pierde oportunidad de humillarle; **à la première ~** en la primera ocasión; **en plusieurs occasions** en varias ocasiones **2. voiture d'~** coche de segunda mano, de ocasión; **une ~** una ganga **3.** motivo *m*: **je n'ai jamais eu l'~ de le critiquer** nunca tuve motivo para criticarle **4.** *loc adv* **à l'~** si se presenta la ocasión, si se presenta el caso, si se tercia **5.** *loc prép* **à l'~ de** con motivo de, con ocasión de.

**occasionnel, elle** *a* ocasional.

**occasionnellement** *adv* ocasionalmente, accidentalmente.

**occasionner** *vt* ocasionar, causar.

**occident** *m* occidente.

**occidental, e** *a/s* occidental: **les Occidentaux** los occidentales.

**occidentaliser** *vt* occidentalizar. ◆ **s'~** *vpr* occidentalizarse.

**occipital, e** *a ANAT* occipital.

**occiput** [ɔksipyt] *m ANAT* occipucio.

**occire*** *vt ANC* matar.

▶ Hoy sólo se usan el infinitivo y el participio *occis, e*.

**occitan, e** *a/m* occitano, a.

**occlure*** *vt* ocluir.

**occlusif, ive** *a* oclusivo, a. ◇ *f (consonne)* oclusiva.

**occlusion** *f* oclusión: **~ intestinale** oclusión intestinal.

**occultation** *f ASTR* ocultación.

**occulte** *a* oculto, a: **sciences occultes** ciencias ocultas.

**occulter** *vt* ocultar.

**occultisme** *m* ocultismo.

**occultiste** *a/s* ocultista.

**occupant, e** *a/s* **1.** ocupante **2.** *MIL* **l'armée occupante** el ejército ocupante; **l'~, les occupants** los ocupantes.

**occupation** *f* **1.** *(d'un lieu)* ocupación **2.** ocupación: **avoir de nombreuses occupations** tener muchas ocupaciones **3.** *HIST* **l'Occupation** la Ocupación (de Francia por los alemanes, 1940-44).

**occupé, e** *a* **1.** *(lieu)* ocupado, a **2.** *(une personne)* **je suis très occupée** estoy muy ocupada **3.** *(téléphone)* **c'est ~** está comunicando.

**occuper** *vt* **1.** *(un lieu, du temps, etc.)* ocupar **2.** ocupar: **usine qui occupe des centaines d'ouvriers** fábrica que ocupa centenares de obreros. ◆ **s'~** *vpr* **1.** ocuparse, dedicarse: **s'~ de politique** dedicarse a la política **2.** *FAM* **occupe-toi de tes affaires** ocúpate de tus asuntos, no te metas en lo que no te importa; **t'occupe pas!** ¡no hagas caso! **3.** atender, ocuparse, cuidar: **occupe-toi de l'enfant** atiende al, ocúpate del niño; **s'occuper des enfants** cuidar de los niños **4.** *(dans une boutique)* **on s'occupe de vous?** ¿le atienden?

**occurrence** *f* circunstancia ◊ **en l'~** en este caso.

**océan** *m* océano.

**océanide** *f* oceánida.

**Océanie** *np f* Oceanía.

**océanien, enne** *a/s* de Oceanía.

**océanique** *a* oceánico, a.

**océanographe** *s* oceanógrafo, a.

**océanographie** *f* oceanografía.

**océanographique** *a* oceanográfico, a.

**ocelle** *m* ocelo.

**ocellé, e** *a* ocelado, a.

**ocelot** [ɔslo] *m* ocelote.

**ocre** *f* **1.** ocre *m* **2. ~ rouge** almagre *m.* ◇ *a* ocre.

**ocré, e** *a* ocre, de color de ocre.

**ocreux, euse** *a* de la naturaleza del ocre.

**octaèdre** *m GÉOM* octaedro.

**octane** *m* octano: **indice d'~** índice de octano.

**octante** *a* ochenta.

**Octave** *np m* Octavio.

**octave** *f MUS* octava.

**Octavien** *np m* Octaviano.

**octet** *m INFORM* octeto.

**octobre** *m* octubre: **le 6 ~ 1888** el 6 de octubre de 1888.

**octogénaire** *a/s* octogenario, a.

**octogonal, e** *a GÉOM* octogonal.

**octogone** *a/m GÉOM* octógono, a.

**octopodes** *m pl ZOOL* octópodos.

**octosyllabe** *a/m* octosílabo, a.

**octroi** [ɔktʀwa] *m* **1.** *(d'un privilège, etc.)* otorgamiento, concesión *f* **2.** *(droits, impôts)* consumos *pl* **3.** *(bureau)* fielato.

**octroyer*** [ɔktʀwaje] *vt* otorgar, conceder.

**oculaire** *a* ocular: **globe ~** globo ocular; **témoin ~** testigo ocular, testigo presencial. ◇ *m (lentille)* ocular.

**oculiste** *s* oculista.

**oculus** [ɔkylys] *m ARCH* óculo, ojo de buey.

**odalisque** *f* odalisca.

**ode** *f* oda.

**odéon** *m* odeón.

**Odessa** *np* Odesa.

**odeur** *f* **1.** olor *m*: **une ~ de jasmin, d'essence, de naphtaline, de brûlé** un olor a jazmín, a gasolina, a naftalina, a quemado; **bonne, mauvaise ~** buen, mal olor **2. en ~ de sainteté** en olor de santidad; *FAM* **il n'est pas en ~ de sainteté auprès du directeur** el director no siente simpatía hacia él.

**odieux, euse** *a* **1.** odioso, a **2. cet enfant est ~** este niño es insoportable. ◇ *m* **l'~** la odiosidad, lo odioso.

**odontologie** *f* odontología.

**odontologiste** *s* odontólogo, a.

▶ Le mot *odóntologo* correspond souvent à celui de «chirurgien-dentiste».

**odorant, e** *a* oloroso, a, fragante.

**odorat** *m* olfato: **avoir l'~ fin** tener buen olfato.

**odoriférant, e** *a* odorífero, a, aromático, a.

**odyssée** *f* odisea.

**œcuménique** [ekymenik] *a* ecuménico, a.

**œcuménisme** [ekymenism] *m* ecumenismo.

**œdémateux, euse** [edemat, øz] *a* edematoso, a.

**œdème** [edɛm] *m MÉD* edema.

**Œdipe** [edip] *np m* Edipo: **complexe d'~** complejo de Edipo.

**œil** [œjø] (*pl* **yeux** [jø]) *m* **1.** ojo: **il a les yeux verts** tiene los ojos verdes; **baisser les yeux** bajar los ojos ◊ **avoir sous les yeux** tener a la vista; **regarder droit dans les yeux** mirar de hito en hito; **suivre des yeux** seguir con la mirada; *FAM* **avoir un ~ au beurre noir → beurre; avoir un ~ qui dit zut à l'autre** ser bizco, a **2.** *FIG* **mauvais ~** mal de ojo; **~ pour ~, dent pour dent** ojo por ojo, diente por diente; **avoir à l'~** no perder de vista; **avoir l'~** andarse con ojo; **il n'a d'yeux que pour elle** no tiene ojos más que para ella; **d'un ~ critique** con espíritu crítico; **ne pas voir d'un bon ~** no ver con buenos ojos; **d'un mauvais ~** con malos ojos; **coûter les yeux de la tête** costar un ojo de la cara; **ne pas en croire ses yeux** no dar crédito a sus ojos; **être tout yeux** ser todo ojos; **faire les yeux doux à quelqu'un** mirar con cariño a alguien; **faire les gros yeux à quelqu'un** mirar con severidad a alguien; **faire de l'~ à quelqu'un** guiñar el ojo a alguien; **je n'ai pas fermé l'~ de la nuit** no he pegado ojo, no he cerrado los ojos en toda la noche; **fermer les yeux sur...** hacer la vista gorda a..., cerrar los ojos a...; **n'avoir pas froid aux yeux → froid; jeter un coup d'~ sur** echar un vistazo, una ojeada a; **un joli coup d'~** una hermosa vista; **ouvrir l'~** estar con ojo alerta, andar con cien ojos; **ouvrir de grands yeux** mirar con los ojos muy abiertos; **ça saute aux yeux, ça crève les yeux** eso salta a la vista; **il a tourné de l'~** le dio un patatús; *FAM* **je m'en bats l'~** me importa un bledo; **elle lui a tapé dans l'~** le ha hecho tilín, le ha caído en gracia; **se rincer l'~** regodearse **3.** *loc adv* **à l'~ nu** a simple vista; **à vue d'~** a ojos vistas; **les yeux fermés** a ojos cerrados; *FAM* **à l'~** de balde, de gorra, gratis; *FAM* **entre quatre-z-yeux** a solas **4.** *loc prép* **aux yeux de** según; **pour les beaux yeux de** por la linda cara de **5.** *FAM* **mon ~!** ¡ni hablar!, ¡nanay!, ¡qué va!, ¡y un jamón! **6.** *(du gruyère, etc.)* ojo **7.** *BOT* yema *f*, botón.

**œil-de-bœuf** [œjdəbœf] *m* ojo de buey.

**œil-de-perdrix** [œjdəpɛʀdʀi] *m* ojo de gallo.

**œillade** [œjad] *f* guiño *m.*

**œillère** [œjɛʀ] *f* **1.** *(de cheval)* anteojera ◊ *FIG* **avoir des œillères** tener estrechez de miras, no ver más allá **2.** *(pour bains d'œil)* lavaojos.

**œillet** [œjɛ] *m* **1.** *(fleur)* clavel ◊ **~ d'Inde** clavelón; **~ de poète** minutisa *f*, clavellina **2.** *(trou)* ojete.

**œilleton** *m* **1.** *(de viseur)* mira *f* **2.** *BOT* retoño, brote.

**œillette** *f* adormidera.

**œnologie** [enɔlɔʒi] *f* enología.

**œnologique** [enɔlɔʒik] *a* enológico, a.

**œnologue** [enɔlɔg] *s* enólogo, a.

**œsophage** [ezɔfaʒ] *m* esófago.

**œstrogène** [ɛstʀoʒɛn] *m* estrógeno.

**œstrus** [ɛstʀys] *m* estro, celo.

**œuf** [œf] (*pl* **œufs** [ø]) *m* **1.** huevo: **~ à la coque, mollet** huevo pasado por agua; **œufs brouillés** huevos revueltos; **~ dur** huevo duro; **œufs sur le plat, au plat** huevos fritos, huevos estrellados; **œufs pochés** huevos escalfados; **œufs à la neige** natillas con clara de huevo en punto de nieve **2.** *FIG* **étouffer dans l'~** cortar de raíz; **marcher sur des œufs** ir pisando huevos; **ne pas mettre tous ses œufs dans le même panier** mostrarse prudente; **plein comme un ~** hasta los topes; **il tondrait un ~** es un roñoso; **la poule aux œufs d'or → poule 3.** *FAM* **quel ~!** ¡qué imbécil! **4.** *POP* **va te faire cuire un ~!** ¡vete a la porra!

**[1]œuvre** *f* **1.** obra, trabajo *m*: **être à l'~** estar trabajando ◊ **se mettre à l'~** ponerse manos a la obra; **mettre en ~** poner en acción, poner en juego; **mise en ~** ejecución, aplicación **2.** obra: **~ de bienfaisance** obra de caridad **3. ~ d'art** obra de arte; **œuvres complètes** obras completas; **l'~ de Balzac** la obra de Balzac. ◇ *pl MAR* **œuvres vives, mortes** obra *sing* viva, muerta.

**[2]œuvre** *m* **1.** *ARCH* **le gros ~** los cimientos *pl* ◊ **maître d'~** maestro de obras **2.** *(d'un artiste)* obra *f.*

**œuvrer** *vi* trabajar.

**off** *a inv* en off: **voix ~** voz en off.

**offensant, e** *a* ofensivo, a.

**offense** *f* **1.** ofensa **2. pardonne-nous nos offenses** perdónanos nuestras deudas.

**offensé, e** *a/s* ofendido, a.

**offenser** *vt* ofender ◊ **soit dit sans vous ~** con perdón. ◆ **s'~** *vpr* ofenderse, agraviarse: **il s'est offensé de la plaisanterie** se ha ofendido por la broma.

**offenseur** *m* ofensor, a.

**offensif, ive** *a* ofensivo, a. ◇ *f* **passer à l'offensive** tomar, emprender la ofensiva.

**offert, e → offrir.**

**offertoire** *m* ofertorio.

**office** *m* **1.** oficio, función *f* ◊ **faire ~ de...** hacer de..., hacer las veces de...: **chambre qui fait ~ de bureau** habitación que hace las veces de despacho; **d'~** de oficio; **avocat nommé d'~** abogado de oficio **2.** *(bureau)* agencia *f*, oficina *f*: **~ de publicité** agencia de publicidad; **~ de tourisme** oficina de turismo **3.** *RELIG* oficio: **~ des morts** oficio de difuntos. ◇ *m pl* **bons offices** buenos oficios. ◇ *f/m (pièce)* antecocina *f*.

**officialiser** *vt* oficializar.

**officiant** *a/m RELIG* celebrante.

**officiel, elle** *a* oficial ◊ **le Journal ~ → journal.** ◇ *m* **les officiels** las autoridades.

**officiellement** *adv* oficialmente.

[1]**officier*** *vi RELIG* celebrar.

[2]**officier** *m* **1.** *MIL* oficial **2. officiers ministériels, publics** notarios, funcionarios autorizados para dar fe.

**officieusement** *adv* oficiosamente.

**officieux, euse** *a* oficioso, a, extraoficial.

**officinal, e** *a* oficinal.

**officine** *f* **1.** *(de pharmacien)* laboratorio *m*, farmacia **2.** *FIG* centro *m*.

**offrande** *f* ofrenda.

**offrant** *m* **le plus ~** el mejor postor.

**offre** *f* **1.** oferta: **l'~ et la demande** la oferta y la demanda; **offres d'emploi** ofertas de empleo; **~ publique d'achat** oferta pública de adquisición **2. appel d'offres** licitación *f* **3.** *(proposition)* ofrecimiento *m*.

**offrir*** *vt* **1.** ofrecer: **il m'a offert sa maison** me ofreció su casa **2.** regalar: **~ des fleurs** regalar flores; **~ un cadeau** obsequiar con un regalo; **c'est pour ~** es para regalar **3.** proponer: **je lui ai offert de l'aider** le he propuesto ayudarle **4. ~ l'occasion** brindar, ofrecer la oportunidad; **~ des avantages** presentar ventajas; **~ un aspect lamentable** ofrecer un aspecto lamentable. ◆ **s'~** *vpr* **1.** ofrecerse **2. s'~ à** ofrecerse, brindarse a: **il s'est offert à m'accompagner** se ha ofrecido a, se ha brindado a acompañarme **3. je me suis offert un magnétoscope** me he comprado un magnetoscopio; **s'~ un bon dîner** regalarse con una buena cena.

**offset** [ɔfsɛt] *m* offset.

**offshore** [ɔfʃɔʀ] *a inv* **exploitation pétrolière ~** explotación petrolífera offshore. ◇ *m (bateau)* fueraborda.

**offusquer** *vt* **1.** chocar, ofender **2.** *(éblouir)* deslumbrar, ofuscar. ◆ **s'~** *vpr* ofenderse.

**ogival, e** *a ARCH* ojival.

**ogive** *f* **1.** *ARCH* ojiva ◊ **voûte sur croisée d'ogives** bóveda de crucería **2. ~ nucléaire** ojiva nuclear.

**ogre, esse** *s* ogro ◊ **manger comme un ~** comer como un sabañón.

**oh!** [o] *interj* ¡oh! **~ là là → là.**

**ohé!** [ɔe] *interj* ¡eh!, ¡hola!

**ohm** [om] *m* ohmio, ohm.

**oïdium** [ɔidjɔm] *m* oídio.

**oie** [wa] *f* **1.** ganso *m*, oca, ánsar *m*: **~ sauvage** ganso salvaje, ánsar; **plume d'~** pluma de ganso; **graisse d'~** grasa de oca; **les oies du Capitole** los gansos del Capitolio **2.** *FAM (sotte)* pava, tonta: **elle est bête comme une ~** es muy tonta ◊ **~ blanche** chica cándida, ingenua **3. jeu de l'~** juego de la oca **4. le pas de l'~** el paso de la oca.

**oignon** [ɔɲɔ̃] *m* **1.** cebolla *f* **2.** *(de tulipe, etc.)* bulbo **3.** *(aux pieds)* juanete **4.** *FAM* **occupe-toi de tes oignons** no te metas donde no te llaman, métete en lo tuyo **5.** *loc adv* **en rang d'oignons** en fila, en hilera.

**oïl** [ɔjl] *m* **langue d'~** lengua de oíl.

**oindre*** [wɛ̃dʀ(ə)] *vt* **1.** untar: **~ d'huile** untar con aceite **2.** *RELIG* ungir.

**oint, e** [wɛ̃, t] *a/m* ungido, a.

**oiseau** [wazo] *m* **1.** *(grand)* ave *f*, *(petit)* pájaro: **~ de proie** ave de rapiña; **~ de paradis** ave del paraíso; **un petit ~** un pajarito ◊ **~ de passage** ave de paso; **à vol d'~ → vol 2.** *FIG* **un ~ rare** un espécimen raro, un mirlo blanco, un rara avis; **un drôle d'~** un pajarraco; **~ de mauvais augure** pájaro de mal agüero; **être comme l'~ sur la branche → branche;** *FAM* **donner à quelqu'un des noms d'oiseaux** insultar a alguien **3.** *PROV* **petit à petit, l'~ fait son nid** poco a poco hila la vieja el copo.

**oiseau-lyre** *m* ave *f* lira.

**oiseau-mouche** *m* pájaro mosca, colibrí.

**oiselet** [wazlɛ] *m* pajarito, avecilla *f*, pajarillo.

**oiseleur** *m* pajarero.

**oisellerie** *f* pajarería.

**oiselle** *f FAM* necia, tonta.

**oiseux, euse** *a* vano, a, inútil: **propos ~** palabras vanas.

**oisif, ive** *a/s* ocioso, a.

**oisillon** *m* pajarillo, avecilla *f*.

**oisivement** *adv* ociosamente.

**oisiveté** *f* ociosidad.

**oison** *m* ansarón.

**o.k.** [oke] *adv FAM* muy bien, vale, o.k.

**okapi** *m* okapi.

**okoumé** *m* ocume.

**oléagineux, euse** *a/m* oleaginoso, a.

**olé olé** *a inv FAM* libre, picante, atrevido, a.

**oléiculteur, trice** *s* oleicultor, a.

**oléiculture** *f* oleicultura.

**oléoduc** *m* oleoducto.

**olfactif, ive** *a* olfativo, a.

**olibrius** [ɔlibʀijys] *m FAM* tipo raro, excéntrico.

**olifant** *m* olifante.

**oligarchie** *f* oligarquía.

**oligarchique** *a* oligárquico, a: **régime ~** régimen oligárquico.

**oligarque** *m* oligarca.

**oligoélément** *m BIOL* oligoelemento.

**oligophrénie** *f MÉD* oligofrenia.

**oligopole** *m ÉCON* oligopolio.

**olivaie** *f* olivar *m*.

**olivâtre** *a* aceitunado, a, cetrino, a.

**olive** *f* **1.** aceituna: **~ farcie** aceituna rellena ◊ **huile d'~** aceite de oliva **2.** interruptor *m* (en forma de aceituna). ◇ *a* de color verde oliva.

**oliveraie** *f* olivar *m*.

**olivette** *f* **1.** olivar *m* **2.** *(raisin)* uva parecida a la aceituna **3.** tomate *m* pequeño y oblongo.

**olivier** *m* **1.** olivo: **le mont des Oliviers** el Monte de los Olivos; **le jardin des Oliviers** el Huerto de los Olivos **2. ~ sauvage** acebuche.

**Olivier** *np m* Oliverio.

**olographe** *a JUR* **testament ~** testamento ológrafo.

**Olympe (l')** *np m* el Olimpo.

**olympiade** *f* olimpíada.

**Olympie** *np f* Olimpia.

**olympien, enne** *a* olímpico, a.

**olympique** *a* olímpico, a: **Jeux olympiques** Juegos Olímpicos.

**Oman** *np m* Omán.

**ombelle** *f BOT* umbela.

**ombellifère** *a/f BOT* umbelífero, a.

**ombilic** [ɔ̃bilik] *m* ombligo.

**ombilical, e** *a* umbilical: **cordon ~** cordón umbilical.

**omble, omble chevalier** *m* farra *f*.

**ombrage** *m* **1.** umbría *f*, enramada *f* **2.** *FIG* **porter ~ à quelqu'un** hacer sombra a alguien; **prendre ~ de quelque chose** resentirse por algo.

**ombragé, e** *a* sombreado, a, umbroso, a: **lieu ~** lugar sombreado.

**ombrager*** *vt* dar sombra.

**ombrageux, euse** *a* **1.** desconfiado, a, receloso, a **2.** *(animal)* espantadizo, a.

[1]**ombre** *f* **1.** sombra: **se reposer à l'~ d'un arbre** descansar a la sombra de un árbol; **30 degrés à l'~** 30 grados a la sombra; **faire de l'~** hacer sombra; **~ portée** sombra proyectada, esbatimento *m*; **ombres chinoises** sombras chinescas **2.** *FIG* **il n'y a pas l'~ d'un doute** no hay ni sombra de duda; **vivre dans l'~** vivir apartado, a; **il y a une ~ au tableau** hay un inconveniente; **il n'est plus que l'~ de lui-même** no es ni sombra de lo que era **3.** *FAM* **mettre quelqu'un à l'~** poner a la sombra, meter en chirona a alguien; **deux années à l'~** dos años a la sombra **4.** **terre d'~** tierra de Siena **5.** **~ à paupières** sombra de ojos.

[2]**ombre** *m (poisson)* tímalo.

**ombrelle** *f* sombrilla.

**ombrer** *vt* sombrear.

**ombreux, euse** *a* umbroso, a, umbrío, a.

**Ombrie** *np f* Umbría.

**oméga** *m* omega *f*.

**omelette** *f* tortilla: **~ au jambon, nature** tortilla de jamón, a la francesa ◊ *PROV* **on ne fait pas d'~ sans casser des œufs** no se pescan truchas a bragas enjutas.

**omettre*** *vt* omitir: **j'ai omis d'écrire la date** he omitido escribir la fecha.

**Omeyyades** *np m pl HIST* Omeyas.

**omicron** *m* ómicron *f*.

**omis, e** → **omettre.**

**omission** *f* omisión ◊ **sauf erreur ou ~** salvo error u omisión.

**omnibus** [ɔmnibys] *m* ómnibus.

**omnipotence** *f* omnipotencia.

**omnipotent, e** *a* omnipotente.

**omnipracticien, enne** *s (médecin)* generalista.

**omniprésence** *f* omnipresencia.

**omniprésent, e** *a* omnipresente.

**omniscience** *f* omnisciencia.

**omniscient, e** *a* omnisciente.

**omnisports** *a* polideportivo, a.

**omnium** [ɔmnjɔm] *m* ómnium.

**omnivore** *a* omnívoro, a.

**omoplate** *f* omóplato *m*.

**on** [ɔ̃] *pron indéf* **1.** se: **~ entendait des cris** se oían gritos; **quand ~ est jeune** cuando se es joven; **~ demande des associés** se necesitan socios **2.** 3e personne du pl.: **~ dit que...** dicen que...; **~ frappe** llaman; **~ a téléphoné** han telefoneado **3.** uno, a: **~ s'ennuie ici** se aburre uno aquí; **~ ne peut pas se fier à lui** uno no puede fiarse de él; **parfois, ~ se sent seule** a veces, una se siente sola **4.** *(= nous)* 1ère personne du pl.: **~ est allé au cinéma** fuimos al cine; **que fait-~?** ¿qué hacemos?; **~ s'en va** nos vamos **5.** *FAM (= je)* **~ vient!, ~ arrive!** ¡ya voy! **6.** *FAM (= tu, toi)* **alors, ~ se tait** conque cállate; **alors, ~ fume en cachette** conque, fumando a escondidas; **~ se calme!** ¡calma!, ¡calma!

▶ Por eufonía se usa a veces *l'on*.

[1]**onagre** *m (âne sauvage)* onagro.

[2]**onagre** *f (planta)* onagra.

**onanisme** *m* onanismo.

[1]**once** *f (poids)* onza ◊ **pas une ~ de** ni un ápice de.

[2]**once** *f (panthère)* onza.

**oncial, e** *a/f* uncial.

**oncle** *m* tío ◊ **l'Oncle Sam** el Tío Sam.

**oncogène** *a* oncogénico, a.

**oncologie** *f MÉD* oncología.

**oncologue** *s* oncólogo, a.

**onction** *f* unción.

**onctueux, euse** *a* **1.** untuoso, a **2.** *FIG* lleno, a de unción.

**onctuosité** *f* untuosidad.

**onde** *f* **1.** onda; **longueur d'~** longitud de onda; **~ courtes** onda corta; **grandes ondes** onda larga; *FIG* **être sur la même longueur d'~** estar en la misma onda, en igual sintonía **2.** **les ondes** la radio; **sur les ondes** por radio; **mettre en ondes** difundir por radio; **mise en ondes** realización radiofónica **3.** *LITT (eau)* agua, *(mer)* **l'~** el mar.

**ondée** *f* aguacero *m*, chubasco *m*.

**ondine** *f* ondina.

**on-dit** *m inv* rumores *pl*, hablillas *f pl*: **les ~** las hablillas.

**ondoiement** [ɔ̃dwamɑ̃] *m* **1.** ondeo **2.** *RELIG* agua *m* de socorro.

**ondoyant, e** [ɔ̃dwajɑ̃, ɑ̃t] *a* **1.** ondulante **2.** *FIG* variable, inconstante.

**ondoyer*** [ɔ̃dwaje] *vi* ondear, ondular, flamear: **drapeau qui ondoie dans le vent** bandera que flamea al viento. ◇ *vt RELIG* bautizar con agua de socorro.

**ondulant, e** *a* ondulante.

**ondulation** *f* ondulación.

**ondulatoire** *a* ondulatorio, a: **mouvement ~** movimiento ondulatorio; **mécanique ~** mecánica ondulatoria.

**ondulé, e** *a* ondulado, a: **tôle ondulée** chapa ondulada.

**onduler** *vi/t* ondear, ondular.

**onduleux, euse** *a* ondulante.

**onéreux, euse** *a* oneroso, a ◊ **à titre ~** pagando.

**ongle** *m* **1.** uña *f*: **se ronger les ongles** comerse las uñas; **se faire les ongles** arreglarse las uñas; **vernis à ongles** esmalte para uñas, laca de uñas ◊ *FIG* **elle est bretonne jusqu'au bout des ongles** es bretona cien por cien; **avoir de l'esprit jusqu'au bout des ongles** ser muy ingenioso **2.** **coup d'~** arañazo **3.** *(des animaux)* garra *f*, casco.

**onglée** *f* entumecimiento *m* de la punta de los dedos: **avoir l'~** tener la punta de los dedos entumecida por el frío.

**onglet** [ɔ̃glɛ] *m* **1.** *(d'un canif, etc.)* uña *f* **2.** *(reliure)* cartivana *f* **3.** *TECHN* inglete: **boîte à onglets** caja de ingletes **4.** *(boucherie)* carne *f* de vaca para bistecs.

**onglier** *m* estuche de manicura.

**onguent** [ɔ̃gɑ̃] *m* ungüento.
**ongulé, e** *a/m* ZOOL ungulado, a.
**onirique** *a* onírico, a.
**onirisme** *m* MÉD onirismo, delirio onírico.
**oniromancie** *f* oniromancia.
**onomastique** *a/f* onomástico, a.
**onomatopée** *f* onomatopeya.
**onomatopéique** *a* onomatopéyico, a.
**ont → avoir.**
**ontogenèse** *f* ontogenia.
**ontologie** *f* ontología.
**ontologique** *a* ontológico, a.
**onusien, enne** *a* de la O.N.U.
**onyx** [ɔniks] *m* ónice, ónix.
**onze** [ɔ̃z] *a/m* once: **il est ~ heures** son las once ◊ **~ cents** mil cien; **bouillon d'~ heures → bouillon.** ◇ *m (équipe de football)* once.
**onzième** *a/s* **1.** undécimo, a, onceno, a **2. le ~ siècle** el siglo once.
**onzièmement** *adv* en undécimo lugar.
**oolithique** *a (calcaire)* oolítico, a.
**opacifier*** *vt* opacar.
**opacité** *f* opacidad.
**opale** *f* ópalo *m*.
**opalescent, e** *a* opalescente.
**opalin, e** *a* opalino, a. ◇ *f* opalina.
**opaque** *a* opaco, a.
**opéra** *m* ópera *f*: **un ~ de Mozart** una ópera de Mozart; **aller à l'~** ir a la ópera; **~ bouffe** ópera bufa.
**opérable** *a* operable.
**opéra-comique** *m* ópera cómica *f*.
**opérateur, trice** *s* operador, a.
**opération** *f* **1.** operación **2. ~ chirurgicale** operación quirúrgica; **salle d'~** quirófano *m*; **il a subi une ~** le han operado **3. ~ bancaire** operación bancaria **4.** FAM **par l'~ du Saint-Esprit** por obra y gracia del Espíritu Santo. ◇ *pl* MIL operaciones.
**opérationnel, elle** *a* **1.** *(capable d'agir)* operativo, a **2.** MIL operacional, operativo, a.
**opératoire** *a* **1.** operatorio, a: **médecine ~** medicina operatoria ◊ **choc ~** shock quirúrgico **2. bloc ~** quirófano.
**opercule** *m* opérculo.
**opéré, e** *a/s* operado, a.
**opérer*** *vt* **1.** efectuar, realizar: **~ un mélange** efectuar una mezcla **2.** operar, intervenir: **~ un malade de l'appendicite** operar a un enfermo de apendicitis; **~ une tumeur** operar un tumor; **on a dû l'~ d'urgence** tuvieron que intervenirle urgentemente; **se faire ~** operarse; **je dois me faire ~** tengo que operarme. ◇ *vi* obrar. ◆ **s'~** *vpr* operarse, producirse: **un changement s'est opéré** un cambio se ha producido.
**opérette** *f* opereta.
**Ophélie** *np f* Ofelia.
**ophicléide** *m* MUS figle.
**ophidien, enne** *a/m* ofidio, a.
**ophtalmie** *f* MÉD oftalmía.
**ophtalmique** *a* oftálmico, a.
**ophtalmologie** *f* oftalmología.
**ophtalmologiste, ophtalmologue** *s* oftalmólogo, a.
**opiacé, e** *a* opiado, a.
**opiner** *vi* **1.** opinar, dar su opinión **2.** FAM **~ du bonnet** estar de acuerdo, llevar la corriente.
**opiniâtre** *a* terco, a, porfiado, a.
**opiniâtreté** *f* terquedad, obstinación.
**opinion** *f* opinión: **avoir bonne, mauvaise ~ de** tener buena, mala opinión de; **l'~ publique** la opinión pública; **opinions politiques** opiniones políticas; **je partage vos opinions** comparto sus opiniones; **quelle est votre ~ sur cette affaire?** ¿cuál es su opinión, qué opina usted sobre este asunto?; **donner son ~** opinar.
**opiomane** *s* opiómano, a.
**opium** [ɔpjɔm] *m* opio.
**opossum** [ɔpɔsɔm] *m* zarigüeya *f*, oposum.
**opportun, e** *a* oportuno, a: **au moment ~** en el momento oportuno.
**opportunément** *adv* oportunamente.
**opportunisme** *m* oportunismo.
**opportuniste** *a/s* oportunista.
**opportunité** *f* oportunidad.
**opposable** *a* oponible.
**opposant, e** *a/s* **1.** opositor, a **2.** *(membre de l'opposition)* oposicionista.
**opposé, e** *a* **1.** *(directions, etc.)* opuesto, a, contrario, a **opinions diamétralement opposées** opiniones diametralmente opuestas **2.** *(hostile)* **être ~ à** ser contrario, a a. ◇ *m* **1.** lo contrario **2.** *loc adv* **à l'~** en el lado opuesto **3.** *loc prép* **à l'~ de** al contrario de, en contradicción con.
**opposer** *vt* **1.** oponer **2.** *(mettre face à face)* enfrentar: **le match qui oppose X à Y** el partido que enfrenta a X y a Y **3. ~ un refus formel** dar una negativa rotunda. ◆ **s'~** *vpr* oponerse: **il s'est opposé à mon projet** se opuso a mi proyecto; **je m'oppose à ce que...** me opongo a que...
**opposite (à l')** *loc adv* en el lado opuesto, enfrente.
**opposition** *f* **1.** oposición **2. faire ~ à** oponerse a; **faire ~** *(a un chèque volé)* bloquear la cuenta **3. les partis de l'~** los partidos de la oposición.
**oppressant, e** *a* sofocante.
**oppresser** *vt* oprimir, ahogar: **se sentir oppressé** sentirse oprimido.
**oppresseur** *m* opresor, a.
**oppressif, ive** *a* opresivo, a.
**oppression** *f* opresión.
**opprimé, e** *a/s* oprimido, a.
**opprimer** *vt* oprimir.
**opprobe** *m* **1.** LITT oprobio **2. jeter l'~ sur quelqu'un** desacreditar, infamar a alguien.
**opter** *vi* **~ pour** optar por.
**opticien, enne** *s* óptico, a.
**optimal, e** *a* óptimo, a.
**optimisation** *f* optimización.
**optimiser** *vt* optimar.
**optimisme** *m* optimismo.
**optimiste** *a/s* optimista.
**optimum** [ɔptimɔm] *m* óptimo.
**option** *f* **1.** opción **2. matière à ~** asignatura optativa **3. climatiseur en ~** climatizador opcional.
**optique** *a* óptico, a: **nerf ~** nervio óptico. ◇ *f* **1.** óptica ◊ **illusion d'~** ilusión óptica **2.** FIG óptica, visión, enfoque *m*.
**opulence** *f* opulencia.

**opulent, e** *a* opulento, a.

**opuscule** *m* opúsculo.

[1]**or** *m* **1.** oro: **bijoux en ~** joyas de oro; **~ en feuilles** oro batido ◊ *FIG* **à prix d'~** carísimo, a, a peso de oro; **une affaire en ~** una oportunidad de oro, un negocio magnífico; **coeur d'~** corazón de oro; **une femme en ~** una mujer estupenda, admirable; **pour tout l'~ du monde** por todo el oro del mundo; **rouler sur l'~** apalear oro, ser muy rico, a, estar forrado, a; **valoir son pesant d'~** → **pesant;** *PROV* **tout ce qui brille n'est pas ~** no es oro todo lo que reluce **2. ~ noir** oro negro, petróleo **3. l'âge d'~** la edad de oro; **le siècle d'~** el Siglo de Oro.

[2]**or** *conj* ahora bien, pues.

**oracle** *m* oráculo.

**orage** *m* tormenta *f*, tempestad *f*: **le temps est à l'~** parece que va a haber tormenta ◊ *FIG* **il y a de l'~ dans l'air** la cosa está que arde.

**orageux, euse** *a* **1.** tormentoso, a, tempestuoso, a, borrascoso, a ◊ **chaleur orageuse** calor *m* sofocante, bochorno *m* **2.** *FIG* borrascoso, a, tempestuoso, a, tumultuoso, a: **séance orageuse** sesión borrascosa.

**oraison** *f* oración: **~ funèbre** oración fúnebre.

**oral, e** *a* oral: **examens oraux** exámenes orales; **voie orale** vía oral. ◇ *m* examen oral.

**oralement** *adv* oralmente.

**Oran** *np* Orán.

**oranais, e** *a/s* oranés, esa.

**orange** *f* naranja: **jus d'~** zumo de naranja; **~ amère** naranja agria. ◇ *m* *(couleur)* color naranja, anaranjado, a ◊ **le feu est passé à l'~** el semáforo se ha puesto (en) ámbar.

**orangé, e** *a/m* anaranjado, a.

**orangeade** [ɔʀɑ̃ʒad] *f* naranjada.

**oranger** *m* **1.** naranjo **2. fleur d'~** azahar *m*.

**orangeraie** *f* naranjal *m*.

**orangerie** *f* invernáculo *m* para naranjos.

**orang-outan, orang-outang** [ɔʀɑ̃utɑ̃] *m* orangután.

**orateur, trice** *s* orador, a.

**oratoire** *a* oratorio, a: **précautions oratoires** precauciones oratorias ◊ **l'art ~** la oratoria. ◇ *m* *(chapelle)* oratorio.

**oratorien** *m* oratoriano.

**oratorio** *m* *MUS* oratorio.

**orbe** *m* orbe.

**orbiculaire** *a* orbicular.

**orbital, e** *a* orbital.

**orbite** *f* **1.** órbita: **mettre sur ~** poner en órbita; **mise sur ~** puesta en órbita **2.** *(de l'œil)* órbita, cuenca **3.** *FIG* *(milieu)* órbita, esfera.

**Orcades** *np f pl* Orcadas.

**orchestral, e** [ɔʀkɛstʀal] *a* orquestal.

**orchestration** [ɔʀkɛstʀasjɔ̃] *f* orquestación.

**orchestre** [ɔʀkɛstʀ] *m* **1.** orquesta *f*: **chef d'~** director de orquesta **2.** *(dans une salle de spectacle)* patio de butacas, platea *f*: **fauteuil d'~** butaca de patio.

**orchestrer** [ɔʀkɛstʀe] *vt* **1.** orquestar **2.** *FIG* **~ une campagne de presse** orquestar una campaña de prensa; **campagne bien orchestrée** campaña bien orquestada.

**orchidée** [ɔʀkide] *f* orquídea.

**ordalie** *f* ordalías *pl*.

**ordinaire** *a* **1.** corriente, ordinario, a: **vin ~** vino corriente **2.** *(médiocre)* ordinario, a **3.** *FAM* **pas ~** increíble, sorprendente. ◇ *m* **1.** lo común, lo corriente: **sortir de l'~** salirse de lo común ◊ **à l'~, d'~** habitualmente, comúnmente **2.** *(nourriture)* comida *f* de todos los días, rancho.

**ordinairement** *adv* ordinariamente.

**ordinal, e** *a* ordinal.

**ordinateur** *m* ordenador: **~ personnel, portable** ordenador personal, portátil.

▶ On emploie aussi les mots *computadora f* ou *computador*, notamment en Amérique latine.

**ordination** *f* *RELIG* ordenación.

**ordonnance** *f* **1.** disposición **2.** *MÉD* receta, prescripción: **médicament délivré sur ~** medicamento vendido con receta médica; **sans ~** sin receta médica **3.** *(règlement)* ordenanzas *pl* **4.** *JUR* decreto *m* **5.** *(d'un officier)* ordenanza *m* ◊ **officier d'~** ayudante de campo.

**ordonnancement** *m* **1.** orden *f* de pago **2.** organización *f* metódica.

**ordonnancer*** *vt* *(un paiement)* ordenar, autorizar (un pago).

**ordonnateur, trice** *a/s* organizador, a.

**ordonné, e** *a* ordenado, a. ◇ *f* *MATH* ordenada.

**ordonner** *vt* **1.** *(mettre en ordre)* ordenar **2.** ordenar, mandar: **je vous ordonne de vous taire** le ordeno que se calle **3.** *MÉD* **~ un médicament** recetar un medicamento **4. ~ prêtre** ordenar (de) sacerdote; **il a été ordonné prêtre** fue ordenado sacerdote.

**ordre** *m* **1.** orden: **~ alphabétique** orden alfabético; **par ~ d'entrée en scène** por orden de aparición: **dans un autre ~ d'idées** en otro orden de cosas; **de l'~ de 10 millions** del orden de 10 millones; **mettre en ~** poner en orden; **mettre de l'~ dans** poner orden en; **rappeler quelqu'un à l'~** llamar al orden a alguien; **à l'~ du jour** a la orden del día; **jusqu'à nouvel ~** hasta nueva orden ◊ **avoir de l'~** ser ordenado, a; **rentrer dans l'~** volver a la normalidad **2.** clase *f*, categoría *f*: **de premier ~** de primera categoría **3.** *(commandement)* orden *f*: **à vos ordres, mon commandant!** ¡a la orden, mi comandante! ◊ **donner l'~ de** dar (la) orden de: **je lui ai donné l'~ d'attendre** le di la orden de que esperara; **je vous donne l' ~ de sortir** le ordeno que salga; **mot d'~** consigna *f*; **sous les ordres de** bajo el mando de; **lancer un ~ de grève** convocar huelga **4.** *(militaire, religieux)* orden *f* ◊ **entrer dans les ordres** ordenarse, recibir las órdenes sagradas **5.** *(des avocats, médecins)* colegio **6.** *COM* orden *f*: **payer à l'~ de...** páguese a la orden de...; **billet à ~** pagaré **7.** *ARCH, ZOOL* orden: **~ dorique** orden dórico.

▶ *Orden* est masculin ou féminin selon le sens.

**ordure** *f* *(saleté)* suciedad. ◇ *pl* **1.** basura *sing* ◊ **ordures ménagères** basura *sing*; **boîte aux ordures** cubo *m* de la basura **2.** *FIG* **dire, écrire des ordures** decir, escribir obscenidades **3.** *VULG* **ce type, c'est une ~** el tipo ese es un cerdo, un guarro.

**ordurier, ère** *a* obsceno, a, indecente.

**orée** *f* lindero *m*, linde, borde *m*: **à l'~ du bois** en el lindero del bosque.

**oreillard** *m* *(chauve-souris)* orejudo.

**oreille** *f* **1.** *(pavillon)* oreja **2.** *(organe, ouïe)* oído *m*: **~ moyenne, interne** oído medio, interno ◊ **avoir de l'~, avoir l'~ fine** tener buen oído; **avoir l'~ dure** ser duro de oído; **chuchoter à l'~** cuchichear al oído; **entrer par une ~ et sortir par l'autre** entrar por un oído y salir por el otro; **venir aux oreilles de** llegar a oídos de; **faire la sourde ~** hacerse el sordo, hacer oídos sordos; **ne pas en croire ses oreilles** no dar crédito a sus oídos; **ne pas prêter l'~ à** no prestar oídos a; *FIG* **chauffer les oreilles à quelqu'un** encenderle a uno la sangre, exasperar a uno; **dresser, tendre l'~** aguzar el oído; **dormir sur ses deux oreilles** dormir con toda tranquilidad; **je ne l'entends pas de cette ~** no estoy de acuerdo; **montrer le bout de l'~** descubrir, enseñar la oreja; **méfiez-vous des oreilles indiscrètes** hay ropa tendida; **les murs ont des oreilles** → **mur; rebattre les oreilles** → **rebattre; se faire tirer l'~** hacerse rogar **3.** *(anse)* oreja **4.** *(de fauteuil)* orejera **5. ~-de-mer** oreja de mar.

**oreiller** *m* almohada *f*.

**oreillette** *f* **1.** *ANAT* aurícula **2.** *(d'un chapeau)* orejera **3.** *(micro)* miniauricular.

**oreillons** *m pl MÉD* paperas *f*: **avoir les oreillons** sufrir las paperas.

**Orénoque** *np m* **l'~** el Orinoco.

**ores** [ɔʀ] *loc adv* **d'~ et déjà** desde ahora, de ahora en adelante.

**Oreste** *np m* Orestes.

**orfèvre** *m* **1.** orfevre, platero **2.** *FIG* **être ~ en la matière** conocer el paño.

**orfèvrerie** *f* orfebrería.

**orfraie** [ɔʀfʀɛ] *f* pigargo *m*, quebrantahuesos *m* ◊ *FIG* **pousser des cris d'~** chillar como una rata.

**organdi** *m* organdí.

**organe** *m* **1.** órgano: **organes génitaux** órganos genitales **2.** *(voix)* voz *f* **3.** *FIG (d'un parti politique, etc.)* órgano.

**organigramme** *m* organigrama.

**organique** *a* orgánico, a.

**organisateur, trice** *a/s* organizador, a.

**organisation** *f* organización ◊ **Organisation des Nations Unies** Organización de las Naciones Unidas.

**organisé, e** *a* organizado, a: **voyage organisé** viaje organizado.

**organiser** *vt* organizar. ◆ **s'~** *vpr* organizarse.

**organisme** *m* **1.** organismo **2. ~ international** organismo internacional.

**organiste** *s* organista.

**organogenèse** *f BIOL* organogénesis.

**orgasme** *m* orgasmo.

**orge** *f* cebada ◊ **champ d'~** cebadal. ◇ *m* **~ mondé, perlé** cebada *f* mondada, perlada.

**orgeat** [ɔʀʒa] *m* horchata *f* ◊ **sirop d'~** horchata *f*.

▶ En Espagne, l'orgeat, boisson rafraîchissante, se prépare surtout avec du souchet *(chufa)*.

**orgelet** *m* orzuelo.

**orgiaque** *a* orgiástico, a.

**orgie** *f* **1.** orgía **2.** *FIG* profusión.

**orgue** *m* (*f* en *pl*) **1.** órgano ◊ **les grandes orgues** el órgano **2. ~ de Barbarie** organillo **3.** *MUS* **point d'~** calderón; *FIG* compás de espera.

**orgueil** [ɔʀgœj] *m* orgullo.

▶ Le mot *orgullo* a aussi le sens de «fierté» (légitime). Le mot féminin *soberbia* signifie également «orgueil» mais dans un sens péjoratif.

**orgueilleux, euse** *a/s* orgulloso, a.

**orient** *m* oriente ◊ **Extrême-Orient** Extremo Oriente, Lejano Oriente; **Moyen-Orient** Oriente Medio; **Proche-Orient** Cercano Oriente, Próximo Oriente.

**orientable** *a* orientable, que se puede orientar.

**oriental, e** *a/s* oriental: **les Orientaux** los orientales.

**orientalisme** *m* orientalismo.

**orientaliste** *s* orientalista.

**orientation** *f* **1.** orientación: **avoir le sens de l'~** tener el sentido de la orientación **2. ~ professionnelle** orientación profesional ◊ **conseiller d'~** orientador.

**orienter** *vt* orientar. ◆ **s'~** *vpr* orientarse, dirigirse.

**orienteur, euse** *s (professionnel, etc.)* orientador, a.

**orifice** *m* orificio.

**oriflamme** *f* oriflama.

**origan** *m* orégano.

**Origène** *np m* Orígenes.

**originaire** *a* oriundo, a, originario, a.

**originairement** *adv* primitivamente, originariamente.

**original, e** *a* original. ◇ *m (manuscrit, modèle)* original. ◇ *s (personne)* excéntrico, a.

**originalité** *f* originalidad.

**origine** *f* **1.** origen *m*: **les origines du christianisme** los orígenes del cristianismo; **il est d'~ italienne** es de origen italiano; **pays d'~** país de origen **2.** *loc adv* **à l'~** al principio, en su origen.

**originel, elle** *a* original: **péché ~** pecado original.

**originellement** *adv* desde su origen.

**orignal** *m* alce del Canadá.

**Orion** *m ASTR* Orión.

**oripeau** *m* oropel. ◇ *pl (vêtements voyants)* pingajos vistosos.

**O.R.L.** *s* ORL.

**Orléans** [ɔʀleɑ̃] *np* Orleáns.

**ormaie** *f* olmeda, olmedo *m*.

**orme** *m* olmo ◊ *FIG* **attendre sous l'~** esperar sentado.

**ormeau** *m* **1.** *(jeune orme)* olmo joven **2.** *(mollusque)* oreja *f* de mar.

**ornement** *m* ornamento, adorno: **arbre d'~** árbol de adorno. ◇ *pl* **ornements sacerdotaux** ornamentos sagrados.

**ornemental, e** *a* ornamental.

**ornementation** *f* ornamentación.

**ornementer** *vt* ornamentar, adornar.

**orné, e** *a* **~ de** adornado, a, ornado, a de.

**orner** *vt* ornar, adornar.

**ornière** *f* **1.** carril *m*, rodada, releje *m* **2.** *FIG* **sortir de l'~** salir de la rutina, *(situation difficile)* salir del atolladero, salir del bache.

**ornithologie** *f* ornitología.

**ornithologue** *s* ornitólogo, a.

**ornithorynque** *m* ornitorrinco.

**orogenèse** *f GÉOL* orogénesis.

**orogénie** *f GÉOL* orogenia.

**orographie** *f* orografía.

**orographique** *a* orográfico, a.

**oronge** *f* oronja: **~ vraie** oronja verdadera; **fausse ~** falsa oronja.

**orpailleur** *m* buscador de oro.

**Orphée** *np m* Orfeo.

**orphelin, e** *a/s* huérfano, a: **~ de père, de mère** huérfano de padre, de madre.

**orphelinat** *m* orfelinato.

**orphéon** *m* **1.** orfeón **2.** *(fanfare)* banda *f*.

▶ *Orfeón* a le sens de «chorale».

**orphéoniste** *s* orfeonista.

**orphie** *f (poisson)* aguja.

**orphique** *a* órfico, a.

**orpin** *m (plante)* telefio.

**orque** *f (épaulard)* orca.

**orteil** [ɔʀtɛj] *m* dedo del pie ◊ **le gros ~** el dedo gordo.

**orthodontie** *f MÉD* ortodoncia.

**orthodontiste** *s* especialista en ortodoncia.

**orthodoxe** *a/s* ortodoxo, a.

**orthodoxie** *f* ortodoxia.

**orthogénie** *f* control *m* de nacimientos.

**orthogonal, e** *a* ortogonal.

**orthographe** *f* ortografía: **faute d'~** falta de ortografía.

**orthographier*** *vt* escribir según ortografía. ◆ **s'~** *vpr* escribirse.

**orthographique** *a* ortográfico, a.

**orthopédie** *f* ortopedia.

**orthopédique** *a* ortopédico, a: **appareil ~** aparato ortopédico.

**orthopédiste** *s* ortopédico, a, ortopedista.

**orthophonie** *f* ortofonía.

**orthophoniste** *s* especialista en ortofonía.

**ortie** *f* ortiga.

**ortolan** *m* hortelano.

**orvet** *m* lución.

**os** [ɔs; *pl* o] *m* **1.** hueso: **~ à moelle** hueso de caña ◊ **trempé jusqu'aux ~** calado hasta los huesos; **n'avoir que la peau sur les ~** estar en los huesos; **cette fille c'est un paquet d'~, un sac d'~** esta chica está hecha un costal de huesos, está hecha un fideo; **ne pas faire de vieux ~** no llegar a viejo **2.** *FAM* **tomber sur un ~** dar en hueso; **il y a un ~** hay una pega **3. ~ de seiche** jibión.

**oscar** [ɔskaʀ] *m (prix)* oscar.

**oscillant, e** *a* oscilante.

**oscillateur** *m* oscilador.

**oscillation** *f* oscilación.

**oscillatoire** *a* oscilatorio, a.

**osciller** [ɔsile] *vi* oscilar.

**oscillographe** *m* oscilógrafo.

**osé, e** *a* atrevido, a, osado, a: **une plaisanterie osée** un chiste atrevido.

**Osée** *np m* Oseas.

**oseille** *f* **1.** acedera **2.** *POP (argent)* guita, pasta.

**oser** *vt/i* **1.** atreverse: **je n'ose pas le faire** no me atrevo a hacerlo; **ose!** ¡atrévete! **2. si j'ose dire** si se me permite la expresión; **j'ose espérer que...** confío en que...

**oseraie** *f* mimbral *m*, mimbreral *m*.

**osier** *m* mimbre.

**osmose** *f* ósmosis.

**osmotique** *a* osmótico, a.

**ossature** *f* **1.** osamenta, esqueleto *m* **2.** *(charpente)* armazón.

**osselet** [ɔslɛ] *m* **1.** *(de l'oreille)* huesecillo **2.** *(jeu)* taba *f*: **jouer aux osselets** jugar a la taba.

**ossements** *m pl* osamenta *f sing.*

**osseux, euse** *a* **1.** *(tissu, cellule)* óseo, a **2. greffe osseuse** transplante óseo **3.** *(aux os saillants)* huesudo, a.

**ossification** *f* osificación.

**ossifier (s')** *vpr* osificarse.

**ossu, e** *a* huesudo, a.

**ossuaire** *m* osario.

**ostéite** *f MÉD* osteítis.

**Ostende** *np* Ostende.

**ostensible** *a* ostensible.

**ostensiblement** *adv* ostensiblemente.

**ostensoir** *m* custodia *f*.

**ostentation** *f* ostentación.

**ostentatoire** *a* ostentoso, a.

**ostéologie** *f* osteología.

**ostéopathe** *s* osteópata.

**ostéopathie** *f MÉD* osteopatía.

**ostéoporose** *f MÉD* osteoporosis.

**Ostie** *np* Ostia.

**ostracisme** *m* ostracismo.

**ostréicole** *a* ostrícola.

**ostréiculteur, trice** *s* ostricultor, a.

**ostréiculture** *f* ostricultura.

**ostrogoth, e** *a/s* **1.** ostrogodo, a **2.** *FAM* bruto, a, bárbaro, a: **quel ~!** ¡vaya tío!

**otage** *m* **1.** rehén: **en ~** en rehén; **échanger des otages** canjear rehenes; **la libération des otages** la liberación de los rehenes **2. prise d'otages** secuestro *m*; **preneur d'otages** secuestrador.

**otalgie** *f MÉD* otalgía.

**otarie** *f* otaria.

**ôter** *vt* **1.** quitar **2.** *(un vêtement)* quitarse: **il ôta son chapeau, ses lunettes** se quitó el sombrero, las gafas **3.** restar: **2 ôté de 5 égale 3** 5 menos 2 igual 3 **4.** suprimir. ◆ **s'~** *vpr* quitarse, retirarse, apartarse: **ôte-toi de là!** ¡quítate de ahí!, ¡quítate de en medio!; **ôte-toi de là que je m'y mette** quítate tú para que me ponga yo.

**Othello** *np m* Otelo.

**Othon** *np m* Otón.

**otite** *f MÉD* otitis.

**oto-rhino-laryngologie** *f* otorrinolaringología.

**oto-rhino(-laryngologiste)** *s* otorrinolaringólogo, a, otorrino.

**otoscopie** *f MÉD* otoscopia.

**ottoman, e** *a/s* otomano, a. ◇ *f (meuble)* otomana. ◇ *m (étoffe)* otomán.

**[1]ou** [u] *conj* o *(u devant un mot commençant par o ou ho: argent ~ or* plata u oro): **oui ~ non?** ¿sí o no? ◊ **~ bien** o bien, de lo contrario, o si no.

**[2]où** [u] *adv interr* **1.** dónde: **~ habitez-vous?** ¿dónde vive usted?; *FAM* **~ ça?** ¿dónde? **2.** *(avec mouvement)* adónde: **~ vas-tu?** ¿adónde vas?; **je ne sais pas ~ il va** no sé adónde va; **~ allons-nous, d'~ venons-nous?** ¿a dónde vamos, de dónde venimos? **3. d'~ viens-tu?** ¿de dónde vienes?; **par où...?** ¿por dónde...? ◇ *adv rel* **1.** donde: **le pays ~ il est né** el país donde nació; **c'est là ~ nous habitons** allí es donde vivimos ◊ **n'importe ~** donde sea **2.** *(avec mouvement)* adonde: **la ville ~ je vais** la ciudad adonde voy **3.** *(temps)* en que: **l'époque ~ cela se passait** la época en que esto ocurría; **le jour ~ je me marierai** el día (en) que yo me case; **dans l'état ~ je suis** en el estado en que estoy **4. ~ que vous soyez** donde quiera que esté; **~ que tu ailles** vayas donde vayas; **d'~ qu'il vienne** venga de donde venga.

**ouah, ouah** [wawa] *interj (aboiement)* guau, guau.

**ouailles** [waj] *n f pl RELIG* fieles *m*.

**ouais** [wɛ] *interj FAM* sí, ya.

**ouate** *f* guata, algodón *m* en rama.

**ouater** *vt* enguatar.

**ouatine** *f* forro *m* fino de guata.

**ouatiner** *vt* forrar con guata, acolchar.

**oubli** *m* olvido: **tomber dans l'~** caer en el olvido; **~ de soi-même** olvido de sí mismo.

**oublie** *f (pâtisserie)* barquillo *m*.

**oublier*** *vt* **1.** olvidar, olvidarse: **j'ai oublié les clefs, son adresse** he olvidado las llaves, se me ha olvidado su dirección; **il a oublié de me prévenir** se ha olvidado de, se le ha olvidado avisarme; **n'oubliez pas d'indiquer...** no olvide señalar...;

**ah, j'oubliais** ah, se me olvidaba; **j'allais ~!** ¡casi se me olvida!; **avant que j'oublie** antes que se me olvide **2. ~ l'heure** dejar pasar la hora **3.** *(fleur)* **ne-m'oubliez-pas** nomeolvides. ◆ **s'~** *vpr* **1.** olvidarse **2.** *(faire ses besoins)* orinarse.
▶ Remarquez la tournure pronominale en espagnol, avec ou sans *de*, équivalente à la forme transitive.

**oubliette** *f* **1.** mazmorra **2.** *FIG* **jeter, mettre aux oubliettes** echar, enterrar en el olvido.

**oublieux, euse** *a* olvidadizo, a, desmemoriado, a.

**oued** [wɛd] *m* corriente de agua (en zonas desérticas).

**ouest** [wɛst] *m* oeste: **à l'~** al oeste.

**ouf!** [uf] *interj* ¡al fin! ◊ **il n'a pas eu le temps de dire ~** fue muy rápido.

**oui** [wi] *adv* sí: **~ ou non?** ¿sí o no?; **mais ~** claro que sí; **tu viens, ~ ou non?** ¿vienes o no?; **ne dire ni ~ ni non** no decir ni que sí ni que no; **dire ~ à ...** decir que sí a...; **ça ~** eso sí, por supuesto; **faire signe que ~** asentir. ◇ *m* sí: **des ouis** síes ◊ **pour un ~ pour un non** por un quítame allá esas pajas, con el menor pretexto.
▶ Ne pas oublier l'accent écrit sur *sí* qui le différencie de la conjonction et de la note de musique: *si*.

**Ouganda** *np* Uganda.

**ougandais, e** *a/s* ugandés, esa.

**ouiche!** *interj* ¡ca!, ¡quia!

**ouï-dire** [widiʀ] *m* **par ~** de oídas.

**ouïe** [wi] *f* oído *m*: **avoir l'~ fine** tener el oído fino; **être tout ~** ser todo oídos. ◇ *pl* **1.** *(de poisson)* agallas **2.** *(de violon)* eses *m*.

**ouille!** [uj] *interj* ¡ay!

**ouïr*** [wiʀ] *vt ANC* oír: **j'ai ouï** he oído; **oyez** oigan ustedes, oíd, escuchad.

**ouistiti** [wistiti] *m* tití.

**oukase** → **ukase.**

**ouléma** → **uléma.**

**ouragan** *m* huracán.

**Oural** *np m* Ural. ◇ *pl* **monts Ourals** Montes Urales.

**ourdir** *vt* **1.** urdir **2.** *FIG* urdir, maquinar.

**ourdissage** *m* urdido.

**ourler** *vt* dobladillar, repulgar.

**ourlet** *m* dobladillo.

**ours** [uʀs] *m* **1.** oso: **~ brun** oso pardo **2.** *FIG* **~ mal léché** hurón, persona *f* grosera **3. ~ en peluche** osito de peluche.

**ourse** *f* **1.** *(femelle de l'ours)* osa **2. la Grande, Petite Ourse** la Osa Mayor, Menor.

**oursin** *m* erizo de mar.

**ourson** *m* osezno.

**oust!, ouste!** [ust] *interj FAM* ¡fuera!, ¡largo (de ahí)!; *(vite)* ¡deprisa!

**outarde** *f* avutarda.

**outil** [uti] *m* **1.** herramienta *f*: **boîte à outils** caja de herramientas **2.** *FIG* instrumento: **~ de travail** instrumento de trabajo.

**outillage** *m* **1.** herramienta *f* **2. ~ agricole** maquinaria *f* agrícola.

**outiller** *vt* proveer de herramientas, de máquinas. ◆ **s'~** *vpr FIG* proveerse de los medios necesarios.

**outrage** *m* **1.** ultraje, injuria *f* **2. ~ à la pudeur** ofensa *f* al pudor **3. les outrages du temps** las injurias del tiempo, los achaques de la vejez.

**outrageant, e** *a* ultrajante.

**outrager*** *vt* ultrajar, injuriar.

**outrageusement** *adv* **1.** de una manera ultrajante **2. ~ fardée** exageradamente, excesivamente pintada.

**outrance** *f* exageración, exceso *m* ◊ **à ~** a ultranza.

**outrancier, ère** *a* exagerado, a.

[1]**outre** *f* *(en peau de chèvre)* odre *m*, pellejo *m*.

[2]**outre** *prép* además de: **~ cela** además de eso ◊ **~ mesure** en exceso, en demasía, excesivamente. ◇ *adv* **1. passer ~** ir más allá; **passer ~ à** pasar por encima de, no hacer caso de ◊ **d'~ en ~** de parte a parte **2.** *(au-delà de)* allende, más allá de: **outre-Rhin** allende el Rin; **outre-Atlantique** al otro lado del Atlántico; **outre-Manche** al otro lado del canal de la Mancha **3.** *loc adv* **en ~** además **4.** *loc conj* **~ que** además de que.

**outré, e** *a* **1.** exagerado, a **2.** indignado, a: **je suis ~ de son sans-gêne** estoy indignado por su desfachatez.

**outrecuidance** *f* presunción, petulancia.

**outrecuidant, e** *a* presuntuoso, a, petulante.

**outre-Manche** → **outre.**

**outremer** *m* *(bleu)* azul de ultramar.

**outre-mer** *loc adv* ultramar.

**outrepassé** *a ARCH* **arc ~** arco de herradura.

**outrepasser** *vt* rebasar, exceder ◊ **~ ses droits** extralimitarse.

**outrer** *vt* **1.** exagerar **2.** *(mettre en colère)* indignar, enfurecer, sublevar.

**outre-Rhin** → **outre.**

**outre-tombe** *loc adv* ultratumba.

**outsider** [awtsajdœʀ] *m* outsider.

**ouvert, e** *pp* de **ouvrir.** ◇ *a* abierto, a: **fenêtre grande ouverte** ventana abierta de par en par ◊ **à bras ouverts** con los brazos abiertos; **à cœur ~** → **cœur; traduire à livre ~** traducir de corrido; **ville ouverte** ciudad abierta; **voyelle ouverte** vocal abierta.

**ouvertement** *adv* abiertamente.

**ouverture** *f* **1.** abertura **2.** *(d'une exposition, séance, etc.)* apertura: **heures d'~** horas de apertura **3. ~ de la chasse, de la pêche** levantamiento *m* de la veda **4. ~ d'esprit** anchura de miras **5. politique d'~** política aperturista **6.** *MUS* obertura. ◇ *pl FIG* **faire des ouvertures** hacer proposiciones.

**ouvrable** *a* **jour ~** día laborable, hábil.

**ouvrage** *m* **1.** trabajo, labor *f* **2.** *(livre)* obra *f* **3. ~ d'art** obra *f* de fábrica **4. boîte à ~** costurero *m* **5. avoir le cœur à l'~** trabajar con gusto.

**ouvrager*** *vt* trabajar, labrar.

**ouvrant, e** *a* **1.** que se abre **2.** *(auto)* **toit ~** techo corredizo.

**ouvré, e** *a* labrado, a.

**ouvre-boîtes** *m inv* abrelatas, abridor.

**ouvre-bouteilles** *m inv* abridor.

**ouvreur, euse** *s* acomodador, a.

**ouvrier, ère** *s* **1.** obrero, a **2. ~ agricole** trabajador agrícola. ◇ *a* obrero, a: **classe ouvrière** clase obrera.

**ouvrir*** *vt/i* **1.** abrir: **ouvre-moi la porte** ábreme la puerta; **il ouvrit les yeux** abrió los ojos; **à quelle heure ouvre la banque?** ¿a qué hora abre el banco? **2. ~ l'appétit** abrir el apetito; **la séance est ouverte** la sesión está abierta **3. ~ la marche, le feu** romper la marcha, el fuego **4. ~ la chasse, la pêche** levantar la veda **5.** *(fonder un magasin, etc.)* poner, montar. ◆ **s'~** *vpr* **1. s'~ un passage** abrirse paso **2. (s') ~ sur** dar a: **la porte (s')ouvre sur la rue** la puerta da a la calle **3.** *FIG* **s'~ à un ami** abrirse, franquearse con un amigo.

**ouvroir** [uvʀwaʀ] *m* obrador, taller.

**ovaire** *m* ovario.

**ovale** *a* ovalado, a, oval: **une table ~** una mesa ovalada. ◇ *m* óvalo.

**ovaliser** *vt* ovalar.

**ovarien, enne** *a* ovárico, a.

**ovation** *f* ovación.
**ovationner** *vt* ovacionar.
**ove** [ɔv] *m* *ARCH* óvolo.
**overdose** *f* sobredosis, overdose.
**Ovide** *np m* Ovidio.
**oviducte** *m* *ANAT* oviducto.
**ovin, e** *a* ovino, a. ◇ *m* **les ovins** los ovinos.
**ovipare** *a/s* ovíparo, a.
**ovni** *m* ovni.
**ovocyte** *m* *BIOL* ovocito.
**ovoïde** *a* ovoide.
**ovulation** *f* ovulación.
**ovule** *m* óvulo.
**oxalique** *a* *CHIM* **acide ~** ácido oxálico.
**oxhydrique** *a* oxhídrico, a.
**oxydable** *a* oxidable.
**oxydant, e** *a/m* oxidante.
**oxydation** *f* oxidación.
**oxyde** *m* óxido.
**oxyder** *vt* oxidar. ◆ **s'~** *vpr* oxidarse.
**oxygénation** *f* oxigenación.
**oxygène** *m* oxígeno.
**oxygéner*** *vt* **1.** oxigenar **2. eau oxygénée** agua oxigenada. ◆ **s'~** *vpr* oxigenarse.
**oxyton** *a/m* *GRAM* oxitono.
**oxyure** *m* oxiuro.
**oyez** → **ouïr.**
**ozone** *m* ozono: **la couche d'~** la capa de ozono.
**ozonisation** *f* ozonización.
**ozoniser** *vt* ozonizar.

# P

**p** [pe] *m* p *f*: **un ~** una p.

**pacage** *m* pasto.

**pacemaker** [pesmekəʀ] *m* marcapasos.

**pacha** *m* bajá, pachá: **mener une vie de ~** vivir como un pachá, vivir a cuerpo de rey.

**pachyderme** *m* paquidermo.

**pacificateur, trice** *a/s* pacificador, a.

**pacification** *f* pacificación.

**pacifier*** *vt* pacificar.

**pacifique** *a* pacífico, a.

**Pacifique** *a/np m* **l'océan ~** el océano Pacífico.

**pacifiquement** *adv* pacíficamente.

**pacifisme** *m* pacifismo.

**pacifiste** *a/s* pacifista.

**pack** *m* **1.** *(emballage)* retráctil: **~ de six bouteilles** retráctil de seis botellas **2.** *(banquise, rugby)* pack.

**pacotille** *f* pacotilla ◊ **de ~** de pacotilla.

**pacson** *m* POP paquete.

**pacte** *m* pacto.

**pactiser** *vi* **1.** pactar **2.** FIG transigir.

**pactole** *m* pactolo.

**paddock** *m* **1.** paddock **2.** POP *(lit)* catre, piltra *f*.

**padouan, e** *a/s* paduano, a, patavino, a.

**Padoue** *np* Padua.

**paf** *a inv* FAM *(ivre)* borracho, a, curda, piripí. ◇ *interj* ¡paf!, ¡zas!

**pagaie** *f* canalete *m*.

**pagaïe, pagaille, pagaye** [pagaj] *f* FAM **1.** desorden *m*: **tout est en ~** todo está en desorden ◊ **quelle ~!** ¡qué follón!; **mettre la ~** armar follón, armarla **2. des cinémas, il y en a en ~ dans le quartier** cines, los hay a porrillo en el barrio.

**paganisme** *m* paganismo.

**pagaye → pagaïe.**

**pagayer** [pageje] *vi* remar con un canalete.

**pagayeur, euse** [pagejœʀ, øz] *s* remero, a.

[1]**page** *f* **1.** página: **~ blanche** página en blanco ◊ FIG **tourner la ~** pasar a otra cosa, cambiar de tema; **tournons la ~** borrón y cuenta nueva; **être à la ~** estar al día, estar en la onda **2.** FIG *(événement)* página **3. mettre en pages** compaginar; **mise en pages** compaginación.

[2]**page** *m* *(jeune noble)* paje, doncel.

**pagel** *m* *(poisson)* pagel.

**pageot** [paʒo] *m* POP *(lit)* catre, piltra *f*.

**pagination** *f* paginación, foliación.

**paginer** *vt* paginar, foliar.

**pagne** *m* taparrabo.

**pagode** *f* pagoda.

**pagre** *m* *(poisson)* pagro.

**pagure** *m* paguro, ermitaño.

**paie → paye.**

**paiement → payement.**

**païen, enne** [pajẽ, jɛn] *a/s* pagano, a.

**paierie** [peʀi] *f* pagaduría.

**paillard, e** *a/s* libertino, a.

**paillardise** *f* **1.** libertinaje *m* **2.** *(propos)* chiste *m* verde, dicho *m* picante.

[1]**paillasse** *f* **1.** *(matelas)* jergón *m* **2.** *(d'un évier)* tablero *m*.

[2]**paillasse** *m* *(clown)* payaso.

**paillasson** *m* **1.** *(tapis)* felpudo **2.** AGR pajote.

**paille** *f* **1.** paja: **un brin de ~** una brizna de paja ◊ **tirer à la courte ~** echar pajas; FIG **être sur la ~** estar en la miseria, no tener dónde caerse muerto; **mettre quelqu'un sur la ~** reducir a alguien a la miseria, arruinar a alguien; **feu de ~ → feu;** FAM **une ~!** ¡casi nada! **2.** *(pour boire)* pajilla **3. ~ de fer** estropajo *m* **4.** *(défaut dans le verre, le métal)* pelo *m* **5. homme de ~** testaferro. ◇ *a inv* *(couleur)* pajizo, a: **jaune ~** amarillo paja, amarillo pajizo.

**pailler** *vt* **1.** *(une chaise)* poner asiento de paja a **2.** *(couvrir de paille)* empajar.

**pailleter*** *vt* adornar con lentejuelas.

**paillette** *f* **1.** lentejuela **2.** *(d'or)* pepita **3. savon en paillettes** jabón en escamas.

**paillis** *m* capa *f* de paja.

**paillon** *m* *(pour les bouteilles)* envase de paja.

**paillote** *f* choza, bohío *m*.

**pain** *m* **1.** pan: **~ frais, rassis, grillé** pan tierno, duro, tostado; **~ complet** pan integral; **~ de mie** pan de molde; **~ d'épices** pan dulce hecho con harina de centeno, miel, etc., pan de especias; **notre ~ de chaque jour** el pan nuestro de cada día ◊ FIG **avoir du ~ sur la planche** tener mucho trabajo por delante; **bon comme le bon ~** más bueno que el pan; **être au ~ sec** estar a pan y agua; **gagner son ~** ganarse el pan; **ôter, retirer à quelqu'un le ~ de la bouche** privar a alguien de lo necesario; **pour une bouchée de ~** por una ganga, una bicoca **2. petit ~** bollo, panecillo ◊ FIG **ça se vend comme des petits pains** eso se vende como rosquillas, como tortas **3. ~ de savon** pastilla *f* de jabón; **~ de beurre** pan de mantequilla; **~ à cacheter** oblea *f* **4. ~ de sucre** pan de azúcar ◊ **en ~ de sucre** en forma de cono **5.** *POP (coup)* hostia *f*.

**[1]pair, e** *a* par: **nombre ~** número par; **jours pairs** días pares. ◇ *m* **1.** igual: **être jugé par ses pairs** ser juzgado por sus iguales ◊ **aller de ~** ir al igual, correr parejas; **hors de ~, hors ~** sin par, sin igual; **traiter quelqu'un de ~ à compagnon** tratar a alguien de igual a igual **2.** *COM* par *f*: **valeur au ~** valor a la par **3. travailler au ~** trabajar «au pair» (con la sola retribución de comida y alojamiento).

**[2]pair** *m (dignitaire)* par.

**paire** *f* **1.** par *m*: **une ~ de gants** un par de guantes ◊ **une ~ de ciseaux, de lunettes** unas tijeras, unas gafas **2.** *(d'animaux, d'amis)* pareja ◊ **les deux font la ~** son tal para cual; **c'est une autre ~ de manches → manche 3.** *(de bœufs)* yunta.

**pairesse** *f* esposa de un par.

**pairie** *f* dignidad de par.

**paisible** *a* **1.** apacible: **un caractère ~** un carácter apacible **2.** tranquilo, a, agradable: **une vie ~** una vida tranquila.

**paître*** *vi/t* **1.** pastar, pacer **2.** *FAM* **envoyer ~ quelqu'un** mandar a alguien a paseo, mandar a alguien a la porra, mandar a alguien a freír monas.

**paix** *f* paz: **faire la ~** hacer las paces; *FAM* **fichez-moi la ~!** ¡déjeme en paz! ◇ *interj* **la ~!** ¡chitón!, ¡silencio!

**Pakistan** *np m* Paquistán, Pakistán.

**pakistanais, e** *a/s* paquistaní, pakistaní.

**pal** *m* **1.** estaca *f* **2.** *(pour empaler un condamné)* palo.

**palabre** *f/m* discusión *f* inútil: **assez de palabres!** ¡basta de discusiones!

**palabrer** *vi* discutir largamente, chacharear.

**palace** *m* hotel de lujo.

**paladin** *m* paladín.

**palafitte** *m* palafito.

**[1]palais** *m* **1.** palacio: **~ royal** palacio real **2. ~ de justice** palacio de justicia, audiencia *f* **3.** *(avocats, juges)* curia *f*: **les gens du ~** la curia.
▶ *Le Palais Bourbon:* la Asamblea nacional (en París).

**[2]palais** *m ANAT* paladar: **voile du ~** velo del paladar ◊ *FIG* **avoir le ~ fin** tener paladar.

**palan** *m* polipasto, aparejo.

**palanquin** *m* palanquín.

**palatal, e** *a* palatal.

**palatalisation** *f* palatalización.

**palataliser** *vt* palatalizar.

**palatin, e** *a/s* palatino, a.

**Palatinat** *np m* Palatinado.

**pale** *f* **1.** *(d'une rame)* pala **2.** *(de roue, d'hélice)* paleta **3.** *(pour le calice)* palia.

**pâle** *a* pálido, a: **bleu ~** azul pálido; **teint ~** tez pálida; **~ comme un linge** blanco como el papel, como la pared ◊ *FAM* **se faire porter ~** darse de baja por enfermo.

**palefrenier** *m* palafrenero.

**palefroi** *m* palafrén.

**paléographe** *s* paleógrafo, a.

**paléographie** *f* paleografía.

**paléographique** *a/m* paleográfico, a.

**paléolithique** *a/m* paleolítico, a.

**paléontologie** *f* paleontología.

**paléontologique** *a* paleontológico, a.

**paléontologiste, paléontologue** *s* paleontólogo, a.

**Palerme** *np* Palermo.

**palermitain, e** *a/s* palermitano, a, panormitano, a.

**paleron** *m (en boucherie)* espaldilla *f*.

**Palestine** *np f* Palestina.

**palestinien, enne** *a/s* palestino, a.

**palestre** *f* palestra.

**palet** *m (pour jouer)* tejo.

**paletot** [palto] *m* gabán ◊ *FIG* **tomber sur le ~ de quelqu'un** acometer contra alguien.

**palette** *f* **1.** *(de peintre)* paleta **2.** *TECHN* paleta **3.** *(boucherie)* espaldilla.

**palettisation** *f TECHN* paletización.

**palétuvier** *m* mangle.

**pâleur** *f* palidez.

**pâlichon, onne** *a FAM* paliducho, a.

**palier** *m* **1.** *(d'escalier)* rellano, descansillo ◊ **mon voisin de ~** mi vecino **2.** *(d'une route, voie ferrée)* trecho llano **3.** *(degré)* grado, nivel ◊ **par paliers** progresivamente **4.** *TECHN* soporte de un árbol de transmisión, palier **5. vol en ~** vuelo a altura constante.

**palière** *a* **porte ~** puerta que da a la escalera.

**palimpseste** *m* palimpsesto.

**palindrome** *a/m* palíndromo.

**palinodie** *f* palinodia.

**pâlir** *vi* **1.** palidecer, ponerse pálido, a: **soudain, l'accusé pâlit** de repente, el reo palideció **2.** *(choses)* perder el brillo **3.** *FIG* **~ sur les livres, le travail** trabajar con ahínco. ◇ *vt* descolorar.

**palissade** *f* empalizada, vallado *m*.

**palissader** *vt* empalizar.

**palissandre** *m* palisandro, palosanto.

**pâlissant, e** *a* **1.** que palidece **2.** descolorido, a.

**palladium** [paladjɔm] *m* paladio.

**Pallas** [palas] *np f* Palas.

**palliatif, ive** *a* paliativo, a. ◇ *m* paliativo, paños calientes *pl*.

**pallier*** *vt* **1.** paliar **2.** *MÉD (calmer)* mitigar.

**palmarès** [palmaʀɛs] *m* palmarés, lista *f* de premiados.

**palme** *f* **1.** *(feuille)* palma ◊ *FIG* **remporter la ~** llevarse la palma **2. huile de ~** aceite de palma **3.** *(de nageur)* aleta.

**palmé, e** *a* palmeado, a.

**palmer** [palmɛʀ] *m TECHN* palmer, calibrador.

**palmeraie** *f* palmar *m*, plantío *m* de palmeras.

**palmier** *m* **1.** palmera *f* ◊ **~ dattier** palma datilera, palmera **2. cœur de ~** cogollo de palmito.

**palmipède** *a/m ZOOL* palmípedo, a.

**palois, e** *s* natural de Pau.

**palombe** *f* paloma torcaz.

**palonnier** *m* **1.** *(d'avion)* palanca *f* de mando del timón **2.** *(de voiture)* balancín.

**pâlot, otte** *a* paliducho, a.

**palourde** *f* almeja.

**palpable** *a* **1.** palpable **2.** *FIG* palpable, evidente.

**palpation** *f MÉD* palpación, palpamiento *m*.

**palper** *vt* **1.** palpar **2.** *FAM (de l'argent)* cobrar, meterse en el bolsillo, recibir.

**palpitant, e** *a* **1.** palpitante **2.** *FIG* palpitante, emocionante. ◇ *m FAM* **le ~** el corazón.

**palpitation** *f* palpitación. ◇ *pl* palpitaciones.

**palpiter** *vi* palpitar.

**paltoquet** *m* ANC patán.

**paluche** *f* POP manaza, pala, mano.

**paludéen, enne** *a/s* palúdico, a.

**paludisme** *m* paludismo.

**pâmer (se)** *vpr* **1.** *(s'évanouir)* desfallecer, desmayarse **2.** *(d'admiration, etc.)* extasiarse **3. se ~ de rire** desternillarse de risa.

**pâmoison** *f* **1.** pasmo *m* **2.** FAM soponcio *m* ◊ **tomber en ~** desmayarse.

**pampa** [pɑ̃pa] *f* pampa.

**Pampelune** *np* Pamplona.

**pamphlet** [pɑ̃flɛ] *m* libelo, panfleto.

**pamphlétaire** *s* libelista.

**pamplemousse** *m* pomelo.

**pamplemoussier** *m* pomelo.

**pampre** *m* pámpano.

[1]**pan** *m* **1.** faldón: **les pans d'un habit** los faldones de un frac **2. ~ de mur** lienzo de pared **3. ~ coupé** chaflán; **en ~ coupé** achaflanado, a.

[2]**pan!** *interj* ¡pum!

**Pan** *np m* Pan.

**panacée** *f* panacea.

**panachage** *m* **1.** mezcla *f* **2.** combinación *f* de candidatos diversos en una lista electoral.

**panache** *m* **1.** penacho **2.** FIG brillo, pompa *f*, ostentación *f* ◊ **avoir du ~** tener un porte arrogante.

**panaché, e** *a* **1.** matizado, a, abigarrado, a: **œillet ~** clavel matizado **2.** *(mélangé)* mezclado, a **3. une glace panachée** un arlequín; **un demi ~, un ~** una cerveza con gaseosa.

**panacher** *vt* **1.** *(mêler)* mezclar **2.** inscribir candidatos diversos en una lista electoral.

**panade** *f* **1.** sopa de pan con mantequilla **2.** FAM **être dans la ~** estar en la miseria, estar a la cuarta pregunta.

**panafricanisme** *m* panafricanismo.

**panais** *m* chirivía *f*.

**panama** *m* *(chapeau)* jipijapa, panamá.

**Panama** *np* Panamá.

**Paname** *np m* POP París.

**panaméen, enne** *a/s* panameño, a.

**panaméricain, e** *a* panamericano, a.

**panaméricanisme** *m* panamericanismo.

**panarabe** *a* panárabe.

**panard, e** *a* *(cheval)* patizambo, a. ◇ *m* POP *(pied)* pinrel: **les panards** los pinreles, los tachines.

**panaris** *m* panadizo.

**panathénées** *f pl* panateneas.

**pancarte** *f* pancarta, cartelón *m*.

**pancrace** *m* pancracio.

**pancréas** [pɑ̃kʀeas] *m* ANAT páncreas.

**pancréatique** *a* pancreático, a: **suc ~** jugo pancreático.

**panda** *m* panda.

**pandémie** *f* pandemia.

**pandémonium** [pɑ̃demɔnjɔm] *m* pandemónium.

**pandit** *m* pandit, brahmán sabio.

**pandore** *m* FAM gendarme.

**Pandore** *np f* Pandora: **la boîte de ~** la caja de Pandora.

**pané, e** *a* empanado, a, rebozado, a: **une escalope panée** un filete empanado.

**panégyrique** *m* panegírico.

**panégyriste** *s* panegirista.

**panel** *m* *(dans une enquête)* panel.

**paner** *vt* empanar, rebozar con pan rallado: **poisson pané** pescado empanado.

**paneton** *m* cestillo.

**pangermanisme** *m* pangermanismo.

**panic** *m* panizo.

**panicaut** *m* cardo corredor.

**panier** *m* **1.** cesto, cesta *f*: **un ~ en osier** una cesta de mimbre; **~-repas** cesto de picnic ◊ FIG **le ~ de la ménagère** la cesta de la compra **2.** *(à linge)* canasta *f* **3. ~ à ouvrage** canastilla *f* de labores; **~ à bouteilles** botellero **4.** FIG **le dessus du ~** la flor y nata; **c'est un ~ percé** es un manirroto; **un ~ de crabes** un nido de víboras; **mettre au ~** echar al cesto de los papeles **5. ~ à salade** cesto para escurrir la ensalada; FAM coche celular **6.** tontillo: **robe à paniers** traje con tontillo **7.** *(basket-ball)* cesto; *(but)* canasta *f*: **tir au ~** tiro a canasta; **faire un ~** meter una cesta.

**panière** *f* canasta, cestón *m*.

**panier-repas → panier.**

**panifiable** *a* panificable.

**panification** *f* panificación.

**panifier*** *vt* panificar.

**paniquard, e** *s* FAM alarmista.

**panique** *f* pánico *m*, terror *m*: **semer la ~** sembrar el pánico; **être pris de ~** ser invadido por el pánico ◊ **pas de ~!** ¡tranquilo!, ¡calma! ◇ *a* **peur ~** miedo cerval.

**paniquer** *vt* FAM aterrorizar. ◇ *vi* FAM perder los estribos, asustarse.

**panislamisme** *m* panislamismo.

[1]**panne** *f* **1.** avería: **tomber en ~, avoir une ~** sufrir una avería; **~ de voiture** avería en el coche ◊ **une ~ d'électricité, de courant** un apagón; **ma voiture est en ~** mi coche está averiado; **le téléviseur est tombé en ~** el televisor se ha averiado; **~ d'essence, ~ sèche** falta de gasolina; FAM **rester en ~** quedarse parado, a **2.** *(du marteau)* cola **3.** MAR **en ~** al pairo.

[2]**panne** *f* **1.** *(graisse)* grasa del cerdo **2.** *(étoffe)* pana.

[3]**panne** *f* ARCH viga transversal, correa.

**panneau** *m* **1.** *(de porte, etc.)* panel ◊ **panneaux solaires** paneles solares **2.** *(pour annonces, inscriptions)* tablero **3. ~ publicitaire** valla *f* publicitaria; **panneaux électoraux** vallas electorales **4. ~ de signalisation, ~ indicateur** señal *f* de tráfico; **un ~ d'interdiction de stationner** una señal de prohibido aparcar **5.** *(pour peindre)* tabla *f* **6.** *(chasse)* red *f*, trampa *f* ◊ FIG **tomber dans le ~** caer en la trampa, en la red **7.** *(de jupe)* pieza *f*, tabla *f*.

**panneton** *m* *(de clef)* paletón.

**panonceau** *m* placa *f*.

**panoplie** *f* panoplia.

**panorama** *m* panorama.

**panoramique** *a* panorámico, a. ◇ *m* *(cinéma)* panorámica *f*.

**pansage** *m* limpieza *f* del caballo.

**panse** *f* **1.** panza **2.** FAM panza, barriga: **se remplir la ~** llenarse la barriga.

**pansement** *m* vendaje, apósito: **faire un ~** poner un vendaje; **~ antiseptique, hémostatique** apósito antiséptico, hemostático ◊ **couvert de pansements** vendado por todas partes; **boîte à pansements** caja de vendas.

**panser** *vt* **1.** curar: **~ un blessé** curar a un herido **2.** *FIG* **~ une plaie, une blessure** restañar una herida **3.** *(un cheval)* almohazar.

**panslavisme** *m* panslavismo, paneslavismo.

**pansu, e** *a* panzudo, a.

**pantagruélique** *a* pantagruélico, a.

**pantalon** *m* pantalón: **des pantalons** pantalones; **il enfila son ~ de ski** se puso los pantalones de esquí.

**pantalonnade** *f* **1.** payasada, bufonada **2.** farsa, engaño *m*.

**pantelant, e** *a* **1.** *(haletant)* jadeante **2.** palpitante.

**panthéisme** *m* panteísmo.

**panthéiste** *a/s* panteísta.

**panthéon** *m* panteón (de hombres ilustres).

**panthère** *f* pantera.

**pantin** *m* títere, muñeco, pelele.

**pantographe** *m* pantógrafo.

**pantois, e** *a* atónito, a, estupefacto, a: **il est resté ~** se quedó atónito.

**pantomime** *f* pantomima.

**pantouflard, e** *a/s FAM* casero, a.

**pantoufle** *f* zapatilla ◊ *FAM* **raisonner comme une ~** pensar con los pies.

**pantoufler** *vi* trabajar en el sector privado.

**panure** *f* pan *m* rallado.

**paon** [pɑ̃] *m* **1.** pavo real ◊ *FIG* **fier comme un ~** muy orgulloso, muy vanidoso; **se parer des plumes du ~** vestirse con plumas ajenas **2.** *(papillon)* pavón.

**paonne** [pan] *f* pava real.

**paonneau** [pano] *m* pavezno, pavipollo del pavo real.

**papa** *m* **1.** papá ◊ **fils à ~** hijo de papá **2. bon-~** abuelito **3.** *FAM* **à la ~** tranquilamente, con calma **4.** *FAM* **de ~** anticuado, a.

▶ Ne pas oublier l'accent aigu sur le deuxième *a*, *papa* signifiant «pape».

**papable** *a* papable.

**papal, e** *a* papal.

**papauté** *f* papado *m*.

**papavéracées** *f pl BOT* papaveráceas.

**papaye** [papaj] *f* papaya.

**papayer** [papaje] *m* papayo.

**pape** *m* **1.** papa **2.** *FIG* **sérieux comme un ~** muy serio **3. la cité des papes** Aviñón.

**¹papelard, e** *a/s* **1.** hipócrita, camandulero, a **2.** *(bigot)* gazmoño, a, santurrón, ona.

**²papelard** *m FAM* papel, papelucho.

**papelardise** *f* hipocresía, camandulería.

**paperasse** *f* papelorio *m*: **chercher dans ses paperasses** buscar en su papelorio.

**paperasserie** *f* **la ~** el papeleo.

**paperassier, ère** *a/s* aficionado, a al papeleo.

**papesse** *f* papisa.

**papeterie** [papətʀi] *f* papelería.

**papetier, ère** *a/s* papelero, a.

**papi** → **papy.**

**papier** *m* **1.** papel: **~ à cigarettes** papel de fumar; **~ à lettres** papel de cartas; **~ buvard** papel secante; **~ carbone** papel carbón; **~ collant** papel engomado; **~ d'emballage** papel de envolver; **~ de verre** papel de lija; **~ hygiénique** papel higiénico; **~ journal** papel de periódico; **~ peint** papel pintado; **~ timbré** papel sellado; **~ d'aluminium, d'étain** papel de aluminio, de estaño; **~ à musique** → **musique 2. ~ mâché** papel maché, cartón piedra ◊ *FIG* **avoir une mine de ~ mâché** tener mala cara **3.** escrito: **mettre sur le ~** poner por escrito ◊ **gratter du ~** escribir; **sur le ~** teóricamente **4.** *(de journaliste)* artículo **5.** *FIG* **être dans les petits papiers de quelqu'un** hacer buenas migas con alguien. ◇ *pl* papeles, documentación *f sing*: **avoir ses papiers en règle** tener los papeles en regla; **vos papiers!** ¡su documentación!; **des faux papiers** documentación falsa.

**papier-calque** *m* papel de calcar.

**papier-filtre** *m* papel de filtro.

**papier-monnaie** *m* papel moneda.

**papilionacée** *a/f BOT* papilionáceo, a.

**papillaire** *a* papilar.

**papille** *f* papila.

**papillon** *m* **1.** mariposa *f*: **~ de nuit** mariposa nocturna **2.** *FAM* *(contravention)* multa *f* **3.** *(écrou)* palomilla *f*. ◇ *a* **1. brasse ~** mariposa **2. nœud ~** pajarita *f*. ◇ *interj* **minute, ~!** ¡espere!, ¡un momento!

**papillonner** *vi* mariposear.

**papillotant, e** *a* **1.** centelleante, resplandeciente **2.** *(œil)* que pestañea.

**papillote** *f* **1.** *(pour les cheveux)* papillote *m*, torcida **2.** papel *m* engrasado para asar ciertas carnes: **côtelettes en papillotes** chuletas envueltas y asadas, a la papillote.

**papillotement** *m* **1.** *(éclat)* centelleo **2.** *(des yeux)* pestañeo.

**papilloter** *vi (yeux)* pestañear, parpadear.

**papisme** *m* papismo.

**papiste** *s* papista.

**papotage** *m FAM* cháchara *f*, parloteo.

**papoter** *vi FAM* parlotear, charlotear.

**papou, e** *a/s* papú.

**Papouasie** *np f* Papuasia.

**papouille** *f FAM* **faire des papouilles** hacer cosquillas.

**paprika** *m* pimentón húngaro, paprika *f*.

**papule** *f MÉD* pápula.

**papy** *m* abuelito.

**papyrus** [papirys] *m* papiro.

**pâque** *f* pascua judaica.

**paquebot** [pakbo] *m* paquebote, buque.

**pâquerette** *f* margarita silvestre ◊ *FAM* **au ras des pâquerettes** ordinario, a, chabacano, a.

**Pâques** [pak] *np m* **1.** Pascua *f*: **le jour de ~** el día de Pascua ◊ **dimanche de ~** domingo de Resurrección; *FAM* **à ~ ou à la Trinité** cuando las ranas críen pelo **2.** *(période)* **vacances de ~** vacaciones de Semana Santa. ◇ *f pl* Pascua *sing*: **souhaiter de joyeuses ~** felicitar por Pascua; **faire ses ~** comulgar por Pascua florida ◊ **~ fleuries** domingo *m* de Ramos.

▶ Le mot *Pascua* désigne la fête de Pâques, également appelée *Pascua de Resurrección* ou *Pascua florida*, mais aussi Noël (*¡felices Pascuas!* joyeux Noël!).

**paquet** *m* **1.** *(colis)* paquete, bulto: **~-poste** paquete postal ◊ *FIG* **faire son ~, ses paquets** liar el petate **2.** *(emballage)* paquete: **~ de café** paquete de café ◊ **un ~ de cigarettes** una cajetilla, un paquete de cigarrillos; **il fume un ~ par jour** fuma una cajetilla diaria **3. un ~ de...** una gran cantidad de... **4. un ~ de mer** una ola grande **5. un ~ de nerfs** un manojo de nervios **6.** *FAM* **mettre le ~** poner toda la carne en el asador; **risquer le ~** jugarse el todo por el todo.

**paquetage** *m* **1.** empaquetado **2.** *MIL* equipo.

**par** *prép* **1.** *(agent, moyen, lieu, distributif)* por: **hâlé ~ le soleil** tostado por el sol; **~ avion** por avión; **regarder ~ la fenêtre**

mirar por la ventana; **tant ~ tête** tanto por cabeza **2.** *(distributif dans le temps)* a: **trois fois ~ an, ~ mois, ~ jour** tres veces al año, al mes, al día; **40 heures ~ semaine** 40 horas semanales, a la semana **3.** *(temps)* en: **~ une triste matinée d'hiver** en una triste mañana de invierno; **elle sort ~ tous les temps** sale sea cual sea el tiempo **4.** con: **~ le froid qu'il fait** con el frío que hace **5. ~ ici** por aquí; **~ là** *(direction)* por allí, *(ainsi)* por esto; **~-ci ~-là** aquí y allí **6. ~ contre** en cambio; **~-devant** ante; **~ trop** demasiado **7.** *loc prép* **de ~ la loi** en nombre de la ley; **il a beaucoup voyagé de ~ le monde** ha viajado mucho por el mundo.

**para** *m FAM (parachutiste)* paraca.

**parabole** *f (allégorie, courbe)* parábola.

**parabolique** *a* parabólico, a: **antenne ~** antena parabólica.

**parachever*** *vt* rematar, concluir, perfeccionar.

**parachutage** *m* lanzamiento en paracaídas.

**parachute** *m* paracaídas: **saut en ~** salto con paracaídas.

**parachuter** *vt* **1.** lanzar en paracaídas **2.** *FIG FAM* nombrar de improviso.

**parachutisme** *m* paracaidismo.

**parachutiste** *s* paracaidista.

**Paraclet** *m RELIG* Paráclito, Paracleto.

**parade** *f* **1.** *(étalage)* ostentación, alarde *m* ◊ **faire ~ de** hacer alarde de; **habit de ~** traje de gala; **lit de ~** lecho mortuorio **2.** *(cérémonie militaire)* parada, desfile *m* **3.** *(foraine, etc.)* exhibición *f* **4.** *(escrime)* parada, quite *m* **5.** defensa.

**parader** *vi* **1.** *(se pavaner)* pavonearse **2.** *(équitation)* hacer evoluciones.

**paradigme** *m* paradigma.

**paradis** *m* **1.** paraíso: **~ terrestre** paraíso terrenal ◊ **~ fiscaux** paraísos fiscales; *FAM* **tu ne l'emporteras pas au ~!** ¡ya me las pagarás! **2.** *(dans un théâtre)* paraíso **3. oiseau de ~** ave del Paraíso.

**paradisiaque** *a* paradisíaco, a.

**paradisier** *m* ave del Paraíso.

**paradoxal, e** *a* paradójico, a.

**paradoxalement** *adv* paradójicamente.

**paradoxe** *m* paradoja *f*: **c'est un ~** es una paradoja.

**parafe → paraphe.**

**parafer → parapher.**

**paraffine** *f* parafina.

**paraffiner** *vt* parafinar.

**parages** *m pl* **1.** parajes **2.** *MAR* aguas *f* **3. il habite dans les ~** vive aquí cerca.

**paragraphe** *m* párrafo, parágrafo.

**paragrêle** *a* granífugo, a: **canon, fusée ~** cañón, cohete granífugo.

**Paraguay** [paragwɛ] *np m* Paraguay.

**paraguayen, enne** *a/s* paraguayo, a.

**paraître*** *vi* **1.** *(apparaître)* aparecer, mostrarse **2.** *(être publié)* **livre qui vient de ~** libro que acaba de publicarse, de salir al público; **faire ~** publicar; **cette revue paraît le lundi** esta revista sale el lunes; **article paru dans un journal** artículo aparecido en un periódico; **à ~ prochainement** de próxima aparición **3.** *(briller)* lucir, hacerse ver **4.** *(sembler)* parecer, antojarse: **elle paraît fâchée** parece enfadada; **la réponse me paraît évidente** la respuesta se me antoja obvia **5.** aparentar: **il paraît 60 ans** aparenta unos 60 años **6. ~ en justice** comparecer ante la justicia. ◇ *v impers* parecer: **il paraît que tu vas déménager** parece que, parece ser que vas a mudarte de casa; **à ce qu'il paraît** según parece, a lo que parece; **l'hiver, paraît-il, sera rigoureux** al parecer, el invierno será crudo.

**parallaxe** *m ASTR* paralaje.

**parallèle** *a* paralelo, a ◊ **barres parallèles** barras paralelas. ◇ *f (ligne)* paralela. ◇ *m* **1.** *GÉOG* paralelo: **le 20ᵉ ~** el paralelo 20 **2.** *(comparaison)* paralelo: **établir un ~** establecer un paralelo ◊ **mettre en ~** comparar.

**parallèlement** *adv* paralelamente.

**parallélépipède** *m GÉOM* paralelepípedo.

**parallélisme** *m* paralelismo.

**parallélogramme** *m GÉOM* paralelogramo.

**paralympique** *a* paralímpico, a: **Jeux Paralympiques** Juegos Paralímpicos.

**paralysant, e** *a* paralizador, a.

**paralysé, e** *a* paralizado, a. ◇ *s* paralítico, a.

**paralyser** *vt* paralizar.

**paralysie** *f* parálisis.

**paralytique** *a/s* paralítico, a.

**paramédical, e** *a* paramédico, a.

**paramètre** *m* parámetro.

**paramilitaire** *a* paramilitar.

**parangon** *m* parangón.

**paranoïa** [paranɔja] *f* paranoia.

**paranoïaque** *a/s* paranoico, a.

**parapente** *m* parapente.

**parapet** *m (garde-fou)* parapeto, pretil.

**paraphe** *m* rúbrica *f*.

**parapher** *vt* rubricar.

**paraphrase** *f* paráfrasis.

**paraphraser** *vt* parafrasear.

**paraplégie** *f MÉD* paraplegia.

**paraplégique** *a/s* parapléjico, a.

**parapluie** *m* paraguas ◊ *FIG* **il a l'air d'avoir avalé son ~** es más tieso que un ajo; **~ atomique** paraguas atómico, sombrilla atómica.

**parapsychologie** *f* parapsicología, parasicología.

**parascolaire** *a* extraescolar, complementario, a.

**parasitaire** *a* parasitario, a.

**parasite** *a/m* parásito, a. ◇ *pl (radio)* parásitos.

**parasiter** *vt* vivir como parásito sobre.

**parasitisme** *m* parasitismo.

**parasitologie** *f* parasitología

**parasol** *m* sombrilla *f*, quitasol: **les parasols de la plage** las sombrillas de la playa.

**paratonnerre** *m* pararrayos.

**paratyphoïde** *f MÉD* paratifoidea.

**paravent** *m* biombo.

**parbleu!** *interj* ¡pardiez!, ¡pues claro!

**parc** *m* **1.** parque: **~ zoologique** parque zoológico; **~ national, naturel** parque nacional, natural **2.** *(pour le bétail)* cercado, aprisco **3. ~ à huîtres** criadero de ostras **4. ~ de stationnement** aparcamiento **5. le ~ automobile** el parque automovilístico **6.** *(pour jeunes enfants)* corralito.

**parcage** *m (de voitures)* aparcamiento.

**parcellaire** *a* parcelario, a.

**parcelle** *f* parcela.

**parcellisation** *f* parcelación.

**parce que** *loc conj* **1.** porque: **je n'ai pas pu venir ~ j'étais malade** no pude venir porque estaba enfermo **2.** por: **puni parce qu'il est arrivé en retard** castigado por haber llegado tarde.

**parchemin** *m* **1.** pergamino **2.** *FAM* diploma.

**parcheminé, e** *a* apergaminado, a.

**par-ci, par-là** → **ci.**

**parcimonie** *f* parsimonia.

**parcimonieusement** *adv* parsimoniosamente, con parsimonia.

**parcimonieux, euse** *a* parsimonioso, a.

**parcmètre** *m* parquímetro, parkímetro.

**parcourir*** *vt* **1.** recorrer: **nous avons parcouru la région** hemos recorrido la región; **le chemin parcouru** el camino recorrido **2.** *(un livre, etc.)* hojear **3. ~ du regard** recorrer con la vista.

**parcours** *m* **1.** recorrido, trayecto ◊ *FIG* **un incident de ~** un contratiempo **2.** *MIL* **~ du combattant** pista *f* americana, *FIG* carrera *f* de obstáculos.

**par-delà, par-dessous,** etc. → **delà, dessous,** etc.

**pardessus** *m* abrigo, gabán.

**pardi!** *interj* ¡pues claro!, ¡naturalmente!

**pardon** *m* **1.** perdón: **demander ~ à quelqu'un de...** pedir perdón a alguien por... **2. je vous demande ~** dispense usted, disculpe; **~ monsieur, vous avez l'heure?** perdone, ¿qué hora tiene?; **~?, je n'ai pas compris** ¿perdón?, no he entendido **3.** *FAM (marquant l'admiration)* ¡vamos anda!

**pardonnable** *a* perdonable, disculpable.

**pardonner** *vt/i* **1.** perdonar: **«pardonne-nous nos offenses»** «perdónanos nuestras deudas» **2.** perdonar, dispensar, disculpar: **pardonnez-moi** perdóname, dispénseme; **pardonnez ma franchise** perdone mi franqueza **3. une maladie qui ne pardonne pas** una enfermedad que no perdona. ◆ **se ~** *vpr* **un oubli qui ne se pardonne pas** un olvido que no admite excusa.

**paré, e** *a* **1.** *(une personne)* arreglado, a, ataviado, a ◊ **bal ~** baile de etiqueta **2.** *MAR* **~!** ¡listo! **3. ~ contre** a cubierto de.

**pare-balles** *a inv* **gilet ~** chaleco antibalas.

**pare-boue** *m inv* guardabarros.

**pare-brise** *m inv* parabrisas.

**pare-chocs** *m inv* parachoques.

**pare-étincelles** *m inv* parachispas.

**pare-feu** *m inv* cortafuego.

**parégorique** *a* paregórico, a.

**pareil, eille** *a* **1.** semejante, igual, parecido, a; **deux robes pareilles** dos vestidos iguales; **~ à** igual a ◊ **l'an dernier, à pareille époque** el año pasado, en la misma época; **c'est toujours ~** es siempre lo mismo; **ce n'est pas ~** no es lo mismo **2.** *(tel)* **en ~ cas** en semejante caso; **je n'ai jamais vu un ~ désordre** nunca he visto semejante desorden. ◇ *s* **1.** igual, semejante ◊ **il n'a pas son ~** no hay quien le iguale; **sans ~** sin par; **c'est du ~ au même** es lo mismo, llámale hache **2. rendre la pareille** pagar con la misma moneda **3. nos pareils** nuestros semejantes. ◇ *adv FAM* **elles sont habillées ~** están vestidas del mismo modo.

**pareillement** *adv* igualmente, asimismo, de la misma manera.

**parement** *m* **1.** *(revers sur les manches, le col)* vuelta *f* **2.** *ARCH* paramento.

**parenchyme** *m ANAT, BOT* parénquima.

**parent, e** *s (famille)* pariente, a: **un proche ~** un pariente cercano; **~ par alliance** pariente político ◊ **traiter quelqu'un en ~ pauvre** menospreciar a alguien, hacer poco caso de alguien. ◇ *pl* **1.** *(le père et la mère)* padres: **mes parents** mis padres; **parents d'élèves** padres de alumnos **2. nos premiers parents** nuestros primeros padres.

**parenté** *f* **1.** parentesco *m*: **liens de ~** lazos de parentesco **2.** *(ensemble des parents)* parentela, parientes **3.** *(ressemblance)* parentesco *m*.

**parenthèse** *f* paréntesis *m*: **entre parenthèses** entre paréntesis ◊ **par ~** incidentalmente.

**paréo** *m* pareo.

**¹parer** *vt* **1.** *(orner)* adornar, engalanar **2.** *CULIN (la viande)* preparar. ◆ **se ~** *vpr (se vêtir)* engalanarse, ataviarse: **se ~ le** engalanarse con.

**²parer** *vt (un coup)* evitar, esquivar. ◇ *vi* **~ à** precaverse de, prevenirse contra; **~ au plus pressé** tomar medidas de urgencia.

**pare-soleil** *m inv* quitasol, parasol.

**paresse** *f* pereza.

**paresser** *vi* holgazanear.

**paresseusement** *adv* perezosamente.

**paresseux, euse** *a/s* perezoso, a, holgazán, ana ◊ **~ comme une couleuvre** → **couleuvre.** ◇ *m (mammifère)* perezoso.

**parfaire*** *vt* **1.** completar **2.** perfeccionar.

**parfait, e** *a* **1.** perfecto, a: **nul n'est ~** nadie es perfecto ◊ **c'est ~!** ¡perfecto!, ¡muy bien! **2. un ~ gentleman** un perfecto caballero; **un ~ imbécile** un imbécil rematado, redomado; **un ~ hypocrite** un consumado hipócrita. ◇ *m* **1.** *GRAM* pretérito perfecto **2. ~ au café** helado de café.

**parfaitement** *adv* **1.** perfectamente **2. c'est ~ faux** es totalmente falso **3. oui, ~!** sí, ¡seguro!

**parfois** *adv* a veces.

**parfum** [paʀfœ̃] *m* **1.** perfume **2.** aroma: **glace ~ fraise** helado con aroma a fresa **3.** *POP* **être au ~** estar al corriente.

**parfumer** *vt* **1.** perfumar **2.** *(aromatiser)* **~ à la pistache** aromatizar con pistacho. ◆ **se ~** *vpr* perfumarse.

**parfumerie** *f* perfumería.

**parfumeur, euse** *s* perfumista.

**pari** *m* **1.** apuesta *f*: **j'ai gagné mon ~** he ganado la apuesta **2. ~ mutuel urbain (P.M.U.)** apuestas mutuas para las carreras de caballo.

**paria** *m* paria.

**parier*** *vt* **1.** apostar: **~ mille francs que...** apostar mil francos a que...; **je parie qu'il est là** apuesto a que está aquí; **je te parie ce que tu voudras que...** te apuesto lo que quieras a que...; **je parie que tu ne le sais pas** a que no lo sabes *(«apuesto» est sous-entendu)* **2. vous étiez au courant, je parie** usted estaba al corriente, me imagino, supongo; **je l'aurais parié** me lo figuraba, era evidente.

**pariétal, e** *a* **1.** *ANAT* parietal: **os ~** hueso parietal **2.** *(peinture)* rupestre.

**parieur, euse** *s* apostante.

**parigot, e** *a/s FAM* parisiense.

**Paris** *np* París.

**paris-brest** *m* rosquilla *f* espolvoreada con almendras.

**parisien, enne** *a/s* parisiense, parisino, a ◊ **le bassin ~** la cuenca de París.

**paritaire** *a* paritario, a: **commission ~** comisión paritaria, comité paritario.

**parité** *f* paridad.

**parjure** *m (faux serment)* perjurio. ◇ *a/s (personne)* perjuro, a.

**parjurer (se)** *vpr* perjurar.

**parka** *m/f* parka *f*, chaquetón *m*.

**parking** [parkiŋ] *m* aparcamiento, parking: **~ payant** aparcamiento de pago.

**parlant, e** *a* **1.** parlante ◊ *FAM* **il n'est pas très ~** habla poco, es poco locuaz **2. cinéma ~** cine sonoro **3.** *(expressif)* expresivo, a.

**parlé, e** *a* hablado, a: **journal ~** diario hablado.

**parlement** *m* parlamento: **le Parlement européen** el Parlamento europeo.

**parlementaire** *a/s* parlamentario, a.

**parlementarisme** *m* parlamentarismo.

**parlementer** *vi* parlamentar.

[1]**parler** *vi* **1.** hablar: **parlez plus fort!** ¡hable más fuerte!; **~ bas** hablar en voz baja, en voz queda; **~ entre ses dents** hablar entre dientes; **~ pour ne rien dire** hablar por hablar; **financièrement parlant** económicamente hablando ◊ **c'est une façon de ~** es un decir; *FAM* **tu parles!** ¡qué va!, ¡que te crees tú eso! **2. ~ de** hablar de, tratar de: **~ de mode** hablar de moda ◊ **~ de la pluie et du beau temps** hablar de nimiedades; **faire ~ de soi** dar que hablar; **n'en parlons plus** se acabó, no hablemos más de eso, basta ya; *FAM* **tu parles d'un idiot!** ¡vaya un idiota!, ¡fíjate que idiota! **3.** *(avouer)* hablar, cantar. ◇ *vt* **1.** hablar: **~ le français** hablar el francés **2. ~ affaires, politique** hablar de negocios, de política. ◆ **se ~** *vpr* **1.** hablarse **2. ils ne se parlent plus** ya no se hablan, están reñidos.

[2]**parler** *m* **1.** *(parole)* habla *f* ◊ **avoir son franc ~** no tener pelos en la lengua **2.** dialecto.

**parleur** *m* parlanchín ◊ **un beau ~** un pico de oro.

**parloir** *m* locutorio.

**parlote** *f FAM* cháchara, palique *m.*

**Parme** *np* Parma.

**parme** *a (color)* malva.

**parmesan, e** *a/s* parmesano, a. ◇ *m (fromage)* queso parmesano.

**parmi** *prép* **1.** entre: **~ mes amis** entre mis amigos **2. ~ la foule** en medio de la muchedumbre.

**Parnasse** *np m* Parnaso.

**parnassien, enne** *a/s* parnasiano, a.

**parodie** *f* parodia.

**parodier*** *vt* parodiar.

**parodique** *a* paródico, a.

**paroi** *f* **1.** pared **2.** *(cloison)* tabique *m* **3.** *(d'une montagne, de l'estomac, etc.)* pared.

**paroisse** *f* parroquia.

**paroissial, e** *a* parroquial.

**paroissien, enne** *s* **1.** feligrés, esa: **les paroissiens** los feligreses **2.** *FAM* **un drôle de ~** un tipo raro. ◇ *m (livre)* devocionario.

**parole** *f* **1.** palabra: **~ d'honneur** palabra de honor; **tenir ~** cumplir su palabra; **manquer à sa ~** faltar a su palabra; **homme de ~** hombre de palabra; **je vous crois sur ~** le creo bajo palabra; **de belles paroles** promesas **2.** *(phrase)* frase, dicho *m* **3.** *(faculté de parler)* palabra, habla: **avoir le don de la ~** tener el don de la palabra; **adresser la ~** dirigir la palabra; **je demande la ~** pido la palabra; **prendre la ~** tomar la palabra ◊ **avoir la ~ facile** hablar con facilidad, tener la lengua suelta; **couper la ~ à** interrumpir a; **vous avez la ~** a usted le toca hablar; *PROV* **la ~ est d'argent et le silence est d'or** en boca cerrada no entran moscas. ◇ *interj* **1. ~ d'honneur!** ¡palabra! **2.** *FAM* **ma ~!** ¡vaya! ◇ *pl* **les paroles d'une chanson** la letra de una canción.

**parolier, ère** *s* **1.** autor, a de la letra de una canción **2.** *(d'un opéra, d'une opérette)* libretista.

**paronyme** *m* vocablo parónimo.

**paronymie** *f* paronomia.

**parotide** *a/f ANAT* parótida.

**paroxysme** *m* paroxismo: **au ~ de** en el paroxismo de.

**paroxyton** *a GRAM* paroxítono, a, grave, llano, a.

**parpaillot, e** *s FAM* protestante.

**parpaing** [parpɛ̃] *m* perpiaño.

**parquer** *vt* **1.** *(des animaux, prisonniers, etc.)* acorralar, encerrar **2.** *(une voiture)* aparcar.

**Parques** *np f pl* Parcas.

**parquet** *m* **1.** parqué, parquet, entarimado **2.** *JUR* **le ~** la fiscalía, el ministerio fiscal **3.** *(Bourse)* parqué, parquet.

**parqueter*** *vt* entarimar.

**parqueteur** *m* entarimador.

**parrain** *m* padrino.

**parrainage** *m* padrinazgo.

**parrainer** *vt* **1.** apadrinar **2.** *(sponsoriser)* patrocinar.

**parricide** *m (crime)* parricidio. ◇ *a/s* parricida.

**parsemer*** *vt* **1.** sembrar, esparcir **2.** *FIG* salpicar: **texte parsemé de fautes d'orthographe** texto salpicado de faltas de ortografía; **ciel parsemé d'étoiles** cielo tachonado de estrellas.

**part** *f* **1.** parte, porción ◊ **à ~ entière** de pleno derecho; **prendre ~ à** tomar parte en; **se tailler la ~ du lion** llevarse la parte del león; **faire la ~ des choses** tenerlo todo en cuenta; **faire la ~ du feu** abandonar una parte de algo para no perderlo todo; **prendre en mauvaise ~** tomar a mal; **pour ma ~** en cuanto a mí **2. faire ~ de** notificar, dar parte de, participar: **il m'a fait ~ de son mariage** me ha participado su boda **3. à ~** aparte: **à ~ cela** eso aparte; **mettre à ~** poner aparte, separadamente; **à ~ moi** en mi fuero interno **4.** *loc adv* **d'une ~ ... d'autre ~** por una parte... por otra; **d'autre ~** por otra parte; **de ~ en ~** de parte a parte, de un lado al otro; **de ~ et d'autre** por ambas partes; **de toutes parts** por todas partes, por todos lados; **nulle ~** en ninguna parte; **nulle ~ ailleurs** en ningún otro sitio; **quelque ~** en algún sitio **5.** *loc prép* **de la ~ de** de parte de: **c'est de la ~ de qui?** ¿de parte de quién? **6.** *COM* **~ de marché** cuota de mercado.

**partage** *m* **1.** partición *f,* reparto ◊ **recevoir en ~** heredar, recibir como parte de una herencia; **sans ~** total **2. ligne de ~ des eaux** línea *f* divisoria de las aguas **3.** *(de suffrages)* empate.

**partageable** *a* divisible, partible.

**partager** *vt* **1.** partir, dividir: **~ une propriété** partir una finca; **~ une pomme en deux** partir una manzana por la mitad **2.** *(séparer)* dividir: **mur qui partage une chambre en deux** pared que divide una habitación en dos **3.** compartir: **~ le repas, l'opinion de quelqu'un** compartir la comida, la opinión de alguien; **je partage votre joie** comparto su alegría ◊ **un amour partagé** un amor correspondido, mutuo **4. les avis sont partagés** las opiniones están divididas. ◆ **se ~** *vpr* **1.** partirse **2. se ~ les bénéfices** repartirse las ganancias.

**partance** *f MAR* partida ◊ **en ~** a punto de partir.

[1]**partant, e** *s (dans une course)* participante. ◇ *a FAM* **aller à la piscine?, je suis ~!** ¿ir a la piscina?, ¡de acuerdo!, ¡me apunto!

[2]**partant** *conj LITT* por lo tanto, por consiguiente.

**partenaire** *s* **1.** *(jeu, danse)* pareja *f* **2.** *(politique)* asociado, a ◊ **les partenaires sociaux** los delegados de ambas partes, los interlocutores sociales.

▶ Le gallicisme «partenaire» s'emploie couramment dans les domaines du jeu, du sport ou pour désigner la personne avec qui l'on a des relations sexuelles.

**partenariat** *m* asociación *f.*

**parterre** *m* **1.** *(d'un jardin)* cuadro, arriate **2.** *THÉÂT* patio de butacas, platea *f.*

**parthe** *a/s HIST* parto, a.

**parthénogenèse** *f BIOL* partenogénesis.

**Parthénon** *np m* Partenón.

**parti** *m* **1.** partido: **~ politique** partido político; **prendre ~ pour** tomar partido por **2.** *(décision)* partido, decisión *f* ◊ **prendre le ~ de faire...** decidirse a hacer...; **prendre son ~ de** resignarse a; **prenez-en votre ~** aguántese; **tirer ~ de** sacar partido de **3. ~ pris** perjuicio; **être de ~ pris** no ser objetivo **4. esprit de ~** partidismo **5.** *(personne à marier)* partido.

**parti, e** *a FAM (ivre)* achispado, a, lanzado, a.

**partial, e** [parsjal] *a* parcial: **jugements partiaux** juicios parciales.

**partialité** [parsjalite] *f* parcialidad.

**participant, e** *a/s* participante: **les participants à un congrès** los participantes en un congreso.

**participation** *f* participación: **~ au festival de...** participación en el festival de...; **~ aux bénéfices, aux frais** participación en las ganancias, en los gastos; **nier toute ~ aux faits** denegar toda participación en los hechos.

**participe** *m GRAM* **~ présent** participio de presente; **~ passé** participio de pretérito, pasado.

**participer** *vi* **1.** participar: **~ à une réunion, aux bénéfices** participar en una reunión, en las ganancias; **les troupes qui participeront au défilé** las tropas que participarán en el desfile **2. ~ au chagrin de** compartir la pena de **3. ~ de** participar de.

**participial, e** *a GRAM* participial.

**particularisation** *f* particularización.

**particulariser** *vt* particularizar. ◆ **se ~** *vpr* particularizarse, distinguirse.

**particularisme** *m* particularismo.

**particularité** *f* particularidad.

**particule** *f* **1.** partícula **2. nom à ~** apellido noble.

**particulier, ère** *a* **1.** particular: **cas ~** caso particular; **leçons particulières** lecciones particulares **2. ~ à** propio de. ◇ *m* **1.** particular **2.** *FAM* individuo, sujeto **3.** *loc adv* **en ~** *(surtout)* en particular; **je désirerais vous parler en ~** quisiera hablarle en privado.

**particulièrement** *adv* particularmente.

**partie** *f* **1.** parte: **en ~** en parte; **en grande ~** en gran parte; **la plus grande ~ de** la mayor parte de; **faire ~ de** formar parte de **2.** *(jeux, sports)* partida: **une ~ de cartes, de dames** una partida de cartas, de damas; **~ de chasse** partida de caza; **~ nulle → nul** ◊ **~ de campagne** excursión, picnic *m*, fiesta campestre; **~ fine** aventura galante; *FIG* **abandonner la ~** desistir, renunciar; **ce n'est que ~ remise** lo dejamos para más tarde; **avoir ~ liée → lier 3.** *(domaine)* rama, ramo *m* ◊ **ce n'est pas ma ~** no es mi especialidad **4.** *MUS* parte **5.** *JUR* parte: **la ~ adverse** la parte contraria; **~ civile** parte civil ◊ **avoir affaire à forte ~** habérselas con un adversario temible; **prendre quelqu'un à ~** increpar a alguien, tomarla con alguien **6.** *COM* **~ simple, double** partida simple, doble. ◇ *pl* partes (genitales): **parties honteuses** partes pudendas.

**partiel, elle** [parsjεl] *a* parcial: **à temps ~** a tiempo parcial; **éclipse partielle** eclipse parcial.

**partiellement** *adv* parcialmente.

**partir*** *vi* **1.** *(s'en aller)* marcharse, marchar, irse: **il est parti pour le Canada** se ha marchado al Canadá; **je pars en vacances demain** me marcho de vacaciones mañana; **partez en vacances tranquille!** ¡marche de vacaciones tranquilo!; **ne partez pas!** ¡no se vaya! **2.** *(prendre le départ)* salir: **le train part dans cinq minutes** el tren sale dentro de cinco minutos; **je pars en voyage** salgo de viaje; **il est parti comme une flèche** salió disparado **3.** *(un moteur)* arrancar, ponerse en marcha **4.** *(arme, projectile)* dispararse: **le coup est parti tout seul** se disparó solo **5.** *(commencer)* empezar ◊ **l'affaire est mal partie** el asunto tiene mal cariz **6.** partir: **~ d'une hypothèse** partir de una hipótesis **7.** *loc prép* **à ~ de** a partir de, desde: **à ~ d'aujourd'hui** a partir de hoy.

**partisan, e** *a/s* **1.** *(adepte)* partidario, a **2. je suis ~ de rester** soy partidario de quedarme **2.** *(qui est inspiré par l'esprit de parti)* partidista. ◇ *m* guerrillero.

**partitif, ive** *a/m GRAM* partitivo, a.

**partition** *f* **1.** partición, división **2.** *MUS* partitura.

**partout** *adv* **1.** en todas partes; *(avec mouvement)* por todas partes: **il me suit ~** me va siguiendo por todas partes; **~ ailleurs** en cualquier otra parte; **de ~** de todas partes; **~ où il va** dondequiera que va; **j'ai mal ~** me duele todo el cuerpo **2.** *(tennis)* **30 ~** 30 iguales; *(autres sports)* **un ~** empate a uno.

**partouze** *f VULG* juerga, bacanal.

**parturiente** *f* parturienta.

**parturition** *f MÉD* parto *m*.

**paru → paraître.**

**parure** *f* **1.** adorno *m* **2.** *(bijoux)* aderezo *m* **3.** *(lingerie)* juego *m* de ropa interior femenina.

**parution** *f (d'un livre)* aparición, publicación.

**parvenir*** *vi* **1.** llegar: **nous sommes parvenus au pied de la montagne** hemos llegado al pie del monte; **faire ~ un colis à** hacer llegar un paquete a ◊ **faire ~ un télégramme** cursar un telegrama **2.** *(réussir à)* conseguir: **je ne parviens pas à ouvrir cette porte** no consigo abrir esta puerta; **~ à ses fins** conseguir sus propósitos **3. je ne suis jamais parvenu à savoir si...** nunca he llegado a saber si...

**parvenu, e** *s* advenedizo, a, nuevo rico, nueva rica.

**parvis** *m* plaza *f* delante de una iglesia.

**[1]pas** *m* **1.** paso: **faire un ~ en avant** dar un paso adelante; **allonger, presser, hâter le ~** acelerar el paso, avivar el paso; **marcher d'un bon ~** andar a buen paso; **d'un ~ rapide** a paso rápido; **à ~ comptés** con paso mesurado; **à grands ~** a paso largo, con pasos largos; **au ~ de gymnastique** a paso ligero ◊ **faire un faux ~** dar un paso en falso, un tropiezo; **faire le premier ~** dar el primer paso; **faire les cent ~** ir y venir, dar vueltas y más vueltas; **faire ses premiers ~** hacer (sus) pinitos; **marquer le ~** marcar el paso; **prendre le ~ sur** adelantarse a; **revenir sur ses ~** volverse atrás; *FIG* **~ de clerc → clerc; mettre quelqu'un au ~** poner a alguien en vereda **2. ~ à ~** paso a paso; **à ~ de loup** sigilosamente; **de ce ~** inmediatamente, al instante **3.** *(trace, bruit)* pisada *f*: **le bruit de ses ~** el ruido de sus pisadas **4.** *GÉOG* paso: **le ~ de Calais** el paso de Calais ◊ *FIG* **mauvais ~** mal paso, apuro; **sauter le ~** decidirse **5. le ~ de la porte** el umbral **6.** *COM* **~ de porte** traspaso **7. ~ de tir** plataforma *f* de lanzamiento **8. ~ de vis** paso de rosca.

**[2]pas** *adv* **1.** no *(précédé de ne, ne se traduit pas)*: **je ne sais ~** no sé; **je ne veux ~** no quiero; **~ moi** yo no ◊ **~ beaucoup** no mucho; **~ encore** todavía no; **~ mal** regular, bastante bien; *FAM* **~ vrai?** ¿no es cierto?, ¿verdad? **2. ~ du tout** en absoluto, de ninguna manera; **~ drôle du tout** nada divertido **3.** *(exclamatif)* **~ d'excuses!** ¡nada de excusas!; **~ de lieux communs, s'il vous plaît!** nada de tópicos, ¡por favor! **4. ~ un, ~ une** ni uno, ni una; **~ le moindre bruit** ni el menor ruido.

**pascal, e** *a* pascual: **agneau, cierge ~** cordero, cirio pascual.

**pascal** *m PHYS* pascal.

**Pascal, e** *np* Pascual, a.

**pas-de-porte** *m inv COM* traspaso.

**paso doble** *m* pasodoble.

**passable** *a* **1.** pasable, regular, mediano, a **2.** *(mention)* aprobado, a.

**passablement** *adv* **1.** medianamente **2.** *(assez)* bastante.

**passacaille** *f MUS* pasacalle *m*.

**passade** *f* capricho *m* pasajero, antojo *m*.

**passage** *m* **1.** paso: **le ~ de l'autobus** el paso del autobús; **cédez le ~** ceda el paso; **se frayer un ~** abrirse paso; **oiseau de ~** ave de paso; **prendre au ~** coger al paso; **je suis de ~ à Paris** estoy de paso en París ◊ **la foule se masse sur le ~ de la procession** la muchedumbre se concentra en donde pasa la procesión **2.** *(lieu)* paso: **~ pour piétons, clouté** paso de peatones; **~ à niveau** paso a nivel; **~ interdit** prohibido el paso **3.** *(d'un état à l'autre)* paso, tránsito: **le ~ de la dictadure à la démocratie** el tránsito de la dictadura a la democracia ◊ *FIG* **~ à vide** momento crítico; *FAM* **~ à tabac → tabac 4.** *(prix d'une traversée, voie, rue)* pasaje **5.** *(d'un discours, livre, œuvre musicale)* pasaje **6.** *(tapis)* alfombra *f* larga de pasillo.

**passager, ère** *a/s* **1.** pasajero, a **2. ~ clandestin** polizón.

**passant, e** *a* **rue passante** calle animada, de mucho tránsito. ◇ *s (promeneur)* transeúnte.

**passation** *f JUR* **1.** otorgamiento *m* (de una escritura o un contrato) **2. ~ de pouvoirs** transmisión de poderes.

**passe** *f* **1.** *(des oiseaux)* paso *m* **2.** *(de magnétiseur, en sports)* pase *m* **3. mot de ~** contraseña *f* **4. maison, hôtel de ~** casa de citas, prostíbulo *m* **5.** *(chenal)* paso *m* **6.** *FIG* **mauvaise ~** trance *m* difícil, mal momento *m*; **être dans une mauvaise ~** tener mala racha; **être en ~ de** estar en situación de, a punto de. ◇ *m (clef)* llave *f* maestra.

**passé, e** *a* **1.** pasado, a ◊ **60 ans passés** 60 años cumplidos; **il est midi ~** son las doce y pico **2.** *(décoloré)* descolorido, a. ◇ *m* **1.** pasado: **oublions le ~** lo pasado, pasado ◊ **regarder vers le ~** volver la vista atrás **2.** pretérito: **verbe au ~** verbo en el pretérito; **~ simple, composé** pretérito indefinido, pretérito perfecto. ◇ *prép* después de: **~ 6 heures** después de las 6.

**passe-droit** *m* favor injusto.

**passéisme** *m* apego a las cosas del pasado.

**passéiste** *a/s* tradicionalista, retrógrado, a.

**passe-lacet** *m* pasador, pasacintas.

**passementerie** *f* pasamanería.

**passementier, ère** *s* pasamanero, a.

**passe-montagne** *m* pasamontañas.

**passe-partout** *m inv* **1.** *(clef)* llave *f* maestra **2.** *(encadrement de carton)* paspartú. ◇ *a inv* socorrido, a, que sirve para todo: **un sujet ~** un tema socorrido.

**passe-passe** *m inv* **tour de ~** juego de manos, pasapasa.

**passe-plat** *m* taquilla *f*.

**passepoil** *m* ribete.

**passeport** *m* pasaporte.

**passer** *vi* **1.** pasar: **le facteur est passé chez moi** el cartero ha pasado por mi casa ◊ **en passant** de paso; **soit dit en passant** dicho sea de paso, de pasada; **~ à l'ennemi** pasarse al enemigo; *(auto)* **~ en première, en seconde** pasar a primera, a segunda; **l'idée ne m'est même pas passée par la tête** la idea ni se me ha pasado por la cabeza, ni se me ha ocurrido; *FAM* **j'ai failli ~ sous une voiture** por poco me pilla un coche; **mon repas ne passe pas** me ha sentado mal la comida **2. passons sur ces détails** pasemos por alto esos detalles; **passe encore** santo y bueno; **passons!** ¡ya está bien! **3. ~ pour riche** pasar por rico; **il s'est fait ~ pour malade** se fingió enfermo **4.** *(pièce de théâtre)* representarse **5. ce film passe au cinéma Lux** esta película se pone en el cine Lux **6.** *(une personne)* **~ à la télévision** actuar en televisión **7.** *(temps)* pasar, transcurrirse: **comme le temps passe!** ¡cómo pasa el tiempo! **8.** *(être accepté)* adoptarse, aprobarse: **la loi a passé** la ley ha sido aprobada **9. ce mot est passé dans l'usage** esta palabra ha entrado en el uso diario **10.** ascender a, pasar: **il est passé général** ha ascendido a general **11.** *(disparaître)* pasarse: **ma migraine a passé** se me ha pasado la jaqueca **12.** *(couleurs)* desteñirse, irse **13.** *(fleur)* marchitarse **14.** *FAM* **il a failli y ~** por poco se muere; **je l'ai senti ~** menuda gracia me ha hecho. ◇ *vt* **1.** pasar: **~ la frontière** pasar la frontera; **~ du tabac en fraude** pasar tabaco de contrabando ◊ **laissez ~!** ¡abran paso! **2. ~ la tête par la portière** sacar la cabeza por la portezuela **3.** pasar, dar, alcanzar: **passe-moi le sel** pásame la sal **4.** *(au téléphone)* **passe-moi un coup de fil demain** llámame mañana; **passez-moi le directeur** dígale al director que se ponga **5.** *(un vêtement)* ponerse: **elle passa sa robe de chambre** se puso la bata **6.** *(temps)* pasarse, pasar: **j'ai passé ma journée à écrire** me pasé el día escribiendo **7. ~ le café** pasar, filtrar el café **8.** *(pièce de théâtre)* representar **9.** *(film)* poner, echar, hacer: **quel film passe-t-on au Capitole?** ¿qué película ponen, hacen en el Capitol? **10.** contagiar, pasar, pegar: **il m'a passé son rhume** me ha contagiado su catarro **11.** *(un marché, un accord)* concertar **12.** *(permettre)* **son père ne lui passe rien** su padre no le tolera nada **13. j'ai passé une ligne** me salté una línea **14. ~ les limites, les bornes** rebasar los límites **15. ~ un examen** examinarse; **~ une visite médicale** hacerse un examen médico. ◆ **se ~** *vpr* **1.** *(avoir lieu)* pasar, ocurrir, suceder: **que se passe-t-il?** ¿qué pasa?; **que s'est-il passé?** ¿qué ha pasado?; **ça se passe toujours comme ça** siempre sucede así; **après ce qui s'est passé** después de lo ocurrido **2. se ~ de** prescindir, pasar: **je me passe de voiture** prescindo de coche; **je me passe très bien de montre** paso de reloj **3. cela se passe de commentaires** huelgan los comentarios.

**passereau** *m* pájaro.

**passerelle** *f* **1.** *(pont étroit)* pasarela **2.** *MAR* puente *m* **3.** *(pour accéder à un avion)* escalerilla, pasarela.

**passe-temps** *m inv* pasatiempo.

**passe-thé** *m inv* colador para el té.

**passeur, euse** *s* **1.** barquero, a **2.** persona que hace pasar clandestinamente una frontera, pasador, a.

**passible** *a* **~ de** merecedor, a de.

**passif, ive** *a* pasivo, a. ◇ *m* **1.** *GRAM* voz *f* pasiva **2.** *COM* pasivo.

**passiflore** *f* pasiflora, pasionaria.

**passion** *f* **1.** pasión **2. il a la ~ des motos** tiene pasión por las motos **3.** *RELIG* **la Passion selon saint Matthieu** la Pasión según San Mateo; **semaine de la Passion** semana de Pasión.

**passionnant, e** *a* apasionante.

**passionné, e** *a/s* apasionado, a.

**passionnel, elle** *a* pasional.

**passionnément** *adv* apasionadamente.

**passionner** *vt* apasionar. ◆ **se ~** *vpr* apasionarse: **il se passionne pour le football** se apasiona por el fútbol.

**passivement** *adv* pasivamente.

**passivité** *f* pasividad.

**passoire** *f* colador *m*, escurridor *m* con mango.

**pastel** *m* pastel: **portrait au ~** retrato al pastel.

**pastelliste** *s* pastelista.

**pastèque** *f* sandía.

**pasteur** *m* **1.** pastor **2. le Bon Pasteur** el Buen Pastor.

**pasteurisation** *f* pasteurización, pasterización.

**pasteuriser** *vt* pasteurizar, pasterizar: **lait pasteurisé** leche pasterizada.

**pastiche** *m* imitación *f*, remedo, pastiche.

**pasticher** *vt* imitar, remedar.

**pastille** *f* pastilla: **~ de menthe** pastilla de menta.

**pastis** [pastis] *m* **1.** licor anisado **2.** *FAM* **quel ~!** ¡qué follón!, ¡vaya un lío!

**pastoral, e** *a* **1.** pastoril, pastoral ◊ **roman ~** novela pastoril; **la Symphonie pastorale** la Sinfonía pastoral **2.** *RELIG* pastoral. ◇ *f* pastoral.

**pastoureau** *m LITT* pastorcillo.

**pastourelle** *f* **1.** *LITT (bergère)* pastorcilla **2.** *(romance)* pastorela.

**pat** [pat] *a/m (aux échecs)* ahogado.

**patache** *f* carricoche *m*, diligencia antigua.

**patachon** *m FAM* **il mène une vie de ~** está siempre de juerga.

**patagon, onne** *a/s* patagón, ona.

**Patagonie** *np f* Patagonia.

**patapouf** *m FAM* **un gros ~** un gordinflón. ◇ *interj* ¡cataplum!

**pataquès** [patakɛs] *m* gazapo.

**patate** *f* **1. ~ douce** batata, boniato *m* **2.** *FAM (pomme de terre)* patata **3.** *FAM (personne stupide)* mentecato, a, cernícalo, a **4.** *POP* **en avoir gros sur la ~** → **gros.**

**patati et patata** *interj FAM* **et ~** que si patatín que si patatán.

**patatras!** [patatʀa] *interj* ¡cataplum!, ¡pataplum!

**pataud, e** *a/s* torpe.

**pataugeoire** [patoʒwaʀ] *f* piscina infantil.

**patauger*** *vi* **1.** chapotear **2.** *FIG (s'embrouiller)* enredarse, atascarse.

**patchouli** *m* pachulí.

**pâte** *f* **1.** masa, pasta: **~ brisée, feuilletée** masa quebrada, de hojaldre; **~ à tarte** pasta para tartas ◊ *FIG* **être comme un coq en ~ → coq; mettre la main à la ~** poner manos a la obra; *FAM* **une bonne ~** una buena persona **2. ~ de coings** carne de membrillo; **~ de fruits** dulce *m* de frutas **3.** pasta: **~ à papier, à modeler** pasta de papel, de modelar; **~ dentifrice** pasta dentífrica. ◇ *pl* **pâtes, pâtes alimentaires** pastas alimenticias.

**pâté** *m* **1.** *(charcuterie)* paté, foie-gras, pasta *f*: **~ de foie** paté de hígado **2.** *(de viande, de poisson)* pastel ◊ **~ en croûte** empanada *f* **3. ~ de maisons** manzana *f* **4. ~ de sable** flan de arena **5.** *FAM (d'encre)* borrón.

▶ Le gallicisme *paté* est aujourd'hui courant en espagnol pour désigner, en particulier, un pâté de porc ou de volaille. Autre gallicisme, *foie-gras* s'applique à n'importe quel type de pâté: foie gras véritable ou non.

**pâtée** *f* comida (para los animales).

[1]**patelin, e** *a LITT (hypocrite)* zalamero, a.

[2]**patelin** *m FAM (village)* pueblo, poblacho.

**patelle** *f (mollusque)* lapa.

**patène** *f* patena.

**patenôtre** *f (prière)* oración.

**patent, e** *a* patente, evidente. ◇ *f* patente.

**patenté, e** *a* patentado, a.

**pater** [patɛʀ] *m inv* **1.** *(prière)* padrenuestro **2.** *FAM (père)* padre, viejo.

**patère** *f* **1.** *(portemanteau)* percha, colgador *m* **2.** *HIST (vase)* patera.

**paternalisme** *m* paternalismo.

**paternaliste** *a* paternalista.

**paterne** *a* dulzón, ona, almibarado, a.

**paternel, elle** *a* **1.** paterno, a: **parents du côté ~** parientes por línea paterna **2.** *(amour, bienveillance)* paternal. ◇ *m FAM (père)* padre, viejo.

**paternellement** *adv* paternalmente.

**paternité** *f* paternidad.

**pâteux, euse** *a* **1.** pastoso, a **2. avoir la langue pâteuse** tener la lengua pastosa.

**pathétique** *a* patético, a.

**pathogène** *a* patógeno, a.

**pathologie** *f* patología.

**pathologique** *a* patológico, a.

**pathologiste** *s* patólogo, a.

**pathos** [patos] *m* énfasis *m/f*.

**patibulaire** *a* patibulario, a ◊ **mine ~** aspecto patibulario.

**patiemment** [pasjamɑ̃] *adv* pacientemente, con paciencia.

**patience** [pasjɑ̃s] *f* **1.** paciencia: **ne pas avoir la ~ de...** no tener paciencia para...; **s'armer de ~** armarse de paciencia; **perdre ~** perder la paciencia; **je suis à bout de ~** se me acabó la paciencia; **faire perdre ~ à** acabar la paciencia a ◊ **prendre son mal en ~** aguantarse, resignarse **2.** *(jeu de cartes)* solitario *m*.

**patient, e** [pasjɑ̃, ɑ̃t] *a* paciente ◊ **sois ~!** ¡ten paciencia! ◇ *s (malade)* paciente.

**patienter** [pasjɑ̃te] *vi* esperar con paciencia: **patientez un instant!** ¡espere un momento!

**patin** *m* **1.** patín: **patins à glace, à roulettes** patines de cuchilla, de ruedas ◊ **faire du ~** practicar patinaje **2.** *(de frein)* zapata *f*.

**patinage** *m* **1.** patinaje: **~ artistique, de vitesse** patinaje artístico, de velocidad **2.** *(d'une roue)* patinazo.

**patine** *f* pátina.

[1]**patiner** *vi* **1.** *(faire du patinage)* patinar **2.** *(roue, embrayage)* patinar.

[2]**patiner** *vt (couvrir de patine)* dar pátina a. ◆ **se ~** *vpr* cubrirse de pátina.

**patinette** *f* patinete *m*, patineta.

**patineur, euse** *s* patinador, a.

**patinoire** *f* pista de patinaje.

**patio** *m* patio.

**pâtir** *vi* **1.** padecer, sufrir **2. ~ de** sufrir las consecuencias de.

**pâtisser** *vi* hacer pasteles.

**pâtisserie** *f* **1.** pastelería **2.** *(gâteau)* pastel *m*: **manger des pâtisseries** comer pasteles.

**pâtissier, ère** *s* pastelero, a. ◇ *a* **crème pâtissière** crema.

**pâtisson** *m* variedad de calabaza *f*.

**patois** *m* habla regional.

**patouiller** *vi FAM* chapotear.

**patraque** *a FAM* pachucho, a.

**pâtre** *m LITT* pastor.

**patriarcal, e** *a* patriarcal.

**patriarcat** *m* patriarcado.

**patriarche** *m* patriarca.

**Patrice** *np m* Patricio.

**patricien, enne** *a/s* patricio, a.

**patrie** *f* patria.

**patrimoine** *m* **1.** patrimonio **2.** *FIG* **le ~ culturel** el patrimonio cultural; **le ~ spirituel** el acervo espiritual.

**patrimonial, e** *a* patrimonial.

**patriotard, e** *a/s PÉJOR* patriotero, a.

**patriote** *a/s* patriota.

**patriotisme** *m* patriotismo.

**patron, onne** *s* **1.** *(saint)* patrono, a **2.** *(employeur)* patrono, a, empresario, a, directivo, a: **les patrons de l'entreprise** los directivos de la empresa **3.** *(d'un café, etc.)* dueño, a: **le ~ du bar** el dueño del bar **4.** *(médecin)* profesor, a **5. ~ de thèse** director de tesis **6.** *(d'un bateau de pêche)* patrón. ◇ *m (modèle)* patrón.

**patronage** *m* **1.** patrocinio: **fête placée sous le ~ de...** fiesta patrocinada por..., con el patrocinio de... **2.** *(de jeunes)* círculo recreativo para jóvenes.

**patronal, e** *a* empresarial, patronal: **cotisation patronale** cotización empresarial.

**patronat** *m* **le ~** el empresariado, la patronal.

**patronner** *vt* patrocinar.

**patronnesse** *a* **dame ~** patrocinadora.

**patronyme** *m* patronímico, nombre patronímico.

**patronymique** *a* patronímico.

**patrouille** *f* patrulla.

**patrouiller** *vi* patrullar.

**patrouilleur** *m* patrullero.

**patte** *f* **1.** *(des animaux)* pata **2.** *FAM (jambe)* pata, pierna ◊ **marcher à quatre pattes** andar a gatas, a cuatro patas; *FAM* **tirer dans les pattes de quelqu'un** perjudicar a alguien; **j'en ai**

**plein les pattes** estoy molido, estoy rendido, vengo hecho polvo **3.** *(main)* mano ◊ *FIG* **graisser la ~ à quelqu'un** untar a alguien, untar el carro a alguien; **montrer ~ blanche** darse a conocer; **tomber sous la ~ de** caer en las garras de; **bas les pattes!** ¡quita las manos!; **faire ~ de velours** → **velours 4.** *(de portefeuille)* lengüeta **5.** *(de poche)* pata **6.** *(d'épaule)* hombrera **7.** *(favori)* patilla **8. pattes de mouches** garabatos *m*.

**patte-d'oie** *f* **1.** *(ride)* pata de gallo **2.** *(carrefour)* encrucijada.

**pâturage** *m* pasto.

**pâture** *f* **1.** pasto ◊ **vaine ~** pasturaje *m* **2.** *FIG* pasto *m*, alimento *m*.

**paturon** *m (des chevaux)* cuartilla *f*.

**Paul** *np m* Pablo.

**Paule** *np f* Paula.

**Paulette** *np f* Paulita.

**Pauline** *np f* Paulina.

**paulownia** *m* paulonia *f*.

**paume** *f* **1.** *(de la main)* palma **2.** *(jeu)* pelota **3.** *(terrain)* **jeu de ~** cancha *f*.

**paumé, e** *a/s FAM* despistado, a, perdido, a.

**paumer** *vt FAM* **1.** *(perdre)* perder, extraviar **2. se faire ~** ser atrapado, a. ◆ **se ~** *vpr FAM* extraviarse.

**paupérisation** *f* pauperización.

**paupérisme** *m* pauperismo.

**paupière** *f* párpado *m*.

**paupiette** *f CULIN* rollo *m* de carne relleno de carne picada.

**pause** *f* **1.** pausa, alto *m* ◊ **faire la ~** descansar un rato **2.** *MUS* pausa, silencio *m*.

**pauvre** *a* **1.** pobre: **~ comme Job** más pobre que una rata ◊ **~ d'esprit** pobre de espíritu, simple; **un ~ type** un desgraciado **2.** escaso, a: **végétation ~** vegetación escasa **3. ~ de moi!** ¡pobre de mí!, ¡infeliz de mí!; **mon ~ vieux!** ¡mi pobre amigo!; **~ petite!** ¡pobrecilla! ◇ *s* pobre, mendigo, a: **les pauvres** los pobres.

**pauvrement** *adv* pobremente.

**pauvresse** *f ANC* pobre, mendiga.

**pauvret, ette** *a* pobrecito, a, pobrecillo, a.

**pauvreté** *f* pobreza ◊ *PROV* **~ n'est pas vice** pobreza no es vileza.

**pavage** *m* **1.** *(travail)* pavimentación *f*, adoquinado **2.** *(revêtement)* pavimento, adoquinado.

**pavane** *f (danse)* pavana.

**pavaner (se)** *vpr* pavonearse.

**pavé** *m* **1.** *(bloc de pierre)* adoquín ◊ *FIG* **un ~ dans la mare** una noticia bomba **2.** *(pavage)* pavimento, adoquinado **3.** *(rue)* calle *f* ◊ *FIG* **battre le ~** azotar calles; **brûler le ~** ir a escape; **être sur le ~** no tener dónde caerse muerto, estar en la miseria; **tenir le haut du ~** ocupar el primer puesto **4.** *FAM (livre)* ladrillo.

**pavement** *m* pavimento.

**paver** *vt* pavimentar, adoquinar: **rue ~** calle adoquinada ◊ **l'enfer est pavé de bonnes intentions** el infierno está empedrado de buenas intenciones.

**paveur** *m* empedrador.

**Pavie** *np* Pavía.

**pavillon** *m* **1.** *(bâtiment isolé)* pabellón **2. ~ de banlieue** chalet **3.** *ANAT (de l'oreille)* pabellón **4.** *(tube évasé)* pabellón **5.** *MAR (drapeau)* pabellón, bandera *f* ◊ **navire battant ~ cubain** barco abanderado en Cuba; **amener, baisser le ~** arriar bandera; **~ de complaisance** bandera de conveniencia **6.** *FIG* **baisser ~ devant quelqu'un** ceder ante alguien.

**pavillonnaire** *a* con muchos chalets: **zone ~** zona donde abundan los chalets.

**pavois** *m* **1.** *(bouclier)* pavés ◊ **élever, hisser quelqu'un sur le ~** poner a alguien por las nubes **2.** *MAR (bordages)* amurada *f*, antepecho ◊ **grand ~** empavesado.

**pavoiser** *vt* **1.** adornar con banderas **2.** *MAR* empavesar. ◇ *vi FAM (manifester une grande joie)* exultar.

**pavot** *m* adormidera *f*.

**payable** *a* pagadero, a.

**payant, e** *a* **1.** que paga **2.** *(spectacle, etc.)* de pago: **parking ~** aparcamiento de pago **3.** *(rentable)* provechoso, a, rentable.

**paye** [pɛj], **paie** [pɛ] *f* paga, nómina: **toucher sa ~** cobrar la paga; **bulletin de ~** hoja de paga, nómina ◊ *FAM* **il y a une ~ que...** hace la tira de tiempo que...

**payement** [pɛjmɑ̃] *m* pago.

**payer*** [peje] *vt* **1.** pagar: **il paie mal ses employés** paga mal a sus empleados **2.** abonar, pagar: **~ la note du téléphone** pagar la factura del teléfono; **~ en espèces** pagar en metálico ◊ **combien t'a-t'il fait ~?** ¿cuánto te ha cobrado? **3. ~ des études à son fils** costearle los estudios a su hijo **4.** *FAM* ofrecer, invitar: **je te paie un café** te ofrezco un café, te invito a café; **c'est moi qui paie** invito yo **5. ~ de sa personne** dar la cara; **~ de retour** pagar con la misma moneda; **~ d'audace** obrar con audacia; **ne pas ~ de mine** no tener buen aspecto; *FAM* **tu me le paieras!** ¡me las pagarás!. ◆ **se ~** *vpr* **1. payez-vous!** ¡cóbrese! **2. se ~ un bon repas** ofrecerse una comilona **3. se ~ de mots** contentarse con palabras huecas **4.** *FAM* **se ~ la tête de quelqu'un** tomarle el pelo a alguien; **s'en ~ une tranche** → **tranche.**

**payeur, euse** [pɛjœʀ, øz] *s* pagador, a ◊ **mauvais ~** moroso.

**pays** [pei] *m* **1.** país: **les ~ chauds** los países cálidos ◊ **avoir le mal du ~** tener nostalgia, morriña; **voir du ~** correr mundo **2.** tierra *f*, región *f*, comarca *f*: **vivre au ~** vivir en su tierra ◊ **être en ~ de connaissance** estar entre conocidos; **vin de ~** vino del país **3.** *(village)* pueblo **4.** *FAM (compatriote)* paisano. ◇ *f* → **payse.**

**paysage** [peizaʒ] *m* paisaje ◊ *FAM* **ça fait bien dans le ~** produce buen efecto.

**paysager, ère** [peizaʒe, ɛʀ] *a* ajardinerado, a.

**paysagiste** [peizaʒist] *a/s (peintre, jardinier)* paisajista.

**paysan, anne** [peizɑ̃, an] *s* campesino, a.

**paysannat** → **paysannerie.**

**paysannerie** [peizanʀi] *f* **la ~** los campesinos, el campesinado.

**Pays-Bas** [peiba] *np m pl* Países Bajos.

**payse** [peiz] *f FAM* paisana.

**P.C.V.** *m (au téléphone)* **communication en ~** conferencia a cobro revertido.

**P.-D.G.** *abrév* → **président.**

**péage** *m* peaje: **autoroute à ~** autopista de peaje.

**peau** *f* **1.** *(d'une personne)* piel ◊ *FIG* **n'avoir que la ~ et les os** estar en los huesos; **faire ~ neuve** cambiar de vida; **entrer dans la ~ d'un personnage** identificarse con un personaje; **elle se sent mal dans sa ~** se siente cohibida; **bien dans sa ~** a gusto **2.** *(du visage)* cutis *m* **3.** *(d'un animal mort)* piel, pellejo *m* **4.** *(d'un fruit)* piel: **~ de banane** piel de plátano **5.** *FAM* pellejo *m* ◊ *FIG* **risquer sa ~** jugarse el pellejo; **sauver sa ~** salvar el pellejo; **y laisser sa ~** dejarse el pellejo; **vendre cher sa ~** vender cara su vida; *FAM* **j'aurai ta ~!** ¡me la pagarás!; *POP* **faire la ~ à quelqu'un** matar, cargarse a alguien; *POP* **une vieille ~** un vejestorio; **une ~ de vache** un hueso **6. ~ de chagrin** piel de zapa **7.** *FAM* **~ d'âne** diploma *m*, pergamino *m* **8.** *(du lait)* nata **9.** *POP* **~ de balle** nada, absolutamente nada; **la ~!** ¡nanay! **10. Peaux-Rouges** Pieles Rojas.

**peaufiner** *vt* **1.** *(avec une peau de chamois)* limpiar con una gamuza **2.** *FIG* perfilar, completar.

**peausserie** *f* pellejería.

**peaussier** *m* pellejero.

**pébroc, pébroque** *m POP* paraguas.

**pécari** *m* pécari, saíno.

**peccadille** *f* pecadillo *m*, falta leve, peccata minuta.

**pechblende** *f* pecblenda, pechblenda.

[1]**pêche** *f* **1.** *(fruit)* melocotón *m* **2.** FAM **avoir la ~** estar en forma; **se fendre la ~** mondarse de risa.

[2]**pêche** *f* pesca: **~ à la ligne** pesca con caña; **~ en mer** pesca en el mar; **la ~ à la truite** la pesca de la trucha ◊ **aller à la ~** ir a pescar; **bateau de ~** pesquero.

**péché** *m* **1.** pecado: **le ~ originel** el pecado original; **~ mortel, véniel** pecado mortal, venial **2. son ~ mignon** su debilidad, su flaco.

**pécher*** *vi* pecar: **~ par omission** pecar por omisión; **j'ai péché par excès d'optimisme** pequé por optimismo, de optimista.

[1]**pêcher** *m (arbre)* melocotonero.

[2]**pêcher** *vt* pescar: **~ à la ligne** pescar con caña; FIG **~ en eau trouble** pescar en río revuelto.

**pêcherie** *f* banco *m* de pesca.

**pécheur, eresse** *s* pecador, a.

**pêcheur, euse** *s* pescador, a: **~ à la ligne** pescador de caña. ◇ *a* **bateau ~** barco pesquero.

**pecnot → péquenaud.**

**pécore** *f* estúpida, presumida.

**pectoral, e** *a/m* pectoral: **muscles pectoraux** músculos pectorales.

**pécule** *m* peculio.

**pécuniaire** *a* pecuniario, a.

**pédagogie** *f* pedagogía.

**pédagogique** *a* pedagógico, a.

**pédagogue** *s* pedagogo, a.

**pédale** *f* **1.** pedal *m*: **la ~ d'embrayage** el pedal del embrague **2.** *(d'un piano)* pedal *m* ◊ **~ douce** sordina; FIG **mettre la ~ douce** comedirse, bajar el tono **3.** FIG **perdre les pédales** perder los estribos **4.** FAM *(homosexuel)* marica *m*, maricón *m*.

**pédaler** *vi* **1.** pedalear **2.** FAM *(se dépêcher)* apresurarse, ir a todo meter.

**pédalier** *m* **1.** *(de bicyclette)* plato **2.** *(de l'orgue)* pedal.

**pédalo** *m (nom déposé)* hidropedal, bicicleta *f* acuática.

**pédant, e** *a/s* pedante.

**pédanterie** *f*, **pédantisme** *m* pedantería *f*.

**pédantesque** *a* pedantesco, a.

**pédé** *m* FAM maricón.

**pédéraste** *m* pederasta.

**pédérastie** *f* pederastia.

**pédestre** *a* pedestre.

**pédiatre** *s* pediatra.

**pédiatrie** *f* pediatría.

**pedibus** [pedibys] *adv* FAM **j'irai ~** iré a pata.

**pédicule** *m* **1.** ANAT pedúnculo **2.** BOT pedículo, pedúnculo.

**pédicure** *s* pedicuro, a.

**pedigree** [pedigʀe] *m* pedigree, pedigrí.

**pédologie** *f* pedología.

**pédoncule** *m* ANAT, BOT pedúnculo.

**pédophile** *m* pedófilo.

**pédophilie** *f* pedofilia.

**pedzouille** *s* POP paleto, cateto.

**Pégase** *np m* Pegaso.

**pegmatite** *f* pegmatita.

**pègre** *f* hampa: **la ~** el hampa.

**peignage** *m* TECHN cardadura *f*.

**peigne** *m* **1.** peine: **se donner un coup de ~** pasarse el peine ◊ FIG **passer au ~ fin** examinar minuciosamente, rastrear, peinar: **passer le quartier au ~ fin** peinar el barrio **2.** *(pour la laine)* carda *f* **3.** *(mollusque)* peine, venera *f*.

**peignée** *f* FAM paliza, tunda, zurra.

**peigner** *vt* **1.** peinar **2.** *(la laine)* cardar, peinar. ◆ **se ~** *vpr* peinarse.

**peignoir** *m* **1.** *(robe de chambre)* bata *f* **2. ~ de bain** albornoz **3.** *(de femme)* peinador.

**peinard, e** *a/s* FAM tranquilote ◊ **un père ~** un tranquilón, un tío cachazudo.

**peinardement** *adv* FAM tranquilamente.

**peindre*** *vt* **1.** pintar: **~ en vert** pintar de verde; **papier peint** papel pintado **2.** *(décrire)* pintar, describir. ◆ **se ~** *vpr* **l'angoisse se peignait sur son visage** la angustia se reflejaba en su cara.

**peine** *f* **1.** *(punition)* pena, castigo *m*: **~ de mort** pena de muerte ◊ **pour la ~** en castigo; **sous ~ de** bajo pena de **2.** *(douleur)* pena, pesar *m*: **~ de cœur** pena de amor ◊ **faire de la ~ à quelqu'un** causar pena a alguien; **il fait ~ à voir** da pena verlo; **j'ai de la ~ pour lui** me da pena por él **3.** *(effort)* esfuerzo *m* ◊ **se donner, prendre la ~ de** tomarse el trabajo de; **donnez-vous la ~ d'entrer** entre, por favor, sírvase entrar; **ça ne vaut pas la ~** no vale la pena; **ce n'est pas la ~ de** no hay necesidad de; **c'est ~ perdue** es inútil; **en être pour sa ~** perder el tiempo; **on n'a rien sans ~** no hay atajo sin trabajo; **homme de ~** peón, mozo **4.** dificultad: **elle a de la ~ à marcher** anda con dificultad ◊ **à grand-~** a duras penas: **avec ~** con dificultad, difícilmente, penosamente; **sans ~** fácilmente; **j'ai ~ à croire que...** me cuesta trabajo creer que...; **j'ai eu toutes les peines du monde à...** me costó muchísimo trabajo... **5.** *loc adv* **à ~** apenas; **on entendait à ~** apenas se oía; **c'est à ~ si j'ai pu dormir** apenas sí pude dormir; **à ~ arrivé** nada más llegar; **il y a à ~ un mois** hace un mes escaso.

**peiné, e** *a* afligido, a, apenado, a.

**peiner** *vi* **1.** trabajar mucho, bregar **2.** fatigarse. ◇ *vt* afligir, apenar.

**peint, e → peindre.**

**peintre** *m* **1.** pintor **2. ~ en bâtiment** pintor de brocha gorda **3. une femme ~** una pintora.

**peinture** *f* **1.** pintura: **~ à l'huile, à l'eau** pintura al óleo, a la aguada; **~ figurative, abstraite** pintura figurativa, abstracta ◊ **faire de la ~** pintar **2.** FAM **je ne peux pas le voir en ~** no puedo verle ni en pintura.

**peinturlurer** *vi* pintarrajear.

**péjoratif, ive** *a* despectivo, a, peyorativo, a.

**péjorativement** *adv* despectivamente, peyorativamente.

**pékin** *m* FAM paisano.

**Pékin** *np* Pekín, Pequín.

**pékinois, e** *a/s* pequinés, esa. ◇ *m (chien)* pequinés.

**pelade** *f* MÉD peladera, alopecia.

**pelage** *m* pelaje.

**pélagique** *a* pelágico, a.

**pélargonium** [pelaʀgɔnjɔm] *m* pelargonio.

**pelé, e** *a* **1.** pelado, a, mondado, a: **tomates pelées** tomates mondados **2.** FAM **il n'y avait que quatre pelés et un tondu** sólo había cuatro gatos.

**pêle-mêle** *adv* en desorden. ◇ *m inv* **1.** revoltijo, mezcolanza *f*, desorden **2.** *(cadre)* marco para varias fotografías.

**peler*** *vt* **1.** *(ôter le poil)* pelar **2.** *(éplucher)* pelar, mondar: **~ un fruit** mondar una fruta. ◇ *vi* **son nez pèle** se le está pelando la nariz.

**pèlerin** *m* **1.** peregrino, a: **les pèlerins de Compostelle** los peregrinos de Compostela **2.** *(faucon)* halcón.

**pèlerinage** *m* peregrinación *f*: **~ en Terre Sainte** peregrinación a Tierra Santa; **le ~ à La Mecque** la peregrinación a La Meca ◊ **faire un ~ à Lourdes** peregrinar a Lourdes.

**pèlerine** *f (vêtement)* esclavina.

**pélican** *m* pelícano.

**pelisse** *f* pelliza.

**pellagre** *f* MÉD pelagra.

**pelle** *f* **1.** pala ◊ **~ à poussière** recogedor *m*; FAM **à la ~** a patadas, a porrillo, a espuertas: **il gagne de l'argent à la ~** gana dinero a espuertas **2. ~ mécanique** pala mecánica, excavadora **3.** FAM **ramasser une ~** *(tomber)* coger una liebre, dar con su cuerpo en tierra, caerse.

**pelletée** *f* palada: **une ~ de terre** una palada de tierra.

**pelleter*** *vt* apalear.

**pelleterie** *f* peletería.

**pelleteuse** *f* pala mecánica, excavadora.

**pelletier, ère** *s* peletero, a.

**pellicule** *f* **1.** *(film, couche fine)* película **2.** *(du cuir chevelu)* caspa: **avoir des pellicules** tener caspa.

**Péloponnèse** *np m* Peloponeso.

**pelotage** *m* FAM magreo.

**pelotari** *m* pelotari.

**pelote** *f* **1.** *(de laine)* madeja, *(de fil)* ovillo *m* **2.** *(à épingles)* acerico *m*, almohadilla **3.** *(balle)* pelota, bola: **~ basque** pelota vasca **4.** FIG FAM **faire sa ~** hacer su agosto; **avoir les nerfs en ~** tener los nervios de punta.

**peloter** *vt* FAM *(caresser)* sobar, manosear, magrear.

**peloteur, euse** *s* FAM sobón, ona.

**peloton** *m* **1.** *(groupe)* pelotón: **le ~ de tête** el pelotón de cabeza; **se détacher du ~** saltar del pelotón **2. ~ d'exécution** pelotón de fusilamiento, piquete de ejecución.

**pelotonner** *vt* devanar, ovillar. ◆ **se ~** *vpr* acurrucarse, hacerse un ovillo.

**pelouse** *f* césped *m*: **tondre la ~** cortar el césped.

**peluche** *f* peluche *m*, felpa: **ours en ~** osito de peluche.

**pelucheux, euse** *a* que suelta pelusa.

**pelure** *f* **1.** mondadura, piel **2. ~ d'oignon** tela de cebolla **3. papier ~** papel cebolla.

**pelvien, enne** *a* ANAT pelviano, a.

**pelvis** [pelvis] *m* ANAT pelvis *f*.

**pemmican** *m* carne *f* seca.

**pénal, e** *a* penal.

**pénalisation** *f* **1.** sanción **2.** *(sports)* castigo *m*, penalización.

**pénaliser** *vt* **1.** sancionar **2.** *(sports)* castigar, penalizar.

**pénalité** *f* **1.** penalidad, pena **2.** *(sports)* castigo *m*.

**penalty** [penalti] *m* penalty, penalti.

**pénates** *m pl* penates ◊ FAM **regagner ses ~** volver al hogar, a los lares.

**penaud, e** *a* avergonzado, a, corrido, a, confuso, a: **tout ~** muy corrido.

**penchant** *m* inclinación *f*, propensión *f*: **il a un ~ pour elle** siente inclinación hacia ella.

**pencher** *vt* inclinar. ◇ *vi* **1.** inclinarse, ladearse: **la tour penchée de Pise** la torre inclinada de Pisa **2. il penche pour cette solution** se inclina por esta solución; **je penche à croire que...** me inclino a creer que... **3.** FIG **prendre des airs penchés** comportarse con afectación. ◆ **se ~** *vpr* **1.** inclinarse: **elle se pencha vers lui** se inclinó hacia él **2. se ~ au dehors** asomarse: **il se pencha à la fenêtre** se asomó a la ventana **3. se ~ sur** examinar.

**pendable** *a* condenable ◊ **jouer un tour ~ à quelqu'un** jugar una mala pasada a alguien.

**pendaison** *f* **1.** horca, ahorcamiento *m* **2. ~ de crémaillère** inauguración de una casa.

**¹pendant** *prép* **1.** durante: **~ l'été** durante el verano **2. ~ ce temps** mientras tanto, entretanto, mientras **3. ~ que** mientras, mientras que: **~ qu'il dort** mientras está durmiendo; **~ que j'y pense!** ¡a propósito!

**²pendant, e** *a* **1.** colgante ◊ **chien aux oreilles pendantes** perro con las orejas caídas **2.** *(en instance)* pendiente. ◇ *m* **1. pendants d'oreilles** pendientes **2. se faire ~** ser simétricos, as, hacer juego.

**pendard** *m* FAM bribón, pillo.

**pendeloque** *f* **1.** *(d'un lustre)* almendra, cairel *m* **2.** *(bijou)* colgante.

**pendentif** *m* **1.** *(bijou)* dije, colgante **2.** ARCH pechina *f*: **coupole sur pendentifs** cúpula sobre pechinas.

**penderie** *f* guardarropa.

**pendiller** *vi* balancearse, colgar agitándose.

**pendouiller** *vi* FAM colgar (ridículamente).

**pendre*** *vi* **1.** colgar, pender: **une lampe pend au plafond** una lámpara cuelga del techo **2.** FAM **ça lui pend au nez** seguro que le pasará. ◇ *vt* **1.** colgar, suspender **2.** *(un condamné)* ahorcar ◊ **dire pis que ~ de quelqu'un** echar pestes de alguien, desollar a alguien vivo; **qu'il aille se faire ~ ailleurs!** ¡que se vaya a hacer puñetas! ◆ **se ~** *vpr* **1. se ~ à** colgarse de ◊ **être pendu aux jupes de sa mère** andar pegado a la falda de su madre **2.** *(se suicider)* ahorcarse: **elle s'est pendue** se ha ahorcado.

**pendu, e** *pp* de **pendre.** ◇ *s (personne morte par pendaison)* ahorcado, a ◊ FAM **veine de ~** suerte loca.

**pendulaire** *a* **mouvement ~** movimiento pendular.

**pendule** *m* péndulo. ◇ *f* reloj *m*: **~ murale, de cheminée** reloj de pared, de chimenea.

**pendulette** *f* reloj *m* pequeño.

**pêne** *m (d'une serrure)* pestillo.

**Pénélope** *np f* Penélope.

**pénéplaine** *f* GÉOG penillanura.

**pénétrable** *a* penetrable.

**pénétrant, e** *a* penetrante: **un regard ~** una mirada penetrante.

**pénétration** *f* penetración.

**pénétré, e** *a* **1.** *(imbu)* penetrado, a ◊ **~ de son importance** pagado de sí mismo **2. ton ~** tono convencido.

**pénétrer*** *vi/t* **1.** penetrar **2.** *(profondément)* adentrarse. ◇ *vt* **1.** FIG **~ les intentions de** calarle las intenciones a **2.** descubrir. ◆ **se ~ de** *vpr* convencerse de.

**pénible** *a* **1.** penoso, a **2.** FAM *(agaçant)* pesado, a ◊ **que tu es ~!** ¡qué pelma eres!, ¡qué pesado eres!

**péniblement** *adv* **1.** *(avec peine)* penosamente **2.** con dificultad.

**péniche** *f* gabarra, chalana ◊ **~ de débarquement** lancha de desembarco.

**pénicilline** *f* penicilina.

**péninsulaire** *a* peninsular.

**péninsule** *f* península.

**pénis** [penis] *m* ANAT pene.

**pénitence** *f* **1.** penitencia **2.** *(punition)* castigo *m*.

**pénitencier** *m (prison)* penitenciaría *f*, penal.

**pénitent, e** *s* penitente.

**pénitentiaire** *a* penitenciario, a, carcelario, a: **le système ~** el sistema penitenciario.

**pénitentiel, elle** *a* penitencial.

**penne** *f (plume)* pena.

**Pennsylvanie** *np f* Pensilvania.

**penny** *m* penique.

**pénombre** *f* penumbra.

**pensable** *a* creíble, imaginable ◊ **ce n'est pas ~** es inimaginable, inconcebible.

**pensant, e** *a* pensante, que piensa ◊ **bien ~** bienpensante, bien pensante.

**pense-bête** *m* recordatorio.

**pensée** *f* **1.** pensamiento *m* **2.** *(opinion)* parecer *m*, opinión **3.** *(plante)* trinitaria, pensamiento *m*. ◇ *pl (dans une lettre)* **pensées affectueuses** cariñosos saludos.

**penser** *vi/t* **1.** pensar: **je pense, donc je suis** pienso, luego existo; **~ à** pensar en; **à quoi penses-tu?** ¿en qué piensas?; **je pense rester ici un mois** pienso quedarme aquí un mes; **je n'y avais jamais pensé** nunca lo había pensado; **j'y penserai** lo pensaré; **n'y pense plus** no pienses más en eso **2.** *(avoir pour opinion)* opinar, pensar: **qu'est-ce que tu penses de cet acteur?** ¿qué opinas de este actor? **3. donner, laisser à ~** dar que pensar; **penses-tu!** ¡qué va!, ¡ca!; **qu'en penses-tu?** ¿qué te parece?, ¿qué opinas?; **n'y pensons plus!** olvidémoslo!; **ah, j'y pense!** ¡a propósito!; **pensez donc!** ¡fíjese!; **sans ~ à mal** sin mala intención.

**penseur, euse** *s* pensador, a ◊ **libre ~** librepensador.

**pensif, ive** *a* pensativo, a.

**pension** *f* **1.** *(allocation)* pensión: **~ alimentaire** pensión alimenticia, de mantenimiento **2.** pensión: **~ complète** pensión completa ◊ **~ de famille** casa de huéspedes; **prendre ~ à l'hôtel** hospedarse en el hotel **3.** *(établissement scolaire)* pensionado *m*, colegio *m* de internos.

**pensionnaire** *s* **1.** *(élève)* pensionista **2.** *(chez un particulier, dans un hôtel)* huésped.

**pensionnat** *m* pensionado, internado.

**pensionné, e** *a/s* pensionado, a.

**pensionner** *vt* pensionar.

**pensivement** *adv* pensativamente.

**pensum** [pɛ̃sɔm] *m* **1.** trabajo escolar impuesto como castigo **2.** *(travail ennuyeux)* trabajo pesado.

**pentaèdre** *m* GÉOM pentaedro.

**pentagonal, e** *a* GÉOM pentagonal.

**pentagone** *m* GÉOM pentágono. ◇ *np m* **le Pentagone** el Pentágono.

**pentamètre** *m (vers)* pentámetro.

**Pentateuque** *m* Pentateuco.

**pentathlon** *m* pentatlón.

**pente** *f* **1.** pendiente, cuesta, declive *m*: **~ douce** pendiente suave; **pentes enneigées** pendientes nevadas ◊ **en ~** inclinado, a, en declive; **rue en ~ raide** calle empinada **2.** FIG **être sur une mauvaise ~** andar por mal camino; **remonter la ~** mejorar.

**Pentecôte (la)** *np f* Pentecostés *m*.

**pentu, e** *a* inclinado, a, en declive.

**penture** *f* pernio *m*.

**pénultième** *a/f* penúltimo, a.

**pénurie** *f* escasez, penuria.

**pépé** *m* FAM abuelito.

**pépée** *f* POP gachí.

**pépère** *m* FAM **1.** abuelito **2. un gros ~** un tío gordo. ◇ *a* FAM tranquilo, a.

**pépètes** *f pl* POP monises *m*, guita *sing*.

**pépie** *f* **1.** *(des oiseaux)* pepita **2.** FAM **avoir la ~** tener mucha sed.

**pépiement** [pepimɑ̃] *m* pío, piar.

**pépier*** *vi* piar, pipiar.

**pépin** *m* **1.** *(des fruits)* pepita *f*, pipa *f* **2.** FAM *(parapluie)* paraguas **3.** FAM *(ennui)* engorro, problema.

**pépinière** *f* **1.** vivero *m*, semillero *m* **2.** FIG cantera, plantel *m*: **cette école est une ~ d'ingénieurs** esta escuela es una cantera de ingenieros.

**pépiniériste** *a/s* arbolista.

**pépite** *f* pepita.

**péplum** [peplɔm] *m* peplo.

**pepsine** *f* pepsina.

**peptone** *f* peptona.

**péquenaud, péquenot** *m* FAM paleto, cateto.

**péquin** → **pékin.**

**perborate** *m* CHIM perborato.

**percale** *f* percal *m*.

**percaline** *f* percalina.

**perçant, e** *a (vue, voix)* agudo, a ◊ **cri ~** chillido; **un regard ~** una mirada penetrante.

**percée** *f* **1.** *(ouverture)* abertura **2.** *(passage)* paso *m* **3.** MIL brecha: **faire une ~** abrir una brecha **4.** *(au football)* internada.

**percement** *m* **1.** perforación *f* **2.** *(rue)* apertura *f*.

**perce-neige** *m/f inv* narciso *m* de las nieves.

**perce-oreille** *m* cortapicos, tijereta *f*.

**percepteur** *m (d'impôts)* recaudador de contribuciones.

**perceptible** *a* perceptible.

**perceptif, ive** *a* perceptivo, a.

**perception** *f* **1.** percepción **2.** *(des impôts)* recaudación.

**percer*** *vt* **1.** *(trouer)* horadar, agujerear, perforar ◊ **souliers percés** zapatos agujereados, con agujeros **2.** *(avec une perceuse)* perforar, taladrar **3.** *(fenêtre, rue)* abrir **4. ~ une dent** echar un diente **5. ~ un abcès** reventar un abceso **6.** *(traverser)* atravesar; FIG **bruit qui perce les oreilles** ruido que atraviesa los oídos **7.** FIG *(secret, énigme)* penetrar, descifrar, calar. ◇ *vi* **1.** *(abcès)* reventarse **2.** *(se manifester)* manifestarse **3.** FIG abrirse camino, destacarse: **jeune acteur qui commence à ~** joven actor que empieza a destacarse.

**perceuse** *f* taladradora, taladro *m*.

**percevoir*** *vt* **1.** *(discerner)* percibir: **il perçut un bruit** percibió un ruido **2.** *(de l'argent)* percibir, cobrar **3.** *(impôts)* recaudar.

[1]**perche** *f (poisson)* perca.

[2]**perche** *f* **1.** pértiga: **saut à la ~** salto con pértiga ◊ FIG **tendre la ~ à quelqu'un** echar un cable a alguien **2.** *(pour gauler)* vara **3.** *(cinéma, télévision, pour le son)* percha **4.** FAM *(personne)* grandullón, ona, espingarda.

**percher** *vi* **1.** posarse **2.** FAM *(loger)* alojarse, vivir. ◆ **se ~** *vpr* encaramarse.

**percheron, onne** *a/s* percherón, ona.

**perchiste** *s* **1.** *(sauteur)* saltador, a con pértiga **2.** *(cinéma, télévision)* perchista.

**perchoir** *m* **1.** *(pour oiseaux)* percha *f*, palo **2.** FAM sede ◊ **le ~** sillón del presidente de la Asamblea nacional francesa.

**perclus, e** *a* baldado, a, tullido, a: **~ de rhumatismes** baldado a causa del reuma.

**percolateur** *m* cafetera *f* grande de vapor, percolador.

**perçu,** etc. → **percevoir.**

**percussion** *f* percusión: **instrument à ~** instrumento de percusión.

**percussionniste** *s* percusionista.

**percutant, e** *a* FIG contundente, categórico, a.

**percuter** *vt* percutir. ◇ *vi* **~ contre** chocar contra.

**percuteur** *m* percutor.

**perdant, e** *a/s* perdedor, a.

**perdition** *f* **1.** perdición **2. navire en ~** buque en peligro de naufragio.

**perdre** *vt* **1.** perder: **il perd ses cheveux** está perdiendo pelo ◊ FIG **~ la tête, la boule, le nord** perder la chaveta; **~ le fil** perder el hilo; **~ courage** desanimarse **2. il a perdu son père** ha perdido a su padre **3. ~ son temps** perder el tiempo; **nous n'avons pas de temps à ~** no tenemos tiempo que perder; **il n'y a pas de temps à ~** es urgente. ◇ *vi (fuir)* salirse. ◆ **se ~** *vpr* **1.** perderse: **nous nous sommes perdus** nos hemos perdido; **une coutume qui se perd** una costumbre que se pierde **2. je m'y perds** no comprendo nada **3.** *(s'avarier)* estropearse, dañarse **4.** → **perdu.**

**perdreau** *m* perdigón.

**perdrix** *f* perdiz: **~ rouge** perdiz roja; **des ~** perdices.

**perdu, e** *a* **1.** perdido, a: **tout n'est pas ~** no está todo perdido ◊ **pour un de ~, dix de retrouvés** a rey muerto, rey puesto **2. chien ~** perro extraviado **3. un coin ~** un lugar aislado, un pueblucho **4.** *(un malade)* desahuciado, a **5. emballage ~** envase no recuperable **6. à corps ~** impetuosamente; **à ses moments perdus** a ratos perdidos; **c'est peine perdue** es inútil **7.** FIG **~ dans ses méditations** abismado, sumido en sus meditaciones **8.** FAM **crier comme un ~** gritar como un loco.

**père** *m* **1.** padre: **de ~ en fils** de padres a hijos; **~ de famille** padre de familia; **notre Père qui es aux cieux** Padre nuestro que estás en los cielos ◊ PROV **tel ~, tel fils** de tal palo, tal astilla **2.** *(prêtre)* **mon ~** padre **3.** FAM tío: **le ~ Thomas** el tío Tomás **4.** FIG *(fondateur)* padre **5. le Père Goriot** *(Balzac)* Papá Goriot; **le Père Noël** → **Noël.** ◇ *pl (aïeux)* padres, antepasados.

**pérégrination** *f* peregrinación.

**péremption** *f* caducidad.

**péremptoire** *a* perentorio, a.

**pérennité** *f* perennidad.

**péréquation** *f* **1.** reparto *m* equitativo **2.** *(rajustement)* reajuste *m.*

**perestroïka** *f* perestroika.

**perfectibilité** *f* perfectibilidad.

**perfectible** *a* perfectible.

**perfection** *f* perfección: **à la ~** a la perfección.

**perfectionnement** *m* perfeccionamiento: **cours de ~** curso de perfeccionamiento.

**perfectionner** *vt* perfeccionar. ◆ **se ~** *vpr* perfeccionarse.

**perfectionnisme** *m* perfeccionismo.

**perfectionniste** *a/s* perfeccionista.

**perfide** *a* pérfido, a.

**perfidie** *f* perfidia.

**perforateur, trice** *a/s* perforador, a. ◇ *f* perforadora.

**perforation** *f* perforación.

**perforer** *vt* **1.** perforar **2. carte perforée** tarjeta perforada.

**perforeuse** *f* perforadora.

**performance** *f* **1.** *(sports)* marca, resultado *m* **2.** *(d'une machine)* rendimiento *m* óptimo **3.** *(prouesse)* hazaña, proeza.

**performant, e** *a* de gran rendimiento.

**perfusion** *f* MÉD perfusión, gota a gota ◊ **être sous ~** llevar goteros.

**Pergame** *np* Pérgamo.

**pergola** *f* pérgola.

**péricarde** *m* ANAT pericardio.

**péricarpe** *m* BOT pericarpio.

**péricliter** *vi* periclitar, declinar, decaer.

**péridurale** *f* MÉD peridural.

**périgée** *m* ASTR perigeo.

**périhélie** *m* ASTR perihelio.

**péril** *m* peligro, riesgo ◊ **au ~ de sa vie** con riesgo de su vida; **il n'y a pas ~ en la demeure** no es urgente; **mettre en ~** poner en peligro; **à ses risques et périls** → **risque.**

**périlleux, euse** *a* **1.** peligroso, a **2. saut ~** salto mortal.

**périmé, e** *a* **1.** *(billet, etc.)* caducado, a ◊ **ce passeport sera périmé le 10 octobre** este pasaporte caduca el 10 de octubre **2.** FIG anticuado, a.

**périmer (se)** *vpr* caducar.

**périmètre** *m* perímetro.

**périnatal, e** *a* perinatal.

**périnée** *m* ANAT perineo.

**période** *f* periodo *m,* período *m:* **la ~ des vacances** el período de las vacaciones; **la ~ glaciaire** el período glaciar; **~ lunaire** período lunar.

**périodicité** *f* periodicidad.

**périodique** *a* periódico, a ◊ **serviette, garniture ~** compresa. ◇ *m (magazine)* publicación periódica.

▶ *Un periódico* signifie «un journal».

**périodiquement** *adv* periódicamente.

**périoste** *m* ANAT periostio.

**péripatéticienne** *f* ramera.

**péripétie** [peripesi] *f* peripecia.

**périphérie** *f* **1.** periferia **2.** *(d'une ville)* extrarradio *m.*

**périphérique** *a* periférico, a ◊ **boulevard ~** autopista de circunvalación. ◇ *m* INFORM periférico.

▶ «Le périphérique» = boulevard périphérique (en París).

**périphrase** *f* perífrasis.

**périphrastique** *a* perifrástico, a.

**périple** *m* periplo.

**périr** *vi* **1.** *(mourir)* perecer, morir ◊ FIG **s'ennuyer à ~** → **ennuyer 2.** *(faire naufrage)* naufragar **3.** *(disparaître)* desaparecer, perecer.

**périscope** *m* periscopio.

**périssable** *a* perecedero, a: **denrée ~** producto perecedero.

**périssoire** *f* esquife *m,* piragua.

**péristaltique** *a* peristáltico, a.

**péristyle** *m* ARCH peristilo.

**péritoine** *m* ANAT peritoneo.

**péritonite** *f* MÉD peritonitis.

**perle** *f* **1.** perla: **~ de culture** perla de cultivo ◊ FIG **jeter des perles aux pourceaux** echar margaritas a los puercos; **enfiler des perles** → **enfiler 2.** *(en verre, etc.)* cuenta **3.** FIG *(personne parfaite)* perla, alhaja **4.** *(erreur)* gazapo *m.* ◇ *a* **gris ~** gris perla.

**perlé, e** *a* **1.** perlado, a **2. orge perlée** cebada perlada **3. grève perlée** huelga intermitente.

**perlèche** *f* boquera.

**perler** *vi* aparecer en forma de gotas.

**perlier, ère** *a* perlero, a ◊ **huître perlière** madreperla.

**perlimpinpin** *m* **poudre de ~ → poudre.**

**permanence** *f* **1.** permanencia ◊ **en ~** sin interrupción, permanentemente **2.** servicio *m* permanente **3.** *(salle d'un lycée)* sala de estudio.

**permanent, e** *a* **1.** permanente **2.** *(spectacle)* continuo, a: **~ de 14 à 24 h** continua desde las 14 hasta las 24; **cinéma ~** cine de sesión continua. ◊ *f (coiffure)* permanente.

**permanganate** *m* CHIM permanganato.

**perme** *f* FAM permi.

**perméabilité** *f* permeabilidad.

**perméable** *a* permeable.

**permettre*** *vt* permitir: **je te permets de sortir** te permito que salgas; **vous permettez?** ¿me permite? ◊ **il se croit tout permis** cree que puede hacer todo lo que le viene en gana. ◆ **se ~** *vpr* permitirse: **je me permets de vous rappeler** me permito recordarle; **je me suis permis de...** me he permitido...; **permettez-moi de me présenter** permítame que me presente.

**permis** *m* **1.** permiso, autorización *f* ◊ **~ de conduire** carnet de conducir, permiso de conducir; **~ à points** carné por puntos; **~ de séjour** permiso de residencia **2.** *(de chasse, pêche)* licencia *f* **3. ~ de construire** licencia *f* de obras.

**permissif, ive** *a* permisivo, a.

**permission** *f* **1.** permiso *m*: **demander, donner la ~ de** pedir, dar permiso para **2.** MIL permiso *m*: **soldat en ~** soldado de permiso.

**permissionnaire** *m* MIL soldado de permiso.

**permissivité** *f* permisividad.

**permutable** *a* permutable.

**permutation** *f* **1.** permutación **2.** *(de fonctionnaires)* permuta.

**permuter** *vt/i* permutar.

**pernicieux, euse** *a* pernicioso, a.

**péroné** *m* ANAT peroné.

**péronnelle** *f* FAM parlanchina, marisabidilla.

**péroraison** *f* peroración.

**pérorer** *vi* perorar.

**Pérou** *np m* **1.** Perú **2.** FAM **ce n'est pas le ~** no es nada del otro jueves.

**péroxyde** *m* CHIM peróxido.

**perpendiculaire** *a/f* perpendicular: **~ à** perpendicular a.

**perpendiculairement** *adv* perpendicularmente.

**perpète (à), perpette (à)** *loc adv* FAM para siempre, a perpetuidad.

**perpétration** *f* perpetración.

**perpétrer*** *vt* perpetrar, cometer: **~ un crime** perpetrar un crimen; **attentat perpétré par un groupe de terroristes** atentado perpetrado por un grupo de terroristas.

**perpétuel, elle** *a* perpetuo, a.

**perpétuellement** *adv* perpetuamente.

**perpétuer** *vt* perpetuar. ◆ **se ~** *vpr* perpetuarse.

**perpétuité** *f* perpetuidad ◊ **à ~** a perpetuidad, para siempre; **travaux forcés à ~** cadena perpetua.

**Perpignan** *np* Perpiñán.

**perplexe** *a* perplejo, a.

**perplexité** *f* perplejidad.

**perquisition** *f* registro *m* policíaco: **mandat de ~** orden de registro.

**perquisitionner** *vi* registrar: **la police a perquisitionné chez lui** la policía ha registrado su casa.

**Perrette** *np f* Petra ◊ **la fable de ~ et le pot au lait** el cuento de la lechera.

**perron** *m* escalinata *f*.

**perroquet** *m* **1.** loro, papagayo **2.** FIG *(personne)* loro, papagayo **3.** MAR juanete.

**perruche** *f* cotorra.

**perruque** *f* peluca.

**perruquier** *m* peluquero.

**pers, e** *a (yeux)* garzo, a.

**persan, e** *a/s* persa.

**Perse** *np f* Persia.

**Persée** *np m* Perseo.

**persécuté, e** *a/s* perseguido, a.

**persécuter** *vt* **1.** perseguir **2.** *(harceler)* acosar.

**persécuteur, trice** *a/s* perseguidor, a.

**persécution** *f* persecución ◊ **manie, délire de la ~** manía persecutoria.

**persévérance** *f* perseverancia.

**persévérant, e** *a/s* perseverante.

**persévérer*** *vi* perseverar.

**persicaire** *f* duraznillo *m*.

**persienne** *f* persiana.

**persiflage** *m* guasa *f*, chunga *f*, burla *f*.

**persifler** *vt* guasearse de.

**persifleur, euse** *a/s* burlón, ona, chungón, ona.

**persil** [pɛrsi] *m* perejil.

**persillade** *f* **1.** CULIN aliño *m* a base de perejil y ajo **2.** *(fromage)* azul.

**persillé, e** *a (accompagné de persil)* con perejil picado.

**persique** *a* pérsico, a: **le Golfe Persique** el Golfo Pérsico.

**persistance** *f* persistencia.

**persistant, e** *a* **1.** persistente, tenaz **2.** BOT perenne.

**persister** *vi* persistir, insistir: **je persiste à le croire** insisto en creerlo ◊ **je persiste dans mon opinion** me afianzo en mi opinión.

**personnage** *m* **1.** personaje **2.** individuo, tipo: **un drôle de ~** un tipo raro.

**personnalisation** *f* personalización.

**personnaliser** *vt* personalizar.

**personnalisme** *m* personalismo.

**personnalité** *f* personalidad: **avoir de la ~** tener personalidad; **culte de la ~** culto a la personalidad.

**¹personne** *f* **1.** persona ◊ **en ~** personalmente, en persona; **il est l'orgueil en ~** es el orgullo personificado; **elle est bien faite de sa ~** tiene buena planta **2. grande ~** persona mayor; **les grandes personnes** las personas mayores; **les personnes âgées** los ancianos **3. payer 100 francs par ~** pagar 100 francos cada uno **4.** GRAM persona: **à la première, troisième ~** en primera, tercera persona **5.** JUR **~ morale** persona jurídica.

**²personne** *pron indéf* nadie: **je n'ai vu ~** no he visto a nadie; **~ ne parle** nadie habla; **~ n'est venu** nadie ha venido; **~ d'autre** nadie más; **que ~ ne bouge** que nadie se mueva.

**personnel, elle** *a* **1.** personal: **opinion personnelle** opinión personal; **pronom ~** pronombre personal **2.** egoísta. ◊ *m* personal, plantilla *f*: **le ~ de l'entreprise** la plantilla de la empresa: **chef du ~** jefe de personal; **service du ~** departamento de personal.

**personnellement** *adv* personalmente.

**personnification** *f* personificación.

**personnifier*** *vt* personificar.

**perspective** *f* **1.** perspectiva **2. en ~** en perspectiva. ◇ *pl FIG* perspectivas.

**perspicace** *a* perspicaz.

**perspicacité** *f* perspicacia.

**persuader** *vt* persuadir, convencer: **je l'ai persuadé de venir** le he convencido para que venga; **j'en suis persuadé** estoy convencido de ello. ◆ **se ~** *vpr* persuadirse.

**persuasif, ive** *a* persuasivo, a.

**persuasion** *f* persuasión.

**perte** *f* **1.** pérdida ◊ **la plaine s'étend à ~ de vue** la llanura se extiende hasta perderse de vista; **discourir à ~ de vue** charlar interminablemente; **en pure ~** para nada, inútilmente **2.** *FIG* perdición, ruina: **courir à sa ~** ir a su perdición **3. ~ de connaissance** desmayo *m* **4.** *COM* **vendre à ~** vender con pérdida; **profits et pertes** pérdidas y ganancias. ◇ *pl* **1.** *MIL (en vies humaines)* bajas **2. renvoyer avec pertes et fracas** echar con cajas destempladas.

**pertinemment** [pɛʀtinamɑ̃] *adv* pertinentemente.

**pertinence** *f* pertinencia.

**pertinent, e** *a* pertinente.

**pertuis** *m GÉOG* paso angosto, boquete, estrecho.

**pertuisane** *f* partesana.

**perturbateur, trice** *a/s* perturbador, a.

**perturbation** *f* perturbación: **~ atmosphérique** perturbación atmosférica.

**perturber** *vt* perturbar.

**péruvien, enne** *a/s* peruano, a.

**pervenche** *f* **1.** *(plante)* vincapervinca, hierba doncella **2.** *FAM* auxiliar de la policía. ◇ *a inv* **bleu ~** azul claro y violáceo.

**pervers, e** *a/s* perverso, a ◊ **effet ~** efecto perverso.

**perversion** *f* perversión.

**perversité** *f* perversidad.

**pervertir** *vt* pervertir. ◆ **se ~** *vpr* pervertirse.

**pesage** *m* **1.** peso **2.** *(des jockeys)* pesaje.

**pesamment** *adv* pesadamente.

**pesant, e** *a* pesado, a. ◇ *m* **valoir son ~ d'or** valer su peso en oro, tener mucho valor.

**pesanteur** *f* **1.** *PHYS* gravedad **2.** *(d'un corps pesant, d'estomac)* pesadez **3.** *(d'esprit)* torpeza.

**pèse-alcool** *m* alcoholímetro.

**pèse-bébé** *m* pesabebés.

**pesée** *f* **1.** pesada **2.** *(poussée)* empuje *m*.

**pèse-lettre** *m* pesacartas.

**pèse-personne** *m* báscula *f* de baño.

**peser*** *vt* **1.** pesar **2.** *FIG* **~ le pour et le contre** pesar el pro y el contra; **~ ses mots** medir sus palabras; **tout bien pesé** si bien se mira, mirándolo bien. ◇ *vi* **1.** pesar: **~ lourd** pesar mucho **2. ~ sur** *(un levier)* apoyar sobre; *FIG (une décision)* influir en **3. ~ sur l'estomac** ser indigesto **4. menace qui pèse sur quelqu'un** amenaza que pende sobre alguien; **les soupçons pèsent sur lui** las sospechas recaen sobre él **5.** *FIG (accabler)* abrumar ◊ **le temps me pèse** se me hace largo el tiempo. ◆ **se ~** *vpr* pesarse.

**peseta** *f* peseta.

**peso** *m* peso.

**peson** *m* dinamómetro.

**pessimisme** *m* pesimismo.

**pessimiste** *a/s* pesimista.

**peste** *f* **1.** peste ◊ *FIG* **fuir quelqu'un comme la ~** huir de alguien como de la peste, como si fuera la peste **2.** *FIG* peste, demonio *m*. ◇ *interj* ¡caray!, ¡cuerno!

**pester** *vi* **~ contre** echar pestes de, contra.

**pesticide** *m* plaguicida, pesticida.

**pestiféré, e** *a/s* apestado, a.

**pestilence** *f* pestilencia.

**pestilentiel, elle** *a* pestilencial.

**pet** [pɛ] *m FAM* pedo ◊ **ça ne vaut pas un ~ de lapin** no vale nada.

**pétale** *m* pétalo.

**pétanque** *f* petanca.

**pétant, e** *a FAM* **à 6 heures pétantes** a las 6 en punto, a las 6 clavadas.

**pétarade** *f* detonaciones *pl*.

**pétarader** *vi* producir una serie de detonaciones.

**pétard** *m* **1.** *(explosif)* petardo **2.** *FAM (tapage)* tremolina *f*: **faire du ~** armar una tremolina **3.** *POP* revólver, pistolón **4.** *POP* culo **5.** *POP (drogue)* porro.

**pétaudière** *f* olla de grillos, casa de tócame Roque.

**pet-de-nonne** *m* especie de buñuelo.

**pété, e** *a FAM* **1.** *(fou)* chiflado, a **2.** *(ivre)* beodo, a, borracho, a.

**péter*** *vi* **1.** *POP* peer ◊ *FIG* **~ plus haut que son derrière** presumir, fardar. **2.** *FAM (exploser)* estallar **3.** *FAM (crever)* reventar. ◇ *vt FAM* **1.** *(casser)* romper **2. ~ le feu, les flammes** estar desbordante de vitalidad.

**pètesec, pète-sec** *a/s inv FAM* mandón, ona.

**pétillant, e** *a* **1.** *(feu)* crepitante, chisporroteante **2.** *(vin, eau)* burbujeante **3. ~ d'esprit** chispeante de ingenio; **yeux pétillants** ojos chispeantes.

**pétillement** *m* **1.** *(du feu)* crepitación *f*, chisporroteo **2.** *(du vin, de l'eau)* burbujeo **3.** *FIG* brillo.

**pétiller** *vi* **1.** *(le feu)* crepitar, chisporrotear **2.** *(le vin, l'eau)* burbujear **3.** *FIG* brillar, chispear ◊ **~ d'esprit** tener un ingenio chispeante.

**pétiole** [pesjol] *m BOT* pecíolo.

**petiot, e** *a/s FAM* pequeñín, ina, chiquitín, ina.

**petit, e** *a* **1.** pequeño, a *(se traduit souvent par un diminutif)*: **une petite maison** una casa pequeña, una casita; **un ~ chien** un perrito; **une petite vieille** una viejecita; **~ frère** hermanito; **tout ~** muy pequeño; **se faire tout ~** hacerse pequeñito **2.** *(de taille)* bajo, a: **il n'est ni grand ni ~** no es alto ni bajo **3.** *(court)* corto, a, breve ◊ **un ~ moment** un momentito **4.** *FIG* humilde, modesto, a, pequeño, a: **un ~ retraité** un modesto jubilado; **un ~ commerçant** un pequeño comerciante **5.** insignificante **6. il a une petite santé** tiene una salud delicada **7. le plus ~ détail** el menor detalle. ◇ *s (enfant)* pequeño, a, chico, a, niño, a ◊ **dis-moi, mon ~** dime, hijo. ◇ *m* **1.** *(d'animal)* cría *f* ◊ **la chatte vient de faire ses petits** la gata acaba de parir **2.** *(de chien, tigre, lion)* cachorro, cría *f* **3.** *loc adv* **~ à ~** poco a poco; **en ~** en pequeño.

▶ Les diminutifs espagnols ont souvent une valeur affective. Voir l'abrégé de grammaire espagnole de ce dictionnaire.

**petit-beurre** *m* galleta *f*.

**petit-bourgeois, petite-bourgeoise** *a/s* pequeño burgués, pequeña burguesa.

**petite-fille** *f* nieta.

**petitement** *adv* **1.** modestamente, mezquinamente, pobremente **2.** *(bassement)* ruinmente, bajamente **3. être logé ~** vivir en un piso pequeño.

**petite-nièce** → **petit-neveu.**

**petitesse** *f* **1.** pequeñez **2.** *FIG* mezquindad.

**petit-fils** *m* nieto.

**petit-four** *m* pasta *f.*

**petit-gris** *m* **1.** *(fourrure)* petigrís **2.** *(escargot)* caracol.

**pétition** *f* **1.** petición, solicitud **2. ~ de principe** petición de principio.

**pétitionnaire** *s* peticionario, a, solicitante.

**petit-lait** *m* suero.

**petit-maître** *m* ANC petimetre.

**petit-nègre** *m* chapurreo: **parler ~** chapurrear, hablar mal.

**petit-neveu** *m*, **petite-nièce** *f* sobrino segundo, sobrina segunda, resobrino, a.

**petits-enfants** *m pl* nietos.

**petit-suisse** *m* petit-suisse.

**pétochard, e** *a/s* FAM miedoso, a, cagueta, cagón, ona.

**pétoche** *f* FAM mieditis, canguelo *m*, jindama: **avoir la ~** tener mieditis, canguelo.

**pétoire** *f* FAM chopo *m*, escopeta mala.

**peton** *m* FAM piececito, piececillo.

**pétoncle** *m* pechina *f.*

**Pétrarque** *np m* Petrarca.

**pétrel** *m* petrel.

**pétrifiant, e** *a* petrificante.

**pétrification** *f* petrificación.

**pétrifier*** *vt* **1.** petrificar **2.** FIG petrificar.

**pétrin** *m* **1.** amasadera *f* **2.** FAM **être dans le ~** estar en un apuro, estar en líos.

**pétrir** *vt* **1.** *(une pâte)* amasar **2.** FIG *(façonner)* formar, modelar **3. être pétri d'orgueil** estar lleno de orgullo.

**pétrissage** *m* amasamiento.

**pétrochimie** *f* petroquímica.

**pétrochimique** *a* petroquímico, a.

**pétrodollar** *m* petrodólar.

**pétrographie** *f* petrografía.

**pétrole** *m* petróleo: **~ brut** petróleo crudo; **lampe à ~** lámpara de petróleo ◊ **bleu ~** azul tirando a verde.

**pétrolette** *f* FAM velomotor *m.*

**pétrolier, ère** *a* **1.** petrolero, a: **la crise pétrolière** la crisis petrolera **2. produits pétroliers** productos petrolíferos. ◇ *m (bateau)* petrolero.

**pétrolifère** *a* petrolífero, a.

**pétulance** *f* impetuosidad.

**pétulant, e** *a* impetuoso, a.

**pétunia** *m* petunia *f.*

**peu** *adv* **1.** poco: **il travaille ~** trabaja poco; **~ après** poco después; **~ après son arrivée** a poco de llegar él; **~ s'en faut** → **falloir 2. ~ de** poco, a, os, as: **~ de temps** poco tiempo; **~ de monde** poca gente; **~ de clients** pocos clientes; **mon ~ d'enthousiasme** mi escaso entusiasmo **3. un ~** un poco, algo: **je vais un ~ mieux** estoy algo mejor; **il était un ~ éméché** iba algo bebido; **un petit ~** un poquito; **un tout petit ~** un poquitín; **quelque ~** algo; **pas ~ fier** muy orgulloso **4.** *loc adv* **~ à ~** poco a poco; **à ~ près** poco más o menos; **avant ~, sous ~, d'ici ~** dentro de poco; **depuis ~** desde hace poco; **pour un ~, je manquais mon train** por poco perdía el tren; **tant soit ~** un poquito **5.** *loc conj* **pour ~ que** a poco que: **tu pourrais réussir pour ~ que tu y mettes du tien** podrías salir adelante a poco que pusieras de tu parte; **si ~ que ce soit** por muy poco que sea **6.** FAM **très ~ pour moi!** ¡ni hablar!; **tu es d'accord? -un ~!** ¿estás de acuerdo? -¡claro!; **c'est un ~ fort!** → **fort.** ◇ *m* **le ~ que...** lo poco que...

**peuchère!** *interj* ¡ay!, ¡caramba!

**peuh!** *interj* ¡psché!, ¡bah!

**peuplade** *f* tribu, pueblo *m* primitivo.

**peuple** *m* **1.** pueblo ◊ **le bas ~** el vulgo, la plebe **2.** *(foule)* muchedumbre *f* ◊ FAM **il y a du ~** hay mucha gente; **tu te fiches du ~?** ¿de quién te estás burlando?. ◇ *a inv* populachero, a.

**peuplement** *m* población *f.*

**peupler** *vt* poblar. ◆ **se ~** *vpr* poblarse.

**peupleraie** *f* alameda.

**peuplier** *m* **1.** álamo: **~ blanc** álamo blanco; **~ tremble** álamo temblón **2. ~ noir** álamo negro, chopo.

**peur** *f* **1.** miedo *m*, temor *m*, susto *m*: **la ~ de l'obscurité, de l'avion, de la mort** el miedo a la oscuridad, al avión, el temor a la muerte; **la ~ de perdre son emploi** el temor a perder el trabajo; **mourir de ~** morirse de miedo ◊ **~ bleue** miedo cerval, susto mayúsculo; **avoir ~** tener miedo, temer, asustarse: **je n'ai pas ~ de toi** no te tengo miedo; **n'aie pas ~** no temas, no te asustes; **il a ~ de l'eau** tiene miedo al agua, se asusta del agua; **avoir ~ que** tener miedo a que; **j'ai ~ que** me temo que; **j'ai eu une sacrée ~** me llevé, me pegué un susto morrocotudo; **faire ~** asustar, dar miedo: **ça me fait ~ de penser à la mort** me da miedo pensar en la muerte; **tu ne me fais pas ~** no me asustas; **il m'a fait une de ces peurs!** ¡menudo susto me ha dado!; **ce qui me fait le plus ~** lo que más miedo me da; **laid à faire ~** → **laid; en être quitte pour la ~** llevarse un buen susto **2.** *loc prép* **de ~ de** por miedo a **3.** *loc conj* **de ~ que** por miedo de que.
▶ *Susto*: peur vive et soudaine.

**peureux, euse** *a/s* miedoso, a, asustadizo, a.

**peut** → **pouvoir.**

**peut-être** *adv* quizás, acaso, tal vez, quizá, puede ser: **j'ai ~ été un peu sévère** quizás haya sido un poco severo; **~ viendra-t-il** acaso venga, puede ser que venga; **~ a-t-il raison** quizá tenga razón; **c'est ~ vrai** quizás sea verdad; **c'est ~ une erreur** quizá sea una equivocación; **~ bien** quizá; **~ pas** tal vez no.
▶ Notez l'emploi du subjonctif en espagnol.

**peuvent, peux** → **pouvoir.**

**pèze** *m* POP parné, pasta *f*, tela *f.*

**phacochère** *m* facoquero.

**phaéton** *m* faetón.

**phagocyte** *m* fagocito.

**phagocyter** *vt* BIOL fagocitar.

**phagocytose** *f* BIOL fagocitosis.

**phalange** *f* **1.** HIST falange **2.** ANAT falange.

**phalangette** *f* ANAT falangeta.

**phalangine** *f* ANAT falangina.

**phalangiste** *s* falangista.

**phalanstère** *m* falansterio.

**phalène** *f/m* falena.

**phallique** *a* fálico, a.

**phallocrate** [falɔkʀat] *a/s* falócrata.

**phallus** [falys] *m* falo.

**phanérogame** *a/f* BOT fanerógamo, a.

**phantasme** *m* visión *f*, fantasma.

**pharamineux** → **faramineux.**

**pharaon** *m* faraón.

**pharaonique, pharaonien, enne** *a* faraónico, a.

**phare** *m* **1.** *(tour)* faro **2.** *(auto)* faro, luz *f*: **allumer ses phares** poner la luz larga; **phares de recul** luces de marcha atrás; **phares antibrouillards** faros antiniebla; **faire des appels de phares** hacer señales con las luces largas.

**pharisaïque** *a* farisaico, a.

**pharisaïsme** *m* fariseísmo.

**pharisien, enne** *s* fariseo, a.
**pharmaceutique** *a* farmacéutico, a.
**pharmacie** *f* **1.** farmacia **2. ~ portative, armoire à ~** botiquín *m.*
**pharmacien, enne** *s* farmacéutico, a.
**pharmacodépendance** *f* toxicodependencia.
**pharmacologie** *f* farmacología.
**pharmacologique** *a* farmacológico, a.
**pharmacopée** *f* farmacopea.
**Pharsale** *np f* Farsalia.
**pharyngé, e, pharyngien, enne** *a* ANAT faríngeo, a.
**pharyngite** *f* MÉD faringitis.
**pharynx** [faʀɛ̃ks] *m* ANAT faringe *f.*
**phase** *f* **1.** fase **2.** FIG **être en ~ avec quelqu'un** sintonizar con alguien **3.** PHYS fase.
**Phébus** [febys] *np m* Febo.
**Phèdre** *np f* Fedra.
**Phénicie** *np f* Fenicia.
**phénicien, enne** *a/s* fenicio, a.
**phéniqué, e** *a* fenicado, a.
**phénix** [feniks] *m* fénix.
**phénol** *m* CHIM fenol.
**phénoménal, e** *a* fenomenal.
**phénomène** *m* fenómeno.
**phénoménologie** *f* fenomenología.
**phénoménologique** *a* fenomenológico, a.
**phénotype** *m* BIOL fenotipo.
**Philadelphie** *np* Filadelfia.
**philanthrope** *s* filántropo, a.
**philanthropie** *f* filantropía.
**philanthropique** *a* filantrópico, a.
**philatélie** *f* filatelia.
**philatélique** *a* filatélico, a.
**philatéliste** *s* filatelista.
**Philémon** *np m* Filemón.
**philharmonique** *a* filarmónico, a.
**Philippe** *np m* Felipe.
**philippin, e** *a/s* filipino, a.
**Philippines (îles)** *np f pl* Filipinas (islas).
**philistin** *m* **1.** filisteo **2.** FIG ignorante.
**philo** *f* FAM filosofía.
**philodendron** *m* filodendro.
**philologie** *f* filología.
**philologique** *a* filológico, a.
**philologue** *s* filólogo, a.
**philosophale** *a* **pierre ~** piedra filosofal.
**philosophe** *s* filósofo, a.
**philosopher** *vi* filosofar.
**philosophie** *f* filosofía.
**philosophique** *a* filosófico, a.
**philtre** *m* filtro, bebedizo.
**phlébite** *f* MÉD flebitis.
**phlébologie** *f* MÉD flebología.
**phlébotomie** *f* MÉD flebotomía.
**phlegmon** *m* MÉD flemón.
**phlox** [flɔks] *m* flox.
**phobie** *f* fobia: **la ~ de...** la fobia a...
**phobique** *a* fóbico, a.
**phocéen, enne** *a/s* focense.
**phonation** *f* fonación.
**phonème** *m* fonema.
**phonéticien, enne** *s* fonetista.
**phonétique** *a* fonético, a. ◇ *f* fonética.
**phonétiquement** *adv* fonéticamente.
**phoniatrie** *f* foniatría.
**phono** *abrév* de **phonographe.**
**phonographe** *m* fonógrafo.
**phonologie** *f* fonología.
**phonologique** *a* fonológico, a.
**phonothèque** *f* fonoteca.
**phoque** *m* foca *f* ◊ **bébé-~** bebé foca, cría *f* de foca.
**phosphate** *m* CHIM fosfato.
**phosphaté, e** *a* fosfatado, a.
**phosphater** *vt* fosfatar.
**phosphore** *m* CHIM fósforo.
**phosphoré, e** *a* fosforado, a.
**phosphorer** *vi* FAM tener el cerebro efervescente.
**phosphorescence** *f* fosforescencia.
**phosphorescent, e** *a* fosforescente.
**phosphorique** *a* fosfórico, a.
**photo** *f* **1.** foto: **prendre une ~** sacar, tomar una foto; **prendre quelqu'un en ~** hacerle una foto a alguien; **prends-moi en ~!** ¡hazme una foto!; **~ d'identité** foto de carnet ◊ FAM **tu veux ma ~?** ¿tengo monos en la cara? **2. appareil ~** cámara fotográfica.
**photocomposeuse** *f* fotocomponedera.
**photocomposition** *f* fotocomposición.
**photocopie** *f* fotocopia.
**photocopier*** *vt* fotocopiar.
**photocopieur** *m,* **photocopieuse** *f* fotocopiadora *f,* copiadora *f.*
**photoélectrique** *a* fotoeléctrico, a.
**photogénique** *a* fotogénico, a.
**photogramme** *m* fotograma.
**photographe** *s* fotógrafo, a.
**photographie** *f* fotografía → **photo.**
**photographier*** *vt* fotografiar ◊ **se faire ~** hacerse una foto.
**photographique** *a* fotográfico, a: **appareil ~** cámara fotográfica.
**photogravure** *f* fotograbado *m.*
**photométrie** *f* fotometría.
**photomontage** *m* fotomontaje.
**photon** *m* PHYS fotón.
**photophobie** *m* fotofobia.
**photopile** *f* TECHN fotopila.
**photoreportage** *m* reportaje fotográfico.
**photo-robot** *f* foto robot, fotorrobot.
**photo-roman** *m* fotonovela *f.*
**photosensible** *a* fotosensible.

**photosphère** *f* ASTR fotosfera.

**photostyle** *m* INFORM lápiz óptico.

**photosynthèse** *f* BOT fotosíntesis.

**photothèque** *f* fototeca.

**phototypie** *f* fototipia.

**phrase** *f* **1.** frase: **~ toute faite** frase hecha **2.** GRAM frase, oración **3.** MUS frase. ◇ *pl* **faire des phrases** hablar con énfasis.

**phrasé** *m* MUS fraseo.

**phraséologie** *f* fraseología.

**phraser** *vi* frasear.

**phraseur, euse** *s* charlatán, ana.

**phréatique** *a* freático, a: **nappe ~** capa freática.

**Phrygie** *np f* Frigia.

**phrygien, enne** *a/s* frigio, a: **bonnet ~** gorro frigio.

**phtisie** *f* MÉD tisis: **~ galopante** tisis galopante.

**phtisiologue** *s* tisiólogo, a.

**phtisique** *a/s* tísico, a.

**phylloxéra** *m* filoxera *f.*

**physicien, enne** *s* físico, a.

**physico-chimie** *f* fisicoquímica.

**physico-chimique** *a* fisicoquímico, a.

**physiocrate** *s* fisiócrata.

**physiocratie** *f* fisiocracia.

**physiologie** *f* fisiología.

**physiologique** *a* fisiológico, a.

**physiologiquement** *adv* fisiológicamente.

**physiologiste** *s* fisiólogo, a.

**physionomie** *f* fisonomía.

**physionomiste** *a/s* fisonomista.

**physiothérapie** *f* fisioterapia.

**physique** *a* físico, a. ◇ *f* física. ◇ *m* físico, aspecto: **il a un ~ agréable** tiene un físico agradable ◊ **au ~** en lo físico, físicamente; **il a le ~ de l'emploi** su aspecto corresponde a su oficio.

**physiquement** *adv* físicamente.

**phytophage** *a* fitófago, a.

**pi** *m (lettre)* pi *f.*

**piaf** *m* FAM gorrión.

**piaffement** *m* acción *f* de piafar.

**piaffer** *vi* **1.** *(cheval)* piafar **2.** FIG **~ d'impatience** impacientarse.

**piaillard, e** *a/s* FAM chillón, ona.

**piaillement** *m* **1.** piada *f* **2.** *(cri)* chillido, chillería *f.*

**piailler** *vi* **1.** *(oiseaux)* piar, pipiar **2.** *(crier)* chillar.

**piaillerie → piaillement.**

**piailleur, euse** *a/s* FAM chillón, ona.

**pianiste** *s* pianista.

**piano** *m* **1.** piano: **~ à queue** piano de cola; **~ droit** piano vertical; **jouer du ~** tocar el piano; **sonate pour ~** sonata para piano **2. ~ mécanique** organillo **3.** FAM **~ à bretelles** acordeón. ◇ *adv* **1.** MUS piano **2.** FAM piano, despacio.

**pianoter** *vi* teclear.

**piastre** *f* piastra.

**piaule** *f* FAM habitación, cuarto *m.*

**piaulement** *m* piada *f.*

**piauler** *vi* piar, chillar.

**pibale** *f (civelle)* angula.

**pic** *m* **1.** *(oiseau)* pico, pájaro carpintero, picamaderos **2.** *(outil)* pico **3.** *(montagne)* pico, picacho **4.** FIG máximo (de intensidad, etc.) **5. à ~** vertical, escarpado, a **6.** *loc adv* **couler à ~** irse a pique; FAM **tu arrives à ~** caes justo; **ça tombe à ~** viene de perlas.

**picador** *m* picador.

**picaillons** *m pl* POP cuartos, monises.

**picard, e** *a/s* picardo, a.

**Picardie** *np f* Picardía.

**picaresque** *a* picaresco, a: **roman ~** novela picaresca.

**piccolo, picolo** *m* flautín.

**pichenette** *f* papirotazo *m,* capirotazo *m.*

**pichet** *m* jarrito.

**pickles** [pikœls] *m pl* encurtidos.

**pickpocket** [pikpɔkɛt] *m* ratero, carterista.

**pick-up** [pikœp] *m inv* **1.** *(tourne-disque)* tocadiscos **2.** *(camionnette)* pick up.

**picoler** *vi* FAM pimplar, empinar el codo.

**picolo → piccolo.**

**picorer** *vi/t* picar, picotear.

**picotement** *m* picazón *f,* picor, comezón *f.*

**picoter** *vt* **1.** *(becqueter)* picotear, picar **2.** *(démanger)* picar, causar picazón, escocer: **la fumée me picote les yeux** los ojos me escuecen con el humo.

**picotin** *m (pour les chevaux)* pienso.

**picrate** *m* POP vino peleón, vinazo.

**picrique** *a* CHIM **acide ~** ácido pícrico.

**pictogramme** *m* pictograma.

**pictographie** *f* pictografía.

**pictographique** *a* pictográfico, a.

**pictural, e** *a* pictórico, a.

**pic-vert → pivert.**

**Pie** [pi] *np m* Pío: **~ XII** Pío XII.

**¹pie** [pi] *f* **1.** *(oiseau)* urraca **2.** FAM *(femme bavarde)* cotorra.

**²pie** [pi] *a inv (couleur)* pío, a.

**³pie** [pi] *a* pía, piadosa: **œuvre ~** obra pía.

**pièce** *f* **1.** pieza: **pièces de rechange** piezas de recambio; **un service à thé de 28 pièces** un servicio de té de 28 piezas; **un maillot de bain deux-pièces** un bañador de dos piezas ◊ **travailler aux pièces** trabajar a destajo; **ces melons valent 5 francs ~** estos melones valen 5 francos cada uno **2.** *(morceau)* trozo, pedazo ◊ **mettre en pièces** hacer añicos, destrozar; **tailler l'ennemi en pièces** desbaratar, derrotar al enemigo; **histoire inventée de toutes pièces** historia inventada del principio hasta el fin **3.** *(chasse, pêche)* pieza **4. ~ de bétail** res; **~ de terre** campo *m; (d'étoffe)* retazo *m* **5.** CULIN **~ montée** torta de boda; **~ de résistance** plato *m* fuerte **6. ~ d'eau** estanque *m* **7. ~ (de monnaie)** moneda, pieza ◊ FAM **rendre à quelqu'un la monnaie de sa ~** pagar con la misma moneda; **donner la ~ à quelqu'un** dar una propina a alguien **8.** *(d'un logement)* habitación, pieza: **un appartement de cinq pièces** un piso de cinco habitaciones **9.** documento *m:* **~ d'identité, justificative** documento de identidad, justificativo ◊ **~ à conviction** pieza de convicción; **~ jointe** anexo *m* **10. ~ de théâtre** obra, pieza teatral **11.** MUS pieza, composición **12.** *(raccommodage)* pieza, remiendo *m* **13.** FIG **être tout d'une ~** ser cantaclaro, francote **14.** MIL **~ d'artillerie** pieza de artillería, cañón *m.*

**piécette** *f (de monnaie)* monedilla.

**pied** [pje] *m* **1.** pie: **~ plat** pie plano ◊ **aller à ~** ir andando, a pie; **à pieds joints** a pie juntillas; **à ~ sec** a pie enjunto; **être**

**pieds nus** ir descalzo, a; **coup de ~** patada *f*, puntapie; **mettre ~ à terre** apearse; **portrait en ~** retrato de cuerpo entero; **sur ~** *(debout)* en pie, de pie, *(guéri)* recuperado, a; **avoir ~** hacer pie; **avoir bon ~ bon œil** gozar de buena salud; *FIG* **faire des pieds et des mains** no dejar piedra por mover, hacer lo imposible; **lâcher ~** ceder terreno, cejar; **lever le ~** poner los pies en polvorosa, largarse, *(un conducteur)* aminorar la marcha; **marcher sur les pieds de** pisar a; *FIG* **ne pas se laisser marcher sur les pieds** no dejarse pisar; **ne pas savoir sur quel ~ danser** → **danser; il ne mettait jamais les pieds à l'église** nunca pisaba la iglesia; **mettre sur ~** organizar; **perdre ~** *(dans l'eau)* perder pie, *(se troubler)* turbarse, verse en un aprieto; *FIG* **traîner les pieds** resistirse a hacer algo, hacer algo de mala gana, remolonear **2.** *FAM* **casser les pieds** fastidiar, dar la lata; **il conduit comme un ~** conduce fatal, muy mal; **être bête comme ses pieds** ser tonto de capirote; **ça lui fera les pieds!** ¡lo tiene bien merecido!; **mettre les pieds dans le plat** meter la pata; *POP* **c'est le ~!** ¡estupendo!; **prendre son ~** pasarlo bomba **3. mettre à ~ un employé** suspender de empleo a un empleado; **mise à ~** suspensión de empleo **4.** *(des animaux)* pie, mano *f*: **~ de porc** mano de cerdo; *(en boucherie)* **pieds de porc, de mouton** manitas *f* de cerdo, de cordero ◊ **faire le ~ de grue** → **grue 5.** *(d'un objet)* pie, pata *f*: **les pieds d'une table** las patas de una mesa; **~ de lampe** pie de lámpara ◊ **mettre au ~ du mur** → **mur 6.** *(d'un végétal)* pie, tallo: **un ~ de laitue** un pie de lechuga ◊ **~ de vigne** cepa *f* **7.** *(mesure, en poésie)* pie **8. sur un ~ d'égalité** en pie de igualdad; **vivre sur un grand ~** vivir a lo grande; **sur le ~ de guerre** en pie de guerra, sobre las armas **9.** *loc adv* **à ~ d'œuvre** al pie del cañón; **au ~ de la lettre** al pie de la letra; **au ~ levé** sin preparación, de improviso; **de ~ en cap** de pies a cabeza; **de ~ ferme** a pie firme; **~ à ~** paso a paso, gradualmente.

**pied-à-terre** [pjetatɛʀ] *m inv* apartamento.

**pied-bot** [pjebo] *m* patizambo.

**pied-d'alouette** *m* espuela *f* de caballero.

**pied-de-biche** *m* **1.** *(outil)* arrancaclavos **2.** *(de machine à coudre)* pie prensatelas.

**pied-de-poule** *m* pata *f* de gallo.

**pied-droit** → **piédroit.**

**piédestal** *m* pedestal.

**pied-noir** *s* francés, francesa de Argelia.

**piédouche** *m* basa *f*, pie.

**pied-plat** *m ANC* patán.

**piédroit** *m ARCH* **1.** pie derecho **2.** *(de fenêtre, etc.)* jamba *f*.

**piège** *m* trampa *f*: **dresser, tendre un ~** poner, tender una trampa ◊ *FIG* **tomber dans le ~** caer en la trampa; **se laisser prendre à son propre ~** caer en las propias redes.

**piéger*** *vt* **1.** cazar con trampa **2.** colocar un explosivo en ◊ **voiture piégée** coche-bomba; **colis piégé** paquete-bomba.

**pie-grièche** *f* **1.** pega reborda, alcaudón *m* **2.** *FIG* *(femme acariâtre)* arpía.

**pie-mère** *f ANAT* piamadre, piamáter.

**Piémont** *np m* Piamonte.

**piémontais, e** *a/s* piamontés, esa.

**pierraille** *f* cascajo *m*, gravilla.

**Pierre** *np m* Pedro.

**pierre** *f* **1.** piedra: **l'âge de la ~ taillée, polie** la edad de la piedra tallada, pulimentada ◊ **~ de taille** sillar *m*; **~ d'attente** adaraja; **poser la première ~** poner la primera piedra; *FIG* **jeter la première ~ à** tirar la primera piedra a; **jeter la ~ à quelqu'un** acusar, criticar a alguien; **un cœur de ~** un corazón de piedra; **être malheureux comme les pierres** ser más infeliz que un cubo; **faire d'une ~ deux coups** matar dos pájaros de un tiro; **marquer d'une ~ blanche** señalar con piedra blanca; *PROV* **~ qui roule n'amasse pas mousse** piedra movediza nunca moho la cobija **2. ~ à aiguiser** piedra de amolar; **~ à briquet** piedra de mechero; **~ à fusil** piedra de chispa; **~ d'autel** ara; **~ de touche** piedra de toque; **~ angulaire, philosophale** → **angulaire, philosophale 3. ~ précieuse** piedra preciosa **4. ~ tombale** lápida sepulcral.

**pierreries** *f pl* piedras preciosas.

**Pierrette** *np f* Petra, Petrilla.

**pierreux, euse** *a* **1.** pedregoso, a **2.** *(de la nature de la pierre)* pétreo, a.

**Pierrot** *np m* Pedrito.

**pierrot** *m* **1.** *(déguisement)* pierrot **2.** *(moineau)* gorrión.

**pietà** *f* piedad: **la ~ de Michel-Ange** la Piedad de Miguel Ángel.

**piétaille** *f* **1.** infantería **2.** subalternos *m pl*.

**piété** *f* piedad.

**piétinement** *m* **1.** pisoteo **2.** *(trépignement)* pataleo **3.** *FIG* *(stagnation)* estancamiento.

**piétiner** *vt* pisotear. ◇ *vi* **1.** *(de colère)* patalear **2.** marcar el paso **3.** *FIG* estancarse, no avanzar: **l'affaire piétine** el asunto no avanza.

**piétisme** *m* pietismo.

**piéton** *m* peatón, transeúnte: **passage pour piétons** paso de peatones.

**piéton, onne, piétonnier, ère** *a* peatonal: **rue piétonnière** calle peatonal.

**piètre** *a* mediocre, pobre: **une ~ consolation** un pobre consuelo ◊ **faire ~ figure** no dar la talla.

**pieu** *m* **1.** estaca *f* **2.** *FAM* *(lit)* catre, piltra *f*: **au ~!** ¡al catre!

**pieusement** *adv* piadosamente.

**pieuter (se)** *vpr FAM* acostarse, meterse en la piltra.

**pieuvre** *f* pulpo *m*.

**pieux, euse** *a* piadoso, a: **une femme très pieuse** una mujer muy piadosa; **un ~ mensonge** una mentira piadosa.

**piézo-électrique** *a* piezoeléctrico, a.

**[1]pif** *m FAM* *(nez)* napias *f pl* ◊ **au ~** → **pifomètre.**

**[2]pif** *interj* **~, paf!** ¡zis!, ¡zas!

**pifer, piffer** *vt POP* **je ne peux pas le ~** no lo puedo tragar, lo tengo entre ceja y ceja.

**pifomètre (au)** *loc adv FAM* a ojímetro, a bulto.

**pige** *f* **1.** medida de longitud **2.** *(d'un journaliste)* trabajo *m* por líneas **3.** *POP* *(année)* taco *m*, año *m*: **60 piges** 60 tacos **4.** *FAM* **faire la ~ à quelqu'un** pasar a uno, superar a uno.

**pigeon** [piʒɔ̃] *m* **1.** paloma *f*, palomo: **~ voyageur** paloma mensajera **2.** *FIG* *(dupe)* primo, pagano **3. tir au ~ d'argile** tiro al plato, al pichón de arcilla.

**pigeonnant, e** *a* **poitrine pigeonnante** pecho esbelto.

**pigeonne** [piʒɔn] *f* paloma.

**pigeonneau** [piʒɔno] *m* pichón.

**pigeonner** *vt FAM* *(duper)* timar, engañar.

**pigeonnier** [piʒɔnje] *m* palomar.

**piger*** *vt FAM* comprender, entender: **tu piges?** ¿entiendes? ◊ **je n'ai rien pigé à ce qu'il a dit** me quedé in albis de lo que dijo.

**pigiste** *s* periodista, redactor no asalariado.

**pigment** *m* pigmento.

**pigmentaire** *a* pigmentario, a.

**pigmentation** *f* pigmentación.

**pigmenter** *vt* pigmentar.

**pigne** *f* **1.** piña **2.** *(graine)* piñón *m*.

**pignocher** *vi FAM* *(manger)* comer sin ganas.

**pignon** *m* **1.** *ARCH* aguilón ◊ *FIG* **avoir ~ sur rue** ser propietario, ser acaudalado **2.** *(roue dentée)* piñón: **~ fixe** piñón fijo **3.** *BOT* piñón ◊ **pin ~** pino piñonero.

**pignoratif, ive** *a JUR* pignoraticio, a.

**pignouf** [piɲuf] *m POP* patán.

**pilaf** *m (riz)* arroz blanco.

**pilage** *m* machaqueo, trituración *f*.

**pilastre** *m* pilastra *f*.

**Pilate (Ponce)** *np m* Poncio Pilatos.

[1]**pile** *f* **1.** *(d'un pont)* pila **2.** *(tas)* pila, rimero *m* **3.** *(électrique, atomique)* pila **4.** *FAM (volée de coups)* paliza, tunda.

[2]**pile** *f (d'une monnaie)* cruz: **~ ou face** cara o cruz; **jouer à ~ ou face** echar a cara o cruz. ◇ *adv* **s'arrêter ~** pararse en seco; **ça tombe ~** viene de perlas; **à six heures ~** a las seis en punto.

**piler** *vt* **1.** machacar, moler ◊ **glace pilée** hielo picado **2.** *FAM* **se faire ~** sufrir una derrota aplastante. ◇ *vi FAM* parar en seco.

**pileux, euse** *a* piloso, a.

**pilier** *m* **1.** pilar **2.** *(rugby)* pilar **3.** **~ de cabaret** borrachín **4.** *FIG* pilar: **les cinq piliers de l'islam** los cinco pilares del islam.

**pillage** *m* saqueo, pillaje ◊ **livrer au ~** saquear.

**pillard, e** *a/s* saqueador, a, ladrón, ona.

**piller** *vt* **1.** saquear, pillar **2.** *(voler)* robar.

**pilleur** *m* **1.** ladrón **2.** **~ d'épaves** raquero.

**pilon** *m* **1.** *(de mortier)* mano *f* (de almirez) **2.** *(de volaille)* muslo, pata *f* **3.** *(jambe de bois)* pata *f* de palo.

**pilonnage** *m* bombardeo intensivo.

**pilonner** *vt* **1.** machacar, majar **2.** *MIL* machacar.

**pilori** *m* picota *f* ◊ *FIG* **clouer, mettre quelqu'un au ~** poner a alguien en la picota.

**pilosité** *f* pilosidad, vellosidad.

**pilotage** *m (d'un avion, etc.)* pilotaje.

**pilote** *m* piloto: **~ d'essai** piloto de pruebas; **~ hauturier** piloto de altura; **~ automatique** piloto automático. ◇ *a inv* modelo, piloto: **usine ~** fábrica piloto.

**piloter** *vt* **1.** pilotar **2.** *FIG* **~ quelqu'un dans Paris** guiar a alguien en París.

**pilotis** *m* pilote: **sur ~** sobre pilotes.

**pilou** *m* algodón afelpado.

**pilule** *f* **1.** píldora: **~ contraceptive** píldora anticonceptiva; **elle prend la ~** ella toma la píldora; **la ~ du lendemain** la píldora del día siguiente **2.** *FAM* **avaler la ~** tragarse la píldora; **dorer la ~** dorar la píldora.

**pimbêche** *f FAM* marisabidilla.

**piment** *m* **1.** pimiento **2.** **~ rouge** guindilla *f* **3.** *FIG* sal *f*.

**pimenter** *vt* **1.** sazonar con pimiento **2.** *FIG* salpimentar, hacer picante.

**pimpant, e** *a* pimpante, elegante, coquetón, ona.

**pimprenelle** *f* pimpinela.

**pin** *m* pino: **~ parasol** pino piñonero ◊ **pomme de ~** piña.

**pinacle** *m* **1.** *ARCH* pináculo **2.** *FIG* **porter quelqu'un au ~** poner a alguien por las nubes.

**pinacothèque** *f* pinacoteca.

**pinailler** *vi FAM* reparar en pelillos.

**pinailleur, euse** *a/s FAM* quisquilloso, a.

**pinard** *m POP* mostagán, zumaque.

**pinasse** *f* pinaza, lancha.

**pince** *f* **1.** pinzas *pl*: **~ à épiler** pinzas de depilar; **~ à linge** pinzas de tender la ropa **2.** **~ à sucre** tenacillas *pl* **3.** *(outil)* alicates *m pl*: **~ coupante** alicates de corte **4.** *(levier)* palanca **5.** *(de crustacé)* pinza **6.** *FAM* **serrer la ~** apretar la mano; **aller à pinces** ir a pata **7.** *(en couture)* pinza.

**pincé, e** *a* **1.** *(prétentieux)* estirado, a, afectado, a, tieso, a: **air ~** aire afectado **2.** **bouche pincée** boca apretada.

**pinceau** *m* **1.** pincel ◊ **coup de ~** pincelada *f* **2.** **~ lumineux** hacecillo luminoso.

**pincée** *f* pizca, pellizco *m*: **une ~ de sel** una pizca de sal.

**pincement** *m* **1.** pellizco **2.** *FIG* **ressentir un ~ au cœur** tener el corazón encogido.

**pince-monseigneur** *f* palanqueta.

**pince-nez** *m inv* lentes *pl*, quevedos *pl*.

**pincer*** *vt* **1.** pellizcar: **il lui pinça la joue** le pellizcó la mejilla **2.** *(les lèvres)* apretar **3.** *(en couture)* ajustar, ceñir **4.** *AGR* podar **5.** **le froid pince** pica el frío **6.** *FAM (un voleur)* pillar, trincar: **il s'est fait ~ par la police** lo trincó la policía **7.** *(surprendre)* pescar, sorprender **8.** **~ de la guitare** tocar la guitarra **9.** *FAM* **en ~ pour** estar chalado por: **elle en pince pour mon frère** está chalada por mi hermano. ◆ **se ~** *vpr* **se ~ le doigt dans une porte** cogerse, pillarse el dedo con una puerta.

**pince-sans-rire** *s inv* persona *f* graciosa de aspecto serio.

**pincettes** *f pl* tenazas ◊ *FAM* **il n'est pas à prendre avec des ~** no hay por donde cogerlo, está que trina.

**pinçon** *m* cardenal, pellizco.

**Pindare** *np m* Píndaro.

**pindarique** *a* pindárico, a.

**pinède** *f* pinar *m*.

**pingouin** *m* pingüino.

**ping-pong** *m* tenis de mesa, ping-pong.

**pingre** *a/s FAM* agarrado, a, tacaño, a, roñoso, a.

**pingrerie** *f FAM* tacañería, roñería.

**pinnipèdes** *m pl ZOOL* pinnípedos.

**pin's** *m* pins.

**pinson** *m* pinzón ◊ *FIG* **gai comme un ~** alegre como unas castañuelas, como unas pascuas.

**pintade** *f* pintada, gallina de Guinea.

**pintadeau** *m* pollo de pintada.

**pinte** *f (mesure)* pinta ◊ *FAM* **se payer une ~ de bon sang** pasarlo en grande.

**pinter** *vi POP* empinar el codo, trincar, pimplar.

**pioche** *f* piqueta, pico *m*, zapapico *m*.

**piocher** *vt* **1.** cavar **2.** *FAM* empollar: **il pioche son anglais** está empollando inglés.

**piocheur, euse** *a/s* **1.** cavador, a **2.** *FAM* empollón, ona.

**piolet** *m* bastón de alpinista, piolet.

**pion** *m* **1.** *(aux échecs, dames)* peón **2.** *FAM (surveillant)* vigilante.

**pioncer*** *vi POP* dormir.

**pionne** *f FAM* vigilante.

**pionnier, ère** *s* **1.** colonizador, a **2.** *FIG (précurseur)* pionero, a.

**pipe** *f* **1.** pipa: **fumer la ~** fumar en pipa **2.** *FAM* **casser sa ~** hincar el pico, espicharla; **se fendre la ~** mondarse de risa; **par tête de ~** por barba; **nom d'une ~!** ¡caramba!

**pipeau** *m* caramillo.

**pipelet, ette** *s FAM* portero, a.

**pipeline, pipe-line** [pajplajn, piplin] *m* oleoducto.

**piper** *vt* **1.** **~ les dés, les cartes** hacer fullerías con los dados, con las cartas **2.** *FAM* **ne pas ~ mot** no decir ni pío; **sans ~** sin rechistar.

**pipette** *f* pipeta.

**pipi** *m* **1.** pipí: **faire ~** hacer pis, hacer pipí; **faire ~ au lit** hacerse pis en la cama **2.** **~ de chat** aguachirle; **sentir le ~ de chat** oler a pis de gato **3.** *FAM* **la dame ~** la encargada de un urinario.

**pipistrelle** *f* murciélago *m*.

**piquage** *m* cosido a máquina.

**piquant, e** *a* **1.** *(qui pique)* punzante **2.** *(barbe)* áspero, a **3.** *(saveur)* picante: **sauce piquante** salsa picante **4.** *FIG (caustique)* picante **5.** *FIG* excitante. ◇ *m* **1.** *(épine)* púa *f* **2.** *FIG* sal *f*, atractivo, lo picante.

**pique** *f* **1.** *(arme)* pica **2.** *(remarque)* pulla, indirecta: **lancer des piques à quelqu'un** tirar indirectas a alguien **3.** *(brouille)* pique *m*. ◇ *m (cartes)* pique: **la dame de ~** la dama de pique; **l'as de ~ → as.**

**piqué, e** *a* **1.** picado, a ◊ **~ des vers** apolillado, a, carcomido, a; *FAM* **qui n'est pas ~ des vers** que se las trae **2.** *(cousu)* cosido, a a máquina **3.** *FAM (fou)* chiflado, a, majareta. ◇ *m* **1.** *(tissu)* piqué **2.** *(avion)* **en ~** en picado.

**pique-assiette** *s FAM* gorrón.

**pique-feu** *m inv* atizador, hurgón.

**pique-nique** *m* picnic, comida *f* campestre.

**pique-niquer** *vi* comer al aire libre.

**pique-niqueur, euse** *s* excursionista.

**piquer** *vt* **1.** pinchar, picar **2.** *(insecte)* picar **3.** *MÉD* poner una inyección a **4. ~ une photo au mur** pinchar una foto en la pared **5. ~ à la machine** coser a máquina **6.** *(le froid, la fumée, la moutarde, etc.)* picar: **le froid pique** pica el frío **7.** *(démanger)* picar, dar picor, escocer: **ça me pique** me pica; **les yeux me piquent** me pican los ojos **8.** *FIG* **~ l'amour-propre** picar el amor propio **9.** *FAM* **~ une tête (dans l'eau)** darse un chapuzón, echarse al agua de cabeza; **~ un cent mètres** echar una carrerita; **~ une crise** coger una rabieta **10.** *CULIN* mechar: **gigot piqué d'ail** pierna de cordero mechada con ajos **11.** *MUS* **~ une note** picar una nota **12.** *POP (voler)* birlar, afanar: **on m'a piqué mon portefeuille dans l'autobus** me birlaron, me afanaron la cartera en el autobús. ◇ *vi* **1.** *(avion)* descender en picado **2. ~ des deux** dar a las espuelas; irse pitando. ◆ **se ~** *vpr* **1.** pincharse: **attention de ne pas te ~** cuidado con no pincharte; **je me suis piqué avec une épingle** me he pinchado con un alfiler; *(s'injecter de la drogue)* pincharse, picarse **2.** *(vin, papier)* picarse **3.** *FIG (se vexer)* picarse, resentirse **4. se ~ de** jactarse de, presumir de, preciarse de: **il se pique d'être ponctuel** presume de puntual; **il se pique d'être un bon critique d'art, d'être cultivé** se precia de buen crítico de arte, de culto; **se ~ au jeu** empeñarse.

**piquet** *m* **1.** piquete, estaca *f* ◊ *FIG* **raide comme un ~** más tieso que un ajo **2. mettre un élève au ~** castigar a un alumno a permanecer en pie, en penitencia *f* **3. ~ de grève** piquete de huelga **4.** *(jeu)* juego de los cientos.

**piqueter*** *vt (moucheter)* salpicar, motear.

**piquette** *f* **1.** aguapié, aguachirle *m*, vino *m* ácido **2.** *FAM (défaite)* paliza, derrota.

**piqueur, euse** *s* obrero, a que cose a máquina. ◇ *m (chasse)* montero.

**piqûre** *f* **1.** *(d'insecte, etc.)* picadura **2.** *(d'épingle)* pinchazo *m* **3.** *(couture)* pespunte *m* **4.** inyección: **faire une ~, des piqûres à un malade** poner una inyección, inyecciones a un enfermo.

**piranha** [piʀana] *m* piraña *f*.

**piratage** *m* pirateo.

**pirate** *m* **1.** pirata **2. ~ de l'air** secuestrador aéreo, pirata aéreo. ◇ *a (clandestin)* pirata: **émission ~** emisión pirata.

**pirater** *vt* piratear.

**piraterie** *f* piratería.

**pire** *a* peor: **rien de ~ que...** nada peor que...; **bien ~** mucho peor; **de ~ en ~** cada vez peor; **les pires ennuis** los peores disgustos; **c'est la ~ des choses** es lo peor de todo; **c'est la ~ chose qui puisse nous arriver** esto es lo peor que nos puede suceder; **c'est encore ~** peor que peor. ◇ *m* **le ~** lo peor; **le ~ est toujours à venir, peut encore arriver** lo peor está aún por llegar; **s'attendre au ~** temer lo peor.

**Pirée (Le)** *np m* (El) Pireo.

**piriforme** *a* piriforme.

**pirogue** *f* piragua.

**piroguier** *m* piragüero.

**pirouette** *f* **1.** pirueta **2.** *FIG* pirueta, voltereta ◊ **s'en tirer par une ~** salir por peteneras.

**pirouetter** *vi* hacer piruetas.

**¹pis** [pi] *m (mamelle)* ubre *f*, teta *f*.

**²pis** [pi] *adv/a* peor: **aller de mal en ~, de ~ en ~** ir de mal en peor ◊ **tant ~!** ¡mala suerte!, ¿qué (le) vamos a hacer?; **tant ~ pour toi!** ¡peor para ti!, ¡aguántate!; **qui ~ est, ~ encore, ce qui est ~** lo que es peor; **dire ~ que pendre de** decir pestes de. ◇ *m* **1. le ~** lo peor **2. en mettant les choses au ~** en el peor de los casos **3.** *loc adv* **au ~ aller** en el peor de los casos.

**pis-aller** [pizale] *m inv* mal menor.

**piscicole** *a* piscícola ◊ **établissement ~** piscifactoría *f*.

**pisciculteur** *m* piscicultor.

**pisciculture** *f* piscicultura.

**piscine** *f* piscina (*AMÉR* pileta).

**Pise** *np* Pisa: **la tour penchée de ~** la torre inclinada de Pisa.

**pisé** *m* adobe.

**pisse** *s FAM* meados *m pl*, orina.

**pisse-froid** *m inv FAM* aguafiestas, gruñón.

**pissement** *m* **~ de sang** micción *f* de sangre.

**pissenlit** *m* diente de león ◊ *FAM* **manger les pissenlits par la racine** criar malvas.

**pisser** *vi FAM* mear: **~ au lit** mearse en la cama ◊ *FAM* **c'est comme si on pissait dans un violon!** ¡es inútil!; **laisser ~ (le mérinos)** dejar correr. ◇ *vt* **~ le sang** desangrarse.

**pissette** *f* especie de matraz *m*.

**pisseur, euse** *s FAM* meón, ona ◊ **~ de copie** escritor prolífico y malo.

**pisseux, euse** *a FAM (couleur)* amarillento, a.

**pisse-vinaigre → pisse-froid.**

**pissotière** *f FAM* meadero *m*.

**pistache** *f* pistacho *m*.

**pistachier** *m* alfóncigo, pistachero.

**pistard** *m* corredor (ciclista) en pista.

**piste** *f* **1.** pista ◊ **suivre à la ~** seguir la pista a, el rastro de; **~ d'envol** pista de despegue; **~ de danse** pista de baile; **~ cyclable** carril-bici *m* **2. ~ sonore** banda sonora **3.** *FIG* **mettre sur la ~** orientar; **être sur la bonne ~** seguir la buena dirección; **être sur une fausse ~** enredarse; **fausse ~** pista falsa.

**pister** *vt* seguir la pista de, a, rastrear.

**pistil** *m BOT* pistilo.

**pistole** *f* doblón *m*.

**pistolet** *m* **1.** *(arme)* pistola *f* ◊ **coup de ~** pistolazo **2.** *(pour peindre)* pistola *f*, aerógrafo **3.** *(de dessinateur)* plantilla *f* **4.** *FAM* **un drôle de ~** un tío raro.

**pistolet-mitrailleur** *m* pistola ametralladora *f*.

**piston** *m* **1.** *(de moteur, pompe)* émbolo, pistón **2.** *MUS* pistón: **cornet à ~** corneta de pistones **3.** *FAM* enchufe: **avoir du ~** tener enchufe; **obtenir un poste par ~** conseguir un cargo gracias a un enchufe **4.** *FAM* alumno de la Escuela central (des arts et manufactures).

**pistonner** *vt FAM* **1.** enchufar **2. se faire ~** tener un enchufe; **un type pistonné** un enchufado, un enchufista.

**pitance** *f* pitanza.

**pitchpin** *m* pino de Virginia.

**piteux, euse** *a* lastimoso, a, lamentable: **en ~ état** en un estado lamentable.

**pithécanthrope** *m* pitecántropo.

**pitié** *f* piedad, lástima, compasión: **faire ~** dar lástima; **j'ai ~ de lui** me da lástima, le tengo lástima; **par ~** por piedad; **aie ~ de moi!** ¡ten piedad de mí!, ¡ten compasión de mí!; **c'est ~ que de voir...** da lástima ver... ◊ **prendre en ~** apiadarse de; **prends ~ de nous, Seigneur** apiádate de nosotros, Señor.

**piton** *m* **1.** *(clou, vis)* armella *f* **2.** *(d'alpiniste)* pitón **3.** *(montagne)* pico.

**pitoyable** [pitwajabl(ə)] *a* **1.** *(digne de pitié)* lamentable, lastimoso, a **2.** *(humain)* compasivo, a.

**pitre** *m* payaso.

**pitrerie** *f* payasada.

**pittoresque** *a* pintoresco, a.

**pivert** *m* picamaderos, pico verde.

**pivoine** *f* peonía ◊ *FIG* **rouge comme une ~** rojo como un tomate.

**pivot** *m* **1.** *(axe)* pivote, gorrón **2.** *FIG* eje, base *f* **3.** *BOT* raíz *f* vertical **4.** *(basket-ball)* pívot, pivote.

**pivotant, e** *a* **1.** giratorio, a **2.** *BOT* nabiforme.

**pivoter** *vi* girar sobre su eje.

**Pizarre** *np m* Pizarro.

**pizza** [pidza] *f* pizza.

**pizzeria** *f* pizzería.

**P.J.** [peʒi] *f FAM* policía judicial.

**placage** *m* **1.** *(revêtement)* chapeado, enchapado **2.** → **plaquage.**

**placard** *m* **1.** *(armoire murale)* armario empotrado ◊ *FIG* **mettre au ~** dejar de lado, arrimar **2.** *(affiche)* cartel **3.** *(imprimerie)* galerada *f*, prueba de imprenta.

**placarder** *vt* fijar: **~ une affiche** fijar un cartel.

**place** *f* **1.** *(lieu public)* plaza: **la ~ du marché** la plaza del mercado **2.** *(endroit)* lugar *m*, sitio *m*: **chaque chose à sa ~** cada cosa en su lugar ◊ **~ d'honneur** lugar de preferencia; **à la ~ de** en lugar de; **à votre ~...** yo que usted; **j'ai remis les outils à leur ~, en ~** he guardado las herramientas en su sitio; *FIG* **faire ~ nette** → **net; mets-toi à sa ~** ponte en su lugar; **remettre quelqu'un à sa ~** poner a alguien en su sitio; **rester sur ~** quedarse en el mismo sitio; **faire du sur ~** no adelantar; **tenir sa ~** comportarse debidamente; **il ne tient pas en ~** no puede estarse quieto; **je ne voudrais pas être à ta ~** no te arriendo la ganancia **3.** espacio *m*, sitio *m*: **prendre beaucoup de ~** ocupar mucho sitio; **faire ~ à** dejar sitio a **4.** *(dans un véhicule)* plaza, asiento *m*: **voiture à quatre places** coche de cuatro asientos; **~ assise** asiento *m* ◊ **prendre place** colocarse, sentarse; **payer ~ entière** pagar plena tarifa **5.** *(dans une salle de spectacle)* localidad, entrada: **louer deux places** reservar dos entradas **6.** *(dans un parking, etc.)* plaza **7.** *(emploi)* plaza, empleo *m*, puesto *m*, colocación: **une ~ de caissier** un puesto de cajero **8.** *(dans un classement)* puesto *m* **9.** *(en Belgique)* habitación *f* **10.** *MIL* **~ forte** plaza fuerte. ◇ *interj* ¡paso!

**placé, e** *a* **1.** *FIG* **haut ~** importante **2.** *(hippisme)* colocado.

**placebo** *m* placebo ◊ **effet ~** efecto placebo.

**placement** *m* **1.** colocación *f*: **bureau de ~** agencia de colocación **2.** *(investissement)* inversión *f*: **un bon ~** una buena inversión.

**placenta** *m ANAT* placenta *f*.

**placentaire** *a* placentario, a. ◇ *m pl* placentarios.

**¹placer*** *vt* **1.** colocar, poner **2.** *(un spectateur, un convive)* acomodar **3. il a placé sa fille comme vendeuse** ha colocado a su hija de vendedora **4.** *(de l'argent)* colocar, investir **5. il ne m'a pas laissé ~ un mot** no me ha dejado meter baza **6.** *FIG* **je suis bien placé pour le savoir** nadie lo sabe mejor que yo. ◆ **se ~** *vpr* **1.** *(s'installer)* colocarse, acomodarse, situarse **2. se ~ comme apprenti** colocarse de aprendiz.

**²placer** [plasɛʀ] *m (d'or)* placer.

**placet** [plasɛ] *m* **1.** *ANC* súplica *f* **2.** *JUR* plácet.

**placette** *f* plazuela.

**placeur, euse** *s* **1.** *(dans une salle de spectacle)* acomodador, a **2.** agente de colocaciones.

**placide** *a* plácido, a.

**placidité** *f* placidez.

**placier, ère** *s* corredor, a.

**plafond** *m* **1.** techo ◊ **faux ~** cielo raso; **~ à caissons** techo artesonado **2.** *FIG* tope, límite: **prix ~** precio tope **3.** *(avion)* altura *f* máxima, techo **4.** *(vitesse maximale)* velocidad *f* máxima **5.** *FAM* **avoir une araignée au ~** andar mal de la azotea; **être bas de ~** ser poco inteligente, ser torpe; **sauter au ~** reaccionar con viveza.

**plafonner** *vt* techar, colocar un cielo raso a. ◇ *vi* **1.** *(avion)* volar a una altura máxima, alcanzar un techo de: **avion qui plafonne à 4000 m** avión que alcanza un techo de 4.000 m **2.** *(prix, salaires, etc.)* llegar al límite, al tope.

**plafonnier** *m (lampe)* plafón.

**plage** *f* **1.** *(rivage)* playa ◊ **robe, sandales de ~** vestido playero, sandalias playeras **2.** *(auto)* **~ arrière** bandeja posterior **3.** *(radio, télévision)* espacio *m*: **~ musicale** espacio musical **4. ~ horaire** franja horaria.

**plagiaire** *s* plagiario, a.

**plagiat** *m* plagio.

**plagier*** *vt* plagiar.

**plagiste** *m* el encargado de los equipamientos de una playa.

**plaid** [plɛd] *m* manta *f* de viaje.

**plaidant, e** *a JUR* litigante.

**plaider** *vi* **1.** pleitar, litigiar **2. ~ pour, en faveur de** abogar por, en favor de. ◇ *vt* **1.** defender: **avocat qui plaide une cause** abogado que defiende una causa **2. ~ le faux pour savoir le vrai** decir mentira para sacar verdad.

**plaideur, euse** *s* litigante.

**plaidoirie** *f* **1.** *JUR* alegato *m*, defensa **2.** *(art de plaider)* abogacía.

**plaidoyer** [plɛdwaje] *m JUR* alegato, defensa *f*.

**plaie** *f* **1.** llaga, herida ◊ *FIG* **mettre le doigt sur la ~** poner el dedo en la llaga; **retourner le fer dans la ~** renovar la herida; **ne rêver que plaies et bosses** gustarle la camorra **2.** *(fléau)* lacra, llaga **3.** *FAM* **quelle ~, ce gosse!** ¡qué pesadez de niño!

**plaignant, e** *s JUR* querellante, demandante.

**plain-chant** *m* canto llano.

**plaindre*** *vt* **1.** compadecer, sentir lástima por: **je plains ces pauvres gens** siento lástima por esa pobre gente; **je vous plains** le compadezco; **il n'est pas à ~** no hay por qué tenerle lástima **2. ne pas ~ sa peine** no regatear esfuerzos. ◆ **se ~** *vpr* quejarse, lamentarse: **je ne me plains pas** no me quejo; **il se plaint beaucoup** se queja mucho; **elle se plaignait qu'on ne faisait pas attention à elle** se quejaba de que no le hacían caso; **se ~ que la mariée est trop belle** → **marié.**

**plaine** *f* llanura, llano *m*.

**plain-pied (de)** *loc adv* al mismo nivel ◊ **être de ~ avec quelqu'un** tratarse de tú a tú con alguien.

**plainte** *f* **1.** *(gémissement)* gemido *m*, lamento *m* **2.** *(récrimination)* queja **3.** *JUR* denuncia, querella: **porter ~** querellarse, presentar una denuncia; **déposer une ~ contre...** presentar una querella contra...

**plaintif, ive** *a* quejumbroso, a, lastimero, a.

**plaire*** *vi* **1.** gustar, agradar: **ça me plaît** esto me gusta; **le film m'a beaucoup plu** la película me ha gustado mucho; **ça me plai-**

**rait de savoir...** me gustaría saber, me agradaría saber... **2. il travaille quand ça lui plaît** trabaja cuando le da la gana; **je fais ce qui me plaît** hago lo que me da la gana **3.** *(séduire)* seducir. ◇ *impers* **1.** gustar, placer: **comme il vous plaira** como le guste, como le plazca ◊ **plaise à Dieu...** quiera Dios..., ojalá... **2.** *loc adv* **s'il vous (te) plaît** por favor; **plaît-il?** ¿cómo?, ¿decía usted? ◆ **se ~** *vpr* **1.** estar a gusto, hallarse bien: **je me plais bien dans cet appartement** estoy muy a gusto en este piso **2. se ~ à** complacerse en; **il se plaît à dire...** le gusta decir...

**plaisamment** *adv* agradablemente.

**plaisance (de)** *loc a* de recreo: **bateau de ~** barco de recreo.

**plaisancier, ère** *s* navegante de recreo.

**plaisant, e** *a* **1.** *(agréable)* agradable **2.** *(drôle)* divertido, a. ◇ *m* **1. le ~** lo gracioso, lo chistoso **2. mauvais ~** bromista pesado.

**plaisanter** *vi* bromear, chancear ◊ **je ne suis pas d'humeur à ~** no estoy para bromas; **je ne plaisante pas** no lo digo en broma, va sin broma; **vous plaisantez?** ¿usted bromea?, ¿está usted de broma?, ¿va de broma?. ◇ *vt (railler)* burlarse de, tomar el pelo a.

**plaisanterie** *f* broma, chanza: **une ~ de mauvais goût** una broma de mal gusto; **mauvaise ~** broma pesada; **il ne comprend pas la ~** no admite bromas; **il tourne tout à la ~** lo echa todo a broma.

**plaisantin** *m* bromista, guasón.

**plaisir** *m* **1.** placer: **les plaisirs de la table** los placeres de la mesa **2.** *(satisfaction)* gusto, agrado, placer ◊ **avec ~** con gusto; **par ~** por gusto; **avoir beaucoup de ~ à** tener mucho gusto en; **nous avons le ~ de vous informer** tenemos el gusto de, nos complacemos en informarle; **prendre ~ à** complacerse en; *FAM* **au ~!** ¡hasta la vista!; **je vous souhaite bien du ~** tarea le mando **3. faire ~** agradar, dar gusto; **ta réussite m'a fait ~** tu éxito me ha dado mucho gusto; **faites-moi le ~ de...** hágame el favor de...; **il faisait ~ à voir avec son nouveau costume** daba gloria verle con su traje nuevo **4.** *(jouissance)* placer, goce **5. mener une vie de plaisirs** llevar una vida disipada **6.** *loc adv* **à ~** sin motivo, a capricho, porque sí.

**plaît → plaire.**

**¹plan, e** *a* plano, a. ◇ *m* **1.** *(surface plane)* plano: **~ incliné** plano inclinado ◊ **~ d'eau** espejo de agua; *(dans une cuisine)* **~ de travail** encimera *f*; **~ de cuisson** plano de cocción **2.** plano, término: **au premier ~** en primer término ◊ **un artiste de premier ~** un artista de primera línea; **sur le même ~** al mismo nivel **3.** aspecto: **sur tous les plans** en todos los aspectos ◊ **sur le ~ politique** desde el punto de vista político **4.** *(cinéma, photo)* plano: **gros ~** primer plano; **~ rapproché** plano detalle; **~ moyen** plano medio.

**²plan** *m* **1.** plano: **le ~ d'un bâtiment, d'une ville** el plano de un edificio, de una ciudad **2.** *(projet)* plan: **~ quinquennal** plan quinquenal; **plans de retraite** planes de jubilación ◊ **tirer des plans sur la comète → comète 3.** *FAM* **laisser en ~** dejar en suspenso, dejar plantado, a, abandonar **4.** *(en Belgique)* **tirer son ~** arreglárselas.

**planche** *f* **1.** *(en bois)* tabla ◊ **~ à dessin** tablero *m* de dibujo; **~ à laver, à repasser** tabla de lavar, de planchar; *FIG* **~ de salut** tabla de salvación; **faire la ~** hacer la plancha, hacer el muerto; *FAM* **elle est plate comme une ~ à pain → plat, e 2. ~ à voile** tabla de surf, tabla a vela; **faire de la ~** practicar windsurf; **~ à roulettes** tabla de ruedas **3.** *(gravure)* lámina **4.** *FAM* **faire marcher la ~ à billets** seguir una política inflacionista **5.** *(dans un jardin potager)* tabla, bancal *m*. ◇ *pl* **1.** *THÉÂT* tablas: **monter sur les planches** pisar las tablas ◊ **brûler les planches** actuar con pasión **2.** *(les skis)* tablas.

**¹plancher** *m* **1.** *(sol)* piso, suelo **2.** *FAM* **le ~ des vaches** la tierra firme; **débarrasser le ~** largarse, ahuecar el ala, pirárselas.

**²plancher** *vi FAM* trabajar mucho ◊ **~ sur un rapport** estudiar un informe a fondo.

**planchette** *f* tablilla, planchita.

**planchiste** *s* windsurfista.

**plancton** [plɑ̃ktɔ̃] *m* plancton.

**planer** *vi* **1.** *(les oiseaux)* cernerse **2.** *(un avion)* planear: **vol plané** vuelo planeado ◊ *FAM* **faire un vol ~** caerse **3.** *(par la pensée)* **~ sur** dominar **4.** *FIG* cernerse, pesar: **une menace plane sur le pays** una amenaza se cierne sobre el país **5.** *FAM (sous l'effet de la drogue)* volar, sentirse feliz.

**planétaire** *a* planetario, a.

**planétarium** [planetaʀjɔm] *m* planetarium.

**planète** *f* planeta *m*.

**planeur** *m* planeador.

**planification** *f* planificación.

**planifier*** *vt* planificar.

**planisphère** *m* planisferio.

**planning** [planiŋ] *m* **1.** planning, planificación *f* **2. ~ familial** control de la natalidad, planificación *f* familiar.

**planque** *f FAM* **1.** *(cachette)* escondite *m*, zulo *m* **2.** *(sinécure)* breva, chollo *m*.

**planquer** *vt FAM (cacher)* esconder. ◆ **se ~** *vpr FAM* esconderse, ponerse a cubierto.

**plant** *m* **1.** *(jeune plante)* plantón *m* **2.** *(terrain)* plantel, plantío.

**plantain** *m* llantén.

**plantaire** *a ANAT* plantear: **voûte ~** arco plantar.

**plantation** *f* plantación.

**¹plante** *f (du pied)* planta.

**²plante** *f* planta: **~ grimpante** planta trepadora; **~ d'appartement** planta de interior.

**planter** *vt* **1.** *(un végétal)* plantar **2. ~ un clou** clavar un clavo; **~ un pieu** hincar una estaca **3.** *(une tente)* montar, instalar **4.** *FAM* **~ là quelqu'un** dejar plantado a alguien; **ne reste pas planté là** no te quedes como un pasmarote. ◆ **se ~** *vpr* **1.** plantarse **2.** *FAM (se tromper)* equivocarse, *(échouer)* fracasar.

**planteur, euse** *s* plantador, a.

**plantigrade** *a/m ZOOL* plantígrado, a.

**plantoir** *m* plantador.

**planton** *m MIL* ordenanza.

**plantureusement** *adv* copiosamente.

**plantureux, euse** *a* **1. repas ~** comida copiosa, abundante **2.** *(sol)* fértil, feraz **3.** *(personne)* corpulento, a, rollizo, a **4. un poitrine plantureuse** un pecho opulento.

**plaquage** *m (rugby)* placage.

**plaque** *f* **1.** placa, chapa **2.** *(de blindage)* plancha **3.** *(d'égout)* tapa **4.** *(photographique)* placa **5.** *(portant une inscription)* placa: **~ d'immatriculation** placa de matrícula **6. ~ tournante** placa giratoria, *FIG* eje *m*, centro *m* **7. ~ de chocolat** tableta de chocolate **8.** *MÉD* placa **9.** *FAM* **être à côté de la ~** equivocarse.

**plaqué** *m* plaqué ◊ **~ or** chapado de oro.

**plaqueminier** *m* caqui.

**plaquer** *vt* **1.** *(coller)* pegar **2.** *(recouvrir de métal)* chapar, enchapar **3.** *(appuyer)* **~ contre le mur** pegar a la pared **4.** *(au rugby)* hacer un placaje a **5.** *FAM* plantar, dejar plantado, a: **elle a plaqué son ami** ha dejado plantado a su amigo.

**plaquette** *f* **1.** *(petite plaque)* chapita **2.** *(de frein)* pastilla **3.** *(petit livre)* librito *m*, folleto *m* **4.** *(sanguine)* plaqueta.

**plasma** *m BIOL PHYS* plasma.

**plastic** *m (explosif)* plástico, goma *f* dos, goma 2.

**plasticage, plastiquage** *m* atentado con plástico.

**plasticité** *f* plasticidad.

**plastifier** *vt* plastificar.

**plastiquage → plasticage.**

**plastique** *a* plástico, a: **matière ~** material plástico ◊ **chirurgie ~** cirugía estética. ◇ *f* plástica. ◇ *m* plástico: **sac en ~** bolso de plástico.

**plastiquer** *vt* volar con plástico.

**plastiqueur** *m* autor de un atentado con plástico.

**plastron** *m* **1.** *(d'escrimeur)* peto **2.** *(de chemise)* pechera *f.*

**plastronner** *vi* **1.** *(bomber le torse)* sacar el pecho **2.** *(parader)* darse importancia, pavonearse, fachendear.

**plasturgie** *f* plasturgia.

[1]**plat, e** *a* **1.** llano, a: **pays ~** país llano; **assiette plate** plato llano **2.** plano, a: **écran ~** pantalla plana; **pieds plats** pies planos; **chaussures plates** zapatos planos; **ventre ~** estómago plano **3. talons plats** tacones bajos **4. cheveux plats** pelo liso, lacio **5. poitrine plate** pecho liso ◊ *FAM* **elle est plate comme une limande, comme une planche à pain** está lisa, está planchada, no tiene pechos **6.** *(nez, bateau, etc.)* chato, a **7.** *(aplati)* aplastado, a ◊ *FIG* **avoir la bourse plate** estar sin blanca, no tener ni un real **8. eau plate** agua sin gas **9.** *FIG (fade)* insulso, a, soso, a **10.** obsequioso, a, vil **11. à ~** horizontalmente; **pneu à ~** neumático desinflado; **batterie à ~** batería descargada; *FIG* **je suis à ~** estoy hecho polvo; **mettre à ~** *(fatiguer)* rendir, cansar mucho, dejar sin fuerzas; **mettre, remettre à ~ une question** reexaminar, replantear detalladamente una cuestión; **une remise à ~** un nuevo examen detallado, un replanteo; **tomber à ~** fracasar, no tener éxito **12.** *loc adv* **à ~ ventre** de bruces. ◇ *m* **1.** parte *f* llana **2. le ~ de la main** la palma de la mano **3. 60 mètres ~** 60 metros lisos **4.** *(plongeon)* **faire un ~** dar una panzada **5.** *FAM* **faire du ~ à quelqu'un** dar coba a alguien.

[2]**plat** *m* **1.** *(pièce de vaisselle)* fuente *f* ◊ **œufs sur le ~ → œuf;** *FIG* **mettre les pieds dans le ~** meter la pata; **mettre les petits plats dans les grands** hacer las cosas por todo lo alto **2. ~ à barbe** bacía *f* **3.** *(mets)* plato: **un ~ de lentilles** un plato de lentejas; **~ garni** plato con guarnición ◊ **~ cuisiné** plato preparado **4.** *FAM* **faire tout un ~ de quelque chose** hacer un mundo de algo.

**platane** *m (arbre)* plátano.

**plat-bord** *m MAR* regala *f.*

**plateau** *m* **1.** *(pour le service)* bandeja *f* ◊ *FIG* **apporter sur un ~** servir en bandeja **2.** *(d'une balance)* platillo **3.** *(d'un tourne-disque)* plato **4.** *GÉOG* meseta *f* ◊ **haut ~** altiplanicie *f* (*AMÉR* altiplano); **~ continental** plataforma *f* continental **5.** *(cinéma, télévision)* plató, escenario **6.** *(wagon)* batea *f.*

**plate-bande** *f* arriate *m* ◊ *FAM* **marcher sur les plates-bandes de quelqu'un** entrometerse en los asuntos de alguien.

**platée** *f FAM* plato *m.*

**plate-forme, plateforme** *f* plataforma: **~ de forage** plataforma de perforación; **~ continentale** plataforma continental.

**platement** *adv* prosaicamente, sin elegancia.

**plateresque** *a/m* plateresco, a.

**platine** *m (métal)* platino. ◇ *f* **1.** *(de microscope)* platina **2.** *(d'un tourne-disque)* plato *m,* platina. ◇ *a inv* platino.

**platiner** *vt* **1.** platinar **2. blonde platinée** rubia platino **3.** *TECHN* **vis platinées** platinos *m,* contactos *m* del ruptor.

**platitude** *f* **1.** *(banalité)* banalidad, trivialidad **2.** *(bassesse)* bajeza.

**Platon** *np m* Platón.

**platonicien, enne** *a/s* platónico, a.

**platonique** *a* platónico, a.

**plâtrage** *m* enyesado.

**plâtras** *m* cascote.

**plâtre** *m* **1.** yeso **2. jambe dans le ~** pierna enyesada **3.** *FIG* **battre comme ~** moler a palos; **essuyer les plâtres** estrenar una casa, *FIG* sufrir los inconvenientes de algo.

**plâtrer** *vt* **1.** enyesar **2.** *(un membre fracturé)* escayolar, enyesar.

**plâtreux, euse** *a* yesoso, a.

**plâtrier** *m* yesero.

**plâtrière** *f* **1.** *(carrière)* yesar *m,* yesal *m* **2.** *(four)* yesería.

**plausible** *a* plausible.

**Plaute** *np m* Plauto.

**play-back** [plɛbak] *m inv* play-back: **chanter en ~** cantar en play-back.

**play-boy** [plɛbɔj] *m* playboy.

**plèbe** *f* plebe.

**plébéien, enne** *a/s* plebeyo, a.

**plébiscitaire** *a* plebiscitario, a.

**plébiscite** *m* plebiscito.

**plébisciter** *vt* plebiscitar.

**plectre** *m MUS* plectro.

**pléiade** *f* pléyade.

**plein, e** *a* **1.** lleno, a: **le verre est ~** el vaso está lleno; **~ à craquer, comme un œuf** lleno hasta los topes; **parler la bouche pleine** hablar con la boca llena; **jupe pleine de taches** falda llena de manchas **2.** repleto, a: **rue pleine de monde** calle repleta de gente **3.** *(total)* pleno, a: **pleins pouvoirs** plenos poderes **4. un mois ~** un mes entero **5.** *(porte, mur)* macizo, a **6. un visage ~** una cara llena **7. pleine lune** luna llena **8.** *(femelle)* preñada **9.** *FIG* **être ~ de soi-même** estar pagado de sí mismo; *FAM* **être ~ aux as** tener bien cubierto el riñón **10. à ~** totalmente; **à pleines mains** a manos llenas; **à ~ gosier** a voz de cuello; **à ~ temps** con plena dedicación; **en ~** en pleno; **en ~ hiver, en ~ jour** en pleno invierno, en pleno día; **en ~ soleil** en pleno sol; **en ~ centre de la ville** en pleno centro de la ciudad; **(en) ~ nord** al norte; **en ~ air** al aire libre; **en ~ travail** en pleno trabajo; **en ~ visage, en ~ dans la figure** en plena cara; **en ~ sur** justo en; **en ~ milieu de** justo en medio de. ◇ *m* **1. faire le ~ (d'essence)** llenar totalmente el depósito: **le ~, s'il vous plaît** lléneme el depósito, por favor **2.** *(d'une lettre)* trazo grueso **3.** *FIG* **battre son ~** estar en pleno apogeo. ◇ *adv/prép* **1. il a des bonbons ~ les poches** tiene los bolsillos llenos de caramelos **2.** *FIG* **avoir de l'argent ~ les poches** tener muchos turistas; **il y avait ~ de touristes** había mucho dinero **3.** *FAM* **il y avait ~ de touristes** había muchos turistas; **~ de choses** la mar de cosas, un rato de cosas **4.** *FAM* **il est mignon tout ~** es muy mono.

**pleinement** *adv* plenamente: **~ satisfait** plenamente satisfecho.

**plein-emploi** [plɛnɑ̃plwa] *m* pleno empleo.

**plénier, ère** *a* plenario, a.

**plénipotentiaire** *a/m* plenipotenciario, a.

**plénitude** *f* plenitud: **dans la ~ de ses facultés** en la plenitud de sus facultades.

**pléonasme** *m* pleonasmo.

**pléonastique** *a* pleonástico, a.

**plésiosaure** *m* plesiosauro.

**pléthore** *f* plétora.

**pléthorique** *a* pletórico, a.

**pleur** *m LITT* llanto, lloro. ◇ *pl* llantos, lágrimas *f* ◊ **être tout en pleurs** llorar a lágrima viva.

**pleural, e** *a* pleural.

**pleurant, e** *a* lloroso, a. ◇ *m* estatua *f* llorante.

**pleurard, e** *a/s FAM* llorón, ona.

**pleurer** *vi/t* **1.** llorar: **~ de joie** llorar de alegría; **~ la mort de...** llorar la muerte de... **2. triste à ~** muy triste.

**pleurésie** *f MÉD* pleuresía.

**pleurétique** *a/s MÉD* pleurético, a.

**pleureur, euse** *a* llorón, ona. ◇ *f (femme)* plañidera.

**pleurnichard, e → pleurnicheur.**

**pleurnicher** *vi FAM* lloriquear.

**pleurnicherie** *f FAM* lloriqueo *m.*

**pleurnicheur, euse** *a/s FAM* llorica, llorón, ona.

**pleurote** *m (champignon)* pleuroto.

**pleutre** *a/m* cobarde.

**pleutrerie** *f* cobardía, vileza.

**pleuvasser, pleuviner** *v impers* lloviznar.

**pleuvoir*** *v impers* llover: **il pleut à verse, à torrents** llueve a cántaros; **il ne pleut plus** ya no llueve; **il a plu tout l'après-midi** ha llovido, estuvo lloviendo toda la tarde.

**pleuvoter** *v impers* lloviznar.

**plèvre** *f ANAT* pleura.

**plexiglas** [plɛksiglas] *m (nom déposé)* plexiglás.

**plexus** [plɛksys] *m ANAT* plexo: **~ solaire** plexo solar.

**pli** *m* **1.** *(d'un papier, tissu, etc.)* pliegue **2. jupe à plis** falda de tablas **3.** *(du pantalon)* raya *f* **4.** *(ride, endroit froissé)* arruga *f* ◊ **faux ~** arruga *f* **5. mise en plis** marcado *m* **6.** *GÉOL* pliegue **7.** *(du terrain)* sinuosidad *f* **8.** *(enveloppe)* sobre; *(lettre)* pliego, carta *f* **9.** *FIG (habitude)* costumbre *f* **10.** *(aux cartes)* baza *f* **11.** *FAM* **ça ne fait pas un ~** no cabe duda.

**pliable** *a* plegable, flexible.

**pliage** *m* doblado, plegado.

**pliant, e** *a* plegable: **bicyclette pliante** bicicleta plegable. ◇ *m (siège)* silla *f* de tijera.

**plie** [pli] *f (poisson)* platija.

**plier*** *vt* **1.** *(serviette, feuille de papier, etc.)* plegar, doblar: **plie bien ta serviette** dobla bien la servilleta **2.** *(courber)* doblar **3.** *(une tente)* desmontar **4.** *FIG* **~ bagage** liar el petate **5.** *FIG (soumettre)* doblegar, someter **6.** *FAM* **être plié en deux** estar muerto de risa. ◇ *vi* **1.** *(fléchir)* doblarse, plegarse **2.** *FIG* ceder. ◆ **se ~** *vpr* **1.** doblarse **2. se ~ à** someterse a, doblegarse a.

**Pline** *np m* Plinio.

**plinthe** *f* rodapié *m,* zócalo *m.*

**plissage** *m* plisado.

**plissé** *m* plisado.

**plissement** *m* **1.** *GÉOL* pliegue **2.** *(froncement)* fruncimiento.

**plisser** *vt* **1.** plegar ◊ **jupe plissée** falda tableada **2. ~ le front** fruncir el ceño; **~ les yeux** entornar los ojos.

**pliure** *f* plegado *m.*

**ploiement** *m* doblamiento.

**plomb** *m* **1.** *(métal)* plomo: **des soldats de ~** soldaditos de plomo ◊ *FIG* **sommeil de ~** sueño pesado; **soleil de ~** sol de justicia, solazo; **n'avoir pas de ~ dans la tête** tener la cabeza llena de pájaros **2.** *(pour la pêche)* plomada *f* **3.** *(chasse)* perdigón ◊ *FIG* **avoir du ~ dans l'aile** hallarse en muy malas condiciones, llevar plomo en las alas **4.** *(de carabine à air comprimé)* balín **5. fil à ~** plomada *f* **6.** *(sceau)* márchamo **7.** *ÉLECT* plomo, fusible: **faire sauter les plombs** fundir los plomos; **les plombs ont sauté** se fundieron los plomos **8.** *loc adv* **à ~** a plomo.

**plombage** *m (d'une dent)* empaste.

**plombe** *f POP* hora.

**plomber** *vt* **1.** emplomar **2.** *(une dent)* empastar **3.** *(un colis)* precintar, marcharmar. ◆ **se ~** *vpr* tomar un color plomizo ◊ **ciel plombé** cielo plomizo.

**plomberie** *f* **1.** *(métier)* fontanería **2.** *(installation)* tubería.

**plombier** *m* fontanero.

**plombières** *f* helado *m* con frutas confitadas.

**plonge** *f FAM* fregado *m* de platos: **faire la ~** fregar los platos.

**plongeant, e** *a* **vue plongeante sur...** vista que se extiende por...; **décolleté ~** escote profundo.

**plongée** *f* **1.** inmersión ◊ **sous-marin en ~** submarino sumergido **2. ~ sous-marine** submarinismo *m* **3.** *(cinéma)* picado *m.*

**plongeoir** [plɔ̃ʒwar] *m* trampolín.

**plongeon** *m* **1.** zambullida *f* ◊ **faire un ~** zambullirse, saltar **2.** *FAM (révérence)* saludo, reverencia *f* **3.** *(au football)* estirada *f,* salto de cabeza **4.** *FAM* **faire le ~** *(échouer)* fracasar, *(faire faillite)* quebrar.

**plonger*** *vi* **1.** *(une personne)* zambullirse: **il plongea dans la piscine** se zambulló en la piscina **2.** *(un sous-marin)* sumergirse **3.** *(gardien de but)* tirarse **4.** *FIG* **la vue plonge sur la vallée** la vista domina el valle. ◇ *vt* **1.** *(submerger)* sumergir, hundir **2.** *(enfoncer)* meter, introducir, hundir **3.** *(un poignard)* clavar, hundir **4.** *FIG* **~ dans la tristesse** sumir en la tristeza. ◆ **se ~** *vpr* **1.** sumirse, abismarse, sumergirse: **plongé dans la douleur** sumido en el dolor; **plongé dans ses réflexions** sumido, inmerso en sus reflexiones **2. se ~ dans la lecture** enfrascarse en la lectura.

**plongeur, euse** *s* **1.** *(nageur)* saltador, a **2.** *(sous-marin)* submarinista **3.** *(dans un restaurant)* lavaplatos. ◇ *m (scaphandrier)* buzo.

**plot** [plo] *m ÉLECT* contacto.

**plouc** *a/s FAM* palurdo, a, paleto, a.

**plouf!** [pluf] *interj* ¡pluf!

**ploutocrate** *m* plutócrata.

**ploutocratie** *f* plutocracia.

**ploutocratique** *a* plutocrático, a.

**ployer*** [plwaje] *vi* **1.** doblegarse **2.** *FIG* doblegarse, someterse. ◇ *vt LITT* plegar, doblar.

**plu → plaire, pleuvoir.**

**pluie** *f* lluvia: **~ battante** lluvia diluviana ◊ **~ fine** llovizna; **les pluies acides** la lluvia ácida; *FIG* **ennuyeux comme la ~** muy pesado; **une ~ de projectiles** una lluvia de proyectiles; **faire la ~ et le beau temps** llevar la voz cantante, cortar el bacalao, hacer y deshacer; **parler de la ~ et du beau temps** hablar de cosas sin importancia; *FAM* **il n'est pas né de la dernière ~** no es ningún crío; *PROV* **après la ~ le beau temps** después de la tempestad viene la calma.

**plumage** *m* plumaje.

**plumard** *m POP* piltra *f,* catre.

**plume** *f* **1.** pluma ◊ *FAM* **voler dans les plumes de quelqu'un** arremeter contra alguien; **y laisser des plumes** salir perjudicado, a **2.** *(pour écrire, dessiner)* pluma, plumilla: **dessin à la ~** dibujo a pluma ◊ *FIG* **prendre la ~** tomar la pluma, ponerse a escribir; **d'un trait de ~** de un plumazo **3.** *(d'un stylo)* plumilla. ◇ *m POP* **→ plumard.**

**plumeau** *m* plumero.

**plumer** *vt* **1.** *(un oiseau)* desplumar, descañonar: **~ un poulet** descañonar un pollo **2.** *FAM (voler)* desplumar, cepillar: **je me suis laissé ~** me han desplumado.

**plumet** *m* penacho.

**plumier** *m* plumier.
► Gallicisme usuel.

**plumitif** *m FAM* plumífero, escribiente.

**plupart (la)** *f* la mayor parte, la mayoría ◊ **la ~ du temps** la mayoría de las veces, las más de las veces; **la ~ d'entre eux** la mayoría de ellos; **dans la ~ des cas** en la mayoría de los casos; **pour la ~** en su mayoría.

**plural, e** *a* plural.

**pluralisme** *m* pluralismo.

**pluraliste** *a* pluralista.

**pluralité** *f* pluralidad.

**pluricellulaire** *a BIOL* pluricelular.

**pluridisciplinaire** *a* pluridisciplinario, a.

**pluriel** *m GRAM* plural: **mettre au ~** poner en plural.

**plurilingue** *a* plurilingüe.

**plurinational, e** *a* plurinacional.

[1]**plus** [ply, plys, plyz] *adv* **1.** más: **elle est ~ jeune que lui** es más joven que él; **deux fois ~** dos veces más; **elle a ~ de 30 ans** tiene más de 30 años; **la voiture la ~ rapide** el coche más rápido; **les choses les ~ variées** las cosas más diversas; **c'est ~ compliqué que tu ne l'imagines** es más complicado de lo que te figuras; **il est ~ jeune qu'il ne paraît** es más joven de lo que parece; **une somme ~ que suffisante** una cantidad más que suficiente; **une plaisanterie des ~ drôles** una broma de lo más divertida **2. de ~** más: **une fois de ~** una vez más; **rien de ~** nada más; **elle a un an de ~ que lui** tiene un año más que él; **que peut-on souhaiter de ~?** ¿qué más se puede desear?; **que voulez-vous que je vous dise de ~?** ¿qué más quiere que le diga? **3.** *loc adv* **au ~, tout au ~** a lo más, a lo sumo, cuando más, a todo tirar; **bien ~** más aún; **de ~ en ~** cada vez más; **de ~, en ~** además, encima: **et de ~ tu te plains** y encima te quejas; **encore ~** todavía más; **ni ~ ni moins** ni más ni menos; **on ne peut ~** sumamente: **on ne peut ~ drôle** sumamente divertido, de lo más divertido que hay; **qui ~ est** además, más aún, por añadidura; **~ ou moins** más o menos; **sans ~** sin más **4.** *(négation)* **ne... ~** ya no, no... más: **je n'ai ~ faim** ya no tengo hambre; **ce n'était ~ comme avant** ya no era como antes ◊ **non ~** tampoco; **~ jamais** nunca más; **~ maintenant** ya no **5. ~ il a d'argent, ~ il dépense** cuanto más dinero tiene, (tanto) más gasta; **~ ... moins** cuanto más... menos. ◇ *m* **1. le ~** lo más **2.** *(signe mathématique)* más.

▶ *Plus* se pronuncia [plyz] delante de una vocal, [plys] al final de una frase o al contar.

[2]**plus** → **plaire.**

**plusieurs** *a/pron* **1.** varios, as, diversos, as: **~ fois** varias veces; **à ~ reprises** en varias ocasiones **2.** *(quelques)* algunos, as.

**plus-que-parfait** [plyskəparfɛ] *m GRAM* pluscuamperfecto.

**plus-value** [plyvaly] *f* plusvalía.

**plut, plût** → **plaire, pleuvoir.**

**Plutarque** *np m* Plutarco.

**Pluton** *np m* Plutón.

**plutonium** [plytɔnjɔm] *m* plutonio: **~ enrichi** plutonio enriquecido.

**plutôt** *adv* **1.** más bien: **je suis ~ contrarié** estoy más bien contrariado; **mais ~** sino más bien **2.** *(pour être plus précis)* mejor dicho **3. ~ que de te plaindre...** antes que quejarte...; **~ mourir que de se soumettre** antes morir que someterse; **tout ~ que de céder** todo antes que ceder **4.** *FAM (très)* muy, un rato: **elle est ~ bien** es un rato bien.

**pluvial, e** *a* pluvial.

**pluvier** *m* chorlito.

**pluvieux, euse** *a* lluvioso, a.

**pluviner** → **pleuvasser.**

**pluviomètre** *m* pluviómetro.

**pluviôse** *m* pluvioso.

**pluviosité** *f* pluviosidad.

**pneu** *m* **1.** neumático: **~ à plat** neumático desinflado; **gonfler un ~** inflar un neumático **2.** carta *f* expedida mediante tubos de aire comprimido.

▶ Pas d'abréviation en espagnol du mot *neumático.*

**pneumatique** *a* neumático, a: **canot ~** bote neumático. ◇ *m (pneu)* neumático.

**pneumocoque** *m* neumococo.

**pneumologue** *s* neumólogo, a.

**pneumonie** *f MÉD* neumonía, pulmonía.

**pneumothorax** *m* neumotórax.

**pochade** *f* boceto *m*, bosquejo *m*.

**pochard, e** *s FAM* borrachín, ina.

**poche** *f* **1.** *(de vêtement)* bolsillo *m*: **les mains dans les poches** con las manos en los bolsillos; **cent francs en ~** cien francos en el bolsillo; **avec un contrat en ~** con un contrato en el bolsillo ◊ **livre de ~** libro de bolsillo; **argent de ~** dinero para gastos menudos; *FIG* **mettre quelqu'un dans sa ~** meterse a alguien en el bolsillo; **j'en suis de ma ~** tuve que pagarlo todo; **se remplir les poches** llenarse los bolsillos, forrarse; **je connais le quartier comme ma ~** conozco el barrio palmo a palmo, a fondo; **ne pas avoir la langue dans sa ~** no tener pelos en la lengua; **ne pas avoir les yeux dans sa ~** ser muy perspicaz **2.** *(faux pli)* bolsa **3. avoir des poches sous les yeux** tener bolsas debajo de los ojos **4.** *(d'eau, de gaz, de pus, etc.)* bolsa **5.** *(de papier, plastique)* bolsa **5.** *FIG* **~ de pauvreté** bolsa de miseria. ◇ *m (livre)* libro de bolsillo.

**pocher** *vt* **1.** *(un œuf)* escalfar: **œuf poché** huevo escalfado **2. ~ un œil à quelqu'un** poner a alguien un ojo en funerala.

**pochette** *f* **1.** *(mouchoir)* pañuelo *m* **2.** *(enveloppe)* sobre *m* **3. ~ d'allumettes** carterilla de cerillas **4.** *(de disque)* funda **5.** *(en cuir)* bolso *m*.

**pochoir** *m* plantilla *f*.

**podium** [pɔdjɔm] *m* **1.** podio: **monter sur le ~** subir al podio **2.** *(pour présentation de mannequins)* pasarela *f*.

**podologue** *s* podólogo, a.

[1]**poêle** [pwal] *m* estufa *f*: **un ~ à charbon, à bois** una estufa de carbón, de leña.

[2]**poêle** *f (à frire)* sartén ◊ *FIG* **tenir la queue de la ~** tener la sartén por el mango.

[3]**poêle** *m (du cercueil)* paño mortuorio.

**poêlon** *m* cazo.

**poème** *m* **1.** poema **2.** *FAM* **ç'a été tout un ~, un vrai ~** ha sido todo un poema.

**poésie** *f* poesía.

**poète** *a/m* poeta.

**poétesse** *f* poetisa.

**poétique** *a* poético, a.

**poétiser** *vt* poetizar.

**pogne** *f POP* manaza, pala.

**pognon** *m POP* parné, pasta *f*, guita *f*.

**pogrom, pogrome** *m* pogromo.

**poids** [pwa(ɑ)] *m* **1.** peso: **~ brut, net** peso bruto, neto; **vendre au ~** vender a peso ◊ *FIG* **avoir deux ~ deux mesures** practicar la ley del embudo, ser parcial; **ne pas faire le ~** no dar la talla **2. prendre du ~** engordar; **perdre du ~** adelgazar **3.** *(pour peser, d'une horloge)* pesa *f* **4.** *(boxe)* **~ plume, moyen** peso pluma, medio **5.** *(sports)* **lancer du ~** lanzamiento de peso **6. ~ lourd** camión.

**poignant, e** *a* punzante, desgarrador, a.

**poignard** *m* puñal ◊ **coup de ~** puñalada *f*.

**poignarder** *vt* apuñalar.

**poigne** *f* **1.** fuerza en las manos, en los puños **2.** *FAM* **un homme à ~** un hombre enérgico.

**poignée** *f* **1.** puñado *m*: **une ~ de grains** un puñado de granos ◊ **à, par poignées** a puñados **2. ~ de main** apretón *m* de manos **3.** *(de valise, couvercle)* asa **4.** *(de porte)* picaporte *m* **5.** *(d'une arme, etc.)* puño *m*, empuñadura **6.** *FIG (petit nombre de personnes)* puñado *m* **7.** *FAM* **poignées d'amour** michelines *m*.

**poignet** *m* **1.** muñeca *f* ◊ **à la force du ~** a pulso **2.** *(d'une chemise)* puño.

**poil** *m* **1.** pelo ◊ *FAM* **avoir un ~ dans la main** ser un vago, ser más vago que la chaqueta de un guardia; **n'avoir plus un ~ de**

**sec** estar empapado en sudor; **à un ~ près** por un pelo; **un ~ plus gros** un poquitín más gordo; **de tout ~** de todo pelaje; **être de bon ~** estar de buenas; **être de mauvais ~** estar de mal café, de mala uva; **reprendre du ~ de la bête** recuperarse **2.** *FAM* **à ~** en cueros, en pelotas; **se mettre à ~** ponerse en cueros **3.** *FAM* **au ~!** ¡macanudo!, ¡muy bien! **4.** *(d'une brosse, etc.)* cerda *f* **5. ~ à gratter** picapica *f.*

**poilant, e** *a POP* la monda, desternillante, divertidísimo, a.

**poiler (se)** *vpr POP* mondarse de risa, troncharse de risa.

**poilu, e** *a* peludo, a, velludo, a. ◇ *m* soldado de la guerra de 1914-1918.

**poinçon** *m* **1.** *(outil)* punzón **2.** *(marque)* sello de contraste.

**poinçonnage** *m* **1.** *(de l'or, de l'argent)* contraste, marca *f* **2.** *(d'un billet)* picado.

**poinçonner** *vt* **1.** *(or, argent)* contrastar **2.** *(un billet)* picar, perforar.

**poindre*** *vi* **1.** rayar, despuntar: **le jour point** raya el día **2.** *(les plantes)* brotar.

**poing** *m* **1.** puño ◊ **coup de ~** puñetazo; **revolver au ~** revólver en mano **2. pieds et poings liés** atado de pies y manos; **dormir à poings fermés** dormir a pierna suelta; **les poings sur les hanches** en jarras.

**¹point** *m* **1.** punto: **~ à la ligne** punto y aparte; **deux points** dos puntos; **points de suspension** puntos suspensivos; **~ final** punto final; **~ d'exclamation, d'interrogation → exclamation, interrogation** ◊ *FIG* **mettre les points sur les i** poner los puntos sobre las íes; **un ~ c'est tout** y sanseacabó, y punto **2. ~ de départ** punto de partida, de arranque **3. ~ de vue** punto de vista: **du ~ de vue de...** desde el punto de vista de...; *(panorama)* vista *f,* mirador **4. faire le ~** *(bateau)* determinar la posición, *FIG (dans une affaire)* hacer el balance, recapitular; **mettre au ~** *(mécanisme, projet)* poner a punto, *(photo)* enfocar; **mise au ~** *(mécanisme)* puesta a punto, último toque *m, FIG* puntualización, *(photo)* enfoque *m* **5.** *(degré)* punto, grado; **jusqu'à un certain ~** hasta cierto punto; **au plus haut ~** en sumo grado; **être au ~ mort** estar en un punto muerto ◊ **au ~ où en sont les choses** tal como están las cosas; **je ne suis pas fatigué au ~ d'aller me coucher** no estoy tan cansado como para ir a acostarme **6. être mal en ~** estar malucho, a **7. au ~ du jour** al amanecer **8. ~ de côté** punzada *f* en el costado; **~ de mire, de repère → mire, repère 9.** *FIG* **~ chaud** punto álgido; **~ faible** punto flaco, punto débil; **~ noir** punto negro, *(comédon)* espinilla *f* **10.** *(notation)* punto, tanto ◊ *FIG* **marquer un ~** apuntarse un tanto a su favor; *(boxe)* **victoire aux points** victoria por puntos; **bon ~** vale **11.** *(couture)* punto, puntada *f:* **faire un ~ à une jupe** dar puntadas a una falda **12.** *loc adv* **à ~ (nommé)** a punto; **cuit à ~** cocido en su punto; **en tous points** de todo punto, absolutamente **13.** *loc prép* **sur le ~ de** a punto de, próximo a: **il est sur le ~ de partir** está a punto de salir **14.** *loc conj* **à tel ~ que...** hasta tal punto que...

**²point** *adv* no: **il ne veut ~** no quiere ◊ **~ du tout** en absoluto; **~ n'est besoin de...** no hace falta...

**pointage** *m* **1.** *(d'une arme)* puntería *f* **2.** *(sports)* tanteo **3.** *(usine, bureau)* control de entrada y salida.

**pointe** *f* **1.** *(extrémité)* punta ◊ **en ~** en punta; **col en ~** cuello en pico; **sur la ~ des pieds** de puntillas; **faire des pointes** bailar de puntillas **2.** *(clou)* punta, clavo *m* **3.** *(de graveur)* buril *m,* aguja, punta seca ◊ **une ~ sèche** un grabado a la punta seca **4.** *GÉOG* punta **5. une ~ de** una pizca de; **une ~ d'ironie** un asomo de ironía **6. pousser une ~ jusqu'à** llegar hasta **7. être à la ~ de** estar a la vanguardia de; **industrie de ~** industria de vanguardia; **technologies de ~** tecnologías punta; **secteur de ~** sector punta; **heures de ~** horas punta; **vitesse de ~** velocidad punta, máxima.

**¹pointeau** *m TECHN* **1.** punzón **2.** *(de carburateur)* aguja *f.*

**²pointeau** *m (contrôleur)* listero.

**¹pointer** *vt* **1.** *(sur une liste)* puntear, marcar, apuntar **2.** *(diriger)* dirigir **3.** *(braquer)* enfilar **4. ~ son fusil sur** apuntar con la escopeta a **5.** *(ouvriers, employés)* fichar **6.** *MUS* poner puntillo a. ◇ *vi* **1.** *(s'élever)* alzarse, elevarse **2.** *(commencer à pousser)* apuntar, empezar a salir **3.** *(ouvriers, employés)* fichar. ◆ **se ~** *vpr FAM (arriver)* llegar, descolgarse.

**²pointer** [pwɛ̃tœʀ] *m (chien)* perro de muestra inglés.

**pointeur** *m* **1.** artillero apuntador **2.** *(contrôleur)* listero.

**pointeuse** *f* máquina de fichar, reloj *m* de fichar.

**pointillé** *m* **1.** línea *f* de puntos: **plier suivant le ~** doblar por la línea de puntos **2.** *(en art)* punteado.

**pointilleux, euse** *a* quisquilloso, a, puntilloso, a.

**pointillisme** *m* puntillismo.

**pointilliste** *a/s* puntillista.

**pointu, e** *a* **1.** puntiagudo, a **2.** *(voix)* agudo, a **3.** *FIG* muy especializado, a; muy sutil.

**pointure** *f (des chaussures)* número *m,* medida: **je peux essayer une ~ au-dessus?** ¿puedo probarme un número más grande?

**point-virgule** *m* punto y coma.

**poire** *f* **1.** pera: **~ fondante** pera de agua ◊ *FIG* **couper la ~ en deux** partir la diferencia; **garder une ~ pour la soif** ahorrar algo para después **2. ~ électrique** perilla eléctrica **3.** *FAM (figure)* jeta, cara, rostro *m:* **en pleine ~** en plena cara **4.** *FAM (naïf)* primo *m:* **quelle ~!** ¡vaya primo!

**poireau** *m* **1.** puerro **2.** *FAM* **faire le ~** estar de plantón.

**poireauter** *vi FAM* estar de plantón.

**poirier** *m* **1.** *(arbre)* peral. **2. faire le ~** hacer el pino.

**pois** *m* **1.** guisante: **petits ~** guisantes; **~ de senteur** guisante de olor ◊ **~ mange-tout** tirabeque **2. ~ chiche** garbanzo **3.** lunar: **cravate à ~** corbata de lunares.

**poison** *m* **1.** veneno, ponzoña *f* **2.** *FAM (personne)* peste *f.*

**poissarde** *f* verdulera, pescadera.

**poisse** *f FAM* mala pata: **quelle ~!** ¡qué mala pata! ◊ **avoir la ~** tener la negra; **porter la ~** ser gafe, gafar; **ça porte la ~** esto trae mala suerte.

**poisser** *vt (les mains, etc.)* dejar pegajoso, a a.

**poisseux, euse** *a (collant)* pegajoso, a.

**poisson** *m* **1.** *(vivant)* pez: **poissons rouges** peces de colores; **~-chat** siluro; **~-scie** pez espada; **~ volant** pez volador ◊ *FIG* **comme un ~ dans l'eau** como (el) pez en el agua; **noyer le ~ → noyer 2.** *(pêché et comestible)* pescado: **soupe de ~** sopa de pescado; **~ frit** pescado frito **3. ~ d'avril** inocentada *f,* broma *f* (del primero de abril) **4.** *FIG* **faire une queue de ~** cerrar: **il m'a fait une queue de ~** me ha cerrado; **finir en queue de ~** quedar en agua de borrajas **5.** *ASTR* **être des Poissons** ser de Piscis.

**poissonnerie** *f* pescadería.

**poissonneux, euse** *a* abundante en peces.

**poissonnier, ère** *s* pescadero, a.

**poitevin, e** *a/s* del Poitou, de Poitiers.

**poitrail** *m (du cheval)* pecho.

**poitrinaire** *a/s ANC* tísico, a.

**poitrine** *f* **1.** pecho *m* **2.** *(de la femme)* pecho *m:* **une jolie ~** un pecho bonito; **une grosse ~** un pecho grande; **~ plate** pecho plano; **une ~ forte** pechos generosos **3.** *(boucherie)* pecho *m,* costillar *m* ◊ **~ fumée** panceta ahumada.

**poivre** *m* **1.** pimienta *f* **2. cheveux ~ et sel** cabello entrecano.

**poivré, e** *a* picante.

**poivrer** *vt* sazonar con pimienta.

**poivrier** *m* pimentero.

**poivrière** *f* **1.** *(boîte)* pimentero *m* **2.** *(tourelle)* garita (en el ángulo de un bastión).

**poivron** *m* pimiento: **~ farci** pimiento relleno.

**poivrot, e** *s FAM* borrachín, ina.

**poix** *f* pez.

**poker** [pɔkɛʀ] *m* póker, póquer: **~ d'as** póker de ases.

**polaire** *a* polar: **étoile Polaire** estrella Polar; **les régions polaires** las regiones polares; **cercle ~** círculo polar.

**polar** *m* FAM novela *f* policíaca.

**polarisation** *f* polarización.

**polariser** *vt* polarizar. ◆ **se ~** *vpr* polarizarse.

**polder** [pɔldɛʀ] *m* pólder.

**pôle** *m* **1.** polo: **~ Nord, Sud** polo Norte, Sur **2.** *(d'un aimant, d'une pile)* polo **3.** FIG **~ d'intérêt** centro de interés.

**polémique** *a* polémico, a. ◇ *f* polémica.

**polémiquer** *vi* polemizar.

**polémiste** *s* polemista.

**polenta** *f* polenta.

[1]**poli, e** *a* **1.** *(lisse)* liso, a, pulido, a **2.** pulimentado, a: **l'âge de la pierre polie** la edad de la piedra pulimentada. ◇ *m* tersura *f*, pulimento.

[2]**poli, e** *a* cortés, bien educado, a: **un enfant ~** un niño bien educado.

[1]**police** *f* policía: **~ de la route** policía de tráfico; **~ judiciaire** policía judicial; **~ secrète** policía secreta; **commissaire de ~** comisario de policía ◊ **~ secours** servicio urgente de policía.

[2]**police** *f* póliza: **~ d'assurance** póliza de seguros.

**policer*** *vt* civilizar.

**polichinelle** *m* **1.** polichinela **2. secret de ~** secreto a voces.

**policier, ère** *a* **1.** policíaco, a, policial: **mesures policières** medidas policiales ◊ **chien ~** perro policía **2. roman ~** novela policíaca. ◇ *m* policía: **un ~** un policía.

**policlinique** *f* policlínica.

**poliment** *adv* cortésmente.

**polio(myélite)** *f* MÉD poliomielitis, polio.

**poliomyélitique** *a/s* poliomielítico, a.

**polir** *vt* **1.** pulir, pulimentar, *(surtout un métal)* bruñir **2.** FIG pulir.

**polissage** *m* pulimento, bruñido.

**polisson, onne** *s* bribonzuelo, a. ◇ *a* **1.** *(espiègle)* pícaro, a **2.** *(grivois)* verde, licencioso, a.

**polissonnerie** *f* **1.** diablura, travesura, pillería **2.** indecencia.

**politesse** *f* **1.** *(courtoisie)* cortesía, urbanidad ◊ **par ~** por cumplir, por cumplido; **visite de ~** visita de cumplido **2.** *(action, parole)* delicadeza, cumplido *m*, atención **3. brûler la ~ à** dejar plantado a.

**politicaillerie** *f* PÉJOR politiqueo *m*, politiquería.

**politicard** *m* PÉJOR politicastro.

**politicien, enne** *s* **1.** político, a **2.** PÉJOR politicastro, a. ◇ *a* **politique politicienne** política oportunista.

**politique** *a/m* político, a: **parti ~** partido político ◊ **un homme ~** un político. ◇ *f* política: **~ extérieure, étrangère** política exterior; **faire de la ~** dedicarse a la política.

**politiquement** *adv* políticamente: **~ correct** políticamente correcto.

**politisation** *f* politización.

**politiser** *vt* politizar.

**politologue** *s* politólogo, a, comentarista político.

**polka** *f* polca.

**pollen** [pɔlɛn] *m* BOT polen.

**pollinisation** *f* polinización.

**polluant, e** *a/m* contaminante.

**polluer** *vt* contaminar: **air pollué** aire contaminado; **eau polluée** agua contaminada.

**pollueur, euse** *a* contaminador, a.

**pollution** *f* contaminación, polución: **~ atmosphérique** contaminación atmosférica; **~ sonore** contaminación sonora.

**Pollux** *np m* Pólux.

**polo** *m* *(sport, chemise)* polo.

**polochon** *m* FAM almohada *f*.

**Pologne** *np f* Polonia.

**polonais, e** *a/s* polaco, a. ◇ *f* MUS polonesa.

**poltron, onne** *a/s* cobarde.

**poltronnerie** *f* cobardía.

**polyamide** *m* poliamida *f*.

**polyandrie** *f* poliandria.

**polychrome** *a* policromo, a.

**polychromie** *f* policromía.

**polyclinique** *f* policlínica.

**polycopié** *m* copia *f* hecha con una multicopista.

**polycopier*** *vt* multicopiar.

**polyculture** *f* policultivo *m*.

**polyèdre** *m* GÉOM poliedro.

**polyester** *m* poliéster.

**polygame** *a/m* polígamo, a.

**polygamie** *f* poligamia.

**polyglotte** *a/s* polígloto, a.

**polygonal, e** *a* poligonal.

**polygone** *m* GÉOM polígono.

**polymère** *m* CHIM polímero.

**polymérisation** *f* CHIM polimerización.

**polymériser** *vt* CHIM polimerizar.

**polymorphe** *a* polimorfo, a.

**polymorphisme** *m* polimorfismo.

**Polynésie** *np f* Polinesia.

**polynésien, enne** *a/s* polinesio, a.

**polynôme** *m* MATH polinomio.

**polype** *m* ZOOL MÉD pólipo.

**polyphonie** *f* MUS polifonía.

**polyphonique** *a* polifónico, a.

**polypier** *m* polipero.

**polyptique** *m* políptico.

**polysémie** *f* polisemia.

**polystyrène** *m* poliestireno.

**polysyllabe** *a/s* polisílabo, a.

**polytechnicien, enne** *s* alumno, a de la Escuela Politécnica.

**polytechnique** *a* politécnico, a.

**polythéisme** *m* politeísmo.

**polythéiste** *a/s* politeísta.

**polytransfusé,e** *a/s* MÉD politransfundido, a.

**polyuréthanne, polyuréthane** *m* poliuretano.

**polyurie** *f* MÉD poliuria.

**polyvalent, e** *a* polivalente.

**pomélo** *m* pomelo.

**Poméranie** *np f* Pomerania.

**pommade** *f* **1.** pomada **2.** *FIG* **passer de la ~ à quelqu'un** dar coba a alguien.

**pommader** *vt* untar con pomada.

**pomme** *f* **1.** *(fruit)* manzana: **tarte aux pommes** tarta de manzanas ◊ *FAM* **il est tombé dans les pommes** le ha dado un soponcio, un patatús; **elle est haute comme trois pommes** no levanta un palmo del suelo, mide una cuarta; *FIG* **~ de discorde → discorde 2. ~ de terre** patata (*AMÉR* papa) : **purée de pommes de terre** puré de patatas; **pommes (de terre) sautées** patatas salteadas; **pommes frites** patatas fritas **3. ~ de pin** piña **4. ~ d'Adam** nuez **5.** *(de chou, de salade)* repollo *m* **6. ~ d'arrosoir** alcachofa de regadera **7.** *FAM* **ma ~** mi menda; **aux pommes** muy bien, de rechupete.

**pommé, e** *a* repolludo, a.

**pommeau** *m* **1.** *(d'une épée, d'un sabre)* pomo, empuñadura *f* **2.** *(de la selle)* perilla *f*.

**pomme de terre → pomme.**

**pommelé, e** *a* **1. ciel ~** cielo aborregado **2.** *(cheval)* tordo, a.

**pommeler* (se)** *vpr (le ciel)* aborregarse.

**pommeraie** *f* manzanar *m*.

**pommette** *f* pómulo *m*: **pommettes saillantes** pómulos salientes.

**pommier** *m* manzano.

**pompage** *m* bombeo: **station de ~** estación de bombeo.

**¹pompe** *f* **1.** *(apparat)* pompa, fausto *m*: **en grande ~** con gran pompa, por todo lo alto **2. pompes funèbres** pompas fúnebres.

**²pompe** *f* **1.** bomba: **~ foulante** bomba impelente; **~ à incendie** bomba de incendios **2. ~ à essence** surtidor *m* de gasolina **3.** *FAM* **à toute ~** a toda mecha; **avoir le, un coup de ~** sentirse repentinamente cansado **4.** *FAM* **faire des pompes** dar barrigazos en el suelo. ◇ *pl POP (chaussures)* zapatos *m* ◊ **être à côté de ses pompes** ir despistado, estar en la higuera.

**Pompée** *np m* Pompeyo.

**Pompéi** [pɔ̃pei] *np* Pompeya.

**pompéien, enne** *a/s* pompeyano, a.

**pomper** *vt* **1.** *(puiser)* aspirar mediante una boma **2.** *FAM (fatiguer)* dejar molido, a, reventado, a: **je suis pompé** estoy reventado, hecho polvo **3.** *POP (boire)* pimplar, trasegar, absorber **4.** *FAM* **~ l'air à quelqu'un** fastidiar, marear a alguien **5.** *FAM (copier)* copiar.

**pompette** *a FAM* achispado, a.

**pompeusement** *adv* pomposamente.

**pompeux, euse** *a* pomposo, a.

**pompier** *m* bombero. ◇ *a FAM* académico, a, «pompier».

**pompiste** *m* empleado de gasolinera.

**pompon** *m* **1.** borla *f* ◊ *FAM* **avoir le ~** llevarse la palma; **c'est le ~!** ¡es el colmo! **2. rose ~** rosa de pitiminí.

**pomponner** *vt* emperejilar, emperifollar. ◆ **se ~** *vpr* emperejilarse, emperifollarse, acicalarse.

**ponant** *m* poniente.

**ponçage** *m* pulido.

**ponce** *a/f* **pierre ~** piedra pómez.

**ponceau** *a inv* de color punzó.

**Ponce Pilate → Pilate.**

**poncer*** *vt* **1.** pulir, alisar **2.** *(un dessin)* estarcir.

**ponceuse** *f* pulidora.

**poncho** *m* poncho.

**poncif** *m* tópico, lugar común.

**ponction** *f MÉD* punción: **~ lombaire** punción lumbar.

**ponctionner** *vt* puncionar.

**ponctualité** *f* puntualidad.

**ponctuation** *f* puntuación.

**ponctuel, elle** *a* puntual.

**ponctuellement** *adv* puntualmente.

**ponctuer** *vt* **1.** puntuar **2.** *FIG* **~ son discours de...** acompañar su discurso con...

**pondérable** *a* ponderable.

**pondération** *f* ponderación, equilibrio *m*.

**pondéré, e** *a* ponderado, a, equilibrado, a.

**pondérer*** *vt* ponderar, equilibrar.

**pondéreux, euse** *a* pesado, a.

**pondeuse** *a/f* **poule ~** gallina ponedora.

**pondoir** *m* nidal, ponedero.

**pondre*** *vt* **1. ~ un œuf** poner un huevo **2.** *FAM* parir, escribir: **il a pondu un nouveau roman** ha escrito una nueva novela.

**poney** [pɔnɛ] *m* poney, poni.

**pongiste** *s* jugador, a de tenis de mesa.

**pont** *m* **1.** puente: **~ suspendu, tournant, transbordeur** puente colgante, giratorio, transbordador **2. Ponts et Chaussées** Dirección General de Caminos, Canales y Puertos; **ingénieur des Ponts** ingeniero de Caminos **3.** *(auto)* **~ arrière** puente trasero **4. faire le ~** hacer puente; **le ~ du 1ᵉʳ mai** el puente del 1.° de mayo **5. ~ aérien** puente aéreo **6.** *MIL* **tête de ~** cabeza de puente **7.** *MAR* cubierta *f* **8.** *FIG* **il a coupé les ponts avec...** ya no se habla con...; **couper les ponts derrière soi** quemar las naves; **il a coulé beaucoup d'eau sous les ponts depuis...** ha llovido mucho desde...; **faire un ~ d'or à quelqu'un** ofrecer mucho dinero a alguien.

**pontage** *m MÉD* **~ coronarien** by-pass coronario.

**¹ponte** *f* **1.** *(d'un œuf)* puesta.

**²ponte** *m* **1.** *(jeu)* punto **2.** *FAM (personnage important)* mandamás.

**ponter** *vi* hacer una puesta.

**pontife** *m* pontífice: **le souverain ~** el sumo pontífice.

**pontifiant, e** *a* pedante, sentencioso, a.

**pontifical, e** *a* pontifical.

**pontificat** *m* pontificado.

**pontifier*** *vi* pontificar.

**pont-l'évêque** *m inv* queso de Normandía.

**pont-levis** *m* puente levadizo.

**ponton** *m MAR* pontón.

**pontonnier** *m MIL* pontonero.

**pool** [pul] *m* pool.

**pop** [pɔp] *a inv* pop: **musique ~** música pop.

**pop-corn** [pɔpkɔʀn] *m inv* palomita *f* (de maíz).

**pope** *m* pope.

**popeline** *f* popelín *m*, popelina.

**popote** *f FAM* **faire la ~** hacer la comida, guisar. ◇ *a FAM* casero, a, muy de su casa.

**popotin** *m FAM* trasero, pompis, asentaderas *f pl*.

**populace** *f PÉJOR* populacho *m*.

**populacier, ère** *a* populachero, a.

**populaire** *a* popular: **art, musique ~** arte, música popular; **chansons populaires** canciones populares ◊ **se rendre ~** hacerse popular.

**populariser** *vt* popularizar.

**popularité** *f* popularidad.

**population** *f* población.

**populeux, euse** *a* populoso, a.

**populisme** *m* populismo.

**populiste** *a/s* populista.

**populo** *m FAM* **1.** populacho, plebe *f* **2.** *(foule)* **quel ~!** ¡cuánta gente!, ¡qué gentío!

**porc** *m* **1.** cerdo, puerco **2.** *(viande)* cerdo **3.** *(homme sale)* puerco, cochino.

**porcelaine** *f* porcelana.

**porcelainier, ère** *a* de la porcelana. ◇ *s* fabricante de porcelana.

**porcelet** *m* lechón, cochinillo.

**porc-épic** [pɔRkepik] *m* puerco espín.

**porche** *m* porche, pórtico.

**porcher, ère** *s* porquerizo, a, porquero, a.

**porcherie** *f* pocilga, porqueriza.

**porcin, e** *a* porcino, a. ◇ *m* **les porcins** los porcinos.

**pore** *m* poro.

**poreux, euse** *a* poroso, a.

**porion** *m* capataz de mina.

**porno** *a FAM* porno.

**pornographie** *f* pornografía.

**pornographique** *a* pornográfico, a.

**porosité** *f* porosidad.

**porphyre** *m* pórfido.

**¹port** *m* puerto: **~ de pêche** puerto pesquero; **~ de plaisance** puerto de recreo ◊ *FIG* **arriver à bon ~** llegar a (buen) puerto.

**²port** *m* **1.** *(action de porter)* porte ◊ **~ d'armes prohibé** tenencia *f* ilícita de armas **2.** uso: **le ~ du casque, de la ceinture de sécurité** el uso del casco, del cinturón de seguridad **3.** *(prix du transport)* porte: **~ dû, payé** porte debido, pagado **4.** *(allure)* porte, aire.

**portable** *a* **1.** transportable **2.** portátil: **ordinateur ~** ordenador portátil **3.** *(mettable)* en buen uso, que puede llevarse. ◇ *m (téléphone)* teléfono móvil; **un ~** un móvil.

**portage** *m* porte, transporte.

**portail** [pɔRtaj] *m* **1.** portada *f* **2.** *(grille)* verja **3.** *INFORM* portal.

**portant, e** *a* **1.** sustentador, a **2. être bien, mal ~** encontrarse bien, mal de salud **3. à bout ~** a quemarropa. ◇ *m THÉÂT* montante de bastidor.

**portatif, ive** *a* portátil: **téléviseur ~** televisor portátil; **téléphone ~** teléfono portátil, móvil.

**porte** *f* **1.** puerta: **~ dérobée** puerta excusada, falsa; **~ cochère** puerta cochera; **~ vitrée** puerta vidriera ◊ *FIG* **~ de sortie** salida, escapatoria; **journée portes ouvertes** jornada de puertas abiertas; **écouter aux portes** escuchar detrás de las puertas; **enfoncer une ~ ouverte → enfoncer**; **entrer par la grande, petite ~** entrar por la puerta grande, pequeña; **fermer la ~ au nez** dar con la puerta en las narices; **mettre, flanquer quelqu'un à la ~** poner a alguien de patitas en la calle; **frapper à la ~ de** llamar a la puerta de; **prendre la ~** tomar el portante, coger la puerta **2. faire du ~-à-~** ir de casa en casa para la venta a domicilio; **habiter ~ à ~** vivir pared por medio; *FAM* **la ~ à côté** muy cerca **3.** *(ski)* puerta **4. ~ d'agrafe** corcheta. ◇ *np f HIST* **la Sublime Porte** la Sublime Puerta. ◇ *a ANAT* **veine ~** vena porta.

**porté, e** *a* **~ à** inclinado, a, propenso, a, dado, a a.

**porte-à-faux (en)** *loc* en vilo, en el aire.

**porte-à-porte → porte.**

**porte-avions** *m inv* portaaviones.

**porte-bagages** *m inv* portaequipajes.

**porte-bébé** *m* portabebés.

**porte-billets** *m inv* billetero.

**porte-bonheur** *m inv* amuleto.

**porte-bouteilles** *m inv* botellero.

**porte-cartes** *m inv* tarjetero.

**porte-cigarettes** *m inv* pitillera *f.*

**porte-clefs** *m inv* llavero.

**porte-conteneurs** *m inv* portacontenedores.

**porte-couteau** *m* pequeño soporte para los cuchillos.

**porte-crayon** *m* portalápiz.

**porte-documents** *m inv* portafolios, vade.

**porte-drapeau** *m* abanderado.

**portée** *f* **1.** *(d'animaux)* camada **2.** alcance *m:* **canon à longue ~** cañón de largo alcance; **à ~ de la main** al alcance de la mano; **hors de ~** fuera de alcance ◊ *FIG* **à la ~ de toutes les bourses** al alcance de todos los bolsillos; **ce n'est pas à la ~ de n'importe qui** no está al alcance de cualquiera; **lecture à la ~ d'une intelligence moyenne** lectura al alcance de una inteligencia mediana **3.** *FIG* alcance *m*, trascendencia **4.** *ARCH (d'une arche)* luz **5.** *MUS* pentagrama *m.*

**porte-fenêtre** *f* puerta vidriera.

**portefeuille** *m* **1.** cartera *f* ◊ **avoir le ~ bien garni** tener las espaldas bien cubiertas **2.** *(de ministre)* cartera *f:* **ministre sans ~** ministro sin cartera **3.** *COM (de valeurs)* cartera *f* **4.** *FAM* **faire le lit en ~** hacer la petaca.

**porte-greffe** *m BOT* patrón de injerto.

**porte-hélicoptères** *m inv* portahelicópteros.

**porte-jarretelles** *m inv* liguero.

**portemanteau** *m* percha *f*, perchero.

**porte-mine** *m* lapicero, portaminas.

**porte-monnaie** *m inv* monedero, portamonedas.

**porte-parapluies** *m inv* paragüero.

**porte-parole** *m inv* portavoz, vocero.

**porte-plume** *m inv* portaplumas.

**porter** *vt* **1.** llevar: **~ une valise** llevar una maleta; **chacun porte sa croix** cada uno lleva su cruz; **elle porte une minijupe, des lunettes noires** lleva una minifalda, gafas negras; **il porta le verre à ses lèvres** se llevó el vaso a los labios; **~ à l'écran** llevar a la pantalla **2. il ne porte pas son âge** no aparenta la edad que tiene **3.** *(ses regards, ses pas)* dirigir **4. ~ son attention sur** fijar su atención en **5.** *(un coup)* dar, asestar **6. ~ chance** dar, traer suerte **7.** poner, inscribir: **~ un nom sur une liste** poner un nombre en una lista ◊ **~ une somme au débit d'un compte** cargar una cantidad a una cuenta; **se faire ~ malade** declararse enfermo **8. ~ un jugement** emitir un juicio **9.** producir, dar, rendir: **capital qui porte intérêts** capital que produce interés **10.** tener, dispensar: **l'affection qu'il nous porte** el cariño que nos tiene, dispensa **11. tout me porte à croire que...** todo me lleva a creer que... **12. être porté sur quelque chose** ser aficionado a algo. ◇ *vi* **1.** *(femelle d'animal)* estar preñada **2.** *(arme, vue)* alcanzar ◊ **voix qui porte** voz potente **3.** *(toucher le but)* dar en el blanco ◊ **sa remarque a porté** su observación ha surtido efecto; **sa tête a porté contre le trottoir** su cabeza ha dado contra la acera **4. ~ sur** *(une charge)* descansar en, estribar en; *FIG* versar sobre, tratar de: **exposé qui porte sur la situation économique** ponencia que trata de la situación económica **5. ~ à la tête** subirse a la cabeza; **~ sur les nerfs → nerf.** ◆ **se ~** *vpr* **1.** *(un vêtement, une parure)* llevarse ◊ **cette couleur ne se porte plus** este color ya no está de moda, ya no se estila; *FIG* **il n'est pas bien porté de...** no es de buen tono... **2.** *(regards, etc.)* dirigirse **3.** encontrarse, estar: **comment vous portez-vous?** ¿cómo se encuentra usted?; **je me porte bien**

estoy bien de salud, estoy sano; **je ne me porte pas bien** no ando bien de salud **4. se ~ candidat** presentarse como candidato.

▶ Dans le sens d'«avoir sur soi», *porter* peut se traduire aussi par «gastar», «usar» (*il portait une fine moustache* gastaba bigote fino; *je ne porte pas de lunettes* no uso gafas), par «vestir» s'il s'agit de vêtements (*elle porte une jupe bleue* viste una falda azul), ou par «calzar» pour les chaussures.

**porte-revues** *m inv* revistero.

**porte-savon** *m* jabonera *f.*

**porte-serviettes** *m inv* toallero.

**porteur, euse** *a/s* portador, a: **être ~ du virus** ser portador del virus. ◇ *m* **1.** *(de bagages)* mozo de equipajes **2.** *COM* portador, tenedor: **payable au ~** pagadero al portador.

**porte-voix** *m inv* megáfono.

**portier** *m* portero.

**portière** *f* **1.** *(de voiture)* portezuela **2.** *(de train)* puerta, ventanilla: **se pencher à la ~** asomarse a la ventanilla.

**portillon** *m* **1.** portillo **2. ~ automatique** puerta *f* automática.

**portion** *f* **1.** *(partie)* porción **2.** *(au restaurant)* ración **3. ~ congrue** porción congrua.

**portique** *m* **1.** *ARCH* pórtico **2.** *(gymnastique)* pórtico (para colgar un columpio, las anillas, etc.).

**Porto** *np* Oporto.

**porto** *m* vino de Oporto.

**portoricain, e** *a/s* puertorriqueño, a.

**Porto-Rico** *np* Puerto Rico.

**portrait** *m* **1.** retrato **2. elle est tout le ~ de sa mère** es el vivo retrato de su madre **3. ~-robot** retrato-robot **4.** *FAM (figure)* cara *f.*

**portraitiste** *s* retratista.

**portrait-robot** → **portrait.**

**portraiturer** *vt* retratar.

**portuaire** *a* portuario, a.

**portugais, e** *a/s* portugués, esa. ◇ *f (huître)* variedad de ostra.

**Portugal** *np m* Portugal.

**pose** *f* **1.** colocación: **la ~ d'une moquette, de la première pierre** la colocación de una moqueta, de la primera piedra **2.** *(attitude)* postura, posición, pose **3.** *FIG* afectación, pose **4.** *(photo)* exposición: **temps de ~** tiempo de exposición.

▶ Remarquez le gallicisme *pose.*

**posé, e** *a* **1.** sosegado, a, reposado, a **2. voix posée** voz segura.

**posément** *adv* pausadamente, lentamente, con calma.

**poser** *vt* **1.** poner, colocar: **elle posa son sac sur le lit** puso el bolso en la cama; **~ une bombe** colocar una bomba **2.** *(installer)* poner, instalar, colocar: **~ une prise de courant** colocar un enchufe **3.** poner: **je pose 6 et je retiens 2** pongo 6 y llevo 2 **4.** *(les yeux, etc.)* posar **5. ~ ses conditions** poner sus condiciones **6. ~ une question** hacer una pregunta; **~ un problème** plantear un problema; **le problème est mal posé** el problema está mal planteado **7. ~ sa candidature** presentar su candidatura **8.** *FIG* dar categoría, fardar: **être membre de ce club, ça vous pose** ser miembro de este club farda mucho. ◇ *vi* **1.** *(un modèle)* posar **2.** *FIG (se donner des airs)* presumir, darse tono, fardar. ◆ **se ~** *vpr* **1.** posarse: **l'oiseau se posa sur la branche** el pájaro se posó en la rama; **l'avion vient de se ~** el avión acaba de posarse, de aterrizar **2.** fijarse: **son regard se posa sur elle** su mirada se fijó en ella **3. se ~ en** dárselas, echárselas de **4.** *(problème, question)* plantearse **5.** *FAM* **comme flemmard, il se pose là!** ¡a gandul no hay quien le gane!

**poseur, euse** *a/s (prétentieux)* presumido, a, engreído, a, fardón, ona. ◇ *m* **1.** instalador **2. ~ de parquets** entarimador **3. ~ de bombes** terrorista.

**positif, ive** *a* positivo, a. ◇ *m (épreuve photographique)* positivo.

**position** *f* **1.** posición ◊ **en troisième ~** en tercer lugar **2.** *FIG* **prendre ~** tomar partido; **prise de ~** toma de posición, postura; **rester sur ses positions** mantenerse en su trece, persistir en su postura, no dejarse disuadir; *FAM* **être dans une ~ intéressante** estar en estado (interesante) **3.** *(d'un compte en banque)* situación.

**positionnement** *m ÉCON* posicionamiento.

**positivement** *adv* positivamente.

**positivisme** *m* positivismo.

**positiviste** *a/s* positivista.

**positon** *m PHYS* positrón.

**posologie** *f MÉD* posología.

**possédant, e** *a/s* rico, a, pudiente.

**possédé, e** *a/s* endemoniado, a, poseso, a: **crier comme un ~** gritar como un poseso ◊ **les Possédés** *(Dostoïevski)* Los demonios.

**posséder*** *vt* **1.** poseer **2.** *(bien connaître)* conocer, dominar: **il possède parfaitement son sujet** conoce a fondo el tema. ◆ **se ~** *vpr* **1.** dominarse **2. il ne se possédait plus de joie** no cabía en sí de gozo.

**possesseur** *m* poseedor, posesor.

**possessif, ive** *a (personne)* posesivo, a. ◇ *a/m GRAM* posesivo, a.

**possession** *f* posesión: **prendre ~ de** tomar posesión de ◊ **avoir en sa ~, être en ~ de** tener en su poder, en su posesión.

**possibilité** *f* posibilidad. ◇ *pl* posibilidades.

**possible** *a* posible: **c'est ~** es posible; **est-ce ~?** ¿es posible?; **autant que ~, si ~** dentro de lo posible, a ser posible; **dès que ~** cuanto antes; **le plus... ~** lo más... posible; **le moins... ~** lo menos posible...; **faire le moins de bruit ~** hacer el menor ruido posible; **ce n'est pas ~ autrement** no puede ser; *FAM* **pas ~!** ¡no es posible!, ¡no me diga(s)! ◇ *m* **1.** lo posible: **faire tout son ~** hacer todo lo posible; **je vais faire tout mon ~ pour...** voy a hacer todo lo posible para... ◊ **dans la mesure du ~** en la medida de lo posible, en lo que cabe, si cabe **2.** *loc adv* **au ~** en sumo grado; **il est drôle au ~** es gracioso que no cabe más.

**postage** *m* expedición *f* del correo.

**postal, e** *a* postal: **tarifs postaux** tarifas postales; **carte postale** tarjeta (postal).

**postcommunion** *f RELIG* poscomunión.

**postdater** *vt* poner fecha posterior a.

**¹poste** *f* correos *m pl*, correo *m*: **aller à la ~** ir a correos; **bureau de ~** oficina de correos; **mettre une lettre à la ~** echar una carta al correo ◊ **~ restante** lista de correos; *FAM* **passer comme une lettre à la ~** → **lettre.**

**²poste** *m* **1.** *(lieu)* puesto: **être à son ~** estar en su puesto ◊ *MIL* **~ de commandement** puesto de mando **2.** *(emploi)* puesto, cargo: **~ vacant** puesto vacante; **il occupe un ~ important** ocupa un cargo importante; **~ de travail** puesto de trabajo **3. ~ d'essence** surtidor de gasolina **4. ~ de police** puesto de policía, prevención *f* **5. ~ de secours** puesto de socorro **6. ~ d'incendie** boca *f* de incendios **7. ~ de pilotage** cabina *f* de mando **8.** *(du budget, d'un compte)* partida *f.*

**³poste** *m* aparato: **~ de radio, de télévision** aparato de radio, de televisión ◊ **~ émetteur** emisora *f*; **ouvrir, fermer le ~** abrir, cerrar la radio, la televisión.

**¹poster** *vt* **1.** *(une lettre)* echar al correo **2.** *(placer)* apostar, poner. ◆ **se ~** *vpr* apostarse.

**²poster** [pɔstɛʀ] *m (affiche)* póster.

**postérieur, e** *a* posterior. ◇ *m FAM (derrière)* trasero.

**postérieurement** *adv* posteriormente ◊ **~ à** después de.

**posteriori (a)** *loc adv* a posteriori.

**postérité** *f* posteridad ◊ **pour la ~** para la posteridad.

**postface** *f* advertencia final.

**posthume** *a* póstumo, a.

**postiche** *a* postizo, a, artificial. ◇ *m (perruque)* postizo.

**postier, ère** *s* empleado, a de correos.

**postillon** *m* **1.** *(cocher)* postillón **2.** *(salive)* cura, gota *f* de saliva.

**postillonner** *vi* espurrear saliva (al hablar).

**postmoderne** *a* posmoderno, a.

**postmodernisme** *m* posmodernismo.

**postopératoire** *a* postoperatorio, a.

**postposer** *vt* posponer.

**post-scriptum** [pɔstskʀiptɔm] *m inv* posdata *f*.

**postsynchronisation** *f* postsincronización.

**postsynchroniser** *vt* postsincronizar.

**postulant, e** *s* postulante.

**postulat** *m* postulado.

**postuler** *vt* solicitar.

**posture** *f* **1.** postura **2.** *FIG* situación, postura.

**pot** *m* **1.** jarro: **~ à eau** jarro para el agua **2.** bote, tarro, envase: **~ à moutarde** bote para la mostaza; **~ de confiture, de crème hydratante** tarro de mermelada, de crema hidratante; **~ de peinture, de pharmacie** bote de pintura, de farmacia ◊ **petit ~** *(aliments pour bébés)* potito, tarrito; *FAM* **~ de colle** → **colle 3.** **~ (de fleurs)** tiesto, maceta *f*: **un ~ de géraniums** un tiesto de geranios **4.** **~ de chambre** orinal **5.** *(marmite)* olla *f* ◊ *FIG* **découvrir le ~ aux roses** descubrir el pastel; *FAM* **payer les pots cassés** pagar los vidrios rotos; **tourner autour du ~** andar con rodeos; **sourd comme un ~** → **sourd 6.** *FAM* **prendre un ~** tomar una copa; **un ~** un cóctel, una reunión **7.** *FAM* **avoir du ~** tener potra; **manque de ~!** ¡mala pata!; **un coup de ~** una suerte, una chiripa **8.** *TECHN* **~ d'échappement** silenciador **9.** *POP* **se manier le ~** aligerar, apresurarse.

**potable** *a* **1.** potable: **eau ~** agua potable **2.** *FAM* potable, aceptable, regular.

**potache** *m FAM* colegial.

**potage** *m* sopa *f*.

**potager, ère** *a* **1. jardin ~** huerto **2. plantes potagères** hortalizas. ◇ *m* huerto, huerta *f*.

**potasse** *f CHIM* potasa.

**potasser** *vt FAM* empollar.

**potassium** [pɔtasjɔm] *m CHIM* potasio.

**pot-au-feu** [pɔtofø] *m inv* cocido, puchero. ◇ *a FAM* casero, a.

**pot-de-vin** *m* soborno, gratificación *f*.

**pote** *m POP* amigote.

**poteau** *m* **1.** poste: **~ indicateur** poste de señalización **2. au ~!** ¡al paredón! **3.** *(au rugby, de basket, etc.)* poste **4.** *(but)* meta *f* ◊ **coiffer au ~** → **coiffer.**

**potée** *f* menestra.

**potelé, e** *a* rollizo, a, regordete, a.

**potence** *f* **1.** *(supplice)* horca ◊ **gibier de ~** malhechor, bandido **2.** *(construction)* pescante *m*.

**potentat** *m* potentado.

**potentialité** *f* potencialidad.

**potentiel, elle** *a/m* potencial.

**potentiellement** *adv* potencialmente.

**potentille** *f* potentila.

**poterie** *f* **1.** *(fabrication)* alfarería **2.** *(objet)* vasija de barro: **une ~ aztèque** una vasija azteca.

**poterne** *f* poterna.

**potiche** *f* **1.** jarrón *m* (de porcelana) **2.** *FIG* comparsa, figurante.

**potier** *m* alfarero.

**potin** *m FAM* jaleo, barullo: **faire du ~** armar jaleo. ◇ *pl (commérages)* chismes, habladurías *f*.

**potiner** *vi* chismorrear, cotillear.

**potion** *f* poción.

**potiron** *m* calabaza *f*.

**pot-pourri** *m MUS* popurrí.

**potron-minet** *m LITT* **dès ~** al amanecer, muy temprano.

**pou** *m* piojo ◊ *FAM* **être laid comme un ~** ser más feo que Picio; **chercher des poux à quelqu'un** buscarle a alguien las cosquillas.

**pouah!** *interj FAM* ¡puf!, ¡puff!

**poubelle** *f* **1.** cubo *m* de la basura ◊ **sac-~** bolsa *f* de basura **2.** *FIG (dépotoir)* vertedero *m*.

**pouce** *m* **1.** *(de la main)* pulgar, *(du piel)* dedo gordo **2.** *FAM* **donner un coup de ~ à quelqu'un** echar una mano a alguien; **manger sur le ~** comer en un periquete, tomar un bocado; **se tourner les pouces** estar mano sobre mano, no dar ni golpe **3.** *(mesure)* pulgada *f*. ◇ *interj* ¡me retiro!

**Poucet (le petit)** *np m* Pulgarcito.

**pouding** [pudiŋ] *m* budín, pudín.

**poudingue** *m GÉOL* pudinga *f*.

**poudre** *f* **1.** polvo *m*: **lait en ~** leche en polvo ◊ **~ de perlimpinpin** polvos *pl* de la madre Celestina; *FIG* **jeter de la ~ aux yeux** deslumbrar **2.** *(fard)* polvos *m pl* (de tocador) **3.** *(explosif)* pólvora: **~ à canon** pólvora de cañón ◊ *FIG* **il n'a pas inventé la ~** no ha inventado la pólvora; **mettre le feu aux poudres** provocar una reacción violenta, encender la mecha; **se répandre comme une traînée de ~** difundirse como un reguero de pólvora **4.** *FAM* **prendre la ~ d'escampette** tomar las de Villadiego.

**poudrer** *vt* empolvar. ◆ **se ~** *vpr* empolvarse.

**poudrerie** *f* fábrica de pólvora y explosivos.

**poudreux, euse** *a* **1.** polvoriento, a **2. neige poudreuse, de la poudreuse** nieve polvo, nieve en polvo.

**poudrier** *m* polvera *f*.

**poudrière** *f* polvorín *m*.

**poudroyer*** [pudʀwaje] *vi* levantar polvo.

**pouf** [puf] *interj* ¡paf! ◇ *m (siège)* puf.

**pouffer** *vi (de rire)* reventar de risa.

**pouffiasse** *f VULG* mujerzuela.

**pouillerie** *f* sordidez, miseria.

**pouilleux, euse** *a/s* piojoso, a.

**poulailler** *m* **1.** gallinero **2.** *FAM (théâtre)* gallinero, paraíso.

**poulain** *m* **1.** *(cheval)* potro **2.** *FIG* pupilo, protegido.

**poulaine** *f* **souliers à la ~** zapatos de punta alargada.

**poularde** *f* gallina cebada.

**poule** *f* **1.** gallina ◊ *FIG* **une ~ mouillée** un, una gallina; **mère ~** madraza; **tuer la ~ aux œufs d'or** matar la gallina de los huevos de oro; **avoir la chair de ~** → **chair; quand les poules auront des dents** cuando las ranas críen pelos **2. ~ d'eau** polla de agua; **~ faisane** faisana; **~ sultane** calamón *m* **3.** *POP (prostituée)* fulana, zorra **4.** *FAM* **ma ~** cielo, pichón **5.** *(sports)* liga.

**poulet** *m* **1.** pollo: **~ rôti** pollo asado **2.** *FAM* billete amoroso **3.** *FAM (policier)* poli, policía.

**poulette** *f* **1.** polla, pollita **2.** *FAM* polla ◊ **ma ~** pichona, pichoncita.

**pouliche** *f* potra, potranca.

**poulie** *f* polea.

**poulinière** *a/f* yegua de vientre.

**poulpe** *m* pulpo.

**pouls** [pu] *m* pulso: **prendre le ~** tomar el pulso.

**poumon** *m* **1.** pulmón ◊ **crier à pleins poumons** gritar a voz en cuello, a todo pulmón; **respirer à pleins poumons** respirar muy fuerte; **cracher ses poumons** toser y expectorar mucho *(un tuberculeux)* **2.** MÉD **~ d'acier** pulmón de acero.

**poupard, e** *a* mofletudo, a. ◇ *m (bébé)* rorro, nene.

**poupe** *f* MAR popa ◊ FIG **avoir le vent en ~** ir viento en popa.

**poupée** *f* **1.** muñeca **2.** FAM *(femme)* gachí **3.** *(pansement au doigt)* venda.

**poupin, e** *a* sonrosado, a, aniñado, a.

**poupon** *m* rorro, nene.

**pouponner** *vi* FAM cuidar de los bebés.

**pouponnière** *f* guardería infantil.

**pour** *prép* **1.** *(attribution, but, destination, rapport, comparaison)* para: **c'est ~ vous** es para usted; **travailler ~ vivre** trabajar para vivir; **partir ~ le Mexique** salir para México; **tu es tout ~ moi** eres todo para mí; **il est grand ~ son âge** es alto para la edad que tiene **2.** *(temps)* para: **laissons ça ~ demain** dejemos esto para mañana; **~ toujours** para siempre ◊ **c'est assez ~ le moment** basta por ahora; **j'en ai ~ une heure** tardaré una hora **3.** *(contre)* **sirop ~ la toux** jarabe contra, para la tos **4.** *(en faveur de)* por: **fais-le ~ moi** hazlo por mí; **lutter ~ un idéal** luchar por un ideal ◊ **cent voix ~** cien votos a favor **5.** *(cause)* por: **~ cette raison** por esta razón; **estimé ~ son sérieux** estimado por su seriedad; **c'est ~ ça que je suis venu** por eso (es por lo que) he venido **6.** *(échange, équivalence, prix, pourcentage, but immédiat)* por: **œil ~ œil** ojo por ojo; parler **~ parler** hablar por hablar; **le changement ~ le changement** el cambio por el cambio; **~ qui me prends-tu?** ¿por quién me tomas?; **il me l'a cédé ~ cent francs** me lo ha dejado por cien francos; **six ~ cent** seis por ciento; **j'ai dit ça ~ dire quelque chose** he dicho esto por decir algo; **c'est difficile ~ ne pas dire impossible** es difícil por no decir imposible **7.** *(= comme)* por: **prendre ~ épouse** tomar por esposa; **~ toute réponse** por toda respuesta **8.** *(= quant à)* **~ moi, c'est une erreur** para mí, es un error; **~ ma part** en cuanto a mí; **~ ce qui est de...** en cuanto a..., por lo que se refiere a... **9.** *loc conj* **~ que** para que, a fin de que: **il m'a appelé ~ que je l'aide** me ha llamado para que le ayudara; **~ peu que...** por poco que.... ◇ *m* pro: **le ~ et le contre** el pro y el contra.

▶ Remarquez la différence: *je le fais pour ton bien, pour t'apprendre à...* lo hago por tu bien, para enseñarte a...

**pourboire** *m* propina *f*: **~ compris** propina incluida.

**pourceau** *m* cerdo.

**pourcentage** *m* porcentaje.

**pourchasser** *vt* perseguir.

**pourfendre*** *vt* partir de un tajo.

**pourlécher (se)*** *vpr* relamerse.

**pourparlers** *m pl* negociaciones *f*, tratos: **être en ~** estar en tratos.

**pourpier** *m* verdolaga *f*.

**pourpoint** *m* jubón.

**pourpre** *m/f* púrpura *f*: **la ~ cardinalice** la púrpura cardinalicia. ◇ *a* púrpura.

**pourpré, e** *a* púrpureo, a.

**pourquoi** *adv/conj* **1.** por qué: **~ dis-tu cela?** ¿por qué dices eso?; **~ pas?** ¿por qué no?; **~ pas maintenant?** ¿por qué no ahora?; **~ pas le dire?** ¿por qué no decirlo? ◊ **c'est ~** por eso **2.** *(but)* para qué: **~ m'as-tu appelé?** ¿para qué me llamaste?; **~ faire?** ¿para qué? ◇ *m* porqué: **le ~** el porqué.

▶ Ne pas confondre *por qué* (pourquoi) et *porque* (parce que). *Para qué* souligne l'idée d'intention, de but visé.

**pourrai,** etc. → **pouvoir.**

**pourri, e** *a* **1.** podrido, a **2.** FIG podrido, a, corrompido, a, corrupto, a: **un politicien ~** un político corrupto **3.** FAM *(temps, etc.)* horroroso, a. ◇ *m* lo podrido: **sentir le ~** oler a podrido.

**pourrir** *vi* pudrirse, podrirse. ◇ *vt* pudrir, podrir.

**pourrissement** *m* deterioración *f*.

**pourriture** *f* podredumbre.

**poursuite** *f* **1.** persecución, perseguimiento *m*: **à la ~ de** en persecución de ◊ **se lancer à la ~ de** echarse tras **2.** FIG prosecución, continuación. ◇ *pl* JUR diligencias: **engager des poursuites contre** instruir diligencias contra.

**poursuiteur** *m (cycliste)* perseguidor.

**poursuivant, e** *s* perseguidor, a.

**poursuivre*** *vt* **1.** perseguir: **l'agent poursuit le voleur** el guardia persigue al ladrón **2.** JUR **~ quelqu'un en justice** demandar a alguien ante tribunales **3.** *(continuer)* proseguir: **il poursuit ses études** prosigue sus estudios **4. poursuivez!** ¡siga! ◆ **se ~** *vpr* continuar.

**pourtant** *adv* **1.** no obstante, sin embargo, con todo **2. c'est ~ facile!** ¡es sin embargo fácil!

**pourtour** *m* perímetro, contorno.

**pourvoi** *m* JUR recurso: **~ en cassation** recurso de casación.

**pourvoir*** *vi* **1. ~ à** subvenir a, atender a **2. ~ à un emploi** cubrir un puesto; **~ aux besoins de** cubrir las necesidades de; **siège à ~** escaño a cubrir. ◇ *vt* **1.** proveer **2.** FIG dotar. ◆ **se ~** *vpr* **1.** proveerse: **il s'est pourvu d'un gilet de sauvetage** se ha provisto de un chaleco salvavidas **2.** JUR **se ~ en cassation** apelar ante el Tribunal Supremo.

**pourvoyeur, euse** [purvwajœr, øz] *s* proveedor, a.

**pourvu** → **pourvoir.**

**pourvu que** *loc conj* **1.** con tal que, siempre que **2.** *(souhait)* **~ qu'il ne pleuve pas!** ¡ojalá no llueva!

**poussah** *m* **1.** *(magot)* dominguillo, tentemozo **2.** FAM *(homme ventru)* retaco, tonel.

**pousse** *f* **1.** *(des cheveux, dents, etc.)* crecimiento *m*, salida **2.** *(jeune tige)* brote *m*, retoño *m*: **~ de bambou** brote de bambú.

**pousse-café** *m inv* copita *f* que se toma después del café.

**poussée** *f* **1.** *(d'une voûte, d'un fluide)* empuje *m* **2. ~ de fièvre** acceso *m* de fiebre **3.** FIG brote *m*, ola: **~ inflationniste** brote inflacionista; **des poussées de racisme** brotes de racismo.

**pousse-pousse** *m inv* cochecito oriental tirado por un hombre.

**pousser** *vt* **1.** empujar: **~ la porte** empujar la puerta ◊ **~ du coude** dar con el codo **2.** hacer avanzar **3. ~ un cri, un soupir** dar un grito, un suspiro **4.** FIG **poussé par la faim** empujado por el hambre; **~ à** empujar, incitar, impulsar a: **ils le poussent à accepter** le empujan a que acepte; **qu'est-ce qui vous a poussé à écrire?** ¿qué le impulsó a escribir? **5.** *(un protégé, etc.)* favorecer, apoyar **6.** *(un élève)* estimular **7. ~ quelqu'un à bout** sacar a alguien de sus casillas, exasperar **8.** *(études, recherches)* profundizar ◊ **~ à l'extrême** extremar **9.** FAM **il ne faut pas ~** no hay que exagerar **10.** FAM **à la va-comme-je-te- pousse** a la buena de Dios. ◇ *vi (plante, dent, enfant, etc.)* crecer: **laisser ~ sa barbe** dejarse crecer la barba. ◆ **se ~** *vpr* **1.** *(les uns les autres)* empujarse **2.** correrse, apartarse: **pousse-toi un peu** córrete un poco.

**poussette** *f* **1.** *(d'enfant)* cochecito *m* de niño **2.** *(de marché)* carrito *m* de la compra.

**poussier** *m* polvo de carbón.

**poussière** *f* **1.** polvo *m*: **faire de la ~** levantar polvo; **un grain de ~** una mota de polvo ◊ **tomber en ~** disgregarse; FIG **mordre la ~** morder el polvo **2.** FAM **cent francs et des poussières** cien francos y pico.

**poussiéreux, euse** *a* polvoriento, a.

**poussif, ive** *a* **1.** asmático, a **2.** *(véhicule)* que anda mal.

**poussin** *m* polluelo, pollito.

**poussoir** *m* botón, pulsador.

**poutre** *f* viga: **poutres apparentes** vigas vistas.

**poutrelle** *f* vigueta.

[1]**pouvoir*** *vt* **1.** poder: **je ne peux pas fermer ma valise** no puedo cerrar la maleta; **je n'ai pas pu venir** no pude venir; **je n'aurais pas pu** no hubiera podido; **puis-je entrer?** ¿puedo pasar? ¿se puede?; **je n'en peux plus** ya no puedo más, ya no puedo aguantar más, ya no lo resisto más; **je n'y peux rien** no lo puedo remediar; **on n'y peut rien** ¿qué le vamos a hacer? **2.** *(ton de reproche)* **tu aurais pu me prévenir!** ¡haberme avisado!, ¡podías haberme avisado! **3. puisses-tu avoir raison!** ¡ojalá tengas razón!; **puisse-t-il venir!** ¡ojalá venga! ◇ *v impers* **il peut se faire que...** puede ser que... ◆ **se ~** *vpr* **il se pourrait qu'il pleuve** puede ser que llueva; **ça se pourrait bien** podría ser, puede; **ça se peut** puede ser, es posible.

[2]**pouvoir** *m* poder: **~ d'achat** poder adquisitivo; **~ législatif, exécutif, judiciaire** poder legislativo, ejecutivo, judicial; **être au ~** estar en el poder; **le parti au ~** el partido en el poder; **tomber au ~ de** caer bajo el poder de. ◇ *pl* **1. pleins pouvoirs** plenos poderes **2. les pouvoirs publics** el gobierno.

**pouzzolane** *f* puzolana.

**praesidium** [prezidjɔm] *m* presidium.

**pragmatique** *a* pragmático, a.

**pragmatisme** *m* pragmatismo.

**pragois, e** *a/s* praguense.

**Prague** *np* Praga.

**praire** *f (mollusque)* verigüeto *m*, escupiña.

**prairial** *m* pradial.

**prairie** *f* pradera, prado *m*.

**praline** *f* **1.** almendra garapiñada **2.** *(en Belgique)* bombón *m*.

**praliné, e** *a* **1.** garapiñado, a **2. chocolat ~, crème pralinée** praliné *m*.

**praticable** *a* **1.** *(réalisable)* practicable **2.** *(chemin)* transitable.

**praticien, enne** *s* médico, a, facultativo, a.

**pratiquant, e** *a/s (d'une religión)* practicante.

**pratique** *a* práctico, a: **esprit, sens ~** espíritu, sentido práctico. ◇ *f* **1.** práctica: **dans la ~** en la práctica; **mettre en ~** poner en práctica; **mise en ~** cumplimiento *m* **2.** *(usage)* práctica, uso *m*. ◇ *pl (religieuses)* prácticas.

**pratiquement** *adv* prácticamente.

**pratiquer** *vt* **1.** *(activité, sport, etc.)* practicar **2.** *(une opération, greffe)* ejecutar **3.** *RELIG* **il ne pratique pas** no es practicante.

**pré** *m* prado.

**préalable** *a* **1.** previo, a: **une entente ~** un acuerdo previo; **censure ~** censura previa **2. au ~** previamente. ◇ *m* condición *f* previa.

**préalablement** *adv* previamente.

**préambule** *m* preámbulo.

**préau** *m* patio cubierto (en un colegio, etc.).

**préavis** *m* previo aviso: **sans ~** sin previo aviso.

**prébende** *f* prebenda.

**précaire** *a* **1.** precario, a: **santé, situation ~** salud, situación precaria **2. emploi ~** trabajo temporal.

**précarité** *f* precariedad.

**précaution** *f* precaución: **prendre des précautions** tomar precauciones; **par ~** por precaución.

**précautionner (se)** *vpr* precaverse, prevenirse.

**précautionneux, euse** *a* precavido, a, cauto, a, prudente.

**précédemment** [presedamɑ̃] *adv* anteriormente, con anterioridad.

**précédent, e** *a* anterior: **le jour ~** el día anterior; **son ~ roman** su novela anterior. ◇ *m* **1.** precedente: **créer un ~** sentar un precedente **2. sans ~** sin precedentes, extraordinario, a, nunca visto, a: **un succès sans ~** un éxito sin precedentes.

**précéder*** *vt/i* **1.** preceder: **son non précède le mien sur la liste** su nombre precede al mío en la lista **2. dans la page qui précède** en la página anterior.

**précepte** *m* precepto.

**précepteur, trice** *s* preceptor, a.

**précession** *f ASTR* **~ des équinoxes** precesión de los equinoccios.

**préchauffage** *m TECHN* precalentamiento.

**prêche** *m* prédica *f*.

**prêcher** *vt/i* predicar ◊ *FIG* **~ dans le désert** predicar en (el) desierto; **~ d'exemple, par l'exemple** predicar con el ejemplo; **~ un converti** → **converti.** ◇ *vt (préconiser)* preconizar.

**prêcheur, euse** *a/s* predicador, a.

**prêchi-prêcha** *m inv FAM* perorata *f*, moralina *f*.

**précieusement** *adv (avec soin)* cuidadosamente ◊ **conserver ~** guardar como oro en paño.

**précieux, euse** *a* **1.** precioso, a **2.** valioso, a: **votre aide précieuse** su valiosa ayuda **3.** *(style, etc.)* afectado, a, amanerado, a. ◇ *f (femme)* preciosa, marisabidilla.

**préciosité** *f* **1.** afectación, amaneramiento *m* **2.** *(en littérature)* preciosismo *m*, culteranismo *m*.

**précipice** *m* precipicio.

**précipitamment** *adv* precipitadamente.

**précipitation** *f* precipitación. ◇ *pl (atmosphériques)* precipitaciones.

**précipité, e** *a* precipitado, a. ◇ *m CHIM* precipitado.

**précipiter** *vt* precipitar. ◆ **se ~** *vpr* **1.** precipitarse **2. se ~ vers la sortie** precipitarse, abalanzarse hacia la salida.

**précis, e** *a* **1.** preciso, a **2.** *(heure)* en punto; **à six heures précises** a las seis en punto **3.** determinado a: **dans des cas ~** en determinados casos ◊ **pour être plus ~** para más señas, para puntualizarlo. ◇ *m (livre)* compendio.

**précisément** *adv* precisamente.

**préciser** *vt* **1.** precisar, especificar **2.** *(souligner)* puntualizar.

**précision** *f* precisión: **instruments de ~** instrumentos de precisión. ◇ *pl* detalles *m*.

**précité, e** *a* precitado, a, antes citado, a.

**précoce** *a* **1.** precoz: **enfant ~** niño precoz; **gelées précoces** heladas precoces **2. fruits précoces** frutos tempranos, precoces.

**précocité** *f* precocidad.

**précolombien, enne** *a* precolombino, a.

**préconçu, e** *a* preconcebido, a: **idées préconçues** ideas preconcebidas.

**préconiser** *vt* preconizar.

**précontraint** *a* **béton ~** hormigón pretensado.

**précurseur** *a/m* precursor, a.

**prédateur, trice** *a/m* predador, a, depredador, a: **les prédateurs** los depredadores.

**prédécesseur** *m* predecesor. ◇ *pl* predecesores.

**prédelle** *f* predela, parte inferior (de un políptico).

**prédestination** *f* predestinación.

**prédestiner** *vt* predestinar: **être prédestiné à** estar predestinado, a.

**prédétermination** *f* predeterminación.

**prédéterminer** *vt* predeterminar.

**prédicat** *m* predicado.

**prédicateur** *m* predicador.

**prédication** *f* predicación.

**prédiction** *f* predicción.

**prédilection** *f* predilección.

**prédire*** *vt* **1.** predecir, vaticinar **2. je vous l'avais prédit!** ¡ya se lo había dicho!

**prédisposer** *vt* predisponer: **prédisposé à** predispuesto a.

**prédisposition** *f* predisposición.

**prédominance** *f* predominio *m*.

**prédominant, e** *a* predominante.

**prédominer** *vi* predominar.

**préélectoral, e** *a* preelectoral.

**prééminence** *f* preeminencia.

**prééminent, e** *a* preeminente.

**préemption** *f* derecho *m* de preferencia.

**préenregistré, e** *a* pregrabado, a.

**préétabli, e** *a* preestablecido, a.

**préexistant, e** *a* preexistente.

**préexistence** *f* preexistencia.

**préexister** *vi* preexistir.

**préfabriqué, e** *a* prefabricado, a.

**préface** *f* prólogo *m*, prefacio *m*.

**préfacer*** *vt* prologar, hacer un prólogo a.

**préfacier** *m* prologuista.

**préfectoral, e** *a* prefectoral, gubernativo, a.

**préfecture** *f* **1.** prefectura **2. ~ de police** jefatura de policía.

**préférable** *a* preferible: **il est ~ d'attendre** es preferible esperar; **il est ~ de... plutôt que de...** es preferible... a...

**préféré, e** *a/s* preferido, a, predilecto, a: **son enfant ~** su hijo predilecto.

**préférence** *f* preferencia ◊ **de ~** preferentemente, con preferencia; **un comprimé, de ~ après le dîner** un comprimido, con preferencia después de la cena; **je prends le train de ~ à l'avion** prefiero el tren al avión.

**préférentiel, elle** *a* preferente, de preferencia: **tarifs préférentiels** tarifas preferentes; **traitement ~** trato preferente.

**préférer*** *vt* preferir: **je préfère l'été à l'hiver** prefiero el verano al invierno; **je préfère me taire (plutôt) que de parler** prefiero callarme a hablar.

**préfet** *m* **1.** prefecto, gobernador civil **2. ~ de police** jefe de la policía.

**préfète** *f* **1.** mujer del gobernador civil **2.** gobernadora.

**préfiguration** *f* prefiguración.

**préfigurer** *vt* prefigurar.

**préfixe** *m* prefijo.

**préfixer** *vt* prefijar.

**préhellénique** *a* HIST prehelénico, a.

**préhensile** *a* prensil.

**préhension** *f* prensión.

**préhistoire** *f* prehistoria.

**préhistorien, enne** *s* especialista en prehistoria.

**préhistorique** *a* prehistórico, a.

**préjudice** *m* perjuicio: **au ~ de** en perjuicio de; **sans ~ de** sin perjuicio de ◊ **porter ~ à** perjudicar a, causar perjuicio a.

**préjudiciable** *a* perjudicial.

**préjugé** *m* prejuicio.

**préjuger*** *vt* prejuzgar ◊ **~ de** prejuzgar.

**prélasser (se)** *vpr* repantigarse.

**prélat** *m* prelado.

**prélature** *f* prelacía, prelatura.

**prêle, prèle** *f* cola de caballo.

**prélèvement** *m* **1.** *(d'argent)* retención *f*: **~ fiscal** retención fiscal **2. ~ de sang** toma *f* de sangre **3.** *(d'échantillons)* recogida *f* **4.** *(échantillon)* muestra *f*.

**prélever*** *vt* **1.** *(argent)* deducir **2.** *(échantillon)* recoger, tomar **3.** *(organe, tissu)* sacar.

**préliminaire** *a* preliminar. ◇ *m pl (de paix)* preliminares.

**prélude** *m* preludio.

**préluder** *vi* **1.** preludiar **2. ~ à** preludiar.

**prématuré, e** *a* prematuro, a. ◇ *s (enfant)* prematuro, a.

**prématurément** *adv* prematuramente.

**préméditation** *f* premeditación.

**préméditer** *vt* premeditar.

**prémices** *f pl* primicias.

**premier, ère** *a* **1.** primero, a (primer *devant un substantif masculin)* : **le ~ homme** el primer hombre; **au ~ étage** en el primer piso; **de ~ choix** de primera calidad; **en ~ lieu** en primer lugar; **premiers soins** primeros auxilios ◊ **le ~ venu** uno cualquiera; **ne pas être le ~ venu** no ser un cualquiera **2. matière première** materia prima **3.** MATH **nombre ~** número primero. ◇ *s* primero, a: **le ~ de la classe** el primero de la clase; **il est arrivé le ~** ha llegado el primero. ◇ *m* **1. le ~ de l'an** el día primero del año **2.** *(étage)* primer piso **3.** THÉÂT **jeune ~** galán joven. ◇ *f* **1.** *(première représentation, projection publique)* estreno *m*, «première» **2.** *(alpinisme)* primera ascensión **3. voyager en première** viajar en primera **4.** *(vitesse)* **démarrer en première** arrancar en primera **5.** *(classe de l'enseignement secondaire)* sexto año *m* del bachillerato francés (tercer curso de BUP).

**premièrement** *adv* en primer lugar, primeramente.

**premier-né, première-née** *a/s* primogénito, a.

**prémisse** *f* premisa.

**prémolaire** *f* premolar *m*.

**prémonition** *f* premonición.

**prémonitoire** *a* premonitorio, a.

**prémunir** *vt* **~ contre** prevenir contra. ◆ **se ~** *vpr* prevenirse, precaverse.

**prenable** *a* conquistable.

**prenant, e** *a* **1.** *(livre, film)* apasionante **2.** *(voix)* emocionante **3.** *(queue)* prensil **4.** JUR **partie prenante** parte interesada, parte concernida.

**prénatal, e** *a* prenatal.

**prendre*** *vt* **1.** *(saisir)* tomar, coger: **~ quelqu'un par la main** tomar a alguien de la mano; **as-tu pris ton parapluie?** ¿cogiste tu paraguas?; **c'est à ~ ou à laisser** lo toma(s) o lo deja(s) **2.** *(aliment, médicament, bain, etc.)* tomar *(moyen de transport)* tomar, coger: **je prendrai le train** tomaré el tren **3.** *(un billet, une photo, des notes)* sacar **4.** *(poisson)* pescar **5.** *(voler)* quitar, robar: **on lui a pris son vélo** le han quitado la bici **6.** *(arrêter)* coger, pillar: **~ sur le fait** coger in fraganti; **il s'est fait ~ en train de forcer la porte** lo han pillado forzando la puerta **7.** recoger: **je passerai vous ~ à la sortie du bureau** pasaré a recogerle a la salida de la oficina **8.** tomarse: **j'ai pris mes vacances en juin** me he tomado las vacaciones en junio; **sans ~ une minute de repos** sin tomarse un minuto de descanso **9. ~ froid** coger frío **10. ~ d'assaut** tomar por asalto; **~ par surprise** pillar de, por sorpresa; **~ quelqu'un au mot** tomar la palabra a alguien; **on ne**

**m'y prendra plus** no me cogerán en otra; **c'est toujours ça de pris** menos da una piedra **11.** *(faire payer)* cobrar: **combien t'a-t-il pris?** ¿cuánto te ha cobrado?; **il prend très cher** cobra muy caro **12. ~ du temps** tomar, requerir tiempo: **cela prend du temps** esto requiere tiempo **13. ~ au sérieux, au tragique** tomar en serio, por lo trágico; **il a bien, mal pris la plaisanterie** ha tomado a bien, a mal la broma; **il a mal pris la chose** se lo ha tomado a mal **14. ~ une personne pour une autre** tomar a una persona por otra; **je vous ai pris pour votre frère** lo confundí con su hermano; **pour qui me prends-tu?** ¿por quién me tomas? **15.** acometer: **la colère m'a pris** me acometió la ira; **l'envie me prit de partir** me acometieron ganas de salir; **bien m'en a pris d'accepter** atiné en aceptar **16.** *(aux dames, aux échecs)* comer **17.** *FAM* *(gifle, coup)* recibir **18.** *FAM* **qu'est-ce qui lui prend?** ¿qué le pasa? **19.** *loc adv* **à tout ~** bien mirado, mirándolo bien. ◇ *vi* **1.** *(feu)* prender ◊ **le feu a pris dans la cabine du pilote** el incendio se ha declarado en la cabina del piloto **2.** *(plante, vaccin)* coger **3.** *(liquide)* cuajarse **4.** *(une pâte)* tomar consistencia, *(le mortier, plâtre)* fraguar **5.** *FIG* *(avoir du succès)* cuajar **6. son excuse n'a pas pris** su excusa no pasó; **ça ne prend pas!** ¡esto no pasa!, ¡esto no cuela! **7.** coger, tomar: **prenez à droite** coja a la derecha. ◆ **se ~** *vpr* **1.** *(médicament, etc.)* tomarse **2.** *(s'accrocher)* cogerse, engancharse **3. se ~ d'amitié pour** cobrar cariño a **4. se ~ à pleurer** ponerse a llorar **5. il se prend pour un génie** se toma por un genio; **pour qui te prends-tu?** ¿quién te has creído que eres? **6. s'en ~ à quelqu'un** echar la culpa a, meterse con alguien **7. il ne sait pas comment s'y ~** no sabe arreglárselas, manejárselas; **je m'y suis mal pris** lo hice mal; **savoir s'y ~** ser muy hábil, no ser zurdo; **s'y ~ à temps** actuar en el momento oportuno; **il s'y est pris trop tard** ha tardado demasiado → **pris.**

▶ Évitez d'employer le verbe *coger* en Amérique latine où il peut avoir le sens familier de «baiser» (posséder sexuellement). Dans le sens d'«absorber», surtout lorsque le complément indique une quantité déterminée, «tomar» s'emploie surtout à la forme pronominale: *je prendrai un café* me tomaré un café.

**preneur, euse** *s* **1.** *(acheteur)* comprador, a **2** *(à bail)* arrendador, a **3. ~ d'otages** → **otage.**

**prénom** *m* nombre de pila, nombre.

**prénommer** *vt* llamar.

**prénuptial, e** *a* prenupcial.

**préoccupant, e** *a* inquietante, preocupante.

**préoccupation** *f* preocupación.

**préoccuper** *vt* preocupar: **son avenir me préoccupe** me preocupa su porvenir; **il est très préocupé par** anda muy preocupado con. ◆ **se ~** *vpr* preocuparse: **il se préoccupe de l'avenir de ses enfants** se preocupa del porvenir de sus hijos.

**préparateur, trice** *s* **1.** *(en pharmacie)* practicante **2.** *(de laboratoire)* auxiliar.

**préparatifs** *m pl* preparativos.

**préparation** *f* **1.** preparación **2.** *(chimique, pharmaceutique)* preparado *m.*

**préparatoire** *a* preparatorio, a.

**préparer** *vt* preparar. ◆ **se ~** *vpr* prepararse: **je me prépare à partir** me preparo para salir.

**prépondérance** *f* preponderancia.

**prépondérant, e** *a* preponderante.

**préposé, e** *s* **1.** encargado, a **2.** *(facteur)* cartero.

**préposer** *vt* encargar: **~ quelqu'un à** encargar a alguien de.

**prépositif, ive** *a* *GRAM* prepositivo, a.

**préposition** *f* *GRAM* preposición.

**prépuce** *m* *ANAT* prepucio.

**préraphaélisme** *m* prerrafaelismo.

**préraphaélite** *a/s* prerrafaelista.

**préretraite** *f* jubilación anticipada.

**préretraité, e** *s* prejubilado, a.

**prérogative** *f* prerrogativa.

**préromantique** *a/s* prerromántico, a.

**près** *adv* **1.** cerca: **tout ~** muy cerca, cerquita ◊ **de ~** de cerca; **de ~ ou de loin** de cerca o de lejos; **à beaucoup ~** con mucho; **à peu ~** casi; **à peu de chose ~** poco más o menos, aproximadamente; **à cela ~** excepto eso, aparte de eso; **calculer à un millimètre ~** calcular muy de cerca; *FIG* **ne pas y regarder de si ~** no ser exigente; **surveiller de ~** vigilar atentamente; **je ne suis pas à cinq minutes ~** cinco minutos de más, lo mismo da **2.** *loc prép* **~ de** cerca de: **il habite ~ de la gare** vive cerca de la estación, junto a la estación; casi: **il est ~ de midi** son casi las doce; **être ~ de la retraite** estar próximo a la jubilación; **je ne suis pas ~ de recommencer!** ¡no estoy dispuesto a comenzar de nuevo!; *FAM* **il est ~ de ses sous** es un agarrado.

**présage** *m* presagio.

**présager*** *vt* presagiar: **ne rien ~ de bon** no presagiar nada bueno.

**pré-salé** *m* cordero engordado en los pastos próximos al mar.

**presbyte** *a/s* présbita.

**presbytère** *m* rectoral *f*, casa *f* del párroco.

**presbytérien, enne** *a/s* presbiteriano, a.

**presbytie** [pʀɛsbisi] *f* presbicia.

**prescience** *f* presciencia.

**préscolaire** *a* preescolar.

**prescription** *f* prescripción.

**prescrire*** *vt* **1.** prescribir **2.** *(un remède)* recetar.

**prescrit, e** *a* *(fixe)* fijado, a, indicado, a.

**préséance** *f* precedencia.

**présence** *f* **1.** presencia ◊ **en ~** frente a frente; **en ~ de** en presencia de; **en ma ~** en mi presencia; **faire acte de ~** hacer acto de presencia **2. ~ d'esprit** presencia de ánimo.

[1]**présent, e** *a/s* presente: **être ~** estar presente; **ici ~** aquí presente ◊ **les personnes présentes** los asistentes, los presentes; **avoir ~ à l'esprit** tener presente, recordar **2. les circonstances présentes** las circunstancias presentes; **l'instant ~** el momento actual **3.** *(lettre)* **la présente** la presente (carta). ◇ *m* **1.** presente: **le ~ et l'avenir** el presente y el porvenir **2. à ~** ahora; **jusqu'à ~** hasta ahora; **dès à ~** desde ahora; **à ~ que...** ahora que...; **d'à ~** actual **3.** *GRAM* **~ de narration** presente histórico.

[2]**présent** *m* *(cadeau)* presente, regalo ◊ **faire ~ de** regalar.

**présentable** *a* presentable: **je ne suis pas ~** no estoy presentable.

**présentateur, trice** *s* **1.** *(radio, télévision)* presentador, a **2.** vendedor, a.

**présentation** *f* **1.** presentación **2.** *(de collections, d'un film)* exhibición **3.** *(aspect)* **bonne ~** buena presencia **4.** *RELIG* **Présentation de la Vierge** Presentación de la Virgen. ◇ *pl* **faire les présentations** presentar.

**présentement** *adv* actualmente, ahora.

**présenter** *vt* **1.** presentar **2.** *(papiers d'identité, collection, film)* exhibir: **présentez votre passeport** exhiba el pasaporte; **film présenté au festival de...** película exhibida en el festival de... **3. ~ ses excuses** presentar sus excusas; **~ ses respects** presentar sus respetos **4.** *MIL* **présentez armes!** ¡presenten armas! ◇ *vi* *FAM* **il présente bien** tiene buena presencia. ◆ **se ~** *vpr* presentarse: **se ~ au domicile de** presentarse en el domicilio de; **se ~ aux élections, à un examen** presentarse a las elecciones, a un examen.

**présentoir** *m* mostrador.

**préservatif** *m* preservativo.

**préservation** *f* preservación.

**préserver** *vt* **1.** preservar **2. Dieu m'en préserve!** ¡Dios me libre!

**présidence** *f* presidencia.
**président** *m* **1.** presidente: **~ de la République** presidente de la República **2 ~-directeur général (P.-D.G.)** director gerente.
**présidente** *f* presidenta.
**présidentiable** *a* que tiene probabilidad de ser presidente.
**présidentialisme** *m* presidencialismo.
**présidentiel, elle** *a* presidencial. ◇ *f pl* elecciones presidenciales.
**présider** *vt* presidir. ◇ *vi* **~ à** presidir.
**présidium → praesidium.**
**présomptif, ive** *a* presunto, a.
**présomption** *f* presunción.
**présomptueux, euse** *a* presuntuoso, a.
**presque** *adv* **1.** casi: **j'ai ~ fini** casi he terminado; **il est ~ une heure** es casi la una; **~ jamais** casi nunca **2. il ne mange ~ pas** casi no come; **je ne l'ai ~ pas vu** apenas le he visto, casi no le he visto.
**presqu'île** *f* península.
**pressant, e** *a* **1.** urgente, acuciante, apremiante: **un besoin ~** una necesidad urgente **2.** perentorio, a.
**presse** *f* **1.** *(machine)* prensa ◊ **mettre sous ~** meter en prensa. **2.** prensa: **la ~ quotidienne** la prensa diaria; **~ à sensation** prensa amarilla; **la liberté de la ~** la libertad de prensa, de imprenta; **agence de ~** agencia de prensa ◊ **avoir bonne, mauvaise ~** tener buena, mala prensa; **carte de ~** carnet *m* de periodista **3. moments de ~** momentos de prisa **4.** *(foule)* gentío *m*, muchedumbre.
**pressé, e** *a* **1. orange pressée** naranja exprimida; **citron ~** jugo de limón **2.** *(qui montre de la hâte)* presuroso, a ◊ **être ~ d'arriver** estar impaciente por, ansioso de llegar; **je suis (très) ~** tengo, llevo (mucha) prisa **3.** *(urgent)* urgente ◊ **ce n'est pas ~** no corre prisa. ◇ *m* **aller, courir au plus ~** acudir a lo más urgente.
**presse-agrumes** *m inv* exprimidor.
**presse-citron** *m* exprimidor.
**presse-fruits** *m inv* exprimidor.
**pressentiment** *m* **1.** presentimiento **2. j'ai comme le ~ que...** me da el corazón de que...
**pressentir*** *vt* **1.** presentir: **je pressens une catastrophe** presiento una catástrofe **2.** *(quelqu'un)* tantear, sondear.
**presse-papiers** *m inv* pisapapeles.
**presse-purée** *m inv* pasapuré.
**presser** *vt* **1.** *(fruit, éponge)* exprimir, estrujar: **~ un citron** exprimir un limón **2. ~ contre sa poitrine** apretar contra su pecho; **~ dans ses bras** estrechar entre sus brazos **3.** *(un bouton)* pulsar, oprimir, presionar **4.** *(harceler)* acuciar, apremiar, acosar, apretar: **~ quelqu'un de faire quelque chose** apremiar a alguien para hacer algo **5.** acelerar; **~ quelqu'un de questions** acosar a alguien a preguntas ◊ **~ le pas** avivar el paso, apretar el paso. ◇ *vi* **1.** urgir, ser urgente: **ce travail presse** este trabajo urge; **rien ne presse** nada urge **2. le temps presse** el tiempo apremia. ◆ **se ~** *vpr* **1.** *(se serrer)* **se ~ contre quelqu'un** apretujarse contra alguien **2.** *(se hâter)* darse prisa: **pressez-vous** daos prisa; **pressons!** ¡de prisa!, ¡aprisa!
**pressing** [pʀesiŋ] *m* tintorería *f*.
**pression** *f* **1.** presión: **~ atmosphérique** presión atmosférica; **gaz sous ~** gas a presión **2. bière à la ~** cerveza de barril **3.** *FIG* **la ~ fiscale** la presión fiscal; **faire ~ sur** presionar a, ejercer presión sobre; **les syndicats font ~ sur le Gouvernement** los sindicatos presionan al Gobierno; **groupe de ~** grupo de presión; **il est sous ~** está bajo presión **4.** *(bouton)* automático *m*.
**pressoir** *m* **1.** *(machine)* prensa *f* **2.** *(endroit)* lagar.
**pressurer** *vt* **1.** prensar **2.** *FIG (exploiter)* estrujar, explotar.
**pressurisation** *f* presurización.
**pressuriser** *vt* presurizar: **cabine pressurisée** cabina presurizada.
**prestance** *f* buena presencia.
**prestataire** *m* **~ de services** prestador de servicios.
**prestation** *f* **1.** prestación **2.** *(allocation)* subsidio *m*, prestación **3. ~ de serment** jura *f*, acto *m* de juramento **4.** *(d'un artiste, etc.)* actuación.
**preste** *a* pronto, a, ágil.
**prestement** *adv* rápidamente, prontamente.
**prestesse** *f* presteza, prontitud.
**prestidigitateur, trice** *s* prestidigitador, a.
**prestidigitation** *f* prestidigitación.
**prestige** *m* prestigio.
**prestigieux, euse** *a* prestigioso, a.
**présumé, e** *a* presunto, a: **l'auteur ~ de l'attentat** el presunto autor del atentado; **~ coupable** presunto culpable. ▶ *Presumido* signifie: «prétentieux».
**présumer** *vt* suponer, presumir: **je présume que...** supongo que..., presumo que.... ◇ *vi* **trop ~ de** sobrestimar.
**présure** *f* cuajo *m*.
**[1]prêt** *m* **1.** préstamo: **~ à long terme** préstamo a largo plazo; **~ bancaire** préstamo bancario **2.** *MIL* prest.
**[2]prêt, e** *a* listo, a, dispuesto, a: **tout est ~** todo está listo; **~ à partir** listo, dispuesto para salir; **mes bagages sont prêts** tengo el equipaje dispuesto ◊ **je suis ~ à tout** ya estoy preparado para todo.
**prêt-à-porter** *m* prêt-à-porter.
**prétantaine → prétentaine.**
**prêté, e** *a/m* prestado, a ◊ **c'est un ~ pour un rendu** donde las dan las toman.
**prétendant, e** *s* pretendiente.
**prétendre*** *vt* pretender: **il prétend tout savoir** pretende saberlo todo. ◇ *vi* **~ à** aspirar a.
**prétendu, e** *a* supuesto, a, presunto, a.
**prétentaine** *f ANC* **courir la ~** andar de picos pardos.
**prête-nom** *m* testaferro.
**prétentieux, euse** *a/s* presuntuoso, a, presumido, a, pretencioso, a.
**prétention** *f* **1.** pretensión **2. sans ~** sencillo, a, modesto, a.
**prêter** *vt* **1.** prestar: **~ de l'argent** prestar dinero **2. ~ la main, ~ main forte** echar una mano; **~ attention** prestar atención; **~ l'oreille** prestar oídos; **~ serment** prestar juramento **3.** *(attribuer)* atribuir: **on lui prête des propos qu'il n'a pas tenus** le atribuyen palabras que no ha dicho. ◇ *vi* **1.** *(tissu, cuir)* prestar, dar de sí **2. ~ à** dar motivo a, prestarse: **cela prête à confusion** esto se presta a confusión; **~ à rire** hacer reír. ◆ **se ~ à** *vpr* prestarse a.
**prétérit** [pʀeteʀit] *m GRAM* pretérito.
**préteur** *m (magistrat romain)* pretor.
**prêteur, euse** *s (professionnel)* prestamista. ◇ *a* desprendido, a.
**[1]prétexte** *m* pretexto: **sous ~ de** con el pretexto de, so pretexto de; **sous ~ que** con el pretexto de que; **sous un ~ quelconque** con cualquier pretexto; **sous le moindre ~** con el menor pretexto; **sous aucun ~** bajo ningún pretexto, de ningún modo.
**[2]prétexte** *a/f (toge)* pretexta.
**prétexter** *vt* pretextar.
**prétoire** *m* pretorio.
**prétorien, enne** *a* pretoriano, a: **la garde prétorienne** la guardia pretoriana.
**prêtre** *m* sacerdote ◊ **~-ouvrier** cura obrero.

**prêtresse** *f* sacerdotisa.

**prêtrise** *f* sacerdocio *m*.

**preuve** *f* **1.** prueba: **c'est la ~ que** es la prueba de que; **la ~ en est que** prueba de ello es que ◊ **faire ~ de** dar pruebas de; **jusqu'à ~ du contraire** hasta probar lo contrario **2. faire ses preuves** demostrar sus capacidades **3.** *MATH* **~ par neuf** prueba del nueve.

**preux** *a/m* *ANC* valiente, esforzado.

**prévaloir*** *vi* prevalecer. ◆ **se ~ de** *vpr* prevalerse de.

**prévaricateur, trice** *a/s* prevaricador, a.

**prévarication** *f* *JUR* prevaricación.

**prévariquer** *vi* *JUR* prevaricar.

**prévenance** *f* atención, consideración.

**prévenant, e** *a* atento, a, solícito, a.

**prévenir*** *vt* **1.** avisar, advertir: **préviens-moi** avísame; **~ le médecin** avisar al médico; **je t'avais prévenu!** ¡ya te lo había advertido!, ¡ya te había avisado! **2.** *(un désir, un besoin)* anticiparse a **3.** *(éviter)* prevenir, precaver: **mieux vaut ~ que guérir** más vale prevenir que curar, mejor curarse en salud.

**préventif, ive** *a* **1.** preventivo, a, cautelar: **mesures préventives** medidas cautelares **2. détention préventive** prisión preventiva.

**prévention** *f* **1.** prevención **2.** prisión preventiva **3. ~ routière** seguridad del tráfico.

**préventorium** [prevɑ̃tɔrjɔm] *m* preventorio.

**prévenu, e** *a* **1.** *(averti)* avisado, a, informado, a **2.** *(en faveur de, contre)* prevenido, a. ◇ *a/s* *JUR* acusado,a, procesado, a.

**prévisible** *a* previsible.

**prévision** *f* **1.** previsión: **en ~ de** en previsión de **2. prévisions météorologiques** pronóstico *m sing* del tiempo.

**prévisionnel, elle** *a* estimativo, a: **budget ~** presupuesto estimativo.

**prévoir*** *vt* prever: **tout est prévu** todo está previsto ◊ **comme il était à ~** como era de suponer; **c'était à ~** era de suponer; **comme prévu** como convenido.

**prévôt** *m* **1.** preboste **2. ~ d'armes** ayudante de un maestro de esgrima.

**prévôté** *f* *MIL* gendarmería de un ejército.

**prévoyance** [prevwajɑ̃s] *f* previsión.

**prévoyant, e** [prevwajɑ̃, ɑ̃t] *a* previsor, a, precavido, a: **les gens prévoyants** los precavidos.

**prévu, e → prévoir.**

**prie-Dieu** *m inv* reclinatorio.

**prier** *vi/t* orar, rezar: **~ pour les défunts** orar por los difuntos: **~ Dieu** orar a Dios. ◇ *vt* rogar: **je vous prie d'excuser mon retard** le ruego que disculpe mi retraso; **nous vous prions de bien vouloir...** le rogamos tenga la amabilidad de...; **se faire ~** hacerse rogar; **il ne s'est pas fait ~** no se hizo de rogar ◊ **je vous prie** por favor; **je vous en prie** se lo ruego, *(bien sûr)* claro; **je t'en prie, ça suffit!** ¡por Dios, basta!

**prière** *f* **1.** oración: **dire, faire ses prières** rezar sus oraciones; **faire sa ~** rezar **2.** *(demande)* ruego *m*, súplica **3. ~ de frapper** se ruega llamar a la puerta; **~ de ne pas fumer** se ruega no fumar; **~ de m'envoyer...** ruego me envíen...; **~ de nous retourner le questionnaire** rogamos devuelva el cuestionario.

**prieur, e** *s* prior, a.

**prieuré** *m* priorato.

**primaire** *a/m* **1.** primario, a: **enseignement ~** enseñanza primaria **2.** *GÉOL* primario, a: **ère ~** era primaria **3.** *PÉJOR (une personne)* simple, sencillote.

**primat** *m* **1.** *RELIG* primado **2.** *LITT (primauté)* primacía *f*.

**primate** *m* primate.

**primauté** *f* primacía, preeminencia.

**¹prime** *a* **1.** primero, a; **dans sa ~ jeunesse** en su primera juventud ◊ **de ~ abord** a primera vista **2.** *MATH* prima: **A ~** A prima.

**²prime** *f* **1.** gratificación, plus *m*, prima: **~ de rendement** gratificación por rendimiento. **2.** *(assurances, Bourse)* prima **3.** *(cadeau)* obsequio *m* **4.** *(en plus)* **en ~** además, por añadidura **5. faire ~** tener gran aceptación.

**primer** *vi (prévaloir)* predominar, imperar. ◇ *vt* **1.** *(l'emporter sur)* superar a **2.** *(récompenser)* premiar: **film primé au festival de X** película premiada en el festival de X.

**primerose** *f* malvarrosa.

**primesautier, ère** *a* espontáneo, a, impulsivo, a.

**primeur** *f* primicia. ◇ *f pl* frutas, hortalizas tempranas.

**primevère** *f* primavera, prímula.

**primipare** *a/f* primeriza, primípara.

**primitif, ive** *a/s* primitivo, a. ◇ *m (peintre)* primitivo.

**primitivement** *adv* al principio, primitivamente.

**primo** *adv* primeramente, en primer lugar.

**primogéniture** *f* primogenitura.

**primo-infection** *f* *MÉD* primoinfección.

**primordial, e** *a* primordial.

**prince** *m* príncipe: **~ héritier** príncipe heredero ◊ **le ~ de Galles** el príncipe de Gales; **~ charmant** príncipe azul; *FIG* **le fait du ~** una alcaldada; *FAM* **être bon ~** ser tolerante, ser comprensivo; **le Petit Prince** *(Saint-Exupéry)* El Principito.

**prince-de-galles** *a/m inv (tissu)* príncipe de Gales.

**princeps** *a* **édition ~** edición princeps, edición príncipe.

**princesse** *f* **1.** princesa **2.** *FAM* **aux frais de la ~** de gorra.

**princier, ère** *a* principesco, a.

**princièrement** *adv* espléndidamente, a lo príncipe.

**principal, e** *a* principal: **les principaux pays** los principales países. ◇ *m* **1.** *(d'un collège)* director **2. le ~ est de gagner** lo principal es ganar; **c'est le ~** es lo principal.

**principalement** *adv* principalmente, preferentemente.

**principauté** *f* principado *m*.

**principe** *m* **1.** principio **2. j'ai pour ~ de** tengo como norma de **3. c'est pour le ~** no es por el huevo sino por el fuero **4.** *loc adv* **par ~** por principio; **en ~** en principio. ◇ *pl (règles de conduite)* principios: **manquer à ses principes** faltar a sus principios.

**printanier, ère** *a* primaveral.

**printemps** *m* **1.** primavera *f*: **au ~** en la primavera; **le ~ de la vie** la primavera de la vida **2.** *POÉT* **Anne avait quinze ~** Ana tenía quince abriles.

**prioritaire** *a* prioritario, a.

**priorité** *f* **1.** prioridad ◊ **en ~** con prioridad, ante todo **2.** *(sur la route)* preferencia de paso: **avoir la ~** tener preferencia; **vous n'avez pas la ~** ceda el paso.

**pris, e** *pp* de **prendre.** ◇ *a* **1. je suis ~ ce soir** no estoy libre esta noche **2. taille bien prise** talle bien proporcionado; **avoir la gorge prise** tener la garganta inflamada **3. ~ de boisson** ebrio, a **4.** *(coagulé)* cuajado, a **5.** *(gelé)* helado, a.

**prise** *f* **1.** toma: **la ~ de la Bastille** la toma de la Bastilla; **~ d'otages** secuestro *m*; *FIG* **~ de conscience** toma de conciencia; **~ de position** toma de posición, postura **2.** *(chose prise)* presa, captura **3.** *(de tabac)* toma **4.** *(dans la lutte)* presa, llave: **une ~ de judo** una llave de judo ◊ **être aux prises avec** estar en lucha con; **lâcher ~** ceder, cejar **5.** *(pour saisir)* asidero *m* ◊ **donner ~ à** dar pie a **6.** *(de la raquette)* posición **7. ~ de sang** toma de sangre **8. ~ de son** registro *m* de sonido, toma de sonido; **~ de vues** rodaje *m*, filmación **9. ~ d'eau** boca de riego **10.** *ÉLECT* **~ de courant** enchufe *m*; **~ de terre** toma de tierra **11.** *TECHN* **~ directe** directa, marcha directa: **se mettre en ~** poner la directa **12.** *(du béton, etc.)* fraguado *m*, solidificación.

**priser** *vt* **1.** *LITT (apprécier)* apreciar, estimar **2.** *(du tabac)* tomar **3.** *(emploi absolu)* tomar rapé.

**prismatique** *a* prismático, a.

**prisme** *m* prisma.

**prison** *f* **1.** cárcel, prisión: **mettre en ~** meter en la cárcel, encarcelar; **aller en ~** ir a la cárcel **2.** *(peine)* prisión: **condamné à deux ans de ~** condenado a dos años de prisión **3.** *FAM* **aimable comme une porte de ~** muy poco amable, huraño, a.

**prisonnier, ère** *a/s* **1.** preso, a: **~ de droit commun** preso común; **~ politique** preso político **2.** *(de guerre)* prisionero, a.

**privatif, ive** *a* privativo, a.

**privation** *f* privación. ◇ *pl* privaciones: **souffrir de privations** pasar privaciones.

**privatisation** *f* privatización.

**privatiser** *vt* privatizar.

**privauté** *f* familiaridad excesiva, confianza excesiva: **se permettre des privautés avec** tomarse confianzas con.

**privé, e** *a* **1.** privado, a ◊ **en ~** en privado; **dans le ~** en la intimidad **2.** particular: **propriété privée** propiedad particular. ◇ *m* **1. le ~** el sector privado **2.** *FAM* detective privado.

**priver** *vt* privar. ◆ **se ~** *vpr* privarse.

**privilège** *m* privilegio.

**privilégié,e** *a/s* privilegiado, a.

**privilégier*** *vt* privilegiar.

**prix** *m* **1.** precio: **~ de gros** precio al por mayor; **~ de revient** precio de coste; **~ d'ami** precio de amigo; **au ~ fort** a un precio subido; **à ~ d'or** → **or** ◊ **objets de ~** objetos de valor; **c'est hors de ~** es carísimo, a; **c'est dans mes ~** el precio me conviene; **y mettre le ~** pagar bien, no reparar en gastos; **mettre à ~ la tête de...** poner precio a la cabeza de...; **ne pas avoir de ~** no tener precio; *(enchères)* **mise à ~** salida **2.** *loc adv* **à aucun ~** de ningún modo, por nada del mundo; **à tout ~** a toda costa, cueste lo que cueste, a todo trance **3.** *loc prép* **au ~ de** al precio de, a costa de: **au ~ d'un effort démesuré** a costa de un esfuerzo desmesurado **4.** *(récompense)* premio: **décerner un ~** otorgar un premio; **le ~ Nobel** el premio Nobel; **grand ~ de formule 1** gran premio de fórmula 1.

**pro** *s FAM* profesional.

**probabilité** *f* probabilidad: **calcul des probabilités** cálculo de probabilidades.

**probable** *a* probable: **il est ~ qu'il viendra** es probable que venga; **c'est ~** es probable.

**probablement** *adv* probablemente.

**probant, e** *a* convincente.

**probatoire** *a* probatorio, a.

**probe** *a* probo, a.

**probité** *f* probidad.

**problématique** *a* problemático, a. ◇ *f* problemática.

**problème** *m* **1.** problema: **poser un ~** plantear un problema **2.** *FAM* **il n'y a pas de ~** no hay problema; **c'est votre ~** es su problema.

**procédé** *m* **1.** *(méthode employée)* procedimiento, método, sistema **2.** *(comportement)* proceder, conducta *f* **3.** *(d'une queue de billard)* suela *f*.

**procéder*** *vt/i* proceder.

**procédure** *f JUR* **1.** procedimiento *m* **2.** *(pièce)* actuación.

**procédurier, ère** *a PÉJOR* pleitista.

**procès** *m* **1.** *JUR* pleito, proceso, causa *f*: **intenter un ~ à quelqu'un** poner pleito a alguien; **instruire un ~** instruir un proceso ◊ **sans autre forme de ~** sin más ni más **2. faire le ~ de** criticar, acusar.

**processeur** *m INFORM* procesador.

**procession** *f* procesión.

**processionnaire** *a/f (chenille)* procesionaria.

**processus** [pʀɔsesys] *m* proceso: **~ de paix** proceso de paz.

**procès-verbal** *m* **1.** *(constat)* atestado **2.** *(d'une séance)* acta *f* **3.** *(amende)* multa *f*.

**prochain, e** *a* **1.** próximo, a: **la prochaine fois** la próxima vez; *FAM* **à la prochaine!** ¡hasta la próxima! **2.** *(date)* **lundi ~** el próximo lunes; **le 8 mai ~** el próximo 8 de mayo; **le mois ~** el mes que viene. ◇ *m* prójimo: **aimer son ~** amar al prójimo.

**prochainement** *adv* próximamente, pronto, en breve: **très ~** muy pronto.

**proche** *a* **1.** cercano, a, próximo, a: **hôtel ~ de la plage** hotel cercano a la playa; **la station de métro la plus ~** la estación de metro más cercana; **entreprise ~ de la faillite** empresa próxima a la quiebra; **ses plus proches collaborateurs** sus colaboradores más próximos; **~ collaborateur de...** estrecho colaborador de... **2.** *(près)* cerca: **tout ~** muy cerca **3. de ~ en ~** poco a poco. ◇ *pl* parientes, allegados, familiares.

**Proche-Orient** *np m* Cercano Oriente.

**proclamation** *f* proclamación.

**proclamer** *vt* proclamar. ◆ **se ~** *vpr* proclamarse.

**proclitique** *a GRAM* proclítico, a.

**proconsul** *m* procónsul.

**procréateur, trice** *s* procreador, a.

**procréation** *f* procreación.

**procréer** *vt* procrear.

**procuration** *f* poder *m*, procuración: **par ~** por poderes.

**procurer** *vt* **1.** proporcionar, facilitar, procurar: **il m'a procuré un studio** me ha facilitado un apartamento **2.** *(occasionner)* causar. ◆ **se ~** *vpr* procurarse, conseguir, obtener.

**procureur** *m* **1.** procurador **2. ~ de la République** procurador de la República **3. ~ général** fiscal togado.

**prodigalité** *f* prodigalidad. ◇ *pl (dépenses)* gastos *m* excesivos.

**prodige** *m* prodigio: **tenir du ~** ser un prodigio, ser inexplicable, ser un milagro.

**prodigieusement** *adv* prodigiosamente.

**prodigieux, euse** *a* prodigioso, a, portentoso, a.

**prodigue** *a/s* **1.** pródigo, a **2. l'enfant ~** el hijo pródigo.

**prodiguer** *vt* prodigar. ◆ **se ~** *vpr* prodigarse.

**prodrome** *m* pródromo.

**producteur, trice** *a/s* productor, a.

**productif, ive** *a* productivo, a.

**production** *f* producción.

**productivité** *f* productividad.

**produire*** *vt* **1.** producir **2.** *(présenter)* exhibir, presentar. ◆ **se ~** *vpr* **1.** *(acteur, etc.)* presentarse al público, actuar **2.** producirse: **un incendie s'est produit à bord** un incendio se produjo a bordo.

**produit** *m* producto: **produits chimiques, de beauté** productos químicos, de belleza; **produits d'entretien** productos de limpieza.

**proéminence** *f* prominencia.

**proéminent, e** *a* prominente.

**prof** *s FAM* profe.

**profanateur, trice** *s* profanador, a.

**profanation** *f* profanación.

**profane** *a/s* profano, a.

**profaner** *vt* profanar.

**proférer*** *vt* proferir.

**profès, esse** [pRɔfɛ, ɛs] *a (religieux)* profeso, a.

**professer** *vt (un sentiment, une croyance)* profesar. ◇ *vi (enseigner)* ser professor, a, enseñar.

**professeur** *m* **1.** profesor, a: **elle est ~ de piano** es profesora de piano **2.** *(d'université, de lycée)* catedrático, a.

**profession** *f* **1.** profesión: **~ libérale** profesión liberal; **chanteur de ~** cantante de profesión **2. «sans ~»** «sus labores» *(femme au foyer)* **3. ~ de foi** profesión de fe **4. faire ~ de** hacer profesión de.

**professionnalisme** *m* **1.** profesionalismo **2.** *(compétence)* profesionalidad.

**professionnel, elle** *a/s* profesional.

**professoral, e** *a* profesoral ◊ **le corps ~** el profesorado, el cuerpo docente.

**professorat** *m* profesorado.

**profil** *m* **1.** perfil: **de ~** de perfil **2.** *(d'une voiture)* línea *f* **3.** *(coupe)* corte **4.** *(en psychologie)* perfil **5.** *FIG* **adopter un ~ bas** permanecer callado.

**profilé** *m (barre métallique)* perfil.

**profiler** *vt* perfilar. ◆ **se ~** *vpr* perfilarse.

**profit** *m* **1.** provecho ◊ **tirer ~ de** sacar provecho de; **mettre à ~** aprovechar **2.** *(gain)* ganancia *f*, beneficio ◊ **profits et pertes** pérdidas y ganancias **3.** *loc prép* **au ~ de** a, en beneficio de.

**profitable** *a* provechoso, a.

**profiter** *vi* **1. ~ de** aprovechar: **~ de l'occasion** aprovechar la ocasión; **il profita de ce que son père était absent...** se aprovechó de que su padre estaba ausente...; **en ~** aprovecharse; **profitez-en!** ¡aprovéchelo! **2. ~ de la vie** disfrutar de la vida **3. ~ à quelqu'un** beneficiar, ser provechoso a alguien **4.** *FAM* **bien ~** *(grandir)* crecer, *(grossir)* engordar.

**profiteur, euse** *s* aprovechado, a.

**profond, e** *a* **1.** profundo, a, hondo, a **2.** *FIG* **un sommeil ~** un sueño profundo; **un ~ mépris** un profundo desprecio; **profonde gratitude** honda gratitud **3. au plus ~ de...** en lo más hondo de...

**profondément** *adv* **1.** profundamente **2. respirer ~** respirar hondamente, hondo.

**profondeur** *f* profundidad ◊ **~ de champ** profundidad de campo; *FIG* **una réforme en ~** una reforma en profundidad.

**profus, e** *a* profuso, a.

**profusément** *adv* profusamente.

**profusion** *f* profusión ◊ **à ~** en abundancia, a manta.

**progéniture** *f* prole, descendencia.

**progestatif, ive** *a/m BIOL* progestageno, a.

**progestérone** *f* progesterona.

**progiciel** *m INFORM* paquete de programas.

**prognathe** *a* prognato, a.

**programmable** *a* programable.

**programmateur, trice** *s* programador, a.

**programmation** *f* programación.

**programme** *m* **1.** programa **2. les auteurs au ~** los autores que figuran en el programa.

**programmer** *vt* programar.

**programmeur, euse** *s* programador, a.

**progrès** *m* progreso, adelanto: **les ~ de la technique** los adelantos de la técnica ◊ **être en ~** adelantar; **faire des ~** hacer progresos.

**progresser** *vi* progresar, adelantar.

**progressif, ive** *a* progresivo, a.

**progression** *f* **1.** progresión **2.** *MATH* **~ arithmétique, géométrique** progresión aritmética, geométrica.

**progressiste** *a/s* progresista.

**progressivement** *adv* progresivamente.

**progressivité** *f* progresividad.

**prohiber** *vt* prohibir.

**prohibitif, ive** *a* prohibitivo, a.

**prohibition** *f* prohibición.

**prohibitionniste** *a/s* prohibicionista.

**proie** *f* **1.** presa ◊ **oiseau de ~** ave de rapiña **2. être la ~ de, en ~ à** ser presa de; **être la ~ des flammes** ser pasto de las llamas; **lâcher la ~ pour l'ombre** dejar las cosas seguras por la esperanza de otras mejores pero inseguras **3.** *FIG* botín *m*.

**projecteur** *m* **1.** foco **2.** *(pour projeter des images)* proyector.

**projectile** *m* proyectil.

**projection** *f* proyección ◊ **appareil de ~** proyector.

**projet** *m* proyecto: **en ~** en proyecto.

**projeter*** *vt* **1.** proyectar **2. il projette d'aller...** piensa ir, proyecta ir...

**projo** *m FAM (projecteur)* foco.

**prolapsus** *m MÉD* prolapso.

**prolégomènes** *m pl* prolegómenos.

**prolétaire** *a/s* proletario, a.

**prolétariat** *m* proletariado.

**prolétarien, enne** *a* proletario, a.

**prolétarisation** *f* proletarización.

**prolifération** *f* proliferación.

**proliférer*** *vi* proliferar.

**prolifique** *a* prolífico, a.

**prolixe** *a* prolijo, a.

**prolixité** *f* prolijidad.

**prolo** *a/s FAM* proletario, a.

**prologue** *m* prólogo.

**prolongation** *f* **1.** prolongación, prórroga **2.** *(d'un match)* prórroga: **jouer les prolongations** jugar la prórroga.

**prolongement** *m* **1.** prolongación *f*, prolongamiento **2.** *FIG (suite)* continuación *f*, *(répercussion)* repercusión *f*.

**prolonger*** *vt* prolongar, alargar: **~ son séjour** alargar su estancia. ◆ **se ~** *vpr* prolongarse, alargarse: **le dîner se prolongea** la cena se prolongó.

**promenade** *f* **1.** paseo *m*: **faire une ~** dar un paseo; **en ~** de paseo **2.** *(lieu)* paseo *m*.

**promener** *vt* **1.** pasear ◊ *FAM* **envoyer ~ quelqu'un** mandar a alguien a paseo; **j'ai tout envoyé ~** lo he tirado todo por la borda **2. ~ son regard sur** pasear la mirada sobre. ◆ **se ~** *vpr* pasear(se): **je vais me ~** voy a pasear; **je ne veux pas que tu te promènes seule** no quiero que te pasees sola.

**promeneur, euse** *s* paseante.

**promenoir** *m* **1.** paseo cubierto **2.** *THÉÂT* pasillo.

**promesse** *f* **1.** promesa: **tenir, ne pas tenir sa ~** cumplir, incumplir su promesa; **~ de mariage** promesa de matrimonio **2. ~ d'achat, de vente** compromiso *m* de compra, de venta.

**Prométhée** *np m* Prometeo.

**prometteur, euse** *a* prometedor, a.

**promettre** *vt/i* prometer: **il m'a promis de m'aider** ha prometido ayudarme; **ce garçon promet** este chico promete ◊ *FAM* **ça promet!** ¡vaya una perspectiva!, ¡lo que nos espera!; *PROV* **~**

**et tenir c'est deux** del dicho al hecho hay mucho trecho. ◆ **se ~** *vpr* **1.** prometerse **2.** proponerse, decidir, resolver: **je me suis promis de revenir bientôt** he resuelto volver pronto.

**promis, e** *a* **1.** prometido, a ◊ *PROV* **chose promise, chose due** lo prometido es deuda **2. Terre promise** Tierra de promisión. ◇ *s ANC (fiancé)* prometido, a, novio, a.

**promiscuité** *f* promiscuidad.

**promo** *f FAM* promoción.

**promontoire** *m* promontorio.

**promoteur, trice** *s* promotor, a.

**promotion** *f* **1.** promoción **2.** *(avancement)* ascenso *m* **3.** *COM* oferta: **article en ~** artículo de oferta, en promoción.

**promotionnel, elle** *a* promocional.

**promouvoir*** *vt* **1.** *(à un grade, etc.)* promover, ascender: **il vient d'être promu capitaine** acaban de ascenderle a capitán **2. ~ une réforme** llevar a cabo una reforma **3.** *(un produit)* promocionar.

**prompt, e** [prɔ̃, prɔ̃t] *a* **1.** pronto, a: **~ à se fâcher** pronto a enfadarse **2.** *(rapide)* rápido, a, diligente: **l'esprit est ~ mais la chair est faible** el espíritu es diligente pero la carne es flaca.

**promptitude** [pcrɔ̃tityd] *f* prontitud.

**promu, e** *pp* de **promover.** ◇ *a* promovido, a, ascendido, a.

**promulgation** *f* promulgación.

**promulguer** *vt* promulgar.

**prône** *m* homilía *f*, plática *f*.

**prôner** *vt* **1.** *(prêcher)* predicar **2.** *(préconiser)* preconizar.

**pronom** *m GRAM* pronombre: **~ personnel** pronombre personal.

**pronominal, e** *a GRAM* pronominal.

**prononçable** *a* pronunciable.

**prononcé, e** *a* pronunciado, a, marcado, a: **traits du visage prononcés** facciones marcadas; **accent ~** marcado acento. ◇ *m JUR* fallo.

**prononcer*** *vt* **1.** *(un mot, etc.)* pronunciar **2.** *JUR* **~ un jugement** dictar un fallo. ◆ **se ~** *vpr* **1.** pronunciarse: **se ~ pour, en faveur de** pronunciarse por, a favor de **2.** *(donner son avis)* opinar, dar su opinión **3.** *JUR* fallar.

**prononciation** *f* pronunciación.

**pronostic** [prɔnɔstik] *m* pronóstico.

**pronostiquer** *vt* pronosticar.

**pronostiqueur, euse** *s* pronosticador, a.

**pronunciamiento** *m* pronunciamiento.

**propagande** *f* propaganda.

**propagandiste** *a/s* propagandista.

**propagateur, trice** *s* propagador, a.

**propagation** *f* propagación.

**propager*** *vt* **1.** *(communiquer)* propagar **2.** *(divulguer)* propalar. ◆ **se ~** *vpr* propagarse, cundir: **le feu, la nouvelle se propagea** el fuego, la noticia se propagó; **la panique se propage** cunde el pánico.

**propane** *m* propano.

**propédeutique** *f ANC* primer año *m* en la Universidad.

**propension** *f* propensión.

**propergol** *m* propergol.

**prophète** *m* **1.** profeta **2. ~ de malheur** pájaro de mal agüero **2.** *PROV* **nul n'est ~ en son pays** nadie es profeta en su tierra.

**prophétesse** *f* profetisa.

**prophétie** [prɔfesi] *f* profecía.

**prophétique** *a* profético, a.

**prophétiser** *vt* profetizar.

**prophylactique** *a* profiláctico, a.

**prophylaxie** *f* profilaxis.

**propice** *a* propicio, a.

**propitiatoire** *a* propiciatorio, a.

**proportion** *f* **1.** proporción **2. en ~ de** en relación con, en proporción con; **hors de ~** desproporcionado, a; **toutes proportions gardées** salvando las distancias **3.** *MATH* proporción. ◇ *pl* proporciones: **stade aux proportions gigantesques** estadio de proporciones gigantescas.

**proportionnalité** *f* proporcionalidad.

**proportionné, e** *a* **1. ~ à** proporcionado, a a **2. bien ~** bien proporcionado, a.

**proportionnel, elle** *a* proporcional.

**proportionnellement** *adv* proporcionalmente.

**proportionner** *vt* proporcionar.

**propos** *m* **1.** *(intention)* propósito, intención *f* **2.** *(sujet)* tema, asunto: **changer de ~** cambiar de tema **3. à ~** a propósito; **à ~ de** a propósito de; **à ~ de rien, à ~ de tout et de rien** sin motivo; **à ce ~** a este respecto; **à quel ~?** ¿con qué motivo?; **à tout ~** a cada momento, para cualquier cosa; **de ~ délibéré** adrede, aposta; **mal à ~** inoportunamente. ◇ *pl* palabras *f*: **~ en l'air** palabras en el aire; **~ blessants** palabras hirientes ◊ **~ galants** piropos, requiebros; **~ de table** charla *f* de sobremesa.

**proposer** *vt* proponer: **il me proposa d'aller au cinéma** me propuso ir al cine. ◆ **se ~** *vpr* **1.** *(offrir ses services)* ofrecerse, brindarse **2.** proponerse: **je me propose de t'écrire** me propongo escribirte.

**proposition** *f* **1.** propuesta, preposición: **propositions de paix** proposiciones de paz; **sur la ~ de** a propuesta de **2. ~ de loi** proposición de ley **3.** *GRAM* oración, proposición.

**propre** *a* **1.** propio, a: **nom ~** nombre propio; **au sens ~** en sentido propio; **de mes propres yeux** con mis propios ojos; **par ses propres moyens** con sus propios medios; **remettez-lui ce document en mains propres** entréguele este documento en sus propias manos **2. ~ à** *(approprié)* adecuado para, *(apte)* apto para **3.** *(pas sale)* limpio, a: **une serviette ~** una toalla limpia; **mains propres** manos limpias **4.** *FAM* **nous voilà propres!** ¡estamos apañados! ◇ *m* **1. le ~ de** lo propio de **2. mettre au ~** poner en limpio **3. appartenir en ~** pertenecer en propiedad **4.** *FAM* **c'est du ~!** ¡muy bonito!, ¡qué horror!, ¡menuda la has hecho! **5. un ~ à rien** un cero, un inútil.

**proprement** *adv* **1.** *(exactement)* propiamente: **~ dit** propiamente dicho ◊ **à ~ parler** hablando con rigor, propiamente **2.** *(avec propreté)* limpiamente.

**propret, ette** *a* limpito, a.

**propreté** *f* limpieza, aseo *m*.

**propriétaire** *s* propietario, a, dueño, a ◊ **~ foncier** terrateniente; **grand ~** latifundista.

**propriété** *f* **1.** propiedad: **~ privée, industrielle, intellectuelle** propiedad privada, industrial, intelectual **2.** *(terres et maison)* finca **3.** *(caractéristique)* propiedad.

▶ Attention, un seul *r* à *propiedad.*

**proprio** *m FAM* propietario.

**propulser** *vt* propulsar, impeler.

**propulseur** *a/m* propulsor.

**propulsion** *f* propulsión.

**propylée** *m ARCH* propileo.

**prorata** *m inv* prorrata *f*: **au ~ de** a prorrata de.

**prorogation** *f* prórroga.

**proroger*** *vt* prorrogar.

**prosaïque** *a* prosaico, a.
**prosaïquement** *adv* prosaicamente.
**prosaïsme** *m* prosaísmo.
**prosateur** *m* prosista.
**proscription** *f* proscripción.
**proscrire*** *vt* proscribir.
**proscrit, e** *s* proscrito, a.
**prose** *f* prosa.
**prosélyte** *s* prosélito.
**prosélytisme** *m* proselitismo.
**Proserpine** *np f* Proserpina.
**prosodie** *f* prosodia.
**prosodique** *a* prosódico, a.
**prosopopée** *f* prosopopeya.
**prospecter** *vt* **1.** prospectar **2.** *COM* buscar clientes en.
**prospecteur** *m* prospector.
**prospection** *f* prospección.
**prospective** *f* prospectiva.
**prospectus** [prɔspɛktys] *m* prospecto.
**prospère** *a* próspero, a.
**prospérer*** *vi* prosperar.
**prospérité** *f* prosperidad.
**prostate** *f* próstata.
**prostatique** *a* prostático, a.
**prosternation** *f*, **prosternement** *m* prosternación *f*.
**prosterner (se)** *vpr* **1.** prosternarse **2.** *FIG* **se ~ devant quelqu'un** rebajarse ante alguien.
**prostituée** *f* prostituta.
**prostituer** *vt* **1.** prostituir **2.** *FIG* **~ son talent** prostituir su talento. ♦ **se ~** *vpr* prostituirse.
**prostitution** *f* prostitución.
**prostration** *f* prostración.
**prostré, e** *a* prostrado, a.
**protagoniste** *s* protagonista.
**prote** *m* regente de imprenta.
**protecteur, trice** *a/s* protector, a: **Société protectrice des animaux** Sociedad protectora de animales.
**protection** *f* **1.** protección: **sous la ~ de** bajo la protección de; **~ sociale** protección social **2.** *(aide)* amparo *m*.
**protectionnisme** *m* proteccionismo.
**protectionniste** *a* proteccionista.
**protectorat** *m* protectorado.
**Protée** *np m* Proteo.
**protégé, e** *a/s* protegido, a.
**protège-cahier** *m* forro.
**protège-dents** *m inv (boxe)* protector.
**protéger*** *vt* **1.** proteger: **protégez vos récoltes** proteja sus cosechas **2.** *(secourir)* amparar: **que Dieu vous protège!** ¡Dios le ampare! ♦ **se ~** *vpr* protegerse.
**protège-slip** *m* salva slip.
**protège-tibia** *m* espinillera *f*.
**protéiforme** *a* polifacético, a, proteico, a.
**protéine** *f* proteína.
**protéinique, protéique** *a CHIM* proteínico, a, proteico, a.
**protestant, e** *a/s* protestante.
**protestantisme** *m* protestantismo.
**protestataire** *a/s* contestatario, a.
**protestation** *f* protesta: **une tempête de protestations** una tempestad de protestas.
**protester** *vi* protestar: **~ contre** protestar contra ◊ **~ de son innocence** protestar de, hacer protestas de su inocencia. ◇ *vt COM* protestar.
**protêt** *m COM* protesto.
**prothèse** *f* **1.** prótesis: **~ dentaire** prótesis dental **2 ~ auditive** audífono *m*.
**protide** *m* prótido.
**protocolaire** *a* protocolario, a.
**protocole** *m* **1.** protocolo **2. ~ d'accord** protocolo.
**protohistoire** *f* protohistoria.
**proton** *m PHYS* protón.
**protoplasme** *m BIOL* protoplasma.
**prototype** *m* prototipo.
**protozoaires** *m pl ZOOL* protozoos.
**protubérance** *f* protuberancia.
**protubérant, e** *a* protuberante.
**prou** *adv* mucho ◊ **peu ou ~** más o menos.
**proue** *f* proa ◊ **figure de ~** mascarón *m* de proa.
**prouesse** *f* proeza, hazaña.
**prouver** *vt* probar, demostrar: **cela prouve que...** eso prueba que..., eso demuestra que...
► *Probar* a également le sens d'«essayer», de «goûter».
**provenance** *f* procedencia, origen *m* ◊ **train en ~ de Bordeaux** tren procedente de Burdeos; **des produits en ~ de l'Afrique** productos provenientes de África.
**provençal, e** *a/s* provenzal.
**Provence** *np f* Provenza.
**provenir*** *vi* provenir, proceder: **d'où provient l'erreur?** ¿de dónde proviene el error?; **influences provenant de...** influencias provenientes de...
**proverbe** *m* proverbio, refrán ◊ **recueil de proverbes** refranero; **passer en ~** hacerse proverbial; **le Livre des Proverbes** el Libro de los Proverbios.
**proverbial, e** *a* proverbial.
**providence** *f* providencia: **la divine ~** la divina providencia.
**providentiel, elle** *a* providencial.
**provigner** *vi AGR (la vigne)* amugronar.
**province** *f* **1.** provincia, región **2. la vie de ~** la vida de provincia; **aller en ~** ir a provincias.
**provincial, e** *a (administration)* provincial. ◇ *a/s* provinciano, a: **les provinciaux à Paris** los provincianos en París.
**proviseur** *m* director de un instituto de Enseñanza Media.
**provision** *f* **1.** *(réserve)* provisión **2.** *COM* provisión de fondos ◊ **chèque sans ~** cheque sin fondos **3.** *(acompte)* anticipo *m*. ◇ *pl* compra *sing*: **aller faire ses provisions** ir a la compra; **panier à provisions** cesta de la compra.
**provisionnel, elle** *a* provisional.
**provisoire** *a* **1.** provisional *(AMÉR* provisorio, a) **2. en liberté ~** en libertad provisional.
**provisoirement** *adv* provisionalmente.
**provoc** *f FAM* provocación.
**provocant, e** *a* provocativo, a.
**provocateur, trice** *a/s* provocador, a.
**provocation** *f* provocación: **c'est une ~** es una provocación.

**provoquer** *vt* provocar.
**proxénète** *s* proxeneta.
**proxénétisme** *m* proxenetismo.
**proximité** *f* proximidad ◊ **à ~** cerca; **à ~ de** cerca de.
**prude** *a/f* gazmoño, a, mojigato, a.
**prudemment** [prydamɑ̃] *adv* prudentemente.
**prudence** *f* prudencia ◊ **par (mesure de) ~** precavidamente.
**prudent, e** *a* prudente: **sois ~** sé prudente.
**pruderie** *f* gazmoñería, mojigatería.
**prud'homme** *m* miembro de la Magistratura del Trabajo: **le conseil des prud'hommes** la Magistratura del Trabajo.
**prune** *f* **1.** ciruela **2.** *FAM* **pour des prunes** por nada, en balde.
**pruneau** *m* **1.** ciruela *f* pasa **2.** *POP (balle de fusil)* bala *f*.
**prunelle** *f* **1.** *(fruit)* endrina **2.** *(de l'œil)* pupila, niña ◊ *FIG* **comme (à) la ~ de ses yeux** como a las niñas de sus ojos.
**prunellier** *m* endrino.
**prunier** *m* ciruelo.
**prurigo** *m MÉD* prurigo.
**prurit** [pryrit] *m* prurito.
**Prusse** *np f* Prusia.
**prussien, enne** *a/s* prusiano, a.
**psalmiste** *m* salmista.
**psalmodie** *f* salmodia.
**psalmodier*** *vt/i* salmodiar.
**psaume** *m* salmo.
**psautier** *m* salterio.
**pseudonyme** *m* seudónimo.
**pseudopode** *m BIOL* seudópodo.
**psi** *m inv* psi *f*.
**psitt!** [psit] *interj* ¡psit!
**psittacisme** *m* psitacismo.
**psoriasis** [psɔrjazis] *m MÉD* psoriasis *f*.
**psy** *s FAM* sicanalista, siquiatra.
**psychanalyse** [psikanaliz] *f* (p)sicanálisis *m*.
▶ Les mots de cette famille s'écrivent en espagnol avec ou sans *p* initial mais la forme sans *p* est préférable.
Las palabras de esta familia, salvo *psyché, psychique* y *psychisme* se pronuncian [psik-].
**psychanalyser** *vt* (p)sicoanalizar: **se faire ~** psicoanalizarse.
**psychanalyste** *s* (p)sicanalista.
**psychanalytique** *a* (p)sicoanalítico, a.
**Psyché** *np f* Psiquis.
**psyché** *f* psique.
**psychédélique** *a* (p)sicodélico, a.
**psychiatre** *s* (p)siquiatra.
**psychiatrie** [psikjatri] *f* (p)siquiatría.
**psychiatrique** *a* (p)siquiátrico, a.
**psychique** *a* (p)síquico, a.
**psychisme** *m* (p)siquismo.
**psychodrame** *m* (p)sicodrama.
**psychologie** [psikɔlɔʒi] *f* (p)sicología.
**psychologique** *a* (p)sicológico, a: **guerre ~** guerra psicológica.
**psychologiquement** *adv* (p)sicológicamente.
**psychologue** *s* (p)sicólogo, a.
**psychomoteur, trice** *a* (p)sicomotor, a.
**psychomotricité** *f* (p)sicomotricidad.
**psychopathe** *s* (p)sicópata.
**psychopathie** *f* (p)sicopatía.
**psychopathologie** *f* (p)sicopatología.
**psychose** *f* (p)sicosis.
**psychosomatique** *a* (p)sicosomático, a.
**psychotechnique** *f* (p)sicotecnia.
**psychothérapeute** *s* (p)sicoterapeuta.
**psychothérapie** *f* (p)sicoterapía.
**psychotrope** *m* (p)sicótropo, (p)sicofármaco.
**Ptolémée** *np m* Tolomeo.
**ptôse** *f MÉD* prolapso *m*.
**pu** → **pouvoir.**
**puant, e** *a* **1.** hendiondo, a, pestilente **2.** *FIG* repugnante.
**puanteur** *f* hediondez, hedor *m*.
**pub** *f FAM* publicidad.
**pubère** *a/s* púber, a.
**puberté** *f* pubertad.
**pubien, enne** *a* pubiano, a.
**pubis** [pybis] *m* pubis.
**public, que** *a* público, a: **le secteur ~** el sector público; **la voie publique** la vía pública ◊ **rendre ~** hacer público; **déclaration rendue publique** declaración hecha pública. ◊ *m* público: **le grand ~** el gran público, el público en general; **en ~** en público.
**publicain** *m HIST* publicano.
**publication** *f* **1.** *(ouvrage)* publicación **2.** publicación, aparición: **date de ~** fecha de aparición.
**publiciste** *s* publicista.
**publicitaire** *a* publicitario, a, propagandístico, a: **campagne ~** campaña publicitaria. ◊ *s (personne)* **un ~** un publicista.
**publicité** *f* publicidad, propaganda: **agence de ~** agencia de publicidad.
**publier*** *vt* publicar.
**publiquement** *adv* públicamente.
**puce** *f* **1.** pulga ◊ *FAM* **avoir la ~ à l'oreille** estar con la mosca en la oreja; **mettre la ~ à l'oreille à quelqu'un** meterle la duda a alguien; **secouer les puces à** echar una bronca a; **ma ~** niña, hijita **2.** *INFORM* chip *m*, microchip *m*: **carte à ~** tarjeta con chip. ◊ *f pl* **le marché aux puces** el Rastro *(à Madrid)*, el Mercado de las pulgas. ◊ *a* de color pardo.
**puceau** *a FAM* virgen.
**pucelage** *m* virginidad *f*.
**pucelle** *f* doncella, virgen ◊ **la Pucelle d'Orléans** la Doncella de Orleáns, Juana de Arco.
**puceron** *m* pulgón.
**pudding** [pudiŋ] *m* pudín.
**puddlage** *m TECHN* pudelación *f*.
**pudeur** *f* pudor *m*.
**pudibond, e** *a* pudibundo, a.
**pudibonderie** *f* pudibundez.
**pudicité** *f* pudicicia.
**pudique** *a* púdico, a.
**puer** *vi/t* heder, apestar: **ça pue l'ammoniac** apesta a amoníaco; **ça pue** huele que apesta.
**puéricultrice** *f* puericultora.

**puériculture** *f* puericultura.

**puéril, e** *a* pueril.

**puérilité** *f* puerilidad.

**puerpéral, e** *a* MÉD puerperal.

**pugilat** *m* pugilato.

**pugiliste** *m* púgil.

**pugnace** *a* pugnaz.

**pugnacité** *f* pugnacidad.

**puîné, e** *a/s* segundo, a, menor.

[1]**puis** *adv* **1.** después, luego **2. et ~ c'est tout** y nada más; **et ~** *(en outre)* además; **et ~ après?, et ~ alors?** ¿y qué?

[2]**puis** → **pouvoir.**

**puisard** *m* pozo negro, sumidero.

**puisatier** *m* pocero.

**puiser** *vt* **1.** *(de l'eau)* sacar **2.** FIG **~ dans** sacar de.

**puisque** *conj* puesto que, ya que.

**puissamment** *adv* poderosamente.

**puissance** *f* **1.** *(force)* potencia, fuerza **2.** *(pouvoir)* poderío *m*: **volonté de ~** voluntad de poderío **3.** *(d'un moteur)* potencia: **~ fiscale** potencia fiscal **4. ~ de travail** capacidad de trabajo **5.** MATH potencia: **cinq ~ trois** cinco elevado a la tercera potencia **6. les grandes puissances** las grandes potencias **7. ~ paternelle** patria potestad **8.** *loc adv* **en ~** en potencia. ◇ *pl* RELIG potestades.

**puissant, e** *a* **1.** *(moteur, machine)* potente **2.** *(qui a du pouvoir)* poderoso, a **3.** *(voix)* fuerte.

**puits** *m* **1.** pozo **2.** FIG **un ~ de science** un pozo de ciencia.

**pull-over, pull** [pulɔvœʀ, pulɔvɛʀ, pyl] *m* jersey, jersei, pulóver: **des pull-overs** jerseys, jerséis.

**pullulement** *m* abundancia *f*.

**pulluler** *vi* pulular.

**pulmonaire** *a* pulmonar.

**pulpe** *f* *(des fruits, des dents)* pulpa.

**pulpeux, euse** *a* **1.** pulposo, a **2.** FAM sexy.

**pulque** *m* pulque.

**pulsation** *f* pulsación: **pulsations cardiaques** pulsaciones cardiacas.

**pulsion** *f* pulsión: **pulsions sexuelles** pulsiones sexuales.

**pulvérisateur** *m* pulverizador.

**pulvérisation** *f* pulverización.

**pulvériser** *vt* **1.** pulverizar **2.** FIG **~ un record** pulverizar, batir un récord.

**pulvérulent, e** *a* pulverulento, a.

**puma** *m* puma.

**punaise** *f* **1.** *(insecte)* chinche *m* **2.** *(petit clou)* chincheta **3.** FAM **une ~ de sacristie** una beatona.

**punaiser** *vt* FAM clavar con chinchetas.

[1]**punch** [pɔ̃ʃ] *m* *(boisson)* ponche ◊ **bol à ~** ponchera *f*.

[2]**punch** [pœnʃ] *m* **1.** *(boxe)* puñetazo **2.** FIG «punch», dinamismo.

**punique** *a* HIST púnico, a.

**punir** *vt* **1.** castigar: **~ un enfant** castigar a un niño **2.** sancionar: **~ d'une amende** sancionar con una multa **3.** *(crime)* condenar.

**punissable** *a* punible, castigable.

**punitif, ive** *a* punitivo, a.

**punition** *f* castigo *m*: **pour ta ~** como castigo.

**punk** *a inv/s* punk: **des punks** punkis.

[1]**pupille** *s* *(orphelin)* pupilo, a.

[2]**pupille** *f* *(de l'œil)* pupila, niña.

**pupitre** *m* **1.** *(de musicien)* atril **2.** *(d'écolier)* pupitre **3.** *(d'un ordinateur)* consola *f*.

**pur, e** *a* **1.** puro, a: **eau pure** agua pura; **air ~** aire puro **2. ~ et simple** puro y simple; **un ~ hasard** una pura casualidad; **par pure curiosité** por pura curiosidad; **la pure vérité** la pura verdad; **un sectarisme ~ et dur** un sectarismo puro y duro; **en pure perte** → **perte.**

**purée** *f* **1.** puré *m*: **la ~ de pommes de terre** el puré de patatas **2.** POP miseria, estechez ◊ **être dans la ~** no tener donde caerse muerto **3. ~ de pois** *(brouillard)* niebla **4.** *(exclamation)* ¡caray!, ¡diablo!

**purement** *adv* **1.** puramente **2. ~ et simplement** pura y simplemente.

**pureté** *f* pureza.

**purgatif, ive** *a* purgativo, a. ◇ *m* MÉD purgante.

**purgatoire** *m* purgatorio.

**purge** *f* purga.

**purger** *vt* **1.** MÉD, TECHN purgar **2.** *(une peine)* purgar **3.** *(une hypothèque)* cancelar. ◆ **se ~** *vpr* purgarse.

**purgeur** *m* TECHN purgador.

**purifiant, e** *a* purificante.

**purificateur, trice** *a/m* purificador, a.

**purification** *f* purificación ◊ **~ ethnique** limpieza étnica.

**purifier*** *vt* purificar. ◆ **se ~** *vpr* purificarse.

**purin** *m* estiércol líquido.

**purisme** *m* purismo.

**puriste** *a/s* purista.

**puritain, e** *a/s* puritano, a.

**puritanisme** *m* puritanismo.

**purotin** *m* FAM pobretón, muerto de hambre.

**purpurin, e** *a* purpúreo, a.

**pur-sang** *m inv* caballo de pura sangre, pura sangre.

**purulence** *f* purulencia.

**purulent, e** *a* purulento, a.

**pus** [py] *m* pus.

**pusillanime** *a* pusilánime.

**pusillanimité** *f* pusilanimidad.

**pustule** *f* pústula.

**pustuleux, euse** *a* pustuloso, a.

**putain** *f* POP **1.** puta, ramera **2. cette ~ de pluie** esta puta lluvia; **cette ~ de voiture** este puto coche. ◇ *interj* POP **~!** ¡la puta!, ¡puñeta!, ¡leche!, ¡joder! ¡hostias!

**putatif, ive** *a* putativo, a.

**pute** → **putain.**

**putois** *m* turón ◊ FIG **crier comme un ~** chillar como un condenado.

**putréfaction** *f* putrefacción.

**putréfié, e** *a* podrido, a, putrefacto, a.

**putréfier (se)*** *vpr* pudrirse.

**putrescible** *a* putrescible.

**putride** *a* pútrido, a.

**putsch** [putʃ] *m* golpe militar, golpe (de Estado).

**putschiste** [putʃist(ə)] *m* golpista.

**puy** *m* monte.

**puzzle** [pœzl(ə)] *m* rompecabezas.

**P.V.** *m* *FAM* *(procès verbal)* multa *f*.
**pygargue** *m* *(oiseau)* pigargo.
**pygmée** *m* pigmeo.
**pyjama** *m* pijama.
**pylône** *m* **1.** *(électrique, etc.)* poste **2.** *(d'un pont)* pilar.
**pylore** *m* *ANAT* píloro.
**pyorrhée** *f* *MÉD* piorrea.
**pyralène** *m* piralene.
**pyramidal, e** *a* piramidal.
**pyramide** *f* pirámide ◊ *FIG* **la ~ des âges** la pirámide de las edades.
**pyrénéen, enne** *a/s* pirenaico, a.
**Pyrénées** *np f pl* **les ~** los Pirineos.
**pyrite** *f* pirita.
**pyrogravure** *f* pirograbado *m*.
**pyrolyse** *f* pirolisis.
**pyromane** *s* pirómano, a.
**pyromanie** *f* piromanía.
**pyrosis** *m* *MÉD* pirosis *f*.
**pyrotechnie** *f* pirotecnia.
**pyrotechnique** *a* pirotécnico, a.
**Pyrrhus** [piʀys] *np m* Pirro ◊ **victoire à la ~** victoria pírrica.
**Pythagore** *np m* Pitágoras.
**pythagoricien, enne** *a/s* pitagórico, a.
**pythie** *f* pitonisa.
**python** *m* pitón.
**pythonisse** *f* pitonisa.
**pyxide** *f* **1.** *BOT* pixidio *m* **2.** *(liturgie)* píxide.

**q** [ky] *m* q *f*: **un ~** una q.

**Q.G.** *m FAM* cuartel general.

**quadragénaire** [kwadraʒenɛʀ] *a/s* cuarentón, ona, cuadragenario, a.

**quadragésimal, e** *a* cuaresmal.

**quadragésime** [kwadʀaʒezim] *f* cuadragésima.

**quadrangulaire** [kwadʀɑ̃gylɛʀ] *a* cuadrangular.

**quadrant** *m* cuadrante.

**quadrature** [kwadʀatyʀ] *f* cuadratura ◊ *FIG* **la ~ du cercle** la cuadratura del círculo.

**quadrichromie** [kwadʀikʀɔmi] *f* cuatricomía.

**quadriennal, e** [kwadʀijenal] *a* cuadrienal.

**quadrige** [k(w)adʀiʒ] *m* cuádriga *f*.

**quadrilatère** [k(w)adʀilatɛʀ] *m* cuadrilátero.

**quadrillage** *m* **1.** cuadrícula **2.** *(par l'armée, etc.)* ocupación *f*.

**quadrille** *m* cuadrilla *f*, lanceros *pl*.

**quadrillé, e** *a (papier)* cuadriculado, a.

**quadriller** *vt* **1.** cuadricular **2. le quartier a été quadrillé par les forces de l'ordre** el barrio ha sido ocupado por las fuerzas del orden.

**quadrimoteur** [k(w)adʀimɔtœʀ] *a/m* cuadrimotor.

**quadripartite** [kwadʀipartit] *a* cuadripartito, a.

**quadrisyllabe** [k(w)adrisi(l)lab] *m* cuatrisílabo.

**quadrumane** [k(w)adʀyman] *a/m* cuadrumano, a.

**quadrupède** [k(w)adʀypɛd] *a/s* cuadrúpedo, a.

**quadruple** [k(w)adʀypl(ə)] *a* cuádruple. ◇ *m* cuádruplo.

**quadrupler** [k(w)adʀyple] *vt* cuadruplicar.

**quadruplés, ées** [k(w)adʀyple] *s pl* cuatrillizos, as.

**quai** *m* **1.** *(d'un port, etc.)* muelle: **~ d'embarquement** muelle de embarque ◊ **le bateau est à ~** el barco está atracado **2. les quais de la Seine** las orillas del Sena **3.** *(d'une gare)* andén: **ticket de ~** billete de andén; **sur le ~ n° 6** en el andén n.° 6. ◇ *np* **le Quai (d'Orsay)** el Ministerio de Asuntos Exteriores (en París); **le Quai des Orfèvres** la sede de la Política Judicial (en París).

**quaker, eresse** [kwɛkœʀ, kres] *s* cuáquero, a.

**qualifiable** *a* calificable.

**qualificatif, ive** *a* calificativo, a: **adjectif ~** adjetivo calificativo. ◇ *m* calificativo.

**qualification** *f* **1.** calificación **2.** *(professionnelle)* cualificación (profesional).

**qualifié, e** *a* **1.** calificado, a, cualificado, a: **ouvrier ~** obrero cualificado **2. être ~ pour** estar capacitado para **3.** *JUR* **vol ~** robo con agravantes.

**qualifier*** *vt* calificar, cualificar: **on l'a qualifié de démagogue** le calificaron de demágogo; **l'adjectif qualifie le nom** el adjetivo califica al nombre. ◆ **se ~** *vpr* **1.** calificarse **2.** clasificarse: **il s'est qualifié pour la demi-finale** se clasificó para la semifinal.

**qualitatif, ive** *a* cualitativo, a.

**qualité** *f* **1.** calidad: **de bonne, mauvaise ~** de buena, mala calidad; **produits de ~** productos de calidad; **de première ~** de primera calidad; **le rapport ~-prix** la relación calidad-precio, precio-calidad; **la ~ de la vie** la calidad de vida **2.** *(d'une personne)* cualidad: **Claire a beaucoup de qualités** Clara tiene muchas cualidades **3.** *loc prép* **en ~ de** en calidad de.

**quand** *adv* **1.** cuándo: **~ partez-vous?** ¿cuándo se marcha usted?; **de ~ date ce château?** ¿de cuándo data este castillo?; **depuis ~ êtes-vous ici?** ¿desde cuándo está usted aquí?; **c'est pour ~ le départ?** ¿para cuándo es la salida?; **à ~ le mariage?** ¿para cuándo es la boda? **2. ~ même** a pesar de todo, sin embargo: **il pleut mais je partirai ~ même** está lloviendo pero me marcharé a pesar de todo; **~ même!** ¡vamos!, ¡faltaba eso!, ¡qué barbaridad! ◇ *conj* **1.** cuando: **nous partirons ~ la voiture sera réparée** nos iremos cuando el coche esté arreglado: **~ tu voudras** cuando quieras **2. ~ bien même** aun cuando: **~ bien même vous auriez accepté...** aun cuando usted hubiese aceptado...

▶ *Quand + futur* = cuando + *subjonctif. La forme* al + *infinitif peut aussi traduire la simultanéité: quand son père mourut* al morir su padre.

**quanta** [kwɑ̃ta] *m pl* de **quantum.**

**quant à** [kɑ̃ta] *loc prép* en cuanto a, por lo que se refiere a: **~ à moi** por lo que a mí se refiere.

**quant-à-soi** *m inv* reserva *f* ◊ **rester sur son ~** guardar las distancias.

**quantième** *m* día (del mes).

**quantifiable** *a* que se puede cuantificar.

**quantifier** *vt* cuantificar.

**quantique** *a PHYS* cuántico, a: **physique ~** física cuántica.

**quantitatif, ive** *a* cuantitativo, a.

**quantité** *f* cantidad: **en grande ~** en gran cantidad ◊ **une ~ de choses** un montón de cosas, una porrada de cosas; **~ de gens** mucha gente, cantidad de gente; *FAM* **en ~ industrielle** a montones.

**quantum** [kwɑ̃tɔm] *m* **1.** *(somme)* cuantía *f*, cantidad *f* **2.** *(quota)* cupo **3.** *PHYS* cuanto.

**quarantaine** *f* **1.** cuarentena ◊ **une ~ de manifestants** unos cuarenta manifestantes; **il frise la ~** raya en los cuarenta años **2. mettre en ~** poner en cuarentena.

**quarante** *a/m inv* cuarenta: **~-deux** cuarenta y dos; **~-huit heures** cuarenta y ocho horas ◊ **je m'en moque comme de l'an ~ → moquer (se).**

**quarantième** *a/s* **1.** cuadragésimo, a **2.** *(fraction)* cuarentavo, a.

**quart** *m* **1.** cuarto: **un ~ d'heure** un cuarto de hora; **midi et ~, moins le ~** las doce y cuarto, menos cuarto; **trois quarts** tres cuartos ◊ *FIG* **passer un mauvais ~ d'heure** pasar un mal rato; **au ~ de tour → tour 2.** cuarta parte *f*: **25 est le ~ de 100** 25 es la cuarta parte de 100 ◊ *FIG* **les trois quarts de** la mayor parte de; **les trois quarts du temps** casi siempre **3.** *(de litre)* **un ~ de rouge** un cuarto litro de tinto **4.** *(d'une livre)* **un ~ de beurre** un cuarto de mantequilla **5. ~ de finale** cuarto de final **6.** *(gobelet)* taza *f* metálica **7.** *MAR* **prendre le ~** hacer guardia, entrar de guardia; **être de ~** estar de guardia; **officier de ~** oficial de guardia.

**quarte** *f MUS* cuarta.

**quarté** *m* quiniela *f* hípica, apuesta *f* sobre cuatro caballos.

**quarteron** *m* **1.** cuarterón **2.** *(petit nombre)* puñado.

**quartette** [kwaʀtɛt] *m MUS* cuarteto.

**quartier** *m* **1.** *(d'orange)* gajo **2.** *(morceau)* trozo, pedazo **3.** *(d'une ville)* barrio: **les vieux quartiers** los barrios antiguos; **les bas quartiers** los barrios bajos; **les beaux quartiers** los barrios elegantes; **je ne suis pas du ~** no vivo en este barrio **4.** *ASTR* **premier, dernier ~** cuarto creciente, menguante **5.** *MIL* **~ général** cuartel general; **quartiers d'hiver** cuarteles de invierno ◊ **avoir ~ libre** estar libre **6.** *(de noblesse)* ascendiente noble, cuarto **7.** *(de l'écu)* cuartel **8. ne pas faire de ~** matar a todos **9. ~ de haute sécurité** cuartel de alta seguridad.

**quartier-maître** *m MAR* segundo contramaestre.

**quarto** [kwaʀto] *adv* en cuarto lugar, cuarto.

**quartz** [kwaʀts] *m* cuarzo: **montre à ~** reloj de cuarzo.

**quasar** [k(w)azaʀ] *m ASTR* quásar.

[1]**quasi** [kazi] *adv (presque)* casi.

[2]**quasi** *m (de veau)* trozo de pierna (de ternera).

**quasi-contrat** *m JUR* cuasicontrato.

**quasi-délit** *m JUR* cuasidelito.

**quasiment** *adv FAM* casi, poco más o menos.

**quasimodo** *f* domingo de Cuasimodo.

**quassia, quassier** [k(w)asja, k(w)asje] *m* cuasia *f*.

**quaternaire** [kwatɛʀnɛʀ] *a/m* cuaternario, a.

**quatorze** *a/m inv* catorce.

**quatorzième** *a/s* **1.** decimocuarto, a **2.** *(fraction)* catorzavo, a **3. le ~ siècle** el siglo catorce.

**quatorzièmement** *adv* en decimocuarto lugar.

**quatrain** *m (strophe)* redondilla *f*, cuarteto.

**quatre** *a/m inv* **1.** cuatro: **les ~ saisons** las cuatro estaciones; **il est ~ heures** son las cuatro ◊ **un de ces ~ matins** uno de estos días; *FAM* **un de ces ~** pronto; **descendre l'escalier ~ à ~** bajar las escaleras de dos en dos; **manger comme ~** comer como un sabañón, como una lima, como un descosido; *FIG* **se mettre en ~** desvivirse: **elle se met en ~ pour lui faire plaisir** se desvive por complacerle; **faire les ~ cents coups → coup 2.** *(ordinal)* cuarto: **Henri ~** Enrique cuarto.

**quatre-cent-vingt-et-un** *m inv* cuatrocientos veintiuno, juego de dados.

**quatre-mâts** *m inv* barco de cuatro palos.

**quatre-quarts** *m inv* variedad de pastel.

**quatre-quatre** *f/m inv* (coche) todoterreno.

**quatre-saisons → saison.**

**quatre-temps** *m pl RELIG* témporas *f*.

**quatre-vingt(s)** [katʀəvɛ̃] *a/m* ochenta: **~-un** ochenta y uno; **~-deux** ochenta y dos.

**quatre-vingt-dix** [katʀəvɛ̃dis] *a/m inv* noventa: **~-neuf** noventa y nueve.

**quatre-vingt-dixième** *a/s* **1.** nonagésimo, a **2.** *(fraction)* noventavo, a.

**quatre-vingtième** *a/m* **1.** octogésimo, a **2.** *(fraction)* ochentavo, a.

**quatrième** *a/s* cuarto, a: **habiter au ~** vivir en el cuarto piso.

**quatrièmement** *adv* en cuarto lugar.

**quatuor** [kwatyɔʀ] *m MUS* cuarteto.

[1]**que, qu'** *conj* **1.** que: **je voudrais ~ tu m'écoutes** quisiera que me escuchases; **qu'il entre!** ¡que entre!; **plus jeune ~ lui** más joven que él; **soyez certain ~ je ne vous oublierai pas** esté seguro (de) que no me olvidaré de usted **2.** *(dans une coordonnée en remplacement d'une autre conjonction, ne se traduit pas)* **quand il entra et qu'il la vit** cuando entró y la vio; **si tu as la grippe et ~ tu ne peux pas venir** si estás con gripe y no puedes venir **3.** cuando: **il venait de sortir ~ ...** acababa de salir cuando...; donde: **c'est ici ~ ...** aquí es donde...; como: **c'est ainsi ~ ...** así es como... **4.** para que: **approchez, ~ je vous entende** acérquese, para que le oiga **5.** porque: **si je te le demande, c'est ~ ...** si te lo pregunto, es porque... **6.** *(hypothèse)* **~ tu le veuilles ou non** quieras o no **7. je le jurerais ~ tu ne me croirais pas** aún si lo jurara no me creerías **8. aussi, autant... ~** tan, tanto... como **9. ne... ~** no... más que, sólo: **elle n'a qu'un fils** sólo tiene un hijo, no tiene más que un hijo **10.** *FAM* **~ oui!** ¡claro que sí!; **~ non!** ¡claro que no!, ¡ca!

[2]**que, qu'** *adv* **1.** qué: **~ c'est joli!** ¡qué bonito!; **ce ~ tu es bête!** ¡qué tonto eres!; **~ cet enfant est pénible!** ¡qué niño más pesado!; *FAM* **qu'est-ce que j'ai sommeil!** ¡qué sueño tengo! **2. ~ de** cuánto, a, qué de: **~ de monde!** ¡cuánta gente!; **~ de souvenirs!** ¡cuántos recuerdos! **3. ~ ne vient- il pas?** ¿por qué no viene?

[3]**que, qu'** *pron rel* **1.** que: **la fleur ~ je préfère** la flor que prefiero; **fais ce ~ tu veux** haz lo que quieras; **~ je sache** que yo sepa **2.** *(pour les personnes)* a quien, a quienes, al que: **la femme qu'il aime** la mujer a quien quiere. ◇ *pron interr* qué: **~ voulez-vous?** ¿qué quiere usted? **~ se passe-t-il?** ¿qué pasa?; **~ faire en cas d'accident?** ¿qué hacer en caso de accidente?; **~ dis-tu?, qu'est-ce ~ tu dis?** ¿qué dices?; **qu'est-ce ~ tu veux faire quand tu seras grand?** ¿qué es lo que quieres hacer cuando seas mayor?

**Québec** *np m* Quebec.

**québécois, e** *a/s* quebequés, esa.

**quebracho** *m* quebracho.

**quechua** *a/s* quechua.

**quel, quelle** *a* **1.** *(devant un nom)* qué: **quelle heure est-il?** ¿qué hora es?; **quelle joie!** ¡qué alegría! ◊ *FAM* **~ temps!** ¡vaya tiempo!; **quelle question!** ¡vaya una pregunta! **2.** *(devant un verbe)* cuál: **~ est votre nom?** ¿cuál es su apellido?; **quelle ne fut pas ma surprise!** ¡cuál fue mi sorpresa! **3.** *(pour les personnes)* quién: **~ est cet homme?** ¿quién es este hombre? **4. ~ que, quelle que** cualquiera que: **~ que soit votre âge** cualquiera que sea su edad; **quels que soient les résultats** cualesquiera que sean los resultados; **quelle que soit la décision** sea cual fuere la decisión. ◇ *pron* cuál: **de ces romans, ~ est le plus intéressant?** de estas novelas, ¿cuál es la más interesante?

▶ Pluriel de *quién* = *quiénes*, de *cuál* = *cuáles*.

**quelconque** *a* **1.** cualquiera: **pour une raison ~** por una razón cualquiera **2.** mediocre, del montón, vulgar: **un spectacle très ~** un espectáculo mediocre; **une femme ~** una mujer vulgar; **des gens quelconques** gente del montón.

**quelque** *a* algún, una: **depuis ~ temps** desde hace algún tiempo. ◇ *pl* **1.** algunos, as, unos, as: **quelques jours après** algunos días después **2. il a publié quelques articles** ha publicado unos cuantos artículos; **les quelques articles qu'il a publiés** los pocos artículos que ha publicado **3.** *FAM* **et quelques** y pico: **cent francs et quelques** cien francos y pico; **à cinquante ans et quelques** a los cincuenta y tantos años. ◇ *adv* **1.** *(environ)* aproximadamente, unos, as: **~ 60 ans** unos 60 años **2.** por muy: **~ courageux qu'il soit** por muy valiente que sea **3.** *loc adv* **~ peu** algo, un poco, algún tanto.

**quelque chose** *pron indéf* **1.** algo: **s'il arrive ~** si sucede algo; **~ à dire, à manger** algo que decir, que comer; **~ comme 8 kilomètres** algo así como 8 kilómetros; **il va m'arriver ~** me va a dar algo; **il y a ~ qui ne va pas?** ¿algo va mal? **2. ~ de** algo: **~ de bon, de curieux** algo bueno, curioso **3.** *FAM* **c'est ~!** ¡es increíble! ◇ *m* **un ~** un algo.

**quelquefois** *adv* a veces, algunas veces.

**quelqu'un, une** *pron indéf* **1.** alguien: **~ a appelé** alguien ha llamado ◊ **se croire ~, se prendre pour ~** creerse alguien **2. comme ~ qui aurait beaucoup pleuré** como quien hubiera llorado mucho **3.** alguno, a: **~ de nos amis** alguno de nuestros amigos. ◇ *pl* **quelques-uns, quelques-unes** algunos, as, varios, as.

**quémander** *vt* mendigar, solicitar.

**quémandeur, euse** *s* pedigüeño, a.

**qu'en-dira-t-on (le)** *m inv* el qué dirán.

**quenelle** *f* albondiguilla.

**quenotte** *f FAM* dientecillo *m*.

**quenouille** *f* copo *m* de la rueca ◊ *FIG* **tomber en ~** decaer.

**Quentin** *np m* Quintín.

**quéquette** *f FAM* pilila.

**querelle** *f* disputa, riña, rencilla ◊ **chercher ~ à quelqu'un** provocar a alguien.

**quereller (se)** *vpr* reñir, disputar.

**querelleur, euse** *a/s* pendenciero, a.

**quérir*** *vt LITT* buscar: **aller ~** ir a buscar.

**qu'est-ce que, qui → [3]que.**

**questeur** [kɛstœʀ] *m* **1.** *(à Rome)* cuestor **2.** parlamentario encargado de la administración de la Cámara.

**question** *f* **1.** pregunta: **poser une ~** hacer una pregunta; **est-ce que je peux vous poser une ~?** ¿puedo hacerle una pregunta? ◊ **je ne me suis pas posé la ~** no me lo he planteado; **se poser des questions** hacerse preguntas ◊ **poser la ~ de confiance** plantear la cuestión de confianza **2.** *(problème)* cuestión, asunto *m*, problema *m*: **questions d'actualité** cuestiones de actualidad: **c'est une ~ de bon sens** es asunto de sentido común; **la ~ n'est pas là** no es ésta la cuestión, la cuestión no es ésa, de eso no se trata; **c'est toute la ~** ése es el quid; **de quoi est-il ~?** ¿de qué se trata?; **il est ~ de construire une nouvelle autoroute** se piensa construir una nueva autopista; **pas ~!,** ¡ni hablar!, ¡ni pensarlo!; **pas ~ d'aller se promener!, il est hors de ~ d'aller se promener!** ¡nada de eso de ir a pasear!; **la personne en ~** la persona en cuestión; **la mise en ~** la puesta en cuestión; **mettre en ~** someter a discusión; **remettre en ~** volver a discutir **3.** *(torture)* tormento *m*, tortura.

**questionnaire** *m* cuestionario.

**questionner** *vt* interrogar, preguntar.

**questionneur, euse** *a/s* preguntón, ona.

**questure** [kɛstyʀ] *f* cuestura.

**quête** *f* **1.** *(à l'église)* colecta: **faire la ~** hacer la colecta **2.** *(dans la rue)* cuestación **3.** *(recherche)* busca, búsqueda: **en ~ de** en busca de ◊ **se mettre en ~ de** buscar.

**quêter** *vi* hacer una colecta, postular: **~ pour la Croix Rouge** postular para la Cruz Roja. ◇ *vt* buscar, solicitar.

**quêteur, euse** *s* postulante.

**quetsche** [kwɛtʃ(ə)] *f* ciruela damascena.

**quetzal** *m (oiseau, unité monétaire du Guatemala)* quetzal.

**queue** *f* **1.** *(des quadrupèdes)* cola, rabo *m*; *(des autres animaux)* cola: **remuer la ~** mover la cola ◊ *FIG* **~ de poisson → poisson; sans ~ ni tête** sin pies ni cabeza; **rentrer la ~ entre les jambes** volver con el rabo entre las piernas **2.** *(de feuille, fruit)* rabillo *m* **3.** *(cheveux)* **~ de cheval** cola de caballo **4.** *(de comète, avion, etc.)* cola: **piano à ~** piano de cola **5.** *(manche)* mango *m*: **la ~ d'une casserole** el mango de una cazuela ◊ *FIG* **tenir la ~ de la poêle** tener la sartén por el mango **6.** *(d'un cortège train, d'une liste)* cola: **wagon de ~** vagón de cola; **monter en ~** subirse a la cola **7.** cola, fila: **faire la ~** hacer cola; **j'ai fait une heure de ~** hice cola durante una hora ◊ **à la ~ leu leu** en fila india, uno detrás de otro **8.** *(billard)* taco *m*.

**queue-d'aronde** *f* cola de milano.

**queue-de-morue** *f* **1** *(pinceau plat)* brocha plana **2.** *FAM* frac *m*.

**queue-de-pie** *f FAM* frac *m*.

**queue-de-rat** *f* lima pequeña y redonda.

**queux** *m* **maître ~** cocinero.

**qui** *pron rel* **1.** que: **l'oiseau ~ chante** el pájaro que canta; **ce ~** lo que **2.** *(complément)* quien, quienes: **l'ami à ~ j'écris** el amigo a quien escribo; **les personnes de ~ je parle** las personas de quienes estoy hablando; **amenez ~ vous voudrez** traiga a quien quiera **3.** *(= celui qui)* **~ trop embrasse mal étreint** quien mucho abarca poco aprieta **4. ~ que ce soit** quienquiera que sea; **je ne le dirai à ~ que ce soit** no lo diré a nadie; **~ plus est** lo que es más; **~ pis est → pis.** ◇ *pron interr* **1.** quién, quiénes: **~ sait?** ¿quién sabe?; **~ est-ce?** ¿quién es?; **~ sont ces jeunes filles?** ¿quiénes son estas chicas?; **~ (est-ce qui) a gagné?** ¿quién ganó?; **à ~ est ce mouchoir?** ¿de quién es este pañuelo?; **il est le neveu de je ne sais ~** es sobrino de no sé quién **2.** *(complément)* a quién: **~ as-tu vu?** ¿a quién has visto?

**quia (à)** *loc adv LITT* **être ~** quedarse cortado, a; **mettre ~** dejar cortado, chafado.

**quiche** *f* quiche.

**Quichotte (don)** *np m* don Quijote.

**quiconque** *pron indéf* cualquiera que, quienquiera que, todo aquel que: **~ veut travailler** todo aquel que quiera trabajar; **tu le sais mieux que ~** tú lo sabes mejor que cualquiera.

**quidam** [kidam] *m* quídam, fulano.

**quiet, ète** *a ANC* tranquilo, a.

**quiétisme** *m* quietismo.

**quiétude** *f* quietud, sosiego *m* ◊ **en toute ~** con toda tranquilidad.

**quignon** *m* **~ de pain** cuscurro de pan.

**[1]quille** *f* **1.** bolo *m*: **jeu de quilles** juego de bolos ◊ *FAM* **recevoir quelqu'un comme un chien dans un jeu de quilles → chien 2.** *POP (fin du service militaire)* licencia **3.** *POP (jambe)* zanca, pierna **4.** *FAM (fille)* chica.

**[2]quille** *f MAR* quilla.

**quinaud, e** *a ANC* confuso, a.

**quincaillerie** *f* ferretería.

**quincaillier, ère** *s* ferretero, a.

**quinconce** *m* tresbolillo: **en ~** al tresbolillo.

**quinine** *f* quinina.

**quinoa** *m (plante)* quinua *f*, quénoa *f*.

**quinquagénaire** *a/s* cincuentón, ona, quincuagenario, a.

**quinquagésime** [kɛ̃kaʒezim] *f* quincuagésima.

**quinquennal, e** *a* quinquenal.

**quinquennat** *m* quinquenio.

**quinquet** *m* **1.** quinqué **2.** *FAM (œil)* ojo.

**quinquina** *m* **1.** *(arbre)* quino **2.** *(écorce)* quina **3.** *(vin)* vino quinado.

**quintaine** *f* estafermo *m*.

**quintal** *m* quintal: **dix quintaux** diez quintales.

**quinte** *f* **1.** *MUS* quinta **2.** *(aux cartes)* quinta, escalera **3. ~ de toux** acceso *m* de tos.

**quintefeuille** *f* cincoenrama.

**quintessence** *f* quintaesencia.

**quintessencié, e** *a* quintaesenciado, a, refinado, a.

**quintette** *m* MUS quinteto.

**quintuple** *a/m* quíntuplo, a.

**quintupler** *vt* quintuplicar.

**quintuplés, ées** *s pl* quintillizos, as.

**quinzaine** *f* **1.** quincena **2. dans une ~ (de jours)** dentro de unos quince días.

**quinze** *a/m inv* **1.** quince **2. aujourd'hui en ~** dentro de quince días.

**quinzième** *a/s* **1.** decimoquinto, a **2.** *(fraction)* quinzavo, a **3. le ~ siècle** el siglo quince.

**quinzièmement** *adv* en decimoquinto lugar.

**quipou, quipu** *m* quipo.

**quiproquo** [kiprɔko] *m* quid pro quo.

**quittance** *f* recibo *m*.

**quitte** *a* **1.** libre, exento, a ◊ **nous sommes quittes** estamos en paz **2. j'en ai été ~ pour la peur** no fue más que un susto; **jouer ~ ou double** jugar el todo por el todo **3.** *loc prép* **~ à** a riesgo de: **j'ai accepté ~ à le regretter plus tard** he aceptado a riesgo de lamentarlo después.

**quitter** *vt* **1.** dejar, abandonar: **~ sa famille** dejar a su familia: **~ sa situation** dejar su empleo ◊ **malade qui ne quitte pas la chambre** enfermo que no sale nunca de su habitación; **ne pas ~ des yeux** no quitar ojo a, no apartar la vista de **2.** salirse: **l'auto a quitté la route** el coche se ha salido de la calzada **3.** *(téléphone)* **ne quittez pas!** ¡no se retire!, ¡no cuelgue! **4.** *(ôter)* quitarse: **il ne quitte jamais son béret** no se quita nunca la boina. ◆ **se ~** *vpr* separarse: **ils se sont quittés** se han separado.

**quitus** [kitys] *m* finiquito.

**qui-vive** *m inv* **être sur le ~** estar alerta → **vivre.**

**quoi** *pron rel* **1.** lo que, lo cual: **c'est en ~ vous vous trompez** es en lo que usted se equivoca; **après ~** después de lo cual; **sans ~** sin lo cual, si no **2.** qué: **avoir de ~ vivre** tener con qué vivir; **il n'y a pas de ~** no hay de qué ◊ **il y a de ~** no es para menos; **il n'y a pas de ~ être fier** no es para estar orgulloso; **n'y a-t-il pas de ~ se sentir perplexe?** ¿no es como para sentirse perplejo? ◇ *pron interr* qué: **à ~ penses-tu?** ¿en qué piensas?; **~ de nouveau?, ~ de neuf?** ¿qué hay de nuevo?; **et puis ~ encore?** ¿y qué más?; **je n'ai pas su ~ répondre** no supe qué contestar; **~ donc?** ¿cómo?; **à ~ bon?** ¿para qué?, ¿a santo de qué? ◇ *pron indéf* **1. n'importe ~** cualquier cosa **2. ~ que je fasse** haga lo que haga; **~ qu'il arrive** pase lo que pase; **~ qu'il en soit** sea como sea, sea lo que sea; **~ qu'on dise** digan lo que digan. ◇ *interj* ¡qué!, ¡cómo!; **c'est dommage ~** es una lástima, digo yo.

**quoique** *conj* aunque: **quoiqu'il soit sévère, ~ sévère** aunque sea severo, aunque severo.

**quolibet** *m* cuchufleta *f*, pulla *f*.

**quorum** [k(w)ɔʀɔm] *m* quórum.

**quota** [k(w)ɔta] *m* cupo, cuota *f*: **les quotas laitiers** las cuotas lecheras.

**quote-part** *f* cuota.

**quotidien, enne** *a* diario, a, cotidiano, a. ◇ *m (journal)* diario, periódico: **le ~ du matin** el diario matutino.

**quotidiennement** *adv* diariamente, a diario.

**quotient** *m* **1.** cociente **2. ~ intellectuel** coeficiente intelectual, cociente intelectual.

**quotité** *f* **1.** cuota, cupo *m* **2.** JUR **~ disponible** parte de libre disposición.

# R

**r** [ʀ] *m* r *f*: **un ~** una r.

**rab** [rab] *m FAM* → **rabiot** ◊ **en ~** sobrante.

**rabâchage** *m* repetición *f* fastidiosa, machaqueo.

**rabâcher** *vi* repetirse. ◇ *vt* repetir.

**rabâcheur, euse** *s* machacón, ona.

**rabais** *m* rebaja *f*, descuento: **vendre au ~** vender con rebaja.

**rabaisser** *vt* rebajar. ◆ **se ~** *vpr* rebajarse.

**rabane** *f* tejido *m* de rafia.

**rabat** *m* **1.** *(des magistrats)* golilla *f* **2.** *(de certains ecclésiastiques)* alzacuello, collarín **3.** *(d'une poche)* carterilla *f*.

**rabat-joie** *m inv* aguafiestas.

**rabattable** *a* abatible.

**rabattage** *m (chasse)* ojeo.

**rabatteur** *m* **1.** *(chasse)* ojeador **2.** *FIG* gancho.

**rabattre*** *vt* **1.** *(replier)* bajar, doblar hacia abajo, plegar **2.** *(refermer)* **~ un siège** abatir un asiento **3. le vent rabat la fumée** el viento no deja subir el humo **4.** *(déduire)* rebajar: **~ dix francs** rebajar diez francos **5.** *FIG* **en ~** ceder **6.** *(le gibier)* ojear. ◆ **se ~** *vpr* **1.** *(se replier)* abatirse **2.** *(un véhicule)* cambiar bruscamente de dirección; **l'auto s'est rabattue sur la droite** el coche se ciñó bruscamente a la derecha **3.** *FIG* **se ~ sur quelque chose** conformarse con algo.

**rabbin** *m* rabino.

**rabbinique** *a* rabínico, a.

**rabibochage** *m FAM* reconciliación *f*.

**rabibocher** *vt FAM* **1.** *(rafistoler)* arreglar chapuceramente **2.** *(reconciliar)* reconciliar. ◆ **se ~** *vpr FAM* reconciliarse.

**rabiot** *m FAM* **1.** *(de nourriture)* sobras *f pl* **2.** suplemento ◊ **faire du ~** hacer horas extraordinarias de trabajo.

**rabioter** *vt FAM* mangar, birlar.

**râble** *m (d'un lièvre, etc.)* lomo.

**râblé, e** *a (personne)* fornido, a, robusto, a.

**rabot** *m* cepillo.

**rabotage** *m* cepillado.

**raboter** *vt* cepillar.

**raboteuse** *f* acepilladora.

**raboteux, euse** *a* desigual.

**rabougri, e** *a* raquítico, a, desmirriado, a.

**rabougrir (se)** *vpr* desmedrarse, encanijarse.

**rabrouer** *vt* regañar, reprender duramente.

**racaille** *f* chusma, canalla.

**raccommodage** *m* **1.** *(action)* compostura *f* **2.** *(pièce)* remiendo.

**raccommodement** *m* arreglo, reconciliación *f*.

**raccommoder** *vt* **1.** *(réparer)* componer, reparar **2.** *(rapiécer)* remendar **3.** *(repriser)* zurcir **4.** *FIG* reconciliar. ◆ **se ~** *vpr FIG* reconciliarse: **ils se sont raccommodés** se han reconciliado.

**raccommodeur, euse** *s* reparador, a.

**raccompagner** *vt* acompañar: **je vous raccompagnerai chez vous** le acompañaré a su casa.

**raccord** *m* **1.** *(pièce)* racor, empalme **2.** *(de peinture)* retoque.

**raccordement** *m* enlace, empalme.

**raccorder** *vt* **1.** empalmar, enlazar **2.** *ÉLECT* conectar. ◆ **se ~** *vpr* empalmar.

**raccourci** *m* **1.** *(chemin)* atajo, trocha *f*: **prendre un ~** tomar un atajo **2.** *(en dessin)* escorzo **3.** *loc adv* **en ~** en resumen, en síntesis.

**raccourcir** *vt* **1.** acortar **2.** *(un texte)* abreviar. ◇ *vi* **1.** *(rétrécir)* encoger **2.** acortarse: **les jours raccourcissent en automne** los días se acortan en otoño.

**raccourcissement** *m* acortamiento.

**raccroc** [ʀakʀo] *m* **1.** chiripa *f*, chamba *f* **2. par ~** por chiripa.

**raccrocher** *vt* **1.** *(tableau, etc.)* volver a colgar **2.** *(téléphone)* **~ le récepteur** colgar el auricular; **je raccrochai aussitôt** colgué en el acto; **ne raccrochez pas!** ¡no cuelgue!, ¡no se retire! **3.** *(racoler)* echar el gancho a. ◆ **se ~** *vpr* **1.** agarrarse **2. se ~ à un espoir** aferrarse a una esperanza.

**race** *f* **1.** raza: **la ~ blanche, jaune, noire** la raza blanca, amarilla, negra **2. chien de ~** perro de raza, de casta ◊ *PROV* **bon chien chasse de ~** de casta le viene al galgo el ser rabilargo **3.** *(ascendance)* casta ◊ **fin de ~** decadente.

**racé, e** *a* **1.** *(animal)* de raza **2.** *(personne)* con clase, distinguido, a.

**rachat** *m* **1.** *(d'une voiture, etc.)* recompra *f* **2.** *(d'un prisonnier)* rescate **3.** *(d'une faute)* redención *f*.

**Rachel** *np f* Raquel.

**racheter*** *vt* **1.** *(acheter de nouveau)* volver a comprar **2.** *(d'occasion)* comprar de segunda mano **3.** *(un prisonnier)* rescatar **4.** *RELIG* redimir. ◆ **se ~** *vpr (réparer ses fautes)* redimirse.

**rachidien, enne** *a ANAT* **bulbe, canal ~** bulbo, canal raquídeo.

**rachis** [ʀaʃis] *m ANAT* raquis.

**rachitique** *a* raquítico, a.

**rachitisme** *m* raquitismo.

**racial, e** *a* racial: **caractères raciaux** caracteres raciales.

**racine** *f* **1.** raíz: **les racines d'une plante** las raíces de una planta ◊ **prendre ~** arraigar, echar raíces **2.** *(d'une dent, d'un mot, etc.)* raíz ◊ *FIG* **couper le mal à la ~** cortar el mal de raíz **3.** *MATH* **~ carrée** raíz cuadrada; **~ cubique** raíz cúbica.

**racisme** *m* racismo.

**raciste** *a/s* racista.

**racket** [rakɛt] *m* racket, timo, estafa *f.*

**racketteur** *m* timador, estafador.

**raclage** *m* raspadura *f.*

**raclée** *f FAM* paliza, tunda: **flanquer une ~** dar, atizar una paliza.

**raclement** *m (de gorge)* carraspeo.

**racler** *vt* **1.** raspar, rascar **2. ~ de la guitare** rascar la guitarra **3.** *FAM* **~ les fonds de tiroir** → **tiroir.** ◆ **se ~** *vpr* **se ~ la gorge** carraspear.

**raclette** *f* **1.** *(racloir)* raedera **2.** plato suizo a base de queso fundido.

**racloir** *m* raedera *f.*

**raclure** *f* raedura, raspadura.

**racolage** *m* **1.** *MIL* enganche, reclutamiento **2.** provocación *f.*

**racoler** *vt* **1.** *MIL* enganchar, reclutar **2.** *(raccrocher)* echar el gancho a, pescar.

**racoleur, euse** *a* provocativo, a. ◇ *m* **1.** *MIL* reclutador **2.** *(de clients)* gancho. ◇ *f (prostituée)* buscona.

**racontable** *a* decible, referible.

**racontar** *m FAM* chisme.

**raconter** *vt* **1.** cortar, narrar **2. ne me raconte pas d'histoires!** ¡no me vengas con cuentos!; **qu'est-ce que tu me racontes?** ¿qué me cuentas?

**raconteur, euse** *s* cuentista.

**racorni, e** *a* endurecido, a, seco, a.

**racornir** *vt* endurecer. ◆ **se ~** *vpr* endurecerse, resecarse.

**radar** *m* radar: **missile guidé par ~** misil guiado por radar; **station ~** estación de radares ◊ *FIG FAM* **marcher au ~** estar zombi.

**radariste** *s* radarista.

**rade** *f* **1.** rada **2.** *FAM* **laisser en ~** abandonar, dejar plantado, a, plantar; **le projet est resté en ~** el proyecto ha sido abandonado.

**radeau** *m* balsa *f*: **le ~ de la Méduse** la balsa de la Medusa.

**radial, e** *a* radial. ◇ *f* vía radial urbana.

**radian** *m MATH* radián.

**radiant, e** *a* radiante.

**radiateur** *m* radiador.

**radiation** *f* **1.** *PHYS* radiación **2.** *(annulation)* cancelación **3.** exclusión.

**radical, e** *a/m* radical.

**radicalement** *adv* radicalmente.

**radicalisation** *f* radicalización.

**radicaliser** *vt* radicalizar.

**radicalisme** *m* radicalismo.

**radical-socialiste** *a/s* radicalsocialista.

**radicelle** *f* raicilla.

**radier*** *vt* **1.** *(un nom, etc.)* tachar, suprimir **2.** *(une personne)* dar de baja.

**radiesthésie** *f* radiestesia.

**radiesthésiste** *s* radiestesista.

**radieux, euse** *a* radiante: **visage ~** cara radiante.

**radin, e** *a/s FAM* agarrado, a, roñoso, a, tacaño, a.

**radiner (se)** *vpr POP* llegar, venir.

**radinerie** *f FAM* tacañería.

**radio** *f* **1.** radio: **parler à la ~** hablar por la radio; **poste de ~** aparato de radio, radiorreceptor; **mettre, éteindre la ~** poner, apagar la radio **2.** radiografía: **passer une ~** hacerse una radiografía, pasar por rayos. ◇ *m (radiotélégraphiste)* radio.

**radioactif, ive** *a* radiactivo, a: **nuage ~** nube radiactiva.

**radioactivité** *f* radiactividad.

**radioamateur** *m* radioaficionado.

**radiobalisage** *m* radiobaliza *f.*

**radiocassette** *f* radiocasete *m.*

**radiocommunication** *f* radiocomunicación.

**radiocompas** *m* radiocompás.

**radiodiffuser** *vt* radiar: **message radiodiffusé** mensaje radiado.

**radiodiffusion** *f* radiodifusión.

**radioélectrique** *a* radioeléctrico, a.

**radiogramme** *m* radiograma.

**radiographie** *f* radiografía.

**radiographier*** *vt* radiografiar ◊ **se faire ~** hacerse una radiografía.

**radiographique** *a* radiográfico, a.

**radioguidage** *m* dirección *f* por radio.

**radiologie** *f* radiología.

**radiologique** *a* radiológico, a.

**radiologue, radiologiste** *s* radiólogo, a.

**radiomessagerie** *f* radiomensajería.

**radionavigation** *f* radionavegación.

**radiophare** *m* radiofaro.

**radiophonie** *f* radiofonía.

**radiophonique** *a* radiofónico, a.

**radioreportage** *m* reportaje radiofónico.

**radio-réveil** *m* radio-despertador.

**radioscopie** *f* radioscopia.

**radiosonde** *f* radiosonda.

**radio-taxi** *m* radiotaxi.

**radiotélégraphie** *f* radiotelegrafía.

**radiotéléphone** *m* radioteléfono.

**radiotéléphonie** *f* radiotelefonía.

**radiotélévisé, e** *a* radiotelevisado, a.

**radiothérapie** *f* radioterapia.

**radis** *m* **1.** rábano **2.** *FAM* **n'avoir pas un ~** estar sin blanca.

**radium** [radjɔm] *m* radio.

**radius** [radjus] *m ANAT* radio.

**radjah** → **rajah.**

**radotage** *m* chochez *f.*

**radoter** *vi* **1.** *(déraisonner)* chochear, desatinar **2.** *(rabâcher)* repetirse.

**radoteur, euse** *a/s* chocho, a.

**radoub** [radu] *m MAR* **bassin de ~** dique de carena.

**radouber** *vt MAR* carenar.

**radoucir** *vt* **1.** *(temps)* templar, suavizar **2.** ablandar. ◆ **se ~** *vpr* **1.** *(temps)* templarse **2.** *(une personne)* ablandarse, aplacarse.

**radoucissement** *m* mejoría *f,* ligera alza *f* de las temperaturas.

**rafale** *f* **1.** *(de vent)* ráfaga, racha **2.** *(d'une arme automatique)* ráfaga: **~ de mitrailleuse** ráfaga de ametralladora.

**raffermir** *vt* **1.** *(durcir)* fortalecer **2.** *FIG* consolidar, afianzar, fortalecer. ◆ **se ~** *vpr* consolidarse.

**raffermissement** *m* **1.** fortalecimiento **2.** consolidación *f.*

**raffinage** *m* refino, refinado, refinación *f.*

**raffiné, e** *a* **1.** *(sucre, etc.)* refinado, a **2.** *FIG (une personne, ses goûts, etc.)* refinado, a.

**raffinement** *m* refinamiento.

**raffiner** *vt (le pétrole, sucre, etc.)* refinar. ◇ *vi* sutilizar, ser muy meticuloso, a.

**raffinerie** *f* refinería.

**raffoler** *vi* **~ de** estar loco, a por, pirrarse por: **elle raffole de bonbons** está loca por los caramelos.

**raffut** *m FAM* barullo, jaleo, estrépito, bulla *f:* **faire du ~** armar jaleo.

**rafiot** *m FAM* barcucho, carraca *f.*

**rafistolage** *m FAM* remiendo, chapuza *f.*

**rafistoler** *vt FAM* arreglar chapuceramente, componer, remendar.

**rafle** *f* **1.** *(de la police)* redada **2.** *(de raisin)* escobajo *m.*

**rafler** *vt* arramblar con, llevarse: **il a tout raflé** arrambló con todo.

**rafraîchir** *vt* **1.** refrescar **2.** *FIG* **~ la mémoire** refrescar la memoria **3.** *(rénover)* renover, remozar, poner como nuevo **4.** *(les cheveux)* arreglar, cortar. ◇ *vi (boisson)* enfriarse, refrescar. ◆ **se ~** *vpr* **1. le temps s'est rafraîchi** el tiempo ha refrescado **2.** *FAM (boire)* tomar un refresco.

**rafraîchissant, e** *a* refrescante.

**rafraîchissement** *m* **1.** *(de la température, etc.)* enfriamiento **2.** *(boisson)* refresco.

**rafting** [raftiŋ] *m* rafting.

**ragaillardir** *vt FAM* entonar, vigorizar.

**rage** *f* **1.** *MÉD* rabia **2.** rabia, furor *m,* pasión ◊ **être fou de ~** estar rabioso; **la tempête fait ~** la tempestad se desencadena, arrecia; **les combats font ~** los combates son feroces; **l'incendie fait ~** el incendio se propaga con violencia **3. ~ de dents** dolor *m* de muelas.

**rageant, e** *a FAM* **c'est ~!** ¡es para volverse rabioso!, ¡da rabia!

**rager*** *vi FAM* rabiar ◊ **ça fait ~** da rabia.

**rageur, euse** *a* rabioso, a iracundo, a.

**rageusement** *adv* rabiosamente, con rabia.

**raglan** *a/m* raglán.

**ragondin** *m* **1.** coipo **2.** *(fourrure)* castor de Chile.

**ragot** *m FAM* chisme, cotilleo.

**ragoût** *m* guisado, estofado, ragú, «ragoût».

**ragoûtant, e** *a* **1.** apetitoso, a **2. peu ~** repelente.

**rai** *m* rayo.

**raid** [rɛd] *m* **1.** incursión *f,* raid **2.** *(sports)* raid, prueba *f* de distancia **3.** *(finances)* operación *f* de tiburoneo.

**raide** *a* **1.** *(un membre, etc.)* tieso, a, rígido, a **2.** *(cheveux)* lacio, a **3.** *(tendu)* tenso, a, tirante ◊ **corde ~** cuerda floja **4.** *(abrupt)* empinado, a **5.** *(attitude)* tieso, a, estirado, a: **~ comme la justice** más tieso que un ajo; **il se tient ~** está tenso **6.** *FAM (boisson)* fuerte **7.** *FAM* **c'est un peu ~!** ¡es un colmo!, ¡eso pasa de castaño oscuro! **8.** *FAM (licencieux)* escabroso, a, verde. ◇ *adv* **1. ce sentier grimpe ~** este sendero es muy empinado **2. tomber ~ mort** caer muerto en el acto.

**raider** [rɛdœr] *m* tiburón.

**raideur** *f* **1.** rigidez, tiesura **2.** *FIG* inflexibilidad **3.** *FIG* altivez.

**raidillon** *m* repecho.

**raidir** *vt* poner tieso, a, rígido, a, contraer. ◆ **se ~** *vpr* **1.** ponerse tieso, a, contraerse **2.** ponerse tirante **3.** *FIG* mantenerse firme.

**raidissement** *m* **1.** tiesura *f* **2.** *FIG* tirantez *f.*

**raie** *f* **1.** *(ligne)* raya **2.** *(poisson)* raya.

**raifort** *m* rábano blanco.

**rail** [raj] *m* **1.** riel, carril: **les rails** los rieles **2. le ~** el ferrocarril.

**railler** *vt* burlarse de, hacer burla de. ◇ *vi* bromear.

**raillerie** *f* burla, broma.

**railleur, euse** *a/s* burlón, ona.

**rainette** *f* rana verde.

**rainure** *f* ranura.

**rais** → **rai.**

**raisin** *m* **1.** uva *f:* **le ~** la uva; **~ de table** uva de mesa; **grappe de ~** racimo de uva **2. ~ sec** pasa *f.*

**raisiné** *m* uvate.

**raisinier** *m (arbre)* uvero.

**raison** *f* **1.** razón, juicio *m* ◊ **l'âge de ~** la edad del juicio; **mariage de ~** matrimonio de conveniencia; **perdre la ~** perder el juicio; **plus que de ~** más de lo conveniente, más de la cuenta; **avoir ~** tener razón; **avoir entièrement ~** tener toda la razón; **avoir ~ de dire** tener razón en decir; **vous avez ~** lleva usted razón **2.** *(cause)* razón, motivo *m,* causa: **des raisons de santé** motivos de salud; **sans ~** sin motivo; **il n'y a aucune ~ d'être pessimiste** no hay ninguna razón para ser pesimista; **pour quelle ~?** ¿por qué motivo?; **ou pour la simple ~ que...** por la sencilla razón de que...; **pour une ~ ou pour une autre** por una razón u otra ◊ **~ de plus** razón de más; **sans ~** sin motivo, sin venir a qué; **donner ~ à quelqu'un** dar la razón a alguien; **entendre ~** atender a razones, entrar en razón; **faire entendre ~ à quelqu'un** meter en razón, en cintura a alguien; **se faire une ~** resignarse; **la fatigue a eu ~ de lui** le venció el cansancio **3.** *COM* **~ sociale** razón social **4.** *loc adv* **à plus forte ~** con mayor razón, máxime, cuanto más **5.** *loc prép* **à ~ de** a razón de; **en ~ de** a causa de, debido a; **en ~ des mauvaises conditions météorologiques** debido a las malas condiciones meteorológicas; **en ~ de cela** debido a ello; **en ~ du fait que** debido a que; **en ~ directe de** en razón directa de.

**raisonnable** *a* **1.** razonable: **sois ~** sé razonable; **prix ~** precio razonable ◊ **se montrer ~** ponerse en razón **2.** *(doué de raison)* racional.

**raisonnement** *m* **1.** *(façon de raisonner)* raciocinio **2.** razonamiento: **un ~ juste** un razonamiento justo.

**raisonné, e** *a* razonado, a.

**raisonner** *vi/t* razonar, raciocinar ◊ *FAM* **~ comme une pantoufle** pensar con los pies. ◇ *vt (quelqu'un)* hacer entrar en razón a, meter en razón a (alguien). ◆ **se ~** *vpr* entrar en razón.

**raisonneur, euse** *a/s* respondón, ona.

**rajah** *m* rajá.

**rajeunir** *vt* **1.** rejuvenecer, remozar **2.** *(moderniser)* remozar. ◇ *vi* **il rajeunit!** ¡rejuvenece!; **il a rajeuni de dix ans!** ¡ha rejuvenecido diez años!; **il a rajeuni depuis qu'il fait du sport** se ha rejuvenecido desde que practica deportes; **il semble rajeuni** parece remozado. ◆ **se ~** *vpr* rejuvenecerse.

**rajeunissant, e** *a* rejuvenecedor, a.

**rajeunissement** *m* rejuvenecimiento.

**rajout** *m* añadido, añadidura *f.*

**rajouter** *vt* **1.** añadir, agregar **2. en ~** exagerar.

**rajustement** *m* reajuste: **~ des salaires** reajuste de los salarios.

**rajuster** *vt* **1.** *(salaires, etc.)* reajustar **2.** *(arranger)* arreglar, componer. ◆ **se ~** *vpr* arreglarse, componerse.

**¹râle** *m (bruit)* estertor.

**²râle** *m (oiseau)* **~ d'eau** rascón, polla *f* de agua.

**ralenti, e** *a* retardado, a. ◇ *m* **1.** *(moteur)* ralentí, marcha *f* lenta: **au ~** al ralentí, en marcha lenta, *(travail)* a ritmo lento **2.** *(cinéma)* ralentí, cámara *f* lenta: **au ~** a cámara lenta.

**ralentir** *vt* **1. ~ la marche** aminorar la marcha; **~ le pas** aminorar el paso, aflojar el paso. ◇ *vi* ir más despacio, reducir la velocidad: **ralentissez!** ¡vaya más despacio! ◆ **se ~** *vpr* disminuir, ralentizarse.

**ralentissement** *m* **1.** disminución *f* de la velocidad **2.** *(de l'activité, etc.)* disminución *f*, reducción *f*, ralentización *f*, desaceleración *f*: **un ~ du chômage** una disminución del paro.

**ralentisseur** *m* **1.** PHYS moderador **2.** *(en travers d'une route)* reductor de velocidad.

**râler** *vi* **1.** tener estertor **2.** FAM refunfuñar, piarlas: **cesse de ~!** ¡no las píes más! ◇ **ça me fait ~ de voir...** me da rabia ver...

**râleur, euse** *a/s* FAM gruñón, ona, piante.

**ralingue** *f* MAR relinga.

**ralliement** [Ralimɑ̃] *m* reunión *f*: **signe de ~** señal de reunión; **point de ~** lugar, punto de reunión.

**rallier*** *vt* **1.** *(rassembler)* reunir **2.** *(pour une cause)* ganar, captar **3. ~ son poste** volver a su puesto. ◆ **se ~** *vpr* **1.** reunirse, agruparse **2.** *(à une opinion, etc.)* adherirse, sumarse.

**rallonge** *f* **1.** larguero *m*: **table à rallonges** mesa con largueros, mesa extensible **2.** *(électrique)* alargador *m* **3.** FAM suplemento *m* **4.** FAM **nom à ~** apellido muy largo.

**rallonger*** *vt* alargar. ◇ *vi* **les jours rallongent** los días se alargan.

**rallumer** *vt* **1.** volver a encender **2.** FIG reanimar, avivar.

**rallye** [Rali] *m* rally, rallye: **pilote de ~** piloto de rally; **les rallyes** los rallies.

**ramadan** *m* ramadán.

**ramage** *m* **1. étoffe à ramages** tela rameada **2.** *(des oiseaux)* gorjeo.

**ramassage** *m* **1.** recogida *f*: **le ~ des ordures** la recogida de basuras **2.** *(des coquillages, etc.)* recolección *f* **3 ~ scolaire** transporte escolar; **car de ~ scolaire** autobús escolar.

**ramassé, e** *a (trapu)* rechoncho, a.

**ramasse-miettes** *m inv* recogemigas.

**ramasser** *vt* **1.** recoger: **~ une balle, des champignons** recoger una pelota, setas **2.** *(une personne tombée)* levantar **3.** *(rassembler)* reunir **4.** FAM coger, pescar, pillar: **~ un rhume** pillar un resfriado; **~ une pelle → pelle; il s'est fait ~** lo han pillado. ◆ **se ~** *vpr* **1.** *(se pelotonner)* acurrucarse **2.** FAM levantarse.

**ramasseur, euse** *s* **1.** recogedor, a **2. ~ de mégots** colillero; **~ de balles** recogepelotas.

**ramassis** *m* PÉJOR **1.** *(de choses)* revoltijo, fárrago **2.** *(de personnes)* hato, pandilla *f*.

**rambarde** *f* barandilla.

**ramdam** [Ramdam] *m* FAM jaleo, estrépito.

**¹rame** *f* **1.** *(aviron)* remo *m* ◇ **faire force de rames** remar con vigor **2.** *(en horticulture)* rodrigón *m* **3.** FAM **ne pas en ficher une ~** no dar ni golpe.

**²rame** *f* **1.** *(de papier)* resma **2.** *(de métro)* convoy *m*, tren *m*.

**rameau** *m* rama *f*, ramo: **~ d'olivier** ramo de olivo. ◇ *pl* **les Rameaux** el domingo de Ramos.

**ramée** *f* ramaje *m*.

**ramener*** *vt* **1.** *(amener de nouveau)* traer de nuevo **2.** *(faire revenir)* hacer volver **3. je vais te ~ chez toi** voy a llevarte a tu casa **4.** *(rapporter)* traer **5. ~ la paix** restablecer la paz **6. ~ à la vie** volver a la vida, reanimar **7. il ramène tout à lui** sólo piensa en sí mismo **8.** POP **la ~, ~ sa fraise** darse tono, darse postín. ◆ **se ~** *vpr* **1. se ~ à** reducirse a **2.** POP venir.

**ramequin** *m* moldecito (de porcelana).

**¹ramer** *vi* remar.

**²ramer** *vt (une plante)* rodrigar.

**rameur, euse** *s* remero, a.

**rami** *m (jeu de cartes)* rummy.

**ramier** *m/a* **pigeon ~** paloma *f* torcaz.

**ramification** *f* ramificación.

**ramifier (se)*** *vpr* ramificarse.

**ramolli, e** *a* **1.** reblandecido, a, ablandado, a **2.** FAM *(gâteux)* chocho, a. ◇ *a/s* FAM flojo, a.

**ramollir** *vt* reblandecer, ablandar. ◆ **se ~** *vpr* reblandarse, ablandarse.

**ramollissement** *m* reblandecimiento.

**ramollo** *a* FAM pachucho, a.

**ramonage** *m* deshollinamiento.

**ramoner** *vt* deshollinar.

**ramoneur** *m* deshollinador.

**rampant, e** *a* **1.** rastrero, a **2.** FIG rastrero, a, servil **3.** ARCH **arc ~** arco por tranquil.

**rampe** *f* **1.** *(plan incliné)* rampa, pendiente *m* **2. ~ de lancement** rampa de lanzamiento **3.** *(d'escalier)* barandilla **4.** THÉÂT batería; **les feux de la ~** las candilejas; **pièce qui ne passe pas la ~** obra que no pasa la batería, que no llega al público.

**ramper** *vi* **1.** reptar **2.** *(plante)* trepar **3.** FIG **~ devant ses chefs** arrastrarse a los pies de sus jefes.

**ramponneau** *m* FAM porrazo.

**ramure** *f* **1.** *(branches)* ramaje *m* **2.** *(des cervidés)* cornamenta.

**rancard** *m* POP **1.** *(renseignement)* información *f* **2.** *(rendez-vous)* cita *f*: **j'ai ~ avec Serge** tengo una cita con Sergio.

**rancart** *m* FAM **mettre au ~** arrumbar, archivar.

**rance** *a* rancio, a. ◇ *m* **sentir le ~** oler a rancio.

**ranch** *m* rancho.

**rancir** *vi* enranciarse.

**rancissement** *m* rancidez *f*.

**rancœur** *f* rencor *m*.

**rançon** *f* **1.** rescate *m*: **payer une ~** pagar un rescate **2.** FIG **la ~ de la célébrité** el precio de la celebridad.

**rançonnement** *m* exacción *f*, robo.

**rançonner** *vt* exigir rescate por.

**rancune** *f* **1.** rencor *m* **2. sans ~!** ¡quedemos en paz!

**rancunier, ère** *a/s* rencoroso, a.

**randonnée** *f* **1.** excursión, gira, paseo *m* largo: **~ à bicyclette** excursión en bicicleta **2.** *(pédestre)* senderismo *m*.

**randonneur, euse** *s* caminante, senderista.

**rang** *m* **1.** fila *f*: **s'asseoir au premier ~** sentarse en (la) primera fila ◇ **se mettre en ~** ponerse en fila; **rompre las rangs** romper filas; **en rangs serrés** en orden cerrado; **en ~ d'oignons** en fila, en hilera; **en ~!** ¡fila!; FIG **grossir les rangs de** engrosar las filas de; **être, se mettre sur les rangs** presentar su candidatura **2.** orden: **par ~ de taille** por orden de estatura **3.** *(social)* categoría *f*, clase *f*: **des gens d'un ~ élevé** gente de categoría **4.** MIL **officier sorti des rangs** oficial que ha ascendido desde soldado raso, oficial patatero **5.** *(place)* puesto, lugar **6. au ~ de** entre.

**rangé, e** *a* **1. bataille rangée** batalla campal **2.** *(sérieux)* ordenado, a, formal, serio, a. ◇ *f* hilera, fila: **une rangée d'arbres** una hilera de árboles.

**rangement** *m* arreglo.

**ranger*** *vt* **1.** *(avec ordre)* ordenar: **je vais ~ ma bibliothèque** voy a ordenar mi biblioteca **2.** *(mettre en place)* guardar: **range tes affaires!** ¡guarda tus cosas! **3.** *(une maison, etc.)* aviar, arreglar **4.** *(mettre)* colocar **5.** *(une voiture)* aparcar. ◆ **se ~** *vpr* **1.** colocarse **2.** *(se garer)* aparcarse **3. se ~ à l'avis de** adoptar la opinión de **4.** *(s'assagir)* sentar la cabeza: **il s'est rangé** ha sentado la cabeza, se ha enmendado.

**ranimer** *vt* **1.** reanimar **2.** *(le feu, la douleur, etc.)* avivar.

**rantanplan** → **rataplan.**

**Raoul** *np m* Raúl.

**raout** [Raut] *m* fiesta *f*, sarao.

**rap** *m MUS* rap.

**rapace** *a* rapaz. ◇ *m* **1.** *(oiseau)* rapaz *f*: **rapaces nocturnes** rapaces nocturnas **2.** *FIG (avide d'argent)* pesetero.

**rapacité** *f* rapacidad.

**rapatrié, e** *a/s* repatriado, a.

**rapatriement** *m* repatriación *f*.

**rapatrier*** *vt* repatriar.

**râpe** *f* **1.** *(de cuisine)* rallador *m* **2.** *(lime)* escofina.

**râpé, e** *a* **1.** rallado, a: **fromage ~** queso rallado **2.** *(vêtement)* raído, a **3.** *FAM* **c'est ~!** ¡mi gozo en un pozo! ◇ *m* gruyère rallado.

**râper** *vt* **1.** *(fromage, pain)* rallar **2.** *(bois, etc.)* raspar **3.** *(user)* raer, gastar.

**rapetasser** *vt FAM* remendar.

**rapetissement** *m* achicamiento, disminución *f*.

**rapetisser*** *vt* achicar, reducir, empequeñecer. ◇ *vi* **1.** achicarse, disminuir **2.** *(rétrécir)* encoger.

**râpeux, euse** *a* **1.** rasposo, a, áspero, a **2.** *(boisson)* áspero, a.

**Raphaël** *np m* Rafael.

**raphia** *m* rafia *f*.

**rapiat, e** *a FAM* roñoso, a, roñica.

**rapide** *a* **1.** rápido, a, veloz **2.** *(abrupt)* muy pendiente. ◇ *m (dans un cours d'eau, train)* rápido.

**rapidement** *adv* rápidamente.

**rapidité** *f* **1.** rapidez, velocidad **2. ~ d'esprit** viveza de ingenio.

**rapiéçage** *m* remiendo.

**rapiécer** *vt* remendar.

**rapière** *f* espada.

**rapin** *m FAM* aprendiz de pintor, pintorzuelo.

**rapine** *f* rapiña.

**raplapla** *a FAM* pachucho, a, hecho, a puré.

**rappel** *m* **1.** llamada *f*, llamamiento ◇ **~ à l'ordre** llamada de atención **2.** *MIL* **battre le ~** tocar llamada **3.** *(paiement)* pago de atrasos **4.** *(de vaccin)* **~, injection de ~** revacunación *f* **5.** *(évocation)* recuerdo, evocación *f* **6.** *(alpinisme)* **descente en ~** descenso en «rappel».

**rappelé** *m MIL* movilizado.

**rappeler*** *vt* **1.** volver a llamar: **je rappellerai demain** volveré a llamar mañana **2. ~ à la vie** reanimar; **~ à l'ordre** llamar al orden **3.** *(un ambassadeur)* retirar **4.** *MIL (des réservistes)* llamar a filas **5.** recordar: **ce village me rappelle mon enfance** este pueblo me recuerda mi niñez; **vous me rappelez mon père** usted me recuerda a mi padre; **je te rappelle que nous partons dans dix minutes** te recuerdo que salimos dentro de diez minutos. ◆ **se ~** *vpr* acordarse de, recordar: **je me rappelle fort bien notre première rencontre** recuerdo muy bien nuestro primer encuentro; **rappelle-toi** acuérdate; **essayer de se ~** hacer memoria.

**rappeur, euse** *s* cantante de rap.

**rappliquer** *vi FAM* venir, plantarse.

**rapport** *m* **1.** *(revenu)* renta *f* **2.** *(rendement)* rendimiento **3.** *(compte rendu)* informe, ponencia *f*: **un ~ confidentiel** un informe confidencial **4.** relación *f*: **un ~ de cause à effet** una relación de causa a efecto; **avoir ~ à** tener relación con ◇ **en ~ avec** en relación con; **par ~ à** con relación a, con respecto a: **par ~ à l'an dernier** con relación al año pasado; **se mettre en ~ avec** ponerse en contacto con; **sous tous les rapports** desde todo punto de vista **5.** *MATH* razón *f*. ◇ *pl* **1.** relaciones *f*: **entretenir de bons rapports avec** mantener buenas relaciones con; **rapports sociaux** relaciones sociales **2.** *(sexuels)* relaciones sexuales, contactos sexuales.

**rapporter** *vt* **1.** *(rendre)* devolver, restituir **2.** *(revenir avec)* traer: **j'ai rapporté un poncho du Pérou** he traído un poncho de Perú **3.** rendir, rentar, producir: **ce commerce rapporte gros** este negocio rinde mucho; **argent qui rapporte peu** dinero que renta poco **4.** *(raconter)* referir, relatar, contar: **~ un fait** referir un hecho; **on rapporte que...** cuentan que... **5.** *FAM (moucharder)* soplar, chivarse **6. il rapporte tout à lui** hace girar todo alrededor de él **7.** *JUR (un décret, etc.)* anular, revocar. ◆ **se ~** *vpr* **1.** referirse, corresponder, estar relacionado, a con: **des questions se rapportant au texte** cuestiones relacionadas con el texto **2. s'en ~ à** remitirse a.

**rapporteur, euse** *s* soplón, ona, chivato, a. ◇ *m* **1.** *(d'une assemblée, etc.)* ponente **2.** *GÉOM (instrument)* transportador.

**rapprendre*** *vt* aprender de nuevo.

**rapproché, e** *a* **1.** cercano, a **2.** *(dans le temps)* consecutivo, a, seguido, a.

**rapprochement** *m* **1.** aproximación *f*, acercamiento: **le ~ de deux pays** la aproximación de dos países **2.** *(comparaison)* comparación *f*, cotejo, relación *f*.

**rapprocher** *vt* acercar: **il rapprocha sa chaise du lit** acercó su silla a la cama; **le malheur nous a rapprochés** la desgracia nos ha acercado. ◆ **se ~** *vpr* **1.** acercarse: **rapprochez-vous du feu** acérquese al fuego **2.** *(être analogue)* parecerse, asemejarse.

**rapsode** *m* rapsoda.

**rapsodie** *f* rapsodia.

**rapt** [Rapt] *m* rapto, secuestro.

**raquer** *vi POP* aflojar la mosca. ◇ *vt* aflojar.

**raquette** *f* **1.** *(de tennis, etc.)* raqueta **2.** *(pour la neige)* raqueta **3.** *(de nopal)* penca.

**rare** *a* **1.** *(peu courant, peu fréquent)* raro, a: **il est ~ que...** es raro que... **2.** *(cheveux, barbe)* ralo, a **3.** contado, a: **en de rares occasions** en contadas ocasiones ◇ **les occasions sont rares** las oportunidades son pocas; **rares sont ceux qui pensent...** son pocas las personas que piensan... **4.** *FAM* **ça n'a rien de ~** no es nada del otro mundo **5.** *FAM* **vous vous faites ~** se le ve a usted muy poco.

**raréfaction** *f* **1.** enrarecimiento *m* **2.** *(de l'air)* rarefacción.

**raréfier*** *vt* rarificar. ◆ **se ~** *vpr* rarificarse, enrarecerse.

**rarement** *adv* raramente, rara vez.

**rareté** *f* **1.** rareza **2.** *(pénurie)* escasez **3.** *(objet rare)* rareza, curiosidad.

**rarissime** *a* rarísimo, a.

**ras, rase** [Rɑ, Rɑz] *a* **1.** corto, a: **à poil ~** de pelo corto **2. en rase compagne** en pleno campo **3. à ~ bord** colmado, a: **cuillère remplie à ~ bord de...** cuchara colmada de...; **une cuillerée rase de sucre** una cucharada rasada de azúcar; **faire table rase** hacer tabla rasa; *FAM* **en avoir ~ le bol** estar hasta las narices, hasta la coronilla, hasta el gorro **4.** *loc prép* **au ~ de** a ras de; **à ~ de terre** a ras de tierra; *FAM* **au ~ des pâquerettes** → **pâquerette.** ◇ *adv* al rape.

**rasade** *f* copa llena.

**rasage** *m* afeitado.

**rasant, e** *a* **1.** rasante: **tir ~** tiro rasante; **vol ~** vuelo rasante **2.** *FAM (ennuyeux)* latoso, a.

**rascasse** *f* rescaza.

**rase-mottes (en)** *loc adv* a ras de tierra.

**raser** *vt* **1.** afeitar: **crème à ~** crema de afeitar **2.** rapar: **crâne rasé** cabeza rapada **3.** *(démolir)* arrasar **4.** *(frôler)* pasar rozando, pasar rasando: **~ les murs** pasar rasando las paredes **5.** *FAM (ennuyer)* dar la lata. ◆ **se ~** *vpr* **1.** afeitarse: **être rasé de frais** estar recién afeitado **2.** *FAM (s'ennuyer)* aburrirse.

**raseur, euse** *a/s* pelma, pelmazo, a, latoso, a: **c'est un ~** es un pelma.

**rasibus** [Razibys] *adv FAM* cerquita.

**ras-le-bol** *m FAM* fastidio, hastío, insatisfacción *f.* ◇ *interj* ¡basta!

**rasoir** *m* **1.** navaja *f* de afeitar: **une coupe au ~** un corte a navaja **2.** *(mécanique)* maquinilla *f* de afeitar **3. ~ électrique** afeitadora *f.* ◇ *a FAM* latoso, a, cargante ◊ **un type ~** un tío pelmazo; **un film ~** un rollo de película.

**rassasiement** *m* saciedad *f,* hartura *f.*

**rassasier*** *vt* saciar, hartar. ◆ **se ~** *vpr* saciarse, hartarse.

**rassemblement** *m* **1.** reunión *f* **2.** *(groupe)* grupo (de personas) **3.** *(attroupement)* concentración *f* **4.** *MIL* formación *f* ◊ **rassemblement!** ¡a formar!

**rassembler** *vt* reunir, juntar. ◆ **se ~** *vpr* reunirse, congregarse: **la foule se rassemble sur la place** la multitud se congrega en la plaza.

**rasseoir (se)*** *vpr* sentarse de nuevo, volver a sentarse: **il se rassit** volvió a sentarse.

**rasséréner*** *vt* serenar.

**rassir** *vi* ponerse duro, a.

**rassis, e** *a* **1. pain ~** pan duro **2.** *FIG* sereno, a, tranquilo, a.

**rassortiment → réassortiment.**

**rassortir → réassortir.**

**rassurant, e** *a* tranquilizador, a.

**rassurer** *vt* tranquilizar. ◆ **se ~** *vpr* tranquilizarse ◊ **rassurez-vous** descuide.

**rasta** *m FAM* rastacuero.

**rastaquouère** *m* rastacuero.

**rat** *m* **1.** rata *f:* **~ d'égout** rata de alcantarilla; **~ d'eau** rata de agua ◊ *FIG* **être fait comme un ~** caer en la trampa; **s'ennuyer comme un ~ mort** aburrirse como una ostra **2. ~ d'hôtel** ratero, caco; **~ de bibliothèque** ratón de biblioteca **3. petit ~ (de l'Opéra)** joven bailarina *f.* ◇ *a FAM (avare)* tacaño, a.

**rata** *m FAM* rancho.

**ratafia** *m* ratafia *f.*

**ratage** *m* fracaso.

**rataplan** *m (du tambour)* rataplán.

**ratatiné, e** *a* **1.** arrugado, a **2.** *FAM (démoli)* hecho, a añicos.

**ratatiner** *vt FAM* hacer añicos. ◆ **se ~** *vpr* arrugarse, encogerse.

**ratatouille** *f* **1.** *FAM* guisote *m* **2. ~ niçoise** pisto *m.*

**[1]rate** *f ANAT* bazo *m* ◊ *FAM* **se dilater la ~** desternillarse de risa, mondarse de risa.

**[2]rate** *f (rat femelle)* rata.

**raté, e** *a* **1.** fracasado, a, frustrado, a, fallido, a: **mariage ~** matrimonio frustrado **2. une photo ratée** una foto que no queda bien. ◇ *s (personne)* fracasado, a: **un ~** un fracasado. ◇ *m (de moteur)* fallo.

**râteau** *m* rastrillo.

**râtelier** *m* **1.** *(pour le fourrage)* pesebre ◊ *FIG* **manger à tous les râteliers** servir a Dios y al diablo **2.** *(pour armes)* armero **3.** *FAM (dentier)* dentadura *f* postiza.

**rater** *vi* **1.** fallar, errar, marrar: **le coup a raté** falló el tiro; **j'ai raté!** ¡fallé! **2.** *(échouer)* fracasar, fallar. ◇ *vt* **1. ~ la cible** errar el blanco **2. ~ son train, l'occasion** perder el tren, la ocasión **3. j'ai raté mon gâteau** me ha quedado malo el pastel; **j'ai raté ma mayonnaise** se me ha cortado la mayonesa **4. ~ sa vie** fracasar uno en su vida, echar a perder su vida, equivocar su vida **5.** *(un examen)* no aprobar **6.** *FAM* **il n'en rate pas une!** ¡siempre mete la pata!

**ratiboiser** *vt FAM* **1.** *(voler)* afanar, pelar **2.** *(ruiner)* **être ratiboisé** estar arruinado, sin un chavo.

**raticide** *m* raticida.

**ratier** *a/m* perro que caza ratones.

**ratière** *f (piège)* ratonera.

**ratification** *f* ratificación.

**ratifier*** *vt* ratificar, formalizar.

**ratine** *f* ratina.

**ratio** [Rasjo] *m* ratio.

**ratiocination** *f* raciocinio *m.*

**ratiociner** *vi* raciocinar.

**ration** *f* ración: **distribuer des rations** distribuir raciones.

**rationalisation** *f* racionalización.

**rationaliser** *vt* racionalizar.

**rationalisme** *m* racionalismo.

**rationaliste** *a/s* racionalista.

**rationalité** *f* racionalidad.

**rationnel, elle** *a* racional.

**rationnellement** *adv* racionalmente.

**rationnement** *m* racionamiento.

**rationner** *vt* racionar. ◆ **se ~** *vpr* someterse a un racionamiento.

**ratissage** *m* **1.** rastrillado **2.** *(police, armée)* operación *f* de rastreo.

**ratisser** *vt* **1.** rastrillar **2.** *(police, armée)* rastrear, registrar, peinar: **~ le quartier** peinar el barrio **3.** *FAM (voler)* pelar, limpiar. ◇ *vi FAM* **~ large** no pararse en barras.

**raton** *m* **1.** ratoncillo **2. ~ laveur** mapache.

**ratonnade** *f* atrocidades *pl* (contra los africanos del Norte).

**rattachement** *m (d'un territoire, etc.)* incorporación *f,* agregación *f.*

**rattacher** *vt* **1.** atar de nuevo **2.** incorporar, unir: **~ une province à un État** incorporar una provincia a un Estado **3.** *FIG (relier)* relacionar, unir. ◆ **se ~ à** *vpr* depender de, relacionarse con, vincularse a.

**rattrapage** *m* recuperación *f:* **cours de ~** clase de recuperación.

**rattraper** *vt* **1.** coger (de nuevo) **2.** alcanzar: **j'ai couru pour le ~** corrí para alcanzarle **3. ~ un retard** recuperar un atraso; **~ le temps perdu** recuperar el tiempo perdido. ◆ **se ~** *vpr* **1. se ~ à une branche** agarrarse a una rama **2.** *FIG (pour compenser)* desquitarse **3.** corregirse.

**rature** *f* tachadura.

**raturer** *vt* tachar.

**rauque** *a* ronco, a: **voix ~** voz ronca.

**ravage** *m* estrago: **faire des ravages** causar estragos, hacer estragos.

**ravagé, e** *a* **1. visage ~** cara descompuesta **2.** *FAM (fou)* **être ~** estar loco, a, chiflado, a.

**ravager*** *vt* **1.** asolar, devastar **2.** *FIG* destrozar.

**ravageur, euse** *a* devastador, a.

**ravalement** *m (d'une facade)* revoque, revoco.

[1]**ravaler** *vt* **1.** *(avaler de nouveau)* volver a tragar **2.** *FIG* **~ sa colère** contener su ira.

[2]**ravaler** *vt* **1.** *(une façade)* revocar **2.** *(déprécier)* rebajar. ◆ **se ~** *vpr* rebajarse.

**ravaudage** *m* **1.** *(raccommodage)* remiendo **2.** *(reprise)* zurcido.

**ravauder** *vt* **1.** *(raccommoder)* remendar **2.** *(repriser)* zurcir.

**rave** *f* naba.

**Ravenne** *np* Rávena.

**ravi, e** *a* **1.** encantado, a: **~ de te voir** encantado de verte **2. j'en suis ~** me alegro **3.** *(radieux)* radiante.

**ravier** *m* fuente *f* (para entremeses).

**ravigote** *f* salsa vinagreta muy picante.

**ravigoter** *vt FAM* reanimar, entonar, vigorizar.

**ravin** *m* barranco.

**ravine** *f* torrentera.

**ravinement** *m* abarrancamiento.

**raviner** *vt* **1.** abarrancar, arroyar **2.** *FIG* **visage raviné** cara surcada de arrugas.

**ravioli** *m pl* ravioles.

**ravir** *vt* **1.** *(charmer)* encantar, embelesar **2.** *(enlever de force)* raptar **3.** *loc adv* **à ~** maravillosamente.

**raviser (se)** *vpr* cambiar de parecer, echarse atrás: **il se ravisa** se echó atrás.

**ravissant, e** *a* encantador, a.

**ravissement** *m* arrobamiento, embeleso, éxtasis.

**ravisseur, euse** *s* secuestrador, a, raptor, a.

**ravitaillement** *m* abastecimiento, avituallamiento: **~ en vol** abastecimiento en vuelo.

**ravitailler** *vt* abastecer, avituallar: **~ en carburant** abastecer de carburante; **~ les troupes** avituallar las tropas. ◆ **se ~** *vpr* abastecerse.

**ravitailleur** *a/m MIL* **avion, navire ~** avión, barco nodriza.

**raviver** *vt* **1.** avivar **2.** *FIG* reavivar, reanimar.

**ravoir*** *vt* recuperar.

**rayé, e** [ʀeje] *a* rayado, a, listado, a: **chemise rayée** camisa rayada; **papier ~** papel rayado.

**rayer*** [ʀeje] *vt* **1.** *(une surface)* rayar **2.** *(effacer)* tachar, borrar **3.** *(d'une liste)* suprimir. ◆ **se ~** *vpr (verre, etc.)* rayarse.

**ray-grass** [ʀɛgʀas] *m* ballico.

**Raymond** *np m* Ramón, Raimundo.

[1]**rayon** [ʀɛjɔ̃] *m* **1.** *(de lumière, soleil, etc.)* rayo: **rayons cosmiques** rayos cósmicos; **rayons x** rayos x **2.** *(de roue, d'un cercle)* radio: **dans un ~ de dix kilomètres** en un radio de diez kilómetros; **~ d'action** radio de acción; **~ de braquage** radio de giro.

[2]**rayon** *m* **1.** *(de miel)* panal **2.** *(étagère)* estante, anaquel **3.** *(dans un magasin)* sección *f*: **le ~ de parfumerie** la sección de perfumería **4.** *FAM* **ce n'est pas mon ~** no es asunto mío; **il en connaît un ~** sabe un rato de eso, es ducho en la materia.

**rayonnage** [ʀɛjɔnaʒ] *m* estantería *f*.

**rayonnant, e** *a* radiante: **~ de joie** radiante de alegría.

**rayonne** [ʀɛjɔn] *f* rayón *m*, seda artificial.

**rayonnement** *m* **1.** *PHYS* irradiación *f*, radiación *f*: **~ cosmique** radiación cósmica **2.** *FIG* resplandor.

**rayonner** *vi* **1.** radiar, irradiar, emitir rayos **2.** *FIG* resplandecer, estar radiante: **son visage rayonnait de joie** le resplandecía la cara de alegría **2.** *(se déplacer)* ir a distintos puntos; **je pense ~ autour de Nice** pienso visitar los alrededores de Niza.

**rayure** [ʀejyʀ] *f* **1.** raya, lista: **cravate à rayures** corbata a rayas, rayada **2.** *(éraflure)* rayado *m*.

**raz de marée** [ʀadmaʀe] *m inv* maremoto.

**razzia** [ʀazja] *f* razzia.

**razzier*** *vt* saquear.

**ré** *m MUS* re.

**réa** *m (d'une poulie)* roldana *f*.

**réabonnement** *m* renovación *f* de suscripción.

**réabonner (se)** *vpr* **1.** *(à un journal)* renovar la suscripción **2.** *(au théâtre, etc.)* renovar el abono.

**réac** *a/m FAM* carca, carcunda.

**réaccoutumer (se)** *vpr* readaptarse.

**réacteur** *m* reactor: **~ nucléaire** reactor nuclear.

**réactif** *m CHIM* reactivo.

**réaction** *f* reacción ◊ **moteur, avion à ~** motor, avión de reacción; **~ en chaîne** reacción en cadena.

**réactionnaire** *a/s* reaccionario, a.

**réactiver** *vt* reactivar.

**réadaptation** *f* readaptación.

**réadapter** *vt* readaptar. ◆ **se ~** *vpr* readaptarse.

**réadmettre*** *vt* readmitir, admitir de nuevo.

**réadmission** *f* readmisión.

**réaffirmer** *vt* reafirmar, afirmar de nuevo.

**réagir** *vi* reaccionar.

**réajustement** → **rajustement.**

**réajuster** → **rajuster.**

**réal** *m (monnaie espagnole)* real.

**réalisable** *a* realizable.

**réalisateur, trice** *s* realizador, a.

**réalisation** *f* realización.

**réaliser** *vt* **1.** realizar **2.** *(un souhait, etc.)* realizar, cumplir **3.** *(se rendre compte)* darse cuenta de, percatarse de. ◆ **se ~** *vpr* realizarse.

**réalisme** *m* realismo.

**réaliste** *a/s* realista.

**réalité** *f* **1.** realidad: **la ~ quotidienne** la realidad cotidiana; **la dure ~** la cruda realidad ◊ **avoir le sens des réalités** ver las cosas con sentido práctico **2.** *loc adv* **en ~** en realidad.

**réaménager*** *vt* reorganizar.

**réanimation** *f* reanimación: **service de ~** servicio de reanimación.

**réanimer** *vt* reanimar.

**réapparaître*** *vi* reaparecer.

**réapparition** *f* reaparición.

**réapprendre*** *vt* volver a aprender.

**réapprovisionner** *vt* abastecer de nuevo, reabastecer.

**réarmement** *m* rearme.

**réarmer** *vt* rearmar. ◆ **se ~** *vpr* rearmarse.

**réassortiment** *m* nuevo surtido.

**réassortir*** *vt* surtir de nuevo.

**réassurance** *f* reaseguro *m*.

**réassurer** *vt* reasegurar.

**rebaptiser** [ʀebatize] *vt* rebautizar.

**rébarbatif, ive** *a* **1. mine rébarbative** cara de pocos amigos **2.** ingrato, a, poco atractivo, a.

**rebâtir** *vt* reedificar.

**rebattre*** *vt* **~ les oreilles de quelqu'un de quelque chose** remachar, machacar algo a alguien.

**rebattu, e** *a* **1. j'en ai les oreilles rebattues** estoy cansado de oír siempre la misma cosa **2.** trillado, a, manoseado, a, manido, a: **sujet ~** tema manoseado.

**rebec** [ʀəbɛk] *m* rabel.

**Rébecca** *np f* Rebeca.

**rebelle** *a/s* rebelde.

**rebeller (se)** *vpr* rebelarse.

**rebelote** *f* FAM **et ~** otra vez.

**rébellion** *f* rebelión.

**rebiffer (se)** *vpr* FAM respingar, rebelarse.

**rebiquer** *vi* FAM enderezarse, ponerse vertical.

**reboisement** *m* repoblación *f* forestal.

**reboiser** *vt* repoblar con árboles.

**rebond** *m* rebote.

**rebondi, e** *a* **1.** rollizo, a **2. joues rebondies** mejillas rellenas.

**rebondir** *vi* **1.** *(un ballon)* rebotar **2.** FIG *(une affaire)* volver a cobrar actualidad **3.** *(reprendre)* reanudarse.

**rebondissement** *m (d'une affaire)* vuelta *f* a la actualidad.

**rebord** *m* borde, reborde.

**reboucher** *vt* **1.** *(una bouteille, etc.)* volver a tapar **2.** *(un conduit, etc.)* volver a taponar, volver a obstruir.

**rebours (à)** *loc adv* **1.** al revés, a contrapelo **2. le compte à ~** la cuenta atrás.

**rebouteux** *vt* ensalmador.

**reboutonner** *vt* abrochar de nuevo.

**rebrousse-poil (à)** *loc adv* a contrapelo.

**rebrousser** *vt* **1.** *(les cheveux, le poil)* levantar a contrapelo **2. ~ chemin** volver sobre sus pasos, dar media vuelta.

**rebuffade** *f* desaire *m*, feo *m*, sofión *m*: **essuyer des rebuffades** recibir desaires.

**rébus** [ʀebys] *m* jeroglífico.

**rebut** *m* **1.** desecho, desperdicio ◊ **mettre au ~** desechar, arrumbar, arrinconar **2. le ~ de la société** la hez de la sociedad.

**rebutant, e** *a* ingrato, a, desagradable.

**rebuter** *vt* **1.** *(décourager)* desanimar **2.** repugnar, repeler.

**recalcification** *f* recalcificación.

**recalcifier** *vt* recalcificar.

**récalcitrant, e** *a* recalcitrante.

**recaler** *vt* FAM catear, suspender: **il s'est fait ~ en juillet** le han suspendido en julio; **élève recalé** alumno cateado.

**récapitulatif, ive** *a* recapitulativo, a.

**récapitulation** *f* recapitulación.

**récapituler** *vt* recapitular.

**recaser** *vt* FAM recolocar.

**recel** [ʀəsɛl] *m* encubrimiento, ocultación *f*.

**receler*, recéler*** *vt* **1.** *(des choses volées)* encubrir, ocultar **2.** *(contenir)* encerrar, contener.

**receleur, euse** *s* encubridor, a.

**récemment** [ʀesamɑ̃] *adv* recientemente, hace poco: **tout ~** hace muy poco.

**recensement** *m* **1.** *(de la population)* empadronamiento, censo **2.** *(inventaire)* recuento.

**recenser** *vt* **1.** *(la population)* empadronar, hacer el censo de **2.** *(dénombrer)* recontar, enumerar.

**récent, e** *a* reciente.

**récépissé** *m* recibo, resguardo.

**réceptacle** *m* receptáculo.

**récepteur, trice** *a* receptor, a. ◇ *m* **1.** *(de radio)* receptor **2.** *(de téléphone)* auricular.

**réceptif, ive** *a* receptivo, a.

**réception** *f* **1.** recepción **2. accuser ~** acusar recibo **3. discours de ~** discurso de ingreso **4.** *(hôtel)* recepción **5.** *(en sports, après un saut)* caída.

**réceptionner** *vt* aceptar la entrega de.

**réceptionniste** *s* recepcionista.

**réceptivité** *f* receptividad.

**récession** *f* recesión.

**recette** *f* **1.** *(argent reçu)* ingresos *m pl*, entradas *pl* **2.** *(d'une salle de spectacle)* recaudación, taquilla, taquillaje *m*, cantidad recaudada ◊ **film qui fait ~** película taquillera, que es un éxito de taquilla; FIG **ton idée n'a pas fait ~** tu idea no ha tenido éxito **3.** *(bureau)* oficina de recaudación **4.** *(de cuisine)* receta **5.** *(procédé)* receta, fórmula.

**recevable** *a* admisible.

**receveur, euse** *s* **1.** *(des contributions)* recaudador, a **2.** *(d'autobus)* cobrador, a **3.** MÉD receptor: **~ universel** receptor universal.

**recevoir*** *vt* **1.** recibir: **j'ai bien reçu votre lettre** recibí su carta; **~ un ami** recibir a un amigo; **~ une gifle** recibir una bofetada; **fleuve qui reçoit plusieurs affluents** río que recibe varios afluentes **2.** *(un candidat)* aprobar: **il a été reçu (à l'examen)** ha aprobado el examen, le han aprobado; **il a été reçu à l'École polytechnique** ha aprobado el examen de ingreso en la Escuela politécnica, ha ingresado en la Escuela politécnica **3.** *(une idée, suggestion, etc.)* recibir, acoger, admitir **4. idées reçues** prejuicios *m*, ideas preconcebidas. ◇ *vi* **1.** recibir, tener visitas: **elle reçoit beaucoup** tiene muchas visitas **2. le médecin reçoit de 2 à 6** el médico tiene la consulta de 2 a 6, pasa consulta de 2 a 6.

**rechange** *m* **1. de ~** de repuesto, de recambio; **pièces de ~** repuestos *m*, piezas de recambio **2. du linge de ~** una muda.

**rechapage** *m* recauchutado.

**rechaper** *vt* recauchutar.

**réchapper** *vi* salvarse, librarse, escapar con vida, salir con vida: **~ d'un attentat** salir con vida de un atentado, salvarse de un atentado; **il en a réchappé miraculeusement** se salvó milagrosamente.

**recharge** *f* carga, recambio *m*.

**rechargeable** *a* recargable.

**recharger** *vt* **1.** volver a cargar **2.** *(appareil photo, stylo, batterie)* recargar.

**réchaud** *m* **1.** *(à alcool)* infiernillo **2.** *(à gaz, électrique)* hornillo: **~ à butane** hornillo de butano.

**réchauffé** *m* **1.** *(mets)* guiso recalentado **2.** FAM **du ~** un refrito.

**réchauffement** *m* recalentamiento.

**réchauffer** *vt* **1.** *(chauffer de nouveau)* **~, faire ~ le potage** recalentar la sopa **2.** *(chauffer)* calentar **3.** FIG **~ le cœur** levantar el ánimo. ◆ **se ~** *vpr* **1.** *(mains, doigts)* calentarse **2. courir pour se ~** correr para entrar en calor.

**rechausser** *vt* volver a calzar.

**rêche** *a* áspero, a.

**recherche** *f* **1.** busca, búsqueda: **à la ~ de** en busca de **2.** investigación: **~ scientifique** investigación científica; **ses recherches en cancérologie** sus investigaciones en cancerología ◊ **la police continue ses recherches** la policía sigue investigando **3.** *(raffinement)* refinamiento *m* **4.** *(du style, etc.)* rebuscamiento *m*, afectación.

**recherché, e** *a* **1.** raro, a **2.** *(personne)* solicitado, a **3.** *(raffiné)* rebuscado, a, refinado, a.

**rechercher** *vt* **1.** buscar: **la police recherche les ravisseurs** la policía busca a los secuestradores; **ils sont recherchés par les services de la police** son buscados por los servicios de la policía **2.** *(une cause, etc.)* investigar, indagar: **~ qui est le coupable** investigar quién es el culpable **3.** *(la compagnie, l'amitié de)* buscar.

**rechigner** *vi* refunfuñar, rezongar ◊ **~ à la besogne** trabajar de mala gana; **en rechignant** a regañadientes.

**rechute** *f* recaída: **avoir, faire une ~** tener una recaída.

**rechuter** *vi* tener una recaída.

**récidive** *f* **1.** *JUR* reincidencia **2.** *(d'une maladie)* recidiva.

**récidiver** *vi* **1.** *JUR* reincidir **2.** *(une maladie)* reaparecer.

**récidiviste** *a/s* reincidente.

**récif** *m* arrecife.

**récipiendaire** *m* recipiendario.

**récipient** *m* recipiente.

**réciprocité** *f* reciprocidad.

**réciproque** *a* recíproco, a. ◇ *f* **la ~** lo contrario ◊ **rendre la ~** pagar con la misma moneda.

**réciproquement** *adv* **1.** recíprocamente **2. et ~** y a la recíproca.

**récit** *m* relato, narración *f*.

**récital** *m* recital: **des récitals d'orgue** recitales de órgano.

**récitant, e** *s* **1.** recitador, a **2.** *MUS* solista.

**récitatif** *m MUS* recitativo.

**récitation** *f* recitación.

**réciter** *vt* recitar.

**réclamation** *f* reclamación.

**réclame** *f* **1.** propaganda: **faire de la ~ pour** hacer propaganda de **2. articles en ~** oportunidades *f*.

**réclamer** *vt* **1.** reclamar **2.** *(exiger)* exigir. ◇ *vi* reclamar. ◆ **se ~ de** *vpr* apelar a.

**reclassement** *m* **1.** nueva clasificación *f* **2.** *(d'une personne)* nueva asignación *f*.

**reclasser** *vt* **1.** clasificar de nuevo **2.** *(une personne)* asignar a un nuevo puesto a.

**reclouer** *vt* clavar de nuevo.

**reclus, e** *a/s* recluso, a ◊ **vivre en ~** vivir aislado, recluido.

**réclusion** *f* reclusión ◊ **~ à perpétuité** cadena perpetua.

**recoiffer (se)** *vpr* volverse a peinar.

**recoin** *m* rincón, recoveco: **maison avec beaucoup de recoins** casa con muchos recovecos.

**reçois,** etc. → **recevoir.**

**récollection** *f RELIG* retiro *m*.

**recoller** *vt* pegar de nuevo.

**récollet** *m* recoleto.

**récolte** *f* **1.** *(action)* cosecha, recolección **2.** *(produits recueillis)* cosecha.

**récolter** *vt* **1.** cosechar, recoger **2.** *FAM* cosechar, ganarse: **~ des ennuis** cosechar disgustos ◊ **~ des coups** recibir golpes.

**recommandable** *a* recomendable.

**recommandation** *f* recomendación: **lettre de ~** carta de recomendación; **tenir compte des recommandations de...** hacer caso de las recomendaciones de...

**recommander** *vt* **1.** recomendar: **je te recommande d'être prudent** te recomiendo que seas prudente; **il est recommandé de...** se recomienda... **2.** *(lettre)* certificar: **lettre recommandée** carta certificada; **envoi en recommandé** envío por certificado. ◆ **se ~** *vpr* **1. se ~ à** encomendarse a **2. se ~ de** valerse de.

**recommencement** *m* vuelta *f*, repetición *f*.

**recommencer*** *vt* **1.** recomenzar **2. ~ à** volver a: **il recommence à gémir** vuelve a gemir. ◇ *vi* **1.** empezar de nuevo, volver a empezar: **allons, recommencez!** ¡ea, a empezar de nuevo!; **si c'était à ~** si volviera a empezar **2. ne recommence pas!** ¡no lo vuelvas a hacer! **3. la pluie recommence** vuelve a llover **4.** *FAM* **ça recommence** otra vez.

**récompense** *f* **1.** recompensa **2.** *(en argent)* gratificación.

**récompenser** *vt* recompensar.

**recompter** [ʀ(ə)kɔ̃te] *vt* recontar.

**réconciliation** *f* reconciliación.

**réconcilier*** *vt* reconciliar. ◆ **se ~** *vpr* reconciliarse.

**reconductible** *a* prorrogable.

**reconduction** *f* reconducción, renovación, prórroga: **tacite ~** tácita renovación.

**reconduire*** *vt* **1.** *(une personne)* acompañar **2.** *(un contrat, etc.)* prorrogar.

**réconfort** *m* consuelo.

**réconfortant, e** *a* reconfortante. ◇ *m (remontant)* tónico.

**réconforter** *vt* **1.** reconfortar **2.** *(fortifier)* reconfortar, entonar.

**reconnaissable** *a* reconocible.

**reconnaissance** *f* **1.** reconocimiento *m* **2.** *(gratitude)* agradecimiento *m*, reconocimiento *m*, gratitud *f* **3.** *MIL* **patrouille de ~** patrulla de reconocimiento ◊ **partir en ~** ir a explorar el terreno.

**reconnaissant, e** *a* agradecido, a: **je vous en suis très ~** le estoy muy agradecido.

**reconnaître** *vt* **1.** reconocer: **je reconnais sa voix** reconozco su voz; **il a reconnu que j'avais raison** ha reconocido que yo tenía razón **2.** conocer: **il a tellement changé qu'on ne le reconnaît plus** ha cambiado tanto que ya no se le conoce; **~ à la voix** conocer por la voz, reconocer por la voz **3.** *(admettre officiellement, comme légitime)* reconocer: **~ un nouveau Gouvernement, sa signature** reconocer a un nuevo Gobierno, su firma. ◆ **se ~** *vpr* **1.** reconocerse **2.** *(dans un lieu)* orientarse **3.** *FIG* **je ne m'y reconnais plus** estoy despistado.

**reconquérir*** *vt* reconquistar.

**reconquête** *f* reconquista.

**reconsidérer*** *vt* volver a considerar, reconsiderar.

**reconstituant, e** *a/m* reconstituyente.

**reconstituer** *vt* **1.** reconstituir **2. ~ un crime, un accident** reconstruir un crimen, un accidente.

**reconstitution** *f* **1.** reconstitución **2.** *(d'un crime, etc.)* reconstrucción.

**reconstruction** *f* reconstrucción.

**reconstruire*** *vt* reconstruir.

**reconversion** *f* reconversión.

**reconvertir** *vt* reconvertir.

**recopier*** *vt* **1.** volver a copiar **2.** *(un brouillon)* poner en limpio.

**record** *m* récord, marca *f*: **battre le ~** batir la marca. ◇ *a* **chiffre ~** cifra récord; **en un temps ~** en un tiempo récord.

**recorder** *vt (une raquette)* encordar de nuevo.

**recordman** [R(ə)kɔRdman] *m*, **recordwoman** [R(ə)kɔR-wuman] *f* plusmarquista.

**recors** *m ANC* alguacil.

**recoucher** *vt* volver a acostar. ◆ **se ~** *vpr* volver a acostarse.

**recoudre*** *vt* recoser.

**recoupement** *m* comprobación *f* ◊ **par ~** atando cabos.

**recouper** *vt* **1.** cortar de nuevo **2.** *FIG* confirmar, coincidir con. ◆ **se ~** *vpr* coincidir.

**recourber** *vt* encorvar, doblar ◊ **nez recourbé** nariz corva, encorvada.

[1]**recourir** *vi (courir de nouveau)* volver a correr.

[2]**recourir** *vi* **~ à** recurrir a, acudir a, apelar a: **~ à la violence** acudir a la violencia; **~ au suicide** acudir al suicidio.

**recours** *m* **1.** recurso ◊ **avoir ~ à** recurrir a, acudir a, echar mano de; **en dernier ~** en último recurso, como último remedio; **c'est sans ~** no hay remedio, es irremediable **2.** *JUR* recurso: **~ en cassation** recurso de casación: **~ en grâce** petición *f* de indulto, de gracia.

**recouvrement** *m (des impôts, etc.)* cobro, cobranza *f*, recaudación *f*.

**recouvrer** *vt* **1.** *(santé, etc.)* recobrar **2.** *(impôts, etc.)* cobrar, recaudar.

**recouvrir*** *vt* **1.** cubrir: **sol recouvert d'une moquette** suelo cubierto con una moqueta **2.** *(couvrir de nouveau)* recubrir **3.** *FIG (cacher)* ocultar, encubrir.

**recracher** *vt* escupir.

**récré** *f FAM* recreo *m*.

**récréatif, ive** *a* recreativo, a.

**récréation** *f* recreo *m*: **pendant la ~** durante el recreo, en el recreo; **la cour de ~** el patio.

**recréer** *vt* crear de nuevo.

**recrépir** *vt* revocar (de nuevo).

**recrépissage** *m* nuevo revoque.

**recreuser** *vt* cavar de nuevo, cavar más.

**récrier (se)*** *vpr* exclamar.

**récrimination** *f* reproche *m*, queja, recriminación.

**récriminer** *vi* protestar.

**récrire*** *vt* volver a escribir.

**recroqueviller (se)** *vpr* **1.** *(se racornir)* resecarse **2.** *(se pelotonner)* acurrucarse.

**recru, e** *a (de fatigue)* rendido, a, molido, a, cansado, a.

**recrudescense** *f* recrudecimiento *m*, recrudescencia.

**recrue** *f* **1.** *MIL* recluta *m* **2.** *(dans une équipe, etc.)* recién llegado, a.

**recrutement** *m* reclutamiento.

**recruter** *vt* reclutar.

**recruteur** *m* reclutador.

**recta** *adv FAM* puntualmente, a toca teja.

**rectal, e** *a* rectal: **température rectale** temperatura rectal.

**rectangle** *a/m* rectángulo.

**rectangulaire** *a* rectangular.

**recteur** *m* **1.** *(universitaire)* rector, a **2.** *(curé)* rector, cura párroco.

**rectifiable** *a* rectificable.

**rectificatif, ive** *a/m* rectificativo, a.

**rectification** *f* rectificación.

**rectifier*** *vt* **1.** rectificar **2.** *(une erreur)* subsanar, rectificar.

**rectiligne** *a* rectilíneo, a.

**rectitude** *f* rectitud.

**recto** *m* recto: **au ~** en el recto.

**rectoral, e** *a* rectoral.

**rectorat** *m* rectorado.

**rectrice** *f (plume)* timonera.

**rectum** [Rɛktɔm] *m ANAT* recto.

**reçu, e** *pp* de **recevoir.** ◇ *m* recibo: **délivrer un ~** entregar un recibo.

**recueil** *m* compilación *f*, colección *f*.

**recueillement** *m* recogimiento.

**recueilli, e** *a* **air ~** aire de recogimiento.

**recueillir*** *vt* **1.** recoger **2.** *(des voix, suffrages)* obtener **3. ~ un héritage** recibir una herencia. ◆ **se ~** *vpr* **1.** recogerse, concentrarse **2. je me suis recueilli sur la tombe de mes parents** recé una oración ante la tumba de mis padres.

**recuire*** *vt* recocer.

**recuit** *m* recocido.

**recul** *m* **1.** *(d'un canon)* retroceso, *(d'un fusil)* culatazo **2. il eut un mouvement de ~** dio un paso atrás **3.** *(auto)* **feu de ~** luz de marcha atrás **4.** *FIG* regresión *f*, retroceso **5.** *(espace)* espacio **6.** *(dans le temps)* perspectiva *f*, alejamiento **7.** *FIG* **prendre du ~** distanciarse.

**reculade** *f* **1.** marcha atrás **2.** *FIG* abandono *m*.

**reculé, e** *a* **1.** *(isolé)* apartado, a **2.** *(dans le temps)* remoto, a.

**reculer** *vi* **1.** recular, retroceder: **~ d'un mètre** recular un metro; **il fit ~ sa voiture** hizo recular el coche ◊ *FIG* **~ pour mieux sauter** esperar el mejor momento **2.** *(renoncer)* cejar, retroceder, reparar: **il ne recule devant rien** no retrocede ante nada; **ne ~ devant aucun sacrifice** no reparar en ningún sacrificio. ◇ *vt* **1.** *(repousser)* apartar hacia atrás **2.** *(différer)* aplazar: **~ un rendez-vous** aplazar una cita. ◆ **se ~** *vpr* echarse atrás, recular.

**reculons (à)** *loc adv* andando hacia atrás, a reculones.

**reculotter (se)** *vpr* volver a ponerse los pantalones.

**récupérable** *a* recuperable.

**récupération** *f* recuperación.

**récupérer*** *vt* recuperar. ◇ *vi (reprendre des forces)* recuperarse, recobrarse: **il a récupéré rapidement** se ha recuperado pronto.

**récurage** *m* fregado.

**récurer** *vt* fregar ◊ **tampon à ~** estropajo.

**récurrence** *f* recurrencia.

**récurrent, e** *a* recurrente.

**récusation** *f* recusación.

**récuser** *vt* recusar. ◆ **se ~** *vpr* declararse incompetente.

**recyclable** *a* reciclable.

**recyclage** *m* reciclaje.

**recycler** *vt* reciclar. ◆ **se ~** *vpr* reciclarse.

**rédacteur, trice** *s* redactor, a: **~ en chef** redactor jefe.

**rédaction** *f* redacción.

**reddition** *f* rendición.

**redécouvrir*** *vt* volver a descubrir.

**redéfaire*** *vt* volver a deshacer.

**redéfinir** *vt* volver a definir, definir de nuevo, redefinir.

**redemander** *vt* **1.** pedir de nuevo **2.** reclamar.

**redémarrage** *m (de l'économie, etc.)* recuperación *f*.

**redémarrer** *vi* volver a arrancar.

**rédempteur, trice** *a* redentor, a. ◇ *np* **le Rédempteur** el Redentor.

**rédemption** *f* redención.

**redescendre*** *vi/t* volver a bajar.

**redevable** *a* **être ~ de** deber.

**redevance** *f* canon *m*, censo *m*, renta.

**redevenir*** *vi* volver a ser.

**rédhibitoire** *a* redhibitorio, a.

**rediffuser** *vt* transmitir de nuevo.

**rediffusion** *f* nueva difusión.

**rédiger*** *vt* **1.** redactar **2. il rédige bien** escribe con elegancia.

**redingote** *f* levita, redingote *m*.

**redire*** **1.** repetir, volver a decir, decir de nuevo: **il redit toujours la même chose** siempre repite lo mismo; **redites-le moi** vuélvamelo a decir; **redis-le** dilo de nuevo **2. trouver à ~ à** tener algo que criticar a; **il n'y a rien à ~** está muy bien.

**redistribuer** *vt* redistribuir.

**redistribution** *f* redistribución.

**redite** *f* repetición.

**redondance** *f* redundancia.

**redondant, e** *a* redundante.

**redonner** *vt* **1.** volver a dar, dar de nuevo **2.** *(rendre)* devolver: **~ confiance** devolver la confianza ◊ **~ du courage, des forces** reanimar, entonar. ◇ *vi* **~ dans une erreur** reincidir en un error.

**redorer** *vt* volver a dorar, redorar ◊ **~ son blason → blason.**

**redoublant, e** *s* repetidor, a.

**redoublé, e** *a* **1.** redoblado, a **2. à coups redoublés** con violencia.

**redoublement** *m* **1.** redoblamiento **2.** *(d'une classe)* repetición *f*.

**redoubler** *vt* **1.** redoblar **2. ~ une classe** repetir curso; **cet élève redouble** este alumno repite. ◇ *vi* **1.** *(pluie, vent)* arreciar: **la tempête redouble** arrecia el temporal **2.** *(recommencer)* recrudecerse: **les combats redoublent de violence** se recrudecen los combates **3. ~ d'attention** redoblar su vigilancia, extremar su atención.

**redoutable** *a* temible.

**redoute** *f (fortification)* reducto *m*.

**redouter** *vt* **1.** temer **2. ~ de...** tener miedo de...

**redoux** *m* calentamiento momentáneo de la atmósfera.

**redressement** *m* **1.** *(de la situation, etc.)* recuperación *f*, restablecimiento **2. maison de ~** reformatorio *m*.

**redresser** *vt* **1.** enderezar **2.** *(la tête)* levantar **3.** FIG enderezar, restablecer **4.** *(l'économie)* sanear **5.** ÉLECT rectificar. ◆ **se ~** *vpr* **1.** enderezarse **2.** ponerse derecho: **redresse-toi!** ¡ponte derecho! **3.** *(sur son séant)* incorporarse: **redressez-vous lentement** incorpórese lentamente **4.** FIG recuperarse.

**redresseur** *m* **1. ~ de torts** desfacedor de entuertos **2.** ÉLECT rectificador.

**réductible** *a* reducible.

**réduction** *f* **1.** reducción: **la ~ du temps de travail** la reducción del tiempo de trabajo **2.** *(rabais)* descuento *m*, rebaja: **une ~ de 50%** un descuento del 50%.

**réduire*** *vt* **1.** reducir: **~ de moitié** reducir a la mitad; **~ de 5%** reducir en un 5%; **~ ses dépenses, le personnel** reducir los gastos, la plantilla **2. ~ au silence** reducir al silencio; **~ en cendres** reducir a cenizas; **~ en poussière** reducir a polvo; **~ en miettes** hacer añicos; **~ à néant** aniquilar **3.** CULIN *(une sauce)* reducir **4.** MÉD *(une fracture)* reducir **5. en être réduit à...** no tener más remedio que.... ◆ **se ~** *vpr* **1.** reducirse **2. se ~ en poussière** convertirse en polvo.

**réduit, e** *a* reducido, a. ◇ *m (local exigu)* cuartucho, tabuco.

**réécrire → récrire.**

**réédifier** *vt* reedificar.

**rééditer** *vt* reeditar.

**réédition** *f* reedición.

**rééducation** *f* reeducación, rehabilitación.

**rééduquer** *vt* reeducar.

**réel, elle** *a* real: **des faits réels** hechos reales; **image réelle** imagen real. ◇ *m* **le ~** lo real.

**réélection** *f* reelección.

**rééligible** *a* reelegible.

**réélire*** *vt* reelegir: **il a été réélu** ha sido reelegido.

**réellement** *adv* realmente.

**réembaucher** *vt* contratar de nuevo.

**réemploi** *m* **1.** reutilización *f*, nuevo empleo **2.** *(d'une personne)* recolocación *f*.

**reemployer*** *vt* volver a emplear, emplear de nuevo.

**réengager → rengager.**

**réentendre*** *vt* volver a escuchar.

**rééquilibrer** *vt* reequilibrar.

**réescompte** *m* redescuento.

**réescompter** *vt* redescontar.

**réessayer* → ressayer.**

**réévaluation** *f* revaluación.

**réévaluer** *vt* revaluar.

**réexaminer** *vt* reexaminar.

**réexpédier*** *vt* reexpedir.

**réexpédition** *f* reexpedición.

**réexporter** *vt* reexportar.

**refaire*** *vt* **1.** *(faire de nouveau)* volver a hacer **2.** *(remettre en état)* rehacer **3. ~ sa vie** rehacer su vida **4.** FAM **je me suis fait ~** me la han pegado. ◆ **se ~** *vpr* **1.** rehacerse, reponerse **2.** FAM **se ~ une beauté** arreglarse, retocarse; **on ne se refait pas!** ¡genio y figura hasta la sepultura!

▶ Sens 1.: selon le complément, le verbe «hacer» sera remplacé par un autre verbe: ~ *du piano* volver a tocar piano; ~ *du tennis* volver a jugar al tenis, etc. Voir le verbe «faire».

**réfection** *f* reparación.

**réfectoire** *m* refectorio, comedor.

**refend** *m* **mur de ~** pared *f* divisoria, tabique.

**référé** *m* JUR recurso de urgencia.

**référence** *f* referencia. ◇ *pl (d'un employé)* referencias, informes *m*, datos *m*: **de sérieuses références** buenos informes.

**référendum** [refeʀɑ̃dɔm] *m* referéndum.

**référer*** *vi* **en ~ à quelqu'un** informar a alguien. ◆ **se ~** *vpr* **1. se ~ à** referirse a **2. s'en ~ à** remitirse a.

**refermer** *vt* cerrar, volver a cerrar.

**refiler** *vt* POP colar, pasar: **~ un faux billet** colar un billete falso.

**réfléchi, e** *a* **1.** *(verbe, pronom)* reflexivo, a **2.** *(personne)* reflexivo, a **3.** *(action)* pensado, a ◊ **tout bien ~** pensándolo bien.

**réfléchir** *vt (refléter)* reflejar. ◇ *vi (penser)* reflexionar, pensar, discurrir: **laissez-moi ~** deje que piense un poco; **donner à ~** dar que pensar; **je vais y ~** voy a pensarlo; **réfléchissez à cela** piénselo; **il l'a fait sans ~** lo ha hecho sin pensarlo, irreflexivamente; **réfléchis un peu** discurre un poco. ◆ **se** ~ *vpr* reflejarse: **les peupliers se réfléchissaient dans la rivière** los álamos se reflejaban en el río.

**réfléchissant, e** *a* reflectante.

**réflecteur** *m* reflector.

**reflet** *m* **1.** reflejo **2.** *FIG* reflejo.

**refléter*** *vt* **1.** reflejar **2.** *FIG* reflejar. ◆ **se** ~ *vpr* reflejarse.

**refleurir** *vi* reflorecer.

**reflex** [refleks] *a/m inv* reflex: **un (appareil)** ~ una reflex.

**réflexe** *a/m* reflejo, a: ~ **conditionné** reflejo condicionado.

**réflexion** *f* **1.** reflexión **2.** ~ **faite, à la** ~ pensándolo bien **3. une** ~ **désobligeante** una advertencia, una amonestación.

**refluer** *vi* **1.** refluir **2.** *FIG* retroceder.

**reflux** [rəfly] *m* **1.** reflujo **2.** *FIG* retroceso.

**refondre*** *vt (un métal, un ouvrage)* refundir.

**refonte** *f (d'un métal, d'un ouvrage)* refundición.

**réformable** *a* reformable.

**réformateur, trice** *a/s* reformador, a.

**réforme** *f* **1.** reforma **2.** *MIL* licencia total **3.** *RELIG* **la Réforme** la Reforma.

**réformé, e** *a* protestante. ◇ *m* militar licenciado por inútil.

**reformer** *vt* volver a formar.

**réformer** *vt* **1.** reformar **2.** *MIL* dar de baja por inútil.

**réformisme** *m* reformismo.

**réformiste** *a/s* reformista.

**refoulé, e** *s* reprimido, a.

**refoulement** *m* **1.** rechazo **2** *(psychologie)* represión *f.*

**refouler** *vt* **1.** *(faire reculer)* rechazar, retroceder **2.** *(passion, instincts)* reprimir **3.** ~ **ses larmes** reprimir, contener sus lágrimas.

**réfractaire** *a* refractario, a.

**réfracter** *vt* refractar.

**réfraction** *f* refracción.

**refrain** *m* **1.** *(d'une chanson)* estribillo **2.** *FIG* **c'est toujours le même** ~ siempre con la misma canción, la misma cantinela.

**refréner*** *vt* refrenar, contener.

**réfrigérant, e** *a/m* refrigerante.

**réfrigérateur** *m* frigorífico, refrigerador, nevera *f.*

**réfrigération** *f* refrigeración.

**réfrigérer*** *vt* **1.** refrigerar **2.** *FAM (geler)* helar.

**réfringent, e** *a PHYS* refringente.

**refroidir** *vt* **1.** enfriar **2.** *FIG* ~ **l'enthousiasme** enfriar el entusiasmo **3.** *POP (tuer)* dejar seco. ◇ *vi* enfriarse: **ton café est en train de** ~ tu café se está enfriando; **ton petit déjeuner va** ~ se te va a enfriar el desayuno. ◆ **se** ~ *vpr* **1.** enfriarse, refrescar: **le temps s'est refroidi** el tiempo ha refrescado **2.** resfriar: **je me suis refroidi** me he resfriado.

**refroidissement** *m* **1.** enfriamiento **2.** *(rhume)* enfriamiento, resfriado.

**refuge** *m* **1.** *(asile)* refugio, amparo: **chercher** ~ **chez un ami** buscar refugio en casa de un amigo **2.** *(en haute montagne)* refugio **3.** *(au milieu de la chaussée)* isleta *f.*

**réfugié, e** *a/s* refugiado, a.

**réfugier (se)*** *vpr* refugiarse.

**refus** *m* **1.** negativa *f:* **un** ~ **catégorique** una negativa rotunda **2.** *FAM* **ce n'est pas de** ~ con mucho gusto.

**refuser** *vt* **1.** negar, rehusar: ~ **l'hospitalité** negar la hospitalidad **2.** ~ **une invitation** no aceptar, rehusar una invitación; ~ **une offre** denegar una propuesta **3.** negarse: **il refuse d'obéir** se niega a obedecer; **je refusai** yo me negué **4.** ~ **un candidat** suspender a un candidato; **il a été refusé** ha sido suspendido. ◆ **se** ~ *vpr* **1.** negarse, resistirse: **il se refuse à nous aider** se niega a ayudarnos; **je me refuse à le croire** me resisto a creerlo **2.** privarse: **il ne se refuse rien** no se priva de nada.

**réfutable** *a* refutable.

**réfutation** *f* refutación.

**réfuter** *vt* refutar.

**regagner** *vt* **1.** recuperar, recobrar **2.** *(un lieu)* volver, regresar a: ~ **son domicile** volver a su domicilio.

**regain** *m* **1.** *AGR* renadío **2.** *FIG* ~ **d'activité** nuevo período de actividad; **un** ~ **de santé** una mejoría.

**régal** *m* **1.** delicia *f,* regalo **2. ce gâteau est un** ~ este pastel es delicioso, está muy rico.

▶ *Regalo* a surtout le sens de «cadeau».

**régalade** *f* **boire à la** ~ beber a chorro.

**régaler** *vt* invitar a comer o a beber. ◆ **se** ~ *vpr* disfrutar: **je me suis bien régalé** he disfrutado mucho.

**regard** *m* **1.** mirada *f:* **suivre du** ~ seguir con la mirada; **jeter un** ~ echar una mirada; **un** ~ **chargé d'amertume** un mirar cargado de amargura **2. en** ~ en frente **3. au** ~ **de** respecto a; **en** ~ **de** en comparación de **4.** *(d'un égout)* registro.

**regardant, e** *a* tacaño, a, roñoso, a.

**regarder** *vt* **1.** mirar: ~ **dans une autre direction** mirar a otra dirección; ~ **fixement, dans les yeux** mirar fijamente, de hito en hito; ~ **de travers** mirar de reojo; ~ **l'écran** mirar la pantalla; ~ **la télévision** ver la televisión **2.** *(considérer)* considerar ◊ **y** ~ **à deux fois** pensárselo dos veces **3.** *(concerner)* concernir ◊ **cela ne vous regarde pas** esto no es asunto suyo; **mêlez-vous de ce qui vous regarde!** ¡no se meta en lo que no le importa!; **ça te regarde?** ¿y a ti qué te importa?; **ça te** ~ allá tu **4.** *FAM* **regardez-moi ça!** ¡fíjese! **5. ne pas** ~ **à la dépense** no reparar en gastos. ◆ **se** ~ *vpr* **1. se** ~ **dans une glace** mirarse en un espejo; **regarde toi dans la glace!** ¡mírate al espejo! **2.** *FAM* **tu ne t'es pas regardé!** ¡más eres tú!

**regarnir** *vt* guarnecer de nuevo.

**régate** *f* regata.

**régatier, ère** *s* regatista.

**régence** *f* regencia.

▶ *Style Régence:* de la época del duque de Orleáns, 1715-1723.

**régénération** *f* regeneración.

**régénérer*** *vt* regenerar.

**régent, e** *a/s* regente, a.

**régenter** *vt* regentar, mandar ◊ **il veut tout** ~ es muy mandón.

**régicide** *m* **1.** *(meurtrier)* regicida **2.** *(meurtre)* regicidio.

**régie** *f* **1.** administración **2.** *(télévision)* unidad de control.

**regimber** *vi* respingar, protestar.

**régime** *m* **1.** régimen: **régimes politiques** regímenes políticos **2.** *MÉD* régimen, dieta *f,* plan: **se mettre au** ~ ponerse a régimen; **je suis au** ~ estoy a régimen; ~ **pour maigrir** dieta para adelgazar; ~ **lacté** dieta láctea; **un** ~ **riche en vitamines, équilibré** una dieta rica en vitaminas, equilibrado **3. à plein** ~ a toda marcha **4.** *(de bananes, dattes)* racimo.

**régiment** *m* **1.** regimiento **2.** *FAM* **le** ~ la mili, el servicio militar **3.** *FIG (grand nombre)* multitud *f,* batallón.

**région** *f* región.

**régional, e** *a* regional.

**régionalisation** *f* regionalización.

**régionalisme** *m* regionalismo.

**régionaliste** *a/s* regionalista.

**régir** *vt* regir: **loi qui régit...** ley que rige...; **règles qui régissent...** reglas que rigen...

**régisseur** *m* **1.** administrador **2.** *(cinéma, télévision)* regidor.

**registre** *m* **1.** registro ◊ **~ du commerce** registro mercantil **2.** *MUS (de la voix, de l'orgue)* registro.

**réglable** *a* graduable, regulable: **siège ~** asiento regulable.

**réglage** *m* reglaje.

**règle** *f* **1.** regla: **~ à calcul** regla de cálculo **2.** regla: **il n'y a pas de ~ sans exception** no hay regla sin excepción; **~ de trois** regla de tres ◊ **en ~** en regla, en forma; **dans les règles (de l'art)** con todas las de la ley, como Dios manda; **en ~ générale** por regla general; **comme il est de ~** según es costumbre **3. ~ de conduite** norma de conducta **4. être en ~ avec soi-même** tener la conciencia tranquila. ◊ *pl (mentrues)* regla *sing:* **avoir ses règles** tener la regla, estar con el mes; **elle a eu ses premières règles** ha tenido la primera regla.

**réglé, e** *a* **1.** *(vie)* ordenado, a **2.** *(papier)* pautado ◊ **~ comme du papier à musique → musique 3.** *(femme)* que tiene la regla, púber **4. affaire réglée** asunto concluido, solucionado.

**règlement** *m* **1.** reglamento **2.** *(d'une affaire)* solución *f* **3.** *(paiement)* pago **4. ~ de comptes** ajuste de cuentas.

**réglementaire** *a* reglamentario, a.

**réglementation** *f* reglamentación, regulación.

**réglementer** *vt* reglamentar, regular.

**régler*** *vt* **1. ~ son pas sur...** ajustar sus pasos a... **2.** *(un mécanisme, dispositif)* ajustar, graduar, regular ◊ **~ sa montre** poner en hora su reloj **3.** fijar, determinar **4.** *(une question, une affaire)* solucionar, solventar **→ réglé 5.** *(payer)* pagar: **~ par chèque** pagar con cheque **6.** *(du papier)* rayar, pautar.

**réglette** *f* regleta.

**réglisse** *f* regaliz *m.*

**réglo** *a inv FAM* correcto, a, conforme a las reglas.

**régnant, e** *a* **1.** reinante **2.** *FIG* imperante: **la vulgarité régnante** la vulgaridad imperante.

**règne** *m* **1.** reinado: **sous le ~ de** bajo el reinado de ◊ **«que ton ~ vienne»** venga a nos el tu reino **2.** *(animal, végétal)* reino.

**régner*** *vi* **1.** *(un souverain)* reinar **2.** *FIG* reinar: **la paix règne** la paz reina.

**regonfler** *vt* **1.** volver a hinchar **2.** *FAM* **~ quelqu'un** levantar el ánimo a alguien.

**regorger*** *vi* **~ de** rebosar de, abundar en.

**régresser** *vi* retroceder.

**régressif, ive** *a* regresivo, a.

**régression** *f* regresión.

**regret** *m* **1.** pesar, sentimiento **2. accepter à ~** aceptar de mala gana; **j'ai le ~ de vous dire...** siento mucho decirle...; **nous sommes au ~ de...** lamentamos...

**regrettable** *a* lamentable, deplorable ◊ **il est ~ que...** es una pena que, es de lamentar que...

**regretter** *vt* **1.** sentir, lamentar: **je regrette d'avoir dit cela, que tu t'en ailles** siento haber dicho esto, que te vayas; **en regrettant d'avoir tant tardé** sintiendo haber tardado tanto; **je regrette!** ¡lo siento! **2.** *(se repentir)* arrepentirse de; **vous ne le regretterez pas!** ¡no se arrepentirá!; **je ne regrette rien** no me arrepiento de nada **3.** *(personne ou chose qu'on n'a plus)* echar de menos, añorar: **~ un camarade** echar de menos a un compañero; **je regrette mon ancien appartement** añoro mi antiguo piso **4. notre regretté collègue** nuestro cólega, que en paz descanse.
▶ Sens 3.: *añorar* introduit une nuance de nostalgie.

**regrimper** *vi/t* volver a subir, subir de nuevo.

**regrossir** *vi* engordar de nuevo.

**regroupement** *m* reagrupación *f.*

**regrouper** *vt* reagrupar. ◆ **se ~** *vpr* reagruparse.

**régularisation** *f* regularización.

**régulariser** *vt* **1.** regularizar **2.** *(une situation)* formalizar.

**régularité** *f* regularidad.

**régulateur, trice** *a/m* regulador, a.

**régulation** *f* regulación.

**régulier, ère** *a* **1.** regular: **verbes réguliers** verbos regulares **2.** *(ponctuel)* puntual.

**régulièrement** *adv* regularmente, con regularidad.

**régurgitation** *f* regurgitación.

**régurgiter** *vt/i* regurgitar.

**réhabilitation** *f* rehabilitación.

**réhabiliter** *vt* rehabilitar. ◆ **se ~** *vpr* rehabilitarse.

**réhabituer** *vt* acostumbrar de nuevo.

**rehausser** *vt* realzar.

**rehaut** *m* realce.

**réimporter** *vt* reimportar.

**réimpression** *f* reimpresión.

**réimprimer** *vt* reimprimir.

**rein** *m* **1.** riñón: **avoir mal aux reins** tener dolor de riñones ◊ **tour de reins** lumbago **2.** *FIG* **avoir les reins solides** tener las espaldas (bien) cubiertas; **casser les reins à quelqu'un** hundir a alguien.

**réincarnation** *f* reencarnación.

**réincarner (se)** *vpr* reencarnarse.

**reine** *f* **1.** reina: **le roi et la ~** el rey y la reina; **~ mère** reina madre **2.** *(au jeu d'échec)* reina **3.** *(abeille)* reina.

**reine-claude** *f* ciruela claudia.

**reine-des-prés** *f* reina de los prados.

**reine-marguerite** *f* maya.

**reinette** *f (pomme)* reineta.

**réinscription** *f* **1.** nueva inscripción **2.** nueva matrícula.

**réinscrire*** *vt* volver a inscribir. ◆ **se ~** *vpr (en faculté)* volver a matricularse.

**réinsérer** *vt* reinsertar.

**réinsertion** *f* reinserción, reintegración.

**réinstallation** *f* reinstalación.

**réinstaller** *vt* reinstalar. ◆ **se ~** *vpr* reinstalarse.

**réintégration** *f* rehabilitación, reintegración.

**réintégrer*** *vt* **1.** *(un fonctionnaire)* rehabilitar **2. ~ son domicile** volver a su domicilio.

**réintroduire*** *vt* volver a introducir, introducir de nuevo.

**réitération** *f* reiteración.

**réitérer*** *vt* reiterar.

**reître** *m* reitre.

**rejaillir** *vi* **1.** *(un liquide)* saltar, salpicar **2. ~ sur** recaer sobre.

**rejaillissement** *m FIG* repercusión *f.*

**rejet** *m* **1.** rechazo: **le ~ d'une politique...** el rechazo a una política... **2.** *BOT* renuevo, retoño **3.** *MÉD* rechazo **4.** *(de produits toxiques, etc.)* vertido.

**rejeter*** *vt* **1.** volver a echar **2.** *(expulser, vomir)* arrojar **3.** *(repousser)* rechazar **4.** *(ne pas accepter)* denegar, desestimar: **~ une proposition** desestimar una propuesta **5. ~ la faute sur** achacar la culpa a. ◆ **se ~** *vpr* **se ~ en arrière** echarse atrás.

**rejeton** *m* **1.** *BOT* retoño **2.** *FAM (enfant)* vástago, retoño, hijo.

**rejoindre*** *vt* **1.** reunirse con: **je vous rejoindrai à l'hôtel** me reuniré con ustedes en el hotel **2.** *(rattraper)* alcanzar **3. ~ son**

**poste** reincorporarse a su destino **4.** llegar a: **nous avons rejoint l'autoroute** hemos llegado a la autopista **5. ce sentier rejoint la route** este sendero desemboca en, va hasta la carretera.

**rejouer** *vt* **1.** volver a jugar **2.** *MUS* volver a tocar **3.** *THÉÂT* volver a representar.

**réjoui, e** *a* alegre, jovial.

**réjouir** *vt* alegrar, regocijar. ◆ **se ~** *vpr* **1.** alegrarse, ilusionarse: **je me réjouis de partir en vacances** me alegro de ir de vacaciones; **je m'en réjouis** lo celebro, me alegro **2. se ~ que...** congratularse de que...

**réjouissance** *f* regocijo *m*, jolgorio *m*. ◇*pl* festejos *m*, fiestas.

**relâche** *m/f* **1. jour de ~** día de descanso; **le théâtre fait ~** no hay función **2.** *loc adv* **sans ~** sin tregua, sin descanso. ◇*f MAR* **faire ~** hacer escala.

**relâché, e** *a* relajado, a.

**relâchement** *m* **1.** relajación *f*, relajamiento: **le ~ des mœurs** la relajación de las costumbres **2.** *(dans un travail)* flojedad *f*.

**relâcher** *vt* **1.** *(détendre)* aflojar, relajar **2.** *(libérer)* soltar, liberar, dar suelta a, libertar: **~ un otage** liberar a un rehén. ◇ *vi MAR* hacer escala. ◆ **se ~** *vpr* **1.** aflojarse **2.** *(discipline)* relajarse **3.** *(un élève, etc.)* aflojar.

**relais** *m* **1.** parada *f* **2.** *(auberge)* albergue **3. course de ~** carrera de relevos ◊ **prendre le ~ de** relevar a; **équipe de ~** turno **4.** *(télévision, etc.)* repetidor **5.** *ÉLECT* relé.

**relance** *f* **1.** *(au poker)* reenvite *m* **1.** *(de l'économie, etc.)* reactivación, relanzamiento *m*, reanimación.

**relancer*** *vt* **1.** volver a lanzar **2.** *(l'économie, etc.)* reactivar, relanzar, dar nuevo impulso a **3.** *(quelqu'un)* acosar **4.** *(au poker)* reenvitar.

**relaps, e** [R(ə)laps] *a/s* relapso, a.

**relater** *vt* relatar, contar.

**relatif, ive** *a* **1.** relativo, a **2. ouvrage ~ à l'économie capitaliste** obra relativa a, referente a la economía capitalista **3.** *GRAM* **pronom ~** pronombre relativo.

[1]**relation** *f* relación. ◇*pl* **1.** relaciones: **relations amicales** relaciones amistosas; **se mettre en relation(s) avec quelqu'un** entablar relaciones con alguien; **relations publiques** relaciones públicas **8.** *(personnes connues)* relaciones, conocidos *m*: **avoir beaucoup de relations** tener muchas relaciones.

[2]**relation** *f* *(récit)* relato *m*.

**relationnel, elle** *a* relacional.

**relativement** *adv* **1.** relativamente **2. ~ à** en comparación con.

**relativiser** *vi* relativizar.

**relativisme** *m* relativismo.

**relativité** *f* relatividad.

**relax, e** *a FAM* relajado, a, tranquilo, a. ◇*m (fauteuil)* sillón relax, tumbona *f*.

**relaxant, e** *a* relajante.

**relaxation** *f* relajación.

**relaxe** *f JUR* libertad (de un preso).

**relaxer** *vt* **1.** *JUR* poner en libertad **2.** *(détendre)* relajar. ◆ **se ~** *vpr* relajarse.

**relayer*** [R(ə)leje] *vt* relevar. ◆ **se ~** *vpr* relevarse, turnarse: **elles se relaient à son chevet** se relevan a la cabecera de su cama.

**relecture** *f* segunda lectura, relectura.

**relégation** *f* relegación.

**reléguer*** *vt* **1.** relegar **2. ~ au second plan** relegar a segundo término.

**relent** *m* **1.** *(odeur)* mal olor, tufo **2.** *FIG* resabio.

**relevable** *a* levantable.

**relevailles** *f pl ANC* rito *m sing* de purificación después del parto.

**relève** *f* relevo *m*: **la ~ de la garde** el relevo de la guardia; **prendre la ~** tomar el relevo.

**relevé, e** *a* **1. virage ~** curva peraltada **2.** *(style)* noble, elevado, a **3.** *(sauce)* picante, fuerte. ◇*m* **1.** *(d'un compte)* extracto, estado **2.** lista *f*.

**relèvement** *m* **1.** *(d'une économie)* recuperación *f* **2.** *(des salaires)* aumento.

**relever*** *vt* **1.** levantar, alzar, subir: **~ la tête** alzar la cabeza; **je relevai le col de ma veste** me subí el cuello de la americana **2.** *(ramasser)* recoger **3.** *(reconstruire)* reedificar **4. ~ ses manches** remangarse **5.** *(rehausser)* realzar **6.** *(un pays, l'économie)* sacar a flote **7.** *(les salaires, prix)* subir **8.** *CULIN (une sauce)* realzar el sabor de, sazonar **9.** *(noter)* apuntar, anotar **10.** *(faire remarquer)* señalar **11. ~ quelqu'un de ses fonctions** relevar a alguien de su cargo; **~ une sentinelle** relevar a un centinela **12. ~ le gant, le défi → gant, défi.** ◇*vi* **1. ~ de maladie** salir de una enfermedad **2. ~ de** depender de, incumbir a. ◆ **se ~** *vpr* **1.** levantarse **2.** *FIG* recuperarse, restablecerse.

**releveur, euse** *a/s ANAT* elevador, a. ◇*s (des compteurs)* cobrador, a.

**relief** *m* **1.** relieve: **en ~** en relieve **2.** *FIG* **mettre en ~** poner de relieve; **donner du ~ à** dar relieve a. ◇ *pl (d'un repas)* sobras *f*, restos.

**relier*** *vt* **1.** enlazar, unir: **route qui relie une ville à une autre** carretera que enlaza una ciudad con otra **2.** *(un livre)* encuadernar.

**relieur, euse** *s* encuadernador, a.

**religieux, euse** *a/s* religioso, a. ◇*f (gâteau)* pastelillo *m* de crema de chocolate o café.

▶ L'espagnol emploie plutôt, comme substantifs, les mots *monje, monja*.

**religieusement** *adv* **1.** religiosamente **2. se marier ~** casarse por la iglesia.

**religion** *f* **1.** religión **2. entrer en ~** entrar en religión, tomar el hábito.

**religiosité** *f* religiosidad.

**reliquaire** *m* relicario.

**reliquat** [R(ə)lika] *m* resto.

**relique** *f* reliquia ◊ **garder comme une ~** guardar como oro en paño.

**relire*** *vt* releer.

**reliure** *f* encuadernación.

**relogement** *m* realojo.

**reloger*** *vt* realojar, dar alojamiento a.

**reluire*** *vi* **1.** relucir **2. faire ~** dar brillo a.

**reluisant, e** *a* **1.** reluciente **2.** *FAM* **peu ~** mediocre.

**reluquer** *vt FAM* echar el ojo a, comerse con la vista.

**remâcher** *vt* rumiar.

**remake** [Rimɛk] *m* nueva versión *f*, remake.

**remailler** *vt* coger los puntos de.

**remaniement** [R(ə)manimã] *m* **1.** cambio, modificación *f* **2.** remodelación *f*, reajuste: **~ ministériel** remodelación del Gobierno, cambio ministerial.

**remanier*** *vt* **1.** modificar **2.** *(un texte)* retocar **3.** *(une équipe)* reorganizar.

**remariage** *m* nuevo casamiento.

**remarier (se)*** *vpr* volver a casarse.

**remarquable** *a* notable.

**remarquablement** *adv* notablemente.

**remarque** *f* nota, observación, advertencia: **faire une ~** hacer una observación.

**remarquer** *vt* notar, advertir: **j'ai remarqué que...** he notado que...; **je l'ai remarqué** lo he notado; **elle remarqua que quelqu'un l'observait** advirtió que alguien la observaba; **~ la présence de** advertir la presencia de ◊ **je vous fais ~ que...** le hago notar, le señalo, le advierto que...; **remarquez bien que...** bueno, mire...; **se faire ~** llamar la atención. ◆ **se ~** *vpr* notarse, destacarse.

**remballer** *vt* volver a embalar, a empaquetar.

**rembarquement** *m* reembarque.

**rembarquer** *vt* reembarcar. ◇ *vi/vpr* reembarcarse.

**rembarrer** *vt* FAM mandar a paseo a.

**rembaucher** → **réembaucher.**

**remblai** *m* terraplén.

**remblayer*** [rɑ̃bleje] *vt* terraplenar.

**rembobiner** *vt* rebobinar.

**remboîter** *vt* **1.** *(un os, etc.)* encajar **2.** *(reliure)* reencuadernar.

**rembourrage** *m* relleno.

**rembourrer** *vt* rellenar.

**remboursable** *vt* reembolsable.

**remboursement** *m* **1.** reembolso, devolución *f*: **contre ~** contra reembolso **2.** *(loterie)* reintegro.

**rembourser** *vt* **1.** *(une somme)* reembolsar, saldar, devolver: **~ une dette** saldar una deuda; **~ une somme** reembolsar una cantidad **2.** *(quelqu'un)* pagar: **je vous rembourserai demain** le pagaré mañana.

**rembrunir (se)** *vpr* entristecerse.

**remède** *m* remedio: **~ de bonne femme** remedio casero ◊ **~ miracle** curalotodo; **porter ~ à** remediar; **le ~ est pire que le mal** el remedio es peor que la enfermedad.

**remédiable** *a* subsanable.

**remédier** *vi* **~ à** remediar.

**remembrement** *m* concentración *f* parcelaria.

**remémorer** *vt* recordar. ◆ **se ~** *vpr* acordarse de.

**remerciement** [r(ə)mɛrsimɑ̃] *m* agradecimiento: **une lettre de ~** una carta de agradecimiento. ◇ *pl* gracias *f*: **adresser des remerciements** dar las gracias.

**remercier*** *vt* **1.** agradecer, dar las gracias: **je vous remercie de, pour votre envoi** le agradezco su envío; **je te remercie d'être venu** te agradezco que hayas venido; **en vous remerciant de votre attention** agradeciéndole su atención; **remercie Anne de ma part** dale las gracias de mi parte a Ana; **je le remerciai et raccrochai** le di las gracias y corté la comunicación **2. je vous remercie** muchas gracias, se lo agradezco **3.** *(renvoyer)* despedir: **elle a été remerciée** la han despedido.

**remettre*** *vt* **1.** volver a meter, volver a poner: **~ dans sa poche** volver a meter en el bolsillo; **je ne remettrai plus les pieds chez lui** no volveré a poner los pies en su casa **2. ~ son manteau** volver a ponerse el abrigo **3. ~ de l'huile dans le moteur** añadir aceite en el motor **4.** *(donner)* entregar, dar: **~ une lettre à quelqu'un** entregar una carta a alguien ◊ **~ sa démission** presentar su dimisión **5.** *(rétablir)* restablecer **6.** *(ajourner)* aplazar, diferir, posponer: **la conférence a été remise** ha quedado aplazada la conferencia; **~ son voyage au mois de juin** diferir su viaje hasta junio ◊ **~ au lendemain** dejar para mañana; **partie remise** → **partie 7.** FAM reconocer: **je vous remets à présent** ahora le reconozco **8.** *(les péchés)* remitir **9.** *(une peine, une dette)* condonar **10.** FAM **on remet ça?** ¿la empalmamos?; **en ~** exagerar **11. ~ quelque chose à sa place, en place** volver a poner, devolver algo en su sitio; **remets ça à sa place!** ¡devuelve eso a su sitio!; **~ en état, en marche** reparar. ◆ **se ~** *vpr* **1. se ~ au lit** volver a meterse en la cama; **se ~ au travail** volver al trabajo **2. il s'est remis à fumer, à boire** fuma de nuevo, bebe de nuevo; **elle s'est remise au tennis** juega de nuevo al tenis **3.** *(aller mieux)* reponerse, recuperarse, restablecerse: **il se remet lentement** se recupera lentamente; **il est complètement remis** está completamente recuperado; **il ne s'est jamais remis** nunca se recuperó **4. se ~ de ses émotions** tranquilizarse, sosegarse; **il se remet peu à peu de sa déconvenue** se va reponiendo poco a poco del disgusto que se llevó; **remettez-vous!** ¡tranquilícese! **5. s'en ~ à** remitirse a, fiarse de.

**Rémi** *np m* Remigio.

**rémige** *f (plume)* remera.

**réminiscence** *f* reminiscencia.

**remis, e** → **remettre.**

**remise** *f* **1.** entrega: **~ de la coupe au vainqueur** entrega de la copa al vencedor **2.** *(rabais)* descuento *m*, rebaja: **une ~ de 5% sur tous nos modèles** un descuento del 5% en todos nuestros modelos **3. ~ de peine** remisión de pena, condonación de pena; **la ~ de la dette du tiers-monde** la condonación de la deuda del tercer mundo **4. ~ à neuf** renovación; **~ en état** reparación, arreglo *m* **5. ~ en jeu** saque *m* **6. ~ en question** nueva discusión, replanteo *m*, replanteamiento *m*; **~ à plat** → **plat 7.** *(garage)* cochera, *(abri)* cobertizo *m*.

**remiser** *vt* **1.** meter en la cochera **2.** *(ranger)* guardar.

**rémission** *f* remisión.

**remmailler** [rɑ̃maje] *vt* coger los puntos de.

**remmener** [rɑ̃mne] *vt* volver a llevar.

**remodelage** *m* reestructuración *f*, remodelación *f*.

**remodeler** *vt* remodelar.

**rémois, e** *a/s* remense, de Reims.

**remontage** *m* **1.** nuevo montaje **2.** *(d'une pendule)* acción *f* de dar cuerda (a un reloj).

**remontant** *m* tónico, reconstituyente.

**remonte** *f* MIL remonta.

**remontée** *f* **1.** subida, ascenso *m* **2. remontées mécaniques** remontes *m* mecánicos **3.** *(d'un sportif, dans un classement)* remontada.

**remonte-pente** *m* telesquí.

**remonter** *vt* **1.** volver a subir **2.** *(relever)* levantar, subirse: **remonte ton col, tes chaussettes,** levántate el cuello, súbete los calcetines **3. ~ le courant** ir a contracorriente **4.** *(un mécanisme, etc.)* volver a montar, a armar **5. ~ une pendule** dar cuerda a un reloj **6.** FIG *(réconforter)* animar, estimular ◊ **~ le moral** levantar el ánimo **7.** *(ragaillardir)* entonar, poner como nuevo: **ce cognac va te ~** este coñac va a entonarte **8.** FIG **~ la pente** mejorar. ◇ *vi* **1.** volver a subir, a elevarse **2.** subirse: **cette jupe remonte trop** esta falda se sube demasiado **3.** *(dater)* remontarse: **~ au douzième siècle** remontarse al siglo doce; **~ à trente ans en arrière** remontarse a treinta años atrás; **~ au déluge** → **déluge.**

**remontoir** *m* corona *f*.

**remontrance** *f* amonestación, advertencia.

**remontrer** *vt* mostrar de nuevo. ◇ *vi* **en ~ à quelqu'un** dar una lección a alguien.

**remords** [r(ə)mɔr] *m* remordimiento.

**remorquage** *m* remolque.

**remorque** *f* **1.** remolque *m* **2. prendre en ~** remolcar; FIG **être à la ~ de** estar a remolque de.

**remorquer** *vt* remolcar.

**remorqueur** *m* remolcador.

**rémoulade** *f* especie de salsa picante.

**rémouleur** *m* afilador, amolador.

**remous** *m* **1.** remolino **2.** FIG torbellino.

**rempailler** *vt* poner un nuevo asiento de paja a.

**rempailleur, euse** *s* sillero, a.

**rempart** *m* muralla *f*.

**rempiler** *vi FAM MIL* reengancharse.

**remplaçant, e** *s* sustituto, a, suplente, reemplazante.

**remplacement** *m* reemplazo, sustitución *f*: **en ~ de...** en sustitución de...

**remplacer*** *vt* **1.** sustituir, reemplazar: **il remplace l'arbitre** sustituye al árbitro; **il sera remplacé dans le rôle principal par...** será sustituido en el papel más importante por...; **~ les points par des lettres** sustituir los puntos por letras **2.** *(changer)* cambiar.

**rempli, e** *a* **1.** lleno, a, repleto, a: **église remplie de fidèles** iglesia llena, repleta de fieles **2. une journée bien remplie** un día muy aprovechado **3.** *FIG* **~ de soi-même** satisfecho de sí mismo, engreído.

**remplir** *vt* **1.** *(récipient, salle)* llenar **2.** *(un document)* rellenar: **~ un questionnaire** rellenar un cuestionario; **à ~ par le secrétariat** a rellenar por el secretariado **3.** *(temps)* ocupar **4.** *(une fonction)* ejercer, desempeñar **5.** *(promesse, etc.)* cumplir con: **~ ses engagements** cumplir con sus compromisos. ◆ **se ~** *vpr* llenarse.

**remplissage** *m* **1.** relleno **2.** *(dans un écrit)* paja *f*, broza *f*, relleno.

**remploi → réemploi.**

**remployer → réemployer.**

**remplumer (se)** *vpr FAM* **1.** *(financièrement)* recuperarse, rehacerse **2.** *(grossir)* engordar.

**remporter** *vt* **1.** llevarse **2. ~ un prix, un succès** obtener un premio, un éxito **3.** *(victoire)* conseguir.

**rempotage** *m* trasplante.

**rempoter** *vt* trasplantar de una maceta a otra.

**remuant, e** *a* **1.** bullicioso, a **2.** activo, a.

**remue-ménage** *m* barullo, tumulto.

**remuement** *m* movimiento, agitación *f*.

**remuer** *vt* **1.** *(bouger)* mover, menear: **chien qui remue la queue** perro que menea el rabo **2.** remover: **remuez votre café!** ¡remueva el café! **3.** *FIG* **~ ciel et terre** remover cielo y tierra, revolver Roma con Santiago **4.** *(émouvoir)* conmover. ◇ *vi (bouger)* moverse. ◆ **se ~** *vpr* **1.** moverse **2** *FAM* menearse, despabilarse, espabilarse, moverse: **remue-toi!** ¡meneáte!, ¡muévete!

**remugle** *m* olor a encierro.

**rémunérateur, trice** *a* remunerador, a.

**rémunération** *f* remuneración.

**rémunérer*** *vt* remunerar.

**Rémus** [ʀemys] *np m* Remo.

**renâcler** *vi* **1.** *(un animal)* resoplar **2.** *FAM* rezongar ◊ **~ à la besogne** trabajar de mala gana.

**renaissance** *f* renacimiento *m*. ◇ *np m* **1. la Renaissance** el Renacimiento **2. style ~** estilo renacentista.

**renaissant, e** *a* renaciente.

**renaître*** *vi* **1.** renacer, volver a nacer: **~ de ses cendres** renacer de sus cenizas; **je me sens ~** me siento renacer **2. ~ à la vie** recuperarse.

**rénal, e** *a* renal.

**renard** *m* **1.** zorro **2.** *FIG* **un vieux ~** un zorro **3.** *(fourrure)* zorro, renard; **~ argenté** zorro plateado.

**renarde** *f* zorra, raposa.

**renardeau** *m* zorrillo.

**renardière** *f* zorrera.

**Renaud** *np m* Reinaldo.

**rencard → rancard.**

**renchérir*** *vi* **1.** encarecerse **2. ~ sur...** decir, hacer más que...

**renchérissement** *m* encarecimiento.

**rencogner (se)** *vpr* acurrucarse.

**rencontre** *f* **1.** encuentro *m*: **aller à la ~ de** ir al encuentro de **2. de ~** ocasional, casual **3.** *(entrevue)* entrevista **4.** *(match)* encuentro *m*, partido *m*.

**rencontrer** *vt* **1.** encontrar, encontrarse: **je l'ai rencontrée dans l'escalier** (me) la he encontrado en la escalera **2.** *(sport)* enfrentarse: **l'équipe de X rencontrera celle de Z** el equipo de X se enfrentará con el de Z. ◆ **se ~** *vpr* **1.** encontrarse, coincidir **2. cela ne se rencontre pas souvent** esto no se encuentra a menudo **3.** *(se heurter)* chocar.

**rendement** *m* rendimiento.

**rendez-vous** *m* **1.** cita *f*: **j'ai ~ à 6 heures** tengo cita a las 6 ◊ **donner ~** citar: **il m'a donné ~ ici** me ha citado aquí; **se donner ~** citarse **2. demander un ~** pedir hora; **fixer un ~** dar hora; **prendre ~** reservar hora; **sur ~** previa petición de hora **3.** *(lieu)* lugar de reunión ◊ **~ de chasse** pabellón donde se reunen los cazadores.

**rendormir (se)*** *vpr* dormirse de nuevo.

**rendre*** *vt* **1.** devolver, restituir: **rends-moi mon stylo** devuélveme mi pluma; **~ la santé** devolver la salud; **~ le bien pour le mal** devolver bien por mal **2.** *(livrer)* entregar **3.** *(les honneurs, hommage, etc.)* rendir **4.** *(un son)* emitir, producir **5.** *(traduire)* traducir **6.** *(exprimer)* expresar **7.** *(faire devenir)* **~ fou, stupide** volver loco, estúpido; **~ malade** poner enfermo **8.** hacer: **~ heureux** hacer feliz; **~ public** hacer público; **le film qui l'a rendu célèbre** la película que le ha hecho famoso; **~ la vie impossible à** hacer la vida imposible a **9.** *(vomir)* vomitar, devolver: **il a rendu son déjeuner** ha vomitado el almuerzo **10. ~ l'âme** entregar el alma, morir **11.** *JUR* **~ un jugement** dictar un fallo. ◇ *vi* rendir, producir: **terre qui rend peu** tierra que rinde poco. ◆ **se ~** *vpr* **1.** *(capituler)* rendirse: **rends-toi!** ¡ríndete! **2. se ~ aux ordres de** atender las órdenes de **3.** *(aller)* ir, acudir: **je me suis rendu à Lyon hier** he ido a Lyon ayer; **il ne s'est pas rendu à son bureau** no ha acudido a la oficina **4. se ~ agréable, ridicule** no ha acudido a la oficina **4. se ~ agréable, ridicule, utile** hacerse agradable, ridículo, útil **5. se ~ malade** enfermarse.

**rendu, e** *pp* de **rendre** ◊ *(arrivé)* llegado, a: **enfin, nous voilà rendus** por fin, hemos llegado. ◇ *a (fatigué)* rendido, a, molido, a. ◇ *m* **1.** objeto devuelto **2.** *(dans un tableau, etc.)* expresión *f*, interpretación *f*.

**rêne** *f* rienda: **tenir les rênes** llevar las riendas.

**René, e** *np* Renato, a.

**renégat, e** *a/s* renegado, a.

**reneiger** *v impers* volver a nevar.

**renfermé, e** *a (une personne)* reservado, a, retraído, a, callado, a. ◇ *m* **sentir le ~** oler a cerrado.

**renfermer** *vt* **1.** encerrar **2.** *FIG* contener. ◆ **se ~** *vpr (en soi-même)* ensimismarse, encerrarse en sí mismo.

**renflé, e** *a* abombado, a.

**renflement** *m* abultamiento, prominencia *f*.

**renfler** *vt* abultar, hinchar.

**renflouage, renflouement** *m* **1.** *MAR* desencalladura *f* **2.** *FIG* salvación *f*.

**renflouer** *vt* **1.** *MAR* desencallar, desvarar **2.** *FIG (une entreprise, etc.)* sacar a flote.

**renfoncement** *m* hueco, cavidad *f*.

**renforcer*** *vt* **1.** reforzar **2.** acentuar **3.** intensificar, aumentar.

**renfort** *m* **1.** refuerzo **2. à grand ~ de** con gran cantidad de.

**renfrogné, e** *a* ceñudo, a, hosco, a.

**renfrogner (se)** *vpr* ponerse ceñudo, a.

**rengager*** *vt MIL* reenganchar. ◆ **se ~** *vpr* reengancharse.

**rengaine** *f* estribillo *m*, cantinela ◊ **c'est toujours la même ~** siempre con la misma canción, la misma cantinela.

**rengainer** *vt* **1.** envainar **2.** *FAM (compliment, etc.)* tragarse.

**rengorger (se)** *vpr* pavonearse, darse importancia.

**reniement** [ʀ(ə)nimɑ̃] *m* negación *f*.

**renier*** *vt* **1.** negar: **saint Pierre renia Jésus** San Pedro negó a Jesús **2. ~ sa foi, sa famille, ses origines** renegar de su fe, de su familia, de sus orígenes. ◆ **se ~** *vpr* desdecirse, retractarse.

**reniflement** *m* aspiración *f* (por la nariz).

**renifler** *vi* aspirar por la nariz. ◇ *vt (flairer)* oler, husmear.

**renne** *m* reno.

**renom** *m* renombre, reputación *f* ◊ **de grand ~, en ~** famoso, a.

**renommé, e** *a* célebre, famoso, a.

**renommée** *f* fama.

**renoncement** *m* renunciamiento, renunciación *f*.

**renoncer*** *vi* renunciar, desistir: **~ à un projet** renunciar a un proyecto; **j'ai renoncé à le suivre** desistí de seguirle: **finalement, il renonça** finalmente, desistió.

**renonciation** *f* renuncia.

**renoncule** *f* ranúnculo *m*.

**renouée** *f* centinodia.

**renouer** *vt* **1.** volver a atar **2.** *FIG* reanudar **3. ~ avec quelqu'un** reanudar el trato con alguien.

**renouveau** *m* **1.** resurgimiento, rebrote **2.** *(printemps)* primavera *f*.

**renouvelable** *a* renovable: **énergies renouvelables** energías renovables.

**renouveler*** *vt* renovar: **~ son abonnement** renovar su suscripción; **faire ~ son passeport** renovar el pasaporte; **~ ses remerciements** renovar las gracias. ◆ **se ~** *vpr* **1.** renovarse **2.** *(se reproduire)* repetirse, volver a producirse.

**renouvellement** *m* renovación *f*.

**rénovateur, trice** *a/s* renovador, a.

**rénovation** *f* **1.** renovación **2.** *(d'un local)* reforma.

**rénover** *vt* **1.** renovar **2.** *(un local)* reformar, remozar: **hôtel entièrement rénové** hotel totalmente reformado.

**renseignement** *m* **1.** información *f*: **bureau de renseignements** oficina de información; **à titre de ~** a título de información; **pour plus de renseignements** para más amplia información; **donner, fournir des renseignements à** facilitar información a **2.** informe: **donner un ~** dar un informe; **prendre des renseignements** tomar informes.

**renseigner** *vt* informar: **pouvez-vous me ~?** ¿puede usted informarme? ◆ **se ~** *vpr* informarse: **renseignez-vous à la gare** infórmese en la estación.

**rentable** *a* rentable, productivo, a.

**rentabiliser** *vt* rentabilizar.

**rentabilité** *f* rentabilidad.

**rente** *f* renta: **vivre de ses rentes** vivir de rentas; **~ viagère** renta vitalicia.

**rentier, ère** *s* rentista.

**rentoiler** *vt* pegar un nuevo lienzo a.

**rentrant, e** *a (angle)* entrante.

**rentrée** *f* **1.** *(retour)* vuelta **2.** *(des tribunaux, etc.)* reapertura ◊ **~ des classes** vuelta al colegio, principio *m* de curso **3.** *(d'un acteur)* reaparición ◊ **faire sa ~** volver a escena **4.** *(d'argent)* ingreso *m* **5.** *(de l'impôt)* recaudación.

▶ On emploie parfois le gallicisme «rentrée» dans les acepciones 2 et 3: ~ *scolaire, politique* rentrée escolar, política.

**rentrer** *vi* **1.** *(entrer de nouveau)* volver a entrar **2.** *(revenir)* volver, regresar: **il n'est pas encore rentré de vacances** no ha vuelto de vacaciones todavía; **ne rentre pas tard** no vuelvas tarde **3.** *(élèves)* reanudar las clases **4. ~ dans ses droits** recuperar sus derechos; **cela ne rentre pas dans mes attributions** esto no es de mi incumbencia **5. ~ dans l'ordre** volver al orden **6.** *(entrer)* entrar **7.** *(s'emboîter)* encajar, entrar **8.** *(heurter)* estrellarse: **la voiture est rentrée dans un arbre** el coche se ha estrellado contra un árbol; *FAM* **~ dedans** → **dedans.** ◇ *vt* **1.** meter, entrar: **j'ai rentré la voiture au garage** he metido el coche en el garaje **2.** *(mettre à l'abri)* guardar, poner al abrigo **3.** *(refouler)* reprimir, contener.

**renversant, e** *a* asombroso, a.

**renverse (à la)** *loc adv* de espaldas, boca arriba: **tomber ~** caer boca arriba.

**renversé, e** *a* **1.** *(image, etc.)* invertido, a **2. c'est le monde ~** es el mundo al revés **3. crème renversée** flan *m*, natillas *pl*.

**renversement** *m* **1.** *(de la situation, etc.)* inversión *f* **2.** *(bouleversement)* cambio profundo **3.** *(d'un régime politique)* derrocamiento, caída *f*.

**renverser** *vt* **1.** *(retourner)* volcar **2.** *(abattre)* derribar, tumbar **3.** atropellar: **la voiture a renversé un piéton** el coche ha atropellado a un peatón **4.** *(un liquide)* derramar **5.** *(un gouvernement)* derrocar, derribar: **~ un ministre** derribar a un ministro **6.** *(incliner en arrière)* echar para atrás **7.** *(inverser)* invertir: **~ les rôles** invertir los papeles **8.** *(stupéfier)* dejar estupefacto, a. ◆ **se ~** *vpr* **1.** *(se retourner)* volcarse, volcar: **la voiture s'est renversée** el coche ha volcado **2.** *(tomber)* caerse **3.** *(un liquide)* derramarse **4. se ~ en arrière** recostarse hacia atrás; **se ~ sur sa chaise** retreparse en su silla.

**renvoi** *m* **1.** *(d'une marchandise, etc.)* devolución *f* **2.** *(dans un écrit)* llamada *f* **3.** *(licenciement)* despido **4.** *(éructation)* eructo **5.** *(ajournement)* aplazamiento **6.** *JUR (devant un juge)* remisión *f*.

**renvoyer*** [ʀɑ̃vwaje] *vt* **1.** *(rendre)* devolver: **je vous renvoie votre cadeau** le devuelvo su regalo **2.** *(envoyer de nouveau)* volver a enviar **3.** *(une balle)* devolver **4.** *(lumière, son)* reflejar **5. ~ un employé** despedir a un empleado **6.** *(un élève)* expulsar **7.** *(à un autre chapitre, etc.)* remitir **8.** *(ajourner)* aplazar.

**réoccuper** *vt* volver a ocupar.

**réorganisation** *f* reorganización.

**réorganiser** *vt* reorganizar.

**réorientation** *f* reorientación.

**réorienter** *vt* reorientar.

**réouverture** *f* reapertura.

**repaire** *m* guarida *f*.

**repaître*** *vt* alimentar, saciar. ◆ **se ~** *vpr* alimentarse ◊ **se ~ de chimères** vivir de ilusiones.

**répandre*** *vt* **1.** *(renverser)* derramar **2.** *(une odeur)* despedir **3.** *(une nouvelle)* difundir, propagar **4.** *(la terreur, etc.)* sembrar. ◆ **se ~** *vpr* **1.** *(un liquide, etc.)* derramarse **2.** *(nouvelle, etc.)* difundirse, propagarse, cundir: **la nouvelle s'est vite répandue** la noticia se ha difundido rápidamente; **la rumeur se répand** cunde el rumor **3. se ~ en éloges, en injures** deshacerse en alabanzas, en insultos **4.** *(se montrer)* manifestarse.

**répandu, e** *a* **1.** esparcido, a **2.** *FIG (opinion, croyance)* difundido, a **3. homme très ~** hombre muy mundano.

**réparable** *a* reparable.

**reparaître*** *vi* reaparecer.

**réparateur, trice** *a/s* reparador, a. ◇ *a MÉD* **chirurgie réparatrice** cirugía plástica.

**réparation** *f* **1.** reparación **2.** *(football)* **surface de ~** área de penalty, de castigo. ◇ *pl (travaux)* reparaciones, arreglos *m*: **faire des réparations** hacer arreglos.

**réparer** *vt* **1.** reparar, arreglar: **~ une moto** reparar una moto **2.** *(chaussures)* remendar, componer **3.** *(oubli)* subsanar **4.** *(tort, faute, etc.)* subsanar.

**reparler** *vi* volver a hablar.

**repartie** *f* réplica ◊ **avoir la ~ facile** contestar con viveza.

[1]**repartir*** *vi* **1.** volverse a marchar, marcharse de nuevo **2.** *(redémarrer)* volver a arrancar: **le train repart** el tren vuelve a arrancar **3.** *FIG* **~ à zéro** empezar de nuevo.

[2]**repartir** *vt LITT (répliquer)* replicar.

**répartir** *vt* repartir, distribuir. ◆ **se ~** *vpr* repartirse.

**répartition** *f* reparto *m*, repartición, distribución: **la ~ des sièges à l'Assemblée** el reparto de los escaños en la Asamblea.

**repas** *m* comida *f*: **un ~ léger, froid, rapide** una comida ligera, fría rápida ◊ **~ de noce** banquete de boda; **à l'heures des ~** a la hora de comer.

**repassage** *m* **1.** *(du linge)* planchado **2.** *(d'un couteau)* afilado.

**repasser** *vi* volver a pasar, repasar: **je repasserai vous voir** pasaré de nuevo a verle ◊ *FAM* **tu peux ~!, tu repasseras!** ¡espérate sentado! ◇ *vt* **1.** *(passer de nouveau)* volver a pasar, repasar **2.** *(une leçon, un rôle)* repasar **3. ~ un examen** examinarse de nuevo **4.** *(un film)* poner de nuevo **5.** *(du linge)* planchar ◊ **fer à ~** plancha *f* **6.** *(un couteau)* afilar **7.** *FAM (donner)* dar, *(refiler)* colar.

**repasseuse** *f* planchadora.

**repêchage** *m FAM* **examen, épreuve de ~** repesca *f*.

**repêcher** *vt* **1.** *(un noyé, etc.)* sacar del agua **2.** *(un naufragé)* rescatar **3.** *FIG (un candidat)* repescar, aprobar después de un nuevo examen.

**repeindre*** *vt* repintar.

**repeint, e** *a* repintado, a. ◇ *m (dans un tableau)* retoque.

**repenser** *vi* volver a pensar, pensar otra vez: **j'y repenserai** volveré a pensarlo. ◇ *vt* repensar.

**repentant, e** *a* arrepentido, a.

**repenti, e** *a/s* arrepentido, a.

[1]**repentir** *m* arrepentimiento.

[2]**repentir (se)*** *vpr* arrepentirse: **je m'en repens** me arrepiento ◊ **il s'en repentira!** ¡las pagará todas juntas!

**repérage** *m* localización *f*.

**répercussion** *f* repercusión: **avoir des répercussions** tener repercusiones.

**répercuter** *vt* repercutir. ◆ **se ~** *vpr FIG* **se ~ sur** repercutir en.

**reperdre*** *vt* volver a perder.

**repérable** *a* localizable.

**repère** *m* señal, marca *f* ◊ **point de ~** punto de referencia, hito.

**repérer*** *vt* **1.** localizar **2.** descubrir **3.** *FAM* ver, guipar: **se faire ~** ser visto. ◆ **se ~** *vpr* orientarse.

**répertoire** *m* **1.** *(liste)* repertorio **2.** *(carnet)* agenda *f* **3.** *THÉÂT* repertorio.

**répertorier*** *vt* catalogar, inscribir en un repertorio.

**répéter*** *vt* **1.** repetir: **répète la phrase** repite la frase **2.** *THÉÂT* ensayar. ◆ **se ~** *vpr* repetirse: **le conférencier se répète** el conferenciante se repite.

**répétiteur, trice** *s* profesor, a particular.

**répétition** *f* **1.** repetición: **arme à ~** arma de repetición **2.** *THÉÂT* ensayo *m* **3.** clase particular.

**répétitif, ive** *a* repetitivo, a.

**repeuplement** *m* repoblación *f*.

**repeupler** *vt* repoblar.

**repiquer** *vt* **1.** *(en horticulture)* trasplantar **2.** *(photo, etc.)* retocar.

**répit** *m* descanso, respiro, tregua *f*: **un instant de ~** un momento de respiro ◊ **sans ~** sin parar.

**replacer*** *vt* colocar de nuevo, reponer.

**replanter** *vt* replantar.

**replâtrage** *m FIG* arreglo.

**replâtrer** *vt* **1.** revocar con yeso **2.** *FAM* arreglar chapuceramente.

**replet, ète** *a* rechoncho, a.

**repleuvoir*** *v impers* volver a llover.

**repli** *m* **1.** pliegue **2.** *(de terrain)* ondulación *f*, sinuosidad *f* **3.** *MIL* repliegue **4.** *(en Bourse)* retroceso.

**replier*** *vt* doblar: **~ le journal** doblar el diario. ◆ **se ~** *vpr* **1.** doblarse **2.** *MIL* replegarse **3. se ~ sur soi-même** recogerse en sí mismo.

**réplique** *f* **1.** *(réponse)* réplica ◊ **donner la ~** contestar **2. argument sans ~** argumento tajante **3.** *(copie)* réplica.

**répliquer** *vt/i* **1.** replicar: **ne réplique pas!** ¡no repliques! **2. sans ~** sin chistar.

**replonger*** *vt* sumergirse de nuevo. ◆ **se ~** *vpr FIG* sumirse de nuevo.

**répondant** *m* fiador, garante ◊ *FAM* **avoir du ~** tener el riñón bien cubierto.

**répondeur** *m* contestador (automático).

**répondre*** *vt/i* **1.** contestar, responder: **~ à une question, à une lettre** contestar (a) una pregunta, (a) una carta; **personne n'a répondu** no ha contestado nadie ◊ **~ au téléphone** atender al teléfono **2.** responder: **~ à la force par la force** responder a la fuerza con la fuerza; **~ à un besoin** responder a una necesidad **3. je réponds de lui** respondo de él ◊ **je vous en réponds** se lo garantizo **4.** atender: **chien qui répond au nom de Sultan** perro que atiende por Sultán **5. le voleur répond au signalement donné par les journaux** el ladrón responde a las señas facilitadas por los periódicos **6.** *(moteur, frein)* responder.

**répons** *m (chant)* responsorio.

**réponse** *f* **1.** respuesta, contestación: **avoir ~ à tout** tener respuesta para todo; **votre lettre est restée sans ~** su carta se ha quedado sin respuesta; **~ de Normand** respuesta evasiva, respuesta ambigua **2. droit de ~** derecho de réplica **3.** *(réaction)* respuesta.

**report** *m* **1.** *COM* suma *f* anterior, saldo **2.** *(ajournement)* aplazamiento **3.** *(lithographie)* reporte.

**reportage** *m* reportaje.

[1]**reporter** [ʀ(ə)pɔʀtɛʀ] *m* reportero: **~ photographe** reportero gráfico.

[2]**reporter** *vt* **1.** volver a llevar **2.** *(transcrire)* trasladar **3.** *(renvoyer à plus tard)* aplazar, postergar, posponer **4.** *(lithographie)* reportar. ◆ **se ~** *vpr* referirse, remitirse.

**repos** *m* **1.** descanso, reposo: **~ hebdomadaire** descanso semanal; **maison de ~** casa de reposo; **prendre du ~** hacer reposo, descansar ◊ **au ~** inmóvil **2.** *(détente)* tranquilidad *f*, sosiego **3.** *(dans un texte, une mélodie)* pausa *f* **4. de tout ~** seguro, a **4.** *MIL* **~!** en su lugar, ¡descanso! **6. le ~ éternel** el descanso eterno.

**reposant, e** *a* descansado, a.

**reposé, e** *a* **1.** descansado, a **2. à tête reposée** con calma, sosegadamente.

**repose-pied** *m (d'une moto, etc.)* reposapies.

**reposer** *vt* **1.** volver a poner **2.** *(un problème, une question)* replantear **3.** *(appuyer)* descansar ◊ **reposez armes!** ¡descansen armas! **4. ~ l'esprit** sosegar el espíritu. ◇ *vi* **1.** descansar: **qu'il repose en paix** que en paz descanse ◊ **ici repose** aquí descansa, aquí yace **2.** *(un liquide)* reposarse **3.** *FIG* **~ sur** fundarse en, basarse en. ◆ **se ~** *vpr* **1.** descansar: **vous êtes-vous bien reposé?** ¿ha descansado usted bien? **2.** *FIG* **je me repose sur vous** me apoyo en usted.

**repose-tête** *m* apoyacabeza.

**reposoir** *m* monumento.

**repoussage** *m TECHN* repujado.

**repoussant, e** *a* repelente, repugnante.

**repousse** *f* nuevo crecimiento *m*.

**repoussé, e** *a/m (cuir, métal)* repujado, a.

**repousser** *vt* **1.** *(une attaque, etc.)* rechazar, repeler: **~ l'ennemi** rechazar al enemigo **2.** *(pousser en arrière)* empujar **3.** *(dégoûter)* repeler, repugnar **4.** *(refuser)* rechazar, desechar: **~ une offre** desechar una oferta **5.** *(différer)* aplazar **6.** *TECHN (cuir, métaux)* repujar. ◇ *vi (herbe, cheveux, etc.)* volver a crecer.

**repoussoir** *m (femme laide)* birria *f*, adefesio.

**répréhensible** *a* reprensible.

**reprendre*** *vt* **1.** *(prendre de nouveau)* volver a tomar, volver a coger, retomar ◊ **~ le volant** conducir de nuevo **2.** *(récupérer)* recoger: **reprenez votre ticket** recoja su tíquet; **quand pourrai-je ~ ma voiture?** ¿cuándo podré recoger mi coche? **3.** tomar más: **reprends du potage** toma más sopa **4.** *(racheter)* volver a comprar, cambiar **5.** reemprender, reanudar: **~ son travail** reanudar el trabajo, reincorporarse al trabajo; **~ les essais nucléaires** reanudar las pruebas nucleares **6.** reanudar, proseguir: **reprenons notre conversation** reanudemos la conversación **7. oui, reprit-il** sí, prosiguió, agregó **8.** *(pièce de théâtre, film)* reponer **9. ~ courage, des forces** recobrar ánimo, las fuerzas; **~ le dessus** recuperarse, rehacerse **10.** *(blâmer)* corregir, censurar, reprender **11. on ne m'y reprendra plus!** ¡no me cogerán en otra! ◇ *vi* **1.** reanudarse: **les cours ont repris** se han reanudado las clases **2.** volver: **la pluie reprend** vuelve a llover; **le froid a repris** ha vuelto el frío **3.** *(les affaires, etc.)* volver a marchar, reactivarse, recuperarse. ◆ **se ~** *vpr* **1.** corregirse, retractarse **2.** *(se ressaisir)* serenarse, dominarse **3. se ~ à espérer** recobrar esperanzas.
▶ Le verbe *retomar* est à éviter.

**représailles** *f pl* represalias.

**représentant** *m* **1.** representante **2. ~ de commerce** representante, agente comercial.

**représentatif, ive** *a* representativo, a.

**représentation** *f* **1.** representación **2. ~ proportionnelle** representación proporcional **3.** *(spectacle)* representación, función **4. être en ~** exhibirse, darse importancia **5.** *COM* **faire de la ~** ser representante (de una casa comercial).

**représentativité** *f* representatividad.

**représenter** *vt/i* **1.** representar **2.** *(un pays, une société commerciale, etc.)* representar a. ◆ **se ~** *vpr* **1.** representarse, figurarse: **représentez-vous mon étonnement** figúrese usted mi asombro **2.** *(un candidat)* volver a presentarse.

**répressif, ive** *a* represivo, a.

**répression** *f* represión.

**réprimande** *f* reprimenda.

**réprimander** *vt* reprender.

**réprimer** *vt* reprimir.

**repris, e** *pp* de **reprendre.** ◇ *m* **~ de justice** criminal reincidente.

**reprisage** *m* zurcido.

**reprise** *f* **1.** reanudación: **~ des relations diplomatiques** reanudación de las relaciones diplomáticas ◊ **la ~ du travail** la vuelta al trabajo **2.** *(de l'économie)* recuperación **3.** *(d'un moteur)* reprise *m* **4.** *(théâtre, cinéma)* reposición **5.** *(boxe)* asalto *m* **6.** *(d'une marchandise vendue)* recompra **7.** *(d'un appartement)* traspaso *m* **8.** *(en couture)* zurcido *m* **9.** *loc adv* **à plusieurs reprises** en varias ocasiones, repetidas veces; **à maintes reprises** muchísimas veces, reiteradamente.

**repriser** *vt* zurcir.

**réprobateur, trice** *a* reprobador, a.

**réprobation** *f* reprobación, repulsa.

**reproche** *m* **1.** reproche ◊ **sans ~** irreprochable **2.** crítica *f* ◊ **faire des reproches à quelqu'un** criticar a alguien.

**reprocher** *vt* reprochar, echar en cara: **je n'ai rien à te ~** no tengo nada que reprocharte. ◆ **se ~** *vpr* reprocharse.

**reproducteur, trice** *a/s* reproductor, a. ◇ *m (animal)* reproductor.

**reproduction** *f* **1.** reproducción: **~ sexuée, asexuée** reproducción sexual, asexual **2.** *(copie)* reproducción ◊ **droits de ~** derechos de reproducción.

**reproduire*** *vt* reproducir. ◆ **se ~** *vpr* **1.** reproducirse **2. que cela ne se reproduise pas!** ¡que no se repita!; **j'espère que ça ne se reproduira jamais** espero que aquello nunca vuelva a repetirse.

**reprographie** *f* reprografía.

**réprouvé, e** *s* réprobo, a.

**réprouver** *vt* reprobar.

**reps** [rɛps] *m* reps.

**reptation** *f* reptación.

**reptile** *m* reptil. ◇ *pl ZOOL* reptiles.

**repu, e** *a* harto, a, saciado, a.

**républicain, e** *a/s* republicano, a.

**républicanisme** *m* republicanismo.

**république** *f* república.

**répudiation** *f* repudio *m*.

**répudier*** *vt* repudiar.

**répugnance** *f* repugnancia: **éprouver de la ~ envers** sentir repugnancia hacia.

**répugnant, e** *a* repugnante.

**répugner** *vi/t* repugnar.

**répulsion** *f* repulsión.

**réputation** *f* reputación, fama: **mauvaise ~** mala reputación; **il a la ~ d'être avare** tiene fama de avaro.

**réputé, e** *a* famoso, a, reputado, a.

**réputer** *vt* reputar: **il est réputé intelligent** lo reputan por inteligente.

**requérant, e** *s JUR* demandante.

**requérir*** *vt* **1.** requerir, necesitar, exigir **2.** *(une peine)* pedir.

**requête** *f JUR* requerimiento *m*, demanda ◊ **à la ~ de** a instancias de, a requerimiento de, a petición de.

**requiem** [rekɥijɛm] *m* réquiem.

**requin** *m* tiburón.

**requinquer** *vt FAM* dejar como nuevo, entonar. ◆ **se ~** *vpr FAM* recuperarse, reponerse.

**requis, e** *a* requerido, a ◊ **condition requise** requisito *m*.

**réquisition** *f* requisa, requisición.

**réquisitionner** *vt* **1.** *(des biens)* requisar **2.** *(des personnes)* movilizar.

**réquisitoire** *m JUR* requisitoria *f*, informe del fiscal.

**R.E.R.** [ɛrøɛr] *(Réseau express régional)* *m* red *f* de trenes de cercanías en París.

**resaler** *vt* volver a salar.

**resalir** *vt* volver a ensuciar.

**rescapé, e** *s* superviviente.

**rescinder** *vt JUR* rescindir.

**rescousse (à la)** *loc adv* **venir à la ~ de** acudir en ayuda de; **appeler à la ~** pedir auxilio a.

**réseau** *m* **1.** *(de mailles)* red *f* **2.** red *f*: **le ~ routier** la red de carreteras, la red viaria; **~ ferroviaire, téléphonique, d'espion-**

**nage** red ferroviaria, telefónica, de espionaje; **le ~ Internet** la red Internet.

**résection** *f* resección.

**réséda** *m* reseda *f.*

**réservation** *f* reservación, reserva.

**réserve** *f* **1.** reserva: **mettre en ~** poner en reserva **2.** *(restriction)* reserva, reparo *m,* salvedad: **émettre une ~** hacer una salvedad; **faire certaines réserves** poner ciertos reparos ◊ **sans ~** sin reservas, sin restricciones; **sous toutes réserves** sin garantía; **sous ~ de** a reserva de; **sous ~ que** a reserva de que **3.** *(discrétion)* reserva, discreción ◊ **se tenir sur la ~** estar sobre aviso **4.** *(de chasse, pêche)* coto *m,* vedado *m* **5.** *MIL* **officier de ~** oficial en la reserva.

**réservé, e** *a* reservado, a.

**réserver** *vt* **1.** *(une place, une surprise, etc.)* reservar **2.** *(un accueil)* dispensar. ◆ **se ~** *vpr* reservarse.

**réserviste** *m MIL* reservista.

**réservoir** *m* **1.** depósito: **~ d'essence** depósito de gasolina **2.** *FIG (d'hommes)* cantera *f.*

**résidant, e** *a/s* residente.

**résidence** *f* **1.** residencia **2.** vivienda: **~ principale** vivienda habitual; **~ secondaire** segunda vivienda **3. changer de ~** cambiar de domicilio **4.** *(groupe d'immeubles)* conjunto *m* residencial **5. ~ pour personnes âgées** residencia de ancianos.

**résident** *m* **1.** residente **2.** *(diplomate)* alto comisario.

**résidentiel, elle** *a* residencial: **quartiers résidentiels** barrios residenciales.

**résider** *vi* **1.** residir **2.** *FIG* **la difficulté réside en ceci** la dificultad reside, radica en esto.

**résidu** *m* residuo.

**résiduel, elle** *a* residual.

**résignation** *f* resignación.

**résigné, e** *a/s* resignado, a.

**résigner** *vt* resignar. ◆ **se ~** *vpr* resignarse.

**résiliable** *a* rescindible.

**résiliation** *f* rescisión, anulación: **la ~ d'un contrat** la rescisión de un contrato.

**résilier*** *vt* rescindir, anular: **~ un contrat** rescindir un contrato.

**résille** *f* **1.** redecilla **2. bas ~** medias de encaje.

**résine** *f* resina.

**résineux, euse** *a* resinoso, a. ◇ *m* conífera *f.*

**résinier, ère** *a/m* resinero, a.

**résipiscence** *f* arrepentimiento *m* ◊ **venir à ~** arrepentirse.

**résistance** *f* **1.** resistencia ◊ **~ passive** resistencia pasiva **2. plat de ~** plato principal, plato fuerte **3.** *HIST* **la Résistance** la resistencia antinazi (durante la segunda guerra mundial) **4.** *ÉLECT* resistencia.

**résistant, e** *a/s* resistente.

**résister** *vi* **1.** resistir: **~ à l'envahisseur** resistir al invasor **2. ~ à la tentation** resistir la tentación **3.** *(se débattre)* resistirse.
▶ *Resistir* s'emploie sans *a* devant un nom de chose: *~ à la fatigue* resistir el cansancio.

**résolu, e** *pp* de **résoudre.** ◇ *a (décidé)* resuelto, a, decidido, a.

**résoluble** *a* resoluble.

**résolument** *adv* resueltamente.

**résolution** *f* **1.** *(d'un problème, etc.)* resolución **2.** *(détermination)* resolución.

**résolutoire** *a JUR* resolutorio, a.

**résonance** *f* resonancia ◊ **caisse de ~** caja de resonancia.

**résonateur** *m* resonador.

**résonner** *vi* resonar: **ses pas résonnent** sus pasos resuenan.

**résorber** *vt* **1.** reabsorber, resorber **2.** *(déficit)* enjugar, suprimir, solventar.

**résorption** *f* **1.** reabsorción **2.** supresión.

**résoudre*** *vt* **1.** *(un problème, etc.)* resolver, solucionar **2.** resolver, decidir: **j'ai résolu de m'en aller** he resuelto irme; **je suis résolu à...** estoy resuelto a.... ◆ **se ~** *vpr* resolverse a, decidirse a: **je me suis résolu à le faire** me he decidido a hacerlo.

**respect** [RESPE] *m* **1.** respeto: **le ~ du bien d'autrui, des lois** el respeto al bien ajeno, a las leyes; **par ~ pour** por respeto a; **manquer de ~ à, envers quelqu'un** faltar al respeto a alguien, perder el respeto a alguien; **~ humain** respeto humano ◊ **tenir en ~** tener a raya **2. sauf votre ~** con perdón de usted. ◇ *pl* **présentez mes respects à** presente mis respetos a.
▶ Pas de *c* dans *respeto.*

**respectabilité** *f* respetabilidad.

**respectable** *a* **1.** respetable **2. une quantité ~** una respetable cantidad.

**respecter** *vt* **1.** respetar: **~ quelqu'un, une opinion** respetar a alguien, una opinión **2.** *(lois, etc.)* respetar, acatar. ◆ **se ~** *vpr* respetarse ◊ *FAM* **qui se respecte...** que se precie...

**respectif, ive** *a* respectivo, a.

**respectivement** *adv* respectivamente.

**respectueux, euse** *a* respetuoso, a: **~ des lois** respetuoso con las leyes ◊ **mes sentiments ~** respetuosos saludos. ◇ *f FAM* prostituta.

**respectueusement** *adv* respetuosamente.

**respirable** *a* respirable.

**respiration** *f* respiración: **~ artificielle** respiración artificial.

**respiratoire** *a* respiratorio, a.

**respirer** *vi/t* respirar ◊ **ouf! on respire** ¡respiramos! ◇ *vt FIG* respirar, rebosar: **il respire la santé** rebosa salud.

**resplendir** *vi* resplandecer.

**resplendissant, e** *a* resplandeciente.

**responsabiliser** *vt* responsabilizar.

**responsabilité** *f* responsabilidad ◊ **prendre sur soi la ~ de...** responsabilizarse de...; **j'en assume toute la ~** me responsabilizo de ello.

**responsable** *a/s* responsable ◊ **rendre quelqu'un ~ de** hacer responsable a alguien de, responsabilizar a alguien de, achacar a alguien de, culpar a alguien de; **je me tiens pour ~ de** me responsabilizo de.

**resquiller** *vi FAM* colarse.

**resquilleur, euse** *s FAM* colón, ona.

**ressac** [RESAK] *m* resaca *f.*

**ressaisir** *vt* coger de nuevo. ◆ **se ~** *vpr* serenarse, reponerse: **il se ressaisit** se fue reponiendo.

**ressasser** *vt* repetir.

**ressaut** *m (saillie)* resalto.

**ressayer*** [RESEJE] *vt* **1.** tratar de nuevo **2.** *(un vêtement)* volver a probar.

**ressemblance** *f* parecido *m,* semejanza: **une ~ frappante** un parecido sorprendente; **toute ~ avec X est purement fortuite** cualquier parecido con X es pura coincidencia.

**ressemblant, e** *a* parecido, a.

**ressembler** *vi* **~ à** parecerse a: **elle ressemble beaucoup à sa mère** se parece mucho a su madre. ◆ **se ~** *vpr* **1.** parecerse **2.** *PROV* **qui se ressemble s'assemble** Dios los cría y ellos se juntan.

**ressemelage** *m* remonta *f* de medias suelas.

**ressemeler*** *vt* echar medias suelas a.

**ressentiment** *m* resentimiento.

**ressentir*** *vt* sentir, experimentar. ◆ **se ~** *vpr* resentirse: **il se ressent de sa chute** se resiente de su caída.

**resserre** *f* cuarto *m* trastero, trastera.

**resserré, e** *a (vallée)* angosto, a.

**resserrement** *m* estrechamiento.

**resserrer** *vt* **1.** *(boulon, nœud, etc.)* apretar **2.** *(fermer)* cerrar **3.** *(un lien d'amitié, etc.)* estrechar. ◆ **se ~** *vpr* estrecharse.

**resservir*** *vt/i* servir de nuevo. ◆ **se ~** *vpr (d'un plat)* volver a servirse, servirse más.

**ressort** *m* **1.** muelle, resorte: **~ à boudin** muelle en espiral **2.** *FIG* energía *f,* fuerza *f* ◊ **avoir du ~** tener aguante **3. en dernier ~** en última instancia **4. ce n'est pas de mon ~** no es de mi incumbencia, no es de mi competencia.

**ressortir*** *vi* **1.** salir de nuevo **2.** resaltar: **la couleur ressort bien** el color resalta ◊ **faire ~** destacar, hacer resaltar, evidenciar **3.** resultar, desprenderse: **il ressort de cette discussion que...** se desprende de esta discusión que... **4. ~ à** ser de la jurisdicción de, depender de.

**ressortissant, e** *s (d'un pays)* natural, súbdito, a.

**ressouder** *vt* soldar de nuevo.

**ressource** *f* recurso *m:* **personne de ~** persona de recursos. ◇ *pl (moyens économiques, intellectuels)* recursos *m:* **les ressources naturelles d'un pays** los recursos naturales de un país; **ressources humaines** recursos humanos.

**ressourcer (se)** *vpr* volver a sus orígenes.

**ressouvenir (se)*** *vpr* recordar, acordarse de nuevo.

**ressusciter** *vt (un mort, une coutume)* resucitar. ◇ *vi* resucitar: **Jésus ressuscita le troisième jour** Jesús resucitó al tercer día; **~ d'entre les morts** resucitar de entre los muertos; **le Christ ressuscité** Cristo resucitado.

**restant, e** *a* **1.** restante **2. poste restante** lista de correos. ◇ *m* resto.

**restau** → **resto.**

**restaurant** *m* **1.** restaurante **2. ~ d'entreprise, universitaire** comedor de empresa, universitario.

**restaurateur, trice** *s (d'œuvres d'art)* restaurador, a. ◇ *m* dueño de un restaurante.

**restauration** *f* **1.** restauración **2. ~ rapide** comida rápida. ◇ *np f HIST* **la Restauration** la Restauración.

**restaurer** *vt* **1.** *(rétablir)* restaurar **2.** *(réparer une œuvre d'art)* restaurar. ◆ **se ~** *vpr (manger)* comer.

**reste** *m* **1.** resto: **le ~ de sa vie** el resto de su vida ◊ **le ~ sera vendu** lo restante será vendido; **il y a un ~ de poulet dans le réfrigérateur** quedan restos de pollo en la nevera; **quant au ~** por lo demás; **et le ~** y lo demás; **pour ne pas être en ~** para no ser menos; *FAM* **sans demander son ~** sin pedir explicación **2.** *MATH* resto **3.** *loc adv* **au ~, du ~** además, por lo menos; **de ~** de sobra. ◇ *pl* **1.** *(d'un repas)* sobras *f,* restos **2.** *(dépouille mortelle)* restos mortales **3.** *FAM* **elle a de beaux restes** sigue siendo guapa a pesar de su edad.

**rester** *vi* **1.** quedarse: **je suis resté chez moi, au lit** me he quedado en casa, en la cama; **reste ici!** ¡quédate aquí!; **je t'ai dit de ~** yo te he dicho que te quedes; **restez avec moi!** ¡quédese conmigo! **2.** permanecer, seguir, mantenerse: **elle est restée sans bouger** permaneció sin moverse; **il resta les yeux fermés** siguió con los ojos cerrados; **la fenêtre restait ouverte** la ventana permanecía abierta; **~ ferme, stable** mantenerse firme, estable **3.** quedar: **que cela reste entre nous** que esto quede entre nosotros; **le peu qui me reste à vivre** lo poco que me queda que vivir **4. en ~ là** no ir más allá; **restons-en là** dejémoslo **5.** *FAM* **y ~** morir, palmarla. ◇ *v impers* **1.** quedar: **il ne reste qu'une bouteille de vin** sólo queda una botella de vino; **il me reste dix francs** me quedan diez francos; **il reste beaucoup à faire** queda mucho por hacer **2. reste à savoir si...** queda por saber si...

**restituer** *vt* **1.** restituir **2.** *(son)* reproducir.

**restitution** *f* restitución.

**resto** *m FAM* restaurante.

**restoroute** *m* restaurante (en una autopista).

**restreindre*** *vt* restringir. ◆ **se ~** *vpr* limitarse.

**restreint, e** *a* limitado, a, reducido, a.

**restrictif, ive** *a* restrictivo, a.

**restriction** *f* **1.** restricción: **des restrictions d'eau** restricciones de agua **2. ~ mentale** restricción mental **3. sans ~** sin restricciones, sin reservas; **émettre une ~** hacer una salvedad.

**restructuration** *f* reestructuración.

**restructurer** *vt* reestructurar.

**resucée** *f FAM* refrito *m.*

**résultante** *f* resultante.

**résultat** *m* resultado.

**résulter** *vi* resultar: **que résulte-t-il de votre entretien?** ¿qué resulta de su entrevista?

**résumé** *m* resumen ◊ *loc adv* **en ~** en resumen.

**résumer** *vt* resumir. ◆ **se ~** *vpr* **1.** resumirse **2. pour nous ~** para resumir.

**résurgence** *f* resurgimiento *m.*

**resurgir** *vi* resurgir.

**résurrection** *f* resurrección.

**retable** *m* retablo.

**rétablir** *vt* restablecer. ◆ **se ~** *vpr* restablecerse, recuperarse: **il s'est vite rétabli** se ha restablecido pronto.

**rétablissement** *v* **1.** restablecimiento ◊ **prompt ~!** ¡qué se mejore!, ¡que se alivie! **2.** *(gymnastique)* elevación *f.*

**rétamer** *vt* **1.** *(étamer de nouveau)* restañar **2.** *FAM (fatiguer)* hacer polvo: **je suis rétamé** estoy hecho polvo **3.** *FAM (au jeu)* dejar pelado, a.

**rétameur** *m* estañador.

**retape** *f POP* **1. faire de la ~** hacer la carrera **2.** propaganda, publicidad.

**retaper** *vt* **1.** *(réparer)* reparar, arreglar **2.** *FAM (ragaillardir)* poner como nuevo. ◆ **se ~** *vpr FAM* reponerse, recuperarse.

**retard** *m* **1.** retraso: **arriver en ~** llegar con retraso ◊ **être en ~** estar retrasado, a; **excusez-moi, je suis en ~** disculpe, me he retrasado; **prendre du ~** retrasarse **2.** atraso: **j'ai du ~ dans mon travail** tengo atraso en mi trabajo; **j'ai du travail en ~** tengo trabajo atrasado **3.** demora *f:* **sans ~** sin demora; **le vol à destination de Londres aura un léger ~** el vuelo con destino a Londres sufrirá una ligera demora **4.** *MÉD* **~ mental** retraso mental **5.** *TECHN* **~ à l'allumage** retardo en el encendido.

**retardataire** *a/s* retrasado, a, rezagado, a.

**retardé, e** *a/s (mental)* atrasado, a.

**retardement** *m* **bombe à ~** bomba de relojería.

**retarder** *vt* **1.** retrasar, retardar: **la panne m'a retardé** la avería me ha retrasado; **nous avons été retardés d'une heure** nos hemos retrasado una hora **2.** *(ajourner)* aplazar, demorar. ◇ *vi* **1.** atrasar: **ma montre retarde d'une heure** mi reloj atrasa una hora **2.** *FAM* **tu retardes!** ¡vas atrasado de noticias! ◆ **se ~** *vpr* retrasarse: **ne te retarde pas** no te retrases.

**retéléphoner** *vi* volver a telefonear, telefonear de nuevo, volver a llamar.

**retenir*** *vt* **1.** *(garder)* retener: **rien ne me retient ici** nada me retiene aquí; **il m'a retenu pendant une heure** me retuvo durante una hora; **~ prisonnier** retener preso; **retenu en otage par...** retenido por... **2.** *(déduire)* retener, deducir **3. ~ une chambre, une table** reservar una habitación, una mesa; **place retenue par téléphone** plaza reservada por teléfono **4.** *(se souvenir)* recordar: **retenez bien ce numéro** recuerde este número; **~ une date** retener una fecha **5.** *(attacher, empêcher de tomber)* sujetar **6.** contener, reprimir: **~ son souffle, un soupir** contener la respiración, un suspiro **7.** *MATH* llevar: **je pose cinq et je retiens deux** escribo cinco y llevo dos **8.** *FAM* **je te retiens!**, ¡ya te acordarás! ◆ **se ~** *vpr* **1.** *(s'accrocher)* agarrarse **2.** contenerse, retenerse, reprimirse: **je me suis retenu pour ne pas crier** me contuve para no gritar **3.** *(d'uriner)* aguantarse.

**rétention** *f* retención.

**retentir*** *vi* **1.** resonar **2. ~ sur** repercutir en.

**retentissant, e** *a* **1.** resonante **2.** *FIG* **échec ~** fracaso estrepitoso; **succès ~** éxito clamoroso.

**retentissement** *m* **1.** resonancia *f* **2.** *FIG* resonancia *f*, repercusión *f*.

**retenu, e → retenir.**

**retenue** *f* **1.** retención: **une ~ de 5%** una retención del 5%; **~ à la source** retención en la fuente **2.** *MATH* cantidad que se lleva **3.** *(punition)* castigo *m* escolar **4.** *(mesure)* moderación, comedimiento *m* **5. ~ d'eau** embalse *m*.

**réticence** *f* **1.** reticencia **2.** *(réserve)* reparo *m* **3.** *(hésitation)* vacilación.

**réticent, e** *a* reacio, a, renuente, remiso, a reticente: **se montrer ~ à** mostrarse reacio a.

**réticule** *m* **1.** *(optique)* retículo **2.** *(sac)* ridículo.

**rétif, ive** *a* **1.** *(cheval)* repropio, a **2.** reacio, a, indócil, rebelde.

**rétine** *f ANAT* retina.

**rétinien, enne** *a ANAT* retiniano, a.

**retirage** *m* **1.** *(d'un livre)* reimpresión *f*, nueva tirada *f* **2.** *(d'une photo)* nuevo tiraje.

**retiré, e** *a* retirado, a.

**retirer** *vt* **1.** *(faire sortir)* sacar **2.** *(vêtement)* **~ son manteau, ses chaussures** quitarse el abrigo, los zapatos **3.** quitar: **retire ta main!** ¡quita la mano!; **~ le permis de conduire** quitar, retirar el carné de conducir **4.** retirar: **~ de l'argent** retirar dinero; **~ sa candidature** retirar su candidatura; **je retire ce que j'ai dit** retiro lo dicho **5.** *(bénéfice, profit)* sacar, obtener **6.** *(extraire)* sacar, extraer **7.** *(un livre)* reimprimir **8.** *(une photo)* sacar una nueva copia de. ◆ **se ~** *vpr* **1.** retirarse: **se ~ dans sa chambre, à la campagne** retirarse a su cuarto, al campo **2.** *(cours d'eau)* volver a su cauce.

**retombée** *f (d'une voûte)* arranque *m*. ◇ *pl* **1. retombées radioactives** lluvia *sing* radioactiva **2.** *FIG* consecuencias, repercusiones.

**retomber** *vi* **1.** *(tomber de nouveau)* volver a caer **2.** *(tomber)* caer ◊ *FIG* **~ sur ses pieds** salir con la suya **3.** *(pendre)* caer **4.** *FIG* **~ sur** recaer sobre; **la responsabilité est retombée sur moi** la responsabilidad ha recaído sobre mí.

**retordre*** *vt* retorcer ◊ **donner du fil à ~ → fil.**

**rétorquer** *vt* replicar, redargüir, objetar.

**retors, e** *a (rusé)* ladino, a, astuto, a.

**rétorsion** *f* retorsión, represalia.

**retouche** *f* **1.** retoque *m* **2.** *(d'un vêtement)* arreglo *m*.

**retoucher** *vt* retocar.

**retoucheur, euse** *s* retocador, a.

**retour** *m* **1.** vuelta *f*, regreso: **je serai de ~ à huit heures** estaré de vuelta a las ocho; **le ~ de l'enfant prodigue** el regreso del hijo pródigo; **aller et ~** ida y vuelta; **à votre ~** a su regreso, a su vuelta; **de ~ à Paris** de vuelta a París; **par ~ du courrier** a vuelta de correo; sans espoir de **~** para siempre **2. le ~ du printemps** la vuelta de la primavera; **l'éternel ~** el eterno retorno; **point de non- ~ →** **non retour 3. ~ d'âge** menopausia *f* **4. ~ sur soi-même** examen de conciencia **5. ~ en arrière** evocación *f* del pasado **6.** *FIG* **~ de bâton, de flamme, de manivelle → bâton, flamme, manivelle 7.** *(d'un paquet, etc.)* devolución *f*, vuelta *f* **8. être payé de ~** ser correspondido **9. match ~** partido de vuelta **10.** *loc adv* **en ~** en cambio.

**retournement** *m (changement)* cambio total.

**retourner** *vt* **1.** volver: **~ une carte** volver un naipe; **~ un manteau** volver un abrigo **2.** *(remuer)* remover **3.** *FIG* **~ une question dans tous les sens** darle vueltas a una cuestión **4.** *(restituer)* devolver: **nous vous prions de nous ~ le questionnaire** rogamos devuelvan el cuestionario **5.** *(émouvoir)* conmover. ◇ *vi* **1.** *(revenir)* volver: **je retourne chez le dentiste demain** vuelvo al dentista mañana **2.** *(être restitué à)* revertir a. ◇ *v impers* **de quoi retourne-t-il?** ¿de qué se trata?. ◆ **se ~** *vpr* **1.** *(pour regarder)* volverse **2.** *(une voiture)* volcarse **3.** revolverse: **il se retourna dans son lit** se revolvió en su cama **4. s'en ~** regresar, irse **5. se ~ contre quelqu'un** volverse contra alguien **6.** *FAM* **laisse-moi le temps de me ~** deja que yo tome las medidas necesarias, que yo me adapte a la situación.

**retracer*** *vt (raconter)* referir, contar.

**rétractation** *f* retractación.

**rétracter** *vt* **1.** retraer **2.** *FIG* *(ce qu'on avait dit d'abord)* retractar. ◆ **se ~** *vpr FIG* retractarse.

**rétractile** *a* retráctil.

**retrait** *m* **1.** *(des troupes, des eaux, d'un projet de loi, etc.)* retirada *f* **2. en ~** no alineado, a; *(une personne)* **rester en ~** ser reservado, a **3. le ~ du permis de conduire** la retirada del carné de conducir.

**retraite** *f* **1.** *MIL* retirada ◊ **battre en ~** retroceder **2.** *(d'un fonctionnaire)* jubilación; **l'âge de la ~** la edad de (la) jubilación; **~ anticipée** jubilación anticipada; **départ à la ~** baja por jubilación; *(d'un militaire)* retiro *m* ◊ **prendre sa ~** jubilarse, retirarse; **en ~** jubilado, a, retirado, a; **il est en ~** está jubilado **3.** *(allocation)* jubilación, pensión **4.** *(asile, refuge)* retiro *m*.

**retraité, e** *a/s* **1.** *(fonctionnaire)* jubilado, a **2.** *(militaire)* retirado, a.

**retraitement** *m* reprocesamiento: **usine de ~** planta de reprocesamiento.

**retraiter** *vt (combustible nucléaire)* reprocesar.

**retranchement** *m* atrincheramiento ◊ *FIG* **pousser quelqu'un dans ses derniers retranchements** acorralar a alguien.

**retrancher** *vt* **1.** *(ôter)* suprimir **2.** *(déduire)* restar, sustraer. ◆ **se ~** *vpr* parapetarse: **se ~ derrière** parapetarse tras, escudarse en.

**retranscrire*** *vt* transcribir de nuevo.

**retransmettre*** *vt* retransmitir, radiar.

**retransmission** *f* retransmisión: **~ en direct, en différé** retransmisión en directo, en diferido.

**retravailler** *vi/t* volver a trabajar.

**retraverser** *vt* atravesar de nuevo.

**rétrécir** *vt* estrechar. ◇ *vi* encoger(se): **ce tissu a rétréci** este tejido ha encogido. ◆ **se ~** *vpr* **1.** estrecharse **2.** encoger (se).

**rétrécissement** *m* estrechamiento.

**retremper (se)** *vpr FIG* fortalecerse, cobrar nuevo vigor, rehacerse.

**rétribuer** *vt* retribuir.

**rétribution** *f* retribución.

**rétro** *a inv FAM (mode, etc.)* retro: **style ~** estilo retro. ◇ *m FAM (rétroviseur)* retrovisor.

**rétroactif, ive** *a* retroactivo, a.

**rétroaction** *f* retroacción.

**rétroactivité** *f* retroactividad.
**rétrocéder*** *vt JUR* hacer la retrocesión de.
**rétrocession** *f JUR* retrocesión.
**rétrofusée** *f* retrocohete *m.*
**rétrogradation** *f* **1.** retrogradación **2.** *MIL* degradación.
**rétrograde** *a* retrógrado, a.
**rétrograder** *vi* **1.** retroceder **2.** *(auto)* reducir la marcha.
**rétrospectif, ive** *a* retrospectivo, a. ◇ *f* retrospectiva.
**rétrospectivement** *adv* retrospectivamente, después.
**retroussé, e** *a* **1.** *(manches)* arremangado, a **2. nez ~** nariz respingona.
**retrousser** *vt* arremangar, arremangarse: **elle retroussa ses jupes** se arremangó las faldas; **~ ses manches** arremangarse. ◆ **se ~** *vpr* arremangarse las faldas.
**retrouvailles** *f pl* nuevo encuentro *m sing.*
**retrouver** *vt* **1.** encontrar: **j'ai retrouvé mon porte-monnaie** he encontrado mi monedero **2.** *(de nouveau)* volver a encontrar **3.** *(rejoindre)* reunirse: **je vous retrouverai à la sortie** me reuniré con vosotros a la salida **4.** *(santé, parole, etc.)* recobrar **5.** *(reconnaître)* reconocer. ◆ **se ~** *vpr* **1.** encontrarse (de nuevo) **2.** reunirse: **nous nous sommes retrouvés près du guichet** nos hemos reunido cerca de la taquilla **3.** *(s'orienter)* orientarse ◊ *FIG* **je ne m'y retrouve plus** estoy perdido, no sé por dónde ando **4. se ~ sans travail** quedarse sin trabajo; **elle se retrouva veuve** se quedó viuda **5.** *FAM* **s'y ~** resarcirse, salir adelante.
**rétrovirus** [RetRoviRys] *m BIOL* retrovirus.
**rétroviseur** *m* retrovisor.
**rets** [Re] *m pl ANC* redes *f.*
**réuni, e** *a* reunido, a.
**réunification** *f* reunificación.
**réunifier*** *vt* reunificar.
**réunion** *f* reunión.
**Réunion (la)** *np f* la Reunión.
**réunir** *vt* **1.** *(des personnes, etc.)* reunir **2.** *(rattacher)* unir **3.** *(des fonds, etc.)* recoger. ◆ **se ~** *vpr* **1.** reunirse: **nous avons l'habitude de nous ~ au café** solemos reunirnos en el café **2.** *(se joindre)* juntarse.
**réussi, e** *a* **1.** acertado, a, logrado, a **2.** *(qui a du succès)* que ha tenido éxito.
**réussir** *vi* **1.** salir bien: **son projet a réussi** el proyecto le ha salido bien **2. ~ dans la vie** salir adelante **3.** sentar, probar: **le lait ne me réussit pas** no me sienta la leche **4.** salir bien, ir bien: **tout lui réussit** todo le sale bien; **ça ne lui a pas mal réussi** no le ha ido mal **5. ~ à** lograr, conseguir: **j'ai réussi à le consoler** logré consolarle; **il a réussi à me convaincre** consiguió convencerme **6. je n'ai jamais réussi à savoir si...** nunca he llegado a saber si... ◇ *vt* **1.** salirle bien a uno: **j'ai réussi mes photos** me han salido bien las fotos **2.** *(examen)* aprobar.
**réussite** *f* **1.** éxito *m,* acierto *m,* logro *m:* **c'est une ~ totale** es todo un acierto, es un éxito rotundo; **une ~ scientifique** un éxito, un logro científico **2.** *(jeu de cartes)* solitario *m.*
**réutilisable** *a* reutilizable.
**réutilisation** *f* reutilización.
**réutiliser** *vt* reutilizar.
**revaloir*** *vt FAM* **je lui revaudrai cela!** ¡ya me las pagará!
**revalorisation** *f* revalorización.
**revaloriser** *vt* revalorizar.
**revanchard, e** *a/s* revanchista.
**revanche** *f* **1.** desquite *m,* revancha ◊ **prendre sa ~** tomarse el desquite, desquitarse, vengarse **2.** *loc adv* **en ~** en cambio.
► Le gallicisme *revancha* est très usité.
**rêvasser** *vi* soñar despierto, a, fantasear.
**rêvasserie** *f* ensueño *m.*
**rêve** *m* **1.** sueño: **en ~** en sueños; **j'ai fait un drôle de ~** he tenido un sueño muy extraño **2.** ilusión *f,* sueño dorado: **mon ~** mi sueño dorado; **le ~ de sa vie** el sueño de su vida; **quel beau ~!** ¡qué ilusión! **3. de ~** de ensueño: **une plage de ~** una playa de ensueño **4. le ~** lo ideal.
**rêvé, e** *a* ideal.
**revêche** *a* arisco, a, hosco, a.
**réveil** *m* **1. au ~** al despertarse; *FIG* **le ~ a été très dur** el despertar ha sido muy duro; **le ~ de la nature** el despertar de la naturaleza **2.** *MIL* diana *f* **3.** *(pendule)* despertador.
**réveille-matin** *m* despertador.
**réveiller** *vt* despertar. ◆ **se ~** *vpr* **1.** despertarse: **je me suis réveillé de bonne heure** me he despertado temprano; **tu es réveillé?** ¿estás despierto? **2.** *FIG* **réveille-toi!** ¡anímate!, ¡a ver si te animas!
**réveillon** *m* cena *f* de Nochebuena *(Noël),* de Nochevieja *(Saint-Sylvestre).*
► Le gallicisme *réveillon* est fréquemment employé.
**réveillonner** *vi* cenar en Nochebuena o Nochevieja.
**révélateur, trice** *a/m* revelador, a.
**révélation** *f* revelación: **la grande ~ de l'année** la gran revelación del año.
**révélé, e** *a (religion)* revelado, a.
**révéler*** *vt* revelar. ◆ **se ~** *vpr* revelarse.
**revenant** *m* aparecido, espectro.
**revendeur, euse** *s* revendedor, a.
**revendicatif, ive** *a* reivindicativo, a.
**revendication** *f* reivindicación.
**revendiquer** *vt* **1.** reivindicar **2.** *(responsabilité)* asumir **3. ~ un attentat** reivindicar un atentado, responsabilizarse de un atentado.
**revendre*** *vt* **1.** revender **2. à ~** de sobra; **il a de l'ambition à ~** ambición le sobra; **de l'audace à ~** mucha audacia.
**revenir*** *vi* **1.** *(rentrer)* volver, regresar: **~ dans son village natal** volver a su pueblo natal **2.** volver: **je reviens tout de suite** vuelvo en seguida; **je reviendrai demain** volveré mañana; **revenons à notre sujet** volvamos a nuestro asunto; **pour ~ à ce que nous disions** volviendo a lo que decíamos ◊ **~ en arrière** volverse atrás; **~ sur ses pas** desandar lo andado, volver sobre sus pasos; *FIG* **~ à la charge** volver a la carga; **~ à soi** volver en sí, recobrar el sentido; **~ de loin** haber estado a punto de morir **3.** *(se souvenir)* acordarse: **son nom me revient à présent** ahora me acuerdo de su nombre; **ça me revient!** ¡me acuerdo! **4.** *(plaire)* gustar: **sa mine ne me revient pas** no me gusta su facha **5.** *(coûter)* salir: **à combien t'est revenu le repas?** ¿a cuánto te ha salido la comida?; **cela revient cher** esto sale caro **6.** *(échoir en partage)* tocar, corresponder: **la moitié te revient** a ti te corresponde la mitad **7.** *(incomber)* corresponder: **c'est à toi qu'il revient de...** a ti te corresponde... **8. cela revient au même** viene a ser lo mismo; **cela revient à dire** esto quiere decir **9. ~ sur une promesse** desdecirse de una promesa; **~ sur sa décision** volverse de su decisión **10. ~ de ses illusions** perder sus ilusiones; **il est revenu de tout** está de vuelta de todo **11. ~ de ses erreurs** corregirse **12. je n'en reviens pas** aún no me lo creo, no salgo de mi asombro; **il n'en revenait pas** no salía de su asombro **13.** *CULIN* **faire ~** rehogar, dorar **14. l'ail revient** el ajo repite.
**revente** *f* reventa.
**revenu** *m (profit, rapport)* renta *f:* **~ national** renta nacional; **~ par habitant** renta per cápita; **impôt sur le ~** impuesto sobre la renta. ◇ *pl (gains)* ingresos.
**rêver** *vi/t* **1.** soñar: **j'ai rêvé de vous** he soñado con usted; **il rêve d'une moto** sueña con una moto; **je rêve de faire ce voyage** sueño con hacer este viaje; **~ à** soñar con **2. tu rêves!** ¡tú sueñas despierto!, ¡estás soñando! ◇ *vi* **1.** fantasear **2. on croit ~** parece mentira **3.** *(imaginer)* imaginar.
**réverbération** *f* reverberación.
**réverbère** *m* **1.** reverbero **2.** *(lampadaire)* farola *f.*

**réverbérer*** *vi* reflejar.

**reverdir** *vi* reverdecer.

**révérence** *f* **1.** reverencia **2.** *FAM* **tirer sa ~ à** despedirse de **3. ~ parler** con perdón.

**révérencieux, euse** *a* reverente, respetuoso, a.

**révérend, e** *a/s* reverendo, a.

**révérer*** *vt* reverenciar.

**rêverie** *f* **1.** ensueño *m*, ensoñación: **perdu dans ses rêveries** perdido en sus ensoñaciones **2.** reflexión *f*.

**revers** *m* **1.** *(envers)* revés **2.** *(d'une médaille, monnaie)* reverso ◊ *FIG* **le ~ de la médaille** el reverso de la medalla **3.** *(de la main)* dorso **4.** *(d'une veste)* solapa *f* **5.** vuelta *f*: **pantalon à ~** pantalón con vuelta **6.** *(au tennis)* revés **7.** *FIG* **des ~ de fortune** reveses de fortuna; **essuyer des ~** sufrir reveses **8.** *MIL* **prendre à ~** atacar por detrás.

**reverser** *vt* **1.** volver a verter **2.** *(reporter)* llevar, poner.

**réversibilité** *f* reversibilidad.

**réversible** *a* reversible.

**revêtement** *m* **1.** revestimiento **2.** *(de route)* firme.

**revêtir*** *vt* **1.** revestir **2.** *(un vêtement)* ponerse **3.** *FIG* **~ de l'importance** revestir importancia **4. ~ d'une signature** firmar.

**rêveur, euse** *a/s* soñador, a ◊ **cela me laisse ~** eso me deja perplejo, sin saber qué pensar.

**[1]reviens, revient → revenir.**

**[2]revient** *m* **prix de ~** precio de coste.

**revigorer** *vt* vigorizar.

**revirement** *m* cambio brusco, mudanza *f*.

**révisable** *a* revisable.

**réviser** *vt* **1.** *(un moteur, des chiffres, etc.)* revisar: **voiture entièrement révisée** coche totalmente revisado **2.** *(une leçon, etc.)* repasar.

**réviseur** *m* revisor.

**révision** *f* **1.** revisión **2.** *(d'une leçon)* repaso *m*.

**révisionnisme** *m* revisionismo.

**révisionniste** *a/s* revisionista.

**revisser** *vt* atornillar de nuevo.

**revitalisation** *f* revitalización.

**revitaliser** *vt* revitalizar.

**revival** *m* revival.

**revivifier*** *vt* revivificar.

**revivre*** *vi* **1.** revivir **2. faire ~** resucitar **3. je me sens ~** me siento renacer. ◊ *vt (un évènement passé, etc.)* volver a vivir.

**révocable** *a* revocable.

**révocation** *f* **1.** revocación **2.** destitución.

**revoici, revoilà** *prép* **1.** he aquí, he ahí de nuevo, otra vez **2. nous ~** aquí nos tiene de nuevo; **me ~ ici** aquí estoy otra vez.

**[1]revoir*** *vt* **1.** volver a ver: **je ne l'ai jamais revu** nunca le volví a ver **2.** *(texte, etc.)* revisar, examinar de nuevo. ◆ **se ~** *vpr* **1.** volverse a ver: **nous ne nous reverrons probablement pas** probablemente, no nos volveremos a ver **2.** *(en esprit)* verse, imaginarse.

**[2]revoir** *m* **1. un au ~** un adiós; **se dire au ~** despedirse **2. au ~ !** ¡adiós!, ¡hasta la vista!

**révoltant, e** *a* indignante: **c'est ~** es indignante.

**révolte** *f* rebelión.

**révolté, e** *a/s* rebelde, sublevado, a.

**révolter** *vt* **1.** sublevar **2.** *FIG* indignar, escandalizar. ◆ **se ~** *vpr* sublevarse.

**révolu, e** *a* **1. vingt ans révolus** veinte años cumplidos **2.** *(époque)* pasado, a.

**révolution** *f* revolución.

**révolutionnaire** *a/s* revolucionario, a.

**révolutionner** *vt* revolucionar.

**revolver** [revɔlvɛʀ] *m* **1.** revólver: **coup de ~** tiro de revólver, pistoletazo **2. poche ~** bolsillo trasero (del pantalón).

**révoquer** *vt* **1.** *(annuler)* revocar **2.** *(destituer)* destituir **3. ~ en doute** poner en duda.

**revoter** *vi* volver a votar.

**revouloir*** *vt* querer de nuevo, querer más.

**revoyure (à la)** *f POP* hasta más ver, chao.

**revu, revue → revoir.**

**revue** *f* **1.** revista ◊ **passer en ~** pasar revista a **2.** *(publication, spectacle)* revista.

**révulsé, e** *a* **yeux révulsés** ojos en blanco.

**révulser** *vt (dégoûter)* repugnar, dar asco.

**révulsif, ive** *a/m MÉD* revulsivo, a.

**révulsion** *f MÉD* revulsión.

**rez-de-chaussée** [redʃose] *m inv* planta *f* baja: **habiter au ~** vivir en la planta baja.

**rhabiller** *vt* vestir de nuevo. ◆ **se ~** *vpr* vestirse de nuevo ◊ *FAM* **va te ~!** ¡lárgate!

**rhapsode** *m* rapsoda.

**rhapsodie** *f* rapsodia.

**rhénan, e** *a/s* renano, a.

**Rhénanie** *np f* Renania.

**rhéostat** *m* reóstato.

**rhésus** [ʀezys] *m (singe)* macaco ◊ **facteur ~** factor rhesus.

**rhéteur** *m PÉJOR* orador enfático.

**rhétoricien** *m* retórico.

**rhétorique** *f* retórica.

**Rhin** *np m* Rin.

**rhinite** *f MÉD* rinitis.

**rhinocéros** [ʀinɔseʀɔs] *m* rinoceronte.

**rhinopharyngite** *f MÉD* rinofaringitis.

**rhizome** *m BOT* rizoma.

**Rhodes** [ʀɔd] *np* Rodas.

**Rhodésie** *np f* Rodesia.

**rhododendron** *m* rododendro.

**rhomboïde** *m GÉOM* romboide.

**Rhône** *np m* Ródano.

**rhubarbe** *f* ruibarbo *m*.

**rhum** [ʀɔm] *m* ron.

**rhumatisant, e** *a/s* reumático, a.

**rhumatismal, e** *a* reumático, a: **douleurs rhumatismales** dolores reumáticos.

**rhumatisme** *m* reuma, reumatismo: **avoir des rhumatismes** tener reumatismos, padecer reuma.

**rhumatologue** *s* reumatólogo, a.

**rhume** *m* **1.** resfriado, catarro: **~ de cerveau** catarro nasal; **attraper un ~** agarrar un catarro **2. ~ des foins** rinitis *f* alérgica, coriza *f*, catarro del heno.

**rhumerie** [ʀɔmʀi] *f* destilería de ron.

**ri → rire.**

**ria** *f GÉOG* ría.

**riant, e** *a* risueño, a, riente, alegre.

**ribambelle** *f* sarta, retahíla, montón *m*: **une ~ d'enfants** un montón de niños.

**ribonucléique** *a* BIOL **acide ~** ácido ribonucléico.

**ribote** *f* FAM **en ~** achispado, a, borracho, a.

**ribouldingue** *f* FAM juerga, jarana.

**ricain, e** *a/s* FAM yanqui.

**ricanement** *m* risita *f* burlona.

**ricaner** *vi* reír burlonamente, sarcásticamente.

**ricaneur, euse** *a/s* burlón, ona.

**Richard** *np m* Ricardo.

**richard, e** *s* FAM ricacho, a, ricachón, ona.

**riche** *a* **1.** rico, a: **une famille ~** una familia rica; **un aliment ~ en protéines** un alimento rico en proteínas **2.** FAM **une ~ idée** una idea estupenda. ◇ *m* rico: **nouveau ~** nuevo rico ◊ **gosse de ~** hijo de papá; **on ne prête qu'aux riches** tanto tienes, tanto vales.

**richement** *adv* ricamente.

**richesse** *f* riqueza.

**richissime** *a* FAM riquísimo, a.

**ricin** *m* ricino: **huile de ~** aceite de ricino.

**ricocher** *vi* rebotar.

**ricochet** *m* **1.** rebote: **par ~** de rebote **2.** *(jeu)* **faire des ricochets** jugar al juego de las cabrillas.

**ric-rac** *adv* FAM **1.** con rigurosa exactitud **2.** *(de justesse)* por un pelo.

**rictus** [riktys] *m* rictus.

**ride** *f* **1.** arruga **2.** *(sur l'eau)* onda.

**ridé, e** *a* arrugado, a.

**rideau** *m* **1.** *(en tissu épais, etc.)* cortina *f* ◊ **double ~** cortina *f*; **~ de fumée** cortina de humo **2.** *(transparent)* visillo **3.** THÉÂT telón: **au lever du ~** al levantarse el telón **4. ~ de fer** *(théâtre)* telón metálico, *(magasin)* cierre metálico, *(ligne de frontières)* telón de acero.

**ridelle** *f* adral *m*.

**rider** *vt* **1.** arrugar **2.** *(la surface de l'eau)* rizar **3.** MAR acollar.

**ridicule** *a* ridículo, a. ◇ *m* ridículo ◊ **tourner en ~** ridiculizar, poner en solfa; **se couvrir de ~** quedar en ridículo.

**ridiculement** *adv* ridículamente.

**ridiculiser** *vt* ridiculizar. ◆ **se ~** *vpr* hacer el ridículo.

**ridule** *f* arruga pequeña.

**rien** *pron indéf* **1.** nada: **il n'a rien dit** no ha dicho nada; **~ à déclarer?** ¿nada que declarar? **~ du tout, ~ de ~** absolutamente nada; **~ d'autre, de plus** nada más; **~ de semblable** nada semejante; **pour rien au monde** por nada del mundo; **sans ~ dire, sans ~ faire** sin decir nada, sin hacer nada; **trois fois ~** casi nada; **~ que ça!** ¡casi nada! ◊ **~ à faire!** ¡ni hablar!; **il n'y a ~ à faire pour...** es imposible...; **il n'y a ~ de tel pour...** no hay nada como esto para...; **il n'y a ~ de tel que le sport** no hay nada como el deporte; **il n'a ~ d'un enfant** no es ningún niño; **ça ne me dit ~ de sortir** no me apetece salir; **ça ne fait ~** no importa; **de ~** de nada; **je n'y peux ~** no lo puedo remediar, no hay remedio; **c'est mieux que ~** algo es algo, menos da una piedra; **je n'y suis pour ~** no tengo nada que ver con eso; **ce n'est pas pour ~ qu'il est...** por algo es...; **j'ai fait le voyage pour ~** hice el viaje en balde; **un homme de ~** un hombre despreciable; **un bon à ~** → **bon 2. ~ que d'y penser** sólo con pensarlo, con sólo pensarlo **3.** *(= quelque chose)* **est-il ~ de plus triste?** ¿hay algo más triste? **4. partir de ~** salir de la nada **5.** *loc adv* **en moins de ~** en un santiamén; **comme si de ~ n'était** como si nada, como si tal cosa. ◇ *m* **1. un ~** una pequeñez, una nonada, una nadería ◊ **il pleure pour un ~** llora por menos de nada, por nada; **un ~ l'effraie** se asusta con cualquier cosa; **en un ~ de temps** en un santiamén, en un periquete **2. des riens** naderías *f* **3. un ~ du tout** un don nadie, un pobre diablo. ◇ *adv* **1.** *(légèrement)* **un ~ ennuyeux** un si es no es aburrido **2.** POP *(très)* muy.

▶ On peut traduire, par exemple, *ne craignez ~* no temáis nada (avec *no*) ou nada temáis (sans *no*, et *nada* avant le verbe).

**rieur, euse** *a* reidor, a.

**rififi** *m* POP pelea *f*.

**riflard** *m* FAM *(parapluie)* paraguas.

**rigide** *a* rígido, a.

**rigidité** *f* rigidez ◊ **~ cadavérique** rigidez cadavérica.

**rigolade** *f* FAM guasa, chirigota, broma: **prendre à la ~** tomar a broma; **il le prend à la ~** se lo toma a guasa.

**rigolard, e** *a* POP gracioso, a, alegre.

**rigole** *f* reguera, reguero *m*.

**rigoler** *vi* FAM *(rire)* reírse, *(s'amuser)* pasarlo en grande, *(plaisanter)* bromear: **tu rigoles!** ¡estás bromeando!, ¡estás de guasa!

**rigolo, ote** *a* FAM **1.** *(drôle)* gracioso, a, chusco, a **2.** *(curieux)* raro, a. ◇ *m* FAM **un ~** un bromista, un cachondo ◊ **un petit ~** un bromista.

**rigorisme** *m* rigorismo.

**rigoriste** *a/s* rigorista.

**rigoureusement** *adv* rigurosamente.

**rigoureux, euse** *a* riguroso, a.

**rigueur** *f* **1.** rigor *m*: **la ~ d'un juge, du froid** el rigor de un juez, del frío; **~ scientifique** rigor científico **2. de ~** de rigor; **tenue de soirée de ~** se ruega etiqueta **3. tenir ~ à** guardar rencor a **4.** *loc adv* **à la ~** si acaso, en todo caso.

**rikiki** → **riquiqui.**

**rillettes** *f pl* picadillo *m sing* de cerdo o ganso con manteca.

**rillons** *m pl* chicharrones.

**rimailleur** *m* poetastro.

**rime** *f* **1.** rima **2. sans ~ ni raison** ni ton ni son.

**rimer** *vt* **1.** rimar **2. cela ne rime à rien** eso no viene a cuento; **à quoi ça rime?** ¿a qué viene esto? ◇ *vt* poner en verso.

**rimeur** *m* poetastro.

**rimmel** *m* rímel, rímmel.

**rinçage** *m* **1.** enjuague **2.** *(du linge, cheveux)* aclarado.

**rinceau** *m* follaje.

**rince-doigts** *m inv* lavafrutas.

**rincée** *f* FAM *(pluie)* chaparrón *m*.

**rincer*** *vt* **1.** enjuagar **2.** *(linge, cheveux)* aclarar **3.** FAM **se faire ~** recibir la lluvia. ◆ **se ~** *vpr* **1. se ~ la bouche** enjuagarse la boca **2.** FAM **se ~ l'œil** regodearse.

**rinçure** *f* agua de aclarado.

**ring** [riŋ] *m* ring, cuadrilátero.

**¹ringard** *m (tisonnier)* hurgón.

**²ringard, e** *a* FAM pasado, a de moda, mediocre, hortera ◊ **ça fait ~** es una horterada.

**ripaille** *f* FAM comilona, francachela, cuchipanda.

**ripailler** *vi* FAM ir de comilona.

**ripaton** *m* FAM pie, pinrel.

**riper** *vi (glisser)* patinar, resbalar.

**ripolin** *m (nom déposé)* pintura *f* brillante, laca *f*.

**ripoliner** *vt* pintar con ripolin, lacar: **murs ripolinés** paredes lacadas.

**riposte** *f* réplica.

**riposter** *vi* replicar.

**ripou** *m FAM* policía corrupto.

**riquiqui** *a FAM* mezquino, a.

**[1]rire*** *vi* **1.** reír, reírse: **~ aux éclats** reírse a carcajadas; **~ à gorge déployée → gorge; de quoi ris-tu?, qu'est-ce qui te fait ~?** ¿de qué te estás riendo?; **laissez-moi ~** deje usted que me ría; **c'est à mourir de ~** es para morirse de risa; **se tordre de ~** troncharse de risa; **tout ça me fait bien ~** todo eso me da mucha risa; **rira bien qui rira le dernier** al freír será el reír; **avoir toujours le mot pour ~ → mot 2. pour ~** en broma; **sans ~** en serio; **vous voulez ~?** ¿está usted de broma **3. ~ de** *(se moquer de)* burlarse de. **◆ se ~ de** *vpr* reírse de, no hacer caso de.

**[2]rire** *m* risa *f*: **un ~ forcé** una risa falsa; **fou ~** ataque de risa; **le fou ~ m'a pris** me dio la risa.

**[1]ris** *m MAR* rizo.

**[2]ris** *m* molleja *f*: **~ de veau** molleja de ternera.

**[3]ris** *m ANC (rire)* risa *f*.

**risée** *f* **1.** burla, mofa: **objet de ~** objeto de burla **2. il est la ~ de** es el hazmerreír de **3.** *MAR* ráfaga de viento.

**risette** *f FAM* sonrisita, risita ◊ **faire ~** sonreír.

**risible** *a* risible.

**risque** *m* **1.** riesgo: **courir le ~ de** correr el riesgo de; **sans aucun ~** sin riesgo alguno; **groupe à ~** grupo de riesgo; **à haut ~** de alto riesgo ◊ **à ses risques et périls** por su cuenta y riesgo; **prendre des risques** arriesgarse **2.** *loc prép* **au ~ de** a riesgo de.

**risqué, e** *a* arriesgado, a.

**risquer** *vt* **1.** arriesgar ◊ **~ le paquet, ~ le tout pour le tout** jugarse el todo por el todo; *PROV* **qui ne risque rien n'a rien** quien no se aventura no pasa la mar **2. ~ de** correr el riesgo de **3.** *FAM* **la grève risque de durer longtemps** puede ser que la huelga dure mucho; **il risque de gagner** puede ser que gane. **◆ se ~** *vpr* arriesgarse.

**risque-tout** *m inv* atrevido, temerario.

**rissole** *f* empanadilla frita.

**rissoler** *vt CULIN* dorar.

**ristourne** *f* descuento *m*, rebaja *m*.

**ristourner** *vt* descontar.

**rital** *a/m FAM* italiano, a.

**rite** *m* rito.

**ritournelle** *f* **1.** *MUS* ritornelo *m* **2.** *FIG* cantinela.

**rituel, elle** *a/m* ritual.

**rituellement** *adv* invariablemente, tradicionalmente.

**rivage** *m* orilla *f*, ribera *f*.

**rival, e** *a/s* rival: **ses rivaux** sus rivales.

**rivaliser** *vi* rivalizar, competir: **~ de** rivalizar en.

**rivalité** *f* rivalidad.

**rive** *f* orilla.

**river** *vt* **1.** remachar, roblar **2.** *FIG* **rivé à sa place** clavado en su sitio; **les yeux rivés sur** los ojos clavados en **3. ~ son clou à quelqu'un → clou.**

**riverain, e** *a/s* ribereño, a.

**rivet** *m* remache, roblón.

**riveter*** *vt TECHN* remachar, roblar.

**riveteuse** *f TECHN* remachadora.

**rivière** *f* **1.** río *m* **2. ~ de diamants** collar *m* de diamantes.

**rixe** *f* reyerta, riña.

**riz** *m* arroz ◊ **~ au lait** arroz con leche; **poudre de ~** polvos *m pl.*

**rizière** *f* arrozal *m*.

**RMiste** [ɛremist] *s* persona sin ingresos que recibe un subsidio llamado RMI (Revenu Minimum d'Insertion).

**robe** *f* **1.** *(de femme)* vestido *m*: **~ longue** vestido largo; **une petite ~ printanière** un vestidito primaveral ◊ **~ du soir** traje *m* de noche; **~ de mariée** traje de boda **2. ~ de chambre** bata **3.** *(de magistrat)* toga ◊ **les gens de ~** los togados **4.** *(d'un animal)* pelaje *m*, pelo *m* **5. pommes de terre en ~ de chambre, des champs** patatas hervidas con su piel.

**Robert** *np m* Roberto.

**roberts** *m pl FAM* limones, tetas *f*.

**robinet** *m* grifo: **l'eau du ~** el agua del grifo.

**robinetterie** *f* grifería.

**robinier** *m* robinia *f*.

**robot** [rɔbo] *m* robot.

**robotique** *f* robótica.

**robotisation** *f* robotización.

**robotiser** *vt* robotizar.

**robuste** *a* robusto, a.

**robustesse** *f* robustez.

**roc** [rɔk] *m* **1.** roca *f*, peña *f* **2.** *FIG* **solide comme un ~** firme como la roca.

**rocade** *f* vía de circunvalación.

**rocaille** *f* **1.** rocalla **2.** *(style)* rococó, rocalla.

**rocailleux, euse** *a* **1.** rocalloso, a **2.** *(style)* duro, a, áspero **3. voix rocailleuse** voz bronca.

**rocambolesque** *a* rocambolesco, a, fantástico, a.

**Roch** [rɔk] *np m* Roque.

**roche** *f* **1.** roca **2. clair comme de l'eau de ~** de una claridad meridiana.

**rocher** *m* **1.** peñasco, peña *f*, peñón ◊ **le ~ de Gibraltar** el peñón de Gibraltar **2.** *ANAT* peñasco.

**rocheux, euse** *a* rocoso, a ◊ **les (montagnes) Rocheuses** las (montañas) Rocosas.

**rock** [rɔk] *m (rock and roll)* rock.

**rocker** [rɔkœr] *s* rockero, a.

**rocking-chair** [rɔkiŋ(t)ʃɛr] *m* mecedora *f*.

**rococo** *a/m* rococó.

**rocou** *m* bija *f*.

**rocouyer** [rɔkuje] *m* bija *f*, achiote.

**rodage** *m* rodaje: **en ~** en rodaje.

**rodéo** *m* rodeo.

**roder** *vi* **1.** *(moteur, voiture)* rodar **2.** *FIG* experimentar ◊ **je suis rodé** soy experimentado, tengo experiencia.

**rôder** *vi* vagabundear, merodear: **~ dans une rue** merodear por una calle; **un chien famélique rôdait autour de l'abattoir** un perro famélico merodeaba en torno al matadero.

**rôdeur, euse** *s* vagabundo, a.

**Rodolphe** *np m* Rodolfo.

**rodomontade** *f* fanfarronada, balandronada.

**Rodrigue** *np m* Rodrigo.

**rogations** *f pl* rogativas.

**rogatoire** *a* **commission ~** requisitoria.

**rogatons** *m pl FAM* sobras *f*, restos.

**Roger** *np m* Rogelio.

**rogne** *f FAM* rabia, rabieta, cabreo *m* ◊ **se mettre en ~** cabrearse: **dès qu'on le contrarie, il se met en ~** en cuanto se le lleva la contraria, se pone hecho una furia, se cabrea, se pone hecho un basilisco; **être en ~** estar de malas.

**rogner** *vt* **1.** *(couper)* recortar **2.** *(retrancher)* cercenar **3.** *FIG* **~ les ailes** cortar las alas **4. ~ sur les dépenses** reducir los gastos.

**rognon** *m* riñón: **des rognons de porc** riñones de cerdo.

**rognonner** *vi* FAM refunfuñar.

**rognure** *f* recorte *m.*

**rogomme** *m* FAM **voix de ~** voz aguardentosa.

**rogue** *a* arrogante, altanero, a. ◇ *f (pour la pêche)* hueva.

**roi** *m* **1.** rey: **le jour des Rois** el día de Reyes; **les Rois mages** los Reyes Magos; **la galette des rois** el roscón de reyes; **tirer les rois** reunirse para comer el roscón de reyes; **le ~ boit!** ¡el rey bebe!; **le ~ est mort, vive le ~** a rey muerto, rey puesto **2.** FIG **le ~ de l'étain** el rey del estaño; **ici, le client est ~** aquí, el cliente es rey; **travailler pour le ~ de Prusse** trabajar para el obispo; **un morceau de ~** un bocado de cardenal.

**roide → raide.**

**roitelet** *m* **1.** reyezuelo **2.** *(oiseau)* abadejo, reyezuelo.

**Roland** *np m* Roldán, Orlando.

**rôle** *m* **1.** *(d'un acteur)* papel: **jouer un ~** desempeñar un papel; **rôles secondaires** papeles secundarios ◊ **second ~** actor secundario **2.** *(influence)* papel, rol: **jouer un ~ important dans une affaire** desempeñar un papel importante en un asunto; **les rôles sont inversés** se invirtieron los papeles **3. jeu de ~** juego de rol **4.** *(fonction)* función *f* **5.** JUR registro **6.** *(liste)* lista *f* **7.** *loc adv* **à tour de ~** por turno.

**rollier** *m (oiseau)* rabilargo.

**rollmops** [ʀɔlmɔps] *m* filete de arenque escabechado enrollado en un pepinillo.

**Romain** *np m* Román.

**romain, e** *a/s* romano, a ◊ **chiffre ~** número romano. ◇ *m (lettre)* letra *f* redonda. ◇ *f* **1.** *(balance)* romana **2.** *(laitue)* lechuga romana ◊ FIG **bon comme la romaine** bonachón.

[1]**roman** *m* novela *f*: **lire un ~** leer una novela; **~ policier** novela policíaca ◊ **~-feuilleton** folletín; **~-fleuve** novelón; **~-photo,** fotonovela *f.*

[2]**roman, e** *a* **1.** *(art)* románico, a: **chapiteau ~** capitel románico: **église romane** iglesia románica **2. langue romane** lengua romance.

**romance** *f* MUS romanza.

**romancer*** *vt* novelar: **biographie romancée** biografía novelada.

**romanche** *m* romanche, rético.

**romancier, ère** *s* novelista.

**romanesque** *a* novelesco, a.

**roman-feuilleton, roman-fleuve →** [1]**roman.**

**romanichel, elle** *s* gitano, a.

**roman-photo →** [1]**roman.**

**romantique** *a* romántico, a.

**romantisme** *m* romantismo.

**romarin** *m* romero.

**rombière** *f* vieja presumida.

**Rome** *npf* Roma ◊ PROV **tous les chemins mènent à ~** por todas partes se va a Roma.

**Roméo** *np m* Romeo: **~ et Juliette** Romeo y Julieta.

**rompre*** *vt* **1.** *(casser)* romper **2.** *(le pain)* partir **3.** FIG **~ le silence, les relations, un traité** romper el silencio, las relaciones, un tratado **4.** MIL **rompez les rangs!, rompez!** ¡rompan filas! **5. à tout ~** estrepitosamente, ruidosamente. ◇ *vi* **1.** *(casser)* romperse **2. ~ avec** romper con; **ces fiancés ont rompu** estos novios han roto. ◆ **se ~** *vpr* romperse: **se ~ le cou** romperse la crisma.

**rompu, e** *a* **1.** *(cassé)* roto, a **2.** *(de fatigue)* molido, a, reventado, a **3. être ~ à** estar avezado a, a.

**romsteck** [ʀɔmstɛk] *m* lomo de vaca.

**Romulus** [ʀɔmylys] *np m* Rómulo.

**ronce** *f* **1.** zarza **2. ~ artificielle** espino *m* artificial.

**ronceraie** *f* zarzal *m.*

**Roncevaux** *np* Roncesvalles.

**ronchon, e** *a/s* FAM refunfuñón, ona, gruñón, ona.

**ronchonnement** *m* FAM refunfuño, queja *f.*

**ronchonner** *vi* FAM refunfuñar, rezongar.

**ronchonneur, euse** *a/s* FAM refunfuñón, ona, gruñón, ona.

**roncier** *m* zarzal.

**rond, e** *a* **1.** redondo, a: **la Terre est ronde** la Tierra es redonda **2. il a le dos ~** es cargado de espaldas **3.** *(rondelet)* regordete, a **4. en chiffres ronds** en números redondos **5.** FAM *(ivre)* **être ~** estar trompa. ◇ *m* **1.** círculo ◊ **en ~** en círculo; **tourner en ~** estar dando vueltas **2.** *(rondelle)* rodaja *f* **3. ~ de serviette** servilletero **4.** FAM **il n'a pas le ~** no tiene ni una perra; **en rester comme deux ronds de flan → flan 5. faire des ronds de jambe** hacer zalamerías. ◇ *adv* **tourner ~** marchar bien; **ça ne tourne pas ~** la cosa no va bien; **il ne tourne pas ~** está mal de la cabeza.

**rondache** *f (bouclier)* rodela.

**rond-de-cuir** *m* FAM chupatintas.

**ronde** *f* **1.** *(de surveillance)* ronda ◊ **chemin de ~** camino de ronda **2.** *(danse)* corro *m*, rueda **3.** *(lettre)* letra redondilla **4.** MUS *(note)* semibreve, redonda **5.** *loc adv* **à la ~** *(autour)* a la redonda: **10 kilomètres à la ~** diez kilómetros a la redonda; *(tour à tour)* por turno.

**rondeau** *m (poème)* letrilla *f*, rondel.

**ronde-bosse** *f* alto relieve *m.*

**rondelet, ette** *a* **1.** *(personne)* regordete, a, llenito, a **2. somme rondelette** cantidad importante.

**rondelle** *f* **1.** *(en caoutchouc, etc.)* arandela **2.** rodaja, rueda: **saucisson coupé en rondelles** salchichón cortado en rodajas.

**rondement** *adv* **1.** *(vite)* rápidamente **2.** *(franchement)* sin rodeos.

**rondeur** *f* **1.** redondez **2.** *(du corps)* curva: **des rondeurs** curvas **3.** *(franchise)* franqueza, sencillez.

**rondin** *m* leño redondo.

**rondo** *m* MUS rondó.

**rondouillard, e** *a* FAM regordete, a, gordiflón, ona.

**rond-point** [ʀɔ̃pwɛ̃] *m* glorieta *f.*

**ronéotyper** *vt* mimeografiar.

**ronflant, e** *a* FAM pomposo, a, rimbombante.

**ronflement** *m* ronquido.

**ronfler** *vi* **1.** roncar **2.** *(moteur, toupie, etc.)* zumbar.

**ronfleur, euse** *a/s* roncador, a.

**ronger*** *vt* **1.** roer ◊ **~ son frein** tascar el freno **2.** *(vers, insectes)* carcomer **3.** *(rouille)* corroer **4.** FIG *(tourmenter)* consumir, atormentar. ◆ **se ~** *vpr* **1. se ~ les ongles** morderse las uñas **2.** FIG atormentarse **3. se ~ les sangs → sang.**

**rongeur, euse** *a/m* roedor, a. ◇ *m pl* ZOOL roedores.

**ronron, ronronnement** *m* **1.** ronroneo **2.** FIG monotonía *f.*

**ronronner** *vi* ronronear.

**roquer** *vi (aux échecs)* enrocar.

**roquet** *m (chien)* gozque.

**roquette** *f* MIL cohete *m.*

**rorqual** [ʀɔʀkwal] *m* rorcual.

**rosace** *f* rosetón *m.*

**rosacé, e** *a* rosáceo, a. ◇ *f pl BOT* rosáceas.

**rosaire** *m* rosario de quince decenas.

**Rosalie** *np f* Rosalía.

**rosâtre** *a* rosáceo, a.

**rosbif** [rɔbif] *m* rosbif.

**rose** *f* **1.** rosa ◊ *FAM* **découvrir le pot aux roses** descubrir el pastel; **envoyer quelqu'un sur les roses** mandar a alguien a paseo, echar a alguien con cajas destempladas; *PROV* **il n'y a pas de roses sans épines** no hay miel sin hiel; **roman à l'eau de ~** novela rosa **2. ~ trémière** malvarrosa; **~ de Noël** eléboro *m* negro **3.** *MAR* **~ des vents** rosa de los vientos, rosa náutica. ◇ *a/m* color (de) rosa: **un ~ pâle** un color rosa pálido; **voir tout en ~** verlo todo color de rosa; *FAM* **tout n'est pas ~** no todo es fácil en la vida.

**Rose** *np f* Rosa.

**rose-croix** *m* rosacruz.

**rosé, e** *a* rosado, a: **vin ~** vino rosado, clarete.

**roseau** *m* caña *f*.

**rosée** *f* rocío *m*.

**roselière** *f* cañaveral *m*.

**roséole** *f MÉD* roséola.

**roseraie** *f* rosaleda.

**rosette** *f* botón *m* de condecoración.

**rosier** *m* rosal: **~ grimpant** rosal trepador.

**rosière** *f* muchacha a quien se concedía un premio por su virtud.

**rosir** *vi* tomar color de rosa.

**rosse** *f* **1.** *(mauvais cheval)* rocín *m*, matalón *m* **2.** *(personne)* mala persona. ◇ *a* **1.** *(personne)* malvado, a, malo, a **2.** *(parole)* mordaz.

**rossée** *f* tunda, paliza.

**rosser** *vt FAM* zurrar, apalear.

**rossignol** *m* **1.** *(oiseau)* ruiseñor **2.** *(pour ouvrir les portes)* ganzúa *f* **3.** *FAM* mercancía *f* que queda invendible.

**rossinante** *f* rocinante *m*, jamelgo *m*.

**rostral, e** *a* rostral, rostrado, a.

**rostre** *m MAR* rostro, espolón.

**rot** [RO] *m POP (renvoi)* regüeldo, eructo.

**rôt** [RO] *m (rôti)* asado.

**rotatif, ive** *a* rotativo, a. ◇ *f* rotativa.

**rotation** *f* **1.** rotación **2.** *AGR* **~ des cultures** rotación de los cultivos.

**rotatoire** *a* rotatorio, a.

**roter** *vi POP* regoldar, eructar.

**rôti, e** *a* asado, a: **poulet ~** pollo asado. ◇ *m* asado ◊ **un ~ de boeuf** un rosbif.

**rôtie** *f* tostada.

**rotin** *m* rota *f*, caña *f* de Indias: **fauteuil en ~** sillón de caña.

**rôtir** *vt* asar. ◇ *vi* **1.** asarse **2. faire ~** asar. ◆ **se ~** *vpr (au soleil)* tostarse al sol.

**rôtisserie** *f* grill-room *m*, parrilla.

**rôtisseur, euse** *s* vendedor, a de asados.

**rôtissoire** *f* asador *m*.

**rotonde** *f* rotonda.

**rotondité** *f* redondez.

**rotor** *m* rotor.

**rotule** *f* **1.** *ANAT* rótula ◊ *FAM* **être sur les rotules** estar hecho polvo **3.** *TECHN* rótula.

**roture** *f* estado *m* llano, plebe.

**roturier, ère** *a/s* plebeyo, a.

**rouage** *m* **1.** rueda *f* ◊ **les rouages** el conjunto de ruedas, el mecanismo **2.** *FIG* mecanismo.

**roublard, e** *a/s* astuto, a.

**roublardise** *f* astucia, tunantería.

**rouble** *m* rublo.

**roucoulement** *m* arrullo.

**roucouler** *vi* arrullar.

**roue** *f* **1.** rueda: **~ de secours** rueda de repuesto; **~ libre** rueda libre; **~ dentée** rueda dentada **2.** *FIG* **être la cinquième ~ du carrosse** ser inútil, ineficaz; **pousser à la ~** ayudar **3. grande ~** *(dans une fête foraine)* noria **4. faire la ~** *(le paon)* hacer la rueda, *(se pavaner)* pavonearse.

**roué, e** *a/s* astuto, a, taimado, a.

**rouelle** *f* tajada, rueda.

**Rouen** *np* Ruán.

**rouer** *vt* **~ quelqu'un de coups** moler a palos a alguien.

**rouerie** *f* astucia, marrullería.

**rouet** *m (pour filer)* torno.

**rouf** [Ruf] *m MAR* caseta *f* de cubierta.

**rouflaquettes** *f pl FAM* patillas.

**rouge** *a* **1.** rojo, a, encarnado, a, colorado, a: **le drapeau ~** la bandera roja; **~ de colère, de honte** rojo de ira, de vergüenza; **il est devenu tout ~** se ruborizó, se puso colorado **2.** *(fer)* candente **3. vin ~** vino tinto **4. la mer Rouge** el mar Rojo. ◇ *m* **1.** *(couleur)* rojo: **le feu est au ~** el semáforo está en rojo **2. ~ à lèvres** carmín de labios, rouge **3.** *(à joues)* colorete **4. le ~ lui monta au visage** se le subieron los colores a la cara **5.** *(vin)* vinto tinto ◊ **du gros ~** tintorro, peleón, vinazo **6. porter au ~** poner al rojo. ◇ *a/s (en politique)* rojo, a. ◇ *adv* **1. se fâcher tout ~** sulfurarse **2. voir ~** ponerse furioso, a, estar que trina.

**rougeâtre** [Ruʒatʀ] *a* rojizo, a.

**rougeaud, e** *a* coloradote.

**rouge-gorge** *m* petirrojo.

**rougeoiement** [Ruʒwamɑ̃] *m* luz *f* rojiza, reflejos *pl* rojizos.

**rougeole** [Ruʒɔl] *f* sarampión *m*.

**rougeoyer*** [Ruʒwaje] *vi* enrojecer.

**rouge-queue** *m* colirrojo.

**rouget** *m* **1.** *(rouget barbet)* salmonete **2. ~ grondin** rubio.

**rougeur** *f* rubor *m*. ◇ *pl (sur la peau)* manchas rojas.

**rougir** *vt* enrojecer ◊ **eau rougie** agua con un poco de vino tinto. ◇ *vi* **1.** enrojecerse, ponerse rojo, a **2.** *(de honte, etc.)* ruborizarse **3. faire ~** ruborizar.

**rougissant, e** *a* **1.** enrojecido, a **2.** *FIG* ruborizado, a.

**rouille** *f* **1.** orín *m*, herrumbre *m* **2.** *BOT* roya **3.** *CULIN (sauce)* ajiaceite *m* con guindilla.

**rouillé, e** *a* **1.** *(couvert de rouille)* herrumbroso, a, oxidado, a **2.** *FIG* oxidado, a.

**rouiller** *vt* oxidar. ◆ **se ~** *vpr* **1.** oxidarse, enmohecerse **2.** *FIG* entorpecerse.

**rouir** *vt (le lin, chanvre)* enriar.

**rouissage** *m* enriado.

**roulade** *f* **1.** *(en chantant)* trino *m*, gorgorito *m* **2.** *(culbute)* voltereta.

**roulage** *m (transport)* acarreo.

**roulant, e** *a* **1.** *(fauteuil, etc.)* de ruedas ◊ **table ~** carrito *m* **2.** *(matériel)* móvil, de transporte **3. escalier ~** escalera mecánica **4.** *FAM (drôle)* mondante. ◇ *f MIL* cocina móvil de campaña.

**roulé, e** *a* **1. col ~ → col 2.** *FAM* **bien ~** bien plantado, a. ◇ *m* bizcocho en forma de cilindro.

**rouleau** *m* **1.** *(de papier, etc.)* rollo **2. ~ à pâtisserie** rodillo **3.** *(de peintre, machine à écrire, etc.)* rodillo **4. ~ compresseur** apisonadora *f* **5.** *(à mise en plis)* rulo **6.** *(de pellicule photographique)* rollo, carrete **7.** *FIG* **être au bout de son ~** estar próximo a morir **8.** *CULIN* **~ de printemps** rollito de primavera.

**roulement** *m* **1.** movimiento, circulación *f* **2.** *(bruit)* ruido **3.** *(de tambour)* redoble **4. ~ de tonnerre** trueno **5. ~ à billes** rodamiento de bolas **6.** *(de personnes)* turno, relevo: **par ~** por turno **7.** *(de l'argent)* circulación *f*.

**rouler*** *vt* **1.** hacer rodar **2.** *(mettre en rouleau)* enrollar **3. ~ une cigarette** liar un cigarrillo **4.** *(envelopper)* envolver **5. ~ les hanches** contonearse; **~ des yeux furibonds** lanzar miradas furibundas **6. ~ les r** pronunciar fuerte las erres **7.** *FIG (dans sa tête)* dar vueltas a **8.** *FAM (tromper)* **~ quelqu'un (dans la farine)** timar, engañar, darle con queso a alguien ◊ **on s'est bien fait ~!** ¡pués hemos hecho el primo! ◇ *vi* **1.** *(une boule, etc.)* rodar **2.** *(un véhicule)* rodar, ir, marchar, circular: **la voiture roule bien** el coche rueda bien; **l'auto roulait à cent à l'heure** el coche iba a cien kilómetros por hora; **voiture qui a peu roulé** coche que ha hecho pocos kilómetros **3.** *(tomber)* caer rodando **4. ~ par le monde** rodar por el mundo **5.** *(l'argent)* circular **6.** *MAR* balancearse **7.** *(avoir pour sujet)* **la conversation a roulé sur la pollution** la conversación ha tratado de, girado en torno a la contaminación. ◆ **se ~** *vpr* **1.** *(dans l'herbe, etc.)* revolverse **2.** *FIG FAM* **se ~ par terre** mondarse de risa **3.** *FAM* **se ~ les pouces, se les ~** no dar ni golpe.

**roulette** *f* **1.** ruedecilla ◊ *FAM* **aller comme sur des roulettes** ir sobre ruedas **2.** *(de dentiste)* torno *m* **3.** *(jeu)* ruleta: **gagner à la ~** ganar en la ruleta; **~ russe** ruleta rusa.

**roulier** *m* carretero.

**roulis** *m MAR* balanceo.

**roulotte** *f* **1.** *(de forains)* carromato *m*, carro *m*, roulotte (de feriante) **2.** *(de camping)* caravana, roulotte **3.** *FAM* **vol à la ~** robo en coches estacionados.
▶ Le gallicisme «roulotte» est très répandu dans le sens 2.

**roulure** *f VULG* prostituta, furcia.

**roumain, e** *a/s* rumano, a.

**Roumanie** *np f* Rumania.

**round** [Rawnd, Rund] *m* **1.** *(boxe)* asalto, round **2.** *FIG* round.

**roupie** *f* **1.** *(monnaie)* rupia **2.** *(morve)* moquita.

**roupiller** *vi FAM* dormir, hacer seda.

**roupillon** *m FAM* sueñecito, sueñecillo: **piquer un ~** echarse un sueñecito, dar una cabezada, descabezar un sueñecillo.

**rouquin, e** *a/s FAM* pelirrojo, a.

**rouscailler** *vi POP* rezongar.

**rouspétance** *f FAM* protesta.

**rouspéter*** *vi FAM* protestar, rezongar.

**rouspéteur, euse** *a FAM* rezongón, ona.

**roussâtre** *a* bermejo, a.

**rousse → roux.**

**rousserolle** *f (oiseau)* carricero *m*.

**roussette** *f* **1.** *(poisson)* lija **2.** *(chauve-souris)* bermejizo *m*.

**rousseur** *f* **1.** color *m* rojo **2. tache de ~** peca; **petite fille au visage criblé de taches de ~** niña pecosa.

**roussi** *m* **sentir le ~** oler a chamusquina; *FIG* **ça sent le ~** huele a chamusquina, huele mal.

**Roussillon** *np m* Rosellón.

**roussillonnais, e** *a/s* rosellonés, esa.

**roussin** *m* **1. ~ d'Arcadie** borrico **2.** *FAM* policía.

**roussir** *vt* chamuscar, socarrar. ◇ *vi* dorarse.

**routage** *m* envío, expedición *f*.

**routard** *m* mochilero.

**route** *f* **1.** carretera: **~ nationale, départementale** carretera nacional, comarcal; **accident de la ~** accidente de carretera ◊ **code de la ~** código de circulación **2.** *(chemin)* camino *m*, ruta ◊ **faire ~ vers** ir en dirección a; *FIG* **faire fausse ~** errar el camino, equivocarse, ir por mal camino **3.** marcha, camino *m*: **se mettre en ~** ponerse en camino; **en ~!** ¡en marcha! ◊ **en cours de ~** durante el trayecto; **bonne ~!** ¡buen viaje! **4. mettre en ~** poner en marcha **5.** *MAR* derrotero *m*, rumbo *m*.

**routeur** *m MAR* técnico encargado de fijar la derrota de un barco.

**routier, ère** *a* de carreteras: **carte routière** mapa de carreteras; **réseau ~** red viaria, red de carreteras, red vial. ◇ *m* **1.** *(conducteur de camion)* camionero **2.** *FIG* **vieux ~** perro viejo **3.** *FAM* restaurante donde suelen comer los camioneros. ◇ *f (voiture)* **une bonne routière** un gran rutero.

**routine** *f* rutina.

**routinier, ère** *a* rutinario, a.

**rouvraie** *f* robledal *m*.

**rouvre** *m* roble.

**rouvrir*** *vt/i* reabrir, volver a abrir. ◆ **se ~** *vpr* reabrirse.

**roux, rousse** *a* **1.** rojizo, a **2. lune rousse** luna rosa. ◇ *a/s (cheveux)* pelirrojo, a. ◇ *m CULIN* salsa *f* de harina, sofrito.

**royal, e** [Rwajal] *a* **1.** real: **la famille royale** la familia real; **palais ~** palacio real **2.** *FIG* regio, a **3.** total. ◇ *np f MAR* **la Royale** la marina de guerra francesa.

**royalement** *adv* **1.** regiamente, suntuosamente **2.** *FAM* **je m'en moque ~** no me importa un pepino.

**royaliste** *a/s* monárquico, a, realista ◊ *FIG* **être plus ~ que le roi** ser más papista que el Papa.

**royalties** [Rwajalti] *f pl* royalties *m*, canon *m sing*.

**royaume** [Rwajom] *m* reino ◊ **le ~ des cieux** el reino de los cielos; **«mon ~ n'est pas de ce monde»** mi reino no es de este mundo.

**Royaume-Uni (le)** *np m* el Reino Unido.

**royauté** [Rwajote] *f* **1.** *(dignité)* realeza **2.** *(pouvoir)* monarquía.

**ru** *m* arroyuelo.

**ruade** *f* coz: **lancer des ruades** tirar coces.

**ruban** *m* **1.** cinta *f*: **~ adhésif** cinta adhesiva **2.** *(décoration)* condecoración *f*.

**rubéole** *f* rubéola.

**Rubicon** *np m* Rubicón: **franchir le ~** pasar el Rubicón.

**rubicond, e** *a* rubicundo, a.

**rubis** *m* **1.** rubí **2.** *FIG* **payer ~ sur l'ongle** pagar a tocateja.

**rubrique** *f* **1.** rúbrica **2. ~ des spectacles** cartelera.

**ruche** *f* **1.** *(d'abeilles)* colmena **2.** *(garniture de vêtement)* volante *m* fruncido, «ruche».

**rucher** *m* colmenar.

**rude** *a* **1.** *(grossier)* rudo, a **2.** *(au toucher)* áspero, a **3.** *(pénible)* duro, a, penoso, a **4.** *(rigoureux)* riguroso, a **5.** *(fort)* fuerte **6. un ~ gaillard** un mocetón de pelo en pecho.

**rudement** *adv* **1.** brutalmente, duramente **2.** *FAM (très)* muy: **~ bien** muy bien; **elle est ~ sympathique** es la mar de simpática.

**rudesse** *f* **1.** *(brusquerie)* rudeza, brusquedad **2.** *(au toucher)* aspereza.

**rudiment** *m* rudimento.

**rudimentaire** *a* rudimentario, a.

**rudoyer*** [Rydwaje] *vt* maltratar.

**[1]rue** *f* **1.** calle: **grand-~** calle mayor; **~ piétonne** calle peatonal ◊ **manifestations de ~** manifestaciones callejeras; **a tous les coins de ~** por todas partes **2. courir les rues** callejear, pindonguear, *FIG* ser muy corriente; **jeter quelqu'un à la ~** poner de patitas en la calle a alguien; **descendre dans la ~** echarse a la calle, ir a manifestar; **l'homme de la ~** el hombre de la calle.

**[2]rue** *f (plante)* ruda.

**ruée** *f* avalancha, oleada ◊ **c'est la ~ vers la sortie** se precipitan todos hacia la salida; **la Ruée vers l'or** La quimera del oro.

**ruelle** *f* **1.** callejuela **2.** *(d'un lit)* espacio *m* entre la cama y la pared.

**ruer** *vi (le cheval)* cocear ◊ *FIG* **~ dans les brancards** protestar. ◆ **se ~** *vpr* abalanzarse, precipitarse: **se ~ vers, sur** abalanzarse hacia.

**rufian, ruffian** *m* rufián.

**rugby** *m* rugby.

**rugbyman** *m* jugador de rugby.

**ruginer** *vt MÉD* legrar.

**rugir** *vi* **1.** rugir **2.** *FIG (de colère)* rugir, bramar.

**rugissement** *m* rugido.

**rugosité** *f* rugosidad.

**rugueux, euse** *a* rugoso, a.

**ruine** *f* **1.** ruina **2. château en ~** castillo ruinoso; **tomber en ~** caer en ruinas **3.** *(dépense)* **une ~** un chorreo.

**ruiner** *vt* arruinar. ◆ **se ~** *vpr* arruinarse ◊ **se ~ la santé** arruinar su salud.

**ruineux, euse** *a* ruinoso, a.

**ruisseau** *m* **1.** arroyo ◊ **petit ~** arroyuelo **2.** *FIG (de larmes, etc.)* arroyo, río **3.** *FIG* **tirer du ~** recoger del arroyo.

**ruisselant, e** *a* chorreando, chorreante: **~ de sueur** chorreando sudor.

**ruisseler*** *vi* chorrear.

**ruisselet** *m* arroyuelo.

**ruissellement** *m* chorreo ◊ **eau de ~** agua pluvial.

**rumba** [rumba] *f* rumba.

**rumeur** *f* **1.** rumor *m* **2. la ~ publique** la voz del pueblo.

**ruminant** *m ZOOL* rumiante.

**ruminer** *vt/i* **1.** rumiar **2.** *FIG* **~ une question** dar muchas vueltas a una cuestión.

**rumsteck → romsteck.**

**rune** *f (caractère d'écriture)* runa.

**runique** *a* rúnico, a.

**rupestre** *a* rupestre: **peintures rupestres** pinturas rupestres.

**rupin, e** *a/m POP* ricacho, a, ricachón, ona. ◇ *a POP* elegante.

**rupteur** *m ÉLECT* ruptor.

**rupture** *f* **1.** *(d'un câble, etc.)* rotura **2.** *FIG* ruptura **~ de contrat** ruptura de contrato; **~ des relations diplomatiques** ruptura de relaciones diplomáticas **3.** *COM* **nous sommes en ~ de stock** se nos han agotado las existencias **4.** *(changement)* cambio *m* brusco.

**rural, e** *a* rural. ◇ *m pl* **les ruraux** los campesinos.

**ruse** *f* **1.** *(une ruse)* ardid *m*, artimaña **2.** *(la ruse)* astucia.

**rusé, e** *a/s* astuto, a.

**ruser** *vi* obrar con astucia.

**rush** [rœʃ] *m (ruée)* avalancha *f.* ◇ *pl (cinéma)* pruebas *f* de rodaje.

**russe** *a/s* ruso, a.

**Russie** *npf* Rusia.

**russification** *f* rusificación.

**russifier*** *vt* rusificar.

**russophile** *a/s* rusófilo, a.

**rustaud, e** *s FAM* palurdo, a, patán.

**rusticité** *f* rusticidad.

**rustine** *f (nom déposé)* parche *m.*

**rustique** *a* rústico, a.

**rustre** *m* patán.

**rut** [ryt] *m* celo: **être en ~** estar en celo.

**rutabaga** *m* colinabo.

**Ruth** [ryt] *npf* Rut.

**rutilant, e** *a* rutilante.

**rutiler** *vi* rutilar.

**rythme** *m* ritmo: **changer de ~** cambiar de ritmo; **au ~ de...** al ritmo de...; **à un ~ accéléré** a ritmo acelerado; **au ~ où vont les choses** al ritmo que van las cosas ◊ **vivre à son ~** vivir a su aire.

**rythmé, e** *a* rítmico, a, cadencioso, a.

**rythmer** *vt* ritmar.

**rythmique** *a* rítmico, a: **mouvements rythmiques** movimientos rítmicos. ◇ *f* rítmica.

# S

**s** [s] *m s f:* **un ~** una s.

**s'** → **se, si.**

**sa** *a pos* su → **son.**

**sabayon** *m* sabayón, crema *f* a base de vino, etc.

**sabbat** [saba] *m* **1.** *(jour de repos des juifs)* sabat, sabbat **2.** *(des sorcières)* aquelarre.

**sabbatique** *a* sabático, a: **année ~** año sabático.

**sabin, e** *a/s* HIST sabino, a: **l'enlèvement des Sabines** el rapto de las sabinas.

**sabine** *f (genévrier)* sabina.

**Sabine** *np f* Sabina.

**sabir** *m* mezcla *f* de español, italiano, árabe y francés que se habla en África del Norte.

**sable** *m* arena *f:* **sables mouvants** arenas movedizas ◊ FIG **bâtir sur le ~** edificar sobre arena. ◇ *a inv* beige claro.

**sablé, e** *a (rue, etc.)* enarenado, a. ◇ *m (gâteau)* polvorón, tipo de galleta *f.*

**sabler** *vt* **1.** enarenar **2. ~ le champagne** beber champaña para celebrar algo.

**sablier** *m* reloj de arena.

**sablière** *f* arenal *m.*

**sablonneux, euse** *a* arenoso, a.

**sabord** *m* MAR porta *f.*

**sabordage** *m* MAR acción *f* de dar barreño a.

**saborder** *vt* **1.** MAR dar barreno a, barrenar **2.** FIG hundir. ♦ **se ~** *vpr* hundirse voluntariamente.

**sabot** *m* **1.** zueco, almadreña *f* ◊ FAM **je te vois venir avec tes gros sabots** ya te veo venir, se te ve el plumero; **travailler comme un ~** trabajar muy mal **2.** *(d'un cheval)* casco **3.** *(des ruminants)* pezuña *f* **4.** *(de frein)* zapata *f* **5.** *(mauvais instrument)* carraca *f,* cacharro, trasto **6. ~ de Denver** cepo.

**sabotage** *m* sabotaje.

**saboter** *vt* **1.** *(bâcler)* chapucear, frangollar **2.** *(détériorer volontairement)* sabotear.

**saboteur, euse** *s* **1.** saboteador, a **2.** *(qui travaille mal)* chapucero, a.

**sabotier, ère** *s* fabricante de zuecos.

**sabre** *m* **1.** sable ◊ **coup de ~** sablazo; **~ au clair** con el sable desenvainado; FIG **le ~ et le goupillon** el ejército y la Iglesia **2. ~ d'abattis** machete.

**sabrer** *vt* **1.** golpear con el sable a **2.** FAM *(un article)* suprimir **3.** FAM eliminar, *(renvoyer)* despedir, *(à un examen)* catear.

**sabreur** *m (soldat)* militarote.

**¹sac** [sak] *m* **1.** saco: **un ~ de ciment** un saco de cemento; **~ de couchage** saco de dormir; **course en ~** carrera de sacos **2.** *(à grain)* costal **3.** *(en grosse toile)* talego **4. ~ à main** bolso; **~ à provisions** bolsa *f* para las compras; **~ de sport** bolsa de deportes **5. ~ à dos** mochila *f;* **~ de voyage** bolso de viaje **6.** *(en papier, plastique)* bolsa *f:* **~ en plastique** bolsa de plástico; **~ poubelle** bolsa de basura **7.** FAM **l'affaire est dans le ~** el negocio está en el bote; **avoir plus d'un tour dans son ~** encontrar siempre una salida; **je les mets dans le même ~** son tal para cual; **prendre quelqu'un la main dans le ~** coger a alguien con las manos en la masa; **vider son ~** desembuchar **8.** FAM **~ d'embrouilles, de nœuds** asunto muy complicado; **~ à vin** borracho, pellejo **9.** ANAT **~ lacrymal** saco lacrimal.

**²sac** *m (pillage)* saqueo, saco: **le ~ de Rome** el saco de Roma ◊ **mettre à ~** saquear.

**saccade** *f* **1.** sacudida ◊ **par saccades** a trompicones **2.** *(à un cheval)* sofrenada.

**saccadé, e** *a* **1.** *(mouvement)* brusco, a, irregular **2.** *(style)* cortado, a **3.** *(voix, ton)* entrecortado, a.

**saccager*** *vt* **1.** *(piller)* saquear **2.** *(détériorer)* destrozar **3.** *(bouleverser)* revolver.

**saccharification** [sakaʀifikasjɔ̃] *f* sacarificación.

**saccharifier*** [sakaʀifje] *vt* sacarificar.

**saccharine** [sakarin] *f* sacarina.

**saccharose** [sakaʀoz] *m* sacarosa *f.*

**sacerdoce** *m* sacerdocio.

**sacerdotal, e** *a* sacerdotal.

**sache** → **savoir.**

**sachet** *m* **1.** bolsita *f,* saquito **2.** sobre: **soupe en ~** sopa de sobre.

**sacoche** *f* **1.** cartera **2.** bolsa **3.** *(sac à main)* bolso *m.* ◇ *pl (de vélo)* alforjas.

**sacquer, saquer** [sake] *vt* FAM echar, despedir, poner de patitas en la calle.

**sacralisation** *f* sacralización.

**sacraliser** *vt* sacralizar.

**sacramentel, elle** *a* sacramental.

**sacre** *m* consagración *f* ◊ **Le ~ du printemps** *(Stravinski)* La consagración de la primavera.

**sacré, a** *a* **1.** sagrado, a: **feu ~** fuego sagrado; **les ordres sacrés** las órdenes sagradas **2.** sacro, a: **musique sacrée** música sacra; **le Sacré Collège** el Sacro Colegio **3.** FAM maldito, a, dichoso, a: **un ~ menteur** un maldito embustero; **cette sacrée voiture ne**

**démarre pas** este dichoso coche no arranca; **une sacrée chance** una suerte enorme, loca; **une sacrée patience** una paciencia excepcional **4.** *POP* **~ nom d'une pipe!** ¡caray! **5.** *ANAT (du sacrum)* sacro, a.

**sacrebleu!** *interj FAM* ¡rediós!, ¡rediez!

**Sacré-Cœur** *m* Sagrado Corazón.

**sacrement** *m* sacramento: **les derniers sacrements** los últimos sacramentos ◊ **le saint sacrement** el Santísimo Sacramento.

**sacrément** *adv FAM* de lo más, muy: **~ sympathique** muy simpático; **il fait ~ froid** hace mucho frío.

**sacrer** *vt* consagrar, coronar.

**sacrificateur, trice** *s* sacrificador, a.

**sacrifice** *m* **1.** sacrificio: **le saint ~** el santo sacrificio **2.** *(privation)* sacrificio.

**sacrifié, e** *a/s* sacrificado, a. ◇ *a COM (soldé)* rebajado, a: **prix sacrifiés** precios rebajados.

**sacrifier*** *vt* sacrificar. ◇ *vi* **~ à la mode** ajustarse a la moda: **~ à une passion** darse por completo a una pasión. ◆ **se ~** *vpr* sacrificarse.

**sacrilège** *a* sacrílego, a. ◇ *m* sacrilegio.

**sacripant** *m* pillo, bribón.

**sacristain** *m* sacristán.

**sacristie** *f* sacristía ◊ *FAM* **punaise de ~** → **punaise.**

**sacro-saint, e** *a* sacrosanto, a.

**sacrum** [sakʀɔm] *m ANAT* sacro, hueso sacro.

**sadique** *a/s* sádico, a.

**sadisme** *m* sadismo.

**sadomasochisme** *m* sadomasoquismo.

**sadomasochiste** *a/s* sadomasoquista.

**saducéen, enne** *a/s* saduceo, a.

**safari** *m* safari ◊ **~-photo** safari fotográfico.

[1]**safran** *m (plante, épice, colorant)* azafrán. ◇ *a (couleur)* **jaune ~** azafranado, a.

[2]**safran** *m MAR* azafrán, palo.

**safrané, e** *a* azafranado, a.

**saga** *f* saga.

**sagace** *a* sagaz.

**sagacité** *f* sagacidad.

**sagaie** *f* azagaya.

**sage** *a* **1.** prudente, sensato, a, discreto, a: **un homme ~** un hombre discreto: **un ~ conseil** un consejo prudente **2.** *(enfant)* tranquilo, a, bueno, a: **~ comme une image** bueno como un ángel; **sois ~!** ¡pórtate bien!; **il n'a pas été ~** se portó mal.

**sage-femme** [saʒfam] *f* comadrona, matrona.

**sagement** *adv* **1.** prudentemente, sensatamente **2.** tranquilamente.

**sagesse** *f* **1.** prudencia **2.** *(bon sens)* cordura **3.** *(d'un enfant)* buena conducta **4.** *(connaissance)* sabiduría ◊ **le Livre de la Sagesse** el Libro de la Sabiduría **5. dent de ~** muela del juicio.

**sagittaire** *m ASTR* sagitario. ◇ *f (plante)* sagitaria.

**sagittal, e** *a* sagital.

**sagitté, e** *a* sagitado, a.

**Sagonte** *np* Sagunto.

**sagou** *m* sagú.

**sagouin** *m* **1.** *(singe)* zagüi **2.** *FAM* cochino, sucio.

**sagoutier** *m* sagú.

**Sahara (le)** *np m* el Sáhara.

**saharien, ienne** *a/s* del Sáhara. ◇ *f (veste)* sahariana.

**saignant, e** *a* **1.** sangriento, a **2.** sangrante **3. viande saignante** carne poco hecha.

**saignée** *f* **1.** *MÉD* sangría **2.** *(du bras)* sangría, sangradura **3.** *(dans un arbre)* sangría **4.** *(rigole)* sangradura **5.** *FIG (grande perte)* sangría.

**saignement** *m* **1.** desangramiento **2. ~ de nez** hemorragia *f* nasal.

**saigner** *vt* **1.** *(un malade)* sangrar **2.** *(un animal)* desangrar: **~ un poulet** desangrar un pollo **3.** *FIG (quelqu'un)* chupar la sangre a, sacar el dinero a ◊ **~ quelqu'un à blanc** dejar a alguien arruinado. ◇ *vi* **1.** sangrar, echar sangre: **~ du nez** echar sangre por la nariz; **son doigt saigne** le sangra el dedo **2.** *FIG* **le cœur lui saigne** se le parte el corazón. ◆ **se ~** *vpr FIG* **se ~ aux quatre veines** quitarse el pan de la boca.

**saillant, e** *a* **1.** saliente, saledizo, a **2. yeux saillants** ojos saltones **3.** *FIG (événement, trait, etc.)* sobresaliente, destacado, a. ◇ *m* saliente.

**saillie** *f* **1.** saliente *m*, saledizo *m*, voladizo *m* ◊ **en ~** en voladizo; **faire ~** sobresalir **2.** *(trait d'esprit)* agudeza, ocurrencia **3.** *(des animaux)* monta.

**saillir*** *vi* sobresalir. ◇ *vt (une femelle)* cubrir, montar.

**sain, e** *a* **1.** sano, a: **nourriture saine** alimentación sana; **climat ~** clima sano ◊ **~ et sauf** sano y salvo, ileso **2. ~ de corps et d'esprit** sano de cuerpo y alma; **être ~ d'esprit** estar en su sano juicio.

**sainbois** *m* torvisco.

**saindoux** [sɛ̃du] *m* manteca *f* de cerdo.

**sainement** *adv* sanamente.

**sainfoin** *m* esparceta *f*, pipirigallo.

**saint, e** *a* **1.** santo, a: **la semaine sainte** la semana santa; **vendredi ~** viernes santo; **sainte Anne** Santa Ana; **la Sainte Vierge** la Virgen Santísima; **les Lieux saints** los Santos Lugares; **le Saint Sépulcre** el Santo Sepulcro; *FIG* **un ~ homme** un santo varón; *FAM* **toute la sainte journée** todo el santo día **2.** *(devant un nom de saint, sauf Domingo, Tomás, Tomé, Toribio où l'on emploie* **santo)** san: **~ Pierre** San Pedro; **~ François** San Francisco ◊ **la Saint-Jean** el día de San Juan; **la Saint-Sylvestre** el día de nochevieja **3.** *(sacré)* sagrado, a: **l'Écriture sainte** la Sagrada Escritura; **la Sainte Famille** la Sagrada Familia **4. le Saint Empire germanique** el sacro Imperio Romano Germánico. ◇ *s* **1.** santo, a ◊ *FIG* **prêcher pour son ~** barrer hacia dentro; **ne savoir à quel ~ se vouer** no saber a qué santo encomendarse **2. le ~ des saints** el sanctasanctórum.

**saint-bernard** *m inv* perro de San Bernardo.

**saint-cyrien** *m* alumno de la escuela militar de Saint-Cyr.

**Saint-Domingue** *np* Santo Domingo.

**saintement** *adv* santamente.

**Saint-Esprit (le)** *m* el Espíritu Santo.

**sainte-nitouche** *f* mosquita muerta.

**sainteté** *f* **1.** santidad **2. sa ~** su Santidad.

**saint-frusquin** *m inv FAM* bártulos *pl* ◊ **et tout le ~** etcétera.

**saint-glinglin (à la)** *loc adv FAM* cuando las ranas críen pelo, nunca.

**saint-honoré** *m* pastel con nata.

**Saint-Jacques-de-Compostelle** *np* Santiago de Compostela.

**Saint-Laurent** *np m* San Lorenzo.

**saint-nectaire** *m* queso de Auvernia.

**Saint-Office** *m* Santo Oficio.

**Saint-Père (le)** *m* el Santo Padre.

**Saint-Pétersbourg** *np* San Petersburgo.

**saint-pierre** *m (poisson)* pez de San Pedro.

**Saint-Sébastien** *np* San Sebastián.

**Saint-Siège (le)** *m* la Santa Sede *f.*

**saint-simonisme** *m* sansimonismo.

**sais → savoir.**

**saisie** *f* **1.** *JUR* embargo *m*, incautación ◊ **~-arrêt** embargo *m* de retención **2.** *(contrebande)* aprehensión **3.** *(d'un journal)* secuestro *f* **4.** *INFORM* recogida (de datos).

**saisir** *vt* **1.** agarrar, coger: **~ par le bras** coger por el brazo **2. ~ l'occasion** aprovechar la ocasión **3.** comprender, entender: **je n'ai pas saisi votre explication** no he entendido su explicación; **vous saisissez?** ¿comprende usted? **4.** *JUR (des biens)* embargar, incautarse de; *(contrebande)* aprehender, intervenir; *(un journal)* secuestrar; **~ un tribunal d'une affaire** llevar un asunto ante un tribunal **5.** sorprender, pasmar: **sa pâleur m'a saisi** su palidez me sorprendió **6. être saisi (de peur)** sobrecogerse **7.** *(exposer à feu vif)* soasar. ◆ **se ~ de** *vpr* hacerse dueño de, apoderarse de.

**saisissant, e** *a* sorprendente.

**saisissement** *m* sobrecogimiento, pasmo.

**saison** *f* **1.** estación: **les quatre saisons** las cuatro estaciones ◊ **marchand des quatre-saisons** verdulero ambulante; **la belle ~** el verano **2.** tiempo *m*, época: **la ~ des pluies** la época de las lluvias; **fruits de ~** frutas del tiempo ◊ **en toute ~** durante todo el año **3.** *FIG* **hors de ~** inoportuno, a; **cela est hors de ~** esto no viene al caso **4.** *(théâtrale, touristique, thermale)* temporada: **faire une ~ à la montagne** pasar una temporada en la montaña; **tarif hors ~** tarifa de fuera de temporada; **basse, haute ~** temporada baja, alta.

**saisonnier, ère** *a* **1.** de la estación **2.** *(temporaire)* de la temporada. ◇ *m (ouvrier)* temporero.

**sait → savoir.**

**saké** *m (boisson japonaise)* sake.

**salace** *a* salaz.

**salacité** *f* salacidad.

[1]**salade** *f* **1.** ensalada: **~ de laitue** ensalada de lechuga; **~ de tomates** ensalada de tomates; **~ composée** ensalada mixta ◊ **~ russe** ensaladilla rusa **2. ~ de fruits** ensalada de frutas **3.** *FAM (mélange confus)* mezcolanza, lío *m*, follón *m* **4. panier à ~ → panier.** ◇ *pl POP* **assez de salades!** ¡basta de cuentos!

[2]**salade** *f (casque)* celada.

**saladier** *m* ensaladera *f.*

**salage** *m* saladura *f.*

**salaire** *m* sueldo, salario: **un bon ~** un buen sueldo; **~ de base** sueldo base, salario base; **~ de famine** salario de hambre, de miseria.

**salaison** *f* salazón. ◇ *pl* salazones.

**salamalecs** *m pl FAM* zalamerías *f*, zalemas *f.*

**salamandre** *f* salamandra.

**Salamanque** *np* Salamanca.

**salami** *m* especie de salchichón.

**salant** *a* **marais ~** salina *f.*

**salarial, e** *a* salarial: **masse salariale** masa salarial; **revendications salariales** reivindicaciones salariales.

**salariat** *m* salariado.

**salarié, e** *a/s* asalariado, a.

**salaud** [salo] *m POP* cabrón, canalla.

**sale** *a* **1.** sucio, a: **avoir les cheveux sales** tener el pelo sucio; **eau ~** agua sucia ◊ **argent ~** dinero sucio **2.** feo, a, malo, a: **une ~ affaire** un asunto feo; **un ~ coup** una mala jugada **3. une ~ maladie** una enfermedad grave; **un ~ boulot** un trabajo difícil, desagradable **4. ~ gosse!** ¡dichoso niño!, ¡maldito niño!; **quel ~ temps!** ¡qué tiempo de perros!; **un ~ type** un tipo despreciable.

**salé, e** *a* **1.** salado, a **2.** *FIG (licencieux)* picante, libre **3.** *FAM* excesivo, a, disparatado, a: **la note est salée** la cuenta es disparatada. ◇ *m* **petit ~** tocino salado.

**salement** *adv* **1.** suciamente **2.** *POP (très)* muy.

**saler** *vt* **1.** salar **2.** *FAM* castigar duramente **3.** *FAM* **~ la note** cargar la mano en la cuenta.

**saleron** *m* pequeño salero.

**salésien, enne** *a/s* salesiano, a.

**saleté** *f* **1.** suciedad: **d'une ~ repoussante** de una suciedad repugnante **2.** *FIG* **faire une ~ à quelqu'un** hacerle una mala jugada a alguien **3.** *FAM (chose sans valeur)* porquería.

**salicylique** *a* salicílico, a.

**salière** *f* salero *m.*

**salières** *f pl* hoyuelos *m* de la clavícula.

**saligaud** *m POP* sinvergüenza, canalla.

**salin, e** *a* salino, a.

**saline** *f* salina.

**salinité** *f* salinidad.

**salique** *a* sálico, a: **loi ~** ley sálica.

**salir** *vt* **1.** ensuciar, manchar **2.** *FIG* **~ la réputation de quelqu'un** manchar la fama de alguien. ◆ **se ~** *vpr* ensuciarse, mancharse: **il s'est sali en tombant** se ha manchado al caerse.

**salissant, e** *a* **1.** sucio, a **2. couleur salissante** color que se ensucia fácilmente, poco sufrido.

**salissure** *f* suciedad.

**salivaire** *a* salival.

**salivation** *f* salivación.

**salive** *f* saliva ◊ **jet de ~** salivazo; *FIG* **avaler sa ~** tragar saliva; **dépenser sa ~** hablar por los codos; **perdre sa ~** gastar saliva en balde.

**saliver** *vi* salivar.

**salle** *f* **1.** sala: **~ de conférences** sala de conferencias ◊ **~ à manger** comedor *m*; **~ de bains** cuarto *m* de baño; **~ d'eau** aseo *m*; **~ de séjour** cuarto *m* de estar; **~ d'armes** sala de esgrima; **~ de classe** aula; **~ d'attente** sala de espera; **~ d'opérations** quirófano *m*; **~ des pas perdus** antesala; **~ des fêtes** sala de fiestas, salón *m* de actos; *FAM* **les salles obscures** los cines **2.** público *m*, sala: **la ~ a applaudi** el público ha aplaudido ◊ **faire ~ comble** tener un lleno, registrar un lleno total.

**salmigondis** *m* mezcolanza *f*, revoltijo.

**salmis** *m CULIN* caza en salmorejo.

**salmonelle** *f BIOL* salmonela.

**salmonellose** *f MÉD* salmonelosis.

**saloir** *m* saladero.

**Salomé** *np f* Salomé.

**Salomon** *np m* Salomón ◊ **jugement de ~** juicio salomónico.

**salon** *m* **1** *(pièce, meubles)* salón **2. ~ de coiffure** peluquería *f*; **~ de thé** salón de té **3.** exposición *f*, salón: **le Salon nautique** el Salón Náutico.

**salonnard, e** *s FAM* persona que frecuenta los salones.

**Salonique** *np* Salónica.

**salopard** *m POP* puerco, sinvergüenza, cabrón.

**salope** *f POP* puerca, sinvergüenza.

**saloper** *vt POP* chapucear.

**saloperie** *f POP* **1.** *(saleté)* porquería **2.** *(action)* cerdada, guarrada, putada.

**salopette** *f* **1.** *(de travail)* mono *m* **2.** pantalón *m* con peto, peto *m.*

**salpêtre** *m* salitre.

**salpêtré, e** *a* cubierto, a de salitre.

**salpicon** *m* CULIN salpicón.

**salpingite** *f* MÉD salpingitis.

**salsa** *f (danse)* salsa.

**salsepareille** *f* zarzaparrilla.

**salsifis** *m* salsifí.

**saltimbanque** *m* saltimbanqui.

**salubre** *a* salubre.

**salubrité** *f* salubridad.

**saluer** *vt* **1.** saludar: **~ de la main** saludar con la mano ◊ **je vous salue Marie...** Dios te salve María... **2.** aclamar. ◆ **se ~** *vpr* saludarse.

**salut** *m* **1.** *(fait d'être sauvé)* salvación *f* **2.** RELIG **pour le ~ de son âme** por la salvación de su alma; **hors de l'Église point de ~** fuera de la Iglesia no hay salvación; **l'Armée du ~** el Ejército de Salvación **3.** *(geste)* saludo: **~ militaire** saludo militar. ◇ *interj* FAM ¡hola!

**salutaire** *a* saludable.

**salutation** *f* salutación, saludo *m*. ◇ *pl* **sincères salutations** saludos *m* cordiales; **salutations distinguées** muy atentamente.

**salve** *f* **1.** MIL salva **2.** salva: **~ d'applaudissements** salva de aplausos.

**samaritain, e** *a/s* samaritano, a: **le bon Samaritain** el buen samaritano.

**samba** *f (danse)* samba *m*.

**samedi** *m* sábado: **~ prochain** el sábado próximo; **~ saint** sábado de Gloria.

**samouraï** *m* samurai.

**samovar** *m* samovar.

**sampan** *m* sampán.

**Samson** *np m* Sansón.

**SAMU** *m* (Service d'Aide Médicale d'Urgence) servicio de urgencias médicas.

**sana** *m* FAM sanatorio.

**sanatorium** [sanatɔʀjɔm] *m* sanatorio.

**sanctifiant, e** *a* santificante.

**sanctification** *f* santificación.

**sanctifier*** *vt* santificar: **«que ton nom soit sanctifié»** «santificado sea el tu nombre».

**sanction** *f* **1.** sanción **2. prendre des sanctions contre** tomar medidas contra, sancionar a.

**sanctionner** *vt* sancionar.

**sanctuaire** *m* santuario.

**sanctus** *m* RELIG sanctus.

**sandale** *f* sandalia.

**sandalette** *f* sandalia.

**sandow** [sɑ̃do] *m (nom déposé)* **1.** cable elástico **2.** extensor.

**sandre** *m* lucioperca *f*.

**sandwich** [sɑ̃dwitʃ] *m* bocadillo, emparedado: **~ au jambon, au fromage** bocadillo de jamón, de queso ◊ **homme-~** hombre anuncio; **être pris en ~ entre...** estar (apretado) entre...

▶ *Emparedado,* de même que l'anglicisme *sandwich,* désigne plutôt un sandwich au pain de mie. *Bocata* est un synonyme familier de *bocadillo.*

**sang** [sɑ̃] *m* **1.** sangre *f*: **animaux à ~ chaud, froid** animales de sangre caliente, fría ◊ **coup de ~** hemorragia *f* cerebral; **le visage en ~** la cara ensangrentada; **perdre tout son ~, pisser le ~** desangrarse; **à feu et à ~** a sangre y fuego; **les liens du ~** los lazos de parentesco; **~ bleu** sangre azul **2.** FIG **avoir du ~ sur les mains** tener las manos manchadas de sangre; **n'avoir pas de ~ dans les veines** no tener sangre en las venas, ser blandengue; **avoir le ~ chaud** ser ardiente; **mon ~ n'a fait qu'un tour** se me heló la sangre en las venas; **se faire du mauvais ~, se faire un ~ d'encre, se ronger les sangs** preocuparse mucho, darse malos ratos, estar muy inquieto; **se payer une pinte de bon ~** darse buena vida; **faire tourner les sangs à quelqu'un** calentar la sangre a alguien; **verser, faire couler le ~** matar **3.** FAM **avoir du ~ de navet** tener sangre de horchata. ◇ *interj* FAM **bon ~ (de bon ~)!** ¡caramba!

**sang-froid** [sɑ̃fʀwa] *m* sangre *f* fría: **de ~** a sangre fría; **garder son ~** conservar la sangre fría.

**sanglant, e** *a* sangriento, a.

**sangle** *f* **1.** cincha **2. lit de ~** catre.

**sangler** *vt* **1.** *(un cheval)* cinchar **2.** *(la taille)* ceñir, apretar.

**sanglier** *m* jabalí.

**sanglot** *m* sollozo: **éclater en sanglots** romper, prorrumpir en sollozos; **avoir des sanglots dans la voix** tener la voz entrecortada por los sollozos.

**sangloter** *vi* sollozar.

**sang-mêlé** [sɑ̃mele] *s inv* mestizo, a.

**sangsue** [sɑ̃sy] *f* sanguijuela.

**sanguin, e** *a* **1.** sanguíneo, a: **groupe ~** grupo sanguíneo **2.** *(tempérament)* sanguíneo, a.

**sanguinaire** *a* sanguinario, a.

**sanguine** *f (crayon, orange)* sanguina.

**sanguinolent, e** *a* sanguinolento, a.

**sanhédrin** *m* sanedrín.

**sanie** *f* MÉD sanie, sanies.

**sanisette** *f (nom déposé)* retrete *m* (en la calle).

**sanitaire** *a* sanitario, a. ◇ *m (installations)* instalaciones *f* sanitarias, aparatos sanitarios ◊ **les sanitaires** el aseo.

**sans** [sɑ̃] *prép* sin: **aimable, ~ plus** amable, sin más; **~ que** sin que; **~ quoi, ~ ça** si no; **tu n'es pas ~ savoir que...** sabes muy bien que..., no ignoras que...; **non ~ difficulté** con mucha dificultad.

**sans-abri** *s inv* sin techo, damnificado, a, transeúnte: **loger les sans-abri** dar alojamiento a los sin techo.

**sans-cœur** *a/s inv* desalmado, a.

**sanscrit, e** *a/m* sánscrito, a.

**sans-culotte** *m* revolucionario francés de 1792.

**sans-emploi** [sɑ̃zɑ̃plwa] *s inv* parado, a.

**sans-filiste** *s* radioaficionado, a.

**sans-gêne** *a/s inv (personne)* descarado, a, fresco, a. ◇ *m inv (défaut)* desparpajo, frescura *f*.

**sans-grade** *a/s* subalterno, a.

**sanskrit → sanscrit.**

**sans-le-sou** *s inv* FAM pobretón, ona, pelado, a.

**sans-logis → sans-abri.**

**sansonnet** *m* estornino.

**sans-papiers** *s inv* indocumentado, a.

**sans-patrie** *s inv* apátrida.

**sans-souci** *a inv* despreocupado, a, indiferente.

**sans-travail** *s inv* parado, a.

**santal** *m (arbre)* sándalo.

**santé** *f* **1.** salud: **avoir une bonne ~** tener buena salud; **une ~ de fer** una salud de hierro; **Marie est en parfaite ~** María está bien de salud; **être en mauvaise ~** no andar bien de salud; FAM **avoir une petite ~** tener poca salud ◊ **à votre ~!** ¡a su salud!; **boire à la ~ de quelqu'un** brindar por, beber a la salud de alguien; **à la ~ de Bernard!** ¡por Bernardo! **2.** sanidad: **service**

**de ~** servicio de sanidad; **ministère de la Santé** ministerio de Sanidad; **le service de ~** sanidad militar **3. maison de ~** casa de reposo.

**santon** *m* figurita *f* de nacimiento.

**Saône** [son] *np f* Saona *m.*

**saoul, saouler → soûl, soûler.**

**sapajou, sajou** *m* **1.** sajú, mono capuchino **2.** *FIG* mico.

**sape** *f* **1.** *(tranchée)* zapa **2.** *FIG* **travail de ~** trabajo de zapa.

**saper** *vt* **1.** socavar **2.** *FIG* **~ l'autorité** socavar la autoridad. ◆ **se ~** *vpr FAM* vestirse ◊ **être bien sapé** ir bien maqueado, ir bien trajeado.

**saperlipopette!** *interj FAM* ¡caracoles!

**sapeur** *m* **1.** zapador **2. sapeur-pompier** bombero **3. fumer comme un ~** fumar como un carretero.

**saphique** *a* sáfico, a.

**saphir** *m* zafiro.

**Sapho** *np f* Safo.

**sapide** *a* sápido, a.

**sapidité** *f* sapidez.

**sapin** *m* **1.** abeto: **~ de Noël** abeto navideño **2.** *(bois)* pino **3.** *FAM* **sentir le ~** oler a difunto.

**sapinière** *f* abetal *m*, abetar *m.*

**saponacé, e** *a* saponáceo, a.

**saponaire** *f* saponaria.

**saponification** *f* saponificación.

**saponifier*** *vt* saponificar.

**sapote, sapotille** *f* zapote *m.*

**sapotier, sapotillier** *m* zapote.

**sapristi!** *interj* ¡caramba!, ¡mecachis!

**saprophage** *a/m ZOOL* saprófago, a.

**saprophyte** *a/m BOT* saprofito, a.

**saquer → sacquer.**

**sarabande** *f* **1.** *(danse)* zarabanda **2.** *(tumulte)* jaleo *m*, zarabanda ◊ **faire la ~** armar jaleo, alborotar.

**Saragosse** *np* Zaragoza.

**Sarah** *np f* Sara.

**sarbacane** *f* cerbatana.

**sarcasme** *m* sarcasmo.

**sarcastique** *a* sarcástico, a.

**sarcelle** *f* cerceta.

**sarclage** *m* escarda *f.*

**sarcler** *vt* escardar, sachar.

**sarclette** *f* sacho *m.*

**sarcloir** *m* escardillo, azadilla *f.*

**sarcome** *m MÉD* sarcoma.

**sarcophage** *m* sarcófago.

**Sardaigne** *np f* Cerdeña.

**Sardanapale** *np m* Sardanápalo.

**sardane** *f (danse catalane)* sardana.

**sarde** *a/s* sardo, a.

**sardine** *f* sardina: **sardines à l'huile** sardinas en aceite ◊ *FIG* **être serrés comme des sardines** estar como sardinas.

**sardinier, ère** *a/s* sardinero, a. ◇ *m (bateau)* barco sardinero.

**sardoine** *f* sardónice.

**sardonique** *a* sardónico, a: **rire ~** risa sardónica.

**sargasse** *f* sargazo *m* ◊ **la mer des Sargasses** el mar de los Sargazos.

**sari** *m* sari.

**sarigue** *f* zarigüeya.

**sarment** *m* sarmiento.

**sarmenteux, euse** *a* sarmentoso, a.

**sarrasin, e** *a/s* sarraceno, a. ◇ *m (plante)* alforjón, trigo sarraceno.

**sarrau** *m* blusa *f*, blusón.

**Sarre (la)** *np f* el Sarre.

**sarriette** *f* ajedrea.

**sas** [sa] *m* **1.** *(crible)* cedazo, tamiz **2.** *(d'une écluse)* canal de esclusa, esclusa *f* **3.** *(compartiment étanche)* compartimiento estanco.

**sassafras** [sasafra] *m* sasafras.

**sassanide** *a/s HIST* sasánida.

**sasser** *vt* **1.** cerner, tamizar **2.** hacer pasar por la esclusa.

**Satan** *np m* Satán, Satanás.

**satané, e** *a FAM* **1.** endemoniado, a, endiablado, a **2.** maldito, a: **~ temps!** ¡maldito tiempo!

**satanique** *a* satánico, a.

**satanisme** *m* satanismo.

**satelliser** *vt* **1.** poner en órbita **2.** *FIG* convertir en Estado satélite.

**satellite** *a/m* satélite: **~ artificiel** satélite artificial; **~ météorologique** satélite meteorológico; **par ~** por satélite, por vía satélite; **pays ~** país satélite.

**satiété** [sasjete] *f* saciedad: **à ~** hasta la saciedad.

**satin** *m* raso, satén.

**satiné, e** *a* **1.** satinado, a **2.** *FIG (peau)* terso, a, suave.

**satiner** *vt* satinar.

**satinette** *m* rasete *m.*

**satire** *f* sátira ◊ **faire la ~ de** satirizar.

**satirique** *a* satírico, a.

**satiriser** *vt* satirizar.

**satisfaction** *f* satisfacción: **la ~ du devoir accompli** la satisfacción del deber cumplido.

**satisfaire*** *vt* satisfacer: **ce travail ne me satisfait pas** este trabajo no me satisface; **~ la curiosité** satisfacer, saciar la curiosidad. ◇ *vi (accomplir)* **~ à,** cumplir con: **~ à ses devoirs** cumplir con su deber, *(répondre à)* atender a. ◆ **se ~** *vpr* **se ~ de peu** contentarse con poco, satisfacerse con poco.

**satisfaisant, e** *a* satisfactorio, a.

**satisfait, e** *a* satisfecho, a: **je m'estime ~** me doy por satisfecho: **~ de son sort** satisfecho por su suerte.

**satisfecit** [satisfecit] *m inv* certificado de satisfacción.

**satrape** *m* sátrapa.

**saturateur** *m* humidificador.

**saturation** *f* saturación.

**saturer** *vt* saturar: **le marché est saturé** el mercado está saturado.

**saturnales** *f pl* saturnales.

**Saturne** *np m* Saturno.

**Saturnin** *np m* Saturnino.

**saturnisme** *m* saturnismo.

**satyre** *m* sátiro.

**satyrique** *a* de los sátiros.

**sauce** [sos] *f* salsa: **~ blanche** salsa blanca; **~ tomate** salsa de tomate; **~ mayonnaise, vinaigrette** salsa mahonesa, vinagreta; **viande en ~** carne en salsa ◊ *FIG* **mettre quelqu'un à toutes les sauces** utilizar a alguien para todo.

**saucée** *f FAM (averse)* chaparrón *m,* remojón *m.*

**saucer*** *vt* **1.** mojar en la salsa **2.** *(ce qui reste dans l'assiette)* rebañar **3.** *FAM* **je me suis fait ~** me he calado.

**saucière** *f* salsera.

**saucisse** *f* **1.** salchicha, longaniza: **~ de Francfort** salchicha de Frankfurt **2.** *FAM* **il n'attache pas son chien avec des saucisses** es un roñoso, un tacaño **3.** *ANC (ballon)* salchicha.

**saucisson** *m* salchichón.

**saucissonner** *vi FAM* tomar un bocado. ◇ *vt FAM (découper)* trocear.

**¹sauf, sauve** *a* salvo, a, ileso, a ◊ **sain et ~** sano y salvo; **l'honneur est ~** el honor está a salvo; **laisser la vie sauve** perdonar la vida.

**²sauf** *prép* **1.** salvo, menos, excepto: **tous ~ lui** todos salvo él; **tout le monde le savait ~ lui** todo el mundo lo sabía menos él; **~ erreur ou omission** salvo error u omisión; **~ avis contraire** salvo aviso en contrario; **je viendrai, ~ s'il pleut** vendré, si es que no llueve **2. ~ à** a reserva de; **~ que** salvo que. **3. ~ le respect que je vous dois** con perdón de usted.

**sauf-conduit** *m* salvoconducto.

**sauge** *f* salvia.

**saugrenu, e** *a* **1.** descabellado, a, absurdo, a **2.** ridículo, a.

**Saül** *np m* Saúl.

**saulaie** *f* salceda, salcedal *m.*

**saule** *m* sauce: **~ pleureur** sauce llorón.

**saumâtre** *a* **1.** salobre **2.** *FAM* desagradable, molesto, a ◊ **je la trouve ~** me hace muy poca gracia.

**saumon** *m* salmón: **~ fumé** salmón ahumado. ◇ *a inv* color salmón, asalmonado, a.

**saumoné, e** *a* salmonado, a, asalmonado, a: **truite saumonée** trucha salmonada.

**saumoneau** *m* salmoncillo.

**saumure** *f* salmuera.

**sauna** *m* sauna *f.*

**saunier** *m* **1.** salinero **2.** *ANC* **faux ~** contrabandista de sal.

**saupiquet** *m* salsa *f* picante.

**saupoudrage** *m* espolvoreamiento.

**saupoudrer** *vt* **1.** espolvorear: **~ de sucre** espolvorear con azúcar **2.** *FIG* salpicar.

**saur** *a m* ahumado, a: **hareng ~** arenque ahumado.

**saurage** → **saurissage.**

**saurai,** etc. → **savoir.**

**saurer** *vt* ahumar.

**sauriens** *m pl ZOOL* saurios.

**saurissage** *m* ahumado.

**saut** [so] *m* **1.** salto: **faire un ~** dar un salto; **~ en hauteur, en longueur, périlleux** salto de altura, de longitud, mortal; **~ à la perche** salto con pértiga; **~ de l'ange** salto del ángel ◊ **~ à l'élastique** puenting; **au ~ du lit** al levantarse; *FAM* **faire le grand ~** estirar la pata **2. je fais un ~ jusqu'à la banque** voy en un santiamén al banco **3.** *FIG* cambio brusco, salto.

**saut-de-lit** *m* salto de cama, bata *f.*

**saut-de-mouton** *m* paso superior.

**saute** *f* **1. ~ de vent** contraste *m* de viento **2. une ~ d'humeur** un cambio *m* brusco de humor.

**sauté, e** *a* salteado, a: **pommes de terre sautées** patatas salteadas. ◇ *m CULIN* salteado.

**saute-mouton** *m inv* saltacabrillas, pídola *f*: **jouer à ~** jugar al saltacabrillas.

**sauter** *vi* **1.** saltar: **~ à la perche, à la corde** saltar con pértiga, a la comba **2. ~ par la fenêtre** tirarse por la ventana ◊ **~ au cou de quelqu'un** echarse en brazos de alguien; **ça saute aux yeux** eso salta a la vista **3.** pasar, saltar: **~ d'un sujet à un autre** pasar de un tema a otro **4.** *(avec un explosif)* **faire ~** volar, hacer saltar por los aires ◊ **se faire ~ la cervelle** levantarse la tapa de los sesos; *FAM* **le directeur risque de ~** el director arriesga su empleo; **et que ça saute!** ¡y volando! **5. les plombs ont sauté** se han fundido los plomos **6.** *CULIN* **faire ~** saltear. ◇ *vt* **1.** saltar, salvar **2. ~ le pas** liarse la manta a la cabeza, dar el salto **3.** saltarse: **tu as sauté une page** te has saltado una página **4.** *FAM* **la ~** *(avoir faim)* morirse de hambre.

**sauterelle** [sotʀɛl] *f* **1.** saltamontes *m* **2.** *(criquet)* langosta **3.** *FIG (femme maigre)* fideo *m,* espingarda.

**sauterie** *f* guateque *m.*

**sauteur, euse** *s* **1.** saltador, a: **~ en hauteur, à la perche** saltador de altura, con pértiga **2.** *FIG FAM (personne changeante)* veleta.

**sauteuse** *f (casserole)* sartén, cacerola.

**sautillant, e** *a* brincador, a.

**sautillement** *m* saltito.

**sautiller** *vi* andar a saltitos, brincar: **s'en aller en sautillant** irse brincando.

**sautoir** *m* **1.** *(endroit pour sauter)* saltadero **2.** *(collier)* collar muy largo ◊ **en ~** sobre el pecho.

**sauvage** *a* **1.** *(animal, lieu)* salvaje ◊ **oie ~** ganso salvaje, ánsar; **chat ~** gato montés **2.** *(plante, etc.)* silvestre: **rosier ~** rosal silvestre **3. grève ~** huelga salvaje; **concurrence ~** competencia salvaje **4.** *FIG (insociable)* huraño, a, arisco, a. ◇ *s* salvaje.

**sauvagement** *adv* bárbaramente, con salvajismo.

**sauvageon, onne** *s (enfant)* salvaje. ◇ *m* arbolillo silvestre, arbolillo borde.

**sauvagerie** *f* **1.** salvajismo *m* **2.** *FIG* insociabilidad **3.** *(cruauté)* crueldad.

**sauvagine** *f* salvajina.

**sauve** → **sauf.**

**sauvegarde** *f* salvaguardia.

**sauvegarder** *vt* salvaguardar.

**sauve-qui-peut!** *interj* ¡sálvese quien pueda! ◇ *m* desbandada *f.*

**sauver** *vt* **1.** salvar, librar: **tu m'as sauvé la vie** me has salvado la vida; **~ sa peau** salvar el pellejo **2.** salvar, rescatar: **Moïse sauvé des eaux** Moises salvado de las aguas **3.** *RELIG* salvar. ◆ **se ~** *vpr* **1.** *(s'échapper)* escaparse, largarse **2.** *FAM (s'en aller)* irse: **sauve-toi!** ¡vete! **3.** *(lait)* subirse.

**sauvetage** *m* rescate, salvamento: **le ~ des naufragés** el rescate de los náufragos; **opération de ~** labor, operación de rescate ◊ **canot de ~** bote salvavidas; **gilet de ~** chaleco salvavidas; **bouée de ~** salvavidas.

**sauveteur** *m* salvador.

**sauvette (à la)** *loc adv* **1.** *(vendre)* ilícitamente **2.** *(vite)* de prisa y corriendo, a toda prisa.

**sauveur** *m* salvador ◊ **le Sauveur** el Salvador.

**savamment** *adv* **1.** sabiamente, doctamente **2.** *(habilement)* hábilmente.

**savane** *f* sabana.

**savant, e** *a* **1.** sabio, a, docto, a **2.** culto, a: **un mot ~** una palabra culta; **musique savante** música culta; **sociétés savantes** sociedades cultas **3. chien ~** perro sabio, perro amaestrado. ◇ *s* sabio, a, científico, a.

**savarin** *m* especie de bizcocho borracho.

**savate** *f* **1.** chancleta ◊ *FAM* **traîner la ~** estar a la cuarta pregunta **2.** *FAM (personne)* torpe *m* **3.** boxeo *m* francés.

**savetier** *m ANC* remendón, zapatero.

**saveur** *f* sabor *m:* **une ~ amère** un sabor amargo.

**Savoie** *np f* Saboya.

[1]**savoir*** *vt* **1.** saber: **je ne sais pas** no sé; **qui sait?** ¿quién sabe?; **que sais-je?** ¿qué sé yo?; **si tu savais...** si tú supieras...; **~ par cœur** saber de memoria; **je n'ai jamais su s'il était français ou belge** nunca supe si era francés o belga; **il ne l'a jamais su** nunca lo supo; **comme chacun sait** como todos saben; **peut-on ~?** ¿se puede saber?; **il veut tout ~** quiere saberlo todo; **et toi, qu'est-ce que tu en sais?** ¿y tú qué sabes?; **allez ~!** ¡vaya uno a saber!; **si j'avais su!** ¡si (lo) hubiera sabido!, ¡de haberlo sabido!; **que je sache** que yo sepa ◊ **à ~** a saber; **vous n'êtes pas sans ~ que...** usted no ignora que...; **faire ~** comunicar, hacer saber **2.** *(au conditionnel)* poder: **je ne saurais l'affirmer** no podría afirmarlo **3. un je ne sais quoi de...** un yo no sé qué de..., un algo de... ◆ **se ~** *vpr* **il se sait gravement malade** sabe que está gravemente enfermo.

[2]**savoir** *m* saber.

**savoir-faire** *m inv* buen hacer, saber hacer, pericia *f*, experiencia *f*.

▶ L'espagnol emploie aussi le gallicisme «savoir-faire» ou l'anglicisme «know-how».

**savoir-vivre** *m inv* mundología *f*.

**savon** *m* **1.** jabón: **~ de toilette** jabón de tocador; **savon à barbe** jabón de afeitar **2.** *FAM* **passer un ~ à quelqu'un** echar un rapapolvo a alguien.

**savonnage** *f* jabonadura *f*.

**savonner** *vt* **1.** enjabonar, jabonar **2.** *FAM* **~ la tête de quelqu'un** echar una bronca a alguien. ◆ **se ~** *vpr* **savonne-toi bien** enjabónate bien.

**savonnerie** *f* jabonería.

**savonnette** *f* pastilla de jabón, jabón *m* de tocador.

**savonneux, euse** *a* jabonoso, a.

**savourer** *vt* saborear.

**savoureux, euse** *a* sabroso, a.

**savoyard, e** *a/s* saboyano, a.

**Saxe** *np f* Sajonia: **porcelaine de ~** porcelana de Sajonia.

**saxhorn** *m* bombardino.

**saxifrage** *f* saxifraga.

**saxo** *m FAM* saxo.

**saxon, onne** *a/s* sajón, ona.

**saxophone** *m* saxofón, saxófono: **jouer du ~** tocar el saxofón.

**saxophoniste** *m* saxofón.

**saynète** [sɛnɛt] *f THÉÂT* sainete *m*.

**sbire** *m* esbirro.

**scabieuse** *f* scabiosa.

**scabreux, euse** *a (dangereux, indécent)* escabroso, a.

**scalaire** *a MATH* escalar.

**scalène** *a GÉOM* escaleno.

**scalpel** *m* escalpelo.

**scalper** *vt* escalpar.

**scandale** *m* escándalo: **faire ~** causar escándalo; **faire du ~** armar escándalo; **au grand ~ de...** con gran escándalo de... ◊ **crier au ~** mostrarse indignado, a, rasgarse las vestiduras.

**scandaleusement** *adv* escandalosamente.

**scandaleux, euse** *a* escandaloso, a.

**scandaliser** *vt* escandalizar. ◆ **se ~** *vpr* escandalizarse.

**scander** *vt* **1.** escandir **2.** *MUS* acompasar.

**scandinave** *a/s* escandinavo, a.

**Scandinavie** *np f* Escandinavia.

[1]**scanner** [skanɛʀ] *m (appareil)* escáner.

[2]**scanner** [skane] *vt* escanear.

**scanneur** → **scanner.**

**scanographie** *f* tomografía.

**scansion** *f* escansión.

**scaphandre** *m* escafandra *f*.

**scaphandrier** *m* buzo.

**scapulaire** *m* escapulario.

**scarabée** *m* escarabajo.

**scarificateur** *m* escarificador.

**scarifier*** *vt* escarificar.

**scarlatine** *f* escarlatina.

**scarole** *f* escarola.

**scatologie** *f* escatología.

**scatologique** *a* escatológico, a.

**sceau** [so] *m* **1.** *(cachet officiel)* sello ◊ **sous le ~ du secret** bajo secreto **2. Garde des Sceaux** Ministro de Justicia.

**sceau-de-Salomon** *m* sello de Salomón.

**scélérat, e** *a/s* malvado, a.

**scélératesse** *f* maldad.

**scellé** [sele] *m* sello, precinto ◊ **mettre les scellés** precintar; **mettre un local sous scellés** precintar un local.

**scellement** *m* empotramiento.

**sceller** [sele] *vt* **1.** *(fermer)* sellar **2.** *(fixer)* empotrar **3.** *FIG* sellar, consolidar: **~ un pacte** sellar un pacto; **~ l'union des deux pays** consolidar la unión de los dos países.

**scénario** [senaʀjo] *m* **1.** argumento **2.** *(cinéma)* guión **3.** *FIG* escenario, plan.

**scénariste** *m* guionista.

**scène** [sɛn] *f* **1.** *THÉÂT* escena, escenario *m:* **entrer en ~** salir a escena; **sur ~** en escena; **sortir de ~** hacer mutis; **mettre en ~** poner en escena; **mise en ~** escenificación, puesta en escena; **entrée en ~** → **entrée 2. une ~ émouvante** una escena conmovedora; **la ~ se passe à Paris** la acción sucede en París **3.** *(dispute)* altercado *m*, riña ◊ **faire une ~** hacer una escena; **~ de ménage** riña conyugal.

▶ *El escenario* désigne la partie du théâtre où jouent les acteurs.

**scénique** *a* escénico, a.

**scénographie** *f* escenografía.

**scénographique** *a* escenográfico, a.

**scepticisme** *m* escepticismo.

**sceptique** [sɛptik] *a/s* escéptico, a.

**sceptre** [sɛptʀ] *m* cetro.

**schah** [ʃa] *m* sha.

**schako** → **shako.**

**scheik** → **cheik.**

**schelem** → **chelem.**

**schéma** [ʃema] *m* esquema.

**schématique** [ʃematik] *a* esquemático, a.

**schématiquement** [ʃematikmɑ̃] *adv* esquemáticamente.

**schématisation** [ʃematizasjɔ̃] *f* esquematización.

**schématiser** [ʃematize] *vt* esquematizar.

**scherzo** *m MUS* scherzo.

**schilling** *m (monnaie de l'Autriche)* schilling.

**schismatique** [ʃismatik] *a/s* cismático, a.

**schisme** [ʃism] *m* cisma.

**schiste** [ʃist] *m* esquisto.

**schisteux, euse** [ʃistø, øz] *a* esquistoso, a, laminar.

**schizoïde** [skizɔid] *a/s* esquizoide.

**schizophrène** [skizɔfʀɛn] *a/s* esquizofrénico, a.

**schizophrénie** [skizɔfʀeni] *f* esquizofrenia.

**schizophrénique** [skizɔfʀenik] *a* esquizofrénico, a.

**schlass** [ʃlas] *a FAM (ivre)* borracho, a, curdo, a.

**schnaps** [ʃnaps] *m* aguardiente.

**schnock, schnoque** [ʃnɔk] *a/s FAM* imbécil, gilí.

**schnouf** [ʃnuf] *f POP* droga.

**schooner** [ʃunœʀ] *m* goleta *f*, escuna *f*.

**schuss** [ʃus] *m (ski)* descenso directo.

**sciage** [sjaʒ] *m* aserradura *f*.

**sciatique** *a* ciático, a: **nerf ~** nervio ciático. ◇ *f MÉD* ciática.

**scie** [si] *f* **1.** sierra: **~ à métaux** sierra de metales; **~ à ruban, circulaire** sierra continua, circular; **~ sauteuse** sierra de vaivén ◊ **en dents de ~** en forma de sierra **2.** *(poisson)* pez *m* sierra **3.** *(chose ennuyeuse)* lata **4.** *(rengaine)* estribillo *m* **5.** *FAM (personne ennuyeuse)* latoso *m*.

**sciemment** [sjamɑ̃] *adv* a sabiendas.

**science** [sjɑ̃s] *f* ciencia: **sciences naturelles** ciencias naturales; **sciences exactes** ciencias exactas; **sciences occultes** ciencias ocultas ◊ **de ~ certaine** a ciencia cierta; **un homme de ~** un científico; *FAM* **avoir la ~ infuse → infus.**

**science-fiction** *f* ciencia ficción.

**scientifique** *a/s* científico, a.

**scientifiquement** *adv* científicamente.

**scientisme** *m* cientificismo.

**scier*** [sje] *vt* **1.** serrar, aserrar **2.** *FAM* **il m'a scié!** ¡me ha dejado de una pieza!; **~ le dos à quelqu'un** darle la lata a alguien **3. canon scié** cañón recortado.

**scierie** [siʀi] *f* aserradero *m*.

**scieur** [sjœʀ] *m* serrador, aserrador.

**scille** [sil] escila, cebolla albarrana.

**scinder** [sɛ̃de] *vt* dividir, escindir. ◆ **se ~** *vpr* dividirse, escindirse.

**scinque** *m* escinco.

**scintigraphie** *f MÉD* escintigrafía, scintigrafía.

**scintillant, e** [sɛ̃tijɑ̃, ɑ̃t] *a* centelleante.

**scintillation** [sɛ̃tijasjɔ̃] *f* centelleo *m*.

**scintiller** [sɛ̃tije] *vi* centellear, destellar.

**scion** [sjɔ̃] *m* **1.** *(pousse)* retoño, renuevo, pimpollo **2.** *(de canne à pêche)* rabiza *f*.

**Scipion** *np m* Escipión.

**scission** [sisjɔ̃] *f* escisión.

**scissionniste** *a/s* separatista.

**scissiparité** [sisipaʀite] *f* escisiparidad.

**sciure** [sjyʀ] *f (de bois)* aserrín *m*, serrín *m*.

**sclérose** [skleʀoz] *f* **1.** *MÉD* esclerosis: **~ en plaques** esclerosis en placas **2.** *FIG* esclerosis.

**scléroser (se)** *vpr* **1.** *MÉD* esclerosarse **2.** *FIG* estancarse.

**sclérotique** *f ANAT* esclerótica.

**scolaire** *a* escolar: **matériel ~** material escolar; **livres scolaires** libros escolares; **année ~ → année.**

**scolarisation** *f* escolarización.

**scolariser** *vt* escolarizar.

**scolarité** *f* escolaridad: **~ obligatoire** escolaridad obligatoria.

**scolastique** *a/m* escolástico, a. ◇ *f (enseignement)* escolástica.

**scoliose** *f MÉD* escoliosis.

**scolopendre** *f* **1** *(mille-pattes)* escolopendra, ciempiés *m* **2.** *(fougère)* lengua de ciervo.

**scoop** [skup] *m* scoop, noticia *f* exclusiva, esclusiva *f*.

**scooter** [skutœʀ] *m* scooter.

**scorbut** [skɔʀbyt] *m* escorbuto.

**scorbutique** *a* escorbútico, a.

**score** *m* **1.** *(dans un match)* tanteo **2.** *(résultat)* resultado.

**scories** *f pl* escorias.

**scorpion** *m* **1.** escorpión, alacrán **2.** *ASTR* Escorpio: **être du ~** ser de Escorpio.

**scotch** *m* **1.** whisky escocés **2.** *(ruban adhésif, nom déposé)* celo.

**scotcher** *vt* pegar con celo.

**scottish** [skɔtiʃ] *f (danse)* chotis *m*.

**scoumoune** *f POP* **avoir la ~** tener mala pata.

**scout** [skut] *a/m* scout, explorador.

**scoutisme** *m* escutismo, escultismo.

**scratcher** *vt (sports)* eliminar.

**scribe** *m* escriba.

**scribouillard, e** *s FAM* chupatintas.

**script** *m (scénario)* guión.

**scripte, script-girl** [skʀiptgœʀl] *f (cinéma)* script-girl, secretaria de rodaje.

**scriptural, e** *a* escrituario, a.

**scrofuleux, euse** *a* escrofuloso, a.

**scrotum** [skʀɔtɔm] *m ANAT* escroto.

**scrupule** *m* escrúpulo: **sans scrupules** sin escrúpulos.

**scrupuleusement** *adv* escrupulosamente.

**scrupuleux, euse** *a* escrupuloso, a.

**scrutateur, trice** *a/s* escrutador, a, escudriñador, a.

**scruter** *vt* **1.** escrutar, escudriñar **2. ~ l'horizon** otear el horizonte.

**scrutin** *m* **1.** votación *f*: **~ secret** votación secreta **2. dépouiller le ~** efectuar el escrutinio **3. tour de ~** votación *f*.

**sculpter** [skylte] *vt* esculpir.

**sculpteur** [skyltœʀ] *m* escultor ◊ **femme ~** escultora.

**sculptural, e** *a* escultural.

**sculpture** *f* **1.** escultura **2. une ~** una escultura, una talla.
▶ *Talla* se dit surtout d'une sculpture en bois.

**scythe** *a/s* escita.

**se, s'** *pron pers* se: **il ~ lève** se levanta; **~ lever** levantarse; **s'asseoir** sentarse; **en ~ levant** levantándose.
▶ Le pronom espagnol *se* est enclitique à l'infinitif, au gérondif et à l'impératif.

**séance** *f* **1.** *(d'une assemblée)* sesión ◊ **tenir ~** celebrar sesión; **ouvrir, lever la ~** abrir, levantar la sesión **2.** *(de travail, de massage, de cinéma, etc.)* sesión **3.** *loc adv* **~ tenante** en el acto, acto seguido.

**séant, e** *a* conveniente. ◇ *m* **se dresser sur son ~** incorporarse.

**seau** *m* **1.** cubo ◊ *FAM* **il pleut à seaux** llueve a cántaros **2. ~ à glace** cubitera *f*.

**sébacé, e** *a* sebáceo, a.

**Sébastien** *np m* Sebastián.

**sébile** *f* platillo *m.*

**séborrhée** *f* seborrea.

**sébum** [sebɔm] *m* sebo.

**sec, sèche** *a* **1.** seco, a: **du bois ~** leña seca; **j'ai la bouche sèche** tengo la boca seca ◊ **d'un œil ~** sin emoción; **tout ~** a secas **2.** *(maigre)* enjuto, a **3.** *(fruit)* seco, a ◊ **raisins secs** pasas *f.* ◇ *m* seco, lo seco: **tenir au ~** guárdese en sitio seco; **la mare est à ~** la charca está seca; **nettoyage à ~** limpieza en seco; *FAM* **je suis à ~** estoy pelado. ◇ *adv* **1. boire ~** ser un gran bebedor; **whisky ~** whisky sin agua **2.** *FAM* **aussi ~** inmediatamente; **en cinq ~** en un dos por tres.

**sécant, e** *a/f GÉOM* secante.

**sécateur** *m* podadera *f.*

**sécession** *f* secesión: **la guerre de Sécession** la guerra de Secesión.

**sécessionniste** *a* secesionista.

**séchage** *m* secado, secamiento.

**¹sèche → sec.**

**²sèche** *f FAM (cigarette)* pitillo *m.*

**sèche-cheveux** *m inv* secador.

**sèchement** *adv* secamente.

**sécher*** *vt* **1.** secar: **~ le linge** secar la ropa; **séchez vos larmes!** ¡séquese las lágrimas! **2.** *FAM* **~ un cours** hacer rabona, hacer novillos. ◇ *vi* **1.** secarse: **le linge sèche au soleil** la ropa se seca al sol **2.** *FAM (un candidat)* estar pez **3.** *FIG* **~ sur pied** consumirse, aburrirse. ◆ **se ~** *vpr* secarse: **se ~ les cheveux** secarse el pelo.

**sécheresse** *f* **1.** *(absence de pluie)* sequía **2.** *(du sol, etc.)* sequedad **3.** *(manque de sensibilité)* sequedad, frialdad.

**séchoir** *m* **1.** *(appareil)* secador **2.** *(lieu)* secadero **3. ~ à linge** tendedero.

**second, e** [səgɔ̃, ɔ̃d] *a* segundo, a. ◇ *m* **1.** segundo **2. habiter au ~** vivir en el segundo piso **3. commandant en ~** segundo comandante **4.** *FIG* **l'éternel ~** el eterno segundón. ◇ *f* **1.** *(vitesse, classe)* segunda **2.** *(division de la minute)* segundo *m:* **je reviens dans une seconde** vuelvo en un segundo; *FAM* **une seconde!** ¡un momento!

**secondaire** *a* secundario, a: **effets secondaires** efectos secundarios; **ère ~** era secundaria ◊ **enseignement ~** enseñanza secundaria.

**seconde → second.**

**seconder** *vt* secundar, ayudar: **secondé par...** secundado por...

**secouement** *m* sacudida *f.*

**secouer** *vt* **1.** sacudir: **~ un tapis** sacudir una alfombra ◊ *FIG* **~ le joug** sacudir el yugo **2. ~ la tête** menear la cabeza **3.** *FIG (ébranler)* trastornar **4.** *FAM (réprimander)* regañar ◊ **~ les puces → puce.** ◆ **se ~** *vpr FAM* espabilarse, animarse: **secoue-toi!** ¡espabílate!

**secourable** *a* caritativo, a, compasivo, a.

**secourir*** *vt* socorrer.

**secourisme** *m* socorrismo.

**secouriste** *s* socorrista.

**secours** *m* **1.** socorro, auxilio: **au ~!** ¡socorro!; **porter ~ à** auxiliar a, prestar auxilio a; **se porter au ~ de** acudir en auxilio de; **les premiers secours** los primeros auxilios **2. roue de ~** rueda de repuesto **3. issue de ~** salida de emergencia; **porte de ~** puerta de emergencia **4. sa présence m'a été d'un grand ~** su presencia me ha ayudado mucho.

**secousse** *f* **1.** sacudida ◊ **~ tellurique** temblor *m* **2.** *FIG* conmoción, choque *m.*

**secret, ète** *a* secreto, a. ◇ *m* **1.** secreto: **garder un ~** guardar un secreto; **être dans le ~** estar en el secreto; **~ d'État** secreto de Estado; **~ de fabrication, professionnel** secreto de fabricación, profesional; **~ de Polichinelle** secreto a voces ◊ **en ~** en secreto; **en grand ~** con mucho misterio **2. mettre au ~** incomunicar; **être mis au ~ dans une prison militaire** estar incomunicado en una prisión militar.

**secrétaire** *s* secretario, a: **une ~ de direction** una secretaria de dirección; **~ d'État** secretario de Estado. ◇ *m (meuble)* escritorio, buró; **~ à abattant** secreter.

**secrétariat** *m* **1.** *(bureau, fonction)* secretaría *f* **2.** *(métier)* secretariado.

**secrètement** *adv* secretamente.

**sécréter*** *vt* segregar, secretar.

**sécréteur, trice** *a* secretor, a, secretorio, a.

**sécrétion** *f* secreción.

**sectaire** *a/s* sectario, a.

**sectarisme** *m* sectarismo.

**sectateur, trice** *s* sectario, a, secuaz.

**secte** *f* secta.

**secteur** *m* **1.** sector: **~ privé, public** sector privado, público **2.** *ÉLECT* red *f:* **brancher sur le ~** conectar a la red **3. il habite dans le ~** vive cerca de aquí.

**section** *f* sección.

**sectionner** *vt* seccionar, cortar.

**sectoriel, elle** *a* sectorial.

**sectorisation** *f* organización en sectores.

**sécu** *f FAM* seguridad social.

**séculaire** *a* secular.

**sécularisation** *f* secularización.

**séculariser** *vt* secularizar.

**séculier, ère** *a* secular, seglar. ◇ *m* seglar.

**secundo** [sɛgɔ̃do] *adv* en segundo lugar.

**sécurisant, e** *a* tranquilizador, a, confortador, a.

**sécurité** *f* seguridad: **~ sociale** seguridad social: **~ routière** seguridad vial; **ceinture de ~** cinturón de seguridad.

**sédatif** *m* sedante.

**sédation** *f* sedación.

**sédentaire** *a/s* sedentario, a.

**sédentarisation** *f* sedentarización.

**sédiment** *m* sedimento.

**sédimentaire** *a* sedimentario, a.

**sédimentation** *f* sedimentación.

**séditieux, euse** *a* sedicioso, a.

**sédition** *f* sedición.

**séducteur, trice** *a/m* seductor, a.

**séduction** *f* seducción.

**séduire*** *vt* **1.** seducir: **~ une femme** seducir a una mujer **2.** *FIG* seducir, encantar: **ton idée me séduit** me seduce tu idea.

**séduisant, e** *a* seductor, a, atractivo, a.

**sédum** [sedɔm] *m* telefio.

**séfarade** *a/s* sefardí.

**segment** *m* segmento.

**segmentation** *f BIOL* segmentación.

**segmenter** *vt* segmentar.

**Ségovie** *np f* Segovia.

**ségrégation** *f* segregación: **~ raciale** segregación racial.

**ségrégationniste** *a/s* segregacionista.

**séguedille** *f* seguidilla.

**seiche** *f* sepia, jibia ◊ **os de ~** jibión.

**séide** *m* secuaz, fanático.

**seigle** *m* centeno: **pain de ~** pan de centeno.

**seigneur** *m* **1.** señor ◊ **vivre en grand ~** vivir a lo grande; **~ et maître** amo y señor **2. Notre-Seigneur** Nuestro Señor **3. Seigneur Dieu!, Seigneur!** ¡Dios mío!

**seigneurial, e** *a* señorial.

**seigneurie** *f* **1.** *(pouvoir, terre)* señorío *m* **2.** *(titre)* **votre, sa ~** su señoría.

**sein** *m* **1.** pecho, seno, mama *f*: **donner le ~** dar el pecho; **les seins libres, à l'air** los pechos sueltos, al aire; **cancer du ~** cáncer de mama **2.** *FIG* seno: **au ~ de** en el seno de, dentro de; **au ~ de la famille** en el seno de la familia.

**seine** *f* *(filet)* jábega.

**Seine** *np f* **la ~** el Sena *m*.

**seing** [sẽ] *m JUR* firma *f*: **blanc-seing** firma en blanco; **~ privé** firma no legalizada.

**séisme** *m* seísmo.

**séismographe → sismographe.**

**seize** *a/m* dieciséis.

**seizième** *a/s* **1.** décimosexto, a **2.** *(fraction)* dieciseisavo, a ◊ **au ~ siècle** en el siglo dieciséis.

**seizièmement** *adv* en décimosexto lugar.

**séjour** *m* **1.** estancia *f*: **pendant notre ~ à Ibiza** durante nuestra estancia en Ibiza **2.** *(temps)* temporada: **faire un long ~ à la campagne** pasar una larga temporada en el campo **3. salle de ~** cuarto *m* de estar **4. carte de ~** permiso *m* de residencia, carné *m* de residente.

**séjourner** *vi* vivir, residir, permanecer.

**sel** *m* **1.** sal *f*: **~ fin** sal fina; **~ de cuisine, gros ~** sal de cocina, sal gorda; **~ gemme** sal gema ◊ *FAM* **mettre son grain de ~** meter (su) cuchara; meter baza, terciar **2.** *(esprit)* sal *f*. ◇ *pl (qui servaient à ranimer)* sales *f*.

**sélect, e** *a FAM* de postín.

**sélectif, ive** *a* selectivo, a.

**sélection** *f* selección: **la ~ naturelle** la selección natural.

**sélectionné, e** *a* seleccionado, a.

**sélectionner** *vt* seleccionar.

**sélectionneur, euse** *s* seleccionador, a.

**sélectivité** *f (radio)* selectividad.

**sélénium** [selenjɔm] *m CHIM* selenio.

**self** *m FAM* self-service, autoservicio.

**self-control** *m* autocontrol, autodominio.

**self-induction** *f ÉLECT* autoinducción.

**self-made-man** *m* self made man.

**self-service** *m* autoservicio, self-service.

**selle** *f* **1.** *(de cavalier)* silla de montar ◊ *FIG* **mettre quelqu'un en ~** dar un empujón a alguien, ayudar a alguien **2.** *(de bicyclette, moto)* sillín *m* **3.** *(viande)* cuarto *m* trasero **4. aller à la ~** hacer de vientre, ir al retrete; **les selles** las heces.

**seller** *vt* ensillar.

**sellerie** *f* **1.** *(atelier, commerce)* guarnicionería **2.** *(selles et harnais)* arreos *m pl*, guarniciones *pl* **3.** *(lieu où on les range)* guadarnés *m*.

**sellette** *f* **1.** *(des accusés)* banquillo *m* ◊ *FIG* **être sur la ~** estar en el banquillo de los acusados; **mettre sur la ~** sentar en el banquillo **2.** *(de maçons)* asiento *m* suspendido.

**sellier** *m* guarnicionero, talabartero.

**selon** *prép* **1.** según **2. ~ moi** a mi modo de ver **3. ~ que** según **4.** *FAM* **c'est ~** depende, según.

**Seltz (eau de)** *f* agua de Seltz.

**semailles** *f pl* siembra *sing*.

**semaine** *f* **1.** semana: **en ~** durante la semana, entre semana; **~ anglaise** semana inglesa; **la ~ sainte** semana santa; **être de ~** estar de semana; **40 heures par ~** 40 horas a la semana, 40 horas semanales **2. il a touché sa ~** ha cobrado la semana **3. à la petite ~** sin previsión, a salto de mata.

**sémantique** *a* semántico, a: **champ ~** campo semántico. ◇ *f* semántica.

**sémaphore** *m* semáforo.

**semblable** *a* **1.** semejante **2. quelque chose de ~** algo parecido. ◇ *m* semejante: **nos semblables** nuestros semejantes.

**semblant** *m* **1.** apariencia *f* **2. faire ~ de** hacer como que, fingir: **il fait ~ de ne pas entendre** hace como que no oye, finge que no oye; **il fait ~ de dormir** hace como que duerme, simula dormir, hace como si durmiera; **ne faire ~ de rien** aparentar indiferencia.

**sembler** *vi* parecer. ◇ *v impers* **il semble que...** parece que...; **ce me semble** a mi parecer; **semble-t-il** al parecer; **quand bon vous semblera** cuando le parezca, cuando le apetezca.

**semelle** *f* **1.** suela: **des semelles de caoutchouc** suelas de goma **2.** (à l'intérieur d'une chaussure) plantilla **3.** *(d'un bas)* soleta **4. ne pas quitter quelqu'un d'une ~** seguir a alguien como su sombra **5. battre la ~** patear de frío.

**semence** *f* **1.** *(graine)* simiente, semilla **2.** *(sperme)* semen *m* **3.** *(clou)* tachuela.

**semer*** *vt* **1.** sembrar **2.** *FIG* **~ la discorde** sembrar la discordia **3.** *FAM (à la course)* **~ quelqu'un** dejar muy atrás, dar esquinazo a alguien.

**semestre** *m* semestre.

**semestriel, elle** *a* semestral.

**semeur, euse** *s* sembrador, a.

**semi-circulaire** *a* semicircular.

**semi-conducteur** *m ÉLECT* semiconductor.

**semi-conserve** *f* semiconserva.

**semi-consonne** *f* semiconsonante.

**sémillant, e** *a* vivaracho, a, vivaz.

**séminaire** *m* **1.** seminario: **grand ~** seminario mayor; **petit ~** seminario menor **2.** *(groupe de travail)* seminario.

**séminal, e** *a* seminal.

**séminariste** *m* seminarista.

**semi-conducteur** *m ÉLECT* semiconductor.

**sémiologie** *f* semiología.

**sémiotique** *f* semiótica.

**semi-remorque** *f* semirremolque *m*.

**semis** *m* **1.** *(action)* siembra *f* **2.** *(terrain)* sembrado.

**sémite** *a/s* semita.

**sémitique** *a* semítico, a.

**semi-voyelle** [səmivwajɛl] *f* semivocal.

**semoir** *m* sembradora *f*.

**semonce** *f* **1.** *(réprimande)* reprensión **2.** *MAR* **coup de ~** disparo de advertencia.

**semoule** *f* sémola.

**sempiternel, elle** *a* sempiterno, a.

**sen** *m (monnaie)* sen

**sénat** *m* senado.

**sénateur** *m* senador.

**sénatorial, e** *a* senatorial.

**sénatus-consulte** *m* senadoconsulto.

**séné** *m* sen.

**sénéchal** *m* senescal.

**séneçon** *m* hierba *f* cana.

**Sénégal** *np m* Senegal.

**sénégalais, e** *a/s* senegalés, esa.

**Sénèque** *np m* Séneca.

**sénescence** *f* senescencia.

**sénevé** *m* mostaza *f* negra.

**sénile** *a* senil.

**sénilité** *f* senilidad: **~ précoce** senilidad prematura.

**senior** *a/s* senior.

**senne** *f (filet)* jábega.

**sens** [sɑ̃s] *m* **1.** sentido: **les cinq ~** los cinco sentidos; **~ commun** sentido común; **le ~ du devoir** el sentido del deber; **le ~ de l'humour** el sentido del humor; **le sixième ~** el sexto sentido; **ça n'a pas de ~** no tiene sentido ◊ **bon ~** buen sentido, sensatez *f*; **en dépit du bon ~ → dépit; tomber sous le ~** caer por su peso; **ça tombe sous le ~** es evidente **2. à mon ~** a mi juicio, a mi entender; **dans un ~, en un ~** en cierto modo **3.** *(d'un mot)* sentido, significado: **au ~ figuré** en sentido figurado; **mot à double ~** palabra con doble sentido; **faux ~** equivoco, error de interpretación **4.** *(direction)* dirección *f*, sentido: **~ unique, interdit** dirección única, prohibida; **à double ~** de doble dirección; **à ~ unique** en sentido único; **en ~ inverse** en sentido opuesto; **dans le ~ des aiguilles d'une montre → aiguille 5. ~ dessus dessous** en desorden; **tout est ~ dessus dessous** todo está pata arriba; **mettre la maison ~ dessus dessous** revolver la casa.

**sensation** *f* **1.** sensación: **faire ~** causar sensación **2. la presse à ~** la prensa sensacionalista.

**sensationnalisme** *m* sensacionalismo.

**sensationnel, elle** *a* sensacional.

**sensé, e** *a* sensato, a.

**senseur** *m* TECHN sensor.

**sensibilisation** *f* sensibilización.

**sensibiliser** *vt* sensibilizar.

**sensibilité** *f* sensibilidad.

**sensible** *a* **1.** sensible: **~ au froid, à des témoignages d'affection** sensible al frío, a muestras de afecto; **plaque ~** placa sensible **2.** *(notable)* apreciable.

**sensiblement** *adv* sensiblemente.

**sensiblerie** *f* sensiblería.

**sensitif, ive** *a/s* sensitivo, a.

**sensitive** *f (plante)* sensitiva.

**sensoriel, elle** *a* sensorial, sensorio, a.

**sensualisme** *m* sensualismo.

**sensualiste** *a* sensualista.

**sensualité** *f* sensualidad.

**sensuel, elle** *a* sensual.

**sente** *f (sentier)* senda, sendero *m*.

**sentence** *f* sentencia.

**sentencieux, euse** *a* sentencioso, a.

**senteur** *f* LITT olor *m*.

**senti, e** *a* sentido, a ◊ **bien ~** bien claro.

**sentier** *m* **1.** sendero, senda *f* ◊ FIG **les sentiers battus** los caminos trillados **2. Sentier lumineux** Sendero luminoso.

**sentiment** *m* **1.** sentimiento **2.** *(opinion)* parecer ◊ **j'ai le ~ que...** me parece que..., tengo el sentimiento de que..., tengo la sensación de que... **3.** *(dans une lettre)* **sentiments dévoués** atentos saludos **4.** FAM **faire du ~** ponerse sentimental, apelar a las emociones.

**sentimental, e** *a* sentimental.

**sentimentalement** *adv* sentimentalmente.

**sentimentalisme** *m* sentimentalismo.

**sentimentalité** *f* sentimentalismo *m*.

**sentine** *f* sentina.

**sentinelle** *f* centinela *m*.

**sentir*** *vt* **1.** sentir: **~ le froid** sentir el frío; **il sentit une douleur** sintió un dolor **2.** apreciar: **~ la beauté de** apreciar la belleza de **3.** *(par l'odorat)* oler: **je ne sens rien** no huelo nada **4.** oler a: **ça sent l'essence, le brûlé** huele a gasolina, a quemado; **tu sens le tabac** hueles a tabaco; **la pièce sentait l'humidité** el cuarto olía a humedad **5.** *(au goût)* saber a **6.** FIG **je sens qu'il va se passer quelque chose** me huelo que va a pasar algo **7. se faire ~** dejarse sentir: **une amélioration se fait déjà ~** una mejoría se deja ya sentir **8.** FAM **je ne peux pas le ~** no lo puedo sufrir. ◇ *vi* oler: **ça sent bon, mauvais** esto huele bien, mal; **cette viande sent** esta carne huele a podrido. ◆ **se ~** *vpr* sentirse, encontrarse: **je me sens fatigué** me siento cansado; **je ne me sens pas bien** no me siento bien, no me encuentro bien; **il se sent humilié** se siente humillado ◊ **ne pas se ~ de joie** no caber en sí de gozo; FAM **ne plus se ~** no llegar a dominarse; **tu ne te sens plus?** ¿te has vuelto loco?

**seoir** [swaʀ] *vi* LITT *(aller)* sentar, ir bien. ◇ *v impers* convenir: **comme il sied** como conviene.

▶ Usado únicamente en la 3a. pers. de los tiempos simples *(sied, siéra, siérait, seyant* o *séant)*.

**Séoul** *np* Seúl.

**sépale** *m* BOT sépalo.

**séparable** *a* separable.

**séparateur, trice** *a/m* separador, a.

**séparation** *f* **1.** separación **2.** JUR **~ de biens** separación de bienes; **~ de corps** separación conyugal.

**séparatisme** *m* separatismo.

**séparatiste** *a/s* separatista.

**séparément** *adv* por separado, separadamente.

**séparer** *vt* separar. ◆ **se ~** *vpr* **1.** separarse **2.** *(époux)* **ils se sont séparés** se han separado.

**sépia** *f* **1.** *(couleur)* sepia **2.** dibujo *m* hecho con sepia.

**sept** [sɛt] *a/s* siete: **le ~ avril** el siete de abril ◊ **Charles ~** Carlos séptimo.

**septante** *a* setenta.

**septembre** *m* septiembre, setiembre: **le 2 ~** el 2 de septiembre.

**septennat** [sɛptena] *m* **1.** septenio **2.** duración *f* del mandato del presidente de la República francesa.

**septentrion** *m* septentrión.

**septentrional, e** *a* septentrional.

**septicémie** *f* septicemia.

**septième** [sɛtjɛm] *a* séptimo, a: **au ~ étage** en el séptimo piso; **le ~ art** el séptimo arte. ◇ *m* séptima *f* parte.

**septièmement** *adv* en séptimo lugar.

**septique** *a* **1.** séptico, a **2. fosse ~** fosa séptica.

**septuagénaire** *a/s* septuagenario, a, setentón, ona.

**septuagésime** *f* RELIG septuagésima.

**septuor** *m* MUS septeto.

**septuple** *a/m* séptuplo, a.

**septupler** *vt* septuplicar.

**sépulcral, e** *a* sepulcral: **un silence ~** un silencio sepulcral.

**sépulcre** *m* sepulcro: **le Saint Sépulcre** el Santo Sepulcro; **sépulcres blanchis** sepulcros blanqueados.

**sépulture** *f* **1.** sepultura **2. messe de ~** misa de difunto.

**séquelle** *f* **1.** secuela: **laisser des séquelles** dejar secuelas **2.** *FIG* secuela, consecuencia.

**séquence** *f* **1.** *(jeux)* escalera **2.** *(de film)* secuencia **3.** *INFORM* secuencia.

**séquentiel, elle** *a* secuencial.

**séquestration** *f* secuestro *m*.

**séquestre** *m* secuestro, embargo ◊ **mettre sous ~** embargar.

**séquestrer** *vt* **1.** *(quelqu'un)* secuestrar, retener: **~ un enfant** secuestrar a un niño **2.** *(des biens)* embargar, secuestrar.

**sequin** *m* cequí.

**séquoia** [sekɔja] *m* secuoya *f*, secoya *f*.

**sera,** etc. → **être.**

**sérac** [seʀak] *m* bloque de hielo.

**sérail** [seʀaj] *m* serrallo: **l'Enlèvement au ~** *(Mozart)* El rapto del serrallo.

**séraphin** *m* serafín.

**séraphique** *a* seráfico, a.

**serbe** *a/s* serbio, a.

**Serbie** *np f* Serbia.

**serbo-croate** *a/m* serbocroata.

**serein, e** *a* sereno, a. ◇ *m (humidité nocturne)* relente, sereno.

**sérénade** *f* serenata.

**sérénité** *f* serenidad.

**séreux, euse** *a* seroso, a.

**serf, serve** [sɛʀf, sɛʀv] *m* siervo, a.

**serfouette** *f* azadilla.

**serge** *f* sarga.

**Serge** *np m* Sergio.

**sergent** *m* sargento ◊ **~ de ville** guardia urbano.

**sériciculteur, trice** *s* sericultor, a.

**sériciculture** *f* sericultura.

**série** [seʀi] *f* serie: **en ~** en serie; **fins de séries** restos de series; **hors ~** fuera de serie; *(sport)* **tête de ~** cabeza de serie ◊ **~ noire** serie de catástrofes.

**sériel, elle** *a* relativo, a a una serie ◊ **musique sérielle** música dodecafónica.

**sérier*** *vt* clasificar por series.

**sérieusement** *adv* en serio, seriamente: **je parle ~** estoy hablando en serio.

**sérieux, euse** *a* **1.** serio, a: **soyons ~** seamos serios **2.** grave: **l'état du blessé est ~** el estado del herido es grave **3. c'est ~** va en serio. ◇ *m* seriedad *f*, formalidad *f*: **un peu de ~ !** ¡un poco de seriedad! ◊ **prendre au ~** tomar en serio; **il prend tout au ~** se lo toma todo en serio; **garder son ~** mantenerse serio, a; **manque de ~** informalidad *f*, falta *f* de formalidad.

**sérigraphie** *f* serigrafía.

**serin** *m* **1.** *(oiseau)* canario **2.** *FAM (niais)* tonto.

**seriner** *vt (répéter)* machacar.

**seringa, seringat** *m* jeringuilla *f*.

**seringue** *f* **1.** *(pour piqûres)* jeringuilla **2.** *(à lavement, etc.)* jeringa.

**serment** *m* juramento: **sous la foi du ~** bajo juramento; **prêter ~** prestar juramento; **prestation de ~** jura; **faire le ~ de** jurar ◊ **~ d'ivrogne** promesa *f* de borracho.

**sermon** *m* sermón: **le Sermon sur la montagne** el Sermón de la montaña.

**sermonner** *vt* sermonear.

**sermonneur, euse** *a/s* sermoneador, a.

**sérodiagnostic** *m MÉD* serodiagnóstico.

**sérologie** *f* serología.

**séronégatif, ive** *a/s* seronegativo, a.

**séropositif, ive** *a/s* seropositivo, a.

**sérosité** *f* serosidad.

**sérothérapie** *f* sueroterapia.

**serpe** *f* hocino *m* ◊ **visage taillé à coups de ~** rostro anguloso.

**serpent** *m* **1.** serpiente *f*: **~ à sonnettes, à lunettes** serpiente de cascabel, de anteojos **2.** *FIG* **réchauffer un ~ dans son sein** criar cuervos **3.** *ÉCON* **~ monétaire** serpiente monetaria **4.** *MUS* serpentón.

**serpentaire** *m (oiseau)* serpentario.

**serpenteau** *m* culebrilla *f*.

**serpenter** *vi* serpentear.

**serpentin** *m* **1.** *(rouleau de papier)* serpentina *f* **2.** *(d'alambic)* serpentín.

**serpentine** *f (pierre)* serpentina.

**serpette** *f* podadera.

**serpillière** *f* bayeta.

**serpolet** *m* serpol.

**serrage** *m* **1.** *(action)* apretadura *f* **2.** *(résultat)* ajuste.

**serran** *m* raño.

**serre** *f (pour plantes)* invernadero ◊ **l'effet de ~** el efecto invernadero. ◇ *pl (d'oiseau)* garras.

**serré, e** *a* **1.** *(vêtement)* ceñido, a, ajustado, a: **robe serrée à la taille** vestido ceñido en la cintura; **jupe serrée aux fesses** falda muy ajustada a las nalgas **2. nœud bien ~** nudo muy apretado; *FIG* **avoir le cœur ~** tener el corazón oprimido, en un puño **3. un café bien ~** un café cargado **4.** *FAM* **être serrés comme des sardines** estar apretujados como sardinas. ◇ *adv FIG* **jouer ~** andar con ojo.

**serre-frein(s)** *m* guardafrenos.

**serre-joint(s)** *m* cárcel *f*.

**serre-livres** *m inv* sujetalibros.

**serrement** *m* apretón: **~ de main** apretón de manos ◊ **~ de cœur** congoja *f*.

**serrer** *vt* **1.** apretar: **~ un écrou** apretar una tuerca; **les dents serrées** con los dientes apretados; **~ un enfant contre sa poitrine** apretar a un niño contra su pecho **2. ~ la main** estrechar la mano; **~ les rangs** estrechar las filas **3. ~ le frein à main** echar el freno de mano **4.** apretar, oprimir: **ces chaussures me serrent** estos zapatos me aprietan **5.** *FIG* **~ quelqu'un de près** acosar a alguien, pisarle los talones a alguien. ◇ *vi* ceñirse, pegarse: **serrez à droite** cíñase a la derecha; **~ le bord du trottoir** ceñirse al bordillo de la acera. ◆ **se ~** *vpr* **1.** estrecharse, juntarse ◊ **se ~ contre quelqu'un** apretarse contra alguien **2. serrez-vous!** ¡apriétense! **3. à ce spectacle, le cœur se serre** ante este espectáculo se oprime el corazón **4. se ~ la ceinture** apretarse el cinturón.

**serre-tête** *m inv* **1.** *(bandeau)* cinta *f* para el pelo **2.** *(de motocycliste)* casco, *(de skieur)* gorro.

**serrure** *f* cerradura: **le trou de la ~** el ojo de la cerradura.

**serrurerie** *f* cerrajería.

**serrurier** *m* cerrajero.

**sers, sert** → **servir.**

**sertir** *vt* **1.** *(une pierre précieuse)* engastar **2.** *(deux pièces métalliques)* encajar.

**sertissage** *m* engastadura *f*, engaste.

**sertisseur, euse** *s* engastador, a.

**sertissure** *f* engaste *m*.

**sérum** [serɔm] *m* **1.** suero: **~ sanguin** suero sanguíneo **2. ~ de vérité** suero de la verdad.

**servage** *m* servidumbre *f*.

**serval** *m* gato cerval.

**servant** *m* **1.** *(d'une arme)* servidor **2. chevalier ~** galán **3.** ayudante del sacerdote en la misa.

**servante** *f (domestique)* sirvienta, criada.

**serve** → **serf, servir.**

**serveur, euse** *s (restaurant)* camarero, a. ◇ *m* **1.** *(jeux)* sacador **2.** *INFORM* servidor.

**serviabilité** *f* obsequiosidad.

**serviable** *a* servicial.

**service** *m* **1.** servicio ◊ **être hors ~** estar fuera de uso, de servicio; **mettre en ~** poner en servicio **2. ~ militaire** servicio militar, mili *f*: **faire son ~** hacer la mili; **en ~ commandé** en acto de servicio **3.** turno, servicio: **médecin de ~** médico de turno; **être de ~** estar de servicio **4.** *(aide)* favor, servicio ◊ **rendre (un) ~ à quelqu'un** hacer un favor a alguien; **rendre un mauvais ~ à quelqu'un** hacer un flaco servicio a alguien; *FAM* **ça peut toujours rendre ~** esto puede servir; **je suis à votre ~** estoy a su disposición; **qu'y a-t-il pour votre ~?** ¿en qué puedo servirle? **5.** *(pourboire)* servicio: **~ compris** servicio incluido **6.** *(au tennis, etc.)* saque, servicio **7.** *RELIG* oficio ◊ **~ funèbre** funeral **8.** *(dans une entreprise)* departamento: **~ du personnel** departamento de personal **9.** *COM* **~ après-vente** servicio postventa **10.** *(vaisselle)* **~ de table** servicio de mesa, *(linge)* mantelería *f*; **~ à café, à thé,** servicio, juego de café, de té.

**serviette** *f* **1.** *(de table)* servilleta ◊ **rond de ~** servilletero **2.** *(de toilette)* toalla: **~-éponge** toalla de rizo **3. ~ hygiénique** compresa (higiénica) **4.** *(pour documents)* cartera: **~ en cuir** cartera de cuero.

**servile** *a* servil.

**servilement** *adv* servilmente.

**servilité** *f* servilismo *m*.

**servir*** *vt* **1.** servir: **~ la patrie** servir a la patria; **madame est servie** la señora está servida **2. ~ un client** atender a un cliente **3. ~ la messe** ayudar a misa **4.** *(au tennis, etc.)* sacar, servir **5 on n'est jamais si bien servi que par soi-même** el que reparte se lleva la mejor parte. ◇ *vi* **~ à** servir para: **à quoi ça sert?** ¿para qué sirve esto?; **pourquoi te plaindre?, cela ne sert à rien** ¿a qué quejarte? no sirve de nada; **ça ne sert à rien d'insister** de nada sirve insistir; **ça m'a servi de leçon** me ha servido de escarmiento. ◆ **se ~** *vpr* **1.** servirse: **servez-vous** sírvase usted; **sers- toi** sírvete **2. se ~ de** servirse de, usar.

**serviteur** *m* **1.** servidor **2. lui et votre ~** él y un servidor.

**servitude** *f* servidumbre.

**servocommande** *f* servomando *m*.

**servofrein** *m* servofreno.

**servomécanisme** *m* servomecanismo.

**servomoteur** *m* servomotor.

**ses** [se] *a poss* sus → **son.**

**sésame** *m* **1.** *(plante)* sésamo, ajonjolí **2. Sésame, ouvre-toi!** ¡ábrete, Sésamo!

**session** *f* **1.** *(assemblée)* período *m* de sesiones **2.** exámenes *m pl*.

**sesterce** *m* sestercio.

**set** [sɛt] *m* **1.** *(tennis)* set **2. ~ de table** mantelito individual.

**setier** *m* sextario.

**setter** [setɛr] *m (chien)* setter.

**seuil** [sœj] *m* **1.** umbral **2.** *FIG* **au ~ de la vie** en el umbral de la vida, en los umbrales de la vida; **au ~ du XXIe siècle** en el umbral del siglo XXI **3. ~ d'audibilité** umbral de audibilidad.

**seul, e** *a* **1.** solo, a: **il est ~ au monde** está solo en el mundo; **il l'a fait tout ~** lo hizo solo ◊ **~ à ~** a solas; **cela va tout ~** eso marcha solo, no hay problema; **les choses ne s'arrangent pas toutes seules** las cosas no se arreglan por sí solas **2.** único, a: **le ~ avantage** la única ventaja ◊ **la seule chose** lo único **3.** *(valeur adverbiale)* sólo: **~ un homme peut le faire** sólo un hombre puede hacerlo. ◇ *s* **1. le ~, la seule** el único, la única **2. pas un ~** ni uno.

**seulement** *adv* **1.** solamente, sólo, únicamente: **je veux ~ savoir si...** sólo quiero saber si... ◊ **non ~... mais** no sólo... sino; **si ~...** si al menos..., si tan sólo... **2.** sólo, justo: **il vient ~ de partir** acaba justo de salir **3.** *(mais)* pero, solo que.
▶ Ne pas oublier l'accent sur le premier o de «sólo». Souvent précédé de «tan»: *on entendait ~ le bruit de...* tan sólo se oía el ruido de...

**seulet, ette** *a* solito, a.

**sève** *f* **1.** savia **2.** *FIG* vigor *m*, energía, sabia.

**sévère** *a* **1.** severo, a: **un professeur ~** un profesor severo **2.** severo, a, adusto, a: **aspect ~** aspecto severo **3.** importante, grave.

**sévèrement** *adv* **1.** severamente **2.** gravemente.

**Séverin** *np m* Severino.

**sévérité** *f* severidad.

**sévices** *m pl* malos tratos, sevicia *f sing*.

**sévillan, e** *a/s* sevillano, a.

**Séville** *np f* Sevilla.

**sévir** *vi* **1.** *(punir)* castigar **2.** *(épidémie, etc.)* reinar, causar daños ◊ **le froid sévit dans le pays** el frío azota el país.

**sevrage** *m (d'un enfant)* destete.

**sevrer*** *vt* **1.** destetar **2.** *FIG* privar de.

**sèvres** *m* porcelana *f* de Sèvres.

**sexagénaire** *a/s* sexagenario, a, sesentón, ona.

**sexagésime** *f RELIG* sexagésima.

**sex-appeal** [sɛksapil] *m* sex-appeal.

**sexe** *m* sexo: **le beau ~** el bello sexo; **le ~ faible, fort** el sexo débil, fuerte.

**sexisme** *m* sexismo.

**sexiste** *a/s* sexista.

**sexologie** *f* sexología.

**sexologue** *s* sexólogo, a.

**sextant** *m* sextante.

**sexte** *f RELIG* sexta.

**sextuor** *m* sexteto.

**sextuple** *a* séxtuplo, a.

**sextupler** *vt* sextuplicar.

**sexualité** *f* sexualidad.

**sexué, e** *a* sexuado, a.

**sexuel, elle** *a* sexual: **organes sexuels** órganos sexuales.

**sexuellement** *adv* sexualmente ◊ **maladie ~ transmissible** enfermedad de transmisión sexual.

**sexy** *a* sexy, atractivo, a.

**seyant, e** [sɛjɑ̃, ɑ̃t] *a* que sienta bien.

**sha** [sa] *m* sha.

**shabbat** → **sabbat.**

**shaker** [ʃɛkœr] *m* coctelera *f*.

**shako** [ʃako] *m* chacó.

**shampoing, shampooing** [ʃɑ̃pwɛ̃] *m* **1.** champú ◊ **se faire un ~** lavarse el pelo **2.** *(pour moquette)* detergente.

**shampouiner** *vt* lavar el pelo con un champú.

**shérif** *m* shérif, sheriff.

**sherpa** *m* sherpa.

**sherry** *m* sherry, vino de Jerez.

**shilling** [ʃiliŋ] *m* chelín.

**shintoïsme** [ʃintɔism] *m* sintoismo.

**shoot** [ʃut] *m (football)* disparo, chut.

**shooter** [ʃute] *vi* chutar. ◆ **se ~** *vpr POP (drogue)* chutarse.

**short** [ʃɔʀt] *m* shorts *pl.*

**show** [ʃo] *m* show.

**show-business** *m* mundo del espectáculo.

**[1]si, s'** *conj* **1.** si: **~ tu veux** si quieres; **~ j'avais su** si lo hubiera sabido; **demandez-lui s'il viendra** pregúntele si va a venir; **et ~ on allait dîner** y si fuéramos a cenar **2. ~ seulement c'était vrai!** ¡ojalá fuera verdad! **3. ~ ce n'est que...** salvo que..., excepto que...; **même ~** aún cuando. ◇ *adv* **1.** *(affirmation après une négation)* sí: **mais ~!** ¡claro que sí! **2.** *(= tellement, aussi)* tan: **il est ~ aimable!** ¡es tan amable!; **ce n'est pas ~ difficile que cela** no es tan difícil; **pas ~ vite!** ¡no tan rápido! **3.** *loc conj* **~ bien que** así que.

▶ La phrase indiquant l'hypothèse: *si j'avais su* peut également se rendre par «de haberlo sabido». Notez l'emploi du subjonctif en espagnol: ~ *j'étais plus jeune* si yo fuera más joven; ~ *quelqu'un me demandait...* si alguien me preguntara...; ~ *tu savais* si supieras. La conjonction «como» suivie du subjonctif présent correspond à «si» ou «si jamais»: ~ *tu ne te tais pas je te flanque une gifle* como no te calles te pego una torta.

**[2]si** *m inv MUS* si: **en ~ bémol** en si bemol.

**siamois, e** *a/s* siamés, esa: **frères ~** hermanos siameses; **chat ~** gato siamés.

**Sibérie** *np f* Siberia.

**sibérien, enne** *a/s* siberiano, a.

**sibylle** *f* sibila.

**sibyllin, e** *a* sibilino, a.

**sic** *adv* sic.

**sicaire** *m* sicario.

**sicav** *f inv ÉCON* fondo *m* de inversión.

**siccatif, ive** *a/m* secante.

**Sicile** *np f* Sicilia.

**sicilien, enne** *a/s* siciliano, a.

**sida** *m* sida: **les malades atteints du ~** los enfermos de sida.

**side-car** [sidkaʀ] *m* sidecar.

**sidéen, enne** *s* sidoso, a.

**sidéral, e** *a* sideral.

**sidérant, e** *a FAM* anonadante, increíble.

**sidérer*** *vt FAM* dejar estupefacto, a, dejar de una pieza.

**sidérurgie** *f* siderurgia.

**sidérurgique** *a* siderúrgico, a.

**sidologue** *s* especialista en sida.

**siècle** *m* siglo: **le XX^e^ ~** el siglo XX; **le Siècle des lumières** el Siglo de las luces; *FAM* **il y a un ~ que...** hace un siglo que... ◊ *RELIG* **le ~** el siglo, el mundo.

▶ *Le Grand Siècle* = el siglo XVII en Francia.

**sied → seoir.**

**siège** *m* **1.** asiento: **~ arrière** asiento trasero; **prenez un ~** tome asiento **2.** *(d'un organisme)* sede *f*: **le ~ des Nations-Unies** la sede de las Naciones Unidas; **~ social** sede social; **le Saint-Siège** la Santa Sede **3.** *(de député)* escaño: **sièges à pourvoir** escaños a cubrir **4.** *(d'un phénomène, d'une maladie)* centro, foco **5.** *MIL* sitio, cerco, asedio: **état de ~** estado de sitio.

**siéger*** *vi* **1.** residir **2.** *(tenir séance)* celebrar sesión, reunirse.

**sien, sienne** *a/pron pos* suyo, a ◊ **y mettre du ~** poner de su parte; **faire des siennes** hacer de las suyas. ◇ *pl* **les siens** los suyos.

**Sienne** *np* Siena.

**siennois, e** *a/s* sienés, esa.

**siéra, siérait → seoir.**

**sieste** *f* siesta: **faire la ~** dormir la siesta.

**sieur** *m* **1.** *JUR* señor **2.** *PÉJOR* tal: **le ~ X** un tal X.

**sifflant, e** *a* silbante, sibilante.

**sifflement** *m* silbido, pitido.

**siffler** *vi* **1.** silbar **2.** *(avec un sifflet)* pitar. ◇ *vt* **1. l'arbitre a sifflé la fin du match** el árbitro pitó el final del partido **2. ~ un acteur** abuchear a un actor **3.** *FAM (boire)* beber de un trago, atizarse: **il a sifflé trois verres de cognac** se ha atizado tres copas de coñac.

**sifflet** *m* pito ◊ **coup de ~** pitido, silbido; *FAM* **couper le ~ à quelqu'un** dejar atónico, dejar cortado a alguien.

**siffleur, euse** *a* silbador, a.

**sifflotement** *m* silbido ligero.

**siffloter** *vi* silbar bajito.

**sigillographie** *f* sigilografía.

**sigisbée** *m* chichisbeo.

**Sigismond** *np m* Segismundo.

**sigle** *m* sigla *f.*

**sigma** *m* sigma *f.*

**signal** *m* **1.** señal *f*: **signaux acoustiques, routiers** señales acústicas, de tráfico; **donner le ~** dar la señal **2. ~ d'alarme** sirena *f* de alarma.

**signalé, e** *a* señalado, a, notable.

**signalement** *m* filiación *f*, señas *f pl*: **le ~ du ravisseur** las señas del secuestrador.

**signaler** *vt* señalar, indicar ◊ **rien à ~** sin novedad. ◆ **se ~** *vpr* distinguirse, señalarse.

**signalétique** *a* descriptivo, a, de identificación. ◇ *f* señalización.

**signalisation** *f* señalización ◊ **panneaux de ~** señales de tráfico.

**signaliser** *vt* señalizar.

**signataire** *a/s* firmante, signatario, a: **pays signataires** países firmantes.

**signature** *f* firma.

**signe** *m* **1.** signo: **~ de ponctuation** signo de puntuación; **signes extérieurs de richesse** signos exteriores de riqueza **2.** señal *f*, seña *f*: **il lui fait ~ de se taire** le hace señas de que se calle; **il me fit ~ de m'en aller** me hizo señas de que me fuera; **ne pas donner ~ de vie** no dar señales de vida; **en ~ de deuil** en señal de duelo; **c'est bon ~** es una buena señal; **c'est mauvais ~** es un mal presagio **3. ~ de croix** señal de la cruz; **faire un ~ de croix** persignarse, santiguarse **4. faire ~** avisar: **je vous ferai ~** le avisaré **5.** muestra *f*: **des signes de fatigue** muestras de cansancio **6.** *ASTR* **les signes du zodiaque** los signos del zodiaco.

**signer** *vt* firmar: **~ un chèque** firmar un cheque. ◆ **se ~** *vpr* santiguarse.

**signet** *m* registro.

**signifiant** *m (linguistique)* significante.

**significatif, ive** *a* significativo, a.

**signification** *f* **1.** significación **2.** *(d'un mot)* significado *m* **3.** *JUR* notificación.

**signifié** *m (linguistique)* significado.

**signifier*** *vt* **1.** significar **2.** *JUR* notificar.

**silence** *m* **1.** silencio: **souffrir en ~** sufrir en silencio; **une minute de ~** un minuto de silencio ◊ **faire ~, garder le ~** callar, guardar silencio; **réduire au ~** reducir al silencio; **rompre le ~** romper el silencio; **~ dans la salle!** silencio en la sala!; *FIG* **garder le ~ sur** guardar silencio sobre; **passer sous ~** silenciar, pasar por alto, pasar en silencio; *PROV* **la parole est d'argent, mais le ~ est d'or** → **parole 2.** *MUS* silencio.

**silencieusement** *adv* silenciosamente.

**silencieux, euse** *a* **1.** silencioso, a **2.** *(muet)* callado, a: **nous restâmes ~** nos quedamos callados. ◇ *m (moteurs à explosion, armes à feu)* silenciador.

**Silène** *np m* Sileno.

**Silésie** *np f* Silesia.

**silex** [silɛks] *m* sílex.

**silhouette** *f* silueta.

**silhouetter** *vt* perfilar, dibujar en silueta. ◆ **se ~** *vpr* perfilarse.

**silicate** *m* silicato.

**silice** *f* sílice.

**siliceux, euse** *a* silíceo, a.

**silicium** [silisjɔm] *m* silicio.

**silicone** *f* silicona.

**silicose** *f MÉD* silicosis.

**sillage** *m* estela *f* ◊ **dans le ~ de...** siguiendo los pasos de...

**sillon** *m* surco.

**sillonner** *vt* surcar: **il a sillonné toutes les mers de la planète** ha surcado todos los mares del planeta; **front sillonné de rides** frente surcada de arrugas.

**silo** *m* silo.

**silotage** *m AGR* ensilado.

**silure** *m* siluro.

**simagrées** *f pl* remilgos *m*, melindres *m*.

**Siméon** *np m* Simeón.

**simiens** *m pl ZOOL* simios.

**simiesque** *a* simiesco, a.

**similaire** *a* similar.

**similarité** *f* semejanza, similitud.

**similicuir** *m* similicuero.

**similigravure** *f* fotograbado *m* a media tinta.

**similitude** *f* similitud.

**Simon** *np m* Simón.

**simoniaque** *a* simoniaco, a.

**simonie** *f* simonía.

**simoun** *m* simún.

**simple** *a* **1.** simple: **corps ~** cuerpo simple; **une ~ remarque** una simple observación; **~ curiosité** simple curiosidad; **le ~ fait** el mero hecho; **~ formalité** mera formalidad ◊ **~ soldat** soldado raso; **le ~ citoyen** el ciudadano de a pie **2.** *(pas compliqué)* sencillo, a: **une robe toute ~** un vestido sencillo ◊ **c'est ~ comme bonjour** es tirado, muy fácil; **c'est bien ~** está claro **3.** *(crédule)* simple, crédulo, a ◊ **un ~ d'esprit** un inocente **4.** *GRAM* **passé ~** pretérito indefinido; **temps simples d'un verbe** tiempos simples de un verbo. ◇ *m* **1.** *(tennis)* simple, individual: **~ messieurs** individual masculino **2. varier du ~ au double** duplicarse. ◇ *f (plante)* simple *m*.

**simplement** *adv* **1.** *(sans complication)* sencillamente **2.** simplemente: **purement et ~** pura y simplemente **3.** sólo, tan sólo: **je voulais ~ vous aider** sólo quería ayudarle; **je suis venu ~ pour...** he venido tan sólo a...

**simplet, ette** *a* simplón, ona.

**simplicité** *f* sencillez ◊ **en toute ~** sin cumplidos.

**simplificateur, trice** *a* simplificador, a.

**simplification** *f* simplificación.

**simplifier*** *vt* simplificar.

**simpliste** *a* simplista.

**simulacre** *m* simulacro.

**simulateur, trice** *s* simulador, a.

**simulation** *f* simulación.

**simuler** *vt* simular: **~ une crise de nerfs** simular un ataque de nervios.

**simultané, e** *a* simultáneo, a.

**simultanéité** *f* simultaneidad.

**simultanément** *adv* simultáneamente.

**Sinaï** *np m* Sinaí.

**sinapisme** *m* sinapismo.

**sincère** *a* **1.** sincero, a **2. mes sincères condoléances** mi más sentido pésame; **mes sincères salutations** atentos saludos.

**sincèrement** *adv* sinceramente, francamente.

**sincérité** *f* sinceridad: **en toute ~** con toda sinceridad.

**sinécure** *f* **1.** sinecura, chollo *m* **2.** *FAM* **ce n'est pas une ~** no es cosa fácil.

**sine qua non** [sinekwanɔn] *a inv* sine qua non.

**Singapour** *np* Singapur.

**singe** *m* **1.** mono, a ◊ **être malin comme un ~** ser más listo que el hambre; **payer en monnaie de ~** pagar con promesas vanas; **faire le ~** hacer el tonto **2.** *FAM (corned-beef)* carne *f* en lata **3.** *POP* patrón **4.** *PROV* **on n'apprend pas à un vieux ~ à faire la grimace** a perro viejo no hay tus tus.

**singer*** *vt* remedar, imitar.

**singeries** *f pl* **1.** muecas **2. assez de ~!** ¡basta de payasadas!

**singulariser** *vt* singularizar. ◆ **se ~** *vpr* singularizarse, distinguirse.

**singularité** *f* singularidad.

**singulier, ère** *a* **1.** singular **2. combat ~** duelo. ◇ *m* **au ~** en singular.

**singulièrement** *adv* singularmente.

**sinistre** *a* **1.** *(effrayant, triste)* siniestro, a **2. ce ~ individu** ese tío siniestro; **un ~ crétin** un perfecto imbécil. ◇ *m (catastrophe)* siniestro.

**sinistré, e** *a/s* damnificado, a, siniestrado, a: **indemniser les sinistrés** indemnizar a los damnificados.

**sinistrose** *f* pesimismo *m*.

**sinologie** *f* sinología.

**sinologue** *s* sinólogo, a.

**sinon** *conj* **1.** *(ou alors)* si no: **tais-toi, ~ je me fâche** cállate, si no me voy a enfadar **2.** *(excepté, si ce n'est)* sino: **personne ~ lui** nadie menos él.

**sinoque, cinoque** *a FAM* chiflado, a, chalado, a, mochales.

**sinueux, euse** *a* sinuoso, a.

**sinuosité** *f* sinuosidad.

**sinus** [sinys] *m inv ANAT, MATH* seno.

**sinusite** *f* sinusitis.

**sinusoïdal, e** *a GÉOM* sinusoidal.

**sinusoïde** *f GÉOM* sinusoide.

**sionisme** *m* sionismo.

**sioniste** *a/s* sionista.

**sioux** [sju] *a/s* siux.

**siphon** *m* sifón.

**siphonné, e** *a* FAM chiflado, a, chalado, a.

**sire** *m* **1.** *(titre)* señor **2.** *(roi)* majestad *f* **3. un triste ~** un tipo poco recomendable.

**sirène** *f* **1.** *(être fabuleux)* sirena **2.** *(appareil sonore)* sirena.

**Sirius** [siʀjys] *m* ASTR Sirio.

**sirocco** *m* siroco.

**sirop** [siʀo] *m* **1.** *(médicament)* jarabe **2. pêches au ~** melocotones en almíbar.

**siroter** *vt* FAM beber a sorbos, saborear.

**sirupeux, euse** *a* espeso, a como un jarabe.

**sis, sise** *a* sito, a.

**sisal** *m* sisal.

**Sisyphe** *np m* Sísifo.

**sismique** *a* sísmico, a.

**sismographe** *m* sismógrafo.

**sismologie** *f* sismología.

**sismologue** *s* sismólogo, a.

**site** *m* **1.** paraje, paisaje: **un ~ d'une beauté exceptionnelle** un paraje de belleza excepcional **2.** emplazamiento: **~ archéologique** emplazamiento arqueológico **3.** INFORM *(sur Internet)* página *f* web, sitio.

**sit-in** [sitin] *m inv* sentada *f*.

**sitôt** *adv* **1. ~ arrivé, il déjeuna** almorzó nada más llegar, tan pronto como llegó, almorzó ◊ **~ dit ~ fait** dicho y hecho; **~ après** inmediatamente después **2. ~ que** tan pronto como, luego que.

**sittelle** *f* herrerillo.

**situation** *f* **1.** *(place, circonstances)* situación **2.** *(emploi)* puesto *m*, posición: **il a une bonne ~** tiene un buen puesto; **une ~ modeste** una posición modesta.

**situer** *vt* situar: **maison bien située** casa bien situada. ◆ **se ~** *vpr* situarse.

**six** [si, sis, siz] *a num* **1.** seis: **à ~ heures** a las seis ◊ **~ cents** seiscientos, as **2.** *(roi, pape)* sexto, a: **Pie ~** Pío sexto.

**sixième** [sizjɛm] *a/s* sexto, a: **au ~ étage** en el sexto piso. ◊ *f* primer curso *m* de bachillerato francés.

**sixièmement** *adv* en sexto lugar.

**six-quatre-deux (à la)** *loc adv* FAM chapuceramente, de prisa y corriendo.

**sixte** *f* MUS sexta.

**Sixtine** *np f* **la chapelle ~** la capilla Sixtina.

**sizain** *m (poème)* sextilla *f*.

**skaï** *m (nom déposé)* skay.

**skate-board** [skɛtbɔʀd] *m* monopatín.

**sketch** [skɛtʃ] *m* sketch.

**ski** *m* esquí: **une paire de skis** un par de esquíes; **~ alpin** esquí alpino; **~ de fond** esquí de fondo; **~ nautique** esquí náutico ◊ **faire du ~** esquiar.

**skiable** *a* esquiable.

**skier*** *vi* esquiar.

**skieur, euse** *s* esquiador, a.

**skiff** *m* esquife.

**skinhead** *s* skinhead, cabeza rapada.

**skipper** [skipər] *m* patrón de yate.

**slalom** *m* **1.** slalom, eslalon: **~ géant** slalom gigante **2.** FAM **faire du ~ entre...** zigzaguear entre...

**slalomeur, euse** *s* especialista en slalom.

**slave** *a/s* eslavo, a.

**slavisant, e** *a/s* eslavista.

**slip** *m* **1.** *(d'homme)* slip, calzoncillos *pl*, eslip **2.** *(de femme)* bragas *f pl* **3. ~ de bain** bañador.

**slogan** *m* slogan, eslogan: **des slogans publicitaires** esloganes publicitarios.

**slovaque** *a/s* eslovaco, a.

**Slovaquie** *np f* Eslovaquia.

**Slovène** *a/s* esloveno, a.

**Slovénie** *np f* Eslovenia.

**smala** *f* **1.** casa y equipo de un jefe árabe **2.** FAM *(famille nombreuse)* tribu.

**smash** [smaʃ] *m* mate, smash.

**smicard, e** *s* FAM persona que gana el salario mínimo.

**smocks** [smɔk] *m pl* nidos de abeja.

**smoking** [smɔkiŋ] *m* smoking, esmoquín.

**Smyrne** *np f* Esmirna.

**snack-bar, snack** *m* cafetería *f*, snack-bar.

**snifer, sniffer** *vt (drogue)* esnifar.

**snob** *a/s* esnob, snob, cursi.

**snober** *vt* menospreciar, desdeñar.

**snobinard, e** *a/s* repipi, cursilón, ona, algo esnob.

**snobisme** *m* esnobismo, snobismo, cursillería *f*.

**sobre** *a* sobrio, a.

**sobriété** *f* sobriedad.

**sobriquet** *m* apodo, sobrenombre.

**soc** *m* reja *f*.

**sociabilité** *f* sociabilidad.

**sociable** *a* sociable.

**social, e** *a* social: **conflits sociaux** conflictos sociales.

**social-démocrate** *a/s* socialdemócrata.

**social-démocratie** *f* socialdemocracia.

**socialement** *adv* socialmente.

**socialisation** *f* socialización.

**socialiser** *vt* socializar.

**socialisme** *m* socialismo.

**socialiste** *a/s* socialista.

**sociétaire** *a/s* socio, a.

**société** *f* **1.** sociedad: **vivre en ~** vivir en sociedad; **la bonne, la haute ~** la buena, la alta sociedad; **~ de consommation** sociedad de consumo **2.** COM sociedad, entidad: **sociétés anonymes** sociedades anónimas **3. la Société de Jésus** la Compañía de Jesús.

**socioculturel, elle** *a* sociocultural.

**socio-économique** *a* socioeconómico, a.

**sociologie** *f* sociología.

**sociologique** *a* sociológico, a.

**sociologue** *s* sociólogo, a.

**socioprofessionnel, elle** *a* socioprofesional.

**socle** *m* zócalo.

**socque** *m* chanclo.

**socquette** *f* calcetín *m* corto.

**Socrate** *np m* Sócrates.

**socratique** *a* socrático, a.

**soda** *m* soda *f*: **un ~** una soda.

**sodique** *a* CHIM sódico, a.

**sodium** [sɔdjɔm] *m* sodio.

**Sodome** *np* Sodoma: **~ et Gomorrhe** Sodoma y Gomorra.

**sodomie** *f* sodomía.

**sodomiser** *vt* sodomizar.

**sodomite** *m* sodomita.

**sœur** *f* **1.** hermana **2.** FAM **bonne ~** monja, monjita, hermana **3. âme ~** alter ego *m.*

**sœurette** *f* hermanita.

**sofa** *m* sofá.

**Sofia** *np* Sofía.

**software** *m* INFORM software.

**soi** *pron pers* **1.** sí ◊ **avec ~** consigo; **on est bien chez ~** se está bien en casa; **sur ~** encima; **soi-même** sí mismo; **cela va de ~** ni que decir tiene, eso cae de su peso, es evidente; **à part ~** para sí; **problème difficile en ~** problema difícil de por sí; **revenir à ~** volver en sí **2. chacun pour ~** cada cual a lo suyo.

**soi-disant** *a* supuesto, a. ◇ *adv (semble-t-il)* aparentemente, según dicen.

**soie** *f* **1.** seda ◊ **papier de ~** papel de seda **2.** *(du sanglier)* cerda.

**soient → être.**

**soierie** *f* sedería.

**soif** *f* **1.** sed: **j'ai très ~** tengo mucha sed; **mourir de ~** morirse de sed **2.** FIG sed: **~ de justice** sed de justicia **3. jusqu'à plus ~** hasta la saciedad, hasta saciarse.

**soiffard, e** *a/s* POP borrachín, a.

**soignant, e** *a* **le personnel ~** los enfermeros.

**soigné, e** *a* **1.** esmerado, a, cuidado, a: **cuisine soignée** esmerada cocina **2. très ~ de sa personne** muy atildado; **peu ~ de sa personne** poco cuidadoso con su persona.

**soigner** *vt* **1.** *(un travail, etc.)* cuidar **2. ~ son image** cuidar su imagen **3. ~ un malade** curar, asistir a un enfermo: **il faut ~ ton rhume** tienes que curarte tu resfriado ◊ FAM **il faut te faire ~!** ¡estás chalado, a! **4.** atender: **le médecin qui me soigne** el médico que me atiende. ◆ **se ~** *vpr* cuidarse.

**soigneur** *m* masajista.

**soigneux, euse** *a* **1.** *(personne)* cuidadoso, a ◊ **peu ~** descuidado, a **2.** *(fait avec soin)* esmerado, a.

**soi-même → soi.**

**soin** *m* **1.** cuidado ◊ **prendre ~ de sa santé, de ses vêtements** cuidar su salud, su ropa; **prendre ~ de ses affaires** cuidar de sus cosas; **prendre ~ de quelqu'un** ocuparse de alguien **2.** *(application à faire quelque chose)* esmero **3. je vous laisse le ~ de décider** le dejo decidir. ◇ *pl* **1.** *(médicaux)* asistencia *f sing* médica ◊ **premiers soins** cuidados de primera intención; **soins intensifs** cuidados intensivos **2. être aux petits soins pour quelqu'un** tener mil delicadezas con alguien **3.** *(lettre)* **aux bons soins de M. X.** gentileza, cortesía del Sr. X.

**soir** *m* **1.** tarde *f*: **six heures du ~** las seis de la tarde **2.** *(après le coucher du soleil)* noche *f*: **dix heures du ~** las diez de la noche; **robe du ~** traje de noche; **à ce ~** hasta la noche; **hier ~** anoche, ayer noche **3. les journaux du ~** los diarios vesperinos.

**soirée** *f* **1.** noche **2.** *(réunion)* velada **3. ~ dansante** baile *m* de noche; **spectacle en ~** función de noche.

**soit** [swa] **→ être: ainsi soit-il** así sea. ◇ *conj* **1. ~ un triangle ABC** sea un triángulo ABC **2.** *(c'est-à-dire)* o sea **3. ~ l'un, ~ l'autre** ya uno, ya otro **4. ~ ... ~ ...**, bien sea... o... ◇ *adv* [swat] **soit!** ¡sea!, ¡bueno!, ¡de acuerdo!

**soixantaine** *f* **une ~ de...** unos sesenta...; **il approche de la ~** anda por los sesenta años (de edad).

**soixante** [swasɑ̃t] *a/s* sesenta: **~ et un** sesenta y uno; **~-huit** sesenta y ocho; **soixante et onze** setenta y uno; **~-douze** setenta y dos.

**soixante-dix** [swasɑ̃tdis] *a/s* setenta.

**soixantième** *a/s* sexagésimo, a, sesentavo, a.

**soja** *m* soja *f*: **huile de ~** aceite de soja.

**¹sol** *m* suelo, tierra *f*: **le ~ natal** el suelo natal.

**²sol** *m* MUS sol: **clef de ~** clave de sol.

**solaire** *a* **1.** solar: **rayons solaires** rayos solares **2. crème ~** bronceador *m.*

**solanacées** *f pl* BOT solanáceas.

**solarium** [sɔlaʀjɔm] *m* solario, solárium.

**soldat** *m* **1.** soldado: **simple ~** soldado raso **2. ~ de plomb** soldadito de plomo.

**soldatesque** *a/f* soldadesco, a.

**¹solde** *f* **1.** sueldo *m*: **jours de congé sans ~** días de baja sin sueldo; **à la ~ de** a sueldo de **2.** MIL soldada.

**²solde** *m* saldo. ◇ *pl* rebajas *f*, liquidación *f sing*: **les soldes** las rebajas; **soldes monstres!** ¡grandes rebajas! ◊ **en ~** rebajado, a; **tous nos articles sont en ~** todos nuestros artículos están rebajados.

**solder** *vt* saldar, liquidar. ◆ **se ~** *vpr* resultar, terminar en: **se ~ par un échec** resultar un fracaso, soldarse con un fracaso.

**soldeur, euse** *s* saldista.

**sole** *f* **1.** *(poisson)* lenguado *m* **2.** *(d'un four)* solera.

**solécisme** *m* solecismo.

**soleil** [sɔlɛj] *m* **1.** sol: **le ~ levant** el sol naciente; **au lever, au coucher du ~** al salir, al ponerse el sol; **un ~ de plomb** un sol de justicia; **le ~ tape dur** el sol pica mucho ◊ **coup de ~** insolación *f*; **avoir une place au ~** tener una buena situación; **avoir des biens au ~** tener bienes inmuebles **2.** *(fleur)* girasol **3.** *(feu d'artifice)* girándula *f* **4.** FAM **piquer un ~** ruborizarse.

**solennel, elle** [sɔlanɛl] *a* solemne.

**solennellement** [sɔlanɛlmɑ̃] *adv* solemnemente.

**solenniser** [sɔlanize] *vt* solemnizar.

**solennité** [sɔlanite] *f* solemnidad.

**solénoïde** *m* ÉLECT solenoide.

**solfatare** *f* solfatara.

**solfège** *m* solfeo.

**solfier*** *vt* solfear.

**solidaire** *a* solidario, a.

**solidariser (se)** *vpr* solidarizarse.

**solidarité** *f* solidaridad.

**solide** *a* **1.** sólido, a **2. un ~ gaillard** un mocetón; **de solides raisons** fuertes razones; FAM **un ~ appétit** un buen apetito **3. avoir la tête ~** conservar la mente clara; **avoir les reins solides → rein.** ◇ *m* sólido.

**solidement** *adv* sólidamente, fuertemente.

**solidification** *f* solidificación.

**solidifier*** *vt* solidificar. ◆ **se ~** *vpr* solidificarse.

**solidité** *f* solidez.

**soliloque** *m* soliloquio.

**soliloquer** *vi* soliloquiar.

**solipède** *a/m* ZOOL solípedo, a.

**soliste** *s* solista.

**solitaire** *a/s* solitario, a: **traversée en ~** travesía en solitario. ◇ *m (diamant, jeu)* solitario.

**solitude** *f* soledad.

**solive** *f* viga.

**soliveau** *m* **1.** vigueta *f* **2.** *FIG FAM* zoquete.

**sollicitation** *f* solicitación, ruego *m*.

**solliciter** *vt* **1.** *(l'attention, un emploi, etc.)* solicitar: **~ une bourse** solicitar una beca **2.** *(prier)* rogar.

**solliciteur, euse** *s* solicitante.

**sollicitude** *f* solicitud.

**solo** *m MUS* solo.

**solstice** *m* solsticio: **~ d'été, d'hiver** solsticio de verano, de invierno.

**solubilité** *f* solubilidad.

**soluble** *a* soluble.

**soluté** *m* solución *f*, disolución *f*.

**solution** *f* **1.** solución **2. sans ~ de continuité** sin solución de continuidad **3.** *CHIM* solución.

**solutionner** *vt* resolver, solucionar.

**solvabilité** *f* solvencia.

**solvable** *a* solvente.

**solvant** *m* disolvente, solvente.

**Somalie** *np f* Somalia.

**somalien, enne** *a/s* somalí.

**somatique** *a* somático, a.

**somatiser** *vt* somatizar.

**sombre** *a* **1.** oscuro, a, sombrío, a: **un couloir ~** un pasillo oscuro; **vert ~** verde oscuro; **il fait ~** hay poca luz, está oscuro **2.** *FIG* melancólico, a, sombrío, a **3.** *FAM* **une ~ brute** un tío bestia.

**sombrer** *vi* **1.** *MAR* irse a pique, hundirse, zozobrar: **le bateau sombra** el barco se fue a pique **2.** *FIG* caer, hundirse: **~ dans la folie** hundirse en la locura.

**sombrero** *m* sombrero de ala ancha.

**sommaire** *a* somero, a, superficial, sumario, a. ◇ *m* sumario, resumen.

**sommairement** *adv* someramente, sumariamente.

**sommation** *f* intimación, requerimiento *m*.

**¹somme** *f* **1.** suma: **faire la ~ de** hacer la suma de **2. une ~ d'argent** una cantidad de dinero; **la ~ de 500 francs** la cantidad de 500 francos; **une ~ folle** una cantidad enorme, un dineral **3.** *loc adv* **en ~, ~ toute** en suma, en resumen **4.** *(ouvrage important)* suma.

**²somme** *f* **bête de ~** bestia de carga.

**³somme** *m* sueño ◊ **faire un petit ~** echar una cabezada, descabezar un sueñecito.

**sommeil** [sɔmɛj] *m* **1.** sueño: **~ de plomb** sueño pesado; **avoir le ~ léger** dormir con sueño poco profundo; **j'ai très ~** tengo mucho sueño; **je suis morte de ~** estoy muerta de sueño, tengo un sueño que no me veo; **tomber de ~** caerse de sueño; **le ~ éternel** el sueño eterno **2. laisser une affaire en ~** aplazar un asunto.

**sommeiller** [sɔmeje] *vi* **1.** dormitar **2.** *FIG* estar latente.

**sommelier** *m* bodeguero.

**sommer** *vt* intimar, requerir, conminar: **~ quelqu'un de...** intimar a alguien a que...

**sommes → être.**

**sommet** *m* **1.** cumbre *f*, cima *f* **2.** *FIG* cumbre *f*: **conférence au ~** conferencia en la cumbre **3.** *FIG* cúspide *f*: **au ~ de la gloire** en la cúspide de la gloria **4.** *GÉOM* vértice.

**sommier** *m* **1.** *(de lit)* somier **2.** *COM* registro **3.** *(de la police)* fichero **4.** *ARCH* sotabanco **5.** *(d'une cloche)* yugo **6.** *(d'orgue)* secreto.

**sommité** *f* **1.** *BOT* sumidad, cima **2.** *(personnage)* eminencia, lumbrera.

**somnambule** *s* sonámbulo, a.

**somnambulisme** *m* sonambulismo.

**somnifère** *m* somnífero.

**somnolence** *f* somnolencia.

**somnolent, e** *a* soñoliento, a.

**somnoler** *vi* dormitar.

**somptuaire** *a* suntuario, a.

**somptueusement** *adv* suntuosamente.

**somptueux, euse** *a* suntuoso, a.

**somptuosité** *f* suntuosidad.

**¹son, sa, ses** *a pos* su, sus: **~ frère** su hermano; **sa sœur** su hermana; **ses disques** sus discos.

▶ S'il n'y a pas d'ambigüité possible, l'espagnol préfère l'emploi de l'article: *il ôta sa veste* se quitó la americana; *rater son train* perder el tren.

**²son** *m* sonido: **entendre un ~** oír un sonido; **le mur du ~** la barrera del sonido; **prise de ~** toma, registro de sonido; **~ et lumière** luz y sonido ◊ **au ~ de** al son de.

**³son** *m* **1.** *(des céréales)* salvado **2. taches de ~** pecas.

**sonar** *m MAR* sonar.

**sonate** *f* sonata.

**sonatine** *f* sonatina.

**sondage** *m* **1.** sondeo **2. ~ d'opinion** sondeo de opinión.

**sonde** *f* **1.** *MAR, MÉD* sonda **2.** *(appareil de forage)* barrena, sonda **3. ~ spatiale** sonda espacial.

**sondé, e** *s* encuestado, a: **les sondés** los encuestados.

**sonder** *vt* **1.** sondar **2.** *FIG* sondear: **~ le terrain** sondear el terreno.

**sondeur, euse** *s (qui fait des sondages d'opinion)* encuestador, a.

**songe** *m* sueño, ensueño: **en ~** en sueños; **faire un ~** tener un sueño, soñar; **le Songe d'une nuit d'été** *(Shakespeare)* El sueño de una noche de verano.

**songe-creux** *m inv* visionario, soñador.

**songer*** *vi* **1.** soñar **2.** pensar: **~ à se marier** pensar en casarse ◊ **songez-y bien!** ¡piénselo bien!; **n'y songe pas!** ¡ni lo sueñes!, ¡ni lo pienses!; **il n'y faut pas ~** ni soñarlo; **sans ~ à mal** sin pensar en mal ninguno **3. ~ que** considerar que.

**songerie** *f* ensueño *m*.

**songeur, euse** *a* pensativo, a, caviloso, a: **il demeura ~** se quedó pensativo ◊ **cela me laisse ~** no me lo creo.

**sonique** *a* sónico, a.

**sonnaille** *f* cencerro *m*.

**sonnant, e** *a* **1. à midi ~** a las doce en punto **2.** *FAM* **espèces sonnantes et trébuchantes** dinero contante y sonante.

**sonné, e** *a* **1.** *(heure)* dado, a: **il est midi ~** son las doce dadas **2.** cumplido, a: **elle a cinquante ans (bien) sonnés** tiene cincuenta años cumplidos **3.** *FAM (fou)* chiflado, a, guillado, a.

**sonner** *vi* **1.** sonar: **le téléphone sonne** suena el teléfono; **cela sonne creux** suena a hueco; **~ bien, mal** sonar bien, mal; **~ faux** sonar a falso **2.** *(cloche)* tañer **3.** dar: **deux heures sonnent** dan las dos; **ouvre, on sonne!** ¡abre, que llaman! ◊ *FIG* **son heure a sonné** ha llegado su hora **4. ~ de** tocar: **~ du clairon** tocar el clarín. ◇ *vt* **1.** doblar: **~ le glas** tocar a muerto, doblar ◊ *FAM* **~ les cloches à quelqu'un** echar una bronca a alguien **2.** *(par une sonnette)* llamar ◊ *POP* **on ne vous a pas sonné** nadie lo ha llamado **3.** dar: **la pendule a sonné midi** el reloj ha dado las doce **4.** *(frapper)* pegar **5.** *(étourdir)* aturdir.

**sonnerie** *f* **1.** timbre *m*: **la ~ du téléphone** el timbre del teléfono **2.** *(des cloches)* campaneo *m* **3.** *(de clairon)* toque *m*.

**sonnet** *m* soneto.

**sonnette** *f* **1.** campanilla **2.** *(électrique)* timbre *m*: **appuyer sur la ~** pulsar el timbre ◊ **coup de ~** timbrazo **3. serpent à ~** serpiente de cascabel.

**sonneur** *m* campanero.

**sono** *f* FAM sonorización.

**sonore** *a* sonoro, a.

**sonorisation** *f* sonorización.

**sonoriser** *vt* sonorizar.

**sonorité** *f* sonoridad.

**sont** → **être.**

**Sophie** *np f* Sofía.

**sophisme** *m* sofisma.

**sophiste** *m* sofista.

**sophistication** *f* sofisticación.

**sophistiqué, e** *a* sofisticado, a.

**sophistiquer** *vt (frelater)* adulterar.

**Sophocle** *np m* Sófocles.

**soporifique** *a/m* soporífero, a, soporífico, a.

**soprano** *s* soprano.

**sorbe** *f* serba.

**sorbet** *m* sorbete: **~ au citron** sorbete de limón.

**sorbetière** *f* sorbetera, heladora.

**sorbier** *m* serbal.

**Sorbonne (la)** *np f* la Sorbona.

**sorcellerie** *f* brujería, hechicería.

**sorcier, ère** *s* brujo, a, hechicero, a ◊ **la chasse aux sorcières** la caza de brujas; **l'apprenti ~** el aprendiz de brujo; FAM **vieille sorcière** tía bruja. ◇ *a* FAM **ce n'est pas ~** no es cosa del otro mundo, del otro jueves.

**sordide** *a* sórdido, a.

**sordidité** *f* sordidez.

**sorgho** *m* sorgo, zahína *f*.

**sornette** *f* cuento *m*, pamplina: **ne me raconte pas de sornettes** no me vengas con cuentos.

**sort** [sɔʀ] *m* **1.** suerte *f* ◊ **tirage au ~** sorteo; **tirer au ~** echar a suertes, sortear; **le ~ en est jeté** la suerte está echada **2.** destino: **c'est une ironie du ~** es una ironía del destino **3.** FAM **faire un ~ à un plat de...** dar cuenta de un plato de... **4. jeter un ~ à quelqu'un** hechizar a alguien.

**sortable** *a* presentable.

**sortant, e** *a* saliente, que sale: **député ~** diputado saliente.

**sorte** *f* **1.** clase, especie: **toutes sortes de choses** toda clase de cosas; **une ~ de** una especie de **2.** modo *m*, manera ◊ **de la ~** de este modo, así; **en quelque ~** en cierto modo, en cierto sentido, por así decirlo; **de (telle) ~ que...** de tal modo que..., así es que... **3. faire en ~ que** procurar que; **je ferai en ~ d'arriver à l'heure** procuraré llegar a tiempo.

**sortie** *f* **1.** salida: **~ de secours** salida de emergencia ◊ **se ménager une porte de ~** buscarse una salida **2.** THÉÂT mutis *m* **3.** *(invective)* invectiva, salida de tono **4.** *(d'un nouveau film)* estreno *m* **5.** *(d'un nouveau livre)* publicación **6. ~ de bain** salida de baño, albornoz *m*.

**sortilège** *m* sortilegio.

**¹sortir*** *vi* **1.** salir: **il est sorti** ha salido; **~ dans le jardin** salir al jardín; **je sortirai demain** saldré mañana; **sors d'ici!** ¡sal de aquí! **2.** salirse: **rivière qui sort de son lit** río que se sale de su cauce; **~ du sujet** salirse del tema ◊ **~ de table** acabar de comer; **~ du lit** acabar de levantarse; **cela m'est sorti de la tête** se me fue de la cabeza **3. ~ d'une bonne famille** proceder, descender de buena familia; **~ de l'École de...** salir de la Escuela de... **4.** *(un film)* estrenarse **5.** FAM **j'ai trop à faire, je n'en sors pas** tengo demasiado que hacer, no doy abasto **6.** FAM **je sors de lui parler** acabo de hablarle; **je sors d'en prendre!** ¡ya está bien! ◇ *vt* **1.** sacar: **~ la voiture du garage** sacar el coche del garaje **2. ~ un livre** publicar un libro **3.** *(un nouveau modèle)* sacar **4.** FAM **sortez-le!** ¡fuera! **5.** FAM **~ des âneries** decir bobadas. ◆ **s'en ~** *vpr* FAM salir del apuro, arreglárselas, salir adelante: **on s'en sortira** saldremos adelante.

**²sortir** *m* **au ~ de** al salir de, a la salida de; **au ~ de l'hiver** al final del invierno.

**sosie** *m* sosia.

**sot, sotte** *a/s* tonto, a, necio, a, bobo, a: **que tu es sotte** qué boba eres.

**sottement** *adv* tontamente.

**sottise** *f* tontería, necedad, bobada.

**sottisier** *m* repertorio de sandeces.

**sou** *m* **1.** perra *f* chica ◊ **dépenser jusqu'au dernier ~** gastar hasta el último céntimo; **être sans le ~** no tener ni blanca, estar sin un cuarto; **il est près de ses sous** es un roñoso; **il n'est pas méfiant pour un ~** no es ni una pizca desconfiado; FAM **s'ennuyer à cent sous de l'heure** aburrirse como una ostra; **parler gros sous** hablar de dinero, de cuartos **2. machine à sous** máquina tragaperras, tragaperras.

**soubassement** *m* basamento.

**soubresaut** *m* sobresalto.

**soubrette** *f* doncella, sirvienta.

**souche** *f* **1.** *(d'un arbre)* tocón *m* **2.** *(d'une famille)* tronco *m*, origen *m* ◊ **faire ~** tener descendencia; **de vieille ~** de rancio abolengo, de pura cepa **3.** FAM **dormir comme une ~** dormir como un tronco **4.** COM talón *m*, matriz ◊ **carnet à ~** talonario.

**souchet** *m* **1.** juncia *f* **2. ~ comestible** chufa *f*.

**¹souci** *m* **1.** preocupación *f*, cuidado ◊ **se faire du ~** preocuparse, inquietarse; **être sans ~** ser despreocupado; **c'est le cadet de mes soucis** es lo que menos me importa **2. des soucis d'argent** problemas de dinero.

**²souci** *m (plante)* maravilla *f*.

**soucier (se)*** *vpr* **se ~ de** preocuparse por ◊ **je m'en soucie comme de l'an quarante** me importa un comino.

**soucieux, euse** *a* **1.** preocupado, a, inquieto, a, intranquilo, a: **être ~** estar preocupado, a **2. ~ de** preocupado por.

**soucoupe** *f* **1.** platillo *m* ◊ **ouvrir des yeux comme des soucoupes** abrir unos ojos como platos **2. ~ volante** platillo volante.

**soudage** *m* soldadura *f*.

**soudain, e** *a* súbito, a, repentino, a: **une mort soudaine** una muerte repentina. ◇ *adv* de repente: **~, il partit** de repente, se marchó.

**soudainement** *adv* repentinamente.

**soudaineté** *f* lo súbito *m*.

**Soudan** *np m* Sudán.

**soudanais, e** *a/s* sudanés, esa.

**soudard** *m* soldadote.

**soude** *f* **1.** sosa, soda: **~ caustique** sosa cáustica **2. bicarbonate de ~** bicarbonato de soda.

**souder** *vt* soldar. ◆ **se ~** *vpr* soldarse.

**soudeur, euse** *s* soldador, a.

**soudoyer*** [sudwaje] *vt* sobornar.

**soudure** *f* soldadura.

**soue** *f* pocilga.

**soufflage** *m (du verre)* soplado.

**soufflant, e** *a FAM* asombroso, a, pasmoso, a.

**souffle** *m* **1.** soplo **2.** *(respiration)* aliento, respiración *f*: **reprendre son ~** recuperar el aliento, la respiración ◊ **être à bout de ~** estar sin aliento; *FIG* **couper le ~** dejar sin respiración, quitar el hipo; **à vous couper le ~** que quita el hipo; **son dernier ~** su último suspiro; **second ~** nuevo período de actividad **3.** inspiración *f* **4.** *MÉD* soplo: **avoir un ~ au cœur** tener un soplo en el corazón **5.** *(d'une explosion)* ola *f* expansiva.

**soufflé, e** *a* inflado, a, hinchado, a. ◇ *m CULIN* «soufflé».

**souffler** *vi* **1.** soplar: **le vent souffle** el viento sopla **2. laisser ~** dejar respirar; **laissez-moi le temps de ~** déjeme respirar un momento. ◇ *vt* **1.** *(une bougie, etc.)* apagar **2.** *(par une explosion)* volar **3.** *(le verre)* soplar **4.** *(chuchoter)* susurrar, decir en voz baja ◊ **ne pas ~ mot** no decir ni pío; **sans ~ mot** sin chistar **5.** *THÉÂT* apuntar **6.** *(la leçon, etc.)* apuntar, soplar **7.** *FAM* birlar, pisar: **on lui a soufflé sa place** le han birlado el empleo **8.** *FAM (stupéfier)* dejar asombrado, a, dejar pasmado, a.

**soufflerie** *f* **1.** fuelle *m* **2.** túnel *m* aerodinámico.

**soufflet** *m* **1.** *(pour souffler le feu, entre deux wagons, etc.)* fuelle **2.** *(gifle)* bofetada *f*.

**souffleter*** *vt* abofetear.

**souffleur** *m* **1.** *(de verre)* soplador **2.** *THÉÂT* apuntador.

**souffrance** *f* **1.** sufrimiento *m*, padecimiento *m* **2. en ~**, *(affaire)* en suspenso, *(objet)* detenido, a.

**souffrant, e** *a (malade)* indispuesto, a.

**souffre-douleur** *m inv* cabeza de turco, hazmerreír, sufrelotodo.

**souffreteux, euse** *a* enfermizo, a.

**souffrir*** *vi* **1.** sufrir, padecer: **il a beaucoup souffert** ha sufrido mucho; **~ de rhumatismes** padecer (de) reuma ◊ **où souffrez-vous?** ¿dónde le duele? **2. la vigne a souffert de la gelée** la helada ha dañado la viña. ◇ *vt* **1.** soportar, aguantar: **ne pas pouvoir ~ quelqu'un** no poder soportar a alguien **2.** admitir: **les affaires ne souffrent pas de retard** los negocios no admiten demora **3.** permitir: **souffrez que je vous dise** permita que le diga. ◆ **se ~** *vpr* soportarse: **ils ne peuvent pas se ~** no se soportan.

**soufisme** *m* sufismo.

**soufrage** *m* azufrado.

**soufre** *m* azufre.

**soufrer** *vt* azufrar.

**soufrière** *f* azufrera.

**souhait** *m* **1.** deseo **2.** felicitación *f*: **souhaits de bonne année** felicitaciones de año nuevo **3. à vos souhaits!** ¡Jesús!, ¡salud! **4.** *loc adv* **à ~** a pedir de boca, que da gusto: **tout marche à ~** todo funciona que da gusto.

**souhaitable** *a* deseable.

**souhaiter** *vt* **1.** desear: **je vous souhaite bon voyage** le deseo un buen viaje; **je vous souhaite de réussir** le deseo éxito ◊ **le résultat souhaité** el resultado apetecido, deseado **2. ~ le bonjour** dar los buenos días; **~ la bonne année** felicitar para año nuevo, desear feliz año nuevo **3. ~ ardemment** ansiar **4.** *FAM* **je vous souhaite bien du plaisir, je vous en souhaite** tarea de mando.

**souiller** *vt* **1.** manchar **2.** *FIG* mancillar.

**souillon** *f* fregona.

**souillure** *f* mancha.

**souk** *m* zoco.

**soûl, e** [su, sul] *a FAM* borracho, a ◊ **être complètement ~** estar como una cuba. ◇ *m* **boire, manger tout son ~** beber, comer hasta saciarse.

**soulagement** *m* alivio: **soupir de ~** suspiro de alivio.

**soulager*** *vt* **1.** *(d'un poids, une douleur, etc.)* aliviar **2.** *(aider)* ayudar, socorrer. ◆ **se ~** *vpr FAM* hacer una necesidad.

**soûlant, e** *a FAM* pesado, a, mareante.

**soûlard, e, soulaud, e** *s POP* borrachín, a.

**soûler** *vt* **1.** *FAM (enivrer)* emborrachar **2.** *FIG (rassasier)* hartar. ◆ **se ~** *vpr* emborracharse ◊ *FAM* **se ~ la gueule** coger una melopea, agarrar un tablón.

**soûlerie** *f FAM* borrachera.

**soulèvement** *m (révolte)* levantamiento, sublevación *f*.

**soulever*** *vt* **1.** *(un poids, un rideau, etc.)* levantar, alzar: **le vent soulevait des tourbillons de poussière** el viento alzaba remolinos de polvo ◊ *FIG* **~ le cœur** revolver el estómago, dar náuseas **2.** *(une question, un problème)* plantear **3.** *(pousser à la révolte)* sublevar **4.** suscitar, provocar: **~ l'enthousiasme** suscitar entusiasmo **5. ~ une polémique** promover una polémica. ◆ **se ~** *vpr* **1.** levantarse **2.** *(se révolter)* sublevarse.

**soulier** *m* zapato ◊ *FAM* **être dans ses petits souliers** hallarse en un aprieto.

**souligner** *vt* **1.** subrayar **2.** *FIG* recalcar, subrayar.

**soûlographie** *f FAM* borrachera.

**soulte** *f* compensación económica.

**soumettre*** *vt* someter: **il a soumis son projet à...** ha sometido su proyecto a.... ◆ **se ~** *vpr* someterse: **je me soumets à vos désirs** me someto a sus deseos.

**soumis, e** *pp* de **soumettre.** ◇ *a (docile)* sumiso, a.

**soumission** *f* **1.** sumisión **2.** *COM* licitación.

**soumissionner** *vt (dans une adjudication)* licitar.

**soupape** *f* válvula: **~ de sûreté** válvula de seguridad.

**soupçon** *m* **1.** sospecha *f*: **au-dessus de tout ~** por encima de toda sospecha; **éveiller des soupçons** levantar sospechas **2.** pizca *f*: **un ~ de sel** una pizca de sal.

**soupçonner** *vt* sospechar: **~ quelqu'un** sospechar de alguien.

**soupçonneux, euse** *a* suspicaz: **regard ~** mirada suspicaz.

**soupe** *f* **1.** sopa: **~ à l'oignon** sopa de cebolla ◊ *FIG* **il est ~ au lait** es un polvorilla; **être trempé comme une ~** estar hecho una sopa; *FAM* **cracher dans la ~** hacer ascos a lo bueno **2.** *MIL* **la ~** el rancho **3. ~ populaire** comedor *m* de caridad **4. marchand de ~ → marchand.**

**soupente** *f* desván *m*, camaranchón *m*.

**[1]souper** *m* cena *f*: **le ~** la cena.

**[2]souper** *vi* **1.** cenar **2.** *FAM* **j'en ai soupé** estoy hasta la coronilla, hasta las narices.

**soupeser*** *vt* sopesar.

**soupière** *f* sopera.

**soupir** *m* **1.** suspiro: **pousser un ~** dar un suspiro; **il exhala un profond ~** exhaló un hondo suspiro; **un ~ de soulagement** un suspiro de alivio; **rendre le dernier ~** exhalar el último suspiro **2.** *MUS* suspiro.

**soupirail** [supiʀaj] *m* respiradero, tragaluz.

**soupirant** *m* pretendiente.

**soupirer** *vi* suspirar: **~ après, pour...** suspirar por...

**souple** *a* **1.** *(tige, caractère, etc.)* flexible **2.** ágil.

**souplesse** *f* **1.** flexibilidad **2.** agilidad **3.** *FIG* habilidad, diplomacia.

**souquer** *vt MAR* azocar. ◇ *vi* remar enérgicamente.

**sourate** *f (du Coran)* sura.

**source** *f* **1.** fuente, manantial *m* ◊ **couler de ~** ser evidente, caer de su peso **2.** *FIG* fuente: **de ~ sûre** según fuentes solventes ◊ **savoir de bonne ~** saber de buena tinta, de buena fuente.

**sourcier** *m* zahorí.

**sourcil** [suʀsi] *m* ceja *f* ◊ **froncer les sourcils** fruncir el ceño.

**sourciller** *vi* **sans ~** sin pestañear.

**sourcilleux, euse** *a* **1.** severo, a **2.** puntilloso, a.

**sourd, e** *a/s* sordo, a ◊ **un dialogue de sourds** un diálogo de sordos; **rester ~ aux prières** permanecer sordo a los ruegos; **~ comme un pot** sordo como una tapia; **crier, frapper comme un ~** gritar, pegar como un loco; *PROV* **il n'est pire ~ que celui qui ne veut pas entendre** no hay peor sordo que el que no quiere oír. ◇ *a (bruit, etc.)* sordo, a.

**sourdement** *adv* **1.** sordamente **2.** secretamente.

**sourdine** *f* sordina: **en ~** con sordina; *FIG* **mettre une ~ à** poner sordina a.

**sourdingue** *a PÉJOR* sordo, a.

**sourd-muet, sourde-muette** *a/s* sordomudo, a.

**sourdre** *vi* brotar, surgir.

**souriant, e** *a* risueño, a, sonriente.

**souriceau** *m* ratoncillo.

**souricière** *f* ratonera ◊ *FIG* **tomber dans une ~** caer en la ratonera.

[1]**sourire*** *vi* **1.** sonreír, sonreírse **2.** *FIG* **tout lui sourit** todo le sonríe.

[2]**sourire** *m* sonrisa *f*: **un beau ~** una hermosa sonrisa; **un large ~** una amplia sonrisa; **le ~ aux lèvres** con la sonrisa en los labios ◊ **garder le ~** poner a mal tiempo buena cara.

**souris** [suʀi] *f* **1.** ratón *m* ◊ **jouer au chat et à la ~** jugar al gato y al ratón **2. ~ blanche** rata blanca **3.** *FAM (fille)* muchacha **4.** *(d'un micro-ordinateur)* ratón *m* **5.** *(du gigot)* carne pegada al hueso.

**sournois, e** *a/s* disimulado, a, taimado, a.

**sournoisement** *adv* disimuladamente, socarronamente.

**sournoiserie** *f* disimulo *m*, socarronería.

**sous** [su] *prép* **1.** debajo de, bajo: **~ l'armoire** debajo del armario; **~ terre** bajo tierra; **tunnel ~ la Manche** túnel bajo el Canal de la Mancha; **~ la pluie** bajo la lluvia **2.** bajo: **~ sa responsabilité** bajo su responsabilidad; **~ le plume de cet écrivain** bajo la pluma de este escritor **3. ~ Louis XIV** durante el reinado de Luis XIV; **~ la République** durante, bajo la República **4. ~ les ordres de** a las órdenes de **5. ~ les yeux de tout le monde** a la vista de todos **6. ~ peu** dentro de poco **7. ~ peine de** so pena de; **~ prétexte de** so pretexto de.

**sous-affluent** *m* subafluente.

**sous-alimentation** *f* subalimentación.

**sous-alimenté, e** *a* subalimentado, a, desnutrido, a.

**sous-bois** *m* soto.

**sous-chef** *m* subjefe.

**sous-comité** *m* subcomité.

**sous-commission** *f* subcomisión.

**sous-continent** *m* subcontinente.

**souscripteur, trice** *s* suscriptor, a.

**souscription** *f* suscripción.

**souscrire*** *vt* suscribir. ◇ *vi* **1. ~ à une revue** suscribirse a una revista; **~ à une émission d'actions** suscribir una emisión de acciones **2. ~ à** consentir en.

**souscrit, e** *a* suscrito, a.

**sous-cutané** *a* subcutáneo, a.

**sous-développé, e** *a* subdesarrollado, a: **pays sous-développés** países subdesarrollados.

**sous-développement** *m* subdesarrollo.

**sous-diaconat** *m* subdiaconado.

**sous-diacre** *m* subdiácono.

**sous-directeur, trice** *s* subdirector, a.

**sous-dominante** *f MUS* subdominante.

**sous-emploi** *m* subempleo.

**sous-employer*** *vt* subemplear.

**sous-entendre*** *vt* sobreentender, sobrentender.

**sous-entendu, e** *a* sobreentendido, a. ◇ *m* supuesto, insinuación *f*, indirecta *f*.

**sous-équipé** *a* insuficientemente equipado, a.

**sous-estimation** *f* infravaloración.

**sous-estimer** *vt* subestimar, subvalorar, infravalorar, minusvalorar.

**sous-évaluer** *vt* subvalorar, infravalorar.

**sous-exposer** *vt (photo)* exponer insuficientemente.

**sous-famille** *f BIOL* subfamilia.

**sous-fifre** *m FAM* empleaducho.

**sous-genre** *m BIOL* subgénero.

**sous-intendant** *m* subintendente.

**sous-jacent, e** *a* subyacente.

**Sous-le-Vent (îles)** *np* Sotavento (islas de).

**sous-lieutenant** *m* subteniente.

**sous-locataire** *s* subarrendatario, a.

**sous-location** *f* subarriendo *m*.

**sous-louer** *vt* subarrendar, realquilar.

**sous-main** *m inv* **1.** carpeta *f* **2.** *loc adv* **en ~** en secreto, bajo mano.

**sous-marin, e** *a* submarino, a: **pêche sous-marine** pesca submarina. ◇ *m* submarino: **~ nucléaire** submarino nuclear.

**sous-marinier** *m* submarinista.

**sous-multiple** *a/m MATH* submúltiplo, a.

**sous-nappe** *f* mantel *m* bajero.

**sous-œuvre (en)** *loc adv* de recalce.

**sous-officier** *m* suboficial.

**sous-ordre** *m* **1.** *BOT, ZOOL* suborden **2.** subalterno, subordinado ◊ **en ~** a las órdenes de otro.

**sous-payer*** *vt* pagar mal.

**sous-peuplé, e** *a* poco poblado, a.

**sous-pied** *m* trabilla *f*.

**sous-préfecture** *f* subprefectura.

**sous-préfet** *m* subprefecto.

**sous-production** *f* subproducción.

**sous-produit** *m* subproducto.

**sous-programme** *m INFORM* subrutina.

**sous-secrétaire** *m* subsecretario, a.

**sous-secrétariat** *m* subsecretaría *f*.

**soussigné, e** *a/s* infrascrito, a ◊ **je ~** el abajo firmante.

**sous-sol** *m* **1.** *GÉOL* subsuelo **2.** *(d'un édifice)* sótano: **le restaurant est au ~** el restaurante está en el sótano; **descendre au ~** bajar al sótano.

**sous-tangente** *f GÉOM* subtangente.

**sous-tasse** *f* platillo *m*.

**sous-tendre*** *vt* subtender.

**sous-titre** *m* subtítulo.

**sous-titré, e** *a* subtitulado, a.

**sous-titrer** *vt* subtitular.

**soustraction** *f* sustracción.

**soustraire*** *vt* **1.** sustraer **2.** *MATH* restar. ◆ **se ~ à** *vpr* substraerse a.

**sous-traitance** *f* subcontratación.

**sous-traitant** *m* segundo contratista, subcontratista.

**sous-verre** *m inv* cuadro montado con vidrio.

**sous-vêtement** *m* prenda *f* interior, ropa *f* interior: **les sous-vêtements** la ropa interior.

**soutache** *f* sutás *m*.

**soutane** *f* sotana.

**soute** *f* **1.** *MAR* pañol *m* **2.** *(d'un avion)* bodega, compartimento *m* de equipajes.

**soutenable** *a* defendible.

**soutenance** *f* defensa de una tesis.

**soutènement** *m* contención *f*: **mur de ~** muro de contención.

**souteneur** *m* chulo, rufián.

**soutenir*** *vt* **1.** sostener: **hangar soutenu par quatre piliers** hangar sostenido por cuatro pilares **2.** *(une thèse)* defender **3. ~ un candidat** apoyar a un candidato **4.** *FIG* sostener, mantener: **~ un effort** mantener un esfuerzo; **~ le regard de quelqu'un** sostener la mirada de alguien **5. je soutiens votre point de vue** defiendo su punto de vista; **je soutiens que...** afirmo que... **6.** *MIL* aguantar, resistir. ◆ **se ~** *vpr* sostenerse.

**soutenu, e** *a* **1.** *(style)* elevado, a **2.** *(effort)* constante.

**souterrain, e** *a* subterráneo, a. ◇ *m* subterráneo.

**soutien** *m* **1.** *(aide)* sostén, apoyo, respaldo: **il a obtenu le ~ de ses collègues** obtuvo el respaldo de sus colegas **2. ~ de famille** sostén de familia.

**soutien-gorge** *m* sostén, sujetador: **~ à armature** sujetador con aro, de aros.

**soutier** *m MAR* pañolero.

**soutirage** *m* trasiego.

**soutirer** *vt* **1.** *(un liquide)* trasegar **2.** *FIG* sonsacar.

**souvenance** *f LITT* remembranza.

[1]**souvenir** *m* recuerdo: **un mauvais ~** un mal recuerdo; **éveiller des souvenirs** despertar recuerdos; **ce collier est un ~ de ma mère, de mon voyage au Mexique** este collar es un recuerdo de mi madre, de mi viaje a México; **en ~** de recuerdo; **en ~ de moi** como recuerdo mío; **bons, meilleurs souvenirs** muchos recuerdos ◊ **si mes souvenirs sont exacts** si mal no recuerdo.

[2]**souvenir (se)** *vpr* acordarse, recordar: **je ne me souviens pas de votre nom** no me acuerdo de, no recuerdo su apellido; **souvenez-vous-en** acuérdese; **souviens-toi** acuérdate; **si je me souviens bien** si mal no recuerdo ◊ **je m'en souviendrai!** ¡no se me olvidará!; **essayer de se ~** hacer memoria. ◇ *impers LITT* **il me souvient** creo recordar.

**souvent** *adv* a menudo: **très ~** muy a menudo ◊ **le plus ~** la mayoría de las veces; **peu ~** rara vez.

**souverain, e** *a/s* **1.** soberano, a **2. le ~ pontife** el sumo pontífice.

**souverainement** *adv* soberanamente, sumamente: **~ ennuyeux** sumamente pesado.

**souveraineté** *f* soberanía.

**soviet** [sɔvjɛt] *m* soviet.

**soviétique** *a/s* soviético, a.

**soyeux, euse** [swajø, øz] *a* sedoso, a.

**soyez, soyons → être.**

**spacieux, euse** *a* espacioso, a, amplio, a.

**spadassin** *m* **1.** *ANC* espadachín **2.** *(assassin à gages)* asesino a sueldo.

**spaghetti** *m pl* espaguetis.

**spahi** [spai] *m* espahí.

**spalter** [spaltɛʀ] *m* brocha *f*.

**sparadrap** *m* esparadrapo.

**spart, sparte** *m* esparto, atocha *f*.

**Sparte** *np* Esparta.

**sparterie** *f* espartería.

**spartiate** *a/s (de Sparte, austère)* espartano, a. ◇ *f pl (sandales)* sandalias.

**spasme** *m* espasmo.

**spasmodique** *a* espasmódico, a.

**spasmophilie** *f MÉD* espasmofilia.

**spath** [spat] *m* espato.

**spatial, e** [spasjal] *a* espacial: **engins spatiaux** vehículos espaciales.

**spatule** *f* espátula.

**speaker, ine** [spikœʀ, spikʀin] *s* locutor, a.

**spécial, e** *a* especial.

**spécialement** *adv* especialmente.

**spécialisation** *f* especialización.

**spécialisé, e** *a* especializado, a.

**spécialiser** *vt* especializar. ◆ **se ~** *vpr* especializarse: **il s'est spécialisé dans la littérature médiévale, en chirurgie esthétique** se ha especializado en literatura medieval, en cirugía estética.

**spécialiste** *s* especialista.

**spécialité** *f* **1.** especialidad **2.** *(pharmaceutique)* específico *m*.

**spécieux, euse** *a* especioso, a.

**spécification** *f* especificación.

**spécificité** *f* especificidad, carácter específico.

**spécifier*** *vt* especificar.

**spécifique** *a/m* específico, a.

**spécimen** [spesimɛn] *m* **1.** espécimen: **des spécimens** unos especímenes **2.** *FAM* **quel drôle de ~!**, ¡vaya ejemplar!

**spectacle** *m* espectáculo ◊ **se donner en ~** dar el espectáculo; **à grand ~** de gran espectáculo.

**spectaculaire** *a* espectacular, aparatoso, a.

**spectateur, trice** *s* espectador, a: **en ~** como espectador.

**spectral, e** *a* espectral.

**spectre** *m* **1.** espectro **2.** *PHYS* espectro.

**spectrocospe** *m PHYS* espectroscopio.

**spectroscopie** *f PHYS* espectroscopia.

**spéculateur, trice** *s* especulador, a.

**spéculatif, ive** *a* especulativo, a.

**spéculation** *f* especulación.

**spéculer** *vi* especular: **~ sur** especular con, sobre, en; **~ sur le sens de la vie** especular sobre el sentido de la vida; **~ en Bourse** especular en Bolsa.

**spéculos** [spekylos] *m* speculos, galleta *f* belga con azúcar cande.

**spéculum** [spekylɔm] *m MÉD* espéculo.

**speech** [spitʃ] *m FAM* discurso de circunstancias.

**speedé, e** [spide] *a FAM* sobrexcitado, a.

**spéléologie** *f* espeleología.

**spéléologue** *s* espeleólogo, a.

**spermatozoïde** *m* espermatozoide.

**sperme** *m* esperma *f*, semen.

**spermicide** *a/m MÉD* espermicida.

**sphénoïde** *m ANAT* esfenoides.

**sphère** *f* **1.** esfera ◊ **~ céleste, terrestre** esfera celeste, terrestre **2.** *FIG* esfera, ámbito *m*.

**sphéricité** *f* esfericidad.

**sphérique** *a* esférico, a.

**sphéroïde** *m GÉOM* esferoide.

**sphincter** [sfɛ̃ktɛʀ] *m ANAT* esfínter.

**sphinx** [sfɛ̃ks] *m inv* **1.** esfinge *f*: **un ~** una esfinge **2.** *(papillon)* esfinge *f*.

**sphyrène** *f (poisson)* esfirena.

**spi** *m MAR* spi, spinnaker.

**spinal, e** *a ANAT* espinal.

**spinnaker** *m MAR* spinnaker.

**spinozisme** *m* espinosimo.

**spirale** *f* espiral ◊ **en ~** en espiral; **escalier en ~** escalera de caracol; *FIG* **~ de violence** espiral de violencia.

**spire** *f* espira.

**spirite** *a/s* espiritista.

**spiritisme** *m* espiritismo.

**spiritualiser** *vt* espiritualizar.

**spiritualisme** *m* espiritualismo.

**spiritualité** *f* espiritualidad.

**spirituel, elle** *a* **1.** *(relatif à l'esprit)* espiritual **2.** *(drôle)* ingenioso, a, gracioso, a: **une répartie spirituelle** una réplica graciosa **3. concert ~** concierto de música sacra. ◇ *m* **le ~** lo espiritual.

**spirituellement** *adv* **1.** espiritualmente **2.** *(avec esprit)* ingeniosamente, con agudeza.

**spiritueux, euse** *a* espirituoso, a. ◇ *m* licor espirituoso.

**spleen** [splin] *m* esplín.

**splendeur** *f* **1.** esplendor *m*: **la ~ des décors** el esplandor de la decoración **2. une ~** una maravilla.

**splendide** *a* espléndido, a.

**spoliateur, trice** *a/s* expoliador, a.

**spoliation** *f* expoliación.

**spolier*** *vt* expoliar.

**spondée** *m* espondeo.

**spongiaires** *m pl ZOOL* espongiarios.

**spongieux, euse** *a* esponjoso, a.

**sponsor** *m* sponsor, patrocinador: **les sponsors d'une équipe de football** los patrocinadores de un equipo de fútbol.

**sponsoring** *m*, **sponsorisation** *f* patrocinio *m*.

**sponsoriser** *vt* patrocinar.

**spontané, e** *a* espontáneo, a.

**spontanéité** *f* espontaneidad.

**spontanément** *adv* espontáneamente.

**sporadique** *a* esporádico, a.

**sporadiquement** *adv* esporádicamente.

**sporange** *m BOT* esporangio.

**spore** *f BOT* espora.

**sport** [spɔʀ] *m* **1.** deporte: **~ individuel** deporte individual; **sports d'hiver** deportes de invierno; **pratiquer un ~** practicar un deporte; **faire du ~** hacer deporte, practicar (los) deportes **2. voiture de ~** coche deportivo; **articles de ~** artículos deportivos; **chaussures de ~** zapatos deportivos, de sport, zapatillas de deporte; **veste ~** chaqueta de sport **3.** *FAM* **il va y avoir du ~!** ¡va a haber tomate!, ¡se va a armar la gorda!

**sportif, ive** *a* deportivo, a: **association sportive** asociación deportiva; **activités sportives** actividades deportivas. ◇ *s (personne)* deportista.

**sportivemente** *adv* deportivamente.

**sportivité** *f* deportividad.

**spot** [spɔt] *m* **1.** punto luminoso **2.** *(projecteur)* foco **3. spots publicitaires** spots publicitarios, cuña *f* publicitaria, espacios publicitarios.

**spoutnik** [sputnik] *m* spútnik.

**sprat** [spʀat] *m* especie de arenque.

**spray** [spʀɛ] *m* spray, aerosol.

**sprint** [spʀint] *m* sprint: **victoire au ~** victoria al sprint; **piquer un ~** tomar sprint, echar una carrera.

**¹sprinter** [spʀintœʀ] *m (coureur)* velocista, sprinter.

**²sprinter** [spʀinte] *vi (courir)* esprintar.

**squale** [skóal] *m* escualo.

**squame** [skóam] *f* escama.

**squameux, euse** *a* escamoso, a.

**square** *m* jardincillo público.

**squash** [skwaʃ] *m* squash.

**¹squatter** [skwatœʀ] *m* «squatter», ocupante ilegal de una vivienda, okupa.

**²squatter** [skwate] , **squattériser** *vt* ocupar ilegalmente una vivienda.

**squelette** *m* **1.** esqueleto **2.** *FIG* **un vrai ~** un auténtico esqueleto, un costal de huesos.

**squelettique** *a* esquelético, a.

**stabilisateur, trice** *a/m* estabilizador, a.

**stabilisation** *f* estabilización.

**stabiliser** *vt* estabilizar. ◆ **se ~** *vpr* estabilizarse.

**stabilité** *f* estabilidad.

**stable** *a* estable: **un emploi ~** un empleo estable.

**staccato** *adv MUS* staccato.

**stade** *m* **1.** estadio: **~ olympique** estadio olímpico **2.** *(degré)* fase *f*, grado, estadio: **~ oral** estadio oral.

**¹staff** *m (matériau)* estuco.

**²staff** *m* staff, equipo directivo, personal de dirección.

**stage** *m* **1.** período de pruebas, de prácticas: **faire un ~ dans un hôpital** hacer prácticas, pasar un período de prácticas en un hospital **2.** *(cours)* cursillo: **~ de formation, de perfectionnement** cursillo de capacitación, de perfeccionamiento; **~ de ski** cursillo de esquí.

**stagflation** *f ÉCON* estanflación.

**stagiaire** *a/s* **1.** cursillista ◊ **infirmière ~** enfermera en período de prácticas **2.** *(avocat)* pasante.

**stagnant, e** *a* estancado, a.

**stagnation** *f* estancamiento *m*: **période de ~** periodo de estancamiento.

**stagner** *vi* estancarse.

**stalactite** *f* estalactita.

**stalagmite** *f* estalagmita.

**stalinien, enne** *a/s* estalinista.

**stalinisme** *m* estalinismo.

**stalle** *f* **1.** *(dans une église)* silla de coro **2.** *(d'écurie)* compartimento *m* de cuadra.

**stance** *f (strophe)* estancia.

**stand** [stɑ̃d] *m* **1.** *(de tir)* barraca *f* de tiro al blanco **2.** *(dans une exposition)* stand, caseta *f* **3. ~ de ravitaillement** puesto de avituallamiento.

**standard** *a/m* estándar, standard: **modèle ~** tipo estándar; **~ de vie** estándar de vida. ◇ *m (téléphonique)* centralita *f*.
▶ L'anglicisme *standard* est usuel.
**standardisation** *f* estandarización.
**standardiser** *vt* estandarizar, standardizar.
**standardiste** *s* telefonista.
**standing** *m* standing ◊ **de grand ~** de categoría, de alto standing.
**Stanislas** [stanislas] *np m* Estanislao.
**stannifère** *a* estanífero, a.
**staphylocoque** *m* estafilococo.
**star** *f* estrella de cine, star.
**starlette** *f* actriz joven de cine.
**starter** *m* **1.** *(d'une course)* juez de salida **2.** *TECHN* starter, estárter.
**station** *f* **1.** *(attitude du corps)* posición: **la ~ verticale, debout** la posición vertical, de pie **2.** *(halte)* pausa, parada **3.** *(de métro)* estación, *(d'autobus)* parada **4. ~ de taxis** parada de taxis **5.** *(météorologique, de radio, etc.)* estación: **~ spatiale** estación espacial **6. ~ de sports d'hiver, de ski** estación de esquí; **~ thermale** balneario *m* **7. ~-service** estación de servicio, gasolinera.
**stationnaire** *a* estacionario, a.
**stationnement** *m* estacionamiento ◊ **~ interdit** prohibido aparcar; **voiture en ~** coche estacionado.
**stationner** *vi* **1.** *(une voiture)* aparcar: **défense de ~** prohibido aparcar **2.** *(une personne)* estacionarse.
**station-service → station.**
**statique** *a* estático, a.
**statisticien, enne** *s* estadista.
**statistique** *a* estadístico, a. ◇ *f* estadística.
**statistiquement** *adv* estadísticamente.
**stator** *m TECHN* estator.
**statoréacteur** *m* estatorreactor.
**statuaire** *f* estatuaria.
**statue** *f* estatua.
**statuer** *vi* **1.** estatuir, fallar **2. ~ sur** resolver.
**statuette** *f* estatuilla.
**statufier*** *vt FAM* levantar una estatua a.
**statu quo** [statykwo] *m inv* statu quo.
**stature** *f* estatura.
**statut** *m* **1.** estatuto **2. ~ social** posición *f* social, status social. ◇ *pl (règlements)* estatutos.
**statutaire** *a* estatutario, a.
**statutairement** *adv* según los estatutos.
**steak** [stɛk] *m* bisté, bistec.
**steamer** [stimœʀ] *m* barco de vapor.
**stéarine** *f* estearina.
**stéatite** *f* esteatita.
**steeple-chase** [stipəlʃɛz] *m* carrera *f* de obstáculos.
**stèle** *f* estela.
**stellaire** *a* estelar.
**stencil** *m* sténcil.
**sténo → sténodactylo, sténographie.**
**sténodactylo** *f* taquimecanógrafa.
**sténographe** *s* estenógrafo, a, taquígrafo, a.
**sténographie** *f* taquigrafía, estenografía.
**sténographier*** *vt* taquigrafiar.
**sténose** *f MÉD* estenosis.
**sténotypie** *f* estenotipia.
**stentor** *m* **voix de ~** voz estentórea.
**stéphanois, e** *a/s* de Saint-Étienne.
**steppe** *f* estepa.
**steppique** *a* estepario, a.
**stercoraire** *m (mouette)* gaviota *f* rapaz.
**stère** *m* estéreo.
**stéréo** *a* estéreo: **chaîne ~** cadena estéreo.
**stéréophonie** *f* estereofonía.
**stéréophonique** *a* estereofónico, a.
**stéréoscope** *m* estereoscopio.
**stéréoscopique** *a* estereoscópico, a.
**stéréotype** *m* estereotipo.
**stéréotypé, e** *a* estereotipado, a.
**stéréotypie** *f* estereotipia.
**stérile** *a* estéril.
**stérilement** *adv* de una manera estéril, vanamente.
**stérilet** *m* dispositivo intrauterino, DIU, espiral *f*.
**stérilisant, e** *a* esterilizador, a.
**stérilisateur** *m* esterilizador.
**stérilisation** *f* esterilización.
**stériliser** *vt* esterilizar.
**stérilité** *f* esterilidad.
**sterling** [stɛʀliŋ] *a* **livre ~** libra esterlina.
**sterne** *f* golondrina de mar.
**sternum** [stɛʀnɔm] *m* esternón.
**sternutatoire** *a/m* estornutatorio, a.
**stérol** *m CHIM* esterol.
**stéthoscope** *m* estetoscopio.
**steward** [stjuwaʀd, stiwaʀt] *m (dans un avion)* auxiliar de vuelo, *(dans un paquebot)* camarero.
**stick** [stik] *g* **1.** *(de cavalier)* stick, fusta *f* **2.** *(bâtonnet de colle, etc.)* barra *f*.
**stigmate** *m* **1.** *(marque, etc.)* estigma **2.** *BOT, ZOOL* estigma.
**stigmatiser** *vt* estigmatizar.
**stimulant, e** *a/m* estimulante.
**stimulateur** *m MÉD* **~ cardiaque** marcapasos.
**stimulation** *f* estímulo *m*, estimulación.
**stimuler** *vt* **1.** *(quelqu'un, l'appétit)* estimular **2.** *(les exportations, etc.)* fomentar, incentivar.
**stimulus** *m* [stimylys] *m* estímulo.
**stipe** *m BOT* estípite.
**stipendié, e** *a PÉJOR* corrupto, a.
**stipendier*** *vt* estipendiar, corromper.
**stipulation** *f* estipulación.
**stipuler** *vt* estipular.
**stock** *m* **1.** *(marchandises)* stock, existencias *f pl* **2.** depósito, reserva *f*.
**stockage** *m* almacenamiento, almacenaje.
**stocker** *vt* almacenar.
**stockfish** [stɔkfiʃ] *m* pejepalo.
**Stockolm** *np* Estocolmo.

**stockiste** *s* almacenista, depositario.

**stoïcien, enne** *a/s* estoico, a.

**stoïcisme** *m* estoicismo.

**stoïque** *a/s* estoico, a.

**stoïquement** *adv* estoicamente.

**stomacal, e** *a* estomacal.

**stomachique** *a/m* estomacal.

**stomate** *m BOT* estoma.

**stomatologie** *f* estomatología.

**stomatologiste, stomatologue** *s* estomatólogo, a.

**stop!** *interj* **1.** ¡alto! **2.** *(télégrammes)* stop. ◇ *m* **1.** *(signal routier)* stop **2.** *(feu arrière)* luz *f* de freno **3.** *FAM* autostop: **faire du ~** hacer autostop.

**stoppage** *m* zurcido.

[1]**stopper** *vt (un vêtement)* zurcir.

[2]**stopper** *vt (arrêter)* detener, parar. ◇ *vi (s'arrêter)* detenerse, pararse.

**stoppeur, euse** *s* **1.** zurcidor, a **2.** *FAM (auto-stoppeur)* autoestopista.

**store** *m* **1.** persiana *f* **2.** *(de magasin)* toldo.

**storiste** *m* persianista.

**strabisme** *m* estrabismo.

**strangulation** *f* estrangulación.

**strapontin** *m* traspuntín, asiento plegable.

**Strasbourg** *np* Estrasburgo.

**strasbourgeois, e** *a/s* de Estrasburgo.

**strass** *m* estrás.

**stratagème** *m* estratagema *f*.

**strate** *f GÉOL* estrato *m*.

**stratège** *m* estratega.

**stratégie** *f* estrategia.

**stratégique** *a* estratégico, a.

**stratification** *f* estratificación.

**stratifier*** *vt* estratificar.

**stratigraphie** *f* estratigrafía.

**stratigraphique** *a* estratigráfico, a.

**strato-cumulus** [stʀato kymylys] *m* stratocúmulo.

**stratosphère** *f* estratosfera.

**stratosphérique** *a* estratoesférico, a.

**stratus** [stratys] *m (nuage)* estrato.

**streptocoque** *m* estreptococo.

**streptomycine** *f* estreptomicina.

**stress** *m* estrés, stress.

**stressant, e** *a* estresante.

**stresser** *vt* estresar.

**strict, e** *a* **1.** estricto, a **2. au sens ~** en el estricto sentido de la palabra; **le ~ nécessaire** lo estrictamente necesario.

**strictement** *adv* estrictamente.

**stridence** *f* estridencia.

**strident, e** *a* estridente.

**stridulation** *f* estridulación, chirrido *m*.

**striduler** *vi* estridular, chirriar.

**strie** *f* estría.

**strié, e** *a* estriado, a.

**strier*** *vt* estriar.

**string** [stʀiŋ] *m* tanga.

**strip-tease** [stʀiptiz] *m* strip-tease, destape.

**strip-teaseuse** *f* mujer que hace strip-tease.

**striure** *f* **1.** *(strie)* estría **2.** estriado *m*.

**strontium** [stʀɔ̃sjɔm] *m* estroncio.

**strophe** *f* estrofa.

**structural, e** *a* estructural.

**structuralisme** *m* estructuralismo.

**structuraliste** *a/s* estructuralista.

**structuration** *f* estructuración.

**structure** *f* estructura.

**structurel, elle** *a ÉCON* estructural: **réformes structurelles** reformas estructurales.

**structurer** *vt* estructurar. ◆ **se ~** *vpr* estructurarse.

**strychnine** [striknin] *f* estricnina.

**Stuart** *np* Estuardo.

**stuc** *m* estuco.

**stucage** *m* estucado.

**studieux, euse** *a* estudioso, a.

**studio** *m* **1.** *(de photographe, etc.)* estudio **2.** *(petit logement)* estudio, apartamento.

**stûpa** *m ARCH* stupa.

**stupéfaction** *f* **1.** estupefacción **2. à la ~ générale** ante el asombro de todos.

**stupéfait, e** *a* estupefacto, a, asombrado, a: **rester ~** quedarse estupefacto, asombrado.

**stupéfiant, e** *a* asombroso, a, estupefaciente. ◇ *m (narcotique)* estupefaciente: **la brigade des stupéfiants** la brigada de estupefacientes.

**stupéfier*** *vt* pasmar, asombrar, dejar estupefacto, a.

**stupeur** *f* estupor *m*.

**stupide** *a* estúpido, a.

**stupidement** *adv* estúpidamente.

**stupidité** *f* estupidez.

**stupre** *m* estupro.

**stuquer** *vt* estucar.

**style** *m* **1.** estilo: **~ de vie** estilo de vida; **~ rococo** estilo rococó ◊ **meubles de ~** muebles antiguos **2.** *BOT* estilo.

**stylé, e** *a* refinado, a.

**stylet** *m* estilete.

**stylisation** *f* estilización.

**styliser** *vt* estilizar.

**styliste** *s* **1.** estilista **2.** *(de mode)* diseñador, a.

**stylistique** *f* estilística.

**stylite** *a/m* estilita.

**stylo** *m* **1.** estilográfica *f* **2. ~ à bille** bolígrafo; **un ~ bille** un boli **3. ~-feutre** rotulador.

**stylobate** *m ARCH* estilóbato.

**stylographe** *m* pluma *f* estilográfica.

**styrène** *m CHIM* estireno.

**Styx** *np m* **le ~** la laguna Estigia.

[1]**su** → **savoir.**

[2]**su (au su de)** *loc prép* con conocimiento de.

**suaire** *m* **1.** sudario **2. le saint ~** la Sábana santa.

**suant, e** *a* **1.** sudoso, a **2.** *FAM (ennuyeux)* aburrido, a.

**suave** *a* suave.

**suavité** *f* suavidad.

**subalterne** *a/s* subalterno, a.

**subconscient, e** *a/m* subconsciente.

**subdélégué, e** *a/s* subdelegado, a.

**subdéléguer*** *vt* subdelegar.

**subdiviser** *vt* subdividir.

**subdivision** *f* subdivisión.

**subir** *vt* **1.** sufrir, experimentar: **~ les conséquences** sufrir las consecuencias; **~ une défaite** sufrir una derrota; **~ un changement** experimentar un cambio **2. il a subi une opération chirurgicale** le han operado **3.** *(supporter à contrecœur)* aguantar.

**subit, e** *a* súbito, a, repentino, a: **un changement ~** un cambio súbito, repentino.

**subitement** *adv* súbitamente.

**subito** *adv FAM* súbitamente.

**subjectif, ive** *a* subjetivo, a.

**subjectivement** *adv* subjetivamente.

**subjectivisme** *m* subjetivismo.

**subjectivité** *f* subjetividad.

**subjonctif** *m GRAM* subjuntivo.

**subjuguer** *vt* subyugar.

**sublimation** *f* sublimación.

**sublime** *a* sublime.

**sublimé** *m CHIM* sublimado.

**sublimer** *vt* sublimar.

**subliminal, e** *a* subliminal.

**sublimité** *f* sublimidad.

**sublingual, e** *a* sublingual.

**submerger*** *vt* **1.** sumergir **2. être submergé de travail** estar agobiado de trabajo.

**submersible** *a/m* sumergible.

**submersion** *f* sumersión.

**subodorer** *vt FAM* olerse, sospechar.

**subordination** *f* subordinación.

**subordonné, e** *a/s* subordinado, a.

**subordonner** *vt* **1.** subordinar, supeditar **2. être subordonné à** estar supeditado a, depender de.

**subornation** *f* soborno *m*, sobornación.

**suborner** *vt* sobornar.

**suborneur** *m* seductor.

**subrécargue** *m MAR* sobrecargo.

**subreptice** *a* subrepticio, a.

**subrepticement** *adv* subrepticiamente.

**subrogé, e** *a JUR* subrogado, a.

**subroger*** *vt JUR* subrogar.

**subséquemment** [sybsekamɑ̃] *adv* por consiguiente.

**subséquent, e** *a* subsiguiente, subsecuente.

**subside** *m* subsidio.

**subsidiaire** *a* subsidiario, a.

**subsistance** *f* subsistencia.

**subsister** *vi* subsistir.

**subsonique** *a* subsónico, a.

**substance** *f* sustancia, substancia ◊ **en ~** en resumen, en sustancia.

▶ L'orthographe sans *b* (*sustancia*, etc.) est aujourd'hui la plus courante.

**substantiel, elle** *a* **1.** sustancial, sustancioso, a **2. des bénéfices, des avantages substantiels** pingües beneficios, ventajas sustanciosas.

**substantif** *m* sustantivo, substantivo.

**substantivement** *adv* sustantivamente.

**substantiver** *vt GRAM* sustantivar, substantivar.

**substituer** *vt* sustituir, substituir: **~ un mot à un autre** sustituir una palabra por otra. ◆ **se ~** *vpr* **se ~ à quelqu'un** reemplazar a alguien.

**substitut** *m* sustituto, substituto.

**substitution** *f* sustitución, substitución.

**substrat** *m* substrato.

**subterfuge** *m* subterfugio.

**subtil, e** *a* sutil.

**subtilement** *adv* sutilmente.

**subtiliser** *vt/i* sutilizar. ◇ *vt FAM (dérober)* birlar, hurtar, sustraer.

**subtilité** *f* sutileza.

**subtropical, e** *a* subtropical.

**suburbain, e** *a* suburbano, a.

**subvenir*** *vi* **~ aux besoins de...** subvenir a las necesidades de..., cubrir las necesidades de...

**subvention** *f* subvención, subsidio *m*.

**subventionner** *vt* subvencionar.

**subversif, ive** *a* subversivo, a.

**subversion** *f* subversión.

**suc** *m* jugo ◊ **~ gastrique** jugo gástrico.

**succédané** *m* sucedáneo.

**succéder*** *vi* suceder: **~ à** suceder a; **il a succédé à son père à la direction de l'entreprise** sucedió a su padre en la dirección de la empresa. ◆ **se ~** *vpr* sucederse.

**succès** [syksɛ] *m* **1.** éxito: **avoir du ~** tener éxito ◊ **un ~ fou** un exitazo, un éxito clamoroso **2. auteur, livre à ~** autor, libro de éxito; **une comédie à ~** una exitosa comedia.

**successeur** *m* sucesor, a.

**successif, ive** *a* sucesivo, a.

**successivement** *adv* sucesivamente.

**succession** *f* **1.** *(suite, série)* sucesión **2.** *(héritage)* sucesión, herencia **3. prendre la ~ de** suceder a.

**successoral, e** *a JUR* sucesorio, a.

**succinct, e** [syksɛ̃, ɛ̃t] *a* sucinto, a, conciso, a.

**succinctement** *adv* sucintamente.

**succion** *f* succión.

**succomber** *vi* **1.** sucumbir **2. ~ à la tentation** sucumbir, ceder a la tentación, caer en la tentación.

**succulence** *f* suculencia.

**succulent, e** *a* suculento, a.

**succursale** *f* sucursal.

**sucer*** *vt* **1.** chupar: **~ un bonbon** chupar un caramelo **2. ~ son pouce** chuparse el pulgar.

**sucette** *f* **1.** *(bonbon)* pirulí *m* **2.** *(tétine)* chupete *m*.

**suceur, euse** *a/s* chupador, a.

**suçoir** [syswaʀ] *m (d'un insecte)* trompa *f*.

**suçoter** [sysɔte] *vt* chupetear.

**sucrage** *m* acción *f* de azucarar.

**sucre** *m* **1.** azúcar: **~ de canne** azúcar de caña; **~ roux** azúcar moreno; **~ en morceaux, en poudre** azúcar de cortadillo, en polvo; **~ glace** azúcar de lustre, azúcar glas; **morceau de ~** terrón de azúcar; **un ~** un terrón de azúcar ◊ *FIG* **être tout ~ tout miel** ser excesivamente amable; **casser du ~ sur le dos de quelqu'un** hablar mal de alguien, cortarle un traje a alguien, poner a alguien como no digan dueñas **2. ~ d'orge** pirulí, caramelo largo en forma de palito.

▶ Le mot *azúcar* s'emploie parfois au féminin.

**sucré, e** *a* **1.** azucarado, a **2.** *FIG* meloso, a ◊ **faire la sucrée** hacerse la melindrosa.

**sucrer** *vt* echar azúcar en, azucarar. ◆ **se ~** *vpr FAM* aprovecharse, ponerse las botas, lucrarse.

**sucrerie** *f (fabrique)* azucarera. ◇ *pl (friandises)* dulces *m*, golosinas.

**sucrier, ère** *a* azucarero, a: **l'industrie sucrière** la industria azucarera. ◇ *m (récipient)* azucarero.

**sud** *m* sur: **au ~ de** al sur de; **l'Amérique du ~** América del Sur; **l'Afrique du ~** África del Sur. ◇ *a inv* sur, meridional.

**sud-africain, e** *a/s* sudafricano, a.

**sud-américain, e** *a/s* sudamericano, a.

**sudation** *f* sudación.

**sud-est** [sydɛst] *m* sudeste.

**sudiste** *a/s* sudista.

**sudorifique** *a/m* sudorífico, a.

**sudoripare** *a ANAT* sudoríparo, a: **glandes sudoripares** glándulas sudoríparas.

**sud-ouest** [sydwɛst] *m* sudoeste.

**Suède** *np f* Suecia.

**suédine** *f* suedina.

**suédois, e** *a/s* sueco, a ◊ **gymnastique suédoise** gimnasia sueca.

**suée** *f FAM* sudadera, sudor *m* abundante ◊ **prendre une ~** sudar mucho.

**suer** *vi* **1.** sudar: **~ à grosses gouttes** sudar mucho **2.** *FAM* **faire ~** fastidiar; **se faire ~** aburrirse **3.** *(suinter)* rezumarse. ◇ *vt* **1.** *FIG* **~ sang et eau** sudar la gota gorda, sudar tinta, sudar el quilo **2. ~ l'ennui** rezumar aburrimiento.

**suette** *f* fiebre miliar.

**sueur** *f* sudor *m*: **à la ~ de son front** con el sudor de su frente; **être en ~** estar bañado en sudor; **~ froide** sudor frío ◊ **donner des sueurs froides** producir escalofríos *m*.

**suffire*** *vi* **1.** bastar, ser suficiente: **vos explications me suffisent** me bastan sus explicaciones; **l'intention suffit** basta la intención; **ça me suffit amplement** me basta y me sobra **2.** *FAM* **ça suffit!** ¡basta!, ¡ya basta!, ¡ya vale!; **ça ne vous suffit pas?** ¿le parece a usted poco? **3. je n'y suffis plus** no doy abasto. ◇ *v impers* **il suffit de rappeler que...** basta con recordar que...; **il suffit que j'arrive à midi** basta con que llegue al mediodía. ◆ **se ~** *vpr* bastarse a sí mismo.

**suffisamment** *adv* **1.** suficientemente **2. gagner ~ pour vivre** ganar lo suficiente para vivir **3. ~ de** bastante.

**suffisance** *f* **1.** cantidad suficiente **2.** *(vanité)* presunción, suficiencia.

**suffisant, e** *a* **1.** suficiente **2.** *(vaniteux)* engreído, a, presumido, a, suficiente.

**suffixe** *m* sufijo.

**suffocant, e** *a* **1.** sofocante: **une chaleur suffocante** un calor sofocante **2.** *FIG* asombroso, a, increíble.

**suffocation** *f* sofocación.

**suffoquer** *vt* **1.** sofocar **2.** *FIG (stupéfier)* dejar estupefacto, a. ◇ *vi (étouffer)* ahogarse.

**suffrage** *m* **1.** sufragio: **élire au ~ universel** elegir por sufragio universal **2.** *(voix)* voto.

**suffragette** *f* sufragista.

**suggérer*** *vt* sugerir: **je vous suggère d'aller le voir** le sugiero que vaya a verle.

**suggestif, ive** *a* sugestivo, a.

**suggestion** *f* **1.** sugestión **2.** *(idée, proposition)* sugerencia.

**suggestionner** *vt* sugestionar.

**suicidaire** *a/s* suicida: **tendances suicidaires** tendencias suicidas.

**suicide** *m* suicidio ◊ **opération ~** operación suicida.

**suicidé, e** *s* suicida.

**suicider (se)** *vpr* suicidarse.

**suidés** *m pl ZOOL* suidos.

**suie** *f* hollín *m*.

**suif** [syif] *m* cebo.

**sui generis** *loc adj* sui géneris.

**suint** [syɛ̃] *m* churre, grasa *f* de la lana.

**suintement** *m* rezumo.

**suinter** *vi* **1.** rezumar(se): **les murs suintent** las paredes rezuman; **l'eau suinte** el agua se rezuma, se filtra **2.** *(une plaie)* supurar.

**suis → être, suivre.**

**Suisse** *np f* Suiza: **la ~** Suiza.

**suisse** *a/s* suizo, a. ◇ *m* **1.** *(d'église)* pertiguero **2. boire, manger en ~** beber, comer solo, sin invitar a nadie **3.** *(queso)* «petit-suisse».

**suissesse** *f FAM* suiza.

**suit → suivre**

**suite** *f* **1.** continuación ◊ **donner ~ à** dar curso a; **dix jours de ~** diez días seguidos; **cinq fois de ~** cinco veces seguidas; **et ainsi de ~** y así sucesivamente; **par la ~** más tarde, después; **tout de ~** enseguida, ahora mismo **2. des mots sans ~** palabras incoherentes, inconexas; **esprit de ~** perseverancia; **avoir de la ~ dans les idées** ser perseverante, ser tenaz **3.** *(conséquence)* consecuencia: **avoir des suites** tener consecuencias, traer cola ◊ *loc prép* **à la ~ de** después de, a raíz de: **à la ~ de cet accident** a raíz de este accidente; **par ~ de** a consecuencia de, como consecuencia de **4. ~ à votre lettre du...** en respuesta a su carta del... **5.** *(série)* serie, sucesión: **une ~ de...** una serie de... **6.** *MUS* suite **7.** *(dans un hôtel)* suite **8.** *(escorte)* comitiva, séquito *m*.

▶ *Je reviens de ~* vuelvo enseguida. Usual, pero lo correcto es: *tout de suite*.

[1]**suivant** *prép* según: **~ vos instructions** según sus instrucciones; **~ les cas** según los casos; **~ que**, según que.

[2]**suivant, e** *a* siguiente: **le jour ~** al día siguiente. ◇ *s* **au ~!** ¡que pase el siguiente!, ¡siguiente!

**suivante** *f* doncella, dama de compañía.

**suiveur** *m* **1.** *(course cycliste)* seguidor **2.** *(imitateur)* imitador.

**suivi, e** *a* **1.** seguido, a **2.** *(raisonnement, etc.)* lógico, a, coherente. ◇ *m COM* **le suivi d'un produit** el seguimiento de un producto.

**suivre*** *vt* **1.** seguir: **suivez-moi** sígame; **le chien suit son maître** el perro sigue a su amo; **~ des yeux** seguir con la mirada ◊ **faire ~** remítase a las nuevas señas; **à ~** se continuará; *FAM* **~ le mouvement** bailar al son que tocan **2. ~ une année d'études** seguir, cursar un año de estudios **3. j'ai suivi vos conseils** he seguido sus consejos; **~ un régime** seguir una dieta **4.** *(comprendre)* comprender: **je ne vous suis pas** no le comprendo **5. il suit de là que** de ello se desprende que, ello implica que. ◆ **se ~** *vpr* seguirse, sucederse: **les jours se suivent** los días se suceden.

[1]**sujet** *m* **1.** tema: **un bon ~ de conversation** un buen tema de conversación; **changer de ~** cambiar de tema ◊ **au ~ de** a propósito de, con respecto a; **remarques à ce ~** observaciones al respecto; **je ne sais rien à ce ~** no sé nada al respecto ◊ **c'est à quel ~?** ¿de qué se trata? **2.** motivo: **~ de discorde** motivo de discordia **3.** *GRAM* sujeto **4. un bon, mauvais ~** una buena, mala persona; **un brillant ~** un alumno brillante **5.** *MÉD* paciente.

[2]**sujet, ette** *a* **~ à** propenso, a a, sometido, a a, proclive a: **être ~ au vertige** ser propenso al vértigo; **~ à contracter certaines maladies** proclive a contraer ciertas enfermedades. ◇ *s (d'un souverain)* súbdito, a.

**sujétion** *f* sujeción.

**sulfamide** *m* sulfamida *f*.

**sulfatage** *m* sulfatado.

**sulfate** *m* sulfato.

**sulfater** *vt* sulfatar.

**sulfateuse** *f* **1.** sulfatadora **2.** *POP* metralleta.

**sulfhydrique** *a CHIM* sulfhídrico, a.

**sulfite** *m CHIM* sulfito.

**sulfure** *m* sulfuro.

**sulfurer** *vt* sulfurar.

**sulfureux, euse** *a* **1.** *CHIM* sulfuroso, a: **anhydride ~** anhídrido sulfuroso **2.** *FIG* diabólico, a, demoniaco, a.

**sulfurique** *a* sulfúrico, a: **acide ~** ácido sulfúrico.

**sulky** *m* sulky.

**Sulpice** *np m* Sulpicio.

**sultan** *m* sultán.

**sultanat** *m* sultanato.

**sultane** *f* sultana.

**sumac** *m* zumaque.

**sumérien, enne** *a/s HIST* sumerio, a.

**summum** [sɔmɔm] *m* súmmum.

**sumo** *m (lutte japonaise)* sumo.

**sunlight** [sœnlajt] *m (cinéma)* foco potente, sunlight.

**sunnite** *a/s* sunní.

**super** *m (essence) FAM* súper *f*, gasolina *f* súper. ◇ *adv FAM* súper, guay.

**superbe** *a* soberbio, a. ◇ *f LITT (orgueil)* soberbia, orgullo *m*.

**supercarburant** *m* supercarburante.

**supercherie** *f* superchería.

**supérette** *f* autoservicio *m*, pequeño supermercado *m*.

**superfétatoire** *a* superfluo, a.

**superficialité** *f* superficialidad.

**superficie** *f* superficie.

**superficiel, elle** *a* superficial.

**superficiellement** *adv* superficialmente.

**superfin, e** *a* superfino, a.

**superflu, e** *a* superfluo, a. ◇ *m* **le ~** lo superfluo.

**superfluité** *f* superfluidad.

**supérieur, e** *a* superior: **la partie supérieure** la parte superior; **qualité supérieure** calidad superior; **une femme supérieure** una mujer superior. ◇ *s* superior, a: **obéir à ses supérieurs** obedecer a sus superiores; **la supérieure d'un couvent** la superiora de un convento.

**supérieurement** *adv* superiormente.

**supériorité** *f* superioridad.

**superlatif, ive** *a* superlativo, a. ◇ *m* **1.** *GRAM* superlativo **2. au ~** en grado superlativo, en sumo grado.

**supermarché** *m* supermercado.

**supernova** *f ASTR* supernova.

**superphosphate** *m* superfosfato.

**superposable** *a* superponible.

**superposer** *vt* superponer: **étagères superposées** estantes superpuestos. ◆ **se ~** *vpr* superponerse.

**superposition** *f* superposición.

**superproduction** *f* superproducción.

**superpuissance** *f* superpotencia.

**supersonique** *a* supersónico, a: **vitesse ~** velocidad supersónica.

**superstitieux, euse** *a* supersticioso, a.

**superstition** *f* superstición.

**superstructure** *f* superestructura.

**supertanker** [sypɛrtɑ̃kœr] *m* superpetrolero.

**superviser** *vt* supervisar.

**supervision** *f* supervisión.

**supin** *m GRAM* supino.

**supination** *f* supinación.

**supplanter** *vt* suplantar, desbancar: **~ un rival** desbancar a un rival.

**suppléance** *f* suplencia.

**suppléant, e** *a/s* suplente.

**suppléer** *vt/i* suplir: **~ au manque de... par** suplir la falta de... con.

**supplément** *m* **1.** suplemento **2.** *(au restaurant)* **en ~** como suplemento.

**supplémentaire** *a* **1.** suplementario, a **2. heures supplémentaires** horas extraordinarias, horas extras.

**supplétif, ive** *a* auxiliar, supletorio, a.

**suppliant, e** *a/s* suplicante.

**supplication** *f* súplica, suplicación.

**supplice** *m* suplicio ◊ *FIG* **être au ~** pasarlas negras: **~ de Tantale** suplicio de Tántalo.

**supplicier*** *vt* ajusticiar.

**supplier*** *vt* suplicar: **je t'en supplie** te lo suplico.

**supplique*** *f* súplica.

**support** *m* **1.** soporte **2. ~ audio-visuel** medio audiovisual.

**supportable** *a* soportable, tolerable.

[1]**supporter** *vt* **1.** soportar **2.** *(quelque chose ou quelqu'un de pénible)* soportar, aguantar, sufrir: **je ne supporte pas tes critiques** no aguanto tus críticas; **je ne peux pas le ~** no lo puedo soportar **3.** *(une dépense)* pagar.

[2]**supporter** [sypɔrtɛr], **supporteur** *m (d'une équipe, d'un sportif)* partidario, hincha, seguidor.

**supposé, e** *a* **1.** supuesto, a **2.** *loc conj* **~ que** suponiendo que, en el supuesto de que.

**supposer** *vt* suponer: **supposons que..., à ~ que...** supongamos que..., pongamos por caso...

**supposition** *f* suposición ◊ *FAM* **c'est une ~** es un suponer.

**suppositoire** *m* supositorio.

**suppôt** *m* agente, secuaz ◊ **~ de Satan** mala persona.

**suppression** *f* supresión.

**supprimer** *vt* suprimir. ◆ **se ~** *vpr* suicidarse.

**suppuration** *f* supuración.

**suppurer** *vi* supurar.

**supputation** *f* cálculo *m*.

**supputer** *vt* calcular, suputar.

**supraconducteur** *m* PHYS superconductor.

**supraconductivité** *f* PHYS superconductividad.

**supranational, e** *a* supranacional.

**suprasensible** *a* suprasensible.

**suprématie** *f* supremacía.

**suprême** *a* supremo, a: **la Cour ~** el Tribunal supremo; **l'heure, l'instant ~** la hora suprema ◊ **au ~ degré** en sumo grado. ◇ *m* CULIN *(de volaille)* pechuga *f* de ave con salsa.

**suprêmement** *adv* extremadamente.

**[1]sur** [syʀ] *prép* **1.** sobre: **flotter ~ l'eau** flotar sobre el agua; **recherches ~ le cancer** investigaciones sobre el cáncer; **avoir un avantage ~ quelqu'un** tener una ventaja sobre alguien; **~ les dix heures** sobre las diez, a eso de las diez **2.** en: **assis ~ un banc** sentado en un banco; **~ le trottoir** en la acera; **la clef est ~ la porte** la llave está en la puerta; **un baiser ~ le front** un beso en la frente; **virages ~ 6 kilomètres** curvas en 6 kilómetros **3.** *(= au-dessus de)* encima de **4.** *(dispersion, mouvement)* por: **se répandre ~ le sol** derramarse por el suelo; **se passer la main ~ le front** pasarse la mano por la frente **5.** acerca de: **pas un mot ~ tout cela** ni una palabra acerca de todo eso **6.** *(mouvement vers)* a, al: **tourner ~ la gauche** torcer a la izquierda; **sortir ~ le balcon** salir al balcón; FIG **aller ~ ses 80 ans** ir para los 80 años **7. un jour ~ deux** un día de cada dos; **une personne ~ trois** una de cada tres personas; **dix mètres ~ six** diez metros por seis **8.** *(accumulation)* **avoir accident ~ accident** tener accidente tras accidente; **fumer cigarette ~ cigarette** fumar cigarrillo tras cigarrillo **9.** con: **~ un ton méprisant** con un tono despectivo **10. ~ votre recommandation** bajo su recomendación **11. ~ soi** encima: **je n'ai pas d'argent sur moi** no llevo dinero encima **12. être ~ le départ** estar por salir **13.** *loc adv* **~ ce** en esto; **~ l'heure** al instante, sin demora.

► *Sobre/en* sont à peu près synonymes pour marquer une position: ~ *la table* sobre *ou* en la mesa.

**[2]sur, e** *a (fruit, etc.)* ácido, a.

**sûr, e** *a* **1.** seguro, a: **es-tu ~ de cela?** ¿estás seguro de eso?; **je suis ~ que...** estoy seguro de que...; **j'en suis ~** estoy seguro de ello ◊ **le plus ~ serait de...** lo mejor sería...; **à coup ~** de seguro, con toda seguridad; **bien ~!** ¡claro!, ¡desde luego!; FAM **pour ~!** ¡seguro! **2. une personne ~** una persona de fiar **3. mettre en lieu ~** poner a buen recaudo, a salvo **4. être ~ de soi** tener confianza en sí mismo.

**surabondance** *f* superabundancia.

**surabondant, e** *a* superabundante.

**surabonder** *vi* superabundar.

**surah** *m* surá.

**suraigu, ë** *a* sobreagudo, a.

**surajouter** *vt* sobreañadir.

**suralimentation** *f* sobrealimentación.

**suralimenter** *vt* sobrealimentar.

**suranné, e** *a* anticuado, a.

**surate** → **sourate.**

**surbaissé, e** *a* ARCH rebajado, a.

**surboum** *f* FAM guateque *m*.

**surcapacité** *f* sobrecapacidad.

**surcharge** *f* **1.** sobrecarga **2.** FIG exceso *m*.

**surcharger*** *vt* **1.** sobrecargar **2.** *(accabler)* agobiar: **surchargé de travail** agobiado de trabajo **3.** recargar: **style surchargé** estilo recargado.

**surchauffe** *f* recalentamiento *m*.

**surchauffé, e** *a* **1.** demasiado calentado, a, recalentado, a **2.** FIG excitado, a.

**surchauffer** *vt* calentar demasiado.

**surchoix** *m* de primera calidad.

**surclasser** *vt* dominar, ser superior a.

**surcomposé, e** *a* GRAM doblemente compuesto, a.

**surconsommation** *f* consumo *m* excesivo, consumismo *m*.

**surcouper** *vi (jeux)* contrafallar.

**surcroît** *m* **1.** aumento, acrecentamiento **2.** *loc adv* **de ~, par ~** además, por añadidura.

**surdimensionné, e** *a* sobredimensionado, a.

**surdi-mutité** *f* sordomudez.

**surdité** *f* sordera.

**surdose** *f* sobredosis.

**surdoué, e** *a/s* superdotado, a.

**sureau** *m* saúco.

**sureffectif** *m* exceso de personal.

**surélévation** *f* aumento *m* de altura.

**surélever*** *vt* levantar.

**sûrement** *adv* seguramente ◊ **~ pas** por supuesto que no.

**surenchère** *f* **1.** sobrepuja **2.** FIG **faire de la ~** prometer más; **~ électorale** promesas *pl* electoralistas.

**surenchérir** *vi* sobrepujar.

**surendettement** *m* endeudamiento excesivo.

**surent** → **savoir.**

**surérogation** *f* supererogación.

**surestimation** *f* sobrestimación, supervaloración.

**surestimer** *vt* sobrestimar, supervalorar.

**suret, ette** *a* agridulce, agrete.

**sûreté** *f* **1.** seguridad ◊ **être en ~** estar a salvo; **mettre en ~** poner a salvo **2. la Sûreté** la Policía de seguridad.

**surévaluer** *vt* supervalorar, sobrevalorar.

**surexcitation** *f* sobreexcitación.

**surexciter** *vt* sobreexcitar.

**surexploitation** *f* sobreexplotación.

**surexposer** *vt (photo)* sobreexponer.

**surexposition** *f (photo)* exceso *m* de exposición, sobreexposición.

**surf** [sœʀf] *m* surf, windsurf.

**surface** *f* **1.** superficie ◊ **faire ~** volver a la superficie; FIG **refaire ~** recuperarse **2. grandes surfaces** grandes superficies **3.** *(football)* **~ de but** área de meta; **~ de réparation** área de penalty.

**surfaire*** *vt* **1.** sobrestimar **2.** *(vanter)* alabar mucho.

**surfait, e** *a* sobrestimado, a.

**surfer** *vi* **1.** practicar el surf, hacer surf **2.** FAM **~ sur Internet** navegar por Internet.

**surfeur, euse** *s* surfista.

**surfiler** *vt* sobrehilar.

**surfin, e** *a* superfino, a.

**surgelé, e** *a/m* congelado, a, ultracongelado, a: **les marques de surgelés** las marcas de congelados.

► *Congelado* signifiant «congelé» et «surgelé», le néologisme *ultracongelado* permet de faire la différence.

**surgeler** *vt* congelar.

**surgénérateur** *m* generador nuclear.

**surgeon** *m* retoño.

**surgir** *vi* surgir.

**surgissement** *m* surgimiento.

**surhomme** *m* superhombre.

**surhumain, e** *a* sobrehumano, a.

**surimpression** *f (photo)* sobreimpresión.

**surin** *m POP* navaja *f*.

**surintendance** *f* superintendencia.

**surintendant** *m* superintendente.

**surir** *vi* agriarse.

**surjet** *m* costura *f* a punto por encima.

**surjeter*** *vt* coser a punto por encima.

**sur-le-champ** → **champ.**

**surlendemain** *m* **le ~** dos días después.

**surmenage** *m* surmenaje, surmenage, agotamiento.

**surmener*** *vt* agotar de fatiga. ◆ **se ~** *vpr* agotarse demasiado.

**surmoi** *m (psychanalyse)* superyó.

**surmontable** *a* superable.

**surmonter** *vt* **1.** *(être situé au-dessus)* coronar, dominar **2.** *FIG (une difficulté, etc.)* superar, remontar: **~ les obstacles** superar los obstáculos; **~ sa peur** superar su temor.

**surmulet** *m* salmonete.

**surmulot** *m* rata *f* de alcantarilla.

**surnager*** *vi* **1.** flotar **2.** *FIG* perdurar.

**surnaturel, elle** *a* sobrenatural. ◇ *m* **le ~** lo sobrenatural.

**surnom** *m* apodo, sobrenombre.

**surnombre (en)** *loc adv* de más, de sobra.

**surnommer** *vt* apodar.

**surnuméraire** *a* supernumerario, a.

**suroît** *m* **1.** *(vent)* sudoeste **2.** *(chapeau)* sueste.

**surpasser** *vt* superar, sobrepujar. ◆ **se ~** *vpr* superarse: **il s'est surpassé** se ha superado a sí mismo.

**surpayer** [syʀpeje] *vt* pagar demasiado caro.

**surpeuplé, e** *a* superpoblado, a.

**surpeuplement** *m* superpoblación *f*.

**surplace** *m* «surplace».

**surplis** [syʀpli] *m* sobrepelliz *f*.

**surplomb** *m* desplomo ◊ **en ~** en saledizo, en voladizo.

**surplomber** *vi* dominar.

**surplus** [syʀply] *m* excedente ◊ **au ~** por lo demás, además.

**surpopulation** *f* superpoblación.

**surprenant, e** *a* sorprendente.

**surprendre*** *vt* sorprender: **je l'ai surpris en train de dormir** le sorprendí durmiendo; **ça m'a beaucoup surpris** eso me ha sorprendido mucho: **vous serez surpris de la rapidité avec laquelle...** usted se sorprenderá de la rapidez con que...; **ça a l'air de vous ~** usted parece sorprendido. ◆ **se ~** *vpr* **se ~ à faire...** percatarse uno de que está haciendo...

**surprime** *f* sobreprima.

**surprise** *f* sorpresa: **à ma grande ~** con gran sorpresa de mi parte; **à la ~ générale** para sorpresa de todos; **faire une ~** dar una sorpresa; **par ~** de, por sorpresa ◊ **une attaque -~** un ataque sorpresa.

**surprise-partie** *f* guateque *m*.

**surproduction** *f* superproducción.

**surréalisme** *m* surrealismo.

**surréaliste** *a/s* surrealista.

**surrénal, e** *a ANAT* suprarrenal.

**sursaturé, e** *a* sobresaturado, a.

**sursaut** *m* **1.** sobresalto ◊ **se réveiller en ~** despertarse sobresaltado **2.** *(d'énergie)* arranque.

**sursauter** *vi* sobresaltarse, dar un respingo: **il sursautait chaque fois que le téléphone sonnait** se sobresaltaba cada vez que sonaba el teléfono; **il sursauta** se sobresaltó, dio un respingo.

**surseoir*** [syʀswaʀ] *vi* **~ à** aplazar, sobreseer, diferir.

**sursis** [syʀsi] *m* **1.** plazo **2.** *MIL (d'incorporation)* prórroga *f* **3.** *JUR* **un an avec ~** un año de prisión condicional.

**sursitaire** *a/s* persona que beneficia de una prórroga.

**surtaxe** *f* **1.** recargo *m*, impuesto *m* suplementario **2.** *(lettre, paquet)* sobretasa.

**surtaxer** *vt (impôts, etc.)* recargar, gravar.

**¹surtout** *adv* sobre todo, especialmente: **il pense ~ à lui** piensa sobre todo en sí ◊ **~ pas!** ¡de ninguna manera!; **~ pas moi!** ¡yo desde luego no!; *(à plus forte raison)* **~ si l'on tient compte du fait que...** máxime si se tiene en cuenta que...

**²surtout** *m* **1.** *(de table)* centro de mesa **2.** *(vêtement)* sobretodo.

**survécu,** etc. → **survivre.**

**surveillance** *f* **1.** vigilancia **2.** *(garde)* custodia: **être sous la ~ de...** estar bajo custodia de... **3.** *(d'un malade)* observación, control *m*, vigilancia: **sous ~ médicale** bajo vigilancia médica.

**surveillant, e** *s* **1.** vigilante **2.** **~ d'études** celador.

**surveiller** *vt* **1.** vigilar, custodiar: **~ un détenu** vigilar, custodiar a un detenido; **l'ambassade est surveillée nuit et jour** la embajada está vigilada día y noche **2.** **~ sa santé** cuidarse. ◆ **se ~** *vpr* controlarse, cuidarse.

**survenir*** *vi* **1.** *(une personne)* llegar de improviso **2.** sobrevenir, ocurrir, acaecer: **un changement est survenu** sobrevino un cambio.

**survêtement** *m* chandal.

**survie** *f* supervivencia.

**survivance** *f* supervivencia, pervivencia.

**survivant, e** *s* superviviente.

**survivre*** *vi* sobrevivir: **il survécut à la catastrophe** sobrevivió a la catástrofe. ◆ **se ~** *vpr* perpetuarse.

**survol** *m* **1.** vuelo por encima **2.** *FIG* examen superficial.

**survoler** *vt* **1.** sobrevolar: **l'avion survole le territoire** el avión sobrevuela el territorio **2.** *(une question)* mirar por encima.

**survoltage** *m ÉLECT* sobretensión *f*, sobrevoltaje.

**survolté, e** *a FIG* sobreexcitado, a.

**sus** [sy] *adv ANC* **courir ~ à** echarse sobre ◊ *loc prép* **en ~ de** además de.

**susceptibilité** *f* susceptibilidad.

**susceptible** *a* **1.** susceptible **2.** **~ de** susceptible de, capaz de.

**susciter** *vt* suscitar, crear.

**suscription** *f* sobrescrito *m*.

**susdit, e** *a/s* susodicho, a.

**sus-dominante** *f MUS* superdominante.

**susnommé, e** *a/s* susodicho, a.

**suspect, e** [syspɛ(kt), ɛkt] *a/s* sospechoso, a.

**suspecter** *vt* sospechar de: **~ quelqu'un** sospechar de alguien.

**suspendre** *vt* **1.** colgar, suspender: **~ à un clou, au plafond** colgar de un clavo, del techo **2.** *(interrompre)* suspender: **la séance a été suspendue** se ha suspendido la sesión **3.** **~ un fonctionnaire** suspender a un funcionario (de empleo y pago). ◆ **se ~ à** *vpr* colgarse de.

**suspendu, e** *a* suspendido, a ◊ **les jardins suspendus de Babylone** los jardines colgantes de Babilonia; **pont ~** puente colgante; **voiture bien suspendue** coche con buena suspensión; *FIG* **être ~ aux lèvres de → lèvre.**

**suspens (en)** [ɑ̃syspɑ̃] *loc adv* en suspenso, en el aire: **la question reste en ~** la cuestión queda en el aire.

**suspense** *m* suspense, suspenso: **film à ~** película de suspense.

**suspension** *f* **1.** *(interruption)* suspensión : **~ de paiements** suspensión de pagos **2.** *(lustre)* lámpara **3. points de ~** puntos suspensivos **4.** *CHIM* **en ~** en suspensión **5.** *(d'un véhicule)* suspensión: **~ hydropneumatique** suspensión hidroneumática.

**suspicieux, euse** *a* desconfiado, a.

**suspicion** *f* desconfianza.

**sustentation** *f* sustentación.

**sustenter** *vt* alimentar. ◆ **se ~** *vpr* sustentarse.

**susurrement** *m* susurro.

**susurrer** *vi* susurrar.

**suture** *f* sutura: **points de ~** puntos de sutura.

**suturer** *vt* suturar.

**Suzanne** *np f* Susana: **~ et les vieillards** Susana y los ancianos.

**suzerain, e** *s* soberano, a. ◇ *m* señor feudal.

**suzeraineté** *f* soberanía feudal.

**svastika** *m* svástica *f*, esvástica *f*.

**svelte** *a* esbelto, a.

**sveltesse** *f* esbeltez.

**S.V.P.** *(s'il vous plaît)* por favor.

**swastika → svastika.**

**Swaziland** *np m* Suazilandia *f*.

**sweater** [switœʀ] *m* suéter.

**sweat-shirt** *m* sudadera *f*.

**swing** *m* swing.

**sybarite** *s* sibarita.

**sybaritisme** *m* sibaritismo.

**sycomore** *m* sicomoro.

**syllabe** *f* sílaba.

**syllabique** *a* silábico, a.

**syllabus** [si(l)labys] *m* sílabo.

**syllepse** *f GRAM* silepsis.

**syllogisme** *m* silogismo.

**sylphe** *m* silfo.

**sylphide** *f* sílfide.

**sylvestre** *a* silvestre: **pin ~** pino silvestre.

**Sylvestre** *np m* Silvestre.

**sylviculteur, trice** *s* silvicultor, a.

**sylviculture** *f* silvicultura.

**Sylvie** *np f* Silvia.

**symbiose** *f* simbiosis.

**symbole** *m* símbolo.

**symbolique** *a* simbólico, a. ◇ *f* simbología.

**symboliquement** *adv* simbólicamente.

**symbolisation** *f* simbolización.

**symboliser** *vt* simbolizar.

**symbolisme** *m* simbolismo.

**symboliste** *a/s* simbolista.

**symétrie** *f* simetría.

**symétrique** *a* simétrico, a.

**symétriquement** *adv* simétricamente.

**sympa** *a FAM* majo, a, simpático, a, simpaticón, ona.

**sympathie** *f* simpatía: **il a beaucoup de ~ pour lui** le tiene mucha simpatía ◊ **témoignages de ~** demostraciones de afecto.

**sympathique** *a* simpático, a. ◇ *m ANAT* **grand ~** gran simpático.

**sympathisant, e** *s* simpatizante.

**sympathiser** *vi* simpatizar, congeniar: **~ avec quelqu'un** simpatizar con alguien; **je doute qu'ils sympathisent** dudo que simpaticen.

**symphonie** *f* **1.** sinfonía: **la Neuvième ~ de Beethoven** la Novena sinfonía de Beethoven **2.** *FIG (de couleurs, etc.)* sinfonía.

**symphonique** *a* sinfónico, a: **musique ~** música sinfónica.

**symposium** [sɛ̃pɔzjɔm] *m* simposio.

**symptomatique** *a* sintomático, a.

**symptomatologie** *f MÉD* sintomatología.

**symptôme** *m* síntoma.

**synagogue** *f* sinagoga.

**synalèphe** *f* sinalefa.

**synapse** *f ANAT* sinapsis.

**synchrone** *a* sincrónico, a.

**synchronique** *a* sincrónico, a.

**synchronisation** *f* sincronización.

**synchroniser** *vt* sincronizar.

**synchronisme** *m* sincronismo.

**synclinal** *m GÉOL* sinclinal.

**syncope** *f* **1.** síncope *m*: **avoir une ~** padecer un síncope **2.** *MUS* síncopa.

**syncopé, e** *a MUS* sincopado, a.

**syncrétisme** *m* sincretismo.

**syndic** *m* síndico.

**syndical, e** *a* sindical: **délégués syndicaux** enlaces sindicales.

**syndicalisation** *f* sindicación.

**syndicalisme** *m* sindicalismo.

**syndicaliste** *a/s* sindicalista.

**syndicat** *m* **1.** sindicato **2. ~ d'initiative** oficina *f* de turismo.

**syndiqué, e** *a/s* sindicado, a.

**syndiquer (se)** *vpr* sindicarse.

**syndrome** *m* síndrome.

**synecdoque** *f* sinécdoque.

**synergie** *f* sinergia.

**synodal, e** *a* sinodal.

**synode** *m* sínodo.

**synodique** *a* sinódico, a.

**synonyme** *a/m* sinónimo, a.

**synonymie** *f* sinonimia.

**synonymique** *a* sinonímico, a.

**synopsis** *m/f (cinéma)* guión *m*.

**synoptique** *a* sinóptico, a: **tableau ~** cuadro sinóptico.

**synovial, e** *a* sinovial.

**synovie** *f* sinovia ◊ **épanchement de ~** derrame sinovial.

**syntactique** *a* sintáctico, a.

**syntagme** *m* sintagma.

**syntaxe** *f* sintaxis.

**syntaxique** *a* sintáctico, a.

**synthèse** *f* **1.** síntesis **2. image de ~** imagen de síntesis **3.** (*produits*) **de ~** sintético, a.

**synthétique** *a* sintético, a.

**synthétiser** *vt* sintetizar.

**synthétiseur** *m* sintetizador.

**syntonie** *f* PHYS sintonía.

**syntonisation** *f* sintonización.

**syntoniseur** *m* sintonizador.

**syphilis** *f* sífilis.

**syphilitique** *a/s* sifilítico, a.

**Syracuse** *np* Siracusa.

**Syrie** *np f* Siria.

**syrien, enne** *a/s* sirio, a.

**systématique** *a* sistemático, a.

**systématiquement** *adv* sistemáticamente.

**systématisation** *f* sistematización.

**systématiser** *vt* sistematizar.

**système** *m* **1.** sistema: **le ~ solaire** el sistema solar **2.** (*dispositif*) sistema, dispositivo **3.** FAM **le ~ D** (la D viene de la palabra *débrouillard*) la habilidad para solucionar problemas **4. ~ nerveux** sistema nervioso ◊ FAM **courir, taper sur le ~** incordiar, poner los nervios de punta.

**systole** *f* sístole.

# T

**t** *m* t *f*: **un ~** una t.
▶ *t* eufónica, entre guiones, no se traduce: *viendra-t-il?* ¿vendrá?; *où ira-t-on?* ¿a dónde iremos?

**t'** → **te.**

**ta** → **ton.**

**tabac** *m* **1.** *(plante)* tabaco **2.** tabaco: **~ blond, brun** tabaco rubio, negro; **~ à priser** tabaco en polvo, rapé; **~ à chiquer** tabaco de mascar; **~ pour la pipe** tabaco de pipa; **~ gris** tabaco común **3. bureau de ~** estanco, expendeduría *f* de tabaco; **un café-~, un ~** un bar (al mismo tiempo es estanco) **4.** *FAM* **c'est le même ~** es lo mismo; **passer quelqu'un à ~** moler a palos, zurrar la badana a alguien; **passage à ~** paliza *f*, somanta *f*; **faire un ~** arrasar, tener un gran éxito **5. coup de ~** tempestad *f*. ◇ *a inv (couleur)* color tabaco.

**tabagie** *f* lugar *m* donde la atmósfera está cargada (porque se ha fumado mucho).

**tabagisme** *m* nicotismo, tabaquismo.

**tabard** *m ANC* tabardo.

**tabassée** *f FAM* paliza, somanta.

**tabasser** *vt FAM* moler a palos, zurrar. ◆ **se ~** *vpr* pelearse.

**tabatière** *f* **1.** tabaquera **2. lucarne à ~** tragaluz *m*, claraboya.

**tabellion** *m* **1.** *ANC* escribano **2.** *PÉJOR* notario.

**tabernacle** *m* tabernáculo, sagrario.

**tabès** [tabɛs] *m MÉD* tabes *f*.

**tablature** *f* **1.** *MUS* tablatura **2.** *FAM* **donner de la ~ à quelqu'un** dar que hacer a alguien.

**table** *f* **1.** *(meuble)* mesa ◊ **~ de nuit, de chevet** mesita de noche; **~ roulante** carrito *m*; **~ d'opération** mesa de operaciones **2. mettre, desservir la ~** poner, quitar la mesa; **se mettre à ~** sentarse a la mesa, *FAM (avouer)* cantar de plano, confesarlo todo; **sortir de ~** levantarse de la mesa; **à ~!** ¡a comer!, ¡a la mesa!; **être à ~** estar comiendo; **je suis à ~** estoy comiendo; **être treize à ~** ser trece en la mesa **3.** *(nourriture)* **la ~ est bonne ici** se come bien aquí **4.** *(les convives)* **toute la table a ri** todo el mundo ha reído **5. une ~ ronde** una mesa redonda, una conferencia **6. être sur ~ d'écoute** estar sobre escucha **7.** *RELIG* **la sainte ~** el comulgatorio **8. les tables de la Loi** las tablas de la ley **9. faire ~ rase de** hacer tabla rasa de **10. ~ des matières** índice *m* **11.** *MATH* tabla: **~ de multiplication** tabla de multiplicar; **~ de logarithmes** tabla de logaritmos.

**tableau** *m* **1.** *(peinture)* cuadro: **un ~ abstrait** un cuadro abstracto **2. ~ (noir)** pizarra *f*, encerado: **faire un croquis au ~** hacer un croquis en la pizarra **3. ~ d'affichage** tablón de anuncios; *(sports)* marcador **4. ~ de bord,** *(d'une auto)* tablero de mandos, panel de mandos, *(d'un avion)* cuadro de instrumentos **5.** *(scène)* escena *f* ◊ *FAM* **tu vois d'ici le ~!** ¡imagínate! **6.** *FIG* cuadro, descripción *f*: **il a brossé un ~ optimiste de la situation** ha hecho una descripción optimista de la situación **7. ~ vivant** cuadro viviente; *POP* **un vieux ~** un vejestorio **8. ~ de chasse** piezas *f pl* cobradas **9.** *(liste)* lista *f* ◊ **~ d'avancement** escalafón **10.** *(historique, chronologique, etc.)* cuadro **11.** *FIG* **miser sur les deux tableaux** jugar con dos barajas **12.** *THÉÂT* cuadro.

**tableautin** *m* cuadrito.

**tablée** *f* comensales *m pl*.

**tabler** *vi* **~ sur quelque chose** contar con algo.

**tablette** *f* **1.** *(étagère)* anaquel *m*, estante *m* **2.** *(de cheminée, lavabo, etc.)* repisa **3. ~ de chocolat** tableta de chocolate. ◇ *pl* **1.** *(pour écrire)* tablillas **2. notez cela sur vos tablettes** tome buena nota de eso.

**tablier** *m* **1.** delantal, mandil ◊ *FIG* **rendre son ~** renunciar; *FAM* **ça lui va comme un ~ à une vache** le sienta como a un cristo un par de pistolas **2.** *(de cheminée)* cortina *f* **3.** *(de pont)* piso.
▶ *Mandil* désigne plutôt un tablier de cuir, de grosse toile ou celui des francs-maçons.

**tabloïd(e)** *a/m* tabloide.

**tabou** *m* tabú: **les tabous** los tabús, los tabúes. ◇ *a* tabú: **un sujet ~** un tema tabú.

**tabouret** *m* taburete.

**tabulaire** *a* tabular.

**tabulateur** *m* tabulador.

**tabulatrice** *f* tabuladora.

**tac** *m* **1.** tac **2. répondre, riposter du ~ au ~** replicar vivamente, devolver la pelota.

**tacaud** *m* pez pequeño parecido al bacalao.

**tache** *f* **1.** mancha ◊ **taches solaires,** manchas solares, máculas **2. ~ de rousseur** → **rousseur 3.** *FIG* tara, defecto *m*, tacha: **une réputation sans ~** una reputación sin tacha **4.** *FIG* **faire ~** desentonar; **faire ~ d'huile** extenderse como mancha de aceite.

**tâche** *f* **1.** tarea, faena, labor: **ce n'est pas une ~ facile** no es tarea fácil ◊ **travailler à la ~** trabajar a destajo **2.** responsabilidad, misión: **bien élever ses enfants est une lourde ~** educar bien a los hijos es una responsabilidad importante.

**tacher** *vt* manchar: **avoir les mains tachées de sang** tener las manos manchadas de sangre. ◆ **se ~** *vpr* mancharse: **il s'est taché** se ha manchado.

**tâcher** *vt* tratar de, procurar: **tâchez que cela n'arrive plus** procurad que esto no ocurra más; **tâche d'arriver à l'heure** trata de llegar a la hora.

**tâcheron** *m* destajista.

**tacheté, e** *a* moteado, a, salpicado, a.

**tacheter*** *vt* manchar, salpicar, motear.

**tachisme** *m* tachismo.

**tachiste** *a/s* tachista.

**tachycardie** [takikardi] *f* taquicardia.

**tachygraphe** [takigʀaf] *m* tacógrafo.

**tachymètre** [takimɛtʀ] *m* taquímetro.

**tacite** *a* tácito, a.

**Tacite** *np m* Tácito.

**tacitement** *adv* tácitamente, implícitamente.

**taciturne** *a* taciturno, a.

**tacle** *m* tacle.

**tacot** *m* FAM *(vieille voiture)* cacharro.

**tact** [takt] *m* **1.** tacto **2.** FIG discreción *f*, tacto: **manque de ~** falta de tacto.

**tacticien, enne** *s* táctico, a.

**tactile** *a* tactil.

**tactique** *a* táctico, a. ◇ *f* táctica.

**tœnia → ténia.**

**taffe** *f* POP chupada (al pitillo).

**taffetas** [tafta] *m* tafetán.

**tafia** *m* tafia *f*, aguardiente de caña.

**tag** *m* pintada *f*, graffiti.

**tagal** *m* tagalo.

**Tage** *np m* Tajo.

**taguer** *vi* pintar pintadas con spray.

**tagueur, euse** *s* persona que pinta pintadas con spray.

**Tahiti** *np* Tahití.

**taïaut!, tayaut!** *interj* ¡sus!

**taie** *f* **1.** *(d'oreiller)* funda de almohada **2.** MÉD *(sur la cornée)* nube.

**taïga** [tajga] *f* taiga.

**taillable** *a* ANC pechero, a.

**taillade** *f* tajo *m*, cuchillazo *m*.

**taillader** *vt* tajar, acuchillar, cortar. ◆ **se ~** *vpr* cortarse.

**taillandier** *m* herrero de corte.

**taille** *f* **1.** estatura: **un homme de ~ moyenne** un hombre de estatura mediana; **par rang de ~** por orden de estatura; **quelle est ta ~?** ¿cuánto mides? **2.** talla, medida: **~ 6** talla 6; **ce pull n'est pas à ma ~** este jersey no es de mi medida **3.** tamaño *m*: **ce diamant est de la ~ d'un petit pois** este diamante es del tamaño de un guisante ◊ FAM **de ~** de bulto, mayúsculo, enorme: **une erreur de ~** un error de bulto; **une gaffe de ~** un planchazo de marca mayor **3.** *(ceinture)* talle *m*, cintura: **une ~ fine** un talle esbelto; **robe cintrée à la ~** vestido fruncido en la cintura ◊ **~ de guêpe** talle de avispa; **sortir en ~** salir a cuerpo **5.** FIG **être de ~ à** ser capaz de: **il est de ~ à se défendre** es capaz de defenderse **6.** *(d'une pierre)* talla, labra ◊ **pierre de ~** sillar *m* **7.** *(des arbres)* poda, tala **8.** *(tranchant de l'épée)* filo *m*, tajo *m* **9.** ANC *(impôt)* pecho *m*.

**taillé, e** *a* **1. être ~ en athlète** tener un cuerpo de atleta **2. être ~ pour les travaux de force** servir para los trabajos duros **3.** *(coupé)* cortado, a **4. ~ en pointe** afilado, a **5. pierre taillée** piedra tallada.

**taille-crayon** *m* afilalápices, sacapuntas.

**taille-douce** *f* grabado *m* en dulce.

**tailler** *vt* **1.** *(couper)* cortar **2.** *(arbre, etc.)* podar, talar: **~ un rosier** podar un rosal **3.** *(pierre, bois)* tallar, labrar **4. ~ un crayon** sacar punta a un lápiz, afilar un lápiz **5. ~ en pièces → pièce.** ◆ **se ~** *vpr* **1. se ~ la barbe** cortarse, arreglarse la barba **2. se ~ un beau succès** tener mucho éxito **3.** POP largarse, pirárselas: **taille-toi!** ¡lárgate!

**tailleur** *m* **1.** sastre **2.** *(costume de femme)* traje sastre, traje de chaqueta **3. ~ de pierre(s)** cantero **4. s'asseoir en ~** sentarse con las piernas cruzadas, a lo sastre.

**taillis** *m* monte bajo, bosquecillo.

**tain** *m* azogue.

**taïno** *a/s* taíno, a.

**taire*** *vt* **1.** callar **2. faire ~** hacer callar, acallar, reducir al silencio; **faire ~ les rumeurs** acallar los rumores **3. une personne dont je tairai le nom** una persona cuyo nombre no citaré, una persona que no nombraré. ◆ **se ~** *vpr* **1.** callarse, callar: **tais-toi!** ¡cállate!, ¡calla!; **taisez-vous!** ¡cállese!, ¡cállense!; **il aurait mieux fait de se ~** hubiera sido mejor que se callara **2. les bruits se sont tus** los ruidos se han apagado.
▶ Dans le sens de «garder le silence», on emploie plutôt *callar* que *callarse: il s'est tu,* ha callado; *ils se turent,* callaron.

**taiseux, euse** *a/s (en Belgique)* taciturno, a, callado, a.

**Taiwan** *np* Taiwán.

**talc** [talk] *m* talco.

**talé, e** *a (fruit)* macado, a.

**talent** *m* **1.** talento: **avoir du ~** tener talento ◊ FAM **il a le ~ de m'agacer** tiene el don de irritarme **2.** *(monnaie, poids)* talento.

**talentueux, euse** *a* talentoso, a.

**taler** *vt (fruit)* macar.

**talion** *m* talión: **la loi du ~** la ley del talión.

**talisman** *m* talismán.

**talkie-walkie** *m* walkie-talkie.

**Talmud** [talmyd] *np m* Talmud.

**talmudique** *a* talmúdico, a.

**talmudiste** *s* talmudista.

**taloche** *f* **1.** *(de maçon)* esparavel *m* **2.** FAM *(gifle)* torta, tortazo *m*.

**talon** *m* **1.** *(du pied, d'un bas)* talón: **il pivota sur ses talons** giró sobre sus talones ◊ **le ~ d'Achille** el talón de Aquiles; FIG **marcher sur les talons de quelqu'un** pisarle los talones a alguien; **tourner les talons** dar media vuelta, irse; **avoir l'estomac dans les talons** tener un hambre canina, ladrarle a uno el estómago **2.** *(d'une chaussure)* tacón: **chaussures à talons plats** zapatos de tacón bajo ◊ **coup de ~** taconazo; **claquer des talons** dar un taconazo **3.** *(d'un pain)* canto **4.** *(d'un jambon)* punta *f* **5.** *(d'un chèque, reçu)* matriz *f*.

**talonner** *vt* **1.** seguir de cerca, pisar los talones a **2.** FIG apremiar, acosar, hostigar: **ses créanciers le talonnent** sus acreedores le apremian **3.** *(un cheval)* espolear **4.** *(rugby)* talonar.

**talonnette** *f* **1.** *(de bas)* talonera **2.** *(de pantalon)* talonera, refuerzo *m* (en el bajo de un pantalón).

**talonneur** *m (rugby)* talonador.

**talquer** *vt* espolvorear con talco.

**talure** *f* maca.

**talus** *m* talud, declive.

**talweg → thalweg.**

**tamanoir** *m* oso hormiguero.

**tamarinier** *m* tamarindo.

**tamaris** *m* taray, tamarisco, tamariz.

**tambouille** *f* **1.** FAM guisote *m* **2.** POP **faire la ~** guisar.

**tambour** *m* **1.** tambor: **battre le ~** tocar el tambor ◊ FIG **sans ~ ni trompette** sigilosamente, en secreto; **mener une affaire ~ battant** dirigir una operación con dinamismo, llevar un asunto con decisión **2. ~ de basque** pandereta *f* **3.** *(joueur de tambour)* tambor **4. ~ de ville** pregonero **5.** *(pour broder)* tambor, bastidor **6.** *(de porte)* cancel **7. porte à ~** puerta giratoria **8.** *(de frein, machine à laver, etc.)* tambor **9.** ARCH *(d'une coupole)* tambor.

**tambourin** *m* tamboril, tamborín.

**tambourinage** *m* tamborileo.

**tambourinaire** *m* tamborilero.

**tambourinement** *m* tamborileo.

**tambouriner** *vi* **1.** *(la pluie, etc.)* repiquetear, golpear **2.** *(avec les doigts)* tabalear, tamborilear **3.** *(jouer du tambour)* tocar el tambor. ◇ *vt* **1.** tocar con el tambor **2.** *FIG (une nouvelle)* anunciar, pregonar.

**tambour-major** *m* tambor mayor.

**tamis** *m* tamiz, cedazo ◊ *FIG* **passer au ~** pasar por el tamiz.

**tamisage** *m* cernido, tamizado.

**Tamise** *np f* **la ~** el Támesis *m*.

**tamiser** *vt* **1.** tamizar, cerner **2.** *(la lumière)* tamizar.

**tamoul, e** *a/m* tamul.

**tampon** *m* **1.** *(bouchon)* tapón **2.** *(cheville)* taco **3.** *(d'ouate)* tapón ◊ **~ hygiénique** tampón higiénico **4.** *(pour frotter, vernir, etc.)* muñeca *f*, muñequilla *f* ◊ **~ à récurer** estropajo **5. ~ encreur** tampón **6. ~ buvard** secante **7.** *(cachet)* tampón, sello **8.** *(oblitération)* matasellos **9.** *(de wagon, locomotive)* tope ◊ *FIG* **servir de ~** amortiguar los choques **10. coup de ~** topetazo **11.** *ANC (d'un officier)* ordenanza. ◇ *a* **1. état ~** estado tapón **2.** *INFORM* **mémoire ~** memoria intermedia.

**tamponnement** *m* **1.** choque **2.** *MÉD* taponamiento.

**tamponner** *vt* **1.** *(boucher)* taponar, tapar **2.** *(timbrer)* sellar **3.** *(trains, autos)* chocar, topar con **4. l'infirmière tamponna la plaie avec de l'ouate** la enfermera cuidó la herida con algodón presionando ligeramente. ◆ **se ~** *vpr* **1.** chocar: **deux trains se sont tamponnés** dos trenes han chocado **2. se ~ les yeux** secarse los ojos **3.** *FAM* **je m'en tamponne le coquillard** me importa un pepino.

**tamponneur, euse** *a* **autos tamponneuses** autos de choque.

**tam-tam** [tamtam] *m* **1.** *(en Afrique)* tam- tam, tantán **2.** gong **3.** *FAM* publicidad *f* aparatosa.

**tan** [tɑ̃] *m* casca *f* (para curtir pieles).

**tancer*** *vt LITT* reprender.

**tanche** *f* tenca.

**tandem** *m* **1.** tándem **2.** *FIG (association de deux personnes)* tándem, pareja *f*.

**tandis que** *loc conj* mientras, mientras que.

**tangage** *m MAR* cabeceo.

**tangence** *f GÉOM* tangencia.

**tangent, e** *a* **1.** tangente **2.** *FIG* **il n'est pas tombé mais c'était ~** no se cayó, pero poco faltó. ◇ *f GÉOM* tangente ◊ *FIG* **prendre la tangente** irse por la tangente.

**tangentiel, elle** *a GÉOM* tangencial.

**Tanger** *np m* Tánger.

**tangerine** *f* tangerina.

**tangible** *a* **1.** tangible **2.** *FIG* evidente.

**tango** *m (danse)* tango. ◇ *a inv* color anaranjado.

**tanguer** *vi* **1.** *MAR* cabecear, arfar **2.** *FIG* oscilar, bambolearse.

**tanière** *f* **1.** guarida, cubil *m* **2.** *(de malfaiteurs)* guarida, madriguera.

**tanin, tannin** *m* tanino.

**tank** [tɑ̃k] *m* **1.** *MIL* carro de combate, tanque **2.** *(réservoir)* depósito, cisterna *f*, tanque.

**tanker** [tɑ̃kœʀ] *m* petrolero.

**tankiste** *m* soldado de una división blindada.

**tannage** *m* curtido, curtimiento, curtiembre *f*.

**tannant, e** *a* **1.** curtiente **2.** *FAM (ennuyeux)* cargante, pesado, a, latoso, a.

**tanné, e** *a (cuir, visage)* curtido, a. ◇ *f FAM (raclée)* zurra, paliza.

**tanner** *vt* **1.** curtir **2.** *FAM (ennuyer)* fastidiar, dar la lata, dar la tabarra: **il tanne sa mère pour avoir un jouet** da la lata a su madre para que le compre un juguete.

**tannerie** *f* curtiduría, tenería.

**tanneur** *m* curtidor.

**tannin** → **tanin.**

**tan-sad** [tɑ̃sad] *m* sillín trasero.

**tant** *adv* **1.** *(tellement)* tanto, tanto que: **il a ~ pleuré que...** ha llorado tanto que... ◊ **il est arrivé ~ bien que mal** ha llegado como ha podido; **~ et plus** tanto y más; **~ il est vrai que...** tan cierto es que...; **~ mieux!** ¡mejor!, ¡tanto mejor!, ¡mejor que mejor!; **~ mieux pour lui!** ¡mejor para él!; **~ pis!** ¡tanto peor!, ¡qué le vamos a hacer!, ¡mala suerte!; **~ pis pour toi!** ¡peor para ti!; **s'il était ~ soit peu aimable** si al menos fuera algo más amable; **~ s'en faut!** ¡ni mucho menos!; **~ et si bien que...** tanto que..., tanto es así que... **2. ~ de** tanto, a, os, as: **il a ~ d'amis!** ¡tiene tantos amigos!; **il y avait ~ de monde!** ¡había tanta gente! **3.** *loc conj* **~ que** *(+ ind)*, mientras, mientras que: **~ qu'on a la santé** mientras haya salud, mientras tengamos salud; **~ que je vivrai** mientras yo viva; *(+ inf)* **~ qu'à faire...** puesto que no hay otro remedio...; *(= autant)* **j'ai couru ~ que j'ai pu** he corrido tanto como he podido; **en ~ que** en calidad de, como: **en ~ que président** como presidente; **si ~ est que** suponiendo que; **si ~ est que tu puisses** si es que puedes, si puedes. ◇ *s* **1.** tanto: **payer ~ à la page** pagar a tanto la página **2.** un **~ pour cent** un tanto por ciento; **un ~ soit peu** un poquito.

**tantale** *m* **1.** *(oiseau)* tántalo **2.** *CHIM* tantalio.

**Tantale** *np m* Tántalo: **supplice de ~** suplicio de Tántalo.

**tante** *f* **1.** tía: **mon oncle et ma ~** mi tío y mi tía **2.** *POP* **ma ~** la casa de empeños, el monte de piedad **3.** *VULG (homosexuel)* marica *m*, mariquita *m*.

**tantième** *m* tanto.

**tantine** *f FAM* tita.

**tantinet** *m* **1.** *FAM* **un ~ de** un poquito de, una pizca de **2.** un poco, un pelín, un si es no es: **un ~ moqueur** un poco, algo burlón.

**tantôt** *adv* **1. ~ ... ~** unas veces... otras veces..., a veces... a veces, ya... ya: **~ triste, ~ gai** ya triste, ya alegre **2.** *FAM (cet après-midi)* esta tarde, por la tarde **3.** *(bientôt)* dentro de poco, luego **4.** *(avant)* hace poco.

**Tanzanie** *np f* Tanzania.

**taoïsme** *m* taoísmo.

**taoïste** *a/s* taoísta.

**taon** [tɑ̃] *m* tábano.

**tapage** *m* **1.** alboroto: **~ nocturne** alboroto nocturno; **faire du ~** alborotar **2.** *FIG* escándalo ◊ **on a fait beaucoup de ~ autour de cette affaire** este asunto ha tenido mucha resonancia.

**tapageur, euse** *a* **1.** alborotador, a, escandaloso, a **2.** *(voyant)* ostentoso, a, llamativo, a **3. publicité tapageuse** publicidad a bombos y platillos.

**tapant, e** *a* **dix heures tapantes** las diez en punto, las diez clavadas.

**tape** *f* **1.** bofetada, sopapo *m*, cachete *m* **2.** *(amicale)* palmada, cachete *m*.

**tapé, e** *a* **1.** *(fruit)* macado, a **2.** *FAM (fou)* chiflado, a.

**tape-à-l'œil** *a inv FAM* llamativo, a. ◇ *m inv FAM* camelo, engañifa *f* ◊ **c'est du ~** es de relumbrón.

**tapecul, tape-cul** [tapky] *m* **1.** *MAR* ala *f* de cangreja **2.** *FAM (voiture)* cacharro.

**tapée** *f POP* **une ~** una porrada.

**tapement** *m* **1.** *(de pieds)* patada *f* **2.** *(de mains)* palmada *f*.

**taper** *vt* **1.** *(frapper)* pegar **2. ~ plusieurs coups à la porte** dar varios golpes a la puerta, golpear la puerta **3. ~ à la machine** escribir a máquina, mecanografiar; **pouvez-vous me ~ cette lettre?** ¿me puede copiar esta carta a máquina? **4.** *FAM* sablear, pedir dinero prestado a: **~ un ami de cent francs** sablear a un amigo de cien francos. ◇ *vi* **1.** pegar, dar golpes, dar palmadas: **il lui tapa sur l'épaule** le dio unas palmadas en el hombro ◊ **~ des mains** aplaudir, dar palmadas; **~ des pieds** dar patadas, patear; **~ dessus** brutalizar, dar una tunda **2.** *(le soleil)* pegar, picar, apretar: **le soleil tape dur** el sol pica mucho; **ça tape aujourd'hui!** ¡cómo pica hoy!, ¡cómo pega el sol hoy! ¡hoy aprieta de firme! **3.** *FIG* **~ sur le dos de quelqu'un** murmurar de alguien a sus espaldas, poner a alguien como un trapo; **~ sur les nerfs** crispar los nervios; **~ dans le mille** dar en el clavo; *FAM* **elle lui a tapé dans l'œil** → **œil; ~ sur le ventre à quelqu'un** → **ventre.** ◆ **se ~** *vpr* **1.** *(se battre)* pelearse **2.** *POP* **se ~ un bon repas** zamparse, pegarse una buena comida **3.** *FAM* **se ~ une corvée** cargarse con una lata **4.** *FAM* **il y a de quoi se ~ le derrière par terre** es para morirse de risa; **c'est à se ~ la tête contre les murs** es (como) para darse la cabeza contra la pared **5.** *POP* **je m'en tape** me importa un pito **6.** *VULG (sexualmente)* **se la ~** ventilársela.

**tapette** *f* **1** *(pour battre les tapis)* pala para sacudir alfombras **2.** *(pour tuer les mouches)* pala matamoscas **3.** *(pour souris)* trampa **4.** *(petit coup)* palmadita **5.** *FAM* **elle a une bonne ~** tiene mucha labia **6.** *VULG (homosexuel)* marica *m*, sarasa *m*.

**tapeur, euse** *s FAM* sablista.

**tapin** *m POP* **faire le ~** hacer la carrera.

**tapiner** *vi POP* hacer la carrera.

**tapineuse** *f POP* buscona, ramera.

**tapinois (en)** *loc adv* a la chita callando, callandito, a escondidas.

**tapioca** *m* tapioca *f*.

**tapir** [tapiʀ] *m* tapir.

**tapir (se)** *vpr* agazaparse, esconderse.

**tapis** [tapi] *m* **1.** *(sur le sol, de fleurs, etc.)* alfombra *f*: **un ~ persan** una alfombra persa; **~ volant** alfombra voladora **2.** *(natte)* estera *f* **3.** *(sur un meuble)* tapete ◊ **~ vert** tapete verde; *FIG* **mettre une affaire sur le ~** poner un asunto sobre el tapete **4. ~-brosse** felpudo **5. ~ roulant** *(pour marchandises)* cinta *f* transportadora, *(pour personnes)* pasillo rodante **6.** *PÉJOR* **marchand de ~** vendedor ambulante **7.** *FIG* **envoyer son adversaire au ~** derribar a su adversario, *(boxe)* tirar a su adversario a la lona.

► *Tapiz* désigne essentiellement une tapisserie (murale).

**tapisser** *vt* **1.** *(murs, fauteuils)* tapizar **2.** *(avec du papier peint)* empapelar **3.** *(recouvrir)* cubrir, revestir.

**tapisserie** *f* **1.** *(art)* tapicería **2.** *(tenture)* tapiz *m* **3.** *(papier peint)* empapelado *m* **4.** *FAM* **faire ~** quedarse sin bailar, comer pavo (en un baile).

**tapissier, ère** *s* **1.** tapicero, a **2.** *(de papiers peints)* empapelador, a.

**tapotement** *m* **1.** golpecito **2.** golpeteo.

**tapoter** *vt* **1. ~ la joue** dar golpecitos en la mejilla, palmear la mejilla **2.** golpetear.

**tapuscrit** *m* texto mecanografiado.

**taquet** *m* **1.** taco, cuña *f* **2.** *(butée)* tope **3.** *TECHN* taqué.

**taquin e** *a* travieso, a, malicioso, a, guasón, ona.

**taquiner** *vt* **1.** hacer rabiar, pinchar: **il passe son temps à ~ sa sœur** se pasa el tiempo haciendo rabiar a su hermana **2.** *FIG* inquietar, preocupar **3.** *FAM* **~ le goujon** pescar con caña. ◆ **se ~** *vpr* molestarse.

**taquinerie** *f (action, parole)* broma, guasa.

**tarabiscoté, a** *a* recargado, a, adornado, a con exceso ◊ *FAM* **c'est un peu ~** es un poco complicado.

**tarabiscoter** *vt* recargar, alambicar.

**tarabuster** *vt FAM* molestar, importunar, inquietar.

**tarama** *m CULIN* taramá.

**tarare** *f* aventadora.

**tarasque** *f* tarasca.

**taratata!** *interj* ¡vamos anda!, ¡bah!, ¡anda, ya! ¡qué va!

**taraud** *m TECHN* macho de aterrajar.

**tarauder** *vt* **1.** *(fileter)* aterrajar **2.** *(creuser)* perforar **3.** *FIG (tourmenter)* inquietar, torturar.

**tard** *adv* **1.** tarde: **se lever ~** levantarse tarde; **il est ~** es tarde; **mieux vaut ~ que jamais** más vale tarde que nunca; **il n'est jamais trop ~ pour commencer à...** nunca es tarde para empezar a... ◊ **au plus ~** a más tardar; **pas plus ~ qu'hier** ayer mismo **2.** *(ultérieurement)* **plus ~** más tarde, después; **quelques heures plus ~** horas después. ◇ *m* **sur le ~** ya mayor: **elle a commencé à jouer au tennis sur le ~** ha empezado a jugar al tenis ya mayor.

**tarder** *vi* **1.** tardar, hacerse esperar: **sans ~** sin tardar **2. ~ à** tardar en: **il n'a pas tardé à venir** no ha tardado en venir; **il tarda à répondre** tardó en contestar. ◇ *v impers* **il me tarde de** estoy impaciente por, estoy deseando; **il nous tarde de recevoir votre réponse** estamos impacientes por recibir su respuesta.

**tardif, ive** *a* tardío, a.

**tardivement** *adv* tardíamente.

**tare** *f* **1.** *COM (poids)* tara **2.** *(défaut)* tara, vicio *m*, defecto *m*.

**taré, e** *a/s (personne)* tarado, a, degenerado, a.

**Tarente** *np m* Tarento.

**tarentelle** *f (danse et musique)* tarantela.

**tarentule** *f* tarántula.

**tarer** *vt COM* destarar, tarar.

**targette** *f* pestillo *m*, pasador *m*.

**targuer (se)** *vpr* jactarse, alardear: **il se targue d'être...** se jacta de ser...

**targui, e** *a/s* tuareg.

**tari, e** *a* agotado, a, desecado, a.

**tarière** *f* **1.** *(vrille)* taladro *m* **2.** *ZOOL* oviscapto *m*.

**tarif** *m* **1.** tarifa *f*: **le nouveau ~** la nueva tarifa; **payer plein ~, demi-~** pagar tarifa entera, media tarifa **2.** *(douanier)* arancel **3.** *FAM (prix)* precio.

**tarifaire** *a* arancelario, a.

**tarifer** *vt* tarifar.

**tarification** *f* fijación de una tarifa.

**tarin** *m* **1.** *(oiseau)* chamariz **2.** *POP (nez)* napias *f pl*.

**tarir** *vt* **1.** *(assécher)* desecar, agotar **2.** *(arrêter)* parar **3.** *(épuiser)* agotar. ◇ *vi* **1.** desecarse, agotarse **2. sur ce sujet, il ne tarit pas** sobre este tema, no se le puede parar **3. ne pas ~ d'éloges sur** hacerse lenguas de. ◆ **se ~** *vpr* agotarse.

**tarissement** *m* agotamiento, desecación *f*.

**tarlatane** *f* tarlatana.

**tarmac** *m (dans un aéroport)* zona *f* de circulación de los aviones.

**tarot** *m* juego de cartas.

► Baraja de cartas de tamaño y figuras específicas utilizadas también en cartomancia.

**Tarpéienne (roche)** *np f* Tarpeya (roca).

**Tarragone** *np m* Tarragona.

**tarse** *m ANAT* tarso.

**tarsien, enne** *a ANAT* del tarso.

**tartan** *m* tartán, tela *f* escocesa.

**tartane** *f MAR* tartana.

**tartare** *a/s* **1.** tártaro, a **2.** *CULIN* **sauce ~** salsa tártara, mayonesa con alcaparras y mostaza; **steak ~** bistec tártaro (que se come crudo).

**tartarin** *m FAM* fanfarrón, bravucón.

**tarte** *f* **1.** *CULIN* tarta: **~ aux pommes, aux fraises** tarta de manzanas, de fresas **2.** *FAM* **~ à la crème** tópico *m* **3.** *POP* **c'est pas de la ~!** ¡no es pan comido! **4.** *FAM (gifle)* tortazo *m*, torta, hostia. ◇*a FAM* **1.** *(sot)* tonto, a, bobo, a, memo, a **2.** ridículo, a **3. ce film est vraiment ~** esta película es verdaderamente nula.

**tartelette** *f* tartita, tartaletita.

**Tartempion** *np m FAM* Fulano.

**tartine** *f* **1.** rebanada de pan con mantequilla, etc.: **une ~ de confiture** una rebanada de pan con confitura **2. ~ grillée** tostada **3.** *FAM* **écrire des tartines** escribir artículos interminables, cartas interminables.

**tartiner** *vt* untar una rebanada de pan (con mantequilla, etc.) ◊ **fromage à ~** queso para extender.

**tartre** *m* **1.** *(du vin)* poso, sedimento **2.** *(des dents)* sarro **3.** *(des chaudières, bouilloires)* sedimento, incrustación *f*.

**tartrique** *a CHIM* **acide ~** ácido tártrico.

**tartufe, tartuffe** *a/m* hipócrita, tartufo, gazmoño, a.

**tartuferie, tartufferie** *f* hipocresía, tartufismo *m*, gazmoñería.

**tas** *m* **1.** *(amas)* montón, pila *f* **2.** *FAM (grand nombre)* **un ~ de** un montón de, una porrada de, la mar de: **un ~ de choses** la mar de cosas; **~ d'imbéciles!** ¡imbéciles! **3.** *FAM* **taper dans le ~** dar palos a ciegas; **tirer dans le ~** disparar a bulto **4.** *FAM* **l'expérience acquise sur le ~** la experiencia adquirida trabajando; **grève sur le ~ → grève.**

**Tasmanie** *np f* Tasmania.

**tasse** *f* **1.** taza: **une ~ de thé** una taza de té ◊ *FAM* **ce n'est pas ma ~ de thé** no es mi estilo **2.** *FAM* **boire la ~** tragar agua (bañándose).

**tasseau** *m* cuña *f*.

**tassement** *m* **1.** *(d'une construction)* asiento **2.** *(de la terre)* apisonamiento.

**tasser** *vt* **1.** *(bourrer)* comprimir, apretar **2.** *(la terre)* apisonar **3.** *(des personnes)* apretujar, apiñar **4.** *FAM* **un café bien tassé** un café bien cargado; **70 ans bien tassés** 70 años bien llevados. ◆ **se ~** *vpr* **1.** *(s'affaisser)* hundirse **2.** *FAM* achaparrarse, volverse achaparrado, a: **elle se tasse avec l'âge** se achaparra con la edad **3.** *(se serrer)* apiñarse, apretujarse **4.** *FAM (s'arranger)* arreglarse, solucionarse: **ça finira bien par se ~** ya se solucionará (por sí solo).

**taste-vin, tâte-vin** *m inv* catavinos.

**tata** *f FAM* tita.

**tatami** *m* tatami.

**tatane** *f FAM* zapato *m*.

**tâter** *vt* **1.** tentar, palpar, tocar ◊ **~ le pouls** tomar el pulso **2.** *(sonder)* tantear, sondear **3.** *FIG* **~ le terrain** sondear el terreno. ◇*vi FIG* **~ de** probar, experimentar: **~ de la prison** conocer el mundo carcelario. ◆ **se ~** *vpr* estar pensándolo, estar mirándolo: **tu viens te baigner?, je ne sais pas, je me tâte** ¿vienes a bañarte? no sé, me lo estoy mirando.

**tâte-vin → taste-vin.**

**tatillon, onne** *a* puntilloso, a, minucioso, a, reparón,ona.

**tâtonnant, e** *a* vacilante, titubeante.

**tâtonnement** *m* tanteo, titubeo, ensayo.

**tâtonner** *vi* **1.** andar, ir a tientas **2.** *FIG (hésiter)* titubear, proceder con vacilación.

**tâtons (à)** *loc adv* a tientas, a ciegas.

**tatou** *m* armadillo, tatú.

**tatouage** *m* tatuaje.

**tatouer** *vt* tatuar.

**tatoueur** *m* persona que tatúa.

**tau** *m (lettre grecque)* tau *f*.

**taud** *m MAR* toldo alquitranado.

**taudis** *m* cuchitril, tugurio.

**taulard, e** *s POP* recluso, a.

**taule, tôle** *f POP* **1.** habitación **2.** *(prison)* **mettre en ~** meter en la cárcel, en chirona; **être en ~** estar en chirona, en el trullo.

**taulier, ère, tôlier,ère** *s POP* hotelero, a.

**taupe** *f* **1.** topo *m* ◊ **être myope comme une ~** no ver tres en un burro **2.** *FAM* **une vieille ~** una vieja **3.** *(espion)* espía **4.** *FAM* clase preparatoria a la Escuela politécnica.

**taupé** *m (chapeau)* sombrero de fieltro de piel de topo.

**taupinière** *f* topera, topinera.

**taureau** *m* **1.** toro: **~ de combat** toro de lidia ◊ **course de taureaux** corrida; *FIG* **prendre le ~ par les cornes** coger el toro por los cuernos **2.** *ASTR* **être du ~** ser Tauro.

**taurillon** *m* novillo.

**taurin, e** *a* taurino, a.

**tauromachie** *f* tauromaquia.

**tauromachique** *a* tauromáquico, a.

**tautologie** *f* tautología.

**tautologique** *a* tautológico, a.

**taux** *m* **1.** tipo: **~ d'intérêt** tipo de interés ◊ **~ du change** cambio **2.** porcentaje ◊ **placer de l'argent au ~ de 7%** colocar dinero con interés del 7% **3.** tasa *f*, índice, coeficiente: **~ de natalité** tasa, índice de natalidad; **~ de chômage** tasa de paro; **~ d'inflation** tasa de inflación; **~ d'alcool, de cholestérol** tasa de alcohol, de colesterol.

**tavelé, e** *a* manchado, a.

**taveler (se)*** *vpr* mancharse.

**tavelure** *f* **1.** *(tache)* mancha **2.** *(d'un fruit)* maca.

**taverne** *f* **1.** *ANC* taberna **2.** hostería.

**tavernier, ère** *s ANC* tabernero, a.

**taxation** *f* tasación.

**taxe** *f* **1.** *(prix officiel)* tasa **2.** *(impôt)* impuesto *m*, contribución: **~ de luxe** impuesto de lujo; **~ d'habitation** impuesto de radicación **3.** *(de douane)* arancel *m* **4. ~ sur la valeur ajoutée (T.V.A.)** impuesto sobre el valor añadido (IVA).

**taxer** *vt* **1.** *(les prix)* tasar **2.** *(mettre un impôt)* gravar, poner un impuesto a **3. ~ quelqu'un de** tachar, tildar a alguien de: **on le taxe de partialité** le tachan de parcial.

**taxi** *m* **1.** taxi: **station de taxis** parada de taxis ◊ **chauffeur de ~** taxista **2.** *FAM* **faire le ~** hacer de chófer.

**taxidermie** *f* taxidermia.

**taxidermiste** *s* taxidermista.

**taximètre** *m* taxímetro.

**taxinomie** *f* taxonomía.

**taxiphone** *m* teléfono público.

**taxonomie → taxinomie.**

**tayaut → taïaut.**

**taylorisme** *m* taylorismo.

**Tchad** [tʃad] *np m* Chad, Tchad.

**tchador** *m* chador, velo islámico.

**tchao!** *interj* ¡chao!, ¡adiós!

**tchatche** *f POP* labia, facundia.

**tchatcher** *vi POP* cascar.

**Tchécoslovaquie** *np f* Checoslovaquia.

**tchèque** *a/s* checo, a.

**Tchernobyl** *np* Chernóbil.

**tchin-tchin** *interj FAM* chinchín.

**te, t'** *pron pers* te: **je ~ parle** te hablo, te estoy hablando; **ne t'en fais pas** no te preocupes.

**[1]té** *m* regla *f* en forma de escuadra.

**[2]té!** *interj* ¡hombre!, ¡anda!

**technicien, enne** [tɛknisjɛ̃, jɛn] *s* técnico, a, especialista.

**technicité** [tɛknisite] *f* tecnicidad, tecnicismo *m*.

**technique** [tɛknik] *a* técnico, a. ◇ *f* técnica.

**techniquement** *adv* técnicamente.

**technocrate** [tɛknɔkrat] *m* tecnócrata.

**technocratie** [tɛknɔkrasi] *f* tecnocracia.

**technocratique** *a* tecnocrático, a.

**technologie** [tɛknɔlɔʒi] *f* tecnología.

**technologique** *a* tecnológico, a.

**teck, tek** [tɛk] *m* teca *f*.

**teckel** *m* teckel.

**tectonique** *a* tectónico, a. ◇ *f* tectónica.

**Te Deum** *m inv* Tedéum.

**tee-shirt** [tiʃœʀt] *m* camiseta *f*, niki: **un ~ uni** una camiseta lisa.

**tégument** *m BOT, ZOOL* tegumento.

**Téhéran** *np* Teherán.

**teigne** *f* **1.** polilla **2.** *MÉD* tiña **3.** *FAM (personne)* **c'est une vraie ~** es un mal bicho, un bicharraco.

**teigneux, euse** *a* **1.** tiñoso, a **2.** *FAM* arisco, a, agresivo, a.

**teindre*** *vt* teñir: **~ en bleu** teñir de azul. ◆ **se ~** *vpr* teñirse: **elle se teint les cheveux en noir** se tiñe el pelo de negro.

**[1]teint** *m* **1.** *(du visage)* tez *f*, color de la cara: **elle a le ~ pâle** tiene la tez pálida, está pálida ◊ **fond de ~** crema de base **2.** tinte, color, colorido: **tissu bon ~, grand ~** tejido de color sólido **3.** *FIG* **bon ~** muy convencido de sus opiniones.

**[2]teint, e** *a* teñido, a: **~ en noir** teñido de negro.

**teinte** *f* **1.** tinte *m*, color *m*, tono *m*: **chemisier aux teintes vives** blusa de tonos vivos, colores vivos **2.** *(nuance)* matiz *m*, tinte *m* **3.** *FIG* **une ~ de rancœur** un poco de rencor, un tinte de rencor.

**teinté, e** *a* **1.** teñido, a **2.** *(verre)* ahumado, a, coloreado, a.

**teinter** *vt* **1.** teñir, colorear **2.** *FIG* tintar. ◆ **se ~** *vpr* colorearse, teñirse.

**teinture** *f* **1.** tintura, tinte *m* **2.** *(des cheveux)* tinte *m* **3.** *FIG (vernis)* barniz *m*, baño *m*.

**teinturerie** *f* tintorería, tinte *m*.

**teinturier, ère** *s* tintorero, a.

**tek** → **teck.**

**tel, telle** *a indéf* **1.** tal cual, igual: **il avait laissé la bouteille ouverte et la retrouva telle** había dejado la botella abierta y la encontró tal cual **2.** *(semblable)* tal, semejante: **une telle attitude est indigne de lui** semejante actitud es indigna de él; **nous ne pouvons faire face à de telles dépenses** no podemos asumir tales gastos; **à ~ point** hasta tal punto; **~ ou ~** tal o cual **3.** éste, ésta: **~ est mon avis** ésta es mi opinión **4.** *(comparaison)* como, cual: **certains oiseaux, tel le moineau** algunos pájaros, como el gorrión ◊ *PROV* **~ père, ~ fils** de tal palo, tal astilla **5. ~ que** tal como: **un homme ~ que lui** un hombre (tal) como él **6. ~ quel, telle quelle** tal cual: **voici sa réponse telle quelle** he aquí su respuesta tal cual **7.** *(intensité)* tanto, a: **je n'ai jamais eu une telle peur** nunca he tenido tanto miedo **8.** *(sens indéf.)* **~ jour à telle heure** tal día a tal hora. ◇ *pron indéf* **1. ~ ... ~** quién... quién, éste... otro: **~ aime la ville, ~ autre préfère la campagne** a éste le gusta la ciudad, el otro prefiere el campo **2.** *(en qualité de)* **M. Goriot, le responsable, a assisté à la réunion en tant que ~** el señor Goriot ha asistido a la reunión en su calidad de responsable **3. rien de ~ ne peut nous arriver** no puede ocurrirnos nada como eso; **un bon verre de vin, il n'y a rien de ~ pour...** un buen vaso de vino, no hay nada mejor que eso para... **4. monsieur un ~ , Untel, madame une telle, Unetelle** el señor fulano, la señora fulana (de tal).

**télé** *f FAM* tele: **à la ~** en la tele; **passer à la ~** salir en la tele.

**téléachat** *m* telecompra *f*.

**télébenne** *f* telecabina.

**télécabine** *f* telecabina.

**télécinéma** *m* telecinematógrafo.

**télécommande** *f* telemando *m*.

**télécommander** *vt* teledirigir.

**télécommunication** *f* telecomunicación: **réseau de télécommunications** red de telecomunicaciones.

**télécopie** *f* telefax *m*.

**télédiffusion** *f* teledifusión.

**téléenseignement** *m* teleeducación *f*, enseñanza *f* a distancia.

**téléférique** *m* teleférico.

**téléfilm** *m* telefilme.

**télégénique** *a* telegénico, a.

**télégramme** *m* telegrama.

**télégraphe** *m* telégrafo.

**télégraphie** *f* telegrafía: **T.S.F.**, telegrafía sin hilos.

**télégraphier*** *vt* telegrafiar.

**télégraphique** *a* telegráfico, a.

**télégraphiste** *m* **1.** telegrafista **2.** *(porteur de dépêches)* repartidor de telegramas.

**téléguidage** *m* dirección *f* a distancia, teledirección *f*, telemando.

**téléguider** *vt* **1.** teledirigir **2.** *FIG* inspirar, influenciar.

**téléimprimeur** *m* teleimpresor.

**téléinformatique** *f* teleinformática.

**Télémaque** *np m* Telémaco.

**télématique** *f* telemática.

**télémètre** *m* telémetro.

**téléobjectif** *m* teleobjetivo: **filmer au ~** filmar con teleobjetivo.

**téléologie** *f* teleología.

**téléologique** *a* teleológico, a.

**téléostéens** *mpl ZOOL* teleosteos.

**télépathie** *f* telepatía.

**télépathique** *a* telepático, a.

**téléphérique** *m* teleférico.

**téléphone** *m* teléfono: **appeler au ~** llamar por teléfono; **~ mobile, sans fil** teléfono móvil, inalámbrico ◊ **coup de ~** llamada *f* telefónica, telefonazo; **pouvez-vous me passer un coup de ~?** ¿puede llamarme por teléfono?; *FAM* **~ arabe** transmisión *f* de las noticias de boca en boca.

**téléphoner** *vt/i* telefonear, llamar por teléfono: **~ une nouvelle** telefonear una noticia; **je vous téléphonerai vers onze heures** le llamaré por teléfono a eso de las once. ◆ **se ~** *vpr* llamarse (por teléfono).

**téléphonie** *f* telefonía: **~ cellulaire** telefonía celular.

**téléphonique** *a* telefónico, a.

**téléphoniste** *s* telefonista.

**télescopage** *m* choque de frente.

**télescope** *m* telescopio.

**télescoper** *vt* chocar de frente. ◆ **se ~** *vpr* **les deux trains se sont télescopés** los dos trenes han chocado de frente.

**télescopique** *a* telescópico, a.

**téléscripteur** *m* teleimpresor.

**télésiège** *m* telesilla *f*.

**téléski** *m* telesquí.

**téléspectateur, trice** *s* televidente, telespectador, a.

**téléthèque** *f* teleteca.

**télétraitement** *m* teletratamiento, teleproceso.

**télétype** *m* teletipo.

**télévente** *f* televenta.

**téléviser** *vt* televisar ◊ **journal télévisé** telediario, noticiario televisivo.

**téléviseur** *m* televisor.

**télévision** *f* **1.** televisión: **~ par câble** televisión por cable; **je l'ai vu à la ~** lo he visto en la televisión; **regarder la ~** ver la televisión; **passer à la ~** salir por (la) televisión; **les programmes de la ~** los programas de la televisión, televisivos **2. appareil, poste de ~** aparato de televisión, televisor.

**télévisuel, elle** *a* televisivo, a, televisual.

**télex** *m* télex.

**tellement** *adv* **1.** (= *si*) tan: **il est ~ aimable** es tan amable **2.** (= *tant*) tanto, a: **j'ai ~ de soucis que j'oublie tout** tengo tantas preocupaciones que me olvido de todo; **il a ~ souffert!** ¡ha sufrido tanto! **3. ~ plus, moins, mieux** mucho más, menos, mejor: **ce serait ~ plus facile** sería mucho más fácil **4. il n'y avait pas ~ de monde** no había mucha gente; **elle ne chante pas ~ bien** no canta muy bien que digamos; **tu aimes la musique classique? – pas ~** ¿te gusta la música clásica? – no mucho.

**tellurique** *a* telúrico, a.

**téloche** *f* FAM tele.

**téméraire** *a* **1.** (*imprudent*) temerario, a **2. jugement ~** juicio temerario.

**témérairement** *adv* temerariamente.

**témérité** *f* temeridad.

**témoignage** *m* **1.** testimonio: **faux ~** falso testimonio ◊ **porter ~** dar testimonio, atestiguar; **rendre ~ de** dar fe de **2.** FIG muestra *f*, prueba *f*: **un ~ d'affection** una muestra de cariño.

**témoigner** *vi* (*en tant que témoin*) testificar, declarar como testigo. ◊ *vt/i* **1.** atestiguar, testimoniar, testificar: **je peux ~ de sa bonne foi** puedo atestiguar su buena fe **2.** (*sentiment*) manifestar, mostrar: **~ de la reconnaissance à quelqu'un** manifestar gratitud a alguien.

**témoin** *m* **1.** testigo: **~ à charge, à décharge** testigo de cargo, de descargo; **~ oculaire** testigo ocular; **faux ~** testigo falso; **prendre quelqu'un à ~** poner a alguien por testigo; **Témoins de Jéhovah** Testigos de Jehová **2.** (*de mariage*) padrino, madrina *f* **3.** (*dans une course de relais*) testigo **4.** (*preuve*) prueba *f*, muestra *f*: **il était inquiet, ~ sa nervosité** estaba preocupado, la prueba de ello su nerviosismo **5. appartement ~** piso piloto; **lampe ~** piloto *m*.

**tempe** *f* sien: **les tempes** las sienes.

**tempérament** *m* **1.** temperamento: **un ~ nerveux** un temperamento nervioso ◊ FAM **avoir du ~** tener una fuerte personalidad, ser un gran temperamento **2.** COM **vente à ~** venta a plazos.

**tempérance** *f* templanza, moderación.

**tempérant, e** *a* temperante, moderado, a.

**température** *f* **1.** temperatura **2.** (*fièvre*) temperatura, fiebre, calentura: **avoir de la ~** tener fiebre; **prendre la ~ d'un malade** tomar la temperatura a un enfermo; **prendre sa ~** tomarse la temperatura.

**tempéré, e** *a* templado, a: **climat ~** clima templado.

**tempérer*** *vt* templar, moderar.

**tempête** *f* **1.** (*en mer*) tempestad, temporal *m* **2. ~ de neige** ventisca **3.** FIG **une ~ dans un verre d'eau** una tormenta en un vaso de agua; **déchaîner une ~** provocar vivas protestas; **une ~ d'injures** un torrente de injurias; **une ~ d'applaudissements** una tempestad de aplausos, una salva de aplausos; **une ~ de protestations** una oleada de protestas.

**tempêter** *vi* echar pestes.

**tempétueux, euse** *a* tempestuoso, a.

**temple** *m* templo.

**Temple** *np m* (*ordre religieux*) Temple.

**templier** *m* templario.

**tempo** *m* MUS tempo.

**temporaire** *a* temporal: **travail ~** trabajo temporal; **contrats temporaires** contratos temporales.

**temporairement** *adv* temporalmente.

**temporal, e** *a/m* ANAT temporal.

**temporalité** *f* temporalidad.

**temporel, elle** *a* **1.** temporal: **les biens temporels** los bienes temporales **2.** GRAM **subordonnées temporelles** subordinadas de tiempo.

**temporisateur, trice** *a* que difiere.

**temporisation** *f* aplazamiento *m*.

**temporiser** *vi* aplazar, diferir (en espera de mejor ocasión).

**[1]temps** *m* **1.** (*durée*) tiempo: **avoir le ~ de...** tener tiempo para...; **je n'ai pas le ~** no tengo tiempo; **chaque chose en son ~** cada cosa en su tiempo; **perdre son ~** perder el tiempo; **prenez votre ~** tómese su tiempo ◊ **avoir fait son ~**, (*choses*) estar fuera de uso, haber pasado de moda, (*soldat*) haber cumplido; **avoir tout son ~** no tener prisa; **mettre du ~ à** tardar en; **elle mit du ~ à se décider** tardó en decidirse; **je prendrai le ~ pour venir** vendré sin prisas; **se donner, prendre du bon ~** divertirse, pasarlo bien; **il est ~ de** ya es hora de, ha llegado el momento de; **il était ~** ya era hora; **je trouve le ~ long** se me hace largo el tiempo; **laisser faire le ~** dar tiempo al tiempo; **passer, tuer le ~** hacer tiempo; **avec le ~** con el tiempo, andando el tiempo; **depuis le ~ que, voilà beau ~ que** hace mucho tiempo que; **en ~ utile** a su (debido) tiempo, en momento oportuno; **en ~ voulu** a tiempo; **la plupart du ~** la mayoría de las veces **2.** (*courte durée*) tiempo, rato, momento ◊ **dans peu de ~** dentro de poco; **en peu de ~** rápidamente; **quelque ~ après** poco después; FAM **en deux ~ trois mouvements** en un dos por tres; **en un rien de ~** en un santiamén; **au ~ pour moi** reconozco que me equivoqué; **un ~ d'arrêt** una pausa, un compás de espera; **~ mort** momento de inactividad; **le ~ de boire un verre d'eau et j'arrive** bebo un vaso de agua y vengo al momento, en seguida **3.** *loc adv* **à ~** a tiempo, con tiempo; **à plein ~, à ~ complet** con plena dedicación, con dedicación exclusiva; **à ~ perdu** a ratos perdidos; **de ~ en ~, de ~ à autre** de vez en cuando, de cuando en cuando; **de tout ~** siempre; **en même ~** al mismo tiempo, a la vez; **en tout ~** siempre; **tout le ~** siempre, continuamente **4.** (*époque*) tiempo, época *f*: **du ~ des Celtes** en la época de los celtas; **être de son ~** ser de su época; **au ~ jadis** en tiempos remotos; **du ~ que les bêtes parlaient** en tiempos de Maricastaña; **de mon ~** en mi época, en mis tiempos; **le bon vieux ~** los buenos tiempos de antaño; **c'était le bon ~!** ¡aquéllos eran buenos tiempos!; **ces derniers ~**, últimamente; **dans le ~** antiguamente, antaño, antes; **par les ~ qui courent** actualmente, en los tiempos que corren; **depuis quelque ~** desde hace algún tiempo; **depuis ce ~-là** desde (aquel) entonces; **en ce ~-là** en aquel tiempo, en aquel entonces; **au ~, du ~ où, du ~ que** cuando: **un ami du ~ où nous faisions le service militaire** un amigo de cuando la mili **5. dans un premier ~** primeramente, en un primer momento **6.** *(sports)* **réaliser le meilleur ~** obtener el mejor resultado **7.** *MUS, GRAM* tiempo **8.** *TECHN* **moteur à deux ~, à quatre temps** motor de dos tiempos, de cuatro tiempos.

**²temps** *m* **1.** *(atmosphère) tiempo:* **beau ~** buen tiempo; **par tous les ~** cual sea el tiempo, sea el tiempo que sea; *FAM* **~ de chien, de cochon** tiempo de perros **2. gros ~** temporal.

**tenable** *a* soportable.

**tenace** *a* **1.** tenaz, persistente: **une odeur ~** un olor tenaz **2.** *(personnes)* tenaz, perseverante.

**tenacement** *adv* tenazmente.

**ténacité** *f* tenacidad.

**tenaille** *f*, **tenailles** *f pl*, tenazas *pl.*

**tenailler** *vt FIG* atenazar, atormentar, torturar.

**tenancier, ère** *s* gerente, encargado, a.

**¹tenant, e** *a* **séance tenante** en el acto.

**²tenant** *m* **1.** *(d'un titre, d'un record)* poseedor: **l'actuel ~ du titre** el actual poseedor del título **2.** *(d'une doctrine)* partidario, defensor **3. d'un seul ~** de una sola pieza **4. connaître les tenants et les aboutissants d'une affaire** conocer los pormenores de un asunto.

**tendance** *f* **1.** tendencia, propensión ◊ **avoir ~ à** tender a, propender a **2.** *FIG* inclinación **3.** corriente: **~ littéraire** corriente literaria.

**tendancieusement** *adv* tendenciosamente.

**tendancieux, euse** *a* tendencioso, a.

**tendant → tendre.**

**tender** [tɑ̃dɛr] *m* ténder.

**tendeur** *m* **1.** *(appareil)* tensor **2.** *(corde)* cuerda *f.*

**tendineux, euse** *a* **1.** tendinoso, a **2. viande tendineuse** carne fibrosa.

**tendinite** *f MÉD* tendinitis.

**tendon** *m* tendón: **~ d'Achille** tendón de Aquiles.

**¹tendre** *a* **1.** tierno, a, blando, a **2.** sensible, tierno, a, cariñoso, a: **cœur ~** corazón sensible **3.** *(couleur)* suave, delicado, a.

**²tendre*** *vt* **1.** *(corde, etc.)* tender **2.** *(arc)* armar **3.** *(ressort)* tensar **4.** alargar: **~ le bras** alargar el brazo; **~ la main** tender la mano, *(mendier)* mendigar; **~ la joue** presentar la mejilla; *FIG* **~ l'oreille** escuchar atentamente, aguzar el oído: **je tendis l'oreille** agucé el oído **5.** tender, alcanzar: **il tendit son billet au contrôleur** tendió su billete al revisor **6.** *(un mur)* tapizar, empapelar. ◇ *vi* **~ à, vers** tender a, propender a: **la situation tend à s'améliorer** la situación tiende a mejorar; **mesures tendant à...** medidas tendentes a... ◆ **se ~** *vpr FIG (rapports, liens)* tensarse.

**tendrement** *adv* tiernamente, cariñosamente, entrañablemente: **aimer ~** querer entrañablemente.

**tendresse** *f* ternura, cariño *m.*

**tendron** *m* **1.** *(cartilage)* ternilla *f* ◊ **de veau** falda *f* de ternera **2.** *FAM (jeune fille)* pimpollo, pollita *f.*

**tendu, e** *pp* de **tendre.** ◇ *a* **1.** tenso, a tirante, estirado, a: **les muscles tendus** los músculos tensos; **les bras tendus** los brazos estirados **2.** *FIG* tenso, a, tirante: **une situation tendue** una situación tirante; **les relations entre les deux pays sont très tendues** las relaciones entre los dos países son muy tensas ◊ **il est très ~** está muy tenso; **ne soyez pas ~** no esté tenso.

**ténèbres** *f pl* tinieblas.

**ténébreux, euse** *a* **1.** tenebroso, a **2.** *FIG* tenebroso, a, misterioso, a **3. un beau ~** un hombre con aire melancólico.

**teneur** *f* **1.** *(d'un écrit)* contenido *m* **2.** *(dose)* proporción, cantidad: **la ~ en eau** la proporción de agua.

**ténia, tænia** *m* tenia *f*, solitaria *f.*

**tenir*** *vt* **1.** tener, tener cogido, a, llevar: **elle tenait son enfant par la main** llevaba a su niño de la mano **2.** *(retenir)* sujetar: **tiens-moi la porte** sujétame la puerta **3.** mantener: **il tenait les bras levés** mantenía los brazos levantados **4.** *FAM* **elle tient un bon rhume** ha pescado un buen resfriado **5. ~ le vin** aguantar mucho bebiendo; **~ tête à** resistir a, plantar cara a **6.** *(posséder)* tener, poseer ◊ *PROV* **mieux vaut ~ que courir, un tiens vaut mieux que deux tu l'auras** más vale pájaro en mano que ciento volando **7.** *(un espace)* **~ de la place** ocupar mucho espacio; **~ sa droite** ir por la derecha **8.** contener: **ce bidon tient un litre** este bidón contiene un litro **9. je tiens la nouvelle de ma voisine** lo sé, me he enterado de la noticia por mi vecina **10. ~ un rôle** desempeñar un papel **11.** *(gérer)* llevar, encargarse de, ser encargado, a de, regentar: **elle tient une mercerie** regenta una mercería **12. ~ des propos agréables** decir cosas agradables **13. ~ pour** considerar como, tener por: **je le tiens pour menteur** le considero como mentiroso ◊ **tenez-vous-le pour dit** téngaselo por dicho **14.** cumplir: **il a toujours tenu parole** siempre ha cumplido con su palabra; **promesse tenue** promesa cumplida; **promesse non tenue** promesa incumplida **15.** *(une réunion, une assemblée, etc.)* celebrar **16. cette voiture tient bien la route** este coche tiene buena adherencia. ◇ *interj* **tiens!, tenez!** ¡toma!, ¡tome!; **tiens! c'est toi?** ¡hombre!, ¡vaya! ¿eres tú?. ◇ *vi* **1.** estar unido, a, mantenerse sujeto, a: **la feuille tient encore à la branche** la hoja todavía se mantiene sujeta a la rama **2. le malade ne tient pas sur ses jambes** el enfermo no se aguanta de pie **3. à l'approche des vacances, les enfants ne tiennent plus en place** al aproximarse las vacaciones, los niños no paran quietos **4.** caber: **nous tiendrons bien à cinq dans cette voiture** ya cabremos cinco en este coche **5.** *(résister)* aguantar, resistir: **nous troupes peuvent ~ jusqu'au printemps** nuestras tropas pueden aguantar hasta la primavera; **~ bon** resistir, mantenerse firme **6. ~ à** querer: **j'ai tenu à les voir** he querido verles **7. ~ de** tener algo de, parecerse a: **il tient de son père** se parece a su padre, ha salido a su padre; **cela tient du miracle** esto es algo milagroso **8. y ~** tener mucho interés por ello: **elle a l'air d'y ~** parece tener interés por ello ◊ **je n'y tiens pas** no me apetece; **si vous y tenez** si usted se empeña en ello **9.** *(neige)* cuajar: **la neige n'a pas tenu** la nieve no cuajó **10.** *(colle, couleur)* agarrarse, pegarse **11.** *FIG* **ma promesse tient toujours** mi promesa sigue en pie. ◇ *impers* **il ne tient qu'à lui de...** sólo depende de él...; **qu'à cela ne tienne!** ¡no importa!. ◆ **se ~** *vpr* **1.** *(à quelque chose)* agarrarse, cogerse: **tenez-vous bien à la rampe** agárrese, agárrense a la barandilla; **tenez-vous bien!** ¡agárrese!, ¡agárrense!; **se ~ par le bras** ir cogidos del brazo **2.** *(dans telle position, tel état)* quedarse, permanecer: **se ~ debout** quedarse de pie ◊ **tiens-toi droit!** ¡ponte derecho!; **tenez-vous tranquille!** ¡estése tranquilo, quieto! **3.** estar, estarse: **se ~ au milieu de la pièce** estar en el centro de la habitación; **se ~ prêt à** estar dispuesto a **4.** comportarse, portarse: **il sait se ~ en société** sabe comportarse en sociedad **5. se ~ mal** *(position)* tener una mala postura, *(conduite)* portarse mal, tener malos modales **6. elle ne pouvait se ~ de rire** no podía aguantarse de risa **7.** *(avoir lieu)* tener lugar, celebrarse: **le congrès se tient à Rome** el congreso se celebra en Roma **8. savoir à quoi s'en ~** saber a qué atenerse; **je m'en tiens à tes instructions** me atengo a tus instrucciones; **je m'en tiendrai aux faits** me ceñiré a los hechos; **s'en ~ là** no ir más allá **9. dans cette histoire tout se tient** en esta historia todo está íntimamente relacionado.

**tennis** *m* **1.** tenis: **court de ~** pista de tenis ◊ **joueur, joueuse de ~** tenista **2. ~ de table** tenis de mesa. ◇ *m pl (chaussures)* zapatillas *f* de tenis.

**tennis-elbow** *m* codo de tenista, codo doloroso.

**tennisman** [tenisman] *m* tenista.

**tenon** *m TECHN* espiga *f.*

**ténor** *a/m* tenor ◊ *FIG* **les ténors de la politique** los tenores de la política.

**tenseur** *a/m* tensor.

**tension** *f* **1.** tensión **2.** *FIG (entre des personnes, des groupes)* tensión, tirantez: **les tensions raciales** las tensiones raciales

3. *FIG* **~ d'esprit** esfuerzo *m* mental, concentración **4.** *MÉD* **~ artérielle** tensión arterial; **prendre la ~** tomar la tensión; **avoir de la ~** tener tensión **5.** *ÉLECT* tensión: **haute ~** alta tensión.

**tentaculaire** *a* tentacular.

**tentacule** *m* tentáculo.

**tentant, e** *a* tentador, a

**tentateur, trice** *a/s* tentador, a ◊ **le ~** el tentador.

**tentation** *f* tentación: **résister à la ~** resistir la tentación; **succomber à la ~** caer en la tentación.

**tentative** *f* tentativa, intento *m*: **une ~ de suicide** un intento de suicidio.

**tente** *f* **1.** *(de camping)* tienda de campaña: **monter une ~** armar una tienda de campaña ◊ **vivre sous la ~** acampar **2.** *(de cirque)* toldo *m*, carpa, entoldado *m*.

**tenter** *vt* **1.** *(séduire)* tentar: **ce voyage me tente** me tienta este viaje; **si l'idée te tente** si te tienta la idea ◊ **ça ne me tente pas** no me apetece, no me tienta nada; **se laisser ~** dejarse tentar **2. ~ sa chance** probar fortuna, su suerte: **tentez votre chance!** ¡pruebe su suerte! **3.** *(essayer)* tratar de, intentar, procurar: **il tenta de prendre la fuite** intentó darse a la fuga.

**tenture** *f* **1.** *(de tissu)* colgadura **2.** *(de papier)* papel *m* pintado.

**tenu, e** *pp* de **tenir.** ◇ *a* **1. être ~ à, de** estar obligado, a a: **vous êtes ~ d'arriver à l'heure** tiene usted que llegar a la hora **2. bien ~** bien cuidado, a, bien atendido, a: **des enfants bien tenus** niños bien atendidos **3. mal ~** descuidado, a.

**ténu, e** *a* tenue.

**tenue** *f* **1.** *(comportement)* modales *m pl*, compostura: **manquer de ~** no tener buenos modales **2.** *(allure)* aspecto *m*, porte *m* **3.** *(vêtement civil)* traje *m*, vestimenta, *(militaire)* uniforme *m* ◊ **en ~** en uniforme; **en grande ~** en uniforme de gala; **~ de soirée** traje *m* de etiqueta; **~ de combat** uniforme de combate; *FAM* **être en petite ~** estar en paños menores **4.** *(d'une maison)* cuidado *m*, orden *m*, mantenimiento *m* **5. ~ de route** adherencia a la carretera **6. ~ de livres** teneduría (de libros).

**ténuité** *f* tenuidad.

**ter** *adv/a* **1.** tres veces **2. j'habite au 10 ~** vivo en el número 10 ter.

**tératologie** *f* teratología.

**tercet** *m (vers)* terceto.

**térébenthine** *f* trementina.

**térébrant, e** *a (douleur)* terebrante.

**tergal** *m (nom déposé)* tergal.

**tergiversation** *f* evasiva, rodeo *m*.

**tergiverser** *vi* andar con rodeos, con evasivas ◊ **sans ~** sin vacilar.

**¹terme** *m* **1.** *(délai)* término, plazo: **à court, moyen, long ~** a corto, medio, largo plazo ◊ **vente à ~** venta a plazos; **accoucher à ~** parir a los nueve meses; **enfant né avant ~** niño prematuro **2.** *(loyer)* alquiler **3.** *COM* vencimiento ◊ **venir à ~** vencer **4.** *(fin)* término, fin, final: **au ~ de son voyage** al final de su viaje; **le ~ de la vie** el fin de la vida; **mener à bon ~** llevar a buen término, a cabo; **mettre un ~ à** poner término a, terminar con.

**²terme** *m* **1.** *(mot)* término, vocablo, palabra *f*: **un ~ technique** un término técnico ◊ **aux termes de...** según, según dice...; **en d'autres termes** en otras palabras **2. moyen ~** término medio. ◇ *pl* **1.** *(d'un contrat)* términos **2. être en bons termes avec quelqu'un** mantener buenas relaciones con alguien.

**terminaison** *f* terminación.

**terminal, e** *a* **1.** terminal **2. être en (classe) terminale** estar en el último curso de bachillerato **3.** *MÉD* **malade en phase terminale** enfermo terminal. ◇ *m* **1.** *(aérogare, pétrolier)* terminal *f* **2.** *(d'un ordinateur, etc.)* terminal.

**terminer** *vt* terminar, acabar. ◆ **se ~** *vpr* **1.** terminarse, acabar(se): **le mois de juin se termine lundi prochain** el mes de junio se termina el lunes próximo **2.** concluir: **mots qui se terminent en a** palabras que concluyen en a.

**terminologie** *f* terminología.

**terminus** [tɛrminys] *m inv* término, fin de línea.

**termite** *m* comején, termite, termes, termita *f*.

**termitière** *f* termitero *m*.

**ternaire** *a* ternario, a.

**terne** *a* **1.** apagado, a, sin brillo **2.** *FIG* aburrido, a, soso, a: **une soirée ~** una velada aburrida.

**ternir** *vt* **1.** *(tissu)* delustrar **2.** *(métal, etc.)* empañar, quitar el brillo a **3.** *FIG (l'honneur, la réputation)* empañar.

**terrain** *m* **1.** terreno: **un ~ fertile** un terreno fértil ◊ **~ vague** descampado; **~ à bâtir** solar; **voiture tout-~** coche todo terreno **2.** *AGR* **~ irrigué** regadío; **~ non irrigué** secano **3.** *FIG* **gagner, perdre du ~** ganar, perder terreno; **préparer, tâter le ~** preparar, sondear, tantear el terreno; **être sur son ~** estar en su propio terreno **4.** *FIG* **~ d'entente** base *f* de entendimiento, de armonía **5.** *MIL* campo **6.** *(de sport, etc.)* campo, área *f*: **~ de football, de golf** campo de fútbol, de golf **7. ~ d'atterrissage** pista *f* de aterrizaje.

**terrasse** *f* **1.** terraza: **à la ~ d'un café** en la terraza de un café **2.** *(d'une maison)* terraza, azotea **3.** *AGR* bancal *m*.

**terrassement** *m* **1.** *(action)* excavación *f*, nivelación *f* **2.** *(remblai)* terraplén.

**terrasser** *vt* **1.** *(un terrain)* excavar, explanar **2.** *(jeter par terre)* derribar, tirar al suelo **3.** *FIG* abatir, aniquilar: **il a été terrassé par la maladie** la enfermedad lo ha aniquilado.

**terrassier** *m* obrero que trabaja en las excavaciones.

**terre** *f* **1.** *(sol)* tierra, suelo *m*: **assis par ~** sentado en el suelo; **jeter par ~, à ~** tirar al suelo; **tomber par ~** caer al suelo; **chercher quelque chose par ~** buscar algo por el suelo; **laver par ~** lavar el suelo ◊ **mettre pied à ~** apearse; *FIG* **elle aurait voulu rentrer sous ~** hubiera querido esconderse bajo tierra; **avoir les pieds sur ~** ser realista, tener los pies en el suelo; **mettre, porter en ~** enterrar; **~ à ~** prosaico, a **2.** tierra: **sur (la) ~** en la tierra; **la ~ ferme** la tierra firme; **l'armée de ~** el ejército de tierra; **la Terre sainte** Tierra santa; **Terre promise** Tierra de promisión ◊ *FIG* **être sur ~** vivir **3.** *(propriété)* terreno *m*, finca ◊ **posséder des terres** poseer tierras **4.** *(matière solide)* tierra: **~ de bruyère** tierra de brezo; **~ végétale** tierra vegetal; **~ battue** tierra batida ◊ **politique de la ~ brûlée** política de tierra quemada **5.** *(à potier)* barro *m*: **cruche en ~** cántaro de barro; **~ cuite** barro cocido ◊ **une ~ cuite** una terracota **6. ~ glaise** barro *m*, greda **7. ~ de Sienne** tierra de Siena; **~ d'ombre** sombra de viejo **8.** *ÉLECT* tierra; **prise de ~** toma de tierra. ◇ *pl CHIM* **terres rares** tierras raras.

**terre à terre** *loc a* → **terre.**

**Terre de Feu** *np f* Tierra del Fuego.

**terreau** *m* mantillo.

**terreauter** *vt* abonar con mantillo.

**terre-neuvas, terre-neuvier** *m* barco que pesca en Terranova.

**terre-neuve** *m inv* perro de Terranova.

**terre-plein** *m* terraplén.

**terrer (se)** *vpr* **1.** *(un animal)* meterse en una madriguera **2.** *(une personne)* esconderse, encerrarse.

**terrestre** *a* **1.** terrestre **2. le paradis ~** el paraíso terrenal **3. le globe ~** el globo terráqueo.

**terreur** *f* terror *m*: **semer la ~** sembrar el terror; **terreurs nocturnes** terrores nocturnos.

**terreux, euse** *a* terroso, a, térreo, a.

**terrible** *a* **1.** terrible, atroz: **un accident ~** un accidente atroz; **une chaleur ~** un calor atroz **2. un enfant ~** un niño

insoportable; *FIG* **l'enfant ~ du parti** el «enfant terrible» del partido **3.** *FAM* **un film ~** una película formidable, macanuda; **une fille ~** una chica despampanante, fenomenal; **pas ~** nada del otro jueves.
▶ Sens 2, notez l'emploi du gallicisme dans le sens figuré.

**terriblement** *adv* **1.** terriblemente **2.** *FAM* **~ inquiet** la mar de inquieto.

**terrien, enne** *a* **1.** rural **2. propriétaire ~** terrateniente. ◇ *s (qui habite la Terre)* terrícola.

**terrier** *m* **1.** madriguera *f* **2.** *(chien)* fox-terrier, foxterrier.

**terrifiant, e** *a* terrorífico, a, aterrador, a, terrible.

**terrifier*** *vt* aterrar, aterrorizar.

**terril** [teʀi(l)] *m* escorial, escombrera *f.*

**terrine** *f* **1.** *(récipient)* cazuela de barro **2.** *(pâté)* paté *m.*

**territoire** *m* territorio.

**territorial, e** *a* territorial.

**territorialité** *f JUR* territorialidad.

**terroir** *m* terruño, patria *f* chica ◊ **vin du ~** vino del país.

**terroriser** *vt* aterrorizar, amedrentar.

**terrorisme** *m* terrorismo.

**terroriste** *a/s* terrorista.

**tertiaire** *a* terciario, a: **ère ~** era terciaria; **le secteur ~** el sector terciario. ◇ *m* religioso terciario, terciario.

**tertio** [tɛʀsjo] *adv* en tercer lugar.

**tertre** *m* montículo, cerro.

**Tertulien** *np m* Tertuliano.

**tes → ton.**

**tessiture** *f MUS* tesitura.

**tesson** *m* casco, tiesto.

**test** [tɛst] *m* test, prueba *f*: **passer un ~** someterse a un test, pasar un test; **~ de grossesse** test de embarazo.

**testament** *m* **1.** testamento: **~ authentique, mystique** testamento abierto, cerrado; **faire son ~** hacer testamento **2. Ancien, Nouveau Testament** Antiguo, Nuevo Testamento.

**testamentaire** *a* testamentario, a.

**testateur, trice** *s JUR* testador, a.

**tester** *vi JUR* testar, atestar. ◇ *vt* someter a un test: **~ des recrues** someter a un test a unas reclutas.

**testicule** *m* testículo.

**testimonial, e** *a* testifical, testimonial.

**testostérone** *f (hormone)* testosterona.

**tétanie** *f MÉD* tetania.

**tétanique** *a* tetánico, a.

**tétaniser** *vt* causar tétanos.

**tétanos** [tetanos] *m* tétanos.

**têtard** *m* **1.** *(larve)* renacuajo **2.** *(arbre)* árbol podado.

**tête** *f* **1.** cabeza: **mal de ~** dolor de cabeza; **de la ~ aux pieds** de pies a cabeza; **il est tombé la ~ la première** se ha caído de cabeza; **~ nue** con la cabeza descubierta; **piquer une ~ dans l'eau → piquer;** *FIG* **à ~ reposée** con calma, sosegadamente; **~ basse** cabizbajo, a; **casser la ~ à** poner la cabeza bomba a; **perdre la ~** perder la cabeza; **où ai-je la ~ !** ¡qué despistado estoy!; **il ne sait pas où donner de la ~** va de cabeza; **n'avoir rien dans la ~** tener la cabeza vacía, tener la cabeza llena de pájaros; **faire un calcul de ~** calcular mentalmente; **il n'en fait qu'à sa ~** sólo hace lo que le da la gana; **il a une idée derrière la ~** tiene un propósito que nos oculta; **il s'est mis dans la tête de...** se le ha metido entre ceja y ceja...; **une idée m'est passée par la ~** se me ha ocurrido una idea; *FAM* **avoir ses têtes** tener sus manías; **en avoir par-dessus la ~** estar hasta la coronilla, hasta el gorro; **ça va pas la ~** tú estás mal de la cabeza; *FIG* **il est tombé sur la ~** está loco; **le repas revient à cent francs par ~** la comida sale a cien francos por cabeza; **revenu par ~ d'habitant** renta per cápita; *FAM* **par ~ de pipe** por barba; **se monter la ~** hacerse ilusiones; **se payer la ~ de quelqu'un** tomarle el pelo a alguien; **se taper la ~ contre les murs → taper; tenir ~ à** plantar cara a, resistir a; **tourner la ~** *(le vin)* subir a la cabeza, *(succès, etc.)* hacer perder la cabeza; **risquer sa ~** arriesgar la vida; *(courses)* **gagner d'une ~** ganar por una cabeza; *FAM* **ça me prend la ~** eso me preocupa mucho **2.** *FIG* **c'est une forte ~** es un cabezotas; **une grosse ~** una persona muy inteligente; *FAM* **avoir la grosse ~** presumir mucho, darse mucho pisto; **~ brûlée** cabeza loca; **~ chaude** persona impulsiva; **~ de cochon, de mule, de lard** cabeza dura, cabezón *m,* cabezota; **avoir la ~ près du bonnet** tener el genio vivo; **~ couronnée** testa coronada; **~ de mort** calavera; **~ de Turc** cabeza de turco **3.** *(visage)* cara, rostro *m*: **il a une ~ sympathique** tiene una cara simpática ◊ **faire une ~ de six pieds de long** tener, poner cara larga; **faire la ~** estar de morros; **tu en fais une ~!** ¡la cara que pones! **4.** *(d'une chose, partie antérieure)* cabeza: **~ d'ail, d'épingle** cabeza de ajo, de alfiler; **wagon de ~** vagón de cabeza; **~ chercheuse** cabeza buscadora; **~ de lecture** cabeza lectora ◊ **la ~ d'un arbre** la copa de un árbol; **la ~ du lit** la cabecera de la cama; **~ d'affiche** cabecera de cartel, cabecera del reparto; **~ de ligne** terminal *m*; **la ~ de la classe** el mejor alumno; *(sport)* **~ de série** cabeza de serie; **être à la ~ d'une grosse affaire** estar al frente de, a la cabeza de un negocio importante; **il a pris la ~ du peloton** ha tomado la cabeza del pelotón, encabeza el pelotón; **il est en ~ du classement** él encabeza la clasificación **5.** *(football)* **faire une ~** dar un cabezazo **6.** *MIL* **~ de pont** cabeza de puente.

**tête-à-queue** *m inv* vuelta *f* completa de dirección.

**tête à tête, tête-à-tête** *adv* mano a mano, a solas: **dîner en ~ avec** cenar mano a mano con. ◇ *m inv* **1.** entrevista *f*: **j'ai eu un ~ avec le directeur** he tenido una conversación, una entrevista privada con el director **2.** servicio de café, de té para dos personas.

**tête-bêche** *loc adv* pies contra cabeza.

**tête-de-loup** *f* plumero *m,* escobón *m* largo.

**tête de maure** *m (fromage)* queso de bola.

**tête-de-nègre** *a inv* color castaño oscuro.

**tétée** *f* mamada, tetada.

**téter*** *vt* mamar: **donner à ~ à un bébé** dar de mamar a un bebé.

**tétin** *m ANC* pezón.

**tétine** *f* **1.** *(mamelle)* teta, mama **2.** *(d'un biberon)* tetina.

**téton** *m* pezón.

**Tétouan** *np* Tetuán.

**tétraèdre** *m GÉOM* tetraedro.

**tétralogie** *f* tetralogía.

**tétrapodes** *m pl ZOOL* tetrápodos.

**tétrarque** *m HIST* tetrarca.

**têtu, e** *a* testarudo, a, terco, a, tozudo, a: **~ comme une mule** tozudo como una mula.

**teuf-teuf** *m FAM* tren, coche viejo.

**teuton, onne** *a/s* teutón, ona.

**teutonique** *a* teutónico, a.

**texan, e** *a/s* tejano, a.

**Texas** [tɛksas] *np m* Tejas, Texas.

**texte** *m* **1.** texto **2. lire un auteur dans le ~** leer un autor en su propia lengua.

**textile** *a* textil: **l'industrie ~** la industria textil; **fibres textiles** fibras textiles. ◇ *m* tejido, textil: **textiles synthétiques** tejidos sintéticos.

**texto** *adv FAM* textualmente, a la letra.

**textuel, elle** *a* textual.

**textuellement** *adv* textualmente.
**texture** *f* textura.
**T.G.V.** *m (train à grande vitesse)* tren de alta velocidad.
**Thabor (mont)** *np m* Tabor (monte).
**thaïlandais, e** *a/s* tailandés, esa.
**Thaïlande** *np f* Tailandia.
**thalamus** [talamys] *m ANAT* tálamo.
**thalassémie** *f MED* talasemia.
**thalassothérapie** *f* talasoterapia.
**thalle** *m BOT* talo.
**thallophytes** *f pl BOT* talofitas.
**thalweg** [talvɛg] *m* vaguada *f.*
**thaumaturge** *m* taumaturgo.
**thé** *m* té: **~ de Ceylan** té de Ceilan; **~ au lait** té con leche; **salon de ~** salón de té ◊ *FAM* **ce n'est pas ma tasse de ~ → tasse.**
**théatin** *m RELIG* teatino.
**théâtral, e** *a* **1.** teatral **2.** *FIG* teatral.
**théâtralité** *f* teatralidad.
**théâtre** *m* **1.** teatro: **aller au ~** ir al teatro; **une pièce de ~** una obra de teatro, una obra teatral; **faire du ~** dedicarse al teatro **2.** *FIG* **coup de ~** acontecimiento inesperado, «coup de théâtre» **3.** *FIG* **être le ~ de** ser el teatro de, ser escenario de **4.** *MIL* **~ d'opérations** teatro, zona de operaciones militares.
**Thébaïde** [tebaid] *np f* Tebaida.
**Thèbes** [tɛb] *np m* Tebas.
**théier** *m (arbrisseau)* té.
**théière** *f* tetera.
**théine** *f* teína.
**théisme** *m* teísmo.
**théiste** *a* teísta.
**thématique** *a* temático, a. ◇ *f* temática.
**thème** *m* **1.** *(sujet)* tema ◊ **chaîne à thèmes** canal temático **2.** *(traduction)* traducción *f* inversa **3.** *FAM* **un fort en ~** un empollón **4.** *MUS* tema.
**Thémistocle** *np m* Temístocles.
**théocratie** *f* teocracia.
**théocratique** *a* teocrático, a.
**théodicée** *f* teodicea.
**théodolite** *m* teodolito.
**Théodore** *np m* Teodoro.
**Théodose** *np m* Teodosio.
**théogonie** *f* teogonía.
**théologal, e** *a* teologal: **vertus théologales** virtudes teologales.
**théologie** *f* teología.
**théologien, enne** *s* teólogo, a.
**théologique** *a* teológico, a.
**Théophile** *np m* Teófilo.
**Théophraste** *np m* Teofrasto.
**théorbe** *m* tiorba *f.*
**théorème** *m* teorema.
**théoricien, enne** *s* teorizante.
**théorie** *f* teoría: **en ~** en teoría.
**théorique** *a* teórico, a.
**théoriquement** *adv* teóricamente.
**théoriser** *vi/t* teorizar.
**théosophe** *s* teósofo, a.
**théosophie** *f* teosofía.
**thérapeute** *s* terapeuta.
**thérapeutique** *a* terapéutico, a. ◇ *f* terapéutica.
**thérapie** *f* terapia: **~ de groupe** terapia de grupo.
**Thérèse** *np f* Teresa.
**thermal, e** *a* termal: **eaux thermales** aguas termales; **station thermale** estación termal.
**thermalisme** *m* termalismo.
**thermes** [tɛʀm(ə)] *m pl* termas *f.*
**thermidor** *m* termidor.
**thermie** *f PHYS* termia.
**thermique** *a* térmico, a.
**thermocautère** *m* termocauterio.
**thermochimie** *f* termoquímica.
**thermodynamique** *f* termodinámica.
**thermoélectricité** *f* termoelectricidad.
**thermoélectrique** *a* termoeléctrico, a.
**thermogène** *a* termógeno, a.
**thermomètre** *m* termómetro: **~ à mercure** termómetro de mercurio; **~ médical** termómetro clínico.
**thermométrique** *a* termométrico, a.
**thermonucléaire** *a* termonuclear.
**thermopropulsion** *f* termopropulsión.
**Thermopyles** *np f pl* Termópilas.
**thermorégulation** *f* termorregulación.
**thermos** [tɛʀmos] *m/f inv (nom déposé)* termo *m* ◊ **une bouteille ~** un termo.
**thermosensible** *a (papier)* térmico.
**thermostat** *m* termostato.
**thésard, e** *s FAM* estudiante que hace una tesis.
**thésaurisation** *f* atesoramiento *m,* tesoro *m.*
**thésauriser** *vi* atesorar, tesaurizar.
**thésauriseur, euse** *a/s* persona que atesora.
**thèse** *f* **1.** tesis: **roman à ~** novela de tesis **2.** *(de doctorat)* tesis: **soutenir une ~** defender una tesis.
► Thèse pour l'obtention de la licence dans certaines universités espagnoles: *tesina.*
**Thésée** *np m* Teseo.
**Thessalie** *np f* Tesalia.
**Thessalonique** *np f* Tesalónica.
**thibaude** *f* arpillera, harpillera, muletón *m.*
**Thibaut** *np m* Teobaldo.
**thibétain → tibétain.**
**Thomas** *np m* Tomás.
**thomisme** *m* tomismo.
**thomiste** *a/s* tomista.
**thon** *m* atún: **une boîte de ~** una lata de atún.
**thonier** *m* barco atunero.
**thora, torah** *f* tora.
**thoracique** *a* torácico, a: **cage ~** caja, cavidad torácica.
**thorax** [tɔʀaks] *m* tórax.
**thorium** [tɔʀjɔm] *m CHIM* torio.
**Thrace** *np f* Tracia.

**thrène** *m* treno.

**thriller** [sRilœR] *m* thriller.

**thrombose** *f MÉD* trombosis.

**thrombus** [tRɔ̃bys] *m (caillot de sang)* trombo.

**Thucydide** *np m* Tucídides.

**thune** *f POP* moneda de cinco francos antiguos.

**thuriféraire** *m* turiferario.

**thuya** *m* tuya *f*.

**thym** [tɛ̃] *m* tomillo.

**thymol** *m* timol.

**thymus** [timys] *m ANAT* timo.

**thyroïde** *a ANAT* tiroideo, a. ◇ *f* tiroides *m*: **la ~** el tiroides.

**thyroïdien, enne** *a ANAT* tiroideo, a.

**thyrse** *m* tirso.

**tiare** *f* tiara.

**Tibère** *np m* Tiberio.

**Tibet** *np m* Tibet.

**tibétain, e** *a/s* tibetano, a.

**tibia** *m* **1.** *(os)* tibia *f* **2. un coup de pied dans le ~** una patada en la espinilla.

**Tibre** *np m* Tíber.

**tic** [tik] *m* **1.** *(contraction musculaire)* tic **2.** *(geste)* tic, manía *f* **3.** *(de langage)* muletilla *f*.

**ticket** *m* **1.** *(d'autobus, métro)* billete **2.** ticket, tique, tiquet: **~ de caisse** tiquet de caja **3.** *FAM* **tu as un ~ avec elle** le haces tilín **4.** *(en política)* alianza *f*.

**tic-tac, tic tac** *m inv* **le ~ d'une pendule** el tictac de un reloj.

**tiédasse** *a* templaducho, a, casi frío, a.

**tiède** *a* **1.** tibio, a, templado, a: **eau ~** agua tibia **2.** *FIG* **un catholique ~** un católico tibio.

**tièdement** *adv* tibiamente, templadamente.

**tiédeur** *f* **1.** tibieza **2.** *FIG* tibieza, indiferencia.

**tiédir** *vi* entibiarse. ◇ *vt* entibiar, templar.

**tiédissement** *m* tibieza *f*.

**tien, enne** *a/pron pos* **1.** tuyo, a **2. le ~, la tienne** el tuyo, la tuya **3.** *FAM* **à la tienne!** ¡a tu salud!. ◇ *m* **il faut y mettre du ~** tienes que hacer un esfuerzo. ◇ *m pl* **les tiens** los tuyos, tu familia.

**tienne, tiens, tient,** etc. → **tenir.**

**tierce** → **tiers.**

**tiercé** *m* quiniela *f* hípica, triple gemela.

**tiercelet** *m (faucon)* terzuelo.

**tierceron** *m ARCH* arco tercelete.

**tiers, tierce** *a* **1.** tercer, a ◊ **une tierce personne** una tercera persona **2. le ~-monde** el tercer mundo; **le ~ état** el estado llano. ◇ *m* **1.** *(personne étrangère)* tercera persona *f*, tercero: **assurance au ~** seguro contra terceros **2.** tercera *f* parte, tercio: **j'ai mangé les deux ~ du gâteau** he comido las dos terceras partes del pastel. ◇ *f* **1.** *(cartes de la même couleur)* escalerilla **2.** *MUS* tercera **3.** *(imprimerie)* última prueba.

**tiers-monde** → **tiers.**

**tiers-mondisme** *m* tercermundismo.

**tiers-mondiste** *a* tercermundista.

**tiers-point** *m* **1.** *GÉOM* vértice de un triángulo **2.** *TECHN* lima *f* triangular.

**tif** [tif] *m POP* pelo.

**tige** *f* **1.** tallo *m*, caña: **la ~ d'une fleur** el tallo de una flor; *(de bambou)* caña **2.** *(barre)* barra, varilla **3.** *(de piston)* vástago *m* **4.** *FAM* **les vieilles tiges** los pioneros de la aviación.

**tignasse** *f* greña, pelambrera.

**Tigre** *np m* Tigris.

**tigre, tigresse** *s* tigre, tigresa. ◇ *f (femme)* tigresa.

**tigré, e** *a* atigrado, a: **chat ~** gato atigrado.

**tilbury** *m* tílburi.

**tilde** *m* tilde *f*.

**tillac** [tijak] *m MAR* cubierta *f*.

**tilleul** *m* **1.** *(arbre, bois)* tilo **2.** *(fleur, infusion)* tila *f*: **une infusion de ~** una infusión de tila.

**tilt** *m FIG* **faire ~** llamar la atención.

**timbale** *f* **1.** *MUS* timbal *m*: **les timbales** los timbales **2.** *(moule)* molde *m* de cocina **3.** *CULIN* timbal *m* **4.** *(pour boire)* cubilete *m*, vaso *m* metálico ◊ *FAM* **décrocher la ~** ganar el premio, llevarse la palma.

**timbalier** *m* timbalero.

**timbrage** *m* selladura *f*.

**timbre** *m* **1.** *(sonnette)* timbre, campanilla *f* **2.** *(sonorité)* timbre: **le ~ de la voix** el timbre de la voz **3.** *(postal)* sello: **un ~ à deux francs** un sello de dos francos; **~-poste** sello (*AMÉR* estampilla *f*); **collection de timbres** colección de sellos **3. ~ fiscal** timbre **5.** *(cachet)* sello.

**timbré, e** *a* **1. une voix bien timbrée** una voz bien timbrada **2. papier ~** papel timbrado; **une enveloppe timbrée** un sobre sellado **3.** *FAM (fou)* chiflado, a, guillado, a.

**timbre-poste** → **timbre.**

**timbrer** *vt* sellar, timbrar.

**timide** *a/s* tímido, a.

**timidement** *adv* tímidamente.

**timidité** *f* timidez.

**timing** [tajmiŋ] *m* plan, programa.

**timon** *m* **1.** *(d'une voiture)* lanza *f*, pértigo **2.** *MAR* timón.

**timonerie** *f MAR* timonera.

**timonier** *m* **1.** *MAR* timonel **2.** caballo.

**timoré, e** *a* timorato, a, miedoso, a.

**tinamou** *m (oiseau)* tinamú.

**tinctorial, e** *a* tintóreo, a.

**tinettes** *f pl* retrete *m sing*.

**tintamarre** *m* estruendo, alboroto.

**tintement** *m* **1.** *(cloches)* tañido, campaneo **2.** *(clochettes)* campanilleo, tintineo **3.** *(d'oreilles)* zumbido.

**tinter** *vi* **1.** *(cloche)* tocar, tañer **2.** *(verres, etc.)* tintinear **3. les oreilles me tintent** me zumban los oídos.

**tintin!** *interj FAM* ¡nanay! ◊ **tu peux faire ~!** ¡espérate sentado!

**tintinnabuler** *vi* tintinear.

**Tintoret (le)** *np m* Tintoretto.

**tintouin** *m FAM* **1.** *(souci)* preocupación *f* ◊ **donner du ~** preocupar **2.** *(bruit)* jaleo.

**tique** *f* garrapata.

**tiquer** *vi FAM* hacer un gesto de sorpresa, de contrariedad, rechistar: **il a écouté ta réprimande sans ~** ha escuchado tu reprimenda sin rechistar.

**tir** [tiR] *m* **1.** tiro: **~ au pistolet, à l'arc** tiro con pistola, con arco; **canon à ~ rapide** cañón de tiro rápido; **~ à la cible** tiro al blanco; **~ au pigeon** tiro de pichón, al plato **2.** *(coup)* disparo: **tirs d'artillerie** disparos de artillería; **cadence de ~** cadencia de disparo **3. ~ forain** tiro, tiro al blanco **4.** *(football)* **~ au but** tiro a puerta.

**tirade** *f* **1.** *(de vers)* tirada **2.** *(théâtre)* monólogo *m* **3.** *FAM PÉJOR* parrafada.

**tirage** *m* **1.** *(d'une cheminée)* tiro **2.** *(imprimerie)* tirada *f*: **un ~ de mille exemplaires** una tirada de mil ejemplares ◊ **~ à part** separata *f* **3.** *(photographie)* prueba *f*, tiraje: **un ~ en noir et blanc** una prueba en blanco y negro **4. ~ au sort** sorteo **5.** *(loterie)* extracción *f*, sorteo **6.** *(d'un chèque)* extensión *f* **7.** *FAM* **il y a du ~** hay tirantez.

**tiraillement** *m* **1.** tirón, estirón **2. des tiraillements d'estomac** retortijones de estómago **3.** *FIG* tirantez *f*, desacuerdo, roce: **il y a des tiraillements entre les deux frères** hay roces entre los dos hermanos.

**tirailler** *vt* **1. ~ par la manche** dar tirones de la manga **2.** *FIG* **je suis tiraillé par des sentiments opposés** estoy atraído por sentimientos opuestos. ◇ *vi (avec une arme)* tirotear.

**tirailleur** *m MIL* tirador, cazador.

**tirant** *m* **1.** *(d'une bourse)* cordón **2.** *ARCH* tirante **3.** *MAR* **~ d'eau** calado.

**tire** *f FAM (automobile)* coche *m*.

**tire (à la)** *loc FAM* **voleur à la ~** carterista *m*, ratero *m*.

**tiré, e** *a* **1.** *(visage)* cansado, a **2. ~ par les cheveux → cheveu.** ◇ *m* **1.** *COM* librado, entidad *f* pagadora **2. ~ à part** separata *f*.

**tire-au-flanc** *m inv FAM* remolón, ona, haragán, ana.

**tire-botte** *m* sacabotas *inv*.

**tire-bouchon** *m* **1.** sacacorchos **2. en ~** en espiral, en forma de tirabuzón.

**tire-bouchonner, tirebouchonner** *vt* dar forma de tirabuzón.

**tire-d'aile (à)** *loc adv* **1.** *(les oiseaux)* a todo vuelo **2.** *FIG* **il est parti à ~** se ha ido volando.

**tirée** *f FAM (longue distance)* tirada.

**tire-fesses** *m inv FAM* telesquí.

**tire-fond** *m* tirafondo.

**tire-jus** *m POP* moquero, pañuelo.

**tire-laine** *m inv ANC* atracador.

**tire-lait** *m* mamadera *f*.

**tire-larigot (à)** *loc adv FAM* **boire à ~** beber como una esponja.

**tire-ligne** *m* tiralíneas.

**tirelire** *f* hucha, alcancía.

**tirer** *vt* **1.** tirar de: **~ un levier** tirar de una palanca; **les chiens tiraient le traîneau** los perros tiraban del trineo **2.** *(étirer)* estirar ◊ *FIG* **~ les ficelles → ficelle 3.** *(sortir)* sacar: **il tira le mouchoir de sa poche** sacó el pañuelo de su bolsillo; **~ la langue** sacar la lengua **4. ~ de prison** sacar de la cárcel; **il m'a tiré d'un mauvais pas** me ha sacado de un mal paso; *FIG* **tu me tires une épine du pied** me sacas de un apuro; **~ parti de** sacar partido de **5. ~ les larmes à quelqu'un** hacer llorar a alguien **6. ~ quelqu'un du sommeil** despertar a alguien **7.** disparar, tirar: **le chasseur a tiré un coup de fusil** el cazador ha disparado la escopeta; **~ un coup de feu** disparar; **~ un lièvre** disparar sobre una liebre **8. ~ les rideaux** correr las cortinas; **~ le verrou** echar el cerrojo **9. ~ un trait** trazar una raya **10.** *(épeuvre photographique)* revelar **11.** *(livre, etc.)* tirar: **journal qui tire à cent mille exemplaires** periódico que tira cien mil ejemplares; **bon à ~** tírese **12. ~ au sort** sortear, rifar **13. ~ un chèque** extender un cheque; **~ une lettre de change sur** girar una letra de cambio a cargo de **14. ~ les cartes** echar las cartas **15.** *POP* **~ six mois de prison** tirarse seis meses en la cárcel. ◇ *vi* **1.** *(faire feu)* disparar: **du calme ou je tire** estése quieto o disparo; **~ sur quelqu'un** disparar a alguien; **~ en l'air** disparar al aire **2. ~ à l'arc, à la carabine** tirar con arco, con carabina **3. ~ sur une corde** tirar de una cuerda **4.** *(cheminée, poêle)* tirar **5. cette voiture tire bien** este coche anda bien **6. cette robe tire sur le rouge** este vestido tira a rojo **7. ~ à sa fin** tocar a su fin, acabarse **8. ceci ne tire pas à conséquence** esto no tiene (mayor) importancia. ◆ **se ~** *vpr* **1.** *POP (s'en aller)* largarse, pirarse: **tire-toi!** ¡lárgate! **3. se ~ d'affaire** salir de un mal paso; **s'en ~** salir bien, salir adelante; **on s'en tirera** saldremos adelante; **s'en ~ brillamment** salir airoso, a.

**tiret** *m* **1.** raya *f* **2.** *(trait d'union)* guión.

**tirette** *f* **1.** *(cordon)* cordón *m* **2.** *(tablette)* tablero *m* movible que alarga un mueble ◊ **table à ~** mesa extensible.

**tireur, euse** *s* **1.** tirador, a: **~ d'élite** tirador de élite; **~ de fleuret** tirador de florete **2.** *COM* librador, a, girador, a. ◇ **1.** *f* **tireuse de cartes** echadora de cartas, cartomántica **2.** *(de films)* tiradora.

**tiroir** *m* **1.** cajón ◊ *FIG* **fond de ~** cosa *f* sin valor: **racler les fonds de ~** rascarse los bolsillos **2. ~-caisse** caja *f* **3. pièce à tiroirs** obra *f* con escenas inconexas.

**tisane** *f* tisana.

**tison** *m* tizón, ascua *f*.

**tisonner** *vt* atizar.

**tisonnier** *m* hurgón, atizador.

**tissage** *m* tejido.

**tisser** *vt* **1.** tejer **2.** *FIG (intrigues)* urdir, tramar.

**tisserand, e** *s* tejedor, a.

**tisseur, euse** *s* tejedor, a.

**tissu** *m* **1.** tejido, tela *f*: **une robe en ~ imprimé** un vestido de tela estampada **2. ~-éponge** tela de rizo, rizo **3.** *ANAT* tejido: **~ osseux, nerveux** tejido óseo, nervioso **4.** *FIG* **un ~ de mensonges** una sarta de mentiras.

**titan** *m* titán.

**titane** *m CHIM* titanio.

**titanesque** *a* titánico, a.

**Tite-Live** *np m* Tito Livio.

**titi** *m POP* golfillo de París.

**Titien** [tisjɛ̃] *np m* Ticiano, Tiziano.

**titillation** *f*, **titillement** *m* cosquilleo *m*.

**titiller** *vt* cosquillear.

**titrage** *m* **1.** *(de l'alcool)* graduación *f* **2.** acción de poner título a (una película, libro, etc.).

**titre** *m* **1.** *(dignité, grade)* título ◊ **professeur en ~** profesor titular **2. ~ de propriété** título de propiedad; **~ au porteur** título al portador **3. ~ de transport** billete **4.** *(d'un film, d'une chanson, d'un livre)* título ◊ **page de ~** portada *f*; **faux ~** portadilla *f*, anteportada *f* **5.** *(dans un journal)* titular: **les gros titres** los grandes titulares **6.** *(d'un métal)* ley *f* **7.** *CHIM* graduación *f* **8. à juste ~** con mucha razón, con toda la razón; **à ce ~** por esta razón; **à aucun ~** por ningún concepto; **au même ~** del mismo modo; **à ~ personnel** a título personal; **à ~ temporaire** temporalmente **9.** *loc prép* **à ~ de** como, en concepto de: **je vous dis cela à ~ d'exemple** os digo esto como ejemplo; **à ~ d'indemnité** en concepto de indemnización; **à ~ d'arbitre** en calidad de árbitro.

**titrer** *vt* **1.** conceder un título **2.** *(alcool)* graduar **3. ~ un article de journal** titular un artículo de periódico.

**titubant, e** *a* titubeante, vacilante.

**tituber** *vi* titubear, vacilar.

**titulaire** *a* titular: **médecin ~** médico titular. ◇ *m* **le ~ du permis de conduire** el titular del carné de conducir.

**titularisation** *f* titularización.

**titulariser** *vt* titularizar.

**Titus** *np m* Tito.

**toast** [tost] *m* **1.** brindis ◊ **porter un ~ à** brindar por **2.** *(pain grillé)* tostada *f*.

**toaster** [tostœʀ] *m* tostador.

**Tobie** *np m* Tobías.

**toboggan** *m* tobogán.

**toc** *m* **1.** imitación *f*, joya *f* falsa ◊ **bijou en ~** joya de bisutería **2.** *FIG* **c'est du ~** es falso **3.** *FAM* **être un peu ~ ~** estar algo locatis. ◇ *interj* ¡toc!

**tocade → toquade.**

**tocante, toquante** *f FAM* reloj *m.*

**tocard, e, toquard, e** *a FAM* feúcho, a. ◇ *m (courses de chevaux)* penco.

**toccata** *f MUS* tocata.

**tocsin** *m* toque a rebato: **sonner le ~** tocar a rebato.

**toge** *f* toga.

**Togo** *np* Togo.

**togolais, e** *a/s* togolés, esa.

**tohu-bohu** *m* barullo, confusión *f.*

**toi** *pron pers* **1.** *(sujet)* tú: **~ seul m'as répondu** sólo tú me has contestado; **c'est ~ qui commences!** ¡empiezas tú!; **c'est ~ qui commandes!** ¡tú mandas!; **et c'est ~ qui dis ça!** ¡y lo dices tú!; **un autre que ~** otro que tú **2.** *(complément)* ti, te: **j'invite Marie et ~** invito a María y a ti; **je pense à ~** pienso en ti; **tais-toi!** ¡cállate! **3. elle est à côté de ~** está al lado tuyo, a tu lado; **une amie à ~** una amiga tuya **4. avec ~** contigo **5. c'est à ~ de jouer** a ti te toca jugar **6. connais-toi ~-même** conócete a ti mismo.

**toile** *f* **1.** tela ◊ **~ cirée** hule *m* **2.** *(forte pour bâches, tentes, etc.)* lona **3.** *(peinture)* lienzo *m,* cuadro *m:* **une ~ de Matisse** un lienzo de Matisse **4.** *THÉÂT* **~ de fond** telón *m* de foro; *FIG* telón de fondo **5. ~ d'araignée** telaraña, tela de araña **6.** *FAM* **se payer une ~** ir al cine; **on va voir une ~** vamos a ver una película.

**toilettage** *m* **1.** *(d'un animal)* aseo **2.** *FIG* «lifting».

**toilette** *f* **1.** aseo *m* ◊ **faire sa ~** lavarse, asearse, arreglarse; **faire un brin de ~** lavarse a lo gato **2. cabinet de ~** cuarto de aseo *m* **3. avoir le goût de la ~** ser coqueto, a **4. elle porte une jolie ~** lleva un traje bonito ◊ **être en grande ~** ir con traje de gala **5.** *(meuble)* tocador *m* ◊ **produits de ~** productos de tocador *m.* ◇ *pl* **les toilettes** el servicio, el aseo, el lavabo: **aller aux toilettes** ir al servicio; **où sont les toilettes?** ¿dónde está el servicio?, ¿dónde está el lavabo? ◊ **papier ~** papel higiénico.

**toise** *f* **1.** *(mesure)* toesa **2.** *(pour mesurer la taille)* marca, talla.

**toiser** *vt* **1.** medir **2.** *FIG* mirar de arriba abajo: **elle le toisa lentement** le miró de arriba abajo lentamente.

**toison** *f* **1.** *(des moutons)* vellón *m* **2.** *FAM (chevelure)* cabellera, melena **3. la ~ pubienne** el vello pubiano **4. la ~ d'or** la toisón de oro.

**toit** *m* **1.** tejado, techo ◊ *FIG* **crier, publier quelque chose sur les toits** pregonar a voz en grito, decir a voces; **habiter sous les toits** vivir en una buhardilla; **le ~ du monde** el techo del mundo **2.** *FIG (maison)* techo, hogar, domicilio: **être sans ~** no tener domicilio **3. ~ ouvrant** techo corredizo.
▶ *Techo,* au sens propre, désigne surtout le plafond.

**toiture** *f* tejado *m,* techumbre, techado *m.*

**Tokyo** *np* Tokio.

**¹tôle** *f* chapa: **~ ondulée** chapa ondulada.

**²tôle → taule.**

**Tolède** *np m* Toledo.

**tolérable** *a* tolerable.

**tolérance** *f* **1.** tolerancia **2.** *ANC* **maison de ~** casa de citas.

**tolérant, e** *a* tolerante.

**tolérantisme** *m* tolerantismo.

**tolérer*** *vt* **1.** tolerar, consentir: **je ne tolère pas que tu me parles ainsi** no te tolero, no te consiento que me hables así **2.** *(un médicament, etc.)* tolerar.

**tôlerie** *f* chapistería.

**tolet** *m MAR* tolete.

**¹tôlier** *m (qui travaille ou vend la tôle)* chapista.

**²tôlier, ère → taulier, ère.**

**tollé** *m* grito de protesta, tole, griterío.

**toltèque** *a/s* tolteca.

**toluène** *m* tolueno.

**tomahawk** [tɔmaok] *m* tomahawk.

**tomaison** *f* indicación del tomo (de un libro).

**tomate** *f* **1.** tomate *m:* **tomates farcies** tomates rellenos; **sauce ~** salsa de tomate ◊ **il est devenu rouge comme une ~** se ha puesto rojo como un tomate **2.** *(plante)* tomatera.

**tombal, e** *a* tumbal, sepulcral: **pierre tombale** lápida sepulcral.

**tombant, e** *a* **1.** caído, a, que se cae: **épaules tombantes** hombros caídos **2. à la nuit tombante** al anochecer, al caer la noche.

**tombe** *f* tumba, sepultura, sepulcro *m* ◊ *FIG* **être au bord de la ~, avoir un pied dans la ~** tener un pie en la tumba; **se retourner dans sa ~** revolverse en su tumba.

**tombeau** *m* **1.** tumba *f,* sepulcro **2. à ~ ouvert** a tumba abierta, a toda velocidad, a todo correr **3.** *(art)* **mise au ~** entierro *m* de Cristo.

**tombée** *f* **1.** caída **2. à la ~ de la nuit, du jour** al atardecer *m,* al caer la tarde.

**tomber** *vi* **1.** caer, caerse: **il est tombé par terre, à la renverse** cayó al suelo, de espaldas; **~ dans le vide** caer en el vacío; **je tombe de fatigue, de sommeil** me caigo de cansancio, de sueño ◊ **la pluie tombe** está lloviendo; **la neige tombait** estaba nevando ◊ *FIG* **~ de haut, des nues → haut, nue; il est tombé bien bas** ha decaído mucho; **des milliers de soldats sont tombés pour la patrie** miles de soldados cayeron por la patria; **le gouvernement est tombé** el gobierno se ha caído **2.** *(le jour, la nuit)* caer **3.** *(diminuer)* **sa colère tombe** su cólera disminuye; **le vent tombe** el viento amaina; **la fièvre tombe** la fiebre baja **4. ce manteau tombe très bien** este abrigo cae muy bien **5. ~ malade → malade; ~ d'accord** ponerse de acuerdo **6. ~ amoureux** enamorarse **7.** *(une fête)* **cette année, Noël tombe un lundi** este año, Navidad cae en lunes **8. ~ bien, mal** venir bien, mal; **~ à pic, pile** venir de perilla; **ça tombe sous le sens → sens; vous tombez bien** usted llega bien **9.** *FAM* **laisser ~** abandonar: **j'ai laissé ~ la musique** he abandonado la música; **laisse ~!** ¡no hagas caso!, ¡déjalo!, ¡déjalo correr! **10. ~ dans l'oubli** caer en el olvido; **~ dans le piège, dans le ridicule** caer en la trampa, en ridículo; **~ en poussière** convertirse en polvo **11. ~ dessus** echarse encima **12. ~ sur quelqu'un** arremeter contra alguien, *(rencontrer)* topar con, encontrarse con alguien **13. ~ sous la main de** caer en manos de **14. ~ sous le sens → sens.** ◇ *v impers* **il tombe de la pluie, de la neige** llueve, nieva; **il tombe de la grêle** está cayendo granizo. ◇ *vt* **1.** derribar, tumbar ◊ **faire ~** tumbar **2.** *FAM* **~ une femme** seducir a una mujer; **~ la veste** quitarse la chaqueta.

**tombereau** *m* volquete.

**tombeur** *m FAM* seductor, tenorio.

**tombola** *f* tómbola.

**tome** *m* tomo.

**tomette** *f* loseta pequeña (de forma hexagonal).

**tomme** *f* queso *m* de Saboya.

**tomographie** *f MÉD* tomografía.

**tom-pouce** *m FAM* **1.** *(parapluie)* paraguas de mango muy corto **2.** *(nain)* enano, hombrecillo.

**¹ton, ta, tes** *a pos* tu, tus: **~ auto** tu coche; **ta maison** tu casa; **tes chaussures** tus zapatos.

**²ton** *m* **1.** *(de la voix, d'un instrument)* tono: **~ élevé** tono alto **2.** tono: **elle parlait sur un ~ calme, d'un ~ détaché** hablaba en tono tranquilo, con un deje indiferente ◊ **ne le prends pas sur ce ~** no (te) lo tomes así; **répéter sur tous les tons** repetir de mil maneras **3. hausser, baisser le ~** alzar, bajar la voz, el tono **4. de bon ~** de buen tono **5. être dans le ~** estar a tono **6.** *(teinte)* tono: **cette année, la mode est aux tons pastel** este año, los tonos pastel están de moda.

**tonal, e** *a* tonal.

**tonalité** *f* **1.** tonalidad **2.** *(téléphone)* señal de llamada.

**tonca → tonka.**

**tondeur** *m* esquilador.

**tondeuse** *f* **1.** *(pour les animaux)* esquiladora **2.** *(pour les cheveux)* maquinilla de cortar el pelo **3.** **~ à gazon** cortacésped *m.*

**tondre*** *vt* **1.** *(les animaux)* esquilar **2.** *(les cheveux)* rapar, tonsurar **3.** **~ le gazon** cortar el césped **4.** *FIG FAM* pelar, desplumar: **il s'est fait ~ en jouant aux cartes** se ha hecho desplumar jugando a los naipes **5.** *FIG* **il tondrait un œuf** es un roñoso.

**tondu, e** *a* **1.** *(animaux)* esquilado, a **2.** *(personnes)* rapado, a, pelado, a ◊ **crâne ~** cabeza rapada **3.** *FAM* **quatre pelés et un ~** cuatro gatos **4.** *FAM* **le Petit Tondu** Napoleón I.

**tong** [tɔ̃g] *f* sandalia playera (de plástico).

**tonicardiaque** *a/m* tónico cardiaco.

**tonicité** *f* tonicidad.

**tonifiant, e** *a* tonificante.

**tonifier*** *vt* tonificar.

**tonique** *a* **1.** tónico, a **2.** *GRAM* **accent ~** acento tónico. ◇ *f MUS* tónica. ◇ *m (médicament)* tónico, reconstituyente.

**tonitruant, e** *a* estruendoso, a, atronador, a.

**tonka, tonca** *f* haba tonca.

**Tonkin** *np m* Tonkín.

**tonnage** *m MAR* tonelaje, arqueo.

**tonnant, e** *a* estruendoso, a ◊ **voix tonnante** voz de trueno.

**tonne** *f* **1.** *(tonneau)* tonel *m* grande **2.** *(unité de poids)* tonelada **3.** *MAR* tonelada **4.** *FAM* **des tonnes de** un montón de.

**tonneau** *m* **1.** tonel: **mettre le vin en ~** poner el vino en tonel **2.** *MAR* tonelada *f* **3.** vuelta *f* de campana: **la voiture a fait trois tonneaux** el coche ha dado tres vueltas de campana **4.** *FAM* **du même ~** de la misma índole.

**tonnelet** *m* tonelete, barrilito.

**tonnelier** *m* tonelero.

**tonnelle** *f* cenador *m*, glorieta.

**tonnellerie** *f* tonelería.

**tonner** *v impers* tronar: **il tonne** truena. ◇ *vi* **1.** retumbar, tronar **2.** *FIG* **~ contre quelqu'un** echar pestes contra alguien.

**tonnerre** *m* **1.** trueno ◊ **coup de ~** trueno, *FIG* acontecimiento imprevisto **2.** *FIG* **un ~ d'applaudissements** una salva *f* de aplausos **3.** *FAM* **un repas du ~** una comida de aúpa; **une fille du ~** una chica despampanante; **c'est du ~!** ¡es bárbaro!, ¡es macanudo!. ◇ *interj* **~ de Dieu!, ~ de Brest!** ¡rayos y truenos!

**tonsure** *f* tonsura.

**tonsurer** *vt* tonsurar.

**tonte** *f* **1.** esquileo *m* **2.** *(cheveux, gazon)* corte *m.*

**tontine** *f JUR* tontina.

**tonton** *m FAM* tito, tío.

**tonus** [tɔnys] *m* **1.** *(du muscle)* tono **2.** *FIG* **il a beaucoup de ~** tiene mucha energía; **il manque de ~** le falta energía, anda alicaído.

**top** [tɔp] *m* **au troisième ~ il sera exactement cinq heures** al oír la tercera señal *f* serán exactamente las cinco.

**topaze** *f* topacio *m.*

**toper** *vi FAM* **tope-là!** ¡chócala!, ¡vengan esos cinco!

**topinambour** *m* pataca *f*, aguaturma *f*, tupinambo.

**topique** *a/m* tópico, a.

**topo** *m FAM* exposición *f*, charla *f* ◊ **toujours le même ~** siempre la misma cantinela.

**topographe** *s* topógrafo, a.

**topographie** *f* topografía.

**topographique** *a* topográfico, a.

**topologie** *f* topología.

**toponyme** *m* topónimo.

**toponymie** *f* toponimia.

**toquade, tocade** *f FAM* chifladura, capricho *m.*

**toquante → tocante.**

**toquard, e → tocard, e.**

**toque** *f* **1.** *(de magistrat)* birrete *m* **2.** *(de cuisinier)* gorro *m* **3.** **~ de fourrure** gorro *m* de piel.

**toqué, e** *a/s FAM* **1.** chiflado, a, guillado, a, tocado, a **2.** **il est complètement ~ de cette fille** está totalmente chiflado por esta chica.

**toquer** *vi FAM* golpear ligeramente. ◆ **se ~** *vpr FAM* **se ~ de** chiflarse por, encapricharse de.

**torah → thora.**

**torche** *f* **1.** tea, antorcha **2.** **une ~ électrique** una lámpara eléctrica.

**torcher** *vt POP* **1.** *(nettoyer)* limpiar **2.** *(une assiette)* rebañar **3.** *(bâcler)* frangollar, hacer con rapidez. ◆ **se ~** *vpr* limpiarse.

**torchère** *f* hachero *m*, tedero *m*, candelabro *m.*

**torchis** *m* barro mezclado con paja o heno.

**torchon** *m* **1.** trapo de cocina ◊ *FIG* **le ~ brûle** la cosa está que arde; **entre eux, le ~ brûle** andan como perro y gato; **coup de ~** *(bagarre)* altercado, reyerta *f*, *(expulsion)* expulsión *f* **2.** *FAM* **ce rapport est un ~** este informe es una porquería.

**torchonner** *vt FAM* chapucear, frangollar.

**tordant, e** *a FAM* mondante, desternillante, para caerse de risa: **le film était ~** la película era para caerse de risa.

**tord-boyaux** *m inv FAM (eau-de-vie)* matarratas.

**tordre*** *vt* **1.** *(linge, etc.)* torcer, retorcer **2.** *(une barre de fer, etc.)* torcer, doblar **3.** **~ le cou** retorcer el pescuezo: **je lui tords le cou** le retuerzo el pescuezo. ◆ **se ~** *vpr* **1.** torcerse, retorcerse: **je me suis tordu le pied** me he torcido el pie; **se ~ de douleur** retorcerse de dolor **2.** **se ~ (de rire)** desternillarse de risa, troncharse de risa.

**tordu, e** *a* **1.** torcido, a **2.** *FAM* **tu as l'esprit vraiment ~!** ¡mira que eres complicado!; **eh, ~!** ¡vaya idiota!

**tore** *m* **1.** *ARCH* toro, bocel **2.** *GÉOM* toro.

**toréador** *m* torero.

▶ La palabra *toréador* se usa cada vez menos en Francia.

**toréer** *vi* **1.** torear **2.** **~ à cheval** rejonear.

**torero** *m* torero, matador.

**torgnole** *f FAM* soplamocos *m*, torta, torniscón *m.*

**toril** *m* toril.

**tornade** *f* tornado *m*, huracán *m.*

**toron** *m TECHN* cable trenzado.

**torpédo** *f (voiture)* torpedo *m.*

**torpeur** *f* entorpecimiento *m*, torpor *m.*

**torpillage** *m* torpedeamiento.

**torpille** *f* torpedo *m.*

**torpiller** *vt* **1.** torpedear **2.** *FIG* **~ les négociations** torpedear las negociaciones.

**torpilleur** *m* torpedero.

**torréfacteur** *m* tostador de café.

**torréfaction** *f* torrefacción.

**torréfier*** *vt* torrefactar, tostar: **café torréfié** café torrefacto.

**torrent** *m* torrente ◊ **il pleut à torrents** llueve a cántaros; **un ~ d'injures** una rociada de insultos; **verser des torrents de larmes** llorar a mares.

**torrentiel, elle** *a* torrencial: **pluie torrentielle** lluvia torrencial.

**torrentueux, euse** *a* impetuoso, a.

**torride** *a* tórrido, a: **une chaleur ~** un calor tórrido.

**tors, e** *a* **1.** torcido, a **2. colonne torse** columna salomónica **3. jambes torses** piernas arqueadas.

**torsade** *f* **1.** *(passementerie)* entorchado *m* **2.** espiral *m.*

**torsader** *vt* **1.** entorchar **2.** poner en espiral.

**torse** *m* torso ◊ **~ nu** con el torso desnudo; **bomber le ~** sacar el pecho.

**torsion** *f* **1.** torsión, retorcimiento *m* **2.** *(mécanique)* torsión.

**tort** *m* **1.** *(préjudice)* perjuicio, daño ◊ **faire du ~ à quelqu'un** perjudicar, dañar a alguien **2. avoir ~** estar equivocado, a, no tener razón: **il a ~ de croire cela** si piensa esto, se equivoca; **tu as ~ de pleurer** no tienes por qué llorar; **elle a ~ de tant fumer** es un error que fume tanto; **j'ai eu ~ de manger du chocolat** no debí comer chocolate **3.** *(faute)* culpa *f:* **reconnaître ses torts** confesar su culpa; **être dans son ~** tener la culpa ◊ **donner ~ à quelqu'un** acusar a alguien; **se sentir dans son ~** sentirse culpable **4.** *loc adv* **à ~** injustamente, sin razón alguna; **à ~ ou à raison** con razón o sin ella; **à ~ et à travers** a tontas y a locas, sin discernimiento, a troche y moche.

**torticolis** [tɔʀtikɔli] *m* tortícolis *f.*

**tortillard** *m FAM* tren carreta.

**tortillement** *m* contoneo.

**tortiller** *vt* retorcer, torcer. ◇ *vi* **1. elle marchait en tortillant des hanches** andaba contoneándose **2.** *FAM* **il n'y a pas à ~** no hay que darle más vueltas. ◆ **se ~** *vpr* retorcerse.

**tortillon** *m (qu'on met sur la tête)* rodete.

**tortionnaire** *m* torturador, verdugo.

**tortue** *f* tortuga ◊ **à pas de ~** a paso de tortuga.
▶ Le mot masculin *galápago* désigne certaines tortues aquatiques.

**tortueux, euse** *a* tortuoso, a.

**torturant, e** *a* torturador, a.

**torture** *f* **1.** tortura: **instruments de ~** instrumentos de tortura **2.** *(souffrance)* suplicio *m,* tormento *m* **3. mettre à la ~** atormentar.

**torturer** *vt* **1.** torturar **2.** *FIG* torturar, atormentar. ◆ **se ~** *vpr FIG* **se ~ l'esprit** torturarse la mente.

**torve** *a* torvo, a: **un regard ~** una mirada torva.

**tory** *a/s* tory.

**toscan, e** *a/s* toscano, a.

**Toscane** *np f* Toscana.

**tôt** *adv* **1.** temprano, pronto: **se lever ~** levantarse temprano; **il est encore trop ~ pour conclure** aún es pronto para concluir ◊ **~ ou tard** tarde o temprano, a la corta o a la larga; **ce n'est pas trop ~!** ¡ya es hora!, ¡a buena hora! **2. plus ~** antes: **tu aurais pu le dire plus ~** hubieras podido decirlo antes; **nous sommes arrivés plus ~ que je ne pensais** llegamos antes de lo que pensaba; **trois ans plus ~** tres años atrás; **je n'étais pas plus ~ arrivé que...** apenas llegado cuando... **3. le plus ~, au plus ~** cuanto antes, lo más pronto: **le plus ~ sera le mieux** cuanto antes, mejor; **reviens au plus ~** vuelvas cuanto antes; **le plus ~ possible** lo más pronto posible **4. elle a ~ fait de recommencer** no ha tardado en volver a empezar.

**total, e** *a* total. ◇ *m* **1.** total ◊ **faire le ~** totalizar, sumar **2.** *loc adv* **au ~** en todo: **ça fait cent francs au ~** son cien francos en todo; *(en somme)* en resumen, en resumidas cuentas, total.

**totalement** *adv* totalmente, completamente.

**totalisateur, trice** *a/m* totalizador, a.

**totalisation** *f* total *m.*

**totaliser** *vt* totalizar.

**totalitaire** *a* totalitario, a: **régime ~** régimen totalitario.

**totalitarisme** *m* totalitarismo.

**totalité** *f* totalidad ◊ **en ~** totalmente, integralmente.

**totem** *m* tótem.

**totémique** *a* totémico, a.

**totémisme** *m* totemismo.

**toton** *m* perinola *f.*

**touage** *m MAR* atoaje.

**touareg** [twaʀɛg] *a/s* tuareg.

**toubib** [tubib] *m FAM* médico, galeno.

**toucan** *m* tucán.

**[1]touchant, e** *a* conmovedor, a, enternecedor, a, entrañable: **cet enfant est ~** este niño es enternecedor; **une scène touchante** una escena conmovedora.

**[2]touchant** *prép* tocante a, concerniente, con respecto a: **je ne sais rien ~ cette affaire** no sé nada con respecto a este asunto.

**touche** *f* **1.** *(pêche)* picada **2.** pincelada: **peindre à larges touches** pintar a grandes pinceladas ◊ **elle donna la dernière ~ à sa coiffure** dio el último toque a su peinado; *FIG* **mettre une ~ d'exotisme** poner una nota de exotismo **3.** *(d'un clavier de piano, machine à écrire, ordinateur)* tecla **4.** *(d'une guitare)* traste *m* **5.** *FAM* facha, pinta: **tu as vu sa ~?** ¿has visto qué pinta? **6.** *(sports)* **ligne de ~** línea de banda; **juge de ~** juez de línea; *(rugby)* **en ~** en touche **7.** *FAM* **faire une ~** ligar **8.** *FAM* **être sur la ~** verse dejado de lado **9. pierre de ~** piedra de toque.

**touche-à-tout** *m inv* **1.** *(enfant)* niño, a que lo toca todo **2.** catacaldos.

**[1]toucher** *vt* **1.** tocar: **ne pas ~, fragile** no tocar, frágil **2.** *(blesser)* herir **3.** localizar, tomar contacto con, encontrar: **où peut-on vous ~?** ¿dónde se le puede localizar? **4. ~ de l'argent, un chèque** cobrar dinero, un cheque; **je n'ai pas encore touché mon salaire** todavía no he cobrado mi sueldo **5.** *(émouvoir)* conmover, enternecer, afectar: **tes larmes me touchent** tus lágrimas me conmueven; *(blesser)* herir: **~ au vif** herir en lo vivo **6.** *(concerner)* atañer, concernir, afectar: **ça me touche de près** esto me concierne particularmente; **le pays le plus touché par le virus du sida** el país más afectado por el virus del sida **7.** *MAR* **~ terre** tocar tierra, hacer escala **8. je suis au courant, il m'en a touché un mot** estoy al corriente, me ha dicho dos palabras al respecto. ◇ *vi* **1. ~ à** tocar: **ne touche pas à ce vase** no toques este jarrón ◊ **il a l'air de ne pas y toucher** parece que nunca ha roto un plato; *FAM* **pas touche!** ¡quita! **2.** *(arriver à)* llegar a, alcanzar ◊ **~ à sa fin** ir acabándose, tocar a su fin **3. ma maison touche au lac** mi casa linda con el lago, está junto al lago. ◆ **se ~** *vpr* tocarse.

**[2]toucher** *m* **1.** *(sens)* tacto **2.** *MÉD* tacto: **~ rectal, vaginal** tacto rectal, vaginal **3.** *MUS* ejecución *f.*

**touchette** *f MUS* traste *m.*

**touer** *vt MAR* atoar.

**touffe** *f* **1.** *(d'herbe)* mata **2. une ~ de cheveux** un mechón *m* **3.** *(de fleurs)* manojo *m.*

**touffeur** *f LITT* calor *m* sofocante, bochorno *m.*

**touffu, e** *a* **1.** espeso, a: **une barbe touffue** una barba espesa **2.** frondoso, a, cerrado, a: **un bois ~** un bosque frondoso **3.** *(livre, etc.)* farragoso, a.

**touiller** *vt FAM* remover.

**toujours** *adv* **1.** siempre: **presque ~** casi siempre; **pour ~** para siempre; **ce n'est pas ~ facile** no siempre es fácil; **ça n'a pas ~ été comme cela** no siempre fue así; **c'est toujours comme ça** siempre es así; **~ aussi bête!** ¡tan bobo como siempre! ◊ **se connaître depuis ~** conocerse desde siempre, de siempre;

**comme s'il le connaissait depuis ~** como si le conociera de siempre; **un ami de ~** un amigo de toda la vida **2.** *(encore à présent)* todavía, aún: **elle habite ~ Paris** todavía vive en París, sigue viviendo en París; **je ne comprends ~ pas** sigo sin entender **3.** *FAM* **il peut ~ courir** ya puede esperar sentado **4. ~ est-il que...** el caso es que..., lo cierto es que...
▶ Sens 2: le verbe *seguir* indique la continuité dans un état: *il est ~ le même* sigue siendo el de siempre, sigue siendo el mismo.

**Toulon** *np* Tolón.

**toulonnais, e** *a/s* tolonés, esa.

**toulousain, e** *a/s* tolosano.

**Toulouse** *np* Tolosa.

**toundra** *f* tundra.

**toupet** *m* **1.** *(de cheveux)* tupé, copete **2.** *FAM* cara *f*, caradura *f*: **quel ~!** ¡qué cara!; **avoir du ~** ser fresco, a, tener cara.

**toupie** *f (jouet)* trompo *m*, peonza **2.** *FAM* **une vieille ~** una vieja.

**[1]tour** *f* **1.** torre: **la ~ Eiffel** la torre Eiffel; **la ~ de Babel** la Torre de Babel; **la ~ penchée de Pise** la torre inclinada de Pisa; **~ de contrôle** torre de control; **~ de lancement** torre de lanzamiento; **~ de forage** torre de perforación ◊ **~ de guet** atalaya **2.** *(échecs)* torre **3.** *FIG* **se retirer dans sa ~ d'ivoire** retirarse en su torre de marfil.

**[2]tour** *m* **1.** *(machine-outil, de potier, dans les couvents)* torno **2. le ~ d'un arbre** el perímetro de un árbol; **~ de hanches** medida *f* de caderas **3.** vuelta *f*: **faire le ~ du monde** dar la vuelta al mundo; **le ~ de France** la vuelta ciclista a Francia, el Tour ◊ **faire un ~ d'horizon** dar un vistazo general; **faire le ~ du cadran → cadran 4.** *(promenade)* vuelta *f*, paseo, garbeo; **faire un ~** dar un paseo **5.** *(rotation)* vuelta *f*, revolución *f*: **3000 tours à la minute** 3000 revoluciones por minuto; **disque 33 tours** disco de 33 revoluciones, elepé; **fermer la porte à double ~** cerrar la puerta con dos vueltas (de llave), con doble vuelta ◊ *FAM* **il est parti au quart de ~** se ha marchado inmediatamente **6.** número, truco: **un ~ de magie** un número de magia, un truco **7. un ~ de force** una proeza, una hazaña **8. jouer un mauvais ~, un ~ de cochon** jugar una mala pasada, hacer una jugada **9.** *(moment)* **c'est son ~** es su turno; **attendre son ~** esperar su turno; **à ton ~** te toca a ti; **c'est mon ~ de jouer** a mí me toca jugar **10. ~ de chant** actuación, recital *f* **11.** *(de scrutin)* vuelta *f*: **élu au second ~** elegido en la segunda vuelta; *(compétition sportive)* ronda *f* **12.** *FIG* giro, sesgo: **la conversation prit un ~ déplaisant** la conversación tomó un giro desagradable ◊ **~ de phrase** giro **13.** *loc adv* **à ~ de bras** con todas las fuerzas; **à ~ de rôle** por turno; **~ à ~** alternativamente, por turno; **en un ~ de main → tournemain.**

**Touraine** *np f* Turena.

**tourangeau, elle** *a/s* turonense.

**tourbe** *f* **1.** turba **2.** *PÉJOR* gentío *m*, turba.

**tourbière** *f* turbera.

**tourbillon** *m* **1.** *(d'air)* torbellino, *(d'eau)* remolino **2.** *FIG* torbellino.

**tourbillonnant, e** *a* que remolina.

**tourbillonnement** *m* torbellino, remolino.

**tourbillonner** *vi* arremolinarse, remolinar.

**tourelle** *f* **1.** torrecilla, garita **2.** *(d'un bateau de guerre)* torre **3.** *(d'un char)* torreta.

**tourier, ère** *a/s (d'un couvent)* tornero, a: **la sœur tourière** la hermana tornera.

**tourillon** *m TECHN (axe)* gorrón, eje.

**tourisme** *m* **1.** turismo: **faire du ~** hacer turismo; **~ de masse** turismo de masas; **office de ~** oficina de turismo **2. une voiture de ~** un turismo, un coche de turismo.

**touriste** *a/s* **1.** turista **2.** *(avion, bateau, etc.)* **classe ~** clase turista.

**touristique** *a* turístico, a.

**tourmaline** *f* turmalina.

**tourment** *m* tormento.

**tourmente** *f* **1.** tormenta: **il fut pris dans la ~** le sorprendió la tormenta **2. ~ de neige** ventisca **3.** *FIG* tormenta.

**tourmenté, e** *a* **1.** *(personne)* atormentado, a, angustiado, a **2.** *(mer, etc.)* agitado, a.

**tourmenter** *vt* atormentar, hacer sufrir. ◆ **se ~** *vpr* atormentarse, inquietarse, angustiarse.

**tourmentin** *m MAR* tormentín.

**tournage** *m (d'un film)* rodaje, filmación *f*.

**tournailler** *vi FAM* dar vueltas.

**[1]tournant, e** *a* **1.** giratorio, a: **pont ~** puente giratorio; **fauteuil ~** sillón giratorio; **plaque tournante → plaque 2.** sinuoso, a **3.** *MIL* **mouvement ~** movimiento envolvente.

**[2]tournant** *m* **1.** curva *f*, viraje: **un ~ dangereux** una curva peligrosa **2.** vuelta *f*, esquina *f*: **le café se trouve au ~** el café se halla en la esquina **3.** *FIG* momento decisivo, viraje: **il est à un ~ de sa vie** está en un momento decisivo de su vida **4.** *FAM* **je t'attends au ~!** ¡te espero en la esquina!

**tournebouler** *vt FAM* trastornar.

**tournebroche** *m* asador (giratorio).

**tourne-disque** *m* tocadiscos.

**tournedos** *m CULIN* filete de buey en lonjas gruesas, «tournedos».

**tourné, e** *a* **1.** vuelto, a: **~ vers** vuelto hacia **2. une phrase bien tournée** una frase bien dicha **3. avoir l'esprit mal ~ → tourner.**

**tournée** *f* **1.** *(d'inspection, d'artistes)* gira: **la compagnie fera une ~ à travers toute la France** la compañía realizará una gira por toda Francia; **le chanteur est en ~ en Espagne** el cantante está de gira por España **2. la ~ du facteur** la ronda del cartero **3.** *FAM* **la ~ des cafés** el chateo; **payer une ~** pagar una ronda.
▶ Dans le sens de «tournée théâtrale», l'espagnol emploie aussi le gallicisme *tournée* ou *turné(e)*.

**tournemain (en un)** *loc adv* en un santiamén, en un dos por tres.

**tourner** *vt* **1.** girar, dar vueltas: **~ la manivelle** dar vueltas a la manivela; **~ la tête** girar la cabeza ◊ *FIG* **cette fille lui a tourné la tête** esta muchacha le ha vuelto loco, le ha trastornado; **le vin lui tourne la tête** el vino le sube a la cabeza **2.** volver: **~ le dos, les yeux vers** volver la espalda, los ojos hacia **3. ~ les pages** pasar las páginas; **tournez s'il vous plaît (T.S.V.P.)** véase al dorso **4. ~ un film, une scène** rodar una película, una escena **5. ~ en dérision, en ridicule** ridiculizar, poner en ridículo **6.** *(une poterie)* tornear. ◇ *vi* **1.** girar, dar vueltas: **la Terre tourne autour du Soleil** la Tierra gira alrededor del Sol ◊ *FIG* **~ autour d'une femme** mariposear alrededor de una mujer; **tout tourne autour de ce problème** todo gira en torno a este problema; **~ autour de 6%** rondar los 6%; **~ autour du pot → pot 2. la tête me tourne** me mareo, la cabeza me da vueltas; **~ de l'œil → œil 3.** torcer, doblar: **tournez à gauche** tuerza a la izquierda **4. le vent a tourné** el viento ha cambiado **5. le moteur tourne à vide** el motor funciona en vacío **6. le lait a tourné** la leche se ha cortado **7.** *(cinéma)* **~ dans un film** actuar en una película; **on tourne!** ¡acción! **8. ~ bien, mal** salir bien, mal; **~ rond → rond; ce garçon a mal tourné** este muchacho se ha descaminado, se ha descarriado; **ça va mal ~** se va a acabar mal, va a pasar algo gordo; **avoir l'esprit mal tourné** ser mal pensado, a. ◆ **se ~** *vpr* **1.** volverse: **elle se tourna vers lui** se volvió hacia él **2.** *FIG* **il ne sait plus de quel côté se ~** no tiene a quién volverse, no sabe a qué santo encomendarse, a quién acudir.

**tournesol** *m* **1.** *(planta)* girasol **2.** *(colorant)* tornasol.

**tourneur** *m* tornero, torneador.

**tournevis** [turnəvis] *m* destornillador.

**tournicoter** *vi FAM* dar vueltas.

**tourniquer** *vi FAM* dar vueltas.

**tourniquet** *m* torniquete.

**tournis** [turni] *m* **1.** *(du mouton)* modorra *f* **2.** *FIG* **avoir le ~** marearse.

**tournoi** *m* **1.** *HIST* torneo **2.** *(sports)* torneo.

**tournoiement** *m* remolino.

**tournoyant, e** *a* que remolina, que revolotea, que gira.

**tournoyer*** [turnwaje] *vi* **1.** dar vueltas, remolinar **2.** revolotear.

**tournure** *f* **1.** giro *m*: **la ~ d'une phrase** el giro de una frase **2.** cariz *m*, sesgo *m*, giro *m*: **les événements ont pris une meilleure ~** los acontecimientos han tomado mejor cariz; **l'affaire prend une mauvaise ~** el asunto va tomando mal cariz, se está poniendo feo; **prendre une ~ inattendue** tomar un giro inesperado **3. ~ d'esprit** manera de ver las cosas **4. ça commence à prendre ~** empieza a coger forma **5.** *ANC (sous la robe)* polizón *m*.

**touron** *m* turrón.

**tour-opérateur** *m* operador turístico, tour operador.

**tourte** *f* **1.** tortada, torta **2.** *POP (sot)* mentecato, a, zoquete *m*.

**tourteau** *m* **1.** *(d'olives, etc.)* orujo **2.** *(crustacé)* cámbaro.

**tourtereau** *m* **1.** tórtolo **2.** *FIG* **des tourtereaux** tórtolos, enamorados.

**tourterelle** *f* tórtola.

**tous → tout.**

**toussailler** *vi FAM* tosiquear, toser un poco.

**Toussaint** *f* fiesta de Todos los Santos.

**tousser** *vi* toser.

**toussotement** *m* tosecita *f*.

**toussoter** *vi* tosiquear, toser débilmente.

**tout, e, tous** [tu, tus] **toutes** *a* **1.** todo, a, os, as: **il a plu toute la journée** ha llovido todo el día; **toute la France** toda Francia; **tous les jours** todos los días ◊ **avant toute chose** antes que nada; **j'ai ~ mon temps** tengo tiempo de sobra **2. tous les deux** ambos; **toutes les deux** ambas; **tous les trois** los tres **3.** *(chaque)* cada: **tous les huit jours** cada ocho días; **toutes les deux heures** cada dos horas; **tous les cinq mètres** cada cinco metros; **toutes les fois que** cada vez que ◊ **~ un chacun** cada quisque: **comme ~ un chacun** como el que más **4.** único, a: **pour ~ revenu...** como único sueldo...; **pour toute réponse...** como única respuesta **5. le Tout-Paris** el todo París **6. ~ ce que, qui** todo lo que, cuanto: **il croit ~ ce qu'on lui dit** cree cuanto le dicen; **c'est ~ ce que nous savons** es cuanto sabemos ◊ **~ ce qu'il y a de plus joli** de lo más bonito **7. à toute vitesse** a toda velocidad; **de toute beauté** de gran belleza, hermosísimo, a; **de toute importance** de la mayor importancia; **en toute franchise** con toda franqueza **8. ~ autre que lui** cualquier otro que él. ◇ *pron* **1.** todo, a, os, as: **toutes ont voté** han votado todas; **tous ensemble** todos juntos; **nous sommes tous...** todos somos...; **~ ou rien** o todo o nada; *(neutre, complément de verbe)* **je sais ~** lo sé todo; **il veut ~ savoir** quiere saberlo todo; **Dieu voit ~** Dios lo ve todo **2. après ~** después de todo, al fin y al cabo; **à ~ prendre** mirándolo bien; **c'est ~, voilà ~** nada más, eso es todo; **ce n'est pas ~** no es esto todo; **~ est là** éste es el problema; **en ~ et pour ~** en total; **ce n'est pas ~ de rêver** no basta con fantasear **3. il a ~ d'un paysan** parece un campesino. ◇ *adv* **1. ~ neuf** novísimo, flamante; **~ seul** solo, solito; **~ nu** completamente desnudo; **une robe ~ laine, toute en laine** un vestido todo lana, enteramente de lana; **être ~ en larmes** llorar a mares; **je suis ~ à toi** estoy a tu disposición **2.** *(très)* muy: **il est ~ triste** está muy triste; **c'est ~ normal** es muy normal; **elle est toute petite ~** es muy baja, bajita; **elle était toute contente** estaba contentísima; **mignon comme ~, mignon ~ plein** muy mono, monísimo; **parler ~ bas** hablar bajito; **~ près** cerquita, muy cerca **3. ~ autre** otro, a: **c'est une ~ autre affaire** es otro asunto **4. ~... que** por muy... que: **~ malin qu'il soit** por muy listo que sea **5. ~ en** *(+ gérondif)* mientras: **il lit ~ en mangeant** lee mientras come. ◇ *m* **1. former un ~** formar un conjunto **2. le ~** lo importante; **le ~ est de se décider** todo está en decidirse ◊ **risquer le ~ pour le ~** jugarse el todo por el todo, echar el resto **3.** *loc adv* **du ~ au ~** completamente, de medio a medio; **je ne suis pas du ~ satisfait** no estoy satisfecho en absoluto; **pas mal du ~** nada mal; **rien du ~** en absoluto; **en ~** en total; **~ à coup → coup; ~ à fait → fait; ~ de suite → suite.**

**tout-à-l'égout** *m* colector, sistema de evacuación directa a la cloaca.

**toutefois** *adv* sin embargo, no obstante ◊ **si ~...** si es que...

**toute-puissance** *f* omnipotencia.

**tout-fou** *a FAM* muy excitado, a, alocado, a.

**toutou** *m FAM* perrito, chucho.

**tout-petits** *m pl* **les ~** los bebés.

**tout-puissant, toute-puissante** *a* todopoderoso, a, omnipotente. ◇ *m* **le Tout-Puissant** el Todopoderoso.

**tout-venant** *m* **le ~** *(personnes)* cualquiera, cualquier persona, cada hijo de vecino, *(choses)* cualquier cosa *f*.

**toux** *f* tos: **quinte de ~** acceso de tos.

**toxicité** *f* toxicidad.

**toxico** *s FAM (toxicomane)* drogota, drogata.

**toxicologie** *f* toxicología.

**toxicologique** *a* toxicológico, a.

**toxicologue** *a* toxicólogo, a.

**toxicomane** *a/s* toxicómano, a.

**toxicomanie** *f* toxicomanía.

**toxine** *f* toxina.

**toxique** *a/m* tóxico, a.

**trac** [trak] *m* **1.** *FAM* miedo, canguelo: **avoir le ~** tener mieditis, un canguelo **2. tout à ~** atolondradamente.

**traçage** *m* trazado.

**traçant, e** *a* **1.** *BOT (racine)* adventicia **2. balle traçante** bala trazadora.

**tracas** *m* preocupación *f*, inquietud *f*, molestia *f*, quebradero de cabeza.

**tracasser** *vt* molestar, inquietar. ◆ **se ~** *vpr* inquietarse, preocuparse.

**tracasserie** *f* complicación, dificultad, fastidio *m*.

**tracassier, ère** *a* lioso, a, enredador, a.

**trace** *f* **1.** huella, rastro *m*, señal: **disparaître sans laisser de ~** desaparecer sin dejar rastro ◊ **des traces de pas** pisadas, huellas; *FIG* **marcher sur les traces, suivre les traces de quelqu'un** seguir los pasos, las huellas de alguien **2.** marca: **la cicatrice avait laissé une grande ~** la cicatriz había dejado una gran marca **3.** vestigio *m* **4.** indicio *m*.

**tracé** *m* trazado.

**tracer*** *vt* **1.** trazar **2.** *FIG* **~ le chemin** indicar el camino, dar el ejemplo.

**traceur** *m* trazador.

**trachée** *f* tráquea.

**trachée-artère** *f* traquearteria.

**trachéite** [trakeit] *f* traqueítis.

**trachéotomie** [trakeɔtɔmi] *f MÉD* traqueotomía.

**trachome** [trakom] *m MÉD* tracoma.

**tract** [trakt] *m* octavilla *f*, folleto de propaganda.

**tractations** *f pl PÉJOR* manejos *m* turbios.

**tracter** *vt* remolcar, arrastrar.

**tracteur** *m* tractor.

**traction** *f* **1.** tracción **2. ~ avant** tracción delantera.

**tractoriste** *s* tractorista.

**tractus** [tʀaktys] *m ANAT* tracto: **~ génital** tracto genital.

**tradition** *f* tradición: **traditions populaires** tradiciones populares.

**traditionalisme** *m* tradicionalismo.

**traditionaliste** *a/s* tradicionalista.

**traditionnel, elle** *a* tradicional.

**traditionnellement** *adv* tradicionalmente.

**traducteur, trice** *s* traductor, a.

**traduction** *f* traducción ◊ **~ automatique, assistée par ordinateur** traducción automática, asistida por ordenador.

**traduire*** *vt* **1.** traducir: **~ en anglais** traducir al inglés **2.** *FIG* traducir, expresar: **sa pâleur traduisait son émotion** su palidez traducía su emoción **3.** *JUR* **~ quelqu'un en justice** citar a alguien, hacer comparecer a alguien ante la justicia. ◆ **se ~** *vpr* traducirse.

**traduisible** *a* traducible.

**Trafalgar** *np* Trafalgar ◊ *FIG* **coup de ~** desastre.

**trafic** [tʀafik] *m* **1.** tráfico, circulación *f*: **~ routier, aérien** tráfico rodado, aéreo **2.** *(commerce)* tráfico: **~ de drogue** tráfico de droga; **~ de stupéfiants** narcotráfico **3. ~ d'influence** tráfico de influencias, concusión *f*.

**traficoter** *vt FAM* trapichear.

**trafiquant, e** *s* traficante: **un ~ de drogues** un traficante de drogas.

**trafiquer** *vt* **1.** traficar **2. ~ un vin** adulterar un vino **3.** *FAM* **qu'est-ce que tu trafiques?** ¿qué estás haciendo?

**tragédie** *f* tragedia.

**tragédien, enne** *s* actor trágico, actriz trágica.

**tragi-comédie** *f* tragicomedia.

**tragi-comique** *a* tragicómico, a.

**tragique** *a* trágico, a. ◇ *m* lo trágico: **prendre au ~** tomar por lo trágico.

**tragiquement** *adv* trágicamente.

**trahir** *vt* **1.** traicionar: **~ un ami, sa patrie** traicionar a un amigo, a su patria ◊ *PROV* **on n'est jamais trahi que par les siens** no hay peor cuña que la de la misma madera **2.** *(un secret)* revelar, descubrir **2.** *(les intentions de quelqu'un)* traicionar **4.** delatar: **sa voix trahissait son émotion** su voz delataba su emoción. ◆ **se ~** *vpr* descubrirse, revelarse.

**trahison** *f* traición: **haute ~** alta traición.

**train** *m* **1.** tren: **voyager par le ~** viajar en tren; **~ de marchandises** tren de mercancías; **~ à grande vitesse** tren de alta velocidad ◊ *FIG* **prendre le ~ en marche** sumarse a una acción ya empezada **2.** *(d'une voiture)* **~ avant, arrière** tren delantero, trasero **3. ~ d'atterrissage** tren de aterrizaje **4.** *(d'un quadrupède)* **~ de devant, de derrière** cuarto delantero, trasero **5. ~ de pneus** juego de neumáticos; *PHYS* **~ d'ondes** tren de ondas **6. ~ de vie** tren de vida; **mener grand ~** vivir a lo grande; **aller bon ~** ir a buen paso; **aller à fond de ~** ir a todo correr, a toda pastilla; **du ~ où vont les choses** si las cosas continúan igual; **au ~ où l'on va...** al paso que vamos..., al paso que se va... **7.** *FIG* **un ~ de mesures économiques** un paquete de medidas económicas **8.** *FAM (postérieur)* culo **9. être en train** estar en forma; **mettre quelque chose en ~** empezar algo **10. être en ~ de** *(+ infinitif)* estar + gérondif: **il est en ~ de lire** está leyendo; **il y avait beaucoup de monde en ~ de déjeuner** había mucha gente almorzando.

**traînailler** → **traînasser.**

**traînant, e** *a* lánguido, a, cansino, a: **voix traînante** voz cansina.

**traînard, e** *s* rezagado, a, lento, a.

**traînasser** *vi* vagar, barzonear, pindonguear.

**traîne** *f* **1.** *(d'un vêtement)* cola **2.** *loc adv* **à la ~** a remolque; *FIG* rezagado, a, atrás: **elle est toujours à la ~** va siempre rezagada.

**traîneau** *m* trineo.

**traînée** *f* **1.** *(trace)* reguero *m*: **se répandre comme une ~ de poudre** propagarse como un reguero de pólvora **2.** *(d'une comète)* cola **3.** *POP (prostituée)* pelandusca, prostituta.

**traîne-misère** *m inv* desgraciado.

**traîner** *vt* **1.** *(tirer)* arrastrar, tirar de ◊ **~ les pieds** arrastrar los pies; **~ la jambe, la patte** andar con dificultad, renquear; *FIG* **~ les pieds** → **pied 2.** *FIG* arrastrar, llevar: **~ une existence malheureuse** llevar una existencia desgraciada ◊ **~ quelqu'un dans la boue** poner a alguien por el suelo **3. faire ~ une affaire en longueur** dar largas a un asunto. ◇ *vi* **1.** *(pendre)* arrastrar, colgar **2.** andar rodando, andar: **mon sac doit ~ par là** mi bolso debe andar por ahí **3. ~ en longueur** ir para largo, no acabar nunca: **cette affaire traîne (en longueur)** este asunto va para largo **4.** *(s'attarder)* quedarse atrás, rezagarse **5. ~ dans la rue** callejear, vagabundear. ◆ **se ~** *vpr* **1.** arrastrarse: **se ~ par terre** arrastrarse por el suelo **2. se ~ à genoux** andar a gatas **3.** *(de fatigue)* andar con dificultad, arrastrar los pies.

**traîne-savates** *m inv FAM* vago, haragán.

**traîneur, euse** *s* vagabundo, a ◊ *FAM* **~ de sabre** militarote.

**training** [tʀeniŋ] *m (survêtement)* chandal.

**train-train** *m inv* rutina *f*.

**traire*** *vt* ordeñar: **une vache** ordeñar una vaca; **lait qui vient d'être trait** leche recientemente ordeñada.

**trait** *m* **1.** rasgo, característica *f* ◊ **~ d'esprit** agudeza *f*; **~ de génie** rasgo de ingenio **2.** *(ligne)* raya *f*, trazo ◊ **d'un ~ de plume** de un plumazo; **tirer un ~ sur** renunciar a; **~ pour ~** con exactitud **3. ~ d'union** guión; *FIG* intermediario **4.** *(flèche)* flecha *f*, saeta *f*, dardo ◊ **partir comme un ~** salir como una flecha, salir disparado, a **5. boire d'un (seul) ~** beber de un (solo) trago **6. avoir ~ à** referirse a, tener relación con, atañer a **7. animal de ~** animal de tiro. ◇ *pl* **1.** *(du visage)* rasgos, facciones *f*: **des traits énergiques** facciones enérgicas ◊ **avoir les traits tirés** tener la cara cansada **2.** *loc adv* **à grands traits** a grandes rasgos.

**trait, e** → **traire.**

**traitable** *a* tratable.

**traitant, e** *a* **1. médecin ~** médico (de cabecera): **mon médecin ~** el médico que me lleva **2.** *(lotion, etc.)* de tratamiento.

**traite** *f* **1.** *COM* letra de cambio **2. d'une seule ~** de un tirón, de una tirada **3.** *(du lait)* ordeño *m* **4. la ~ des Nègres, des Blanches** la trata de negros, de blancas.

**traité** *m* **1.** *(pacte)* tratado: **signer un ~ de paix** firmar un tratado de paz **2.** *(manuel)* tratado.

**traitement** *m* **1.** trato, tratamiento: **mauvais traitements** malos tratos; **~ de faveur** trato preferente **2.** tratamiento: **le ~ de l'uranium** el tratamiento del uranio ◊ **~ de l'information, de texte** proceso de datos, tratamiento de textos **3.** *MÉD* tratamiento: **~ aux antibiotiques** tratamiento con antibióticos; **~ de choc** tratamiento de shock **4.** *(salaire)* sueldo, paga *f*.

**traiter** *vt* **1.** tratar: **il me traite comme un enfant** me trata como a un niño; **être traité avec considération** ser tratado con consideración **2. ~ un malade** asistir a un enfermo **3. ~ quelqu'un de...** tratar a alguien de..., calificar a alguien de...; **je n'aime pas qu'on me traite de menteur** no me gusta que me traten de mentiroso **4.** *(un minerai, etc.)* tratar, procesar **5.** *INFORM* procesar. ◇ *vi* **1.** tratar de: **ce livre traite de...** este libro trata de... **2.** *COM* negociar.

**traiteur** *m* el que vende comidas preparadas.

**traître, esse** *a/s* **1.** traidor, a **2. en ~** traidoramente, a traición **3. pas un ~ mot** ni una palabra.

**traîtreusement** *adv* traidoramente, pérfidamente.

**traîtrise** *f* traición, perfidia: **par ~** a traición.

**trajectoire** *f* trayectoria.

**trajet** *m* trayecto.

**tralala** *m FAM* pompa *f*, aparato: **en grand ~** con mucha pompa, por todo lo alto: **une noce en grand ~** una boda por todo lo alto.

**tram** [tʀam] *m FAM* tranvía.

**tramail** [tʀamaj] *m (filet)* trasmallo.

**trame** *f* **1.** trama **2.** *FIG* trama, enredo *m*.

**tramer** *vt* tramar, urdir.

**tramontane** *f* tramontana ◊ *FAM* **perdre la ~** perder la brújula.

**trampoline** *m* trampolín.

**tramway** [tramwɛ] *m* tranvía.

**tranchant, e** *a* **1.** cortante **2.** *FIG (ton)* tajante, decisivo, a **3.** *(couleur)* que contrasta. ◇ *m* filo, corte: **arme à deux tranchants** arma de dos filos; *FIG* **à double ~** de doble filo.

**tranche** *f* **1.** *(de pain)* rebanada, *(de jambon, etc.)* loncha, lonja: **une ~ de saumon fumé** una loncha de salmón ahumado; *(de saucisson, melon, etc.)* rodaja: **ananas en tranches** piña en rodajas **2.** *(d'un livre)* canto *m* **3.** *(de chiffres)* serie **4.** *(de loterie)* sorteo *m* **5.** episodio *m*, trozo *m*: **une ~ de vie** un trozo de vida **6.** *FIG* segmento *m*, franja: **~ horaire** segmento horario, franja horaria **7.** *FAM* **s'en payer une ~** divertirse mucho, pasarlo en grande.

**tranchée** *f* **1.** *(fossé)* zanja **2.** *MIL* trinchera. ◇ *pl (utérines)* entuertos *m*.

**tranchefile** *f* cadeneta, cabezada.

**trancher** *vt* **1.** cortar **2.** *(la gorge)* degollar **3.** *FIG (une question, une difficulté)* zanjar, resolver. ◇ *vi* **1.** decidir ◊ **~ dans le vif** cortar por lo sano; **~ net** cortar en seco **2.** *(les couleurs)* contrastar, resaltar.

**tranchet** *m* **1.** tranchete **2.** *(de cordonnier)* chaira *f*.

**tranchoir** *m (planche)* tajo.

**tranquille** *a* **1.** tranquilo, a, quieto, a: **reste ~!** ¡quédate quieto!; **tiens-toi ~** estáte tranquilo; **j'ai la conscience ~** mi conciencia está tranquila, tengo la conciencia tranquila **2. soyez ~, il reviendra** no se preocupe, volverá **3. laisse ça ~** no toques, no te ocupes más de esto **4.** *FAM* **un père ~** un tranquilón.

**tranquillement** *adv* tranquilamente.

**tranquillisant, e** *a* tranquilizador, a. ◇ *m MÉD* tranquilizante.

**tranquilliser** *vt* tranquilizar, calmar. ◆ **se ~** *vpr* tranquilizarse, calmarse.

**tranquillité** *f* tranquilidad: **en toute ~** con toda tranquilidad.

**transaction** *f* transacción.

**transalpin, e** *a* transalpino, a.

**transaminase** *f BIOL* transaminasa.

**transandin, e** *a* transandino, a.

**transat** → **²transatlantique.**

**¹transatlantique** *a* transatlántico, a. ◇ *m (paquebot)* transatlántico.

**²transatlantique, transat** [tʀɑ̃zat] *m (chaise-longue)* tumbona *f*. ◇ *f* regata transatlántica.

**transbahutage** *m FAM* traslado.

**transbahuter** *vt FAM* trasladar, desplazar.

**transbordement** *m* transbordo, trasbordo.

**transborder** *vt* transbordar, trasbordar.

**transbordeur** *a/m* transbordador, trasbordador: **pont ~** puente transbordador.

**transcendance** *f* trascendencia, transcendencia.

**transcendant, e** *a* trascendente, transcendente, trascendental.

**transcendantal, e** *a* trascendental.

**transcender** *vt* trascender, transcender.

**transcoder** *vt* trascodificar.

**transcontinental, e** *a* transcontinental.

**transcription** *f* transcripción, copia.

**transcrire*** *vt* transcribir, copiar, trasladar: **~ un texte chinois en caractères latins** transcribir un texto chino en caracteres latinos.

**transe** *f* **1.** *(d'un médium)* trance *m* **2.** *(angoisse)* temor *m*, inquietud, ansia *m*: **être dans les transes** estar muerto de inquietud, estar angustiado; **entrer en ~** enajenarse.

**transept** [tʀɑ̃sɛpt] *m ARCH* crucero, transepto ◊ **la croisée du ~** el crucero.

**transfèrement** *m* traslado.

**transférer** *vt* **1.** trasladar, transferir **2.** *(un joueur)* traspasar.

**transfert** *m* **1.** traslado **2.** *(de fonds, en psychologie)* transferencia *f* **3.** *(d'un fonds de commerce)* traspaso **4. le ~ de X au club italien** el traspaso de X al club italiano **5.** *(de biens immobiliers)* transmisión *f*.

**transfiguration** *f* transfiguración.

**transfigurer** *vt* transfigurar.

**transformable** *a* transformable.

**transformateur** *m* transformador.

**transformation** *f* transformación.

**transformer** *vt* **1.** transformar: **~ en** transformar en **2.** *(au rugby)* **~ un essai** transformar un ensayo. ◆ **se ~** *vpr* transformarse, convertirse.

**transformisme** *m* transformismo.

**transformiste** *a/s* transformista.

**transfuge** *m* tránsfuga, tránsfugo.

**transfuser** *vt* transfundir ◊ **un transfusé** un transfundido.

**transfuseur** *m (appareil)* transfusor.

**transfusion** *f* transfusión: **~ sanguine** transfusión de sangre; **faire une ~** hacer una transfusión.

**transgénique** *a BIOL* transgénico, a.

**transgresser** *vt* transgredir, quebrantar, infringir.

**transgression** *f* transgresión, infracción.

**transhumance** *f* trashumancia, trashumación.

**transhumant, e** *a/s* trashumante.

**transhumer** *vi* trashumar.

**transi, e** *a* aterido, a, transido, a ◊ **un amoureux ~** un enamorado paralizado por la timidez.

**transiger*** *vi* transigir: **je ne transige pas sur la qualité** no transijo en cuanto a la calidad; **~ avec, sur** transigir con, en.

**transir** *vt* **1.** *(de froid)* helar **2.** *(de peur)* pasmar.

**transistor** *m* **1.** transistor: **poste de radio à transistors** radio con transistores **2.** *(poste)* transistor.

**transistoriser** *vt TECHN* transistorizar.

**transit** [tʀɑ̃zit] *m* tránsito: **en ~** de tránsito.

**transitaire** *a* de tránsito. ◇ *s* agente de aduanas.

**transiter** *vt (marchandises)* hacer pasar, llevar en tránsito. ◇ *vi* pasar de tránsito.

**transitif, ive** *a GRAM* transitivo, a.

**transition** *f* transición: **Gouvernement de ~** Gobierno de transición; **passer sans ~ de...** pasar sin transición de...

**transitivement** *adv GRAM* transitivamente.

**transitoire** *a* transitorio, a, de transición.

**Transjordanie** *np f* Transjordania.

**translation** *f* translación, traslado *m*.

**translittération** *f* transliteración.

**translucide** *a* translúcido, a.

**translucidité** *f* translucidez.

**transmetteur** *a/m* transmisor, a.

**transmettre*** *vt* **1.** transmitir: **~ un film à la télévision** transmitir una película por la televisión **2.** transmitir, comunicar: **il a transmis la varicelle à sa sœur** ha transmitido la varicela a su hermana **3. transmettez mes amitiés à votre père** dé muchos recuerdos a su padre. ◆ **se ~** *vpr* transmitirse.

**transmissible** *a* transmisible ◊ **maladie sexuellement ~** enfermedad de transmisión sexual.

**transmission** *f* **1.** transmisión: **~ en direct** transmisión en directo; **la ~ d'une maladie** la transmisión de una enfermedad **2.** *FIG* **~ de pensée** transmisión de pensamiento **3. ~ de biens** cesión de bienes **4. la ~ des pouvoirs** el traspaso de los poderes **5.** *TECHN* transmisión. ◇ *pl* **service des transmissions** servicio de transmisiones.

**transmuer** *vt* transmudar, transmutar.

**transmutation** *f* transmutación.

**transmuter → transmuer.**

**transparaître*** *vt* **1.** transparentarse: **les arbres transparaissent à travers le brouillard** los árboles se transparentan a través de la niebla **2. la fatigue transparaît sur son visage** se notá el cansancio en su rostro.

**transparence** *f* transparencia.

**transparent, e** *a* transparente. ◇ *m (guide-âne)* falsilla *f*.

**transpercer*** *vt* **1.** atravesar, traspasar **2. la pluie m'a transpercé** la lluvia me ha calado **3.** *FIG* **~ le cœur** atravesar el corazón.

**transpiration** *f* **1.** transpiración **2.** *(sueur)* sudor *m*.

**transpirer** *vi* transpirar, sudar.

**transplant** *m BIOL* trasplante.

**transplantation** *f* **1.** *(d'une plante, de personnes)* trasplante **2.** *BIOL* trasplante *m*: **~ du rein** trasplante del riñón.

**transplanté, e** *s* trasplantado, a.

**transplanter** *vt (plante, personne, organe)* trasplantar. ◆ **se ~** *vpr* trasplantarse: **toute la famille s'est transplantée en Allemagne** toda la familia se ha trasplantado a Alemania.

**transport** *m* **1.** transporte: **moyens de ~** medios de transporte; **transports en commun** transportes colectivos **2.** *FIG* arrebato, transporte: **~ de colère** arrebato de cólera **3. ~ au cerveau** congestión *f* cerebral.

**transportable** *a* que se puede transportar, transportable.

**transporter** *vt* **1.** transportar, trasladar: **on l'a transporté d'urgence à l'hôpital** le han trasladado con urgencia al hospital **2.** *FIG* arrebatar, entusiasmar, poner fuera de sí. ◆ **se ~** *vpr* trasladarse.

**transporteur** *m* **1.** *(personne)* transportista **2.** *(appareil)* transportador.

**transposable** *a* que se puede transponer.

**transposer** *vt* **1.** transponer, invertir **2.** *MUS* transportar.

**transposition** *f* **1.** transposición **2.** *MUS* transporte *m*.

**transsexualisme** *m* transexualismo.

**transsexuel, elle** *a/s* transexual.

**transsibérien, enne** *a/m* transiberiano, a.

**transsubstantiation** *f* transubstanciación.

**transsuder** *vi* rezumar.

**transvasement** *m* transvase, trasiego.

**transvaser** *vt* transvasar, trasegar.

**transversal, e** *a/f* transversal. ◇ *f (football)* larguero *m*.

**transversalement** *adv* transversalmente.

**transverse** *a ANAT* transverso, a.

**transvider** *vt* transvasar, trasegar.

**Transylvanie** *np f* Transilvania.

**trapèze** *m* **1.** *GÉOM* trapecio **2.** *(gymnastique)* trapecio **3.** *ANAT* trapecio.

**trapéziste** *s* trapecista.

**trapézoïdal, e** *a* trapezoidal.

**trappe** *f* **1.** *(dans un plancher, un plafond)* trampa, trampilla **2.** *(piège)* trampa **3.** *(ordre religieux)* trapa.

**Trappe (la)** *np f* la Trapa.

**trappeur** *m* trampero.

**trappiste** *m* trapense.

**trapu, e** *a* **1.** rechoncho, a, macizo, a **2.** *(choses)* macizo, a **3.** *FAM* difícil, que se las trae, arduo, a: **un problème ~** un problema que se las trae.

**traquenard** [tʀaknaʀ] *m* trampa *f*.

**traquer** *vt* **1.** acosar, acorralar: **bête traquée** animal acorralado **2.** *FIG* acosar, perseguir.

**Trasimène** *np* Trasimeno.

**trauma** *m* trauma.

**traumatique** *a* traumático, a.

**traumatisant, e** *a* traumatizante.

**traumatiser** *vt* traumatizar.

**traumatisme** *m* trauma, traumatismo.

**traumatologie** *f* traumatología.

**traumatologiste** *s* traumatólogo, a.

**travail** *m* **1.** trabajo: **~ manuel, intellectuel** trabajo manual, intelectual; **~ à la chaîne** trabajo, producción en cadena; **~ au noir** trabajo negro; **se mettre au ~** ponerse a trabajar; **être sans ~** estar sin empleo; **chercher du ~** buscar trabajo; *FIG* **un ~ de Romains** un trabajo de chinos ◊ **accident du ~** accidente laboral, de trabajo; **le monde du ~** el mundo laboral; **le marché du ~** el mercado laboral; **semaine de ~** semana laboral **2.** *(couture)* labor *f*: **travaux d'aiguilles** labores de agujas **3.** tarea *f*: **j'ai fini mon ~** ya he acabado la tarea. **4.** *FAM* **c'est du ~ d'amateur** es una chapucería; **regardez-moi ce ~!** ¡vaya una chapuza! **5. une femme en ~** una mujer que va de parto. ◇ *pl* **1.** faenas *f*, labores *f*: **les travaux des champs** las faenas del campo; **les travaux domestiques, ménagers** las labores domésticas, las tareas caseras, las tareas del hogar **2.** obras *f*: **le ministère des Travaux publics** el ministerio de Obras Públicas; **attention!, travaux!** ¡cuidado!, ¡obras! **3. travaux forcés** trabajos forzados; **travaux forcés à perpétuité** cadena *f* perpetua **4. les douze travaux d'Hercule** los doce trabajos de Hércules **5. travaux pratiques** prácticas *f*.

**travailler** *vt* **1.** *(la pâte, etc.)* trabajar **2.** *(la pierre, le bois)* labrar **3.** *(la terre)* trabajar, cultivar **4.** estudiar: **~ le solfège** estudiar solfeo **5.** *FIG (influencer)* excitar, influenciar **6.** *(faire souffrir)* atormentar **7.** *(tracasser)* inquietar, preocupar: **ça le travaille** eso le preocupa. ◇ *vi* **1.** trabajar: **~ comme un nègre, comme une bête de somme** trabajar como un negro, como un burro; **~ à l'heure** trabajar por horas **2.** estudiar: **il a travaillé dur pour réussir son examen** ha estudiado de firme para aprobar el examen **3.** *(le vin)* fermentar **4.** *(le bois)* alabearse **5. son imagination travaille** su imaginación divaga; **~ du chapeau → chapeau.**

**travailleur, euse** *a/s* **1.** trabajador, a: **les travailleurs** los trabajadores ◊ **travailleuse familiale** asistenta encargada de ayudar a las madres de familia **2.** *(dans les études)* estudioso, a.

**travailleuse** *f (petit meuble)* mesita de costura.

**travailliste** *a/s* laborista.

**travailloter** *vi FAM* trabajar un poco.

**travée** *f* **1.** *(de bancs)* fila **2.** *(entre deux supports)* tramo *m*.

**travelling** [tʀavliŋ] *m* travelín.

**travelo** *m FAM* travestí, travesti.

**travers** *m* **1.** *(défaut)* defecto **2. en ~** de través; **se mettre en ~** ponerse atravesado, a **3. à ~, au ~ de** a través de: **à ~ la vitre** a través del cristal ◊ **à ~ champs** a campo traviesa; **passer au ~** librarse de **4. de ~** de través; **la bouche de ~** la boca torcida; **avaler de ~** atragantarse ◊ **regarder de ~** mirar con mala cara; **se regarder de ~** mirarse de reojo; **raisonner de ~** razonar mal, equivocadamente; **comprendre de ~** comprender al revés; **esprit de ~** mal genio; **faire tout de ~** no hacer nada a derechas; **tout va de ~** todo va mal.

**traversable** *a (rivière)* que se puede atravesar.

**traverse** *f* **1.** *(barre)* travesaño *m*, larguero *m* **2.** *(de voie ferrée)* traviesa **3. chemin de ~** atajo *m*. ◇ *pl* obstáculos *m*.

**traversée** *f* **1.** *(par mer, par air)* travesía **2.** *(passage)* paso *m* **3.** *FIG* **la ~ du désert** la travesía del desierto.

**traverser** *vt* **1.** atravesar: **la rivière traverse la ville** el río atraviesa la ciudad **2.** *(une rue, un océan, etc.)* cruzar **3.** *FIG* atravesar, pasar: **le pays traverse des moments difficiles** el país atraviesa momentos difíciles; **une idée m'a traversé l'esprit** me ha pasado una idea por la cabeza **4.** *(pluie)* traspasar.

**traversin** *m* almohada *f* larga.

**travesti, e** *a* disfrazado, a ◊ **bal ~** baile de disfraces. ◇ *m* travestido, travestí, travesti.
▶ Pluriel: *travestíes* ou *travestís*.

**travestir** *vt* disfrazar. ◆ **se ~** *vpr* disfrazarse.

**travestissement** *m* disfraz.

**traviole (de)** *loc adv FAM* de través.

**trayeuse** *f (machine à traire)* ordeñadora.

**trayez** → **traire.**

**trayon** [tʀɛjɔ̃] *m (du pis)* pezón.

**trébuchant, e** *a* que tropieza, titubeante ◊ **espèces sonnantes et trébuchantes** dinero constante y sonante.

**trébucher** *vt* **1.** tropezar, dar traspies, dar un traspié **2. ~ sur, contre** tropezar con, contra.

**trébuchet** *m* **1.** *(petite balance)* pesillo **2.** *(piège)* trampa *f* para pajaritos.

**tréfilage** *m TECHN* trefilado.

**tréfiler** *vt TECHN* trefilar.

**tréfilerie** *f* trefilería.

**trèfle** *m* **1.** *(plante)* trébol: **un ~ à quatre feuilles** un trébol de cuatro hojas **2.** *(cartes)* trébol.

**tréfonds** *m FIG* lo más escondido, lo más secreto.

**treillage** *m* enrejado, reja *f*.

**treillager*** *vt* enrejar, poner rejas a.

**treille** *f* **1.** *(vigne)* parra **2.** *(tonnelle)* emparrado *m* **3.** *FAM* **le jus de la ~** el vino.

**treillis** *m* **1.** *(métallique)* enrejado **2. ~ de roseaux** encañado **3.** *(tenue militaire)* traje de maniobras.

**treize** *a/m* trece: **le ~ juin** el trece de junio; **être ~ à table** ser trece en la mesa; **Alphonse ~** Alfonso trece.

**treizième** *a/s* **1.** decimotercio, a, decimotercero, a **2. le ~ siècle** el siglo trece.

**tréma** *m* diéresis *f*.

**trémail** → **tramail.**

**tremblant, e** *a* tembloroso, a, trémulo, a.

**tremble** *m (peuplier)* tiemblo, álamo temblón.

**tremblement** *m* **1.** temblor ◊ **~ de terre** terremoto **2.** *(frémissement)* temblor, estremecimiento **3.** *FAM* **et tout le ~** y toda la pesca.

**trembler** *vi* **1.** temblar: **il tremblait de froid** temblaba de frío; **sa voix tremble** le tiembla la voz ◊ **~ comme une feuille** temblar como un azogado **2.** *(frissonner)* tiritar **3.** *FIG* temblar: **elle tremble pour son bébé** tiembla por su bebé **4. faire ~** hacer temblar, estremecer: **un coup sec fit ~ les vitres** un golpe seco estremeció los cristales.

**tremblote** *f FAM* **avoir la ~** *(de peur)* tener canguelo, *(de froid)* tiritar de frío.

**tremblotement** *m* tembleque, temblor.

**trembloter** *vi* temblequear, temblar.

**trémie** *f* tolva.

**trémière** *a* **rose ~** malvarrosa.

**trémolo, tremolo** *m* **1.** *MUS* trémolo **2. parler avec des trémolos dans la voix** hablar con voz trémula.

**trémoussement** *m* meneo, zarandeo.

**trémousser (se)** *vpr* menearse, zarandearse, agitarse mucho.

**trempage** *m* remojo.

**trempe** *f* **1.** *(d'un métal)* temple *m* **2.** *FAM (raclée)* paliza, zurra **3.** *FIG* temple *m*: **une femme d'une ~ exceptionnelle** una mujer de un temple excepcional.

**tremper** *vt* **1.** *(mouiller)* mojar: **~ un biscuit dans du lait** mojar una galleta en leche ◊ **être trempé** estar calado, estar hecho una sopa; **trempé jusqu'aux os** calado hasta los huesos; **on va se faire ~** nos vamos a poner como una sopa **2.** *(imbiber)* remojar, empapar ◊ **mettre à, faire ~** poner a, en remojo: **faites ~ les pois chiches la veille** póngase los garbanzos a remojo la víspera **3.** *(les métaux)* templar. ◇ *vi* **1.** estar en remojo, remojarse **2.** *FIG* **il a trempé dans cette sale affaire** ha pringado en este negocio sucio. ◆ **se ~** *vpr* remojarse.

**trempette** *f FAM* **faire ~** darse un chapuzón.

**tremplin** *m* **1.** *(pour sauter)* trampolín **2.** *FIG* trampolín.

**trench-coat** [tʀɛnʃkot] *m* trinchera *f*.

**trentaine** *f* **1.** treintena, unos treinta **2.** *(âge)* **il a atteint la ~** ha llegado a los treinta años.

**trente** *a/m* **1.** treinta **2.** *FAM* **se mettre sur son ~ et un** vestirse de punta en blanco.

**Trente** *np* Trento.

**trente-et-quarante** *m (jeu)* treinta y cuarenta.

**trente-six** *a/m* **1.** treinta y seis **2.** *FAM (beaucoup)* mil ◊ **en voir ~ chandelles** → **chandelle 3. tous les ~ du mois** nunca.

**trentième** *a/s* trigésimo, a, treintavo, a.

**trépan** *m* **1.** *MÉD* trépano **2.** *TECHN* taladro.

**trépanation** *f* trepanación.

**trépaner** *vt* trepanar.

**trépas** *m* muerte *f* ◊ **passer de vie à ~** morir.

**trépassé, e** *a/s* difunto, a, muerto, a ◊ **la fête des Trépassés** el día de los Difuntos.

**trépasser** *vi LITT* fallecer, morir, expirar.

**trépidant, e** *a* trepidante.

**trépidation** *f* trepidación.

**trépider** *vi* trepidar.

**trépied** *m* trípode.

**trépignement** *m* pataleo.

**trépigner** *vi* **1.** *(de colère, etc.)* patalear **2.** *(de joie)* brincar.

**tréponème** *m* treponema.

**très** *adv* **1.** muy: **~ joli** muy bonito; **~ jeune** muy joven; **~ vieux** muy viejo, viejísimo **2.** mucho, a: **j'ai ~ soif** tengo

mucha sed; **il fait ~ chaud** hace mucho calor; **j'ai ~ envie de...** tengo muchas ganas de... **3. le Très-Haut** el Altísimo.
▶ Sens 1: l'espagnol emploie fréquemment le suffixe *-ísimo* qui, parfois, a une forme irrégulière: ~ *ancien* antiquísimo; ~ *fort* fortísimo; ~ *pauvre* paupérrimo; ~ *riche* riquísimo, etc.

**trésor** *m* **1.** tesoro: **l'île au ~** la isla del tesoro **2. le Trésor public** Hacienda pública, el erario público; **déclarer au Trésor** declarar a Hacienda **3.** *FAM* **mon ~** tesoro mío.

**trésorerie** *f* tesorería.

**trésorier, ère** *s* tesorero, a.

**tressaillement** *m* sobresalto, estremecimiento.

**tressaillir*** [tʀesajiʀ] *vi* sobresaltarse, estremecerse.

**tressautement** *m* sobresalto, sacudida *f.*

**tressauter** *vi* sobresaltarse, dar sacudidas.

**tresse** *f* **1.** *(de cheveux, etc.)* trenza **2.** *(galon)* trencilla.

**tresser** *vt* trenzar ◊ *FIG* **~ des couronnes à quelqu'un** alabar a alguien.

**tréteau** *m* caballete. ◇ *pl THÉÂT* tablas *f,* tablado *sing* ◊ **monter sur les tréteaux** pisar las tablas.

**treuil** *m* torno.

**trêve** *f* **1.** tregua **2. sans ~** sin tregua, sin interrupción **3. ~ de plaisanteries!** ¡basta de chistes!; **~ de discussions!** ¡basta de discutir! **4.** *HIST* **~ de Dieu** tregua de Dios.

**Trèves** *np* Tréveris.

**tri** *m* **1.** selección *f* **2.** clasificación *f.*

**triade** *f* tríada.

**triage** *m* **1.** selección *f,* tría *f* **2. gare de ~** estación de clasificación.

**trial** *m* trial, motocross.

**triangle** *m* **1.** triángulo **2.** *MUS* triángulo.

**triangulaire** *a* triangular.

**triangulation** *f* triangulación.

**trias** *m GÉOL* triásico, trías.

**triasique** *a GÉOL* triásico, a.

**tribal, e** *a* tribal.

**triboélectricité** *f* triboelectricidad, electricidad estática por frotamiento.

**tribord** *m MAR* estribor: **à ~** a estribor.

**tribu** *f* **1.** tribu: **des tribus sauvages** tribus salvajes **2.** *FAM (famille)* tribu.

**tribulation** *f* tribulación.

**tribun** *m* tribuno.

**tribunal** *m* **1.** tribunal: **tribunaux pour enfants** tribunales de menores **2. le ~ de grande instance** el Juzgado de primera instancia.

**tribune** *f* **1.** *(gradins)* tribuna **2. monter à la ~** subir a la tribuna **3. la ~ libre d'une revue** la tribuna libre de una revista.

**tribut** *m* tributo.

**tributaire** *a* tributario, a.

**tricentenaire** *m* tricentenario.

**triceps** *m ANAT* tríceps.

**triche** *f FAM* **c'est de la ~!** ¡es una trampa!

**tricher** *vi* hacer trampas: **il triche au jeu** hace trampas en el juego.

**tricherie** *f* trampa, fullería.

**tricheur, euse** *s* tramposo, a, fullero, a.

**trichine** [tʀikin] *f* triquina.

**trichinose** [tʀikinoz] *f MÉD* triquinosis.

**trichromie** [tʀikʀɔmi] *f* tricromía.

**tricolore** *a* **1.** tricolor ◊ **les feux tricolores** el semáforo **2. le drapeau ~** la bandera francesa; **l'équipe ~** el equipo francés.

**tricorne** *m* tricornio, sombrero de tres picos.

**tricot** *m* **1.** género de punto: **gilet de ~** chaleco de punto; **faire du ~** hacer punto **2. il fait froid, prends un ~** hace frío, coge un jersey **3. ~ de corps** camiseta *f.*

**tricotage** *m* labor *f* de punto.

**tricoter** *vt* hacer punto: **elle tricote une écharpe** hace una bufanda de punto. ◇ *vi* **1.** hacer punto ◊ **machine à ~** tricotosa **2.** *FAM* **~ des jambes** ir corriendo, correr mucho.

**tricoteur, euse** *s* persona que hace punto. ◇ *f (machine)* tricotosa.

**trictrac** *m (jeu)* chaquete.

**tricycle** *m* triciclo.

**trident** *m* **1.** tridente **2.** *(pour pêcher)* fisga *f.*

**tridimensionnel, elle** *a* tridimensional.

**trièdre** *m* triedro.

**triennal, e** *a* trienal: **plan ~** plan trienal.

**trier*** *vt* **1.** *(choisir)* escoger, triar ◊ **~ sur le volet → volet 2.** seleccionar **3.** *(classer)* clasificar.

**trière** *f* trirreme *m.*

**trieur, euse** *s* escogedor, a, clasificador, a. ◇ *f (machine)* clasificadora.

**triforium** [tʀifɔʀjɔm] *m ARCH* triforio.

**trifouiller** *vt/i FAM* revolver, hurgar en, manosear: **on a trifouillé dans mes affaires** han revuelto mis cosas.

**trigonométrie** *f* trigonometría.

**trigonométrique** *a* trigonométrico, a.

**trijumeau** *m ANAT* trigémino.

**trilingue** *a* trilingüe.

**trille** *m MUS* trino.

**trillion** *m* trillón.

**trilobé, e** *a* trilobulado, a.

**trilogie** *f* trilogía.

**trimaran** *m* trimarán.

**trimbal(l)age, trimbal(l)ement** *m FAM* acarreo.

**trimbal(l)er** *vt* **1.** *FAM* acarrear, cargar con, llevar a cuestas **2.** *POP* **qu'est-ce qu'il trimballe!** ¡qué estúpido es!. ◆ **se ~** *vpr* ir.

**trimer** *vi FAM* bregar, currar.

**trimestre** *m* trimestre.

**trimestriel, elle** *a* trimestral.

**trimestriellement** *adv* trimestralmente.

**trimoteur** *m/a* trimotor.

**tringle** *f* varilla, barra: **~ à rideaux** varilla de cortina.

**trinité** *f* trinidad: **la sainte Trinité** la Santísima Trinidad ◊ **à Pâques ou à la Trinité → Pâques.**

**trinôme** *m* trinomio.

**trinquer** *vi* **1. ~ à** brindar por **2.** *POP* pagar el pato: **ce sont toujours les pauvres qui trinquent** los pobres siempre pagan el pato.

**trio** *m* **1.** trío **2.** *MUS* trío.

**triolet** *m MUS* tresillo.

**triomphal, e** *a* triunfal.

**triomphalement** *adv* triunfalmente.

**triomphalisme** *m* triunfalismo.

**triomphaliste** *a* triunfalista.

**triomphant, e** *a* triunfante.

**triomphateur, trice** *s* triunfador, a.

**triomphe** *m* **1.** triunfo: **arc de ~** arco de triunfo **2. porter quelqu'un en ~** aclamar a alguien triunfalmente.

**triompher** *vi* **1.** triunfar **2. ~ d'une difficulté** vencer una dificultad, triunfar sobre una dificultad.

**trip** *m (d'un drogué)* trip.

**tripaille** *f* FAM tripas *pl.*

**triparti, e, tripartite** *a* tripartito, a: **des négociations tripartites** negociaciones tripartitas.

**tripatouillage** *m* FAM manoseo, chanchullo.

**tripatouiller** *vt* FAM **1.** *(des textes)* retocar, alterar **2.** *(tripoter)* manosear, sobar.

**tripe** *f* **1.** *(boyau)* tripa **2.** FAM *(de l'homme)* tripa ◊ **rendre tripes et boyaux** echar las tripas, vomitar **3.** *(d'un cigare)* tripa. ◇ *pl* CULIN callos *m*: **tripes à la madrilène** callos a la madrileña.

**triperie** *f* tripería.

**tripette** *f* FAM **ça ne vaut pas ~** esto no vale un pito.

**triphasé, e** *a* ÉLECT trifásico, a.

**triphtongue** [tʀiftɔ̃g] *f* triptongo *m.*

**tripier, ère** *s* tripero, a, mondonguero, a.

**triple** *a* **1.** triple: **~ saut** triple salto ◊ **en ~ exemplaire** por triplicado **2. un ~ sot** un tonto de remate.

**tripler** *vt* triplicar. ◇ *vi* triplicarse.

**triplés, ées** *s pl* trillizos, as.

**Tripoli** *np* Trípoli.

**Tripolitaine** *np f* Tripolitania.

**triporteur** *m* **1.** triciclo de reparto **2.** *(avec moteur)* motocarro.

**tripot** *m* garito, timba *f.*

**tripotage** *m* FAM chanchullo, tejemaneje.

**tripotée** *f* FAM **1.** *(raclée)* tunda, paliza: **flanquer une ~** dar una paliza **2. une ~ de...** una porrada de, un montón de...

**tripoter** *vt* manosear, sobar. ◇ *vi* FAM *(trafiquer)* hacer chanchullos, trapichear.

**tripoteur, euse** *s* FAM *(magouilleur)* chanchullero, a.

**triptyque** *m* tríptico.

**trique** *f* garrote *m,* estaca ◊ **coup de ~** garrotazo.

**trirème** *f* trirreme *m.*

**trisaïeul, e** [tʀizajœl] *s* tatarabuelo, a.

**trisomie** *f* MÉD trisomía.

**trisomique** *a/s* mongólico, a.

**triste** *a* **1.** triste ◊ **faire ~ figure à** poner mala cara a; **~ comme un lendemain de fête** triste como un entierro de tercera **2. un ~ personnage** un ser despreciable.

**tristement** *adv* tristemente.

**tristesse** *f* tristeza, pena: **quelle ~!** ¡qué pena!

**tristounet, ette** *a* FAM tristón, ona: **une ambiance tristounette** un ambiente tristón.

**triton** *m* tritón.

**trituration** *f* trituración.

**triturer** *vt* triturar. ◆ **se ~** *vpr* FAM **se ~ les méninges, la cervelle** exprimirse el seso.

**triumvir** *m* triunviro.

**triumvirat** *m* triunvirato.

**trivalent** *a* trivalente.

**trivial, e** *a* **1.** LITT *(banal)* trivial **2.** *(grossier)* vulgar, grosero, a, bajo, a.
▶ L'adjectif espagnol *trivial* a aujourd'hui essentiellement le sens, vieilli en français, de «banal».

**trivialement** *adv* **1.** trivialmente **2.** groseramente.

**trivialité** *f* **1.** LITT trivialidad **2.** *(grossièreté)* grosería, vulgaridad.

**troc** [tʀɔk] *m* trueque, cambalache.

**trochanter** [tʀɔkɑ̃tɛʀ] *m* ANAT trocánter.

**trochée** *m (poésie)* troqueo.

**troène** *m* alheña *f.*

**troglodyte** *a/s* troglodita. ◇ *m (oiseau)* troglodita.

**troglodytique** *a* troglodítico, a.

**trogne** *f* FAM cara coloradota.

**trognon** *m* troncho, corazón: **~ de pomme** corazón de manzana ◊ FAM **jusqu'au ~** completamente. ◇ *a* FAM *(mignon)* mono, a.

**Troie** *np* Troya: **le cheval de ~** el caballo de Troya.

**troïka** [tʀɔika] *f* troica.

**trois** *a/m* **1.** tres: **le ~ août** el tres de agosto; **règle de ~** regla de tres ◊ **en ~ exemplaires** por triplicado **2. Henri ~** Enrique tercero.

**troisième** *a num/s* tercero, a: **au ~ étage** en el tercer piso; **le ~ âge** la tercera edad. ◇ *f (classe de)* primer curso *m* de BUP.

**troisièmement** *adv* en tercer lugar.

**trois-mâts** *m inv* barco de tres palos.

**trois-quarts** *m inv* **1.** *(veste)* chaqueta *f* tres cuartos, chaquetón tres cuartos **2.** *(rugby)* tres cuartos.

**trolley** *m* trole.

**trolleybus** *m* trolebús.

**trombe** *f* **1.** tromba, manga: **~ d'eau** tromba de agua **2. en ~, comme une ~** a toda velocidad.

**trombine** *f* FAM cara.

**tromblon** *m* **1.** trabuco naranjero **2.** *(chapeau)* chistera *f.*

**trombone** *m* **1.** trombón: **~ à coulisse, à pistons** trombón de varas, de pistones **2.** *(musicien)* trombón **3.** *(agrafe)* clip.

**trompe** *f* **1. ~ de chasse, de brume** cuerno *m,* trompa de caza, de bruma ◊ FIG **à grands sons de ~** a bombo y platillo **2.** *(d'éléphant)* trompa **3.** ANAT trompa: **~ d'Eustache, de Fallope** trompa de Eustaquio, de Falopio **4.** ARCH trompa.

**trompe-l'œil** *m inv* trampantojo, engañifa *f,* apariencia *f* engañosa ◊ **en ~** que da la sensación de realidad.

**tromper** *vt* **1.** engañar **2. ~ son mari, sa femme** ser infiel a, engañar a su marido, a su mujer **3. ~ la surveillance** burlar la vigilancia **4. ~ la soif** matar la sed **5.** FAM **cela ne trompe personne** no se las pega a nadie. ◆ **se ~** *vpr* equivocarse, confundirse: **se ~ complètement** equivocarse de medio a medio; **je me suis trompé de route** me he equivocado de carretera; **si je ne me trompe** si no me equivoco.

**tromperie** *f* engaño *m,* engañifa.

**trompette** *f* **1.** trompeta: **jouer de la ~** tocar la trompeta **2. nez en ~** nariz respingona **3. ~-de-la-mort** seta negra, trompeta de la muerte. ◇ *m (joueur)* trompeta.

**trompettiste** *s* trompeta, trompetista.

**trompeur, euse** *a* **1.** engañoso, a **2. les apparences sont trompeuses** las apariencias engañan.

**trompeusement** *adv* engañosamente.

**tronc** *m* **1.** *(d'un arbre, du corps humain)* tronco **2.** *(dans une église)* cepo, cepillo **3. ~ de cône** tronco de cono **4. ~ commun** tronco común.

**tronche** *f* POP jeta, catadura.

**tronçon** *m* **1.** trozo **2.** *(d'une route, ligne de chemin de fer, etc.)* tramo.

**tronconique** *a* troncónico, a.

**tronçonnage** *m* corte en trozos.

**tronçonner** *vt* cortar en trozos, tronzar.

**tronçonneuse** *f* tronzador *m.*

**trône** *m* **1.** trono **2. monter sur le ~** subir al trono **3.** *FIG* **le ~ et l'autel** la monarquía y la religión católica.

**trôner** *vi* **1.** ocupar el sitio de honor **2.** *FIG* darse importancia, pavonearse.

**tronquer** *vt* truncar ◊ **cône tronqué** cono truncado.

**trop** *adv* **1.** demasiado: **c'est ~ cher** es demasiado caro; **il mange ~** come demasiado ◊ **de ~, en ~** de más, de sobra: **cent grammes de ~** cien gramos de más; **c'en est ~!, c'est ~ fort!** ¡es demasiado!, ¡esto pasa de la raya!; **il est encore ~ tôt** → **tôt 2. ~ de** demasiado, a: **~ de choses** demasiadas cosas; **je ne fais pas ~ de projets** no hago demasiados proyectos **3. pas ~** no mucho, no demasiado **4. ~ peu** muy poco, demasiado poco **5.** *(très)* muy: **vous êtes ~ aimable** es usted muy amable **6. je ne sais ~ que dire** no sé muy bien que decir.

**trope** *m* *(rhétorique)* tropo.

**trophée** *m* trofeo.

**tropical, e** *a* tropical: **pays tropicaux** países tropicales.

**tropique** *m* trópico: **~ du Cancer, du Capricorne** trópico de Cáncer, de Capricornio.

**tropisme** *m* tropismo.

**troposphère** *f* troposfera.

**trop-perçu** *m* cantidad *f* cobrada de más.

**trop-plein** *m* **1.** desaguadero, canal de desagüe **2.** *FIG (surplus)* exceso.

**troquer** *vt* trocar, cambiar, cambalachear.

**troquet** *m FAM* tabernucho, taberna *f.*

**trot** *m* **1.** trote **2. courses de ~** carreras de trotones **3.** *FAM* **au ~!** ¡al trote!, ¡de prisa!

**trotskiste** *a/m* trotskista.

**trotte** *f FAM* tirada, tirón *m:* **d'ici à chez toi, ça fait une ~** hay una tirada de aquí a tu casa.

**trotter** *vi* **1.** trotar, ir al trote **2.** *FAM (personne)* trotar, corretear, callejear **3. une idée me trotte par la tête, dans la cervelle** una idea me da vueltas por la cabeza, me ronda en la mente. ◆ **se ~** *vpr FAM* largarse.

**trotteur, euse** *a/s (cheval)* trotón, ona. ◇ *m pl (chaussures)* zapatos (de tacones anchos).

**trotteuse** *f (d'une montre)* segundero *m.*

**trottinement** *m* trotecillo.

**trottiner** *vi* andar a pasos cortos y de prisa.

**trottinette** *f* patinete *m.*

**trottoir** *m* **1.** acera *f* (*AMÉR* vereda *f*) **2.** *(une prostituée)* **faire le ~** hacer la carrera, hacer la calle **3. ~ roulant** plataforma *f* móvil.

**trou** *m* **1.** agujero **2.** *(dans la terre, au golf)* hoyo **3. ~ d'air** bache **4. le ~ de la serrure** el ojo de la cerradura **5.** *(d'un lapin, etc.)* madriguera *f* **6. ~ de souris** ratonera *f* **7.** *FAM* **boire comme un ~** beber como una cuba; **~ normand** vaso de aguardiente bebido en medio de una comida abundante **8.** *THÉÂT* **~ du souffleur** concha *f* del apuntador **9.** *FIG* **faire son ~** hacer su hueco; **avoir un ~ dans son emploi du temps** tener un hueco en su horario **10.** *FAM (village)* **c'est un ~ perdu** es un pueblo, poblacho perdido **11. ~ de mémoire** fallo de memoria **12.** *(manque d'argent)* agujero: **un ~ de cent millions** un agujero de cien millones **13.** *POP* **être au ~** estar en chirona, en el trullo **14.** *VULG* **~ du cul, de balle** ojete **15.** *ASTR* **~ noir** agujero negro.

**troubadour** *m* trovador.

**troublant, e** *a FIG* inquietante, sorprendente, turbador, a.

**trouble** *a* **1.** *(liquide)* turbio, a **2.** *FIG* turbio, a, borroso, a, confuso, a. ◇ *m* **1.** turbación *f*, confusión *f*: **cela a semé le ~ dans son esprit** esto le ha llenado de confusión **2.** emoción *f.* ◇ *m pl* **1.** disturbios: **des troubles ont éclaté dans l'usine** han surgido disturbios en la fábrica **2.** *MÉD* trastornos: **troubles caractériels** trastornos del carácter; **troubles du sommeil** trastornos del sueño; **troubles gastro-intestinaux** trastornos gastrointestinales.

**trouble-fête** *m inv* aguafiestas.

**troubler** *vt* **1.** *(un liquide)* enturbiar **2.** *(le silence, le repos, etc.)* turbar **3.** *(déranger)* perturbar, alterar: **~ l'ordre public** alterar el orden público **4.** *(inquiéter)* impresionar, turbar. ◆ **se ~** *vpr (une personne)* turbarse, alterarse.

**trouée** *f* **1.** abertura, boquete *m* **2.** *MIL* brecha, ruptura.

**trouer** *vt* **1.** agujerear: **sa veste était trouée aux coudes** su chaqueta estaba agujereada en los codos **2.** *(le bois, la terre)* horadar, taladrar.

**troufion** *m FAM* sorchi, sorche.

**trouillard, e** *a/s FAM* miedoso, a, miedica, gallina, cagueta.

**trouille** *f FAM* mieditis, canguelo *m*, jindama: **avoir la ~** tener mieditis, canguelo.

**trouillomètre** *m POP* **avoir le ~ à zéro** tener mieditis, ciscarse de miedo.

**troupe** *f* **1.** *(de soldats)* tropa **2.** *(d'amis, etc.)* pandilla **3.** *(de comédiens)* compañía, «troupe» **4.** *(d'animaux)* banda.

**troupeau** *m* **1.** *(d'animaux)* rebaño, manada *f*: **un ~ de moutons** un rebaño de ovejas **2.** *(de porcs)* piara *f* **3.** *FAM (de personnes)* manada *f.*

**troupiale** *m (oiseau)* turpial.

**troupier** *m FAM* soldado.

**trousse** *f* **1.** estuche *m* **2. ~ de toilette** neceser *m*; **~ à pharmacie** botiquín *m* **3.** *(d'écolier)* plumier *m.* ◇ *pl* **la police était à ses trousses** la policía le perseguía, le iba detrás; **la Mort aux trousses** *(Hitchcock)* Con la muerte en los talones.

**trousseau** *m* **1.** *(de clefs)* manojo: **un ~ de clefs** un manojo de llaves **2.** *(d'une fiancée)* ajuar **3.** *(d'un collégien)* equipo, ropa *f.*

**trousser** *vt* **1.** *(les manches)* arremangar **2.** *(les vêtements)* recoger **3. ~ une volaille** atar un ave para asarla **4.** *FIG* **~ une affaire** despachar rápidamente un asunto **5.** *FAM* **bien troussé** bien hecho, ingenioso.

**trouvaille** *f* **1.** hallazgo *m* **2.** *(création)* idea.

**trouvé, e** *a* **1. objets trouvés** objetos perdidos **2. enfant ~** expósito **3. tout ~** oportuno, a, a propósito, fácil.

**trouver** *vt* **1.** encontrar, hallar, dar con: **je ne trouve pas mes clefs** no encuentro mis llaves; **je la trouve sympathique** la encuentro simpática **2.** tener: **si je trouve le temps, je viendrai** si tengo tiempo, vendré **3.** notar: **je te trouve une drôle de voix** te noto una voz extraña **4. aller ~ quelqu'un** ir a ver a alguien **5.** creer: **vous ne trouvez pas?** ¿no cree usted?, ¿no le parece?, *(imaginer)* **il n'a rien trouvé de mieux que de lui dire...** no se le ha ocurrido nada mejor que decirle... ◆ **se ~** *vpr* **1.** *(dans un endroit)* encontrarse, hallarse **2.** sentirse, encontrarse: **je me trouve bien ici** me siento bien aquí ◊ **se ~ mal** desmayarse **3. il se trouve que** se da el caso de que, resulta que: **il se trouve que cette dame était une cousine** aquella señora resultó ser una prima **4. il se trouve toujours des gens pour dire...** siempre hay gente que dice, para decir... **5.** *FAM* **si ça se trouve** si se tercia, si llega el caso, quizás.

**trouvère** *m* trovero.

**troyen, enne** *a/s (de Troie)* troyano, a.

**truand, e** *s* truhán, ana. ◇ *m* bandido, gángster.

**truander** *vt FAM* robar, estafar.

**trublion** *m* perturbador, agitador.

**truc** *m* **1.** truco: **il y a un ~ pour ouvrir cette boîte** hay un truco para abrir esta caja **2.** *(tour de main)* truco **3.** *FAM (chose)* cosa *f,* chisme: **je vais te dire un ~** te voy a decir una cosa; **à quoi sert ce ~ là?** ¿para qué sirve ese chisme? **4.** *FAM* **ce n'est pas mon ~** no es ése mi estilo.

**trucage → truquage.**

**truchement** *m* **1.** intérprete, intermediario **2. par le ~ de quelqu'un** por intermedio de, a través de alguien.

**trucider** *vt FAM* matar, cargarse.

**truculence** *f* **1.** viveza **2.** *ANC* truculencia.

**truculent, e** *a* pintoresco, a.

**truelle** *f* **1.** *(de maçon)* palustre *m*, llana **2.** *(pour servir)* paleta.

**truffe** *f* **1.** *(champignon)* trufa **2.** *(du chien)* nariz **3.** *(confiserie)* trufa.

**truffer** *vt* **1.** trufar: **chapon truffé** capón trufado **2.** *FIG* llenar, trufar: **~ un texte de citations** llenar un texto con citas; **livre truffé de références** libro plagado de referencias.

**truie** *f* cerda, marrana.

**truisme** *m* perogrullada *f*.

**truite** *f* trucha: **~ arc-en-ciel** trucha arco iris; **~ de mer** trucha de mar, reo *m*; **petite ~** truchuela.

**trumeau** *m* **1.** *ARCH* entreventana *f*, entrepaño **2.** *(miroir)* espejo.

**truquage** *m* **1.** falsificación *f*, fullería *f* **2.** *(cinéma)* trucaje, efectos *m pl* especiales.

**truquer** *vt* **1.** falsificar **2. ~ les comptes** falsear las cuentas.

**truqueur, euse** *s* **1.** falsificador, a **2.** *(cinéma)* técnico de trucajes.

**trust** [trœst] *m* trust.

**truster** *vt* acaparar, monopolizar.

**trypanosome** *m* tripanosoma.

**tsar** *m* zar.

**tsarine** *f* zarina.

**tsarisme** *m* zarismo.

**tsé-tsé** *f* tsetsé, mosca del sueño.

**T.S.F.** *f (abrév. de télégraphie* ou *téléphonie sans fils)* radio.

**t-shirt → tee-shirt.**

**tsigane, tzigane** *a/s* bohemio, a, gitano, a.

**T.S.V.P.** *(abrév. de tournez s'il vous plaît)* véase al dorso.

[1]**tu** *pron pers* tú *(souvent omis, sert à renforcer)*: **~ as raison** tienes razón; **veux-~** quieres ◊ **dire ~** tutear **2. être à ~ et à toi** ser uña y carne; **être à ~ et à toi avec quelqu'un** estar a partir un piñón con alguien.

[2]**tu → taire.**

**tuant, e** *a FAM* agotador, a, fatigante, agobiante.

**tub** [tyb] *m* **1.** jofaina *f* grande **2.** *(bain)* baño.

**tuba** *m* **1.** *MUS* tuba *f* **2.** *(de nageur)* tubo respirador.

**tubage** *m* entubación *f*.

**tube** *m* **1.** tubo: **~ à essai** tubo de ensayo; **~ au néon** tubo de neón; **~ de pâte dentifrice** tubo de pasta dentífrica **2.** *ANAT* tubo: **~ digestif** tubo digestivo **3.** *FAM* **à pleins tubes** a todo gas **4.** *FAM* canción *f* de éxito: **le ~ de l'été** la canción del verano.

**tubercule** *m MÉD, BOT* tubérculo.

**tuberculeux, euse** *a/s* tuberculoso, a.

**tuberculine** *f* tuberculina.

**tuberculose** *f* tuberculosis.

**tubéreux, euse** *a* tuberoso, a. ◇ *f (plante, fleur)* tuberosa, nardo *m*.

**tubulaire** *a* tubular.

**tubulure** *f* conducto *m* metálico, tubo *m* metálico.

**tudesque** *a/s* tudesco, a.

**tue-mouches** *a inv* **papier ~** papel matamoscas.

**tuer** *vt* **1.** matar ◊ *FAM* **il est à ~!** ¡es para matarlo! **2. être tué sur le coup** resultar muerto, morir en el acto; **les deux passagers de la voiture ont été tués** los dos pasajeros del coche resultaron muertos; **les tués et les blessés** los muertos y los heridos **3.** *FIG* **~ le temps** matar el tiempo **4.** *FIG (épuiser)* matar. ◆ **se ~** *vpr* **1.** *(se suicider, dans un accident)* matarse **2.** *FIG* matarse: **se ~ au travail** matarse trabajando.

**tuerie** *f* matanza.

**tue-tête (à)** *loc adv* a grito pelado, a voz en cuello, a voz en grito.

**tueur, euse** *s* **1.** asesino, a **2. ~ à gages** pistolero. ◇ *m (à l'abattoir)* matarife.

**tuf** *m (pierre)* toba *f*.

**tuile** *f* **1.** teja: **~ plate** teja plana **2.** *FAM (malchance)* calamidad, chasco *m*, contratiempo *m* **3.** *(petit four)* bizcocho *m* muy delgado.

**tuilerie** *f* tejar *m*. ◇ *np* **les Tuileries** las Tullerías.

**tulipe** *f* **1.** *(plante)* tulipán *m* **2.** *(d'une lampe)* tulipa.

**tulipier** *m (arbre)* tulipero.

**tulle** *m* tul.

**tuméfaction** *f* tumefacción, hinchazón.

**tuméfié, e** *a* tumefacto, a, hinchado, a.

**tuméfier*** *vt* hinchar. ◆ **se ~** *vpr* hincharse.

**tumescence** *f* tumescencia.

**tumeur** *f* tumor *m*: **une ~** un tumor; **des tumeurs bénignes, malignes** tumores benignos, malignos.

**tumulte** *m* tumulto.

**tumultueux, euse** *a* tumultuoso, a.

**tumulus** [tymylys] *m* túmulo.

**tune → thune.**

**tungstène** *m* tungsteno.

**tunique** *f* **1.** túnica **2.** *ANAT* túnica.

**Tunis** [tynis] *np m* Túnez *m*.

**Tunisie** *np f* Túnez.

**tunisien, enne** *a/s* tunecino, a.

**tunnel** *m* **1.** túnel **2.** *FIG* **le bout du ~** el fin del túnel.

**tupi** *a/s (indien)* tupí.

**turban** *m* turbante.

**turbidité** *f* turbididez.

**turbin** *m POP* trabajo, curre ◊ **aller au ~** ir a currar.

**turbine** *f* turbina: **~ à gaz** turbina de gas.

**turbiner** *vi POP* currar, currelar, dar el callo.

**turbo** *a/m* **moteur ~** motor turbo.

**turbocompresseur** *m* turbocompresor.

**turbomoteur** *m* turbomotor.

**turbopropulseur** *m* turbopropulsor.

**turboréacteur** *m* turborreactor.

**turbot** *m (poisson)* rodaballo.

**turbotière** *f* besuguera.

**turbulence** *f* turbulencia.

**turbulent, e** *a* **1.** turbulento, a **2.** *(enfant)* díscolo, a.

**turc, turque** *a/s* turco, a ◊ *FIG* **fort comme un Turc** fuerte como un toro; **tête de Turc** cabeza de turco.

**turf** [tyrf] *m* **1.** deporte hípico **2.** *(courses)* carreras *f pl* de caballos.

**turfiste** *s* aficionado, a a las carreras de caballos y a sus apuestas.

**turgescence** *f MÉD* turgencia.

**turgescent, e** *a MÉD* turgente.

**turlupiner** *vt FAM* inquietar, poner negro, a.

**turlututu** *interj* ¡ya ya!, ¡narices!

**turne** *f POP* cuartucho *m*.

**turpitude** *f* vileza, infamia.

**turque** → **turc.**

**Turquie** *np f* Turquía.

**turquoise** *f (pierre)* turquesa. ◇ *a inv* **couleur ~** color turquesa.

**tus, tut** → **taire.**

**tussor** *m* tusor, seda *f* de la India.

**tutélaire** *a* tutelar

**tutelle** *f* tutela: **sous la ~ de** bajo la tutela de.

**tuteur, trice** *s* tutor, a. ◇ *m (pour les plantes)* rodrigón, tutor.

**tutoiement** [tytwamã] *m* tuteo.

**tutoyer*** [tytwaje] *vt* tutear, tratar de tú. ◆ **se ~** *vpr* tutearse: **elles se tutoient** se tutean.

**tutti quanti** *loc* todos.

**tutu** *m* faldilla *f* de bailarina, tutú.

**tuyau** [tyijo] *m* **1.** tubo: **~ d'échappement** tubo de escape ◊ **~ d'arrosage** manga *f* de riego, manguera *f* **2.** *(d'une plume, d'un orgue, d'une cheminée)* cañón **3.** *FAM* **dire dans le ~ de l'oreille** decir al oído **4.** *FAM (renseignement)* información *f*, dato: **j'ai un bon ~ pour jouer aux courses** tengo un dato muy bueno para apostar en las carreras.

**tuyauter** *vt* **1.** *(le linge)* encañonar **2.** *FAM* informar (confidencialmente).

**tuyauterie** *f* cañería, tubería.

**tuyère** [ty(yi)jɛʀ] *f* tobera.

**T.V.A.** → **taxe.**

**tweed** [twid] *m* tweed: **une veste en ~** una chaqueta de tweed.

**twin-set** [twinset] *m* conjunto de jersey y rebeca.

**tympan** *m ANAT, ARCH* tímpano.

**tympanon** *m MUS* tímpano.

**type** *m* **1.** tipo **2.** *FAM* tipo, tío: **un drôle de ~** un tío raro, un tipo raro; **un chic ~** un tío estupendo; **un pauvre ~** un desgraciado.

**typé, e** *a* **personne très typée** persona con un tipo muy acusado.

**typer** *vt* caracterizar.

**typesse** *f PÉJOR* tía, gachí.

**typhique** *a* tífico, a.

**typhoïde** *a/f (fièvre)* tifoidea.

**typhon** *m* tifón.

**typhus** [tifys] *m* tifus.

**typique** *a* típico, a.

**typiquement** *adv* típicamente.

**typo** *m FAM* tipógrafo. ◇ *f FAM* tipografía.

**typographe** *s* tipógrafo, a.

**typographie** *f* tipografía.

**typographique** *a* tipográfico, a.

**typologie** *f* tipología.

**typomètre** *m* tipómetro.

**Tyr** *np* Tiro.

**tyran** *m* tirano, a.

**tyranneau** *m FAM* tiranuelo.

**tyrannie** *f* tiranía.

**tyrannique** *a* tiránico, a.

**tyranniser** *vt* tiranizar.

**Tyrol** *np m* Tirol.

**tyrolien, enne** *a/s* tirolés, a. ◇ *f (chant)* tirolesa.

**Tyrrhénienne (mer)** *np* mar Tirreneo.

**tzar, tzarine, tzarisme** → **tsar, tsarine, tsarisme.**

**tzigane** → **tsigane.**

# U

**u** [y] *m* u *f*: **un ~** una u.

**ubac** *m* vertiente *f* norte, umbría *f*.

**ubiquité** [ybikyite] *f* ubicuidad: **le don d'~** el don de ubicuidad.

**ufologie** *f* ufología.

**uhlan** [ylɑ̃] *m MIL* ulano.

**ukase** *m* **1.** *(décret du tsar)* ucase, ukase **2.** decisión *f* arbitraria.

**Ukraine** *np f* Ucrania.

**ukrainien, enne** *a/s* ucranio, a.

**ukulélé** *m* ukelele.

**ulcération** *f MÉD* ulceración.

**ulcère** *m* úlcera *f*: **un ~ à l'estomac** una úlcera de estómago.

**ulcérer*** *vt* **1.** ulcerar **2.** *FIG* herir, ofender ◊ **je suis ulcéré** estoy resentido.

**ulcéreux, euse** *a* ulceroso, a.

**uléma** *m (docteur de la loi musulmane)* ulema.

**U.L.M.** [yɛlɛm] *m* ultraligero.

**Ulster** *np m* Ulster.

**ultérieur, e** *a* **1.** ulterior **2. remettre à une date ultérieure** aplazar para una fecha posterior.

**ultérieurement** *adv* ulteriormente, después.

**ultimatum** [yltimatɔm] *m* ultimátum.

**ultime** *a* último, a.

**ultra** *a/s* extremista, ultra.

**ultrachic** *a* muy elegante.

**ultracentrifugeuse** *f* ultracentrifugadora.

**ultramicroscope** *m* ultramicroscopio.

**ultramoderne** *a* ultramoderno, a.

**ultramontain, e** *a/s* ultramontano, a.

**ultrasensible** *a* ultrasensible.

**ultrason** *m* ultrasonido.

**ultraviolet, ette** *a/m* ultravioleta: **rayons ultraviolets** rayos ultravioletas.

**ultravirus** [yltʀaviʀys] *m* ultravirus.

**ululement, hululement** *m* ululato.

**ululer, hululer** *vi* ulular.

**ulve** *f (algue)* ulva.

**Ulysse** *np m* Ulises.

**un, une** *a num* **1.** uno, una (un *devant un substantif masculin*): **encore ~** uno más; **~ mètre** un metro; **il est une heure** es la una; **numéro ~** número uno ◊ **~ à ~, ~ par ~** uno por uno, de uno en uno; **une par une** de una en una; **une, deux!, une, deux!** ¡un, dos!, ¡un, dos!; **~, deux, trois, partez!** ¡a la una, a las dos, a las tres, salgan!; **c'est tout ~** es lo mismo; **ne faire qu'~** no ser más que uno, ser una misma persona; *FAM* **ne faire ni une ni deux** no vacilar; **sans faire ni une ni deux** ni corto ni perezoso **2. pas ~ seul survivant** ningún superviviente; *(pronominal)* **pas ~ n'a accepté** nadie, ninguno ha aceptado; **menteur comme pas ~** mentiroso que no cabe más **3.** *(= premier)* **livre ~** libro primero, uno. ◇ *art indéf (pl* des*)* **1.** un, una: **~ bruit** un ruido; **une fleur** una flor **2. elle faisait une de ces têtes!** ¡la cara que ponía!; **il y avait ~ monde!** ¡había todo un mundo!. ◇ *pron indéf (pl* uns, unes*)* **1.** uno, una: **prenez ~ de ces livres** tome uno de estos libros ◊ **~ de mes amis** un amigo mío **2. ~ qui a beaucoup changé...** quien ha cambiado mucho... **3. l'~, l'une, les uns, les unes** uno, una, unos, unas: **l'~ d'entre eux** uno de ellos; **l'~ dans l'autre** uno con otro; **de deux choses l'une** una de dos; **les uns disent que...** unos dicen que...; **aimez-vous les uns les autres** amaos los unos a los otros ◊ **ni l'~ ni l'autre** ni uno ni otro, ninguno de los dos; **l'~ et l'autre** uno y otro, los dos, ambos; **l'~ après l'autre** uno tras otro; **l'~ vaut l'autre** *(deux personnes)* son tal para cual; **c'est tout l'~ ou tout l'autre** no hay término medio. ◇ *m (une unité)* uno. ◇ *f (d'un journal)* **à la une** en primera plana.

**unanime** *a* unánime.

**unanimement** *adv* unánimemente.

**unanimité** *f* unanimidad: **à l'~** por unanimidad; **faire l'~** ser unánimes.

**une** → **un.**

**uni, e** *a* **1.** *(pays, famille, etc.)* unido, a: **les Nations unies** las Naciones unidas **2.** *(une surface)* llano, a, liso, a **3.** liso, a: **couleurs unies** colores lisos; **étoffe unie** tela lisa; **chemisier ~** blusa lisa **4.** monótono, a.

**unicellulaire** *a BIOL* unicelular.

**unicité** *f* unicidad.

**unicolore** *a* unicolor.

**unième** *a num* primero: **trente et ~** trigésimo primero.

**unificateur, trice** *a* unificador, a.

**unification** *f* unificación.

**unifier*** *vt* unificar. ◆ **s'~** *vpr* unificarse, unirse.

**uniforme** *a* uniforme. ◇ *m* **1.** uniforme: **en grand ~** con uniforme de gala; **endosser l'~** abrazar la carrera de las armas **2. un portier en ~** un portero uniformado.

**uniformément** *adv* uniformemente.

**uniformisation** *f* uniformización.

**uniformiser** *vt* **1.** uniformar, uniformizar **2.** standardizar.

**uniformité** *f* uniformidad.

**unijambiste** *a/m* con una sola pierna.

**unilatéral, e** *a* unilateral: **contrats unilatéraux** contratos unilaterales.

**uniment** *adv* **tout ~** sencillamente, lisa y llanamente.

**union** *f* **1.** unión: **l'~ fait la force** la unión hace la fuerza; **~ douanière** unión aduanera; **l'Union européenne** la Unión Europea **2. ~ conjugale** unión matrimonial; **~ libre** unión consensual.

**unioniste** *a/s* unionista.

**unique** *a* **1.** único, a: **fils ~** hijo único; **monnaie ~** moneda única **2.** *FAM* **tu es vraiment ~!** ¡como tú hay pocos!, ¡no hay quien te iguale!; **~ en son genre** único en su género, inconfundible.

**uniquement** *adv* únicamente, solamente, sólo: **il y avait ~ les enfants** sólo estaban los niños.

**unir** *vt (assembler)* unir. ◆ **s'~** *vpr* **1.** *(s'associer)* unirse: **unissons-nous!** ¡unámonos! **2.** *(se marier)* casarse, unirse.

**unisexe** *a* unisex.

**unisexué, e** *a* unisexual.

**unisson** *m* **1.** unísono, unisón **2. à l'~** al unísono.

**unitaire** *a* **1.** unitario, a **2. prix ~** precio unitario.

**unitarisme** *m* unitarismo.

**unité** *f* **1.** unidad: **unités de mesure** unidades de medida; **~ d'action, de lieu, de temps** unidad de acción, de lugar, de tiempo **2. prix à l'~** precio unitario **3.** *MIL* unidad **4.** *INFORM* **~ centrale** unidad central **5.** *(en la Universidad)* **~ de valeur (U.V.)** asignatura.

**univalve** *a* univalvo, a.

**univers** *m* universo.

**universalisation** *f* universalización.

**universaliser** *vt* universalizar. ◆ **s'~** *vpr* universalizarse.

**universalisme** *m* universalismo.

**universaliste** *a/s* universalista.

**universalité** *f* universalidad.

**universaux** *m pl (philosophie)* universales.

**universel, elle** *a* universal.

**universellement** *adv* universalmente.

**universitaire** *a* universitario, a: **cité ~** ciudad universitaria. ◇ *s* catedrático, a, profesor, a: **une famille d'universitaires** una familia de profesores.

**université** *f* universidad.

**univoque** *a* unívoco, a.

**Untel** → **tel.**

**uppercut** *m (boxe)* uppercut.

**upsilon** *m* ypsilón *f.*

**uranium** [yʀanjɔm] *m* uranio: **~ enrichi** uranio enriquecido.

**Uranus** [yʀanys] *np m* Urano.

**urbain, e** *a* urbano, a.

**urbanisation** *f* urbanización.

**urbaniser** *vt* urbanizar.

**urbanisme** *m* urbanismo.

**urbaniste** *s* urbanista.

**urbanistique** *a* urbanístico, a.

**urbanité** *f* urbanidad, cortesía.

**urée** *f* urea.

**urémie** *f MÉD* uremia.

**uretère** *m* uréter.

**urètre** *m* uretra *f.*

**urgence** *f* **1.** urgencia ◊ **il y a ~** es urgente **2. service des urgences** servicio de urgencias; **il a été transporté d'~ à l'hôpital** fue trasladado urgentemente, con urgencia al hospital; **de toute ~** con toda urgencia **3. état d'~** estado de emergencia.

**urgent, e** *a* **1.** urgente **2. c'est ~** es urgente, urge; **rien d'~** no corre prisa.

**urger** *vi FAM* urgir, ser urgente: **ça urge** esto urge, es urgente, corre prisa.

**urinaire** *a* urinario, a.

**urinal** *m* orinal.

**urine** *f* orina. ◇ *f pl* orines *m,* orina *sing:* **analyse d'urines** análisis de orina.

**uriner** *vi* orinar.

**urinoir** *m* urinario.

**urique** *a* úrico, a: **acide ~** ácido úrico.

**urne** *f* **1.** urna **2. aller aux urnes** ir a votar, acudir a las urnas.

**urodèles** *m pl ZOOL* urodelos.

**urogénital, e** *a* urogenital, genitourinario, a.

**urographie** *f MÉD* urografía.

**urologie** *f* urología.

**urologue** *s* urólogo, a.

**U.R.S.S.** *np* **l'ex-~** la antigua URSS.

**Ursule** *np f* Úrsula.

**ursuline** *f RELIG* ursulina.

**urticaire** *f* urticaria.

**urticant, e** *a* urticante.

**Uruguay** *np* Uruguay.

**uruguayen, enne** *a/s* uruguayo, a.

**us** [ys] *m pl* **les ~ et coutumes** los usos y costumbres.

**USA** *np m pl* EE.UU., Estados Unidos de América.

**usage** *m* **1.** *(utilisation)* uso: **article d'~ courant** artículo de uso corriente ◊ **faire ~ de** hacer uso de, utilizar; **à l'~** con el uso; **à l'~ de** para uso de; **brochure à l'~ des touristes** folleto destinado a los turistas; **médicament à ~ externe** medicamento de uso externo; **hors d'~** fuera de uso, inservible; *FAM* **faire de l'~** durar mucho **2.** *(coutume)* costumbre *f,* uso, práctica *f:* **c'est l'~** es la costumbre; **consacré par l'~** consagrado por el uso ◊ **d'~** usual. ◇ *pl* **les usages** las buenas costumbres *f.*

**usagé, e** *a* **1.** usado, a: **vêtements usagés** ropa usada **2. piles usagées** pilas gastadas.

**usager** *m* usuario, a: **les usagers du métro** los usuarios del metro.

**usant, e** *a FAM* agobiante, que mina.

**usé, e** *a* **1.** gastado, a, usado, a: **pull ~ aux coudes** jersey gastado en los codos ◊ **~ jusqu'à la corde** raído, a **2. eaux usées** aguas residuales **3. un homme ~** un hombre gastado, roto **4.** trillado, a, manido, a, manoseado, a, sobado, a: **une formule usée** una fórmula manida; **un sujet ~** un tema trillado, sobado.

**user** *vi* **1. ~ d'un droit** hacer uso de un derecho; **~ de son influence** valerse de su influencia **2. en ~ avec quelqu'un** portarse con alguien. ◇ *vt* **1.** *(consommer)* gastar, consumir **2.** *(détériorer)* gastar, desgastar: **~ ses chaussures** gastar sus zapatos **3.** *FIG* **~ ses forces** gastar las fuerzas; **~ sa santé** estropear, minar la salud; **le pouvoir use** el poder desgasta. ◆ **s'~** *vpr* **1.** gastarse **2.** *FIG* **il s'use à tant travailler** se consume con tanto trabajar.

**usinage** *m* fabricación *f* a máquina, mecanizado.

**usine** *f* fábrica: **~ textile** fábrica textil; **~ d'automobiles** fábrica de automóviles.
▶ *Planta* désigne une usine génératrice d'énergie ou de traitement des déchets radioactifs. Le gallicisme *usina* s'emploie en Amérique latine surtout dans le sens de «centrale».

**usiner** *vt* **1.** fabricar **2.** fabricar con una máquina herramienta.

**usinier, ère** *a* fabril.

**usité, e** *a* usado, a, empleado, a, en uso ◊ **peu ~** poco usado, a, raro, a: **formule peu usitée** fórmula poco usada.

**ustensile** *m* utensilio, útil: **ustensiles de cuisine** utensilios de cocina.

**usuel, elle** *a* usual.

**usuellement** *adv* usualmente, habitualmente.

**usufruit** *m* usufructo.

**usufruitier, ère** *s* usufructuario, a.

**usuraire** *a* usurario, a.

**usure** *f* **1.** *(intérêt)* usura **2.** *(détérioration)* desgaste *m*, deterioro *m* **3. guerre d'~** guerra de desgaste.

**usurier, ère** *s* usurero, a.

**usurpateur, trice** *s* usurpador, a.

**usurpation** *f* usurpación.

**usurper** *vt* usurpar.

**ut** [yt] *m* MUS do, ut: **l'~ de poitrine** el do de pecho.

**utérin, e** *a* uterino, a.

**utérus** [yterys] *m* ANAT útero.

**utile** *a* **1.** útil: **des renseignements utiles** informaciones útiles **2. en quoi puis-je vous être ~?** ¿en qué puedo servirle, serle útil? **3. en temps ~** a su debido tiempo. ◇ *m* **joindre l'~ à l'agréable** unir lo útil con lo agradable.

**utilement** *adv* útilmente.

**utilisable** *a* utilizable, aprovechable.

**utilisateur, trice** *s* usuario, a.

**utilisation** *f* utilización.

**utiliser** *vt* utilizar.

**utilitaire** *a* utilitario, a. ◇ *m* *(véhicule)* utilitario.

**utilitarisme** *m* utilitarismo.

**utilité** *f* **1.** utilidad: **d'~ publique** de utilidad pública **2. jouer les utilités** tener un empleo subalterno de actor.

**utopie** *f* utopía.

**utopique** *a* utópico, a.

**utopiste** *s* iluso, a.

**U.V.** → **unité.**

**uval, e** *a* **cure uvale** cura a base de uva.

**uvée** *f* ANAT úvea.

**uvule** *f* ANAT úvula.

**v** [ve] *m* **1.** v *f*: **un ~** una v **2. décolleté en ~** escote en V.

**va** → **aller. 1. qui ~ là?** ¿quién va? **2. ~ pour cent francs** vaya por cien francos **3. à la ~-vite** → **vite; à la va-comme-je-te-pousse** → **pousser.**

**vacance** *f (d'un poste, d'une chaire)* vacante. ◇ *pl* vacaciones: **les grandes vacances** las vacaciones de verano; **vacances de Pâques** vacaciones de Semana Santa; **partir en vacances** marcharse de vacaciones; **être en vacances** estar de vacaciones; **prendre des vacances** hacer vacaciones: **je n'ai pas pris de vacances depuis trois ans** no he hecho vacaciones desde hace tres años.

▶ Le mot *veraneo* s'applique aux vacances d'été: *aller en vacances (d'été)* ir de veraneo.

**vacancier, ère** *s* veraneante, persona de vacaciones.

▶ *Veraneante* correspond à «estivant». Dans le langage du tourisme, on emploie parfois le néologisme *vacacionista.*

**vacant, e** *a* **1.** *(sans titulaire)* vacante, desierto, a ◇ **biens vacants** bienes mostrencos **2.** *(siège, logement)* libre, desocupado, a.

**vacarme** *m* alboroto, estrépito.

**vacataire** *s* asalariado contratado para un trabajo determinado durante un tiempo limitado.

**vacation** *f* **1.** tiempo *m* que ciertos funcionarios dedican a un asunto **2.** *(honoraires)* dietas *pl*, honorarios *m pl.* ◇ *pl (des tribunaux)* vacaciones.

**vaccin** [vaksɛ̃] *m* vacuna *f*: **inoculer un ~** inocular una vacuna; **le ~ a pris** la vacuna prendió.

**vaccination** [vaksinasjɔ̃] *f* vacunación.

**vaccine** [vaksin] *f* **1.** viruela de la vaca **2.** *(vaccin)* vacuna.

**vacciner** [vaksine] *vt* vacunar ◇ **se faire ~ contre la grippe** vacunarse contra la gripe.

**vachard, e** *a* FAM malo, a.

**vache** *f* **1.** vaca: **~ laitière** vaca lechera; **~ folle** vaca loca. ◇ FIG FAM **manger de la ~ enragée** pasar las de Caín, pasar hambre, pasar privaciones; **parler français comme une ~ espagnole** chapurrear el francés; **vaches grasses, maigres** vacas gordas, flacas; **un coup en ~** una mala jugada; **être une ~ à lait** dejarse explotar; **il pleut comme ~ qui pisse** llueve a cántaros; **le plancher des vaches** → **plancher. 2.** *(cuir)* vaqueta, vaca **3.** FAM **une peau de ~, une vieille ~** un hueso, un mal bicho; **la ~!** ¡caramba!; **une ~ de belle moto** una moto estupenda, que quita el hipo **4. ~ à eau** bolsa de agua. ◇ *a* FAM **il est ~!** ¡es un hueso!; **c'est ~!** ¡es una pena!

**vachement** *adv* FAM la mar de: **~ gentil** la mar de amable; **c'est ~ bon** es riquísimo; **il pleut ~** llueve muchísimo; **~ jolie** monísima.

**vacher, ère** *s* vaquero, a.

**vacherie** *f* **1.** *(étable)* vaquería **2.** FAM *(action)* jugada, faena, *(parole)* palabra desagradable, pulla.

**vacherin** *m* **1.** *(gâteau)* postre hecho con merengue y nata **2.** *(fromage)* queso suizo.

**vachette** *f (cuir)* vaqueta.

**vacillant, e** *a* vacilante.

**vacillation** *f*, **vacillement** *m* vacilación *f*.

**vaciller** [vasije] *vi* **1.** vacilar ◇ **~ sur ses jambes** tambalearse **2.** *(lumière, etc.)* vacilar.

**va-comme-je-te-pousse (à la)** → **pousser.**

**vacuité** *f* vacuidad.

**vacuole** *f* BIOL vacuola.

**vade-mecum** [vademekɔm] *m inv* vademécum.

**vadrouille** *f* FAM garbeo *m* ◇ **être en ~** estar de paseo.

**vadrouiller** *vi* FAM pasearse, vagar, callejear, pindonguear.

**vadrouilleur, euse** *a/s* FAM paseante.

**va-et-vient** *m inv* **1.** vaivén **2.** MAR *(cordage)* andarivel **3.** ÉLECT interruptor alternativo.

**vagabond, e** *a* errante, inestable. ◇ *a/s (personne)* vagabundo, a.

**vagabondage** *m* vagabundeo.

**vagabonder** *vi* vagabundear, vagar, errar.

**vagin** *m* vagina *f*.

**vaginal, e** *a* vaginal.

**vaginite** *f* MÉD vaginitis.

**vagir** *vi (nouveau-né)* dar vagidos, llorar.

**vagissant, e** *a* lloroso, a, plañidero, a.

**vagissement** *m* vagido.

**[1]vague** *f* **1.** *(de la mer)* ola: **une grosse ~** una ola grande **2. ~ de chaleur, de froid** ola de calor, de frío **3.** FIG ola, oleada: **une ~ de protestations, d'enthousiasme** una ola de protestas, una oleada de entusiasmo **4.** FIG **faire des vagues** provocar alboroto, causar escándalo, dar que hablar.

**[2]vague** *a* **1.** vago, a, indeciso, a: **un ~ souvenir** un vago recuerdo **2. un ~ cousin** un primo lejano **3. terrain ~** descampado, solar, baldío **4.** ANAT **nerf ~** nervio vago. ◇ *m* **1.** vaguedad *f* ◇ **rester dans le ~** ser impreciso; **regarder dans le ~** mirar al aire **2. ~ à l'âme** morriña *f*, melancolía *f*.

**vaguelette** *f* ola pequeña.

**vaguement** *adv* vagamente, un poco.

**vaguemestre** *m* **1.** ANC vaguemaestre **2.** suboficial cartero.

**vaguer** *vi* vagar, errar.

**vahiné** *f* tahitiana.

**vaigrage** *m MAR* forro, forro interior.

**vaillamment** [vajamɑ̃] *adv* valientemente.

**vaillance** *f* valentía, valor *m.*

**vaillant, e** *a* **1.** valiente, intrépido, a, animoso, a **2.** *(en bonne santé)* vigoroso: **il est encore ~** sigue vigoroso **3. pas un sou ~** ni un cuarto.

**vaille → valoir.**

**vain, e** *a* **1.** vano, a: **de vains efforts** esfuerzos vanos **2.** *loc adv* **en ~** en vano, inútilmente.

**vaincre*** *vt* vencer: **~ l'ennemi, la résistance de...** vencer al enemigo, la resistencia de... ◆ **se ~** *vpr* vencerse, dominarse.

**vaincu, e** *a/s* vencido, a: **s'avouer ~** darse por vencido; **malheur aux vaincus!** ¡ay de los vencidos!

**vainement** *adv* vanamente, inútilmente.

**vainqueur** *m* vencedor. ◇ *a* **1.** victorioso, a, vencedor, a, triunfante: **sortir ~ de...** salir victorioso de, triunfante de... **2. air ~** aire arrogante.

**vair** *m (fourrure)* vero.

**vairon** *a (yeux)* de color diferente. ◇ *m (poisson)* piscardo.

**vais → aller.**

**vaisseau** *m* **1.** *(bateau)* buque, navío, nave *f*: **capitaine de ~** capitán de navío ◊ *FIG* **brûler ses vaisseaux** quemar las naves; **le Vaisseau fantôme** el Buque fantasma **2. ~ spatial** nave *f* espacial **3.** *ANAT, BOT* vaso: **vaisseaux sanguins** vasos sanguíneos **4.** *ARCH* nave *f.*

**vaisselier** *m* aparador.

**vaisselle** *f* vajilla ◊ **faire la ~** fregar los platos, lavar los platos, fregar; **eau de ~** agua de fregar; **machine à laver la ~** lavavajillas *m.*

**val** *m* **1.** valle **2. par monts et par vaux** por todas partes, por dondequiera.

**valable** *a* **1.** válido, a **2.** *(bon)* bueno, a, de valor, de mérito: **un roman ~** una buena novela.

**valablement** *adv* **1.** válidamente **2.** con razón.

**valdinguer** *vi FAM* caer ◊ **envoyer ~ quelqu'un** mandar a alguien a la porra.

**valence** *f CHIM* valencia.

**Valence** *np f (en Espagne)* Valencia.

**valencien, enne** *a/s* valenciano, a.

**valenciennes** *f (dentelle)* encaje *m* de Valenciennes.

**Valentin, e** *np* Valentín, ina.

**valériane** *f* valeriana.

**Valérie** *np f* Valeria.

**valet** *m* **1.** criado, lacayo ◊ **~ de chambre** ayuda de cámara, *(dans un hôtel)* camarero; **~ de pied** lacayo; **~ de ferme** gañán; **~ d'écurie** mozo de cuadra **2.** *PÉJOR (homme servile)* lacayo **3.** *(jeux de cartes français)* valet, *(jeu de cartes espagnol)* sota *f* **4.** *(de menuisier)* barrilete, siete **5. ~ de nuit** galán de noche, perchero con pie.

**valetaille** *f PÉJOR* conjunto *m* de criados.

**valétudinaire** *a/s* valetudinario, a.

**valeur** *f* **1.** valor *m*: **objets de ~** objetos de valor; **cela n'a aucune ~** eso no tiene ningún valor; **~ ajoutée** valor añadido; **un timbre de (grande) ~** un sello valioso ◊ **attacher de la ~ à** dar importancia a; **mettre en ~** *(une terre)* beneficiar; *(mettre en évidence)* destacar, hacer resaltar: **mettre un mot en ~** destacar una palabra; **prendre de la ~** adquirir valor **2.** valía: **homme de ~** hombre de valía; **de grande ~** de gran valía **3. ajouter la ~ d'un verre d'eau** añadir el equivalente *m* de un vaso de agua **4.** *MUS* valor *m.* ◇ *pl* **1.** *COM* valores *m*: **valeurs mobilières** valores, títulos **2. les valeurs morales** los valores morales.

**valeureux, euse** *a* valeroso, a.

**validation** *f* formalización, validación.

**valide** *a* válido, a.

**valider** *vt* formalizar, validar.

**validité** *f* validez.

**valise** *f* **1.** maleta ◊ *FIG* **faire sa ~, ses valises** hacer la maleta, prepararse para irse **2. ~ diplomatique** valija diplomática.

**valkyrie** *f* valkiria.

**vallée** *f* valle *m*: **une ~ encaissée** un valle encajonado; *FIG* **cette ~ de larmes** este valle de lágrimas.

**vallon** *m* vallecito, cañada *f.*

**vallonné, e** *a* ondulado, a.

**vallonnement** *m* ondulación *f.*

**valoche** *f FAM* maleta.

**valoir*** *vi* **1.** valer: **combien vaut ce livre?** ¿cuánto vale este libro?; **cette montre ne vaut rien** este reloj no vale nada; **cela vaut bien un effort** eso bien vale un esfuerzo; **Paris vaut bien une messe** París bien vale una misa ◊ **ça ne me dit rien qui vaille** esto me da mala espina **2. faire ~** *(une terre)* beneficiar, *(mettre en évidence)* hacer resaltar, destacar, *(faire état de)* hacer valer: **il fit ~ ses droits** hizo valer sus derechos; **faire ~ que** destacar que, argüir que, argumentar que; **se faire ~** darse importancia **3. il vaut mieux** es preferible, más vale; **il vaudrait mieux partir** más valdría marcharse; **il vaut mieux, mieux vaut qu'il ne le sache pas** mejor que no se entere; **ça vaut mieux!** ¡es preferible! **4.** *(équivaloir)* valer, equivaler a **5. ~ la peine de** merecer, valer la pena; *FAM* **ça vaut le coup!** ¡vale la pena! **6. la mer ne lui vaut rien** el mar no le prueba **7.** *COM* **à ~ sur** a cuenta de **8.** *loc adv* **vaille que vaille** mal que bien. ◇ *vt* valer: **une attitude qui m'a valu bien des ennuis** una actitud que me valió muchos disgustos ◊ **qu'est-ce qui me vaut votre visite?** ¿por qué su visita?. ◆ **se ~** *vpr* ser equivalentes ◊ **ça se vaut** viene a ser lo mismo.

**valorisation** *f* valorización, valoración.

**valoriser** *vt* valorizar.

**valse** *f* **1.** vals *m*: **danser une ~** bailar un vals; **~ viennoise** vals vienés **2.** *FIG* **la ~ des étiquettes** el disparo de los precios **3.** *FIG* **~-hésitation** indecisión.

**valser** *vi* **1.** bailar un vals, valsar **2.** *FAM* **envoyer ~** mandar a la porra.

**valseur, euse** *s* persona que baila un vals.

**valve** *f* **1.** *(de mollusque)* valva **2.** *TECHN* válvula.

**valvule** *f ANAT* válvula.

**vamp** [vɑ̃p] *f* mujer fatal, vampiresa.

**vamper** *vt FAM* seducir.

**vampire** *m* vampiro.

**vampirisme** *m* vampirismo.

**[1]van** *m (pour vanner le grain)* harnero de mimbre.

**[2]van** *m* furgón para el transporte de caballos.

**vanadium** [vanadjɔm] *m* vanadio.

**vandale** *m* vándalo.

**vandalisme** *m* vandalismo ◊ **actes de ~** actos vandálicos.

**vandoise** *f (poisson)* variedad de cacho *m.*

**vanille** *f* vainilla: **glace à la ~** helado de vainilla.

**vanillier** *m* vainilla *f.*

**vanilline** *f* vainillina.

**vanité** *f* vanidad ◊ **tirer ~ de** enorgullecerse de; **sans ~** sin jactancia. ◇ *pl* vanidades: **~ des vanités** vanidad de vanidades.

**vaniteux, euse** *a/s* vanidoso, a.

**vanity-case** [vanitikɛz] *m* neceser.

**vannage** *m (du grain)* ahecho.

[1]**vanne** *f (d'une écluse)* compuerta, alza.

[2]**vanne** *f FAM (remarque)* pulla.

**vanneau** *m (oiseau)* avefría *f.*

**vanner** *vt* **1.** *(le grain)* ahechar, cribar **2.** *FAM (fatiguer)* reventar, agotar: **je suis vanné** estoy reventado.

**vannerie** *f* cestería.

**vanneur, euse** *s* cribador, a.

**vannier** *m* cestero.

**vantail** *m* hoja *f*, batiente: **les vantaux d'une fenêtre** las hojas de una ventana.

**vantard, e** *a/s* jactancioso, a.

**vantardise** *f* jactancia.

**vanter** *vt* alabar, ponderar. ◆ **se ~** *vpr* jactarse, presumir, vanagloriarse: **il se vante de ses succès** se jacta de sus éxitos; **sans me ~** sin jactarme, sin falsa modestia; **il ne s'en est pas vanté** ha preferido guardar silencio sobre ello.

**va-nu-pieds** *s inv* descamisado, a, desharrapado, a.

**vapes** *f pl FAM* **être dans les ~** estar grogui; **tomber dans les ~** desmayarse.

**vapeur** *f* **1.** vapor *m*: **machine à ~** máquina de vapor; **cuire à la ~** cocer al vapor; **pommes de terre ~** patatas al vapor ◊ *FIG* **à toute ~** a todo vapor, al vapor, a toda pastilla; **renverser la ~** cambiar la marcha **2.** *(buée)* vaho *m.* ◇ *pl* **1.** vapores: **les vapeurs de l'ivresse** los vapores del vino **2.** *(malaise)* vapores *m*, vahidos *m.* ◇ *m (bateau)* vapor.

**vaporeux, euse** *a* **1.** *(léger, transparent)* vaporoso, a **2.** *(flou)* nebuloso, a.

**vaporisateur** *m* vaporizador.

**vaporisation** *f* vaporización.

**vaporiser** *vt* vaporizar. ◆ **se ~** *vpr* vaporizarse.

**vaquer** *vi* **1.** *(être vacant)* vacar, quedar vacante **2.** **~ à...** dedicarse a...

**varangue** *f MAR* varenga.

**varappe** *f* escalada de una pared abrupta.

**varappeur, euse** *s* escalador, a.

**varech** [varɛk] *m* fuco.

**vareuse** *f* **1.** *(de marin)* marinera **2.** *(de militaire)* guerrera **3.** *(veste)* chaquetón *m.*

**variabilité** *f* variabilidad.

**variable** *a* variable. ◇ *f MATH* variable.

**variante** *f* variante.

**variation** *f* variación. ◇ *pl* variaciones.

**varice** *f* variz, varice, várice: **avoir des varices** tener varices.

**varicelle** *f* varicela.

**varié, e** *a* **1.** variado, a: **des couleurs variées** colores variados **2.** *(divers)* diverso, a.

**varier*** *vt* variar, diferenciar. ◇ *vi* **1.** *(changer)* variar, cambiar **2.** *(différer)* diferir.

**variété** *f* variedad, diversidad. ◇ *pl (spectacle, etc.)* variedades: **théâtre de variétés** teatro de variedades.

**variole** *f* viruela, viruelas *pl.*

**variolé, e** *a* picado, a, de viruelas.

**varioleux, euse** *a/s* varioloso, a, virolento, a.

**variolique** *a* variólico, a.

**variqueux, euse** *a* varicoso, a.

**varlope** *f* garlopa.

**Varsovie** *np* Varsovia.

**vas** → **aller.**

**vasculaire** *a* vascular.

**vascularisation** *f* vascularización.

**vascularisé, e** *a* vascularizado, a.

[1]**vase** *m* **1.** vaso: **vases communicants** vasos comunicantes **2.** *(à fleurs)* jarrón, florero **3.** **~ de nuit** orinal **4.** *FIG* **en ~ clos** secretamente, en secreto.

[2]**vase** *f (boue)* cieno *m.*

**vasectomie** *f MÉD* vasectomía.

**vaseline** *f* vaselina.

**vaseliner** *vt* untar con vaselina.

**vaseux, euse** *a* **1.** cenagoso, a **2.** *FAM* pachucho, a, malucho, a: **je me sens ~** me siento pachucho **3.** *FAM* mediocre: **un discours ~** un discurso mediocre; **une astuce vaseuse** un chiste sin gracia.

**vasistas** [vazistas] *m* tragaluz.

**vasoconstricteur** *a/m* vasoconstrictor.

**vasodilatateur** *a/m* vasodilatador.

**vasomoteur, trice** *a* vasomotor, triz.

**vasouiller** *vi FAM* farfullar, ser torpe.

**vasque** *f (de fontaine, etc.)* pilón *m.*

**vassal, e** *a/s* vasallo, a: **les vassaux** los vasallos.

**vassalité** *f* vasallaje *m.*

**vasselage** *m* vasallaje.

**vaste** *a* **1.** vasto, a, amplio, a, extenso, a: **vastes espaces** vastos espacios **2.** **un ~ projet** un proyecto de gran amplitud; **des connaissances très vastes** amplios conocimientos.

**va-t-en-guerre** *a/s inv FAM* belicista.

**Vatican** *np m* Vaticano.

**vaticane** *a f* vaticana.

**vaticination** *f* vaticinio *m.*

**vaticiner** *vi* profetizar.

**va-tout** *m inv* envite del resto ◊ **jouer son ~** echar el resto, jugarse el todo por el todo.

**vaudeville** *m* vodevil.

**vaudevillesque** *a* vodevilesco, a.

**vaudevilliste** *s* autor de vodeviles.

**vaudois, e** *a/s (hérétique)* valdense.

**vaudou** *m* vudú.

**vaudrais,** etc. → **valoir.**

**vau-l'eau (à)** *adv* **1.** siguiendo la corriente, aguas abajo **2.** *FIG* **s'en aller à ~** irse al agua, ir manga por hombro, fracasar; **tout va à ~** todo va de mal en peor.

**vaurien, enne** *s* granuja, golfo, a, bribón, ona ◊ **un petit ~** un golfillo.

**vaut** → **valoir.**

**vautour** *m* buitre.

**vautrer (se)** *vpr* **1.** revolcarse **2.** *(dans un siège)* repanchigarse, tumbarse: **vautré sur un canapé** tumbado en un sofá.

**Vauvert** → **diable.**

**vaux** → **val, valoir.**

**va-vite (à la)** → **vite.**

**veau** *m* **1.** ternero, becerro ◊ *FIG* **le ~ d'or** el becerro de oro; **pleurer comme un ~** llorar como un becerro; **tuer le ~ gras** echar la casa por la ventana **2.** *(viande)* ternera *f*: **une escalope de ~** un escalope de ternera; **côte de ~** chuleta de ternera **3.** *(cuir)* becerro **4.** **~ marin** becerro marino **5.** *FAM PÉJOR (personne)* zopenco, *(automobile)* cacharro.

**vécés** *m pl FAM* **les ~** el retrete.

**vecteur** *m* vector.

**vectoriel, elle** *a MATH* vectorial: **calcul ~** cálculo vectorial.

**vécu, e** *a* vivido, a → **vivre.**

**Véda** *m* Veda.

**vedettariat** *m* estrellato.

**vedette** *f* **1.** *(bateau militaire)* lancha: **~ lance-missiles** lancha lanzamisiles **2.** *(canot rapide)* lancha motora **3.** *(artiste)* estrella, divo, a, «vedette» ◊ **partager la ~** compartir el estrellato **4.** *(personne de premier plan)* figura importante **5. mettre en ~** destacar, poner en primer plano; **avoir, tenir la ~** ocupar el primer plano.

▶ Sens 3: le gallicisme *vedette* est fréquent.

**védique** *a* védico, a.

**védisme** *m* vedismo.

**végétal, e** *a/m* vegetal: **terre végétale** tierra vegetal; **textiles végétaux** textiles vegetales; **les végétaux** los vegetales.

**végétarien, enne** *a/s* vegetariano, a.

**végétarisme** *m* vegetarianismo.

**végétatif, ive** *a* vegetativo, a.

**végétation** *f* vegetación. ◇ *pl MÉD* vegetaciones.

**végéter*** *vi* **1.** vegetar **2.** *FIG* vegetar, ir tirando.

**véhémence** *f* vehemencia.

**véhément, e** *a* vehemente.

**véhicule** *m* **1.** vehículo ◊ **~ spatial** vehículo espacial **2.** *FIG* vehículo.

**véhiculer** *vt* **1.** transportar **2.** *FIG* transmitir.

**veille** *f* **1.** vigilia, vela: **être en état de ~** estar en vela **2.** *(jour précédent)* víspera: **la ~ de Noël** la víspera de Navidad ◊ **la ~ au soir** la noche anterior; **être à la ~ de** estar en vísperas de; **elle était à la ~ de se marier** estaba en vísperas de casarse. ◇ *pl (à travailler, etc.)* vigilias, desvelos *m.*

**veillée** *f* **1.** velada **2. ~ funèbre** velatorio *m,* velorio *m* **3. ~ d'armes** vela de armas.

**veiller** *vi* **1.** *(rester sans dormir)* velar **2.** *(être de garde)* estar de guardia **3. ~ à, sur** cuidar de, velar por: **~ sur un enfant** cuidar de un niño **4. ~ à ce que** procurar que: **veille à ce que personne ne le sache** procura que nadie lo sepa **5.** *FIG* **~ au grain → grain.** ◇ *vt (un malade, un mort)* velar.

**veilleur, euse** *s* vigilante ◊ **~ de nuit** vigilante nocturno, sereno.

**veilleuse** *f* **1.** *(petite lampe)* lamparilla **2.** *(d'un chauffe-eau)* llama piloto **3. mettre en ~** *(une lumière)* poner a media luz, *(une activité, etc.)* limitar, aplazar. ◇ *pl (d'automobile)* luces de posición.

**veinard, e** *a/s FAM* afortunado, a, potroso, a ◊ **quel ~!** ¡qué potra tiene!

**veine** *f* **1.** *(vaisseau)* vena ◊ **n'avoir pas de sang dans les veines → sang 2.** *(filon, du marbre, etc.)* veta, vena **3.** *FIG* **~ poétique** vena poética; **être en ~** estar en vena **4.** *FAM (chance)* potra, suerte: **avoir de la ~** tener potra; **une ~ de pendu** una suerte loca ◊ **un coup de ~** una suerte; **pas de ~!** ¡qué mala pata! **c'est bien ma ~** ¡qué mala pata tengo!

**veiné, e** *a* veteado, a.

**veineux, euse** *a* **1.** venoso, a **2.** *(bois, etc.)* veteado, a.

**veinule** *f* venilla, vénula.

**veinure** *f* veteado *m.*

**vêlage** *m* parto de la vaca.

**vélaire** *a/f GRAM* velar: **une consonne ~** una consonante velar.

**vêler** *vi* parir (la vaca).

**vélin** *m* vitela *f:* **papier ~** papel vitela.

**véliplanchiste** *s* windsurfista.

**vélivole** *a/s* que practica el vuelo sin motor.

**velléitaire** *a/s* veleidoso, a.

**velléité** *f* veleidad.

**vélo** *m FAM* bici *f,* bicicleta *f:* **un ~ de course** una bicicleta de carreras; **~ tout terrain** bicicleta de montaña; **faire du ~** ir en bici.

**véloce** *a LITT* veloz.

**vélocipède** *m* velocípedo.

**vélocité** *f LITT* velocidad.

**vélodrome** *m* velódromo.

**vélomoteur** *m* velomotor.

**velours** *m* **1.** *(uni)* terciopelo **2. ~ côtelé** pana *f;* **un pantalon de ~** un pantalón de pana **3.** *FIG* **faire patte de ~** esconder las uñas; **jouer sur le ~** jugar sobre seguro.

**velouté, e** *a* **1.** aterciopelado, a **2.** *(vin)* suave **3.** *(crème)* untuoso, a. ◇ *m* **un ~ de tomate** una crema de tomate.

**velouteux, euse** *a* aterciopelado, a, afelpado, a.

**velu, e** *a* velludo, a.

**vélum** [velɔm] *m* toldo.

**venaison** *f* carne de venado.

**vénal, e** *a* **1.** venal **2. valeur vénale** valor comercial.

**vénalité** *f* venalidad.

**venant** *m* **à tout ~** a todo el mundo, al primero que llega, a cualquiera. → **tout-venant.**

**Venceslas** *np m* Wenceslao.

**vendable** *a* vendible.

**vendange** *f* vendimia.

**vendanger*** *vt/i* vendimiar.

**vendangeur, euse** *s* vendimiador, a.

**Vendée** *np f* Vandea.

**vendéen, enne** *a/s* vandeano, a.

**vendémiaire** *m* vendimiario.

**vendetta** *f* vendetta, venganza.

[1]**vendeur, euse** *s* **1.** vendedor, a **2.** *(employé)* dependiente, a: **elle est vendeuse dans un magasin d'alimentation** es dependienta en una tienda de ultramarinos.

[2]**vendeur, eresse** *s JUR* vendedor, a.

**vendre*** *vt* vender: **il a vendu sa moto** ha vendido su moto; **~ à tel prix** vender en tal precio; **~ sa collection un million** vender su colección en un millón; **~ à terme** vender a plazos; **à ~** se vende; *FIG* **~ chèrement sa vie** vender cara su vida; **il serait capable de ~ ses enfants** sería capaz de vender a sus hijos. ◆ **se ~** *vpr* venderse.

**vendredi** *m* viernes: **~ dernier** el viernes pasado; **~ saint** viernes santo.

**vendu, e** *a* **1.** vendido, a **2.** *FAM (traître)* **vendu!** ¡traidor!

**venelle** *f* callejuela.

**vénéneux, euse** *a* venenoso, a: **champignon ~** seta venenosa.

**vénérable** *a* venerable.

**vénération** *f* veneración.

**vénérer*** *vt* venerar.

**vénerie** *f* montería.

**vénérien, enne** *a* venéreo, a: **maladie vénérienne** enfermedad venérea.

**Vénétie** *np f* Venecia.

**veneur** *m* montero: **grand ~** montero mayor.

**Venezuela** *np m* Venezuela *f.*

**vénézuélien, enne** *a/s* venezolano, a.

**vengeance** [vɑ̃ʒɑ̃s] *f* venganza ◊ **crier ~** clamar (por) venganza; **tirer ~ de** vengarse de.

**venger*** *vt* vengar. ◆ **se ~** *vpr* vengarse: **se ~ de... sur quelqu'un** vengarse de... en alguien.

**vengeur, euse** *a/s* vengador, a.

**véniel, elle** *a* venial: **péché ~** pecado venial.

**venimeux, euse** *a (serpent, personne, etc.)* venenoso, a ◊ **langue venimeuse** lengua viperina.

**venir*** *vi* **1.** venir: **il est venu hier** vino ayer; **viens ici!** ¡ven aquí!; **viens chez moi** ven a mi casa; **venez dîner avec nous** venga a cenar con nosotros; **dites-lui de ~** dígale que venga; **l'année qui vient** el año que viene; **mot qui vient du latin** palabra que viene del latín ◊ **~ à l'esprit** ocurrírsele a uno, venir al pensamiento; **ça ne m'est pas venu à l'idée** no se me ha ocurrido; **laisser ~, voir ~** ver venir; **d'où vient que...?** ¿por qué...?; **attend ici, je ne fais qu'aller et ~** espera aquí, vuelvo enseguida; **les mois à ~** los meses futuros, los meses venideros; **les générations à ~** las generaciones venideras **2.** *(aller)* ir: **je viens!** ¡voy!; **~ à la rencontre de** ir, salir al encuentro de; **il vint vers moi** se acercó a mí ◊ **je vous vois ~!** ¡adivino sus intenciones! **3.** *(arriver)* llegar, venir: **le moment est venu de...** ha llegado el momento de...; **un malheur ne vient jamais seul** una desgracia nunca llega sola; **l'eau lui venait aux genoux** el agua le llegaba a las rodillas ◊ **s'il venait à mourir** si muriera **4. faire ~ le médecin** llamar, avisar al médico; **faire ~ du vin de Chablis** encargar vino en Chablis **5. ~ de** *(+ infinitif)* acabar de: **il vient d'arriver, de sortir** acaba de llegar, de salir; **la nouvelle vient de nous être confirmée** la noticia nos acaba de ser confirmada **6. en ~ à, jusqu'à** llegar a, verse reducido a; **où voulez-vous en ~?** ¿adónde quiere usted ir a parar?; **j'en viens à votre remarque** paso a su observación; **en ~ aux mains → main; venons-en au fait** vayamos al grano **7.** *(plantes, etc.)* crecer, desarrollarse, darse **8. ~ à bout de → bout.**

**Venise** *npf* Venecia.

**vénitien, enne** *a/s* veneciano, a.

**vent** *m* **1.** viento: **il fait, il y a du ~** hace viento ◊ **coup de ~** ráfaga *f* de viento, ventolera *f*; *FIG* **il est arrivé en coup de ~** llegó precipitadamente; **à tous les vents** a los cuatro vientos; **avoir le ~ en poupe** ir viento en popa; **contre vents et marées** contra viento y marea; **quel bon ~ vous amène?** ¿qué le trae por aquí?; **le nez au ~** con aire distraído; *FAM* **être dans le ~** estar al día, en la onda; **Autant en emporte le ~** *(M. Mitchell)* Lo que el viento se llevó; *PROV* **qui sème le ~ récolte la tempête** quien siembra vientos recoge tempestades **2.** *MAR* **au ~** a barlovento; **sous le ~** a sotavento **3.** *MUS* **instrument à ~** instrumento de viento **4.** aire: **tout ça, c'est du ~** todo eso no es más que aire **5.** *(du gibier)* viento ◊ **avoir ~ de quelque chose** barruntar, tener noticia de algo **6.** *(gaz intestinal)* **avoir des vents** tener ventosidades.

**vente** *f* **1.** venta: **~ au comptant** venta al contado; **en ~ dans les pharmacies** de venta en farmacias; **être en ~** estar a la venta; **mettre en ~** poner a la venta; **service après ~** servicio post venta; **son premier disque vient d'être mis en ~** acaba de salir a la venta su primer disco **2. ~ de charité** venta de beneficencia **3. ~ aux enchères** subasta.

**venté, e** *a* ventoso, a.

**venter** *v impers* soplar el viento: **il vente** sopla el viento.

**venteux, euse** *a* ventoso, a.

**ventilateur** *m* ventilador.

**ventilation** *f* **1.** *(aération)* ventilación **2.** *COM* desglose *m.*

**ventiler** *vt* **1.** *(aérer)* ventilar **2.** *COM* repartir, desglosar.

**ventôse** *m* ventoso.

**ventosité** *f* ventosidad.

**ventouse** *f* ventosa.

**ventral, e** *a* ventral.

**ventre** *m* **1.** vientre ◊ **danse du ~** danza del vientre; **allongé sur le ~** tendido boca abajo; **avoir le ~ creux** tener el estómago vacío; **prendre du ~** echar tripa, echar barriga; **~ plat** estómago plano; **rentre ton ventre** mete estómago, mete barriga; **se remplir le ~** llenarse el buche; *FIG* **donner du cœur au → cœur; il n'a rien dans le ~** no tiene agallas; *FAM* **taper sur le ~ de quelqu'un** ser demasiado familiar con alguien; *PROV* **~ affamé n'a pas d'oreilles** el hambre no admite razones **2.** *loc adv* **à plat ~** boca abajo, de bruces: **se coucher à plat ~** tumbarse boca abajo; *FIG* **se mettre à plat ~ devant quelqu'un** doblar el espinazo ante alguien; **~ à terre** a galope tendido, a uña de caballo **3.** *(d'une cruche)* vientre, panza *f.*

▶ Le mot féminin *barriga* s'emploie familièrement.

**ventrebleu!** *interj ANC* ¡voto a tal!

**ventrée** *f FAM* panzada.

**ventricule** *m ANAT* ventrículo.

**ventrière** *f* ventrera.

**ventriloque** *a/s* ventrílocuo, a.

**ventriloquie** *f* ventriloquía.

**ventripotent, e → ventru.**

**ventru, e** *a/s* ventrudo, a, barrigudo, a, panzudo, a.

**venu, e** *pp* de **venir.** ◇ *a* **1. bien, mal ~** bien, mal logrado, a **2. vous seriez mal ~ de refuser** rehusar sería un error de su parte **3. la nuit venue** al anochecer. ◇ *m* **1. le premier ~** un cualquiera **2. nouveau ~** recién llegado.

**venue** *f* **1.** venida, llegada: **j'attends sa ~** estoy esperando su llegada **2. d'une belle ~** bien desarrollado, a, de buen aspecto.

**Vénus** [venys] *npf* Venus.

**vénus** *f* venus.

**vêpres** [vɛpʀ(ə)] *f pl* vísperas.

**ver** *m* **1.** gusano: **~ à soie** gusano de seda ◊ **~ luisant** luciérnaga *f*; **~ de terre** lombriz *f* **2. ~ intestinaux** lombrices intestinales; **~ solitaire** solitaria *f* **3.** *FIG* **être nu comme un ~** estar en cueros vivos; **tirer les ~ du nez de quelqu'un** sonsacar a alguien, tirarle de la lengua a alguien.

**véracité** *f* veracidad.

**véranda** *f* veranda, mirador *m.*

**verbal, e** *a* verbal: **adjectifs verbaux** adjetivos verbales.

**verbalement** *adv* verbalmente.

**verbaliser** *vi* **1.** formular una denuncia **2.** *(donner une contravention)* poner una multa, multar.

**verbalisme** *m* verbalismo.

**verbe** *m* **1.** *GRAM* verbo: **~ transitif, intransitif** verbo transitivo, intransitivo **2. avoir le ~ haut** tener la voz fuerte, *FIG* hablar con arrogancia **3.** *RELIG* Verbo: **le Verbe s'est fait chair** el Verbo se hizo carne.

**verbeux, euse** *a* verboso, a.

**verbiage** *m* cháchara *f*, palabrería *f*, verborrea *f.*

**verbosité** *f* verbosidad.

**verdâtre** *a* verdoso, a.

**verdelet, ette** *a (vin)* agrete.

**verdeur** *f* **1.** *(du vin)* acidez, aspereza **2.** *(d'une personne)* verdor *m*, lozanía **3.** *(du langage)* licencia, libertad.

**verdict** [vɛʀdik(t)] *m* veredicto.

**verdier** *m (oiseau)* verderón.

**verdir** *vi* **1.** ponerse verde **2.** *(champs, etc.)* verdear, verdecer ◇ *vt* pintar de verde.

**verdoyant, e** [vɛʀdwajɑ̃, ɑ̃t] *a* verdeante.

**verdoyer*** [vɛʀdwaje] *vi* verdear.

**verdure** *f* **1.** *(couleur)* verde *m*, verdor *m* **2.** *(végétation)* vegetación **3.** hierba **4.** *(salade)* ensalada.

**véreux, euse** *a* **1.** agusanado, a **2.** *FIG (affaire, etc.)* sospechoso, a, dudoso, a **3.** *(avocat, etc.)* sin escrúpulos.

**verge** *f* **1.** vara **2.** *(pour fouetter)* azote *m* **3.** *ANAT* pene *m* **4.** *MAR (de l'ancre)* caña.

**vergeoise** *f* azúcar *m* (de segunda calidad).

**verger** *m* vergel.

**vergeté, e** *a* veteado, a.

**vergetures** *f pl* estrías, vetas (de la piel).

**verglacé, e** *a* cubierto, a de hielo.

**verglas** [vɛʀgla] *m* hielo: **plaques de ~** placas de hielo.

**vergogne (sans)** *loc adv* sin vergüenza.

**vergue** *f MAR* verga.

**véridique** *a* verídico, a.

**vérifiable** *a* comprobable.

**vérificateur, trice** *s* **1.** verificador, a **2.** *(aux comptes)* interventor.

**vérification** *f* verificación, comprobación.

**vérifier*** *vt* verificar, comprobar: **vérifie si c'est vrai** comprueba si es cierto; **c'est important que tu le vérifies** es importante que lo compruebes; **~ le niveau d'huile** verificar el nivel de aceite.

**vérin** *m TECHN* gato: **~ hydraulique** gato hidráulico.

**véritable** *a* **1.** verdadero, a **2.** *(non imité)* legítimo, a: **or ~** oro legítimo.

**véritablement** *adv* verdaderamente.

**vérité** *f* **1.** verdad: **la stricte ~** la pura verdad; **c'est la ~ vraie** es la pura verdad; **une ~ évidente** una verdad como un puño; **la minute, l'heure de ~** la hora de la verdad **2. dire à quelqu'un ses quatre vérités** decir a alguien cuatro verdades **3.** *loc adv* **à la ~** (a) la verdad; **en ~** a decir verdad, en realidad, en verdad.

**verjus** *m* agraz.

**verlan** *m* inversión *f* de las sílabas, vesre.

**vermeil, eille** *a* bermejo, a, encarnado, a. ◇ *m (argent doré)* plata *f* sobredorada.

**vermicelle** *m* fideo, fideos *pl*.

**vermiculaire** *a* vermicular.

**vermiculé, e** *a ARCH* vermiculado, a.

**vermiculure** *f ARCH* adorno *m* vermiculado.

**vermifuge** *a/m* vermicida, vermífugo, a.

**vermiller** *vi* hozar.

**vermillon** *m* bermellón.

**vermine** *f* **1.** miseria, parásitos *m pl* **2.** *FIG* canalla, gentuza.

**vermisseau** *m* lombricilla *f*, gusanillo.

**vermoulu, e** *a* carcomido, a.

**vermoulure** *f* carcoma.

**vermout(h)** [vɛʀmut] *m* vermut.

**vernaculaire** *a* vernáculo, a: **langue ~** idioma vernáculo.

**verni, e** *a FAM (chanceux)* afortunado, a, potroso, a ◊ **être ~** tener potra.

**vernir** *vt* **1.** barnizar **2.** *(le cuir)* charolar ◊ **souliers vernis** zapatos de charol.

**vernis** *m* **1.** barniz **2.** *(pour le cuir)* charol **3. ~ à ongles** laca *f* de uñas, esmalte para uñas **4.** *FIG* barniz, capa *f* **5. ~ du Japon** barniz del Japón, ailanto.

**vernissage** *m* **1.** barnizado **2.** *(d'une exposition)* inauguración *f*, «vernissage».

**vernissé, e** *a* vidriado, a.

**vernisser** *vt* vidriar.

**vérole** *f* **1.** sífilis **2. petite ~** viruelas *pl*.

**vérolé, e** *a FAM* sifilítico, a.

**véronal** *m* veronal.

**Vérone** *np* Verona.

**Véronèse** *np m* el Veronés.

**Véronique** *np f* Verónica.

**véronique** *f (plante, passe du torero)* verónica.

**verrat** *m* verraco.

**verrai,** etc. → **voir.**

**verre** *m* **1.** vidrio: **bouteille en ~** botella de vidrio; **~ dépoli** vidrio esmerilado; **fibre de ~** fibra de vidrio ◊ **~ de lampe** tubo de lámpara; **papier de ~** papel de lija **2.** *(de lunette, montre)* cristal ◊ **œil de ~** ojo de cristal **3.** *(à boire)* vaso, copa *f*: **un ~ de vin** un vaso de vino; **~ à pied** copa *f*; **petit ~** copita *f*; **prendre un ~** tomar una copa; **je t'offre, je te paie un ~** te invito a una copa; *FIG* **se noyer dans un ~ d'eau** ahogarse en un vaso de agua; **avoir un ~ dans le nez** → **nez 4.** *(récipient en verre)* envase. ◇ *pl (lunettes)* gafas *f*, lentes *f*: **porter des verres** llevar gafas; **verres de contact** lentes de contacto.

**verrerie** *f* **1.** cristalería **2.** *(fabrique)* vidriería, cristalería.

**verrier** *m* vidriero.

**verrière** *f* **1.** *(orné de vitraux)* vidriera **2.** *(toit)* techo *m* cubierto de cristales.

**verrons, verront** → **voir.**

**verroterie** *f* abalorios *m pl*.

**verrou** *m* **1.** cerrojo: **pousser, tirer le ~** echar, descorrer el cerrojo **2. être sous les verrous** estar entre rejas, estar preso, a **3.** *(football)* cerrojo.

**verrouillage** *m* cierre: **~ centralisé des portes d'une voiture** cierre centralizado de las puertas de un coche.

**verrouiller** *vt* **1.** cerrar con cerrojo **2.** *(quelqu'un)* encerrar. ◆ **se ~** *vpr* encerrarse.

**verrue** *f* verruga: **~ plantaire** verruga plantar.

**verruqueux, euse** *a* verrugoso, a.

**[1]vers** [vɛʀ] *m (poésie)* verso: **~ blanc** verso blanco, suelto.

**[2]vers** [vɛʀ] *prép* **1.** hacia: **se diriger ~ la sortie** dirigirse hacia la salida; **~ le sud** hacia el sur **2.** *(temps)* hacia, a eso de, sobre: **~ cinq heures** sobre las cinco, a eso de las cinco.

**versaillais, e** *a/s* versallesco, a.

**Versailles** [vɛʀsaj] *np* Versalles: **le château de ~** el palacio de Versalles.

**versant** *m* vertiente *f*: **le ~ atlantique** la vertiente atlántica.

**versatile** *a* versátil.

**versatilité** *f* versatilidad.

**verse (à)** *loc adv* a cántaros: **il pleut à ~** llueve a cántaros.

**versé, e** *a* versado, a: **~ dans** versado en.

**Verseau** *np m* Acuario: **être du ~** ser (de) Acuario.

**versement** *m* **1.** *(de fonds)* pago, entrega *f*: **en plusieurs versements** en varios pagos **2. premier ~** entrada *f*.

**verser** *vt* **1.** echar, verter: **~ de l'eau dans une théière** echar agua en una tetera; **~ à boire** dar de beber, echar de beber **2.** *(répandre)* derramar: **~ du sang, des larmes** derramar sangre, lágrimas **3.** *(argent)* ingresar, abonar, pagar: **~ au compte de...** abonar en cuenta de...; **~ une somme à titre d'indemnité** pagar una cantidad en concepto de indemnización **4. ~ un document au dossier** agregar un documento al legajo **5.** *(moisson)* encamar. ◇ *vi* **1.** *(un véhicule)* volcar: **l'auto a versé dans le fossé** el coche ha volcado en la cuneta **2.** *FIG* **~ dans** caer en **3.** *(moisson)* tumbarse, encamarse. ◆ **se ~** *vpr* **se ~ à boire** echarse de beber.

**verset** *m* versículo.

**verseur** *a/s* echador.

**verseuse** *f* cafetera (de mango recto).

**versificateur** *m* versificador.

**versification** *f* versificación.

**versifier*** *vt* versificar.

**version** *f* **1.** versión **2. film en ~ originale** película en versión original **3.** *(traduction)* traducción directa.

**verso** *m* verso, vuelta *f*, dorso: **au ~** en el verso.

**versoir** *m (d'une charrue)* vertedera *f*.

**verste** *f* versta.

**vert, e** *a* **1.** verde ◊ **plantes vertes** plantas de interior; **légumes verts** verduras; **vin ~** vino agraz; **ils sont trop verts...** están verdes...; **feu ~** luz verde; **donner le feu ~ à** dar luz verde a **2.** *(cuir)* sin curtir **3.** *(en parlant de personnes âgées)* vigoroso, a, lozano, a **4.** *FIG* **verte réprimande** represión agria; **en voir des vertes et des pas mûres** pasarlas negras **5.** *(licencieux)* verde ◊ **langue verte** germanía **6. ~ de peur** blanco de miedo **7.** *(écologique)* verde ◊ **les Verts** los Verdes. ◇ *m* **1.** *(couleur)* verde: **peindre en ~** pintar de verde; **~ bouteille** verde botella; **~ olive** verde oliva; **~ pomme** verde subido ◊ **le feu est au ~** el semáforo está (en) verde **2.** *FAM* **se mettre au ~** irse al campo a descansar.

**vert-de-gris** *m inv* cardenillo, verdete.

**vertébral, e** *a* vertebral: **colonne vertébrale** columna vertebral.

**vertèbre** *f* vértebra.

**vertébré, e** *a/m ZOOL* vertebrado, a: **les vertébrés** los vertebrados.

**vertement** *adv* vivamente, ásperamente.

**vertical, e** *a* vertical. ◇ *f* vertical ◊ **à la verticale** verticalmente. ◇ *m ASTR* vertical.

**verticalement** *adv* verticalmente.

**verticalité** *f* verticalidad.

**vertige** *m* **1.** vértigo: **avoir le ~** tener vértigo; **donner le ~** producir vértigo **2.** *FIG* **ça me donne le ~ de penser que...** me da vértigo pensar que...

**vertigineux, euse** *a* vertiginoso, a.

**vertu** *f* **1.** virtud: **les vertus cardinales, théologales** las virtudes cardinales, teologales; **faire de nécessité ~** hacer de la necesidad virtud ◊ **femme de petite ~** mujer de vida alegre **2.** *loc prép* **en ~ de** en virtud de.

**vertueux, euse** *a* virtuoso, a.

**vertugadin** *m ANC* verdugado.

**verve** *f* **1.** inspiración **2.** viveza, ingenio *m* ◊ **être en ~** estar inspirado, a, estar ocurrente.

**verveine** *f* verbena.

**verveux** *m (nasse)* garlito, buitrón.

**vesce** [vɛs] *f* arveja, algarroba.

**vésical, e** *a* vesical.

**vésicant, e** *a/m MÉD* vesicante.

**vésicatoire** *m MÉD* vesicatorio.

**vésicule** *f* vesícula: **~ biliaire** vesícula biliar.

**vesou** *m* guarapo.

**Vespasien** *np m* Vespasiano.

**vespasienne** *f* urinario *m* público.

**vespéral, e** *a* vespertino, a. ◇ *m (livre)* vesperal.

**vesse** *f* follón *m*, zullón *m*.

**vesse-de-loup** *f* bejín *m*.

**vesser** *vi ANC* ventosear.

**vessie** *f* **1.** vejiga **2. prendre des vessies pour des lanternes** confundir la gimnasia con la magnesia **3. ~ natatoire** vejiga natatoria.

**vestale** *f* vestal.

**veste** *f* **1.** chaqueta, americana: **~ croisée, droite** chaqueta cruzada, recta ◊ **~ d'intérieur** batín *m*; *FAM* **tomber la ~** quitarse la chaqueta **2.** *FIG FAM* **retourner sa ~** cambiarse la chaqueta; **il a ramassé une ~** se ha llevado un chasco, ha quedado en la estacada.
▶ En Amérique latine «une veste» se dit *un saco*.

**vestiaire** *m* **1.** guardarropa **2.** *(de stade, etc.)* vestuario.

**vestibule** *m* **1.** vestíbulo, recibidor, zaguán **2.** *ANAT* vestíbulo.

**vestige** *m* vestigio, huella *f*.

**vestimentaire** *a* indumentario, a, del vestido.

**veston** *m* chaqueta *f*, americana *f*.

**Vésuve** *np m* Vesubio.

**vêtement** *m* **1.** vestido: **l'industrie du ~** la industria del vestido **2.** *(costume)* traje. ◇ *pl* **1.** ropa *f sing*: **vêtements usagés** ropa usada; **vêtements pour hommes** ropa de hombres; **ôter ses vêtements** quitarse la ropa ◊ **armoire à vêtements** armario ropero **2.** prendas *f*, ropa *f*: **vêtements de sport** prendas deportivas, ropa de deporte.

**vétéran** *m* veterano.

**vétérinaire** *a/s* veterinario, a.

**vétille** *f* fruslería, bagatela.

**vétilleux, euse** *a* minucioso, a, meticuloso, a.

**vêtir*** *vt* vestir. ◆ **se ~** *vpr* vestirse: **elle se vêtit...** se vistió...

**vétiver** [vetivɛʀ] *m* vetiver.

**veto** *m inv* veto: **droit de ~** derecho de veto ◊ **mettre, opposer son ~ à...** poner el veto a..., vetar...: **la France mettra son ~ à cet accord** Francia vetará este acuerdo.

**vêtu, e** *pp* de **vêtir.** ◇ *a* vestido, a: **tout de noir ~** vestido de negro ◊ **court vêtue** ligera de ropa.

**vétuste** *a* vetusto, a.

**vétusté** *f* vetustez.

**veuf, veuve** *a/s* viudo, a: **la veuve joyeuse** la viuda alegre ◊ **devenir ~** enviudar; **pension de veuve** pensión de viudedad. ◇ *f FAM* **la veuve** la guillotina.

**veuille, veuillez → vouloir.**

**veule** *a* flojo, a, débil, sin voluntad.

**veulerie** *f* flojedad, debilidad, falta de voluntad.

**veut → vouloir.**

**veuvage** *m* viudez *f*.

**veuve → veuf.**

**veux → vouloir.**

**vexant, e** *a* molesto, a, humillante.

**vexation** *f* vejación.

**vexatoire** *a* vejatorio, a.

**vexer** *vt* ofender, humillar, vejar, mortificar. ◆ **se ~** *vpr* ofenderse, picarse: **il se vexe d'un rien** se ofende por nada; **être vexé** estar ofendido.

**via** *prép* vía, por.

**viabilité** *f* **1.** *(d'un embryon, projet, etc.)* viabilidad **2.** *(d'un chemin)* calidad de transitable.

**viable** *a (un embryon, un projet, etc.)* viable.

**viaduc** [vjadyk] *m* viaducto.

**viager, ère** *a* **rente viagère** renta vitalicia. ◇ *m* renta *f* vitalicia ◊ **vendre une maison en ~** vender una casa con renta vitalicia.

**viande** *f* carne: **~ de bœuf** carne de vaca, de vacuno ◊ **viandes froides** fiambres *m*.

**viatique** *m* viático.

**vibrant, e** *a/f* vibrante.

**vibraphone** *m* vibráfono.

**vibratile** *a BIOL* vibrátil: **cil ~** pestaña vibrátil.

**vibration** *f* vibración.

**vibratoire** *a* vibratorio, a.

**vibrer** *vi* **1.** vibrar **2.** *FIG* **faire ~ le cœur de quelqu'un** conmover mucho a alguien.

**vibreur** *m* vibrador.

**vibrion** *m* vibrión.

**vibrisse** *f* pelo *m,* vibrisa.

**vibromasseur** *m* vibrador.

**vicaire** *m* vicario: **~ général** vicario general; **~ de Jésus-Christ** vicario de Jesucristo.

**vicariat** *m* vicariato.

**vice** [vis] *m* **1.** vicio: **l'oisiveté est la mère de tous les vices** la ociosidad es la madre de todos los vicios **2. ~ de forme** vicio de forma, defecto de forma.

**vice-amiral** *m* vicealmirante.

**vice-consul** *m* vicecónsul.

**vice-consulat** *m* viceconsulado.

**vice-présidence** *f* vicepresidencia.

**vice-président, e** *s* vicepresidente.

**vice-reine** *f* virreina.

**vice-roi** *m* virrey: **des vice-rois** virreyes.

**vice-royauté** *f* virreinado *m.*

**vice versa** [viseversa, visversa] *loc adv* viceversa.

**vichy** *m (eau, toile)* vichy.

**vicier*** *vt* viciar. ◆ **se ~** *vpr* viciarse.

**vicieux, euse** *a* **1.** vicioso, a **2.** *(regard, etc.)* lujurioso, a **3.** *(cheval)* resabiado, a **4. cercle ~** círculo vicioso. ◇ *m* **un petit ~** un viciosillo, un libertino.

**vicinal, e** *a* vecinal: **chemin ~** camino vecinal.

**vicissitude** *f* vicisitud: **les vicissitudes de la vie** las vicisitudes de la vida.

**vicomte** *m* vizconde.

**vicomté** *m* vizcondado.

**vicomtesse** *f* vizcondesa.

**victime** *f* **1.** víctima **2. être ~ d'un attentat** ser víctima de, sufrir un atentado.

**victoire** *f* **1.** victoria, triunfo *m* **2. chanter ~** cantar victoria.

**Victor** *np m* Víctor.

**victoria** *f (voiture)* victoria.

**victorien, enne** *a* victoriano, a.

**victorieusement** *adv* victoriosamente.

**victorieux, euse** *a* victorioso, a.

**victuailles** *f pl* vituallas.

**vidage** *m* vaciamiento.

**vidange** *f* **1.** *(auto)* cambio *m* de aceite: **faire la ~** cambiar el aceite del motor **2.** *(d'une fosse)* limpieza.

**vidanger*** *vt* **1.** *(une auto)* cambiar el aceite de **2.** *(fosse d'aisance)* limpiar.

**vidangeur** *m* pocero.

**vide** *a* **1.** vacío, a: **cette bouteille est ~** esta botella está vacía; **les rues sont vides** las calles están vacías **2. mot ~ de sens** palabra desprovista de sentido **3.** *(creux)* hueco, a **4.** *loc adv* **à ~** de vacío: **camion qui revient à ~** camión que vuelve de vacío; **tourner à ~** girar libre. ◇ *m* **1.** vacío: **se jeter dans le ~** lanzarse al vacío; **tomber dans le ~** caer en el vacío; **emballage sous ~** envase al vacío ◊ *FIG* **faire le ~ autour de quelqu'un** hacer el vacío a alguien **2.** vacío, hueco: **à sa mort, il laissa un grand ~** a su muerte, dejó un gran vacío **boucher un ~** llenar un hueco **3.** *FIG* **parler dans le ~** hablar en el aire.

**vidéaste** *s* videoasta.

**vide-grenier** *m inv* baratillo, mercadillo donde se venden objetos de baratillo.

**vidéo** *f* vídeo *m,* video *m:* **la ~** el vídeo. ◇ *a* **bande ~** cinta de vídeo; **caméra ~** videocámara; **disque ~** videodisco; **jeu ~** videojuego.

**vidéocassette** *f* videocasete *m,* videocassette *m.*

**vidéoclip** *m* videoclip.

**vidéoclub** *m* videoclub.

**vidéoconférence** *f* videoconferencia.

**vidéodisque** *m* videodisco.

**vidéofréquence** *f* videofrecuencia.

**vide-ordures** *m inv* colector de basuras.

**vidéotex** *m* videotex.

**vidéothèque** *f* videoteca.

**vidé, e** *a FIG FAM (fatigué)* agotado, a, hecho, a polvo.

**vide-poches** *m inv* **1.** copa *f,* canastilla *f* para poner los objetos menudos que se llevan en los bolsillos **2.** *(d'une auto)* guantera *f.*

**vide-pomme** *m* utensilio para extirpar las pepitas de las manzanas.

**vider** *vt* **1.** vaciar ◊ *FIG* **~ son sac** desembuchar; **~ les lieux** irse **2.** *(en buvant)* apurar **3.** *(un poisson, une volaille)* limpiar **4.** *(une question)* resolver **5.** *(épuiser)* agotar **6.** *FAM (chasser)* poner de patitas en la calle; **il s'est fait ~** lo han echado.

**videur** *m (dans un dancing, etc.)* vigilante.

**viduité** *f* viudez.

**vie** *f* **1.** vida: **aimer la ~** tener apego a la vida; **c'est la ~!** ¡así es la vida!; **~ privée** vida privada; **~ de bâton de chaise → bâton; la ~ éternelle** la vida eterna ◊ **être en ~** estar vivo, a, estar con vida; **avoir la ~ dure** tener siete vidas como los gatos; **donner la ~ à** dar a luz a; **être entre la ~ et la mort** estar entre la vida y la muerte; *FAM* **faire la ~, mener joyeuse ~** darse la gran vida; **mener la ~ dure à...** dar mala vida a, no dejar vivir a...; **rendre la ~** reanimar; **rendre la ~ impossible → imposible; ce n'est pas une ~!** ¡esto no es vida!; **femme de mauvaise ~** mujer de mala vida, de vida alegre **2. gagner sa ~** ganarse la vida; **niveau de ~** nivel de vida **3.** *loc adv* **de ma ~** en mi vida: **je n'ai jamais fumé de ma ~** yo no he fumado en mi vida; **jamais de la ~** nunca jamás; **pour la ~** para siempre, de por vida; **à la ~ à la mort** para siempre **4. président à ~** presidente vitalicio; **prendre un médicament à ~** tomar un medicamento de por vida.

**vieil → vieux.**

**vieillard** *m* anciano, viejo: **les vieillards** los ancianos; **Suzanne et les vieillards** Suzana y los ancianos.

**vieille → vieux.**

**vieillerie** *f* antigualla, trastos *m pl* viejos.

**vieillesse** *f* vejez.

**vieilli, e** *a* **1.** envejecido, a **2.** *(désuet)* anticuado, a.

**vieillir** *vi* **1.** envejecer: **il a beaucoup vieilli** ha envejecido mucho **2.** *(se démoder)* anticuarse **3.** *(vin)* madurar, envejecer. ◇ *vt* envejecer, hacer parecer viejo, a. ◆ **se ~** *vpr* hacerse pasar por viejo, a, envejecerse.

**vieillissant, e** *a* que envejece.

**vieillissement** *m* **1.** envejecimiento **2.** *(du vin)* añejamiento.

**vieillot, otte** *a* anticuado, a.

**vielle** [vjɛl] *f* zanfonía.

**viendrai, viendra, vienne**, etc. → **venir.**

**Vienne** *np* Viena.

**viennois, e** *a/s* vienés, esa: **une valse viennoise** un vals vienés.

**viennoiserie** *f* bollería.

**viens**, etc. → **venir.**

**vierge** *a* virgen: **laine ~** lana virgen; **cire ~** cera virgen; **bande magnétique ~** cinta magnética virgen. ◇ *f* **1.** virgen, doncella **2. la Sainte Vierge** la Virgen Santísima; **Vierge à l'Enfant** Virgen con el Niño; **Vierge noire romane** Virgen morena románica **3.** *ASTR* **être de la Vierge** ser de Virgo.

▶ *Pluriel:* vírgenes: *les onze mille vierges* las once mil vírgenes.

**Viêt-Nam** *np m* Vietnam.

**vietnamien, enne** *a/s* vietnamita.

**vieux, vieil, vieille** [vjø, vjɛj] *a* **1.** (*vieil* se emplea en vez de *vieux* delante de vocal o *h* muda): **un vieil homme** un hombre viejo; **une vieille femme** una mujer vieja; **un vieil ami** un viejo amigo; **un ~ chien** un perro viejo ◊ **~ garçon, vieille fille** solterón, solterona; **goût de ~** sabor a rancio; **se faire ~** envejecer, hacerse viejo, ir para viejo: **je me fais vieille** me estoy haciendo vieja; **les ~ jours** la vejez **2.** (*ancien*) antiguo, a, viejo, a: **une vieille maison** una casa antigua; **les ~ quartiers** los barrios antiguos; **une vieille tradition** una tradición antigua; **un ~ soldat** un antiguo soldado; **~ comme le monde, comme Hérode** antiquísimo, más viejo que andar a pie **3.** (*vin*) añejo, a **4. ~ papiers** papeles usados **5. ~ jeu** → **jeu.** ◇ *s* **1.** (*personne*) viejo, a ◊ **petit ~, petite vieille** viejecito, viejecita; *FAM* **un ~ de la vieille** un veterano **2.** *FAM* **prendre un coup de ~** dar un bajón; **il a pris un sacré coup de ~** ha dado un bajón tremendo **3. mon ~!** ¡hombre!; **¡ma vieille!** ¡mujer! ◇ *f* (*poisson*) labro *m*.

**vif, vive** *a* **1.** vivo, a: **eau vive** agua viva; **chaux vive** cal viva; **rouge ~** rojo vivo; **mort ou ~** vivo o muerto ◊ **brûlé ~ dans un incendie** muerto en un incendio **2.** intenso, a: **froid ~** frío intenso **3.** grande, gran: **à vive allure** a gran velocidad; **un ~ intérêt** un gran interés. ◇ *m* **1.** *JUR* **entre vifs** entre vivos **2. plaie à ~** llaga en carne viva; **avoir les nerfs à ~** estar nerviosísimo, a; **tailler dans le ~** cortar por lo sano; **piquer au ~, toucher au ~** herir en lo vivo **3. entrer dans le ~ du sujet** abordar el fondo del tema **4. peindre sur le ~** pintar del natural.

**vif-argent** *m* azogue, mercurio.

**vigie** *f* **1.** (*matelot*) vigía *m* **2.** (*poste d'observation*) atalaya.

**vigilance** *f* vigilancia.

**vigilant, e** *a* vigilante.

**vigile** *m* vigilante. ◇ *f* *RELIG* vigilia.

**vigne** *f* **1.** (*plante*) vid ◊ **pied de ~** cepa *f*; **feuille de ~** hoja de parra **2.** (*plantation*) viña, viñedo *m*: **de la ~ au pressoir** de la viña al lagar ◊ *FAM* **il y a de tout dans la ~ du Seigneur** de todo hay en la viña del Señor; **être dans les vignes du Seigneur** estar borracho **3. ~ vierge** cepa virgen.

**vigneron, onne** *s* viñador, a, viticultor, a.

**vignette** *f* **1.** (*gravure*) viñeta **2.** timbre *m* **3.** (*d'auto*) patente.

**vignoble** *m* viñedo.

**vigogne** *f* vicuña.

**vigoureusement** *adv* vigorosamente, enérgicamente.

**vigoureux, euse** *a* vigoroso, a.

**vigueur** *f* **1.** vigor *m* **2. entrer en ~** entrar en vigor, tomar vigencia; **être en ~** estar en vigor, regir; **en ~** vigente; **la loi en ~** la ley vigente, que rige.

**viking** [vikiŋ] *m* vikingo.

**vil, e** *a* **1.** vil **2. à ~ prix** a bajo precio.

**vilain, e** *a/s* (*non noble*) villano, a. ◇ *a* **1.** (*laid*) feo, a: **un ~ nez** una nariz fea **2.** (*désagréable*) malo, a, feo, a: **quel ~ temps!** ¡qué tiempo más malo!; **un ~ tour** una mala pasada. ◇ *m FAM* **il va y avoir du ~** se va a armar la gorda.

**vilainement** *adv* feamente.

**vilebrequin** *m* **1.** (*outil*) berbiquí **2.** (*de moteur*) cigüeñal.

**vilenie** [vilni] *f* villanía.

**vilipender** *vt* vilipendiar.

**villa** [villa] *f* **1.** (*maison*) chalet *m*, quinta **2.** *HIST* villa.

**village** *m* **1.** pueblo, aldea *f* ◊ **petit ~** pueblecito **2. ~ de toile** campamento.

**villageois, e** [vilaʒwa, waz] *a/s* aldeano, a, lugareño, a, pueblerino, a: **une villageoise** una aldeana.

**villanelle** *f* villanesca.

**ville** *f* **1.** ciudad: **les grandes villes** las grandes ciudades; **vivre à la ~** vivir en la ciudad; **~-champignon** ciudad hongo; **~-dortoir** ciudad dormitorio; **~ ouverte** ciudad abierta ◊ **~ d'eaux** balneario *m* **2. costume de ~** traje de calle; **dîner en ~** cenar fuera de casa **3. la Ville éternelle** la Ciudad eterna.

▶ *Urbe*, mot littéraire, désigne une grande agglomération.

**villégiature** *f* **1.** veraneo *m*, temporada en el campo: **aller en ~** ir de veraneo **2.** (*lieu*) lugar *m* para pasar las vacaciones.

**villégiaturer** *vi* veranear.

**villosité** *f* vellosidad.

**vin** *m* **1.** vino: **~ blanc, rouge** vino blanco, tinto; **~ rosé** vino rosado, clarete; **~ de table** vino de mesa; **~ de pays** vino del país **2.** *FIG* **avoir le ~ gai, triste** estar alegre, triste, después de haber bebido; **avoir le ~ mauvais** tener mal vino; **être entre deux vins** estar entre Pinto y Valdemoro; **être pris de ~** estar borracho; **cuver son ~** → **cuver; mettre de l'eau dans son ~** → **eau 3. ~ d'honneur** vino de honor.

**vinaigre** *m* **1.** vinagre ◊ *FIG* **tourner au ~** tomar mal cariz **2.** (*au saut à la corde*) tocino **3.** *FAM* **faire ~** (*se hâter*) aligerar, darse prisa.

**vinaigrer** *vt* envinagrar.

**vinaigrerie** *f* fábrica de vinagre.

**vinaigrette** *f* vinagreta.

**vinaigrier** *m* **1.** (*fabricant*) vinagrero **2.** (*récipient*) vinagrera *f*.

**vinasse** *f* *FAM* (*mauvais vin*) vino peleón, vinazo *m*.

**Vincent** *np m* Vicente.

**vindicatif, ive** *a* vindicativo, a.

**vindicte** *f* vindicta: **~ publique** vindicta pública.

**vineux, euse** *a* vinoso, a.

**vingt** [vɛ̃] *a/m* **1.** veinte: **le ~ mai** el veinte de mayo; **~-quatre heures** veinticuatro horas ◊ **ouvert 24 heures sur 24** abierto sin interrupción, las veinticuatro horas; **~ et un, e** veintiuno, a (veintiún *devant un nom masculin*): **le ~ et unième siècle** el siglo veintiuno **2.** *FAM* **~-deux!** ¡ojo, ¡leche!

▶ *Vingt-deux, vingt-trois, etc.* veintidós, veintitrés, etc.

**vingtaine** [vɛ̃tɛn] *f* veintena, unos veinte, unas veinte, veintitantos, as: **une ~ de grévistes** unos veinte huelguistas; **une ~ d'années** veintitantos años.

**vingtième** [vɛ̃tjɛm] *a/s* vigésimo, a, veinteavo, a ◊ **le ~ siècle** el siglo veinte.

**vingtièmement** *adv* en vigésimo lugar.

**vinicole** *f* vinícola, vinatero, a.

**viniculture** *f* vinicultura.

**vinification** *f* vinificación.

**vinyle** *m* vinilo.

**vinylique** *a* vinílico, a.

**vioc** *a/m* *POP* viejo, a.

**viol** *m* violación *f*.

**violacé, e** *a* violáceo, a.

**violateur, trice** *s* violador, a.

**violation** *f* **1.** violación **2. ~ de domicile** allanamiento *m* de morada.

**violâtre** *a* violáceo, a.

**viole** *f* viola: **~ d'amour** viola de amor.

**violemment** [vjɔlamɑ̃] *adv* violentamente, con violencia.

**violence** *f* **1.** violencia **2. faire ~ à quelqu'un** hacer violencia a alguien; **se faire ~** contenerse, violentarse, hacerse violencia a sí mismo.

**violent, e** *a* violento, a ◊ **mort violente** muerte violenta.

**violenter** *vt* violentar.

**violer** *vt* **1.** *(loi, etc.)* violar, vulnerar **2.** *(femme, lieu sacré)* **~ une femme** violar a una mujer **3.** *(domicile)* allanar.

**violet, ette** *a/m (couleur)* violeta, violado, a, morado, a. ◇ *f (fleur)* violeta.

**violeur** *m* violador.

**violine** *a* violeta púrpura.

**violon** *m* **1.** violín: **jouer du ~** tocar el violín ◊ *FIG* **la peinture est son ~ d'Ingres** la pintura es su pasatiempo favorito, su violín de Ingres; **accorder ses violons → accorder; aller plus vite que les violons** precipitarse **2.** *(musicien)* violinista **3.** *FAM (prison)* calabozo.

**violoncelle** *m* **1.** violoncelo, violonchelo: **jouer du ~** tocar el violoncelo **2.** *(musicien)* violoncelista.

**violoncelliste** *s* violoncelista.

**violoneux** *m* violinista de pueblo.

**violoniste** *s* violinista.

**vioque → vioc.**

**viorne** *f* viburno *m*.

**vipère** *f* **1.** víbora **2.** *FIG* víbora, persona mala **3.** *FIG* **langue de ~** lengua viperina.

**vipereau** *m* viborezno.

**vipérin, e** *a* viperino, a.

**virage** *m* **1.** *(action)* viraje, giro? **un ~ 2.** *(tournant)* curva *f*: **~ dangereux** curva peligrosa **3.** *FIG (changement)* viraje, giro: **un ~ à 180 degrés** un giro de 180 grados **4.** *(en photo)* viraje **5.** *MÉD* reacción *f* positiva **6.** *MAR* virada *f*.

**virago** *f* virago.

**viral, e** *a* vírico, a, viral: **infection virale** infección vírica.

**virée** *f FAM* paseo *m*, garbeo *m*, vuelta: **faire une ~** dar una vuelta.

**virelai** *m* poema medieval.

**virement** *m* **1.** *MAR (d'un bateau)* virada *f* **2.** *COM* transferencia *f*: **~ bancaire** transferencia bancaria **3. ~ postal** giro postal.

**virent → voir.**

**virer** *vi* **1.** *(changer de direction)* virar, girar **2.** *MAR* **~ de bord** virar en redondo, *FIG* cambiar la chaqueta **3.** *(photo)* virar **4.** *MÉD (cutiréaction)* volverse positiva **5. ~ au rouge** ponerse rojo **6. ~ à l'aigre → aigre.** ◇ *vt* **1. ~ une somme au compte de...** transferir, girar una cantidad a la cuenta de... **2.** *FAM (renvoyer)* poner de patitas en la calle, echar: **il s'est fait ~ de l'usine** lo han echado de la fábrica; **virez-le!** ¡fuera! **3.** *(photo)* virar.

**vireux, euse** *a* venenoso, a.

**virevolte** *f* pirueta, vuelta rápida.

**virevolter** *vi* hacer piruetas, piruetear, dar vueltas.

**Virgile** *np m* Virgilio.

**virginal, e** *a* virginal. ◇ *m MUS* virginal.

**Virginie** *np f* Virginia.

**virginité** *f* **1.** virginidad, virgo *m* **2.** *FIG* virginidad, inocencia ◊ **se refaire une ~** rehabilitarse.

**virgule** *f* coma ◊ **point-~** punto y coma.

**viril, e** *a* viril, varonil.

**virilité** *f* virilidad.

**virocide** *a* antiviral.

**virole** *f TECHN* virola.

**virologie** *f* virología.

**virtualité** *f* virtualidad.

**virtuel, elle** *a* virtual: **image virtuelle** imagen virtual.

**virtuellement** *adv* virtualmente.

**virtuose** *s* virtuoso, a.

**virtuosité** *f* virtuosismo *m*.

**virucide → virocide.**

**virulence** *f* virulencia.

**virulent, e** *a* virulento, a.

**virus** [viʀys] *m* **1.** virus: **le ~ du sida** el virus del sida **2. ~ informatique** virus informático.

**¹vis** [vis] *f* **1.** tornillo *m*: **~ sans fin** tornillo sin fin ◊ **escalier à ~** escalera de caracol; **pas de ~** paso de rosca **2.** *FIG* **serrer la ~ à quelqu'un** apretarle los tornillos, las clavijas a alguien, meter a alguien en cintura.

**²vis** [vi] **→ vivre, voir.**

**visa** *m* **1.** *(sur passeport)* visado **2.** visto bueno.

**visage** *m* **1.** cara *f*, rostro, semblante: **un ~ souriant** una cara risueña; **ça se lit sur son ~** se le ve en la cara; **des visages connus** caras conocidas ◊ **changer de ~** demudarse: **il changea de ~** se le demudó la cara; **faire bon ~ à** poner buena cara a **2.** *loc adv* **à ~ découvert** a cara descubierta.

**visagiste** *s* esteticista, técnico facial.

**vis-à-vis** [vizavi] *adv* uno frente a otro. ◇ *loc prép* **~ de** *(en face de)* enfrente de, *(à l'égard de)* respecto de, *(en comparaison à)* en comparación con. ◇ *m* **1.** persona *f* que se halla frente a otra: **mon ~ de table était particulièrement bavard** la persona que estaba sentada frente a mí era particularmente charlatana **2. immeuble sans ~** casa sin nada enfrente.

**viscache** *f* vizcacha.

**viscéral, e** [viseʀal] *a* **1.** visceral **2.** *FIG* visceral.

**viscère** [visɛʀ] *m* víscera *f*.

**viscose** *f* viscosa.

**viscosité** *f* viscosidad.

**visée** *f* puntería. ◇ *pl FIG* ambiciones ◊ **avoir de hautes visées** picar muy alto.

**viser** *vi* **1.** apuntar ◊ **~ juste, bien ~** tener buena puntería; *FIG* **~ haut** tener ambiciones, picar alto, **2.** *FIG* **~ à** tender a, tratar de. ◇ *vt* **1.** apuntar: **il visa la cible et tira** apuntó al blanco y disparó **2.** *FIG* ambicionar, aspirar a **3.** *(concerner)* atañer a, afectar ◊ **se sentir visé** darse por aludido **4.** *(un document)* visar, refrendar **5.** *POP (regarder)* mirar: **vise un peu la moto!** ¡mira la moto!

**viseur** *m* visor.

**visibilité** *f* visibilidad: **bonne, mauvaise ~** buena, mala visibilidad.

**visible** *a* **1.** visible **2.** *(évident)* visible, evidente, patente **3. le député n'est pas ~ aujourd'hui** el diputado no recibe visitas hoy.

**visiblement** *adv* visiblemente.

**visière** *f* visera ◊ **mettre la main en ~** hacer pantalla con la mano; *FIG* **rompre en ~ à, avec** contradecir, atacar.

**visigoth, e** [vizigo, ɔt] *a/s* visigodo, a.

**visioconférence** *f* videoconferencia.

**vision** *f* **1.** visión **2. avoir des visions** ver visiones.

**visionnage** *m* visionado.

**visionnaire** *a/s* visionario, a.

**visionner** *vt (un film)* visionar.

**visionneuse** *f* visionadora.

**visiophone** *m* videoteléfono.

**visitandine** *f* salesa.

**Visitation** *f RELIG* Visitación.

**visite** *f* **1.** visita: **~ de politesse** visita de cortesía, de cumplido; **~ officielle** visita oficial; **la ~ de l'exposition, du château** la visita a la exposición, al castillo; **carte de ~** tarjeta de visita ◊ **rendre ~ à, faire une visite à quelqu'un** visitar a alguien; **être en ~** estar de visita; **rendre à quelqu'un sa ~** devolver a alguien su visita **2. ~ médicale** visita médica, revisión médica **3.** *JUR* **~ domiciliaire** registro *m* domiciliario, visita domiciliaria.

**visiter** *vt* visitar.

**visiteur, euse** *s* **1.** *(d'un musée, etc.)* visitante **2.** *(inspecteur, médical, etc.)* visitador, a **3.** *(des douanes)* vista ◇ *a (sports)* **l'équipe visiteuse** el equipo visitante.

**visnage** *m* biznaga *f.*

**vison** *m* visón.

**visqueux, euse** *a* viscoso, a.

**vissage** *m* atornillado.

**visser** *vt* **1.** atornillar **2.** *FAM* **~ quelqu'un** apretarle las clavijas a alguien.

**visserie** *f* tornillería.

**Vistule** *np f* Vístula *m.*

**visualisation** *f* visualización.

**visualiser** *vt* visualizar.

**visuel, elle** *a* visual: **champ ~** campo visual.

**visuellement** *adv* visualmente.

**vit → vivre, voir.**

**vital, e** *a* vital.

**vitalisme** *m* vitalismo.

**vitalité** *f* vitalidad.

**vitamine** *f* vitamina: **carence en vitamines** carencia de vitaminas.

**vitaminé, e** *a* vitaminado, a.

**vitaminique** *a* vitamínico, a.

**vite** *adv* **1.** de prisa, deprisa, aprisa: **vous parlez trop ~** usted habla demasiado de prisa; **et plus ~ que ça!** ¡más de prisa! ◊ **comme le temps passe ~!** ¡cómo corre el tiempo!; **faire ~** apresurarse; **vite!** ¡deprisa!, ¡rápido! **2.** pronto: **c'est ~ dit** pronto está dicho; **il sera ~ guéri** curará pronto **3. plus ~ tu partiras, mieux ce sera** cuanto antes te vayas, mejor **4.** *loc adv* **à la va-~** precipitadamente, sin cuidado; **au plus ~** lo más pronto posible, cuanto antes; *FAM* **~ fait** rápidamente.

**vitellus** [vitɛlys] *m BIOL* vitelo.

**vitesse** *f* **1.** velocidad: **excès de ~** exceso de velocidad; **train à grande ~** tren de alta velocidad; **~ de pointe** velocidad punta ◊ **gagner quelqu'un de ~** adelantarse a alguien; **prendre de la ~** tomar velocidad; *FIG* **être en perte de ~** perder velocidad **2.** *(auto)* **cinq vitesses** cinco velocidades; **boîte de vitesses** caja de cambios; **changement de ~** cambio de marchas ◊ *FAM* **en quatrième ~** a toda pastilla; **partir en quatrième ~** salir pitando **3.** *loc adv* **à toute ~, en ~** a toda velocidad, a todo correr, volando; **à la ~ grand V** muy de prisa.

**viticole** *a* vitícola.

**viticulteur** *m* viticultor.

**viticulture** *f* viticultura.

**vitrage** *m* **1.** conjunto de cristales ◊ **fenêtre à double ~** ventana con cristales dobles **2.** *(châssis)* vidriera *f* **3.** *(rideau)* visillo **4.** acción *f* de colocar cristales.

**vitrail** [vitʀaj] *m* vidriera *f*: **les vitraux d'une cathédrale** las vidrieras de una catedral.

**vitre** *f* **1.** cristal *m* ◊ *FAM* **ça ne casse pas les vitres** no vale gran cosa **2.** *(d'un train, d'une voiture)* ventanilla.

**vitré, e** *a* **1.** *ANAT* vítreo **2. porte vitrée** puerta vidriera, puerta acristalada.

**vitrer** *vt* colocar cristales, acristalar.

**vitrerie** *f* cristalería.

**vitreux, euse** *a* **1.** *(roche)* vítreo, a **2.** *(œil, regard)* vidrioso, a.

**vitrier** *m* vidriero.

**vitrification** *f* vitrificación.

**vitrifier*** *vt* vitrificar.

**vitrine** *f* **1.** *(d'un magasin)* escaparate *m*: **en ~** en el escaparate **2.** *(armoire)* vitrina.

**vitriol** *m* **1.** vitriolo **2.** *FIG* **une critique au ~** una crítica mordaz.

**vitrioler** *vt* echar vitriolo contra.

**Vitruve** *np m* Vitruvio.

**vitupération** *f* vituperación.

**vitupérer*** *vt* vituperar, censurar.

**vivable** *a FAM* soportable.

**vivace** *a* **1.** *BOT* vivaz: **plantes vivaces** plantas vivaces **2.** *(durable)* duradero, a, persistente, tenaz.

**vivacité** *f* **1.** viveza, vivacidad **2. ~ d'esprit** agilidad mental **3.** violencia.

**vivandière** *f* cantinera.

**vivant, e** *a* **1.** vivo, a, viviente: **langues vivantes** lenguas vivas; **il est encore ~** sigue en vida; **les êtres vivants** los seres vivos ◊ **moi ~** mientras yo viva; **s'en sortir ~** escapar con vida **2.** *(plein de vie)* **le portrait ~ de son père** el vivo retrato de su padre **3.** animado, a. ◇ *s* **1. les vivants et les morts** los vivos y los muertos **2. de son ~ il allait...** cuando vivía iba...; **du ~ de mon père** en vida de mi padre **3. un bon ~** un hombre regalón, un «bon vivant».

**vivarium** [vivaʀjɔm] *m* vivario.

**vivat** *interj* ¡viva!. ◇ *m* viva, vítor, aclamación *f*: **pousser des vivats** dar vítores.

**[1]vive** *interj* **→ vivre.**

**[2]vive** *f (poisson)* peje *m* maraña.

**vivement** *adv* **1.** *(avec vivacité)* vivamente **2.** *(beaucoup)* **je le regrette ~** lo siento en el alma, muchísimo, profundamente; **je vous remercie ~** le agradezco muchísimo; **~ touché par la mort de...** muy afectado por la muerte de... ◇ *interj* **~ samedi!** ¡que llegue el sábado!; **~ les vacances!** ¡que lleguen las vacaciones!; **~ qu'il s'en aille!** ¡que se vaya!

**viveur** *m* juerguista, balarrasa, viva la Virgen.

**vivier** *m* vivero.

**vivifiant, e** *a* vivificante.

**vivifier*** *vt* vivificar.

**vivipare** *a/s* vivíparo, a.

**vivisection** *f* vivisección.

**vivoter** *vi* ir tirando, ir pasando, ir trampeando.

**[1]vivre*** *vi* **1.** vivir: **il a longtemps vécu à Madrid** ha vivido mucho tiempo en Madrid; **~ à la campagne** vivir en el campo; **~ au jour le jour** vivir al día; **~ heureux** vivir feliz; **vive le roi!** ¡viva el rey! ◊ **~ d'amour et d'eau fraîche** vivir sin preocuparse por el porvenir; **être facile à ~** tener buen carácter; **il a beaucoup vécu** ha vivido intensamente; **faire ~ sa famille** mantener a su familia; **il a de quoi ~** tiene con que vivir **2.** *MIL* **qui vive?** ¿quién vive? **3.** *(durer)* durar. ◇ *vt* **1.** vivir: **j'ai vécu intensément cette époque** he vivido intensamente esta época **2. ~ sa vie** hacer vida independiente.

[2]**vivre** *m* alimento ◊ **avoir le ~ et le couvert** tener casa y comida. ◊ *pl* víveres.

**vivrière** *a* **cultures vivrières** cultivos de plantas alimenticias.

**vizir** [viziR] *m* visir.

**vlan!** *interj* ¡zas!, ¡paf!

**vocable** *m* **1.** *(mot)* vocablo **2.** *RELIG* advocación *f*.

**vocabulaire** *m* vocabulario.

**vocal, e** *a* vocal: **cordes vocales** cuerdas vocales; **musique ~** música vocal.

**vocalique** *a* vocálico, a.

**vocalisation** *f* vocalización.

**vocalise** *f MUS* vocalización ◊ **faire des vocalises** vocalizar.

**vocaliser** *vt/i* vocalizar.

**vocatif** *m* vocativo.

**vocation** *f* vocación ◊ **j'ai manqué ma ~** me he equivocado de oficio.

**vociférations** *f pl* vocerío *m sing*, vociferaciones.

**vociférer*** *vi* vociferar.

**vodka** *f* vodka *m*: **la ~** el vodka.

**vœu** *m* **1.** voto: **faire ~ de** hacer voto de **2.** *(souhait)* deseo, voto: **former des vœux pour** hacer votos por **3.** felicitación *f*: **vœux de nouvel an** felicitaciones de Año Nuevo ◊ **meilleurs vœux** muchas felicidades; **avec tous nos vœux** les deseamos toda clase de felicidades, con nuestros mejores deseos.

**vogue** *f* boga: **être en ~** estar en boga, estar de moda.

**voguer** *vi* **1.** navegar, bogar **2.** *FIG* **vogue la galère!** ¡ruede la bola!

**voici / voilà** *prép* **1. ~ une photo** he aquí una foto **2. ~ mon cousin** éste es mi primo; **~ mes enfants** éstos son mis hijos; **~ ma maison et voilà la sienne** ésta es mi casa y aquélla la suya, aquí está mi casa y ahí está la suya; **~ le train qui arrive** aquí llega el tren; **~ ce qu'il est arrivé** eso es lo que pasó; **voilà la vérité** ésa es la verdad; **voilà le problème** ahí está el problema; **l'homme que ~** este hombre; **le ~** hele aquí **3.** *(en donnant)* **~ mon passeport** aquí tiene mi pasaporte **4.** ya: **nous ~ arrivés** ya hemos llegado; **voilà, j'arrive!** ¡ya voy!; **te voilà déjà!** ¡ya estás aquí! **5.** *(temps)* hace: **~ un an qu'il est parti** hace un año que se marchó **6. en voilà assez!** ¡basta!, ¡se acabó!; **en voilà une idée!** ¡vaya ocurrencia!; **voilà tout!, voilà!** ¡eso es todo!, ¡nada más!; **voilà!** *(c'est ça)* ¡eso es!, ¡ajá!, ¡ajajá! **7.** *FAM* **ne voilà-t-il pas que...!** ¡querrá usted creer que...! **8.** *loc adv* **en veux-tu, en voilà** a montones, a porrillo.

▶ *Voici* se emplea para indicar lo que se va a decir, *voilà* con referencia a lo que se acaba de decir. En realidad, *voilà* es mucho más usual que *voici*.

**voie** *f* **1.** vía: **~ publique** vía pública; **~ ferrée** vía férrea; **chemin de fer à ~ étroite** ferrocarril de vía estrecha; **~ de garage** vía muerta; **~ d'eau** vía de agua **2.** carril *m*: **route à quatre voies** carretera de cuatro carriles **3. ~ romaine** calzada romana **4.** *ANAT* vía: **voies digestives, respiratoires** vías digestivas, respiratorias; **par ~ orale** por vía oral **5.** *FIG* **mettre sur la ~** encaminar, encauzar; **être dans la bonne ~** ir por buen camino; **par (la) ~ diplomatique** por conducto diplomático **6.** *JUR* **voies de fait** vías de hecho **7.** *(du gibier)* rastro *m* **8.** *RELIG* **les voies du Seigneur** las vías del Señor **9.** *loc prép* **en ~ de** en vías de: **en ~ de réalisation** en vías de realización; **pays en ~ de développement** países en vías de desarrollo. ◊ *np f ASTR* **Voie lactée** Vía láctea.

**voilà** → **voici.**

**voilage** *m (rideau)* visillo.

[1]**voile** *m* **1.** velo ◊ **prendre le ~** tomar el velo, profesar; *FIG* **jeter un ~ sur** correr un tupido velo sobre; **lever le ~** descorrer el velo **2.** *ANAT* **~ du palais** velo del paladar **3.** *(en photographie)* velo **4.** *MÉD (au poumon)* mancha *f*.

[2]**voile** *f* **1.** vela: **bateau à voiles** barco de vela ◊ **faire ~ sur** hacer rumbo a; **mettre à la ~** hacerse a la vela; **faire de la ~** practicar vela; **toutes voiles dehors** a toda vela; *FAM* **mettre les voiles** coger el tole, largarse **2. vol à ~** vuelo sin motor.

**voilé, e** *a* **1.** velado, a ◊ **femme voilée** mujer con velo **2.** *(voix)* tomada **3. en termes voilés** con medias palabras **4.** *(roue, etc.)* torcido, a.

**voiler** *vt* **1.** *(couvrir d'un voile)* cubrir con un velo, velar **2.** *(cacher)* ocultar **3.** velar: **photo voilée** foto velada **4.** *(gauchir)* alabear, torcer: **~ une roue** torcer una rueda. ◆ **se ~** *vpr* **1.** cubrirse con un velo ◊ *FIG* **se ~ la face** taparse la cara **2.** *(la lune)* ocultarse, velarse *(le ciel)* encapotarse **3.** *(regard)* empañarse **4.** *(voix)* volverse opaca, un poco ronca **5.** *(roue)* torcerse, *(planche)* alabearse.

**voilette** *f* velo *m*, velillo *m*.

**voilier** *m* velero.

**voilure** *f* **1.** *(d'un bateau)* velamen *m* **2.** *(d'un avion)* alas *pl* **3.** *(gauchissement)* alabeo *m*.

**voir*** *vt/i* **1.** ver: **je ne l'ai jamais vu** nunca lo he visto; **on n'y voit rien ici** aquí no se ve nada; **elle voit mal** no ve bien, tiene mala vista ◊ **faire ~** mostrar, enseñar; **fais ~!** ¡a ver!; **on verra bien!** ¡ya veremos!; **~ page 40** véase página 40; **~ d'un bon, mauvais œil** ver con buenos, malos ojos; **y ~ clair** ver claro; **cela n'a rien à ~ avec...** esto no tiene nada que ver con...; **ça n'a rien à ~** es completamente diferente; **je voudrais vous y ~** me gustaría saber lo que usted haría en mi lugar; **je te vois venir** te veo venir; *FAM* **voyons ~!** ¡vamos a ver!; **dites-~** dígame; **on aura tout vu!** ¡es el colmo!, ¡vivir para ver!; **qu'est-ce qu'il ne faut pas ~!** ¡es increíble!, ¡es una vergüenza!; **vous allez ~ ce que vous allez ~!** ¡mucho ojo! **2.** *(comprendre)* ver, comprender, alcanzar: **je ne vois pas où vous voulez en venir** no alcanzo a ver dónde usted quiere llegar; **ah! je vois!** ¡ah, sí!, ¡ah, ya caigo! **3.** *(imaginer)* **je ne le vois pas médecin** no me lo imagino médico; **vous voyez ça d'ici?** ¿qué le parece?; **voyez vous-même!** ¡fíjese! **4.** *FAM* **je ne peux pas le ~ (en peinture)** a ése no le puedo ver ni en pintura, no le trago **5.** *FAM* **il m'en a fait ~!** ¡las que me ha hecho!; **va te faire ~!** ¡vete a la porra!, ¡vete a hacer gárgaras! ◊ *vi* **1. ~ à ce que** cuidar de que **2. voyons!** ¡a ver!, *(réprobation)* ¡vamos!, ¡hombre! **3. voyez-vous** usted comprende. ◆ **se ~** *vpr* **1.** verse: **nous nous sommes vus hier** nos vimos ayer ◊ **ça ne s'est jamais vu** nunca se ha visto tal cosa, es imposible; **ça se voit** es evidente **2. ils ne peuvent pas se ~** se odian.

**voire** *adv* hasta, aun, incluso: **impoli, ~ même grossier** descortés, y hasta grosero.

**voirie** *f* **1.** vialidad **2.** servicio *m* de limpieza **3.** *(dépotoir)* vertedero *m*.

**voisin, e** *a* **1.** vecino, a **2.** *FIG* parecido, a, semejante. ◊ *s* vecino, a: **mon ~** mi vecino.

**voisinage** *m* **1.** *(proximité)* vecindad *f*, cercanía *f*: **rapports de bon ~** relaciones de buena vecindad **2.** *(les voisins)* vecindario.

**voisiner** *vi* **1.** relacionarse con los vecinos **2.** *(être près)* estar cerca de.

**voiture** *f* **1.** *(véhicule à roues)* carruaje *m* **2. ~ à cheval** coche *m* de caballo; **~ à bras** carrito de mano; **~ d'enfant** cochecito *m* de niño **3.** *(automobile)* coche *m*: **conduire une ~** conducir un coche: **garer sa ~** aparcar su coche; **~ de sport, de course** coche deportivo, de carreras; **~ de police** coche patrulla; **~ piégée** coche bomba ◊ **~ de tourisme** turismo *m* **4.** *(de train)* coche *m* ◊ **en ~!** ¡al tren!

**voiturée** *f* carretada.

**voiture-lit** *f* coche *m* cama.

**voiturer** *vt* transportar.

**voiture-restaurant** *f* coche *m* restaurante.

**voiturette** *f* cochecito *m*.

**voiturier** *m* carretero, trajinante.

**voix** *f* **1.** voz: **des ~ rauques** voces roncas; **parler à haute ~, à ~ basse** hablar en voz alta, en voz baja; **à mi-~** a media voz; **de vive ~** de viva voz; **d'une ~ aiguë** con voz aguda ◊ *FIG* **avoir ~ au chapitre** tener voz y voto; **rester sans ~** quedarse mudo, a, *sin voz; (les chiens)* **donner de la ~** ladrar **2.** *(suffrage)* voto *m*, sufragio *m*: **dix ~ pour, cinq contre** diez votos a favor, cinco en contra ◊ **mettre aux ~** poner a votación **3.** *GRAM* voz: **~ active, passive** voz activa, pasiva.

**¹vol** *m* **1.** vuelo: **prendre son ~** alzar el vuelo; **heures de ~** horas de vuelo ◊ **à ~ d'oiseau** en línea recta, *(vue)* a vista de pájaro **2.** *loc adv* **au ~** al vuelo: **saisir un dialogue au ~** coger un diálogo al vuelo **3. ~ à voile** vuelo sin motor, vuelo a vela **4. un ~ de perdrix** una bandada *f* de perdices **5.** *FIG* **de haut ~** de marca, de marca mayor, de categoría.

**²vol** *m* **1.** robo, hurto: **commettre un ~** cometer un robo; **~ qualifié** robo con circunstancias agravantes ◊ **~ à main armée** atraco **3.** *(escroquerie)* estafa *f*, robo: **c'est du ~!** ¡es una verdadera estafa!, ¡es un robo!

**volage** *a* voluble, inconstante, veleidoso, a.

**volaille** *f* **1.** *(ensemble des oiseaux de basse-cour)* aves *pl* de corral **2. une ~** un ave: **un blanc de ~** una pechuga de ave.

**volailler** *m* vendedor de aves, pollero.

**¹volant, e** *a* **1.** volador, a: **poisson ~** pez volador; **tapis ~** alfombra voladora **2.** *(qui se déplace facilement)* volante **3. feuille volante** hoja suelta, hoja volandera.

**²volant** *m* **1.** *(d'une auto, etc.)* volante: **être au ~** estar al volante; **prendre le ~** ponerse al volante ◊ **coup de ~** volantazo **2.** *(jeu, d'une jupe)* volante.

**volatil, e** *a* volátil.

**volatile** *m (oiseau)* ave *f*, volátil.

**volatiliser** *vt* volatilizar. ◆ **se ~** *vpr* volatilizarse, esfumarse.

**vol-au-vent** [vɔlovɑ̃] *m inv* volován, vol-au-vent.

**volcan** *m* **1.** volcán: **~ actif, éteint** volcán activo, apagado **2.** *FIG* **être sur un ~** estar sobre un volcán.

**volcanique** *a* volcánico, a.

**volcanisme** *m* volcanismo.

**volcanologue** *a* volcanólogo, a, vulcanólogo, a.

**volée** *f* **1.** *(d'un oiseau)* vuelo *m*: **prendre sa ~** alzar el vuelo **2.** *(d'oiseaux)* bandada **3.** *(de coups)* paliza **4.** *(de projectiles)* descarga **5.** *(tennis)* volea: **~ de revers** volea de revés **6.** *(de cloches)* campanada: **les cloches sonnent à toute ~** repican las campanas **7.** *AGR* **semer à la ~** sembrar al voleo **8.** *(d'escalier)* tramo *m* **9.** *FIG* **une dame de haute ~** una señora de alto copete, de alto rango, de categoría.

**¹voler** *vi* **1.** volar: **l'avion vole à basse altitude** el avión vuela a baja altura **2. ~ en éclats** estallar **3.** *FIG* **~ de ses propres ailes** volar con sus propias alas; **~ haut** picar alto **4.** *FAM* **~ dans les plumes → plume.**

**²voler** *vt* **1.** robar, hurtar: **un pickpocket m'a volé mon portefeuille dans le métro** un carterista me robó la cartera en el metro; **je me suis fait ~ ma voiture** me han robado mi coche **2.** *FAM* **il ne l'a pas volé** lo tiene bien merecido **3.** *(escroquer)* estafar, timar.

**volet** *m* **1.** *(de fenêtre)* postigo, contraventana *f* **2.** *(d'un triptyque, d'un formulaire)* volante **3.** *(d'une aile d'avion)* flap **4. trier sur le ~** escoger con cuidado **5.** *FIG (d'un programme)* parte *f*.

**voleter*** *vi* revolotear.

**voleur, euse** *a/s* **1.** ladrón, ona **2. ~ à la tire** carterista; **~ de grand chemin** salteador de caminos; **~ d'enfants** raptor de niños **3. au ~!** ¡ladrones!, ¡al ladrón!

**Volga** *np f* **la ~** el Volga.

**volière** *f* pajarera.

**volige** *f* ripia, lata.

**volitif, ive** *a* volitivo, a.

**volition** *f* volición.

**volley-ball** [vɔlɛbol] *m* voleibol, balonvolea.
▶ Le mot *voleibol* est aujourd'hui le plus courant.

**volleyeur, euse** [vɔlɛjœʀ, øz] *s (joueur de volley-ball)* jugador, a de voleibol.

**volontaire** *a* **1.** voluntario, a **2.** *(décidé, tenace)* voluntarioso, a **3.** intencionado, a: **incendie ~** incendio intencionado. ◇ *m (soldat)* voluntario. ◇ *s* voluntario, a.

**volontairement** *adv* voluntariamente.

**volontariat** *m* voluntariado.

**volontarisme** *m* voluntarismo.

**volontariste** *a* voluntarista.

**volonté** *f* **1.** voluntad: **~ de fer** voluntad de hierro, férrea; **«que ta ~ soit faite...»** «hágase tu voluntad...»; **bonne ~** buena voluntad; **mettre de la mauvaise ~ à...** poner mala voluntad en... **2. les dernières volontés de quelqu'un** la última voluntad de alguien ◊ *FIG* **faire ses quatre volontés** hacer su santa voluntad **3.** *loc adv* **à ~** a voluntad, a discreción: **vin à ~** vino a voluntad.

**volontiers** *adv* **1.** de buena gana, con mucho gusto: **très ~** con mucho gusto **2.** fácilmente.

**volt** [vɔlt] *m* voltio, volt.

**voltage** *m* voltaje.

**voltaïque** *a* voltaico, a.

**voltaire** *m (fauteuil)* sillón bajo de respaldo alto.

**voltairien, enne** *a/s* volteriano, a.

**volte** *f (équitation)* vuelta.

**volte-face** *f inv* **1.** media vuelta: **faire ~** dar media vuelta **2.** *FIG* cambio *m* de opinión.

**voltige** *f* **1.** *(à cheval)* volteo *m* **2.** *(en avion)* acrobacia aérea **3.** *(sur la corde, etc.)* ejercicio *m* en la cuerda floja, en el trapecio **4.** *FIG* **haute ~** acrobacias *pl*, malabarismos *m pl*.

**voltiger*** *vi* **1.** revolotear **2.** *(papillonner)* mariposear.

**voltigeur** *m* **1.** *(acrobate)* volatinero, volteador **2.** *(soldat)* soldado de infantería ligera.

**voltmètre** *m* voltímetro.

**volubile** *a* **1.** *BOT* voluble **2.** *(qui n'arrête pas de parler)* locuaz.

**volubilis** [vɔlybilis] *m* enredadera *f* de campanillas.

**volubilité** *f* locuacidad.

**volume** *m* **1.** volumen ◊ **faire du ~** hacer bulto, abultar **2.** *(sonore)* volumen: **augmenter le ~ de la radio** alzar el volumen de la radio **3.** *(livre)* volumen: **dictionnaire en trois volumes** diccionario en tres volúmenes.

**volumétrique** *a* volumétrico, a.

**volumineux, euse** *a* voluminoso, a.

**volupté** *f* voluptuosidad.

**voluptueusement** *adv* voluptuosamente.

**voluptueux, euse** *a* voluptuoso, a.

**volute** *f* voluta.

**vomer** [vɔmɛʀ] *m ANAT* vómer.

**vomi** *m* vómito.

**vomique** *a* **noix ~** nuez vómica.

**vomir** *vt/i* **1.** vomitar **2. faire ~** dar náuseas: **rien que d'y penser ça me fait ~** sólo pensarlo me da náuseas. ◇ *vt FIG* **1.** *(injures, etc.)* vomitar, proferir **2.** *(exécrer)* aborrecer, odiar.

**vomissement** *m* vómito.

**vomissure** *f* vómito *m*.

**vomitif, ive** *a/m* vomitivo, a.

**vont → aller.**

**vorace** *a* voraz: **des animaux voraces** animales voraces.

**voracement** *adv* vorazmente.

**voracité** *f* voracidad.

**vortex** *m* vórtice.

**vos** [vo] → **votre.**

**Vosges** [voʒ] *np f pl* Vosgos *m.*

**vosgien, enne** *a/s* de los Vosgos.

**votant, e** *a/s* votante.

**votation** *f* votación.

**vote** *m* **1.** voto: **droit de ~** derecho al voto; **bulletin de ~** papeleta de voto; **~ par correspondance** voto por correo **2.** *(action)* voto, votación *f*: **~ secret** votación secreta; **~ à main levée** votación a mano alzada; **~-sanction** voto de castigo.

**voter** *vi/t* votar: **pour qui ~?** ¿a quién votar?; **~ pour un candidat** votar a, por un candidato; **~ pour, contre** votar a favor, en contra; **~ blanc** votar en blanco.

**votif, ive** *a* votivo, a.

**votre** *a pos (pl* **vos***)* **1.** *(avec tutoiement)* vuestro, a, os, as **2.** *(avec vouvoiement)* su, sus: **~ majesté** su majestad; **un de vos amis** uno de sus amigos.

**vôtre** *pron pos* **1.** *(avec tutoiement)* **le ~** el vuestro; **la ~** la vuestra **2.** *(avec vouvoiement)* **le ~** el suyo; **la ~** la suya **3.** *FAM* **à la bonne ~!** ¡a su salud!. ◇ *m* lo vuestro, lo suyo ◊ **vous y mettrez du ~** usted pondrá algo de su parte. ◇ *pl* **1. les vôtres** los vuestros, las vuestras, los suyos, las suyas **2. je serai des vôtres** me uniré a ustedes.

**voudrai**, etc. → **vouloir.**

**vouer** *vt* **1.** consagrar, dedicar **2. voué à l'échec** destinado a fracasar. ◆ **se ~** *vpr* **1.** consagrarse, dedicarse: **se ~ à une cause** consagrarse a una causa **2. ne pas savoir à quel saint se ~** no saber qué hacer, a qué santo encomendarse.

[1]**vouloir*** *vt* **1.** querer: **veux-tu un bonbon?** ¿quieres un caramelo?; **je ne veux pas y aller** no quiero ir; **il n'a pas voulu venir** no quiso venir; **elle ne voudra pas le faire** no querrá hacerlo; **voulez-vous que je ferme la porte?** ¿quiere usted que cierre la puerta?; **que voulez-vous que je vous dise** qué quiere que le diga; **je voudrais savoir si...** quisiera saber si...; **sans le ~** sin querer; **en veux-tu, en voilà** → **voici/voilà** ◊ **Dieu le veuille!** ¡Dios lo quiera!; **rentrons, voulez-vous?** volvamos a casa, si le parece bien; **que veux-tu de plus?** ¿qué más quieres?; **qu'est-ce que vous voulez que j'y fasse?** ¿qué le vamos a hacer?; **que tu le veuilles ou non** quieras o no; **qu'on le veuille ou non** lo queramos o no; **que me veux-tu?** ¿qué quieres de mí?; **tu l'as voulu** es culpa tuya **2. ~ du bien à quelqu'un** desearle bien a alguien **3. en ~ à quelqu'un** guardar rencor a alguien; **ne m'en veux pas** no me guardes rencor; **je ne t'en veux pas** no te guardo rencor; **s'en ~ de...** reprocharse a sí mismo de..., arrepentirse de... **4. ~ bien** aceptar; **je veux bien** de acuerdo; *(admettre)* **je veux bien que tu aies raison** admito que tienes razón **5.** *(impératif)* **veux-tu (bien) te taire!** ¡haz el favor de callarte!; **veuillez entrer** sírvase entrar; **veuillez vous asseoir** siéntese usted, por favor. ◇ *vi PROV* **~ c'est pouvoir** querer es poder.

[2]**vouloir** *m* voluntad *f*: **bon, mauvais ~** buena, mala voluntad.

**voulu, e** → **vouloir** ◊ **en temps voulu** en tiempo oportuno.

**vous** *pron pers* **1.** *(sujet pl. avec tutoiement, souvent omis en espagnol)* vosotros, as **2.** *(sujet sing. avec vouvoiement)* usted: **~ et votre femme** usted y su mujer; **~-même** usted mismo; **faites-le ~-même** hágaselo usted mismo ◊ **dire ~ à quelqu'un** tratar de usted a alguien **3.** *(sujet pl. avec vouvoiement)* ustedes: **~ autres, Français** ustedes, los franceses **4.** *(sujet sing. pour s'adresser à Dieu, un saint, un roi)* vos **5.** *(complément pl. avec tutoiement)* os: **je ~ crois** os creo **6.** *(complément sing. avec vouvoiement)* le, la: **elle ~ aime** le quiere (a usted); **j'ai tardé à ~ répondre** tardé en contestarle **7.** *(complément pl. avec vouvoiement)* les, las **8. ceci est à ~, monsieur** esto es suyo, esto es de usted, señor; **c'est à ~ de jouer** a usted le toca jugar **9.** *(avec un autre complément de la 3e pers.)* se: **je ~ le dirai** se lo diré (a usted) **10.** *(réciproque)* se: **vous ~ connaissez déjà** ustedes se conocen ya.

▶ *Usted, ustedes* s'écrivent en abrégé *Vd., Vds.* ou *Ud., Uds.* et s'emploient avec un verbe à la 3e personne: *~ avez raison, monsieur* usted tiene razón, señor. Les pronoms compléments son enclitiques à l'infinitif, à l'impératif, au gérondif: *levez-vous* levántaos, levántese Vd., levántense Vds; *en ~ parlant* hablándole.

**voussoir, vousseau** *m ARCH* dovela *f.*

**voussoyer** → **vouvoyer.**

**voussure** *f ARCH* curvatura de un arco, bóveda, dovelaje *m.*

**voûte** *f* **1.** bóveda: **~ d'arête, en berceau** bóveda por arista, de cañón **2.** *ANAT* **~ du palais** bóveda palatina; **~ plantaire** arco *m* plantar **3. la ~ céleste** la bóveda celeste.

**voûté, e** *a* **1.** *ARCH* abovedado, a **2.** *(personne)* encorvado, a, cargado, a, de espaldas: **un vieillard ~** un anciano encorvado.

**voûter** *vt* **1.** *(couvrir d'une voûte)* abovedar **2.** *(une personne)* encorvar. ◆ **se ~** *vpr* encorvarse.

**vouvoiement** [vuvwamɑ̃] *m* tratamiento de usted.

**vouvoyer*** [vuvwaje] *vt* tratar de usted, llamar de usted: **il me vouvoie** me llama de usted.

**voyage** [vwajaʒ] *m* **1.** viaje: **partir en ~** ir de viaje; **être en ~** estar de viaje; **~ d'agrément, de noces** viaje de placer, de bodas; **~ d'affaires** viaje de negocios; **~ organisé** viaje organizado; **bon ~!** ¡buen viaje! **2. les gens du ~** los saltimbanquis, la gente del circo **3.** *FIG (d'un toxicomane)* viaje.

**voyager*** *vi* viajar: **~ par le train** viajar por tren.

**voyageur, euse** *s* **1.** viajero, a **2. ~ de commerce** viajante (de comercio). ◇ *a* **1. pigeon ~** paloma mensajera **2. commis ~** viajante.

**voyagiste** *s* operador turístico, tour operador, empresa *f* turística.

**voyais**, etc. → **voir.**

**voyance** *f* videncia.

**voyant, e** *a (qui attire l'œil)* llamativo, a. ◇ *s (devin)* vidente. ◇ *m (signal lumineux)* piloto, señal *f* luminosa.

**voyelle** *f GRAM* vocal.

**voyeur, euse** *s* mirón, ona, «voyeur».

**voyeurisme** *m* voyeurismo.

**voyez, voyons** → **voir.**

**voyou** *m* golfo, granuja, gamberro: **un petit ~** un granuja; **une bande de voyous** una pandilla de gamberros.

**vrac (en)** *loc adv* **1.** *(marchandises, etc.)* a granel, sin embalar **2.** en desorden.

**vrai, e** *a* **1.** verdadero, a: **une histoire vraie** una historia verdadera **2.** *(authentique)* auténtico, a, legítimo, a: **un ~ Murillo** un Murillo legítimo, auténtico **3.** cierto, a: **il est ~ que...** es cierto que..., es verdad que...; **ce que tu dis est ~** lo que dices es verdad; **c'est peut-être ~** quizás sea verdad; **incroyable mais ~** increíble pero cierto; **si c'était ~!** ¡si fuera verdad!, ¡si fuese cierto!; *POP* **c'est pas ~!** ¡no me digas! **4. un ~ héros** todo un héroe; **c'est une vraie réussite** es todo un acierto; **une vraie fortune!** ¡toda una fortuna!. ◇ *m* **1.** verdad *f*, lo cierto: **être dans le ~** estar en lo cierto **2.** *loc adv* **à ~ dire** a decir verdad, la verdad; **pour de ~** de veras, en serio; *FAM* **pas ~?** ¿verdad?, ¿no es verdad?, ¿a qué sí? **3.** *FAM* **eh bien ~!** ¡vaya!

**vraiment** *adv* **1.** verdaderamente, de verdad, de veras: **non ~, merci beaucoup** no, de veras, muchas gracias; **ça te plaît ~?** ¿te gusta de verdad? **2. ~?** ¿de verdad?

**vraisemblable** *a* verosímil.

**vraisemblablement** *adv* probablemente.

**vraisemblance** *f* verosimilitud.

**vrille** *f* **1.** *BOT* zarcillo *m* **2.** *(outil)* barrena **3.** *(avion)* **descendre en ~** entrar en barrena.

**vriller** *vt* barrenar. ◇ *vi* enroscarse, retorcerse.

**vrillette** *f* carcoma.

**vrombir** *vi* zumbar: **le moteur vrombit** el motor zumba.

**vrombissement** *m* zumbido.

**V.R.P.** *(abrév* de *voyageur, représentant, placier) m* viajante.

**vu, e** *pp* de **voir.** ◇ *a* **1.** visto, a: **ni ~ ni connu** ni visto ni oído; **du déjà-~** → **déja-vu** **2.** visto, a, considerado, a: **être bien, mal ~** estar bien, mal visto. ◇ *prép* en vista de, en consideración a, atendido: **~ les circonstances** en vista de las circunstancias; **~ que** dado que, visto que. ◇ *m* **au ~ et au su de tout le monde** a la vista de todo el mundo.

**vue** *f* **1.** vista ◊ **avoir la ~ basse** ser corto de vista; **garder à ~** vigilar de cerca; **bien en ~** bien a la vista; **une personne en ~** una persona importante, una personalidad; **perdre de ~** perder de vista; *FAM* **en mettre plein la ~** dejar pasmado, a, deslumbrar, epatar; **point de ~** → **point** **2.** *loc adv* **à ~ d'œil** a ojos vistas; **à perte de ~** → **perte; à première ~** a primera vista, a simple vista; *FAM* **à ~ de nez** a ojo de buen cubero **3.** *COM* **payable à ~** pagadero a la vista **4.** *(panorama, tableau)* vista: **avec ~ sur la mer** con vistas al mar **5.** *(idée)* idea, opinión, punto *m* de vista ◊ **une ~ d'ensemble** una visión de conjunto; **une ~ de l'esprit** una visión quimérica, una entelequia; **échange de vues** cambio de impresiones **6.** *(projet)* intención ◊ **avoir en ~...** tener a la vista... **7.** *loc prép* **en ~ de** con vistas a, con objeto de.

**Vulcain** *np m* Vulcano.

**vulcanisation** *f* vulcanización.

**vulcaniser** *vt* vulcanizar.

**vulcanologue** *s* vulcanólogo, a.

**vulgaire** *a* **1.** *(grossier)* vulgar: **des expressions vulgaires** expresiones vulgares **2.** *(ordinaire)* común, adocenado, a **3. un ~ moineau** un simple gorrión **4.** vulgar: **nom ~** nombre vulgar; **latin ~** latín vulgar. ◇ *m* **1.** *(foule)* **le ~** el vulgo **2.** *LITT* vulgaridad *f*: **donner dans le ~** caer en la vulgaridad, adocenarse.

**vulgairement** *adv* vulgarmente.

**vulgarisateur, trice** *a/s* vulgarizador, a.

**vulgarisation** *f* vulgarización.

**vulgariser** *vt* vulgarizar.

**vulgarité** *f* vulgaridad.

**Vulgate** *f* Vulgata.

**vulnérabilité** *f* vulnerabilidad.

**vulnérable** *a* vulnerable.

**vulnéraire** *a/m MÉD* vulnerario, a. ◇ *f (plante)* vulneraria.

**vulpin** *m* cola *f* de zorra.

**[1]vulvaire** *f (planta)* vulvaria.

**[2]vulvaire** *a ANAT* vulvario, a.

**vulve** *f ANAT* vulva.

**w** [dubləve] *m* w *f*: **un ~** una w.

**wagnérien, enne** [vagneʀjɛ̃, ɛn] *a/s* wagneriano, a.

**wagon** [vagɔ̃] *m* **1.** vagón: **wagons de marchandises** vagones de mercancías; **wagons à bestiaux** vagones para (el transporte del) ganado **2.** *(de voyageurs)* vagón, coche.

**wagon-bar** [vagɔ̃baʀ] *m* coche bar.

**wagon-citerne** [vagɔ̃sitɛʀn] *m* vagón cisterna.

**wagon-lit** [vagɔ̃li] *m* coche-cama: **des wagons-lits** coches-cama.

**wagonnet** [vagɔnɛ] *m* vagoneta *f*.

**wagon-poste** [vagɔ̃pɔst] *m* coche correo.

**wagon-restaurant** [vagɔ̃ʀɛstɔʀɑ̃] *m* coche restaurante, vagón restaurante.

**wagon-salon** [vagɔ̃salɔ̃] *m* vagón salón.

**walkie-talkie** *m* walkie-talkie.

**walkman** [wɔkman] *m* walkman.

**walkyrie** *f* valquiria.

**wallon, onne** [walɔ̃, ɔn] *a/s* valón, ona.

**wapiti** *m* wapití.

**warrant** [vaʀɑ̃] *m* COM warrant.

**warranter** *vt* COM garantizar con warrant.

**wassingue** [vasɛ̃g] *f* arpillera.

**water-ballast** [watɛʀbalast] *m* waterballast.

**water-closet(s)** [watɛʀkloset], **waters** [watɛʀ] *m pl* water-closet, retrete *sing*: **aller aux waters** ir al retrete, al water; **où sont les waters?** ¿dónde están los servicios, el aseo? → **w.-c.**

**watergang** *m* canal.

**water-polo** [watɛʀpolo] *m* water-polo.

**watt** [wat] *m* ÉLECT vatio.

**wattheure** *m* ÉLECT vatio por hora, vatio hora.

**w.-c.** [dubləvese] *m pl* **les ~** los servicios, el aseo, el lavabo, el water.
▶ Prononciation familière espagnole: *el báter.*

**week-end** [wikɛnd] *m* fin de semana: **nous allons à la campagne tous les week-ends** vamos al campo todos los fines de semana.

**Wenceslas** [wɛnseslas] *np m* Venceslao.

**Westphalie** [vestfali] *np f* Westfalia.

**western** [westɛʀn] *m* película *f* del Oeste.

**wharf** [waʀf] *m* muelle (que avanza en el mar).

**whisky** [wiski] *m* whisky, whiski, güisqui.

**whist** [wist] *m* whist.

**white-spirit** [wajtspiʀit] *m* gasolina *f* empleada como disolvente, especie de aguarrás.

**winch** [wintʃ] *m* MAR chigre, molinete.

**wincheur** *m* MAR chigrero.

**wishbone** [wiʃbon] *m* botavara *f*.

**wisigoth, e** [visigo, ɔt] *a/s* visigodo, a.

**wisigothique** [visigɔtik] *a* visigótico, a.

**wolfram** [vɔlfʀam] *m* wolframio.

**x** [iks] *m* **1.** x *f*: **un ~** una x **2.** equis: **monsieur ~** el señor equis; **pendant ~ temps** en equis tiempo; **rayons ~** rayos equis **3. l'X** la Escuela Politécnica; **un ~** un alumno de la Escuela Politécnica.

**Xavier** [gʒavje] *np m* Javier.

**xénon** *m CHIM* xenón.

**xénophile** *a/s* xenófilo, a.

**xénophilie** *f* xenofilia.

**xénophobe** *a/s* xenófobo, a.

**xénophobie** *f* xenofobia.

**Xénophon** [gʒenɔfɔ̃] *np m* Jenofonte.

**Xérès** [xeʀɛs, gseʀɛs] *np m* Jerez. ◇ *m (vin)* jerez.

**xérophile** *a* xerófilo, a.

**Xerxès** [gʒɛrsɛs] *np m* Jerjes.

**xi** [ksi] *m (lettre grecque)* xi *f*.

**xiphoïde** [ksifɔid] *a ANAT* **appendice ~** apéndice xifoides.

**xylène** *m CHIM* xileno.

**xylographie** *f* xilografía.

**xylographique** *a* xilográfico, a.

**xylophage** *a* xilófago, a.

**xylophone** *m* xilófono.

**[1]y** [ygʀɛk] *m* y *f*: **un ~** una y.

**[2]y** *adv* **1.** allí, ahí: **allez-~ à pied** vaya usted allí andando; **j'~ vais** voy, allí voy; **allons-~!** ¡vamos!; **j'~ suis, j'~ reste** aquí estoy y aquí me quedo; **vas-~!** ¡anda! **2.** *FAM* **ah!, j'~ suis** ¡ah!, ya caigo; **vous n'~ êtes pas du tout** usted no cae en la cuenta **3. je n'~ suis pour rien** no es culpa mía. ◇ *pron* **1.** a él, en él, etc.: **la conférence commence à six heures, j'essaierai d'~ assister** la conferencia empieza a las seis, trataré de asistir (a ella); **j'~ pense** pienso en ello **2.** lo: **pensez-~** piénselo; **je ne veux pas ~ penser** no quiero pensarlo; **je n'~ avais jamais pensé** nunca lo había pensado; **je m'~ attendais** me lo esperaba **3.** *(explétif)* **il ~ a un magasin** hay un almacén; **il ~ a longtemps** hace mucho tiempo; **ça ~ est** ya está.

**[3]y** *FAM* = **il.**

**yacht** [jɔt] *m* yate, yacht.

**yacht-club** [jɔtklœb] *m* club náutico.

**yachting** [jɔtiŋ] *m* yachting, navegación *f* de recreo.

**yack, yak** [jak] *m* yac, yak.

**Yahvé** *np m* Yahvé.

**yankee** [jãki] *a/s* yanqui.

**yaourt** [yauʀ(t)] *m* yogur: **~ aux fruits** yogur con frutas; **des yaourts aromatisés au chocolat** yogures aromatizados con chocolate; **~ nature** yogur natural.

**yaourtière** [jauʀtjɛʀ] *f* yogurtera.

**yard** [jaʀd] *m* yarda *f*.

**yatagan** *m* yatagán.

**Yémen** *np m* Yemen.

**yéménite** *a/s* yemení.

**yen** [jɛn] *m* yen.

**yeuse** *f* encina.

**yeux** *m pl* ojos → **œil.**

**yiddish** *m* judeoalemán, yiddish.

**yod** *m* yod *f*.

**yoga** *m* yoga: **faire du ~** practicar el yoga.

**yogi** *m* yogui.

**yogourt** [jɔguʀ(t)] → **yaourt.**

**yole** *f* yola.

**yougoslave** *a/s* yugoslavo, a.

**Yougoslavie** *np f* Yugoslavia: **l'ex-~** la antigua Yugoslavia, la ex Yugoslavia.

**youpi!** *interj* ¡hiupi!

**yourte** *f* choza de mongoles nómadas.

**youyou** *m* bote pequeño, canoa *f*.

**yo-yo** *m inv* yoyo.

**ypérite** *f* iperita.

**ytterbium** *m CHIM* iterbio.

**yttrium** *m CHIM* itrio.

**yucca** *m* yuca *f*.

**Yves** [iv] *np m* Ivo.

**Yvonne** *np f* Ivona.

# Z

**z** [zɛd] *m* z *f*: **un ~** una z.

**Zacharie** [zakaʀi] *np m* Zacarías.

**Zaïre** [zaiʀ] *np m* Zaire.

**zaïrois, e** *a/s* zaireño, a.

**Zambie** [zɑ̃bi] *np f* Zambia.

**zambien, enne** *a/s* zambiano, a.

**Zanzibar** [zɑ̃zibaʀ] *np m* Zanzíbar.

**zapotèque** *a/s* zapoteca.

**zapper** *vi* zapear, hacer zapping.

**zapping** *m* zapping, zapeo.

**zazou** *a/s* FAM joven excéntrico durante la segunda guerra mundial.

**zèbre** *m* **1.** cebra *f* ◊ **courir comme un ~** correr como un gamo **2.** FAM individuo, elemento: **un drôle de ~** una buena pieza.

**zébrer*** *vt* rayar.

**zébrure** *f* raya, rayado *m*, listado *m*.

**zébu** *m* cebú.

**Zélande** *np f* Zelanda.

**zélandais, e** *a/s* zelandés, esa.

**zélateur, trice** *s* defensor, a.

**zèle** *m* **1.** ardor, celo ◊ **grève du ~** huelga de celo **2. faire du ~** obrar con excesivo celo, hacer méritos.

**zélé, e** *a* afanoso, a, celoso, a, activo, a.

**zélote** *s* HIST celota, zelota.

**zen** *a/m* zen.

**zénith** [zenit] *m* **1.** ASTR cenit **2.** FIG **être au ~ de sa gloire** estar en el cenit, en el apogeo de su gloria.

**zéphir** [zefiʀ] *m* céfiro.

**zeppelin** *m* zepelín.

**zéro** *m* **1.** cero: **cinq degrés au-dessous de ~** cinco grados bajo cero; **battre par 4 à ~** vencer por 4 a cero **2. partir de ~** empezar de cero; **repartir de ~** volver a empezar de cero, partir de cero otra vez; FAM **avoir le moral à ~** tener la moral por los suelos; **~ pour la question!** ¡ni hablar! **3.** FAM **un ~** un cero a la izquierda, una nulidad. ◇ *a* **1.** ninguno, a: **~ faute** ninguna falta **2. ~ heure** medianoche **3. croissance ~** crecimiento cero.

**zest** → **zist.**

**zeste** *m* **1.** *(écorce)* cáscara *f* (de naranja, de limón) **2.** *(lame mince)* **~ de citron** ralladura *f* de limón.

**Zeus** [dzøs] *np m* Zeus.

**zézaiement** [zezɛmɑ̃] *m* ceceo.

**zézayer*** [zezeje] *vi* cecear.

**zieuter** *vt* POP mirar, diquelar.

**zibeline** *f* marta cibelina, marta cebellina.

**zig, zigue** [zig], **zigoto** *m* FAM tipo, individuo, tío: **un drôle de ~** un tío raro ◊ **faire le ~** dársela s de listo.

**ziggourat** [ziguʀat] *f* zigurat *m*.

**zigouiller** *vt* POP apiolar, cepillar.

**zigue** → **zig.**

**zigzag** [zigzag] *m* zigzag: **route en ~** carretera en zigzag ◊ **faire des zigzags** zigzaguear, serpentear.

**zigzaguer** *vi* zigzaguear.

**zinc** [zɛ̃g] *m* **1.** *(métal)* cinc, zinc **2.** FAM *(comptoir)* **sur le ~** en el mostrador, en la barra **3.** FAM avión.

**zinguer** *vt* **1.** galvanizar con cinc **2.** cubrir con cinc.

**zingueur** *m* cinquero.

**zinnia** *m* zinnia *f*.

**zinzin** *a* FAM *(fou)* chiflado, a, majareta. ◇ *m* FAM *(truc)* cosa *f*, chisme.

**zipper** *vt* poner una cremallera a: **blouson zippé** cazadora con cremallera.

**zircon** *m* circón.

**zist** *m* FAM **entre le ~ et le zest** así así, indeciso, a.

**zizanie** *f* cizaña: **semer la ~** sembrar cizaña.

**zizi** *m* FAM pilila *f*, minina *f*.

**zodiac** *m* *(canot, nom déposé)* zodiac *f*: **~ à moteur** zodiac con motor.

**zodiacal, e** *a* zodiacal.

**zodiaque** *m* zodíaco, zodiaco: **les signes du ~** los signos del zodíaco.

**zoïle** *m* *(critique)* zoilo.

**zombie, zombi** *m* zombi.

**zona** *m* MÉD zona *f*.

**zonard, e** *s* FAM marginado, a.

**zone** *f* **1.** zona: **~ tempérée, tropicale** zona templada, tropical; **~ bleue** zona azul; **~ franche** zona franca; **~ frontière** zona fronteriza **2.** *(aire)* área: **la ~ portuaire, de libre échange** el área portuaria, de libre cambio **3. la ~** los suburbios miserables de una gran ciudad, las chabolas **4.** FIG **de seconde ~** de segundo plano.

**zoo** [zo(o)] *m* zoo, parque zoológico.

**zoologie** *f* zoología.

**zoologique** *a* zoológico, a: **parc ~** parque zoológico.

**zoologiste** *s* zoólogo, a.

**zoom** [zum] *m* zoom.

**zoomorphe** *a* zoomorfo, a.

**zootechnicien, enne** *s* zootécnico, a.

**zootechnie** [zɔɔtɛkni] *f* zootecnia.

**Zoroastre** *np m* Zoroastro.

**zouave** *m* **1.** zuavo **2.** *FAM* **faire le ~** hacer el bobo.

**zoulou** *a/s* zulú.

**zozo** *m FAM* **1.** *(niais)* bobo **2. un drôle de ~** un tío raro.

**zozotement** *m* ceceo.

**zozoter** *vi* cecear.

**zut!** [zyt] *interj* ¡cáscaras!, ¡caramba!, ¡cáspita!

**zyeuter → zieuter.**

**zygomatique** *a ANAT* cigomático, a.

**zygote** *m BIOL* cigoto.

# Cahier central
# *Páginas centrales*

## Sigles français usuels et abréviations
## *Siglas y abreviaturas francesas más usuales*

| | |
|---|---|
| Afnor | Association française de normalisation. |
| A.N.P.E. | Agence nationale pour l'emploi (≃ INEM). |
| A.O.C. | Appellation d'origine contrôlée. |
| A.S.S.E.D.I.C. | Association pour l'emploi dans l'industrie et le commerce. |
| av. | avenue (avenida). |
| bd | boulevard (bulevar). |
| B.D. | bande dessinée (historieta, cómic). |
| B.O. | Bulletin officiel. |
| B.T.S. | Brevet de technicien supérieur. |
| c.-à-d. | c'est-à-dire (es decir). |
| C.A.O. | Conception assistée par ordinateur. |
| C.A.P. | Certificat d'aptitude professionnelle. |
| C.A.P.E.S. | Certificat d'aptitude au professorat de l'enseignement secondaire. |
| C.C.P. | Compte courant postal. |
| C.D.D. | Contrat à durée déterminée. |
| C.D.I. | Contrat à durée indéterminée. |
| C.E.A. | Commissariat à l'énergie atomique (≃ JEN). |
| Cedex | Courrier d'entreprise à distribution exceptionnelle. |
| C.E.E. | Communauté économique européenne (Comunidad Económica Europea). |
| C.E.S. | Collège d'enseignement secondaire. |
| C.E.T. | Collège d'enseignement technique. |
| C.H.U. | Centre hospitalier universitaire. |
| Cie | Compagnie (Compañía). |
| C.N.P.F. | Conseil national du patronat français (≃ CEOE). |
| C.N.R.S. | Centre national de la recherche scientifique (≃ CSIS). |
| c.q.f.d. | ce qu'il fallait démontrer. |
| C.R.S. | Compagnie républicaine de sécurité. |
| C.V. | *Curriculum vitae* (CV). |
| Datar | Délégation à l'aménagement du territoire et à l'action régionale. |
| D.E.A. | Diplôme d'études approfondies. |
| D.E.U.G. | Diplôme d'études universitaires générales. |
| D.G.S.E. | Direction générale de la sécurité extérieure (≃ Cesid). |
| D.O.M. | Département d'outre-mer. |
| E.D.F. | Électricité de France. |
| E.N.A. | École nationale d'administration. |
| E.V. | En ville (Ciudad). |
| ex. | exemple (ejemplo). |
| G.D.F. | Gaz de France. |
| G.I.G.N. | Groupe d'intervention de la Gendarmerie nationale (≃ GEO). |
| H.L.M. | Habitation à loyer modéré. |
| H.T. | hors-taxes. |
| I.F.O.P. | Institut français d'opinion publique. |
| Ifremer | Institut français de recherche pour l'exploitation de la mer. |
| I.G.N. | Institut géographique national. |
| I.N.R.A. | Institut national de la recherche agronomique. |
| I.N.S.E.E. | Institut national de la statistique et des études économiques. |
| I.R.C.A.M. | Institut de recherche et de coordination acoustique-musique. |
| I.U.T. | Institut universitaire de technologie. |
| I.V.G. | Interruption volontaire de grossesse. |
| J.O. | Journal officiel (≃ Boletín Oficial del Estado) ; Jeux olympiques. |
| L.E.P. | Lycée d'enseignement professionnel. |
| M., MM. | Monsieur, messieurs (señor, señores). |
| Mgr | Monseigneur. |
| Mme | Madame (señora). |

| | |
|---|---|
| Mlle | Mademoiselle (señorita). |
| N.-D. | Notre-Dame (Nuestra Señora). |
| O.P.A. | Offre publique d'achat (oferta pública de adquisición de acciones). |
| O.S. | Ouvrier spécialisé. |
| P.A.O. | Publication assistée par ordinateur. |
| P.C. | Poste de commandement. |
| P.c.c. | Pour copie conforme (Reproducción exacta del original). |
| P.C.V. | à *percevoir* (a cobro revertido). |
| P.-D.G. | Président-directeur général. |
| P.J. | Police judiciaire. |
| P.M.E. | Petites et moyennes entreprises (≃ Pymes). |
| P.M.U. | Pari mutuel urbain. |
| P.-S. | *Post-scriptum* (Posdata). |
| P.T.T. | Postes et télécommunications (Correos y Comunicaciones). |
| P.V. | Procès verbal (≃ multa). |
| Q.G. | Quartier général. |
| Q.I. | Quotient intellectuel. |
| qn. | quelqu'un (alguien). |
| qq. | quelque (alguno, a). |
| R.A.I.D. | Recherche. Assistance. Intervention. Dissuasion. |
| R.A.S. | Rien à signaler (sin novedad, todo va bien). |
| R.A.T.P. | Régie autonome des transports parisiens. |
| R.E.R. | Réseau express régional. |
| R.F. | République française. |
| R.M.I. | Revenu minimum d'insertion. |
| R.M.N. | Résonance magnétique nucléaire. |
| R.S.V.P. | Répondez, s'il vous plaît (Esperamos su respuesta). |
| S.A. | Société anonyme (Sociedad anónima). |
| S.A.M.U. | Service d'aide médicale d'urgence. |
| S.A.R.L. | Société à responsabilité limitée (≃ SL, Sociedad limitada). |
| S.D.F. | Sans domicile fixe. |
| S.E.I.T.A. | Société d'exploitation industrielle des tabacs et allumettes. |
| S.G.D.G. | Sans garantie du gouvernement. |
| S.M.I.C. | Salaire minimum interprofessionnel de croissance. |
| S.N.C.F. | Société nationale des chemins de fer français. |
| S.O.F.R.E.S. | Société française d'enquêtes pour sondages d'opinion. |
| S.P.A. | Société protectrice des animaux. |
| S.S. | Sa Sainteté; Sécurité sociale. |
| St, Ste | Saint, sainte (santo, santa). |
| S[te] | Société (sociedad). |
| S.V.P. | S'il vous plaît (Por favor). |
| T.G.V. | Train à grande vitesse (≃ AVE). |
| T.O.M. | Territoire d'outre-mer. |
| T.S.V.P. | Tournez s'il vous plaît (Véase al dorso). |
| T.T.C., t.t.c. | toutes taxes comprises. |
| Tuc | Travail d'utilité collective. |
| T.V.A. | Taxe à la valeur ajoutée (≃ IVA). |
| U.L.M. | Ultraléger motorisé (ultraligero). |
| V.D.Q.S. | Vin délimité de qualité supérieure. |
| V.P.C. | Vente par correspondance. |
| V.T.T. | Vélo tout-terrain. |
| V.R.P. | Voyageur, représentant, placier. |
| Vve | Veuve (Viuda). |
| Z.A.C. | Zone d'aménagement concerté. |
| Z.A.D. | Zone d'aménagement différé. |
| Z.U.P. | Zone à urbaniser en priorité. |

# Sigles espagnols usuels et abréviations

## *Siglas y abreviaturas españolas más usuales*

| | |
|---|---|
| Admón. | Administración. |
| afmo. | afectísimo. |
| Apdo. | apartado (boîte postale). |
| ATS | ayudante técnico sanitario. |
| atto. | atento. |
| Avda. Av. | Avenida (avenue). |
| AVE | Alta Velocidad Española (≃ T.G.V.). |
| BOE | Boletín Oficial del Estado (≃ Journal officiel). |
| BUP | Bachillerato unificado polivalente. |
| c/ | calle (rue). |
| cap. | capítulo (chapitre). |
| CAMPSA | Compañía Arrendataria del Monopolio de Petróleos, Sociedad Anónima. |
| CEE | Comunidad Económica Europea (Communauté économique européenne). |
| CEOE | Confederación Española de Organizaciones Empresariales (≃ C.N.P.F.) |
| Cesid | Centro Superior de Información de la Defensa. |
| Cía. | Compañía (Compagnie). |
| COU | Curso de Orientación universitaria. |
| CSIC | Consejo Superior de Investigaciones Científicas (≃ C.N.R.S.). |
| CV | *Curriculum vitae* (C.V.). |
| Dcha. | Derecha (droite). |
| D., D.ª | Don, doña (Monsieur, madame). |
| Dpto. | Departamento (service). |
| DF | Distrito federal. |
| DGT | Dirección General de Turismo. |
| DIU | Dispositivo intrauterino (stérilet). |
| DNI | Documento Nacional de Identidad. |
| EE UU | Estados Unidos (U.S.A., États-Unis). |
| EGB | Educación General Básica. |
| ej. | ejemplo (exemple). |
| ESO | Educación Secundaria Obligatoria. |
| ETA | Euskadi ta Askatasuna (Euskadi et Liberté). |
| ETS | Escuelas Técnicas Superiores. |
| EUA | Estados Unidos de América (U.S.A.). |
| Exc. | Excelencia. |
| Excmo. | Excelentísimo. |
| f.c. | ferrocarril (chemin de fer). |
| FOP | Fuerzas de Orden Público. |
| FP | Formación Profesional. |
| GEO, Geo | Grupos Especiales Operativos (≃ G.I.G.N.). |
| Gta. | Glorieta (rond-point). |
| Gral. | General. |
| Hnos. | Hermanos (Frères). |
| ICH | Instituto de Cultura Hispánica. |
| ICI | Instituto de Cooperación Iberoamericana. |
| Icona | Instituto Nacional para la Conservación de la Naturaleza. |
| Ilmo. | Ilustrísimo. |
| INE | Instituto Nacional de Estadística (≃ I.N.S.E.E.). |
| INEM | Instituto Nacional de Empleo (≃ A.N.P.E.). |
| INI | Instituto Nacional de Industria. |
| Insalud | Instituto Nacional de la Salud. |
| IVA | Impuesto sobre el valor añadido (≃ T.V.A.). |
| Izda. | Izquierda (gauche). |
| JEN | Junta de Energía Nuclear (≃ C.E.A.). |

| | |
|---|---|
| ldo. lic. | licenciado. |
| LODE | Ley Orgánica de Derecho a la Educación. |
| LOGSE | Ley Orgánica de Ordenación General del Sistema Educativo. |
| MIR | Médico Interno y Residente. |
| Mons. | Monseñor. |
| MOPTMA | Ministerio de Obras Públicas y Medio Ambiente. |
| n/ | nuestro, a (notre). |
| N.ª S.ª | Nuestra Señora (Notre-Dame). |
| OEA | Organización de Estados Americanos. |
| ONCE | Organización Nacional de Ciegos Españoles. |
| PD | Posdata (Post-scriptum). |
| pdo. | pasado. |
| PMM | Parque Móvil de Ministerios. |
| pmo. | próximo. |
| Pº | Paseo (promenade, cours). |
| pral. | principal. |
| pta. | peseta. |
| PYME, Pyme | Pequeña y Mediana Empresa (≃ P.M.E.). |
| q.b.s.m. | que besa su mano. |
| q.D.g. | que Dios guarde. |
| q.e.p.d. | que en paz descanse. |
| q.e.s.m. | que estrecha su mano. |
| RACE | Real Automovil Club de España. |
| RAE | Real Academia Española. |
| RENFE | Red Nacional de los Ferrocarriles Españoles (≃ S.N.C.F.). |
| RNE | Radio Nacional de España. |
| rte. | remite (expéditeur). |
| RTVE | Radio Televisión Española. |
| SA | Sociedad anónima (Société anonyme). |
| SAR | Su Alteza Real. |
| SE | Su Excelencia (Votre Excellence). |
| SL | Sociedad Limitada (≃ S.A.R.L.). |
| SM | Su Majestad (Votre Majesté). |
| s/n | sin número. |
| Sr., Sres. | Señor, señores (Monsieur, messieurs). |
| Sra. | Señora (Madame). |
| Srta. | Señorita (Mademoiselle). |
| s.s.s. | su seguro servidor (votre tout dévoué). |
| sta., sto. | Santa, Santo (sainte, saint). |
| TALGO | Tren articulado ligero Goicoechea Oriol. |
| TAV | Tren de Alta Velocidad (≃ T.G.V.). |
| TVE | Televisión Española. |
| UCI | Unidad de Cuidados Intensivos. |
| Ud., Vd. | Usted (Vous). |
| Uds., Vds. | Ustedes (Vous). |
| UNED | Universidad Nacional de Educación a Distancia. |
| UVI | Unidad de Vigilancia Intensiva. |
| Vda. | Viuda (Veuve). |
| Vg., V.gr. | Verbigracia (par exemple). |
| Vid | Véase (voir). |
| Vº B.º | Visto bueno (lu et approuvé). |
| VPO | Vivienda de Protección Oficial (H.L.M.). |

# Proverbes français
## *Refranes franceses*

**A beau mentir qui vient de loin.** De luengas tierras, luengas mentiras.

**À bon chat, bon rat.** Donde las dan las toman.

**Abondance de biens ne nuit pas.** Lo que abunda no daña.

**À bon vin point d'enseigne.** El buen paño en el arca se vende.

**À chaque fou sa marotte.** Cada loco con su tema.

**À chaque jour suffit sa peine.** Cada día trae su afán.

**À cheval donné on ne regarde pas la bride.** A caballo regalado no hay que mirarle el diente.

**À cœur vaillant rien d'impossible.** El mundo es de los audaces.

**Aide-toi, le ciel t'aidera.** A quien madruga Dios le ayuda; A Dios rogando y con el mazo dando; Ayúdate y ayudarte he.

**À l'impossible nul n'est tenu.** Nadie está obligado a lo imposible.

**À l'œuvre on reconnaît l'artisan.** Por el canto se conoce el pájaro; Por la muestra se conoce el paño.

**À père avare, fils prodigue.** A padre ganador, hijo gastador.

**Après la pluie, le beau temps.** Después de la tempestad viene la calma.

**À quelque chose malheur est bon.** No hay mal que por bien no venga.

**À tout péché miséricorde.** No hay culpa que no merezca perdón.

**À tout seigneur, tout honneur.** A tal señor, tal honor.

**Au royaume des aveugles, les borgnes sont rois.** En tierra de ciegos, el tuerto es rey.

**Aux grands maux, les grands remèdes.** A grandes males, grandes remedios.

**Bien faire et laisser dire.** Haz bien y no mires a quién.

**Bien mal acquis ne profite jamais.** Quien de ajeno se viste, en la calle lo desvisten.

**Bon chien chasse de race.** De casta le viene al galgo el ser rabilargo.

**Bonne renommée vaut mieux que ceinture dorée.** Más vale buena fama que espuela dorada.

**C'est en forgeant qu'on devient forgeron.** El uso hace el maestro.

**Chacun son métier, les vaches seront bien gardées.** Zapatero a tus zapatos.

**Charbonnier est maître chez soi.** Cada uno es rey en su casa.

**Charité bien ordonnée commence par soi-même.** La caridad bien entendida empieza por uno mismo.

**Chat échaudé craint l'eau froide.** Gato escaldado del agua fría huye.

**Chien en vie vaut mieux que lion mort.** Más vale burro vivo que doctor muerto.

**Chien qui aboie ne mord pas.** Perro ladrador poco mordedor.

**Chose promise, chose due.** Lo prometido es deuda.

**Comme on fait son lit, on se couche.** Quien mala cama hace, en ella se yace; Como cebas, así pescas.

**Dans le doute abstiens-toi.** En la duda, abstente.

**Des goûts et des couleurs, il ne faut pas discuter.** Sobre gustos no hay nada escrito.

**Dis-moi qui tu hantes, je te dirai qui tu es.** Dime con quién andas y te diré quién eres.

**Fais ce que dois, advienne que pourra.** Cobra buena fama y échate a dormir.

**Faute de grives on mange des merles.** A falta de pan buenas son tortas.

**Faute d'un point, Martin perdit son âne.** Por un clavo se pierde una herradura.

**Il faut battre le fer quand il est chaud.** Al hierro caliente, batir de repente.

**Il faut vivre à Rome comme à Rome.** Donde fueres haz como vieres.

**Il ne faut jamais remettre au lendemain ce qu'on peut faire le jour même.** Nunca «tiempo ha» hizo cosa buena.

**Il ne faut jurer de rien.** Nadie diga: de esta agua no beberé.

**Il ne faut pas courir deux lièvres à la fois.** El que sigue dos liebres sin ninguna se queda.

**Il ne faut pas dire : «Fontaine je ne boirai pas de ton eau.»** Nadie diga: de esta agua no beberé.

**Il ne faut pas parler de corde dans la maison d'un pendu.** No hay que mentar la soga en casa del ahorcado.

**Il ne faut pas réveiller le chat qui dort.** Peor es meneallo.

**Il ne faut pas vendre la peau de l'ours avant de l'avoir tué.** No hay que contar con el huevo antes de poner la gallina.

**Il n'est sauce que d'appétit.** A buen hambre no hay pan duro.

**Il n'est pire eau que l'eau qui dort.** Del agua mansa me libre Dios, que de la brava me guardaré yo.

**Il n'est pire sourd que celui qui ne veut pas entendre.** No hay peor sordo que el que no quiere oír.

**Il n'est pour voir que l'œil du maître.** El ojo del amo engorda el caballo.

**Il n'y a pas de fumée sans feu.** Cuando el río suena, agua lleva.

**Il n'y a pas de roses sans épines.** No hay rosa sin espinas.

**Il n'y a que la vérité qui blesse.** La verdad amarga.

**Il n'y a que le premier pas qui coûte.** Todo es empezar.

**Il vaut mieux être le premier dans son village que le second à Rome.** Más vale ser cabeza de ratón que cola de león.

**Il y a loin de la coupe aux lèvres.** De la mano a la boca se pierde la sopa.

**Il y a temps pour tout.** Cada cosa en su tiempo y los nabos en adviento.

**Jeux de mains, jeux de vilains.** Juego de manos, juego de villanos.

**La caque sent toujours le hareng.** La cabra siempre tira al monte.

**La nuit, tous les chats sont gris.** De noche, todos los gatos son pardos.

**La parole est d'argent, mais le silence est d'or.** Al buen callar llaman Sancho; En boca cerrada no entran moscas; Por la boca muere el pez.

**L'appétit vient en mangeant.** El comer y el rascar, todo es empezar.

**L'eau va toujours à la rivière.** Al mar agua.

**Le mieux est l'ennemi du bien.** Bueno está lo bueno.

**L'enfer est pavé de bonnes intentions.** El infierno está lleno de buenos propósitos.

**Les absents ont toujours tort.** Ni ausente sin culpa, ni presente sin disculpa.

**Les bons comptes font les bons amis.** Cuentas claras, amistades largas.

**Les conseilleurs ne sont pas les payeurs.** Una cosa es predicar y otra dar trigo.

**Les cordonniers sont toujours les plus mal chaussés.** En casa del herrero cuchillo de palo.

**Les loups ne se mangent pas entre eux.** Un lobo a otro no se muerden; Entre bueyes no hay cornada.

**Les petits ruisseaux font les grandes rivières.** Un grano no hace granero pero ayuda al compañero.

**Le temps, c'est de l'argent.** El tiempo es oro.

**L'habit ne fait pas le moine.** El hábito no hace al monje.

**L'habitude est une seconde nature.** La costumbre es otra naturaleza.

**L'homme propose et Dieu dispose.** El hombre propone y Dios dispone.

**L'occasion fait le larron.** La ocasión hace al ladrón.

**Loin des yeux, loin du cœur.** Ojos que no ven, corazón que no siente.

**Mieux vaut tard que jamais.** Más vale tarde que nunca; Nunca es tarde si la dicha es buena.

**Morte la bête, mort le venin.** Muerto el perro, se acabó la rabia.

**Nécessité fait loi.** Necesidad carece de ley.

**Nul bien sans peine.** No hay atajo sin trabajo.

**Nul n'est prophète en son pays.** Nadie es profeta en su tierra.

**Oignez vilain, il vous poindra.** Cría cuervos y te sacarán los ojos.

**On attrape plus vite un menteur qu'un voleur.** Antes se coge al mentiroso que al cojo.

**On n'apprend pas à un vieux singe à faire des grimaces.** A perro viejo no hay tus tus; Más sabe el diablo por viejo que por diablo.

**On ne fait pas d'omelette sans casser des œufs.** No se pescan truchas a bragas enjutas.

**On ne peut être à la fois au four et au moulin.** No se puede repicar y andar en la procesión.

**On ne prend pas les mouches avec du vinaigre.** Más moscas se cogen con miel que con hiel.

**On ne prête qu'aux riches.** Vase el bien al bien y las abejas a la miel; Dinero llama dinero.

**Paris ne s'est pas fait en un jour.** No se ganó Zamora en una hora.

**Pauvreté n'est pas vice.** Pobreza no es vileza.

**Petit à petit, l'oiseau fait son nid.** Poco a poco hila la vieja el copo.

**Petite pluie abat grand vent.** Lágrimas quebrantan penas.

**Pierre qui roule n'amasse pas mousse.** Piedra movediza, nunca moho la cobija.

**Plus fait douceur que violence.** Más vale maña que fuerza.

**Plus on est de fous, plus on rit.** Cuanto más locos más regocijo.

**Promettre et tenir font deux.** Del dicho al hecho hay gran trecho.

**Quand le chat n'est pas là, les souris dansent.** Cuando el gato está fuera, los ratones se divierten.

**Quand le vin est tiré, il faut le boire.** A lo hecho, pecho.

**Quand on parle du loup, on en voit la queue.** En nombrando al ruin de Roma, luego asoma; Hablando del rey de Roma, por la puerta asoma.

**Qui aime bien châtie bien.** Quien bien te quiere te hará llorar.

**Qui casse les verres les paie.** El que la hace la paga.

**Qui dort dîne.** Quien duerme cena.

**Qui ne dit mot consent.** Quien calla otorga.

**Qui ne risque rien n'a rien.** El que no se arriesga no pasa la mar.

**Qui peut le plus peut le moins.** Quien puede lo más, puede lo menos.

**Qui sème le vent récolte la tempête.** Quien siembra vientos recoge tempestades.

**Qui se ressemble s'assemble.** Dios los cría y ellos se juntan.

**Qui se sent morveux se mouche.** Quien se pica ajos come.

**Qui trop embrasse mal étreint.** Quien mucho abarca poco aprieta.

**Qui va à la chasse perd sa place.** Quien fue a Sevilla perdió su silla.

**Qui veut la fin veut les moyens.** El que la sigue la consigue.

**Qui veut noyer son chien l'accuse de la rage.** Quien a su perro ha de matar, de rabia le ha de levantar.

**Qui veut voyager loin ménage sa monture.** A camino largo, paso corto.

**Rira bien qui rira le dernier.** Al freír será el reír; Quien ríe último ríe mejor.

**Tant va la cruche à l'eau qu'à la fin elle se casse.** Tanto va el cántaro a la fuente que al fin se rompe.

**Tel père, tel fils.** De tal palo, tal astilla.

**Tel qui rit vendredi, dimanche pleurera.** Día de mucho, víspera de nada.

**Tous les chemins mènent à Rome.** Por todas partes se va a Roma.

**Tout ce qui brille n'est pas or.** No es oro todo lo que reluce.

**Tout est bien qui finit bien.** Si todo termina bien, todo ha sido bueno.

**Tout vient à point qui sait attendre.** El que esperar puede, alcanza lo que quiere; Con el tiempo todo se consigue.

**Un clou chasse l'autre.** Un clavo saca otro clavo.

**Une hirondelle ne fait pas le printemps.** Una golondrina no hace verano.

**Un homme averti en vaut deux.** Hombre prevenido vale por dos.

**Un mauvais arrangement vaut mieux qu'un bon procès.** Más vale poco conocido que bueno por conocer.

**Un tiens vaut mieux que deux tu l'auras.** Más vale pájaro en mano que ciento volando.

**Ventre affamé n'a pas d'oreille.** El vientre ayuno no oye a ninguno; El hambre es mala consejera.

**Vouloir c'est pouvoir.** Querer es poder.

# Proverbes espagnols

## *Refranes españoles*

**A buen hambre no hay pan duro.** Il n'est sauce que d'appétit.

**A caballo regalado no hay que mirarle el diente.** A cheval donné on ne regarde pas la bride.

**A camino largo, paso corto.** Qui veut voyager loin ménage sa monture.

**A Dios rogando y con el mazo dando.** Aide-toi, le ciel t'aidera.

**A falta de pan buenas son tortas.** Faute de grives, on mange des merles.

**A grandes males, grandes remedios.** Aux grands maux, les grands remèdes.

**Agua pasada no muele molino.** Une occasion manquée ne se retrouve pas.

**Al buen callar llaman Sancho.** La parole est d'argent, mais le silence est d'or.

**Al freír será el reír.** Rira bien qui rira le dernier.

**Al hierro caliente batir de repente.** Il faut battre le fer pendant qu'il est chaud.

**Amigo viejo, tocino y vino añejo.** Les vieux amis sont les meilleurs.

**Antes que te cases, mira lo que haces.** Il faut réfléchir avant d'agir.

**Antes se coge al mentiroso que al cojo.** On attrape plus vite un menteur qu'un voleur ; Les menteurs sont vite démasqués.

**A padre ganador, hijo gastador.** À père avare, fils prodigue.

**A perro flaco todo son pulgas.** Aux chevaux maigres vont les mouches.

**A perro viejo no hay tus tus.** On n'apprend pas à un vieux singe à faire des grimaces.

**A quien madruga, Dios le ayuda.** Aide-toi, le ciel t'aidera.

**A tal señor, tal honor.** À tout seigneur, tout honneur.

**Aunque la mona se vista de seda, mona se queda.** Le singe est toujours singe, et fût-il déguisé en prince ; Chassez le naturel, il revient au galop.

**Cada cosa en su tiempo y los nabos en adviento.** Il y a temps pour tout ; Chaque chose en son temps.

**Casa día trae su afán.** À chaque jour suffit sa peine.

**Cada loco con su tema.** À chaque fou sa marotte.

**Cada maestrillo tiene su librillo.** À chacun sa vérité.

**Cada uno es rey en su casa.** Charbonnier est maître chez soi.

**Cobra buena fama y échate a dormir.** Fais ce que dois, advienne que pourra.

**Cría cuervos y te sacarán los ojos.** On n'est jamais trahi que par les siens ; Oignez vilain, il vous poindra ; Faites-vous miel, les mouches vous mangeront.

**Cuando el río suena, agua lleva.** Il n'y a pas de fumée sans feu.

**Cuando las barbas de tu vecino veas pelar, pon las tuyas a remojar.** Il faut savoir tirer une leçon des malheurs d'autrui.

**Cuando una puerta se cierra, ciento se abren.** Il ne faut jamais désespérer ; Un de perdu, dix de retrouvés.

**De casta le viene al galgo el ser rabilargo.** Bon chien chasse de race.

**Del agua mansa me libre Dios, que de la brava me guardaré yo.** Il n'est pire eau que l'eau qui dort.

**De la mano a la boca se pierde la sopa.** Il y a loin de la coupe aux lèvres.

**Del árbol caído todos hacen leña.** Quand l'arbre est tombé, chacun court aux branches.

**Del dicho al hecho hay gran trecho.** Promettre et tenir font deux.

**De luengas tierras, luengas mentiras.** A beau mentir qui vient de loin.

**Dentro de cien años, todos calvos.** Nous sommes tous égaux devant la mort.

**Después de la tempestad viene la calma.** Après la pluie, le beau temps.

**De tal palo, tal astilla.** Tel père, tel fils.

**Día de mucho, víspera de nada.** Tel qui rit vendredi, dimanche pleurera.

**Dime con quién andas y te diré quién eres.** Dis-moi qui tu hantes, je te dirai qui tu es.

**Dios los cría y ellos se juntan.** Qui se ressemble s'assemble.

**Donde fueres haz como vieres.** Il faut vivre à Rome comme à Rome.

**Donde las dan las toman.** À bon chat bon rat.

**Donde menos se piensa, salta la liebre.** Les choses arrivent quand on s'y attend le moins.

**El buen paño en el arca se vende.** À bon vin point d'enseigne.

**El buey suelto bien se lame.** Rien ne vaut la liberté.

**El comer y el rascar, todo es empezar.** L'appétit vient en mangeant.

**El hábito no hace al monje.** L'habit ne fait pas le moine.

**El hombre propone y Dios dispone.** L'homme propose et Dieu dispose.

**El muerto al hoyo y el vivo al bollo.** Il faut laisser les morts enterrer leurs morts ; Après le deuil il faut reprendre goût à la vie ; Les morts sont vite oubliés.

**El ojo del amo engorda el caballo.** Il n'est pour voir que l'œil du maître.

**El que la hace la paga.** Qui casse les verres les paie.

**El que la sigue la consigue.** Qui veut la fin veut les moyens.

**El que no cojea, renquea.** Nul n'est parfait.

**El que no llora no mama.** Qui ne demande rien n'a rien.

**El que no se arriesga no pasa la mar.** Qui ne risque rien n'a rien.

**El saber no ocupa lugar.** On n'en sait jamais trop.

**El tiempo es oro.** Le temps, c'est de l'argent.

**En boca cerrada no entran moscas.** La parole est d'argent, mais le silence est d'or.

**En casa del herrero cuchillo de palo.** Les cordonniers sont les plus mal chaussés.

**En la duda, abstente.** Dans le doute, abstiens-toi.

**En nombrando al ruin de Roma, luego asoma.** Quand on parle du loup, on en voit la queue.

**En tierra de ciegos, el tuerto es rey.** Au royaume des aveugles, les borgnes sont rois.

**Entre col y col, lechuga.** Il faut varier les plaisirs.

**Gato escaldado del agua fría huye.** Chat échaudé craint l'eau froide.

**Genio y figura hasta la sepultura.** Le loup mourra dans sa peau ; On est comme on est.

**Hablando del rey de Roma, por la puerta asoma.** Quand on parle du loup, on en voit la queue.

**Haz bien y no mires a quién.** Bien faire et laisser dire.

**Hierba mala nunca muere.** Mauvaise herbe croît toujours.

**Hombre prevenido vale por dos.** Un homme averti en vaut deux.

**Juego de manos, juego de villanos.** Jeux de mains, jeux de vilains.

**La cabra siempre tira al monte.** La caque sent toujours le hareng.

**La codicia rompe el saco.** L'avarice perd tout.

**La costumbre es otra naturaleza.** L'habitude est une seconde nature.

**Lágrimas quebrantan penas.** Petite pluie abat grand vent.

**La letra con sangre entra.** On n'apprend rien sans peine.

**La ocasión hace al ladrón.** L'occasion fait le larron.

**Lo prometido es deuda.** Chose promise, chose due.

**Lo que abunda no daña.** Abondance de biens ne nuit pas.

**Más moscas se cogen con miel que con hiel.** On ne prend pas les mouches avec du vinaigre.

**Más sabe el diablo por viejo que por diablo.** On n'apprend pas à un vieux singe à faire des grimaces.

**Más vale burro vivo que doctor muerto.** Chien en vie vaut mieux que lion mort.

**Más vale malo conocido que bueno por conocer.** On connaît ce que l'on a, on ne sait ce que l'on aura.

**Más vale maña que fuerza.** Plus fait douceur que violence.

**Más vale pájaro en mano que ciento volando.** Un tiens vaut mieux que deux tu l'auras.

**Más vale ser cabeza de ratón que cola de león.** Il vaut mieux être le premier dans son village que le second à Rome.

**Más vale tarde que nunca.** Mieux vaut tard que jamais.

**Más vale un «toma» que dos «te daré».** Un tiens vaut mieux que deux tu l'auras.

**Mucho sabe la zorra, pero más el que la toma.** Il y a toujours plus malin que soi.

**Muchos pocos hacen un mucho.** Les petits ruisseaux font les grandes rivières.

**Muerto el perro, se acabó la rabia.** Morte la bête, mort le venin.

**Nadie diga: de esta agua no beberé.** Il ne faut pas dire : « Fontaine, je ne boirai pas de ton eau ».

**Nadie es profeta en su tierra.** Nul n'est prophète en son pays.

**Ni ausente sin culpa, ni presente sin disculpa.** Les absents ont toujours tort.

**No es oro todo lo que reluce.** Tout ce qui brille n'est pas or.

**No hay atajo sin trabajo.** Nul bien sans peine.

**No hay bien ni mal que cien años dure.** Tout a une fin ; Tout finit par s'arranger.

**No hay mal que por bien no venga.** À quelque chose malheur est bon.

**No hay peor cuña que la de la misma madera.** Il n'est de pire ennemi que l'ancien ami ; On n'est jamais trahi que par les siens.

**No hay peor sordo que el que no quiere oír.** Il n'est pire sourd que celui qui ne veut pas entendre.

**No hay que contar con el huevo antes de poner la gallina.** Il ne faut pas vendre la peau de l'ours avant de l'avoir tué.

**No hay que mentar la soga en casa del ahorcado.** Il ne faut pas parler de corde dans la maison d'un pendu.

**No hay rosa sin espinas.** Il n'y a pas de roses sans épines.

**No por mucho madrugar amanece más temprano.** Rien ne sert de courir, il faut partir à point.

**No se ganó Zamora en una hora.** Paris ne s'est pas fait en un jour.

**No se pescan truchas a bragas enjutas.** On n'a rien sans peine ; On ne fait pas d'omelette sans casser des œufs.

**No se puede repicar y andar en la procesión.** On ne peut être à la fois au four et au moulin.

**Nunca es tarde si la dicha es buena.** Parfois on ne perd rien à attendre, au contraire ; Mieux vaut tard que jamais.

**Nunca «tiempo ha» hizo cosa buena.** Il ne faut jamais remettre au lendemain ce qu'on peut faire le jour même.

**Obras son amores, que no buenas razones.** Ce sont les actes qui comptent et non les paroles.

**Ojos que no ven, corazón que no siente.** Loin des yeux, loin du cœur.

**Peor es meneallo.** Il ne faut pas réveiller le chat qui dort ; Plus on remue l'ordure, plus elle pue ; Il ne faut point remuer l'ordure.

**Perro ladrador poco mordedor.** Chien qui aboie ne mord pas.

**Piedra movediza, nunca moho la cobija.** Pierre qui roule n'amasse pas mousse.

**Pobreza no es vileza.** Pauvreté n'est pas vice.

**Poco a poco hila la vieja el copo.** Petit à petit, l'oiseau fait son nid.

**Poderoso caballero es don Dinero.** L'argent ouvre toutes les portes.

**Por dinero baila el perro.** Point d'argent, point de suisse ; On n'a rien pour rien.

**Por la boca muere el pez.** Trop parler nuit ; La parole est d'argent, mais le silence est d'or.

**Por la muestra se conoce el paño.** À l'œuvre on connaît l'artisan.

**Por todas partes se va a Roma.** Tous les chemins mènent à Rome.

**Por un clavo se pierde una herradura.** Faute d'un point, Martin perdit son âne.

**Quien a buen árbol se arrima, buena sombra le cobija.** On a intérêt à chercher l'appui de gens puissants.

**Quien a su perro ha de matar, de rabia le ha de levantar.** Qui veut noyer son chien l'accuse de la rage.

**Quien bien te quiere te hará llorar.** Qui aime bien châtie bien.

**Quien calla, otorga.** Qui ne dit mot consent.

**Quien canta, sus males espanta.** Celui qui sait se distraire parvient à oublier ses soucis.

**Quien fue a Sevilla perdió su silla.** Qui va à la chasse perd sa place.

**Quien mucho abarca poco aprieta.** Qui trop embrasse mal étreint.

**Quien mucho habla mucho yerra.** Trop parler nuit.

**Quien se pica, ajos come.** Qui se sent morveux se mouche.

**Quien siembra vientos recoge tempestades.** Qui sème le vent récolte la tempête.

**Sobre gustos no hay nada escrito.** Des goûts et des couleurs, il ne faut pas discuter; Tous les goûts sont dans la nature.

**Tanto va el cántaro a la fuente que al fin se rompe.** Tant va la cruche à l'eau qu'à la fin elle se casse.

**Tanto vales cuanto tienes.** Sois riche si tu veux qu'on t'honore ; On ne prête qu'aux riches.

**Una cosa es predicar y otra dar trigo.** Il est plus facile de dire que de faire ; Les conseilleurs ne sont pas les payeurs.

**Una golondrina no hace verano.** Une hirondelle ne fait pas le printemps.

**Un clavo saca otro clavo.** Un clou chasse l'autre.

**Un grano no hace granero pero ayuda al compañero.** Les petits ruisseaux font les grandes rivières.

**Un lobo a otro no se muerden.** Les loups ne se mangent pas entre eux.

**Unos cobran la fama y otros cardan la lana**. L'un fait le drap, l'autre s'en habille.

**Unos nacen con estrella y otros estrellados.** La chance ne sourit pas à tout le monde.

**Zapatero a tus zapatos.** Chacun son métier, les vaches seront bien gardées ; Cordonnier, pas plus haut que la chaussure !

# Abrégé de grammaire française
# *Compendio de gramática francesa*

## Pronunciación del francés

**Las consonantes**

Las consonantes finales no se pronuncian (*chaud* [ʃo]), a excepción de *c, f, l, r* (*lac* [lak], *chef* [ʃɛf], *bal* [bal], *fer* [fɛr]). Sin embargo, existen casos particulares como la *r* de la terminación *er* del infinitivo que no se pronuncia (*aimer* [eme]).
Las consonantes dobles se pronuncian como una consonante simple.
**ç** (*c cédille*), delante de *a, o, u* se pronuncia como la *s* castellana: *ça* [sa], *maçon* [masɔ̃], *conçu* [kɔ̃sy].
Se distinguen dos variedades de **h**: la *h* muda (*un homme* [œnɔm] y la *h* aspirada que sólo sirve para evitar el enlace y la elisión (*un héros* [œ ᴇʀo]).

**Acento tónico**

El acento tónico recae siempre en la última sílaba (*ami*), o en la penúltima si la última acaba en *e* muda (*école*).

**Enlace de las palabras**

El enlace (*liaison*) consiste en la pronunciación de la consonante final de una palabra cuando la palabra siguiente empieza por vocal o *h* muda: *avant elle* [avɑ̃tɛl], *cent hommes* [sɑ̃tɔm]. Algunas consonantes finales cambian de pronunciación en el enlace: *d* toma el sonido *t* (*grand arbre* [gʀɑ̃taʀbʀ]), *s* y *x* el sonido z: *des enfants* [dezɑ̃fɑ̃], *six heures* [sizœʀ]. No hay enlace entre la conjunción *et* y la palabra siguiente ni tampoco con una palabra que lleve *h* aspirada.

**Elisión**

Consiste en la sustitución por un apóstrofo de las vocales finales *a, e,* o *i* cuando la palabra que sigue empieza por vocal o *h* muda. Toman un apóstrofo los artículos *le, la (l'arbre, l'herbe)*, los pronombres *je, me, te, se, le, la, ce (j'arrive, il m'aperçut, elle s'ennuie, c'est vrai)*, algunas palabras invariables como *de, ne, que*, etc. *(le mois d'octobre, vous n'avez qu'à écouter)*. La *i* de la conjunción *si* se elide delante de *il* o *ils* *(s'il pleut)*.

## El género

Muchas palabras no pertenecen al mismo género en español y en francés.
Así son femeninos los nombres de mares (*la Méditerranée*) y, en muchos casos, de ríos (*la Seine*). También los nombres de coches (se sobreentiende: *la voiture*). Ejemplos: *une citroën, une fiat, une renault*. En cambio, son masculinos los nombres de las letras del alfabeto: *un a*, una a.
Ciertos nombres de profesiones o cargos no tienen femenino: *écrivain, ingénieur, médecin, professeur*, etc. En este caso puede designarse el femenino por aposición de la palabra *femme: une femme médecin*, o mediante la palabra masculina: *elle est écrivain, professeur* es escritora, profesora; *madame le ministre* la señora ministra.

## Plural (sustantivos y adjetivos)

En regla general, se forma el plural añadiendo una **s** al singular: *un roman passionnant, des romans passionnants.*
Casos particulares:
Los nombres y adjetivos terminados en s, x, z son invariables en plural: *le bras, les bras, un prix, des prix*. La mayoría de los que acaban en **au**, **eau**, **eu**, **œu** forman el plural tomando una **x**: *un bateau, des bateaux, un cheveu, des cheveux.*
Excepciones: *landau, sarrau, bleu, pneu* toman una s.

Los que terminan en **al** cambian la terminación en **aux**: *un journal, des journaux*. Se exceptúan los sustantivos *bal, carnaval, cérémonial, chacal, festival, nopal, récital, régal*, etc., y los adjetivos *banal, bancal, final, glacial, natal, naval*, etc., que toman una **s.**
Los terminados en **ou** siguen la regla general tomando una **s** salvo *bijou, caillou, chou, genou, hibou, joujou, pou* que toman una **x.**
*Bail, corail, émail, soupirail, travail, vantail, vitrail* forman el plural en **aux:** *un vitrail, des vitraux*.

**Plural de los nombres compuestos**

Cuando los dos componentes son dos nombres en aposición o un adjetivo y un nombre, ambos toman terminación de plural: *des choux-fleurs, des rouges-gorges*.
Sólo el primero toma terminación de plural cuando el compuesto está formado por un nombre y su complemento: *des chefs-d'œuvre, des timbres-poste*.
Cuando los componentes son un verbo y un complemento, el verbo permanece siempre invariable. En cuanto al complemento, será variable o invariable según el sentido del nombre compuesto: *un tire-bouchon, des tire-bouchons, un/des gratte-ciel, un/des porte-avions, un/des abat-jour, un/des garde-boue*.

## El artículo

**Artículo determinado**

Con los nombres de países, regiones o continentes, se usa el artículo determinado en francés: *le Mexique, la Bourgogne, l'Asie*. En cambio, se omite en la expresión de la hora (**il est trois heures** son las tres) o con los días de la semana sin detallar la fecha (**je viendrai jeudi** vendré el jueves), pero **le jeudi 16 mai** el jueves 16 de mayo.

**Artículo partitivo**

**Du, de la, des.** Se antepone al sustantivo para expresar una cantidad indeterminada (**boire du vin et de l'eau** beber vino y agua; **acheter des disques** comprar discos).
Se usa **de, d'** cuando el sustantivo está en plural y le precede un adjetivo (**j'ai de bons amis** tengo buenos amigos), después de ciertos adverbios de cantidad (**beaucoup d'argent** mucho dinero) o en oraciones negativas (**je n'ai pas de voiture** no tengo coche).

## Adjetivos numerales

| | numerales cardinales | numerales ordinales |
|---|---|---|
| 1 | un | premier |
| 2 | deux | deuxième |
| 3 | trois | troisième |
| 4 | quatre | quatrième |
| 5 | cinq | cinquième |
| 6 | six | sixième |
| 7 | sept | septième |
| 8 | huit | huitième |
| 9 | neuf | neuvième |
| 10 | dix | dixième |
| 11 | onze | onzième |
| 12 | douze | douzième |
| 13 | treize | treizième |
| 14 | quatorze | quatorzième |
| 15 | quinze | quinzième |
| 16 | seize | seizième |
| 17 | dix-sept | dix-septième |
| 18 | dix-huit | dix-huitième |
| 19 | dix-neuf | dix-neuvième |
| 20 | vingt | vingtième |
| 21 | vingt et un | vingt et unième |
| 22 | vingt-deux | vingt-deuxième |
| 30 | trente | trentième |
| 40 | quarante | quarantième |
| 50 | cinquante | cinquantième |
| 60 | soixante | soixantième |
| 70 | soixante-dix | soixante-dixième |
| 71 | soixante et onze | soixante et onzième |
| 72 | soixante-douze | soixante-douzième |
| 80 | quatre-vingts | quatre-vingtième |
| 81 | quatre-vingt-un | quatre-vingt-unième |
| 82 | quatre-vingt-deux | quatre-vingt-deuxième |
| 90 | quatre-vingt-dix | quatre-vingt-dixième |
| 91 | quatre-vingt-onze | quatre-vingt-onzième |
| 100 | cent | centième |
| 101 | cent un | cent unième |
| 200 | deux cents | deux centième |
| 300 | trois cents | trois centième |
| 1 000 | mille | millième |
| 2 000 | deux mille | deux millième |
| 1 000 000 | un million | un millionième |
| 1 000 000 000 | un milliard | un milliardième |

**Numerales cardinales**

Entre decenas y unidades se coloca un guión siempre que no haya la conjunción *et:* así 32 se escribe *trente-deux,* 33 *trente-trois,* etc. Llevan la conjunción *et:* 21 *vingt et un,* 31 *trente et un,* 41 *quarante et un,* 51 *cinquante et un,* 61 *soixante et un* y 71 *soixante et onze.*

**Vingt** (20) y **cent** (100) toman la s del plural cuando van precedidos de un número que los multiplica (*quatre-vingts, deux cents*) pero permanecen invariables cuando están seguidos de otro numeral (*quatre-vingt-deux, deux cent huit*) o cuando se emplean como ordinales (*page deux cent*).

**Mille** (1 000) es invariable. En las fechas, se admite la forma *mil:* **en l'an mil quatre cent quatre-vingt-douze** en el año 1492; **l'an deux mille** el año 2000.

**Numerales ordinales**

Se forman añadiendo el sufijo **ième** a los cardinales correspondientes salvo *premier: deuxième, troisième*, etc.
*Deuxième* y *second* son sinónimos aunque *second* suele preferirse a *deuxième* cuando no se trata más que de dos personas o cosas.
Para indicar el siglo, se emplea el ordinal: **le xx**[e] **(vingtième) siècle** el siglo XX; **le xxi**[e] **(vingt et unième) siècle** el siglo XXI.

## Adjetivos posesivos

Delante de los nombres femeninos que empiezan por vocal o *h* muda se emplean las formas masculinas *mon, ton, son* en lugar de *ma, ta, sa: mon amie, ton ombre, son habitude.*

## Pronombres personales

**Sujetos**

**Je, tu, il, elle, nous, vous, ils, elles.** No deben omitirse nunca en francés: **je suis** soy; **tu te lèves** te levantas; **nous allions** íbamos; **ils entrèrent** entraron; **il pleut** (pronombre neutro) llueve; **que dis-tu?** ¿qué dices?
Para insistir en la persona, se duplica el pronombre sujeto mediante la forma tónica (*moi, toi, lui*, etc.) que se coloca en primer lugar: **moi, je reste** yo me quedo.
Orden de colocación:
En general, el pronombre se antepone al verbo.
Sin embargo, en las oraciones interrogativas, se pospone al verbo (tiempos simples) o al auxiliar (tiempos compuestos), enlazándose con el verbo o el auxiliar mediante un guión: **veux-tu?** ¿quieres?; **as-tu bien mangé?** ¿has comido bien?; **êtes-vous prêt?** ¿está usted listo?
También se hace la inversión en las oraciones exclamativas (**est-il bête!** ¡qué tonto es!), en los incisos (**répondit-il** contestó) o después de *aussi, à peine, peut-être*, etc.: **peut-être viendront-ils demain** vendrán quizás mañana.
Cuando la forma verbal acaba en vocal, se intercala una *-t-* eufónica entre el verbo y el pronombre: **a-t-il téléphoné?** ¿ha llamado por teléfono?

**Complementos**

El pronombre complemento sólo se pospone al verbo, enlazado a él mediante un guión, en las oraciones de imperativo no negativas: **prends-le** tómalo; **assieds-toi** siéntate.
Si un verbo va acompañado de dos pronombres complementos, el indirecto va delante cuando son de distinta persona (**je te le dis** te lo digo; **dis-le-moi** dímelo), pero cuando los dos pronombres son de tercera persona, el directo (*le, la, les*) se coloca delante del indirecto (*lui, leur,* que se traducen en castellano por se): **je la lui donne** se la doy; **je vais le lui (leur) dire** voy a decírselo.

## Adverbios

**Adverbios de modo**

La mayoría de los adverbios de modo se forman mediante el sufijo **-ment** añadido al femenino del adjetivo correspondiente (*lent, lente > lentement*) o con doble *m* y la desinencia **-ent** para los derivados de adjetivos que terminan en *-ant, ent: élégant > élégamment, prudent > prudemment*. Existen excepciones como *profondément, assidûment, hardiment, brièvement, indûment, précisément*, etc.
Cuando van seguidos varios adverbios en *-ment* todos tienen que llevar esta terminación: **simplement et modestement** sencilla y modestamente.

**Adverbios de cantidad**

Colocación del adverbio: en general, sigue las mismas normas que en español pero puede también intercalarse entre el auxiliar y el participio: **j'ai trop mangé** he comido demasiado; **elle a beaucoup souffert** ha sufrido mucho.

**Adverbios de negación**

**Ne** y **pas** (o **point**, en lenguaje culto) concurren ordinariamente en la negación que modifica al verbo: **je ne sais pas** no sé; **je n'ai pas entendu** no he oído.
*Ne* se omite muy a menudo en la lengua familiar: *je sais pas, c'est pas vrai, t'as pas honte?*
*Ne* es expletivo en oraciones que son complemento de verbos que expresan temor, duda o impedimento (**je crains qu'il ne vienne** temo que venga) o después de *avant que, à moins que, de peur que:* **avant qu'il ne fasse nuit** antes de que anochezca; **de peur qu'il ne parle** por miedo a que hable.

## El verbo

**Verbos auxiliares**

| ***infinitivo*** | **avoir** | | **être** | |
|---|---|---|---|---|
| ***indicativo* presente** | j' | ai | je | suis |
| | tu | as | tu | es |
| | il, elle | a | il, elle | est |
| | nous | avons | nous | sommes |
| | vous | avez | vous | êtes |
| | ils, elles | ont | ils, elles | sont |
| **imperfecto** | j' | avais | j' | étais |
| | tu | avais | tu | étais |
| | il, elle | avait | il, elle | était |
| | nous | avions | nous | étions |
| | vous | aviez | vous | étiez |
| | ils, elles | avaient | ils, elles | étaient |
| **pretérito indefinido** | j' | eus | je | fus |
| | tu | eus | tu | fus |
| | il, elle | eut | il, elle | fut |
| | nous | eûmes | nous | fûmes |
| | vous | eûtes | vous | fûtes |
| | ils, elles | eurent | ils, elles | furent |
| **futuro** | j' | aurai | je | serai |
| | tu | auras | tu | seras |
| | il, elle | aura | il, elle | sera |
| | nous | aurons | nous | serons |
| | vous | aurez | vous | serez |
| | ils, elles | auront | ils, elles | seront |
| **potencial simple** | j' | aurais | je | serais |
| | tu | aurais | tu | serais |
| | il, elle | aurait | il, elle | serait |
| | nous | aurions | nous | serions |
| | vous | auriez | vous | seriez |
| | ils, elles | auraient | ils, elles | seraient |
| ***subjuntivo* presente** | que j' | aie | que je | sois |
| | que tu | aies | que tu | sois |
| | qu'il, elle | ait | qu'il, elle | soit |
| | que nous | ayons | que nous | soyons |
| | que vous | ayez | que vous | soyez |
| | qu'ils, elles | aient | qu'ils, elles | soient |

| | | | | |
|---|---|---|---|---|
| ***subjuntivo* imperfecto** | que j' | eusse | que je | fusse |
| | que tu | eusses | que tu | fusses |
| | qu'il, elle | eût | qu'il, elle | fût |
| | que nous | eussions | que nous | fussions |
| | que vous | eussiez | que vous | fussiez |
| | qu'ils, elles | eussent | qu'ils, elles | fussent |
| ***imperativo*** | aie | | sois | |
| | ayons | | soyons | |
| | ayez | | soyez | |
| ***gerundio*** *(participe présent)* | ayant | | étant | |
| ***participio pasado*** | eu, eue | | été | |

**Tiempos compuestos**

Se forman con los auxiliares *avoir* o *être*, según los casos, y el participio pasado (o pasivo) del verbo conjugado.
Se conjugan con **avoir** los verbos transitivos y la mayor parte de los intransitivos.
Regla: conjugado con *avoir*, el participio pasado concuerda con el complemento directo si éste precede al participio: **la lettre que j'ai reçue** la carta que he recibido.
Se conjugan con **être** los verbos pronominales y algunos intransitivos.
Regla: conjugado con *être*, el participio pasado concuerda con el sujeto de la oración: **Béatrice s'est levée** Beatriz se ha levantado; **nous nous sommes assises** nos hemos sentado; **Cécile est venue** Cecilia ha venido; **Vincent et Anne sont sortis** Vicente y Ana han salido. Algunos verbos se conjugan con *avoir* o *être* según se quiera expresar la acción (*avoir*) o el resultado (*être*).

**El pretérito**

El francés emplea cada vez menos el pretérito indefinido. En su lugar utiliza el pretérito perfecto: **hier je suis allé au marché et j'ai acheté des cerises** ayer fui al mercado y compré cerezas (*j'allai*..., *j'achetai*..., en estilo literario).

**El subjuntivo**

El francés corriente emplea el **presente de subjuntivo** en lugar del imperfecto: **j'aurais aimé qu'il vienne** me hubiera gustado que él viniese. Se puede decir, en lenguaje culto: ... *qu'il vînt*.

**El infinitivo**

Precedido de la preposición *de* y un verbo que exprese orden, ruego, prohibición, etc., corresponde a un subjuntivo español: **dis-lui de venir** dile que venga; **je vous prie de bien vouloir...** le ruego se sirva...; **il nous ordonna de nous taire** ordenó que callásemos. Precedido de preposición, y tratándose de una acción que empieza, continúa o cesa, corresponde a un gerundio español: **il continua de lire** siguió leyendo.

**El participio activo**

El participio activo (o de presente) francés puede tener, como el español, el valor de un adjetivo o de un verbo. Como verbo, es invariable.
Precedido de la preposición *en*, da la forma del **gerundio: il sortit en courant** salió corriendo; **elle entra en pleurant** entró llorando; **il sourit en la regardant** sonrió mirándola. El gerundio francés corresponde también al infinitivo español precedido de *al* para expresar simultaneidad momentánea: **en entendant ces mots, elle pâlit** al oír esas palabras se puso pálida.

**El complemento del verbo**

El complemento directo francés se construye **sin** preposición: **j'ai vu ton frère** he visto a tu hermano; **qui appelles-tu?** ¿a quién llamas?; **je ne connais personne ici** no conozco a nadie aquí; **les Incas adoraient le Soleil** los incas adoraban al Sol.

## Modelos de conjugación

| *infinitivo* | **chant/er** *(cantar)* | | **fin/ir** *(acabar)* | | **vend/re** *(vender)* | |
|---|---|---|---|---|---|---|
| ***indicativo*** | je | chante | je | finis | je | vends |
| **presente** | tu | chantes | tu | finis | tu | vends |
| | il, elle | chante | il, elle | finit | il, elle | vend |
| | nous | chantons | nous | finissons | nous | vendons |
| | vous | chantez | vous | finissez | vous | vendez |
| | ils, elles | chantent | ils, elles | finissent | ils, elles | vendent |
| **imperfecto** | je | chantais | je | finissais | je | vendais |
| | tu | chantais | tu | finissais | tu | vendais |
| | il, elle | chantait | il, elle | finissait | il, elle | vendait |
| | nous | chantions | nous | finissions | nous | vendions |
| | vous | chantiez | vous | finissiez | vous | vendiez |
| | ils, elles | chantaient | ils, elles | finissaient | ils, elles | vendaient |
| **pretérito** | je | chantai | je | finis | je | vendis |
| **indefinido** | tu | chantas | tu | finis | tu | vendis |
| | il, elle | chanta | il, elle | finit | il, elle | vendit |
| | nous | chantâmes | nous | finîmes | nous | vendîmes |
| | vous | chantâtes | vous | finîtes | vous | vendîtes |
| | ils, elles | chantèrent | ils, elles | finirent | ils, elles | vendirent |
| **futuro** | je | chanterai | je | finirai | je | vendrai |
| | tu | chanteras | tu | finiras | tu | vendras |
| | il, elle | chantera | il, elle | finira | il, elle | vendra |
| | nous | chanterons | nous | finirons | nous | vendrons |
| | vous | chanterez | vous | finirez | vous | vendrez |
| | ils, elles | chanteront | ils, elles | finiront | ils, elles | vendront |
| **condicional** | je | chanterais | je | finirais | je | vendrais |
| **(o potencial)** | tu | chanterais | tu | finirais | tu | vendrais |
| | il, elle | chanterait | il, elle | finirait | il, elle | vendrait |
| | nous | chanterions | nous | finirions | nous | vendrions |
| | vous | chanteriez | vous | finiriez | vous | vendriez |
| | ils, elles | chanteraient | ils, elles | finiraient | ils, elles | vendraient |
| ***subjuntivo*** | que je | chante | que je | finisse | que je | vende |
| **presente** | que tu | chantes | que tu | finisses | que tu | vendes |
| | qu'il, elle | chante | qu'il, elle | finisse | qu'il, elle | vende |
| | que nous | chantions | que nous | finissions | que nous | vendions |
| | que vous | chantiez | que vous | finissiez | que vous | vendiez |
| | qu'ils, elles | chantent | qu'ils, elles | finissent | qu'ils, elles | vendent |
| **imperfecto** | que je | chantasse | que je | finisse | que je | vendisse |
| | que tu | chantasses | que tu | finisses | que tu | vendisses |
| | qu'il, elle | chantât | qu'il, elle | finît | qu'il, elle | vendît |
| | que nous | chantassions | que nous | finissions | que nous | vendissions |
| | que vous | chantassiez | que vous | finissiez | que vous | vendissiez |
| | qu'ils, elles | chantassent | qu'ils, elles | finissent | qu'ils, elles | vendissent |
| ***imperativo*** | chante | | finis | | vends | |
| | chantons | | finissons | | vendons | |
| | chantez | | finissez | | vendez | |
| ***gerundio*** *(participe présent)* | chantant | | finissant | | vendant | |
| ***participio pasado*** | chanté, e | | fini, e | | vendu, e | |

El cuadro anterior da la conjugación de los tiempos simples de los tres grupos de verbos franceses. El tercer grupo abarca, además de los verbos cuyo infinitivo termina en **-re,** verbos en **-ir** (que no forman el gerundio en *-issant* sino en *-ant)* y los verbos en **-oir** (como *recevoir)*. Los verbos de este grupo, que son muy usuales, presentan muchas irregularidades.

**Verbos en -er: modificaciones ortográficas**

Entre los verbos con infinitivo terminado en **-er**, algunos sufren ciertas modificaciones ortográficas que señalamos a continuación:

**1.** Verbos en **-cer** (como *commencer, lacer*...). Cambian la *c* en *ç* delante de *a, o (je commençais, nous commençons, commençant)*.

**2.** Verbos en **-ger** (como *manger, avantager*...). Añaden una *e* después de la g delante de *a, o (je mangeais, nous mangeons, mangeant)*.

**3.** Verbos en **-eler, -eter.** Duplican la *l* o la *t* delante de una *e* muda *(appeler : j'appelle, nous appelons ; j'appellerai ; jeter : je jette, nous jetons, je jetterai)*. Otros verbos no duplican la consonante sino que cambian la *e* muda en *è* abierta *(peler : je pèle, nous pelons ; je pèlerai ; acheter : j'achète, nous achetons ; j'achèterai)*. Pertenecen a esta categoría de verbos: *celer, ciseler, congeler, déceler, dégeler, démanteler, écarteler, geler, marteler, modeler, peler, receler, acheter, corseter, crocheter, fureter, haleter, racheter.*

**4.** Verbos con **e** muda en la penúltima sílaba del infinitivo (como *lever, mener, peser, semer, soulever)*. Cambian esta *e* en *è* delante de sílaba muda *(je lève, nous levons, ils lèvent; je lèverai)*.

**5.** Asimismo, los verbos con **é** cerrada en la penúltima sílaba del infinitivo (como *espérer, accélérer*...) cambian esta *é* en *è* cuando la sílaba siguiente es muda, salvo en futuro y condicional *(j'espère, nous espérons, ils espèrent; j'espérai)*.

**6.** Verbos en **-yer** (como *employer, appuyer)* sustituyen la *y* en *i* delante de *e* muda *(j'emploie, nous employons, ils emploient; j'emploierai, nous emploierons)*. El verbo *grasseyer* conserva siempre la *y*. Los verbos en **-ayer** pueden conservar la *y (je paye o je paie)*.

**7.** Verbo **envoyer** (y **renvoyer**). Modifica el radical en futuro *(j'enverrai...)* y en condicional *(j'enverrais...)*.

Los verbos irregulares están señalados en este diccionario con el signo *. A continuación, damos una lista de los verbos irregulares franceses más importantes (incluso algunos en *-er)* mencionando solamente la conjugación de los tiempos simples.

# Liste de verbes irréguliers français
# *Lista de verbos irregulares franceses*

## A

**aboyer** *Conj. c.* employer.

**abréger** *Toma una è abierta delante de una sílaba muda, excepto en el fut. y en el cond.:* il abrège. *Toma una e muda después de la g cuando ésta va delante de a u o:* il abrégea.

**absoudre** *Ind. pres.* J'absous, tu absous, il absout, n. absolvons, v. absolvez, ils absolvent. *Imperf.* J'absolvais... n. absolvions... *Pret. ind. (carece). Fut.* J'absoudrai... n. absoudrons... *Imperat.* absous, absolvons, absolvez. *Subj. pres.* Que j'absolve... que n. absolvions... *Imperf. (carece). Ger.* absolvant. *Part. pas.* absous, absoute.

**abstenir (s')** *Conj. c.* tenir.

**accélérer** *Toma una è abierta delante de una sílaba muda (excepto en el fut. y en el cond.):* j'accélère.

**accourir** *Conj. c.* courir.

**accroître** *Conj. c.* croître. *Part. pas.* accru, e.

**accueillir** *Conj. c.* cueillir.

**acheter** *Toma una è abierta delante de una sílaba muda:* j'achète.

**achever** *Conj. c.* acheter.

**acquérir** *Ind. pres.* J'acquiers, tu acquiers, il acquiert, n. acquérons, v. acquérez, ils acquièrent. *Imperf.* J'acquérais... n. acquérions... *Pret. ind.* J'acquis... n. acquîmes... *Fut.* J'acquerrai... n. acquerrons... *Cond.* J'acquerrais... n. acquerrions... *Imperat.* acquiers, acquérons, acquérez. *Subj. pres.* Que j'acquière... que n. acquérions, que v. acquériez, qu'ils acquièrent. *Imperf.* Que j'acquisse... que n. acquissions... *Ger.* acquérant. *Part. pas.* acquis, e.

**adjoindre** *Conj. c.* joindre.

**admettre** *Conj. c.* mettre.

**agacer** *Conj. c.* lacer.

**aliéner** *Conj. c.* accélérer.

**alléger** *Conj. c.* abréger.

**aller** *Ind. pres.* Je vais, tu vas, il va, n. allons, v. allez, ils vont. *Imperf.* J'allais... n. allions. *Pret. ind.* J'allai... n. allâmes... *Fut.* J'irai... n. irons... *Cond.* J'irais... n. irions. *Imperat.* va, allons, allez. *Subj. pres.* Que j'aille... que n. allions, qu'ils aillent. *Imperf.* Que j'allasse... que n. allassions... *Ger.* allant. *Part. pas.* allé, e.

**allonger** *Conj. c.* avantager.

**amorcer** *Conj. c.* lacer.

**annoncer** *Conj. c.* lacer.

**apercevoir** *Ind. pres.* J'aperçois, tu aperçois, il aperçoit, n. apercevons, v. apercevez, ils aperçoivent. *Imperf.* J'apercevais... n. apercevions... *Pret. ind.* J'aperçus... n. aperçûmes... *Fut.* J'apercevrai... n. apercevrons... *Cond.* J'apercevrais... n. apercevrions... *Imperat.* aperçois, apercevons, apercevez. *Subj. pres.* Que j'aperçoive... que n. apercevions, que v. aperceviez, qu'ils aperçoivent. *Imperf.* Que j'aperçusse... *Ger.* apercevant. *Part. pas.* aperçu, e.

**apparaître** *Conj. c.* connaître.

**appartenir** *Conj. c.* tenir.

**appeler** *Toma dos l delante de una sílaba muda:* J'appellerai.

**apprendre** *Conj. c.* prendre.

**appuyer** *Conj. c.* employer.

**arranger** *Conj. c.* avantager.

**assaillir** *Conj. c.* tressaillir.

**asseoir** *Ind. pres.* J'assieds, tu assieds, il assied, n. asseyons, v. asseyez, ils asseyent ; *o también:* j'assois, tu assois, etc. *Imperf.* J'asseyais... n. asseyions... ; o j'assoyais, etc. *Pret. ind.* J'assis... n. assîmes... *Fut.* J'assiérai... n. assiérons ; o j'assoirai... n. assoirons... *Cond.* J'assiérais... n. assiérions... ; o j'assoirais... n. assoirions... *Imperat.* assieds, asseyons, asseyez; o assois, assoyons, assoyez. *Subj. pres.* Que j'asseye... que n. asseyons... ; o que j'assoie... que n. assoyions... *Imperf.* Que j'assisse... que n. assissions... *Ger.* asseyant o assoyant. *Part. pas.* assis, e.

**astreindre** *Conj. c.* craindre.

**atteindre** *Conj. c.* craindre.

**atteler** *Conj. c.* appeler.

**attendre** *Conj. c.* vendre.

**avantager** *Toma una e muda después de la g cuando ésta va delante de a u o:* il avantagea, n. avantageons.

## B

**balayer** *Ind. pres.* Je balaye o balaie, tu balayes o balaies... n. balayons... *Imperf.* Je balayais... n. balayions... *Pret. ind.* Je balayai... n. balayâmes... *Fut.* Je balayerai o balaierai... n. balayerons o balaierons... *Cond.* Je balayerais o balaierais... *Imperat.* balaye o balaie, balayons, balayez. *Subj. pres.* Que je balaye... que n. balayions... *Imperf.* Que je balayasse... que n. balayassions... *Ger.* balayant. *Part. pas.* balayé, e.

**battre** *Pret. ind.* Je battis... n. battîmes... *Sub. imperf.* Que je battisse, que tu battisses, qu'il battît, que n. battissions... *Part. pas.* battu, e. *En los demás tiempos c.* mettre.

**bégayer** *Conj. c.* balayer.

**boire** *Ind. pres.* Je bois, tu bois, il boit, n. buvons, v. buvez, ils boivent. *Imperf.* Je buvais... n. buvions... *Pret. ind.* Je bus... n. bûmes. *Fut.* Je boirai... n. boirons... *Cond.* Je boirais... n. boirions... *Imperat.* bois, buvons, buvez. *Subj. pres.* Que je boive... que n. buvions... *Imperf.* Que je busse... que n. bussions... *Ger.* buvant. *Part. pas.* bu, e.

**bouger** *Conj. c.* avantager.

**bouillir** *Ind. pres.* Je bous, tu bous, il bout, n. bouillons, v. bouillez, ils bouillent. Imperf. Je bouillais... n. bouillions... *Pret. ind.* Je bouillis... n. bouillîmes... *Fut.* Je bouillirai... n. bouillirons... *Cond.* Je bouillirais... n. bouillirions... *Imperat.* bous, bouillons, bouillez. *Subj. pres.* Que je bouille... que n. bouillions... *Imperf.* Que je bouillisse... que n. bouillissions... *Ger.* bouillant. *Part. pas.* bouilli, e.

## C

**céder** *Conj. c.* accélérer.

**ceindre** *Conj. c.* craindre.

**célébrer** *Conj. c.* accélérer.

**certifier** *Conj. c.* prier.

**choir** *Ind. pres.* Je chois, tu chois, il choit. *Pret. ind.* Je chus, n. chûmes. *Fut.* Je choirai o cherrai... *Cond.* Je choirais o cherrais... *Part. pas.* chu, e.

**choyer** *Conj. c.* employer.

**circonvenir** *Conj. c.* venir.

**clore** *Ind. pres.* Je clos, tu clos, il clôt... ils closent. *Imperf. (carece). Pret. ind. (carece). Fut.* Je clorai... n. clorons... *Cond.* Je clorais... n. clorions... *Imperat.* clos. *Subj. pres.* Que je close... *Part. pas.* Clos, e. (Es *v. defectivo).*

**codifier** *Conj. c.* prier.

**combattre** *Conj. c.* battre.

**commencer** *Conj. c.* lacer.

**commettre** *Conj. c.* mettre.

**comparaître** *Conj. c.* paraître.

**complaire** *Conj. c.* plaire.

**comprendre** *Conj. c.* prendre.

**compromettre** *Conj. c.* mettre.

**concéder** *Conj. c.* accélérer.

**concevoir** *Conj. c.* apercevoir.

**conclure** *Ind. pres.* Je conclus, tu conclus, il conclut, n. concluons, v. concluez, ils concluent. *Imperf.* Je concluais... n. concluions... *Pret. ind.* Je conclus... n. conclûmes... *Fut.* Je conclurai... n. conclurons... *Cond.* Je conclurais... n. conclurions... *Imperat.* conclus, concluons, concluez. *Subj. pres.* Que je conclue... que n. concluions... *Imperf.* Que je conclusse... que n. conclussions... *Ger.* concluant. *Part. pas.* conclu, e.

**concourir** *Conj. c.* courir.

**conduire** *Ind. pres.* Je conduis... n. conduisons. *Imperf.* Je conduisais... n. conduisions... *Pret. ind.* Je conduisis... n. conduisîmes... *Fut.* Je conduirai... n. conduirons... *Cond.* Je conduirais... n. conduirions... *Imperat.* conduis, conduisons, conduisez. *Subj. pres.* Que je conduise... que n. conduisions... *Imperf.* Que je conduisisse... que n. conduisissions... *Ger.* conduisant. *Part. pas.* Conduit, e.

**confire** *Ind. pres.* Je confis... n. confisons... *Imperf.* Je confisais... n. confisions... *Pret. ind.* Je confis... n. confîmes... *Fut.* Je confirai... n. confirons... *Cond.* Je confirais... n. confirions... *Imperat.* confis, confisons, confisez. *Subj. pres.* Que je confise... que n. confisions... *Imperf. (no se usa). Ger.* confisant. *Part. pas.* confit, e.

**congeler** *Conj. c.* acheter.

**connaître** *Ind. pres.* Je connais, tu connais, il connaît, n. connaissons, v. connaissez, ils connaissent. *Imperf.* Je connaissais... n. connaissions... *Pret. ind.* Je connus... n. connûmes... *Fut.* Je connaîtrai... n. connaîtrons... *Cond.* Je connaîtrais... n. connaîtrions... *Imperat.* connais, connaissons, connaissez. *Subj. pres.* Que je connaisse... que n. connaissions... *Imperf.* Que je connusse... que n. connussions... *Ger.* connaissant. *Part. pas.* connu, e.

**conquérir** *Conj. c.* acquérir.

**construire** *Conj. c.* conduire.

**contenir** *Conj. c.* tenir.

**contraindre** *Conj. c.* craindre.

**contredire** *Conj. c.* médire.

**contrefaire** *Conj. c.* faire.

**contrevenir** *Conj. c.* venir.

**convaincre** *Conj. c.* vaincre.

**convenir** *Conj. c.* venir.

**convoyer** *Conj. c.* employer.

**correspondre** *Conj. c.* vendre.

**corrompre** *Conj. c.* rompre.

**corriger** *Conj. c.* avantager.

**coudre** *Ind. pres.* Je couds, tu couds, il coud, n. cousons... *Imperf.* Je cousais... n. cousions... *Pret. ind.* Je cousis... n. cousîmes... *Fut.* Je coudrai... n. coudrons... *Cond.* Je coudrais... n. coudrions... *Imperat.* couds, cousons, cousez. *Subj. pres.* Que je couse... que n. cousions... *Imperf.* Que je cousisse... que n. cousissions... *Ger.* cousant. *Part. pas.* cousu, e.

**courir** *Ind. pres.* Je cours, tu cours, il court, n. courons... *Imperf.* Je courais... n. courions. *Pret. ind.* Je courus... n. courûmes... *Fut.* Je courrai... n. courrons. *Cond.* Je courrais... n. courrions... *Imperat.* cours, courons, courez. *Subj. pres.* Que je coure... que n. courions... *Imperf.* Que je courusse... que n. courussions... *Ger.* courant. *Part. pas.* couru, e.

**couvrir** *Conj. c.* ouvrir.

**craindre** *Ind. pres.* Je crains, tu crains, il craint, n. craignons... *Imperf.* Je craignais... n. craignions... *Pret. ind.* Je craignis... n. craignîmes... *Fut.* Je craindrai... n. craindrons... *Cond.* Je craindrais... n. craindrions... *Imperat.* crains, craignons, craignez. *Subj. pres.* Que je craigne... que n. craignions... *Imperf.* Que je craignisse... que n. craignissions... *Ger.* craignant. *Part. pas.* craint, e.

**crever** *Conj. c.* mener.

**crier** *Conj. c.* prier.

**croire** *Ind. pres.* Je crois, tu crois, il croit, n. croyons, v. croyez, ils croient. *Imperf.* Je croyais... n. croyions. *Pret. ind.* Je crus... n. crûmes... *Fut.* Je croirai... n. croirons... *Cond.* Je croirais... n. croirions... *Imperat.* crois, croyons, croyez. *Subj. pres.* Que je croie... que n. croyions... *Imperf.* Que je crusse... que n. crussions... *Ger.* croyant. *Part. pas.* cru, e.

**croître** *Ind. pres.* Je croîs, tu croîs, il croît, n. croissons, v. croissez, ils croissent. *Imperf.* Je croissais... n. croissions... *Pret. ind.* Je crûs... n. crûmes... *Fut.* je croîtrai... n. croîtrons... *Cond.* Je croîtrais... n. croîtrions... *Imperat.* croîs, croissons, croissez. *Subj. pres.* Que je croisse... que n. croissions... *Imperf.* Que je crûsse... Que n. crûssions... *Ger.* croissant. *Part. pas.* crû, crue.

**cueillir** *Ind. pres.* Je cueille... n. cueillons... *Imperf.* Je cueillais... n. cueillions... *Pret. ind.* Je cueillis... n. cueillîmes... *Fut.* Je cueillerai... n. cueillerons... *Cond.* Je cueillerais... n. cueillerions... *Imperat.* cueille, cueillons, cueillez. *Subj. pres.* Que je cueille... que n. cueillions... *Imperf.* Que je cueillisse... que n. cueillissions... *Ger.* cueillant. *Part. pas.* cueilli, e.

**cuire** *Conj. c.* conduire.

## D

**débattre** *Conj. c.* battre.

**déblayer** *Conj. c.* balayer.

**décevoir** *Conj. c.* apercevoir.

**déchoir** *Ind. pres.* Je déchois, tu déchois, il déchoit, n. déchoyons, v. déchoyez, ils déchoient. *Imperf. (carece). Pret. ind.* Je déchus... n. déchûmes... *Fut.* Je déchoirai... n. déchoirons... *Cond.* Je déchoirais... n. déchoirions... *Imperat. (carece). Subj. pres.* Que je déchoie... que n. déchoyions... *Imperf.* Que je déchusse... que n. déchussions... *Ger. (carece) Part. pas.* déchu, e.

**découvrir** *Conj. c.* ouvrir.

**décrire** *Conj. c.* écrire.

**décroître** *Part. pas.* décru, e. En los demás tiempos conj. c. croître.

**dédire** *Conj. c.* médire.

**déduire** *Conj. c.* conduire.

**défaillir** *Empléase únicamente en los tiempos y personas siguientes: Ind. pres.* Nous défaillons, vous défaillez, ils défaillent. *Imperf.* Je défaillais... n. défaillions. *Ger.* défaillant. *Part. pas.* défailli.

**défaire** *Conj. c.* faire.

**défendre** *Conj. c.* vendre.

**délayer** *Conj. c.* balayer.

**démentir** *Conj. c.* mentir.

**démanger** *Conj. c.* avantager.

**démettre** *Conj. c.* mettre.

**dépeindre** *Conj. c.* craindre.

**dépendre** *Conj. c.* vendre.

**déplaire** *Conj. c.* plaire.

**déplier** *Conj. c.* prier.

**déranger** *Conj. c.* avantager.

**désapprendre** *Conj. c.* prendre.

**descendre** *Conj. c.* vendre.

**desservir** *Conj. c.* servir.

**déteindre** *Conj. c.* teindre.

**détenir** *Conj. c.* tenir.

**détruire** *Conj. c.* conduire.

**devenir** *Conj. c.* venir.

**dévêtir** *Conj. c.* vêtir.

**dévier** *Conj. c.* prier.

**devoir** *Ind. pres.* Je dois... n. devons... ils doivent. *Imperf.* Je devais... n. devions... *Pret. ind.* Je dus... n. dûmes... *Fut.* Je devrai... n. devrons... *Cond.* Je devrais... n. devrions... *Imperat.* dois, devons, devez. *Subj. pres.* Que je doive... que n. devions... *Imperf.* Que je dusse... que n. dussions... *Ger.* devant. *Part. pas.* dû, due.

**différer** *Conj. c.* accélérer.

**digérer** *Conj. c.* accélérer.

**dire** *Ind. pres.* Je dis, tu dis, il dit, n. disons, v. dites, ils disent. *Imperf.* Je disais... n. disions... *Pret. ind.* Je dis... n. dîmes... *Fut.* Je dirai... n. dirons... *Cond.* Je dirais... n. dirions... *Imperat.* dis, disons, dites. *Subj. pres.* Que je dise... que n. disions... *Imperf.* Que je disse... que n. dissions... *Ger.* disant. *Part. pas.* dit, e.

**diriger** *Conj. c.* avantager.

**disconvenir** *Conj. c.* venir.

**discourir** *Conj. c.* courir.

**disgracier** *Conj. c.* prier.

**disparaître** *Conj. c.* paraître.

**dissoudre** *Conj. c.* absoudre.

**distraire** *Conj. c.* traire.

**dormir** *Ind. pres.* Je dors, tu dors, il dort, n. dormons... *Imperf.* Je dormais... n. dormions... *Pret. ind.* Je dormis... n. dormîmes... *Fut.* Je dormirai...

n. dormirons... *Cond.* Je dormirais... n. dormirions... *Imperat.* dors, dormons, dormez. *Subj. pres.* Que je dorme... que n. dormions... *Imperf.* Que je dormisse... que n. dormissions... *Ger.* dormant. *Part. pas.* dormi.

## E

**échoir** *Sólo se emplea en los tiempos y personas siguientes: Ind. pres.* Il échoit, ils échoient. *Pret. ind.* Il échut, ils échurent. *Fut.* Il échoira, ils échoiront. *Cond.* Il échoirait, ils échoiraient. *Subj. pres.* Qu'il échoie, qu'ils échoient. *Imperf.* Qu'il échût, qu'ils échussent. *Ger.* échéant. *Part. pas.* échu, e.

**éclore** *Conj. c.* clore.

**écrire** *Ind. pres.* J'écris... n. écrivons... *Imperf.* J'écrivais... n. écrivions... *Pret. ind.* J'écrivis... n. écrivîmes... *Fut.* J'écrirai... n. écrirons... *Cond.* J'écrirais... n. écririons... *Imperat.* écris, écrivons, écrivez. *Subj. pres.* Que j'écrive... que n. écrivions... *Imperf.* Que j'écrivisse... que n. écrivissions... *Ger.* écrivant. *Part. pas.* écrit, e.

**effacer** *Conj. c.* lacer.

**effrayer** *Conj. c.* balayer.

**élever** *Conj. c.* mener.

**élire** *Conj. c.* lire.

**émettre** *Conj. c.* mettre.

**émouvoir** *Conj. c.* mouvoir. *Part. pas.* ému, e.

**employer** *Toma una* i *en vez de la* y *delante de una* e *muda:* j'emploie, tu emploies, il emploie... ils emploient. *Fut.* J'emploierai... *Toma una* i *después de la* y *en las dos primeras pers. del pl. del imperf. de ind. y del pres. de subj.:* n. employions.

**empreindre** *Conj. c.* craindre.

**encourager** *Conj. c.* avantager.

**endormir** *Conj. c.* dormir.

**enduire** *Conj. c.* conduire.

**engager** *Conj. c.* avantager.

**enfreindre** *Conj. c.* craindre.

**enfuir (s')** *Conj. c.* fuir.

**ennuyer** *Conj. c.* employer.

**enquérir (s')** *Conj. c.* acquérir.

**ensuivre (s')** *Conj. c.* suivre.

**entendre** *Conj. c.* vendre.

**entremettre (s')** *Conj. c.* mettre.

**entreprendre** *Conj. c.* prendre.

**entrevoir** *Conj. c.* voir.

**envoyer** *Ind. pres.* J'envoie, tu envoies, il envoie, n. envoyons, v. envoyez, ils envoient. *Imperf.* J'envoyais... n. envoyions... *Pret. ind.* J'envoyai... n. envoyâmes... *Fut.* J'enverrai... n. enverrons... *Cond.* J'enverrais... n. enverrions... *Imperat.* envoie, envoyons, envoyez. *Subj. pres.* Que j'envoie... que n. envoyions... *Imperf.* Que j'envoyasse... que n. envoyassions... *Ger.* envoyant. *Part. pas.* envoyé, e.

**éprendre (s')** *Conj. c.* prendre.

**équivaloir** *Conj. c.* valoir.

**ériger** *Conj. c.* avantager.

**espérer** *Conj. c.* accélérer.

**essuyer** *Conj. c.* employer.

**étayer** *Conj. c.* balayer.

**éteindre** *Conj. c.* craindre.

**étendre** *Conj. c.* vendre.

**étreindre** *Conj. c.* craindre.

**étudier** *Conj. c.* prier.

**exclure** *Conj. c.* conclure.

**expédier** *Conj. c.* prier.

**extraire** *Conj. c.* traire.

## F

**faillir** *Pret. ind.* Je faillis... n. faillîmes... *Fut.* Je faillirai... n. faillirons. *Ger.* faillant. *Part. pas.* failli, e. (*v. defectivo*).

**faire** *Ind. pres.* Je fais, tu fais, il fait, n. faisons, v. faites, ils font. *Imperf.* Je faisais... n. faisions... *Pret. ind.* Je fis... n. fîmes... *Fut.* Je ferai... n. ferons... *Cond.* Je ferais... n. ferions... *Imperat.* fais, faisons, faites. *Subj. pres.* Que je fasse... que n. fassions... *Imperf.* Que je fisse.... que n. fissions... *Ger.* faisant. *Part. pas.* fait, e.

**falloir** *Ind. pres.* Il faut . *Imperf.* Il fallait. *Pret. ind.* Il fallut. *Fut.* Il faudra. *Cond.* Il faudrait. *Subj. pres.* Qu'il faille. *Imperf.* Qu'il fallût. (*Es v. impersonal*).

**feindre** *Conj. c.* craindre.

**fendre** *Conj. c.* vendre.

**fleurir** *En sentido figurado se dice a veces:* je florissais... il florissait *en el imperf. de ind. y* florissant *en el ger.*

**foncer** *Conj. c.* lacer.

**forcer** *Conj. c.* lacer.

**forger** *Conj. c.* avantager.

**frire** *Ind. pres.* Je fris, tu fris, il frit, (*no tiene pl.*). *Fut.* Je frirai... n. frirons... *Imperat.* fris. *Part. pas.* frit, e. *En las demás formas se emplea con el v.* faire.

**fructifier** *Conj. c.* prier.

**fuir** *Ind. pres.* Je fuis, tu fuis, il fuit, n. fuyons, v. fuyez, ils fuient. *Imperf.* Je fuyais... n. fuyions... *Pret.ind.* Je fuis... n. fuîmes... *Fut.* Je fuirai... n. fuirons... *Cond.* Je fuirais... n. fuirions... *Imperat.* fuis, fuyons, fuyez. *Subj. pres.* Que je fuie... que n. fuyions... *Imperf.* Que je fuisse... que n. fuissions... *Ger.* fuyant. *Part. pas.* fui, e.

**fustiger** *Conj. c.* avantager.

## G

**gager** *Conj. c.* avantager.

**geindre** *Conj. c.* craindre.

**geler** *Conj. c.* accélérer.

**gérer** *Conj. c.* accélérer.

**gésir** *Ind. pres.* Je gis, tu gis, il gît, n. gisons, v. gisez, ils gisent. *Imperf.* Je gisais... n. gisions... *Ger.* gisant.

**glacer** *Conj. c.* lacer.

**gorger** *Conj. c.* avantager.

## H

**haïr** *Ind. pres.* Je hais, tu hais, il hait *(sin diéresis). Imperat.* hais. *Los demás tiempos y personas llevan diéresis.*

## I

**inscrire** *Conj. c.* écrire.

**instruire** *Conj. c.* conduire.

**interdire** *Conj. c.* dire.

**interrompre** *Conj. c.* rompre.

**intervenir** *Conj. c.* venir.

**introduire** *Conj. c.* conduire.

## J

**jeter** *Toma dos* t *delante de una sílaba muda:* je jette.

**joindre** *Conj. c.* craindre.

**juger** *Conj. c.* avantager.

## L

**lacer** *Toma una* ç *delante de* a *y* o*:* il laça.

**lever** *Conj. c.* mener.

**lire** *Ind. pres.* Je lis, tu lis, il lit, n. lisons, v. lisez, ils lisent. *Imperf.* Je lisais... n. lisions... *Pret. ind.* Je lus... n. lûmes... *Fut.* Je lirai... n. lirons... *Cond.* Je lirais... n. lirions... *Imperat.* lis, lisons, lisez. *Subj. pres.* Que je lise... que n. lisions... *Imperf.* Que je lusse... que n. lussions... *Ger.* lisant. *Part. pas.* lu, e.

**loger** *Conj. c.* avantager.

**longer** *Conj. c.* avantager.

**louvoyer** *Conj. c.* employer.

**luire** *Ind. pres.* Je luis... n. luisons. *Imperf.* Je luisais... n. luisions... *Pret. ind. (carece). Fut.* Je luirai... n. luirons... *Cond.* Je luirais... n. luirions... *Imperat. (carece). Subj. pres.* Que je luise... que n. luisions... *Imperf. (carece). Ger.* luisant. *Part. pas.* lui.

## M

**maintenir** *Conj. c.* tenir.

**manger** *Conj. c.* avantager.

**maudire** *Ind. pres.* Je maudis... n. maudissons, v. maudissez, ils maudissent. *Imperf.* Je maudissais... n. maudissions... *Pret. ind.* Je maudis... n. maudîmes. *Fut.* Je maudirai... n. maudirons... *Cond.* Je maudirais... n. maudirions... *Imperat.* maudis, maudissons, maudissez. *Subj. pres.* Que je maudisse... que n. maudissions... *Ger.* maudissant. *Part. pas.* maudit, e.

**méconnaître** *Conj. c.* connaître.

**médire** *Conj. c.* dire, *excepto en la 2.ª pers. del pl. del ind. pres.* vous médisez, *y del imperat.* médisez.

**mélanger** *Conj. c.* avantager.

**ménager** *Conj. c.* avantager.

**mener** *Toma una* è *abierta delante de una sílaba muda.*

**mentir** *Ind. pres.* Je mens... n. mentons... *Imperf.* Je mentais... n. mentions... *Pret. ind.* Je mentis... n. mentîmes... *Fut.* Je mentirai... n. mentirons... *Cond.* Je mentirais... n. mentirions... *Imperat.* mens, mentons, mentez. *Subj. pres.* Que je mente... que n. mentions... *Imperf.* Que je mentisse... que n. mentissions... *Ger.* mentant. *Part. pas.* menti, e.

**méprendre (se)** *Conj. c.* prendre.

**mettre** *Ind. pres.* Je mets, tu mets, il met, n. mettons, v. mettez, ils mettent. *Imperf.* Je mettais... n. mettions... *Pret. ind.* Je mis... n. mîmes... *Fut.* Je mettrai... n. mettrons... *Cond.* Je mettrais... n. mettrions... *Imperat.* mets, mettons, mettez. *Subj. pres.* Que je mette... que n. mettions... *Imperf.* Que je misse... que n. missions... *Ger.* mettant. *Part. pas.* mis, e.

**moudre** *Ind. pres.* Je mouds, tu mouds, il moud, n. moulons, v. moulez, ils moulent. *Imperf.* Je moulais..., n. moulions... *Pret. ind.* Je moulus... n. moulûmes... *Fut.* Je moudrai... n. moudrons. *Cond.* Je moudrais... n. moudrions... *Imperat.* mouds, moulons, moulez. *Subj. pres.* Que je moule... que n. moulions... *Imperf.* Que je moulusse... que n. moulussions... *Ger.* moulant. *Part. pas.* moulu, e.

**mourir** *Ind. pres.* Je meurs, tu meurs, il meurt, n. mourons, v. mourez, ils meurent. *Imperf.* Je mourais... n. mourions... *Pret. ind.* Je mourus... n. mourûmes... *Fut.* Je mourrai... n. mourrons... *Cond.* Je mourrais... n. mourrions... *Imperat.* meurs, mourons, mourez. *Subj. pres.* Que je meure... que n. mourions... *Imperf.* Que je mourusse... que n. mourussions... *Ger.* mourant. *Part. pas.* mort, e.

**mouvoir** *Ind. pres.* Je meus, tu meus, il meut, n. mouvons, v. mouvez, ils meuvent. *Imperf.* Je mouvais... n. mouvions... *Pret. ind.* Je mus... n. mûmes... *Fut.* Je mouvrai... n. mouvrons... *Cond.* Je mouvrais... n. mouvrions... *Imperat.* meus, mouvons, mouvez. *Subj. pres.* Que je meuve... que n. mouvions... *Imperf.* Que je musse... que n. mussions... *Ger.* mouvant. *Part. pas.* mû, mue.

## N

**nager** *Conj. c.* avantager.

**naître** *Ind. pres.* Je nais, tu nais, il naît, n. naissons, v. naissez, ils naissent. *Imperf.* Je naissais... n. naissions... *Pret. ind.* Je naquis... n. naquîmes... *Fut.* Je naîtrai... n. naîtrons... *Cond.* Je naîtrais... n. naîtrions... *Imperat.* nais, naissons, naissez. *Subj. pres.* Que je naisse... que n. naissions... *Imperf.* Que je naquisse... que n. naquissions... *Ger.* naissant. *Part. pas.* né, née.

**nettoyer** *Conj. c.* employer.

**nier** *Conj. c.* prier.

**noyer** *Conj. c.* employer.

**nuire** *Conj. c.* luire.

## O

**obtenir** *Conj. c.* venir.

**offrir** *Conj. c.* ouvrir.

**oindre** *Conj. c.* craindre.

**omettre** *Conj. c.* mettre.

**ouïr** *Sólo se emplea en el infinitivo y en el part. pas.:* ouï, ouïe.

**ouvrir** *Ind. pres.* J'ouvre... n. ouvrons... *Imperf.* J'ouvrais... n. ouvrions... *Pret. ind.* J'ouvris... n. ouvrîmes... *Fut.* J'ouvrirai... n. ouvrirons... *Cond.* J'ouvrirais... n. ouvririons... *Imperat.* ouvre, ouvrons, ouvrez. *Subj. pres.* Que j'ouvre... que n. ouvrions... *Imperf.* Que j'ouvrisse... que n. ouvrissions... *Ger.* ouvrant. *Part. pas.* ouvert, e.

## P

**pagayer** *Conj. c.* balayer.

**paître** *Ind. pres.* Je pais, tu pais, il paît, n. paissons... *Imperf.* Je paissais... n. paissions... *Pret. ind. (carece). Fut.* Je paîtrai... n. paîtrons... *Cond.* Je paîtrais... n. paîtrions... *Imperat.* pais, paissons, paissez. *Subj. pres.* Que je paisse... que n. paissions... *Imperf. (carece). Ger.* paissant.

**pallier** *Conj. c.* prier.

**paraître** *Conj. c.* connaître.

**parcourir** *Conj. c.* courir.

**partir** *Conj. c.* mentir.

**parvenir** *Conj. c.* venir.

**payer** *Conj. c.* balayer.

**peindre** *Conj. c.* craindre.

**peler** *Toma una* è *abierta delante de una sílaba muda:* il pèlera.

**pendre** *Conj. c.* vendre.

**permettre** *Conj. c.* mettre.

**percer** *Conj. c.* lacer.

**percevoir** *Conj. c.* apercevoir.

**peser** *Conj. c.* mener.

**placer** *Conj. c.* lacer.

**plaindre** *Conj. c.* craindre.

**plaire** *Ind. pres.* Je plais, tu plais, il plaît, n. plaisons, v. plaisez, ils plaisent. *Imperf.* Je plaisais... n. plaisions... *Pret. ind.* Je plus... n. plûmes... *Fut.* Je plairai... n. plairons... *Cond.* Je plairais... n. plairions... *Imperat.* plais, plaisons, plaisez. *Subj. pres.* Que je plaise... que n. plaisions... *Imperf.* Que je plusse... que n. plussions... *Ger.* plaisant. *Part. pas.* plu.

**pleuvoir** *Ind. pres.* Il pleut. *Imperf.* Il pleuvait. *Pret. ind.* Il plut. *Fut.* Il pleuvra. *Cond.* Il pleuvrait. *Subj. pres.* Qu'il pleuve. *Imperf.* Qu'il plût. *Ger.* pleuvant. *Part. pas.* plu. *(Es v. impersonal).*

**plonger** *Conj. c.* avantager.

**ployer** *Conj. c.* employer.

**poindre** *Conj. c.* craindre.

**poursuivre** *Conj. c.* suivre.

**pourvoir** *Ind. pres.* Je pourvois... n. pourvoyons. *Imperf.* Je pourvoyais... n. pourvoyions... *Pret. ind.* Je pourvus... n. pourvûmes... *Fut.* Je pourvoirai... n. pourvoirons... *Cond.* Je pourvoirais... n. pourvoirions... *Imperat.* pourvois, pourvoyons, pourvoyez. *Subj. pres.* Que je pourvoie... que n. pourvoyions... *Imperf.* Que je pourvusse... que n. pourvussions... *Ger.* pourvoyant. *Part. pas.* pourvu, e.

**pouvoir** *Ind. pres.* Je puis *o* je peux, tu peux, il peut, n. pouvons, v. pouvez, ils peuvent. *Imperf.* Je pouvais... n. pouvions... *Pret. ind.* Je pus... n. pûmes... *Fut.* Je pourrai... n. pourrons... *Cond.* Je pourrais... n. pourrions... *Imperat. (no se emplea) Subj. pres.* Que je puisse... que n. puissions... *Imperf.* Que je pusse... que n. pussions... *Ger.* pouvant. *Part. pas.* pu.

**prédire** *Conj. c.* médire.

**préférer** *Conj. c.* accélérer.

**préjuger** *Conj. c.* avantager.

**prendre** *Ind. pres.* Je prends, tu prends, il prend, n. prenons, v. prenez, ils prennent. *Imperf.* Je prenais... n. prenions... *Pret. ind.* Je pris... n. prîmes... *Fut.* Je prendrai... n. prendrons... *Cond.* Je prendrais... n. prendrions... *Imperat.* prends, prenons, prenez. *Subj. pres.* Que je prenne... que n. prenions... *Imperf.* Que je prisse... que n. prissions... *Ger.* prenant. *Part. pas.* pris, e.

**présager** *Conj. c.* avantager.

**prescrire** *Conj. c.* écrire.

**prévaloir** *Conj. c.* valoir.

**prévenir** *Conj. c.* venir.

**prévoir** *Conj. c.* voir, *excepto el fut.* Je prévoirai... n. prévoirons... *y el cond.* Je prévoirais... n. prévoirions...

**prier** *Toma dos i en las dos personas del pl. del imperf. de ind. y del pres. de subj.:* n. priions, v. priiez.

**projeter** *Conj. c.* jeter.

**promettre** *Conj. c.* mettre.

**prononcer** *Conj. c.* lacer.

**propager** *Conj. c.* avantager.

**proscrire** *Conj. c.* écrire.

**provenir** *Conj. c.* venir.

**purger** *Conj. c.* avantager.

## R

**rabattre** *Conj. c.* battre.

**rager** *Conj. c.* avantager.

**rayer** *Conj. c.* balayer.

**rebattre** *Conj. c.* battre.

**recevoir** *Conj. c.* apercevoir.

**recharger** *Conj. c.* avantager.

**recommencer** *Conj. c.* commencer.

**reconnaître** *Conj. c.* connaître.

**recoudre** *Conj. c.* coudre.

**recourir** *Conj. c.* courir.

**recouvrir** *Conj. c.* ouvrir.

**recueillir** *Conj. c.* cueillir.

**redire** *Conj. c.* dire.

**réduire** *Conj. c.* conduire.

**réélire** *Conj. c.* lire.

**refaire** *Conj. c.* faire.

**rejeter** *Conj. c.* jeter.

**rejoindre** *Conj. c.* craindre.

**relancer** *Conj. c.* lacer.

**relayer** *Conj. c.* balayer.

**reléguer** *Conj. c.* accélérer.

**relever** *Conj. c.* mener.

**relire** *Conj. c.* lire.

**remanier** *Conj. c* prier.

**remettre** *Conj. c.* mettre.

**renaître** *Conj. c.* naître.

**rendre** *Conj. c.* vendre.

**renforcer** *Conj. c.* lacer.

**renvoyer** *Conj. c.* envoyer.

**repaître** *Conj. c.* paître. *Part. pas.* repu, e.

**répandre** *Conj. c.* vendre.

**reparaître** *Conj. c.* connaître.

**repeindre** *Conj. c.* craindre.

**repentir (se)** *Conj. c.* mentir.

**répéter** *Conj. c.* accélérer.

**répondre** *Conj. c.* vendre.

**reprendre** *Conj. c.* prendre.

**requérir** *Conj. c.* acquérir.

**résoudre** *Ind. pres.* Je résous, tu résous, il résout, n. résolvons, v. résolvez, ils résolvent. *Imperf.* Je résolvais... n. résolvions... *Pret. ind.* Je résolus... n. résolûmes... *Fut.* Je résoudrai... n. résoudrons... *Cond.* Je résoudrais... n. résoudrions... *Imperat.* résous, résolvons, résolvez. *Subj. pres.* Que je résolve... que n. résolvions... *Imperf.* Que je résolusse... que n. résolussions... *Ger.* résolvant. *Part. pas.* résolu, e.

**ressortir** *Conj. c.* sortir.

**restreindre** *Conj. c.* craindre.

**retenir** *Conj. c.* tenir.

**révéler** *Conj. c.* accélérer.

**revenir** *Conj. c.* venir.

**revêtir** *Conj. c.* vêtir.

**revivre** *Conj. c.* vivre.

**revoir** *Conj. c.* voir.

**rire** *Ind. pres.* Je ris, tu ris, il rit, n. rions, v. riez, ils rient. *Imperf.* Je riais... n. riions... *Pret. ind.* Je ris... n. rîmes... *Fut.* Je rirai... n. rirons... *Cond.* Je rirais... n. ririons... *Imperat.* ris, rions, riez. *Subj. pres.* Que je rie... que n. riions... *Imperf.* Que je risse... que n. rissions... *Ger.* riant. *Part. pas.* ri.

**rompre** *Toma una* t *en la 3.ª pers. del sing. del pres. de indic.:* il rompt.

**rouvrir** *Conj. c.* ouvrir.

## S

**saccager** *Conj. c.* avantager.

**sacrifier** *Conj. c.* prier.

**sanctifier** *Conj. c.* prier.

**satisfaire** *Conj. c.* faire.

**savoir** *Ind. pres.* Je sais... n. savons... *Imperf.* Je savais... n. savions... *Pret. ind.* je sus... n. sûmes... *Fut.* Je saurai... n. saurons... *Cond.* Je saurais... n. saurions... *Imperat.* sache, sachons, sachez. *Subj. pres.* Que je sache... que nous sachions... *Imperf.* Que je susse... que n. sussions... *Ger.* sachant. *Part. pas.* su, sue.

**scier** *Conj. c.* prier.

**sécher** *Conj. c.* accélérer.

**sécréter** *Conj. c.* accélérer.

**secourir** *Conj. c.* courir.

**séduire** *Conj. c.* conduire.

**semer** *Conj. c.* mener.

**sentir** *Conj. c.* mentir.

**seoir** *Ind. pres.* Il sied, ils siéent. *Imperf.* Il seyait, ils seyaient. *Fut.* Il siéra, ils siéront. *Cond.* Il siérait, ils siéraient.

**servir** *Ind. pres.* Je sers, tu sers, il sert, n. servons... *Imperf.* Je servais... n. servions... *Pret. ind.* Je servis... n. servîmes... *Fut.* Je servirai... n. servirons...

*Cond.* Je servirais... n. servirions... *Imperat.* sers, servons, servez. *Subj. pres.* Que je serve... que n. servions... *Imperf.* Que je servisse... que n. servissions... *Ger.* servant. *Part. pas.* servi, e.

**sevrer** *Conj. c.* mener.

**siéger** *Conj. c.* abréger.

**signifier** *Conj. c.* prier.

**simplifier** *Conj. c.* prier.

**singer** *Conj. c.* avantager.

**solidifier** *Conj. c.* prier.

**sortir** *Ind. pres.* Je sors... n. sortons... *Imperf.* Je sortais... n. sortions... *Pret. ind.* Je sortis... n. sortîmes... *Fut.* Je sortirai... n. sortirons... *Cond.* Je sortirais... n. sortirions... *Imperat.* sors, sortons, sortez. *Subj. pres.* Que je sorte... que n. sortions. *Imperf.* Que je sortisse... que n. sortissions... *Ger.* sortant. *Part. pas.* sorti, e.

**souffrir** *Conj. c.* ouvrir.

**soulager** *Conj. c.* avantager.

**soumettre** *Conj. c.* mettre.

**soupeser** *Conj. c.* mener.

**sourire** *Conj. c.* rire.

**souscrire** *Conj. c.* écrire.

**soustraire** *Conj. c.* traire.

**soutenir** *Conj. c.* venir.

**souvenir (se)** *Conj. c.* venir.

**subvenir** *Conj. c.* venir.

**succéder** *Conj. c.* accélérer.

**sucer** *Conj. c.* lacer.

**suffire** *Ind. pres.* Je suffis... n. suffisons... *Imperf.* Je suffisais... n. suffisions... *Pret. ind.* Je suffis... n. suffîmes... *Fut.* Je suffirai... n. suffirons... *Cond.* Je suffirais... n. suffirions... *Imperat.* suffis, suffisons, suffisez. *Subj. pres.* Que je suffise... que n. suffisions... *Imperf.* Que je suffisse... que n. suffissions... *Ger.* suffisant. *Part. pas.* suffi.

**suggérer** *Conj. c.* accélérer.

**suivre** *Ind. pres.* Je suis... n. suivons... *Imperf.* Je suivais... n. suivions. *Pret. ind.* Je suivis... n. suivîmes... *Fut.* Je suivrai... n. suivrons... *Cond.* Je suivrais... n. suivrions... *Imperat.* suis, suivons, suivez. *Subj. pres.* Que je suive... que n. suivions... *Imperf.* Que je suivisse... que n. suivissions... *Ger.* suivant. *Part. pres.* suivi, e.

**supplier** *Conj. c.* prier.

**surfaire** *Conj. c.* faire.

**surprendre** *Conj. c.* prendre.

**surseoir** *Ind. pres.* Je sursois... n. sursoyons... *Imperf.* Je sursoyais... n. sursoyions... *Pret. ind.* Je sursis... n. sursîmes... *Fut.* Je surseoirai... n. surseoirons... *Cond.* Je surseoirais... n. surseoirions... *Subj. pres.* Que je sursoie... que n. sursoyions... *Imperf.* Que je sursisse... que n. sursissions... *Ger.* sursoyant. *Part. pas.* sursis.

**survenir** *Conj.c.* venir.

**survivre** *Conj. c.* vivre.

## T

**tacheter** *Conj. c.* jeter.

**taire** *Conj. c.* plaire.

**teindre** *Conj. c.* craindre.

**télégraphier** *Conj. c.* prier.

**tendre** *Conj. c.* vendre.

**tenir** *Conj. c.* venir.

**tordre** *Conj. c.* vendre.

**tournoyer** *Conj. c.* employer.

**tracer** *Conj. c.* lacer.

**traire** *Ind. pres.* Je trais, tu trais, il trait, n. trayons, v. trayez, ils traient. *Imperf.* Je trayais... n. trayions... *Pret. ind. (carece). Fut.* Je trairai... n. trairons... *Cond.* Je trairais... n. trairions. *Imperat.* trais, trayons, trayez. *Subj. pres.* Que je traie... que n. trayions... *Imperf (carece). Ger.* trayant. *Part. pas.* trait, e.

**transcrire** *Conj. c.* écrire.

**transférer** *Conj. c.* accélérer.

**transmettre** *Conj. c.* mettre.

**tressaillir** *Ind. pres.* Je tressaille... n. tressaillons... *Imperf.* Je tressaillais... n. tressaillions. *Pret. ind.* Je tressaillis... n. tressaillîmes... *Fut.* Je tressaillirai... n. tressaillirons... *Cond.* Je tressaillirais... n. tressaillirions... *Imperat.* tressaille, tressaillons, tressaillez. *Subj. pres.* Que je tressaille... que n. tressaillions... *Ger.* tressaillant. *Part. pas.* tressailli, e.

## V

**vaincre** *Ind. pres.* Je vaincs, tu vaincs, il vainc, n. vainquons, v. vainquez, ils vainquent. *Imperf.* Je vainquais... n. vainquions. *Pret. ind.* Je vainquis... n. vainquîmes... *Fut.* Je vaincrai... n. vaincrons... *Cond.* Je vaincrais... n. vaincrions. *Imperat.* vaincs, vainquons, vainquez. *Subj. pres.* Que je vainque... que n. vainquions... *Imperf.* Que je vainquisse... que n. vainquissions... *Ger.* vainquant. *Part. pas.* vaincu, e.

**valoir** *Ind. pres.* Je vaux, tu vaux, il vaut, n. valons, v. valez, ils valent. *Imperf.* Je valais... n. valions... *Pret. ind.* Je valus... n. valûmes. *Fut.* Je vaudrai... n. vaudrons... *Cond.* Je vaudrais... n. vaudrions... *Imperat.* vaux, valons, valez. *Subj. pres.* Que je vaille... que n. valions. *Imperf.* Que je valusse... que n. valussions... *Ger.* valant. *Part. pas.* valu, e.

**varier** *Conj. c.* prier.

**vendanger** *Conj. c.* avantager.

**vendre** *Véase modelo de conjugación.*

**venger** *Conj. c.* avantager.

**venir** *Ind. pres.* Je viens, tu viens, il vient, n. venons, v. venez, ils viennent. *Imperf.* Je venais... n. venions... *Pret. ind.* Je vins ... n. vînmes... *Fut.* Je viendrai... n. viendrons... *Cond.* Je viendrais... n. viendrions... *Imperat.* viens, venons, venez. *Subj. pres.* Que je vienne... que n. venions... *Imperf.* Que je vinsse... que n. vinssions... *Ger.* venant. *Part. pas.* venu, e.

**vérifier** *Conj. c.* prier.

**versifier** *Conj. c.* prier.

**vêtir** *Ind. pres.* Je vêts, tu vêts, il vêt, n. vêtons, v. vêtez, ils vêtent. *Imper.* Je vêtais... n. vêtions... *Pret. ind.* Je vêtis... n. vêtîmes... *Fut.* Je vêtirai... n. vêtirons...*Cond.* Je vêtirais... n. vêtirions... *Imperat.* vêts, vêtons, vêtez. *Subj. pres.* Que je vête... que n. vêtions... *Imperf.* Que je vêtisse... que n. vêtissions... *Ger.* vêtant. *Part. pas.* vêtu, e.

**vidanger** *Conj. c.* avantager.

**vitrifier** *Conj. c.* prier.

**vivre** *Ind. pres.* Je vis, tu vis, il vit, n. vivons, v. vivez, ils vivent. *Imperf.* Je vivais... n. vivions... *Pret. ind.* Je vécus... n. vécûmes... *Fut.* Je vivrai... n. vivrons... *Cond.* Je vivrais... n. vivrions... *Imperat.* vis, vivons, vivez... *Subj. pres.* Que je vive... que n. vivions... *Imperf.* Que je vécusse... que n. vécussions... *Ger.* vivant. *Part. pas.* vécu, e.

**voir** *Ind. pres.* Je vois, tu vois, il voit, n. voyons, v. voyez, ils voient. *Imperf.* Je voyais... n. voyions... *Pret. ind.* Je vis... n. vîmes... *Fut.* Je verrai... n. verrons... *Cond.* Je verrais... n. verrions... *Imperat.* vois, voyons, voyez. *Subj. pres.* Que je voie... que n. voyions... *Imperf.* Que je visse... que n. vissions... *Ger.* voyant. *Part. pas.* vu, e.

**voltiger** *Conj. c.* avantager.

**vouloir** *Ind. pres.* Je veux, tu veux, il veut, n. voulons, v. voulez, ils veulent. *Imperf.* Je voulais... n. voulions. *Pret. ind.* Je voulus... n. voulûmes... *Fut.* Je voudrai... n. voudrons... *Cond.* Je voudrais... n. voudrions... *Imperat.* veux, voulons, voulez *(o* veuille, veuillons, veuillez*)*. *Subj. pres.* Que je veuille... que n. voulions... *Imperf.* Que je voulusse... que n. voulussions... *Ger.* voulant. *Part. pas.* voulu, e.

**voyager** *Conj. c.* avantager.

## Z

**zézayer** *Conj. c.* balayer.

# Abrégé de grammaire espagnole
# *Compendio de gramática española*

## Prononciation de l'espagnol

Toutes les lettres d'un mot espagnol se prononcent.

**Les voyelles**

**a, i, o** se prononcent comme en français; *e* se prononce toujours *é* (comme dans *été)* ; **u** se prononce toujours *ou* (comme dans *fou*).
Les voyelles n'ont jamais le son nasal. Devant *m* ou *n*, elles gardent leur prononciation : **an** se prononce comme en français dans *Anne*, **en** comme en français dans *abdomen*, **in** comme en français dans *mine*, **on** comme en français dans *bonne*, **un** comme en français dans *toundra*. Lorsqu'elles sont placées l'une à côté de l'autre, elles gardent également leur prononciation : **ai** comme en français dans *maïs*, **au** comme en français dans *aoûtat*, **eu** comme en français dans *Séoul*, etc.

**Les consonnes**

**b** et **v** se prononcent sensiblement de la même façon.
**c** devant *a, o, u* se prononce comme en français. Devant *e* et *i*, il se prononce approximativement comme le *th* anglais de *thing*.
**d** en position finale ou dans la terminaison *ado* est presque muet.
**g** devant *a, o, u* se prononce comme en français ; devant *e* et *i*, il se prononce comme le *j* espagnol *(jota)*. Le *u* de *gue, gui* est muet. Mais dans les groupes *gua, guo, güe, güi* il se prononce : *goua, gouo*, etc. ; *gn* se prononce *g-n* comme dans *stagner.*
**h** n'est jamais aspiré.
**que, qui** se prononcent *ké, ki*.
**r** est toujours roulé ; plus fortement en position initiale, après *l, n, s* et quand il est double.
**s** a toujours le son du *s* double français dans *laisse* (jamais *z*).
**t** a toujours le son *t*.
**x** se prononce toujours *cs* (jamais *gz*).
**z** a la même prononciation que le *c* devant *e* et *i* (comme le *th* anglais).

**Lettres propres à l'espagnol**

**ch** a le son *tch* comme *tchèque*.
**j** [x] (appelé *jota*) a un son guttural analogue au *ch* dur allemand.
**ll** [ʎ] se prononce comme le groupe *lli* dans *million*. En Argentine, se prononce à peu près comme un *j* français.
**ñ** [ɲ] se prononce comme *gn* dans *agneau*.
Remarque : ne jamais diviser, en bout de ligne par exemple, la consonne double *ll* (ni le groupe *rr*) mais faire la **coupure** avant : *ca-lle, ca-rro*.
Voir le tableau de transcription phonétique en tête du dictionnaire.

**Accent tonique**

Un mot espagnol comporte toujours une syllabe qui est prononcée avec plus d'intensité.
**1.** les mots terminés par une *voyelle*, un *s* ou un *n* sont accentués sur l'avant-dernière syllabe (*ven**ta**na, a**ca**bas, **di**cen*).
**2.** les mots terminés par une *consonne* autre que *s* ou *n* sont accentués sur la dernière syllabe *(co**lor**, espa**ñol**, re**loj**)*.
**3.** les mots qui font exception aux règles précédentes portent l'accent écrit sur la syllabe tonique *(**fá**cil, ac**ción**, ca**fé**)*.

Les mots accentués sur l'antépénultième syllabe portent toujours l'accent écrit (*fotógrafo*). De même les verbes quand, par suite de l'addition de pronoms enclitiques, la syllabe accentuée devient l'antépénultième ou une syllabe antérieure à l'antépénultième (**infórmate** renseigne-toi ; **pregúnteselo** demandez-le-lui).

L'accent écrit permet également de distinguer les mots d'orthographe identique mais de fonction grammaticale distincte, par exemple *el* article (le) de *él* pronom (lui), *mas* conjonction (mais) de *más* adverbe (plus), *solo* adjectif (seul) de *sólo* adverbe (seulement), *te* pronom (te) de *té* nom (thé), *llamo*, j'appelle de *llamó*, il appela, etc.

Les démonstratifs portent l'accent écrit lorsqu'ils sont employés comme pronoms (**éste** celui-ci, etc.). Également des mots *cuando, cuanto, cual, donde, que, quien*, quand ils introduisent une interrogation ou une exclamation : **¿ dónde estás ?** où es-tu? ; **¿ qué dices ?** que dis-tu? ; **¡ qué horror!** quelle horreur!

**Construction**

L'ordre des mots dans la phrase espagnole est à peu près le même qu'en français. Toutefois, la construction espagnole est plus libre et les inversions sont fréquentes: **suena el teléfono** le téléphone sonne; **se acercan los exámenes** les examens approchent.
Souvent, seule l'intonation indique s'il s'agit d'une interrogation ou d'une exclamation. C'est pourquoi dans la langue écrite, on fait précéder les phrases interrogatives ou exclamatives d'un signe **¿** ou **¡** : **es posible** c'est possible ; **¿es posible?** est-ce possible ?; **¿qué dices?** que dis-tu ?, qu'est-ce que tu dis ? ; **¿ha venido Carmen?** est-ce que Carmen est venue ?; **¡qué calor!** quelle chaleur! La place des pronoms et des adverbes diffère parfois d'une langue à l'autre (voir plus loin).

## Le genre

De nombreux mots n'ont pas le même genre en français et en espagnol.
Ainsi, sont masculins les noms de mers (sous-entendu : *el mar)*, de fleuves (sous-entendu : *el río)* et de montagnes (sous-entendu : *el monte)*. Exemples : *el Mediterráneo, el Garona, los Alpes*. Également les noms de voitures (sous-entendu: *el coche)*. Exemples : *un citroën, un seat, un renault*. En revanche, les noms de lettres de l'alphabet sont féminins : *una a*, un a.

## Le pluriel (noms et adjectifs)

Les mots terminés par une voyelle atone prennent un **s** : *el gato blanco, los gatos blancos*, les chats blancs. De même les mots terminés par *é* : *el café, los cafés*.
Les mots terminés par une consonne, un *y* ou un *í* prennent *es* : *el camión, los camiones* (notez ici la disparition de l'accent écrit en application des règles de l'accentuation) ; *el hotel, los hoteles; el rey, los reyes; el rubí, los rubíes*. Les mots *papá, mamá, sofá, dominó* prennent un s et ceux terminés en *ú* soit s soit *es* : *el tabú, los tabús, tabúes*.
***Attention*** : les mots terminés par **z** changent ce *z* en *c* devant *es* : *el juez, los jueces* (les juges). Les mots polysyllabes se terminant par *s* ou *x* et non accentués sur la dernière syllabe restent invariables: *el lunes, los lunes* (les lundis), *la dosis, las dosis* (les doses).
Les mots étrangers naturalisés depuis un certain temps suivent les règles précédentes *(el bar, los bares)* mais beaucoup prennent seulement un s au pluriel *(fan, fans)*.
Dans le cas des mots composés par juxtaposition de deux substantifs, seul le premier prend, généralement, la marque du pluriel: *hora punta, horas punta* (heures de pointe).
Notez que certains mots pluriels peuvent se référer à deux unités: *los reyes* le roi et la reine; *los tíos* l'oncle et la tante.

## L'article

L'article défini est omis devant les noms de pays, continents, régions non déterminés : *Bélgica* la Belgique, *España* l'Espagne, *Europa* l'Europe, *Galicia* la Galice, etc. , mais on dira par exemple, (le nom est déterminé) : *la España actual*. Certains noms géographiques indéterminés conservent toutefois l'article : *el Canadá, el Ecuador, la India, el Japón, el Paraguay, el Perú, El Salvador, el Uruguay*, etc. D'autres s'emploient avec ou sans article ; *(el) Brasil, (los) Estados Unidos*, etc.
L'article défini est employé, en revanche, devant les mots *señor, señora, señorita*, sauf si ces derniers sont au vocatif, et pour indiquer l'heure: **son las tres** il est trois heures.

## Les suffixes

Les suffixes sont très fréquents en espagnol et, le plus souvent, ont une valeur affective.

**Les diminutifs**

Ils s'ajoutent à des noms, à des adjectifs, à des prénoms et même à des formes verbales et à certains adverbes. Ils expriment la petitesse, mais surtout introduisent une nuance de tendresse, d'affection, de pitié, etc., que devra chercher à rendre la traduction. Ainsi **pañuelito** joli petit mouchoir; **piececito** mignon petit pied.
Le suffixe -**ito, a** est le plus employé : *gato* > *gatito*, petit chat, chaton ; *casa* > *casita*, petite maison, maisonnette ; *hermano* > *hermanito*, petit frère; *abuela* > *abuelita*, bonne-maman ; *despacio* > *despacito*, tout doucement ; *solo* > *solito*, tout seul ; *ahora* > *ahorita*, tout de suite, immédiatement. Autres suffixes diminutifs : **-illo, a -uelo, a.** Ces suffixes deviennent respectivement **-cito, a, -cillo, a, -zuelo, a** avec les mots terminés par *e, n, r (pobre* > *pobrecito*, pauvre petit ; *jardín* > *jardincillo*, petit jardin, jardinet), et **-ecito, a, -ecillo, a, -ezuelo, a** avec les monosyllabes (*flor* > *florecita*, fleurette) ou les mots à diphtongue (*rueda* > *ruedecita*, petite roue).
Les suffixes **-illo, -uelo** ont parfois une nuance péjorative. Certains mots ont un double diminutif qui donne une grande vivacité à l'expression: *chico* > *chiquito* > *chiquitito*, petit gosse. (Notez la modification orthographique pour conserver le même son).
Autres suffixes diminutifs d'un emploi surtout régional : **-ín, -ina, -ico, -ica.**
Les suffixes **-ajo, -ejo, -ete, -ucho** sont généralement péjoratifs : *casa* > *casucha*, masure, bicoque ; *hotel* > *hotelucho*, hôtel minable; *feo* > *feúcho*, laid, moche.

**Les augmentatifs**

Le plus courant est -**ón, ona** (avec, parfois, une valeur péjorative) : *hombre* > *hombrón*, grand gaillard.
Les suffixes -**azo, a, -acho, a, -achón, ona, -ote, -ota** sont souvent péjoratifs, avec une nuance de grandeur excessive ou de vulgarité : *un coche* > *un cochazo*, une grosse bagnole ; *libro* > *librote*, gros livre, gros bouquin; *rico* > *ricachón*, richard.
Les suffixes **-azo** et **-ada** expriment généralement l'idée d'un coup donné : *codo* > *un codazo*, un coup de coude ; *puñal* > *una puñalada*, un coup de poignard. **-ada** peut aussi exprimer une idée de contenu.
Les suffixes **-al** et **-ar** désignent une étendue où poussent ..., où abondent... : *un pinar* une pinède ; *un arrozal* une rizière ; *un trigal* un champ de blé ; *un lodazal* un bourbier ; *un pedregal* un terrain pierreux.

## Le superlatif

Le superlatif absolu se forme avec **muy** + adjectif ou avec le suffixe **-ísimo, a :** *alto* > *muy alto, altísimo*, très haut.
Attention aux modifications orthographiques éventuelles pour conserver le son de la consonne finale du radical (*blanquísimo* très blanc; *larguísimo* très long, *poquísimo* très peu, etc.) ou aux formes irrégulières dérivant du latin : *celebérrimo* très célèbre ; *paupérrimo* très pauvre, etc.
Le superlatif relatif s'emploie sans article et le verbe de la subordonnée est à l'indicatif : **es el hombre más estúpido que conozco** c'est l'homme le plus stupide que je connaisse.

## Les nombres

| | nombres cardinaux | nombres ordinaux |
|---|---|---|
| 1 | uno, una | primero |
| 2 | dos | segundo |
| 3 | tres | tercero |
| 4 | cuatro | cuarto |
| 5 | cinco | quinto |
| 6 | seis | sexto |
| 7 | siete | séptimo |
| 8 | ocho | octavo |
| 9 | nueve | noveno, nono |
| 10 | diez | décimo |
| 11 | once | undécimo, onceno |
| 12 | doce | duodécimo |
| 13 | trece | decimotercero |
| 14 | catorce | decimocuarto |
| 15 | quince | decimoquinto |
| 16 | dieciséis | decimosexto |
| 17 | diecisiete | decimoséptimo |
| 18 | dieciocho | decimoctavo |
| 19 | diecinueve | decimonono |
| 20 | veinte | vigésimo |
| 21 | veintiuno | vigésimo primero |
| 22 | veintidós | vigésimo segundo |
| 30 | treinta | trigésimo |
| 31 | treinta y uno | trigésimo primero |
| 32 | treinta y dos | trigésimo segundo |
| 40 | cuarenta | cuadrigésimo |
| 50 | cincuenta | quincuagésimo |
| 60 | sesenta | sexagésimo |
| 70 | setenta | septuagésimo |
| 80 | ochenta | octogésimo |
| 90 | noventa | nonagésimo |
| 100 | ciento, cien | centésimo |
| 101 | ciento uno | centésimo primero |
| 200 | doscientos, -as | ducentésimo |
| 300 | trescientos, -as | tricentésimo |
| 400 | cuatrocientos, -as | cuadrigentésimo |
| 500 | quinientos, -as | quingentésimo |
| 600 | seiscientos, -as | sexcentésimo |
| 700 | setecientos, -as | septigentésimo |
| 800 | ochocientos, -as | octingentésimo |
| 900 | novecientos, -as | noningentésimo |
| 1.000 | mil | milésimo |
| 1.000.000 | un millón | millonésimo |
| 1.000.000.000 | mil millones | mil millonésimo |

**Nombres cardinaux**

La conjonction *y* est toujours intercalée entre les dizaines et les unités : *treinta y tres* 33 ; *cuarenta y cuatro* 44.

Les centaines s'accordent : **trescientas páginas** trois cents pages ; **quinientas líneas** cinq cents lignes. **Ciento** (100) devient **cien** devant un substantif, *mil, millones* : **cien kilos** cent kilos ; **cien mil** cent mille.

***Attention*** : *un millar* = un millier ; *mil millones* = un milliard.

**Nombres ordinaux**

Dans le langage courant, on n'emploie guère que les dix ou douze premiers, placés après le nom quand il s'agit de souverains, papes, siècles, chapitres : **Felipe Segundo** Philippe II ; **capítulo décimo** chapitre dix. On remplace les autres par le nombre cardinal correspondant : **el siglo dieciocho** le dix-huitième siècle ; **el siglo veinte** le vingtième siècle ; **el siglo veintiuno** le vingt et unième siècle.
***Attention*** : *primero* et *tercero* s'apocopent devant un nom masculin singulier : **el primer hombre** le premier homme.

**Les fractions**

Jusqu'à 10, la fraction s'exprime par l'ordinal suivi du mot *parte* (partie) : **las cuatro quintas partes** les 4/5 ; **las seis novenas partes** les 6/9.
Au-delà de 10, on prend le nombre cardinal suivi du suffixe *-avo* : **las cinco doceavas partes** les 5/12 ; **las ocho treceavas partes** les 8/13.
Dans le langage arithmétique, le numéral est employé sans le mot *parte* : **dos tercios** 2/3 ; **seis décimos** 6/10 ; **siete dieciseisavos** 7/16.

## Pronoms personnels

**Sujets**

Ils sont généralement omis, les désinences verbales suffisant à distinguer les personnes : **no sé** je ne sais pas ; **¿has oído?** as-tu entendu ? ; **gracias, murmuró** merci, murmura-t-il ou murmura-t-elle. On les emploie pour insister : **yo me voy** moi, je m'en vais ; **aquí mando yo** ici, c'est moi qui commande ; **¿qué haces tú aquí?** qu'est-ce que tu fais, toi, ici? ou pour éviter une ambiguïté: **María cantaba, y yo la acompañaba con la guitarra** Marie chantait et moi je l'accompagnais à la guitare.
*Vosotros, vosotras,* s'emploient pour parler à plusieurs personnes que l'on tutoie séparément. *Usted* (en abrégé Ud. ou Vd.) *ustedes* (en abrégé Uds. ou Vds.) traduisent le «vous» de politesse français et le verbe qui les accompagne est toujours à la 3e personne : **usted se equivoca** vous vous trompez.

**Compléments**

Ils se placent:
**1.** avant le verbe, comme en français, à l'indicatif et au subjonctif (**te avisaré** je te préviendrai; **nos llaman** on nous appelle).
**2.** après le verbe et soudé à lui à l'infinitif, à l'impératif et au gérondif (**lavarse** se laver; **créame** croyez-moi ; **acercaos** approchez-vous ; **diciéndole** en lui disant). L'enclise est également possible, dans la langue littéraire et quel que soit le temps, si le verbe est en tête d'une proposition affirmative : **Sentóse el juez** le juge s'assit ; **Oíase un ruido** on entendait un bruit.
Dans le cas où deux pronoms compléments se suivent, le complément indirect se place toujours le premier (**te lo daré** je te le donnerai ; **démelo** donnez-le moi). Quand les deux pronoms sont de la 3e personne (le lui, la leur, vous le, etc.) le complément indirect (lui, leur, vous) se rend par **se** (**se lo diré** je le lui dirai, je le leur dirai, je vous le dirai : **dáselos** donne-les-lui, donne-les-leur).
***Remarque 1*** : l'emploi explétif des pronoms compléments est de règle avec *usted, ustedes*: **¿qué le dijo a usted?** qu'est-ce-qu'il vous a dit ? et fréquent dans des constructions comme : **no le conozco a este chico** je ne connais pas ce garçon ; **dile a tu padre que...** dis à ton père que... ; **no se lo digas a nadie** ne le dis à personne, etc.
***Remarque 2*** : après *según* (selon), *excepto, menos, salvo* (sauf), *incluso, hasta* (même), on emploie toujours les pronoms sujets : **según yo** selon moi ; **salvo tú** sauf toi ; **incluso él** même lui.

**Le voseo**

Le pronom **vos** suivi de la seconde personne du pluriel mais utilisé pour s'adresser à une seule personne était courant au Siècle d'Or (**vos sabéis** vous savez).
En Amérique latine *vos* est employé dans la langue familière à la place du pronom *tú* (**vos sabés** tu sais). Cet usage porte le nom de *voseo.*

Les formes verbales qui sont associées au pronom *vos*, dans son usage dialectal en Amérique latine (Argentine, partie de l'Amérique centrale notamment), correspondant à la 2e personne du singulier, s'obtiennent:
• pour le présent de l'indicatif, par la suppression de la diphtongue de la 2e personne du pluriel : *sos, cantás, bebés, tenés (sois, cantáis, bebéis, tenéis)* ou, dans le cas des verbes en *-ir*, par l'emploi de cette personne sans modification : *vivís (vivís)*. Ex : **vos sos** tu es ; **¿te aburrís?** tu t'ennuies ?
• à la 2e personne du pluriel de l'impératif, par l'élision du *d* final : *cantá, bebé, viví (cantad, bebed, vivid)* : chante, bois, vis ; **vení conmigo** viens avec moi.

## Emploi de *a* devant le complément d'objet

**1.** Après un verbe de mouvement, de but, on emploie toujours **a : voy a salir** je vais sortir; **corrió a comprar el periódico** il courut acheter le journal.
**2.** Devant un complément direct désignant une personne déterminée l'espagnol emploie obligatoirement la préposition **a : vi a Teresa ayer** j'ai vu Thérèse hier; **vigila a su hermanito** elle surveille son petit frère ; **¿ha leído a Freud?** avez-vous lu Freud ? (= l'œuvre de Freud).
On emploie également *a* devant un pronom qui représente une personne (**no invité a nadie** je n'ai invité personne ; **¿a quién llamas?** qui appelles-tu ?) ou devant un mot désignant un ensemble de personnes après un verbe qui exprime une action morale : **su discurso entusiasmó al público** son discours enthousiasma le public.
Cet emploi s'étend aux noms d'être personnifiés (**los incas adoraban al Sol** les Incas adoraient le Soleil), aux noms propres d'animaux et aux noms communs d'animaux familiers (**acarició al perro** il caressa le chien), aux noms géographiques (sans article) mais, dans ce cas, l'usage se perd sauf pour indiquer un antagonisme (**Israel acusa a Siria** Israël accuse la Syrie).
Si le complément d'un verbe est en même temps sujet d'un infinitif, il est normalement précédé de *a*, même s'il s'agit d'un nom de chose : **vi despegar a un avión** j'ai vu un avion décoller.
En revanche, on n'emploie pas la préposition *a* si elle rend ambigu le sens de la phrase, par exemple lorsqu'il y a deux compléments de personnes : **presentó su hermano al director** il présenta son frère au directeur.
On n'emploie pas non plus la préposition *a* après le verbe *tener* pour exprimer un lien de parenté : **tiene dos hijas** il a deux filles.
Voir aussi l'article *« a »* (partie espagnol-français).

## Les adverbes de manière

Les adverbes de manière se forment en soudant la terminaison **-mente** à la forme féminine (s'il y en a une) de l'adjectif : *lento, a* > *lentamente*, lentement; *normal* > *normalmente*, normalement ; *cortés* > *cortésmente*, poliment. (Notez que l'accent écrit subsiste dans l'adverbe).
Si deux ou plusieurs adverbes se suivent, seul le dernier prend la terminaison *-mente*, le ou les adverbes précédents se présentant au féminin : **rápida y bruscamente** rapidement et brusquement ; **tanto intelectual como políticamente** aussi bien intellectuellement que politiquement.

L'espagnol emploie parfois l'adjectif attribut pour indiquer la manière : **viste elegante** il s'habille élégamment.
Les adverbes en *-mente* sont souvent remplacés en espagnol par des expressions adverbiales formées avec un substantif. Ainsi, au lieu de *fácilmente, francamente*, etc., on dira : *con facilidad, con franqueza*, etc.

## Les verbes

**Auxiliaires**

| ***infinitif*** | **haber** *(avoir)* | | **ser** *(être)* | |
|---|---|---|---|---|
| ***indicatif*** **présent** | he<br>has<br>ha<br>hemos<br>habéis<br>han | | soy<br>eres<br>es<br>somos<br>sois<br>son | |
| **imparfait** | había<br>habías<br>había<br>habíamos<br>habíais<br>habían | | era<br>eras<br>era<br>éramos<br>erais<br>eran | |
| **passé simple** | hube<br>hubiste<br>hubo<br>hubimos<br>hubisteis<br>hubieron | | fui<br>fuiste<br>fue<br>fuimos<br>fuisteis<br>fueron | |
| **futur** | habré<br>habrás<br>habrá<br>habremos<br>habréis<br>habrán | | seré<br>serás<br>será<br>seremos<br>seréis<br>serán | |
| **conditionnel** | habría<br>habrías<br>habría<br>habríamos<br>habríais<br>habrían | | sería<br>serías<br>sería<br>seríamos<br>seríais<br>serían | |
| ***subjonctif*** **présent** | haya<br>hayas<br>haya<br>hayamos<br>hayáis<br>hayan | | sea<br>seas<br>sea<br>seamos<br>seáis<br>sean | |
| **imparfait** | hubiera<br>hubieras<br>hubiera<br>hubiéramos<br>hubierais<br>hubieran | hubiese<br>hubieses<br>hubiese<br>hubiésemos<br>hubieseis<br>hubiesen | fuera<br>fueras<br>fuera<br>fuéramos<br>fuerais<br>fueran | fuese<br>fueses<br>fuese<br>fuésemos<br>fueseis<br>fuesen |
| **futur** | hubiere<br>hubieres<br>hubiere<br>hubiéremos<br>hubiereis<br>hubieren | | fuere<br>fueres<br>fuere<br>fuéremos<br>fuereis<br>fueren | |
| ***impératif*** | *inusité* | | sé<br>sea<br>seamos<br>sed<br>sean | |

| | | |
|---|---|---|
| ***gérondif*** | habiendo | siendo |
| ***part. pass.*** | habido | sido |

**Verbes réguliers**

Il existe 3 conjugaisons caractérisées par la terminaison de l'infinitif, en **ar, er, ir.**

| ***infinitif*** | **am/ar** *(aimer)* | **beb/er** *(boire)* | **viv/ir** *(vivre)* |
|---|---|---|---|
| ***indicatif*** | amo | bebo | vivo |
| **présent** | amas | bebes | vives |
| | ama | bebe | vive |
| | amamos | bebemos | vivimos |
| | amáis | bebéis | vivís |
| | aman | beben | viven |
| **imparfait** | amaba | bebía | vivía |
| | amabas | bebías | vivías |
| | amaba | bebía | vivía |
| | amábamos | bebíamos | vivíamos |
| | amabais | bebíais | vivíais |
| | amaban | bebían | vivían |
| **passé simple** | amé | bebí | viví |
| | amaste | bebiste | viviste |
| | amó | bebió | vivió |
| | amamos | bebimos | vivimos |
| | amasteis | bebisteis | vivisteis |
| | amaron | bebieron | vivieron |
| **futur** | amaré | beberé | viviré |
| | amarás | beberás | vivirás |
| | amará | beberá | vivirá |
| | amaremos | beberemos | viviremos |
| | amaréis | beberéis | viviréis |
| | amarán | beberán | vivirán |
| **conditionnel** | amaría | bebería | viviría |
| | amarías | beberías | vivirías |
| | amaría | bebería | viviría |
| | amaríamos | beberíamos | viviríamos |
| | amaríais | beberíais | viviríais |
| | amarían | beberían | vivirían |
| ***subjonctif*** | ame | beba | viva |
| **présent** | ames | bebas | vivas |
| | ame | beba | viva |
| | amemos | bebamos | vivamos |
| | améis | bebáis | viváis |
| | amen | beban | vivan |
| **imparfait** | amara | bebiera | viviera |
| | amaras | bebieras | vivieras |
| | amara | bebiera | viviera |
| | amáramos | bebiéramos | viviéramos |
| | amarais | bebierais | vivierais |
| | amaran | bebieran | vivieran |
| | amase | bebiese | viviese |
| | amases | bebieses | vivieses |
| | amase | bebiese | viviese |
| | amásemos | bebiésemos | viviésemos |
| | amaseis | bebieseis | vivieseis |
| | amasen | bebiesen | viviesen |

| | | | |
|---|---|---|---|
| ***subjonctif*** **futur** | amare<br>amares<br>amare<br>amáremos<br>amareis<br>amaren | bebiere<br>bebieres<br>bebiere<br>bebiéremos<br>bebiereis<br>bebieren | viviere<br>vivieres<br>viviere<br>viviéremos<br>viviereis<br>vivieren |
| ***impératif*** | ama<br>ame<br>amemos<br>amad<br>amen | bebe<br>beba<br>bebamos<br>bebed<br>beban | vive<br>viva<br>vivamos<br>vivid<br>vivan |
| ***gérondif*** | amando | bebiendo | viviendo |
| ***part. pass.*** | amado | bebido | vivido |

**La conjugaison pronominale**

Modèle de conjugaison pronominale aux trois présents et au gérondif. Verbe **levantarse**, se lever.

| ***Indicatif*** | ***Impératif*** | ***Subjonctif*** |
|---|---|---|
| me levanto | | me levante |
| te levantas | levántate | te levantes |
| se levanta | levántese | se levante |
| nos levantamos | levantémonos | nos levantemos |
| os levantáis | levantaos | os levantéis |
| se levantan | levántense | se levanten |

***Gérondif*** : levantándose.

Remarquez l'enclise du pronom à l'infinitif, à l'impératif et au gérondif et la chute du s et du *d* à la 1re et à la 2e personne respectivement du pluriel de l'impératif : *levantémonos* (et non *levantemos nos*), *levantaos* (et non *levantados*).

L'espagnol emploie souvent la forme pronominale avec des verbes de mouvement comme *subir, bajar, entrar,* etc. pour renforcer l'idée d'action ou d'effort : **se subió al árbol** il grimpa à l'arbre.

**Le passif**

Se forme avec **ser** et le participe passé qui s'accorde avec le sujet (**fue mordida por un perro** elle a été mordue par un chien).

**Temps composés**

Tous les temps composés se forment avec l'auxiliaire **haber** et le participe passé : **he venido** je suis venu ; **ha salido** il est sorti. Ce dernier est invariable (**Isabel ha llegado** Isabelle est arrivée ; **la postal que te he enviado** la carte postale que je t'ai envoyée) et ne doit jamais être séparé de l'auxiliaire : **he comido muy bien** j'ai très bien mangé ; **nunca he comprendido...** je n'ai jamais compris... ; **nos hemos divertido mucho** nous nous sommes beaucoup amusés ; **has cambiado mucho** tu as beaucoup changé.

**Le passé simple et le passé composé**

Tandis que le français utilise de moins en moins le passé simple, l'espagnol l'emploie couramment chaque fois qu'il s'agit d'une action située dans une période de temps révolue : **la semana pasada fui al teatro** la semaine dernière, je suis allé au théâtre ; **anoche me acosté muy tarde** hier soir je me suis couché très tard ; **ésta es la casa donde nació el insigne poeta** voici la maison où est né l'illustre poète.
On emploie le passé composé pour une action située dans une période de temps qui dure encore dans le présent : **hoy ha hecho mucho frío** aujourd'hui il a fait très froid ; **este año mi hija ha crecido mucho** cette année ma fille a beaucoup grandi.

**Le futur et le conditionnel**

Ils sont parfois employés pour exprimer la probabilité, l'hypothèse. Le futur simple envisage des faits présents (**serán las seis** il doit être six heures ; **estará enferma** elle doit être malade, elle est peut-être malade) ; le futur antérieur et le conditionnel envisagent des faits passés (**tendría unos quince años** il devait avoir dans les quinze ans).

**Le subjonctif et la concordance des temps**

L'espagnol emploie le subjonctif dans des cas où le français ne l'emploie pas : par exemple, pour traduire le futur (ou le conditionnel) d'éventualité après une conjonction ou un relatif (**cuando vayas** quand tu iras ; **haz lo que quieras** fais ce que tu voudras) ou bien pour exprimer la possibilité après *quizás, tal vez, acaso* (**quizás sea verdad** c'est peut-être vrai) ou encore après les verbes d'ordre, de défense, de prière, etc., à la place de l'infinitif français (**te pido que te vayas** je te demande de t'en aller).

Tombé en désuétude en français, l'**imparfait du subjonctif** (en *-ra* ou en *-se*, indifféremment) est, en revanche, d'un emploi courant en espagnol où la concordance des temps est rigoureusement appliquée. Ainsi, quand le verbe de la proposition principale est à l'imparfait de l'indicatif, au passé simple, au conditionnel ou au plus-que-parfait, le verbe de la subordonnée se met à l'imparfait du subjonctif : **me gustaría que me acompañaras** j'aimerais que tu m'accompagnes.

L'imparfait du subjonctif s'emploie aussi dans une subordonnée de condition introduite par *si* : **si mi padre viviera** si mon père vivait.

Notez, en outre, que l'imparfait du subjonctif en *-ra* remplace souvent le conditionnel des verbes *deber, haber, poder, querer* : **quisiera** je voudrais ; **no lo hubiera creído** je ne l'aurais pas cru.

**L'impératif négatif**

Se rend par le subjonctif présent : **no llores** ne pleure pas ; **no riáis** ne riez pas.

**Le gérondif**

**1.** Il peut exercer la fonction de complément circonstanciel de manière (**el niño despertó llorando** l'enfant s'est réveillé en pleurant; **sonrió mirándola** il sourit en la regardant) ou de temps pour exprimer la simultanéité de deux actions (**me pasé toda la tarde viendo la televisión** j'ai passé tout l'après-midi à regarder la télévision).

***Remarque 1*** : la tournure *al* + infinitif peut aussi exprimer la simultanéité mais le gérondif implique une idée de durée, même très faible, tandis que la tournure avec *al* indique un moment précis.

***Remarque 2*** : le gérondif précédé de *en* indique une action qui vient de s'achever : **en entrando...** sitôt entré, dès qu'il fut entré... («en entrant» se dirait *entrando* ou *al entrar)*.

**2.** Précédé d'un auxiliaire, le gérondif présente l'action dans son déroulement :

• *estar* + gérondif : idée de durée (**está cenando** il est en train de dîner).

• *ir* + gérondif : idée de progression (**va cayendo la noche** la nuit tombe peu à peu, petit à petit).

• *seguir, llevar* + gérondif: idée de continuité (**seguía durmiendo** il continuait de dormir). La tournure avec *llevar* comporte toujours un complément de temps : **llevo una hora esperándote** ça fait une heure que je t'attends.

***Remarque 1*** : le gérondif est parfois employé seul, avec ellipse de l'auxiliaire (**–¿Qué hay? – Como siempre, trabajando** – Ça va? – Comme toujours, je bosse).

***Remarque 2*** : le gérondif ne doit jamais être employé comme déterminatif. Il faut, dans ce cas, le remplacer par une proposition relative (**las personas que viven en las afueras...** les personnes habitant en banlieue... et non : *viviendo)*.

Attention : l'enclise des pronoms compléments est obligatoire avec le gérondif (**pidiéndole** en lui demandant). Ne pas oublier l'accent écrit.

**Modifications orthographiques des verbes**

**1.** verbes en **car, gar, guar, zar:** devant un *e*, le *c* > *qu* ; *le g* > *gu* ; *le gu* > *gü* ; *le z* > *c*. Ex. : *secar* > *seque, seques..., sequé.*
**2.** verbes en **cer, cir, ger, gir, guir, quir:** devant *o et a, le c* > *z; le g* > *j* ; *le gu* > *g* ; *le qu* > *c*. Ex. : *vencer* > *venzo, venzas...*
**3.** verbes en **eir, chir, llir, ñer, ñir :** le *i* atone disparaît après *i, ll, ñ, ch*. Ex. : *reír* > *riendo, rió, rieron* ; *bullir* > *bullendo, bulló, bulleron.*
**4.** verbes en **aer, eer, oer, oir, uir**: le *i* atone entre deux voyelles devient *y*. Ex. : *caer* > *cayendo, cayó, cayeron.*

Accentuation des verbes en -**iar** et en -**uar :**
Certains verbes en **-iar** et les verbes terminés en **-uar** (sauf ceux en *-guar, -cuar*) prennent un accent écrit sur le *i* ou le *u* du radical aux personnes toniques (les 3 du sing. et la 3ᵉ du pl.) des trois présents (indicatif, impératif, subjonctif). Ex. : Ind. prés. de *enviar : envío, envías, envía, enviamos, enviáis, envían;* de *continuar : continúo, continúas, continúa, continuamos, continuáis, continúan.*

**Verbes irréguliers**

La plupart présentent des irrégularités semblables :
**1.** les verbes à diphtongue :
Le *e* ou le *o* du radical de ces verbes se diphtongue en *ie* ou *ue* sous le poids de l'accent tonique. Ce phénomène n'a lieu qu'aux trois présents.
• ***e*** > ***ie***
Ex. : *cerrar, perder.* Ind. prés. : *cierro, cierras, cierra, cerramos, cerráis, cierran.*
• ***o*** > ***ue***
Ex. : *contar, mover.* Ind. prés. : *cuento, cuentas, cuenta, contamos, contáis, cuentan.*
**2.** les verbes à changement de voyelle:
• ***e*** > ***i***
Ex. : *pedir*. Ind. prés. : *pido, pides, pide, pedimos, pedís, piden.* (Voir liste ci-après).
**3.** les verbes à diphtongaison et à changement de voyelle :
• ***e*** > ***ie/i***
Ex. : *sentir* (Voir liste ci-après).
• ***o*** > ***ue/u***
Ex. : *dormir, morir* (Voir liste ci-après).
**4.** dans le cas des verbes en **acer, ecer, ocer, ucir** (sauf *hacer, cocer, mecer*), transformation du *c* en ***zc*** devant *o* ou *a* :
Ex. : *conocer.* Ind. prés. : *conozco, conoces,* etc.
**5.** verbes en ***ducir*** *:* même transformation que ci-dessus + passé simple en *duje*, etc. (et imparfait du subj. en *dujera, dujese*, etc.) :
Ex. : *conducir* (Voir liste ci-après).
**6.** pour les verbes en ***uir***, insertion d'un ***y*** devant *o, a, e :*
Ex. : *huir* (Voir liste ci-après).

D'autres verbes présentent des irrégularités particulières. Ils sont indiqués dans ce dictionnaire par le signe* placé après l'entrée et souvent un ou plusieurs exemples illustrent leur irrégularité.

Dans la liste suivante figurent les verbes irréguliers les plus usuels, ainsi que certains verbes à modification orthographique et quelques verbes composés. Pour les autres composés, se reporter au verbe simple : *anteponer,* par exemple, à *poner.*

# Liste de verbes irréguliers espagnols
# *Lista de verbos irregulares españoles*

## A

**abastecer** *Conj. c.* crecer.

**ablandecer** *Conj. c.* crecer.

**abogar** *Prend un* u *devant* e.

**abolir** *Ce v. n'est employé qu'aux formes dont la désinence commence par un* i.

**aborrecer** *Conj. c.* crecer.

**abrir** *Part. pas.* abierto.

**absolver** *Ind. prés.* absuelvo, absuelves, absuelve, absolvemos, absolvéis, absuelven. *Impér.* absuelve, absuelva, absolvamos, absolved, absuelvan. *Subj. prés.* absuelva, absuelvas, absuelva, absolvamos, absolváis, absuelvan. *Part. pas.* absuelto.

**abstenerse** *Conj. c.* tener.

**abstraer** *Conj. c.* traer.

**acentuar** *Ind. prés.* acentúo, acentúas, acentúa, acentuamos… *Subj. prés.* acentúe, acentúes, acentúe, acentuemos…

**acertar** *Ind. prés.* acierto, aciertas, acierta, acertamos, acertáis, aciertan. *Impér.* acierta, acierte, acertemos, acertad, acierten. *Subj. prés.* acierte, aciertes, acierte, acertemos, acertéis, acierten.

**achacar** *Prend* qu *devant* e.

**acontecer** *Conj. c.* crecer.

**acorazar** *Prend* c *devant un* e.

**acordar** *Ind. prés.* acuerdo, acuerdas, acuerda, acordamos, acordáis, acuerdan. *Impér.* acuerda, acuerde, acordemos, acordad, acuerden. *Subj. prés.* acuerde, acuerdes, acuerde, acordemos, acordéis, acuerden.

**acostar** *Conj. c.* acordar *(lorsqu'il signifie coucher), autrement il est régulier.*

**acrecentar** *Ind. prés.* acreciento, acrecientas, acrecienta, acrecentamos, acrecentáis, acrecientan. *Impér.* acrecienta, acreciente, acrecentemos, acrecentad, acrecienten. *Subj. prés.* acreciente, acrecientes, acreciente, acrecentemos, acrecentéis, acrecienten.

**actuar** Conj. c. acentuar.

**aderezar** *Prend* c *devant* e.

**adherir** *Conj. c.* herir.

**adolecer** *Conj. c.* crecer.

**adormecer** *Conj. c.* crecer.

**adquirir** *Ind. prés.* adquiero, adquieres, adquiere, adquirimos, adquirís, adquieren. *Impér.* adquiere, adquiera, adquiramos, adquirid, adquieran. *Subj. prés.* adquiera, adquieras, adquiera, adquiramos, adquiráis, adquieran.

**aducir** *Conj. c.* conducir.

**advertir** *Ind. prés.* advierto, adviertes, advierte, advertimos, advertís, advierten. *Pas. simple* advertí, advertiste, advirtió, advertimos, advertisteis, advirtieron. *Impér.* advierte, advierta, advirtamos, advertid, adviertan. *Subj. prés.* advierta, adviertas, advierta, advirtamos, advirtáis, adviertan *Imp. subj.* advirtiera *ou* advirtiese, advirtieras *ou* advirtieses, advirtiera *ou* advirtiese… *Fut. subj.* advirtiere, advirtieres, advirtiere… *Gér.* advirtiendo.

**afianzar** *Prend* c *devant* e.

**afligir** *Prend* j *devant* a *et* o.

**afluir** *Conj. c.* huir.

**agorar** *Conj. c.* acordar.

**agradecer** *Conj. c.* crecer.

**agredir** *Même observ. que pour* abolir.

**agregar** *Prend un* u *devant* e.

**aguerrir** *Conj. c.* agredir.

**aguzar** *Prend* c *devant* e.

**ahogar** *Prend un* u *devant* e.

**ahorcar** *Prend* qu *au lieu de* c *devant* e.

**ahuecar** *Prend* qu *devant* e.

**alargar** *Prend un* u *devant* e.

**albergar** *Prend un* u *devant* e.

**alcanzar** *Prend* c *devant* e.

**alegar** *Prend un* u *devant* e.

**alentar** *Conj. c.* acertar.

**allegar** *Prend un* u *devant* e.

**almorzar** *Conj. c.* acordar. *Prend* c *devant* e.

**alzar** *Prend* c *devant* e.

**amagar** *Prend un* u *devant* e.

**amanecer** *Conj. c.* crecer.

**amarillecer** *Conj. c.* crecer.

**amenazar** *Prend* c *devant* e.

**amolar** *Conj. c.* acordar.

**amortecer** *Conj. c.* crecer.

**amortiguar** *Conj. c.* atestiguar.

**amortizar** *Prend* c *devant* e.

**analizar** *Prend* c *devant* e.

**andar** *Pas. simple* anduve, anduviste, anduvo, anduvimos, anduvisteis, anduvieron. *Subj. imp.* anduviera *ou* anduviese, anduvieras *ou* anduvieses, anduviera *ou* anduviese… *Fut. subj.* anduviere, anduvieres, anduviere… *(Les autres temps sont réguliers).*

**anegar** *Prend un* u *devant* e.

**anochecer** *Conj. c.* crecer.

**apacentar** *Conj. c.* acertar.

**apagar** *Prend un* u *devant* e.

**aparecer** *Conj. c.* crecer.

**apencar** *Prend* qu *devant* e.

**apetecer** *Conj. c.* crecer.

**aplacar** *Prend* qu *devant* e.

**aplazar** *Prend* c *devant* e.

**aplicar** *Prend* qu *devant* e.

**apostar** *Conj. c.* acordar *lorsqu'il signifie parier.*

**apretar** *Conj. c.* acertar.

**aprobar** *Conj. c.* acordar.

**arengar** *Prend un* u *devant* e.

**argüir** *Conj. c.* huir.

**armonizar** *Prend* c *devant* e.

**arrancar** *Prend* qu *devant* e.

**arrendar** *Conj. c.* acertar.

**arrepentirse** *Conj. c.* sentir.

**arriesgar** *Prend un* u *devant* e.

**arrugar** *Prend un* u *devant* e.

**ascender** *Conj. c.* tender.

**asentar** *Conj. c.* acrecentar.

**asentir** *Conj. c.* sentir.

**aserrar** *Conj. c.* acertar.

**asir** *Ind. prés.* asgo, ases, ase, asimos... *Impér.* ase, asga, asgamos, asid, asgan. *Subj. prés.* asga, asgas, asga, asgamos, asgáis, asgan.

**asolar** *Conj. c.* acordar *(Ce v. est rég. dans le sens de dessécher).*

**asonar** *Conj. c.* acordar.

**astreñir** *Conj. c.* ceñir.

**astringir** *Prend* j *devant* a *et* o.

**atacar** *Prend* qu *devant* e.

**atañer** *Pas. simple* atañó *(3e pers.). Subj. imp.* atañera *ou* atañese... *Fut. subj.* atañere...

**atardecer** *Conj. c.* crecer.

**atascar** *Prend* qu *devant* e.

**atemorizar** *Prend* c *devant* e.

**atender** *Conj. c.* tender.

**atenerse** *Conj. c.* tener.

**atentar** *Conj. c.* acertar *dans le sens de tâter.*

**atenuar** *Conj. c.* acentuar.

**aterirse** *Même observ. que pour* abolir.

**aterrar** *Conj. c.* acertar, *dans le sens de jeter à terre. Il est rég. dans le sens de terrifier, remplir de terreur.*

**aterrizar** *Prend* c *devant* e.

**atestar** *Dans le sens de remplir, conj. c.* acertar.

**atestiguar** *Le* u *prend un tréma devant* e.

**atizar** *Prend* c *devant* e.

**atracar** *Prend* qu *devant* e.

**atraer** *Conj. c.* traer.

**atrancar** *Prend* qu *devant* e.

**atravesar** *Conj. c.* confesar.

**atribuir** *Conj. c.* huir.

**atronar** *Conj. c.* acordar.

**autorizar** *Prend* c *devant* e.

**avanzar** *Prend* c *devant* e.

**avenir** *Conj. c.* venir.

**aventar** *Conj. c.* acertar.

**avergonzar** *Ind. prés.* avergüenzo, avergüenzas, avergüenza, avergonzamos, avergonzáis, avergüenzan. *Impér.* avergüenza, avergüence, avergoncemos, avergonzad, avergüencen. *Subj. prés.* avergüence, avergüences, avergüence, avergoncemos, avergoncéis, avergüencen.

**averiguar** *Le* u *prend un tréma devant* e.

**avocar** *Prend* qu *devant* e.

**azogar** *Prend* u *devant* e.

**azuzar** *Prend* c *devant* e.

## B

**balbucir** *Conj. c.* lucir.

**bautizar** *Prend* c *devant* e.

**bendecir** *Conj. c.* decir *sauf dans les temps suivants: Futur, régulier. Impér.* bendice *(tu). Part. pas.* bendecido *ou* bendito.

**bifurcar** *Prend* qu *devant* e.

**blandir** *Même observ. que pour* abolir.

**blanquecer** *Conj. c.* crecer.

**bogar** *Prend un* u *devant* e.

**bonificar** *Prend* qu *devant* e.

**bostezar** *Prend* c *devant* e.

**bregar** *Prend un* u *devant* e.

**brincar** *Prend* qu *devant* e.

**bruñir** *Conj. c.* gruñir.

**bullir** *Conj. c.* mullir.

**buscar** *Prend* qu *devant* e.

## C

**cabalgar** *Prend un* u *devant* e.

**caber** *Ind. prés.* quepo, cabes... *Pas. simple* cupe, cupiste, cupo, cupimos, cupisteis, cupieron. *Fut.* cabré, cabrás, cabrá, cabremos, cabréis, cabrán. *Cond.* cabría, cabrías, cabría, cabríamos... *Subj. prés.* quepa, quepas, quepa, quepamos, quepáis, quepan. *Imp. subj.* cupiera *ou* cupiese... *Fut. subj.* cupiere...

**caducar** *Prend* qu *devant* e.

**caer** *Ind. prés.* caigo, caes... *Pas. simple* caí, caíste, cayó, caímos, caísteis, cayeron. *Impér.* cae, caiga, caigamos, caed, caigan. *Subj. prés.* caiga, caigas, caiga, caigamos, caigáis, caigan. *Imp. subj.* cayera *ou* cayese, cayeras *ou* cayeses... *Fut. subj.* cayere, cayeres... *Gér.* cayendo. *Part. pas.* caído.

**calcar** *Prend* qu *devant* e.

**calentar** *Conj. c.* acertar.

**calificar** *Prend* qu *avant* e.
**calzar** *Prend* c *devant* e.
**canalizar** *Prend* c *devant* e.
**capitalizar** *Prend* c *devant* e.
**cargar** *Prend un* u *devant* e.
**cascar** *Prend* qu *devant* e.
**catalogar** *Prend* qu *devant* e.
**cazar** *Prend* c *devant* e.
**cegar** *Conj. c.* acertar.
**ceñir** *Ind. prés.* ciño, ciñes, ciñe, ceñimos, ceñís, ciñen. *Pas. simple* ceñí, ceñiste, ciñó, ceñimos, ceñisteis, ciñeron. *Impér.* ciñe, ciña, ciñamos, ceñid, ciñan. *Subj. prés.* ciña, ciñas, ciña, ciñamos, ciñáis, ciñan. *Imp. subj.* ciñera *ou* ciñese, ciñeras *ou* ciñeses... *Fut. subj.* ciñere, ciñeres... *Gér.* ciñendo.
**cercar** *Prend* qu *devant* e.
**cerner** *Ind. prés.* cierno, ciernes, cierne, cernemos, cernéis, ciernen. *Impér.* cierne, cierna, cernamos, cerned, ciernan. *Subj. prés.* cierna, ciernas, cierna, cernamos, cernáis, ciernan.
**cerrar** *Conj. c.* acertar.
**certificar** *Prend* qu *devant* e.
**chapuzar** *Prend* c *devant* e.
**chocar** *Prend* qu *devant* e.
**cimentar** *Conj. c.* acertar.
**circuir** *Conj. c.* huir.
**circunvolar** *Conj. c.* acordar.
**civilizar** *Prend* c *devant* e.
**clarecer** *Conj. c.* crecer.
**clasificar** *Prend* qu *devant* e.
**claudicar** *Prend* qu *devant* e.
**clocar** *Conj. c.* acordar. *Prend* qu *devant* e.
**cocer** *Ind. prés.* cuezo, cueces, cuece, cocemos, cocéis, cuecen. *Impér.* cuece, cueza, cozamos, coced, cuezan. *Subj. prés.* cueza, cuezas, cueza, cozamos, cozáis, cuezan.
**coger** *Prend* j *devant* a *et* o.
**colar** *Conj. c.* acordar.
**colegir** *Conj. c.* elegir.
**colgar** *Conj. c.* acordar. *Prend un* u *devant* e.
**colocar** *Prend* qu *devant* e.
**comenzar** *Conj. c.* acertar. *Prend* c *devant* e.
**compadecer** *Conj. c.* crecer.
**comparecer** *Conj. c.* crecer.
**competir** *Conj. c.* pedir.
**complacer** *Conj. c.* nacer.
**componer** *Conj. c.* poner.
**comulgar** *Prend un* u *devant* e.
**comunicar** *Prend* qu *devant* e.
**concebir** *Conj. c.* pedir.
**conceptuar** *Conj. c.* acentuar.
**concernir** *Conj. c.* advertir.
**concertar** *Conj. c.* acertar.
**concluir** *Conj. c.* huir.
**concordar** *Conj. c.* acordar.
**condescender** *Conj. c.* tender.
**condolerse** *Conj. c.* crecer.
**conducir** *Ind. prés.* conduzco, conduces, conduce... *Pas. simple* conduje, condujiste, condujo, condujimos, condujisteis, condujeron. *Impér.* conduce, conduzca, conduzcamos, conducid, conduzcan. *Subj. prés.* conduzca, conduzcas, conduzca, conduzcamos, conduzcáis, conduzcan. *Imp. subj.* condujera *ou* condujese, condujeras *ou* condujeses... *Fut. subj.* condujere, condujeres.
**conferir** *Conj. c.* herir.
**confesar** *Ind. prés.* confieso, confiesas, confiesa, confesamos, confesáis, confiesan. *Impér.* confiesa, confiese, confesemos, confesad, confiesen. *Subj. prés.* confiese, confieses, confiese, confesemos, confeséis, confiesen.
**confiar** *Conj. c.* fiar.
**confiscar** *Prend* qu *devant* e.
**confluir** *Conj. c.* huir.
**congregar** *Prend un* u *devant* e.
**conjugar** *Prend un* u *devant* e.
**conmover** *Conj. c.* mover.
**conocer** *Ind. prés.* conozco, conoces, conoce... *Impér.* conoce, conozca, conozcamos, conoced, conozcan. *Subj. prés.* conozca, conozcas, conozca, conozcamos, conozcáis, conozcan.
**conseguir** *Conj. c.* pedir. *Perd le* u *devant* a *et* o.
**consentir** *Conj. c.* sentir.
**consolar** *Conj. c.* acordar.
**consonar** *Conj. c.* acordar.
**constituir** *Conj. c.* huir.
**constreñir** *Conj. c.* ceñir.
**construir** *Conj. c.* huir.
**contar** *Conj. c.* acordar.
**contender** *Conj. c.* tender.
**contener** *Conj. c.* tener.
**contradecir** *Conj. c.* decir.
**contraer** *Conj. c.* traer.
**contrahacer** *Conj. c.* hacer.
**contraponer** *Conj. c.* poner.
**contravenir** *Conj. c.* venir.
**contribuir** *Conj. c.* huir.
**controvertir** *Conj. c.* advertir.
**convalecer** *Conj. c.* crecer.
**convencer** *Conj. c.* vencer.
**convenir** *Conj. c.* venir.
**converger** *Prend* j *devant* a *et* o.

**convertir** *Conj. c.* advertir.
**convocar** *Prend* qu *devant* e.
**corregir** *Conj. c.* elegir.
**corroer** *Conj. c.* roer.
**costar** *Conj. c.* acordar.
**cotizar** *Prend* c *devant* e.
**crecer** *Ind. prés.* crezco, creces, crece, crecemos... *Impér.* crece, crezca, crezcamos, creced, crezcan. *Subj. prés.* crezca, crezcas, crezca, crezcamos, crezcáis, crezcan.
**creer** *Conj. c.* leer.
**criticar** *Prend* qu *devant* e.
**crucificar** *Prend* qu *devant* e.
**cruzar** *Prend* c *devant* e.
**cubicar** *Prend* qu *devant* e.
**cubrir** *Part. pas.* cubierto.

## D

**danzar** *Prend* c *devant* e.
**dar** *Ind. prés.* doy, das, da, damos... *Pas. simple* di, diste, dio, dimos, disteis, dieron. *Impér.* da, dé, demos, dad, den. *Subj. prés.* dé, des, dé, demos, deis, den. *Imp. Subj.* diera *ou* diese, dieras *ou* dieses, diera *ou* diese, diéramos *ou* diésemos, dierais *ou* dieseis, dieran *ou* diesen. *Fut. subj.* diere, dieres, diere, diéremos, diereis, dieren.
**decaer** *Conj. c.* caer.
**decentar** *Conj. c.* acrecentar.
**decir** *Ind. prés.* digo, dices, dice, decimos, decís, dicen. *Imp. (régulier). Pas. simple* dije, dijiste, dijo, dijimos, dijisteis, dijeron. *Fut.* diré, dirás, dirá, diremos, diréis, dirán. *Cond.* diría, dirías, diría, diríamos, diríais, dirían. *Impér.* di, diga, digamos, decid, digan. *Subj. prés.* diga, digas, diga, digamos, digáis, digan. *Imp. subj.* dijera ou dijese, dijeras ou dijeses... *Fut. subj.* dijere, dijeres... *Gér.* diciendo. *Part. pas.* dicho.
**decrecer** *Conj. c.* crecer.
**dedicar** *Prend* qu *devant* e.
**deducir** *Conj. c.* conducir.
**defender** *Conj. c.* tender.
**deferir** *Conj. c.* herir.
**degollar** *Conj. c.* acordar. *Prend un* ü *devant* e.
**delegar** *Prend un* u *devant* e.
**delinquir** *Prend* c *au lieu de* qu *devant* a *et* o.
**demoler** *Conj. c.* mover.
**demostrar** *Conj. c.* acordar.
**denegar** *Conj. c.* acertar.
**denostar** *Conj. c.* acordar.
**dentar** *Conj. c.* acertar.
**deponer** *Conj. c.* poner.
**derogar** *Prend un* u *devant* e.
**derrengar** *Conj. c.* acertar. *Prend un* u *devant* e.
**derretir** *Conj. c.* pedir.
**derrocar** *Conj. c.* acordar.
**derruir** *Conj. c.* huir.
**desaferrar** *Conj. c.* acertar.
**desaforar** *Conj. c.* acordar
**desagradecer** *Conj. c.* crecer.
**desalentar** *Conj. c.* acertar.
**desaparecer** *Conj. c.* crecer.
**desaprobar** *Conj. c.* acordar.
**desasir** *Conj. c.* asir.
**desasosegar** *Conj. c.* acertar.
**desavenir** *Conj. c.* venir.
**desbocar** *Prend* qu *devant* e.
**desbravecer** *Conj. c.* crecer.
**desbrozar** *Prend* c *devant* e.
**descabezar** *Prend* c *devant* e.
**descaecer** *Conj. c.* crecer.
**descender** *Conj. c.* tender.
**desceñir** *Conj. c.* ceñir.
**descollar** *Conj. c.* acordar.
**descomponer** *Conj. c.* poner.
**desconcertar** *Conj. c.* acertar.
**desconocer** *Conj. c.* conocer.
**desconsolar** *Conj. c.* acordar.
**descontar** *Conj. c.* acordar.
**descornar** *Conj. c.* acordar.
**descortezar** *Prend* c *devant* e.
**descuartizar** *Prend* c *devant* e.
**desdecir** *Conj. c.* decir.
**desdentar** *Conj. c.* acrecentar
**desecar** *Prend* qu *devant* e.
**desembocar** *Prend* qu *devant* e.
**desempedrar** *Conj. c.* acertar.
**desenfurecer** *Conj. c.* crecer.
**desenmohecer** *Conj. c.* crecer.
**desenmudecer** *Conj. c.* crecer.
**desentenderse** *Conj. c.* tender
**desenterrar** *Conj. c.* acertar.
**desenvolver** *Conj. c.* volver.
**desfalcar** *Prend* qu *devant* e.
**desfallecer** *Conj. c.* crecer.
**desflorecer** *Conj. c.* crecer.
**deshacer** *Conj. c.* hacer.
**deshelar** *Conj. c.* acertar.
**desherbar** *Conj. c.* acertar.
**desleír** *Conj. c.* reír.
**desligar** *Prend un* u *devant* e.

**deslizar** *Prend* c *devant* e.
**deslucir** *Conj. c.* lucir.
**desmedirse** *Conj. c.* pedir.
**desmembrar** *Conj. c.* acertar.
**desmentir** *Conj. c.* sentir
**desmenuzar** *Prend* c *devant* e.
**desmerecer** *Conj. c.* crecer.
**desmigar** *Prend un* u *devant* e.
**desnucar** *Prend* qu *devant* e.
**desobedecer** *Conj. c.* crecer.
**desobstruir** *Conj. c.* huir.
**desoír** *Conj. c.* oír.
**desolar** *Conj. c.* acordar
**desoldar** *Conj. c.* acordar.
**desollar** *Conj. c.* acordar.
**desosar** *Ind. prés.* deshueso, deshuesas, deshuesa, desosamos, desosáis, deshuesan. *Imp.* deshuesa, deshuese, desosemos, desosad, deshuesen. *Subj. prés.* deshuese, deshueses, deshuese, desosemos, desoséis, deshuesen.
**despedazar** *Prend* c *devant* e.
**despedir** *Conj. c.* pedir.
**despegar** *Prend un* u *devant* e.
**desperdigar** *Prend un* u *devant* e.
**desperecerse** *Conj. c.* crecer.
**despertar** *Conj. c.* acertar.
**desplacer** *Conj. c.* crecer.
**desplazar** *Prend* c *devant* e.
**desplegar** *Conj. c.* acertar.
**despoblar** *Conj. c.* acordar.
**desposeer** *Conj. c.* leer.
**desproveer** *Conj. c.* proveer.
**destacar** *Prend* qu *devant* e.
**desteñir** *Conj. c.* ceñir.
**desterrar** *Conj. c.* acertar.
**destituir** *Conj. c.* huir.
**destrozar** *Prend* c *devant* e.
**destruir** *Conj. c.* huir.
**desvanecer** *Conj. c.* crecer.
**desvestir** *Conj. c.* vestir.
**detener** *Conj. c.* tener.
**devolver** *Conj. c.* volver.
**dialogar** *Prend un* u *devant* e.
**diferir** *Conj. c.* herir.
**difluir** *Conj. c.* huir.
**digerir** *Conj. c.* herir.
**diluir** *Conj. c.* huir.
**dirigir** *Prend* j *devant* a *et* o.
**discernir** *Conj. c.* advertir.
**disconvenir** *Conj. c.* venir.
**discordar** *Conj. c.* acordar.
**disecar** *Prend* qu *devant* e.
**disentir** *Conj. c.* sentir.
**disminuir** *Conj. c.* huir.
**disolver** *Conj. c.* absolver.
**disonar** *Conj. c.* acordar.
**disponer** *Conj. c.* poner.
**distender** *Conj. c.* tender.
**distinguir** *Perd le* u *devant* a *et* o.
**distraer** *Conj. c.* traer.
**distribuir** *Conj. c.* huir.
**divertir** *Conj. c.* advertir.
**divulgar** *Prend un* u *devant un* e.
**doblegar** *Prend un* u *devant un* e.
**doler** *Conj. c.* mover.
**dormir** *Ind. prés.* duermo, duermes, duerme, dormimos, dormís, duermen. *Pas. simple* dormí, dormiste, durmió, dormimos, dormisteis, durmieron. *Impér.* duerme, duerma, durmamos, dormid, duerman. *Subj. prés.* duerma, duermas, duerma, durmamos, durmáis, duerman. *Imp. subj.* durmiera *ou* durmiese, durmieras *ou* durmieses... *Fut. subj.* durmiere, durmieres... *Gér.* durmiendo.
**dragar** *Prend un* u *devant* e.
**duplicar** *Prend* qu *devant* e.

## E

**economizar** *Prend* c *devant* e.
**edificar** *Prend* qu *devant* e.
**educar** *Prend* qu *devant* e.
**ejercer** *Prend* z *devant* a *et* o.
**elegir** *Ind. prés.* elijo, eliges, elige, elegimos, elegís, eligen. *Pas. simple* elegí, elegiste, eligió, elegimos, elegisteis, eligieron. *Impér.* elige, elija, elijamos, elegid, elijan. *Subj. prés.* elija, elijas, elija, elijamos, elijáis, elijan. *Imp.subj.* eligiera *ou* eligiese, eligieras *ou* eligieses... *Fut. subj.* eligiere, eligieres... *Gér.* eligiendo.
**embarazar** *Prend* c *devant* e.
**embarcar** *Prend* qu *devant* e.
**embargar** *Prend un* u *devant* e.
**embastecer** *Conj. c.* crecer.
**embaucar** *Prend* qu *devant* e.
**embebecer** *Conj. c.* crecer.
**embellecer** *Conj. c.* crecer.
**embestir** *Conj. c.* pedir.
**emblandecer** *Conj. c.* crecer.
**emblanquecer** *Conj. c.* crecer.
**embobecer** *Conj. c.* crecer.
**embocar** *Prend* qu *devant* e.
**emboscar** *Prend* qu *devant* e.

**embozar** *Prend* c *devant* e.
**embragar** *Prend un* u *devant* e.
**embravecer** *Conj. c.* crecer.
**embriagar** *Prend un* u *devant* e.
**embrutecer** *Conj. c.* crecer.
**emerger** *Prend un* j *devant* a *et* o.
**empacar** *Prend* qu *devant* e.
**empecer** *Conj. c.* crecer.
**empedernir** *Même observ. que pour* abolir.
**empedrar** *Conj. c.* acertar.
**empequeñecer** *Conj. c.* crecer.
**empezar** *Conj. c.* acertar. *Prend* c *devant* e.
**emplazar** *Prend* c *devant* e.
**emplumecer** *Conj. c.* crecer.
**empobrecer** *Conj. c.* crecer.
**enaltecer** *Conj. c.* crecer.
**enardecer** *Conj. c.* crecer.
**encabezar** *Prend* c *devant* e.
**encalvecer** *Conj. c.* crecer.
**encallecer** *Conj. c.* crecer.
**encandecer** *Conj. c.* crecer.
**encarecer** *Conj. c.* crecer.
**encargar** *Prend un* u *devant* e.
**encarnecer** *Conj. c.* crecer.
**encauzar** *Prend* c *devant* e.
**encenagarse** *Prend un* u *devant* e.
**encender** *Conj. c.* tender.
**encentar** *Conj. c.* acrecentar.
**encerrar** *Conj. c.* acertar.
**encoger** *Conj. c.* coger.
**encomendar** *Conj. c.* acrecentar.
**encontrar** *Conj. c.* acordar.
**encordar** *Conj. c.* acordar.
**encrudecer** *Conj. c.* crecer.
**encruelecer** *Conj. c.* crecer.
**encubrir** *Part. pas.* encubierto.
**encharcar** *Prend* qu *devant* e.
**endentar** *Conj. c.* acrecentar.
**enderezar** *Prend* c *devant* e.
**endilgar** *Prend un* u *devant* e.
**endulzar** *Prend* c *devant* e.
**endurecer** *Conj. c.* crecer.
**enfangar** *Prend un* u *devant* e.
**enflaquecer** *Conj. c.* crecer.
**enfocar** *Prend* qu *devant* e.
**enfrascar** *Prend* qu *devant* e.
**enfurecer** *Conj. c.* crecer.
**engarzar** *Prend* c *devant* e.
**engrandecer** *Conj. c.* crecer.
**engreír** *Conj. c.* reír.
**engrosar** *Conj. c.* acordar.
**engullir** *Conj. c.* mullir.
**enjuagar** *Prend un* u *devant* e.
**enjugar** *Prend un* u *devant* e.
**enlazar** *Prend* c *devant* e.
**enloquecer** *Conj. c.* crecer.
**enlucir** *Conj. c.* lucir.
**enmelar** *Conj. c.* acertar.
**enmendar** *Conj. c.* acertar.
**enmohecer** *Conj. c.* crecer.
**enmudecer** *Conj. c.* crecer.
**ennegrecer** *Conj. c.* crecer.
**ennoblecer** *Conj. c.* crecer.
**enorgullecer** *Conj. c.* crecer.
**enrarecer** *Conj. c.* crecer.
**enriquecer** *Conj. c.* crecer.
**enrojecer** *Conj. c.* crecer.
**enronquecer** *Conj. c.* crecer.
**enroscar** *Prend* qu *devant* e.
**ensalzar** *Prend* c *devant* e.
**ensangrentar** *Conj. c.* acertar.
**ensoberbecer** *Conj. c.* crecer.
**ensordecer** *Conj. c.* crecer.
**entallecer** *Conj. c.* crecer.
**entender** *Conj. c.* tender.
**entenebrecer** *Conj. c.* crecer.
**enternecer** *Conj. c.* crecer.
**enterrar** *Conj. c.* acertar.
**entontecer** *Conj. c.* crecer.
**entorpecer** *Conj. c.* crecer.
**entreabrir** *Conj. c.* abrir.
**entregar** *Prend un* u *devant* e.
**entretener** *Conj. c.* tener.
**entrever** *Conj. c.* ver.
**entristecer** *Conj. c.* crecer.
**entroncar** *Prend* qu *devant* e.
**entronizar** *Prend* c *devant* e.
**entullecer** *Conj. c.* crecer.
**entumecer** *Conj. c.* crecer.
**envanecer** *Conj. c.* crecer.
**envejecer** *Conj. c.* crecer.
**enverdecer** *Conj. c.* crecer.
**envestir** *Conj. c.* pedir.
**envilecer** *Conj. c.* crecer.
**envolver** *Conj. c.* absolver.
**enzarzar** *Prend* c *devant* e.
**enzurdecer** *Conj. c.* crecer.
**epilogar** *Prend un* u *devant* e.

**equivaler** *Conj. c.* valer.

**equivocar** *Prend* qu *devant* e.

**erguir** *Ind. prés.* irgo *ou* yergo, irgues *ou* yergues, irgue *ou* yergue, erguimos, erguís, irguen *ou* yerguen. *Pas. simple* erguí, erguiste, irguió, erguimos, erguisteis, irguieron. *Impér.* irgue *ou* yergue, irga *ou* yerga, irgamos *ou* yergamos, erguid, irgan *ou* yergan. *Subj. prés.* irga *ou* yerga, irgas *ou* yergas, irga *ou* yerga, irgamos *ou* yergamos, irgáis *ou* yergáis, irgan *ou* yergan. *Imp. subj.* irguiera *ou* irguiese, irguieras *ou* irguieses... *Fut. subj.* irguiere, irguieres... *Gér.* irguiendo. *Part. pas.* erguido.

**erigir** *Prend* j *devant* a *et* o.

**erizar** *Prend* c *devant* e.

**errar** *Ind. prés.* yerro, yerras, yerra, erramos, erráis, yerran. *Impér.* yerra, yerre, erremos, errad, yerren. *Subj. prés.* yerre, yerres, yerre, erremos, erréis, yerren.

**esbozar** *Prend* c *devant* e.

**escabullirse** *Conj. c.* mullir.

**escandalizar** *Prend* c *devant* e.

**escarmentar** *Conj. c.* acrecentar.

**escarnecer** *Conj. c.* crecer.

**esclarecer** *Conj. c.* crecer.

**esclavizar** *Prend* c *devant* e.

**escocer** *Conj. c.* cocer.

**escoger** *Prend* j *devant* a *et* o.

**escribir** *Part. pas.* escrito.

**esforzar** *Conj. c.* acordar. *Prend* c *devant* e.

**esparcir** *Prend* z *devant* a *et* o.

**especificar** *Prend* qu *devant* e.

**espigar** *Prend un* u *devant* e.

**establecer** *Conj. c.* crecer.

**estancar** *Prend* qu *devant* e.

**estar** *Ind. prés.* estoy, estás, está, estamos, estáis, están. *Pas. simple* estuve, estuviste, estuvo, estuvimos, estuvisteis, estuvieron. *Impér.* está *ou* estate, esté, estemos, estad *ou* estaos, estén. *Subj. prés.* esté, estés, esté, estemos, estéis, estén. *Imp. subj.* estuviera *ou* estuviese, estuvieras *ou* estuvieses, estuviera *ou* estuviese, estuviéramos *ou* estuviésemos, estuvierais *ou* estuvieseis, estuvieran *ou* estuviesen. *Fut. subj.* estuviere, estuvieres, estuviere, estuviéremos, estuviereis, estuvieren.

**estatuir** *Conj. c.* huir.

**esterilizar** *Prend* c *devant* e.

**estragar** *Prend un* u *devant* e.

**estregar** *Conj. c.* acertar. *Prend un* u *devant* e.

**estremecer** *Conj. c.* crecer.

**estreñir** *Conj. c.* ceñir.

**estucar** *Prend* qu *devant* e.

**eternizar** *Prend* c *devant* e.

**evaluar** *Même observ. que pour* acentuar.

**evocar** *Prend* qu *devant* e.

**excluir** *Conj. c.* huir.

**exigir** *Prend* j *devant* a *et* o.

**expedir** *Conj. c.* pedir.

**explicar** *Prend* qu *devant* e.

**exponer** *Conj. c.* poner.

**extender** *Conj. c.* tender.

**exteriorizar** *Prend* c *devant* e.

**extinguir** *Perd le* u *devant* a *et* o.

**extraer** *Conj. c.* traer.

## F

**fabricar** *Prend* qu *devant* e.

**fallecer** *Conj. c.* crecer.

**falsificar** *Prend* qu *devant* e.

**familiarizar** *Prend* c *devant* e.

**fanatizar** *Prend* c *devant* e.

**fatigar** *Prend un* u *devant* e.

**favorecer** *Conj. c.* crecer.

**fenecer** *Conj. c.* crecer.

**fertilizar** *Prend* c *devant* e.

**fiar** *Ind. prés.* fío, fías, fía, fiamos, fiais, fían. *Impér.* fía, fíe, fiemos, fiad, fíen. *Subj. prés.* fíe, fíes, fíe, fiemos, fiéis, fíen.

**fingir** *Prend* j *devant* a *et* o.

**fiscalizar** *Prend* c *devant* e.

**fisgar** *Prend un* u *devant* e.

**florecer** *Conj. c.* crecer.

**fluir** *Conj. c.* huir.

**formalizar** *Prend* c *devant* e.

**fornicar** *Prend* qu *devant* e.

**fortalecer** *Conj. c.* crecer.

**fortificar** *Prend* qu *devant* e.

**forzar** *Conj. c.* acordar. *Prend* c *devant* e.

**fosforecer** *Conj. c.* crecer.

**frangir** *Prend* j *devant* a *et* o.

**fraternizar** *Prend* c *devant* e.

**fregar** *Conj. c.* acertar.

**freír** *Conj. c.* reír. *Part. pas.* freído *ou* frito.

**fruncir** *Prend* z *devant* a *et* o.

**fugarse** *Prend un* u *devant* e.

**fumigar** *Prend un* u *devant* e.

**fustigar** *Prend un* u *devant* e.

## G

**galvanizar** *Prend* c *devant* e.

**gañir** *Conj. c.* gruñir.

**garantir** *Même observ. que pour* agredir.

**garantizar** *Prend* c *devant* e.

**gargarizar** *Prend* c *devant* e.

**garuar** *Même observ. que pour* evaluar.

**gemir** *Conj. c.* pedir.

**generalizar** *Prend* c *devant* e.

**glorificar** *Prend* qu *devant* e.

**gobernar** *Conj. c.* acertar.

**gozar** *Prend* c *devant* e.

**gratificar** *Prend* qu *devant* e.

**gruir** *Conj. c.* huir.

**gruñir** *Pas. simple* gruñí, gruñiste, gruñó... gruñeron. *Subj. imp.* gruñera *ou* gruñese, gruñeras *ou* gruñeses... *Fut. subj.* gruñere, gruñeres...

**guarecer** *Conj. c.* crecer.

**guarnecer** *Conj. c.* crecer.

**guiar** *Conj. c.* fiar.

## H

**haber** *Voir «auxiliaires».*

**habituar** *Conj. c.* acentuar.

**hacendar** *Conj. c.* acertar.

**hacer** *Ind. prés.* hago, haces, hace, hacemos, hacéis, hacen. *Imp. (régulier). Pas. simple* hice, hiciste, hizo, hicimos, hicisteis, hicieron. *Fut.* haré, harás, hará, haremos, haréis, harán. *Cond.* haría, harías, haría, haríamos, haríais, harían. *Impér.* haz, haga, hagamos, haced, hagan. *Subj. prés.* haga, hagas, haga, hagamos, hagáis, hagan. *Imp. subj.* hiciera *ou* hiciese, hicieras *ou* hicieses... *Fut. subj.* hiciere, hicieres... *Gér.* haciendo. *Part. pas.* hecho.

**halagar** *Prend un* u *devant* e.

**hechizar** *Prend* c *devant* e.

**heder** *Conj. c.* tender.

**helar** *Conj. c.* acertar.

**henchir** *Conj. c.* pedir.

**hender** *Conj. c.* tender.

**heñir** *Conj. c.* ceñir.

**herir** *Ind. prés.* hiero, hieres, hiere, herimos, herís, hieren. *Pas. simple* herí, heriste, hirió, herimos, heristeis, hirieron. *Impér.* hiere, hiera, hiramos, herid, hieran. *Subj. prés.* hiera, hieras, hiera, hiramos, hiráis, hieran. *Imp. subj.* hiriera *ou* hiriese, hirieras *ou* hirieses... *Fut. subj.* hiriere, hirieres... *Gér.* hiriendo. *Part. pas.* herido.

**herrar** *Conj. c.* acertar.

**hervir** *Conj. c.* advertir.

**hincar** *Prend* qu *devant* e.

**hipotecar** *Prend* qu *devant* e.

**holgar** *Conj. c.* acordar.

**hollar** *Conj. c.* acordar.

**homologar** *Prend un* u *devant* e.

**horrorizar** *Prend* c *devant* e.

**hostigar** *Prend un* u *devant* e.

**huir** *Ind. prés.* huyo, huyes, huye, huimos, huís, huyen. *Pas. simple* huí, huiste, huyó, huimos, huisteis, huyeron. *Impér.* huye, huya, huyamos, huid, huyan. *Subj. prés.* huya, huyas... *Imp. subj.* huyera *ou* huyese, huyeras *ou* huyeses... *Fut. subj.* huyere, huyeres... *Gér.* huyendo.

**humedecer** *Conj. c.* crecer.

**hurgar** *Prend un* u *devant* e.

## I

**identificar** *Prend* qu *devant* e.

**imbuir** *Conj. c.* huir.

**impedir** *Conj. c.* pedir.

**implicar** *Prend* qu *devant* e.

**imponer** *Conj. c.* poner.

**imprimir** *Part. pas.* impreso.

**incensar** *Conj. c.* acertar.

**incluir** *Conj. c.* huir.

**inculcar** *Prend* qu *devant* e.

**indagar** *Prend un* u *devant* e.

**indemnizar** *Prend* c *devant* e.

**indicar** *Prend* qu *devant* e.

**indisponer** *Conj. c.* poner.

**inducir** *Conj. c.* conducir.

**inferir** *Conj. c.* herir.

**infligir** *Prend* j *devant* a *et* o.

**influir** *Conj. c.* huir.

**infringir** *Prend* j *devant* a *et* o.

**ingerir** *Conj. c.* herir.

**inmiscuir** *Conj. c.* huir.

**inmunizar** *Prend* c *devant* e.

**inquirir** *Conj. c.* adquirir.

**inscribir** *Part. pas* inscrito.

**instigar** *Prend un* u *devant* e.

**instituir** *Conj. c.* huir.

**instruir** *Conj. c.* huir.

**interponer** *Conj. c.* poner.

**intervenir** *Conj. c.* venir.

**intrigar** *Prend un* u *devant* e.

**introducir** *Conj. c.* conducir.

**invernar** *Conj. c.* acertar.

**invertir** *Conj. c.* advertir.

**investigar** *Prend un* u *devant* e.

**investir** *Conj. c.* pedir.

**invocar** *Prend* qu *devant* e.

**ir** *Ind. prés.* voy, vas, va, vamos, vais, van. *Imp.* iba, ibas, iba, íbamos, ibais, iban. *Pas. simple* fui, fuiste, fue, fuimos, fuisteis, fueron. *Fut. (régulier). Cond.*

(*régulier*). *Impér.* ve, vaya, vayamos, id, vayan. *Subj. prés.* vaya, vayas, vaya, vayamos, vayáis, vayan. *Imp. subj.* fuera *ou* fuese, fueras *ou* fueses... *Fut. subj.* fuere, fueres... *Gér.* yendo. *Part. pas.* ido.

**irrigar** *Prend un* u *devant* e.

**irrogar** *Prend un* u *devant* e.

**izar** *Prend* c *devant* e.

## J

**jeringar** *Prend un* u *devant* e.

**jugar** *Ind. prés.* juego, juegas, juega, jugamos, jugáis, juegan. *Pas. simple* jugué, jugaste... *Impér.* juega, juegue, juguemos, jugad, jueguen. *Subj. prés.* juegue, juegues, juegue, juguemos, juguéis, jueguen.

**justificar** *Prend* qu *devant* e.

**juzgar** *Prend un* u *devant* e.

## L

**languidecer** *Conj. c.* crecer.

**lanzar** *Prend* c *devant* e.

**largar** *Prend un* u *devant* e.

**leer** *Pas. simple* leí, leíste, leyó, leímos, leísteis, leyeron... *Subj. imp.* leyera *ou* leyese, leyeras *ou* leyeses... *Fut. subj.* leyere, leyeres... *Gér.* leyendo.

**legalizar** *Prend* c *devant* e.

**legar** *Prend un* u *devant* e.

**licuar** *Même observ. que pour* acentuar.

**licuefacer** *Conj. c.* hacer. *Part. pas.* licuefacto.

**ligar** *Prend un* u *devant* e.

**litigar** *Prend un* u *devant* e.

**llegar** *Prend un* u *devant* e.

**llover** *Conj. c.* mover.

**localizar** *Prend* c *devant* e.

**lucir** *Ind. prés.* luzco, luces, luce, lucimos, lucís, lucen. *Impér.* luce, luzca, luzcamos, lucid, luzcan. *Subj. prés.* luzca, luzcas, luzca, luzcamos, luzcáis, luzcan.

**luir** *Conj. c.* huir.

## M

**machacar** *Prend* qu *devant* e.

**madrugar** *Prend un* u *devant* e.

**magnificar** *Prend* qu *devant* e.

**maldecir** *Conj. c.* bendecir.

**malherir** *Conj. c.* herir.

**malquerer** *Conj. c.* querer. *Part. pas.* malquerido *ou* malquisto.

**mancar** *Prend* qu *devant* e.

**manducar** *Prend* qu *devant* e.

**manifestar** *Conj. c.* acertar.

**mantener** *Conj. c.* tener.

**marcar** *Prend* qu *devant* e.

**martirizar** *Prend* c *devant* e.

**mascar** *Prend* qu *devant* e.

**masticar** *Prend* qu *devant* e.

**materializar** *Prend* c *devant* e.

**mecer** *Prend* z *devant* a *et* o.

**medir** *Conj. c.* pedir.

**mendigar** *Prend un* u *devant* e.

**mentar** *Conj. c.* acertar.

**mentir** *Conj. c.* sentir.

**mercar** *Prend* qu *devant* e.

**merecer** *Conj. c.* crecer.

**merendar** *Conj. c.* acertar.

**metalizar** *Prend* c *devant* e.

**migar** *Prend un* u *devant* e.

**mitigar** *Prend un* u *devant* e.

**moblar** *Conj. c.* acordar.

**modificar** *Prend* qu *devant* e.

**moler** *Conj. c.* mover.

**morder** *Conj. c.* mover.

**morir** *Ind. prés.* muero, mueres, muere, morimos, morís, mueren. *Pas. simple* morí, moriste, murió, morimos, moristeis, murieron. *Impér.* muere, muera, muramos, morid, mueran. *Subj. prés.* muera, mueras, muera, muramos, muráis, mueran. *Imp. subj.* muriera *ou* muriese, murieras *ou* murieses... *Fut. subj.* muriere, murieres... *Gér.* muriendo. *Part. pas.* muerto.

**mortificar** *Prend* qu *devant* e.

**mostrar** *Conj. c.* acordar.

**mover** *Ind. prés.* muevo, mueves, mueve, movemos, movéis, mueven. *Impér.* mueve, mueva, movamos, moved, muevan. *Subj. prés.* mueva, muevas, mueva, movamos, mováis, muevan.

**movilizar** *Prend* c *devant* e.

**mugir** *Prend* j *devant* a *et* o.

**mullir** *Pas. simple* mullí... mulleron. *Imp. subj.* mullera *ou* mullese, mulleras *ou* mulleses... *Fut. subj.* mullere, mulleres... *Gér.* mullendo.

**multiplicar** *Prend* qu *devant* e.

## N

**nacer** *Ind. prés.* nazco, naces, nace... *Impér.* nace, nazca, nazcamos, naced, nazcan... *Subj. prés.* nazca, nazcas, nazca, nazcamos, nazcáis, nazcan.

**naturalizar** *Prend* c *devant* e.

**naufragar** *Prend un* u *devant* e.

**navegar** *Prend un* u *devant* e.

**negar** *Conj. c.* acertar. *Prend un* u *devant* e.

**neutralizar** *Prend* c *devant* e.

**nevar** *Conj. c.* acertar.

**notificar** *Prend* qu *devant* e.

## O

**obcecar** *Prend* qu *devant* e.

**obedecer** *Conj. c.* crecer.

**obligar** *Prend un* u *devant* e.

**obstruir** *Conj. c.* huir.

**obtener** *Conj. c.* tener.

**ocluir** *Conj. c.* huir.

**ofrecer** *Conj. c.* crecer.

**ofuscar** *Prend* qu *devant* e.

**oír** *Ind. prés.* oigo, oyes, oye, oímos, oís, oyen. *Pas simple* oí, oíste, oyó, oímos, oísteis, oyeron. *Impér.* oye, oiga, oigamos, oíd, oigan. *Subj. prés.* oiga, oigas, oiga, oigamos, oigáis, oigan. *Imp. subj.* oyera *ou* oyese, oyeras *ou* oyeses... *Fut. subj.* oyere, oyeres... *Gér.* oyendo. *Part. pas.* oído.

**oler** *Ind. prés.* huelo, hueles, huele, olemos, oléis, huelen. *Impér.* huele, huela, olamos, oled, huelan. *Subj. prés.* huela, huelas, huela, olamos, oláis, huelan.

**oponer** *Conj. c.* poner.

**organizar** *Prend* c *devant* e.

**orificar** *Prend* qu *devant* e.

**oscurecer** *Conj. c.* crecer.

**otorgar** *Prend un* u *devant* e.

## P

**pacer** *Conj. c.* nacer.

**pacificar** *Prend* qu *devant* e.

**padecer** *Conj. c.* crecer.

**pagar** *Prend un* u *devant* e.

**palidecer** *Conj. c.* crecer.

**paralizar** *Prend* c *devant* e.

**parecer** *Conj. c.* crecer.

**patentizar** *Prend* c *devant* e.

**pecar** *Prend* qu *devant* e.

**pedir** *Ind. prés.* pido, pides, pide, pedimos, pedís, piden. *Pas. simple* pedí, pediste, pidió, pedimos, pedisteis, pidieron. *Impér.* pide, pida, pidamos, pedid, pidan. *Subj. prés.* pida, pidas, pida, pidamos, pidáis, pidan. *Imp. subj.* pidiera *ou* pidiese, pidieras *ou* pidieses... *Fut subj.* pidiere, pidieres... *Gér.* pidiendo.

**pegar** *Prend un* u *devant* e.

**pellizcar** *Prend* qu *devant* e.

**pensar** *Conj. c.* confesar.

**perder** *Conj. c.* tender.

**perecer** *Conj. c.* crecer.

**perjudicar** *Prend* qu *devant* e.

**permanecer** *Conj. c.* crecer.

**perquirir** *Conj. c.* adquirir.

**perseguir** *Conj. c.* pedir.

**personalizar** *Prend* c *devant* e.

**personificar** *Prend* qu *devant* e.

**pertenecer** *Conj. c.* crecer.

**pervertir** *Conj. c.* advertir.

**pescar** *Prend* qu *devant* e.

**petrificar** *Prend* qu *devant* e.

**picar** *Prend* qu *devant* e.

**pimpollecer** *Conj. c.* crecer.

**placer** *Conj. c.* nacer, *mais possède également ces formes particulières aux troisièmes personnes: Pas. simple* plugo. *Subj. prés.* plegue. *Imp. subj.* pluguiera *ou* pluguiese. *Fut. subj.* pluguiere.

**plagar** *Prend un* u *devant* e.

**plañir** *Conj. c.* gruñir.

**platicar** *Prend* qu *devant* e.

**plegar** *Conj. c.* acertar. *Prend un* u *devant* e.

**poblar** *Conj. c.* acordar.

**poder** *Ind. prés.* puedo, puedes, puede, podemos, podéis, pueden. *Pas. simple* pude, pudiste, pudo, pudimos, pudisteis, pudieron. *Fut.* podré, podrás, podrá, podremos, podréis, podrán. *Cond.* podría, podrías, podría, podríamos, podríais, podrían. *Impér.* puede, pueda, podamos, poded, puedan. *Subj.* prés. pueda, puedas, pueda, podamos, podáis, puedan. *Imp. subj.* pudiera *ou* pudiese, pudieras *ou* pudieses... *Fut. subj.* pudiere, pudieres... *Gér.* pudiendo.

**podrir** *Conj. c.* pudrir.

**polarizar** *Prend* c *devant* e.

**poner** *Ind. prés.* pongo, pones, pone... *Pas. simple* puse, pusiste, puso, pusimos, pusisteis, pusieron. *Fut.* pondré, pondrás, pondrá, pondremos, pondréis, pondrán. *Cond.* pondría, pondrías, pondría, pondríamos, pondríais, pondrían. *Impér.* pon, ponga, pongamos, poned, pongan. *Subj. prés.* ponga, pongas, ponga, pongamos, pongáis, pongan. *Imp. subj.* pusiera *ou* pusiese, pusieras *ou* pusieses. *Fut. subj.* pusiere, pusieres... *Gér.* poniendo. *Part. pas.* puesto.

**popularizar** *Prend* c *devant* e.

**porfiar** *Conj. c.* fiar.

**poseer** *Conj. c.* leer.

**posponer** *Conj. c.* poner.

**postergar** *Prend un* u *devant* e.

**practicar** *Prend* qu *devant* e.

**preconcebir** *Conj. c.* pedir.

**preconizar** *Prend* c *devant* e.

**predecir** *Conj. c.* decir.

**predicar** *Prend* qu *devant* e.

**predisponer** *Conj. c.* poner.

**preferir** *Conj. c.* herir.

**prescribir** *Part. pas.* prescrito.

**presentir** *Conj. c.* sentir.

**presuponer** *Conj. c.* poner.

**preterir** *Même observ. que pour* agredir.

**prevalecer** *Conj. c.* crecer.

**prevaler** *Conj. c.* valer.

**prevaricar** *Prend* qu *devant* e.

**prevenir** *Conj. c.* venir.

**prever** *Conj. c.* ver.

**pringar** *Prend un* u *devant* e.

**probar** *Conj. c.* acordar.

**prodigar** *Prend un* u *devant* e.

**producir** *Conj. c.* conducir

**proferir** *Conj. c.* herir.

**profundizar** *Prend* c *devant* e.

**prolongar** *Prend un* u *devant* e.

**promover** *Conj. c.* mover.

**promulgar** *Prend un* u *devant* e.

**pronosticar** *Prend* qu *devant* e.

**propagar** *Prend un* u *devant* e.

**proponer** *Conj. c.* poner.

**proscribir** *Part. pas.* proscrito *ou* proscripto.

**proseguir** *Conj. c.* pedir. *Perd le* u *devant* a *et* o.

**prostituir** *Conj. c.* huir.

**proteger** *Prend* j *devant* a *et* o.

**proveer** *Conj. c.* leer. *Part. pas.* proveído *ou* provisto.

**provenir** *Conj. c.* venir.

**provocar** *Prend* qu *devant* e.

**publicar** *Prend* qu *devant* e.

**pudrir** *Part. pas.* podrido.

**pulverizar** *Prend* c *devant* e.

**puntuar** *Conj. c.* acentuar.

**punzar** *Prend* c *devant* e.

**purgar** *Prend un* u *devant* e.

**purificar** *Prend* qu *devant* e.

## Q

**quebrar** *Conj. c.* acertar.

**querer** *Ind. prés.* quiero, quieres, quiere, queremos, queréis, quieren. *Pas. simple* quise, quisiste, quiso, quisimos, quisisteis, quisieron. *Fut.* querré, querrás, querrá, querremos, querréis, querrán. *Cond.* querría, querrías, querría, querríamos, querríais, querrían. *Impér.* quiere, quiera, queramos, quered, quieran. *Subj. prés.* quiera, quieras, quiera, queramos, queráis, quieran. *Imp. subj.* quisiera *ou* quisiese, quisieras *ou* quisieses… *Fut. subj.* quisiere, quisieres… *Gér.* queriendo. *Part. pas.* querido.

**quintuplicar** *Prend* qu *devant* e.

## R

**radicar** *Prend* qu *devant* e.

**raer** *Conj. c.* caer.

**rarefacer** *Conj. c.* hacer. *Part. pas.* rarefacto.

**rascar** *Prend* qu *devant* e.

**rasgar** *Prend un* u *devant* e.

**ratificar** *Prend* qu *devant* e.

**realizar** *Prend* c *devant* e.

**realzar** *Prend* c *devant* e.

**reaparecer** *Conj. c.* crecer.

**reblandecer** *Conj. c.* crecer.

**rebozar** *Prend* c *devant* e.

**rebullir** *Conj. c.* mullir.

**recaer** *Conj. c.* caer.

**recalentar** *Conj. c.* acertar.

**rechazar** *Prend* c *devant* e.

**recluir** *Conj. c.* huir.

**recomendar** *Conj. c.* acrecentar.

**recomponer** *Conj. c.* poner.

**reconocer** *Conj. c.* conocer.

**reconstituir** *Conj. c.* huir.

**reconstruir** *Conj. c.* huir.

**recontar** *Conj. c.* acordar.

**reconvenir** *Conj. c.* venir.

**reconvertir** *Conj. c.* sentir.

**recostar** *Conj. c.* acordar.

**reelegir** *Conj. c.* pedir.

**reexpedir** *Conj. c.* pedir.

**recordar** *Conj. c.* acordar.

**recrudecer** *Conj. c.* crecer.

**rectificar** *Prend* qu *devant* e.

**redargüir** *Conj. c.* huir.

**reducir** *Conj. c.* conducir.

**referir** *Conj. c.* herir.

**refluir** *Conj. c.* huir.

**reforzar** *Conj. c.* contar.

**refregar** *Conj. c.* comenzar.

**refrescar** *Prend* qu *devant* e.

**refringir** *Prend* j *devant* a *et* e.

**regañir** *Conj. c.* gruñir.

**regar** *Conj. c.* acertar. *Prend un* u *devant* e.

**regir** *Conj. c.* pedir. *Prend* j *devant* a *et* o.

**regoldar** *Conj. c.* acordar. *Prend* ü *devant* e.

**regularizar** *Prend* c *devant* e.

**rehacer** *Conj. c.* hacer.

**reír.** *Ind. prés.* río, ríes, ríe, reímos, reís, ríen. *Pas. simple* reí, reíste, rió, reímos, reísteis, rieron. *Impér.* ríe, ría, riamos, reíd, rían. *Subj. prés.* ría, rías, ría, riamos, riáis, rían. *Imp. subj.* riera *ou* riese, rieras *ou* rieses… *Fut. subj.* riere, rieres… *Gér.* riendo.

**reivindicar** *Prend* qu *devant* e.
**rejuvenecer** *Conj. c.* crecer.
**releer** *Conj. c.* leer.
**relegar** *Prend un* u *devant* e.
**relucir** *Conj. c.* lucir.
**remangar** *Prend un* u *devant* e.
**remendar** *Conj. c.* acrecentar.
**remolcar** *Prend* qu *devant* e.
**remover** *Conj. c.* mover.
**remozar** *Prend* c *devant* e.
**renacer** *Conj. c.* nacer.
**rendir** *Conj. c.* pedir.
**renegar** *Conj. c.* acertar.
**renovar** *Conj. c.* acordar.
**reñir** *Conj. c.* ceñir.
**repentizar** *Prend* c *devant* e.
**repetir** *Conj. c.* pedir.
**replicar** *Prend* qu *devant* e.
**repoblar** *Conj. c.* acordar.
**reprobar** *Conj. c.* acordar.
**reproducir** *Conj. c.* conducir.
**repulgar** *Prend un* u *devant* e.
**requebrar** *Conj. c.* acertar.
**requerir** *Conj. c.* herir.
**resarcir** *Prend* z *devant* a *et* o.
**resentirse** *Conj. c.* sentir.
**resollar** *Conj. c.* acordar.
**resolver** *Conj. c.* absolver.
**resonar** *Conj. c.* acordar.
**respingar** *Prend un* u *devant* e.
**resplandecer** *Conj. c.* crecer.
**restablecer** *Conj. c.* crecer.
**restituir** *Conj. c.* huir.
**restregar** *Conj. c.* acertar. *Prend un* u *devant* e.
**restringir** *Prend* j *devant* a *et* o.
**restriñir** *Conj. c.* gruñir.
**retallecer** *Conj. c.* crecer.
**retemblar** *Conj. c.* acertar.
**retener** *Conj. c.* tener.
**reteñir** *Conj. c.* ceñir.
**retorcer** *Conj. c.* mover.
**retozar** *Prend* c *devant* e.
**retraer** *Conj. c.* traer.
**retribuir** *Conj. c.* huir.
**reventar** *Conj. c.* acrecentar.
**rever** *Conj. c.* ver.
**reverdecer** *Conj. c.* crecer.
**revestir** *Conj. c.* pedir.
**revocar** *Prend* qu *devant* e.
**revolcar** *Conj. c.* acordar.
**revolver** *Conj. c.* volver.
**rezagar** *Prend un* u *devant* e.
**rezar** *Prend* c *devant* e.
**ridiculizar** *Prend* c *devant* e.
**rivalizar** *Prend* c *devant* e.
**rizar** *Prend* c *devant* e.
**robustecer** *Conj. c.* crecer.
**rodar** *Conj. c.* acordar.
**roer** *Ind. prés.* roo *ou* roigo *ou* royo, roes, roe... *Pas. simple* roí, roíste, royó... royeron. *Subj. prés.* roa *ou* roiga *ou* roya... *Imp. subj.* royera *ou* royese... *Fut. subj.* royere... *Gér.* royendo.
**rogar** *Conj. c.* acordar.
**romper** *Part. pas.* roto.
**roncar** *Prend* qu *devant* e.
**rozar** *Prend* c *devant* e.
**ruborizar** *Prend* c *devant* e.
**rugir** *Prend* j *devant* a *et* o.

## S

**saber** *Ind. prés.* sé, sabes... *Pas. simple* supe, supiste, supo, supimos, supisteis, supieron. *Fut.* sabré, sabrás, sabrá, sabremos, sabréis, sabrán. *Cond.* sabría, sabrías, sabría, sabríamos, sabríais, sabrían. *Impér.* sabe, sepa, sepamos, sabed, sepan. *Subj. prés.* sepa, sepas, sepa, sepamos, sepáis, sepan. *Imp. subj.* supiera *ou* supiese, supieras *ou* supieses... *Fut. subj.* supiere, supieres...
**sacar** *Prend* qu *devant* e.
**sacrificar** *Prend* qu *devant* e.
**salir** *Ind. prés.* salgo, sales... *Fut.* saldré, saldrás, saldrá, saldremos, saldréis, saldrán. *Cond.* saldría, saldrías, saldría, saldríamos, saldríais, saldrían. *Impér.* sal, salga, salgamos, salid, salgan. *Subj. prés.* salga, salgas, salga, salgamos, salgáis, salgan.
**salpimentar** *Conj. c.* acrecentar.
**santificar** *Prend* qu *devant* e.
**satirizar** *Prend* c *devant* e.
**satisfacer** *Conj. c.* hacer.
**secar** *Prend* qu *devant* e.
**seducir** *Conj. c.* conducir.
**segar** *Conj. c.* acertar. *Prend un* u *devant* e.
**seguir** *Conj. c.* pedir. *Perd l'u devant* a *et* o.
**sembrar** *Conj. c.* acrecentar.
**sentar** *Conj. c.* acrecentar.
**sentir** *Ind. prés.* siento, sientes, siente, sentimos, sentís, sienten. *Impér.* siente, sienta, sintamos, sentid, sientan. *Subj. prés.* sienta, sientas, sienta, sintamos, sintáis, sientan. *Imp. subj.* sintiera *ou* sintiese, sintieras *ou* sintieses. *Fut. subj.* sintiere, sintieres... *Gér.* sintiendo.

**ser** *Voir «auxiliaires».*
**serrar** *Conj. c.* acertar.
**servir** *Conj. c.* pedir.
**significar** *Prend* qu *devant* e.
**simpatizar** *Prend* c *devant* e.
**simplificar** *Prend* qu *devant* e.
**sintetizar** *Prend* c *devant* e.
**sobreentender** *Conj. c.* tender.
**sobreponer** *Conj. c.* poner.
**sobresalir** *Conj. c.* salir.
**sobreseer** *Conj. c.* leer.
**sobrevenir** *Conj. c.* venir.
**sobrevolar** *Conj. c.* acordar.
**sofocar** *Prend* qu *devant* e.
**sofreír** *Conj. c.* reír.
**solar** *Conj. c.* acordar.
**soldar** *Conj. c.* acordar.
**solemnizar** *Prend* c *devant* e.
**soler** *Conj. c.* mover.
**sollozar** *Prend* c *devant* e.
**soltar** *Conj. c.* acordar.
**sonar** *Conj. c.* acordar.
**sonreír** *Conj. c.* reír.
**soñar** *Conj. c.* acordar.
**sosegar** *Conj. c.* acertar.
**sostener** *Conj. c.* tener.
**soterrar** *Conj. c.* acertar.
**suavizar** *Prend* c *devant* e.
**subseguirse** *Conj. c.* pedir.
**substituir** *Conj. c.* huir.
**subtender** *Conj. c.* tender.
**subvenir** *Conj. c.* venir.
**subvertir** *Conj. c.* advertir.
**subyugar** *Prend un* u *devant* e.
**sufragar** *Prend un* u *devant* e.
**sugerir** *Conj. c.* herir.
**superponer** *Conj. c.* poner.
**suplicar** *Prend* qu *devant* e.
**suponer** *Conj. c.* poner.
**surgir** *Prend* j *devant* a *et* o.
**suscribir** *Part. pas* suscrito.
**sustituir** *Conj. c.* huir.
**sustraer** *Conj. c.* traer.
**sutilizar** *Prend* c *devant* e.

## T

**tamizar** *Prend* c *devant* e.
**tañer** *Conj. c.* atañer.
**tapizar** *Prend* c. *devant* e.
**tatuar** *Conj. c.* acentuar.
**telegrafiar** *Conj. c.* fiar.
**temblar** *Conj. c.* acertar.
**tender** *Ind. prés.* tiendo, tiendes, tiende, tendemos, tendéis, tienden. *Impér.* tiende, tienda, tendamos, tended, tiendan. *Subj. prés.* tienda, tiendas, tienda, tendamos, tendáis, tiendan.
**tener** *Ind. prés.* tengo, tienes, tiene, tenemos, tenéis, tienen. *Pas simple.* tuve, tuviste, tuvo, tuvimos, tuvisteis, tuvieron. *Fut.* tendré, tendrás, tendrá, tendremos, tendréis, tendrán. *Cond.* tendría, tendrías, tendría, tendríamos, tendríais, tendrían. *Impér.* ten, tenga, tengamos, tened, tengan. *Subj. prés.* tenga, tengas, tenga, tengamos, tengáis, tengan. *Imp. subj.* tuviera *ou* tuviese, tuvieras *ou* tuvieses... *Fut. subj.* tuviere, tuvieres...
**tentar** *Conj. c.* acrecentar.
**teñir** *Conj. c.* ceñir.
**testificar** *Prend* qu *devant* e.
**tiranizar** *Prend* c *devant* e.
**tovar** *Prend* qu *devant* e.
**torcer** *Conj. c.* mover. *Prend* z *devant* a *et* o.
**tostar** *Conj. c.* acordar.
**traducir** *Conj. c.* conducir.
**traer** *Ind. prés.* traigo, traes, trae... *Pas. simple* traje, trajiste, trajo, trajimos, trajisteis, trajeron. *Impér.* trae, traiga, traigamos, traed, traigan. *Subj. prés.* traiga, traigas, traiga, traigamos, traigáis, traigan. *Imp. subj.* trajera *ou* trajeses, trajeras *ou* trajeses... *Fut. subj.* trajere, trajeres... *Gér.* trayendo. *Part. pas.* traído.
**traficar** *Prend* qu *devant* e.
**tragar** *Prend un* u *devant* e.
**tranquilizar** *Prend* c *devant* e.
**transcribir** *Part. pas.* transcrito.
**transferir** *Conj. c.* herir.
**transgredir** *Même observ. que pour* agredir.
**transigir** *Prend* j *devant* a *et* o.
**transponer** *Conj. c.* poner.
**trascender** *Conj. c.* tender.
**trascolar** *Conj. c.* acordar.
**trascordarse** *Conj. c.* acordar.
**trasegar** *Conj. c.* acertar.
**traslucirse** *Conj. c.* lucir.
**trastocar** *Conj. c.* acordar.
**trastrocar** *Conj. c.* acordar.
**trazar** *Prend* c *devant* e.
**trenzar** *Prend* c *devant* e.
**trincar** *Prend* qu *devant* e.
**triplicar** *Prend* qu *devant* e.
**triscar** *Prend* qu *devant* e.

**trocar** *Conj. c.* acordar.

**tronar** *Conj. c.* acordar.

**tronzar** *Prend* c *devant* e.

**tropezar** *Conj. c.* acertar.

**truncar** *Prend* qu *devant* e.

**tullir** *Conj. c.* mullir.

## U

**ubicar** *Prend* qu *devant* e.

**uncir** *Prend* z *devant* a *et* o.

**ungir** *Prend* j *devant* a *et* o.

**unificar** *Prend* qu *devant* e.

**urgir** *Prend* j *devant* a *et* o.

**utilizar** *Prend* c *devant* e.

## V

**vacar** *Prend* qu *devant* e.

**vagar** *Prend un* u *devant* e.

**valer** *Ind. prés.* valgo, vales... *Fut.* valdré, valdrás, valdrá, valdremos, valdréis, valdrán. *Cond.* valdría, valdrías, valdría, valdríamos, valdríais, valdrían. *Impér.* val *ou* vale, valga, valgamos, valed, valgan. *Subj. prés.* valga, valgas, valga, valgamos, valgáis, valgan.

**vaporizar** *Prend* c *devant* e.

**vencer** *Prend* z *devant* a *et* o.

**vengar** *Prend un* u *devant* e.

**venir** *Ind. prés.* vengo, vienes, viene, venimos, venís, vienen. *Pas. simple* vine, viniste, vino, vinimos, vinisteis, vinieron. *Fut.* vendré, vendrás, vendrá, vendremos, vendréis, vendrán. *Cond.* vendría, vendrías, vendría, vendríamos, vendríais, vendrían. *Impér.* ven, venga, vengamos, venid, vengan. *Subj. prés.* venga, vengas, venga, vengamos, vengáis, vengan. *Imp. subj.* viniera *ou* viniese, vinieras *ou* vinieses... *Fut. subj.* viniere, vinieres... *Gér.* viniendo.

**ver** *Ind prés.* veo, ves, ve, vemos, veis, ven. *Pas. simple* vi, viste, vio, vimos, visteis, vieron. *Fut.* veré, verás... *Cond.* vería, verías... *Impér.* ve, vea, veamos, ved, vean. *Subj. prés.* vea, veas... *Imp. subj.* viera *ou* viese, vieras *ou* vieses... *Fut. subj.* viere, vieres... *Gér.* viendo. *Part. pas.* visto.

**verdecer** *Conj. c.* crecer.

**verificar** *Prend* qu *devant* e.

**verter** *Conj. c.* tender

**vestir** *Conj. c.* pedir.

**vigorizar** *Prend* c *devant* e.

**vindicar** *Prend* qu *devant* e.

**vivificar** *Prend* qu *devant* e.

**volar** *Conj. c.* acordar.

**volcar** *Conj. c.* acordar.

**volver** *Conj. c.* absolver. *Part. pas.* vuelto.

**vulgarizar** *Prend* c *devant* e.

## Y

**yacer** *Ind. prés.* yazco, yazgo *ou* yago yaces, yace, yacemos... *Subj. prés.* yazca, yazga *ou* yaga, yazcas... *Gér.* yaciendo. *Part. pas.* yacido.

**yuxtaponer** *Conj. c.* poner.

## Z

**zaherir** *Conj. c.* herir.

**zambullir** *Conj. c.* mullir.

**zurcir** *Prend* z *devant* a *ou* o.

# Noms géographiques et habitants
# *Nombres geográficos y gentilicios*

| **Principaux pays et régions** *Principales países y regiones* | | **Habitants** *Habitantes* | |
|---|---|---|---|
| **Abyssinie** | *Abisinia* | Abyssin, e | *abisinio, a* |
| **Afghanistan** | *Afganistán* | Afghan, e | *afgano, a* |
| **Afrique** | *África* | Africain, e | *africano, a* |
| **Afrique du Nord** | *África del Norte* | Nord-Africain, e | *norteafricano, a* |
| **Afrique du Sud** | *África del Sur* | Sud-Africain, e | *sudafricano, a* |
| **Albanie** | *Albania* | Albanais, e | *albanés, esa* |
| **Algérie** | *Argelia* | Algérien, enne | *argelino, a* |
| **Allemagne** | *Alemania* | Allemand, e | *alemán, ana* |
| **Alsace** | *Alsacia* | Alsacien, enne | *alsaciano, a* |
| **Amazonie** | *Amazonia* | Amazonien, enne | *amazonense* |
| **Amérique** | *América* | Américain, e | *americano, a* |
| **Andalousie** | *Andalucía* | Andalou, se | *andaluz, a* |
| **Andorre** | *Andorra* | Andorran, e | *andorrano, a* |
| **Angleterre** | *Inglaterra* | Anglais, e | *inglés, esa* |
| **Angola** | *Angola* | Angolais, e | *angoleño, a* |
| **Annam** | *Anam* | Annamite | *anamita* |
| **Antilles** | *Antillas* | Antillais, e | *antillés, esa* |
| **Aquitaine** | *Aquitania* | Aquitain, e | *aquitano, a* |
| **Arabie** | *Arabia* | Arabe | *árabe* |
| **Arabie Saoudite** | *Arabia Saudí* | Saoudien, enne | *árabe saudí* |
| **Aragon** | *Aragón* | Aragonais, e | *aragonés, esa* |
| **Araucanie** | *Araucania* | Araucan, e | *araucano, a* |
| **Arcadie** | *Arcadia* | Arcadien, enne | *árcade* |
| **Ardennes** | *Ardenas* | Ardennais, e | |
| **Argentine** | *Argentina* | Argentin, e | *argentino, a* |
| **Arménie** | *Armenia* | Arménien, enne | *armenio, a* |
| **Asie** | *Asia* | Asiate, Asiatique | *asiático, a* |
| **Assyrie** | *Asiria* | Assyrien, enne | *asirio, a* |
| **Asturies** | *Asturias* | Asturien, enne | *asturiano, a* |
| **Australie** | *Australia* | Australien, enne | *australiano, a* |
| **Autriche** | *Austria* | Autrichien, enne | *austriaco, a* |
| **Auvergne** | *Auvernia* | Auvergnat, e | |
| **Azerbaïdjan** | *Azerbaiyán* | Azerbaïdjanais, e | *azerbaiyanés, esa* |
| **Baléares** | *Baleares* | Baléare | *balear* |
| **Balkans** | *Balcanes* | Balkanique | *balcánico, a* |
| **Baltique** | *Báltico* | Balte | *báltico, a* |
| **Bangladesh** | *Bangladesh* | Bangladais, e | *bengalí* |
| **Basque (pays)** | *Vasco (país)* | Basque | *vasco, a* |
| **Bavière** | *Baviera* | Bavarois, e | *bávaro, a* |
| **Belgique** | *Bélgica* | Belge | *belga* |
| **Bengale** | *Bengala* | Bengali | *bengalí* |
| **Bénin** | *Benin* | Béninois, e | *beninés, esa* |
| **Béotie** | *Beocia* | Béotien, enne | *beocio, a* |
| **Biélorussie** | *Bielorrusia* | Biélorusse | *bielorruso, a* |
| **Birmanie** | *Birmania* | Birman, e | *birmano, a* |
| **Biscaye** | *Vizcaya* | Biscaïen, enne | *vizcaíno, a* |
| **Bohême** | *Bohemia* | Bohémien, enne | *bohemio, a* |
| **Bolivie** | *Bolivia* | Bolivien, enne | *boliviano, a* |

| | | | |
|---|---|---|---|
| **Bosnie** | *Bosnia* | Bosniaque | *bosnio, a* |
| **Botswana** | *Botsuana* | Botswanais, e | *botsuanés, esa* |
| **Bourgogne** | *Borgoña* | Bourguignon, onne | *borgoñón, ona* |
| **Brabant** | *Brabante* | Brabançon, onne | *brabanzón, ona* |
| **Brandebourg** | *Brandeburgo* | Brandebourgeois, e | *brandeburgués, esa* |
| **Brésil** | *Brasil* | Brésilien, enne | *brasileño, a* |
| **Bretagne** | *Bretaña* | Breton, onne | *bretón, ona* |
| **Bulgarie** | *Bulgaria* | Bulgare | *búlgaro, a* |
| **Burkina-Faso** | *Burkina Faso* | Burkinabé | *voltense* |
| **Burundi** | *Burundi* | Burundais, e | *burundés, esa* |
| **Calabre** | *Calabria* | Calabrais, e | *calabrés, esa* |
| **Californie** | *California* | Californien, enne | *californiano, a* |
| **Cambodge** | *Camboya* | Cambodgien, enne | *camboyano, a* |
| **Cameroun** | *Camerún* | Camerounais, e | *camerunés, esa* |
| **Canada** | *Canadá* | Canadien, enne | *canadiense* |
| **Canaan** | *Canaán* | Cananéen, enne | *cananeo, a* |
| **Canaries** | *Canarias* | Canarien, enne | *canario, a* |
| **Cap-Vert** | *Cabo Verde* | Capverdien, enne | *caboverdiano, a* |
| **Caraïbes** | *Caribe* | Caraïbe | *caribeño, a* |
| **Castille** | *Castilla* | Castillan, e | *castellano, a* |
| **Catalogne** | *Cataluña* | Catalan, e | *catalán, ana* |
| **Caucase** | *Cáucaso* | Caucasien, enne | *caucásico, a* |
| **Centrafrique** | *Centroafricana (Rep.)* | Centrafricain, e | *centroafricano, a* |
| **Cerdagne** | *Cerdaña* | Cerdan, e | *sardanés, esa* |
| **Ceylan** | *Ceilán* | Cingalais, e | *cingalés, esa* |
| **Chad → Tchad** | | | |
| **Chaldée** | *Caldea* | Chaldéen, enne | *caldeo, a* |
| **Champagne** | *Champaña* | Champenois, e | |
| **Chili** | *Chile* | Chilien, enne | *chileno, a* |
| **Chine** | *China* | Chinois, e | *chino, a* |
| **Chypre** | *Chipre* | Chypriote | *chipriota* |
| **Cisjordanie** | *Cisjordania* | Cisjordanien, enne | |
| **Cochinchine** | *Cochinchina* | Cochinchinois, e | *cochinchino, a* |
| **Colombie** | *Colombia* | Colombien, e | *colombiano, a* |
| **Comores** | *Comoras* | Comorien, enne | *comoro, a* |
| **Congo** | *Congo* | Congolais, e | *congolés, esa* |
| **Corée** | *Corea* | Coréen, enne | *coreano, a* |
| **Corée du Nord** | *Corea del Norte* | Nord-Coréen, enne | *norcoreano, a* |
| **Corée du Sud** | *Corea del Sur* | Sud-Coréen, enne | *surcoreano, a* |
| **Corse** | *Córcega* | Corse | *corso, a* |
| **Costa Rica** *m* | *Costa Rica f* | Costaricain, e | *costarriqueño, a* |
| **Côte-d'Ivoire** | *Costa de Marfil* | Ivoirien, enne | *marfileño, a* |
| **Crète** | *Creta* | Crétois, e | *cretense* |
| **Croatie** | *Croacia* | Croate | *croata* |
| **Cuba** | *Cuba* | Cubain, e | *cubano, a* |
| **Dalmatie** | *Dalmacia* | Dalmate | *dálmata* |
| **Danemark** *m* | *Dinamarca f* | Danois, e | *danés, esa* |
| **Dauphiné** | *Delfinado* | Dauphinois, e | |
| **Djibouti** | *Yibuti* | Djiboutien, enne | *yibutí* |
| **Dominicaine (Rép.)** | *Dominicana (Rep.)* | Dominicain, e | *dominicano, a* |
| **Écosse** | *Escocia* | Écossais, e | *escocés, esa* |
| **Égypte** | *Egipto* | Égyptien, enne | *egipcio, a* |
| **Équateur** | *Ecuador* | Équatorien, enne | *ecuatoriano, a* |
| **Erythrée** | *Eritrea* | | |
| **Eslovaquia, Eslovenia → Slovaquie, Slovénie** | | | |
| **Espagne** | *España* | Espagnol, e | *español, a* |

| | | | |
|---|---|---|---|
| **Estonie** | *Estonia* | Estonien, enne | *estonio, a* |
| **Estrémadure** | *Extremadura* | | *extremeño, a* |
| **États-Unis d'Amérique** | *Estados Unidos de América* | Américain, e | *estadounidense* |
| **Éthiopie** | *Etiopía* | Éthiopien, enne | *etíope* |
| **Étrurie** | *Etruria* | Étrusque | *etrusco* |
| **Eurasie** | *Eurasia* | Eurasien, enne | *eurasiático, a* |
| **Europe** | *Europa* | Européen, enne | *europeo, a* |
| **Fidji (îles)** | *Fiyi (islas)* | Fidjien, enne | *fiyiano, a* |
| **Finlande** | *Finlandia* | Finlandais, e | *finlandés, esa, finés, esa* |
| **Flandre** | *Flandes* | Flamand, e | *flamenco, a* |
| **France** | *Francia* | Français, e | *francés, esa* |
| **Franche-Comté** *f* | *Franco Condado m* | Franc-Comtois, e | |
| **Frise** | *Frisia* | Frison, onne | *frisón, ona* |
| **Gabon** | *Gabón* | Gabonais, e | *gabonés, esa* |
| **Galice** | *Galicia* | Galicien, enne | *gallego, a* |
| **Galilée** | *Galilea* | Galiléen, enne | *galileo, a* |
| **Galles (pays de)** | *Gales* | Gallois, e | *galés, esa* |
| **Gambie** | *Gambia* | Gambien, enne | *gambiano, a* |
| **Gascogne** | *Gascuña* | Gascon, onne | *gascón, ona* |
| **Géorgie** | *Georgia* | Géorgien, enne | *georgiano, a* |
| **Ghana** | *Ghana* | Ghanéen, enne | *ghanés, esa* |
| **Gibraltar** | *Gibraltar* | | *gibraltareño, a* |
| **Gironde** | *Gironda* | Girondin, e | *girondino, a* |
| **Grande-Bretagne** | *Gran Bretaña* | Britannique | *británico, a* |
| **Grèce** | *Grecia* | Grec, Grecque | *griego, a* |
| **Groenland** *m* | *Groenlandia f* | Groenlandais, e | *groenlandés, esa* |
| **Guadeloupe** | *Guadalupe* | Guadeloupéen, enne | |
| **Guatemala** *m* | *Guatemala f* | Guatémaltèque | *guatemalteco, a* |
| **Guinée** | *Guinea* | Guinéen, enne | *guineano, a* |
| **Guyane** | *Guayana* | Guyanais, e | *guayanés, esa* |
| **Haïti** | *Haití* | Haïtien, enne | *haitiano, a* |
| **Hawaï** | *Hawai* | Hawaïen, enne | *hawaiano, a* |
| **Hollande** | *Holanda* | Hollandais, e | *holandés, esa* |
| **Honduras** | *Honduras* | Hondurien, enne | *hondureño, a* |
| **Hongrie** | *Hungría* | Hongrois, e | *húngaro, a* |
| **Inde** | *India* | Indien, enne | *indio, a* |
| **Indochine** | *Indochina* | Indochinois, e | *indochino, a* |
| **Indonésie** | *Indonesia* | Indonésien, enne | *indonesio, a* |
| **Ionie** | *Jonia* | Ionien, enne | *jónico, a, jonio, a* |
| **Irak, Iraq** | *Irak* | Irakien, enne | *iraquí* |
| **Iran** | *Irán* | Iranien, enne | *iraní* |
| **Irlande** | *Irlanda* | Irlandais, e | *irlandés, esa* |
| **Islande** | *Islandia* | Islandais, e | *islandés, esa* |
| **Israël** | *Israel* | Israélien, enne | *israelí* |
| **Italie** | *Italia* | Italien, enne | *italiano, a* |
| **Jamaïque** | *Jamaica* | Jamaïquain, e | *jamaicano, a* |
| **Japon** | *Japón* | Japonais, e | *japonés, esa* |
| **Java** | *Java* | Javanais, e | *javanés, esa* |
| **Jordanie** | *Jordania* | Jordanien, enne | *jordano, a* |
| **Kabylie** | *Cabilia* | Kabyle | *cabila* |
| **Kazakhstan** | *Kazajstán* | Kazakhtanais, e | *kazaco, a* |
| **Kenya** | *Kenia* | Kenyan, anne | *keniano, a* |
| **Koweit** | *Kuwait* | Koweitien, enne | *kuwaití* |
| **Landes** | *Landas* | Landais, e | *landés, esa* |
| **Laos** | *Laos* | Laotien, enne | *laosiano, a* |

| | | | |
|---|---|---|---|
| **Laponie** | *Laponia* | Lapon, e | *lapón, ona* |
| **Lesotho** | *Lesoto* | | *basuto, a* |
| **Lettonie** | *Letonia* | Letton, e, Lette | *letón, ona* |
| **Liban** | *Líbano* | Libanais, e | *libanés, esa* |
| **Liberia** | *Liberia* | Libérien, enne | *liberiano, a* |
| **Libye** | *Libia* | Libyen, enne | *libio, a* |
| **Ligurie** | *Liguria* | Ligurien, enne | *ligur* |
| **Limousin** | *Lemosín* | Limousin, e | *lemosín, ina* |
| **Lituanie** | *Lituania* | Lituanien, enne | *lituano, a* |
| **Lombardie** | *Lombardía* | Lombard, e | *lombardo, a* |
| **Lorraine** | *Lorena* | Lorrain, e | *lorenés, esa* |
| **Lusitanie** | *Lusitania* | Lusitanien, enne | *lusitano, a* |
| **Luxembourg** | *Luxemburgo* | Luxembourgeois, e | *luxemburgués, esa* |
| **Macédoine** | *Macedonia* | Macédonien, enne | *macedonio, a* |
| **Maghreb** | *Magreb* | Maghrébin, e | *magrebí* |
| **Madagascar** | *Madagascar* | Malgache | *malgache* |
| **Majorque** | *Mallorca* | Majorquin, e | *mallorquín, ina* |
| **Malaisie, Malaysia** | *Malasia* | Malais, e | *malayo, a* |
| **Maldives (îles)** | *Maldivas (islas)* | Maldivien, enne | *maldivo, a* |
| **Mali** | *Malí* | Malien, enne | *maliense* |
| **Malouines** | *Malvinas* | | *malvinero, a* |
| **Malte** | *Malta* | Maltais, e | *maltés, esa* |
| **Mandchourie** | *Manchuria* | Mandchou, e | *manchuriano, a* |
| **Maroc** | *Marruecos* | Marocain, e | *marroquí* |
| **Martinique** | *Martinica* | Martiniquais, e | *martiniqués, esa* |
| **Maurice (île)** | *Mauricio (isla)* | Mauricien, enne | *mauriciano, a* |
| **Mauritanie** | *Mauritania* | Mauritanien, enne | *mauritano, a* |
| **Mélanésie** | *Melanesia* | Mélanésien, enne | *melanesio, a* |
| **Mésopotamie** | *Mesopotamia* | Mésopotamien, enne | *mesopotámico, a* |
| **Mexique** | *México, Méjico* | Mexicain, e | *mexicano, a, mejicano, a* |
| **Minorque** | *Menorca* | Minorquin, e | *menorquín, ina* |
| **Moldavie** | *Moldavia* | Moldave | *moldavo, a* |
| **Monaco** | *Mónaco* | Monégasque | *monegasco, a* |
| **Mongolie** | *Mongolia* | Mongol, e | *mogol* |
| **Monténégro** | *Montenegro* | Monténégrin, e | *montenegrino, a* |
| **Mozambique** | *Mozambique* | Mozambicain, e | *mozambiqueño, a*<br>*mozambicano, a* |
| **Namibie** | *Namibia* | Namibien, enne | *namibio, a* |
| **Navarre** | *Navarra* | Navarrais, e | *navarro, a* |
| **Népal** | *Nepal* | Népalais, e | *nepalés, esa, nepalí* |
| **Nicaragua** *m* | *Nicaragua f* | Nicaraguayen, enne | *nicaragüense* |
| **Niger** | *Níger* | Nigérien, enne | *nigerino, a* |
| **Nigeria** | *Nigeria* | Nigérian, anne | *nigeriano, a* |
| **Normandie** | *Normandía* | Normand, e | *normando, a* |
| **Norvège** | *Noruega* | Norvégien, enne | *noruego, a* |
| **Nouvelle-Calédonie** | *Nueva Caledonia* | Néo-Calédonien, enne | *neocaledonio, a* |
| **Nouvelle-Zélande** | *Nueva Zelanda* | Néo-Zélandais, e | *neozelandés, esa* |
| **Numidie** | *Numida* | Numide | *númida* |
| **Océanie** | *Oceania* | Océanien, enne | *oceánico, a* |
| **Ombrie** | *Umbria* | Ombrien, enne | *umbro, a* |
| **Ouganda** | *Uganda* | Ougandais, e | *ugandés, esa* |
| **Pakistan** | *Paquistán* | Pakistanais, e | *paquistaní* |
| **Palestine** | *Palestina* | Palestinien, enne | *palestino, a* |
| **Panama** | *Panamá* | Panaméen, enne | *panameño, a* |
| **Paraguay** | *Paraguay* | Paraguayen, enne | *paraguayo, a* |
| **Patagonie** | *Patagonia* | Patagon, onne | *patagón, ona* |

| | | | |
|---|---|---|---|
| **Pays-Bas** | *Países Bajos* | Néerlandais, e | *neerlandés, esa* |
| **Pérou** | *Perú* | Péruvien, enne | *peruano, a* |
| **Perse** | *Persa* | Persan, e | *persa* |
| **Phénicie** | *Fenicia* | Phénicien, enne | *fenicio, a* |
| **Philippines** | *Filipinas* | Philippin, e | *filipino, a* |
| **Phrygie** | *Frigia* | Phrigien, enne | *frigio, a* |
| **Picardie** | *Picardía* | Picard, e | *picardo, a* |
| **Piémont** | *Piamonte* | Piémontais, e | *piamontés, esa* |
| **Pologne** | *Polonia* | Polonais, e | *polaco, a* |
| **Polynésie** | *Polinesia* | Polynésien, enne | *polinesio, a* |
| **Porto Rico** | *Puerto Rico* | Portoricain, e | *puertorriqueño, a* |
| **Portugal** | *Portugal* | Portugais, e | *portugués, esa* |
| **Provence** | *Provenza* | Provençal, e | *provenzal* |
| **Prusse** | *Prusia* | Prussien, enne | *prusiano, a* |
| **Québec** | *Quebec* | Québéquois, e | *quebequés, esa* |
| **Rhénanie** | *Renania* | Rhénan, e | *renano, a* |
| **Roumanie** | *Rumanía* | Roumain, e | *rumano, a* |
| **Roussillon** | *Rosellón* | Roussillonnais, e | *rosellonés, esa* |
| **Russie** | *Rusia* | Russe | *ruso, a* |
| **Rwanda** | *Ruanda* | Rwandais, e | *ruandés, esa* |
| **Salvador (Le)** | *Salvador (El)* | Salvadorien, enne | *salvadoreño, a* |
| **Sardaigne** | *Cerdeña* | Sarde | *sardo, a* |
| **Savoie** | *Saboya* | Savoyard, e | *saboyano, a* |
| **Saxe** | *Sajonia* | Saxon, onne | *sajón, ona* |
| **Scandinavie** | *Escandinavia* | Scandinave | *escandinavo, a* |
| **Sénégal** | *Senegal* | Sénégalais, e | *senegalés, esa* |
| **Serbie** | *Serbia* | Serbe | *serbo, a* |
| **Sibérie** | *Siberia* | Sibérien, enne | *siberiano, a* |
| **Sicile** | *Sicilia* | Sicilien, enne | *siciliano, a* |
| **Silésie** | *Silesia* | Silésien, enne | *silesio, a* |
| **Slovaquie** | *Eslovaquia* | Slovaque | *eslovaco, a* |
| **Slovénie** | *Eslovenia* | Slovène | *esloveno, a* |
| **Somalie** | *Somalia* | Somalien, enne | *somalí* |
| **Sri Lanka** | *Sri Lanka* | Sri Lankais, e | *ceilandés, esa* |
| **Soudan** | *Sudán* | Soudanais, e | *sudanés, esa* |
| **Suède** | *Suecia* | Suédois, e | *sueco, a* |
| **Suisse** | *Suiza* | Suisse | *suizo, a* |
| **Surinam** | *Surinam* | Surinamien, enne | |
| **Swaziland** | *Swazilandia* | | |
| **Syrie** | *Siria* | Syrien, enne | *sirio, a* |
| **Tadjikistan** | *Tayikistán* | | |
| **Tahiti** | *Tahití* | Tahitien, enne | *taitiano, a* |
| **Taïwan** | *Taiwán* | Taïwanais, e | *taiwanés, esa* |
| **Tanzanie** | *Tanzania* | Tanzanien, enne | *tanzano, a* |
| **Tchad** | *Chad* | Tchadien, enne | *chadiano, a* |
| **Tchécoslovaquie** | *Checoslovaquia* | Tchécoslovaque | *checoslovaco, a* |
| **Tchèque (Rép.)** | *Checa (Rep.)* | Tchèque | *checo, a* |
| **Terre de Feu** | *Tierra del Fuego* | Fuégien, enne | *fuegino, a* |
| **Terre-Neuve** | *Terranova* | Terre-neuvien, enne | |
| **Thaïlande** | *Tailandia* | Thaïlandais, e | *tailandés, esa* |
| **Tibet** | *Tíbet* | Tibétain, e | *tibetano, a* |
| **Togo** | *Togo* | Togolais, e | |
| **Tonkin** | *Tonkín* | Tonkinois, e | *tonkinés, esa* |
| **Toscane** | *Toscana* | Toscan, e | *toscano, a* |
| **Touraine** | *Turena* | Tourangeau, elle | |
| **Transylvanie** | *Transilvania* | Transylvain, e | *transilvano, a* |

| | | | |
|---|---|---|---|
| **Tunisie** | *Túnez* | Tunisien, enne | *tunecino, a* |
| **Turquie** | *Turquía* | Turc, Turque | *turco, a* |
| **Tyrol** | *Tirol* | Tyrolien, enne | *tirolés, esa* |
| **Ukraine** | *Ucrania* | Ukrainien, enne | *ucranio, a* |
| **Uruguay** | *Uruguay* | Uruguayen, enne | *uruguayo, a* |
| **Vendée** | *Vandea* | Vendéen, enne | *vandeano, a* |
| **Venezuela** | *Venezuela* | Vénézuélien, enne | *venezolano, a* |
| **Viêt-nam** | *Viet Nam* | Vietnamien, enne | *vietnamita* |
| **Yibuti → Djibouti** | | | |
| **Yémen** | *Yemen* | Yéménite | *yemení, yemenita* |
| **Yougoslavie** | *Yugoslavia* | Yougoslave | *yugoslavo, a* |
| **Yucatán** | *Yucatán* | | *yucateco, a* |
| **Zaïre** | *Zaire* | Zaïrois, e | *zaireño, a* |
| **Zambie** | *Zambia* | Zambien, enne | *zambiano, a* |
| **Zimbabwe** | *Zimbabue* | Zimbabwéen, enne | *zimbabuo, a* |

| **Villes importantes** / ***Ciudades importantes*** | | **Habitants** / ***Habitantes*** | |
|---|---|---|---|
| **Aix-la-Chapelle** | *Aquisgrán* | | |
| **Alexandrie** | *Alejandría* | Alexandrin, e | *alejandrino, a* |
| **Alger** | *Argel* | Algérois, e | *argelino, a* |
| **Ancône** | *Ancona* | Anconitain, e | *anconitano, a* |
| **Anvers** | *Amberes* | Anversois, e | *amberino, a* |
| **Asunción (Paraguay)** | *Asunción* | | *asunceno, a* |
| **Athènes** | *Atenas* | Athénien, enne | *ateniense* |
| **Avignon** | *Aviñón* | Avignonais, e | *aviñonés, esa* |
| **Ávila** | *Ávila* | | *abulense* |
| **Bâle** | *Basilea* | Bâlois, e | *basilense* |
| **Barcelone** | *Barcelona* | Barcelonais, e | *barcelonés, esa* |
| **Belgrade** | *Belgrado* | Belgradois, e | |
| **Berlin** | *Berlín* | Berlinois, e | *berlinés, esa* |
| **Berne** | *Berna* | Bernois, e | *bernés, esa* |
| **Bethléem** | *Belén* | | *betlemita* |
| **Beyrouth** | *Beirut* | Beyrout | *berutí* |
| **Bilbao** | *Bilbao* | | *bilbaíno, a* |
| **Bogotá** | *Bogotá* | | *bogotano, a* |
| **Bologne** | *Bolonia* | Bolonais, e | *boloñés, esa* |
| **Bordeaux** | *Burdeos* | Bordelais, e | *bordelés, esa* |
| **Bruges** | *Brujas* | Brugeois, e | |
| **Bruxelles** | *Bruselas* | Bruxellois, e | *bruselense* |
| **Buenos Aires** | *Buenos Aires* | | *porteño, a* |
| **Burgos** | *Burgos* | | *burgalés, esa* |
| **Cadix** | *Cádiz* | Gaditan, e | *gaditano, a* |
| **Caire (Le)** | *Cairo (El)* | Cairote | *cairota* |
| **Cali** | *Cali* | | *caleño, a* |
| **Callao (El)** | *Callao (El)* | | *chalaco, a* |
| **Caracas** | *Caracas* | | *caraqueño, a* |
| **Carthage** | *Cartago* | Carthaginois, e | *cartaginés, esa* |
| **Carthagène** | *Cartagena* | | *cartagenero, a* |
| **Cologne** | *Colonia* | | *colonense* |
| **Concepción (Chili)** | *Concepción* | | *penquista* |
| **Cordoue** | *Córdoba* | Cordouan, e | *cordobés, esa* |
| **Corogne (La)** | *Coruña (La)* | | *coruñés, esa* |
| **Curaçao** | *Curazao* | | *curazoleño, a* |

| | | | |
|---|---|---|---|
| **Cuzco** | *Cuzco* | | *cuzqueño, a* |
| **Damas** | *Damasco* | Damascène | *damasceno, a* |
| **Édimbourg** | *Edimburgo* | Édimbourgeois, e | *edimburgués, esa* |
| **Estambul → Istanbul** | | | |
| **Estocolmo → Stockholm** | | | |
| **Estrasburgo → Strasbourg** | | | |
| **Florence** | *Florencia* | Florentin, e | *florentino, a* |
| **Gand** | *Gante* | Gantois, e | *gantés, esa* |
| **Gênes** | *Génova* | Génois, e | *genovés, esa* |
| **Genève** | *Ginebra* | Genevois, e | *ginebrino, a* |
| **Gérone** | *Gerona* | | *gerundense* |
| **Grenade** | *Granada* | Grenadin, e | *granadino, a* |
| **Hambourg** | *Hamburgo* | Hambourgeois, e | *hamburgués, esa* |
| **Hanovre** | *Hannóver* | Hanovrien, enne | *hannoveriano, a* |
| **Havane (La)** | *Habana (La)* | Havanais, e | *habanero, a* |
| **Istanbul** | *Estambul* | Istanbuliote | |
| **Jakarta** | *Yakarta* | | |
| **Jérusalem** | *Jerusalén* | Hiérosolymite | *jerosolimitano, a* |
| **Liège** | *Lieja* | Liégeois, e | |
| **Lille** | *Lila* | Lillois, e | *lilés, esa* |
| **Lima** | *Lima* | Liménien, enne | *limeño, a* |
| **Lisbonne** | *Lisboa* | Lisbonnin, e | *lisboeta* |
| **Londres** | *Londres* | Londonien, enne | *londinense* |
| **Louvain** | *Lovaina* | Louvaniste | *lovaniense* |
| **Madrid** | *Madrid* | Madrilène | *madrileño, a* |
| **Malaga** | *Málaga* | | *malagueño, a* |
| **Managua** | *Managua* | | *managüense* |
| **Manille** | *Manila* | | *manileño, a* |
| **Marseille** | *Marsella* | Marseillais, e | *marsellés, esa* |
| **Mayence** | *Maguncia* | Mayençais, e | *maguntino, a* |
| **Mecque (La)** | *Meca (La)* | | *mecano, a* |
| **Milan** | *Milán* | Milanais, e | *milanés, esa* |
| **Montevideo** | *Montevideo* | | *montevideano, a* |
| **Moscou** | *Moscú* | Moscovite | *moscovita* |
| **Murcie** | *Murcia* | | *murciano, a* |
| **Naples** | *Nápoles* | Napolitain, e | *napolitano, a* |
| **Nice** | *Niza* | Niçois, e | *nizardo, a* |
| **New York** | *Nueva York* | New-Yorkais, e | *neoyorquino, a* |
| **Oviedo** | *Oviedo* | | *ovetense* |
| **Padoue** | *Padua* | Padouan, e | *paduano, a* |
| **Palerme** | *Palermo* | Palermitain, e | *palermitano, a* |
| **Palmas (Las)** | *Palmas (Las)* | | *palmense* |
| **Pampelune** | *Pamplona* | | *pamplonés, esa* |
| **Paris** | *París* | Parisien, enne | *parisino, a* |
| **Parme** | *Parma* | Parmesan, e | *parmesano, a* |
| **Paysandú** | *Paysandú* | | *sanducero, a* |
| **Paz (La)** | *Paz (La)* | | *paceño, a* |
| **Pise** | *Pisa* | Pisan, e | *pisano* |
| **Pompéi** | *Pompeya* | Pompéien, enne | *pompeyano, a* |
| **Popayán** | *Popayán* | | *payanense* |
| **Prague** | *Praga* | Pragois, e | *praguense* |
| **Quito** | *Quito* | | *quiteño, a* |
| **Ravenne** | *Ravena* | Ravennate | *ravenés, esa* |
| **Reims** | *Reims* | Rémois, e | *remense* |
| **Rio de Janeiro** | *Río de Janeiro* | Carioca | *fluminense, carioca* |
| **Rome** | *Roma* | Romain, e | *romano, a* |

| | | | |
|---|---|---|---|
| **Rouen** | *Ruán* | Rouennais, e | *ruanés, esa* |
| **Saint-Domingue** | *Santo Domingo* | Dominicain, e | *dominicano, a* |
| **Saint-Jacques-** | *Santiago* | | *santiagués, esa* |
| **de-Compostelle** | *de Compostela* | | *compostelano, a* |
| **Saint-Sébastien** | *San Sebastián* | | *donostiarra* |
| **Salamanque** | *Salamanca* | | *salmantino, a* |
| **San José (Costa Rica)** | *San José* | | *josefino, a* |
| **San Juan (Argentine)** | *San Juan* | | *sanjuanino, a* |
| **San Luis Potosí** | *San Luis Potosí* | | *potosino, a* |
| **San Sebastián → Saint-Sébastien** | | | |
| **Santa Cruz (Bolivie)** | *Santa Cruz* | | *cruceño, a* |
| **Santa Cruz** | *Santa Cruz* | | *tenerifeño, a* |
| **de Tenerife** | *de Tenerife* | | *tinerfeño, a* |
| **Santa Fe (Argentine)** | *Santa Fe* | | *santafecino, a* |
| **Santa Marta (Colombie)** | *Santa Marta* | | *samario, a* |
| **Santander (Espagne)** | *Santander* | | *santanderino, a* |
| **Santiago (Chili)** | *Santiago* | | *santiaguino, a* |
| **Santiago (Cuba)** | *Santiago* | | *santiaguero, a* |
| **Santiago de Compostela → Saint-Jacques-de-Compostelle** | | | |
| **Santiago del Estero** | *Santiago del Estero* | | *santiagueño, a* |
| **Santo Domingo → Saint-Domingue** | | | |
| **São Paulo** | *São Paulo* | Pauliste | *paulista* |
| **Saragosse** | *Zaragoza* | | *zaragozano, a* |
| **Ségovie** | *Segovia* | Ségovien, enne | *segoviano, a* |
| **Séville** | *Sevilla* | Sévillan, e | *sevillano, a* |
| **Sienne** | *Siena* | Siennois, e | *sienés, esa* |
| **Singapour** | *Singapur* | Singapourien, enne | |
| **Stockholm** | *Estocolmo* | | |
| **Strasbourg** | *Estrasburgo* | Strasbourgeois, e | |
| **Sucre (Bolivie)** | *Sucre* | | *sucreño, a* |
| **Talca** | *Talca* | | *talquino, a* |
| **Tanger** | *Tánger* | | *tangerino, a* |
| **Tarragone** | *Tarragona* | | *tarraconense* |
| **Tegucigalpa** | *Tegucigalpa* | | *tegucigalpense* |
| **Téhéran** | *Teherán* | | |
| **Tolède** | *Toledo* | Tolédan, e | *toledano, a* |
| **Trèves** | *Tréveris* | Trévire | |
| **Tunis** | *Túnez* | Tunisois, e | *tunecino, a* |
| **Turin** | *Turín* | Turinois, e | *turinense* |
| **Valence (Espagne)** | *Valencia* | Valencien, enne | *valenciano, a* |
| **Valladolid** | *Valladolid* | | *valisoletano, a* |
| **Valparaiso** | *Valparaíso* | | *porteño, a* |
| **Varsovie** | *Varsovia* | Varsovien, enne | *varsoviano, a* |
| **Venise** | *Venecia* | Vénitien, enne | *veneciano, a* |
| **Vérone** | *Verona* | Véronais, e | *veronés, esa* |
| **Versailles** | *Versalles* | Versaillais, e | *versallés, esa* |
| **Vienne (Autriche)** | *Viena* | Viennois, e | *vienés, esa* |
| **Vigo** | *Vigo* | | *vigués, esa* |
| **Zaragoza → Saragosse** | | | |

# Monnaies
# *Monedas*

| **pays** | | **unité monétaire** | **fractions** |
|---|---|---|---|
| ***países*** | | ***unidad monetaria*** | ***fracciones*** |
| Espagne | *España* | peseta | 100 céntimos |
| Argentine | *Argentina* | peso | 100 centavos |
| Bolivie | *Bolivia* | boliviano | 100 centavos |
| Chili | *Chile* | peso | 100 centavos |
| Colombie | *Colombia* | peso | 100 centavos |
| Costa Rica | *Costa Rica* | colón | 100 céntimos |
| Cuba | *Cuba* | peso | 100 centavos |
| Dominicaine (Rép.) | *Dominicana (Rep.)* | peso | 100 centavos |
| Equateur | *Ecuador* | sucre | 100 centavos |
| Guatemala | *Guatemala* | quetzal | 100 centavos |
| Honduras | *Honduras* | lempira | 100 centavos |
| Mexique | *México* | peso | 100 centavos |
| Nicaragua | *Nicaragua* | córdoba | 100 centavos |
| Panama | *Panamá* | balboa | 100 centésimos |
| Paraguay | *Paraguay* | guaraní | 100 céntimos |
| Pérou | *Perú* | inti | 100 centavos |
| Salvador (El) | *Salvador (El)* | colón | 100 centavos |
| Uruguay | *Uruguay* | peso | 100 centésimos |
| Venezuela | *Venezuela* | bolívar | 100 céntimos |
| France | *Francia* | franc *(Franco)* | 100 centimes |
| Belgique | *Bélgica* | franc belge *(Franco belga)* | 100 centimes |
| Luxembourg | *Luxemburgo* | franc luxembourgeois *(Franco luxemburgués)* | 100 centimes |
| Suisse | *Suiza* | franc suisse *(Franco suizo)* | 100 centimes |
| Europe (U.E.) | *Europa (U.E.)* | euro | |

## Quelques monnaies étrangères
## *Algunas monedas extranjeras*

| | | | | | |
|---|---|---|---|---|---|
| couronne | *corona* | escudo | *escudo* | penny | *penique* |
| dinar | *dinar* | florin | *florín* | rouble | *rublo* |
| dirham | *dirham* | lire | *lira* | roupie | *rupia* |
| dollar | *dólar* | livre | *libra* | shilling | *chelín* |
| drachme | *dracma* | mark | *marco* | yen | *yen* |

## Anciennes monnaies espagnoles
## *Antiguas monedas españolas*

| | | | |
|---|---|---|---|
| *doblón* | doublon | *maravedí* | maravédis |
| *duro* | douro | *real* | réal |

# Poids et mesures
# *Pesos y medidas*

| **mesures** *medidas* | **unités** *unidades* | |
|---|---|---|
| **longueur** *longitud* | kilomètre | *kilómetro* |
| | mètre | *metro* |
| | décimètre | *decímetro* |
| | centimètre | *centímetro* |
| | millimètre | *milímetro* |
| **superficie** *superficie* | kilomètre carré | *kilómetro cuadrado* |
| | mètre carré | *metro cuadrado* |
| | hectare *m* | *hectárea f* |
| | are *m* | *área f* |
| **volume** *volumen* | mètre cube | *metro cúbico* |
| | stère | *estéreo* |
| **capacité** *capacidad* | litre | *litro* |
| | hectolitre | *hectolitro* |
| **masse** *masa* | kilogramme | *kilógramo* |
| | gramme | *gramo* |
| | milligramme | *miligramo* |
| | tonne | *tonelada* |
| | quintal | *quintal* |
| **puissance** *potencia* | kilowatt | *kilovatio* |
| | watt | *vatio* |
| **intensité de courant électrique** *intensidad de corriente eléctrica* | ampère | *amperio* |
| **différence de potentiel** *diferencia de potencial* | volt | *voltio* |
| **quantité de chaleur** *cantidad de calor* | calorie | *caloría* |
| | thermie | *termia* |

## Anciennes mesures espagnoles (Castille)
## *Antiguas medidas de España (Castilla)*

| | | | | | |
|---|---|---|---|---|---|
| adarme | = | 1,790 g | jornal | = | 48,000 áreas |
| arroba | = | 11,502 l ou 11,25 kg | legua | = | 5,572 km |
| braza | = | 1,6718 m | libra | = | 460,000 g |
| cartera | = | 36,000 áreas | mojada | = | 48,965 áreas |
| | | 69,518 l | onza | = | 28,700 g |
| celemín | = | 4,625 l | palmo | = | 0,280 m |
| cuartal | = | 2,384 áreas | peonada | = | 39,129 áreas |
| | | 5,600 l | pie | = | 0,280 m |
| fanega | = | 64,385 áreas | pulgada | = | 0,023 m |
| | | 55,501 l | vara | = | 0,835 m |

# L'année
## *El año*

| Les saisons | *Las estaciones* | Année liturgique et fêtes religieuses | *Año litúrgico y fiestas religiosas* |
|---|---|---|---|
| le printemps | *la primavera* | Avent | *Adviento* |
| l'été | *el verano* | Noël *m* | *Navidad f* |
| l'automne | *el otoño* | Immaculée Conception | *Inmaculada Concepción* |
| l'hiver | *el invierno* | Épiphanie (jour des Rois) | *Epifanía (día de Reyes)* |
| | | Purification | *Purificación* |
| **Les mois** | ***Los meses*** | Carême *m* | *Cuaresma f* |
| janvier | *enero* | Cendres | *Ceniza* |
| février | *febrero* | Annonciation | *Anunciación* |
| mars | *marzo* | Passion | *Pasión* |
| avril | *abril* | Rameaux | *Domingo de Ramos* |
| mai | *mayo* | Vendredi saint | *Viernes santo* |
| juin | *junio* | Pâques | *Pascua (de Resurrección)* |
| juillet | *julio* | Quasimodo | *Cuasimodo* |
| août | *agosto* | Ascension | *Ascensión* |
| septembre | *septiembre, setiembre* | Pentecôte *f* | *Pentecostés m* |
| octobre | *octubre* | Trinité | *Trinidad* |
| novembre | *noviembre* | Fête-Dieu *f* | *Corpus m* |
| décembre | *diciembre* | Sacré-Cœur | *Sagrado Corazón* |
| | | Transfiguration | *Transfiguración* |
| **Les jours** | ***Los días*** | Assomption | *Asunción* |
| lundi | *lunes* | Nativité de la Vierge | *Natividad de la Virgen* |
| mardi | *martes* | Toussaint | *Todos los Santos* |
| mercredi | *miércoles* | Défunts, jour des Morts | *Difuntos* |
| jeudi | *jueves* | | |
| vendredi | *viernes* | | |
| samedi | *sábado* | | |
| dimanche | *domingo* | | |

# L'heure
## *La hora*

| Quelle heure est-il ? | *¿Qué hora es?* |
|---|---|
| Il est une heure | *es la una* |
| il est deux heures | *son las dos* |
| il est trois heures dix | *son las tres y diez* |
| il est quatre heures et quart | *son las cuatro y cuarto* |
| il est cinq heures et demie | *son las cinco y media* |
| il est six heures moins le quart | *son las seis menos cuarto* |
| il est sept heures moins cinq | *son las siete menos cinco* |
| il est trois heures de l'après-midi | *son las tres de la tarde* |
| il est huit heures précises, juste, pile, tapantes | *son las ocho en punto* |
| il est midi | *son las doce* |
| à midi | *a las doce, a mediodía* |
| il est minuit | *son las doce de la noche* |
| à minuit | *a las doce de la noche, a medianoche* |

# Dictionnaire espagnol-français

# *Diccionario español-francés*

[1]**a** *f* **1.** a *m*: **de la ~ a la z** de a à z **2. ~ por ~ y be por be** en détail.
[2]**a** *prep* (se contracte en **al** avec *el*) **1.** *(dirección)* à, au, en: **ir ~ Londres, ~ Chile, ~ América** aller à Londres, au Chili, en Amérique; **peregrinación ~ Tierra Santa** pèlerinage en Terre sainte; dans: **subió ~ su cuarto** il monta dans sa chambre; **¡ven ~ mis brazos!** viens dans mes bras!; sur: **se subió ~ la silla** il monta sur la chaise; **fueron ~ la plaza** ils se rendirent sur la place; vers: **dirigirse al sur** se diriger vers le sud; de: **se aproximó ~ la ventana** il s'approcha de la fenêtre **2.** *(lugar, distancia)* à: **~ mi derecha** à ma droite; **~ las puertas de la ciudad** aux portes de la ville; **~ diez kilómetros** à dix kilomètres; **me detuve ~ los pocos pasos** je m'arrêtai au bout de quelques pas **3.** *(tiempo)* **~ las cinco** à cinq heures; **~ los treinta años** à trente ans; **~ los pocos días de llegado** peu de jours après son arrivée; **~ los pocos minutos** au bout de quelques minutes, quelques minutes après; *(distributivo)* **dos veces ~ la semana** deux fois par semaine; **sector ~ sector** secteur par secteur; *(fecha)* **~ 22 de mayo** le 22 mai **4.** *(precio)* **~ diez pesetas el kilo** à dix pesetas le kilo **5.** *(medio, instrumento, característica)* à: **~ caballo** à cheval; **escribir ~ máquina** écrire à la machine; **~ rayas** à rayures **6.** *(sentimiento)* de: **el amor ~ la patria** l'amour de la patrie **7.** *(+ complemento indirecto)* à: **escribir ~ un amigo** écrire à un ami **8.** *(+ complemento directo: se construye sin preposición en francés)* ne se traduit pas devant un complément d'objet direct désignant un être animé, personne, animal ou chose personnifiée (**adora ~ sus hijos** elle adore ses enfants; **no conozco ~ nadie aquí** je ne connais personne ici; **¿sabes ~ quien he visto ayer?: ~ Felipe** sais-tu qui j'ai vu hier?: Philippe; **no maltrates al perro** ne maltraite pas le chien; **Moscú acusa ~ Washington de...** Moscou accuse Washington de...) ni devant un infinitif complément d'un verbe de mouvement: **voy ~ telefonear** je vais téléphoner; **regresó ~ cenar** il rentra dîner **9.** *(+ infinitivo)* à: **la niña se puso ~ llorar** la petite fille se mit a pleurer; pour: **me llamó ~ almorzar** elle m'appela pour déjeuner; a parfois un sens impératif: **¡~ comer!** à table!; **¡~ dormir!** au lit!; **¡~ trabajar!** au travail!; **¡~ descansar!** repos!; **¡~ estar quieto!** du calme!, reste tranquille! **si la quieres, ~ casarte con ella** si tu l'aimes, marie-toi avec elle; **tú, ~ callar** toi, tais-toi; **~ ver si...** voyons si...; ou conditionnel: si; **hubiera sido simpática ~ no ser tan presumida** elle aurait été sympathique si elle n'avait pas été aussi prétentieuse **10. ~ que** je parie que: **~ que se cae** je parie qu'il va tomber; **~ que no lo sabes** je parie que tu ne le sais pas; **~ que me bebo la botella yo solo** chiche que je bois la bouteille à moi tout seul; **¿~ que te gusta?** ça te plaît, pas vrai?; **¿~ que no?, ¿~ que sí?** pas vrai? **11. ¿~ qué has venido?** pourquoi es-tu venu?; **¿~ qué viene esto?** à quoi ça rime?; **¿~ qué esas quejas?** à quoi riment ces lamentations?
▶ 8. Fíjese: el francés no exige preposición con el complemento directo.
▶ 5. L'emploi de *a* au lieu de *de* dans *cocina a gas*, etc. est un solécisme très répandu.

**ababol** *m* coquelicot.

**abacá** *m* abaca, chanvre de Manille.

**abacería** *f* épicerie.

**abacero, a** *s* épicier, ère.

**abacial** *a* abbatial, e.

**ábaco** *m* abaque.

**abad** *m* abbé.

**abadejo** *m (bacalao)* morue *f*.

**abadesa** *f* abbesse.

**abadía** *f* abbaye.

**abajamiento** *m* abaissement.

**abajeño, a** *a/s* AMER (originaire) de la côte.

**abajo** *adv* **1.** en bas: **tengo mi coche ~** ma voiture est en bas; **yo me quedo ~** je reste en bas; **miró hacia ~** il regarda en bas; **~ de todo** tout en bas ◊ **echar ~** démolir, abattre: **echaron ~, tiraron ~ la plaza de toros** on a démoli les arènes; *FIG* **echar ~** renverser; **irse ~, venirse ~** s'écrouler, s'effondrer: **durante el seísmo, miles de edificios se vinieron ~** pendant le séisme, des milliers d'édifices s'écroulèrent; **2.** dessous: **el piso de ~** l'étage en dessous; **cien para ~** au-dessous de cent **3. calle, cuesta ~** en descendant la rue, la côte; **lanzarse escalera ~** dévaler l'escalier; **vamos para ~** descendons; **río ~** en aval **4.** *loc adv* **de arriba ~ → arriba; más ~** plus bas, au-dessous; *(en un escrito)* ci-dessous. ◇ *interj* **¡~ el dictador!** à bas le dictateur!

**abalanzar** *vt* équilibrer. ◆ **~se** *vpr* s'élancer, se précipiter, se jeter: **me abalancé a la salida** je me précipitai vers la sortie; **se abalanzó contra su adversario** il se jeta sur son adversaire.

**abaldonar** *vt* offenser.

**abalear** *vt AMER* tirer sur.

**abalizamiento** *m* balisage.

**abalizar** *vt* baliser.

**abalorio** *m* verroterie *f*.

**abanderado** *m* porte-drapeau *inv*.

**abanderar** *vt MAR* mettre sous pavillon ◊ **barco abanderado en Cuba** navire battant pavillon cubain.

**abanderizar** *vt* diviser en factions. ◆ **~se** *vpr* s'enrôler, s'inscrire.

**abandonado, a** *a* **1.** abandonné, e: **niño ~** enfant abandonné **2.** *(descuidado, persona)* négligé, e, peu soigné, e **3.** *(descuidado, lugar)* mal tenu, e, à l'abandon.

**abandonar** *vt* **1.** abandonner: **~ a sus hijos** abandoner ses enfants **2.** *(dejar un lugar)* quitter. ◇ *vi* **corredor que abandona** coureur qui abandonne. ◆ **~se** *vpr* **1. abandonarse a la desesperación** s'abandonner au désespoir **2.** *(descuidarse)* s'abandonner, se laisser aller.

**abandonismo** *m* défaitisme.

**abandono** *m* **1.** abandon **2.** *(descuido)* laisser-aller **3. en ~** à l'abandon.

**abanicar** *vt* éventer. ◆ **~se** *vpr* s'éventer.

**abanicazo** *m* coup d'éventail.

**abanico** *m* **1.** éventail ◊ **en ~** en éventail **2.** *FIG* **amplio ~ de precios** large éventail de prix.

**abaniqueo** *m* jeu d'éventail.

**abano** *m* grand éventail suspendu au plafond, panka.

**abanto** *m (buitre)* vautour.

**abarajar** *vt AMER* attraper au vol.

**abaratamiento** *m* baisse *f*, diminution *f*: **el ~ de los precios** la baisse des prix.

**abaratar** *vt* faire baisser le prix de. ◆ **~se** *vpr* baisser, diminuer de prix.

**abarca** *f* sandale rustique.

**abarcamiento** *m* embrassement.

**abarcar** *vt* **1.** embrasser ◊ *PROV* **quien mucho abarca, poco aprieta** qui trop embrasse, mal étreint **2.** *FIG* embrasser, comprendre: **este estudio abarca todo el período...** cette étude embrasse toute la période... **3. ~ con la mirada** embrasser du regard.

**abarloar** *vt MAR* accoster.

**abarquillado, a** *a* gondolé, e, gauchi, e.

**abarquillamiento** *m* gondolement.

**abarquillar** *vt* gondoler. ◆ **~se** *vpr* se gondoler, gauchir.

**abarraganamiento** *m* concubinage.

**abarraganarse** *vpr* se mettre en ménage, à la colle.

**abarrancadero** *m* bourbier.

**abarrancar** *vt* raviner. ◆ **~se** *vpr* **1.** *MAR* échouer **2.** s'embourber.

**abarrotado, a → abarrotar.**

**abarrotar** *vt* **1.** *(atiborrar)* bourrer **2.** encombrer, remplir: **el muelle está abarrotado de bultos, de gente** le quai est encombré de colis, rempli de monde; **tren abarrotado** train bondé, surchargé; **cine abarrotado** cinéma plein à craquer. ◆ **~se** *vpr AMER* baisser de prix, diminuer.

**abarrotería** *f AMER* épicerie, quincaillerie.

**abarrotero, a** *s AMER* épicier, ère.

**abarrotes** *m pl AMER* comestibles, articles d'usage courant ◊ **tienda de ~** épicerie, bazar *m*.

**abastecedor, a** *s* fournisseur, pourvoyeur, euse.

**abastecer*** *vt* **1.** approvisionner, ravitailler: **~ de carne** ravitailler en viande **2.** *FIG* nourrir. ◆ **~se** *vpr* s'approvisionner.

**abastecimiento** *m* approvisionnement, ravitaillement: **el ~ de la capital de víveres, de combustibles** l'approvisionnement de la capitale en vivres, en combustibles; **~ en vuelo de un avión** ravitaillement en vol d'un avion.

**abastero** *m AMER* fournisseur.

**abasto** *m* **1.** ravitaillement **2. no dar ~** ne pas suffire; **no doy ~** je suis débordé, je n'y suffis plus, je n'y arrive pas **3.** *AMER (tienda de comestibles)* épicerie *f*.

**abatanar** *vt (el paño)* fouler.

**abatatar** *vt AMER* intimider. ◆ **~se** *vpr* se troubler, perdre ses moyens.

**abate** *m* **1.** *ANT* ecclésiastique qui n'avait que les ordres mineurs **2.** prêtre étranger, abbé: **el ~ Prévost** l'abbé Prévost.

**abatí** *m AMER* maïs.

**abatible** *a* inclinable, rabattable, pliable.

**abatimiento** *m* abattement.

**abatir** *vt* **1.** *(derribar)* abattre: **~ una casa** abattre une maison **2.** *(inclinar)* coucher, rabattre: **~ los asientos de un coche** rabattre les sièges d'une voiture **3.** *(una tienda de campaña)* démonter **4.** *(una vela, una bandera)* amener **5.** *FIG (desanimar)* abattre, déprimer: **este fracaso lo ha abatido** cet échec l'a abattu. ◆ **~se** *vpr* **1.** *(un ave de rapiña)* s'abattre, fondre: **el águila se abatió sobre su presa** l'aigle fondit sur sa proie **2.** *FIG* se soumettre, céder.

**abazón** *m* abajoue *f*.

**abdicación** *f* abdication.

**abdicar** *vt* abdiquer: **~ la corona en** abdiquer la couronne en faveur de. ◇ *vi* **1.** abdiquer **2. ~ de** renoncer à, abandonner: **sin ~ de sus pretensiones** sans renoncer à ses prétentions.

**abdomen** *m* abdomen.

**abdominal** *a* abdominal, e. ◇ *m pl* **los abdominales** les abdominaux.

**abducción** *f* abduction.

**abductor** *a/m* abducteur: **músculo ~** muscle abducteur.

**abecé** *m* abécé, ABC.

**abecedario** *m* **1.** *(librito)* abécédaire, abécé **2.** alphabet.

**abedul** *m* bouleau.

**abeja** *f* abeille ◊ **~ machiega, maestra, reina** reine.

**abejar** *m* rucher.

**abejarrón** *m* bourdon.

**abejaruco** *m* guêpier.

**abejero** *m (pájaro)* guêpier.

**abejón** *m* **1.** *(zángano)* faux bourdon **2.** *(himenóptero)* bourdon.

**abejorreo** *m* bourdonnement.

**abejorro** *m* **1.** *(himenóptero)* bourdon **2.** *(coleóptero)* hanneton.

**Abelardo** *np m* Abélard.

**Abencerraje** *np m HIST* Abencérage.

**aberración** *f* aberration.

**aberrante** *a* aberrant, e.

**abertura** *f* **1.** *(acción de abrir, hueco)* ouverture **2.** fente: **falda con una ~ lateral** jupe avec une fente sur le côté **3.** *(entre dos montañas)* trouée **4.** *FIG* ouverture, franchise.

**abetal** *m* sapinière *f*.

**abeto** *m* sapin: **~ navideño** sapin de Noël.

**abicharse** *vpr AMER* être infesté, e par les vers.

**abiertamente** *adv* ouvertement.

**abierto, a** *pp* de **abrir.** ◇ *a* **1.** ouvert, e: **~ de par en par** grand ouvert; **farmacia abierta de noche** pharmacie ouverte la nuit; **vocal abierta** voyelle ouverte **2.** *(terreno)* découvert, e **3.** *FIG (persona)* ouvert, e **4.** *(televisión)* **emitir en ~** émettre en clair.

**abigarrado, a** *a* **1.** bigarré, e, bariolé, e **2.** *FIG* bigarré, e.

**abigarramiento** *m* bigarrure *f*, bariolage.

**abigarrar** *vt* barioler, bigarrer.

**abigeato** *m JUR* vol de bétail.

**abigeo** *m* voleur de bétail.

**abisal** *a* abyssal, e: **fauna ~** faune abyssale.

**Abisinia** *np f* Abyssinie.

**abisinio, a** *a/s* abyssin, e.

**abismal** *a* abyssal, e.

**abismar** *vt* engloutir, plonger dans un abîme. ◆ **~se** *vpr* **1.** *(en el dolor)* s'abîmer **2. abismarse en la lectura** se plonger dans la lecture.

**abismo** *m* **1.** abîme, gouffre **2. carrera hacia el ~** course à l'abîme **3.** *FIG* **hay un ~ entre...** il y a un monde entre..., un abîme entre...

**abjuración** *f* abjuration.

**abjurar** *vt/i* abjurer: **~ (del) catolicismo** abjurer le catholicisme; **~ de sus creencias** abjurer ses croyances.

**ablación** *f* ablation.

**ablandamiento** *m* **1.** ramollissement **2.** adoucissement.

**ablandar** *vt* **1.** ramollir, amollir **2.** *(la carne)* attendrir **3.** *(el agua)* adoucir **4.** *FIG (a alguien enfadado)* calmer, apaiser **5.** *(con ternura)* attendrir, fléchir ◊ *FIG* **~ las piedras** attendrir les cœurs les plus durs. ◆ **~se** *vpr FIG* s'adoucir, se laisser attendrir: **no nos ablandemos** ne nous attendrissons pas.

**ablande** *m AMER* rodage.

**ablandecer*** *vt* ramollir.

**ablativo** *m* ablatif: **~ absoluto** ablatif absolu.

**ablución** *f* ablution: **hacer sus abluciones** faire ses ablutions.

**ablusado, a** *a* blousant, e.

**abnegación** *f* abnégation, dévouement *m*.

**abnegadamente** *adv* avec abnégation.

**abnegado, a** *a* dévoué, e.

**abobado, a** *a* **1.** stupide, ahuri, e **2. ~ por el sueño** abruti par le sommeil, de sommeil.

**abobamiento** *m* hébétude *f*, abrutissement, stupidité *f*.

**abobar** *vt* hébéter.

**abocado, a** *a* **1.** *(vino)* demi-sec **2. estar ~ a una crisis** être à deux doigts d'une crise; **estar ~ al fracaso** être au bord de l'échec.

**abocar** *vt* **1.** *(verter)* verser **2.** *(acercar)* approcher. ◇ *vi* **~ en** déboucher sur, aboutir à: **esto podría ~ en un conflicto** cela pourrait finir par un conflit. ◆ **~se** *vpr* **1.** *(reunirse)* s'aboucher **2.** *AMER* se décider à aborder (une question, etc.).

**abocardado, a** *a* évasé, e.

**abocetar** *vt* ébaucher, esquisser.

**abochornado, a** *a FIG* honteux, euse, confus, e.

**abochornar** *vt* **1.** *(el calor)* suffoquer **2.** *FIG (de vergüenza)* faire rougir de honte, faire honte: **me abochorna confesarlo** j'ai honte de l'avouer. ◆ **~se** *vpr* **1.** *(avergonzarse)* rougir de honte **2.** *(las plantas)* être grillé, e, se dessécher.

**abocinado, a** *a* évasé, e.

**abofetear** *vt* gifler, souffleter.

**abogacía** *f* profession d'avocat, barreau *m*.

**abogada** *f* avocate.

**abogaderas** *f pl AMER* raisonnements *m* spécieux.

**abogadillo** *m* avocaillon.

**abogado** *m* **1.** avocat **2. el ~ del diablo** l'avocat du diable **3.** *FIG* avocat, défenseur.

**abogar** *vi* plaider: **~ por, en favor de** plaider pour, en faveur de, se faire le défenseur de.

**abolengo** *m* ascendance *f* ◊ **familia de rancio ~** famille de vieille souche.

**abolición** *f* abolition.

**abolicionismo** *m* abolitionnisme.

**abolicionista** *a/s* abolitionniste.

**abolir*** *vt* abolir.

**abolladura** *f* bosse, bosselure.

**abollar** *vt* cabosser, bosseler.

**abollonar** *vt* bosseler.

**abolsarse** *vpr* prendre la forme d'une poche, gonfler.

**abombado, a** *a* **1.** bombé, e **2.** *AMER (ebrio)* ivre, éméché, e.

**abombar** *vt* **1.** bomber **2.** *FIG* étourdir. ◆ **~se** *vpr* **1.** *(emborracharse)* s'enivrer **2.** *AMER* se corrompre, pourrir; *(el agua)* croupir.

**abominable** *a* abominable.

**abominablemente** *adv* abominablement.

**abominación** *f* abomination.

**abominar** *vt* avoir en abomination, en horreur, abominer, avoir horreur de: **abomino la hipocresía** j'ai horreur de l'hypocrisie. ◇ *vi* **~ de** avoir en abomination, maudire ◊ **la naturaleza abomina del vacío** la nature a horreur du vide.

**abonado, a** *a* **1.** *COM* **cantidad abonada** somme versée **2.** *(que es de fiar)* sûr, e, digne de confiance **3.** *FIG* **terreno ~ para** terrain idéal pour. ◇ *s* abonné, e: **~ al teléfono** abonné au téléphone.

**abonanzar** *vi* **1.** s'apaiser **2.** *(el tiempo)* tourner au beau.

**abonar** *vt* **1.** *(salir fiador de alguien)* cautionner, répondre de **2.** garantir, certifier **3. ~ una idea, un rumor** accréditer une idée, un bruit **4.** *AGR* fumer, amender **5.** *(pagar)* payer, verser: **~ una factura, el importe de...** payer une facture, le montant de...; **~ al contado, en metálico** payer comptant, en espèces; **~ mil pesetas en concepto de indemnización** verser mille pesetas à titre d'indemnité **6.** *COM (asentar en una cuenta)* créditer ◊ **~ en cuenta de** verser au compte de **7.** *(inscribir)* abonner. ◆ **~se** *vpr (suscribirse)* s'abonner: **abonarse a una revista** s'abonner à une revue.

**abonaré** *m COM* billet à ordre.

**abono** *m* **1.** *(pago)* paiement **2.** *(suscripción)* abonnement: **sacar un ~** prendre un abonnement; **renovar su ~** renouveler son abonnement **3.** *AGR (fertilizante)* engrais.

**abordable** *a* abordable.

**abordaje** *m* abordage: **¡al ~!** à l'abordage!

**abordar** *vt/i* **1.** aborder **2. ~ a una persona, un tema** aborder une personne, un sujet.

**aborigen** *a/s* aborigène: **los aborígenes** les aborigènes.

**aborrascarse** *vpr* devenir orageux, euse.

**aborrecer*** *vt* **1.** détester, haïr, abhorrer: **aborrezco a este hombre** je déteste cet homme; **~ de muerte** haïr cordialement, haïr mortellement: **aborrece viajar** il déteste voyager, il a horreur de voyager **2.** *(exasperar)* ennuyer, fatiguer, agacer: **me aborreces con tus preguntas idiotas** tu me fatigues avec tes questions idiotes **3.** *(el nido, a sus crías)* abandonner.

**aborrecible** *a* haïssable.

**aborrecimiento** *m* aversion *f*, haine *f*.

**aborregado, a** *a* **cielo ~** ciel moutonné, pommelé.

**aborregarse** *vpr* se moutonner, se pommeler.

**abortar** *vi* **1.** avorter **2.** *(involuntariamente)* faire une fausse couche **3.** *FIG (fracasar)* avorter, échouer. ◇ *vt FIG* faire échouer, faire capoter: **~ un intento de sabotaje** faire échouer une tentative de sabotage.

**abortista** *a* en faveur de l'avortement. ◇ *s* partisan de la dépénalisation de l'avortement.

**abortivo, a** *a/m* abortif, ive.

**aborto** *m* **1.** *(voluntario)* avortement **2.** *(involuntario)* fausse couche *f* **3.** *FAM (persona)* avorton, monstre.

**aborujarse** *vpr* **1.** se mettre en pelote **2.** se grumeler.

**abotagado, a, abotargado, a** *a* bouffi, e, boursouflé, e, enflé, e: **un rostro ~** un visage bouffi.

**abotagarse, abotargarse** *vpr* bouffir, se boursoufler, enfler.

**abotinado, a** *a (zapato)* montant, e.

**abotonar** *vt* boutonner.

**abovedado, a** *a* voûté, e.

**abovedar** *vt* voûter, cintrer.

**abozalar** *vt* museler.

**abra** *f* **1.** *(bahía)* anse, crique **2.** *(entre dos montañas)* col *m*, vallée.

**abracadabrante** *a* abracadabrant, e.

**Abraham, Abrahán** *np m* Abraham.

**abrasador, a** *a* brûlant, e.

**abrasar** *vt* **1.** embraser, brûler **2.** *(las plantas)* griller, brûler **3.** *FIG (una pasión)* brûler, consumer. ◇ *vi* être brûlant, e: **su frente abrasa** son front est brûlant. ◆ **~se** *vpr* **1.** brûler **2. ~ en deseos** brûler d'envie.

**abrasión** *f TECN* abrasion.

**abrasivo, a** *a/m TECN* abrasif, ive.

**abrazadera** *f* **1.** *(anillo)* anneau *m*, bague **2.** bride **3.** *(en imprenta)* crochet *m*.

**abrazar** *vt* **1.** serrer dans ses bras, étreindre, enlacer: **la abrazó contra su pecho** il la serra contre sa poitrine; **abrazó a su pareja** il enlaça sa cavalière **2.** *FIG (abarcar)* embrasser, englober **3.** *(una religión)* embrasser **4.** *(una causa)* épouser. ◆ **~se** *vpr* serrer dans ses bras, étreindre: **me abracé a ella** je la serrai dans mes bras.
▶ N'a pas le sens de «donner un baiser» comme, en français, le verbe *embrasser*.

**abrazo** *m* **1.** embrassade *f*, accolade *f* **2.** *(muy cariñoso)* étreinte *f* **3.** *(en cartas)* **un fuerte ~** bien amicalement, très affectueusement.

**abrecartas** *m inv* coupe-papier.

**ábrego** *m* vent du sud-ouest.

**abrelatas** *m inv* ouvre-boîtes.

**abrevadero** *m* abreuvoir.

**abrevar** *vt* abreuver.

**abreviación** *f* abréviation.

**abreviadamente** *adv* sommairement, en abrégé.

**abreviado, a** *a* abrégé, e.

**abreviar*** *vt* abréger.

**abreviatura** *f* abréviation.

**abridor** *m* **1.** *(para botellas)* décapsuleur, ouvre-bouteilles **2.** *(abrelatas)* ouvre-boîtes.

**abrigadero** *m* abri.

**abrigar** *vt* **1.** abriter **2.** protéger **3.** *(tapar)* couvrit: **abrigó sus hombros con un chal** elle couvrit ses épaules d'un châle **4.** *FIG (afectos, sospechas)* nourrir. ◆ **~se** *vpr* **1.** s'abriter **2.** *(con ropa)* se couvrir, s'habiller: **hace frío, abrígate bien** il fait froid, couvre-toi bien.

**abrigo** *m* **1.** *(prenda para ambos sexos)* manteau; *(de hombre)* pardessus: **~ de pieles** manteau de fourrure **2.** *(lugar)* abri, refuge **3. ropa de ~** des vêtements chauds; *FAM* **de ~** dangereux, euse, qu'il faut avoir à l'œil **4.** *loc prep* **al ~ de** à l'abri de.

**abril** *m* **1.** *(mes)* avril: **el primero de ~** le premier avril **2.** *FIG* **estar hecho un ~** être pimpant, e, fringant, e. ◇ *pl (años de la juventud)* **tiene quince abriles** elle a quinze printemps.

**abrileño, a** *a* du mois d'avril, printanier, ère.

**abrillantador** *m (producto)* produit pour lustrer.

**abrillantar** *vt (pulir)* faire briller, polir.

**abrir*** *vt* **1.** ouvrir: **ábreme la puerta** ouvre-moi la porte; **~ una sucursal** ouvrir une succursale; **~ el apetito** ouvrir l'appétit; *FIG* **~ los ojos** ouvrir les yeux **2.** *(calle, túnel)* ouvrir, percer **3. ~ un libro** couper les pages d'un livre. ◇ *vi (puerta, etc.)* ouvrir ◊ **mañana abren los Tribunales** c'est demain la rentrée des tribunaux. ◆ **~se** *vpr* **1.** s'ouvrir: **el paracaídas se ha abierto** le parachute s'est ouvert **2.** *FIG* **abrirse a, con un amigo** s'ouvrir à un ami **3. mi cuarto se abre a un pasillo** ma chambre donne sur un couloir.
▶ Pp. irrég.: *abierto*.

**abrochar** *vt* **1.** *(con botones)* boutonner, *(con broche)* agrafer **2.** *(atar)* attacher. ◆ **~se** *vpr* **1.** boutonner: **¡abróchate el abrigo!** boutonne ton manteau! **2.** attacher: **abróchense los cinturones** attachez vos ceintures.

**abrogación** *f* abrogation.

**abrogar** *vt* abroger.

**abrojal** *m* terrain couvert de ronces.

**abrojo** *m* **1.** variété de chardon **2.** *MIL* chausse-trappe *f*. ◇ *pl* **1.** ronces *f* **2.** *MAR* écueils.

**abroncar** *vt* **1.** *(reprender)* attraper **2.** *(abuchear)* huer **3.** *(avergonzar)* faire honte.

**abroquelarse** *vpr* **1.** se couvrir de son bouclier, se protéger **2.** *FIG* se couvrir, se retrancher.

**abrótano** *m* armoise *f* à feuilles odorantes.

**abrotoñar** *vi* bourgeonner.

**abrumador, a** *a* écrasant, e, accablant, e: **una responsabilidad abrumadora** une responsabilité écrasante; **abrumadora mayoría** écrasante majorité; **pruebas abrumadoras** preuves accablantes.

**abrumar** *vt* **1.** accabler, écraser: **le abruman las preocupaciones** les soucis l'accablent; **estar abrumado de trabajo** être écrasé de travail **2.** *(en una discusión)* confondre **3.** *(humillar)* humilier, ridiculiser. ◆ **~se** *vpr (la atmósfera)* se couvrir de brume.

**abrupto, a** *a* abrupt, e, escarpé, e.

**Abruzos** *np m pl* Abruzzes.

**absceso** *m* abcès.

**abscisa** *f GEOM* abscisse.

**absentismo** *m* absentéisme.

**absentista** *a/s* absentéiste.

**ábside** *m ARQ* abside *f*.

**absidial** *a* absidial, e.

**absidiola** *f ARQ* absidiole.

**absolución** *f* **1.** *RELIG* absolution **2.** *JUR* acquittement *m*.

**absoluta** *f* **1.** affirmation catégorique **2.** *MIL* quille, libération définitive.

**absolutamente** *adv* absolument.

**absolutismo** *m* absolutisme.

**absolutista** *a/s* absolutiste.

**absoluto, a** *a* **1.** absolu, e **2.** *loc adv* **en ~** *(completamente)* absolument; *(de ninguna manera)* pas du tout, absolument pas. ◇ *m* **lo ~** l'absolu.

**absolutorio, a** *a JUR* absolutoire.

**absolver*** *vt* **1.** *(a un penitente)* absoudre **2.** *(a un reo)* acquitter **3.** *(declarar libre)* dégager.
▶ Pp irrég.: *absuelto, a*.

**absorbente** *a/m* absorbant, e.

**absorber** *vt* **1.** absorber **2.** *FIG* absorber: **su trabajo lo absorbe** son travail l'absorbe; **empresa absorbida por una multinacional** entreprise absorbée par une multinationale.

**absorbible** *a* absorbable.

**absorción** *f* absorption.

**absorto, a** *pp irreg* de **absorber.** ◇ *a* **1. ~ en** absorbé par, plongé dans **2.** *(atónito)* étonné, e, stupéfait, e **3.** *(en un éxtasis)* en extase.

**abstemio, a** *a/s* abstème.

**abstención** *f* abstention.

**abstencionismo** *m* abstentionnisme.

**abstencionista** *a/s* abstentionniste.

**abstenerse*** *vpr* s'abstenir, se dispenser: **se abstuvo de votar** il s'est abstenu de voter; **me abstuve de hacerlo** je me suis abstenu de le faire; **absténgase de criticarle** abstenez-vous de le critiquer; **en la duda, abstente** dans le doute, abstiens-toi.

**abstinencia** *f* **1.** abstinence **2.** *(droga)* **síndrome de ~** état de manque.

**abstinente** *a/s* abstinent, e.

**abstracción** *f* abstraction.

**abstracto, a** *a* **1.** abstrait, e: **idea abstracta** idée abstraite; **arte ~** art abstrait **2. en ~** dans l'abstrait, abstraitement.

**abstraer*** *vt* abstraire. ◆ **~se** *vpr* s'abstraire.
▶ Ce verbe a deux participes passés: *abstracto*, irrég., et *abstraído* rég.

**abstraído, a** *a* **1.** absorbé, e, plongé, e: **estar ~ en sus reflexiones** être plongé dans ses réflexions **2.** *(ensimismado)* distrait, e, absent, e.

**abstruso, a** *a* abstrus, e.

**abstuve,** etc. → **abstener.**

**absuelto** → **absolver.**

**absurdidad** *f* absurdité.

**absurdo, a** *a* absurde. ◇ *m* **1.** absurdité *f*, bêtise *f*: **esta decisión fue un ~** cette décision a été une absurdité; **decir absurdos** dire des absurdités **2. reducir al ~** raisonner par l'absurde.

**abubilla** *f (pájaro)* huppe.

**abuchear** *vt* huer, conspuer, siffler: **~ a un orador** siffler un orateur.

**abucheo** *m* **1.** huées *f pl*, sifflets *pl*: **en medio de un ~** au milieu des huées **2.** *(de alumnos)* chahut.

**abuela** *f* **1.** grand-mère **2.** FAM **¡cuéntaselo a tu ~!** à d'autres!; **no necesitar ~** ne pas se moucher du coude; **éramos pocos y parió la ~** on était déjà suffisamment nombreux, il ne manquait plus que ça.

**abuelita** *f* bonne-maman, mamie.

**abuelito** *m* bon-papa, papi.

**abuelo** *m* **1.** grand-père: **mi ~ paterno** mon grand-père paternel **2.** FIG grand-père, petit vieux. ◇ *pl* **1.** grands-parents **2.** *(antepasados)* aïeux, ancêtres **3.** ANT cheveux follets sur la nuque.

**abuhardillado, a** *a* mansardé, e: **una habitación abuhardillada** une chambre mansardée.

**abulense** *a/s* d'Ávila.

**abulia** *f* aboulie.

**abúlico, a** *a/s* aboulique.

**abulón** *m (molusco)* ormeau.

**abultado, a** *a* **1.** gros, grosse, volumineux, euse **2.** épais, aisse: **labios abultados** lèvres épaisses **3.** *(hinchado)* enflé, e.

**abultamiento** *m (bulto)* protubérance *f*, renflement.

**abultar** *vt* **1.** grossir **2.** FIG grossir, exagérer. ◇ *vi* **1.** être gros, grosse, faire du volume **2.** prendre de la place, être encombrant, e: **esta cama plegable casi no abulta** ce lit pliant ne prend presque pas de place.

**abundamiento** *m* **1.** abondance *f* **2. a mayor ~** en plus, en outre.

**abundancia** *f* abondance: **nadar en la ~** vivre dans l'abondance.

**abundante** *a* abondant, e.

**abundantemente** *adv* abondamment.

**abundar** *vi* abonder ◊ PROV **lo que abunda no daña** abondance de biens ne nuit pas.

**abundoso, a** *a* abondant, e.

**¡abur!** *interj* FAM au revoir!, salut!

**aburguesamiento** *m* embourgeoisement.

**aburguesarse** *vpr* s'embourgeoiser: **se ha aburguesado** il s'est embourgeoisé.

**aburrido, a** *a* **1.** ennuyeux, euse: **el discurso resultó ~** le discours a été ennuyeux ◊ **me tiene ~ con sus quejas** il m'assomme avec ses jérémiades **2. estar ~** s'ennuyer; **estar ~ de...** en avoir assez de... **3.** las, lasse, dégoûté, e: **un aire ~** un air las.

**aburrimiento** *m* **1.** *(cosa aburrida)* ennui **2.** *(tedio)* lassitude *f*.

**aburrir** *vt* ennuyer: **me aburre este trabajo** ce travail m'ennuie. ◆ **~se** *vpr* **1.** s'ennuyer, s'embêter: **me aburro** je m'ennuie; **me aburrí de lo lindo** je me suis joliment embêté **2. aburrirse de** se lasser de, en avoir assez de.

**abusar** *vi* abuser: **~ de algo, de alguien** abuser de quelque chose, de quelqu'un.

**abusivamente** *adv* abusivement.

**abusivo, a** *a* abusif, ive.

**abuso** *m* abus: **~ de confianza** abus de confiance; **~ de autoridad** abus d'autorité, de pouvoir.

**abusón, ona** *a/s* profiteur, euse.

**abyección** *f* abjection.

**abyecto, a** *a* abject, e.

**acá** *adv* **1.** ici, là: **¡ven ~!** viens ici!; **¡trae ~!** apporte!, donne!; près: **más ~** plus près; **muy ~** tout près; **no tan ~** pas si près ◊ *loc adv* **~ y allá, ~ y acullá** çà et là, ici et là; **de ~ para allá** de-ci de-là **2.** *(tiempo)* depuis: **desde ayer ~** depuis hier; **¿de cuándo ~?** depuis quand?
▶ *Acá* est moins précis que *aquí*. En Argentine, Uruguay, Chili, etc., s'emploie couramment à la place de *aquí*: *¿vos por ~?* toi ici?

**acabadamente** *adv* complètement.

**acabado, a** *a* **1.** fini, e, achevé, e, terminé, e **2.** *(perfecto)* parfait, e, achevé, e, accompli, e **3.** *(agotado)* fini, e, usé, e: **un hombre ~** un homme fini. ◇ *m* **1.** *(operación)* finissage, finition *f* **2.** *(resultado)* fini, finition *f*: **un ~ de calidad** une finition de qualité.

**acaballadero** *m* **1.** *(lugar)* haras **2.** *(temporada)* monte *f*.

**acaballado, a** *a* chevalin, e.

**acaballar** *vt (la yegua)* saillir, couvrir.

**acaballerado, a** *a* distingué, e.

**acabamiento** *m* achèvement.

**acabar** *vt* **1.** finir, achever, terminer: **acabaré este trabajo mañana** je finirai ce travail demain; **~ sus días** finir ses jours **2.** *(agotar)* épuiser. ◇ *vi* **1.** finir, se terminer ◊ FAM **¡acabáramos!** enfin!, ce n'est pas trop tôt! **2. ~ con** en finir avec, venir à bout de: **~ con el paro** en finir avec le chômage **3. ~ de** *(+ infinitivo)* venir de: **acabo de recibir su carta** je viens de recevoir votre lettre; **acaba de salir el sol** le soleil vient de se lever; **la noticia nos acaba de ser confirmada** la nouvelle vient de nous être confirmée **4. acabó por aceptar, acabó aceptando** il a fini par accepter **5. no acabo de entender tu forma de actuar** je ne comprends pas du tout, je n'arrive pas à comprendre ta façon d'agir; **no le acababa de gustar...** il n'aimait pas...; **no me lo acabo de creer** je n'arrive pas à y croire **6. el cuento de nunca ~** → **cuento.** ◆ **~se** *vpr* **1.** prendre fin: **se acabó nuestro viaje** notre voyage a pris fin **2.** mourir, s'éteindre **3.** FAM **¡se acabó!** un point c'est tout!, c'est fini!

**acabiray** *m* AMER sorte de vautour, urubu.

**acabóse** *m* FAM **es el ~** c'est la fin de tout, la fin des haricots, le bouquet, le comble.

**acachetar** *vt* gifler.

**acacia** *f* acacia *m.*

**academia** *f* **1.** académie: **la Real Academia** l'Académie royale (espagnole) **2.** *(establecimiento privado)* école, cours *m:* **~ de idiomas** école de langues; **~ de baile** cours de danse **3.** *(pintura, escultura)* académie.

**academicismo** *m* académisme.

**académico, a** *a* **1.** académique **2.** *(título, año, etc.)* universitaire. ◇ *s* académicien, enne.

**Acadia** *np f* Acadie.

**acaecedero, a** *a* possible.

**acaecer*** *vi* arriver, avoir lieu, se passer: **la catástrofe acaeció en plena noche** la catastrophe a eu lieu en pleine nuit.

**acaecimiento** *m* événement.

**acalambrarse** *vpr* être pris d'une crampe.

**acallar** *vt* **1.** faire taire **2.** *FIG (la voz de la conciencia, etc.)* faire taire: **~ los rumores** faire taire les rumeurs **3.** *(el dolor)* calmer.

**acaloradamente** *adv* avec ardeur, passion.

**acalorado, a** *a* **1.** échauffé, e **2.** *FIG (conversación)* animé, e **3.** *(riña)* violent, e.

**acaloramiento** *m* **1.** échauffement **2.** *FIG* ardeur *f.*

**acalorar** *vt* **1.** échauffer **2.** *FIG* échauffer, animer. ◆ **~se** *vpr* **1.** *(excitarse)* s'enflammer, prendre feu **2.** *(irritarse)* s'emporter, s'énerver: **no se acalore** ne vous énervez pas.

**acampada** *f* camping *m:* **~ libre** camping sauvage; **irse de ~** partir faire du camping, aller camper.

**acampamiento** *m* campement.

**acampanado, a** *a* en forme de cloche.

**acampar** *vi* camper: **acampamos en la orilla del lago** nous avons campé au bord du lac. ◆ **~se** *vpr* camper.

**acanalado, a** *a* **1.** cannelé, e **2.** strié, e **3.** *(un jersey, etc.)* à côtes.

**acanalador** *m* bouvet.

**acanalar** *vt* **1.** canneler **2.** strier.

**acanallado, a** *a* canaille.

**acantilado, a** *a* escarpé, e, à pic. ◇ *m* falaise *f.*

**acanto** *m* acanthe *f.*

**acantonamiento** *m MIL* cantonnement.

**acantonar** *vt MIL* cantonner.

**acaparador, a** *a/s* **1.** accapareur, euse **2.** **~ de cargos** cumulard.

**acaparamiento** *m* **1.** accaparement **2.** *(de cargos)* cumul.

**acaparar** *vt* **1.** accaparer **2.** *(cargos)* cumuler.

**acápite** *m AMER* alinéa.

**acaracolado, a** *a* en spirale.

**acaramelado, a** *a FIG* très doux, douce ◊ **estar acaramelados** être comme deux tourtereaux, filer le parfait amour.

**acaramelar** *vt* caraméliser. ◆ **~se** *vpr FIG* être tout sucre tout miel, se faire les yeux doux.

**acariciador, a** *a* caressant, e.

**acariciar*** *vt* **1.** caresser **2.** *FIG (idea, proyecto)* caresser.

**acáridos** *m pl ZOOL* acariens.

**acarrear** *vt* **1.** transporter **2.** *(en carro)* charroyer **3.** *(el agua)* charrier **4.** *FIG* amener, occasionner, entraîner: **esta imprudencia nos podría ~ muchos disgustos** cette imprudence pourrait nous amener bien des ennuis.

**acarreo** *m* **1.** transport **2.** *(en carro)* charroi **3.** **tierras de ~** terres d'alluvion.

**acartonarse** *vpr FIG* se ratatiner, se dessécher, se parcheminer: **rostro acartonado** visage parcheminé.

**acaso** *m* hasard. ◇ *adv* **1.** *(dubitativo)* peut-être: **~ lo sepas** peut-être le sais-tu **2.** *(por casualidad)* par hasard: **si ~ llego antes que tú** si par hasard j'arrive avant toi; **¿~ me equivoco?** est-ce que par hasard je me trompe? **3.** *loc adv* **por si ~** au cas où, en cas que: **por si ~ llega...** au cas où il viendrait...; à tout hasard **me llevo el impermeable por si ~** je prends mon imperméable à tout hasard; **si ~** *(en todo caso)* en tout cas.

**acastillaje** *m MAR* accastillage.

**acatable** *a* respectable.

**acatamiento** *m* respect, obéissance *f,* soumission *f:* **el ~ a la Constitución** le respect de la Constitution.

**acatar** *vt* **1.** respecter **2.** *(ley, etc.)* respecter, obéir à, se soumettre à, se plier à: **~ la consigna** respecter la consigne; **~ la voluntad de Dios** se soumettre à la volonté de Dieu; **~ una orden** obéir à un ordre **3.** *AMER (notar)* remarquer.

**acatarrado, a** *a* enrhumé, e.

**acatarrarse** *vpr* s'enrhumer.

**acato** → **acatamiento.**

**acaudalado, a** *a* riche, fortuné, e.

**acaudalar** *vt* amasser, thésauriser.

**acaudillar** *vt* commander, diriger.

**acceder** *vi* **1.** accéder: **~ a una petición** accéder à une demande **2.** accepter de, consentir: **ha accedido a acompañarme** il a accepté de, consenti à m'accompagner; **accedió a que...** il a consenti à ce que... **3.** *(tener acceso)* avoir accès **4.** **~ a Internet** accéder à Internet.

**accesibilidad** *f* accessibilité.

**accesible** *a* accessible.

**accesión** *f* **1.** consentement *m* **2.** *JUR* accession.

**accésit** *m* accessit.

**acceso** *m* **1.** accès ◊ **tener ~ a alguien** avoir accès auprès de quelqu'un **2.** **~ de fiebre** poussée *f* de fièvre; **~ de epilepsia, de celos** crise *f* d'épilepsie, de jalousie; **~ de locura** accès de folie; **~ de tos** quinte *f* de toux **3.** *(de miedo)* mouvement **4.** *INFORM* accès: **tener ~ a Internet** avoir accès à Internet.

**accesoriamente** *adv* accessoirement.

**accesorio, a** *a* **1.** accessoire **2.** **gastos accesorios** faux frais. ◇ *m* accessoire: **accesorios de automóvil** accessoires d'automobile. ◇ *f pl (edificio)* dépendances.

**accidentado, a** *a* **1.** *(terreno)* accidenté, e **2.** *(vida, etc.)* mouvementé, e, agité, e. ◇ *a/s (persona que ha sufrido un accidente)* accidenté, e.

**accidental** *a* **1.** accidentel, elle, fortuit, e: **un encuentro ~** une rencontre fortuite **2.** intérimaire, par intérim: **presidente ~** président par intérim; **secretario ~** secrétaire intérimaire.

**accidentalmente** *adv* accidentellement.

**accidentar** *vt* causer un accident à.

**accidente** *m* **1.** accident: **~ de carretera, de circulación** accident de la route, de la circulation; **~ aéreo** accident d'avion; **~ de trabajo** accident du travail **2.** *(indisposición)* attaque *f,* accident **3.** *loc adv* **por ~** accidentellement.

**acción** *f* **1.** action: **buena, mala ~** bonne, mauvaise action; **libertad de ~** liberté d'action; **~ directa** action directe ◊ **~ de gracias** action de grâces; **poner en ~** mettre en action **2.** *(de un actor)* jeu *m* **3.** *(trama)* intrigue ◊ **la ~ sucede en la casa de un guardabosques** la scène se passe dans la maison d'un garde forestier **4.** *MIL* action militaire, combat *m,* engagement *m* **5.** *COM* action: **sociedad por acciones** société par actions **6.** *(cine)* **¡acción!** on tourne!

**accionado** *m* gestes *pl.*

**accionar** *vi* gesticuler, faire des gestes. ◇ *vt* actionner: **~ una palanca** actionner un levier.

**accionariado** *m* actionnariat.

**accionista** *s* actionnaire.

**acebo** *m* houx.

**acebuche** *m* olivier sauvage.

**acechanza** *f* guet *m*.

**acechar** *vt* guetter, épier.

**acecho** *m* **1.** guet **2.** *loc adv* **al ~** aux aguets, à l'affût.

**acecinar** *vt (carne)* boucaner. ◆ **~se** *vpr (una persona)* se ratatiner.

**acedar** *vt* aigrir.

**acedera** *f* oseille.

**acedía** *f* **1.** acidité, aigreur **2. tener ~** avoir des aigreurs d'estomac **3.** *(pez)* carrelet *m*, plie.

**acedo, a** *a* **1.** aigre, acide **2.** *FIG* revêche.

**acefalía** *f* acéphalie.

**acéfalo, a** *a* acéphale.

**aceitar** *vt* huiler.

**aceite** *m* **1.** huile *f*: **~ de oliva, de cacahuete, de soja, de girasol** huile d'olive, d'arachide, de soja, de tournesol; **sardinas en ~** sardines à l'huile **2.** *(lubrificante)* huile *f*.

**aceitera** *f (recipiente)* burette. ◇ *pl (vinagreras)* huilier *m sing*.

**aceitero, a** *a* huilier, ère: **industria aceitera** industrie huilière. ◇ *m* marchand d'huile.

**aceitoso, a** *a* huileux, euse.

**aceituna** *f* olive: **~ rellena** olive farcie.

**aceitunado, a** *a* olivâtre.

**aceituno** *m* olivier.

**aceleración** *f* accélération.

**aceleradamente** *adv* rapidement, vite.

**acelerador** *m* **1.** accélérateur: **pisar el ~** appuyer sur l'accélérateur **2.** *FÍS* **~ de particules** accélérateur de particules.

**aceleramiento** *m* **1.** accélération *f* **2.** hâte *f*.

**acelerar** *vt* **1.** accélérer **2. ~ el paso** hâter le pas.

**acelerón** *m* coup d'accélérateur, accélération *f*.

**acelga** *f* bette, blète.

**acémila** *f* **1.** bête de somme **2.** *FIG* bourrique.

**acemilero** *m* muletier.

**acendrado, a** *a* pur, e.

**acendrar** *vt* **1.** *(metales)* affiner **2.** *FIG* purifier, épurer.

**acento** *m* **1.** accent: **el ~ andaluz** l'accent andalou **2.** *(ortográfico)* accent: **~ agudo, grave, circunflejo** accent aigu, grave, circonflexe.

**acentuación** *f* accentuation.

**acentuadamente** *adv* d'une façon marquée, nettement.

**acentuar** *vt* accentuer: **sílaba acentuada** syllabe accentuée. ◆ **~se** *vpr* s'accentuer.

**aceña** *f* moulin *m* à eau.

**acepción** *f* acception.

**acepilladora** *f* raboteuse.

**acepilladura** *f (de la madera)* rabotage *m*.

**acepillar** *vt* **1.** *(la madera)* raboter **2.** *(los vestidos)* brosser.

**aceptable** *a* acceptable.

**aceptación** *f* **1.** acceptation **2.** *(éxito)* succès *m*, bon accueil *m*: **este programa de televisión tiene gran ~** ce programme de télévision a beaucoup de succès, est très apprécié, obtient une large audience; **este modelo, de gran ~ en todo el mundo...** ce modèle, très apprécié dans le monde entier...

**aceptar** *vt* accepter.

**acepto, a** *a* agréable.

**acequia** *f* canal *m* d'irrigation.

**acera** *f* **1.** trottoir *m*: **en la ~** sur le trottoir **2.** rangée de maisons.

**acerado, a** *a* **1.** *(afilado)* acéré, e **2.** *(mordaz)* acéré, e, mordant, e.

**acerar** *vt* **1.** *TECN* aciérer **2.** *FIG (fortalecer)* fortifier, tremper.

**acerbo, a** *a* **1.** âpre **2.** *FIG* cruel, elle, amer, ère.

**acerca de** *prep* au sujet de.

**acercamiento** *m* rapprochement.

**acercar** *vt* **1.** approcher, rapprocher: **acercó su silla al televisor** il approcha sa chaise du téléviseur; **esta nueva carretera acerca Galicia a Madrid** cette nouvelle route rapproche la Galice de Madrid **2.** *FIG* rapprocher: **la desgracia nos ha acercado** le malheur nous a rapprochés. ◆ **~se** *vpr* **1.** s'approcher: **me acerqué a él** je m'approchai de lui; **el camarero se nos acercó** le garçon s'approcha de nous; **¡acérquense!** approchez!, approchez-vous! **2.** approcher: **se acercan las fiestas** les fêtes approchent; **nos acercamos a la fecha del examen, a la solución** nous approchons de la date de l'examen, de la solution.

**acería** *f* aciérie.

**acerico, acerillo** *m* pelote *f* à épingles.

**acero** *m* **1.** acier: **~ inoxidable** acier inoxydable **2.** *(espada)* épée *f*, fer **3.** *(valor)* courage.

**acerola** *f (fruto)* azerole.

**acerolo** *m* azérolier.

**acérrimo, a** *a* ardent, e, acharné, e, fervent, e, enthousiaste, fanatique: **un germanófilo ~** un germanophile enthousiaste.

**acerrojar** *vt* verrouiller.

**acertadamente** *adv* **1.** judicieusement, opportunément **2. contestar ~** répondre correctement, sans erreur **3.** habilement.

**acertado, a** *a* **1.** *(oportuno)* judicieux, euse, opportun, e, pertinent, e **2.** *(que hace buen efecto)* bien réussi, e **3.** habile, adroit, e.

**acertante** *a/s* gagnant, e.

**acertar*** *vt* **1.** *(dar en el blanco)* atteindre **2.** *(encontrar)* trouver. ◇ *vi* **1.** *(adivinar)* deviner, trouver **2.** *(atinar)* voir juste, avoir raison, être inspiré, e: **con esta lluvia, acerté quedándome en casa** avec cette pluie, j'ai eu raison de rester chez moi **3.** *(tener éxito)* réussir **4. ~ a** arriver à: **no acierto a comprender** je n'arrive pas à comprendre **5. ~ con** *(alcanzar)* trouver.

**acertijo** *m* devinette *f*.

**acervo** *m* **1.** *(montón)* tas **2.** *(conjunto de bienes)* biens *pl* communs **3.** *FIG* patrimoine: **el ~ cultural** le patrimoine culturel.

**acetato** *m QUÍM* acétate.

**acético, a** *a QUÍM* acétique: **ácido ~** acide acétique.

**acetileno** *m* acétylène.

**acetona** *f* acétone.

**acetosa** *f* oseille.

**acezante** *a* haletant, e.

**acezar** *vi* haleter.

**achacable** *a* imputable.

**achacar** *vt* attribuer, imputer, faire retomber sur: **~ la culpa a...** faire retomber la faute sur..., imputer la faute à...; **achaqué el accidente a su imprudencia** j'attribuai l'accident à son imprudence ◊ **~ un atentado a un grupo de terroristas** rendre un groupe de terroristes responsable d'un attentat.

**achacoso, a** *a* **1.** *(enfermizo)* maladif, ive **2.** *(ligeramente enfermo)* indisposé, e, souffrant, e.

**achaflanar** *vt* chanfreiner.

**achampañado, a** *a* champagnisé, e.

**achantar** *vt* FAM intimider, en remontrer à, faire peur ◊ **~ la mui** la boucler, fermer sa gueule. ◆ **~se** *vpr* FAM *(rajarse)* se dégonfler, caner, *(abandonar la actitud arrogante)* s'écraser.

**achaparrado, a** *a* **1.** *(árbol)* bas et touffu **2.** FIG *(rechoncho)* trapu, e, boulot, otte.

**achaparrarse** *vpr* **1.** se développer en largeur **2.** *(una persona)* se tasser, grossir.

**achaque** *m* **1.** infirmité *f* **2.** ennui de santé **3.** *(de mujeres)* indisposition *f*, règles *f pl* **4.** FIG prétexte, excuse *f*.

**achares** *m pl* FAM **dar ~** rendre jaloux, ouse.

**acharolado, a** *a* verni, e.

**acharolar** *vt* vernir.

**achatamiento** *m* aplatissement.

**achatar** *vt* aplatir. ◆ **~se** *vpr* **1.** s'aplatir **2.** AMER FIG se laisser abattre.

**achicador** *m* écope *f*.

**achicar** *vt* **1.** rapetisser, diminuer **2.** *(el agua)* écoper **3.** FIG intimider, terroriser: **nos tiene achicados** il nous terrorise **4.** AMER *(matar)* descendre. ◆ **~se** *vpr* FIG se laisser abattre, se dégonfler.

**achicharradero** *m* fournaise *f*.

**achicharrar** *vt* **1.** brûler **2.** *(el sol)* griller, rôtir **3.** FIG *(fastidiar)* horripiler, agacer, taper sur le système. ◆ **~se** *vpr* se rôtir, dorer: **achicharrarse al sol** se rôtir au soleil.

**achicopalarse** *vpr* AMER flancher, se dégonfler.

**achicoria** *f* chicorée.

**achinado, a** *a* AMER **1.** aux traits asiatiques, au teint cuivré **2.** vulgaire.

**achiote** *m* **1.** *(bija)* rocouyer **2.** *(pasta tintórea)* rocou.

**achiquitar** AMER → **achicar.**

**achira** *f* AMER plante d'Amérique méridionale, balisier *m*.

**¡achís!** *interj* atchoum!

**achispado, a** *a* éméché, e, gris, e, pompette.

**achispar** *vt* griser. ◆ **~se** *vpr* s'enivrer.

**achocharse** *vpr* commencer à radoter.

**acholado, a** *a* AMER **1.** au teint cuivré **2.** FIG honteux, euse.

**acholar** *vt* AMER **1.** intimider **2.** *(avergonzar)* humilier, faire honte à. ◆ **~se** *vpr* AMER rougir de honte.

**achubascarse** *vpr* *(cielo)* se couvrir.

**achuchado, a** *a* difficile, compliqué, e.

**achuchar** *vt* **1.** *(estrujar)* écraser, aplatir **2.** *(empujar)* bousculer. ◆ **~se** *vpr* **1.** s'écraser, se bousculer **2.** AMER *(tiritar)* grelotter.

**achuchón** *m* **1.** *(empujón)* coup, poussée *f*, bousculade *f* ◊ **dar un ~** pousser **2.** FAM indisposition *f*, petit malaise.

**achulado, a** *a* **1.** un peu vulgaire: **un acento ~** un accent un peu vulgaire; **expresión achulada** expression vulgaire, argotique **2.** *(descarado)* effronté, e.

**achulapado** → **achulado.**

**achunchar** *vt* AMER *(asustar)* faire peur.

**achura** *f* AMER abats *m pl*.

**achurar** *vt* AMER **1.** vider (une bête) **2.** *(matar)* étriper, zigouiller.

**aciago, a** *a* funeste, de mauvais augure, sinistre: **un día ~** un jour funeste.

**acial** *m* morailles *f pl*.

**aciano** *m* bleuet, bluet.

**acíbar** *m* **1.** *(áloe)* aloès **2.** *(jugo)* chicotin **3.** FIG amertume *f*.

**acibarar** *vt* FIG remplir d'amertume, aigrir.

**acicalado, a** *a* soigné, e, élégant, e. ◇ *m* fourbissage.

**acicalar** *vt* **1.** *(armas)* fourbir **2.** *(a alguien, etc.)* parer, pomponner, bichonner **3.** *(el espíritu)* affiner. ◆ **~se** *vpr* se pomponner.

**acicate** *m* FIG aiguillon, stimulant.

**acicatear** *vt* stimuler.

**acidez** *f* **1.** acidité **2. ~ de estómago** acidité gastrique.

**acidia** *f* paresse, mollesse.

**acidificación** *f* acidification.

**acidificante** *a* acidifiant, e.

**acidificar** *vt* acidifier.

**ácido, a** *a* **1.** *(agrio)* acide **2.** FIG revêche. ◇ *m* QUÍM acide.

**acidosis** *f* MED acidose.

**acidular** *vt* aciduler.

**acídulo, a** *a* acidulé, e.

**acierto** *m* **1.** *(destreza)* adresse *f*, habileté *f*, talent **2.** *(clarividencia)* clairvoyance *f* **3.** *(cosa acertada)* réussite *f*, succès: **este nuevo modelo es un ~** ce nouveau modèle est une réussite **4.** *(invención)* trouvaille *f* **5.** *(casualidad)* hasard.

**ácimo** *a* **pan ~** pain azyme.

**acimut** *m* ASTR azimut.

**ación** *f* étrivière.

**acionera** *f* AMER porte-étrivière *m*.

**acitara** *f* *(pared)* cloison.

**aclamación** *f* **1.** acclamation **2. elegido por ~** élu par acclamation.

**aclamar** *vt* **1.** *(ovacionar)* acclamer: **aclamaron al vencedor** ils acclamèrent le vainqueur **2.** *(proclamar)* proclamer, nommer: **le aclamaron rey** il a été proclamé roi.

**aclaración** *f* éclaircissement *m*, explication.

**aclarado** *m* *(de la ropa, del pelo)* rinçage.

**aclarar** *vt* **1.** *(un líquido, la voz, etc.)* éclaircir **2.** *(la ropa, el pelo)* rincer **3.** FIG élucider, éclaircir, expliquer. ◇ *vi* **1.** *(el tiempo)* s'éclaircir **2.** *(amanecer)* commencer à faire jour ◊ **aclara el día** le jour se lève. ◆ **~se** *vpr* **1. se aclara el tiempo** le temps s'éclaircit **2. saldremos cuando se aclare un poco** nous partirons quand il fera un peu plus jour **3.** FIG s'expliquer, s'éclairer: **por fin, todo se aclara** enfin, tout s'éclaire.

**aclaratorio, a** *a* explicatif, ive.

**aclimatable** *a* acclimatable.

**aclimatación** *f* acclimatation.

**aclimatar** *vt* acclimater. ◆ **~se** *vpr* *(una planta, una persona, etc.)* s'acclimater.

**acmé** *f* acmé.

**acné** *f/m* acné *f*.

**acobardar** *vt* **1.** faire peur à **2.** intimider. ◆ **~se** *vpr* **1.** avoir peur **2.** *(desalentarse)* se décourager, se laisser abattre.

**acochinar** *vt* **1.** égorger **2.** FIG intimider.

**acocote** *m* calebasse *f*.

**acodado, a** *pp* de **acodar.** ◇ *a* coudé, e: **tubo ~** tuyau coudé.

**acodalar** *vt* ARQ étayer.

**acodar** *vt* **1.** *(doblar)* couder **2.** AGR marcotter **3.** ARQ étayer. ◆ **~se** *vpr* s'accouder: **se acodó en el pretil** il s'accouda au parapet.

**acoderar** *vt MAR* embosser.

**acodo** *m* **1.** *(acción)* marcottage **2.** *(vástago)* marcotte *f.*

**acogedor, a** *a* accueillant, e.

**acoger** *vt* **1.** *(a alguien, una noticia, etc.)* accueillir, recevoir: **me acogieron amablemente** ils m'accueillirent aimablement **2.** *(amparar)* protéger. ◆ **~se** *vpr* **1.** se réfugier **2.** *(a una ley, etc.)* alléguer, invoquer, avoir recours à, recourir à **3.** *(utilizar como pretexto)* prendre prétexte de.

**acogida** *f* accueil *m:* **una ~ calurosa, fría** un accueil chaleureux, froid.

**acogido, a** *s* personne admise dans un hospice.

**acogollar** *vi/vpr (col, etc.)* pommer.

**acogotar** *vt* **1.** assommer (d'un coup sur la nuque) **2.** *FIG* opprimer.

**acojonante** *a POP* terrible, formidable.

**acojonar** *vt POP* faire peur, ficher la trouille. ◆ **~se** *vpr POP* se dégonfler ◊ **estar acojonado** avoir la trouille.

**acolada** *f* accolade.

**acolchado** *m* matelassure *f,* capiton.

**acolchar** *vt* **1.** matelasser: **abrigo acolchado** manteau matelassé **2.** *(muebles)* capitonner, matelasser.

**acolchonar** *vt AMER* matelasser.

**acolitado** *m* acolytat.

**acólito** *m* acolyte.

**acollar** *vt* **1.** *AGR* butter **2.** *MAR* rider.

**acollarar** *vt AMER* unir, réunir. ◆ **~se** *vpr AMER (casarse)* se marier.

**acomedirse*** *vpr AMER* s'offrir, se proposer, s'empresser.

**acometedor, a** *a* **1.** *(emprendedor)* entreprenant, e **2.** combatif, ive **3.** agressif, ive.

**acometer** *vt* **1.** attaquer, assaillir **2.** *(emprender)* entreprendre, s'engager dans, se lancer dans: **~ una empresa** s'engager dans une entreprise **3.** prendre: **me acometió un sueño espantoso** j'ai été pris d'un sommeil horrible; **me acometieron ganas de salir** l'envie m'a pris de partir. ◊ *vi* **~ contra** foncer sur.

**acometida** *f* **1.** attaque **2.** *(derivación)* branchement *m,* raccordement *m.*

**acometividad** *f* **1.** combativité, agressivité **2.** *FIG* mordant *m,* pugnacité.

**acomodable** *a* accommodable.

**acomodación** *f* **1.** *(adaptación)* accommodation **2.** arrangement *m,* disposition.

**acomodadizo, a** *a* accommodant, e, arrangeant, e.

**acomodado, a** *a* **1.** *(en buena posición económica)* aisé, e, riche, fortuné, e: **una familia acomodada** une famille aisée **2.** *(precio)* modéré, e **3.** *(adecuado)* approprié, e.

**acomodador, a** *s (de espectadores)* placeur, ouvreuse.

**acomodamiento** *m* **1.** *(convenio)* arrangement, accord, accommodement **2.** commodité *f,* convenance *f.*

**acomodar** *vt* **1.** ajuster, adapter, accommoder **2.** *(colocar)* placer, installer: **acomodó a la niña en sus rodillas** elle assit l'enfant sur ses genoux **3.** *(componer)* arranger **4.** *(proporcionar empleo)* placer **5.** *(a los que riñen)* réconcilier. ◊ *vi (convenir, venir bien)* convenir. ◆ **~se** *vpr* **1.** s'installer **2. acomodarse de secretaria** se placer comme secrétaire **3.** *(conformarse)* s'adapter, s'accommoder: **~ a las circunstancias** s'adapter aux circonstances; **me acomodo con todo** je m'accommode de tout **4.** *AMER (ataviarse)* s'arranger, se pomponner.

**acomodaticio, a** *a* **1.** accommodant, e, arrangeant, e, coulant, e: **el nuevo jefe es bastante ~** le nouveau chef est assez coulant **2.** *PEYOR* opportuniste.

**acomodo** *m* **1.** *(empleo)* place *f,* emploi **2.** *(sitio)* place *f* **3.** *AMER (compostura)* toilette *f.*

**acompañado, a** *a (lugar)* fréquenté, e, passant, e.

**acompañador, a** *a/s* accompagnateur, trice.

**acompañamiento** *m* **1.** accompagnement **2.** *(séquito)* suite *f,* cortège **3.** *MÚS* accompagnement **4.** *TEAT* figuration *f.*

**acompañanta** *f* **1.** dame de compagnie **2.** *MÚS* accompagnatrice.

**acompañante** *a/m* **1.** accompagnateur, trice **2.** *(en un coche)* passager, ère.

**acompañar** *vt* **1.** accompagner: **¿quieres acompañarme al cine?** veux-tu m'accompagner au cinéma?; **deja que te acompañe** laisse-moi t'accompagner; **acompáñeme** accompagnez-moi **2.** *(despedir)* raccompagner, reconduire **3.** *(hacer compañía)* tenir compagnie **4.** joindre, inclure: **un folleto acompaña nuestra carta** une brochure est jointe à notre lettre **5.** *MÚS* **~ con la guitarra** accompagner à la guitare **6.** partager, participer à: **le acompaño en su sentimiento** je partage votre chagrin. ◆ **~se** *vpr* s'accompagner.

**acompasado, a** *a* **1.** cadencé, e, rythmé, e **2.** régulier, ère: **ritmo ~** rythme régulier.

**acompasar** *vt* rythmer, régler selon une cadence.

**acomplejado, a** *a/s* complexé, e.

**acomplejar** *vt* donner des complexes à, complexer. ◆ **~se** *vpr* se donner des complexes, avoir des complexes.

**aconchabarse** → **conchabar.**

**aconchar** *vt MAR* affaler.

**acondicionado, a** *a* **1.** aménagé, e **2. aire ~** air conditionné.

**acondicionador** *m* **~ de aire** climatiseur.

**acondicionamiento** *m* **1.** *(de un local)* aménagement **2.** conditionnement **3.** *(de aire)* climatisation *f.*

**acondicionar** *vt* **1.** aménager: **~ una capilla para museo** aménager une chapelle en musée **2.** *(mercancías)* conditionner **3.** *(el aire)* climatiser.

**aconfesional** *a* laïque, non confessionnel, elle.

**acongojar** *vt* **1.** angoisser **2.** affliger. ◆ **~se** *vpr* se tourmenter.

**acónito** *m* aconit.

**aconsejable** *a* recommandé, e, souhaitable: **es ~ no circular de noche** il est recommandé de ne pas circuler la nuit.

**aconsejar** *vt* conseiller: **te aconsejo que seas más prudente** je te conseille d'être plus prudent. ◆ **~se** *vpr* **aconsejarse de, con** prendre conseil de.

**aconsonantar** *vt* faire rimer. ◊ *vi* rimer.

**acontecer*** *vi* arriver, advenir: **me aconteció lo mismo** il m'est arrivé la même chose.

**acontecimiento** *m* événement: **un feliz ~** un heureux événement.

**acopiar*** *vt* **1.** amasser **2.** *(juntar)* rassembler, réunir **3.** stocker.

**acopio** *m* **1.** accumulation *f,* rassemblement **2.** provision *f:* **hacer ~ de** faire provision de **3.** stockage.

**acoplado** *m AMER* remorque *f.*

**acoplador** *m TECN* coupleur.

**acopladura** *f* assemblage *m.*

**acoplamiento** *m* **1.** *TECN* accouplement **2.** *(de astronaves)* amarrage **3.** *(de animales)* accouplement.

**acoplar** *vt* **1.** *(piezas, aparatos, etc.)* accoupler **2.** *(adaptar)* adapter **3.** *(ajustar)* ajuster **4.** *(animales)* accoupler. ◆ **~se** *vpr (animales)* s'accoupler.

**acoquinamiento** *m* peur *f.*

**acoquinar** *vt* faire peur, intimider. ◆ **~se** *vpr* prendre peur, s'effrayer.

**acorazado, a** *a* cuirassé, e, blindé, e. ◇ *m (buque)* cuirassé.

**acorazar** *vt* cuirasser, blinder. ◆ **~se** *vpr FIG* se cuirasser.

**acorazonado, a** *a* en forme de cœur, cordé, e.

**acorchado, a** *a* **1.** spongieux, euse **2.** *FIG* endurci, e, insensible.

**acorcharse** *vpr* **1.** devenir spongieux, euse **2.** *FIG* s'endurcir, se dessécher.

**acordada** *f JUR* arrêt *m*, ordre *m*.

**acordadamente** *adv* **1.** d'un commun accord **2.** sagement.

**acordar*** *vt* **1.** se mettre d'accord pour, décider de, convenir de, arrêter de: **los diputados acordaron aplazar la reunión** les députés ont décidé, sont convenus d'ajourner la réunion; **he acordado callarme** j'ai décidé de me taire; **según lo acordado ayer** d'après ce qui a été décidé, comme il a été convenu hier; **acordamos encontrarnos en el bar del hotel** nous nous sommes mis d'accord pour nous retrouver au bar de l'hôtel ◊ **en los plazos acordados** dans les délais fixés **2.** *MÚS* accorder **3.** *(recordar)* rappeler. ◇ *vi* s'harmoniser. ◆ **~se** *vpr* **1. acordarse de una cosa** se rappeler une chose, se souvenir d'une chose: **no me acuerdo de él** je ne me souviens pas de lui; **acuérdese** rappelez-vous, souvenez-vous; **acuérdate** souviens-toi; **acordarse de que** se souvenir que **2. si mal no me acuerdo** si j'ai bonne mémoire; **¡ya te acordarás!** je m'en souviendrai!, tu auras de mes nouvelles!; **si no te he visto, no me acuerdo** → **ver.**

**acorde** *a* **1.** d'accord: **siempre están acordes** ils sont toujours d'accord **2.** *(testimonios, etc.)* concordant, e **3.** *(sonidos, colores)* harmonieux, euse **4.** en rapport, adapté, e, conforme: **nueva legislación más ~ con la época actual** nouvelle législation mieux adaptée à l'époque actuelle; **un punto de vista poco ~ con la realidad** un point de vue peu conforme à la réalité **5. ir ~ con** être en accord, en harmonie avec. ◇ *m MÚS* accord.

**acordeón** *m* accordéon: **tocar el ~** jouer de l'accordéon.

**acordeonista** *s* accordéoniste.

**acordonamiento** *m (de un sitio)* bouclage, encerclement.

**acordonar** *vt* **1. ~ los zapatos** lacer ses chaussures **2.** *(un sitio)* entourer d'un cordon, boucler, encercler, investir: **la policía acordonó el barrio** la police a bouclé le quartier; **~ un barrio de policías** entourer un quartier d'un cordon de policiers.

**acornar, acornear** *vt* donner des coups de corne à.

**acorralar** *vt* **1.** *(encerrar el ganado)* parquer **2.** *(acosar)* traquer **3.** *(arrinconar)* acculer: **acorralado en la pared** acculé au mur **4.** *FIG (en una discusión, etc.)* acculer, mettre au pied du mur, mettre à quia.

**acortamiento** *m* raccourcissement.

**acortar*** *vt* **1.** raccourcir **2.** *(duración)* écourter **3.** *(una ración)* réduire. ◆ **~se** *vpr* diminuer, raccourcir: **los días empiezan a acortarse** les jours commencent à raccourcir.

**acosador, a** *s* poursuivant, e.

**acosamiento** → **acoso.**

**acosar** *vt* **1.** harceler, traquer: **~ a un ciervo** traquer un cerf **2.** *FIG* harceler **3. ~ a preguntas** assaillir, harceler, presser de questions.

**acoso** *m* **1.** harcèlement, poursuite *f* **2.** chasse *f* à l'homme **3.** *FIG* harcèlement, pression *f* ◊ **~ sexual** harcèlement sexuel.

**acostada** *f* somme *m* ◊ **dormir de una ~** dormir d'une seule traite.

**acostar*** *vt* **1.** coucher: **~ a un niño** coucher un enfant **2.** *MAR* accoster. ◇ *vi MAR* accoster, aborder. ◆ **~se** *vpr* **1.** se coucher: **me acosté muy tarde** je me suis couché très tard; **acuéstese temprano** couchez-vous tôt **2. acostarse con** coucher avec **3.** *(inclinarse)* pencher.

**acostumbrado, a** *a* **1. estar ~ a** être habitué à, avoir l'habitude de **2.** *(como ocurre ordinariamente)* habituel, elle.

**acostumbrar** *vt* habituer, accoutumer. ◇ *vi* avoir l'habitude de, avoir coutume de: **acostumbra a conducir muy de prisa** il a l'habitude de conduire très vite. ◆ **~se** *vpr* **1.** prendre l'habitude: **me acostumbré a dar un paseo diario** j'ai pris l'habitude de faire une promenade journalière **2.** s'habituer: **me voy acostumbrando poco a poco al clima** je m'habitue peu à peu au climat; **me he acostumbrado al nuevo horario** je me suis habitué au nouvel horaire.

**acotación** *f* **1.** note marginale, annotation **2.** *TEAT* indication scénique **3.** *(en topografía)* cote **4.** *(de un terreno)* bornage *m*.

**acotado** *m* réserve *f* ◊ **~ de pesca** réserve de pêche, pêche réservée.

**acotamiento** *m (de un terreno)* bornage, délimitation *f*.

**acotar** *vt* **1.** *(un terreno)* borner, délimiter **2.** *FIG* délimiter, fixer **3.** *(en topografía)* coter **4.** *(un escrito)* annoter.

**acoyuntar** *vt* accoupler.

**acracia** *f* anarchie.

**ácrata** *a/s* anarchiste.

**¹acre** *m (medida)* acre *f*.

**²acre** *a* **1.** *(al gusto y al olfato)* âcre **2.** *FIG (tono)* aigre, acerbe **3.** *(humor)* acariâtre.

**acrecentamiento** *m* accroissement, augmentation *f*.

**acrecentar*** *vt* accroître, augmenter.

**acrecer** *vt* **1.** augmenter, accroître ◊ **~ sus esfuerzos** redoubler ses efforts **2.** *JUR* accroître. ◇ *vi* s'accroître.

**acrecimiento** *m* **1.** accroissement **2.** *JUR* accroissement successoral.

**acreditado, a** *a* réputé, e.

**acreditar** *vt* **1.** *(demostrar)* prouver, attester: **este diploma acredita un buen conocimiento del inglés** ce diplôme atteste une bonne connaissance de l'anglais **2.** *(garantizar)* garantir **3.** *(justificar)* justifier de **4.** *(a un embajador, una noticia, etc.)* accréditer **5. ~ a alguien para desempeñar un cargo** autoriser quelqu'un à exercer une fonction **6.** *COM* créditer. ◆ **~se** *vpr* acquérir la réputation de, se faire une réputation de: **se acreditó como buen médico** il a la réputation d'être un bon médecin.

**acreditativo, a** *a* accréditif, ive.

**acreedor** *a/s* **1.** créancier, ère **2. ~ a** digne de.

**acreencia** *f AMER* crédit *m*.

**acribillar** *vt* **1.** cribler: **~ a balazos** cribler de balles **2.** *FIG* cribler, accabler: **estar acribillado de deudas** être criblé de dettes **3.** *FIG* assaillir, harceler: **me acribilló a preguntas** il m'a assailli de questions.

**acrílico, a** *a/m* acrylique.

**acriminar** *vt* accuser, incriminer.

**acrimonia** *f* acrimonie.

**acriollado, a** *a AMER* créole.

**acriollarse** *vpr AMER* prendre les habitudes du pays.

**acrisolado, a** *a FIG* sans défaut, parfait, e.

**acrisolar** *vt* **1.** affiner, purifier, épurer **2.** *FIG* faire apparaître dans tout son éclat.

**acristalado, a** *a* vitré, e.

**acristianar** *vt* baptiser.

**acritud** *f* **1.** âcreté **2.** *FIG* aigreur, acrimonie.

**acrobacia** *f* acrobatie.

**acróbata** *s* acrobate.

**acrobático, a** *a* acrobatique.

**acroleína** *f QUÍM* acroléine.

**acromático, a** *a* achromatique.

**acrónimo** *m* acronyme.

**acrópolis** *f* acropole.

**acróstico, a** *a/m* acrostiche.

**acta** *f* **1.** *(de una reunión, sesión, etc.)* compte rendu *m*, procès-verbal *m*: **levantar ~** dresser procès-verbal, rédiger un compte rendu **2.** acte *m*: **~ notarial** acte notarié. ◇ *pl* actes *m* des martyrs.

**actinia** *f* actinie.

**actínico, a** *a* actinique.

**actitud** *f* attitude: **~ benévola** attitude bienveillante.

**activación** *f* activation.

**activamente** *adv* activement.

**activar** *vt* activer.

**actividad** *f* **1.** activité **2. volcán en ~** volcan en activité.

**activismo** *m* activisme.

**activista** *s* activiste.

**activo, a** *a* **1.** actif, ive **2. en ~** en activité: **funcionario en ~** fonctionnaire en activité. ◇ *m COM* actif.

**acto** *m* **1.** acte: **~ de terrorismo** acte de terrorisme ◊ **hacer ~ de presencia** faire acte de présence **2.** cérémonie *f*, séance *f*: **el ~ de inauguración** la cérémonie d'inauguration; **el ~ del sepelio** la cérémonie funèbre; **los actos oficiales** les cérémonies officielles; **~ público** cérémonie, séance publique **3.** *JUR* acte **4.** *TEAT* acte: **drama en tres actos** drame en trois actes **5.** *RELIG* **~ de contrición, de fe** acte de contrition, de foi **6.** *MIL* **en ~ de servicio** en service commandé **7.** *loc adv* **~ seguido, continuo** tout de suite après, immédiatement; **en el ~** aussitôt, sur-le-champ **8.** *loc prep* **en el ~ de** au moment de, au moment où. ◇ *pl* actes: **actos de los Apóstoles** actes des Apôtres.

**actor** *m* **1.** acteur **2.** *JUR* demandeur.

**actora** *f JUR* demanderesse.

**actriz** *f* actrice: **dos actrices famosas** deux célèbres actrices.

**actuación** *f* **1.** *(acción de actuar)* conduite **2.** intervention: **la rápida ~ de los bomberos...** la rapide intervention des pompiers...; **~ policial** opération de police **3.** *(de un actor, deportista)* jeu *m*, prestation: **gracias a la destacada ~ de nuestro equipo...** grâce au jeu remarquable de notre équipe...; **mediocre ~ del guardameta** jeu médiocre, médiocre prestation du gardien de but ◊ *TEAT* **por orden de ~** par ordre d'entrée en scène **4.** *JUR* procédure. ◇ *pl JUR* pièces d'un procès, dossiers *m*.

**actual** *a* actuel, elle.

**actualidad** *f* **1.** actualité: **un tema de ~** un sujet d'actualité **2.** *loc adv* **en la ~** actuellement, à l'heure actuelle.

**actualización** *f* actualisation, mise à jour.

**actualizar** *vt* actualiser, mettre à jour.

**actualmente** *adv* actuellement.

**actuar** *vi* **1.** *(obrar)* agir: **ha llegado el momento de ~** le moment d'agir est venu **2.** *(un medicamento)* agir **3.** exercer la fonction de, être: **actúa de árbitro, como intérprete** il exerce la fonction d'arbitre, il est interprète; **actuó como testigo** il fit office de témoin **4.** *(un actor)* jouer: **ella no actúa en esta obra** elle ne joue pas dans cette pièce; **~ de criada** jouer le rôle de domestique; **actuó en televisión el año pasado** il a joué, est passé à la télévision l'année dernière **5.** *(en una oposición)* se présenter à **6.** *JUR* instruire une affaire.

**actuario** *m* **1.** *JUR* greffier **2. ~ de seguros** actuaire.

**acuafortista** *s* aquafortiste.

**acuarela** *f* aquarelle: **pintar a la ~** peindre à l'aquarelle.

**acuarelista** *s* aquarelliste.

**acuario** *m* aquarium.

**Acuario** *np m* Verseau: **ser de ~** être du Verseau.

**acuartelamiento** *m* casernement.

**acuartelar** *vt* **1.** *(la tropa)* caserner **2.** *(la tropa, en previsión de algún disturbio)* consigner.

**acuático, a** *a* **1.** aquatique: **plantas acuáticas** plantes aquatiques **2. esquí ~** ski nautique; **deportes acuáticos** sports nautiques.

**acuatinta** *f* aquatinte.

**acuatizamiento** *m* amerrissage.
**1.** créancier, ère **2. ~ a** digne de.

**acuatizar** *vi* amerrir.

**acuchillado, a** *a* **1.** *FIG* expérimenté, e **2.** *(vestido)* à crevés. ◇ *m (del piso de madera)* rabotage, ponçage.

**acuchillador** *m* raboteur.

**acuchillar** *vt* **1.** *(herir o matar)* poignarder **2.** *(un piso de madera)* raboter **3.** *(para alisar)* poncer.

**acucia** *f* **1.** empressement *m*, hâte **2.** désir *m* ardent.

**acuciador, a, acuciante** *a* pressant, e, urgent, e: **problema ~** problème urgent; **una necesidad ~ de dinero** un besoin pressant d'argent.

**acuciar*** *vt* **1.** presser **2.** harceler.

**acuciosamente** *adv* avec hâte, avec empressement.

**acucioso, a** *a* **1.** diligent, e, pressé, e **2.** avide.

**acuclillarse** *vpr* s'accroupir.

**acudir** *vi* **1.** aller, se rendre: **acudió al aeropuerto a recibirme** il s'est rendu à l'aéroport pour me recevoir; **acude a la ventana** il va vers la fenêtre; **~ a las urnas** se rendre aux urnes **2.** arriver: **un guardia acude en seguida** un agent arrive aussitôt **3.** *(con prisa)* accourir, se précipiter **4.** venir: **~ a la mente, a la memoria** venir a l'esprit **5.** *(auxiliar)* venir en aide **6.** *(atender)* **~ al teléfono** répondre au téléphone **7.** *(recurrir)* avoir recours, recourir, faire appel, s'adresser: **arruinado, tuvo que ~ a sus amigos y conocidos** ruiné, il a dû faire appel à ses amis et connaissances; **~ al suicidio** recourir au suicide.

**acueducto** *m* aqueduc.

**ácueo, a** *a* aqueux, euse.

**acuerda**, etc. → **acordar.**

**acuerdo** *m* **1.** accord: **estoy completamente de ~ con usted** je suis tout à fait d'accord avec vous; **de común ~** d'un commun accord; **estamos de ~ en que...** nous sommes d'accord sur le fait que...; **ponerse de ~** se mettre d'accord; **se pusieron de ~ en que...** ils se sont mis d'accord sur le fait que...; **¡de ~!** d'accord! **2.** *(en política, comercial)* accord **3.** *JUR* **mutuo ~** consentement mutuel **4.** décision *f*: **volver de su ~** revenir sur sa décision **5.** *loc prep* **de ~ con** conformément à, d'après, selon: **de ~ con la legislación vigente** selon la législation en vigueur.

**acuidad** *f* acuité.

**acuífero, a** *a* aquifère.

**acuitar** *vt* affliger, chagriner.

**acular** *vt* acculer.

**acullá** *adv* là-bas ◊ **acá y ~** çà et là, par-ci, par-là.

**aculturación** *f* acculturation.

**acumulación** *f* accumulation.

**acumulador** *m* accumulateur.

**acumular** *vt* **1.** accumuler **2.** *(empleos)* cumuler.

**acunar** *vt (a un niño)* bercer.

**acuñación** *f* **1.** *(acción de acuñar)* frappe **2.** *(moneda)* monnaie, médaille.

**acuñar** *vt* **1.** *(monedas, medallas)* frapper ◊ **~ moneda** battre monnaie **2.** *FIG* **~ un término nuevo** forger un mot nouveau;

**expresión recién acuñada** expression nouvellement créée, nouvelle expression.

**acuosidad** *f* aquosité.

**acuoso, a** *a* aqueux, euse.

**acupuntura** *f* acupunture, acuponcture.

**acure** *m AMER* **1.** agouti **2.** *(conejillo de Indias)* cochon d'Inde.

**acurrucarse** *vpr* se pelotonner, se blottir.

**acusación** *f* accusation.

**acusado, a** *a/s* accusé, e.

**acusador, a** *a/s* accusateur, trice.

**acusar** *vt* **1.** accuser: **le acusaron de robo** il a été accusé de vol **2.** *(delatar)* dénoncer **3. ~ el golpe** accuser le coup **4. ~ recibo de** accuser réception de. ◆ **~se** *vpr* s'accuser.

**acusativo** *m* accusatif.

**acuse** *m* **1.** *(juegos)* annonce *f* **2. ~ de recibo** accusé de réception.

**acusetas, acusete** *m AMER (soplón)* mouchard.

**acusica, acusique** *s FAM (soplón)* mouchard, e, rapporteur, euse.

**acusón, ona** *a/s FAM* mouchard, e, rapporteur, euse.

**acústico, a** *a* acoustique. ◇ *f* acoustique.

**acutángulo** *a/m* acutangle.

**acutí** *m AMER* agouti.

**adagio** *m* **1.** *(frase)* adage **2.** *MÚS* adagio.

**adalid** *m* **1.** chef **2.** *FIG* champion.

**adamascado, a** *a* damassé, e.

**adamascar** *vt (tela)* damasser.

**adán** *m FAM* **es un ~** c'est un homme qui se néglige; **va hecho un ~** il est débraillé, fichu comme l'as de pique.

**Adán** *np m* Adam: **~ y Eva** Adam et Ève ◊ **en traje de ~** en costume d'Adam.

**adaptabilidad** *f* adaptabilité.

**adaptable** *a* adaptable.

**adaptación** *f* adaptation.

**adaptar** *vt* adapter. ◆ **~se** *vpr* s'adapter: **se adaptó a su nuevo empleo con facilidad** il s'est adapté facilement à son nouvel emploi.

**adaraja** *f ARQ* pierre d'attente, harpe.

**adarga** *f* targe, bouclier *m* (en cuir).

**adarme** *m* miette *f,* once *f,* atome: **no tiene un ~ de sentido común** il n'a pas une miette de bon sens.

**adarve** *m* chemin de ronde.

**addenda** *m* addenda.

**adecentar** *vt* arranger, mettre en ordre, ranger: **~ la casa** mettre la maison en ordre. ◆ **~se** *vpr* s'arranger, s'habiller correctement.

**adecuación** *f* **1.** adaptation **2.** adéquation.

**adecuadamente** *adv* **1.** d'une manière appropriée, convenablement **2.** à propos.

**adecuado, a** *a* **1.** approprié, e, qui convient, adéquat, e: **alimento muy ~ para niños** aliment qui convient parfaitement aux enfants; **sueldo ~ al trabajo** salaire en rapport avec le travail **2.** ad hoc: **un instrumento ~** un instrument ad hoc.
▶ El adjetivo francés *adéquat* es poco usado.

**adecuar** *vt* adapter, accorder: **~ sus ideas a...** adapter ses idées à... ◆ **~se** *vpr* s'adapter.

**adefesio** *m* **1.** *(persona)* épouvantail *m*, horreur *f* ◊ **ir hecho un ~** être fichu comme l'as de pique **2.** *(traje)* accoutrement **3.** *(disparate)* sottise *f.*

**adehala** *f* gratification.

**Adela** *np f* Adèle.

**adelantado, a** *a* **1.** en avance, avancé, e: **está muy ~ para su edad** il est très en avance pour son âge; **llevo mi trabajo bastante ~** mon travail est assez avancé **2. país ~** pays évolué **3. pago ~** paiement anticipé; **pagar tres meses adelantados** payer trois mois d'avance **4.** *loc adv* **por ~** d'avance, par anticipation; **pagar por ~** payer d'avance. ◇ *m HIST* gouverneur.
▶ L'*adelantado* était la plus haute autorité politique, militaire, judiciaire de l'Amérique pendant la Conquête et l'époque coloniale.

**adelantamiento** *m* **1.** *(progreso)* avancement, progrès **2.** *(de un vehículo)* dépassement: **un ~ peligroso** un dépassement dangereux **3.** *HIST* charge *f* de l'«adelantado».

**adelantar** *vt* **1.** avancer: **~ el despertador (en) una hora** avancer le réveil d'une heure; **adelanté mi regreso en veinticuatro horas** j'avançai mon retour de vingt-quatre heures **2. ~ un coche** dépasser, doubler une voiture; **prohibido ~** défense de doubler **3.** *(dinero)* avancer ◊ **~ la paga del mes** payer d'avance le salaire mensuel **4.** *FIG* **~ una hipótesis** avancer une hypothèse; **¿qué adelantas con quejarte?** à quoi cela t'avance-t-il de te plaindre?; **no adelantarás nada con...** cela ne t'avancera à rien de... ◇ *vi* **1. ~ un metro** avancer d'un mètre; **mi reloj adelanta cinco minutos** ma montre avance de cinq minutes **2.** *(progresar)* faire des progrès, progresser: **mi hijo ha adelantado mucho en la escuela** mon fils a fait beaucoup de progrès à l'école. ◆ **~se** *vpr* **1.** s'avancer, avancer: **se adelantó hacia mí** il s'avança vers moi **2.** être en avance: **el frío se ha adelantado este año** le froid est en avance cette année **3.** prendre de l'avance: **se adelantó al resto del pelotón** il a pris de l'avance sur le reste du peloton **4.** *(anticiparse)* prendre les devants **5.** devancer: **adelantarse a su época** devancer son temps, être en avance sur son temps.

**adelante** *adv* **1.** en avant: **dar un paso ~** faire un pas en avant; **inclinado hacia ~** penché en avant **2.** *(más allá)* plus loin ◊ **pasar ~** passer outre; **sacar ~** *(a sus hijos)* élever; *(un negocio)* mener à bien, faire avancer: **sacar ~ un proyecto** mener un projet à bien; **salir ~** s'en tirer, s'en sortir; **seguir ~** continuer; **unas señoras de sesenta años para ~** des dames de plus de soixante ans; *FAM* **echado para ~** culotté, qui n'a pas froid aux yeux **3.** *loc adv* **en ~, de hoy en ~** désormais, dorénavant; **más ~** plus loin; *(en un escrito)* plus loin, plus bas; *(en el tiempo)* plus tard. ◇ *interj* **¡adelante!** en avant!; *(para que alguien entre)* entrez!, passez!; *(hablando)* continuez!

**adelanto** *m* **1.** avance *f*: **llegar con ~** arriver en avance; **llevo una hora de ~** je suis en avance d'une heure **2.** *(de dinero)* avance *f,* acompte **3.** *(progreso)* progrès: **los adelantos de la ciencia** les progrès de la science; **adelantos técnicos** progrès techniques.

**adelfa** *f* laurier-rose *m.*

**adelgazamiento** *m* **1.** amaigrissement ◊ **dieta de ~** régime amaigrissant **2.** amincissement.

**adelgazante** *a* amaigrissant, e.

**adelgazar** *vi* maigrir: **ha adelgazado mucho** il a beaucoup maigri; **adelgazó seis kilos** il a maigri de six kilos. ◇ *vt* **1.** faire maigrir **2.** *(disminuir el grosor)* amincir.

**ademán** *m* **1.** geste: **un ~ elegante** un geste élégant **2.** *(actitud)* attitude *f,* air, mine *f* ◊ **hacer ~ de** faire mine de; **en ~ de** avec l'air de. ◇ *pl (modales)* manières *f,* façons *f*: **una persona de ademanes bruscos** une personne aux façons brusques.

**además** *adv* **1.** en plus, de plus, en outre **2. ~ de** non seulement, outre que: **~ de poseer un coche, tiene una moto** non seulement il a une voiture, mais il a aussi une moto.

**ademe** *m* étai, étançon.

**adenitis** *f MED* adénite.

**adenoma** *m MED* adénome.

**adentrarse** *vpr* pénétrer, s'enfoncer: **~ en un bosque** s'enfoncer dans un bois; **~ en un puerto** pénétrer dans un port.

**adentro** *adv* à l'intérieur, dedans ◊ **mar ~** au large; **tierra ~** à l'intérieur des terres. ◇ *interj (para ordenar a una persona que*

*entre)* entrez! ◇ *m pl* **en sus adentros** dans son for intérieur, au fond de soi-même; **decir para sus adentros** dire à part soi.
▶ Dans certaines danses folkloriques d'Amérique latine l'exclamation *¡adentro!* signifie: «Entrez dans la danse!»

**adepto, a** *a/s* adepte: **ganar adeptos** faire des adeptes.

**aderezar** *vt* **1.** parer, orner **2.** *(la casa)* arranger **3.** *(un manjar)* accommoder, assaisonner: **~ la ensalada con aceite y vinagre** assaisonner la salade avec de l'huile et du vinaigre **4.** *(la comida)* préparer **5.** *(un tejido)* apprêter. ◆ **~se** *vpr* se préparer.

**aderezo** *m* **1.** toilette *f* **2.** *(juego de joyas)* parure *f* **3.** *(condimento)* assaisonnement **4.** *(de la comida)* préparation *f* **5.** *(para un tejido)* apprêt **6.** *(arreos)* harnais.

**adeudar** *vt* **1.** devoir: **le adeuda mil pesetas** il lui doit mille pesetas **2.** *COM* **~ en una cuenta...** débiter un compte de..., porter au débit d'un compte...

**adeudo** *m* **1.** *(deuda)* dette *f* **2.** droit de douane **3.** *COM* débit.

**adherencia** *f* adhérence.

**adherente** *s* adhérent, e.

**adherir*** *vi* adhérer. ◆ **~se** *vpr* **1.** adhérer **2.** *FIG* adhérer: **no se adhiere a ningún partido** il n'adhère à aucun parti; **España se adhirió a la CEE en 1986** l'Espagne a adhéré à la C.E.E. en 1986.

**adhesión** *f* adhésion.

**adhesivo, a** *a/m* adhésif, ive.

**ad hoc** *adv* ad hoc.

**adicción** *f* assuétude, dépendance toxicomaniaque.

**adición** *f* addition.

**adicional** *a* additionnel, elle.

**adicionar** *vt* additionner.

**adicto, a** *a* attaché, e, dévoué, e. ◇ *a/m* **1.** fidèle, adepte, partisan **2.** *(a las drogas)* toxicomane **3.** *(al alcohol)* alcoolique.

**adiestramiento** *m* **1.** *(de un animal)* dressage **2.** *(de una persona)* instruction *f*, entraînement.

**adiestrar** *vt* **1.** *(un animal)* dresser **2.** *(a una persona)* entraîner, exercer. ◆ **~se en** *vpr* s'entraîner à.

**Adigio** *np m* Adige.

**adinerado, a** *a* riche, fortuné, e: **un ~ propietario** un riche propriétaire.

**adintelado, a** *a (arco)* déprimé, e.

**adiós** *interj* **1.** adieu **2.** *(hasta luego)* au revoir; **¡~ muy buenas!** salut! **3.** *FIG* **decir ~ a algo** dire adieu à, faire son deuil de quelque chose. ◇ *m* adieu: **los adioses** les adieux.

**adiposidad** *f* adiposité.

**adiposo, a** *a* adipeux, euse.

**aditamento** *m* **1.** addition *f* **2.** complément, ajout.

**aditivo, a** *a/m* additif, ive.

**adivinable** *a* devinable, prévisible.

**adivinación** *f* divination.

**adivinador, a** *s* devin, devineresse.

**adivinanza** *f* **1.** *(acertijo)* devinette **2.** *(adivinación)* divination.

**adivinar** *vt* deviner.

**adivinatorio, a** *a* divinatoire.

**adivino, a** *s* devin, devineresse.

**adjetivar** *vt* **1.** adjectiver **2.** *(calificar)* qualifier.

**adjetivo, a** *a* adjectif, ive. ◇ *m GRAM* adjectif: **~ calificativo** adjectif qualificatif.

**adjudicación** *f* adjudication: **~ de obras públicas** adjudication de travaux publics.

**adjudicador, a** *a/s* adjudicateur, trice.

**adjudicar** *vt* adjuger, attribuer: **~ obras de saneamiento** adjuger des travaux d'assainissement. ◆ **~se** *vpr* s'adjuger, s'attribuer ◇ **se adjudicó el primer premio** il a remporté le premier prix.

**adjudicatorio, a** *a* adjudicataire.

**adjunción** *f* adjonction.

**adjuntar** *vt* joindre, inclure: **te adjunto un folleto** je t'envoie ci-joint une brochure; **le envío a usted esta nota adjuntándole una explicación** je vous envoie cette note en y joignant une explication.

**adjuntía** *f* assistanat *m*, fonction d'assistant.

**adjunto, a** *a* ci-joint, e, ci-inclus, e: **la carta adjunta** la lettre ci-jointe, ci-incluse; **adjunta una factura** ci-joint une facture; **~ le remito copia de** je vous remets ci-joint copie de. ◇ *a/s* adjoint, e, assistant, e: **profesor ~** professeur adjoint, maître assistant.
▶ *Ci-joint, ci-inclus* son invariables al principio de una oración o delante de un nombre sin artículo.

**adlátere** *m* proche, acolyte: **el ministro y sus adláteres** le ministre et ses proches collaborateurs.

**adminículos** *m pl* accessoires.

**administración** *f* administration.

**administrador, a** *a/s* administrateur, trice.

**administrar** *vt* **1.** *(gobernar)* administrer, gérer **2.** *(sacramentos, medicamentos)* administrer **3.** *FAM* **~ una paliza** administrer, flanquer une volée. ◆ **~se** *vpr* gérer son avoir.

**administrativo, a** *a* administratif, ive. ◇ *m* employé de bureau.

**admirable** *a* admirable.

**admirablemente** *adv* admirablement.

**admiración** *f* **1.** admiration **2.** *(signo ortográfico)* point *m* d'exclamation.

**admirador, a** *a/s* admirateur, trice.

**admirar** *vt* **1.** *(ver con admiración)* admirer **2.** *(asombrar)* étonner: **me admira que...** je m'étonne que... **3.** *(maravillar)* émerveiller, frapper d'admiration: **su talento admira a todos** son talent fait l'admiration de tous; **este pianista admira, pero no emociona** ce pianiste soulève l'admiration, mais n'émeut pas. ◆ **~se** *vpr* **1.** *(asombrarse)* s'étonner: **me admiro de que...** je m'étonne que... **2.** s'émerveiller, être en admiration ◇ **quedarse admirado** s'émerveiller, rester dans l'admiration.

**admirativo, a** *a* admiratif, ive.

**admisibilidad** *f* admissibilité.

**admisible** *a* admissible.

**admisión** *f* admission.

**admitir** *vt* **1.** admettre: **no se admiten propinas** les pourboires ne sont pas admis; **este negocio no admite demora** cette affaire n'admet aucun retard **2.** *(aceptar)* accepter.

**admonición** *f* admonition, admonestation.

**adobado** *m* viande *f* marinée.

**adobar** *vt* **1.** préparer, accommoder **2.** *(poner en adobo carne, etc.)* mettre à mariner **3.** *(las pieles)* apprêter **4.** *FIG* relever, agrémenter.

**adobe** *m* adobe, brique *f* crue.

**adobera** *f* **1.** moule *m* à adobes **2.** *AMER* moule *m* à fromages.

**adobo** *m* **1.** préparation *f* **2.** *(salsa)* marinade *f*, saumure *f* ◇ **carne en ~** viande marinée **3.** *(de las pieles)* apprêt.

**adocenado, a** *a* médiocre, ordinaire, quelconque, vulgaire.

**adocenarse** *vpr* devenir quelconque, tomber dans la médiocrité.

**adoctrinamiento** *m* endoctrinement.

**adoctrinar** *vt* endoctriner, enseigner.

**adolecer*** *vt* **1.** tomber malade **2.** *(padecer)* souffrir **3.** FIG pécher, souffrir: **su discurso adolece de imprecisión** son discours pèche par manque de précision.

**adolescencia** *f* adolescence.

**adolescente** *a/s* adolescent, e.

**Adolfo** *np m* Adolphe.

**adonde** *adv* où.

▶ Indique essentiellement le mouvement. Porte un accent écrit dans son emploi interrogatif: *¿adónde vas?* où vas-tu?; *no sabía adónde ir* il ne savait pas où aller (style indirect); *salió sin decir adónde* il est sorti sans dire où.

**adondequiera** *adv* **1.** n'importe où **2. ~ que...** où que...

**Adonis** *np m* Adonis.

**adopción** *f* adoption.

**adoptante** *a/s* adoptant, e.

**adoptar** *vt* adopter.

**adoptivo, a** *a* **1.** adoptif, ive: **hijo ~** fils adoptif **2. patria adoptiva** patrie d'adoption.

**adoquín** *m* **1.** pavé ◊ **empedrar con adoquines** paver **2.** FIG abruti, ballot, bûche *f*.

**adoquinado** *m* **1.** *(acción de adoquinar)* pavage **2.** *(suelo)* pavage, pavement.

**adoquinar** *vt* paver.

**adorable** *a* adorable.

**adoración** *f* **1.** adoration **2. ~ de los Reyes Magos** Adoration des Mages, Épiphanie.

**adorador, a** *a/s* adorateur, trice.

**adorar** *vt* **1.** adorer: **~ a Dios, al sol** adorer Dieu, le soleil **2.** *(amar intensamente)* adorer.

**adoratriz** *f* religieuse de l'Adoration, adoratrice.

**adormecedor, a** *a* **1.** endormant, e **2.** FIG calmant, e.

**adormecer*** *vt* **1.** endormir, assoupir **2.** FIG calmer, apaiser. ◆ **~se** *vpr* **1.** s'endormir, s'assoupir: **Lola se ha adormecido** Lola s'est assoupie **2.** *(un miembro)* s'engourdir.

**adormecimiento** *m* **1.** assoupissement **2.** *(de un miembro)* engourdissement.

**adormidera** *f* *(planta)* pavot *m*.

**adormilarse, adormitarse** *vpr* s'endormir, s'assoupir: **medio adormilado** à moitié endormi.

**adornamiento** *m* décoration *f*.

**adornar** *vt* **1.** orner, décorer: **~ con flores** orner de, décorer avec des fleurs **2.** FIG *(cualidades, etc.)* parer.

**adornista** *m* décorateur.

**adorno** *m* **1.** ornement, décor **2.** FIG parure *f* **3. árbol de ~** arbre d'ornement; **artes de ~** arts d'agrément; **de ~** pour le décor.

**adosar** *vt* **1.** adosser: **~ a una pared** adosser à un mur **2. chalés adosados** villas jumelles.

**adquirido, a** *a* acquis, e.

**adquiridor, a** *a/s* acquéreur, euse.

**adquirir*** *vt* **1.** *(fama, etc.)* acquérir: **adquirió este hábito hace mucho** il a acquis cette habitude il y a longtemps **2.** *(comprar)* acheter, acquérir: **acabo de ~ un coche** je viens d'acheter une voiture.

**adquisición** *f* acquisition.

**adquisitivo, a** *a* **1.** JUR acquisitif, ive **2. poder ~** pouvoir d'achat.

**adragante** *a* **goma ~** gomme adragante.

**adral** *m* *(de carro)* ridelle *f*.

**adrede** *adv* exprès, à dessein.

**adrenalina** *f* adrénaline.

**Adrián, ana** *np* Adrien, enne.

**Adriático** *np m* Adriatique *f*.

**adrizar** *vt* MAR redresser.

**adscribir** *vt* **1.** attribuer **2.** *(a un empleo, servicio)* affecter, rattacher. ◆ **~se** *vpr* *(a un partido político)* s'affilier.

**adscripción** *f* **1.** attribution **2.** affectation **3.** *(a un partido político)* affiliation.

**adscrito, a** *pp irreg* de **adscribir.**

**adsorber** *vt* QUÍM adsorber.

**adsorción** *f* QUÍM adsorption.

**aduana** *f* douane.

**aduanero, a** *a/m* douanier, ère.

**aduar** *m* **1.** *(de beduinos)* douar **2.** *(de gitanos, indios)* campement.

**aducción** *f* adduction.

**aducir*** *vt* **1.** alléguer, apporter, fournir: **adujo como excusa...** il allégua comme excuse...; **~ pruebas** apporter des preuves **2.** invoquer, avancer, mettre en avant: **razones aducidas para...** raisons invoquées pour...

**aductor** *a/m* ANAT adducteur.

**adueñarse** *vpr* **1.** s'emparer, se rendre maître **2.** FIG **la duda se adueñó de él** le doute s'empara de lui.

**adujar** *vt* MAR gléner, lover.

**aduje, adujo,** etc. → **aducir.**

**adulación** *f* adulation.

**adulador, a** *a/s* adulateur, trice.

**adular** *vt* aduler, flatter.

**adulo** *m* AMER flatterie *f*.

**adulón, ona** *a/s* FAM flagorneur, euse, lécheur, euse.

**adulteración** *f* frelatage *m*, adultération, falsification.

**adulterar** *vt* frelater, falsifier, dénaturer: **~ la leche** falsifier le lait; **vino adulterado** vin frelaté ◊ **~ la verdad** altérer la vérité.

**adulterino, a** *a* adultérin, e.

**adulterio** *m* adultère.

**adúltero, a** *a/s* *(persona)* adultère. ◊ *a* adultéré, e, corrompu, e.

**adulto, a** *a/s* adulte.

**adulzar** *vt* adoucir.

**adunar** *vt* unir, réunir, rassembler.

**adustez** *f* sévérité, austérité.

**adusto, a** *a* **1.** *(persona, rostro)* sévère, austère **2.** *(terreno, etc.)* très sec, sèche.

**advenedizo, a** *a* **1.** *(forastero)* étranger, ère **2.** PEYOR parvenu, e.

**advenimiento** *m* **1.** avènement, venue *f*: **el ~ del Mesías** l'avènement du Messie **2.** *(al trono)* accession *f*.

**advenir*** *vi* advenir, arriver.

**adventicio, a** *a* **1.** adventice **2.** *(raíz)* adventif, ive.

**adventista** *a/s* adventiste.

**adverbial** *a* adverbial, e.

**adverbio** *m* adverbe.

**adversario, a** *s* adversaire.

**adversativo, a** *a* GRAM adversatif, ive.

**adversidad** *f* **1.** adversité **2.** *(suceso adverso)* malheur *m*, revers *m*.

**adverso, a** *a* **1.** *(desfavorable)* adverse, contraire, défavorable **2.** *(opuesto)* opposé, e.

**advertencia** *f* **1.** avertissement *m*, avis *m*, mise en garde ◊ **servir de ~** servir de leçon **2.** *(nota)* remarque, observation **3.** *(en un libro)* avertissement *m* au lecteur, avant-propos *m inv*.

**advertido, a** *pp* de **advertir.** ◇ *a (avisado)* avisé, e, averti, e.

**advertir*** *vt* **1.** *(avisar)* avertir, prévenir: **te advierto que hace mucho frío** je te préviens qu'il fait très froid: **mi madre ya me lo había advertido** ma mère m'avait bien prévenu; **tengo que advertirte una cosa** je dois te prévenir d'une chose **2.** *(informar)* signaler, faire remarquer: **le advierto que nunca dije tal cosa** je vous signale que je n'ai jamais rien dit de tel **3.** *(aconsejar)* conseiller **4.** *(notar)* remarquer, observer, noter: **no advirtió mi presencia** il ne remarqua pas ma présence; **advirtió que alguien la observaba** elle remarqua que quelqu'un l'observait.

**Adviento** *m* avent: **domingo de ~** dimanche de l'avent.

**advocación** *f* RELIG vocable *m*, invocation: **bajo la ~ de** sous l'invocation de.

**adyacente** *a* adjacent, e.

**aedo** *m* aède.

**aeración** *f* aération, ventilation.

**aéreo, a** *a* **1.** aérien, enne **2.** *(en cartas)* **vía aérea** par avion.

**aerobic** *m* aérobic.

**aerobio** *a/m* BIOL aérobie.

**aeroclub** *m* aéro-club.

**aerodinámico, a** *a/f* aérodynamique.

**aeródromo** *m* aérodrome.

**aeroespacial** *a* aérospatial, e.

**aerofagia** *f* aérophagie.

**aerógrafo** *m* aérographe.

**aerolínea** *f* compagnie aérienne.

**aerolito** *m* aérolithe.

**aerómetro** *m* aéromètre.

**aeromodelismo** *m* aéromodélisme.

**aeromoza** *f* hôtesse de l'air.

**aeronauta** *m* aéronaute.

**aeronáutico, a** *a* aéronautique. ◇ *f* aéronautique.

**aeronaval** *a* aéronaval, e.

**aeronave** *f* **1.** aéronef *m* **2.** *(avión)* avion.

**aeroplano** *m* aéroplane.

**aeropuerto** *m* aéroport.

**aerosol** *m* aérosol.

**aerostación** *f* aérostation.

**aerostático, a** *a/f* aérostatique.

**aeróstato** *m* aérostat.

**aerotransportado, a** *a* aéroporté, e.

**afabilidad** *f* affabilité, amabilité.

**afable** *a* affable, aimable.

**afablemente** *adv* aimablement.

**afamado, a** *a* célèbre, renommé, e.

**afamar** *vt* rendre célèbre.

**afán** *m* **1.** *(empeño)* ardeur *f*, empressement **2.** *(anhelo)* désir, soif *f*: **mi ~ de saber** mon désir de savoir; **un ~ de riquezas, de venganza** une soif de richesses, de vengeance; **nuestro ~ por colaborar** notre volonté de collaborer. ◇ *pl* **1.** *(esfuerzos)* efforts **2.** *(penalidades)* soucis, tourments.

**afanar** *vi* se donner de la peine. ◇ *vt* FAM *(hurtar)* faucher, piquer, barboter: **me afanaron la cartera** on m'a fauché mon portefeuille. ◆ **~se** *vpr* se donner du mal, de la peine, se démener: **se ha afanado mucho por obtener este resultado** il s'est donné beaucoup de mal pour obtenir ce résultat.

**afanosamente** *adv* **1.** avec ardeur **2.** avec difficulté, péniblement.

**afanoso, a** *a* **1.** *(penoso)* pénible, fatigant, e **2. ~ por, de** avide de.

**afasia** *f* aphasie.

**afásico, a** *a* aphasique.

**afear** *vt* **1.** enlaidir: **este peinado le afea el rostro** cette coiffure enlaidit son visage **2.** FIG blâmer, critiquer, reprocher.

**afección** *f* affection.

**afectación** *f* affectation.

**afectado, a** *a* **1.** *(amanerado)* affecté, e **2.** *(afligido)* affecté, e, affligé, e **3.** *(damnificado)* sinistré, e **4.** victime, malade: **los afectados por el sida, por esta terrible enfermedad** les victimes du sida, de cette terrible maladie.

**afectar** *vt* **1.** *(fingir)* affecter, feindre **2.** *(emocionar)* affecter, toucher **3.** *(concernir)* toucher, concerner: **este problema nos afecta a todos** ce problème nous concerne tous; **nos afecta de lleno** il nous touche au vif **4.** changer, modifier: **esta decisión no afecta para nada lo que convenimos antes** cette décision ne change en rien ce qui a été convenu précédemment **5.** *(dañar)* faire du tort à, porter préjudice à **6.** frapper: **epidemia que afecta a los niños** épidémie qui frappe les enfants. ◆ **~se** *vpr* s'émouvoir.

**afectísimo, a** *a* très affectionné, e ◊ **suyo ~** votre tout dévoué.

**afectividad** *f* affectivité.

**afectivo, a** *a* affectif, ive.

**afecto, a** *a* **1.** *(adicto)* attaché, e, dévoué, e **2.** *(destinado)* affecté, e. ◇ *m (cariño)* affection *f*, attachement: **una prueba de ~** une marque d'affection; **le tiene mucho ~ a ella** il a beaucoup d'affection pour elle; **no me tenía mucho ~** elle n'avait pas beaucoup d'affection pour moi, elle ne me portait guère dans son cœur.

**afectuosamente** *adv* affectueusement.

**afectuosidad** *f* affection.

**afectuoso, a** *a* affectueux, euse.

**afeitado** *m* rasage.

**afeitadora** *f* rasoir *m* électrique.

**afeitar** *vt* **1.** raser: **venía mal afeitado** il était mal rasé ◊ **maquinilla de ~** rasoir *m*; **hoja de ~** lame de rasoir; **espuma de ~** mousse à raser **2.** *(poner afeites)* farder **3.** parer **4.** TAUROM épointer (les cornes du taureau). ◆ **~se** *vpr* se raser.

**afeite** *m (cosmético)* fard.

**afelio** *m* ASTR aphélie.

**afelpado, a** *a* pelucheux, euse.

**afelpar** *vt* velouter.

**afeminación** *f* efféminement *m*.

**afeminado, a** *a/s* efféminé, e.

**afeminar** *vt* efféminer.

**aferente** *a* ANAT afférent, e.

**aféresis** *f* GRAM aphérèse.

**aferramiento** *m* FIG obstination *f*.

**aferrar** *vt* **1.** *(agarrar)* saisir **2.** MAR *(con el bichero)* gaffer, accrocher; *(las velas)* ferler. ◇ *vi* MAR *(el ancla)* mordre. ◆ **~se**

*vpr* **1.** s'accrocher, se cramponner, s'agripper **2.** *FIG* **aferrarse a la vida** s'accrocher à la vie, se cramponner à la vie; **el dictador se aferraba al poder** le dictateur se cramponnait au pouvoir; **aferrado a sus costumbres** attaché à ses habitudes **3.** *FIG* s'obstiner.

**afestonado, a** *a* festonné, e.

**affaire** *m (caso)* affaire *f*, scandale.
▶ Gallicisme courant en espagnol, mais au masculin.

**Afganistán** *np m* Afghanistan.

**afgano, a** *a/s* afghan, e.

**afianzamiento** *m* **1.** garantie *f*, cautionnement **2.** affermissement, consolidation *f*.

**afianzar** *vt* **1.** *(garantizar)* cautionner, garantir **2.** *(apoyar)* soutenir, appuyer **3.** *(reforzar)* renforcer **4.** *FIG* consolider, affermir, fortifier, conforter. ◆ **~se** *vpr* **1.** *(agarrarse)* se cramponner **2.** *FIG* s'accrocher, se maintenir.

**afiche** *m* affiche *f*: **un ~** une affiche.

**afición** *f* **1.** goût *m*, penchant *m*: **la ~ al juego** le goût du jeu ◊ **tener ~ al estudio** aimer les études; **por ~** par goût **2.** *(conjunto de aficionados a los toros)* **la ~** les aficionados *m pl*, les amateurs *m pl* de courses de taureaux; *(al fútbol)* les supporters *m pl* **3. de ~** amateur: **fotógrafo de ~** photographe amateur **4.** *(cariño)* affection, inclination, attachement *m*: **me ha tomado ~** il m'a pris en affection.

**aficionado, a** *a/s* **1.** amateur, passionné, e: **~ a** amateur de ◊ **ser ~ a** aimer: **es muy ~ a viajar** il aime beaucoup voyager **2.** amateur: **les aficionados al jazz, a la espeleología** les amateurs de jazz, de spéléologie; **teatro de aficionados** théâtre d'amateurs. ◇ *m TAUROM* «aficionado».
▶ La palabra española *aficionado* se ha generalizado en francés en el lenguaje taurino y se utiliza a veces con el sentido de persona apasionada por un deporte: «les aficionados du football».

**aficionar** *vt* faire aimer. ◆ **~se** *vpr* **1.** *(a una persona)* s'attacher **2.** *(a una cosa)* prendre goût: **se está aficionando a los viajes** il prend goût aux voyages; **empezó a aficionarse a leer** il commença à prendre goût à la lecture, à prendre plaisir à lire.

**afijo, a** *a/m GRAM* affixe.

**afiladera** *f* pierre à aiguiser, aiguisoir *m*.

**afilado, a** *a* **1.** *(cuchillo)* aiguisé, e **2.** *(lápiz)* taillé, e **3.** *(dedo)* effilé, e **4.** *(nariz)* pointu, e.

**afilador** *m* **1.** *(persona)* rémouleur **2.** *(afilón)* cuir à rasoir **3.** *AMER (galanteador)* coureur (de jupons).

**afiladura** *f* aiguisage *m*, affûtage *m*.

**afilalápices** *m inv* taille-crayon.

**afilar** *vt* **1.** *(un cuchillo, etc.)* aiguiser, affûter, repasser **2. ~ un lápiz** tailler un crayon **3. ~ la voz** prendre une voix aiguë **4.** *AMER* faire la cour, flirter. ◆ **~se** *vpr (la cara)* s'effiler, s'allonger.

**afiliación** *f* affiliation.

**afiliado, a** *a/s* affilié, e.

**afiliar** *vt* affilier. ◆ **~se** *vpr* s'affilier.

**afiligranado, a** *a FIG* menu, e, fluet, ette.

**afiligranar** *vt* **1.** filigraner **2.** *FIG* polir, perfectionner.

**afilón** *m* cuir à rasoir.

**afín** *a* **1.** contigu, uë, proche **2.** *(semejante)* analogue, semblable: **gustos afines** des goûts semblables ◊ **ideas afines** analogies, idées voisines **3.** connexe.

**afinación** *f* **1.** *(de los metales)* affinage *m* **2.** *MÚS (de un instrumento)* accordage *m*; *(de la voz)* justesse **3.** perfectionnement *m*.

**afinadamente** *adv MÚS* juste.

**afinador** *m MÚS* **1.** *(persona)* accordeur **2.** *(instrumento)* accordoir.

**afinamiento** → **afinación.**

**afinar** *vt* **1.** *(una cosa)* mettre la dernière main à, parfaire **2.** *(un metal)* affiner **3.** *FIG (a una persona)* affiner **4.** *MÚS* accorder: **~ un piano** accorder un piano. ◇ *vi MÚS* chanter, jouer juste. ◆ **~se** *vpr* s'affiner.

**afincarse** *vpr* s'établir, s'installer, se fixer: **se afincaron en Madrid** ils s'établirent à Madrid; **afincado en Valencia desde hace diez años...** installé à Valence depuis dix ans...

**afinidad** *f* **1.** affinité **2.** *(parentesco)* alliance.

**afino** *m TECN* affinage.

**afirmación** *f* affirmation.

**afirmado** *m (de una carretera)* chaussée *f*.

**afirmar** *vt* **1.** *(consolidar)* affermir **2.** *(aseverar)* affirmer: **afirmo que es cierto** j'affirme que c'est vrai. ◆ **~se** *vpr* **1.** s'appuyer, prendre appui **2.** *FIG* **afirmarse en su postura** maintenir sa position.

**afirmativamente** *adv* affirmativement.

**afirmativo, a** *a/f* affirmatif, ive ◊ **en caso ~** dans l'affirmative.

**aflautado, a** *a* flûté, e: **voz aflautada** voix flûtée.

**aflechado, a** *a* sagitté, e.

**aflicción** *f* affliction.

**aflictivo, a** *a* **1.** affligeant, e, attristant, e **2.** *(pena)* afflictif, ive.

**afligido, a** *a* affligé, e.

**afligir** *vt* affliger. ◆ **~se** *vpr* être attristé, e, peiné, e: **afligirse con las desgracias ajenas** être profondément peiné des malheurs d'autrui.

**aflojamiento** *m* relâchement.

**aflojar** *vt* **1.** *(un tornillo, un nudo, etc.)* desserrer **2.** *(un muelle)* détendre **3.** *(soltar)* relâcher ◊ *FIG* **~ las riendas** lâcher la bride **4. ~ el paso** ralentir le pas **5.** *FAM (dinero)* lâcher, cracher ◊ **~ la bolsa, la mosca** lâcher du fric, les lâcher. ◇ *vi* **1.** diminuer, baisser **2.** *(viento)* faiblir **3.** *FIG (en el estudio)* se relâcher. ◆ **~se** *vpr* **1.** se détendre: **el muelle se ha aflojado** le ressort s'est détendu **2. se aflojó la corbata** il défit sa cravate.

**afloramiento** *m* **1.** affleurement **2.** *FIG* émergence *f*, affleurement.

**aflorar** *vi* affleurer.

**afluencia** *f* **1.** affluence: **~ de visitantes en la exposición** affluence de visiteurs à l'exposition **2.** afflux *m* **3.** *FIG* faconde.

**afluente** *m* affluent.

**afluir*** *vi* **1.** affluer: **los peregrinos afluyen al santuario** les pèlerins affluent au sanctuaire **2.** confluer: **río que afluye a** rivière qui conflue avec, se jette dans **3.** *(calle)* aboutir.

**aflujo** *m MED* afflux.

**afondarse** *vpr MAR* couler, sombrer.

**afonía** *f* aphonie.

**afónico, a** *a* aphone.

**aforado, a** *a* **1.** qui jouit d'un statut particulier **2.** qui relève d'une juridiction spéciale.

**aforar** *vt* **1.** *(recipiente, barco)* jauger **2.** *(mercancías)* estimer, évaluer.

**aforismo** *m* aphorisme.

**aforístico, a** *a* aphoristique.

**aforo** *m* **1.** *(de un recipiente, etc.)* jaugeage **2.** *(de mercancías)* estimation *f* **3.** *(de un teatro, estadio, etc.)* nombre de places.

**aforrar** *vt* doubler.

**afortunadamente** *adv* heureusement.

**afortunado, a** *a* **1.** *(feliz)* heureux, euse: **un hombre ~** un homme heureux **2.** *(con suerte)* chanceux, euse ◊ **los afortu-**

**nados ganadores** les heureux gagnants **3.** *FIG* **iniciativa poco afortunada** initiative malheureuse; **ha estado poco ~ al criticar...** il a été mal avisé de critiquer...

**afoscarse** *vpr* se brouiller, se couvrir de brume.

**afrancesado, a** *a* francisé, e. ◇ *s* **1.** personne qui imite les Français **2.** *HIST* partisan de Napoléon pendant la guerre d'Indépendance espagnole.

**afrancesamiento** *m* goût excessif pour les usages français, gallomanie *f*.

**afrancesar** *vt* franciser. ◆ **~se** *vpr* emprunter les usages français.

**afrecho** *m* son.

**afrenta** *f* **1.** affront *m*, outrage *m* **2.** *(deshonra)* déshonneur *m*, honte.

**afrentar** *vt* **1.** outrager **2.** humilier.

**afrentoso, a** *a* **1.** ignominieux, euse **2.** infamant, e.

**África** *np f* Afrique: **~ del Norte** l'Afrique du Nord.

**africada** *a (consonante)* affriquée.

**africanismo** *m* africanisme.

**africanista** *a/s* africaniste.

**africano, a** *a/s* africain, e.

**afrikánder** *a/s* afrikaner, afrikander.

**afro** *a (moda)* afro.

**afroamericano, a** *a* afro-américain, e.

**afroasiático, a** *a* afro-asiatique.

**afrocubano, a** *a* afro-cubain, e.

**afrodisíaco, a** *a/m* aphrodisiaque.

**Afrodita** *np f* Aphrodite.

**afrontamiento** *m* affrontement.

**afrontar** *vt* **1.** *(al enemigo, etc.)* affronter **2.** mettre l'un en face de l'autre **3.** *(carear)* confronter.

**afta** *f* aphte *m*.

**aftoso, a** *a* aphteux, euse: **fiebre aftosa** fièvre aphteuse.

**afuera** *adv* dehors: **vengo de ~** je viens de dehors ◊ **por ~** au-dehors. ◇ *f pl* **las afueras de Madrid** les alentours, les environs de Madrid. ◇ *interj* hors d'ici!, dehors!

**afuste** *m (de un cañón)* affût.

**agachada** *f FAM* ruse, astuce.

**agachadiza** *f* bécassine.

**agachar** *vt* baisser: **~ la cabeza** baisser la tête. ◆ **~se** *vpr* se baisser, s'accroupir: **¡agáchate!** baisse-toi!

**agalla** *f* **1.** *BOT* galle, noix de galle **2.** *(de ciprés)* pomme, cône *m* **3.** *ANAT* amygdale **4.** côté *m* de la tête d'un oiseau. ◇ *pl* **1.** *(de los peces)* ouïes **2.** *FAM* cran *m sing*: **tener agallas** avoir du cran; **no tendrá agallas para hacerlo** il n'aura pas le cran de le faire.

**agalludo, a** *a AMER* **1.** audacieux, euse, décidé, e **2.** *(astuto)* rusé, e **3.** *(avariento)* radin, e.

**agamí** *m* agami.

**agamuzar** *vt* chamoiser.

**ágape** *m* agape *f*.

**agarbillar** *vt* mettre en gerbes.

**agareno, a** *a/s* mahométan, e.

**agárico** *m (hongo)* agaric.

**agarrada** *f FAM* empoignade, prise de bec.

**agarraderas** *f pl* piston *m sing*, appuis *m*, relations: **tener buenas ~** avoir du piston.

**agarradero** *m* **1.** *(mango)* manche **2.** *(asa)* poignée *f*. ◇ *pl FAM* piston *sing*, appuis: **tener buenos agarraderos** avoir du piston.

**agarrado, a** *a/s* **1.** *FAM (avaro)* radin, e, pingre, grippe-sou **2.** *(baile)* danse *f* où le couple est étroitement enlacé: **bailar ~** danser joue contre joue.

**agarrador** *m* poignée *f*.

**agarrar** *vt* **1.** empoigner, saisir: **~ del brazo** saisir par le bras **2.** *FIG FAM (a un ladrón, etc.)* attraper, pincer **3.** *(una oportunidad)* saisir **4.** *(una enfermedad)* attraper, ramasser: **agarró una bronquitis** il a attrapé une bronchite ◊ **~ una borrachera** prendre une cuite **5.** *(un empleo)* décrocher **6.** *AMER (una dirección, un camino)* prendre. ◇ *vi (planta)* prendre. ◆ **~se** *vpr* **1.** s'accrocher, se cramponner, s'agripper: **el chiquillo se agarraba a las sayas de su madre** le gamin s'agrippait aux jupes de sa mère ◊ *FIG* **agarrarse a un clavo ardiendo → clavo; agarrarse de un pelo** sauter sur la moindre occasion **2.** tenir: **¡agárrate a la barandilla!** tiens bien la rampe!; **¡agárrense!** tenez-vous bien! **3.** *(pegarse la comida)* attacher **4.** *(reñir)* s'empoigner, se colleter: **los dos hermanos se agarraron y cayeron al suelo** les deux frères s'empoignèrent et tombèrent.

▶ *Agarrar* y...: forme populaire explétive. Exemple: *agarré y me levanté* je me suis levé.

**agarre** *m* **1.** prise *f* **2.** *(de un neumático)* adhérence *f*.

**agarrochar** *vt (el toro)* piquer.

**agarrón** *m* **1.** traction *f* violente **2.** *AMER* dispute *f*, empoignade *f*.

**agarrotamiento** *m* **1.** *(de un músculo)* raidissement, contraction *f* **2.** *(de un motor)* grippage.

**agarrotar** *vt* **1.** *(apretar)* serrer **2.** raidir **3.** *(a un reo)* garrotter. ◆ **~se** *vpr* **1.** se contracter, se raidir ◊ **tener la garganta agarrotada** avoir la gorge nouée **2.** *(un motor)* gripper, se gripper.

**agasajar** *vt* accueillir chaleureusement, fêter, faire bon accueil à.

**agasajo** *m* **1.** prévenance *f*, accueil chaleureux **2.** *(regalo)* cadeau **3.** *(convite)* invitation *f* **4.** fête *f*.

**ágata** *f* agate.

**Ágata** *np f* Agathe.

**agaucharse** *vpr AMER* prendre les manières des gauchos.

**agavanza** *f* gratte-cul *m*.

**agavanzo** *m* églantier.

**agave** *f* agave *m*, agavé *m*.

**agavilladora** *f* botteleuse.

**agavillar** *vt* **1.** *(formar gavillas)* mettre en gerbes, botteler **2.** réunir en bande.

**agazaparse** *vpr* se blottir, se tapir.

**agencia** *f* **1.** agence: **~ de viajes** agence de voyages; **~ de publicidad** agence de publicité **2.** bureau *m*: **~ de colocación** bureau de placement **3.** *(trámite)* démarche **4.** *AMER* mont-de-piété *m*.

**agenciar** *vt* procurer. ◆ **~se** *vpr* **1.** *(procurarse)* se procurer **2.** se débrouiller, s'arranger: **no sabe agenciárselas** il ne sait pas se débrouiller.

**agenciero** *m AMER* **1.** directeur d'une agence **2.** prêteur sur gages.

**agenda** *f* agenda *m*.

**agente** *m* agent: **~ de cambio y bolsa** agent de change; **~ de seguros** agent d'assurances; **~ de policía** agent de police.

**agerato** *m* ageratum.

**agigantado, a** *a* gigantesque ◊ **a pasos agigantados** à pas de géant.

**agigantar** *vt* donner des proportions gigantesques à.

**ágil** *a* **1.** agile **2.** vif, vive, alerte: **estilo ~** style alerte.

**agilidad** *f* **1.** agilité **2.** *FIG* souplesse.

**agilización** *f* accélération.

**agilizar** *vt FIG* **1.** rendre plus souple, assouplir **2.** rendre plus facile, simplifier: **nueva vía para ~ el tráfico** nouvelle voie pour rendre la circulation plus facile, plus fluide **3.** *AMER* activer, accélérer.

**agio** *m COM* agio.

**agiotaje** *m COM* agiotage.

**agiotista** *m COM* agioteur.

**agitación** *f* agitation.

**agitador, a** *a/s* agitateur, trice.

**agitanado, a** *a* qui tient des gitans.

**agitar** *vt* **1.** agiter **2.** *FIG* **una vida agitada** une vie agitée **3.** *FIG* agiter, inquiéter ◆ **~se** *vpr* s'agiter.

**aglomeración** *f* **1.** agglomération: **~ urbana** agglomération urbaine **2.** *(de personas)* attroupement *m* **3.** *(de vehículos)* encombrement *m*, embouteillage *m*.

**aglomerado** *m* aggloméré.

**aglomerar** *vt* agglomérer. ◆ **~se** *vpr (personas)* s'attrouper: **la gente se aglomeró delante del ayuntamiento** les gens s'attroupèrent devant la mairie.

**aglutinación** *f* agglutination.

**aglutinante** *a/m* agglutinant, e.

**aglutinar** *vt* **1.** agglutiner **2.** *FIG* réunir.

**agnosticismo** *m* agnosticisme.

**agnóstico, a** *a/s* agnostique.

**agnus, agnusdéi** *m inv* Agnus Dei.

**agobiado, a** *a* **1.** écrasé, e, accablé, e **2. ~ de trabajo** débordé de travail.

**agobiador, a, agobiante** *a* écrasant, e, accablant, e: **un calor agobiante** une chaleur accablante.

**agobiar*** *vt* **1.** *(doblar)* courber **2.** *FIG (los quehaceres, etc.)* accabler **3.** *(las responsabilidades)* écraser **4.** *(oprimir)* oppresser **5.** *(desanimar)* abattre, déprimer.

**agobio** *m* **1.** *(fatiga)* accablement **2.** *(sofocación)* oppression *f* **3.** *(angustia)* angoisse *f*.

**agolpamiento** *m* **1.** afflux, accumulation *f* **2.** *(de gente)* attroupement.

**agolparse** *vpr* **1.** *(personas)* se rassembler, se presser, affluer: **los niños se agolpan alrededor de las vitrinas** les enfants se pressent autour des vitrines **2.** *(cosas)* s'entasser **3. la sangre se me agolpó en la cabeza** le sang me monta à la tête.

**agonía** *f* **1.** *(de la muerte)* agonie: **estar en la ~** être à l'agonie **2.** *(aflicción)* souffrance, angoisse **3.** *(afán)* désir *m* ardent.

**agónico, a** *a* **1.** agonisant, e **2.** de l'agonie.

**agonizante** *a/s* agonisant, e. ◇ *m* religieux qui assiste les agonisants.

**agonizar** *vi* **1.** agoniser **2.** *FIG* **~ por** mourir d'envie de.

**ágora** *f (plaza)* agora.

**agorafobia** *f* agoraphobie.

**agorar*** *vt* prédire, augurer, présager.

**agorero, a** *a/s* **1.** devin, devineresse **2. ave agorera** oiseau de mauvais augure, de malheur.

**agostamiento** *m AGR* dessèchement.

**agostar** *vt AGR* brûler, dessécher, griller. ◆ **~se** *vpr* se dessécher.

**agosteño, a** *a* du mois d'août.

**agostero** *m* moissonneur.

**agosto** *m* **1.** août: **el 15 de ~** le 15 août **2.** *(cosecha)* moisson *f* **3.** *FIG* **hacer su ~** faire son beurre, faire sa pelote.

**agotable** *a* épuisable.

**agotador, a** *a* épuisant, e.

**agotamiento** *m* épuisement.

**agotar** *vt* **1.** épuiser: **~ las existencias** épuiser les stocks; **el libro está agotado** le livre est épuisé **2.** *(cansar)* épuiser: **estoy agotado** je suis épuisé **3. ~ la paciencia** épuiser la patience, mettre la patience à bout. ◆ **~se** *vpr* s'épuiser, tarir.

**agracejo** *m* **1.** *(planta)* épine-vinette *f* **2.** *(uva)* raisin *m* vert.

**agraceño, a** *a* aigre.

**agraciado, a** *a* **1.** *(lindo)* gracieux, euse, joli, e, avenant, e **2.** favorisé, e **3. billete ~** billet gagnant. ◇ *s (en un sorteo)* heureux gagnant, heureuse gagnante.

**agraciar** *vt* **1.** avantager, favoriser **2. ~ con una merced** accorder une faveur **3. ~ con un premio** remettre un prix.

**agradable** *a* agréable.

**agradablemente** *adv* agréablement.

**agradar** *vi* plaire, aimer: **me agrada dormir al sereno** j'aime dormir à la belle étoile; **si le agrada** si cela vous plaît, vous convient, vous dit; **la idea no le agradaba nada** l'idée ne lui disait rien du tout; **me agradaría saber...** ça me plairait de savoir, j'aimerais bien savoir...

**agradecer*** *vt* **1.** remercier: **le agradezco su carta, que haya venido** je vous remercie de votre lettre, d'être venu; **se lo agradezco muchísimo** je vous en remercie infiniment; **~ con una sonrisa** remercier d'un sourire **2.** *(estar agradecido)* être reconnaissant, e, savoir gré: **le agradecería que me dijera si...** je vous serais reconnaissant de me dire si...; **es de ~** ça vaut bien un remerciement **3.** *(necesitar)* avoir besoin de.

**agradecido, a** *a* reconnaissant, e, obligé, e: **estar ~ a alguien** être reconnaissant envers quelqu'un, savoir gré à quelqu'un ◊ **muy ~** avec mes remerciements.

**agradecimiento** *m* reconnaissance *f*, gratitude *f*, remerciement *m*: **expresar su ~** exprimer sa gratitude; **una carta de ~** une lettre de remerciement.

**agrado** *m* **1.** *(gusto)* plaisir: **tengo el ~ de...** j'ai le plaisir de... ◊ **haga usted lo que sea de su ~** faites à votre gré, à votre convenance; **ser del ~ de uno** être agréable à quelqu'un **2.** *(amabilidad)* amabilité *f*, complaisance *f*.

**agramadera** *f (máquina)* broyeuse.

**agramado** *m* broyage.

**agramar** *vt* broyer.

**agrandamiento** *m* agrandissement.

**agrandar** *vt* **1.** agrandir **2.** *FIG* grossir, amplifier. ◆ **~se** *vpr FIG* augmenter.

**agranujado, a** *a* **1.** *(granujiento)* boutonneux, euse **2.** canaille.

**agrario, a** *a* agraire: **reforma agraria** réforme agraire.

**agravación** *f*, **agravamiento** *m* aggravation *f*.

**agravante** *a* aggravant, e: **circunstancia ~** circonstance aggravante. ◇ *m JUR* circonstance *f* aggravante.

**agravar** *vt* aggraver. ◆ **~se** *vpr* s'aggraver.

**agraviante** *a* offensant, e.

**agraviar*** *vt* **1.** offenser **2.** *(perjudicar)* léser, faire du tort à. ◆ **~se** *vpr* s'offenser.

**agravio** *m* **1.** *(ofensa)* offense *f*, affront, injure *f* **2.** *(perjuicio)* tort, dommage: **deshacer agravios** redresser les torts.

**agravioso, a** *a* offensant, e.

**agraz** *m* **1.** verjus **2.** *loc adv* **en ~** en herbe: **campeón en ~** champion en herbe.

**agrazar** *vt* déplaire.

**agredido, a** *a/s* victime (d'une agression).

**agredir*** *vt* **1.** *(atacar)* attaquer, agresser **2.** FIG agresser: **el consumidor es agredido por la publicidad televisiva** le consommateur est agressé par la publicité télévisée.

**agregación** *f* **1.** agrégation **2.** *(aditamiento)* adjonction **3.** *(reunión)* rattachement *m.*

**agregado** *m* **1.** *(conglomerado)* agrégat **2.** attaché: **~ cultural, militar** attaché culturel, militaire; **~ diplomático** attaché d'ambassade **3.** *(profesor)* professeur auxiliaire.

**agregar** *vt* **1.** FÍS agréger **2.** *(añadir)* ajouter: **agregue un poco de leche** ajoutez un peu de lait **3.** incorporer **4.** rattacher **5.** *(a un servicio)* affecter **6.** annexer. ◆ **~se** *vpr* se joindre, s'associer.

**agremán** *m* garniture *f* (de passementerie).

**agremiar** *vt* réunir en corporation. ◆ **~se** *vpr* devenir membre d'une corporation.

**agresión** *f* agression.

**agresivamente** *adv* agressivement.

**agresividad** *f* agressivité.

**agresivo, a** *a* agressif, ive.

**agresor, a** *a/s* agresseur.

**agreste** *a* **1.** agreste **2.** *(salvaje)* sauvage.

**agrete** *a* aigrelet, ette.

**agriado, a** *a* FIG aigri, e.

**agriamente** *adv* aigrement.

**agriar** *vt* aigrir. ◆ **~se** *vpr* **1.** s'aigrir, tourner: **se ha agriado la leche** le lait a tourné **2.** FIG **se le agrió el carácter** son caractère s'est aigri.

**agrícola** *a* agricole.

**agricultor, a** *s* agriculteur, trice.

**agricultura** *f* agriculture.

**agridulce** *a* aigre-doux, aigre-douce.

**agrietamiento** *m* fendillement.

**agrietar** *vt* **1.** *(la tierra, etc.)* crevasser, fendiller, craqueler **2.** *(una pared)* lézarder **3.** *(la pintura)* fendiller, craqueler **4.** *(la piel)* gercer. ◆ **~se** *vpr* se crevasser, etc.

**Agrigento** *np* Agrigente.

**agrimensor** *m* arpenteur.

**agrimensura** *f* arpentage *m.*

**agringarse** *vpr* AMER adopter les usages des étrangers.

**agrio, a** *a* **1.** *(ácido)* aigre **2.** FIG *(carácter)* acariâtre, revêche **3.** *(terreno)* accidenté, e. ◇ *m pl (naranjas, limones, etc.)* agrumes: **los agrios** les agrumes.

**Agripina** *np f* Agrippine.

**agrisado, a** *a* grisâtre.

**agro** *m* **1.** *(campo)* campagne *f* **2.** agriculture *f*: **el ~ español** l'agriculture espagnole.

**agroalimentario** *a* agro-alimentaire.

**agronomía** *f* agronomie.

**agronómico, a** *a* agronomique.

**agrónomo** *s* agronome.

**agropecuario, a** *a* agricole, agropastoral, e: **productos agropecuarios** produits agricoles.

**agroquímica** *f* agrochimie.

**agror** *m* aigreur *f.*

**agrupación** *f* **1.** *(acción)* groupement *m*, rassemblement *m* **2.** *(grupo)* groupement *m* **3.** *(sociedad)* société.

**agrupamiento** *m* groupement.

**agrupar** *vt* grouper, rassembler. ◆ **~se** *vpr* se grouper.

**agrura** *f* aigreur.

**agua** *f* **1.** eau: **~ dulce, salada, mineral** eau douce, salée, minérale; **~ de lluvia** eau de pluie; **~ nieve** → **aguanieve** ◊ FIG **~ pasada no mueve molino** inutile de revenir sur le passé, ce qui est fait est fait; **bailarle el ~ a uno** → **bailar**; **del ~ mansa me libre Dios** il n'est pire eau que l'eau qui dort; **echar ~ al vino** mettre de l'eau dans son vin; **esperar como ~ de mayo** attendre comme le Messie; **estar con el ~ al cuello** être dans une situation difficile, avoir la corde au cou; **llevar el ~ al molino de** apporter de l'eau au moulin de; **se me hace la boca ~** j'en ai l'eau à la bouche; **sin decir ~ va** sans crier gare; **tan claro como el ~** clair comme de l'eau de roche; **algo tendrá el ~ cuando la bendicen** il n'y a pas de fumée sans feu **2.** **~ de azahar** eau de fleur d'oranger; **~ de Colonia** eau de Cologne; **~ oxigenada** eau oxygénée **3.** MAR **vía de ~** voie d'eau **4.** RELIG **~ de socorro** ondoiement *m* **5.** **~ de borrajas, de cerrajas** → **borraja, cerraja.** ◇ *interj* **¡~ va!** gare!; **¡hombre al ~!** un homme à la mer! ◇ *pl* **1.** *(termales)* eaux **2.** *(de un tejido)* moirures **3.** *(de una piedra preciosa)* eau *sing* **4.** *(de un tejado)* pentes ◊ **cubrir aguas** mettre hors d'eau **5.** MAR **aguas jurisdiccionales** eaux territoriales **6.** marée *sing*, eaux: **aguas de creciente, de menguante** marée montante, descendante; **aguas vivas** eaux vives; **aguas muertas** mortes-eaux **7.** **hacer aguas menores** uriner; **hacer aguas mayores** aller à la selle **8.** **romper aguas** perdre les eaux **9.** *loc adv* **aguas abajo** en aval, dans le sens du courant; **aguas arriba** en amont, en remontant le courant.

**aguacatal** *m* plantation *f* d'avocatiers.

**aguacate** *m* **1.** *(árbol)* avocatier **2.** *(fruto)* avocat.

**aguacero** *m* **1.** *(lluvia)* averse *f* **2.** FIG pluie *f*, déluge, avalanche *f.*

**aguacha** *f* eau croupie.

**aguachirle** *f* **1.** *(vino malo)* piquette **2.** *(cualquier líquido)* lavasse.

**aguacil** → **alguacil.**

**aguada** *f* **1.** *(pintura)* gouache **2.** *(inundación)* inondation **3.** AMER *(abrevadero)* abreuvoir *m.*

**aguaderas** *f pl* bât *m sing* à paniers.

**aguado, a** *a* coupé, e (d'eau), baptisé, e.

**aguador, a** *s* porteur, euse d'eau.

**aguaducho** *m* buvette *f.*

**aguadura** *f (de las caballerías)* fourbure.

**aguafiestas** *s inv* trouble-fête, rabat-joie, empêcheur de danser en rond.

**aguafuerte** *f* eau-forte.

▶ Masculin dans le sens de «gravure»: *unos aguafuertes de Goya* des eaux-fortes de Goya.

**aguafuertista** *s* aquafortiste.

**aguaita** *f* AMER guet *m.*

**aguaitar** *vt* AMER *(acechar)* guetter, épier.

**aguaje** *m* **1.** *(en el mar)* courant **2.** marée *f* **3.** *(de un barco)* sillage **4.** AMER *(aguacero)* averse *f*, pluie *f* violente; *(regaño)* semonce *f.*

**aguamala** *f* méduse.

**aguamanil** *m* **1.** pot à eau, aiguière *f* **2.** *(palangana)* cuvette *f.*

**aguamar** *m* méduse *f.*

**aguamarina** *f* aigue-marine.

**aguamiel** *f* **1.** hydromel *m* **2.** AMER sève de l'agave (fermentée, on en fait du pulque).

**aguanieve** *f* neige fondue.

**aguanieves** *f (pájaro)* bergeronnette.

**aguanoso, a** *a* aqueux, euse, plein, e d'eau.

**aguantable** *a* supportable.

**aguantaderas** *f pl* patience *sing.*

**aguantar** *vt* **1.** *(sostener)* soutenir **2.** *(sujetar)* tenir **3.** *(sufrir)* supporter, endurer: **no aguanto tus bromas** je ne supporte pas tes plaisanteries ◊ **sabe ~ bromas** il prend bien la plaisanterie; **no puedo ~ más** je n'en peux plus, je suis à bout **4.** *(a alguien)* supporter, souffrir: **Carmen no podía ~ a su vecina** Carmen ne pouvait pas supporter sa voisine; **no hay quien te aguante** tu es insupportable **5.** *(durar)* durer **6.** *TAUROM* attendre de pied ferme. ◇ *vi* tenir bon. ◆ **~se** *vpr* **1.** se contenir, se retenir: **me aguanté para no decirle cuatro verdades** je me suis retenu de lui dire ses quatre vérités **2.** tenir: **el enfermo no se aguanta de pie** le malade ne tient pas debout **3.** *(resignarse)* prendre son parti, se taire **4.** *FAM* **¡aguántate!, ¡te aguantas!** tant pis pour toi!

**aguante** *m* **1.** patience *f* **2.** *(resistencia)* endurance *f*, résistance *f*.

**aguapié** *m* piquette *f*.

**aguar** *vt* **1.** *(vino, leche, etc.)* couper, mouiller, étendre d'eau **2.** *FIG* gâcher, troubler, gâter: **~ una fiesta** troubler une fête ◊ **aguarle la fiesta a** gâcher le plaisir à. ◆ **~se** *vpr* **1.** se remplir d'eau **2.** *FIG* se gâter: **se aguó la fiesta** les choses se sont gâtées, ça a mal tourné.

**aguará** *m* renard d'Argentine.

**aguardar** *vt/i* attendre: **aguardo a que venga** j'attends qu'il vienne. ◆ **~se** *vpr* attendre.

**aguardentoso, a** *a* **1.** alcoolisé, e **2.** **voz aguardentosa** voix de rogomme, éraillée.

**aguardiente** *m* **1.** eau-de-vie *f* **2.** **~ de caña** tafia.

**aguardo** *m* *(caza)* affût.

**aguarrás** *m* essence *f* de térébenthine.

**aguatero** *m* *AMER* porteur d'eau.

**aguaturma** *f* topinambour *m*.

**aguaviento** *m* pluie *f* accompagnée de vent.

**aguaviva** *f* méduse.

**aguazal** *m* marécage.

**aguazo** *m* gouache *f*.

**agudamente** *adv* *FIG* subtilement.

**agudeza** *f* **1.** finesse, acuité: **~ visual** acuité visuelle **2.** *FIG* *(ingenio)* finesse, vivacité d'esprit, subtilité, perspicacité **3.** *(dicho agudo)* trait *m* d'esprit, saillie **4.** *(chiste)* bon mot *m*.

**agudización** *f* *FIG* aggravation.

**agudizar** *vt* **1.** rendre plus aigu, ë **2.** *FIG* aggraver. ◆ **~se** *vpr* **1.** *FIG* *(una enfermedad, etc.)* s'aggraver, empirer **2.** *(un problema, etc.)* se compliquer.

**agudo, a** *a* **1.** *(afilado)* pointu, e **2.** aigu, ë: **ángulo ~** angle aigu; **dolor ~** douleur aiguë **3.** *(voz)* aigu, ë, perçant, e **4.** *FIG* subtil, e, pénétrant, e, fin, e: **~ de ingenio** d'esprit subtil **5.** *(gracioso)* spirituel, elle ◊ **dicho ~** bon mot **6.** *GRAM* qui a l'accent tonique sur la dernière syllabe **7.** *MÚS* aigu, ë: **nota aguda** note aiguë.

**Águeda** *np f* Agathe.

**agüero** *m* augure, présage: **de buen, mal ~** de bon, mauvais augure; **ser ave de mal ~** être un oiseau de mauvais augure, de malheur.

**aguerrido, a** *a* aguerri, e.

**aguerrir*** *vt* aguerrir.

**aguijada** *f* *(del boyero)* aiguillon *m*.

**aguijar** *vt* aiguillonner. ◇ *vi* se hâter.

**aguijón** *m* **1.** aiguillon ◊ **dar coces contra el ~** → **coz** **2.** *ZOOL* aiguillon, dard **3.** *BOT* aiguillon **4.** *FIG* aiguillon, stimulant.

**aguijonazo** *m* coup d'aiguillon.

**aguijonear** *vt* aiguillonner.

**águila** *f* **1.** aigle *m*: **~ real** aigle royal; **~ pescadora** aigle pêcheur, balbuzard *m* **2.** *FIG* *(persona)* aigle *m*, as *m* **3.** *AMER* *(cometa)* cerf-volant *m*. ◇ *m* *(pez)* aigle de mer.

▶ La palabra *aigle* es femenina cuando se trata de enseña de las legiones romanas y en heráldica.

**aguileña** *f* *(planta)* ancolie.

**aguileño, a** *a* **1.** **nariz aguileña** nez aquilin **2.** *(rostro)* allongé, e, en lame de couteau.

**aguilera** *f* aire de l'aigle.

**aguilón** *m* **1.** *(de grúa)* bras, flèche *f* **2.** *ARQ* pignon.

**aguilucho** *m* aiglon.

**aguinaldo** *m* étrennes *f pl*: **el ~ del portero** les étrennes du concierge.

**agüista** *m* curiste.

**agüita** *f* *AMER* infusion.

**aguja** *f* **1.** *(de coser, de jeringuilla, etc.)* aiguille ◊ **~ magnética** aiguille aimantée; **~ de hacer media, de tricotar** aiguille à tricoter; **~ de mechar** lardoire; *FIG* **buscar una ~ en un pajar** chercher une aiguille dans une botte de foin; **meter ~ por sacar reja** donner un œuf pour avoir un bœuf **2.** *MAR* **~ de marear** boussole, compas *m* ◊ **conocer la ~ de marear** savoir mener sa barque, savoir y faire **3.** *(de un campanario)* flèche, aiguille **4.** *(pez)* aiguille, orphie **5.** *(ferrocarril)* aiguillage *m sing*. ◇ *pl* *(carne)* côtes découvertes.

**agujazo** *m* coup d'aiguille.

**agujerar, agujerear** *vt* percer, trouer: **zapatos agujereados** souliers percés.

**agujero** *m* **1.** trou **2.** *(falta de dinero)* trou.

**agujeta** *f* *(cinta)* aiguillette. ◇ *pl* *(dolores)* courbatures.

**¡agur!** *interj* adieu!, au revoir!

**agusanado, a** *a* véreux, euse.

**agusanarse** *vpr* devenir véreux, euse.

**Agustín, ina** *np* Augustin, e.

**agustino, a** *a/s* *(religioso)* augustin, e.

**agutí** *m* agouti.

**aguzado, a** *a* **1.** aiguisé, e **2.** pointu, e.

**aguzanieves** *f* bergeronnette, hochequeue *m*.

**aguzar** *vt* **1.** *(afilar)* aiguiser **2.** *FIG* stimuler, rendre plus vif, vive, aiguiser **3.** **~ el oído, las orejas** tendre, dresser l'oreille; **agucé el oído** je tendis l'oreille; **~ la vista** ouvrir l'œil.

**¡ah!** *interj* **1.** ah! **2.** holà!

**ahechar** *vt* cribler, vanner.

**ahecho** *m* criblage, vannage.

**aherrojar** *vt* **1.** enchaîner **2.** *FIG* opprimer, asservir.

**aherrumbrarse** *vpr* rouiller.

**ahí** *adv* **1.** là: **siéntate ~** assieds-toi là; **~ arriba** là-haut ◊ **~ cerca** tout près ◊ *FAM* **~ es nada** ce n'est pas rien; **~ me las den todas** ça m'est égal, je m'en fiche **2.** **~ está, he ~...** voilà...; **~ está el problema** voilà le problème; **~ viene, hele ~** le voilà; **~ tiene mi dirección** voilà mon adresse; **~ van mil pesetas** voilà mille pesetas; **~ le mando una foto** je vous envoie une photo **3.** *loc adv* **por ~** par là; **estará por ~** il doit être par là; **voy a dar una vuelta por ~** je vais faire un tour dans le secteur; **por ~, por ~** à peu près.

▶ Indique un lieu proche de l'interlocuteur → **aquí**.

**ahijado, a** *s* filleul, e.

**ahijar** *vt* adopter. ◆ **~se** *vpr* adopter: **se ahijó a un sobrino** il a adopté un neveu.

**¡ahijuna!** *interj* *AMER* *POP* putain!

**ahilado, a** *a* **1.** *(viento)* doux, douce **2.** **voz ahilada** voix grêle.

**ahilarse** *vpr* **1.** tomber en défaillance **2.** *(adelgazar)* maigrir **3.** *(las plantas)* s'étioler **4.** *(el vino)* filer.

**ahínco** *m* **1.** ardeur *f*, acharnement: **trabajar con ~** travailler avec ardeur **2.** insistance *f*.

**ahitar** *vt* **1.** causer une indigestion **2.** *(un terreno)* borner. ◆ **~se de** *vpr* se donner une indigestion de, se gaver de.

**ahíto, a** *a* **1.** qui souffre d'une indigestion **2.** *(repleto)* repu, e **3.** *FIG (cansado)* las, lasse: **estar ~ de** être rassasié, saturé de, avoir une indigestion de. ◇ *m* indigestion *f*.

**ahocicar** *vi (rendirse)* céder.

**ahocinarse** *vpr (río)* se resserrer.

**ahogadero** *m (sitio)* étuve *f*, étouffoir.

**ahogado, a** *a/s (en agua)* noyé, e. ◇ *a* **1.** *(local)* exigu, ë **2.** *(respiración)* oppressé, e **3.** étranglé, e, brisé, e: **con la voz ahogada** d'une voix étranglée **4.** *(de trabajo)* accablé, e **5.** *(en el ajedrez)* pat.

**ahogamiento** *m* étouffement, oppression *f*.

**ahogar** *vt* **1.** *(en agua)* noyer **2.** *(asfixiar)* étouffer **3.** *(estrangular)* étrangler **4.** *FIG* étouffer, réprimer: **~ una rebelión, un grito** étouffer une révolte, un cri; **~ un suspiro, un bostezo** réprimer un soupir, un bâillement; **~ las penas** noyer son chagrin **5.** *FIG (angustiar)* tourmenter, préoccuper. ◆ **~se** *vpr* **1.** *(en agua)* se noyer ◊ *FIG* **ahogarse en un vaso de agua, en poca agua** se noyer dans un verre d'eau; **se ahoga por nada** il se tourmente pour rien **2.** *(asfixiarse)* s'étouffer **3.** *(respirar con dificultad)* étouffer, suffoquer **4. ahogarse de calor** crever de chaud **5. su voz se ahoga** sa voix s'étrangle.

**ahogo** *m* **1.** oppression *f*, étouffement, suffocation *f* **2.** *FIG (apuro)* gêne *f*, embarras.

**ahoguío** *m* oppression *f*, étouffement.

**ahondamiento** *m* approfondissement.

**ahondar** *vt* approfondir, creuser. ◇ *vi* **1.** pénétrer, creuser **2.** *FIG* **~ en una cuestión** approfondir une question. ◆ **~se** *vpr* s'enfoncer.

**ahonde** → **ahondamiento.**

**ahora** *adv* **1.** maintenant, à présent **2.** *loc adv* **~ bien** or; **~ mismo** *(poco antes)* à l'instant même, juste; *(después)* tout de suite, dans un instant: **¡ahora mismo voy!** j'arrive tout de suite!; **de ~ en adelante** dorénavant, désormais; **por ~** pour le moment. ◇ *conj* **1.** or **2.** soit que: **~ lluvia, ~ haga sol** soit qu'il pleuve, soit qu'il y ait du soleil **3.** *loc conj* **~ que** *(pero)* mais; **~ sí que me voy** cette fois, je m'en vais.

**ahorcado, a** *a/s* pendu, e.

**ahorcadura** *f* pendaison.

**ahorcajarse** *vpr* se mettre à califourchon.

**ahorcamiento** *m* pendaison *f*.

**ahorcar** *vt* **1.** pendre: **ha sido ahorcado** il a été pendu **2.** *FIG* **~ los hábitos** jeter le froc aux orties; **a la fuerza ahorcan** on ne fait pas toujours ce que l'on veut. ◆ **~se de** *vpr* se pendre à.

**ahorita** *adv FAM* tout de suite.

**ahormar** *vt FIG* mettre au pas, mater.

**ahornagarse** *vpr AGR* se dessécher.

**ahornar** *vt* enfourner.

**ahorquillarse** *vpr* se diviser en deux.

**ahorrador, a** *a/s* épargnant, e: **pequeños ahorradores** petits épargnants.

**ahorrar** *vt* **1.** *(dinero)* économiser, épargner **2.** *(fluido, gasolina, etc.)* économiser **3.** *FIG* économiser: **~ el tiempo** économiser son temps; **ahorremos palabras** trêve de paroles, trêve de discours **4.** *FIG* épargner, éviter: **yo quería ahorrarle ese disgusto** je voulais vous épargner cette contrariété. ◇ *vi* économiser, faire des économies. ◆ **~se** *vpr* **1.** économiser: **así me ahorro mil pesetas** j'économise ainsi mille pesetas; **me ahorra tiempo tomar el metro** j'économise mon temps en prenant le métro; **ahorrarse una noche de hotel** économiser une nuit d'hôtel **2.** *FIG (molestia, etc.)* éviter: **de esta manera, usted se ahorra las colas a las horas punta** de cette façon, vous évitez les queues aux heures de pointe.

**ahorrativo, a** *a* économe.

**ahorro** *m* **1.** épargne *f*: **caja de ahorros** caisse d'épargne ◊ **cuenta de ~ vivienda** compte d'épargne-logement **2.** *(lo que se ahorra)* économie *f*: **se ha comprado una moto con sus ahorros** il s'est acheté une moto avec ses économies.

**ahuchar** *vt* garder dans une tirelire, mettre en lieu sûr.

**ahuecar** *vt* **1.** creuser, évider **2.** *(un colchón, etc.)* faire gonfler: **se ahuecó el pelo** elle fit gonfler ses cheveux, elle donna du volume à ses cheveux **3.** *(la tierra)* ameublir **4.** *(la voz)* enfler **5.** *FAM* **~ el ala** se tailler, se tirer. ◆ **~se** *vpr FIG* se gonfler d'orgueil.

**ahuesado, a** *a* de la couleur, de la dureté de l'os.

**ahuevado, a** *a AMER* abruti, e.

**ahuevarse** *vpr AMER* avoir peur.

**ahuizote** *m AMER* **1.** batracien du Mexique **2.** *(persona molesta)* raseur, importun.

**ahumado, a** *a (jamón, cristal)* fumé, e. ◇ *m* fumage.

**ahumar** *vt* **1.** fumer **2.** *(llenar de humo)* enfumer. ◆ **~se** *vpr* **1.** prendre un goût de fumée **2.** *FAM* s'enivrer.

**ahusado, a** *a* fuselé, e.

**ahuyentar** *vt* **1.** chasser, faire fuir **2.** *FIG* chasser, éloigner: **~ malos pensamientos** chasser de mauvaises pensées.

**ailanto** *m* ailante, vernis du Japon.

**aikido** *m* aïkido.

**aimará** *a/s* aymara.

**aína, aínas** *adv ANT* **1.** vite **2.** facilement **3.** peu s'en faut.

**aindiado, a** *a/s* d'Indien, qui a le type indien: **rostro ~** visage d'Indien.

**airado, a** *a* **1.** furieux, euse, irrité, e, courroucé, e **2. vida airada** vie de débauche; **mujer de vida airada** femme légère, débauchée.

**airar** *vt* mettre en colère, irriter.

**¹aire** *m* **1.** *(fluido, atmósfera)* air: **~ acondicionado, comprimido** air conditionné, comprimé; **lanzar al ~** lancer en l'air; **al ~ libre** en plein air, au grand air ◊ *FIG* **cambiar de aires, mudar de aires** changer d'air; **vivir del ~** vivre de l'air du temps; **dejar en el ~ una pregunta** laisser une question en suspens; **gafas montadas al ~** lunettes sans monture **2.** *(viento)* air, vent ◊ **~ colado** vent coulis; **corriente de ~** courant d'air; *FAM* **¡aire!** de l'air!, du balai! **3.** *(aspecto, semejanza)* air: **con ~ decidido** d'un air décidé; **tiene ~ de inglés** il a l'air d'un Anglais; **un ~ de familia** un air de famille; **tiene todo el ~ de estar furiosa** elle a vraiment l'air d'être furieuse; **¡se da unos aires!** elle prend de ces airs! ◊ **tiene un ~ a mi tío** il ressemble un peu à mon oncle **4.** *(garbo)* allure *f* **5.** *(gracia)* grâce *f* **6.** *(de un caballo)* allure *f* **7. vivir a su ~** vivre à son rythme, à sa façon; **prefiero ir a mi ~** je préfère aller à mon rythme **8.** *MÚS* air: **~ popular** air populaire.

**²aire** *m* mammifère insectivore de Cuba.

**aireación** *f* aération, ventilation.

**aireado, a** *a* aéré, e.

**airear** *vt* **1.** aérer **2.** *FIG* divulguer, faire connaître. ◆ **~se** *vpr* **1.** prendre l'air **2.** *(resfriarse)* prendre froid.

**airecillo, airecito** *m* **1.** vent léger **2.** *(frío)* petit vent froid.

**airón** *m* **1.** *(ave)* héron **2.** *(plumas)* aigrette *f* **3.** *(penacho)* panache.

**airosamente** *adv* **1.** avec élégance, avec grâce **2.** *(con éxito)* brillamment, avec succès.

**airosidad** *f* grâce, élégance.

**airoso, a** *a* **1.** élégant, e, gracieux, euse **2. salió ~ de la prueba** il s'est tiré brillamment de l'épreuve.

**aislacionismo** *m* isolationnisme.

**aislacionista** *a* isolationniste.

**aisladamente** *adv* isolément.

**aislado, a** *a* isolé, e: **un pueblo, un caso ~** un village, un cas isolé.

**aislador, a** *a/s* isolant, e. ◇ *m (eléctrico)* isolateur.

**aislamiento** *m* **1.** isolement **2.** *(térmico, acústico, etc.)* isolation *f*.

**aislante** *a/m* isolant, e.

**aislar** *vt* isoler. ◆ **~se** *vpr* s'isoler.

**¡ajá!, ¡ajajá!** *interj FAM* voilà!, c'est çà!, tout juste!

**ajamiento** *m* **1.** *(de la piel, de una planta)* flétrissure *f* **2.** froissement.

**ajamonarse** *vpr FAM* devenir rondelette, prendre de l'embonpoint, s'empâter.

**ajar** *vt* **1.** *(una planta, la tez)* flétrir, faner **2.** *(deslucir)* défraîchir **3.** *(arrugar)* friper, froisser, chiffonner: **una chaqueta ajada** une veste fripée **4.** *FIG* flétrir, humilier. ◆ **~se** *vpr* se faner, se flétrir.

**ajardinado, a** *a* amenagé, e en jardin, paysager, ère.

**ajardinar** *vt* aménager en espaces verts.

**ajedrea** *f* sarriette.

**ajedrecista** *s* joueur, joueuse d'échecs.

**ajedrez** *m* échecs *pl*: **jugar al ~** jouer aux échecs.

**ajedrezado, a** *a* en échiquier, en damier.

**ajenjo** *m* absinthe *f*.

**ajeno, a** *a* **1.** d'autrui: **la opinión ajena** l'opinion d'autrui **2.** contraire, étranger, ère: **eso es ~ a su carácter** ceci est contraire à son caractère **3.** étranger, ère, en dehors de, ignorant, e: **está ~ a este asunto** il est étranger à cette affaire ◊ **~ a nuestra voluntad** indépendant de notre volonté **4.** libre, exempt, e: **~ de cuidados** libre de soucis.

**ajetrearse** *vpr* se démener, s'agiter ◊ **andar, estar muy ajetreado** être très occupé, très bousculé; **tuve un mes muy ajetreado** j'ai eu un mois très chargé.

**ajetreo** *m* **1.** agitation *f*, affairement **2.** animation *f*.

**ají** *m* piment rouge.

**ajiaceite** *m* ailloli.

**ajiaco** *m AMER* **1.** sauce *f* pimentée **2.** ragoût assaisonné au piment.

**ajilimójili** *m* sauce *f* à l'ail. ◇ *pl* accessoires.

**ajimez** *m* fenêtre *f* géminée.

**ajipuerro** *m* poireau sauvage.

**ajo** *m* **1.** ail: **cabeza de ~** tête d'ail; **diente de ~** gousse *f* d'ail **2.** *FIG* **ser más tieso que un ~** être droit comme un piquet **3.** *(salsa)* sauce *f* à l'ail **4.** *FIG FAM* **andar metido en el ~, estar en el ~** être dans le coup **5.** *FAM (palabrota)* juron, gros mot: **soltar ajos** lâcher des jurons, jurer.
▶ El plural de *ail* es *ails* o (menos usado) *aulx*.

**ajolote** *m* axolotl.

**ajonjolí** *m* sésame.

**ajorca** *f* bracelet *m*, anneau *m*.

**ajornalar** *vt* louer à la journée.

**ajuar** *m* **1.** *(de novia)* trousseau **2.** *(muebles)* mobilier.

**ajuarar** *vt* équiper.

**ajuiciado, a** *a* sage, réfléchi, e.

**ajuiciar** *vt* **1.** assagir **2.** *(juzgar)* juger.

**ajustado, a** *a* **1.** ajusté, e, serré, e: **vestido muy ~, ~ a la cintura** robe bien ajustée, serrée à la ceinture; **falda muy ajustada a las nalgas** jupe très serrée aux fesses **2.** juste **3.** *(precio)* étudié.

**ajustador** *m* **1.** *(jubón)* justaucorps **2.** *(operario)* ajusteur. ◇ *pl AMER (sujetador)* soutien-gorge *sing*.

**ajustamiento → ajuste.**

**ajustar** *vt* **1.** *(dos cosas)* ajuster, adapter **2.** *(un mecanismo)* régler **3.** *(una cuenta)* régler, liquider **4.** *FIG* adapter, conformer, accommoder: **~ su conducta a la de los demás** conformer sa conduite à celle des autres **5. ~ un precio** convenir d'un prix; **ayer, los dos hombres ajustaron el programa del debate** hier, les deux hommes ont fixé le programme, sont convenus du programme du débat **6.** *(la paz, etc.)* conclure **7.** *(contratar)* embaucher, engager: **~ obreros** embaucher des ouvriers **8.** *(imprenta)* mettre en pages. ◇ *vi* s'adapter. ◆ **~se** *vpr* **1.** se mettre d'accord **2.** s'adapter, s'accommoder, cadrer: **ajustarse a las circunstancias** s'adapter aux circonstances; **esto se ajusta a mis previsiones** cela cadre avec mes prévisions **3. nuestras opiniones se ajustan** nos avis concordent **4.** se conformer; **ajústese a mis órdenes** conformez-vous à mes ordres **5.** être embauché, e.

**ajuste** *m* **1.** *(de dos piezas)* ajustage **2.** *(de un mecanismo)* réglage **3.** *(acuerdo)* accord, arrangement **4.** *COM (de una cuenta)* règlement ◊ *FIG* **~ de cuentas** règlement de comptes **5.** *(de un obrero)* embauche *f*; *(de un criado)* engagement **6.** *(imprenta)* mise *f* en pages, imposition *f* **7.** *(televisión)* **carta de ~** mire.

**ajusticiado, a** *s* victime *f*, supplicié, e.

**ajusticiar** *vt* exécuter: **~ a un reo** exécuter un coupable.

**al** *prep* (contraction de la prép. *a* avec l'article *el* → **a**) **1.** au, à la: **ir ~ cine** aller au cinéma; **~ fin** à la fin **2.** *(a casa de)* chez **3.** en: **traducir ~ inglés** traduire en anglais **4.** *(+ infinitivo)* marque le moment précis où s'accomplit une action: **~ llegar** en arrivant; **~ salir de casa, tropecé con él** au moment où je sortais de chez moi, je suis tombé sur lui; **~ dar las seis** comme six heures sonnaient; **~ abrirse la puerta, creí que eras tú** lorsque la porte s'ouvrit, j'ai cru que c'était toi; **~ morir su mujer...** lorsque sa femme mourut, à la mort de sa femme... ◊ **~ amanecer** au point du jour; **~ anochecer** à la tombée de la nuit; **~ salir el sol** au lever du soleil.

**ala** *f* **1.** aile ◊ *FIG* **cortar las alas a alguien** rogner les ailes à quelqu'un, créer des difficultés à quelqu'un, mettre des bâtons dans les roues de quelqu'un; **volar con sus propias alas** voler de ses propres ailes; *FAM* **ahuecar el ~** se débiner, mettre les voiles **2.** *(de un sombrero)* bord *m* **3.** *(alero de un tejado)* auvent *m* **4.** *(de un ejército, equipo)* aile: **el ~ derecha** l'aile droite **5.** *POP* **del ~** pesetas: **las cien mil del ~** cent mille pesetas. ◇ *pl* **1.** audace *sing*, ressort *m sing* **2.** *(engreimiento)* toupet *m sing* ◊ **dar alas a alguien** laisser prendre à quelqu'un trop de liberté; **caérsele a uno las alas del corazón** se décourager.

**¡ala!** *interj* → **¡hala!**

**Alá** *np m* Allah.

**alabador, a** *a/s* louangeur, euse.

**alabancioso, a** *a FAM* vantard, e.

**alabanza** *f* **1.** éloge *m*, louange: **conducta digna de ~** conduite digne d'éloge **2.** *(jactancia)* vantardise.

**alabar** *vt* louer, faire l'éloge de, vanter ◊ **alabado sea Dios** Dieu soit loué. ◆ **~se** *vpr* se vanter.

**alabarda** *f* hallebarde.

**alabardero** *m* hallebardier. ◇ *pl (en un teatro)* la claque.

**alabastrino, a** *a* d'albâtre.

**alabastro** *m* albâtre.

**álabe** *m (de rueda)* aube *f*, palette *f*: **rueda de álabes** roue à aubes.

**alabeado, a** *a* gauchi, e.

**alabear** *vt* gauchir. ◆ **~se** *vpr* gauchir, se gondoler.

**alabeo** *m* gauchissement, gondolement.

**alacena** *f* placard *m*.

**alacrán** *m* **1.** *(arácnido)* scorpion **2.** *(gancho)* crochet **3.** *AMER* mauvaise langue *f*.

**alacranear** *vt AMER* critiquer, dire du mal de, médire.

**alacridad** *f* alacrité.

**alacha** *f* anchois *m* frais.

**alada** *f* coup *m* d'aile.

**aladares** *m pl* cheveux qui tombent sur les tempes.

**aladierna** *f*, **aladierno** *m* nerprun *m*.

**Aladino** *np m* Aladin.

**alado, a** *a* **1.** ailé, e **2.** *(veloz)* rapide.

**alajú** *m* sorte de pain d'épice.

**alamar** *m* **1.** brandebourg **2.** *(fleco)* frange *f*.

**alambicado, a** *a* alambiqué, e, tarabiscoté, e.

**alambicar** *vt* **1.** distiller **2.** *FIG* examiner minutieusement **3.** *(sutilizar)* tarabiscoter, quintessencier **4.** réduire.

**alambique** *m* alambic.

**alambrada** *f MIL* réseau *m sing* de barbelés.

**alambrado, a** *a* entouré, e de fils de fer. ◇ *m* **1.** *(alambrera)* grillage **2.** *(cerco)* clôture *f* en fils de fer.

**alambrar** *vt* clôturer avec des fils de fer.

**alambre** *m* fil de fer: **~ de púas, espinoso** fil de fer barbelé.

**alambrera** *f* **1.** *(red de alambre)* grillage *m* **2.** cloche en toile métallique.

**alambrista** *s* funambule, équilibriste.

**alameda** *f* **1.** *(terreno poblado de álamos)* peupleraie **2.** *(de árboles)* allée d'arbres **3.** *(paseo)* promenade.

**álamo** *m* **1.** peuplier: **~ blanco** peuplier blanc. **2. ~ temblón** tremble

**alamparse** *vpr* **~ por** avoir très envie de.

**alancear** *vt* donner des coups de lance, de pique à.

**Álano** *np m* Alain.

**alano, a** *a/m* *(perro)* dogue.

**alante** *adv ANT* devant.

**alar** *m* avant-toit.

**alarde** *m* **1.** étalage, déploiement: **un ~ de erudición** un étalage d'érudition ◊ **hacer ~ de** faire étalage de, faire montre de **2.** démonstration *f*, manifestation *f*, marque *f*: **un ~ de destreza, de buen humor** une démonstration d'adresse, une manifestation de bonne humeur; **alardes de fervor** des marques de ferveur.

**alardear** *vi* se vanter, se targuer: **alardea de valiente** il se vante d'être courageux.

**alardeo** → **alarde.**

**alargadera** *f* rallonge, allonge.

**alargado, a** *a* **1.** allongé, e **2.** long, longue.

**alargador** *m* rallonge *f* (électrique).

**alargamiento** *m* **1.** allongement **2.** prolongation *f*.

**alargar** *vt* **1.** allonger, rallonger **2.** *(un miembro)* tendre, allonger, étirer: **~ el cuello** tendre le cou; **~ la mano** tendre la main ◊ **~ el paso** allonger le pas **3.** *(dar)* tendre, passer: **me alargó su foto** il me tendit sa photo **4.** *(en el tiempo)* prolonger: **decidí ~ mi estancia** je décidai de prolonger mon séjour **5.** *(diferir)* retarder **6.** augmenter. ◆ **~se** *vpr* **1.** s'allonger **2. los días se alargan** les jours allongent, rallongent; **la cena se alargó más de lo previsto** le dîner se prolongea, dura plus longtemps que prévu **3.** *(en una explicación)* s'étendre **4.** *(ir)* aller, passer: **te alargas hasta el banco** tu vas jusqu'à la banque.

**alarido** *m* cri, hurlement: **lanzó un ~** il poussa un hurlement.

**alarife** *m* **1.** *ANT* architecte, maître d'œuvre, maçon **2.** *AMER* *(astuto)* malin.

**alarma** *f* **1.** alarme: **dar la (voz de) ~** donner l'alarme **2.** alerte: **estado de ~** état d'alerte; **falsa ~** fausse alerte; **~ de bomba** alerte à la bombe **3.** inquiétude: **vivir en ~** vivre dans l'inquiétude.

**alarmante** *a* alarmant, e: **noticias alarmantes** des nouvelles alarmantes.

**alarmar** *vt* alarmer. ◆ **~se** *vpr* s'alarmer, s'inquiéter.

**alarmista** *a/s* alarmiste.

**Alaska** *np m* Alaska.

**alavense, alavés, esa** *a/s* d'Álava.

**alazán, ana, alazano, a** *a/s* alezan, e.

**alazo** *m* coup d'aile.

**alba** *f* **1.** aube, point *m* du jour ◊ **al rayar el ~** à l'aube **2.** *(vestidura de los sacerdotes)* aube.

**albacea** *m JUR* exécuteur testamentaire.

**albacora** *f* **1.** *(fruto)* figue fleur **2.** *(pez)* bonite.

**albada** *f* aubade.

**albahaca** *f* basilic *m*.

**albalá** *m/f* brevet *m*, document *m*.

**albanega** *f* **1.** *ANT* *(para el pelo)* résille **2.** *(red)* filet *m*.

**albanés, esa** *a/s* albanais, e.

**Albania** *np f* Albanie.

**albañal** *m* **1.** *(alcantaría)* égout **2.** *FIG* dépotoir.

**albañil** *m* maçon.

**albañila** *a* **abeja ~** abeille maçonne.

**albañilería** *f* maçonnerie.

**albar** *a* blanc, blanche.

**albarán** *m* **1.** *COM* bulletin de livraison d'une marchandise, bordereau, bon: **~ de entrega** bordereau de livraison **2.** écriteau «à louer».

**albarda** *f* *(de una caballería)* bât *m*.

**albardero** *m* sellier, bâtier.

**albardilla** *f* **1.** *(silla)* selle de dressage **2.** *(de un muro)* chaperon *m* **3.** *(de tocino)* barde **4.** *(almohadilla)* coussinet *m* de porteur d'eau.

**albardón** *m* grand bât.

**albaricoque** *m* abricot.

**albaricoquero** *m* abricotier.

**albariño** *m* vin blanc de Galice.

**albarrada** *f* **1.** mur *m* de pierres sèches **2.** clôture.

**albarrana** *a* **torre ~** tour de guet. ◇ *f* *(planta)* scille.

**albatros** *m* albatros.

**albayalde** *m* céruse *f*.

**albazo** *m AMER* attaque *f* à l'aube.

**albear** *vi* tirer sur le blanc.

**albedrío** *m* **1.** arbitre: **libre ~** libre arbitre **2.** caprice, volonté *f*, fantaisie *f*: **obrar a su ~** agir à sa guise.

**albéitar** *m* vétérinaire.

**alberca** *f* **1.** bassin *m*, réservoir *m*, pièce d'eau **2.** *AMER* piscine.

**albérchigo** *m* **1.** alberge *f* **2.** *(albaricoque)* abricot.

**albergar** *vt* **1.** héberger, loger **2.** *FIG* *(un sentimiento)* nourrir: **~ un deseo** nourrir un désir. ◆ **~se** *vpr* loger.

**albergue** *m* **1.** *(cobijo)* refuge, abri **2.** logis ◊ **dar ~** héberger **3.** auberge *f*, relais: **~ de juventud** auberge de jeunesse.

**Alberto, a** *np* Albert, e.

**albigense** *a/s* albigeois, e.

**albillo, a** *a* **uva albilla** chasselas *m*. ◇ *m* chasselas.

**albinismo** *m* albinisme.

**albino, a** *a/s* albinos.

**Albión** *np f* Albion: **la pérfida ~** la perfide Albion.

**albis → in albis.**

**albo, a** *a* blanc, blanche.

**albogue** *m* **1.** flûte *f* champêtre **2.** cymbale *f*.

**albóndiga, albondiguilla** *f* CULIN boulette, croquette.

**albor** *m* **1.** *(blancura)* blancheur *f* **2.** *(alba)* aube *f* **3.** FIG aube *f*, début, seuil: **en los albores de una nueva era** à l'aube d'une nouvelle ère ◊ **los albores de la vida** le printemps de la vie.

**alborada** *f* **1.** *(alba)* aube, point *m* du jour **2.** MÚS aubade **3.** MIL **el toque de ~** la diane, le réveil.

**alborear** *vi* **1.** commencer à faire jour **2.** FIG poindre.

**albornoz** *m* **1.** *(de los árabes)* burnous **2.** *(para usar después del baño)* peignoir de bain: **~ de rizo** peignoir en tissu-éponge.

**alboronía** *f* ragoût *m* d'aubergines, tomates, etc., ratatouille.

**alborotadamente** *adv* d'une manière désordonnée, agitée.

**alborotadizo, a** *a* turbulent, e.

**alborotado, a** *a* **1.** irréfléchi, e **2.** *(inquieto)* excité, e, agité, e **3. con el pelo ~** les cheveux ébouriffés.

**alborotador, a** *a* **1.** turbulent, e, tapageur, euse **2.** *(alumno)* chahuteur, euse. ◇ *s* agitateur, trice, fauteur de troubles.

**alborotar** *vt* **1.** *(causar desorden)* mettre sens dessus dessous, mettre en désordre **2.** *(perturbar)* troubler, agiter **3.** *(sublevar)* ameuter. ◇ *vi* faire du tapage, du vacarme: **¡no alborotéis tanto!** ne faites pas tant de vacarme!, tenez-vous tranquilles! ◆ **~se** *vpr* **1.** se troubler, s'affoler **2.** *(encolerizarse)* s'emporter.

**alboroto** *m* **1.** *(ruido)* tapage, vacarme: **armar ~** faire du vacarme; **~ nocturno** tapage nocturne **2.** *(follón)* chahut **3.** *(desorden)* désordre, pagaille *f*, bousculade **4.** *(motín)* émeute *f*. ◇ *pl* AMER pop-corn.

**alborozar** *vt* réjouir. ◆ **~se** *vpr* jubiler, se réjouir.

**alborozo** *m* joie *f* débordante.

**albricias** *f pl* cadeau *m sing* (fait au porteur d'une bonne nouvelle). ◇ *interj* victoire!, chic!

**albufera** *f* lagune, étang *m* d'eau salée.
▶ Notamment sur la côte du Levant espagnol.

**albugo** *m* MED albugo.

**álbum** *m* album: **álbumes de fotografías** des albums de photos.

**albumen** *m* BOT albumen.

**albúmina** *f* albumine.

**albuminoide** *m* albuminoïde.

**albuminoso, a** *a* albumineux, euse.

**albuminuria** *f* MED albuminurie.

**albur** *m* **1.** hasard, chance *f*: **al ~** au hasard; **correr un ~** courir sa chance **2.** risque: **correr el ~ de** courir le risque de **3.** *(pez)* ablette *f*.

**albura** *f* blancheur.

**alcabala** *f* ANT impôt *m* sur les ventes.

**alcacel, alcacer** *m* orge *f* verte.

**alcachofa** *f* **1.** *(planta)* artichaut *m* **2.** *(de regadera, ducha)* pomme **3.** *(de tubo)* crépine.

**alcachofal** *m* champ d'artichauts, artichautière *f*.

**alcahaz** *m* volière *f*, cage *f*.

**alcahuete, a** *s* **1.** entremetteur, euse, maquereau, elle **2.** *(chismoso)* cancanier, ère. ◇ *m* TEAT rideau d'entracte.

**alcahuetear** *vi* servir d'entremetteur, euse.

**alcahuetería** *f* proxénétisme *m*.

**alcaide** *m* ANT **1.** gouverneur d'un château **2.** geôlier, gardien de prison.

**alcaldada** *f* abus *m* de pouvoir.

**alcalde** *m* maire: **teniente de ~** adjoint au maire ◊ FIG **tener el padre ~** avoir du piston.

**alcaldesa** *f* **1.** *(mujer que ejerce el cargo de alcalde)* maire *m* **2.** *(esposa del alcalde)* femme du maire, mairesse.

**alcaldía** *f* **1.** *(edificio)* mairie **2.** charge du maire.

**álcali** *m* alcali.

**alcalinidad** *f* alcalinité.

**alcalino, a** *a* alcalin, e.

**alcaloide** *m* alcaloïde.

**alcance** *m* **1.** portée *f*: **misil de largo ~** missile à longue portée; **al ~ de** à portée de; **al ~ de la mano** à portée de la main; **a nuestro ~** à notre portée ◊ **fuera de ~** hors d'atteinte, hors de portée **2.** *(trascendencia)* portée *f*, importance *f*: **una decisión de mucho ~** une décision d'une grande portée **3. darle ~ a alguien** rattraper quelqu'un; **irle al ~, a los alcances de alguien** poursuivre, être sur le point d'atteindre quelqu'un **4.** *(correo)* levée *f* supplémentaire **5.** *(en los periódicos)* nouvelle *f* de dernière heure. ◇ *pl* capacités *f*, talent *sing* ◊ **ser persona de pocos alcances** être borné, e, peu intelligent, e; **nunca me ha parecido un tipo de muchos alcances** il ne m'a jamais paru être un type très malin.

**alcancía** *f* **1.** *(hucha)* tirelire **2.** AMER tronc *m* (pour les aumônes).

**alcanfor** *m* camphre.

**alcanforado, a** *a* **alcohol ~** alcool camphré.

**alcanforero** *m* camphrier.

**alcantarilla** *f* **1.** *(canal)* égout *m* **2.** *(hueco)* bouche d'égout **3.** *(puentecillo)* ponceau *m*.

**alcantarillado** *m* réseau d'égout.

**alcantarillero** *m* égoutier.

**alcanzado, a** *a* **1.** *(con deudas)* endetté, e **2. ir ~ de dinero** être à court d'argent, dans la gêne.

**alcanzar** *vt* **1.** atteindre, toucher: **~ el blanco** atteindre le but; **el avión fue alcanzado por un cohete** l'avion a été touché par une fusée **2.** rattraper: **corrí para alcanzarle** j'ai couru pour le rattraper **3.** *(alargando la mano)* saisir, attraper **4.** *(dar a alguien)* passer, tendre: **alcánzame la sal, por favor** passe-moi le sel, s'il te plaît; **me alcanzó su bolígrafo** il me tendit son stylo à bille **5.** FIG atteindre: **el paro alcanza proporciones inquietantes** le chômage atteint des proportions inquiétantes ◊ **~ una victoria** remporter une victoire **6.** avoir connu: **alcancé a mi bisabuela** j'ai connu mon arrière-grand-mère **7.** comprendre, saisir: **no alcanzo dónde quieres llegar** je ne comprends pas où tu veux en venir. ◇ *vi* **1.** *(un arma, un sonido)* porter **2. no alcanzo a ver, a comprender** je n'arrive pas à voir, à comprendre; **uno alcanza a preguntarse...** on en arrive à se demander... **3.** suffire, être suffisant, e: **provisiones que alcanzan para todos** des provisions qui suffisent pour tout le monde; **ella no alcanza a todo el trabajo de la casa** elle n'arrive pas à faire tout le travail de la maison. ◆ **~se** *vpr* **no se me alcanza por qué...** je n'arrive pas à comprendre pourquoi...

**alcaparra** *f* **1.** *(arbusto)* câprier *m* **2.** *(fruto)* câpre.

**alcaparrón** *m* câpre *f*.

**alcaraván** *m* butor.

**alcaravea** *f* carvi *m*, cumin *m* des prés.

**alcarraza** *f* alcarazas *m*.

**alcarria** *f* plateau *m* dénudé.

**alcatifa** *f* ANT *(alfombra)* tapis *m*.

**alcatraz** *m* **1.** *(ave)* pélican américain, fou **2.** *(planta)* arum.

**alcaucil, alcaucí** *m* AMER artichaut.

**alcaudón** *m* pie-grièche *f*.

**alcayata** *f* piton *m*.

**alcazaba** *f* **1.** forteresse **2.** casbah.

**alcázar** *m* **1.** château fort **2.** palais royal, alcazar: **el ~ de Córdoba** l'alcazar de Cordoue **3.** *MAR* gaillard d'arrière.

[1]**alce** *m (mamífero)* élan.

[2]**alce** *m (naipes)* coupe *f*.

[3]**alce**, etc. → **alzar.**

**Alcibíades** *np m* Alcibiade.

**alción** *m* **1.** *(ave fabulosa, polipo)* alcyon **2.** *(pájaro)* martin-pêcheur.

**alcista** *m* haussier. ◇ *a* à la hausse: **tendencia ~** tendance à la hausse.

**alcoba** *f* **1.** *(dormitorio)* chambre à coucher **2.** *(gabinete)* alcôve ◊ *FIG* **secretos de ~** secrets d'alcôve **3.** *(de la balanza)* châsse.

**alcocarra** *f* grimace, moue.

**alcohol** *m* **1.** alcool: **~ de 90 grados** alcool à 90 degrés; **~ de quemar** alcool à brûler **2.** *(afeite)* khôl.

**alcoholato** *m* alcoolat.

**alcoholemia** *f* alcoolémie.

**alcohólico, a** *a/s* alcoolique.

**alcoholímetro** *m* alcoomètre, pèse-alcool.

**alcoholismo** *m* alcoolisme.

**alcoholizado, a** *a/s* alcoolique.

**alcoholizar** *vt* alcooliser. ◆ **~se** *vpr* devenir alcoolique.

**alcohómetro** *m* alcootest.

**alcor** *m* coteau, colline *f*.

**alcorán** *m* coran.

**alcornocal** *m* bois de chênes-liège.

**alcornoque** *m* **1.** *(árbol)* chêne-liège **2.** *FIG* buse *f*, abruti: **¡pedazo de ~!** espèce d'abruti!

**alcorque** *m* **1.** *(calzado)* sandale *f* à semelle de liège **2.** *(hoyo)* cuvette *f*, trou (au pied d'une plante pour l'arrosage).

**alcorza** *f* sucre *m* glace.

**alcorzar** *vt (los dulces)* glacer.

**alcotán** *m* laneret, faucon lanier.

**alcubilla** *f* réservoir *m*.

**alcurnia** *f* lignage *m*, lignée ◊ **de ~** de vieille souche, noble.

**alcuza** *f* huilier *m*.

**alcuzcuz** *m* couscous.

**aldaba** *f* **1.** *(llamador)* heurtoir *m*, marteau *m* de porte **2.** *(cerradura)* barre de fermeture **3.** *(aldabilla)* crochet *m*. ◇ *pl FIG* **tener buenas aldabas** avoir des appuis, des relations.

**aldabada** *f*, **aldabazo** *m* coup *m* de heurtoir.

**aldabilla** *f* crochet *m*.

**aldabón** *m* gros marteau de porte, heurtoir.

**aldabonazo** *m* **1.** coup de heurtoir **2.** *FIG* avertissement, coup de sonnette d'alarme, de semonce: **dar un ~** tirer la sonnette d'alarme.

**aldea** *f* village *m*, hameau *m*.

**aldeano, a** *a/s* villageois, e.

**aldehído** *m QUÍM* aldéhyde.

**aldehuela** *f* petit village *m*, hameau *m*.

**aldeorrio** *m PEYOR* trou, patelin, bled.

**alderredor** *adv ANT (alrededor)* autour.

**¡ale!** *interj* allons!

**aleación** *f* alliage *m*: **aleaciones ligeras** des alliages légers.

[1]**alear** *vi* **1.** *(mover las alas)* battre des ailes **2.** *FIG* reprendre des forces.

[2]**alear** *vt (metales)* allier.

**aleatorio, a** *a* aléatoire.

**alebrarse** *vpr* se coucher à plat ventre.

**aleccionador, a** *a* **1.** instructif, ive **2.** exemplaire, édifiant, e.

**aleccionamiento** *m* instruction *f*.

**aleccionar** *vt* **1.** former, instruire **2.** *(reprender)* faire la leçon.

**alechugar** *vt (cuello, etc.)* plisser, fraiser.

**alecrín** *m* requin des Antilles.

**aledaño, a** *a* voisin, e, limitrophe. ◇ *m pl (alrededores)* alentours.

**alegación** *f* **1.** allégation **2.** *JUR* écrit *m* de défense.

**alegar** *vt* alléguer, mettre en avant, invoquer: **~ motivos de salud** invoquer des raisons de santé.

**alegato** *m* **1.** allégation *f* **2.** *JUR* plaidoyer.

**alegoría** *f* allégorie.

**alegóricamente** *adv* allégoriquement.

**alegórico, a** *a* allégorique.

**alegrar** *vt* **1.** réjouir, rendre gai, e: **~ el corazón** réjouir le cœur; **el vino alegra y hace olvidar las penas** le vin rend gai et fait oublier les peines **2.** *(hermosear)* égayer, mettre de la gaieté dans: **un rayo de sol alegra el salón** un rayon de soleil égaie le salon **3.** *(el fuego)* attiser **4.** *TAUROM (al toro)* exciter **5.** *(bebiendo)* mettre en gaieté. ◆ **~se** *vpr* **1. alegrarse de, con** se réjouir de **2.** être heureux, euse, ravi, e: **me alegro de verle** je suis heureux de vous voir; **me alegro** j'en suis ravi **3.** *FAM (bebiendo)* s'enivrer.

**alegre** *a* **1.** joyeux, euse, gai, e: **hoy me siento muy ~** aujourd'hui je me sens tout joyeux; **un niño ~** un enfant gai; **la comida fue muy ~** le repas a été très gai **2.** heureux, euse: **estoy ~ de salir contigo** je suis heureux de sortir avec toi; **una noticia ~** une heureuse nouvelle **3.** *(color, habitación)* gai, e **4.** *(achispado)* éméché, e, gai, e **5.** *(licencioso)* un peu libre, leste **6.** *(irreflexivo)* irréfléchi, e ◊ **~ de cascos** écervelé, e **7.** *FIG* léger, ère: **mujer de la vida ~** femme légère.

**alegremente** *adv* joyeusement, gaiement, allègrement.

**alegreto** *m MÚS* allegretto.

**alegría** *f* **1.** joie: **loco de ~** fou de joie; **la ~ de vivir** la joie de vivre **2.** gaieté: **se le ha acabado la ~** il a perdu sa gaieté **3. me dio mucha ~ recibir su carta** j'ai été très heureux, cela m'a fait grand plaisir de recevoir votre lettre **4.** *FIG (falta de reflexión)* irréflexion, légèreté **5.** *(planta)* sésame *m*.

**alegro** *m MÚS* allegro.

**alegrón** *m FAM* grande joie *f*, plaisir immense ◊ **me llevé un ~, me dio un ~ cuando...** ça m'a fait drôlement plaisir quand...

**alejado, a** *a* éloigné, e.

**alejamiento** *m* éloignement.

**Alejandría** *np* Alexandrie.

**alejandrino, a** *a/m* alexandrin, e.

**Alejandro** *np m* Alexandre.

**alejar** *vt* **1.** éloigner **2.** écarter. ◆ **~se** *vpr* s'éloigner, s'écarter: **se alejó de sus antiguas amistades** il s'est éloigné de ses anciens amis.

**Alejo** *np m* Alexis.

**alelamiento** *m* hébétude *f*.

**alelar** *vt* hébéter, abrutir.

**alelí** *m* giroflée *f.*

**aleluya** *m/f (canto religioso)* alléluia *m.* ◇ *m* temps de Pâques. ◇*f (estampa)* petite image pieuse, sorte d'image d'Épinal. ◇*pl* vers de mirliton.

**alemán, ana** *a/s* allemand, e: **los alemanes** les Allemands.

**alemanda** *f (danza)* allemande.

**Alemania** *np f* Allemagne.

**alemánico, a** *a/m* alémanique.

**alentada** *f* **1.** respiration non interrompue **2.** *loc adv* **de una ~** tout d'une traite, d'une seule haleine.

**alentado, a** *a* courageux, euse.

**alentador, a** *a* encourageant, e.

**alentar*** *vi* **1.** respirer **2.** *FIG* vibrer. ◇ *vt* **1.** encourager: **tus palabras me alientan** tes paroles m'encouragent **2.** animer: **le alienta una gran fe** une grande foi l'anime. ◆ **~se** *vpr* reprendre courage.

**Alepo** *np* Alep.

**alerce** *m* mélèze.

**alergia** *f* allergie.

**alérgico, a** *a/s* **1.** allergique **2.** *FIG* allergique.

**alergista, alergólogo, a** *s* allergologue.

**alero** *m* **1.** avant-toit **2.** *(de un vehículo)* garde-boue **3.** *FIG* **estar en el ~** être en suspens.

**alerón** *m* aileron.

**alerta** *adv* en éveil, sur ses gardes, sur le qui-vive: **estar ~** se tenir sur ses gardes, en éveil; **estar ojo ~** être sur le qui-vive, sur ses gardes. ◇ *interj* alerte! ◇*f* alerte: **~ roja** alerte rouge; **en estado de ~** en état d'alerte.

**alertar** *vt* alerter, donner l'alerte.

**alerto, a** *a* vigilant, e.

**aleta** *f* **1.** *(de pez)* nageoire: **~ caudal** nageoire caudale ◊ *CULIN* **~ de tiburón** aileron *m* de requin **2.** *(para nadar)* palme **3.** *(de la nariz, de coche)* aile **4.** *(de torpedo)* ailette.

**aletargamiento** *m* léthargie *f,* engourdissement.

**aletargar** *vt* **1.** faire tomber en léthargie **2.** engourdir. ◆ **~se** *vpr* s'assoupir.

**aletazo** *m* **1.** coup d'aile, de nageoire **2.** *AMER (bofetada)* gifle *f* **3.** *AMER (hurto)* vol.

**aletear** *vi* **1.** *(ave)* battre des ailes **2.** *(pez)* agiter les nageoires **3.** *FIG* reprendre des forces.

**aleteo** *m* **1.** battement (d'ailes, des paupières) **2.** *(del corazón)* palpitation *f.*

**Aleutianas (islas)** *np f* Aléoutiennes (îles).

**alevín** *m* **1.** *(pez)* alevin **2.** *(joven, en deporte)* poussin, minime.

**alevosamente** *adv* traîtreusement.

**alevosía** *f* **1.** traîtrise, perfidie **2.** **con ~** traîtreusement.

**alevoso, a** *a* traître, esse, perfide.

**aleya** *f* verset *m* du Coran.

**alfa** *f* alpha *m:* **rayos ~** rayons alpha ◊ **el ~ y omega** l'alpha et l'oméga.

**alfabéticamente** *adv* alphabétiquement.

**alfabético, a** *a* alphabétique: **orden ~** ordre alphabétique.

**alfabetización** *f* **1.** alphabétisation **2.** classement *m* par ordre alphabétique.

**alfabeto** *m* alphabet.

**alfajor** *m* **1.** sorte de pain d'épice **2.** *AMER* sorte de macaron.

**alfalfa** *f* luzerne.

**alfalfal, alfalfar** *m* champ de luzerne.

**alfandoque** *m AMER* **1.** sorte de sucre d'orge **2.** *(instrumento músico)* sorte de maracas.

**alfaneque** *m* busard.

**alfanje** *m* alfange *f.*

**alfanumérico, a** *a* alphanumérique.

**alfaque** *m* banc de sable, barre *f.*

**alfaquí** *m* docteur de la loi.

**alfar** *m* **1.** atelier de potier **2.** *(arcilla)* argile *f.*

**alfarda** *f ARQ* arbaletier *m.*

**alfarería** *f* poterie.

**alfarero** *m* potier.

**alfarje** *m* **1.** moulin à huile **2.** *ARQ* plafond à caissons.

**alféizar** *m (de puerta, ventana)* embrasure *f; (parte inferior)* rebord, appui.

**alfeñique** *m* **1.** *(dulce)* sucre d'orge **2.** *FIG (persona)* gringalet, mauviette *f,* demi-portion *f.*

**alferazgo** *m* charge *f,* grade de sous-lieutenant.

**alferecía** *f* épilepsie.

**alférez** *m* **1.** *MIL* sous-lieutenant **2.** *MAR* enseigne.

**alfil** *m (ajedrez)* fou.

**alfiler** *m* **1.** épingle: **~ de corbata** épingle à cravate ◊ *FIG* **ir de veinticinco alfileres** être tiré, e à quatre épingles; **en esta sala no cabe un ~** cette salle est pleine à craquer, pleine comme un œuf; **no cabía un ~** c'était plein à craquer **2.** **~ de París** pointe *f,* clou **3.** *AMER* **~ de gancho** épingle *f* de nourrice. ◇ *pl ANT* somme *f sing* donnée à une femme pour ses menues dépenses: **para alfileres** comme argent de poche.

**alfilerazo** *m* coup d'épingle.

**alfiletero** *m* aiguillier, étui à épingles.

**alfiz** *m ARQ* encadrement (de l'arc arabe).

**alfombra** *f* **1.** tapis *m:* **una ~ persa** un tapis persan ◊ **~ voladora** tapis volant **2.** *(de flores, etc.)* tapis *m.*

**alfombrado, a** *a* recouvert, e d'un tapis: **salón ~** salon au sol recouvert d'un tapis. ◇ *m (conjunto de alfombras)* tapis *pl.*

**alfombrar** *vt (el suelo)* recouvrir d'un tapis.

**alfombrilla** *f* carpette, descente de lit.

**alfombrista** *s* tapissier, ère.

**alfóncigo, alfónsigo** *m* **1.** *(árbol)* pistachier **2.** *(fruto)* pistache *f.*

**Alfonsa, Alfonsina** *np f* Alphonsine.

**alfonsí, alfonsino, a** *a HIST* concernant les différents rois d'Espagne nommés Alphonse, en particulier Alphonse X le Sage, auteur des *tablas alfonsinas* tables astronomiques.

**Alfonso** *np m* Alphonse.

**alforfón** *m* sarrasin, blé noir.

**alforjas** *f pl* **1.** besace *sing* **2.** *(de bicicleta)* sacoches **3.** *(comestibles)* provisions, victuailles.

**alforza** *f* **1.** *(costura)* rempli *m,* ourlet *m* **2.** *FIG (chirlo)* balafre, cicatrice.

**Alfredo** *np m* Alfred.

**alga** *f* algue.

**algalia** *f* **1.** *(perfume)* civette ◊ **gato de ~** civette **2.** *MED* sonde.

**algara** *f* **1.** troupe à cheval **2.** *(correría)* razzia.

**algarabía** *f* **1.** langue arabe **2.** *(lengua o escritura inintelegible)* charabia *m,* galimatias *m,* baragouin *m* **3.** *(ruido)* brouhaha *m,* vacarme *m.*

**algarada** *f* **1.** → **algara** **2.** *(ruido)* vacarme *m* **3.** *(motín)* émeute, soulèvement *m.*

**algarroba** *f* **1.** *(fruto)* caroube **2.** *(planta)* vesce.

**algarrobal** *m* **1.** bois de caroubiers **2.** champ de vesces.

**algarrobo** *m* caroubier.

**algavaro** *m (insecto)* capricorne.

**algazara** *f* vacarme *m*, brouhaha *m*.

**álgebra** *f* **1.** algèbre **2.** *ANT* art *m* de remboîter les os.

**algebraico, a, algébrico, a** *a* algébrique.

**algente** *a POÉT* froid, e.

**algia** *f MED* algie.

**algidez** *f MED* algidité.

**álgido, a** *a* **1.** *MED* algide **2.** *FIG* critique, culminant, e: **momento ~** moment critique; **punto ~** point critique, point chaud.

**algo** *pron indef* quelque chose: **si sucede ~** s'il arrive quelque chose; **tengo ~ que decirte** j'ai quelque chose à te dire; **~ bueno, curioso** quelque chose de bon, de curieux; **¿~ va mal?** il y a quelque chose qui ne va pas? ◊ **~ así como mil dólares** quelque chose comme mille dollars; **~ es ~, más vale ~ que nada** c'est toujours ça, c'est mieux que rien; **ése se cree que es ~** il ne se prend pas pour n'importe qui; **por ~ será** il y a certainement une raison; **por ~ es hijo de un ministro** ce n'est pas pour rien qu'il est le fils d'un ministre; *FAM* **me va a dar ~ si..** je crois que je vais devenir fou, folle si... ◇ *adv* un peu: **es ~ caprichosa** elle est un peu capricieuse; **hace ~ de frío** il fait un peu froid; **llegó ~ cansada** elle arriva un peu fatiguée. ◇ *m* **un ~ de** un petit quelque chose de.

**algodón** *m* **1.** coton: **~ hidrófilo** coton hydrophile ◊ *FIG* **criado entre algodones** élevé dans du coton, élevé douillettement **2.** *(planta)* cotonnier **3.** *(golosina)* barbe *f* à papa.

**algodonal** *m* champ de coton.

**algodonero, a** *a* cotonnier, ère. ◇ *m (planta)* cotonnier.

**algodonoso, a** *a* cotonneux, euse.

**algol** *m INFORM* algol.

**algoritmo** *m* algorithme.

**alguacil** *m* **1.** alguazil, agent de justice **2.** *AMER* libellule *f*.

**alguacilillo** *m TAUROM* alguazil (dans les corridas).

**alguien** *pron indef* quelqu'un: **~ ha venido** quelqu'un est venu ◊ **creerse ~** se prendre pour quelqu'un.

**algún** *a* (apocope de *alguno* devant un nom masculin sing.) **1.** un, quelque: **~ día** un jour; **~ hombre** un homme; **~ tiempo** quelque temps **2. ~ tanto** quelque peu, un peu → **alguno.**

**alguno, a** *a* **1.** quelque: **algunos años después** quelques années plus tard; **en algunos casos** dans certains cas **2.** *(singular)* un, une: **¿tienes alguna foto de tu hija?** as-tu une photo de ta fille? ◊ **~ que otro** quelques; **alguna vez** quelquefois, parfois; **alguna que otra vez** de temps à autre **3.** placé après le nom, prend un sens négatif: aucun, e: **no tengo motivo ~ de sospechar de él** je n'ai aucune raison de le soupçonner; **sin garantía alguna** sans aucune garantie. ◇ *pron indef* **1.** *(alguien)* quelqu'un **2.** *(en plural)* quelques-uns, -unes, certains, aines: **algunos dicen** certains disent.

▶ *Alguno que otro* = idée de dispersion dans l'espace ou le temps: *lee alguna que otra novela* il lit un roman de temps à autre.

**alhaja** *f* **1.** *(joya)* bijou *m* **2.** *FIG (cosa)* joyau *m*, bijou *m* **3.** *FIG (persona)* perle: **esa secretaria es una ~** cette secrétaire est une perle.

**alhajar** *vt* **1.** parer de bijoux **2.** *(amueblar)* meubler.

**alharaca** *f* simagrée: **hacer muchas alharacas** faire beaucoup de simagrées.

**alhelí** *m* giroflée *f*.

**alheña** *f* **1.** *(arbusto)* troène *m* **2.** *(polvo)* henné *m* **3.** *FAM* **molido como una ~** moulu, crevé.

**alhóndiga** *f* halle au blé.

**alhorre** *m* **1.** *(excremento)* méconium **2.** *MED* croûte de lait.

**alhucema** *f* lavande.

**aliado, a** *a/s* allié, e.

**aliaga** *f (aulaga)* ajonc *m*.

**alianza** *f* alliance.

**aliar*** *vt* allier. ◆ **~se** *vpr* s'allier.

**alias** *adv* alias, dit, surnommé, e. ◇ *m (apodo)* surnom, sobriquet.

**alicaído, a** *a* **1.** aux ailes tombantes **2.** *FIG* affaibli, e, abattu, e, découragé, e.

**alicante** *m* vipère *f* cornue.

**alicantino, a** *a/s* d'Alicante.

**alicatado** *m* revêtement de carreaux de faïence.

**alicatar** *vt* couvrir de carreaux de faïence.

**alicates** *m pl* pince *f sing*.

**Alicia** *npf* Alice: **~ en el país de las maravillas** Alice au pays des merveilles.

**aliciente** *m* **1.** attrait: **el ~ de la novedad** l'attrait de la nouveauté **2.** *(incentivo)* stimulant.

**alicortar** *vt* couper les ailes de.

**alícuota** *a MAT* **parte ~** partie aliquote.

**alienable** *a* aliénable.

**alienación** *f* aliénation.

**alienado, a** *a/s* aliéné, e.

**alienar** *vt* aliéner.

**alienígena** *a/s* étranger, ère.

**alienista** *s* aliéniste.

**alienta,** etc. → **alentar.**

**aliento** *m* **1.** haleine *f*: **mal ~** mauvaise haleine **2.** souffle ◊ **llegó sin ~** il est arrivé hors d'haleine, à bout de souffle **3.** *FIG* courage, énergie *f*, vigueur *f*: **no tengo ~ para volver a empezar** je n'ai pas le courage de recommencer; **dar ~ a** encourager **4.** *(estímulo)* encouragement **5.** *loc adv* **de un ~** d'une seule haleine, d'une traite.

**alifafe** *m* infirmité *f*, ennui de santé, problème de santé.

**aligátor** *m* alligator.

**aligeramiento** *m* allégement.

**aligerar** *vt* **1.** *(hacer más ligero)* alléger **2.** *(aliviar)* soulager **3. ~ el paso** presser, accélerer, hâter le pas. ◇ *vi FAM* se dépêcher, se grouiller: **¡aligera, hombre!** grouille-toi, mon vieux! ◆ **~se** *vpr* **aligerarse de ropa** s'habiller moins chaudement, plus légèrement.

**alijador** *m MAR* allège *f*.

**alijar** *vt MAR* alléger, décharger.

**alijo** *m* **1.** *MAR* déchargement **2.** contrebande *f*, marchandises *f pl* de contrebande: **~ de armas** armes de contrebande; **importante ~ de droga incautado en las aguas españolas** importante cargaison de drogue saisie dans les eaux espagnoles.

**alimaña** *f* animal *m*, bête nuisible.

**alimañero** *m* garde-chasse chargé de détruire les animaux nuisibles.

**alimentación** *f* **1.** alimentation **2.** nourriture.

**alimentar** *vt* **1.** nourrir: **~ a su familia** nourrir sa famille **2.** *(a un enfermo, una máquina, etc.)* alimenter **3.** *FIG (un sentimiento, una pasión, etc.)* nourrir, entretenir. ◆ **~se** *vpr* se nourrir, s'alimenter: **se alimenta con frutas** il se nourrit de fruits.

**alimentario, a** *a* alimentaire, de l'alimentation: **la industria alimentaria** l'industrie alimentaire.

**alimenticio, a** *a* **1.** alimentaire: **productos alimenticios** denrées alimentaires **2.** *(nutritivo)* nourrissant, e.

**alimento** *m* **1.** aliment: **alimentos dietéticos** aliments diététiques **2.** nourriture *f.*

**alimón (al)** *loc adv* **1.** *TAUROM* deux toreros tenant une seule cape **2.** *(conjuntamente)* à deux.

**alindado, a** *a* coquet, ette.

**[1]alindar** *vt (un terreno)* borner. ◇ *vi* **~ con** être contigu, ë à.

**[2]alindar** *vt* embellir.

**alineación** *f* **1.** alignement *m* **2.** *(de un equipo deportivo)* formation.

**alineado, a** *a* aligné, e: **países no alineados** pays non alignés.

**alinear** *vt* **1.** *(poner en línea recta)* aligner **2.** *(deportes)* former une équipe avec, inscrire dans une équipe, sélectionner. ◆ **~se** *vpr (en política)* s'aligner.

**aliñar** *vt* **1.** *(condimentar)* assaisonner: **~ con aceite y vinagre** assaisonner avec de l'huile et du vinaigre **2.** *(arreglar)* arranger, apprêter **3.** *AMER* rebouter (un os deboité). ◆ **~se** *vpr (asearse)* s'arranger, se parer.

**aliño** *m* **1.** *(condimento)* assaisonnement **2.** *(adorno)* parure *f,* ornement.

**alioli** *m* ailloli.

**aliquebrado, a** *a FIG* abattu, e.

**alisador** *m (instrumento)* polissoir.

**[1]alisar** *vt* **1.** *(pulir)* polir, lisser **2.** *(allanar)* aplanir **3.** *(un cilindro)* aléser **4.** *(el pelo)* lisser, peigner légèrement. ◆ **~se** *vpr* **se alisó el pelo** il lissa ses cheveux, il se donna un petit coup de peigne.

**[2]alisar** *m (terreno poblado de alisos)* aulnaie *f,* aunaie *f.*

**alisios** *a pl* **vientos ~** vents alizés.

**aliso** *m* aulne, aune.

**alistamiento** *m* **1.** inscription *f* **2.** *MIL (de soldados)* enrôlement, recrutement; *(voluntario)* engagement **3.** *MIL (quinta)* contingent, classe *f.*

**alistar** *vt* **1.** inscrire **2.** *MIL* enrôler, recruter. ◆ **~se** *vpr* **1.** s'inscrire **2.** *MIL* s'enrôler, s'engager: **se alistó como voluntario en la Marina** il s'est engagé volontaire dans la Marine.

**aliteración** *f* allitération.

**aliviadero** *m* trop-plein, déversoir.

**aliviar*** *vt* **1.** *(una carga)* alléger **2.** *(un dolor)* calmer **3.** *(a alguien)* soulager **4.** **~ el paso** hâter le pas ◊ *FAM* **¡alivia!** grouille-toi! ◆ **~se** *vpr* **1.** se soulager **2.** *(un enfermo)* aller mieux, se rétablir.

**alivio** *m* **1.** *(de una carga)* allégement **2.** *(de un dolor, una pena)* soulagement, adoucissement: **dar un suspiro de ~** pousser un soupir de soulagement **3.** *(mejoría)* amélioration *f* **4.** *FAM* **un catarro de ~** un rhume carabiné; **gente de ~** des gens gratinés.

**aljaba** *f* **1.** *(para flechas)* carquois *m* **2.** *AMER* fuchsia *m.*

**aljama** *f* **1.** communauté mauresque, juive **2.** *(mezquita)* mosquée **3.** synagogue.

**aljamía** *f* **1.** *ANT* castillan *m* **2.** ouvrage *m* écrit en espagnol avec des caractères arabes.

**aljibe** *m* **1.** citerne *f* **2.** *(barco)* bateau-citerne.

**aljofaina** *f* cuvette.

**aljófar** *m* perle *f.*

**aljofifa** *f* serpillère.

**allá** *adv* **1.** *(lugar)* là-bas, là: **~ en el fondo del valle** là-bas, au fond de la vallée ◊ **~ abajo** en bas; **~ arriba** là-haut; *FIG* **~ se las haya** qu'il s'arrange comme il pourra; **¡~ él!** tant pis pour lui!; **~ tú** c'est ton affaire, tant pis pour toi, libre à toi; **~ veremos** nous verrons ça; **¡~ voy!** j'arrive! **2.** *(gradación)* **más ~** plus loin; **no tan ~** pas si loin; **más ~ de** au-delà de; **pasar más ~** passer outre; **el más ~ l'au-delà;** *FAM* **no muy ~** pas fameux, euse: **la comida no está muy ~** la nourriture n'est pas fameuse, ne casse rien; **no anda muy ~** sa santé n'est pas brillante, il ne va pas très bien **3.** *(tiempo)* autrefois: **~ por 1898** autrefois, en 1898; **~ en mis mocedades** du temps de ma jeunesse.
▶ Indique un lieu éloigné, mais avec moins de précision que *allí.*

**allanamiento** *m* **1.** aplanissement **2.** soumission *f* **3.** *JUR* **~ de morada** violation *f* de domicile.

**allanar** *vt* **1.** *(terreno)* aplanir **2.** *FIG (dificultad, etc.)* aplanir, vaincre **3.** *(un domicilio)* violer, pénétrer de force dans. ◆ **~se** *vpr FIG* se soumettre, se plier.

**allegado, a** *a* **~ a** proche de. ◇ *a/s* **1.** parent, e, proche: **los allegados del difunto** les proches du défunt **2.** *(partidario)* partisan, e.

**allegar** *vt* **1.** ramasser **2.** *(juntar)* réunir, rassembler **3.** *(acercar)* rapprocher. ◆ **~se** *vpr* se ranger (à un avis, etc.).

**allende** *adv* au-delà: **~ los mares** au-delà des mers.

**allí** *adv* **1.** là: **aquí y ~** ici et là; **~ se casó** c'est là qu'il s'est marié **2.** **~ está, he ~** voilà **3.** y: **voy ~** j'y vais; **vete ~** vas-y **4.** *(entonces)* alors, là: **hasta ~** jusque-là.

**allozo** *m* amandier.

**alma** *f* **1.** âme: **el ~** l'âme; **entregar el ~** rendre l'âme ◊ *FIG* **~ de cántaro** brute; **~ de Dios** bonne âme, bonne pâte; **~ en pena** âme en peine; **~ viviente** âme qui vive; **ni un ~** pas une âme; **caérsele a alguien el ~ a los pies** perdre le moral, s'effondrer, craquer; **estar con el ~ en un hilo** être malade d'inquiétude, être dans les transes, être mort, e de peur; **llegar al ~** aller droit au cœur; **no poder con su ~** ne pas tenir debout, être mort, e de fatigue; **partir el ~** fendre l'âme, le cœur; **tener su ~ en su almario** avoir du tempérament, du ressort **2.** *(de un cañón, violín)* âme **3.** *FIG* âme: **el ~ de la rebelión** l'âme du soulèvement **4.** *loc adv* **como ~ que lleva el diablo** précipitamment; **con toda el ~, con ~ y vida** de tout cœur, de grand cœur, du fond du cœur; **le agradezco en el ~** je vous remercie vivement, du fond du cœur; **lo siento en el ~** je le regrette sincèrement.

**almacén** *m* **1.** *(depósito)* magasin, entrepôt **2.** magasin: **los grandes almacenes** les grands magasins **3.** *AMER* magasin d'alimentation, épicerie *f.*

**almacenaje** *m* **1.** stockage, emmagasinage **2.** *(derechos)* magasinage.

**almacenamiento** *m* **1.** stockage, emmagasinage **2.** stocks *pl* **3.** *INFORM* mise *f* en mémoire, mémorisation *f.*

**almacenar** *vt* **1.** stocker, emmagasiner **2.** *FIG* emmagasiner **3.** *INFORM* mémoriser.

**almacenero, a** *s AMER* épicier, ère.

**almacenista** *s* propriétaire d'un magasin, grossiste.

**almáciga** *f* **1.** *(resina)* mastic *m* **2.** *(semillero)* semis *m,* pépinière.

**almácigo** *m* **1.** lentisque **2.** *(semillero)* semis, pépinière *f.*

**almádena** *f* casse-pierres *m inv,* masse.

**almadía** *f* radeau *m,* train *m* de bois.

**almadiero** *m* flotteur, conducteur d'un train de bois.

**almadraba** *f* **1.** pêche au thon **2.** *(red)* madrague **3.** *(lugar)* pêcherie de thons.

**almadreña** *f* sabot *m.*

**almagrar** *vt* teindre en rouge.

**almagre** *m* ocre *f* rouge.

**almanaque** *m* **1.** almanach **2.** calendrier.

**almandin** *m (pierre précieuse)* granate almandino.

**almazara** *f* moulin *m* à huile.

**almazarrón** *m* ocre *f* rouge.

**almea** *f (bailarina oriental)* almée.

**almeja** *f* clovisse.

**almena** *f* créneau *m*.

**almenado, a** *a* crénelé, e.

**almenaje** *m* ARQ ensemble de créneaux, créneaux *pl*.

**almenar** *vt* créneler.

**almenara** *f* **1.** feu *m* servant de signal **2.** *(candelero)* chandelier *m*.

**almendra** *f* **1.** amande: **~ amarga** amande amère; **~ dulce** amande douce **2. ~ garrapiñada** praline.

**almendrado, a** *a* en forme d'amande. ◇ *m* pâte *f* d'amande.

**almendral** *f* amandaie *f*.

**almendro** *m* amandier.

**almendruco** *m* amande *f* verte.

**almete** *m* *(casco)* armet.

**almez** *m* micocoulier.

**almeza** *f* fruit *m* du micocoulier.

**almiar** *m* meule *f*.

**almíbar** *m* sirop: **melocotones en ~** pêches au sirop ◊ FIG **hecho un ~** tout sucre tout miel.

**almibarado, a** *a* FIG doucereux, euse, mielleux, euse.

**almibarar** *vt* confire dans du sirop.

**almidón** *m* amidon.

**almidonado, a** *a* amidonné, e, empesé, e. ◇ *m* empesage.

**almidonar** *vt* amidonner, empeser.

**almilla** *f* *(jubón)* gilet *m*, justaucorps *m*.

**almimbar** *m* *(en las mezquitas)* minbar.

**alminar** *m* minaret.

**almiranta** *f* **1.** *(nave)* vaisseau *m* amiral **2.** femme de l'amiral, amirale.

**almirantazgo** *m* amirauté *f*.

**almirante** *m* amiral.

**almirez** *m* mortier.

**almizclado, a** *a* musqué, e.

**almizcle** *m* musc.

**almizcleño, a** *a* musqué, e.

**almizclero, a** *a* musqué, e. ◇ *m* chevrotain, porte-musc. ◇ *f* *(desmán)* desman *m*.

**almo, a** *a* POÉT **1.** nourricier, ère **2.** vénérable, saint, e.

**almocafre** *m* sarcloir, serfouette *f*.

**almocárabes** *m pl* ARQ entrelacs.

**almófar** *m* camail.

**almogávar** *m* ANT soldat qui faisait des incursions en pays ennemi.

**almohada** *f* **1.** oreiller *m* ◊ FIG **consultar con la ~** réfléchir avant de prendre une décision **2.** *(funda)* taie d'oreiller **3.** *(colchoncillo)* coussin *m*.

**almohade** *a/s* HIST almohade.

**almohadilla** *f* **1.** coussinet *m* **2.** *(de costura)* pelote **3.** *(de arreos)* panneau *m* **4.** *(con tinta)* tampon *m* encreur **5.** *(para humedecer los sellos)* mouilleur **6.** ARQ bossage *m*.

**almohadillado, a** *a* rembourré, e. ◇ *m* ARQ bossage.

**almohadillar** *vt* *(rellenar)* rembourrer.

**almohadón** *m* **1.** coussin **2.** ARQ coussinet.

**almohaza** *f* étrille.

**almohazar** *vt* *(un caballo)* étriller.

**almojábana** *f* **1.** galette au fromage **2.** sorte de beignet *m*.

**almoneda** *f* **1.** *(subasta)* vente aux enchères, encan *m* **2.** soldes *m pl*.

**almoraduj** *m* marjolaine *f*.

**almorávide** *a/s* HIST almoravide.

**almorranas** *f pl* hémorroïdes.

**almorta** *f* gesse.

**almorzado, a** *a* qui a déjeuné.

**almorzar*** *vi* déjeuner: **almorcé temprano** j'ai déjeuné tôt. ◇ *vt* déjeuner de, manger au déjeuner: **hoy hemos almorzado pescado** aujourd'hui nous avons mangé du poisson au déjeuner.

**almotacén** *m* vérificateur des poids et mesures.

**almud** *m* mesure *f* de capacité (pour les grains).

**almuecín, almuédano** *m* muezzin.

**almuerzo** *m* déjeuner.

**¡alo!** *interj* allô!

**alocadamente** *adv* **1.** *(de forma irreflexiva)* étourdiment **2.** follement.

**alocado, a** *a* **1.** *(persona)* étourdi, e, écervelé, e **2.** *(acción)* irréfléchi, e, déraisonnable **3.** fou, folle: **velocidad alocada** vitesse folle.

**alocución** *f* allocution.

**alodial** *a* JUR allodial, e.

**alodio** *m* JUR alleu, franc-alleu.

**aloe, áloe** *m* aloès.

**alógeno, a** *a* allogène.

**aloja** *f* **1.** hydromel *m* **2.** AMER boisson à base de caroubes fermentées.

**alojado** *m* **1.** militaire logé chez l'habitant **2.** AMER *(huésped)* hôte.

**alojamiento** *m* logement.

**alojar** *vt* **1.** loger, héberger **2.** *(meter)* loger. ◇ *vi* loger. ◆ **~se** *vpr* **1.** loger, se loger, descendre: **me alojo siempre en este hotel** je loge toujours dans cet hôtel, je descends toujours à cet hôtel **2. la bala se le alojó en el hombro** la balle s'est logée dans son épaule.

**alón** *m* *(de ave)* aile *f* (plumée, de volaille).

**alondra** *f* alouette.

**Alonso** *np m* Alphonse.

**alópata** *a/s* allopathe.

**alopatía** *f* MED allopathie.

**alopecia** *f* MED alopécie, pelade.

**aloque** *a/m* **vino ~** vin rosé, clairet.

**alosa** *f* alose.

[1]**alpaca** *f* *(animal)* alpaga *m*, alpaca *m*.

[2]**alpaca** *f* *(metal)* maillechort *m*.

**alpargata** *f* espadrille.

**alpargatería** *f* fabrique, magasin *m* d'espadrilles.

**alpargatero, a** *s* fabricant, e d'espadrilles; marchand, e d'espadrilles.

**alpechín** *m* **1.** liquide qui s'écoule des olives entassées **2.** AMER jus de certains végétaux.

**Alpes** *np m pl* **los ~** les Alpes *f*.

**alpestre** *a* alpestre.

**alpinismo** *m* alpinisme.

**alpinista** *s* alpiniste.

**alpino, a** *a* alpin, e.

**alpiste** *m* **1.** *(planta)* alpiste, millet long **2.** FAM alcool, gnôle *f*.

**alquequenje** *m* coqueret, alkékenge.

**alquería** *f* ferme, métairie.

**alquilador, a** *s* loueur, loueuse.

**alquilamiento** *m* location *f*.

**alquilar** *vt* **1.** louer: **piso para ~** appartement à louer; **se alquila** à louer; **~ por mes** louer au mois **2. madre alquilada** mère porteuse.

**alquiler** *m* **1.** location *f*: **coche de ~** voiture en location ◊ **casa de ~** maison de rapport **2.** *(precio)* loyer.

**alquimia** *f* alchimie.

**alquímico, a** *a* alchimique.

**alquimista** *m* alchimiste.

**alquitara** *f* alambic *m*.

**alquitrán** *m* goudron.

**alquitranado, a** *a* goudronné, e. ◇ *m* goudronnage.

**alquitranar** *vt* goudronner.

**alrededor** *adv* **1.** autour: **a nuestro ~** autour de nous; **miró a su ~, ~ de él, ~ suyo** il regarda autour de lui **2. ~ de** *(aproximadamente)* autour de, environ, aux alentours de: **~ de un millón** environ un million. ◇ *m pl* alentours, environs: **los alrededores de Burgos** les environs de Burgos.

**Alsacia** *np f* Alsace.

**alsaciano, a** *a/s* alsacien, enne.

**álsine** *f* mouron *m* des oiseaux.

**alta** *f* **1.** *(en una sociedad, etc.)* inscription, entrée, admission ◊ **darse de ~ en un club** s'inscrire à un club; **~ de suscripción** bulletin *m* d'abonnement **2.** *(de un militar)* incorporation, réincorporation ◊ **ser ~** entrer dans un corps, reprendre du service **3.** *(en un hospital)* bulletin *m*, certificat *m* de sortie: **dar de ~ a un enfermo** donner l'autorisation de sortir à un malade; **ha vuelto a trabajar aunque no tiene el ~ médica** il a recommencé à travailler bien qu'il n'ait pas reçu l'autorisation du médecin **4.** ANT *(danza antigua)* danse de cour.

**altamente** *adv* extrêmement.

**altanería** *f* FIG hauteur, suffisance, morgue.

**altanero, a** *a (orgulloso)* hautain, e, altier, ère.

**altano** *a/m (viento)* autan.

**altar** *m* autel: **~ mayor** maître-autel; **llevar a una mujer al ~** conduire une femme à l'autel.

**altaricón, ona** *a* FAM très grand, e, immense.

**altavoz** *m* haut-parleur: **altavoces** des haut-parleurs.

**altea** *f* althæa.

**alterable** *a* altérable.

**alteración** *f* **1.** altération **2.** *(del orden)* trouble *m* **3.** *(del pulso)* dérèglement *m*.

**alterar** *vt* **1.** *(cambiar)* changer **2.** *(trastornar)* déranger, troubler: **~ el orden público** troubler l'ordre public **3.** *(emocionar)* troubler, émouvoir **4.** *(estropear)* altérer. ◆ **~se** *vpr* **1.** *(una sustancia)* s'altérer, se gâter **2.** *(turbarse)* se troubler, s'émouvoir **3.** *(encolerizarse)* se mettre en colère.

**altercado** *m* altercation *f*, dispute *f*, accrochage.

**altercar** *vi* se disputer.

**alternación** *f* alternance.

**alternador** *m* ELECT alternateur.

**alternancia** *f* alternance.

**alternar** *vt* **1.** (faire) alterner: **~ el trabajo con la música** alterner le travail et la musique **2.** *(los cultivos)* alterner. ◇ *vi* **1.** alterner **2.** *(tener relaciones)* **~ con sus vecinos** fréquenter ses voisins **3.** sortir: **mi hermana alterna mucho** ma sœur sort beaucoup. ◆ **~se** *vpr* se relayer.

**alternativamente** *adv* alternativement.

**alternativo, a** *a* **1.** alternatif, ive **2.** *(de repuesto)* de remplacement, alternatif, ive **3. ruta alternativa** itinéraire bis, de délestage. ◇ *f* **1.** *(opción)* alternative **2.** *(del poder)* alternance **3.** alternative, solution de remplacement **4.** TAUROM cérémonie au cours de laquelle un *novillero* est élevé au rang de *matador*.

**alterne** *m* FAM **chica de ~** entraîneuse.

**alterno, a** *a* **1.** BOT, GEOM alterne **2.** ELECT **corriente alterna** courant alternatif **3. días alternos** un jour sur deux.

**alteza** *f* **1.** *(título)* altesse: **su Alteza real** son Altesse royale **2.** FIG hauteur, élévation: **~ de miras** hauteur de vues.

**altibajo** *m (esgrima)* coup donné de haut en bas. ◇ *pl* **1.** *(de un terreno)* inégalités *f*, accidents **2.** FIG des hauts et des bas.

**altilocuencia** *f* grandiloquence.

**altilocuente** *a* grandiloquent, e.

**altillo** *m* **1.** *(sitio elevado)* coteau **2.** AMER *(desván)* grenier; *(entresuelo)* entresol.

**altímetro** *m* altimètre.

**altiplanicie** *f* haut plateau *m*.

**altiplano** *m* AMER haut plateau.

**altísimo, a** *a* très haut, e. ◇ *np m* **el Altísimo** le Très-Haut.

**altisonante, altísono, a** *a* pompeux, euse, grandiloquent, e, ronflant, e.

**altitud** *f* altitude: **tomar ~** prendre de l'altitude.

**altivez** *f* hauteur, arrogance, morgue.

**altivo, a** *a* hautain, e, altier, ère.

[1]**alto, a** *a* **1.** haut, e, élevé, e: **un piso ~** un étage élevé **2.** *(de gran estatura)* grand, e: **una mujer alta** une grande femme **3.** haut, e: **el ~ Rin** le Haut-Rhin **4.** *(precios)* élevé, e **5. ~ funcionario** haut fonctionnaire; **alta traición** haute trahison **6.** FIG *(pensamientos, etc.)* élevé, e **7. a altas horas de la noche** à une heure avancée de la nuit. ◇ *adv* **1.** haut **2. hablar ~** parler fort. ◇ *m* **1.** haut, hauteur *f*: **diez metros de ~** dix mètres de haut; **en lo ~ de** en haut de; **desde lo ~ de** du haut de ◊ **los brazos en ~** les bras en l'air; **mirar a lo ~** regarder en l'air **2.** *(cerro)* hauteur *f*: **estamos en un ~** nous sommes sur une hauteur **3.** *(piso)* étage élevé **4.** MÚS *(instrumento)* alto **5.** AMER *(montón)* tas, pile *f* **6. pasar por ~** passer sous silence, passer sur, omettre, taire; **se me había pasado por ~** ça m'avait échappé; FIG **poner muy ~** porter aux nues **7. se inauguró el museo por todo lo ~** le musée a été inauguré en grande pompe; **una boda por todo lo ~** un mariage en grand tralala; **una fiesta por todo lo ~** une fête à tout casser, splendide.

[2]**alto** *m* **1.** *(parada)* halte *f*: **hacer ~** faire halte ◊ **dar el ~ a alguien** arrêter quelqu'un **2. ~ el fuego** cessez-le-feu. ◇ *interj* halte!; **¡~ ahí!** halte-là!

**altoparlante** *m* AMER haut-parleur.

**altorrelieve** *m* haut-relief.

**altozano** *m* **1.** *(monte)* coteau, monticule **2.** AMER parvis (d'une église).

**altramuz** *m* lupin.

**altruismo** *m* altruisme.

**altruista** *a/s* altruiste.

**altura** *f* **1.** hauteur: **salto de ~** saut en hauteur **2.** altitude: **tomar ~** prendre de l'altitude **3.** *(monte)* hauteur **4.** ASTR, GEOM, MÚS hauteur **5.** FIG hauteur, niveau *m*: **estar a la ~ de las circunstancias** être à la hauteur des circonstances **6.** FIG **~ de miras** hauteur de vues **7.** MAR **navegación de ~** navigation au long cours; **pesca de ~, de gran ~** pêche hauturière, grande pêche. ◇ *pl* **1.** hauteurs **2.** cieux *m*: **gloria a Dios en las alturas**

gloire à Dieu au plus haut des cieux **3.** *loc adv* **a estas alturas** maintenant, à présent, au point où nous en sommes.

**alúa** *m AMER (cocuyo)* pyrophore, cucuje.

**alubia** *f* haricot *m*: **~ roja** haricot rouge.

**alucinación** *f* hallucination: **tener alucinaciones** avoir des hallucinations.

**alucinador, a** *a* hallucinant, e.

**alucinante** *a* **1.** hallucinant, e **2.** *FAM* incroyable, fantastique.

**alucinar** *vt* **1.** *(sorprender)* épater, stupéfier. **2.** *(cautivar)* éblouir **3.** *(fascinar)* fasciner **4.** *(embaucar)* leurrer. ◇ *vi* **1.** avoir des hallucinations **2.** *FAM (desvariar)* divaguer, perdre la tête.

**alucine (de)** *a FAM* incroyable, fantastique.

**alucinógeno, a** *a/m* hallucinogène.

**alud** *m* **1.** avalanche *f* **2.** *FIG* avalanche *f*, flot: **un ~ publicitario** une avalanche de publicités.

**aludido, a** *a* dont on a parlé, en question, mentionné, e, visé, e: **los aludidos** les personnes visées ◊ **darse por ~** se sentir visé, e.

**aludir** *vi* **1.** faire allusion: **aludió al problema de...** il fit allusion au problème de... **2.** *(mencionar)* mentionner, citer.

**alujar** *vt AMER* faire briller.

**alumbrado, a** *a* **1.** éclairé, e **2.** *FAM (achispado)* éméché, e. ◇ *m* éclairage: **el ~ público** l'éclairage public. ◇ *s (hereje)* illuminé, e.

**alumbramiento** *m* **1.** éclairage **2.** *(parto)* accouchement, enfantement: **los dolores del ~** les douleurs de l'enfantement.

**alumbrar** *vt* **1.** *(dar luz)* éclairer: **~ con neón** éclairer au néon; **alúmbrame** éclaire-moi **2.** *(aguas subterráneas)* découvrir et capter. ◇ *vi* **1.** éclairer: **esta linterna alumbra muy poco** cette lampe de poche éclaire très mal **2.** *(parir)* accoucher. ◆ **~se** *vpr* **1.** s'éclairer **2.** *FAM (embriagarse)* s'enivrer.

**alumbre** *m* alun.

**alúmina** *f* alumine.

**aluminio** *m* aluminium.

**alumnado** *m* effectif (scolaire), ensemble des élèves.

**alumno, a** *s* élève.

**alunizaje** *m* alunissage.

**alunizar** *vi* alunir.

**alusión** *f* allusion.

**alusivo, a** *a* allusif, ive.

**aluvial, e** *a* alluvial, e: **terrenos aluviales** terrains alluviaux.

**aluvión** *m* **1.** *(de agua)* crue *f* **2.** *FIG (de cosas o personas)* avalanche *f*, flot, déluge *m*: **un ~ de preguntas** un flot de questions **3.** *GEOL* **materiales de ~** alluvions *f*.

**aluzar** *vt AMER* éclairer.

**álveo** *m (de un río)* lit.

**alveolar** *a* alvéolaire.

**alvéolo** *m* alvéole.

**alverja** *f* vesce.

**alverjilla** *f AMER* pois *m* de senteur.

**alza** *f* **1.** *(de los precios, de un arma de fuego)* hausse ◊ **estar en ~** être en hausse; **jugar al ~** jouer à la hausse; **revisar al ~** réviser à la hausse **2.** *(de esclusa)* vanne.

**alzacuello** *m (de eclesiástico)* rabat, collet.

**alzada** *f* **1.** *(del caballo)* hauteur au garrot **2.** *JUR* pourvoi *m*, appel *m*, recours *m*.

**alzado, a** *a* **1.** banqueroutier, ère **2.** *(precio)* forfaitaire, global, e: **por un tanto ~** pour un prix forfaitaire **3.** *AMER* fugitif, ive. ◇ *m* **1.** *ARQ* élévation *f* **2.** *(imprenta)* assemblage.

**alzamiento** *m (motín)* soulèvement.

**alzapaño** *m (para cortinas)* embrasse *f*.

**alzaprima** *f* **1.** *(palanca)* levier *m* **2.** *(cuña)* cale **3.** *MÚS* chevalet *m* **4.** *AMER* courroie des éperons.

**alzapuertas** *m TEAT* figurant.

**alzar** *vt* **1.** lever: **alcé el brazo, los ojos al cielo** je levai le bras, les yeux au ciel **2.** *(poner de pie)* relever **3.** soulever: **alzó el visillo** elle souleva le rideau; **el viento alzaba remolinos de polvo** le vent soulevait des tourbillons de poussière **4. ~ la voz** hausser, élever la voix **5.** *(los precios)* hausser, majorer **6.** *(edificar)* élever, bâtir **7.** *(quitar)* enlever ◊ **~ la cosecha** rentrer la récolte; **~ los manteles** desservir la table **8.** *(un castigo, el entredicho)* lever **9.** *(imprenta)* assembler. ◇ *vi (liturgia)* **al ~** à l'élévation. ◆ **~se** *vpr* **1.** se lever: **alzarse de la mesa** se lever de table; **el telón se alza** le rideau se lève **2. alzarse en armas** se soulever, s'insurger **3.** *COM* faire une banqueroute frauduleuse **4. alzarse con** s'approprier, emporter, rafler; **alzarse con los fondos** partir en emportant la caisse.

**alzo** *m AMER (robo)* vol.

**ama** *f* **1. ~ de casa** maîtresse de maison, femme au foyer **2.** *(de un soltero)* gouvernante ◊ **~ de llaves** femme de charge **3.** *(nodriza)* nourrice ◊ **~ de cría** nourrice; **~ seca** nourrice sèche.

**amabilidad** *f* amabilité, obligeance.

**amabilísimo, a** *a* très aimable.

**amable** *a* aimable: **~ con, para todos** aimable avec tout le monde; **¿sería tan ~ de...?** auriez-vous l'amabilité de..., voudriez-vous être assez aimable pour...?

**amablemente** *adv* aimablement.

**amadeo** *m FAM* douro.

**Amadeo** *np m* Amédée.

**amado, a** *pp* de **amar.** ◇ *a/s* bien-aimé, e.

**amador, a** *a/s* amoureux, euse.

**amadrigar** *vt* accueillir, donner asile à. ◆ **~se** *vpr* se terrer.

**amadrinar** *vt* **1.** *(dos caballos)* accoupler par le mors **2.** être la marraine de **3.** *FIG* parrainer.

**amaestrado, a** *a (animal)* dressé, e ◊ **perro ~** chien savant.

**amaestrador, a** *s* dresseur, euse ◊ **~ de perros** maître-chien.

**amaestramiento** *m* dressage.

**amaestrar** *vt (animales)* dresser.

**amagar** *vt* **1.** *(mostrar intención de ejecutar alguna cosa)* faire mine de: **amagó buscar algo en el bolsillo** il fit mine de chercher quelque chose dans sa poche **2.** *(un movimiento, un saludo, una sonrisa)* esquisser, ébaucher **3.** *(amenazar)* menacer: **~ con el puño** menacer du poing. ◇ *vi* **1.** être imminent, e, proche: **amaga la primavera** le printemps est proche **2.** s'annoncer, se préparer: **amaga una tempestad** un orage se prépare **3.** menacer: **está amagando lluvia, con llover** la pluie menace, il risque de pleuvoir.

**amago** *m* **1.** *(amenaza)* menace *f*: **~ tormentoso en Galicia** menace d'orage en Galice **2.** *(señal)* signe avant-coureur **3.** symptôme **4.** *(principio)* début **5.** *(simulacro)* semblant ◊ **hizo ~ de incorporarse** il fit mine de se redresser **6.** *(asomo)* soupçon, pointe *f*: **un ~ de tristeza** une pointe de tristesse.

**amainar** *vt MAR (una vela)* amener. ◇ *vi* **1.** *(un temporal)* se calmer; *(el viento)* faiblir, mollir **2.** *FIG* se calmer, s'apaiser, se modérer.

**amalgama** *f* amalgame *m*.

**amalgamamiento** *m* **1.** *QUÍM* amalgamation *f* **2.** *(mezcla)* mélange.

**amalgamar** *vt* amalgamer.

**Amalia** *np f* Amélie.

**amamantamiento** *m* allaitement.

**amamantar** *vt* allaiter.

**amancay** *m* AMER variété de narcisse à fleurs jaunes.

**amancebamiento** *m* concubinage.

**amancebarse** *vpr* vivre en concubinage, à la colle, se mettre en ménage, se coller.

**amancillar** *vt* tacher, souiller.

**[1]amanecer*** *vi* **1.** commencer à faire jour, se lever (le jour): **saldremos en cuanto amanezca** nous partirons dès que le jour se lèvera; **está amaneciendo** le jour se lève, il commence à faire jour **2.** *(llegar)* arriver au lever du jour: **amanecimos en Sevilla** nous arrivâmes à Séville au lever du jour **3.** *(despertar)* **amanecí de mal humor** je me suis réveillé de mauvaise humeur **4. el día amaneció nublado** le ciel était nuageux à l'aube; **los campos amanecieron cubiertos de nieve** au lever du jour, les champs étaient couverts de neige.

**[2]amanecer** *m* aube *f*, point du jour, petit jour: **al ~** à l'aube.

**amanecida → amanecer.**

**amanerado, a** *a* maniéré, e.

**amaneramiento** *m* affectation, recherche *f*, préciosité *f*.

**amanerarse** *vpr (escritor)* devenir maniéré, e, précieux, euse.

**amanita** *f* amanite.

**amanojar** *vt* botteler.

**amansamiento** *m* apprivoisement.

**amansar** *vt* **1.** *(animal)* apprivoiser **2.** *(domar)* dompter **3.** FIG calmer, apaiser. ◆ **~se** *vpr* FIG s'apaiser, se calmer.

**amante** *a* aimant, e. ◇ *a/s* **1.** ami, e, amoureux, euse: **un ~ de la justicia** un ami de la justice; **los amantes de la naturaleza** les amoureux de la nature **2.** *(aficionado)* amateur: **los amantes de la música clásica** les amateurs, les passionnés de musique classique; **los amantes de la vela** les passionnés de la voile. ◇ *s* amant, e. ◇ *f* maîtresse.

**amantillo** *m* MAR balancine *f*.

**amanuense** *s* **1.** employé, e aux écritures **2.** copiste.

**amanzanar** *vt* lotir.

**amañado, a** *a* **1.** habile, adroit, e **2.** *(falseado)* truqué, e.

**amañar** *vt* **1.** arranger adroitement, combiner **2.** truquer. ◆ **~se** *vpr* s'arranger, se débrouiller: **no sé cómo se las amaña para...** je ne sais pas comment il se débrouille pour...

**amaño** *m* adresse *f*. ◇ *pl (ardides)* artifices, astuces *f*, ruses *f*.

**amapola** *f* coquelicot *m*.

**amar** *vt* aimer: **~ a Dios, al prójimo, a la patria** aimer Dieu, son prochain, sa patrie: **amaos los unos a los otros** aimez-vous les uns les autres.
▶ S'emploie essentiellement dans un style relevé et dans le cas de sentiments abstraits.

**amaraje** *m* amerrissage.

**amaranto** *m* amarante *f*.

**amarar** *vi* amerrir.

**amargado, a** *a* FIG aigri, e, désabusé, e.

**amargamente** *adv* amèrement.

**amargar** *vi* avoir un goût amer. ◇ *vt* **1.** donner un goût amer à **2.** FIG rendre amer, ère, aigrir **3.** FIG empoisonner, gâcher, gâter: **~ la existencia** empoisonner l'existence **4. a nadie le amarga un dulce → dulce.** ◆ **~se** *vpr* FIG **amargarse la vida** se gâcher la vie.

**amargo, a** *a* **1.** amer, ère **2.** FIG amer, ère. ◇ *m* **1.** *(amargor)* amertume *f* **2.** *(licor)* amer **3.** AMER maté sans sucre.

**amargor** *m* amertume *f*.

**amargura** *f* **1.** amertume **2.** malheur *m*, chagrin *m*.

**amariconado, a** *a/m* FAM efféminé, e.

**amarilis** *f* amaryllis.

**amarillear** *vi* tirer sur le jaune.

**amarillecer*** *vi* jaunir.

**amarillento, a** *a* jaunâtre: **tez amarillenta** teint jaunâtre ◊ **foto amarillenta** photo jaunie.

**amarillez** *f* couleur jaune.

**amarillo, a** *a/m (color)* jaune.

**amarra** *f* **1.** MAR amarre: **soltar las amarras** larguer les amarres **2.** *(de un arnés)* martingale. ◇ *pl* FAM relations, appuis *m*, piston *m sing*: **tener buenas amarras** avoir du piston.

**amarradero** *m* MAR **1.** lieu d'amarrage **2.** *(argolla)* anneau d'amarrage **3.** *(poste)* bitte *f* d'amarrage.

**amarradura** *f* amarrage *m*.

**amarraje** *m* MAR droit d'amarrage.

**amarrar** *vt* **1.** *(una embarcación)* amarrer **2.** *(atar)* attacher.

**amarre** *m (amarradura)* amarrage.

**amarrete** *a* AMER FAM pingre, radin, e.

**amartelamiento** *m* adoration *f*, passion *f*.

**amartelar** *vt* rendre jaloux, ouse. ◆ **~se** *vpr* s'éprendre ◊ **ir amartelado con** être amoureux de, épris de.

**amartillar** *vt* **1.** marteler **2.** *(arma de fuego)* armer.

**amasadera** *f* pétrin *m*.

**amasadero** *m* fournil.

**amasadura** *f* **1.** *(del pan)* pétrissage *m* **2.** *(del mortero, etc.)* gâchage *m* **3.** *(amasijo)* pâte.

**amasamiento** *m* **1.** pétrissage **2.** *(masaje)* massage.

**amasandería** *f* AMER boulangerie.

**amasar** *vt* **1.** *(pan)* pétrir **2.** *(mortero, etc.)* gâcher **3.** *(dar masajes)* masser **4.** *(dinero)* amasser.

**amasijo** *m* **1.** *(de harina)* pâte *f* **2.** *(argamasa)* mortier **3.** FIG *(mezcla)* fatras, mélange, amas **4.** FAM intrigue *f*, tripotage.

**amateur** *s* amateur.
▶ Voir la note au mot «amateur» dans la partie français-espagnol.

**amateurismo** *m* amateurisme.

**amatista** *f* améthyste.

**amatorio, a** *a* amoureux, euse, érotique.

**amauta** *m* AMER sage (inca).

**amazacotado, a** *a* **1.** lourd, e, compact, e **2.** FIG pesant, e, sans grâce, indigeste **3.** *(de adornos y detalles)* surchargé, e.

**amazona** *f* amazone.

**Amazonas** *np m* **el ~** l'Amazone.

**Amazonia** *np f* Amazonie.

**amazónico, a** *a* amazonien, enne.

**ambages** *m pl* ambages *f* ◊ **sin ~** sans ambages; **venir con ~** user de détours, biaiser.

**ámbar** *m* **1.** *(resina fósil)* ambre **2. el semáforo se ha puesto (en) ~** le feu est passé à l'orange.

**ambarino, a** *a* ambré, e.

**Amberes** *np* Anvers.

**amberino, a** *a/s* anversois, e.

**ambición** *f* ambition.

**ambicionar** *vt* ambitionner.

**ambicioso, a** *a/s* ambitieux, euse.

**ambidextro, a** *a/s* ambidextre.

**ambientación** *f* ambiance, cadre *m*, décor *m*.

**ambiental** *a* **1.** ambiant, e: **la temperatura ~** la température ambiante ◊ **luz ~** lumière d'ambiance **2.** environnemental, e.

**ambientar** *vt* placer dans son milieu, dans son cadre ◊ **película ambientada en los suburbios de...** film qui a pour cadre la banlieue, de... ◆ **~se** *vpr* s'acclimater.

**ambiente** *a* ambiant, e: **la temperatura ~** la température ambiante ◊ **medio ~** environnement: **el deterioro del medio ~** la détérioration de l'environnement. ◇ *m* **1.** air, atmosphère *f* **2.** *FIG* atmosphère *f*, ambiance *f*, climat: **un ~ cordial** une atmosphère cordiale **3.** milieu: **en los ambientes intelectuales** dans les milieux intellectuels **4.** milieu, environnement: **~ marino** milieu marin **5.** *AMER (habitación)* pièce *f*, chambre *f*.

**ambigú** *m* **1.** *(comida)* ambigu, lunch **2.** *(local donde se sirve)* buffet.

**ambiguamente** *adv* avec ambiguïté.

**ambigüedad** *f* ambiguïté.

**ambiguo, a** *a* ambigu, ë.

**ámbito** *m* **1.** *(contorno)* enceinte *f* **2.** *FIG* cadre, sphère *f*, champ: **~ de aplicación** champ d'application **3.** territoire **4. en el ~ internacional** dans le domaine international **5.** *(conjunto de personas)* cercle, milieu: **en los ámbitos científicos** dans les milieux scientifiques.

**ambivalencia** *f* ambivalence.

**ambivalente** *a* ambivalent, e.

**ambladura** *f* amble *m*.

**amblar** *vi* aller l'amble, ambler.

**ambo** *m AMER* costume, complet (veste et pantalon): **un ~ cruzado de alpaca** un costume croisé en alpaga.

**ambón** *m ARQ* ambon.

**ambos, as** *a pl* les deux: **~ sexos** les deux sexes; **la besó en ambas mejillas** il l'embrassa sur les deux joues; **a ~ lados** des deux côtés. ◇ *pron* tous (les) deux, toutes (les) deux: **~ son simpáticos** ils sont tous les deux sympathiques.

▶ S'emploie lorsqu'il s'agit de personnes ou de choses qui vont par paires ou ensemble.

**ambrosía** *f* ambroisie.

**ambrosiano, a** *a* ambroisien, enne.

**Ambrosio** *np m* Ambroise.

**ambulancia** *f* **1.** ambulance **2.** *(de correos)* bureau *m* ambulant.

**ambulante** *a* ambulant, e. ◇ *m* **~ de correos** receveur ambulant.

**ambular** *vi ANT* déambuler.

**ambulatorio, a** *a* ambulatoire. ◇ *m (consultorio)* dispensaire.

**ameba** *f* amibe.

**amebiano, a** *a* amibien, enne.

**amebiasis** *f MED* amibiase.

**amedrentamiento** *m* intimidation *f*: **una campaña de ~** une campagne d'intimidation.

**amedrentar** *vt* **1.** effrayer, faire peur **2.** intimider. ◆ **~se** *vpr* s'effrayer, prendre peur.

**amelga** *f AGR* planche.

**Amelia** *np f* Amélie.

**amén** *adv* **1.** amen ◊ **decir ~ a todo** dire amen à tout **2.** *loc adv* **en un decir ~** en un clin d'œil **3.** *loc prep* **~ de** *(excepto)* excepté, hormis; *(además)* outre, en plus de: **~ de lo dicho** outre ce qui a été dit.

**amenaza** *f* menace.

**amenazador, a** *a* menaçant, e.

**amenazar** *vt/i* menacer: **le amenazó con matarle** il le menaça de le tuer; **la casa amenaza derrumbarse** la maison menace de s'effondrer; **~ ruina** menacer ruine; **está amenazando (con) llover** la pluie menace.

**amenguar** *vt* **1.** diminuer, réduire **2.** *FIG (deshonrar)* déshonorer.

**amenidad** *f* agrément *m*, charme *m*, aménité.

**amenizar** *vt* **1.** égayer, rendre agréable, agrémenter **2.** *(un espectáculo)* animer: **«Los Habaneros» amenizarán la velada** «Los Habaneros» animeront la veillée.

**ameno, a** *a* agréable, amène: **una conversación amena** une conversation agréable.

▶ *Amène* es poco usado en francés.

**amenorrea** *f MED* aménorrhée.

**amento** *m BOT* chaton.

**amerengado, a** *a* meringué, e.

**América** *np f* Amérique: **~ del Norte, del Sur, Central** l'Amérique du Nord, du Sud, centrale.

**americana** *f (prenda de vestir)* veste, veston *m*.

**americanismo** *m* américanisme.

**americanista** *a/s* américaniste.

**americanización** *f* américanisation.

**americanizar** *vt* américaniser. ◆ **~se** *vpr* s'américaniser.

**americano, a** *a/s* américain, e.

**amerindio, a** *a/s* amérindien, enne.

**ameritar** *vt AMER* **1.** rendre digne d'estime **2.** mériter, justifier. ◇ *vi* valoir la peine.

**amerizaje** *m* amerrissage.

**amerizar** *m (amarar)* amerrir.

**ametista** → **amatista.**

**ametrallador** *a/m* mitrailleur.

**ametralladora** *f* mitrailleuse: **~ pesada** mitrailleuse lourde.

**ametrallar** *vt* mitrailler.

**amianto** *m* amiante.

**amiba** *f (ameba)* amibe.

**amida** *f QUÍM* amide *m*.

**amiga** *f* **1.** amie **2.** *(escuela)* école de filles → **amigo.**

**amigable** *a* **1.** *JUR* **~ componedor** amiable compositeur **2.** aimable.

**amigablemente** *adv* à l'amiable.

**amigacho** *m PEYOR* copain.

**amigarse** *vpr FAM* vivre à la colle, se mettre en ménage.

**amigazo** *m AMER* bon copain.

**amígdala** *f* amygdale.

**amigdalitis** *f MED* amygdalite.

**amigo, a** *a/s* ami, e: **un ~ de la infancia** un ami d'enfance; **un ~ del alma** un ami très cher ◊ **cara de pocos amigos** mine rébarbative, renfrognée, peu aimable. ◇ *a* qui aime à, amateur, porté, e à ◊ **es muy ~ de divertirse** il aime beaucoup s'amuser; **soy poco ~ de...** je n'aime guère...

**amigote, amiguete** *m FAM* copain, pote.

**amiguismo** *m FAM* copinage.

**amiláceo, a** *a QUÍM* amylacé, e.

**amilanamiento** *m* **1.** *(miedo)* peur *f*, terreur *f* **2.** découragement.

**amilanar** *vt* **1.** effrayer, terroriser **2.** *(desanimar)* décourager. ◆ **~se** *vpr* se décourager, se laisser abattre: **se amilana por nada** il se décourage pour un rien.

**amillaramiento** *m* **1.** cadastrage **2.** sorte de cadastre.

**amillarar** *vt* recenser, cadastrer.

**amina** *f QUÍM* amine.

**aminoácido** *m QUÍM* aminoacide, acide aminé.

**aminoración** *f* diminution, ralentissement *m*.

**aminorar** *vt* **1.** diminuer **2. ~ la marcha** ralentir; **~ el paso** ralentir le pas.

**amistad** *f* amitié: **trabar ~ con...** se lier d'amitié avec... ◇ *pl* amis *m*, relations: **tiene amistades en toda Europa** il a des amis dans toute l'Europe ◊ **romper las amistades** rompre.

**amistar** *vt* **1.** rendre amis **2.** réconcilier. ◆ **~se** *vpr* faire amitié.

**amistosamente** *adv* amicalement.

**amistoso, a** *a* amical, e: **relaciones amistosas** rapports amicaux; **partido ~** match amical.

**amnesia** *f* amnésie.

**amnésico, a** *a/s* amnésique.

**amniocentesis** *f* amniocentèse.

**amniótico, a** *a BIOL* amniotique: **líquido ~** liquide amniotique.

**amnistía** *f* amnistie.

**amnistiar** *vt* amnistier.

**amo** *m* **1.** maître: **el ~ de la casa** le maître de maison; **el perro y su ~** le chien et son maître **2.** *(propietario)* propriétaire **3.** *(de obreros, empleados)* patron **4.** *(el que manda)* maître **5. el ~ del cotarro → cotarro.**

**amoblar*** *vt* meubler.

**amodorrado, a** *a* assoupi, e, somnolent, e.

**amodorramiento** *a* somnolence *f*.

**amodorrarse** *vpr* s'assoupir.

**amohinar** *vt* chagriner, fâcher. ◆ **~se** *vpr* se fâcher, bouder, faire la moue.

**amojamado, a** *a* sec, sèche, maigre.

**amojamar** *vt (el atún)* saurer, boucaner. ◆ **~se** *vpr FIG* se dessécher, maigrir.

**amojonamiento** *m* bornage.

**amojonar** *vt* borner.

**amoladera** *f* pierre à aiguiser, meule.

**amolador** *m* rémouleur.

**amolar*** *vt* **1.** *(afilar)* aiguiser **2.** *FAM* embêter, casser les pieds. ◆ **~se** *vpr POP* **¡amólate!** va te faire cuire un œuf!; **¡que se amuele!** qu'il aille se faire voir ailleurs!

**amoldar** *vt* **1.** mouler **2.** *FIG* ajuster, adapter, conformer, régler: **~ su conducta a...** régler sa conduite sur... ◆ **~se** *vpr FIG* s'adapter.

**amollar** *vi* **1.** céder **2.** *(naipes)* laisser passer. ◇ *vt MAR* mollir.

**amonarse** *vpr FAM* se soûler.

**amonedar** *vt* monnayer.

**amonestación** *f* **1.** avertissement *m*, réprimande, admonestation **2.** *(del árbitro a un jugador)* avertissement *m* **3.** *(de boda)* ban: **correr las amonestaciones** publier les bans.

**amonestar** *vt* **1.** *(reprender)* réprimander, admonester **2.** *(deportes)* **~ a un jugador** donner un avertissement à un joueur **3.** *(de boda)* publier les bans.

**amoniacal** *a* ammoniacal, e.

**amoníaco, a** *a* ammoniac, aque: **sal amoníaca** sel ammoniac. ◇ *m* ammoniaque *f*.

**amonita** *f (fósil)* ammonite.

**amontillado** *a/m (vino)* sorte de xérès très sec.

**amontonamiento** *m* amoncellement.

**amontonar** *vt* **1.** entasser, amonceler **2.** *FIG* accumuler. ◆ **~se** *vpr* **1.** *(muchedumbre)* s'entasser, se presser, se masser **2.** s'accumuler **3.** *FAM* se mettre en colère **4.** *FAM (amancebarse)* se mettre en ménage.

**amor** *m* **1.** amour: **el ~ al prójimo, a la patria** l'amour du prochain, de la patrie; **trabajar con ~** travailler avec amour ◊ **~ propio** amour-propre; **hacer el ~** *(galantear)* faire la cour, *(unirse sexualmente)* faire l'amour; **en ~ y compañía** en bonne intelligence; **por ~ al arte** pour l'amour de l'art; **¡por ~ de Dios!** pour l'amour de Dieu!; *PROV* **~ con ~ se paga** c'est un échange de bon procédés **2. al ~ de la lumbre** au coin du feu **3. ~ de hortelano** gaillet. ◇ *pl* **1.** amours *f* ◊ **tener amores con** être amoureux de **2. con, de mil amores** avec grand plaisir, de grand cœur.

**amoral** *a* amoral, e.

**amoralidad** *f* amoralité.

**amoralismo** *m* amoralisme.

**amoratado, a** *a* violacé, e, livide.

**amoratarse** *vpr* devenir violacé, e, livide.

**amorcillo** *m (figura)* amour.

**amordazar** *vt* **1.** bâillonner **2.** *FIG (hacer callar)* museler, bâillonner, garrotter: **~ a la prensa** bâillonner la presse.

**amorfo, a** *a* amorphe.

**amorío** *m FAM* amourette *f*.

**amoroso, a** *a* **1.** amoureux, euse **2.** *(cariñoso)* affectueux, euse, tendre **3.** *(tierra)* facile à travailler **4.** *(tiempo)* doux, douce.

**amorrar** *vi (bajar la cabeza)* baisser la tête, le nez, bouder. ◆ **~se a** *vpr (aproximar los labios)* approcher ses lèvres de.

**amorronar** *vt MAR* mettre en berne.

**amortajamiento** *m* ensevelissement.

**amortajar** *vt* ensevelir, envelopper dans un linceul.

**amortecer*** *vt* amortir. ◆ **~se** *vpr (desmayarse)* s'évanouir.

**amortiguación** *f* **1.** amortissement *m* **2.** atténuation *f*.

**amortiguador, a** *a* qui amortit. ◇ *m (de un coche, etc.)* amortisseur.

**amortiguamiento** *m* amortissement.

**amortiguar** *vt* **1.** amortir **2.** *(luz, colores, etc.)* atténuer. ◆ **~se** *vpr (luz)* baisser.

**amortización** *f COM, JUR* amortissement *m*.

**amortizar** *vt* amortir: **~ una deuda, una obligación** amortir une dette, une obligation.

**amoscado, a** *a* vexé, e, irrité, e.

**amoscarse** *vpr* se fâcher, prendre la mouche.

**amostazar** *vt* irriter. ◆ **~se** *vpr* **1.** s'emporter, se monter, se fâcher **2.** *AMER* rougir de honte.

**amotinado, a** *a/s* insurgé, e, révolté, e.

**amotinador, a** *s* émeutier, ère.

**amotinamiento** *m* émeute *f*, soulèvement, révolte *f*.

**amotinar** *vt* soulever. ◆ **~se** *vpr* **1.** se soulever **2.** *(soldados, presos)* se mutiner.

**amover*** *vt* destituer, révoquer.

**amovible** *a* amovible.

**amparar** *vt* protéger: **¡Dios le ampare!** Dieu vous protège! ◆ **~se** *vpr* **1.** s'abriter, se protéger: **ampararse de la lluvia** se protéger de la pluie **2.** *FIG* se mettre sous la protection de **3.** *FIG* **ampararse en una ley** s'abriter derrière une loi.

**amparo** *m* **1.** abri, refuge **2.** *FIG* protection *f*, secours: **al ~ de** sous la protection de; **al ~ de la noche** à la faveur de la nuit **3.** *(ayuda)* aide *f*. ◇ *npf* **María del Amparo** Notre-Dame du Bon-Secours.

**amperímetro** *m* ampèremètre.

**amperio** *m FÍS* ampère.

**ampliable** *a* extensible, qui peut être agrandi, e.

**ampliación** *f* **1.** *(de un local, una foto)* agrandissement *m* **2.** *(aumento)* augmentation, accroissement *m:* **~ de capital** augmentation de capital **3.** élargissement *m:* **~ de la calzada** élargissement de la chaussée **4.** *(de la escolaridad, etc.)* allongement *m.*

**ampliadora** *f (foto)* agrandisseur *m.*

**ampliamente** *adv* largement, en détail.

**ampliar*** *vt* **1.** *(un local, una foto)* agrandir **2.** *(ensanchar)* élargir **3.** *(prolongar)* prolonger **4.** *(un número)* augmenter: **~ su capital** augmenter son capital **5.** *(un negocio, una explicación)* développer ◊ **para ~ información...** pour plus de renseignements...; **~ detalles** donner plus de détails **6.** *(amplificar)* amplifier.

**amplificación** *f* amplification.

**amplificador** *m* amplificateur.

**amplificar** *vt* **1.** *(el sonido)* amplifier **2.** *(ampliar)* agrandir.

**amplio, a** *a* **1.** *(extenso)* vaste, étendu, e, large: **una amplia zona** une zone étendue, une large zone; **la habitación es amplia y cómoda** la chambre est vaste et confortable **2.** *(prenda de vestir)* ample **3.** *FIG* large: **espíritu ~** esprit large; **amplias repercusiones** de larges répercussions; **en el sentido más ~ de la palabra** au sens le plus large du mot; **elegido por amplia mayoría** élu à une large, forte majorité ◊ **amplia información sobre...** renseignements détaillés sur...

**amplitud** *f* **1.** ampleur, étendue **2.** *FIG* **~ de ideas** largeur d'esprit **3.** *ASTR, FÍS* amplitude.

**ampo** *m* blancheur *f* éclatante.

**ampolla** *f* **1.** *(en la piel)* ampoule ◊ *FIG* **levantar ampollas** donner des boutons, faire grincer les dents **2.** *(de vidrio)* ampoule **3.** *(burbuja)* bulle d'air.

**ampolleta** *f* **1.** ampoule **2.** *(reloj)* sablier *m.*

**ampulosidad** *f (del estilo)* enflure, boursouflure, emphase.

**ampuloso, a** *a* **1.** *(estilo)* ampoulé, e, emphatique **2.** grandiloquent, e.

**amputación** *f* amputation.

**amputar** *vt* amputer.

**amueblar** *vt* meubler.

**amuermar** *vt FAM* **1.** *(aburrir)* assommer **2.** *(causar sueño)* endormir **3.** *(un drogadicto)* **estar amuermado** flipper. ◆ **~se** *vpr* s'endormir.

**amugronar** *vt AGR* provigner.

**amulatado, a** *a* au visage de mulâtre.

**amuleto** *m* amulette *f.*

**amura** *f MAR (cabo)* amure.

**amurada** *f MAR* pavois *m.*

**amurallar** *vt* entourer de murailles, fortifier: **recinto amurallado** enceinte fortifiée.

**amurrarse** *AMER* → **amurriarse.**

**amurriarse** *vpr* devenir triste, sombrer dans la morosité.

**amusgar** *vt/i* **1.** *(un animal)* baisser ses oreilles **2. ~ la vista** cligner les yeux.

**amustiar** *vt* flétrir, faner. ◆ **~se** *vpr* flétrir.

**ana** *f (medida)* aune.

**Ana** *np f* Anne.

**anabaptista** *a/s* anabaptiste.

**anabolizante** *a/m BIOL* anabolisant, e.

**anacardo** *m* **1.** anacardier **2.** *(fruto)* noix *f* de cajou, anacarde.

**anaco** *m AMER* sorte de jupe *f* des Indiennes.

**anacoluto** *m* anacoluthe *f.*

**anaconda** *f* anaconda *m.*

**anacoreta** *s* anachorète.

**anacreóntico, a** *a* anacréontique.

**anacrónico, a** *a* anachronique.

**anacronismo** *m* anachronisme.

**ánade** *m* canard.

**anadear** *vi* se dandiner, marcher comme un canard.

**anadón** *m* caneton.

**anaerobio, a** *a* anaérobie.

**anafe** *m* réchaud, fourneau portatif.

**anáfora** *f* anaphore.

**anagrama** *m* anagramme *f.*

**anal** *a* anal, e.

**analéptico, a** *a MED* analeptique.

**anales** *m pl* annales *f.*

**analfabetismo** *m* analphabétisme.

**analfabeto, a** *a/s* analphabète, illettré, e.

**analgésico, a** *a/m* analgésique.

**análisis** *m* analyse *f:* **~ gramatical** analyse grammaticale; **hacer el ~ de la situación** faire l'analyse de la situation ◊ **~ de texto** explication *f* de texte.

**analista** *s* **1.** analyste **2.** *(autor de anales)* annaliste.

**analítico, a** *a* analytique.

**analizable** *a* analysable.

**analizador** *m FÍS* analyseur.

**analizar** *vt* analyser.

**analogía** *f* analogie.

**analógico, a** *a* analogique.

**análogo, a** *a* analogue.

**anamita** *a/s* annamite.

**anamnesis** *f MED* anamnèse.

**anamorfosis** *f* anamorphose.

**ananá, ananás** *m* ananas.

**anaquel** *m* rayon, étagère *f.*

**anaquelería** *f* rayonnage *m.*

**anaranjado, a** *a/m* orangé, e, orange.

**anarco, a** *s FAM* anar.

**anarcosindicalismo** *m* anarchosyndicalisme.

**anarquía** *f* anarchie.

**anárquico, a** *a* anarchique.

**anarquismo** *m* anarchisme.

**anarquista** *a/s* anarchiste.

**Anastasio, a** *np* Anastase, Anastasie.

**anastomosarse** *vpr* s'anastomoser.

**anastomosis** *f* anastomose.

**anatema** *m* anathème.

**anatematizar** *vt* anathématiser, jeter l'anathème sur.

**Anatolia** *np f* Anatolie.

**Anatolio** *np m* Anatole.

**anatomía** *f* anatomie.

**anatómico, a** *a* anatomique. ◇ *s* anatomiste.

**anatomista** *s* anatomiste.

**anca** *f* **1.** *(del caballo)* croupe: **llevar a ancas** porter en croupe **2. ~ de rana** cuisse de grenouille **3.** *(nalga)* fesse.

**ancestral** *a* ancestral, e.

**ancho, a** *a* **1.** large: **ser ~ de hombros** avoir les épaules larges **2.** *(demasiado)* **este abrigo me viene ~** ce manteau est trop large, trop grand pour moi ◊ *FIG* **a él le viene ~ el cargo** il n'est pas de taille à remplir les devoirs de sa charge, il n'est pas à la hauteur de ses fonctions **3.** *(extenso)* vaste **4.** *FAM* **ponerse muy ~** être très content, e de soi; **quedarse ~** se sentir soulagé, e: **se quedó ~ al terminar los exámenes** il se sentit soulagé les examens finis **5.** *loc adv* **a mis, a tus, a sus anchas** à mon, à ton, à son aise. ◇ *m* **1.** largeur *f*: **el ~** la largeur; **a todo lo ~ de** sur toute la largeur de **2.** *(ferrocarril)* écartement.

**anchoa** *f* anchois *m*: **filetes de anchoas** filets d'anchois.

**anchoveta** *f* anchois *m*.

**anchura** *f* **1.** largeur **2. ~ de caderas, de pecho** tour *m* de hanches, de poitrine **3.** *FIG* sans-gêne *m*, désinvolture.

**anchuroso, a** *a* vaste.

**ancianidad** *f* vieillesse.

**anciano, a** *a* âgé, e. ◇ *m* vieillard, vieil homme. ◇ *f* vieille femme. ◇ *m pl* vieillards, personnes *f* âgées: **asilo de ancianos** résidence *f* pour personnes âgées; **Suzana y los ancianos** Suzanne et les vieillards.

**ancla** *f* ancre: **echar, levar anclas** jeter, lever l'ancre; **~ de la esperanza** ancre de miséricorde.

**ancladero** *m MAR* mouillage, ancrage.

**anclaje** *m MAR* mouillage, ancrage.

**anclar** *vi MAR* jeter l'ancre, mouiller.

**anclote** *m* petite ancre *f*.

**ancón** *m*, **anconada** *f* anse *f*.

**áncora** *f (ancla)* ancre ◊ *FIG* **~ de salvación** ancre de salut.

**ancorar → anclar.**

**andadas** *f pl (huellas)* traces ◊ *FIG* **volver a las ~** retomber dans une mauvaise habitude, retourner à ses erreurs.

**andaderas** *f pl* chariot *m sing* d'enfant.

**andadero, a** *a (terreno)* praticable.

**andado, a** *a* **1.** *(lugar)* passant, e, fréquenté, e **2.** *(vestido)* usé, e: **viste una chaqueta muy andada** il porte une veste très usée **3.** commun, e, ordinaire.

**andador, a** *a/s* bon marcheur, bonne marcheuse. ◇ *m pl (de niño)* lisières *f*.

**andadura** *f* **1.** marche, allure **2. paso de ~** amble.

**Andalucía** *np f* Andalousie.

**andalucismo** *m* idiotisme andalou.

**andaluz, a** *a/s* andalou, se: **los andaluces** les Andalous.

**andaluzada** *f FAM* rodomontade.

**andamiada** *f*, **andamiaje** *m* échafaudage *m*.

**andamio** *m* **1.** échafaudage **2.** *(tablado)* estrade *f*.

**andana** *f* **1.** *(fila)* rangée **2. llamarse ~** revenir sur sa parole, se dédire.

**andanada** *f* **1.** *MAR* bordée **2.** *FIG* semonce, verte réprimande: **soltar a uno una ~** reprendre vertement quelqu'un.

**andando → andar.**

**andante** *adv/m MÚS* andante. ◇ *a* **caballero ~** chevalier errant.

**andanza** *f* **1.** aventure **2. buena, mala ~** bonne, mauvaise fortune.

**¹andar*** *vi* **1.** *(moverse, funcionar)* marcher: **~ despacio** marcher lentement; **anduve dos horas sin ver a nadie** j'ai marché deux heures sans voir personne; **llevo dos horas andando** ça fait deux heures que je marche; **mi coche no anda** ma voiture ne marche pas ◊ **ir andando** aller à pied; **a más ~, a todo ~** à toute vitesse; ◊ *FIG* **~ derecho** marcher droit **2.** *(el tiempo)* s'écouler ◊ **andando el tiempo** avec le temps **3.** *(= estar)* être: **andará por Alemania** il doit être en Allemagne; **mi bolso debe ~ por ahí** mon sac doit être, doit traîner quelque part par là; **~ alegre** être joyeux; **Isabel anda siempre bien vestida** Isabelle est toujours bien habillée; **ando muy preocupado** je suis très soucieux; **los pareceres andan muy divididos** les avis sont très partagés; **andan para casarse** ils sont sur le point de se marier **4.** *(de salud)* aller, se porter: **¿qué tal anda el enfermo?** comment va le malade?; **cada día anda peor** il va de plus en plus mal ◊ **no ando bien del estómago** j'ai l'estomac fatigué; **no ~ bien de los nervios** avoir les nerfs fragiles; **algo anda mal en este país** quelque chose ne va pas, ne tourne pas rond dans ce pays; **~ mal de dinero** ne pas être en fonds **5.** *PROV* **dime con quién andas y te diré quién eres** dis-moi qui tu fréquentes et je te dirai qui tu es **6.** *(+ gerundio)* être en train de: **anda escribiendo una novela** il est en train d'écrire un roman. (Ne se traduit souvent pas: **anda hablando mal de todo el mundo** il dit du mal de tout le monde; **ando buscando su dirección** je cherche son adresse) **7. ~ a golpes** se battre; **~ a palos** se battre à coups de bâton **8. ~ con cuidado** faire attention; **~ con ojo** ouvrir l'œil **9. ~ en** fouiller: **no andes en mis cosas** ne fouille pas dans mes affaires **10. ~ en pleitos** être en procès **11. anda tras todas las chicas del barrio** il court après toutes les filles du quartier **12. debe ~ por los cincuenta** il doit avoir dans les cinquante ans. ◇ *interj* **1. ¡anda!** allons!; *(sorpresa)* ça alors!; *(disgusto)* allons bon!; *(incredulidad)* allons donc! **2. ¡andando!** en avant! ◇ *vt (recorrer)* parcourir, faire. ◆ **~se** *vpr* **1.** marcher, parcourir **2. andarse con cumplidos** faire des cérémonies; **no andarse con rodeos** ne pas y aller par quatre chemins; **andarse por las ramas → rama 3. todo se andará** chaque chose en son temps, patience, on en reparlera.

▶ *Andar* ayant valeur d'auxiliaire (+ participe passé ou gérondif) évoque l'action, le mouvement.

**²andar** *m* démarche *f*. ◇ *pl* démarche *f sing*, allure *f sing*, marche *f sing*: **unos andares rápidos** une démarche rapide.

**andaraje** *m* roue *f* de la noria.

**andariego, a** *a* errant, e. ◇ *a/s* bon marcheur, bonne marcheuse.

**andarín, ina** *a/s* bon marcheur, bonne marcheuse.

**andarivel** *m* **1.** *(maroma entre las dos orillas de un río)* va-et-vient **2.** *AMER (para cruzar ríos)* bac **3.** *(cerco)* clôture *f*.

**andas** *f pl* brancard *m sing*.

**andén** *m* **1.** *(en una estación)* quai: **los andenes de una estación de metro** les quais d'une station de métro **2.** *(acera)* trottoir.

**andenería** *f AMER* terrasse, gradin *m*.

**Andes** *np f pl* **los ~** les Andes.

**andinismo** *m* andinisme, alpinisme pratiqué dans la Cordillère des Andes.

**andino, a** *a* andin, e.

**andoba** *m FAM* **el ~** le type, le zig.

**andorga** *f FAM* bedaine, panse.

**Andorra** *np f* Andorre.

**andorrano, a** *a/s* andorran, e.

**andorrear** *vi FAM* flâner, traînasser.

**andorrero, a** *a/s FAM* flâneur, euse.

**andrajo** *m* guenille *f*, loque *f*, haillon.

**andrajoso, a** *a* loqueteux, euse, déguenillé, e.

**Andrea** *np f* Andrée.

**Andrés** *np m* André.

**andrógino, a** *a/m* androgyne.

**Andrómaca** *np f* Andromaque.

**Andrómeda** *np f* Andromède.

**andrómina** *f FAM* bobard *m*.

**andropausia** *f* andropause.

**andullo** *m (de tabaco)* carotte *f*.

**andurriales** *m pl* parages écartés, coins perdus: **no se veía un alma en estos andurriales** on ne voyait absolument personne dans ces parages.

**anduve**, etc. → **andar.**

**anea** *f* massette.

**anécdota** *f* anecdote.

**anecdótico, a** *a* anecdotique.

**anegadizo, a** *a* inondable, qui est souvent inondé, e.

**anegar** *vt* **1.** *(un terreno)* inonder **2.** *(ahogar)* noyer **3.** *FIG* **rostro anegado en lágrimas** visage baigné de larmes. ◆ **~se** *vpr* **1.** être inondé, e: **se anegaron todas las huertas** tous les jardins furent inondés **2.** se noyer **3.** *FIG* **anegarse en llanto** fondre en larmes.

**anejar** *vt* annexer.

**anejo, a** *a* annexe ◊ **llevar ~** impliquer. ◇ *m* annexe *f*.

**anélidos** *m pl ZOOL* annélides.

**anemia** *f* anémie.

**anémico, a** *a* anémique.

**anemómetro** *m* anémomètre.

**anémona, anemone** *f* **1.** *(planta)* anémone **2. ~ de mar** anémone de mer, actinie.

**aneroide** *a FÍS* anéroïde.

**anestesia** *f* anesthésie: **~ local, general** anesthésie locale, générale; **bajo la ~ general** sous anesthésie générale.

**anestesiar*** *vt* anesthésier.

**anestésico, a** *a/m* anesthésique.

**anestesista** *s* anesthésiste.

**aneurisma** *m/f MED* anévrisme *m*.

**anexar** *vt* annexer.

**anexión** *f* annexion.

**anexionar** *vt* annexer.

**anexionista** *a* annexionniste.

**anexo, a** *a* annexe. ◇ *m* **1.** annexe *f* **2.** *(en una carta)* pièce *f* jointe.

**anfeta** *f FAM* amphé, amphète.

**anfetamina** *f* amphétamine.

**anfibio, a** *a* amphibie. ◇ *m pl ZOOL* amphibiens.

**anfibología** *f* amphibologie.

**anfibológico, a** *a* amphibologique.

**anfiteatro** *m* amphithéâtre.

**anfitrión** *m* amphitryon.

**ánfora** *f* **1.** amphore **2.** *AMER (para votaciones)* urne.

**anfractuosidad** *f* anfractuosité.

**anfractuoso, a** *a* accidenté, e.

**angarillas** *f pl* **1.** brancard *m sing*, civière *sing* **2.** bât *m sing* à paniers **3.** *(vinagreras)* huilier *m sing*.

**ángel** *m* **1.** ange: **~ caído** ange déchu; **~ custodio, de la guarda** ange gardien **2.** *FAM* **tener ~** avoir du charme; **tiene mal ~ para contar chistes** il n'est pas doué pour raconter des blagues.

**Ángela** *np f* Angèle.

**angélica** *f* angélique.

**angelical, angélico, a** *a* angélique.

**angelito** *m* **1.** angelot, petit ange ◊ *FAM* **estar con los angelitos** être dans les nuages **2.** *AMER* nouveau-né décédé.

**angelón** *m FIG FAM* **~ de retablo** gros joufflu.

**angelote** *m* **1.** statue *f* d'ange **2.** *(niño)* gros poupard **3.** *FIG* brave type.

**ángelus** *m* angélus.

**angevino, a** *a* angevin, e.

**angina** *f* **1.** angine **2. ~ de pecho** angine de poitrine. ◇ *f* amygdalite *sing* ◊ **operarse de anginas** se faire opérer des amygdales.

**angiografía** *f MED* angiographie.

**angiología** *f MED* angiologie.

**angioma** *m MED* angiome.

**angiospermas** *f pl BOT* angiospermes.

**anglicanismo** *m* anglicanisme.

**anglicano, a** *a/s* anglican, e.

**anglicismo** *m* anglicisme.

**anglicista** *a/s* angliciste.

**anglófilo, a** *a/s* anglophile.

**anglófobo, a** *a/s* anglophobe.

**anglonormando, a** *a/s* anglo-normand, e.

**anglosajón, ona** *a/s* anglo-saxon, onne: **los anglosajones** les Anglo-Saxons.

**angoleño, a** *a/s* angolais, e.

**angora** *a/m* angora ◊ **gato de ~** chat angora.

**angostar** *vt/i* rétrécir, resserrer.

**angosto, a** *a* étroit, e: **pasillo ~** couloir étroit.

**angostura** *f* **1.** étroitesse **2.** *(paso)* défilé *m*, gorge.

**anguila** *f* **1.** anguille **2.** *MAR* **~ de cabo** fouet *m*.

**anguilo** *m* petit congre.

**angula** *f* civelle.

**angular** *a* angulaire.

**ángulo** *m* angle: **~ agudo, obtuso** angle aigu, obtus; **en ~ recto** à angle droit.

**anguloso, a** *a* anguleux, euse.

**angurria** *f AMER* fringale, boulimie.

**angurriento, a** *a AMER* **1.** affamé, e **2.** égoïste **3.** avare.

**angustia** *f* angoisse.

**angustiado, a** *a* angoissé, e, anxieux, euse: **una mirada angustiada** un regard angoissé.

**angustiar** *vt* angoisser.

**Angustias** *np f* Marie des Sept Douleurs.

**angustiosamente** *adv* avec angoisse.

**angustioso, a** *a* **1.** angoissant, e **2.** *(inquieto)* angoissé, e.

**anhelante** *a* **1.** haletant, e **2.** *FIG* désireux, euse.

**anhelar** *vi (jadear)* haleter. ◇ *vt/i* aspirer à, désirer, souhaiter ardemment: **anhelo la tranquilidad** j'aspire à la tranquillité.

**anhelo** *m* désir ardent.

**anhelosamente** *adv* ardemment.

**anheloso, a** *a* **1.** haletant, e **2.** avide.

**anhídrido** *m QUÍM* anhydride: **~ sulfuroso** anhydride sulfureux.

**anhidro, a** *a QUÍM* anhydre.

**Aníbal** *np m* Annibal.

**anidar** *vi* **1.** nicher, faire son nid **2.** FIG se nicher, demeurer. ♦ **~se** *vpr* se nicher.

**anilina** *f* aniline.

**anilla** *f* anneau *m.* ◇ *pl (de gimnasia)* anneaux *m.*

**anillado, a** *a* annelé, e. ◇ *m* ZOOL annélide, ver annelé.

**anillar** *vt* **1.** anneler **2.** attacher avec des anneaux **3.** *(un ave)* baguer.

**anillo** *m* **1.** anneau **2.** *(sortija)* anneau, bague *f* ◊ **~ de boda** alliance *f*; **~ de pedida** bague de fiançailles; FIG **esto viene como ~ al dedo** cela convient à merveille, tombe à pic, tombe à propos; FAM **no se le caen los anillos por...** il ne se croit pas déshonoré de... **3.** ASTR **los anillos de Saturno** les anneaux de Saturne **4.** TAUROM *(redondel)* arène *f.*

**ánima** *f* **1.** âme **2.** *(del Purgatorio)* âme: **toque de ánimas** glas pour les âmes du Purgatoire **3.** *(de un cañón)* âme. ◇ *pl* glas *m sing* à la nuit tombante, à l'intention des âmes du Purgatoire.

**animación** *f* animation.

**animadamente** *adv* avec animation: **charlar ~** bavarder avec animation.

**animado, a** *a* **1.** animé, e **2. ~ por el éxito** encouragé, e par le succès **3.** plein, e de vie, d'entrain.

**animador, a** *s* animateur, trice.

**animadversión** *f* animadversion.

**animal** *a* animal, e. ◇ *m* **1.** animal, bête *f*: **animales domésticos** animaux domestiques **2.** FIG brute: **pedazo de ~** espèce de brute.

**animalada** *f* FAM **1.** *(tontería)* bêtise, ânerie, stupidité **2.** monstruosité, horreur.

**animalejo** *m* petit animal, bestiole *f.*

**animalidad** *f* animalité.

**animalucho** *m* sale bête *f.*

**animar** *vt* **1.** animer **2.** *(alentar)* encourager, inciter, stimuler: **le animó a trabajar** il l'encouragea à travailler **3.** *(alegrar)* mettre de l'animation, de l'ambiance dans. ♦ **~se** *vpr* **1.** s'animer: **su cara se animaba mientras hablaba** son visage s'animait pendant qu'il parlait **2.** se décider: **se animó a hablar** il se décida à parler; **¡anímate!** allons!, décide-toi!, secoue-toi!; **a ver si te animas** voyons si tu te décides, si tu te réveilles un peu **3.** se mettre en train.

**anímico, a** *a* psychique.

**animismo** *m* animisme.

**animista** *a/s* animiste.

**ánimo** *m* **1.** *(espíritu)* esprit: **calmar los ánimos** calmer les esprits ◊ **presencia de ~** présence d'esprit; **esparcir el ~** se distraire, se délasser l'esprit **2.** *(valor)* courage: **no tengo ~ para hacer esto** je n'ai pas le courage de faire cela; **¡cobra ánimos!** du courage!; **dar ánimos** donner, redonner du courage; **¡ánimo!** courage! **3.** *(brío)* allant, entrain: **cantaban sin mucho ~** ils chantaient sans beaucoup d'entrain **4.** intention *f*, esprit: **con ~ de** dans l'intention de; **sin ~ de ofenderte** sans vouloir t'offenser.
▶ Sens 2. *souvent au pluriel en espagnol.*

**animosidad** *f* animosité.

**animoso, a** *a* courageux, euse.

**aniñado, a** *a* enfantin, e: **rostro ~** visage enfantin.

**aniñarse** *vpr* faire l'enfant.

**anión** *m* FÍS anion.

**aniquilación** *f* anéantissement *m.*

**aniquilador, a** *a* destructeur, trice.

**aniquilamiento** *m* anéantissement.

**aniquilar** *vt* **1.** *(destruir por completo)* anéantir **2.** *(arruinar)* ruiner **3.** réduire à néant, annihiler.

**anís** *m* **1.** anis: **~ estrellado** anis étoilé ◊ FIG **esto no es grano de ~** ce n'est pas rien **2.** *(licor)* anisette *f.*

**anisado, a** *a* anisé, e. ◇ *m* anisette *f.*

**anisete** *m* anisette *f.*

**Anita** *np f* Annette.

**aniversario** *a/m* anniversaire.

**ano** *m* anus.

**anoche** *adv* hier soir.

**[1]anochecer*** *v impers* commencer à faire nuit: **anochecía cuando llegamos** il commençait à faire nuit lorsque nous arrivâmes; **cuando anochezca** quand il commencera à faire nuit ◊ **ya anochecido** à la nuit tombante. ◇ *vi (en un lugar)* arriver, se trouver à la nuit tombante.

**[2]anochecer** *m*, **anochecida** *f* crépuscule *m*, tombée *f* de la nuit ◊ **al anochecer** à la tombée de la nuit.

**anodino, a** *a* anodin, e.

**ánodo** *m* FÍS anode.

**anofeles** *m* anophèle.

**anomalía** *f* anomalie.

**anómalo, a** *a* **1.** anomal, e **2.** *(anormal)* anormal, e.

**anona** *f (árbol, fruto)* anone.

**anonadamiento** *m* anéantissement.

**anonadar** *vt* **1.** anéantir **2.** *(producir una fuerte impresión)* atterrer, sidérer.

**anonimato** *m* anonymat.

**anónimo, a** *a/s* anonyme. ◇ *m* **1.** *(carta)* lettre *f* anonyme **2. guardar el ~** garder l'anonymat.

**anorak** *m* anorak.

**anorexia** *f* MED anorexie.

**anoréxico, a** *a/s* anorexique.

**anormal** *a* anormal, e: **es ~** c'est anormal. ◇ *a/s* anormal, e: **niños anormales** enfants anormaux.

**anormalidad** *f* anomalie, état *m* de ce qui est anormal.

**anormalmente** *adv* anormalement.

**anotación** *f* annotation, note.

**anotar** *vt* **1.** *(un escrito)* annoter **2.** *(apuntar)* noter, prendre note de: **¡anota mi dirección!** note mon adresse! **3.** *(inscribir)* inscrire. ♦ **~se** *vpr (un juego, etc.)* marquer, remporter.

**anoticiar** *vt* AMER informer.

**anovelado, a** *a* romancé, e.

**anquilosamiento** *m* FIG ankylose *f.*

**anquilosar** *vt* ankyloser. ♦ **~se** *vpr* s'ankyloser.

**anquilosis** *f* ankylose.

**ansa** *f (hansa)* hanse.

**ánsar** *m* oie *f.*

**ansarón** *m* oison.

**anseático, a** *a* HIST hanséatique.

**Anselmo** *np m* Anselme.

**ansí** *adv* ANT ainsi.

**ansia** *f* **1.** *(angustia)* angoisse, anxiété **2.** *(anhelo)* soif, appétit *m*, désir *m* ardent: **~ de libertad** soif de liberté; **ansias de venganza** des désirs de vengeance; **~ por saber** désir de savoir **3.** avidité: **comer con ~** manger avec avidité **4.** impatience. ◇ *pl* **1.** *(de la muerte)* affres **2.** *(náuseas)* nausées.

**ansiar** *vt* désirer, souhaiter ardemment, rêver de.

**ansiedad** *f* **1.** *(estado de inquietud)* anxiété **2.** *(angustia)* angoisse.

**ansiógeno, a** *a* anxiogène.

**ansiolítico, a** *a/m MED* anxiolytique.

**ansiosamente** *adv* anxieusement.

**ansioso, a** *a* **1.** anxieux, euse **2.** *(codicioso)* avide **3.** impatient, e: **estar ~ de llegar** être impatient d'arriver, avoir hâte d'arriver; **estoy ~ por conocer el resultado** j'ai hâte de connaître le resultat.

**anta** *f* **1.** *(mamífero)* élan *m* **2.** tapir *m.*

**antagónico, a** *a* antagonique.

**antagonismo** *m* antagonisme.

**antagonista** *a/s* antagoniste.

**antálgico, a** *a/m MED* antalgique.

**antaño** *adv* autrefois, jadis.

**antara** *f AMER* flûte de Pan péruvienne.

**antártico, a** *a* antarctique. ◇ *np m* Antarctique.

**¹ante** *m* **1.** élan **2.** bubale **3.** *(piel)* daim: **chaqueta de ~** veste de daim **4.** *AMER* jus de fruits péruvien.

**²ante** *prep* **1.** devant: **~ mis ojos** devant mes yeux; **~ mí** devant moi; **iguales ~ la ley** égaux devant la loi ◊ **~ todo** avant tout **2.** par-devant: **~ notario** par-devant notaire.

**anteanoche** *adv* avant-hier soir.

**anteayer** *adv* avant-hier.

**antebrazo** *m* avant-bras.

**anteburro** *m AMER* tapir du Mexique.

**antecámara** *f* antichambre.

**antecedente** *a/m* antécédent, e. ◇ *pl* **1.** *JUR* **antecedentes penales** casier *sing* judiciaire **2. estar en antecedentes** être au courant.

**anteceder** *vi* précéder.

**antecesor, a** *a/s* prédécesseur.

**antecocina** *f* office *m.*

**antecoro** *m* avant-chœur.

**antecristo** *m* antéchrist.

**antedata** *f* antidate.

**antedatar** *vt* antidater.

**antedicho, a** *a* susdit, e ◊ **lo ~** ce qui a été dit précédemment.

**antediluviano, a** *a* antédiluvien, enne.

**antefirma** *f* **1.** titre *m* du signataire d'une lettre **2.** formule de politesse.

**anteiglesia** *f* parvis *m.*

**antelación** *f* anticipation ◊ **con ~** à l'avance; **con la suficiente ~** suffisamment longtemps à l'avance; **con demasiada ~** trop en avance; **con la debida ~** dans les délais voulus; **con diez días de ~ a la fecha de salida** dix jours avant la date du départ.

**antemano (de)** *loc adv* d'avance, par avance.

**antemeridiano, a** *a* (d')avant midi.

**antena** *f* **1.** *(de insecto, etc.)* antenne **2.** *(de televisión)* antenne: **~ parabólica** antenne parabolique; **estar en ~** être sur l'antenne.

**antenista** *m* installateur d'antennes de télévision.

**antenoche** → **anteanoche.**

**antenombre** *m* titre qui précède un nom (comme *don, señor*, etc.).

**antenupcial** *a* prénuptial, e.

**anteojera** *f (de caballo)* œillère.

**anteojo** *m* **1.** lunette *f* **2. ~ de larga vista** longue-vue *f.* ◇ *pl* **1.** *(gafas)* lunettes *f* **2.** *(prismáticos)* jumelles *f.*

**antepalco** *m TEAT* petit salon d'une loge.

**antepasado** *m* ancêtre. ◇ *pl* ancêtres, aïeux: **uno de mis antepasados** un de mes ancêtres.

**antepecho** *m* **1.** *(balaustrada)* parapet, garde-fou **2.** *(de ventana)* appui **3.** *(del arreo)* poitrail.

**antepenúltimo, a** *a/s* antépénultième.

**anteponer*** *vt* **1.** mettre devant, placer devant **2.** *FIG* préférer, faire passer avant: **antepone la indulgencia a la severidad** il fait passer l'indulgence avant la sévérité.

**anteportada** *f* faux titre *m.*

**anteposición** *f* place en tête.

**anteproyecto** *m* avant-projet.

**antepuerta** *f (cortina)* portière.

**antepuerto** *m* avant-port.

**antepuesto, a** *pp* de **anteponer.**

**antera** *f BOT* anthère.

**anterior** *a* **1.** *(en el espacio)* antérieur, e ◊ **patas anteriores** pattes de devant **2.** précédent, e: **el día ~** le jour précédent; **en la página ~** à la page précédente.

**anterioridad** *f* antériorité ◊ **con ~** précédemment, antérieurement; **con ~ a...** avant...

**anteriormente** *adv* précédemment, avant, auparavant.

**antes** *adv* **1.** avant: **mucho ~** bien avant; **poco ~** peu de temps avant; **dos días ~** deux jours avant, deux jours plus tôt; **el día ~** le jour d'avant; **el año ~** l'année précédente ◊ **~ de** avant: **~ del sábado** avant samedi; **~ de las 9** avant 9 heures; **~ de poco** avant peu; **~ que llegue** avant qu'il arrive; **mucho ~ que él** bien avant lui; **habían llegado ~ que nosotros** ils étaient arrivés avant nous; **~ de que te vayas** avant que tu t'en ailles, avant de t'en aller **2.** *(antiguamente)* autrefois, auparavant **3.** plutôt: **~ morir que someterse** plutôt mourir que de se soumettre; **todo ~ que ceder** tout plutôt que de céder; **prefiere morirse de hambre ~ que trabajar** il préfère mourir de faim que de travailler **4.** *loc adv* **~ de nada, ~ que nada** avant tout, avant toute chose; **~ con ~, cuanto ~, lo ~ posible** au plus tôt, le plus tôt possible. ◇ *conj* au contraire, mais plutôt: **no renunció a la lucha, ~ (bien) arremetió contra su adversario** il ne renonça pas à la lutte, mais au contraire il se lança contre son adversaire ◊ **~ bien, ~ al contrario** bien au contraire.

**antesala** *f* antichambre ◊ **hacer ~** faire antichambre.

**antevíspera** *f* avant-veille.

**antiabortista** *a* antiavortement. ◇ *s* opposant, e à l'avortement.

**antiadherente** *a* antiadhésif, ive.

**antiaéreo, a** *a* antiaérien, enne.

**antialcohólico, a** *a* antialcoolique.

**antiarrugas** *a* antirides.

**antiatómico, a** *a* antiatomique.

**antiatraco** *a* antigang.

**antibala** *a* **chaleco ~** gilet pare-balles.

**antibiótico, a** *a/m* antibiotique.

**antibloqueo** *a TECN* **sistema ~** système antiblocage.

**anticaspa** *a* antipelliculaire: **champú, loción ~** shampoing, lotion antipelliculaire.

**anticiclón** *m* anticyclone: **el ~ de las Azores** l'anticyclone des Açores.

**anticientífico, a** *a* antiscientifique.

**anticipación** *f* anticipation ◊ **con ~** d'avance; **con la suficiente ~** suffisamment longtemps à l'avance; **con ~ al horario** en avance sur l'horaire.

**anticipadamente** *adv* d'avance, préalablement.

**anticipado, a** *a* anticipé, e ◊ **por ~** à l'avance, d'avance.

**anticipar** *vt* **1.** avancer (la date de): **anticipó su regreso en dos fechas** il avança de deux jours la date de son retour; **¡anticipe**

**sus compras!** faites vos achats à l'avance! **2.** *(dinero)* avancer **3.** *(un pago)* anticiper **4. no anticipemos** n'anticipons pas; **anticipándole las gracias...** en vous remerciant par avance... **5. los ingenieros anticipan que será posible dominar esta técnica** les ingénieurs sont convaincus à l'avance qu'il sera possible de dominer cette technique. ◆ **~se** *vpr* **1.** *(a alguien)* devancer: **se anticipó a mis objecciones** il devança mes objections **2.** être, arriver en avance: **el verano se ha anticipado este año** l'été est en avance cette année ◊ **anticiparse a su época** être en avance sur, devancer son époque.

**anticipo** *m* **1.** avance *f* **2.** *(dinero)* avance *f*, acompte, à-valoir **3.** présage.

**anticlerical** *a* anticlérical.

**anticlericalismo** *m* anticléricalisme.

**anticlinal** *m* GEOL anticlinal.

**anticoagulante** *a/m* anticoagulant, e.

**anticolonialismo** *m* anticolonialisme.

**anticolonialista** *a/s* anticolonialiste.

**anticomunismo** *m* anticommunisme.

**anticomunista** *a/s* anticommuniste.

**anticonceptivo, a** *a* anticonceptionnel, elle, contraceptif, ive. ◇ *m* contraceptif.

**anticonformismo** *m* anticonformisme.

**anticonformista** *a/s* anticonformiste.

**anticongelante** *m* antigel.

**anticonstitucional** *a* anticonstitutionnel, elle.

**anticontaminación** *a* antipollution.

**anticorrosivo, a** *a* anticorrosion *inv*.

**anticristo** *m* antéchrist.

**anticuado, a** *a* **1.** vieilli, e, désuet, ette **2.** *(pasado de moda)* démodé, e.

**anticuario** *m* antiquaire.

**anticuarse** *vpr* vieillir, se démoder.

**anticucho** *m* AMER brochette *f* de viande.

**anticuerpo** *m* anticorps.

**antideportivo, a** *a* antisportif, ive.

**antidepresivo** *m* antidépresseur.

**antideslizante** *a/m* antidérapant, e.

**antidetonante** *a/m* antidétonant, e.

**antidiftérico, a** *a* antidiphtérique.

**antidisturbios** *a* antiémeutes.

**antidoping** *m* antidopage.

**antídoto** *m* antidote.

**antidroga** *a* antidrogue: **lucha ~** lutte antidrogue.

**antier** *adv* FAM avant-hier.

**antiesclavista** *a/s* antiesclavagiste.

**antiescorbútico, a** *a* MED antiscorbutique.

**antiespasmódico, a** *a/m* MED antispasmodique.

**antiestético, a** *a* inesthétique.

**antifascista** *a/s* antifasciste.

**antifaz** *m* **1.** *(máscara)* masque, cagoule *f* **2.** *(sólo para la frente y los ojos)* loup.

**antífona** *f* antienne.

**antifonario** *m* antiphonaire.

**antífrasis** *f* antiphrase.

**antigás** *a* **careta, máscara ~** masque à gaz.

**antígeno** *m* antigène.

**Antígona** *np f* Antigone.

**antigripal** *a* antigrippe.

**antigualla** *f* vieillerie, antiquaille.

**antiguamente** *adv* autrefois.

**antigubernamental** *a* antigouvernemental, e.

**antigüedad** *f* **1.** *(lo antiguo)* antiquité, ancienneté **2.** *(época antigua)* antiquité: **desde la más remota ~** depuis la plus haute antiquité **3.** *(en un empleo, cargo)* ancienneté **4.** âge: **coche que tiene más de diez años de ~** voiture qui a plus de dix ans d'âge. ◇ *pl* antiquités: **tienda de antigüedades** magasin d'antiquités.

**antiguo, a** *a* **1.** ancien, enne, vieux, vieille: **libros antiguos** des livres anciens; **el ~ continente** l'ancien continent **2.** *(de la Antigüedad)* antique **3.** *(en un cargo, etc.)* ancien, enne: **~ alumno** ancien élève **4.** ex: **la antigua URSS** l'ex-U.R.S.S.; **la antigua Yugoslavia** l'ex-Yougoslavie. ◇ *m* **1.** *(alumno)* ancien **2.** *loc adv* **a lo ~, a la antigua** à l'ancienne, à la mode d'autrefois; **de ~** depuis longtemps, de longue date. ◇ *pl* anciens.

▶ Sentido 1. *des livres anciens*, implica que son valiosos; *de vieux livres* que solamente son viejos.

**antihéroe** *m* antihéros.

**antihigiénico, a** *a* antihygiénique.

**antiinflacionista** *a* anti-inflationniste.

**antiinflamatorio, a** *a* anti-inflammatoire.

**antillano, a** *a/s* antillais, e.

**Antillas** *np f pl* Antilles: **las ~ Mayores** les Grandes Antilles; **las ~ Menores** les Petites Antilles.

**antílope** *m* antilope *f*.

**antimateria** *f* antimatière.

**antimilitarismo** *m* antimilitarisme.

**antimilitarista** *a/s* antimilitariste.

**antimisil** *a* antimissile.

**antimonárquico, a** *a/s* antimonarchiste.

**antimonio** *m* antimoine.

**antineurálgico, a** *a* antinévralgique.

**antiniebla** *a* antibrouillard.

**antinomia** *f* antinomie.

**antinómico, a** *a* antinomique.

**Antioquía** *np* Antioche.

**antioxidante** *a* antirouille.

**antipapa** *m* HIST antipape.

**antipara** *f* **1.** *(biombo)* paravent *m* **2.** *(polaina)* jambière, guêtre.

**antiparásito, a** *a/m* antiparasite.

**antiparlamentario, a** *a* antiparlementaire.

**antiparlamentarismo** *m* antiparlementarisme.

**antiparras** *f pl* lunettes, bésicles.

**antipartícula** *f* FÍS antiparticule.

**antipatía** *f* antipathie ◊ **coger ~ a alguien** prendre quelqu'un en grippe.

**antipático, a** *a* **1.** antipathique: **es un hombre muy ~** c'est un homme très antipathique **2.** désagréable.

**antipatriótico, a** *a* antipatriotique.

**antipirético, a** *a/m* MED antipyrétique.

**antípoda** *m* antipode: **estar en las antípodas de...** être aux antipodes de...

**antiquísimo, a** *a* très ancien, enne.

**antirrábico, a** *a* antirabique.

**antirracista** *a/s* antiraciste.

**antirradar** *a* antiradar.

**antirreflejante** *a* antireflet.

**antirreligioso, a** *a* antireligieux, euse.

**antirrobo** *a/m* antivol.

**antirruido** *a* antibruit.

**antisemita** *a/s* antisémite.

**antisemitismo** *m* antisémitisme.

**antisepsia** *f* antisepsie.

**antiséptico, a** *a/m* antiseptique.

**antisocial** *a* antisocial, e.

**antisubmarino, a** *a* anti-sous-marin, e.

**antitabaco** *a* antitabac: **campañas ~** campagnes antitabac.

**antitanque** *a* antichar: **granadas ~** grenades antichars.

**antiterrorista** *a* antiterroriste.

**antítesis** *f* antithèse.

**antitetánico, a** *a* antitétanique.

**antitético, a** *a* antithétique.

**antitoxina** *f* antitoxine.

**antituberculoso, a** *a* antituberculeux, euse.

**antivariólico, a** *a* antivariolique.

**antiviral** *a* antiviral, e, virocide: **medicamentos antivirales** médicaments antiviraux.

**antojadizo, a** *a* capricieux, euse.

**antojarse** *vpr* **1.** avoir envie de: **se le antojó hacer este viaje** l'envie, la fantaisie lui a pris de faire ce voyage ◊ **no hace más que lo que se le antoja** il n'en fait qu'à sa tête, à sa fantaisie **2.** avoir dans l'idée, sembler, paraître: **se me antoja que no vendrá** j'ai dans l'idée qu'il ne viendra pas; **se me antoja que va a llover** il me semble qu'il va pleuvoir; **esta chica se me antoja un poco superficial** cette fille me paraît un peu superficielle; **el porvenir se me antoja sombrío** l'avenir me paraît sombre.

**antojitos** *m pl AMER* amuse-gueule.

**antojo** *m* **1.** caprice **2.** fantaisie *f* ◊ **vivir a su ~** vivre à sa guise, à son idée; **cada uno a su ~** chacun fait comme il veut **3.** *(de mujer embarazada, mancha)* envie *f*.

**antología** *f* **1.** anthologie **2.** *FAM* **de ~** mémorable, splendide.

**antológico, a** *a FAM* magnifique.

**Antonia** *np f* Antoinette.

**antonimia** *f* antonymie.

**antónimo** *m* antonyme.

**Antonio** *np m* Antoine.

**antonomasia** *f* antonomase ◊ **por ~** par excellence, par définition, par antonomase.

**antorcha** *f* **1.** torche **2.** *FIG* flambeau *m*: **pasar la ~** passer le flambeau.

**antracita** *f* anthracite *m*.

**ántrax** *m inv* anthrax.

**antro** *m* **1.** antre **2.** *FIG* bouge, lieu de perdition.

**antropocéntrico, a** *a* anthropocentrique.

**antropocentrismo** *m* anthropocentrisme.

**antropofagia** *f* anthropophagie.

**antropófago, a** *a/s* anthropophage.

**antropoide, antropoideo, a** *a/m* anthropoïde.

**antropología** *f* anthropologie.

**antropológico, a** *a* anthropologique.

**antropólogo, a** *s* anthropologue, anthropologiste.

**antropometría** *f* anthropométrie.

**antropométrico, a** *a* anthropométrique.

**antropomorfismo** *m* anthropomorphisme.

**antropomorfo, a** *a* anthropomorphe.

**antropopiteco** *m* anthropopithèque.

**antruejo** *m* les trois jours de Carnaval.

**anual** *a* annuel, elle.

**anualidad** *f* **1.** annualité **2.** *(renta)* annuité.

**anualmente** *adv* annuellement.

**anuario** *m* annuaire.

**anubarrado, a** *a* nuageux, euse.

**anublar** *vt* **1.** *(el cielo)* couvrir **2.** obscurcir, voiler. ◆ **~se** *vpr* **1.** *(el cielo)* se couvrir **2.** *FIG (una ilusión)* s'évanouir **3.** *(planta)* se flétrir, se faner.

**anublo** *m BOT* nielle *f*.

**anudar** *vt* **1.** nouer **2.** *FIG (algo interrumpido)* renouer: **~ la conversación** renouer la conversation. ◆ **~se** *vpr* **1. anudarse la corbata** nouer sa cravate, faire son nœud de cravate **2.** *FIG* **se le anudó la voz** sa voix s'étrangla, il avait la gorge nouée **3.** *(planta)* s'arrêter dans son développement.

**anuencia** *f* consentement *m*.

**anuente** *a* consentant, e.

**anulable** *a* annulable.

**anulación** *f* annulation.

**[1]anular** *a* annulaire. ◇ *a/m (dedo)* annulaire.

**[2]anular** *vt* annuler. ◆ **~se** *vpr* s'annuler.

**Anunciación** *f* **la ~** l'Annonciation.

**anunciador, a** *a* annonciateur, trice ◊ **cartel ~** affiche *f*, annonce *f* publicitaire.

**anunciante** *s (en un periódico)* annonceur, euse.

**anunciar*** *vt* **1.** annoncer: **el barómetro anuncia lluvia** le baromètre annonce de la pluie **2.** faire de la publicité pour. ◇ *vi* insérer une annonce.

**anuncio** *m* **1.** annonce *f*: **insertar un ~ en un periódico** insérer une annonce dans un journal; **anuncios por palabras** petites annonces **2.** *(cartel)* affiche *f* ◊ **tablón de anuncios** tableau d'affichage; **prohibido fijar anuncios** défense d'afficher **3.** pancarte *f*, panneau.

**anuo, a** *a* annuel, elle.

**anuria** *f MED* anurie.

**anverso** *m* **1.** *(de una moneda, una medalla)* avers **2.** *(de una página)* recto.

**anzuelo** *m* **1.** *(para pescar)* hameçon **2.** *FIG* appât ◊ **caer, picar en el ~** mordre à l'hameçon.

**añada** *f AGR* année (de récolte, pour le vin en particulier).

**añadido, a** *a* ajouté, e: **valor ~** valeur ajoutée. ◇ *m* **1.** *(cabello)* postiche **2.** *(a un texto)* ajout, addition *f* **3.** rallonge *f*.

**añadidura** *f* **1.** ajout *m*, addition **2.** supplément *m* **3.** *loc adv* **por ~** en outre, par surcroît, par-dessus le marché.

**añadir** *vt* ajouter.

**añafil** *m* trompette *f* mauresque.

**añagaza** *f* **1.** *(para aves)* leurre *m*, appeau *m* **2.** *FIG* artifice *m*, ruse, stratagème *m*.

**añapa** *f AMER* boisson rafraîchissante à la farine de caroube.

**añares** *n pl AMER* **hace ~** il y a des années.

**añejamiento** *m* vieillissement.

**añejarse** *vpr* vieillir.

**añejo, a** *a* **1.** vieux, vieille **2.** *FIG* vieux, vieille, ancien, enne. ◇ *m* **1.** *(vino)* vin vieux **2.** *(ron)* rhum vieux.

**añicos** *m pl* petits morceaux, miettes *f*: **hacer ~** réduire en miettes; **hecho ~** en petits morceaux; *FIG (cansado)* en capilotade, crevé, abattu.

**añil** *m (arbusto)* indigotier. ◇ *a/m* indigo.

**añilar** *vt* teindre en indigo.

**año** *m* **1.** année *f*: **~ bisiesto, civil, escolar** année bissextile, civile, scolaire; **~ de luz** année-lumière; **en el transcurso del ~** dans le courant de l'année; **este ~** cette année; **~ tras ~** d'année en année **2.** an: **hace tres años** il y a trois ans; **Elisa tiene seis años** Élise a six ans; **dentro de dos años** dans deux ans; **el ~ que viene** l'an prochain; **en el ~ 2000** en l'an 2000; **~ de gracia** an de grâce ◊ **el ~ nuevo** le nouvel an; **el día de ~ Nuevo** le jour de l'an; **¡feliz ~ Nuevo!** bonne année!; **felicitar el día de ~ Nuevo** souhaiter la bonne année; **el ~ de la nana** le temps où la reine Berthe filait, le temps jadis **3.** *FAM* **un ~ con otro** bon an mal an **4.** *PROV* **una vez al ~ no hace daño** une fois n'est pas coutume. ◇ *pl* **1.** années *f*: **veía pasar los años** il voyait passer les années; **por los años 1900** vers 1900, dans les années 1900 **2.** âge *sing*: **¿cuántos años tienes?** quel âge as-tu?; **a mis años** à mon âge; **con los años que tiene** à son âge ◊ **en sus años mozos** dans son jeune âge; **entrado en años** d'un âge avancé; **ir teniendo años** prendre de l'âge, vieillir **3. en los años que corren** par les temps qui courent; **¡qué años aquellos!** quelle époque!, c'était le bon temps!

► Para indicar la edad se emplea siempre *an* (sin artículo: *a los 20 años*... à 20 ans...)

**añojal** *m AGR* jachère *f*.

**añojo** *m (cordero)* agneau; *(becerro)* veau d'un an.

**añoranza** *f* nostalgie: **recuerdo con ~ la época...** je me souviens avec nostalgie de l'époque...

**añorar** *vt* regretter, avoir la nostalgie de: **añoro los años de mi juventud** je regrette les années de ma jeunesse.

**añoso, a** *a* très vieux, vieille.

**añublo** *m AGR* nielle *f*.

**aojar** *vt* jeter un sort.

**aojo** *m* sort, mauvais œil.

**aorta** *f ANAT* aorte.

**aovado, a** *a* ové, e, ovale.

**aovar** *vi* pondre.

**aovillarse** *vpr* se pelotonner, se ramasser en boule.

**apabullamiento** *m FAM* trouble, confusion *f*.

**apabullante** *a FIG* extraordinaire, sidérant, e, ahurissant, e.

**apabullar** *vt FAM* **1.** écraser **2.** *FIG* confondre, laisser coi, coite, couper le sifflet, river son clou à.

**apacentar*** *vt* **1.** faire paître, paître **2.** *FIG (el espíritu)* nourrir. ◆ **~se** *vpr* **1.** paître **2.** *FIG* se nourrir, se repaître.

**apache** *m* apache.

**apacible** *a* **1.** *(tranquilo)* paisible, calme **2.** *(suave)* doux, douce.

**apaciguamiento** *m* apaisement.

**apaciguar** *vt* apaiser, calmer: **~ los ánimos** calmer les esprits. ◆ **~se** *vpr* s'apaiser, se calmer: **el dolor fue apaciguándose poco a poco** la douleur s'apaisa peu à peu.

**apadrinamiento** *m* parrainage.

**apadrinar** *vt* **1.** servir de parrain, de marraine: **la niña será apadrinada por...** l'enfant aura pour parrain... **2.** *(en una boda)* servir de témoin **3.** *(ayudar)* parrainer, patronner **4.** *(un proyecto, etc.)* appuyer, défendre.

**apagado, a** *a* **1.** *(el fuego, la luz)* éteint, e **2.** *(persona)* éteint, e, atone, effacé, e **3.** *(color)* terne, sans éclat **4.** *(ruido)* étouffé, e **5. voz apagada** voix éteinte, sourde.

**apagador** *m* **1.** *(para apagar las velas)* éteignoir **2.** *(de piano)* étouffoir.

**apagamiento** *m* **1.** extintion *f* **2.** *(de los sonidos)* étouffement **3.** manque d'éclat.

**apagar** *vt* **1.** *(el fuego, la cal, etc.)* éteindre: **¡apaga la luz!** éteins la lumière!; **apagué la televisión** j'ai éteint la télévision **2.** *FIG (pasiones)* apaiser, calmer **3.** *(los sonidos)* étouffer, assourdir **4. ~ la sed** étancher la soif, désaltérer **5.** *(una rebelión)* étouffer **6.** *FAM* **apaga y vámonos** n'en parlons plus, ce n'est pas la peine d'insister. ◆ **~se** *vpr* **1.** s'éteindre: **se apagaron las luces** les lumières s'éteignirent **2.** *(morir)* s'éteindre.

**apagavelas** *m* éteignoir.

**apagón** *m* panne *f* d'électricité, panne *f* de courant.

**apainelado** *a ARQ* **arco ~** arc en anse de panier.

**apaisado, a** *a (cuadro)* en largeur; *(libro)* à l'italienne.

**apalabrar** *vt* **1.** convenir verbalement de: **~ el viaje** convenir du prix du voyage; **apalabraron una entrevista para el día siguiente** ils prirent rendez-vous pour le jour suivant; **estaba ya todo apalabrado** tout était convenu, réglé **2.** *(contratar)* engager, retenir: **~ a un mozo de equipajes** retenir un porteur.

**Apalaches** *np* **los ~** les Appalaches.

**apalancar** *vt* soulever (à l'aide d'un levier). ◆ **~se** *vpr FAM* s'installer, s'enraciner.

**apalear** *vt* **1.** *(a alguien)* battre, frapper à coups de bâton ◊ **perro apaleado** chien battu **2.** *(alfombras)* battre **3.** *(las ramas de los árboles)* gauler **4.** *(el grano)* éventer **5.** *FAM* **~ oro** remuer l'argent à la pelle, rouler sur l'or.

**apandar** *vt FAM* rafler, piquer, chiper.

**apandillar** *vt* réunir en bandes. ◆ **~se** *vpr* se réunir en bandes.

**apantallado, a** *a AMER* sot, sotte, ahuri, e.

**apantanar** *vt* transformer en marais, inonder.

**apañado, a** *a* **1.** habile, adroit, e **2.** *(para un uso)* pratique **3.** *(útil)* utile **4.** *(bien vestido)* bien mis, e, élégant, e **5.** *(aseado)* soigné, e **6. ¡estamos apañados!** nous voilà frais!; **¡estaríamos apañados!** il ne manquerait plus que ça!; **vas ~ si...** tu te fais des illusions si...

**apañar** *vt FAM* **1.** *(arreglar)* arranger **2.** *(hurtar)* barboter, piquer, faucher **3. ¡ya te apañaré yo!** tu auras affaire à moi. ◆ **~se** *vpr FAM* s'arranger, se débrouiller, se dépatouiller: **se las apaña como puede** il se débrouille comme il peut.

**apaño** *m FAM* **1.** *(arreglo)* arrangement **2.** *(maña)* habileté *f*, adresse *f* **3.** *(amorío)* liaison *f* **4. ser de mucho ~** être très utile.

**apañuscar** *vt* **1.** *(ajar)* chiffonner, friper **2.** *(robar)* faucher.

**apapachar** → **papachar.**

**apapacho** → **papacho.**

**aparador** *m* **1.** *(mueble)* buffet, dressoir **2.** *(escaparate)* vitrine *f*.

**aparatckik** *m* apparatchik.

**aparato** *m* **1.** *(instrumento)* appareil **2.** *(teléfono)* **diga, ¿quién está al ~?** allô, qui est à l'appareil?; **ponerse al ~** prendre le téléphone **3.** *(avión)* **el ~ despega** l'appareil décolle **4.** *(de radio, televisión)* appareil, poste **5.** *(ostentación)* apparat, pompe *f* **6.** *ANAT* **~ digestivo, respiratorio** appareil digestif, respiratoire **7.** *(político, sindical)* appareil.

**aparatoso, a** *a* **1.** pompeux, euse **2.** spectaculaire, impressionnant, e: **un accidente ~** un accident spectaculaire **3.** *(llamativo)* voyant, e, tapageur, euse.

**aparcadero** *m* parking.

**aparcamiento** *m* **1.** *(acción)* stationnement **2.** parking: **~ subterráneo, de pago** parking souterrain, payant.

**aparcar** *vt (un coche)* garer: **coche mal aparcado** voiture mal garée; **tengo el coche aparcado cerca de aquí** ma voiture est garée près d'ici. ◇ *vi* **1.** se garer: **he aparcado, aparqué delante del hotel** je me suis garé devant l'hôtel **2.** stationner: **prohibido ~** défense de stationner.

**aparcería** *f AGR* métayage *m.*

**aparcero, a** *s* **1.** métayer, ère **2.** *ANT* compagnon *m.*

**apareamiento** *m* accouplement.

**aparear** *vt* **1.** apparier, assortir par paire **2.** *(animales)* accoupler. ◆ **~se** *vpr* s'accoupler.

**aparecer*** *vi* **1.** apparaître, paraître, se montrer: **la luna apareció por encima de los tejados** la lune apparut au-dessus des toits **2.** *(publicarse)* paraître: **artículo aparecido en un periódico** article paru dans un journal **3.** *(ser encontrado)* **apareció muerto** on le trouva mort. ◆ **~se** *vpr* apparaître: **la Virgen se apareció a dos niños** la Vierge est apparue à deux enfants.

**aparecido** *m* revenant, fantôme.

**aparecimiento** *m* apparition *f.*

**aparejado, a** *a* approprié, e ◊ **llevar ~** entraîner, occasionner, impliquer.

**aparejador** *m* aide-architecte ◊ **~ de obras** conducteur de travaux.

**aparejar** *vt* **1.** préparer, apprêter **2.** *(una caballería)* harnacher **3.** *MAR* appareiller, gréer **4.** *(pintura)* imprimer, préparer.

**aparejo** *m* **1.** préparation *f* **2.** *(arreo)* harnais, harnachement **3.** *MAR* gréement, agrès *pl* **4.** *(poleas)* mouffle *f,* palan **5.** *(pintura)* apprêt **6.** *ARQ* appareil. ◇ *pl* attirail *sing,* matériel *sing.*

**aparentar** *vt* **1.** feindre, simuler **2.** faire semblant de, feindre: **aparentaba creer que...** il faisait semblant, feignait de croire que... **3.** paraître, faire: **aparenta unos 50 años** il paraît avoir dans les 50 ans; **no aparenta la edad que tiene** il ne fait pas son âge; **tiene más edad de la que aparenta** il est plus vieux qu'il n'en a l'air. ◇ *vi* paraître, se faire remarquer: **a ella le gusta mucho ~** elle aime beaucoup se faire remarquer.

**aparente** *a* apparent, e.

**aparentemente** *adv* apparemment, en apparence.

**aparición** *f* **1.** *(visión)* apparition **2.** *(publicación)* parution, publication: **fecha de ~** date de publication ◊ **de próxima ~** à paraître prochainement **3.** *TEAT* **por orden de ~** par ordre d'entrée en scène.

**apariencia** *f* **1.** apparence: **fiarse de las apariencias** se fier aux apparences; **guardar las apariencias** sauver les apparences **2.** air *m,* allure, aspect.

**aparque,** etc. → **aparcar.**

**aparroquiado, a** *a* achalandé, e.

**apartadero** *m* **1.** *(ferrocarril)* voie *f* de garage **2.** *(en un camino)* refuge **3.** *TAUROM* lieu où l'on choisit les taureaux pour les isoler.

**apartadijo** *m* portion *f,* petit lot.

**apartado, a** *a* **1.** éloigné, e, écarté, e: **un lugar ~** un endroit écarté **2.** à l'écart: **mantenerse ~ de** se tenir à l'écart de. ◇ *m* **1.** pièce *f* à l'écart **2. ~ de correos** boîte *f* postale **3.** *(párrafo)* paragraphe, alinéa **4.** *TAUROM* mise *f* au toril.

**apartamento** *m* appartement.
▶ Désigne un petit appartement, un studio.

**apartamiento** *m* **1.** éloignement **2.** triage **3.** *(apartamento)* appartement.

**apartar** *vt* **1.** écarter: **el guardia apartó a los mirones** l'agent écarta les badauds **2.** *(alejar)* éloigner **3.** *FIG* *(desviar)* détourner **4. ~ la vista de, ~ los ojos de** détourner les yeux, détacher les regards de; **no apartaba los ojos de su vecina** il ne quittait pas des yeux sa voisine **5.** mettre de côté **6.** *(escoger)* trier. ◆ **~se** *vpr* **1.** s'écarter, s'éloigner: **¡apártense!, ¡apartaos!** écartez-vous! **2. apartarse del mundo** se retirer du monde **3. ¡apártate de mi camino!** ôte-toi de mon chemin!; **¡apártate de en medio!** ôte-toi de là! **4.** *FIG* **apartarse del tema** s'éloigner, s'écarter du sujet; **me estoy apartando** je suis en train de m'éloigner du sujet.

**aparte** *adv* **1.** de côté, à part: **poner ~** mettre de côté ◊ **dejar ~** laisser de côté; **bromas ~** blague à part **2.** *(a distancia)* à l'écart **3.** *(además)* en plus **4. ~ de** à part: **~ de eso, eso ~** à part ça, cela mis à part; *(además de)* en plus de, outre: **~ de ser fea, se viste muy mal** outre qu'elle est laide, elle s'habille très mal; **~ de que** outre (le fait) que. ◇ *a* à part ◊ **una conversación ~** un aparté. ◇ *m* **1.** *TEAT* aparté: **en un ~** en aparté **2.** *(párrafo)* alinéa **3. punto y ~** point à la ligne **4.** *AMER* tri des animaux.

**apartheid** *m* apartheid.

**apartijo** → **apartadijo.**

**apasionadamente** *adv* passionnément.

**apasionado, a** *a/s* passionné, e.

**apasionamiento** *m* passion *f.*

**apasionante** *a* passionnant, e.

**apasionar** *vt* passionner. ◆ **~se** *vpr* se passionner.

**apaste** *m AMER* bassine *f* (en terre).

**apatía** *f* apathie.

**apático, a** *a* apathique.

**apátrida** *a/s* apatride.

**apeadero** *m* **1.** *(para los viajeros)* halte *f* **2.** *(para subirse al caballo)* montoir **3.** *(casa)* pied-à-terre.

**apeador** *m* arpenteur.

**apear** *vt* **1.** faire descendre (d'un cheval, d'une voiture, etc.) **2.** *(un caballo)* entraver **3.** *(un vehículo)* caler **4.** *(una finca)* délimiter **5.** *(apuntalar)* étayer **6.** *FAM* **no pude apearlo de su idea** je n'ai pas pu le faire démordre de son idée **7. ~ el tratamiento** parler sans façon. ◆ **~se** *vpr* **1.** descendre, mettre pied à terre: **se apeó del tren** il descendit du train; **nos apeamos** nous descendîmes **2.** *FAM* **apearse del burro** reconnaître son erreur.

**apechugar** *vi FIG* **~ con** affronter, faire face à; *FAM (hacer por fuerza)* s'appuyer, se taper, se farcir.

**apedazar** *vt* rapiécer.

**apedrear** *vt* **1.** lancer des pierres sur **2.** *(matar)* lapider. ◇ *v impers* grêler. ◆ **~se** *vpr* être grêlé, e, dévasté, e par la grêle.

**apedreo** *m* lapidation *f.*

**apegarse** *vpr* s'attacher.

**apego** *m (cariño)* attachement ◊ **le tengo mucho ~ a esta casa** je suis très attaché, je tiens beaucoup à cette maison.

**apelación** *f JUR* appel *m.*

**apelar** *vi* **1.** *JUR* faire appel, se pourvoir: **~ ante el Tribunal Supremo** se pourvoir en cassation **2.** *FIG* **~ a** faire appel à, avoir recours à, en appeler à: **apelo a mi memoria** je fais appel à ma mémoire; **no sé a quién ~** je ne sais pas à qui faire appel.

**apelativo, a** *a* appellatif, ive. ◇ *m (apellido)* nom.

**apellidar** *vt* **1.** *(llamar)* appeler **2.** surnommer. ◆ **~se** *vpr* s'appeler.

**apellido** *m* **1.** nom, nom de famille: **el nombre y el ~** le prénom et le nom; **el conductor, Ruiz de ~** le conducteur, du nom de Ruiz **2.** *(apodo)* surnom.

**apelmazado, a** *a* lourd, e, compact, e.

**apelmazar** *vt* tasser, rendre compact, e. ◆ **~se** *vpr (lana)* se feutrer.

**apelotonar** *vt* pelotonner. ◆ **~se** *vpr* se pelotonner, s'amasser.

**apenado, a** *a* peiné, e, affligé, e.

**apenar** *vt* peiner, faire de la peine, affliger. ◆ **~se** *vpr* s'attrister, devenir triste.

**apenas** *adv* **1.** à peine: **~ sabe leer** il sait à peine lire; **~ si pude dormir** c'est à peine si j'ai pu dormir **2. ~ había acabado cuando...** à peine avait-il fini que...; **~ llegó, sonó el teléfono** à peine était-il arrivé que le téléphone sonna; **llámame ~ vuelvas** téléphone-moi dès que tu seras rentré.

**apencar** *vi* FAM **~ con** subir, s'appuyer, se taper.

**apéndice** *m* appendice.

**apendicitis** *f* appendicite.

**Apeninos** *np m pl* **los ~** les Apennins.

**apeo** *m* **1.** bornage **2.** *(de árboles)* abattage **3.** ARQ étaiement.

**apeonar** *vi (la perdiz)* piéter.

**aperchar** *vt* AMER empiler.

**apercibimiento** *m* **1.** préparatif **2.** avertissement **3.** JUR sommation *f*.

**apercibir** *vt* **1.** préparer **2.** *(avisar)* avertir **3.** *(amonestar)* admonester, rappeler à l'ordre **4.** menacer **5.** JUR sommer. ◆ **~se** *vpr* **1.** se préparer ◊ **estar apercibido para salir** être prêt à partir **2.** *(advertir)* s'apercevoir.

**apergaminado, a** *a* parcheminé, e.

**apergaminarse** *vpr* se parcheminer.

**aperiódico, a** *a* apériodique.

**aperitivo, a** *a/m* apéritif, ive.

**apero** *m* **1.** cheptel **2.** AMER *(arreos)* harnais, harnachement. ◊ *pl* instruments, outils, matériel *sing*: **aperos de labranza** matériel agricole.

**aperreado, a** *a* FAM *(trabajoso)* de chien, claquant, e.

**aperrear** *vt* FAM fatiguer, éreinter. ◆ **~se** *vpr* FAM **1.** se crever, s'esquinter, s'éreinter, se tuer de travail **2.** *(empecinarse)* s'entêter, se buter.

**aperreo** *m* FAM fatigue *f*.

**apersonarse** *vpr* **1.** JUR comparaître **2.** → **personarse.**

**apertura** *f* **1.** ouverture **2.** *(de una calle)* percement *m* **3. ~ de curso** rentrée des classes.

**aperturista** *a* **política ~** politique d'ouverture.

**apesadumbrar, apesarar** *vt* chagriner, peiner, attrister. ◆ **~se** *vpr* se désoler.

**apestado, a** *a/s* pestiféré, e.

**apestar** *vi* empester, puer: **~ a huevo podrido** puer l'œuf pourri; **apesta a aguardiente** il pue l'alcool. ◊ *vt* **1.** FIG FAM *(fastidiar)* assommer **2.** *(llenar)* infester, envahir.

**apestoso, a** *a* **1.** pestilentiel, elle, puant, e **2.** FIG *(aburrido)* assommant, e.

**apétalo, a** *a* BOT apétale.

**apetecer*** *vt* désirer. ◊ *vi* avoir envie de, faire envie, dire: **no me apetece salir esta noche** je n'ai pas envie, ça ne me fait pas envie de sortir ce soir; **¿no le apetece?** ça ne vous dit rien?; **¿le apetece tomar algo?** vous voulez prendre quelque chose?

**apetecible** *a* désirable, appétissant, e.

**apetecido, a** *a* désiré, e, voulu, e, souhaité, e: **el resultado ~** le résultat souhaité.

**apetencia** *f* appétence.

**apetito** *m* appétit: **tener ~** avoir de l'appétit; **comer con buen ~** manger de bon appétit; **abrir, despertar el ~** ouvrir l'appétit.

**apetitoso, a** *a* appétissant, e.

**api** *m* AMER bouillie *f* de maïs.

**apiadar** *vt* apitoyer. ◆ **~se** *vpr* avoir pitié, prendre pitié: **apiádate de nosotros** aie pitié de nous.

**apical** *a* apical, e.

**apicararse** *vpr* s'encanailler, prendre mauvais genre.

**ápice** *m* **1.** extrémité *f*, pointe *f* **2.** FIG faîte, sommet **3.** *(nonada)* rien: **no falta un ~** rien n'y manque; **no cederé (en) un ~** je ne céderai en rien, pas d'un pouce; **no se movía ni un ~** il ne bougeait pas d'un pouce.

**apícola** *a* apicole.

**apicultor, a** *s* apiculteur, trice.

**apicultura** *f* apiculture.

**apilar** *vt* empiler.

**apimpollarse** *vpr* BOT bourgeonner.

**apiñado, a** *a* serré, e, entassé, e.

**apiñamiento** *m* entassement.

**apiñar** *vt* entasser. ◆ **~se** *vpr* s'entasser, se presser: **los niños se apiñan ante los escaparates** les enfants se pressent devant les vitrines.

**apio** *m* céleri.

**apiolar** *vt* FAM **1.** *(prender)* arrêter, pincer **2.** *(matar)* descendre, buter.

**apiparse** *vpr* FAM s'empiffrer.

**apisonadora** *f* rouleau *m* compresseur, compacteur *m*.

**apisonamiento** *m* tassement, damage, cylindrage.

**apisonar** *vt* **1.** tasser, damer **2.** *(una carretera)* cylindrer, compacter.

**apizarrado, a** *a* ardoisé, e.

**aplacador, a** *a* apaisant, e, conciliant, e.

**aplacamiento** *m* apaisement.

**aplacar** *vt* calmer, apaiser. ◆ **~se** *vpr* se calmer.

**aplanadera** *f* hie.

**aplanadora** *f* AMER rouleau *m* compresseur.

**aplanamiento** *m* **1.** aplanissement **2.** FIG abattement, accablement.

**aplanar** *vt* **1.** aplanir **2.** FIG abattre, accabler, déprimer. ◆ **~se** *vpr* FIG s'effondrer, céder.

**aplastamiento** *m* écrasement.

**aplastante** *a* écrasant, e: **superioridad ~** supériorité écrasante.

**aplastar** *vt* **1.** écraser **2.** FIG *(vencer)* écraser **3.** *(abrumar)* décontenancer.

**aplatanarse** *vpr* FAM être ramolli, e, devenir amorphe.

**aplaudímetro** *m* applaudimètre.

**aplaudir** *vt* **1.** applaudir **2.** FIG **aplaudo su iniciativa** j'applaudis à votre initiative.

**aplauso** *m* **1.** applaudissement **2.** *(elogio)* éloge: **digno de ~** digne d'éloge.

**aplazamiento** *m* ajournement, report.

**aplazar** *vt* ajourner, remettre, différer, reporter: **ha quedado aplazada la conferencia** la conférence a été remise; **se aplaza la gala** le gala est reporté; **he tenido que ~ el viaje** j'ai dû remettre mon voyage à plus tard.

**aplicable** *a* applicable.

**aplicación** *f* application.

**aplicado, a** *a* appliqué, e: **alumno ~** élève appliqué.

**aplicar** *vt* **1.** appliquer **2.** *(a un uso)* destiner. ◆ **~se** *vpr* s'appliquer.

**aplique** *m (lámpara)* applique *f*.

**aplomado, a** *a* **1.** d'aplomb **2.** FIG pondéré, e, posé, e.

**aplomar** *vt* **1.** vérifier l'aplomb de **2.** mettre d'aplomb. ◆ **~se** *vpr* FIG se remettre d'aplomb.

**aplomo** *m* **1.** *(verticalidad)* aplomb **2.** FIG sérieux, pondération *f*.

**apnea** *f MED* apnée: **en ~** en apnée.

**apocado, a** *a* timide, pusillanime.

**apocalipsis** *m* apocalypse *f*.

**apocalíptico, a** *a* apocalyptique.

**apocamiento** *m* timidité *f*, pusillanimité *f*.

**apocar** *vt* **1.** diminuer **2.** *FIG* humilier, rabaisser. ◆ **~se** *vpr* s'effrayer, avoir peur.

**apocopar** *vt* faire subir une apocope.

**apócope** *f* apocope.

**apócrifo, a** *a/m* apocryphe.

**apodado, a** *a* surnommé, e, dit, e.

**apodar** *vt* surnommer: **le apodaban El Chino** on le surnommait Le Chinois.

**apoderado** *m* **1.** fondé de pouvoir **2.** *(de un artista)* imprésario.

**apoderar** *vt* donner pouvoir à. ◆ **~se de** *vpr* s'emparer de.

**apodo** *m* surnom, sobriquet.

**ápodo, a** *a ZOOL* apode.

**apófisis** *f ANAT* apophyse.

**apogeo** *m* **1.** apogée **2.** *FIG* **en el ~ de** à l'apogée de.

**apolillado, a** *a* **1.** *(un tejido)* mité, e **2.** *(la madera)* vermoulu, e.

**apolilladura** *f* trou *m* (de mite).

**apolillar** *vt (hablando de la polilla)* manger, piquer. ◇ *vi AMER (dormir)* roupiller. ◆ **~se** *vpr* **1.** *(la ropa)* être mangé, e par les mites **2.** *(la madera)* être vermoulu, e, rongé, e.

**apoliticismo** *m* apolitisme.

**apolítico, a** *a* apolitique.

**apolitismo** *m* apolitisme.

**Apolo** *np m* Apollon.

**apologético, a** *a/f* apologétique.

**apología** *f* apologie: **hacer la ~ de** faire l'apologie de.

**apologista** *s* apologiste.

**apólogo** *m* apologue.

**apoltronamiento** *m* indolence *f*, apathie *f*.

**apoltronarse** *vpr* **1.** se laisser vivre, se laisser aller à l'oisiveté **2. ~ en un sillón** se caler dans un fauteuil.

**apomazar** *vt* poncer.

**aponeurosis** *f ANAT* aponévrose.

**apoplejía** *f* apoplexie.

**apoplético, a** *a/s* apoplectique.

**apoquinar** *vt FAM (pagar)* lâcher, cracher, casquer (à contrecœur).

**aporcadura** *f AGR* buttage *m*.

**aporcar** *vt AGR* enchausser, butter.

**aporreado, a** *a* **1.** *FIG* misérable **2.** *FAM (escaso de dinero)* fauché, e.

**aporrear** *vt* **1.** frapper, donner des coups à, cogner, marteler: **alguien aporreó mi puerta** quelqu'un frappa violemment à ma porte **2.** *FIG* assommer. ◆ **~se** *vpr* se battre.

**aporreo** *m* **1.** *(paliza)* bastonnade *f* **2.** travail.

**aportación** *f* apport *m*.

**¹aportar** *vi* **1.** *MAR* aborder **2.** *(llegar)* arriver, débarquer

**²aportar** *vt* **1.** *(pruebas, datos, etc.)* apporter, fournir **2.** *(fondos)* apporter.

**aporte** *m* apport.

**aportillar** *vt* ouvrir une brèche dans.

**aposentador, a** *s* logeur, euse.

**aposentaduría** *f AMER* place.

**aposentamiento** *m* logement.

**aposentar** *vt* loger, héberger. ◆ **~se** *vpr* se loger.

**aposento** *m* **1.** *(habitación)* chambre *f*, pièce *f* **2.** *(hospedaje)* logement.

**aposición** *f GRAM* apposition.

**apósito** *m* pansement: **~ hemostático** pansement hémostatique.

**aposta** *adv* exprès, à dessein: **se equivoca ~** il fait exprès de se tromper.

**apostadero** *m* **1.** *(lugar)* poste **2.** *MAR* station *f* navale, région *f* maritime.

**apostar*** *vt* **1.** parier: **apuesto a que...** je parie que...; **te apuesto lo que quieras a que...** je te parie ce que tu voudras que... **2.** *(colocar a una o más personas)* poster. ◆ **~se** *vpr* **1.** parier: **¿qué te apuestas a que...?** qu'est-ce que tu paries que...?; **nos apostamos mil pesetas a que...** nous avons parié mille pesetas que... **2.** *(colocarse)* se poster.

**apostasía** *f* apostasie.

**apóstata** *a/s* apostat.

**apostatar** *vi* apostasier.

**apostilla** *f* apostille, note.

**apostillar** *vt* apostiller. ◆ **~se** *vpr* se couvrir de croûtes.

**apóstol** *m* apôtre: **los doce apóstoles** les douze apôtres.

**apostolado** *m* apostolat.

**apostólico, a** *a* apostolique.

**apóstrofe** *m/f* apostrophe *f*.

**apóstrofo** *m (signo)* apostrophe *f*.

**apostura** *f* allure, prestance.

**apotegma** *m* apophtegme.

**apoteósico, a** *a* triomphal, e.

**apoteosis** *f* apothéose.

**apoyacabezas** *m inv* appui-tête.

**apoyar** *vt* **1.** appuyer: **apoyó la cabeza en la almohada** il appuya sa tête sur l'oreiller **2.** *FIG* appuyer, soutenir: **los sindicatos apoyan a este candidato** les syndicats appuient ce candidat. ◆ **~se** *vpr* **1.** s'appuyer: **apoyarse en un bastón** s'appuyer sur une canne; **apóyate en mí** appuie-toi sur moi **2.** reposer: **la columna se apoya sobre un pedestal** la colonne repose sur un piédestal.

**apoyo** *m* **1.** appui: **punto de ~** point d'appui **2. en ~ de** à l'appui de **3.** *(auxilio)* aide *f*, secours: **salir en ~ de** venir en aide à, se porter au secours de.

**apreciable** *a* appréciable.

**apreciación** *f* appréciation.

**apreciar*** *vt* **1.** *(valorar)* apprécier **2.** *(con la vista, el oído)* discerner, distinguer **3.** *(una fractura, una lesión, etc.)* diagnostiquer **4.** enregistrer **5.** apprécier, estimer: **aprecio en mucho a este colaborador** j'apprécie beaucoup ce collaborateur ◊ **apreciado amigo** cher ami.

**apreciativo, a** *a* appréciatif, ive, estimatif, ive.

**aprecio** *m* **1.** appréciation *f* **2.** *(cariño)* estime *f*.

**aprehender** *vt* **1.** *(contrabando)* saisir **2.** *(a un ladrón)* appréhender, arrêter **3.** *(con la inteligencia)* saisir.

**aprehensión** *f* **1.** *(de droga, etc.)* saisie, capture: **la ~ de una tonelada de cocaína** la saisie d'une tonne de cocaïne **2.** *(de un ladrón, etc.)* capture, arrestation *f* **3.** compréhension, perception.

**apremiante** *a* urgent, e, pressant, e.

**apremiar** *vt* **1.** presser: **~ a alguien para...** presser quelqu'un de... **2.** *JUR* contraindre. ◇ *vi (urgir)* presser: **el tiempo apremia** le temps presse.

**apremio** *m* **1.** urgence *f* **2.** *(carencia)* manque **3.** *JUR* contrainte *f*.

**aprender** *vt* apprendre: **aprende el ruso, a bailar** elle apprend le russe, à danser ◊ *FAM* **¡para que aprenda!** ça lui apprendra! ◆ **~se** *vpr* apprendre: **se ha aprendido de memoria...** il a appris par cœur...

**aprendiz, a** *s* apprenti, e: **~ de cocinero** apprenti cuisinier ◊ **el ~ de brujo** l'apprenti sorcier.

**aprendizaje** *m* apprentissage.

**aprensión** *f* **1.** *(miedo)* appréhension, peur, crainte, répugnance **2.** scrupule *m*. ◇ *pl* idées injustifiées.

**aprensivo, a** *a* craintif, ive, anxieux, euse ◊ **no seas tan ~** ne t'écoute pas tant, ne sois pas si inquiet.

**apresamiento** *m* capture *f*, prise *f*: **el ~ de un carguero con 100 kilos de cocaína** la capture d'un cargo avec 100 kilos de cocaïne.

**apresar** *vt* saisir, capturer: **~ un buque** capturer un navire.

**aprestar** *vt* **1.** apprêter, préparer **2.** *(los tejidos)* apprêter. ◆ **~se** *vpr* s'apprêter, se préparer: **se apresta a salir** il s'apprête à partir; **el avión se aprestaba a aterrizar** l'avion se préparait à atterrir.

**apresto** *m (de los tejidos)* apprêt.

**apresuradamente** *adv* à la hâte, hâtivement, rapidement: **cenó ~** il dîna rapidement.

**apresurado, a** *a* **1.** rapide **2.** *(persona)* pressé, e.

**apresuramiento** *m* hâte *f*, empressement.

**apresurar** *vt* presser, hâter. ◆ **~se** *vpr* **1.** se hâter, s'empresser: **me apresuro a...** je m'empresse de, je me hâte de... **2.** se dépêcher.

**apretadamente** *adv* étroitement.

**apretado, a** *a* **1.** serré, e: **con los dientes apretados** les dents serrées; **un nudo ~** un nœud serré **2.** *(difícil)* difficile **3.** *(escaso de dinero)* serré, e.

**apretar*** *vt* **1.** serrer: **~ los dientes, una tuerca** serrer les dents, un écrou; **~ a un niño contra su pecho** serrer un enfant contre sa poitrine; **estos zapatos me aprietan** ces chaussures me serrent ◊ *PROV* **Dios aprieta pero no ahoga** Dieu ne veut pas la mort du pêcheur **2.** *(un botón, el gatillo, etc.)* appuyer sur, presser **3.** *FIG* presser, harceler: **sus amigos le aprietan para que acepte** ses amis le pressent d'accepter **4. ~ el paso** presser, hâter le pas. ◇ *vi* **1.** *(la lluvia, el calor)* redoubler, redoubler de violence; *(el sol)* taper **2.** *(intensificar un esfuerzo)* mettre les bouchées doubles, redoubler ses efforts **3. ~ a correr** se mettre à courir. ◇ *interj* **¡aprieta!** allons donc! ◆ **~se** *vpr* se serrer, se presser ◊ *FIG* **apretarse el cinturón** se serrer la ceinture.

**apretón** *m* **1.** serrement ◊ **un ~ de manos** une poignée de main **2.** *(de gente)* bousculade *f* **3.** *FIG* effort violent, coup de collier **4.** *(carrera)* sprint.

**apretujar** *vt* serrer fortement. ◆ **~se** *vpr* se presser, se tasser.

**apretujón** *m* serrement violent.

**apretura** *f* **1.** *(de gente)* presse, cohue ◊ **las apreturas del metro** la bousculade du métro **2.** *(apuro)* embarras *m*, gêne, difficulté.

**aprieto** *m* embarras, situation *f* difficile, gêne *f*: **verse en un ~** être dans l'embarras; **poner en un ~** mettre dans l'embarras; **salir del ~** se tirer d'affaire, d'embarras.

**apriorismo** *m* apriorisme.

**aprisa** *adv* vite.

**apriscar** *vt (el ganado)* rentrer, parquer.

**aprisco** *m* bergerie *f*, bercail.

**aprisionar** *vt* **1.** emprisonner **2.** *FIG (sujetar)* emprisonner, serrer **3.** *FIG* enchaîner.

**aprobación** *f* approbation.

**aprobado, a** *a (en un examen)* reçu, e: **salir ~** être reçu. ◇ *m* mention *f* passable.

**aprobador, a** *a* approbateur, trice.

**aprobar*** *vt* **1.** approuver: **apruebo tu idea** j'approuve ton idée; **queda aprobado el proyecto de ley** le projet de loi est approuvé **2.** *(declarar apto)* recevoir: **~ a un candidato** recevoir un candidat **3.** *(un examen)* être reçu, e, admis, e, réussir: **he aprobado en julio** j'ai été reçu en juillet; **aprobó el derecho civil** il a été admis en droit civil; **si apruebo...** si je suis reçu...

**aprobativo, a, aprobatorio, a** *a* approbatif, ive.

**aproches** *m pl MIL* approches *f*.

**aprontar** *vt* **1.** préparer rapidement **2.** *(dinero)* verser aussitôt. ◆ **~se** *vpr* s'apprêter.

**apronte** *m AMER* course *f* d'essai, galop d'essai.

**apropiación** *f* **1.** appropriation **2.** *JUR* **~ indebida** escroquerie.

**apropiadamente** *adv* d'une façon appropriée.

**apropiado, a** *a* **~ para** approprié à, qui convient à.

**apropiar** *vt* approprier, adapter. ◆ **~se** *vpr* s'approprier, s'emparer: **apropiarse (de) algo** s'approprier quelque chose.

**apropincuarse** *vpr* s'approcher.

**aprovechable** *a* utilisable.

**aprovechado, a** *a* **1.** appliqué, e, qui fait des progrès **2.** qui tire profit de tout, économe **3.** *PEYOR (sin escrúpulos)* profiteur, euse.

**aprovechamiento** *m* **1.** *(provecho)* profit **2.** *(uso)* utilisation *f*, exploitation *f*.

**aprovechar** *vt* **1.** *(utilizar)* utiliser, mettre à profit **2.** profiter de: **~ la ocasión** profiter de l'occasion; **aprovecho las vacaciones para hacer lo que no puedo hacer en el año** je profite des vacances pour faire ce que je ne peux pas faire dans l'année; **¡aprovéchelo!** profitez-en!; **~ el tiempo** bien employer son temps, ne pas perdre son temps **3. ~ que** profiter de ce que: **aprovechó que sus padres estaban ausentes para...** il a profité de ce que ses parents étaient absents pour... ◇ *vi* **1.** *(ser útil)* servir, être utile **2.** *(un alumno)* faire des progrès **3.** **¡que aproveche!** bon appétit! ◆ **~se** *vpr* **1.** profiter, tirer parti **2.** en profiter: **cuando sus padres están fuera, el niño se aprovecha** lorsque ses parents sont sortis, l'enfant en profite.

**aprovechón, ona** *a/s FAM* profiteur, euse.

**aprovisionamiento** *m* approvisionnement.

**aprovisionar** *vt* approvisionner, ravitailler. ◆ **~se** *vpr* s'approvisionner.

**aproximación** *f* **1.** *(acercamiento)* rapprochement *m* **2.** *(estimación)* approximation **3.** *(en la lotería)* lot *m* de consolation **4.** *(manera de considerar un tema)* approche: **~ psicoanalítica** approche psychanalytique.

**aproximadamente** *adv* approximativement, à peu près.

**aproximado, a** *a* approximatif, ive: **formarse una idea aproximada** se faire une idée approximative.

**aproximar** *vt* approcher. ◆ **~se** *vpr* **1.** approcher: **se aproximan las fiestas** les fêtes approchent **2. aproximarse a** s'approcher de; **se aproximó a la ventana** il s'approcha de la fenêtre; **se me aproximó un desconocido** un inconnu s'approcha de moi.

**aproximativo, a** *a* approximatif, ive.

**aprueba,** etc. → **aprobar.**

**áptero, a** *a ZOOL* aptère.

**aptitud** *f* aptitude ◊ **tener ~ para** avoir des aptitudes, des dispositions pour.

**apto, a** *a* **1.** apte: **es ~ para...** il est apte à... ◊ **~ para el servicio militar** bon pour le service **2.** approprié, e, qui convient **3.** *(espectáculo)* **no ~ para...** interdit à...

**apuesta** *f* pari *m*: **gané la ~** j'ai gagné mon pari.

[1]**apuesto,** etc. → **apostar.**

[2]**apuesto, a** *a* de belle prestance.

**Apuleyo** *np m* Apulée.

**apulgararse** *vpr (la ropa)* se piquer (de petites taches).

**apunarse** *vpr* AMER avoir le mal des montagnes.

**apuntación** *f* **1.** note **2.** MÚS notation.

**apuntado, a** *a* **1.** pointu, e, qui se termine en pointe **2. arco ~** arc brisé **3.** FIG *(en una lista)* inscrit, e.

**apuntador** *m* **1.** TEAT souffleur **2.** *(artillero)* pointeur.

**apuntalamiento** *m* étayage.

**apuntalar** *vt* étayer.

**apuntamiento** *m* **1.** note *f* **2.** JUR acte d'accusation.

**apuntar** *vt* **1.** *(un arma)* pointer, braquer **2.** *(el blanco)* viser, ajuster: **el cazador apuntó a la liebre** le chasseur visa le lièvre **3.** *(mostrar)* montrer: **~ con el dedo** montrer du doigt **4.** *(tomar nota)* noter, prendre note de **5.** FIG indiquer, signaler: **respecto a los problemas que usted me apunta** en ce qui concerne les problèmes que vous me signalez **6.** évoquer, suggérer: **~ la hipótesis de un cambio** évoquer l'hypothèse d'un changement **7.** *(a un actor, a un alumno)* souffler **8.** *(bosquejar)* esquisser: **~ una sonrisa** esquisser un sourire. ◇ *vi* **1.** *(el día)* poindre **2.** *(planta, barba)* commencer à pousser **3.** FIG commencer à se manifester, à se faire jour **4.** *(arma)* mettre en joue ◊ **¡apunten!** en joue! ◆ **~se** *vpr* **1.** *(en una lista)* s'inscrire: **apuntarse al paro, en las listas de demandantes de empleo** s'inscrire au chômage, sur les listes de demandeurs d'emploi **2. apuntarse un gol, un tanto** marquer un but, un point **3.** *(el vino)* se piquer.

**apunte** *m* **1.** note *f*: **tomar apuntes** prendre des notes **2.** *(dibujo)* esquisse *f* **3.** TEAT souffleur **4.** *(puesta, en el juego)* mise *f*.

**apuntillar** *vt* TAUROM achever.

**apuñalar** *vt* poignarder.

**apurado, a** *a* **1.** *(necesitado)* dans la gêne, gêné, e, à court d'argent: **anda ~ de dinero** il est à court d'argent, à sec **2.** dans l'embarras, en difficulté **3.** *(exhausto)* épuisé, e **4.** *(difícil)* difficile **5.** *(peligroso)* dangereux, euse **6.** AMER pressé, e. ◇ *m (afeitado)* rasage.

**apuramiento** *m* épuisement.

**apurar** *vt* **1.** *(purificar)* épurer, purifier **2.** *(una botella, un vaso)* vider ◊ FIG **~ el cáliz hasta las heces** boire le calice jusqu'à la lie **3.** *(terminar)* finir **4.** *(agobiar)* épuiser ◊ **~ la paciencia** faire perdre patience, mettre à bout **5.** *(angustiar)* inquiéter, tourmenter **6.** *(molestar)* ennuyer: **me apura pedirte esto** ça m'ennuie de te demander cela **7.** *(apremiar a alguien)* presser, bousculer, harceler: **no me apures** ne me harcèle pas **8.** AMER **~ el paso** presser le pas. ◆ **~se** *vpr* **1.** s'inquiéter, s'en faire: **no se apura por nada** il ne s'en fait pas du tout **2.** AMER *(darse prisa)* se dépêcher: **apurarse a, en** se dépêcher de; **¡apúrate!** dépêche-toi!; **¡apurémonos!** dépêchons-nous! **3.** *(afeitarse)* se raser.

**apuro** *m* **1.** situation *f* difficile, embarras, gêne *f*: **estar en un ~** être dans l'embarras; **pasar apuros** avoir des difficultés, des ennuis; **poner en un ~** mettre dans l'embarras; **sacar de un ~** tirer d'embarras, d'affaire, tirer d'un mauvais pas; **salir de un ~** sortir d'un mauvais pas, se tirer d'affaire ◊ **me da ~...** ça me gêne, ça m'ennuie... **2.** difficulté *f*, ennui: **pasar apuros de dinero** avoir des ennuis d'argent **3.** AMER *(prisa)* hâte *f*.

**apurruñar** *vt* AMER *(manosear)* tripoter.

**aquejar** *vt* affliger, frapper ◊ **está aquejado de una sordera casi total** il est affligé, il souffre d'une surdité presque totale; **le aqueja una parálisis completa** il est atteint, frappé d'une paralysie totale; **aquejado de flebitis** atteint d'une phlébite; **los problemas que aquejan a la Universidad** les problèmes qui frappent l'Université.

[1]**aquel, aquella, aquellos, aquellas** *a dem* **1.** ce, cet (delante de un substantivo masculino que empiece por vocal o *h* muda), cette, ces (-là): **aquella montaña** cette montagne; **en ~ tiempo** en ce temps-là ◊ **el río ~** cette rivière, la rivière en question; **la señora aquella** la dame en question **2. todo ~ que quiera trabajar** quiconque veut travailler. ◇ *m* FAM **un ~** un petit quelque chose, un charme → **este.**

**aquél, aquélla, aquéllos, aquéllas** *pron dem* celui-là, celle-là, ceux-là, celles-là ◊ **aquélla es Carolina** voilà Caroline → **éste.**

**aquelarre** *m* sabbat.

**aquella,** etc. → **aquel.**

**aquello** *pron dem* cela, ça: **no piense más en ~** ne pensez plus à ça, n'y pensez plus; **recordando todo ~** en se rappelant tout cela → **este.**

▶ *Ça es un poco más familiar que cela.*

**aquende** *adv* en deçà de, de ce côté-ci de.

**aquenio** *m* BOT akène.

**aqueo, a** *a/s* HIST achéen, enne.

**aquerenciarse** *vpr* s'attacher (à un endroit).

**Aqueronte** *np m* Achéron.

**aqueste, aquesta, aquesto** *pron dem* POÉT → **éste, ésta, esto.**

**aquí** *adv* **1.** ici: **ven ~** viens ici; **¡fuera de ~!** hors d'ici!; **~ cerca** près d'ici; **por ~** par ici; **~ arriba** en haut ◊ **~ yace** ci-gît; **~ y allá, de ~ para allá** çà et là **2. he ~, ~ está, ~ tiene** voici; **~ estoy** me voici; **~ viene Carlota** voici Charlotte **3.** là: **de ~ a que esté amable...** de là à être aimable... **4.** *(tiempo)* maintenant ◊ **de ~ a un mes** d'ici (à) un mois; **de ~ a entonces** d'ici là; **hasta ~** jusqu'ici, jusqu'à présent; **~ es cuando** c'est alors que **5.** *loc adv* **de ~ a poco** d'ici peu, bientôt; **de ~ en adelante** désormais, dorénavant.

**aquiescencia** *f* acquiescement *m*, assentiment *m*, consentement *m*.

**aquietar** *vt* apaiser, calmer. ◆ **~se** *vpr* s'apaiser, se calmer.

**aquilatamiento** *m* FIG appréciation *f*.

**aquilatar** *vt* **1.** évaluer des carats de **2.** FIG apprécier, juger **3.** FIG *(purificar)* affiner.

**aquilea** *f* achilée.

**Aquiles** *np m* **1.** Achille **2.** FIG **talón de ~** talon d'Achille.

**aquilino, a** *a* aquilin, e.

**aquilón** *m (viento)* aquilon.

**Aquisgrán** *np* Aix-la-Chapelle.

**Aquitania** *np f* Aquitaine.

**aquitano, a** *a/s* aquitain, e.

[1]**ara** *f* **1.** *(altar)* autel *m* **2.** pierre d'autel **3.** *loc prep* **en aras de** au nom de, en l'honneur de: **en ~ de nuestra vieja amistad** au nom de notre vieille amitié.

[2]**ara** *m (ave)* ara.

**árabe** *a/s* arabe.

**arabesco** *m* arabesque *f*.

**Arabia** *np f* Arabie: **~ saudí** l'Arabie Saoudite.

**arábigo, a** *a* **1. goma arábiga** gomme arabique **2. cifras arábigas** chiffres arabes. ◇ *m (idioma)* arabe.

**arabista** *s* arabisant, e.

**arabización** *f* arabisation.

**arabizar** *vt* arabiser.

**arable** *a* arable.

**arácneo, a** *a* arachnéen, enne.

**arácnidos** *m pl* ZOOL arachnides.

**aracnoides** *f* ANAT arachnoïde.

**arada** *f* labour *m*.

**arado** *m* **1.** charrue *f* **2.** *(labor)* labour.

**arador, a** *a/s* laboureur, euse.

**Aragón** *np m* Aragon.

**aragonés, esa** *a/s* aragonais, e.

**arambel** *m* **1.** draperie *f*, tenture *f* **2.** *(andrajo)* haillon, loque *f*.

**arameo, a** *a/s* araméen, enne.

**arancel** *m* **1.** *(tarifa oficial)* tarif douanier: **los aranceles aduaneros** les tarifs douaniers **2.** droit de douane **3.** tarif.

**arancelario, a** *a* relatif, ive aux tarifs douaniers, tarifaire, douanier, ère: **protección arancelaria** protection douanière; **barreras arancelarias** barrières douanières; **derechos arancelarios** droits de douane.

**arándano** *m* airelle *f*, myrtille *f*.

**arandela** *f* **1.** *(de candelero)* bobèche **2.** TECN rondelle.

**araña** *f* **1.** araignée: **tela de ~** toile d'araignée **2.** *(lámpara)* lustre *m* **3. ~ de mar** araignée de mer.

**arañar** *vt* **1.** *(con las uñas)* griffer **2.** *(el cutis)* égratigner, écorcher **3.** érafler: **el respaldo de la silla ha arañado la pared** le dossier de la chaise a éraflé le mur **4.** FIG *(recoger)* grappiller. ◆ **~se** *vpr* s'égratigner, s'écorcher: **me he arañado la mano** je me suis écorché la main.

**arañazo** *m* **1.** coup de griffe **2.** *(herida superficial)* égratignure *f*.

**arar** *vt* labourer.

**aras** → **¹ara.**

**Araucania** *np f* Araucanie.

**araucano, a** *a/s* araucan, e.

**araucaria** *f* araucaria *m*.

**arazá** *m* AMER goyavier.

**arbitraje** *m* arbitrage.

**arbitral** *a* **1.** arbitral, e: **sentencia ~** sentence arbitrale **2. procedimiento ~** procédure d'arbitrage.

**arbitramiento** *m* JUR arbitrage, jugement arbitral.

**arbitrar** *vt* arbitrer.

**arbitrariedad** *f* procédé *m* arbitraire, arbitraire *m*.

**arbitrario, a** *a* arbitraire.

**arbitrio** *m* **1.** volonté *f*, libre arbitre **2.** bon plaisir, fantaisie *f* ◊ **estar al ~ de** être à la merci de **3.** *(medio)* moyen, expédient. ◇ *pl* taxes *f* municipales, impôts communaux.

**arbitrista** *s* faiseur, euse de projets chimériques (pour améliorer les recettes de l'État, etc.)

**árbitro** *s* arbitre.

**árbol** *m* **1.** arbre: **árboles frutales** arbres fruitiers; **~ del pan** arbre à pain; **~ de Judas, del amor** arbre de Judée ◊ **los árboles no dejan ver el bosque** les arbres cachent la forêt; **por el fruto se conoce el ~** c'est au fruit qu'on connaît l'arbre **2. ~ de Navidad, navideño** arbre de Noël **3. ~ genealógico** arbre généalogique **4.** MAR mât **5.** TECN arbre: **~ de levas** arbre à cames; **~ de transmisión** arbre de transmission **6.** *(de escalera)* noyau.

**arbolado, a** *a* **1.** *(terreno)* boisé, e **2.** planté, e d'arbres. ◇ *m* ensemble d'arbres, arbres *pl*.

**arboladura** *f* MAR mâture.

**arbolar** *vt* **1.** arborer, brandir **2.** MAR *(colocar los palos)* mâter. ◆ **~se** *vpr* se cabrer.

**arboleda** *f* bois *m*, futaie.

**arbolillo** *m* arbrisseau.

**arbolista** *s* pépiniériste.

**arbóreo, a** *a* BOT arborescent, e.

**arborescencia** *f* arborescence.

**arborescente** *a* BOT arborescent, e.

**arboreto** *m* arboretum.

**arboricultor, a** *s* arboriculteur, trice.

**arboricultura** *s* arboriculture.

**arborización** *f* arborisation.

**arbotante** *m* ARQ arc-boutant: **los arbotantes** les arcs-boutants.

**arbustivo, a** *a* arbustif, ive.

**arbusto** *m* arbuste, arbrisseau.

**arca** *f* **1.** coffre *m* **2.** arche: **el ~ de la alianza** l'arche d'alliance; **el ~ de Noé** l'arche de Noé **3.** *(caja de caudales)* coffre-fort *m* **4. ~ de agua** château *m* d'eau **5. ~ del cuerpo** tronc *m* du corps humain. ◇ *pl* coffres *m*: **las arcas del Estado, públicas** les coffres de l'État, les caisses de l'État, le trésor public.

**arcabucero** *m* arquebusier.

**arcabuz** *m* arquebuse *f*.

**arcabuzazo** *m* coup d'arquebuse, arquebusade *f*.

**arcada** *f* **1.** arcade **2.** *(de puente)* arche. ◇ *pl (náuseas)* nausées.

**Arcadia** *np f* Arcadie.

**arcaduz** *m* **1.** *(caño)* tuyau, conduit **2.** *(de noria)* godet.

**arcaico, a** *a* archaïque.

**arcaísmo** *m* archaïsme.

**arcaizante** *a* archaïsant, e.

**arcángel** *m* archange.

**arcano, a** *a* secret, ète. ◇ *m* arcane, mystère: **los arcanos de la ciencia** les arcanes de la science.

**arce** *m* érable.

**arcediano** *m* archidiacre.

**arcén** *m* accotement, bas-côté: **detenerse en el ~** s'arrêter sur l'accotement, le bas-côté.

**archidiácono** *m* archidiacre.

**archidiócesis** *f* archidiocèse *m*.

**archiduque** *m* archiduc.

**archiduquesa** *f* archiduchesse.

**archipámpano** *m* FAM premier moutardier du pape.

**archipiélago** *m* archipel.

**archisabido, a** *a* archiconnu, e.

**archivador** *m* *(mueble)* classeur.

**archivar** *vt* **1.** classer dans les archives, archiver: **~ facturas** archiver des factures **2.** FIG classer **3.** *(arrinconar)* mettre au rebut.

**archivero, a** *s* archiviste.

**archivo** *m* archives *f pl*: **el ~ de la Corona de Aragón** les archives de la couronne d'Aragon.

**archivolta** *f* ARQ archivolte.

**arcilla** *f* argile.

**arcilloso, a** *a* argileux, euse, glaiseux, euse.

**arcipreste** *m* archiprêtre.

**arco** *m* **1.** *(arma)* arc: **tirar con ~** tirer à l'arc **2.** GEOM arc: **~ de circunferencia** arc de cercle **3.** ARQ arc: **~ de medio punto** arc en plein cintre; **~ apuntado** arc brisé; **~ de herradura** → **herradura**

4. ~ **de triunfo** arc de triomphe **5.** *(de un puente)* arche *f* **6.** *(de violín)* archet **7. lámpara de ~** lampe à arc **8. ~ iris** arc-en-ciel **9.** *ANAT* **~ alveolar** arcade *f* alvéolaire, dentaire; **~ plantar** voûte *f* plantaire **10.** *AMER (fútbol)* but: **chutar al ~** tirer dans les buts.

**arcón** *m* grand coffre.

**arcosolio** *m ARQ* enfeu.

**ardentía** *f* **1.** ardeur **2.** *MED* brûlure, pyrosis *m*.

**ardentísimo, a** *a* très ardent, e.

**arder** *vi* **1.** brûler: **un fuego de leña arde en la chimenea** un feu de bois brûle dans la cheminée **2.** *FIG* **~ en deseos** brûler d'envie; **~ en ira** bouillir de colère; **~ por saber** brûler de savoir; **arda Troya → Troya 3.** *FAM* **la cosa está que arde** ça barde, ça chauffe; **Julián está que arde** Julien n'est pas à prendre avec des pincettes. ◆ **~se** *vpr* brûler.

**ardid** *m* ruse *f*, stratagème.

**ardiente** *a* **1.** ardent, e **2.** *FIG* ardent, e: **un ~ defensor de** un ardent défenseur de **3. capilla ~** chapelle ardente.

**ardientemente** *adv* ardemment.

**ardilla** *f* écureuil *m*.

**ardimiento** *m* ardeur *f*, courage.

**ardite** *m* **1.** *(moneda antigua)* liard **2. me importa un ~** je m'en fiche éperdument; **no valer un ~** ne pas valoir tripette.

**ardor** *m* **1.** ardeur *f*: **trabajar con ~** travailler avec ardeur **2.** feu **3.** *(quemazón)* brûlure *f*.

**ardoroso, a** *a* ardent, e.

**arduo, a** *a* ardu, e.

**área** *f* **1.** aire: **~ de aterrizaje** aire d'atterrissage; **~ lingüística** aire lingüistique **2.** *(medida agraria)* are *m* **3.** zone **4.** *(fútbol)* surface, zone, terrain *m*: **~ de penalty** surface de réparation; **~ de meta** surface de but; **la línea de ~** la ligne de but.

**areca** *f* **1.** *(palmera)* arec *m*, aréquier *m* **2.** *(fruta)* noix d'arec.

**arena** *f* **1.** sable *m*: **arenas movedizas** sables mouvants ◊ *FIG* **edificar sobre ~** bâtir sur le sable **2.** *(redondel)* arène. ◇ *pl MED* calculs *m*.

**arenal** *m* terrain sablonneux.

**arenar** *vt* sabler.

**arenga** *f* harangue.

**arengar** *vt* haranguer.

**arenilla** *f* sable *m* fin. ◇ *pl MED* gravelle *sing*.

**arenisca** *f (roca)* grès *m*.

**arenisco, a** *a* sableux, euse.

**arenoso, a** *a* sablonneux, euse.

**arenque** *m* hareng: **~ ahumado** hareng saur.

**aréola** *f ANAT, MED* aréole.

**areómetro** *m* aréomètre.

**areópago** *m* aréopage.

**arepa** *f AMER* galette de maïs.

**arete** *m* **1.** petit anneau **2.** *(pendiente)* boucle *f* d'oreille.

**arfar** *vi MAR* tanguer.

**argadillo** *m (devanadera)* dévidoir.

**argamandijo** *m FAM* attirail.

**argamasa** *f* mortier *m*.

**arganas** *f pl* bât *m sing* à panier.

**Argel** *np* Alger.

**Argelia** *np f* Algérie.

**argelino, a** *a/s* **1.** *(de Argelia)* algérien, enne **2.** *(de Argel)* algérois, e.

**argentado, a** *a* argenté, e.

**argentífero, a** *a* argentifère.

**Argentina** *np f* Argentine.

**argentinismo** *m* argentinisme, mot, tournure propres aux Argentins.

**argentino, a** *a (voz, etc.)* argentin, e. ◇ *a/s (de Argentina)* argentin, e: **los argentinos** les Argentins.

**argolla** *f* **1.** *(aro)* anneau *m* **2.** *(castigo)* carcan **3.** *(anillo de matrimonio)* alliance

**árgoma** *f* ajonc *m*.

**argón** *m (gas)* argon.

**argonauta** *m (héroe griego, molusco)* argonaute.

**argot** *m* **1.** argot **2.** jargon.
▶ Galicismo equivalente a *jerga*.

**argucia** *f* argutie.

**argüir*** *vt* **1.** *(deducir)* déduire, conclure, arguer **2.** *(probar)* prouver, révéler, montrer **3.** prétexter: **arguye que a él no le habían avisado** il prétexte qu'on ne l'avait pas prévenu. ◇ *vi* **1.** *(discutir)* argumenter, discuter **2.** constituer un argument.

**argumentación** *f* argumentation.

**argumentar** *vi* argumenter. ◇ *vt* **1.** prouver **2.** *(replicar)* rétorquer: **se me argumentará que...** on me rétorquera que...

**argumento** *m* **1.** argument **2.** *(de película)* scénario.

**aria** *f MÚS* aria.

**Ariadna** *np f* Ariane: **el hilo de ~** le fil d'Ariane.

**aricar** *vt* labourer superficiellement.

**aridecerse** *vpr* devenir aride, se dessécher.

**aridez** *f* aridité.

**árido, a** *a* aride: **tierra árida** terre aride; **un tema ~** un sujet aride. ◇ *m pl* matières *f* sèches, grains.

**Aries** *np m* Bélier: **ser de ~** être du Bélier.

**arieta** *f MÚS* ariette.

**ariete** *m* **1.** *HIST, MIL* bélier **2.** *(fútbol)* avant-centre.

**arimez** *m ARQ* saillie *f*.

**ario, a** *a/s* aryen, enne.

**Ariosto** *np m* Arioste.

**arisco, a** *a* **1.** *(huidizo)* farouche **2.** *(áspero)* hargneux, euse, revêche, acariâtre.

**arisquear** *vi AMER* regimber, se rebiffer.

**arista** *f* **1.** *GEOM* arête **2.** *(del trigo)* barbe.

**Arístides** *np m* Aristide.

**aristocracia** *f* aristocratie.

**aristócrata** *s* aristocrate.

**aristocrático, a** *a* aristocratique.

**Aristófanes** *np m* Aristophane.

**aristoloquia** *f* aristoloche.

**Aristóteles** *np m* Aristote.

**aristotélico, a** *a* aristotélicien, enne.

**aristotelismo** *m* aristotélisme.

**aritmética** *f* arithmétique.

**aritmético, a** *a* arithmétique. ◇ *s* arithméticien, enne.

**arlequín** *m* **1.** arlequin **2.** *(persona ridícula)* guignol, polichinelle.

**arma** *f* **1.** arme: **~ blanca, de fuego** arme blanche, à feu; **¡a las armas!** aux armes!; **pasar por las armas** passer par les armes; **¡presenten armas!** présentez armes!; **tomar las armas** prendre les armes; **rendir las armas** déposer les armes; *FIG* **hacer sus primeras armas** faire ses premières armes; **con armas y bagajes**

avec armes et bagages; **~ de dos filos → filo** ◊ *FAM* **de armas tomar** décidé, e, qui n'a pas froid aux yeux **2.** *MIL* arme: **el ~ de artillería** l'arme de l'artillerie. ◇ *pl* **1.** *(de un país)* armées **2.** *(escudo)* armes, armoiries.

**armada** *f* **1.** flotte *(de guerre)* **2. la Armada Invencible** l'Invincible Armada.

**armadía** *f* train *m* de bois, radeau *m*.

**armadijo** *m* piège.

**armadillo** *m* tatou.

**armado, a** *a* **1.** armé, e: **~ con un revólver** armé d'un revolver **2. hormigón ~** béton armé.

**armador** *m MAR* armateur.

**armadura** *f* **1.** armure: **la ~ de un caballero** l'armure d'un chevalier **2.** *(armazón)* armature **3.** *(de un tejado)* charpente.

**armamentista** *a* **carrera ~** course aux armements.

**armamento** *m* armement.

**Armando** *np m* Armand.

**armar** *vt* **1.** *(dar armas)* armer **2.** *(una máquina, un mueble, etc.)* monter **3.** *(una tienda de campaña)* dresser, monter **4.** *(un arco)* bander **5.** *(un barco)* armer, équiper **6.** *FIG* préparer, tramer, fomenter ◊ **~ un pleito** engager un procès; **~ una trampa** tendre un piège; **~ jaleo, un escándalo** faire du tapage, un scandale; *FAM* **armarla** faire un éclat, mettre la pagaïe; **~ la de Dios es Cristo → Dios.** ◆ **~se** *vpr* **1.** s'armer: **armarse con una escopeta** s'armer d'un fusil **2. armarse de paciencia** s'armer de patience; **armarse de valor** s'armer de courage **3.** se préparer **4.** *(ocurrir)* se produire ◊ *FAM* **¡la que se armó!** quel scandale! ça a fait du foin!

**armario** *m* **1.** armoire *f*: **~ de luna** armoire à glace **2. ~ empotrado** placard.

**armatoste** *m* **1.** *(cosa)* objet, meuble encombrant, monument **2.** *(persona)* mastodonte.

**armazón** *f* **1.** armature, charpente, carcasse **2.** *(bastidor)* châssis *m* **3.** *MAR* membrure **4.** *AMER (estantería)* rayonnage *m*.

**armella** *f* piton *m*.

**Armenia** *np f* Arménie.

**armenio, a** *a/s* arménien, enne.

**armería** *f* **1.** musée *m* d'armes **2.** *(tienda)* armurerie.

**armero** *m* **1.** armurier **2.** *(para tener las armas)* râtelier.

**armilar** *a* **esfera ~** sphère armillaire.

**armiño** *m* hermine *f*.

**armisticio** *m* armistice.

**armón** *m (de cañón)* avant-train.

**armonía** *f* harmonie: **~ imitativa** harmonie imitative; **vivir en buena ~** vivre en bonne harmonie.

**armónica** *f (instrumento)* harmonica *m*: **tocar la ~** jouer de l'harmonica.

**armónico, a** *a/m* harmonique.

**armonio** *m* harmonium.

**armoniosamente** *adv* harmonieusement.

**armonioso, a** *a* harmonieux, euse.

**armonizar** *vt* harmoniser. ◇ *vi* être en harmonie, s'harmoniser: **colores que armonizan** couleurs qui s'harmonisent.

**Armórica** *np f* Armorique.

**armuelle** *m* arroche *f*.

**arnés** *m* harnais. ◇ *pl* **los arneses** le harnais.

**árnica** *f* **1.** arnica **2.** teinture d'arnica.

**[1]aro** *m* **1.** cercle, cerceau ◊ *FIG* **entrar, pasar por el ~** s'incliner, se soumettre, capituler **2.** *(juguete)* cerceau **3.** *(servilletero)* rond de serviette **4.** *(sortija)* bague *f* **5.** *(pendiente)* boucle *f* d'oreille **6. sujetador de aros, con ~** soutien-gorge à armature.

**[2]aro** *m (planta)* arum, gouet.

**aroma** *m* arôme, parfum.

**aromático, a** *a* aromatique.

**aromatizante** *m* arôme, aromatisant.

**aromatizar** *vt* aromatiser.

**arpa** *f* harpe: **tocar el ~** jouer de la harpe.

**arpado, a** *a* **1.** dentelé, e **2.** *POÉT* au chant mélodieux.

**arpadura** *f* égratignure.

**arpegio** *m MÚS* arpège.

**arpía** *f* **1.** harpie **2.** *(mujer)* chipie.

**arpillera** *f* serpillère.

**arpista** *s* harpiste.

**arpón** *m* harpon.

**arponear** *vt* harponner.

**arponero** *m* harponneur.

**arqueada** *f* coup *m* d'archet.

**arquear** *vt* **1.** arquer, courber **2.** *(el lomo)* cambrer: **~ la espalda** cambrer les reins **3.** *MAR (un barco)* jauger. ◇ *vi* avoir la nausée. ◆ **~se** *vpr* se courber.

**arqueo** *m* **1.** courbure *f*, cambrure *f* **2.** *MAR (acción)* jaugeage; *(cabida)* jauge *f*, tonnage: **~ bruto, neto** jauge brute, nette **3.** *COM* vérification *f* de la caisse.

**arqueología** *f* archéologie.

**arqueológico, a** *a* archéologique.

**arqueólogo, a** *s* archéologue.

**arquería** *f* arcature, arcades *pl*.

**arquero** *m* **1.** archer **2.** *AMER (en fútbol)* gardien de but.

**arqueta** *f* coffret *m*.

**arquetipo** *m* archétype.

**arquilla** *f* coffret *m*.

**Arquímedes** *np m* Archimède.

**arquitecto, a** *s* architecte.

**arquitectónico, a** *a* architectural, e, architectonique.

**arquitectura** *f* architecture.

**arquitrabe** *m ARQ* architrave *f*.

**arquivolta** *f ARQ* archivolte.

**arrabal** *m* faubourg: **los arrabales** les faubourgs.

**arrabalero, a** *a* faubourien, enne.

**arrabio** *m* fonte *f*.

**arracacha** *f AMER* **1.** plante dont le rhizome est employé comme aliment en Colombie, arracacia *m* **2.** *FIG* bêtise.

**arracada** *f* pendant *m* d'oreille.

**arracimarse** *vpr* **1.** se réunir en grappe **2.** *FIG* s'agglutiner: **la gente se arracima a las puertas del cine** les gents s'agglutinent aux portes du cinéma.

**arraclán** *m* bourdaine *f*.

**arraigado, a** *a* **1.** enraciné, e: **una idea muy arraigada** une idée très enracinée **2.** qui possède des biens-fonds.

**arraigar** *vi* **1.** s'enraciner, prendre racine **2.** *FIG* s'implanter. ◇ *vt* **1.** enraciner **2.** *AMER* assigner à résidence. ◆ **~se** *vpr (establecerse)* se fixer, s'établir: **se arraigó en Nueva York** il se fixa à New York.

**arraigo** *m* **1.** enracinement **2. tener ~ en el país** avoir des attaches dans le pays **3.** biens-fonds *pl*.

**arramblar** *vt* **1.** *(un terreno)* ensabler **2.** *FAM* rafler, embarquer, emporter: **arrambló con todo** il a tout raflé.

**arrancada** *f* **1.** départ *m* brusque, démarrage *m* en trombe **2.** *(de un coche)* démarrage *m* rapide **3.** *(halterofilia)* arraché *m* **4.** *MAR (velocidad)* erre.

**arrancadura** *f*, **arrancamiento** *m* arrachage *m*, arrachement *m*.

**arrancar** *vt* **1.** *(árbol, muela, etc.)* arracher ◊ **~ de raíz, de cuajo** déraciner; *FIG* extirper **2.** *FIG (promesa, etc.)* arracher, extorquer **3. ~ lágrimas, gritos** arracher des larmes, des cris **4.** *(un motor)* faire démarrer. ◇ *vi* **1.** démarrer, partir: **el coche arrancó** la voiture démarra; **el motor no arranca** le moteur ne part pas; **arranqué lentamente** je démarrai lentement; **volver a ~** redémarrer **2.** *(arrojarse)* s'élancer **3.** se mettre à courir **4.** *FIG* provenir, tirer son origine, venir, remonter à **5.** *(arco, bóveda, calle)* partir **6. ~ a** se mettre à; **arrancó a vocear** il se mit à hurler. ◆ **~se** *vpr* **1.** s'arracher: **arrancarse de** s'arracher à **2.** *(acometer)* se précipiter.

**arranque** *m* **1.** *(de un árbol, etc.)* arrachage **2.** *(de un motor, coche)* démarrage ◊ **motor de ~** démarreur **3.** *FIG (impulso)* élan, accès: **~ de generosidad** élan de générosité; **~ de ira** accès de colère; **~ de celos** accès, crise de jalousie **4.** *(ocurrencia)* saillie *f* **5.** *(de un miembro)* attache *f* **6.** *(de una bóveda)* naissance *f*, base *f*; *(de una escalera)* départ, pied **7. punto de ~** point de départ. ◇ *pl (prontos)* mouvements d'humeur.

**arranquera** *f AMER* pauvreté.

**arrapiezo** *m* **1.** *(andrajo)* haillon **2.** *FAM (chico)* moutard, gamin.

**arras** *f pl* **1.** arrhes **2.** *(en una boda)* treize pièces de monnaie que le marié donne à la mariée.

**arrasado, a** *a (tela)* satiné, e.

**arrasamiento** *m* **1.** nivellement, aplanissement **2.** destruction *f*.

**arrasar** *vt* **1.** *(allanar)* aplanir, niveler **2.** *(derribar)* démolir, raser **3.** *(asolar)* dévaster, ravager: **una ciudad arrasada por la guerra** une ville dévastée par la guerre **4.** *(llenar)* remplir jusqu'au bord. ◇ *vi* **1.** *(el cielo)* s'éclaircir **2.** *FAM (tener éxito)* faire un malheur, faire un tabac: **comedia que ha arrasado en Italia** comédie qui a fait un malheur en Italie. ◆ **~se** *vpr* **1.** s'éclaircir **2. se le arrasaron los ojos en lágrimas** ses yeux se remplirent de larmes, il fondit en larmes.

**arrastradamente** *adv* misérablement.

**arrastrado, a** *a* **1.** misérable: **vida arrastrada** vie misérable **2.** se dit des jeux de cartes où il faut fournir de la couleur jouée. ◇ *s* misérable, canaille *f*.

**arrastrar** *vt* **1.** traîner: **~ los pies** traîner les pieds; *FIG* **~ por los suelos** traîner par terre, dans la boue **2.** *(el viento, el agua)* emporter: **fue arrastrada por la corriente** elle fut emportée par le courant **3.** *FIG (llevar consigo, acarrear)* entraîner: **~ en su caída** entraîner dans sa chute. ◇ *vi (cortina, falda)* traîner **2.** *(naipes)* jouer atout. ◆ **~se** *vpr* **1.** se traîner, ramper: **arrastrarse por el suelo** se traîner par terre **2.** *FIG* **arrastrarse a los pies de sus jefes** ramper devant ses chefs; **no se arrastra ante nadie** il ne s'abaisse devant personne.

**arrastre** *m* **1.** traînement, traînage **2.** *(mecánica)* entraînement **3. tierras de ~** terres d'érosion **4.** *FAM* **estar para el ~** n'être plus bon à rien, à grand-chose, être bon à mettre au rancart **5.** *AMER* influence *f*.

**arrayán** *m* myrte.

**¡arre!** *interj* hue!

**¡arrea!** *interj FAM* **1.** vite!, dépêchons!, et que ça saute! **2.** *(asombro)* mince!, oh là là!

**arreador** *m AMER (látigo)* fouet.

**arrear** *vt* **1.** stimuler, pousser (les bêtes pour les faire avancer) **2.** *FAM (un golpe)* flanquer, allonger: **le arreó un guantazo** il lui allongea une baffe; **le arreó un tiro** il lui tira dessus, il le flingua **3.** orner **4.** *(robar)* voler. ◇ *vi FAM (ir de prisa)* se dépêcher, se grouiller, se manier: **diles que arreen** dis-leur de se grouiller ◊ *PROV* **el que venga detrás que arree** après moi le déluge.

**arrebañar** → **rebañar.**

**arrebatadizo, a** *a* emporté, e.

**arrebatado, a** *a* **1.** emporté, e, violent, e **2.** *(rostro)* très rouge.

**arrebatador, a** *a* séduisant, e, ravissant, e.

**arrebatamiento** *m* **1.** accès **2.** transport.

**arrebatar** *vt* **1.** arracher, enlever brutalement, emporter avec violence: **~ de las manos** arracher des mains **2.** *FIG* entraîner **3.** *(entusiasmar)* transporter, ravir: **arrebató los corazones de sus oyentes** il transporta son auditoire, il fit battre les cœurs de son auditoire **4.** *(las mieses)* brûler. ◆ **~se** *vpr* s'emporter.

**arrebato** *m* **1.** emportement **2. un ~ de cólera, de celos** un accès de colère, une crise de jalousie **3.** extase *f*, ravissement.

**arrebol** *m* **1.** teinte *f* rouge des nuages **2.** *(afeite)* rouge. ◇ *pl (nubes)* nuages rouges.

**arrebolado, a** *a (rostro, etc.)* rougissant, e.

**arrebolar** *vt* rougir. ◆ **~se** *vpr* rougir: **se arreboló toda** elle rougit jusqu'aux oreilles.

**arrebozar** *vt* enrober.

**arrebujar** *vt* chiffonner. ◆ **~se** *vpr (en una capa, etc.)* s'envelopper, s'emmitoufler: **se arrebujó en un chal** elle s'enveloppa dans un châle.

**arrechar** *vt AMER* exciter. ◆ **~se** *vpr* s'exciter.

**arrecho, a** *a AMER* sensuel, elle, lascif, ive, excité, e.

**arrechucho** *m FAM* **1.** petit malaise, indisposition *f* **2.** *(ataque)* accès, élan.

**arreciar*** *vi* redoubler (de violence): **arrecia el temporal** la tempête redouble: **la lluvia arrecia** la pluie redouble.

**arrecife** *m* récif.

**arrecirse** *vpr* s'engourdir.

**arredrar** *vt* **1.** *(asustar)* faire peur: **no le arredra nada** rien ne lui fait peur **2.** intimider. ◆ **~se** *vpr* avoir peur: **no se arredra ante nada** il n'a peur de rien, il ne recule devant rien.

**arregazar** *vt* retrousser, relever.

**arreglado, a** *a* **1.** arrangé, e **2.** réglé, e **3.** modéré, e, raisonnable **4.** *FAM* **¡estamos arreglados!** nous voilà frais!; **estaríamos arreglados si tuviéramos que...** ce serait un peu fort si nous devions...

**arreglar** *vt* **1.** *(poner en orden)* ranger **2.** arranger: **mi sobrina ha arreglado su piso con gusto** ma nièce a arrangé son appartement avec goût **3.** *(reparar)* réparer, arranger **4.** *(concertar, adaptar)* arranger **5.** *FAM* **¡ya te arreglaré yo!** tu vas avoir affaire à moi! ◆ **~se** *vpr* **1.** *(ataviarse)* se préparer, s'arranger: **esta mujer no sabe arreglarse** cette femme ne sait pas s'arranger **2.** *(avenirse)* s'arranger, s'entendre **3.** se contenter **4.** *FAM* **arreglárselas** s'arranger, se débrouiller, s'y prendre; **¡arréglatelas!** débrouille-toi!

**arreglista** *s MÚS* arrangeur, euse.

**arreglo** *m* **1.** accord, arrangement **2.** *(de un asunto)* règlement **3.** *(componenda)* accommodement **4.** réparation *f*, retouche *f* ◊ **sastre de arreglos** retoucheur **5. esto tiene ~** ça peut s'arranger; **este asunto no tiene ~** il n'y a pas de solution pour cette affaire **6.** *MÚS* arrangement **7.** *(lío amoroso)* liaison *f* **8.** *loc prep* **con ~ a** conformément à, suivant.

**arregostarse** *vpr FAM* prendre goût à.

**arrejuntarse** *vpr POP* se mettre en ménage, vivre à la colle.

**arrellanarse** *vpr* se carrer, se caler.

**arremangar** *vt* retrousser. ◆ **~se** *vpr* retrousser: **se arremangó las faldas** elle retroussa ses jupes.

**arremeter** *vi* **~ contra** se jeter sur, foncer sur, attaquer: **~ contra el enemigo** foncer sur l'ennemi.

**arremetida** *f* attaque, assaut *m*.

**arremolinarse** *vpr* **1.** tourbillonner, tournoyer **2.** *(la gente)* se rassembler, s'attrouper, s'entasser.

**arrendador, a** *s* **1.** loueur, euse **2.** fermier, ère.

**arrendajo** *m* geai.

**arrendamiento** *m* **1.** affermage **2.** *(contrato)* bail **3. ~ con opción a compra** leasing **4.** *(precio)* loyer, fermage.

**arrendar*** *vt* **1.** *(alquilar)* louer: **se arrienda...** à louer... **2.** *(una finca rústica)* affermer **3.** *FIG* **no te arriendo la ganancia** je ne voudrais pas être à ta place **4.** *(un caballo)* brider.

**arrendatario, a** *s* **1.** fermier, ère **2.** locataire.

**¹arreo** *m* **1.** parure *f* **2.** *AMER (recua)* troupeau. ◇ *pl* **1.** *(de las caballerías)* harnais *sing* **2.** *FIG* attirail *sing*, accessoires.

**²arreo** *adv ANT* de suite, successivement: **ocho días ~** huit jours de suite.

**arrepanchigarse** *vpr FAM* se prélasser.

**arrepentido, a** *a* repentant, e ◊ **no está arrepentida de haberse casado** elle ne regrette pas de s'être mariée. ◇ *s (traficante, etc.)* repenti, e.

**arrepentimiento** *m* repentir.

**arrepentirse*** *vpr* **1.** *(de una falta)* se repentir: **me arrepiento de...** je me repens de... **2.** regretter: **no me arrepiento de nada** je ne regrette rien; **usted no se arrepentirá** vous ne le regretterez pas.

**arrequintar** *vt AMER* serrer fortement.

**arrequives** *m pl* **1.** *(adornos)* atours **2.** *(requisitos)* formalités *f*.

**arrestado, a** *a* **1.** hardi, e **2.** *(preso)* détenu, e.

**arrestar** *vt* **1.** arrêter **2.** *MIL* mettre aux arrêts, consigner.

**arresto** *m* **1.** détention *f* ◊ **~ domiciliario** assignation *f* à résidence **2.** *MIL* arrêts *pl*. ◇ *pl (arrojo)* audace *f sing*.

**arrianismo** *m RELIG* arianisme.

**arriar** *vt* **1.** *(una vela, una bandera)* amener **2.** *(un cable)* affaler, mollir **3.** *(inundar)* inonder.

**arriate** *m* plate-bande *f*.

**arriba** *adv* **1.** en haut: **~ del todo** tout en haut; **allá ~** là-haut ◊ *loc adv* **de ~ abajo** de haut en bas; *FIG* de fond en comble, complètement; **más ~** plus haut **2. ~ del codo** au-dessus du coude; **en el piso de ~** à l'étage au-dessus **3.** plus de: **~ de cien pesetas** plus de cent pesetas; **tiene de sesenta años para ~** il a plus de soixante ans, soixante ans passés **4. calle, cuesta ~** en remontant la rue, la côte; **huyó escaleras ~** il s'enfuit en grimpant l'escalier; **aguas ~, río ~** en amont; **ir río ~** remonter la rivière **5. véase más ~** voir ci-dessus, plus haut; **lo ~ mencionado** ce qui est mentionné ci-dessus. ◇ *interj (¡ánimo!)* debout!, courage!; **¡~ España!** vive l'Espagne!; **¡manos ~!** haut les mains!; **¡~ los corazones!** haut les cœurs!

**arribada** *f MAR* **1.** *(escala)* arrivée, relâche **2.** *(bordada)* bordée.

**arribar** *vi (llegar)* arriver.

**arribeño, a** *s AMER* habitant, e des terres hautes.

**arribismo** *m* arrivisme, carriérisme.

**arribista** *s* arriviste, carriériste.

**arribo** *m* **1.** arrivée *f*: **el ~ del delegado** l'arrivée du délégué **2.** *(de mercancías)* arrivage.

**arriendo** *m* location *f* → **arrendamiento.**

**arriero** *m* muletier.

**arriesgadamente** *adv* dangereusement.

**arriesgado, a** *a* **1.** *(peligroso)* risqué, e, hasardeux, euse **2.** téméraire, hardi, e.

**arriesgar** *vt* risquer, hasarder. ◆ **~se** *vpr* se risquer ◊ *PROV* **quien no se arriesga no pasa la mar, el río** qui ne risque rien n'a rien.

**arrimadero** *m* soutien, appui.

**arrimar** *vt* **1.** *(acercar)* approcher: **~ a** approcher de **2.** *(apoyar)* appuyer ◊ *FIG* **arrimar el hombro** → **hombro 3.** *(una carga)* arrimer **4.** *FIG* abandonner, mettre de côté: **~ los libros, los pinceles** abandonner les livres, les pinceaux **5.** *(a alguien)* laisser tomber **6.** *FAM (un golpe, etc.)* flanquer, envoyer. ◆ **~se** *vpr* **1.** s'approcher: **¡arrímate al fuego!** approche-toi du feu! **2.** s'appuyer, s'adosser: **arrimarse a la pared** s'adosser au mur, s'appuyer contre le mur; **arrimado a la puerta** appuyé contre la porte **3.** *FIG* **arrimarse a** se mettre sous la protection de; **arrimarse al sol que más calienta** se mettre du côté du manche, flatter celui qui a le plus d'influence.

**arrimo** *m* **1.** *(apoyo)* appui, soutien, protection *f* ◊ **al ~ de** sous la protection de, à l'ombre de **2.** *(amancebamiento)* concubinage.

**arrimón** *m FAM* **estar de ~** faire le poireau, rester planté, e.

**arrinconado, a** *a FIG* délaissé, e, abandonné, e.

**arrinconar** *vt* **1.** *(cosa)* mettre dans un coin, au rebut, au rancart **2.** *(a alguien)* abandonner, délaisser, laisser tomber. ◆ **~se** *vpr* se renfermer sur soi-même.

**arriscado, a** *a* **1.** *(terreno)* accidenté, e **2.** *(atrevido)* hardi, e, intrépide **3.** agile.

**arriscar** *vt AMER* relever, remonter. ◆ **~se** *vpr* **1.** tomber dans un ravin **2.** *FIG* se mettre en colère.

**arritmia** *f* arythmie.

**arroaz** *m* dauphin.

**arroba** *f* arobe, arrobe (environ 12 kilos, environ 12 ou 16 litres) ◊ *FIG* **por arrobas** à foison.

**arrobado, a** *a* en extase.

**arrobador, a** *a* ravissant, e.

**arrobamiento** *m* extase *f*, ravissement.

**arrobar** *vt* ravir. ◆ **~se** *vpr* tomber en extase.

**arrobo** *m* extase *f*.

**arrocero, a** *a* rizier, ère, du riz. ◇ *m* riziculteur.

**arrodillarse** *vpr* s'agenouiller, se mettre à genoux.

**arrodrigar, arrodrigonar** *vt AGR (las plantas)* échalasser, tuteurer.

**arrogación** *f* **1.** attribution **2.** usurpation.

**arrogancia** *f* **1.** *(soberbia)* arrogance **2.** belle prestance, élégance.

**arrogante** *a* **1.** arrogant, e **2.** *(gallardo)* de belle prestance, élégant, e.

**arrogarse** *vpr* s'arroger, s'approprier indûment.

**arrojadizo, a** *a* de jet: **armas arrojadizas** armes de jet.

**arrojado, a** *a (audaz)* hardi, e, intrépide, audacieux, euse.

**arrojar** *vt* **1.** lancer, jeter: **~ piedras al agua, bombas** lancer des pierres dans l'eau, des bombes ◊ **prohibido ~ basuras** défense de déposer des ordures **2.** *(hablando de un volcán)* cracher **3.** *FAM (vomitar)* vomir **4.** *(a alguien)* mettre dehors, mettre à la porte, chasser **5.** *FIG* faire apparaître, faire ressortir: **el balance arroja un saldo deudor** le bilan fait apparaître un solde débiteur; **las previsiones arrojan la cifra de...** les prévisions donnent le chiffre de... ◆ **~se** *vpr* se jeter, se lancer: **se arrojó por la ventana** il se jeta par la fenêtre; **arrojarse sobre alguien** se jeter, se précipiter sur quelqu'un.

**arrojo** *m* audace *f*, hardiesse *f*, intrépidité *f*.

**arrollador, a** *a* **1.** irrésistible **2.** *(éxito)* écrasant, e, retentissant, e.

**arrollar** *vt* **1.** *(enrollar)* enrouler, rouler **2.** *(hablando de las aguas, del viento)* entraîner, emporter **3.** renverser, faucher: **el**

**ciclista fue arrollado por un coche** le cycliste a été renversé par une voiture **4.** *(al enemigo)* mettre en déroute **5.** *FIG (las leyes, etc.)* fouler aux pieds; *(obstáculos)* renverser **6.** *(dejar sin poder replicar)* confondre **7.** *(acunar)* bercer.

**arropar** *vt* **1.** couvrir: **~ a un enfermo** couvrir chaudement un malade **2.** *(envolver)* envelopper. ◆ **~se** *vpr* se couvrir, s'envelopper, s'emmitoufler: **arrópate bien** couvre-toi bien; **se arropó con la frazada** il s'enveloppa dans la couverture.

**arrope** *m* **1.** moût cuit **2.** *(jarabe)* sirop **3.** *AMER* confiture *f* de figues, etc.

**arrorró** *interj FAM* dodo.

**arrostrar** *vt* **1.** *(un peligro, la muerte)* affronter, braver **2.** *(las consecuencias)* faire face à **3.** *(emprender)* entreprendre.

**arroyada** *f* ravin *m*, ravine.

**arroyar** *vt* raviner.

**arroyo** *m* **1.** ruisseau **2.** *FIG* **plantar en el ~** jeter à la rue, mettre à la porte.

**arroyuelo** *m* petit ruisseau, ru, ruisselet.

**arroz** *m* riz: **~ con leche** riz au lait.

**arrozal** *m* rizière *f*.

**arruga** *f* **1.** *(de la piel)* ride **2.** *(de un vestido)* pli *m*.

**arrugar** *vt* **1.** *(la piel)* rider ◊ **~ el entrecejo** froncer les sourcils; **~ la frente** plisser le front, froncer les sourcils **2.** *(papel, tela)* chiffonner, froisser. ◆ **~se** *vpr* **1.** *(la piel)* se rider **2.** se chiffonner, se froisser, se friper **3.** *(acobardarse)* perdre pied, flancher, se dégonfler.

**arruinar** *vt* **1.** ruiner **2.** **~ su salud** se ruiner la santé; **~ las vacaciones** gâcher les vacances. ◆ **~se** *vpr* se ruiner.

**arrullador, a** *a* berceur, euse, murmurant, e.

**arrullar** *vi* *(una paloma)* roucouler. ◇ *vt* **1.** *FAM* roucouler auprès de **2.** *(cantando)* bercer.

**arrullo** *m* **1.** *(de una paloma)* roucoulement **2.** *(canción)* berceuse *f* **3.** murmure.

**arrumaco** *m FAM (demostración de cariño)* câlinerie *f*, cajolerie *f*. ◇ *pl (adornos)* fanfreluches *f*.

**arrumar** *vt MAR* arrimer.

**arrumbador** *m* caviste.

**arrumbar** *vt* **1.** *(apartar)* mettre au rebut, au rancart **2.** *(a alguien)* mettre à l'écart. ◇ *vi MAR* mettre le cap sur.

**arrurruz** *m (fécula)* arrow-root.

**arsenal** *m* arsenal.

**arsenical** *a* arsenical, e.

**arsénico** *m* arsenic.

**arte** *m/f* **1.** art *m*: **~ abstracto, figurativo** art abstrait, figuratif; **el séptimo ~** le septième art; **el ~ por el ~** l'art pour l'art ◊ *FIG* **no tener ~ ni parte en** n'y être pour rien dans; **por ~ de birlibirloque, de magia** comme par enchantement **2.** **malas artes** moyens *m*, procédés *m* malhonnêtes **3.** *(de pesca)* engin *m* de pêche. ◇ *f pl* arts *m*: **las bellas artes** les beaux-arts; **la Escuela de Artes y Oficios** l'École des Arts et Métiers; **las artes marciales** les arts martiaux.

**artefacto** *m* **1.** engin, appareil, système **2.** **~ explosivo** engin explosif, bombe *f*.

**artejo** *m* **1.** *(de los dedos)* articulation *f* **2.** *(de un artrópodo)* article.

**artemisa** *f* armoise.

**arteramente** *adv* **1.** *(disimuladamente)* sournoisement **2.** astucieusement.

**arteria** *f* **1.** *ANAT* artère **2.** *(calle)* artère.

**artería** *f (astucia)* ruse, rouerie, sournoiserie.

**arterial** *a* artériel, elle.

**arterioesclérosis** → **arteriosclerosis.**

**arteriola** *f ANAT* artériole.

**arteriosclerosis** *f* artériosclérose.

**artero, a** *a* sournois, e, hypocrite, rusé, e.

**artesa** *f* **1.** *(del panadero)* pétrin *m* **2.** *(del albañil)* auge **3.** *GEOG* **valle en ~** vallée en auge.

**artesanado** *m* artisanat.

**artesanal** *a* artisanal, e.

**artesanía** *f* **1.** artisanat *m* **2.** **de ~** artisanal, e: **productos de ~** produits artisanaux.

**artesano, a** *a* artisanal, e: **elaboración artesana** fabrication artisanale. ◇ *s* artisan: **un ~** un artisan.

**artesiano, a** *a* **pozo ~** puits artésien.

**artesón** *m* **1.** auge *f* **2.** *ARQ* caisson **3.** *(techo)* plafond à caissons.

**artesonado, a** *a ARQ* à caissons. ◇ *m (techo)* plafond à caissons.

**ártico, a** *a* arctique.

**articulación** *f* **1.** *(juntura)* articulation **2.** *(pronunciación)* articulation.

**articulado, a** *a* articulé, e. ◇ *m (de una ley)* ensemble des articles.

**¹articular** *a ANAT* articulaire.

**²articular** *vt* articuler.

**articulista** *s* auteur d'articles, journaliste, chroniqueur.

**artículo** *m* **1.** *(de un escrito)* article ◊ **~ de fondo** éditorial **2.** *(mercancía)* article: **~ de lujo** article de luxe **3.** *GRAM* article **4.** **in ~ mortis, en ~ de la muerte** à l'article de la mort **5.** *FIG* **tomar como ~ de fe** prendre pour argent comptant.

**artífice** *m* **1.** *(autor)* auteur, artisan **2.** artiste.

**artificial** *a* artificiel, elle: **flor ~** fleur artificielle ◊ **fuegos artificiales** feux d'artifice.

**artificialmente** *adv* artificiellement.

**artificiero** *m* artificier.

**artificio** *m* **1.** artifice **2.** *(dispositivo)* appareil, système, engin.

**artificioso, a** *a* **1.** fait, e avec art **2.** *(disimulado)* artificieux, euse **3.** artificiel, elle.

**artigar** *vt AGR* défricher, écobuer.

**artillería** *f* artillerie.

**artillero** *m* artilleur.

**artilugio** *m PEYOR* mécanisme, machine *f*, système.

**artimaña** *f* **1.** *(trampa)* piège *m* **2.** *(ardid)* ruse.

**artista** *a/s* artiste.

**artísticamente** *adv* artistiquement.

**artístico, a** *a* artistique.

**artolas** *f pl* cacolet *m sing*.

**artrítico, a** *a/s* arthritique.

**artritis** *f MED* arthrite.

**artrópodos** *m pl ZOOL* arthropodes.

**artrosis** *f MED* arthrose.

**Arturo** *np m* Arthur.

**arúspice** *m* aruspice.

**arveja** *f* **1.** vesce **2.** *AMER (guisante)* petit pois.

**arzobispado** *m* **1.** archevêché **2.** *(dignidad)* archiépiscopat.

**arzobispal** *a* archiépiscopal, e.

**arzobispo** *m* archevêque.

**arzón** *m* arçon.

**as** *m* **1.** *(naipe)* as: **póquer de ases** poker d'as **2.** FIG as: **es un ~ del volante, de la aviación** c'est un as du volant, de l'aviation.

**asa** *f* **1.** *(de una vasija, cesta, etc.)* anse **2.** *(de una maleta)* poignée.

**asá** → **así.**

**asado** *m* rôti: **~ de ternera** rôti de veau → **asar.**
▶ En Amérique du Sud, l'*asado*, ou *asado criollo*, est un quartier de viande grillé en plein air, généralement à la broche. L'*asado con cuero* est rôti avec la peau. L'*asado* est l'élément essentiel de la nourriture des «gauchos».

**asador** *m* **1.** *(varilla)* broche *f* **2.** *(aparato para asar)* rôtissoire *f* ◊ **poner toda la carne en el ~** → **carne. 3.** *(restaurante)* grill.

**asadura** *f* **1.** *(hígado)* foie *m* **2.** FIG FAM flegme *m.* ◇ *pl* abats *m*, fressure *sing.* ◇ *s* personne calme.

**asaetear** *vt* **1.** cribler de flèches **2.** FIG harceler: **~ a preguntas** harceler de questions.

**asalariado, a** *a/s* salarié, e.

**asalariar** *vt* salarier.

**asalmonado, a** *a* **1.** saumoné, e **2.** *(color)* rose saumon.

**asaltante** *a/s* **1.** assaillant, e **2.** agresseur.

**asaltar** *vt* **1.** assaillir **2. ~ a un transeúnte, un banco** attaquer un passant, une banque **3.** FIG venir à l'esprit.

**asalto** *m* **1.** assaut: **tomar por ~** prendre d'assaut **2.** attaque *f*, agression *f*: **~ a mano armada** attaque à main armée; **el ~ al tren correo** l'attaque du train postal **3.** *(boxeo)* round.

**asamblea** *f* **1.** assemblée **2.** MIL rassemblement *m.*

**asambleísta** *s* membre d'une assemblée.

**asar** *vt* **1.** *(en un horno)* rôtir, *(en una parrilla)* griller: **pollo asado** poulet rôti **2.** FIG **~ a preguntas** harceler de questions. ◆ **~se** *vpr* FIG étouffer, cuire: **aquí se asa uno** on cuit ici; **asarse de calor** crever de chaud.

**asaz** *adv* POÉT **1.** *(bastante)* assez **2.** *(muy)* fort, très.

**asbesto** *m* asbeste, amiante.

**ascalonia** *f* échalote.

**ascáride** *f* ascaride *m.*

**ascendencia** *f* ascendance.

**ascendente** *a* ascendant, e.

**ascender*** *vi* **1.** *(subir)* monter **2.** *(a cierta cantidad)* s'élever, se monter: **los daños ascienden a un millón de pesetas** les dégâts s'élèvent à un million de pesetas **3.** monter en grade ◊ **ascendió a sargento** il a été promu sergent, il est passé sergent ◊ **vt 1.** faire monter en grade, donner de l'avancement, promouvoir: **acaban de ascenderle a capitán** il vient d'être promu capitaine. **2. ~ al trono** placer sur le trône.

**ascendiente** *a* ascendant, e. ◇ *m* **1.** *(antepasado)* ascendant **2.** *(influencia)* ascendant.

**ascensión** *f* **1.** ascension: **la ~ al Monte Blanco** l'ascension du mont Blanc **2.** RELIG **el jueves de la Ascensión** le jeudi de l'Ascension.

**ascensional** *a* ascensionnel, elle.

**ascensionista** *s* ascensionniste.

**ascenso** *m* **1.** ascension *f*, montée *f*: **el ~ a la pared norte** l'ascension de la paroi nord **2.** *(de la temperatura)* hausse *f* **3.** *(promoción)* avancement, promotion *f*: **sólo piensa en un ~** il ne pense qu'à son avancement.

**ascensor** *m* ascenseur.

**ascensorista** *m* liftier.

**ascesis** *f* ascèse.

**asceta** *s* ascète.

**ascético, a** *a* ascétique.

**ascetismo** *m* ascétisme.

**asco** *m* **1.** dégoût ◊ **dar ~, producir ~** dégoûter; **da ~** c'est dégoûtant, écœurant; **hacer ascos a** faire le dégoûté, la fine bouche, le difficile devant, dédaigner: **dejó de hacer ascos a la comida** il cessa de faire la fine bouche devant la nourriture; **no es cosa de hacerle ascos** ce n'est pas à dédaigner; **tomar ~ a** prendre en horreur **2.** FAM **estar hecho un ~** être dégoûtant, d'une saleté repoussante; **esta película es un ~** ce film ne vaut rien du tout; **es un ~ como le han ascendido a jefe** c'est dégoûtant la façon dont on l'a promu chef; **¡qué ~!** quelle horreur!; **¡qué ~ de tiempo!** quel temps affreux!

**ascua** *f* charbon *m* ardent, braise ◊ FIG **arrimar el ~ a su sardina** tirer la couverture a soi; **estar en ascuas** être sur les charbons ardents, sur le gril.

**aseado, a** *a (limpio)* propre, soigné, e.

**asear** *vt* **1.** *(limpiar)* nettoyer **2.** *(componer)* arranger. ◆ **~se** *vpr* faire sa toilette, se préparer.

**asechanza** *f* piège *m*, embûche.

**asechar** *vt* tendre des pièges.

**asecho** *m* piège, embûche *f.*

**asediador, a** *a/s* assiégeant, e.

**asediar*** *vt* **1.** *(sitiar)* assiéger **2.** FIG assiéger, harceler.

**asedio** *m* siège.

**asegurado, a** *a/s* assuré, e.

**asegurador, a** *a* d'assurances. ◇ *m* assureur.

**asegurar** *vt* **1.** *(fijar)* fixer **2.** *(garantizar)* assurer, garantir: **te aseguro que es verdad** je t'assure que c'est vrai; **éxito asegurado** succès assuré, garanti **3.** *(contra robo, etc.)* assurer: **he asegurado el coche a todo riesgo** j'ai assuré la voiture tous risques. ◆ **~se** *vpr* **1.** s'assurer: **asegúrate de que no te equivoques** assure-toi que tu ne te trompes pas **2. asegurarse contra incendio, robo** s'assurer contre l'incendie, le vol.

**asemejar** *vt* faire ressembler. ◇ *vi* sembler. ◆ **~se** *vpr* **1.** ressembler: **se asemeja a su madre** elle ressemble à sa mère **2.** se ressembler.

**asendereado, a** *a* FIG accablé, e, surmené, e, qui en a vu de toutes les couleurs.

**asenso** *m* assentiment.

**asentada** *f* **de una ~** d'une traite, d'une seule traite, en une seule fois: **leyó la novela de una ~** il lut le roman d'une traite.

**asentaderas** *f pl* FAM fesses, derrière *m sing.*

**asentadillas (a)** *loc adv* en amazone.

**asentado, a** *a* **1.** *(situado)* situé, e **2.** FIG sage, équilibré, e.

**asentador** *m (en un mercado)* fournisseur.

**asentamiento** *m* **1.** installation *f*, établissement **2.** colonie *f* de peuplement, implantation *f.*

**asentar*** *vt* **1.** asseoir **2.** *(colocar)* placer **3.** installer, établir **4.** fonder **5.** *(un golpe)* assener **6.** *(una costura)* aplatir; *(el filo de)* aiguiser **7.** FIG **~ el juicio** s'assagir, devenir raisonnable **8.** affirmer **9.** *(en un libro)* inscrire, porter **10.** *(un acuerdo)* conclure. ◆ **~se** *vpr* **1.** se fixer, s'installer **2.** être situé, e: **el pueblo se asienta...** le village est situé... **3.** *(un líquido)* déposer **4.** *(un alimento)* rester sur l'estomac.

**asentimiento** *m* assentiment, consentement.

**asentir*** *vi* **1.** acquiescer, faire signe que oui: **asintió** il acquiesça; **asintió con la cabeza** il hocha la tête en signe d'approbation, il fit signe que oui de la tête **2.** *(consentir en)* accepter.

**asentista** *m* fournisseur.

**aseñorado, a** *a* distingué, e, qui se donne des airs distingués.

**aseo** *m* **1.** *(limpieza)* propreté *f* **2.** toilette *f*: **cuarto de ~** cabinet de toilette; **~ personal** toilette *f* **3.** *(cuidado)* soin **4.** *(cuarto)* cabinet de toilette, salle *f* d'eau **5. el ~** les toilettes.

**asepsia** *f* asepsie.

**aséptico, a** *a* aseptique.

**aseptizar** *vt* aseptiser.

**asequible** *a* **1.** accessible **2.** *(precio)* abordable.

**aserción** *f* assertion.

**aserradero** *m* scierie *f.*

**aserradizo, a** *a* sciable, de sciage.

**aserrado** *m* sciage.

**aserrador** *m* scieur.

**aserrar*** *vt* scier.

**aserrín** *m* sciure *f.*

**asertivo, a** *a* affirmatif, ive.

**aserto** *m* assertion *f,* affirmation *f.*

**ases** → **as.**

**asesinar** *vt* assassiner.

**asesinato** *m* assassinat.

**asesino, a** *a/s* assassin, e, meurtrier, ère.

**asesor, a** *a/s* conseiller, ère: **~ impositivo** conseiller fiscal.

**asesoramiento** *m* **1.** conseil *m* **2.** assistance *f:* **~ técnico** assistance technique **3.** *JUR* assesseur.

**asesorar** *vt* conseiller. ◆ **~se** *vpr* prendre conseil, se faire conseiller.

**asesoría** *f* **1.** charge de conseiller **2.** *(oficina)* bureau *m* d'un conseiller, cabinet-conseil *m.*

**asestar** *vt* **1.** *(arma, telescopio, vista)* braquer **2.** *(un golpe)* assener.

**aseveración** *f* affirmation.

**aseverar** *vt* affirmer.

**asexuado, a** *a* asexué, e.

**asfaltado** *m* asphaltage.

**asfaltar** *vt* asphalter.

**asfalto** *m* asphalte.

**asfixia** *f* asphyxie.

**asfixiante** *a* asphyxiant, e.

**asfixiar** *vt* asphyxier. ◆ **~se** *vpr* s'asphyxier.

**asfódelo** *m* asphodèle.

**así** *adv* **1.** ainsi, de cette façon, comme ça: **~ es como actuaría yo** c'est ainsi que j'agirais; **por decirlo ~** pour ainsi dire; **~ lo entiendo** c'est ainsi que je le comprends; **y ~ sucesivamente** et ainsi de suite ◊ **~ es** c'est ça; **~ las cosas** les choses étant ce qu'elles sont; **¡~ me gusta!** à la bonne heure!; **¿cómo ~?** comment cela?; **no es ~?** n'est-ce pas?; **no te pongas ~** ne te mets pas dans cet état; **tiene cuarenta años o así** il a à peu près quarante ans; **una hora o ~** une heure environ **2. ~ de** comme ça: **~ de grande** grand comme ça; **la playa estaba ~ de gente** la plage était noire de monde; **~ de fácil** ce n'est pas plus difficile que ça **3.** *(denota extrañeza)* alors, ainsi donc: **¿~ te marchas?** alors tu t'en vas? **4.** comme, de même que: **~ en el cielo como en la tierra** sur la terre comme au ciel **5.** *loc adv* **~ ~** comme ci, comme ça; **~ como ~** comme ça, *(irreflexivamente)* n'importe comment, à la légère; **~ que asá** d'une façon ou d'une autre; **~ y todo** malgré tout **6. ~ que ~ pues** aussi, ainsi donc, alors: **~ que no piensas venir** ainsi donc, tu ne penses pas venir; **~ que cállate** alors tais-toi **7.** *(tan luego como)* dès que, aussitôt que: **~ que llegues, avísame** dès que tu arriveras, préviens-moi **8.** *(aunque)* même si, quand bien même **9.** *(+ subj., oración de deseo)* **¡~ vuelvas pronto!** puisses-tu revenir bientôt!; **~ Dios te ayude** que Dieu te vienne en aide; **~ sea** qu'il en soit ainsi. ◇ *a* pareil, eille, comme ça, comme celui-là, etc.: **un caso ~** un cas pareil; **un hombre ~** un homme comme celui-là, un tel homme.

**Asia** *np f* Asie: **el ~ Menor** l'Asie Mineure.

**asiático, a** *a/s* asiatique.

**asidero** *m* **1.** poignée *f,* manche, anse *f* **2.** *FIG (apoyo)* appui, soutien **3.** *FIG* occasion *f,* prétexte.

**asiduamente** *adv* assidûment.

**asiduidad** *f* assiduité.

**asiduo, a** *a* assidu, e.

**asiento** *m* **1.** *(para sentarse)* siège: **~ trasero** siège arrière ◊ **tomar ~** s'asseoir, prendre un siège; **baño de ~** bain de siège **2.** *(localidad)* place *f:* **reservar un ~** réserver une place **3.** emplacement **4.** *(de una vasija)* fond **5.** *(base)* base *f,* fondement, assise *f* **6.** *(poso)* dépôt, lie *f* **7.** *(de los materiales de una construcción)* tassement **8.** *COM (anotación)* inscription *f,* enregistrement **9.** *(en un lugar)* **estar de ~** être établi à demeure, résider, habiter **10.** *FIG* sagesse *f,* bon sens: **hombre de ~** homme sérieux, de bon sens; **una persona de poco ~** une personne qui n'a pas beaucoup de bon sens **11.** *FAM* **culo de mal ~** → **culo.** ◇ *pl (del caballo)* barres *f.*

**asignación** *f* **1.** assignation, attribution **2.** *(sueldo)* traitement *m* **3.** *(subsidio)* allocation: **asignaciones familiares** allocations familiales.

**asignado** *m* assignat.

**asignar** *vt* **1.** *(atribuir)* assigner, attribuer **2.** *(una cantidad)* allouer: **~ una pensión** allouer une pension **3.** *(destinar)* affecter.

**asignatario, a** *s AMER* légataire.

**asignatura** *f* matière (d'enseignement): **~ optativa** matière à option.

**asilado, a** *s* **1.** pensionnaire d'un asile **2.** réfugié, e politique.

**asilar** *vt* **1.** accueillir dans un asile **2.** donner asile.

**asilo** *m* **1.** asile **2. ~ político** asile politique; **derecho de ~** droit d'asile.

**asimetría** *f* asymétrie.

**asimétrico, a** *a* asymétrique.

**asimilable** *a* assimilable.

**asimilación** *f* assimilation.

**asimilar** *vt* assimiler. ◆ **~se** *vpr* **1.** s'assimiler **2.** *(parecerse)* **asimilarse a** ressembler à.

**asimismo** *adv* **1.** de la même manière, pareillement **2.** *(también)* aussi, de même.

**asíntota** *f GEOM* asymptote.

**asir*** *vt* saisir, prendre: **me asió de la mano** il me prit par la main ◊ *FIG* **~ la ocasión de los cabellos** saisir l'occasion aux cheveux. ◆ **~se** *vpr* **1. asirse a, de** s'accrocher, se cramponner à **2. iban asidos del brazo** ils allaient bras dessus, bras dessous.

**Asiria** *np f* Assyrie.

**asirio, a** *a/s* assyrien, enne.

**asiriología** *f* assyriologie.

**Asís** *np* Assise.

**asistencia** *f* **1.** présence: **con ~ del embajador** en présence de l'ambassadeur **2.** *(público)* assistance **3.** *(ayuda)* assistance, secours *m* ◊ **~ médica** soins *m pl;* **~ técnica** service *m* de réparations, de dépannage, service après-vente.

**asistencial** *a* d'entraide, de secours: **servicios asistenciales** services d'entraide sociale.

**asistenta** *f* **1.** *(criada)* femme de ménage **2.** assistante.

**asistente** *a/s* assistant, e: **la ~ social** l'assistante sociale. ◇ *m (soldado)* ordonnance *f.* ◇ *m pl* assistants, personnes *f* présentes, assistance *f sing:* **uno de los asistentes a la conferencia se levantó** l'un des assistants, de ceux qui assistaient à la conférence se leva.

**asistido, a** *a* assisté, e: **dirección asistida** direction assistée.

**asistir** *vi* assister: **~ a un seminario** assister à un séminaire. ◇ *vt* **1.** *(ayudar)* assister **2.** *(cuidar)* soigner: **~ a un herido** soigner un blessé **3.** *(prestar servicios)* aider **4. me asiste la razón** j'ai la raison pour moi.

**asma** *f* asthme *m*: **crisis de ~** crise d'asthme.

**asmático, a** *a/s* asthmatique.

**asna** *f* ânesse.

**asnada** *f* FIG FAM ânerie, bêtise.

**asnal** *a* qui a rapport à l'âne.

**asnilla** *f* **1.** *(soporte)* tréteau *m* **2.** *(madero)* étançon *m*, étai.

**asno** *m* âne. → **burro** ◊ FIG **el ~ de Buridán** l'âne de Buridan.

**asociación** *f* association.

**asociado, a** *a/s* associé, e.

**asociar** *vt* associer. ◆ **~se** *vpr* s'associer.

**asociativo, a** *a* associatif, ive.

**asocio** *m* AMER association *f*: **en ~ con** en association avec.

**asolación** → **asolamiento.**

**asolador, a** *a* dévastateur, trice.

**asolamiento** *m* dévastation *f*.

**asolar*** *vt* **1.** dévaster, ravager: **un ciclón ha asolado la isla** un cyclone a dévasté l'île **2.** *(dicho del calor, del sol)* brûler. ◆ **~se** *vpr (un líquido)* déposer.

**asolear** *vt* exposer au soleil.

**asomar** *vi* apparaître, se montrer: **asoma el sol** le soleil apparaît; **su padre asomó a la puerta** son père apparut à la porte. ◇ *vt* montrer, laisser voir: **asomó la cabeza por entre los visillos** elle montra sa tête entre les rideaux. ◆ **~se** *vpr* **1.** se montrer **2. asomarse a la ventana** se mettre à la fenêtre **3.** *(sacar la cabeza)* se pencher: **asomarse a la ventanilla** se pencher par la portière; **prohibido asomarse al exterior** défense de se pencher au-dehors.

**asombradizo, a** *a* ombrageux, euse.

**asombrar** *vt* **1.** *(sorprender)* étonner, stupéfier: **nada puede asombrarme** rien ne peut m'étonner ◊ **estar, quedarse asombrado** être stupéfait **2.** *(asustar)* effrayer. ◆ **~se** *vpr* s'étonner.

**asombro** *m* **1.** étonnement, stupéfaction *f*, surprise *f* ◊ **no sale de su ~** il n'en revient pas; **no salgo de mi ~** je n'en reviens pas **2.** *(susto)* épouvante *f*.

**asombrosamente** *adv* étonnamment.

**asombroso, a** *a* stupéfiant, e, ahurissant, e.

**asomo** *m* **1.** soupçon, pointe *f*, brin, atome: **un ~ de cólera, de ironía** un soupçon de colère, une pointe d'ironie; **ni un ~ de buen sentido** pas un atome de bon sens **2.** *loc adv* **ni por ~** en aucune façon, pas le moins du monde.

**asonada** *f* émeute.

**asonancia** *f* assonance.

**asonantar** *vi* être assonant, e. ◇ *vt* faire rimer en assonance.

**asonante** *a* assonant, e. ◇ *m* mot assonant.

**asonar*** *vi* produire une assonance.

**asordar** *vt* assourdir.

**aspa** *f* **1.** croix en forme d'X: **~ de San Andrés** croix de Saint-André **2.** *(de un molino)* aile **3.** *(para el hilo)* dévidoir *m* **4.** *(blasón)* sautoir *m* **5.** AMER *(cuerno)* corne.

**aspado, a** *a* **1.** en forme d'X **2.** FIG gêné, e aux entournures.

**aspar** *vt* **1.** *(el hilo)* dévider **2.** crucifier **3.** FIG mortifier, blesser, irriter **4. ¡que me aspen si...!** je veux bien être pendu si...! ◆ **~se** *vpr* FIG **asparse a gritos** pousser les hauts cris.

**aspavientos** *m pl* simagrées *f*: **hacer ~** faire des simagrées.

**aspeado** → **despeado.**

**aspecto** *m* **1.** aspect, apparence *f*, air: **un ~ agradable** un aspect agréable; **este pastel tiene buen ~** ce gâteau a un bel aspect **2.** *(semblante)* mine *f*: **hoy no tienes buen ~** aujourd'hui tu n'as pas bonne mine **3.** allure *f*: **esta casa tiene un gran ~** cette maison a grande allure **4. al primer ~** à première vue, au premier aspect.

**aspereza** *f* **1.** rugosité **2.** *(del terreno)* aspérité **3.** *(en el trato)* rudesse.

**asperillo** *m* goût aigrelet.

**asperjar** *vt* asperger.

**áspero, a** *a* **1.** *(al tacto)* rugueux, euse, rêche **2.** *(al gusto)* âpre: **un sabor ~** un goût âpre **3.** *(terreno)* raboteux, euse, accidenté, e **4.** *(voz)* criard, e, aigre **5.** *(carácter)* revêche, acariâtre, bourru, e.

**asperón** *m (piedra)* grès.

**aspersión** *f* aspersion.

**aspersor** *m* arroseur.

**áspid** *m* aspic.

**aspidistra** *f* aspidistra *m*.

**aspillera** *f* meurtrière.

**aspiración** *f* aspiration.

**aspirador** *m*, **aspiradora** *f* aspirateur *m*: **pasar el ~ por la moqueta** passer l'aspirateur sur la moquette.

**aspirante** *a* aspirant, e: **bomba ~** pompe aspirante.

**aspirar** *vt/i* **1.** aspirer **2. ~ a** aspirer à, prétendre à; **~ al descanso** j'aspire au repos; **~ a director** aspirer au titre de directeur; **~ a que** désirer vivement que.

**aspiratorio, a** *a* aspiratoire.

**aspirina** *f* aspirine.

**aspudo, a** *a* AMER à grandes cornes.

**asquear** *vt* dégoûter, écœurer ◊ **estar asqueado** être dégoûté.

**asquerosidad** *f* saleté.

**asqueroso, a** *a* **1.** dégoûtant, e, répugnant, e, écœurant, e **2.** FAM dégueulasse. ◇ *s* dégoûtant, e.

**asta** *f* **1.** *(de lanza, bandera)* hampe ◊ **bandera a media ~** drapeau en berne **2.** *(de un pincel)* manche *m* **3.** *(de un animal)* corne ◊ FIG **dejar a alguien en las astas del toro** laisser quelqu'un en plan, se débrouiller tout seul, abandonner quelqu'un à son triste sort.

**astado, a** *a* cornu, e, qui a des cornes. ◇ *m* TAUROM taureau.

**astenia** *f* MED asthénie.

**asténico, a** *a/s* asthénique.

**aster** *m (planta)* aster.

**asterisco** *m* astérisque.

**asteroide** *m* ASTR astéroïde.

**astigmático, a** *a/s* astigmate.

**astigmatismo** *m* astigmatisme.

**astil** *m* **1.** *(de hacha, azada, etc.)* manche **2.** *(de flecha)* bois, tige *f* **3.** *(de balanza)* fléau **4.** *(de pluma)* tuyau.

**astilla** *f* **1.** éclat *m* (de pierre, de bois) ◊ **hacer astillas** réduire en miettes **2.** *(de madera)* écharde.

**astillar** *vt* briser.

**astillero** *m* chantier naval.

**astilloso, a** *a* qui se brise facilement.

**astracán** *m* astrakan: **abrigo de ~** manteau d'astrakan.

**astracanada** *f* farce, comédie.

**astrágalo** *m* ANAT, ARQ, BOT astragale.

**astral** *a* astral, e.

**astreñir*** → **astringir.**

**astringente** *a/s* astringent, e.

**astringir** *vt* **1.** *(los tejidos orgánicos)* resserrer **2.** FIG obliger.

**astro** *m* **1.** astre **2.** FIG vedette *f*, star *f*.

**astrofísica** *f* astrophysique.

**astrofísico, a** *s* astrophysicien, enne.

**astrolabio** *m* astrolabe.

**astrología** *f* astrologie.

**astrológico, a** *a* astrologique.

**astrólogo, a** *s* astrologue.

**astronauta** *s* astronaute.

**astronáutica** *f* astronautique.

**astronave** *f* astronef *m*.

**astronomía** *f* astronomie.

**astronómico, a** *a* **1.** astronomique **2.** FIG **precio ~** prix astronomique.

**astrónomo, a** *s* astronome.

**astroso, a** *a* **1.** *(harapiento)* déguenillé, e **2.** *(sucio)* sale.

**astucia** *f* astuce, ruse.

**asturiano, a** *a/s* asturien, enne.

**Asturias** *np f pl* Asturies.

**astuto, a** *a* astucieux, euse, rusé, e, malin, igne.

**Asuero** *np m* Assuérus.

**asueto** *m* congé: **dos días de ~** deux jours de congé.
► Désigne un congé très court.

**asumir** *vt* **1.** *(hacerse cargo)* assumer, se charger de **2.** *(tomar)* prendre.

**asunceno, a, asunceño, a** *a/s* d'Asunción (Paraguay).

**[1]asunción** *f* **1.** prise en charge **2.** *(a una dignidad, etc.)* avènement *m*, accession (au pouvoir, etc.).

**[2]Asunción** *f (de la Virgen María)* Assomption.

**[3]Asunción** *np (capital del Paraguay)* Asunción.

**asuncionista** *m* assomptionniste.

**asunto** *m* **1.** *(materia de que se trata)* sujet, question *f*: **es ~ de moda** c'est une question de mode **2.** *(de una obra)* sujet **3.** *(negocio, incumbencia)* affaire *f*: **un ~ urgente** une affaire urgente; **eso es ~ mío** c'est mon affaire **4. Asuntos Exteriores** Affaires étrangères; **ministerio de Asuntos Sociales** ministère des Affaires sociales.

**asurar** *vt* brûler. ◆ **~se** *vpr* brûler, griller.

**asustadizo, a** *a* **1.** craintif, ive, peureux, euse **2.** *(caballo)* ombrageux, euse.

**asustar** *vt* faire peur. ◆ **~se** *vpr* avoir peur, s'effrayer: **no te asustes** n'aies pas peur; **no se asusta del agua** il n'a pas peur de l'eau; **se asusta por nada** il s'effraie d'un rien.

**atabal** *m* MÚS timbale *f*.

**atabalear** *vi* **1.** *(con los dedos)* tambouriner **2.** *(el caballo)* marteler le sol en galopant.

**atacado, a** *a* **1.** timide, hésitant, e **2.** *(tacaño)* mesquin, e, avare.

**atacante** *a/s* attaquant, e.

**atacar** *vt* **1.** attaquer **2. el orín ataca al hierro** la rouille attaque le fer **3. le atacó la risa** il fut pris d'une crise de fou rire **4. la orquesta atacó un vals** l'orchestre attaqua une valse.

**atadero** *m* **1.** attache *f*, lien **2.** *(anilla)* anneau.

**atadijo** *m* FAM petit paquet.

**atado** *m* paquet.

**atadura** *f* **1.** lien *m*, attache **2.** *(de esquíes)* fixation **3.** *(traba)* entrave.

**atafagar** *vt* **1.** suffoquer **2.** FIG importuner, assommer.

**ataguía** *f* batardeau *m*.

**atajar** *vi* couper, prendre un raccourci: **~ por una senda** couper par un sentier. ◇ *vt* **1.** *(a alguien)* barrer la route, couper le chemin à **2.** *(un incendio, etc.)* arrêter **3.** *(una epidemia, etc.)* enrayer: **~ el aumento de la criminalidad** enrayer l'accroissement de la criminalité; **medidas para ~ las tendencias proteccionistas actuales** des mesures pour enrayer les tendances protectionnistes actuelles **4.** *(en lo que uno va diciendo)* interrompre, couper la parole.

**atajo** *m* **1.** *(camino)* raccourci ◊ FIG **echar por el ~** aller au plus court; **no hay ~ sin trabajo** on n'a rien sans peine **2.** *(rebaño)* petit troupeau **3.** petit groupe.

**atalaje** *m* **1.** attelage **2.** équipement.

**atalaya** *f* **1.** tour de guet **2.** *(lugar elevado)* hauteur, éminence. ◇ *m* guetteur.

**atalayar** *vt* guetter.

**atanor** *m* conduite *f* d'eau.

**atañadero, a** *a* **~ a** qui se rapporte à.

**atañer*** *vi* **1.** concerner, regarder, toucher: **por lo que atañe a** en ce qui concerne; **en lo que a mí me atañe** en ce qui me concerne **2.** *(incumbir)* incomber.

**ataque** *m* **1.** attaque *f*: **¡al ~!** à l'attaque! **2.** *(colapso)* attaque *f*: **le dio un ~** il a eu une attaque **3.** crise *f*: **un ~ de nervios** une crise de nerfs; **un ~ cardíaco, al corazón** une crise cardiaque **4. ~ de risa** crise de fou rire; **~ de ira** accès de colère.

**atar** *vt* **1.** *(sujetar)* attacher, lier ◊ FIG **~ corto a alguien** serrer la bride à, tenir la bride haute à quelqu'un; **~ de pies y manos a** lier les mains de; **~ cabos** → **cabo; ~ la lengua** réduire au silence, faire tenir sa langue; **loco de ~** fou à lier **2. los perros deben ir atados** les chiens doivent être tenus en laisse **3.** *(anudar)* nouer. ◆ **~se** *vpr* **1.** attacher, nouer, lacer: **se ató (los cordones de) los zapatos** il laça ses chaussures **2.** FIG *(turbarse)* s'embarrasser.

**atarazana** *f* chantier *m* naval.

**[1]atardecer*** *v impers* tomber (le jour): **atardece** le jour tombe.

**[2]atardecer** *m* soir, tombée *f* du jour: **al ~** à la tombée du jour.

**atareado, a** *a* occupé, e, affairé, e.

**atarearse** *vpr* s'affairer.

**atarjea** *f* **1.** égout *m* **2.** AMER *(depósito)* réservoir *m*.

**atarugante** *a* bourratif, ive.

**atarugar** *vt* **1.** cheviller, boucher avec des chevilles **2.** *(atestar)* bourrer **3.** *(hartar)* gaver **4.** FIG déconcerter. ◆ **~se** *vpr* **1.** se troubler **2.** *(atracarse)* se gaver, s'empiffrer **3.** *(atragantarse)* s'étrangler.

**atascadero** *m (terreno)* bourbier.

**atascar** *vt (una cañería)* boucher, engorger. ◆ **~se** *vpr* **1.** *(una cañería)* se boucher **2.** *(un vehículo)* s'embourber, s'enliser **3.** FIG *(por un obstáculo)* être arrêté, e **4.** *(en un discurso)* s'embrouiller.

**atasco** *m* **1.** obstacle **2.** *(de una cañería)* engorgement **3.** *(de vehículos)* embouteillage: **los atascos son frecuentes en el centro de la ciudad** les embouteillages sont fréquents dans le centre de la ville.

**ataúd** *m* cercueil, bière *f*.

**ataujía** *f* damasquinage *m*.

**ataviar** *vt* parer, orner. ◆ **~se** *vpr* **1.** se parer **2.** *(vestirse)* s'habiller, se vêtir: **ir ataviado con un traje andaluz** être vêtu d'un costume andalou; **un hombre ricamente ataviado** un homme richement vêtu.

**atávico, a** *a* atavique.

**atavío** *m* **1.** parure *f*, toilette *f* **2.** *(vestido)* vêtement.

**atavismo** *m* atavisme.

**ataxia** *f MED* **~ locomotriz** ataxie locomotrice.

**ateísmo** *m* athéisme.

**ateles** *m* atèle, singe-araignée.

**atemorizar** *vt* effrayer, terrifier. ◆ **~se** *vpr* s'effrayer.

**atemperación** *f* modération.

**atemperar** *vt* **1.** modérer, tempérer, calmer **2. ~ a** adapter à.

**atenacear** → **atenazar.**

**Atenas** *np* Athènes.

**atenazar** *vt* tenailler.

**atención** *f* **1.** attention: **prestar, poner ~** faire attention; **presta mucha ~ a lo que digo** fais très attention à ce que je dis; **¡atención!** attention!; **llamar la ~** attirer l'attention; *(reprender)* rappeler à l'ordre, faire une remarque **2.** *(demostración de respeto)* considération, égard *m*, prévenance **3. ~ médica** assistance médicale, soins *m pl* médicaux; **la ~ médica de urgencia** les urgences **4.** *loc prep* **a la ~ de** à l'attention de; **en ~ a** compte tenu de, eu égard à. ◇ *pl* **1.** attentions, prévenances: **tener muchas atenciones para** avoir beaucoup d'attentions, être plein d'attentions pour **2.** *(negocios)* affaires, occupations.

**atender*** *vt* **1.** *(petición, queja, etc.)* accueillir favorablement, satisfaire **2. ~ las necesidades** répondre aux besoins **3.** *(cuidar)* s'occuper de, prendre soin de: **la azafata atiende a los pasajeros** l'hôtesse s'occupe des passagers ◊ **casa bien, mal atendida** maison bien, mal tenue **4.** *(a un enfermo)* soigner **5.** *(a un cliente)* s'occuper de, servir: **¿le atienden?** on s'occupe de vous? **6.** *(teléfono)* **¡te atiendo!** je t'écoute!. ◇ *vi* **1. ~ a** faire attention à, être attentif, ive à **2.** *(escuchar)* écouter **3. ~ al teléfono** répondre au téléphone **4.** tenir compte de: **atendiendo a las circunstancias** compte tenu des circonstances **5. su perro atiende por Sultán** son chien répond au nom de Sultan.

**ateneo** *m (sociedad literaria o científica)* athénée.

**atenerse*** *vpr* s'en tenir: **me atengo a la orden que llevo** je m'en tiens à l'ordre que j'ai reçu; **atente a mis instrucciones** tiens-t'en à mes instructions.

**ateniense** *a/s* athénien, enne.

**atentado, a** *a* sage, prudent, e. ◇ *m* **1.** attentat: **~ con bomba** attentat à la bombe; **sufrir un ~** être victime d'un attentat **2. ~ contra las buenas costumbres** attentat aux mœurs.

**atentamente** *adv* **1.** attentivement **2. le saluda ~** sincères salutations.

**atentar*** *vi* **1. ~ contra la vida de** attenter à la vie de; **~ contra alguien** commettre un attentat contre quelqu'un **2. ~ contra la democracia, contra la reputación** porter atteinte à la démocratie, à la réputation. ◇ *vt ANT* tâter.

**atentatorio, a** *a* attentatoire.

**atento, a** *a* **1.** attentif, ive: **alumno ~** élève attentif **2.** *(cortés)* attentionné, e, prévenant, e, aimable **3. su atenta** *(carta)* votre honorée.

**atenuación** *f* atténuation.

**atenuante** *a* atténuant, e. ◇ *m JUR* circonstance *f* atténuante.

**atenuar** *vt* atténuer.

**ateo, a** *a/s* athée.

**aterciopelado, a** *a* velouté, e.

**aterido, a** *a* transi, e (de froid).

**aterirse*** *vpr* être transi, e (de froid).

**aterrador, a** *a* terrifiant, e, effroyable.

**aterrajar** *vt* fileter, tarauder.

[1]**aterrar*** *vt (derribar)* renverser, jeter à terre. ◇ *vi* **1.** *(un barco)* aborder **2.** *(un avión)* atterrir.

[2]**aterrar** *vt (aterrorizar)* terrifier, effrayer, donner des frissons: **le aterra tomar el avión** ça l'effraie de prendre l'avion; **la noticia nos dejó aterrados** la nouvelle nous fit frémir.

**aterrizaje** *m* atterrissage: **~ de emergencia** atterrissage forcé.

**aterrizar** *vi* atterrir.

**aterronar** *vt* mettre en morceaux, en mottes.

**aterrorizar** *vt* terrifier, terroriser.

**atesoramiento** *m* thésaurisation *f*.

**atesorar** *vt* thésauriser, amasser, accumuler.

**atestación** *f* attestation, témoignage *m*.

[1]**atestado** *m JUR* procès-verbal, constant.

[2]**atestado, a** *a* **1.** bondé, e, plein, e à craquer: **tren ~ de gente** train bondé **2.** *(de cosas)* bourré, e **3.** *(testarudo)* têtu, e.

[1]**atestar*** *vt* **1.** *(llenar)* bourrer **2.** *(ocupar un espacio)* remplir **3.** *(las cubas de vino)* ouiller.

[2]**atestar** *vt JUR* témoigner, attester.

**atestiguación** *f* témoignage *m*.

**atestiguar** *vt* **1.** témoigner **2.** *(demostrar)* témoigner de, prouver.

**atetar** *vt* allaiter.

**atezado, a** *a* **1.** hâlé, e, bronzé, e, basané, e: **rostro ~** visage hâlé **2.** noir, e.

**atezar** *vt (la piel)* brunir, hâler. ◆ **~se** *vpr* se hâler, brunir, bronzer.

**atiborrar** *vt* bourrer, remplir: **cartera atiborrada de billetes** portefeuille bourré de billets. ◆ **~se** *vpr (de alimentos)* se bourrer, se gaver.

**ático, a** *a/m* attique. ◇ *m* **1.** *ARQ* attique **2.** *(piso)* appartement au dernier étage d'un immeuble.

**atienda,** etc. → **atender.**

**atiesar** *vt* raidir.

**atigrado, a** *a* tigré, e: **gato ~** chat tigré.

**Atila** *np m* Attila.

**atildado, a** *a* soigné, e, élégant, e.

**atildamiento** *m* soin, recherche *f*, élégance *f*.

**atildar** *vt* **1.** *(asear)* parer **2.** *(censurar)* critiquer. ◆ **~se** *vpr* se parer, se pomponner.

**atinadamente** *adv* **1.** adroitement **2.** judicieusement.

**atinado, a** *a* judicieux, euse.

**atinar** *vi* **1. ~ con** trouver, deviner: **~ con la respuesta** trouver la réponse **2.** *(acertar)* réussir **3. ~ al blanco** viser juste.

**atinente** *a* concernant, touchant à.

**atípico, a** *a* atypique.

**atiplado, a** *a (voz)* aigu, ë.

**atiplar** *vt* hausser le ton de.

**atirantar** *vt* tendre, raidir.

**atisbar** *vt* **1.** *(acechar)* guetter, épier **2.** *(vislumbrar)* entrevoir.

**atisbo** *m* **1.** guet **2.** *FIG* indice, soupçon **3. un ~ de esperanza** une lueur d'espoir; **tiene atisbos geniales** il a des éclairs de génie.

**¡atiza!** *interj FAM* oh là là!

**atizador** *m* tisonnier.

**atizar** *vt* **1.** *(avivar)* attiser **2.** *FAM (un puntapié, etc.)* envoyer, flanquer, allonger: **le atizó un bofetón** il lui flanqua une gifle. ◆ **~se** *vpr FAM (beber o comer)* s'envoyer, se taper: **se atizó un litro de tinto** il s'est envoyé un litre de rouge.

**atizonarse** *vpr AGR* se nieller.

**atlante** *m* atlante.

**atlántico, a** *a* atlantique. ◇ *np m* **el Atlántico** l'Atlantique.

**Atlántida** *np f* Atlantide.

**atlas** *m* atlas.

**Atlas** *np m* Atlas.

**atleta** *s* athlète.

**atlético, a** *a* athlétique.

**atletismo** *m* athlétisme.

**atmósfera** *f* atmosphère.

**atmosférico, a** *a* atmosphérique.

**atoaje** *m* MAR touage.

**atoar** *vt* MAR remorquer, touer, haler.

**atocha** *f* sparte *m*.

**atochar** *vt* bourrer (de sparte, etc.).

**atocinarse** *vpr* FAM se mettre en rogne.

**atol, atole** *m* AMER boisson *f* à base de farine de maïs.

**atolladero** *m* **1.** bourbier **2.** *FIG* **estar en un ~** être dans une mauvaise passe, dans une situation difficile; **sacar de un ~** tirer d'affaire.

**atollarse** *vpr* s'embourber, s'enliser.

**atolón** *m* atoll.

**atolondradamente** *adv* étourdiment, à l'étourdie.

**atolondrado, a** *a* étourdi, e.

**atolondramiento** *m* étourderie *f*.

**atolondrar** *vt* étourdir. ◆ **~se** *vpr* perdre la tête.

**atómico, a** *a* atomique.

**atomista** *s* atomiste.

**atomización** *f* atomisation.

**atomizador** *m* atomiseur.

**atomizar** *vt* atomiser.

**átomo** *m* **1.** atome **2.** *FIG* **no tiene ni un ~ de juicio** il n'a pas un atome de bon sens.

**atonía** *f* atonie.

**atónito, a** *a* stupéfait, e, ébahi, e, abasourdi, e ◊ **dejar ~** laisser pantois, e, sidérer; **quedarse ~** en rester médusé.

**átono, a** *a* atone.

**atontadamente** *adv* sottement.

**atontado, a 1.** étourdi, e **2.** abruti, e, hébété, e.

**atontamiento** *m* **1.** étourdissement **2.** abrutissement, hébétement.

**atontar** *vt* **1.** *(aturdir)* étourdir **2.** *(embrutecer)* abrutir, rendre stupide, crétiniser **3.** *(pasmar)* ahurir, stupéfier.

**atontolinar → atontar.**

**atorar** *vt* engorger, obstruer. ◆ **~se** *vpr* *(atragantarse)* s'étrangler.

**atormentar** *vt* tourmenter, torturer. ◆ **~se** *vpr* se tourmenter, se tracasser.

**atornillar** *vt* visser.

**atorranta** *f* AMER traînée.

**atorrante** *m* AMER vagabond, bon à rien, fainéant.

**atorrantear, atorrar** *vi* AMER vagabonder, traînasser.

**atortolar** *vt* **1.** troubler **2.** intimider **3. estar muy atortolados** être très amoureux l'un de l'autre.

**atosigador, a** *a* harcelant, e, assommant, e.

**atosigamiento** *m* harcèlement, oppression *f*.

**atosigar** *vt* **1.** *(envenenar)* empoisonner **2.** *(dar prisa, importunar)* harceler. ◆ **~se** *vpr* se hâter.

**atrabiliario, a** *a/s* atrabilaire.

**atracadero** *m* débarcadère.

**atracador** *m* malfaiteur, gangster, voleur à main armée.

**atracar** *vt* **1.** MAR amarrer **2.** *(asaltar)* attaquer: **~ a un transeúnte** attaquer un passant **3. ~ un banco** commettre un hold-up dans une banque **4.** *(robar)* dévaliser. ◇ *vi* MAR accoster. ◆ **~se** *vpr* FAM *(hartarse)* se gaver, se bourrer, se goinfrer.

**atracción** *f* **1.** attraction **2. parque de atracciones** parc d'attractions.

**atraco** *m* **1.** agression *f*, attaque *f*: **~ a mano armada** attaque à main armée **2.** hold-up, braquage: **~ a un banco** hold-up d'une banque; **cometer un ~ en una joyería** commettre un hold-up dans une bijouterie.

**atracón** *m* FAM **darse un ~** s'empiffrer, se gaver, se goinfrer.

**atractivo, a** *a* **1.** attractif, ive **2.** *(persona)* attirant, e **3.** *(cosa)* attrayant, e. ◇ *m* attrait, charme.

**atraer*** *vt* **1.** attirer **2.** *FIG* **~ las miradas** attirer les regards. ◆ **~se** *vpr* s'attirer: **se atrajo la simpatía de...** il s'attira la sympathie de...

**atrafagarse** *vpr* se démener, s'affairer.

**atragantarse** *vpr* **1.** s'étrangler: **se atragantó con un caramelo** il s'est étranglé avec un bonbon **2.** *(en la conversación)* rester court **3.** FAM **se me ha atragantado...** je ne peux plus supporter..., plus souffrir...

**atraillar** *vt* *(perros)* attacher ensemble.

**atraje, atrajo → atraer.**

**atramparse** *vpr* *(conducto)* s'engorger.

**atrancar** *vt* **1.** *(puerta)* barrer, fermer à l'aide d'une barre, barricader **2.** *(conducto)* boucher, obstruer. ◆ **~se** *vpr* **1.** *(un conducto)* se boucher **2.** *(encerrarse)* se barricader.

**atranco → atascadero.**

**atrapar** *vt* **1.** *(coger)* attraper: **¡vas a ver como te atrape!** tu vas voir si je t'attrape! **2.** prendre, coincer, bloquer: **quedar atrapado en un atasco** rester coincé dans un embouteillage; **dos personas atrapadas en un ascensor** deux personnes bloquées dans un ascenseur **3.** FAM *(un empleo, un premio)* décrocher.

**atraque** *m* **1.** accostage, amarrage **2.** *(muelle)* quai.

**atrás** *adv* **1.** arrière, en arrière; **la parte de ~** la partie arrière; **el asiento de ~** le siège arrière; **dar un paso ~** faire un pas en arrière; **quedarse ~** rester en arrière; **hacia ~** en arrière; **dar un salto hacia ~** faire un bond en arrière; **volverse ~** revenir sur ses pas; *FIG* **echarse para ~** se dédire **2.** derrière **3.** *(tiempo)* **día ~, unos días ~** quelques jours avant, quelques jours plus tôt, il y a quelques jours; **tres años ~** il y a trois ans; **venir de muy ~** remonter à très loin; **la moda de 40 años ~** la mode d'il y a 40 ans **4. la cuenta ~** le compte à rebours. ◇ *interj* arrière!

**atrasado, a** *a* **1.** en retard: **ir ~** être en retard; **llegar ~** arriver en retard; **tengo mucho trabajo ~** j'ai beaucoup de travail en retard ◊ **mi reloj va ~** ma montre retarde **2.** *(país)* arriéré, e **3.** *(con deudas)* endetté, e. ◇ *s* **~ mental** débile mental.

**atrasar** *vt* retarder. ◇ *vi* retarder de: **mi reloj atrasa cinco minutos** ma montre retarde de cinq minutes. ◆ **~se** *vpr* **1.** *(retrasarse)* se mettre en retard, se retarder **2.** *(llegar tarde)* être en retard: **con el frío, se atrasó la vegetación** avec le froid, la végétation est en retard.

**atraso** *m* retard: **tengo ~ en mi trabajo** j'ai du retard dans mon travail. ◇ *pl* COM arriérés.

**atravesado, a** *a* **1.** en travers: **~ en** en travers de **2.** *(bizco)* louche **3.** *FIG* *(maligno)* méchant, e, pervers, e **4. tener ~ a alguien** ne pas pouvoir sentir quelqu'un.

**atravesar*** *vt* **1.** *(cruzar)* traverser: **el puente atraviesa el canal** le pont traverse le canal **2.** *(franquear)* franchir **3.** *(penetrar)* transpercer **4.** *FIG* **~ momentos difíciles** traverser des moments difficiles **5.** *(apostar)* engager dans un pari, dans un jeu. ◆ **~se** *vpr* **1.** se mettre en travers: **atravesarse en** se mettre en travers de **2.** *FIG* s'immiscer, s'interposer.

**atrayente** *a* attrayant, e.

**atreverse** *vpr* **1.** oser: **no me atrevo a saltar** je n'ose pas sauter; **¡atrévase!** osez! **2. atreverse con alguien** se montrer insolent, e, oser se mesurer avec quelqu'un.

**atrevido, a** *a* **1.** audacieux, euse, hardi, e **2.** *(indecoroso)* osé, e, leste: **un chiste ~** une plaisanterie osée. ◇ *a/s* **1.** audacieux, euse **2.** insolent, e.

**atrevimiento** *m* **1.** audace *f*, hardiesse *f* **2.** *(descaro)* insolence *f*.

**atrezo** → **attrezzo.**

**atribución** *f* attribution.

**atribuir*** *vt* attribuer: **se atribuye este cuadro a Zurbarán** on attribue ce tableau à Zurbarán. ◆ **~se** *vpr* s'attribuer.

**atribular** *vt* affliger, tourmenter, chagriner.

**atributivo, a** *a* attributif, ive.

**atributo** *m* attribut.

**atrición** *f* attrition.

**atril** *m* **1.** *(para un libro)* pupitre **2.** *(facistol)* lutrin.

**atrincar** *vt AMER* attacher.

**atrincheramiento** *m MIL* retranchement.

**atrincherar** *vt MIL* retrancher. ◆ **~se** *vpr* se retrancher, s'abriter.

**atrio** *m* **1.** *(de una casa romana)* atrium **2.** *(de un templo)* parvis, porche **3.** *(zaguán)* vestibule.

**atrito, a** *a* contrit, e.

**atrocidad** *f* **1.** atrocité **2.** *FAM* énormité: **decir atrocidades** dire des énormités.

**atrofia** *f* atrophie.

**atrofiar** *vt* atrophier. ◆ **~se** *vpr* s'atrophier.

**atronador, a** *a* assourdissant, e.

**atronar*** *vt* **1.** *(con gritos, etc.)* assourdir ◊ **~ la casa con sus gritos** faire trembler la maison de ses cris; **~ los oídos** casser les oreilles; **atronaron los aplausos** les applaudissements retentirent, firent un bruit de tonnerre **2.** *(una res)* assommer.

**atropelladamente** *adv* précipitamment.

**atropellado, a** *a* **1.** précipité, e **2.** pressé, e.

**atropellar** *vt* **1.** *(hablando de un vehículo)* renverser, faucher: **fue atropellado por un coche** il a été renversé par une voiture **2.** *(empujar)* bousculer **3.** *(las leyes, las conveniencias, etc.)* fouler aux pieds, piétiner, passer par-dessus **4.** *(un trabajo)* bâcler. ◆ **~se** *vpr* **1.** se bousculer: **la gente se atropella en el metro** les gens se bousculent dans le métro **2. atropellarse al hablar** bredouiller.

**atropello** *m* **1.** bousculade *f* **2.** *(debido a un vehículo)* accident **3.** *FIG* abus, violation *f*, outrage **4.** *(prisa)* précipitation *f*.

**atroz** *a* **1.** atroce **2.** *FIG* atroce, épouvantable.

**atrozmente** *adv* atrocement.

**attrezzista** *s (cine)* accessoiriste.

**attrezzo** *m (teatro, cine)* accessoires *pl*.

**atuendo** *m* **1.** *(atavío)* toilette *f*, tenue *f*: **atuendos deportivos** des tenues de sport; **el ~ femenino** la toilette **2.** apparat.

**atufar** *vt (enfadar)* fâcher, irriter. ◆ **~se** *vpr* **1.** *(por un olor)* être incommodé, e **2.** *(enfadarse)* se fâcher, se mettre en colère.

**atún** *m* thon.

**atunero, a** *a* **barco ~** thonier. ◇ *m* pêcheur de thons.

**aturdido, a** *a* étourdi, e.

**aturdimiento** *m* **1.** *(perturbación)* étourdissement **2.** *(falta de reflexión)* étourderie *f*.

**aturdir** *vt* **1.** étourdir **2.** *FIG (pasmar)* abasourdir **3.** *FIG* affoler. ◆ **~se** *vpr* **1.** s'étourdir **2.** perdre la tête.

**aturrullar, aturullar** *vt* décontenancer. ◆ **~se** *vpr FAM* se démonter, s'affoler, perdre les pédales.

**atusar** *vt* **1.** *(cortar el pelo)* couper **2.** *(arreglar)* lisser.

**audacia** *f* audace.

**audaz** *a* audacieux, euse.

**audible** *a* audible.

**audición** *f* audition.

**audiencia** *f* **1.** audience **2.** tribunal *m*, cour: **~ de lo criminal, territorial** cour d'assises, d'appel **3.** palais *m* de justice **4.** *(televisión, radio)* audience, écoute: **índice de ~** indice d'écoute.

**audífono** *m* appareil auditif, aide *f* auditive, prothèse *f* auditive, audiophone.

**audímetro** *m* audimètre.

**audiograma** *m* audiogramme.

**audiometría** *f* audiométrie.

**audiómetro** *m* audiomètre.

**audionumérico, a** *a* audionumérique.

**audiovisual** *a* audiovisuel, elle: **los medios audiovisuales** les moyens de communication audiovisuels. ◇ *m* **lo ~** l'audiovisuel.

**auditivo, a** *a* auditif, ive.

**auditor** *m* auditeur.

**auditoría** *f* audit *m*.

**auditorio** *m* **1.** auditoire **2.** *(sala)* auditorium.

**auditórium** *m* auditorium.

**auge** *m* **1.** apogée, faîte: **en el ~ de su gloria** à l'apogée de, au faîte de sa gloire **2.** essor: **en pleno ~** en plein essor.

**Augsburgo** *np* Augsbourg.

**augur** *m (adivino)* augure.

**augurar** *vt* augurer, présager.

**augurio** *m* augure, présage.

**augusto, a** *a* auguste.

**Augusto** *np m* Auguste.

**aula** *f* **1.** *(en un colegio)* salle de classe, classe **2. ~ magna** grand amphithéâtre *m*.

**aulaga** *f* ajonc *m*.

**aullador, a** *a* hurleur, euse ◊ **mono ~** singe hurleur, alouate.

**aullar** *vi* hurler.

**aullido** *m* hurlement: **dar aullidos** pousser des hurlements, hurler.

**aumentar** *vt* **1.** augmenter **2.** *(lente, microscopio)* grossir. ◇ *vi* augmenter, s'accroître: **ha aumentado el volumen de las exportaciones** le volume des exportations a augmenté, s'est accru ◊ **~ de peso** prendre du poids.

**aumentativo, a** *a/m GRAM* augmentatif, ive.

**aumento** *m* **1.** augmentation *f*: **el ~ del coste de la vida** l'augmentation du coût de la vie; **pedir un ~ de sueldo** demander une augmentation; **ir en ~** augmenter **2.** *(en óptica)* grossissement ◊ **lentes de ~** verres grossissants.

[1]**aun** *adv* **1.** même: **~ aquellos que afirman...** même ceux qui affirment...; **~ siendo así** même ainsi, même dans ces conditions; **ni ~** même pas, pas même **2.** *loc conj* **~ cuando** même si, quand bien même, *(aunque)* bien que.

[2]**aún** *adv (todavía)* encore: **~ no ha llegado** il n'est pas encore arrivé; **era joven ~** il était encore jeune; **~ más** encore plus.

**aunar** *vt* unir, joindre, allier, associer: **todos los sindicatos aúnan sus voces para reclamar...** tous les syndicats unissent leurs voix pour réclamer... ◊ **~ sus esfuerzos** conjuguer ses efforts. ◆ **~se** *vpr* s'allier, s'unir, s'associer.

**aunque** *conj* **1.** *(+ ind.)* bien que, quoique, encore que *(+ subj. en francés)*: **~ es rico, no tiene coche** bien qu'il soit riche, il n'a pas de voiture **2.** *(+ subj)* même si, quand bien même *(+ ind. en francés)*: **~ llueva** même s'il pleut; **no podría hacerlo ~ quisiera** je ne pourrais pas le faire même si je voulais; **prueba ~ sea una vez** essaie, ne serait-ce qu'une fois.
▶ *Aunque* + indicatif indique un fait réel, + subjonctif un fait hypothétique.

**aúpa** *interj* **1.** hop!, hop là! **2.** *(para animar a levantarse)* debout! **3.** *FAM* **de ~** du tonnerre, terrible, formidable: **un almuerzo, un día de ~** un déjeuner, une journée du tonnerre; **un miedo de ~** une peur bleue.

**aupar** *vt* **1.** lever en l'air **2.** hisser, soulever **3.** *FIG* porter aux nues, exalter. ◆ **~se** *vpr* s'élever, se hisser.

**¹aura** *f* **1.** vent *m* doux, zéphir *m*, brise **2.** *(halo)* aura.

**²aura** *f (buitre)* urubu *m*.

**³aura** *adv AMER* → **ahora.**

**Aureliano** *np m* Aurélien.

**áureo, a** *a POÉT* **1.** *(número, edad)* d'or **2.** doré, e.

**aureola, auréola** *f* auréole.

**aureolar** *vt* auréoler.

**aureomicina** *f* auréomycine.

**aurícula** *f ANAT* oreillette.

**auricular** *a* auriculaire. ◇ *m* **1.** *(dedo)* auriculaire **2.** *(de teléfono, walkman)* écouteur. ◇ *pl* casque *sing*: **equipo estereo con auriculares** chaîne stéréo avec casque.

**aurífero, a** *a* aurifère.

**auriga** *m* aurige.

**aurora** *f* **1.** aurore **2.** **~ boreal** aurore boréale.

**auscultación** *f* auscultation.

**auscultar** *vt* ausculter.

**ausencia** *f* **1.** absence: **en ~ de** en l'absence de; **brillar por su ~** briller par son absence **2.** *(distracción, pérdida de la memoria)* absence.

**ausentarse** *vpr* s'absenter: **se ha ausentado unos minutos** il s'est absenté quelques minutes.

**ausente** *a/s* absent, e.

**ausentismo** *m* absentéisme.

**auspiciar** *vt* patronner, parrainer ◊ **exposición auspiciada por el Banco X** exposition réalisée sous le patronage, avec l'appui financier de la Banque X.

**auspicio** *m* auspice: **con buenos auspicios** sous d'heureux auspices; **bajo los auspicios de** sous les auspices de.

**austeridad** *f* austérité.

**austero, a** *a* austère.

**austral** *a* austral, e: **hemisferio ~** hémisphère austral. ◇ *m* unité monétaire de l'Argentine de 1985 à la fin de 1991, date à laquelle il a été remplacé par le peso.

**Australia** *np f* Australie.

**australiano, a** *a/s* australien, enne.

**Austria** *np f* Autriche.

**austriaco, a** *a/s* autrichien, enne.

**austro** *m* vent du sud, autan.

**autarquía** *f* autarcie.

**autárquico, a** *a* autarcique.

**auténtica** *f* copie authentique.

**autenticación** *f* authentification.

**autenticar** *vt* authentifier.

**autenticidad** *f* authenticité.

**auténtico, a** *a* **1.** authentique **2.** véritable, vrai, e: **perlas auténticas** perles véritables.

**autentizar** → **autenticar.**

**autillo** *m* chat-huant.

**autismo** *m* autisme.

**autista** *a/s* autiste.

**¹auto** *m* **1.** *JUR* arrêt ◊ **~ de comparecencia** mandat de comparution **2.** **~ de fe** autodafé **3.** *TEAT* drame religieux (XVIᵉ et XVIIᵉ s.) ◊ **~ sacramental** auto. ◇ *pl JUR* pièces *f* d'un procès ◊ **estar en autos** être au courant.

**²auto** *m* auto *f*, voiture *f* ◊ **autos que chocan** autos-tamponneuses.

**autoadhesivo, a** *a* autocollant, e.

**autobiografía** *f* autobiographie.

**autobiográfico, a** *a* autobiographique.

**autobomba** *f* autopompe.

**autobombo** *m FAM* autocélébration *f* ◊ **darse ~** s'envoyer des fleurs, se faire mousser.

**autobús** *m* **1.** autobus **2.** **~ de línea** autocar **3.** **~ escolar** car de ramassage scolaire.

**autocar** *m* autocar.

**autocarril** *m AMER* autorail.

**autocensura** *f* autocensure.

**autoclave** *f* autoclave *m*.

**autocontrol** *m* self-control, maîtrise *f* de soi.

**autocracia** *f* autocratie.

**autócrata** *s* autocratie.

**autocrático, a** *a* autocratique.

**autocrítica** *f* autocritique.

**autóctono, a** *a/s* autochtone.

**autodestrucción** *f* autodestruction.

**autodeterminación** *f* autodétermination.

**autodidacto, a** *a/s* autodidacte.

**autodirección** *f* autoguidage *m*.

**autodominio** *m* self-control, maîtrise *f* de soi.

**autódromo** *m* autodrome.

**autoencendido** *m TECN* autoallumage.

**autoescuela** *f* auto-école.

**autoestopista** *s* autostoppeur, euse.

**autofinanciación** *f* autofinancement *m*.

**autofocus** *m* autofocus.

**autógeno, a** *a* autogène.

**autogestión** *f* autogestion.

**autogestionario, a** *a* autogestionnaire.

**autogiro** *m* autogire.

**autografiar** *vt* autographier.

**autógrafo, a** *a/m* autographe.

**autoinducción** *f ELECT* self-induction.

**autointoxicación** *f* auto-intoxication.

**autolimpiante** *a* autonettoyant, e.

**automación** *f* automation.

**autómata** *m* automate.

**automáticamente** *adv* automatiquement.

**automático, a** *a* automatique. ◇ *m* bouton-pression.

**automatismo** *m* automatisme.

**automatización** *f* automatisation.

**automatizar** *vt* automatiser.

**automoción** *f* automobilisme *m.*

**automotor, a** *a* automoteur, trice, automobile. ◇ *m* **1.** *(vehículo ferroviario)* autorail, automotrice *f* **2.** automobile *f.*

**automotriz** *a* automobile.

**automóvil** *a* automobile. ◇ *m* automobile *f.*

**automovilismo** *m* automobilisme.

**automovilista** *s* automobiliste.

**automovilístico, a** *a* de l'automobile.

**automutilación** *f* automutilation.

**autonomía** *f* autonomie.

**autonómico, a** *a* autonomiste, indépendantiste: **manifestación autonómica** manifestation autonomiste.

**autonomista** *a/s* autonomiste.

**autónomo, a** *a* autonome.

**autopista** *f* autoroute: **~ de peaje** autoroute à péage ◊ **las autopistas de la información** les autoroutes de l'information.

**autoplastia** *f* MED autoplastie.

**autoproclamado, a** *a* autoproclamé, e.

**autopropulsado, a** *a* autopropulsé, e.

**autopropulsión** *f* autopropulsion.

**autopsia** *f* autopsie.

**autor, a** *s* auteur: **el ~, la autora** l'auteur.

**autorcillo** *m* PEYOR écrivaillon.

**autoregulación** *f* autoréglage *m.*

**autoría** *f* authenticité.

**autoridad** *f* **1.** autorité **2.** FAM **la ~** la force publique. ◇ *pl* **las autoridades** les autorités, les officiels *m.*

**autoritario, a** *a* autoritaire.

**autoritarismo** *m* autoritarisme.

**autorización** *f* autorisation.

**autorizado, a** *a* autorisé, e: **una opinión autorizada** un avis autorisé.

**autorizar** *vt* **1.** autoriser: **¿quién le autorizó para entrar?** qui vous a autorisé à entrer? **2.** JUR authentifier, légaliser.

**autorradio** *m* autoradio.

**autorretrato** *m* autoportrait.

**autosatisfacción** *f* autosatisfaction.

**autoservicio** *m* libre-service, self-service.

**auto-stop** *m (autoestop)* auto-stop: **hacer ~** faire de l'auto-stop.

**autosuficiencia** *f* autosuffisance.

**autosugestión** *f* autosuggestion.

**autovacuna** *f* MED autovaccin *m.*

**autovía** *m* **1.** *(automotor)* autorail **2.** *(carretera)* route à chaussées séparées, voie rapide, voie express.

**auvernés, esa** *a/s* auvergnat, e.

**Auvernia** *np f* Auvergne.

**auxiliador, a** *a/s* auxiliateur, trice.

**[1]auxiliar** *a* **1.** auxiliaire **2.** *(mueble)* d'appoint: **mesita ~** table d'appoint. ◇ *a/s* **1.** auxiliaire, adjoint, e **2.** *(en una facultad)* assistant, e **3. ~ de contabilidad** aide-comptable; **~ de laboratorio** laborantin; **~ de hospital** agent hospitalier, aide-soignant; **~ de vuelo** steward.

**[2]auxiliar** *vt* **1.** aider, porter secours à, secourir **2.** *(a un moribundo)* assister.

**auxilio** *m* **1.** secours, aide *f,* assistance *f:* **primeros auxilios** premiers secours; **pedir ~** appeler au secours, demander de l'aide **2.** *interj* au secours!, à l'aide!

**auyama** *f* AMER *(calabaza)* citrouille.

**aval** *m* aval, garantie *f.*

**avalancha** *f* **1.** *(alud)* avalanche **2.** FIG avalanche.

**avalar** *vt* **1.** COM avaliser, donner son aval à **2.** *(una política, etc.)* cautionner **3.** garantir, être le garant de.

**avalorar** *vt* **1.** donner de la valeur à **2.** *(realzar)* mettre en valeur.

**avaluar** *vt* évaluer, estimer.

**avance** *m* **1.** *(acción)* avance *f,* avancement **2.** progrès: **los avances de la tecnología** les progrès de la technologie; **avances científicos** progrès scientifiques **3.** *(de dinero)* avance *f* **4.** bilan **5.** *(de los programas de radio, televisión)* sélection *f* ◊ **~ informativo** résumé des nouvelles.

**avanzada** *f* MIL avancée, poste *m* avancé.

**avanzadilla** *f* MIL avant-garde ◊ **ir de ~** partir en éclaireur.

**avanzado, a** *a (edad, ideas, etc.)* avancé, e.

**avanzar** *vt/i* avancer: **~ diez metros** avancer de dix mètres. ◆ **~se** *vpr* avancer.

**avaricia** *f* avarice.

**avaricioso, a, avariento, a** *a/s* avaricieux, euse, avare.

**avaro, a** *a/s* avare.

**avasallador, a** *a* **1.** asservissant, e **2.** FIG écrasant, e, irrésistible.

**avasallamiento** *m* asservissement.

**avasallar** *vt* asservir, soumettre.

**avatar** *m* avatar.

**ave** *f* **1.** oiseau *m:* **aves de paso, de rapiña** oiseaux de passage, de proie; **~ del Paraíso** oiseau de Paradis; **~ lira** oiseau-lyre: **~ fría** vanneau *m* **2. ~ de corral** volaille, oiseau de basse-cour **3. ~ de mal agüero → agüero.**

**AVE** *m (Alta Velocidad Española)* T.G.V.

**avechucho** *m* vilain oiseau.

**avecilla** *f* petit oiseau *m,* oisillon.

**avecinarse** *vpr* approcher, être imminent, e: **se avecina el fin del año, una subida de los precios** la fin de l'année approche, une hausse des prix est imminente.

**avecindamiento** *m* installation *f,* établissement.

**avecindar** *vt* établir. ◆ **~se** *vpr* s'établir, élire domicile, se fixer.

**avefría** *f* vanneau *m.*

**avejentarse** *vpr* vieillir.

**avellana** *f* noisette.

**avellanado, a** *a* ratatiné, e, ridé, e.

**avellanador** *m* TECN fraise *f.*

**avellanal, avellanar** *m* coudraie *f.*

**avellanar** *vt* TECN fraiser. ◆ **~se** *vpr* se ratatiner.

**avellaneda** *f* coudraie.

**avellano** *m* noisetier, coudrier.

**avemaría** *f* **1.** *(oración)* ave *m,* Ave Maria *m* **2.** angélus *m* ◊ **al ~** à la tombée de la nuit.

**avena** *f* **1.** avoine **2. ~ loca** folle avoine.

**avenado, a** *a* un peu fou, un peu folle.

**avenar** *vt (un terreno)* drainer.

**avenencia** *f* accord *m*, arrangement *m*.

**avenida** *f* **1.** *(calle)* avenue **2.** *(de un río)* crue.

**avenido, a** *a* **bien, mal ~** en bons, en mauvais termes; **una pareja bien, mal avenida** un couple bien, mal assorti.

**avenir*** *vt* mettre d'accord. ◆ **~se** *vpr* **1.** se mettre d'accord, s'accorder **2.** s'entendre: **se avienen bien** ils s'entendent bien **3.** consentir: **la Dirección se avino a aumentar los sueldos** la Direction a consenti à augmenter les salaires **4.** s'accommoder, s'arranger: **me avengo a todo** je m'accommode de tout.

**aventador, a** *s* vanneur, euse. ◇ *f (máquina)* tarare.

**aventajado, a** *a (notable)* remarquable.

**aventajar** *vt* **1.** *(dejar atrás)* dépasser, devancer **2.** *(superar)* surpasser **3.** *(favorecer)* avantager. ◆ **~se** *vpr* surpasser.

**aventar*** *vt* **1.** *(hacer aire)* éventer **2.** *(echar al viento)* disperser **3.** *(el grano)* vanner **4.** *(a alguien)* chasser **5.** AMER *(arrojar)* jeter, lancer: **~ por la ventana** jeter par la fenêtre. ◆ **~se** *vpr* AMER se jeter, se lancer.

**aventón** *m* AMER **1. dar un ~** prendre un passager en autostop **2.** *(empujón)* poussée *f*.

**aventura** *f* aventure.

**aventurado, a** *a* risqué, e, aventuré, e, hasardeux, euse.

**aventurar** *vt* aventurer, risquer. ◆ **~se** *vpr* s'aventurer, se risquer.

**aventurero, a** *a/s* aventurier, ère.

**aventurismo** *m* aventurisme.

**avergonzado, a** *a* honteux, euse, confus, e.

**avergonzar*** *vt* faire honte: **me avergüenzas** tu me fais honte. ◆ **~se** *vpr* avoir honte: **me avergüenzo de...** j'ai honte de...; **no me avergüenza decirlo** je n'ai pas honte de le dire.

**avería** *f* **1.** *(en un vehículo, motor, de electricidad)* panne: **sufrir una ~ en la autopista** avoir une panne, tomber en panne sur l'autoroute **2.** *(en un barco, una mercancía)* avarie.

**averiado, a** *a* **1.** *(motor, etc.)* en panne **2.** *(mercancía)* avarié, e, gâté, e.

**averiarse** *vpr* **1.** tomber en panne: **se ha averiado el televisor** le téléviseur est tombé en panne **2.** *(mercancía)* s'avarier, s'abîmer.

**averiguable** *a* vérifiable.

**averiguación** *f* enquête, recherche.

**averiguar** *vt* **1.** *(indagar)* rechercher, chercher à savoir, se renseigner sur **2.** *(llegar a saber)* arriver à savoir, découvrir; **por fin he averiguado donde esconde las llaves** j'ai enfin découvert où il cache les clefs.

**averío** *m* basse-cour *f*.

**averno** *m* POÉT enfer.

**averrugarse** *vpr* se couvrir de verrues.

**aversión** *f* aversion: **su ~ a...** son aversion pour...; **tener ~ a alguien** avoir quelqu'un en aversion; **siente ~ por la carne** la viande le dégoûte, il a horreur de la viande.

**avestruz** *f* **1.** autruche **2.** FIG **la política del ~** la politique de l'autruche **3. ~ de América** nandou *m*.

**avezar** *vt* habituer. ◆ **~se** *vpr* s'habituer, s'accoutumer.

**aviación** *f* aviation.

**aviado, a** → **²aviar.**

**aviador, a** *a/s* aviateur, trice.

**¹aviar** *a* **peste ~** peste des poules.

**²aviar** *vt* **1.** mettre en ordre, ranger: **~ una habitación** mettre une chambre en ordre; **~ la casa** ranger la maison **2.** *(arreglar)* préparer: **~ la comida** préparer le repas **3.** *(proveer)* pourvoir, équiper ◊ FAM **estar aviado** être dans de beaux draps; **¡aviado estoy!** me voilà bien!; **¡aviados estaríamos!** ce serait du joli! ◇ *vi* FAM *(apresurarse)* se dépêcher, se grouiller, activer. ◆ **~se** *vpr* **1.** se préparer **2.** FAM **aviárselas** se débrouiller.

**avícola** *a* avicole.

**avicultor, a** *s* aviculteur, trice.

**avicultura** *f* aviculture.

**ávidamente** *adv* avidement.

**avidez** *f* avidité.

**ávido, a** *a* avide.

**aviejar** *vt* vieillir.

**aviesamente** *adv* méchamment.

**avieso, a** *a* **1.** pas droit, e **2.** *(malo)* méchant, e, perfide.

**avilantarse** *vpr* devenir insolent, e.

**avilantez** *f* audace, insolence, cynisme *m*.

**avilés, esa** *a/s* d'Ávila.

**avinagrado, a** *a* FIG acariâtre, aigri, e.

**avinagrar** *vt* aigrir. ◆ **~se** *vpr* s'aigrir.

**avine, avino** → **avenir.**

**Aviñón** *np* Avignon.

**avío** *m* **1.** préparatifs *pl* **2.** provisions *f pl* **3. ¡al ~!** au travail!, activons!; **hacer ~** rendre service. ◇ *pl* ustensiles.

**¹avión** *m* avion: **~ de réacción** avion à réaction; **~ de carga, cisterna** avion-cargo, avion-citerne; **~ de caza** avion de chasse, chasseur ◊ **~ de largas distancias** long-courrier; **~ de distancias medias** moyen-courrier.

**²avión** *m (pájaro)* oiseau voisin du martinet.

**avioneta** *f* petit avion *m*, avion *m* de tourisme, avionnette.

**aviónica** *f* avionique.

**avisado, a** *a* avisé, e, prudent, e, sage.

**avisar** *vt* **1.** prévenir, aviser, avertir: **no me avisaron a tiempo** on ne m'a pas prévenu à temps; **avísame** previens-moi **2. ~ al médico** prévenir, appeler le médecin. ◆ **~se** *vpr* s'annoncer.

**aviso** *m* **1.** *(noticia, escrito)* avis **2.** *(advertencia)* avertissement ◊ **sin previo ~** sans préavis **3.** annonce *f*: **avisos oficiales** annonces légales **4. andar, estar sobre ~** se tenir sur ses gardes, en éveil; **poner sobre ~** avertir, mettre au courant **5.** MAR *(barco)* aviso.

**avispa** *f* **1.** guêpe **2.** FIG **cintura de ~** taille de guêpe.

**avispado, a** *a* vif, vive, éveillé, e.

**avispar** *vt* dégourdir. ◆ **~se** *vpr* se dégourdir.

**avispero** *m* **1.** guêpier **2.** FIG guêpier: **meterse en un ~** se fourrer dans un guêpier **3.** MED anthrax.

**avispón** *m* frelon.

**avistar** *vt* apercevoir.

**avitaminosis** *f* avitaminose.

**avituallamiento** *m* ravitaillement: **~ de carburante** ravitaillement en carburant.

**avituallar** *vt* ravitailler.

**avivar** *vt* **1.** *(color, fuego)* raviver, aviver **2.** FIG *(una pasión, etc.)* rallumer **3.** FIG stimuler, exciter **4. ~ el paso** presser le pas. ◆ **~se** *vpr* reprendre des forces, de la vigueur.

**avizor** *a* **estar ojo ~** se tenir sur ses gardes, avoir l'œil au guet, faire attention.

**avizorar** *vt* épier, guetter, scruter.

**avocar** *vt* JUR évoquer.

**avoceta** *f* avocette.

**avutarda** *f* outarde.

**axial, axil** *a* axial, e.

**axila** *f* aisselle.

**axilar** *a* axillaire.

**axioma** *m* axiome.

**axiomático, a** *a* axiomatique.

**axis** *m* ANAT axis.

**¡ay!** *interj* **1.** *(dolor)* aïe!, ouille! **2.** *(sobresalto)* oh là là!, ah!, oh!: **¡~ Dios mío!** ah mon Dieu!; **¡~ qué susto!** ah quelle peur! **3.** **¡~ de mí!** pauvre de moi!; **~ de vosotros** malheur à vous. ◇ *m* plainte *f*, gémissement, soupir: **dar ayes** pousser des soupirs.

**aya** *f* gouvernante.

**ayahuasa** *f* AMER plante narcotique.

**ayate** *m* AMER toile *f* en fibre d'agave.

**ayer** *adv* **1.** hier: **~ por la mañana** hier matin; **~ noche** hier soir; **antes de ~** avant-hier **2.** **de ~ acá, de ~ a hoy** depuis peu.

**ayo** *m* précepteur.

**ayote** *m* AMER courge *f*, calebasse *f*.

**ayuda** *f* **1.** aide, assistance, secours *m*: **pedir ~** demander de l'aide; **~ humanitaria** aide humanitaire ◊ **~ mutua** entraide; **~ de costa** aide pécuniaire, gratification **2.** MED lavement *m*. ◇ *m* **~ de cámara** valet de chambre.

**ayudante, a** *s* **1.** aide, assistant, e, auxiliaire: **~ de dirección** assistant de direction; **~ de producción** assistant de production ◊ **~ de campo** aide de camp, officier d'ordonnance; **~ de obras públicas** conducteur des Ponts et Chaussées; **~ sanitario** aide-soignant, auxiliaire médical **2.** professeur adjoint **3.** MIL adjudant.

**ayudantía** *f* emploi *m* d'adjoint, d'assistant.

**ayudar** *vt* **1.** aider: **¿te puedo ~ en algo?** je peux t'aider à quelque chose?; **ayúdame, por favor** aide-moi, s'il te plaît; **~ a los necesitados** aider les nécessiteux **2.** **~ a misa** servir la messe. ◆ **~se** *vpr* **1.** s'aider **2.** *(mutuamente)* s'entraider.

**ayunar** *vi* jeûner.

**[1]ayuno, a** *a* **1.** **estar ~ de** manquer totalement de **2.** **beber un vaso de agua en ayunas** boire un verre d'eau à jeun; **estar en ayunas** être à jeun; FIG ne pas être au courant: **siempre está en ayunas de lo que pasa** il n'est jamais au courant de ce qui se passe; **quedarse en ayunas** n'avoir rien compris.

**[2]ayuno** *m* jeûne.

**ayuntamiento** *m* **1.** conseil municipal, municipalité *f* **2.** *(edificio)* hôtel de ville, mairie *f* **3.** *(cópula)* accouplement.

**ayustar** *vt* MAR épisser, abouter.

**azabachado, a** *a* noir, e comme le jais.

**azabache** *m* **1.** jais **2.** *(pájaro)* petite charbonnière *f*, mésange *f* noire.

**azacán** *m* **1.** *(aguador)* porteur d'eau **2.** homme de peine.

**azada** *f* houe.

**azadón** *m* houe *f*.

**azafata** *f* **1.** *(en un avión)* hôtesse de l'air **2.** *(en exposiciones, congresos)* hôtesse **3.** ANT dame d'atour.

**azafate** *m* **1.** *(canastilla)* corbeille *f* plate **2.** *(bandeja)* plateau.

**azafrán** *m* safran.

**azafranado, a** *a* *(color)* safran, jaune safran, safrané, e.

**azagaya** *f* sagaie.

**azahar** *m* fleur *f* d'oranger.

**azalea** *f* azalée.

**azar** *m* **1.** hasard: **un puro ~** un pur hasard **2.** *(desgracia)* malheur, revers **3.** *loc adv* **al ~** au hasard, à l'aventure.

**azaramiento** *m* trouble, gêne *f*.

**azararse** *vpr* *(turbarse)* se troubler, se décontenancer, se démonter, paniquer: **estar azarado** être troublé.

**azarbe** *m* canal.

**azaroso, a** *a* **1.** hasardeux, euse, dangereux, euse **2.** malheureux, euse.

**Azerbaiyán** *np* Azerbaïdjan.

**ázimo** *a* **pan ~** pain azyme.

**azimut → acimut.**

**ázoe** *m* QUÍM azote.

**azófar** *m* laiton.

**azogado, a** *a* **1.** *(espejo)* étamé, e **2.** *(persona)* agité, e ◊ **temblar como un ~** trembler comme une feuille.

**azogamiento** *m* **1.** *(de espejos)* étamage **2.** FIG agitation *f*, surexcitation *f*.

**azogar** *vt* *(un espejo)* étamer. ◆ **~se** *vpr* **1.** avoir des tremblements mercuriels **2.** FIG être surexcité, e.

**azogue** *m* mercure, vif-argent.

**azor** *m* *(ave)* autour.

**azoramiento** *m* trouble, effroi.

**azorar** *vt* **1.** *(turbar)* troubler **2.** *(asustar)* effrayer. ◆ **~se** *vpr* se troubler, paniquer.

**Azores** *np f pl* Açores.

**azorrarse** *vpr* s'assoupir.

**azotacalles** *s* FAM coureur, euse de rues.

**azotaina** *f* **1.** *(paliza)* volée, raclée **2.** *(en las nalgas)* fessée.

**azotar** *vt* **1.** *(con azote)* fouetter **2.** *(lluvia, viento)* fouetter, cingler **3.** *(las olas)* battre **4.** FIG *(causar daños)* frapper, s'abattre sur: **un fuerte temporal azota la provincia** une forte tempête s'est abattue sur la province **5.** **~ calles** battre le pavé.

**azote** *m* *(látigo)* **1.** fouet **2.** *(latigazo)* coup de fouet **3.** FIG fléau, calamité *f*: **Atila, el ~ de Dios** Attila, le fléau de Dieu.

**azotea** *f* **1.** terrasse **2.** FAM **andar mal de la ~** avoir une araignée au plafond, être tombé, e sur la tête, avoir un grain.

**azteca** *a/s* aztèque.

**azúcar** *m/f* sucre *m*: **~ de caña** sucre de canne: **~ moreno** sucre roux; **~ de cortadillo, en polvo** sucre en morceaux, en poudre; **~ de lustre, ~ glas** sucre glace; **terrón de ~** morceau de sucre ◊ **~hilado** barbe *f* à papa.

**azucarado, a** *a* **1.** sucré, e **2.** FIG sucré, e, doucereux, euse.

**azucarar** *vt* sucrer. ◆ **~se** *vpr* AMER se cristalliser.

**azucarera** *f* **1.** *(fábrica)* sucrerie **2.** *(recipiente)* sucrier *m*.

**azucarero, a** *a* sucrier, ère. ◇ *m* *(recipiente)* sucrier.

**azucarillo** *m* **1.** sucre spongieux et parfumé **2.** *(terrón de azúcar)* morceau de sucre.

**azucena** *f* lis *m*.

**azud** *m*, **azuda** *f* **1.** roue *f* hydraulique, noria *f* **2.** *(presa)* barrage *m*.

**azuela** *f* herminette.

**azufaifa** *f* *(fruto)* jujube *m*.

**azufaifo** *m* *(árbol)* jujubier.

**azufrado** *m* soufrage.

**azufrar** *vt* soufrer.

**azufre** *m* soufre.

**azufrera** *f* soufrière.

**azul** *a* **1.** bleu, e: **ojos azules** des yeux bleus **2.** **la Costa ~** la Côte d'Azur **3.** **sangre ~** sang bleu. ◇ *m* *(color)* bleu: **pintar de ~** peindre en bleu; **~ celeste, marino, de ultramar** bleu ciel, marine, d'outremer.

**azulado, a** *a* bleuté, e, bleuâtre, azuré, e.

**azular** *vt* bleuir, teindre en bleu.

**azulear** *vi* tirer sur le bleu.

**azulejo** *m* **1.** *(ladrillo vidriado)* carreau de faïence, azulejo **2.** *(pájaro)* nom de certains oiseaux à plumage bleu.

**azulejo, a** *a* AMER bleuté, e.

**azulenco, a** *a* bleuté, e, bleuâtre, azuré, e.

**azulete** *m* bleu des blanchisseuses.

**azumbre** *f* mesure pour les liquides (2,016 l).

**azur** *m (blasón)* azur.

**azuzar** *vt* **1.** *(a los perros)* exciter **2.** FIG exciter, pousser à bout.

# B

**b** [be] *f* b *m*: **una ~** un b.

**baba** *f* **1.** bave ◊ **echar ~** baver **2.** *FAM* **caérsele a uno la ~** être aux anges, boire du petit lait; **con mala ~** traîtreusement **3.** *AMER* alligator *m*.

**babada** *f* grasset *m*.

**babador** *m* bavoir, bavette *f*.

**babaza** *f (baba)* bave.

**babear** *vi* baver.

**babel** *m/f FIG* capharnaüm *m*.

**Babel** *np f* Babel: **torre de ~** tour de Babel.

**babélico, a** *a* confus, e, inintelligible.

**babeo** *m* action *f* de baver.

**babera** *f (de la armadura)* mentonnière.

**babero** *m* bavoir, bavette *f*.

**Babia** *np f FAM* **estar en ~** être dans la lune, dans les nuages. ▶ *Babia* est une région de la province de León.

**babilla** *f (en los cuadrúpedos)* grasset *m*.

**babieca** *a/s FAM* nigaud, e, nouille *f*.

**Babilonia** *np f* **1.** *(ciudad)* Babylone **2.** *(reino)* Babylonie.

**babilónico, a** *a* babylonien, enne.

**bable** *m* asturien, dialecte des Asturies.

**babor** *m MAR* bâbord: **a ~** à bâbord.

**babosa** *f (molusco)* limace.

**babosada** *f AMER* **1.** saleté **2.** *(tontería)* sottise, bêtise.

**babosear** *vt* couvrir de bave.

**baboso, a** *a/s* **1.** baveux, euse **2.** *(enamoradizo)* amoureux, euse **3.** *AMER (tonto)* sot, sotte. ◇ *m FAM* blanc-bec, moufflet.

**babucha** *f* **1.** *(zapato)* babouche **2.** *AMER* **a babuchas de** à califourchon sur.

**babuino** *m* babouin.

**babysitter** *f* baby-sitter.

**baca** *f* **1.** *(de diligencia)* impériale **2.** *(de automóvil)* galerie.

**bacalada** *f* morue séchée, stockfisch *m*.

**bacaladero, a** *a/m* morutier, ère.

**bacalao** *m* **1.** morue *f* **2.** *FIG* **cortar el ~** faire la pluie et le beau temps, commander, être le grand manitou.

**bacán, ana** *a AMER* **1.** *(rico)* riche, rupin, e **2.** élégant, e ◊ **gente bacana** des gens bien, des gens chic. ◇ *m AMER (chulo)* souteneur, truand.

**bacanal** *f* bacchanale.

**bacante** *f* bacchante.

**bacará** *m (juego)* baccara.

**baceta** *f (naipes)* talon *m*.

**bachatear** *vi AMER* s'amuser, blaguer.

**bache** *m* **1.** *(en una carretera)* nid-de-poule, trou **2.** *(en avión)* trou d'air **3.** *FIG* mauvaise passe *f*, moment difficile, contretemps, baisse *f*: **salir del ~** sortir d'une mauvaise passe, de l'ornière.

**bachear** *vt* réparer (une route) en comblant les nids-de-poules.

**bacheo** *m* réparation *f* (d'une route).

**bachicha** *s AMER (italiano)* Italien, enne, rital. ◇ *f pl AMER* restes *m*.

**[1]bachiller** *s* **1.** bachelier, ère ◊ **grado de ~** baccalauréat.

**[2]bachiller, a** *a* **1.** pédant, e **2.** *(que habla mucho)* bavard, e.

**bachillerato** *m* **1.** *(grado)* baccalauréat, bac **2.** études *f pl* secondaires: **está terminando el ~** il termine ses études secondaires.
▶ Elles durent 6 ans en Espagne: le *primer año de ~*, correspond à la 6ᵉ française, le *segundo...*, à la 5ᵉ, etc. Le ~ *unificado polivalente (BUP)* est un cycle d'études intensives (3 ans) en vue de l'accès à l'enseignement supérieur.

**bacía** *f* **1.** cuvette **2.** *(de barbero)* plat *m* à barbe.

**bacilar** *a* bacillaire.

**bacilo** *m* bacille.

**bacín** *m* **1.** *(orinal)* pot de chambre, vase de nuit **2.** *(de mendigo)* sébille *f*.

**bacinada** *f FIG* saloperie.

**Baco** *np m* Bacchus.

**bacon** *m* bacon: **huevos con ~** œufs au bacon.

**bacteria** *f* bactérie.

**bacteriano, a** *a* bactérien, enne.

**bactericida** *a/m* bactéricide.

**bacteriófago, a** *a* bactériophage.

**bacteriología** *f* bactériologie.

**bacteriológico, a** *a* bactériologique.

**bacteriólogo, a** *s* bactériologiste.

**báculo** *m* **1.** bâton (recourbé) ◊ **~ pastoral** crosse *f* épiscopale **2.** *FIG* soutien, appui ◊ **~ de la vejez** bâton de vieillesse.

**badajear** *vi* jacasser.

**badajo** *m* **1.** *(de campana)* battant **2.** *(persona)* personne bavarde et sotte, moulin à paroles.

**badana** *f* **1.** *(piel)* basane ◊ *FAM* **zurrar la ~ a uno** flanquer une tripotée à quelqu'un, rosser quelqu'un **2.** *FAM* **un ~** un flemmard, une chiffe molle.

**badea** *f* **1.** *(sandía)* pastèque, melon *m*, concombre *m* (de mauvaise qualité) **2.** *FAM* chiffe molle.

**badén** *m* **1.** rigole *f* **2.** *(en una carretera)* cassis **2.** *(en una acera)* bateau.

**Baden** *np* Bade.

**badián** *m* badiane *f*.

**badiana** *f (fruto)* badiane, anis *m* étoilé.

**badil** *m*, **badila** *f*, pelle *f* à feu ◊ *FIG* **dar con la badila en los nudillos** taper sur les doigts.

**bádminton** *m* badminton.

**badulaque** *a/s (idiota)* sot, sotte, idiot, e.

**bafle, baffle** *m* baffle.

**bagaje** *m* **1.** *MIL* bagage, matériel ◊ **con armas y bagajes** avec armes et bagages **2. ~ intelectual** bagage intellectuel.

**bagatela** *f* bagatelle.

**bagazo** *m* **1.** *(de la caña de azúcar)* bagasse *f* **2.** *(de aceitunas, etc.)* marc.

**bagre** *m AMER* poisson chat.

**bagual, a** *a AMER* sauvage. ◇ *m (caballo)* cheval non dressé. ◇ *f* chanson folklorique du Nord de l'Argentine.

▶ De *Bagual*, nom d'un chef indien qui vivait dans la région de Buenos Aires au XIVe siècle.

**bagualada** *f AMER* **1.** troupeau *m* de chevaux sauvages **2.** *(necedad)* ânerie.

**baguarí** *m AMER* cigogne *f* d'Amérique méridionale.

**¡bah!** *interj* bah!, peuh!

**baharaque → bajareque.**

**bahía** *f* baie.

**bailable** *a* dansant, e. ◇ *m* danse *f*.

**bailador, a** *s* danseur, euse.

▶ Surtout de danses andalouses et, dans ce cas, s'écrit *bailaor, a*.

**bailante** *m AMER* fête *f* nocturne.

**bailar** *vi* **1.** danser: **sacar a ~ a una joven** inviter une jeune fille à danser ◊ *FIG* **~ al son que tocan → son; ~ con la más fea** se taper toutes les corvées; **otro que tal baila** les deux font la paire, l'un ne vaut pas mieux que l'autre; **¡que me quiten lo bailado!** c'est toujours ça de pris! **2.** *(moverse)* bouger, flotter **3.** *(una peonza)* tourner. ◇ *vt* **1.** danser: **~ un tango** danser un tango ◊ *FIG* **bailarle el agua a alguien** flatter quelqu'un, faire des courbettes à quelqu'un **2.** *(una peonza)* faire tourner.

**bailarín, ina** *a/s* danseur, euse: **primera bailarina** première danseuse, danseuse étoile. ◇ *f* ballerine.

**¹baile** *m* **1.** danse *f*: **el ~ clásico** la danse classique; **le gusta el ~** elle aime la danse **2.** *(fiesta, local)* bal: **abrir el ~** ouvrir le bal ◊ **~ de candil** bal populaire, bal musette; **~ de disfraces, de máscaras** bal masqué; **~ de trajes** bal costumé; **~ de noche** soirée dansante **3.** *TEAT* ballet **4.** *MED* **~ de San Vito** danse de Saint-Guy.

**²baile** *m (magistrado)* bailli.

**bailecito** *m* danse *f* folklorique d'Argentine et de Bolivie.

**bailongo** *m AMER* bal populaire.

**bailotear** *vi* se trémousser, gambiller, danser.

**bailoteo** *m* **estar de ~** danser.

**Baires** *np FAM* Buenos Aires.

**baja** *f* **1.** *(de precios, etc.)* baisse: **jugar a la ~** jouer à la baisse ◊ *FIG* **estar en ~** être en perte de vitesse, moins en vogue **2.** *(de un empleado)* arrêt *m* de travail, congé *m*: **bajas laborales** arrêts de travail; **parte de ~** attestation d'arrêt de travail; **~ por maternidad, ~ maternal** congé de maternité; **estar de ~ por enfermedad** être en congé de maladie ◊ **dar de ~** donner un arrêt de travail: **le han dado de ~ por 48 horas** on lui a donné un arrêt de travail de 48 heures; *(despedir)* congédier, licencier **3.** *(vacante)* départ *m*: **~ por jubilación** départ à la retraite ◊ **darse de ~** se retirer, cesser d'appartenir; **me di de ~ en el club** j'ai quitté le club; **un tercio de los militantes se ha dado de ~** un tiers des militants a abandonné le parti **4.** *MIL* perte, mort *m*: **el ejército tuvo muchas bajas** l'armée a subi de lourdes pertes; **mil bajas** mille morts ◊ **soldado dado de ~** soldat porté disparu; **darse de ~ en el ejército** abandonner l'armée; **dar de ~ por inútil** réformer.

**bajá** *m* pacha.

**bajada** *f* **1.** *(pendiente)* descente **2. ~ del telón** baisser *m* du rideau **3. ~ al sepulcro** descente au tombeau **4.** *(taxi)* **~ de bandera** prise en charge **5.** *(cañería)* tuyau *m* de descente.

**bajamar** *f* marée basse, basse mer.

**bajamente** *adv* bassement.

**bajar** *vi* **1.** descendre: **al ~ del tren** en descendant du train; **~ a la bodega** descendre dans la cave **2.** *(temperatura, precio, etc.)* baisser, diminuer: **la gasolina va a ~** l'essence va baisser; **~ cinco pesetas** baisser de cinq pesetas; **~ en tres grados** baisser de trois degrés. ◇ *vt* **1.** descendre: **bájame la maleta** descends-moi la valise; **~ la escalera** descendre l'escalier **2.** baisser: **~ los ojos, la vista** baisser les yeux ◊ *FIG* **~ la cabeza** baisser, courber la tête **3.** *(las alas de un sombrero, etc.)* rabattre **4.** faire baisser, diminuer: **~ diez pesetas el precio de...** diminuer de dix pesetas le prix de... **5.** *FIG* **~ el orgullo, los humos a uno** rabattre l'orgueil, le caquet à quelqu'un. ◆ **~se** *vpr* **1.** se baisser **2.** descendre: **bajarse del tren** descendre du train; **me bajo en la próxima** je descends à la prochaine; **se bajó al andén** il descendit sur le quai; **¡bájate!** descend!; **¡bajémonos!** descendons!

▶ Forme pronominale: parfois nuance d'effort.

**bajareque** *m AMER* **1.** treillis de roseaux et de terre, clayonnage **2.** *(choza)* hutte *f*.

**bajel** *m* vaisseau.

**bajero, a** *a* de dessous: **la sábana bajera** le drap de dessous.

**bajete** *m MÚS* baryton.

**bajeza** *f* **1.** bassesse **2. ~ de ánimo** pusillanimité, lâcheté **3. ~ de nacimiento** naissance obscure.

**bajines (por lo), bajini (por lo)** *loc adv* tout bas, en dessous.

**bajío** *m* **1.** banc de sable **2.** *AMER (terreno bajo)* creux, dépression *f*.

**bajista** *s* baissier, ière. ◇ *a* à la baisse: **tendencia ~** tendance à la baisse.

**bajito** *adv* tout bas.

**¹bajo, a** *a* **1.** *(de poca altura, etc.)* bas, basse: **nubes bajas** nuages bas **2.** *(de poca estatura)* petit, e: **un hombre ni alto ni ~** un homme ni grand ni petit **3.** baissé, e: **con los ojos bajos** les yeux baissés **4.** *(color)* pâle **5.** *(son)* bas, basse, grave ◊ **en voz baja** à voix basse, faible ◊ **a ~ precio** à vil prix **6.** *(vulgar)* bas, basse, ordinaire, vulgaire.

**²bajo** *adv* **1.** bas: **hablar ~** parler bas **2. echando por ~** au bas mot **3.** *loc adv* **por lo ~** tout bas; *FIG* en secret, en cachette; **reírse por lo ~** rire en dessous, sous cape. ◇ *prep* **1.** sous: **~ un cielo sin nubes** sous un ciel sans nuages; **~ tierra** sous terre; **túnel ~ el Canal de la Mancha** tunnel sous la Manche; **~ la responsabilidad de** sous la responsabilité de; **~ la pluma de este escritor** sous la plume de cet écrivain **2. cinco grados ~ cero** cinq degrés au-dessous de zéro **3. ~ palabra** sur parole. ◇ *m* **1.** terrain bas, creux **2.** *MAR* bas-fond **3.** *MÚS* basse *f*. ◇ *m pl* **1.** *(de una falda, etc.)* bas *sing* **2.** *(piso)* rez-de-chaussée *sing*.

**bajón** *m* **1.** *(instrumento músico)* basson **2.** *FIG* baisse *f*, chute *f*: **el ~ de la natalidad** la baisse, la chute de la natalité; **el ~ de los precios** la chute des prix ◊ **dar un ~** baisser: **Jorge ha dado un gran ~ este año** Georges a beaucoup baissé, a pris un coup de vieux cette année; **su salud dio un ~** sa santé a décliné.

**bajonista** *s* basson.

**bajorrelieve** *m* bas-relief.

**bajuno, a** *a* bas, basse, vil, e.

**bajura** *f* **pesca de ~** pêche côtière.

**bakelita** *f* bakélite.

**bala** *f* **1.** balle: **~ perdida** balle perdue ◊ *FIG* **salir como una ~** partir comme une flèche; **disparar con ~** chercher à blesser **2.** *(de cañón)* obus *m*, boulet *m* **3.** *(de algodón, etc.)* balle **4.** *FAM* **una ~ perdida** *(libertino)* un viveur; *(poco serio)* un écervelé; **~ rasa → balarrasa.**

**balaca** *f AMER* fanfaronnade.

**balacera** *f AMER* échange *m* de coups de feu, fusillade.

**balada** *f* ballade.

**baladí** *a* futile, insignifiant, e, sans importance: **un asunto ~** un sujet insignifiant.

**baladrón, ona** *a* fanfaron, onne.

**baladronada** *f* fanfaronnade, rodomontade.

**baladronear** *vi* faire le fanfaron, fanfaronner.

**bálago** *m* **1.** *(paja)* paille *f*, chaume **2.** *(espuma)* mousse *f*.

**balaj, balaje** *m* rubis balais.

**balalaica** *f* balalaïka.

**balance** *m* **1.** *(movimiento)* balancement **2.** *COM* bilan, balance *f*: **hacer el ~** dresser le bilan **3.** *FIG* **el ~ de la catástrofe** le bilan de la catastrophe ◊ **hacer el ~ de la situación** faire le point de la situation **4.** *MAR* roulis **5.** *AMER (mecedora)* rocking-chair *m*.

**balancear** *vi* **1.** se balancer **2.** *MAR* rouler **3.** *FIG* balancer, hésiter. ◇ *vt* imprimer un balancement à.

**balanceo** *m* **1.** balancement **2.** *MAR* roulis.

**balancín** *m* **1.** palonnier **2.** *(de equilibrista)* balancier **3.** *(mecedora)* rocking-chair **4.** *(de jardín)* balancelle *f* **5.** *(de un motor de explosión)* culbuteur.

**balandra** *f* sloop *m*, cotre *m*.

**balandro** *m* **1.** cotre **2.** yacht.

**bálano, balano** *m ANAT* gland.

**balanza** *f* **1.** balance ◊ **inclinar el fiel de la ~** faire pencher la balance **2.** *COM* **~ de pagos, comercial** balance des paiements, commerciale **3.** *ASTR* balance **4.** *AMER (de volatinero)* balancier *m*.

**balaquear** *vi AMER* → **baladronear.**

**balar** *vi* bêler.

**balarrasa** *m* **1.** *(aguardiente)* tord-boyaux **2.** *FIG (juerguista)* viveur, noceur; *(temerario)* tête brûlée *f*.

**balastera** *f* ballastière.

**balasto** *m* ballast.

[1]**balata** *f ANT* ballade.

[2]**balata** *f (goma)* balata.

**balaustrada** *f* balustrade.

**balaustre** *m* balustre.

**balay** *m AMER* corbeille *f*.

**balazo** *m* **1.** coup de feu **2.** blessure *f* produite par une balle: **acribillado a balazos** criblé de balles; **recibió un ~ en el pecho** il reçut une balle dans la poitrine.

**balboa** *m* balboa (unité monétaire de Panama).

**balbucear** *vi* balbutier.

**balbuceo** *m* balbutiement.

**balbuciente** *a* balbutiant, e.

**balbucir*** *vi* balbutier.

**Balcanes** *np m pl* Balkans.

**balcánico, a** *a* balkanique.

**balcanización** *f* balkanisation.

**balcón** *m* balcon ◊ **~ corrido, volado** grand balcon.

**balconaje** *m* balcon, ensemble de balcons.

**balconcillo** *m* balcon (dans les arènes, au théâtre).

**balda** *f* étagère, rayon *m*.

**baldado, a** *a* **1.** impotent, e, infirme **2.** *FAM (muy cansado)* claqué, e, éreinté, e, pompé, e.

**baldadura** *f* **1.** infirmité **2.** fatigue.

**baldaquín, baldaquino** *m* baldaquin.

**baldar** *vt* **1.** *(lisiar)* estropier, rendre impotent, e **2.** *(moralmente)* contrarier **3.** *(cansar)* claquer, éreinter.

**balde** *m* **1.** *(cubo)* seau ◊ *FIG* **caer como un ~ de agua fría** faire l'effet d'une douche froide **2.** *loc adv* **de ~** gratuitement, gratis, à l'œil; **estar de ~** être de trop, inutile; **en ~** en vain, pour rien: **discutir en ~** discuter pour rien, pour des prunes.

**baldear** *vt* **1.** laver à grande eau: **~ la acera** laver le trottoir à grande eau **2.** *(achicar)* écoper.

**baldeo** *m* lavage à grande eau.

**baldíamente** *adv* en vain, inutilement.

**baldío, a** *a* **1.** *(terreno)* inculte, en friche **2.** vain, e: **sus esfuerzos eran baldíos** ses efforts étaient vains. ◇ *m* friche *f*, terrain inculte.

**baldón** *m* **1.** affront, injure *f* **2.** *(oprobio)* honte *f*, opprobre.

**baldosa** *f* **1.** carreau *m* **2.** *(de mayor tamaño)* dalle.

**baldosín** *m* petit carreau.

**baldragas** *m FAM* chiffe *f*, lavette *f*.

[1]**balear** *a/s* baléare.

[2]**balear** *vt AMER* **1.** *(disparar)* tirer sur **2.** *(herir)* blesser par balle **3.** *(matar)* tuer par balle. ◆ **~se** *vpr* se tirer dessus, se tuer.

**Baleares** *np f pl* Baléares.

[1]**baleo** *m* paillasson, natte *f*.

[2]**baleo** *m AMER* échange de coups de feu, fusillade *f*.

**balero** *m AMER* **1.** *(boliche)* biboquet **2.** *(cabeza)* tête *f*, caboche *f*, boule *f*.

**balido** *m* bêlement ◊ **dar balidos** bêler.

**balín** *m* **1.** balle *f* de petit calibre **2.** *(de escopeta de aire comprimido)* plomb.

**balinense** *a/s* balinais, e.

**balística** *f* balistique.

**baliza** *f* balise.

**balizaje** *m* balisage.

**balizar*** *vt* baliser.

**ballena** *f* **1.** baleine: **la pesca de la ~** la chasse à la baleine **2.** *(de corsé)* baleine.

**ballenato** *m* baleineau.

**ballenero, a** *a/m* baleinier, ère ◊ **lancha ballenera** baleinière.

**ballesta** *f* **1.** *(arma)* arbalète **2.** *(muelle)* ressort *m* à lames.

**ballestero** *m* arbalétrier.

**ballet** [bale] *m* ballet.

**ballico** *m* ray-grass.

**balneario, a** *a* thermal, e. ◇ *m* **1.** établissement thermal, station *f* thermale **2.** *(en el mar)* station *f* balnéaire.

**balneoterapia** *f* balnéothérapie.

**balompédico, a** *a* du football.

**balompié** *m* football.

**balón** *m* **1.** ballon: **~ de fútbol** ballon de football **2.** **~ de oxígeno** ballon d'oxygène.

**baloncestista** *s* basketteur, euse.

**baloncesto** *m* basket (-ball).

**balonmanista** *s* handballeur, euse.

**balonmano** *m* handball.

**balonvolea** *m* volley (-ball).

**balotaje** *m* AMER ballotage.

[1]**balsa** *f* **1.** *(charca)* mare ◊ FIG **la reunión ha sido una ~ de aceite** la réunion a été très calme **2.** *(depósito de agua)* réservoir *m* **3.** *(embarcación)* radeau *m.*

[2]**balsa** *f (árbol, madera)* balsa *m.*

**balsámico, a** *a* balsamique.

**balsamina** *f* balsamine.

**bálsamo** *m* **1.** baume: **~ del Perú** baume du Pérou **2.** FIG baume.

**balsero** *m* conducteur de radeau.

**Baltasar** *np m* Balthasar.

**báltico, a** *a/s* baltique: **el mar Báltico** la mer Baltique.

**balto, a** *a/s* balte.

**baluarte** *m* **1.** bastion **2.** FIG bastion, rempart.

**balumba** *f* **1.** *(montón)* tas *m,* masse **2.** *(desorden)* fatras *m* **3.** *(barullo)* agitation *f,* tohu-bohu *m.*

**bamba** *f* **1.** chaussure légère, de tennis **2.** AMER monnaie (de valeurs diverses).

**bambalina** *f* TEAT frise ◊ **entre bambalinas** sur les planches.

**bambarria** *a/s (tonto)* sot, sotte.

**bambolear** *vi* **1.** *(persona)* vaciller, chanceler **2.** *(choses)* osciller. ◆ **~se** *vpr* balancer, chanceler: **anda bamboleándose** il marche en chancelant.

**bamboleo** *m* balancement.

**bambolla** *f* FAM faste *m,* faux luxe *m.*

**bambú** *m* bambou.

**bambuco** *m* AMER air et danse populaires de Colombie.

**banal** *a* banal, e.

**banalidad** *f* banalité.

**banana** *f* **1.** *(fruto)* banane **2.** *(árbol)* bananier.
▶ Usuel en Amérique latine. En Espagne, se dit surtout *plátano.*

**bananal** *m* bananeraie *f.*

**bananero, a** *a/m* bananier, ère. ◇ *m (barco)* bananier.

**banano** *m* bananier.

**banasta** *f* banne.

**banasto** *m* corbeille *f* ronde.

**banca** *f* **1.** *(comercio, juego)* banque ◊ **operaciones de ~** opérations bancaires; **copar la ~** faire banco **2.** *(de lavandera)* auget *m* **3.** AMER *(asiento)* banc *m:* **se sentó en una ~** il s'assit sur un banc.
▶ Sens 1.: s'applique à l'activité bancaire. Un établissement bancaire se dit *banco.*

**bancada** *f* **1.** *(de los remeros)* banc *m* de nage **2.** *(en una mina)* gradin *m* **3.** AMER groupe *m* de juristes d'un même parti.

**bancal** *m* **1.** *(en una huerta)* carré, planche *f* **2.** terrasse *f:* **cultivos en bancales** culture en terrasses.

**bancario, a** *a* bancaire.

**bancarrota** *f* **1.** banqueroute **2.** FIG banqueroute, déconfiture.

**banco** *m* **1.** banc: **sentarse en un ~** s'asseoir sur un banc ◊ **el ~ azul** le banc des ministres aux «Cortes»; FIG **razón de pie de ~** raisonnement absurde **2. ~ de carpintero** établi **3. ~ de pruebas** banc d'essai **4.** *(establecimiento)* banque *f:* **depositar dinero en el ~** déposer de l'argent à la banque; **la agencia de un ~** l'agence d'une banque ◊ **~ de descuento** comptoir d'escompte; **~ hipotecario** banque hypothécaire, crédit foncier **5. ~ de ojos, de sangre, de esperma** banque des yeux, du sang, du sperme; **~ de datos** banque de données **6. ~ de arena** banc de sable **7. ~ de hielo** banquise *f* **8. ~ de niebla** nappe *f* de brouillard **9.** *(de peces)* banc.

[1]**banda** *f* **1.** *(cinta estrecha)* bande ◊ **~ de sonido** bande-son; **~ sonora** bande sonore **2.** *(cinta honorífica)* écharpe, grand cordon *m* **3.** *(lado)* côté *m; (orilla)* rive ◊ **cerrarse a la ~, cerrarse en ~** ne rien vouloir entendre, se buter; **de ~ en ~** d'un côté à l'autre **4.** *(de la mesa de billar)* bande **5.** *(fútbol)* touche: **juez de ~** juge de touche **6.** MAR **dar a la ~** donner de la bande, de la gîte.
▶ *La Banda Oriental:* l'Uruguay.

[2]**banda** *f* **1.** bande, troupe: **bandas rebeldes** des bandes rebelles **2.** *(conjunto de músicos)* fanfare: **~ municipal** fanfare municipale.

**bandada** *f* **1.** *(de aves)* bande, volée **2.** *(de personas)* bande, nuée, groupe *m.*

**bandazo** *m* **1.** *(de un barco)* coup de roulis **2.** *(de un coche)* embardée *f:* **el coche dio un ~** la voiture fit une embardée **3.** *(al andar)* **dar bandazos** tituber, chanceler **4.** FIG revirement.

**bandear** *vt* AMER **1.** *(cruzar)* traverser **2.** *(perseguir)* harceler. ◇ *vpr* **1.** *(manejarse)* se débrouiller, s'arranger **2.** ne pas prendre parti, ne pas se mouiller.

**bandeja** *f* **1.** *(para servir)* plateau *m* ◊ FIG **servir en ~** apporter sur un plateau **2.** *(de coche)* **~ posterior** plage arrière.

**bandera** *f* **1.** drapeau *m:* **la ~ argentina, blanca, negra** le drapeau argentin, blanc, noir ◊ **jurar la ~** prêter serment au drapeau; **bajada de ~ → bajada 2.** *(de una cofradía, etc.)* bannière **3.** *(de un barco)* pavillon *m:* **arriar ~** amener le pavillon; **rendir la ~** baisser le pavillon **4.** MIL compagnie de la légion étrangère espagnole, «bandera» **5.** FAM **el estadio estaba lleno hasta la ~** le stade était plein à craquer **6.** FAM **de ~** du tonnerre, sensass: **una chica de ~** une fille canon.

**bandería** *f* faction, parti *m.*

**banderilla** *f* **1.** TAUROM banderille: **~ de fuego** banderille munie d'un pétard; **clavar una ~** planter une banderille **2.** FIG **poner banderillas a alguien** lancer des piques à quelqu'un.

**banderillear** *vt* TAUROM planter des banderilles à.

**banderillero** *m* TAUROM banderillero.

**banderín** *m* **1.** fanion **2.** *(soldado)* porte-fanion **3. ~ de enganche** bureau de recrutement.

**banderita** *f* petit drapeau *m.*

**banderizo, a** *a/s* factieux, euse, partisan. ◇ *a* turbulent, e.

**banderola** *f* **1.** *(bandera pequeña)* banderole, flamme **2.** AMER partie vitrée d'une fenêtre.

**bandidaje** *m* banditisme, brigandage.

**bandido** *m* bandit.

**bando** *m* **1.** *(de la autoridad)* arrêté, ordonnance *f,* avis, édit: **~ municipal** arrêté municipal; **echar un ~** publier un arrêté **2.** *(partido)* parti, faction *f,* camp: **pasarse al otro ~** passer dans l'autre camp **3.** *(de peces)* banc (de poissons).

**bandola** *f* mandore.

**bandolera** *f* **1.** *(correa)* bandoulière ◊ *loc adv* **en ~** en bandoulière **2.** *(mujer de un bandolero)* femme d'un bandit.

**bandolerismo** *m* bringandage, banditisme.

**bandolero** *m* brigand, bandit.

**bandoneón** *m* bandonéon: **tocar el ~** jouer du bandonéon.

**bandurria** *f* mandore, petite guitare à douze cordes.

**bang** *interj/m* bang.

**banjo** *m* banjo: **tocar el ~** jouer du banjo.

**banquear** *vt* AMER niveler.

**banquero** *m* banquier.

**banqueta** *f* **1.** *(asiento)* banquette **2.** tabouret *m* **3.** *(fortificación)* banquette **4.** *AMER (acera)* trottoir *m.*

**banquete** *m* banquet ◊ **~ de boda** repas de noce; *FAM* **darse un ~** festoyer.

**banquetear** *vi* festoyer.

**banquillo** *m* **1.** petit banc **2.** *(en el tribunal)* banc des accusés ◊ **sentarse en el ~** être sur la sellette **3.** *(fútbol)* banc de touche.

**banquina** *f AMER (arcen)* bas-côté *m.*

**banquisa** *f* banquise.

**bantú** *a/s* bantou, e.

**bañadera** *f AMER* **1.** *(bañera)* baignoire **2.** autocar *m* découvert.

**bañadero** *m* mare *f* où vont se baigner les animaux sauvages.

**bañado** *m AMER* marais.

**bañador** *m* maillot de bain: **~ de una pieza, de dos piezas** maillot de bain une pièce, deux pièces.

**bañar** *vt* **1.** baigner **2.** *FIG* baigner, tremper: **bañado en lágrimas** baigné de larmes; **con la frente bañada en sudor** le front baigné de sueur, tout en sueur **3. ~ con azúcar** enrober de sucre **4.** *(con oro, etc.)* recouvrir **5.** *(sol, luz)* inonder. ◆ **~se** *vpr* se baigner: **prohibido bañarse** défense de se baigner, baignade interdite.

**bañera** *f* baignoire.

**bañero** *m* maître nageur.

**bañista** *s* **1.** baigneur, euse **2.** *(que toma aguas medicinales)* curiste.

**baño** *m* **1.** bain: **tomar un ~** prendre un bain; **~ de vapor, de sol** bain de vapeur, de soleil; *FIG* **~ de multitud** bain de foule **2.** baignade *f,* bain: **después del ~, merendaremos en la playa** après la baignade nous goûterons sur la plage **3.** *(bañera)* baignoire *f* **4.** *(cuarto de aseo)* salle *f* de bains **5.** *AMER (retrete)* toilettes *f pl*: **el ~** les toilettes; **ir al ~** aller aux toilettes **6.** *(capa)* couche *f*: **dar una ~ de pintura** passer une couche de peinture **7.** *FIG* vernis, teinture *f* **8.** *CULIN* **al ~ (de) María** au bain-marie. ◇ *pl* **1. casa de baños** établissement de bains; **ir a los baños** aller aux eaux **2.** *ANT* **los baños de Argel** le bagne d'Alger.

**bao** *m MAR* bau: **~ maestro** maître bau.

**baobab** *m* baobab.

**baptisterio** *m* **1.** *(edificio)* baptistère **2.** *(pila)* fonts *pl* baptismaux.

**baqueano** → **baquiano.**

**baquear** *vi* se laisser porter par le courant.

**baquelita** *f* bakélite.

**baqueta** *f* **1.** baguette **2.** *FIG* **tratar a la ~** mener à la baguette. ◇ *pl (de tambor)* baguettes.

**baquetazo** *m* **1.** coup de baguette **2.** *FAM* **darse, pegarse un ~** se flanquer un coup, se flanquer par terre.

**baqueteado, a** *a (experimentado)* averti, e, aguerri, e, qui en a vu d'autres, endurci, e.

**baquetear** *vt* **1.** *(molestar)* harceler, tourmenter, en faire voir de toutes les couleurs **2.** *(ejercitar)* endurcir, aguerrir.

**baqueteo** *m* **1.** *(traqueteo)* cahotement **2.** *(molestia)* ennui **3.** *(cansancio)* fatigue *f.*

**baquía** *f AMER* expérience, pratique, habileté.

**baquiano, a** *a* expert, e, connaisseur. ◇ *m (guía)* guide.

**báquico, a** *a* bachique.

**báquira** *m AMER* pécari.

**[1]bar** *m* bar: **la llevó a unos bares muy elegantes** il l'emmena dans des bars très élégants.

**[2]bar** *m FÍS* bar.

**barahúnda** *f* vacarme *m,* tapage *m.*

**baraja** *f* jeu *m* de cartes: **la ~ española consta de 48 naipes** le jeu de cartes espagnol se compose de 48 cartes ◊ *FIG* **jugar con dos barajas** jouer double jeu, miser sur deux tableaux.

**barajar** *vt* **1. ~ los naipes** battre les cartes **2.** *FIG* mélanger, brouiller **3.** *FIG* avancer, mettre en avant, citer, évoquer: **los peritos barajan varios nombres para esta candidatura** les experts mettent plusieurs noms en avant pour cette candidature; **son falsas las cifras que se barajan** les chiffres que l'on avance sont faux.

**baranda** *f* **1.** → **barandilla 2.** *(de billar)* bande.

**barandado** → **barandilla.**

**barandal** *m* **1.** → **barandilla 2.** *(de balaustrada)* tablette *f.*

**barandilla** *f* **1.** *(de escalera)* rampe **2.** *(de balcón)* balustrade **3.** *(de puente)* garde-fou *m.*

**baratear** *vt* vendre à perte, brader.

**baratería** *f* **1.** fraude, concussion **2.** *MAR* baraterie.

**baratija** *f* bricole, babiole.

**baratillo** *m* bric-à-brac.

**barato, a** *a* bon marché: **artículos baratos** des articles bon marché; **salir ~** revenir bon marché ◊ **más ~** meilleur marché. ◇ *m* **1.** vente *f* au rabais, liquidation *f* **2. lo ~** le bon marché. ◇ *adv* **1.** (à) bon marché: **comprar ~** acheter à bon marché; **compré este vestido muy ~** j'ai acheté cette robe très bon marché **2. dar de ~** faire bon marché de.

**baratura** *f* bon marché *m,* bas prix *m.*

**baraúnda** → **barahúnda.**

**barba** *f* **1.** *(parte de la cara)* menton **2.** *(pelo)* barbe: **llevar ~** porter la barbe; **se dejó crecer la ~** il s'est laissé pousser la barbe; **~ cerrada** barbe drue, touffue; **~ postiza** fausse barbe ◊ *FAM* **a tanto por ~** à tant par tête (de pipe); **un tío con toda la ~** un type super **3.** *(de ballena)* fanon *m.* ◇ *pl* **1.** barbe *sing* ◊ *FIG* **subirse a las barbas de** manquer de respect à, marcher sur les pieds de; **en las barbas de** à la barbe de, au nez et à la barbe de **2.** *(del papel)* barbes. ◇ *m TEAT* père noble.

▶ *Barba s'emploie aussi bien au sing qu'au pl. dans le sens de «poils».*

**Barba Azul** *np m* Barbe-Bleue.

**barbacana** *f* barbacane.

**barbacoa** *f* **1.** *(parrilla)* barbecue *m*; *(carne)* viande grillée **2.** *AMER (camastro)* lit *m* de camp; *(casita)* cabane; *(zarzo)* claie.

**barbada** *f* **1.** *(del caballo)* ganache **2.** *(del freno)* gourmette.

**barbado, a** *a* barbu, e.

**barbaján** *a AMER* rustaud, e.

**Bárbara** *np f* Barbe.

**bárbaramente** *adv FAM* drôlement bien.

**barbaridad** *f* **1.** *(crueldad)* atrocité, horreur **2.** *(necedad)* énormité, bêtise, absurdité: **decir barbaridades** sortir des énormités **3.** *(disparate)* folie **4.** *FAM* **una ~** énormément; **come una ~** il mange énormément; **cuesta una ~** ça coûte horriblement cher; **ha adelgazado una ~** c'est incroyable ce qu'elle a maigri, elle a maigri à un point incroyable, elle a drôlement maigri; **me gusta una ~** ça me plaît vachement; **me molesta una ~** ça me gêne affreusement. ◇ *interj* **¡qué ~!** *(desaprobación)* quelle honte!, c'est une honte!; *(asombro)* c'est incroyable!, mince alors!; **¡qué ~, cómo pasa el tiempo!** c'est fou, c'est incroyable comme le temps passe!

**barbarie** *f* barbarie.

**barbarismo** *m* barbarisme.

**barbarizar** *vi* dire des bêtises.

**bárbaro, a** *a/s* **1.** barbare **2.** *FIG* brute. ◇ *a FAM (estupendo)* du tonnerre, formidable, terrible, génial, e: **un coche ~** une voiture du tonnerre; **¡qué ~!** ¡formidable!. ◇ *adv FAM* **lo hemos pasado ~** on s'est drôlement bien amusés, ça s'est vachement bien passé.

**barbechar** *vt* AGR mettre en jachère.

**barbechera** *f* AGR jachère.

**barbecho** *m* AGR jachère *f*: **en ~** en jachère.

**barbería** *f* boutique du barbier.

**barberil** *a* du barbier.

**barbero** *m* **1.** barbier **2.** *(peluquero)* coiffeur.

**barbián, ana** *a/s* FAM gaillard, e.

**barbicano** *a* à barbe blanche.

**barbiespeso** *a* à barbe touffue.

**barbijo** *m* AMER **1.** *(barboquejo)* mentonnière *f*, jugulaire *f* **2.** *(chirlo)* balafre *f*.

**barbilampiño** *a* qui a peu de barbe, glabre, imberbe. ◇ *m* blanc-bec.

**barbilindo** *a/m* efféminé.

**barbilla** *f* **1.** menton *m*, bout *m* du menton **2.** *(de pez)* barbillon *m*.

**barbinegro** *a* à barbe noire.

**barbirrubio** *a* à barbe blonde.

**barbirrucio** *a* à barbe poivre et sel.

**barbitaheño** *a* à barbe rousse.

**barbitúrico** *m* barbiturique.

**barbo** *m* *(pez)* barbeau.

**barbón** *m* **1.** homme barbu **2.** *(macho cabrío)* bouc.

**barboquejo** *m* mentonnière *f*, jugulaire *f*.

**barbotar, barbotear** *vi* marmonner, bredouiller.

**barbudo, a** *a/m* barbu, e.

**barbulla** *f* brouhaha *m*.

**barbullar** *vi* bredouiller, bafouiller.

**barbuquejo → barboquejo.**

**barbusano** *m* arbre des Canaries au bois très dur.

**barca** *f* **1.** barque **2.** *(para pasar un río)* bac *m*.

**barcarola** *f* barcarole.

**barcaza** *f* **1.** allège, barcasse **2. ~ de desembarque** péniche de débarquement.

**Barcelona** *np f* Barcelone.

**barcelonés, esa** *a/s* barcelonais, e.

**barchilón, ona** *s* AMER infirmier, ère (d'hôpital).

**barcino, a** *a* à poil blanc et roux.

**barco** *m* bateau: **barcos de vela, de vapor** bateaux à voile, à vapeur ◊ **~ de pasajeros** paquebot; **~ mercante** cargo; **~ escuela** navire-école.

**barda** *f* *(sobre una tapia)* garniture de ronces, de paille, etc. (sur la crête d'un mur).

**bardal → barda.**

**bardo** *m* *(poeta)* barde.

**baremo** *m* barème.

**bargueño** *m* cabinet espagnol.
▶ Meuble à tiroirs ou compartiments, en vogue en Espagne aux XVIe et XVIIe siècles.

**baria** *f* *(unidad de presión)* barye.

**baricentro** *m* MAT barycentre.

**bario** *m* *(metal)* baryum.

**barítono** *m* baryton.

**barloventear** *vi* MAR louvoyer.

**barlovento** *m* MAR dessus du vent ◊ **a ~** au vent. ◇ *np* **Islas de Barlovento** Îles du Vent.

**barman** *m* barman.

**barnabita** *a/s* barnabite.

**barnacla** *m* *(ave)* bernache *f*.

**barniz** *m* **1.** vernis: **barnices celulósicos** vernis cellulosiques; **dar ~ a** passer du vernis sur **2.** FIG vernis **3. ~ del Japón** vernis du Japon.

**barnizado** *m* vernissage.

**barnizar** *vt* **1.** *(la madera)* vernir **2.** *(la loza)* vernisser.

**barómetro** *m* baromètre.

**barón** *m* baron.

**baronesa** *f* baronne.

**baronía** *f* baronnie.

**barquero, a** *s* batelier, ère.

**barquichuelo** *m* petit bateau.

**barquilla** *f* **1.** petite barque **2.** *(de globo)* nacelle **3.** MAR flotteur *m* de loch.

**barquillero, a** *s* marchand, e d'oublies, de gaufres.

**barquillo** *m* **1.** *(golosina)* oublie *f*, gaufre *f* **2.** crêpe *f* dentelle **3.** AMER *(de helado)* cornet.

**barquinazo** *m* cahot ◊ **dar barquinazos** cahoter.

**barra** *f* **1.** *(de metal, madera)* barre: **oro en ~** or en barre **2.** *(para cortinas)* tringle **3.** *(de carmín, de lacre, etc.)* bâton *m*: **una ~ de labios** un bâton de rouge à lèvres; *(de desodorante, etc.)* stick *m* **4.** *(de pan)* baguette **5.** *(en un tribunal)* barre **6.** *(mostrador)* comptoir *m*, bar *m*: **tomar un whisky en la ~** prendre un whisky au comptoir **7.** *(baile)* **ejercicios en la ~** exercices à la barre **8.** *(gimnasia)* **~ fija** barre fixe; **barras asimétricas** barres asymétriques **9.** AMER bande, groupe *m* (d'amis). ◇ *pl* FIG **no pararse en barras** ne pas y aller par quatre chemins, aller droit devant soi.

**barrabás** *m* FAM diable, démon.

**barrabasada** *f* **1.** *(disparate)* bêtise, sottise: **hacer, decir barrabasadas** faire, dire des bêtises **2.** *(travesura)* tour *m* pendable, espièglerie **3.** *(mala jugada)* vacherie, entourloupette.

**barraca** *f* **1.** baraque, stand *m*: **las barracas de la feria** les baraques de la foire **2.** *(en Valencia y Murcia)* chaumière **3.** AMER hangar *m*, entrepôt.
▶ Sens 2: maison rustique couverte d'un toit en roseaux, à deux pentes, caractéristique de la «huerta» de Valence et de Murcie.

**barracón** **1.** *m* baraque *f*: **~ de feria** baraque foraine; **~ de tiro** tir forain **2. los barracones de un campo de concentración** les baraquements d'un camp de concentration.

**barracuda** *f* *(pez)* barracuda *m*.

**barragana** *f* ANT concubine.

**barraganería** *f* ANT concubinage *m*.

**barranca** *f* ravin *m*.

**barrancal** *m* terrain raviné.

**barranco** *m* **1.** ravin **2.** précipice **3.** FIG difficulté *f*, situation *f* difficile.

**barrancoso, a** *a* raviné, e.

**barredero, a** *a* **red barredera** filet traînant, traîne. ◇ *m* écouvillon. ◇ *f* *(vehículo)* balayeuse.

**barredura** *f* balayage *m*. ◇ *pl* balayures.

**barrena** *f* **1.** vrille: **~ de mano** vrille **2.** *(broca)* mèche, foret *m* **3.** *(de minero)* barre à mine **4. entrar en ~** descendre en vrille.

**barrenar** *vt* **1.** forer, percer **2.** MAR saborder **3.** FIG *(un proyecto, etc.)* torpiller, faire échouer.

**barrendero, a** *s* balayeur, euse.

**barreno** *m* **1.** grande vrille *f* **2.** *(agujero)* trou (de mine).

**barreño** *m* bassine *f*, cuvette *f*.

**barrer** *vt* **1.** balayer: **~ el polvo** balayer la poussière; **el viento barre las nubes** le vent balaie les nuages **2.** *FIG* l'emporter **3. ~ para dentro** tirer la couverture à soi.

**¹barrera** *f* **1.** barrière **2. ~ del sonido** mur du son; **atravesar, romper la ~ del sonido** franchir le mur du son **3.** *FIG* obstacle *m*, barrière: **~ lingüística** barrière linguistique **4. barreras arancelarias** barrières douanières **5.** *FIG* **la ~ del 30%, de los dos millones** la barre des 30%, des deux millions.

**²barrera** *f (de donde se extrae la arcilla)* glaisière.

**barreta** *f* barre.

**barretina** *f* bonnet *m* catalan.
► Ressemble à un bonnet phrygien.

**barriada** *f* **1.** quartier *m* (dans les faubourgs) **2.** *AMER* bidonville *m*.

**barrica** *f* barrique.

**barricada** *f* barricade.

**barrido** *m* **1.** balayage ◊ **dar un ~** donner un coup de balai **2.** *FIG* **lo mismo sirve para un ~ que para un fregado** il est bon à tout faire.

**barriga** *f* **1.** ventre *m*: **me duele la ~** j'ai mal au ventre; **echar ~** prendre du ventre; **mete ~** rentre ton ventre **2.** *FAM* panse, bedaine: **llenarse la ~** se remplir la panse **3.** *(de una vasija)* panse.

**barrigón, ona → barrigudo.**

**barrigudo, a** *a FAM* bedonnant, e, ventripotent, e, ventru, e.

**barril** *m* baril ◊ **cerveza de ~** bière à la pression.

**barrilete** *m* **1.** petit baril **2.** *(de revólver)* barillet **3.** *(de carpintero)* valet **4.** *AMER (cometa)* cerf-volant.

**barrilla** *f* soude.

**barrillo** *m (en la cara)* bouton (d'acné).

**barrio** *m* **1.** quartier: **los barrios antiguos** les vieux quartiers; **los barrios bajos** les bas quartiers ◊ **~ de las latas** bidonville **2.** *FAM* **el otro ~** l'autre monde; **irse al otro ~** passer l'arme à gauche, casser sa pipe; **mandar al otro ~** envoyer dans l'autre monde, descendre, tuer.

**barriobajero, a** *a* faubourien, enne.

**barrista** *s (gimnasta)* barriste.

**barritar** *vi* barrir.

**barrito** *m* barrissement.

**barrizal** *m* bourbier.

**¹barro** *m* **1.** *(lodo)* boue *f* **2.** *(de alfarero)* terre *f* à potier, terre *f* glaise, argile *f*: **un cántaro de ~** une cruche en terre; **~ cocido** terre cuite **3.** *FIG* **arrastrarse por el ~** se traîner dans la boue, la fange **4.** *FIG* argile *f*: **gigante con los pies de ~** colosse aux pieds d'argile.

**²barro** *m (granito)* bouton (d'acné).

**barroco, a** *a/m* baroque: **estilo ~** style baroque.

**barroquismo** *m* baroquisme.

**barroso, a** *a* **1.** boueux, euse **2.** *(cara)* boutonneux, euse.

**barrote** *m* barreau.

**barrueco** *m* perle *f* baroque.

**barrumbada** *f FAM* **1.** rodomontade **2.** *(gasto)* folle dépense.

**barruntar** *vt* pressentir, soupçonner. ◆ **~se** *vpr* pressentir: **me barrunto que...** je pressens que...

**barrunto** *m* **1.** pressentiment **2.** *(señal)* soupçon, indice, marque *f*.

**bartola (a la)** *loc adv FAM* **tumbarse a la ~** ne pas s'en faire, se la couler douce: **se pasa todo el día tumbado a la ~** il passe toute la journée à se la couler douce.

**bartolear** *vi (holgazanear)* flemmarder, flâner, traîner.

**bartolillo** *m* petit pâté triangulaire à la viande ou à la crème.

**bartolina** *f AMER* cachot *m*, geôle.

**Bartolomé** *np m* Barthélemy.

**bartulear** *vi AMER* réfléchir.

**bártulos** *m pl* affaires *f* ◊ *FAM* **liar los ~** plier bagages.

**barullo** *m* **1.** *(alboroto)* remue-ménage, *(ruido)* raffut, boucan: **los niños armaban un ~ del infierno** les enfants faisaient un raffut infernal **2.** confusion *f* **3.** *FAM* **a ~** en quantité, à la pelle: **mentirosos como él hay a ~** des menteurs comme lui, il y en a à la pelle, des masses.

**barzonear** *vi* flâner, traîner, traînasser.

**basa** *f* base.

**basada** *f MAR* ber *m*.

**basáltico, a** *a* basaltique.

**basalto** *m* basalte.

**basamento** *m ARQ* soubassement.

**basar** *vt* **~ en** baser, appuyer sur. ◆ **~se** *vpr* se fonder, se baser: **¿en qué se basan sus críticas?** sur quoi se fondent vos critiques?

**basca** *f* **1.** nausée, haut-le-cœur *m*: **este perfume barato me da bascas** ce parfum bon marché me donne la nausée; **me da bascas de sólo pensarlo** ça me donne des haut-le-cœur rien que d'y penser **2.** caprice *m* ◊ **le ha dado una ~** ça lui a pris comme ça.

**bascosidad** *f* **1.** *(suciedad)* saleté **2.** *AMER* grossièreté.

**báscula** *f* **1.** bascule **2. ~ de baño** pèse-personne *m*.

**bascular** *vi* basculer.

**base** *f* **1.** *(apoyo)* base **2. ~ aérea, naval, de lanzamiento** base aérienne, navale, de lancement **3.** *(de un impuesto)* assiette: **~ tributaria, imponible** assiette de l'impôt **4.** *FIG* base, fondement *m*: **caerse por la ~** pécher par la base; **sentar las bases** jeter, poser les bases ◊ **partiendo de la base de que...** en admettant que... **5.** *QUÍM* base **6.** *INFORM* **~ de datos** base de données **7.** *loc prep* **a ~ de** à base de; **se mantiene a ~ de medicamentos** il se maintient à coup de médicaments; **a ~ de tres horas diarias** à raison de trois heures par jour; **a ~ de** + *inf.*, à force de; **en ~ a...** d'après..., vu... **8.** *loc adv FAM* **a ~ de bien** drôlement bien: **comimos a ~ de bien** on a drôlement bien mangé; **una comida a ~ de bien** un repas du tonnerre, vachement bon.

**básicamente** *adv* essentiellement.

**basicidad** *f QUÍM* basicité.

**básico, a** *a* **1.** fondamental, e, essentiel, elle: **principios básicos** des principes fondamentaux **2. sueldo ~** salaire de base **3.** *QUÍM* basique.

**Basilea** *np* Bâle.

**basílica** *f* basilique.

**basiliense** *a/s* bâlois, e.

**Basilio** *np m* Basile.

**basilisco** *m* **1.** *(animal)* basilic **2.** *FAM* **estar hecho un ~** être dans une colère noire; **ponerse hecho un ~** piquer une rogne, se mettre en rogne, entrer en fureur.

**basset** *m (perro)* basset.

**basta** *f (hilvanado)* bâti.

**¡basta!** *interj* **→ bastar.**

**bastante** *a* **1.** suffisant, e: **esto no es ~ para...** ce n'est pas suffisant pour... **2.** assez de, suffisamment de: **no tiene ~ fuerza para...** il n'a pas assez de force pour...; **tengo bastantes cosas que hacer** j'ai pas mal de choses à faire. ◇ *adv* assez: **es ~ simpática** elle est assez sympathique; **¿has comido ~?** as-tu assez mangé?. ◇ *m* **lo ~ para...** assez pour..., suffisamment pour...

**bastantear** *vt/i JUR* valider, entériner, déclarer valable.

**bastanteo** *m JUR* validation *f* (d'une procuration).

**bastar** *vi* **1.** suffire: **basta la intención** l'intention suffit; **eso me basta** ça me suffit ◊ **con esto me basta y me sobra** avec ça, j'en ai largement assez, j'en ai plus qu'il n'en faut, c'est plus que suffisant **2. basta con decirlo** il suffit de le dire; **basta con que me avises a tiempo** il suffit que tu me préviennes à temps ◊ **me basta con tu palabra** je te crois sur parole **3. basta de** assez de, trêve de: **~ de bromas** trêve de plaisanteries. ◇ *interj* **¡basta!** assez!, ça suffit!, ça commence à bien faire!; **¡basta ya!** en voilà assez!, y en a marre!

**bastardear** *vi* dégénérer, s'abâtardir. ◇ *vt* dénaturer.

**bastardía** *f* bâtardise.

**bastardilla** *a/f (letra)* italique.

**bastardo, a** *a/s* bâtard, e. ◇ *a* vil, e. ◇ *a/f (letra)* bâtarde.

**bastedad** *f* rusticité, grossièreté.

**bastidor** *m* **1.** *(de una puerta, máquina)* châssis, bâti **2.** *(de automóvil)* châssis **3.** *(para bordar)* métier. ◇ *pl TEAT* coulisses *f* ◊ *FIG* **entre bastidores** dans les coulisses.

**bastilla** *f (doblez)* ourlet *m*.

**Bastilla** *np f* Bastille.

**[1]basto** *m (albarda)* bât. ◇ *pl* **1.** une des couleurs du jeu de cartes espagnol **2.** *AMER* panneaux de selle.

**[2]basto, a** *a* **1.** *(cosa)* grossier, ère: **tela basta** étoffe grossière **2.** *(persona, modales, etc.)* grossier, ère, vulgaire.

**bastón** *m* **1.** *(para apoyarse)* canne *f*: **un ~ con un puño de plata** une canne à pommeau d'argent **2. ~ de mando** bâton de commandement ◊ *FIG* **empuñar el ~** prendre le commandement **3.** *(de esquí)* bâton.

**bastonazo** *m* coup de canne, de bâton.

**bastoncillo** *m* **1.** petit bâton **2.** *(de la retina)* bâtonnet **3. ~ de algodón** bâtonnet ouaté, Coton-Tige.

**bastonear** *vt* bâtonner.

**bastonera** *f* porte-parapluies *inv*.

**basura** *f* **1.** ordures *pl*: **tirar a la ~** jeter aux ordures; **prohibido arrojar ~** défense de déposer ses ordures ◊ **cubo de ~** poubelle *f*; **bolsa de ~** sac-poubelle *m* **2.** *FIG* cochonnerie, saleté.

**basural** *m AMER* décharge *m*, dépôt d'ordures.

**basurear** *vt AMER* humilier, traîner dans la boue.

**basurero** *m* **1.** *(el que recoge la basura)* éboueur, boueux **2.** *(sitio)* décharge *f*, dépot d'ordures.

**bata** *f* **1.** *(para estar en casa)* robe de chambre **2.** *(de enfermera, etc.)* blouse: **~ blanca** blouse blanche.

**batacazo** *m* **1.** *(caída)* chute *f* ◊ **darse un ~** faire une chute, tomber, se retrouver par terre **2.** *FIG* **~ electoral** défaite *f* électorale **3.** *AMER* victoire *f* inespérée *(d'un outsider, dans les courses)* succès inattendu.

**batahola** *f* raffut *m*, vacarme *m*.

**batalla** *f* **1.** bataille ◊ **~ campal** bataille rangée; **dar la ~** livrer bataille **2.** *(distancia entre dos ejes)* empattement *m* **3. traje de ~** costume de tous les jours.

**batallador, a** *a/s* batailleur, euse. ◇ *a* combatif, ive.

**batallar** *vi* se battre.

**[1]batallón** *m* bataillon.

**[2]batallón, ona** *a* **cuestión batallona** question brûlante, très débattue.

**batán** *m* **1.** foulon **2. tierra de ~** terre à foulon **3.** *AMER* mortier (pour broyer le maïs).

**batanar** *vt (los paños)* fouler.

**batanear** *vt (a uno)* frapper, rosser.

**batanero** *m* foulon.

**bataola** → **batahola.**

**batata** *f* patate douce.

**bátavo, a** *a/s* batave.

**batazo** *m* coup donné avec la batte (de base-ball).

**bate** *m* batte *f*: **~ de béisbol** batte de base-ball.

**batea** *f* **1.** *(bandeja)* plateau *m* **2.** *(barco)* bateau *m* plat, acon *m* **3.** *(vagón)* plate-forme, wagon *m* plat **4.** *(para lavar el oro)* batée **5.** *AMER (artesa)* baquet *m*.

**bateador** *m (en el juego de béisbol)* batteur.

**batear** *vt* **1.** frapper (avec la batte) **2.** *AMER* renvoyer.

**batel** *m* canot.

**batelero, a** *s* batelier, ère: **los bateleros del Volga** les bateliers de la Volga.

**batería** *f* **1.** *(de cañones, acumulador)* batterie **2. ~ de cocina** batterie de cuisine **3.** *(de jazz)* batterie: **tocar la ~** être à la batterie, tenir la batterie **4.** *TEAT* rampe **5. aparcar en ~** se garer en épi **6. ~ de tests** batterie de tests. ◇ *m (músico)* **el ~ del conjunto** le batteur de la formation.

**batey** *m AMER* sucrerie *f*.

**batiborrillo, batiburrillo** *m* méli-mélo, fatras, salmigondis.

**baticola** *f* croupière.

**batida** *f* **1.** *(caza)* battue **2.** *(de policía)* **dar una ~** faire une descente, une rafle; **dar una batida en el barrio** fouiller tout le quartier.

**batido, a** *a* battu, e: **tierra batida** terre battue. ◇ *m* **1.** *(bebida)* milk-shake: **~ de fresa** milk-shake à la fraise **2.** *(en el ballet)* battu, saut battu.

**batidor** *m* **1.** *(de oro)* batteur **2.** *(peine)* démêloir **3.** *MIL* éclaireur **4.** *AMER (soplón)* mouchard.

**batidora** *f* mixer *m*, mixeur *m*, batteur *m*.

**batiente** *m (de puerta)* battant.

**batifondo** *m AMER* tapage, raffut.

**batihoja** *m* batteur d'or, d'argent.

**batik** *m* batik.

**batimetría** *f* bathymétrie.

**batín** *m* veste *f* d'intérieur.

**batintín** *m* gong.

**batir** *vt* **1.** battre: **~ el hierro en el yunque** battre le fer sur l'enclume; **la lluvia bate los cristales** la pluie bat les vitres ◊ *FIG* **~ el cobre** → **cobre 2. ~ los huevos a punto de nieve** battre les œufs en neige; **se baten cinco yemas** battre cinq jaunes **3. ~ las alas** battre des ailes **4.** *(el pelo)* crêper **5.** *(vencer)* battre: **nuestro equipo ha sido batido** notre équipe a été battue; **~ un récord** battre un record **6. ~ en brecha** battre en brèche **7. ~ el monte** battre les buissons. ◆ **~se** *vpr* se battre: **batirse en duelo** se battre en duel.

**batiscafo** *m* bathyscaphe.

**batista** *f (tela)* batiste.

**batitú** *m AMER* oiseau voisin de la bécassine.

**batómetro** *m* bathymètre.

**batracios** *m pl ZOOL* batraciens.

**Batuecas** *np f pl FIG* **estar en las ~** être dans la lune, ne pas avoir les pieds sur terre.
▶ De *Batuecas*, région de la province de Salamanque.

**batuque** *m AMER (barullo)* boucan, raffut; *(confusión)* pagaille *f*, chahut.

**batuquear** *vi AMER* **1.** agiter **2.** semer la pagaille.

**baturrillo** → **batiborrillo.**

**baturro, a** *a/s* aragonais, e.

**batuta** *f* baguette de chef d'orchestre ◊ **llevar la ~** diriger l'orchestre; *FIG* mener la danse, faire la loi.

**baúl** *m* malle *f*: **~ mundo** grosse malle.

**baulero** *m* layetier.

**bauprés** *m MAR* beaupré.

**bausán, ana** *a* idiot, e.

**bautismal** *a* baptismal, e: **pila ~** fonts baptismaux.

**bautismo** *m* **1.** baptême: **fe de ~** extrait de baptême **2. ~ de aire, de fuego** baptême de l'air, du feu **3.** *FAM* **romper el ~ a** casser la figure à.

**bautista** *a/s (secta)* baptiste.

**Bautista (el)** *np m* saint Jean-Baptiste.

**bautizar*** *vt* **1. ~ a un niño, un barco** baptiser un enfant, un bateau; **~ con el nombre de** baptiser du nom de **2.** *FAM (vino, leche)* baptiser.

**bautizo** *m* baptême.

**bauxita** *f* bauxite.

**bávaro, a** *a/s* bavarois, e.

**Baviera** *np f* Bavière.

**baya** *f BOT* baie.

**bayadera** *f* bayadère.

**bayeta** *f* **1.** sorte de flanelle **2.** *(para fregar)* serpillère.

**bayo, a** *a (caballo)* bai, e. ◇ *m* **1.** *(mariposa)* papillon du ver à soie **2.** *AMER (féretro)* cercueil.

**Bayona** *np* Bayonne.

**bayoneta** *f* baïonnette: **armar la ~** mettre la baïonnette au canon; **ataque a la ~** attaque à la baïonnette.

**bayonetazo** *m* coup de baïonnette.

**baza** *f* **1.** *(en los naipes)* levée, pli *m* ◊ **meter ~** dire son mot; **mete ~ en todo** il fourre son nez partout; **no me ha dejado meter ~** il ne m'a pas laissé placer un mot; **hacer ~** prospérer **2.** *FIG (oportunidad)* atout *m* ◊ **sacar ~** tirer avantage, profit.

**bazar** *m* bazar.

**bazo, a** *a* bis, e. ◇ *m ANAT* rate *f*.

**bazofia** *f (comida, bebida mala)* cochonnerie, saleté.

**bazuca** *f* bazooka *m*.

**be** [be] *f* **1.** b *m*, lettre *b* **2. ~ por ~** en détail.

**bearnés, esa** *a/s* béarnais, e ◊ *CULIN* **salsa bearnesa** sauce béarnaise.

**beata** *f FAM (muy piadoso)* bigote, dévote.

**beatería** *f FAM* bigoterie.

**beaterio** *m* béguinage.

**beatificación** *f* béatification.

**beatíficamente** *adv* béatement.

**beatificar*** *vt* béatifier.

**beatífico, a** *a* béat, e: **una sonrisa beatífica** un sourire béat.

**beatísimo** *a* **~ Padre** très Saint-Père.

**beatitud** *f* béatitude.

**beato, a** *a* bienheureux, euse. ◇ *a/s* **1.** dévot, e **2.** *FAM* bigot, e.

**beatona** *f FAM* grenouille de bénitier.

**Beatriz** *np f* Béatrice.

**bebé** *m* bébé: **~ probeta** bébé-éprouvette.

**bebedero, a** *a* buvable. ◇ *m (abrevadero)* abreuvoir.

**bebedizo, a** *a* potable. ◇ *m* **1.** potion **2.** *(filtro)* philtre **3.** breuvage empoisonné.

**bebedor, a** *a/s* buveur, euse.

**beber** *vi/t* boire: **no bebe vino** il ne boit pas de vin; **~ de la botella** boire au goulot; **~ como una cuba** boire comme un trou; **bebo a su salud** je bois à votre santé ◊ *FIG* **~ en buenas fuentes** puiser aux bonnes sources. ◆ **~se** *vpr* boire: **se bebió tres coñacs uno tras otro** il a bu trois cognacs l'un après l'autre; **bébase fría** à boire froid.

**bebestible** *m* boisson *f*.

**bebible** *a* buvable.

**bebida** *f* boisson: **~ alcohólica** boisson alcoolique ◊ **darse a la ~** s'adonner à la boisson.

**bebido, a** *a (borracho)* ivre, éméché, e: **algo ~** un peu ivre.

**bebistrajo** *m* bibine *f*, breuvage infect, affreuse mixture *f*.

**beca** *f (de estudio)* bourse.

▶ Anciennement, insigne que portaient les étudiants et sorte de cape.

**becacina** *f* bécassine.

**becada** *f* bécasse.

**becado, a** *s* boursier, ère.

**becafigo** *m* becfigue.

**becar** *vt* accorder une bourse: **estar becado** bénéficier d'une bourse.

**becario, a** *s* boursier, ère.

**becerra** *f* génisse.

**becerrada** *f* course de jeunes génisses.

**becerrilla** *f* petite génisse.

**becerrillo** *m* veau.

**becerro** *m* **1.** veau ◊ *FIG* **el ~ de oro** le veau d'or **2.** *(piel)* veau, box: **bolso de ~** sac en box **3. ~ marino** veau marin **4.** *(libro)* cartulaire.

**bechamel** *f (salsa)* béchamel.

**becuadro** *m MÚS* bécarre.

**bedel** *m* appariteur.

**beduino, a** *a/s* bédouin, e.

**befa** *f* moquerie, raillerie ◊ **hacer ~ de** se moquer de, railler, tourner en dérision.

**befar** *vt (burlarse)* railler, se moquer de.

**befo, a** *a* **1.** *(de labios gruesos)* lippu, e **2.** *(zambo)* cagneux, euse. ◇ *m (belfo)* lèvre *f*, babine *f*.

**begonia** *f* bégonia *m*.

**beguina** *f* béguine.

**behetría** *f ANT* ville libre.

**beige** [beis, beʒ] *a/m* beige.

**Beirut** *np* Beyrouth.

**béisbol** *m* base-ball.

**beisbolero, beisbolista** *m* joueur de base-ball.

**bejín** *m* vesse-de-loup *f*.

**bejuco** *m* liane *f*.

**Belcebú** *np m* Belzébuth.

**beldad** *f* **1.** beauté **2. una ~** une beauté.

**beldar → bieldar.**

**belemnita** *f (fósil)* belemnite.

[1]**belén** *m* **1.** crèche *f* de Noël **2.** *FIG* pagaille *f*, confusion *f* ◊ **meterse en belenes** se fourrer dans une affaire compliquée.

[2]**Belén** *np* Bethléem ◊ *FAM* **estar en ~** être dans la lune.

**beleño** *m (planta)* jusquiame *f*.

**belfo, a** *a* lippu, e. ◇ *m* **1.** lèvre *f*, babine *f* **2.** *(labio inferior)* lippe *f*.

**belga** *a/s* belge.

**Bélgica** *np f* Belgique.

**Belgrado** *np* Belgrade.

**belicismo** *m* bellicisme.

**belicista** *a/s* belliciste.

**bélico, a** *a* de guerre, militaire: **material ~** matériel de guerre; **industria bélica** industrie de guerre.

**belicosidad** *f* combativité.

**belicoso, a** *a* belliqueux, euse.

**beligerancia** *f* belligérance.

**beligerante** *a/s* belligérant, e.

**belinógrafo** *m* bélinographe.

**bellacada → bellaquería.**

**bellaco, a** *a/s* coquin, e, fripon, onne.

**belladona** *f* belladone.

**Bella durmiente del bosque (la)** *np f* la Belle au bois dormant.

**bellaquería** *f* **1.** coquinerie **2.** *(jugada)* vilain tour *m*.

**belleza** *f* beauté: **productos de ~** produits de beauté; **una ~** une beauté.

**bellísimo, a** *a* **1.** très beau, très belle, de toute beauté, superbe: **una voz bellísima** une voix de toute beauté **2. una bellísima persona** une excellente personne.

**bello, a** *a* beau, bel *(delante de un masculino sing. que empieza por vocal o h aspirada)*, belle: **el ~ sexo** le beau sexe; **un ~ edificio** un bel édifice; **una voz muy bella** une très belle voix; **la vida es bella** la vie est belle; **las bellas artes** les beaux-arts.

**bellota** *f* **1.** gland *m* **2. animal de ~** cochon; *FIG* brute *f*, abruti.

**bellote** *m* gros clou à tête ronde.

**Beltrán** *np m* Bertrand.

**beluario** *m* belluaire.

**bembo, a** *a AMER* lippu, e. ◇ *m/f (labio grueso)* lippe *f*.

**bembón, ona** *a AMER* lippu, e.

**bemol** *a/m MÚS* bémol. ◇ *m pl FAM* **1.** culot *sing* **2. la cosa tiene bemoles** ce n'est pas facile du tout, ce n'est pas commode; **¡esto sí que tiene bemoles!** c'est un peu fort!, il y a de l'abus!

**bemolar** *vt MÚS* bémoliser.

**benceno** *m* benzène.

**bencina** *f* **1.** benzine **2.** *AMER (gasolina)* essence.

**bencinera** *f AMER* poste *m* à essence.

**bendecir*** *vt* bénir: **¡Dios le bendiga!** Dieu vous bénisse!; **el sacerdote bendijo el cirio pascual** le prêtre a béni le cierge pascal.

▶ *Bendecir* a deux p.p.; l'un régulier *bendecido (la cruz fue bendecida por...,* la croix a été bénite par...) l'autre irrégulier, employé comme adj. ou dans les formules de prière ou d'invocation → **bendito.**

**bendición** *f* bénédiction: **el Papa ha impartido su ~ a la muchedumbre** le pape a donné sa bénédiction à la foule; **echar la ~** donner la bénédiction ◊ *FAM* **que es una ~** que c'est une bénédiction.

**bendiga → bendecir.**

**bendito, a** *pp* de **bendecir** béni, e: **¡~ sea Dios!** Dieu soit béni!; **~ el que...** béni celui qui.... ◇ *a* **1.** bénit, e: **pan ~** pain bénit; **agua bendita** eau bénite **2.** bienheureux, euse: **la bendita Virgen María** la bienheureuse Vierge Marie. ◇ *a/m (bobo)* benêt ◊ **dormir como un ~** dormir comme un bienheureux.

**benedícite** *m* bénédicité.

**benedictino, a** *a/s* bénédictin, e. ◇ *m (licor)* bénédictine *f*.

**Benedicto** *np m* Benoît.

**benefactor, a** *s* bienfaiteur, trice.

**beneficencia** *f* **1.** bienfaisance **2. ~ pública** assistance publique.

**beneficiado, a** *a/s* bénéficiaire ◊ **han sido los jóvenes los más beneficiados por la reforma** ce sont les jeunes qui ont bénéficié le plus de la réforme; **España será la principal beneficiada por esta medida** l'Espagne sera le pays le plus avantagé par cette mesure. ◇ *m (eclesiástico)* bénéficier.

**beneficiar*** *vt* **1. ~ a** *(ser bueno para)* faire du bien à, être bon pour; *(servir)* profiter à, être utile à: **este invento beneficia a toda la humanidad** cette invention profite à l'humanité toute entière; *(favorecer)* favoriser; *(ayudar)* aider **2.** *(mina)* exploiter; *(mineral)* traiter **3.** *AMER (una res)* dépecer. ◆ **~se de, con** *vpr* bénéficier de, profiter de: **beneficiarse de un descuento, de una oportunidad** bénéficier d'une ristourne, profiter d'une occasion.

**beneficiario, a** *a/s* bénéficiaire.

**beneficio** *m* **1.** *(favor)* bienfait **2.** *(provecho)* profit, bénéfice, avantage **3.** *(ganancia)* bénéfice: **~ neto** bénéfice net ◊ **margen de ~** marge bénéficiaire **4. a ~ de inventario** sous bénéfice d'inventaire **5.** *loc prep* **a ~ de** au bénéfice de: **rifa a ~ de la Cruz Roja** tombola au bénéfice de la Croix Rouge; **en ~ de** au profit de.

**beneficioso, a** *a* **1.** *(provechoso)* profitable, avantageux, euse, utile **2.** *(benéfico)* bénéfique.

**benéfico, a** *a* **1.** bénéfique, bienfaisant, e **2. gala benéfica** gala de bienfaisance; **establecimiento ~** établissement de bienfaisance.

**benemérito, a** *a* **1.** digne d'éloge, méritoire: **esta benemérita obra** cette œuvre méritoire **2.** *(persona)* estimable **3. ~ de la patria** qui a bien mérité de la patrie. ◇ *f* **la Benemérita** la Garde civile, la gendarmerie espagnole.

**beneplácito** *m* accord, agrément, approbation *f*: **con el ~ de** avec l'accord de.

**benevolencia** *f* bienveillance.

**benévolo, a** *a (indulgente)* bienveillant, e.

**bengala** *f* **1.** *(caña)* rotin *m* **2.** *(luz)* feu *m* de Bengale.

**Bengala** *np f* Bengale *m* ◊ **luz de ~** feu de Bengale.

**bengalí** *a/s* bengali.

**benignamente** *adv* avec bienveillance, indulgence.

**benignidad** *f* **1.** bienveillance, bénignité **2.** *(del clima)* douceur.

**benigno, a** *a* **1.** indulgent, e, bienveillant, e, peu sévère, humain, e **2.** *(clima)* doux, douce **3.** *(enfermedad)* bénin, igne: **tumor ~** tumeur bénigne.

**Benín** *np m* Bénin.

**Benito, a** *np* Benoît, e.

**benjamín, ina** *s (hijo menor)* benjamin, e.

**Benjamín** *np m* Benjamin.

**benjuí** *m* benjoin.

**benteveo → bienteveo.**

**bentos** *m* benthos.

**benzol** *m* benzol.

**Beocia** *np f* Béotie.

**beocio, a** *a/s* béotien, enne.

**beodez** *f* ivresse.

**beodo, a** *a* ivre. ◇ *s* ivrogne, esse.

**berberecho** *m* coque *f*.

**berberisco, a** *a/s* barbaresque.

**berbiquí** *m* villebrequin.

**beréber, berebere** *a/s* berbère.

**berenjena** *f* aubergine.

**berenjenal** *m* champ d'aubergines ◊ *FAM* **meterse en un ~** se fourrer dans une sale histoire; **estamos metidos en un ~** nous voilà dans de beaux draps.

**Bérgamo** *np* Bergame.

**bergamota** *f* bergamote.

**bergante** *m FAM* bandit, coquin.

**bergantín** *m MAR* brigantin, brick.

**beriberi** *m MED* béribéri.

**berilio** *m* béryllium.

**berilo** *m* béryl.

**berlanga** *f* brelan *m*.

**Berlín** *np* Berlin.

**berlina** *f* **1.** *(coche)* berline **2.** coupé *m* **3. poner en ~** tourner en ridicule.

**berlinés, esa** *a/s* berlinois, e: **los berlineses** les Berlinois.

**berma** *f* **1.** *(fortificación)* berme **2.** *AMER* bas-côté *m* ◊ **la ~ central** le terre-plein central.

**bermejizo, a** *a* rougeâtre, roussâtre.

**bermejo, a** *a* **1.** *(el pelo)* roux, rousse **2.** *(rojo)* vermeil, eille.

**bermellón** *m* vermillon.

**bermudas** *m o f pl* bermuda *m sing*: **~ de flores** bermuda à fleurs.

**Bermudas** *np f pl* Bermudes.

**Berna** *np* Berne.

**Bernabé** *np m* Barnabé.

**Bernarda → Bernardo.**

**bernardina** *f FAM* boniment *m*, bobard *m*, rodomontade.

**Bernardino, a** *np* Bernardin, e.

**bernardo** *m (monje)* bernardin.

**Bernardo, a** *np* Bernard, Bernadette.

**bernés, esa** *a/s* bernois, e.

**berrear** *vi* **1.** beugler **2.** *(niño, cantante)* brailler.

**berrendo, a** *a* **1.** de deux couleurs **2.** taché, e: **~ en** taché de. ◇ *m* antilope *f* américaine.

**berreón, ona** *a* braillard, e.

**berretín** *m AMER* toquade *f*, lubie *f*, caprice.

**berrido** *m* **1.** *(del becerro)* beuglement **2.** *FIG* braillement, hurlement.

**berrinche** *m FAM* **1.** colère *f*, rogne *f*: **coger un ~** piquer une rogne **2.** *(disgusto)* chagrin: **me llevé un ~ horrible** j'ai eu un chagrin terrible.

**berrizal** *m* cressonnière *f*.

**berro** *m* cresson.

**berrocal** *m* terrain rocheux.

**berroqueña** *a* **piedra ~** granit *m*.

**berrueco** *m* rocher granitique.

**Berta** *np f* Berthe.

**berza** *f* chou *m*.

**berzal** *m* champ de choux.

**berzas → berzotas.**

**berzotas** *m FAM* idiot, empoté, abruti.

**besalamano** *m* billet non signé portant en tête l'abréviation B.L.M. (je vous baise la main).

**besamanos** *m* baisemain.

**besamel, besamela** *f* béchamel.

**besana** *f* **1.** *AGR* labourage *m* en sillons parallèles **2.** mesure agraire catalane.

**besante** *m* besant.

**besar** *vt* **1.** embrasser: **~ en las mejillas, en la boca** embrasser sur les joues, sur la bouche; **~ en la frente** embrasser sur le front; **bésame** embrasse-moi **2. ~ la mano, los pies** baiser la main, les pieds **3. llegar y ~ el santo → santo.** ◆ **~se** *vpr* s'embrasser: **los recién casados se besaron con ternura** les jeunes mariés s'embrassèrent tendrement.

**besico, besito** *m* bise *f*, bisou, bécot: **dar un ~** faire la bise.

**beso** *m* baiser: **le dio un ~ en la mejilla** il lui donna un baiser sur la joue ◊ *FIG* **~ de Judas** baiser de Judas; *FAM* **comerse a besos a alguien** couvrir quelqu'un de baisers.

**bestezuela** *f* bestiole.

**bestia** *f* **1.** bête ◊ **de carga** bête de somme **2. gran ~** tapir *m*. ◇ *s FAM* **1.** brute *f*: **es un ~** c'est une brute; **¡qué tío tan ~!** quelle brute épaisse!; **el muy ~** la brute **2. una mala ~** une vieille vache, une rosse, une brute épaisse **3.** *FIG* **la ~ negra** la bête noire. ◇ *a FIG* grossier, ère.

**bestial** *a* **1.** bestial, e **2.** *FAM* formidable ◊ **un hambre ~** une faim terrible; **una chica ~** une fille du tonnerre, super.

**bestialidad** *f* **1.** bestialité **2.** *FAM* **decir bestialidades** dire des stupidités **3.** brutalité **4. una ~ de** une foule de.

**bestialmente** *adv FAM* formidablement.

**bestiario** *m* bestiaire.

**best-seller** *m* best-seller.

**besucar → besuquear.**

**besucón, ona** *a* qui a la manie d'embrasser.

**besugo** *m* **1.** *(pez)* daurade *f*, rousseau **2.** *FIG* âne, crétin.

**besuguera** *f (recipiente)* turbotière.

**besuquear** *vi* bécoter.

**besuqueo** *m* fricassée *f* de museaux.

**beta** *f* **1.** *(letra)* bêta *m* **2. rayos ~** rayons bêta **3.** *MAR* filin *m*.

**betabloqueante** *a/m MED* bêtabloquant, e.

**Betania** *np f* Béthanie.

**betatrón** *m FIS* bêtatron.

**betel** *m* bétel.

**Bética** *np f* Bétique.

**bético, a** *a/s* de la Bétique.

**betuminoso, a → bituminoso.**

**betún** *m* **1.** bitume ◊ **~ de Judea** asphalte **2.** *(para el calzado)* cirage ◊ **dar ~ a los zapatos** cirer ses chaussures **3.** *FAM* **quedar a la altura del ~** être au-dessous de tout, être minable.

**betunero** *m* cireur de chaussures.

**bey** *m* bey.

**bezo** *m* lippe *f*, grosse lèvre *f*.

**bezote** *m (de los indios)* labret.

**bezudo, a** *a* lippu, e.

**biaba** *f AMER (paliza)* raclée: **dar la ~** donner une raclée, rosser.

**bibelot** *m* bibelot.

**biberón** *m* biberon: **criar con ~** nourrir au biberon.

**bibijagua** *f AMER* fourmi.

**Biblia** *np f* Bible ◊ *FAM* **la ~ en verso** le nec plus ultra. ◇ *f* bible.

**bíblico, a** *a* biblique.

**bibliofilia** *f* bibliophilie.

**bibliófilo, a** *s* bibliophile.

**bibliografía** *f* bibliographie.

**bibliográfico, a** *a* bibliographique.
**biblioteca** *f* bibliothèque.
**bibliotecario, a** *s* bibliothécaire.
**bicameralismo** *m* bicaméralisme.
**bicarbonato** *m* bicarbonate.
**bicéfalo, a** *a* bicéphale.
**bicentenario** *m* bicentenaire.
**bíceps** *m* biceps ◊ **tener buenos ~** avoir des biceps.
**bicerra** *f* bouquetin *m,* isard *m.*
**bicha** *f* couleuvre, serpent *m.*
**bicharraco** *m* PEYOR **1.** sale bête *f* **2.** FIG sale bête *f,* teigne *f.*
**bichero** *m* MAR gaffe *f.*
**bichito** *m* bestiole *f.*
**bicho** *m* **1.** bête **2.** *(pequeño)* bestiole *f* **3. un mal ~** un sale individu, une teigne; **~ raro** bête curieuse **4.** FIG **todo ~ viviente** tout le monde, tout un chacun; **no hay ~ viviente que no lo sepa** tout le monde le sait **5.** TAUROM taureau (de combat) **6.** AMER **~ colorado** aoûtat.
**bichoco, a** *a* AMER infirme.
**bici** *f* vélo *m,* bécane.
**bicicleta** *f* bicyclette, vélo *m:* **ir en ~** aller à bicyclette; **~ de carreras** vélo de course; **~ de montaña** vélo *m* tout terrain, VTT.
**bicoca** *f* FAM **1.** *(fruslería)* babiole, bagatelle **2.** *(ganga)* occasion.
**bicolor** *a* bicolore.
**bicóncavo, a** *a* biconcave.
**biconvexo, a** *a* biconvexe.
**bicoque** *m* AMER coup sur la tête.
**bicornio** *m* bicorne.
**Bidasoa** *np m* Bidassoa *f.*
**bidé** *m* bidet.
**bidón** *m* bidon.
**biela** *f* **1.** bielle: **fundir una ~** couler une bielle **2.** *(en una bicicleta)* manivelle.
**bielda** *f (acción)* vannage *m.*
**bieldar** *vt* vanner avec la fourche.
**bieldo** *m* sorte de râteau, fourche *f.*
**Bielorrusia** *np f* Biélorussie.
**[1]bien** *m* bien: **el ~ y el mal** le bien et le mal; **es por tu ~** c'est pour ton bien; **en ~ de los hombres** pour le bien des hommes; **hacer (el) ~** faire le bien ◊ **hombre de ~** homme de bien, honnête homme; PROV **no hay ~ ni mal que cien años dure** les bonnes choses n'ont qu'un temps. ◊ *pl* biens: **bienes muebles e inmuebles** biens meubles et immeubles; **bienes de consumo** biens de consommation; **bienes de equipo** biens d'équipement.
**[2]bien** *adv* **1.** bien: **¿has dormido ~?** as-tu bien dormi?; **hiciste ~ marchándote** tu as bien fait de partir; **se está ~ aquí** on est bien ici; **~ podías haberme avisado** tu aurais bien pu me prévenir; **~ es verdad que...** il est bien vrai que...; **muy ~ vale un millón este cuadro** ce tableau vaut bien un million ◊ **estoy ~ de salud** je vais bien, je me porte bien; **estar a ~ con alguien** être en bons termes avec quelqu'un: **está a ~ con todo el mundo** il est bien avec tout le monde; **salir ~** réussir; **tener a ~** bien vouloir, daigner; **tomar a ~** prendre du bon côté **2. oler ~** sentir bon. ◊ *interj* bon, bien: **¡muy ~!** très bien!, fort bien!; **¡está ~!** d'accord!, entendu!; **¡qué ~!** chic!, chouette!; **¡estamos ~!** nous voilà frais!; **¡ya está ~!** ça suffit!, ça va comme ça!; **¿y ~?** et alors?. ◊ *conj* **1.** soit: **~ ... ~, ~ sea... o** soit... soit: **~ solo, ~ acompañado de su mujer** soit seul, soit accompagné de sa femme; **~ directamente, ~ indirectamente** soit directement, soit indirectement **2. ~ que, si ~** quoique; **más ~** plutôt; **no ~** à peine, aussitôt que, dès que: **no ~ salí empezó a llover** à peine étais-je sorti qu'il commença à pleuvoir; **no ~ amaneció salimos** aussitôt que le jour fut levé, nous partîmes.
**bienal** *a* biennal, e. ◇ *f* biennale.
**bienandante** *a* heureux, euse.
**bienandanza** *f* **1.** bonheur *m* **2.** *(éxito)* succès *m.*
**bienaventurado, a** *a/s* **1.** bienheureux, euse: **~ el que...** bienheureux celui qui... **2.** *(bonachón)* brave.
**bienaventuranza** *f* **1.** béatitude **2.** *(felicidad)* bonheur *m.* ◇ *pl* RELIG **las ocho bienaventuranzas** les huit béatitudes.
**bienestar** *m* **1.** *(felicidad)* bien-être **2.** *(comodidad)* confort.
**bienhablado, a** *a* poli, e, courtois, e.
**bienhadado, a** *a* fortuné, e, heureux, euse.
**bienhechor, a** *a* bienfaiteur, trice.
**bienintencionado, a** *a* bien intentionné, e.
**bienio** *m* espace de deux ans.
**bienmandado, a** *a* obéissant, e.
**bienoliente** *a* odoriférant, e.
**bienpensante** *a* bien pensant, e.
**bienquerencia** *f* bonne volonté.
**bienquerer*** *vt* estimer.
**bienquistar** *vt* **~ con** faire bien voir de, faire apprécier de.
**bienquisto, a** *a* estimé, e, apprécié, e, bien vu, e.
**bienteveo** *m* **1.** mirador **2.** AMER *(pájaro)* pitangue, passereau d'Amérique.
**bienvenida** *f* bienvenue: **dar la ~** souhaiter la bienvenue.
**bienvenido, a** *a/s* bienvenu, e: **ser ~** être le bienvenu.
**bies** *m* biais: **cortar una tela al ~** couper un tissu dans le biais, en biais.
**bifásico, a** *a* ELECT biphasé, e.
**bife** *m* AMER **1.** bifteck **2.** FAM *(sopapo)* taloche *f,* claque *f.*
**bifocal** *a* à double foyer.
**biftec** *m* bifteck.
**bifurcación** *f* bifurcation.
**bifurcarse** *vpr* bifurquer: **aquí, la carretera se bifurca** ici, la route bifurque.
**bigamia** *f* bigamie.
**bígamo, a** *a/s* bigame.
**bigardear** *vi* traîner, traînasser.
**bigardo, a, bigardón, ona** *a* **1.** *(holgazán)* fainéant, e **2.** vicieux, euse.
**bígaro** *m (molusco)* bigorneau.
**bignonia** *f* bignonia *m.*
**bigote** *m* **1.** moustache *f:* **gasta ~ fino** il porte de fines moustaches; **~ de guías** moustaches en croc; **grandes bigotes, bigotazos** *m* de grosses moustaches ◊ FAM **un hombre de bigotes** un dur (à cuire); **menear el ~** bouffer **2.** FAM **de ~, de bigotes** terrible, énorme, gratiné, e: **precio de ~** prix fabuleux.
**bigotera** *f* **1.** *(compás)* petit compas *m* à balustre **2.** *(asiento)* strapontin *m.*
**bigotudo, a** *a* moustachu, e.
**biguá** *m* AMER oiseau aquatique.
**bigudí** *m* bigoudi: **con bigudíes** en bigoudis.
**bija** *f* **1.** rocouyer *m* **2.** *(tinte)* rocou *m.*
**bikini** *m* **1.** *(traje de baño)* bikini **2.** sandwich chaud au jambon et au fromage.
**bilateral** *a* bilatéral, e.
**bilbaíno, a** *a* de Bilbao.

**bilbilitano, a** *a/s* de Calatayud.

**biliar** *a* biliaire: **vesícula ~** vésicule biliaire.

**bilingüe** *a* bilingue.

**bilingüismo** *m* bilinguisme.

**bilioso, a** *a* bilieux, euse.

**bilis** *f* **1.** bile **2.** *FIG* colère, bile.

**billar** *m* billard: **mesa de ~** table de billard; **jugador de ~** joueur de billard.

**billetaje** *m* ensemble des billets (pour un spectacle, une loterie, etc.).

**billete** *m* **1.** billet: **~ de avión, de lotería** billet d'avion, de loterie; **~ de banco** billet de banque; **~ falso** faux billet ◊ **~ de ida** aller simple; **medio ~** demi-tarif **2. ~ de autobús, de metro, de andén** ticket d'autobus, de métro, de quai **3. no hay billetes** complet.

**billetera** *f* porte-billet *m inv*, portefeuille *m*.

**billetero** *m* porte-billet, portefeuille **2.** *AMER (vendedor)* vendeur de billets de loterie.

**billón** *m* billion.

**bímano, a** *a/s* bimane.

**bimba** *f* haut-de-forme *m*, gibus *m*.

**bimbalete** *m AMER (para sacar agua)* sorte de chadouf.

**bimbo** *m AMER (pavo)* dindon.

**bimensual** *a* bimensuel, elle.

**bimestral** *a* bimestriel, elle.

**bimetalismo** *m* bimétallisme.

**bimotor** *a/m* bimoteur.

**bina** *f AGR* binage *m*.

**binadera** *f AGR* binette.

**binador, a** *a AGR* **máquina binadora** bineuse.

**binar** *vt AGR* biner. ◇ *vi RELIG* biner.

**binario, a** *a* binaire.

**bingarrote** *m* eau-de-vie *f* d'agave.

**bingo** *m* **1.** bingo **2.** salle *f* où l'on joue à ce jeu.

**binocular** *a* binoculaire.

**binóculo** *m* binocle.

**binomio** *m* binôme.

**biodegradable** *a* biodégradable.

**biodiversidad** *f* biodiversité.

**bioética** *f* bioéthique.

**biofísica** *f* biophysique.

**biogénesis** *f* biogenèse.

**biografía** *f* biographie.

**biográfico, a** *a* biographique.

**biógrafo, a** *s* biographe. ◇ *m AMER* cinéma.

**biología** *f* biologie.

**biológico, a** *a* biologique.

**biólogo, a** *s* biologiste.

**biomasa** *f* biomasse.

**biombo** *m* paravent.

**biónica** *f* bionique.

**biopsia** *f MED* biopsie.

**bioquímica** *f* biochimie.

**bioquímico, a** *a* biochimique. ◇ *s* biochimiste.

**biorritmo** *m* biorythme.

**biosfera** *f* biosphère.

**biotecnología** *f* biotechnologie.

**bióxido** *m QUÍM* bioxyde.

**bipartito, a** *a* bipartite.

**bípedo, a** *a/m* bipède.

**biplano** *m* biplan.

**biplaza** *a* biplace.

**bipolar** *a* bipolaire.

**bipolarización** *f* bipolarisation.

**biquini** → **bikini.**

**birimbao** *m MÚS* guimbarde *f*.

**birlar** *vt FAM* barboter, piquer, souffler: **me han birlado la bici** on a barboté mon vélo; **le ha birlado la plaza** il lui a soufflé la place.

**birlibirloque (por arte de)** *loc adv* comme par enchantement.

**birlocho** *m* calèche *f*.

**birlonga** *f* variété de jeu de l'hombre.

**Birmania** *np f* Birmanie.

**birmano, a** *a/s* birman, e.

**birreactor** *m* biréacteur.

**birreta** *f (de cardenal)* barrette.

**birrete** *m* **1.** *(de magistrado, etc.)* toque *f* **2.** *(de eclesiástico)* barrette *f*.

**birretina** *f* bonnet *m* à poil.

**birria** *f FAM* **1.** *(cosa)* horreur **2.** *(persona)* horreur, mocheté **3.** *(cosa sin valor)* cochonnerie **4.** *AMER (tirria)* antipathie.

**bis** *adv* bis.

**bisabuelo, a** *s* arrière-grand-père, arrière-grand-mère, bisaïeul, e. ◇ *pl* arrière-grands-parents.

**bisagra** *f* charnière.

**bisanuo, a** *a BOT* bisannuel, elle.

**bisar** *vi* bisser.

**bisbisear** *vi* marmotter, marmonner.

**bisbiseo** *m* marmonnement, chuchotement.

**biscote** *m* biscotte *f*.

**biscuit** *m (porcelana)* biscuit.

**bisectriz** *f* bissectrice.

**bisel** *m* biseau.

**biselar** *vt* biseauter, tailler en biseau.

**bisemanal** *a* bihebdomadaire.

**bisexual** *a* bisexué, e, bisexuel, elle. ◇ *s* bisexuel, elle.

**bisexualidad** *f* bisexualité.

**bisiesto, a** *a* **año ~** année bissextile.

**bisílabo, a** *a* dissylabe.

**bismuto** *m* bismuth.

**bisnieto, a** → **biznieto.**

**bisojo, a** *a* bigle, loucheur, euse.

**bisonte** *m* bison.

**bisoñada** *f* pas *m* de clerc.

**bisoñé** *m* petite perruque *f* couvrant le devant de la tête.

**bisoño, a** *a/s* novice, débutant, e. ◇ *m MIL* nouvelle recrue *f*, bleu.

**bisté, bistec** *m* bifteck.

**bistre** *a/m (color)* bistre.

**bisturí** *m* bistouri.

**bisutería** *f* bijouterie de fantaisie ◊ **pulsera de ~** bracelet en imitation.

**bit** *m* INFORM bit.

**bita** *f* MAR bitte.

**bitácora** *f* MAR habitacle *m* ◊ **cuaderno de ~** livre de bord.

**bíter** *m* *(bebida)* bitter.

**bitoque** *m* AMER *(grifo)* robinet.

**bituminoso, a** *a* bitumineux, euse.

**bivalvo, a** *a* bivalve.

**Bizancio** *np* Byzance.

**bizantino, a** *a/s* byzantin, e ◊ **discusión, controversia bizantina** discussion, querelle byzantine.

**bizarría** *f* **1.** *(valor)* courage *m*, bravoure **2.** générosité **3.** *(gallardía)* prestance, allure.

**bizarro, a** *a* **1.** *(valiente)* vaillant, e, brave, courageux, euse **2.** généreux, euse **3.** *(apuesto)* de belle prestance **4.** *(extravagante)* bizarre.

**bizcar*** *vi* loucher.

**bizco, a** *a* louche, bigle. ◇ *s* loucheur, euse ◊ FIG FAM **dejar ~** laisser baba, couper le sifflet; **quedarse ~** en rester comme deux ronds de flan.

**bizcochería** *f* confiserie.

**bizcocho** *m* **1.** biscuit **2. ~ borracho** baba au rhum **3.** *(porcelana)* biscuit.

**bizcotela** *f* biscuit *m* glacé.

**bizma** *f* emplâtre *m*, cataplasme *m*.

**biznaga** *f* visnage *m*.

**biznieto, a** *s* arrière-petit-fils, arrière-petite-fille. ◇ *m pl* arrière-petits-enfants.

**bizquear** *vi* loucher.

**blanca** *f* **1.** monnaie ancienne ◊ FAM **estar sin ~, no tener ~** ne pas avoir un rond, un radis, être à sec **2.** MÚS blanche.

**Blanca** *np f* Blanche.

**Blancanieves** *np f* Blanche-Neige: **~ y los siete enanitos** Blanche-Neige et les sept nains.

**blanco, a** *a* blanc, blanche: **arma, raza blanca** arme, race blanche. ◇ *s* blanc, blanche: **los blancos** les Blancs. ◇ *m* **1.** blanc: **pintar de ~** peindre en blanc; **~ de España, de cinc** blanc d'Espagne, de zinc; **~ roto** blanc cassé; **foto en ~ y negro** photo en noir et blanc ◊ FAM **no distinguir lo ~ de lo negro** ne pas être très futé, e **2.** *(en un escrito)* blanc **3. ~ del ojo** blanc de l'œil **4.** *(al que se dispara)* cible *f*: **apuntar al ~** viser la cible ◊ FIG **dar en el ~** viser juste, faire mouche, mettre dans le mille **5.** FIG **ser el ~ de las burlas** être en butte aux moqueries; **ser el ~ de todas las miradas** être le point de mire de tout le monde **6. una línea en ~** une ligne en blanc; **cheque en ~** chèque en blanc; **una papeleta en ~** un bulletin blanc; **pasar la noche en ~** passer une nuit blanche; **pasar el día en ~** passer la journée à ne rien faire; **se le pusieron los ojos en ~** ses yeux chavirèrent; **me he quedado en ~ con tus explicaciones** je n'ai rien compris à tes explications.

**blancor** *m*, **blancura** *f* blancheur *f*.

**blancuzco, a** *a* blanchâtre.

**blandamente** *adv* **1.** mollement **2.** doucement.

**blandear** *vi* faiblir, fléchir.

**blandengue** *a* mou, molle, faible, mollasse. ◇ *m* AMER lancier de la province de Buenos Aires.

**blandenguería** *f* mollesse.

**blandicia** *f* **1.** *(halago)* flatterie **2.** mollesse.

**blandir** *vt* brandir: **blandía su bastón** il brandissait sa canne.

**blando, a** *a* **1.** mou, molle: **cera blanda** cire molle **2. cama blanda** lit moelleux **3. ~ de corazón** au cœur tendre **4.** *(suave)* doux, douce **5.** FIG *(de carácter)* faible: **~ con sus hijos** faible avec ses enfants **6.** *(poco enérgico)* mou, molle **7.** *(cobarde)* pusillanime. ◇ *adv* → **blandamente.**

**blandón** *m* **1.** torche *f* **2.** *(candelabro)* torchère *f*.

**blanducho, a, blandujo, a** *a* mollasse.

**blandura** *f* **1.** mollesse **2.** *(en el trato)* douceur.

**blanduzco, a** *a* mollasse.

**blanquear** *vt* **1.** blanchir **2.** *(con cal)* chauler, blanchir à la chaux **3. ~ el dinero de la droga** blanchir l'argent de la drogue. ◇ *vi* **1.** *(volverse blanco)* blanchir **2.** tirer sur le blanc.

**blanquecer*** *vt* blanchir.

**blanquecino, a** *a* **1.** blanchâtre **2.** *(luz)* blafard, e.

**blanqueo** *m* **1.** blanchiment **2.** *(encalado)* chaulage **3. el ~ del dinero** le blanchissement de l'argent.

**blanquillo** *m* AMER **1.** *(durazno)* pêche *f* blanche **2.** *(huevo)* œuf **3.** *(pez)* poisson du Chili.

**blanquinoso** → **blanquecino.**

**Blas** *np m* Blaise ◊ **lo dijo ~, punto redondo** monsieur a parlé, point final, on n'a plus qu'à se taire.

**blasfemador, a** *a/s* blasphémateur, trice.

**blasfemar** *vi* blasphémer.

**blasfemia** *f* blasphème *m*.

**blasfemo, a** *a* blasphématoire. ◇ *s* blasphémateur, trice.

**blasón** *m* **1.** blason **2.** FIG honneur.

**blasonar** *vi* **~ de** se vanter, se targuer de, se glorifier de: **blasona de tolerante** il se vante d'être tolérant.

**blastodermo** *m* BIOL blastoderme.

**blastómero** *m* BIOL blastomère.

**blazer** *m* blazer.

**bledo** *m* blette *f* ◊ FAM **(no) me importa, no se me da un ~** je m'en fiche (comme de l'an quarante, comme de ma première chemise).

**blefaritis** *f* blépharite.

**blenorragia** *f* blennorragie.

**blenorrea** *f* blennorrhée.

**blindado, a** *a/m* blindé, e.

**blindaje** *m* blindage.

**blindar** *vt* blinder.

**bloc** *m* bloc, bloc-notes: **~ de notas** bloc-notes.

**blocao** *m* blockhaus.

**blocar** *vt* *(en el fútbol)* **~ el balón** bloquer le ballon.

**blondo, a** *a* blond, e. ◇ *f* *(encaje)* blonde, dentelle de soie.

**bloque** *m* **1.** *(de piedra, etc.)* bloc **2. ~ del motor** bloc-moteur **3.** *(conjunto)* ensemble, bloc: **el ~ monetario** le bloc monétaire **4. ~ de viviendas** bloc d'immeubles, ensemble immobilier **5. en ~** en masse, en bloc.

**bloquear** *vt* bloquer: **los manifestantes bloquean la carretera** les manifestants bloquent la route; **~ el crédito** bloquer le crédit. ◆ **~se** *vpr* *(agarrotarse)* se bloquer.

**bloqueo** *m* **1.** *(de un puerto, etc.)* blocus **2.** COM blocage: **~ de precios** blocage des prix **3.** *(en psicología)* blocage.

**blues** *m* blues.

**bluff** [bluf] *m* «bluff».

**blusa** *f* **1.** *(de mujer)* corsage *m*, chemisier *m*: **una ~ de seda** un corsage en soie; **una ~ camisera** un chemisier **2.** *(de campesino, etc.)* blouse.

**blusón** *m* longue blouse *f*.

**boa** *f (reptil)* boa *m.* ◇ *m (prenda)* boa.

**boardilla → buhardilla.**

**boato** *m* faste, éclat, luxe.

**bobada** *f* bêtise, sottise, idiotie.

**bobalicón, ona** *a/s* crétin, e, nigaud, e, niais, e.

**bobamente** *adv* bêtement, sottement.

**bobear** *vi* faire, dire des bêtises, bêtifier.

**bobería** *f* bêtise, sottise.

**bobeta** *AMER* **→ bobalicón.**

**bobilis bobilis (de)** *loc adv FAM* **1.** *(sin esfuerzo)* sans peine, comme ça **2.** *(gratis)* gratuitement, à l'œil.

**bobina** *f* bobine.

**bobinar** *vt* bobiner, embobiner.

**bobo, a** *a/s* **1.** sot, sotte, idiot, e ◊ **hacer el ~** faire l'idiot, l'andouille **2. ¡no seas ~!** ne sois pas bête!: **qué ~ eres** que tu es bête **3. a lo ~** bêtement: **se puso a reír a lo ~** il se mit à rire bêtement. ◇ *m TEAT* bouffon.

**bobote** *a/s* grand sot, grande sotte.

**boca** *f* **1.** bouche: **besar en la ~** embrasser sur la bouche: **hablar con la ~ llena** parler la bouche pleine; **el ~ a ~** le bouche-à-bouche ◊ *FIG* **abrir ~** ouvrir l'appétit; **esto me hace la ~ agua** cela me fait venir l'eau à la bouche; **hablar por ~ de ganso** répéter comme un perroquet; **hacer ~** mettre en appétit; **irse de ~** ne pas savoir tenir sa langue; **no decir esta ~ es mía** ne pas ouvrir la bouche, ne pas desserrer les dents; **¡punto en ~!** bouche cousue!, motus!; **quedarse con la ~ abierta** rester bouche bée; *POP* **partir la ~** casser la gueule; *PROV* **en ~ cerrada no entran moscas, por la ~ muere el pez** trop parler nuit, le silence est d'or **2.** *(de los carnívoros, de un horno, cañón)* gueule ◊ **está oscuro como ~ de lobo** il fait noir comme dans un four; **meterse en la ~ del lobo** se jeter dans la gueule du loup **3.** *(de crustáceo)* pince **4. ~ de metro** bouche, entrée de métro; **~ de incendio** bouche d'incendie; **~ de riego** prise d'eau **5. este vino tiene muy buena ~** ce vin est très agréable à boire, a un goût très agréable **6.** *loc adv* **a ~ de cañón, de jarro** *(cerca)* à bout portant; *(bruscamente)* à brûle-pourpoint; **a ~ llena** sans mâcher ses mots, ouvertement; **a pedir de ~** à merveille, à souhait, on ne peut mieux; **todo ha salido a pedir de ~** tout s'est parfaitement passé; **todo le sale a pedir de ~** tout lui réussit; **~ abajo, arriba** *(persona)* à plat ventre, sur le dos; *(naipes)* à l'envers, à l'endroit. ◇ *pl (de un río)* bouches.
▶ «Gueule» es sinónimo de «bouche» (boca del hombre) en la lengua muy familiar.

**bocacalle** *f* **1.** entrée d'une rue, angle *m* d'une rue **2.** rue: **tuerza a la segunda ~ a la izquierda** tournez à la deuxième rue à gauche.

**bocadillo** *m* **1.** sandwich: **~ de jamón, de queso** sandwich au jambon, au fromage **2.** *(comida ligera)* casse-croûte *m*; **la hora del ~** l'heure du casse-croûte ◊ **tomar un ~** casser la croûte **3.** *(de historieta)* bulle *f.*

**bocado** *m* **1.** bouchée *f*: **un ~ de pan** une bouchée de pain **2.** *(un poco de comida)* morceau: **tomar un ~** manger un morceau ◊ **un ~ de cardenal** un morceau de roi; **con el ~ en la boca** la dernière bouchée à peine avalée, la bouche encore pleine; **no pruebo ~ desde ayer** je ne me suis rien mis sous la dent depuis hier **3.** *(mordisco)* coup de dent, morsure *f* ◊ **dar un ~ a** mordre **4.** *(del caballo)* mors **5. ~ de Adán** pomme d'Adam.

**bocajarro (a)** *loc adv* **1.** *(cerca)* à bout portant: **la víctima recibió seis tiros a ~** la victime a reçu six balles tirées à bout portant **2.** *(bruscamente)* à brûle-pourpoint.

**bocal** *m* récipient à large ouverture, bocal.

**bocamanga** *f* poignet *m*, ouverture (de la manche).

**bocana** *f* chenal *m*, passe.

**bocanada** *f* **1.** *(de líquido)* gorgée **2.** *(de humo, de aire)* bouffée: **una ~ de aire fresco** une bouffée d'air frais. **3.** *(de gente)* flot *m.*

**bocata** *m FAM* sandwich.

**bocateja** *f* tuile (au bord d'un toit).

**bocatoma** *f AMER* prise d'eau.

**bocaza** *f* grande bouche. ◇ *m FAM* **un bocazas** une grande gueule, un fort en gueule.

**bocel** *m* **1.** *ARQ* tore **2. cuarto ~** quart-de-rond.

**bocera** *f (inflamación)* gerçure au coin des lèvres, perlèche.

**boceras 1. → bocazas 2.** *FAM* **¡cállate, ~!** tais-toi, patate!

**boceto** *m* esquisse *f*, ébauche *f.*

**bocha** *f* boule: **jugar a las bochas** jouer aux boules. ◇ *pl* jeu *m sing* de boules.

**bochar** *vt AMER* **1.** *(rechazar)* éconduire **2.** *(en un examen)* coller.

**boche** *m AMER* **1.** *(desaire)* camouflet, affront ◊ **dar ~** éconduire **2.** *(pendencia)* dispute *f.*

**bochinche** *m* **1.** tapage, chahut, chambard: **armar un ~** faire du chambard **2.** *(taberna)* boui-boui.

**bochinchero, a** *a/s* chahuteur, euse.

**bochorno** *m* **1.** vent chaud **2.** *(calor)* chaleur *f* lourde, étouffante, temps lourd; **hace ~** il fait lourd **3.** *(del rostro)* rougeur *f* **4.** *FIG (vergüenza)* honte *f.*

**bochornoso, a** *a* **1.** *(tiempo)* lourd, e, étouffant, e **2.** *FIG* honteux, euse: **un espectáculo ~** un spectacle honteux.

**bocina** *f* **1.** *(de automóvil)* klaxon *m*, avertisseur *m*: **tocar la ~** klaxonner **2.** *(de gramófono)* pavillon *m* **3.** *(para hablar desde lejos)* porte-voix *m inv* **4.** *MÚS* corne, trompe **5.** *MAR* **~ de niebla** corne de brume **6.** *AMER (del teléfono)* combiné *m*, micro *m* **7.** *(para los sordos)* cornet *m* acoustique.

**bocinazo** *m* coup de corne, de klaxon.

**bocio** *m* goitre.

**bock** *m* chope *f.*

**bocón, ona** *a/s FIG* hâbleur, euse. ◇ *m (pez)* sorte de sardine *f.*

**bocoy** *m* grand tonneau.

**boda** *f* **1.** *(ceremonia)* mariage *m*: **en la iglesia de San José, se celebró la ~ de la señorita X con don Y** le mariage de mademoiselle X avec monsieur Y a été célébré en l'église Saint-Joseph; **lista de ~** liste de mariage; **vestido de ~** robe de mariée **2.** *(fiesta)* noce: **viaje de bodas** voyage de noces; **noche de bodas** nuit de noces. ◇ *pl* **bodas de plata, de oro, de diamante** noces d'argent, d'or, de diamant; **las bodas de Caná** les noces de Cana.

**bodega** *f* **1.** *(para el vino)* cave, chai *m* **2.** *(en los puertos)* entrepôt *m*, dock *m* **3.** *(tienda)* magasin *m* de vins et liqueurs **4.** *(cosecha)* récolte de vin **5.** *(de un barco)* cale **6.** *(de un avión)* soute.

**bodegón** *m* **1.** *(donde se sirven comidas baratas)* gargote *f* **2.** *(taberna)* bistrot **3.** *(pintura)* nature morte *f*: **hermosos bodegones de Braque** de belles natures mortes de Braque.

**bodegonero** *m* gargotier.

**bodeguero** *m* **1.** *(persona encargada o dueño de una bodega)* maître de chai, propriétaire d'une cave **2.** sommelier.

**bodijo** *m* **1.** *(boda desigual)* mariage mal assorti, mésalliance *f* **2.** mariage pauvre.

**bodoque** *m* **1.** pois, motif de broderie **2.** *AMER (chichón)* bosse *f.* ◇ *a/s FAM* abruti, e, idiot, e.

**bodorrio** *m PEYOR* noce *f* à tout casser.

**bodrio** *m* **1.** *(comida mala)* ratatouille *f* **2.** *(cosa)* cochonnerie *f*, nullité *f* **3.** *FAM (película mala)* navet.

**body** *m* body.

**bóer** *a/s* boer.

**bofe** *m* poumon, mou ◊ *FIG* **echar los bofes, el ~** se tuer au travail, travailler dur, en mettre un coup.

**bofetada** *f* **1.** gifle, claque: **dar una ~** donner, flanquer une gifle **2.** *FIG (desaire)* soufflet *m*, camouflet *m*.

**bofetón** *m* bonne gifle *f*, baffe *f*.

**bofia** *f POP* **la ~** la police, les flics.

**boga** *f* **1.** action de ramer, nage **2.** vogue: **estar en ~** être en vogue, à la mode **3.** *(pez)* bogue.

**bogar** *vi* **1.** ramer **2.** voguer, naviguer.

**bogavante** *m* homard: **~ a la americana** homard à l'américaine.

**bogotano, a** *a/s* de Bogotá.

**bohardilla → buhardilla.**

**Bohemia** *np f* Bohême.

**bohemio, a** *a/s* bohémien, enne. ◇ *a/f* bohème: **vida bohemia** vie de bohème.

**bohío** *m AMER* hutte *f*, case *f*.

**boicot** *m* boycottage, boycott.

**boicotear** *vt* boycotter.

**boicoteo** *m* boycottage, boycott.

**boina** *f* béret *m*.

**boite** *f* boîte (de nuit).

**boj** *m (planta, madera)* buis.

**bojar, bojear** *vt MAR* mesurer le périmètre (d'une île, etc.). ◇ *vi* naviguer le long d'une côte.

**boje → boj.**

[1]**bol** *m (taza grande)* bol.

[2]**bol** *m* **1.** *(red)* filet **2.** lancement du filet.

**bola** *f* **1.** *(cuerpo esférico)* boule ◊ *FIG* **dejar que ruede la ~** laisser faire **2.** bille: **rodamiento de bolas** roulement à billes **3.** *FAM (embuste)* bobard *m*, mensonge *m* **4.** *(betún)* cirage *m* **5.** *(arbusto)* **~ de nieve** boule-de-neige **6.** *FAM (balón)* balle **7.** *AMER (riña)* bagarre, émeute.

**bolacear** *vi AMER* raconter des craques, des mensonges.

**bolada** *f AMER (oportunidad)* occasion.

**bolazo** *m AMER (disparate)* sottise *f*, bourde *f*.

**bolchevique** *a/s* bolchevik, bolcheviste.

**bolchevismo** *m* bolchevisme.

**boldo** *m* boldo.

**boleadoras** *f pl AMER* arme de jet des gauchos et des Indiens (lanières terminées par des boules).

**bolear** *vt AMER* lancer: **~ el lazo** lancer le lasso. ◆ **~se** *vpr AMER FIG* se troubler, perdre la tête: **andar todo boleado** être complètement perdu.

**bolera** *f* jeu *m* de quilles, bowling *m*.

**bolero, a** *s* menteur, euse. ◇ *m* **1.** *(baile, chaquetilla)* boléro **2.** *AMER (limpiabotas)* cireur de chaussures **3.** *AMER (boliche)* bilboquet.

**boleta** *f* **1.** *MIL* billet *m* de logement **2.** *(vale)* bon *m* **3.** *AMER (para votar)* bulletin *m* de vote **4.** procès-verbal *m*.

**boletería** *f AMER* guichet *m*.

**boletero, a** *s AMER* guichetier, ère, marchand, e de billets.

**boletín** *m* **1.** bulletin ◊ **~ informativo** bulletin d'information **2. ~ Oficial del Estado** Journal officiel.

[1]**boleto** *m* billet, ticket.
▶ Courant en Amérique latine.

[2]**boleto** *m (hongo)* bolet, cèpe.

**boli** *m FAM* stylo-bille, bic (nom déposé).

**boliche** *m* **1.** *(bola pequeña)* cochonnet **2.** *(juego de bolos)* jeu de quilles **3.** *(juguete)* bilboquet **4.** *(red)* filet de pêche **5.** *AMER* épicerie-buvette *f*, bistrot.

**bolichero** *m AMER* patron d'une épicerie-buvette.

**bólido** *m* bolide.

**bolígrafo** *m* stylo à bille.

**bolillo** *m* **1.** *(para hacer encajes)* fuseau: **encaje de bolillos** dentelle au fuseau **2.** *AMER* bâton, matraque *f* (des agents de police en Colombie).

**bolina** *f MAR* **1.** bouline: **navegar de ~** naviguer à la bouline **2.** sonde.

**bolita** *f* boulette.

**bolívar** *m (moneda de Venezuela)* bolivar.

**Bolivia** *np f* Bolivie.

**boliviano, a** *a/s* bolivien, enne.

**bollería** *f* viennoiserie.

**bollo** *m* **1.** *(alargado)* petit pain au lait; *(redondo)* brioche *f* ◊ *FIG* **no está el horno para bollos** ce n'est vraiment pas le moment **2.** *(abultamiento, chichón)* bosse *f* **3.** *FAM* **se armó un gran ~** il y a eu un chambard monstre; **menudo ~** quelle histoire, quelle pagaille.

**bollón** *m (clavo)* cabochon.

**bolo** *m* **1.** quille *f*: **jugar a los bolos** jouer aux quilles **2. ~ alimenticio** bol alimentaire. ◇ *pl* jeu *sing* de quilles, bowling *sing*. ◇ *a/m* **1.** *FAM (necio)* abruti **2.** *AMER (ebrio)* ivre ◊ **un ~** un ivrogne.

**bolón** *m AMER* **1.** pierre *f* de construction **2.** pâte *f* de bananes vertes.

**Bolonia** *np* Bologne.

**boloñés, esa** *a/s* bolonais, e.

[1]**bolsa** *f* **1.** sac *m*: **~ de papel, de plástico** sac en papier, en plastique; **~ de viaje** sac de voyage; **~ de basura** sac-poubelle **2.** *(para el dinero)* bourse: **¡la ~ o la vida!** la bourse ou la vie!; **tener la ~ llena, vacía** avoir la bourse bien garnie, plate **3.** *(en la ropa)* poche, godet *m*, faux pli *m* **4.** *(de gas natural, etc.)* poche **5.** *(debajo de los ojos, de pus)* poche **6. ~ lagrimal** sac *m* lacrymal **7. ~ de pobreza, de miseria** poche de pauvreté.

[2]**bolsa** *f* Bourse: **~ de comercio, de trabajo** Bourse de commerce, du travail; **valores cotizados en la ~** valeurs cotées en Bourse.

**bolsillo** *m* **1.** *(de un vestido)* poche *f*: **con las manos en los bolsillos** les mains dans les poches; **~ trasero de un pantalón** poche-revolver d'un pantalon ◊ *FIG* **con un contrato en el ~** un contrat en poche; **llenarse los bolsillos** se remplir les poches; **meterse a alguien en el ~** mettre quelqu'un dans sa poche; **pagar de su ~** payer de sa poche **2. libro de ~** livre de poche **3.** *(monedero)* bourse *f*, porte-monnaie: **al alcance de todos los bolsillos** à la portée de toutes les bourses.

**bolsín** *m* **1.** Bourse *f*: **~ del trabajo** Bourse du travail **2.** coulisse *f*.

**bolsista** *m* **1.** boursier, agent de change **2.** *AMER (ladrón)* voleur à la tire.

**bolsita** *f* sachet *m*.

**bolso** *m* **1.** sac: **~ de viaje** sac de voyage **2.** *(de mujer)* sac à main, sac **3.** *(sin asa)* pochette *f*.

**bolsón** *m AMER* **1.** *(vade)* cartable, sac **2.** *(laguna)* lagune *f*.

**boludez** *f AMER POP* connerie.

**boludo, a** *s AMER POP* con, conne.

[1]**bomba** *f (máquina)* pompe: **~ aspirante, impelente** pompe aspirante, foulante; **~ de incendios** pompe à incendie.

[2]**bomba** *f* **1.** *(artefacto explosivo)* bombe: **~ atómica, de neutrones** bombe atomique, à neutrons ◊ *FIG* **caer como una ~** *(noticia)* faire l'effet d'une bombe; **estar alguien echando bombas** être dans une colère noire **2. ~ de mano** grenade; **~ de humo, lacrimógena** grenade fumigène, lacrymogène **3. coche-~** voiture piégée; **paquete-~** colis piégé **4.** *GEOL* **~**

**volcánica** bombe volcanique **5.** *MED* **~ de cobalto** bombe au cobalt **6.** *AMER (borrachera)* cuite. ◇ *a/adv FAM* **1. noticia ~** nouvelle sensationnelle; **una tarde ~** une soirée formidable **2. poner la cabeza bomba a** casser la tête à; **tener la cabeza ~** avoir la tête prête à éclater **3. pasarlo ~** s'en payer, bien s'amuser; **lo pasamos ~** on s'est amusé comme des fous.

**bombacha** *f* culotte. ◇ *pl AMER* pantalons *m* bouffants.

**bombacho** *a/m* **pantalones bombachos** pantalons bouffants, culotte *f* de golf.

**bombarda** *f MIL, MÚS* bombarde.

**bombardear** *vt* **1.** bombarder **2.** *FIG* **~ con preguntas** bombarder de questions.

**bombardeo** *m* bombardement ◊ **avión de ~** bombardier, avion de bombardement.

**bombardero** *a (avión)* de bombardement. ◇ *m* bombardier.

**bombardino** *m* saxhorn.

**bombardón** *m* bombardon.

**bombástico, a** *a* emphatique, grandiloquent, e.

**bombazo** *m* **1.** explosion *f* d'une bombe **2.** *FIG* bombe *f*.

**bombear** *vt* **1.** bombarder **2.** *(un líquido)* pomper **3.** *(dar forma abombada)* bomber: **~ el pecho** bomber la poitrine **4.** *(el balón)* lober **5.** *FAM* vanter, couvrir d'éloges **6.** *AMER (espiar)* épier, guetter.

**bombeo** *m* **1.** *(comba)* bombement **2.** *(de un líquido)* pompage.

**bombero** *m* **1.** pompier, sapeur-pompier: **los bomberos apagaron el incendio** les pompiers ont éteint l'incendie **2.** *AMER (espía)* espion.

**bómbice** *m* bombyx.

**bombilla** *f* **1.** *(lámpara)* ampoule (électrique) **2.** *AMER* chalumeau *m*, pipette (pour boire le maté).

▶ Sens 2.: petit tuyau d'environ 20 cm de long, terminé par un renflement percé de trous, souvent en argent.

**bombillo** *m* **1.** siphon **2.** pipette *f* **3.** *MAR* petite pompe *f* **4.** *AMER* ampoule *f* (électrique): **la luz del ~** la lumière de l'ampoule.

**bombín** *m* chapeau melon.

**bombo** *m* **1.** sphère *f* pour le tirage à la loterie **2.** *(tambor)* grosse caisse *f* **3. dar mucho ~ a un asunto** faire beaucoup de battage, de bruit autour d'une affaire; **a ~ y platillos** à son de trompe, à grand bruit; **publicidad a ~ y platillos** publicité tapageuse, battage publicitaire.

**bombón** *m* **1.** bonbon au chocolat, crotte *f* de chocolat **2.** *FAM* **es un ~** elle est jolie à croquer.

▶ *Bombón* désigne exclusivement un bonbon au chocolat.

**bombona** *f* **1.** bonbonne **2.** *(de gas butano)* bouteille.

**bombonaje** *m AMER* carludovica (plante tropicale).

**bombonera** *f* **1.** *(cajita)* bombonnière **2.** *(vivienda pequeña)* bombonnière.

**bombonería** *f* confiserie.

**bonachón, ona** *a* débonnaire, bonasse, bon enfant. ◇ *s* brave homme, brave femme.

**bonaerense** *a/s* de Buenos Aires.

**bonancible** *a* calme, tranquille, paisible: **tiempo ~** temps calme.

**bonanza** *f* **1.** bonace ◊ **mar en ~** mer calme **2.** *FIG* prospérité: **época de ~** époque de prospérité.

**bonapartista** *a/s* bonapartiste.

**bondad** *f* bonté ◊ **tenga la ~ de cerrar la puerta** ayez la bonté, l'obligeance de fermer la porte. ◇ *pl* bontés.

**bondadosamente** *adv* avec bonté.

**bondadoso, a** *a* bon, bonne.

**bonete** *m* **1.** *(de eclesiásticos, colegiales, graduados, etc.)* bonnet; *(de eclesiásticos)* barrette *f* **2.** *ZOOL (de rumiantes)* bonnet **3.** *FAM* **a tente ~** outre mesure.

**bonetería** *f AMER* mercerie.

**bonetero** *m (arbusto)* fusain.

**bongo** *m (canoa)* pirogue *f*.

**bongó** *m* sorte de tambour (cubain).

**bongosero** *m AMER* joueur de «bongó».

**bonguero** *m AMER* **1.** *(buhonero)* colporteur **2.** piroguier.

**boniato** *m* patate *f* douce.

**Bonifacio** *np m* Boniface.

**bonificación** *f* bonification, ristourne.

**bonificar** *vt* **1.** améliorer **2.** *COM* faire une ristourne de.

**bonísimo, a** *a (muy bueno)* très bon, très bonne.

**bonitamente** *adv* **1.** *(con maña)* adroitement **2.** tranquillement **3.** tout bonnement.

**bonitero** *m* thonier.

[1]**bonito** *m (pez)* thon, bonite *f*.

[2]**bonito, a** *a* **1.** joli, e: **una chica bonita** une jolie fille; **una voz bonita** une jolie voix **2. ¡muy ~!** c'est du joli!, c'est du beau!, c'est du propre!

**bono** *m* bon: **~ del Tesoro, de caja** bon du Trésor, de caisse.

**bonoloto** *m* jeu national espagnol, proche du loto (avec quatre tirages hebdomadaires).

**bonsai** *m* bonsaï.

**bonzo** *m* bonze.

**boñiga** *f* **1.** *(del ganado vacuno)* bouse **2.** *(de caballo)* crottin *m*.

**boom** *m* boom.

**boomerang** *m* boomerang.

**boqueada** *f* dernier soupir *m*: **dar la última ~** rendre le dernier soupir ◊ *FIG* **dar las boqueadas** tirer à sa fin, agoniser.

**boquear** *vi* **1.** ouvrir la bouche **2.** être mourant, e, agoniser **3.** *(cosa)* tirer à sa fin.

**boquera** *f* **1.** *(para el riego)* saignée, prise d'eau **2.** *(en la comisura de los labios)* gerçure au coin des lèvres, perlèche.

**boquerón** *m* anchois.

▶ Désigne l'anchois frais; l'anchois en conserve se dit *anchoa*.

**boquete** *m* **1.** *(agujero)* trou, brèche *f* **2.** *(paso angosto)* passage étroit **3.** *(en un río)* goulet, pertuis.

**boquiabierto, a** *a* bouche bée: **me quedé ~** j'en suis resté bouche bée.

**boquilla** *f* **1.** *MÚS (de un instrumento)* bec *m*, embouchure **2.** *(para fumar)* fume-cigarette *m inv*, fume-cigare *m inv* **3.** *(de ciertos cigarrillos)* bout filtre *m* **4.** *(de lámpara)* bec *m* **5.** *(de bolso)* fermoir *m* **6. de ~** sans s'engager, en paroles seulement.

**boquillazo** *m AMER* nouvelle *f*, rumeur *f*.

**boquinegro** *m* variété d'escargot.

**boquirroto, a** *a FIG* bavard, e.

**boquirrubio** *m* gandin, blanc-bec.

**borato** *m* borate.

**bórax** *m* borax.

**borbollar, borbollear** *vi* bouillonner.

**borbollón** *m* **1.** bouillonnement **2.** *loc adv* **a borbollones** *(agua hirviendo)* à gros bouillons; *(violentamente)* à flots; *(hablar)* précipitamment.

**Borbón** *np m* Bourbon.

**borbónico, a** *a* bourbonien, enne.

**borbor** *m* bouillonnement.

**borborigmo** *m* borborygme.

**borbotar, borbotear** → **borbollar.**

**borboteo** *m* bouillonnement.

**borbotón** *m* **1.** bouillonnement **2.** *loc adv* **a borbotones** → **borbollón; hablar a borbotones** parler précipitamment, bredouiller.

**borceguí** *m* brodequin.

**borda** *f* **1.** MAR bord *m*, plat-bord *m* ◊ FIG **echar, tirar por la ~** jeter par-dessus bord; **fuera ~** hors-bord **2.** *(choza)* cabane.

**bordada** *m* MAR bordée: **dar bordadas** tirer des bordées, louvoyer.

**bordado, a** *a* **1.** brodé, e **2.** FAM **el discurso le salió ~** son discours était parfait, réussi. ◇ *m* broderie *f*: **un ~ a tambor** une broderie au tambour.

**bordador, a** *s* brodeur, euse.

**bordadura** *f* broderie.

**bordar** *vt* **1.** broder: **~ a mano, a máquina** broder à la main, à la machine **2.** FIG fignoler, soigner.

[1]**borde** *m* **1.** bord: **el ~ de un precipicio** le bord d'un précipice; **al ~ del mar** au bord de la mer **2.** FIG **estar al ~ de la ruina** être au bord de la ruine; **al ~ de la quiebra** au bord de la faillite; **al ~ del llanto** au bord des larmes.

[2]**borde** *a* **1.** BOT sauvage **2.** FAM *(torpe)* bête **3.** FAM *(antipático)* rosse, désagréable, suant, e: **no te pongas ~** ne fais pas chier **4.** bâtard, e.

**bordear** *vt* **1.** *(ir por el borde)* longer, côtoyer: **avanzaba bordeando la orilla** il avançait en longeant la rive **2.** *(estar al borde)* border: **carretera bordeada de árboles** route bordée d'arbres **3.** *(rodear)* contourner **4.** FIG *(peligro, éxito, etc.)* frôler, friser. ◇ *vi* MAR louvoyer.

**bordelés, esa** *a/s* bordelais, e.

**borderó** *m* COM bordereau.

**bordillo** *m* bordure, bord: **el ~ de la acera** la bordure du trottoir.

**bordo** *m* MAR bord: **subir a ~** monter à bord; **a ~ de** à bord de; **de alto ~** de haut bord; **dar bordos** tirer des bords ◊ **ordenador de a ~** ordinateur de bord.

**bordón** *m* **1.** *(de peregrino)* bourdon **2.** *(estribillo)* refrain, ritournelle *f* **3.** vers court servant de refrain **4.** MÚS bourdon (grosse corde) **5.** *(imprenta)* bourdon.

**bordoncillo** *m* refrain, ritournelle *f*.

**bordonear** *vi* **1.** *(zumbar)* bourdonner **2.** vagabonder **3.** jouer sur les cordes graves de la guitare.

**boreal** *a* boréal, e.

**bóreas** *m* vent du nord.

**borgoña** *m* *(vino)* bourgogne.

**Borgoña** *np f* Bourgogne.

**borgoñón, ona** *a/s* bourguignon, onne.

**boricado, a** *a* QUÍM boriqué, e.

**bórico, a** *a* QUÍM borique.

**borinqueño, a** *a/s* portoricain, e.

**borla** *f* **1.** *(de pasamanería)* gland *m* **2.** *(de gorro, birrete)* pompon *m* ◊ **tomar la ~** obtenir le grade de docteur **3.** *(para polvos)* houppe, houppette.

**borlarse** *vpr* AMER obtenir le grade de docteur.

**borlote** *m* AMER *(algazara)* chahut.

**borne** *m* ELECT borne *f*.

**bornear** *vt* *(torcer)* tordre, plier. ◇ *vi* MAR virer. ◆ **~se** *vpr* gauchir.

**boro** *m* QUÍM bore.

**borona** *f* **1.** *(maíz)* maïs *m* **2.** *(mijo)* millet *m* **3.** *(pan)* pain de maïs **4.** AMER miette (de pain).

**borra** *f* **1.** *(de tela, pelo)* bourre **2.** *(debajo de los muebles)* moutons *m pl* **3.** *(sedimento)* boue, dépôt *m* **4.** *(del café)* marc *m* **5.** *(palabras superfluas)* remplissage *m*: **meter ~** faire du remplissage.

**borrachera** *f* **1.** cuite: **agarrar, coger, pillar una ~** attraper une cuite **2.** FIG ivresse, griserie.

**borrachín** *m* FAM poivrot, soûlard, pochard.

**borracho, a** *a* **1.** ivre, soûl, e ◊ **estar ~ perdido, estar completamente ~, más ~ que una cuba** être complètement rond **2.** FIG **~ de felicidad** ivre de bonheur. ◇ *s* ivrogne, ivrognesse: **un ~ perdido** un ivrogne fini.

**borrador** *m* **1.** *(escrito)* brouillon **2.** *(cuaderno)* cahier de brouillon **3.** COM brouillard **4.** *(goma de borrar)* gomme *f*.

**borradura** *f* rature, biffure.

**borraja** *f* **1.** *(planta)* bourrache **2.** **quedar en agua de borrajas** s'en aller, finir en eau de boudin.

**borrajear** *vi* griffonner.

**borrar** *vt* **1.** *(hacer desaparecer)* effacer **2.** *(tachar)* biffer, rayer **3.** *(con una goma)* gommer ◊ **goma de ~** gomme **4.** FIG **~ un mal recuerdo** effacer un mauvais souvenir. ◆ **~se** *vpr* s'effacer.

**borrasca** *f* **1.** *(en el mar)* tempête **2.** *(viento fuerte)* bourrasque.

**borrascoso, a** *a* **1.** orageux, euse: **tiempo ~** temps orageux **2.** FIG **una discusión borrascosa** une discussion orageuse; **vida borrascosa** vie orageuse, tumultueuse **3.** **Cumbres borrascosas** → **cumbre.**

**borrego, a** *s* **1.** petit mouton, petite brebis, agneau, agnelle **2.** FIG *(persona)* mouton **3.** **los borregos de Panurgo** les moutons de Panurge. ◇ *m pl* *(olas, nubes)* moutons.

**borreguil** *a* moutonnier, ère.

**borrica** *f* **1.** ânesse **2.** FAM bourrique.

**borricada** *f* **1.** troupeau *m* d'ânes **2.** FIG *(tontería)* ânerie, sottise.

**borrico** *m* **1.** âne **2.** FIG *(persona necia)* âne, âne bâté **3.** *(de carpintero)* baudet, chevalet.

**borricón** *m* FAM bonne bête *f*.

**borriquero** *a* **cardo ~** chardon aux ânes. ◇ *m* ânier, muletier.

**borriquillo, borriquito** *m* ânon, bourricot.

**borrón** *m* **1.** *(de tinta)* pâté **2.** FIG *(imperfección, deshonra)* tache *f* **3.** *(bosquejo)* ébauche *f* **4.** FIG **~ y cuenta nueva** passons l'éponge, n'en parlons plus. ◇ *pl* *(escrito)* griffonnages.

**borronear** *vt* griffonner.

**borroso, a** *a* **1.** confus, e **2.** *(idea, sensación)* vague **3.** *(foto, silueta)* flou, e **4.** *(un líquido)* boueux, euse.

**borujo** → **burujo.**

**boscaje** *m* bosquet, boqueteau, bois.

**Bósforo** *np m* Bosphore.

**Bosnia** *np f* Bosnie.

**bosniaco, a, bosnio, a** *a/s* bosniaque.

**bosque** *m* bois, forêt *f*.

▶ *Bois se aplica a un terreno menos extenso que forêt.*

**bosquecillo** *m* boqueteau, petit bois.

**bosquejar** *vt* **1.** ébaucher, esquisser **2.** FIG **~ un plan** ébaucher un plan.

**bosquejo** *m* ébauche *f*, esquisse *f*.

**bosta** *f* **1.** *(de bovinos)* bouse **2.** *(de caballo)* crottin *m*.

**bostezar** *vi* bâiller.

**bostezo** *m* bâillement.

**bosticar** *vi* AMER répliquer.

**bostón** *m* boston.

**bota** *f* **1.** *(calzado)* botte: **botas de montar** bottes de cavalier; **botas de goma** bottes en caoutchouc **2.** chaussure (montante): **botas de esquí** chaussures de ski; **botas ortopédicas** chaussures orthopédiques ◊ **botas de descanso** après-skis; FIG **ponerse las botas** s'enrichir, mettre du foin dans ses bottes, se sucrer; **morir con las botas puestas** mourir debout **3.** *(odre)* gourde en cuir **4.** *(cuba)* barrique, tonneau *m*.

**botadero** *m* AMER **1.** *(vado)* gué **2.** *(muladar)* décharge *f*.

**botador** *m* **1.** *(pértiga)* gaffe *f* **2.** AMER gaspilleur.

**botadura** *f* lancement *m*: **la ~ de un petrolero** le lancement d'un pétrolier.

**botafuego** *m* **1.** boutefeu **2.** FIG boutefeu, querelleur.

**botafumeiro** *m* encensoir.
▶ Mot galicien. Le *botafumeiro* géant de la cathédrale de Saint-Jacques de Compostelle est célèbre.

**botalón** *m (poste)* piquet, pieu.

**botamanga** *f* AMER *(del pantalón)* revers *m*.

**botamen** *m* **1.** *(de una farmacia)* bocaux *pl* **2.** *(de un barco)* futaille *f*.

**botana** *f* **1.** *(remiendo)* pièce *f* **2.** *(de una cuba)* fausset *m* **3.** AMER gaine (pour les éperons des coqs de combat) **4.** AMER *(tapa)* amuse-gueule *m*; *(aperitivo)* apéritif *m*.

**botánico, a** *a* botanique. ◇ *s* botaniste. ◇ *f* botanique.

**botar** *vt* **1.** mettre à la porte, mettre dehors, virer: **le botaron del colegio** il a été mis à la porte du lycée **2.** *(un barco)* lancer **3.** *(una pelota)* botter, tirer, shooter: **~ un saque de esquina** botter un corner **4.** AMER *(tirar)* jeter: **botó el cigarrillo** il jeta sa cigarette; *(malgastar)* gaspiller. ◇ *vi* **1.** *(una pelota)* rebondir **2.** *(una persona)* bondir, sauter: **botó de alegría** il bondit, sauta de joie **3.** FAM **está que bota** il est furibond. ◆ **~se** *vpr* AMER se jeter: **se botó al río** il se jeta dans la rivière.

**botaratada** *f* étourderie, bévue.

**botarate** *m* **1.** FAM écervelé, hurluberlu **2.** AMER gaspilleur, dépensier, panier percé.

**botarel** *m* ARQ contrefort.

**botavara** *f* MAR bôme, gui *m*.

[1]**bote** *m (salto)* bond: **dar botes** faire des bonds ◊ **dar botes de alegría** bondir de joie; FAM **darse el ~** se barrer; **de ~ pronto** tout d'un coup.

[2]**bote** *m* **1.** *(recipiente)* boîte *f*: **~ para la sal** boîte à sel; **~ de cerveza** boîte de bière **2.** pot: **~ de farmacia, de pintura** pot de pharmacie, de peinture **3.** *(de cristal)* bocal **4.** **~ de humo** bombe *f* fumigène **5.** FAM boîte dans laquelle les serveurs mettent leurs pourboires **6.** FAM **chupar del ~** se remplir les poches, vivre en parasite.

[3]**bote** *m* canot: **~ salvavidas** canot de sauvetage.

[4]**bote en bote (de)** *loc adv* plein, e à craquer, bondé, e: **el café estaba de ~ en ~** le café était plein à craquer.

**botella** *f* **1.** bouteille **2.** FÍS **~ de Leyden** bouteille de Leyde.

**botellero** *m* casier à bouteilles, porte-bouteilles.

**botellín** *m* **1.** petite bouteille *f*, flacon **2.** *(de cerveza)* canette *f*.

**botellón** *m* **1.** grosse bouteille *f* **2.** AMER *(damajuana)* dame-jeanne *f*.

**botero** *m* **1.** fabricant d'outres **2.** **Pedro ~** le diable.

**botica** *f* **1.** *(farmacia)* pharmacie **2.** médicaments *m pl* **3.** *(tienda)* boutique.

**boticario, a** *s* pharmacien, enne, apothicaire.

**botija** *f* cruche.

**botijero** *m* **1.** *(alfarero)* potier **2.** marchand de cruches.

**botijo** *m* **1.** *(vasija)* gargoulette *f* **2.** FAM **estar hecho un ~** être un gros patapouf.

**botillería** *f* débit *m* de boissons.

**botillero** *m* limonadier.

[1]**botín** *m (calzado)* botillon, boots *pl*: **botines** des boots.

[2]**botín** *m (despojos)* butin.

**botina** *f* bottine.

**botiquín** *m* **1.** *(armario)* armoire *f* à pharmacie **2.** *(estuche)* pharmacie *f* portative, trousse *f* à pharmacie ◊ **~ de urgencia** trousse *f* de secours **3.** *(sala)* infirmerie *f* **4.** AMER buvette *f*.

**botitas** *f pl* chaussons *m* de bébé.

[1]**boto** *m* botte *f*.

[2]**boto, a** *a* **1.** *(romo)* émoussé, e **2.** FIG obtus, e.

**botón** *m* **1.** *(yema)* bourgeon **2.** *(de flor)* bouton **3.** *(de vestido, timbre, florete, etc.)* bouton: **falta un ~ a mi chaqueta** il manque un bouton à ma veste; **botones de nácar** des boutons en nacre; **pulsar el ~** appuyer sur le bouton **4.** *(planta)* **~ de oro** bouton d'or **5.** FIG **como ~ de muestra** à titre d'exemple **6.** AMER *(agente de policía)* flic.

**botonadura** *f* garniture de boutons.

**botonazo** *m (esgrima)* botte *f*.

**botones** *m* chasseur, groom.

**bototo** *m* AMER **1.** *(calabaza)* calebasse *f* **2.** *(zapato)* grosse chaussure *f*, grosse godasse *f*.

**botulismo** *m* botulisme.

**bou** *m* **1.** pêche *f* au chalut **2.** *(barco)* chalutier.

**bouquet** *m* bouquet.
▶ Gallicisme employé dans le sens d'«arôme».

**boutade** *f* boutade.
▶ Gallicisme.

**boutique** *f* boutique (de modes).
▶ Gallicisme désignant un petit magasin élégant.

**bóveda** *f* **1.** voûte: **~ de aljibe, por arista** voûte d'arête; **~ de cañón** voûte en berceau **2.** **~ palatina** voûte du palais **3.** **la ~ celeste** la voûte céleste **4.** *(cripta)* crypte, caveau *m*.

**bovedilla** *f* ARQ solin *m*.

**bóvidos** *m pl* bovidés.

**bovino, a** *a/m* bovin, e. ◇ *m pl* bovins.

**boxeador** *m* boxeur.

**boxear** *vi* boxer.

**boxeo** *m* boxe *f*: **combate de ~** combat, match de boxe.

**bóxer** *m (perro)* boxer.

**boya** *f* **1.** bouée: **~ luminosa** bouée lumineuse **2.** *(de red, para pescar con caña)* flotteur *m*, bouchon *m*.

**boyada** *f* troupeau *m* de bœufs.

**boyante** *a* **1.** qui flotte bien **2.** FIG prospère, florissant, e: **andar, ir ~** être florissant; **la situación no anda ~** la situation n'est pas brillante; **un ~ negocio** une affaire florissante **3.** *(toro)* franc.

**boyar** *vi* flotter.

**boyardo** *m* boyard.

**boyera** *f* bouverie.

**boyero** *m* **1.** bouvier **2.** AMER petit oiseau (qui accompagne les troupeaux).

**boyezuelo** *m* bouvillon.

**boyuno, a** *a* bovin, e.

**boza** *f* MAR bosse.

**bozal** *a/s* **1.** Noir récemment venu d'Afrique **2.** *(inexperto)* novice **3.** *(necio)* sot, sotte, niais, e. ◇ *a* sauvage. ◇ *m* **1.** *(de perros)* muselière *f* **2.** AMER *(cabestro)* licou.

**bozo** *m* **1.** *(vello)* duvet **2.** *(boca)* bouche.

**Brabante** *np m* Brabant.

**brabanzón, ona** *a/s* brabançon, onne.

**braceada → brazada.**

**braceaje** *m* profondeur *f* de la mer.

**bracear** *vi* **1.** agiter les bras **2.** *(nadar)* nager la brasse **3.** *MAR* brasser.

**bracero** *m* **1.** *(peón)* journalier, manœuvre **2. de ~** bras dessus, bras dessous.

**bracete** *m* **de ~** bras dessus, bras dessous.

**bracista** *s (nadador)* brasseur, euse.

**bracmán** *m* brahmane.

**braco** *m (perro)* braque.

**bráctea** *f BOT* bractée.

**braga** *f (de niño)* couche, lange *m*. ◇ *pl* **1.** *(de mujer)* culotte *sing*, slip *m sing* **2.** *(de niño)* couches **3.** *FAM* **pillar en bragas** prendre de court, à l'improviste; **la prueba de física me pilló en bragas** j'ai séché à l'épreuve de physique.

**bragado, a** *a* **1.** se dit d'un animal dont l'entrecuisse est d'une couleur différente de celle du reste du corps **2.** *FAM* énergique, culotté, e, gonflé, e **3.** *(malintencionado)* faux, fausse.

**bragadura** *f* entrecuisse.

**bragapañal** *m* couche-culotte *f*.

**bragas → braga.**

**bragazas** *m FAM* **un ~** une lavette, une chiffe.

**braguero** *m* bandage herniaire.

**bragueta** *f* braguette.

**braguetazo** *m FAM* **dar ~** épouser une femme riche, un beau parti.

**braguitas** *f pl* **1.** *(de mujer)* petites culottes, culotte *sing* **2.** *(de niño)* couches.

**brahmán** *m* brahmane.

**brahmanismo** *m* brahmanisme.

**brama** *f* **1.** mugissement *m*, bramement *m* **2.** *(celo de los ciervos, etc.)* rut *m*.

**bramadero** *m AMER (poste)* poteau.

**bramante** *m* ficelle *f*.

**bramar** *vi* **1.** *(el toro)* mugir; *(el ciervo)* bramer; *(el elefante)* barrir **2.** *FIG (de ira, etc.)* rugir, hurler **3.** *(el viento, el mar)* mugir.

**bramido** *m* **1.** mugissement ◊ **dar bramidos** mugir, pousser des mugissements **2.** *(del ciervo)* bramement **3.** *(del elefante)* barrissement **4.** *FIG* rugissement, hurlement **5.** *(del viento, mar)* mugissement.

**brandal** *m MAR* hauban.

**Brandeburgo** *np m* Brandebourg ◊ *MÚS* **Conciertos de ~** *(Bach)* Concerts brandebourgeois.

**brandy** *m* cognac.

**branquia** *f* branchie.

**branquial** *a* branchial, e.

**braquicéfalo, a** *a* brachycéphale.

**braquiópodos** *m pl ZOOL* brachiopodes.

**brasa** *f* braise: **cocer a la ~** cuire sur la braise; **chuletas a la ~** côtelettes grillées sur la braise.

**brasear** *vt* cuire sur la braise.

**brasero** *m* brasero.
▶ Désigne un récipient peu profond rempli de braises destiné au chauffage des appartements et souvent placé sous une table.

**brasier** *m AMER* soutien-gorge.

**brasil** *m* bois du Brésil, brésil.

**Brasil** *np m* Brésil.

**brasileño, a** *a/s* brésilien, enne.

**brasilero, a** *a/s AMER* brésilien, enne.

**bravamente** *adv* **1.** bravement **2.** magnifiquement.

**bravata** *f* bravade, fanfaronnade, rodomontade ◊ **echar bravatas** fanfaronner.

**braveza** *f* **1.** bravoure **2.** *(de los elementos)* furie, fureur, violence.

**bravío, a** *a* sauvage, indomptable. ◇ *m (del toro)* combativité *f*.

**bravo, a** *a* **1.** brave, vaillant, e **2.** *(animal, etc.)* sauvage **3. toro ~** taureau de combat **4.** *(mar)* déchaîné, e **5.** *(carácter)* revêche **6. patatas bravas** pommes de terre à la sauce piquante. ◇ *interj* bravo!

**bravucón, ona** *a/s* fanfaron, onne, bravache.

**bravuconada, bravuconería** *f* fanfaronnade.

**bravura** *f* **1.** *(de un animal)* férocité **2.** *(de una persona)* bravoure.

**braza** *f* **1.** *(medida)* brasse **2.** *(modo de nadar)* brasse: **nadar a ~** nager la brasse.

**brazada** *f* **1.** mouvement *m* de bras **2.** *(de leña, etc.)* brassée.

**brazado** *m* brassée *f*.

**brazal** *m* brassard.

**brazalete** *m* **1.** *(pulsera)* bracelet **2.** *(brazal)* brassard.

**brazo** *m* **1.** bras: **dar el ~ a alguien** donner le bras à quelqu'un; **entró del ~ de su marido** elle entra au bras de son mari; **iban cogidos del ~** ils allaient bras dessus, bras dessous ◊ *FIG* **cruzarse de brazos** se croiser les bras; **echarse en los brazos de alguien** se jeter dans les bras de quelqu'un; **no dar su ~ a torcer** ne pas céder, ne pas abandonner la partie, ne pas en démordre: **nuestro sindicato se niega a dar su ~ a torcer** notre syndicat refuse de capituler; **ser el ~ derecho de** être le bras droit de **2.** *loc adv* **a ~ partido** à bras-le-corps; *FIG* d'arrache-pied, avec acharnement; **tuvo que luchar a ~ partido para conseguir el puesto** il a dû batailler pour obtenir le poste; **recibir con los brazos abiertos** recevoir à bras ouverts **3.** *(de un cuadrúpedo)* patte *f* de devant **4.** *(de candelabro)* branche *f* **5. ~ de mar** bras de mer ◊ *FAM* **estar hecho un ~ de mar** être très chic, très élégant **6. ~ de gitano** sorte de gâteau roulé. ◇ *pl* bras: **la agricultura necesita brazos** l'agriculture manque de bras.

**brazuelo** *m* **1.** *(del caballo)* avant-bras **2.** *(carne)* épaule *f*.

**brea** *f* brai *m*, goudron *m*.

**break** *m* **1.** *(coche)* break **2.** *(en tenis, jazz)* break.

**brear** *vt FAM* **1. ~ a palos** rouer de coups **2.** *(chasquear)* faire tourner en bourrique, tarabuster.

**brebaje** *m* breuvage.

**breca** *f (pez)* pagel *m*, daurade.

**brecha** *f (abertura)* brèche: **abrir una ~** ouvrir une brèche ◊ *FIG* **abrir ~** faire une brèche, faire impression, de l'effet; **estar siempre en la ~** être toujours sur la brèche.

**brécol** *m*, **brecolera** *f* brocoli *m*.

**brega** *f* **1.** lutte, combat *m* **2.** *(riña)* dispute **3. andar a la ~** se démener, se dépenser.

**bregar** *vi* **1.** se battre, lutter **2.** *FIG* se démener: **bregué mucho para obtener esta plaza** je me suis beaucoup démené pour obtenir cette place.

**brema** *f (pez)* brème.

**Brema** *np* Brême.

**breña** *f* broussaille.

**breñal** *m* terrain rocheux et broussailleux, fourré.

**bresca** *f* rayon *m* de miel.

**Bretaña** *np f* Bretagne.

**brete** *m* **1.** *(de un reo)* fers *pl* **2.** *FIG* embarras: **poner en un ~** mettre dans l'embarras; **estar en un ~** être dans une situation difficile **3.** *AMER (corral)* enclos.

**bretón, ona** *a/s* breton, onne.

**breva** *f* **1.** figue-fleur ◊ *FIG* **más blando que una ~** doux comme un agneau; **de higos a brevas** → **higo 2.** *FAM (suerte)* veine, aubaine: **no me cayó esa ~** je n'ai pas eu cette veine **3.** *(buena colocación)* fromage *m*.

**breve** *a* **1.** bref, brève: **sea ~** soyez bref; **vocal ~** voyelle brève **2.** court, e: **una ~ pausa** une courte pause **3.** *loc adv* **en ~** sous peu, bientôt, d'ici peu. ◇ *m* **1.** *(pontificio)* bref **2.** *(en un periódico)* brève *f*. ◇ *f MÚS* brève.

**brevedad** *f* **1.** brièveté **2. con ~** brièvement; **a, con la mayor ~, a la máxima ~** le plus tôt possible, le plus rapidement possible, dans les plus brefs délais.

**brevemente** *adv* brièvement.

**breviario** *m* bréviaire.

**brezal** *m (terreno)* bruyère *f*, lande *f*.

**brezo** *m* bruyère *f*: **tierra de ~** terre de bruyère.

**briago, a** *a AMER* soûl, e, ivre.

**briba** *f* **andar a la ~** vivre à ne rien faire, vagabonder.

**bribón, ona** *a/s* **1.** fripon, onne, coquin, e **2.** *(granuja)* vaurien, enne.

**bribonada** *f* friponnerie, coquinerie.

**bribonería** *f* friponnerie, coquinerie.

**bribonzuelo, a** *s* petit fripon, petite friponne, polisson, onne.

**bricbarca** *m* brick.

**bricolage, bricolaje** *m* bricolage.

**bricolar** *vi* bricoler.

**brida** *f* bride ◊ **a toda ~** à toute bride.

**bridge** *m* bridge: **jugar al ~** jouer au bridge ◊ **jugador de ~** bridgeur.

**brigada** *f* **1.** *MIL* brigade **2.** *(de obreros, etc.)* brigade, équipe. ◇ *m MIL (suboficial)* adjudant.

**brigadier** *m* général de brigade.

**Brígida** *np f* Brigitte.

**brillante** *a* **1.** brillant, e **2.** *FIG* brillant, e: **orador, discurso ~** orateur, discours brillant. ◇ *m (diamante)* brillant, diamant.

**brillantemente** *adv* brillamment.

**brillantez** *f* éclat *m*.

**brillantina** *f* brillantine.

**brillar** *vi* **1.** brillar **2.** *FIG (sobresalir)* briller **3. ~ por su ausencia** briller par son absence.

**brillazón** *f AMER (espejismo)* mirage *m*.

**brillo** *m* éclat, brillant ◊ **dar, sacar ~ a** faire briller, faire reluire, astiquer; **darles ~ a sus zapatos** faire briller ses chaussures.

**brilloso, a** *a AMER* brillant, e.

**brincar** *vi* **1.** sauter, bondir **2.** *FIG* **~ de alegría** bondir de joie **3.** *FAM* **está que brinca** il est déchaîné; *(enfadado)* il est furieux.

**brinco** *m* **1.** saut, bond: **pegar un ~** faire un bond ◊ **dar brincos** bondir, faire des bonds **2.** *FIG* **dar brincos de alegría** bondir de joie; **su corazón dio un ~** son cœur bondit, tressaillit.

**brindar** *vi* **1.** porter un toast, boire: **brindemos por el éxito de...** buvons au succès de... **2.** boire à la santé de: **brindo por los recién casados** je bois à la santé des jeunes mariés. ◇ *vt* **1.** offrir: **me brindó su ayuda** il m'a offert son aide **2.** fournir, offrir, apporter: **~ la oportunidad de...** fournir l'occasion de...; **~ una solución** apporter une solution **3.** *TAUROM* **~ el toro a** faire l'hommage du taureau à. ◆ **~se** *vpr* s'offrir, proposer, offrir: **se brindó a acompañarme** il me proposa de, il m'a offert de m'accompagner.

**brindis** *m* toast: **echar un ~** porter un toast.
▶ En tauromachie, *brindis* est l'hommage que le matador fait du taureau qu'il va tuer à une personnalité ou au public.

**briñón** *m (fruta)* brugnon.

**brío** *m* **1.** énergie *f* ◊ **mujer de bríos** femme énergique **2.** *(ímpetu)* entrain, ardeur *f*, brio, fougue *f*, allant: **trabaja con mucho brío** il travaille avec beaucoup d'ardeur; **tener bríos** avoir de l'allant.

**briol** *m MAR* cargue *f*.

**bríos! (¡voto a)** *interj* morbleu!, sacrebleu!

**briosamente** *adv* avec ardeur.

**brioso, a** *a* **1.** énergique **2.** ardent, e, vif, ive **3.** fougueux, euse, nerveux, euse: **un motor ~** un moteur nerveux **4.** *(airoso)* élégant, e.

**briqueta** *f* briquette.

**brisa** *f* **1.** brise: **~ marina** brise de mer **2.** *(orujo)* marc *m* de raisin.

**brisca** *f (juego de naipes)* brisque.

**briscar** *vt (tela)* brocher.

**británico, a** *a* britannique.

**brizar** *vt* bercer.

**brizna** *f* **1.** brin *m*: **una ~ de paja** un brin de paille **2.** *FIG* brin *m*, miette: **ni una ~ de viento** pas un brin de vent.

**broa** *f (ensenada)* crique, anse (avec des écueils).

**broca** *f* **1.** *(para taladrar)* mèche, foret *m* **2.** *(de la lanzadera)* bobine.

**brocado** *m (tejido)* brocart.

**brocal** *m* **1. el ~ de un pozo** la margelle d'un puits **2.** *(de una bota de beber)* embouchure *f*.

**brocearse** *vpr AMER (una mina)* s'épuiser.

**brocha** *f* **1.** *(pincel)* brosse **2.** *(pincel aplastado)* queue-de-morue ◊ **pintor de ~ gorda** peintre en bâtiment; *FIG* barbouilleur, peintre à la manque **3.** *(para afeitarse)* blaireau *m*.

**brochado, a** *a (tela)* broché, e.

**brochazo** *m* coup de brosse, de pinceau.

**broche** *m* **1.** *(para sujetar)* agrafe *f* **2.** *(joya)* broche *f* **3.** *FIG* **el ~ de oro** le couronnement, le clou; **este galardón es el ~ de oro de una larga carrera teatral** cette récompense est le couronnement d'une longue carrière théâtrale; **cerrar con ~ de oro** mettre le point final, finir en beauté.

**brocheta** *f* brochette.

**bróculi** → **brécol.**

**broma** *f* **1.** plaisanterie, blague, farce, tour *m*: **~ de mal gusto** plaisanterie de mauvais goût; **~ pesada** mauvaise plaisanterie, farce d'un goût douteux ◊ **~ aparte** blague à part; **déjate de bromas** cesse de plaisanter; **dejémonos de ~** trêve de plaisanterie; **echar a, tomar a ~** prendre à la blague, à la rigolade, ne pas prendre au sérieux; **entre bromas y veras** mi-sérieux, mi-plaisant, mi-figue, mi-raisin; **estar de ~** plaisanter, blaguer; **no estar para bromas** ne pas être d'humeur à plaisanter; **gastar bromas** plaisanter; **gastar una ~ a** jouer un tour à; **¡vaya una ~!** c'est malin!, c'est fin! **2.** bagatelle, plaisanterie: **costar la ~ de...** coûter la bagatelle de... **3.** *loc adv* **en ~** pour rire; **hablar en ~** plaisanter; **ni en ~** pour rien au monde.

**bromatología** *f* diététique.

**bromatólogo, a** *s* diététicien, enne.

**bromazo** *m* FAM mauvaise plaisanterie *f*, sale blague *f*, mauvaise farce *f*.

**bromear** *vi* plaisanter, blaguer: **no estoy bromeando** je ne plaisante pas.

**bromista** *a/s* farceur, euse, blagueur, euse, plaisantin *m*, rigolo, ote.

**bromo** *m* QUÍM BOT brome.

**bronca** *f* FAM **1.** *(riña)* bagarre, querelle: **se armó una ~ en el bar** une bagarre a éclaté dans le bar; **buscar broncas** chercher la bagarre **2.** *(reprensión)* engueulade, savon *m*: **su jefe le echó una ~** son chef lui a passé un savon, lui a sonné les cloches **3.** *(alboroto)* chahut *m*, esclandre *m*, scène: **~ familiar** scène de ménage **4.** *(abucheo)* huées *pl*: **pitos y broncas** sifflets et huées.

**bronce** *m* bronze.

**bronceado, a** *a* bronzé, e. ◇ *m* bronzage: **~ integral** bronzage intégral.

**bronceador** *m* crème *f*, huile *f* solaire, crème bronzante.

**bronceadura** *f* bronzage *m*.

**broncear** *vt* bronzer. ◆ **~se** *vpr* se bronzer: **se broncea en la playa** elle se bronze sur la plage.

**broncíneo, a** *a* de bronze, semblable au bronze.

**broncista** *m* bronzeur, bronzier.

**bronco, a** *a* **1.** *(voz, sonido)* rauque **2.** *(material)* grossier, ère, rugueux, euse **3.** cassant, e **4.** *(carácter)* acariâtre, bourru, e, revêche.

**bronconeumonía** *f* broncho-pneumonie.

**broncoscopia** *f* MED bronchoscopie.

**bronquear** *vt* AMER engueuler.

**bronquial** *a* bronchique.

**bronquina** *f* FAM dispute.

**bronquio** *m* ANAT bronche *f*: **los bronquios** les bronches.

**bronquiolos** *m* ANAT bronchioles *f*.

**bronquítico, a** *a* bronchitique.

**bronquitis** *f* bronchite.

**brontosauro** *m* brontosaure.

**broquel** *m* bouclier.

**broqueta** *f* brochette.

**brotadura** *f* **1.** pousse, bourgeonnement *m* **2.** *(del agua)* jaillissement *m*.

**brotar** *vi* **1.** *(las plantas)* pousser **2.** *(echar renuevos)* bourgeonner **3.** *(un líquido)* jaillir, sourdre: **el agua brotaba del manantial** l'eau jaillissait de la source; **brotaron lágrimas de sus ojos** des larmes jaillirent de ses yeux **4.** *(aflorar)* apparaître **5.** FIG surgir, apparaître, naître.

**brote** *m* **1.** pousse *f*: **brotes de bambú** pousses de bambou **2.** *(yema)* bourgeon **3.** FIG apparition *f*, début, poussée *f*, flambée *f*: **un ~ de rebeldía** un début de rébellion; **un ~ inflacionista** une poussée inflationniste; **brotes de racismo** des poussées de racisme; **brotes de violencia** des flambées de violence.

**broza** *f* **1.** débris *m pl* végétaux **2.** *(desperdicios)* détritus *m pl*, débris *m pl* **3.** *(maleza)* broussaille **4.** FIG **meter ~** faire du remplissage, du délayage.

**brucelosis** *f* MED brucellose.

**bruces (de)** *loc adv* **1. caerse de ~** tomber à plat ventre; **de ~ en el pretil** penché sur le parapet **2. darse de ~ con** se trouver nez à nez avec.

**bruja** *f* **1.** sorcière **2.** FAM *(mujer fea)* vieille sorcière **3.** FIG **caza de brujas** chasse aux sorcières. ◇ *a* AMER **estar ~** être fauché, e.

**Brujas** *np* Bruges.

**brujería** *f* sorcellerie.

**brujo** *m* sorcier ◊ **el aprendiz de ~** l'apprenti sorcier; **El Amor ~** *(de Falla)* l'Amour sorcier.

**brújula** *f* **1.** boussole **2.** FIG **perder le ~** perdre le nord, la boussole.

**brujulear** *vt* **1. ~ las cartas** filer les cartes **2.** deviner **3.** FAM *(hacer gestiones)* fricoter, intriguer.

**brulote** *m* **1.** *(barco)* brûlot **2.** AMER *(dicho ofensivo)* injure *f*, gros mot; *(escrito)* brûlot, écrit incendiaire.

**bruma** *f* brume.

**brumario** *m* brumaire.

**brumazón** *m* brouillard épais.

**brumoso, a** *a* brumeux, euse.

**bruno, a** *a* brun, e. ◇ *m* **1.** *(ciruela)* prune *f* brune **2.** *(ciruelo)* prunier.

**bruñido, a** *a* poli, e. ◇ *m* brunissage, polissage.

**bruñir*** *vt* **1.** *(sacar lustre)* polir **2.** *(metales)* brunir.

**bruscamente** *adv* brusquement.

**brusco, a** *a* brusque. ◇ *m (planta)* petit houx, fragon.

**Bruselas** *np* Bruxelles.

**bruselense** *a/s* bruxellois, e.

**brusquedad** *f* brusquerie ◊ **pararse con ~** s'arrêter brusquement.

**brutal** *a* brutal, e: **ademanes brutales** des gestes brutaux.

**brutalidad** *f* **1.** brutalité **2.** FAM **es una ~ tomar el sol tanto tiempo seguido** il faut être fou pour s'exposer si longtemps au soleil; **se comieron una ~ de pasteles** ils se sont goinfrés de gâteaux.

**brutalizar** *vt* brutaliser.

**brutalmente** *adv* brutalement.

**bruto, a** *a/s (persona)* bête, imbécile ◊ FAM **pedazo de ~** espèce de brute. ◇ *a* **1.** brutal, e **2.** *(sin labrar)* brut, e ◊ **en ~** brut, e: **diamante en ~** diamant brut **3. peso en ~** poids brut. ◇ *m* **1. un ~** une brute **2. a lo ~** grossièrement.

**bruza** *f* brosse dure.

**bu** *m* FAM croquemitaine.

**bubas** *f pl* bubons *m*.

**bubón** *m* bubon.

**bubónico, a** *a* bubonique: **peste bubónica** peste bubonique.

**bucal** *a* buccal, e: **cavidad ~** cavité buccale.

**bucanero** *m* boucanier.

**búcaro** *m (vasija)* cruche *f*.

**buccino** *m* buccin.

**bucear** *vi* **1.** *(nadar)* nager sous l'eau **2.** *(el buzo)* plonger, travailler sous l'eau **3.** FIG **~ en** explorer, sonder.

**Bucéfalo** *np m* Bucéphale.

**buceo** *m* plongée *f*.

**buchada** *f* gorgée.

**buche** *m* **1.** *(de las aves)* jabot **2.** FAM ventre, panse *f* ◊ **guardar en el ~** garder pour soi; **sacar el ~ a alguien** tirer les vers du nez à quelqu'un **3.** *(de líquido)* gorgée *f*, gargarisme.

**bucle** *m* **1.** boucle *f*: **un ~ de cabellos rubios** une boucle de cheveux blonds **2.** INFORM boucle *f*.

**bucólico, a** *a* bucolique. ◇ *f (composición poética)* bucolique.

**Buda** *np m* Bouddha.

**búdico, a** *a* bouddhique.

**budín** *m* pudding, pain perdu.

**budión** *n (pez)* blennie *f*.

**budismo** *m* bouddhisme.

**budista** *a/s* bouddhiste.

**buen** *a* forme apocopée de **bueno.** S'emploi devant un substantif masculin ou devant un infinitif substantivé: **un ~ profesor** un bon professeur.

**buenamente** *adv* facilement, sans difficulté.

**buenamoza** *f* AMER belle femme, jolie fille: **la ~ modelo** le joli mannequin.

**buenaventura** *f* bonne aventure: **echar la ~** dire la bonne aventure.

**Buenaventura** *np m* Bonaventure.

**buenazo, a** *a* FAM brave, débonnaire: **el ~ de Javier** ce brave Xavier.

**buenísimo, a** *a* très bon, très bonne.

**bueno, buen, buena** *a* **1.** bon, bonne: **un hombre ~** un homme bon; **un buen actor** un bon acteur; **~ de comer** bon à manger; **~ para la salud** bon pour la santé; **¡buen viaje!** bon voyage!; **una idea muy buena** une très bonne idée **2.** *(hermoso)* beau, belle: **una buena moza** une belle fille; **hace buen tiempo** il fait beau **3.** *(de salud)* **estar ~** être en bonne santé, bien portant, aller bien **4.** *(tranquilo)* sage **5.** *(sencillote)* **un buen muchacho** un bon, brave garçon; **es muy buena persona** c'est une personne très gentille, une bonne pâte; **sé ~** sois gentil **6.** FAM *(fuerte)* **una buena bofetada** une bonne gifle ◊ **buen susto me has dado** tu m'as fait une belle peur; **¡buena la has hecho!** c'est du joli ce que tu as fait!; **ésa (sí que) es buena, está ~** eso en voilà une bonne, elle est bien bonne; **escaparse de una buena** l'échapper belle; **estaría ~ que...** il ne manquerait plus que..., il ferait beau voir que...; **lo ~ del caso** le meilleur de l'histoire; **un buen día** un beau jour; **¿adónde ~?** où allez-vous comme ça?; **¿cuánto ~ por aquí?, ¿qué dice usted de ~?** quoi de neuf? **7. estar de buenas** être de bonne humeur **8.** *loc adv* **a la buena de Dios → Dios; de buenas a primeras** de but en blanc; **por las buenas** de bon gré, volontiers, de bonne grâce; **por las buenas o por las malas → malo.** ◇ *interj* FAM bon!, bien!; **¡~ está!** ça va comme ça!; **¡~ está lo ~!** en voilà assez!, ça suffit comme ça!; **¡muy buenas!** salut!

**Buenos Aires** *np* Buenos Aires.

**buey** *m* bœuf: **una yunta de bueyes** une paire de bœufs ◊ **habló el ~ y dijo mu** pour une fois qu'il parle, il aurait mieux fait de se taire.

**bueyada** *f* AMER troupeau *m* de bœufs.

**bueyuno, a** *a* bovin, e.

**bufa** *f (burla)* plaisanterie.

**búfalo, a** *s* buffle, bufflonne.

**bufanda** *f* cache-nez *m inv*, écharpe.

**bufar** *vi* **1.** *(el toro)* souffler **2.** *(el caballo)* s'ébrouer **3.** FIG **~ de rabia** écumer de rage; **estar que bufa** être dans une colère noire.

**bufé** *m* buffet.

**bufeo** *m* AMER inie, dauphin de l'Amazone.

**bufete** *m* **1.** *(mesa)* bureau **2.** cabinet, étude *f*: **el joven abogado acaba de abrir ~** le jeune avocat vient d'ouvrir un cabinet.

**buffet** *m* buffet.

**bufido** *m* **1.** mugissement **2.** *(del tigre, gato)* feulement **3.** FIG grognement.

**bufo, a** *a* **ópera bufa** opéra bouffe. ◇ *a/s* bouffon, onne.

**bufón, ona** *a/s* bouffon, onne.

**bufonada** *f* bouffonnerie, plaisanterie.

**bufoso** *m* AMER revolver, pétard, flingue.

**buganvilla** *f* bougainvillée, bougainvillier *m*.

**bugle** *m* MÚS bugle.

**buhardilla** *f* **1.** *(desván)* mansarde **2.** *(ventana)* lucarne.

**buharro** *m* petit duc.

**búho** *m* hibou.

**buhonería** *f* pacotille.

**buhonero** *m* colporteur, camelot.

**buido, a** *a* **1.** aiguisé, e, effilé, e **2.** *(estriado)* cannelé, e.

**buitre** *m* vautour.

**buitrear** *vi* AMER *(vomitar)* vomir.

**buitrón** *m (red)* filet en forme de nasse, verveux.

**buje** *m* frette *f*.

**bujería** *f* babiole.

**bujero** *m* POP trou.

**bujía** *f* bougie.

**bula** *f (del Papa)* bulle.

**bulbo** *m* ANAT, BOT bulbe: **~ raquídeo** bulbe rachidien.

**bulboso, a** *a* bulbeux, euse.

**buldog** *m* bouledogue.

**bule** *m* AMER calebasse *f*.

**bulerías** *f pl* air et danse andalous.

**bulevar** *m* boulevard.

**Bulgaria** *np f* Bulgarie.

**búlgaro, a** *a/s* bulgare.

**bulimia** *f* MED boulimie.

**bulín** *m* AMER **1.** meublé, pied-à-terre **2.** FAM piaule *f*.

**bulla** *f* **1.** *(ruido confuso)* tapage *m*, vacarme *m*, raffut *m*: **armar, meter ~** faire du raffut **2.** chahut *m* **3.** foule, affluence.

**bullabesa** *f* bouillabaise.

**bullanga** *f* raffut *m*, tapage *m*.

**bullanguero, a** *a/s* turbulent, e, tapageur, euse, chahuteur, euse.

**bulldozer** *m* bulldozer.

**bullebulle** *s* FAM agité, e.

**bullicio** *m* **1.** *(ruido)* brouhaha, vacarme **2.** *(movimiento)* agitation *f*.

**bulliciosamente** *adv* bruyamment.

**bullicioso, a** *a* **1.** remuant, e, turbulent, e, agité, e: **un niño ~** un enfant turbulent **2.** *(sitio)* bruyant, e.

**bullir*** *vi* **1.** *(hervir)* bouillir **2.** bouillonner: **el agua bullía entre las piedras** l'eau bouillonnait au milieu des pierres **3.** *(insectos, gusanos)* grouiller **4.** *(peces)* frétiller **5.** FIG **me bulle la sangre cuando...** mon sang bout quand... **6.** fourmiller, grouiller: **las calles bullían de gente** les rues fourmillaient de monde **7.** *(moverse)* s'agiter, remuer.

**bullón** *m* ornement de reliure.

**bulo** *m* bobard, faux bruit.

**bulto** *m* **1.** volume, grosseur *f* ◊ **hacer ~** faire du volume; **error de ~** erreur de taille **2.** silhouette *f*, forme *f* vague, masse *f*: **en la niebla, percibimos un ~ que se movía** dans le brouillard, nous aperçûmes une silhouette qui bougeait ◊ FIG **buscar a uno el ~** chercher querelle à quelqu'un; **escurrir el ~** s'esquiver, se défiler, se dérober **3.** *(hinchazón)* bosse *f*, enflure *f*, grosseur *f* **4.** *(paquete)* paquet, colis ◊ **~ de mano** bagage à main **5.** AMER *(cartapacio)* cartable **6.** *loc adv* **a ~** au jugé, approximativement: **disparar a ~** tirer au jugé.

**bululú** *m* comédien ambulant.

**bumerang** *m* boomerang.

**bunde** *m* AMER air et danse de Colombie.

**bungalow** *m* bungalow.

**buniato** *m* patate *f* douce.

**búnker** *m* bunker.

**buñolería** *f* boutique de marchand de beignets.

**buñolero, a** *s* marchand, e de beignets.

**buñuelo** *m* **1.** beignet **2.** *FAM (cosa mal hecha)* navet, horreur *f*, ratage.

**buque** *m* navire, bateau: **~ de guerra** navire de guerre; **~ aljibe** bateau-citerne; **~ escuela** navire-école ◊ **El ~ fantasma** *(Wagner)* le Vaisseau fantôme.
▶ Désigne un bateau de fort tonnage. Voir *barco*.

**buqué** *m* bouquet (d'un vin).

**burbuja** *f (de aire)* bulle.

**burbujear** *vi* faire des bulles, bouillonner.

**burbujeo** *m* **1.** bouillonnement **2.** *(del champán)* pétillement.

**burdégano** *m* bardot, bardeau.

**burdel** *m* bordel.

**burdeos** *m (vino)* bordeaux.

**Burdeos** *np* Bordeaux.

**burdo, a** *a* grossier, ère: **tela burda** étoffe grossière; **maniobra burda** manœuvre grossière.

**burel** *m TAUROM* taureau.

**bureo** *m FAM* **irse de ~** faire la noce, la bringue.

**burgalés, esa** *a/s* de Burgos.

**burgo** *m ANT* hameau, bourg.

**burgomaestre** *m* bourgmestre.

**burgrave** *m* burgrave.

**burgués, esa** *a/s* bourgeois, e.

**burguesía** *f* bourgeoisie.

**Buridán** *np m* **el asno de ~** l'âne de Buridan.

**buriel** *a* **1.** brun, e **2. paño ~** bure *f*.

**buril** *m* burin.

**burilar** *vt* graver au burin, buriner.

**burjaca** *f ANT* besace en cuir.

**burla** *f* **1.** *(mofa)* moquerie, raillerie ◊ **hacer ~ de alguien** se moquer de quelqu'un, railler quelqu'un; **hace ~ de todo** il tourne tout en dérision **2.** *(broma)* plaisanterie **3.** *(engaño)* tromperie, mauvaise plaisanterie **4.** *loc adv* **burla burlando** mine de rien; **de burlas** pour rire; **entre burlas y veras** mi-sérieux, mi-plaisant.

**burladero** *m TAUROM* refuge (pour le torero, dans l'arène).

**burlador, a** *a* moqueur, euse. ◇ *m* séducteur, don Juan.

**burlar** *vt* **1.** *(engañar)* tromper: **burló a todos** il a trompé tout le monde **2. ~ la vigilancia de** tromper, déjouer la vigilance de **3. burla burlando** mine de rien, en douce. ◆ **~se** *vpr* se moquer: **no os burléis de él** ne vous moquez pas de lui.

**burlesco, a** *a* burlesque.

**burlete** *m* bourrelet.

**burlón, ona** *a/s* moqueur, euse, narquois, e: **tono ~** ton moqueur; **risa burlona** rire moqueur. ◇ *m* plaisantin.

**burlonamente** *adv* moqueusement.

**buró** *m* bureau: **~ político** bureau politique.

**burocracia** *f* bureaucratie.

**burócrata** *s* bureaucrate.

**burocrático, a** *a* bureaucratique.

**burocratización** *f* bureaucratisation.

**burra** *f* **1.** ânesse **2.** *FAM* bourrique **3.** *FAM (persona muy trabajadora)* bourreau *m* de travail **4.** *FAM (bicicleta)* bécane, vélo *m* **5.** *FAM* moto.

**burrada** *f* **1.** troupeau *m* d'ânes **2.** *FIG* **hacer burradas** faire des âneries; **decir burradas** dire des énormités **3.** *FAM* **eso cuesta una ~ (de dinero)** ça coûte vachement cher, une fortune; **come una ~** il mange comme quatre.

**burrero** *m* **1.** ânier, muletier **2.** *AMER (aficionado a las carreras hípicas)* turfiste.

**burrito** *m* ânon, bourricot.

**burro** *m* **1.** âne ◊ *FIG* **apearse del ~** reconnaître son erreur; **no ver tres en un ~** être myope comme une taupe **2.** *FIG (necio)* âne, âne bâté, idiot: **¡no seas ~!** ne sois pas idiot! **3.** *FIG* **~ de carga** bourreau de travail; **es un ~ en el trabajo** c'est un vrai cheval, un bourreau de travail; **trabajar como un ~** travailler comme un nègre **4.** *PROV* **más vale ~ vivo que doctor muerto** chien en vie vaut mieux que lion mort **5.** *(de carpintero)* baudet.

**bursátil** *a* boursier, ère: **operaciones bursátiles** opérations boursières.

**burujo** *m* **1.** boule *f*, boulette *f*, tapon **2.** *(de uva, aceitunas)* tourteau.

**bus** *m (autobús)* bus.

**busaca** *f AMER* sac *m*.

**busca** *f* recherche, quête: **en ~ de...** à la recherche de, en quête de...; **lanzarse en ~ de un empleo** se lancer à la recherche d'un emploi.

**buscapiés** *m* petit pétard, serpenteau.

**buscapleitos** *m* chicaneur.

**buscar** *vt* **1.** chercher: **busqué su dirección en la guía telefónica** j'ai cherché son adresse dans l'annuaire; **~ trabajo** chercher du travail **2. ~ la compañía de, la amistad de** rechercher la compagnie de, l'amitié de; **es buscado por la policía** il est recherché par la police **3.** *FAM* **buscársela** se débrouiller; **¡tú te la has buscado!** tu l'as cherché!

**buscarruidos** *m FAM* chamailleur, euse, provocateur, trice.

**buscavidas** *s FAM* **1.** *(persona curiosa)* fouineur, euse **2.** débrouillard, e.

**buscón** *m* filou.

**buscona** *f* prostituée, fille, grue.

**buseca** *f AMER* soupe aux tripes ou à la queue de bœuf.

**buseta** *f AMER* minibus *m*.

**busilis** *m* **1.** hic: **¡ahí está el ~!** voilà le hic! **2.** difficulté *f*, point difficile.

**busque,** etc. → **buscar.**

**búsqueda** *f* recherche.

**busto** *m* **1.** buste **2.** *(escultura)* buste.

**butaca** *f* **1.** fauteuil *m*: **una ~** un fauteuil **2.** *(en un teatro, cine)* **~ de patio** fauteuil d'orchestre ◊ **patio de butacas** orchestre.

**butanero** *m* butanier.

**butano** *m* butane: **gas ~** gaz butane.

**buten (de)** *loc POP* comme ça, au poil, super.

**butifarra** *f* **1.** saucisse **2.** *AMER* sandwich *m*.

**butírico, a** *a QUÍM* butyrique.

**buzamiento** *m GEOL* inclinaison *f*, pendage.

**buzo** *m* **1.** plongeur: **campana de ~** cloche à plongeur **2.** *(con escafandra)* scaphandrier **3.** *(traje)* bleu (de travail) **4.** *AMER (de bailarín)* collant **5.** *AMER (de niño)* grenouillère *f*.

**buzón** *m* boîte *f* aux lettres: **echar una carta al ~** mettre une lettre à la boîte.

**buzonero** *m AMER* facteur.

**by-pass** *m MED* **~ coronario** pontage coronarien.

# C

**c** *f* c *m:* **una c** un c.

**c., c/** *(abrev.* de «calle») rue.

**¡ca!** *interj FAM* allons donc!, mais non!, penses-tu!, pensez-vous!: **te vas a caer.** –¡ **~!** tu vas tomber. –mais non!

**cabal** *a* **1.** *(peso, etc.)* juste, exact, e **2.** *(persona)* accompli, e, parfait, e, loyal. ◇ *m pl FAM* **no estar en sus cabales** ne pas avoir toute sa tête, être timbré, e. ◇ *adv* exactement, précisément: **es ~ lo que yo pensaba** c'est exactement, c'est juste ce que je pensais.

**cábala** *f* cabale. ◇ *pl* **1.** pronostics *m,* suppositions, conjectures: **hacer cábalas** faire des pronostics **2.** intrigues, manigances.

**cabalgada** *f* chevauchée.

**cabalgadura** *f* monture.

**cabalgar** *vi* aller, monter à cheval, chevaucher. ◇ *vt* monter.

**cabalgata** *f* cavalcade, défilé *m.*

**cabalístico, a** *a* cabalistique.

**caballa** *f* maquereau *m:* **filetes de ~** filets de maquereau.

**caballada** *f* **1.** troupeau *m* de chevaux **2.** *AMER* bêtise, énormité.

**caballar** *a* chevalin, e: **el ganado ~** l'espèce chevaline, les chevaux.

**caballerango** *m AMER* palefrenier, écuyer.

**caballeresco, a** *a* **1.** chevaleresque **2. novela caballeresca** roman de chevalerie.

**caballerete** *m PEYOR* petit jeune homme.

**caballería** *f* **1.** monture **2.** *MIL* cavalerie: **el arma de ~** la cavalerie **3.** chevalerie: **~ andante** chevalerie errante; **novela de caballerías** roman de chevalerie; **orden de ~** ordre de chevalerie.

**caballeriza** *f* écurie.

**caballerizo** *m* écuyer: **~ mayor** grand écuyer.

**caballero, a** *a* à cheval, monté, e: **~ en una mula** monté sur une mule. ◇ *m* **1.** *(el que pertenece a una orden)* chevalier: **~ de Malta** chevalier de Malte; **~ andante** chevalier errant; **armar ~** armer chevalier; *FIG* **~ de industria** chevalier d'industrie **2.** homme bien né, gentleman, galant homme: **portarse como un ~** agir en gentleman; **es todo un ~** c'est un vrai gentleman, un monsieur **3.** *(término cortés)* monsieur: **oiga, ~** écoutez, monsieur; **señoras y caballeros** mesdames et messieurs **4.** homme: **ropa de ~** vêtements pour hommes; **sección de caballeros** rayon pour hommes.

**caballerosamente** *adv* noblement.

**caballerosidad** *f* noblesse, grandeur d'âme, esprit *m* chevaleresque.

**caballeroso, a** *a* noble, chevaleresque.

**caballete** *m* **1.** *(de un tejado)* faîte **2.** *(de la nariz)* arête *f* **3.** *(de pintor, de tortura)* chevalet **4.** *(soporte)* tréteau **5.** *(de chimenea)* mitre *f.*

**caballista** *m* bon cavalier.

**caballito** *m* **1.** petit cheval **2. ~ del diablo** libellule *f* **3. ~ de mar** hippocampe. ◇ *pl* **1.** *(tiovivo)* manège *sing* de chevaux de bois **2.** *(juego)* petits chevaux.

**caballo** *m* **1.** cheval: **~ de carreras** cheval de course; **carrera de caballos** course de chevaux; **montar a ~** monter à cheval ◊ **~ padre** étalon; **~ de Frisa** cheval de frise; *FIG* **~ de batalla** cheval de bataille, casse-tête ◊ *loc adv* **a mata ~** à fond de train, à toute vitesse; *loc prep* **a ~ de dos siglos** à cheval sur deux siècles **2. ~ de vapor** cheval-vapeur; **un dos caballos** une deux chevaux **3. ~ del diablo** libellule **4.** *(del ajedrez)* cavalier **5.** *(naipes)* dame *f* du jeu de cartes espagnol **6.** *(para serrar)* chevalet **7.** *FAM (droga)* héroïne *f,* blanche *f.*

**caballón** *m AGR* billon, ados.

**caballuno, a** *a* chevalin, e: **rostro ~** visage chevalin.

**cabalmente** *adv* **1.** selon les règles **2.** justement, précisément **3.** exactement.

**cabaña** *f* **1.** *(choza)* cabane ◊ **La ~ del tío Tom** la Case de l'oncle Tom **2.** *(rebaño)* troupeau *m* **3.** cheptel *m:* **la ~ vacuna, ovina** le cheptel bovin, ovin **4.** *AMER* ferme d'élevage.

**cabaré, cabaret** *m* cabaret, boîte *f* de nuit.

**cabaretera** *f* danseuse de cabaret.

**cabás** *m* **1.** panier à provisions **2.** mallette *f* d'écolier.

**cabe** *prep* **~ a** près de, à côté de.

**cabeceado** *m* plein (dans l'écriture).

**cabecear** *vi* **1.** branler la tête **2.** *(en señal de negación)* hocher la tête, dire non avec la tête **3.** *(durmiéndose)* dodeliner de la tête **4.** *MAR (un barco)* tanguer **5.** *(moverse)* balancer **6.** *(en fútbol)* faire une tête.

**cabeceo** *m* **1.** hochement de tête **2.** *(del que está durmiendo)* dodelinement de la tête **3.** *MAR* tangage **4.** balancement.

**cabecera** *f* **1.** *(de la cama)* chevet *m,* tête: **estar a la ~ de un enfermo** être au chevet d'un malade; **libro de ~** livre de chevet ◊ **médico de ~** médecin traitant **2.** *(de una mesa)* haut bout *m,* place d'honneur **3.** *(de un río)* source **4.** *(población principal)* chef-lieu *m* **5.** *(en un libro)* frontispice *m; (en un periódico)* manchette **6. ~ de cartel** tête d'affiche.

**cabecilla** *m* chef de file, meneur.

**cabellera** *f* **1.** chevelure **2.** *(de un cometa)* chevelure.

**cabello** *m* **1.** *(pelo)* cheveu **2.** *(cabellera)* cheveux *pl:* **loción para evitar la caída del ~** lotion pour empêcher la chute des cheveux ◊ *FIG* **asirse de un ~** saisir le moindre prétexte; **cortar un ~ en el aire** être très perspicace; **se le pusieron los cabellos de punta** ses cheveux se dressèrent sur sa tête **3. ~ de ángel** *(dulce)* cheveux *pl* d'ange. ◇ *pl (del maíz)* barbes *f*.

**cabelludo, a** *a* chevelu, e: **cuero ~** cuir chevelu.

**caber*** *vi* **1.** tenir, entrer, rentrer: **esta maleta no cabe en el maletero del coche** cette valise ne tient pas, n'entre pas dans le coffre de la voiture; **cabremos los seis en el coche** nous tiendrons bien à six dans la voiture ◊ *FIG* **no ~ en sí de gozo** ne pas se sentir de joie, déborder de joie, être au comble de la joie; **no quepo en mí de alegría** je ne me sens plus de joie; **no me cabe en la cabeza que...** je n'arrive pas à comprendre que... **2.** *(ser posible)* être possible, (se) pouvoir: **cabe que llueva** il se peut qu'il pleuve; **como cabría pensar** comme on pourrait le penser; **caben todas las hipótesis** toutes les hypothèses sont possibles ◊ *loc adv* **dentro de lo que cabe, en lo que cabe, si cabe** autant que possible, si possible **3. ¿cabe cosa más evidente?** y a-t-il chose plus évidente?; **cabe recordar que...** il y a lieu, il convient de rappeler que...; **cabría preguntarse si...** il y aurait lieu, il conviendrait de se demander si...; **no cabe duda** il n'y a pas de doute **4.** *(corresponder)* avoir, revenir: **me cupo el honor de** j'ai eu l'honneur de **5.** *FAM* **todo cabe en él** il est capable de tout; **no cabe más divertido** on ne peut plus drôle.

**cabestrillo** *m* écharpe *f*: **brazo en ~** bras en écharpe.

**cabestro** *m* **1.** licou **2.** *(buey)* bœuf qui guide le troupeau, sonnailler.

**cabeza** *f* **1.** tête: **con la ~ descubierta** nu-tête ◊ *FIG* **~de turco** tête de Turc; **alzar, levantar la ~** reprendre du poil de la bête, *(restablecerse de una enfermedad)* se remettre; **calentarse la ~** se creuser la cervelle; **dar en la ~** faire rager; **darse de ~ en la pared** se taper la tête contre les murs; **estar mal de la ~** avoir le cerveau fêlé; **¿tú estás mal de la ~?** ça va pas la tête?; **ganar por una ~** gagner d'une tête; **ir de ~** être sur les dents; **írsele a uno la ~** avoir la tête qui tourne; **no tener donde volver la ~** ne pas savoir à quel saint se vouer; **perder la ~** perdre la tête, la raison; **quebrarse, romperse la ~** se creuser la cervelle; **sentar la ~** se ranger, s'assagir; **el vino se me ha subido a la ~** le vin m'est monté à la tête; **tener la ~ a pájaros, llena de pájaros** être une tête en l'air, ne pas avoir de plomb dans la tête; **traer de ~ a** rendre fou, folle, faire perdre la tête à, en faire voir de toutes les couleurs à; **venir a la ~** venir à l'esprit; **de ~** *(caer, tirarse)* la tête la première; *(sin vacilar)* sans hésiter; *PROV* **más vale ser ~ de ratón que cola de león** il vaut mieux être le premier dans son village que le second à Rome **2.** *(persona)* tête: **tanto por ~** tant par tête; *(tenis)* **~ de serie** tête de série **3.** *(res)* **~ de ganado** tête de bétail **4.** *(de alfiler, nuclear, de magnetófono, etc.)* tête: **~ de ajo, ~ de ajos** tête d'ail; **~ lectora** tête de lecture; **~ de puente** tête de pont **5. ~ de partido** chef-lieu *m* (d'arrondissement). ◇ *m* chef: **~ de familia** chef de famille.

**cabezada** *f* **1.** coup *m* de tête **2.** *(al dormir)* dodelinement *m* de la tête: **dar cabezadas** dodeliner de la tête ◊ **echar una ~** faire un petit somme **3.** *(saludo)* salut *m* de la tête **4.** *(correaje)* licou *m* **5.** *(encuadernación)* tranchefile.

**cabezal** *m* **1.** oreiller **2.** *(almohada larga)* traversin **3.** *(parte de un aparato)* tête *f*.

**cabezazo** *m* **1.** coup de tête **2.** *(fútbol)* **dar un ~** faire une tête.

**cabezo** *m* **1.** *(cumbre)* sommet **2.** colline *f*, butte *f*, mamelon **3.** *(escollo)* écueil.

**cabezón, ona** *a/s* **1.** qui a une grosse tête **2.** *FIG (obstinado)* têtu, e, cabochard, e.

**cabezonada** *f* **1.** entêtement *m* **2.** coup *m* de tête.

**cabezota** *f* grosse tête. ◇ *a/s (obstinado)* cabochard, e, tête de mule.

**cabezudo, a** *a* → **cabezón.** ◇ *m* **1.** *(en carnaval)* grosse tête *f*, nain **2.** *(pez)* muge.

**cabezuela** *f* **1.** *(harina)* repasse **2.** *BOT* capitule *m* **3.** bouton *m* de rose. ◇ *s FIG* tête *f* de linotte.

**cabida** *f* capacité, contenance: **este depósito tiene ~ para mil litros** ce réservoir a une contenance de, peut contenir mille litres; **esta sala tiene ~ para cien personas** cette salle contient cent personnes.

**cabila** *a/s* kabyle.

**cabildada** *f* abus *m* de pouvoir.

**cabildante** *m AMER* conseiller municipal.

**cabildear** *vi* intriguer.

**cabildeo** *m* intrigue *f*, manœuvre *f*.

**cabildo** *m* **1.** *(de una iglesia)* chapitre **2.** *(ayuntamiento)* conseil municipal **3.** salle *f* des séances.

**cabilla** *f* cheville.

**cabina** *f* **1.** *(de avión, ascensor, telefónica)* cabine **2.** *(electoral)* isoloir *m*.

**cabinera** *f AMER* hôtesse de l'air.

**cabio** *m (viga)* solive *f*.

**cabizbajo, a** *a* tête basse.

**cable** *m* **1.** câble: **televisión por ~** télévision par câble; **~ eléctrico** câble électrique, *(de pequeño diámetro)* fil électrique ◊ *FIG* **echar un ~** donner un coup de main, tendre la perche **2.** *(cablegrama)* câble, câblogramme **3.** *MAR (medida)* encablure *f*.

**cableado** *m* câblage.

**cablear** *vt* câbler.

**cablegrafiar** *vt* câbler.

**cablegrama** *m* câble, câblogramme.

**cablero** *m* câblier.

**cabo** *m* **1.** bout, extrémité *f* ◊ **al ~** à la fin; **al ~ de dos meses** au bout de deux mois; **de ~ a rabo** d'un bout à l'autre; *FIG* **estar al ~ de la calle** être au courant, y voir clair; **llevar a ~** mener à bien, réaliser, effectuer **2.** *(punta de tierra)* cap: **~ de Hornos** cap Horn **3.** *(pedacito)* bout **4.** *FIG* **~ suelto** question *f* en suspens **5.** *(de herramienta)* manche **6.** *MAR (cuerda)* câble **7.** *MIL* caporal: **~ primero** caporal-chef. ◇ *pl* **1.** *(del caballo, de la yegua)* pattes, museau, crins **2.** *FIG* **atar cabos** faire des recoupements, réunir des renseignements.

**cabotaje** *m* cabotage.

**cabra** *f* **1.** chèvre ◊ *FIG* **la ~ siempre tira al monte** chassez le naturel, il revient au galop **2. ~ montés** bouquetin *m* **3.** *FAM* **estar como una ~** être piqué, e, être cinglé, e, avoir un grain.

**cabracho** *m (pez)* scorpène *f*, rascasse *f*.

**cabrahigo** *m* **1.** figuier sauvage **2.** *(fruto)* figue *f* sauvage.

**cabreado, a** *a VULG* **andar, estar ~** être en rogne.

**cabreante** *a VULG* emmerdant, e.

**cabrear** *vt VULG* foutre en rogne, horripiler. ◆ **~se** *vpr* se mettre en rogne, râler, gueuler: **se va a ~** il va râler.

**cabreo** *m VULG* rogne *f*, grogne *f*: **tiene un ~ mayúsculo** il est dans une rogne terrible, dans une colère noire; **coger un ~** se foutre en rogne.

**cabreriza** *f* cabane de chevrier.

**cabrero, a** *s* chevrier, ère. ◇ *a AMER* furieux, euse, en colère, râleur, euse.

**cabrestante** *m* cabestan.

**cabria** *m (máquina)* chèvre.

**cabrilla** *f (de carpintero)* baudet *m*. ◇ *pl* **1.** *(olas)* moutons *m* **2.** *(juego)* ricochets *m* **3.** *ASTR* les Pléiades.

**cabrillear** *vi* **1.** *(el mar)* moutonner **2.** *(rielar)* brasiller.

**cabrilleo** *m* **1.** *(de las olas)* moutonnement **2.** brasillement.

**cabrio** *m ARQ* chevron.

**cabrío, a** *a* caprin, e ◊ **macho ~** bouc; **el ganado ~** les caprins, les caprinés. ◇ *m* troupeau de chèvres.

**cabriola** *f* cabriole: **hacer cabriolas** faire des cabrioles.

**cabriolé** *m* cabriolet.

**cabriolear** *vi* cabrioler.

**cabrita** *f* chevrette.

**cabritilla** *f (piel)* chevreau *m*.

**cabrito** *m* chevreau, cabri.

**cabro** *m* AMER gosse, gamin.

**cabrón** *m* **1.** bouc **2.** FAM *(cornudo)* cocu **3.** VULG *(mala persona)* salaud.

**cabronada** *f* VULG saloperie, tour *m* de cochon.

**cabronazo** *m* VULG salaud.

**cabruno, a** *a* caprin, e.

**cabujón** *m* cabochon.

**cabulero, a** *a* AMER superstitieux, euse.

**caburé** *m* AMER petite chouette *f*.

**cabuya** *f* AMER **1.** agave *m* **2.** corde ◊ **dar ~** attacher, ficeler.

**caca** *f* **1.** caca *m* **2.** crotte: **~ de perro** crotte de chien.

**cacahual** *m* cacaoyère *f*.

**cacahuate** → **cacahué.**

**cacahué, cacahuete** *m* **1.** cacahuète *f* **2.** **aceite de ~** huile d'arachide.

**cacao** *m* **1.** *(árbol)* cacaoyer, cacaotier **2.** cacao **3.** chocolat **4.** FAM pagaille *f*, esclandre, bordel ◊ **~ mental** confusion *f*, trouble.

**cacaotal** *m* cacaoyère *f*.

**cacarañado, a** *a* grêlé, e, marqué, e par la petite vérole.

**cacarear** *vi (la gallina)* caqueter; *(el gallo)* pousser des cocoricos. ◊ *vt* FIG vanter, claironner, crier sur les toits: **la tan cacareada cocina francesa** la cuisine française si vantée; **¿dónde está la tan cacareada reforma?** où est la fameuse réforme dont on nous rebat tant les oreilles?

**cacareo** *m* **1.** caquet, caquetage **2.** *(del gallo)* cocorico **3.** FIG vantardise *f*.

**cacarizo, a** AMER → **cacarañado.**

**cacatúa** *f (ave)* cacatoès *m*.

**cacera** *f* rigole, canal *m* d'irrigation.

**cacería** *f* partie de chasse.

**cacerola** *f* **1.** *(con asas)* faitout *m* **2.** *(con mango)* casserole.

**cacha** *f* **1.** *(de navaja, etc.)* plaque **2.** *(mango)* manche *m* **3.** AMER *(burla)* moquerie. ◊ *pl* FAM **1.** *(carrillos)* joues **2.** *(nalgas)* fesses, miches **3.** **hasta las cachas** jusqu'au cou **4.** **estar cachas** être baraqué, e; **tíos cachas** des types baraqués.

**cachaciento, a** *a* AMER → **cachazudo.**

**cachaco, a** *s* AMER snobinard, e. ◊ *m (policía)* agent, flic.

**cachada** *f* AMER **1.** coup *m* de corne **2.** *(burla)* moquerie.

**cachafaz** *m* AMER vaurien, coquin.

**cachalote** *m* cachalot.

**cachar** *vt* **1.** mettre en morceaux **2.** AMER *(tomar)* prendre; *(sorprender)* surprendre; *(obtener)* obtenir; *(burlar)* se moquer de, tourner en ridicule.

**cacharrazo** *m* FAM coup.

**cacharrería** *f* magasin *m* de poteries.

**cacharrero, a** *s* marchand, e de poteries.

**cacharro** *m* **1.** *(vasija)* pot **2.** *(pedazo)* tesson **3.** FAM *(chisme)* truc, machin; *(coche)* tacot; *(barco)* rafiot **4.** gadget, ustensile.

**cachaza** *f* **1.** calme *m*, lenteur, flegme *m* **2.** *(aguardiente)* tafia *m*.

**cachazudo, a** *a* lent, e, flegmatique.

**cache** *a* AMER de mauvais goût, ridicule.

**cachear** *vt (registrar)* fouiller.

**cachemir** *m* cachemire: **bufanda de ~** écharpe en cachemire.

**cachemira** *f (tela)* cachemire *m*.

**Cachemira** *np f* Cachemire *m*.

**cacheo** *m (registro)* fouille *f*.

**cachet** *m (carácter)* cachet.

**cachetada** *f* AMER gifle.

**cachete** *m* **1.** *(bofetada)* gifle *f*, claque *f* **2.** *(golpe)* coup, tape *f*: **un ~ en las nalgas** une tape sur les fesses **3.** *(carrillo)* joue *f* **4.** *(puñal)* poignard.

**cachetero** *m* **1.** *(puñal)* poignard **2.** TAUROM torero qui achève le taureau avec un poignard.

**cachetón, ona** *a* AMER joufflu, e.

**cachetudo, a** *a* joufflu, e.

**cachicamo** *m* AMER tatou.

**cachifollar** *vt* **1.** humilier **2.** *(estropear)* gâcher.

**cachigordo, a** *a* boulot, otte.

**cachimba** *f* pipe, bouffarde.

**cachimbo** *m* AMER pipe *f*, bouffarde *f*.

**cachipolla** *f (insecto)* éphémère *m*.

**cachiporra** *f* massue, matraque.

**cachiporrazo** *m* coup de massue.

**cachiporrearse** *vpr* AMER se vanter.

**cachirulo** *m* **1.** *(vasija)* flacon à liqueurs **2.** *(barco)* petit bateau à trois mâts **3.** POP *(amante)* jules.

**cachito** *m* petit morceau.

**cachivache** *m* truc (inutile), machin.

**cacho** *m* **1.** *(pedazo)* morceau **2.** *(pez)* chevesne **3.** AMER *(cuerno)* corne *f* **4.** AMER régime de bananes.

**cachondearse** *vpr* POP **1.** *(burlarse)* se ficher, se payer la tête de: **se cachondeó de mí** il s'est fichu de moi **2.** *(reírse)* se marrer, rigoler.

**cachondeo** *m* POP **1.** rigolade *f* **2.** blague *f* **3.** *(jaleo)* chahut *m*.

**cachondez** *f* chaleur, ardeur des sens.

**cachondo, a** *a (en celo)* en chaleur. ◊ *a/s* POP *(alegre)* rigolo, ote, marrant, e.

**cachorrillo** *m* petit pistolet.

**cachorro, a** *s* **1.** *(cría de la perra)* chiot, jeune chien **2.** petit: **el león y sus cachorros** le lion et ses petits.

**cachú** *m* cachou.

**cachupín** *m* Espagnol établi en Amérique latine.

**cacicato, cacicazgo** *m* caciquat, pouvoir du cacique.

**cacillo** *m* petite casserole *f*.

**cacimba** *f* trou *m* dans le sable (pour chercher de l'eau potable).

**cacique** *m* **1.** cacique **2.** FIG cacique, gros bonnet.

**caciquil** *a* **1.** du cacique **2.** FIG arbitraire.

**caciquismo** *m* caciquisme.

**caco** *m (ladrón)* filou, voleur.

**cacofonía** *f* cacophonie.

**cacofónico, a** *a* cacophonique.

**cactáceas** *f pl* BOT cactées, cactacées.

**cacto** *m* cactus.

**cacumen** *m* FAM jugeotte *f*.

**cada** *a* **1.** chaque: **~ cosa en su lugar** chaque chose à sa place; **a ~ instante** à chaque instant ◊ **~ cual, ~ uno, a** chacun, e: **~ cual tiene sus problemas** chacun a ses problèmes; **~ día más, ~ vez más** de plus en plus **2.** *(+ nombres en pl.)* tous les, toutes les: **~ dos días** tous les deux jours; **una vez ~ quince días** une fois tous les quinze jours; **~ tres horas** toutes les trois heures **3. de ~** sur: **uno de ~ diez** un sur dix; **diez de ~ cien electores** dix électeurs sur cent; **coche que consume 5 litros ~ cien kms** voiture qui consomme 5 litres aux cent **4.** *FAM* **¡se oye ~ cosa!** on entend de ces choses!

**cadalso** *m* échafaud, gibet.

**cadáver** *m* **1.** cadavre **2.** *(por eufemismo)* corps **3. fue trasladado al hospital donde ingresó ~** il avait déjà cessé de vivre lorsqu'il fut transporté à l'hôpital.

**cadavérico, a** *a* **1.** cadavérique: **rigidez cadavérica** rigidité cadavérique **2.** *(que parece un cadáver)* cadavéreux, euse.

**caddie → cadi.**

**cadena** *f* **1.** chaîne: **~ de agrimensor, sin fin** chaîne d'arpenteur, sans fin; **~ de bicicleta** chaîne de bicyclette **2. trabajo en ~** travail à la chaîne; **reacción en ~** réaction en chaîne **3.** *(de televisión)* chaîne **4.** *(de hoteles, supermercados)* chaîne **5.** *(serie)* série **6. ~ de montañas** chaîne de montagnes **7. ~ alimentaria** chaîne alimentaire **8.** *JUR* **~ perpetua** travaux *m pl* forcés à perpétuité, réclusion à perpétuité.

**cadencia** *f* cadence: **seguir la ~** suivre la cadence.

**cadencioso, a** *a* cadencé, e.

**cadeneta** *f* **1.** point *m* de chaînette **2.** *(encuadernación)* tranchefile.

**cadenilla** *f* chaînette.

**cadera** *f* hanche.

**caderamen** *m FAM* tour de hanche imposant.

**cadete** *m* **1.** *MIL* cadet **2.** *AMER* apprenti, commis.

**cadi** *m (golf)* caddie.

**cadí** *m (juez)* cadi.

**Cádiz** *np* Cadix.

**cadmio** *m QUÍM* cadmium.

**caducar** *vi* **1.** expirer, venir à expiration, se périmer: **mi pasaporte caduca el 10 de mayo** mon passeport expire le 10 mai; **pasaporte caducado** passeport périmé **2.** *(por la edad)* radoter, retomber en enfance.

**caduceo** *m* caducée.

**caducidad** *f* **1.** caducité **2.** *(de un plazo)* expiration.

**caduco, a** *a* **1.** caduc, uque: **hojas caducas** feuilles caduques **2.** décrépit, e.

**caedizo, a** *a* qui tombe facilement.

**caer*** *vi* **1.** tomber: **~ al suelo** tomber par terre; **~ de espaldas** tomber à la renverse ◊ *FIG* **~ en la trampa** tomber dans le piège; **~ en el olvido** tomber dans l'oubli; **«no nos dejes ~ en la tentación»** «ne nous laisse pas succomber à la tentation» **2.** *FIG (morir)* tomber **3.** *(el día, etc.)* **está cayendo la tarde** le soir tombe; **caía el sol cuando llegamos** le soleil déclinait lorsque nous arrivâmes **4.** *(comprender)* comprendre, saisir: **no caigo en lo que dices** je ne comprends pas ce que tu dis; **¡ya caigo!** je comprends!, j'y suis!, je vois! ◊ **~ en la cuenta** comprendre; **no caigo en la respuesta** je ne trouve pas de réponse **5.** *(llegar)* **cayó en, por casa a las doce de la noche** il débarqua chez nous à minuit; *FIG* **dejarse ~ → dejar 6.** *(estar situado)* se trouver: **¿por dónde cae el hotel?** où se trouve l'hôtel?; **cae a la izquierda** il se trouve à gauche; **mis gafas no deben de ~ lejos** mes lunettes ne doivent pas être loin **7.** *(fecha)* tomber: **mi santo cae en domingo** ma fête tombe un dimanche **8.** *(sentar bien o mal)* aller: **este peinado te cae bien** cette coiffure te va bien **9.** *(una persona)* **~ bien** plaire; **esta chica me cae simpática** je trouve cette fille sympathique **10.** *(tocar)* gagner: **le cayó el gordo** il a gagné le gros lot **11. estar al ~** être sur le point de se produire, d'arriver; **las elecciones están al ~** les élections sont imminentes. ◆ **~se** *vpr* **1.** tomber: **se cayó al agua** il est tombé dans l'eau; **se le cayó el bolso** son sac est tombé; **se cayó cuan largo era** il s'est étalé de tout son long; **caerse redondo → redondo 2.** *FIG* **caerse de risa** mourir de rire; **caerse de sueño** tomber de sommeil; **no tener donde caerse muerto** être sur la paille, dans la purée.

▶ La forme pronominale est fréquente en espagnol: *las hojas caen* ou *se caen en otoño* les feuilles tombent en automne.

**Cafarnaúm** *np m* Capharnaüm.

**café** *m* **1.** café: **~ solo** café noir; **~ con leche** café au lait; **~ cortado** café crème **2. la terraza de un ~** la terrasse d'un café; **~ cantante** café-concert **3.** *(cafeto)* caféier **4.** *FAM* **estar de mal ~** être de mauvais poil, d'une humeur massacrante; **tener mal ~** avoir un sale caractère.

**cafeína** *f* caféine.

**cafetal** *m* caféière *f*.

**cafetalero, a** *a* de café ◊ **finca cafetalera** caféière. ◇ *m* planteur de café.

**cafetera** *f* cafetière.

**cafetería** *f* cafétéria, snack-bar *m*.

**cafetero, a** *a* de café. ◇ *s* propriétaire d'un café.

**cafetín** *m* petit café, bistrot.

**cafeto** *m* caféier.

**cafetucho** *m* bistrot, bistro.

**cáfila** *f* bande, troupe, ribambelle.

**cafishio** *m AMER* souteneur, maquereau.

**cafre** *a/s FIG* brute, sauvage.

**caftán** *m* cafetan.

**cagachín** *m (mosquito)* cousin.

**cagada** *f VULG* **1.** crotte, chiure: **cagadas de moscas** chiures de mouches **2.** *(metedura de pata)* gaffe.

**cagadero** *m VULG* chiottes *f pl*.

**cagado, a** *a/s VULG* trouillard, e, froussard, e.

**cagafierro** *m* mâchefer.

**cagajón** *m* crottin.

**cagalera** *f VULG* **1.** *(diarrea)* courante **2.** *FIG* trouille.

**cagar** *vi VULG* chier. ◇ *vt (echar a perder)* bousiller, gâcher. ◆ **~se** *vpr* chier ◊ **cagarse de miedo** avoir les foies, faire dans son froc.

**cagarruta** *f* crotte.

**cagatinta(s)** *s FAM* rond-de-cuir, gratte-papier.

**cagón, ona, cagueta** *a/s VULG* trouillard, e, froussard, e, pétochard, e.

**caguama** *f* tortue marine.

**cagueta → cagón.**

**cahíz** *m ANT* mesure *f* pour les grains (666 litres).

**caíd** *m* caïd.

**caída** *f* **1.** chute: **~ libre** chute libre **2.** *(declive)* pente **3.** *(de los ropajes)* retombée **4.** *FIG (de Adán, de un imperio, de precios)* chute **5. a la ~ de la tarde** à la tombée de la nuit **6.** *TEAT* **la ~ del telón** le baisser du rideau **7. ~ de ojos** regard *m* enjôleur. ◇ *pl (ocurrencias)* bons mots *m*.

**caído, a** *pp* de **caer.** ◇ *a* **1. ángel ~** ange déchu **2. hombros caídos** épaules tombantes **3.** *FIG* abattu, e. ◇ *m pl* morts: **monumento a los caídos** monument aux morts.

**Caifás** *np m* Caïphe.

**caiga,** etc. **→ caer.**

**caimán** *m* caïman.

**Caín** *np m* Caïn ◊ *FIG* **pasar las de ~** en voir de dures, de toutes les couleurs, manger de la vache enragée; **venir con las de ~** être animé de mauvaises intentions.

**caique** *m* caïque.

**cairel** *m* **1.** *(fleco)* frange *f* **2.** *(de cristal)* pendeloque *f*: **caireles de cristal** des pendeloques en cristal; **los caireles de una araña** les pendeloques d'un lustre.

**Cairo (el)** *np m* le Caire.

**cairota** *a/s* cairote.

**caja** *f* **1.** *(pequeña)* boîte: **una ~ de lápices** une boîte de crayons ◊ **~ de música** boîte à musique; **~ negra** boîte noire; *FAM* **la ~ tonta** la télé **2.** *(grande)* caisse ◊ **~ de resonancia** caisse de résonance; **~ registradora** caisse enregistreuse; **~ acústica** baffle *m*, enceinte **3. ~ de caudales, fuerte** coffre-fort *m* **4.** *(dinero, establecimiento)* caisse: **~ de ahorros** caisse d'épargne **5.** *(imprenta)* casse: **~ alta** haut de casse; **~ baja** bas de casse **6.** *TECN* **~ de cambios** boîte de vitesses **7.** *(de un coche)* caisse **8.** *(ataúd)* cercueil *m*, bière **9.** *(de reloj)* boîtier *m* **10.** *(de escalera)* cage **11.** *(en las armas de fuego)* fût *m* **12.** *MIL* **~ de reclutas** bureau *m* de recrutement **13.** *FIG* **echar con cajas destempladas** renvoyer avec pertes et fracas, envoyer sur les roses; **entrar en ~** s'assagir, rentrer dans l'ordre; *(un militar)* faire partie du prochain contingent.

**cajero, a** *s* caissier, ère ◊ **~ automático** billeterie *f*, distributeur de billets de banque.

**cajetilla** *f* paquet *m* (de cigarettes).

**cajetín** *m* **1.** caissette *f*, petite boîte *f* **2.** *(para cables eléctricos)* baguette *f*.

**cajista** *s* compositeur, trice, typographe.

**cajita** *f* **1.** caissette **2.** petite boîte.

**cajón** *m* **1.** grande caisse *f* **2.** *(de mueble)* tiroir: **los cajones de una cómoda** les tiroirs d'une commode **3.** *(tienda)* échoppe *f* **4.** *FIG* **~ de sastre** fourre-tout, foutoir, capharnaüm; *FAM* **es de ~** c'est naturel, cela va de soi, c'est chose courante **5.** *AMER* *(ataúd)* cercueil **6.** *AMER* *(cañada)* vallée *f*.

**cajonera** *f* armoire de sacristie.

**cajuela** *f AMER* coffre *m*, malle.

**cal** *f* chaux: **~ viva, muerta** chaux vive, éteinte; **~ hidráulica** chaux hydraulique ◊ *FIG* **de ~ y canto** à chaux et à sable; **dar una de ~ y otra de arena** tenir tour à tour deux langages opposés (tantôt agréable, etc., tantôt le contraire).

**[1]cala** *f* **1.** entame, coupe, morceau *m* d'un fruit que l'on coupe pour le goûter **2.** sonde **3.** *FIG* sondage *m* **4.** suppositoire *m* **5.** *(de un barco)* cale **6.** *(planta)* arum *m*, calla.

**[2]cala** *f (ensenada)* crique.

**calabacear** *vt FAM* **1.** *(en un examen)* recaler **2.** *(a un pretendiente)* éconduire.

**calabacera** *f* courge.

**calabacín** *m* courgette *f*.

**calabacino** *m* calebasse *f*.

**calabaza** *f* **1.** citrouille, potiron *m* **2.** *(recipiente)* calebasse ◊ **~ vinatera** gourde **3.** *FAM* **dar calabazas** *(en un examen)* coller, recaler; *(a un pretendiente)* envoyer promener, éconduire.

**calabazar** *m* champ de citrouilles.

**calabazate** *m* confiture *f* de potiron.

**calabazazo** *m FAM* coup sur la tête.

**calabobos** *m inv* bruine *f*, crachin.

**calabozo** *m* cachot, geôle *f*.

**calabrés, esa** *a/s* calabrais, e.

**Calabria** *np f* Calabre.

**calabrote** *m MAR* grelin.

**calada** *f* **1.** *(de las redes)* mouillage *m* **2.** *(de cigarrillo)* bouffée.

**caladero** *m* lieu de pêche au filet.

**calado, a** *a* **1.** ajouré, e ◊ **media calada** bas résille **2. ~ hasta los huesos** trempé, e jusqu'aux os; **la gorra calada hasta los ojos** la casquette enfoncée jusqu'aux yeux. ◇ *m* **1.** ajour, broderie *f* à jour, découpage **2.** *MAR* tirant d'eau, calaison *f* **3.** *(profundidad)* profondeur *f* **4.** *(de un motor)* calage.

**calador** *m* sonde *f*.

**calafate** *m MAR* calfat.

**calafatear** *vt MAR* calfater.

**calafateo** *m MAR* calfatage.

**calagurritano, a** *a/s* de Calahorra.

**calamar** *m* calmar, encornet.

**calambac** *m* calambac.

**calambre** *m* **1.** *(contracción)* crampe *f* ◊ **~ de estómago** crampe d'estomac **2.** décharge *f* (électrique).

**calamidad** *f* **1.** calamité **2.** *FAM* **ser una ~** être une nullité, une catastrophe; **estar hecho una ~** être dans un état lamentable.

**calamina** *f* calamine.

**calamitoso, a** *a* calamiteux, euse.

**cálamo** *m* **1.** *(caña)* chalumeau **2.** *POÉT* *(para escribir)* plume *f*.

**calamocano, a** *a FAM* éméché, e.

**calamoco** *m* glaçon.

**calamón** *m* **1.** *(clavo)* cabochon **2.** *(ave)* poule *f* sultane.

**calandra** *f (de coche)* calandre.

**calandraca** *f MAR* soupe aux biscuits. ◇ *m AMER* pauvre type, mauviette *f*.

**calandrado** *m TECN* calandrage.

**calandrajo** *m* **1.** haillon **2.** *FIG* pauvre type.

**calandrar** *vt TECN* calandrer.

**calandria** *f (pájaro, máquina)* calandre.

**calaña** *f PEYOR* espèce, acabit *m*, engeance: **de la misma ~** du même acabit, du même calibre; **de mala ~** de bas étage.

**calañés** *a* **sombrero ~** chapeau à bords relevés.

**cálao** *m* calao.

**[1]calar** *a* calcaire. ◇ *m* carrière *f* de pierre à chaux.

**[2]calar** *vt* **1.** *(tratándose de un líquido)* transpercer, traverser: **la lluvia ha calado mi ropa** la pluie a transpercé mes vêtements **2.** *(con un objeto punzante)* percer, traverser **3.** *(telas, papel)* ajourer **4.** *FIG* deviner, percer à jour, saisir: **le calé en seguida** j'ai tout de suite deviné à qui j'avais affaire; **calarle las intenciones a...** pénétrer les intentions de... ◊ **esta teoría ha calado en las generaciones jóvenes** cette théorie est maintenant admise par les nouvelles générations **5.** *(las redes)* jeter, mouiller **6.** *(las velas)* caler **7. ~ la bayoneta** mettre la baïonnette au canon. ◇ *vi MAR* caler. ◆ **~se** *vpr* **1.** se faire tremper **2.** mettre, enfoncer: **calarse el sombrero** enfoncer son chapeau; **calarse los lentes** chausser ses bésicles **3.** *(un ave)* fondre **4.** caler: **se me caló el motor** mon moteur a calé.

**calato, a** *a AMER* **1.** *(desnudo)* nu, e **2.** *FIG* pauvre.

**Calatrava** *np* ordre de chevalerie espagnole.

**calavera** *f* tête de mort. ◇ *m (juerguista)* noceur.

**calaverada** *f FAM* frasque, fredaine, sottise.

**calcanal, calcañar** *m* talon.

**calcáneo** *m ANAT* calcanéum.

**calcar** *vt* **1.** calquer, décalquer **2.** *FIG* *(imitar)* calquer.

**calcáreo, a** *a* calcaire: **agua calcárea** eau calcaire.

**calce** *m* **1.** *(de una rueda)* bandage **2.** *(cuña)* coin, cale **3.** *AMER* *(de un texto)* bas (d'un document): **firmar al ~** signer au bas du document.

**calcedonia** *f* calcédoine.

**calceolaria** *f* calcéolaire.

**calceta** *f* bas *m* ◊ **hacer ~** tricoter.

**calcetería** *f* bonneterie.

**calcetín** *m* chaussette *f*: **un par de calcetines** une paire de chaussettes.

**calcificación** *f* calcification.

**calcificarse** *vpr* se calcifier.

**calcina** *f* TECN calcin *m*.

**calcinar** *vt* **1.** calciner **2.** *(quemar)* brûler. ◆ **~se** *vpr* se calciner.

**calcio** *m* calcium.

**calcita** *f* calcite.

**calco** *m* **1.** calque **2. papel (de) ~** papier-calque.

**calcografía** *f* chalcographie.

**calcomanía** *f* décalcomanie.

**calculable** *a* calculable.

**calculador, a** *a/s* calculateur, trice. ◇ *f* calculatrice: **calculadora de bolsillo** calculatrice de poche, calculette.

**calcular** *vt* **1.** calculer: **máquina de ~** machine à calculer **2.** évaluer, calculer: **~ los daños en un millón** évaluer les dégats à un million **3.** *(pensar)* penser, estimer, compter: **le calculo unos cincuenta años** je lui donne dans les cinquante ans, je pense qu'il doit avoir dans les cinquante ans.

**calculista** *s* faiseur, euse de projets.

**cálculo** *m* **1.** calcul: **~ mental** calcul mental; **si mis cálculos no fallan** si mes calculs sont justes **2.** MED calcul.

**Calcuta** *np* Calcutta.

**calda** *f* chauffage *m*. ◇ *pl* eaux thermales.

**Caldea** *np f* Chaldée.

**caldeamiento** *m* **1.** chauffage **2.** *(efecto)* réchauffement.

**caldear** *vt* **1.** chauffer **2.** *(el ambiente)* réchauffer **3.** FIG échauffer, exciter: **~ los ánimos** échauffer les esprits. ◆ **~se** *vpr* FIG s'enflammer, s'exciter.

**¹caldeo** *m* chauffage, chauffe *f*.

**²caldeo, a** *a/s* chaldéen, enne.

**caldera** *f* **1.** chaudière **2.** FAM **las calderas de Pedro Botero** l'enfer **3.** *(caldero)* chaudron *m* **4.** AMER bouilloire.

**calderada** *f* chaudronnée.

**calderería** *f* chaudronnerie.

**calderero** *m* chaudronnier.

**caldereta** *f* **1.** petit chaudron *m* **2.** soupe de poisson **3.** *(guisado de cordero)* ragoût *m* d'agneau, *(de cabrito)* de chevreau.

**calderilla** *f* monnaie, petite monnaie.

**caldero** *m* chaudron.

**calderón** *m* **1.** grand chaudron **2.** MÚS point d'orgue.

**calderoniano, a** *a* caldéronien, enne, du théâtre de Calderón de la Barca.

**caldillo** *m* sauce *f*, jus.

**caldo** *m* **1.** bouillon: **~ de verduras** bouillon de légumes ◊ **~ corto** court-bouillon **2. ~ de cultivo** bouillon de culture **3.** FIG **hacer a uno el ~ gordo** faire le jeu de quelqu'un. ◇ *pl* **1.** liquides alimentaires **2.** vins, crus: **los caldos de la Rioja** les vins de la Rioja.

**caldoso, a** *a* qui a beaucoup de jus.

**calducho** *m* lavasse *f*.

**cale** *m* coup, tape *f*.

**calé** *a/m* gitan, e.

**Caledonia** *np f* Calédonie.

**caledonio, a** *a/s* calédonien, enne.

**calefacción** *f* chauffage *m*: **la ~ central** le chauffage central.

**calefactor** *m* **1.** *(persona)* chauffagiste **2.** *(radiador)* radiateur.

**calefón** *m* AMER chauffe-eau *inv*.

**caleidoscopio → calidoscopio.**

**calendario** *m* calendrier: **~ perpetuo** calendrier perpétuel **2.** FIG **hacer calendarios** rêvasser; faire des pronostics.

**calendas** *f pl* calendes ◊ **las calendas griegas** les calendes grecques.

**caléndula** *f* souci *m*.

**calentador** *m* **1.** chauffe-eau *inv* **2.** chauffe-bain *inv* **3.** *(de cama)* bassinoire *f*.

**calentamiento** *m* **1.** *(acción)* chauffage **2.** *(resultado)* échauffement **3.** *(deporte)* **ejercicios de ~** exercices d'échauffement.

**calentar*** *vt* **1.** chauffer, faire chauffer: **caliente agua** faites chauffer de l'eau **2.** FIG échauffer, exciter **3.** FAM *(pegar)* rosser, battre: **~ las costillas a** flanquer une volée à; **~ las orejas → oreja.** ◆ **~se** *vpr* **1. calentarse al sol** se chauffer au soleil **2.** chauffer: **se calienta la sopa** la soupe chauffe **3.** *(los músculos)* s'échauffer **4.** FIG s'échauffer, s'exciter ◊ **calentarse la cabeza, los cascos** se creuser la cervelle.

**calentito, a** *a* FAM tout chaud, toute chaude.

**calentón** *m* **1. darse un ~** chauffer rapidement **2.** VULG chaud lapin.

**calentura** *f* **1.** fièvre, température: **tener ~** avoir de la fièvre **2.** bouton *m* de fièvre.

**calenturiento, a** *a* fiévreux, euse.

**calenturón** *m* grosse fièvre *f*, fièvre *f* de cheval.

**calera** *f* **1.** carrière de pierre à chaux **2.** four *m* à chaux.

**calesa** *f* calèche.

**calesera** *f* **1.** *(chaqueta)* veste **2.** chant *m* populaire andalou.

**calesero** *m* cocher.

**calesita** *f* AMER manège *m* (de chevaux de bois).

**caleta** *f* crique, anse.

**caletre** *m* FAM jugeote *f*: **es astuto y de mucho ~** il est malin et il a beaucoup de jugeote.

**calibrado** *m* calibrage.

**calibrador** *m* calibre.

**calibrar** *vt* calibrer.

**calibre** *m* **1.** *(diámetro)* calibre: **pistola de grueso ~** pistolet de gros calibre **2.** FIG importance *f*: **de grueso ~** d'importance, énorme, de taille, de grand calibre.

**calicata** *f* sondage *m*.

**caliche** *m* AMER caliche, nitrate naturel de soude.

**calichera** *f* AMER gisement *m* de nitrate.

**calicó** *m* calicot.

**calidad** *f* **1.** qualité: **producto de primera ~** produit de première qualité; **de mala ~** de mauvaise qualité; **persona de ~** personne de qualité **2.** importance **3.** *loc prep* **en ~ de** en qualité de, en tant que **4. a ~ de que** à condition que. ◇ *pl* qualités (morales).

**cálido, a** *a* **1.** chaud, e: **clima ~** climat chaud; **voz cálida** voix chaude **2.** FIG chaleureux, euse: **cálidos aplausos** des applaudissements chaleureux; **una cálida acogida** un accueil chaleureux.

**calidoscopio** *m* kaléidoscope.

**calientapiés** *m inv* chaufferette *f*, chauffe-pieds.

**calientaplatos** *m inv* chauffe-plats.

**caliente** *a* **1.** chaud, e: **agua ~** eau chaude; **mantener ~** tenir au chaud **2.** *(clima político o social)* **un otoño ~** un automne chaud **3. en ~** à chaud: **operar en ~** opérer à chaud; **tomar una decisión en ~** prendre une décision à chaud, sans attendre. ◇ *interj (en juegos de adivinanza)* tu brûles!

**califa** *m* calife.

**califato** *m* califat.

**calificación** *f* **1.** qualification **2.** *(en un examen)* mention.

**calificado, a** *a* qualifié, e.

**calificar** *vt* **1.** qualifier: **el adjetivo califica el nombre** l'adjectif qualifie le nom; **~ a alguien de...** qualifier quelqu'un de... **2.** noter, mettre une note, une mention à. ◆ **~se** *vpr* se qualifier.

**calificativo, a** *a/m* qualificatif, ive: **adjetivo ~** adjectif qualificatif.

**California** *np f* Californie.

**californiano, a** *a/s* californien, enne.

**calígine** *f* POÉT brouillard *m*, obscurité.

**caliginoso, a** *a* nébuleux, euse, obscur, e.

**caligrafía** *f* calligraphie.

**caligrafiar** *vt* calligraphier.

**caligráfico, a** *a* calligraphique.

**calígrafo** *m* calligraphe.

**calima, calina** *f* brume, brouillard *m* léger.

**calinoso, a** *a* brumeux, euse.

**Calipso** *np f* Calypso.

**Calixto** *np m* Calixte.

**cáliz** *m* calice ◊ FIG **apurar el ~ hasta las heces** boire le calice jusqu'à la lie.

**caliza** *f (roca)* calcaire *m*.

**calizo, a** *a* calcaire.

**callada** *f* **1.** silence *m* ◊ **dar la ~ por respuesta** ne pas répondre, refuser de répondre **2. a las calladas, de ~** en secret, sans faire de bruit.

**calladamente** *adv* silencieusement, discrètement, sans faire de bruit.

**callado, a** *a* **1.** silencieux, euse: **nos quedamos callados** nous restâmes silencieux **2.** *(poco hablador)* réservé, e, taciturne.

**callampa** *f* AMER *(seta)* champignon *m* ◊ **población ~** bidonville *m*.

**callana** *f* AMER poêlon *m*.

**callandico, callandito** *adv* sans faire de bruit.

**callar(se)** *vi/pr* **1.** se taire: **¡callad!** taisez-vous!; **todos (se) callaron** tous se turent; **¡cállate!** tais-toi!; **¡callaos!** taisez-vous! ◊ **hacer ~** faire taire; FAM **y tú, te callas la boca** et toi, tu la fermes; **¡a callarse la boca!** la ferme!, on la boucle!; PROV **al buen callar llaman Sancho** → **Sancho; quien calla otorga** qui ne dit mot consent **2. ¡calla!** pas possible! ◇ *vt* taire, passer sous silence: **~ el nombre de...** taire le nom de...

**calle** *f* **1.** rue: **~ mayor** grand-rue ◊ FIG **coger la ~** prendre la porte; **echar a, poner, plantar en la ~** mettre à la porte; **echar por la ~ de en medio** aller droit au but; **echarse a la ~** descendre dans la rue; **estar en la ~** *(sin empleo)* être sur le pavé; **el hombre de la ~** l'homme de la rue; **vestido de ~** en tenue de ville; *(una prostituta)* **hacer la ~** faire le trottoir; **llevar de ~** séduire, charmer; **llevar por la ~ de la amargura** en faire voir de dures **2.** *(de árboles)* allée **3.** *(de una pista de atletismo, piscina)* couloir *m* **4. abrir ~** frayer un passage; **formar ~** faire la haie.

**calleja** *f* ruelle.

**callejear** *vi* flâner.

**callejeo** *m* flânerie *f*.

**callejero, a** *a* **1.** de la rue: **escena callejera** scène de la rue **2.** de rue, des rues, dans la rue: **manifestaciones callejeras** manifestations de rue; **la violencia callejera** la violence dans les rues, la violence urbaine. ◇ *m* répertoire des rues (d'une ville).

**callejón** *m* **1.** ruelle *f*, passage **2.** *(en una plaza de toros)* couloir **3. ~ sin salida** impasse *f*, cul-de-sac; FIG impasse *f*, situation *f* sans issue: **sacar del ~ sin salida** sortir de l'impasse.

**callejuela** *f* ruelle.

**callicida** *m* coricide.

**callista** *s* pédicure.

**callo** *m* **1.** *(en los pies)* cor; *(en las manos)* durillon **2.** *(en una fractura)* cal **3.** FAM *(mujer fea)* mocheté *f*, horreur *f* **4.** FAM **dar el ~** bosser, turbiner. ◇ *pl (guiso)* tripes *f*, gras-double *sing*: **un plato de callos** un plat de tripes.

**callosidad** *f* callosité.

**calloso, a** *a* **1.** calleux, euse: **manos callosas** mains calleuses **2.** ANAT **cuerpo ~** corps calleux.

**calma** *f* **1.** calme *m*: **~ chicha** calme plat; **en ~** calme; **el mar está en ~** la mer est calme; **perder la ~** perdre son calme; **¡~!** du calme!; **hacer las cosas con ~** faire les choses calmement; **tómatelo con ~** prends les choses calmement, n'en fais pas un drame **2.** *(interrupción momentánea)* accalmie.

**calmante** *a* calmant, e. ◇ *m* calmant.

**calmar** *vt* calmer. ◆ **~se** *vpr* se calmer, s'apaiser: **cálmate** calme-toi.

**calmo, a** *a* **1.** calme **2.** *(terreno)* en friche.

**calmoso, a** *a* **1.** calme, tranquille **2.** *(indolente)* indolent, e, placide.

**caló** *m* argot des gitans.

**calofrío** → **escalofrío.**

**calor** *m* **1.** chaleur *f*: **un ~ sofocante** une chaleur suffocante **2. hace (mucho) ~** il fait (très) chaud; **asarse de ~** crever de chaud; **tener ~** avoir chaud; **entrar en ~** se réchauffer **3.** FIG chaleur *f*, ardeur *f*: **en el ~ de la discusión** dans la chaleur de la discussion; **aplaudir con ~** applaudir avec chaleur, chaleureusement ◊ **tomar las cosas con ~** prendre les choses à cœur.

**caloría** *f* calorie: **edulcorante bajo en calorías** édulcorant pauvre en calories; **dieta baja en calorías** régime basses calories.

**calórico, a** *a/m* calorique.

**calorífero, a** *a/m* calorifère.

**calorífico, a** *a* calorifique.

**calorífugo, a** *a* calorifuge.

**calorimetría** *f* calorimétrie.

**calorimétrico, a** *a* calorimétrique.

**calosfrío** *m (escalofrío)* frisson.

**calostro** *m* colostrum.

**calote** *m* AMER escroquerie *f*.

**caloyo** *m* agneau, chevreau nouveau-né.

**calumnia** *f* calomnie.

**calumniador, a** *a/s* calomniateur, trice.

**calumniar** *vt* calomnier.

**calumnioso, a** *a* calomnieux, euse.

**caluroso, a** *a* **1.** chaud, e: **día ~** journée chaude **2.** FIG chaleureux, euse: **calurosa acogida** accueil chaleureux.

**calva** *f* **1.** *(en la cabeza)* partie dégarnie **2.** *(de una piel, etc.)* partie rapée, élimée **3.** *(en un bosque)* clairière.

**calvario** *m* **1.** calvaire **2.** FIG calvaire.

**calvero** *m* clairière *f*.

**calvicie** *f* calvitie.

**calvinismo** *m* calvinisme.

**calvinista** *a/s* calviniste.

**Calvino** *np m* Calvin.

**calvo, a** *a* **1.** *(cabeza)* chauve **2.** *(tejido)* rapé, e, élimé, e **3.** *(terreno)* dénudé, e, pelé, e. ◇ *s (persona)* chauve ◊ *FAM* **ni tanto ni tan ~** il ne faut rien exagérer.

**calza** *f* **1.** *(cuña)* cale **2.** *FAM (media)* bas *m*. ◇ *pl* chausses.

**calzada** *f* **1.** chaussée **2. ~ romana** voie romaine.

**calzado, a** *a* **1.** chaussé, e: **~ con alpargatas** chaussé d'espadrilles **2.** *(ave)* pattu, e **3.** *(caballo)* balzan. ◇ *m* **1.** chaussure *f*: **la industria del ~** l'industrie de la chaussure **2.** chaussures *f pl*: **nueva colección de ~ para el verano** nouvelle collection de chaussures pour l'été.

**calzador** *m* chausse-pied.

**calzar** *vt* **1.** *(zapatos)* chausser: **yo calzo un 39** je chausse du 39 ◊ *FAM* **~ poco puntos** ne pas être très doué, e **2.** *(guantes)* mettre **3.** *(llevar puesto)* porter: **Alicia calzaba sandalias ligeras** Alice portait des sandales légères **4.** *(poner una cuña)* caler **5.** *AMER (la dentadura)* plomber. ◆ **~se** *vpr* **1.** se chausser **2. cálzate los zapatos** chausse-toi, mets tes chaussures **3.** *FAM* obtenir, décrocher.

**calzo** *m (cuña)* cale *f*, coin. ◇ *pl (de las caballerías)* extrémités *f*.

**calzón** *m* **1.** culotte *f* **2.** *FIG* **ponerse los calzones** porter la culotte **3. hablar a ~ quitado** parler avec franchise, ouvertement, sans dissimulation.

**calzonazos** *m FAM* chiffe *f*, femmelette *f*.

**calzoncillos** *m pl* caleçon *sing*.

**calzorras** *m FAM* chiffe *f*.

**cama** *f* **1.** lit *m*: **~ de matrimonio** lit à deux places; **~ nido** lit gigogne; **~ plegable** lit pliant, lit-cage; **~ turca** divan *m*; **¡a la ~!** au lit!; **hacer la ~** faire le lit; **meterse en la ~** se mettre au lit; **estar en la ~** être au lit, dans son lit ◊ **caer en ~** tomber malade; **guardar ~** garder le lit **2.** *(de animales)* gîte *m*, repaire *m* **3.** *(en un establo)* litière **4.** *(capa)* couche, lit *m* **5.** *(del arado)* age *m*.

**camada** *f* **1.** *(de una hembra)* portée **2.** *FIG (de ladrones, etc.)* bande **3.** *(capa)* couche.

**camafeo** *m* camée.

**camal** *m AMER (matadero)* abattoir.

**camaleón** *m* caméléon.

**camalote** *m AMER* pontederia *f* (plante aquatique).

**camama** *f FAM* blague, boniment *m*, mystification.

**camándula** *f* **1.** *(rosario)* chapelet *m* **2.** *(hipocresía)* hypocrisie, fourberie **3.** *(astucia)* ruse.

**camandulero, a** *a/s* **1.** hypocrite **2.** *(embustero)* menteur, euse **3.** *(beato)* tartufe.

**cámara** *f* **1.** chambre: **música de ~** musique de chambre; **~ nupcial, mortuoria** chambre nuptiale, mortuaire **2.** *(asamblea, cuerpo)* chambre: **~ de comercio** chambre de commerce; **~ de diputados** chambre des députés **3. ~ oscura** chambre noire; **~ de aire** chambre à air; **~ de gas** chambre à gaz; **~ frigorífica** chambre froide **4.** *(cine, televisión)* caméra: **~ cinematográfica** caméra; **~ oculta** caméra cachée ◊ **~ lenta** ralenti *m*; **a ~ lenta** au ralenti; **a ~ rápida** en accéléré **5. ~ fotográfica** appareil *m* photo **6.** *MAR (de los oficiales)* carré *m*. ◇ *pl* diarrhée *sing*. ◇ *m* caméraman: **un ~ de TVE** un caméraman de TVE.

**camarada** *s* camarade.

**camaradería** *f* camaraderie.

**camaranchón** *m* soupente *f*, galetas.

**camarera** *f* **1.** *(en un hotel)* femme de chambre **2.** *(en un café, restaurante)* serveuse **3.** *(en una casa principal)* cerneriste.

**camarero** *m* **1.** *(en un café, restaurante)* garçon **2.** *(en un hotel)* valet de chambre **3.** *(del Papa)* camérier.

**Camarga** *np f* Camargue.

**camarilla** *f* coterie, camarilla.

**camarín** *m* **1.** *TEAT (de actores)* loge *f* **2.** cabinet **3.** petite chapelle *f* derrière un autel.

**camarista** *f* caméariste.

**camarlengo** *m* camerlingue.

**camarógrafo** *m* caméraman, opérateur.

**camarón** *m* crevette *f* grise.

**camarote** *m (en un barco)* cabine *f*.

**camastro** *m* grabat.

**camastrón, ona** *a/s* roublard, e, rusé, e.

**camastronería** *f* roublardise.

**cambalache** *m* **1.** *FAM (trueque)* troc **2.** *AMER* bric-à-brac, friperie *f*.

**cambalachear** *vt FAM* troquer.

**cambalachero** *m AMER* fripier.

**cámbaro** *m* crabe.

**cambiadizo, a** *a* changeant, e, versatile.

**cambiante** *a* changeant, e. ◇ *m* **1.** *(visos)* chatoiement **2.** changeur, cambiste.

**cambiar** *vt* **1.** changer: **~ un neumático** changer un pneu; **~ francos en pesetas** changer des francs contre des pesetas **2.** *(trocar)* échanger: **¿me puede ~ este libro por otro?** pouvez-vous m'échanger ce livre contre un autre? **3. ~ impresiones, miradas** échanger des impressions, des regards; **hemos cambiado unas palabras** nous avons échangé quelques mots. ◇ *vi* changer: **~ de parecer** changer d'avis; **cambiemos de tema** changeons de sujet; **los tiempos han cambiado** les temps ont changé; **el viento ha cambiado** le vent a tourné; **¡cuánto has cambiado!** comme tu as changé!; **estás muy cambiado** tu n'est plus le même. ◆ **~se** *vpr* **1.** *(de ropa)* se changer **2.** changer: **me cambié de zapatos** j'ai changé de chaussures; **nos cambiamos de domicilio el año pasado** nous avons changé de domicile l'an dernier.

**cambiavía** *m AMER* aiguilleur.

**cambiazo** *m FAM* **dar el ~ a alguien** rouler quelqu'un.

**cambio** *m* **1.** *(modificación)* changement: **~ de temperatura, de actitud** changement de température, d'attitude **2.** échange: **~ de impresiones** échange de vues; **zona de libre ~** zone de libre-échange **3.** monnaie *f*: **¿tiene usted ~?** avez-vous de la monnaie? ◊ **el ~ exacto** l'appoint **4.** *COM* change: **letra de ~** lettre de change; **oficina de ~** bureau de change; **control de cambios** contrôle des changes **5.** *TECN* **~ de velocidades, de marchas** changement de vitesse; **~ de vía** aiguillage **6.** *loc adv* **en ~** *(al contrario)* en revanche, par contre; *(reciprocidad)* en échange; **a las primeras de ~** de but en blanc, soudain, à la première occasion **7.** *loc prep* **a ~ de** en échange de.

**cambista** *m* **1.** changeur **2.** *(en la Banca)* cambiste.

**Camboya** *np f* Cambodge *m*.

**camboyano, a** *a/s* cambodgien, enne.

**cámbrico, a** *a/m GEOL* cambrien, enne.

**cambrón** *m (zarza)* ronce *f*.

**cambur** *m* **1.** sorte de bananier **2.** *(fruto)* figue banane *f*.

**camelar** *vt FAM* **1.** *(galantear)* faire du baratin à, baratiner **2.** *(adular)* faire du plat à.

**camelia** *f* camélia *m*: **La dama de las camelias** la Dame aux camélias.

**camélidos** *m pl ZOOL* camélidés.

**camelista** *s FAM* fumiste, baratineur, euse.

**camella** *f* chamelle.

**camellero** *m* chamelier.

**camello** *m* **1.** chameau **2. abrigo de pelo de ~** manteau en poil de chameau **3.** *FAM (traficante de droga)* dealer.

**camellón** *m AGR* billon.

**camelo** *m FAM* **1.** *(galanteo)* baratin **2.** *(engaño)* fumisterie *f* **3.** *(cosa mala)* camelote *f* **4.** *(noticia falsa)* bobard, histoire *f*, fabulation *f* **5.** *(broma)* blague *f*.

**cameraman** *m* caméraman.

**camerino** *m TEAT* loge *f* (des artistes).

**Camerún** *np m* Cameroun.

**camilla** *f* **1.** *(para heridos, enfermos)* civière, brancard *m* **2.** table ronde sous laquelle on place un brasero, tandour *m*.

**camillero, a** *s* brancardier, ère.

**Camilo, a** *np* Camille.

**caminante** *s* voyageur, euse à pied, randonneur, euse.

**caminar** *vi* **1.** *(andar)* marcher, cheminer: **caminamos durante tres horas** nous avons marché trois heures durant ◊ *FIG* **~ derecho** marcher droit **2.** *(viajar)* voyager; *(ir)* aller **3.** *(un astro, etc.)* suivre son cours. ◇ *vt (recorrer)* parcourir en marchant.

**caminata** *f* longue promenade, balade, randonnée.

**caminero, a** *a* **peón ~** cantonnier.

**camino** *m* **1.** chemin: **~ de herradura** chemin muletier; **~ carretero, de ruedas** chemin carrossable; **~ de ronda** chemin de ronde; **me viene de ~** c'est sur mon chemin; **de ~** chemin faisant ◊ **~ trillado** sentier battu; **ir ~ de...** aller en direction de...; **ponerse en ~** se mettre en route, en marche **2.** *FIG* **abrir ~** ouvrir la voie; **abrirse ~** faire son chemin; **ir por buen ~** être sur la bonne voie; **llevar ~ de...** être en passe de...; **por ese ~** de cette façon **3.** *ASTR* **el ~ de Santiago** la Voie lactée. ◇ *pl* **ingeniero de Caminos (Canales y Puertos)** ingénieur des Ponts et Chaussées.

**camión** *m* **1.** camion: **~ cisterna** camion-citerne **2.** *AMER* autocar.

**camionaje** *m* camionnage.

**camionero** *m* routier, camionneur.

**camioneta** *f* camionnette.

**camisa** *f* **1.** chemise ◊ **~ de dormir** chemise de nuit; *FIG* **cambiar de ~** tourner casaque; **dejar sin ~** mettre sur la paille; **meterse en ~ de once varas** se mêler des affaires d'autrui, de ce qui ne vous regarde pas; **no quiero meterme en ~ de once varas** je ne veux pas me mêler de ce qui ne me regarde pas; **no llegarle a uno la ~ al cuerpo** ne pas en mener large, être dans ses petits souliers **2. ~ de fuerza** camisole de force **3.** *(de mechero de gas)* manchon *m* **4.** *(de serpiente)* dépouille **5.** *(carpeta)* chemise.

**camisería** *f* chemiserie.

**camisero, a** *s* chemisier, ère. ◇ *a* **traje ~** robe chemisier.

**camiseta** *f* **1.** *(ropa interior, de punto)* gilet *m* de corps, tricot *m* de corps; *(con mangas muy cortas)* tee-shirt *m*, t-shirt *m* **2.** *(de deportista)* maillot *m* **3.** *(camisa con mangas cortas)* chemisette.

**camisola** *f* camisole.

**camisón** *m* chemise *f* de nuit.

**camoatí** *m AMER* guêpe *f* mellifère.

**camomila** *f* camomille.

**camorra** *f* dispute, bagarre, querelle: **buscar ~** chercher la bagarre, chercher noise; **armar ~** faire du grabuge.

**camorrista** *a/s* bagarreur, euse, querelleur, euse.

**camotal** *m AMER* champ de patates douces.

**camote** *m AMER* **1.** *(batata)* patate *f* douce **2.** *(enamoramiento)* béguin **3.** *(mentira)* bobard.

**campa** *f* terrain *m* sans arbres.

**campal** *a* **batalla ~** bataille rangée.

**campamento** *m* campement, camp: **~ base** camp de base.

**campana** *f* **1.** cloche ◊ **echar campanas al vuelo** sonner à toute volée; *FIG* carillonner la nouvelle, crier cela sur les toits, faire beaucoup de tapage; **oír campanas y no saber dónde** être vaguement au courant, comprendre à moitié; **vuelta de ~ → vuelta 2.** *(de vidrio)* cloche **3. ~ de buzo** cloche à plongeur **4.** *(de la chimenea)* hotte, manteau *m* **5. ~ extractora** hotte aspirante.

**campanada** *f* **1.** coup *m* de cloche **2.** *FIG* **dar la ~** faire scandale.

**campanario** *m* clocher.

**campanear** *vi* carillonner. ◇ *vt AMER* épier, guetter.

**campaneo** *m* **1.** tintement de cloches, volée *f* **2.** *(contoneo)* dandinement.

**campanero** *m* **1.** carillonneur, sonneur **2.** fondeur de cloches.

**campanil** *m* campanile.

**campanilla** *f* **1.** *(campana pequeña)* clochette **2.** *(para llamar a la puerta)* sonnette **3.** *BOT* clochette **4.** *ANAT* luette **5. de campanillas, de muchas campanillas** important, e, de classe, de grande classe.

**campanillazo** *m* coup de sonnette, de clochette.

**campanillear** *vi* carillonner.

**campanilleo** *m* tintement (de clochette).

**campano** *m* sonnaille *f*, clarine *f*.

**campante** *a FAM* **1.** décontracté, e, cool: **llegó tan ~** il arriva très décontracté **2.** *(satisfecho de sí mismo)* content, e de soi.

**campanudo, a** *a* **1.** en forme de cloche **2.** *(lenguaje)* ampoulé, e, ronflant, e.

**campánula** *f* campanule.

**campaña** *f* **1.** campagne ◊ **tienda de ~** tente **2. ~ electoral, publicitaria** campagne électorale, publicitaire.

**campañol** *m* campagnol.

**campar** *vi* **1.** exceller **2.** *(acampar)* camper **3. ~ por sus respetos** n'en faire qu'à sa tête, agir à sa guise.

**campeador** *a/m* preux ◊ **el Cid ~** le Cid campéador.

**campear** *vi* **1.** *(mostrarse)* apparaître: **sobre la puerta campea un escudo** au-dessus de la porte apparaît, on peut voir un écusson **2.** *(las sementeras)* verdoyer.

**campechanamente** *adv* sans façon.

**campechanía** *f* bonhomie.

**campechano, a** *a* bon enfant *inv*, simple.

**campeche** *m* campêche.

**campeón, ona** *s* champion, onne.

**campeonato** *m* **1.** championnat **2.** *FAM* **de ~** terrible.

**campero, a** *a* champêtre, campagnard, e: **fiesta campera** fête champêtre. ◇ *f AMER* **1.** *(prenda)* blouson *m* **2.** jeep.

**campesinado** *m* paysannerie *f*, paysannat.

**campesino, a** *a* champêtre, campagnard, e: **vida campesina** vie à la campagne. ◇ *s* paysan, anne: **un ~ andaluz** un paysan andalou.

**campestre** *a* champêtre.

**camping** *m* camping.

**campiña** *f* campagne.
▶ Ce mot évoque une vaste plaine fertile.

**campista** *s* campeur, euse.

**campo** *m* **1.** *(terreno)* champ: **un ~ de patatas** un champ de pommes de terre: **las faenas del ~** les travaux des champs ◊ *loc adv* **a ~ raso** à la belle étoile; **a ~ traviesa** à travers champs **2.** *(extensión de terreno fuera de poblado)* campagne *f*: **vive en el ~** il vit à la campagne; **casa de ~** maison de campagne **3. ~ de batalla** champ de bataille; **caído en el ~ del honor** tombé au champ d'honneur **4.** *(deportivo)* terrain: **~ de fútbol** terrain de football **5.** *MIL* camp: **levantar el ~** lever le camp **6. ~ de concentración, de refugiados** camp de concentration, de réfugiés **7.** *(partido)* camp **8.** *FIG* champ, domaine: **~ de acción** champ d'action; **dejar el ~ libre** laisser le champ libre; **~ semántico** champ sémantique; **el ~ literario** le domaine littéraire **9. ~ operatorio** champ opératoire **10.** *FÍS* champ: **~ magnético** champ magnétique; **~ visual** champ visuel **11. ~ santo** cimetière. ◇ *pl* **Campos Elíseos** Champs Élysées.

**camposanto** *m* cimetière.

**campus** *m* campus.

**camuesa** *f* calville.

**camueso** *m* pommier de calville.

**camuflaje** *m* camouflage.

**camuflar** *vt* camoufler ◊ **coche camuflado** voiture banalisée.

**can** *m* **1.** *(perro)* chien **2.** *ARQ* corbeau, modillon. ◇ *np ASTR* **Can Mayor** Grand Chien; **Can Menor** Petit Chien.

**¹cana** *f* cheveu *m* blanc ◊ *FIG* **echar una ~ al aire** s'amuser, prendre du bon temps, jeter sa gourme; **peinar canas** avoir les cheveux blancs, n'être plus tout jeune; **empieza a peinar canas** ses cheveux commencent à blanchir.

**²cana** *f AMER* **1.** *(cárcel)* prison, taule: **estar en ~** être en taule **2.** *(agente de policía)* flic *m* ◊ **la ~** les flics.

**Canaán** *np* Canaan, Chanaan.

**Canadá** *np m* Canada.

**canadiense** *a/s* canadien, enne.

**canal** *m* **1.** canal: **el ~ de Panamá** le canal de Panama; **canales de riego** canaux d'irrigation **2.** *(en un puerto)* chenal **3.** *(conducto en un tejado)* gouttière *f*, conduite *f*; *(teja)* noue *f* **4.** *(de un libro)* gouttière *f* **5.** *(de televisión)* chaîne *f*: **canales temáticos** chaînes thématiques, chaînes à thèmes **6.** *ANAT* canal **7.** *(res muerta)* carcasse *f* ◊ **abrir en ~** ouvrir de haut en bas.
▶ Acceptions 3 à 7: parfois au féminin en espagnol.

**canaladura** *f* cannelure.

**canaleta** *f AMER* **1.** *(canalón)* gouttière **2.** *(cuneta)* rigole, caniveau *m*.

**canaletazo** *m* coup de pagaie.

**canalete** *m* pagaie *f*.

**canalización** *f* canalisation.

**canalizar** *vt* canaliser.

**canalizo** *m MAR* chenal, passe *f*.

**canalla** *f (gente miserable)* canaille, populace. ◇ *m (hombre)* canaille *f*, fripouille *f*, crapule *f*.

**canallada** *f* canaillerie, malhonnêteté, crapulerie.

**canallesco, a** *a* vil, e, indigne ◊ **una sonrisa canallesca** un sourire canaille, mauvais.

**canalón** *m* **1.** *(conducto vertical)* tuyau de descente **2.** *(en el borde del tejado)* gouttière *f*.

**canalones** *m pl (pasta alimenticia)* cannelloni.

**canana** *f* cartouchière.

**cananeo, a** *a/s* chananéen, enne.

**canapé** *m* **1.** *(asiento)* canapé **2.** *(aperitivo)* canapé.

**Canarias** *np f pl* Canaries.

**canario, a** *a/s* canarien, enne. ◇ *m (pájaro)* canari, serin.

**canasta** *f* **1.** *(con dos asas)* corbeille, manne **2.** *(cesta)* panier *m* **3.** *(baloncesto)* panier *m*: **tiro a ~** tir au panier **4.** *(juego de naipes)* canasta.

**canastero** *m* vannier.

**canastilla** *f* **1.** corbeille **2.** *(ropa para recién nacido)* layette.

**canastillo** *m* corbillon.

**canasto** *m* corbeille *f* (profonde). ◇ *interj* **¡canastos!** sapristi!

**cáncamo** *m MAR* piton (à œillet).

**cancamurria** *f FAM* cafard *m*.

**cancamusa** *f* ruse.

**cancán** *m (baile)* cancan.

**cancanear** *vi AMER (tartamudear)* bredouiller.

**cáncano** *m FAM* pou.

**cancel** *m* **1.** tambour de porte **2.** *(biombo)* paravent.

**cancela** *f* grille (en fer forgé).
▶ Donne accès au patio dans les maisons andalouses.

**cancelación** *f* annulation.

**cancelar** *vt* **1.** annuler: **~ un viaje** annuler un voyage; **quedaron cancelados muchos vuelos** de nombreux vols ont été annulés **2.** *(deuda)* payer, annuler **3.** *(un contrato, una suscripción)* annuler, résilier **4.** *(un billete)* composter, valider.

**cáncer** *m* cancer: **tiene ~** il a un cancer; **murió de ~** il est mort d'un cancer; **~ de mama, de pecho** cancer du sein; **~ de pulmón** cancer du poumon; **~ de próstata** cancer de la prostate.

**Cáncer** *np m* Cancer: **trópico de ~** tropique du Cancer; **ser (de) ~** être (du) Cancer.

**cancerarse** *vpr* devenir cancéreux, euse.

**cancerbero** *m* cerbère.

**cancerígeno, a** *a* cancérigène.

**cancerización** *f* cancérisation.

**cancerología** *f* cancérologie.

**cancerólogo, a** *s* cancérologue.

**canceroso, a** *a/s* cancéreux, euse.

**cancha** *f* **1.** terrain *m* (de jeux, etc.) **2.** *AMER (de fútbol)* terrain *m*; *(de tenis)* court *m* **3.** hippodrome *m* **4.** *AMER* **abrir, hacer ~ a** frayer un passage à, ouvrir la voie à; **¡~!** place! **5.** *(habilidad)* habileté, expérience.

**canchal** *m* endroit rocheux.

**canchero, a** *a AMER* expert, e, habile. ◇ *m AMER* propriétaire d'un terrain (de jeux, etc.).

**cancho** *m (peñasco)* rocher.

**canchón** *m AMER* terrain.

**cancilla** *f* porte à claire-voie.

**canciller** *m* chancelier.

**cancilleresco, a** *a* propre aux chancelleries.

**cancillería** *f* chancellerie.

**canción** *f* **1.** chanson: **canciones de amor** chansons d'amour ◊ **~ de cuna** berceuse **2.** *FIG* **siempre con la misma ~** toujours le même refrain, la même chanson.

**cancionero** *m* recueil de poésies lyriques.

**cancionista** *s* compositeur, trice de chansons.

**cancro** *m BOT, MED* chancre.

**candado** *m* cadenas.

**cande** *a* **azúcar ~** sucre candi.

**candeal** *a* **trigo ~** froment; **pan ~** pain de froment.

**candela** *f* **1.** chandelle ◊ *FAM* **arrimar ~** rosser, battre **2.** *(fuego)* feu *m* **3.** *BOT* fleur de châtaignier, chaton *m*.

**candelabro** *m* **1.** candélabre **2.** chandelier: **el ~ de siete brazos** le chandelier à sept branches.

**candelaria** *f (fiesta)* chandeleur.

**candelero** *m* **1.** chandelier **2.** *FIG* **en el ~** à la première place, en vue; **estar en ~** être en vogue, être populaire, avoir la cote; **poner en ~** rendre célèbre.

**candelilla** *f* **1.** petite chandelle **2.** *(sonda)* bougie.

**candente** *a* **1.** incandescent, e **2.** *FIG* **cuestión ~** question brûlante, d'actualité.

**candidato, a** *s* candidat, e.

**candidatura** *f* **1.** candidature: **presentar su ~** poser sa candidature **2.** liste des candidats.

**candidez** *f* **1.** candeur **2.** naïveté.

**cándido, a** *a* **1.** candide **2.** naïf, ive.

**candil** *m* **1.** lampe *f* à huile ◊ *FIG* **venir que ni buscado con ~** convenir parfaitement **2.** *(de ciervo)* andouiller.

**candileja** *f* petite lampe. ◇ *pl TEAT* rampe *sing*.

**candiota** *f* jarre à vin.

**candombe** *m AMER* **1.** *(baile)* danse *f* des Noirs d'Amérique méridionale **2.** *(tambor)* tambour.

**candonga** *f* **1.** *(chanza)* plaisanterie, raillerie **2.** *(lisonja)* flatterie.

**candongo, a** *a/s FAM* **1.** *(zalamero)* flatteur, euse **2.** *(holgazán)* flemmard, e.

**candor** *m* candeur *f*.

**candorosamente** *adv* candidement.

**candoroso, a** *a* candide.

**caneca** *f* **1.** bouteille en terre vernissée **2.** *AMER (envase)* fût *m* métallique, bidon *m* ◊ **~ de la basura** poubelle.

**canecillo** *m ARQ* modillon.

**canéfora** *f* canéphore.

**canela** *f* **1.** cannelle **2.** *FIG (cosa exquisita)* un délice ◇ **esa mujer es ~ fina** cette femme est une perle.

**canelo, a** *a (color)* cannelle. ◇ *m (árbol)* cannelier.

**canelón** *m* **1.** *(canalón)* gouttière *f* **2.** *(carámbano)* glaçon **3.** *(pasamanería)* torsade *f*. ◇ *pl* cannelloni.

**canesú** *m* **1.** canezou **2.** *(de un vestido)* empiècement.

**caney** *m AMER (bohío)* cabane *f*.

**cangilón** *m* **1.** *(de noria)* godet **2.** *(pliegue)* godron **3.** *AMER (carril)* ornière *f*.

**cangreja** *f (vela)* brigantine.

**cangrejo** *m* **1. ~ de río** écrevisse *f* **2.** *(de mar)* crabe.

**canguelo** *m POP* **1.** trouille *f*, frousse *f*, pétoche *f*: **me entró un ~ bárbaro** j'ai eu une trouille terrible, les boules **2.** *(de un actor)* trac.

**canguro** *m* kangourou. ◇ *f FAM* baby-sitter.

**caníbal** *a/s* cannibale.

**canibalismo** *m* cannibalisme.

**canica** *f* bille: **~ de cristal** bille en verre.

**caniche** *a* caniche.

**canicie** *f* canitie.

**canícula** *f* canicule.

**canicular** *a* caniculaire.

**canijo, a** *a FAM* malingre, chétif, ive.

**canilla** *f* **1.** *(hueso)* os *m* long de la jambe ou du bras **2.** *(de una cuba)* cannelle **3.** *(en las máquinas de tejer)* canette **4.** *AMER (grifo)* robinet *m* **5.** *AMER (pantorrilla)* mollet *m*.

**canillita** *f AMER* crieur de journaux.

**canilludo, a** *a AMER* qui a de longues jambes.

**canino, a** *a* canin, e: **raza canina** race canine. ◇ *m (diente)* canine *f*.

**canje** *m* échange: **~ de cupones por...** échange de coupons contre...; **~ de rehenes** échange d'otages.

**canjeable** *a* **1.** échangeable **2.** convertible.

**canjear** *vt* échanger: **~ por...** échanger contre...; **~ un artículo por otro** échanger un article contre un autre.

**cannabis** *m* cannabis.

**cano, a** *a* **1.** blanc, blanche **2.** *(persona)* qui a les cheveux blancs, chenu, e.

**canoa** *m* **1.** *(piragua)* canoé *m* **2.** *(de remo o con motor)* canot *m*.

**canódromo** *m* cynodrome.

**canon** *m* **1.** règle *f* **2.** *(tipo ideal)* canon: **el ~ de belleza** le canon, le type idéal de beauté **3.** *MÚS, RELIG* canon **4.** *(cantidad que se paga)* redevance *f*: **percibir un ~** percevoir une redevance. ◇ *pl* droit *sing* canon.

**canonesa** *f* chanoinesse.

**canonical** *a* canonial, e.

**canónico, a** *a* **1.** canonique **2. derecho ~** droit canon **3. horas canónicas** heures canoniales.

**canóniga** *f* sieste (avant le repas).

**canónigo** *m (eclesiástico)* chanoine. ◇ *pl (planta)* mâche *f sing*.

**canonización** *f* canonisation.

**canonizar** *vt* canoniser.

**canonjía** *f* **1.** canonicat *m* **2.** *FIG* sinécure.

**canoro, a** *a* **1.** *(ave)* chanteur, euse **2.** mélodieux, euse, harmonieux, euse.

**canoso, a** *a* chenu, e, grisonnant, e: **una barba canosa** une barbe grisonnante.

**canotié, canotier** *m (sombrero)* canotier.

**cansadamente** *adv* péniblement.

**cansado, a** *a* **1.** fatigué, e: **estoy ~ de...** je suis fatigué de... **2.** *(que cansa)* fatigant, e **3.** *(que fastidia)* ennuyeux, euse, fatigant, e.

**cansancio** *m* fatigue *f*.

**cansar** *vt* **1.** fatiguer: **~ la vista** fatiguer la vue **2.** *FIG* fatiguer, lasser, ennuyer. ◆ **~se** *vpr* **1.** se fatiguer **2.** se lasser: **me cansé de esperar y me fui** je me suis lassé d'attendre et je suis parti; **no se cansa de contar que...** il ne se lasse pas de raconter que...

**cansino, a** *a* **1.** lent, e, traînant, e, endormi, e: **con paso ~** d'un pas lent; **voz cansina** voix traînante **2.** *(pesado)* ennuyeux, euse.

**cantable** *a* chantable. ◇ *m* partie *f* chantée d'une «zarzuela».

**cantábrico, a** *a* cantabrique.

**cántabro, a** *a/s* cantabre.

**cantador, a** *s* chanteur, euse.

**cantaleta** *f* **1.** *(ruido)* charivari *m* **2.** *AMER (estribillo)* rengaine.

**cantamañanas** *s inv FAM* fumiste, fantaisiste, frimeur.

**cantante** *a/s* chanteur, euse: **~ de rock** chanteur de rock ◊ **llevar la voz ~ → voz.**

**cantaor, a** *s* chanteur, euse de flamenco.

**¹cantar** *vi/t* chanter ◊ *FIG* **cantarlas claras** ne pas mâcher ses mots; **las cifras cantan** les chiffres parlent d'eux-mêmes; **~ las cuarenta → cuarenta.** ◇ *vi (confesar)* avouer, chanter ◊ *FAM* **~ de plano** tout avouer, manger le morceau, se mettre à table.

**²cantar** *m* **1.** court poème pouvant être chanté, chanson *f* ◊ **eso es otro ~** c'est une autre chanson, une autre histoire **2. ~ de gesta** chanson *f* de geste; **el ~ de Roland** la Chanson de Roland **3. el Cantar de los cantares** le Cantique des cantiques.

**cantárida** *f (insecto)* cantharide.

**cantarilla** *f*, **cantarillo** *m* cruchon *m*.

**cantarín, ina** *a* chantant, e.

**cántaro** *m* **1.** cruche *f* ◊ *PROV* **tanto va el ~ a la fuente que, al fin, se rompe** tant va la cruche à l'eau qu'à la fin elle se casse **2.** *FIG* **alma de ~** brute; **llueve a cántaros** il pleut à verse, à torrent.

**cantata** *f* cantate.

**cantatriz** *f* cantatrice.

**cantazo** *m* coup de pierre.

**cante** *m* chant populaire andalou.
▶ Se dit spécialement du ~ *hondo, jondo* ou *flamenco* chant gitan d'Andalousie.

**cantera** *f* **1.** *(de piedra)* carrière **2.** *FIG* pépinière **3.** *AMER (sillar)* pierre de taille.

**cantería** *f* **1.** taille des pierres **2.** ouvrage *m* en pierre de taille **3.** *(sillar)* pierre de taille.

**cantero** *m* **1.** carrier **2.** *(el que labra las piedras)* tailleur de pierre **3.** *(de pan)* quignon (de pain) **4.** *AMER* parterre, carré de terre.

**cántico** *m* **1.** cantique **2.** *(canto)* chant.

**cantidad** *f* **1.** quantité **2.** *(de dinero)* somme: **abonar la ~ de** payer la somme de **3.** *FAM* **ha recibido ~ de regalos** il a reçu une foule de cadeaux; **esto me gusta (en) ~** ça me plaît énormément, drôlement.

**cantiga** *f ANT* composition lyrique destinée à être chantée.

**cantil** *m* **1.** falaise *f* **2.** *AMER* bord d'un précipice.

**cantilena** *f* **1.** cantilène **2.** *FIG* rengaine.

**cantillo** *m* petit caillou.

**cantimplora** *f (vasija)* gourde, bidon *m*.

**cantina** *f* **1.** cantine **2.** *(en una estación)* buvette **3.** *AMER (taberna)* bistrot *m*.

**cantinela** *f* **1.** cantilène **2.** *FIG* rengaine, refrain *m*: **es siempre la misma ~** c'est toujours la même rengaine, le même refrain.

**cantinero, a** *s* buvetier, ère. ◇ *f MIL* cantinière.

**cantizal** *m* terrain pierreux.

**¹canto** *m* chant: **~ gregoriano, llano** chant grégorien, plain-chant; **poema en 24 cantos** poème en 24 chants; *FIG* **el ~ del cisne** le chant du cygne.

**²canto** *m* **1.** bord **2.** *(esquina, arista)* coin, angle **3.** *(lado)* côté **4.** épaisseur *f* ◊ **de ~** de chant **5.** *(de una moneda, de un libro)* tranche *f* ◊ *FIG* **el ~ de un duro** très peu; **casi siempre le falta el ~ de un duro** il s'en faut presque toujours de très peu **6.** *(de un cuchillo)* dos **7.** *(de esquí)* carre *f* **8.** *(de pan)* quignon **9.** pierre *f* ◊ **~ rodado** galet **10.** *FIG* **darse con un ~ en los pechos, en los dientes** s'estimer heureux **11.** **pruebas al ~** preuves à l'appui.

**cantón** *m* **1.** *(división administrativa)* canton **2.** *(esquina)* coin **3.** *MIL* cantonnement.

**cantonal** *a* cantonal, e.

**cantonera** *f (de maleta, etc.)* coin *m*, renfort *m*.

**cantonés, esa** *a/s* cantonais, e.

**cantor, a** *a/s* **1.** chanteur, euse **2.** *(poeta)* chantre.

**cantoral** *m* livre de chœur.

**canturia** *f* **1.** chant *m* **2.** chant *m* monotone, mélopée.

**canturrear** *vi* chantonner, fredonner.

**canturreo** *m* fredonnement, chantonnement.

**canturriar → canturrear.**

**cánula** *f* canule.

**canutas** *loc POP* **pasarlas ~** en baver, en voir de toutes les couleurs.

**canutero** *m AMER* porte-plume.

**canutillo → cañutillo.**

**canuto** *m* **1.** tube **2.** *(de caña)* entre-nœud **3.** *FAM (porro)* joint.

**caña** *f* **1.** *(tallo)* chaume *m*, tige **2.** *(planta)* roseau *m*, canne ◊ **~ de azúcar** canne à sucre; **~ de Indias** rotin *m*; **~ brava** bambou *m*: **un sillón de ~** un fauteuil en rotin **3.** **~ de pescar** canne à pêche; **pescar con ~** pêcher à la ligne **4.** *(hueso)* os *m* long **5.** *(de la bota)* tige **6.** *MAR* **~ del timón** barre: **llevar la ~** être à la barre, tenir la barre **7.** *(del ancla)* verge **8.** *(vaso)* demi *m*: **una ~ de cerveza** un demi de bière **9.** *(del fusil, de columna)* fût *m* **10.** *AMER* tafia *m*. ◇ *pl ANT* sorte de joutes.

**cañacoro** *m* balisier, canna.

**cañada** *f* **1.** vallon *m*, vallée étroite, gorge **2.** *(camino)* chemin *m* pour les troupeaux transhumants, draille **3.** *AMER (arroyo)* ruisseau *m*.

**cañadón** *m AMER* cours d'eau au fond d'un ravin.

**cañaduz** *f* canne à sucre.

**cañafístula** *f* **1.** *(árbol)* caneficier *m*, cassier *m* **2.** *(fruto)* casse.

**cañamazo** *m* **1.** *(tela)* canevas **2.** tapisserie *f* sur canevas **3.** *FIG (esbozo)* canevas.

**cañamiel** *f* canne à sucre.

**cáñamo** *m* **1.** chanvre **2.** **~ índico** chanvre indien.

**cañamón** *m* chènevis.

**cañar, cañaveral** *m* **1.** cannaie *f*, roselière *f* **2.** plantation *f* de canne à sucre.

**cañería** *f* conduite, canalisation.

**cañí** *a/s POP* gitan, e.

**cañizal, cañizar → cañaveral.**

**cañizo** *m* claie *f*.

**caño** *m* **1.** tuyau, tube **2.** *(de órgano)* tuyau **3.** *(en una fuente)* jet **4.** *(de fusil)* canon **5.** *MAR (canal)* chenal, bras de mer.

**cañón** *m* **1.** *(de un arma de fuego)* canon ◊ **escopeta de dos cañones** fusil à deux coups **2.** *(de órgano, chimenea)* tuyau **3.** *(de una pluma de ave)* tuyau **4.** *(pieza de artillería)* canon: **~ antiaéreo** canon antiaérien ◊ *FIG* **carne de ~ → carne**; **estar al pie del ~** être à pied d'œuvre **5.** *ARQ* **bóveda de ~** voûte en berceau **6.** *(valle)* cañon: **el ~ del Colorado** le cañon du Colorado. ◇ *a FAM* du tonnerre, terrible, formidable, canon: **su prima está ~** sa cousine, elle est canon.

**cañonazo** *m* **1.** coup de canon **2.** *(en fútbol)* shoot puissant.

**cañonear** *vt* canonner.

**cañoneo** *m* canonnade *f*.

**cañonera** *f* **1.** *(tronera)* canonnière **2.** *MAR (porta)* sabord *m*.

**cañonero, a** *a* **lancha cañonera** canonnière.

**cañutillo** *m (para bordar)* cannetille *f*.

**cañuto → canuto.**

**caoba** *f* acajou *m*.

**caolín** *m* kaolin.

**caos** *m* chaos.

**caótico, a** *a* chaotique.

**¹capa** *f* **1.** *(prenda)* cape ◊ *FIG* **comedia de ~ y espada** comédie de cape et d'épée; **la ~ del cielo** la voûte céleste; **andar, ir de ~ caída** battre de l'aile, être mal en point; **defender a ~ y espada** défendre avec acharnement, avec fougue; **hacer de su ~ un sayo** n'en faire qu'à sa tête, faire ce que bon vous semble **2.** *(vestidura sacerdotal)* chape **3.** *(de pintura, geológica, atmosférica, social, etc.)* couche: **una ~ de nieve** une couche de neige **4.** *(de agua, gas)* nappe **5.** *(de un cigarro)* cape, robe **6.** *(color de las caballerías)* robe **7.** *FIG* apparence ◊ **una buena ~ todo lo tapa** il ne faut pas se fier aux apparences **8.** **so ~ de** sous prétexte de **9.** *MAR* **estar a la ~** être à la cape.

**²capa** *f (paca)* paca *m*, agouti *m*.

**capacete** *m (casco)* cabasset.

**capacha** *f* **1.** *(capacho)* cabas *m*, couffin *m* **2.** *AMER (cárcel)* prison, taule.

**capacho** *m* **1.** cabas, couffin **2.** *AMER (sombrero)* vieux chapeau, galurin.

**capacidad** *f* **1.** capacité ◊ **sala de mucha ~** salle très vaste **2.** *(cabida)* contenance **3.** *FIG* **capacidades intelectuales** capacités intellectuelles; **~ de trabajo** puissance, capacité de travail.

**capacitación** *f* **1.** formation **2.** qualification.

**capacitar** *vt* **1.** former **2.** *(habilitar)* qualifier, autoriser: **este título le capacita para la docencia** ce titre l'autorise à enseigner, lui donne le droit d'enseigner.

**Capadocia** *np f* Cappadoce.

**capador** *m* **1.** châtreur **2.** *AMER* flûte *f* de Pan colombienne.

**capadura** *f* castration.

**capanga** *m AMER* garde du corps.

**capar** *vt* castrer, châtrer, émasculer.

**caparazón** *m* **1.** *(que se pone al caballo)* caparaçon **2.** *(de insecto, crustáceo)* carapace *f* **3.** *(de ave)* carcasse *f*.

**caparrosa** *f QUÍM* couperose.

**capataz** *m* contremaître.

**capaz** *a* **1.** *(persona)* capable: **esos individuos son capaces de todo** ces individus sont capables de tout **2.** apte: **~ para un cargo** apte à un emploi **3. ~ de** susceptible de **4.** *(lugar)* spacieux, euse **5.** *(aplicado a espacios)* **~ para** pouvant contenir, assez grand, e pour: **aparcamiento ~ para mil vehículos** parking pouvant contenir mille véhicules.

**capazo** *m* grand cabas.

**capcioso, a** *a* captieux, euse.

**capea** *f* course de jeunes taureaux combattus par des toreros amateurs.

**capear** *vt* **1.** *TAUROM* tromper (le taureau) avec la cape **2.** *FIG (engañar)* tromper **3.** esquiver: **~ el temporal → temporal.** ◊ *vi MAR* se mettre à la cape, capéyer.

**capelina** *f* capeline.

**capellán** *m* **1.** chapelain **2. ~ castrense** aumônier militaire.

**capellanía** *f* aumônerie.

**capellina** *f* capeline.

**capelo** *m* chapeau de cardinal.

**capeo** *m TAUROM* passes *f pl* de cape.

**caperucita** *f* **1.** petit chaperon *m* **2. Caperucita Roja** le Petit Chaperon rouge.

**caperuza** *f* **1.** *(capucha)* chaperon *m* **2.** *(de estilográfica)* capuchon *m*.

**Capeto** *np m* Capet.

**capibara** *m* cabiai.

**capicúa** *m* nombre palindrome.

**capigorrón** *m ANT* fainéant.

**capiguara** *m AMER* cabiai.

**capilar** *a/m* capillaire: **loción ~** lotion capillaire; **vaso ~** vaisseau capillaire.

**capilaridad** *f* capillarité.

**capilla** *f* **1.** chapelle: **~ ardiente** chapelle ardente; **maestro de ~** maître de chapelle **2. estar en ~** *(un reo)* attendre, dans une chapelle, le moment de son exécution; *FIG* être sur des charbons ardents **3.** *(capucha)* capuchon *m*, capuce *m*.

**capillita** *f* petite chapelle.

**capillo** *m (gorro)* béguin.

**capirotada** *f* **1.** pâte à frire **2.** *AMER* ragoût *m* au maïs et au fromage.

**capirotazo** *m* chiquenaude *f*, pichenette *f*.

**capirote** *m* **1.** *(de mujer)* hennin **2.** *(capucho)* chaperon **3.** *(de penitente)* cagoule *f* **4.** *FIG* **tonto de ~** bête à manger du foin, idiot fini **5.** *(capirotazo)* chiquenaude *f*.

**capisayo** *m* pèlerine *f*.

**capitación** *f (reparto)* capitation.

**capital** *a* capital, e: **los siete pecados capitales** les sept péchés capitaux; **pena ~** peine capitale. ◇ *m (dinero)* capital: **ampliación de ~** augmentation de capital. ◇ *f* **1.** *(de un estado)* capitale **2.** *(de provincia)* chef-lieu *m* **3.** *(letra)* capitale.

**capitalino, a** *a* de la capitale, du chef-lieu.

**capitalismo** *m* capitalisme.

**capitalista** *a/s* capitaliste.

**capitalizable** *a* capitalisable.

**capitalización** *f* capitalisation.

**capitalizar** *vt* capitaliser.

**capitán** *m* **1.** *MIL MAR* capitaine **2. ~ general** généralissime; commandant d'une région militaire **3.** *(de un equipo deportivo)* capitaine.

**capitana** *f* **1.** femme du capitaine **2.** *(barco)* vaisseau *m* amiral.

**capitanear** *vt* commander.

**capitanía** *f* **1.** charge de capitaine **2. ~ general** commandement *m* d'une région militaire; quartier-général *m*; **~ de puerto** capitainerie.

**capitel** *m* chapiteau: **capiteles románicos** chapiteaux romans.

**capitolino, a** *a* capitolin, e.

**Capitolio** *np m* Capitole.

**capitoné** *m* camion de déménagement.

**capitoste** *m FAM* caïd, grand manitou.

**capítula** *f* capitule *m*.

**capitulación** *f* capitulation. ◇ *pl* **capitulaciones matrimoniales** contrat *m sing* de mariage.

**[1]capitular** *a* capitulaire: **sala ~** salle capitulaire.

**[2]capitular** *vi* capituler. ◇ *vt* accuser.

**capítulo** *m* **1.** *(de un libro, escrito, etc.)* chapitre **2.** *(asamblea)* chapitre ◊ **llamar a ~ a alguien** demander des comptes à, chapitrer quelqu'un. ◇ *pl* **capítulos matrimoniales** contrat *sing* de mariage.

**capó** *m* capot.

**capón** *m* **1.** *(pollo)* chapon **2.** *(golpe)* coup donné sur la tête avec un doigt, chiquenaude *f*, pichenette *f*.

**capona** *f* contre-épaulette.

**caponera** *f (fortificación)* caponnière.

**caporal** *m* **1.** contremaître **2.** *MIL* caporal.

**capot** *m* capot.

**capota** *f (de mujer, de coche)* capote.

**capotar** *vi* capoter.

**capotazo** *m TAUROM* passe *f* de cape.

**capote** *m* **1.** *(abrigo)* capote *f* ◊ **~ de monte** sorte de poncho; *FAM* **para su ~** à part soi, dans son for intérieur **2.** *TAUROM* cape *f*: **~ de brega** cape *f* **3.** *(en el juego)* **dar ~** faire capot **4.** *FIG* **echar un ~ a** venir en l'aide à, au secours de.

**capotear** *vt* **1.** travailler (le taureau) par des passes de cape **2.** *FIG* esquiver.

**capoteo** *m TAUROM* travail avec la cape.

**capotillo** *m* mantelet.

**capricho** *m* **1.** caprice **2. a ~** d'une manière capricieuse, fantaisiste, par caprice; **a su ~** selon sa fantaisie.

**caprichosamente** *adv* capricieusement.

**caprichoso, a** *a* capricieux, euse.

**Capricornio** *np m* Capricorne: **trópico de ~** tropique du Capricorne; **ser (de) ~** être du Capricorne.

**caprino, a** *a* caprin, e.

**cápsula** *f* **1.** capsule **2.** *(medicamento)* gélule **3. ~ espacial** capsule spatiale.

**capsulado** *m* capsulage.

**capsular** *vt* capsuler.

**captación** *f* **1.** *(de aguas, etc.)* captage *m* **2.** *JUR* captation.

**captar** *vt* capter. ◆ **~se** *vpr* gagner, capter: **captarse la confianza de alguien** gagner la confiance de quelqu'un.

**captor** *m AMER* ravisseur: **logró huir de sus captores** il est parvenu à échapper à ses ravisseurs.

**captura** *f* **1.** capture: **la ~ de un ladrón** la capture d'un voleur **2.** prise.

**capturar** *vt* capturer.

**Capua** *np* Capoue.

**capucha** *f* **1.** capuchon *m*, capuche **2.** *(de terrorista)* cagoule.

**capuchina** *f (planta)* capucine.

**capuchino, a** *a/s* capucin, e.

**capucho** *m* capuchon.

**capuchón** *m* capuchon.

**capulí** *m* sorte de grand cerisier d'Amérique.

**capullo** *m* **1.** *(de gusano de seda)* cocon **2.** *(de flor)* bouton **3.** *(prepucio)* prépuce **4.** *POP (novato)* novice, bleu; *(tonto)* crétin, con.

**capuz** *m* capuchon.

**caquéctico, a** *a* cachectique.

**caquexia** *f MED* cachexie.

**caqui** *m (árbol, fruto)* kaki. ◇ *a/m (color)* kaki.

**cara** *f* **1.** visage *m*, figure, face: **una ~ ovalada, risueña** un visage ovale, souriant; **los huesos de la ~** les os de la face; **caras conocidas** des visages connus ◊ *FIG* **romper la ~ a uno** casser la figure, la gueule à quelqu'un **2.** mine, air *m*, tête: **mala ~** mauvaise mine; **con ~ de satisfacción** d'un air satisfait; **poner ~ de asco, de susto** prendre un air dégoûté, affolé; **poner mala ~** faire grise mine, faire la tête; **no pongas esa ~ de mártir** ne prends pas cet air de martyr; **se le ve en la ~** ça se lit sur son visage, ça se voit à sa tête ◊ **~ de Pascuas** visage réjoui; **~ de pocos amigos** visage renfrogné, mine rébarbative; *FIG* **caérsele (a uno) la ~ de vergüenza** ne pas savoir où se mettre; **cruzar la ~** → **cruzar; dar la ~** prendre ses responsabilités, payer de sa personne; **dar la ~ por** prendre la défense de; **echar en ~** reprocher, jeter à la figure; **hacer ~ a** faire face à, faire front à; **plantar ~ a alguien** défier quelqu'un, tenir tête à quelqu'un; **por su linda ~** pour ses beaux yeux; **saltar a la ~** sauter aux yeux; **verse las caras** s'expliquer, se retrouver (pour régler un différend, etc.) **3.** *(lado de una superficie, de un cubo, montaña, etc.)* face: **la ~ oculta de la luna** la face cachée de la lune **4. echar a ~ o cruz** jouer à pile ou face **5.** *FAM (desfachatez)* audace, culot *m*, toupet *m*: **hay que tener mucha ~...** il faut avoir beaucoup d'audace...; **¡qué ~ más dura!** quel culot!; **tener ~ dura** avoir du culot **6.** *loc adv* **a ~ descubierta** à visage découvert; **~ a ~** face à face; **la miró ~ a ~** il la regarda bien en face; **de ~** en face: **mirar las cosas de ~** regarder les choses en face **7.** *loc prep* **~ a** face à, vers: **~ a la pared** face au mur; **de ~ a** face à, vis-à-vis de.
▶ En un contexto familiar, *cara* puede traducirse a veces por «gueule».

**caraba** *f POP* **esto es la ~** c'est incroyable, c'est inouï; **lleva un sombrero que es la ~** elle porte un chapeau incroyable, rigolo.

**carabela** *f* caravelle.

**carabina** *f* **1.** carabine **2.** *FAM (que acompaña a una señorita)* chaperon *m* **3.** *FAM* **ser la ~ de Ambrosio** ne servir à rien.

**carabinero** *m* **1.** carabinier **2.** douanier **3.** *(crustáceo)* sorte de grosse crevette *f*, de langoustine *f*.

**cárabo** *m* carabe.

**caracará** *m AMER* caracara, oiseau de proie.

**caracol** *m* **1.** escargot ◊ **escalera de ~** escalier en colimaçon **2.** *(del oído)* limaçon **3.** *(de pelo)* accroche-cœur **4.** *(equitación)* caracole *f*. ◇ *interj* **¡caracoles!** sapristi!, mince!

**caracola** *f* buccin *m*, conque.

**caracolada** *f* plat *m* d'escargots.

**caracolear** *vi* caracoler.

**caracolillo** *m* **1.** *(planta)* haricot d'Espagne **2.** café à petits grains **3.** *(caoba)* acajou veiné.

**carácter** *m* **1.** caractère: **caracteres tipográficos** caractères typographiques **2.** caractère: **buen, mal ~** bon, mauvais caractère; **tener ~** avoir du caractère; **una mujer de ~** une femme de caractère; **trastornos del ~** troubles du caractère, caractériels **3. en ~ de** en qualité de.

**característico, a** *a/f* caractéristique. ◇ *s TEAT* père noble *m*, duègne *f*.

**caracterización** *f* caractérisation.

**caracterizar** *vt* caractériser. ◆ **~se** *vpr* **1.** se caractériser **2.** *(un actor)* se costumer, se maquiller.

**caracterología** *f* caractérologie.

**caracú** *m AMER (tuétano)* moelle *f*.

**caracul** *m* caracul.

**caradura** *a FAM* culotté, e, gonflé, e. ◇ *s* personne culottée. ◇ *f* toupet *m*, culot *m*.

**carajillo** *m* café arrosé (généralement avec du cognac ou de l'anis).

**carajo** *m VULG* **me importa un ~ que tú vengas o no** je me fous que tu viennes ou ne viennes pas; **mandar al ~** envoyer au diable; **¡~!** merde alors!, nom de Dieu!; **¡~ con el niño!** au diable ce gamin!

**caramañola** *f AMER* bidon *m*, gourde.

**¡caramba!** *interj (sorpresa)* mince!, sapristi!, bigre!, ça alors!; *(disgusto)* zut!, flûte!; **¡qué ~!** mince alors!, quand même!, bon sang!

**carámbano** *m* glaçon.

**carambola** *f* **1.** carambolage *m* **2. por ~** indirectement, par la bande.

**caramelizar** *vt* caraméliser.

**caramelo** *m* **1.** *(golosina)* bonbon: **~ relleno, ácido** bonbon fourré, acidulé; **~ de menta** bonbon à la menthe **2.** *(azúcar fundido)* caramel **3.** *FIG* **a punto de ~** au moment opportun.

**caramillo** *m* **1.** *(flauta)* chalumeau **2.** *(enredo)* histoire *f*: **armar un ~** faire toute une histoire **3.** *(planta)* soude *f*.

**carancho** *m AMER* caracara, oiseau de proie.

**caranday** *m AMER* variété de palmier.

**carantoña** *f* vieille coquette. ◇ *pl (halagos)* cajoleries, mamours *m*.

**carantoñero, a** *s* cajoleur, euse.

**caraota** *f AMER* haricot *m*.

**carapacho** *m* carapace *f*.

**¡carape!** → **¡caramba!**

**carapulca** *f AMER* ragoût *m* de viande, pommes de terre, cacahuètes.

**caraqueño, a** *a/s* de Caracas.

**carátula** *f* **1.** *(careta)* masque *m* **2.** *AMER (de un libro)* page de titre, couverture; *(del reloj)* cadran *m*.

**Caravaggio (el)** *np m* le Caravage.

**caravana** *f* **1.** caravane **2.** file: **una ~ de coches** une file de voitures; **en ~** à la file, en file **3.** *(remolque)* caravane.

**caravanero** *m* caravanier.

**caravasar** *m* caravansérail.

**¡caray!** *interj* diable!, mince!, peste!: **¡~ con el pelmazo ese!** au diable ce raseur!

**carbón** *m* **1.** charbon: **~ vegetal, mineral** charbon de bois, de terre **2.** *(carboncillo)* fusain **3.** *(enfermedad de los cereales)* charbon. ◇ *a* **papel ~** papier carbone.

**carbonada** *f (carne)* viande hachée et rôtie.

**carbonario** *m* carbonaro.

**carbonarismo** *m* carbonarisme.

**carbonato** *m* QUIM carbonate.

**carboncillo** *m* fusain: **dibujo al ~** dessin au fusain.

**carbonera** *f* **1.** meule à faire du charbon **2.** dépôt *m* de charbon.

**carbonero, a** *a/m* charbonnier, ère ◇ FIG **la fe del ~** la foi du charbonnier.

**carbónico, a** *a* carbonique.

**carbonífero, a** *a/m* GEOL carbonifère.

**carbonilla** *f* **1.** *(polvo)* poussier *m* **2.** *(de una locomotora, etc.)* escarbille.

**carbonización** *f* carbonisation.

**carbonizar** *vt* carboniser.

**carbono** *m* carbone.

**carbonoso, a** *a* charbonneux, euse.

**carborundo** *m* carborundum.

**carbunclo, carbunco** *m (enfermedad)* charbon.

**carbúnculo** *m* escarboucle *f.*

**carburación** *f* carburation.

**carburador** *m* carburateur.

**carburante** *a/m* carburant.

**carburar** *vi* **1.** carburer **2.** FAM carburer, gazer, tourner rond.

**carburo** *m* carbure.

**carca** *a/s* FAM réactionnaire, réac.
▶ Abréviation de *carcunda*, ce mot a d'abord désigné les carlistes puis les conservateurs.

**carcaj** *m* carquois.

**carcajada** *f* éclat *m* de rire: **reír a carcajadas** rire aux éclats; **soltar la ~** éclater de rire.

**carcajearse** *vpr* FAM rigoler.

**carcamal** *m* FAM vieux gâteux, vieux croulant.

**cárcava** *f* **1.** ravine **2.** *(zanja)* fossé *m.*

**cárcel** *f* **1.** prison: **ir a la ~** aller en prison; **en la ~** en prison **2.** *(en carpintería)* serre-joint *m.*

**carcelario, a** *a* carcéral, e, pénitentiaire.

**carcelero, a** *s* geôlier, ère, gardien, enne de prison.

**carcinógeno, a** *a* MED carcinogène.

**carcinología** *f* MED carcinologie.

**carcinoma** *m* MED carcinome.

**carcoma** *f* **1.** *(insecto)* vrillette, artison *m* **2.** *(polvo)* vermoulure **3.** FIG ver *m* rongeur, hantise.

**carcomer** *vt* **1.** *(roer)* ronger **2.** FIG miner, ronger, consumer. ◆ **~se** *vpr* **1.** devenir vermoulu, e **2.** FIG se ronger.

**carcomido, a** *a* vermoulu, e.

**carcunda** → **carca.**

**carda** *f* **1.** *(acción)* cardage *m* **2.** *(instrumento)* carde **3.** FAM savon *m*, réprimande.

**cardado** *m (del cabello)* crêpage.

**cardador, a** *s* cardeur, euse.

**cardadura** *f* cardage *m.*

**cardamomo** *m* cardamome *f.*

**cardán** *m* cardan.

**cardar** *vt* **1.** carder **2.** *(el cabello)* crêper: **lleva el pelo cardado** elle a les cheveux crêpés.

**cardenal** *m* **1.** cardinal: **los cardenales** les cardinaux ◇ **un bocado de ~** → **bocado 2.** *(equimosis)* bleu **3.** *(pájaro)* oiseau à huppe rouge, cardinal.

**cardenalato** *m* cardinalat.

**cardenalicio, a** *a* cardinalice.

**cardencha** *f* **1.** *(planta)* cardère, chardon *m* à foulon **2.** *(instrumento)* carde.

**cardenillo** *m* vert-de-gris.

**cárdeno, a** *a* **1.** violacé, e **2.** *(toro)* pie.

**cardíaco, a** *a/s* cardiaque.

**cárdigan** *m* cardigan.

**cardinal** *a* cardinal, e: **puntos cardinales** points cardinaux; **virtudes cardinales** vertus cardinales.

**cardiografía** *f* cardiographie.

**cardiología** *f* cardiologie.

**cardiólogo, a** *s* cardiologue.

**cardiopatía** *f* MED cardiopathie.

**cardiovascular** *a* MED cardiovasculaire: **enfermedades cardiovasculares** maladies cardiovasculaires.

**cardo** *m* **1.** *(comestible)* cardon **2.** *(planta espinosa)* chardon **3.** **~ corredor** panicaut.

**cardón** *m* **1.** *(cardencha)* cardère *f* **2.** AMER cierge, cactus.

**Cardona** *np m* **ser más listo que ~** → **listo.**

**cardonal** *m* AMER terrain couvert de cactus.

**cardume, cardumen** *m* banc de poissons.

**carear** *vt* **1.** *(personas)* confronter: **~ a dos testigos** confronter deux témoins **2.** *(cosas)* confronter, comparer. ◆ **~se** *vpr* **1.** se rencontrer **2.** s'expliquer.

**carecer** *vi* **~ de** manquer de: **carece de imaginación** il manque d'imagination.

**carena** *f* MAR **1.** *(reparación)* carénage *m*, radoub *m* **2.** *(parte del casco)* carène.

**carenado** *m*, **carenadura** *f* carénage *m.*

**carenar** *vt* caréner.

**carencia** *f* **1.** manque *m*: **una ~ de higiene** un manque d'hygiène; **~ de respeto para con...** manque de respect envers... **2.** MED carence: **~ afectiva** carence affective.

**carenero** *m* carénage, bassin de radoub.

**carente** *a* dépourvu, e, dénué, e: **~ de recursos** dépourvu de ressources; **~ de amor propio** dénué d'amour-propre.

**careo** *m* confrontation *f*, face-à-face: **un ~ con el testigo** une confrontation avec le témoin.

**carero, a** *a* FAM qui vend cher: **es muy ~** il vend très cher.

**carestía** *f* **1.** *(escasez)* disette, pénurie **2.** *(precio subido)* cherté: **la ~ de la vida** la cherté de la vie, la vie chère.

**careta** *f* masque *m*: **~ antigás** masque à gaz; **una ~ de oxígeno** un masque à oxygène.

**careto** *m* FAM *(cara)* binette *f*, bouille *f.*

**carey** *m* **1.** *(tortuga)* caret **2.** *(materia córnea)* écaille *f*: **peine de ~** peigne en écaille.

**carga** *f* **1.** *(acción)* chargement *m* **2.** *(peso)* chargement *m*, charge ◇ **barco de ~** cargo; **bestia de ~** bête de somme **3.** MAR cargaison **4.** *FIG* charge: **cargas sociales** charges sociales **5.** *(eléctrica, de un arma de fuego, de explosivos, etc.)* charge **6.** *(de pluma estilográfica)* recharge **7.** *(de la caballería, de la policía)* charge: **a paso de ~** au pas de charge ◊ **volver a la ~** revenir à la charge.

**cargadero** *m* quai de chargement.

**cargado, a** *a* **1.** chargé, e **2.** *(tiempo)* lourd, e, étouffant, e **3. café ~** café serré, fort **4. ~ de años** chargé d'ans; **~ de espaldas** voûté, e, qui a le dos voûté. ◇ *m* pas de danse.

**cargador** *m* **1.** *(de puerto)* **~ de muelle** docker **2.** *(dispositivo)* chargeur **3.** *AMER* porteur. ◇ *pl AMER (tirantes)* bretelles *f.*

**cargamento** *m MAR* chargement, cargaison *f.*

**cargante** *a FAM* assommant, e, casse-pieds, agaçant, e, rasoir: **¡qué hombre tan ~!** quel casse-pied!

**cargar** *vt* **1.** charger: **~ un barco, un fusil** charger un bateau, un fusil; **~ de impuestos** charger d'impôts **2.** *(una batería, máquina fotográfica, etc.)* charger, recharger **3. ~ la pipa** bourrer sa pipe; *FIG* **~ la mano → mano 4.** *COM* débiter, porter au débit: **~ una cantidad en una cuenta** débiter un compte d'une somme; **cárguelo a mi cuenta** portez-le sur mon compte **5.** *FIG* attribuer **6.** *FAM (molestar)* assommer, agacer, horripiler **7.** *MAR (las velas)* carguer **8.** *AMER (llevar)* porter. ◇ *vi* **1. ~ sobre** appuyer, porter, peser sur: **la bóveda carga sobre las columnas** la voûte appuie, porte sur les colonnes **2.** *(hablando del acento)* porter, tomber **3. ~ con** *(llevar)* porter; *(llevarse)* emporter; *(responsabilizarse)* se charger de, prendre à sa charge: **yo cargo con todo** je me charge de tout; **~ con la responsabilidad** assumer la responsabilité; **~ con las consecuencias** endosser, supporter les conséquences; **ella carga con cinco hijos** elle a cinq enfants à sa charge, sur les bras; *(soportar)* **tengo que ~ con tener a él como vecino** il faut que je supporte de l'avoir comme voisin **4. ~ contra los manifestantes** charger les manifestants **5.** *(contener)* contenir. ◆ **~se** *vpr* **1.** se charger **2.** *(llenarse)* se remplir: **se cargaron sus ojos de lágrimas** ses yeux se remplirent de larmes **3.** *(el cielo, el tiempo)* se couvrir **4.** *FAM* **cargársela** écoper **5.** *FAM (romper)* bousiller; *(matar)* descendre; *(en un examen)* coller.

**cargareme** *m* reçu, quittance *f.*

**cargazón** *f* **1.** *(de cabeza, de estómago)* lourdeur **2.** *(de nubes)* amoncellement *m* **3.** *MAR* cargaison, chargement *m.*

**cargo** *m* **1.** *(peso)* charge *f*, chargement **2.** *(empleo)* poste, place *f*, charge *f* ◊ **un alto ~** un haut responsable, un dirigeant, un haut fonctionnaire **3.** charge *f*: **estar a ~ de** être à la charge de; **tener dos hijos a su ~** avoir deux enfants à charge; **tomar a su ~** prendre en charge ◊ **hacerse ~ de** *(responsabilizarse)* prendre en charge, se charger de; *(darse cuenta)* comprendre, se rendre compte **4. ~ de conciencia** cas de conscience **5.** *COM (de una cuenta)* débit **6.** accusation *f*, critique *f* **7.** *JUR* charge *f*: **testigo de ~** témoin à charge.

**cargosear** *vt AMER* embêter, bassiner, agacer.

**cargoso, a** *a* **1.** *(pesado)* lourd, e **2.** *(molesto)* embêtant, e, agaçant, e.

**carguero** *m* cargo.

**cariacontecido, a** *a* penaud, e, contrit, e.

**cariado, a** *a* carié, e: **diente ~** dent cariée.

**cariancho, a** *a* au visage large.

**cariar** *vt* carier. ◆ **~se** *vpr* se carier.

**cariátide** *f* cariatide.

**Caribdis** *np* Charybde.

**caribe** *a/s* caraïbe.

**Caribe (el mar)** *np* la mer des Caraïbes ◊ **el ~** la Caraïbe; **viaje al ~** voyage aux Caraïbes.

**caribú** *m* caribou.

**caricato** *m* comique, fantaisiste.

**caricatura** *f* caricature.

**caricaturesco, a** *a* caricatural, e.

**caricaturista** *s* caricaturiste.

**caricaturizar** *vt* caricaturer.

**caricia** *f* **1.** caresse **2.** *FIG (de la brisa, etc.)* caresse.

**caridad** *f* **1.** charité ◊ **¡por ~!** de grâce! **2.** *(limosna)* aumône, charité.

**caries** *f inv* carie.

**carigordo, a** *a* joufflu, e.

**carilampiño** *a* imberbe.

**carilargo, a** *a* au visage allongé.

**carilla** *f* **1.** *(página)* page **2.** face, côté *m.*

**carilleno, a** *a* au visage plein.

**carillo, a** *a FAM* cher, chère.

**carillón** *m* carillon.

**cariñena** *m* vin de Cariñena (province de Saragosse).

**cariño** *m* **1.** affection *f*, tendresse *f*: **sentir ~ por alguien** avoir de l'affection pour quelqu'un; **le ha cobrado ~ a su sobrino** il a pris son neveu en affection **2.** *(hacia una cosa)* **le tengo mucho ~ a mi vieja bici** je suis très attaché à mon vieux vélo **3.** *(esmero)* amour: **hacer algo con ~** faire quelque chose avec amour **4.** *(vocativo)* mon amour!

**cariñosamente** *adv* affectueusement.

**cariñoso, a** *a* affectueux, euse, tendre.

**carioca** *a/s* de Rio de Janeiro.

**carirredondo, a** *a* au visage rond.

**carísimo, a** *a* très cher, très chère.

**carisma** *m* charisme.

**carismático, a** *a* charismatique: **líder ~** leader charismatique.

**carita** *f* petit visage *m*, minois *m.*

**caritativo, a** *a* charitable: **~ con, para con...** charitable envers...

**carite** *m AMER* poisson-scie (des Antilles); poisson du Venezuela.

**cariz** *m* **1.** *(de la atmósfera)* aspect **2.** *FIG* aspect, tournure *f*: **tomar mal ~** prendre une mauvaise tournure; **¡eso tiene mal ~!** ça s'annonce mal!

**carlanca** *f* **1.** collier *m* garni de pointes (pour les chiens) **2.** *FIG* ruse.

**carlancón, ona** *a* rusé, e, matois, e.

**carlinga** *f* carlingue.

**carlismo** *m HIST* carlisme.

**carlista** *a/s HIST* carliste.

**Carlomagno** *np m* Charlemagne.

**Carlos** *np m* Charles.

**Carlota** *np f* Charlotte.

**carlovingio, a → carolingio.**

**carmañola** *f* carmagnole.

**carmelita** *a* de l'ordre du Mont-Carmel. ◇ *m* carme. ◇ *f* carmélite.

**carmelitano, a** *a* carmélite.

**Carmelo** *np m* Carmel.

**carmen** *m* **1.** *(orden)* carmen **2.** villa *f* avec un jardin (à Grenade) **3.** composition *f* poétique.

**Carmen** *np f* Carmen.

**carmenar** *vt* démêler et nettoyer (la laine, les cheveux).

**carmesí** *a/m* cramoisi, e.

**carmín** *m* **1.** carmin **2. ~ de labios** rouge à lèvres.

**carminativo, a** *a* carminatif, ive.

**carmíneo, a** *a* carminé, e.

**carnada** *f* **1.** *(cebo)* appât *m* **2.** *FIG* leurre *m*.

**carnal** *a* **1.** charnel, elle **2. primo ~** cousin germain **3. tío, sobrino ~** oncle, neveu au premier degré.

**carnaval** *m* carnaval.

**carnavalada** *f* mascarade.

**carnavalesco, a** *a* carnavalesque.

**carnavalito** *m AMER* danse du nord de l'Argentine.

**carnaza** *f* **1.** abondance de chair **2.** *(cebo)* appât *m* **3.** *FAM (suceso)* nouvelle sensationnelle; *(víctima)* souffre-douleur *m*.

**carne** *f* **1.** chair ◊ **en ~ y hueso** en chair et en os: **en ~ viva** à vif; **en vivas carnes** tout nu, toute nue; **echar carnes** grossir, prendre de l'embonpoint; **metido, a en carnes** bien en chair, plantureux, euse, rondelet, ette; **poner la ~ de gallina** donner la chair de poule; *FIG* **ser de ~ y hueso** ne pas être de bois; **ser ~ y uña → uña; temblarle a uno las carnes** trembler, avoir la chair de poule **2.** *(alimento)* viande: **este carnicero vende ~ de primera calidad** ce boucher vend de la viande de première qualité; **~ de vaca** viande de bœuf ◊ **~ de pelo, de pluma** gibier à poil, à plume; *FIG* **~ de cañón** chair à canon, victime; **ni ~ ni pescado** ni chair ni poisson; **poner toda la ~ en el asador** risquer le tout pour le tout, mettre le paquet, faire flèche de tout bois; *FAM* **~ sin hueso** sinécure **3. ~ de membrillo** pâte de coing **4.** *(el cuerpo)* **la ~ es débil, es flaca** la chair est faible; **la resurrección de la ~** la résurrection de la chair.

**carné → carnet.**

**carneada** *f AMER* abattage *m* et dépeçage *m* (des bêtes).

**carnear** *vt AMER* abattre et dépecer.

**carneril** *a* des moutons.

[1]**carnero** *m (animal, carne, piel)* mouton ◊ **~ padre** bélier.

[2]**carnero** *m ANT (donde se arrojan los cadáveres)* charnier.

**carnestolendas** *f pl* carême-prenant *m*, carnaval.

**carnet** *m* **1.** *(librillo)* carnet **2. ~ de conducir** permis de conduire; **el ~ por puntos** le permis à points; **~ de identidad** carte *f* d'identité.

**carnicería** *f* **1.** boucherie **2.** *FIG* carnage *m*, massacre *m*, hécatombe.

**carnicero, a** *s* boucher, ère. ◇ *a/s (animal)* carnassier, ère.

**cárnico, a** *a* de la viande, à base de viande: **industria cárnica** industrie de la viande.

**carnívoro, a** *a/s* carnivore.

**carnosidad** *f* **1.** carnosité **2.** *(gordura)* embonpoint *m*, obésité.

**carnoso, a** *a* charnu, e: **labios carnosos** lèvres charnues.

[1]**caro, a** *a* **1.** cher, ère: **este perfume es ~** ce parfum est cher; **vida cara** vie chère **2. ~ amigo** cher ami.

[2]**caro** *adv* **1.** cher: **estos zapatos cuestan ~** ces chaussures coûtent cher; **salir ~** revenir cher **2. vender cara su vida** vendre chèrement sa vie.

▶ *Caro*, adverbe, admet le féminin.

**Carolina** *np f* Caroline.

**carolingio, a** *a/s HIST* carolingien, enne.

**carona** *f* dessous *m* de selle ou de bât.

**Caronte** *np m* Caron.

**carota** *a/s FAM* **→ caradura.**

**caroteno** *m* carotène.

**carótida** *f ANAT* carotide.

**carotina → caroteno.**

**carozo** *m* **1.** rafle *f* (de l'épi de maïs) **2.** *AMER (hueso de las frutas)* noyau.

**carpa** *f* **1.** *(pez)* carpe **2.** *(de circo)* chapiteau *m* **3.** *AMER. (tienda de campaña)* tente.

**carpanel** *a* **arco ~** arc en anse de panier.

**carpanta** *f* fringale, faim de loup.

**Cárpatos** *np m pl* Carpathes.

**carpe** *m (árbol)* charme.

**carpelo** *m BOT* carpelle.

**carpeta** *f* **1.** *(para escribir)* sous-main *m inv* **2.** *(para archivar papeles)* chemise **3.** *(con anillas, muelle)* classeur *m* **4.** tapis *m* de table.

**carpetazo** *m* **dar ~ a** ne pas donner suite à, classer, enterrer: **dio ~ al asunto** il ne donna pas suite à l'affaire.

**carpetovetónico, a** *a* ultranationaliste.

**carpiano, a** *a ANAT* carpien, enne.

**carpidor** *m AMER* sarcloir.

**carpincho** *m* cabiai.

**carpintería** *f* **1.** charpenterie **2.** menuiserie.

**carpintero** *m* **1.** charpentier **2.** menuisier **3. ~ de armar** charpentier; **~ de banco** menuisier; **~ de ribera** charpentier de marine.

**carpir** *vt AMER* sarcler.

**carpo** *m ANAT* carpe.

**carraca** *f* **1.** *(barco viejo)* rafiot *m*, sabot *m* **2.** *(instrumento de madera)* crécelle *f*.

**Carracuca** *np FAM* **más feo que ~** laid comme un pou.

**carraleja** *f* méloé *m*.

**carrasca** *f*, **carrasco** *m* petit chêne vert *m*, yeuse *f*.

**carrascal** *m* bois d'yeuses.

**carraspear** *vi* se râcler la gorge, s'éclaircir la voix.

**carraspera** *f* enrouement *m*: **tener ~** être enroué, e.

**carrasposo, a** *a* enroué, e.

**carrera** *f* **1.** *(acción de correr, competición)* course: **~ pedestre, de caballos** course à pied, de chevaux; **~ de sacos** course en sac; **caballo, bicicleta de carreras** cheval, vélo de course ◊ **~ de armamentos** course aux armements; **a ~ abierta, a la ~** à toute vitesse, à fond de train; **el ministro visitó la exposición a la ~** le ministre visita l'exposition au pas de course; **tomar ~** prendre son élan **2.** *(de los astros)* cours *m* **3.** *(de un taxi)* course **4.** *(estudios)* études *pl*: **la ~ universitaria** les études universitaires; **hacer una ~ de arquitecto** faire des études d'architecte; **estudia la ~ de comercio** il fait des études de commerce; **he terminado la ~** j'ai terminé mes études; **dar ~ a** payer ses études à **5.** *(profesión)* carrière: **~ diplomática** carrière diplomatique; **plan de ~** plan de carrière ◊ **hacer ~** faire carrière, réussir **6.** *(recorrido)* course **7.** *(calle)* cours *m* ◊ **hacer la ~** faire le trottoir **8.** *(fila)* rangée **9.** *(del pelo)* raie **10.** *(en las medias)* échelle **11.** *FIG* **no poder hacer ~ con uno** ne pas pouvoir arriver à bout de quelqu'un.

**carrerilla** *f* **1.** course rapide **2. de ~** d'une seule traite, de mémoire; **tomar ~** prendre son élan.

**carrerista** *s* **1.** *(aficionado)* turfiste, amateur de courses de chevaux **2.** coureur.

**carrero** *m* charretier.

**carreta** *f* charrette.

**carretada** *f* charretée.

**carretaje** *m* charroi.

**carrete** *m* **1.** bobine *f*: **un ~ de hilo** une bobine de fil **2.** *(de caña de pescar)* moulinet **3.** *(foto)* bobine *f*, rouleau.

**carretear** *vi* charroyer.

**carretel** *m AMER* bobine *f*: **un ~ de hilo** une bobine de fil.

**carretela** *f* calèche.

**carretera** *f* **1.** route: **~ nacional, comarcal** route nationale, départementale **2. red, mapa de carreteras** réseau routier, carte routière.

**carretería** *f* atelier *m* de charron.

**carretero** *m* **1.** charretier: **blasfemar como un ~** jurer comme un charretier; **fumar como un ~** fumer comme un sapeur **2.** *(el que construye carros)* charron.

**carretilla** *f* **1.** brouette **2.** chariot *m*: **~ elevadora** chariot élévateur **3. de ~** d'une seule traite, par cœur, de mémoire.

**carretillada** *f* brouettée.

**carretón** *m* **1.** petite charrette *f*, chariot **2.** *(ferrocarril)* bogie, boggie.

**carricero** *m (ave)* rousserolle *f*.

**carricoche** *m* carriole *f*.

**carril** *m* **1.** *(huella)* ornière *f* **2.** *(de vía férrea)* rail **3.** voie *f*: **carretera de cuatro carriles** route à quatre voies; **~ bus** couloir à autobus **4. ~-bici** piste *f* cyclable.

**carrillera** *f (barboquejo)* jugulaire.

**carrillo** *m* **1.** *(parte de la cara)* joue *f* ◊ *FAM* **comer a dos carrillos** manger goulûment, comme un goinfre **2.** *(polea)* poulie *f*.

**carrilludo, a** *a* joufflu, e.

**carrito** *m* **1.** *(de servicio)* table *f* roulante **2.** *(para la compra)* poussette *f*, caddie *(nom déposé)*.

**carrizal** *m* lieu couvert de carex.

**carrizo** *m* **1.** carex, laîche *f* **2.** *(caña)* roseau.

**carro** *m* **1.** chariot ◊ *FIG* **poner el ~ delante de las mulas** mettre la charrue devant les bœufs **2. ~ de combate** char (d'assaut) **3.** *(de máquina de escribir, etc.)* chariot **4.** *AMER (automóvil)* voiture *f*, automobile *f* **5.** *FAM* **¡para el ~!** du calme!, ça suffit!; **untar el ~ → untar.** ◇ *np ASTR* **Carro Mayor, Menor** Grand, Petit Chariot.

**carrocería** *f* carrosserie.

**carrocero** *m* carrossier.

**carrocha** *f* couvain *m*.

**carromato** *m* chariot couvert.

**carroña** *f* charogne.

**carroza** *f* **1.** carrosse *m* **2.** *(de carnaval)* char *m* **3. ~ fúnebre** corbillard *m*. ◇ *a/m POP* vieux jeu, démodé, croulant: **tu padre es un ~** ton père est vraiment vieux jeu.

**carrozar** *vt* carrosser.

**carruaje** *m* voiture *f*.

**carrusel** *m* **1.** carrousel **2.** *(tiovivo)* manège.

**carta** *f* **1.** lettre: **recibí tu ~** j'ai reçu ta lettre; **~ certificada** lettre recommandée; **~ de pésame** lettre de condoléances ◊ **~ abierta** lettre ouverte; **~ de crédito** lettre de crédit; **~ de naturaleza** lettre de naturalisation; **cartas credenciales** lettres de créance; *FIG* **dar ~ blanca** donner carte blanche **2.** *(ley constitucional o fundamental)* charte: **Carta Magna** Grande Charte **3.** *(naipe)* carte ◊ *FIG* **echar las cartas** tirer les cartes; **jugar a cartas vistas** jouer cartes sur table; **no saber a qué ~ quedarse** ne pas savoir sur quel pied danser; **tomar cartas en un asunto** intervenir dans une affaire **4.** *(mapa)* carte: **~ de marear, náutica** carte marine **5.** *(en un restaurante)* **comer a la ~** manger à la carte ◊ *FIG* **jubilación, programas a la ~** retraite, programmes à la carte **6.** *(televisión)* **~ de ajuste** mire **7.** *loc adv* **a ~ cabal** parfaitement, foncièrement: **honrado a ~ cabal** foncièrement honnête.

**cartabón** *m* **1.** équerre *f* **2.** *(de zapatero)* pied à coulisse.

**Cartagena** *np* Carthagène.

**cartagenero, a** *a/s* de Carthagène (Espagne); de Cartagena (Colombie).

**cartaginés, esa** *a/s* carthaginois, e.

**Cartago** *np* Carthage.

**cartapacio** *m* **1.** *(de colegial)* cartable **2.** *(cuaderno)* cahier **3.** carton à dessin.

**cartearse** *vpr* correspondre, s'écrire régulièrement, entretenir une correspondance: **me gustaría cartearme con usted** j'aimerais correspondre avec vous.

[1]**cartel** *m* **1.** *(anuncio)* affiche *f*: **fijar un ~** poser une affiche; **prohibido fijar carteles** défense d'afficher ◊ *FIG* **tener ~** être très connu, e; **un cantante de ~** un chanteur connu, célèbre **2. obra que continúa, se mantiene en ~** pièce qui tient l'affiche; **en ~** à l'affiche.

[2]**cartel, cártel** *m (asociación de productores, políticos, etc.)* cartel: **los cárteles de la droga** les cartels de la drogue.

**cartela** *f (ménsula)* console.

**cartelera** *f* **1.** porte-affiches *m* **2.** *(en un periódico)* rubrique des spectacles.

**cartelero** *m* colleur d'affiches, afficheur.

**cartelista** *s* affichiste.

**cartelón** *m* grande affiche *f*.

**carteo** *m* échange de correspondance.

**cárter** *m* carter.

**cartera** *f* **1.** *(de bolsillo)* portefeuille *m* **2.** *(para llevar documentos, libros, etc.)* serviette **3.** *(de colegial)* cartable **4.** *(para dibujos)* carton *m* à dessin **5.** *(tira de paño que cubre un bolsillo)* patte **6.** *(cargo de un ministro)* portefeuille *m*: **ministro sin ~** ministre sans portefeuille **7.** *COM (valores)* portefeuille *m*: **~ de efectos** effets en portefeuille **8.** *COM* **~ de pedidos** carnet *m* de commandes **9.** *FIG* **tener en ~** avoir en projet.

**cartería** *f* **1.** emploi *m* de facteur **2.** *(oficina de correos)* bureau *m* de poste.

**carterista** *m* voleur à la tire, pickpocket.

**cartero** *m* facteur, préposé.

**cartesianismo** *m* cartésianisme.

**cartesiano, a** *a* cartésien, enne.

**cartilaginoso, a** *a* cartilagineux, euse.

**cartílago** *m* cartilage.

**cartilla** *f* **1.** abécédaire ◊ *FIG* **cantarle, leerle a alguien la ~** faire la leçon à quelqu'un, chapitrer quelqu'un **2.** livret *m*: **~ militar, de ahorros** livret militaire, de caisse d'épargne **3.** *(de racionamiento)* carte.

**cartivana** *f* onglet *m*.

**cartografía** *f* cartographie.

**cartográfico, a** *a* cartographique.

**cartógrafo, a** *s* cartographe.

**cartomancia** *f* cartomancie.

**cartomántico, a** *s* cartomancien, enne.

**cartón** *m* **1.** carton ◊ **~ piedra** carton-pâte **2.** *(modelo)* **los cartones de Goya** les cartons de Goya **3.** *(de cigarrillos)* cartouche *f*.

**cartonaje** *m* cartonnage.

**cartoné** *m* cartonné.

**cartonería** *f* cartonnerie.

**cartonero, a** *a/s* cartonnier, ère.

**cartuchera** *f* cartouchière.

**cartucho** *m* **1.** *(de arma)* cartouche *f* ◊ *FIG* **quemar sus últimos cartuchos** brûler ses dernières cartouches **2.** *(cucurucho)* cornet **3.** *(de monedas)* rouleau.

**cartuja** *f* chartreuse.

**cartujano, a** *a/s* chartreux, euse.

**cartujo** *a/m* chartreux.

**cartulario** *m* cartulaire.

**cartulina** *f* **1.** bristol *m* **2.** *(fútbol)* **la ~ amarilla** le carton jaune.

**carúncula** *f* ANAT caroncule.

**casa** *f* **1.** maison ◊ **~ de campo** maison de campagne; **~ de huéspedes** pension de famille; **~ de citas** maison close; **~ de comidas** gargote; **~ cuna** asile *m* pour enfants; FIG **la ~ de Tócame Roque** la cour du roi Pétaud; **levantar la ~** déménager; **poner ~** s'installer; **echar la ~ por la ventana** jeter l'argent par les fenêtres; **empezar la ~ por el tejado** mettre la charrue avant les bœufs; **no tener ~ ni hogar** n'avoir ni feu ni lieu **2.** *(urbana y con pisos)* immeuble *m* ◊ **~ de vecindad** maison de rapport **3.** *(domicilio)* maison ◊ **a ~ de, en ~ de** chez: **vive en ~ de su tío** il habite chez son oncle; **a ~, en ~** à la maison, chez moi, toi, etc.; **en mi ~** chez moi; **Lucía está en ~** Lucie est chez elle; **José no está en ~** Joseph n'est pas chez lui; **volvimos a ~ muy tarde** nous sommes rentrés chez nous très tard; **no salgo de ~** je ne bouge pas de chez moi; **está usted en su ~** faites comme chez vous; **una mujer de su ~** une femme d'intérieur; **es una mujer muy de su ~** c'est une femme qui aime beaucoup s'occuper de sa maison, de son chez-soi **4. ~ consistorial** hôtel *m* de ville; **~ de empeños, de préstamos** maison de prêts sur gages; **~ de la moneda** hôtel des monnaies **5.** *(empresa)* maison: **~ editorial** maison d'édition; **~ matriz** maison mère **6. la ~ real, del rey** la maison du roi **7.** *(linaje)* **la ~ de Austria** la maison d'Autriche **8.** *(del tablero de damas o ajedrez)* case. ◇ *np* **la Casa Blanca** la Maison-Blanche.

**casaca** *f* casaque ◊ FIG **volver ~** tourner casaque, retourner sa veste, changer son fusil d'épaule.

**casación** *f* JUR cassation.

**casadero, a** *a* en âge de se marier, à marier, mariable: **chica casadera** fille à marier.

**casado, a** *a/s* marié, e: **los recién casados** les jeunes mariés.

**casal** *m* **1.** *(granja)* ferme *f* **2.** AMER *(pareja)* couple (d'animaux).

**casamata** *f* MIL casemate.

**casamentero, a** *a/s* marieur, euse.

**casamiento** *m* mariage.

**Casandra** *np f* Cassandre.

[1]**casar** *vt* marier: **~ a su hija con un abogado** marier sa fille à un avocat. ◇ *vi/pr* **1.** se marier: **casarse por la iglesia** se marier à l'église; **(se) casó con su vecina** il s'est marié avec sa voisine; PROV **antes que te cases, mira lo que haces** il faut réfléchir avant d'agir **2.** FIG *(colores)* se marier, s'harmoniser **3.** correspondre, s'accorder: **hechos que no casan entre sí** des faits qui ne s'accordent pas entre eux.

[2]**casar** *vt* JUR casser, annuler.

**casca** *f* **1.** marc *m* de raisin **2.** *(para curtir)* tan *m*.

**cascabel** *m* **1.** grelot ◊ FIG **poner el ~ al gato** attacher le grelot **2. serpiente de ~** serpent à sonnette.

**cascabelear** *vt* enjôler, bercer de promesses, leurrer. ◇ *vi* tintinnabuler.

**cascabeleo** *m* tintement de grelot.

**cascabelero, a** *a* étourdi, e.

**cascabelillo** *m* *(ciruela)* petite prune *f*.

**cascabillo** *m* *(de los cereales)* balle *f*.

**cascada** *f* cascade.

**cascado, a** *a* **1.** *(roto)* cassé, e, fêlé, e **2. voz cascada** voix cassée, éraillée **3.** FAM esquinté, e.

**cascador, a** *s* cascadeur, euse.

**cascadura** *f* cassure, fêlure.

**cascajo** *m* **1.** *(guijo)* gravier, cailloutis **2.** *(escombros)* gravats *pl* **3.** FAM vieillerie *f*, vieux machin ◊ **estar hecho un ~** être complètement décati, décrépit **4.** fruits *pl* secs.

**cascajoso, a** *a* caillouteux, euse.

**cascanueces** *m inv* casse-noix, casse-noisettes.

**cascar** *vt* **1.** *(una nuez, un huevo, etc.)* casser **2.** *(una vasija)* fêler **3.** FAM *(pegar)* battre, rosser **4.** FAM **cascarla** casser sa pipe, claquer. ◇ *vi* FAM **1.** *(charlar)* bavarder, jaspiner **2.** *(morir)* casser sa pipe, claquer.

**cáscara** *f* **1.** *(de huevo)* coquille **2.** *(de fruto seco)* coquille, coque: **~ de nuez** coquille de noix **3.** *(de plátano)* peau **4.** *(de naranja, limón)* écorce **5.** *(de los árboles)* écorce **6.** FIG **ser de la ~ amarga** avoir des opinions très avancées. ◇ *interj* **¡cáscaras!** diable!, zut!

**cascarilla** *f* **1.** lamelle de métal **2.** *(corteza)* écorce.

**cascarón** *m* **1.** *(de huevo)* coquille *f* **2.** FIG **~ de nuez** coquille de noix; **recién salido del ~** encore tout novice.

**cascarrabias** *s* FAM coléreux, euse, emporté, e, râleur, euse.

**casco** *m* **1.** *(de motociclista, soldado, etc.)* casque ◊ **los Cascos azules** les Casques bleus **2.** *(de sombrero)* coiffe *f* **3.** *(de las caballerías)* sabot **4.** *(de un barco)* coque *f* **5.** *(tonel)* fût **6.** *(botella)* bouteille *f* **7.** *(pedazo de una vasija rota)* tesson **8.** *(de obús, vidrio)* éclat **9.** *(de una ciudad)* centre: **el ~ urbano** le centre, le centre-ville; **el ~ antiguo** le centre historique. ◇ *pl* tête *f sing* ◊ FAM **calentarse los cascos** se creuser la tête; **levantar los cascos a** bercer d'illusions; **ligero de cascos** écervelé, tête en l'air; **sentar los cascos** se ranger.

**cascote** *m* gravats *pl*, gravois *pl*, plâtras *pl*.

**cascotear** *vt* AMER lancer des pierres sur.

**caseificación** *f* caséification.

**caseína** *f* caséine.

**casería** *f* ferme.

**caserío** *m* **1.** *(pueblo)* hameau **2.** *(casa)* ferme *f*.

**casero, a** *a* **1.** de ménage, maison: **pan ~** pain de ménage; **mermelada casera** confiture maison; **un pastel ~** un gâteau maison **2.** *(animal)* domestique: **animales caseros** animaux domestiques **3.** simple, familial, e **4.** *(aficionado a estar en su casa)* casanier, ère, popote, pantouflard, e. ◇ *s* **1.** *(dueño)* propriétaire **2.** gérant, e, intendant, e **3.** *(inquilino)* locataire. **4.** AMER client, e.

**caserón** *m* grande bâtisse *f*.

**caseta** *f* **1.** maisonnette **2.** *(de baño)* cabine (de bain) **3.** *(en una feria)* baraque, stand *m* **4.** *(para un perro)* niche.

**casete → cassette.**

**casi** *adv* **1.** presque: **~ he terminado** j'ai presque fini; **se comió ~ todo** il a presque tout mangé; **es ~ la una** il est presque une heure **2. ~ me mato** j'ai failli me tuer; **~ se me olvida** pour un peu j'allais oublier **3.** FAM **¡~ nada!** excusez du peu!, une paille!

**casia** *f* casse, cassier *m*.

**casilla** *f* **1.** *(de guardagujas, etc.)* petite maison, maisonnette **2.** *(de un tablero, papel cuadriculado, etc.)* case ◊ FAM **sacar a alguien de sus casillas** mettre quelqu'un hors de soi; **salir de sus casillas** sortir de ses gonds, s'emporter **3.** *(taquilla)* guichet *m* **4.** AMER **~ postal** boîte postale.

**casillero** *m* *(mueble)* casier.

**casimir** *m* cachemire.

**casino** *m* **1.** casino: **el ~ de Montecarlo** le casino de Monte-Carlo **2.** *(club)* cercle, club.

**casis** *f* *(licor)* cassis *m*.

**casita** *f* maisonnette, petite maison.

**caso** *m* **1.** cas: **en ~ de necesidad** en cas de besoin; **en ese ~** dans ce cas; **en ~ contrario** dans le cas contraire; **en todo ~** en tout cas ◊ **en cualquier ~** de toute façon; **en último ~** en dernier recours; **en vuestro ~** à votre place; **llegado el ~** le cas échéant, à l'occasion; **se da el ~ de que...** il se trouve que...; **hacer, venir**

al ~ venir à propos, convenir; **hacer ~** faire attention; **haz ~ de lo que digo** fais attention à ce que je dis; **no me hace ~** il ne m'écoute pas; **no les hizo ningún ~** il ne leur prêta aucune attention; **nadie les hacía ~** personne ne faisait attention à eux; **hágame ~** écoute ce que je dis; **¡no hagas ~!** ne fais pas attention!, laisse tomber!; **hacer ~ omiso de** ne pas faire attention à, ne faire aucun cas de; **pongamos por ~** supposons, pour prendre un exemple; **vamos al ~** venons-en au fait **2.** *loc prep/conj* **(en) ~ de (que)** au cas où, dans le cas où: **en ~ de morir yo** au cas où je mourrais; **en ~ de ser cierto** au cas où ce serait vrai; **(en) ~ de que no puedas venir** au cas où tu ne pourrais pas venir; **dado el ~ que...** supposé que... **3. el ~ es que...** le fait est que..., la vérité c'est que..., *(+ subj.)* l'important est que...; **el ~ es que venga** l'important c'est qu'il vienne **4. este chico es un ~** ce garçon est un cas **5. ~ de conciencia** cas de conscience **6.** *GRAM* cas.

**casona** *f* grande maison.

**casoriarse** *vpr AMER* se marier.

**casorio** *m FAM* mariage.

**caspa** *f* pellicules *pl:* **tener ~** avoir des pellicules.

**Caspio (mar)** *np m* mer Caspienne.

**¡cáspita!** *interj* sapristi!, fichtre!

**casposo, a** *a* pelliculeux, euse.

**casquería** *f* triperie.

**casquete** *m* **1.** calotte *f* **2. ~ esférico** calotte sphérique.

**casquijo** *m* gravier.

**casquillo** *m* **1.** *(anillo)* frette *f* **2.** *(de un cartucho)* douille *f* **3.** *(de una bombilla)* culot.

**casquivano, a** *a* écervelé, e.

**cassette** *f/m* cassette *f.* ◇ *m (aparato)* lecteur de cassettes.
▶ Pour désigner l'étui contenant une bande magnétique, l'espagnol emploie le féminin ou le masculin avec une préférence pour le genre féminin. L'Académie espagnole a adopté la forme *casete.*

**casta** *f* **1.** race **2.** *(en la India)* caste **3.** *FIG* race, classe.

**castamente** *adv* chastement.

**castaña** *f* **1.** châtaigne, marron *m:* **~ caliente** marron chaud; **~ confitada** marron glacé; **puré de castañas** purée, crème de marrons ◊ *FIG* **parecerse como un huevo a una ~ → huevo; sacar las castañas del fuego** tirer les marrons du feu **2.** *(damajuana)* dame-jeanne **3.** *(moño)* chignon *m* **4.** *FAM (puñetazo)* marron *m,* châtaigne *f:* **arrear una ~** flanquer un marron; *(golpe)* gnon *m* **5.** *FAM (borrachera)* cuite: **coger una ~** prendre une cuite.

**castañar** *m* châtaigneraie *f.*

**castañazo** *m FAM* marron, coup de poing: **¡el ~ que te voy a dar!** je vais te flanquer un de ces marrons!

**castañero, a** *s* marchand, e de marrons.

**castañeta** *f* **1.** claquement *m* de doigts **2.** *(castañuela)* castagnette.

**castañetear** *vt* jouer avec les castagnettes. ◇ *vi* **1.** claquer: **le castañeteaban los dientes** il claquait des dents **2.** *(perdiz)* cacaber.

**castañeteo** *m* **1.** bruit de castagnettes **2.** claquement des dents.

**castaño, a** *a/m (color)* châtain, e, marron *inv* ◊ *FAM* **eso pasa de ~ oscuro** c'est un peu fort, un peu raide, ça dépasse les bornes. ◇ *m (árbol)* châtaignier, marronnier: **~ de Indias** marronnier d'Inde.
▶ Los frutos del *marronnier* no son comestibles.

**castañuela** *f* **1.** castagnette: **tocar las castañuelas** jouer des castagnettes **2.** *FAM* **alegre como unas castañuelas** gai, e comme un pinson.

**castellanismo** *m* tournure ou mot propre à la Castille.

**castellano, a** *a/s* castillan, e. ◇ *m (lengua española)* castillan, espagnol. ◇ *s (señor, señora de un castillo)* châtelain, e.

**castellanohablante, castellanoparlante** *a/s* de langue castillane, espagnole.

**casticismo** *m* **1.** recherche *f* de ce qui est pur en matière de langage, purisme **2.** attachement aux usages, aux traditions.

**casticista** *s* puriste.

**castidad** *f* chasteté: **voto de ~** vœu de chasteté.

**castigador** *m FAM* bourreau des cœurs, don Juan.

**castigar** *vt* **1.** punir, châtier: **el profesor me castigó por hablar** le professeur m'a puni parce que je bavardais; **niño castigado** enfant puni **2.** *(el cuerpo)* mortifier **3.** *(el estilo)* châtier **4.** *FIG* malmener **5.** *(dañar)* frapper, éprouver, endommager: **zona duramente castigada por un seísmo** zone durement éprouvée par un séisme **6.** *TAUROM* blesser, frapper.

**castigo** *m* **1.** châtiment, punition *f:* **~ ejemplar** châtiment exemplaire; **infligir un ~ a un niño** infliger une punition à un enfant; **castigos físicos** punitions corporelles; **~ corporal** châtiment corporel **2.** *(en deportes)* pénalisation *f:* **golpe de ~** coup de pied de pénalité **3.** *FAM* **¡qué ~ de niño!** que cet enfant est pénible!

**Castilla** *np f* Castille: **~ la Vieja** Vieille-Castille; **~ la Nueva** Nouvelle-Castille.

**castillo** *m* **1.** château, château fort ◊ *FIG* **~ de naipes** château de cartes; **hacer castillos en el aire** bâtir des châteaux en Espagne **2. ~ de fuego** feu d'artifice **3.** *MAR* **~ de popa, de proa** gaillard d'arrière, d'avant.

**castizo, a** *a* **1.** de bonne souche **2.** *(lenguaje)* pur, e, authentique, vrai, e **3.** *(típico)* typique.

**casto, a** *a* chaste.

**castor** *m* castor.

**Cástor** *np m* **~ y Pólux** Castor et Pollux.

**castoreño** *m* chapeau en poil de castor ou en feutre.
▶ Comme celui des «picadors».

**castración** *f* castration.

**castrado** *m* castrat.

**castrar** *vt* châtrer, castrer.

**castrense** *a* militaire: **capellán ~** aumônier militaire.

**castrismo** *m* castrisme.

**castrista** *a/s* castriste.

**casual** *a* fortuit, e, imprévu, e, accidentel, elle, par hasard: **un encuentro ~** une rencontre fortuite; **no es ~ que...** ce n'est pas par hasard si...; *FAM* **por un ~** par hasard.

**casualidad** *f* hasard *m:* **una pura ~** un pur hasard; **las casualidades de la vida** les hasards de la vie; **por ~** par hasard ◊ **dio la ~ de que...** il se trouva que, le hasard voulut que...

**casualmente** *adv* par hasard, d'aventure: **la encontré ~** je l'ai rencontrée par hasard.

**casuario** *m* casoar.

**casuca, casucha** *f PEYOR* bicoque.

**casuista** *s* casuiste.

**casuístico, a** *a/f* casuistique.

**casulla** *f* chasuble.

**¹cata** *f* **1.** action de goûter, dégustation **2.** *(de vino)* dégustation: **~ a ciegas** dégustation en aveugle.

**²cata** *f AMER (ave)* perruche.

**catacaldos** *s inv* touche-à-tout.

**cataclismo** *m* cataclysme.

**catacumbas** *f pl* catacombes.

**catador** *m* dégustateur.

**catadura** *f* **1.** dégustation **2.** *FIG PEYOR (de una persona)* tête, mine, bouille, gueule.

**catafalco** *m* catafalque.

**catafaro** *m* catadioptre.

**catalán, ana** *a/s* catalan, e.

**catalanismo** *m* catalanisme.

**catalejo** *m* longue-vue *f*.

**catalepsia** *f* MED catalepsie.

**cataléptico, a** *a/s* cataleptique.

**catalina** *f* POP crotte.

**Catalina** *np f* Catherine.

**catálisis** *f* QUÍM catalyse.

**catalizador** *m* **1.** catalyseur **2.** *(tubo de escape)* pot catalytique.

**catalizar** *vt* catalyser.

**catalogación** *f* catalogage *m*.

**catalogar** *vt* cataloguer.

**catálogo** *m* catalogue.

**catalpa** *f* catalpa *m*.

**Cataluña** *np f* Catalogne.

**catamarán** *m* catamaran.

**cataplasma** *f* cataplasme *m*.

**¡cataplum!** *interj* patatras!, badaboum!, boum!

**catapulta** *f* catapulte.

**catapultar** *vt* catapulter.

**catar** *vt* **1.** *(probar)* goûter, déguster **2. cátate que...** voilà que...

**catarata** *f* **1.** cataracte, chute: **las cataratas del Niágara** les chutes du Niagara **2.** *(del ojo)* cataracte: **operación de cataratas** opération de la cataracte.

**cátaro, a** *a/s* cathare: **la herejía cátara** l'hérésie cathare.

**catarro** *m* rhume, catarrhe.
▶ *Rhume* es la palabra usual.

**catarroso, a** *a* enrhumé, e.

**catarsis** *f* catharsis.

**catártico, a** *a* cathartique.

**catastral** *a* cadastral, e.

**catastro** *m* cadastre.

**catástrofe** *f* catastrophe.

**catastrófico, a** *a* catastrophique ◊ **escenario ~** scénario catastrophe.

**cátate → catar.**

**cataviento** *m* MAR penon.

**catavino** *m* taste-vin *inv*.

**catavinos** *m* dégustateur de vins.

**catch** *m* catch: **practicar el ~** faire du catch, catcher.

**cate** *m* FAM *(en un examen)* veste *f* ◊ **dar un ~** coller, recaler; **me han dado un ~** je me suis fait coller.

**cateada** *f* FAM recalage *m*, hécatombe.

**catear** *vt* **1.** FAM *(a un alumno)* coller, recaler: **me han cateado la física** je me suis fait coller, étendre en physique **2.** AMER prospecter.

**catecismo** *m* catéchisme.

**catecúmeno, a** *s* catéchumène.

**cátedra** *f* *(de un profesor)* chaire.

**catedral** *f* cathédrale.

**catedralicio, a** *a* de la cathédrale.

**catedrático, a** *s* professeur (d'université, de lycée).

**categoría** *f* **1.** catégorie: **de primera ~** de première catégorie **2.** *(social)* rang *m*, classe: **gente de ~** des gens d'un rang élevé; **un empleo de ~** un poste élevé **3.** *(calidad)* classe: **un vino de mucha ~** un vin de grande classe, de qualité supérieure.

**categóricamente** *adv* catégoriquement.

**categórico, a** *a* catégorique.

**catenaria** *a/f* caténaire.

**cateo** *m* AMER fouille *f*.

**catequesis** *f* catéchèse.

**catequista** *s* catéchiste.

**catequizar** *vt* catéchiser.

**caterva** *f* foule, bande, tas *m*, ribambelle, flopée.

**catéter** *m* MED cathéter.

**cateto, a** *s* *(palurdo)* rustre, péquenaud, e, bouseux. ◊ *m* GEOM côté.

**catilinaria** *f* catilinaire.

**catinga** *f* AMER **1.** *(mal olor)* mauvaise odeur **2.** forêt très clairsemée du Nord-Est du Brésil.

**catión** *m* FÍS cation.

**catire** *a* AMER roux, rousse.

**catita** *f* AMER perruche.

**cativo** *m* AMER copayer.

**cato** *m* cachou.

**catódico, a** *a* cathodique: **tubo ~** tube cathodique; **rayos catódicos** rayons cathodiques.

**cátodo** *m* cathode *f*.

**catolicidad** *f* catholicité.

**catolicismo** *m* catholicisme.

**católico, a** *a/s* **1.** catholique: **los Reyes Católicos** les Rois Catholiques **2.** FAM **no estar muy ~** être mal fichu, e.

**catón** *m* **1.** censeur sévère **2.** *(libro)* premier livre de lecture

**Catón** *np m* Caton.

**catóptrico, a** *a/f* FÍS catoptrique.

**catorce** *a/m* **1.** quatorze **2. el siglo ~** le quatorzième siècle

**catorceano, a, catorceno, a** *a* quatorzième.

**catorzavo, a** *a/m* quatorzième.

**catre** *m* **1.** lit léger et à une place ◊ **~ de tijera** lit de sangle, lit de camp **2.** FAM *(cama)* pieu, plumard.

**catrín** *m* AMER gandin.

**caucásico, a** *a/s* caucasien, enne.

**Cáucaso** *np m* Caucase.

**cauce** *m* **1.** *(de un río o arroyo)* lit **2.** *(acequia)* canal, rigole **3.** FIG cours, chemin.

**cauchera** *f* arbre *m* à caoutchouc.

**cauchero** *m* récolteur de caoutchouc.

**caucho** *m* caoutchouc.

**caución** *f* caution, garantie.

**caucionar** *vt* cautionner.

[1]**caudal** *m* **1.** *(de un río, etc.)* débit: **el ~ medio del Tajo** le débit moyen du Tage **2.** *(dinero)* fortune *f*, biens *pl*, capital **3.** FIG abondance *f*, richesse *f* **4.** FIG **~ de conocimientos** somme *f* de connaissances, bagage.

[2]**caudal** *a* *(de la cola)* caudal, e: **aleta ~** nageoire caudale.

**caudaloso, a** *a* **1.** *(río)* abondant, e, au débit important **2.** riche.

**caudillaje** *m* **1.** commandement (d'un caudillo) **2.** despotisme.

**caudillismo → caudillaje.**

**caudillo** *m* **1.** chef **2.** caudillo.

**causa** *f* **1.** cause, raison: **ser ~ de** être cause de; **no es ~ suficiente** ce n'est pas une raison suffisante; **por cuya ~** pour cette raison ◊ *loc prep* **a ~ de** à cause de **2.** cause: **abrazar una ~** épouser une cause; **hacer ~ común con** faire cause commune avec **3.** *JUR* cause, affaire: **defender una ~** plaider une cause.

**causahabiente** *s JUR* ayant cause.

**causal** *a* causal, e.

**causalidad** *f* causalité.

**causante** *a/m/f* qui est la cause: **ser la ~ de...** être la cause de...

**causar** *vt* causer, occasionner: **la explosión causó la muerte a tres personas** l'explosion a causé la mort de trois personnes.

**causticidad** *f* causticité.

**cáustico, a** *a/m* caustique.

**cautamente** *adv* prudemment, avec précaution.

**cautela** *f* précaution, prudence: **abrí con ~ la puerta de la alcoba** j'ai ouvert avec précaution la porte de la chambre.

**cautelar** *a JUR* préventif, ive: **medidas cautelares** mesures préventives.

**cautelarse** *vpr* se prémunir.

**cauteloso, a** *a* **1.** prudent, e, avisé, e **2.** *(astuto)* rusé, e.

**cauterio** *m* cautère.

**cauterización** *f* cautérisation.

**cauterizar** *vt* cautériser.

**cautivador, a** *a* captivant, e.

**cautivar** *vt* captiver.

**cautiverio** *m*, **cautividad** *f* captivité *f*.

**cautivo, a** *a/s* captif, ive.

**cauto, a** *a* prudent, e.

**¹cava** *f* **1.** *AGR* binage *m*, bêchage *m* **2.** fosse **3.** *(bodega)* cave.

**²cava** *m (vino)* vin blanc champagnisé, crémant.
► Désigne un «champagne» espagnol, fait avec des raisins blancs, produit essentiellement en Catalogne.

**³cava** *a ANAT* **vena ~** veine cave.

**cavador** *m* terrassier.

**cavar** *vt* **1.** creuser ◊ *FIG* **~ su propia sepultura** creuser sa tombe **2.** *(con laya)* bêcher. ◇ *vi* méditer.

**caverna** *f* **1.** caverne **2.** *(pulmonar)* caverne.

**cavernícola** *a* cavernicole, troglodytique.

**cavernoso, a** *a* caverneux, euse: **voz cavernosa** voix caverneuse.

**caviar** *m* caviar.

**cavidad** *f* **1.** cavité **2. ~ torácica** cage thoracique.

**cavilación** *f* réflexion, méditation: **sumido en sus cavilaciones** plongé dans ses réflexions.

**cavilar** *vi* réfléchir, se creuser la tête.

**caviloso, a** *a* **1.** pensif, ive, songeur, euse **2.** *(preocupado)* soucieux, euse.

**cayado** *m* **1.** *(de pastor)* houlette *f* **2.** *(de obispo)* crosse *f* **3.** *(de la aorta)* crosse *f*.

**cayama** *f* nom d'un échassier à Cuba.

**Cayena** *np* Cayenne.

**cayera, cayese,** etc. **→ caer.**

**Cayetano** *np m* Gaétan.

**cayo** *m* îlot sablonneux.

**cayó → caer.**

**caz** *m* bief, canal de dérivation.

**caza** *f* **1.** chasse: **ir de ~** aller à la chasse; **la ~ del pato silvestre, del tigre** la chasse au canard sauvage, au tigre; **dar ~ a** donner la chasse à; *FIG* **andar, ir a la ~ de...** être à la recherche de, être en quête de...; **~ del hombre** chasse à l'homme **2.** *(animales, carne)* gibier *m*: **~ mayor** gros gibier; **~ menor** petit gibier; **comer ~** manger du gibier; **la ~ de pelo, de pluma** le gibier à poil, à plumes ◊ *FIG* **levantar la ~** lever le lièvre **3. avión de ~** avion de chasse. ◇ *m (avión)* chasseur, avion de chasse.

**cazabe** *m* cassave *f*.

**cazabombardero** *m* chasseur-bombardier.

**cazador, a** *a/s* chasseur, euse *(femenino poético:* chasseresse*)* ◊ **~ furtivo** braconnier. ◇ *m MIL* chasseur. ◇ *f (prenda de vestir)* blouson *m*: **una cazadora de piel** un blouson en cuir.

**cazalla** *f* eau-de-vie anisée.

**cazar** *vt* **1.** chasser: **~ jabalíes** chasser le sanglier **2.** *FIG FAM (conseguir)* décrocher, dégoter: **~ un buen empleo** décrocher une bonne place **3. ~ en falta** prendre en faute; **cazado en falta** pris en faute **4.** *FIG* **~ largo** voir loin.

**cazatalentos** *m inv* chasseur de têtes.

**cazatorpedero** *m MAR* contre-torpilleur.

**cazcarria** *f* crotte, boue.

**cazcarriento, a** *a FAM* crotté, e.

**cazo** *m* **1.** *(recipiente)* casserole *f* **2.** *(cucharón)* louche *f*.

**cazoleta** *f* **1.** petite casserole **2.** *(de espada)* coquille **3.** *(de pipa)* fourneau *m*.

**cazoletear** *vi FAM* fourrer son nez partout.

**cazón** *m (pez)* chien de mer.

**cazuela** *f* **1.** *(de barro)* terrine **2.** *(guiso)* sorte de ragoût *m* **3.** *(del teatro)* poulailler *m*, paradis *m* **4.** *(de sostén)* bonnet *m*.
► La recette de la *cazuela* (sens 2), spécialité chilienne, varie selon les pays.

**cazurrería** *f* roublardise.

**cazurro, a** *a/s* **1.** *(astuto y taimado)* roublard, e, sournois, e **2.** *(de pocas palabras)* renfermé, e.

**ce** *f* c *m*, lettre c ◊ **~ por be, ~ por ~** en détail, par le menu, point par point; **por ~ o por be** d'une façon ou d'une autre.

**ceba** *f (de los animales)* engraissement *m*, nourriture.

**cebada** *f* **1.** orge **2. ~ perlada** orge perlé.

**cebadal** *m* champ d'orge.

**cebadero** *m* **1.** endroit où l'on engraisse les animaux **2.** *(de horno)* gueulard.

**cebador** *m* **1.** poire *f* à poudre **2.** *AMER* celui qui prépare le maté.

**cebar** *vt* **1.** *(los animales)* engraisser **2.** *(sobrealimentar)* gaver **3.** *(el anzuelo)* amorcer, appâter **4.** *(arma, bomba, etc.)* amorcer **5.** *(un horno, el fuego)* alimenter **6.** *FIG (un sentimiento)* nourrir **7.** *AMER* **~ el mate** préparer le maté. ◆ **~se** *vpr* s'acharner: **se cebó en su víctima** il s'acharna sur sa victime.

**cebellina** *f* zibeline.

**cebiche** *m AMER* plat de poisson cru mariné au citron vert.

**cebo** *m* **1.** *(lo que se da a los animales)* nourriture *f* **2.** *(en el anzuelo)* appât, esche *f* **3.** *(explosivo)* amorce *f* **4.** *FIG (aliciente)* appât **5.** *FIG (de un sentimiento o pasión)* aliment.

**cebolla** *f* **1.** oignon *m*: **sopa de ~** soupe à l'oignon **2. ~ albarrana** scille.

**cebolleta** *f* ciboulette.

**cebollino** *m* **1.** ciboule *f* **2.** plant d'oignon **3.** *FIG* **mandar a uno a escardar cebolinos** envoyer quelqu'un sur les roses **4.** *FAM* crétin.

**cebollón, ona** *s AMER (soltero)* célibataire.

**cebón, ona** *a* gras, grasse. ◇ *m (cerdo)* porc.

**cebra** *f* **1.** zèbre *m* **2. paso (de) ~** passage pour piétons.

**cebú** *m* zébu.

**ceca** *f* **1.** *ANT* hôtel *m* des monnaies **2. ir de la Ceca a la Meca** aller de droite à gauche, un peu partout **3.** *AMER* **cara o ~** pile ou face.

**cecal** *a ANAT* cœcal, e.

**cecear** *vi* zézayer, prononcer les s comme les *z*.

**ceceo** *m* zézaiement.
▶ Fréquent en Andalousie.

**Cecilia** *np f* Cécile.

**cecina** *f* viande séchée ou boucanée.

**ceda** *f* **1.** *(letra)* z *m*, lettre z **2.** *(cerda)* soie.

**cedazo** *m* tamis, blutoir.

**ceder** *vt* céder: **ceda el paso** cédez le passage. ◇ *vi* **1.** céder, lâcher: **ha cedido la cuerda** la corde a cédé **2.** *(temperatura, etc.)* diminuer, baisser, tomber: **va cediendo el frío** le froid diminue **3.** *(dolor)* s'apaiser **4. ~ de, en** renoncer à.

**cedilla** *f* cédille.

**cedizo, a** *a* faisandé, e.

**cedro** *m* cèdre.

**cedrón** *m AMER* plante *f* tropicale, simaruba.

**cédula** *f* **1.** billet *m* **2. ~ personal, de identidad** carte d'identité **3.** *(en que se reconoce una deuda)* cédule.

**cefalalgia** *f* céphalalgie.

**cefalea** *f* céphalée.

**cefálico, a** *a* céphalique.

**cefalópodo** *m ZOOL* céphalopode.

**cefalorraquídeo, a** *a ANAT* céphalorachidien, enne.

**céfiro** *m* **1.** *(viento)* zéphir **2.** *(tela)* zéphire.

**cegador, a** *a* aveuglant, e: **luz cegadora** lumière aveuglante.

**cegajoso, a** *a/s* qui a les yeux larmoyants.

**cegar*** *vi* devenir aveugle. ◇ *vt* **1.** aveugler: **los faros le cegaron** les phares l'aveuglèrent **2.** *(una puerta, etc.)* murer; *(un conducto)* boucher, obstruer **3.** *FIG* aveugler: **le ciega la ira** la colère l'aveugle. ◆ **~se** *vpr* **1.** se boucher **2.** *FIG* **cegarse de ira** se mettre dans une colère noire; **yo me cegué de ira** je suis entré dans une rage folle.

**cegarrita** → **cegato.**

**cegato, a** *a/s* myope comme une taupe.

**ceguedad, ceguera** *f* **1.** cécité **2.** *FIG* aveuglement *m*, passion aveugle.

**ceiba** *f* fromager *m*, kapokier *m*.

**ceibo** *m* **1.** *(ceiba)* fromager **2.** flamboyant.

**Ceilán** *np* Ceylan.

**ceja** *f* **1.** sourcil *m* ◊ *FIG* **estar hasta las cejas** en avoir par-dessus la tête; **empeñado hasta las cejas** endetté jusqu'au cou; **se le ha metido entre ~ y ~ hacerlo** il s'est mis en tête de le faire; **quemarse las cejas** se tuer au travail; **tener a alguien entre ~ y ~** avoir quelqu'un dans le nez; **tener entre ~ y ~ una cosa** avoir une chose en tête **2.** *(saliente)* bord *m*, rebord *m* **3.** *(de una montaña)* crête **4.** *MÚS* sillet *m*.

**cejar** *vi* **1.** reculer **2.** *FIG* céder, faiblir, fléchir, lâcher prise **3. ~ en** renoncer à; **no cejaba en su empeño** il ne renonçait pas, il n'abandonnait pas la partie.

**cejijunto, a** *a* **1.** aux sourcils rapprochés **2.** *FIG* renfrogné, e.

**cejilla** *f MÚS* sillet *m*.

**cejo** *m* brouillard matinal.

**cejudo, a** *a* aux sourcils épais.

**celacanto** *m* cœlacanthe.

**celada** *f* **1.** *(casco)* salade **2.** embuscade **3.** *(trampa)* piège *m*, guet-apens *m*.

**celadamente** *adv* secrètement.

**celadón** *a (color)* céladon.

**celador, a** *s* **1.** surveillant, e **2.** sentinelle *f*.

**celaje** *m* nuages *pl* légers et colorés.

**celandés, esa** *a/s* zélandais, e.

**celar** *vt* **1.** veiller à **2.** *(vigilar)* surveiller **3.** *(ocultar)* cacher: **~ un secreto** cacher un secret.

**celda** *f (de religioso, de detenido)* cellule.

**celdilla** *f* **1.** *(de un panal)* cellule **2.** *(hornacina)* niche.

**celebérrimo, a** *a* très célèbre.

**celebración** *f* **1.** célébration **2.** *(de una asamblea)* tenue: **la ~ de un congreso en Roma** la tenue d'un congrès à Rome **3. el presidente anunció la ~ de un referéndum...** le président a annoncé qu'un référendum aurait lieu...

**celebrante** *m* célébrant, officiant.

**celebrar** *vt* **1.** célébrer **2.** *(una reunión, una sesión, etc.)* tenir **3.** *(elecciones, etc.)* procéder à **4.** *(alegrarse)* se réjouir, se féliciter: **celebro tu éxito, que te haya gustado mi regalo** je me réjouis de ton succès, que mon cadeau t'ait plu; **lo celebro** je m'en réjouis. ◆ **~se** *vpr* **1.** avoir lieu: **la boda se celebró en el campo** le mariage a eu lieu à la campagne; **en la rueda de prensa celebrada ayer** lors de la conférence de presse qui a eu lieu, qui s'est tenue hier **2. una misa se celebrará mañana...** une messe sera célébrée demain...

**célebre** *a* célèbre.

**celebridad** *f* célébrité.

**celemín** *m (medida)* boisseau.

**celeridad** *f* vitesse, rapidité, célérité.

**celeste** *a* **1.** céleste: **la bóveda ~** la voûte céleste **2. azul ~** bleu ciel **3. el Celeste Imperio** l'Empire Céleste.

**celestial** *a* **1.** céleste **2.** *FIG* divin, e **3.** *FAM* **es música ~** c'est du vent.

**celestina** *f* entremetteuse.

**Celestino, a** *np* Célestin, e.

**celibato** *m* célibat.

**célibe** *a/s* célibataire.

**celidonia** *f* chélidoine.

**cellisca** *f* bourrasque accompagnée de neige fondue.

[1]**celo** *m* **1.** zèle: **huelga de ~** grève du zèle **2.** *(de los animales)* rut, chaleur *f*: **estar en ~** être en chaleur; **una gata en ~** une chatte en chaleur, en chasse. ◇ *pl* jalousie *f sing*: **un ataque de celos** une crise de jalousie ◊ **dar celos** rendre jaloux, ouse; **tener celos** être jaloux, ouse: **Julia tenía unos celos espantosos de...** Julie était affreusement jalouse de...

[2]**celo** *m (papel)* ruban adhésif, scotch (nom déposé).

**celofán** *m* cellophane *f*.

**celosamente** *adv* **1.** avec zèle **2.** *(con celos)* jalousement: **guardar algo ~** garder quelque chose jalousement.

**celosía** *f (enrejado)* jalousie.

**celoso, a** *a* **1.** *(diligente)* zélé, e **2.** exigeant, e, scrupuleux, euse **3.** *(que tiene celos)* jaloux, ouse: **está ~ de su hermana menor** il est jaloux de sa petite sœur; **un marido ~** un mari jaloux.

**celota** *s HIST* zélote.

**celsitud** *f* sublimité, excellence.

**celta** *a/m* celtique, celte. ◇ *s* celte.

**celtíbero, a** *a/s* celtibère.

**céltico, a** *a* celtique.

**célula** *f* **1.** cellule: **~ nerviosa** cellule nerveuse; **~ fotoeléctrica** cellule photo-électrique **2.** *(grupo)* cellule.

**celular** *a* **1.** *(de las células)* cellulaire **2. prisión, coche ~** prison, voiture cellulaire **3. teléfono ~** téléphone cellulaire.

**celulitis** *f* cellulite.

**celuloide** *m* **1.** celluloïde **2.** *(película)* film.

**celulosa** *f* cellulose.

**celulósico, a** *a* cellulosique.

**cementación** *f* TECN cémentation.

**cementar** *vt* TECN *(metal)* cémenter.

**cementerio** *m* cimetière.

**cemento** *m* **1.** ciment **2. ~ armado** béton armé, ciment armé **3.** *(de los dientes)* cément.

**cena** *f* **1.** dîner *m*, souper *m*, repas *m* du soir: **la ~** le dîner; **una ~ ligera** un dîner léger **2. la Última Cena** la Cène.

**cenacho** *m* cabas.

**cenáculo** *m* cénacle.

**cenado, a** *a* qui a dîné.

**cenador, a** *a/s* dîneur, euse. ◇ *m (en un jardín)* tonnelle *f*.

**cenagal** *m* **1.** bourbier **2.** FIG bourbier.

**cenagoso, a** *a* bourbeux, euse.

**cenar** *vi* dîner, souper ◊ **estoy cenado** j'ai déjà dîné. ◇ *vt* dîner de, manger pour le dîner: **ayer cené una trucha** hier j'ai mangé une truite pour le dîner.

**cenceño, a** *a* maigre, sec, sèche.

**cencerrada** *f* charivari *m*.

**cencerrear** *vi* **1.** *(puertas, piezas mal ajustadas)* grincer, faire du bruit **2.** mal jouer d'un instrument.

**cencerro** *m* **1.** sonnaille *f*, clarine *f* **2.** FIG **a cencerros tapados** en tapinois; **estar como un ~** être toqué, e, maboul, e.

**cendal** *m* étoffe *f* légère et transparente, voile.

**cenefa** *f (banda de adorno)* bordure, liséré *m*.

**cenicero** *m* cendrier.

**Cenicienta** *np f* Cendrillon.

**ceniciento, a** *a* cendré, e: **rubio ~** blond cendré.

**cenit** *m* **1.** zénith **2.** FIG **en el ~ de...** au zénith de...

**cenital** *a* zénithal, e.

**ceniza** *f* **1.** cendre: **reducir a cenizas** réduire en cendres; **miércoles de Ceniza** mercredi des Cendres **2. pista de ~** cendrée.

**cenizo, a** *a* cendré, e. ◇ *m* FAM trouble-fête ◊ **tener el ~** avoir la guigne; **ser un ~** porter la poisse.

**cenobio** *m* monastère.

**cenobita** *s* cénobite.

**cenotafio** *m* cénotaphe.

**cenote** *m* AMER puits naturel.

**censar** *vi* effectuer le recensement.

**censatario, a** *s* censitaire.

**censo** *m* **1.** *(en la antigua Roma)* cens **2.** *(lista de los habitantes, etc.)* recensement, dénombrement **3. ~ electoral** électorat, corps électoral **4.** *(sobre una casa)* charge *f* **5.** *(tributo)* redevance *f*, rente *f* **6. ~ enfitéutico** emphytéose *f*, bail emphytéotique.

**censor** *m* **1.** censeur **2. ~ jurado de cuentas** commissaire aux comptes.

**censualista** *s* censier, ère.

**censura** *f* censure.

**censurable** *a* blâmable, critiquable.

**censurar** *vt* **1.** *(un escrito, una película)* censurer **2.** reprocher, accuser: **le censuraron su mala fe** on lui a reproché sa mauvaise foi, on l'a accusé d'être de mauvaise foi **3.** *(criticar)* blâmer, critiquer.

**centaura, centaurea** *f* centaurée.

**centauro** *m* centaure.

**centavo, a** *a/m* centième. ◇ *m* AMER centime ◊ **estar sin un ~** ne pas avoir un sou.

**centella** *f* **1.** éclair *m*, foudre ◊ FIG **como una ~** comme l'éclair **2.** *(chispa)* étincelle.

**centelleante** *a* étincelant, e, scintillant, e.

**centellear** *vi* étinceler, scintiller.

**centelleo** *m* scintillement.

**centén** *m* ancienne monnaie *f* d'or.

**centena** *f (cien unidades)* centaine.

**centenal, centenar** *m* champ de seigle.

**centenar** *m* centaine: **a centenares** par centaines; **centenares de veces** des centaines de fois.

**centenario, a** *a/s* centenaire. ◇ *m (fecha, fiesta)* centenaire.

[1]**centeno** *m (planta)* seigle.

[2]**centeno, a** *a* centième.

**centesimal** *a* centésimal, e.

**centésimo, a** *a/s* centième: **una centésima de segundo** un centième de seconde.

**centiárea** *f* centiare *m*.

**centígrado, a** *a/m* centigrade.

**centigramo** *m* centigramme.

**centilitro** *m* centilitre.

**centímetro** *m* centimètre: **~ cuadrado** centimètre carré.

**céntimo, a** *a* centième. ◇ *m (moneda)* centime.

**centinela** *m/f* sentinelle *f* ◊ **estar, hacer de ~** monter la garde.

**centinodia** *f* renouée.

**centiplicado, a** *a* centuplé, e.

**centolla** *f*, **centollo** *m* araignée *f* de mer.

**centón** *m (poesía)* centon.

**centrado, a** *a* **1.** centré, e **2.** FIG à sa place.

**central** *a* central, e. ◇ *f* **1.** *(telefónica, telegráfica)* central *m* **2.** centrale: **~ eléctrica, nuclear, térmica** centrale électrique, nucléaire, thermique; **~ sindical** centrale syndicale **3.** *(de Correos)* bureau *m* central des postes.

**centralismo** *m* centralisme.

**centralita** *f (de teléfono)* standard *m*.

**centralización** *f* centralisation.

**centralizador, a** *a* centralisateur, trice.

**centralizar** *vt* centraliser.

**centrar** *vt* **1.** centrer **2.** FIG axer, centrer, orienter, diriger: **~ sus investigaciones sobre** axer ses recherches sur **3.** *(en el fútbol)* centrer. ◆ **~se** *vpr* FIG **la conferencia se centró sobre el tema...** la conférence a porté sur le thème...

**céntrico, a** *a* central, e: **barrios céntricos** quartiers centraux.

**centrifugación** *f* centrifugation.

**centrifugador, a** *a* centrifugeur, euse. ◇ *f* **1.** centrifugeuse **2.** *(para la ensalada)* essoreuse à salade.

**centrifugar** *vt* centrifuger.

**centrífugo, a** *a* centrifuge.

**centrípeto, a** *a* centripète.

**centrista** *a/s* centriste.

**centro** *m* **1.** centre: **~ de gravedad** centre de gravité; **el ~ de la ciudad** le centre de la ville; **~ industrial** centre industriel; **~ comercial** centre commercial ◊ *FIG* **~ de interés** centre d'intéret; **estar en su ~** être dans son élément **2.** *(medio)* milieu **3.** *(club)* cercle **4. ~ docente** établissement scolaire **5. ~ de mesa** surtout.

**Centroamérica** *np f* Amérique centrale.

**centroamericano, a** *a/s* de l'Amérique centrale.

**centrocampista** *m (fútbol)* milieu de terrain.

**centuplicar** *vt* centupler.

**céntuplo, a** *a/m* centuple.

**centuria** *f* **1.** *(siglo)* siècle *m* **2.** *(en la milicia romana)* centurie.

**centurión** *m* centurion.

**cénzalo** *m* moustique.

**cenzonte** *m AMER* moqueur, merle d'Amérique.

**ceñido, a** *a* **1.** ceint, e **2.** ajusté, e, moulant, e: **vestido ~** robe ajustée, moulante **3.** *FIG* économe.

**ceñidor** *m* ceinture *f*.

**ceñir*** *vt* **1.** *(rodear)* entourer **2.** *(ponerse una corona, etc.)* ceindre **3.** *(ajustar)* serrer, mouler: **blusa que ciñe el busto** corsage qui moule le buste. ◆ **~se** *vpr* **1.** se borner, se limiter, s'en tenir: **me ceñiré a los hechos** je m'en tiendrai aux faits; **ceñirse a lo decidido** s'en tenir a ce qui a été décidé; **cíñase a contestar sí o no** contentez-vous de répondre oui ou non **2. ceñirse al bordillo de la acera** serrer, frôler, raser le bord du trottoir; **cíñase a la derecha** serrez à droite, appuyez à droite.

**ceño** *m* **1.** froncement de sourcils ◊ **mal ~** air mauvais; **poner ~** prendre un air mauvais **2.** aspect menaçant.

**ceñudo, a** *a* renfrogné, e.

**cepa** *f* **1.** *(de la vid)* cep *m* **2.** *(de árbol, de una familia)* souche ◊ **de pura ~** de vieille souche; **de buena ~** de bonne qualité **3. ~ virgen** vigne vierge.

**cepillado** *m* **1.** *(de los dientes, etc.)* brossage **2.** *(carpintería)* rabotage.

**cepillar** *vt* **1.** *(quitar el polvo)* brosser **2.** *(la madera)* raboter **3.** *FAM (robar)* faucher **4.** *FAM (matar)* descendre, buter **5.** *FAM (en un examen)* coller, étendre. ◆ **~se** *vpr* **cepillarse los dientes** se brosser les dents.

**cepillo** *m* **1.** brosse *f*: **~ de dientes** brosse à dents; **~ para la ropa** brosse à habits ◊ **pelo cortado al ~** cheveux en brosse **2.** *(de carpintero)* rabot **3.** *(para las limosnas)* tronc.

**cepo** *m* **1.** *(rama)* branche *f* d'arbre coupée **2.** *(para el yunque)* billot **3.** *(de tortura)* cep **4.** *(trampa)* traquenard, piège **5.** *(para las limosnas)* tronc **6.** *(del ancla)* jas **7.** *(para inmovilizar un coche)* sabot de Denver.

**ceporro** *m* **1.** souche *f* bonne à brûler **2.** *FIG* bûche *f*, abruti, lourdaud.

**cequí** *m (moneda árabe)* sequin.

**cera** *f* **1.** cire: **~ virgen** cire vierge **2. ~ de los oídos** cérumen *m*.

**cerafolio** *m* cerfeuil.

**cerámica** *f* céramique.

**cerámico, a** *a* céramique.

**ceramista** *s* céramiste.

**cerbatana** *f* sarbacane.

**cerbero** *m* cerbère.

[1]**cerca** *f* clôture.

[2]**cerca** *adv* **1.** près: **vivo muy ~** j'habite tout près; **está ~ de mí** il est près de moi; **examinar de ~** examiner de près; **nunca había visto tan de cerca un águila** je n'avais jamais vu un aigle de si près **2.** proche: **las vacaciones están ~** les vacances sont proches **3.** *loc prep* **~ de** *(casi)* près de: **~ de mil huelguistas** près de mille grévistes; **son ~ de las once** il est environ onze heures; **intervino ~ del director** il est intervenu auprès du directeur **4. embajador ~ de la Santa Sede** ambassadeur auprès du Saint-Siège.

**cercado** *m* **1.** enclos **2.** *(cerca)* clôture *f*.

**cercanía** *f* proximité, voisinage *m*. ◊ *pl* **1.** environs *m*, alentours *m*: **en las cercanías de Montevideo** aux alentours de Montevideo **2.** banlieue *f sing*: **tren de cercanías** train de banlieue.

**cercano, a** *a* proche: **la estación de metro más cercana** la station de métro la plus proche; **~ a** proche de, près de; **~ a su fin** proche de sa fin, près de sa fin.

**cercar** *vt* **1.** entourer, clôturer **2.** *(a una persona)* entourer **3.** *MIL* assiéger, investir.

**cercén (a)** *loc adv* à ras, ras: **cortar a ~** couper ras.

**cercenar** *vt* **1.** élaguer **2.** *FIG* rogner, réduire.

**cerceta** *f (ave)* sarcelle.

**cercha** *f (cimbra)* cintre *m*.

**cerciorar** *vt* assurer. ◆ **~se** *vpr* s'assurer: **cerciorarse de que...** s'assurer que...

**cerco** *m* **1.** *(aro)* cercle (de tonneau) **2.** *(de los astros)* halo **3.** *(de puerta o ventana)* cadre **4.** *(de una mancha)* auréole *f* **5.** *MIL* siège: **poner ~ a** faire le siège de; **levantar el ~** lever le siège **6. ~ policial** cordon de police **7.** *AMER* clôture *f*.

**cerda** *f* **1.** *(de jabalí, cerdo)* soie ◊ **ganado de ~** porcs *m pl* **2.** *(de caballo)* crin *m* **3.** *(hembra del cerdo)* truie.

**cerdada** *f FAM* cochonnerie, saloperie.

**Cerdaña** *np f* Cerdagne.

**cerdear** *vt AMER* tailler les crins (d'un cheval).

**Cerdeña** *np f* Sardaigne.

**cerdo** *m* **1.** porc, cochon: **carne de ~** viande de porc **2. ~ marino** marsouin **3.** *FIG FAM* cochon **4.** *PROV* **a cada ~ le llega su san Martín** tout a une fin, fini le bon temps.

**cerdoso, a** *a* couvert, e de soies ou de crins.

**cereal** *m* céréale *f*.

**cerealista** *a* céréalier, ère.

**cerebelo** *m* cervelet.

**cerebral** *a* cérébral, e.

**cerebro** *m* **1.** cerveau **2.** *FIG* **el ~ gris** le cerveau **3. fuga de cerebros** exode, fuite des cerveaux.

**cerebroespinal** *a* cérébro-spinal, e.

**cerecilla** *f* piment *m* rouge.

**ceremonia** *f* **1.** *(acto solemne)* cérémonie **2.** solennité *f*.

**ceremonial** *m* cérémonial.

**ceremoniosamente** *adv* cérémonieusement.

**ceremonioso, a** *a* cérémonieux, euse.

**céreo, a** *a* cireux, euse, de cire.

**cerería** *f* magasin *m* du cirier.

**cerero** *m* cirier.

**Ceres** *np f* Cérès.

**cereza** *f* **1.** cerise ◊ **~ gordal** bigarreau *m* **2. ~ silvestre** merise **3.** *(del grano de café)* cerise.

**cerezal** *m* ceriseraie *f*.

**cerezo** *m* **1.** cerisier **2. ~ silvestre** merisier.

**cerilla** *f* **1.** *(fósforo)* allumette **2.** *(vela)* rat *m* de cave **3.** *(cerumen)* cérumen *m*.

**cerillo** *m AMER* allumette *f*.

**cernedor** *m* blutoir.

**cerneja** *f (del caballo)* fanon *m*.

**cerner*** *vt* bluter, tamiser: **harina cernida** farine tamisée, blutée. ◇ *vi* **1.** être en fleur **2.** *(llover)* bruiner. ◆ **~se** *vpr (las aves, una amenaza)* planer: **cernerse sobre** planer sur.

**cernícalo** *m* **1.** *(ave)* crécerelle *f*, émouchet **2.** FIG butor, buse *f*, brute *f* **3.** FAM *(borrachera)* cuite *f*.

**cernidillo** *m (lluvia)* bruine *f*, crachin.

**cernido** *m* blutage, tamisage.

**cernidura** *f* blutage *m*. ◇ *pl* criblures.

**cernir → cerner.**

**cero** *m* **1.** zéro **2. cortar el pelo al ~** couper les cheveux ras **3.** FAM **ser un ~ a la izquierda** être une nullité, un incapable. ◇ *a* zéro: **crecimiento ~** croissance zéro.

**ceroso, a** *a* cireux, euse.

**cerote** *m* **1.** poix *f* de cordonnier **2.** FAM *(miedo)* frousse *f*, trouille *f*.

**cerquillo** *m* **1.** petit cercle **2.** *(de monje)* tonsure *f*.

**cerquita** *adv* tout près.

**cerradero** *m (de cerradura)* gâche *f*.

**cerrado, a** *pp* de **cerrar.** ◇ **1.** *a* fermé, e ◊ **a puerta cerrada** à huis clos **2.** *(cielo)* couvert, e **3. es noche cerrada** il fait nuit noire **4.** *(vegetación, barba)* épais, aisse, touffu, e, dru, e **5.** FIG *(callado)* renfermé, e **6.** FIG **~ de mollera, de cascos** bouché, e **7.** *(acento)* très marqué, e **8.** *(fonética)* **vocal cerrada** voyelle fermée **9. precio ~** prix ferme et définitif **10. trato ~** marché conclus. ◇ *m* **oler a ~** sentir le renfermé.

**cerradura** *f* serrure ◊ **~ antirrobo** antivol *m*.

**cerraja** *f (planta)* laiteron *m* ◊ **volverse agua de cerrajas** finir en eau de boudin.

**cerrajería** *f* serrurerie.

**cerrajero** *m* serrurier.

**cerramiento** *m (tabique)* cloison *f*.

**cerrar*** *vt* **1.** *(una puerta, los ojos, un paraguas, etc.)* fermer: **~ un cajón con llave** fermer un tiroir à clef; **¿has cerrado el grifo?** as-tu fermé le robinet? **2.** *(un conducto, el horizonte)* boucher **3.** *(un debate, etc.)* clore, mettre fin à, conclure: **al ~ estas consideraciones** au moment de mettre fin à ces considérations **4.** *(una suscripción, etc.)* déclarer clos, e, clore **5.** *(un trato, etc.)* conclure **6. ~ (las) filas → fila.** ◇ *vi* **1.** fermer: **esta puerta cierra mal** cette porte ferme mal; **el bar cierra a las 10** le bar ferme à 10 heures **2. ~ con, contra alguien** tomber, se ruer sur quelqu'un **3. cerró la noche** la nuit tomba. ◆ **~se** *vpr* **1.** se fermer **2.** *(herida)* se refermer ◊ **cerrarse en falso** ne pas bien se cicatriser **3.** *(un plazo)* expirer, prendre fin **4.** s'obstiner: **se cierra en callar** il s'obstine à ne pas parler ◊ **cerrarse a la banda → banda.**

**cerrazón** *f* **1.** assombrissement *m* du ciel, temps *m* sombre **2.** FIG incapacité à comprendre **3.** obstination, entêtement *m* **4.** AMER contrefort *m* (d'une chaîne de montagnes).

**cerrero, a** *a* AMER **1.** *(inculto)* rustre, grossier, ère **2. café ~** café amer.

**cerril** *a* **1.** *(terreno)* accidenté, e **2.** *(animal)* sauvage **3.** FIG grossier, ère, rustre.

**cerrilismo** *m* FIG grossièreté *f*, rustrerie *f*.

**cerrillo** *m* mamelon, coteau.

**cerro** *m* **1.** colline *f*, butte, coteau ◊ FIG **irse por los cerros de Úbeda** s'écarter du sujet, se perdre dans des digressions, divaguer **2.** *(cuello de animal)* cou **3.** *(lomo)* échine *f*, dos.

**cerrojazo** *m* **1.** fermeture *f* brusque **2. dar ~ a** interrompre brusquement: **se dio ~ a la sesión** la séance a été interrompue brusquement, a été déclarée close.

**cerrojo** *m* verrou: **echar el ~** pousser le verrou.

**certamen** *m* **1.** concours (littéraire, etc.) **2.** discussion *f* littéraire.

**certero, a** *a* **1.** *(en tirar)* adroit, e **2.** *(seguro)* sûr, e, exact, e: **disparo ~** tir exact **3.** juste.

**certeza, certidumbre** *f* certitude.

**certificación** *f* **1.** certification **2.** *(correo)* recommandation **3.** certificat *m*.

**certificado, a** *a* recommandé, e: **carta certificada** lettre recommandée. ◇ *m* **1.** certificat: **~ médico** certificat médical **2.** *(correo)* envoi recommandé, pli, paquet recommandé.

**certificar** *vt* **1.** certifier **2.** *(carta, paquete)* recommander.

**certitud** *f* certitude.

**cerúleo, a** *a* LIT céruléen, enne.

**cerumen** *m* cérumen.

**cerusa** *f* céruse.

**cerval** *a* **1.** du cerf ◊ FIG **miedo ~** peur bleue **2. lobo ~** loup-cervier.

**cervantino, a** *a* propre à Cervantès et à ses œuvres.

**cervatillo** *m* faon.

**cervato** *m* faon.

**cervecería** *f* brasserie.

**cervecero** *m* brasseur.

**cerveza** *f* bière: **~ dorada, negra** bière blonde, brune; **~ de barril** bière à la pression; **~ sin alcohol** bière sans alcool.

**cervical** *a* cervical, e: **vértebras cervicales** vertèbres cervicales.

**cérvidos** *m pl* ZOOL cervidés.

**cerviz** *f* nuque ◊ FIG **bajar, doblar la ~** courber la tête; **levantar la ~** lever la tête.

**cesación** *f* cessation.

**cesante** *a (funcionario)* mis, e à pied, révoqué, e ◊ **dejar ~ a** révoquer, mettre à pied. ◇ *s (parado)* chômeur, euse.

**cesantía** *f* **1.** *(de un funcionario)* mise à pied **2.** pension, allocation (accordée à ce fonctionnaire).

**cesar** *vi* **1.** cesser, arrêter: **cesó la lluvia** la pluie a cessé; **la niña no cesaba de llorar** la petite fille n'arrêtait pas de pleurer **2. ~ en el cargo** cesser ses fonctions, abandonner ses fonctions **3.** *loc adv* **sin ~** sans cesse. ◇ *vt* revoquer.
▶ La forme transitive est incorrecte.

**César** *np m* César ◊ **dar al ~ lo que es del ~** rendre à César ce qui est à César.

**cesáreo, a** *a* césarien, enne. ◇ *f* MED césarienne.

**cesarismo** *m* césarisme.

**cese** *m* **1.** cessation *f*, arrêt *m*: **el ~ de las hostilidades** la cessation des hostilités **2.** révocation *f* **3.** document consignant la cessation d'une activité.

**Cesid** *m (Centro Superior de Investigación de la Defensa)* services secrets espagnols.

**cesio** *m* QUÍM césium.

**cesión** *f* cession.

**cesionario, a** *s* cessionnaire.

**cesionista** *s* cédant, e.

**césped** *m* gazon, pelouse *m*.

**cesta** *f* **1.** panier *m* **2. la ~ de la compra** le panier de la ménagère **3.** *(para jugar a la pelota)* chistera.

**cestería** *f* vannerie.

**cestero, a** *s* vannier, ère.

**cesto** *m* **1.** corbeille *f*, panier ◊ **~ de los papeles** corbeille à papier **2.** *(en baloncesto)* panier.

**cestón** *m* **1.** panière *f* **2.** MIL gabion.

**cesura** *f* césure.

**ceta → zeta.**

**cetáceo** *m* cétacé.

**cetme** *m* fusil d'assaut espagnol.

**cetrería** *f* fauconnerie.

**cetrero** *m* fauconnier.

**cetrino, a** *a* olivâtre.

**cetro** *m* sceptre ◊ *FIG* **empuñar el ~** prendre le sceptre, monter sur le trône.

**ceutí** *a/s* de Ceuta.

**ceviche → cebiche.**

**ch** [tʃe] ch *m*.
▶ Groupe de consonnes considéré comme la quatrième lettre de l'alphabet espagnol avant l'adoption de l'ordre alphabétique "international".

**¹cha** *m* sha, chah.

**²cha** *m AMER* thé.

**chabacanada** *f* vulgarité, grossièreté.

**chabacanadamente** *adv* grossièrement.

**chabacanería** *f* **1.** vulgarité, manque *m* de goût **2.** grossièreté.

**chabacano, a** *a* vulgaire, grossier, ère. ◇ *m AMER* variété d'abricotier du Mexique.

**chabela** *f AMER* boisson faite de vin et de chicha.

**chabola** *f* **1.** *(choza)* cabane **2.** taudis *m*, baraque: **viven los ocho en una ~** ils vivent à huit dans un taudis. ◇ *pl* bidonville *m sing* ◊ **barrio de las chabolas** bidonville.

**chabolismo** *m* **el problema del ~** le problème des bidonvilles; **luchar contra el ~** lutter contre l'extension des bidonvilles.

**chabolista** *s* habitant, e d'un bidonville.

**chacal** *m* chacal: **los chacales** les chacals.

**chacarrachaca** *f FAM* vacarme *m*.

**chacha** *f FAM* bonne (d'enfant), nounou.

**chachalaca** *f AMER* ortalide, sorte de poule du Mexique, d'Amérique tropicale.

**cháchara** *f* bavardage *m*, papotage *m* ◊ **andar, estar de ~** bavarder, papoter.

**chacharear** *vi* bavarder, papoter.

**chacharero, a** *a/s* bavard, e.

**chachi → chanchi.**

**chacho, a** *s* garçon *m*, gars *m*, fille *f*: **¡eh, ~!** hé, mon gars!, mon bonhomme!
▶ Terme d'affection.

**chacina** *f* **1.** viande séchée et salée **2.** *(embutidos)* charcuterie.

**chacinería** *f* charcuterie.

**chacinero, a** *s* charcutier, ère.

**chacó** *m* shako.

**chacolí** *m* vin basque léger et un peu aigre.

**chacolotear** *vi* locher, branler.

**chacona** *f* chacone, chaconne.

**chacota** *f FAM* **1.** fête **2.** plaisanterie, blague: **echar, tomar a ~** prendre à la blague, à la rigolade: **se tomó a ~ lo que le dije** il a pris à la blague ce que je lui ai dit ◊ **hacer ~ de** se moquer de.

**chacotearse** *vpr* **~ de** se moquer de.

**chacoteo** *m* plaisanterie *f*, blague *f*.

**chacra** *f AMER* ferme, petite exploitation agricole.

**Chad** *np m* Tchad.

**chafado, a → chafar.**

**chafaldita** *f* raillerie, quolibet *m*.

**chafallar** *vt FAM* rafistoler, bricoler.

**chafallo** *m* rafistolage, bricolage.

**chafallón, ona** *a/s* bricoleur, euse.

**chafar** *vt* **1.** *(la hierba, etc.)* écraser, aplatir **2.** *(ropa)* froisser, chiffonner **3.** *FIG FAM (en una discusión)* confondre, couper le sifflet: **se quedó chafado con tu respuesta** ta réponse lui a coupé le sifflet **4.** *(físicamente)* abattre, mettre à plat: **la gripe lo dejó chafado** la grippe l'a mis à plat **5.** *(moralmente)* démoraliser, déprimer **6. un imprevisto me chafó mi proyecto** un imprévu a flanqué mon projet par terre. ◆ **~se** *vpr* s'écraser.

**chafarrinada → chafarrinón.**

**chafarrinón** *m* **1.** tache *f* **2.** *(pintura)* barbouillage.

**chaflán** *m* **1.** chanfrein **2.** *(esquina)* pan coupé ◊ **la panadería que hace ~ está abierta el domingo** la boulangerie qui fait le coin est ouverte le dimanche.

**chaflanar** *vt* chanfreiner.

**chagra** *f AMER (chacra)* ferme, petite exploitation agricole.

**chagrin** *m (piel)* chagrin.

**cháguar** *m AMER* sorte d'agave.

**chaira** *f* **1.** *(de zapatero)* tranchet *m* **2.** *(de afilar)* fusil *m*.

**chaise-longue** *f* chaise-longue.

**chajá** *m AMER* kamichi, oiseau palmipède.

**chal** *m* châle.

**chala** *f AMER* **1.** enveloppe de l'épi de maïs **2.** *(dinero)* argent *m*, fric *m*.

**chalaco, a** *a/s* de El Callao (Pérou).

**chalado, a** *a/s FAM* **1.** *(loco)* maboul, e, dingue, cinglé, e: **¡tú estás ~ perdido!** tu es complètement cinglé! **2. está ~ por esta muchacha** il est fou de cette fille, il en pince pour cette fille.

**chaladura** *f FAM* **1.** *(manía)* marotte, dada *m*: **le ha dado la ~ de criar conejos** son nouveau dada est d'élever des lapins **2.** *(enamoramiento)* toquade.

**chalán** *m* maquignon.

**chalana** *f* chaland *m*.

**chalanear** *vi* maquignonner.

**chalaneo** *m* maquignonnage.

**chalanería** *f* astuce de maquignon.

**chalao → chalado.**

**chalar** *vt* **1.** *(de amor)* rendre fou, folle, tourner la tête **2. los helados me chalan** j'adore les glaces; **le chala el cine** il raffole de cinéma. ◆ **~se** *vpr FAM* se toquer: **se chaló por su vecina** il s'est toqué de sa voisine.

**chalé → chalet.**

**chaleco** *m* gilet ◊ **~ salvavidas** gilet de sauvetage.

**chalet** *m* **1.** *(casa con jardín)* pavillon, villa *f* **2.** maison *f* de campagne.
▶ La palabra francesa *chalet* designa esencialmente una casa de madera de estilo suizo.

**chalina** *f* écharpe.

**challa → chaya.**

**chalón** *m AMER* couverture *f*.

**chalote** *m* échalotte *f*.

**chaludo, a** *a AMER* riche.

**chalupa** *f* chaloupe.

**chamaco, a** *s AMER* gamin, e, gosse.

**chamagoso, a** *a AMER* **1.** *(sucio)* crasseux, euse **2.** *(descuidado)* mal ficelé, e **3.** vulgaire.

**chamal** *m AMER* **1.** cape *f* **2. → chiripá.**

**chamamé** *m AMER* danse d'origine guarani.

**chamán** *m* chaman.

**chamanismo** *m* chamanisme.

**chámara, chamarasca** *f* **1.** menu bois *m* **2.** *(llama)* flambée.

**chamarilear** *vt* **1.** *(intercambiar)* troquer **2.** *(comerciar)* brocanter.

**chamarileo** *m* **1.** *(intercambio)* troc **2.** *(comercio)* brocante *f.*

**chamarilero, a** *s* brocanteur, euse.

**chamarillón, ona** *a/s* celui qui joue mal aux cartes.

**chamariz** *m (pájaro)* tarin.

**chamarra** *f* **1.** vareuse, grande veste **2.** AMER *(manta)* couverture.

**chamarreta** *f* casaquin *m.*

**chamarro** *m* AMER couverture *f* grossière.

**chamba** *f* **1.** chance, coup *m* de chance, veine: **¡vaya ~!** quelle chance! **2. por, de ~** par raccroc, par chance, par hasard: **aprobó el examen de ~** il a été reçu à son examen par raccroc **3.** AMER *(trabajo)* travail *m,* boulot *m,* emploi *m:* **regresar de la ~** rentrer du boulot **4.** AMER *(zanja)* fossé *m.*

**chambelán** *m* chambellan.

**chambergo** *m* chapeau à bord large et relevé.

**chambón, ona** *a/s* FAM **1.** *(torpe)* maladroit, e, empoté, e **2.** *(que tiene suerte)* veinard, e.

**chambonada** *f* FAM **1.** *(desacierto)* maladresse **2.** *(suerte)* coup *m* de chance.

**chambra** *f* veste d'intérieur.

**chambrana** *f* **1.** ARQ chambranle *m* **2.** *(travesaño)* barreau *m* **3.** AMER *(bullicio)* tapage *m,* brouhaha *m.*

**chamelo** *m* jeu de dominos.

**chamicera** *f* brûlis *m.*

**chamico** *m* AMER **1.** *(planta)* stramoine *f* **2.** philtre.

**chamiza** *f* **1.** graminée employée pour couvrir les chaumières **2.** *(leña)* menu bois *m.*

**chamizo** *m* **1.** *(choza)* hutte *f,* chaumière *f* **2.** *(casucha)* taudis **3.** *(garito)* tripot.

**chamorra** *f* FAM tête tondue.

**chamorro, a** *a* tondu, e.

**champa** *f* AMER abri *m* rustique.

**[1]champán** *m (barco)* sampan.

**[2]champán** *m (vino)* champagne.

**Champaña** *np f* Champagne.

**champaña** *m (vino)* champagne.

**champañizar** *vt* champagniser.

**champar** *vt* lancer, jeter au nez, à la figure.

**champiñón** *m* champignon.
▶ Se dit essentiellement des champignons de couche ou «de Paris».

**champú** *m* shampooing.

**chamuchina** *f* **1.** babiole **2.** AMER *(populacho)* populace.

**chamullar** *vi* POP bafouiller, jacter.

**chamuscado, a** *a* brûlé, e ◊ FIG FAM **está ~ por lo que le dijiste** il a pris la mouche à cause de ce que tu lui as dit.

**chamuscar** *vt* brûler superficiellement, roussir. ◆ **~se** *vpr* **me chamusqué el bigote fumando un puro** je me suis brûlé la moustache en fumant un cigare.

**chamusquina** *f* **1.** brûlure superficielle **2.** FIG **oler a ~** sentir le roussi; **esto me huele a ~** ça sent le roussi, ça me semble suspect **3.** FAM *(pelea)* bagarre.

**chanada** *f* FAM **1.** tromperie **2.** *(burla)* moquerie.

**chanca** → **chancla.**

**chancar** *vt* AMER **1.** concasser **2.** *(golpear)* frapper, cogner **3.** *(trabajar)* bûcher.

**chance** *m* AMER occasion *f,* possibilité *f,* chance *f.*

**chancear** *vi* plaisanter, blaguer, badiner. ◆ **~se** *vpr* se moquer: **se chanceó de mí** il s'est moqué de moi.

**chancero, a** *a* farceur, euse, blagueur, euse.

**chanchada** *f* AMER saloperie, cochonnerie, vacherie.

**chanchería** *f* AMER **1.** *(tienda)* charcuterie **2.** porcherie, élevage *m* de porcs.

**chanchi** *a* FAM extra, formidable, super. ◊ *adv* formidablement: **lo vamos a pasar ~** on va bien s'amuser.

**chancho, a** *s* AMER *(cerdo)* porc. ◊ *a/s (persona)* cochon, onne.

**chanchullero, a** *a/s* tripoteur, euse, magouilleur, euse.

**chanchullo** *m* tripotage, magouille *f,* fricotage, manigance *f.*

**chanciller** *m* chancellier.

**chancillería** *f* ANT chancellerie, haut tribunal *m* de justice.

**chancla** *f* **1.** *(zapato viejo)* savate **2.** *(chancleta)* pantoufle, savate.

**chancleta** *f* **1.** pantoufle, savate: **ir en chancletas** être en savates **2.** FAM **estar hecho una ~** être décati **3.** AMER petite fille nouveau-née, poupon *m.*

**chancletear** *vi* traîner ses savates.

**chancleteo** *m* bruit que l'on fait en marchant avec des savates.

**chanclo** *m* **1.** *(de madera)* socque *f,* sabot **2.** *(de goma)* caoutchouc.

**chancón, ona** *a/s* AMER bûcheur, euse.

**chancro** *m* MED chancre.

**chándal, chandal** *m* survêtement, training.

**chanelar** *vi* POP s'y connaître.

**chanfaina** *f* fricassée d'abats.

**changa** *f* AMER petit boulot *m.*

**changador** *m* AMER portefaix, porteur.

**changar** *vi* AMER bricoler, faire des petits travaux.

**chango** *m* AMER **1.** *(mono)* singe **2.** *(muchacho)* gamin.

**changuearse** *vpr* AMER plaisanter.

**changuero, a** *a/s* AMER blagueur, euse.

**chano** *loc adv* **~ ~** tranquillement, tout doucement.

**chanquete** *m* petit poisson semblable à un anchois.

**chantaje** *m* chantage: **le hizo ~** il lui a fait du chantage.

**chantajear** *vi* faire du chantage.

**chantajista** *s* maître-chanteur.

**chantar** *vt* **1.** *(hincar)* planter, enfoncer **2.** FIG jeter au nez, assener **3.** AMER lancer.

**chantillí, chantilly** *f* crème Chantilly.

**chantre** *m* chantre.

**chanza** *f* plaisanterie, blague, mot *m* pour rire.

**chanzoneta** *f* FAM blague, plaisanterie.

**chañar** *m* AMER sorte d'olivier d'Amérique méridionale.

**¡chao!** *interj* FAM salut!, tchao!, ciao!

**chapa** *f* **1.** *(lámina de madera, metal, etc.)* plaque, feuille **2.** *(de metal)* tôle: **~ ondulada** tôle ondulée **3.** *(distintivo)* plaque, badge *m* **4.** *(de botella)* capsule **5.** *(del guardarropa)* jeton *m* **6.** AMER *(de un coche)* plaque d'immatriculation **7.** FIG bon sens *m,* sérieux *m:* **hombre de ~** homme sérieux. ◊ *pl* **jugar a las chapas** jouer à pile ou face.

**chapado, a** *a* **1.** plaqué, e: **encendedor ~ de oro** briquet (en) plaqué or **2.** *FIG* **~ à la antigua** vieux jeu.

**chapalear** *vi* patauger, barboter.

**chapaleo** *m* barbotage.

**chapaleteo** *m* clapotement.

**chapar** *vt* **1.** *(con oro, etc.)* plaquer **2.** *(una pared)* revêtir, couvrir **3.** *FIG* **le chapó algunas observaciones desagradables** il lui a lâché, sorti quelques remarques désagréables **4.** *AMER* *(mirar)* regarder; *(acechar)* guetter, épier; *(apresar)* attraper.

**chaparra** *f* yeuse.

**chaparrada** *f* → **chaparrón.**

**chaparral** *m* bosquet d'yeuses, de petits chênes.

**chaparro** *m* **1.** petit chêne **2.** buisson **3.** *FIG* personne *f* boulotte, pot à tabac.

**chaparrón** *m* **1.** averse *f*: **ayer cayeron dos chaparrones** hier, il est tombé deux averses **2.** *FIG* **un ~ de injurias** un flot, un torrent d'injures.

**chape** *m* *AMER* natte *f*, tresse (de cheveux).

**chapeado, a** *a* plaqué, e. ◇ *m* placage.

**chapear** *vt* **1.** plaquer, couvrir de plaques **2.** *AMER* débroussailler (avec la machette).

**chapecar** *vt* *AMER* tresser, natter (les cheveux).

**chapeo** *m* chapeau.

**chapeta** *f* **1.** *(de botella)* capsule **2.** *(mancha)* rougeur, plaque.

**chapetón, ona** *a/s* **1.** Européen, enne qui vient d'arriver en Amérique latine **2.** *(bisoño)* novice, blanc-bec. ◇ *m* *(chaparrón)* averse *f*.

**chapetonada** *f* **1.** maladie que contractent les Européens en arrivant en Amérique latine **2.** ◊ *FIG* inexpérience, maladresse **3.** *(error)* bévue.

**chapín** *m* **1.** *(calzado)* galoche *f* **2.** *(pez)* poisson coffre **3.** *AMER* guatemaltèque.

**chápiro** *m* *FAM* **¡voto al ~!, ¡por vida del ~ verde!** morbleu!

**chapista** *m* tôlier, carrossier.

**chapistería** *f* *(taller, fabricación)* tôlerie.

**chapita** *f* petite plaque.

**chapitel** *m* *ARQ* **1.** *(de una torre)* flèche *f* **2.** *(de columna)* chapiteau.

**chapó** *m* partie de billard à quatre ◊ **hacer ~** renverser les cinq quilles placées au milieu du tapis.

**chapodar** *vt* **1.** *(los árboles)* élaguer **2.** *FIG* *(disminuir)* rogner, diminuer.

**chapolera** *f* *AMER* cueilleuse de café en Colombie.

**chaposo, a** *a* *AMER* rubicon, e.

**chapotear** *vi* patauger, barboter.

**chapoteo** *m* barbotage, pataugeage.

**chapucear** *vt/i* **1.** bricoler **2. chapucea su trabajo** il fait son travail par-dessus la jambe, il bâcle son travail.

**chapuceramente** *adv* à la va-vite, n'importe comment.

**chapucería** *f* **1.** bâclage *m* **2.** *(arreglo de aficionado)* bricolage *m* **3.** *(arreglo rápido)* rafistolage *m* **4.** *(trabajo sucio)* cochonnerie.

**chapucero, a** *a* *(trabajo)* grossier, ère, bâclé, e. ◇ *a/s* *(persona)* bricoleur, euse, bâcleur, euse, bidouilleur, euse.

**chapucista** *s* *PEYOR* bricoleur, euse, bidouilleur, euse.

**chapulín** *m* *AMER* *(langosta)* sauterelle *f*.

**chapurrar, chapurrear** *vt/i* baragouiner: **~ el inglés** baragouiner l'anglais.

**chapuz** *m* **1.** *(zambullida)* plongeon **2.** *(trabajo mal hecho)* travail grossier.

**chapuza** *f* **1.** *(trabajo mal hecho)* travail *m* grossier **2.** *(arreglo)* rafistolage *m* **3.** bricole, bricolage *m*: **hacía unas cuantas chapuzas al acabar su jornada** il faisait quelques bricoles une fois finie sa journée; **hace chapuzas en casas particulares** il bricole chez les particuliers.

**chapuzar** *vt* plonger. ◆ **~se** *vpr* plonger, se baigner: **me chapucé nada más llegar a la playa** je plongeai aussitôt arrivé sur la plage.

**chapuzón** *m* plongeon ◊ **darse, pegarse un ~** piquer une tête dans l'eau; *(bañarse)* faire trempette.

**chaqué** *m* jaquette *f*.

**chaqueño, a** *a/s* *AMER* du Chaco.

**chaqueta** *f* veste: **~ recta, cruzada** veste droite, croisée; una **~ de pana** une veste en velours ◊ *FIG* **cambiar de ~** retourner sa veste; *FAM* **más vago que la ~ de un guardia** paresseux comme une couleuvre, très flemmard.

**chaquete** *m* jacquet, trictrac.

**chaquetear** *vi* **1.** *FIG* retourner sa veste, changer son fusil d'épaule **2.** *(huir)* fuir.

**chaquetero, a** *a* *FAM* qui retourne sa veste, opportuniste.

**chaquetilla** *f* **1.** *(de torero)* veste courte **2.** *(de mujer)* boléro *m*.

**chaquetón** *m* gande veste *f*, trois-quarts, caban, parka *m/f*: **un ~ tres cuartos** un trois-quarts ◊ **~ de pluma** doudoune *f*, parka matelassée.

**chaquiñán** *m* sentier, chemin de traverse.

**chaquira** *f* *AMER* verroterie: **un collar de ~** un collier en verroterie.

**charabón** *m* *AMER* **1.** jeune nandou **2.** *FIG* enfant, loupiot.

**charada** *f* charade.

**charal** *m* *AMER* petit poisson lacustre du Mexique ◊ *FIG* **estar hecho un ~** être maigre comme un clou.

**charanga** *f* fanfare.

**charango** *m* *AMER* sorte de petite guitare *f* des Indiens des Andes, faite avec une carapace de tatou.

**charanguero, a** *a/s* **1.** noceur, euse, fêtard, e **2.** *(chapucero)* bricoleur, euse.

**charapa** *f* *AMER* tortue (comestible).

**chararero, a** *s* *AMER* fermier, ère. ◇ *f* danse populaire d'Argentine, d'Uruguay.

**charata** *f* *AMER* *(ave)* sorte d'ortalide, oiseau à longue queue.

**charca** *f* mare.

**charco** *m* **1.** flaque *f* **2.** *FIG* **cruzar, pasar el ~** traverser l'Atlantique **3. un ~ de sangre** une mare de sang.
▶ «La mare aux harengs»: familiarmente «el Atlántico Norte».

**charcutería** *f* charcuterie.

**charcutero, a** *s* charcutier, ère.

**charla** *f* **1.** bavardage *m* ◊ **estar de ~** bavarder **2.** *(conferencia)* causerie.

**charlar** *vi* bavarder, papoter, parler.

**charlatán, ana** *a/s* bavard, e. ◇ *m* *(vendedor, curandero)* charlatan.

**charlatanear** *vi* bavarder, papoter.

**charlatanería** *f* bavardage *m*.

**charlatanismo** *m* charlatanisme.

**charlestón** *m* *(baile)* charleston.

**charlista** *s* conférencier, ere.

**charlotada** *f* *TAUROM* corrida burlesque.

**charlotear** *vi* bavarder, papoter.

**charloteo** *m* bavardage, papotage.

**charnego, a** *s* PEYOR immigrant, e espagnol, e en Catalogne.

**charnela** *f* charnière.

**charol** *m* **1.** *(barniz)* vernis **2.** *(cuero)* cuir verni: **zapatos de ~** des souliers vernis **3.** FAM **darse ~** crâner **4.** AMER *(bandeja)* plateau.

**charola** *f* AMER *(bandeja)* plateau *m*.

**charolado, a** *a* brillant, e.

**charolar** *vt (el cuero)* vernir.

**charque** *m* AMER viande *f* boucanée.

**charquear** *vt* AMER *(la carne)* boucaner.

**charqui** *m* AMER viande *f* boucanée.

**charquicán** *m* AMER ragoût de viande boucanée, pommes de terre, etc.

**charrada** *f* FAM ornement *m*, objet tarabiscoté, clinquant.

**charrán** *m* fripouille *f*, crapule *f*.

**charranada** *f* mauvais tour *m*, fripouillerie, crapulerie.

**charranear** *vi* se comporter comme une fripouille.

**charranería** *f* fripouillerie.

**charrasca** *f*, **charrasco** *m* FAM sabre *m*, couteau *m*.

**charrasquear** *vi* AMER **1.** *(herir)* balafrer **2.** *(un instrumento de cuerda)* gratter de.

**charrería** *f* ornement *m* de mauvais goût.

**charretera** *f* **1.** MIL épaulette **2.** *(liga)* jarretière.

**charro, a** *a/s* **1.** paysan, anne de la province de Salamanque **2.** FIG rustre. ◇ *a* FIG excessivement orné, e. ◇ *m* AMER **1.** cavalier mexicain **2.** *(sombrero)* chapeau à larges bords et à coiffe conique.

▶ Le *charro*, coiffé d'un chapeau à larges bords, est un cavalier émérite expert au maniement du lasso.

**charter** *a/m* charter: **vuelo ~** vol charter.

**charuto** *m* AMER **1.** cigare (de feuilles de maïs) **2.** cigarette *f*.

**¡chas!** *interj* vlan!

**chasca** *f* **1.** brindilles *pl*, menu bois *m* **2.** AMER *(greña)* tignasse.

**chascar** *vt (el látigo, etc.)* faire claquer: **chascó la lengua** il fit claquer sa langue. ◇ *vi (la madera)* craquer.

**chascarrillo** *m* histoire *f* drôle, plaisanterie *f*, blague *f*: **contar chascarrillos verdes** raconter les histoires drôles un peu lestes.

**chascás** *m* MIL chapska.

**chasco** *m* **1.** déception *f*, désillusion *f*: **dar un ~** causer une déception, décevoir; **Carlos dio un ~ a su hermano al no acompañarlo al cine** Charles a bien déçu son frère en n'allant pas au cinéma avec lui; **darse, llevarse, sufrir un ~** être déçu,e, avoir une déception, être bien attrapé, e; **me he llevado un gran ~** j'ai été bien déçu **2.** *(fracaso)* fiasco, échec, ratage.

**chasis** *m* **1.** châssis **2.** FAM **quedarse en el ~** n'avoir plus que la peau et les os.

**chasponazo** *m* éraflure *f*.

**chasqueado, a** *a* **dejar ~ a alguien** décevoir quelqu'un; **quedar, quedarse ~** être déçu, e.

**¹chasquear** *vt* faire claquer: **chasqueó el látigo** il fit claquer son fouet.

**²chasquear** *vt* décevoir: **le chasqueó que no vinieran** il a été déçu qu'ils ne viennent pas.

**chasqui** *m* AMER messager.

**chasquido** *m* **1.** *(del látigo, etc.)* claquement **2.** *(de la madera)* craquement.

**chata** *f* **1.** *(orinal)* bassin *m* **2.** *(chalana)* chaland *m*.

**chatarra** *f* **1.** scorie du fer **2.** *(hierro viejo)* ferraille **3.** FAM **este coche está hecho una ~** cette voiture est bonne à mettre à la ferraille, c'est un tas de ferraille **4.** FAM *(condecoraciones)* ferblanterie.

**chatarrero, a** *s* ferrailleur *m*.

**chatear** *m* FAM faire la tournée des bistrots.

**chateo** *m* FAM tournée *f* des bistrots.

**chato, a** *a/s* **1. nariz chata** nez aplati, camus, camard, épaté **2.** *(cosas)* plat, e, aplati, e: **un reloj ~** une montre plate **3.** FAM *(apelativo cariñoso)* **oye ~** écoute, mon chou. ◇ *m* FAM verre: **tomar un ~** prendre un verre.

**chatón** *m (piedra preciosa)* chaton.

**chatungo, a** *a* FAM **una nariz chatunga** un petit nez plat.

**¡chau!** *interj* AMER salut!, ciao!

**chaucha** *f* AMER **1.** *(judía verde)* haricot *m* vert **2.** pièce de monnaie. ◇ *a* insipide, bête.

**chaufa** *f* AMER plat *m* de riz péruvien.

**chauvinismo** *m* chauvinisme.

**chauvinista** *a/s* chauviniste.

**chaval, a** *s* FAM gamin, e, gosse: **los chavales** les gosses, les enfants, les jeunes.

**chavea** *m* FAM gamin, môme.

**chaveta** *f* **1.** clavette **2.** FIG **perder la ~** perdre la boule; **estar mal de la ~** être cinglé, e.

**chavo** *m* **1.** *(moneda)* liard **2.** FAM **no tiene ni un ~** il n'a pas un sou.

**chavó → chaval.**

**chaya** *f* AMER **1.** divertissements *m pl* du carnaval **2.** confetti *m*.

**chayote** *m (fruto)* chayote *f*.

**chayotera** *f (planta)* chayote.

**¹che** *f* nom de la lettre *ch*.

**²¡che!** *interj* AMER eh!, allons donc!, tiens!

▶ Exclamation courante en Argentine notamment.

**checa** *f* **1.** police secrète **2.** salle où elle faisait subir des tortures.

**chécheres** *m pl* AMER affaires *f*, trucs.

**checo, a** *a/s* tchèque: **República checa** République tchèque.

**checoslovaco, a, checoeslovaco, a** *a/s* tchécoslovaque.

**Checoslovaquia** *np f* Tchécoslovaquie.

**chele** *a* AMER à poil blanc, à cheveux blancs ou blonds.

**cheli** *m* argot madrilène.

**chelín** *m (moneda)* shilling.

**Chelo** *np f* diminutif du prénom féminin Consuelo.

**chepa** *f* FAM *(joroba)* bosse.

**cheposo, a** *a* bossu, e.

**cheque** *m* chèque: **~ cruzado, de viaje** chèque barré, de voyage; **~ sin fondos** chèque sans provision ◇ FIG **dar un ~ en blanco a alguien** donner un chèque en blanc, carte blanche à quelqu'un.

**chequear** *vt* AMER **1.** *(inspeccionar)* vérifier, contrôler **2.** facturer.

**chequeo** *m* **1.** *(de la salud)* bilan de santé, check-up, dépistage **2.** *(de un coche, etc.)* vérification *f*, contrôle.

**chequera** *f* carnet *m* de chèques, chéquier *m*.

▶ S'emploie surtout en Amérique latine.

**Chernóbil** *np* Tchernobyl.

**cheurón** *m* chevron.

**chévere** *a* AMER formidable, super, extra.

**cheviot** *m* cheviotte *f.*

**chibcha** *a/s* chibcha (peuple précolombien des Andes).

**chibolo** *m* AMER *(chichón)* bosse *f.*

**chic** *a/m* chic.

▶ Gallicisme usuel dans le sens de «distinction», «élégance».

**chica** *f* **1.** → **chico 2.** *(criada)* bonne: **~ de servicio** bonne; **~ para todo** bonne à tout faire.

**chicana** *f* AMER ruse, artifice.

**chicano, a** *a/s* mexicain, e vivant aux États-Unis.

**chicarrón, ona** *s* grand gaillard, grande fille.

**chicazo** *m* voyou, sale garnement.

[1]**chicha** *f* **1.** «chicha» (boisson alcoolique à base de maïs) ◊ FIG **no ser ni ~ ni limonada** n'être ni chair ni poisson; **de ~ y nabo** insignifiant, e, de rien du tout **2.** *(carne)* viande. ◇ *pl* FAM **tener pocas chichas** n'avoir que la peau et les os.

[2]**chicha** *a* **calma ~** calme plat.

**chicharra** *f* **1.** cigale **2.** FIG **habla como una ~** il parle comme une pie **3.** *(timbre eléctrico)* sonnette.

**chicharrina** *f* chaleur étouffante.

**chicharrones** *m pl* **1.** rillons, fritons **2.** FIG viande *f sing* brûlée.

**chiche** *m* AMER **1.** *(juguete)* joujou; *(chuchería)* colifichet, babiole *f* **2.** *(de la nodriza)* nichon **3.** *(nodriza)* nounou.

**chichear** *vt/i* siffler.

**chichería** *f* AMER débit *m* de «chicha».

**chichero, a** *s* AMER fabricant, marchand, e de «chicha».

**chichisbeo** *m* sigisbée.

**chichón** *m* bosse *f*: **se ha hecho un ~** il s'est fait une bosse.

**chichonear** *vt* AMER se moquer de, taquiner.

**chichonera** *f* bourrelet *m.*

**chichota** *f* **sin faltar ~** sans que rien ne manque.

**chicle** *m* **1.** *(goma de mascar)* chewing-gum **2.** résine *f* du sapotier.

**chico, a** *a* petit, e: **una casa muy chica** une maison très petite ◊ **vender ~ con grande** vendre en vrac, pêle-mêle. ◇ *s* **1.** garçon, fille: **tienen dos hijos, un ~ y una chica** ils ont deux enfants, un garçon et une fille **2.** FAM **bueno, ~, me voy** bon, écoute, je pars; **mira, chica, qué quieres que te diga** écoute, ma petite, que veux-tu que je te dise **3. ~ para los recados** coursier, garçon de courses **4.** FAM **como ~ con zapatos nuevos** fier comme Artaban.

**chicolear** *vi* débiter des compliments, des galanteries. ◆ **~se** *vpr* AMER s'amuser.

**chicoleo** *m* compliment, galanterie *f* ◊ **estar de ~** flirter.

**chicoria** *f* chicorée.

**chicotazo** *m* AMER coup de fouet.

**chicote, a** *s* FAM grand gars, fille robuste. ◇ *m* **1.** cigare **2.** MAR bout de cordage **3.** AMER *(látigo)* fouet.

**chicotear** *vt* AMER fouetter.

**chicozapote** *m* sapotier.

**chicuelo, a** *s* gamin, e.

**chifla** *f* **1.** *(silbido)* sifflement **2.** *(pito)* sifflet *m* **3.** TECN doloire.

**chiflado, a** *a/s* FAM **1.** toqué, e, piqué, e, cinglé, e: **está completamente ~** il est complètement cinglé **2. estar ~ por** raffoler de, adorer; *(enamorado)* en pincer pour.

**chifladura** *f* toquade, manie, dada *m*: **tiene una verdadera ~ por los muebles antiguos** il a une véritable toquade pour les meubles anciens.

**chiflar** *vi (silbar)* siffler. ◇ *vt* **1.** *(a un actor, etc.)* huer, siffler **2.** FAM *(beber)* siffler, s'enfiler **3.** FAM **los sellos, es lo que le chifla** les timbres, c'est sa passion, ça le branche; **me chifla tu coche** elle me plaît drôlement ta voiture. ◆ **~se** *vpr* **1.** *(volverse loco)* devenir toqué, e, cinglé, e **2.** *(enamorarse)* **chiflarse por** s'éprendre de, en pincer pour, s'enticher de; *(por una cosa)* raffoler de, adorer: **se chifla por los pasteles de crema** elle raffole de gâteaux à la crème, elle adore les gâteaux a la crème.

**chiflato** *m* sifflet.

**chifle** *m* **1.** sifflet **2.** *(reclamo)* appeau.

**chiflido** *m* coup de sifflet.

**chiflón** *m* AMER **1.** *(viento)* vent coulis, courant d'air **2.** *(derrumbe)* éboulement.

**chigre** *m* **1.** MAR winch **2.** *(tienda)* débit de cidre au détail, bistrot.

**chigüín** *m* AMER gosse, gamin.

**chiíta** *a/s* chiite.

**chilaba** *f* djellaba.

**chilango** *m* AMER habitant de la ville de México.

**chilaquil(es)** *m* AMER plat mexicain à base de crêpe de maïs, oeufs brouillés, piment.

**chile** *m* piment fort.

**Chile** *np m* Chili.

**chilenismo** *m* mot, tournure *f* propres aux Chiliens.

**chileno, a** *a/s* chilien, enne.

**chilindrina** *f* **1.** *(pequeñez)* bagatelle **2** mot *m* pour rire.

**chilindrón** *m* **1.** jeu de cartes **2. pollo a la ~** poulet basquaise.

**chillar** *vi* **1.** crier, pousser des cris, piailler: **~ como un condenado** crier comme un putois ◊ **¡a mí no me chilles!** ne me crie pas dessus comme ça!, ne me parle pas sur ce ton! **2.** *(conejo, zorro)* glapir **3.** *(chirriar)* grincer.

**chillería** *f* cris *m pl*, brouhaha *m.*

**chillido** *m* **1.** cri perçant **2.** *(de animal)* glapissement.

**chillón, ona** *a/s* **1.** *(personas)* braillard, e **2.** criard, e: **una voz chillona** une voix criarde; **una falda de colores chillones** une jupe aux couleurs criardes.

**chimango** *m* AMER rapace voisin du caracara.

**chimbador** *m* AMER passeur.

**chimbar** *vt* AMER passer à gué.

**chimbo** *a* AMER **huevos chimbos** gâteau aux œufs et aux amandes.

**chimenea** *f* cheminée ◊ **~ francesa** cheminée (dans une pièce, en marbre, etc.).

**chimichuri** *m* AMER sauce *f* piquante (accompagnant les grillades).

**chimó** *m* AMER pâte *f* (de tabac) à chiquer.

**chimpancé** *m* chimpanzé.

[1]**china** *f* **1.** petit caillou *m* ◊ **jugar a chinas** jouer à deviner quelle main fermée cache un caillou, une pièce de monnaie; FIG **poner chinas a alguien** mettre des bâtons dans les roues à quelqu'un; **tocarle a uno la ~** tirer le mauvais numéro, ne pas avoir de chance.

[2]**china** *f* AMER **1.** *(criada)* servante indienne **2.** *(amante)* amie, compagne.

**China** *np f* **1.** Chine **2.** FAM **¡naranjas de la ~!** des clous!

**chinamero** *m* AMER forain.

**chinamo** *m* AMER baraque *f*, stand (dans une fête).

**chinarro** *m* gros caillou.

**chinchar** *vt* FAM empoisonner, embêter, enquiquiner: **siempre está chinchando a los demás** il est tout le temps en train d'enquiquiner les autres. ◆ **~se** *vpr* **¡chínchate!** bien fait pour toi!, tant pis (pour toi)!

**chinche** *f/m* **2.** *(insecto)* punaise *f* ◊ *FIG* **caer como chinches** tomber comme des mouches **2.** *(clavito metálico)* punaise *f.* ◇ *a/s FAM (fastidioso)* enquiquineur, euse.

**chinchel** *m AMER* gargote *f.*

**chincheta** *f* punaise.

**chinchilla** *f* chinchilla *m.*

**chinchín** *interj FAM* tchin-tchin.

**chinchón** *m* nom d'une boisson anisée.

**chinchona** *f* quinquina *m.*

**chinchorrería** *f (chisme)* cancan *m,* potin *m,* commérage *m:* **no son más que chinchorrerías** ce ne sont que des commérages.

**chinchorrero, a** *a* **1.** *(pesado)* assommant, e **2.** *(chismoso)* cancanier, ère.

**chinchorro** *m* **1.** *(bote)* youyou **2.** *(red)* sorte de filet **3.** *AMER (hamaca)* hamac.

**chinchoso, a** *a FAM* enquiquineur, euse, embêtant, e, assommant, e.

**chinchulines** *m pl AMER* tripes *f* (qu'on mange grillées).

**chincol** *m AMER* moineau chanteur.

**chiné** *a* chiné, e.

**chinela** *f* **1.** *(zapatilla)* mule **2.** sabot *m.*

**chinero** *m* dressoir, vaisselier.

**chinesco, a** *a* chinois, e ◊ **sombras chinescas** ombres chinoises. ◇ *m MÚS* chapeau chinois.

**chingado, a** *a AMER (estropeado)* foutu, e.

**chingana** *f AMER (taberna)* gargote, guinguette.

**chingar** *vt VULG* **1.** *(beber)* picoler **2.** *(molestar)* embêter, emmerder, faire chier **3.** *(fornicar)* baiser **4.** *(estropear)* esquinter. ◆ **~se** *vpr VULG* **1.** *(emborracharse)* se soûler **2.** *(fracasar)* foirer, rater.

**chingo, a** *a AMER* **1.** très petit, e, minuscule **2.** court, e.

**chingolo → chincol.**

**chingón** *m AMER* arriviste.

**chinita** *f* petit caillou *m.*
▶ Diminutif très courant de *china.*

**chino, a** *a/s* **1.** chinois, e ◊ **me enredaron, engañaron como a un ~** je me suis fait avoir; **es un trabajo de chinos** c'est un travail de Romain; **trabajar más que un ~** travailler comme un forçat **2. tinta china** encre de Chine **3.** *AMER (indio)* indien, enne, *(mestizo)* métis, isse. ◇ *m* **1.** *(idioma)* chinois **2.** *(colador)* chinois **3.** *FAM* **eso es ~ para mí** c'est de l'hébreu pour moi. ◇ *m pl* **los chinos** jeu qui consiste à deviner combien de pièces de monnaie on cache dans ses mains.

**chip** *m INFORM* puce *f:* **tarjeta con ~** carte à puce.

**chipa** *f AMER (cesto)* corbeille.

**chipá** *f AMER* galette de manioc ou de maïs.

**chipén** *a POP* du tonnerre, formidable, terrible: **una chica ~** une fille du tonnerre; **se come ~ en este restaurante** on mange drôlement bien dans ce restaurant.

**chipichipi** *m AMER* bruine *f.*

**chipirón** *m* calmar, encornet.

**Chipre** *np* Chypre.

**chipriota** *a/s* chypriote.

**chiquear** *vt AMER (mimar)* flatter.

**chiquero** *m* **1.** *TAUROM* toril (loge où l'on enferme les taureaux avant la corrida) **2.** *(pocilga)* porcherie *f.*

**chiquilicuatro** *m* freluquet.

**chiquillada** *f* enfantillage *m,* gaminerie.

**chiquillería** *f* marmaille.

**chiquillín, ina** *a/s* petit, e, gosse.

**chiquillo, a** *s* gosse, gamin, e, marmot: **¡qué ~ eres!** quel gamin tu fais!; **¡no seas ~!** ne fais pas le bébé!

**chiquirritín, ina** *a FAM* tout petit, toute petite. ◇ *s* petit enfant, petit dernier: **el ~ de la familia** le petit dernier de la famille.

**chiquitas → chiquito.**

**chiquitín, ina** *a FAM* petit, e, tout petit, toute petite. ◇ *s* **el ~ de la clase** le plus jeune de la classe.

**chiquito, a** *a/s* petit, e, très petit, e ◊ *FIG FAM* **no andarse con chiquitas** y aller carrément; **no se anduvo con chiquitas para decirle las cuatro verdades** il n'y est pas allé par quatre chemins pour lui dire son fait; **dejar a alguien ~** laisser quelqu'un loin derrière soi, dépasser quelqu'un largement.

**chiribita** *f* étincelle. ◇ *pl* **1.** *(en los ojos)* mouches volantes **2.** *FIG* **echar chiribitas** être hors de soi, fulminer.

**chiribitil** *m* **1.** galetas **2.** *FAM (cuchitril)* réduit, cagibi.

**chirigota** *f FAM* plaisanterie, blague ◊ **tomarse algo a ~** prendre quelque chose à la rigolade.

**chirigotero, a** *a* farceur, euse, blagueur, euse.

**chirimbolo** *m FAM* machin, truc.

**chirimía** *f MÚS* chalumeau *m.*

**chirimiri** *m (llovizna)* crachin.

**chirimoya** *f* anone.

**chirimoyo** *m* anone *f.*

**chiringuito** *m* kiosque (à boissons), buvette *f:* **tomamos unos helados en el ~ de la playa** nous avons pris des glaces à la buvette de la plage.

**chirinola** *f* **1.** sorte de jeu *m* de quilles **2.** *(riña)* querelle **3.** *(discusión)* discussion, conversation **4.** *(pequeñez)* bagatelle.

**chiripa** *f* **1.** *(billar)* raccroc *m* **2.** coup *m* de chance ◊ **de, por ~** par chance, par miracle; *(por casualidad)* par hasard.

**chiripá** *f AMER* sobre de pantalon *m* des gauchos (pièce de tissu passée entre les jambes).

**chiripero, a** *a/s* veinard, e.

**chirivía** *f* **1.** *(planta)* panais *m* **2.** *(ave)* bergeronnette.

**chirla** *f* coque (de petite taille).

**chirlar** *f FAM* parler en criant.

**chirlata** *f FAM* tripot *m.*

**chirle** *a FAM* insipide, fade, inintéressant, e: **una conferencia ~** une conférence insipide.

**chirlería** *f* causerie.

**chirlo** *m* **1.** balafre *f,* estafilade *f* **2.** *AMER (golpe)* tape *f.*

**chirola** *f AMER (moneda)* pièce de monnaie.

**chirona** *f FAM* tôle, taule, cabane: **meter en ~** mettre en tôle; **estar en ~** être au trou, à l'ombre.

**chirriador, a** *a* grinçant, e.

**chirriar** *vi* **1.** *(freír)* grésiller **2.** *(ruedas, puertas, etc.)* grincer ◊ **el ~ de una puerta** le grincement d'une porte **3.** *(pájaros)* piailler, crier **4.** *FIG* chanter faux **5.** *AMER (andar de jarana)* faire la noce.

**chirrido** *m* **1.** *(de una puerta, etc.)* grincement **2.** *(de los pájaros)* cri aigu.

**chirrión** *m* **1.** *(carro)* tombereau **2.** *AMER (látigo)* fouet.

**chirucas** *f pl* sorte de bottes.

**chirula** *f* petite flûte basque.

**chirumen** *m FAM* jugeote *f.*

**chirusa, chiruza** *f AMER* jeune femme du peuple, fillasse.

**¡chis!** *interj* chut!

**chiscón** *m* réduit, cagibi.

**chisgarabís** *m FAM* freluquet, homme qui se mêle de tout, fouinard.

**chisguete** *m* **1.** *FAM* coup, gorgée *f*: **echar un ~** boire un coup **2.** *(chorro)* jet.

**chismar → chismear.**

**chisme** *m* **1.** cancan, potin, ragot: **le encanta contar chismes** il adore faire des potins **2.** *FAM (cosa)* machin, truc, bidule: **¿me pasas ese ~?** tu peux me donner ce machin?

**chismear, chismar** *vi* rapporter, cancaner.

**chismería** *f* cancan *m*, potin *m*.

**chismografía** *f FAM* commérages *m pl*, cancans *m pl*.

**chismorrear** *vi* cancaner, faire des ragots, des potins, des commérages.

**chismorreo** *m* cancan, potins *pl*, commérage.

**chismoso, a** *a/s* cancanier, ère.

**chismoteo → chismorreo.**

**chispa** *f* **1.** étincelle: **saltan chispas del fuego** des étincelles sautent du feu; **~ eléctrica** étincelle électrique ◊ *FIG* **echar chispas** être furibond, e, tempêter; **está que echa chispas** il est hors de lui **2.** *(lluvia)* gouttelette **3.** **una ~ de coñac** un peu, une goutte de cognac **4.** *FIG* **ni ~ de** pas une miette de ◊ **tu chiste no tiene ni ~ de gracia** ta plaisanterie n'est pas drôle du tout **5.** esprit *m*: **tener ~** *(personas)* avoir de l'esprit: **Lucía tiene mucha ~** Lucie a beaucoup d'esprit, est très drôle; *(cosas)* être drôle **6.** *FAM (borrachera)* cuite ◊ **estar ~** être paf, être complètement rond, e **7.** *AMER* mensonge *m*.

**chispazo** *m* **1.** décharge *f*: **me he dado un ~ al tocar el enchufe** j'ai reçu une décharge en touchant la prise **2.** *FIG (chisme)* ragot **3.** *FIG* étincelle *f*, symptôme avant-coureur.

**chispeante** *a* **1.** étincelant, e **2.** *FIG* pétillant, e, brillant, e, étincelant, e, plein, e d'esprit, spirituel, elle: **ojos chispeantes** des yeux pétillants de malice; **conversación ~** conversation brillante.

**chispear** *vi* **1.** étinceler **2.** *FIG (brillar)* pétiller: **sus ojos chispean de malicia** ses yeux pétillent de malice **3.** *(lloviznar)* pleuviner, pleuvoter.

**chispero** *m* homme du bas peuple de Madrid.

**chispo, a** *a FAM (achispado)* gris, e, éméché, e. ◇ *m* **tomar un ~** boire un coup.

**chisporrotear** *vi* **1.** *(el fuego)* crépiter **2.** *(el aceite)* grésiller.

**chisporroteo** *m* **1.** *(del fuego)* crépitement **2.** *(del aceite, micrófono)* grésillement.

**chisquero** *m* briquet.

**¡chist!** *interj* chut!

**chistar** *vi* parler, répliquer, ouvrir la bouche ◊ **sin ~** sans mot dire, sans souffler mot.

**chiste** *m* **1.** *(dicho gracioso)* bon mot, mot pour rire, plaisanterie *f* **2.** *(cuento gracioso)* histoire *f* drôle, blague *f* **3.** *(gracia)* verve *f*, drôlerie *f* ◊ **tener ~** être drôle: **no tiene ~ la cosa** ce n'est pas drôle du tout **4.** **~ verde** histoire *f* grivoise.

**chistera** *f* **1.** *(sombrero)* chapeau *m* haut de forme, haut-de-forme *m* **1.** *(de los pelotaris)* chistera **3.** petit panier *m* de pêcheur.

**chistoso, a** *a* drôle, spirituel, elle, plaisant, e.

**chistu** *m* flûte *f* basque.

**chistulari** *m* joueur de chistu.

**chita** *f* **1.** *ANAT* astragale *m* **1.** *(juego)* palet *m* **3.** *loc adv* **a la ~ callando** à pas de loup, en tapinois, en douce, en catimini.

**chitar → chistar.**

**chiticallando (a la) → chita.**

**chito** *m (juego)* bouchon. ◇ *interj* chut!

**¡chitón!** *interj* chut!, motus!, la paix!

**chivar** *vt FAM (delatar)* rapporter, cafarder, cafter, moucharder: **el niño lo chivó todo a la maestra** l'enfant a tout rapporté à la maîtresse. ◆ **~se** *vpr* **1.** *FAM* cafarder, cafter, moucharder: **se chivó** il a cafté **2.** *AMER (enfadarse)* se fâcher, se mettre en colère.

**chivatazo** *m* délation *f*, dénonciation *f* ◊ **dar el ~** moucharder.

**chivato, a** *s FAM (soplón)* mouchard, e, cafteur, euse. ◇ *m* **1.** *(chivo)* chevreau **2.** *TECN* mouchard.

**chivo, a** *s* **1.** chevreau, cabri **2.** *FIG* **estar como una chiva** être complètement fou, avoir un grain **3.** **~ expiatorio** bouc émissaire.

**choc** *m* choc (psychologique, etc.).

**chocante** *a* **1.** drôle, amusant, e **2.** *(raro)* étonnant, e **3.** *(desagradable)* déplaisant, e, choquant, e.

**chocar** *vi* **1.** *(vehículos)* (se) heurter, tamponner, emboutir: **un tren de pasajeros chocó con un mercancías** un train de passagers a heurté, a tamponné un train de marchandises; **un camión ha chocado con el coche** un camion a embouti la voiture; **tres muertos al ~ automóvil con un camión** trois morts dans une collision entre une voiture et un camion; **los dos trenes chocaron de frente** les deux trains se sont télescopés; **el coche chocó contra un árbol** la voiture est entrée dans un arbre **2.** **los policías chocaron con un centenar de manifestantes** les policiers se sont heurtés à une centaine de manifestants **3.** *FIG (pelear)* se battre; *(reñir)* se disputer **4.** *FIG (extrañar)* choquer, déplaire: **me chocó mucho que no te felicitara** cela m'a beaucoup choqué qu'il ne te félicite pas. ◇ *vt FAM* **¡chócala!, ¡choca esos cinco!** tope-là!

**chocarrear** *vi* plaisanter grossièrement, lourdement.

**chocarrería** *f* grosse plaisanterie, grosse blague, gaudriole.

**chocarrero, a** *a* vulgaire, grossier, ère.

**chocha** *f (ave)* bécasse.

**chochear** *vi* **1.** *(por la vejez)* radoter, être gâteux, euse: **chocheaba antes de tiempo** il radotait prématurément **2.** *FAM* être fou, folle: **chochea por su nieta** il est fou de sa petite-fille.

**chochera, chochez** *f* **1.** *(de un anciano)* radotage *m (estado de chocho)* gâtisme *m* **3.** *FAM* toquade.

[1]**chocho, a** *a* **1.** *(por la vejez)* gâteux, euse, radoteur, euse, gaga **2.** **estar ~ por** être fou, folle de: **mi padre está ~ por su nieto** mon père est fou de son petit-fils.

[2]**chocho** *m* **1.** *(planta)* lupin **2.** *(dulce)* sorte de dragée *f*. ◇ *pl (dulce)* bonbons, sucreries *f*.

**choclo** *m* **1.** socque **2.** *AMER* épi de maïs tendre.

**choco** *m* **1.** *(jibia pequeña)* petit calmar **2.** *AMER (perro de agua)* barbet.

**chocolate** *m* **1.** chocolat: **~ con, de leche** chocolat au lait **2.** *POP (droga)* hasch, haschisch **3.** **ahorrar el ~ del loro** faire des économies de bouts de chandelle.

**chocolatera** *f* **1.** *(vasija)* chocolatière **2.** *FAM (coche)* guimbarde; *(barco)* rafiot *m*.

**chocolatería** *f* chocolaterie.

**chocolatero, a** *a/s* chocolatier, ère.

**chocolatín, ina** *s* **1.** petite tablette *f* de chocolat **2.** *(bombón)* chocolat *m*. ◇ *f*. barre chocolatée.

**chócolo** *m AMER* épi de maïs.

**chófer, chofer** *m* chauffeur.

**chola, cholla** *f FAM* caboche, ciboulot *m*: **métetelo todo en la ~** mets-toi bien ça dans le ciboulot.

**cholita** *f AMER* (petite) métisse, indienne.

**cholla → chola.**

**chollo** *m* **1.** *FAM (empleo)* planque *f*, fromage, sinécure *f*: **le ha salido un ~ en una agencia de viajes** il a trouvé un fromage dans une agence de voyages **2.** *(ganga)* bonne affaire *f*, occase *f*.

**cholo, a** *a/s AMER* métis, isse (d'un Blanc et d'une Indienne), indien, enne.

**chomba, chompa** *f AMER* pull-over *m*.

**chongo** *m AMER (moño)* chignon.

**chonguearse → chunguearse.**

**chonta** *f AMER* **1.** palmier *m* épineux à bois très dur **2.** serpent *m* de Colombie.

**chopazo, chope** *m AMER* coup de poing.

**chopito** *m* petit calmar.

**chopo** *m* **1.** peuplier noir **2.** *FAM (fusil)* flingot, flingue, pétoire *f*.

**choque** *m* **1.** choc, heurt: **este juguete resiste a los choques** ce jouet résiste aux chocs **2.** *(de vehículos)* collision *f*, tamponnement ◊ **autos de ~** autos tamponneuses **3.** *FIG (conflicto)* heurt, conflit **4.** *MED* choc.

**chorbo, a** *s POP* mec *m*, gonzesse *f*.

**choricería** *f* charcuterie.

**choricero, a** *a/s* charcutier, ère.

**chorizar** *vt POP* piquer, chiper, faucher.

**chorizo** *m* **1.** chorizo, saucisson au piment **2.** *VULG (ratero)* pickpocket; *(maleante)* voyou, loubard **3.** *AMER* **bife de ~** steak **4.** *AMER (pasta de barro)* torchis.

**chorlito** *m* pluvier ◊ *FIG* **tener (una) cabeza de ~** avoir une tête de linotte.

**choro** *m AMER (mejillón)* moule *f* du Chili.

**chorote** *m AMER* **1.** chocolatière *f* **2.** chocolat épais.

**chorra** *f FAM* veine, pot *m*: **¡qué ~ tienes!** quelle veine tu as! ◇ *a/s POP* **no seas ~** ne sois pas stupide; **no hagas el ~** ne fais pas l'idiot.

**chorrada** *f* **1.** *POP* bêtise, idiotie: **no digas chorradas** ne dis pas de bêtises **2.** *FAM (cosa inútil)* babiole, bricole.

**chorreadura** *f* **1.** écoulement *m* **2.** *(mancha)* tache.

**chorreante** *a* ruisselant, e, trempé, e: **se quitó las ropas chorreantes** il ôta ses vêtements trempés.

**chorrear** *vi* **1.** couler **2.** *(gotear)* dégoutter, ruisseler, dégouliner: **~ sudor** ruisseler de sueur; **un impermeable chorreando agua** un imperméable trempé, ruisselant; **estar chorreando agua** être trempé, e.

**chorreo** *m* **1.** écoulement, ruissellement **2.** *FIG (gasto)* gouffre, ruine *f*, source *f* de dépenses continuelles.

**chorrera** *f* **1.** (de líquido) rigole **2.** *(de camisa)* jabot *m*.

**chorretada** *f* **1.** *FAM* giclée, jet *m* **2.** **hablar a chorretadas** parler précipitamment.

**chorrillo** *m* **1.** filet (de liquide) ◊ **beber al ~** boire à la régalade; **sembrar a ~** semer en ligne **2.** *FIG* **irse por el ~** suivre le courant.

**chorro** *m* **1.** *(de líquido, vapor)* jet ◊ **beber al ~** boire à la régalade **2.** *FIG* **un ~ de improperios** un torrent d'injures; **~ de voz** voix puissante; **soltar el ~** éclater de rire **3.** *FIG* **limpio como los chorros de oro** propre comme un sou neuf, impeccable, nickel **4.** *loc adv* **hablar a chorros** parler précipitamment; **llover a chorros** pleuvoir à torrents; **sudar a chorros** suer à grosses gouttes; **tienen dinero a chorros** ils ont de l'argent à la pelle.

**chota → choto.**

**chotacabras** *m (ave)* engoulevent.

**chotear** *vi* gambader. ◆ **~se** *vpr FAM* se moquer de, se payer la tête de, se ficher de.

**choteo** *m FAM* **1.** *(broma)* rigolade *f* **2.** *(burla)* moquerie *f*.

**chotis** *m* scottish *f*.

**choto, a** *s* **1.** chevreau qui tête **2.** *(ternero)* veau **3.** *FAM* **estar como una chota** être cinglé, e; **está chota perdido** il est complètement marteau.

**chotuno, a 1.** de chevreau **2. oler a ~** sentir le bouc.

**chova** *f* choucas *m*.

**chovinismo → chauvinismo.**

**chovinista → chauvinista.**

**choza** *f* **1.** cabane, hutte **2.** taudis *m*.

**chozuela** *f* petite hutte.

**christmas → crismas.**

**chuán** *m* chouan.

**chubasco** *m* **1.** averse *f*: **~ tormentoso** averse orageuse **2.** *MAR* grain **3.** *FIG* contretemps.

**chubasquero** *m* imperméable, manteau de pluie.

**chubesqui** *m (estufa)* poêle.

**chúcaro, a** *a AMER* **1.** *(animal)* sauvage **2.** *FIG* farouche.

**chucha** *f FAM* chienne.

**chuchazo** *m AMER* coup de fouet.

**chuchear** *vi* **1.** chuchoter **2.** *(cazar)* chasser (avec un appeau).

**chuchería** *f* **1.** *(objeto)* babiole, colifichet *m*, bricole **2.** *(golosina)* friandise.

**¹chucho** *m FAM (perro)* cabot, toutou, clebs.

**²chucho** *m AMER* **1.** paludisme **2.** *(escalofrío)* frisson **3.** *(látigo)* fouet.

**chuchurrido, a** *a FAM (arrugado)* ridé, e, fripé, e.

**chueco, a** *a AMER* **1.** tordu, e: **piernas chuecas** jambes tordues **2.** bancal, e.

**chufa** *f* **1.** souchet *m* **2. horchata de ~ → horchata.**

**chufleta** *f* plaisanterie.

**chulada** *f* **1.** propos *m* désinvolte **2.** *(bravuconada)* bravade, aplomb *m* **3.** *(grosería)* grossièreté, incorrection **4.** *FAM* **¡vaya ~ de moto que tienes!** tu en as une moto!

**chulapo, a, chulapón, ona → chulo.**

**chulear** *vi (presumir)* crâner. ◇ *vt* taquiner, blaguer. ◆ **~se de** *vpr* se payer la tête de, blaguer.

**chulería** *f* **1.** propos *m* amusant, drôle **2.** *(desplante)* effronterie, désinvolture **3.** *(bravuconería)* fanfaronnade.

**chulesco, a** *a* propre aux madrilènes.

**chuleta** *f* **1.** *(pequeña)* côtelette: **~ de cordero** côtelette de mouton; *(mayor)* côte: **~ de cerdo, de ternera** côte de porc, de veau **2.** *FAM (de estudiante)* antisèche **3.** *FAM (bofetada)* baffe. ◇ *a/s (chulo)* effronté, e, insolent, e, dur, e.

**chullo, a** *a AMER* dépareillé, e. ◇ *s* homme, femme de la classe moyenne en Équateur. ◇ *m* **→ shullo.**

**chulo, a** *a* **1.** *(presumido)* crâneur, euse, frimeur, euse **2.** *(descarado)* effronté, e, insolent, e, culotté, e, dévergondé, e **3.** fanfaron, onne, qui joue les durs: **ponerse ~** jouer les durs **4.** *FAM* chouette: **¡qué traje tan ~ llevas!** il est chouette ton costume!. ◇ *s* homme, femme du bas peuple de Madrid, type *m*, mec *m*, môme *f*. ◇ *m* **1.** *(rufián)* souteneur, gigolo **2.** *TAUROM* servant **3.** *AMER* **→ shullo.**

**chumacera** *f* crapaudine.

**chumado, a** *a AMER* ivre, soûl, e.

**chumarse** *vpr AMER* se soûler.

**chumbe** *m AMER* large ceinture *f*.

**chumbera** *f* figuier *m* de Barbarie.

**chumbo, a** *a* **1. higo ~** figue *f* de Barbarie **2. higuera chumba** figuier *m* de Barbarie. ◇ *m AMER (bala)* balle *f*.

**chumino** *m VULG* chatte *f*, sexe féminin.

**chumpi → chumbe.**

**chuncho** *m AMER* indien (de la partie orientale des Andes).

**chunchules, chunchullos** *m pl AMER* tripes *f* qu'on mange grillées.

**chunga** *f FAM* plaisanterie, blague ◊ **estar de ~** être de bonne humeur, être en verve; **tomarse una cosa a, en ~** prendre quelque chose à la rigolade.

**chungón, ona** *a/s FAM* blagueur, euse, farceur, euse.

**chunguearse** *vpr FAM* blaguer, se moquer.

**chuña** *f AMER* grue huppée.

**chuño** *m AMER* fécule *f* de pomme de terre.

**chupa** *f* **1.** sorte de justaucorps *m* **2.** *FIG* **poner a alguien como ~ de dómine** dire pis que pendre de, débiner quelqu'un, déblatérer contre quelqu'un **3.** *AMER (borrachera)* cuite.

**chupada** *f* **1.** sucement *m* **2. da una ~ de su cigarro** il tire une bouffée de son cigare.

**chupado, a** *a FAM* **1.** *(delgado)* très maigre ◊ **rostro ~** visage émacié; **mejillas chupadas** joues creuses **2.** *(sencillo)* **está ~** c'est simple comme bonjour, c'est fastoche **3.** *AMER (borracho)* ivre, soûl, e.

**chupador, a** *a* suceur, euse. ◇ *m (chupete)* sucette *f*.

**chupaflor** *m AMER* colibri.

**chupar** *vt* **1.** sucer: **el mosquito chupa la sangre** le moustique suce le sang; **chupaba de su cigarrillo** il tirait sur sa cigarette **2.** *(mamar)* têter **3.** *(absorber)* absorber, boire **4.** *FIG (dinero)* soutirer. ◆ **~se** *vpr* **1. chuparse el dedo** sucer son pouce; *FIG* → **dedo 2. un plato de ésos de chuparse los dedos** un de ces plats à s'en lécher les babines **3.** *FAM* **¡chúpate esa!** attrape! **4.** *AMER (aguantar)* se taper: **me chupé un año de cárcel** je me suis tapé un an de prison.

**chupatintas** *m inv FAM* gratte-papier, rond-de-cuir.

**chupe** *m* **1.** *(chupete)* sucette *f* **2.** *AMER* ragoût de poisson (ou de viande), pommes de terre, etc.

**chupete** *m* **1.** *(de biberón)* tétine *f* **2.** *(objeto de goma)* sucette *f* **3.** *AMER (caramelo)* sucette *f*.

**chupetear** *vt* suçoter.

**chupeteo** *m* sucement, succion *f*.

**chupetín** *m AMER (caramelo de palo)* sucette *f*.

**chupetón** *m* forte succion *f*.

**chupi** *a FAM* super, génial, e.

**chupinazo** *m* **1.** coup de feu (dans les feux d'artifice, etc.) **2.** *(dado al balón)* shoot puissant.

**chupito** *m FAM (trago)* petite gorgée *f*, petit coup.

**chupón, ona** *a FAM* suceur, euse. ◇ *s FIG (persona)* profiteur, sangsue *f*. ◇ *m* **1.** *AGR (brote)* gourmand **2.** *(caramelo)* sucette *f*.

**chupóptero, a** *s FAM* parasite, cumulard, e.

**churra** *f FAM* **¡vaya ~!** quelle veine!; **tener ~** avoir de la chance.

**churrasco** *m AMER* grillade *f*.

**churrasquear** *vt AMER* préparer, ou manger (des grillades).

**churrasquería** *f AMER* rôtisserie.

**churre** *m* **1.** *FAM* crasse *f* **2.** *(de la lana)* suint **3.** *AMER (niño)* gosse.

**churrería** *f* boutique où l'on vend des «churros».

**churrero, a** *s* personne qui fait ou vend des «churros».

**churrete** *m* tache *f* de graisse, de liquide, etc. sur le visage surtout.

**churretoso, a** *a* crasseux, euse.

**churrias** *f pl AMER* diarrhée *sing*.

**churrigueresco, a** *a* **1.** *(estilo)* churrigueresque **2.** *FIG* excessivement orné, e.
► De José de Churriguera, architecte espagnol (1665-1723).

**churro** *m* **1.** sorte de beignet allongé (en forme de tige cannelée) **2.** *FAM (película mala)* navet **3. un ~ de pintura** une peinture ratée; **quería hacerme un vestido y me ha salido un ~** je voulais me faire une robe et je l'ai complètement ratée **4.** *FAM* **¡que se vaya a freír churros!** qu'il aille au diable!, qu'il aille se faire cuire un œuf!; **venderse como churros** se vendre comme des petits pains.

**churroso, a** *a AMER* **estar ~** avoir la diarrhée.

**churruscarse** *vpr* brûler.

**churrusco** *m* morceau de pain brûlé.

**churumbel** *m POP* marmot, gosse, mioche.

**churumbela** *f* chalumeau *m*.

**chuscada** *f* drôlerie, plaisanterie.

**chusco, a** *a* rigolo, ote, drôle, amusant, e: **está ~ eso** c'est drôle ça; **eso es lo ~** c'est ça qui est drôle. ◇ *m (pan)* morceau de pain.

**chusma** *f* **1.** chiourme **2.** *(muchedumbre)* populace.

**chusmaje** *m AMER* populo.

**chuspa** *f AMER* bourse, petit sac *m*.

**chut** *m (fútbol)* shoot, tir.

**chutar** *vi* **1.** *(fútbol)* shooter, botter **2.** *FAM* **¡y va que chuta!** et ça va comme ça! **3.** *FIG* **¡a ~!** au boulot! ◆ **~se** *vpr POP (droga)* se shooter.

**chute** *m FAM (droga)* shoot, fixe.

**chuza** *f AMER* **1.** *(chuzo)* pique **2.** coup *m* consistant à abattre toutes les quilles à la fois.

**chuzo** *m* **1.** épieu, pique *f* courte **2. caer chuzos (de punta)** tomber des cordes, pleuvoir à verse.

**cía** *f ANAT* ischion *m*.

**Cía** *abreviatura (Compañía)* Cie (Compagnie).

**ciaboga** *f MAR* virage *m* de bord.

**cianhídrico, a** *a QUÍM* cyanhydrique.

**cianosis** *f MED* cyanose.

**cianuro** *m* cyanure.

**ciar** *vi* **1.** reculer **2.** *(remar)* ramer en arrière **3.** *FIG* se désister, abandonner, renoncer.

**ciático, a** *a* sciatique: **nervio ~** nerf sciatique. ◇ *f MED* sciatique.

**Cibeles** *np f* Cybèle.

**cibercafé** *m* cybercafé.

**ciberespacio** *m* cyberespace.

**cibernauta** *s* cybernaute.

**cibernética** *f* cybernétique.

**ciborio** *m ARQ* ciborium.

**cicatear** *vi FAM* lésiner.

**cicatería** *f* lésinerie, ladrerie.

**cicatero, a** *a/s* ladre, chiche, pingre.

**cicatriz** *f* cicatrice.

**cicatrización** *f* cicatrisation.

**cicatrizal** *a* cicatriciel, elle.

**cicatrizante** *a/m* cicatrisant, e.

**cicatrizar** *vt* cicatriser. ◆ **~se** *vpr* se cicatriser: **la llaga se ha cicatrizado** la plaie s'est cicatrisée.

**Cicerón** *np m* Cicéron.

**cicerone** *m* cicérone.

**ciceroniano, a** *a* cicéronien, enne.

**Cícladas** *np f pl* Cyclades.

**ciclamen, ciclamino** *m* cyclamen.

**ciclamor** *m* gainier, arbre de Judée.

**cíclico, a** *a* cyclique.

**ciclismo** *m* cyclisme.

**ciclista** *a/s* cycliste.

**ciclo** *m* cycle.

**ciclocross** *m* cyclo-cross.

**ciclomotor** *m* cyclomoteur.

**ciclón** *m* cyclone.

**cíclope** *m* cyclope.

**ciclópeo, a** *a* cyclopéen, enne.

**ciclotimia** *f MED* cyclothimie.

**ciclotímico, a** *a MED* cyclothimique.

**ciclotrón** *m* cyclotron.

**cicloturismo** *m* cyclotourisme.

**cicuta** *f* ciguë.

**Cid** *np m* **el ~** le Cid.

**cidra** *f* **1.** *(fruto)* cédrat **2. ~ cayote** chayote, variété de pastèque.

**cidro** *m* cédratier.

**cidronela** *f* citronnelle.

**ciegamente** *adv* aveuglément.

**ciego, a** *a/s* **1.** aveugle: **~ de nacimiento** aveugle de naissance; *PROV* **en tierra de ciegos, el tuerto es rey** au royaume des aveugles, les borgnes sont rois; *FIG* **dar palos de ~ → palo 2.** *loc adv* **a ciegas** à l'aveuglette; *(aterrizaje)* sans visibilité. ◇ *a* **1.** *(conducto)* bouché, e **2.** *FIG* aveuglé, e, fou, folle: **~ de ira** aveuglé par la colère, fou de colère; **me pusé ~ de ira** je suis devenu fou de rage. ◇ *a/m ANAT* **intestino ~** cæcum.

**cielito** *m AMER* danse *f* et chant d'Argentine.

**cielo** *m* **1.** ciel (plurales *ciels*, en pintura, meteorología, *cieux* con matiz religioso): **~ nublado** ciel nuageux; **a ~ abierto** à ciel ouvert; **a ~ descubierto** à découvert **2.** *RELIG* ciel: **el reino de los cielos** le royaume des cieux; **Padre nuestro que estás en los cielos** Notre Père qui es aux cieux; **subió a los cielos** il monta aux cieux **3.** *FIG* **estar en el séptimo ~** être au septième ciel; **llovido del ~** tombé du ciel; **remover ~ y tierra** remuer ciel et terre; **ver el ~ abierto** se réjouir de voir les choses s'arranger, pousser un ouf de soulagement, entrevoir la solution **4. ~ de la boca** palais **5. ~ de la cama** ciel de lit **6. ~ raso** plafond. ◇ *interj* **¡cielos!** ciel!; *(apelativo cariñoso)* **¡~!** mon chou!

**ciempiés** *m inv* mille-pattes.

**cien** *a* **1.** cent: **~ veces** cent fois; **~ por ~** cent pour cent **2.** *FAM* **poner a ~** *(poner enojado)* mettre hors de soi, rendre dingue: **esa clase de bromas me pone a ~** ce genre de plaisanteries me met hors de moi.
▶ Forme apocopée de *ciento* devant un substantif ou devant *mil, millares, millones.*

**ciénaga** *f* marécage *m*, bourbier *m*.

**ciencia** *f* **1.** science **2. ~ ficción** science-fiction **3.** *loc adv* **a ~ cierta** de science certaine, de source sûre, en pleine connaissance de cause: **saber a ~ cierta** savoir avec certitude. ◇ *pl* **ciencias naturales** sciences naturelles; **ciencias ocultas** sciences occultes.

**cienmilésimo, a** *a/s* cent millième.

**cieno** *m* vase *f*, bourbe *f*.

**científicamente** *adv* scientifiquement.

**cientificismo** *m* scientisme.

**científico, a** *a* scientifique. ◇ *s* scientifique, savant.

**cientismo → cientificismo.**

**ciento** *a/m* cent. ◇ *m* **1.** *(centena)* centaine *f* **2. ~ por ~** cent pour cent; **el diez por ~ de las víctimas...** dix pour cent des victimes...; **interés del 6%** intérêt à 6% **3.** *FAM* **ser el ~ y la madre** être très nombreux.

**cierne** *m* **1.** fécondation *f*, floraison *f* **2.** *loc adv* **en cierne(s)** en fleur; *FIG* qui se prépare, qui s'annonce, en germe, en fleur; **un abogado en ~** un avocat en herbe.

**cierre** *m* **1.** fermeture *f*: **la hora del ~ de los comercios** l'heure de la fermeture des magasins **2.** *(de una sesión, de la Bolsa, etc.)* clôture *f* **3. ~ metálico** rideau de fer **4. ~ de cremallera** fermeture *f* à glissière; **~ de seguridad** fermeture *f* de sûreté; *(en los coches)* **~ centralizado** condamnation *f* centralisée des portes, verrouillage centralisé **5. ~ patronal** lock-out **6.** *(de un periódico, etc.)* bouclage.

**cierro** *m* fermeture *f*.

**ciertamente** *adv* certainement, assurément.

**cierto, a** *a* **1.** certain, e, vrai, e: **eso es ~** c'est certain; **increíble pero ~** incroyable mais vrai; **bien es ~** c'est bien vrai, il est vrai; **¿no es ~?** n'est-ce pas?, pas vrai? **2.** certain, e, sûr, e: **estoy ~ de lo que afirmo** je suis certain de ce que j'affirme **3.** *(precediendo al sustantivo)* un certain, une certaine: **hasta ~ punto** jusqu'à un certain point; **de cierta edad** d'un certain âge; **~ día** un jour (pas d'article en espagnol). ◇ *m* **1. estar en lo ~** être dans le vrai **2. lo ~ es que...** ce qui est certain c'est que..., toujours est-il que... ◇ *adv* **1.** certainement, certes **2. de ~** avec certitude; **por ~** assurément, certes; **sí, por ~** bien sûr, certainement.

**cierva** *f* biche.

**ciervo** *m* **1.** cerf **2. ~ volante** cerf-volant.

**cierzo** *m* bise *f*.

**cifosis** *f MED* cyphose.

**cifra** *f* **1.** chiffre *m* **2. mensaje en ~** message chiffré **3.** résumé *m*.

**cifrado, a** *a* chiffré, e.

**cifrar** *vt* **1.** *(escribir en cifra)* chiffrer **2.** *FIG* résumer ◊ **~ en** placer, mettre dans, fonder sur: **cifra su felicidad en la riqueza** il place tout son bonheur dans la richesse. ◆ **~se** *vpr* **cifrarse en** se résumer à, se réduire à.

**cigala** *f* langoustine.

**cigarra** *f* **1.** *(insecto)* cigale **2. ~ de mar** cigale de mer.

**cigarral** *m* maison *f* de campagne à Tolède.

**cigarrera** *f* **1.** *(mujer que hace cigarros)* cigarière **2.** *(estuche)* porte-cigares *m inv*.

**cigarrillo** *m* cigarette *f*: **fumar un ~** fumer une cigarette.

**cigarro** *m* **1.** *(puro)* cigare ◊ **~ puro** cigare **2.** *(cigarrillo)* cigarette *f*.

**cigarrón** *m* sauterelle *f*.

**cigomático, a** *a ANAT* zygomatique.

**cigoñal** *m (para sacar agua)* chadouf.

**cigoñino** *m* cigogneau.

**cigoto** *m BIOL* zygote.

**cigüeña** *f* **1.** *(ave)* cigogne **2.** manivelle.

**cigüeñal** *m* **1.** *(de motor)* vilebrequin. **2.** manivelle *f*.

**cilantro** *m* coriandre *f*.

**ciliados** *m pl ZOOL* ciliés.

**ciliar** *a* ciliaire.

**cilicio** *m* cilice.

**cilindrada** *f* cylindrée: **gran ~** grosse cylindrée.

**cilindrado** *m TECN* cylindrage.

**cilindrar** *vt* cylindrer.

**cilíndrico, a** *a* cylindrique.

**cilindro** *m* cylindre.

**cilio** *m* BIOL cil.

**cima** *f* **1.** cime, sommet *m* **2.** FIG fin ◊ **dar ~ a** mener à bonne fin, mener à terme **3. por ~** par-dessus, au-dessus; superficiellement.

**cimacio** *m* ARQ cimaise *f*, doucine *f*.

**cimarrón, ona** *a* AMER **1.** *(esclavo)* marron, onne **2.** *(animal, planta)* sauvage **3.** *(mate)* sans sucre.

**cimbalillo** *m* petite cloche, clochette *f*.

**címbalo** *m* cymbale *f*.

**cimbel** *m* appeau.

**cimborio, cimborrio** *m* ARQ tour lanterne *f*.

**cimbra** *f* **1.** ARQ cintre *m* **2.** courbure **3.** AMER *(trampa)* collet *m*, laçet *m*.

**cimbrado** *m* mouvement de la taille en dansant.

**cimbrar** *vt* **1.** *(un objeto flexible)* faire vibrer **2.** *(golpear)* cingler **3.** ARQ cintrer. ◆ **~se** *vpr (doblarse)* se plier.

**cimbreante** *a* souple, flexible.

**cimbrear** → **cimbrar.**

**cimbreño, a** *a* à la taille souple, svelte.

**cimbronazo** *m* **1.** → **cintarazo** **2.** AMER tressaillement, frisson nerveux, secousse *f*.

**cimentación** *f* fondations *pl*.

**cimentar*** *vt* **1.** jeter les fondations de **2.** FIG fonder, asseoir, établir **3.** *(el oro)* affiner. ◆ **~se** *vpr* FIG **cimentarse en...** se fonder sur...

**cimera** *f (del casco)* cimier *m*.

**cimero, a** *a* **1.** placé, e au sommet **2.** FIG culminant, e, prépondérant, e.

**cimiento** *m* **1.** *(de un edificio)* fondations *f pl*: **abrir los cimientos** creuser les fondations **2.** FIG base *f*, fondement: **los cimientos de la democracia** les fondements de la démocratie.

**cimitarra** *f* cimeterre *m*.

**cinabrio** *m* cinabre.

**cinamomo** *m* cinnamome.

**cinc** *m* zinc.

**cincel** *m* ciseau.

**cincelado** *m* ciselure *f*.

**cincelador** *m* ciseleur.

**cinceladura** *f* ciselure.

**cincelar** *vt* ciseler.

**cincha** *f* sangle (de selle ou de bât).

**cinchar** *vt (la silla)* sangler. ◇ *vi* AMER travailler dur, trimer, se démener.

**cincho** *m* **1.** *(faja)* ceinture *f* **2.** *(aro)* cercle, frette *f* **3.** AMER *(cincha)* sangle *f*.

**cinco** *a/m* **1.** cinq: **son las ~** il est cinq heures **2.** cinquième **3.** FIG **decir a alguien cuántas son ~ y ~** dire à quelqu'un ses quatre vérités; **no saber cuántas son ~** être d'une ignorance crasse **4.** FAM **¡choca esos ~!** tope là!; **no tener ni ~** ne pas avoir un rond.

**cincoenrama** *f* quintefeuille, potentille rampante.

**cincuenta** *a/m* **1.** cinquante: **~ kilómetros** cinquante kilomètres; **los años ~** les années cinquante **2.** *(quincuagésimo)* cinquantième.

**cincuentavo, a** *a/s* cinquantième.

**cincuentena** *f* cinquantaine.

**cincuentenario** *m* cinquantenaire.

**cincuenteno, a** *a* cinquantième.

**cincuentón, ona** *a/s* quinquagénaire.

**cine** *m* cinéma: **~ mudo, sonoro** cinéma muet, parlant; **ir al ~** aller au cinéma.
▶ En francés, la palabra *ciné* es familiar.

**cineasta** *s* cinéaste.

**cineclub** *m* ciné-club.

**cinéfilo, a** *s* cinéphile.

**cinegético, a** *a/f* cynégétique.

**cinemascope** *m* cinémascope.

**cinemateca** *f* cinémathèque.

**cinemática** *f* cinématique.

**cinematográfico, a** *a* cinématographique.

**cinematógrafo** *m* cinématographe.

**cinerama** *m* cinérama.

**cinerario, a** *a* cinéraire. ◇ *f (planta)* cinéraire.

**cinéreo, a** *a* cendré, e.

**cinesiterapia** *f* kinésithérapie.

**cinético, a** *a* cinétique: **energía cinética** énergie cinétique; **arte ~** art cinétique. ◇ *f* cinétique.

**cíngaro, a** *a/s* tzigane.

**cinglar** *vt* **1.** *(un barco)* faire avancer à la godille **2.** *(un metal)* cingler.

**cínicamente** *adv* cyniquement, avec cynisme.

**cínico, a** *a/s* cynique.

**cínife** *m* cousin, moustique.

**cinismo** *m* cynisme.

**cinocéfalo** *m* cynocéphale.

**cinquero** *m* zingueur.

**cinta** *f* **1.** *(de tela, etc.)* ruban ◊ **~ adhesiva** ruban adhésif **2. ~ métrica** mètre à ruban **3.** *(para grabar sonidos, imágenes)* bande: **~ magnetofónica** bande magnétique; **en ~** sur bande **4.** *(cinematográfica)* film *m* **5.** MAR préceinte **6. ~ transportadora** tapis *m* roulant.

**cintarazo** *m* coup donné avec le plat de l'épée.

**cintillo** *m (de sombrero)* bourdalou.

**cinto** *m* ceinture *f*.

**cintra** *f* ARQ cintre *m*.

**cintura** *f* **1.** *(del cuerpo, de un vestido)* ceinture, taille **2.** FIG **meter a alguien en ~** faire entendre raison à quelqu'un, mettre quelqu'un au pas, mater, serrer la vis à, visser quelqu'un.

**cinturón** *m* **1.** ceinture *f*: **~ de seguridad** ceinture de sécurité; **~ salvavidas** ceinture de sauvetage; **¡abróchense los cinturones!** attachez vos ceintures!; **~ negro** ceinture noire (judo) ◊ FIG **apretarse el ~** se serrer la ceinture **2.** *(para la espada)* ceinturon **3.** *(de murallas, etc.)* ceinture *f*.

**ciña, ciñe,** etc. → **ceñir.**

**cipayo** *m* cipaye.

**cipo** *m (mojón)* borne *f*.

**cipote** *a* FAM *(tonto)* idiot, e, crétin, e. ◇ *m* **1.** VULG *(pene)* bitte *f* **2.** AMER *(chiquillo)* gamin.

**ciprés** *m* cyprès.

**Cipriano** *np m* Cyprien.

**ciprino** *m (pez)* cyprin.

**circasiano, a** *a/s* circassien, enne.

**circense** *a* du cirque, de cirque.

**circo** *m* **1.** cirque **2.** GEOG cirque.

**circón** *m* zircon.

**circuir*** *vt* entourer.

**circuito** *m* **1.** circuit **2. ~ impreso, integrado** circuit imprimé, intégré; **corto ~** court-circuit.

**circulación** *f* **1.** *(de los vehículos, de la sangre, etc.)* circulation **2. ~ rodada** circulation routière, trafic routier; **código de ~** code de la route **3. poner en ~** mettre en circulation; **retirar de la ~** retirer de la circulation **4. la libre ~ de los capitales** la libre circulation des capitaux.

**circulante** *a* circulant, e.

**[2]circular** *vi* circuler: **el agua circula por las cañerías** l'eau circule dans les canalisations; **¡circulen!** circulez!

**[2]circular** *vi* circuler: **el agua circula por las cañerías** l'eau circule dans les canalisations; **¡circulen!** circulez!

**circulatorio, a** *a* circulatoire: **el aparato ~** l'appareil circulatoire.

**círculo** *m* **1.** cercle ◊ **~ vicioso** cercle vicieux **2.** *(de personas, sociedad)* cercle. ◇ *pl FIG* milieux: **en círculos bien informados** dans les milieux bien informés.

**circumpolar** *a* circumpolaire.

**circuncidar** *vt* circoncire.

**circuncisión** *f* circoncision.

**circunciso** *a/m* circoncis.

**circundante** *a* environnant, e, ambiant, e: **la realidad ~** la réalité ambiante.

**circundar** *vt* entourer.

**circunferencia** *f* circonférence.

**circunflejo** *a* **acento ~** accent circonflexe.

**circunlocución** *f*, **circunloquio** *m* circonlocution *f*.

**circunnavegación** *f* circumnavigation.

**circunscribir** *vt* circonscrire. ◆ **~se** *vpr* se limiter, se borner, s'en tenir à ◊ **la ola de calor se circunscribe al sur del país** la vague de chaleur n'affecte que le sud du pays.

**circunscripción** *f* circonscription.

**circunscrito, a** *a* circonscrit, e.

**circunspección** *f* circonspection.

**circunspecto, a** *a* circonspect, e.

**circunstancia** *f* **1.** circonstance: **circunstancias atenuantes** circonstances atténuantes **2. cara de circunstancias** figure de circonstance.

**circunstanciado, a** *a* circonstancié, e.

**circunstancial** *a* circonstantiel, elle.

**circunstante** *s* **todos los circunstantes** toutes les personnes présentes.

**circunvalación** *f* **1.** circonvallation **2. ferrocarril de ~** chemin de fer de ceinture **3. carretera de ~** rocade.

**circunvalar** *vt* entourer.

**circunvolar*** *vt* voler autour de.

**circunvolución** *f* circonvolution.

**Cirenaica** *np f* Cyrénaïque.

**cirial** *m* chandelier que portent les acolytes.

**cirílico, a** *a* cyrillique.

**Cirilo** *np m* Cyrile.

**cirio** *m* **1.** cierge **2.** *FAM* **armar, montar un ~** faire un éclat, un esclandre.

**Ciro** *np m* Cyrus.

**cirro** *m (nube)* cirrus.

**cirrosis** *f* cirrhose.

**ciruela** *f* **1.** prune **2. ~ claudia** reine-claude **3. ~ pasa** pruneau *m*.

**ciruelo** *m* prunier.

**cirugía** *f* chirurgie: **~ estética, plástica** chirurgie esthétique, plastique; **~ menor** petite chirurgie.

**ciruja** *m AMER* chiffonnier, clochard.

**cirujano** *m* chirurgien.

**cisalpino, a** *a* cisalpin, e.

**ciscar** *vt FAM* salir, cochonner. ◆ **~se** *vpr VULG (cagar)* chier.

**cisco** *m* **1.** charbon de bois très menu ◊ *FAM* **hacer ~** *(una cosa)* mettre en pièces, déglinguer; *(a alguien)* mettre à plat, claquer, vider: **la excursión me ha dejado hecho ~** l'excursion m'a vidé; **tiene el hígado hecho ~** il a le foie en compote, en capilotade; **los nervios hechos ~** les nerfs à cran **2.** *(ruido)* chambard, raffut.

**Cisjordania** *np f* Cisjordanie.

**cisma** *m* schisme: **el ~ de Oriente** le schisme d'Orient.

**cismático, a** *a* schismatique.

**cisne** *m* **1.** cygne ◊ **el canto del ~** le chant du cygne **2. cuello ~** col roulé **3.** *AMER (para polvos)* houppette *f*.

**cisoria** *a* **arte ~** art de découper les viandes.

**Cister** *np m* ordre de Cîteaux.

**cisterciense** *a/s* cistercien, enne.

**cisterna** *f* **1.** citerne **2.** *(de un retrete)* chasse d'eau, réservoir *m* de la chasse d'eau **3. buque ~** bateau-citerne.

**cistitis** *f* cystite.

**cisura** *f* incision.

**cita** *f* **1.** rendez-vous *m*: **tengo una ~ con él** j'ai (un) rendez-vous avec lui; **me ha dado ~** il m'a donné rendez-vous; **nos hemos dado ~** nous nous sommes donné rendez-vous; **casa de citas** maison de rendez-vous **2.** *(nota)* citation.

**citación** *f JUR* citation, assignation.

**citar** *vt* **1.** donner rendez-vous: **la he citado aquí** je lui ai donné rendez-vous ici; **estoy citado ahora con él** j'ai maintenant rendez-vous avec lui; **quedamos citados para mañana** nous avons rendez-vous pour demain **2.** *JUR* citer, assigner, appeler, convoquer: **~ de comparecencia** appeler à comparaître **3.** *(mencionar)* citer **4.** *TAUROM* provoquer (le taureau). ◆ **~se** *vpr* se donner rendez-vous: **nos hemos citado a las dos** nous nous sommes donnés rendez-vous à deux heures.

**cítara** *f MÚS* cithare.

**citatorio** *m JUR* citation *f*.

**Citera** *np f* Cythère.

**citerior** *a* citérieur, e.

**cítiso** *m* cytise.

**cítola** *f* claquet *m*.

**citología** *f* cytologie.

**citológico, a** *a* cytologique.

**citoplasma** *m* cytoplasme.

**citrato** *m QUÍM* citrate.

**cítrico, a** *a QUÍM* citrique: **ácido ~** acide citrique. ◇ *m pl (agrios)* agrumes.

**ciudad** *f* **1.** ville: **las grandes ciudades** les grandes villes; **~ dormitorio** ville-dortoir, cité-dortoir; **~ hongo** ville champignon; **la Ciudad eterna** la Ville éternelle; **~ santa** ville sainte; **~ satélite** ville satellite **2.** cité: **~ universitaria** cité universitaire **3. la ~ de Dios** *(san Agustín)* la Cité de Dieu.

**ciudadanía** *f* **1.** citoyenneté **2. derecho de ~** droit de cité **3.** *AMER* **cédula de ~** carte d'identité.

**ciudadano, a** *a/s (de una ciudad)* citadin, e. ◇ *a* urbain, e: **la inseguridad ciudadana** l'insécurité dans les villes. ◇ *s (de un Estado)* citoyen, enne.

**ciudadela** *f* citadelle.

**civet** *m* CULIN civet.

**civeta** *f* *(gato de algalia)* civette.

**civeto** *m* *(algalia)* civette *f*.

**cívico, a** *a* civique.

**civil** *a* civil, e: **guerra ~** guerre civile; **matrimonio ~** mariage civil ◊ **casarse por lo ~** se marier civilement. ◇ *m* FAM gendarme.

**civilidad** *f* civilité.

**civilización** *f* civilisation.

**civilizador, a** *a/s* civilisateur, trice.

**civilizar** *vt* civiliser.

**civilmente** *adv* civilement.

**civismo** *m* civisme.

**cizalla** *f* *(tijeras)* cisailles *pl*.

**cizallar** *vt* cisailler.

**cizaña** *f* **1.** ivraie **2.** FIG zizanie: **meter ~** semer la zizanie.

**clac** *m* *(sombrero)* claque.

**clachique** *m* AMER pulque non fermenté.

**clamar** *vt* clamer, crier: **~ venganza** crier vengeance. ◇ *vi* **1.** crier: **~ a Dios** crier vers Dieu; **~ en el desierto** crier dans le désert; **~ contra...** crier contre... **2.** demander, réclamer: **~ por justicia** demander justice.

**clámide** *f* chlamyde.

**clamor** *m* **1.** clameur *f* **2.** *(voz lastimosa)* plainte *f* **3.** *(toque de campana)* glas.

**clamorear** *vt* implorer.

**clamoreo** *m* clameur *f*, supplication *f*.

**clamoroso, a** *a* **1.** chaleureux, euse, enthousiaste: **un ~ aplauso** des applaudissements chaleureux **2. éxito ~** succès retentissant, éclatant, triomphal.

**clampar** *vt* MED clamper.

**clan** *m* clan.

**clandestinamente** *adv* clandestinement.

**clandestinidad** *f* clandestinité.

**clandestino, a** *a* clandestin, e.

**claque** *f* TEAT claque.

**claqueta** *f* *(cine)* claquette, clap *m*.

**claquetista** *s* clapman.

**clara** *f* **1.** *(de huevo)* blanc *m*: **batir las claras a punto de nieve** battre les blancs en neige **2.** *(en un tejido)* clairière **3.** *(del tiempo)* éclaircie, embellie ◊ **las claras del día** le point du jour **4.** *(bebida)* panaché *m* (bière et limonade).

**Clara** *np f* Claire.

**claraboya** *f* lucarne, tabatière.

**claramente** *adv* clairement.

**clarear** *vt* éclaircir. ◇ *vi* **1.** commencer à faire jour: **viene clareando** il commence à faire jour **2. al ~ el día** au point du jour **3.** *(el tiempo)* s'éclaircir. ◆ **~se** *vpr* **1.** être transparent, e **2.** FIG se découvrir, laisser percer ses intentions.

**clarecer* → amanecer.**

**clarete** *a/m* *(vino)* clairet, rosé.

**claridad** *f* clarté. ◇ *pl* vérités.

**claridoso, a** *a* AMER clair, e: **lenguaje ~** langage clair.

**clarificación** *f* clarification.

**clarificar** *vt* **1.** éclaircir **2.** *(un líquido)* clarifier. ◆ **~se** *vpr* **1.** s'éclaircir **2.** se clarifier.

**clarín** *m* clairon.

**clarinada** *f* FAM bourde, sottise.

**clarinete** *m* **1.** clarinette *f*: **tocar el ~** jouer de la clarinette **2.** *(músico)* clarinettiste.

**clarinetista** *s* clarinettiste.

**clarión** *m* craie *f*.

**clarisa** *f* clarisse.

**clarividencia** *f* clairvoyance.

**clarividente** *a* clairvoyant, e.

**claro, a** *a* **1.** clair, e: **azul ~** bleu clair; **voz clara** voix claire; **está ~** c'est clair; **está ~ que...** il est clair que...; **así de ~** c'est bien clair; **más ~ que el agua** clair comme de l'eau de roche **2.** *(idea, etc.)* clair, e, net, nette **3.** *(ralo)* clairsemé, e **4.** franc, franche **5.** illustre **6. cantarlas claras → cantar 7.** *loc adv* **a las claras** ouvertement, au grand jour, clairement. ◇ *m* **1. ~ de luna** clair de lune **2.** *(entre dos palabras)* espace **3.** *(entre dos cosas)* vide **4.** *(en un bosque)* clairière *f* **5.** *(en un cielo nuboso)* éclaircie *f* **6.** *(abertura)* jour, ouverture *f* **7.** pause *f* **8. poner, sacar en ~** tirer au clair. ◇ *adv* clairement: **hablar ~** parler clairement; **digámoslo ~** disons-le clairement. ◇ *interj* **¡~!, ¡~ está!** bien sûr!, évidemment!; **¡~ que sí!** mais oui!; **¡~ que no!** mais non!

**claroscuro** *m* clair-obscur.

**clase** *f* **1.** classe: **la ~ obrera** la classe ouvrière; **la lucha de clases** la lutte des classes; **vagón de primera ~** wagon de première classe **2.** *(alumnos, aula)* classe **3.** cours *m*: **dar ~** *(el profesor)* donner un cours; *(el alumno)* suivre un cours; **hoy no hay ~** il n'y a pas cours aujourd'hui; **~ nocturna** cours du soir; **clases particulares** cours particuliers **4.** genre *m*, sorte, espèce: **dificultades de toda ~** des difficultés de toute sorte, de toute nature **5.** FAM **tener ~** avoir de la classe. ◇ *pl* **1. las clases pasivas** les retraités et pensionnés de l'État **2.** MIL sous-officiers *pl*.

**clasicismo** *m* classicisme.

**clásico, a** *a/s* classique.

**clasificación** *f* **1.** classification **2.** *(alfabética, etc.)* classement *m* **3.** *(en una competición)* classement *m*: **una buena ~** un bon classement **4.** INFORM tri *m*.

**clasificador, a** *a* classificateur, trice. ◇ *m* *(mueble)* classeur. ◇ *f* *(máquina)* trieuse.

**clasificar** *vt* **1.** classer: **las palabras están clasificadas por orden alfabético** les mots sont classés dans l'ordre alphabétique **2.** classifier **3.** INFORM trier. ◆ **~se** *vpr* **1.** se classer **2.** *(deporte)* se qualifier: **se clasificó para la semifinal** il s'est qualifié pour la demi-finale.

**clasista** *a* marqué, e par la conscience de classe.

**claudia** *a/f* **ciruela ~** reine-claude.

**Claudia** *np f* Claude.

**claudicación** *f* **1.** claudication **2.** FIG défaillance, abandon *m*.

**claudicar** *vi* **1.** boiter **2.** FIG manquer à ses devoirs, à ses principes, faillir **3.** *(ceder)* céder.

**Claudina** *np f* Claudine.

**Claudio** *np m* Claude.

**claustral** *a* claustral, e: **vida ~** vie claustrale. ◇ *m* membre d'un conseil de professeurs.

**claustro** *m* **1.** cloître **2.** *(de profesores)* conseil des professeurs (y compris le recteur, dans les universités).

**claustrofobia** *f* claustrophobie.

**cláusula** *f* **1.** *(de un contrato, etc.)* clause **2.** GRAM période, phrase.

**clausura** *f* **1.** RELIG clôture **2.** *(última sesión)* clôture **3.** *(de un establecimiento, etc.)* fermeture.

**clausurar** *vt* **1.** fermer **2.** *(una sesión, etc.)* clore, clôturer.

**clava** *f* *(porra)* massue.

**clavado, a** *a FIG* **1. es ~ a su padre** c'est son père tout craché, c'est tout le portrait de son père **2. las dos clavadas** deux heures pile **3. dejar ~ a alguien** clouer quelqu'un sur place, décontenancer quelqu'un.

**clavadura** *f* enclouure.

**clavar** *vt* **1.** planter, enfoncer: **~ un clavo** planter un clou; **~ banderillas** planter des banderilles **2.** *(sujetar con clavos)* clouer **3.** *FIG (la mirada, etc.)* fixer: **clavó los ojos en mí** il fixa ses yeux sur moi **4.** *FAM (engañar)* rouler, estamper ◊ **en este restaurante nos van a ~** dans ce restaurant, c'est le coup de fusil, on va se faire estamper. ◆ **~se** *vpr* s'enfoncer: **me clavé una astilla** je me suis enfoncé une écharde.

**clavazón** *f* clous *m pl.*

**clave** *f* **1.** clef, clé: **la ~ del enigma** la clef de l'énigme; **novela de ~** roman à clef **2.** code: **número de ~** numéro de code **3.** *MÚS* clef **4.** *ARQ* clef, claveau *m.* ◇ *a* clef: **posición ~** position clef; **industria ~** industrie clef. ◇ *m (clavicordio)* clavecin.

**clavecinista** *s* claveciniste.

**clavel** *m* œillet.

**clavellina** *f* mignonnette, mignardise.

**clavelón** *m* œillet d'Inde.

**clavero** *m (árbol)* giroflier.

**claveta** *f* chevillette.

**clavete** *m MÚS* plectre.

**clavetear** *vt* clouter.

**clavicémbalo** *m* clavecin.

**clavicordio** *m* clavecin.

**clavícula** *f* clavicule.

**clavija** *f* **1.** cheville: **~ maestra** cheville ouvrière ◊ *FIG* **apretar las clavijas a alguien** serrer la vis à quelqu'un **2.** *ELECT* fiche **3.** *MÚS* cheville.

**clavijero** *m MÚS* chevillier.

**clavo** *m* **1.** *(de metal)* clou ◊ *FIG* **agarrarse a un clavo ardiendo** recourir à tous les moyens, chercher à s'en tirer coûte que coûte; **dar en el ~** tomber juste, voir juste; **dar una en el ~ y ciento en la herradura** réussir par hasard, rater souvent son coup; **remachar el ~** aggraver les choses en croyant bien faire; **un ~ saca otro ~** un clou chasse l'autre **2.** *MED* broche *f* **3.** *(furúnculo)* furoncle **4.** *(en el pie)* cor **5.** *(especia)* clou de girofle **6.** *FIG* forte douleur *f* **7.** *FIG* **llegó a las 3, como un ~** il arriva à 3 heures pile, tapantes.

**claxon** *m* klaxon: **tocar el ~** klaxonner.

**claxonazo** *m* coup de klaxon.

**clemátide** *f* clématite.

**clemencia** *f* clémence.

**clemente** *a* clément, e.

**Clemente** *np m* Clément.

**clementina** *f* clémentine.

**Cleopatra** *np f* Cléopâtre.

**clepsidra** *f* clepsydre.

**cleptomanía** *f* cleptomanie.

**cleptomaníaco, a, cleptómano, a** *s* cleptomane.

**clerecía** *f* **1.** clergé *m* **2. mester de ~ → mester.**

**clerical** *a/s* clérical, e.

**clericalismo** *m* cléricalisme.

**clérigo** *m* **1.** *(sacerdote)* prêtre **2.** *(hombre letrado)* clerc.

**clero** *m* clergé: **~ regular, secular** clergé régulier, séculier.

**clic** *m INFORM* **hacer ~** cliquer. ◇ *interj* **¡clic!** clic!

**cliché** *m* cliché.

**cliente, a** *s* client, e.

**clientela** *f* clientèle.

**clientelismo** *m* clientélisme.

**clima** *m* **1.** climat **2.** *FIG* climat.

**climatérico, a** *a* **1.** climatérique **2.** difficile.

**climático, a** *a* climatique.

**climatización** *f* climatisation.

**climatizador** *m* climatiseur.

**climatizar** *vt* **1.** climatiser **2. local climatizado** salle climatisée.

**climatología** *f* climatologie.

**climatológico, a** *a* climatologique.

**clímax** *m* point culminant, moment critique, paroxysme.

**clínico, a** *a* clinique. ◇ *f* clinique. ◇ *s (médico)* médecin, clinicien, enne.

**clip** *m* **1.** *(para sujetar papeles)* trombone, attache *f* **2.** *(para el pelo)* pince *f.*

**clíper** *m* clipper.

**clisado** *m* clichage.

**clisar** *vt* clicher.

**clisé** *m* cliché.

**clistel, clister** *m* clystère.

**clítoris** *m* clitoris.

**clivoso, a** *a POÉT* en pente.

**cloaca** *f* **1.** *(sumidero)* égout *m*, cloaque *m* **2.** *ZOOL* cloaque *m.*

**cloaquista** *m AMER* égoutier.

**clocar*** **→ cloquear.**

**Clodoveo** *np m* Clovis.

**clon** *m BIOL* clone.

**clonación** *f BIOL* clonage *m.*

**clonar** *vt BIOL* cloner.

**cloquear** *vi* glousser.

**cloqueo** *m* gloussement.

**clorado, a** *a* chloré, e.

**clorato** *m QUÍM* chlorate.

**clorhídrico, a** *a* chlorhydrique.

**cloro** *m QUÍM* chlore.

**clorofila** *f* chlorophylle.

**clorofílico, a** *a* chlorophyllien, enne.

**cloroformizar** *vt* chloroformer.

**cloroformo** *m* chloroforme.

**clorosis** *f MED* chlorose.

**clorótico, a** *a* chlorotique.

**cloruro** *m* chlorure: **~ de sodio** chlorure de sodium.

**clóset** *m AMER* placard.

**Clotilde** *np f* Clotilde.

**clown** *m* clown.

**club** *m* **1.** club **2. ~ nocturno** boîte *f* de nuit.

**clueca** *a/f (poule)* couveuse.

**cluniacense** *a/s* clunisien, enne.

**coa** *f AMER (azada)* sorte de houe.

**coacción** *f* contrainte.

**coaccionar** *vt* contraindre.

**coactivo, a** *a* coactif, ive, coercitif, ive: **medidas coactivas** mesures coercitives.

**coacusado, a** *a/s* coaccusé, e.

**coadjutor** *m* coadjuteur.

**coadyuvar** *vt* aider, contribuer.

**coagulación** *f* coagulation: **la ~ de la sangre** la coagulation du sang.

**coagulante** *a/m* coagulant, e.

**coagular** *vt* coaguler. ◆ **~se** *vpr* se coaguler.

**coágulo** *m (de sangre)* caillot.

**coala** → **koala.**

**coalición** *f* coalition.

**coaligarse** → **coligarse.**

**coartada** *f* alibi *m*: **probar la ~** fournir, prouver un alibi.

**coartar** *vt* restreindre, limiter.

**coatí** *m* coati.

**coautor, a** *s* coauteur *m*.

**coaxial** *a* coaxial, e.

**coba** *f* FAM **1.** flatterie, lèche: **dar ~ a** faire de la lèche à, passer de la pommade à **2.** *(embuste)* blague.

**cobalto** *m* cobalt: **azul de ~** bleu de cobalt; **bomba de ~** bombe au cobalt.

**cobarde** *a/s* lâche, poltron, onne.

**cobardía** *f* lâcheté, poltronnerie.

**cobaya, cobayo** *m* cobaye.

**cobertera** *f* couvercle *m*.

**cobertizo** *m* **1.** *(saledizo)* auvent **2.** *(sitio cubierto)* hangar, remise *f*.

**cobertor** *m* **1.** *(colcha)* couvre-lit **2.** *(manta)* couverture *f* (de lit).

**cobertura** *f* couverture: **~ social** couverture sociale.

**cobija** *f* **1.** *(teja)* tuile faîtière **2.** AMER *(manta)* couverture.

**cobijar** *vt* **1.** couvrir **2.** *(albergar)* héberger, loger. ◆ **~se** *vpr* s'abriter.

**cobijo** *m* **1.** *(albergue)* abri, refuge, gîte **2.** hospitalité *f*: **dar ~ a refugiados** donner l'hospitalité à des réfugiés **3.** *(amparo)* protection *f*.

**cobista** *s* FAM lécheur, euse, lèche-bottes *inv*.

**cobla** *f* petit orchestre qui joue des sardanes (en Catalogne).

**cobol** *m* INFORM cobol.

**cobra** *f (serpiente)* cobra *m*.

**cobrable, cobradero, a** *a* recouvrable, percevable.

**cobrador** *m* **1.** encaisseur **2.** *(en un autobús, etc.)* receveur **3.** *(del gas, etc.)* releveur de compteurs.

**cobranza** *f* recouvrement *m*, encaissement *m*, perception.

**cobrar** *vt* **1.** *(percibir)* encaisser, percevoir: **~ un cheque** encaisser un chèque **2.** toucher, être payé, e: **~ tanto al mes** toucher tant par mois **3.** prendre: **¿cuánto te ha cobrado el garajista?** combien t'a pris le garagiste?; **cobra muy caro** il prend très cher; **te cobraré barato** je ne te prendrai pas cher, je ne te ferai pas payer cher **4.** faire payer **5.** FIG prendre: **~ cariño a alguien** prendre quelqu'un en affection; **~ afición a** prendre goût à; **~ importancia** prendre de l'importance; **~ buena fama** acquérir une bonne renommée **6.** *(capturar)* prendre: **~ una trucha** prendre une truite **7.** *(piezas en la cacería)* rapporter **8.** FAM **~ una torta** attraper, récolter une gifle. ◆ **~se** *vpr* se payer: **cóbrese** payez-vous.

**cobre** *m* **1.** *(metal)* cuivre ◊ FIG **batir el ~** travailler ferme, cravacher dur, se démener **2.** AMER sou, monnaie *f* de cuivre. ◇ *pl* MÚS cuivres.

**cobrizo, a** *a* cuivré, e: **piel cobriza** peau cuivrée.

**cobro** *m* **1.** *(de dinero)* encaissement, perception *f* **2. ponerse en ~** se mettre en lieu sûr **3. conferencia telefónica a ~ revertido** communication en P.C.V.

**coca** *f* **1.** *(arbusto)* coca *m* **2.** feuille de coca, coca **3.** FAM *(cabeza)* coloquinte, tête **4. una Coca Cola** un Coca-Cola.

**cocacho** *m* AMER coup.

**cocaína** *f* cocaïne.

**cocainómano, a** *s* cocaïnomane.

**cocal** *m* AMER **1.** plantation *f* de cocas **2.** *(cocotal)* plantation *f* de cocotiers.

**cocalero** *m* AMER planteur de cocas.

**cocción** *f* cuisson.

**cóccix** *m* ANAT coccyx.

**cocear** *vi* ruer.

**cocedura** *f* cuisson.

**cocer*** *vt* cuire, faire cuire: **~ al vapor, a fuego lento** faire cuire à la vapeur, à feu doux. ◇ *vi* cuire. ◆ **~se** *vpr* **1.** cuire: **estas lentejas no se cuecen** ces lentilles cuisent mal; **no están aún cocidas** elle ne sont pas encore cuites; **cuézase en horno suave** faire cuire à feu doux **2.** FIG *(tramarse)* se mijoter: **algo se cuece** quelque chose se mijote.

**coces** *pl* de **coz.**

**cocha** *f* AMER **1.** étendue d'eau, marécage *m*, étang *m* **2.** pampa, plaine.

**cochambre** *m* FAM crasse *f*, saleté *f*.

**cochambrería** *f* FAM cochonnerie, saleté.

**cochambroso, a** *a* FAM crasseux, euse.

**coche** *m* **1.** voiture *f*: **conducir un ~** conduire une voiture; **un ~ de carreras** une voiture de course; **~ patrulla** voiture de police; **~-bomba** voiture piégée ◊ **~ celular** fourgon cellulaire; **~ de línea** car, autocar; **~ fúnebre** corbillard **2.** *(de tren)* wagon: **~-cama** wagon-lit; **~ restaurante** wagon-restaurant; **~ litera** wagon-couchette **3.** FAM **ir en el ~ de San Fernando** aller pedibus.

**cochecito** *m* **1.** petite voiture *f* **2.** *(para niños)* voiture *f* d'enfant.

**cochera** *a* **puerta ~** porte cochère. ◇ *f* remise, garage *m*: **~ privada** garage privé.

**cochero** *m* cocher.

**cochevís** *f* cochevis *m*.

**cochifrito** *m* ragoût de chevreau, de mouton.

**cochina** *f* truie.

**cochinada** *f* FAM **1.** cochonnerie **2.** *(jugada)* saloperie, tour *m* de cochon.

**Cochinchina** *np f* Cochinchine.

**cochinería** → **cochinada.**

**cochinero, a** *a* **1.** pour les cochons **2. trote ~** petit trot.

**cochinilla** *f* **1.** cloporte *m* **2.** *(roja)* cochenille.

**cochinillo** *m* cochon de lait, cochonnet.

[1]**cochino** *m (cerdo)* cochon, porc.

[2]**cochino, a** *a* **1.** *(sucio)* sale **2.** infâme **3.** misérable, maudit, e, fichu, e: **no tiene más que un ~ galón de cabo** il n'a qu'un misérable galon de caporal. ◇ *s* FAM *(persona sucia o ruin)* cochon, onne.

**cochitril** → **cuchitril.**

**cochura** *f* cuisson.

**cocido** *m* pot-au-feu *inv*.

**cociente** *m* quotient: **~ intelectual** quotient intellectuel.

**cocimiento** *m* **1.** cuisson *f* **2.** *(líquido)* décoction *f*.

**cocina** *f* **1.** *(pieza, arte)* cuisine: **libro de ~** livre de cuisine **2.** *(aparato)* cuisinière: **~ de gas, eléctrica** cuisinière à gaz, électrique.

**cocinar** *vt* **1.** cuisiner, préparer **2.** *FIG* mitonner, concocter, préparer. ◇ *vi* cuisiner, faire la cuisine.

**cocinero, a** *s* cuisinier, ère.

**cocinilla** *f* réchaud *m*: **~ de gas** réchaud à gaz.

**cocker** *m (perro)* cocker.

**cóclea** *f ANAT* cochlée.

**coclearia** *f (planta)* cochléaire.

**coco** *m* **1.** *(árbol)* cocotier **2.** *(fruto)* noix *f* de coco **3.** *(bacteria)* coccus **4.** *(en la fruta)* ver **5.** *(fantasma)* croque-mitaine **6.** *(gesto)* grimace *f* ◊ **hacer cocos** faire des mamours, les yeux doux **7.** *FAM (cabeza)* tête *f*, crâne: **trato de meterle en el ~ que...** j'essaie de lui enfoncer dans la tête que...; **estar hasta el ~ de** en avoir par-dessus la tête de, ras le bol de; **comer el ~ a alguien** bourrer le crâne, le mou à quelqu'un; **comerse el ~** se creuser la cervelle; **no te comas el ~** ne te tracasse pas.

**cococha** *f* joue (de morue).

**cocodrilo** *m* crocodile ◊ **lágrimas de ~** larmes de crocodile.

**cócora** *s FAM* raseur, euse.

**cocotal** *m* plantation *f* de cocotiers, palmeraie *f*.

**cocotero** *m* cocotier.

**cóctel** *m* **1.** cocktail **2. ~ molotov** cocktail molotov.

**coctelera** *f* shaker *m*.

**cocuiza** *f AMER* corde d'agave.

**cocuy** *m* **1.** pyrophore, insecte luisant, cucuje **2.** *AMER (pita)* agave.

**cocuyo** *m* pyrophore, insecte luisant, cucuje.

**coda** *f MÚS* coda.

**codal** *m* **1.** *(de la armadura)* cubitière *f* **2.** *(para apuntalar)* étrésillon **3.** *(de vid)* marcotte *f*.

**codaste** *m MAR* étambot.

**codazo** *m* coup de coude.

**codear** *vi* donner des coups de coude, jouer des coudes. ◆ **~se** *vpr* **codearse con** fréquenter, coudoyer, côtoyer.

**codeína** *f* codéine.

**codera** *f* pièce ajoutée au coude d'un vêtement.

**codeso** *m* cytise.

**códice** *m* codex, manuscrit ancien.

**codicia** *f* **1.** *(de dinero)* cupidité **2.** convoitise **3. la ~ rompe el saco** on perd tout en voulant tout gagner.

**codiciable** *a* désirable, convoitable.

**codiciar** *vt* convoiter.

**codicilo** *m* codicille.

**codiciosamente** *adv* avidement.

**codicioso, a** *a* cupide, avide.

**codificación** *f* **1.** codification **2.** *INFORM* codification, codage *m* **3.** cryptage *m*.

**codificador** *m* codeur, encodeur.

**codificar** *vt* **1.** *(leyes, etc.)* codifier **2.** *INFORM* coder **3.** *(televisión)* crypter: **programa codificado** programme crypté.

**código** *m* code: **~ civil, penal** code civil, pénal; **~ de circulación** code de la route; **~ postal** code postal; **~ genético** code génétique; **~ de barras** code-barre, code à barres.

**codillo** *m* **1.** *(de dlos cuadrúpedos)* coude, épaule *f* **2.** *(de jamón)* jambonneau **3.** *(tubo)* tuyau coudé, coude.

**codo** *m* **1.** coude: **de codos sobre la mesa** les coudes sur la table; **~ con ~** coude à coude; **~ de tenis** tennis-elbow ◊ *FIG* **comerse los codos de hambre** crever de faim, bouffer des briques; **empinar el ~** lever le coude; **hablar por los codos** discourir, jaser comme une pie, parler intarissablement; **hincar los codos** bosser, bûcher **2.** tuyau coudé **3.** *(medida)* coudée *f*.

**codoñate** *m* confiture *f* de coing.

**codorniz** *f* caille.

**coedición** *f* coédition.

**coeducación** *f* coéducation, mixité, enseignement *m* mixte.

**coeficiente** *m* **1.** coefficient **2. ~ intelectual** quotient intellectuel.

**coendú** *m* coendou.

**coercer** *vt* contraindre.

**coerción** *f* coercition.

**coercitivo, a** *a* coercitif, ive.

**coetáneo, a** *a/s* contemporain, e.

**coexistencia** *f* coexistence: **~ pacífica** coexistence pacifique.

**coexistir** *vi* coexister.

**cofa** *f MAR* hune.

**cofia** *f* **1.** *(de mujer)* coiffe **2.** *(para el pelo)* résille, filet *m* **3.** *BOT* coiffe.

**cofín** *m* sorte de panier.

**cofrade** *s* membre d'une confrérie, confrère.

**cofradía** *f* **1.** confrérie **2.** association.

**cofre** *m* coffre.

**cofrecito** *m* coffret.

**cogedera** *f* cueilloir *m*.

**cogedero** *m* manche.

**cogedor** *m* pelle *f* (à poussière, à ordures, à charbon).

**coger** *vt* **1.** prendre: **~ del brazo** prendre par le bras; **mañana cojo el avión para Bruselas** je prends demain l'avion pour Bruxelles; **coja usted la llave** prenez la clef; **~ in fraganti** prendre sur le fait; **~ por el cuello** saisir au collet **2.** *(frutas)* cueillir **3.** *(alcanzar)* rattraper **4.** *(atropellar)* renverser **5.** attraper, prendre: **~ un catarro** attraper un rhume; **cogí frío en la piscina** j'ai pris froid à la piscine; **ha cogido acento mexicano** il a attrapé l'accent mexicain **6.** surprendre: **le cogió el apagón mientras se afeitaba** la panne l'a surpris pendant qu'il se rasait **7.** *FIG* **le cogí de buen humor** je l'ai trouvé de bonne humeur; **~ desprevenido, descuidado** prendre au dépourvu; **~ la palabra a uno** prendre quelqu'un au mot; **~ de nuevas** → **nueva 8.** *(comprender)* saisir, comprendre **9.** *FIG* **no hay por dónde cogerlo** on ne sait pas par quel bout le prendre; **no me cogerán en otra** on ne m'y reprendra plus **10.** *(elegir)* choisir **11.** *TAUROM* blesser d'un coup de corne **12.** contenir, tenir **13.** *AMER FAM (unirse sexualmente)* baiser. ◇ *vi* **1.** *(planta, vacuna)* prendre **2.** prendre: **coja a la derecha** prenez à droite **3.** *(caber)* tenir **4.** *FAM (+ y: indique la détermination)* **cansado de esperar, cogí y me largué** las d'attendre, eh bien je me suis taillé.

**cogerencia** *f* cogérance.

**cogestión** *f* cogestion.

**cogestionar** *vt* cogérer.

**cogida** *f* **1.** *(de frutas)* cueillette, récolte **2.** *TAUROM* coup *m* de corne: **sufrir una ~** recevoir un coup de corne.

**cogido, a** *a* pris, e. ◇ *m (en un vestido)* fronce *f*, pli.

**cogitabundo, a** *a* méditatif, ive, songeur, euse.

**cogitación** *f* cogitation.

**cognición** *f* cognition.

**cognoscitivo, a** *a* cognitif, ive.

**cogollo** *m* **1.** *(de lechuga, col)* cœur **2.** *(brote)* pousse *f*, bourgeon **3.** *FIG* crème *f*, gratin **4.** *AMER (chicharra)* grosse cigale *f*; *(requiebro)* compliment.

**cogolludo, a** *a* pommé, e.

**cogorza** *f FAM* cuite.

**cogotazo** *m* coup sur la nuque.

**cogote** *m* nuque *f*.

**cogotera** *f* couvre-nuque *m*.

**cogotudo, a** *a* **1.** à nuque épaisse **2.** *FIG* fier, fière, hautain, e.

**cogujada** *f* cochevis *m*.

**cogulla** *f (de monje)* coule, cagoule.

**cohabitación** *f* cohabitation.

**cohabitar** *vi* cohabiter.

**cohechar** *vt JUR* suborner.

**cohecho** *m JUR* subornation *f*, corruption *f*.

**coheredero, a** *s* cohéritier, ère.

**coherencia** *f* cohérence.

**coherente** *a* cohérent, e.

**cohesión** *f* cohésion.

**cohesivo, a** *a* cohésif, ive.

**cohete** *m* **1.** fusée *f*: **~ espacial** fusée spatiale; **lanzar un ~ al espacio** lancer une fusée dans l'espace; **~ portador** fusée porteuse **2.** *MIL* roquette *f* **3.** *AMER* **al (santo) ~** en vain, pour rien, pour des prunes.

**cohetero** *m* artificier.

**cohibición** *f* contrainte.

**cohibir** *vt* **1.** contraindre **2.** gêner, intimider: **las chicas le cohiben** les filles l'intimident; **se siente cohibido ante ellas** il se sent gêné devant elles.

**cohombro** *m* concombre.

**cohonestar** *vt* présenter sous un jour flatteur, sous un aspect favorable, colorer.

**cohorte** *f* cohorte.

**coihué** *m AMER* hêtre antartique.

**coima** *f* **1.** concubine **2.** *AMER (gratificación)* pot-de-vin *m*.

**coime** *m* tenancier d'un tripot.

**coincidencia** *f* coïncidence.

**coincidente** *a* qui coïncide.

**coincidir** *vi* **1.** coïncider: **mi viaje coincidió con el suyo** mon voyage a coïncidé avec le sien **2.** se rencontrer, se retrouver: **coincidimos en el festival** nous nous sommes rencontrés au festival; **coincidieron en el salón** ils se retrouvèrent au salon **3.** être d'accord, tomber d'accord, s'accorder: **todos coinciden en lo esencial** tous sont d'accord sur l'essentiel; **~ en elogiar a...** s'accorder pour faire l'éloge de...; **todo el mundo coincide en que es un imbécil** tout le monde est d'accord pour dire que c'est un imbécile.

**coipo** *m AMER* ragondin.

**coito** *m* coït.

**coja,** etc. → **coger.**

**cojear** *vi* boiter ◊ *FIG* **saber de qué pie cojea uno** connaître le point faible de quelqu'un.

**cojera** *f* boiterie, claudication.

**cojijo** *m* petit ennui, tracas.

**cojijoso, a** *a* geignard, e, susceptible.

**cojín** *m* coussin.

**cojinete** *m* **1.** coussinet **2. ~ de bolas** roulement à billes.

**cojitranco, a** *a/s* boiteux, euse.

**cojo, a** *a/s* **1.** boiteux, euse ◊ **no ser ~ ni manco** → **manco 2.** *FIG* **razonamiento ~** raisonnement boiteux.

**cojón** *m VULG* couille *f* ◊ **de ~** formidable, extra. ◇ *interj VULG* **¡cojones!** merde!, bordel!

**cojonudo, a** *a POP* formidable, du tonnerre, super: **un piso ~** un appartement super.

**cojudez** *f AMER FAM* sottise, connerie.

**cojudo, a** *a AMER (tonto)* stupide, con, conne.

**cojuelo, a** *a* boiteux, euse.

**cok** *m* coke.

**col** *f* chou *m*: **coles de Bruselas** choux de Bruxelles ◊ *FIG* **entre ~ y ~ lechuga** il faut mettre un peu de variété dans la vie.

[1]**cola** *f* **1.** *(de un animal, de un cometa, parte final)* queue **2.** *(fila de personas)* queue, file d'attente: **hacer ~** faire la queue; **estar a la ~** être à la queue, le dernier **3.** *(de un vestido)* traîne **4. ~ de caballo** *(peinado)* queue de cheval; *(planta)* prèle **5. ~ de milano** queue-d'aronde **6.** *FIG* **traer ~** avoir des suites.

[2]**cola** *f (pegamento)* colle.

[3]**cola** *f* kola *m*, cola *m*: **nuez de ~** noix de cola.

**colaboración** *f* collaboration.

**colaboracionista** *s* collaborateur, trice, collabo.

**colaborador, a** *s* collaborateur, trice.

**colaborar** *vi* collaborer: **~ en un periódico** collaborer à un journal.

**colación** *f* **1.** collation **2.** *JUR* **~ de bienes** rapport *m* à succession **3. sacar a ~** faire mention de, parler de, évoquer, mettre sur le tapis.

**colacionar** *vt* **1.** *(comparar)* collationner **2.** *(un beneficio)* conférer.

**colada** *f* **1.** lessive, lessivage *m*: **hacer la ~** faire la lessive ◊ *FIG* **todo saldrá en la ~** on finira par tout savoir **2.** *(de metal, de lava)* coulée.

**coladero** *m* **1.** passage étroit **2.** *FAM (entre estudiantes)* jury d'examen très coulant.

**colado, a** *a* **1. aire ~** vent coulis **2. hierro ~** fonte *f* **3.** *FAM* **estar ~ por alguien** en pincer pour quelqu'un.

**colador** *m* passoire *f*.

**coladura** *f* **1.** filtration, filtrage *m* **2.** *FIG* gaffe, maladresse.

**colagogo, a** *a/m* cholagogue.

**colanilla** *f* targette.

**colapez** *f* colle de poisson.

**colapsar** *vt* paralyser, bloquer: **~ el tráfico** bloquer la circulation. ◆ **~se** *vpr FIG* être frappé, e de paralysie, se trouver bloqué, e.

**colapso** *m* **1.** *MED* collapsus, malaise: **~ cardíaco** collapsus cardiaque **2.** *FIG* paralysie *f* **3.** effondrement.

**colar*** *vt* **1.** *(un líquido)* passer, filtrer **2.** *(metales)* couler **3.** *(algo, por un sitio)* faire passer, glisser **4.** *FAM* passer, refiler: **~ un billete falso** refiler un faux billet **5.** *(un beneficio eclesiástico)* conférer. ◇ *vi FIG* prendre: **su mentira no ha colado** son mensonge n'a pas pris; **esto no cuela** ça ne prend pas. ◆ **~se** *vpr* **1.** se glisser, se faufiler **2.** *(en una cola)* resquiller **3.** *FAM (equivocarse)* se tromper, se ficher dedans, se gourer: **¡te has colado!** tu t'es fichu dedans!; *(meter la pata)* faire une gaffe, gaffer.

**colargol** *m* collargol.

**colateral** *a/m* collatéral, e: **nave ~** nef collatérale; **padres colaterales** parents collatéraux.

**colcha** *f* couvre-lit *m*, dessus-de-lit *m*, courtepointe.

**colchón** *m* **1.** matelas **2. ~ de muelles, de tela metálica** sommier **3. ~ de aire** coussin d'air.

**colchonero, a** *s* matelassier, ère.

**colchoneta** *f* **1.** matelas *m* étroit **2.** *(colchón hinchable)* matelas *m* pneumatique.

**cole** *m FAM* collège, lycée, bahut.

**coleada** *f* coup *m* de queue.

**colear** *vi* **1.** remuer la queue **2.** *FIG* **la noticia sigue coleando** la nouvelle reste d'actualité; **todavía colea** ce n'est pas fini, on n'a pas fini d'en entendre parler; **vivito y coleando** bien vivant, plein de vie. ◇ *vt (un toro)* prendre par la queue.

**colección** *f* collection.

**coleccionar** *vt* collectionner.

**coleccionista** *s* collectionneur, euse.

**colecta** *f* **1.** collecte **2.** *(de limosnas)* quête.

**colectar** *vt* **1.** *(recaudar)* percevoir, collecter **2.** recueillir.

**colectividad** *f* collectivité.

**colectivismo** *m* collectivisme.

**colectivista** *a/s* collectiviste.

**colectivización** *f* collectivisation.

**colectivizar** *vt* collectiviser.

**colectivo, a** *a* collectif, ive. ◇ *m* **1.** *(conjunto de personas)* collectif: **un ~ de trabajadores** un collectif de travailleurs **2.** *AMER* microbus, autobus privé.

**colector** *m* collecteur.

**colédoco** *a ANAT* cholédoque.

**colega** *m* collègue.

▶ En las profesiones liberales (médicos, etc.) se emplea también la palabra *confrère*.

**colegiación** *f* inscription (à une corporation).

**colegiado, a** *a* inscrit, e à un ordre. ◇ *s* membre d'un corps professionnel, d'une corporation. ◇ *m (árbitro)* arbitre.

**colegial** *a* **1.** collégial, e **2.** de collégien. ◇ *m* **1.** écolier **2.** *(de un instituto)* collégien, lycéen **3.** *FIG (tímido)* collégien.

**colegiala** *f* collégienne, lycéenne.

**colegiarse** *vpr* se grouper dans un corps professionnel, dans une corporation.

**colegiata** *f (iglesia)* collégiale.

**colegio** *m* **1.** collège **2.** école *f*: **~ privado** école privée **3.** nom de certains corps professionnels, ordre: **~ de abogados, de médicos** ordre des avocats, des médecins **4.** **~ electoral** collège électoral.

**colegir*** *vt* **1.** réunir, rassembler **2.** *(inferir)* déduire: **de todo lo cual colijo que...** de tout cela je déduis que...

**coleóptero** *m* coléoptère.

**cólera** *f* **1.** *(bilis)* bile **2.** colère: **descargar su ~ en** décharger sa colère sur; **montar en ~** se mettre en colère, piquer une rogne. ◇ *m MED* choléra: **~ morbo** choléra morbus.

**colérico, a** *a/s* coléreux, euse, colérique.

**colesterol** *m* cholestérol: **~ malo** mauvais cholestérol.

**coleta** *f* **1.** *(peinado antiguo)* queue **2.** *(trenza)* natte, tresse **3.** *FIG* **cortarse la ~** *(el torero)* abandonner le métier de torero; *FIG* se retirer.

▶ Les toreros portent une petite natte, aujourd'hui postiche, signe de leur profession.

**coletazo** *m* **1.** coup de queue **2.** *FIG* sursaut, soubresaut: **los últimos coletazos de la dictadura** les derniers soubresauts de la dictature.

**coletilla** *f* ajout *m*, addition.

**coleto** *m* **1.** *FIG* for intérieur: **para mí, su ~** à part moi, soi **2.** *FAM* **echarse al ~ un vaso de vino** s'envoyer, siffler un verre de vin; **echarse al ~ una novela** avaler un roman.

**colgadero** *m* crochet, croc.

**colgadizo** *m* auvent, appentis.

**colgado, a** *a* **1.** **~ de** pendu à **2.** *FIG FAM* déçu, e ◇ **dejar ~ a** laisser en rade, en plan, décevoir; **quedarse ~** être désappointé, e.

**colgador** *m* cintre, porte-manteau.

**colgadura** *f* tenture.

**colgajo** *m* **1.** *(de tela)* lambeau **2.** grappes *f pl* (de raisins) suspendues.

**colgante** *a* suspendu, e. ◇ *m (joya)* breloque *f*, pendentif.

**colgar*** *vt* **1.** pendre, suspendre, accrocher: **~ un cuadro de un clavo** accrocher un tableau à un clou **2.** *(el teléfono)* raccrocher: **¡no cuelgue!** ne raccrochez pas! **3.** *(ahorcar)* pendre **4.** *FAM (en un examen)* coller: **me colgaron dos asignaturas** j'ai été collé dans deux matières **5.** *FAM (endilgar)* refiler. ◇ *vi* pendre, être suspendu, e: **una lámpara cuelga del techo** une lampe pend au plafond.

**colibacilo** *m* colibacille.

**colibacilosis** *f MED* colibacillose.

**colibrí** *m* colibri.

**cólico** *m* colique *f*: **~ hepático, nefrítico** colique hépatique, néphrétique.

**coliflor** *f* chou-fleur *m*: **coliflores** des choux-fleurs.

**coligación** *f* alliance, association.

**coligado, a** *a* coalisé, e.

**coligarse** *vpr* s'allier, se coaliser, se liguer.

**colijo**, etc. → **colegir.**

**colilla** *f* mégot *m*.

**colillero** *m* ramasseur de mégots.

**colimador** *m* collimateur.

**colimba** *f AMER* service *m* militaire. ◇ *m (soldado)* conscrit, appelé, bidasse.

**colimbo** *m (ave)* plongeon.

**colín** *a* à la queue courte. ◇ *m (pan)* petite flûte *f* de pain, gressin.

**colina** *f* colline.

**colinabo** *m* chou-rave.

**colindante** *a* limitrophe, contigu, uë, attenant, e: **el claustro ~ con la iglesia** le cloître attenant à l'église.

**colindar** *vi* être contigu, uë.

**colirio** *m* collyre.

**colirrojo** *m* rouge-queue.

**Coliseo** *np m* Colisée. ◇ *m* grand théâtre, grand cinéma.

**colisión** *f* **1.** collision **2.** heurt *m* **3.** *FIG* choc *m*: **~ de ideas, de intereses** choc des idées, des intérêts.

**colisionar** *vi* entrer en collision, accrocher, heurter, rentrer dans: **el camión colisionó con dos turismos y un árbol** le camion a accroché deux voitures de tourisme et est rentré dans un arbre.

**colitis** *f MED* colite.

**colla** *s* indien, enne des Andes.

**collado** *m* **1.** *(monte)* coteau **2.** *(paso)* col.

**collar** *m* **1.** collier **2.** *(castigo)* carcan.

**collarín** *m* **1.** petit collier **2.** *(alzacuello)* rabat **3.** *(sobrecuello)* collet **4.** *MED (aparato ortopédico)* minerve *f*.

**collera** *f (de las caballerías)* collier *m*. ◇ *pl AMER (gemelos)* boutons *m* de manchette.

**colmadamente** *adv* abondamment.

**colmado, a** *a* plein, e, rempli, e: **cucharita bien colmada de azúcar** petite cuillère remplie de sucre à ras bord. ◇ *m* **1.** *(tienda de comestibles)* épicerie *f* **2.** *(tasca)* gargote *f*.

**colmar** *vt* **1.** remplir à ras bord: **~ un vaso** remplir un verre à ras bord **2.** *FIG* combler: **~ de atenciones** combler de faveurs; **~ la medida** combler la mesure; **la gota que colma la medida, el vaso** → **gota.**

**colmena** *f* ruche.

**colmenar** *m* rucher.

**colmenero, a** *s* apiculteur, trice.

**colmenilla** *f (hongo)* morille.

**colmillazo** *m* coup de dent.

**colmillo** *m* **1.** canine *f* ◊ *FIG* **enseñar los colmillos** montrer les dents; **escupir por el ~** fanfaronner, la ramener, crâner **2.** *(del perro)* croc **3.** *(del elefante, jabalí)* défense *f.*

**colmo** *m* comble: **en el ~ del asombro** au comble de la surprise ◊ *FIG* **¡el ~!, ¡es el ~!** c'est le comble!, c'est un comble!, on aura tout vu!; **llegar al ~** être à son comble; **para ~** pour comble, pour couronner le tout.

**colocación** *f* **1.** pose: **la ~ de una moqueta** la pose d'une moquette; **la ~ de la primera piedra** la pose de la première pierre **2.** *(sitio)* emplacement *m*, place **3.** placement *m*: **oficina de ~** bureau de placement **4.** *(empleo)* place, emploi *m*, poste *m*, situation: **ha encontrado una buena ~** il a trouvé une bonne place.

**colocar** *vt* **1.** *(una cosa)* placer, mettre: **colocó el libro en la biblioteca** il plaça le livre dans la bibliothèque **2.** *(una cortina, la primera piedra, una bomba, etc.)* poser **3.** déposer: **el presidente colocó una corona de flores ante la tumba de...** le président déposa une couronne de fleurs devant la tombe de... **4.** *(dinero)* placer **5.** *(dar un empleo)* placer, caser **6.** *(casar)* caser: **todavía no ha colocado a sus hijas** il n'a pas encore casé ses filles. ◆ **~se** *vpr* **1.** se placer: **se colocó en la última fila** il se plaça dernier rang; **se ha colocado de secretaria** elle s'est placée comme secrétaire **2.** *FAM* **estar colocado** *(bajo los efectos del alcohol)* être éméché, être parti; *(de la droga)* être défoncé, planer.

**colodión** *m QUÍM* collodion.

**colodrillo** *m* occiput.

**colofón** *m* **1.** colophon, achevé d'imprimer **2.** *FIG* couronnement ◊ **como ~ de la fiesta...** pour terminer la fête en beauté...

**colofonia** *f* colophane.

**coloidal** *a* colloïdal, e.

**coloide** *m QUÍM* colloïde.

**Colombia** *np f* Colombie.

**colombiano, a** *a/s* colombien, enne.

**colombino, a** *a* relatif, ive à Christophe Colomb.

**colombofilia** *f* colombophilie.

**colombófilo, a** *s* colombophile.

**colon** *m ANAT* côlon.

**colón** *m* colón (unité monétaire du Costa Rica et du Salvador).

**Colón** *np m* Colomb ◊ **el huevo de ~** l'œuf de Colomb.

**colonato** *m* **1.** colonat **2.** *(en Roma)* colonage.

**colonche** *m AMER* eau-de-vie *m* de nopal.

**colonia** *f* **1.** colonie **2.** *(agua de Colonia)* eau de Cologne.

**Colonia** *np* Cologne.

**coloniaje** *m AMER* période *f* coloniale.

**colonial** *a* colonial, e ◊ **productos coloniales** produits coloniaux, denrées exotiques.

**colonialismo** *m* colonialisme.

**colonialista** *a/s* colonialiste.

**colonización** *f* colonisation.

**colonizador, a** *a/s* colonisateur, trice.

**colonizar** *vt* coloniser.

**colono** *m* colon.

**coloquial** *a* parlé, e, familier, ère: **lenguaje ~** langage parlé; **giro ~** tournure familière.

**coloquíntida** *f* coloquinte.

**coloquio** *m* colloque.

**color** *m* **1.** couleur *f*: **película, televisión en ~** film, télévision en couleurs **2.** *FIG* couleur: **la situación se presenta con colores sombríos** la situation se présente sous des couleurs sombres ◊ **dar ~** donner de l'éclat; **verlo todo de ~ de rosa** voir tout en rose; **distinguir de colores** savoir juger, s'y connaître; **ponerse de mil colores** passer par toutes les couleurs; **sacarle a uno los colores a la cara** faire rougir quelqu'un; **subido de ~** haut en couleur **3.** *loc prep* **so ~ de** sous couleur de, sous prétexte de. ◇ *pl* **los colores nacionales** les couleurs nationales.

**coloración** *f* coloration.

**colorado, a** *a* **1.** coloré, e **2.** *(rojo)* rouge ◊ *FIG* **~ de vergüenza** rouge de honte; **poner ~ a alguien** faire rougir quelqu'un; **se puso ~** il est devenu rouge, il a rougi **3.** *FIG* libre, grivois, e, leste.

**coloradote, a** *a* rougeaud, e.

**colorante** *a/m* colorant, e.

**colorar** *vt* colorer.

**colorear** *vt* **1.** colorer **2. librito de ~** album à colorier. ◇ *vi* rougir, commencer à rougir.

**colorete** *m* rouge, fard.

**colorido** *m* **1.** coloris **2.** *FIG* couleur *f.*

**colorín** *m (jilguero)* chardonneret. ◇ *pl* couleurs *f* criardes ◊ **y ~ colorado, este cuento se ha acabado** et mon histoire se termine là (formule finale des contes pour enfants).

**colorín, ina** *a AMER (pelirrojo)* roux, rousse.

**colorinche** *m AMER* couleur *f* criarde.

**colorista** *a/s* coloriste.

**colosal** *a* colossal, e.

**coloso** *m* colosse.

**cólquico** *m* colchique.

**Cólquida** *np f* Colchide.

**colt** *m* colt.

**columbario** *m* columbarium.

**columbino, a** *a* de pigeon.

**columbrar** *vt* **1.** apercevoir **2.** *FIG* entrevoir, pressentir.

**columbrete** *m* îlot.

**columelar** *a (diente)* canine.

**columna** *f* **1.** colonne **2. ~ vertebral** colonne vertébrale **3. en ~ de a 4** en colonne par 4 **4. la quinta ~** la cinquième colonne.

**columnario, a** *a* se disait de la monnaie d'argent frappée en Amérique.

**columnata** *f* colonnade.

**columnista** *s* chroniqueur, euse (d'un journal).

**columpiar** *vt* balancer. ◆ **~se** *vpr* se balancer.

**columpio** *m* balançoire *f.*

**colusión** *f JUR* collusion.

**colusorio, a** *a JUR* collusoire.

**colutorio** *m* collutoire.

**colza** *f* colza *m*: **aceite de ~** huile de colza.

[1]**coma** *f* **1.** virgule: **punto y ~** point-virgule ◊ *FIG* **sin faltar una ~** sans omettre aucun détail, avec précision **2.** *MUS* comma *m* **3.** *(en las sillas de coro)* miséricorde.

[2]**coma** *m MED* coma: **entrar en ~** entrer dans le coma.

**comadre** *f* **1.** *(partera)* accoucheuse **2.** *(vecina, mujer chismosa)* commère **3.** *(madrina)* marraine.

**comadrear** *vi FAM* cancaner, bavarder, faire des commérages.

**comadreja** *f* belette.

**comadreo** *m* commérage.

**comadrería** *f* commérage *m*, cancan *m*.

**comadrón** *m* FAM accoucheur.

**comadrona** *f* FAM sage-femme, accoucheuse.

**comal** *m* AMER plaque *f* d'argile pour cuire les galettes de maïs, etc.

**comandancia** *f* **1.** fonction, grade *m*, bureau *m* d'un commandant **2.** district *m* sous l'autorité d'un commandant.

**comandante** *m* commandant: **~ en jefe** commandant en chef; **~ de a bordo** commandant de bord.

**comandar** *vt* MIL commander.

**comandita** *f* COM commandite.

**comanditar** *vt* COM commanditer.

**comanditario, a** *a/s* COM commanditaire.

**comando** *m* MIL *(grupo)* commando.

**comarca** *f* région, contrée.

**comarcal** *f* **1.** régional, e **2. carretera ~** route départementale.

**comarcano, a** *a* voisin, e.

**comatoso, a** *a* comateux, euse.

**comba** *f* **1.** *(curva)* courbure, cambrure **2.** *(cuerda, juego de niña)* corde: **saltar a la ~** sauter à la corde.

**combadura** *f* courbure, cambrure.

**combar** *vt* courber. ◆ **~se** *vpr* **1.** ployer, gauchir **2.** bomber.

**combate** *m* combat ◊ **fuera de ~** hors de combat.

**combatiente** *a/s* combattant, e.

**combatir** *vi/t* combattre.

**combatividad** *f* combativité.

**combativo, a** *a* combatif, ive.

**combi, combina** *f* FAM combine.

**combinación** *f* **1.** combinaison **2.** *(prenda femenina)* combinaison **3.** *(bebida)* cocktail *m* **4.** FIG combinaison, système *m*.

**combinada** *f (esquí)* combiné *m*: **la ~ alpina** le combiné alpin.

**combinado, a** *a* **1.** combiné, e **2.** assorti, e, coordonné, e: **chaqueta combinada con una falda recta** veste assortie à une jupe droite. ◇ *m (bebida)* cocktail.

**combinar** *vt* combiner. ◇ *vi* s'harmoniser, être assorti, e, se marier.

**combinatorio, a** *a* combinatoire.

**combo, a** *a* courbe, cambré, e, bombé, e. ◇ *m* **1.** chantier (pour les tonneaux) **2.** AMER *(mazo)* maillet, masse *f* **3.** AMER *(puñetazo)* coup de poing.

**comburente** *a/m* comburant, e.

**combustible** *a/m* combustible.

**combustión** *f* combustion.

**comecocos** *s inv* FAM **1.** despote, tyran **2.** qui aliène, qui rend esclave.

**comecome** *m* FIG sensation *f* d'inquiétude, préoccupation *f*.

**comedero, a** *a* mangeable. ◇ *m (recipiente)* mangeoire *f*.

**comedia** *f* **1.** comédie: **~ de costumbres, de enredo** comédie de mœurs, d'intrigue; **~ musical** comédie musicale **2.** pièce de théâtre **3.** FAM **¡es una ~!** c'est de la comédie!, c'est de la frime!; **hacer ~** jouer la comédie.

**comediante, a** *s* comédien, enne.

**comedidamente** *adv* modérément, avec mesure, sagement.

**comedido, a** *a* **1.** mesuré, e, modéré, e: **~ en sus palabras** mesuré dans ses propos **2.** *(cortés)* courtois, e, poli, e.

**comedimiento** *m* **1.** retenue *f*, mesure *f* **2.** courtoisie *f*.

**comedio** *m* milieu: **en el ~ de** au milieu de.

**comediógrafo, a** *s* auteur de pièces de théâtre.

**comedión** *m* mauvaise pièce *f* de théâtre.

**comedirse*** *vpr* se modérer, se contenir.

**comedón** *m* comédon.

[1]**comedor, a** *a/s* mangeur, euse: **buen ~** gros mangeur.

[2]**comedor** *m* **1.** *(pieza y mobiliario)* salle *f* à manger **2.** restaurant économique, cantine *f* ◊ **~ de empresa, universitario** restaurant d'entreprise, universitaire; **~ de caridad** soupe *f* populaire **3.** réfectoire **4. jefe de ~** maître d'hôtel.

**comején** *m* termite, fourmi *f* blanche.

**comendador** *m* commandeur.

**comensal** *s* **1.** commensal, e, convive **2.** BIOL commensal, e.

**comentador, a** *s* commentateur, trice.

**comentar** *vt* commenter.

**comentario** *m* commentaire.

**comentarista** *s* commentateur, trice.

**comenzar*** *vt/i* commencer: **comienza el espectáculo** le spectacle commence; **comenzó a llover** il commença à pleuvoir.

**comer** *vi* **1.** manger: **como de todo** je mange de tout **2.** *(al mediodía)* déjeuner **3.** *(cenar)* dîner. ◇ *vt* **1.** manger **2.** *(los colores, hablando del sol)* manger **3.** *(corroer)* ronger **4.** *(en las damas, el ajedrez)* prendre **5.** *(sentir comezón)* démanger **6.** FIG dévorer: **le come la ambición** l'ambition le dévore **7.** FAM **sin comerlo ni beberlo** sans y être pour rien; **sin comerlo ni beberlo se quedó sin trabajo** il s'est retrouvé, comme ça, sans travail. ◆ **~se** *vpr* **1.** manger: **se lo ha comido todo** il a tout mangé ◊ **comerse las uñas** se ronger les ongles **2.** FIG **comerse las palabras** manger ses mots; **comerse con los ojos** dévorer des yeux; **está para comérsela** elle est mignonne à croquer; **comerse el coco** → **coco 3.** *(omitir)* sauter: **se ha comido una línea** il a sauté une ligne.

▶ *Comer*, dans le sens transitif, s'emploie souvent sous la forme pronominale *comerse*.

**comercial** *a* **1.** commercial, e **2.** *(calle)* commerçant, e.

**comercialización** *f* commercialisation.

**comercializar** *vt* commercialiser.

**comerciante** *s* commerçant, e: **pequeño ~** petit commerçant.

**comerciar** *vi* commercer, faire du commerce.

**comercio** *m* commerce.

**comestible** *a/m* comestible ◊ **tienda de comestibles** magasin d'alimentation, épicerie.

**cometa** *m (astro)* comète *f*. ◇ *f (juguete que se eleva en el aire)* cerf-volant *m*.

**cometer** *vt* **1.** commettre: **ha cometido un error** il a commis une erreur **2.** *(encargar)* confier.

**cometido** *m* **1.** mission *f*, tâche *f*: **cumplir su ~** remplir sa tâche, s'acquitter de sa mission **2.** fonction *f*, rôle.

**comezón** *f* **1.** démangeaison **2.** FIG démangeaison ◊ **sentía una gran ~ por hablar con él** il brûlait d'envie de parler avec lui.

**comible** *a* mangeable.

**comic, cómic** *m* bande *f* dessinée.

**comicastro** *m* mauvais acteur, cabotin.

**comicidad** *f* **la ~** le caractère comique, la drôlerie.

**comicios** *m pl* **1.** comices **2.** *(elecciones)* élections *f*, consultations *f* électorales.

**cómico, a** *a* comique. ◇ *s* **1.** *(actor, actriz)* comédien, enne **2. ~ de la legua** comédien ambulant.

**comida** *f* **1.** *(alimento)* nourriture **2.** repas *m*: **hacer tres comidas al día** faire trois repas par jour; **una ~ campestre** un repas champêtre **3.** *(almuerzo)* déjeuner *m*, repas de midi; *(cena)* dîner *m*, repas du soir.

**comidilla** *f* sujet *m* de conversation, fable: **ser la ~ del pueblo** être la fable du village.

**comidita** *f* dînette.

**comido, a** *a* **1.** qui a mangé: **vengo ya ~** j'ai déjà mangé **2.** FAM **~ y bebido** nourri.

**comienzo** *m* **1.** commencement, début: **al ~ de, en los comienzos de** au début de **2. dar ~** commencer; **han dado ~ las conversaciones entre los dos estadistas** les conversations entre les deux hommes d'État ont commencé.

**comillas** *f pl* guillemets *m*: **entre ~** entre guillemets.

**comilón, ona** *a/s* gros mangeur, grosse mangeuse.

**comilona** *f* FAM gueuleton *m* ◊ **darse una ~** se taper la cloche.

**cominear** *vi* FAM fourrer son nez partout.

**cominero** *a/s* FAM fouineur.

**comino** *m* **1.** cumin **2.** FAM **(eso no) me importa (ni) un ~** je m'en fiche royalement.

**comisar** *vt* saisir, confisquer.

**comisaría** *f* commissariat *m*: **varios manifestantes fueron llevados a la ~** plusieurs manifestants ont été conduits au commissariat.

**comisario** *m* commissaire: **~ de policía** commissaire de police.

**comiscar** *vt* grignoter, mangeotter.

**comisión** *f* **1.** commission **2.** *(misión)* mission.

**comisionado, a** *a/s* **1.** délégué, e **2. ~ de apremios** porteur de contraintes.

**comisionar** *vt* commissionner, déléguer, mandater.

**comisionista** *s* COM commissionnaire.

**comiso** *m* JUR saisie *f*, confiscation *f*.

**comistrajo** *m* FAM ratatouille *f*, tambouille *f*.

**comisura** *f* commissure: **la ~ de los labios** la commissure des lèvres.

**comité** *m* comité: **~ paritario** comité paritaire; **~ de empresa** comité d'entreprise.

**comitiva** *f* suite, cortège *m*.

**cómitre** *m* ANT MAR garde-chiourme.

**[1]como** *adv/conj* **1.** comme: **blanco ~ la nieve** blanc comme neige; **haga ~ yo** faites comme moi; **~ quien dice** comme qui dirait **2.** *(en la comparación)* que: **es tan alto ~ yo** il est aussi grand que moi **3.** environ, à peu près: **una chica de ~ veinte años** une jeune fille d'environ vingt ans; **llevo yo aquí ~ un mes** je suis ici depuis environ un mois **4. ~ para** au point de; **no es tan grave ~ para...** ce n'est pas grave au point de...; **es ~ para sentirse perplejo** il y a de quoi se sentir perplexe **5. ~ sea** n'importe comment, quoi qu'il en soit. ◇ *conj* **1.** *(causal, temporal)* comme: **~ me aburría, me fui al cine** comme je m'ennuyais, je suis allé au cinéma **2.** *(condicional)* si, si jamais: **~ vuelvas aquí, te mato** si tu reviens ici, je t'assomme; **~ no te calles, te pego una torta** si tu ne te tais pas, je te flanque une gifle; **~ no sea para...** à moins que ce ne soit pour... **3.** que: **sabrás ~ hemos llegado bien** sache que nous sommes bien arrivés **4. ~ que, ~ quiera que** étant donné que; **~ quiera que sea** quoi qu'il en soit **5. ~ si** *(+ subjuntivo)* comme si *(+ indicativo)*: **~ si fuera ayer** comme si c'était hier; **~ si tal cosa** comme si de rien n'était **6. hacer ~ que** faire semblant de: **hace ~ que no oye** il fait semblant de ne pas entendre, il fait comme s'il n'entendait pas.

**[2]cómo** *adv* **1.** comment: **¿~ está usted?** comment allez-vous?; **¿cómo dices?** comment dis-tu?; **¿~ de grande?** grand comment?; **no sé ~ se las arregla** je ne sais pas comment il se débrouille; **depende de ~ se divierta usted** ça dépend de la façon dont vous vous amusez **2.** comme: **¡~ llueve!** comme il pleut! **3. ¿~ así?, ¿~ es eso?** comment cela?; **¿~ no?** pas vrai?; **~ no me habías dicho nada?** comment se fait-il que, pourquoi tu ne m'avais rien dit?; **¿~ que no es verdad?** comment ce n'est pas vrai?; **¿~ que no sabes?** comment tu ne sais pas?; **¿~ que nada?** comment rien? ◇ *interj* **1.** comment! **2. ¡~ no!** bien sûr!, naturellement! ◇ *m* comment: **el ~ y el porqué** le comment et le pourquoi.

▶ La formule *como no*, exprimant l'acquiescement, est très courante en Amérique latine.

**Como** *np* Côme: **el lago de ~** le lac de Côme.

**cómoda** *f* *(mueble)* commode.

**cómodamente** *adv* commodément.

**comodidad** *f* **1.** commodité **2.** aise, confort *m* **3.** avantage *m*.

**comodín** *m* **1.** *(naipe)* jocker **2.** prétexte **3. una palabra ~** un mot passe-partout.

**cómodo, a** *a* **1.** *(conveniente, fácil)* commode **2.** confortable: **un asiento ~** un siège confortable **3.** *(aplicado a personas)* **estar ~** être à l'aise; **póngase ~** mettez-vous à l'aise.

**comodón, ona** *a* qui aime ses aises, son petit confort.

**comodoro** *m* commodore.

**comoquiera** *adv* **1.** n'importe comment **2. ~ que...** comme de toutes façons..., étant donné que...

**compa** *m* AMER FAM copain, pote.

**compacidad, compactabilidad** *f* compacité.

**compactar** *vt* AMER compacter, compresser.

**compacto, a** *a* compact, e ◊ **disco ~** → **disco.**

**compadecer*** *vt* plaindre, compatir à: **te compadezco** je te plains. ◆ **~se** *vpr* **1. compadecerse de los desgraciados** plaindre les malheureux; **me compadezco de su pena** je compatis à votre peine **2.** être compatible, s'accorder.

**compadrada** *f* AMER fanfaronnade.

**compadraje, compadrazgo** *m* compérage.

**compadre** *m* **1.** compère, parrain (par rapport aux parents, à la marraine) **2.** *(amigo)* compère, copain **3.** AMER *(fanfarrón)* fanfaron, crâneur.

**compadrear** *vi* AMER plastronner, se pavaner.

**compadrito** *m* AMER m'as-tu-vu.

**compaginación** *f* **1.** *(imprenta)* mise en pages **2.** *(de cosas)* assemblage *m*, mise en rapport.

**compaginar** *vt* **1.** concilier, faire concorder: **es difícil ~ este trabajo con las labores de casa** il est difficile de faire aller de pair, de mener de front ce travail et celui de la maison **2.** *(arreglar)* mettre en ordre, arranger, classer **3.** *(imprenta)* mettre en pages. ◆ **~se** *vpr* s'accorder, cadrer.

**compaña** *f* compagnie.

**compañerismo** *m* camaraderie *f*.

**compañero, a** *s* **1.** compagnon, compagne **2.** camarade: **~ de carrera** camarade d'étude **3.** collègue **4.** *(en el juego)* partenaire **5.** *(objeto)* pendant *m*, chose *f* qui va avec une autre.

**compañía** *f* **1.** compagnie: **en ~ de** en compagnie de; **hacer ~ a** tenir compagnie à; **animales de ~** animaux de compagnie **2.** *(de actores)* troupe **3.** COM compagnie: **~ de seguros** compagnie d'assurances **4.** RELIG **la Compañía de Jesús** la Compagnie de Jésus.

**comparable** *a* comparable.

**comparación** *f* comparaison ◊ **en ~ con** en comparaison de, comparativement à.

**comparado, a** *a* *(literatura, etc.)* comparé, e.

**comparar** *vt* comparer: **~ con** comparer à, avec.

**comparatismo** *m* comparatisme.

**comparatista** *s* comparatiste.

**comparativo, a** *a/m* comparatif, ive.

**comparecencia** *f JUR* comparution.

**comparecer*** *vi* **1.** comparaître: **~ ante el juez** comparaître devant le juge **2.** *(aparecer)* apparaître.

**comparición** *f JUR* comparution.

**comparsa** *s* **1.** comparse **2.** *(teatro, cine)* figurant, e. ◇ *f* **1.** *TEAT* figuration **2.** *(tropa)* mascarade.

**comparsería** *f* figuration.

**compartimiento** *m* **1.** répartition *f* **2.** *(de vagón, cajón, etc.)* compartiment ◊ **~ estanco** compartiment étanche, sas.

**compartir** *vt* **1.** répartir, distribuer **2.** *(poseer, utilizar con otros)* partager **3.** *FIG* partager: **comparto tu opinión** je partage ton avis; **compartimos tu alegría** nous partageons ta joie, nous nous associons à ta joie.

**compás** *m* **1.** compas: **medir con el ~** mesurer au compas **2.** *MAR* compas, boussole *f* **3.** *MÚS* mesure *f*: **llevar el ~** battre la mesure; **en ~** en mesure ◊ *FIG* **~ de espera** temps d'arrêt, pause *f*, expectative *f*, point d'orgue: **imponer un ~ de espera en la solución de la crisis** imposer un temps d'arrêt à la recherche d'une solution à la crise **5.** rythme: **al ~ de** au rythme de **6.** *FIG* mesure *f*.

**compasado, a** *a* modéré, e, sage.

**compasillo** *m MÚS* mesure *f* à quatre temps.

**compasión** *f* compassion, pitié: **ten ~ de mí** aie pitié de moi.

**compasivo, a** *a* compatissant, e: **una mirada compasiva** un regard compatissant.

**compatibilidad** *f* compatibilité.

**compatibilizar** *vt* rendre compatible, concilier.

**compatible** *a* compatible.

**compatriota** *s* compatriote.

**compeler** *vt* contraindre, obliger, forcer: **le compelieron a vender la finca** il fut contraint de vendre la propriété, on l'obligea à vendre la propriété.

**compendiar** *vt* **1.** abréger **2.** *(resumir)* résumer.

**compendio** *m* **1.** abrégé, résumé, compendium **2. en ~** sommairement, en résumé **3.** *FIG* résumé, synthèse *f*.

**compendioso, a** *a* abrégé, e.

**compenetración** *f* **1.** compénétration **2.** identification.

**compenetrarse** *vpr* **1.** se compénétrer **2.** s'identifier **3.** *(avenirse)* s'entendre: **nunca había tenido un amigo con quien me compenetrara tanto** je n'avais jamais eu d'ami avec qui je me sois si bien entendu.

**compensación** *f* **1.** compensation, dédommagement *m*: **en ~** en compensation **2.** *COM* **~ bancaria** compensation bancaire, clearing *m*.

**compensador, a** *a* compensateur, trice.

**compensar** *vt* **1.** compenser: **no me compensa de tantas molestias** ça ne compense pas tous les ennuis que j'ai eus **2.** *(indemnizar)* dédommager.

**compensatorio, a** *a* compensatoire.

**competencia** *f* **1.** *(rivalidad, en comercio)* concurrence: **libre ~** libre concurrence; **~ ilícita, desleal** concurrence illicite, déloyale; **hacerse la ~** se faire concurrence **2.** *(aptitud)* compétence **3.** *(incumbencia)* compétence, ressort *m*: **eso no es de mi ~** ce n'est pas de mon ressort **4.** *JUR* compétence.

**competente** *a* **1.** *(experto)* compétent, e **2.** approprié, e.

**competer** *vi* incomber, appartenir: **estoy dispuesto a asumir toda la responsabilidad que me competa** je suis prêt à assumer toute la responsabilité qui m'incombe.

**competición** *f* compétition.

**competidor, a** *a/s* concurrent, e, compétiteur, trice: **marcas competidoras** marques concurrentes.

**competir*** *vi* **1.** concourir, être en concurrence: **empresa que compite con otra** entreprise qui est en concurrence avec une autre **2.** rivaliser: **nadie puede ~ con él** personne ne peut rivaliser avec lui; **~ en mérito** rivaliser de mérite.

**competitividad** *f* compétitivité.

**competitivo, a** *a* compétitif, ive, concurrentiel, elle: **precios competitivos** prix compétitifs.

**compilación** *f* compilation.

**compilador, a** *s* compilateur, trice.

**compilar** *vt* compiler.

**compinche** *s FAM* **1.** *(compañero)* copain, copine **2.** complice.

**complacencia** *f* **1.** complaisance **2.** *(satisfacción)* satisfaction, plaisir *m*.

**complacer*** *vt* être agréable, plaire. ◆ **~se** *vpr* **1. complacerse en** se complaire à, se plaire à, prendre plaisir à: **se complace en pensar...** on se plaît à penser... **2.** avoir le plaisir: **me complazco en informarle** j'ai le plaisir de vous informer.

**complaciente** *a* complaisant, e.

**complejidad** *f* complexité.

**complejo, a** *a* complexe. ◇ *m* **1.** *(industrial, etc.)* complexe **2.** *(en psicología)* complexe: **~ de inferioridad** complexe d'infériorité.

**complementar** *vt* compléter. ◆ **~se** *vpr* se compléter.

**complementariedad** *f* complémentarité.

**complementario, a** *a* complémentaire.

**complemento** *m* **1.** complément **2.** *(del atuendo femenino)* accessoire **3.** *GRAM* **~ directo** complément d'objet direct: **~ indirecto** complément d'objet indirect: **~ circunstancial** complément circonstanciel.

**completamente** *adv* complètement.

**completar** *vt* compléter. ◆ **~se** *vpr* se compléter.

**completas** *f pl RELIG* complies.

**completivo, a** *a* complétif, ive.

**completo, a** *a* **1.** complet, ète: **hotel ~** hôtel complet **2. un fracaso ~** un échec total **3.** *loc adv* **por ~** complètement.

**complexión** *f* complexion.

**complexo, a** *a* complexe.

**complicación** *f* **1.** complication **2.** difficulté.

**complicado, a** *a* compliqué, e: **el problema es ~** le problème est compliqué.

**complicar** *vt* **1.** compliquer **2.** *(persona)* **~ a alguien en un asunto** impliquer quelqu'un dans, mêler quelqu'un à une affaire. ◆ **~se** *vpr* se compliquer: **no se complique la vida** ne vous compliquez pas la vie.

**cómplice** *s* complice.

**complicidad** *f* complicité.

**complot** *m* complot.

**complotar** *vi* comploter.

**complutense** *a/s* d'Alcalá de Henares (Espagne).

**componedor, a** *a* compositeur, trice: **amigable ~** amiable compositeur. ◇ *m (imprenta)* composteur.

**componenda** *f* **1.** arrangement *m*, compromis *m* **2.** *FAM* combine.

**componente** *a/s* composant, e. ◇ *m* membre: **los componentes de la comisión** les membres de la commission.

**componer*** *vt* **1.** composer: **este músico ha compuesto varias sinfonías** ce musicien a composé plusieurs symphonies; **compuso versos** il composa des vers **2.** *(algo roto)* réparer: **~ zapatos** réparer des chaussures **3.** *(arreglar)* arranger ◊ **~ la cama** retaper le lit **4.** *(con ingredientes)* préparer **5.** *(adornar)* décorer **6.** *(imprenta)* composer **7.** *FIG (a personas enemistadas)* réconcilier, raccommoder. ◆ **~se** *vpr* **1.** se composer **2.** *(ataviarse)* s'arranger, s'habiller **3.** *FIG* s'entendre, arriver à un accord **4.** *FAM* **componérselas** s'arranger, se débrouiller, s'y prendre; **que se las componga como pueda** qu'il s'arrange, se débrouille comme il pourra; **no sé cómo me las compondré para...** je ne sais pas comment je vais m'y prendre pour...

**comporta** *f (canasta)* comporte.

**comportamiento** *m* comportement, conduite *f.*

**comportar** *vt* **1.** tolérer, souffrir **2.** *(traer consigo)* comporter. ◆ **~se** *vpr* se comporter, se conduire, se tenir: **no sabe comportarse** il ne sait pas se tenir.

**composición** *f* **1.** composition **2. hacer ~ de lugar** peser le pour et le contre, faire le point de la situation.

**compositor, a** *s* compositeur, trice.

**compost** *m AGR* compost.

**compostelano, a** *a/s* de Saint-Jacques-de-Compostelle.

**compostura** *f* **1.** *(remiendo)* réparation, raccommodage *m* **2.** *(asco)* toilette, parure **3.** *(modales)* tenue, maintien *m* **4.** *(recato)* réserve, retenue **5.** *(ajuste)* arrangement *m*, accommodement *m.*

**compota** *f* compote.

**compotera** *f* compotier *m.*

**compra** *f* **1.** achat *m*: **una buena ~** un bon achat ◊ **ir de compras** faire des courses, faire des emplettes **2. ir, salir a la ~** aller faire son marché, ses provisions, aller au marché.

**comprador, a** *a/s* acheteur, euse.

**comprar** *vt* **1.** acheter: **le compré a mi hija un walkman para su cumpleaños** j'ai acheté un baladeur à ma fille pour son anniversaire **2.** *FIG (sobornar)* acheter.

**compraventa** *f* achat *m* et vente.

**comprender** *vt* **1.** comprendre: **la finca comprende una casa y una huerta** la propriété comprend une maison et un potager **2.** comprendre: **no comprendí lo que decía** je n'ai pas compris ce qu'il disait **3. hacerse ~** se faire comprendre. ◆ **~se** *vpr* se comprendre, s'entendre: **no se comprenden** ils ne se comprennent pas.

**comprensible** *a* compréhensible.

**comprensión** *f* compréhension.

**comprensivo, a** *a* compréhensif, ive.

**compresa** *f* **1.** compresse **2.** *(usada por las mujeres)* serviette hygiénique.

**compresibilidad** *f* compressibilité.

**compresible** *a* compressible.

**compresor** *a/m* compresseur.

**comprimido, a** *a* comprimé: **aire ~** air comprimé. ◇ *m (medicamento)* comprimé.

**comprimir** *vt* comprimer. ◆ **~se** *vpr* **1.** *(apretarse)* se serrer **2.** *FIG* se retenir, se contenir.

**comprobable** *a* vérifiable.

**comprobación** *f* **1.** vérification **2.** constatation.

**comprobante** *a* qui prouve, qui sert à vérifier. ◇ *m* pièce *f* justificative, reçu *m.*

**comprobar*** *vt* **1.** vérifier, s'assurer de: **voy a ~ si lo que dices es cierto o no** je vais vérifier si ce que tu dis est vrai ou pas **2.** constater **3.** confirmer.

**comprometedor, a** *a* compromettant, e.

**comprometer** *vt* **1.** *(exponer a algún peligro o daño)* compromettre **2.** *(obligar)* engager. ◆ **~se** *vpr* s'engager: **se ha comprometido a ayudarme** il s'est engagé à m'aider.

**comprometido, a** *a* **1.** compromis, e **2.** difficile, délicat, e: **una situación comprometida** une situation délicate **3.** *(escritor, etc.)* engagé, e: **un intelectual ~** un intellectuel engagé.

**comprometimiento** *m* compromission *f.*

**compromisario** *m* **1.** délégué **2.** électeur de second degré.

**compromiso** *m* **1.** *(convenio)* compromis **2.** *(obligación)* engagement: **sin ~ alguno por su parte** sans engagement de votre part **3.** *(apuro)* embarras: **poner en un ~** mettre dans l'embarras ◊ **no quiero compromisos** je ne veux pas d'histoires.

**compuerta** *f* **1.** *(en un canal, presa, etc.)* vanne **2.** *(media puerta)* portillon *m.*

**compuesto, a** *pp* de **componer.** ◇ *a* **1.** composé, e **2.** *(arreglado)* arrangé, e ◊ **quedarse compuesta y sin novio** → **novio 3.** *ARQ* composite. ◇ *m QUÍM* composé. ◇ *f pl BOT* composées.

**compulsa** *f* **1.** *(de un texto)* collation **2.** copie collationnée.

**compulsar** *vt* **1.** *(un texto)* collationner **2.** *JUR* compulser.

**compulsión** *f JUR* contrainte.

**compulsivo, a** *a* compulsif, ive, irrépressible.

**compunción** *f* componction.

**compungido, a** *a* attristé, e, peiné, e, contrit, e, affligé, e: **~ por la muerte de...** attristé par la mort de...

**compungir** *vt* inspirer de la peine à.

**compuse, compuso,** etc. → **componer.**

**computación** *f* informatique.

**computadora** *f* ordinateur *m.*

**computadorización** *f INFORM* mise sur ordinateur.

**computadorizar** *vt INFORM* informatiser, mettre sur ordinateur.

**computar** *vt* **1.** calculer **2.** compter **3.** tenir compte dans ses calculs de.

**computerizar** → **computadorizar.**

**cómputo** *m* **1.** calcul **2.** *RELIG* comput.

**comulgante** *a/s* communiant, e.

**comulgar** *vi* communier ◊ *FAM* **~ con ruedas de molino** → **rueda.**

**comulgatorio** *m* table *f* de communion.

**común** *a* **1.** commun, e: **nombre ~** nom commun; **lugar ~** lieu commun; **sentido ~** sens commun; **de ~ acuerdo** d'un commun accord **2.** *loc adv* **en ~** en commun; **por lo ~** généralement. ◇ *m* **1. el ~ de los mortales** la plupart des gens, le commun des mortels **2. el ~ de las gentes** le commun.

**comuna** *f AMER* commune.

**comunal** *a* **1.** *(no privativo)* commun, e **2.** *(del municipio)* communal, e.

**comunero, a** *a* populaire. ◇ *a/m HIST* partisan des *Comunidades de Castilla*, contre Charles Quint; partisan de l'Indépendance au Paraguay ou en Colombie.

**Comunes (los)** *np m (en Gran Bretaña)* les Communes *f.*

**comunicable** *a* **1.** communicable **2.** *(sociable)* sociable, affable.

**comunicación** *f* **1.** communication **2. los medios de ~** les médias, les moyens de communication **3.** relation, rapport *m*: **ponerse en ~** se mettre en rapport. ◇ *pl* communications: **las comunicaciones con Francia** les communications avec la France.

**comunicado, a** *a* desservi, e: **barrio bien ~** quartier bien desservi. ◇ *m* **1.** communiqué **2. ~ médico** bulletin de santé.

**comunicante** *a* communiquant, e. ◇ *s (persona)* correspondant, e.

**comunicar** *vt/i* **1.** communiquer, faire connaître: **~ una noticia** communiquer une nouvelle; **no quiso comunicarnos sus intenciones** il n'a pas voulu nous communiquer ses intentions **2.** *(transmitir)* communiquer: **~ su entusiasmo** communiquer son enthousiasme **3.** *(teléfono)* **está comunicando** c'est occupé. ◆ **~se** *vpr* **1.** communiquer: **las dos habitaciones (se) comunican** les deux pièces communiquent **2.** *(contagiarse)* se communiquer **3. comunicarse con alguien** se mettre en rapport, en relation avec quelqu'un; **no logro comunicarme con usted por teléfono** je n'arrive pas à vous joindre au téléphone.

**comunicativo, a** *a* communicatif, ive.

**comunidad** *f* communauté: **la ~ internacional** la communauté internationale ◊ **vivir en ~** vivre en communauté. ◇ *pl* Communes (soulèvement populaire) → **comunero.**

**comunión** *f* communion: **la ~ de los fieles** la communion des fidèles; **primera ~** première communion.

**comunismo** *m* communisme.

**comunista** *a/s* communiste.

**comunitario, a** *a (del Mercado Común)* communautaire: **legislación comunitaria** législation communautaire.

**comúnmente** *adv* généralement, communément.

**comuña** *f* méteil *m.*

**con** *prep* **1.** avec: **atar ~ cuerdas** attacher avec des cordes; **ha salido ~ su madre** il est sorti avec sa mère **2.** à, au: **café ~ leche** café au lait; **un violín ~ las cuerdas rotas** un violon aux cordes cassées **3.** de: **~ voz fuerte** d'une voix forte; **saludó ~ la mano** il salua de la main **4.** par: **contestó ~ monosílabos** il répondit par monosyllabes **5.** en: **~ toda confianza** en toute confiance **6.** *(contra)* contre: **tropezó ~ un árbol** il se heurta contre un arbre **7.** peut exprimer la comparaison, certains rapports: **justificarse ~ alguien** se justifier auprès de quelqu'un; **cuento ~ usted** je compte sur vous **8.** (exprimant une attitude, ne se traduit pas) **~ los ojos bajos** les yeux baissés; **~ la sonrisa en los labios** le sourire aux lèvres; **~ la boca llena** la bouche pleine; **~ la escopeta al hombro** le fusil sur l'épaule **9.** *(en exclamaciones)* **¡~ lo feo que es!** laid comme il est! **10.** *(+ infinitivo)* en: **~ irnos, no solucionaremos el problema** en nous en allant, nous ne résoudrons pas le problème; **~ enfadarte, nada conseguirás** tu n'obtiendras rien en te fâchant; **sólo ~ mirarlo...** rien qu'à le regarder...; **~ sólo hacer lo que te digo** il suffit de faire ce que je te dis; bien que, quoique (+ subjuntivo) **~ ser muy pobre...** bien qu'il soit très pauvre... **11.** *loc conj/adv* **~ (tal) que** pourvu que, dès lors que: **~ que ahora me devuelvas la mitad, ya es suficiente** pourvu que tu me rendes maintenant la moitié, c'est suffisant; → **tal**; **~ todo, ~ todo eso** malgré tout, malgré cela **12. para ~** envers, à l'égard de.

▶ Pensez à traduire *con* + substantif par un adverbe en «-ment» pour exprimer la manière. Par exemple: *~ rapidez* rapidement.

**conato** *m* **1.** tentative *f*: **un ~ de robo, de rebelión** une tentative de vol, de rébellion **2.** commencement, début: **~ de incendio** commencement d'incendie **3.** *(propósito)* intention *f* **4.** *(empeño)* effort.

**concadenar** *vt* FIG enchaîner.

**concatenación** *f* enchaînement *m.*

**concatenar** → **concadenar.**

**concausa** *f* cause.

**concavidad** *f* concavité.

**cóncavo, a** *a* concave.

**concebible** *a* concevable.

**concebir*** *vt/i* concevoir: **«sin pecado concebida»** conçue sans péché; **concibo que...** je conçois que...

**conceder** *vt* **1.** *(otorgar)* concéder, accorder: **te concedo un minuto** je t'accorde une minute; **~ una entrevista** accorder un entretien **2.** *(asentir)* concéder, reconnaître.

**concejal** *m* conseiller municipal.

**concejalía** *f* charge de conseiller municipal.

**concejil** *a* municipal, e, communal, e.

**concejo** *m* **1.** conseil municipal **2.** réunion *f* du conseil municipal.

**concelebrar** *vt* concélébrer: **misa concelebrada** messe concélébrée.

**concentración** *f* **1.** concentration: **campo de ~** camp de concentration **2.** rassemblement *m*, manifestation: **una ~ de huelguistas frente al edificio de la Prefectura** un rassemblement de grévistes devant la Préfecture; **participar en una ~** participer à une manifestation; **prohibir una ~** interdire un rassemblement, une manifestation **3. ~ parcelaria** remembrement *m.*

**concentrado** *m* concentré.

**concentrar** *vt* concentrer. ◆ **~se** *vpr* se concentrer.

**concéntrico, a** *a* concentrique.

**concepción** *f* **1.** conception **2. la Purísima Concepción** l'Immaculée Conception.

**conceptismo** *m* conceptisme.

**conceptista** *a/s* conceptiste.

**concepto** *m* **1.** *(en filosofía)* concept **2.** idée *f*: **un ~ claro** une idée claire **3.** opinion *f*: **tener buen ~ de...** avoir une bonne opinion de... ◊ **en mi ~** à mon avis **4. en ~ de** à titre de: **en ~ de indemnización** à titre d'indemnisation; **por ningún ~** en aucune façon; **por todos conceptos** à tous égards **5.** COM *(en un presupuesto, etc.)* poste.

**conceptual** *a* conceptuel, elle.

**conceptualización** *f* conceptualisation.

**conceptualizar** *vt/i* conceptualiser.

**conceptuar** *vt* considérer, juger, tenir pour: **le conceptúo más hombre de acción que intelectual** je le tiens plus pour un homme d'action que pour un intellectuel; **está conceptuado como reincidente** il est considéré comme récidiviste.

**conceptuoso, a** *a* recherché, e, précieux, euse.

**concerniente** *a* **~ a** concernant.

**concernir*** *vi* concerner, toucher: **en lo que concierne a...** en ce qui concerne...; **en cuanto a mí concierne** en ce qui me concerne.

**concertación** *f* concertation.

**concertante** *a* MÚS concertant, e.

**concertar*** *vt* **1.** concerter, arranger **2.** *(un acuerdo, tratado, etc.)* conclure **3.** convenir de, s'entendre sur ◊ **~ una entrevista** fixer un rendez-vous **4.** MÚS accorder. ◇ *vi* **1.** *(hablando de cosas)* concorder **2.** GRAM s'accorder. ◆ **~se** *vpr* se mettre d'accord.

**concertina** *f* concertina *m.*

**concertista** *s* concertiste.

**concesión** *f* **1.** concession **2. hacer concesiones** faire des concessions **3.** *(de una medalla, etc.)* remise.

**concesionario, a** *a/s* concessionnaire.

**concesivo, a** *a* concessif, ive.

**concha** *f* **1.** coquille **2.** *(de tortuga)* carapace ◊ FIG **meterse en su ~** rentrer dans sa coquille **3.** *(carey)* écaille: **gafas de ~** des lunettes d'écaille **4.** FAM **tener conchas, más conchas que un galápago** être sournois **5.** TEAT trou *m* du souffleur **6.** *(bahía)* baie **7.** VULG *(sexo femenino)* chatte **8.** AMER *(descaro)* culot *m*, cynisme *m.*

**Concha** *np f* diminutif de *Concepción* (prénom féminin).

**conchabar** *vt* **1.** associer **2.** AMER engager, embaucher. ◆ **~se** *vpr* s'acoquiner, s'aboucher ◊ **estar conchabado con alguien** être en cheville avec quelqu'un.

**conchabo** *m* AMER embauche *f.*

**conchavar** → **conchabar.**

**concho** *m AMER* dépôt, lie *f*, résidu; *(del café)* marc. ◇ *interj FAM* sacrebleu!, merde!

**conchudo, a** *a AMER (astuto)* rusé, e; *(tonto)* idiot, e, con, conne; *(sinvergüenza)* mufle.

**conciencia** *f* **1.** conscience: **caso de ~** cas de conscience; **~ profesional** conscience professionnelle; **tener la ~ limpia** avoir bonne conscience; **yo no tenía la ~ tranquila** je n'avais pas la conscience tranquille; **tomar ~ de** prendre conscience de **2.** *loc adv* **a ~** consciencieusement **3. a ~ de que** sachant que.

**concienciación** *f* prise de conscience.

**concienciar** *vt* faire prendre conscience de, responsabiliser ◊ **está muy concienciado por temas de medio ambiente** il se sent très concerné par les questions d'environnement.

**concienzudamente** *adv* consciencieusement.

**concienzudo, a** *a* consciencieux, euse.

**concierto** *m* **1.** *MÚS* concert: **un ~ de música de cámara** un concert de musique de chambre **2.** *MÚS (composición)* concerto: **~ para violín y orquesta** concerto pour violon et orchestre **3.** *(acuerdo)* accord.

**conciliábulo** *m* conciliabule.

**conciliación** *f* conciliation.

**conciliador, a** *a* **1.** conciliant, e **2.** conciliateur, trice.

**¹conciliar** *a* conciliaire. ◇ *m* membre d'un concile.

**²conciliar** *vt* **1.** concilier **2. ~ el sueño** trouver le sommeil, arriver à s'endormir. ◆ **~se** *vpr* **1.** se concilier **2.** s'attirer.

**conciliatorio, a** *a* conciliatoire.

**concilio** *m* concile: **el ~ de Trento** le concile de Trente.

**concisión** *f* concision.

**conciso, a** *a* concis, e.

**concitar** *vt* **1.** exciter, soulever: **~ el odio de** exciter la haine de; **~ el entusiasmo** soulever l'enthousiasme **2.** attirer.

**conciudadano, a** *s* concitoyen, enne.

**cónclave, conclave** *m* conclave.

**conclavista** *m* conclaviste.

**concluir*** *vt* **1.** *(acabar)* finir, achever, terminer **2.** *(deducir)* conclure, terminer. ◇ *vi* **1.** finir, se terminer: **su vida concluyó tristemente** sa vie a tristement fini; **todo ha concluido** tout est fini; **las palabras que concluyen en vocal** les mots qui finissent, qui se terminent par une voyelle **2. concluí por aceptar, concluí aceptando** j'ai fini par accepter **3.** conclure **4. ¡hemos concluido!** n'en parlons plus! ◆ **~se** *vpr* finir, prendre fin.

**conclusión** *f* conclusion: **en ~** en conclusion; **llegar a la ~ de que** arriver à la conclusion que; **sacó la ~ de que...** j'en conclus que...

**concluso, a** *a* conclu, e.

**concluyente** *a* concluant, e.

**concomerse** *vpr (de impaciencia, etc.)* se consumer, se ronger.

**concomitancia** *f* concomitance.

**concomitante** *a* concomitant, e.

**concordancia** *f* **1.** concordance **2.** *GRAM (entre palabras)* accord *m* **3. ~ de los tiempos** concordance des temps **4.** *MÚS* accord *m.*

**concordante** *a* concordant, e.

**concordar*** *vt* accorder, mettre d'accord. ◇ *vi* **1.** concorder: **testimonios que concuerdan** des témoignages qui concordent **2.** *GRAM* s'accorder: **el verbo concuerda con el sujeto** le verbe s'accorde avec le sujet.

**concordatario, a** *a* concordataire.

**concordato** *m* concordat.

**concorde** *a* d'accord, conforme: **no estamos concordes en nada** nous ne sommes d'accord sur rien; **sentimientos totalmente concordes con los míos** des sentiments totalement conformes aux miens.

**concordia** *f* **1.** concorde: **reina la ~** la concorde règne **2.** accord *m.*

**concreción** *f* concrétion.

**concretamente** *adv* **1.** concrètement **2.** précisément.

**concretar** *vt* **1.** préciser **2.** résumer **3.** *(expresar de forma concreta)* concrétiser. ◆ **~se** *vpr* **1.** *(limitarse)* se borner, se limiter: **me concretaré a decir** je me bornerai à dire **2.** se concrétiser, prendre corps.

**concreto, a** *a* **1.** concret, ète **2.** *loc adv* **en ~** concrètement; **más en ~** plus concrètement, plus précisement. ◇ *m* **1.** concrétion *f* **2.** *(hormigón)* béton.

**concubina** *f* concubine.

**concubinato** *m* concubinage.

**conculcación** *f* infraction, violation.

**conculcar** *vt* **1.** *(una ley, etc.)* enfreindre, violer **2.** *LIT* fouler aux pieds.

**concuñado, a** *s* beau-frère, belle-sœur par alliance.

**concupiscencia** *f* concupiscence.

**concupiscente** *a* concupiscent, e.

**concurrencia** *f* **1.** *(de personas)* assistance, affluence **2.** *(coincidencia)* coïncidence, concours *m.*

**concurrente** *a/s* **1.** assistant, e **2.** *(en un concurso)* concurrent, e.

**concurrido, a** *a (lugar)* fréquenté, e.

**concurrir** *vi* **1.** *(acudir)* se rendre, aller: **~ a una cita** aller à un rendez-vous **2.** *(asistir)* assister **3.** *(en el tiempo)* coïncider **4.** contribuer, concourir: **habéis concurrido todos al éxito de esta empresa** vous avez tous concouru au succès de cette entreprise **5.** *(en un concurso)* concourir.

**concursado** *m JUR* failli.

**concursante** *s* **1.** participant, e **2.** candidat, e.

**concursar** *vt JUR* déclarer en état de faillite. ◇ *vi* concourir, se présenter à un concours.

**concurso** *m* **1.** concours: **~ de belleza** concours de beauté **2. ~ de circunstancias** concours de circonstances **3. prestar su ~** prêter son concours **4. ~ de acreedores** concours entre créanciers.

**concusión** *f* **1.** secousse, ébranlement *m* **2.** *JUR* concussion, exaction.

**condado** *m* **1.** *(territorio)* comté **2.** dignité *f* de comte.

**condal** *a* **1.** comtal, e **2. la Ciudad ~** Barcelone.

**conde** *m* comte.

**condecir*** *vi* s'accorder, harmoniser, convenir.

**condecoración** *f* **1.** remise d'une décoration **2.** *(insignia)* décoration.

**condecorar** *vt (a una persona)* décorer: **~ a alguien con una medalla** décorer quelqu'un d'une médaille.

**condena** *f* **1.** *JUR* condamnation **2.** peine.

**condenable** *a* **1.** condamnable **2.** *(censurable)* blâmable.

**condenación** *f* **1.** condamnation **2. ~ eterna** damnation éternelle.

**condenado, a** *a/s* **1.** condamné, e **2.** *(al infierno)* damné, e **3.** *FAM* maudit, e, sacré, e: **aquel ~ ruido** ce maudit bruit; **¡qué mona era la condenada!** qu'elle était mignonne la coquine!

**condenar** *vt* **1.** condamner **2.** *(una puerta)* condamner. ◆ **~se** *vpr* **1.** s'accuser **2.** *(al infierno)* se damner.

**condenatorio, a** *a* condamnatoire.

**condensación** *f* condensation.
**condensador** *m* **1.** *ELECT* condensateur **2.** *TECN* condenseur.
**condensar** *vt* condenser: **leche condensada** lait condensé. ◆ **~se** *vpr* se condenser.
**condesa** *f* comtesse.
**condescendencia** *f* condescendance.
**condescender*** *vi* condescendre: **condescendió a...** il a condescendu à...
**condescendiente** *a* condescendant, e.
**condestable** *m* connétable.
**condición** *f* **1.** condition: **condiciones atmosféricas** conditions atmosphériques; **condiciones de pagos** conditions de paiement; **rendirse sin condiciones** se rendre sans condition; **con una sola ~** à une seule condition **2.** *(de una persona)* caractère *m* **3.** *loc conj* **a ~ (de) que** à condition que **4.** *AMER* danse argentine. ◇ *pl* **estar en condiciones de...** être en état de...
**condicionado, a** *a* conditionné, e.
**condicional** *a* conditionnel, elle.
**condicionamiento** *m* conditionnement.
**condicionante** *m* cause *f* déterminante.
**condicionar** *vt* **1. ~ a** faire dépendre de **2.** *(influir)* conditionner.
**cóndilo** *m ANAT* condyle.
**condimentación** *f* assaisonnement *m*.
**condimentar** *vt* assaisonner, accommoder.
**condimento** *m* condiment, assaisonnement.
**condiscípulo, a** *s* condisciple.
**condolencia** *f* condoléances *pl*: **carta de ~** lettre de condoléances; **mi más sincera ~** mes sincères condoléances.
**condolerse*** *vpr* **~ de** s'apitoyer sur, compatir à.
**condominio** *m* **1.** *(soberanía, territorio)* condominium **2.** *AMER* immeuble en copropriété.
**condón** *m* condom, capote *f*, préservatif.
**condonación** *f* remise (d'une peine, d'une dette): **la ~ de la deuda del tercer mundo** la remise de la dette du tiers-monde.
**condonar** *vt* remettre (une peine, une dette).
**cóndor** *m* condor.
**condotiero** *m* condottiere.
**conducción** *f* **1.** *(acción)* conduite **2.** *(transporte)* transport *m* **3.** *(de agua, gas)* conduite **4.** *FÍS* conduction.
**conducente** *a* qui conduit, qui mène, conduisant à.
**conducir*** *vt/i* **1.** *(un vehículo)* conduire: **este taxista conduce muy bien** ce chauffeur de taxi conduit très bien; **carnet de ~** permis de conduire **2.** *(llevar)* conduire, mener: **eso no le conducirá a nada** cela ne vous mènera à rien **3.** transporter. ◆ **~se** *vpr* se conduire: **se ha conducido muy mal conmigo** il s'est très mal conduit avec moi.
**conducta** *f* **1.** conduite: **mala ~** mauvaise conduite; **línea de ~** ligne de conduite **2.** comportement *m*: **psicología de la ~** psychologie du comportement.
**conductancia** *f ELECT* conductance.
**conductibilidad** *f* conductibilité.
**conductismo** *m* psychologie *f* du comportement, behaviorisme.
**conductista** *a* comportemental, e.
**conducto** *m* **1.** conduit **2.** *ANAT* **~ auditivo, lagrimal** conduit auditif, lacrymal **3.** *FIG* canal, intermédiaire, entremise *f*: **por ~ de** par l'intermédiaire de.
**conductor, a** *a/s* conducteur, trice: **hilo ~** fil conducteur. ◇ *m* chauffeur.
**condueño, a** *s* copropriétaire.
**conduje, condujiste**, etc. → **conducir.**
**condumio** *m FAM* mangeaille *f*, boustifaille *f*, bouffe *f* ◊ **ganarse el ~** gagner sa croûte.
**conectar** *vt* **1.** brancher, connecter: **~ un aparato eléctrico a la red** brancher un appareil électrique sur le secteur; **~ la tele** brancher la télé; **la plancha quedó conectada** le fer à repasser est resté branché **2.** *(unir)* relier. ◇ *vi* **1.** *(con alguien)* entrer en contact, communiquer **2. conectamos en directo con el ministerio de Hacienda** nous sommes en liaison directe avec le ministère des Finances. ◆ **~se** *vpr INFORM* **conectarse a la red** se connecter au réseau.
**coneja** *f* lapine.
**conejal, conejar** *m* clapier.
**conejera** *f* **1.** *(madriguera)* terrier *m*, garenne **2.** *(jaula)* clapier *m*.
**conejillo** *m* **1.** lapereau **2. ~ de Indias** cochon d'Inde, cobaye.
**conejo** *m* lapin: **~ casero** lapin domestique; **~ de monte** lapin de garenne.
**conejuno, a** *a* de, du lapin.
**conexión** *f* **1.** *(relación)* liaison, rapport *m*: **~ entre dos hechos** rapport entre deux faits **2.** *ELECT* connexion, branchement *m*, raccordement *m* **3.** liaison: **conexiones aéreas, telefónicas** liaisons aériennes, téléphoniques. ◇ *pl (amistades)* relations.
**conexo, a** *a* connexe.
**confabulación** *f* confabulation.
**confabular** *vi* conférer. ◆ **~se** *vpr (contra uno)* s'entendre, se liguer, comploter.
**confalón** *m* gonfalon.
**confalonier, confaloniero** *m* gonfalonnier.
**confección** *f* **1.** confection **2.** *(ropa hecha)* **traje de ~** costume de confection; **vestirse de ~** s'habiller en confection.
**confeccionar** *vt* confectionner.
**confederación** *f* confédération.
**confederado, a** *a/s* confédéré, e.
**confederal** *a* confédéral, e.
**confederar** *vt* confédérer.
**conferencia** *f* **1.** conférence: **dar una ~** faire une conférence; **~ de prensa** conférence de presse **2.** *(telefónica)* communication: **~ interurbana** communication interurbaine.
**conferenciante** *s* conférencier, ère.
**conferenciar** *vi* s'entretenir, conférer, avoir un entretien: **los dos embajadores han estado conferenciando durante más de una hora** les deux ambassadeurs se sont entretenus pendant plus d'une heure.
**conferencista** *s AMER* conférencier, ère.
**conferir*** *vt* **1.** *(conceder, atribuir)* conférer **2.** comparer.
**confesable** *a* avouable.
**confesar** *vt* **1.** confesser **2.** avouer: **confieso que me he equivocado** j'avoue que je me suis trompé; **~ de plano** tout avouer **3. ¡Dios nos coja confesados!** que Dieu ait pitié de nous!
◆ **~se** *vpr* se confesser: **confesarse con** se confesser à.
**confesión** *f* **1.** *(al confesor, creencia)* confession **2.** *(de haber dicho o hecho algo)* aveu *m*: **tengo que hacerte una ~** je dois te faire un aveu.
**confesional** *a* confessionnel, elle.
**confesionario** *m* confessionnal.
**confeso, a** *a* se dit de l'accusé qui a avoué. ◇ *m* frère lai.
**confesonario** *m* confessionnal.
**confesor** *m* confesseur.

**confeti** *m* confetti: **arrojar ~** lancer des confettis.

**confiable** *a* sûr, e, fiable.

**confiadamente** *adv* avec confiance.

**confiado, a** *a* **1.** *(crédulo)* confiant, e, crédule **2.** *(esperanzado)* **estar ~ de que...** avoir bon espoir que...

**confianza** *f* **1.** confiance: **con toda ~** en toute confiance; **~ en sí mismo** confiance en soi; **he recuperado la ~** j'ai repris confiance; **persona de ~** personne de confiance; **abuso de ~** abus de confiance; **voto de ~** vote de confiance **2. le trato con mucha ~** je suis très libre avec lui. ◇ *pl* libertés, privautés: **tomarse confianzas** prendre des libertés, se permettre des familiarités, devenir trop familier, ère.

**confiar** *vt* confier. ◇ *vi* **1.** avoir confiance, faire confiance: **confío en él** j'ai confiance en lui, je lui fais confiance; **¿en quién puedo ~?** en qui puis-je avoir confiance? **2.** avoir bon espoir, espérer: **confío en que todo saldrá bien** j'espère que tout ira bien; **confío en ello** je l'espère, j'ose l'espérer **3.** compter: **confío en tu ayuda** je compte sur ton aide. ◆ **~se** *vpr* se confier: **se confió a una amiga** elle s'est confiée à une amie.

**confidencia** *f* confidence.

**confidencial** *a* confidentiel, elle.

**confidencialmente** *adv* confidentiellement.

**confidente** *a* fidèle, sûr, e. ◇ *s* **1.** confident, e **2.** *(espía)* indicateur *m*, mouchard *m*, indic *m*. ◇ *m (mueble)* causeuse *f*.

**confidentemente** *adv* confidentiellement.

**configuración** *f* **1.** *(forma)* configuration **2.** INFORM configuration.

**configurar** *vt* configurer, former. ◆ **~se** *vpr* **1.** se former **2.** se présenter.

**confín** *a* limitrophe. ◇ *m pl* confins: **en los confines de** aux confins de.

**confinamiento** *m* **1.** confinement, relégation *f* **2.** résidence *f* forcée.

**confinar** *vi (estar contiguo)* confiner: **España confina con Francia** l'Espagne confine à la France. ◇ *vt* confiner, reléguer. ◆ **~se** *vpr* se confiner.

**confirmación** *f* confirmation.

**confirmar** *vt* **1.** confirmer: **la excepción confirma la regla** l'exception confirme la règle **2.** RELIG confirmer. ◆ **~se** *vpr* **1.** se confirmer **2. me confirmo en esa opinión** je persiste dans mon opinion.

**confiscación** *f* confiscation.

**confiscar** *vt* confisquer.

**confit** *m* CULIN confit.

**confitado, a** *a* **1.** *(frutas)* confit, e **2.** FIG plein, e d'espoir, d'illusions.

**confitar** *vt (en azúcar)* confire.

**confite** *m* sucrerie *f*, bonbon.

**confíteor** *m* confiteor.

**confitera** *f* bonbonnière, drageoir *m*.

**confitería** *f* **1.** confiserie **2.** AMER salon *m* de thé.

**confitero, a** *s* confiseur, euse.

**confitura** *f* confiture.

**conflagración** *f* conflagration.

**conflictividad** *f* caractère *m* conflictuel ◊ **la ~ social** les antagonismes sociaux.

**conflictivo, a** *a* conflictuel, elle, source de conflits.

**conflicto** *m* conflit: **~ armado** conflit armé.

**confluencia** *f* **1.** confluence **2.** *(de dos ríos)* confluent *m* **3.** jonction: **en la ~ de dos calles** à la jonction de deux rues.

**confluente** *a/m* confluent, e.

**confluir*** *vi* **1.** confluer **2.** converger **3.** *(juntarse)* se rejoindre.

**conformación** *f* conformation.

**conformar** *vt (ajustar)* conformer. ◇ *vi* être d'accord, du même avis ◊ **ser de buen ~** être de bonne composition. ◆ **~se** *vpr* **1.** se conformer **2.** se contenter: **me conformo con poco** je me contente de peu; **me hubiera conformado con...** je me serais contenté de... ◊ **ya me conformo** je suis d'accord, ça me va **3.** se résigner.

**conforme** *a* **1.** conforme: **copia ~ con el original** copie conforme à l'original **2. estoy ~ con usted** je suis d'accord avec vous, du même avis que vous **3.** résigné, e. ◇ *adv* **1.** *(según)* conformément, selon, suivant: **~ con lo establecido** conformément à, selon ce qui a été établi; **~ con la legislación vigente** conformément à la législation en vigueur **2.** *(como)* comme, tel que **3.** à mesure que, au fur et à mesure que: **~ iban llegando** à mesure qu'ils arrivaient; **~ pasaba el tiempo** à mesure que le temps passait. ◇ *interj* d'accord! ◇ *m* **dar el ~** donner son accord.

**conformidad** *f* **1.** conformité ◊ **de ~ con** conformément à **2.** accord *m*: **dar su ~** donner son accord **3.** résignation.

**conformismo** *m* conformisme.

**conformista** *a/s* conformiste.

**confort** *m* confort.

**confortable** *a* confortable.

**confortablemente** *adv* confortablement.

**confortación** *f* réconfort *m*.

**confortador, a** *a* réconfortant, e.

**confortante** *a* réconfortant, e.

**confortar** *vt* réconforter.

**confraternal** *a* confraternel, elle.

**confraternidad** *f* confraternité.

**confraternizar** *vi* fraterniser.

**confrontación** *f* confrontation.

**confrontar** *vt* confronter. ◆ **~se** *vpr* se trouver en face de, être confronté, e à.

**confucianismo** *m* confucianisme.

**Confucio** *np m* Confucius.

**confundir** *vt* **1.** confondre: **le confundí con su hermano** je l'ai confondu avec son frère, je l'ai pris pour son frère **2. me confundes con tantas atenciones** je suis confus de tant de prévenances de ta part. ◆ **~se** *vpr* **1.** se confondre **2.** *(equivocarse)* se tromper: **me he confundido** je me suis trompé.

**confusamente** *adv* confusément.

**confusión** *f* confusion.

**confuso, a** *a* confus, e.

**congelable** *a* congelable.

**congelación** *f* **1.** congélation **2.** *(de salarios, etc.)* blocage *m*, gel *m*: **la ~ salarial** le blocage des salaires; **la ~ de créditos** le gel des crédits.

**congelado, a** → **congelar.** ◇ *m* surgelé, produit surgelé.

**congelador** *m* congélateur.

**congelar** *vt* **1.** congeler: **embriones congelados** embryons congelés **2.** *(a muy baja temperatura)* surgeler: **alimentos congelados** aliments surgelés **3.** COM *(precios, etc.)* bloquer, geler. ◆ **~se** *vpr* **1.** geler: **al alpinista se le congelaron los pies** l'alpiniste a eu les pieds gelés; **morir congelado** mourir de froid **2.** FAM **me congelo** je suis gelé, glacé.

▶ «Surgelé» se dit aussi *ultracongelado*.

**congénere** *a/s* congénère.

**congeniar** *vi* sympathiser, s'entendre, s'accorder: **no se congenia con su suegra** il ne s'entend pas avec sa belle-mère.

**congénito, a** *a* congénital, e: **enfermedad congénita** maladie congénitale.

**congestión** *f* **1.** congestion: **~ cerebral, pulmonar** congestion cérébrale, pulmonaire **2.** *(en una vía pública)* embouteillage *m*.

**congestionamiento** *m* AMER embouteillage.

**congestionar** *vt* congestionner. ◆ **~se** *vpr* se congestionner.

**congestivo, a** *a* congestif, ive.

**conglomerado** *m* **1.** conglomérat **2.** *(madera)* aggloméré.

**conglomerar** *vt* conglomérer.

**Congo** *np m* Congo.

**congoja** *f* angoisse.

**congola** *f* AMER pipe.

**congoleño, a** *a/s* congolais, e.

**congraciarse** *vpr* **~ con** s'attirer les bonnes grâces, la sympathie de.

**congratulación** *f* félicitation, congratulation.

**congratular** *vt* **1.** *(felicitar)* féliciter, congratuler **2. me congratula saber que compartes mi opinión** il m'est agréable de savoir, ça me fait plaisir de savoir que tu partages mon avis; **me congratula la idea de que...** je me réjouis à l'idée que... ◆ **~se** *vpr* se féliciter, se réjouir, se louer: **me congratulo de que...** je me félicite que...

**congregación** *f* congrégation.

**congregante** *s* congréganiste.

**congregar** *vt* réunir, rassembler. ◆ **~se** *vpr* se rassembler: **la multitud se congregó en la plaza** la foule se rassembla sur la place.

**congresal** *s* AMER congressiste.

**congresista** *s* congressiste.

**congreso** *m* **1.** congrès **2. ~ de los Diputados** chambre *f* des députés.

**congrí** *m* AMER mélange de riz et de haricots noirs.

**congrio** *m* congre.

**congrua** *f* portion congrue.

**congruencia** *f* **1.** *(relación)* rapport *m* **2.** MAT congruence.

**congruente** *a* en rapport.

**congruo, a** *a* en rapport.

**cónico, a** *a* conique.

**conífera** *f* conifère *m*.

**conjetura** *f* conjecture.

**conjeturar** *vt* conjecturer.

**conjugable** *a* conjugable.

**conjugación** *f* conjugaison.

**conjugar** *vt* conjuguer.

**conjunción** *f* conjonction.

**conjuntado, a** *a* assorti, e: **corbata conjuntada con la camisa** cravate assortie, coordonnée à la chemise.

**conjuntamente** *adv* conjointement.

**conjuntar** *vt* mettre en harmonie. ◇ *vi* s'harmoniser, s'assortir.

**conjuntiva** *f* ANAT conjonctive.

**conjuntivitis** *f* MED conjonctivite.

**conjuntivo, a** *a* conjonctif, ive.

**conjunto, a** *a* conjoint, e. ◇ *m* **1.** ensemble: **un ~ de...** un ensemble de...; **~ vocal** ensemble vocal **2.** *loc adv* **en ~** dans l'ensemble.

**conjura, conjuración** *f* conjuration.

**conjurado, a** *a/s* conjuré, e.

**conjurar** *vt/i* conjurer.

**conjuro** *m* **1.** conjuration *f*, sortilège **2.** *(súplica)* exhortation *f*, adjuration *f*.

**conllevar** *vt* **1.** *(sufrir)* supporter, endurer **2.** *(implicar)* impliquer, comporter: **~ riesgos** comporter des risques.

**conmemoración** *f* **1.** commémoration: **~ de los difuntos** commémoration des morts **2.** *(en la liturgia)* commémoraison.

**conmemorar** *vt* commémorer.

**conmemorativo, a** *a* commémoratif, ive.

**conmensurable** *a* commensurable.

**conmigo** *pron pers* avec moi: **venid ~** venez avec moi.

**conminación** *f* menace.

**conminar** *vt* **1.** menacer: **~ con** menacer de **2.** JUR intimer.

**conminatorio, a** *a* comminatoire.

**conmiseración** *f* commisération.

**conmoción** *f* **1.** commotion, choc *m* **2. ~ cerebral** commotion cérébrale.

**conmovedor, a** *a* émouvant, e, touchant, e.

**conmover*** *vt* **1.** émouvoir, toucher: **conmovido hasta las lágrimas** ému aux larmes; **tus palabras me conmueven** tes paroles m'émeuvent **2.** *(sacudir)* ébranler. ◆ **~se** *vpr* s'émouvoir.

**conmutación** *f* commutation.

**conmutador** *m* commutateur.

**conmutar** *vt* commuer: **~ una pena por** commuer une peine en.

**connatural** *a* conforme à la nature de l'être.

**connaturalizarse** *vpr* s'habituer, s'adapter.

**connivencia** *f* connivence: **estar en ~** être de connivence.

**connotación** *f* connotation.

**connotado, a** *a* AMER célèbre, illustre, remarquable.

**connotar** *vt* connoter.

**connubio** *m* POÉT hymen, mariage.

**cono** *m* **1.** GEOM cône **2.** BOT cône.
▶ On donne le nom de *Cono Sur* (Cône Sud) aux pays méridionaux de l'Amérique du Sud (Argentine, Chili...) qui forment un triangle allongé.

**conocedor, a** *a/s* connaisseur, euse.

**conocer*** *vt* **1.** connaître: **no conozco el alemán, a esta persona** je ne connais pas l'allemand, cette personne; **conoce a fondo el tema** il connaît, il possède à fond son sujet; **dar a ~** faire connaître **2.** reconnaître: **ha cambiado tanto que ya no se le conoce** il a tellement changé qu'on ne le reconnaît plus; **~ en la voz** reconnaître à la voix **3. se conoce que...** on voit que... **4.** PROV **más vale malo conocido que bueno por ~** on connaît ce que l'on a, on ne sait ce que l'on aura. ◇ *vi* **1.** s'y connaître: **conoce bien de mecánica** il s'y connaît bien en mécanique **2.** JUR connaître. ◆ **~se** *vpr* se connaître: **conócete a ti mismo** connais-toi toi-même; **nos conocimos en Inglaterra** nous nous sommes connus, nous avons fait connaissance en Angleterre.

**conocible** *a* connaissable.

**conocido, a** *a* connu, e. ◇ *s* *(persona)* connaissance *f*: **un viejo ~** une vieille connaissance.

**conocimiento** *m* **1.** connaissance *f* ◇ **con ~ de causa** en connaissance de cause; **poner en ~ de** porter à la connaissance de, informer; **tener ~ de** avoir connaissance de; **venir en ~ de** apprendre **2. perder el ~** perdre connaissance; **recobrar el ~** reprendre connaissance **3.** COM connaissement.

**conopial** *a* **arco ~** arc en accolade.

**conque** *conj* alors, ainsi donc: **~ fumando a escondidas** alors, on fume en cachette; **~, ¿prometido?** alors, c'est promis?; **¿~ solito, eh?** alors on est tout seul, hein?; **~, ojo** donc, attention.

**conquense** *a/s* de Cuenca.

**conquiliología** *f* conchyliologie.

**conquista** *f* conquête.

**conquistador, a** *a/s* conquérant, e: **con aire ~** d'un air conquérant; **Guillermo el Conquistador** Guillaume le Conquérant. ◇ *m* **1.** *(de América)* conquistador **2.** séducteur.

**conquistar** *vt* conquérir: **la ciudad fue conquistada con rapidez** la ville fut rapidement conquise.

**Conrado** *np m* Conrad.

**consabido, a** *a* **1.** bien connu, e, classique, habituel, elle, inévitable: **la consabida pregunta** la question habituelle **2.** susdit, e.

**consagración** *f* **1.** consécration **2.** *(ceremonia)* sacre *m* ◊ **La ~ de la primavera** *(Stravinski)* le Sacre du printemps **3.** *(en la misa)* consécration.

**consagrar** *vt* **1.** consacrer **2.** *(a un rey, obispo)* sacrer. ◆ **~se** *vpr* se consacrer, se vouer.

**consanguíneo, a** *a* consanguin, e: **hermanos consanguíneos** frères consanguins.

**consanguinidad** *f* consanguinité.

**consciencia** → **conciencia.**

**consciente** *a* conscient, e: **soy ~ de que...** je suis conscient du fait que...

**conscientemente** *adv* consciemment.

**conscripción** *f AMER* conscription, service *m* militaire.

**conscripto** *a* conscrit: **padre ~** père conscrit. ◇ *m AMER* recrue *f*, appelé.

**consecución** *f* obtention.

**consecuencia** *f* **1.** conséquence: **sufrir las consecuencias de** subir les conséquences de; **traer consecuencias** avoir des conséquences, tirer à conséquence; **en ~** en conséquence **2.** *loc prep* **a ~ de, como ~ de** par suite de.

**consecuente** *a/m* conséquent, e.

**consecuentemente** *adv* conséquemment.

**consecutivo, a** *a* consécutif, ive.

**conseguir*** *vt* **1.** obtenir: **~ un permiso** obtenir une autorisation **2.** *(lograr)* réussir à, arriver à: **conseguí abrir la puerta** j'ai réussi, je suis arrivé à ouvrir la porte; **consiguió convencerme** il a réussi à me convaincre.

**conseja** *f* conte *m*, fable.

**consejero, a** *s* conseiller, ère.

**consejo** *m* **1.** conseil, avis: **tomar ~ de alguien** prendre conseil de quelqu'un **2.** *(asamblea, organismo)* conseil: **~ de administración** conseil d'administration; **~ de guerra** conseil de guerre; **~ de ministros** conseil des ministres; **celebrar ~** tenir conseil.

**consenso** *m* **1.** consentement **2.** *(mutuo)* consensus.

**consensual** *a* consensuel, elle.

**consensuar** *vt (una ley, etc.)* adopter d'un commun accord, adopter à la majorité.

**consentido, a** *a (niño)* gâté, e.

**consentidor, a** *a* consentant, e, tolérant, e.

**consentimiento** *m* consentement.

**consentir*** *vi/t* consentir: **~ en** consentir à. ◇ *vt* **1.** tolérer, admettre, permettre: **no te consiento que hables así** je ne te permets pas de parler de cette façon **2.** *(a un niño)* gâter **3.** céder.

**conserje** *m* concierge.

**conserjería** *f* **1.** conciergerie **2.** *(de un hotel)* réception.

**conserva** *f* conserve.

**conservación** *f* **1.** conservation: **instinto de ~** instinct de conservation **2.** *(mantenimiento)* entretien *m*.

**conservador, a** *a/s* conservateur, trice.

**conservadurismo** *m* conservatisme.

**conservante** *m QUÍM* conservateur: **sin conservantes** sans conservateurs.

**conservar** *vt* **1.** conserver **2.** garder: **~ un secreto** garder un secret **3.** mettre en conserve. ◆ **~se** *vpr* se conserver.

**conservatorio** *m* conservatoire.

**conservería** *f* conserverie.

**conservero, a** *a* de la conserve: **industria conservera** industrie des conserves, conserverie. ◇ *s* fabricant, e de conserves.

**considerable** *a* considérable.

**considerablemente** *adv* considérablement.

**consideración** *f* **1.** considération: **tomar en ~** prendre en considération **2.** attention, égard *m*: **sin ~ por su edad avanzada** sans égard pour son grand âge **3. en ~ a** en considération de, eu égard à **4. de ~** important, e: **daños de ~** des dommages importants; **heridos de ~** blessés graves.

**considerado, a** *a* **1.** considéré, e: **bien ~** tout bien considéré **2.** attentif, ive **3.** *(estimado)* apprécié, e, respecté, e.

**considerando** *m JUR* considérant.

**considerar** *vt* considérer ◊ **considerándolo bien** tout bien considéré. ◆ **~se** *vpr* se considérer, s'estimer.

**consigna** *f* **1.** *(orden)* consigne **2.** consigne: **dejar una maleta en la ~** laisser une valise à la consigne; **~ automática** consigne automatique.

**consignación** *f* **1.** consignation **2.** *(cantidad)* somme affectée.

**consignar** *vt* **1.** consigner **2.** *(créditos)* affecter, allouer.

**consignatario, a** *s* consignataire.

**consigo** *pron pers* **1.** avec soi, avec lui, sur soi, sur lui, etc.: **Cecilia lleva siempre ~ la foto de su novio** Cécile a toujours sur elle la photo de son fiancé ◊ **hablar ~ mismo** parler à soi-même **2.** *FAM* **no tenerlas todas ~** ne pas en mener large.

**consiguiente** *a* **1.** qui est la conséquence de, consécutif, ive, résultant, e, qui découle de **2.** *loc conj* **por ~** par conséquent, donc.

**consiguió** → **conseguir.**

**consistencia** *f* consistance.

**consistente** *a* consistant, e.

**consistir** *vi* consister: **~ en** consister en, dans, à.

**consistorial** *a* **1.** consistorial, e **2. casa ~** hôtel *m* de ville.

**consistorio** *m* **1.** *(asamblea de cardenales)* consistoire **2.** *(ayuntamiento)* conseil municipal.

**consocio, a** *s* coassocié, e.

**consola** *f* **1.** *(mueble)* console **2.** *(de ordenador)* pupitre *m*, console.

**consolación** *f* consolation.

**consolador, a** *a* consolant, e, de consolation. ◇ *a/s* consolateur, trice.

**consolar*** *vt* consoler: **esto me consuela** cela me console. ◆ **~se** *vpr* se consoler: **me consuelo pensando que...** je me console en pensant que...

**consolidación** *f* consolidation.

**consolidado, a** *a COM (deuda, etc.)* consolidé, e.

**consolidar** *vt* **1.** consolider **2.** *FIG* consolider, renforcer, raffermir.

**consomé** *m* consommé.

**consonancia** *f* **1.** consonance **2.** *FIG* accord *m*, harmonie: **obrar en ~ con sus ideas** agir en harmonie avec ses idées.

**consonante** *a* consonant, e. ◇ *m* mot consonant, rime *f*. ◇ *f GRAM* consonne.

**consonántico, a** *a GRAM* consonantique.

**consonar*** *vi* **1.** consonner **2.** *FIG* concorder, s'harmoniser.

**consorcio** *m* **1.** *COM* consortium: **un ~ de bancos** un consortium bancaire **2.** association *f* **3.** union *f*, entente *f* **4.** *(matrimonio)* ménage.

**consorte** *s* **1.** conjoint, e **2. príncipe ~** prince consort. ◇ *pl JUR* consorts.

**conspicuo, a** *a* **1.** illustre, remarquable, éminent, e: **un ~ profesor** un professeur éminent **2.** visible, notable.

**conspiración** *f* conspiration.

**conspirador, a** *s* conspirateur, trice.

**conspirar** *vi* **1.** *(unirse)* conspirer **2. ~ a** conspirer à.

**constancia** *f* **1.** *(tenacidad)* constance, persévérance **2.** *(testimonio)* preuve, témoignage *m*: **no hay ~ de que recibió el cheque** il n'y a pas de preuve comme quoi il a reçu le chèque ◊ **dejar ~** témoigner, attester: **dejó ~ emocionante de sus penalidades en sus libros** il laissa dans ses livres un témoignage émouvant de ses souffrances; **estos versos dejan ~ de la sensibilidad del poeta** ces vers témoignent de la sensibilité du poète.

**constante** *a/f* constant, e.

**constantemente** *adv* constamment.

**Constantino** *np m* Constantin.

**Constantinopla** *np* Constantinople.

**Constanza** *np (ciudad, lago)* Constance.

**constar** *vi* **1. ~ de** se composer de, comprendre: **esta obra consta de tres partes** cet ouvrage comprend trois parties **2.** être certain, e, sûr, e, évident, e: **me consta que...** je suis certain que...; **conste que...** il est certain que..., notez que...; **conste que yo no sabía nada** il faut noter que je ne savais rien **3.** *(figurar)* figurer, apparaître **4. hacer ~** manifester, témoigner, donner acte de.

**constatación** *f* constatation.

**constatar** *vt* constater.

**constelación** *f* constellation.

**constelar** *vt* consteller.

**consternación** *f* consternation.

**consternar** *vt* consterner. ◆ **~se** *vpr* être consterné, e.

**constipación** *f MED* **~ de vientre** constipation.

**constipado** *m* rhume.

**constipar** *vt* enrhumer. ◆ **~se** *vpr* s'enrhumer.
▶ *Constiper* significa «estreñir».

**constitución** *f* constitution.

**constitucional** *a* constitutionnel, elle: **monarquía ~** monarchie constitutionnelle.

**constitucionalmente** *adv* constitutionnellement.

**constituir*** *vt* constituer: **los jugadores que constituyen el equipo** les joueurs qui constituent l'équipe. ◆ **~se** *vpr* se constituer ◊ **constituirse en fiador** se rendre garant.

**constitutivo, a** *a* constitutif, ive.

**constituyente** *a* constituant, e: **las Cortes constituyentes** l'Assemblée constituante.

**constreñimiento** *m* contrainte *f*.

**constreñir*** *vt* **1.** *(obligar)* contraindre, forcer **2.** *MED* resserrer **3.** *FIG* entraver, brider, gêner. ◆ **~se** *vpr* **1.** se serrer **2.** *(limitarse)* se limiter.

**constricción** *f* constriction.

**constrictor** *a/m* constricteur.

**construcción** *f* construction.

**constructivo, a** *a* constructif, ive.

**constructor, a** *a/s* constructeur, trice ◊ **una empresa constructora, una constructora** une entreprise de bâtiment, de construction.

**construir*** *vt* **1.** construire **2. frase bien construida** phrase bien construite.

**consubstanciación** *f* consubstantiation.

**consubstancial** *a* consubstantiel, elle.

**consuegro, a** *s* père ou mère d'un conjoint par rapport au père ou à la mère de l'autre.

**consuelda** *f (planta)* consoude.

**consuelo** *m* **1.** consolation *f*, réconfort: **su amistad es un ~** son amitié est une consolation, un réconfort; **buscar ~ en el estudio** chercher une consolation dans l'étude **2.** *(alivio)* soulagement *m*.
▶ *Consuelo* (diminutif *Chelo*) = prénom féminin.

**consuetudinario, a** *a* **1.** habituel, elle **2. derecho ~** droit coutumier.

**cónsul** *m* consul.

**consulado** *m* consulat.

**consular** *a* consulaire.

**consulta** *f* **1.** consultation ◊ **este médico tiene la ~ de las 4 a las 6** ce médecin consulte, reçoit de 4 à 6 heures; **pasar ~ a domicilio** visiter, faire sa visite à domicile **2.** *(consultorio)* cabinet *m* de consultation: **el joven médico abrió una ~ en una casa cerca de la plaza** le jeune médecin ouvrit un cabinet dans une maison près de la place.

**consultar** *vt* **1.** consulter: **~ a un abogado, su reloj** consulter un avocat, sa montre **2. ~ un asunto con alguien** consulter quelqu'un, prendre l'avis de quelqu'un au sujet d'une affaire; **quisiera consultarlo contigo** je voudrais en parler avec toi, prendre ton avis; **sin consultarlo a nadie** sans consulter personne, sans demander l'avis de personne.

**consultivo, a** *a* consultatif, ive: **comité ~** comité consultatif.

**consultor, a** *a/s* consultant, e.

**consultorio** *m* **1.** *(médico)* cabinet de consultation, cabinet de groupe **2.** cabinet, étude *f* **3. ~ sentimental** courrier du cœur.

**consumación** *f* **1.** consommation **2. la ~ de los siglos** la consommation des siècles.

**consumado, a** *a* **1.** consommé, e, accompli, e: **un ~ artista** un artiste consommé; **el hecho ~** le fait accompli **2. un ~ gandul** un parfait fainéant; **un ~ ladrón** un voleur fini.

**consumar** *vt* consommer.

**consumero** *m* employé d'octroi.

**consumible** *a* consommable.

**consumición** *f* consommation: **pagar las consumiciones** payer les consommations.

**consumido, a** *a* **1.** *(flaco)* maigre, efflanqué, e **2.** *(agotado)* exténué, e.

**consumidor, a** *s* consommateur, trice.

**consumir** *vt* **1.** *(comestibles, etc.)* consommer: **este coche consume mucha gasolina** cette voiture consomme beaucoup d'essence **2.** *(destruir)* consumer **3.** *(derrochar)* dissiper, dilapider **4.** *FIG* miner, consumer: **le consumen los disgustos** les soucis le minent. ◆ **~se** *vpr* **1.** se consumer **2.** s'user.

**consumismo** *m* surconsommation *f*.

**consumo** *m* consommation *f*: **el ~ de gasolina de un coche** la consommation d'essence d'une voiture; **sociedad de ~** société de consommation. ◇ *pl* droits d'octroi, octroi *sing*.

**consunción** *f* MED consomption.

**consuno (de)** *loc adv* d'un commun accord, conjointement.

**consustancial → consubstancial.**

**contabilidad** *f* comptabilité.

**contabilizar** *vt* comptabiliser.

**contable** *a* **1.** qui peut être compté, e **2.** racontable. ◇ *m* comptable.

**contactar** *vt* FAM **~ con** prendre contact avec, contacter: **voy a ~ con la Dirección** je vais prendre contact avec la Direction.

**contacto** *m* **1.** contact: **punto de ~** point de contact ◊ **lentes de ~** verres de contact **2. ponerse en ~ con** se mettre en rapport avec, entrer en contact avec; **tomar ~ con alguien** prendre contact avec quelqu'un.

**contado, a** *a* **1.** compté, e: **tiene los días contados** ses jours sont comptés **2.** *(escaso)* rare, peu nombreux, euse: **en contadas ocasiones** en de rares occasions; **salvo contadas excepciones** à de rares exceptions près **3. pagar al ~** payer comptant **4. por de ~** bien entendu, sans aucun doute.

**contador** *m* **1.** *(aparato)* compteur **2.** *(tenedor de libros)* comptable.

**contaduría** *f* **1.** comptabilité **2.** bureau *m* du comptable **3. ~ del ejército** intendance **4.** TEAT bureau *m* de location.

**contagiar** *vt* **1.** transmettre, communiquer, passer: **me ha contagiado la gripe** il m'a passé sa grippe; **nos había contagiado su entusiasmo** il nous avait communiqué son enthousiasme **2.** contaminer. ◆ **~se** *vpr* **1.** se transmettre, se communiquer **2. se contagió de la excitación general** il a été gagné, pris par l'excitation générale; **ríe y su vecino se contagia** il rit et son voisin est gagné par le rire.

**contagio** *m* contagion *f*.

**contagioso, a** *a* **1.** contagieux, euse **2.** FIG **una risa contagiosa** un rire contagieux.

**contaminación** *f* **1.** contamination **2.** *(del aire, del agua)* pollution: **~ atmosférica** pollution atmosphérique; **~ sonora** pollution sonore **3.** nuisance.

**contaminante** *a* polluant, e: **motor no ~** moteur non polluant.

**contaminar** *vt* **1.** contaminer **2.** *(el aire, el agua)* polluer: **aire contaminado** air pollué **3.** FIG contaminer, corrompre. ◆ **~se** *vpr* être contaminé, e.

**contante** *a* comptant: **dinero ~ y sonante** argent comptant.

**contar*** *vt* **1.** *(numerar)* compter: **le cuento entre mis amigos** je le compte parmi mes amis **2.** *(narrar)* raconter: **¿qué me cuentas?** qu'est-ce que tu me racontes? ◊ FAM **¿qué cuentas?** quoi de neuf? ◇ *vi* **1.** compter: **~ con los dedos** compter sur ses doigts ◊ **un mes a ~ de hoy, contando desde hoy** un mois à compter d'aujourd'hui; **tiene los días contados → contado 2. ~ con** compter sur: **cuento contigo, con tu ayuda** je compte sur toi, sur ton aide; *(poseer)* avoir, disposer de.

**contemplación** *f* contemplation. ◇ *pl* ménagements *m*, égards *m*: **sin contemplaciones** sans ménagements.

**contemplador, a** *s* contemplateur, trice.

**contemplar** *vt* **1.** *(mirar con atención)* contempler **2.** *(prever)* envisager, prévoir: **se contempla la construcción de...** on envisage la construction de...; **el Gobierno no tiene contemplada ninguna reforma importante** le Gouvernement n'envisage aucune réforme importante **3.** *(mimar)* gâter.

**contemplativo, a** *a* contemplatif, ive.

**contemporaneidad** *f* **1.** contemporanéité **2.** actualité.

**contemporáneo, a** *a/s* contemporain, e.

**contemporización** *f* *(avenencia)* accommodement *m*, compromis.

**contemporizador, a** *a* accommodant, e, conciliant, e.

**contemporizar** *vi* composer, transiger.

**contención** *f* **1.** contention **2. muro de ~** mur de soutènement.

**contencioso, a** *a* JUR contentieux, euse. ◇ *m* contentieux, litige.

**contendedor → contendiente.**

**contender*** *vi* **1.** se battre, lutter **2.** *(competir)* être en compétition avec, rivaliser.

**contendiente** *a/s* adversaire.

**contendor → contendiente.**

**contenedor** *m* container, conteneur.

**contener*** *vt* **1.** contenir: **este depósito contiene 100 litros** ce réservoir contient 100 litres **2.** *(reprimir)* retenir, contenir, refouler: **~ la ira** contenir sa colère; **contuvo la respiración** il retint sa respiration; **contiene la risa** il se retient de rire. ◆ **~se** *vpr* se contenir, se retenir: **me contuve para no llorar** je me suis retenu pour ne pas pleurer.

**contenido, a** *a* contenu, e. ◇ *m* contenu.

**contentadizo, a** *a* facile à contenter.

**contentamiento** *m* contentement.

**contentar** *vt* contenter. ◆ **~se** *vpr* se contenter: **me contento con poco** je me contente de peu.

**contento, a** *a* content, e: **estar ~ con** être content de ◊ **darse por ~** s'estimer heureux; **no ~ con...** non content de... ◇ *m* contentement, joie *f*.

**contera** *f* **1.** *(de paraguas, bastón, etc.)* embout *m*, bout *m* **2.** *(de vaina de espada)* bouterolle **3. por ~** pour comble.

**contertulio, a** *s* habitué, e.

**contesta** *f* AMER **1.** *(contestación)* réponse **2.** conversation.

**contestación** *f* **1.** *(respuesta)* réponse **2.** *(disputa)* contestation **3.** objection.

**contestador** *m* répondeur: **~ automático** répondeur automatique.

**contestar** *vt* **1.** répondre: **contesto (a) todas tus preguntas** je réponds à toutes tes questions; **no ha contestado (a) mi carta** il n'a pas répondu à ma lettre; **~ que sí** répondre oui **2.** confirmer, attester **3.** *(replicar)* répondre, répliquer. ◇ *vi* *(contra el orden establecido)* contester.

**contestatario, a** *a/s* contestataire.

**contexto** *m* contexte.

**contextual** *a* contextuel, elle.

**contextura** *f* **1.** contexture **2.** *(del cuerpo humano)* constitution, complexion.

**contienda** *f* **1.** *(riña)* dispute, querelle **2.** *(lucha)* lutte **3.** *(guerra)* conflit *m*.

**contigo** *pron pers* avec toi.

**contigüidad** *f* contiguïté.

**contiguo, a** *a* contigu, ë.

**continencia** *f* continence.

**continental** *a* continental, e.

**continente** *a* continent, e. ◇ *m* **1.** continent: **el Viejo ~** l'Ancien Continent; **el Nuevo ~** le Nouveau Continent **2.** *(lo que contiene)* contenant **3.** *(actitud)* contenance *f*, maintien: **hombre de ~ distinguido** homme au maintien distingué.

**contingencia** *f* contingence.

**contingente** *a* contingent, e. ◇ *m* contingent.

**continuación** *f* **1.** continuation, suite **2.** *loc adv* **a ~** ensuite, après: **en el artículo que publicamos a ~** dans l'article que nous publions ci-après; **a ~ el gran cantante X** et voici maintenant le grand chanteur X.

**continuadamente** *adv* continuellement.

**continuador, a** *a/s* continuateur, trice.

**continuamente** *adv* continuellement.

**continuar** *vt/i* **1.** continuer: **~ leyendo** continuer à lire; **continúa la crisis** la crise continue; **~ siendo** continuer d'être, rester **2. se continuará** à suivre. ◇ *vi* **1.** *(permanecer)* rester: **~ sentado** rester assis **2.** être toujours, demeurer: **continuamos en la misma situación** nous sommes toujours dans la même situation.

**continuidad** *f* continuité: **solución de ~** solution de continuité.

**continuo, a** *a* **1.** continu, e: **corriente continua** courant continu **2.** *(constante)* continuel, elle ◊ **movimiento ~** mouvement continu, perpétuel **3.** *(cine)* **continua desde las 14 hasta las 24** permanent de 14 à 24 heures **4.** *loc adv* **de ~** continuellement.

**contonearse** *vpr* se dandiner, tortiller des hanches: **andaba contoneándose** elle marchait en tortillant des hanches.

**contoneo** *m* dandinement, tortillement des hanches.

**contornear** *vt* contourner.

**contorno** *m* contour. ◇ *pl* alentours: **los contornos de la ciudad** les alentours de la ville.

**contorsión** *f* contorsion: **hacer contorsiones** faire des contorsions.

**contorsionarse** *vpr* se contorsionner.

**contorsionista** *s* contorsionniste.

**contra** *prep* **1.** contre **2. ~ lo que pensábamos...** contrairement à ce que nous pensions... **3. en ~** contre: **votar en ~** voter contre: **estoy en ~ de...** je suis contre...; **en ~ de lo que se pensaba** contrairement à ce que l'on pensait; **en ~ de su costumbre** contrairement à son habitude; **medida que va en ~ de los intereses del país** mesure qui va à l'encontre des intérêts du pays; **el que no está con nosotros está en ~** celui qui n'est pas avec nous est contre nous; **viento en ~** vent contraire. ◇ *m* **1. el pro y el ~** le pour et le contre **2.** *MÚS* pédale *f* de l'orgue. ◇ *f* **1.** difficulté, inconvénient *m*, revers *m* ◊ **llevar la ~ a alguien** contredire quelqu'un, contrecarrer quelqu'un **2.** guerilla contre-révolutionnaire **3.** *AMER* contrepoison *m*. ◇ *interj FAM* fichtre!

**contraalmirante** *m* contre-amiral.

**contraatacar** *vt* contre-attaquer.

**contraataque** *m* contre-attaque *f*.

**contrabajo** *m* **1.** *(instrumento)* contrebasse *f* **2.** contrebassiste.

**contrabajón** *m* contrebasson.

**contrabalancear** *vt* contrebalancer.

**contrabandear** *vi* faire de la contrebande.

**contrabandista** *s* contrebandier, ère.

**contrabando** *m* contrebande *f*: **hacer ~** faire de la contrebande ◊ **pasar de ~** passer en fraude.

**contrabarrera** *f TAUROM* seconde file de gradins dans les arènes.

**contracarril** *m* contre-rail.

**contracción** *f* contraction.

**contracepción** *f* contraception.

**contraceptivo, a** *a/m* contraceptif, ive.

**contrachapado** *m* **1.** contre-placage **2.** *(madera)* contreplaqué.

**contracorriente** *f* contre-courant *m*. ◊ **a ~** à contrecourant.

**contráctil** *a* contractile.

**contracto, a** *a* contracté, e.

**contractual** *a* contractuel, elle.

**contractura** *f MED* contracture.

**contradanza** *f* contredanse.

**contradecir*** *vt* contredire: **no me contradigas** ne me contredis pas. ◆ **~se** *vpr* se contredire: **se contradice siempre** il se contredit toujours.

**contradicción** *f* contradiction: **tener espíritu de ~** avoir l'esprit de contradiction; **estar en ~ con...** être en contradiction avec...

**contradicho, a** *pp* de **contradecir.**

**contradictor** *m* contradicteur.

**contradictorio, a** *a* contradictoire.

**contradique** *m* contre-digue *f*.

**contraer*** *vt* **1.** contracter: **~ un músculo, una enfermedad** contracter un muscle, une maladie; **~ matrimonio** contracter mariage, se marier **2.** *FIG (limitar)* limiter, borner. ◆ **~se** *vpr* se contracter: **todos sus músculos se contrajeron** tous ses muscles se contractèrent.

**contraescarpa** *f* contrescarpe.

**contraespionaje** *m* contre-espionnage.

**contrafallar** *vt* surcouper.

**contrafoque** *m MAR* petit foc.

**contrafuero** *m* violation *f* d'un droit, d'un privilège.

**contrafuerte** *m* contrefort.

**contragolpe** *m* contrecoup.

**contrahacer*** *vt* contrefaire.

**contrahaz** *f* envers *m*.

**contrahecho, a** *a* contrefait, e.

**contrahechura** *f* contrefaçon.

**contrahílo (a)** *loc adv* à contre-fil.

**contrahuella** *f* contremarche.

**contraído, a** *a* contracté, e.

**contraindicación** *f* contre-indication.

**contraindicar** *vt* contre-indiquer.

**contrajo**, etc. → **contraer.**

**contralmirante → contraalmirante.**

**contralor** *m AMER* **1.** contrôleur, inspecteur **2.** contrôle, inspection *f*.

**contraloría** *f AMER* inspection des Finances.

**contralto** *m MÚS* contralto.

**contraluz** *m* contre-jour: **a ~** à contre-jour.

**contramaestre** *m* **1.** contremaître **2.** *MAR* second maître.

**contramanifestación** *f* contre-manifestation.

**contramano (a)** *loc adv* en sens interdit.

**contramarca** *f* contremarque.

**contramarcha** *f* **1.** *MIL* contremarche **2.** *(retroceso)* recul *m*.

**contraofensiva** *f* contre-offensive.

**contraorden** *f* contrordre *m*: **salvo ~** sauf contrordre.

**contrapartida** *f* contrepartie: **como ~** en contrepartie.

**contrapelo (a)** *loc adv* **1.** à rebrousse-poil, à contre-poil **2.** *FIG* à contrecœur.

**contrapesar** *vt* contrebalancer.

**contrapeso** *m* contrepoids.

**contrapoder** *m* contre-pouvoir.

**contraponer*** *vt* **1.** opposer **2.** *(comparar)* comparer, mettre en regard. ◆ **~se** *vpr* s'opposer.

**contraposición** *f* **1.** opposition **2.** comparaison.

**contraproducente** *a* **1.** contre-productif, ive, qui produit un effet contraire à celui qu'on recherchait **2.** contre-indiqué, e: **esta medida me parece ~** cette mesure me semble contre-indiquée.

**contraproposición** *f* contre-proposition.

**contraproyecto** *m* contre-projet.

**contraprueba** *f* contre-épreuve.

**contrapuerta** *f* contre-porte.

**contrapuesto, a** *pp* de **contraponer.** ◇ *a* opposé, e, contraire.

**contrapunteo** *m* dispute *f*, altercation *f*.

**contrapunto** *m* *MÚS* contrepoint.

**contraria** → **contrario.**

**contrariamente** *adv* contrairement.

**contrariar** *vt* contrarier.

**contrariedad** *f* **1.** *(disgusto)* contrariété **2.** *(contratiempo)* ennui *m*, contretemps *m*.

**contrario, a** *a* **1.** contraire, opposé, e: **en sentido ~** en sens contraire; **en direcciones contrarias** dans des directions opposées ◊ **salvo aviso en ~** sauf avis contraire **2.** *(perjudicial)* contraire **3. ser ~ a** être opposé à, être contre: **yo no soy ~ a una reforma de las instituciones** je ne suis pas contre une réforme des institutions **4. lo ~** le contraire: **mientras no se demuestre lo ~** tant qu'on ne prouvera pas le contraire, jusqu'à preuve du contraire **5.** *loc adv* **al ~, por el ~** au contraire; **al ~ de lo que pensaba** contrairement à ce que je pensais, à l'inverse de ce que je pensais; **todo lo ~** bien au contraire; **de lo ~** autrement, sinon. ◇ *s* adversaire, ennemi. ◇ *f* **llevar la contraria a** faire le contraire de, contredire quelqu'un: **no podía soportar que alguien le llevara la contraria** il ne pouvait pas supporter que quelqu'un le contredise.

**contrarreforma** *f* contre-réforme.

**contrarreloj** *f* course contre la montre, contre-la-montre *m inv*.

**contrarrestar** *vt* **1.** contrecarrer **2.** *(compensar)* compenser, contrebalancer.

**contrarrevolución** *f* contre-révolution.

**contrarrevolucionario, a** *a/s* contre-révolutionnaire.

**contrasentido** *m* **1.** contresens **2.** *(absurdo)* non-sens.

**contraseña** *f* **1.** contremarque **2.** *(señal)* signe *m* de reconnaissance **3.** *MIL* mot *m* de passe **4. ~ de salida** contremarque.

**contrastable** *a* opposable.

**contrastar** *vt* **1.** *(oro, plata)* contrôler, poinçonner **2.** *(pesos, medidas)* étalonner **3.** *FIG* mettre à l'épreuve **4.** *(resistir)* tenir tête à. ◇ *vi (diferenciarse)* contraster.

**contraste** *m* **1.** contraste: **~ de colores, de pareceres** contraste de couleurs, d'idées **2.** *(señal)* poinçon **3.** *(de pesas y medidas)* étalonnage **4.** *(empleado)* contrôleur.

**contrata** *f* **1.** contrat *m* **2.** *(de una obra pública)* adjudication; *(ajuste)* engagement *m*.

**contratación** *f* **1.** engagement *m* **2.** *(de obreros, funcionarios, etc.)* embauche **3.** *(de una obra)* adjudication **4.** commerce *m*, échanges *m pl*: **el volumen de ~** le volume des échanges **5. Casa de ~** organe administratif fondé à Séville en 1503 s'occupant du commerce avec l'Amérique coloniale.

**contratante** *a/s* contractant, e.

**contratar** *vt* **1.** contracter **2.** *(actor, empleado, etc.)* engager **3.** *(obreros, funcionarios, etc.)* embaucher: **~ a diez albañiles** embaucher dix maçons.

**contraterrorismo** *m* contre-terrorisme.

**contraterrorista** *a/s* contre-terroriste.

**contratiempo** *m* **1.** contretemps **2. a ~** à contretemps.

**contratipo** *m* contretype.

**contratista** *s* **1.** entrepreneur, euse: **~ de obras** entrepreneur de construction, en bâtiments, de travaux publics **2.** adjudicataire.

**contrato** *m* contrat: **~ indefinido, temporal** contrat à durée indéterminée, déterminée; **firmar un ~** signer un contrat.

**contratorpedero** *m* contre-torpilleur.

**contratuerca** *f* contre-écrou *m*.

**contravalor** *m* contre-valeur *f*.

**contravención** *f* contravention.

**contraveneno** *m* contrepoison.

**contravenir*** *vt* contrevenir à: **~ el reglamento** contrevenir au règlement.

**contraventana** *f* volet *m*, contrevent *m*.

**contraventor, a** *a/s* contrevenant, e.

**contrayente** *a/s* contractant, e (se dit spécialement des nouveaux mariés).

**contribución** *f* contribution ◊ **~ territorial, rústica** impôt *m* foncier.

**contribuir*** *vi* contribuer: **medidas que contribuyen a...** mesures qui contribuent à... ◇ *vt* payer.

**contribuyente** *s (que paga impuestos)* contribuable.

**contrición** *f* contrition: **acto de ~** acte de contrition.

**contrincante** *s* concurrent, e, rival, e.

**contristar** *vt* attrister, affliger.

**contrito, a** *a* contrit, e.

**control** *m* **1.** contrôle: **torre de ~** tour de contrôle; **perder el ~ de...** perdre le contrôle de... **2. ~ de la natalidad** contrôle des naissances.

**controlable** *a* contrôlable.

**controlador** *m* contrôleur: **~ aéreo** contrôleur aérien, aiguilleur du ciel.

**controlar** *vt* contrôler. ◆ **~se** *vpr* se contrôler: **logré controlarme** je parvins à me contrôler.

**controversia** *f* controverse.

**controversial** *a AMER* controversé, e.

**controvertible** *a* controversable.

**controvertir*** *vi/t* controverser.

**contubernio** *m* **1.** concubinage **2.** *FIG* alliance *f* contre nature, combinaison *f*, collusion *f*.

**contumacia** *f* **1.** obstination **2.** *JUR* contumace.

**contumaz** *a* obstiné, e, opiniâtre. ◇ *a/s JUR* contumace, contumax.

**contumazmente** *adv* obstinément, opiniâtrement.

**contumelia** *f LIT* affront *m*, outrage *m*.

**contundencia** *f* force, conviction, autorité, fermeté.

**contundente** *a* **1.** contondant, e **2.** *FIG (argumento, etc.)* convaincant, e, décisif, ive.

**contundentemente** *adv* avec fermeté.

**contundir** *vt* contusionner.

**conturbación** *f* trouble *m*.

**conturbar** *vt* troubler, inquiéter. ◆ **~se** *vpr* se troubler.

**contusión** *f* contusion.

**contusionar** *vt* contusionner.

**contuso, a** *a* **1.** contusionné, e **2. herida contusa** plaie contuse.

**contuve**, etc. → **contener.**

**conuco** *m AMER* petite exploitation *f* agricole, lopin de terre.

**conuquero** *m AMER* petit exploitant.

**conurbación** *f* conurbation.

**convalecencia** *f* convalescence.

**convalecer*** *vi* **1.** être en convalescence: **mientras convalecía en el hospital** pendant qu'il était en convalescence à l'hôpital **2.** *(recuperarse)* se remettre, se rétablir.

**convaleciente** *a/s* convalescent, e.

**convalidación** *f* **1.** validation. **2.** *(de unos estudios)* équivalence.

**convalidar** *vt* valider, ratifier.

**convección** *f* convection.

**convecino, a** *a/s* voisin, e.

**convector** *m* convecteur.

**convencedor, a** *a* convaincant, e.

**convencer** *vt* convaincre, persuader: **le he convencido para que venga** je l'ai convaincu de venir; **estoy convencido de que...** je suis convaincu que...; **estoy convencido de ello** j'en suis persuadé. ◆ **~se** *vpr* se persuader.

**convencimiento** *m* conviction *f*: **tengo el ~ de que...** j'ai la conviction que...

**convención** *f* **1.** *(acuerdo)* convention **2.** convention, assemblée.

**convencional** *a* conventionnel, elle. ◇ *m* membre d'une convention.

**convencionalmente** *adv* conventionnellement.

**convenido, a** *a* convenu, e: **precio ~** prix convenu; **hora convenida** heure convenue.

**conveniencia** *f* **1.** convenance: **matrimonio de ~** mariage de convenance **2.** opportunité: **la ~ de una medida** l'opportunité d'une mesure. ◇ *pl (sociales)* convenances.

**conveniente** *a* **1.** convenable **2.** opportun, e ◊ **ser ~** convenir: **sería ~ que...** il conviendrait, il serait bon que...

**convenientemente** *adv* convenablement.

**convenio** *m* **1.** accord: **firmar un** signer un accord **2.** convention *f*: **convenios colectivos** conventions collectives.

**convenir*** *vi* **1.** convenir: **hemos convenido en...** nous avons convenu de..., nous sommes convenus de...; **tu propuesta me conviene** ta proposition me convient **2.** se mettre d'accord sur, tomber d'accord: **convenimos que era mejor esperar** nous sommes tombés d'accord qu'il valait mieux attendre ◊ **precio a ~** prix à débattre. ◇ *v impers* **1.** convenir: **conviene darse prisa** il convient de se dépêcher **2. conviene saber que...** il faut savoir que... ◆ **~se** *vpr* se mettre d'accord.

**conventillo** *m AMER* maison *f* de rapport.

**convento** *m* couvent.

**conventual** *a* conventuel, elle.

**convergencia** *f* convergence.

**convergente** *a* convergent, e: **lentes convergentes** lentilles convergentes.

**converger, convergir** *vi* converger.

**conversación** *f* **1.** conversation: **trabar ~** engager la conversation **2.** entretien *m*: **mantener una ~** avoir un entretien.

**conversa** *f FAM* causette.

**conversar** *vi* converser, parler, causer, s'entretenir.

**conversión** *f* conversion.

**converso, a** *a* converti, e (notamment au christianisme). ◇ *m (lego)* frère convers.

**convertibilidad** *f* convertibilité.

**convertible** *a* convertible. ◇ *m AMER (coche)* cabriolet.

**convertidor** *m TECN* convertisseur.

**convertir*** *vt* **1.** *(transformar)* transformer **2.** changer: **~ el agua en vino** changer l'eau en vin **3.** *RELIG* convertir. ◆ **~se** *vpr* **1.** se transformer **2.** se convertir: **se convirtió al catolicismo** il s'est converti au catholicisme **3.** devenir: **este cantante se convirtió en el ídolo de la juventud, en el símbolo de...** ce chanteur est devenu l'idole des jeunes, le symbole de...

**convexidad** *f* convexité.

**convexo, a** *a* convexe.

**convicción** *f* conviction: **convicciones religiosas** convictions religieuses ◊ **pieza de ~** pièce à conviction.

**convicto, a** *a JUR* reconnu, e coupable ◊ **~ y confeso** atteint et convaincu.

**convidada** *f FAM* tournée (invitation à boire).

**convidado, a** *a/s* **1.** convive, invité, e **2.** *FIG* **ir de ~ de piedra** rester silencieux, avoir un rôle muet, de figurant. ▶ La locution fait allusion au personnage du commandeur (le Convive de pierre) dans la comédie de Tirso de Molina: *El burlador de Sevilla.*

**convidar** *vt* **1.** inviter, convier **2.** offrir: **me convidó a una cerveza** il m'a offert une bière **3.** *FIG* inciter, inviter. ◆ **~se** *vpr* s'inviter.

**convincente** *a* convaincant, e.

**convine**, etc. → **convenir.**

**convite** *m* **1.** invitation *f* **2.** banquet **3.** fête *f*.

**convivencia** *f* **1.** vie en commun, cohabitation ◊ **~ en pareja** union libre **2.** convivialité.

**conviviente** *s* compagnon, compagne, conjoint, e.

**convivir** *vi* vivre ensemble, cohabiter: **~ con** vivre avec; **~ en pareja** vivre en couple.

**convocar** *vt* **1.** convoquer: **~ a Junta general** convoquer l'Assemblée générale **2. ~ huelga** lancer un ordre de grève **3.** *(referéndum, elecciones, etc.)* organiser: **la manifestación convocada por los sindicatos** la manifestation organisée par les syndicats **4.** *(concurso)* ouvrir **5.** *(beca)* proposer.

**convocatoria** *f* **1.** convocation **2.** appel *m* ◊ **~ de huelga** ordre *m* de grève **3.** lettre de convocation **4.** *(examen)* session: **la ~ de junio** la session de juin.

**convólvulo** *m* convolvulus, liseron.

**convoy** *m* **1.** *(de buques, vehículos)* convoi **2.** *(de metro)* rame *f* **3.** *(vinagreras)* huilier.

**convoyar** *vt* convoyer.

**convulsión** *f* **1.** convulsion **2.** *FIG* convulsion, agitation.

**convulsionar** *vt* convulsionner, convulser.

**convulsivo, a** *a* convulsif, ive.

**convulso, a** *a* convulsé, e.

**conyugal** *a* conjugal, e: **la vida ~** la vie conjugale.

**cónyuge** *s* conjoint, e: **los cónyuges** les conjoints.

**coña** *f VULG* **1.** *(burla)* blague ◊ **estar de ~** blaguer, déconner; **tomar a ~** prendre à la blague **2.** *(cosa molesta)* emmerdement *m*.

**coñac** *m* cognac.

**coñazo** *m VULG (cosa molesta)* emmerdement; *(persona)* emmerdeur ◊ **dar el ~** emmerder.

**coño** *m VULG* con. ◇ *interj* merde!, bordel!, putain! ◊ **¿qué ~ haces aquí?** qu'est-ce que tu peux bien foutre ici?; **¿qué ~ significa esto?** qu'est-ce que ça peut bien vouloir dire?

**cooperación** *f* coopération.

**cooperador, a** *a/s* coopérateur, trice.

**cooperar** *vi* coopérer.

**cooperativa** *f* coopérative.

**cooperativismo** *m* coopératisme.

**cooperativo, a** *a* coopératif, ive.

**cooptación** *f* cooptation.

**cooptar** *vt* coopter.

**coordenada** *f GEOM* coordonnée.

**coordinación** *f* coordination.

**coordinado, a** *a* coordonné, e.

**coordinador, a** *a/s* coordinateur, trice. ◇ *f (comité)* coordination.

**coordinar** *vt* coordonner.

**copa** *f* **1.** *(para beber, trofeo)* coupe **2.** *(vaso)* verre *m* à pied **3.** *(de vino, licor, etc.)* verre *m*: **tomar una ~** prendre un verre; **¿me permite invitarle a una ~, a una copita?** vous me permettez de vous offrir un verre, un petit verre?; **ir de copas** faire la tournée des bistrots **4.** *(de un árbol)* tête **5.** *(de un sombrero)* forme **6.** brasero *m*. ◇ *pl* une des couleurs des cartes espagnoles.

**copaiba** *f* **1.** copayer *m* **2. bálsamo de ~** copahu.

**copal** *m* **1.** *(resina)* copal **2.** arbre qui produit le copal.

**copar** *vt* **1.** *MIL* couper la retraite à **2. ~ la banca** faire banco **3.** *FIG (en unas elecciones, etc.)* remporter, enlever, rafler, accaparer: **~ todos los puestos** enlever tous les sièges; **~ todos los premios** rafler tous les prix; **!la política lo copa todo** la politique envahit tout.

**copartícipe** *s* copartageant, e.

**copayero** *m* copayer.

**copear** *vi FAM* boire.

**copec** *m* kopeck.

**copela** *f* coupelle.

**copeo** *m FAM* **irse de ~** aller prendre un verre, faire la tournée des cafés.

**copernicano, a** *a* copernicien, enne.

**Copérnico** *np m* Copernic.

**copero** *m* échanson.

**copete** *m* **1.** *(de cabellos)* houppe *f*, toupet ◊ *FIG* **de alto ~** huppé, e, de haute volée **2.** *(de pájaro)* huppe *f* **3.** *(de un monte)* sommet **4.** *FIG* **agachar el ~** en rabattre.

**copetín** *m AMER* **1.** *(aperitivo)* apéritif **2.** cocktail.

**copetudo, a** *a* **1.** huppé, e **2.** *FIG* hautain, e, orgueilleux, euse.

**copey** *m* clusia, arbre d'Amérique tropicale.

**copia** *f* **1.** *(imitación, reproducción)* copie **2.** *(foto)* épreuve **3.** exemplaire *m* **4.** *(gran cantidad)* abondance, profusion.

**copiador, a** *a* qui copie. ◇ *m COM* copie *f* de lettres. ◇ *f* photocopieur *m*, photocopieuse.

**copiar** *vt* copier.

**copihue** *m* lapageria, plante grimpante ornementale du Chili.

**copiloto** *m* copilote.

**copión, ona** *s FAM* copieur, euse.

**copiosamente** *adv* abondamment: **llovió ~ ayer** il a plu abondamment hier.

**copiosidad** *f* abondance.

**copioso, a** *a* **1.** *(comida)* copieux, euse **2.** abondant, e: **copiosa nevada** abondante chute de neige.

**copista** *s* copiste.

**copla** *f* **1.** strophe **2.** *(de canción popular)* couplet *m* **3.** chanson. ◇ *pl* vers *m*, poésies ◊ **coplas de ciego** vers de mirliton, chanson des rues; **coplas de Calaínos** sornettes.

**coplero, a** *s PEYOR* rimailleur, euse.

**copo** *m* **1.** flocon: **~ de nieve, de avena** flocon de neige, d'avoine **2.** *(de cáñamo, lana, etc.)* quenouillée *f* **3.** *(de una red)* poche *f* (d'un filet).

**copón** *m* ciboire.

**copra** *f* coprah *m*.

**coproducción** *f* coproduction.

**coprófago, a** *a* coprophage.

**copropiedad** *f* copropriété.

**copropietario, a** *s* copropriétaire.

**copto, a** *a/s* copte.

**copuchento, a** *a AMER* menteur, euse, hâbleur, euse.

**copudo, a** *a (árbol)* touffu, e.

**cópula** *f* **1.** copulation **2.** *(entre dos cosas)* lien *m* **3.** *GRAM* copule.

**copularse** *vpr* s'accoupler, copuler.

**copulativo, a** *a* copulatif, ive.

**coque** *m* coke.

**coqueluche** *f* coqueluche.
▶ Gallicisme pour *tos ferina*.

**coquero** *m AMER* producteur de coca.

**coqueta** *a/f* coquette.

**coquetear** *vi* **1.** faire la coquette **2.** flirter.

**coqueteo** *m* **1.** coquetterie *f* **2.** flirt.

**coquetería** *f* coquetterie.

**coquetón, ona** *a* coquet, ette, joli, e. ◇ *m* joli cœur.

**coquina** *f (molusco)* petite clovisse.

**coracero** *m* cuirassier.

**coraje** *m* **1.** *(valor)* bravoure *f*, courage **2.** *(ira)* colère *f*, irritation *f*, fureur *f* ◊ **dar ~** faire rager, mettre en colère.

**corajina** *f FAM* accès *m* de colère, rogne.

**corajudo, a** *a* colérique, coléreux, euse.

[1]**coral** *m* corail: **arrecifes de corales** récifs de coraux. ◇ *f* serpent *m* corail.

[2]**coral** *a/s MÚS* choral, e: **corales de Bach** des chorals de Bach.

**coralillo** *m AMER* serpent corail.

**coralina** *f* coralline.

**coralino, a** *a* corallin, e.

**corambre** *f* **1.** cuirs *m pl*, peaux *pl* **2.** *(odre)* outre.

**Corán** *np m* **el ~** le Coran.

**coránico, a** *a* coranique.

**corazón** *m* **1.** cœur: **operación a ~ abierto** opération à cœur ouvert **2.** *FIG* cœur: **abrir su ~** ouvrir son cœur: **encogérsele a uno el ~** prendre peur; **hablar con el ~ en la mano** parler à cœur ouvert, franchement; **me da el ~ que...** j'ai le pressentiment que...; **no caberle a uno el ~ en el pecho** avoir beaucoup de cœur; **partir el ~** briser, fendre, crever le cœur; **ser blando de ~** avoir le cœur tendre; **tener el ~ metido en un puño** avoir le cœur serré **3.** *loc adv* **de (todo) ~** de tout cœur, sincèrement: **le agradezco muy de ~** je vous remercie très sincèrement, du fond du cœur; **se lo digo de ~** je vous le dit franchement; **te lo doy de ~** je te le donne de bon cœur. ◇ *interj* mon chéri, ma chérie.

**corazonada** *f* **1.** pressentiment *m* **2.** *(impulso)* impulsion, élan *m*.

**corazoncillo** *m* millepertuis, mille-pertuis.

**corbata** *f* cravate.

**corbatín** *m* petite cravate *f*, nœud.

**corbeta** *f (embarcación)* corvette.

**Córcega** *np f* Corse.

**corcel** *m (caballo)* coursier.

**corchea** *f MUS* croche.

**corchero, a** *a* du liège: **la industria corchera** l'industrie du liège.

**corcheta** *f* porte (d'agrafe).

**corchete** *m* **1.** agrafe *f* **2.** *(gancho, en imprenta)* crochet **3.** *ANT* fonctionnaire chargé de procéder aux arrestations.

**corcho** *m* **1.** liège **2.** *(tapón)* bouchon de liège.

**¡córcholis!** *interj* mince!, zut!, diable!

**corchoso, a** *a* liégeux, euse.

**corchotaponero, a** *a (industria)* des bouchons de liège.

**corcino** *m* faon.

**corcova** *f* bosse.

**corcovado, a** *a/s* bossu, e.

**corcovar** *vt* plier, courber.

**corcovear** *vi* faire des sauts.

**corcovo** *m* **1.** saut (que fait un animal), cabriole *f* **2.** *FIG (curvatura)* courbure *f*, bosse *f*.

**cordada** *f (de ascensionistas)* cordée.

**cordaje** *m* **1.** *MAR* ensemble des cordages **2.** *(de una raqueta de tenis)* cordage.

**cordal** *a* **muela ~** dent de sagesse. ◇ *m (de violín, etc.)* cordier.

**cordel** *m* **1.** corde *f* fine, ficelle *f* **2.** *(de albañil)* cordeau ◊ **trazado a ~** tiré au cordeau.

**cordelería** *f* corderie.

**cordelero** *m* cordier.

**cordera** *f* agnelle.

**corderillo** *m* **1.** agnelet **2.** *(piel)* agnelin.

**cordero** *m* **1.** agneau: **~ lechal** agneau de lait **2.** *FIG* **manso como un ~** doux comme un agneau; **la madre del ~** → **madre** **3.** *(carne)* agneau, mouton **4.** *RELIG* **el Cordero de Dios** l'Agneau de Dieu.

▶ En termes de boucherie, le mot *cordero* désigne aussi la viande de mouton: *chuleta de ~* côtelette d'agneau (ou de mouton).

**corderoy** → **corduroy.**

**cordial** *a* cordial, e. ◇ *m (bebida)* cordial.

**cordialidad** *f* cordialité.

**cordialmente** *adv* cordialement.

**cordillera** *f* cordillère, chaîne: **la ~ de los Andes** la cordillère des Andes.

**cordillerano, a** *a AMER* de la cordillère des Andes.

**córdoba** *m* unité monétaire du Nicaragua.

**Córdoba** *np* **1.** *(España)* Cordoue **2.** *(Argentina)* Córdoba.

**cordobán** *m* cordouan, peau *f* de chèvre tannée.

**cordobés, esa** *a/s* cordouan, e.

**cordón** *m* **1.** *(cuerda pequeña)* cordon **2.** *(de zapatos)* lacet **3.** *(del hábito de algunos religiosos)* cordelière *f* **4.** *(eléctrico)* cordon souple, fil **5.** *FIG* **~ de policía, sanitario** cordon de police, sanitaire **6.** **~ umbilical** cordon ombilical **7.** *AMER* **el ~ de la vereda** la bordure du trottoir. ◇ *pl MIL* aiguillettes *f*.

**cordoncillo** *m* **1.** cordonnet **2.** *(de las monedas)* cordon.

**cordonería** *f* passementerie.

**cordura** *f* sagesse, bon sens *m*.

**corduroy** *m AMER* velours à côtes.

**corea** *f MED* chorée.

**Corea** *np f* Corée.

**coreano, a** *a/s* coréen, enne.

**corear** *vt* **1.** accompagner en chœur: **se puso a cantar y los demás le corearon** il se mit à chanter et les autres l'accompagnèrent en chœur **2.** **echó a reír, coreado por sus acompañantes** il se mit à rire et ceux qui étaient avec lui l'imitèrent **3.** *(asentir)* faire chorus.

**coreografía** *f* chorégraphie.

**coreográfico, a** *a* chorégraphique.

**coreógrafo, a** *s* chorégraphe.

**Corfú** *np* Corfou.

**coriáceo, a** *a* coriace.

**corifeo** *m* coryphée.

**corindón** *m* corindon.

**corintio, a** *a/s* corinthien, enne.

**Corinto** *np* Corinthe.

**corista** *s* choriste. ◇ *f* girl.

**corito, a** *a* **1.** *(desnudo)* nu, nue **2.** *FIG* timide.

**coriza** *f* coryza *m*.

**cormorán** *m* cormoran.

**cornaca** *m* cornac.

**cornada** *f* **1.** coup *m* de corne **2.** *FIG* **más cornadas da el hambre** ça pourrait être pire, ça pourrait être plus grave, il vaut mieux ça que de crever de faim; **no morirá de ~ de burro** pas de danger qu'il prenne des risques.

**cornalina** *f* cornaline.

**cornalón** *a (toro)* à grandes cornes.

**cornamenta** *f* **1.** cornes *pl* **2.** *(de ciervo)* bois *m pl*.

**cornamusa** *f* **1.** sorte de cor *m* de chasse **2.** *(gaita)* cornemuse.

**córnea** *f* cornée.

**cornear** *vt* encorner.

**corneja** *f* corneille.

**cornejo** *m* cornouiller.

**córneo, a** *a* corné, e.

**córner** *m* corner.

**corneta** *f* **1.** cornet *m*: **~ de llaves** cornet à pistons ◊ **~ de monte** cor de chasse, trompe de chasse **2.** *(usado en el ejército)* clairon *m* **3.** *(bandera)* cornette **4.** **~ acústica** cornet *m* acoustique. ◇ *m* **1.** *(músico)* cornettiste **2.** *(soldado)* clairon.

**cornete** *m ANAT* cornet.

**cornetilla** *f* piment *m* long.

**cornetín** *m* **1.** cornet à pistons **2.** *(el que toca el cornetín)* cornettiste, cornet.

**cornezuelo** *m* **1.** petite corne *f* **2.** *(enfermedad del centeno)* ergot.

**corniabierto, a** *a* aux cornes séparées.

**cornicabra** *f* **1.** térébinthe *m* **2.** *(higuera silvestre)* caprifiguier *m*.

**cornigacho, a** *a* bas encorné, e.

**cornisa** *f* corniche.

**cornisamento** *m* entablement.

**corniveleto, a** *a* haut encorné, e.

**corno** *m (cornejo)* cornouiller.

**Cornualles** *np f* Cornouailles.

**cornucopia** *f* corne d'abondance.

**cornudo, a** *a* cornu, e. ◇ *a/m FAM* cocu ◊ **tras de ~, apaleado** cocu, battu et content.

**cornúpeta, cornúpeto** *m* taureau.

**coro** *m* **1.** chœur: **cantar a ~** chanter en chœur ◊ **hacer ~** faire chorus **2.** *(orfeón)* chorale *f* **3.** *(parte de una iglesia)* chœur.

**coroides** *f inv* ANAT choroïde.

**corojo** *m* corozo.

**corola** *f* BOT corolle.

**corolario** *m* corollaire.

**corona** *f* **1.** *(real, de flores, etc.)* couronne ◊ **ceñirse la ~** ceindre la couronne **2.** *(coronilla)* sommet *m* de la tête **3.** tonsure **4.** auréole **5.** *(de diente)* couronne **6.** *(de reloj)* remontoir *m* **7.** *(unidad monetaria)* couronne.

**coronación** *f* **1.** couronnement *m* **2.** FIG *(culminación)* couronnement *m*.

**coronamiento** *m* couronnement.

**coronar** *vt* **1.** couronner ◊ **testa coronada** tête couronnée **2.** *(una ficha, en el juego de damas)* damer **3.** FIG couronner: **el éxito coronó nuestros esfuerzos** le succès a couronné nos efforts.

**coronario, a** *a* **1.** ANAT coronaire: **arteria, vena coronaria** artère, veine coronaire **2.** MED coronarien, enne: **enfermedad coronaria** maladie coronarienne.

**corondel** *m* réglette *f*. ◇ *pl (del papel)* vergeure *f sing*.

**coronel** *m* colonel.

**coronela** *f* colonelle.

**coronilla** *f* sommet *m* de la tête ◊ FAM **andar de ~** se démener; **estar hasta la ~** en avoir par-dessus la tête, en avoir ras le bol.

**corotos** *m pl* AMER affaires *f*, trucs.

**coroza** *f* **1.** *(capirote)* caroche **2.** manteau de paille des paysans galiciens.

**corozo** *m* corozo.

**corpachón** *m* FAM grand corps, grande carcasse *f*.

**corpiño** *m* **1.** corsage (sans manches) **2.** AMER *(sostén)* soutien-gorge.

**corporación** *f* **1.** corporation **2.** corps constitué.

**corporal** *a* corporel, elle: **castigo ~** châtiment corporel. ◇ *m* *(lienzo sobre el altar)* corporal. (S'emploie surtout au pluriel: *corporales*.)

**corporativismo** *m* corporatisme.

**corporativo, a** *a* corporatif, ive.

**corpóreo, a** *a* corporel, elle.

**corps** *m* **guardia de ~** garde du corps.

**corpulencia** *f* corpulence.

**corpulento, a** *a* corpulent, e.

**corpus** *m (lingüística)* corpus.

**Corpus** *np m* Fête-Dieu *f*.

**corpuscular** *a* corpusculaire.

**corpúsculo** *m* corpuscule.

**corral** *m* **1.** *(para aves)* basse-cour *f* **2.** *(para el ganado)* parc, enclos **3.** *(patio)* cour *f* **4.** ANT cour *f*, maison *f* qui servait de théâtre **5.** ARQ panne *f*.

**corralito** *m* parc (pour enfants en bas âge).

**corraliza** *f* basse-cour.

**correa** *f* **1.** *(tira de cuero)* courroie: **~ de transmisión** courroie de transmission **2.** *(cinturón)* ceinture **3.** *(flexibilidad)* élasticité **4.** FAM patience, endurance ◊ **tener ~** être patient, e, avoir bon dos, comprendre la plaisanterie.

**correaje** *m* **1.** ensemble de courroies **2.** MIL buffleterie *f*.

**correazo** *m* coup de courroie.

**corrección** *f* correction.

**correccional** *a* correctionnel, elle. ◇ *m* établissement pénitenciaire.

**correctamente** *adv* correctement.

**correctivo, a** *a/m* correctif, ive.

**correcto, a** *a* correct, e.

**corrector, a** *a/s* correcteur, trice.

**corredera** *f* **1.** *(ranura)* glissière, coulisse ◊ **puerta de ~** porte coulissante, à coulisse, à glissière **2.** *(de máquina de vapor)* tiroir *m* **3.** MAR loch *m* **4.** *(cucaracha)* cancrelat *m*.

**corredizo, a** *a* **nudo ~** nœud coulant.

**corredor, a** *a/s* coureur, euse: **~ de fondo** coureur de fond. ◇ *m* **1.** COM courtier, commissionnaire: **~ de cambios** courtier **2.** *(pasillo)* corridor, couloir **3.** **~ aéreo** couloir aérien; **~ humanitario** couloir humanitaire. ◇ *f pl* ZOOL **corredores** coureurs.

**correduría** *f* courtage *m*.

**corregidor** *m* **1.** *(antiguo magistrado)* corregidor **2.** *(antiguo alcalde)* maire.

**corregidora** *f* femme du corregidor.

**corregimiento** *m* ANT charge *f* ou juridiction *f* du corregidor.

**corregir*** *vt* corriger: **el autor corrige las pruebas de su libro** l'auteur corrige les épreuves de son livre. ◆ **~se** *vpr* se corriger.

**correhuela** *f* **1.** *(enredadera)* liseron *m* **2.** *(centinodia)* renouée.

**correlación** *f* corrélation.

**correlativo, a** *a* corrélatif, ive.

**correligionario, a** *s* coreligionnaire.

**correlón, ona** *a* AMER **1.** coureur, euse **2.** *(cobarde)* poltron, onne.

**correntada** *f* AMER courant *m* impétueux, rapide *m*.

**correntino, a** *a/s* de Corrientes (province d'Argentine).

**correntoso, a** *a* AMER *(río)* torrentueux, euse, rapide.

**correo** *m* **1.** courrier: **a vuelta de ~** par retour du courrier **2.** poste *f*: **echar una carta al ~** mettre une lettre à la poste ◊ **~ aéreo** poste aérienne; **voto por ~** vote par correspondance **3.** INFORM **~ electrónico** courrier électronique. ◇ *pl* **1.** *(servicio)* poste *f sing* **2.** *(oficina)* bureau *sing* de poste, poste *f sing*: **ir a Correos** aller à la poste.

**correón** *m* grosse courroie *f*.

**correoso, a** *a* **1.** flexible **2.** *(alimentos)* coriace, dur, e.

**correr** *vi* **1.** courir ◊ *loc adv* **a todo ~** à toute vitesse, à fond de train, à toutes jambes **2.** FIG **~ a su perdición** courir à sa perte; **dejar ~** laisser courir **3.** *(un líquido, un río)* couler: **la sangre corre por las venas** le sang coule dans les veines **4.** *(ir de prisa)* aller vite: **¡no corras tanto!** ne vas pas si vite! **5.** *(un vehículo)* rouler, aller vite: **el tren corría más deprisa** le train allait plus vite **6.** *(el tiempo)* passer, s'écouler, filer: **el tiempo corre** le temps file; **las horas corrían** les heures passaient ◊ **al ~ de los últimos diez años** au cours des dix dernières années **7.** *(el viento)* souffler **8.** *(moneda)* avoir cours **9.** courir: **corre la voz, el rumor que...** le bruit court que... **10.** *(sueldo, intereses)* être dû, e **11.** **~ a cargo de** incomber à, être du ressort de, être à la charge de; **estos gastos corren por cuenta mía** ces frais sont à ma charge; **~ con** se charger de; **yo corro con todo** je me charge de tout; **yo corro con la cuenta** c'est moi qui paie, qui règle. ◇ *vt* **1.** **~ los cien metros** courir le cent mètres; **~ una noticia** faire courir, répandre une nouvelle **2.** *(recorrer)* parcourir **3.** *(acosar)* poursuivre, pourchasser, courir **4.** *(un toro)* combattre **5.** *(un cerrojo)* tirer, pousser **6.** *(cortinas, etc.)* tirer **7.** **~ un peligro, un riesgo** courir un danger, un risque **8.** *(avergonzar)* faire rougir **9.** FAM **correrla** faire la bringue, faire la bombe **10.** AMER *(despedir)* mettre à la porte. ◆ **~se** *vpr* **1.** se pousser: **córrete un poco, quiero sentarme** pousse-toi un peu, je veux m'asseoir **2.** *(una vela)* couler **3.** *FAM (excederse)* y aller fort, exagérer **4.** *(de vergüenza)* rougir, se troubler **5.** *VULG* jouir, prendre son pied.

**correría** *f MIL* incursion, raid *m.* ◇ *pl* voyages *m.*

**correspondencia** *f* **1.** *(relación)* correspondance, rapport *m* **2.** *(correo)* correspondance: **~ mercantil** correspondance commerciale **3.** *(cartas)* courrier *m:* **recibir mucha ~** recevoir beaucoup de courrier.

**corresponder** *vi* **1.** *(estar en relación)* correspondre: **esto no corresponde a la realidad** ça ne correspond pas à la réalité **2.** *(responder)* répondre, payer de retour: **él la quiere sin ser correspondido** il l'aime sans être payé de retour **3.** *(tocar)* être à: **a ti te corresponde hablar** c'est à toi de parler **4.** *(incumbir)* revenir, appartenir: **la parte, el lugar que te corresponde** la partie, la place qui te revient; **corresponde al Gobierno determinar...** il appartient au Gouvernement de déterminer... **5.** convenir. ◆ **~se** *vpr* **1.** correspondre **2.** *(quererse)* s'aimer mutuellement.

**correspondiente** *a/s* correspondant, e.

**corresponsal** *m* correspondant: **de nuestro ~ en Caracas** de notre correspondant à Caracas.

**corresponsalía** *f* emploi *m* de correspondant.

**corretaje** *m COM* courtage.

**corretear** *vi* **1.** courir de côté et d'autre, courir en tous sens **2.** *(vagar)* flâner. ◇ *vt AMER (perseguir)* poursuivre, harceler.

**correteo** *m* **1.** ébats *pl* **2.** flânerie *f.*

**correveidile** *s* **1.** *(chismoso)* cancanier, ère **2.** entremetteur, euse.

**corrida** *f* **1.** *(acción)* course **2.** *(de toros)* corrida, course de taureaux **3. de ~** couramment, par cœur, d'un trait.

**corrido, a** *a* **1. un kilo ~** un bon kilo **2.** long, longue: **un balcón ~** un long balcon; **barba corrida** longue barbe **3.** *(avergonzado)* confus, e, décontenancé, e, penaud, e, embarrassé, e: **quedarse ~** rester penaud **4.** *(experimentado)* expérimenté, e, averti, e, dégourdi, e **5. de ~ → de corrida.** ◇ *m* chanson mexicaine.

**corriente** *a* **1.** courant, e: **agua ~** eau courante **2.** *(tiempo)* **el 20 del ~** le 20 courant; **a fines del ~** fin courant **3.** ordinaire, commun, e ◊ **~ y moliente** ordinaire; **la gente ~ y moliente** les gens ordinaires; **salirse de lo ~** sortir de l'ordinaire **4.** *COM* **cuenta ~** compte courant. ◇ *f* **1.** *(de un fluido)* courant *m:* **una ~ fría** un courant froid; **~ alterna, continua** courant alternatif, continu **2.** *FIG* **dejarse llevar por la ~, seguir la ~** suivre le mouvement; **ir contra la ~** aller à contre-courant **3. estar al ~** être à jour; **estar al ~ de** être au courant de: **no está al ~ de nada** il n'est au courant de rien; **ponerse al ~** se mettre à jour, au courant; **tenme al ~ de cuanto ocurra** tiens-moi au courant de tout ce qui peut se passer.

**corrientemente** *adv* **1.** couramment **2.** simplement **3.** *(generalmente)* généralement, habituellement.

**corrige,** etc. **→ corregir.**

**corrillo** *m* **1.** petit groupe **2.** coterie *f* **3.** *(en la Bolsa)* corbeille *f.*

**corrimiento** *m* **1.** glissement: **~ de tierras** glissement de terrain **2.** *AGR* coulure *f* **3.** *MED* fluxion *f* **4.** *(vergüenza)* honte *f,* confusion *f.*

**corro** *m* **1.** *(de personas)* cercle: **formar ~, hacer ~** faire cercle; **le hicieron ~** ils firent cercle autour de lui ◊ **hacer ~ aparte** faire bande à part **2.** *(de niños)* ronde *f* **3.** *(en la Bolsa)* corbeille *f.*

**corroboración** *f* corroboration.

**corroborar** *vt* corroborer.

**corroer*** *vt* **1.** corroder, ronger **2.** *FIG* ronger.

**corromper** *vt* **1.** corrompre, gâter, abîmer **2.** *FIG* corrompre. ◇ *vi FAM* puer. ◆ **~se** *vpr* se corrompre.

**corrompido, a** *a* **1.** corrompu, e **2.** *(agua)* croupie.

**corrosión** *f* corrosion.

**corrosivo, a** *a* corrosif, ive.

**corrupción** *f* corruption.

**corruptela** *f* **1.** corruption **2.** abus *m,* illégalité *f.*

**corruptible** *a* corruptible.

**corrupto, a** *a* corrompu, e: **un régimen ~** un régime corrompu; **~ por el dinero** corrompu par l'argent.
▶ Participe irrégulier de *corromper.*

**corruptor, a** *a/s* corrupteur, trice.

**corrusco** *m (de pan)* croûton.

**corsario, a** *a/m* corsaire.

**corsé** *m* corset.

**corsetero, a** *s* corsetier, ère.

**¹corso** *m* **1.** *MAR (de corsarios)* course *f* **2.** *AMER (desfile)* corso.

**²corso, a** *a/s (de Córcega)* corse.

**corta** *f (de árboles)* coupe **→ corto.**

**cortacésped** *m* tondeuse *f* à gazon.

**cortacircuitos** *m inv* coupe-circuit.

**cortadera** *f* **1.** *(de herrero)* tranche **2.** couteau *m* d'apiculteur **3.** *AMER* plante à feuilles coupantes.

**cortadillo** *m* **1.** petit verre à boire sans pied **2. azúcar de ~** sucre en morceau.

**cortado, a** *a* **1.** coupé, e **2.** *(leche)* tourné, e **3.** *(estilo)* haché, e **4.** *FIG* troublé, e, confus, e, embarrassé, e, sans voix **5.** *AMER (sin dinero)* fauché, e. ◇ *m* café crème (avec une goutte de lait), café noisette.

**cortador, a** *a/s* coupeur, euse.

**cortadura** *f* **1.** coupure **2.** *(entre montañas)* gorge. ◇ *pl* rognures, découpures.

**cortafrío** *m* ciseau à froid.

**cortafuego** *m* coupe-feu *inv.*

**cortante** *a* **1.** coupant, e, tranchant, e **2.** *(aire, frío)* piquant, e.

**cortapapeles** *m inv* coupe-papier.

**cortapicos** *m inv* perce-oreille, forficule.

**cortapisa** *f* **1.** restriction, condition **2.** obstacle *m,* difficulté: **poner cortapisas** faire des difficultés.

**cortaplumas** *m inv* canif.

**cortapuros** *m inv* coupe-cigare.

**cortar** *vt* **1.** couper **2.** *(hender)* fendre **3.** *(el césped)* tondre **4.** *(dicho del frío, del aire)* couper, piquer, transpercer, pincer: **viento que corta** vent qui coupe le visage **5.** *(en los naipes)* couper: **tú barajas y yo corto** tu bats les cartes et moi je coupe **6.** *FIG* **~ la palabra a alguien** couper la parole à quelqu'un; **~ el bacalao → bacalao 7.** *(interrumpir)* interrompre, couper: **~ una comunicación telefónica** couper une communication téléphonique ◊ **~ el paso** barrer le passage **8.** *(decidir)* trancher, résoudre **9. ~ por lo sano** couper, trancher dans le vif. ◇ *vi (estar bien afilado)* couper. ◆ **~se** *vpr* **1.** se couper: **me he cortado en el dedo** je me suis coupé au doigt **2.** *(hablando de la piel)* se gercer **3.** *(la leche, etc.)* tourner ◊ **se me ha cortado la mayonesa** ma mayonnaise n'a pas pris **4.** *FIG* se troubler, demeurer court, perdre contenance, paniquer **5.** *AMER* s'écarter.

**cortaúñas** *m inv* coupe-ongles.

**cortaviento** *m* coupe-vent.

**¹corte** *m* **1.** *(filo)* tranchant **2.** *(acción, manera de cortar)* coupe *f,* taille *f:* **el ~ de pelo** la coupe de cheveux; **~ a navaja** coupe au rasoir **3.** *(incisión)* coupure *f,* entaille *f* **4.** *(de una prenda de vestir)* coupe *f* **5.** *(interrupción)* coupure *f:* **~ publicitario** coupure publicitaire ◊ **~ de tráfico** barrage **6.** *(dibujo)* coupe *f* **7.** *(de un libro)* tranche *f* **8.** *FIG* **película de ~ popular** film d'une saveur, d'un genre populaire **9.** **~ de mangas** bras d'honneur **10.** *FAM* **dar ~** couper le souffle, sidérer; *(dar vergüenza)* faire honte; **darse ~** se faire valoir, se faire mousser.

**²corte** *f* **1.** *(de un soberano)* cour ◊ **la ~ celestial** le ciel **2.** **hacer la ~** faire la cour. ◊ *pl* **las Cortes** les Cortès, les Chambres (assemblées législatives espagnoles).

**cortedad** *f* **1.** *(poca extensión)* petitesse **2.** *FIG* manque *m* (de courage, d'intelligence, etc.) **3.** *(timidez)* timidité.

**cortejante** *s* amoureux, euse.

**cortejar** *vt* courtiser, faire la cour à.

**cortejo** *m* **1.** *(séquito)* cortège: **~ fúnebre** cortège funèbre **2.** *(acción de cortejar)* cour *f*.

**cortés** *a* poli, e, courtois, e ◊ **lo ~ no quita lo valiente** la politesse n'exclut pas le courage.

**Cortes → ²corte.**

**cortesanía** *f* politesse, civilité.

**cortesano, a** *a* de la cour. ◊ *m* courtisan. ◊ *f (prostituta)* courtisane.

**cortesía** *f* **1.** politesse, courtoisie: **fórmula de ~** formule de politesse **2.** *(saludo)* révérence **3.** *(favor)* faveur, grâce **4.** *(en las cartas)* civilités *pl*, hommages *m pl*.

**cortésmente** *adv* poliment, courtoisement.

**corteza** *f* **1.** *(de un árbol, melón, limón, etc.)* écorce **2.** *(del pan, queso)* croûte **3.** *(del tocino)* couenne **4.** **~ terrestre** écorce, croûte terrestre **5.** *FIG (apariencia)* écorce; *(rusticidad)* rusticité, grossièreté.

**cortical** *a ANAT* cortical, e.

**cortijada** *f* ensemble *m* des bâtiments dans un domaine agricole.

**cortijero, a** *s* **1.** fermier, ère, métayer, ère **2.** régisseur.

**cortijo** *m* ferme *f*, domaine (particulièrement en Andalousie).

**cortina** *f* **1.** rideau *m* **2.** *(fortificación)* courtine **3.** **una ~ de humo** un rideau de fumée.

**cortinaje** *m* rideaux *pl*.

**cortinilla** *f* **1.** petit rideau *m* **2.** store *m*.

**cortisona** *f* cortisone.

**corto, a** *a* **1.** *(de poca extensión o duración)* court, e **2.** *(insuficiente)* juste, maigre **3.** *(pequeño)* petit, e **4.** *FIG* timide, timoré, e **5.** **~ de alcances** borné, e, pas malin, pas maligne; **~ de vista** myope **6.** **a la corta o a la larga** tôt ou tard; **ni ~ ni perezoso** sans faire ni une ni deux, en moins de deux, sans perdre une seconde; *FIG* **quedarse ~** avoir compté juste, avoir prévu un peu juste. ◊ *m (cortometraje)* court-métrage.

**cortocircuito** *m* court-circuit.

**cortometraje** *m* court-métrage.

**cortón** *m* courtilière *f*.

**corúa** *f AMER* cormoran *m* des Antilles.

**Coruña (La)** *np f* La Corogne.

**coruñés, esa** *a/s* de La Corogne.

**coruscante** *a* brillant, e.

**corva** *f* jarret *m*.

**corvadura** *f* courbure.

**corvato** *m* petit du corbeau, corbillat.

**corvejón** *m (de un cuadrúpedo)* jarret.

**corveta** *f* courbette.

**córvidos** *m pl ZOOL* corvidés.

**corvina** *f* **1.** *(pez)* corbeau *m* de mer **2.** *AMER* victime *f* (d'un assassinat).

**corvo, a** *a* courbé, e, crochu, e.

**corza** *f* chevrette.

**corzo** *m* chevreuil.

**cosa** *f* **1.** chose ◊ **no hay tal ~** c'est faux, ce n'est pas vrai; **no valer gran ~** ne pas valoir grand-chose; **poca ~** pas grand-chose; **por cualquier ~** pour un rien; **no es ~ de risa** il n'y a pas de quoi rire; **no es ~ del otro jueves, del otro mundo → jueves, mundo** **2.** affaire: **es ~ tuya** c'est ton affaire; **es ~ de un instante** c'est l'affaire d'un instant; **¡vaya ~!** en voilà une affaire! **3.** **no sea ~ que** au cas où, car il ne faudrait pas que; *AMER* **~ que** afin que, de manière à ce que **4.** *loc adv* **~ de** environ, à peu près, quelque chose comme: **a ~ de un kilómetro** à environ un kilomètre; **tardó ~ de diez minutos en recobrar el conocimiento** il mit à peu près dix minutes à reprendre connaissance; **a ~ hecha** à coup sûr, exprès; **como quien no quiere la ~** sans en avoir l'air, mine de rien; **como si tal ~** comme si de rien n'était. ◊ *pl* **1.** choses: **toma las cosas demasiado en serio** il prend les choses trop au sérieux; **poner las cosas en su punto** mettre les choses au point **2.** affaires: **¡guarda tus cosas!** range tes affaires! **3.** idées, manies: **¡qué cosas tienes!** quelles drôles d'idées tu as!, tu en as de bonnes!; **son cosas suyas** ce sont des idées à lui, c'est bien de lui **4.** *(en una carta)* **muchas cosas a tu hermano** bien des choses à ton frère **5.** **decir cuatro cosas a alguien** dire son fait à quelqu'un.

**cosaco, a** *a/s* cosaque ◊ **beber como un ~** boire comme un trou.

**cosario** *m* commissionnaire, messager.

**coscacho** *m AMER* coup (sur la tête).

**coscoja** *f* **1.** *(árbol)* chêne *m* kermès **2.** *(hoja)* feuille sèche du chêne vert **3.** *AMER* roulette (d'un mors).

**coscojo** *m* galle *f* du chêne kermès.

**coscorrón** *m* coup (sur la tête).

**cosecha** *f* **1.** récolte **2.** *(de cereales)* moisson **3.** *FIG* moisson **4.** *FIG* **de su ~** de son cru.

**cosechadora** *f* moissonneuse-batteuse.

**cosechar** *vt/i* **1.** récolter: **~ patatas** récolter des pommes de terre **2.** *FIG* récolter, recueillir: **~ datos, elogios** récolter des renseignements, recueillir des éloges; **cosechó muchos aplausos** il a été très applaudi.

**cosechero, a** *s* propriétaire-récoltant.

**coselete** *m* corselet.

**coseno** *m MAT* cosinus.

**coser** *vt* **1.** coudre ◊ *FIG* **~ a puñaladas** larder, transpercer de coups de couteau; **esto es ~ y cantar** c'est simple comme bonjour; **todo fue ~ y cantar** tout a été tout seul, comme sur des roulettes **2.** **~ a máquina** piquer, coudre à la machine **3.** *(papeles)* brocher. ♦ **~se** *vpr FIG* se coller.

**cosido, a** *a* **1.** cousu, e **2.** **~ a bayonetazos** lardé de coups de baïonnette. ◊ *m* couture *f*.

**cosificación** *f* chosification.

**Cosme** *np m* Côme, Cosme.

**cosmético, a** *a/m* cosmétique.

**cósmico, a** *a* cosmique.

**cosmogonía** *f* cosmogonie.

**cosmogónico, a** *a* cosmogonique.

**cosmografía** *f* cosmographie.

**cosmográfico, a** *a* cosmographique.

**cosmología** *f* cosmologie.

**cosmonauta** *s* cosmonaute.

**cosmopolita** *a/s* cosmopolite.

**cosmopolitismo** *m* cosmopolitisme.

**cosmos** *m* cosmos.

**coso** *m* **1.** *(plaza de toros)* arènes *f pl* **2.** *(calle)* rue *f* principale, cours **3.** AMER type, mec.

**cosquillas** *f pl* chatouillement *m sing* ◊ **hacer ~** chatouiller, faire des chatouilles; **me haces cosquillas** tu me chatouilles; FIG **buscarle a alguien las ~** chercher à agacer quelqu'un, chercher des poux à quelqu'un.

**cosquillear** *vt* chatouiller.

**cosquilleo** *m* chatouillement.

**cosquilloso, a** *a* chatouilleux, euse.

[1]**costa** *f (litoral)* côte: **la ~ Azul** la côte d'Azur.

[2]**costa** *f* **1.** *(gasto)* dépense, frais *m*, coût *m* **2.** *loc prep/adv* **a ~ de** au prix de, à force de: **a ~ de muchos esfuerzos** au prix de nombreux efforts; *(a expensas de)* aux dépens de; **a toda ~** à tout prix. ◇ *pl* JUR *(de un proceso)* dépens: **condenar en costas** condamner aux dépens.

**Costa de Marfil** *np* Côte-d'Ivoire.

**costado** *m* **1.** *(del cuerpo humano, lado)* côté: **dormir de ~** dormir sur le côté, de flanc **2.** *(de un ejército)* flanc **3.** *(de un barco)* flanc, côté. ◇ *pl* **noble por los cuatro costados** noble depuis plusieurs générations.

**costal** *a* ANAT costal, e. ◇ *m (para granos, etc.)* sac ◊ FIG **ser harina de otro ~ → harina; estar hecho un ~ de huesos** être un paquet d'os, affreusement maigre.

**costalada** *f*, **costalazo** *m* chute *f* sur le dos, sur le côté: **pegarse una ~** faire une chute.

**costalero** *m* porteur de «pasos» pendant la Semaine Sainte.

**costana** *f* rue en pente.

**costanera** *f* côte, pente.

**costanero, a** *a* **1.** en pente **2.** *(costero)* côtier, ère: **pesca costanera** pêche côtière.

**costanilla** *f* rue en pente.

**costar*** *vi/t* **1.** coûter: **¿cuánto cuesta esta maleta?** combien coûte cette valise?; **esto costará unas diez mil pesetas** ça doit coûter dans les dix mille pesetas; **~ un ojo de la cara, un riñón** coûter les yeux de la tête, une fortune; **me cuesta pedirle este servicio** cela me coûte de lui demander ce service; FIG **lo que has dicho te va a ~ caro** ce que tu as dit va te coûter cher; **me cuesta trabajo → trabajo 2.** *loc adv* **cueste lo que cueste** coûte que coûte.

**costarricense** *a/s* costaricien, enne.

**coste** *m* **1.** coût, prix: **el ~ de la vida** le coût de la vie **2. precio de ~** prix de revient; **a precio de ~** au prix coûtant.

[1]**costear** *vt* payer, financer: **costearle los estudios a su hijo** payer des études à son fils; **mi padre no podía costearme los estudios** mon père ne pouvait pas payer mes études. ◆ **~se** *vpr* couvrir les frais.

[2]**costear** *vt* **1.** MAR côtoyer, longer **2.** *(bordear)* longer.

**costero, a** *a* côtier, ère ◊ **un pueblecito ~** un petit village au bord de la mer.

**costilla** *f* **1.** ANAT côte ◊ FIG **medir las costillas a alguien** caresser les côtes à quelqu'un **2.** *(chuleta)* côtelette **3.** FAM *(esposa)* moitié, femme **4.** MAR couple *m* **5.** TECN nervure.

**costillaje → costillar.**

**costillar** *m* **1.** ANAT les côtes *f pl* **2.** *(pedazo de carne)* plat de côtes.

**costo** *m* **1.** *(coste)* coût **2.** frais.

**costoso, a** *a* coûteux, euse.

**costra** *f* **1.** *(del pan, de una herida)* croûte **2. ~ láctea** croûtes *pl* de lait.

**costrón** *m* **1.** grosse croûte *f* **2. ~ de pan** croûton de pain.

**costumbre** *f* **1.** habitude, coutume: **tiene ~ de dormir la siesta** il a l'habitude de faire la sieste; **la fuerza de la ~** la force de l'habitude; **en contra de su ~** contrairement à son habitude ◊ **de ~** de coutume: **según ~** suivant l'usage **2.** *(de un país)* coutume. ◇ *pl* mœurs: **atentado a las buenas costumbres** attentat aux mœurs.

**costumbrismo** *m* peinture *f* des mœurs (d'un pays, d'une région).

**costumbrista** *a* de mœurs: **novela ~** roman de mœurs.

**costura** *f* couture: **la alta ~** la haute couture ◊ FIG **meter a uno en ~** mettre quelqu'un au pas, à la raison.

**costurera** *f* couturière.

**costurero** *m* **1.** *(mesita)* table *f* à ouvrage, travailleuse *f* **2.** *(neceser)* nécessaire de couture.

**costurón** *m* **1.** couture *f* grossière **2.** *(cicatriz)* cicatrice *f*, balafre *f*.

[1]**cota** *f* **1.** *(jubón)* cotte **2.** *(armadura)* cotte d'arme.

[2]**cota** *f* **1.** *(en topografía, etc.)* cote **2.** altitude.

**cotarro** *m* **1.** asile de nuit **2.** FIG **alborotar el ~** semer la pagaille; **ser el amo del ~** être le grand manitou, faire la pluie et le beau temps.

**cotejable** *a* comparable.

**cotejar** *vt* **1.** comparer, confronter **2.** *(textos)* collationner.

**cotejo** *m* **1.** comparaison *f*, confrontation *f* **2.** *(de textos)* collationnement.

**cotense** *m* AMER toile *f* à sac.

**coterráneo, a** *s* compatriote.

**cotí** *m (tela)* coutil.

**cotidianamente** *adv* quotidiennement.

**cotidiano, a** *a* quotidien, enne.

**cotiledón** *m* BOT cotylédon.

**cotilla** *s* FAM cancanier, ère. ◇ *f* ANT *(ajustador)* corselet *m*, corset *m*.

**cotillear** *vi* cancaner.

**cotilleo** *m* commérage, cancans *pl*.

**cotillo** *m (del martillo)* tête *f*.

**cotillón** *m (danza)* cotillon.

**cotinga** *m (pájaro)* cotinga.

**cotizable** *a* admis, e à la cote de la Bourse.

**cotización** *f* **1.** *(cuota)* cotisation **2.** *(en la Bolsa)* cotation, cote, cours *m*: **caída de las cotizaciones** chute des cours.

**cotizante** *a/s* cotisant, e.

**cotizar** *vt* **1.** *(en la Bolsa)* coter **2.** *(valorar)* estimer. ◇ *vi (pagar)* cotiser. ◇ *vi/vpr* **1.** être coté, e, coter: **~ en Bolsa** être coté en Bourse; **el dólar (se) cotizó ayer a...** le dollar a été coté hier à... **2.** FIG être apprécié, e ◊ **una playa cotizadísima** une plage très cotée.

**coto** *m* **1.** terrain clos **2.** réserve *f* ◊ **~ de caza** chasse gardée, réserve de chasse **3.** FIG limite *f* ◊ **poner ~ a** mettre un frein, un terme à **4.** *(pez)* chabot **5.** AMER *(bocio)* goitre.

**cotomono** *m* AMER singe hurleur.

**cotona** *f* AMER *(de gamuza)* veste en daim.

**cotonada** *f* cotonnade.

**cotorra** *f* **1.** perruche **2.** FIG *(persona habladora)* pie, bavarde.

**cotorrear** *vi* jacasser.

**cotorreo** *m* bavardage, jacasserie *f*.

**cotorrera** *f* FIG pie.

**cotorro** *m* AMER FAM piaule *f*.

**cotorrón, ona** *s* vieux beau, vieille coquette.

**cototo** *m* AMER bosse *f*.

**cotúa** *m AMER (mergo)* cormoran.

**cotudo, a** *a AMER* goitreux, euse.

**cotufa** *f* **1.** topinambour *m* **2.** *FIG* **pedir cotufas en el golfo** demander la lune.

**coturno** *m* cothurne.

**covacha** *f* **1.** *(cueva)* petite grotte **2.** *(vivienda miserable)* taudis *m.*

**covachuela** *f ANT* bureau *m* de ministère.
▶ Parce que les bureaux des secrétaires des ministres se trouvaient dans les caves du palais royal.

**covachuelista** *m FAM* bureaucrate, rond-de-cuir.

**covadera** *f AMER* gisement *m* de guano.

**coxalgia** *f MED* coxalgie.

**coxcojilla, coxcojita** *f* **1.** *(juego)* marelle **2. a ~** à cloche-pied.

**coxis** *m ANAT* coccyx.

**coy** *m* hamac.

**coyote** *m* **1.** coyote **2.** *AMER* trafiquant **3.** *(en la frontera de México)* passeur.

**coyunda** *f* **1.** courroie du joug **2.** *FIG* lien *m* du mariage.

**coyuntura** *f* **1.** *(de dos huesos)* jointure **2.** *(oportunidad)* occasion **3.** *(económica)* conjoncture.

**coyuntural** *a* conjoncturel, elle.

**coyuyo** *m AMER* grosse cigale *f.*

**coz** *f* **1.** ruade: **dar, tirar coces** lancer des ruades ◊ *FIG* **dar coces contra el aguijón** regimber; **tratar a alguien a coces** traiter quelqu'un comme un chien **2.** *(de un arma de fuego)* recul *m* **3.** *FIG* grossièreté.

**crac** *m (quiebra)* krach. ◇ *interj* crac!

**crack** *m* krach.

**cracking** *m TECN* cracking, craquage.

**Cracovia** *np* Cracovie.

**craneal, craneano, a** *a* crânien, enne: **traumatismo ~** traumatisme crânien.

**cráneo** *m* crâne ◊ *FAM* **ir de ~** être sur les dents, avoir des problèmes; *(estar equivocado)* se faire des illusions.

**crápula** *f LIT* débauche, dévergondage *m.* ◇ *m* débauché.

**crapuloso, a** *a* débauché, e, licencieux, euse.

**craqueo** → **cracking.**

**crascitar** *vi* croasser.

**craso, a** *a* **1.** gras, grasse **2. erreur ~** erreur grossière; **~ error** grave erreur, profonde erreur; **ignorancia crasa** ignorance crasse.

**cráter** *m (de un volcán)* cratère.

**crátera** *f (vasija)* cratère *m.*

**creación** *f* création: **la ~ del mundo** la création du monde; **~ de puestos de trabajo** création d'emplois.

**creador, a** *a/s* **1.** créateur, trice **2. el Creador** le Créateur.

**crear** *vt* créer.

**creatividad** *f* créativité.

**creativo, a** *a* créatif, ive.

**crecer*** *vi* **1.** croître, augmenter: **las ventas de coches crecieron un 10%** les ventes de voitures ont augmenté de 10% ◊ **«creced y multiplicaos»** «croissez et multipliez» **2.** *(aumentar en estatura)* grandir: **su hija ha crecido mucho** sa fille a beaucoup grandi **3.** *(las plantas)* pousser, croître **4.** *(el pelo, la barba)* pousser **5.** *(un río)* grossir. ◆ **~se** *vpr* s'enhardir, prendre de l'assurance.

**creces** *f pl* **1.** augmentation *sing* **2.** *loc adv* **con ~** largement; **superar con ~** dépasser largement; **con largas ~** très largement.

**crecida** *f (de un río)* crue.

**crecido, a** *a* **1.** grand, e, important, e, élevé, e: **un ~ número de** un grand nombre de **2.** *(niño)* grand, e. ◇ *m pl* mailles *f* ajoutées en largeur, augmentations *f.*

**creciente** *a* **1.** croissant, e **2. luna ~** premier quartier. ◇ *m* **1.** *(de la luna)* croissant **2.** *(del mar)* flux.

**crecimiento** *m* **1.** croissance *f:* **crisis de ~** crise de croissance; **~ cero** croissance zéro **2.** *(aumento)* accroissement, augmentation *f.*

**credencia** *f* crédence.

**credencial** *a* de créance: **cartas credenciales** lettres de créance. ◇ *f pl* **1.** lettres de créance **2.** document certifiant la nomination d'un fonctionnaire.

**credibilidad** *f* crédibilité.

**crediticio, a** *a* de crédit: **facilidades crediticias** facilités de crédit.

**crédito** *m* **1.** crédit, confiance ◊ **dar ~ a** croire, ajouter foi à; **no dar ~ a sus oídos** ne pas en croire ses oreilles; **digno de ~** digne de foi **2.** *COM* crédit: **carta de ~** lettre de crédit; **vender a ~** vendre à crédit **3.** créance *f:* **~ hipotecario** créance hypothécaire.

**credo** *m* **1.** credo **2. en un ~** en un rien de temps.

**credulidad** *f* crédulité.

**crédulo, a** *a* crédule.

**creederas** *f pl FAM* crédulité *sing* extrême.

**creencia** *f* **1.** croyance **2.** conviction: **tener la ~ de que...** avoir la conviction que...

**creer*** *vt/i* croire: **~ en Dios** croire en Dieu; **~ en la magia** croire à la magie; **creí que vendría** j'ai cru qu'il viendrait; **créame, créamelo** croyez-moi; **según creo** à ce que je crois; **¡ya lo creo!** je pense bien!, je crois bien!; **¿no cree usted?** vous ne croyez pas?, vous ne trouvez pas?. ◆ **~se** *vpr* **1.** se croire: **se cree superior** il se croit supérieur **2.** croire: **me creí que el coche iba a volcar** j'ai cru que la voiture allait capoter ◊ **me creo yo** ce me semble; **no me lo creo** les bras m'en tombent, je n'en crois pas mes yeux, ça m'étonnerait **3. ¿qué te crees?** qu'est-ce que tu crois?, qu'est-ce que tu imagines?; **¿qué te has creído?** qu'est-ce que tu croyais?; **¡qué te crees tú eso!** tu ne m'as pas regardé!, tu parles!

**creíble** *a* croyable.

**creído, a** *a* présomptueux, euse, arrogant, e ◊ **~ de sí mismo** infatué de sa personne.

**crema** *f* **1.** crème: **~ pastelera** crème pâtissière; **~ catalana** crème brûlée **2.** *(betún)* cirage *m* **3. ~ de afeitar** crème à raser; **~ dental** pâte dentifrice; **~ hidratante** crème hydratante. ◇ *a (color)* crème.

**cremación** *f* crémation.

**cremallera** *f* **1.** crémaillère: **ferrocarril de ~** chemin de fer à crémaillère **2.** *(cierre)* fermeture à glissière, fermeture Éclair.

**crematorio, a** *a* crématoire: **horno ~** four crématoire. ◇ *m* crématoire, crématorium.

**Cremona** *np* Crémone.

**cremoso, a** *a* crémeux, euse.

**crencha** *f* **1.** *(raya que divide el cabello)* raie **2.** *(de cabellos)* bandeau *m.*

**creosota** *f* créosote.

**crep** *m* crêpe: **~ de la China** crêpe de Chine.

**crepé** *m (caucho)* crêpe.

**crêpe** *f* crêpe.

**crepería** *f* crêperie.

**crepitación** *f* crépitement *m,* crépitation.

**crepitar** *vi* crépiter: **el fuego crepita en la chimenea** le feu crépite dans la cheminée.

**crepuscular** *a* crépusculaire.

**crepúsculo** *m* crépuscule.

**cresa** *f (de abejas)* couvain *m*.

**crescendo** *adv/m* crescendo.

**Creso** *np m* Crésus: **más rico que ~** riche comme Crésus.

**crespo, a** *a* crépu, e.

**crespón** *m* crêpe, crépon.

**cresta** *f* **1.** *(del gallo)* crête ◊ *FIG* **alzar la ~** se rengorger; **dar en la ~ a alguien** rabattre le caquet à quelqu'un **2.** *(penacho)* huppe **3.** *(de una montaña, ola)* crête.

**crestado, a** *a* crêté, e.

**crestería** *f* **1.** crête, ornement *m* ajouré de style gothique **2.** *(almenas)* créneaux *m pl*.

**crestón** *m* cimier.

**creta** *f* craie.

**Creta** *np f* Crète.

**cretáceo, a** *a/m GEOL* crétacé, e.

**cretense** *a/s* crétois, e.

**cretinismo** *m* crétinisme.

**cretino, a** *a/s* crétin, e.

**cretona** *f* cretonne.

**creyente** *a/s* croyant, e.

**creyera,** etc. → **creer.**

**crezca,** etc. → **crecer.**

**cría** *f* **1.** élevage *m*: **~ extensiva** élevage extensif; **la ~ del cerdo** l'élevage des porcs **2.** *(animal recién nacido)* petit *m* **3.** *(niño de pecho)* nourrisson *m* **4.** *(niña)* gosse **5.** *(conjunto de animales)* portée; *(en un nido)* couvée.

**criada** *f* domestique, bonne: **~ para todo** bonne à tout faire.

**criadero** *m* **1.** *(de plantas)* pépinière *f* **2.** *(de animales)* élevage **3.** *(de ostras, etc.)* parc **4.** *(de mineral)* gisement.

**criadilla** *f* **1.** testicule *m*, rognon *m* blanc **2. ~ de tierra** truffe.

**criado, a** *a* **bien, mal ~** bien, mal élevé, e. ◇ *s* domestique.

**criador, a** *s* **1.** éleveur, euse **2. ~ de vino** viticulteur. ◇ *np m* **el Criador** le Créateur.

**criandera** *f AMER* nourrice.

**crianza** *f* **1.** *(de niños de pecho)* allaitement *m* **2.** *(de animales)* élevage *m* **3. vino de ~** vin élevé en fûts **4.** éducation.

**criar** *vt* **1.** nourrir, allaiter: **~ con biberón** nourrir au biberon **2.** *(un animal)* élever: **~ gallinas, conejos** élever des poules, des lapins **3.** *(educar)* élever, éduquer: **crió ella sola a sus cuatro hijos** elle éleva seule ses quatre enfants **4.** *PROV* **Dios los cría y ellos se juntan** qui se ressemble s'assemble **5.** *(producir)* produire **6.** *(crear)* créer.

**criatura** *f* **1.** créature **2.** *(niño de pecho)* nourrisson *m* **3.** petit enfant *m* ◊ *FIG* **es una ~** c'est un enfant; **sigue siendo una ~** il est resté très enfant.

**criba** *f* crible *m*: **pasar por la ~** passer au crible.

**cribado** *m* **1.** criblage **2.** *AMER (bordado)* broderie *f* à jours.

**cribar** *vt* cribler.

**cric** *m* cric.

**cricket** *m* cricket.

**Crimea** *np f* Crimée.

**crimen** *m* crime: **crímenes de guerra** crimes de guerre.

**criminal** *a/s* criminel, elle.

**criminalidad** *f* criminalité.

**criminalista** *s* criminaliste.

**criminología** *f* criminologie.

**criminólogo, a** *s* criminologiste, criminologue.

**crin** *f* **1.** crin *m* **2. ~ vegetal** crin *m*. ◇ *pl* crinière *sing*.

**crinolina** *f* crinoline.

**crío** *m* **1.** nourrisson, bébé **2.** *(niño)* gosse, petit.

**criogenia** *f FÍS* cryogénie.

**criogénico, a** *a FÍS* cryogène.

**criollaje** *m AMER* les «criollos».

**criollismo** *m AMER* caractère créole, mot créole, etc.

**criollo, a** *a/s* créole.

▶ En Amérique latine, *criollo* s'applique à tout ce qui est autochtone, indigène, national, par opposition à ce qui est étranger; ainsi *un manjar criollo* est un plat typique du pays concerné; *una costumbre criolla* une coutume qui lui est propre, etc.

**crioscopia** *f FÍS* cryoscopie.

**cripta** *f* crypte.

**criptogámico, a** *a* cryptogamique.

**criptógamo** *m BOT* cryptogame.

**criptografía** *f* cryptographie.

**criptográfico, a** *a* cryptographique.

**criptograma** *m* cryptogramme.

**criptón** *m* kripton.

**criquet** *m* cricket.

**crisálida** *f* chrysalide.

**crisantemo** *m* chrysanthème.

**crisis** *f* crise: **~ de crecimiento** crise de croissance; **~ económica** crise économique; **~ ministerial** crise ministérielle.

**crisma** *m/f (aceite consagrado)* chrême *m*. ◇ *f FAM (cabeza)* figure, gueule: **romper la ~** casser la figure; **partirse, romperse la ~** se casser la figure, la gueule.

**crismas** *m* carte *f* de Noël.

**crisol** *m* creuset.

**crisólito** *m* chrysolithe.

**Crisóstomo** *np m* Chrysostome.

**crispadura** *f*, **crispamiento** *m* crispation *f*.

**crispar** *vt* **1.** crisper **2.** *FAM* **me crispa los nervios oírle** ça me tape sur les nerfs de l'entendre.

**Crispín** *np m* Crépin.

**cristal** *m* **1.** cristal: **unos cristales de cuarzo** des cristaux de quartz; **~ de roca** cristal de roche **2.** *(vidrio fino)* cristal **3.** *(vidrio)* verre: **un ojo de ~** un œil de verre **4.** *(de ventana)* carreau, vitre *f*: **limpiar los cristales** nettoyer les carreaux; *(de escaparate, parabrisas)* glace *f* **5. ~ de aumento** verre grossissant.

**cristalera** *f* **1.** armoire vitrée **2.** porte vitrée.

**cristalería** *f* **1.** cristallerie **2.** vitrerie **3.** *(objetos)* verrerie, service *m* de verres.

**cristalero** *m* vitrier.

**cristalino, a** *a* cristallin, e. ◇ *m (del ojo)* cristallin.

**cristalización** *f* cristallisation.

**cristalizador** *m* cristallisoir.

**cristalizar** *vt/i* **1.** cristalliser **2.** se cristalliser. ◆ **~se** *vpr* se cristalliser.

**cristalografía** *f* cristallographie.

**cristero, a** *a/s AMER* se dit des partisans du soulèvement qui eut lieu au Mexique, en 1926, contre les mesures anticléricales du Gouvernement.

**Cristián, ana** *np* Christian, anne.

**cristianamente** *adv* chrétiennement.

**cristianar** *vt FAM* baptiser.

**cristiandad** *f* chrétienté.

**cristianísimo, a** *a* très chrétien, enne.

**cristianismo** *m* christianisme.

**cristianización** *f* christianisation.

**cristianizar** *vt* christianiser.

**cristiano, a** *a/s* **1.** chrétien, enne **2.** *FAM* **hablar en ~** parler clairement.

**Cristina** *np f* Christine.

**cristino, a** *a/s HIST* partisan d'Isabelle II sous la régence de Marie-Christine.

**Cristo** *np m* **1.** Christ, le Christ: **~ ante Pilatos** le Christ devant Pilate **2.** *FAM* **donde ~ dio las tres voces** très loin, au diable; **ir como a un ~ un par de pistolas** aller comme un tablier à une vache; **poner a uno como a ~** mettre quelqu'un dans un triste état, traîner quelqu'un dans la boue; **con la cara hecha un ~** le visage en compote.

**Cristóbal** *np m* Christophe.

**cristofué** *m* oiseau jaune et vert, commun au Venezuela.

**criterio** *m* **1.** critère **2.** jugement **3.** opinion *f*, avis: **comparto tu ~** je partage ton opinion **4.** *(prueba deportiva)* critérium.

**crítica** *f* critique.

**criticable** *a* critiquable.

**criticar** *vt* critiquer.

**criticastro** *m PEYOR* mauvais critique, critique médiocre.

**criticismo** *m* criticisme.

**crítico, a** *a* critique: **sentido ~** sens critique; **edad crítica** âge critique. ◇ *s (persona)* critique.

**criticón, ona** *a/s* critiqueur, euse.

**Croacia** *np f* Croatie.

**croar** *vi* coasser.

**croata** *a/s* croate.

**crocante** *m* praline *f*.

**croché, crochet** *m* **1.** crochet **2.** *(boxeo)* **~ de izquierda** crochet du gauche.

**croissant** *m* croissant.

**crol** *m* crawl.

**cromado** *m* chromage.

**cromar** *vt* chromer: **acero cromado** acier chromé.

**cromático, a** *a* chromatique.

**cromatismo** *m* chromatisme.

**crómlech** *m* cromlech.

**cromo** *m* **1.** *(metal)* chrome **2.** *(estampa)* chromo.

**cromolitografía** *f* chromolithographie.

**cromosfera** *f* chromosphère.

**cromosoma** *m* chromosome.

**cromosómico, a** *a* chromosomique.

**crónica** *f* chronique.

**crónico, a** *a* chronique.

**cronicón** *m* petite chronique *f*.

**cronista** *m* chroniqueur.

**crónlech** → **crómlech.**

**cronología** *f* chronologie.

**cronológicamente** *adv* chronologiquement.

**cronológico, a** *a* chronologique: **orden ~** ordre chronologique.

**cronometraje** *m* chronométrage.

**cronometrar** *vt* chronométrer.

**cronómetro** *m* chronomètre.

**croquet** *m* croquet.

**croqueta** *f CULIN* croquette.

**croquis** *m* croquis.

**cross** *m* cross.

**crótalo** *m (serpiente)* crotale. ◇ *pl (castañuelas)* castagnettes *f*.

**croto** *m AMER* vagabond, clochard.

**crotón** *m (arbusto)* croton.

**crotorar** *vi (la cigüeña)* craqueter.

**croupier** *m* croupier.

**cruce** *m* **1.** croisement **2.** *(de calles)* croisement, carrefour ◇ **luces de ~** feux de croisement **3.** *(de ondas)* interférence *f*.

**crucecita** *f* petite croix.

**crucería** *f ARQ* croisée d'ogives: **bóveda de ~** voûte sur croisée d'ogives.

**crucero** *m* **1.** *(en una iglesia)* croisée *f* du transept; *(nave transversal)* transept **2.** *(viaje de recreo)* croisière *f* **3.** *(buque de guerra)* croiseur.

**cruces** *pl* de **cruz.**

**cruceta** *f MAR* barre de perroquet.

**crucial** *a* crucial, e.

**cruciferario** *m* porte-croix *inv*.

**crucífero, a** *a* crucifère. ◇ *f pl BOT* crucifèracées.

**crucificado, a** *a* crucifié, e: **el Crucificado** le Crucifié.

**crucificar** *vt* crucifier.

**crucifijo** *m* crucifix, christ: **un ~ de marfil** un crucifix en ivoire.

**crucifixión** *f* crucifixion.

**crucigrama** *m* mots *pl* croisés.

**crucigramista** *s* cruciverbiste.

**cruda** *f AMER FAM (borrachera)* cuite; *(resaca)* gueule de bois.

**crudamente** *adv* crûment.

**crudelísimo, a** *a* très cruel, elle.

**crudeza** *f* **1.** crudité **2.** *(del tiempo)* rigueur.

**crudo, a** *a* **1.** *(alimento)* cru, e **2.** *(tiempo)* rigoureux, euse, rude **3.** *(seda)* écru, e, cru, e, grège **4. petróleo ~** pétrole brut **5.** *FIG* dur, e, cruel, elle: **la cruda realidad** la dure réalité **6.** *FAM* **lo tienes muy ~** ce n'est vraiment pas facile, c'est compliqué. ◇ *m (petróleo)* brut. ◇ *f* → **cruda.**

**cruel** *a* cruel, cruelle.

**crueldad** *f* cruauté.

**cruento, a** *a* sanglant, e.

**crujía** *f* **1.** *(pasillo)* couloir *m*, galerie **2.** salle d'hôpital **3.** *MAR* milieu *m* **4.** *FIG* **pasar ~** en voir de dures.

**crujido** *m* **1.** craquement **2.** crissement **3.** *(de dientes)* grincement **4.** *(de la seda)* frou-frou.

**crujiente** *a* **1.** croquant, e **2.** *(pan)* croustillant, e.

**crujir** *vi* **1.** craquer **2.** *(arena)* crisser **3.** *(los dientes)* grincer: **le crujían los dientes** il grinçait des dents **4.** *(la seda)* froufrouter. ◇ *m* **~ de dientes** grincement de dents.

**crúor** *m POÉT* sang.

**crup** *m* croup.

**crupier** *m* croupier.

**crustáceo** *m* crustacé.

**cruz** *f* **1.** croix: **la señal de la ~** le signe de la croix; **la ~ Roja** la Croix-Rouge; **~ de San Andrés** croix de Saint-André; **~ gamada** croix gammée; *FIG* **cada uno lleva su ~** chacun porte sa croix **2.** *(de una moneda)* pile: **cara o ~** pile ou face **3.** *(de un animal)* garrot *m* **4.** *(de un árbol)* fourche **5. ~ y raya** c'est fini; **hacerse cruces** manifester son étonnement.

**cruzada** *f* **1.** *HIST* croisade **2.** *(campaña)* croisade, campagne.

**cruzado, a** *a* **1.** croisé, e: **chaqueta cruzada** veste croisée ◊ **~ de brazos** les bras croisés **2. cheque ~** chèque barré. ◇ *m (alistado para una cruzada)* croisé.

**cruzamiento** *m* croisement.

**cruzar** *vt* **1.** croiser: **Isabel cruzó las piernas** Isabelle croisa les jambes **2.** *(atravesar)* traverser: **~ la calle** traverser la rue; **~ el Atlántico** traverser l'Atlantique **3.** *(un cheque)* barrer **4.** *(palabras, miradas, etc.)* échanger: **apenas hemos cruzado cuatro palabras** nous avons à peine échangé quatre mots **5. le cruzó la cara de una bofetada** il lui flanqua une gifle. ◇ *vi MAR* croiser. ◆ **~se** *vpr* **1.** se croiser: **nuestras miradas se cruzaron** nos regards se croisèrent; **cruzarse de brazos** se croiser les bras **2.** croiser: **me crucé con ella en la escalera** je l'ai croisée dans l'escalier **3.** s'entrecroiser.

**cu** *f* q *m*, lettre q.

**cuaba** *f AMER* nom de divers arbres de Cuba.

**cuacar** *vt AMER* plaire.

**cuaco** *m AMER (rocín)* canasson, bourrin.

**cuaderna** *f MAR* **1.** couple *m* **2.** *(conjunto)* membrure.

**cuadernal** *m MAR* moufle *f*.

**cuadernillo** *m* **1.** petit cahier **2.** cahier de cinq feuilles de papier.

**cuaderno** *m* **1.** cahier **2.** *MAR* **~ de bitácora** livre de bord.

**cuadra** *f* **1.** *(para caballerías)* écurie **2.** *(conjunto de caballos, automóviles)* écurie **3.** *(de hospital)* dortoir *m*; *(de cuartel)* chambrée **4.** *AMER* pâté *m* de maisons.
▶ En Amérique, *cuadra* désigne également la longueur d'un pâté de maisons (environ 100 m): *anduvo dos cuadras* il marcha 200 mètres.

**cuadrada** *f MÚS* carrée.

**cuadradillo** *m* **1.** *(regla)* carrelet **2.** *(azúcar)* morceau de sucre.

**cuadrado, a** *a* carré, e: **metro ~** mètre carré; **raíz cuadrada** racine carrée. ◇ *m* **1.** *GEOM* carré **2.** *MAT* **elevar un número al ~** élever un nombre au carré **3.** *(regla)* carrelet.

**cuadragenario, a** *a/s* quadragénaire.

**cuadragésimo, a** *a/s* quarantième. ◇ *f (cuaresma)* quadragésime.

**cuadrangular** *a* quadrangulaire.

**cuadrante** *m* **1.** quadrant **2.** *(reloj de sol)* cadran solaire **3.** *MAR* quart (de vent).

**cuadrar** *vt* **1.** carrer **2.** *(la madera)* équarrir. ◇ *vi* **1.** *(ajustarse)* aller, concorder, cadrer **2.** *(agradar)* convenir, plaire, dire: **si te cuadra...** si cela te convient, te dit.... ◆ **~se** *vpr* **1.** se mettre au garde-à-vous: **el ordenanza se cuadró** l'ordonnance se mit au garde-à-vous: **¡cuádrese!** garde-à-vous!; **estaba cuadrado** il était au garde-à-vous **2.** *FIG* se raidir **3.** *TAUROM* s'arrêter ferme.

**cuadratín** *m* cadratin.

**cuadratura** *f* quadrature ◊ **la ~ del círculo** la quadrature du cercle.

**cuadrícula** *f* quadrillage *m*.

**cuadriculado, a** *a* quadrillé, e.

**cuadricular** *vt* quadriller.

**cuadrienio** *m* période *f* de quatre ans.

**cuadriga** *f* quadrige *m*.

**cuadril** *m* **1.** os de la hanche **2.** *(cadera)* hanche *f* **3.** *(de animal)* croupe *f*.

**cuadrilátero, a** *a/m* quadrilatère. ◇ *m (de boxeo)* ring.

**cuadrilla** *f* **1.** *(de obreros, etc.)* équipe **2.** *(de ladrones, etc.)* bande **3.** *(baile)* quadrille *m* **4.** *TAUROM* «cuadrilla», équipe accompagnant le matador.

**cuadrillero** *m* chef d'équipe.

**cuadrilongo, a** *a* rectangulaire.

**cuadrimotor** *a/m* quadrimoteur.

**cuadringentésimo, a** *a* quatre-centième.

**cuadriplicar → cuadruplicar.**

**cuadro** *m* **1.** *(figura)* carré, rectangle **2.** *(pintura, descripción, etc.)* tableau: **un ~ de Ribera** un tableau de Ribera; **~ de costumbres** tableau de mœurs; **~ cronológico** tableau chronologique **3. ~ de mandos, de instrumentos** tableau de bord **4.** *(de jardín)* parterre **5.** *(de bicicleta)* cadre **6.** *(de puerta o ventana)* dormant **7.** *TEAT* tableau ◊ **~ vivo** tableau vivant **8.** *(conjunto de jefes)* cadre, encadrement ◊ **estar en ~, quedarse en ~** ne conserver que ses chefs, être à effectifs réduits: **la tertulia quedaba casi siempre en ~** il n'y avait presque plus jamais personne à la réunion **9.** *(conjunto de jugadores)* équipe *f*. ◇ *pl* carreaux: **camisa a cuadros** chemise à carreaux.

**cuadrumano, a** *a/m* quadrumane.

**cuadrúpedo, a** *a/m* quadrupède.

**cuádruple** *a* quadruple.

**cuadruplicar** *vt* quadrupler.

**cuádruplo, a** *a/m* quadruple.

**cuaima** *f AMER* serpent *m* venimeux.

**cuajada** *f (leche)* caillé *m*.

**cuajado, a** *a* **1. leche cuajada** lait caillé **2.** *(lleno)* rempli, e, plein, e: **carta cuajada de faltas** lettre remplie de fautes: **árbol ~ de frutas** arbre chargé de fruits; **carrera cuajada de éxitos profesionales** carrière jalonnée de succès professionnels; **porvenir ~ de amenazas** avenir lourd de menaces.

**cuajaleche** *m* caille-lait *inv*, gaillet.

**¹cuajar** *vt* **1.** *(la leche)* cailler **2.** *(la sangre)* figer, coaguler ◊ *FIG* **~ la sangre** glacer le sang **3.** *(de adornos)* surcharger **4.** *(realizar)* réussir, réaliser: **el torero cuajó la mejor faena de su carrera** le torero a réussi la plus belle «faena» de sa carrière. ◇ *vi* **1.** *(solidificarse)* prendre **2.** prendre, tenir: **la nieve no cuajó** la neige n'a pas tenu **3.** *(realizarse)* aboutir, réussir, prendre corps: **el proyecto no ha cuajado** le projet n'a pas abouti **4.** *(gustar)* plaire. ◆ **~se** *vpr* **1.** se figer, prendre **2.** *(llenarse)* se remplir.

**²cuajar** *m (de los rumiantes)* caillette *f*.

**cuajarón** *m* caillot.

**cuajo** *m* **1.** *(sustancia)* présure *f* **2.** *FAM (calma)* calme, flegme, patience *f* **3. de ~** complètement; **arrancar de ~** déraciner.

**cuákero, a** *s* quaker, eresse.

**¹cual** *(pl* **cuales***) pron rel* **1. el ~, la ~** lequel, laquelle, qui: **su hermano, el ~ acaba de llegar** son frère, qui vient d'arriver; **los cuales, las cuales** lesquels, lesquelles; **al ~** auquel; **a los cuales, las cuales** auxquels, auxquelles; **cerca del ~, de la ~, de los cuales, de las cuales** près duquel, de laquelle, desquels, desquelles **2. del ~, de la ~** dont: **el coche del ~ te estoy hablando** la voiture dont je te parle **3. lo ~** ce qui, ce que, quoi; **por lo ~** c'est pourquoi, aussi; **después de lo ~** après quoi; **sin lo ~** sans quoi **4.** *(en oraciones comparativas)* comme, tel, telle que ◊ **~ el padre, ~ el hijo** tel père, tel fils **5. cada ~ → cada.** ◇ *adv* comme, ainsi que: **lo ha hecho ~ lo había prometido** il l'a fait comme il l'avait promis; **~ si...** comme si... ◊ **tal ~ → tal.**

**²cuál** *(pl* **cuales***) a/pron* **1.** *(interrogativo o exclamativo)* quel, quelle, etc.: **¿~ es su apellido?** quel est votre nom?; **¡~ fue su sorpresa!** quelle ne fut pas sa surprise!; **¿~ de los dos, las dos?** lequel, laquelle des deux? **2.** *(pron. indefinido)* qui... qui, l'un... l'autre, les uns... les autres ◊ **~ más, ~ menos** plus ou moins, à des degrés différents; **a ~ más** à l'envi, à qui mieux mieux; **los dos hermanos son a ~ más goloso** les deux frères sont aussi gourmands l'un que l'autre. ◇ *adv (exclamativo)* comment.

**cualesquier** *pl* de **cualquier.**

**cualesquiera** *pl* de **cualquiera.**

**cualidad** *f* qualité.

**cualificación** *f* qualification (professionnelle).

**cualificado, a** *a* qualifié, e: **obrero ~** ouvrier qualifié.

**cualificar** *vt* qualifier ◊ **sin ~** non qualifié.

**cualitativo, a** *a* qualitatif, ive.

**cualquier** *a indef* forme apocopée de **cualquiera**, devant un nom: **a ~ hora** à n'importe quelle heure; **a ~ precio** à n'importe quel prix; **esto puede ocurrir en ~ momento** ça peut arriver à n'importe quel moment, n'importe quand; **en ~ parte del mundo** dans n'importe quelle partie du monde, n'importe où dans le monde; **~ cosa** n'importe quoi; **~ cosa que hagas** quoi que tu fasses; **~ otro** tout autre; **~ día te lo presentaré** un de ces jours je te le présenterai; **en ~ caso →** **caso.**

**cualquiera** *a indef* **1.** *(antepuesto a un sustantivo)* n'importe quel, n'importe quelle, tout, toute → **cualquier 2.** *(después de un sustantivo)* quelconque: **un lugar ~** un endroit quelconque **3. ~ que sea** quel que soit, quelle que soit; **~ que sea su edad** quel que soit votre âge. ◇ *pron indef* n'importe qui, qui que ce soit, quiconque: **a ~ puede sucederle** ça peut arriver à n'importe qui; **no está al alcance de ~** ce n'est pas à la portée de n'importe qui; **~ que te oiga** quiconque t'entendrait; **~ que haya viajado** quiconque a voyagé; **~ de vosotros** n'importe lequel d'entre vous ◊ **~ sabe si...** allez savoir si... ◇ *s* **un ~** un homme quelconque; **una ~** une femme de rien.

**cuan** *adv* **1.** *(delante de un adj. o de un adv.)* combien, comme, que: **¡cuán frágil es la felicidad!** comme le bonheur, combien le bonheur est fragile!; **¡cuán bello es este país!** que ce pays est beau!; **¡cuán cierto es que...!** comme il est vrai que...! **2.** autant ◊ **cayó ~ largo era** il tomba de tout son long.

▶ *Cuan* porte un accent écrit dans les phrases exclamatives ou interrogatives.

**cuando** *adv* **1.** quand: **¿cuándo se marcha usted?** quand partez-vous?; **¿desde cuándo está usted aquí?** depuis quand êtes-vous ici?; **¿para cuándo?** pour quand?; **¿de cuándo acá?** depuis quand? **2.** *loc adv* **~ más** tout au plus; **~ menos** au moins; **~ no** sinon; **de ~ en ~** de temps en temps. ◇ *conj* **1.** quand, lorsque: **~ yo era niño** lorsque j'étais enfant; **ven ~ quieras** viens quand tu voudras ◊ *(avec ellipse du verbe)* **~ la guerra** pendant la guerre; **es una foto de mi padre ~ pequeño** c'est une photo de mon père quand il était petit **2. historias de ~ cazaban juntos** des histoires du temps où ils chassaient ensemble; **un amigo de ~ la mili** un ami du régiment **3. aun ~** même si, quand bien même **4.** *(puesto que)* puisque **5.** que: **entonces fue ~** c'est alors que. ◇ *m AMER* danse argentine.

▶ *Cuando* porte l'accent écrit dans les phrases interrogatives ou exclamatives.

**cuandú** *m* coendou.

**cuantía** *f* **1.** quantité **2.** *(importe)* montant *m* **3.** *(de una persona)* valeur, importance.

**cuántico, a** *a* quantique.

**cuantificar** *vt* évaluer.

**cuantioso, a** *a* important, e, considérable: **una rebaja cuantiosa** une remise importante.

**cuantitativo, a** *a* quantitatif, ive.

**¹cuanto** *adv* **1.** combien: **¿cuánto le debo?** combien vous dois-je?; **¿a cuánto los tomates?** c'est combien les tomates? **2.** *(hasta qué punto)* combien, comme, que: **tú sabes cuánto te quiero** tu sais combien je t'aime; **¡cuánto me alegro de veros!** que je suis content de vous voir! **3. ¿cuánto hace que se marchó?** depuis combien de temps est-il parti?; **esto durará ~ quiera él** cela durera tout le temps qu'il voudra **4.** *(en correlación con más, menos, etc.)* **~ más tiene, más quiere** plus il en a, plus il en veut **5. ~ antes** au plus tôt, le plus tôt possible, au plus vite; **~ antes te vayas, mejor** plus vite tu partiras, mieux ce sera; **~ más** *(máxime)* à plus forte raison; **(en) ~ a** quant à; **en ~** dès que: **en ~ puedo, me escapo al campo** dès que je pourrai, je file à la campagne; **en ~ anochezca** dès que la nuit tombera; **por ~** puisque.

▶ *Cuanto* porte l'accent écrit dans les phrases exclamatives ou interrogatives.

**²cuanto, a** *a/pron/adv* **1.** combien (de), que de: **¿cuántos discos tienes?** combien de disques as-tu?; **cuántas son 6 por 5?** combien font 6 fois 5?; **¡cuánta gente!** que de gens!; **¡cuántas cosas!** que de choses!; **¿a cuántos estamos?** le combien sommes-nous?; **cuantos más invitados seamos...** plus nous serons d'invités... ◊ **unos cuantos, unas cuantas** quelques-uns, quelques-unes; **no sé cuántos → saber. 2.** tout ce que: **cree ~ le dicen** il croit tout ce qu'on lui dit; **es ~ sabemos** c'est tout ce que nous savons; **todo ~** tout ce que: **pregúntelo a cuantos lo vieron** demandez-le à tous ceux qui l'ont vu **3.** *(en correlación con tanto)* autant de... que.

▶ *Cuanto* porte l'accent écrit dans les phrases exclamatives ou interrogatives.

**³cuanto** *m FÍS* quantum.

**cuáquero, a** *s* quaker, eresse.

**cuarenta** *a/m* **1.** quarante: **~ y ocho horas** quarante huit heures ◊ *FIG* **cantar las ~ a alguien** dire ses quatre vérités à quelqu'un **2.** quarantième.

**cuarentavo, a** *a/s (parte)* quarantième.

**cuarentena** *f* **1.** quarantaine **2.** *(sanidad)* quarantaine ◊ **poner a alguien en ~** mettre quelqu'un en quarantaine.

**cuarentón, ona** *a/s* quadragénaire.

**cuaresma** *f* carême *m*: **la ~** le carême.

**cuaresmal** *a* quadragésimal, e.

**cuarta** *f* **1.** *(cuarta parte)* quart *m* **2.** *(palmo)* empan *m* **3.** *MÚS* quarte **4.** *AMER (látigo)* fouet *m; (soga)* corde.

**cuartago** *m (caballo)* bidet.

**cuartanas** *f pl* fièvre *sing* quarte.

**cuartazo** *m AMER* coup de fouet.

**cuartazos** *m inv FAM* gros mollasson, gros lard.

**cuartear** *vt* **1.** diviser en quartiers **2.** *(descuartizar)* dépecer **3.** aller en zigzags **4.** *AMER (azotar)* fouetter. ◇ *vi TAUROM* planter les banderilles en faisant un écart. ◆ **~se** *vpr (un muro, la tierra, la piel, etc.)* se crevasser.

**cuartel** *m* **1.** *(división)* quartier **2.** *MIL (alojamiento de la tropa)* caserne *f* **3. ~ general** quartier général; **cuarteles de invierno** quartiers d'hiver **4.** *(gracia)* quartier: **dar ~** faire quartier.

**cuartelada** *f*, **cuartelazo** *m* putsch *m*, pronunciamiento *m*.

**cuartelero, a** *a* **1.** de la caserne **2. lenguaje ~** langage de corps de garde.

**cuarteo** *m* **1.** *(en un muro, etc.)* crevasse *f*, lézarde *f* **2.** *(movimiento del cuerpo)* écart.

**cuarterón, ona** *a/s (mestizo)* quarteron, onne. ◇ *m* **1.** *(cuarta parte)* quart **2.** *(de puerta)* panneau **3.** *(de ventana)* vasistas.

**cuarteta** *f* quatrain *m* (vers de huit syllabes).

**cuarteto** *m* **1.** quatrain (vers de plus de dix syllabes) **2.** *MÚS* quatuor.

**cuartilla** *f* **1.** *(de papel)* feuille, copie **2.** *(del caballo)* paturon *m*.

**cuartillo** *m* **1.** *(medio litro)* chopine *f* **2.** *ANT* quart d'un réal.

**cuarto, a** *a/s* **1.** quatrième ◊ **la cuarta parte** le quart; **las tres cuartas partes de las mujeres** les trois quarts des femmes

**2. Felipe ~** Philippe quatre. ◇ *m* **1.** *(cuarta parte)* quart: **dentro de un ~ de hora** dans un quart d'heure; **~ de final** quart de finale; **sentado de tres cuartos** assis de trois quarts **2.** *(habitación)* pièce *f*, chambre *f* ◊ **~ de dormir** chambre à coucher; **~ de aseo** cabinet de toilette; **~ de baño** salle *f* de bains; **~ de estar** salle de séjour; **~ de banderas** salle *f* des officiers **3.** *(piso)* appartement **4.** *(de luna)* **~ creciente, menguante** premier, dernier quartier **5.** *(del centinela)* quart, tour de garde, faction *f* **6.** *(de un animal)* **~ delantero, trasero** train de devant, de derrière **7.** ANT monnaie *f* de trois centimes, sou ◊ **me he quedado sin un ~** je n'ai plus un rond ◊ FAM **de tres al ~** minable, de rien du tout; **echar su ~ a espadas** mettre son grain de sel, placer son mot **8.** *(encuadernación)* **en ~** in-quarto. ◇ *pl* FAM *(dinero)* sous, fric *sing:* **tiene muchos cuartos** il a beaucoup de fric; **cuatro cuartos** quatre sous ◊ **no andar bien de cuartos** ne pas être en fonds, être à sec.

**cuartucho** *m* taudis.

**cuarzo** *m* quartz.

**cuasi** *adv* quasi.

**cuasia** *f* quassia *m*, quassier *m*.

**cuasicontrato** *m* quasicontrat.

**Cuasimodo** *np m* Quasimodo.

**cuate, cuata** *a/s* AMER **1.** *(mellizo)* jumeau, jumelle **2.** *(semejante)* semblable **3.** *(camarada)* copain, copine, camarade.

**cuaternario, a** *a/m* quaternaire.

**cuatí** *m* coati.

**cuatrerear** *vt* AMER voler (du bétail).

**cuatrerismo** *m* AMER vol de bétail.

**cuatrero** *a/m* voleur de bestiaux.

**cuatricromía** *f* quadrichromie.

**cuatrienio → cuadrienio.**

**cuatrillizos, as** *s* quadruplés, ées.

**cuatrimotor** *a/m* quadrimoteur.

**cuatrisílabo, a** *a* quadrisyllabique. ◇ *m* quadrisyllabe.

**cuatro** *a/m* **1.** quatre **2. son las ~** il est quatre heures.

**cuatrocientos, as** *a* quatre cents.

**cuatrojos** *s* FAM binoclard, e.

**cuba** *f* **1.** tonneau *m*, fût *m* ◊ FAM **beber como una ~** boire comme un trou; **estar como una ~, estar hecho una ~** être complètement rond, être bourré **2.** *(donde fermenta el mosto)* cuve **3.** FIG gros bonhomme *m*.

**Cuba** *np* Cuba ◊ **cuba libre** cuba libre, rhum coca.

**cubalibre → Cuba.**

**cubano, a** *a/s* cubain, e.

**cubata** *m* FAM cuba libre, rhum coca.

**cubero** *m* **1.** tonnelier **2. a ojo de buen ~** à vue d'œil, à vue de nez.

**cubertería** *f* couverts *m pl*, ménagère.

**cubeta** *f* **1.** petit tonneau *m* **2.** baquet *m*, cuveau *m* **3.** *(del barómetro, de laboratorio)* cuvette **4.** *(de fotógrafo)* cuve.

**cubicación** *f* cubage *m*.

**cubicaje** *m* cylindrée *f*.

**cubicar** *vt* cuber.

**cúbico, a** *a* **1.** cubique **2.** cube: **metro ~** mètre cube.

**cubierta** *f* **1.** *(de la cama, de un libro, tejado, etc.)* couverture **2.** MAR pont *m* **3.** *(de un neumático)* enveloppe **4.** *(de cable)* gaine.

**cubierto, a** *pp* de **cubrir:** couvert, e. ◇ *m* **1.** *(tenedor, cuchara y cuchillo)* couvert **2.** menu à prix fixe **3.** abri: **estar a ~** être à l'abri; **ponerse a ~** se mettre à l'abri.

**cubil** *m* repaire, tanière *f*.

**cubilete** *m* **1.** gobelet **2.** *(para jugar a los dados)* cornet à dés, gobelet **3.** CULIN timbale *f* **4.** AMER chapeau haut de forme.

**cubiletear** *vi* **1.** agiter le cornet à dés **2.** FIG intriguer, manigancer.

**cubileteo** *m* **1.** tour de passe-passe **2.** FIG manigance *f*, intrigue *f*.

**cubiletero** *m* **1.** prestidigitateur **2.** CULIN timbale *f*.

**cubilla** *f* méloé *m*.

**cubismo** *m* cubisme.

**cubista** *a/s* cubiste.

**cubito** *m* **1.** petit cube **2. ~ de hielo** glaçon.

**cúbito** *m* *(hueso)* cubitus.

**cubo** *m* **1.** *(recipiente)* seau ◊ **~ de la basura** poubelle, boîte *f* à ordures **2.** *(de rueda)* moyeu **3.** *(de bayoneta)* douille *f* **4.** GEOM, MAT cube.

**cubrecadena** *m* *(de bicicleta)* carter.

**cubrecama** *m* couvre-lit.

**cubrenuca** *f* couvre-nuque *m*.

**cubrepiés** *m* couvre-pieds *inv*.

**cubrerradiador** *m* cache-radiateur.

**cubrir*** *vt* **1.** couvrir **2.** *(ocultar)* cacher **3.** *(un puesto)* pourvoir: **escaño a ~** siège à pourvoir **4.** FIG **~ las necesidades de** pourvoir, subvenir, répondre aux besoins de; **~ una demanda** satisfaire une demande **5.** *(una distancia)* couvrir **6. periodista que cubre la visita de...** journaliste que couvre la visite de.... ◆ **~se** *vpr* se couvrir: **el cielo se ha cubierto de nubarrones** le ciel s'est couvert de gros nuages; **cúbrete** couvre-toi; **se cubrieron de gloria** ils se sont couverts de gloire.

**cuca** *f* **1.** *(chufa)* souchet *m* **2.** *(cuco)* chenille **3.** AMER *(ave)* héron *m* du Chili **4.** POP peseta.

**cucamonas** *f pl* FAM cajoleries.

**cucaña** *f* **1.** mât *m* de cocagne **2.** FIG aubaine.

**cucaracha** *f* blatte, cafard *m*, cancrelat *m*.

**cucarda** *f* cocarde.

**cucarrón** *m* AMER *(escarabajo)* scarabée.

**cucha** *f* *(del perro)* niche.

**cuchara** *f* **1.** cuiller, cuillère: **~ sopera** cuillère à soupe; **~ de palo, de madera** cuillère en bois ◊ FIG **meter uno su ~** mettre son grain de sel, se mêler des affaires des autres; **ser media ~** être un peu bête, peu doué **2.** *(con mango)* louche **3.** MAR écope **4.** AMER *(llana de albañil)* truelle.

**cucharada** *f* cuillerée.

**cucharilla** *f* **1.** petite cuillère, cuiller à café **2.** *(para pescar)* cuillère.

**cucharón** *m* **1.** louche *f* **2.** *(de cocina)* cuillère *f* à pot.

**cuché** *a* **papel ~** papier couché.

**cucheta** *f* AMER couchette.

**cuchí** *m* AMER cochon, porc.

**cuchichear** *vi* chuchoter: **cuchicheó algo al oído de su vecina** il chuchota quelque chose à l'oreille de sa voisine.

**cuchicheo** *m* chuchotement.

**cuchichiar** *vi* *(la perdiz)* cacaber.

**cuchilla** *f* **1.** couperet *m*, coutelas *m* **2.** *(de un arma blanca)* lame **3.** *(hoja de afeitar)* lame de rasoir **4.** *(del arado)* coutre *m* **5.** POÉT glaive *m*, épée **6. patines de ~** patins à glace **7.** *(montaña)* montagne escarpée.

**cuchillada** *f* **1.** coup *m* de couteau, d'épée **2.** *(herida)* balafre, estafilade. ◇ *pl* **2.** *(de un vestido)* crevés *m* **2.** rixe *sing*.

**cuchillería** *f* coutellerie.

**cuchillero** *m* coutelier.

**cuchillo** *m* **1.** couteau: **~ de monte** couteau de chasse ◊ *FIG* **pasar a ~** passer au fil de l'épée **2.** *(de un vestido)* soufflet.

**cuchipanda** *f FAM* festin *m*, ripaille, bombance, gueuleton *m*.

**cuchitril** *m* **1.** porcherie *f* **2.** *(vivienda)* taudis, galetas **3.** *(cuartucho)* cagibi.

**cuchufleta** *f FAM* plaisanterie, blague, raillerie.

**cuclillas (en)** *loc adv* accroupi, e, à croupetons ◊ **ponerse en ~** s'accroupir.

**cuclillo** *m* coucou.

[1]**cuco** *m* **1.** *(pájaro)* coucou **2.** *(oruga)* chenille *f* de noctuelle.

[2]**cuco, a** *a* mignon, onne, joli, e. ◇ *a/s (astuto)* malin, igne, futé, e.

**cucú** *m* chant du coucou, coucou.

**cuculí** *m AMER* pigeon sauvage.

**cucúrbita** *f BOT, QUÍM* cucurbite.

**cucurbitáceas** *f pl BOT* cucurbitacées.

**cucurucho** *m* **1.** cornet de papier **2.** *(capirote)* cagoule *f*.

**cueca** *f AMER* danse d'Amérique méridionale; **~ chilena → zamacueca.**

**cuece,** etc. → **cocer.**

**cuela,** etc. → **colar.**

**cuelga,** etc. → **colgar.** ◇ *f* fruits qu'on suspend pour les conserver.

**cuello** *m* **1.** *(parte del cuerpo)* cou **2.** col: **~ duro** col dur; **~ alto, cisne** col roulé; **~ de pajarita** col cassé; **~ postizo** faux col ◊ **~ acanalado, alechugado** fraise *f* **3.** *(de botella)* goulot **4.** *(parte estrecha)* col **5.** *ANAT* col: **~ del fémur, del útero** col du fémur, de l'utérus.

**cuenca** *f* **1.** écuelle en bois **2.** *(del ojo)* orbite **3.** *(de un río)* bassin *m*: **la ~ del Ebro** le bassin de l'Èbre; **~ hidrográfica** bassin hydrographique; **~ hullera** bassin houiller.

**cuenco** *m* jatte *f*, bol.

[1]**cuenta** *f* **1.** compte *m*: **llevar las cuentas** tenir les comptes; **la ~ atrás** le compte à rebours ◊ **echar la ~** calculer, faire le calcul ◊ *FIG* **cuentas del Gran Capitán** comptes d'apothicaire; **las cuentas claras...** les bons comptes font les bons amis **2.** *(factura)* note **3.** *(en un restaurante)* addition, note: **pedir la ~** demander l'addition **4.** *COM* compte *m*: **tener una ~ bancaria** avoir un compte en banque; **~ corriente** compte courant; **~ de resultados** compte d'exploitation ◊ **pago a ~** acompte **5.** *(incumbencia)* charge: **esto corre de mi ~, por ~ mía** ceci est à ma charge; **los gastos son de ~ de, corren por ~ de...** les frais sont à la charge de...; **por su ~ y riesgo** à ses risques et périls; **trabajar por su ~, por ~ propia** travailler à son compte; **por ~ de** pour le compte de **6.** *(de un rosario, collar, etc.)* grain *m* **7.** *FIG* **ajustarle las cuentas a** régler son compte à; **caer, dar en la ~** comprendre; **caer en la ~ de que...** prendre conscience du fait que...; **dar ~ de** rendre compte de; **no tengo que dar cuentas a nadie de...** je n'ai à rendre compte à personne de...; **dar ~ de un plato, de una botella** faire un sort à, s'envoyer un plat, une bouteille; **estaba dando ~ de su desayuno, de la tarta** il faisait honneur à son petit déjeuner, au gâteau; **darse ~** se rendre compte: **me doy plena ~ de que...** je me rends parfaitement compte que...; **no se dio ~ de nada** il ne se rendit compte de rien; **hacerse ~ de** s'imaginer, se figurer; **hazte ~ de que...** dis-toi que...; **perder la ~ de** oublier; **salir a ~, traer ~** convenir, arranger; **tener en ~** tenir compte de; **ten en ~ que...** tiens compte du fait que...; **teniendo en ~** vu, eu égard à, compte tenu de...; **una realidad que conviene tener en ~** una réalité dont il faut tenir compte; **tomar en ~** tenir compte, prendre en considération **8.** *loc adv* **en resumidas cuentas** en fin de compte, somme toute; **más de la ~** trop: **hablar más de la ~** trop parler, parler plus qu'il ne faudrait; **beber más de la ~** trop boire, boire plus que de raison.

[2]**cuenta,** etc. → **contar.**

**cuentacorrentista** *s* titulaire d'un compte courant en banque.

**cuentagotas** *m inv* compte-gouttes: **con ~** au compte-gouttes.

**cuentahilos** *m inv* compte-fils.

**cuentakilómetros** *m inv* compteur kilométrique.

**cuentarrevoluciones** *m inv* compte-tours.

**cuentero, a** *a/s* cancanier, ère.

**cuentista** *a/s* **1.** *(chismoso)* cancanier, ère **2.** conteur, euse **3.** *FAM (jactancioso)* baratineur, euse.

**cuento** *m* **1.** conte: **~ de hadas** conte de fées **2.** *(novela corta)* nouvelle *f* **3.** histoire *f*: **~ verde** histoire grivoise ◊ *FIG* **el ~ de la lechera → lechera; es el ~ de nunca acabar** c'est une histoire qui n'en finit jamais, qui n'a pas de fin, à n'en plus finir; **esto va a ser el ~ de nunca acabar** on n'en finira jamais; **traer a ~** mentionner; **venir a ~** venir à propos; **eso no viene a ~** cela ne rime à rien, ça n'a rien à voir; **sin venir a ~** sans raison **4.** *(chisme)* cancan, boniment, histoire *f* ◊ **dejarse de cuentos** aller droit au fait; **venir con cuentos** raconter des histoires; **basta de cuentos** assez d'histoires, de salades; *FAM* **tiene mucho ~** c'est un baratineur, un frimeur; **vivir del ~** vivre à ne rien faire **5. sin ~** sans nombre, innombrable; **penalidades sin ~** des souffrances sans nombre.

**cuerazo** *m AMER* coup de fouet.

**cuerda** *f* **1.** *(de cáñamo, nylon, etc.)* corde: **~ de nudos** corde à nœuds ◊ *FIG* **~ floja** corde raide; **bailar en la ~ floja** être sur la corde raide; **apretar la ~** serrer la vis **2.** *GEOM, MÚS* corde: **instrumentos de ~** instruments à cordes **3.** *FIG* bord *m*: **ser de la misma ~** être du même bord; **todos pensaban que yo era de su ~** tout le monde pensait que j'étais du même bord que lui, que je partageais ses opinions **4.** *(de galeotes)* chaîne **5. dar ~ a un reloj** remonter une montre; **dar ~ a alguien** encourager, faire parler quelqu'un **6.** *loc adv* **bajo ~, por debajo de ~** en cachette, en sous-main. ◇ *pl ANAT* **cuerdas vocales** cordes vocales.

**cuerdamente** *adv* sagement.

**cuerdecita** *f* cordelette.

**cuerdo, a** *a* sage, sensé, e, raisonnable.

**cuereada** *f AMER* raclée, rossée, fessée.

**cuerear** *vt AMER* **1.** *(azotar)* fouetter, donner une raclée à **2.** *(desollar)* écorcher, apprêter (les peaux) **3.** *FIG* critiquer, éreinter.

**cuerna** *f* **1.** *(de un animal)* cornes *pl* **2.** *(del ciervo, etc.)* bois *m pl* **3.** récipient *m* en corne.

**cuerno** *m* **1.** *(asta)* corne *f* ◊ **~ de la abundancia** corne d'abondance; *FIG* **en los cuernos del toro** en danger; **levantar hasta, poner por los cuernos de la luna** porter aux nues; *FAM* **mandar al ~** envoyer paître; **¡vete al ~!** va-t'en au diable!, vas te faire voir ailleurs!; **me importa un ~ lo que piensen de mí** je me fiche complètement de ce qu'on pense de moi **2.** *(materia)* corne *f* ◊ *FIG* **saber a ~ quemado** produire une impression désagréable **3.** *MÚS* cor. ◇ *interj* diable!, sapristi!; **un ~!** ça non!, tu parles! **¿y a mí qué cuernos me importa?** qu'est-ce que ça peut bien me faire? ◇ *pl FAM* **poner los cuernos** faire porter des cornes, rendre cocu; **romperse los cuernos** se donner un mal de chien. ◇ *np f (en Estambul)* **el Cuerno de Oro** la Corne d'or.

**cuero** *m* **1.** cuir: **cinturón de ~** ceinture en cuir; **~ cabelludo** cuir chevelu **2.** *(balón)* ballon **3.** *loc adv* **en cueros, en cueros vivos** tout nu, toute nue, nu, nue comme un ver, à poil (*FAM*).

**cuerpear** *vi AMER* se dérober, s'esquiver.

**cuerpo** *m* **1.** corps: **luchar ~ a ~** lutter corps à corps ◊ **a ~ descubierto** à découvert; **dar con el ~ en tierra** tomber par terre; **desnudarse de medio ~ para arriba** se mettre torse nu; **estar a ~ de rey** être comme un coq en pâte, mener une vie de pacha; **hacer del ~** aller à la selle; **tomar ~** prendre corps, prendre consistance **2. a ~** en taille; **retrato de ~ entero** portrait en pied; **en ~ y alma** corps et âme; **dedicarse en ~ y alma a** se consacrer corps et âme à **3.** *(de un vestido)* haut, corsage **4.** *(en una carrera)* **ganar por un ~** gagner d'une longueur **5. el ~**

**diplomático, docente, facultativo** le corps diplomatique, enseignant, médical **6.** *JUR* **el ~ del delito** le corps du délit **7.** *MIL* **~ de guardia** corps de garde.

**cuervo** *m* **1.** corbeau **2. ~ marino** cormoran **3.** *FIG* **cría cuervos y te sacarán los ojos** on n'est jamais trahi que par les siens, oignez vilain, il vous poindra.

**cuesco** *m* **1.** *(de fruta)* noyau **2.** *FAM* pet.

[1]**cuesta** *f* **1.** côte, pente: **en ~** en pente ◊ *FIG* **ir ~ abajo** décliner, déchoir; **se me hace ~ arriba ir...** ça me coûte d'aller... **2. a cuestas** sur le dos; *FIG* sur les épaules.

[2]**cuesta,** etc. → **costar.**

**cuestación** *f* quête, collecte: **~ anual para la Cruz Roja** quête annuelle pour la Croix Rouge.

**cuestión** *f* **1.** question: **~ batallona, candente** question brûlante; **~ de confianza** question de confiance **2.** affaire: **es ~ de diez minutos** c'est l'affaire de dix minutes; **eso es ~ mía** c'est mon affaire; **sólo es ~ de querer** c'est seulement une affaire, une question de volonté, il suffit de vouloir **3.** *(problema)* problème **4. en ~ de dinero** en matière d'argent; **en ~ de gustos...** en matière de goûts... **5.** *(riña)* dispute, histoire: **no quiero cuestiones con él** je ne veux pas d'histoires avec lui.

**cuestionable** *a* discutable, problématique.

**cuestionar** *vt* contester, discuter, mettre en question: **estas razones pueden ser cuestionadas** ces raisons peuvent être discutées. ◆ **~se** *vpr* s'interroger sur.

**cuestionario** *m* questionnaire.

**cuestor** *m* **1.** *(romano)* questeur **2.** quêteur.

**cuestura** *f* questure.

**cuete** *m (cohete)* fusée *f*, pétard.

**cueto** *m* **1.** hauteur *f* fortifiée **2.** colline *f*.

**cueva** *f* **1.** caverne, grotte: **~ prehistórica** grotte préhistorique **2.** *(sótano)* cave **3.** *FIG* **~ de ladrones** caverne de voleurs.

**cuévano** *m* hotte *f*.

**cueza,** etc. → **cocer.**

**cuezo** *m* **1.** *(del albañil)* auge *f* **2.** *FAM* **meter el ~** fourrer son nez.

**cui** → **cuy.**

**cuica** *f AMER* ver *m* de terre.

**cuidado** *m* **1.** soin: **hacer las cosas con ~** faire les choses avec soin **2.** *(incumbencia)* charge *f* **3.** *(preocupación)* souci ◊ **no pase ~, pierda ~** soyez sans crainte, ne vous en faites pas; **traer sin ~** laisser indifférent, e; *FAM* **a mí me tiene, me trae sin ~ lo que los demás piensen** je me fiche de ce que les autres pensent; **eso me tiene sin ~** ça me laisse totalement indifférent, c'est le cadet de mes soucis **4. estar de ~** être gravement malade, être dans un état grave **5. de ~** dangereux, euse: **un reaccionario de ~** un réactionnaire dangereux **6.** attention *f*: **andar con ~, tener ~** faire attention; **¡cuidado!** attention!, gare!; **¡~ con el escalón!** attention à la marche!; **¡mucho ~ con lo que dices!** fais très attention à ce que tu dis!; **¡~ conmigo!** gare!; **ten ~ de que no se escape** fais attention (à ce) qu'il ne s'échappe pas; ◊ **¡~ con la niña y que terca es!** ce que cette gamine est têtue! ◇ *pl* **cuidados intensivos** soins intensifs, réanimation *f*.

**cuidador, a** *s* soigneur, euse.

**cuidadoso, a** *a* soigneux, euse, attentif, ive.

**cuidar** *vt* **1.** *(a un enfermo)* soigner **2.** avoir soin de, prendre soin de, soigner: **~ su ropa, su salud** prendre soin de ses vêtements, de sa santé; **uñas cuidadas** des ongles soignés. ◇ *vi/t* **1. ~ a, de los niños** s'occuper des enfants **2.** veiller à, faire attention à: **cuidaré de que no le falte nada** je veillerai à ce qu'il ne vous manque rien; **~ de su salud** surveiller sa santé. ◆ **~se** *vpr* **1.** se soigner **2.** se surveiller: **se cuida mucho** il se surveille beaucoup, il fait très attention à sa santé **3.** se garder: **me cuidé mucho de contradecirle** je me gardai bien de le contredire **4.** *(preocuparse)* se soucier.

**cuita** *f* souci *m*, peine ◊ **Las cuitas de Werther** *(Goethe)* les Souffrances du jeune Werther.

**cuitado, a** *a* affligé, e, malheureux, euse.

**cuja** *f* **1.** porte-étendard *m* **2.** *AMER (cama)* lit *m*.

**culantrillo** *m* capillaire *f*.

**culata** *f* **1.** *(de cañón, motor)* culasse **2.** *(de fusil, pistola)* crosse **3.** *(de caballo)* croupe **4.** *FIG* **le ha salido el tiro por la ~** ça n'a pas marché, ça a raté.

**culatazo** *m* **1.** coup de crosse **2.** *(retroceso)* recul.

**culear** *vi FAM* **1.** onduler de la croupe, remuer les fesses **2.** *(un coche)* déraper, chasser.

**culebra** *f* **1.** couleuvre **2.** serpent *m* **3.** *(de alambique)* serpentin *m*.

**culebrear** *vi* serpenter.

**culebrilla** *f MED* herpès *m*.

**culebrina** *f (arma)* couleuvrine.

**culebrón** *m* feuilleton télévisé.

**culera** *f* empiècement *m* au fond d'un pantalon.

**culeras** *m POP* dégonflard, e.

**culero, a** *a* paresseux, euse, lent, e. ◇ *m* **1.** *ANT (pañal)* sorte de lange **2.** *AMER* sorte de tablier en cuir.

**culí** *m* coolie.

**culinario, a** *a* culinaire.

**culminación** *f* **1.** culmination **2.** point *m* culminant, couronnement *m* **3. en la ~ de su gloria** au faîte, à l'apogée de sa gloire.

**culminante** *a* culminant, e.

**culminar** *vi* **1.** culminer **2.** *FIG* atteindre son point culminant. ◇ *vt* parachever ◊ **al ~ sus estudios** au terme de ses études.

**culo** *m* **1.** cul **2.** *FIG* **ser ~ de mal asiento** avoir la bougeotte, ne pas tenir en place **3.** *FAM* **~ de vaso** pierre *f* fausse, bouchon de carafe; **ir con el ~ a rastras** tirer le diable par la queue.

**culombio** *m ELECT* coulomb.

**culón, ona** *a FAM* fessu, e, qui a un gros derrière.

**culpa** *f* **1.** faute: **¿de quién es la ~?, ¿quién tiene la ~ de eso?** à qui la faute?; **yo no tengo la ~** ce n'est pas de ma faute; **la ~ es mía** c'est moi le fautif, le coupable; **no es ~ mía** ce n'est pas (de) ma faute, je n'y suis pour rien; **la ~ del accidente no fue de él** ce n'est pas lui le responsable de l'accident **2. echar la ~ a otro** rejeter la faute sur un autre, rendre un autre responsable.

**culpabilidad** *f* culpabilité.

**culpable** *a/s* coupable.

**culpación** *f* inculpation.

**culpado, a** *a/s* **1.** inculpé, e **2.** coupable.

**culpar** *vi* **1.** rendre responsable, accuser: **no culpe a nadie** n'accusez personne; **¿quieres culparme a mí de ello?** tu veux me rendre responsable de cela? **2.** *JUR* inculper.

**culposo, a** *a* coupable.

**cultamente** *adv* **1.** élégamment, savamment **2.** avec affectation.

**culteranismo** *m* cultisme.

**culterano, a** *a/s* partisan du cultisme.

**cultiparlista** *a/s* précieux, euse.

**cultismo** *m* cultisme.

**cultivable** *a* cultivable.

**cultivador, a** *a/s* cultivateur, trice.

**cultivar** *vt* cultiver.

**cultivo** *m* culture *f*: **el ~ de los cereales** la culture des céréales; **~ intensivo** culture intensive; **caldo de ~** bouillon de culture.

**culto, a** *a* **1.** cultivé, e **2.** savant, e: **palabra culta** mot savant; **música culta** musique savante. ◇ *m* culte: **rendir ~ a** rendre un culte à; **el ~ a la belleza, al dinero** le culte de la beauté, de l'argent; **el ~ al cuerpo** le culte du corps ◊ **película de ~** film-culte; **obra de ~** ouvrage-culte.

**cultura** *f* **1.** culture **2. ~ física** culture physique.

**cultural** *a* culturel, elle.

**culturismo** *m* culturisme, musculation *f.*

**culturista** *a/s* culturiste.

**cumbia, cumbiamba** *f AMER* danse populaire.

**cumbre** *f* **1.** sommet *m* **2.** *FIG* **conferencia en la ~** conférence au sommet **3. Cumbres borrascosas** *(E. Brontë)* les Hauts de Hurlevent.

**cumbrera** *f* **1.** faîte *m,* faîtage *m* **2.** *(cumbre)* sommet *m.*

**cúmel** *m (bebida)* kummel.

**cumpa** *m AMER FAM* copain, pote.

**cúmplase** *m* note *f,* visa (rendant applicable une loi, etc.).

**cumpleaños** *m inv* anniversaire (de naissance): **hoy es mi ~** c'est aujourd'hui mon anniversaire.

**cumplidamente** *adv* entièrement, totalement, amplement.

**cumplidero, a** *a* qui expire, qui doit échoir.

**cumplido, a** *a* **1.** accompli, e: **misión cumplida** mission accomplie; **la satisfacción del deber ~** la satisfaction du devoir accompli ◊ **promesas cumplidas** promesses tenues **2.** révolu, e, passé, e: **20 años cumplidos** 20 ans révolus **3.** *(perfecto)* parfait, e **4.** *(completo)* complet, ète **5.** *(holgado)* ample **6.** *(cortés)* poli, e **7.** *(soldado)* libérable. ◇ *m* **1.** politesse *f:* **visita de ~** visite de politesse; **por ~** par politesse **2.** *(alabanza)* compliment.

**cumplidor, a** *a* sérieux, euse.

**cumplimentar** *vt* **1.** *(felicitar)* complimenter, faire ses compliments à **2.** *(una orden)* exécuter **3.** *(una obligación)* remplir **4. ~ un cuestionario** répondre à, remplir un questionnaire.

**cumplimentero, a** *a/s* complimenteur, euse.

**cumplimiento** *m* **1.** accomplissement, exécution *f* **2.** application *f:* **en ~ de los nuevos estatutos** conformément aux nouveaux statuts **3.** *(cortesía)* compliment, politesse *f.*

**cumplir** *vt* **1.** *(un deber, una misión)* accomplir, remplir **2.** *(una orden)* exécuter **3.** faire: **~ el servicio militar** faire son service militaire **4.** *(los deseos de uno)* satisfaire, répondre à **5.** *(una promesa)* tenir **6.** *(edad)* avoir: **hoy mi hija cumple 16 años** ma fille a 16 ans aujourd'hui; **¿cuántos cumples?** quel âge as-tu?; **~ años** atteindre un certain âge **7. ~ condena** purger sa peine. ◇ *vi* **1.** tenir parole, tenir ses promesses **2. ~ con sus deberes** remplir son devoir, s'acquitter de ses obligations **3.** *(un plazo)* échoir, expirer **4.** *MIL* avoir fini son service militaire **5.** convenir **6. por ~** par politesse. ◆ **~se** *vpr* s'accomplir, se réaliser: **se cumplieron los pronósticos** les pronostics se sont réalisés.

**cumquibus** *m FAM* fric, argent.

**cumular** *vt* accumuler.

**cúmulo** *m* **1.** tas, accumulation *f:* **un ~ de ideas falsas** un tas d'idées fausses **2.** *(nube)* cumulus.

**cuna** *f* **1.** berceau *m* **2.** *FIG* berceau *m,* patrie **3.** *FIG* naissance, extraction: **de humilde, ilustre ~** de basse, haute extraction.

**cuncuna** *f AMER* **1.** *(paloma silvestre)* pigeon *m* sauvage **2.** *(oruga)* chenille.

**cundir** *vi* **1.** se répandre: **la noticia, la epidemia cundió por todo el país** la nouvelle, l'épidémie s'est répandue dans tout le pays **2.** gonfler, augmenter de volume **3.** profiter, avoir un résultat **4. no me ha cundido el trabajo hoy** mon travail n'a pas beaucoup avancé aujourd'hui; **me cunde el tiempo con ella** le temps passe vite avec elle.

**cunear** *vt* bercer. ◆ **~se** *vpr* se balancer.

**cuneiforme** *a* cunéiforme.

**cuneo** *m* bercement.

**cunero, a** *a/s* enfant trouvé. ◇ *a (toro)* d'origine inconnue.

**cuneta** *f* fossé *m* (de route).

**cunicultura** *f* cuniculiculture.

**cuña** *f* **1.** *(para hender)* coin *m* **2.** *(para sostener)* cale ◊ *PROV* **no hay peor ~ que la de la misma madera** on n'est jamais trahi que par les siens **3.** *FIG (influencia)* piston *m* **4.** *(en televisión)* spot *m:* **~ publicitaria** spot publicitaire.

**cuñada** *f* belle-sœur.

**cuñado** *m* beau-frère.

**cuño** *m* **1.** *(para las monedas)* coin **2.** *(acción de acuñar)* frappe *f* **3.** *(señal)* empreinte *f,* marque *f* **4. de nuevo ~** nouveau, nouvelle.

**cuota** *f* **1.** *(en un club, etc.)* cotisation *f:* **~ anual** cotisation annuelle **2.** *(parte)* quote-part **3.** quota *m:* **cuotas lecheras** quotas laitiers **4. ~ de mercado** part de marché **5.** *AMER (pago)* versement *m.*

**cuotidiano, a → cotidiano, a.**

**cupe,** etc. **→ caber.**

**cupé** *m (de diligencia, coche)* coupé.

**Cupido** *np m* Cupidon.

**cupiera, cupiese,** etc. **→ caber.**

**cuplé** *m* chanson *f.*

**cupletista** *f* chanteuse (de music-hall, etc.).

**¹cupo** *m* **1.** *(de un impuesto, etc.)* quote-part *f* **2.** *(de reclutas, mercancías, etc.)* contingent **2.** *AMER (plaza)* place *f.*

**²cupo → caber.**

**cupón** *m* **1.** *(que se va cortando de un título, etc.)* coupon **2.** *(rifa, lotería)* billet.

► *El cupón de los ciegos:* billet de loterie vendu, en Espagne, par des aveugles *(ciegos).*

**cúprico, a** *a QUÍM* cuprique.

**cuproso, a** *a* cuivreux, euse.

**cúpula** *f* **1.** *(bóveda)* coupole, dôme *m:* **cúpula sobre pechinas** coupole sur pendentifs **2.** *BOT* cupule **3.** *FIG* **la ~** les dirigeants, les responsables.

**cuquería** *f* ruse, finasserie.

**¹cura** *m* **1.** *(sacerdote)* prêtre, curé: **el señor ~** monsieur le curé; **~ obrero** prêtre-ouvrier ◊ **la casa del ~** le presbytère, la cure **2. ~ párroco** curé **3.** *FAM* **este ~** moi-même, ma pomme, bibi **4.** *FAM (de saliva)* postillon.

**²cura** *f* **1.** cure: **~ de reposo, termal** cure de repos, thermale **2.** soins *m pl:* **primera ~** premiers soins; **le hicieron una ~** on lui a donné des soins, on l'a soigné **3.** pansement *m:* **hacer una ~ provisional** faire un pansement provisoire **4.** traitement *m:* **ponerse en ~** commencer un traitement **5.** *(curación)* guérison ◊ **no tener ~** être incurable.

**curable** *a* curable, guérissable.

**curaca** *m AMER* cacique, chef.

**curación** *f* **1.** *(efecto de curarse)* guérison, rétablissement *m:* **la ~ del paralítico** la guérison du paralytique **2.** cure, traitement *m.*

**curado, a** *pp* de **curar.** ◇ *a* **1.** sec, sèche **2. ~ de espanto → espanto 3.** *AMER (borracho)* ivre.

**curador, a** *s* **1.** guérisseur, euse **2.** *JUR* curateur, trice.

**curaduría** *f JUR* curatelle.

**curalotodo** *m* panacée *f,* remède miracle.

**curanderismo** *m* exercice illégal de la médecine.

**curandero, a** *s* guérisseur, euse, rebouteux, euse.

**curanto** *m AMER* plat chilien de fruits de mer cuits sur des pierres chaudes.

**curar** *vt* **1.** soigner: **~ con antibióticos** soigner aux antibiotiques **2.** *(una herida)* panser **3.** *(remediar un mal)* guérir **4.** *(carne, pescado)* sécher: **jamón curado** jambon sec; *(al humo)* fumer **5.** *(las pieles)* tanner; *(las telas)* blanchir; *(la madera)* sécher. ◇ *vi (sanar)* guérir: **espero que te curarás pronto** j'espère que tu guériras vite; **estoy completamente curado** je suis complètement guéri. ◆ **~se** *vpr* **1.** se soigner: **tienes que curarte tu resfriado** il faut soigner ton rhume **2.** *(sanar)* guérir **3.** *FIG* **curarse en salud** prendre ses précautions prendre les devants **4.** *AMER (emborracharse)* se soûler.

**curare** *m* curare.

**curasao** *m* curaçao.

**curatela** *f JUR* curatelle.

**curativo, a** *a* curatif, ive.

**curato** *m* **1.** *(cargo)* cure *f* **2.** *(parroquia)* paroisse *f*.

**Curazao** *np* Curaçao.

**cúrcuma** *f* curcuma.

**curcuncho, a** *a/s AMER* bossu, e.

**curda** *f FAM* cuite: **agarrar una ~** prendre une cuite ◊ **estar ~** être bourré, e, soûl, e.

**Curdistán** *np m* Kurdistan.

**curdo, a** *a/s* kurde.

**cureña** *f* **1.** *(del cañón)* affût *m* **2.** *(de la ballesta)* fût *m*.

**curia** *f* **1.** *(de los romanos)* curie **2.** *(justicia)* gens.

**curialesco, a** *a* basochien, enne.

**curiana → cucaracha.**

**curie** *m (medida)* curie.

**curiosamente** *adv* **1.** curieusement **2.** *(cuidadosamente)* soigneusement.

**curiosear** *vi* fureter, fouiner. ◇ *vt* examiner attentivement, regarder dans tous les sens.

**curiosidad** *f* **1.** curiosité ◊ **tengo ~, siento ~ por saber...** je suis curieux de savoir... **2.** *(limpieza)* propreté **3.** *(esmero)* soin *m*.

**curioso, a** *a/s* curieux, euse: **~ por saber** curieux de savoir. ◇ *a* **1.** *(limpio)* propre, bien tenu, e **2.** *(cuidadoso)* soigneux, euse.

**currante** *a/s FAM* bosseur, euse, travailleur, euse.

**currar, currelar** *vi FAM* bosser, boulonner, turbiner, trimer.
► En Argentine, *currar* a le sens d'escroquer.

**curre** *m FAM* boulot.

**curretar → currar.**

**currican** *m* ligne *f* pour la pêche à la traîne.

**curriculum vitae** *m* curriculum vitæ.

**currinche** *m (periodista, etc.)* novice, débutant.

**Curro, a** *np* François, e.

**curro, a** *a* sûr, e de soi. ◇ *m* **1.** *FAM (trabajo)* boulot: **ir al ~** aller au boulot **2.** *AMER* monsieur.

**curruca** *f* fauvette.

**currutaco, a** *a* élégant, e, gommeux, euse.

**curry** *m* curry.

**cursado, a** *a* versé, e, expérimenté, e.

**cursar** *vt* **1.** étudier, suivre un cours de **2.** faire: **~ sus estudios, derecho** faire ses études, son droit; **ha cursado un año de estudios en el colegio de...** il a fait une année d'études au collège de... **3. ~ órdenes, instrucciones** donner des ordres, des instructions **4.** *(una solicitud, etc.)* transmettre, faire parvenir **5. ~ un telegrama** envoyer un télégramme **6. ~ un pedido** passer une commande.

**cursi** *a/s (persona)* snob, snobinard, e, poseur, euse. ◇ *a* prétentieux, euse, de mauvais goût.

**cursilada, cursilería** *f* **1.** snobisme *m*, prétention **2.** *(cosa cursi)* chose de mauvais goût.

**cursillista** *s* stagiaire.

**cursillo** *m* **1.** cours **2.** cycle de conférences **3.** *(de prácticas)* stage: **~ de perfeccionamiento** stage de perfectionnement; **~ de formación profesional** stage de formation professionnelle.

**cursilón, ona → cursi.**

**cursivo, a** *a* cursif, ive. ◇ *f (letra)* italique *m*.

**curso** *m* **1.** cours: **el ~ de los astros, de la vida** le cours des astres, de la vie; **en el ~ de la conversación** au cours de la conversation; **dar ~ a** donner cours à; **seguir su ~** suivre son cours; **el año en ~** l'année en cours; **esta moneda no está en ~** cette monnaie n'a plus cours **2.** *(transcurso)* courant **3.** année *f* scolaire: **el ~ escolar, académico** l'année scolaire, universitaire; **estudiante de último ~ de derecho** étudiant en dernière année de droit **4.** cours: **un ~ de historia** un cours d'histoire **5.** *COM* **~ legal, forzoso** cours légal, forcé.

**cursor** *m* curseur.

**curtido, a** *pp* de **curtir.** ◇ *m* **1.** *(acción)* tannage **2.** *(cuero)* cuir.

**curtidor** *m* tanneur.

**curtiduría** *f* tannerie.

**curtiembre** *f AMER* tannerie.

**curtimiento** *m* tannage, corroyage.

**curtir** *vt* **1.** *(las pieles)* tanner, corroyer **2.** *(el cutis)* hâler, tanner: **rostro curtido por el sol** visage hâlé par le soleil **3.** *FIG* endurcir, aguerrir: **la vida lo ha curtido** la vie l'a endurci; **curtido en la guerra** aguerri. ◆ **~se** *vpr* s'endurcir.

**curuja** *f* chouette.

**curul** *a* **silla ~** chaise curule.

**curva** *f* **1.** *(línea)* courbe **2.** *(en una carretera)* tournant *m*, virage *m*: **~ peligrosa** virage dangereux **3.** *(del cuerpo)* rondeur: **una chica con curvas** une fille avec des rondeurs **4. ~ de temperatura** courbe de température; **~ de nivel** courbe de niveau.

**curvar** *vt* courber. ◆ **~se** *vpr* se courber.

**curvatura** *f* courbure.

**curvilíneo, a** *a* curviligne.

**curvímetro** *m* curvimètre.

**curvo, a** *a* courbe.

**cusca** *f FAM* **hacer la ~** empoisonner, enquiquiner, emmerder.

**cuscurrear** *vi* croustiller.

**cuscurro** *m (de pan)* croûton.

**cuscús** *m* couscous.

**cushma, cusma** *f AMER* chemise sans manche des Indiens des Andes.

**cúspide** *f* **1.** sommet *m* **2.** *FIG* **en la ~ de su carrera** au sommet de sa carrière.

**custodia** *f* **1.** garde, surveillance, protection: **estar bajo la ~ de la policía** être sous la surveillance de la police; **logró la ~ de sus hijos** elle a obtenu le droit de garde de ses enfants **2.** *(para el Santísimo Sacramento)* ostensoir *m*.

**custodiar** *vt* garder, surveiller: **~ a un preso, un edificio público** surveiller un prisonnier, garder un édifice public.

**custodio** *m* **1.** gardien **2. ángel ~** ange gardien.

**cusumbe, cusumbo** *m AMER* coati.

**cususa** *f AMER* tafia *m*.

**cutama** *f AMER* sac *m*.

**cutáneo, a** *a* cutané, e.

**cúter** *m* MAR cotre.

**cutí** *m* *(tela)* coutil.

**cutícula** *f* cuticule.

**cutis** *m* peau *f* (du visage) : **el ~** la peau.

**cutre** *a* FAM *(avaro)* pingre, radin, e; *(sórdido)* minable, sordide; *(de mal gusto)* de mauvais goût, ringard, e; *(barato)* bon marché.

**cutrez** *f* mocheté, médiocrité, ringardise.

**cuy** *m* AMER cochon d'Inde.

**cuyano, a** *a/s* AMER de la région de Cuyo, en Argentine (prov. de Mendoza, San Juan, San Luis).

**cuyo, a** *pron rel* **1.** dont le, dont la, dont les: **mi vecino, ~ hijo es arquitecto** mon voisin, dont le fils est architecte; **la mujer cuya historia te conté** la femme dont je t'ai raconté l'histoire **2.** *(después de una preposición)* de qui, duquel, de laquelle, etc.: **la casa en ~ último piso vive mi amigo** la maison au dernier étage de laquelle habite mon ami **3.** *(con el verbo ser)* à qui **4. a ~ efecto** en vue de quoi; **en ~ caso** auquel cas.

**cuzco** *m* petit chien.

**cuzcuz** *m* couscous.

**cuzma** → **cushma.**

**cuzqueño, a** *a/s* de Cuzco (Pérou).

**czar,** etc. → **zar.**

# D

**d** *f* **1.** d *m*: **una ~** un d ◊ **el día ~** le jour j **2. D.** abréviation de **Don.**

**da** → **dar.**

**dable** *a* possible: **no me es ~ aceptar** il ne m'est pas possible d'accepter.

**daca** *loc* **toma y ~** donnant, donnant.

**Dacia** *np f* Dacie.

**dacio, a** *a/s* dace.

**dación** *f* JUR dation.

**dactilar** *a* digital, e: **huellas dactilares** empreintes digitales.

**dactílico, a** dactylique.

**dáctilo** *m* dactyle.

**dactilografía** *f* dactylographie.

**dactilográfico, a** *a* dactylographique.

**dactilógrafo, a** *s* dactylographe.

**dadaísmo** *m* dadaïsme.

**dadaísta** *a/s* dadaïste.

**dádiva** *f* don *m*, cadeau *m* ◊ **dádivas quebrantan penas** l'or ouvre toutes les portes.

**dadivoso, a** *a* généreux, euse.

[1]**dado** *m* *(pieza cúbica, para jugar)* dé: **~ cargado, falso** dé pipé; **cargar los dados** piper les dés.

[2]**dado, a** *pp* de **dar.** ◇ *a* **1.** enclin, e, porté e: **ser más ~ al gasto que al ahorro** être plus enclin à dépenser qu'à économiser **2. ~ en Madrid, a 5 de febrero** fait à Madrid, le 5 février **3. ~ un cuadrado...** étant donné un carré...; **dadas las circunstancias** étant donné les circonstances. ◇ *loc conj* **~ que** étant donné que; *(+ subj)* si.

**dador, a** *a/s* donneur, euse. ◇ *m* **1.** *(de una carta)* porteur **2.** COM *(de una letra de cambio)* tireur.

**Dafne** *np f* Daphné.

**Dafnis** *np m* Daphnis: **~ y Cloe** Daphnis et Chloé.

**daga** *f* dague.

**dagame** *m* AMER arbre de la famille des rubiacées, abondant à Cuba.

**daguerrotipia** *f* daguerréotypie.

**daguerrotipo** *m* daguerréotype.

**daifa** *f* concubine.

**dais** → **dar.**

**¡dale!, ¡dale que dale!** *interj* encore!; **estaba ~ que ~ al problema...** il tournait et retournait le problème...
▶ Impératif du verbe *dar* + pronom *le*.

**dalia** *f* dalhia *m*.

**dallar** *vt* faucher.

**dalle** *m* *(guadaña)* faux *f*.

**Dalmacia** *np f* Dalmatie.

**dálmata** *a/s* **1.** dalmate **2.** *(perro)* dalmatien.

**dalmática** *f* dalmatique.

**daltoniano, a** *a/s* daltonien, enne.

**daltonismo** *m* daltonisme.

[1]**dama** *f* **1.** *(mujer noble)* dame **2. ~ de honor** dame d'honneur **3.** TEAT première actrice: **~ joven** jeune première **4.** *(del juego de damas)* dame. ◇ *pl* dames: **jugar a las damas** jouer aux dames.

[2]**dama** *f* *(gamo)* daim *m*.

**damajuana** *f* dame-jeanne.

**damasceno, a** *a/s* **1.** damascène **2. ciruela damascena** quetsche *f*, damas *m*.

**damasco** *m* **1.** *(tela)* damas **2.** *(albaricoquero)* abricotier **3.** *(albaricoque)* abricot.

**Damasco** *np m* Damas.

**damasquinado** *m* damasquinage.

**damasquinar** *vt* damasquiner.

**damasquino, a** *a* **1.** damascène **2.** *(tela)* damassé, e **3.** *(arma)* damasquiné, e.

**damero** *m* damier.

**Damián** *np m* Damien.

**damisela** *f* demoiselle.

**damnificado, a** *a/s* sinistré, e, victime: **plan de urgencia para socorrer a los damnificados** plan d'urgence pour aider les sinistrés.

**damnificar** *vt* endommager.

**Damocles** *np m* Damoclès: **la espada de ~** l'épée de Damoclès.

**dámper** *m* TECN damper.

**Danaides** *np f pl* Danaïdes.

**dandi** *m* dandy.

**dandismo** *m* dandysme.

**danés, esa** *a/s* danois, e.

**Daniel, a** *np* Daniel, Danièle.

**danta** *f* **1.** *(alce)* élan *m* **2.** *(tapir)* tapir *m*.

**dantesco, a** *a* dantesque.

**danubiano, a** *a* danubien, enne.

**Danubio** *np m* Danube.

**danza** *f* **1.** danse **2.** *FIG* affaire louche, sale affaire: **andar metido en la ~** se trouver mêlé à une affaire louche; **¡que siga la ~!** après nous le déluge!

**danzador, a** *a/s* danseur, euse.

**danzante** *s* **1.** danseur, euse **2.** *FIG* personne active, qui se mêle de tout, intrigante **3.** *(persona informal)* girouette *f.*

**danzar** *vi/t* **1.** danser **2.** *FIG* s'agiter.

**danzarín, ina** *a/s* danseur, euse.

**danzón** *m AMER* danse *f* afro-cubaine.

**dañable** *a* nuisible.

**dañado, a** *a* **1.** *(estropeado)* endommagé, e **2.** *(fruta)* gâté, e, abîmé, e **3.** *FIG* méchant, e, pervers, e.

**dañar** *vt* **1.** *(estropear)* endommager, abîmer: **las heladas han dañado los viñedos** les gelées ont endommagé les vignobles **2.** *(fruta)* gâter **3.** *(perjudicar)* nuire à.

**dañino, a** *a* nuisible.

**daño** *m* **1.** dégât, dommage: **daños materiales** dégâts matériels **2.** mal: **hacer ~** faire mal; *FIG* faire du mal, du tort; **me hice ~** je me suis fait mal; **el ~ está hecho** le mal est fait. ◇ *pl JUR* dommages: **daños a terceros** dommages aux tiers: **daños y perjuicios** dommages et intérêts.

**dañoso, a** *a* nuisible.

**dar*** *vt* **1.** donner: **te lo doy** je te le donne; **dame la mano** donne-moi la main; **~ permiso** donner la permission; **le dio un beso** il lui donna un baiser; **~ un puñetazo** donner un coup de poing; **~ de beber, de comer** donner à boire, à manger ◊ **~ a conocer** faire connaître; **~ a entender** faire comprendre, laisser entendre; *FAM* **ahí me las den todas** ça m'est bien égal, je m'en moque; **~ de bofetadas, de palos** donner des gifles, des coups de bâton; **~ de barniz** recouvrir de vernis **2.** faire: **~ un paseo** faire une promenade; **~ un salto** faire un bond **3.** pousser: **~ gritos, voces** pousser des cris; **~ un suspiro** pousser un soupir **4.** *(causar)* faire: **~ gusto** faire plaisir; **~ miedo** faire peur **5.** *(las horas)* sonner: **el reloj ha dado las cinco** cinq heures ont sonné **6. ~ la bienvenida** souhaiter la bienvenue **7. ~ por** *(+ adjetivo)* considérer comme, tenir pour: **~ la lección por vista** considérer la leçon comme apprise; **doy por concluido el debate** je considère le débat comme terminé **8.** *FAM* **me has dado el día** tu m'as fait perdre ma journée. ◇ *vi* **1. acaban de ~ las cinco** cinq heures viennent de sonner **2.** *(golpear)* frapper, taper ◊ **~ contra la pared** heurter le mur **3. ~ al volante** tourner le volant; **~ al botón** appuyer sur le bouton **4.** *(caer)* tomber: **~ en el suelo** tomber par terre; **~ de espaldas en el suelo** tomber à la renverse **5.** *FIG* **~ en el clavo** tomber juste; **le ha dado en creer que...** il s'est mis en tête que... **6. ~ a** donner sur: **el balcón da a la calle** le balcon donne sur la rue; **la ventana da al patio, al norte** la fenêtre donne sur la cour, au nord **7. ~ con** *(alguien)* rencontrer: **di con ella en el aeropuerto** je l'ai rencontrée à l'aéroport; *(algo)* **~ con la solución** trouver la solution; **ya has dado con el nombre del escritor?** tu as trouvé le nom de l'écrivain?; **al final dio consigo en el hospicio** il a fini par se retrouver, par échouer à l'hospice **8. ~ por** *(+ infinitivo)* se mettre à: **le ha dado por aprender el japonés** il s'est mis en tête de, ça lui a pris d'apprendre le japonais **9. le dio un ataque de nervios** il a eu une crise de nerfs; *FAM* **me va a dar algo** il va m'arriver quelque chose, je vais piquer une crise **10. me da lo mismo, igual** ça m'est égal; **¡lo mismo da!, ¡qué más da!, ¡tanto da!** peu importe!, qu'importe!, qu'est-ce que ça peut faire!, bof!; **¡ahí me las den todas!** je m'en fiche!; **¿a ti qué más te da?** qu'est-ce que ça peut te faire? **11. ~ que decir, hablar** faire parler, faire jaser; **~ que hacer** donner du travail, du fil à retordre; **~ que pensar** donner à penser **12. ~ de sí** *(tela)* donner, s'allonger, prêter; *FIG* avoir un rendement **13. ~ y tomar** peser le pour et le contre **14. ¡dale!** → **¡dale!** ◆ **~se** *vpr* **1.** se donner: **se da a sus hijos** elle se donne à ses enfants **2.** *(entregarse)* s'adonner, se livrer: **darse a la bebida** s'adonner à la boisson **3.** *(golpearse)* se heurter, se cogner: **darse contra un poste** se heurter contre, à un poteau ◊ **darse de tortas** se flanquer des gifles **4. darse a conocer** se faire connaître **5. darse por satisfecho** s'estimer satisfait; **darse por vencido** s'avouer vaincu **6. se da el caso...** il se trouve, il arrive...; **es un marginado de estos que se dan ahora tanto** c'est un de ces marginaux comme il y en a tant aujourd'hui **7.** *FAM* **dárselas de** jouer le, prétendre être: **se las da de indiferente, de entendido en pintura** il joue les indifférents, il fait celui qui s'y connaît en peinture; **dársela a alguien** tromper, rouler quelqu'un **8.** *FAM* **no se me da el latín** je ne suis pas doué pour le latin; **poco se me da que** peu m'importe que **9.** *(plantas)* pousser, venir: **esta planta se da muy bien a la sombra** cette plante pousse très bien à l'ombre.

► *Dar a* + substantif désignant un mécanisme = faire fonctionner ce mécanisme: *darle a la máquina de escribir* taper à la machine; *darle a los pedales* pédaler, etc.

**dardabasí** *m (ave)* busard.

**Dardanelos** *np m pl* Dardanelles *f.*

**dardo** *m* **1.** *(arma)* dard **2.** *FIG (dicho satírico)* trait ◊ **~ envenenado** flèche *f* empoisonnée **3.** *(juguete)* fléchette *f.*

**dares y tomares** *FIG* **andar en ~** avoir des discussions, discutailler, se chamailler.

**Darío** *np m* Darius.

**dársena** *f* **1.** bassin *m,* darse **2.** *(rodeado de almacenes)* dock *m.*

**darvinismo** *m* darwinisme.

**data** *f* **1.** date **2.** *COM* crédit *m.*

**datar** *vt* dater. ◇ *vi* **~ de** dater de, remonter à.

**dátil** *m* datte *f.* ◇ *pl POP* **los dátiles** les doigts.

**datilera** *a/f* dattier *m* ◊ **palmera ~** palmier dattier.

**dativo, a** *a/m* datif, ive.

**dato** *m* **1.** renseignement ◊ **datos personales** coordonnées *f* **2.** donnée *f:* **banco de datos** banque de données.

**David** *np m* David.

**¹de** *f* d *m,* lettre d.

**²de** *prep* **1.** de: **al salir ~ la iglesia** en sortant de l'église; **avión procedente ~ Lima** avion en provenance de Lima; **el coche ~ mi cuñado** la voiture de mon beau-frère; **el mes ~ abril** la mois d'avril **2.** *(pertenencia, con el verbo ser)* à: **¡~ quién es este coche?** à qui est cette voiture?; **es ~ mi cuñado** elle est à mon beau-frère **3.** *(materia, estado, etc.)* en: **camisa ~ algodón** chemise en coton; **pulsera ~ oro** bracelet en or; **escalera ~ mármol** escalier en marbre; **estar ~ luto** être en deuil; **~ viaje** en voyage; **~ amarillo** en jaune **4.** *(destino, característica)* à: **máquina ~ escribir** machine à écrire; **barco ~ vela** bateau à voile; **la muchacha ~ los ojos azules** la fille aux yeux bleus; **helado ~ vainilla** glace à la vanille **5.** comme: **colocarse ~ criada** se placer comme bonne; **~ postre** comme dessert **6.** *(después de ciertos adjetivos)* à: **fácil ~ hacer** facile à faire **7.** sur: **uno ~ cada diez** un sur dix **8.** ôté: **~ 2 a 6 son 4** 2 ôté de 6 il reste 4 **9.** *(tiempo, edad)* **~ madrugada** à l'aube; **~ día, ~ noche** le jour, la nuit; **~ niño...** étant enfant...; **~ recién casados, se instalaron...** (lorsqu'ils étaient) jeunes mariés, ils s'installèrent... **10. ~ (lo) que, del cual** dont: **posee libros antiguos ~ los que está orgulloso** il possède des livres anciens dont il est fier **11.** *FAM* **el imbécil ~ tu primo** ton imbécile de cousin; **el bueno ~ José** ce brave Joseph; **el granuja ~ él** cette espèce de fripouille; **necio ~ mí** quel idiot je suis **12.** *(seguido de un infinitivo, con sentido hipotético)* si: **¡~ habérmelo dicho!** si tu me l'avais dit!; **~ seguir así las cosas** si les choses continuent ainsi; **~ confirmarse** si ça se confirme **13. de** précède le nom de l'épouse: **Doña Carmen Vázquez de Robles** Madame Carmen Robles, née Vázquez.

**dé** → **dar.**

**dea** *f POÉT* déesse.

**deambular** *vi* déambuler.

**deambulatorio** *m* déambulatoire.

**deán** *m (de cabildo)* doyen.

**deanato** *m* doyenné.

**debacle** *f* débâcle.

**debajo** *adv* **1.** dessous **2. ~ de, por ~ de** sous, au-dessous de, en dessous de: **~ de la mesa** sous la table; **por ~ de la rodilla** au-dessous du genou; **valorado muy por ~ de su precio** évalué très en dessous de son prix.

**debate** *m* débat.

**debatir** *vi* débattre, discuter. ◆ **~se** *vpr* se débattre.

**debe** *m COM, JUR* **1.** doit **2.** *(de una cuenta)* débit.

**debelar** *vt* vaincre.

[1]**deber** *m* **1.** devoir: **el sentido del ~** le sens du devoir; **cumplir con su ~** faire son devoir; **faltar a su ~** manquer à son devoir **2.** *(escolar)* **hacer los deberes** faire ses devoirs.

[2]**deber** *vt* **1.** devoir: **¿cuánto le debo?** combien vous dois-je?; **me debe mil pesetas** il me doit mille pesetas; **el convenio deberá ser ratificado** l'accord devra être ratifié; **deberías haberlo dicho antes** tu aurais dû le dire avant **2. ~ de** devoir (idée de supposition): **debe de haber llegado** il doit être arrivé; **debe de ser catalán por el apellido** il doit être catalan d'après son nom de famille. ◆ **~se** *vpr* se devoir: **tú te debes a tu familia** tu te dois à ta famille.

▶ Dans la langue actuelle, l'idée d'hypothèse peut se rendre par *deber* sans *de: debo tener un poco de fiebre* je dois avoir un peu de fièvre; *debe ser eso* ça doit être ça.

**debidamente** *adv* dûment, comme il se doit.

**debido, a** *a* **1.** dû, e **2.** convenable ◊ **como es ~** comme il se doit, comme il faut; **más de lo ~** plus qu'il convient **3. ~ a** en raison de, compte tenu de, étant donné; **~ a que** en raison du fait que; **~ a ello** en raison de cela.

**débil** *a* faible: **vientos débiles** vents faibles. ◊ *a/s* **1.** *(persona)* faible **2. ~ mental** débile mental.

**debilidad** *f* **1.** faiblesse **2.** *(mental)* débilité **3.** *(cariño)* faible *m*, penchant *m*: **tiene ~ por su hija menor** il a un faible pour sa petite dernière.

**debilitación** *f* affaiblissement *m*.

**debilitante** *a* débilitant, e.

**debilitar** *vt* affaiblir. ◆ **~se** *vpr* s'affaiblir.

**débilmente** *adv* faiblement.

**debilucho, a** *a FAM* un peu faible, faiblard, e.

**débito** *m* **1.** dette *f* **2.** *(conyugal)* devoir.

**debut** *m (de un artista, etc.)* début.

**debutante** *a/s* débutant, e.

**debutar** *vi* débuter.

**década** *f (días)* décade; *(años)* décennie.

**decadencia** *f* **1.** décadence, déclin *m* **2.** *(deterioro)* déchéance *f*.

**decadente** *a* décadent, e.

**decadentismo** *m* décadentisme.

**décadentista** *a/s* décadent, e.

**decaedro** *m MAT* décaèdre.

**decaer*** *vi* **1.** déchoir **2.** *(debilitarse)* s'affaiblir, décliner, baisser: **últimamente ha decaído mucho** il a beaucoup baissé dernièrement.

**decágono** *MAT* décagone.

**decagramo** *m* décagramme.

**decaído, a** *a* **1.** déchu, e **2.** *(debilitado)* affaibli, e, diminué, e **3.** *(abatido)* abattu, e.

**decaimiento** *m* **1.** *(debilitamiento)* affaiblissement **2.** *(desaliento)* abattement **3.** déchéance *f*, décadence *f*: **~ físico** déchéance physique.

**decalcificación** → **descalcificación.**

**decalitro** *m* décalitre.

**decálogo** *m* décalogue.

**decámetro** *m* decamètre.

**decanato** *m* **1.** décanat **2.** *(deanato)* doyenné.

**decano, a** *s* doyen, enne.

**decantación** *f* décantation, décantage *m*.

**decantar** *vt* **1.** *(un líquido)* décanter **2.** *(alabar)* louer, vanter. ◆ **~se** *vpr FIG* **decantarse por, hacia** pencher pour, se tourner vers, orienter son choix vers, prendre parti pour, opter pour: **los dirigentes se han decantado por una nueva línea política** les dirigeants se sont tournés vers une nouvelle ligne politique.

**decapitación** *f* décapitation.

**decapitar** *vt* décapiter.

**decápodos** *m pl ZOOL* décapodes.

**decasílabo, a** *a/m* décasyllabe.

**decena** *f* dizaine.

**decenal** *a* décennal, e.

**decencia** *f* **1.** *(decoro)* décence, bienséance **2.** *(respeto moral)* décence.

**decenio** *m* décennie *f*.

**decentar*** *vt* entamer.

**decente** *a* **1.** décent, e **2.** *(una casa, etc.)* propre, bien tenu, e **3.** correct, e, convenable, décent, e: **un sueldo ~** un salaire correct.

**decentemente** *adv* décemment.

**decenviro** *m* décemvir.

**decepción** *f* déception.

**decepcionado, a** *a* déçu, e.

**decepcionante** *a* décevant, e.

**decepcionar** *vt* décevoir: **me ha decepcionado su conducta** sa conduite m'a déçu.

**deceso** *m* décès.

**dechado** *m* modèle, exemple ◊ **un ~ de perfecciones** une perle.

**decibel, decibelio** *m* décibel.

**decible** *a* que l'on peut dire.

**decididamente** *adv* résolument, énergiquement.

**decidido, a** *a* **1.** décidé, e, résolu, e **2.** ferme: **~ propósito** ferme intention.

**decidir** *vt* décider: **decidimos marcharnos** nous avons décidé de partir. ◆ **~se** *vpr* se décider: **se ha decidido a cambiar de peinado** elle s'est décidée à changer de coiffure; **decídete** décide-toi.

**decidor, a** *a* spirituel, elle. ◊ *m* beau parleur.

**decigramo** *m* décigramme.

**decilitro** *m* décilitre.

**décima** *f* **1.** *(parte)* dixième *m*: **una ~ de milímetro** un dizième de millimètre **2.** *(combinación poética)* dizain *m*. ◊ *pl* fièvre *sing* légère.

**decimal** *a* décimal, e. ◊ *m* décimale *f*.

**decímetro** *m* décimètre.

**décimo, a** *a/s* dixième. ◊ *m (de un billete de lotería)* dixième. ◊ *f* → **décima.**

**decimoctavo, a** *a/s* dix-huitième.

**decimocuarto, a** *a/s* quatorzième.

**decimonónico, a** *a* **1.** du XIXe siècle **2.** *(anticuado)* démodé, e.

**decimonono, a, decimonoveno, a** *a/s* dix-neuvième.

**decimoquinto, a** *a/s* quinzième.

**decimoséptimo, a** *a/s* dix-septième.

**decimosexto, a** *a/s* seizième.

**decimotercero, a, decimotercio, a** *a/s* treizième.

[1]**decir*** *vt* **1.** dire: **dígale que venga** dites-lui de venir; **no le digas a Bruno que te lo he dicho** ne dis pas à Bruno que je te l'ai; **no se lo digas a nadie** ne le dis à personne; **di algo** dis quelque chose; **dímelo** dis-le moi; **dígaselo** dites-le; **¿decía usted?** vous disiez?; **digo lo que pienso** je dis ce que je pense; **no te digo más** je ne t'en dis pas plus; **~ para sí** se dire; **~ por ~** dire pour dire quelque chose; **~ que no** dire non; **dígamelo usted a mí** à qui le dites-vous; **digan lo que digan** quoi qu'on dise; **digan lo que digan sus adversarios** quoi qu'en disent ses adversaires ◊ **digo yo** il me semble, ce me semble: **un pronto lo tiene cualquiera, digo yo** un mouvement d'humeur, tout le monde en a, il me semble; **eso digo yo** c'est bien ce que je dis; **como quien dice, como si dijéramos** comme qui dirait; **como quien no dice nada** mine de rien; **el qué dirán** le qu'en dira-t-on; **¡haberlo dicho!** il fallait le dire!; **lo que se dice...** ce qu'on appelle...: **vivir lo que se dice vivir...** vivre, ce qu'on apelle vivre...; **ni que ~ tiene que** inutile de dire que; **no hay más que ~** c'est tout dire; **¡no me diga!** pas possible!; **que digamos** disons, quoi; *(teléfono)* **¡diga!, ¡dígame!** allô!; **usted dirá** dites, je vous écoute; **¡y que lo digas!** je te crois!, pour sûr!; **¡y que lo diga usted!** vous pouvez le dire!, je vous crois! **2.** *loc adv* **a ~ verdad** à vrai dire; **es ~** c'est-à-dire; **por decirlo así** pour ainsi dire **3.** *FAM* appeler, nommer: **le dicen el Mudo** on l'appelle le Muet. ◇ *vi* s'harmoniser, aller: **~ bien con** s'harmoniser avec. ◆ **~se** *vpr* se dire.
▶ Participe passé → **dicho.**

[2]**decir** *m* **1.** dire: **al ~ de** au dire de **2.** dicton **3. es un ~** c'est une façon de parler. ◇ *pl* dires, propos.

**decisión** *f* décision: **tomar decisiones** prendre des décisions.

**decisivo, a** *a* décisif, ive.

**declamación** *f* déclamation.

**declamar** *vi/t* déclamer.

**declamatorio, a** *a* déclamatoire.

**declaración** *f* **1.** déclaration: **~ de la renta** déclaration d'impôts **2.** *JUR* déposition.

**declaradamente** *adv* ouvertement.

**declarante** *s COM* déposant, e.

**declarar** *vt* déclarer: **~ la guerra** déclarer la guerre. ◇ *vi* **1.** *JUR* déposer, témoigner **2. ~ sobre** révéler. ◆ **~se** *vpr* **1.** se déclarer: **se ha declarado un incendio** un incendie s'est déclaré **2. declararse en huelga** se mettre en grève; **declararse en quiebra** déposer son bilan.

**declaratorio, a** *a JUR* déclaratoire. ◇ *f* déclaration.

**declinable** *a* déclinable.

**declinación** *f* **1.** *ASTR, GRAM,* déclinaison **2.** *(decadencia)* déclin *m.*

**declinar** *vi (el día, las fuerzas, etc.)* décliner. ◇ *vt* **1.** décliner: **declinamos toda responsabilidad** nous déclinons toute responsabilité; **~ una invitación** décliner une invitation **2.** *GRAM* décliner.

**declive** *m* déclivité *f,* pente *f* ◊ **en ~** en pente; *FIG* en déclin.

**decocción** *f* décoction.

**decodificación** *f* décodage *m.*

**decodificador** *m* décodeur.

**decodificar** *vt* décoder.

**decoloración** *f* décoloration.

**decolorante** *a/m* décolorant, e.

**decolorar** *vt* décolorer. ◆ **~se** *vpr* se décolorer, passer: **el papel pintado se ha decolorado** le papier peint s'est décoloré.

**decomisar** *vt JUR* saisir, confisquer: **~ los bienes de un traficante** saisir les biens d'un trafiquant.

**decomiso** *m JUR* saisie *f,* confiscation *f.*

**decoración** *f* **1.** décoration **2.** *TEAT* décor *m.*

**decorado** *TEAT* décor.

**decorador, a** *s* décorateur, trice.

**decorar** *vt* décorer.

**decorativo, a** *a* décoratif, ive.

**decoro** *m* **1.** dignité *f* **2.** *(decencia)* décence *f,* bienséance *f* **3. vivir con ~** vivre correctement, décemment.

**decorosamente** *adv* convenablement, décemment, correctement.

**decoroso, a** *a* décent, e, convenable.

**decrecer*** *vi* décroître, diminuer, baisser.

**decreciente** *a* décroissant, e: **en orden ~** en ordre décroissant.

**decrecimiento, decremento** *m* diminution *f.*

**decrépito, a** *a* décrépit, e.

**decrepitud** *f* décrépitude.

**decretal** *f* décrétale.

**decretar** *vt* **1.** décréter **2.** *JUR* ordonner.

**decreto** *m* **1.** décret **2.** *(de un juez)* arrêt **3. ~ ley** décret-loi.

**decúbito** *m ANAT* décubitus: **~ prono, supino** décubitus ventral, dorsal.

**decuplicar** *vt* décupler.

**décuplo, a** *a/m* décuple.

**decurso** *m (del tiempo)* cours.

**dedada** *f* petite quantité d'une substance que l'on prend avec le doigt.

**dedal** *m* dé à coudre.

**dedalera** *f* digitale.

**dédalo** *m* dédale.

**dedicación** *f* **1.** *(de una iglesia)* dédicace **2.** attribution **3. trabajar con ~ completa** travailler à plein temps; **empleo de ~ absoluta, exclusiva** emploi à plein temps **4.** vocation.

**dedicar** *vt* **1.** *(una iglesia, etc.)* consacrer, dédier **2.** *(tiempo, vida, etc.)* consacrer: **una vida dedicada al arte** une vie consacrée à l'art **3. ~ una sonrisa, una mirada** adresser un sourire, un regard **4.** *(un libro, una foto)* dédicacer: **la foto está dedicada** la photo est dédicacée. ◆ **~se** *vpr* se consacrer, faire: **se dedica al periodismo** il fait du journalisme; **¿a qué se dedica usted?** que faites-vous (dans la vie)?

**dedicatoria** *f* dédicace.

**dedil** *m* doigtier.

**dedillo** *m* petit doigt ◊ **saber al ~** savoir sur le bout du doigt.

**dedo** *m* **1.** doigt ◊ **~ anular** annulaire; **~ de en medio, del corazón** médius; **~ del pie** orteil, doigt de pied; **~ gordo, ~ pulgar** pouce; **~ índice** index; **~ meñique** petit doigt **2.** *FIG* **a dos dedos de** à deux doigts de; **a ~** au hasard, par piston; **antojársele a uno los dedos huéspedes** être très méfiant; **cogerse, pillarse los dedos** en subir les conséquences, se faire échauder; **contar con los dedos** compter sur ses doigts; **se cuentan con los dedos de la mano...** on compte sur les doigts d'une main...; **chuparse los dedos** s'en lécher les babines; **no chuparse, no mamarse el ~** ne pas être bête; **¿es que crees que me chupo el ~?** tu crois vraiment que je suis idiot?; **no tener los dedos de frente** ne pas avoir deux sous de jugeotte; **no mover un ~** ne pas lever le petit doigt; **poner el ~ en la llaga** mettre le doigt sur la plaie, toucher au vif **3.** *AMER* **hacer ~** faire de l'auto-stop.

**deducción** *f* déduction.

**deducible** *a* déductible; **gastos deducibles** frais déductibles.

**deducir*** *vt* déduire: **por lo que acabas de decir, deduzco que...** de ce que tu viens de dire, j'en déduis que... ◆ **~se** *vpr* découler, s'ensuivre.

**deductivo, a** *a* déductif, ive.

**defecación** *f* défécation.

**defecar** *vi/t* déféquer.

**defección** *f* défection.

**defectivo, a** *a/m (verbo)* détectif, ive.

**defecto** *m* **1.** défaut **2. ~ de forma** vice de forme **3. en ~ de** à défaut de; **en su ~** à défaut.

**defectuoso, a** *a* défectueux, euse.

**defender*** *vt* défendre: **el abogado defiende a su cliente** l'avocat défend son client. ◆ **~se** *vpr* se défendre: **se ha defendido muy bien** il s'est très bien défendu.

**defendible** *a* défendable.

**defendido, a** *a/s* JUR client, e d'un avocat.

**defenestración** *f* défenestration.

**defenestrar** *vt* **1.** défenestrer **2.** FIG destituer.

**defensa** *f* **1.** défense: **salir en ~ de** prendre la défense de **2. en legítima ~** en état de légitime défense. ◇ *m (deportes)* arrière.

**defensiva** *f* défensive: **poner a la ~** se tenir sur la défensive.

**defensivo, a** *a* défensif, ive.

**defensor, a** *a/s* défenseur.

**deferencia** *f* déférence.

**deferente** *a* déférent, e.

**deferir*** *vi* s'en rapporter. ◇ *vt* JUR déférer.

**deficiencia** *f* **1.** déficience **2.** défaut *m.*

**deficiente** *a* **1.** déficient, e **2.** insuffisant, e **3.** défectueux, euse.

**déficit** *m* **1.** déficit **2.** MED déficit.

**deficitario, a** *a* déficitaire.

**definible** *a* définissable.

**definición** *f* définition.

**definido, a** *a* défini, e.

**definir** *vt* définir. ◆ **~se** *vpr* se définir.

**definitivamente** *adv* définitivement.

**definitivo, a** *a* **1.** définitif, ive **2.** *loc adv* **en definitiva** en définitive.

**deflación** *f* déflation.

**deflacionista** *a* déflationniste.

**deflagración** *f* déflagration.

**deflagrar** *vi* déflagrer.

**deflector** *m* déflecteur.

**defluir*** *vi* se répandre.

**defoliación** *f* défoliation.

**defoliante** *a/m* défoliant.

**deforestación → desforestación.**

**deformación** *f* déformation ◊ **~ profesional** déformation professionnelle.

**deformar** *vt* **1.** déformer **2.** FIG **~ la verdad** déformer la vérité. ◆ **~se** *vpr* se déformer.

**deforme** *a* difforme.

**deformidad** *f* difformité.

**defraudación** *f* **1.** frustration **2.** fraude.

**defraudador, a** *a/s* fraudeur, euse.

**defraudar** *vt* **1.** frauder: **~ al fisco** frauder le fisc **2.** *(decepcionar)* décevoir: **me ha defraudado la película** le film m'a déçu.

**defuera** *adv* dehors, extérieurement ◊ **por ~** au-dehors, en-dehors.

**defunción** *f* décès *m.*

**degeneración** *f* dégénérescence, abâtardissement *m.*

**degenerado, a** *a/s* dégénéré, e.

**degenerar** *vi* dégénérer.

**degenerativo, a** *a* dégénératif, ive.

**deglución** *f* déglutition.

**deglutir** *vi/t* déglutir.

**degollación f 1.** égorgement *m,* décapitation, décollation: **la ~ de san Juan Bautista** la décollation de saint Jean-Baptiste **2. la ~ de los inocentes** le massacre des saints Innocents.

**degolladero** *m* abattoir ◊ FIG **llevar a alguien al ~** mener quelqu'un à l'abattoir.

**degolladura** *f* **1.** *(herida)* blessure à la gorge **2.** *(escote)* échancrure.

**degollar*** *vt* **1.** égorger **2.** *(un vestido)* échancrer **3.** FIG *(una obra literaria)* massacrer.

**degollina** *f* tuerie, massacre *m,* boucherie.

**degradación** *f* dégradation.

**degradante** *a* dégradant, e.

**degradar** *vt* dégrader. ◆ **~se** *vpr* se dégrader.

**degüello** *m* égorgement ◊ **entrar a ~** passer au fil de l'épée; **tirar a ~ a** s'acharner contre.

**degustación** *f* dégustation.

**degustar** *vt* déguster.

**dehesa** *f* **1.** pâturage *m* **2.** FIG **quitar el pelo de la ~** dégrossir, décrotter.

**dehiscente** *a* BOT déhiscent, e.

**deicida** *a/s* déicide.

**deicidio** *m (crimen)* déicide.

**deidad** *f* divinité.

**deificación** *f* déification.

**deificar** *vt* déifier.

**deísmo** *m* déisme.

**deísta** *a/s* déiste.

**dejación** *f* **1.** abandon *m:* **~ de puesto** abandon de poste **2.** cession.

**dejada** *f (tenis)* amorti *m.*

**dejadez** *f* **1.** *(pereza)* paresse, laisser- aller *m,* indolence **2.** négligence **3.** *(debilidad física)* abattement *m.*

**dejado, a** *a* **1.** négligent, e **2.** nonchalant, e, indolent, e **3.** *(decaído)* abattu, e.

**dejamiento** *m* **1.** abandon **2.** nonchalance *f* **3.** *(decaimiento)* abattement.

**dejar** *vt* **1.** laisser: **dejé la puerta entreabierta** je laissai la porte entrouverte; **que me dejen hablar** qu'on me laisse parler; **déjame en paz** laisse-moi tranquille ◊ FIG **~ a un lado, aparte** laisser de côté; **~ atrás a uno** dépasser, devancer quelqu'un; **~ caer** insinuer; **~ correr** laisser faire; **~ plantado** planter là; **~ que desear** laisser à désirer; FAM **¡deja!, ¡deja eso!** laisse tomber! **2.** quitter, abandonner: **~ a su familia, la carrera** quitter sa famille, abandonner ses études **3.** *(prestar)* prêter **4. ~ de** cesser de, arrêter de: **nos iremos cuando deje de llover** nous partirons quand il cessera de pleuvoir; **¡deja de hacer el tonto!** arrête de faire l'idiot!; **¡deja de gritar!** cesse de crier!, arrête de crier! **5. ~ que** laisser, permettre: **déjale que hable** laisse-le parler; **¿me deja que le pregunte algo?** vous me permettez de vous demander quelque chose? **6. no ~ de** ne pas oublier, manquer de: **no dejes de telefonearme** n'oublie pas de, ne manque pas de me téléphoner; **no deja uno de preguntarse si...** on ne peut s'empêcher de se demander si... ◆ **~se** *vpr* **1.** se laisser ◊ FIG **dejarse caer** se présenter inopinément, débarquer; **dejarse decir** se laisser aller à dire; **dejarse llevar** se laisser entraîner; **dejarse rogar** se laisser prier; **dejarse ver** se montrer **2.** oublier, laisser: **me dejé las gafas en casa** j'ai oublié mes lunettes à la maison **3.** *(descuidarse)* se laisser aller, se négliger: **si te dejas, estás perdido** si tu te laisses aller, tu es fichu **4. dejarse de cuentos, de rodeos** aller droit au fait; **¡déjate de tonterías!** assez de bêtises!

▶ *Dejar* peut avoir une fonction d'auxiliaire: ~ *dicho* dire, etc.

**dejativo, a** *a* nonchalant, e, apathique.

**deje, dejillo → dejo.**

**dejo** *m* **1.** accent, intonation *f,* ton: **tiene un marcado ~ gallego** il a un accent galicien prononcé; **~ burlón** ton moqueur **2.** *(sabor)* arrière-goût.

**del** (contraction de *de* et *el*) du, de l': **~ tren** du train; **~ avión** de l'avion; au; **la isla ~ tesoro** l'île au trésor ◊ **~ que, ~ cual** dont.

**delación** *f* délation.

**delantal** *m* tablier.

**delante** *adv* **1.** devant **2. tengo tu foto ~** j'ai ta photo devant moi; **quitar de ~** *(apartar)* écarter; *(suprimir)* supprimer **3. ~ de, por ~ de** devant: **~ de la casa** devant la maison; **pasó por ~ de mí** il est passé devant moi; **usted tiene toda la vida por ~** vous avez toute la vie devant vous.

**delantera** *f* **1.** *(parte anterior)* avant *m*, devant *m* **2.** *(en una sala de espectáculos)* premier rang *m* **3.** *(deportes)* **la ~** les avants, la ligne d'attaque, la ligne des avants **4. coger, tomar la ~** devancer, prendre les devants **5.** *POP (pecho de mujer)* avant-scène, balcon *m.*

**delantero, a** *a* **1.** qui est ou va devant: **pata delantera** patte de devant; **vagón ~** wagon de tête **2.** avant: **plazas, ruedas delanteras** places, roues avant. ◇ *m (en algunos deportes)* avant: **~ centro** avant-centre.

**delatar** *vt* **1.** dénoncer: **~ a sus cómplices** dénoncer ses complices **2.** *FIG* trahir: **la voz delataba su emoción** sa voix trahissait son émotion.

**delator, a** *a/s* délateur, trice.

**delco** *m TECN* delco.

**dele, deleátur** *m* deleatur.

**delectación** *f* délectation.

**delegación** *f* délégation.

**delegado, a** *a/s* délégué, e.

**delegar** *vt* déléguer.

**deleitable, deleitante** *a LIT* délectable.

**deleitar** *vt* charmer, délecter ◊ **~ el oído** flatter l'oreille. ◆ **~se** *vpr* prendre un vif plaisir, se délecter.

**deleite** *m* plaisir, délice, délectation *f.*

**deleitoso, a** *a* délectable, délicieux, euse.

**deletéreo, a** *a* délétère: **gases deletéreos** gaz délétères.

**deletrear** *vt* épeler: **~ su apellido** épeler son nom.

**deletreo** *m* épellation *f.*

**deleznable** *a* **1.** friable **2.** *FIG* fragile **3.** *FIG* peu durable, fragile.

**delfín** *m (cetáceo, príncipe)* dauphin.

**delfina** *f* dauphine.

**Delfinado** *np m* Dauphiné.

**Delfos** *np* Delphes.

**delgadez** *f* minceur, maigreur.

**delgado, a** *a* **1.** *(de poco grosor)* mince: **una chica alta y delgada** une jeune fille grande et mince **2.** *(flaco)* maigre ◊ **se ha quedado tan ~ que se le notan las costillas** il a tellement maigri qu'on lui voit les côtes **3.** *ANAT* **intestino ~** intestin grêle. ◇ *m pl (de los cuadrúpedos)* flancs.

**delgaducho, a** *a* maigrichon, onne, maigrelet, ette.

**deliberación** *f* délibération.

**deliberadamente** *adv* délibérément, consciemment.

**deliberante** *a* délibérant, e.

**deliberar** *vi* délibérer. ◇ *vt* décider.

**deliberativo, a** *a* délibératif, ive.

**delicadamente** *adv* délicatement.

**delicadeza** *f* **1.** délicatesse **2.** attention.

**delicado, a** *a* **1.** délicat, e **2.** *(de salud)* délicat, e, fragile: **estar ~ de salud** avoir la santé fragile, une santé délicate.

**delicaducho, a** *a* maladif, ive, fragile.

**delicia** *f* délice *m*: **una ~** un délice; **las delicias de Capua** les délices de Capoue; **hacer las delicias de, la ~ de** faire les délices de.

**delicioso, a** *a* délicieux, euse.

**delictivo, a** *a* délictueux, euse: **hecho ~** fait délictueux.

**delicuescente** *a* déliquescent, e.

**delimitación** *f* délimitation.

**delimitar** *vt* délimiter.

**delincuencia** *f* délinquance.

**delincuente** *a/s* délinquant,e .

**delineación** *f*, **delineamiento** *m* délinéament *m*, tracé *m*, dessin *m.*

**delineante** *m* dessinateur industriel.

**delinear** *vt (planos, etc.)* dessiner.

**delinquir** *vi* commettre un délit ◊ **asociación para ~** association de malfaiteurs.

**deliquio** *m* **1.** *(éxtasis)* extase *f*, ivresse *f* **2.** *(desmayo)* évanouissement.

**delirante** *a* délirant, e.

**delirar** *vi* **1.** délirer **2.** *FIG* délirer, divaguer.

**delirio** *m* délire ◊ **~ de grandezas** folie *f* des grandeurs.

**delírium tremens** *m* delirium tremens.

**deliscuescencia** *f* déliquescence.

**delito** *m* **1.** délit: **~ común** délit de droit commun; **~ flagrante** flagrant délit; **el cuerpo del ~** le corps du délit **2. ~ de lesa majestad** crime de lèse-majesté.

**delta** *f* **1.** *(letra)* delta *m* **2. ala ~** deltaplane *m.* ◇ *m (de un río)* delta: **el ~ del Nilo** le delta du Nil.

**deltoides** *m ANAT* deltoïde.

**demacración** *f* émaciation, amaigrissement *m.*

**demacrado, a** *a* émacié, e, très maigre, hâve.

**demacrarse** *vpr* maigrir, s'émacier.

**demagogia** *f* démagogie.

**demagógico, a** *a* démagogique.

**demagogo** *m* démagogue.

**demanda** *f* **1.** demande, requête ◊ **la oferta y la ~** l'offre et la demande **2. ir en ~ de** aller en quête de, à la recherche de **3.** *JUR* action en justice.

**demandadero, a** *s* commissionnaire.

**demandado, a** *s JUR* défendeur, eresse.

**demandante** *s* demandeur, eresse ◊ **~ de empleo** demandeur d'emploi.

**demandar** *vt* **1.** demander **2. ~ a alguien ante tribunales** attaquer quelqu'un en justice, intenter une action judiciaire.

**demarcación** *f* **1.** démarcation **2.** terrain *m* délimité.

**demarcar** *vt* délimiter.

**demás** *a/pron indef* **1.** autre, autres: **la ~ gente** les autres personnes; **los ~** les autres ◊ **lo ~** le reste; **en lo ~** pour le reste; **...y ~** ...et caetera, etc: **una señora viuda, rica y ~** une dame veuve, riche, etc **2. por ~** inutile: **es por ~ que...** il est inutile que...; *(en demasía)* par trop **3.** *loc adv* **por lo ~** à part cela, au demeurant, au reste.

**demasía** *f* **1.** excès *m* ◊ **en ~** à l'excès; **comer en ~** manger avec excès **2.** *(atrevimiento)* audace, insolence.

**demasiadamente** *adv* trop.

**demasiado, a** *a* trop de: **~ dinero** trop d'argent; **demasiados errores** trop d'erreurs; **demasiada gente** trop de monde. ◇ *adv* trop: **hablas ~** tu parles trop; **~ de prisa** trop vite.

**demediar** *vt* **1.** ANT diviser en deux **2.** faire à moitié.

**demencia** *f* démence.

**demencial** *a* démentiel, elle.

**demente** *a/s* dément, e.

**demérito** *m* **1.** *(falta)* défaut **2.** préjudice.

**Deméter** *np f* Déméter.

**demiurgo** *m* démiurge.

**democracia** *f* démocratie.

**demócrata** *a/s* démocrate.

**democráticamente** *adv* démocratiquement.

**democrático, a** *a* démocratique.

**democratización** *f* démocratisation.

**democratizar** *vt* démocratiser.

**demografía** *f* démographie.

**demográfico, a** *a* démographique.

**demoledor, a** *a/s* démolisseur, euse.

**demoler*** *vt* démolir.

**demolición** *f* démolition.

**demonche** *m* FAM diable.

**demoniaco, a, demoníaco, a** *a/s* démoniaque.

**demonio** *m* démon, diable ◊ FIG **¡ ~ de chico!** satané gamin!; **ser el mismísimo ~** être le diable en personne; **llevarle los demonios a...** mettre en furie..., en rogne...; **me llevaron los demonios cuando la vi aparecer** j'ai piqué une rogne quand je l'ai vue apparaître; **Los Demonios** *(Dostoievski)* les Possédés. ◇ *interj* diable: **¡qué demonios!** que diable!

**demontre** *m* FAM diable: **¡qué ~!** diable!

**demora** *f* retard *m*: **una ligera ~** un léger retard ◊ **sin ~** sans retard, sans délai.

**demorar** *vt* retarder, différer. ◆ **~se** *vpr* se retarder: **no te demores** ne te retarde pas.

**Demóstenes** *np m* Démosthène.

**demostrable** *a* démontrable.

**demostración** *f* démonstration.

**demostrador, a** *a/s* démonstrateur, trice.

**demostrar*** *vi* démontrer, prouver: **~ un teorema** démontrer un théorème; **eso demuestra que ignoraba la verdad** cela démontre qu'il ignorait la vérité **2.** manifester, montrer, faire preuve de: **~ cierto nerviosismo** manifester une certaine nervosité.

**demostrativo, a** *a/m* démonstratif, ive.

**demótico, a** *a* démotique.

**demudar** *vt* changer, altérer. ◆ **~se** *vpr* **se le demudó el semblante** il changea de visage.

**denario** *m (moneda)* denier.

**denegación** *f* **1.** refus *m* **2.** rejet *m* **3. ~ de auxilio** non-assistance *f* à personne en danger.

**denegar*** *vt* **1.** refuser **2.** rejeter: **~ una petición de gracia** rejeter un recours en grâce **3.** décliner: **deniega toda participación en los hechos** il décline toute participation aux faits **4. ~ con la cabeza,** faire signe que non de la tête.

**denegrido, a** *a* noirci, e.

**dengoso, a** *a* minaudier, ère.

**dengue** *m* **1.** simagrée *f*, minauderie *f*, chichi: **hacer dengues** minauder, faire des chichis **2.** ANT *(prenda)* sorte de châle, de mantelet **3.** *(enfermedad)* dengue *f* **4.** AMER *(planta)* sorte de belle-de-nuit *f*.

**denigración** *f* dénigrement *m*.

**denigrante** *a* déshonorant, e, humiliant, e.

**denigrar** *vt* dénigrer.

**denodadamente** *adv* hardiment, résolument.

**denodado, a** *a* **1.** intrépide, hardi, e **2.** résolu, e, ferme.

**denominación** *f* **2.** dénomination **2.** *(de un vino)* **~ de origen** appellation d'origine.

**denominado** *a* MAT **número ~** nombre complexe.

**denominador** *m* MAT dénominateur: **~ común** dénominateur commun.

**denominar** *vt* dénommer, nommer.

**denostar** *vt* insulter, injurier.

**denotar** *vt* **1.** dénoter **2.** indiquer, signifier, prouver.

**densidad** *f* densité.

**densificar** *vt* rendre plus dense.

**denso, a** *a* dense.

**dentado, a** *a* **1.** *(rueda, etc.)* denté, e **2.** dentelé, e.

**dentadura** *f* **1.** denture **2. ~ postiza** dentier *m*.

**dental** *a* dentaire. ◇ *a/f* GRAM dental, e. ◇ *m (del arado)* soc.

**dentar*** *vt* denter. ◇ *vi (un niño)* faire ses dents.

**dentario, a** *a* dentaire.

**dentecillo** *m* petite dent *f*, quenotte *f*.

**dentellada** *f* **1.** coup *m* de dent: **a dentellades** à coups de dents **2.** *(herida)* morsure.

**dentera** *f* **1.** agacement *m* (aux dents): **dar ~** agacer (les dents) **2.** FIG envie: **dar ~** faire envie.

**dentición** *f* dentition.

**dentículo** *m* **1.** ARQ denticule **2.** BOT dentelure *f*.

**dentífrico, a** *a/m* dentifrice: **pasta dentífrica** pâte dentifrice.

**dentina** *f* dentine.

**dentista** *s* dentiste.

**dentón, ona** *a/s* qui a de grosses dents. ◇ *m (pez)* denté.

**dentro** *adv* **1.** dedans, à l'intérieur: **estar ~** être dedans **2. ~ de** dans: **~ del armario** dans l'armoire; **~ de un mes** dans un mois ◊ **~ de poco** d'ici peu, sous peu, bientôt **3. a ~** dedans; **hacia ~** vers l'intérieur; **por ~** à l'intérieur, en dedans **4.** FIG **~ ou fuera** il faut se décider, c'est oui ou c'est non.

**dentudo, a** *a/s* qui a de grosses dents.

**denudación** *f* dénudation.

**denudar** *vt* dénuder.

**denuedo** *m* vaillance *f*, intrépidité *f*, courage.

**denuesto** *m* injure *f*, insulte *f*.

**denuncia** *f* **1.** dénonciation, déclaration **2.** JUR plainte: **presentar una ~** déposer une plainte, porter plainte **3. ~ falsa** dénonciation calomnieuse.

**denunciador, a, denunciante** *a/s* dénonciateur, trice.

**denunciar** *vt* **1.** *(avisar)* signaler **2.** *(acusar, delatar)* dénoncer **3.** faire enregistrer (une mine qui vient d'être découverte).

**deontología** *f* déontologie.

**deparar** *vt* procurer, offrir, donner, accorder: **~ la ocasión** offrir l'occasion ◊ **¡Dios te la depare buena!** bonne chance!

**departamento** *m* **1.** *(de un territorio)* département **2.** *(de una administración)* service, département: **~ de personal** service du personnel **3.** *(de una caja, vehículo)* compartiment **4.** *(de un almacén)* rayon.

**departir** *vi* s'entretenir, converser, deviser: **está departiendo con su colega** il est en train de converser avec son collègue.

**depauperación** *f* **1.** appauvrissement *m* **2.** *MED* affaiblissement *m*.

**depauperarse** *vpr* **1.** s'appauvrir **2.** *MED* s'affaiblir.

**dependencia** *f* **1.** dépendance: **estar bajo la ~ de** être sous la dépendance de **2.** *(sección)* bureau *m*, département *m*, service *m* **3.** succursale, agence **4.** personnel *m* (d'une maison de commerce). ◇ *pl (de un edificio grande)* dépendances.

**depender** *vi* dépendre: **no dependo de nadie** je ne dépends de personne; **eso depende** ça dépend; **depende de lo que diga** ça dépend de ce qu'il dira.

**dependienta** *f* vendeuse, employée: **Inés es ~ en una joyería** Agnès est vendeuse dans une bijouterie.

**dependiente** *a* dépendant, e. ◇ *m (empleado)* vendeur, employé.

**depilación** *f* épilation.

**depilar** *vt* épiler. ◆ **~se** *vpr* s'épiler.

**depilatorio** *a/m* dépilatoire, épilatoire: **crema depilatoria** crème dépilatoire.

**deplorable** *a* déplorable.

**deplorar** *vt* déplorer.

**deponente** *a/s JUR* déposant, e. ◇ *a/m GRAM* déponent, e.

**deponer*** *vt* **1.** déposer ◊ **~ las armas** déposer les armes; **depongan las armas y luego hablaremos** déposez les armes et ensuite nous parlerons **2.** abandonner: **depuso su actitud arrogante** il abandonna son attitude arrogante **3.** *(destituir)* destituer, déposer. ◇ *vi* **1.** *(ante el juez)* déposer **2.** aller à la selle **3.** *AMER* vomir.

**deportación** *f* déportation.

**deportado, a** *a/s* déporté, e.

**deportar** *vt* déporter.

**deporte** *m* sport: **hacer ~,** faire du sport; **practicar un ~** pratiquer un sport; **~ de combate** sport de combat.

**deportista** *a/s* sportif, ive.

**deportivamente** *adv* sportivement.

**deportividad** *f* sportivité.

**deportivo, a** *a* **1.** sportif, ive: **actividades deportivas** activités sportives; **instalaciones deportivas** équipements sportifs **2.** de sport: **artículos deportivos** articles de sport; **coche ~** voiture de sport **3. puerto ~** port de plaisance.

**deposición** *f* déposition. ◇ *pl (heces)* selles: **hacer deposiciones** aller à la selle.

**depositante** *a/s* déposant, e.

**depositar** *vt* **1.** déposer: **~ una corona ante el monumento a los Caídos** déposer une couronne devant le monument aux morts; **~ dinero en el banco** déposer de l'argent à la banque **2.** *FIG* **~ la confianza** placer, mettre sa confiance: **he depositado en él toda mi confianza** j'ai placé en lui toute ma confiance, il a toute ma confiance **3.** *(un líquido)* déposer **4.** *JUR* placer (une personne) chez un tiers où elle puisse exprimer librement sa volonté. ◆ **~se** *vpr* se déposer.

**depositaría** *f* **1.** dépôt *m* **2.** *(tesorería)* trésorerie, caisse des dépôts.

**depositario, a** *s* dépositaire. ◇ *m* caissier, trésorier.

**depósito** *m* **1.** dépôt: **~ bancario** dépôt bancaire **2.** *(almacén)* entrepôt **3.** *(para líquidos)* réservoir **4.** *(de nevera)* bac **5.** *(para animales, coches)* fourrière *f* **6. ~ de cadáveres** morgue *f* **7.** *(sedimento)* dépôt.

**depravación** *f* dépravation.

**depravado, a** *a/s* dépravé, e.

**depravar** *vt* dépraver.

**depre** *f FAM* déprime, cafard *m*: **estoy con la ~** j'ai la déprime, le cafard.

**deprecación** *f* prière, supplication, déprécation.

**deprecar** *vt* supplier.

**depreciación** *f* dépréciation, dévalorisation: **la ~ del dólar** la dévalorisation du dollar.

**depreciar** *vt* déprécier, dévaloriser.

**depredación** *f* déprédation.

**depredador, a** *a/s* **1.** déprédateur, trice **2.** *(animal)* prédateur: **los depredadores** les prédateurs.

**depredar** *vt* piller, mettre à sac.

**depresión** *f* **1.** dépression **2. ~ nerviosa** dépression nerveuse **3.** *(económica)* dépression.

**depresivo, a** *a* déprimant, e. ◇ *a/s (carácter, persona)* dépressif, ive.

**deprimente** *a* déprimant, e.

**deprimido, a** *a* déprimé, e: **estoy ~** je suis déprimé.

**deprimir** *vt* **1.** déprimer **2.** *FIG (humillar)* rabaisser. ◆ **~se** *vpr* être déprimé, e: **después de su fracaso se deprimió muchísimo** après son échec, il s'est senti complètement déprimé.

**deprisa** *adv* vite: **no vayáis tan ~** n'allez pas si vite.

**depuesto** *pp* de **deponer.**

**depuración** *f* épuration.

**depurador** *m* épurateur.

**depuradora** *f* station d'épuration, bassin *m* filtrant.

**depurar** *vt* **1.** *(purificar)* épurer **2.** *FIG* épurer **3.** *(rehabilitar)* réintégrer.

**depurativo, a** *a/m* dépuratif, ive.

**derby** *m* derby.

**derecha** *f* **1.** droite: **a la ~** à droite **2.** *(en política)* **la ~** la droite; **votar por la ~** voter à droite; **ser de derechas** être de droite **3. no hace nada a derechas** il fait tout de travers.

**derechamente** *adv* directement, tout droit.

**derechazo** *m* **1.** *(boxe)* **un ~** un droit **2.** *TAUROM* passe *f* de la main droite avec la muleta.

**derechista** *a/s* partisan de la droite: **un ~** un homme de droite.

**derechito** *adv FAM* tout droit.

[1]**derecho** *m* **1.** *(de una tela, etc.)* endroit: **¡póngase el jersey del derecho!** remettez votre pull à l'endroit! **2.** droit: **~ civil, mercantil, penal** droit civil, commercial, pénal; **~ laboral** droit du travail; **estudiar ~** faire son droit; **~ al voto** droit de vote; **derechos arancelarios** droits de douane; **los derechos humanos** les droits de l'homme ◊ **estar en su ~** être dans son droit; **no tienes ~ a quejarte;** tu n'as pas le droit de te plaindre; **¿con qué ~?** de quel droit?; **con pleno ~** de plein droit; **¡no hay ~!** ce n'est pas juste!, il y a de l'abus!. ◇ *adv* droit: **andar ~** marcher droit.

[2]**derecho, a** *a* **1.** droit, e: **lado ~** côté droit; **brazo ~** bras droit; **mano derecha** main droite; **a mano derecha** à main droite, à droite **2. ¡ponte ~!** tiens-toi droit! **3.** juste, raisonnable **4.** → **derecha.**

**derechura** *f* **1.** droiture, rectitude **2. en ~** directement, tout droit.

**deriva** *f* dérive ◊ **ir a la ~** aller à la dérive; *GEOL* **la ~ continental** la dérive des continents; **red de ~** filet dérivant.

**derivación** *f* **1.** dérivation **2.** *(lingüística)* dérivation.

**derivado, a** *a/m* dérivé, e: **los derivados del petróleo** les dérivés du pétrole. ◇ *f* MAT dérivée.

**derivar** *vi* dériver. ◇ *vt* faire dériver. ◆ **~se** *vpr (resultar)* dériver, découler: **palabra que (se) deriva del latín** mot qui dérive du latin.

**derivativo, a** *a/m* dérivatif, ive.

**dermatología** *f* dermatologie.

**dermatológico, a** *a* dermatologique.

**dermatólogo, a** *s* dermatologue.

**dermatosis** *f* MED dermatose.

**dérmico, a** *a* dermique.

**dermis** *f* derme *m*: **la ~** le derme.

**derogación** *f* dérogation.

**derogar** *vt (una ley, etc.)* abroger, abolir, annuler.

**derogatorio, a** *a* JUR dérogatoire.

**derrama** *f* **1.** répartition proportionnelle d'une contribution **2.** *(contribución)* impôt *m* exceptionnel.

**derramamiento** *m* **1.** *(de un líquido)* écoulement, débordement, épanchement ◊ **~ de sangre** effusion *f* de sang **2.** éparpillement, dispersion *f*.

**derramar** *vt* **1.** *(un líquido)* verser, répandre **2.** *(esparcir)* éparpiller **3.** FIG répandre. ◆ **~se** *vpr* se répandre: **el contenido de la botella se derramó por el suelo** le contenu de la bouteille s'est répandu par terre.

**derrame** *m* **1.** écoulement **2.** fuite *f*, perte *f* **3.** MED épanchement, hémorragie *f*: **~ sinovial** épanchement synovial, de synovie; **~ cerebral** hémorragie cérébrale **4.** *(de puerta o ventana)* ébrasement, ébrasure *f*.

**derrapar** *vi* déraper: **el coche derrapó a causa de la lluvia** la voiture a dérapé à cause de la pluie.

**derredor** *m* tour, contour ◊ **en ~** autour; **en ~ suyo** autour de lui.

**derrelicto** *m* MAR épave *f*.

**derrelinquir** *vt* abandonner.

**derrengado, a** *a* **1.** *(muy cansado)* éreinté, e, claqué, e **2.** *(baldado)* estropié, e, esquinté, e.

**derrengar** *vt* **1.** casser les reins, estropier **2.** *(cansar)* éreinter, crever, esquinter, claquer **3.** *(torcer)* tordre.

**derretido, a** *a* **1.** fondu, e **2.** FIG très amoureux, euse.

**derretimiento** *m* **1.** fonte *f*, fusion *f* **2.** FIG grand amour.

**derretir*** *vt* **1.** *(por medio del calor)* fondre, faire fondre: **derrita la mantequilla en la sartén** faites fondre le beurre dans la poêle **2.** FIG dissiper, gaspiller. ◆ **~se** *vpr* **1.** fondre: **la nieve se derrite** la neige fond **2.** FIG brûler d'amour **3.** FAM **derretirse de impaciencia, de inquietud** bouillir d'impatience, être fou d'inquiétude.

**derribar** *vt* **1.** démolir, abattre: **van a ~ el barrio de chabolas** on va démolir le bidonville ◊ **~ una puerta** enfoncer une porte **2.** *(a una persona o animal)* renverser, jeter à terre **3.** **~ un avión** abattre un avion **4.** *(de un cargo)* renverser: **~ a un ministro** renverser un ministre.

**derribo** *m* **1.** *(de un edificio)* démolition *f* **2.** *(lugar)* chantier de démolition **3.** *(materiales)* matériaux *pl* de démolition.

**derrocadero** *m* précipice.

**derrocamiento** *m* **1** destruction *f* **2.** FIG *(de un político, etc.)* renversement.

**derrocar** *vt* **1.** précipiter du haut d'un rocher **2.** *(un edificio)* démolir **3.** *(a alguien de un cargo, etc.)* renverser: **~ a un ministro** renverser un ministre.

**derrochador, a** *a/s* gaspilleur, euse.

**derrochar** *vt* **1.** gaspiller, dissiper, dilapider: **~ su herencia** dilapider son héritage **2.** FIG prodiguer, déborder de: **~ energía** déborder d'énergie.

**derroche** *m* **1.** gaspillage **2.** *(abundancia)* profusion *f*, débauche *f*.

**derrota** *f* **1.** *(fracaso)* défaite: **sufrir una ~** essuyer une défaite; **~ electoral** défaite électorale **2.** *(fuga desordenada)* déroute **3.** *(camino)* chemin *m* **4.** MAR route.

**derrotado, a** *a* **1.** défait, e, en déroute **2.** *(andrajoso)* dépenaillé, e.

**derrotar** *vt* **1.** *(en una competición)* battre: **el equipo A derrotó al equipo B por dos goles a cero** l'équipe A a battu l'équipe B par deux buts à zéro **2.** MIL vaincre, mettre en déroute **3.** *(la salud)* ruiner. ◆ **~se** *vpr* MAR dévier de sa route.

**derrote** *m* TAUROM coup de corne de bas en haut.

**derrotero** *m* **1.** MAR route *f* **2.** FIG voie *f*, chemin: **los derroteros del progreso** les voies du progrès.

**derrotismo** *m* défaitisme.

**derrotista** *a/s* défaitiste.

**derrubiar** *vt* affouiller, éroder, miner, saper.

**derrubio** *m* **1.** affouillement, érosion *f* **2.** *(tierra)* amas de terre éboulée, éboulis.

**derruir*** *vt* démolir, abattre.

**derrumbadero** *m* précipice.

**derrumbamiento** *m* **1.** écroulement, éboulement **2.** FIG effondrement.

**derrumbar** *vt* **1.** abattre **2.** précipiter. ◆ **~se** *vpr* s'écrouler, s'effondrer, crouler: **la casa se derrumbó** la maison s'est écroulée; **se derrumbaron todas mis ilusiones** tous mes rêves se sont effondrés.

**desbastecer** *vt* désapprovisionner.

**derviche** *m* derviche.

**desabastecimiento** *m* désapprovisionnement.

**desabollar** *vt* débosseler.

**desabonarse** *vpr* se désabonner.

**desaborido, a** *a* **1.** fade, insipide **2.** *(persona)* insignifiant, e, falot, e. ◇ *s* personne insignifiante, terne.

**desabotonar** *vt* déboutonner. ◆ **~se** *vpr* (se) déboutonner.

**desabridamente** *adv* désagréablement.

**desabrido, a** *a* **1.** fade, insipide **2.** *(tiempo)* désagréable, maussade **3.** *(persona)* revêche, acariâtre, grincheux, euse.

**desabrigado, a** *a (lugar)* mal abrité, e; découvert, e; *(persona)* légèrement vêtu, e.

**desabrigar** *vt* découvrir. ◆ **~se** *vpr* se découvrir.

**desabrimiento** *m* **1.** fadeur *f*, insipidité *f* **2.** *(de carácter)* rudesse *f* **3.** *(pena)* chagrin.

**desabrir** *vt* **1.** affadir **2.** FIG mécontenter.

**desabrochar** *vt* **1.** *(broches, corchetes)* dégrafer **2.** *(botones)* déboutonner. ◆ **~se** *vpr* déboutonner: **se desabrochó el abrigo** il déboutonna son pardessus.

**desacatar** *(las leyes, etc.)* enfreindre.

**desacato** *m* **1.** manque de respect, etc. **2.** JUR *(a una autoridad)* outrage à un fonctionnaire public dans l'exercice de ses fonctions.

**desaceleración** *f* ralentissement *m*.

**desacelerar** *vt* ralentir.

**desacertadamente** *adv* mal à propos.

**desacertado, a** *a* **1.** maladroit, e, malheureux, euse, fâcheux, euse **2.** *(persona)* maladroit, e.

**desacertar*** *vi (errar)* se tromper.

**desacierto** *m* **1.** *(error)* erreur *f*: **cometer un ~** commettre une erreur **2.** *(torpeza)* maladresse *f*.

**desacomodado, a** *a* sans emploi.

**desaconsejado, a** *a* imprudent, e.

**desaconsejar** *vt* déconseiller.

**desacoplar** *vt* désaccoupler.

**desacordar*** *vt* MÚS désaccorder. ◆ **~se** *vpr* oublier.

**desacorde** *a* **1.** *(falto de armonía)* discordant, e **2.** en désaccord.

**desacorralar** *vt (el ganado, etc.)* faire sortir.

**desacostumbrado, a** *a* inhabituel, elle, inusité, e.

**desacostumbrar** *vt* désaccoutumer, déshabituer. ◆ **~se** *vpr* se désaccoutumer, se déshabituer.

**desacralización** *f* désacralisation.

**desacralizar** *vt* désacraliser.

**desacreditado, a** *a* qui a perdu sa réputation.

**desacreditar** *vt* discréditer.

**desactivación** *f (de un artefacto)* désamorçage *m*.

**desactivar** *vt* **1.** *(un artefacto)* désamorcer: **~ una bomba** désamorcer une bombe **2.** FIG **~ una polémica** désamorcer une polémique **3.** FÍS désactiver.

**desacuerdo** *m* **1.** désaccord: **estar en ~** être en désaccord **2.** erreur *f*.

**desadornar** *vt* déparer.

**desafear** *vt* désenlaidir.

**desafección** *f* désaffection.

**desafecto, a** *a* opposé, e, hostile. ◇ *m* **1.** froideur *f*, indifférence *f* **2.** animosité *f*.

**desaferrar** *vt* **1.** détacher **2.** FIG dissuader **3.** MAR lever (l'ancre).

**desafiador, a** *a/s* provocateur, trice.

**desafiante** *a* provocant, e.

**desafiar** *vt* **1.** défier **2. ~ a alguien a hacer...** mettre quelqu'un au défi de faire... **3.** *(hacer frente)* braver, défier: **~ la tempestad, la opinión pública** braver la tempête, l'opinion publique. ◆ **~se** *vpr* se défier.

**desaficionar** *vt* faire perdre le goût de.

**desafilar** *vt* émousser.

**desafinado, a** *a* désaccordé, e.

**desafinar** *vi* chanter faux, jouer faux, détonner: **tengo mala voz, desafino mucho** je n'ai pas une belle voix, je chante très faux. ◆ **~se** *vpr (un instrumento musical)* se désaccorder.

**desafío** *m* **1.** *(reto)* défi **2.** *(duelo)* duel.

**desaforadamente** *adv* **1.** démesurément, exagérément, d'une manière excessive: **los gastos del Estado aumentan ~** les dépenses de l'État augmentent démesurément **2.** audacieusement.

**desaforado, a** *a* **1.** démesuré, e, énorme, excessif, ive **2.** effréné, e: **la ciudad crece a un ritmo ~** la ville se développe à un rythme effréné **3.** *(gritos)* épouvantable.

**desaforar*** *vt (a alguien)* priver de ses droits.

**desafortunado, a** infortuné, e, malchanceux, euse, malheureux, euse: **una caída desafortunada** une chute malheureuse.

**desafuero** *m* **1.** illégalité *f* **2.** *(acto violento)* abus, excès.

**desagradable** *a* désagréable.

**desagradablement** *adv* désagréablement.

**desagradar** *vi* déplaire: **me desagrada su actitud** son attitude me déplaît; **no me desagrada tu idea** ton idée ne me déplaît pas.

**desagradecer*** *vt* faire preuve d'ingratitude, manquer de reconnaissance envers.

**desagradecido, a** *a/s* ingrat, e.

**desagradecimiento** *m* ingratitude *f*.

**desagrado** *m* mécontentement, déplaisir.

**desagraviar** *vt* **1.** donner satisfaction à **2.** *(compensar)* dédommager.

**desagravio** *m* **1.** réparation *f*, satisfaction *f* **2.** *(compensación)* dédommagement **3.** repentir.

**desagregación** *f* désagrégation.

**desagregar** *vt* désagréger.

**desaguadero** *m* déversoir.

**desaguar** *vt* vider, assécher. ◇ *vi* **1.** se déverser **2.** *(río)* se jeter: **el Duero desagua en el Atlántico** le Douro se jette dans l'Atlantique. ◆ **~se** *vpr* FIG se soulager.

**desagüe** *m* **1.** écoulement **2.** *(conducto)* trop-plein **3.** *(desaguadero)* déversoir.

**desaguisado, a** *a* illégal, e, injuste. ◇ *m* **1.** offense *f*, insulte *f* **2.** *(fechoría)* bêtise *f*, sottise *f*.

**desahogadamente** *adv* aisément, librement.

**desahogado, a** *a* **1.** *(lugar)* dégagé, e **2.** *(con recursos)* à l'aise, aisé, e **2.** *(descarado)* effronté, e, sans gêne.

**desahogar** *vt* **1.** *(aliviar)* soulager **2.** *(sus pasiones)* donner libre cours à, décharger: **~ su ira** décharger sa bile. ◆ **~se** *vpr* **1.** décharger son cœur, se défouler **2. desahogarse con alguien** s'épancher auprès de quelqu'un; **se desahogó con ella** il s'ouvrit à elle, il se confia à elle, il lui dit ce qu'il avait sur le cœur **3.** *(de deudas)* se libérer.

**desahogo** *m* **1.** *(alivio)* soulagement, consolation *f* **2.** *(de sentimientos)* épanchement **3.** *(descaro)* désinvolture *f*, sans-gêne **4.** *(comodidad)* aisance *f*: **vivir con ~** vivre à l'aise, dans l'aisance.

**desahuciar** *vt* **1.** enlever tout espoir **2.** *(a un enfermo)* condamner, considérer comme perdu: **los médicos le han desahuciado** les médecins, l'ont condamné, le considèrent comme perdu; **el niño estaba desahuciado** l'enfant était jugé inguérissable **3.** *(a un inquilino)* expulser.

**desahucio** *m (a un inquilino)* congé, expulsion *f*.

**desairado, a** *a* **1.** *(despreciado)* dédaigné, e, méprisé, e, éconduit, e **2.** humilié, e **3.** *(sin garbo)* disgracieux, euse, lourd, e **4. quedar ~** se solder par un échec.

**desairar** *vt* **1.** *(menospreciar)* repousser **2.** *(humillar)* vexer, blesser **3.** *(una cosa)* dédaigner, mépriser.

**desaire** *m* **1.** affront, camouflet: **hacer un ~** faire un affront **2.** *(desprecio)* mépris, dédain.

**desajustar** *vt* désajuster, dérégler. ◆ **~se** *vpr* **1.** *(un mecanismo)* se dérégler **2.** se dédire.

**desajuste** *m* **1.** dérèglement, dérangement **2.** discordance *f* **3.** déséquilibre: **existe un ~ entre la oferta y la demanda** il y a déséquilibre entre l'offre et la demande.

**desalabar** *vt* censurer, blâmer.

**desalabear** *vt* dégauchir.

**desalado, a** *a* **1.** dessalé, e **2.** empressé, e, anxieux, euse **3. correr ~** courir tête baissée.

**desaladura** *f* dessalage *m*.

**desalar** *vt* **1.** *(quitar la sal)* dessaler **2.** couper les ailes.

**desalbardar** *vt* débâter.

**desalentadamente** *adv* avec découragement.

**desalentador, a** *a* décourageant, e.

**desalentar*** *vt* décourager. ◆ **~se** *vpr* se décourager, perdre courage.

**desalfombrar** *vt* enlever les tapis.

**desalhajar** *vt* démeubler, dégarnir.

**desaliento** *m* découragement, abattement.

**desaliñadamente** *adv* sans soin.

**desaliñado, a** *a* négligé, e, débraillé, e.

**desaliñar** *vt* *(ajar)* chiffonner, froisser.

**desaliño** *m* **1.** *(falta de aseo)* laisser-aller, débraillé **2.** manque de soin.

**desalmado, a** *a* cruel, elle, inhumain, e, sans pitié. ◇ *s* brute *f*, barbare.

**desalojado, a** *a/s* expulsé, e.

**desalojamiento** *m* **1.** *(expulsión)* expulsion *f* **2.** départ, abandon.

**desalojar** *vt* **1.** déloger, expulser: **~ a los manifestantes** expulser les manifestants **2.** *(un lugar)* quitter, évacuer: **la policía desalojó el local** la police a fait évacuer le local. ◇ *vi* déménager.

**desalojo → desalojamiento.**

**desalquilado, a** *a* *(local)* libre.

**desalquilar** *vt* *(un local)* libérer. ◆ **~se** *vpr* *(un local)* être libre.

**desamar** *vt* **1.** cesser d'aimer **2.** *(aborrecer)* haïr.

**desamarrar** *vt* MAR démarrer, larguer les amarres de.

**desambientado, a** *a* *(una persona)* dépaysé, e, désorienté, e.

**desamistarse** *vpr* se brouiller.

**desamoblar*** *vt* démeubler.

**desamor** *m* **1.** manque d'affection, d'attachement, froideur *f* **2.** *(odio)* haine *f*.

**desamortización** *f* désamortissement *m*.

**desamortizar** *vt* désamortir, mettre en vente (des biens de mainmorte).

**desamparado, a** *a* abandonné, e, délaissé, e.

**desamparar** *vt* **1.** *(a alguien)* abandonner, délaisser **2.** *(un lugar)* abandonner.

**desamparo** *m* abandon, délaissement.

**desamueblar** *vt* démeubler.

**desanclar** *vt* MAR lever l'ancre de.

**desandar*** *vt* **~ camino, lo andado** rebrousser chemin, revenir sur ses pas.

**desangelado, a** *a* sans charme, dépourvu, e d'attrait: **era un hombre alto, pálido y ~** c'était un homme grand, pâle et dépourvu de charme.

**desangramiento** *m* **1.** perte *f* de sang **2.** *(de un estanque)* assèchement.

**desangrar** *vt* **1.** saigner **2.** *(estanque, etc.)* assécher **3.** FIG appauvrir, ruiner. ◆ **~se** *vpr* saigner abondamment, perdre tout son sang, pisser le sang.

**desanidar** *vi* abandonner son nid. ◇ *vt* débusquer, déloger.

**desanimado, a** *a* **1.** *(deprimido)* abattu, e, déprimé, e **2.** *(falto de animación)* morne, ennuyeux, euse: **la fiesta resultó muy desanimada** la fête a manqué d'ambiance.

**desanimar** *vt* décourager. ◆ **~se** *vpr* se décourager, se laisser abattre: **no se desanime** ne vous découragez pas.

**desánimo** *m* découragement, abattement.

**desanublarse** *vpr* s'éclaircir.

**desanudar** *vt* **1.** dénouer **2.** FIG démêler, débrouiller.

**desapacibilidad** *f* rudesse, caractère *m* désagréable.

**desapacible** *a* **1.** *(persona, sonido)* désagréable, déplaisant, e **2. tiempo ~** temps médiocre, désagréable; **un día ~** une vilaine journée.

**desaparear** *vt* désaccoupler, déparier.

**desaparecer** *vi* disparaître: **el dolor ha desaparecido** la douleur a disparu; **desapareció de su domicilio** il a disparu de son domicile.

**desaparecido, a** *a/s* disparu, e.

**desaparejar** *vt* **1.** *(a una caballería)* débâter, desharnacher **2.** MAR dégréer.

**desaparición** *f* disparition.

**desapasionadamente** *adv* sans passion, impartialement.

**desapasionado, a** *a* impartial, e, objectif, ive.

**desapasionarse** *vpr* devenir indifférent, e à.

**desapegar** *vt* décoller, détacher. ◆ **~se** *vpr* FIG se détacher.

**desapego** *m* détachement, indifférence *f*.

**desapercibido, a** *a* **1.** inaperçu, e: **pasar ~** passer inaperçu **2. coger ~** prendre au dépourvu.

**desaplicación** *f* inapplication.

**desaplicado, a** *a* inappliqué, e, paresseux, euse.

**desapoderado, a** *a* violent, e.

**desapoderar** *vt* déposséder.

**desapolillarse** *vpr* FIG sortir, prendre l'air.

**desaprensión** *f* sans-gêne *m*, manque *m* de scrupules.

**desaprensivo, a** *a* sans-gêne, sans scrupules, malhonnête. ◇ *s* individu sans scrupules, escroc, fripouille *f*.

**desapretar*** *vt* desserrer.

**desaprobación** *f* désapprobation.

**desaprobar*** *vt* désapprouver: **desapruebo su conducta** je désapprouve sa conduite.

**desapropiar** *vt* déposséder. ◆ **~se** *vpr* se défaire, se dessaisir.

**desaprovechado, a** *a* **1.** *(persona)* qui ne progresse pas **2.** infructueux, euse.

**desaprovechamiento** *m* *(derroche)* gaspillage.

**desaprovechar** *vt* **1.** ne pas profiter de **2.** mal utiliser **3.** *(derrochar)* gaspiller.

**desapuntalar** enlever les étançons à.

**desarbolar** *vt* MAR démâter.

**desarbolo** *m* MAR dématage.

**desarenar** *vt* désensabler.

**desarmable** *a* démontable.

**desarmar** *vt* **1.** désarmer **2.** *(un mecanismo, etc.)* démonter: **~ una tienda de campaña** démonter une tente **3.** MAR désarmer **4.** FIG désarmer.

**desarme** *m* **1.** *(de un país, etc.)* désarmement **2.** *(de un mecanismo, etc.)* démontage.

**desarraigar** *vt* **1.** déraciner **2.** FIG déraciner.

**desarraigo** *m* déracinement.

**desarrapado, a** *a* déguenillé, e, loqueteux, euse.

**desarreglado, a** *a* **1.** déréglé, e **2.** *(desordenado)* désordonné, e.

**desarreglar** *vt* **1.** dérégler **2.** *(desordenar)* mettre en désordre **3.** *(desorganizar)* déranger.

**desarreglo** *m* **1.** *(de un mecanismo, en la conducta)* dérèglement **2.** désordre.

**desarrendar*** *vt* faire cesser la location de.

**desarrimar** *vt* écarter, séparer.

**desarrimo** *m* manque d'appui.

**desarrollable** *a* **1.** *(una superficie)* développable **2.** susceptible d'être développé, e.

**desarrollar** *vt* **1.** *(lo que está arrollado)* dérouler **2.** *(los músculos, una actividad, etc.)* développer **3.** *(una idea, una teoría)* développer. ◆ **~se** *vpr* **1.** se développer **2.** *(suceder)* se dérouler, avoir lieu: **la acción se desarrolla en el siglo pasado** l'action se déroule au siècle dernier.

**desarrollo** *m* **1.** déroulement **2.** *(del cuerpo)* développement **3.** *(de la economía, etc.)* développement, essor, expansion *f*: **países en vías de ~** pays en voie de développement; **en pleno ~** en plein essor.

**desarropar** *vt* découvrir, dévêtir. ◆ **~se** *vpr* se découvrir.

**desarrugar** *vt* **1.** *(un tejido)* défroisser **2.** *(la frente)* dérider.

**desarrumar** *vt* MAR désarrimer.

**desarticulación** *f* **1.** désarticulation **2.** démantèlement *m*: **~ de una banda de traficantes** démantèlement d'une bande de traficants.

**desarticular** *vt* **1.** désarticuler, disloquer: **~ el brazo** désarticuler le bras **2.** démanteler: **~ una banda de falsificadores** démanteler une bande de faussaires.

**desarzonar** *vt* désarçonner.

**desaseado, a** *a* malpropre, sale.

**desasear** *vt* salir.

**desaseo** *m* malpropreté *f*, saleté *f*.

**desasimiento** *m* **1.** dessaisissement **2.** FIG désintéressement.

**desasimilación** *f* désassimilation.

**desasir*** *vt* **1.** *(soltar)* lâcher **2.** *(desprender)* détacher. ◆ **~se** *vpr* **1.** se dégager: **la besa y ella trata de desasirse** il l'embrasse et elle essaie de se dégager **2.** *(de algo)* se dessaisir.

**desasistir** *vt* abandonner, délaisser.

**desasnar** *vt* FAM dégrossir, déniaiser, décrotter, dégourdir.

**desasosegar*** *vt* inquiéter, troubler, tracasser. ◆ **~se** *vpr* s'inquiéter.

**desasosiego** *m* inquiétude *f*, trouble, agitation *f*.

**desastrado, a** *a (desgraciado)* malheureux, euse. ◇ *a/s (desaseado)* déguenillé, e, crasseux, euse.

**desastre** *m* **1.** désastre **2.** FAM **el viaje fue un ~** le voyage a été un désastre, un ratage; **ese muchacho es un ~** ce gamin est une calamité; **la película resultó un ~** le film était lamentable.

**desastroso, a** *a* désastreux, euse.

**desatacar** *vt* déboutonner, dégrafer.

**desatado, a** *a* FIG déchaîné, e.

**desatar** *vt* **1.** *(lo atado)* détacher, défaire, dénouer: **~ a un prisionero** détacher un prisonnier **2.** *(aclarar)* éclaircir **3.** FIG **~ la lengua** délier la langue **4.** FIG *(desencadenar)* déchaîner, soulever, déclencher: **~ el entusiasmo** déchaîner, soulever l'enthousiasme; **~ una campaña de prensa** déclencher une campagne de presse. ◆ **~se** *vpr* **1.** se détacher **2.** délacer: **se desató los zapatos** il délaça ses chaussures **3.** FIG perdre sa timidité, se lancer ◊ **desatarse en amenazas, en improperios** se répandre en menaces, en injures; **desatarse a hablar de** se mettre à parler de **4.** *(desencadenarse)* se déchaîner, se déclencher, éclater: **una violenta polémica se ha desatado** une violente polémique s'est déclenchée, a éclaté.

**desatascador** *m* déboucheur.

**desatascar** *vt* **1.** désembourber **2.** *(conducto, lavabo)* déboucher.

**desatavío** *f* négligé.

**desate** *m* **1.** débordement, déchaînement **2.** **~ de vientre** diarrhée *f*.

**desatención** *f* **1.** inattention **2.** *(descortesía)* impolitesse, incorrection.

**desatender*** *vt* **1.** ne pas prêter attention à **2.** **desatendiste mis consejos** tu n'as pas écouté mes conseils **3.** *(una invitación)* ne pas répondre à **4.** *(descuidar)* négliger.

**desatentado, a** *a* **1.** imprudent, e **2.** excessif, ive.

**desatentamente** *adv* **1.** distraitement **2.** impoliment.

**desatento, a** *a* **1.** distrait, e, inattentif, ive **2.** *(descortés)* impoli, e.

**desatinadamente** *adv* inconsidérement, déraisonnablement.

**desatinado, a** *a* **1.** déraisonnable, absurde **2.** insensé, e.

**desatinar** *vt* faire perdre le bon sens. ◇ *vi* déraisonner, agir contre le bon sens.

**desatino** *m* **1.** manque de bon sens **2.** *(locura)* folie *f* **3.** *(despropósito)* bêtise *f*, sottise *f*, absurdité *f*.

**desatollar** *vt* désembourber.

**desatornillar** *vt* dévisser.

**desatracar** *vi* MAR gagner le large. ◇ *vt* écarter d'un quai, d'un autre bateau.

**desatraillar** *vt (perros)* découpler.

**desatrancar** *vt* **1.** *(puerta)* débarrer, ôter la barre de **2.** *(un conducto, etc.)* déboucher: **~ un fregadero** déboucher un évier.

**desautorización** *f* **1.** désaveu *m*, désapprobation **2.** interdiction.

**desautorizado, a** *a* qui manque d'autorité.

**desautorizar** *vt* **1.** désavouer: **~ sus anteriores declaraciones** désavouer ses précédentes déclarations **2.** *(prohibir)* interdire.

**desavenencia** *f* mésentente, brouille, discorde, désaccord *m*: **la ~ crece entre los esposos** le désaccord grandit entre les époux.

**desavenido, a** *a* brouillé, e, désuni, e: **matrimonio ~** ménage désuni.

**desavenir*** *vt* brouiller. ◆ **~se** *vpr* se brouiller, se fâcher.

**desaventajado, a** *a* **1.** désavantagé, e, inférieur, e **2.** *(poco ventajoso)* désavantageux, euse.

**desaviar** *vt* **1.** égarer, fourvoyer **2.** priver du nécessaire.

**desayunar** *vt/i/pr* prendre son petit déjeuner: **desayuno (con) café** je prends du café au petit déjeuner ◊ **vengo desayunado** j'ai pris mon petit déjeuner. ◆ **~se** *vpr* FIG avoir la primeur de.

**desayuno** *m* petit déjeuner.

**desazón** *f* **1.** *(falta de sabor)* fadeur **2.** *(en las tierras)* sécheresse **3.** FIG *(disgusto)* contrariété, *(pesar)* peine, chagrin *m* **4.** *(malestar)* malaise *m*, sentiment *m* d'inquiétude.

**desazonado, a** *a* **1.** *(soso)* fade **2.** FIG contrarié, e, inquiet, ète, chagriné, e **3.** indisposé, e.

**desazonar** *vt* **1.** *(un manjar)* affadir **2.** contrarier, indisposer, peiner. ◆ **~se** *vpr* **1.** *(enfadarse)* se fâcher **2.** *(sentirse indispuesto)* éprouver un malaise.

**desbancar** *vt* **1.** FIG supplanter, évincer, détrôner: **~ a un rival** supplanter un rival; **~ a alguien de un puesto** évincer quelqu'un d'une place **2.** *(en el juego)* faire sauter la banque.

**desbandada** *f* débandade, déroute: **a la ~** à la débandade.

**desbandarse** *vpr* se disperser, fuir en désordre, se débander.

**desbarajustar** *vt* mettre sens dessus dessous.

**desbarajuste** *m* désordre, confusion *f*, pagaïe *f*, bazar: **no sé cómo puedes trabajar en medio de este ~** je ne sais pas comment tu peux travailler au milieu de ce bazar.

**desbaratamiento** *m* **1.** désordre, confusion *f*. **2.** *(acción de malgastar)* gaspillage.

**desbaratar** *vt* **1.** défaire abîmer **2.** *(malgastar)* gaspiller, dissiper **3.** *(planes, proyectos, etc.)* entraver, empêcher de se réaliser, faire échouer, *(intriga, etc.)* déjouer **4.** *MIL* mettre en déroute. ◆ **~se** *vpr FIG* s'écrouler, rater.

**desbarbar** *vt* ébarber.

**desbarrancadero** *m AMER* précipice.

**desbarrancarse** *vpr AMER* tomber dans le vide.

**desbarrar** *vi FIG* divaguer, déraisonner.

**desbastar** *vt* **1.** dégrossir **2.** polir **3.** *FIG* dégrossir, civiliser.

**desbaste** *m* dégrossissement.

**desbloquear** *vt* débloquer.

**desbloqueo** *m* déblocage.

**desbocado, a** *a* **1.** *(caballo)* emballé, e **2.** *(vasija)* égueulé, e **3.** *(herramienta)* émoussé, e **4.** *FIG (malhablado)* insolent, e **5.** *FIG* **la inflación está desbocada** l'inflation est galopante.

**desbocamiento** *m* **1.** *(de un caballo)* emballement **2.** *FIG* insolence *f.*

**desbocar** *vt* égueuler. ◆ **~se** *vpr* **1.** *(un caballo)* s'emballer **2.** *FIG* perdre toute retenue, s'emporter, s'emballer.

**desbordamiento** *m* débordement.

**desbordante** *a* débordant, e: **una actividad ~** une activité débordante.

**desbordar** *vi* déborder. ◆ **~se** *vpr* **1.** déborder: **el río se desbordó** la rivière a débordé **2.** *FIG* se déchaîner, éclater ◊ **la alegría se desborda de su corazón** son cœur déborde de joie. ◇ *vt FIG* **los acontecimientos me desbordan** je suis dépassé par les évènements.

**desborrar** *vt* débourrer.

**desbravador** *m* dresseur de chevaux.

**desbravar** *vt (caballos)* dresser, dompter. ◆ **~se** *vpr* **1.** s'adoucir **2.** *(licor)* perdre de sa force **3.** *FIG* s'apaiser, se calmer.

**desbridar** *vt MED* débrider.

**desbriznar** *vt* **1.** réduire en miettes **2.** enlever les étamines (aux fleurs du safran).

**desbroce** → **desbrozo.**

**desbrozar** *vt* **1.** débroussailler, défricher **2.** *FIG* défricher, nettoyer.

**desbrozo** *m* **1.** *(acción de desbrozar)* débroussaillement **2.** broussailles *f pl.*

**desbullar** *vt (las ostras)* ouvrir, écailler.

**descabalado, a** *a* incomplet, ète, dépareillé, e.

**descabalamiento** *m* désassortiment.

**descabalar** *vt* dépareiller, désassortir.

**descabalgar** *vi* descendre de cheval.

**descabelladamente** *adv* d'une manière insensée, follement, inconsidérement.

**descabellado, a** *a* absurde, saugrenu, e, insensé, e: **un proyecto ~** un projet absurde.

**descabellar** *vt* **1.** dépeigner **2.** *TAUROM* tuer (le taureau) d'un coup d'épée à la nuque.

**descabello** *m TAUROM* coup d'épée à la nuque (du taureau).

**descabezado, a** *a FIG* insensé, e.

**descabezar** *vt* **1.** décapiter **2.** *(árbol)* étêter **3.** *FIG* **~ un sueño, un sueñecillo, un sueñecito** faire un petit somme, piquer un roupillon. ◆ **~se** *vpr FAM* se creuser la tête.

**descacharrante** *a FAM* hilarant, e.

**descacharrar** → **escacharrar.**

**descaecer*** *vi* déchoir.

**descaecimiento** *m* déchéance *f,* décadence *f,* affaiblissement.

**descafeinado** *a* **café ~** café décaféiné.

**descalabazarse** *vpr FAM* se creuser la tête, se casser la tête.

**descalabrado, a** *a* **1.** blessé, e à la tête **2.** *FIG* **salir ~** sortir mal en point.

**descalabradura** *f* blessure à la tête.

**descalabrar** *vt* **1.** *(herir en la cabeza)* blesser à la tête **2.** blesser, malmener **3.** *FIG* porter préjudice, nuire.

**descalabro** *m* **1.** *(fracaso)* échec **2.** *(derrota)* défaite *f,* revers: **un ~ electoral** une défaite électorale **3.** *(quebranto)* déconfiture *f.*

**descalcificación** *f* décalcification.

**descalcificar** *vt* décalcifier. ◆ **~se** *vpr* se décalcifier.

**descalificación** *f* disqualification.

**descalificar** *vt* disqualifier.

**descalorarse** *vpr* se rafraîchir, se reposer.

**descalzar** *vt* **1.** *(quitar el calzado)* déchausser **2.** ôter une cale à. ◆ **~se** *vpr* **1.** se déchausser **2.** *(caballos)* se déferrer.

**descalzo, a** *a* **1.** nu-pieds, pied nu: **salí ~ del cuarto de baño** je sortis pieds nus de la salle de bain **2.** *(religioso)* déchaussé, déchaux.

**descamación** *f* desquamation.

**descamar** *vt (un pescado)* écailler. ◆ **~se** *vpr* se desquamer.

**descaminado, a** *a FIG* **ir, estar ~** se tromper, faire fausse route, se fourvoyer.

**descaminar** *vt* égarer, fourvoyer. ◆ **~se** *vpr* s'égarer.

**descamisado, a** *a* **1.** sans chemise **2.** *FIG* déguenillé, e. ◇ *m* va-nu-pieds. ◇ *m pl. HIST* «descamisados» libéraux de la Révolution de 1820 en Espagne; partisans du général Perón en Argentine).

**descampado, a** *a* découvert, e. ◇ *m* terrain découvert ◊ **en ~** en rase campagne.

**descansadamente** *adv* sans fatigue, sans peine, tranquillement.

**descansado, a** *a* **1.** reposé, e **2.** *(fácil)* peu fatigant, e, reposant, e.

**descansar** *vi* **1.** se reposer: **necesito ~** j'ai besoin de me reposer; **¿ha descansado bien?** vous êtes-vous bien reposé?; **que en paz descanse** qu'il repose en paix; **sin ~** sans relâche **2.** *FIG* **descanso en usted** je me repose sur vous; **descansa en sus hijos** il se repose sur ses enfants **3.** *(apoyarse)* reposer, appuyer. ◇ *vt* **1.** reposer, appuyer: **descansó los pies sobre el taburete** il reposa ses pieds sur le tabouret **2.** *(ayudar)* soulager, aider **3.** *MIL* **¡descansen armas!** reposez armes!

**descansillo** *m (de escalera)* palier.

**descanso** *m* **1.** repos: **el enfermo necesita ~** le malade a besoin de repos ◊ **el eterno ~** le repos éternel **2.** *(pausa)* pause *f* **3.** *(deportes)* mi-temps *f* **4.** *(de escalera)* palier **5.** *FIG (alivio)* soulagement **6.** *MIL* **¡en su lugar ~!** repos! ◇ *pl (botas)* après-skis.

**descantillar** *vt* **1.** *(desportillar)* ébrécher **2.** *(rebajar)* défalquer, déduire.

**descañonar** *vt* **1.** *(un ave)* plumer: **~ una gallina** plumer une poule **2.** *FAM* plumer.

**descapotable** *a* décapotable. ◇ *m (coche)* décapotable *f.*

**descaradamente** *adv* effrontément.

**descarado, a** *a/s* effronté, e, insolent, e.

**descararse** *vpr* se montrer insolent, e, oser.

**descarga** *f* **1.** *(eléctrica, de un arma de fuego)* décharge ◊ **~ cerrada** salve **2.** *(acción de descargar un barco, etc.)* déchargement *m.*

**descargadero** *m* débarcadère.

**descargador** *m* **1.** déchargeur **2.** *(de muelle)* docker.

**descargar** *vt* **1.** décharger **2.** *(un golpe)* assener, donner. ◇ *vi* **1.** *(disparar)* tirer **2.** *(río)* déboucher **3.** s'abattre: **una tormenta descargó sobre la comarca** un orage s'est abattu sur la région. ◆ **~se** *vpr* **1.** se décharger: **se ha descargado de sus responsabilidades en...** il s'est déchargé de ses responsabilités sur... **2. la batería del coche se ha descargado** la batterie de la voiture s'est déchargée.

**descargo** *m* **1.** déchargement **2.** *JUR* décharge *f*: **testigo de ~** témoin à décharge; **en su ~** à sa décharge **3. en ~ de su conciencia** par acquit de conscience.

**descarnadamente** *adv* crûment, franchement, sans détour.

**descarnado, a** *a* **1.** décharné, e **2.** *(diente)* déchaussé, e **3.** *FIG* dépouillé, e. ◇ *f FIG* **la descarnada** la mort, la camarde.

**descarnadura** *f (de un diente)* déchaussement *m*.

**descarnar** *vt* **1.** *(un hueso)* décharner **2.** *(los dientes)* déchausser **3.** *(una roca, etc.)* dénuder.

**descaro** *m* effronterie *f* audace *f*, insolence *f*, toupet: **tuvo el ~ de marcharse sin pagar** il a eu le toupet de partir sans payer.

**descarozado** *m AMER* pêche *f* dénoyautée et séchée.

**descarozar** *vt AMER* dénoyauter.

**descarriar** *vt* égarer, fouvoyer, dévoyer ◊ **oveja descarriada** brebis égarée. ◆ **~se** *vpr* s'égarer, s'écarter.

**descarrilamiento** *m* déraillement.

**descarrilar** *vi* dérailler.

**descarrío** *m* fourvoiement, écart de conduite.

**descartar** *vt* écarter, rejeter, repousser, exclure: **~ un proyecto** rejeter un projet; **~ un riesgo** écarter un risque; **~ la posibilidad de...** exclure la possibilité de...; **no descarta abandonar su partido** il ne rejette pas l'hypothèse d'abandonner son parti. ◆ **~se** *vpr (en el juego)* écarter, se défausser.

**descarte** *m (naipes)* écart.

**descasar** *vt (cosas)* dépareiller.

**descascarar** *vt* décortiquer, écaler, peler.

**descascarillado** *m* **1.** écaillage **2.** écaillure *f*.

**descascarillar** *vt (granos)* décortiquer. ◆ **~se** *vpr (esmalte, yeso, pintura, etc.)* s'écailler.

**descastado, a** *a/s* ingrat, e, dénaturé, e: **hijo ~** fils ingrat.

**descendencia** *f* descendance.

**descendente** *a* descendant, e.

**descender*** *vi* **1.** descendre **2.** *(temperatura, precios, etc.)* baisser, diminuer: **el consumo de vino ha descendido** la consommation de vin a baissé **3.** *FIG* **ha descendido mucho en mi estimación** il a beaucoup baissé dans mon estime **4.** *FIG* **desciende de una familia noble** il descend d'une famille noble. ◇ *vt (bajar)* descendre.

**descendiente** *s* descendant, e.

**descendimiento** *m* descente *f*: **~ de la Cruz** descente de Croix; **el ~** la descente de Croix.

**descenso** *m* **1.** descente *f* **2.** *(esquí, paracaídas)* descente *f* **3.** baisse *f*: **~ de la temperatura, de la natalidad** baisse de la température, de la natalité; **temperaturas en ~** températures en baisse **4.** diminution *f*, réduction *f*: **notable ~ de las exportaciones** réduction importante des exportations **5.** *FIG* déclin.

**descentrado, a** *a* **1.** décentré, e **2.** *FIG* désorienté, e, déboussolé, e, dépaysé, e.

**descentralización** *f* décentralisation.

**descentralizar** *vt* décentraliser.

**descentrar** *vt* **1.** décentrer **2.** *FIG* désorienter.

**desceñir*** *vt* défaire.

**descepar** *vt* déraciner.

**descercar** *vt* **1.** abattre une clôture, une muraille **2.** faire lever le siège de.

**descerrajar** *vt* **1.** *(una cerradura)* forcer **2.** *FIG* **~ un tiro** tirer un coup de feu.

**deschavetado, a** *a AMER (chiflado)* fou, folle, dingue, insensé, e: **planes deschavetados** des projets insensés; **¡qué tipo tan ~!** un vrai dingue, ce type!

**deschavetarse** *vpr AMER* perdre la tête, la boule.

**descifrable** *a* déchiffrable.

**descifrado** *m* déchiffrage, décodage.

**descifrar** *vt* déchiffrer.

**descimbrar** *vt ARQ* décintrer.

**descinchar** *vt* dessangler.

**desclasificación** *f* déclassement *m*.

**desclasificar** *vt* déclasser.

**desclavar** *vt* **1.** déclouer **2.** *(los clavos)* arracher **3.** *(piedra preciosa)* désenchâsser.

**descobajar** *vt* égrapper.

**descocado, a** *a* effronté, e, culotté, e.

**descocarse** *vpr* être effronté, e, en mettre plein la vue.

**descoco** *m* effronterie *f*, toupet, culot.

**descodificación** *f* décodage *m*.

**descodificador** *m* décodeur.

**descodificar** *vt* décoder.

**descojonante** *a VULG (muy gracioso)* marrant, e, bidonnant, e.

**descojonarse** *vpr VULG* se marrer, se fendre la pipe.

**descolgar*** *vt* **1.** décrocher: **descuelgue el auricular** décrochez la récepteur **2.** faire descendre (un objet en le retenant au moyen d'une corde). ◆ **~se** *vpr* **1.** *(bajar)* descendre; *(escurrirse)* se laisser glisser: **se descolgó por la ventana con sábanas anudadas** il descendit par la fenêtre en se laissant glisser le long de ses draps noués bout à bout **2.** *FAM* débarquer, se pointer, s'amener, se ramener: **se descolgó por casa** il a débarqué chez nous **3.** *FAM (decir)* **se descolgó con que éramos...** il nous a dit, sorti tout d'un coup que nous étions...; **se ha descolgado con una crítica muy dura** il s'est livré tout à coup à une critique très dure **4.** *(un corredor)* **descolgarse del pelotón** décoller du peloton, décrocher le peloton.

**descollado, a** *a* éminent, e.

**descollar*** *vi* **1.** dominer, dépasser, se dresser: **el campanario descuella sobre los tejados** le clocher se dresse au-dessus des toits **2.** *FIG* se distinguer, surpasser: **descuella entre sus compañeros** il surpasse ses camarades.

**descolonización** *f* décolonisation.

**descolonizar** *vt* décoloniser.

**descoloración** *f* décoloration.

**descolorante** *a/m* décolorant, e.

**descolorar** *vt* décolorer.

**descolorido, a** *a* décoloré, e, pâle.

**descolorir** *vt* décolorer.

**descombrar** *vt* déblayer, débarrasser, dégager, libérer.

**descombro** *m* déblaiement.

**descomedidamente** *adv* **1.** démesurément **2.** grossièrement.

**descomedido, a** *a* **1.** excessif, ive, démesuré, e: **apetito ~** appétit démesuré **2.** insolent, e, impoli, e, grossier, ère.

**descomedimiento** *m (grosería)* impolitesse *f*, insolence *f*, grossièreté *f*.

**descomedirse*** *vpr* se montrer grossier, ère, exagérer, aller trop loin.

**descompadrar** *vt* brouiller.

**descompaginar** *vt* déranger.

**descompasado, a** → **descomedido.**

**descompasarse** → **descomedirse.**

**descompensación** *f* décompensation.

**descomponer*** *vt* **1.** décomposer **2.** *(un mecanismo, etc.)* détraquer **3.** *(el orden, proyectos, etc.)* déranger **4.** *FIG* mettre hors de soi, irriter. ◆ **~se** *vpr* **1.** *(pudrirse)* se décomposer, se corrompre **2.** *(un mecanismo)* se détraquer **3.** *FIG* **se han descompuesto nuestros planes** nos projets sont tombés à l'eau **3.** *FIG* **se le descompuso la cara** son visage se décomposa **5.** *(turbarse)* perdre son calme **6.** *(irritarse)* s'emporter, se mettre en colère **7.** *(el tiempo)* se gâter.

**descomposición** *f* **1.** décomposition: **cadáver en avanzado estado de ~** cadavre dans un état de décomposition avancée **2. ~ de vientre** dérangement *m* intestinal.

**descompostura** *f* **1.** dérangement *m*, dérèglement *m* **2.** *(desaliño)* négligence **3.** *(descaro)* effronterie, insolence.

**descompresión** *f* décompression.

**descomprimir** *vt* décomprimer.

**descompuesto, a** *pp* de **descomponer.** ◇ *a* **1.** décomposé, e **2.** détraqué, e **3.** dérangé, e **4.** *(irritado)* **poner ~** rendre furieux, euse.

**descomulgado, a** *a* excommunié, e. ◇ *a/s FAM* méchant, e.

**descomulgar** *vt* excommunier.

**descomunal** *a* énorme, monstre, phénoménal, e, magistral, e: **una ~ paliza** une raclée magistrale.

**desconceptuar** *vt* discréditer.

**desconcertadamente** *adv* en désordre.

**desconcertante** *a* déconcertant, e.

**desconcertar*** *vt* **1.** *(turbar)* déconcerter, troubler, décontenancer **2.** déranger, détraquer. ◆ **~se** *vpr* **1.** *(huesos)* se démettre **2.** *(estropearse)* se détraquer **3.** *(turbarse)* se décontenancer, perdre contenance, se démonter.

**desconchado, a** *a* écaillé, e, décrépi, e. ◇ *m* **1.** *(de una pared)* partie *f* décrépie, écaillure *f*, écaille *f* **2.** *(en la loza)* partie *f* écaillée.

**desconchadura** *f* écaillure, écaille.

**desconchar** *vt* **1.** *(pared)* décrépir **2.** *(loza)* écailler.

**desconchón** *m (de una pared)* écaillure *f*, écaille *f*.

**desconcierto** *m* **1.** dérangement **2.** *FIG* désordre, confusion *f*: **sembrar el ~** semer le désordre, la confusion.

**desconectar** *vt* **1.** *ELECT* débrancher, couper le contact, disjoncter, mettre hors circuit, déconnecter: **~ el encendido** couper le contact **2.** *TECN* débrayer. ◇ *vi FAM* décrocher: **te aconsejo ~** je te conseille de décrocher ◊ **está desconectado de la realidad** il a perdu le contact avec la réalité, il est déconnecté.

**desconexión** *f* débranchement *m*, coupure.

**desconfiadamente** *adv* avec méfiance.

**desconfiado, a** *a/s* méfiant, e, suspicieux, euse.

**desconfianza** *f* méfiance, défiance, suspicion.

**desconfiar** *vi* se méfier, ne pas avoir confiance, se défier: **desconfía de todos** il se méfie de tout le monde, il n'a confiance en personne; **¡desconfiad!** méfiez-vous!, gare!

**desconforme** → **disconforme.**

**desconformidad** → **disconformidad.**

**descongelación** *f* **1.** décongélation **2.** *(de un frigorífico)* dégivrage *m* **3.** *ECON* dégel *m*, déblocage *m*.

**descongelador** *m* dégivreur.

**descongelar** *vt* **1.** décongeler **2.** *(un frigorífico)* dégivrer **3.** *(créditos, etc.)* débloquer, dégeler.

**descongestionar** *vt* **1.** décongestionner **2.** *FIG* **~ el tráfico** décongestionner, désembouteiller la circulation.

**desconocer*** *vt* **1.** ne pas connaître, ignorer: **desconozco tus gustos** je ne connais pas tes goûts; **se desconocen las causas del incendio** on ignore les causes de l'incendie **2.** *(hallar muy diferente)* ne pas reconnaître **3.** *(rechazar)* désavouer.

**desconocido, a** *a/s* inconnu, e: **su apellido no me resulta ~** son nom ne m'est pas inconnu; **un ~** un inconnu; **un ilustre ~** un illustre inconnu; **lo ~** l'inconnu. ◇ *a* **1.** *(muy cambiado)* **estar ~** être méconnaissable: **Laura está desconocida, parece otra mujer** Laure est méconnaissable, on dirait une autre femme **2.** *(no conocido)* méconnu, e.

**desconocimiento** *m* ignorance *f*.

**desconsideración** *f* manque *m* d'égards, de respect.

**desconsiderado, a** *a* qui manque d'égards, grossier, ère.

**desconsoladamente** *adv* tristement.

**desconsolado, a** *a* **1.** désolé, e, affligé, e, inconsolé, e **2.** inconsolable: **su desconsolada esposa** sa veuve inconsolée, inconsolable.

**desconsolar*** *vt* désoler, affliger. ◆ **~se** *vpr* se désoler.

**desconsuelo** *m* peine *f*, affliction *f*, chagrin *m*.

**descontaminación** *f* décontamination, dépollution.

**descontaminar** *vt* décontaminer, dépolluer.

**descontar*** *vt* **1.** déduire, retenir **2.** *COM* escompter **3. dar por descontado** tenir pour certain.

**descontentadizo, a** *a* difficile à contenter.

**descontentar** *vt* mécontenter, déplaire.

**descontento, a** *a* mécontent, e: **~ con su suerte** mécontent de son sort; **estoy ~ con él** je suis mécontent de lui. ◇ *m* mécontentement.

**descontrol** *m FAM (desorden)* pagaille *f*.

**descontrolarse** *vpr* perdre le contrôle de soi-même.

**desconvenir*** *vi* ne pas s'accorder.

**desconvidar** *vt* désinviter.

**desconvocar** *vt* annuler: **~ una huelga** annuler un ordre de grève; **la cena tuvo que ser desconvocada** le dîner a dû être annulé.

**descorazonador, a** *a* décourageant, e.

**descorazonamiento** *m* découragement.

**descorazonar** *vt* décourager ◆ **~se** se décourager.

**descorchador** *m* tire-bouchon.

**descorchar** *vt* **1. ~ una botella** déboucher une bouteille **2.** *(los alcornoques)* écorcer.

**descorche** *m* **1.** *(de los alcornoques)* écorçage **2.** *(de una botella)* débouchage.

**descornar*** *vt (un animal)* écorner. ◆ **~se** *vpr FAM* s'éreinter, s'esquinter.

**descoronar** *vt (a un rey)* découronner.

**descorrer** *vt (cerrojo, cortina)* tirer, ouvrir: **descorrió el cerrojo** il tira le verrou ◊ *FIG* **~ el velo** lever le voile.

**descortés, esa** *a* impoli, e, grossier, ère.

**descortesía** *f* impolitesse.

**descortésmente** *adv* impoliment.

**descortezamiento** *m* écorçage, décorticage.

**descortezar** *vt* écorcer.

**descoser** *vt* **1.** découdre **2.** *FIG* **~ la boca, los labios** ouvrir la bouche.

**descosidamente** *adv (hablar)* à tort et à travers.

**descosido, a** *a* **1.** décousu, e **2.** bavard, e. ◇ *m* **1.** partie *f* décousue **2. hablar como un ~** parler à tort et à travers; **comer como un ~** manger comme quatre; **reír como un ~** rire comme un bossu, comme une baleine.

**descotar** *vt* échancrer, décolleter.

**descote** *m* décolleté.

**descoyuntamiento** *m* deboîtement, luxation *f*.

**descoyuntar** *vt* **1.** *(un hueso, etc.)* déboîter, démettre **2.** FIG disloquer. ◆ **~se** *vpr* **1.** se démettre, se disloquer, se luxer: **se desconyuntó el hombro** il s'est démis l'épaule **2.** *(de risa)* se tordre.

**descrédito** *m* discrédit.

**descreído, a** *a* incroyant, e, mécréant, e.

**descreimiento** *m* incroyance *f*.

**descremado, a** *a* écrémé, e: **leche descremada** lait écrémé.

**descremadora** *f* écrémeuse.

**descremar** *vt* écrémer.

**describir*** *vt* décrire.

**descripción** *f* description.

**descriptible** *a* descriptible.

**descriptivo, a** *a* descriptif, ive.

**descrismar** *vt* assommer, casser la figure. ◆ **~se** *vpr* FIG se creuser la tête.

**descristianizar** *vt* déchristianiser.

**descrito, a** *a* décrit, e.

**descruzar** *vt* décroiser: **~ las piernas** décroiser les jambes.

**descuadernar** *vt* FIG déranger, défaire.

**descuajar** *vt* **1.** *(un árbol)* arracher, déraciner **2.** FIG décourager. ◆ **~se** *vpr* se liquéfier.

**descuajaringar** *vt* **1.** déglinguer **2.** *(cansar)* éreinter. ◆ **~se** *vpr* **1.** se déglinguer **2.** *(de risa)* se tordre.

**descuaje** *m (de árboles)* arrachage, déracinement.

**descuartizamiento** *m* **1.** *(de animales)* dépeçage, équarrissage **2.** *(castigo)* écartèlement.

**descuartizar** *vt* **1.** *(animales)* dépecer, équarrir **2.** *(por castigo)* écarteler.

**descubierta** *f* MIL reconnaissance: **ir a la ~** aller en reconnaissance, à la découverte.

**descubiertamente** *adv* ouvertement.

**descubierto, a** *a* découvert, e: **coche ~** voiture découverte ◊ **al ~** à découvert. ◇ *m (banco)* découvert: **estar en ~** être à découvert.

**descubridero** *m* hauteur *f*.

**descubridor, a** *s* **1.** *(explorador)* découvreur, euse **2.** *(inventor)* inventeur, trice. ◇ *m* MIL éclaireur.

**descubrimiento** *m* découverte *f*: **el ~ de América** la découverte de l'Amérique.

**descubrir*** *vt* **1.** découvrir: **Colón descubrió América en 1492** Colomb a découvert l'Amérique en 1492; **ha descubierto el secreto** il a découvert le secret **2.** *(una lápida conmemorativa)* dévoiler, inaugurer **3.** FIG **~ el pastel → pastel.** ◆ **~se** *vpr* se découvrir: **se descubrió e inclinó la cabeza** il se découvrit et inclina la tête; **el cielo se ha descubierto** le ciel s'est découvert.

**descuello** *m* **1.** supériorité *f* **2.** orgueil.

**descuento** *m* **1.** *(rebaja)* remise *f*, rabais, ristourne *f*: **un ~ del 10%** une remise de 10% **2.** *(deducción)* décompte, retenue *f* **3.** COM escompte.

**descuerar** *vt* écorcher.

**descuidadamente** *adv* négligemment.

**descuidado, a** *a* **1.** *(desaliñado)* négligé, e, peu soigné, e **2.** négligent, e **3.** distrait, e ◊ **coger ~** prendre au dépourvu.

**descuidar** *vt* négliger. ◇ *vi* **descuide usted** n'ayez crainte; **descuida** sois tranquille, ne t'en fais pas. ◆ **~se** *vpr* **1.** ne pas faire attention: **en cuanto uno se descuida...** si on ne fait pas attention, au premier moment d'inattention... **2.** négliger, oublier: **descuidarse de sus deberes** négliger ses devoirs **3.** *(en la salud, el vestir)* se négliger.

**descuidero, a** *s* pickpocket (qui profite d'un moment d'inattention de sa victime).

**descuido** *m* **1.** négligence *f* **2.** faute *f* d'inattention, distraction *f* **3.** instant d'inattention **4. al ~** négligemment, sans avoir l'air de rien.

**desde** *prep* **1.** *(lugar)* depuis, de, du: **~ la terraza, el balcón** de la terrasse, du balcon; **~ Santiago hasta Valparaíso** de Santiago à Valparaiso; **llamé al hotel ~ una cabina telefónica** j'appelai l'hôtel d'une cabine téléphonique **2.** *(tiempo)* depuis: **~ hace un año** depuis un an; **~ siempre** depuis toujours; **~ que te fuiste** depuis que tu es parti ◊ **~ ahora** dès à présent, désormais; **~ entonces** depuis; **~ muy niño** dès sa petite enfance **3.** *loc adv* **~ luego** bien entendu, évidemment.

**desdecir*** *vi* **1.** aller mal avec, ne pas être en accord, jurer: **la corbata desdice del traje** la cravate jure avec le costume **2.** être indigne de. ◆ **~se** *vpr* se dédire, se rétracter, revenir sur: **se ha desdicho de su promesa** il est revenu sur sa promesse.

**desdén** *m* dédain, mépris.

**desdentado, a** *a* édenté, e. ◇ *m pl* ZOOL édentés.

**desdeñable** *a* dédaignable, méprisable.

**desdeñar** *vt* dédaigner, mépriser. ◆ **~se** *vpr* **desdeñarse de** dédaigner de, ne pas daigner.

**desdeñoso, a** *a* dédaigneux, euse.

**desdibujado, a** *a* **1.** *(borroso)* estompé, e, flou, e, vague, imprécis, e **2.** FIG **un personaje ~** un personnage mal typé.

**desdibujarse** *vpr* s'estomper.

**desdice → desdecir.**

**desdicha** *f* **1.** malheur *m*: **sus desdichas conyugales** ses malheurs conjugaux **2.** FAM **este niño es una ~** ce gosse est une nullité, une catastrophe **3.** *loc adv* **por ~** par malheur, malheureusement.

**desdichado, a** *a/s* malheureux, euse. ◇ *m* FIG pauvre diable.

**desdicho, desdije → desdecir.**

**desdoblamiento** *m* **1.** dépliement **2.** *(en dos)* dédoublement.

**desdoblar** *vt* **1.** *(extender)* déplier: **~ un mapa, una servilleta** déplier une carte, une serviette **2.** *(duplicar)* dédoubler.

**desdorar** *vt* **1.** dédorer **2.** FIG ternir, déshonorer.

**desdoro** *m* déshonneur.

**desdramatizar** *vt* dédramatiser.

**deseable** *a* désirable, souhaitable.

**desear** *vt* **1.** *(apetecer)* désirer **2.** souhaiter: **le deseo un buen viaje** je vous souhaite un bon voyage; **te deseo éxito** je te souhaite de réussir; **~ un feliz Año nuevo** souhaiter la bonne année **3. dejar que ~** laisser à désirer **4. vérselas y deseárselas → ver.**

**desecación** *f* dessèchement *m*, dessication.

**desecamiento** *m* dessèchement.

**desecar** *vt* **1.** dessécher **2.** *(un pantano)* assécher.

**desechable** *a* jetable: **jeringuilla ~** seringue jetable.

**desechar** *vt* **1.** *(dejar por inútil)* mettre au rebut; *(tirar)* jeter **2.** *(no aceptar)* refuser **3.** exclure **4.** FIG rejeter, repousser, écarter: **~ un proyecto, una oferta** rejeter un projet, une offre

5. *(temor, sospecha, etc.)* écarter, bannir, chasser: **~ la melancolía** chasser la mélancolie.

**desecho** *m* **1.** rebut, résidu, déchet: **de ~** de rebut; **desechos radiactivos** déchets radioactifs **2.** *AMER (atajo)* raccourci.

**desellar** *vt* desceller, décacheter.

**desembalaje** *m* déballage.

**desembalar** *vt* déballer.

**desembaldosar** *vt* décarreler.

**desembalsar** *vt* vider.

**desembarazado, a** *a* **1.** débarrassé, e, dégagé, e, libre **2.** désinvolte.

**desembarazar** *vt* débarrasser, dégager. ◆ **~se** *vpr* se débarrasser.

**desembarazo** *m* aisance *f*, désinvolture *f*.

**desembarcadero** *m* débarcadère.

**desembarcar** *vt/i* débarquer.

**desembarco** *m* débarquement.

**desembargar** *vt* **1.** débarrasser **2.** *JUR* accorder mainlevée (d'une saisie).

**desembargo** *m JUR* mainlevée *f* d'une saisie.

**desembarque** *m* débarquement.

**desembarrancar** *vt* déséchouer.

**desembarrar** *vt* ôter la boue de, décrotter.

**desemblantado, a** *a* pâle.

**desembocadura** *f* **1.** *(de un río)* embouchure **2.** *(de una calle)* débouché *m*, sortie.

**desembocar** *vi* **1.** *(un río)* déboucher, se jeter: **~ en** se jeter dans **2.** *(calle)* déboucher: **~ en una plaza** déboucher sur une place **3.** *FIG* **~ en** aboutir à, déboucher sur, mener à: **este conflicto podría ~ en una tercera guerra mundial** ce conflit pourrait déboucher sur une troisième guerre mondiale.

**desembolsar** *vt* débourser.

**desembolso** *m* **1.** déboursement, versement: **un ~ inicial** un premier versement **2.** *(gastos)* dépenses *f pl*.

**desemborrachar** → **desembriagar.**

**desembotar** *vt FIG* dégourdir.

**desembozar** *vt* **1.** découvrir (le visage caché par le manteau) **2.** *FIG* découvrir, dévoiler. ◆ **~se** *vpr* se découvrir.

**desembragar** *vt* débrayer.

**desembrague** *m* débrayage.

**desembravecer*** *vt* apprivoiser, domestiquer.

**desembriagar** *vt* dégriser, désenivrer, dessoûler.

**desembridar** *vt* débrider.

**desembrollar** *vt* débrouiller.

**desembuchar** *vt/i* **1.** *(las aves)* dégorger **2.** *FIG FAM* vider son sac: **¡desembucha!** vide ton sac!, accouche!

**desemejante** *a* dissemblable.

**desemejanza** *f* dissemblance, différence.

**desemejar** *vi* être dissemblable.

**desempacar** *vt* déballer, dépaqueter.

**desempachar** *vt* faire passer l'indigestion, soulager l'estomac. ◆ **~se** *vpr FIG* perdre sa timidité, s'enhardir.

**desempacho** *m FIG* désinvolture *f*, aisance *f*, culot.

**desempalagar** *vt* redonner de l'appétit à.

**desempañar** *vt* **1.** *(una cosa empañada)* nettoyer **2.** *(a un niño)* démailloter.

**desempapelar** *vt* **1.** dépaqueter **2.** *(una habitación)* ôter le papier peint de.

**desempaque** *m* dépaquetage.

**desempaquetar** *vt* dépaqueter.

**desemparejar** *vt* dépareiller.

**desempastar** *vt (un diente)* déplomber.

**desempatar** *vt (votos)* départager. ◇ *vi (deportes)* se départager.

**desempate** *m* **1. partido de ~** match d'appui **2. el ~** la belle *f*.

**desempedrar*** *vt* dépaver.

**desempeñar** *vt* **1.** *(lo que estaba empeñado)* dégager **2.** *(desentrampar)* libérer de ses dettes **3.** *(un cargo, una función)* remplir, exercer **4. ~ un papel** jouer un rôle. ◆ **~se** *vpr* **1.** *(de deudas)* se libérer de ses dettes, payer ses dettes **2.** *(salir de apuro)* se tirer d'affaire.

**desempeño** *m* **1.** *(de una prenda empeñada)* dégagement **2.** *(de un cargo)* exercice: **en el ~ de sus funciones** dans l'exercice de ses fonctions **3.** *(de una deuda)* acquittement.

**desemperezarse** *vpr* réagir contre la paresse.

**desempleado, a** *a* sans travail, au chômage: **estar ~** être sans travail. ◇ *s* chômeur, euse.

**desempleo** *m* chômage: **tasa de ~** taux de chômage.

**desempolvar** *vt* **1.** épousseter, dépoussiérer **2.** *FIG* rajeunir, tirer de l'oubli, dépoussiérer.

**desempotrar** *vt* desceller.

**desenalbardar** *vt* débâter.

**desenamorar** *vt* faire perdre l'affection, rendre indifférent, e.

**desenastar** *vt* désemmancher.

**desencadenamiento** *m* déchaînement.

**desencadenar** *vt* **1.** déchaîner **2.** *FIG* déclencher, déchaîner: **~ una crisis** déclencher une crise; **~ la cólera** déchaîner la colère. ◆ **~se** *vpr FIG* se déchaîner, se déclencher: **se desencadenó la tempestad** la tempête s'est déchaînée.

**desencajado, a** *a* **1.** déboîté, e, démis, e **2. rostro ~** visage défait; **rostro ~ de espanto** visage décomposé par la frayeur.

**desencajamiento** *m* **1.** déboîtement **2.** *(del rostro)* altération *f* des traits.

**desencajar** *vt* déboîter, démettre, disloquer. ◆ **~se** *vpr* **1.** se déboîter **2.** *(el rostro)* se décomposer.

**desencajonar** *vt* **1.** tirer d'une caisse **2.** *TAUROM* faire sortir (les taureaux) des cages servant à les transporter.

**desencallar** *vt MAR* renflouer, déséchouer.

**desencaminar** *vt* égarer, fourvoyer ◊ **sospechas desencaminadas** soupçons erronés, mal fondés.

**desencantamiento** *m* désenchantement.

**desencantar** *vt* **1.** désenchanter **2.** *(desilusionar)* décevoir. ◆ **~se** *vpr* être déçu, e: **se desencantó al verla** il fut déçu en la voyant.

**desencanto** *m* **1.** désenchantement **2.** *(desilusión)* déception *f*.

**desencapotar** *vt* **1.** enlever le manteau **2.** *FIG* découvrir. ◆ **~se** *vpr (el cielo)* s'éclaircir, se dégager: **el cielo se desencapotó** le ciel se dégagea.

**desencaprichar** *vt* faire passer un caprice à. ◆ **~se** *vpr* se détacher.

**desencarcelar** *vt* libérer, relâcher.

**desencargar** *vt* décommander.

**desencerrar*** *vt* **1.** sortir **2.** ouvrir **3.** *FIG* découvrir.

**desenchufar** *vt ELECT* débrancher.

**desencofrar** *vt TECN* décoffrer.

**desencoger** *vt* étendre. ◆ **~se** *vpr FIG* s'enhardir, prendre de l'assurance.

**desencogimiento** *m FIG* aisance *f*, aplomb.

**desencolar** *vt* décoller. ◆ **~se** *vpr* se décoller.

**desencolerizar** *vt* calmer, apaiser.

**desenconar** *vt* **1.** désenflammer **2.** *FIG* calmer. ◆ **~se** *vpr* **1.** *(llaga)* cesser d'être enflammé, e **2.** *FIG* s'apaiser, se calmer.

**desencono** *m* apaisement.

**desencorvar** *vt* redresser.

**desencuadernar** *vt (un libro)* enlever la couverture de, débrocher.

**desendiosar** *vt* rabattre l'orgueil de.

**desenfadaderas** *f pl FAM* ressources, moyens *m*.

**desenfadado, a** *a* **1.** désinvolte **2.** *(atrevido)* libre, osé, e.

**desenfadar** *vt* calmer, apaiser ◆ **~se** *vpr* se calmer.

**desenfado** *m* **1.** désinvolture *f*, sans-gêne **2.** *(atrevimiento)* audace *f*.

**desenfocar** *vt* **1.** ne pas mettre au point **2.** *FIG (una cuestión, un problema, etc.)* mal envisager, déformer.

**desenfoque** *m* mise *f* au point défectueuse.

**desenfrenado, a** *a* effréné, e.

**desenfrenar** *vt* débrider. ◆ **~se** *vpr* **1.** s'abandonner au vice **2.** *(desencadenarse)* se déchaîner.

**desenfreno** *m* dissipation *f*, débauche *f*, débordement.

**desenfundable** *a* déhoussable.

**desenfundar** *vt* **1.** *(un arma)* dégainer: **el policía desenfundó su pistola** le policier dégaina **2.** tirer de sa housse.

**desenfurecer*** *vt* calmer.

**desenfurruñar** *vt* calmer.

**desenganchar** *vt* **1.** décrocher, détacher **2.** *(caballos)* dételer. ◆ **~se** *vpr* **1.** décrocher **2.** *(un drogadicto)* décrocher.

**desengañado, a** *a* désabusé, e, déçu, e.

**desengañar** *vt* **1.** détromper, désabuser **2.** *(desilusionar)* décevoir. ◆ **~se** *vpr* **1.** se détromper: **desengáñese usted** détrompez-vous **2.** perdre ses illusions.

**desengaño** *m* déception *f*, désillusion *f*, déconvenue *f*: **un amargo ~** une amère déception; **me he llevado un gran ~ con él** j'ai été très déçu par lui. ◇ *pl* déceptions *f*.

**desengarzar** *vt* **1.** *(perlas)* désenfiler **2.** dessertir.

**desengastar** *vt* dessertir.

**desengrasar** *vt* dégraisser. ◇ *vi FAM* maigrir.

**desengrase** *m* dégraissage.

**desenguantarse** *vpr* se déganter.

**desenhebrar** *vt* désenfiler.

**desenhornar** *vt* défourner.

**desenjaezar** *vt* déharnacher.

**desenjaular** *vt* faire sortir de la cage.

**desenlace** *f* dénouement: **un ~ feliz** un dénouement heureux.

**desenladrillar** *vt* décarreler.

**desenlazar** *vt* **1.** dénouer **2.** *FIG (enredo, etc.)* dénouer. ◆ **~se** *vpr (obra literaria)* se dénouer, se terminer.

**desenlodar** *vt* décrotter.

**desenlosar** *vt* décarreler.

**desenmarañar** *vt* **1.** démêler **2.** *FIG* démêler, débrouiller.

**desenmascarar** *vt* démasquer. ◆ **~se** *vpr* se démasquer.

**desenmohecer*** *vt* dérouiller. ◆ **~se** *vpr FIG* se dérouiller, s'aérer.

**desenmudecer*** *vi* **1.** recouvrer la parole **2.** *FIG* rompre le silence.

**desenojar** *vt* calmer, apaiser.

**desenredar** *vt* débrouiller. ◆ **~se** *vpr FIG* se tirer d'affaire, s'en tirer, se débrouiller.

**desenredo** *m* **1.** débrouillement **2.** *(de una obra literaria)* dénouement.

**desenrollar** *vt* dérouler.

**desenroscar** *vt* **1.** dérouler **2.** *(un tornillo, etc.)* dévisser: **~ el capuchón de una estilográfica** dévisser le capuchon d'un stylo. ◆ **~se** *vpr* se dévisser.

**desensamblar** *vt* désassembler.

**desensartar** *vt* désenfiler.

**desensillar** *vt* desseller.

**desensoberbecer*** *vt* rabattre l'orgueil de. ◆ **~se** *vpr* perdre sa suffisance.

**desentenderse*** *vpr* **1.** feindre d'ignorer **2.** *(de un asunto, una actividad)* se désintéresser.

**desentendido, a** *a* **hacerse el ~** faire semblant de ne pas comprendre.

**desenterrar*** *vt* **1.** déterrer **2.** *FIG* tirer de l'oubli, exhumer.

**desentoldar** *vt* débâcher.

**desentonación** *f MÚS* ton *m* faux.

**desentonadamente** *adv MÚS* faux.

**desentonar** *vi* **1.** *MÚS* détonner, chanter faux **2.** *FIG* détonner, ne pas être en harmonie: **su indumentaria desentona con este ambiente** sa tenue détonne dans ce milieu. ◆ **~se** *vpr FIG* élever la voix, s'emporter.

**desentono** *m* ton violent, emportement.

**desentornillar** → **destornillar.**

**desentorpecer** *vt* dégourdir. ◆ **~se** *vpr* se dégourdir.

**desentrampar** *vt* libérer des dettes. ◆ **~se** *vpr* se libérer de ses dettes, payer ses dettes.

**desentrañar** *vt FIG* approfondir, pénétrer, percer, éclaircir: **~ un misterio** percer un mystère. ◆ **~se** *vpr* se dépouiller.

**desentrenado, a** *a* qui manque d'entraînement.

**desentrenamiento** *m* manque d'entraînement.

**desentrenarse** *vpr* manquer d'entraînement.

**desentronizar** *vt* détrôner.

**desentumecer*** *vt* dégourdir. ◆ **~se** *vpr* se dégourdir.

**desentumecimiento** *m* dégourdissement.

**desenvainar** *vt* **1.** *(un arma)* dégainer **2.** *(las uñas)* sortir.

**desenvoltura** *f* **1.** *(soltura)* aisance **2.** *(en el decir)* aisance, facilité d'élocution **3.** *(descaro)* désinvolture, effronterie.

**desenvolver*** *vt* **1.** *(lo envuelto)* développer, défaire **2.** *(desenrollar)* dérouler **3.** *FIG* développer. ◆ **~se** *vpr FIG (arreglárselas)* se débrouiller, s'en tirer: **se ha desenvuelto muy bien** il s'en est très bien tiré.

**desenvolvimiento** *m (desarrollo)* développement.

**desenvuelto, a** *a (persona)* désinvolte, libre.

**desenyesar** *vt* déplâter.

**desenzarzar** *vt* **1.** dégager des ronces **2.** *FIG* séparer, calmer (des personnes qui se disputent).

**deseo** *m* **1.** désir, envie *f*: **arder en deseos de viajar** brûler d'envie de voyager **2.** *(voto)* souhait, vœu: **rezo para que se cumplan tus deseos** je prie pour que tes souhaits se réalisent **3.** *(apetito sexual)* désir.

**deseoso, a** *a* désireux, euse ◊ **está ~ de complacerme** il cherche à me faire plaisir.

**desequilibrado, a** *a/s* déséquilibré, e.

**desequilibrar** *vt* déséquilibrer.

**desequilibrio** *m* déséquilibre.

**deserción** *f* désertion.

**desertar** *vi* **1.** déserter **2. ~ de un partido** déserter un parti; **~ de sus deberes** abandonner ses devoirs. ◆ **~se** *vpr MIL* déserter.

**desértico, a** *a* désertique: **clima ~** climat désertique; **región desértica** région désertique.

**desertización** *f* désertification.

**desertor** *m* déserteur.

**desescombrar** *vt* déblayer, dégager.

**desescombro** *m* déblaiement: **operaciones de ~** opérations de déblaiement.

**deseslabonar** → **deslabonar.**

**desesperación** *f* **1.** désespoir *m*: **caer en la ~** sombrer dans le désespoir **2. ser una ~** être désespérant, e **3. luchó con ~** il lutta désespérément.

**desesperadamente** *adv* désespérément.

**desesperado, a** *a/s* **1.** désespéré, e **2.** *loc adv* **a la desesperada** en catastrophe.

**desesperante** *a* désespérant, e.

**desesperanza** *f* désespérance.

**desesperanzar** *vt* ôter tout espoir. ◆ **~se** *vpr* perdre l'espoir, désespérer.

**desesperar** *vt/i* **1.** désespérer: **me desespera ver...** ça me désespère de voir...; **no desesperes** ne désespère pas **2.** irriter, agacer, exaspérer. ◆ **~se** *vpr* **1.** désespérer **2.** être au désespoir.

**desespero** *m AMER* désespoir.

**desestabilización** *f* destabilisation.

**desestabilizar** *vt* destabiliser.

**desesterar** *vt* enlever les nattes (du sol).

**desestimación** *f* **1.** mésestime, mépris *m* **2.** *JUR* rejet *m*.

**desestimar** *vt* **1.** sous-estimer, mésestimer **2.** *(rechazar)* rejeter, repousser: **~ una propuesta** rejeter une proposition.

**desfacedor** *m ANT* **~ de entuertos** redresseur de torts.

**desfachatado, a** *a* effronté, e, insolent, e.

**desfachatez** *f* effronterie, insolence, toupet *m*, culot *m*.

**desfalcar** *vt* **1.** *(estafar)* escroquer **2.** *(fondos)* détourner.

**desfalco** *m* **1.** escroquerie *f* **2.** *(de fondos)* détournement.

**desfallecer*** *vi* défaillir, tomber en défaillance. ◇ *vt* affaiblir.

**desfalleciente** *a* défaillant, e.

**desfallecimiento** *m* défaillance *f*, faiblesse *f*.

**desfasado, a** *a* **1.** *FIG* déphasé, e **2. esta ley se ha quedado desfasada** cette loi est dépassée, périmée, caduque.

**desfasar** *vt* déphaser.

**desfase** *m* **1.** déphasage **2.** *FIG* décalage.

**desfavorable** *a* défavorable.

**desfavorablemente** *adv* défavorablement.

**desfavorecer*** *vt* **1.** défavoriser **2.** désavantager **3. las categorías sociales más desfavorecidas** les catégories sociales les plus défavorisées.

**desfibrilación** *f MED* défibrillation.

**desfigurado, a** *a* défiguré, e, méconnaissable.

**desfigurar** *vt* **1.** défigurer **2.** *FIG (un hecho, etc.)* déformer **3.** *FIG (intenciones, etc.)* déguiser.

**desfiladero** *m* défilé.

**desfilar** *vi* défiler.

**desfile** *m* défilé.

**desflecar** *vt* effranger, effilocher: **los bordes desflecados de un chal** les bords effrangés d'un châle.

**desflorar** *vt* **1.** *(ajar)* faner **2.** *FIG (tratar superficialmente)* effleurer **3.** *(a una mujer)* déflorer.

**desflorecer*** *vi* défleurir.

**desfogar** *vt* **1.** *(una pasión)* donner libre cours à **2. ~ su ira en alguien** décharger sa colère sur quelqu'un. ◆ **~se** *vpr FIG* se soulager, se défouler: **se desfogó insultándome** il se défoula en m'insultant.

**desfondamiento** *m FIG* défaite *f*, effondrement.

**desfondar** *vt* **1.** défoncer **2.** *AGR* défoncer **3.** *MAR* saborder. ◆ **~se** *vpr* se défoncer, être défoncé, e.

**desfonde** *a* défonçage, défoncement.

**desforestación** *f* déforestation, déboisement *m*.

**desfrenar** → **desenfrenar.**

**desfruncir** *vt* défroncer.

**desgaire** *m* **1.** négligence *f*, laisser-aller, nonchalance *f* **2.** *loc adv* **al ~** négligemment, nonchalamment.

**desgajar** *vt* **1.** *(arrancar)* arracher **2.** *(una naranja, etc.)* diviser en quartiers. ◆ **~se** *vpr FIG* **desgajarse de** s'arracher à, se détacher de.

**desgalichado, a** *a* **1.** *(desgarbado)* dégingandé, e **2.** *(desaliñado)* négligé, e.

**desgana** *f* **1.** inappétence **2.** *FIG* dégoût *m*, répugnance ◊ **con ~** à contrecœur, de mauvais gré, sans enthousiasme **3.** *(desfallecimiento)* défaillance, malaise *m*: **le dio una ~** il a eu un malaise.

**desganar** *vt* dégoûter. ◆ **~se** *vpr* **1.** perdre l'appétit **2.** *FIG* se lasser.

**desgañitarse** *vpr* s'égosiller, s'époumoner.

**desgarbado, a** *a* dégingandé, e.

**desgaritarse** *vpr (perder el rumbo)* s'égarer.

**desgarrador, a** *a* déchirant, e: **sollozos desgarradores** des sanglots déchirants.

**desgarradura** *f* déchirure.

**desgarramiento** *m* déchirement.

**desgarrar** *vt* **1.** déchirer **2.** *FIG* **~ el corazón** déchirer, fendre le cœur. ◆ **~se** *vpr* se déchirer: **se le desgarró la falda** sa jupe s'est déchirée.

**desgarro** *m* **1.** déchirure *f* **2.** *FIG (descaro)* impudence *f*, effronterie *f* **3.** *FIG* vantardise *f*, fanfaronnade *f*.

**desgarrón** *m* accroc, déchirure *f*.

**desgasificación** *f TECN* dégazage *m*.

**desgasificar** *vt TECN* dégazer.

**desgastar** *vt* **1.** user **2.** *FIG* **el poder desgasta** le pouvoir use. ◆ **~se** *vpr* s'user.

**desgaste** *m* **1.** usure *f* **2. guerra de ~** guerre d'usure.

**desglosar** *vt* **1.** séparer **2.** *(un impreso de otro)* détacher **3.** *(por conceptos)* ventiler, faire le détail de.

**desglose** *m (de los gastos, etc.)* ventilation *f*, détail.

**desgobernar*** *vt* **1.** mal gouverner **2.** désorganiser, perturber **3.** *(un hueso)* déboîter.

**desgobierno** *m* désordre.

**desgoznar** *vt* dégonder.

**desgracia** *f* **1.** malheur *m:* **ha ocurrido una ~** il est arrivé un malheur **2.** *(mala suerte)* malchance **3.** *(pérdida de favor)* disgrâce: **caer en ~** tomber en disgrâce **4. desgracias personales** victimes **5.** *loc adv* **por ~** malheureusement.

**desgraciadamente** *adv* malheureusement.

**desgraciado, a** *a/s* malheureux, euse ◊ **~ en el juego** malheureux au jeu. ◇ *a* **1.** *(falto de atractivo)* disgracieux, euse **2.** *(desacertado)* malheureux, euse **3.** désagréable. ◇ *s FAM* pauvre type, pauvre femme.

**desgraciar** *vt* **1.** *(estropear)* abîmer, esquinter **2.** *(lisiar)* estropier **3.** *AMER (matar)* tuer, blesser mortellement. ◆ **~se** *vpr* **1.** *(hacerse daño)* s'estropier, se blesser **2.** *(malograrse)* rater, échouer.

**desgranar** *vt* égrener. ◆ **~se** *vpr (un collar)* se désenfiler.

**desgrane** *m* égrenage.

**desgrasar** *vt* dégraisser.

**desgrase** *m* dégraissage.

**desgravación** *f* dégrèvement *m:* **~ fiscal** dégrèvement fiscal.

**desgravar** *vt* dégrever, réduire.

**desgreñar** *vt* écheveler, ébouriffer ◊ **ir desgreñado** être échevelé, hirsute. ◆ **~se** *vpr (reñir)* se crêper le chignon.

**desguace** *m* **1.** démolition *f*, mise *f* en pièces, mise *f* à la casse **2.** *(de coches)* casse *f:* **estar para el ~** être bon pour la casse.

**desguarnecer*** *vt* **1.** dégarnir **2.** *(un caballo)* déharnacher.

**desguazar** *vt (un barco, un coche, etc.)* démolir, mettre en pièces, mettre à la casse.

**deshabillé** *m* déshabillé.

**deshabitado, a** *a* **1.** *(casa, etc.)* inhabité, e **2.** dépeuplé, e.

**deshabitar** *vt (dejar sin habitantes)* abandonner.

**deshabituar** *vt* déshabituer. ◆ **~se** *vpr* se déshabituer.

**deshacedor → desfacedor.**

**deshacer*** *vt* **1.** défaire: **~ la cama** défaire le lit; **~ un nudo** défaire un nœud **2.** *(destruir)* détruire **3.** faire fondre: **el sol deshace la nieve** le soleil fait fondre la neige; **~ un terrón de azúcar** faire fondre un morceau de sucre **4.** annuler, rompre: **~ un noviazgo, un convenio** rompre des fiançailles, un accord. ◆ **~se** *vpr* **1.** se défaire: **se deshizo de su colección de sellos** il s'est défait de sa collection de timbres **2.** *(desaparecer)* disparaître, s'évanouir **3.** *FIG (desvivirse)* se démener, se mettre en quatre: **me deshago por complacerle** je me mets en quatre pour lui faire plaisir **4. deshacerse en** se répandre en: **se deshacía en elogios, en lamentaciones** il se répandait en éloges, en lamentations; **deshacerse en excusas** se confondre en excuses; **deshacerse en llanto** fondre en larmes **→ deshecho.**

**desharrapado, a** *a/s* déguenillé, e, loqueteux, euse.

**deshebillar** *vt* déboucler.

**deshebrar** *vt* effiler, effilocher.

**deshechizar** *vt* désensorceler.

**deshecho, a** *pp* de **deshacer.** ◇ *a* **1.** défait, e: **cama deshecha** lit défait **2.** *(viento, etc.)* violent, e **3.** *FIG (muy abatido)* abattu, e, déprimé, e; *(de cansancio)* fourbu, e.

**deshelar*** *vi* dégeler. ◆ **~se** *vpr* dégeler, fondre.

**desherbar*** *vt* désherber.

**desheredado, a** *a/s* déshérité, e.

**desheredar** *vt* déshériter.

**deshermanar** *vt* dépareiller, désassortir.

**desherrar*** *vt* déferrer.

**deshice,** etc. **→ deshacer.**

**deshidratación** *f* déshydratation.

**deshidratar** *vt* déshydrater.

**deshielo** *m* dégel.

**deshilachar** *vt* effilocher.

**deshilar** *vt* effiler, effilocher.

**deshilvanado, a** *a FIG* décousu, e.

**deshilvanar** *vt* défaufiler, débâtir.

**deshinchar** *vt* **1.** *(miembro, tumor)* désenfler **2.** *(globo)* dégonfler. ◆ **~se** *vpr* **1.** désenfler **2.** se dégonfler **3.** *FIG* perdre de sa suffisance, cesser de la ramener, s'écraser.

**deshipotecar** *vt* déshypothéquer.

**deshizo → deshacer.**

**deshojadura** *f* effeuillage *m.*

**deshojar** *vt* effeuiller ◊ **~ la margarita** effeuiller la marguerite.

**deshoje** *m* effeuillaison *f*, chute *f* des feuilles.

**deshollinador** *m* **1.** *(persona)* ramoneur **2.** *(escoba)* tête-de-loup *f.*

**deshollinar** *vt* **1.** *(las chimeneas)* ramoner **2.** *FAM* épier.

**deshonestidad** *f* indécence, impudicité.

**deshonesto, a** *a* deshonnête, impudique.

**deshonor** *m* **1.** *(deshonra)* déshonneur **2.** affront.

**deshonorar** *vt* déshonorer.

**deshonra** *f* **1.** déshonneur *m* **2.** *(vergüenza)* honte **3. tener a ~** juger déshonorant.

**deshonrar** *vt* déshonorer.

**deshonrosamente** *adv* honteusement.

**deshonroso, a** *a* déshonorant, e, honteux, euse.

**deshora (a)** *loc adv* à une heure indue, intempestivement.

**deshornar** *vt* défourner.

**deshuesar** *vt* **1.** *(frutas)* dénoyauter **2.** *(un animal)* désosser.

**deshumanización** *f* déshumanisation.

**deshumanizar** *vt* déshumaniser.

**deshumedecer*** *vt* sécher.

**desiderata** *f pl* desiderata *m.*

**desiderátum** *m* vœu le plus cher.

**desidia** *f* apathie, laisser-aller *m*, négligence.

**desidioso, a** *a* apathique, négligent, e.

**desierto, a** *a* **1.** désert, e: **la playa estaba desierta** la plage était déserte **2.** vacant, e, non attribué, e: **el premio ha quedado ~** le prix n'a pas été attribué. ◇ *m* **1.** désert **2.** *FIG* **clamar en el ~** prêcher dans le désert.

**designación** *f* désignation.

**designar** *vt* **1.** désigner **2. ~ para cónsul** nommer consul.

**designio** *m* dessein: **los designios de Dios** les desseins de Dieu.

**desigual** *a* **1.** inégal, e: **combates desiguales** des combats inégaux **2.** *(terreno)* accidenté, e, raboteux, euse **3.** *(inconstante)* changeant, e: **carácter, tiempo ~** caractère, temps changeant.

**desigualar** *vt* rendre inégal, e. ◆ **~se** *vpr* devenir inégal, e.

**desigualdad** *f* inégalité.

**desilusión** *f* désillusion, déception ◊ **llevarse una gran ~** être très déçu, e.

**desilusionar** *vt* décevoir: **estoy desilusionado** je suis déçu. ◆ **~se** *vpr* être déçu, e, déchanter: **se desilusionó rápidamente** il fut vite déçu, il déchanta vite.

**desimanar, desimantar** *vt* désaimanter.

**desincrustante** *m* détartrant.

**desincrustar** *vt* détartrer.

**desindexación** *f* désindexation.

**desinencia** *f* désinence.

**desinfección** *f* désinfection.

**desinfectante** *a/m* désinfectant, e.

**desinfectar** *vt* désinfecter: **~ una herida** désinfecter une blessure.

**desinflamación** *f MED* disparition de l'inflammation.

**desinflamar** *vt MED* désenflammer, faire cesser l'inflammation de.

**desinflar** *vt* dégonfler. ◆ **~se** *vpr* **1.** se dégonfler: **el globo se desinfló** le ballon s'est dégonflé **2.** *FIG* perdre courage **3.** *(rajarse)* se dégonfler.

**desinformación** *f* désinformation.

**desinhibido, a** *a* décontracté, e.

**desinsectación** *f* désinsectisation.

**desintegración** *f* désintégration.

**desintegrar** *vt* désintégrer. ◆ **~se** *vpr* se désintégrer.

**desinterés** *m* **1.** *(generosidad)* désintéressement **2.** indifférence *f.*

**desinteresadamente** *adv* d'une manière désinteressée.

**desinteresado, a** *a* désintéressé, e.

**desinteresarse** *vpr* se desintéresser.

**desintoxicación** *f* désintoxication.

**desintoxicar** *vt* désintoxiquer. ◆ **~se** *vpr* se désintoxiquer.

**desistimiento** *m JUR* désistement.

**desistir** *vi* **1.** renoncer: **desistí de seguirle** j'ai renoncé à le suivre; **finalmente, desistió** finalement, il renonça **2.** *JUR* se désister.

**desjarretar** *vt* couper les jarrets.

**desjuiciado, a** *a* écervelé, e.

**desjuntar** *vt* disjoindre, désunir.

**deslabonar** *vt* **1.** *(una cadena)* démailler **2.** *FIG* désunir, séparer.

**deslastrar** *vt* délester.

**deslavar** *vt* **1.** laver à moitié **2.** délaver.

**deslavazado, a** *a* **1.** délavé, e **2.** *(lacio)* mou, molle, avachi, e **3.** *FIG* incohérent, e, décousu, e.

**deslavazar** *vt* délaver.

**desleal** *a* déloyal, e.

**deslealtad** *f* déloyauté.

**desleimiento** *m* délayage.

**desleír*** *vt* délayer.

**deslenguado, a** *a* insolent, e, grossier, ère, mal embouché, e.

**deslenguamiento** *m* insolence *f,* grossièreté *f.*

**deslenguarse** *vpr* se laisser aller à des écarts de langage, déblatérer, manquer de respect à.

**desliar** *vt (desatar)* délier, détacher, défaire.

**desligar** *vt* **1.** détacher, délier **2.** *FIG* séparer, dissocier, distinguer **3.** *(librar)* délier, libérer **4.** *MÚS* piquer. ◆ **~se** *vpr* **1.** se détacher **2.** *FIG* **se ha desligado del partido hace tiempo** il a abandonné, quitté le parti il y a longtemps **3.** *(de un compromiso)* se libérer, se dégager.

**deslindar** *vt* **1.** délimiter **2.** *FIG* délimiter, définir avec précision.

**deslinde** *m* délimitation *f.*

**desliz** *m* **1.** glissade *f,* glissement **2.** *FIG* faux pas, écart de conduite, faute *f.*

**deslizadizo, a** *a* glissant, e.

**deslizamiento** *m* glissement.

**deslizante** *a* **1.** glissant, e **2. puerta ~** porte coulissante.

**deslizar** *vt/i* **1.** glisser **2.** *(decir)* glisser: **~ una palabra en la conversación** glisser un mot dans la conversation. ◆ **~se** *vpr* **1.** glisser: **el trineo se deslizaba sobre la nieve** le traîneau glissait sur la neige **2.** *(escurrirse)* se glisser **3.** *FIG* faire un faux pas.

**deslocalización** *f* délocalisation.

**deslocalizar** *vt* délocaliser.

**deslomadura** *f* éreintement *m.*

**deslomar** *vt* casser les reins, éreinter. ◆ **~se** *vpr (trabajar mucho)* s'éreinter, se crever au travail.

**deslucido, a** *a* **1.** abîmé, e **2.** *(falta de brillo)* terne, peu brillant, e **3.** médiocre: **el torero estuvo ~** le toréro a été médiocre, n'a pas été bon, n'a guère brillé.

**deslucimiento** *m* manque d'éclat, d'attrait, de charme.

**deslucir*** *vt* **1.** abîmer **2.** gâcher: **la lluvia deslució la procesión** la pluie a gâché la procession **3.** enlever le charme à.

**deslumbrador, a** *a* éblouissant, e.

**deslumbramiento** *m* éblouissement.

**deslumbrante** *a* éblouissant, e.

**deslumbrar** *vt* **1.** éblouir: **me deslumbró con su linterna** il m'a ébloui avec sa lampe **2.** *FIG* éblouir: **la belleza del paisaje le deslumbraba** la beauté du paysage l'éblouissait.

**deslustrar** *vt* **1.** *(metal, etc.)* ternir **2.** *(cristal)* dépolir **3.** *(tejidos)* décatir **4.** *FIG* discréditer.

**deslustre** *m* **1.** ternissure *f* **2.** dépolissage **3.** *(de los tejidos)* décatissage **4.** *FIG* tache *f.*

**desmadejado, a** *a* mou, molle, abattu, e, mal en point, sans ressort.

**desmadejamiento** *m* faiblesse *f,* abattement.

**desmadejar** *vt* abattre, affaiblir.

**desmadrar** *vt (los animales)* sevrer. ◆ **~se** *vpr FAM* s'emporter, se laisser aller, délirer, déconner.

**desmadre** *m FAM* pagaïe *f,* confusion *f,* excès *pl* ◊ **~ publicitario** débauche *f* publicitaire.

**desmalazado, a → desmadejado.**

**desmallar** *vt* démailler.

**desmamar** *vt* sevrer.

**[1]desmán** *m* **1.** excès, acte de violence, désordre: **los rebeldes cometieron muchos desmanes** les rebelles ont commis de nombreux actes de violence **2.** *(abuso)* abus.

**[2]desmán** *m (mamífero)* desman.

**desmanarse** *vpr* s'écarter du troupeau.

**desmanchar** *vt AMER* ôter les taches de.

**desmandado, a** *a* désobéissant, e, rebelle.

**desmandamiento** *m* désobéissance *f,* soulèvement.

**desmandar** *vt (una orden)* annuler. ◆ **~se** *vpr* **1.** se rebeller, se soulever **2.** désobéir **3.** *(animales)* s'écarter du troupeau **4.** *(propasarse)* dépasser les bornes.

**desmangar** *vt* démancher.

**desmano (a) → trasmano.**

**desmanotado, a** *a* maladroit, e, gauche.

**desmantelado, a** *a (local)* dégarni, e, à l'abandon.

**desmantelamiento** *m* **1.** *(de un castillo, etc.)* démantèlement **2.** *MAR* démâtage.

**desmantelar** *vt* **1.** *(castillo, etc.)* démanteler **2.** *MAR* démâter, dégréer **3.** *(local)* dégarnir **4.** démonter.

**desmaña** *f* maladresse, gaucherie.

**desmañado, a** *a* maladroit, e, gauche.

**desmaño** *m* négligence *f*.

**desmaquillador** *m* démaquillant.

**desmaquillar** *vt* démaquiller. ◆ **~se** *vpr* se démaquiller.

**desmarañar → desenmarañar.**

**desmarcar** *vt* démarquer. ◆ **~se** *vpr (deportes, etc.)* se démarquer.

**desmarque** *m* démarcage.

**desmayadamente** *adv* faiblement.

**desmayado, a** *a* **1.** *(actitud)* alangui, e **2. voz desmayada** voix mourante **3.** *(color)* pâle, éteint, e.

**desmayar** *vi* se décourager. ◆ **~se** *vpr* s'évanouir, perdre connaissance, défaillir: **el herido se desmayó** le blessé s'est évanoui.

**desmayo** *m* **1.** évanouissement, syncope *f*, étourdissement: **sufrir un ~** avoir un étourdissement **2.** *(desfallecimiento)* défaillance *f*.

**desmedido, a** *a* démesuré, e: **ambición desmedida** ambition démesurée.

**desmedirse*** *vpr* dépasser la mesure.

**desmedrado, a** *a* rabougri, e, chétif, ive, mal venu, e.

**desmedrar** *vi* décliner, dépérir. ◆ **~se** *vpr* **1.** se rabougrir **2.** *(decaer)* dépérir.

**desmedro** *m* **1.** dépérissement **2.** déclin.

**desmejorado, a** *a* affaibli, e.

**desmejoramiento** *m* **1.** *(de la salud)* affaiblissement, dépérissement **2.** détérioration *f*.

**desmejorar** *vt* détériorer, abîmer. ◇ *vi/pr* **1.** baisser, décliner, s'affaiblir: **ha desmejorado mucho desde el infarto** il a beaucoup baissé depuis son infarctus **2.** se détériorer.

**desmelenar** *vt* écheveler, ébouriffer. ◆ **~se** *vpr FAM* s'emporter, ne plus se connaître.

**desmembración** *f* démembrement *m*.

**desmembrar*** *vt* démembrer.

**desmemoriado, a** *a/s* **1.** oublieux, euse, qui n'a pas de mémoire **2. estar ~** avoir une mauvaise mémoire, une mémoire de lièvre, être distrait, e; **no estoy ~** je n'ai pas perdu la mémoire.

**desmemoriarse** *vpr* oublier, perdre la mémoire.

**desmentido** *m*, **desmentida** *f* démenti *m*.

**desmentir*** *vt* **1.** démentir, donner un démenti à: **el presidente ha desmentido la noticia** le président a démenti la nouvelle; **creen que es noble y él no lo desmiente** on croit qu'il est noble et lui ne le dément pas **2.** être indigne de: **desmiente su raza** il est indigne de sa race.

**desmenuzable** *a* friable.

**desmenuzar** *vt* **1.** *(pan)* émietter **2.** *(hacer trizas)* déchiqueter **3.** *FIG* examiner en détail.

**desmerecer*** *vi* **1.** *(decaer)* perdre de sa valeur, baisser **2. ~ de** être inférieur, e à: **la película no desmerece de la novela** le film n'est pas inférieur au roman, vaut le roman.

**desmesura** *f* démesure, excès *m*.

**desmesuradamente** *adv* démesurément.

**desmesurado, a** *a* **1.** démesuré, e: **orgullo ~** orgueil démesuré **2.** impoli, e, insolent, e.

**desmigajar** *vt* émietter.

**desmigar** *vt (el pan)* émietter.

**desmilitarización** *f* démilitarisation.

**desmilitarizar** *vt* démilitariser.

**desmineralizar** *vt* déminéraliser.

**desmirriado, a** *a* chétif, ive, malingre.

**desmitificar** *vt* **1.** démythifier **2.** *(desengañar)* démystifier.

**desmochar** *vt* **1.** *(un árbol)* étêter **2.** *FIG (una obra)* élaguer.

**desmoche** *m* **1.** étêtage, élagage **2.** *FIG (en un examen)* hécatombe *f*.

**desmonetización** *f* démonétisation.

**desmonetizar** *vt* démonétiser.

**desmontable** *a* démontable. ◇ *m (palanca)* démonte-pneu.

**desmontaje** *m* démontage.

**desmontar** *vt* **1.** *(una máquina, etc.)* démonter: **~ un reloj, una tienda de campaña** démonter une pendule, une tente **2.** *(cortar árboles)* déboiser; *(roturar)* défricher **3.** *(allanar un terreno)* déblayer, niveler **4.** *(a un jinete)* démonter. ◇ *vi/pr (apearse)* mettre pied à terre.

**desmonte** *m* **1.** déboisement **2.** défrichage **3.** déblaiement **4.** *(montón de tierra)* déblai.

**desmoralización** *f* démoralisation.

**desmoralizador, a** *a* démoralisant, e.

**desmoralizar** *vt* démoraliser. ◆ **~se** *vpr* se démoraliser, se décourager.

**desmoronadizo, a** *a* prêt, e à s'écrouler.

**desmoronamiento** *m* **1.** éboulement **2.** *FIG* ruine *f*, effondrement, chute *f*.

**desmoronar** *vt* **1.** faire s'ébouler **2.** *FIG* miner, saper. ◆ **~se** *vpr FIG* s'écrouler, s'effondrer: **un régimen, un ideal que se desmoronan** un régime, un idéal qui s'écroulent.

**desmotivación** *f* démotivation.

**desmovilización** *f* démobilisation.

**desmovilizar** *vt* démobiliser.

**desmultiplicación** *f* démultiplication.

**desmultiplicar** *vt* démultiplier.

**desnacionalización** *f* dénationalisation.

**desnacionalizar** *vt* dénationaliser.

**desnarigado, a** *a/s* camus, e, camard, e.

**desnatadora** *f* écrémeuse.

**desnatar** *vt* écrémer: **leche desnatada** lait écrémé.

**desnaturalizado, a** *a* dénaturé, e: **alcohol ~** alcool dénaturé.

**desnaturalizar** *vt* **1.** dénaturaliser **2.** *(adulterar)* dénaturer.

**desnevar*** *vi* fondre (la neige).

**desnivel** *m* **1.** dénivellation *f*, dénivellement **2.** *FIG* inégalité *f*, déséquilibre.

**desnivelación** *f* dénivellation.

**desnivelar** *vt* **1.** déniveler **2.** déséquilibrer. ◆ **~se** *vpr* ne plus être en équilibre, à égalité.

**desnucar** *vt* casser le cou.

**desnuclearización** *f* dénucléarisation.

**desnuclearizar** *vt* dénucléariser.

**desnudamente** *adv* clairement.

**desnudamiento** *m* déshabillage.

**desnudar** *vt* **1.** déshabiller, dévêtir **2.** *(despojar)* dépouiller, dénuder. ◆ **~se** *vpr* se déshabiller: **se desnudó** il se déshabilla; **desnúdese** déshabillez-vous.

**desnudez** *f* nudité.

**desnudismo** *m* nudisme.

**desnudista** *s* nudiste.

**desnudo, a** *a* **1.** nu, nue: **con las piernas desnudas** les jambes nues; **~ de medio cuerpo para arriba** torse nu ◊ **al ~** à nu **2.** déshabillé, e **3.** *FIG* nu, nue: **paredes desnudas** des murs nus ◊ **la verdad desnuda** la vérité toute nue **4.** *(desprovisto)* **~ de** dépourvu, e de. ◇ *m (pintura, escultura)* nu.

**desnutrición** *f* dénutrition.

**desnutrido, a** *a* atteint, e de dénutrition, dénutri, e, sous-alimenté, e.

**desobedecer*** *vt* désobéir: **~ a alguien, una orden** désobéir à quelqu'un, à un ordre.

**desobediencia** *f* désobéissance.

**desobediente** *a* désobéissant, e.

**desobstruir*** *vt* désobstruer, dégager.

**desocupación** *f* **1.** désœuvrement *m,* oisiveté **2.** *(paro)* chômage *m.*

**desocupado, a** *a* **1.** *(vacío)* inoccupé, e, libre: **un asiento ~** une place libre **2.** *(ocioso)* désœuvré, e, oisif, ive **3.** *(parado)* au chômage, sans emploi. ◇ *s (parado)* chômeur, euse.

**desocupar** *vt* **1.** *(un local, etc.)* débarrasser, libérer **2.** évacuer **3.** *(vaciar)* vider. ◆ **~se** *vpr (de una ocupación)* se libérer.

**desodorante** *a/m* désodorisant, e, déodorant.

**desoír*** *vt* ne pas écouter, faire fi de, ne pas tenir compte de: **desoyó mis consejos** il n'a pas tenu compte, il a fait fi de mes conseils; **los bañistas desoyeron las advertencias del alcalde** les baigneurs n'ont pas tenu compte des appels à la prudence du maire.

**desojarse** *vpr* **1.** *FIG* s'user les yeux, se crever les yeux **2.** écarquiller les yeux.

**desolación** *f* désolation.

**desolador, a** *a* désolant, e.

**desolar*** *vt* **1.** *(asolar)* dévaster **2.** *(afligir)* désoler. ◆ **~se** *vpr* se désoler.

**desoldar*** *vt* dessouder.

**desolidarizarse** *vpr* se désolidariser.

**desolladero** *m* abattoir.

**desollado, a** *pp* de **desollar.** ◇ *a/s (descarado)* insolent, e, effronté, e.

**desolladura** *f (excoriación)* écorchure.

**desollar*** *vt* **1.** *(la piel)* écorcher **2.** *FIG* **~ a uno vivo** *(criticar)* éreinter quelqu'un, dire pis que pendre de quelqu'un; *(arruinar)* dépouiller quelqu'un **3. falta el rabo por ~** → **rabo.**

**desorbitado, a** *a* **1.** *(exagerado)* exorbitant, e, démesuré, e: **cantidades desorbitadas** des sommes exorbitantes **2. ojos desorbitados** yeux exorbités.

**desorbitar** *vt FIG* exagérer, amplifier. ◆ **~se** *vpr* sortir de son orbite.

**desorden** *m* désordre: **en ~** en désordre. ◇ *pl (disturbios)* désordres, troubles.

**desordenadamente** *adv* en désordre, confusément.

**desordenado, a** *a* **1.** désordonné, e **2. vida desordenada** vie déréglée, désordonnée.

**desordenar** *vt* mettre en désordre, déranger.

**desorejado, a** *a* **1.** *FIG* infâme, dévergondé, e **2.** *AMER* qui chante faux.

**desorganización** *f* désorganisation.

**desorganizar** *vt* désorganiser.

**desorientación** *f* **1.** désorientation **2.** *FIG* incertitude, embarras *m.*

**desorientar** *vt* **1.** désorienter **2.** *FIG (confundir)* désorienter, embarrasser. ◆ **~se** *vpr (extraviarse)* s'égarer.

**desosar*** → **deshuesar.**

**desovar** *vi (las hembras de los peces)* frayer.

**desove** *m* frai.

**desovillar** *vt* **1.** dépelotonner, démêler **2.** *FIG* démêler, débrouiller, éclaircir.

**desoxidar** *vt (un metal)* décaper, dérouiller.

**desoxirribonucleico** *a BIOL* **ácido ~** acide désoxyribonucléique.

**despabiladeras** *f pl* mouchettes.

**despabilado, a** *a* **1.** *(despierto)* éveillé, e **2.** *FIG* éveillé, e, vif, vive, dégourdi, e.

**despabilar** *vt* **1.** *(una vela)* moucher **2.** *FIG (avivar el ánimo)* réveiller, redonner de l'énergie à, dégourdir **3.** *(despachar)* expédier. ◆ **~se** *vpr FIG* se réveiller, se secouer, se remuer: **a ver si (te) despabilas** voyons si tu te secoues un peu.
▶ S'orthographie aussi *espabilar.*

**despachaderas** *f pl FAM* **tener buenas ~** avoir réponse à tout, avoir la répartie facile.

**despachado, a** *a FIG* effronté, e, insolent, e.

**despachante** *m AMER* **1.** vendeur **2.** agent de douane.

**despachar** *vt* **1.** *(hacer de prisa)* expédier, régler rapidement: **~ un asunto urgente** expédier une affaire urgente **2. ~ la correspondencia** faire son courrier **3.** *(enviar)* envoyer, expédier **4.** *(vender)* vendre **5. ~ a un cliente** servir un client **6.** *(despedir)* renvoyer, congédier: **despachó a su secretaria** il a renvoyé sa secrétaire **7.** *FAM (comer, beber)* s'envoyer, avaler **8.** *FAM (matar)* descendre, tuer. ◇ *vi* **1.** *(darse prisa)* se dépêcher **2.** avoir un entretien: **despachó con el ministro** il a eu un entretien avec le ministre. ◆ **~se** *vpr* **1. ¡despáchate!** dépêche-toi! **2.** *(librarse de)* se débarrasser **3.** *FAM* **se despachó a gusto con su amigo** il s'est ouvert à son ami, il a dit à son ami tout ce qu'il avait sur le cœur.

**despacho** *m* **1.** expédition *f* **2.** *(envío)* envoi, expédition *f* **3.** *(venta)* vente *f* **4.** *(tienda)* débit: **~ de bebidas** débit de boissons **5.** *(oficina)* bureau: **el ~ del ministro** le bureau du ministre; **hágalo pasar por mi ~** faites-le entrer dans mon bureau **6.** cabinet de travail **7.** *(en un teatro)* bureau, guichet **8.** *(comunicación)* dépêche *f,* communication *f* officielle **9.** *(título)* brevet, diplôme **10.** *(conversación)* entretien.

**despachurrar** *vt* **1.** *(aplastar)* écraser, écrabouiller **2.** *(reventar)* éventrer **3.** *FIG* embrouiller **4.** *(confundir a alguien)* couper le sifflet à.

**despacio** *adv* **1.** *(lentamente)* lentement: **andar ~** marcher lentement **2.** *AMER (en voz baja)* à voix basse, tout bas. ◇ *interj* doucement!

**despacioso, a** *a* lent, e.

**despacito** *adv* tout doucement, très lentement. ◇ *interj* doucement!, tout doux!

**despaldar, despaldillar** *vt* démettre, casser l'épaule.

**despampanante** *a FAM* sensationnel, elle, du tonnerre, terrible, époustouflant, e: **una chica ~** une fille du tonnerre.

**despampanar** *vt* **1.** *(la vid)* épamprer, ébourgeonner **2.** *FAM (dejar atónico)* épater.

**despanzurrar** *vt FAM* **1.** étriper **2.** *(reventar)* éventrer **3.** *(aplastar)* écraser.

**despapucho** *m AMER* sottise *f.*

**desparejar** *vt* dépareiller, désassortir.

**desparejo, a** *a* **1.** dissemblade, désassorti, e **2.** irrégulier, ère, inégal, e: **letra despareja** écriture irrégulière.

**desparpajado, a** *a* désinvolte.

**desparpajo** *m* **1.** *(desenfado)* désinvolture *f,* aisance *f* **2.** *(descaro)* sans-gêne, toupet.

**desparramar** *vt* **1.** *(esparcir)* éparpiller **2.** *(verter)* répandre **3.** *FIG (malgastar)* dissiper, gaspiller. ◆ **~se** *vpr* se disperser, s'éparpiller.

**despatarrado, a** *a* **1.** les jambes (largement) écartées: **se sentó, ~, en el sillón** il s'assit dans le fauteuil, les jambes largement écartées **2.** *FIG (pasmado)* ahuri, e, ébahi, e, comme deux ronds de flan.

**despatarrar** *vt* **1.** écarter largement les jambes **2.** *FAM (asombrar)* épater, ébahir. ◆ **~se** *vpr (caerse)* tomber les quatre fers en l'air.

**despavesar** *vt (una vela)* moucher.

**despavorido, a** *a* effrayé, e, épouvanté, e, horrifié, e: **quedar ~** être épouvanté.

**despavorirse*** *vpr* être épouvanté, e, horrifié, e, glacé, e d'effroi.

**despeado, a** *a* éclopé, e, fourbu, e.

**despechado, a** *a* dépité, e, contrarié, e.

**despechar** *vt* dépiter. ◆ **~se** *vpr* se contrarier.

**despecho** *m* **1.** dépit: **experimentar ~** éprouver du dépit **2.** *loc prep* **a ~ de** en dépit de, malgré.

**despechugado, a** *a* débraillé, e, dépoitraillé, e.

**despechugar** *vt* enlever le blanc (d'une volaille). ◆ **~se** *vpr* se découvrir la poitrine.

**despectivamente** *adv* **1.** avec mépris **2.** péjorativement.

**despectivo, a** *a* **1.** méprisant, e: **tono ~** ton méprisant **2.** *GRAM* péjoratif, ive.

**despedazamiento** *m* dépeçage, mise *f* en pièces.

**despedazar** *vt* **1.** dépecer **2.** *(hacer pedazos)* mettre en pièces, en morceaux **3.** *FIG* **~ el corazón** déchirer le cœur. ◆ **~se** *vpr* se briser en morceaux.

**despedida** *f* **1.** adieu *m*: **visita de ~** visite d'adieu; **la ~ fue conmovedora** les adieux furent poignants **2.** *(de un empleado)* congé *m*, licenciement *m*.

**despedir*** *vt* **1.** jeter, lancer: **~ chispas** jeter des étincelles **2.** **~ un olor** répandre, exhaler une odeur **3.** **~ a un empleado** licencier, congédier, renvoyer un employé: **la empresa despidió a todos los trabajadores** l'entreprise a licencié tous les travailleurs; **~ a un inquilino** donner congé à un locataire **4.** *(acompañar)* accompagner, reconduire **5.** dire au revoir, faire ses adieux: **me despidió en la estación** il m'a dit au revoir, il m'a fait ses adieux à la gare. ◆ **~se** *vpr* **1.** prendre congé ◊ *FAM* **despedirse a la francesa** filer à l'anglaise **2.** **despedirse de** dire au revoir à, quitter: **me despedí de él en el andén** je lui ai dit au revoir sur le quai **3.** **nos despedimos en el aeropuerto** nous nous sommes dit au revoir, nous nous sommes quittés à l'aéroport.

**despedregar** *vt* épierrer.

**despegado, a** *a FIG* indifférent, e.

**despegadura** *f* décollement *m*.

**despegar** *vt* **1.** décoller: **~ un sello de un sobre** décoller un timbre d'une enveloppe **2.** *(quitar)* détacher **3.** **no ~ los labios** ne pas desserrer les dents. ◇ *vi* décoller: **el avión despega** l'avion décolle. ◆ **~se** *vpr* **1.** se décoller **2.** *(perder el cariño)* se détacher **3.** *(en una carrera)* se détacher.

**despego** *m* détachement, indifférence *f*.

**despegue** *m* **1.** *(de un avión)* décollage, envol **2.** *FIG (económico)* décollage.

**despeinar** *vt* décoiffer, dépeigner.

**despejado, a** *a* **1.** *(desenvuelto)* qui a de l'aisance **2.** *(vivo)* éveillé, e, vif, vive **3.** *(espacio)* dégagé, e **4.** **frente despejada** front dégagé **5.** **cielo ~** ciel dégagé.

**despejar** *vt* **1.** *(un espacio)* débarrasser, dégager, déblayer: **~ la pista, la nieve** dégager la piste, la neige ◊ **¡despejen, por favor!** dégagez, s'il vous plaît! **2.** *MAT (una incógnita)* dégager **3.** *FIG (aclarar)* éclaircir **4.** *(el balón)* dégager. ◆ **~se** *vpr* **1.** *(el cielo)* s'éclaircir, se dégager **2.** *FIG* prendre de l'assurance, se dégourdir.

**despeje** *m* dégagement.

**despejo** *m* **1.** *(de un terreno)* dégagement, déblaiement **2.** *TAUROM* évacuation *f* de l'arène (avant le lâcher du taureau) **3.** *(soltura)* aisance *f*, vivacité *f*.

**despellejar** *vt* **1.** écorcher, dépouiller **2.** *FIG* **~ a alguien** dire du mal de quelqu'un, dire pis que pendre de quelqu'un.

**despelotarse** *vpr FAM* **1.** *(desnudarse)* se mettre à poil **2.** *(reírse)* se marrer.

**despelote** *m FAM* **1.** deshabillage **2.** *AMER* pagaille *f*, bordel.

**despeluzar** *vt* écheveler, ébouriffer.

**despeluznante** *a* à faire dresser les cheveux sur la tête, terrifiant, e.

**despeluznar** → **despeluzar.**

**despenalización** *f* dépénalisation.

**despenalizar** *vt* dépénaliser: **~ el aborto** dépénaliser l'avortement.

**despenar** *vt* **1.** consoler **2.** *(matar)* tuer.

**despensa** *f* **1.** *(lugar)* garde-manger *m* **2.** *(comestibles)* provisions *pl*.

**despeñadero** *m* précipice.

**despeñar** *vt* précipiter. ◆ **~se** *vpr* se précipiter, se jeter.

**despeño** *m* **1.** chute *f* **2.** *FIG* ruine *f*.

**despepitar** *vt* **1.** *(una fruta)* enlever les pépins de, épépiner **2.** *(algodón)* égrener. ◆ **~se** *vpr* **1.** *(gritar)* s'égosiller **2.** *FIG* **se despepita por los pasteles** elle raffole de gâteaux; **se despepita por saber...** elle brûle de savoir, elle meurt d'envie de savoir...

**desperdiciar** *vt* **1.** gaspiller, mal employer **2.** perdre: **estás desperdiciando el tiempo** tu perds ton temps; **no desperdicia ninguna oportunidad** il ne perd aucune occasion **3.** *(una ocasión)* laisser passer, ne pas profiter de.

**desperdicio** *m* **1.** gaspillage **2.** *(residuo)* déchet, reste: **los desperdicios de la comida** les restes du repas **3.** **no tener ~** être profitable, utile, précieux.

**desperdigamiento** *m* dispersion *f*.

**desperdigar** *vt* disperser, éparpiller: **su colección se encuentra hoy desperdigada** sa collection se trouve aujourd'hui dispersée. ◆ **~se** *vpr* se disperser: **su actividad se desperdiga** son activité se disperse.

**desperecerse** *vpr FAM* **~ por** mourir d'envie de.

**desperezarse** *vpr* s'étirer.

**desperezo** *m* action *f* de s'étirer.

**desperfecto** *m* **1.** *(defecto)* défaut **2.** *(deterioro)* détérioration *f* **3.** *(daño)* dommage.

**desperfilar** *vt* adoucir les contours de, estomper.

**despersonalización** *f* dépersonnalisation.

**despersonalizar** *vt* dépersonnaliser.

**despertador** *m (reloj)* réveil, réveille-matin *inv*.

**despertamiento** *m* éveil, réveil.

**despertar*** *vt* **1.** réveiller: **despiértame a las seis** réveille-moi à six heures **2.** *FIG* **~ un interés, sospechas** éveiller un intérêt, des soupçons **3.** **~ el apetito** ouvrir l'appétit. ◇ *vi/pr* se réveiller: **me desperté temprano** je me suis réveillé tôt; **nos despertamos a las seis** nous nous sommes réveillés à six heures. ◇ *m* réveil: **el ~ ha sido muy duro** le réveil a été très dur.

**despiadado, a** *a* impitoyable, cruel, elle.

**despido** *m* licenciement, renvoi: **el ~ de mil trabajadores** le licenciement de mille travailleurs; **~ colectivo, individual, libre** licenciement collectif, individuel, sec; **~ improcedente** licenciement abusif.

**despiece** *m (de una res)* dépeçage.

**despierto, a** *a* **1.** *(que no duerme)* éveillé, e, réveillé, e: **¿estás ~?** es-tu réveillé? **2.** *FIG* éveillé, e, vif, vive, dégourdi, e.

**despilfarrador, a** *a/s* gaspilleur, euse.

**despilfarrar** *vt* gaspiller, dissiper.

**despilfarro** *m* gaspillage.

**despimpollar** *vt (la vid)* ébourgeonner.

**despintar** *vt* **1.** *(lo pintado)* effacer, gratter **2.** AMER **no ~ la vista a, los ojos a** ne pas quitter des yeux. ◇ *vi* FIG être différent, e, déparer. ◆ **~se** *vpr* **1.** *(borrarse)* s'effacer, disparaître **2.** FIG **no despintársele a uno...** ne pas perdre le souvenir de...

**despiojar** *vt* épouiller.

**despiole** *m* AMER pagaille *f.*

**despique** *m* revanche *f.*

**despistado, a** *a/s* **1.** distrait, e: **¡qué despistada estoy!** comme je suis distraite!, où ai-je la tête! ◊ **cara de ~** air ahuri **2. estar ~** être désorienté, e.

**despistar** *vt* **1.** faire perdre la piste à **2.** FIG désorienter, dérouter, égarer. ◆ **~se** *vpr* **1.** s'égarer **2.** FIG perdre la tête.

**despiste** *m* **1.** *(de un vehículo)* embardée *f,* dérapage: **sufrir un ~** faire une embardée **2.** *(fallo)* défaillance *f,* dérèglement **3.** FIG distraction *f,* étourderie *f.*

**desplacer*** *vt* déplaire, mécontenter.

**desplanchar** *vt (lo planchado)* chiffonner.

**desplantador** *m* déplantoir.

**desplantar** *vt* déplanter.

**desplante** *m* insolence *f,* impertinence *f.*

**desplazado, a** *a/s (persona)* déplacé, e.

**desplazamiento** *m* déplacement: **gastos de ~** frais de déplacement.

**desplazar** *vt* **1.** déplacer **2.** supplanter **3.** MAR déplacer. ◆ **~se** *vpr* se déplacer.

**desplegar*** *vt* **1.** *(banderas, tropas)* déployer **2.** *(un papel, etc.)* déplier **3.** FIG déployer, montrer: **el autor despliega toda su fantasía...** l'auteur déploie toute sa fantaisie...

**despliegue** *m* **1.** *(de tropas, etc.)* déploiement **2.** FIG déploiement, étalage: **con grand ~ publicitario** avec un grand étalage publicitaire.

**desplomar** *vt* faire perdre l'aplomb. ◆ **~se** *vpr* **1.** s'écrouler, s'effondrer, s'affaiser, s'abattre: **se desplomó en su cama** il s'effondra sur son lit **2.** FIG s'écrouler, s'effondrer: **imperio que se desploma** empire qui s'écroule; **se desplomaron todas sus ilusiones** toutes ses illusions se sont écroulées; **su popularidad se ha desplomado** sa popularité a beaucoup baissé; **los precios del petróleo se desplomaron** les prix du pétrole ont chûté.

**desplome** *m* écroulement, effondrement.

**desplomo** *m* surplomb.

**desplumar** *vt* **1.** *(un ave)* plumer, déplumer **2.** FIG *(a alguien)* plumer. ◆ **~se** *vpr* se déplumer.

**despoblación** *f* dépeuplement *m.*

**despoblado** *m* endroit désert, inhabité ◊ **en ~** en rase campagne.

**despoblar*** *vt* **1.** dépeupler **2.** FIG dégarnir. ◆ **~se** *vpr (de gente)* se dépeupler.

**despojar** *vt (a alguien)* dépouiller, déposséder. ◆ **~se** *vpr* **1. despojarse de sus vestidos** se dépouiller de ses vêtements, enlever ses vêtements **2.** *(desprenderse)* se débarrasser, se défaire.

**despojo** *m* **1.** *(acción)* dépouillement, spoliation *f* **2.** butin. ◇ *pl* **1.** *(de aves)* abats **2.** *(de una comida)* restes, reliefs **3.** *(cadáver)* dépouille *f sing* mortelle.

**despolarizar** *vt* FÍS dépolariser.

**despolitización** *f* dépolitisation.

**despolitizar** *vt* dépolitiser.

**despopularización** *f* perte de la popularité.

**despopularizar** *vt* faire perdre la popularité à.

**desportillado, a** *a* ébréché, e.

**desportillar** *vt* ébrécher.

**desposado, a** *a/s* nouveau marié, nouvelle mariée. ◇ *a (sujeto con esposas)* qui a des menottes.

**desposar** *vt* marier. ◆ **~se** *vpr* se marier.

**desposeer** *vt* déposséder. ◆ **~se** *vpr* se dessaisir.

**desposeimiento** *m* dépossession *f.*

**desposorios** *m pl* **1.** fiançailles *f* **2.** *(matrimonio)* mariage *sing.*

**despostar** *vt* AMER *(una res, un ave)* découper.

**déspota** *m* despote.

**despótico, a** *a* despotique.

**despotismo** *m* despotisme.

**despotricar** *vi* parler à tort et à travers, déblatérer: **~ contra alguien** déblatérer contre quelqu'un.

**despreciable** *a* méprisable.

**despreciar** *vt* mépriser.

**despreciativo, a** *a* méprisant, e.

**desprecio** *m* **1.** *(desdén)* mépris **2.** *(desaire)* affront.

**desprender** *vt (soltar)* détacher. ◆ **~se** *vpr* **1.** se détacher **2.** *(olor, etc.)* se dégager **3.** *(desapropiarse)* se dessaisir, se défaire: **se desprendió de sus joyas** elle s'est défaite de ses bijoux **4.** *(deducirse)* se dégager, découler, se déduire: **de nuestro análisis se desprende que...** de notre analyse il découle, on peut déduire que...; **según se desprende de...** d'après ce que l'on peut déduire de... **5.** FIG **una poesía profunda se desprende de este paisaje** une poésie profonde se dégage de ce paysage.

**desprendido, a** *a (generoso)* désintéressé, e, généreux, euse.

**desprendimiento** *m* **1.** détachement **2.** *(de tierra)* éboulement **3.** *(de gases, etc.)* dégagement **4. ~ de la retina** décollement de la rétine **5.** *(en pintura, escultura)* descente *f* de croix **6.** FIG désintéressement.

**despreocupación** *f* **1.** insouciance **2.** absence de préjugés.

**despreocupado, a** *a* **1.** insouciant, e **2.** libre de préjugés.

**despreocuparse** *vpr* **1.** *(desentenderse)* ne pas se soucier de, se désintéresser de, négliger: **te despreocupas demasiado de tus estudios** tu négliges trop tes études **2.** se débarrasser de préjugés.

**desprestigiar** *vt* discréditer, déconsidérer: **esta teoría está completamente desprestigiada** cette théorie est complètement discréditée. ◆ **~se** *vpr* perdre son prestige: **ese político se ha desprestigiado mucho** cet homme politique a perdu beaucoup de son prestige.

**desprestigio** *m* **1.** perte *f* de prestige, discrédit: **caer en ~** tomber dans le discrédit **2.** dénigrement: **campaña de ~** campagne de dénigrement.

**desprevención** *f* imprévoyance.

**desprevenido, a** *a* **coger ~** prendre au dépourvu.

**desprolijo, a** *a* AMER peu soigné, e.

**desproporción** *f* disproportion.

**desproporcionado, a** *a* disproportionné, e.

**desproporcionar** *vt* disproportionner.

**despropósito** *m* absurdité *f,* sottise *f.*

**desproveer*** *vt* dépourvoir, démunir.

**desprovisto, a** *a* dépourvu, e, démuni, e.

**después** *adv* **1.** après ◊ **~ de** après: **~ de las 8** après 8 heures; **~ de comer** après avoir mangé, après le repas; **~ de todo** après tout **2.** *(a continuación)* ensuite, puis **3.** *(más adelante)* plus tard: **algunos días ~** quelques jours plus tard; **años ~** quelques années plus tard **4.** **~ de terminadas las vacaciones** une fois les vacances finies **5.** *loc conj* **~ que** après que: **~ que terminó de almorzar** après qu'il eût fini de déjeuner, quand il eut fini de déjeuner.

**despulpar** *vt* dépulper.

**despumar** *vt* écumer.

**despuntar** *vt* épointer. ◇ *vi* **1.** *(las plantas)* bourgeonner, commencer à pousser **2.** *(el día)* poindre: **al ~ el día** au point du jour **3.** *FIG* briller, se distinguer: **no despuntaba por valiente** il ne brillait pas par son courage.

**desquejar** *vt AGR* bouturer.

**desqueje** *m AGR* bouturage.

**desquiciado, a** *s (desequilibrado mental)* déséquilibré, e, désaxé, e.

**desquiciamiento** *m* **1.** bouleversement **2.** *(perturbación)* déséquilibre.

**desquiciar** *vt* **1.** dégonder **2.** *FIG (conmover)* bouleverser, ébranler **3.** *(trastornar)* déséquilibrer, désaxer. ◆ **~se** *vpr* **1.** sortir de ses gonds **2.** *(descomponerse)* se détraquer **3.** *FIG* perdre la tête.

**desquijarar** *vt* démantibuler.

**desquitar** *vt* dédommager. ◆ **~se** *vpr* **1.** se rattraper **2.** prendre sa revanche: **se desquitó de su derrota en Roma, ganando por 6-3** après sa défaite à Rome, il a pris sa revanche en gagnant par 6-3.

**desquite** *m* **1.** dédommagement **2.** revanche *f*: **tomarse el ~** prendre sa revanche.

**desramar** *vt* ébrancher, émonder.

**desratización** *f* dératisation.

**desratizar** *vt* dératiser.

**desriñonar** *vt* éreinter. ◆ **~se** *vpr FIG* s'éreinter.

**desriscar** *vt* précipiter. ◆ **~se** *vpr* se précipiter.

**desrizar** *vt* défriser.

**destacado, a** *a FIG* célèbre, éminent, e, marquant, e: **una de las figuras más destacadas de la pintura actual** une des figures les plus marquantes de la peinture actuelle; **~ especialista** éminent spécialiste.

**destacamento** *m MIL* détachement.

**destacar** *vt* **1.** *MIL (soldado)* détacher **2.** faire ressortir, souligner: **el informe destaca la importancia...** le rapport souligne l'importance...; **el ministro destacó que el aumento...** le ministre fit remarquer que l'augmentation...; **es de ~ la perfección de...** il faut remarquer la perfection de... ◇ *vi* **1.** *(resaltar)* se détacher, ressortir **2.** *FIG* se distinguer: **destaca por su talento** il se distingue par son talent. ◆ **~se** *vpr* **1.** se détacher **2.** *FIG* se distinguer.

**destajar** *vt AMER* dépecer.

**destajista** *m* ouvrier à la tâche, tâcheron.

**destajo** *m* **1.** forfait: **trabajar a ~** travailler à forfait, aux pièces **2.** **hablar a ~** trop parler.

**destapar** *vt* **1.** *(botella)* déboucher **2.** *(caja, etc.)* découvrir, ouvrir. ◆ **~se** *vpr* **1.** *(en la cama)* se découvrir **2.** *FIG* s'ouvrir à: **me destapé con él** je me suis ouvert à lui **3.** *FIG* surprendre.

**destape** *m FAM* strip-tease.

**destaponar** *vt* déboucher.

**destartalado, a** *a* **1.** *(ruinoso)* délabré, e **2.** *(descompuesto)* démantibulé, e, déglingué, e: **un coche ~** une voiture déglinguée **3.** *(desproporcionado)* disproportionné, e.

**destazar** *vt* équarrir, dépecer.

**destechar** *vt* enlever le toit.

**destejar** *vt* enlever les tuiles du toit de.

**destejer** *vt* détisser ◊ *FIG* **tejer y ~** → **tejer.**

**destellar** *vi* scintiller, étinceler.

**destello** *m* **1.** scintillement **2.** *(chispa)* étincelle *f* **3.** *FIG* éclair, lueur *f*: **un ~ de lucidez** un éclair de lucidité.

**destemplado, a** *a* **1.** peu harmonieux, euse **2.** *FIG* aigre, désagréable: **tono ~** ton aigre **3.** *FIG* irrité, e, emporté, e **4.** *(tiempo)* changeant, e, désagréable **5.** *(ligeramente enfermo)* un peu fiévreux, euse, dérangé, e **6.** *FIG* **con cajas destempladas** → **caja.**

**destemplanza** *f* **1.** excès *m*, manque *m* de modération **2.** *(del tiempo)* perturbation, variabilité **3.** *FIG* emportement *m* **4.** indisposition avec fièvre légère.

**destemplar** *vt* **1.** déranger, dérégler **2.** *MÚS* désaccorder **3.** *(el acero)* détremper. ◆ **~se** *vpr* **1.** être légèrement souffrant, e **2.** *(irritarse)* s'emporter.

**destemple** *m MÚS* désaccord.

**desteñir*** *vt* déteindre. ◇ *vi/pr* déteindre: **esta tela destiñe** cette étoffe déteint.

**desternillante** *a* tordant, e, hilarant, e.

**desternillarse** *vpr* **~ de risa** se tordre de rire.

**desterrado, a** *a/s* exilé, e.

**desterrar*** *vt* **1.** exiler **2.** *FIG* bannir, chasser, éloigner de soi: **~ una idea** chasser une idée.

**desterronar** *vt* émotter.

**destetar** *vt* sevrer.

**destete** *m* sevrage.

**destiempo (a)** *loc adv* à contretemps, inopportunément.

**destierro** *m* **1.** exil: **en el ~** en exil **2.** *FIG (lugar apartado)* lieu écarté, endroit perdu.

**destilación** *f* distillation.

**destilador** *m* **1.** distillateur **2.** *(alambique)* alambic.

**destilar** *vt* **1.** distiller **2.** laisser tomber goutte à goutte, sécréter, exsuder ◊ **~ humedad** suinter **3.** *FIG* **su carta destila amargura** sa lettre laisse percer son amertume. ◇ *vi* dégoutter, suinter.

**destilería** *f* distillerie.

**destinación** *f* destination.

**destinar** *vt* **1.** destiner **2.** *(a un funcionario)* affecter.

**destinatario, a** *s* destinataire.

**destino** *m* **1.** *(fatalidad)* destin, destinée *f*, sort **2.** *(aplicación)* destination *f*, usage **3.** *(dirección)* destinación *f*: **tren con ~ a Madrid** train à destination de Madrid; **llegar a su ~, a su punto de ~** arriver à destination **4.** *(empleo)* poste, situation *f*, place *f*, affectation *f*: **obtuvo un ~ de bibliotecario en Valladolid** il a obtenu un poste de bibliothécaire à Valladolid.

**destitución** *f* destitution.

**destituir*** *vt* destituer, limoger: **~ a un juez** limoger un juge.

**destocarse** *vpr* se découvrir.

**destorcer*** *vt* **1.** détordre **2.** *(poner recta una cosa torcida)* redresser.

**destornillado, a** *a/s FIG* **1.** *(abocado)* étourdi, e **2.** *(chiflado)* dérangé, e, toqué, e.

**destornillador** *m* tournevis.

**destornillar** *vt* dévisser.

**destrabar** *vt* **1.** *(animales)* désentraver **2.** détacher.

**destral** *m* hachette *f*.

**destrenzar** *vt* dénatter, détresser.

**destreza** *f* **1.** dextérité **2.** *(habilidad)* adresse, habileté.

**destripador** *m* éventreur: **Jack el Destripador** Jack l'Éventreur.

**destripar** *vt* **1.** étriper **2.** *(reventar)* éventrer **3.** *(aplastar)* écrabouiller **4.** FAM faire rater.

**destripaterrones** *m* PEYOR croquant, bouseux.

**destrizar** *vt* réduire en miettes.

**destronamiento** *m* déposition *f.*

**destronar** *vt* **1.** *(a un rey)* détrôner **2.** FIG détrôner, supplanter.

**destroncar** *vt* **1.** couper, tronçonner **2.** FIG interrompre **3.** *(agotar)* éreinter.

**destrozar** *vt* **1.** *(hacer trozos)* mettre en pièces, déchiqueter: **el cuerpo destrozado de la víctima** le corps déchiqueté de la victime **2.** *(estropear)* abîmer, détériorer, saccager: **los manifestantes destrozaron varias cabinas telefónicas** les manifestants ont détérioré plusieurs cabines téléphoniques **3.** *(destruir)* détruire, démolir **4.** *(moralmente)* abattre, briser **5.** FIG **la crisis ha destrozado muchas ilusiones** la crise a détruit bien des illusions **6.** MIL défaire, tailler en pièces.

**destrozo** *m* **1.** destruction *f* **2.** *(daño)* dégât, dommage **3.** MIL déroute *f.*

**destrozón, ona** *a/s* brise-tout *inv.*

**destrucción** *f* destruction.

**destructivo, a** *a* destructif, ive.

**destructor, a** *a/s* destructeur, trice. ◇ *m* MAR destroyer.

**destruir*** *vt* **1.** détruire: **el terremoto destruyó la ciudad** le tremblement de terre a détruit la ville; **~ una carta** détruire une lettre **2.** FIG ruiner. ◆ **~se** *vpr* MAT s'annuler.

**desubicar** *vt* AMER déplacer.

**desubstanciar → desustanciar.**

**desuello** *m* **1.** écorchement **2.** FIG honte *f,* abus.

**desuncir** *vt (bueyes)* dételer.

**desunión** *f* désunion, mésentente.

**desunir** *vt* **1.** désunir, séparer **2.** FIG diviser, brouiller.

**desuñar** *vt* **1.** arracher les ongles **2.** AGR arracher les vieilles racines. ◆ **~se** *vpr* s'acharner.

**desurdir** *vt* FIG déjouer.

**desusado, a** *a* **1.** *(anticuado)* désuet, ette **2.** *(raro)* inusité, e, inhabituel, elle.

**desuso** *m* **1.** manque d'usage **2.** désuétude *f:* **caer en ~** tomber en désuétude.

**desustanciar** *vt* affaiblir.

**desvahar** *vt (las plantas)* nettoyer.

**desvaído, a** *a* **1.** *(color)* pâle, passé, e ◊ **azul ~** bleu pâle, délavé **2.** FIG terne: **estilo ~** style terne **3.** FIG *(de poca personalidad)* terne, falot, e.

**desvainar** *vt* écosser.

**desvalido, a** *a* délaissé, e.

**desvalijamiento** *m* vol, cambriolage.

**desvalijar** *vt* dévaliser.

**desvalimiento** *m* abandon, délaissement.

**desvalorización** *f* dévalorisation.

**desvalorizar** *vt* **1.** dévaloriser **2.** *(la moneda)* dévaluer.

**desván** *m* grenier.

**desvanecer*** *vt* **1.** faire disparaître **2.** *(un color)* dégrader **3.** FIG *(dudas, sospechas)* dissiper. ◆ **~se** *vpr* **1.** disparaître graduellement, se dissiper: **las nubes fueron desvaneciéndose** les nuages se dissipèrent **2.** FIG *(dudas, sospechas)* se dissiper, s'évanouir **3.** *(desmayarse)* s'évanouir, perdre connaissance.

**desvanecido, a** *a* FIG orgueilleux, euse.

**desvanecimiento** *m (desmayo)* évanouissement, étourdissement: **sufrir un ~** avoir un étourdissement.

**desvarar** *vt (un barco)* remettre à flot, renflouer.

**desvariado, a** *a* **1.** délirant, e **2.** absurde, insensé, e.

**desvariar** *vi* délirer, divaguer, déraisonner.

**desvarío** *m* **1.** délire **2.** folie *f,* divagation *f* **3.** *(despropósito)* absurdité *f,* extravagance *f.*

**desvede** *m* ouverture *f* (de la pêche, chasse).

**desvelar** *vt* **1.** *(impedir el sueño)* empêcher de dormir **2.** *(poner de manifiesto)* révéler, dévoiler: **~ un secreto** révéler un secret; **una reciente encuesta desvela que...** une récente enquête révèle, indique que... ◆ **~se** *vpr* **1.** ne pas pouvoir dormir **2.** FIG se donner du mal, se mettre en quatre.

**desvelo** *m* **1.** insomnie *f* **2.** effort, peine *f:* **dedicar sus desvelos a...** consacrer ses efforts à... **3.** souci, préoccupation *f:* **los desvelos cotidianos** les soucis quotidiens.

**desvencijado, a** *a* **1.** *(mueble)* démantibulé, e **2.** *(casa)* délabré, e.

**desvencijar** *vt* démantibuler, déglingler. ◆ **~se** *vpr* se démantibuler.

**desvendar** *vt* débander.

**desventaja** *f* **1.** désavantage *m* **2.** **llevar ~** être désavantagé, e.

**desventajoso, a** *a* désavantageux, euse.

**desventura** *f* malheur *m,* infortune.

**desventurado, a** *a/s* malheureux, euse, infortuné, e.

**desvergonzado, a** *a/s (descarado)* effronté, e.

**desvergonzarse*** *vpr* manquer de respect, perdre toute retenue.

**desvergüenza** *f* **1.** effronterie, audace **2.** impudeur **3.** *(dicho insolente)* grossièreté, insolence.

**desvestir*** *vt* dévêtir. ◆ **~se** *vpr* se dévêtir, se déshabiller.

**desviación** *f* déviation.

**desviacionismo** *m* déviationnisme.

**desviacionista** *a/s* déviationniste.

**desviar** *vt* **1.** dévier **2.** détourner: **Ana desvió la vista** Anne détourna les yeux **3.** FIG *(disuadir)* détourner: **~ a alguien de un proyecto** détourner quelqu'un d'un projet. ◆ **~se** *vpr* **1.** dévier **2.** tourner: **la manifestación se desvió hacia el ayuntamiento** la manifestation tourna en direction de la mairie **3.** *(alejarse)* s'écarter: **no te desvíes del tema** ne t'écarte pas du sujet.

**desvinculación** *f* **1.** libération *f* **2.** séparation.

**desvincular** *vt* **1.** *(de una obligación, responsabilidad)* dégager, délier **2.** séparer, détacher. ◆ **~se** *vpr* se détacher, se séparer.

**desvío** *m* **1.** *(acción)* déviation *f,* détournement **2.** *(camino)* déviation *f* **3.** FIG désaffection *f,* froideur *f,* indifférence *f* **4.** **~ de fondos** détournement de fonds.

**desvirgar** *vt* déflorer, dépuceler.

**desvirtuar** *vt* **1.** affaiblir, faire perdre de sa force, de sa valeur à **2.** **~ los hechos** dénaturer les faits.

**desvivirse** *vpr* **1.** se mettre en quatre: **se desvive por complacerla** il se met en quatre pour lui faire plaisir **2.** raffoler de: **se desvive por los helados** il raffole de glaces.

**desyerbar** *vt* desherber.

**detall (al)** *loc adv* COM en détail.

**detalladamente** *adv* en détail.

**detallar** *vt* **1.** COM détailler **2.** citer en détail, énumérer.

**detalle** *m* **1.** détail: **contar con todo ~** raconter très en détail ◊ **ahí está el ~** voilà le hic **2.** *(delicadeza)* attention *f,* gentillesse *f:* **le agradezco el ~** je vous remercie de cette attention délicate **3.** COM **al ~** en détail.

**detallista** *s* **1.** *COM* détaillant, e **2.** personne *f* très minutieuse.

**detección** *f* détection.

**detectar** *vt* détecter.

**detective** *m* détective: **~ privado** détective privé.

**detector** *m* détecteur.

**detención** *f* **1.** *(acción de detener o detenerse)* arrêt *m*: **la ~ de un coche sobre el arcén** l'arrêt d'une voiture sur le bas-côté **2.** *(dilación)* retard *m*, délai *m* **3.** *(detenimiento)* attention, soin *m* **4.** *(apresamiento)* arrestation **5.** *(prisión)* détention préventive.

**detener*** *vt* **1.** *(parar)* arrêter **2.** *(arrestar)* arrêter: **detuvieron al ladrón** on a arrêté le voleur. ◆ **~se** *vpr* **1.** s'arrêter: **me detuve en el café** je me suis arrêté au café; **¡detente!** arrête-toi!, arrête!; **¡deténgase!** arrêtez-vous!, arrêtez! **2.** *(entretenerse)* s'attarder.

**detenidamente** *adv* longuement, minutieusement.

**detenido, a** *a* minutieux, euse, approfondi, e. ◇ *a/s (preso)* détenu, e.

**detenimiento** *m (cuidado)* attention *f*, soin: **examinar con ~** examiner avec attention.

**detentador, a** *s* détenteur, trice.

**detentar** *vt* détenir: **detenta al poder** il détient le pouvoir.

**detergente** *a/m* détergent, e. ◇ *m (para la ropa, etc.)* lessive *f*.

**deterioración → deterioro.**

**deteriorar** *vt* détériorer. ◆ **~se** *vpr* se détériorer, se dégrader.

**deterioro** *m* **1.** détérioration *f* **2.** dommage.

**determinación** *f* détermination.

**determinado, a** *a* **1.** déterminé, e **2.** *GRAM* **artículo ~** article défini **3.** certain, e: **en determinados aspectos** sous certains aspects; **sólo en determinados casos** dans certains cas précis seulement.

**determinante** *a/m* déterminant, e.

**determinar** *vt* **1.** déterminer **2.** *(decidir)* décider: **determiné marcharme** je décidai de m'en aller **3.** *(causar)* causer, occasionner: **el incendio determinó daños materiales** l'incendie a causé des dégâts matériels. ◆ **~se** *vpr* se décider, se déterminer: **se determinó a salir** il se décida à partir.

**determinativo, a** *a* déterminatif, ive.

**determinismo** *m* déterminisme.

**determinista** *a/s* déterministe.

**detersivo, a** *a/m* détersif, ive.

**detestable** *a* détestable.

**detestar** *vt* détester.

**detonación** *f* détonation.

**detonador** *m* détonateur.

**detonante** *a/m* détonant, e: **mezcla ~** mélange détonant. ◇ *m FIG* détonateur: **ser el ~ de** servir de détonateur à.

**detonar** *vi* détoner.

**detorsión** *f* torsion, distorsion.

**detracción** *f* détraction.

**detractor, a** *a/s* détracteur, trice.

**detraer*** *vt* **1.** écarter **2.** *FIG* dénigrer.

**detrás** *adv* **1.** derrière: **por ~** par derrière **2. ~ de** derrière: **~ de mí** derrière moi; **~ de los visillos** derrière les rideaux.

**detrimento** *m* détriment: **en ~ de** au détriment de.

**detrítico, a** *a GEOL* détritique.

**detrito, detritus** *m* détritus *inv*.

**detuve,** etc. **→ detener.**

**deuda** *f* **1.** dette: **pagar una ~** payer une dette; **contraer deudas** contracter, faire des dettes; **~ pública** dette publique **2. perdónanos nuestras deudas** pardonne-nous nos offenses.

**deudo, a** *s* parent, e.
▶ Sens de «proche parent» et non de «père et mère».

**deudor, a** *s* **1.** débiteur, trice **2.** *(padrenuestro)* **«así como perdonamos a nuestros deudores»** «comme nous pardonnons à ceux qui nous ont offensés».

**Deuteronomio** *m RELIG* Deutéronome.

**devalar** *vi MAR* dériver.

**devaluación** *f* dévaluation.

**devaluar** *vt* dévaluer: **~ la peseta en un 4%** dévaluer la peseta de 4%.

**devanadera** *f* dévidoir ◊ *FAM* **estar como unas devanaderas** être timbré, e.

**devanado** *m* **1.** dévidage **2.** *ELECT* bobinage.

**devanar** *vt* **1.** dévider **2.** bobiner. ◆ **~se** *vpr FIG* **devanarse los sesos, la cabeza** se creuser la cervelle, la tête.

**devanear** *vi* divaguer.

**devaneo** *m* **1.** divagation *f*, élucubration *f* **2.** *(capricho)* caprice, incartade *f* **3.** amourette *f*: **un ~ amoroso de juventud** une amourette, un caprice de jeunesse.

**devastación** *f* dévastation.

**devastador, a** *a* dévastateur, trice: **los efectos devastadores de la crisis** les effets dévastateurs de la crise.

**devastar** *vt* dévaster.

**develar, develizar** *vt AMER (una estatua, etc.)* dévoiler.

**devengado, a** *a COM* échu, e.

**devengar** *vt* **1.** *(salario)* avoir droit à, toucher **2.** *(interés)* rapporter.

**devengo** *m COM* somme *f* perçue ou versée.

[1]**devenir** *vi* devenir.

[2]**devenir** *m (en filosofía)* devenir.

**deveras → veras (de).**

**devoción** *f* dévotion.

**devocionario** *m* paroissien, missel, livre de messe.

**devolución** *f* **1.** restitution, renvoi *m* **2.** *(correo)* retour *m* **3.** *(reembolso)* remboursement *m*.

**devolver*** *vt* **1.** rendre: **le devolví el libro que me había prestado** je lui ai rendu le livre qu'il m'avait prêté; **~ una cantidad de dinero** rendre une somme d'argent; **~ la salud** rendre la santé **2.** *(una carta, etc.)* renvoyer, retourner: **le devuelvo su regalo** je vous renvoie votre cadeau; **rogamos devuelven el cuestionario** nous vous prions de nous retourner le questionnaire **3.** remettre: **¡devuelve eso a su sitio!** remets ça à sa place! **4.** *(vomitar)* rendre, vomir.

**devorador, a** *a* dévorant, e.

**devorar** *vt* **1.** dévorer **2.** *FIG* **~ con los ojos** dévorer des yeux.

**devotería** *f* bigoterie.

**devoto, a** *a/s* dévot, e. ◇ *a* **1.** pieux, euse, de piété: **estampa devota** image pieuse **2.** *(adicto)* adepte, fervent, e.

**devuelto, a** *pp* de **devolver.**

**dextrina** *f QUÍM* dextrine.

**dextrosa** *f QUÍM* dextrose.

**deyección** *f* déjection.

**di → decir.**

**día** *f* **1.** jour *m*: **es de ~** il fait jour; **¿qué ~ es hoy?** quel jour sommes-nous?; **el ~ de Año nuevo** le jour de l'an; **~ de difuntos** jour des morts; **el ~ de San Juan, de San Miguel** la

Saint-Jean, la Saint-Michel; **el ~ de hoy** aujourd'hui; **el ~ de ayer** hier, la veille; **al ~ siguiente** le lendemain; **el ~ D** le jour J; **¡hasta otro ~!** à un de ces jours!; *FAM* **tal ~ hará un año** je m'en fiche **2.** *(tiempo atmosférico, espacio de tiempo)* journée *f*: **un ~ hermoso, lluvioso** une belle journée, une journée pluvieuse; *FAM* **todo el santo ~** toute la sainte journée **3.** *(onomástica)* fête *f*: **el ~ de la Madre** la fête des mères; **el ~ de Reyes** la fête, le jour des Rois **4. al ~** à jour; **estar al ~** être au courant, à la page; **vivir al ~** vivre au jour le jour; **del ~** d'aujourd'hui, à la mode, au goût du jour; *(reciente)* du jour: **pan del ~** pain du jour, pain frais; **cualquier ~, un ~ de éstos** un de ces jours, un de ces quatre matins; **el ~ menos pensado** un beau jour, quand on s'y attend le moins; **el ~ de mañana** plus tard: **no quisiera que el ~ de mañana te arrepintieras de esto** je ne voudrais pas que tu t'en repentes plus tard **5.** *loc adv* **~ a ~** jour après jour; **~ y noche** nuit et jour, constamment; **a días** un jour bien, un jour mal, pas toujours; **cada ~ más, menos** de plus en plus, de moins en moins; **de ~ en ~** de jour en jour; **de un ~ a otro** d'un jour à l'autre; **en su ~** le jour venu, au moment voulu; **un ~ sí y otro no** un jour sur deux. ◇ *pl* **1.** *(saludo)* **buenos días** bonjour; **dar los buenos días** dire bonjour, souhaiter le bonjour **2.** *(vida)* jours: **para el resto de sus días** pour le restant de ses jours; **tiene los días contados** ses jours sont comptés ◊ **en los días de** du temps de **3.** *(onomástica)* fête *f sing*, anniversaire *sing*: **dar los días a alguien** souhaiter sa fête à quelqu'un.

▶ Le mot *día* est parfois explétif: *el ~ miércoles* le mercredi; *el ~ 20 de abril* le 20 avril.

**diabetes** *f MED* diabète *m*.

**diabético, a** *a/s* diabétique.

**diabla** *f* **1.** diablesse **2.** *FAM* **a la ~** à la diable.

**diablejo** *m* diablotin.

**diablesa** *f* diablesse.

**diablillo** *m* diablotin, diable.

**diablo** *m* **1.** diable ◊ *FAM* **darse al ~** s'emporter, se mettre dans une colère noire, se désespérer; **del ~, de todos los diablos** de tous les diables; **tener el ~ en el cuerpo** avoir le diable au corps; **¡váyase al ~!** allez au diable!; *AMER* **donde el ~ perdió el poncho** au diable vauvert **2.** *FIG* **un pobre ~** un pauvre diable **3.** *PROV* **más sabe el ~ por viejo que por ~** ce n'est pas aux vieux singes qu'on apprend à faire la grimace. ◇ *interj* **¡qué diablos!** que diable!; **¿cómo diablos...?** comment diable...?

**diablura** *f* **1.** *(travesura)* diablerie, espièglerie **2.** prouesse: **equilibrista que hace diabluras sobre el alambre** équilibriste qui fait des prouesses, des acrobaties sur le fil.

**diabólicamente** *adv* diaboliquement.

**diabólico, a** *a* diabolique.

**diabolín** *m* pastille *f* au chocolat.

**diábolo** *m* diabolo.

**diaconado, diaconato** *m* diaconat.

**diaconisa** *f* diaconesse.

**diácono** *m* diacre.

**diacrítico, a** *a* diacritique.

**diadema** *f* diadème *m*.

**diado** *a* **día ~** jour fixé.

**diáfano, a** *a* diaphane.

**diáfisis** *f ANAT* diaphyse.

**diafragma** *m (músculo, de cámara fotográfica, anticonceptivo)* diaphragme.

**diagnosticar** *vt* diagnostiquer.

**diagnóstico, a** *a* diagnostique. ◇ *m* diagnostic.

**diagonal** *a* diagonal, e, en diagonale. ◇ *f* diagonale.

**diagonalmente** *adv* en diagonale, diagonalement.

**diagrama** *m* diagramme.

**dial** *m (de teléfono)* cadran.

**dialectal** *a* dialectal, e.

**dialéctica** *f* dialectique.

**dialéctico, a** *a* dialectique. ◇ *s* dialecticien, enne.

**dialecto** *m* dialecte.

**diálisis** *f QUÍM, MED* dialyse.

**dializar** *vt* dialyser.

**dialogar** *vi* dialoguer.

**diálogo** *m* dialogue ◊ **un ~ de sordos** un dialogue de sourds.

**dialoguista** *s* dialoguiste.

**diamante** *m* diamant.

**diamantífero, a** *a* diamantifère.

**diamantino, a** *a* diamantin, e.

**diamantista** *s* diamantaire.

**diametralmente** *adv* diamétralement: **opiniones ~ opuestas** opinions diamétralement opposées.

**diámetro** *m* diamètre.

**diana** *f* **1.** *MIL* diane: **tocar ~** battre la diane ◊ **toque de ~** diane **2.** *(blanco)* mouche: **hacer ~** faire mouche; **dar en la ~** mettre dans le mille.

**Diana** *np f* Diane.

**¡diantre!** *interj* diable!, morbleu!

**diapasón** *m* **1.** diapason **2. bajar el ~** baisser le ton.

**diapositiva** *f* diapositive.

**diarero** → **diariero.**

**diariamente** *adv* quotidiennement, journellement.

**diariero** *m AMER* marchand de journaux.

**diario, a** *a* **1.** quotidien, enne, journalier, ère ◊ **5 minutos diarios** 5 minutes par jour **2. a ~** tous les jours, journellement, quotidiennement; **afeitarse a ~** se raser tous les jours; **los problemas de a ~** les problèmes de tous les jours; **de ~** de tous les jours. ◇ *m* **1.** *(periódico)* journal, quotidien ◊ **~ hablado** journal parlé **2.** *(relación)* journal **3.** *COM* journal, livre-journal.

**diarismo** *m AMER* journalisme.

**diarista** *s AMER* journaliste.

**diarrea** *f* diarrhée.

**diáspora** *f* diaspora.

**diastasa** *f QUÍM* diastase.

**diástole** *f* diastole.

**diatomeas** *f pl BOT* diatomées.

**diatriba** *f* diatribe.

**dibujante** *s* dessinateur, trice.

**dibujar** *vt* dessiner: **~ con tinta china** dessiner à l'encre de Chine. ◆ **~se** *vpr FIG* se dessiner, se préciser.

**dibujo** *m* **1.** dessin: **~ del natural** dessin d'après nature **2. dibujos animados** dessins animés **3.** *FAM* **no meterse en dibujos** ne pas se mêler de ce qui ne vous regarde pas.

**dicaz** *a* mordant, e, satirique.

**dicción** *f* diction.

**diccionario** *m* dictionnaire: **~ bilingüe** dictionnaire bilingue.

**diccionarista** *s* lexicographe.

**dice** → **decir.**

**díceres** *m pl AMER* racontars, cancans.

**dicha** *f* **1.** *(felicidad)* bonheur *m* **2.** *(suerte)* chance ◊ **por ~** heureusement, par bonheur; *PROV* **nunca es tarde si la ~ es buena** dans certains cas on ne perd rien à attendre.

**dicharachero, a** *a* bavard, e, blagueur, euse.

**dicharacho** *m* grossièreté *f*, gaudriole *f*.

**dicho, a** *pp* de **decir.** ◇ *a* dit, e ◊ **~ sea de paso** soit dit en passant; **~ y hecho** aussitôt dit, aussitôt fait; **lo ~ ~** ce qui est dit est dit; **me atengo a lo ~** je m'en tiens à ce que j'ai dit; **retiro lo ~** je retire ce que j'ai dit; **mejor ~** ou plutôt; **del ~ al hecho**

**hay un trecho** prometre et tenir font deux; *TEAT* **dichos** les mêmes. ◇ *m* **1.** propos, mot ◊ **~ agudo** bon mot **2.** *(refrán)* dicton **3.** *(del testigo)* déposition *f.* ◇ *pl* consentement *sing* des époux, promesses *f* de mariage.

**dichosamente** *adv* heureusement.

**dichoso, a** *a* **1.** heureux, euse: **el más ~ de los hombres** le plus heureux des hommes; **hacer ~** rendre heureux; **dichosos los limpios de corazón** heureux les cœurs purs; **¡dichosos los ojos!** → **ojo 2.** *FAM* fichu, e, sacré, e, satané, e: **¡~ niño!** fichu gamin!, maudit gamin!; **este ~ accidente** ce fichu accident.

**diciembre** *m* décembre: **el 24 de ~ de 1986** le 24 décembre 1986.

**dicotiledóneo, a** *a/f BOT* dicotylédone.

**dicotomía** *f* dichotomie.

**dictado** *m* **1.** dictée *f*: **escribir al ~ de** écrire sous la dictée de **2.** *(título)* titre. ◇ *pl* préceptes.

**dictador** *m* dictateur.

**dictadura** *f* dictadure.

**dictáfono** *m* dictaphone.

**dictamen** *m* **1.** *(informe)* rapport: **~ forense** rapport médico-légal **2.** *(opinión)* avis, opinion *f* **3.** **~ facultativo** prescription *f*, avis médical.

**dictaminar** *vi* **~ sobre** donner son avis, formuler un jugement sur. ◇ *vt* prescrire: **el médico le dictaminó una dieta** le médecin lui a prescrit un régime.

**díctamo** *m* dictame.

**dictar** *vt* **1.** dicter **2.** *(ley, etc.)* édicter, promulguer; *(fallo, etc.)* prononcer, rendre.

**dictatorial** *a* dictatorial, e.

**dicterio** *m* insulte *f.*

**didáctico, a** *a/f* didactique.

**Dido** *np f* Didon.

**diecinueve** *a/m* **1.** dix-neuf **2.** **el siglo ~** le dix-neuvième siècle.

**diecinueveavo, a** *a/s* dix-neuvième.

**dieciochavo, a** *a/s* dix-huitième.

**dieciocheno, a** *a/s* dix-huitième.

**dieciochesco, a** *a* du XVIIIe siècle.

**dieciocho** *a/m* **1.** dix-huit **2.** **el siglo ~** le dix-huitième siècle.

**dieciséis** *a/m* **1.** seize **2.** **el siglo ~** le seizième siècle.

**dieciseisavo, a** *a/s* seizième.

**diecisiete** *a/m* **1.** dix-sept **2.** **el siglo ~** le dix-septième siècle.

**diecisieteavo, a** *a/s* dix-septième.

**diedro** *a/m* dièdre.

**Diego** *np m* Jacques.

**diente** *m* **1.** dent *f*: **~ de leche** dent de lait ◊ *FIG* **armado hasta los dientes** armé jusqu'aux dents; **dar ~ con ~** claquer des dents; **enseñar los dientes** montrer les dents; **hablar entre dientes** parler entre ses dents, grommeler: **tener buen ~** avoir un joli coup de fourchette; *FAM* **estar que echa los dientes** être fou de rage, furibond, e; **hincar el ~ a uno** débiner quelqu'un; **poner los dientes largos a alguien** faire mourir quelqu'un d'envie **2.** *(de sierra, etc.)* dent *f* **3.** **~ de ajo** gousse *f* d'ail **4.** **~ de león** pissenlit, dent-de-lion.

**dientimellado, a** *a* brèche-dent.

**diera, diese,** etc. → **dar.**

**diéresis** *f* **1.** *(signo ortográfico)* tréma *m* **2.** *GRAM* diérèse.

**diesel** *m* diesel.

**diestra** *f* droite, main droite: **sentado a la ~ de** assis à la droite de.

**diestramente** *adv* adroitement.

**diestro, a** *a* **1.** droit, e **2.** *(hábil)* habile, adroit, e **3.** *(que usa la mano derecha)* droitier, ère **4.** *loc adv* **a ~ y siniestro** à droite et à gauche, à tort et à travers. ◇ *m* **1.** *TAUROM* matador **2.** *ANT* escrimeur, fine lame *f* **3.** *(cabestro)* licou.

**dieta** *f* **1.** *MED* diète, régime *m*: **estar a ~** être à la diète; **~ lacteada, de adelgazamiento** régime lacté, amaigrissant; **una ~ equilibrada** un régime équilibré; **una ~ a base de fruta** un régime à base de fruits **2.** *(asamblea)* diète. ◇ *pl* **1.** indemnités (de déplacement, etc.) **2.** *(retribución)* vacations, honoraires *m*, jetons *m* de présence.

**dietario** *m* agenda.

**dietético, a** *a/f* diététique ◊ **especialista en dietética** diététicien.

**diez** *a/m* **1.** dix **2.** **son las ~** il est dix heures **3.** **el siglo ~** le dixième siècle. ◇ *m* **1.** *(del rosario)* dizaine *f* **2.** pater.

**diezmar** *vt* décimer.

**diezmilésimo, a** *a/s* dix-millième.

**diezmillonésimo, a** *a/s* dix-millionième.

**diezmo** *m* dîme *f.*

**difamación** *f* diffamation.

**difamador, a** *a/s* diffamateur, trice.

**difamar** *vt* diffamer.

**difamatorio, a** *a* diffamatoire.

**diferencia** *f* **1.** différence ◊ **a ~ de** à la différence de **2.** *(discordia)* différend *m* **3.** décalage *m*: **~ horaria** décalage horaire.

**diferenciación** *f* différentiation.

**diferencial** *a* différentiel, elle. ◇ *m TECN* différentiel. ◇ *f MAT* différentielle.

**diferenciar** *vt* différencier. ◆ **~se** *vpr* **1.** se différencier, se distinguer ◊ **los dos hermanos se diferencian mucho** les deux frères sont très différents **2.** *(hacerse notable)* se distinguer.

**diferente** *a* différent, e: **su carácter es ~ al mío** son caractère est différent du mien; **una generación muy ~ a la nuestra** une génération très différente de la nôtre.

**diferentemente** *adv* différemment.

**diferido, a** *a* différé, e: **en ~** en différé.

**diferir*** *vt* différer, retarder. ◇ *vi* différer, être différent, e: **mi opinión difiere de la tuya** mon opinion diffère de la tienne.

**difícil** *a* difficile: **~ de hacer** difficile à faire; **un niño ~** un enfant difficile.

**dificultad** *f* **1.** difficulté ◊ **empresa en dificultades** entreprise en difficulté **2.** **poner dificultades para...** faire des difficultés, des histoires pour...

**dificultar** *vt* **1.** rendre difficile: **la nieve dificulta el acceso** la neige rend l'accès difficile **2.** *(estorbar)* gêner: **este esguince me dificulta el andar** cette entorse me gêne pour marcher.

**dificultosamente** *adv* difficilement.

**dificultoso, a** *a* difficile: **una tarea dificultosa** une tâche difficile.

**difidente** *a* défiant, e.

**difracción** *f* diffraction.

**difractar** *vi* diffracter: **~ los rayos luminosos** diffracter les rayons lumineux.

**difteria** *f* diphtérie.

**diftérico, a** *a/s* diphtérique.

**difuminar** *vt* estomper.

**difumino** *m* estompe *f*.

**difundir** *vt* **1.** diffuser **2.** FIG *(noticia)* divulguer, répandre, propager. ◆ **~se** *vpr* se répandre: **la noticia se difundió** la nouvelle se répandit.

**difunto, a** *a/s* défunt, e. ◇ *a* feu, feue: **su ~ padre** feu son père.

**difusamente** *adv* diffusément.

**difusión** *f* diffusion.

**difuso, a** *a* **1.** *(luz)* diffus, e **2.** *(estilo, escritor)* diffus, e, prolixe.

**difusor** *m* diffuseur.

**diga,** etc. → **decir.**

**digerible** *a* digestible, digeste.

**digerir*** *vt* **1.** digérer **2.** FIG digérer.

**digestión** *f* digestion.

**digestivo, a** *a/m* digestif, ive.

**digesto** *m* **1.** JUR digeste **2.** *(compendio)* digest.

**digitación** *f* MÚS doigté *m*.

**digitado, a** *a* digité, e.

**digital** *a* **1.** digital, e: **huella, impresión ~** empreinte digitale **2.** digital, e, numérique: **reloj ~** pendule numérique. ◇ *f* *(planta)* digitale.

**digitalina** *f* digitaline.

**digitalización** *f* INFORM numérisation.

**digitalizar** *vt* INFORM digitaliser, numériser.

**digitígrados** *m pl* ZOOL digitigrades.

**dígito** *m* **1.** nombre s'exprimant par un seul chiffre **2.** INFORM digit.

**dignamente** *adv* dignement.

**dignarse** *vpr* **1.** daigner: **no se dignó escucharme** il n'a pas daigné m'écouter **2. dígnese...** veuillez...

**dignatario** *m* dignitaire.

**dignidad** *f* dignité.

**dignificar** *vt* rendre digne, valoriser.

**digno, a** *a* digne: **~ de alabanza** digne d'éloge.

**digo** → **decir.**

**digrafo** *m* digramme.

**digresión** *f* digression.

[1]**dije** *m* **1.** breloque *f*, bijou **2.** FIG *(persona)* perle *f*.

[2]**dije, dijiste, dijo,** etc. → **decir.**

**dilacerar** *vt* **1.** déchirer, lacérer, dilacérer **2.** FIG blesser.

**dilación** *f* **1.** retard *m* **2. sin ~** sans délai, immédiatement.

**dilapidación** *f* dilapidation.

**dilapidador, a** *a/s* dilapidateur, trice.

**dilapidar** *vt* dilapider.

**dilatable** *a* dilatable.

**dilatación** *f* dilatation.

**dilatadamente** *adv* amplement, largement.

**dilatado, a** *a* **1.** *(extenso)* vaste, ample **2.** long, longue: **su dilatada carrera** sa longue carrière.

**dilatar** *vt* **1.** dilater **2.** *(diferir)* retarder, remettre, différer. ◆ **~se** *vpr* **1.** se dilater: **el hierro se dilata** le fer se dilate **2.** *(extenderse)* s'étendre (dans un récit, etc.) **3.** s'étendre: **la llanura se dilata hacia el este** la plaine s'étend vers l'est **4.** *(tardar)* s'attarder.

**dilatorio, a** *a* dilatoire. ◇ *f* atermoiement *m*.

**dilección** *f* amour *m*, dilection.

**dilecto, a** *a* aimé, e, chéri, e.

**dilema** *m* dilemme: **plantear un ~** poser un dilemme.

**diletante** *s* dilettante.

**diletantismo** *m* dilettantisme.

**diligencia** *f* **1.** *(esmero)* diligence, soin *m* **2.** *(trámite)* démarche: **hacer una ~** faire une démarche **3.** JUR **instruir diligencias** engager des poursuites; **~ previa** enquête **4.** *(coche)* diligence.

**diligenciar** *vt* faire des démarches pour obtenir.

**diligente** *a* **1.** *(activo)* diligent, e **2.** *(rápido)* prompt, e.

**dilucidación** *f* élucidation, explication.

**dilucidar** *vt* élucider, expliquer.

**dilución** *f* dilution.

**diluir*** *vt* diluer. ◆ **~se** *vpr* se diluer.

**diluvial** *a* diluvial, e.

**diluviano, a** *a* diluvien, enne.

**diluviar** *vi* pleuvoir à verse, à torrents.

**diluvio** *m* **1.** déluge **2.** FIG déluge.

**diluyente** *m* diluant.

**dimanar** *vi* **1.** jaillir **2.** FIG **~ de** émaner, découler, provenir de.

**dimensión** *f* dimension: **imágenes en tres dimensiones** images en trois dimensions.

**dimes y diretes** *loc* FAM palabres, papotages, cancans: **andar en ~** discutailler.

**diminutivo, a** *a/m* diminutif, ive.

**diminuto, a** *a* très petit, très petite, minuscule.

**dimisión** *f* démission: **presentar la ~** donner sa démission.

**dimisionario, a** *a/s* démissionnaire.

**dimitente** *a/s* démissionnaire.

**dimitir** *vi/t* démissionner, donner sa démission, se démettre: **tiene intención de ~** il a l'intention de démissionner; **ha dimitido de presidente, de su cargo de presidente** il s'est démis de ses fonctions de président.

**dimorfismo** *m* dimorphisme.

**dina** *f* FÍS dyne.

**Dinamarca** *np f* Danemark *m*.

**dinamarqués, esa** *a/s* danois, e.

**dinámico, a** *a/f* dynamique.

**dinamismo** *m* dynamisme.

**dinamita** *f* dynamite: **atentado con ~** attentat à la dynamite.

**dinamitar** *vt* dynamiter.

**dinamitero** *m* dynamiteur.

**dinamizador, a** *a* dynamisant, e, stimulant, e.

**dinamizar** *vt* dynamiser.

**dínamo, dinamo** *f* dynamo.

**dinamómetro** *m* **1.** FÍS dynamomètre **2.** peson.

**dinar** *m* *(moneda)* dinar.

**dinastía** *f* dynastie.

**dinástico, a** *a* dynastique.

**dinerada** *f* → **dineral.**

**dineral** *m* somme *f* folle, fortune *f*: **se gastó un ~** il a dépensé une fortune; **cuesta un ~** ça coûte une fortune, la peau des fesses.

**dinerario, a** *a* de l'argent.

**dinerillo** *m FAM* petite somme *f* d'argent, petit magot.

**dinero** *m* **1.** argent: **~ contante** argent comptant ◊ **de ~** riche; **hacer ~** s'enrichir, faire fortune; **estar mal de ~** être gêné, fauché **2. ~ suelto** monnaie *f* **3. ~ en metálico** espèces *f pl* **4.** *(denario)* denier.

**dinosaurio** *m* dinosaure.

**dintel** *m* linteau.

**diñar** *vt POP* **diñarla** claquer, casser sa pipe, passer l'arme à gauche, clamser.

**dio → dar.**

**diocesano, a** *a* diocésain, e.

**diócesis** *f* diocèse *m*.

**Diocleciano** *np m* Dioclétien.

**diodo** *m ELECT* diode *f*.

**Diógenes** *np m* Diogène.

**dionisíaco, a** *a* dionysiaque.

**Dionisio, a** *np* Denis, e.

**Dioniso** *np m* Dionysos.

**dioptría** *f* dioptrie.

**dióptrico, a** *a/f* dioptrique.

**diorama** *m* diorama.

**Dios** *np m* **1.** Dieu: **~ Padre** Dieu le Père; **por el amor de ~** pour l'amour de Dieu ◊ **~ dirá** à la grâce de Dieu, on verra bien; **estaba de ~** c'était écrit, c'était à prévoir; **quiera ~** plaise à Dieu; **sabe ~ cuándo volveremos a vernos** Dieu sait quand nous nous reverrons; **¡~ sabe!** Dieu seul le sait!; *FAM* **armar la de ~ es Cristo** faire du chambard, un foin de tous les diables; **cuesta ~ y ayuda...** c'est la croix et la bannière pour...; **a él le costó ~ y ayuda obtener este permiso** il a eu un mal fou pour obtenir ce permis; *PROV* **a ~ rogando y con el mazo dando** aide-toi, le Ciel t'aidera!; **~ aprieta pero no ahoga → apretar; ~ los cría y ellos se juntan → criar 2. ¡~!, ¡~ mío!, ¡santo ~!, ¡~ santo!** mon Dieu!, bon Dieu!; **¡por ~!** voyons!, allons!, je vous en prie!, par pitié!; **¡válgame ~!** grand Dieu!, bon sang!; **¡vaya con ~!** adieu!; **¡vaya por ~!** ça alors! **3.** *loc adv* **a la buena de ~** au petit bonheur; **a ~ gracias, gracias a ~** Dieu merci; **como ~ manda** comme il faut, comme il se doit, dans les règles de l'art: **mi madre nos cocinó una paella como ~ manda** ma mère nous a préparé une paella dans les règles; **~ mediante** si Dieu le veut, Dieu aidant. ◊ *m* dieu: **los dioses paganos** les dieux païens.

**diosa** *f* déesse.

**dióxido** *m QUÍM* **~ de carbono** dioxyde de carbone.

**diplodoco** *m* diplodocus.

**diploma** *m* diplôme.

**diplomacia** *f* diplomatie.

**diplomado, a** *a/s* diplômé, e.

**diplomático, a** *a* **1.** diplomatique: **cuerpo ~** corps diplomatique **2.** *(hábil)* diplomate. ◊ *s* diplomate.

**dipsomanía** *f* dipsomanie.

**dipsomaníaco, a** *a/s* dipsomane.

**díptero, a** *a/m ZOOL* diptère.

**díptico** *m* diptyque.

**diptongación** *f GRAM* diphtongaison.

**diptongar** *vt GRAM* diphtonguer. ◆ **~se** *vpr* se diphtonguer.

**diptongo** *m* diphtongue *f*.

**diputación** *f* **1.** députation **2. ~ provincial** conseil *m* général **3.** *(edificio)* hôtel *m* de ville.

**diputado, a** *s* **1.** député, e **2. ~ provincial** conseiller général.

**diputar** *vt* **1.** nommer, élire, désigner **2.** *(juzgar)* juger, considérer comme.

**dique** *m* **1.** digue *f* **2. ~ flotante** dock flottant; **~ de carena** bassin de radoub; **~ seco** cale *f* sèche.

**diquelar** *vt POP (comprender)* piger; *(mirar)* zieuter.

**dirá, dirás, diré,** etc. **→ decir.**

**dire** *m FAM (director)* dirlo.

**dirección** *f* **1.** direction: **bajo la ~ de** sous la direction de **2.** *(rumbo)* direction: **en ~ a** en direction de **3.** *(señas)* adresse: **escribir la ~ en el sobre** écrire l'adresse sur l'enveloppe **4.** sens *m*: **~ única, prohibida** sens unique, interdit; **calle de doble ~** rue à double sens **5.** *(mecanismo)* direction: **~ de cremallera** direction à crémaillère.

**direccionamiento** *m INFORM* adressage.

**directamente** *adv* directement.

**directivo, a** *a* **junta directiva** comité directeur. ◊ *s* dirigeant, e, directeur: **los altos directivos** les dirigeants; **directivos empresariales** chefs d'entreprise, patrons. ◊ *f (de una sociedad, club)* direction.

**directo, a** *a* direct, e: **tren ~** train direct. ◊ *m* **1.** *(boxeo)* direct **2. transmitir en ~** transmettre en direct. ◊ *f TECN* **marcha directa** prise directe; **poner la directa** se mettre en prise.

**director, a** *a/s* directeur, trice. ◊ *m* **1. ~ de escena** metteur en scène **2. ~ de orquesta** chef d'orchestre.

**directorial** *a* directorial, e.

**directorio** *m* **1.** *(junta directiva)* directoire **2.** *(guía)* guide **3.** *(de direcciones)* répertoire **4.** *INFORM* liste *f* des adresses, répertoire.

**directriz** *f GEOM* directrice. ◊ *f pl* directives: **las directrices del partido** les directives du parti.

**diría → decir.**

**dirigencia** *f AMER* **la ~** la direction, les dirigeants.

**dirigente** *a/s* dirigeant, e.

**dirigible** *a/m* dirigeable.

**dirigir** *vt* **1.** diriger: **~ la mirada hacia** diriger ses regards vers; **~ una empresa** diriger une entreprise **2. ~ la palabra, una carta** adresser la parole, une lettre **3.** *(un poema, etc.)* dédier. ◆ **~se** *vpr* **1.** se diriger: **se dirige a la puerta** il se dirige vers la porte **2.** s'adresser: **me dirijo a usted** je m'adresse à vous.

**dirigismo** *m* dirigisme.

**dirimente** *a JUR* dirimant, e.

**dirimir** *vt* **1.** annuler **2.** *(una dificultad, etc.)* trancher, régler: **~ una cuestión candente** trancher une question brûlante.

**discal** *a MED* **hernia ~** hernie discale.

**discapacidad** *f AMER* handicap *m*.

**discapacitado, a** *a/s AMER* handicapé, e.

**discar** *vt AMER (un número de teléfono)* composer.

**discernible** *a* discernable.

**discernimiento** *m* discernement.

**discernir*** *vt* discerner.

**disciplina** *f* discipline: **una ~ de hierro** une discipline de fer.

**disciplinante** *s* flagellant, e.

**disciplinar** *vt* discipliner.

**disciplinario, a** *a* disciplinaire.

**discípulo, a** *s* **1.** disciple: **los discípulos de Jesús** les disciples de Jésus **2.** *(en una escuela)* élève.

**disco** *m* **1.** disque: **lanzamiento de ~** lancement du disque **2.** disque: **~ de larga duración** disque de longue durée; **~ compacto** disque compact, compact-disc; **~ flexible** disque souple; **~ duro** disque dur **3.** *FIG* disque, rengaine *f* **4.** *(semáforo)* feu: **el ~ está en verde** le feu est au vert **5. ~ de señales** disque **6.** *TECN* **freno de ~** frein à disque **7.** *ANAT* disque: **hernia de ~** hernie discale.

**discóbolo** *m* discobole.

**discografía** *f* discographie.

**discográfico, a** *a* discographique.

**discoidal** *a* discoïdal, e, discoïde.

**díscolo, a** *a* turbulent, e, indiscipliné, e.

**disconforme** *a* en désaccord: **mostrarse ~ con** se montrer en désaccord avec.

**disconformidad** *f* désaccord *m*, opposition.

**discontinuidad** *f* discontinuité.

**discontinuo, a** *a* discontinu, e: **línea discontinua** ligne discontinue.

**disconvenir* → desconvenir.**

**discordancia** *f* discordance.

**discordante** *a* discordant, e.

**discordar*** *vi* **1.** *(discrepar)* être en désaccord **2.** *MÚS* discorder **3.** *(colores)* jurer.

**discorde** *a* discordant, e.

**discordia** *f* discorde ◊ *FIG* **manzana de la ~** pomme de discorde.

**discoteca** *f* discothèque.

**discreción** *f* **1.** discrétion **2.** *(sensatez)* bon sens *m*, sagesse **3.** *(agudeza)* finesse **4.** *loc adv* **a ~** à discrétion.

**discrecional** *a* **1.** facultatif, ive: **parada ~** arrêt facultatif **2.** *(poder)* discrétionnaire.

**discrepancia** *f* **1.** différence **2.** *(en opiniones)* divergence d'opinions, désaccord *m*.

**discrepante** *a* divergent, e.

**discrepar** *vi* **1.** *(una cosa de otra)* être différent, e, sans rapport, différer **2.** *(personas)* ne pas être du même avis, être en désaccord: **discrepo de lo que afirmas** je ne suis pas d'accord avec ce que tu affirmes; **los partidos políticos discrepan en la fecha de las elecciones** les partis politiques ne sont pas d'accord sur la date des élections.

**discretamente** *adv* discrètement.

**discretear** *vi* faire de l'esprit.

**discreteo** *m* marivaudage.

**discreto, a** *a/s* **1.** *(reservado)* discret, ète **2.** *(sensato)* sage, sensé, e **3.** *(agudo)* spirituel, elle.

**discriminación** *f* discrimination: **~ racial** discrimination raciale.

**discriminante** *m MAT* discriminant.

**discriminar** *vt* **1.** *(diferenciar)* discriminer, faire de la discrimination, distinguer **2.** *(separar)* séparer.

**discriminatorio, a** *a* discriminatoire.

**disculpa** *f* excuse.

**disculpable** *a* excusable, pardonnable.

**disculpar** *vt* **1.** disculper **2.** excuser: **discúlpeme por haber llegado tarde** excusez-moi d'être arrivé en retard; **disculpe que venga tan temprano** excusez-moi d'arriver si tôt. ◆ **~se** *vpr* s'excuser, se disculper: **disculparse con alguien** s'excuser auprès de quelqu'un.

**discurrir** *vi* **1.** *(personas, etc.)* passer, aller, circuler **2.** *(líquido)* couler **3.** *(el tiempo)* passer, s'écouler: **la vida discurre** la vie s'écoule; **las horas discurren** les heures passent **4.** se dérouler: **la acción discurre en Granada** l'action se déroule à Grenade **5.** *(reflexionar)* réfléchir, penser: **discurre un poco** réfléchis un peu. ◇ *vt (idear)* trouver, inventer.

**discursear** *vi* faire des discours.

**discursivo, a** *a* **1.** discursif, ive **2.** *(meditabundo)* réfléchi, e, méditatif, ive.

**discurso** *m* **1.** discours: **pronunciar un ~** prononcer un discours; **perder el hilo del ~** perdre le fil de son discours **2.** *(razonamiento)* raisonnement **3.** *(del tiempo)* cours.

**discusión** *f* discussion.

**discutible** *a* discutable.

**discutidor, a** *a/s* discuteur, euse.

**discutir** *vi/t* **1.** discuter: **~ de política** discuter (de) politique; **están discutiendo la edad de...** ils sont en train de discuter de l'âge, au sujet de l'âge de...; **vamos a ~ este asunto con calma** nous allons discuter (de) cette affaire, débattre cette affaire calmement **2.** contester, mettre en doute: **no le discuto sus méritos** je ne mets pas en doute vos mérites; **no voy a discutírtelo** je ne vais pas mettre en doute ce que tu me dis; **nadie se lo discute** personne ne le met en doute, ne le conteste **3.** contredire: **¡deja de discutirme!** cesse de me contredire!; **yo no discuto nunca a mis superiores** je ne contredis jamais mes supérieurs.

**disecador** *m* **1.** dissecteur **2.** *(taxidermista)* empailleur, taxidermiste.

**disecar** *vt* **1.** disséquer **2.** *(un animal para su conservación)* empailler, naturaliser: **un lobo disecado** un loup empaillé.

**disección** *f* dissection.

**diseminación** *f* dissémination.

**diseminar** *vt* disséminer.

**disensión** *f* dissension.

**disenso → disentimiento.**

**disentería** *f* dysenterie.

**disentimiento** *m* désaccord, dissentiment.

**disentir*** *vi* différer d'opinion, ne pas être d'accord: **disiento de usted** je ne suis pas d'accord avec vous; **disentimos en casi todo** nous sommes en désaccord sur presque tout.

**diseñador, a** *s* **1.** dessinateur, trice **2.** *(de moda)* styliste **3.** *(de diseño industrial)* designer.

**diseñar** *vt* dessiner, esquisser.

**diseño** *m* **1.** dessin, esquisse *f* **2. ~ industrial** design, dessin industriel **3. ~ asistido por ordenador** conception *f* assistée par ordinateur **4. unos muebles de ~** des meubles design; *FAM* **un bar de ~** un bar branché, à la mode.

**disertación** *f* **1.** dissertation **2.** *(discurso)* exposé *m*, conférence.

**disertante** *s* conférencier, ère.

**disertar** *vi* disserter: **~ sobre** disserter sur, de.

**diserto, a** *a* disert, e.

**disfamar → difamar.**

**disfavor** *m* **1.** défaveur *f* **2.** *(desaire)* affront.

**disforme → deforme.**

**disfraz** *m* **1.** déguisement ◊ **baile de disfraces** bal travesti, bal costumé **2.** *FIG* déguisement, masque.

**disfrazar** *vt* **1.** déguiser, travestir **2.** *FIG* déguiser, masquer, dissimuler: **~ sus intenciones** déguiser ses intentions. ◆ **~se** *vpr* se déguiser: **se disfrazó de arlequín** il s'est déguisé en arlequin.

**disfrutar** *vt/i* **1.** jouir de, profiter de: **~ de la vida** jouir, profiter de la vie; **disfruta (de) buena salud** il jouit d'une bonne santé; **en mis tiempos disfrutábamos de relativa libertad** de mon temps nous jouissions d'une liberté relative; **~ (de) las vacaciones** profiter des vacances **2.** bénéficier de: **~ una beca** bénéficier d'une bourse; **ustedes disfrutarán las ventajas siguientes** vous bénéficierez des avantages suivants. ◇ *vi* s'amuser.

**disfrute** *m* jouissance *f*, usage.

**disfumino → difumino.**

**disfunción** *f* dysfonctionnement *m*.

**disgregación** *f* désagrégation.

**disgregar** *vt* **1.** désagréger **2.** disperser. ◆ **~se** *vpr* se désagréger.

**disgustado, a** *a* **1.** *(pesaroso)* contrarié, e **2.** *(enemistado)* fâché, e: **estoy ~ con ella** je suis fâché avec elle.

**disgustar** *vt* **1.** *(desagradar)* déplaire **2.** *(contrariar)* contrarier, fâcher, désoler: **me disgusta que te vayas** ça me contrarie que tu partes. ◆ **~se** *vpr* **1.** se fâcher **2.** être contrarié, e, se formaliser: **no te disgustes por tan poca cosa** ne te formalise pas pour si peu.

**disgusto** *m* **1.** ennui, contrariété *f* ◊ **me llevé un gran ~ cuando me dijo...** j'ai été très contrarié lorsqu'il m'a dit... **2.** *(preocupación)* souci: **nuestro hijo mayor nos da muchos disgustos** notre fils aîné nous cause bien des soucis **3.** *(pesadumbre)* chagrin, peine *f* **4.** *(desavenencia)* dispute *f* **5.** *(desgana)* déplaisir **6. a ~** mal à l'aise: **se siente a ~ en todas partes** il se sent mal à l'aise partout.

**disidencia** *f* dissidence.

**disidente** *a/s* dissident, e.

**disidir** *vi* se séparer, faire dissidence.

**disílabo, a** *a/m* dissylabe.

**disimetría** *f* dissymétrie.

**disimétrico, a** *a* dissymétrique.

**disímil** *a* dissemblable, différent, e.

**disimilación** *f* dissimilation.

**disimilitud** *f* dissimilitude, dissemblance, différence.

**disimulación** *f* dissimulation.

**disimuladamente** *adv* hypocritement, sournoisement.

**disimulado, a** *a/s* hypocrite ◊ **hacerse el ~** faire l'ignorant.

**disimulador, a** *a/s* dissimulateur, trice.

**disimular** *vt* **1.** *(ocultar)* dissimuler **2.** *(tolerar)* feindre d'ignorer, fermer les yeux sur **3.** excuser, pardonner.

**disimulo** *m* **1.** dissimulation *f* **2.** habileté *f* **3. con ~** discrètement, en cachette.

**disipación** *f* dissipation.

**disipado, a** *a/s* dissipé, e.

**disipar** *vt* **1.** dissiper **2.** *FIG (fortuna, herencia)* dissiper, dilapider. ◆ **~se** *vpr (nieblas, etc.)* se dissiper.

**diskette** *m* disquette *f*.

**dislate** *m* sottise *f*, absurdité *f*.

**dislexia** *f* dyslexie.

**disléxico, a** *a/s* dyslexique.

**dislocación** *f* dislocation.

**dislocar** *vi* disloquer. ◆ **~se** *vpr (articulación)* se démettre, se déboîter: **se ha dislocado el tobillo** il s'est démis la cheville.

**disloque** *m FAM* **es el ~** c'est le comble, c'est de la folie.

**dismenorrea** *f MED* dysménhorrée.

**disminución** *f* **1.** diminution **2.** *(de la temperatura, etc.)* baisse.

**disminuir*** *vt/i* **1.** diminuer **2.** baisser: **las temperaturas disminuirán** les températures baisseront.

**disnea** *f MED* dyspnée.

**disociable** *a* dissociable.

**disociación** *f* dissociation.

**disociar** *vt* dissocier.

**disoluble** *a* soluble.

**disolución** *f* **1.** dissolution **2.** *(en las costumbres)* dissolution, dérèglement *m*.

**disoluto, a** *a/s* dissolu, e, débauché, e.

**disolvente** *a/m* dissolvant, e.

**disolver*** *vt* dissoudre. ◆ **~se** *vpr* se dissoudre: **el azúcar se disuelve en el agua** le sucre se dissout dans l'eau.

**disonancia** *f* dissonance.

**disonante** *a* dissonant, e.

**disonar*** *vi* **1.** dissoner **2.** *FIG* détonner, ne pas être en harmonie, jurer.

**dispar** *a* dissemblable, différent, e.

**disparada** *f AMER* fuite, débandade, volée ◊ **a la ~** à toute vitesse; *(atolondradamente)* à la hâte, à la va-vite.

**disparadero** *m (de un arma)* détente *f* ◊ *FIG* **poner a uno en el ~** pousser quelqu'un à bout.

**disparador** *m* **1.** *(de un arma de fuego)* détente *f* **2.** *(de cámara fotográfica)* déclencheur **3.** *(de reloj)* échappement.

**disparar** *vt* **1.** *(un arma)* décharger **2. ~ un tiro** tirer un coup de feu **3.** *(una flecha)* décocher, lancer **4.** *(arrojar)* lancer **5.** *(un mecanismo)* déclencher **6.** *FIG (los precios, etc.)* faire grimper, faire monter en flèche, faire flamber. ◇ *vi* **1.** tirer, faire feu: **~ a, contra alguien** tirer sur quelqu'un; **~ a bocajarro** tirer à bout portant; **el policía disparó** le policier tira, fit feu **2.** *FIG* **salir disparado** partir comme una flèche, à fond de train. ◆ **~se** *vpr* **1.** *(un arma de fuego)* partir **2.** *FIG* s'emporter **3.** *FIG* grimper, s'envoler: **se dispararon los precios en junio** les prix ont grimpé, se sont envolés, ont monté en flèche, ont dérapé en juin; **se disparan las importaciones** les importations montent en flèche.

**disparatado, a** *a* absurde, déraisonnable, extravagant, e.

**disparatar** *vi* déraisonner, faire, dire des sottises.

**disparate** *m* sottise *f*, bêtise *f*, idiotie *f*, absurdité *f*: **decir disparates** dire des sottises; **es un ~ edificar la casa al lado del precipicio** c'est une absurdité de construire la maison à côté du précipice.

**disparejo, a** *a* inégal, e.

**disparidad** *f* disparité.

**disparo** *m* **1.** *(tiro)* coup de feu, décharge *f*, coup, tir: **se oyeron varios disparos** on entendit plusieurs coups de feu; **~ de pistola** coup de pistolet; **fue alcanzado por un ~ en el pecho** il a été atteint par une balle dans la poitrine; **disparos de mortero** des tirs de mortier; **cadencia de ~ de una arma** cadence de tir d'une arme **2.** *(de una flecha)* décochement **3.** *(de un mecanismo)* déclenchement **4.** *(fútbol)* tir, shoot, dégagement: **~ a puerta** tir au but **5.** *(de los precios)* flambée *f*, montée *f* en flèche, valse *f* des étiquettes.

**dispendio** *m* gaspillage, dépense *f* excessive.

**dispensa** *f* dispense.

**dispensación** *f* **1.** distribution, remise ◊ **medicamento de libre ~** médicament délivré sans ordonnance **2.** → **dispensa.**

**dispensar** *vt* **1.** *(conceder)* accorder: **~ favores** accorder des faveurs **2. ~ una entusiasta acogida** réserver un accueil chaleureux **3.** distribuer **4.** *(perdonar)* excuser, pardonner: **dispense usted** excusez-moi **5.** *(eximir)* dispenser.

**dispensario** *m* dispensaire.

**dispepsia** *f* dyspepsie.

**dispéptico, a** *a/s* dyspeptique, dyspepsique.

**dispersar** *vt* disperser. ◆ **~se** *vpr* se disperser.

**dispersión** *f* dispersion.

**disperso, a** *a* dispersé, e, épars, e.

**displicencia** *f* **1.** *(en el trato)* froideur **2.** manque *m* d'enthousiasme, indifférence.

**displicente** *a* **1.** désagréable **2.** *(de mal humor)* bourru, e, hargneux, euse.

**disponer*** *vt/i* **1.** *(colocar)* disponer, placer **2. ~ de** disposer de. ◇ *vt* ordonner, prescrire. ◆ **~se** *vpr* se disposer, s'apprêter: **me dispongo a salir** je me dispose à, je m'apprête à partir; **se dispuso a...** il se disposa à...

**disponibilidad** *f* disponibilité.

**disponible** *a* disponible.

**disposición** *f* **1.** *(colocación)* disposition **2.** ~ **de ánimo** état *m* d'esprit; **estar en ~ de** être en état de, prêt à; **estar en buena ~** être dans de bonnes dispositions, être bien disposé **3.** *(aptitud)* disposition, aptitude: **tiene ~ para la pintura** il a des dispositions pour la peinture **4. estoy a su ~** je suis à votre disposition, à votre service; **poner a ~ de** mettre à la disposition de **5. tomar sus disposiciones** prendre ses dispositions **6. última ~** dernières volontés *pl*.

**dispositivo** *m* dispositif.

**dispuesto, a** *pp* de **disponer.** ◇ *a* **1.** disposé, e, prêt, e: **estoy ~ a escucharle** je suis prêt à vous écouter; **estar bien ~ con** être bien disposé envers **2.** prêt, e: **todo está ~** tout est prêt; **tengo el equipaje ~** mes bagages sont prêts **3.** *(capaz)* doué, e, habile.

**dispuse,** etc. → **disponer.**

**disputa** *f* **1.** dispute **2. sin ~** sans contredit, sans conteste.

**disputar** *vi/t* **1.** disputer, discuter **2.** *(un premio, un campeonato)* disputer.

**disquete** *m* disquette *f*.

**disquetera** *f* disquette.

**disquisición** *f* étude, analyse.

**distancia** *f* **1.** distance: **a ~** à distance; **~ focal** distance focale; **en la ~** au loin ◊ **guardar las distancias** garder ses distances; **salvando las distancias** toutes proportions gardées **2.** *(diferencia)* différence, distance ◊ **de ahí a renunciar, va mucha ~** de là à renoncer, il y a loin **3. avión de largas distancias → avión.**

**distanciamiento** *m* **1.** éloignement **2.** froideur *f* **3.** *TEAT* distanciation *f*.

**distanciar** *vt* **1.** éloigner **2.** séparer, écarter. ◆ **~se** *vpr* **1.** s'éloigner **2.** *(enemistarse)* se brouiller ◊ **están distanciados** ils sont en froid, ils se battent froid, ils ne se voient plus; **está distanciado de su familia** il a pris ses distances vis-à-vis de sa famille.

**distante** *a* éloigné, e, distant, e: **el atentado se produjo en un bar ~ unos cien metros de la estación** l'attentat a eu lieu dans un bar distant de cent mètres environ de la gare.

**distar** *vi* **1.** être éloigné, e **2.** *FIG* être loin: **dista mucho de ser un héroe** il est loin d'être un héros; **este método dista mucho de ser perfecto** cette méthode est très loin d'être parfaite.

**distender*** *vt* distendre. ◆ **~se** *vpr* se détendre: **atmósfera distendida** atmosphère détendue; **llegó distendido** il arriva détendu, décontracté.

**distensión** *f* **1.** distension **2.** *(en política)* détente.

**dístico** *m* distique.

**distinción** *f* **1.** distinction: **sin ~ de edades** sans distinction d'âge **2. a ~ de** à la différence de; **no hacer ~ entre...** ne pas faire de différence entre... **3.** *(elegancia)* distinction.

**distingo** *m* restriction *f*, objection *f*, distinguo.

**distinguible** *a* distinguable.

**distinguido, a** *a* distingué, e.

**distinguir** *vt* **1.** distinguer ◊ *FAM* **no ~ lo blanco de lo negro → blanco 2.** décorer: **~ con la cruz...** décorer de la croix...; **fue distinguido con la legión de honor** il a été décoré de la légion d'honneur. ◆ **~se** *vpr* se distinguer.

**distintamente** *adv* distinctement.

**distintivo, a** *a* distinctif, ive. ◇ *m* **1.** *(insignia)* insigne **2.** signe distinctif **3.** caractéristique *f*.

**distinto, a** *a* **1.** *(claro)* distinct, e **2.** différent, e: **un mundo ~** un monde différent; **~ a los demás** différent des autres; **hay distintas soluciones** il y a différentes solutions.

**distorsión** *f* **1.** distorsion **2.** *FIG* déséquilibre, distortion.

**distorsionar** *vt* **1.** déformer **2.** *FIG* déséquilibrer.

**distracción** *f* distraction.

**distraer*** *vt* **1.** distraire **2.** *(entretener)* distraire, amuser, délasser. ◆ **~se** *vpr* **1.** se distraire **2.** *(descuidarse)* se laisser distraire, être distrait, e, avoir un moment d'inattention.

**distraído, a** *a/s* distrait, e: **Miguel es muy ~** Michel est très distrait. ◇ *a* **1.** *(divertido)* distrayant, e **2.** *AMER* négligé, e.

**distribución** *f* distribution.

**distribuidor, a** *a/m* distributeur, trice: **~ automático** distributeur automatique.

**distribuir*** *vt* distribuer.

**distributivo, a** *a* distributif, ive.

**distrito** *m* district, circonscription *f*.

**disturbar** *vt* troubler, perturber.

**disturbio** *m* trouble, émeute *f*.

**disuadir** *vt* dissuader.

**disuasión** *f* dissuasion.

**disuasivo, a, disuasorio, a** *a* dissuasif, ive, de dissuasion.

**disuelto, a** *a* dissous, oute.

**disuria** *f MED* dysurie.

**disyunción** *f* disjonction.

**disyuntiva** *f* alternative: **encontrarse ante una ~** se trouver devant une alternative.

**disyuntivo, a** *a* disjonctif, ive.

**disyuntor** *m ELECT* disjoncteur.

**ditirámbico, a** *a* dithyrambique.

**ditirambo** *m* dithyrambe.

**DIU** *m (dispositivo intrauterino)* stérilet.

**diuresis** *f* diurèse.

**diurético, a** *a/m* diurétique.

**diurno, a** *a* diurne.

**diva** *f* **1.** *POÉT* déesse **2.** *(cantante)* diva.

**divagación** *f* divagation.

**divagar** *vi* divaguer.

**diván** *m* **1.** *HIST* divan **2.** *(sofá)* divan.

**divergencia** *f* divergence.

**divergente** *a* divergent, e.

**divergir** *vi* diverger.

**diversidad** *f* diversité, variété.

**diversificación** *f* diversification.

**diversificar** *vt* diversifier.

**diversión** *f* **1.** *(pasatiempo)* distraction **2.** *(divertimiento)* divertissement *m* **3.** *MIL* diversion.

**diverso, a** *a* divers, e, différent, e. ◇ *pl* plusieurs: **diversas personas** plusieurs personnes.

**divertido, a** *a* amusant, e, drôle, distrayant, e, divertissant, e: **una película muy divertida** un film très drôle.

**divertimiento** *m (diversión)* divertissement, distraction *f*.

**divertir*** *vt* **1.** *(hacer reír)* amuser, divertir **2.** *(apartar)* détourner. ◆ **~se** *vpr* s'amuser, se divertir: **nos hemos divertido mucho** nous nous sommes bien amusés; **¡que se divierta!** amusez-vous bien!

**dividendo** *m* dividende.

**dividir** *vt* **1.** diviser **2.** *(repartir)* partager. ◆ **~se** *vpr* se diviser.

**divieso** *m* furoncle, clou.

**divinamente** *adv* divinement.

**divinatorio, a** *a* divinatoire.

**divinidad** *f* divinité.

**divinizar** *vt* diviniser.

**divino, a** *a* divin, e.

**divisa** *f* **1.** *(moneda, lema)* devise **2.** *(señal)* insigne *m* **3.** *TAUROM* cocarde.

**divisar** *vt* apercevoir, distinguer: **divisó a lo lejos...** il aperçut au loin...

**divisibilidad** *f* divisibilité.

**divisible** *a* divisible.

**división** *f* **1.** division **2.** *MIL* division.

**divisionario, a** *a* divisionnaire.

**divisor** *a/m* diviseur: **máximo común ~** plus grand commun diviseur.

**divisorio, a** *a* qui divise. ◇ *a/f GEOG* **divisoria de aguas** ligne de partage des eaux.

**divo, a** *a POÉT* divin, e. ◇ *m* chanteur d'opéra.

**divorciado, a** *a/s* divorcé, e.

**divorciar** *vt* prononcer le divorce de. ◆ **~se** *vpr* divorcer: **se han divorciado** ils ont divorcé.

**divorcio** *m* divorce: **~ por consentimiento mutuo** divorce par consentement mutuel; **ley de ~** loi sur le divorce.

**divulgación** *f* divulgation.

**divulgar** *vt* divulguer.

**dizque** *AMER* on dit que.

**DNI** *m (documento nacional de identidad)* carte *f* d'identité.

**do** *m MÚS* do, ut: **el ~ de pecho** l'ut de poitrine ◊ *FAM* **dar el ~ de pecho** se surpasser, donner son maximum. ◇ *adv POÉT (donde)* où.

**dobla** *f ANT (moneda)* pistole.

**dobladillar** *vt* ourler.

**dobladillo** *m* ourlet.

**dobladura** *f* pli *m*.

**doblaje** *m (cine)* doublage.

**doblamiento** *m* pliage.

**doblar** *vt* **1.** *(aumentar)* doubler ◊ **te doblo la edad** je suis deux fois plus âgé que toi **2.** *(plegar)* plier: **~ el mantel, la servilleta, el periódico** plier la nappe, sa serviette, le journal **3.** *(torcer)* courber, recourber ◊ *FIG* **~ el espinazo** courber l'échine; **~ la cabeza** courber la tête; *(morir)* mourir **4.** **~ la rodilla** fléchir, plier le genou **5.** **~ la esquina** tourner le coin de la rue **6.** *MAR (un cabo)* doubler **7.** *(una película)* doubler **8.** *(en la Bolsa)* reporter. ◇ *vi* **1.** *(tocar a muerto)* sonner le glas: **por quién doblan las campanas** pour qui sonne le glas **2.** tourner: **~ a la derecha** tourner à droite; **doble a la izquierda** tournez à gauche. ◆ **~se** *vpr* **1.** se courber **2.** plier **3.** *FIG* céder.

**doble** *a* **1.** double: **aparcar en ~ fila** stationner en double file; **llevar una ~ vida** mener une double vie; **frase de ~ sentido** phrase à double sens ◊ **~ de alto que...** deux fois plus haut que... **2.** robuste. ◇ *m* **1.** double **2.** *(pliegue)* pli **3.** *(toque de campana)* glas **4.** *(de cerveza)* bock **5.** *(actor)* doublure *f* **6.** *(tenis)* double: **~ masculino, mixto** double messieurs, mixte. ◇ *adv* double, doublement.

**doblegable** *a* **1.** pliable **2.** *(dócil)* docile.

**doblegadizo, a** *a* pliable.

**doblegar** *vt* **1.** plier, courber **2.** *(a alguien)* soumettre. ◆ **~se** *vpr* fléchir.

**doblemente** *adv* **1.** doublement **2.** hypocritement.

**doblete** *m* **1.** *(en lingüística, piedra falsa)* doublet **2.** *(juego de billar)* doublé.

**doblez** *m* pli. ◇ *m/f FIG (falsedad)* duplicité *f*, hypocrisie *f*.

**doblón** *m* doublon.

**doce** *a/m* **1.** douze **2.** **son las ~ del mediodía** il est midi; **las ~ de la noche** minuit **3.** **el siglo ~** le douzième siècle.

**doceañista** *a/s* se dit des partisans de la Constitution espagnole de 1812 et de ceux qui l'ont élaborée.

**docena** *f* douzaine: **media ~** une demi-douzaine.

**docencia** *f* enseignement *m* ◊ **impartir ~** enseigner.

**doceno, a** *a* douzième.

**docente** *a* **1.** enseignant, e: **el personal ~** le corps enseignant, les enseignants **2.** pédagogique, d'enseignement: **trabajo ~** travail d'enseignement. ◇ *s* enseignant, e: **los docentes** les enseignants.

**dócil** *a* **1.** docile **2.** obéissant, e.

**docilidad** *f* docilité.

**dock** *m* dock.

**doctamente** *adv* doctement.

**docto, a** *a* savant, e, docte.

**doctor** *m* **1.** docteur: **~ en derecho** docteur en droit **2.** *(médico)* docteur, médecin **3.** **los doctores de la Iglesia** les docteurs de l'Église.

**doctora** *f* **1.** docteur **2.** femme médecin, doctoresse.

**doctorado** *m* doctorat.

**doctoral, e** *a* **1.** doctoral, e ◊ **tesis ~** thèse de doctorat **2.** *PEYOR* doctoral, e: **tono ~** ton doctoral.

**doctorando** *m* candidat au doctorat.

**doctorar** *vt* conférer le grade de docteur à. ◆ **~se** *vpr* recevoir le doctorat.

**doctrina** *f* **1.** doctrine **2.** catéchisme *m* **3.** **~ cristiana** doctrine chrétienne.

**doctrinal** *a* doctrinal, e. ◇ *m* traité, livre contenant des préceptes, des règles.

**doctrinar** *vt* enseigner.

**doctrinario, a** *a/s* doctrinaire.

**doctrinero** *m* catéchiste.

**doctrino** *m* orphelin (pauvre élevé dans un établissement d'enseignement) ◊ *FIG* **parecer un ~** être timide.

**documentación** *f* **1.** documentation **2.** papiers *m pl* (d'identité): **no llevo mi ~ encima** je n'ai pas mes papiers sur moi; **~ falsa** faux papiers.

**documentado, a** *a* **1.** documenté, e **2.** qui a ses papiers d'identité.

**documental** *a/m* documentaire.

**documentalista** *s* documentaliste.

**documentalmente** *adv* avec des documents à l'appui.

**documentar** *vt* documenter. ◆ **~se** *vpr* se documenter.

**documento** *m* **1.** document **2.** **~ nacional de identidad** carte *f* d'identité.

**dodecaedro** *m GEOM* dodécaèdre.

**dodecafónico, a** *a MÚS* dodécaphonique.

**dodecágono** *m GEOM* dodécagone.

**Dodecaneso** *np m* Dodécanèse.

**dodecasílabo, a** *a/s* dodécasyllabe, de douze syllabes.

**dogal** *m* **1.** *(con un nudo corredizo)* licou **2.** *(para ahorcar)* corde *f* ◊ *FIG* **estar con el ~ al cuello** être dans la gêne, dans le pétrin.

**dogaresa** *f* dogaresse.

**dogma** *m* dogme.

**dogmático, a** *a/s* dogmatique.

**dogmatismo** *m* dogmatisme.

**dogmatizar** *vi* dogmatiser.

**dogo, a** *a/s* dogue.

**doladera** *f (de tonelero)* doloire.

**dolamas** *f pl* infirmités.

**dólar** *m* dollar: **mil dólares** mille dollars.

**dolencia** *f* **1.** *(enfermedad)* maladie, infirmité, affection: **~ intestinal** affection intestinale **2.** *(achaque)* malaise *m*, indisposition: **~ cardiaca** malaise cardiaque.

**doler*** *vi* **1.** avoir mal, faire mal: **me duele mucho la cabeza** j'ai très mal à la tête; **todavía me duele el esguince** mon entorse me fait toujours mal; **¿dónde le duele?** où avez-vous mal, où souffrez-vous?; **le duelen los pies** il a mal aux pieds **2.** *(moralmente)* faire de la peine, regretter: **duele verle así** ça fait de la peine de le voir dans cet état; **ahora me duele haberle dicho que no** je regrette maintenant de lui avoir dit non ◊ *FAM* **ahí le duele** voilà le hic, c'est là que le bât blesse. ◆ **~se** *vpr* **1.** *(quejarse)* se plaindre **2.** se repentir **3. dolerse del mal ajeno** compatir au malheur d'autrui.

**dolicocéfalo, a** *a/s* dolicocéphale.

**dolido, a** *a* attristé, e, peiné, e, chagriné, e, blessé, e: **estoy ~ de sus palabras** je suis peiné par ses propos.

**doliente** *a* **1.** souffrant, e, dolent, e **2.** *(apenado)* affligé, e.

**dolmen** *m* dolmen.

**dolo** *m JUR* dol.

**dolomita** *f* dolomite.

**dolomítico, a** *a* dolomitique.

**dolor** *m* **1.** douleur *f*: **un ~ sordo** une douleur sourde **2.** mal: **~ de cabeza** mal de tête; **~ de muelas** mal aux dents; **~ de pies, de vientre** mal aux pieds, au ventre; **~ de costado** point de côté; **sentir ~** avoir mal; **estar con dolores** être dans les douleurs (de l'accouchement) **3.** *(pena)* peine *f*, chagrin.

**dolora** *f* composition poétique courte, d'inspiration philosophique (nom inventé par le poète espagnol R. de Campoamor).

**Dolores** *np f* Dolores.
▶ Prénom dérivé de *la Virgen de los Dolores* la Vierge des Sept Douleurs.

**dolorido, a** *a* **1.** endolori, e: **tengo el pie derecho ~** j'ai le pied droit endolori **2.** *(afligido)* peiné, e, affligé, e.

**dolorosa** *f* image de N.-D. des Sept Douleurs, Mater Dolorosa.

**dolorosamente** *adv* douloureusement.

**doloroso, a** *a* **1.** douloureux, euse: **un tratamiento ~** un traitement douloureux **2.** *(lamentable)* désolant, e, affligeant, e. ◇ *f FAM (la cuenta)* **la dolorosa** la douloureuse → **dolorosa.**

**doloso, a** *a* dolosif, ive.

**dom** *m* dom.

**doma** *f* domptage *m*, dressage *m*: **la ~ de potros** le dressage des poulains.

**domador, a** *s* dompteur, euse.

**domar** *vt* **1.** dompter: **~ un tigre** dompter un tigre **2.** *(amaestrar)* dresser **3.** *FIG (pasiones, etc.)* dompter.

**dombo** → **domo.**

**domeñable** *a* domptable, maîtrisable.

**domeñar** *vt* dompter, maîtriser.

**domesticable** *a* apprivoisable.

**domesticación** *f* domestication.

**domesticar** *vt* apprivoiser, domestiquer.

**domesticidad** *f* domesticité.

**doméstico, a** *a* domestique. ◇ *m (criado)* domestique.

**Domiciano** *np m* Domitien.

**domiciliación** *f* domiciliation: **~ bancaria** domiciliation bancaire.

**domiciliar** *vt* domicilier. ◆ **~se** *vpr* se domicilier, élire domicile: **se domiciliaron en Salamanca** ils ont élu domicile à Salamanque.

**domiciliario, a** *a* **1.** domiciliaire **2.** à domicile: **venta domiciliaria** vente à domicile.

**domicilio** *m* domicile: **entregar a ~** livrer à domicile ◊ **el señor X, con ~ en Madrid** monsieur X, domicilié à Madrid.

**dominación** *f* domination.

**dominador, a** *a/s* dominateur, trice.

**dominante** *a* dominant, e: **carácter ~** caractère dominant. ◇ *f MÚS* dominante.

**dominar** *vt/i* dominer: **~ la situación** dominer la situation. ◇ *vt* **1.** *(un incendio)* maîtriser **2.** *(un idioma)* dominer, maîtriser. ◆ **~se** *vpr (contenerse)* se dominer, se maîtriser.

**dómine** *m* **1.** professeur de latin **2.** *(pedante)* magister.

**domingo** *m* dimanche: **~ de Ramos** dimanche des Rameaux; **~ de Resurrección** dimanche de Pâques; **el ~ próximo** dimanche prochain.

**Domingo** *np m* Dominique.

**Domingo (Santo)** *np* Saint-Domingue (République dominicaine).

**dominguero, a** *a* du dimanche: **traje ~** costume du dimanche. ◇ *s FAM* chauffeur du dimanche, promeneur du dimanche.

**dominguillo** *m* poussah.

**domínica** *f RELIG* **1.** *(domingo)* dimanche *m* **2.** office *m* du dimanche.

**dominical** *a* dominical, e.

**dominicano, a** *a/s* dominicain, e ◊ **República Dominicana** République Dominicaine. ◇ *a (dominico)* dominicain, e.

**dominico, a** *a/s (religioso)* dominicain, e.

**dominio** *m* **1.** domaine ◊ **ser del ~ público** être tombé dans le domaine public **2.** *(de un Estado, un soberano)* possession *f* **3.** *(del Commonwealth)* dominion **4.** *(autoridad)* autorité *f*, pouvoir **5.** *(influencia moral)* domination *f* **6.** *FIG* maîtrise *f*: **~ de sí mismo** maîtrise de soi **7.** *(de un idioma)* **~ del inglés** parfaite connaissance de l'anglais.

**dominó, dómino** *m* **1.** domino: **jugar una partida de ~** jouer une partie de dominos **2.** *(traje)* domino.

**domo** *m* dôme.

[1]**don** *m* don: **~ para las lenguas** don pour les langues ◊ **tener ~ de gentes** avoir le sens des contacts, le contact facile; **~ de mando** sens du commandement, autorité *f*.

[2]**don** *m* monsieur, don ◊ **un ~ Juan** un don Juan; **un ~ nadie** un rien du tout.
▶ Titre de courtoisie qui ne s'emploie que devant le prénom.

**donación** *f* donation.

**donado, a** *s* frère lai, sœur converse: **una hermana donada** une sœur converse.

**donador, a** *a/s* → **donante.**

**donaire** *m* **1.** grâce *f*, aisance *f* **2.** *(agudeza)* esprit **3.** *(chiste)* mot d'esprit, propos amusant.

**donairoso, a** *a* **1.** gracieux, euse **2.** *(chistoso)* spirituel, elle.

**donante** *a/s* **1.** donateur, trice **2.** donneur: **~ de sangre** donneur de sang.

**donar** *vt* faire don de, donner: **donó su colección de manuscritos a la biblioteca de la ciudad** il a fait don de sa collection de manuscrits à la bibliothèque de la ville.

**donatario, a** *s* donataire.

**donativo** *m (regalo)* don.

**Donato** *np m* Donat.

**doncel** *m* page, damoiseau.

**doncella** *f* **1.** *(joven)* jeune fille, demoiselle **2.** *(virgen)* pucelle **3.** *(criada)* femme de chambre.

**doncellez** *f* virginité.

**donde** *adv/pron* **1.** où: **la casa ~ vivo** la maison où j'habite; **¿dónde están mis gafas?** où sont mes lunettes?; **están ~ las pusiste** elles sont là où tu les a mises; **me llegué ~ ellos** je m'approchai d'où ils étaient ◊ **¿(a) dónde vas?** où vas-tu?; **¿a dónde vamos?, ¿de dónde venimos?** où allons-nous?, d'où venons-nous?; **de ~** d'où; **en ~** où; **de ~ infiero que** d'où je conclus que; **~ sea** n'importe où **2.** *(a casa, en casa de)* chez: **voy ~ mi tío** je vais chez mon oncle.
▶ *Dónde* interrogatif porte l'accent écrit.

**dondequiera** *adv* n'importe où ◊ **~ que,** où que.

**dondiego** *m* **1.** *(planta)* belle-de-nuit *f* **2. ~ de día** belle-de-jour *f.*

**donjuán** *m* don Juan.

**donjuanesco, a** *a* donjuanesque.

**donjuanismo** *m* donjuanisme.

**donoso, a** *a* **1.** spirituel, elle **2.** *(en tono irónico)* drôle de: **¡donosa ocurrencia!** drôle d'idée!, fameuse idée!

**donostiarra** *a/s* de Saint-Sébastien.

**donosura** *f* **1.** grâce **2.** esprit *m.*

**doña** *f* madame, doña.
▶ Titre de courtoisie qui ne s'emploie que devant le prénom.

**dopaje → doping.**

**dopar** *vt* doper. ◆ **~se** *vpr* se doper.

**doping** *m* doping.

**doquier, doquiera** ◊ **por doquier** partout. **→ dondequiera.**

**dorada** *f* daurade, dorade.

**doradillo, a** *a* AMER *(caballo)* à robe fauve et brillante.

**dorado, a** *a* **1.** doré, e **2.** d'or: **edad dorada** âge d'or **3. sueño ~** rêve **4.** AMER *(caballo)* bai, e. ◇ *m* **1.** dorure *f*: **los dorados** les dorures **2.** *(pez)* liche *f.*

**dorador** *m* doreur.

**doradura** *f* dorure.

**dorar** *vt* **1.** dorer ◊ FIG **~ la píldora** dorer la pilule **2.** CULIN *(tostar)* rissoler. ◆ **~se** *vpr* dorer.

**dórico, a** *a* dorique: **orden ~** ordre dorique. ◇ *m (dialecto)* dorien.

**Dórida** *np f* Doride.

**dorífora** *f* doryphore *m.*

**dorio, a** *a/s* dorien, enne.

**dormán** *m* dolman.

**dormida** *f* **1.** *(acción de dormir)* somme *m* **2.** AMER *(dormitorio)* chambre à coucher.

**dormido, a** *a* **1.** endormi, e ◊ **quedarse ~** s'endormir; **cuando se quedó ~** quand il fut endormi; **me quedé dormida** je me suis endormie **2.** *(miembro)* engourdi, e.

**dormilón, ona** *a/s* dormeur, euse. ◇ *f* **1.** *(pendiente, butaca)* dormeuse **2.** AMER *(camisón)* chemise de nuit.

**dormir*** *vi* **1.** dormir: **el gato duerme sobre la cama** le chat dort sur le lit; **¿has dormido bien?** as-tu bien dormi?; **durmamos** dormons; **~ a pierna suelta** dormir à poings fermés; **~ como un tronco, como un lirón** dormir comme une souche, comme un loir ◊ **~ la siesta** faire la sieste **2.** coucher, passer la nuit: **dormimos en un hotel** nous avons couché dans un hôtel; **~ al raso** coucher à la belle étoile. ◇ *vt* endormir: **durmió al niño en sus brazos** elle a endormi l'enfant dans ses bras. ◆ **~se** *vpr* **1.** s'endormir **2.** *(un miembro)* s'engourdir.

**dormitar** *vi* somnoler, sommeiller.

**dormitivo, a** *a/m* dormitif, ive.

**dormitorio** *m* **1.** chambre *f* à coucher **2.** *(común)* dortoir.

**dornajo** *m* baquet, auge *f.*

**dornillo** *m* écuelle *f* en bois.

**Dorotea** *np f* Dorothée.

**dorsal** *a/f* dorsal, e. ◇ *m (de deportista)* dossard.

**dorso** *m* dos: **el ~ de la mano** le dos de la main.

**dos** *a/s* **1.** deux: **el ~ de mayo** le deux mai **2. son las ~** il est deux heures **3. de ~ en ~** deux par deux; **bajar las escaleras de ~ en ~** descendre l'escalier quatre à quatre; **como ~ y ~ son cuatro** aussi sûr que deux et deux font quatre; **una de ~** de deux choses l'une **4.** *loc adv* **cada ~ por tres** constamment, à tout bout de champ; **en un ~ por tres** en un tournemain, en moins de deux.

**doscientos, as** *a/m* **1.** deux cents **2.** *(seguido de otra cifra)* deux cent: **~ diez** deux cent dix.

**dosel** *m* **1.** dais, baldaquin **2.** *(de cama)* ciel.

**doselete** *m* ARQ dais.

**dosificable** *a* dosable.

**dosificación** *f* dosage *m.*

**dosificar** *vt* doser.

**dosis** *f* dose: **en pequeñas ~** à petites doses.

**dos piezas** *m* deux-pièces *inv.*

**dossier** *m (expediente)* dossier: **~ de prensa** dossier de presse.

**dotación** *f* **1.** dotation **2.** *(tripulación)* équipage *m* **3.** *(plantilla)* personnel *m* **4.** *(equipo)* équipement *m* **5.** *(cantidad de dinero)* somme (allouée).

**dotal** *a* dotal, e.

**dotar** *vt* **1.** *(a una mujer)* doter **2.** *(de cualidades)* douer, doter: **dotado de imaginación** doué d'imagination **3.** doter, équiper, pourvoir: **barco dotado de misiles** navire équipé de missiles **4.** fournir en personnel, en matériel.

**dote** *m/f (que la mujer aporta al matrimonio)* dot *f.* ◇ *f pl* dons *m,* aptitudes: **tiene dotes para las matemáticas** il a le don des mathématiques, il est doué pour les mathématiques ◊ **dotes de mando** sens du commandement.

**dovela** *f* ARQ **1.** *(en forma de cuña)* claveau *m,* voussoir *m* **2.** *(superficie)* douelle.

**doy → dar.**

**dozavado, a** *a* qui a douze faces.

**dozavo, a** *a/m* douzième.

**dracma** *f* drachme.

**draconiano, a** *a* draconien, enne: **medidas draconianas** mesures draconiennes.

**draga** *f* drague.

**dragado** *m* dragage.

**dragalina** *f* dragline.

**dragaminas** *m* dragueur de mines.

**dragar** *vt* draguer.

**drago** *m* dragonnier, muflier.

**dragón** *m* **1.** dragon **2.** *(planta)* gueule-de-loup *f,* muflier **3.** MIL dragon.

**dragona** *f* MIL **1.** épaulette **2.** *(fiador de la espada)* dragonne.

**drama** *m* **1.** drame **2.** FIG drame: **no hay que hacer un ~ de...** il ne faut pas faire un drame de...

**dramáticamente** *adv* dramatiquement.
**dramático, a** *a* dramatique. ◇ *f* genre *m* dramatique.
**dramatismo** *m* dramatisme.
**dramatización** *f* dramatisation.
**dramatizar** *vt* dramatiser.
**dramaturgia** *f* dramaturgie.
**dramaturgo, a** *s* dramaturge.
**dramón** *m* mauvais drame, mélo.
**drapeado** *m* drapé.
**drástico, a** *a* **1** MED drastique **2.** drastique, draconien, enne, énergique: **medidas drásticas** mesures drastiques.
**drenaje** *m* drainage.
**drenar** *vt* drainer.
**dríada, dríade** *f* dryade.
**driblar** *vi/t* dribbler.
**dril** *m* coutil.
**driza** *f* MAR drisse.
**droga** *f* drogue: **~ blanda, dura** drogue douce, dure.
**drogadicción** *f* toxicomanie.
**drogadicto, a** *a/s* drogué, e, toxicomane.
**drogar** *vt* **1.** droguer **2.** doper. ◆ **~se** *vpr* se droguer.
**drogata** → **drogota.**
**drogodependencia** *f* toxicodépendance, assuétude.
**drogodependiente** *s* toxicomane.
**drogota** *s* FAM drogué, e, toxico, camé, e.
**droguería** *f* droguerie.
**droguero, a** *s* droguiste, marchand de couleurs.
**droguete** *m* droguet.
**dromedario** *m* dromadaire.
**drosera** *f* drosera.
**drosofila** *f* drosophile.
**druida** *m* druide.
**druidesa** *f* druidesse.
**druídico, a** *a* druidique.
**drupa** *f* BOT drupe.
**druso, a** *a/s* druze.
**dual** *a/s* GRAM duel.
**dualidad** *f* dualité.
**dualismo** *m* dualisme.
**dualista** *a/s* dualiste.
**dubitativo, a** *a* dubitatif, ive.
**Dublín** *np* Dublin.
**ducado** *m* **1.** duché **2.** *(moneda)* ducat.
**ducal** *a* ducal, e.
**ducentésimo, a** *a* deux-centième.
**ducha** *f* douche: **darse una ~** prendre une douche ◊ FIG **~ de agua fría** douche.
**duchar** *vt* doucher. ◆ **~se** *vpr* se doucher, prendre une douche.
**ducho, a** *a* expert, e, expérimenté, e: **~ en** expert en; **un ~ esquiador** un skieur expérimenté.
**duco** *m (pintura)* laque *f.*
**dúctil** *a* **1.** *(cosa)* ductile **2.** *(persona)* accommodant, e, conciliant, e, facile.
**ductilidad** *f* **1.** ductilité **2.** FIG souplesse.
**duda** *f* **1.** doute *m*: **está fuera de dudas de que...** il est hors de doute que...; **no cabe ~** il n'y a pas de doute; **poner en ~** mettre en doute ◊ **estar en dudas sobre si...** se demander si...; **para salir de dudas** pour en avoir le cœur net **2.** *loc adv* **sin ~** sans doute, certainement; **sin ~ alguna, sin lugar a dudas** sans aucun doute.
**dudar** *vi* **1.** douter: **dudo que pueda venir** je doute qu'il puisse venir **2.** se demander: **dudo si cambiar de coche** je me demande si je vais changer de voiture **3.** *(vacilar)* hésiter: **no duden en consultarnos** n'hésitez pas à nous consulter; **no dudó en aceptar** il n'hésita pas à accepter. ◇ *vt* mettre en doute ◊ **lo dudo** j'en doute; **no lo dudo** je n'en doute pas.
**dudoso,a** *a* **1.** *(incierto, sospechoso)* douteux, euse: **es ~ que...** il est douteux que... **2.** *(vacilante)* hésitant, e, indécis, e: **estar ~** être hésitant.
**duela** *f* **1.** *(de tonel)* douve **2.** *(parásito)* douve du foie.
**duela, duele,** etc. → **doler.**
**duelista** *m* duelliste.
**¹duelo** *m (combate)* duel.
**²duelo** *m* **1.** *(pena)* chagrin **2.** *(luto, cortejo fúnebre)* deuil: **presidir el ~** conduire le deuil. ◇ *pl* ANT **duelos y quebrantos** œufs au lard.
**duende** *m* **1.** esprit **2.** *(ser fantástico)* lutin, esprit follet **3.** *(encanto)* charme.
**dueño, a** *s* **1.** maître, maîtresse ◊ **~ y señor** seigneur et maître; **hacerse ~ de** se rendre maître de; **ser ~ de sí mismo, de la situación, de su tiempo** être maître de soi, de la situation, de son emploi du temps; **ser muy ~ de hacer...** être parfaitement libre de faire... **2.** propriétaire, patron: **el ~ del bar** le patron du bar. ◇ *f* ANT duègne ◊ FAM **poner a alguien como no digan dueñas** dire pis que pendre de quelqu'un, casser du sucre sur le dos de quelqu'un.
**duerma, duerme,** etc. → **dormir.**
**duermevela** *m* **1.** demi-sommeil **2.** sommeil agité.
**Duero** *np m* Douro.
**duetista** *s* duettiste.
**dueto** *m* MÚS duetto.
**dugo** *m* AMER aide *f* ◊ **de ~** gratis.
**dulcamara** *f (planta)* douce-amère.
**dulce** *a* **1.** *(al gusto)* doux, douce, sucré, e **2. agua ~** eau douce **3.** FIG *(agradable, afable)* doux, douce: **voz ~** voix douce. ◇ *m* **1.** entremets *m* sucré, confiture *f* ◊ **~ de membrillo** pâte *f* de coings **2. ~ de almíbar** fruits au sirop **3.** AMER **~ de leche** confiture de lait **4.** FIG **a nadie le amarga un ~** c'est toujours bon à prendre. ◇ *pl* sucreries *pl.*
**dulcedumbre** *f* douceur.
**dulcemente** *adv* doucement.
**dulcería** *f* confiserie.
**dulcero, a** *a* amateur de sucreries, gourmand, e.
**dulcificación** *f* adoucissement *m.*
**dulcificar** *vt* adoucir.
**Dulcinea** *np f* Dulcinée.
**dulzaina** *f (instrumento de viento)* chalumeau *m*, pipeau *m.*
**dulzaino, a** *a* douceâtre.
**dulzarrón, ona, dulzón, ona** *a* **1.** douceâtre **2.** FIG doucereux, euse.
**dulzor** *m*, **dulzura** *f* douceur *f.*
**dumping** *m* ECON dumping.
**duna** *f* dune.
**dundera** *f* AMER bêtise, sottise.
**dundo** *a/s* AMER idiot, e, sot, sotte.
**dúo** *m* duo: **cantar a ~** chanter en duo.

**duodecimal** *a* duodécimal, e.

**duodécimo, a** *a/s* douzième.

**duodenal** *a ANAT* duodénal, e.

**duodeno** *m ANAT* duodénum.

**dúplex** *m* duplex.

**duplicación** *f* **1.** doublement *m* **2.** reproduction.

**duplicado** *a (número)* bis. ◇ *m* **1.** double, duplicata *inv* **2. por ~** en double exemplaire.

**duplicador** *m* duplicateur.

**duplicar** *vt* **1.** *(hacer doble)* doubler **2.** multiplier par deux **3.** reproduire. ◆ **~se** *vpr* doubler: **se han duplicado los gastos** les dépenses ont doublé.

**duplicidad** *f* duplicité.

**duplo, a** *a/s* double: **el ~ de cuatro es ocho** le double de quatre est huit.

**duque** *m* duc.

**duquesa** *f* duchesse.

**durable** *a* durable.

**duración** *f* durée: **larga ~** longue durée.

**duraderamente** *adv* durablement.

**duradero, a** *a* durable.

**duraluminio** *m* duralumin.

**duramadre, duramáter** *f ANAT* dure-mère.

**duramente** *adv* durement.

**durante** *prep* pendant, durant: **~ el verano** pendant l'été.

**durar** *vi* **1.** durer: **la sesión duró una hora** la séance a duré une heure **2.** *(permanecer)* rester, demeurer.

**duraznero** *m (árbol)* pêcher.

**duraznillo** *m (planta)* persicaire *f*.

**durazno** *m AMER* **1.** pêche *f* **2.** *(árbol)* pêcher.

**Durero** *np m* Dürer.

**dureza** *f* **1.** dureté **2.** *(callosidad)* durillon *m* **3. ~ de vientre** constipation *f*.

**durmiente** *a* dormant, e: **la Bella ~ del Bosque** la Belle au bois dormant. ◇ *m* **1.** poutre *f* horizontale **2.** *AMER (de vía férrea)* traverse *f*.

**durmió → dormir.**

**duro, a** *a* **1.** dur, e: **huevo ~** œuf dur **2.** *FIG* dur, e ◊ **ser ~ de oído** être dur d'oreille; **ser ~ de corazón** avoir le cœur dur; **~ de mollera, de pelar → mollera, pelar; estar a las duras y a las maduras** prendre les choses comme elles viennent avec leurs avantages et leurs inconvénients, accepter le meilleur et le pire. ◇ *m (moneda)* douro (cinq pesetas) ◊ *FAM* **¡lo que faltaba para el ~!** il ne manquait plus que ça!; **el canto de un ~ → [2]canto.** ◇ *adv* **1. pegar ~** frapper dur, fort **2. trabajar ~** travailler dur, ferme.

**dux** *m* doge.

# E

**e** *f e m:* **una ~** un e. ◇ *conj* et *(S'emploie au lieu de y devant i ou hi:* **tonto ~ ignorante** sot et ignorant; **madre ~ hija** mère et fille.)

**¡ea!** *interj* allons!: **¡~, no llores!** allons, ne pleure pas!; **¡~, no pienses en ello!** allons, n'y pense pas!

**easonense** *a/s (donostiarra)* de Saint-Sébastien.

**ebanista** *m* ébéniste.

**ebanistería** *f* ébénisterie.

**ébano** *m* **1.** *(árbol)* ébénier **2.** *(madera)* ébène *f.*

**ebonita** *f* ébonite.

**ebriedad** *f* ébriété.

**ebrio, a** *a* ivre.

**Ebro** *np m* **el ~** l'Èbre.

**ebullición** *f* **1.** ébullition **2.** *FIG* ébullition, effervescence.

**ebúrneo, a** *a* éburnéen, enne, éburné, e.

**eccehomo** *m* **1.** ecce homo **2.** *FIG* **estar hecho un ~** être dans un état pitoyable.

**eccema** *m* eczéma.

**eccematoso, a** *a* eczémateux, euse.

**echada** *f* **1.** *(acción de echar)* jet *m* **2.** longueur **3.** *AMER (fanfarronada)* bravade, fanfaronnade; *(mentira)* mensonge *m.*

**echadora** *f* **~ de cartas** tireuse de cartes.

**echar** *vt* **1.** jeter: **~ al suelo** jeter par terre; **~ chispas** jeter des étincelles ◊ **~ una ojeada, un vistazo** jeter un coup d'œil **2.** *(lanzar)* lancer **3.** mettre: **~ una carta al buzón** mettre une lettre à la boîte; **~ azúcar en el café** mettre du sucre dans son café; **~ sal** mettre du sel, saler **4.** *(un líquido)* verser: **~ vino en el vaso** verser du vin dans le verre; **~ sangre** saigner **5. ~ de comer, de beber** donner à manger, à boire **6.** *(un olor)* exhaler, répandre **7. ~ humo** fumer, dégager de la fumée **8.** *(raíces, brotes)* pousser **9. ~ los dientes** faire, percer ses dents **10.** *(el cerrojo, etc.)* tirer, pousser; **~ la llave a** fermer à clef; **~ las persianas** fermer les persiennes **11.** *(despedir a uno)* renvoyer: **lo echaron del taller** on l'a renvoyé de l'atelier; **~ a la calle** mettre à la porte **12.** *(expulsar)* chasser **13.** *(poner)* mettre: **~ un remiendo** mettre une pièce; **~ una multa** mettre une amende **14.** *(cálculos, cuentas)* faire: **echó cuentas y vio que le faltaba dinero** il fit ses comptes et il vit qu'il lui manquait de l'argent **15.** *(una partida)* faire, jouer **16. ~ un discurso** faire, prononcer un discours; **~ una parrafada** tailler une bavette **17.** *(una película)* donner, jouer, passer: **¿qué echan en el Capitol?** qu'est ce qu'on donne au Capitole? **18.** *(las cartas)* tirer **19. ¿qué edad le echas?** quel âge lui donnes-tu? **20.** *(tardar)* **~ una hora en...** mettre une heure à... **21.** *FAM* **~ un trago, un cigarrillo** boire un coup, fumer une cigarette **22.** *(un animal macho con la hembra)* accoupler **23. ~ abajo → abajo; ~ a broma → broma; ~ a buena, mala parte → parte; ~ a perder → perder; ~ barriga, carnes** prendre du ventre; **~ de menos → menos; ~ de ver** remarquer; **~ la siesta** faire la sieste; *FAM* **echarlo todo a rodar** envoyer tout promener. ◇ *vi/pr* **1. echar (se) a correr, a llorar** se mettre à courir, à pleurer; **(se) echó a reír** il s'est mis à rire **2. ~ por la izquierda** prendre à gauche. ◆ **~se** *vpr* **1.** se jeter: **se echó sobre mí** il se jeta sur moi **2.** *(tumbarse)* s'allonger, s'étendre, se coucher: **se echó en la cama** il s'allongea sur le lit; **échate un rato** étends-toi un instant **3.** *(un líquido)* se verser **4.** *FIG* **echarse (para) atrás** revenir en arrière, se raviser **5. se ha echado novia** il s'est fiancé **6.** *FAM* **echárselas de valiente** faire le brave; **se las echa de gracioso** il se croit drôle.

**echarpe** *m* écharpe *f.*

**echón, ona** *a/s AMER* vantard, e.

**echona, echuna** *f AMER (hoz)* faucille.

**eclecticismo** *m* éclectisme.

**ecléctico, a** *a/s* éclectique.

**eclesial** *a* ecclésial, e.

**Eclesiastés** *np m* Ecclésiaste.

**eclesiástico, a** *a/m* ecclésiastique.

**eclipsar** *vt* éclipser. ◆ **~se** *vpr (desaparecer)* s'éclipser.

**eclipse** *m* éclipse *f.*

**eclíptica** *f ASTR* écliptique.

**eclisa** *f* éclisse.

**eclosión** *f* éclosion.

**eco** *m* écho ◊ *FIG* **hacerse ~ de** se faire l'écho de; **tener ~** trouver un écho, avoir un retentissement.

**ecografía** *f MED* échographie.

**ecolalia** *f* écholalie.

**ecología** *f* écologie.

**ecológico, a** *a* écologique.

**ecologismo** *m* écologisme.

**ecologista** *a/s* écologiste.

**economato** *m* économat.

**econometría** *f* économétrie.

**economía** *f* économie: **~ mixta, planificada** économie mixte, dirigée; **~ política** économie politique. ◇ *pl (ahorros)* économies.

**económicamente** *adv* économiquement.

**económico, a** *a* **1.** économique **2.** *(barato)* bon marché, économique **3.** *(que gasta poco)* économe **4.** *(tacaño)* pingre.

**economista** *s* économiste.

**economizar** *vt* économiser.

**ecónomo** *m* **1.** *(de una parroquia)* desservant **2.** économe.

**ecosistema** *m* écosystème.

**ectoplasma** *m* ectoplasme.

**ecuación** *f* équation: **~ de dos incógnitas** équation à deux inconnues; **~ de segundo grado** équation du second degré.

**ecuador** *m* équateur.

**Ecuador (el)** *np m* l'Équateur.

**ecuánime** *a* **1.** d'humeur égale **2.** impartial, e.

**ecuanimidad** *f* **1.** égalité d'humeur **2.** *(imparcialidad)* impartialité.

**ecuatorial** *a* équatorial, e.

**ecuatoriano, a** *a/s* équatorien, enne.

**ecuestre** *a* équestre.

**ecuménico, a** *a* œcuménique.

**ecumenismo** *m* œcuménisme.

**eczema** → **eccema.**

**edad** *f* **1.** âge *m*: **se casó a la ~ de 20 años** elle s'est mariée à l'âge de 20 ans; **niño en ~ escolar** enfant d'âge scolaire; **~ madura, avanzada** âge mûr, avancé; **de cierta ~** d'un certain âge; **de poca ~** en bas âge; **estar en ~ de** avoir l'âge de; **tiene 18 años de ~** il est âgé de 18 ans; **las personas de ~** les personnes âgées ◊ **la ~ del pavo** l'âge ingrat; **la tercera ~** le troisième âge; **mayor, menor de ~** majeur, mineur **2. la ~ del bronce** l'âge du bronze; **la Edad Media** le Moyen Âge; **la ~ de oro** l'âge d'or.

**edecán** *m* aide de camp.

**edelweiss** *m* edelweiss.

**edema** *m* œdème.

**edematoso, a** *a* œdémateux, euse.

**edén** *m* LIT éden.

**edénico, a** *a* édénique.

**edición** *f* édition.

**edicto** *m* **1.** édit **2.** *(escrito)* avis au public **3.** ordonnance *f*.

**edículo** *m* édicule.

**edificación** *f* édification.

**edificador, a** *s* bâtisseur.

**edificante** *a* édifiant, e: **una vida ~** une vie édifiante.

**edificar** *vt* **1.** édifier, bâtir **2.** FIG édifier.

**edificio** *m* édifice, bâtiment.

**edil** *m* **1.** *(magistrado romano)* édile **2.** *(consejal)* édile, conseiller municipal.

**edilicio, a** *a* **1.** de l'édile **2.** des conseillers municipaux.

**Edimburgo** *np* Édimbourg.

**Edipo** *np m* Œdipe: **complejo de ~** complexe d'Œdipe.

**editar** *vt* éditer.

**editor, a** *a/s* éditeur, trice.

**editorial** *a* de l'édition ◊ **casa ~** maison d'édition. ◇ *m* *(artículo)* éditorial. ◇ *f* *(empresa)* maison d'édition: **la ~ Larousse-Bordas** les éditions Larousse-Bordas.

**editorialista** *s* éditorialiste.

**Edmundo** *np m* Edmond.

**edredón** *m* édredon.

**Eduardo** *np m* Édouard.

**educación** *f* éducation: **falta de ~** manque d'éducation; **~ física, sexual** éducation physique, sexuelle; **Ministerio de Educación y Ciencia** Ministère de l'Éducation nationale.

**educacional** *a* éducatif, ive.

**educacionista** *s* éducateur, trice.

**educado, a** *a* élevé, e, éduqué, e: **bien ~** bien élevé, e, poli, e; **mal ~** mal élevé, e.

**educador, a** *a/s* éducateur, trice.

**educando, a** *s* élève.

**educar** *vt* **1.** élever, éduquer **2.** *(el gusto, el oído, etc.)* éduquer, former.

**educativo, a** *a* éducatif, ive.

**edulcorante** *m* édulcorant.

**edulcorar** *vt* édulcorer.

**EE UU** *np m pl* USA, États-Unis d'Amérique.

**efe** *f* f *m*, lettre f.

**efebo** *m* éphèbe.

**efectismo** *m* effet, recherche *f* de l'effet, sensationnalisme.

**efectista** *a* qui cherche à faire de l'effet.

**efectivamente** *adv* effectivement.

**efectividad** *f* effectivité.

**efectivo, a** *a* effectif, ive. ◇ *m* *(dinero)* argent liquide ◊ **pagar en ~** payer en espèces. ◇ *pl* MIL effectifs.

**efecto** *m* **1.** effet: **los efectos secundarios de un medicamento** les effets secondaires d'un médicament ◊ **llevar a ~** mettre à exécution; **surtir ~** produire son effet, produire le résultat attendu; *(entrar en vigor)* prendre effet: **el contrato surte ~ a partir de...** le contrat prend effet à partir de... **2. causar buen ~** faire bonne impression **3.** *(billar, tenis)* effet **4.** COM effet **5.** *loc adv* **en ~** en effet; **al ~, a tal ~** à cet effet; **a todos sus efectos** à toutes fins utiles **6.** *loc prep* **a efectos de** en vue de, afin de, à l'effet de. ◇ *pl* *(cine)* **efectos especiales** effets spéciaux.

**efectuar** *vt* effectuer.

**efélide** *f* *(peca)* éphélide.

**efemérides** *f pl* éphéméride *sing*.

**eferente** *a* ANAT efférent, e.

**efervescencia** *f* effervescence.

**efervescente** *a* effervescent, e.

**Éfeso** *np* Éphèse.

**eficacia** *f* efficacité.

**eficaz** *f* efficace.

**eficazmente** *adv* efficacement.

**eficiencia** *f* efficience, efficacité.

**eficiente** *a* efficient, e, efficace.

**eficientemente** *adv* d'une manière efficace.

**efigie** *f* effigie.

**efímero, a** *a* éphémère. ◇ *f* *(insecto)* éphémère *m*.

**eflorescencia** *f* efflorescence.

**efluvio** *m* effluve.

**efracción** *f* effraction.

**Efraím** *np m* Ephraïm.

**efugio** *m* subterfuge, échappatoire *f*.

**efusión** *f* effusion.

**efusivamente** *adv* avec effusion.

**efusivo, a** *a* expansif, ive, cordial, e.

**egeo, a** *a* égéen, enne.

**Egeo** *np* **mar ~** mer *f* Égée.

**egida, égida** *f* égide: **bajo la ~ de** sous l'égide de.

**egipcio, a** *a/s* égyptien, enne.

**Egipto** *np m* Égypte *f*.

**egiptología** *f* égyptologie.

**egiptólogo, a** *s* égyptologue.

**égira** *f* hégire.

**égloga** *f* églogue.

**ego** *m* ego.

**egocéntrico, a** *a/s* égocentrique.

**egocentrismo** *m* égocentrisme.

**egoísmo** *m* égoïsme.

**egoísta** *a/s* égoïste.

**ególatra** *a/s* égotiste.

**egolatría** *f* narcissisme *m*, égotisme *m*.

**egotismo** *m* égotisme.

**egotista** *a/s* égotiste.

**egregio, a** *a* illustre, éminent, e.

**egresado, a** *a/s* AMER diplômé, e.

**egresar** *vi* AMER sortir de (une école, faculté, etc.).

**egreso** *m* AMER **1.** sortie *f*, fin *f* des études **2.** *(gasto)* dépense *f*.

**¡eh!** *interj* **1.** hé!, eh! **2.** **¿eh?** hein?

**eider** *m* eider.

**eirá** *m* AMER sorte de renard.

**eje** *m* **1.** axe: **~ de simetría** axe de symétrie **2.** *(de una rueda)* essieu **3.** TECN arbre **4.** FIG axe **5.** FAM **partir por el ~ a alguien** contrarier quelqu'un énormément, empoisonner quelqu'un: **este cambio de horario nos parte por el ~** ce changement d'horaire nous empoisonne la vie.

**ejecución** *f* **1.** exécution **2.** **poner en ~** mettre à exécution.

**ejecutante** *a/s* exécutant, e.

**ejecutar** *vt* **1.** *(un plan, una pieza musical, etc.)* exécuter **2.** *(ajusticiar)* exécuter.

**ejecutivo, a** *a* **1.** exécutif, ive: **poder ~** pouvoir exécutif **2.** **junta ejecutiva** comité directeur. ◇ *s* cadre: **alto ~** cadre supérieur; **es ejecutiva** elle est cadre. ◇ *f* comité *m* directeur.

**ejecutor, a** *a/s* **1.** exécuteur, trice **2.** **~ de la justicia** exécuteur des hautes œuvres.

**ejecutorio, a** *a* JUR exécutoire. ◇ *f* **1.** lettres *pl* de noblesse **2.** FIG mérite *m*.

**¡ejem!** *interj* hein!, hum!

**ejemplar** *a* exemplaire: **castigo ~** châtiment exemplaire ◊ **Novelas ejemplares** *(Cervantes)* Nouvelles exemplaires. ◇ *m* **1.** *(de un escrito, grabado)* exemplaire **2.** *(de una colección)* spécimen, échantillon **3.** FAM **¡vaya ~ ese Pepe!** quel drôle de numéro ce Pepe!

**ejemplaridad** *f* exemplarité.

**ejemplarizar** *vt* servir d'exemple.

**ejemplificar** *vt* illustrer par des exemples, exemplifier.

**ejemplo** *m* **1.** exemple: **dar (el) ~** donner l'exemple; **poner de ~** citer en exemple **2.** *loc adv* **por ~** par exemple.

**ejercer** *vt (profesión, influencia, etc.)* exercer. ◇ *vi* **este médico ya no ejerce** ce médecin n'exerce plus.

**ejercicio** *m* **1.** exercice: **el ~ del poder** l'exercice du pouvoir; **hacer ~** faire de l'exercice **2.** **en ~** en exercice.

**ejercitación** *f* entraînement *m*.

**ejercitar** *vt* **1.** *(profesión, arte, etc.)* exercer **2.** entraîner. ◆ **~se** *vpr* s'exercer à, s'entraîner à.

**ejército** *m* armée *f*: **el ~ de tierra, del aire** l'armée de terre, de l'air; **el ~ profesional** l'armée de métier; **el Ejército de Salvación** l'Armée du Salut.

**ejido** *m* terrain communal (à proximité d'un village).

**ejote** *m* AMER haricot vert.

**[1]el** *art def* **1.** le, l' *(delante de vocal o h muda)* : **~ gato** le chat; **~ hombre** l'homme **2.** **~ de** celui de; **~ que** celui que, celui qui: **es ~ que prefiero** c'est celui que je préfère **3.** **~ que haya un error...** le fait qu'il y ait une erreur...

▶ El artículo *el* debe traducirse a menudo por el adjetivo posesivo: *se quitó ~ abrigo, ~ cinturón* il ôta son manteau, sa ceinture. No se traduce en casos como: *vino el jueves, volverá el sábado* il est venu jeudi, il reviendra samedi.

**[2]él** *pron pers* **1.** il **2.** *(enfáticamente o precedido de preposición)* lui: **es ~ quien** c'est lui qui...; **iré con ~** j'irai avec lui; **confío en ~** j'ai confiance en lui; **se lo dije a ~** je le lui ai dit; **~ mismo** lui-même **3.** *(pleonástico)* **le quiere a ~** elle l'aime **4.** y: **tiene un puesto importante; ha trabajado de firme para llegar a ~** il a un poste important; il a travaillé dur pour y arriver.

**elaboración** *f* **1.** élaboration **2.** fabrication: **~ casera** fabrication maison.

**elaborar** *vt* **1.** élaborer **2.** fabriquer.

**elación** *f* LIT **1.** *(del espíritu)* élévation, exaltation **2.** *(del estilo)* enflure.

**elástica** *f* gilet *m* de corps, tricot *m*.

**elasticidad** *f* élasticité.

**elástico, a** *a* élastique. ◇ *m (tejido, cinta)* élastique. ◇ *m pl* bretelles *f*.

**elastómero** *m* élastomère.

**Elba** *np* Elbe.

**ele** *f* l *m*, lettre l.

**eléboro** *m* **1.** ellébore **2.** **~ negro** rose *f* de Noël.

**elección** *f* **1.** *(votación)* élection: **elecciones municipales** élections municipales **2.** *(opción)* choix *m*: **a ~** au choix.

**electivo, a** *a* électif, ive.

**electo, a** *a* élu, e.

**elector, a** *s* électeur, trice.

**electorado** *m* électorat.

**electoral** *a* électoral, e.

**electoralismo** *m* électoralisme.

**electoralista** *a* électoraliste.

**Electra** *np f* Électre.

**electricidad** *f* électricité.

**electricista** *a/s* électricien, enne.

**eléctrico, a** *a* électrique.

**electrificación** *f* électrification.

**electrizar** *vt* **1.** électriser **2.** FIG électriser, galvaniser.

**electro** *m (ámbar)* ambre.

**electrocardiografía** *f* électrocardiographie.

**electrocardiograma** *m* électrocardiogramme.

**electrochoque** *m* électrochoc.

**electrocución** *f* électrocution.

**electrocutar** *vt* électrocuter. ◆ **~se** *vpr* s'électrocuter.

**electrodinámico, a** *a/f* électrodynamique.

**electrodo** *m* électrode *f*.

**electrodoméstico, a** *a* électroménager. ◇ *m pl* appareils électroménagers.

**electroencefalografía** *f* MED électroencéphalographie.

**electroencefalograma** *m* électroencéphalogramme.

**electrófono** *m* électrophone.

**electrógeno, a** *a* **grupo ~** groupe électrogène.

**electroimán** *m* électroaimant.

**electrólisis** *f* QUÍM électrolyse.

**electrolítico, a** *a* QUÍM électrolytique.

**electrolito** *m* QUÍM electrolyte.
**electromagnético, a** *a* électromagnétique.
**electromagnetismo** *m* électromagnétisme.
**electromotor, triz** *a/s* électromoteur, trice.
**electrón** *m* électron.
**electrónico, a** *a/f* électronique: **la electrónica** l'électronique.
**electronuclear** *a* électronucléaire.
**electroquímica** *f* électrochimie.
**electroshock** *m* électrochoc.
**electrostático, a** *a/f* électrostatique.
**electroterapia** *f* électrothérapie.
**electuario** *m* électuaire.
**elefancía** *f* MED éléphantiasis *m*.
**elefanta** *f* femelle de l'éléphant.
**elefante** *m* **1.** éléphant **2. ~ marino** éléphant de mer **3.** FIG **tener una memoria de ~** avoir une mémoire d'éléphant.
**elefantiasis** *f* MED éléphantiasis *m*.
**elefantino, a** *a* éléphantin, e.
**elegancia** *f* élégance.
**elegante** *a/s* élégant, e.
**elegantemente** *adv* élégamment.
**elegía** *f* élégie.
**elegiaco, a** *a* élégiaque.
**elegibilidad** *f* éligibilité.
**elegible** *a* éligible.
**elegido, a** *a/s* élu, e.
**elegir*** *vt* **1.** *(por votación)* élire: **~ a un diputado** élire un député **2.** *(escoger)* choisir: **eligió el nuevo modelo** il a choisi le nouveau modèle; **elijo yo lo que me gusta hacer** je choisis ce que j'aime faire ◊ **a ~** au choix.
**elemental** *a* élémentaire.
**elementarse** *vpr* AMER rester éberlué, e.
**elemento** *m* **1.** élément ◊ **estar en su ~** être dans son élément **2.** QUÍM, FÍS élément **3.** *(individuo)* élément: **es un buen ~** c'est un bon élément **4.** PEYOR type, individu, numéro: **un ~ de cuidado** un type dangereux; **¡menudo ~!** sacré numéro! **5.** AMER nigaud, sot. ◇ *pl (fuerzas naturales)* éléments.
**Elena** *np f* Hélène.
**elenco** *m* **1.** catalogue, index, liste *f* **2.** *(reparto)* distribution *f* **3.** *(conjunto)* troupe *f*: **un ~ de bailarines** une troupe de danseurs; **un ~ de actores jóvenes** une troupe de jeunes acteurs.
**elepé** *m* disque de longue durée, 33 tours.
▶ Mot formé à partir des initiales de l'anglais *long play*.
**elevación** *f* **1.** élévation **2.** *(de precios, etc.)* hausse, augmentation.
**elevado, a** *a* **1.** élevé, e **2.** *(alto, sublime)* élevé, e, relevé, e: **estilo ~** style relevé.
**elevador, a** *a/m* élévateur, trice. ◇ *m* AMER ascenseur.
**elevadorista** *f* AMER liftier.
**elevalunas** *m inv* lève-glace.
**elevar** *vt* **1.** élever **2.** remonter: **~ la moral** remonter le moral **3.** *(precios)* augmenter **4. ~ la voz** élever la voix **5.** MAT **~ al cubo** élever au cube. ◆ **~se** *vpr* s'élever: **el avión se eleva** l'avion s'élève.
**elfo** *m* elfe.
**Elías** *np m* Élie.
**elidir** *vt* élider.
**elige,** etc. → **elegir.**
**eliminación** *f* élimination.
**eliminar** *vt* éliminer.
**eliminatorio, a** *a/f* éliminatoire.
**elipse** *f* GEOM ellipse.
**elipsis** *f* GRAM ellipse.
**elipsoidal** *a* ellipsoïdal, e.
**elipsoide** *m* ellipsoïde.
**elíptico, a** *a* GEOM, GRAM elliptique.
**Elisa** *np f* Élise.
**elisabetiano, a** *a* élisabéthain, e.
**elíseo, a** *a* **1.** élyséen, enne **2. Campos Elíseos** Champs Élysées. ◇ *m* élysée.
**elisión** *f* élision.
**elite, élite** *f* élite: **la ~ intelectual** l'élite intelectuelle.
**elitismo** *m* élitisme.
**elitista** *a* élitiste.
**élitro** *m* élytre.
**elixir, elíxir** *m* élixir.
**ella, ellas** *pron pers f* **1.** elle, elles: **se volvió hacia ~** il se tourna vers elle; **no le gusta a ~** elle n'aime pas **2. de ~** en: **vendió su bicicleta porque no sabía que hacer de ~** il a vendu sa bicyclette parce qu'il ne savait pas quoi en faire.
**elle** *f* ll *m*, lettre ll espagnole.
**ello** *pron pers* **1.** cela, ça: **~ quiere decir que...** cela veut dire que...; **para ~ me hace falta...** pour cela j'ai besoin de... **2. ~ es** c'est: **¿cómo es ~?** comment est-ce?; **~ es que** le fait est que **3. de ~** en: **estoy seguro de ~** j'en suis sûr; **tome nota de ~** prenez-en note; **se queja de ~** il s'en plaint; **tomo nota de ~** j'en prends note **4. en ~** y: **no pienses más en ~** n'y pense plus; **no reparó en ~** il n'y fit pas attention, il ne le remarqua pas **5. no cuentes con ~** n'y compte pas **6. ~ dirá** on verra bien **7.** *(psicoanálisis)* ça.
**ellos** *pron pers* ils, eux: **¡~ son!** ce sont eux!; *(después de prep.)* eux: **entre ~** entre eux.
**elocución** *f* élocution.
**elocuencia** *f* éloquence.
**elocuente** *a* éloquent, e.
**elogiador, a** *a* louangeur, euse.
**elogiar** *vt* louer, faire l'éloge de.
**elogio** *m* **1.** éloge **2. Elogio de la locura** *(Erasmo)* Éloge de la folie.
**elogioso, a** *a* élogieux, euse.
**Eloísa** *np f* Héloïse.
**elongación** *f* élongation.
**elote** *m* AMER épi de maïs.
**elucidación** *f* élucidation.
**elucidar** *vt* élucider.
**elucubración** *f* élucubration.
**elucubrar** *vt* élucubrer.
**eludible** *a* évitable.
**eludir** *vt* **1.** *(una dificultad, etc.)* éluder, esquiver, se dérober à: **~ un compromiso** se dérober à un engagement **2.** éviter, se refuser à: **el ministro eludió hacer comentarios** le ministre se refusa à tout commentaire; **elude comprometerse** il évite de s'engager.
**elzevirio** *m* elzévir.
**emanación** *f* émanation.
**emanar** *vi* émaner.

**emancipación** *f* émancipation.

**emancipar** *vt* émanciper. ◆ **~se** *vpr* s'émanciper.

**emasculación** *f* émasculation.

**emascular** *vt* émasculer.

**Emaús** *np* Emmaüs.

**embadurnador, a** *a* barbouilleur, euse.

**embadurnamiento** *m* barbouillage.

**embadurnar** *vt* **1.** barbouiller **2.** *(untar)* enduire. ◆ **~se** *vpr* se barbouiller, s'enduire: **se embadurnó el rostro de crema hidratante** elle s'enduisit le visage de crème hydratante.

**embaimiento** *m* duperie *f*, distraction *f*.

**embaír** *vt* tromper, duper.

**embajada** *f* **1.** ambassade **2.** *FAM* proposition, réclamation ◊ **¡vaya una ~!** vous y allez fort!

**embajador, a** *s* ambassadeur, drice.

**embalador** *m* emballeur.

**embalaje** *m* emballage.

**embalar** *vt* emballer. ◆ **~se** *vpr (un motor, etc.)* s'emballer.

**embaldosado** *m* dallage, carrelage.

**embaldosar** *vt* daller, carreler.

**emballenado, a** *a* baleiné, e.

**embalsamador, a** *a* qui embaume. ◇ *m* embaumeur.

**embalsamamiento** *m* embaumement.

**embalsamar** *vt* embaumer.

**embalsar** *vt* retenir (les eaux au moyen d'un barrage). ◆ **~se** *vpr* former une mare, stagner.

**embalse** *m* **1.** réservoir, lac artificiel, retenue *f* **2.** *(presa)* barrage.

**embanastar** *vt* **1.** mettre dans un panier **2.** *FIG (personas)* entasser.

**embanderar** *vt* pavoiser.

**embarazado, a** *a* **1.** embarrassé, e **2.** *(mujer)* enceinte: **está embarazada** elle est enceinte; **quedarse embarazada** tomber enceinte; **embarazada de seis meses** enceinte de six mois. ◇ *f* femme enceinte.

**embarazar** *vt* **1.** embarrasser **2.** *(a una mujer)* rendre enceinte. ◆ **~se** *vpr* s'embarrasser, s'empêtrer.

**embarazo** *m* **1.** embarras **2.** *(de la mujer)* grossesse *f*: **interrupción voluntaria del ~** interruption volontaire de grossesse; **test de ~** test de grossesse; **falso ~** grossesse nerveuse.

**embarazoso, a** *a* **1.** embarrassant, e, encombrant, e **2.** *FIG* embarrassant, e, gênant, e: **una situación embarazosa** une situation embarrassante.

**embarcación** *f* embarcation.

**embarcadero** *m* embarcadère.

**embarcar** *vt/i* embarquer. ◆ **~se** *vpr* **1.** s'embarquer **2.** *FIG* **embarcarse en** s'embarquer dans, se lancer dans.

**embarco** *m (de personas)* embarquement.

**embargar** *vt* **1.** embarrasser, entraver **2.** *FIG* saisir, envahir: **una dulce melancolía le embargaba** une douce mélancolie l'envahissait; **la tristeza le embarga** la tristesse l'envahit ◊ **los sollozos le embargaban la voz** les sanglots étouffaient sa voix **3.** absorber **4.** *JUR* saisir, mettre sous séquestre **5.** *MAR* mettre l'embargo sur.

**embargo** *m* **1.** *ANT* embarras, gêne *f* **2.** *JUR* saisie *f*, séquestre **3.** *MAR* embargo: **levantar el ~** lever l'embargo **4.** *loc adv* **sin ~** cependant, néanmoins, toutefois **5.** **sin ~ de que** bien que.

**embarque** *m* embarquement.

**embarrada** *f AMER* erreur grossière, gaffe.

**embarrado, a** *a* boueux, euse.

**embarrancar** *vi* **1.** *MAR* échouer, s'échouer **2.** s'embourber. ◆ **~se** *vpr* s'embourber.

**embarrar** *vt* **1.** crotter, salir de boue: **terreno embarrado** terrain boueux **2.** *AMER* porter préjudice à, compromettre ◊ **embarrarla** tout ficher par terre. ◆ **~se** *vpr* **1.** se crotter **2.** *(una perdiz)* brancher.

**embarrilar** *vt* mettre en baril, encaquer.

**embarullar** *vt FAM* embrouiller. ◆ **~se** *vpr* s'embrouiller.

**embastar** *vt* **1.** *(un colchón)* piquer **2.** *(hilvanar)* faufiler, bâtir.

**embaste** *m* faufilure *f*.

**embastecerse*** *vpr* devenir grossier, ère.

**embate** *m* **1.** coup de mer ◊ **el ~ de las olas** le déferlement des vagues **2.** *(acometida)* assaut.

**embaucador, a** *a/s* enjôleur, euse, trompeur, euse.

**embaucar** *vt* **1.** *(seducir)* enjôler, séduire **2.** *(engañar)* embobeliner, tromper, embobiner.

**embaular** *vt* **1.** mettre dans une malle **2.** *FIG (comer)* engloutir.

**embebecer*** → **embelesar.**

**embebecimiento** → **embeleso.**

**embeber** *vt* **1.** *(absorber)* absorber, boire **2.** *(empapar)* imbiber: **~ en agua** imbiber d'eau **3.** *FIG* imprégner. ◇ *vi (encogerse)* rétrécir, se rétrécir. ◆ **~se** *vpr FIG* **1.** s'imprégner: **embeberse de una doctrina** s'imprégner d'une doctrine **2.** s'absorber, se plonger: **estaba embebido en la lectura de...** il était plongé dans la lecture de...

**embebido, a** *pp* de **embeber.** ◇ *a ARQ* **columna embebida** colonne engagée.

**embelecar** *vt* **1.** *(engañar)* tromper, leurrer **2.** *(seducir)* séduire, enjôler.

**embeleco** *m* artifice, ruse *f*, tromperie *f*, flatterie *f*.

**embelequero, a** *a AMER* frivole.

**embelesador, a** *a* ravissant, e, charmant, e.

**embelesar** *vt* ravir, charmer, captiver, fasciner. ◆ **~se** *vpr* être ravi, e, transporté, e, enchanté, e.

**embeleso** *m* ravissement, enchantement, charme.

**embellecedor** *m (tapacubos)* enjoliveur.

**embellecer*** *vt/i* embellir. ◆ **~se** *vpr* s'embellir.

**embellecimiento** *m* embellissement.

**emberrenchinarse** *vpr FAM* piquer une colère, une rogne.

**embestida** *f* attaque, assaut *m*.

**embestir*** *vt* **1.** attaquer, foncer sur: **el toro nos embistió** le taureau fonça sur nous **2.** **~ contra** se jeter sur. ◇ *vi* attaquer.

**embetunar** *vt* **1.** *(los zapatos)* cirer **2.** bitumer, goudronner.

**embijar** *vt* **1.** peindre, teindre en rouge **2.** *AMER (manchar)* salir, tacher.

**emblandecer*** → **ablandar.**

**emblanquecer*** *vt* blanchir. ◆ **~se** *vpr* blanchir.

**emblema** *m* emblème.

**emblemático, a** *a* emblématique.

**embobamiento** *m* ébahissement, ravissement.

**embobar** *vt* **1.** ébahir, éberluer **2.** ravir. ◆ **~se** *vpr* rester ébahi, e, stupéfié, e.

**embobecer*** *vt* rendre stupide, hébéter.

**embocado, a** *a (vino)* mi-sec.

**embocadura** *f* **1.** *(de un río, etc.)* embouchure **2.** *(del vino)* goût *m*, bouquet *m* **3.** *(en los teatros)* devant *m* de la scène **4.** *(las caballerías)* **tener buena ~** avoir la bouche sensible.

**embocar** *vt* **1.** faire entrer dans la bouche **2.** *(entrar por una parte estrecha)* s'engager dans, prendre: **embocó la calleja** il s'engagea dans, il enfila la ruelle; **emboca la escalera** il s'engage dans l'escalier, il prend l'escalier **3.** *MÚS (un instrumento)* emboucher **4.** *FAM (hacer creer)* faire avaler. ◆ **~se** *vpr* **1. embocarse por...** s'engager dans... **2.** *FAM (comer)* engloutir.

**embodegar** *vt* mettre en cave.

**embolada** *f* coup *m* de piston.

**embolado** *m* **1.** taureau dont on a boulé les cornes **2.** *TEAT* rôle secondaire **3.** *FAM (enredo)* histoire *f*, salade *f*: **vaya ~ familiar** quelle histoire de famille; **menudo ~ nos metieron** on s'est bien fait avoir.

**embolador** *m AMER* cireur de chaussures.

**embolar** *vt* **1.** bouler les cornes (d'un taureau) **2.** *(los zapatos)* cirer.

**embolia** *f* embolie.

**émbolo** *m* piston.

**embolsar** *vt* empocher. ◆ **~se** *vpr* empocher: **se embolsó un millón** il a empoché un million.

**emboquillado** *a/m (cigarrillo)* à bout filtre.

**embornal** → **imbornal.**

**emborrachador, a** *a* enivrant, e, grisant, e.

**emborrachar** *vt* enivrer. ◆ **~se** *vpr* s'enivrer, se soûler: **emborracharse con vodka** se soûler à la vodka.

**emborrascarse** *vpr (el tiempo)* se gâter, devenir orageux, euse.

**emborronador, a** *a/s* griffonneur, euse, barbouilleur, euse.

**emborronar** *vt* **1.** *(ensuciar)* barbouiller **2.** *(escribir desaliñadamente)* griffonner, gribouiller ◊ **~ cuartillas** noircir du papier.

**emboscada** *f* embuscade, guet-apens *m*.

**emboscar** *vt* embusquer. ◆ **~se** *vpr* s'embusquer.

**embotado, a** *a* **1.** *(una punta)* émoussé, e **2.** *FIG* engourdi, e: **cerebro ~** cerveau engourdi; **tener la cabeza embotada** avoir la tête lourde.

**embotamiento** *m* émoussement.

**embotar** *vt* **1.** émousser **2.** *FIG* émousser, engourdir. ◆ **~se** *vpr* s'émousser.

**embotellado, a** *a* **1.** *(vino, agua)* mis, e en bouteille: **vino ~ en la propiedad** vin mis en bouteille à la propriété **2.** *FIG (discurso, lección)* appris, e par cœur. ◇ *m* mise *f* en bouteille.

**embotellamiento** *m (de líquido, del tráfico)* embouteillage.

**embotellar** *vt* **1.** *(vino, etc.)* mettre en bouteille, embouteiller **2.** *(el tráfico)* embouteiller. ◆ **~se** *vpr FAM* apprendre par cœur.

**embovedar** *vt ARQ* voûter.

**embozadamente** *adv* à la dérobée, sournoisement.

**embozalar** *vt* museler.

**embozar** *vt* **1.** couvrir le bas du visage **2.** *FIG* cacher, déguiser. ◆ **~se** *vpr* se couvrir le bas du visage (avec la cape).

**embozo** *m* **1.** pan de la cape avec lequel on se couvre le bas du visage **2.** *(de la sábana)* rabat du drap de lit **3.** *FIG* déguisement, dissimulation *f* ◊ **quitarse el ~** découvrir ses intentions, lever le masque.

**embragar** *vt/i* embrayer.

**embrague** *m* embrayage.

**embravecer*** *vt* irriter, mettre en fureur. ◆ **~se** *vpr* **1.** s'irriter **2.** se déchaîner: **mar embravecido** mer déchaînée, démontée.

**embravecimiento** *m* irritation *f*, fureur *f*.

**embrear** *vt* goudronner.

**embriagador, a** *a* enivrant, e, grisant, e.

**embriagante** *a* enivrant, e.

**embriagar** *vt* **1.** enivrer **2.** *FIG* enivrer, griser: **embriagado con el éxito** grisé par le succès.

**embriaguez** *f* ivresse, ébriété: **conducir en estado de ~** conduire en état d'ébriété.

**embridar** *vt* brider.

**embriogénesis, embriogenia** *f BIOL* embryogenèse.

**embriología** *f* embryologie.

**embriológico, a** *a* embryologique.

**embrión** *m* embryon: **embriones congelados** embryons congelés.

**embrionario, a** *a* embryonnaire.

**embriopatía** *f MED* embryopathie.

**embrocación** *f* embrocation.

**embrocar** *vt (un líquido)* transvaser.

**embrollar** *vt* embrouiller.

**embrollo** *m* **1.** embrouillement **2.** *FIG* imbroglio, embrouillamini, micmac **3.** *(mentira)* mensonge.

**embrollón, ona** *a/s* brouillon, onne.

**embromar** *vt* **1.** *(chasquear)* taquiner **2.** *(engañar)* mystifier, tromper **3.** *AMER (fastidiar)* embêter, enquiquiner, empoisonner; *(perjudicar)* gêner, causer des ennuis à ◊ **estar embromado** être dans une situation difficile, mal en point.

**embroncarse** *vpr AMER* se mettre en rogne.

**embrujamiento** → **embrujo.**

**embrujar** *vt* ensorceler.

**embrujo** *m* ensorcellement, envoûtement, sortilège.

**embrutecedor, a** *a* abrutissant, e.

**embrutecer*** *vt* abrutir.

**embrutecimiento** *m* abrutissement.

**embuchado** *m* **1.** charcuterie *f* faite de boyau rempli de viande telle que saucisse, boudin, etc. **2.** *FIG* introduction *f* frauduleuse de bulletins dans une urne **3.** fraude *f*.

**embuchar** *vt* **1.** remplir (de viande) un boyau **2.** *(un ave)* gaver **3.** *FAM (engullir)* engloutir.

**embudo** *m* **1.** entonnoir **2.** *FIG* tromperie *f* **3. ley del ~** → **ley.**

**embullar** *vi AMER* exciter, mettre en train ◊ **embullado con la idea de...** enthousiasmé à l'idée de... ◇ *vi (alborotar)* faire du tapage.

**embullo** *m AMER* animation *f*, entrain, chahut, distraction *f*.

**emburujar** *vt* entasser pêle-mêle. ◆ **~se** *vpr AMER (arrebujarse)* s'emmitoufler.

**embuste** *m* mensonge.

**embustero, a** *a/s* menteur, euse.

**embutido** *m* **1.** *(embuchado)* charcuterie *f* (saucisse, boudin, etc.) **2.** *(de chapas de metal)* emboutissage **3.** *(taracea)* marqueterie *f*.

**embutir** *vt* **1.** *(rellenar)* remplir **2.** *(llenar apretando)* bourrer **3.** *(una cosa en otra)* emboîter, encastrer, enfoncer **4.** engoncer: **embutido en un abrigo viejo** engoncé dans un vieux manteau **5.** *(incrustar)* incruster **6.** *(una chapa de metal)* emboutir **7.** *FAM (comer)* engloutir. ◆ **~se** *vpr FAM* se gaver.

**eme** *f* m *m*, lettre m.

**emergencia** *f* **1.** émergence **2.** circonstance imprévue, urgence: **en caso de ~** en cas d'urgence ◊ **puerta de ~** porte de secours; **salida de ~** sortie de secours.

**emergente** *a* émergent, e.

**emerger** *vi* émerger.

**emeritense** *a/s* de Mérida (Espagne).

**emérito, a** *a* émérite.

**emersión** *f ASTR* émersion.

**emético, a** *a/m MED* émétique.

**emigración** *f* émigration.

**emigrado, a** *a/s* émigré, e.

**emigrante** *a/s* émigrant, e.

**emigrar** *vi* émigrer: **~ a Israel, a México** émigrer en Israël, au Mexique.

**Emilia** *np f* Émilie.

**Emiliano, a** *np* Émilien, enne.

**Emilio** *np m* Émile.

**eminencia** *f* **1.** *(elevación del terreno)* éminence **2.** *(título dado a un cardenal)* éminence ◊ **~ gris** éminence grise.

**eminente** *a* éminent, e.

**eminentemente** *adv* éminemment.

**emir** *m* émir.

**emirato** *m* émirat.

**emisario** *m* émissaire.

**emisión** *f* **1.** émission **2.** *(radio, televisión)* émission.

**emisor, a** *a/m* émetteur, trice: **banco ~** banque émettrice. ◇ *f* poste *m* émetteur, station émettrice, radio *f*: **la emisora local** la radio locale.

**emitir** *vt* émettre: **el banco ha emitido nuevos billetes** la banque a émis de nouveaux billets; **~ un sonido, un ruido** émettre un son, un bruit; **~ rayos** émettre des rayons. ◇ *vi (radio)* émettre.

**emoción** *f* émotion.

**emocional** *a* émotionnel, elle.

**emocionante** *a* émouvant, e.

**emocionar** *vt* émouvoir. ◆ **~se** *vpr* être ému, e: **al verla, se emocionó mucho** en la voyant, il fut très ému.

**emoliente** *a/m* émolient, e.

**emolumento** *m* émolument.

**emotividad** *f* émotivité.

**emotivo, a** *a* **1.** *(persona)* émotif, ive **2.** émouvant, e: **discurso ~** discours émouvant; **una imagen emotiva** une image émouvante **3. un recuerdo ~** un souvenir ému.

**empacado** *m* emballage.

**empacador, a** *a/s* emballeur, euse.

**empacar** *vt* emballer. ◆ **~se** *vpr* **1.** *(obstinarse)* s'entêter, s'obstiner **2.** *AMER (un animal)* s'arrêter, refuser d'avancer.

**empachar** *vt* **1.** *(indigestar)* causer une indigestion à **2.** *(cohibir)* gêner. ◆ **~se** *vpr* **1.** avoir une indigestion **2.** être géné, e.

**empacho** *m* **1.** indigestion *f*, embarras gastrique **2.** *(confusión)* gêne *f*, embarras.

**empachoso, a** *a* **1.** indigeste **2.** *FIG* gênant, e.

**empadronamiento** *m* recensement.

**empadronar** *vt* recenser. ◆ **~se** *vpr* se faire inscrire sur le registre des habitants, sur la liste électorale: **yo estoy empadronado en Sevilla** je suis inscrit à Séville sur la liste électorale.

**empajar** *vt* couvrir de paille, remplir de paille.

**empalagamiento → empalago.**

**empalagar** *vt* **1.** *(un manjar dulce)* écœurer **2.** *FIG* ennuyer, assommer. ◆ **~se** *vpr (cansarse)* se lasser.

**empalago** *m* **1.** dégoût, écœurement **2.** *(aburrimiento)* ennui.

**empalagoso, a** *a* **1.** *(un alimento)* écœurant, e **2.** *FIG (una persona)* assommant, e, collant, e.

**empalar** *vt* empaler. ◆ **~se** *vpr AMER (obstinarse)* s'entêter.

**empalidecer*** *vi* pâlir.

**empalizada** *f* palissade.

**empalizar** *vt* palissader.

**empalletado** *m MAR* bastingage.

**empalmadora** *f (cine)* colleuse.

**empalmadura → empalme.**

**empalmar** *vt* **1.** *(tubos, etc.)* raccorder, joindre bout à bout **2.** *FIG* joindre **3.** *(ideas, etc.)* enchaîner, relier **4.** *FAM* **empalmarla** remettre ça. ◇ *vi* **1.** *(carreteras, vías férreas)* **~ con** se raccorder à, s'embrancher sur **2.** *(trenes, autobuses)* correspondre, être en correspondance. ◆ **~se** *vpr VULG* bander.

**empalme** *m* **1.** assemblage **2.** *TECN* raccord **3.** *(de carreteras, vías férreas)* raccordement, embranchement **4.** *(de trenes, autobuses)* correspondance *f*.

**empamparse** *vpr AMER* s'égarer dans la pampa.

**empanada** *f* **1.** sorte de friand *m* **2.** *FAM* micmac *m* **3.** *FAM* **~ mental** confusion des idées: **¡menuda ~ mental tiene tu primo!** ton cousin, il est dans le cirage!, il déjante complètement!
▶ Sens 1.: Spécialité argentine, chilienne, en forme de chausson aux pommes farcie à la viande, fromage, etc., frite ou cuite au four.

**empanadilla** *f* petit paté *m* de viande; *(con dulce)* chausson *m*.

**empanar** *vt* **1.** paner: **escalope empanado** escalope panée **2.** *AGR* emblaver.

**empantanar** *vt* **1.** *(un terreno)* inonder **2.** embourber **3.** *FIG* paralyser ◊ **dejar empantanado** laisser en rade. ◆ **~se** *vpr* s'enliser.

**empañar** *vt* **1.** *(en pañales)* emmailloter **2.** *(un cristal)* embuer **3.** *(los colores)* ternir **4.** *FIG* ternir. ◆ **~se** *vpr* s'embuer: **cristal empañado** vitre couverte de buée, embuée; **el espejo se había empañado** le miroir était couvert de buée.

**empapar** *vt* **1.** *(absorber)* absorber, boire **2.** imbiber: **~ un algodón en agua oxigenada** imbiber un coton d'eau oxygénée **3.** *(mojar)* tremper: **llevo la gabardina empapada** ma gabardine est trempée **4.** *(el suelo)* détremper. ◆ **~se** *vpr* **1.** se faire tremper **2.** *FIG* s'imprégner: **empaparse en una teoría** s'imprégner, se pénétrer d'une théorie **3.** *FAM* **¡para que te empapes!** fourre-toi ça dans la tête!

**empapelado** *m* **1.** *(acción de empapelar)* pose *f* **2.** *(papel pintado)* papier peint.

**empapelador** *m* tapissier.

**empapelar** *vt* **1.** *(las paredes)* tapisser **2.** *FIG FAM* traduire en justice.

**empaque** *m* **1.** empaquetage **2.** *(aspecto)* allure *f* **3.** *(apariencia señorial)* classe *f* **4.** *(seriedad)* gravité *f* **5.** *AMER (descaro)* effronterie *f*, culot.

**empaquetado** *m* empaquetage.

**empaquetador, a** *s* empaqueteur, euse, emballeur, euse.

**empaquetamiento → empaquetado.**

**empaquetar** *vt* **1.** empaqueter **2.** *FIG (personas)* entasser.

**emparamarse** *vpr AMER* être transi, e, mourir de froid.

**empardar** *vi AMER* être à égalité.

**emparedado, a** *a* reclus, e. ◇ *m* sandwich (de pain de mie).

**emparedar** *vt* emmurer. ◆ **~se** *vpr* se claquemurer.

**emparejar** *vt* **1.** *(dos cosas)* assortir **2.** apparier **3.** mettre au même niveau **4.** *(puerta, ventana)* pousser. ◇ *vi* **1.** rattraper: **corrí para ~ con él** j'ai couru pour le rattraper **2.** faire la paire. ◆ **~se** *vpr* **1.** former un couple: **sus amigos se habían casado o emparejado** ses amis s'étaient mariés ou vivaient en couple, en ménage ◊ **bajaron la escalera emparejados** ils descendirent ensemble l'escalier **2.** se mettre au même niveau ◊ **traté de emparejarme a su paso** j'essayai de me mettre à son pas.

**emparentar*** *vi* **~ con** s'apparenter à, s'allier à ◊ **estar bien emparentado** appartenir à une bonne famille.

**emparrado** *m* **1.** treille *f* **2.** *(armazón)* treillage.

**emparrar** *vt (una planta)* faire grimper.

**emparrillar** *vt (asar)* griller.

**empastar** *vt* **1.** *(cubrir de pasta, de color)* empâter **2.** *(un diente)* plomber **3.** *(un libro)* cartonner.

**empaste** *m* **1.** *(de un diente)* plombage **2.** *(pintura)* empâtement **3.** *AMER (del ganado)* météorisation *f*, météorisme.

**empastelar** *vt FIG* arranger, manigancer.

**empatar** *vi* **1** *(deportes)* être à égalité, égaliser, faire match nul: **hemos empatado** on a fait match nul ◊ **estar empatados** être à égalité, ex æquo **2.** *(en una votación)* être en ballotage.

**empate** *m* **1.** *(deportes)* égalité *f* de points, match nul, égalisation *f* ◊ **~ a uno** un partout; **gol de ~** but égalisateur **2.** *(en una votación)* ballotage.

**empavesada** *f MAR* pavois *m*.

**empavesado** *m MAR* pavois.

**empavesar** *vt* **1.** *MAR* pavoiser **2.** *(cubrir)* voiler.

**empavonar** *vt (un metal)* bronzer, brunir.

**empecatado, a** *a* **1.** incorrigible, insupportable **2.** méchant, e.

**empecer*** *vi* empêcher: **esto no empece para que vengas** ça ne t'empêche pas de venir.

**empecinado, a** *a FIG* entêté, e, têtu, e.

**empecinamiento** *m* entêtement, obstination *f*.

**empecinar** *vt* poisser. ◆ **~se en** *vpr* s'entêter à, s'obstiner à: **se empecina en no admitir mis explicaciones** il s'entête à ne pas admettre mes explications.

**empedernido, a** *a* **1.** invétéré, e, impénitent, e, endurci, e: **fumador ~** fumeur impénitent **2.** insensible.

**empedernirse*** *vpr* s'endurcir.

**empedrado, a** *a* pavé, e. ◇ *m* pavage.

**empedrar*** *vt* **1.** *(con adoquines)* paver **2.** *(con piedras)* empierrer **3.** *FIG (de citas, etc.)* truffer, farcir, remplir.

**empegar** *vt* poisser.

**empeine** *m* **1.** bas-ventre **2.** *(del pie)* cou-de-pied **3.** *(del zapato)* empeigne *f* **4.** *MED* dartre *f*.

**empella** *f* **1.** empeigne **2.** *AMER* saindoux *m*.

**empellar** *vt* pousser.

**empellón** *m* poussée *f*, bourrade *f*: **de un ~ se deshace de él** d'une bourrade il se dégage ◊ **a empellones** brusquement, violemment, en bousculant.

**empelotarse** *vpr FAM* **1.** s'embrouiller **2.** *(reñir)* se disputer, se chamailler **3.** *AMER (desnudarse)* se mettre à poil, se déshabiller.

**empenachar** *vt* empanacher.

**empeñadamente** *adv* obstinément.

**empeñado, a** *a (disputa, etc.)* acharné, e.

**empeñar** *vt* **1.** *(dejar en prenda)* engager, mettre en gage **2.** *(su palabra)* engager **3.** *(una batalla, discusión, etc.)* engager, embarquer: **estamos empeñados en un combate desigual** nous sommes engagés dans un combat inégal. ◆ **~se** *vpr* **1.** *(endeudarse)* s'endetter: **empeñado hasta las cejas** endetté jusqu'au cou **2.** *(obstinarse)* s'obstiner, s'entêter: **se empeña en negar los hechos** il s'obstine à nier les faits **3.** s'employer, s'appliquer, s'efforcer: **nuestra asociación lleva años empeñada en socorrer a los desvalidos** notre association s'emploie depuis des années à secourir les déshérités **4.** se mettre en tête: **se ha empeñado en aprender el japonés** il s'est mis en tête d'apprendre le japonais; **se empeñó en que fuéramos a tomar una copa con él** il a tenu absolument à ce que nous allions prendre un verre avec lui **5.** *(una lucha, discusión, etc.)* s'engager: **se ha empeñado el combate** le combat s'est engagé.

**empeño** *m* **1.** engagement ◊ **casa de empeños** mont-de-piété *m*; **en ~** en gage **2.** *(afán)* ardeur *f*, acharnement, empressement: **trabajar con ~** travailler avec ardeur ◊ **poner ~ en** s'efforcer de, mettre de l'empressement à; **tener ~ en** avoir à cœur de, tenir à; **tiene ~ en complacernos** il est soucieux de nous être agréable **3.** *(deseo)* vif désir, souhait, vœu, souci: **mi gran ~** mon vœu le plus cher, mon souhait le plus vif ◊ **tengo ~ en aprobar el examen** je voudrais bien être reçu à mon examen **4.** *(constancia)* persévérance *f*, ténacité *f* **5.** *(fin)* objectif **6.** tentative *f*, entreprise *f*.

**empeoramiento** *m* aggravation *f*, détérioration *f*, dégradation *f*: **~ del tiempo** dégradation du temps.

**empeorar** *vt* aggraver, empirer. ◇ *vi/pr* **1.** s'aggraver, empirer, se détériorer: **el enfermo ha empeorado** l'état du malade s'est aggravé; **mi padre ha empeorado mucho** l'état de mon père s'est beaucoup aggravé; **su salud empeora día a día** sa santé se détériore de jour en jour **2.** *(el tiempo)* se gâter, se détraquer.

**empequeñecer*** *vt/i* rapetisser. ◇ *vt* amoindrir, minimiser.

**empequeñecimiento** *m* amoindrissement, diminution *f*.

**emperador** *m* empereur.

**emperatriz** *f* impératrice.

**emperejilar** *vt FAM* pomponner. ◆ **~se** *vpr* s'attifer, se pomponner.

**emperezar** *vt* retarder. ◆ **~se** *vpr* se laisser aller à la paresse.

**emperifollar** → **emperejilar.**

**empernar** *vt* boulonner.

**empero** *conj LIT* **1.** *(pero)* mais **2.** *(sin embargo)* cependant, néanmoins.

**emperramiento** *m FAM* entêtement.

**emperrarse** *vpr FAM* **1. ~ en** s'entêter à, s'obstiner à ◊ **su padre se emperró en que estudiara música** son père voulut à tout prix qu'il étudiât la musique; **está emperrado en formar un equipo de fútbol** il s'est mis en tête de former une équipe de football **2.** *(encolerizarse)* se mettre en rogne **3. ~ con** s'enticher de.

**empezar*** *vt* **1.** commencer **2.** entamer: **~ un jamón** entamer un jambon **3. volver a ~** recommencer. ◇ *vi* commencer: **el partido empieza a las 4** le match commence à 4 heures; **empezó diciéndome...** il commença par me dire...; **para ~** pour commencer.

**empicotar** *vt* mettre au pilori.

**empiece** *m FAM* commencement.

**empiezo** *m AMER* commencement, début.

**empilcharse** *vpr AMER* se bien saper, se fringuer.

**empinado, a** *a* **1.** *(cuesta, etc.)* raide, escarpé, e: **calle empinada** rue en pente raide **2.** très élevé, e, haut, e **3.** *FIG* prétentieux, euse.

**empinar** *vt* **1.** dresser, lever: **~ la cabeza** dresser la tête **2.** *FAM* **~ el codo** lever le coude. ◆ **~se** *vpr* **1.** se dresser sur la pointe des pieds **2.** *(un animal)* se cabrer, se dresser sur ses pattes de derrière **3.** *(alzarse)* s'élever, se dresser.

**empingorotado, a** *a FAM* huppé, e.

**empiparse** *vpr FAM* se gaver, s'empiffrer.

**empíreo** *m* empyrée.

**empírico, a** *a* empirique.

**empirismo** *m* empirisme.

**empitonar** *vt TAUROM* encorner.

**empizarrado** *m* toit d'ardoises.

**empizarrar** *vt* couvrir d'ardoises.

**emplastar** *vt* **1.** couvrir d'un emplâtre **2.** *(la cara)* farder. ◆ **~se** *vpr* se barbouiller.

**emplasto** *m* **1.** emplâtre **2.** *FAM* **estar hecho un ~** n'être pas solide, être patraque.

**emplazamiento** *m* **1.** emplacement **2.** *JUR* asignation *f*, citation *f*: **cédula de ~** citation à comparaître.

**emplazar** *vt* **1.** situer, placer **2.** *JUR (ante el juez)* assigner **3.** convoquer.

**empleado, a** *a* employé, e ◊ *FAM* **bien ~ le está** c'est bien fait pour lui. ◇ *s* employé, e: **~ de hogar** employé de maison.

**emplear** *vt* employer: **emplea cien obreros** il emploie cent ouvriers.

**empleo** *m* **1.** emploi **2.** *(cargo)* emploi, situation *f*, place *f*: **tiene un buen ~** il a une bonne place, une belle situation ◊ **suspender a uno de ~** suspendre quelqu'un de ses fonctions; **oficina de ~** agence pour l'emploi, bureau de placement; **mercado de ~** marché de l'emploi **3.** travail: **empresa que da ~ a mil trabajadores** entreprise qui donne du travail à, qui emploie mille travailleurs.

**empleomanía** *f* recherche des emplois publics.

**emplomado** *m (de un tejado)* plombs *pl.*

**emplomadura** *f* plombage *m.*

**emplomar** *vt* plomber.

**emplumar** *vt* **1.** emplumer **2.** *(una flecha)* empenner. ◇ *vi* commencer à avoir des plumes.

**emplumecer*** *vi* commencer à avoir des plumes.

**empobrecer*** *vt* appauvrir. ◇ *vi/pr* s'appauvrir.

**empobrecimiento** *m* appauvrissement.

**empollado, a** *a FAM* calé, e, fort, e: **está muy ~ en latín** il est très calé en latin.

**empollar** *vt/i* **1.** *(las aves)* couver **2.** *FAM (estudiante)* potasser, bûcher.

**empollón, ona** *a/s FAM (estudiante)* bûcheur, euse.

**empolvar** *vt* **1.** couvrir de poussière **2.** *(la cara, los cabellos, etc.)* poudrer. ◆ **~se** *vpr* **1.** se couvrir de poussière **2.** se poudrer.

**emponchado, a** *a AMER* couvert, e d'un poncho ◊ **iba ~** il était enveloppé dans son poncho.

**emponcharse** *vpr AMER* mettre son poncho.

**emponzoñamiento** *m* empoisonnement.

**emponzoñar** *vt* empoisonner.

**emporcar*** *vt FAM* salir, cochonner.

**emporio** *m* **1.** grand centre commercial **2.** *(cultural)* haut lieu.

**empotramiento** *m* encastrement, scellement.

**empotrar** *vt* **1.** encastrer: **horno empotrado** four encastré; **los vagones quedaron empotrados unos contra otros por la violencia del choque** les wagons se sont encastrés les uns dans les autres sous la violence du choc ◊ **armario empotrado** placard **2.** sceller.

**empozar** *vi AMER (el agua)* stagner.

**emprendedor, a** *a* entreprenant, e.

**emprender** *vt* **1.** *(un trabajo, etc.)* entreprendre: **ha emprendido un programa de reformas** il a entrepris un programme de réformes **2. ~ la carretera, la marcha** prendre la route, le départ **3.** *FAM* **emprenderla con alguien** s'en prendre à quelqu'un, prendre quelqu'un à partie.

**empreñar** *vt* **1.** féconder **2.** *FAM* agacer, mettre en boule.

**empresa** *f* **1.** entreprise: **una ~ difícil** une entreprise difficile **2. ~ pública, constructora** entreprise publique, de bâtiment; **pequeña, mediana ~** petite, moyenne entreprise **3.** *(en un escudo)* devise.

**empresariado** *m* patronat.

**empresarial** *a* **1.** patronal, e: **cotización ~** cotisation patronale **2.** de l'entreprise: **gestión ~** gestion de l'entreprise, management.

**empresario, a** *s* **1.** entrepreneur, euse **2.** *(patrono)* chef d'entreprise: **los empresarios** les chefs d'entreprise, le patronat. ◇ *m TEAT* imprésario.

**emprestar** *vt (prestar)* prêter.

**empréstito** *m* emprunt.

**empujar** *vt* **1.** pousser: **~ la puerta** pousser la porte **2.** *(atropellar)* bousculer **3.** *FIG (incitar)* pousser: **sus padres la empujan a que se case** ses parents la poussent à se marier **4.** *FAM* se démener, se remuer.

**empuje** *m* **1.** *(de una bóveda, de un reactor)* poussée *f*: **al ~ de** sous la poussée de **2.** *FIG (impulso)* élan. **3.** *(brío)* énergie *f*, allant, entrain, nerf, punch: **una persona de ~** une personne énergique, pleine d'allant.

**empujón** *m* **1.** poussée *f* **2.** bourrade *f*, bousculade *f* ◊ **dar un ~ a alguien** pousser quelqu'un, donner une bourrade à quelqu'un; **darse empujones** se bousculer **3.** *loc adv* **a empujones** brutalement, en se bousculant; *(con interrupciones)* par à-coups.

**empuñadura** *f* poignée.

**empuñar** *vt* **1.** empoigner **2.** tenir: **el desconocido empuñaba una pistola** l'inconnu tenait un pistolet **3.** *FIG* **~ las armas** prendre les armes.

**emú** *m (ave)* émeu.

**emulación** *f* émulation.

**emular** *vt* rivaliser avec, imiter.

**émulo, a** *a/s* émule.

**emulsión** *f* émulsion.

**emulsionante** *m QUÍM* émulsifiant.

**emulsionar** *vt* émulsionner.

**emuntorio** *m ANAT* émonctoire.

**en** *prep* **1.** *(lugar)* en, à, au, dans: **~ España** en Espagne; **~ Santiago** à Santiago; **~ Chile** au Chili; **~ los Estados Unidos** aux États-Unis; **~ la puerta** à la porte; **~ el mismo lugar** au même endroit; **~ la terraza del café** à la terrasse du café; **lleva un paquete ~ la mano** elle porte un paquet à la main; **es medianoche ~ el reloj del pueblo** il est minuit à l'horloge du village; **~ la calle** dans la rue; *(= dentro)* dans: **~ el cajón** dans le tiroir; **~ el periódico** dans le journal; **~ brazos** dans les bras; **~ la cárcel** en prison; **entrar ~** entrer dans; *(= sobre)* sur: **~ la mesa** sur la table; **~ la acera** sur le trottoir; **un beso ~ la frente** un baiser sur le front; **~ el suelo** sur le sol, par terre; **~ la segunda cadena** sur la deuxième chaîne; *(= entre)* chez: **~ los poetas** chez les poètes; **el amor materno tomaba ~ ella una forma extraña** l'amour maternel prenait chez elle une forme étrange **2.** *(tiempo, época)* en, à, dans: **~ verano** en été; **~ 1936** en 1936; **~ el siglo pasado** au siècle dernier; **~ la antigüedad** dans l'antiquité; *(= durante)* par: **~ una mañana triste de invierno** par une triste matinée d'hiver; de: **no he dormido ~ toda la noche** je n'ai pas dormi de la nuit; **no ha salido ~ todo el día** il n'est pas sorti de la journée ◊ **el día ~ que...** le jour où...; **no llegará ~ ocho días** il n'arrivera pas avant huit jours **3.** *(modo)* en: **me contestó ~ catalán** il me répondit en catalan; **~ pijama** en pyjama; **~ mangas de camisa** en manches de chemise; **~ taxi** en taxi; à: **~ voz baja** à voix basse; **le conocí ~ la voz, ~ el andar** je l'ai reconnu à sa voix, à sa façon de marcher; *(precio)* **¿~ cuánto me lo dejas?** à combien tu me le laisses?; **vender ~ 100 pesetas** vendre 100 pesetas **4.** à: **¿~ qué se nota eso?** à quoi ça se remarque?; **¿qué mal hay ~ ello?** quel mal y a-t-il à celà?; **siempre soy el último ~ enterarme de lo que pasa** je suis toujours le dernier à être au courant de ce qui se passe ◊ **yo**

te ayudaré ~ lo que pueda je t'aiderai autant que je pourrai; ¿el infierno? no creo mucho ~ él l'enfer? je n'y crois pas beaucoup **5.** ès: licenciado ~ letras licencié ès lettres **6.** *(seguido de infinitivo)* à: el primero ~ hablar le premier à parler **7.** *(precediendo a un gerundio)* aussitôt que, dès que: ~ llegando yo... dès que j'arrivai..., à peine arrivé...; *(condicional)* du moment que.
▶ Sens 7.: cette construction est en déclin dans la langue actuelle.

**enagua** *f*, **enaguas** *f pl* jupon *m sing*.

**enaguachar** *vt* inonder, noyer.

**enaguazar** *vt* inonder.

**enagüillas** *f pl* **1.** sorte de jupe *sing* que l'on met à un crucifix **2.** *(del traje nacional griego)* fustanelle *sing*.

**enajenable** *a* aliénable.

**enajenación** *f* **1.** aliénation: ~ mental aliénation mentale **2.** extase, ravissement *m*.

**enajenado, a** *a* aliéné, e.

**enajenamiento → enajenación.**

**enajenar** *vt* **1.** aliéner **2.** FIG *(trastornar)* rendre fou, folle, bouleverser; *(sacar fuera de sí)* mettre hors de soi **3.** *(embelesar)* ravir, transporter. ◆ **~se** *vpr* **1.** *(desposeerse)* se séparer de **2.** *(la amistad, etc.)* s'aliéner **3.** *(apartarse)* s'éloigner de **4.** FIG perdre la raison.

**enalbardar** *vt* **1.** bâter **2.** CULIN paner, enrober; *(un ave)* barder.

**enaltecedor, a** *a* exaltant, e.

**enaltecer*** *vt* **1.** *(ensalzar)* exalter, louer **2.** *(honrar)* honorer.

**enaltecimiento** *m* exaltation *f*.

**enamoradizo, a** *a* qui tombe facilement amoureux, euse.

**enamorado, a** *a* épris, e. ◇ *s* amoureux, euse: los enamorados les amoureux.

**enamoramiento** *m* amour, passion *f*.

**enamorar** *vt* **1.** rendre amoureux, euse **2.** *(cortejar)* faire la cour. ◆ **~se** *vpr* **1.** s'éprendre, tomber amoureux, euse: se ha enamorado de él elle est tombée amoureuse de lui, elle s'est éprise de lui **2.** *(de una cosa)* s'enticher.

**enamoricarse, enamoriscarse** *vpr* s'amouracher, s'enticher, se toquer: anda muy enamoriscada de su monitor de esquí elle est très entichée de, elle en pince pour son moniteur de ski.

**enancarse** *vpr* AMER monter en croupe.

**enanismo** *m* nanisme.

**enanito, a** *s* nain, e: Blancanieves y los siete enanitos Blanche-Neige et les sept nains.

**enano, a** *a/s* nain, e ◊ FAM divertirse como un ~ s'amuser comme un fou, s'en payer une tranche; los niños se divirtieron como enanos en el parque de atracciones les enfants se sont amusés comme des petits fous au parc d'attractions.

**enantes** *adv* ANT avant.

**enarbolar** *vt* **1.** arborer **2.** brandir: ~ la bandera de la rebelión brandir le drapeau de la révolte; ~ un bastón brandir une canne. ◆ **~se** *vpr* se cabrer.

**enarcar** *vt* **1.** arquer ◊ ~ las cejas écarquiller les yeux **2.** *(tonel)* cercler.

**enardecer*** *vt* **1.** échauffer, exalter, enthousiasmer **2.** exciter. ◆ **~se** *vpr* s'enflammer, s'exciter.

**enardecimiento** *m* excitation *f*, échauffement.

**enarenar** *vt* sabler, ensabler. ◆ **~se** *vpr* s'ensabler.

**enastar** *vt* *(una herramienta)* emmancher.

**encabalgamiento** *m* *(en poesía)* enjambement, rejet.

**encabalgar** *vt* chevaucher.

**encabestrar** *vt* **1.** *(un caballo)* munir d'un licou, enchevêtrer **2.** faire que les taureaux suivent les sonnaillers.

**encabezamiento** *m* **1.** *(de una carta, etc.)* en-tête **2.** *(padrón)* recensement **3.** rôle, liste *f* des contribuables.

**encabezar** *vt* **1.** *(una lista, suscripción, etc.)* être le premier de, en tête de: él encabeza la clasificación il est en tête du classement **2.** *(ponerse al frente)* prendre la tête de **3.** *(dirigir)* être à la tête de, mener, commander **4.** *(una carta, etc.)* mettre l'en-tête à **5.** *(un vino)* alcooliser **6.** *(empadronar)* recenser.

**encabritarse** *vpr* **1.** *(un caballo)* se cabrer **2.** *(un avión)* se cabrer **3.** FAM se cabrer, se rebiffer, se mettre en rogne.

**encabronar** *vt* VULG foutre en rogne.

**encachado** *m* *(de puente)* radier.

**encadenado** *m* *(cine)* fondu enchaîné.

**encadenamiento** *m* enchaînement.

**encadenar** *vt* enchaîner.

**encajadura** *f* emboîtement *m*.

**encajar** *vt* **1.** faire entrer, emboîter, ajuster **2.** *(empotrar)* encastrer **3.** *(un hueso)* remettre **4.** FIG *(un chiste, una anécdota, etc.)* placer; *(una arenga, etc.)* débiter, infliger **5.** FAM *(una moneda falsa)* refiler **6.** *(asestar un golpe, etc.)* flanquer, assener **7.** *(recibir un golpe, aceptar una crítica)* encaisser **8.** FIG ha encajado muy mal la noticia il a très mal réagi à la nouvelle, très mal supporté la nouvelle. ◇ *vi* **1.** rentrer, s'emboîter, s'ajuster, joindre: la puerta no encaja bien en el marco la porte s'ajuste mal au chambranle; puerta mal encajada porte qui ferme mal **2.** FIG *(convenir)* aller, cadrer, correspondre: esto encaja bien en el estilo de... ceci va bien avec, correspond bien au style de...; ~ como anillo al dedo aller à merveille. ◆ **~se** *vpr* **1.** *(en un sitio)* se fourrer, se glisser **2.** *(una prenda de vestir)* mettre, enfiler; *(un sombrero)* enfoncer: se encajó la boina il enfonça son béret **3.** *(agarrotarse)* se coincer.

**encaje** *m* **1.** emboîtement, encastrement **2.** *(tejido)* dentelle *f*: ~ de bolillos dentelle au fuseau; ~ de ganchillo dentelle au crochet ◊ medias de ~ bas résille **3.** AMER *(haber en caja)* encaisse *f*.

**encajero, a** *s* dentellier, ère.

**encajetillar** *vt* *(tabaco)* empaqueter.

**encajonado, a** *a* *(río, etc.)* encaissé, e. ◇ *m* encaissement.

**encajonamiento** *m* encaissement.

**encajonar** *vt* **1.** mettre dans une caisse, encaisser **2.** mettre (les taureaux) dans des cages **3.** enfermer **4.** AMER *(a un muerto)* mettre en bière. ◆ **~se** *vpr* *(un río, etc.)* s'encaisser.

**encalabozar** *vt* mettre au cachot.

**encalabrinar** *vt* **1.** entêter, griser, étourdir **2.** exaspérer, faire perdre la tête. ◆ **~se** *vpr* s'entêter.

**encaladura** *f* chaulage *m*, badigeonnage *m* à la chaux.

**encalamocar** *vt* AMER abrutir, étourdir, griser.

**encalar** *vt* chauler.

**encalladura** *f* échouage *m*, échouement *m*.

**encallar** *vi* MAR, FIG échouer.

**encallecer*** *vi*, **encallecerse** *vpr* **1.** *(las manos)* devenir calleux, euse **2.** FIG s'endurcir.

**encallecido, a** *a* FIG endurci, e.

**encallejonar** *vt* faire entrer dans un passage étroit.

**encalmarse** *vpr* se calmer.

**encalvecer*** *vi* devenir chauve.

**encamar** *vt* étendre sur le sol. ◆ **~se** *vpr* **1.** se coucher, s'aliter **2.** *(la caza)* gîter **3.** *(las mieses)* se coucher **4.** AMER encamarse con coucher avec.

**encaminamiento** *m* acheminement.

**encaminar** *vt* **1.** acheminer **2.** *FIG* diriger **3.** *FIG* **encaminado a** tendant à, visant à; **todo va encaminado a...** tout tend à, vise à.... ◆ **~se** *vpr* se diriger: **se encaminó hacia la salida** il se dirigea vers la sortie.

**encamotarse** *vpr AMER* s'amouracher, tomber amoureux, euse.

**encampanado, a** *a* **1.** en forme de cloche **2.** *AMER* **dejar a uno ~** mettre quelqu'un dans l'embarras, dans une situation embarrassante.

**encampanarse** *vpr* **1.** *(toro)* lever la tête **2.** *FIG* le prendre de haut, faire le fier, la fière.

**encanallar** *vt* encanailler. ◆ **~se** *vpr* s'encanailler.

**encanar** *vt AMER* mettre en taule. ◆ **~se** *vpr* suffoquer.

**encanastar** *vt* mettre dans un panier.

**encandecer*** *vt* chauffer à blanc.

**encandilar** *vt* éblouir. ◆ **~se** *vpr* **1.** *(los ojos)* s'allumer, briller, pétiller **2.** rester ébloui, e, avoir les yeux qui brillent: **se encandiló** il resta ébloui.

**encanecer*** *vi* **1.** *(el cabello)* blanchir, grisonner **2.** *(una persona)* vieillir.

**encanijado, a** *a* chétif, ive, malingre.

**encanijarse** *vpr* devenir chétif, ive, se rabougrir.

**encanillar** *vt* bobiner, embobiner.

**encantado, a** *a* **1.** enchanté, e **2.** *FAM* **estar ~ con...** être enchanté de...; **~ de conocerle** enchanté de faire votre connaissance; **acepté ~** j'acceptai avec plaisir, avec joie; **aceptaría este puesto ~ si...** j'accepterais ce poste très volontiers si... **3.** *(distraído)* distrait, e.

**encantador, a** *a/s* enchanteur, teresse, charmeur, euse. ◇ *a* charmant, e, ravissant, e.

**encantamiento** *m* **1.** *(hechizo)* enchantement **2.** incantation *f.*

**encantar** *vt* **1.** enchanter **2.** *FIG* enchanter, charmer ◊ **me encanta su modo de sonreír** j'adore sa façon de sourire.

**encante** *m* vente *f* aux enchères. ◇ *np m* **Los Encantes** le marché aux puces de Barcelone.

**encanto** *m* **1.** enchantement **2.** *(atractivo)* charme **3.** *(apelativo cariñoso)* mon amour **4.** *FAM* **eres un ~** tu es un ange, un chou; **un ~ de persona** une personne adorable. ◇ *pl (de una mujer)* charmes, attraits.

**encañado** *m* **1.** *(canalización)* conduite *f,* drain **2.** *(enrejado)* treillis de roseaux.

**encañar** *vt* **1.** canaliser **2.** *(un terreno)* drainer **3.** *(ciertas plantas)* ramer.

**encañonar** *vt* **1.** canaliser **2.** *(con un arma de fuego)* viser, ajuster: **encañonó al cajero con su pistola** il visa le caissier avec son revolver, il braqua son revolver sur le caissier **3.** *(planchar)* tuyauter.

**encapillar** *vt MAR* capeler.

**encapotar** *vt* couvrir d'un manteau. ◆ **~se** *vpr* **1.** *(el cielo)* se couvrir: **cielo encapotado** ciel couvert **2.** *FIG* se renfrogner.

**encapricharse** *vpr* s'enticher, s'éprendre, s'engouer, se toquer: **se ha encaprichado con esa muchacha** il s'est entiché de cette fille.

**encapuchado, a** *a* masqué, e, encagoulé, e. ◇ *m* **1.** bandit masqué **2.** homme encagoulé.

**encapuchar** *vt* encapuchonner.

**encarado, a** *a* **1. bien ~** au visage avenant **2. mal ~** au visage antipathique.

**encaramar** *vt* **1.** hisser, jucher **2.** *FIG* élever. ◆ **~se** *vpr* **1.** grimper, se jucher: **encaramarse en una silla** grimper sur une chaise **2.** *FIG* s'élever **3.** *AMER (avergonzarse)* rougir.

**encarar** *vt* **1.** mettre face à face **2.** *FIG* affronter, faire face à: **~ las dificultades** affronter les difficultés, faire face aux difficultés; **~ el futuro con confianza** affronter, regarder l'avenir avec confiance **3.** *(un arma)* braquer. ◆ **~se** *vpr* **1. encararse con alguien** dévisager quelqu'un, regarder quelqu'un en face: **se encaró con su interlocutor** il dévisagea son interlocuteur; *(oponerse)* tenir tête à **2.** *(una dificultad, etc.)* affronter, faire face à: **encararse con la muerte** affronter la mort.

**encarcelación** *f,* **encarcelamiento** *m* incarcération *f,* emprisonnement *m.*

**encarcelar** *vt* incarcérer, emprisonner, écrouer.

**encarecer*** *vt* **1.** augmenter le prix de, rendre plus cher, plus chère **2.** *FIG (alabar)* faire l'éloge de **3.** *FIG (pedir)* demander instamment, recommander vivement: **te encarezco que llegaras puntualmente** je te demande instamment d'arriver à l'heure. ◇ *vi* augmenter.

**encarecidamente** *adv* instamment.

**encarecimiento** *m* **1.** augmentation *f,* enchérissement **2.** *(empeño)* insistance *f:* **con ~** avec insistance.

**encargado, a** *a/s* chargé, e: **~ de negocios** chargé d'affaires. ◇ *s* **1.** responsable: **~ de ventas** responsable des ventes **2.** gérant **3.** *(empleado)* préposé, e.

**encargar** *vt* **1.** charger **2.** charger, demander: **~ a alguien que vigile...** charger quelqu'un de, demander à quelqu'un de surveiller... **3.** commander: **~ un traje** commander un costume; **~ una pizza por teléfono** commander une pizza par téléphone; **para mañana he encargado dos pollos** pour demain j'ai commandé deux poulets **4.** recommander: **me han encargado que sea prudente** on m'a recommandé d'être prudent. ◆ **~se** *vpr* **1.** se charger: **me encargo de avisarle** je me charge de le prévenir **2. acabo de encargarme un nuevo traje** je viens de me faire faire un nouveau costume.

**encargo** *m* **1.** commission *f* **2.** *COM* commande *f:* **hacer un ~** faire, passer une commande ◊ **de ~** sur commande; **como hecho de ~** parfaitement **3.** *(empleo)* charge *f.*

**encariñar** *vt* faire aimer. ◆ **~se** *vpr* s'attacher: **me he encariñado con...** je me suis attaché à...

**encarnación** *f* **1.** incarnation **2.** *(color de la carne humana)* carnation.

**encarnado, a** *a* incarné, e. ◇ *a/m (color)* incarnat, rouge ◊ **ponerse ~** devenir rouge.

**encarnadura** *f MED* **tener buena, mala ~** avoir la chair qui se cicatrice vite, mal.

**encarnamiento** *m* cicatrisation *f.*

**encarnar** *vt* **1.** incarner, personnifier: **la actriz encarna a la reina** l'actrice incarne la reine **2.** *(el anzuelo)* fixer l'appât à, amorcer. ◇ *vi* **1.** *(Dios)* s'incarner **2.** se cicatriser. ◆ **~se** *vpr* s'incarner.

**encarne** *m* curée *f.*

**encarnizadamente** *adv* avec acharnement.

**encarnizado, a** *a* **1.** *(lucha, etc.)* acharné, e, sanglant, e **2.** *(ojos)* rouge, injecté de sang.

**encarnizamiento** *m* acharnement.

**encarnizar** *vt* acharner. ◆ **~se** *vpr* s'acharner: **encarnizarse con** s'acharner sur.

**encaro** *m* action *f* de dévisager quelqu'un, de braquer une arme.

**encarpetar** *vt* mettre dans un classeur, classer.

**encarrilar** *vt* **1.** diriger **2.** *(poner sobre carriles)* remettre sur les rails **3.** *FIG* mettre sur la bonne voie.

**encartado, a** *a/s JUR* accusé, e.

**encartar** *vt* **1.** *JUR* condamner par contumace **2.** *(en un asunto)* impliquer **3.** *(insertar)* encarter. ◆ **~se** *vpr* prendre ou garder des cartes de la même couleur que celles d'un autre joueur.

**encarte** *m (folleto)* encart.

**encartonado** *m* cartonnage.

**encartonar** *vt* cartonner.

**encasillado** *m* **1.** quadrillage **2.** liste *f* des candidats désignés par le gouvernement.

**encasillar** *vt* **1.** répartir dans des cases **2.** *(clasificar)* classer **3.** *(a un candidato)* affecter à une circonscription **4.** FIG confiner, enfermer.

**encasquetar** *vt* **1.** *(el sombrero, etc.)* enfoncer sur la tête **2.** FIG fourrer dans la tête **3.** FIG faire avaler. ◆ **~se** *vpr* se fourrer dans la tête.

**encasquillar** *vt* AMER *(herrar)* ferrer.

**encasquillarse** *vpr (un arma de fuego)* s'enrayer: **se le encasquilló la pistola** son pistolet s'enraya; **estaba encasquillada** il s'était enrayé.

**encastar** *vt* améliorer (une race) par croisement. ◇ *vi* procréer.

**encastillar** *vt* **1.** fortifier **2.** *(apilar)* entasser. ◆ **~se** *vpr* **1.** se retrancher **2.** FIG **encastillarse en su idea** s'obstiner dans son idée.

**encastrar** *vt (dos piezas)* endenter.

**encauchado** *m* caoutchoutage.

**encauchar** *vt* caoutchouter.

**encausado, a** *a/s* JUR inculpé, e.

**encausar** *vt* JUR traduire en justice, inculper.

**encáustico** *m* encaustique *f*.

**encausto** *m* encaustique *f*.

**encauzamiento** *m* canalisation *f*.

**encauzar** *vt* **1.** canaliser **2.** FIG orienter, diriger.

**encebollado** *m* oignonade *f*.

**encefálico, a** *a* encéphalique.

**encefalitis** *f* MED encéphalite.

**encéfalo** *m* encéphale.

**encefalografía** *f* MED encéphalographie.

**encefalograma** *m* MED encéphalogramme, électroencéphalogramme: **~ plano** électroencéphalogramme plat.

**encefalopatía** *f* MED **~ espongiforme** encéphalopathie spongiforme.

**enceguecer*** *vt* aveugler.

**encelar** *vt* rendre jaloux, ouse. ◆ **~se** *vpr* devenir jaloux, ouse.

**encella** *f* éclisse à fromage, faisselle.

**encenagado, a** *a* **1.** embourbé, e, plein, e de boue **2.** FIG corrompu, e.

**encenagarse** *vpr* **1.** s'embourber, se couvrir de boue **2.** FIG s'enfoncer dans le vice.

**encendajas** *f pl* brindilles.

**encendedor** *m* briquet: **~ de gas** briquet à gaz.

**encender*** *vt* **1.** allumer: **~ un cigarrillo** allumer une cigarette; **¡enciende la luz, la radio, el televisor!** allume l'électricité, la radio, le téléviseur!; **la televisión estaba encendida** la télévision était allumée ◊ **volver a ~** rallumer **2.** FIG allumer: **~ la ira** allumer la colère. ◆ **~se** *vpr* **1.** s'allumer **2.** FIG s'enflammer **3.** *(ruborizarse)* rougir.

**encendido, a** *a (color)* rouge vif. ◇ *m* **1.** *(de un motor)* allumage **2.** *(de un cohete)* mise *f* à feu.

**encendimiento** *m* **1.** embrasement **2.** FIG ardeur *f*.

**encentar*** *vt* entamer.

**encerado, a** *a (untado de cera)* ciré, e. ◇ *m* **1.** *(acción de encerar)* cirage **2.** *(tela)* toile *f* cirée **3.** *(pizarra)* tableau noir: **escribir en el ~** écrire au tableau.

**encerador, a** *s* cireur, euse. ◇ *f* cireuse.

**encerar** *vt* cirer.

**encerradero** *m* **1.** parc (à bétail) **2.** TAUROM toril.

**encerrar*** *vt* **1.** enfermer: **lleva tres días encerrada en su cuarto** elle est enfermée dans sa chambre depuis trois jours **2.** FIG renfermer: **esta pregunta encierra una trampa** cette question renferme un piège. ◆ **~se** *vpr* **1.** s'enfermer: **se encerró en su oficina** il s'est enfermé dans son bureau **2.** se retirer (du monde) **3. encerrarse en sí mismo** se renfermer sur soi-même.

**encerrona** *f* **1.** réclusion volontaire **2.** FIG embûche, piège *m*, guet-apens *m* **3.** TAUROM course de taureaux privée.

**encestador, a** *s* tireur, basketteur, euse.

**encestar** *vt* mettre dans un panier. ◇ *vi (en baloncesto)* faire un panier.

**enceste** *m (en baloncesto)* panier.

**enchapado** *m* placage, plaqué.

**enchapar** *vt* plaquer.

**encharcamiento** *m* inondation *f*.

**encharcar** *vt* **1.** *(un terreno)* inonder **2.** *(el estómago)* noyer.

**enchicharse** *vpr* AMER s'enivrer (avec de la chicha).

**enchilada** *f* AMER galette de maïs assaisonnée de piment.

**enchilar** *vt* AMER **1.** *(con chile)* pimenter **2.** FIG irriter, exaspérer. ◆ **~se** *vpr (enfadarse)* se mettre en rogne.

**enchinar** *vt* AMER *(el pelo)* friser, boucler. ◆ **~se** *vpr* **se me enchina el cuerpo** j'ai la chair de poule.

**enchincharse** *vpr* AMER se mettre en colère, se fâcher.

**enchiquerar** *vt* **1.** TAUROM enfermer dans le toril **2.** FAM coffrer.

**enchironar** *vt* FAM coffrer.

**enchivarse** *vpr* AMER se mettre en colère, en rogne.

**enchucharse** *vpr* AMER *(contraer matrimonio)* se marier.

**enchuecar** *vt* AMER tordre.

**enchufado, a** *a/s* FAM pistonné, e, planqué, e: **un ~** un type qui a du piston.

**enchufar** *vt* **1.** *(un aparato eléctrico)* brancher: **~ la plancha** brancher le fer à repasser **2.** *(tubos)* raccorder **3.** FAM pistonner. ◆ **~se** *vpr* FAM se faire pistonner.

**enchufe** *m* **1.** ELECT prise *f* de courant **2.** *(de dos tubos)* raccord **3.** FAM *(influencia)* piston: **obtuvo este cargo por ~** il a obtenu ce poste par piston; *(empleo)* planque *f*.

**enchufismo** *m* FAM piston, copinage.

**enchufista** *s* FAM personne *f* pistonnée.

**enchumbar** *vt* inonder, tremper.

**encía** *f* gencive.

**encíclica** *f* encyclique.

**enciclopedia** *f* encyclopédie.

**enciclopédico, a** *a* encyclopédique.

**enciclopedista** *s* encyclopédiste.

**encierro** *m* **1.** emprisonnement **2.** *(calabozo)* cachot **3.** *(reclusión)* retraite *f*, réclusion *f* **4.** *(de animales)* parcage **5.** TAUROM mise *f* au toril.

**encima** *adv* **1.** dessus: **ponlo ~** mets-le dessus ◊ **por ~** au-dessus, par-dessus; FIG superficiellement **2. ~ de** sur: **~ de la mesa, de las rodillas** sur la table, sur les genoux; **por ~ de**

au-dessus de: **por ~ de nuestras cabezas** au-dessus de nos têtes; **por ~ de la rodilla** au-dessus du genou; **vivir por ~ de sus posibilidades** vivre au-dessus de ses moyens; *(a pesar de)* malgré; **por ~ de todo** par-dessus tout: **¡te quiero por ~ de todo!** je t'aime par-dessus tout! **3.** *(además)* en plus, en outre, par-dessus le marché: **le dio consejos y ~ dinero** il lui donna des conseils et, en plus, de l'argent; **~ de que...** en plus du fait que... **4. llevar ~** avoir sur soi, lui, etc.: **no llevo dinero ~** je n'ai pas d'argent sur moi; **no llevaba ~ ni un céntimo** il n'avait pas un centime sur lui **5.** *FIG* **llevar ~ el peso de...** porter sur ses épaules la charge de...; **con 85 años ~** avec 85 ans sur les épaules **6.** *FAM* **estar siempre ~ de alguien** être toujours sur le dos de quelqu'un **7.** *FIG* **quitarse, sacarse a alguien de ~** se débarrasser de quelqu'un; **quitarse unos kilos de ~** perdre quelques kilos **8.** *FIG* **venírsele ~ a uno** lui tomber dessus.

**encimarse** *vpr* s'élever, se dresser.

**encimero, a** *a* de dessus. ◇*f* **1.** *(en una cocina)* plan *m* de travail **2.** *AMER* partie de la selle.

**encina** *f* chêne *m* vert, yeuse.

**encinal** → **encinar.**

**encinar** *m* chênaie *f.*

**encinta** *a* enceinte: **estar ~** être enceinte.

**encintado** *m* bordure *f* de trottoir.

**encintar** *vt* **1.** enrubanner **2.** *(una acera)* mettre une bordure à.

**encizañar** *vt* semer la zizanie, semer la discorde.

**enclaustrar** *vt* cloîtrer.

**enclavado, a** *a* enclavé, e.

**enclavar** *vt* clouer.

**enclave** *m* enclave *f*: **un ~** une enclave.

**enclavijar** *vt* joindre fortement.

**enclenque** *a* malingre, chétif, ive.

**enclítico, a** *a* enclitique.

**encocorar** *vt FAM* agacer, embêter, crisper. ◆ **~se** *vpr* s'irriter.

**encofrado** *m* coffrage.

**encofrador** *m* coffreur.

**encofrar** *vt* coffrer.

**encoger** *vt* **1.** *(un miembro, etc.)* contracter, replier **2.** *FIG* décourager. ◇ *vi (un tejido)* rétrécir: **mi falda ha encogido al lavarla** ma jupe a rétréci au lavage. ◆ **~se** *vpr* **1.** rétrécir **2.** *FIG (apocarse)* se démonter, se dégonfler **3. encogerse de hombros** hausser les épaules.

**encogido, a** *a FIG* timide, pusillanime.

**encogimiento** *m* **1.** contraction *f* **2.** *(de un tejido)* rétrécissement **3. ~ de hombros** haussement d'épaules **4.** *FIG* timidité *f*, pusillanimité *f.*

**encojar** *vt* écloper, rendre boiteux, euse, estropier.

**encolado, a** *a AMER* snob. ◇*m* **1.** *(del vino)* collage **2.** *(con cola)* encollage.

**encoladura** *f*, **encolamiento** *m* encollage *m.*

**encolar** *vt* **1.** *(pegar)* coller **2.** *(las superficies que se han de pintar)* encoller **3.** *(el vino)* coller.

**encolerizar** *vt* mettre en colère. ◆ **~se** *vpr* se mettre en colère.

**encomendar*** *vt* charger de, confier: **le encomendaron la dirección de...** on l'a chargé de, on lui a confié la direction de...
◆ **~se** *vpr* **1.** se mettre sous la protection de, se recommander à, s'en remettre à ◊ **no saber a qué santo encomendarse** ne pas savoir à quel saint se vouer **2.** *(en fórmulas)* se rappeler au bon souvenir de.

**encomendero** *m AMER* colonisateur espagnol propriétaire d'Indiens.

**encomiable** *a* digne d'éloge, louable.

**encomiador, a** *a* louangeur, euse.

**encomiar** *vt* louer, célébrer, vanter.

**encomiástico, a** *a* élogieux, euse.

**encomienda** *f* **1.** *(encargo)* commission **2.** *(dignidad)* commanderie **3.** *(cruz)* croix de commandeur **4.** *AMER* paquet *m*, paquet-poste *m*, colis *m* postal **5.** *HIST* institution juridique réglementant, dans l'Amérique de l'époque coloniale, les rapports entre Espagnols et Indiens.

**encomio** *m* éloge, louange *f*: **digno de ~** digne d'éloges, de louanges.

**enconado, a** *a* acharné, e, passionné, e: **lucha enconada** lutte acharnée.

**enconamiento** *m* **1.** *(de una herida, etc.)* inflammation *f*, envenimement **2.** *FIG* haine *f*, animosité *f.*

**enconar** *vt* **1.** *(una herida, llaga)* enflammer, envenimer **2.** *FIG* irriter, envenimer: **el despecho acabó por enconarle el ánimo** le dépit finit par le rendre irritable. ◆ **~se** *vpr FIG* s'envenimer, tourner à l'aigre: **el conflicto cada vez se encona más** le conflit s'envenime de plus en plus.

**enconcharse** *vpr FIG* rentrer dans sa coquille, se renfermer.

**encono** *m* haine *f*, animosité *f*, rancœur *f.*

**enconoso, a** *a* haineux, euse, rancunier, ère.

**encontradizo, a** *a* **hacerse el ~ con alguien** faire semblant de rencontrer quelqu'un comme par hasard.

**encontrado, a** *a* contraire, opposé, e: **pareceres encontrados** des avis contraires.

**encontrar*** *vt* **1.** *(hallar)* trouver: **por fin encontré la solución** j'ai enfin trouvé la solution; **la encuentro muy simpática** je la trouve très sympathique **2.** *(coincidir con alguien)* rencontrer: **le encontré en el metro** je l'ai rencontré dans le métro. ◆ **~se** *vpr* **1.** *(dos o más personas)* se rencontrer **2.** rencontrer: **me la encontré, me encontré con ella en la escalera** je l'ai rencontrée dans l'escalier; **encontrarse con un obstáculo** rencontrer un obstacle **3.** *(chocar)* se heurter **4.** *(estar)* se trouver: **la Plaza de Cataluña se encuentra en Barcelona** la Place de Catalogne se trouve à Barcelone **5.** *FIG* se trouver, se sentir: **no me encuentro a gusto** je ne me sens pas à l'aise; **¿cómo se encuentra usted?** comment ça va?

**encontrón, encontronazo** *m FAM* choc, heurt.

**encopetado, a** *a FAM* huppé, e, collet monté, hautain, e.

**encopetarse** *vpr* se donner de grands airs.

**encorajinarse** *vpr FAM* se mettre en rogne, entrer en fureur, se laisser emporter par la colère.

**encorchar** *vt (botellas)* boucher.

**encorchetar** *vt* agrafer.

**encordar*** *vt* corder. ◆ **~se** *vpr* s'encorder.

**encornadura** *f* encornure.

**encorsetar** *vt* corseter.

**encortinar** *vt* garnir de rideaux.

**encorvadura** *f*, **encorvamiento** *m* courbure *f.*

**encorvar** *vt* courber, recourber. ◆ **~se** *vpr (por la edad)* se voûter.

**encostrar** *vt* encroûter.

**encrespamiento** *m* **1.** frisure *f* **2.** *(de las olas)* agitation *f*, houle *f* **3.** *FIG* irritation *f.*

**encrespar** *vt* **1.** *(el cabello)* friser **2.** hérisser **3.** *(las olas)* agiter, rendre houleuse **4.** *FIG* irriter, mettre en fureur.
◆ **~se** *vpr* s'agiter, se déchaîner ◊ **mar encrespado** mer houleuse.

**encrucijada** *f* **1.** carrefour *m* **2.** *FIG* carrefour *m*: **estar en una ~** être à un carrefour.

**encrudecer*** *vt FIG* irriter, exaspérer.

**encruelecer*** *vt* rendre cruel, elle.

**encuadernación** *f* reliure.

**encuadernador, a** *s* relieur, euse.

**encuadernar** *vt* **1.** *(libros)* relier **2. ~ en rústica** brocher.

**encuadramiento** → **encuadre.**

**encuadrar** *vt* **1.** encadrer **2.** *FIG (en un grupo, etc.)* incorporer, faire entrer. ◆ **~se** *vpr* s'intégrer, s'inscrire.

**encuadre** *m* cadrage.

**encuarte** *m* cheval de renfort.

**encubar** *vt* encuver.

**encubierta** *f* fraude.

**encubiertamente** *adv* secrètement.

**encubierto, a** *a* **1.** caché, e **2.** secret, ète, clandestin, e.

**encubridor, a** *s* **1.** complice **2.** *JUR* receleur, euse.

**encubrimiento** *m JUR* recel.

**encubrir** *vt* **1.** cacher, dissimuler **2.** *JUR* receler.

**encuentro** *m* **1.** rencontre *f* ◊ **ir, salir al ~ de** aller à la rencontre de; *(anticiparse)* aller au-devant de **2.** choc **3.** *(hallazgo)* trouvaille *f* **4.** *MIL* accrochage **5.** *ARQ* angle.

**encuerar** *vt AMER* déshabiller.

**encuesta** *f* **1.** enquête **2. ~ de opinión** sondage *m* d'opinion.

**encuestado, a** *s* personne *f* interrogée, sondé, e: **los encuestados** les personnes interrogées, les sondés.

**encuestador, a** *s* enquêteur, euse, sondeur, euse.

**encuestar** *vt (a alguien)* interroger.

**encumbrado, a** *a* **1.** élevé, e **2.** *(persona)* haut placé, e.

**encumbramiento** *m* **1.** élévation *f* **2.** ascension *f*, promotion *f* **3.** *(posición)* haut rang *m*.

**encumbrar** *vt* **1.** élever **2.** *FIG* exalter. ◆ **~se** *vpr* s'élever, monter.

**encunar** *vt* **1.** mettre au berceau **2.** *TAUROM* attraper (le torero) entre les cornes.

**encurtidos** *m pl* cornichons, oignons, etc., confits dans du vinaigre.

**encurtir** *vt* confire dans du vinaigre.

**ende (por)** *loc adv* par conséquent.

**endeble** *a* **1.** *(débil)* faible **2.** *(de escaso valor)* faible, médiocre.

**endeblez** *f* faiblesse.

**endeblucho, a** *a FAM* faiblard, e.

**endecasílabo, a** *a/m* hendécasyllabe.

**endecha** *f* **1.** *(canción)* complainte **2.** quatrain *m* de vers de six ou sept syllabes.

**endemia** *f MED* endémie.

**endémico, a** *a* endémique.

**endemoniado, a** *a/s* possédé, e, démoniaque. ◊ *a FAM* **1.** diabolique, infernal, e **2.** *(condenado)* satané, e, damné, e **3.** *(pésimo)* épouvantable, abominable: **un olor ~** une odeur épouvantable.

**endemoniar** *vt FAM (irritar)* exaspérer.

**endenantes** *adv* **1.** *ANT* avant **2.** *AMER (hace poco)* récemment.

**endentar*** *vt* endenter.

**enderezar** *vt* **1.** redresser **2. ~ a, hacia** diriger vers. ◊ *vi (encaminarse)* se diriger. ◆ **~se** *vpr* **1.** *(ponerse derecho)* se redresser **2.** se diriger **3.** *FIG* viser à.

**endeudarse** *vpr* s'endetter: **estar endeudado** être endetté.

**endiablado, a** *a* **1.** endiablé, e **2.** diabolique **3.** *(condenado)* satané, e **4.** abominable, horrible.

**endibia** *f* endive.

**endilgar** *vt FAM* **1.** *(un discurso, sermón, etc.)* faire avaler, infliger **2.** *(algo molesto)* coller, refiler.

**endino, a** *a FAM* maudit, e.

**endiñar** *vt POP* flanquer, coller.

**endiosamiento** *m* orgueil, vanité *f*.

**endiosar** *vt* diviniser. ◆ **~se** *vpr* se gonfler d'orgueil, devenir fier, fière.

**endivia** → **endibia.**

**endocardio** *m ANAT* endocarde.

**endocarpio** *m BOT* endocarpe.

**endocrino, a** *a* **1.** *BIOL* endocrinien, enne **2. glándula endocrina** glande endocrine.

**endocrinología** *f* endocrinologie.

**endogamia** *f* endogamie.

**endogámico, a** *a* endogame.

**endógeno, a** *a* endogène.

**endomingado, a** *a* endimanché, e.

**endomingar** *vt* endimancher. ◆ **~se** *vpr* s'endimancher.

**endosable** *a* endossable.

**endosante** *s COM* endosseur.

**endosar** *vt* **1.** *COM* endosser **2.** *FIG FAM* faire endosser, coller, refiler.

**endosatario, a** *s COM* endossataire.

**endoscopia** *f MED* endoscopie.

**endoscopio** *m MED* endoscope.

**endoso** *m COM* endos, endossement.

**endrina** *f* prunelle.

**endrino, a** *a* noir, e. ◊ *m* prunellier.

**endrogarse** *vpr AMER* **1.** s'endetter **2.** se droguer.

**endulzar** *vt* **1.** adoucir, sucrer **2.** *FIG* adoucir.

**endurecer*** *vt* **1.** durcir **2.** *FIG (el cuerpo, el espíritu)* endurcir. ◆ **~se** *vpr* **1.** durcir **2.** *FIG* s'endurcir.

**endurecimiento** *m* **1.** durcissement **2.** endurcissement.

**enduro** *m* enduro.

**ene** *f* n *m*, lettre n.

**enea** *f* massette.

**Eneas** *np m* Énée.

**enebrina** *f* genièvre *m*.

**enebro** *m* genévrier.

**Eneida (la)** *np f* l'Énéide.

**eneldo** *m* aneth.

**enema** *m MED* lavement.

**enemiga** *f* inimitié: **me tiene ~** il m'a en grippe.

**enemigo, a** *a/s* **1.** ennemi, e: **pasarse al ~** passer à l'ennemi **2.** *FIG* **ser ~ de...** avoir horreur de...

**enemistad** *f* inimitié.

**enemistar** *vt* brouiller. ◆ **~se** *vpr* se brouiller: **se ha enemistado con su familia** il s'est brouillé avec sa famille.

**energético, a** *a* énergétique: **recursos energéticos** ressources énergétiques; **política energética** politique énergétique.

**energía** *f* **1.** *(vigor)* énergie **2.** *FÍS* **~ nuclear, solar** énergie nucléaire, solaire.

**enérgicamente** *adv* énergiquement.

**enérgico, a** *a* énergique.

**energizar** *vt AMER* stimuler.

**energúmeno, a** *s* énergumène.

**enero** *m* janvier: **el primero de ~ de 1900** le premier janvier 1900.

**enervación** *f*, **enervamiento** *m (debilitación)* affaiblissement *m*, amollissement *m*.

**enervante** *a* affaiblissant, e, amollissant, e. ◇ *m AMER* stupéfiant, drogue *f*.

**enervar** *vt* **1.** *(debilitar)* affaiblir, amollir **2.** *(poner nervioso)* énerver.

► Le sens 2. est un gallicisme.

**enésimo, a** *a* **1.** *MAT* **potencia enésima** puissance n. **2. por enésima vez** pour la énième fois.

**enfadadizo, a** *a* irritable, irascible, qui se fâche facilement.

**enfadar** *vt* **1.** *(enojar)* fâcher, mettre en colère **2.** *(causar disgusto)* contrarier, agacer. ◆ **~se** *vpr* se fâcher, se mettre en colère: **se enfadó por nada** il s'est fâché pour rien; **se enfadó conmigo** il s'est fâché contre moi.

**enfado** *m* **1.** irritation *f*, contrariété *f* **2.** *(enojo)* colère *f* **3. tener cara de ~** avoir l'air contrarié, fâché.

**enfadoso, a** *a* ennuyeux, euse, pénible.

**enfangar** *vt* crotter. ◆ **~se** *vpr* **1.** s'embourber **2.** *FIG* se vautrer, s'enfoncer: **enfangarse en el vicio** se vautrer dans le vice.

**enfardar** *vt* emballer.

**énfasis** *m* **1.** *(afectación en la expresión)* emphase *f* **2. poner ~ en** insister sur, mettre l'accent sur.

**enfático, a** *a* emphatique.

**enfatizar** *vt* mettre l'accent sur, faire ressortir.

**enfermar** *vi* tomber malade.

**enfermedad** *f* **1.** maladie: **enfermedades contagiosas** maladies contagieuses **2. el remedio es peor que la ~** le remède est pire que le mal.

**enfermería** *f* infirmerie.

**enfermero, a** *s* infirmier, ère.

**enfermizo, a** *a* maladif, ive.

**enfermo, a** *a/s* malade: **caer, ponerse ~** tomber malade.

**enfermucho, a** *a FAM* souffreteux, euse, patraque.

**enfervorizar** *vt* remplir d'enthousiasme, enthousiasmer, électriser: **el enfervorizado público** le public enthousiaste.

**enfeudar** *vt* inféoder.

**enfilar** *vt* **1.** *(ir)* aller tout droit, se diriger: **enfiló hacia la salida** il alla tout droit vers la sortie **2. ~ por una calle** enfiler une rue **3.** *(dirigir)* diriger **4.** *(apuntar un telescopio, etc.)* pointer, braquer: **enfiló su índice hacia...** il pointa son index vers... **5.** *(ensartar)* enfiler **6.** *(poner en fila)* mettre en file, en rang.

**enfisema** *m MED* emphysème.

**enfisematoso, a** *a/s MED* emphysémateux, euse.

**enfiteusis** *f JUR* emphytéose.

**enfiteuta** *s JUR* emphytéote.

**enflacar** → **enflaquecer.**

**enflaquecer*** *vt* **1.** amaigrir, faire maigrir ◊ **rostro enflaquecido** visage amaigri **2.** *FIG* affaiblir. ◇ *vi* maigrir.

**enflaquecimiento** *m* amaigrissement.

**enflautada** *f AMER* sottise, ânerie.

**enflautar** *vt* **1.** *(hinchar)* gonfler **2.** *FIG (engañar)* tromper.

**enfocar** *vt* **1.** *(óptica, foto)* mettre au point **2.** *(la luz de una linterna, etc.)* diriger, braquer **3.** *FIG (un asunto)* envisager, analyser, examiner: **~ un problema de frente** aborder un problème de face.

**enfoque** *m* **1.** *(óptica, foto)* mise *f* au point **2.** *FIG* approche *f*, optique *f*, manière *f* d'aborder: **su ~ del problema** votre manière d'aborder le problème.

**enfoscar** *vt (un muro)* crépir. ◆ **~se** *vpr* **1.** *(el cielo)* se couvrir **2.** *FIG (ponerse ceñudo)* se renfrogner **3.** *(enfrascarse)* s'absorber, se plonger **4.** *(arroparse)* s'emmitoufler **5.** *(esconderse)* se cacher.

**enfrascar** *vt* mettre en flacon, dans un flacon. ◆ **~se** *vpr* **1.** s'engager dans un fourré **2.** *FIG* **enfrascarse en su tarea** s'absorber dans son travail; **estar enfrascado en la lectura** être plongé, absorbé dans la lecture.

**enfrenar** *vt* **1.** *(un caballo)* brider, dresser **2.** *FIG (reprimir)* réfréner, contenir.

**enfrentamiento** *m* affrontement.

**enfrentar** *vt* **1.** mettre face à face **2.** *(oponer)* opposer: **el litigio que enfrenta a Francia y España** le litige qui oppose la France et l'Espagne **3.** *(hacer frente a)* affronter. ◆ **~se** *vpr* **1.** *(oponerse)* s'affronter: **los adversarios se han enfrentado** les adversaires se sont affrontés **2.** affronter, faire face à: **enfrentarse con un adversario** affronter un adversaire; **enfrentarse a los largos meses de invierno** affronter les longs mois d'hiver **3.** rencontrer: **el equipo A se enfrentará al equipo B** l'équipe A rencontrera l'équipe B.

**enfrente** *adv* **1.** en face: **la acera de ~** le trottoir d'en face; **~ de mí** en face de moi **2.** *(en contra)* contre **3. la página de ~** la page ci-contre.

**enfriamiento** *m* **1.** refroidissement: **ligero ~ de la temperatura** léger refroidissement de la température **2.** *(catarro)* **pillar un ~** attraper un refroidissement.

**enfriar** *vt* **1.** refroidir **2.** *FIG (una pasión, etc.)* refroidir. ◆ **~se** *vpr* **1.** se refroidir: **se ha enfriado el tiempo** le temps s'est refroidi **2.** refroidir: **el café se está enfriando** le café est en train de refroidir **3.** *(acatarrarse)* attraper froid, prendre froid: **tápate, no te vayas a ~** couvre-toi, il ne faut pas que tu prennes froid.

**enfrontar** *vt/i* affronter.

**enfullinarse** *vpr AMER* prendre la mouche, se fâcher.

**enfundar** *vt* **1.** engainer **2.** mettre dans une housse **3.** *(muebles, etc.)* couvrir d'une housse. ◆ **~se** *vpr FAM* enfiler: **se enfundó el abrigo precipitadamente** il enfila son manteau précipitamment.

**enfurecer*** *vt* mettre en fureur, rendre furieux, euse. ◆ **~se** *vpr* **1.** entrer en fureur, s'emporter **2.** *(los elementos)* se déchaîner ◊ **mar enfurecido** mer démontée.

**enfurecimiento** *m* fureur *f*, colère *f*.

**enfurruñamiento** *m* mauvaise humeur *f*.

**enfurruñarse** *vpr* **1.** *FAM (ponerse enfadado)* se fâcher, bouder, faire la tête **2.** *(el cielo)* se couvrir.

**enfurtido** *m (de los paños)* foulage.

**enfurtir** *vt (los paños)* fouler.

**engaitar** *vt FAM* rouler, duper.

**engalanar** *vt* **1.** *(ataviar)* parer **2.** *(adornar)* décorer, orner: **~ con** orner de. ◆ **~se** *vpr* se parer.

**engalgar** *vt* freiner, caler.

**engallado, a** *a FIG* fier, fière, arrogant, e.

**engallarse** *vpr* **1.** *(los caballos)* relever la tête **2.** *FIG* se rengorger, faire le fier, la fière.

**enganchar** *vt* **1.** *(con un gancho)* accrocher **2.** *(un caballo)* atteler **3.** *MIL* engager, enrôler **4.** *FIG* séduire **5.** *FAM* attraper ◊ **~ una borrachera** prendre une cuite **6.** *TAUROM* encorner. ◆ **~se** *vpr* **1.** s'accrocher **2.** *MIL* s'engager **3.** *(a una droga)* **estar enganchado** être accroché.

**enganche** *m* **1.** accrochage **2.** *(de caballos)* attelage **3.** *MIL* enrôlement, recrutement.

**enganchón** *m* (*en una prenda*) accroc.

**engañabobos** *s inv FAM* **1.** enjôleur, euse **2.** (*engaño*) attrape-nigaud.

**engañadizo, a** *a* crédule.

**engañador, a** *a* trompeur, euse.

**engañar** *vt* **1.** tromper **2.** être trompeur, euse: **las apariencias engañan** les apparences sont trompeuses **3.** **~ el hambre** tromper la faim. ◆ **~se** *vpr* se tromper, s'abuser, se leurrer: **no nos engañemos** ne nous leurrons pas.

**engañifa** *f FAM* tromperie, attrape-nigaud *m*, escroquerie.

**engaño** *m* **1.** tromperie *f*, duperie *f*, mystification *f* **2.** (*error*) erreur *f* **3.** (*timo*) escroquerie *f* **4.** **llamarse a ~** se dédire, se défiler en prétendant avoir été trompé; **que nadie se llame a ~** que personne ne se leurre, ne se laisse abuser **5.** *TAUROM* muleta *f* **6.** (*para pescar*) leurre.

**engañoso, a** *a* **1.** trompeur, euse, illusoire **2.** **publicidad engañosa** publicité mensongère.

**engarabatar** *vt* rendre crochu, e.

**engarabitarse** *vpr* **1.** (*trepar*) grimper **2.** (*los dedos*) se contracter à cause du froid.

**engarce** *m* **1.** enfilage **2.** (*engaste*) sertissage **3.** *FIG* enchaînement.

**engarrafar** *vt* saisir fortement, empoigner.

**engarruñarse** *vpr AMER* se contracter, se rider.

**engarzar** *vt* **1.** enfiler **2.** (*engastar*) sertir **3.** (*rizar*) friser.

**engastar** *vt* enchâsser, sertir.

**engaste** *m* **1.** sertissage **2.** (*guarnición*) monture *f*, chaton.

**engatusador, a** *a/s FAM* enjôleur, euse, cajoleur, euse.

**engatusar** *vt FAM* enjôler, embobiner, embobeliner.

**engavillar** *vt* gerber, botteler.

**engendramiento** *m* engendrement.

**engendrar** *vt* engendrer.

**engendro** *m* **1.** avorton, monstre, créature *f* informe **2.** *FIG* ouvrage mal conçu, élucubration *f*, horreur *f*.

**engerido, a** *a AMER* triste, sombre, abattu, e.

**englobar** *vt* englober.

**engobe** *m* engobe.

**engolado, a** *a* prétentieux, euse, guindé, e, affecté, e, pompeux, euse, déclamatoire: **tono ~** ton pompeux.

**engolamiento** *m* affectation *f*.

**engolfar** *vi MAR* gagner le large. ◆ **~se** *vpr FIG* se plonger, s'absorber dans.

**engolosinador, a** *a* alléchant, e.

**engolosinar** *vt* allécher. ◆ **~se** *vpr* prendre goût à.

**engomado** *m* gommage, engommage, apprêt.

**engomar** *vt* (*una tela*) gommer, engommer.

**engorda** *f AMER* **1.** engraissement *m* **2.** (*conjunto de animales*) bétail *m* qu'on engraisse.

**engordar** *vt* **1.** engraisser **2.** faire grossir: **alimento que engorda** aliment qui fait grossir. ◇ *vi* grossir: **ha engordado mucho, 5 kilos** il a beaucoup grossi, de 5 kilos.

**engorde** *m* (*de los animales*) engraissement.

**engorro** *m* ennui, corvée *f*.

**engorroso, a** *a* ennuyeux, euse, pénible.

**engranaje** *m* **1.** (*de una máquina, etc.*) engrenage **2.** (*acción*) engrènement **3.** *FIG* engrenage.

**engranar** *vt* engrener, enclencher: **~ la primera velocidad** enclencher la première vitesse. ◇ *vi* s'enclencher.

**engrandecer*** *vt* **1.** agrandir **2.** *FIG* (*ennoblecer*) grandir **3.** (*alabar*) exalter, louer **4.** (*elevar a una categoría superior*) élever.

**engrandecimiento** *m* **1.** agrandissement **2.** *FIG* élévation *f*.

**engrapadora** *f* agrafeuse.

**engrapar** *vt* **1.** agrafer **2.** cramponner.

**engrasar** *vt* (*untar con grasa*) graisser.

**engrase** *m* **1.** graissage **2.** (*materia*) lubrifiant.

**engreído, a** *a* pétri, e d'orgueil, fier, fière.

**engreimiento** *m* suffisance *f*.

**engreír*** *vt* **1.** remplir d'orgueil **2.** *AMER* (*mimar*) gâter, chouchouter. ◆ **~se** *vpr* **1.** s'enorgueillir **2.** *AMER* s'attacher à.

**engrescar** *vt FAM* stimuler, exciter, provoquer.

**engringarse** *vpr AMER* adopter les manières des étrangers.

**engrosamiento** *m* grossissement, augmentation *f*.

**engrosar*** *vt/i* grossir: **~ las filas, sus ahorros** grossir les rangs, augmenter ses économies. ◇ *vi* (*una persona*) grossir.

**engrudar** *vt* enduire d'empois.

**engrudo** *m* empois, colle *f* de pâte.

**engrupir** *vt AMER* rouler, faire marcher.

**engualdrapar** *vt* caparaçonner.

**engualichar** *vt AMER* envoûter, ensorceler.

**enguantar** *vt* ganter.

**enguatar** *vt* ouater, molletonner.

**enguijarrar** *vt* caillouter.

**enguirnaldar** *vt* enguirlander, orner de guirlandes.

**engullir*** *vt* engloutir, avaler.

**engurrio** *m* tristesse *f*, mélancolie *f*.

**engurruñar** *vt* ratatiner, rider, chiffonner. ◆ **~se** *vpr* se contracter.

**enharinar** *vt* enfariner.

**enhebrar** *vt* (*una aguja, perlas*) enfiler.

**enhiesto, a** *a* droit, e, dressé, e.

**enhilar** *vt* enfiler.

**enhorabuena** *f* félicitations *pl*: **¡mi ~!** mes félicitations! ◊ **dar la ~** féliciter; **estar de ~** être au comble de la joie, être ravi, e, être en fête, être à la fête. ◇ *adv* **1.** heureusement **2.** à la bonne heure.

**enhoramala** *adv* **1.** malheureusement **2.** **¡vaya usted ~!** allez-vous-en au diable!

**enhornar** *vt* enfourner.

**enhorquetar** *vt AMER* mettre à califourchon. ◆ **~se** *vpr* enfourcher.

**enhuinchado, a** *a AMER* gansé, e.

**enigma** *m* énigme *f*: **un ~** une énigme; **la clave del ~** la clef de l'énigme.

**enigmático, a** *a* énigmatique.

**enjabonado** *m*, **enjabonadura** *f* savonnage *m*.

**enjabonar** *vt* **1.** savonner **2.** *FIG* (*adular*) passer de la pommade à.

**enjaezar** *vt* (*un caballo*) harnacher.

**enjalbegadura** *f* badigeonnage *m*, chaulage *m*.

**enjalbegar** *vt* badigeonner, chauler.

**enjalma** *f* bât *m*.

**enjalmar** *vt* bâter.

**enjambrar** *vi* essaimer.

**enjambrazón** *f* essaimage *m*.

**enjambre** *m* **1.** *(de abejas)* essaim **2.** *FIG* essaim, nuée *f*: **un ~ de chiquillos** un essaim de gosses.

**enjarciar** *vt MAR* gréer.

**enjaretar** *vt* **1.** *(cinta, cordón)* faire passer par une coulisse **2.** *FAM (hacer)* expédier; *(decir)* débiter **3.** *FAM (un discurso, etc.)* faire avaler, infliger; *(cosa molesta)* refiler.

**enjaular** *vt* **1.** mettre en cage ◊ **un oso enjaulado** un ours en cage **2.** *FAM (en la cárcel)* coffrer.

**enjebe** *m (alumbre)* alun.

**enjertar** → **injertar.**

**enjoyar** *vt* parer, orner de bijoux.

**enjuagadura** *f* **1.** *(acción)* rinçage *m* **2.** *(líquido)* rinçure.

**enjuagar** *vt* rincer. ◆ **~se** *vpr* se rincer la bouche: **enjuágate la boca** rince-toi la bouche.

**enjuague** *m* **1.** rinçage **2.** *FIG FAM* manigance *f*, tripotage, magouille *f*, affaire *f* louche.

**enjugador** *m* séchoir.

**enjugar** *vt* **1.** sécher **2.** *(el sudor, las lágrimas)* essuyer, sécher **3.** *FIG (un déficit)* éponger, résorber; *(una deuda)* éteindre. ◆ **~se** *vpr* se sécher, s'essuyer: **se enjuga las lágrimas** elle s'essuie les larmes.

**enjuiciamiento** *m* **1.** jugement, examen **2.** *JUR* instruction *f* judiciaire.

**enjuiciar** *vt* **1.** juger, émettre un jugement sur **2.** *JUR (una causa)* instruire **3.** *JUR (a alguien)* mettre en jugement.

**enjulio** *m* ensouple *f*.

**enjundia** *f* **1.** *(grasa)* graisse **2.** *FIG (de algo inmaterial)* substance ◊ **un libro con mucha ~** un livre très riche **3.** *FIG (fuerza)* force, vigueur; *(de una persona)* trempe, envergure.

**enjundioso, a** *a* **1.** gras, grasse **2.** *FIG* substantiel, elle, important, e.

**enjuto, a** *a* **1.** sec, sèche **2.** *(flaco)* maigre: **~ de carnes** maigre **3. a pie ~** à pied sec. ◇ *f ARQ* → **pechina.**

**enlabiar** *vt* enjôler, séduire.

**enlace** *m* **1.** liaison *f*, enchaînement **2.** *(casamiento)* **~ matrimonial** mariage **3.** *(de trenes)* correspondance *f* **4. carretera de ~** voie de raccordement, bretelle **5.** *GRAM* liaison *f* **6. ~ sindical** délégué syndical **7.** *MIL* agent de liaison.

**enladrillar** *vt* carreler, paver de briques.

**enlatar** *vt* **1.** mettre en boîte: **~ sardinas** mettre des sardines en boîte; **tomates enlatados** tomates en boîte **2.** *(cubrir)* latter.

**enlazar** *vt* **1.** *(atar)* attacher, lier **2.** *FIG* enchaîner, lier, relier **3.** relier: **carretera que enlaza una ciudad con otra** route qui relie une ville à une autre **4.** *AMER* prendre au lasso. ◇ *vi* assurer la correspondance, correspondre: **este tren enlaza con el de las seis** ce train assure la correspondance avec celui de six heures. ◆ **~se** *vpr* **1.** *(novios)* se marier, s'unir **2.** *(familias)* s'allier.

**enlegajar** *vt* réunir en liasses.

**enligar** *vt* engluer.

**enllantar** *vt (una rueda)* cercler.

**enlodar, enlodazar** *vt* **1.** crotter, couvrir de boue **2.** *FIG* salir, déshonorer.

**enloquecedor, a** *a* affolant, e.

**enloquecer*** *vt* **1.** rendre fou, folle **2.** *FAM* **le enloquecen los helados** il adore les glaces, il aime les glaces à la folie. ◇ *vi* devenir fou, folle.

**enloquecimiento** *m* **1.** affolement **2.** folie *f*.

**enlosado** *m* dallage.

**enlosar** *vt* daller.

**enlucido, a** *a (pared)* blanchi, e, crépi, e. ◇ *m* crépi.

**enlucir*** *vt* **1.** *(una pared)* crépir, enduire **2.** *(armas)* fourbir.

**enlutar** *vt* **1.** habiller de deuil: **una vieja enlutada** une vieille femme en vêtements de deuil **2.** *FIG* endeuiller.

**enmaderamiento** *m* boiserie *f*.

**enmaderar** *vt* garnir de boiseries.

**enmadrarse** *vpr* s'attacher trop à sa mère.

**enmangar** *vt* emmancher.

**enmarañar** *vt* **1.** emmêler ◊ **cejas enmarañadas** sourcils broussailleux; **pelo enmarañado** cheveux embroussaillés **2.** *FIG* embrouiller. ◆ **~se** *vpr* s'emmêler, s'embrouiller.

**enmarcar** *vt* encadrer.

**enmaridar** *vi* se marier (une femme).

**enmascarado, a** *a* masqué, e. ◇ *m* bandit masqué.

**enmascarar** *vt* **1.** masquer **2.** *FIG* masquer, dissimuler, camoufler.

**enmasillar** *vt* mastiquer.

**enmelar*** *vt* **1.** enduire de miel **2.** *FIG* adoucir.

**enmendadura** *f* correction.

**enmendar*** *vt* **1.** corriger **2.** *(un daño)* réparer **3.** *(un texto oficial)* amender. ◆ **~se** *vpr* s'amender, se corriger.

**enmienda** *f* **1.** correction **2.** *(en un texto oficial)* amendement *m* **3.** *(en la conducta)* amendement *m* **4.** *AGR* amendement *m*.

**enmohecer*** *vi* **1.** *(materia orgánica)* moisir **2.** *(metal)* rouiller. ◆ **~se** *vpr* **1.** moisir **2.** rouiller **3.** *FIG* se rouiller.

**enmohecimiento** *m* **1.** moisissure *f* **2.** *(de los metales)* rouille *f*.

**enmoquetar** *vt* moquetter.

**enmudecer*** *vt* faire taire. ◇ *vi (quedarse callado)* rester muet, ette, se taire.

**enmudecimiento** *m* mutisme.

**enmugrecer** *vt* encrasser.

**ennegrecer*** *vt* noircir. ◆ **~se** *vpr* noircir.

**ennegrecimiento** *m* noircissement.

**ennoblecer*** *vt* **1.** *(hacer noble)* anoblir **2.** *FIG (dignificar)* ennoblir.

**ennoblecimiento** *m* **1.** anoblissement **2.** *FIG* ennoblissement.

**enojadizo, a** *a* irritable.

**enojar** *vt* **1.** fâcher, irriter **2.** *(molestar)* ennuyer. ◆ **~se** *vpr* se fâcher, se mettre en colère: **enojarse con alguien** se fâcher contre quelqu'un.

**enojo** *m* **1.** *(enfado)* colère *f*, irritation *f* **2.** *(molestia)* ennui, contrariété *f*.

**enojoso, a** *a* **1.** ennuyeux, euse, fâcheux, euse **2.** désagréable.

**enología** *f* œnologie.

**enológico, a** *a* œnologique.

**enólogo, a** *s* œnologue.

**enorgullecer*** *vt* enorgueillir. ◆ **~se** *vpr* s'enorgueillir.

**enorgullecimiento** *m* orgueil.

**enorme** *a* énorme.

**enormemente** *adv* énormément.

**enormidad** *f* énormité.

**enquiciar** *vt* fixer sur ses gonds.

**enquistado, a** *a MED* enkysté, e.

**enquistamiento** *m MED* enkystement.

**enquistarse** *vpr MED* s'enkyster.

**enrabiar** *vt* faire enrager. ◆ **~se** *vpr* se mettre en colère.

**enracimarse** → **arracimarse.**

**enraizar** *vi* s'enraciner.

**enramada** *f* **1.** feuillage *m* **2.** *(cobertizo)* tonnelle.

**enramar** *vt* couvrir de branchages.

**enranciarse** *vpr* rancir.

**enrarecer*** *vt* raréfier. ◇ *vi/pr* se raréfier: **el aire se enrarece** l'air se raréfie.

**enrarecimiento** *m* raréfaction *f*.

**enrasar** *vt* **1.** *(un muro)* araser **2.** *(igualar el nivel)* mettre de niveau.

**enrase** *m* arasement, nivellement.

**enredadera** *a* **planta ~** plante grimpante. ◇ *f* **1.** liseron *m* **2.** volubilis *m*.

**enredador, a** *a* **1.** brouillon, onne **2.** *(travieso)* espiègle **3.** *(intrigante)* intrigant, e.

**enredar** *vt* **1.** *(con una red)* prendre dans un filet **2.** *(enmarañar)* embrouiller, emmêler **3.** *FIG (en asuntos peligrosos, etc.)* embarquer **4.** *(meter discordia)* brouiller. ◇ *vi (niños)* faire des bêtises. ◆ **~se** *vpr* **1.** s'embrouiller, s'emmêler, s'empêtrer **2.** *(una planta enredadera)* s'entortiller **3.** *FIG (un asunto)* se compliquer, s'embrouiller **4.** *FAM (amancebarse)* se mettre en ménage ◊ **andar enredado con** vivre en concubinage avec, être à la colle avec.

**enredista** *AMER* → **enredador.**

**enredo** *m* **1.** enchevêtrement, emmêlement, embrouillement **2.** *(travesura)* espièglerie *f* **3.** *(lío)* imbroglio, affaire *f* compliquée, complication *f* **4.** mensonge **5.** intrigue *f*: **comedia de ~** comédie d'intrigue **6.** *(amancebamiento)* liaison *f*. ◇ *pl (cosas)* bricoles *f*.

**enredoso, a** *a* compliqué, e.

**enrejado** *m* **1.** *(verja)* grille *f* **2.** *(de cañas, etc.)* treillage, treillis.

**enrejar** *vt* grillager.

**enrevesado, a** *a* embrouillé, e, compliqué, e.

**enriado** *m* rouissage.

**enriar*** *vt* rouir.

**enrielar** *vt AMER* **1.** remettre sur des rails **2.** *FIG* mettre sur la bonne voie.

**Enrique** *np m* Henri.

**enriquecer*** *vt* **1.** *(a una persona, un país, etc.)* enrichir **2.** *FIG* enrichir **3.** **uranio enriquecido** uranium enrichi. ◆ **~se** *vpr* s'enrichir.

**enriquecimiento** *m* enrichissement.

**Enriqueta** *np f* Henriette.

**enriscado, a** *a* accidenté, e, escarpé, e.

**enristrar** *vt* **1.** *(la lanza)* mettre en arrêt **2.** *(ajos, etc.)* mettre en chapelet.

**enrocar** *vt/i (ajedrez)* roquer.

**enrodrigar, enrodrigonar** *vt* échalasser, tuteurer.

**enrojecer*** *vt* rougir. ◇ *vi/pr* rougir, devenir rouge.

**enrolar** *vt* enrôler. ◆ **~se** *vpr* s'enrôler.

**enrollamiento** *m* enroulement.

**enrollar** *vt* enrouler. ◆ **~se** *vpr* **1.** s'enrouler **2.** *FAM* parler à n'en plus finir ◊ **¡no te enrolles!** pas tant de discours!, ça va!, ça suffit! **3.** *FAM (enredarse)* s'embarquer **4.** *FAM (participar)* s'impliquer, s'investir.

**enronquecer*** *vt* enrouer. ◇ *vi/pr* s'enrouer.

**enronquecimiento** *m* enrouement.

**enroque** *m (ajedrez)* roque.

**enroscadura** *f* enroulement *m*.

**enroscar** *vt* **1.** enrouler **2.** *(atornillar)* visser.

**enrostrar** *vt AMER* jeter à la figure, reprocher.

**enrumbar** *vi AMER* **~ a** faire route vers, se diriger vers.

**ensacar** *vt* ensacher.

**ensaimada** *f* gâteau *m* en forme de spirale.

**ensalada** *f* **1.** salade **2.** **~ rusa** salade russe; **~ mixta** salade composée **3.** *FAM* pagaille.

**ensaladera** *f* saladier *m*.

**ensaladilla** *f* macédoine de légumes, salade russe.

**ensalivar** *vt* mouiller de salive.

**ensalmador, a** *s* rebouteux, euse, guérisseur, euse.

**ensalmar** *vt* **1.** *(curar)* guérir au moyen de remèdes empiriques **2.** *(un hueso)* remettre.

**ensalmo** *m* manière *f* superstitieuse de guérir par des remèdes empiriques ◊ **como por ~** comme par enchantement.

**ensalzamiento** *m* exaltation *f*, glorification *f*, louange *f*.

**ensalzar** *vt* **1.** élever **2.** *(alabar)* exalter, louer, faire l'éloge de.

**ensamblador** *m INFORM* assembleur.

**ensambladura** *f*, **ensamblaje** *m* assemblage *m*.

**ensamblar** *vt* assembler.

**ensanchamiento** *m* élargissement.

**ensanchar** *vt* **1.** *(hacer más ancho)* élargir: **~ una calle** élargir un rue **2.** *(ampliar)* agrandir. ◆ **~se** *vpr* **1.** s'élargir **2.** *FIG* se rengorger.

**ensanche** *m* **1.** élargissement **2.** agrandissement **3.** *(barrio nuevo)* quartier neuf.

**ensangrentar*** *vt* ensanglanter. ◆ **~se** *vpr* **1.** se couvrir de sang **2.** *FIG* s'irriter.

**ensañamiento** *m* acharnement.

**ensañar** *vt* irriter. ◆ **~se** *vpr* s'acharner: **se ensañó con, en su víctima** il s'acharna sur, contre sa victime.

**ensartar** *vt* **1.** *(perlas, etc.)* enfiler **2.** *FIG (tonterías, etc.)* débiter: **~ disparates** débiter des sottises.

**ensayar** *vt* **1.** essayer **2.** *(una obra teatral)* répéter. ◆ **~se** *vpr* s'essayer, s'exercer.

**ensaye** *m* essai (des métaux).

**ensayista** *s* essayiste.

**ensayo** *m* **1.** essai ◊ **tubo de ~** tube à essai **2.** *(composición literaria)* essai **3.** *TEAT* répétition *f*.

**ensebar** *vt* suiffer.

**enseguida** *adv* **1.** *(acto continuo)* aussitôt **2.** *(pronto)* tout de suite **3.** → **seguida.**

**ensenada** *f* anse, crique.

**enseña** *f* enseigne.

**enseñante** *s* enseignant, e.

**enseñanza** *f* enseignement *m*: **~ primaria, primera ~** enseignement primaire; **~ media, secundaria** enseignement secondaire; **~ superior** enseignement supérieur; **libertad de ~** liberté de l'enseignement.

**enseñar** *vt* **1.** apprendre: **ella me enseñó a leer** elle m'a appris à lire; **¡ya te enseñaré yo a...!** je t'apprendrai à...! **2.** *(mostrar)* montrer: **me enseñó su moto** il m'a montré sa moto. ◇ *vt/i (dar clases)* enseigner: **enseña desde hace diez años** il enseigne depuis dix ans.

**enseñorearse** *vpr* s'emparer, se rendre maître.

**enseres** *m pl* **1.** *(cosas, utensilios)* affaires *f*, ustensiles: **~ de tocador** ustensiles de toilette **2.** *(muebles)* meubles.

**ensilado** *m AGR* ensilage, silotage.

**ensilar** *vt AGR* ensiler.

**ensillado, a** *a* **1.** sellé, e **2.** *(caballo de lomo hundido)* ensellé, e.

**ensilladura** *f* **1.** action de seller **2.** *(encorvadura)* ensellure.

**ensillar** *vt* seller.

**ensimismamiento** *m* réflexion *m*, concentration *f* d'esprit, repliement sur soi-même.

**ensimismarse** *vpr* **1.** s'abstraire, s'absorber **2. estar ensimismado en sus pensamientos** être plongé dans ses pensées **3.** *AMER* faire l'important.

**ensoberbecer*** *vt* enorgueillir. ◆ **~se** *vpr* s'enorgueillir.

**ensoberbecimiento** *m* orgueil.

**ensobrar** *vt (meter en un sobre)* mettre sous enveloppe.

**ensogar** *vt* lier avec une corde.

**ensombrecer*** *vt* assombrir. ◆ **~se** *vpr* s'assombrir: **su rostro se ensombreció** son visage s'assombrit.

**ensoñación** *f* rêverie, rêve *m*: **perdido en sus ensoñaciones** perdu dans ses rêveries.

**ensoñador, a** *a/s* rêveur, euse.

**ensopar** *vt (empapar)* tremper.

**ensordecedor, a** *a* assourdissant, e: **ruidos ensordecedores** des bruits assourdissants.

**ensordecer*** *vt* **1.** assourdir **2.** *(causar sordera)* rendre sourd, e. ◇ *vi (contraer sordera)* devenir sourd, e.

**ensordecimiento** *m* assourdissement.

**ensortijar** *vt (cabellos, etc.)* boucler, friser.

**ensuciamiento** *m* **1.** action *f* de salir **2.** *(suciedad)* saleté *f*.

**ensuciar** *vt* **1.** salir **2.** *FIG* salir, souiller. ◆ **~se** *vpr* se salir.

**ensueño** *m* rêve: **el ~ de su vida** le rêve de sa vie; **una casa de ~** une maison de rêve.

**entablación** *f* planchéiage *m*.

**entablado** *m* plancher, parquet.

**entablamento** *m ARQ* entablement.

**entablar** *vt* **1.** planchéier **2.** *(las piezas)* disposer sur un échiquier, un damier **3.** *(la lucha, una discusión, etc.)* engager, entamer: **~ negociaciones** entamer des négociations. ◆ **~se** *vpr* s'engager: **un vivo debate se entabló** un débat animé s'engagea.

**entablillar** *vt MED* éclisser.

**entalamadura** *f* bâche.

**entalegar** *vt* **1.** mettre en sac **2.** *(dinero)* thésauriser, amasser, mettre de côté.

**entalladura** *f* **1.** *(corte)* entaille **2.** sculpture, gravure, ciselure.

**entallar** *vt* **1.** sculpter, graver, ciseler **2.** *(pinos)* gemmer **3.** *(un vestido)* ajuster à la taille, cintrer. ◇ *vi/pr* s'ajuster à la taille, être ajusté, e, cintré, e: **traje sastre entallado** tailleur cintré; **chaqueta entallada** veste cintrée.

**entallecer*** *vi (las plantas)* pousser.

**entapetado, a** *a* couvert, e d'un tapis.

**entapizar** *vt* tapisser.

**entapujar** *vt* cacher, dissimuler.

**entarimado** *m* plancher, parquet.

**entarimador** *m* parqueteur, poseur de parquets.

**entarimar** *vt* parqueter, planchéier.

**entarugado** *m* pavage en bois.

**ente** *m* **1.** *(ser)* être, créature *f*: **~ abstracto** créature abstraite, entité *f* **2.** *(entidad)* société *f*, organisme: **un ~ financiero** un organisme financier **3.** *FAM* individu, phénomène.

**entechar** *vt AMER* couvrir (d'un toit).

**enteco, a** *a* chétif, ive, maladif, ive.

**entejar** *vt AMER* couvrir de tuiles.

**entelequia** *f* **1.** *(en filosofía)* entéléchie **2.** *FIG* vue de l'esprit, fiction.

**entelerido, a** *a* transi, e.

**entena** *f MAR* antenne.

**entenado, a** → **hijastro.**

**entendederas** *f pl FAM* **tiene pocas ~** il n'a pas beaucoup de jugeotte, il a l'esprit obtus.

**entendedor** *m* entendeur: **al buen ~, pocas palabras bastan** à bon entendeur, salut.

**entender*** *vt* **1.** comprendre: **no entiendo lo que dices** je ne comprends pas ce que tu dis; **no entendiste bien** tu n'as pas bien compris; **no entiendo el italiano** je ne comprends pas l'italien ◊ **ya entiendo** je comprends, je vois; **ya te entiendo** je te vois venir; **entendido** compris, d'accord **2.** entendre: **¿qué entiende usted por eso?** qu'entendez-vous par là?; **dar a ~** laisser entendre **3.** *(opinar)* croire, penser, estimer: **yo entiendo que sería mejor...** je pense qu'il serait préférable... **4.** *loc adv* **a mi ~** à mon avis. ◇ *vi* **1.** s'y connaître, s'y entendre: **no entiendo nada de política** je n'y connais rien en politique; **poco entiende de mecánica** il ne s'y connaît pas beaucoup en mécanique **2.** *JUR* **~ en, de** connaître de. ◆ **~se** *vpr* **1.** se comprendre: **yo ya me entiendo** je me comprends ◊ **entendámonos** comprenons-nous bien, entendons-nous bien **2.** s'entendre: **no se entiende con su suegra** il ne s'entend pas avec sa belle-mère **3.** *(mantener relaciones amorosas)* avoir une liaison.

**entendido, a** *a* **1.** connaisseur, euse, compétent, e: **no soy ~ en pintura** je ne suis pas connaisseur, je ne m'y connais pas en peinture **2. bien ~ que...** étant bien entendu que...; **queda ~ que...** il est bien entendu que...; **tengo ~ que...** je crois savoir que...; **¡entendido!** compris! **3. no darse por ~** faire la sourde oreille, feindre de ne pas comprendre.

**entendimiento** *m* **1.** entendement, intelligence *f* ◊ **de mucho ~** très intelligent **2.** *(juicio)* jugement.

**entenebrecer*** *vt* obscurcir. ◆ **~se** *vpr* s'obscurcir, s'assombrir.

**entente** *f* entente.
▶ Gallicisme usuel.

**enterado, a** *a* **1.** au courant, averti, e, informé, e: **estar ~** être au courant **2. no darse por ~** faire la sourde oreille.

**enteramente** *adv* entièrement.

**enterar** *vt* **1.** informer **2.** *AMER (pagar)* acquitter, payer; *(completar)* compléter. ◆ **~se** *vpr* **1.** s'informer, se renseigner, prendre connaissance de, se mettre au courant de: **enterarse del precio...** s'informer de, se renseigner sur le prix... **2.** apprendre: **me enteré de que se había casado** j'ai appris qu'il s'était marié **3.** *(darse cuenta)* se rendre compte: **no se entera nunca de nada** il ne se rend jamais compte de rien **4.** *FAM* **¿se entera?** compris?; **para que te enteres** pour que tu le saches.

**entercarse** *vpr* s'obstiner, s'entêter.

**entereza** *f* **1.** intégrité **2.** *(firmeza de ánimo)* énergie, force de caractère.

**enteritis** *f MED* entérite.

**enterizo, a** *a* entier, ère, d'une seule pièce.

**enternecedor, a** *a* attendrissant, e.

**enternecer*** *vt* attendrir. ◆ **~se** *vpr* s'attendrir, être ému, e.

**enternecimiento** *m* attendrissement.

**entero, a** *a* **1.** entier, ère, complet, ète: **la asamblea entera** l'assemblée toute entière **2.** *FIG* ferme, résolu, e **3.** *MAT*

**número ~** nombre entier **4.** *loc adv* **por ~** entièrement. ◇ *m* *AMER (entrega de dinero)* versement.

**enterocolitis** *f MED* entérocolite.

**enterrador** *m* fossoyeur.

**enterramiento** *m* **1.** enterrement **2.** sépulture *f*, tombe *f*.

**enterrar*** *vt* **1.** enterrer ◊ **nos enterrará a todos** il nous enterrera tous **2.** *(un tesoro, etc.)* enterrer, enfouir. ◆ **~se** *vpr FIG* s'enterrer.

**entibación** *f TECN (de una mina)* boisage *m*; *(de un pozo)* cuvelage *m*.

**entibar** *vt TECN (una mina)* boiser; *(un pozo)* cuveler.

**entibiamiento** *m* attiédissement.

**entibiar** *vt* tiédir, attiédir. ◆ **~se** *vpr FIG* s'attiédir, se refroidir.

**entibo** *m* étai.

**entidad** *f* **1.** *(en filosofía)* entité **2.** société, organisme *m*, établissement *m*: **~ editora** société d'édition; **~ bancaria** banque, établissement bancaire; **~ de ahorro** caisse *f* d'épargne **3.** importance: **cosa de poca ~** chose sans importance; **escritor de gran ~** écrivain de grande valeur, de grande envergure.

**entierro** *m* enterrement ◊ **el ~ de Cristo** la mise au tombeau; **¿quién te dio vela en este ~?** → **vela.**

**entintar** *vt* **1.** encrer **2.** *(manchar con tinta)* tacher d'encre **3.** *(teñir)* teindre.

**entoldado** *m* **1.** vélum **2.** abri en toile.

**entoldar** *vt* **1.** *(calle, etc.)* tendre un vélum au-dessus de, bâcher **2.** orner de tapisseries. ◆ **~se** *vpr (nublarse)* se couvrir: **el día amaneció entoldado** le jour se leva avec un ciel couvert.

**entomología** *f* entomologie.

**entomológico, a** *a* entomologique.

**entomólogo, a** *s* entomologiste.

**entonación** *f* **1.** intonation **2.** ton *m* juste **3.** *FIG* arrogance.

**entonado, a** *a AMER* vaniteux, euse.

**entonar** *vt* **1.** *(una canción, un himno, etc.)* entoner **2.** *(dar vigor)* fortifier, remonter, mettre en forme, ragaillardir: **este coñac le va a ~** ce cognac va vous remonter. ◇ *vi* **1.** chanter juste **2. ~ con** s'harmoniser avec. ◆ **~se** *vpr* **1.** se remonter, se mettre en forme, se retaper **2.** *(engreírse)* faire le fier, se pavaner.

**entonces** *adv* **1.** alors: **los jóvenes de ~** les jeunes d'alors; **~ fue cuando...** c'est alors que...; **hasta ~** jusqu'alors **2. desde ~** depuis lors, dès lors; **por ~, en, por aquel ~** à cette époque-là; **para ~** d'ici là; **a partir de ~** à partir de ce moment-là.

**entonelar** *vt* mettre en tonneau.

**entono** *m* prétention *f*, arrogance *f*.

**entontar** *AMER* → **entontecer.**

**entontecer*** *vt* abrutir, abêtir, crétiniser. ◆ **~se** *vpr* s'abêtir.

**entontecimiento** *m* abêtissement.

**entorchado** *m* **1.** *(hilo)* cordonnet filé **2.** *(en el uniforme)* gros galon brodé.

**entorchar** *vt* torsader.

**entornar** *vt* **1.** *(una puerta)* entrebâiller, entrouvrir **2.** *(ojos)* fermer à demi, entrouvrir: **fumaba entornando los ojos** il fumait en fermant les yeux à demi ◊ **ojos entornados** yeux mi-clos.

**entorno** *m* environnement, milieu: **el ~ económico, político** l'environnement économique, politique; **nuestro ~ familiar** notre milieu familial; **el ~ social** le milieu social.

**entorpecer*** *vt* **1.** engourdir **2.** *(el entendimiento, etc.)* engourdir, obscurcir **3.** *FIG* gêner, paralyser: **~ la circulación** gêner la circulation.

**entorpecimiento** *m* **1.** engourdissement **2.** *FIG* gêne *f*, obstacle **3.** *(de un asunto)* paralysie *f*, retard.

**entrabar** *vt AMER* entraver.

**entrada** *f* **1.** entrée: **se prohibe la ~** entrée interdite, défense d'entrer **2.** *(concurrencia)* assistance **3.** *(billete)* billet *m*, place: **¿sacaste las entradas?** as-tu pris les billets? **4.** *(dinero que se recauda)* recette **5.** *(dinero que se da como anticipo)* acompte *m*, premier versement *m* **6.** *(primer plato)* entrée **7.** *loc adv* **de ~** d'emblée, d'entrée de jeu, de prime abord. ◇ *pl (en la frente)* **tener entradas** avoir le front dégarni.

**entradilla** *f (en un artículo de periódico)* chapeau *m*.

**entrado, a** *a* **~ en años** âgé, e.

**entrador, a** *a AMER* **1.** audacieux, euse, dynamique **2.** charmant, e **3.** *(entrometido)* indiscret, ète.

**entramado** *m ARQ* lattis, colombage.

**entrambos** *a/pron pl* tous les deux, toutes les deux, l'un et l'autre.

**entrampar** *vt* prendre au piège. ◆ **~se** *vpr* **1.** tomber dans un piège **2.** *(contraer deudas)* s'endetter.

**entrante** *a/s* entrant, e. ◇ *a* **1. ángulo ~** angle rentrant **2.** *(año, mes)* prochain, e: **la semana ~** la semaine prochaine. ◇ *m (manjar)* entrée *f*.

**entraña** *f* viscère *m*. ◇ *pl* **1.** entrailles **2.** *FIG* **las entrañas de la tierra** les entrailles de la terre; **no tener entrañas** ne pas avoir de cœur **3.** *FAM* **echar las entrañas** rendre tripes et boyaux, vomir.

**entrañable** *a* **1.** cher, chère, sympathique: **nuestro ~ amigo** notre cher ami **2.** affectueux, euse, cordial, e: **un ~ saludo** une pensée affectueuse **3.** tendre, attendrissant, e: **~ amistad** tendre amitié; **las más entrañables escenas de amor materno** les plus tendres scènes d'amour maternel **4.** touchant, e: **es tan necio que resulta ~** c'est si bête que c'en est touchant; **lo más ~: la foto de su madre en el televisor** le plus touchant: la photo de sa mère sur le téléviseur.

**entrañablemente** *adv* tendrement: **querer ~** aimer tendrement.

**entrañar** *vt* **1.** *ANT* introduire **2.** *FIG* comporter, impliquer, supposer. ◆ **~se** *vpr FIG* se lier intimement.

**entrar** *vi* **1.** entrer: **entró en el salón del brazo de su marido** elle entra dans le salon au bras de son mari; **me entró un mosquito en el ojo** un moustique m'est entré dans l'œil; **~ en el ejército** entrer dans l'armée ◊ *FIG* **no ~ ni salir en** ne pas se mêler de; **no entro ni salgo** ce n'est pas mon affaire, mes oignons **2.** *(encajar)* entrer, rentrer **3.** *FIG* prendre, saisir, gagner: **a ella le entró pánico, remordimiento** elle fut prise de panique, de remords; **me ha entrado un violento dolor de cabeza** j'ai été pris d'une violente migraine; **le entró miedo** il prit peur; **me entra el sueño** je commence à avoir sommeil, le sommeil commence à me gagner **4.** *(comenzar)* commencer: **entró la primavera con mal tiempo** le printemps a commencé avec du mauvais temps **5.** *TAUROM* attaquer **6.** *FIG FAM* **las matemáticas no le entran** il est brouillé avec les mathématiques, il ne mord pas aux mathématiques; **ese individuo no me entra** cet individu ne me revient pas, ne me plaît pas; **a ése no hay por dónde entrarle** celui-là, on ne sait pas comment l'aborder **7. ~ a** *(+ infinitivo)* commencer à **8. volver a ~** rentrer ◇ *vt* **1.** *(meter)* entrer, rentrer: **entra las bicis** rentre les vélos **2.** faire entrer, introduire: **lo entraron en la antesala** on le fit entrer dans l'antichambre. ◆ **~se** *vpr* entrer, pénétrer.

**entrazado, a** *a AMER* **bien, mal ~** à l'air aimable, désagréable.

**entre** *prep* **1.** entre: **~ Madrid y Toledo** entre Madrid et Tolède; **vacilar ~ varias soluciones** hésiter entre plusieurs solutions **2.** parmi: **~ mis amigas** parmi mes amies; **por ~** parmi **3.** *(en una colectividad)* chez: **~ los musulmanes** chez les musulmans **4.** *(dentro)* dans: **se perdió ~ la muchedumbre** il se perdit dans la foule; **~ la niebla, la hierba** dans le brouillard, l'herbe **5.** au milieu de: **~ las risas, las ovaciones** au milieu des rires, des ovations **6.** *(expresando asociación)* à: **hacer algo ~ dos, cuatro** faire quelque chose à deux, à quatre; **se lo comieron ~**

**los tres** il le mangèrent à eux trois **7.** mi-...mi-...: **~ alegre y triste** mi-joyeux, mi-triste; **~ amistoso y sonriente** à la fois amical et souriant **8. ~ mí, sí** à part moi, à part lui.

**entreabierto, a** *a* entrouvert, e.

**entreabrir*** *vt* entrouvrir.

**entreacto** *m* entracte.

**entrecano, a** *a* **1.** *(cabello, barba)* gris, e, poivre et sel, grisonnant, e **2.** *(persona)* qui a les cheveux gris.

**entrecavar** *vt* bêcher superficiellement.

**entrecejo** *m* glabelle *f* ◊ **fruncir el ~** froncer les sourcils.

**entrecomillado** *m* mot, texte entre guillemets.

**entrecomillar** *vt* mettre entre guillemets, guillemeter.

**entrecoro** *m* espace entre le chœur et le maître-autel.

**entrecortadamente** *adv* d'une voix entrecoupée.

**entrecortar** *vt* entrecouper: **voz entrecortada por los sollozos** voix entrecoupée de sanglots.

**entrecot** *m* entrecôte *f*.

**entrecruzar** *vt* entrecroiser, croiser. ◆ **~se** *vpr* s'entrecroiser.

**entrecubiertas** *f pl* MAR entrepont *m sing*.

**entrechocar** *vt* entrechoquer. ◇ *vpr* s'entrechoquer.

**entredicho** *m* **1.** *(censura eclesiástica)* interdit **2.** FIG **estar en ~** être en question; **poner en ~** mettre en doute.

**entredós** *m* entre-deux *inv*.

**entrefilete** *m (suelto)* entrefilet.

**entrefino, a** *a* demi-fin, fine.

**entrega** *f* **1.** *(de una carta, un premio, etc.)* remise: **la ~ de la copa al vencedor** la remise de la coupe au vainqueur **2.** *(de una mercancía)* livraison: **pagadero a la ~** payable à la livraison; **plazo de ~** délai de livraison **3.** *(fascículo)* livraison **4.** FIG dévouement *m*, don *m* de soi, abnégation.

**entregar.** *vt* **1.** remettre: **el cartero me entregó una carta** le facteur m'a remis une lettre **2.** *(una mercancía, un ladrón a la policía)* livrer. ◆ **~se** *vpr* **1.** *(al enemigo)* se livrer **2.** *(declararse vencido)* se rendre **3.** FIG se livrer, s'adonner: **entregarse al estudio** s'adonner à l'étude; **entregarse a la bebida** s'adonner à la boisson **4.** *(abandonarse)* s'abandonner **5.** *(por amistad, amor)* se donner, se vouer.

**entrelazamiento** *m* entrelacement.

**entrelazar** *vt* entrelacer.

**entremedias** *adv* **1.** *(tiempo)* entre-temps **2.** *(espacio)* au milieu.

**entremés** *m* **1.** CULIN hors-d'œuvre *inv*: **entremeses variados** hors-d'œuvre variés **2.** TEAT intermède.

▶ La palabra francesa *entremets* se aplica a manjares dulces que se sirven antes de los postres.

**entremesera** *f* plat *m* à hors-d'œuvre.

**entremeter** *vt* mélanger, mêler. ◆ **~se** *vpr (entrometerse)* **entremeterse en** en mêler de, s'immiscer dans.

**entremetido, a → entrometido.**

**entremetimiento** *m* immixtion *f*, ingérence *f*.

**entremezclar** *vt* entremêler, mélanger. ◆ **~se** *vpr* s'entremêler, se mêler.

**entrenador** *m* entraîneur.

**entrenamiento** *m* entraînement.

**entrenar** *vt* entraîner. ◆ **~se** *vpr* s'entraîner: **estar bien entrenado** être bien entraîné.

**entrenudo** *m* BOT entre-nœud.

**entreoír*** *vt* entendre vaguement.

**entrepaño** *m* **1.** *(espacio de pared)* trumeau **2.** *(anaquel)* tablette *f*.

**entrepierna(s)** *f* entrejambe *m*.

**entrepiso** *m* mezzanine *f*.

**entreplanta** *f* mezzanine.

**entrepuente** *m* MAR entrepont.

**entrerrenglonadura** *f* interligne *m*.

**entrerrenglonar** *vt* interligner.

**entrerriano, a** *a/s* de la province d'Entre Ríos (Argentine).

**entresacar** *vt* **1.** *(escoger)* trier, choisir, sélectionner **2.** *(árboles, cabellos)* éclaircir, couper.

**entresijo** *m* ANAT mésentère. ◇ *pl* FIG mystères, secrets, arcanes ◊ **los entresijos del poder** les coulisses du pouvoir; **los entresijos del alma** les tréfonds de l'âme; **tener muchos entresijos** *(un asunto)* être très compliqué, e; *(una persona)* être très réservé, e, peu franc, franche.

**entresuelo** *m* entresol.

**entretalla** *f* bas-relief *m*.

**entretanto** *adv* **1.** entre-temps, pendant ce temps **2. en el ~** dans l'intervalle, entre-temps.

**entretecho** *m* AMER combles *pl*, grenier.

**entretejer** *vt* **1.** entrelacer, entremêler **2.** *(citas, etc. en un texto)* intercaler.

**entretela** *f* bougran *m*. ◇ *pl* FAM entrailles, âme *sing*.

**entretención** *f* AMER distraction, divertissement *m*.

**entretener*** *vt* **1.** faire perdre son temps **2.** *(divertir)* distraire, amuser **3.** *(dar largas)* faire traîner en longueur, retarder **4. ~ la espera** tromper l'attente **5.** *(conservar)* entretenir. ◆ **~se** *vpr* **1.** se distraire, s'amuser, se délasser: **se entretiene viendo la televisión** il se distrait en regardant la télévision; **me entretuve mirando los movimientos de la muchedumbre** je m'amusai à regarder les mouvements de la foule **2.** s'attarder **3.** perdre son temps.

**entretenido, a** *a* **1.** *(divertido)* amusant, e, distrayant, e: **una película entretenida** un film amusant **2.** difficile, prenant, e.

**entretenimiento** *m* **1.** distraction *f*, amusement **2.** *(mantenimiento)* entretien.

**entretiempo** *m* demi-saison *f*: **ropa de ~** vêtements de demi-saison.

**entrever*** *vt* entrevoir.

**entreverado** *m* AMER fressure *f* d'agneau grillée.

**entreverar** *vt* entremêler, mêler. ◆ **~se** *vpr* AMER se mêler.

**entrevero** *m* AMER **1.** mélange, ensemble confus, méli-mélo **2.** *(de personas)* mêlée *f*, corps à corps.

**entrevía** *f* entre-rail *m*.

**entrevista** *f* **1.** entretien *m*, entrevue: **conceder una ~** accorder un entretien **2.** *(de periodista)* interview.

**entrevistador, a** *s* interviewer, enquêteur, euse.

**entrevistar** *vt* interviewer. ◆ **~se** *vpr* **1.** avoir un entretien, une entrevue: **me entrevisté con...** j'ai eu un entretien avec... **2.** *(dicho de un periodista)* **entrevistarse con un ministro** interviewer un ministre ◊ **los entrevistados** les personnes interrogées.

**entripado** *m* dépit, contrariété *f*.

**entriparse** *vpr* AMER se fâcher.

**entristecedor, a** *a* attristant, e.

**entristecer*** *vt* attrister. ◆ **~se** *vpr* s'attrister, devenir triste, mélancolique.

**entristecimiento** *m* tristesse *f*.

**entrometer → entremeter.**

**entrometido, a** *a/s* indiscret, ète.

**entrometimiento → entremetimiento.**

**entromparse** *vpr* **1.** FAM prendre une cuite, se soûler **2.** AMER *(enfadarse)* se fâcher.

**entroncar** *vi* **1.** être apparenté, e **2.** *(contraer parentesco)* s'allier, s'apparenter: **entroncó con una familia noble** il s'allia à, s'apparenta à une famille noble **3.** FIG **~ con** se rattacher à **4.** *(ferrocarril)* s'embrancher.

**entronización** *f* intronisation.

**entronizar** *vt* **1.** introniser **2.** FIG exalter, élever. ◆ **~se** *vpr* FIG s'enorgueillir, faire l'important.

**entronque** *m* **1.** *(relación de parentesco)* parenté *f* **2.** *(empalme de ferrocarriles, etc.)* embranchement.

**entropía** *f* FÍS entropie.

**entropillar** *vt* AMER habituer (les chevaux) à vivre en troupeaux.

**entruchado** *m* FAM machination *f*, intrigue *f*.

**entubación** *f* tubage *m*.

**entubar** *vt* tuber.

**entuerto** *m* tort, dommage. ◇ *pl* MED tranchées *f* utérines.

**entullecer*** *vt* FIG paralyser.

**entumecer*** *vt* engourdir, paralyser. ◆ **~se** *vpr* **1.** s'engourdir **2.** *(río)* grossir.

**entumecimiento** *m* engourdissement.

**entumirse** *vpr* s'engourdir, se raidir.

**enturbiar** *vt* **1.** troubler **2.** FIG *(el orden, etc.)* troubler.

**entusiasmar** *vt* enthousiasmer, emballer. ◆ **~se** *vpr* s'enthousiasmer.

**entusiasmo** *m* enthousiasme.

**entusiasta** *a/s* enthousiaste.

**entusiástico, a** *a* enthousiaste.

**enucleación** *f* MED énucléation.

**enumeración** *f* énumération.

**enumerar** *vt* énumérer.

**enunciación** *f* énonciation.

**enunciado** *m* énoncé.

**enunciar** *vt* énoncer.

**enuresis** *f* MED énurésie.

**envainar** *vt (un arma blanca)* engainer, rengainer.

**envalentonamiento** *m* hardiesse *f*, audace *f*.

**envalentonar** *vt* enhardir. ◆ **~se** *vpr* s'enhardir, prendre de l'assurance: **este chico cada vez se me envalentona más** ce garçon prend de plus en plus d'assurance.

**envanecer*** *vt* enorgueillir. ◆ **~se** *vpr* s'enorgueillir, être fier, fière.

**envanecimiento** *m* orgueil, vanité *f*.

**envarar** *vt* **1.** *(entumecer)* engourdir **2.** raidir.

**envasado** *m* mise *f* en bouteilles, conditionnement.

**envasar** *vt* **1.** *(un líquido)* mettre en bouteilles **2.** *(un producto sólido, etc.)* emballer, conditionner: **leche envasada en botellas de plástico** lait conditionné dans des bouteilles en plastique **3.** *(granos, etc.)* ensacher **4.** FAM boire, pomper.

**envase** *m* **1.** *(acción)* mise *f* en bouteilles, en boîtes; emballage, conditionnement **2.** *(recipiente)* bouteille *f*: **agua mineral en un ~ de plástico** eau minérale dans une bouteille en plastique; *(lata)* boîte; emballage: **~ sin vuelta** emballage perdu.

**envedijarse** *vpr (el pelo, la lana)* s'emmêler.

**envejecer*** *vt* vieillir. ◇ *vi/pr* vieillir: **ha envejecido mucho** il a beaucoup vieilli; **se envejeció prematuramente** il a vieilli prématurément.

**envejecimiento** *m* vieillissement.

**envenenador, a** *a/s* empoisonneur, euse.

**envenenamiento** *m* empoisonnement.

**envenenar** *vt* empoisonner: **un regalo envenenado** un cadeau empoisonné. ◆ **~se** *vpr* s'empoisonner.

**enverdecer*** *vi* reverdir.

**envergadura** *f* **1.** envergure **2.** FIG envergure: **de mucha ~** de grande envergure.

**enverjado** *m (enrejado)* grille *f*.

**envés** *m* envers, dos: **el ~ de una tela** l'envers d'une étoffe.

**enviado, a** *s* envoyé, e: **~ especial** envoyé spécial.

**enviar** *vt* **1.** envoyer: **le enviaré mañana un paquete por correo** je vous enverrai demain un colis par la poste; **~ a su hijo a estudiar al extranjero** envoyer son fils étudier à l'étranger **2.** FAM **~ a escardar cebollinos, a freír espárragos** envoyer sur les roses.

**enviciar** *vt* corrompre. ◆ **~se** *vpr* **1.** s'adonner avec excès à **2.** prendre la mauvaise habitude de, devenir l'esclave d'une mauvaise habitude: **empezó por fumar de vez en cuando y acabó enviciándose** il commença par fumer de temps en temps et il finit par ne plus pouvoir s'arrêter.

**envidar** *vt (en el juego)* renvier.

**envidia** *f* **1.** envie: **dar ~** faire envie; **consumirse de ~** mourir d'envie ◇ **te tengo ~** je t'envie; **sentir ~ de alguien** envier quelqu'un **2.** *(celos)* jalousie.

**envidiable** *a* enviable.

**envidiar** *vt* envier, jalouser.

**envidioso, a** *a/s* envieux, euse.

**envigado** *m* charpente *f*.

**envilecedor, a** *a* avilissant, e.

**envilecer*** *vt* avilir. ◆ **~se** *vpr* s'avilir.

**envilecimiento** *m* avilissement.

**envinagrar** *vt* vinaigrer.

**envío** *m* envoi: **gastos de ~** frais d'envoi; **~ certificado** envoi recommandé.

**envión** *m (empujón)* poussée *f*, bourrade *f*.

**enviscar** *vt* **1.** *(untar con liga)* engluer **2.** exciter **3.** FIG irriter.

**envite** *m* **1.** *(en el juego)* renvoi **2.** offre *f* **3.** **al primer ~** de prime abord, de but en blanc.

**enviudar** *vi* devenir veuf, veuve.

**envoltorio** *m* balluchon, paquet.

**envoltura** *f* enveloppe, couverture.

**envolvente** *a* enveloppant, e: **movimiento ~** mouvement enveloppant.

**envolver*** *vt* **1.** envelopper: **~ en un papel** envelopper dans un papier ◇ **papel de ~** papier d'emballage **2.** *(a un niño)* emmailloter **3.** *(un hilo)* enrouler **4.** FIG *(en un asunto)* impliquer, mêler **5.** *(con argumentos)* confondre. ◆ **~se** *vpr* s'envelopper: **se envolvió en una manta para dormir** il s'enveloppa dans une couverture pour dormir.

**envuelto, a** *pp* de **envolver.**

**enyesado** *m* plâtrage.

**enyesar** *vt* **1.** plâtrer **2.** **lleva la pierna enyesada** il a la jambe plâtrée.

**enyetar** *vt* AMER porter malheur, jeter un sort.

**enzarzar** *vt* **1.** couvrir de ronces **2.** FIG embarquer. ◆ **~se** *vpr* **1.** *(enredarse)* s'empêtrer **2.** **se enzarzaron en unas explicaciones complicadas** ils s'empêtrèrent dans des explications compliquées; **enzarzarse en una discusión** se lancer, s'embarquer, s'embringuer dans une discussion; **parecen enzarzados en una polémica estéril** ils semblent s'être engagés dans une polémique stérile **3.** *(reñir)* se disputer, se chamailler: **estaba enzarzada con su vecina** elle se disputait, se chamaillait avec sa voisine.

**enzima** *m/f* enzyme.
► La Academia francesa prefiere el femenino.

**enzunchar** *vt* fretter.

**eñe** *f* nom de la lettre ñ.

**eoceno** *m GEOL* éocène.

**Eolia** *np f* Éolide.

**eólico, a** *a* éolien, enne: **energía, erosión eólica** énergie, érosion éolienne.

**eolio, a** *a/s* éolien, enne.

**Eolo** *np m* Éole.

**¡epa!** *interj AMER* hola!, tiens!, allons!

**epatar** *vt* épater, en mettre plein la vue.
► Gallicisme assez courant.

**epazote** → **pazote.**

**epéntesis** *f GRAM* épenthèse.

**eperlano** *m (pez)* éperlan.

**épica** *f* poésie épique.

**epicarpio** *m BOT* épicarpe.

**epicentro** *m* épicentre: **el ~ del terremoto** l'épicentre du tremblement de terre.

**épico, a** *a* épique. ◇ *m* poète épique.

**epicureísmo** *m* épicurisme.

**epicúreo, a** *a/s* épicurien, enne.

**Epicuro** *np m* Épicure.

**epidemia** *f* épidémie.

**epidémico, a** *a* épidémique.

**epidemiología** *f* epidémiologie.

**epidérmico, a** *a* épidermique.

**epidermis** *f* épiderme *m.*

**Epifanía** *f* Épiphanie.

**epifenómeno** *m* épiphénomène.

**epífisis** *f ANAT* épiphyse.

**epífito, a** *a BOT* épiphyte.

**epigastrio** *m ANAT* épiglastre.

**epiglotis** *f ANAT* épiglotte.

**epígono** *m* épigone.

**epígrafe** *m* épigraphe *f.*

**epigrafía** *f* épigraphie.

**epigráfico, a** *a* épigraphique.

**epigrama** *m* épigramme *f.*

**epilepsia** *f* épilepsie.

**epiléptico, a** *a/s* épileptique: **un ataque ~** une crise, une attaque d'épilepsie.

**epilogar** *vt* résumer, abréger.

**epílogo** *m* épilogue.

**epiplón** *m ANAT* épiploon.

**Epiro** *np* Épire.

**episcopado** *m* épiscopat.

**episcopal** *a* épiscopal, e.

**episiotomía** *f MED* épisiotomie.

**episódicamente** *adv* épisodiquement.

**episódico, a** *a* épisodique.

**episodio** *m* épisode.

**epistemología** *f* épistémologie.

**epistemológico, a** *a* épistémologique.

**epístola** *f* **1.** épître **2. las epístolas de los Apóstoles** les épitres des Apôtres.

**epistolar** *a* épistolaire.

**epistolario** *m* recueil de lettres.

**epitafio** *m* épitaphe *f.*

**epitalamio** *m LIT* épithalame.

**epitelial** *a BIOL* épithélial, e: **tejido ~** tissu épithélial.

**epitelio** *m BIOL* épithélium.

**epíteto** *m GRAM* épithète *f.*

**epitomar** *vt* abréger.

**epítome** *m* épitomé, abrégé.

**epizootia** *f* épizootie.

**época** *f* **1.** époque: **en la ~ de** à l'époque de **2.** époque, temps *m:* **en aquella ~** à cette époque, en ce temps-là **3. la ~ de las lluvias** la saison des pluies **4. hacer ~** faire date.

**epónimo, a** *a* éponyme.

**epopeya** *f* épopée.

**épsilon** *f* epsilon *m.*

**equidad** *f* équité: **juzgar con ~** juger avec équité.

**equidistante** *a* équidistant, e.

**equidistar** *vi* être équidistant, e.

**équidos** *m pl ZOOL* équidés.

**equilátero, a** *a* équilatéral, e.

**equilibrado, a** *a* équilibré, e. ◇ *m* équilibrage.

**equilibrar** *vt* équilibrer.

**equilibrio** *m* équilibre: **mantener el ~** garder l'équilibre; **perder el ~** perdre l'équilibre; **poner en ~** mettre en équilibre; **~ inestable** équilibre instable. ◇ *pl FIG* **hacer equilibrios** faire des acrobaties.

**equilibrista** *s* équilibriste.

**equimosis** *f* ecchymose.

[1]**equino** *m (erizo de mar)* oursin.

[2]**equino, a** *a* équin, e.

**equinoccial** *a* équinoxial, e.

**equinoccio** *m* équinoxe: **el ~ de primavera, de otoño** l'équinoxe de printemps, d'automne.

**equinodermos** *m pl ZOOL* échinodermes.

**equipaje** *m* bagages *pl:* **siempre viaja con mucho ~** il voyage toujours avec beaucoup de bagages.

**equipal** *m AMER* fauteuil en cuir ou en rotin.

**equipamiento** *m* équipement: **equipamientos deportivos** équipements sportifs.

**equipar** *vt* équiper. ◆ **~se** *vpr* s'équiper.

**equiparable** *a* comparable.

**equiparación** *f* **1.** comparaison **2.** *(equivalencia)* équivalence **3. la ~ de sexos** l'égalité des sexes.

**equiparar** *vt* **1. ~ a, con** comparer à, assimiler à **2.** *(asemejar)* mettre au même niveau, aligner sur.

**equipo** *m* **1.** *(conjunto de cosas)* équipement: **~ de esquí** équipement de ski; **bienes de ~** biens d'équipement **2.** *(de novia)* trousseau **3.** *(conjunto de personas)* équipe *f:* **trabajar en ~** travailler en équipe **4.** *(de jugadores)* équipe *f:* **un ~ de fútbol** une équipe de football; **el ~ local** l'équipe locale **5. ~ hi-fi** chaîne *f* haute-fidélité **6. ~ lógico** logiciel.

**equis** *f* **1.** x *m*, lettre x **2. el señor ~** monsieur X; **rayos ~** rayons x; **~ días** x jours.

**equitación** *f* équitation.

**equitativamente** *adv* équitablement.

**equitativo, a** *a* équitable.

**equivalencia** *f* équivalence.

**equivalente** *a/m* équivalent, e.

**equivaler*** *vi* équivaloir: **tu respuesta equivale a una negativa** ta réponse équivaut à un refus, vaut un refus.

**equivocación** *f* erreur.

**equivocadamente** *adv* par erreur.

**equivocado, a** *a* faux, fausse, erroné, e: **tienes una idea equivocada de mí** tu te fais une idée fausse de moi.

**equivocar** *vt* confondre, rater, manquer: **he equivocado mi vida** j'ai raté ma vie. ◆ **~se** *vpr* se tromper, faire erreur: **me equivoqué en mis cálculos** je me suis trompé dans mes calculs; **estás equivocado** tu te trompes, tu fais erreur; **ahí está usted totalmente equivocado** là vous vous trompez complètement; **si no me equivoco** si je ne me trompe, si je ne m'abuse; **equivocarse de medio a medio → medio.**

**equívoco, a** *a* équivoque. ◇ *m* équivoque *f*, ambigüité, malentendu *m*.

[1]**era** *f* ère: **la ~ cristiana** l'ère chrétienne.

[2]**era** *f* **1.** *(para la trilla)* aire **2.** AGR carré *m*.

[3]**era, eran,** etc. **→ ser.**

**eral** *m* taurillon (de moins de deux ans).

**erario** *m* trésor public.

**Erasmo** *np m* Érasme.

**ere** *f* r *m*, lettre r.

**erección** *f* érection.

**eréctil** *a* érectile.

**erecto, a** *a* **1.** *(tieso)* dressé, e, raide **2.** *(turgente)* en érection.

**eremita** *m* ermite.

**eremítico, a** *a* érémitique.

**eres → ser.**

**ergio** *m* FÍS erg.

**ergonomía** *f* ergonomie.

**ergonómico, a** *a* ergonomique.

**ergoterapia** *f* ergothérapie.

**ergotizar** *vi* ergoter.

**erguimiento** *m* redressement.

**erguir*** *vt* lever, dresser: **~ la cabeza** lever la tête. ◆ **~se** *vpr* **1.** se dresser, se redresser: **se irguió de repente** il se dressa tout d'un coup **2.** se dresser: **la torre se yergue...** la tour se dresse...

**erial** *a* inculte. ◇ *m (tierra sin cultivar)* friche *f*, terrain inculte.

**eriazo, a → erial.**

**erigir** *vt* ériger. ◆ **~se** *vpr* s'ériger.

**erisipela** *f* MED érésipèle *m*, érysipèle *m*.

**eritema** *m* MED érythème.

**Eritrea** *np f* Erythrée.

**erizado, a** *a* **1.** *(pelo)* hérissé, e **2.** FIG **~ de dificultades** hérissé, e de difficultés.

**erizar** *vt* hérisser. ◆ **~se** *vpr* se hérisser.

**erizo** *m* **1.** hérisson **2. ~ de mar, marino** oursin **3.** FIG *(persona)* hérisson, porc-épic.

**ermita** *f* ermitage *m*, chapelle isolée.

**ermitaño, a** *s* ermite. ◇ *m (crustáceo)* bernard-l'hermite.

**Ernestina** *np f* Ernestine.

**Ernesto** *np m* Ernest.

**erogación** *f* **1.** distribution **2.** AMER paiement *m*.

**erogar** *vt* **1.** distribuer **2.** AMER *(pagar)* payer.

**erógeno, a** *a* érogène.

**Eros** *np m* Éros.

**erosión** *f* **1.** GEOL érosion: **~ eólica** érosion éolienne **2.** MED écorchure **3.** FIG usure, détérioration.

**erosionar** *vt* **1.** éroder **2.** FIG user. ◆ **~se** *vpr* s'user.

**erosivo, a** *a* érosif, ive.

**erótico, a** *a* érotique.

**erotismo** *m* érotisme.

**erotización** *f* érotisation.

**erotizar** *vt* érotiser.

**errabundo, a** *a* errant, e, vagabond, e.

**erradamente** *adv* erronément, par erreur.

**erradicación** *f* éradication.

**erradicar** *vt* déraciner, extirper, éradiquer.

**errado, a** *a (persona)* **estar ~** être dans l'erreur; **no andaba tan ~** il ne se trompait pas tellement.

**erraj** *m* charbon de noyaux d'olives.

**errante** *a* errant, e.

**errar*** *vt* manquer, rater: **~ el tiro** manquer le but, rater son coup; **no yerra un solo tiro** il ne rate pas un seul coup. ◇ *vi* **1.** *(vagar)* errer **2.** *(equivocarse)* se tromper ◊ **quien mucho habla, mucho yerra** trop parler nuit.

**errata** *f* **1.** erratum *m*, faute d'impression **2. fe de erratas** errata *m*, rectificatif *m*.

**errático, a** *a* erratique.

**erre** *f* **1.** rr *m*, nom du r double **2.** FAM **~ que ~** obstinément; **ella siguió ~ que ~** elle continua sans en démordre.

**erróneamente** *adv* erronément, à tort.

**erróneo, a** *a* erroné, e.

**error** *m* **1.** erreur *f*: **un gran ~** une grosse erreur; **un ~ de bulto, un craso ~** une erreur grossière; **inducir a ~** induire en erreur; **estar en un ~** être dans l'erreur; **¡craso ~!** grave erreur!, profonde erreur! ◊ **¡estás en un ~ !** tu fais erreur!, tu te mets le doigt dans l'œil!; **sacar del ~** détromper, tirer d'erreur **2.** faute *f*: **~ de máquina** faute de frappe.

**eructar** *vi* éructer.

**eructo** *m* éructation *f*, rot.

**erudición** *f* érudition.

**erudito, a** *a/s* érudit, e.

**erupción** *f (volcánica, cutánea)* éruption.

**eruptivo, a** *a* éruptif, ive.

**es → ser.**

**esa → ese.**

**Esaú** *np m* Esaü.

**esbatimento** *m* ombre *f* portée.

**esbeltez** *f* sveltesse.

**esbelto, a** *a* svelte.

**esbirro** *m* sbire.

**esbozar** *vt* ébaucher, esquisser: **~ una sonrisa** ébaucher un sourire.

**esbozo** *m* ébauche *f*, esquisse *f*.

**escabechar** *vt* **1.** mariner: **sardinas escabechadas** sardines marinées **2.** FAM *(en un examen)* coller **3.** FAM *(matar)* descendre, tuer.

**escabeche** *m* **1.** marinade *f*, escabèche *f* **2.** poisson mariné: **atún en ~** thon mariné.

**escabechina** *f* FAM **1.** massacre *m* **2.** *(en un examen)* hécatombe.

**escabel** *m* tabouret, escabeau.

**escabiosa** *f* scabieuse.

**escabroso, a** *a* **1.** *(terreno)* accidenté, e **2.** FIG difficile, scabreux, euse, délicat, e **3.** *(inmoral)* scabreux, euse: **un tema ~** un sujet scabreux.

**escabullirse*** *vpr* **1.** glisser des mains **2.** *(marcharse)* s'éclipser, s'esquiver: **se escabulló entre la multitud** il s'esquiva en se perdant dans la foule.

**escachar** *vt* FAM écraser, écrabouiller.

**escacharrar** *vt* FAM *(estropear)* esquinter, détraquer, bousiller. ◆ **~se** *vpr* FAM *(un plan)* tomber à l'eau.

**escafandra** *f* scaphandre *m*.

**escafandrista** *s (buzo)* scaphandrier.

**escafandro** → **escafandra.**

**escala** *f* **1.** *(para subir)* échelle **2.** MÚS gamme: **hacer escalas** faire des gammes **3.** *(graduación)* échelle: **~ de Beaufort** échelle de Beaufort **4.** MIL tableau *m* d'avancement; **~ de reserva** cadre *m* de réserve **5. a ~** à l'échelle; **a ~ mundial** à l'échelle mondiale; **en gran ~** sur une grande échelle; **mapa en ~ de 1/5000** carte à l'échelle de 1/5000 **6.** *(barco, avión)* escale: **hacer ~ en Vigo** faire escale à Vigo.

**escalada** *f* **1.** escalade **2.** FIG **la ~ de precios** l'escalade des prix.

**escalador, a** *s* grimpeur.

**escalafón** *m* **1.** *(lista)* tableau d'avancement ◊ **ascenso por ~** avancement à l'ancienneté **2.** *(clasificación)* classement.

**escalamiento** *m* escalade *f*.

**escálamo** *m* MAR tolet.

**escalar** *vt* **1.** *(una montaña, muralla, etc.)* escalader **2.** FIG *(ascender)* s'élever.

**Escalda** *np m* Escaut.

**escaldado, a** *a* échaudé, e ◊ PROV **gato ~ del agua fría huye** chat échaudé craint l'eau froide.

**escaldar** *vt* **1.** *(con agua hirviendo)* échauder, ébouillanter **2.** *(con fuego)* chauffer à blanc. ◆ **~se** *vpr* se brûler.

**escaleno** *a* GEOM scalène.

**escalera** *f* **1.** escalier *m*: **bajar la ~ de dos en dos** descendre l'escalier quatre à quatre; **~ arriba** en grimpant l'escalier; **~ de caracol** escalier en colimaçon: **~ mecánica** escalator *m* **2.** échelle: **~ de mano** échelle; **~ de tijera** échelle double **3.** FIG **de ~ abajo** ordinaire, de bas étage.

**escalerilla** *f* **1.** petite échelle **2.** *(de un avión)* passerelle **3.** *(naipes)* tierce.

**escalfar** *vt* pocher: **huevo escalfado** œuf poché.

**escalinata** *f* perron *m*.

**escalo** *m* escalade *f*.

**escalofriante** *a* effrayant, e, terrifiant, e.

**escalofriar** *vt* donner des frissons à.

**escalofrío** *m* frisson: **dar, producir escalofríos** donner des frissons.

**escalón** *m* **1.** *(de escala)* échelon **2.** *(de escalera)* marche *f*, degré **3.** *(en la carretera)* **~ lateral** bas-côté **4.** FIG échelon.

**escalonamiento** *m* échelonnement.

**escalonar** *vt* **1.** échelonner **2.** *(a distintos niveles)* étager. ◆ **~se** *vpr* s'échelonner.

**escalonia, escaloña** *f* échalote.

**escalope** *m* escalope *f*.

**escalpar** *vt* scalper.

**escalpelo** *m* scalpel.

**escama** *f* **1.** *(de los peces, reptiles)* écaille **2.** *(de la piel)* squame **3.** *(de jabón)* paillette **4.** FIG *(recelo)* soupçon *m*, méfiance ◊ **se le desprendieron las escamas de la vista** les écailles lui sont tombées des yeux.

**escamado, a** *a* **1.** écaillé, e **2.** FIG méfiant, e.

**escamar** *vt* **1.** *(quitar las escamas)* écailler: **~ un lucio** écailler un brochet **2.** FIG rendre méfiant, e, paraître suspect, e: **su solicitud me ha escamado siempre** sa sollicitude m'a toujours paru suspecte. ◆ **~se** *vpr* se méfier.

**escamón, ona** *a* méfiant, e, soupçonneux, euse.

**escamonda** *f* émondage *m*.

**escamondar** *vt* émonder, élaguer.

**escamoso, a** *a* **1.** écailleux, euse **2.** *(piel)* squameux, euse.

**escamoteador, a** *a/s* escamoteur, euse.

**escamotear** *vt* escamoter.

**escamoteo** *m* escamotage.

**escampada** *f* éclaircie.

**escampar** *vi* cesser de pleuvoir.

**escampavía** *f* MAR vedette garde-côte.

**escanciador** *m* échanson.

**escanciar** *vt* verser à boire: **~ coñac en una copa** verser du cognac dans un verre.

**escandalera** *f* FAM **armar una ~** faire du scandale, de l'esclandre.

**escandalizar** *vt* scandaliser. ◆ **~se** *vpr* se scandaliser, être scandalisé, e.

**escandallar** *vt* **1.** MAR sonder **2.** COM déterminer le prix de revient et de vente d'une marchandise.

**escandallo** *m* **1.** MAR bout de la sonde **2.** COM fixation *f* du prix de certains articles.

**escándalo** *m* **1.** scandale: **armar un ~** faire du, un scandale; **causar ~** faire scandale; **es un ~ cómo va vestida** c'est un scandale la façon dont elle s'habille; **con gran ~ de...** au grand scandale de... **2.** *(alboroto)* tapage.

**escandalosa** *f* **1.** MAR voile d'artimon **2.** FIG **echar la ~** proférer des injures.

**escandaloso, a** *a* **1.** *(que causa escándalo)* scandaleux, euse: **conducta escandalosa** conduite scandaleuse **2.** *(alborotador)* turbulent, e, tapageur, euse.

**Escandinavia** *np f* Scandinavie.

**escandinavo, a** *a/s* scandinave.

**escandir** *vt (un verso)* scander.

**escanear** *vt* scanner.

**escáner** *m* scanner.

**escansión** *f* scansion.

**escantillón** *m* **1.** règle *f* **2.** gabarit.

**escaño** *m* **1.** banc à dossier **2.** siège de député: **~ a cubrir** siège à pourvoir.

**escapada** *f* **1.** escapade **2.** *(de un corredor ciclista)* échappée **3.** *(de un adolescente, etc.)* fugue.

**escapar** *vi* **1.** échapper: **~ de un peligro** échapper à un danger **2. ~ con vida de una epidemia** réchapper d'une épidémie **3.** *(huir)* s'échapper. ◆ **~se** *vpr* **1.** s'échapper, se sauver: **escaparse de la cárcel** s'échapper de la prison **2.** *(un líquido, un gas)* s'échapper **3.** échapper: **pues nos escapamos de buena** eh bien, on l'a échappé belle **4.** échapper: **se me escapa el sentido de esta frase** le sens de cette phrase m'échappe; **el vaso se me ha escapado de las manos** le verre m'a échappé des mains **5.** **se nos escapó la risa** nous éclatâmes de rire; **escapársele a uno la mano** avoir la main leste.

**escaparate** *m* **1.** vitrine *f* **2.** *(de tienda)* devanture *f*, vitrine *f*, étalage: **en el ~** en devanture, en vitrine **3.** *AMER* armoire *f*.

**escaparatista** *s* étalagiste.

**escapatoria** *f* **1.** *(huida)* fuite, évasion **2.** escapade **3.** *FIG* échappatoire.

**escape** *m* **1.** *(de un gas, líquido)* fuite *f* **2.** *(de un motor, reloj)* échappement: **tubo de ~** tuyau d'échappement; **gases de ~** gaz d'échappement **3.** *FIG* solution *f*, issue *f*, moyen de s'en sortir **4.** *loc adv* **a ~** en vitesse, dare-dare.

**escapista** *a FAM* d'évasion: **las necesidades escapistas de esta época difícil** les besoins d'évasion de cette époque difficile.

**escápula** *f* omoplate.

**escapulario** *m* scapulaire.

**escaque** *m (del tablero de ajedrez o damas)* case *f*. ◇ *pl (ajedrez)* échecs.

**escaqueado, a** *a* en échiquier, en damier.

**escaquearse** *vpr* se dérober, s'esquiver: **~ de sus obligaciones** se dérober à ses obligations.

**escara** *f MED* escarre, eschare.

**escarabajear** *vi* **1.** remuer, s'agiter **2.** *FIG* préoccuper, tracasser **3.** *(escribir mal)* gribouiller.

**escarabajo** *m* **1.** *(coleóptero)* scarabée, bousier **2.** *FAM (persona pequeña)* nabot. ◇ *pl* gribouillages, gribouillis.

**escaramujo** *m* églantier.

**escaramuza** *f* escarmouche, échauffourée.

**escarapela** *f* **1.** *(adorno)* cocarde **2.** *(riña)* chamaillerie.

**escarapelar** *vi (reñir)* se chamailler. ◆ **~se** *vpr AMER* avoir des frissons, la chair de poule.

**escarbadientes** *m inv* cure-dents.

**escarbaorejas** *m inv* cure-oreille.

**escarbar** *vt* **1.** *(tierra)* gratter, fouiller **2.** *(dientes, oídos)* curer **3.** *(la lumbre)* tisonner **4.** *FIG* fouiller, fureter.

**escarcela** *f* **1.** *ANT* escarcelle **2.** *(de cazador)* carnassière.

**escarceo** *m (oleaje)* clapotis. ◇ *pl* **1.** *(del caballo)* caracoles *f* **2.** *FIG* incursions *f*, détours.

**escarcha** *f* gelée blanche, givre *m*.

**escarchado, a** *a* **1.** givré, e **2.** **fruta escarchada** fruit candi. ◇ *m* broderie *f* en or ou en argent.

**escarchar** *vt* **1.** *(frutas)* préparer au sucre candi **2.** faire cristalliser du sucre autour d'une brindille d'anis. ◇ *vi* geler blanc.

**escarda** *f* **1.** *(acción)* sarclage *m* **2.** *(instrumento)* sarcloir *m*.

**escardar** *vt AGR* sarcler.

**escardillo** *m* sarcloir, serfouette *f*.

**escardino** *m (pez)* gardon.

**escariador** *m* alésoir.

**escariar** *vt TECN* aléser.

**escarificar** *vt* scarifier.

**escarlata** *a/f (color)* écarlate. ◇ *f (escarlatina)* scarlatine.

**escarlatina** *f* scarlatine.

**escarmentar*** *vt* corriger sévèrement. ◇ *vi* **1.** apprendre à ses dépens, profiter de la leçon ◊ **está escarmentada y no se fía de nadie** elle est échaudée et ne se fie à personne **2.** **~ en cabeza ajena** profiter de l'expérience d'autrui, en prendre de la graine.

**escarmiento** *m* **1.** leçon *f*, exemple: **ha tenido un buen ~** ça a été une bonne leçon pour lui, ça lui a servi de leçon; **quise darle un ~** j'ai voulu lui donner une leçon **2.** *(castigo)* châtiment exemplaire, punition *f*.

**escarnecer*** *vt* bafouer, railler, tourner en dérision, se moquer de.

**escarnio** *m* moquerie *f*, raillerie *f*.

**escarola** *f* scarole ◊ **~ rizada** frisée.

**escarolado, a** *a* frisé, e.

**escarpa** *f* **1.** escarpement *m* **2.** *(fortificación)* escarpe.

**escarpado, a** *a* escarpé, e.

**escarpia** *f* piton *m*.

**escarpín** *m* escarpin.

**escarzano** *a ARQ* **arco ~** arc bombé.

**escasamente** *adv* **1.** chichement, petitement, mesquinement **2.** à peine: **el agua me llegaba ~ a las rodillas** l'eau m'arrivait à peine aux genoux; **hace ~ un mes** il y a à peine un mois.

**escasear** *vt* donner chichement, lésiner sur. ◇ *vi* manquer.

**escasez** *f* **1.** insuffisance **2.** manque *m*, pénurie, disette: **~ de energía, de mano de obra** pénurie d'énergie, de main d'œuvre; **la ~ de medios materiales** le manque de moyens matériels **3.** pauvreté, gêne: **vivir con ~** vivre chichement, pauvrement, dans la gêne.

**escaso, a** *a* **1.** peu abondant, e, rare **2.** maigre, mince: **un ~ sueldo** un maigre salaire **3.** faible: **escasa altura, pendiente** faible hauteur, faible pente; **bomba de escasa potencia** bombe de faible puissance; **escasos recursos** faibles revenus; **el tráfico es ~** la circulation est faible, peu intense; **el ~ interés** le peu d'intérêt; **mi ~ entusiasmo** mon peu d'enthousiasme **4.** *(poco frecuente)* rare **5.** à peine: **un kilo ~** à peine un kilo, tout juste un kilo; **un mes ~** à peine un mois; **hace escasas semanas** il y a quelques semaines à peine; **a la semana escasa de conocerla** à peine une semaine après avoir fait sa connaissance; **niño de escasos diez años** enfant d'à peine dix ans; **a escasos metros de...** à quelques mètres à peine de... **6.** **andar, estar ~ de** avoir peu de, être à court de; **andar ~ de dinero** être gêné.

**escatimar** *vt* **1.** lésiner sur **2.** marchander: **no ~ elogios** ne pas marchander les éloges **3.** **no ~ esfuerzos** ne pas ménager ses efforts.

**escatología** *f* **1.** *(tratado de cosas excrementicias)* scatologie **2.** *(parte de la teología)* eschatologie.

**escatológico, a** *a* **1.** *(relativo a los excrementos)* scatologique **2.** *(en teología)* eschatologique.

**escavanar** *vt AGR* serfouir, sarcler.

**escayola** *f* **1.** stuc *m* **2.** *(yeso)* plâtre.

**escayolar** *vt MED* plâtrer.

**escayolista** *m* stucateur.

**escena** *f* **1.** scène: **aparecer en ~** paraître sur scène; **poner en ~** mettre en scène; **salir a ~** entrer en scène **2.** **~ conyugal** scène de ménage; **hacer una ~** faire une scène; **~ de celos** scène de jalousie.

**escenario** *m* **1.** *TEAT* scène *f* **2.** *FIG (de una acción)* théâtre, lieu: **el ~ del accidente** le lieu de l'accident; **esta zona fue ~ de numerosos combates** cette zone a été le théâtre de nombreux combats **3.** *(marco)* cadre.

**escénico, a** *a* scénique.

**escenificación** *f* mise en scène.

**escenificar** *vt* adapter (pour la scène, l'écran), mettre en scène.

**escenografía** *f* scénographie.

**escenográfico, a** *a* scénographique.

**escenógrafo, a** *s* décorateur, trice.

**escepticismo** *m* scepticisme.

**escéptico, a** *a/s* sceptique.

**escila** *f* scille.

**Escila** *np* Scylla ◊ **salir de ~ para caer en Caribdis** tomber de Charybde en Scylla.

**escinco** *m (lagarto)* scinque.

**escindir** *vt* scinder. ◆ **~se** *vpr* se scinder.

**escintigrafía** *f* MED scintigraphie.

**Escipión** *np m* Scipion.

**escisión** *f* **1.** scission **2.** FIS fission.

**escita** *a/s* scythe.

**esclarecer*** *vt* **1.** éclairer **2.** FIG *(un asunto)* éclaircir, tirer au clair **3.** *(hacer famoso)* rendre illustre. ◇ *vi* commencer à faire jour.

**esclarecido, a** *a* illustre.

**esclarecimiento** *m* éclaircissement.

**esclava** → **esclavo.**

**esclavina** *f* **1.** pèlerine **2.** *(de capa)* collet *m.*

**esclavista** *a/s* esclavagiste.

**esclavitud** *f* esclavage *m:* **reducir a la ~** réduire en esclavage.

**esclavizar** *vt* **1.** réduire en esclavage **2.** FIG asservir, réduire en esclavage, rendre esclave.

**esclavo, a** *a/s* **1.** esclave **2.** FIG **~ de** esclave de. ◇ *f (pulsera)* gourmette.

**esclerosar** *vt* MED scléroser. ◆ **~se** *vpr* se scléroser.

**esclerosis** *f* MED, FIG sclérose: **~ en placas** sclérose en plaques.

**esclerótica** *f* ANAT sclérotique.

**esclusa** *f* écluse.

**escoba** *f* **1.** balai *m* **2.** *(planta)* genêt *m* à balais **3.** FAM *(mujer delgada)* manche *m* à balai, asperge **4.** nom d'un jeu *m* de cartes.

**escobada** *f* coup *m* de balai.

**escobajo** *m* **1.** vieux balai **2.** *(del racimo de uvas)* rafle *f.*

**escobazo** *m* coup de balai ◊ FAM **echar a uno a escobazos** flanquer quelqu'un dehors.

**escobén** *m* MAR écubier.

**escobilla** *f* **1.** *(cepillo)* brosse **2.** *(escoba pequeña)* balayette **3.** *(de una dínamo, del limpiaparabrisas)* balai *m* **4.** AMER **~ de dientes** brosse à dents.

**escobillado** *m* AMER pas de danse qui consiste à frotter le sol avec les pieds.

**escobillar** *vt* AMER danser en frottant le sol avec les pieds.

**escobillón** *m* écouvillon.

**escobón** *m* **1.** grand balai **2.** *(con mango corto)* balayette *f* **3.** *(con mango largo)* tête-de-loup *f.*

**escocedura** *f* **1.** *(dolor)* cuisson, sensation de brûlure **2.** rougeur, inflammation.

**escocer*** *vi* **1.** *(causar una sensación de quemadura)* brûler, cuire, piquer **2.** FIG blesser, piquer, froisser, faire mal: **la pulla lo escoció** la raillerie l'a blessé; **la verdad escuece** la vérité blesse; **estar escocido** être blessé, froissé. ◆ **~se** *vpr* **1.** *(la piel)* s'échauffer **2.** FIG se sentir blessé, e, vexé, e.

**escocés, esa** *a/s* écossais, e.

**Escocia** *np f* Écosse.

**escoda** *f (martillo)* smille.

**escofina** *f* râpe.

**escoger** *vt* **1.** *(elegir)* choisir: **escoja usted entre estos retales** choisissez parmi ces coupons; **~ del montón** choisir dans le tas ◊ **a ~** au choix **2.** *(seleccionar)* trier.

**escogido, a** *a* choisi, e.

**escolanía** *f* manécanterie.

**escolapio, a** *a* des écoles pies. ◇ *m* frère des écoles pies (congrégation fondée en 1597).

**escolar** *a* scolaire: **edad ~** âge scolaire; **el año ~** l'année scolaire; **libro ~** livre scolaire, livre de classe. ◇ *s (alumno)* élève.

**escolaridad** *f* scolarité.

**escolarización** *f* scolarisation.

**escolarizar** *vt* scolariser.

**escolástico, a** *a/s* scolastique. ◇ *f (filosofía)* scolastique.

**escoliosis** *f* MED scoliose.

**escollar** *vi* AMER échouer.

**escollera** *f* jetée, brise-lames *m inv.*

**escollo** *m* écueil.

**escolopendra** *f* scolopendre, mille-pattes *m.*

**escolta** *f* escorte. ◇ *m* garde du corps.

**escoltar** *vt* escorter.

**escombrera** *f* décharge publique, tas *m* de décombres.

**escombro** *m* **1.** décombre, déblai: **sepultado entre los ~** enseveli sous les décombres **2.** AMER FIG **hacer ~** faire du bruit.

**esconder** *vt* cacher. ◆ **~se** *vpr* se cacher: **se escondió detrás de la cortina** il se cacha derrière le rideau.

**escondidamente** *adv* en cachette.

**escondidas** *f pl* AMER **jugar a las ~** jouer à cache-cache.

**escondidas (a)** *loc adv* en cachette.

**escondido, a** *a* caché, e: **tesoro ~** trésor caché. ◇ *m* AMER danse *f* d'Argentine.

**escondite** *m* **1.** *(escondrijo)* cachette *f*, cache *f* **2. jugar al ~** jouer à cache-cache.

**escondrijo** *m* cachette *f*, cache *f.*

**escoñarse** *vpr* VULG s'esquinter, s'amocher: **cayó y se escoñó la rodilla** il est tombé et s'est esquinté le genou.

**escopeta** *f* **1.** fusil *m* de chasse: **~ de dos cañones** fusil à deux coups; **~ de aire comprimido** fusil à air comprimé **2.** *(arma antigua)* escopette **3.** FAM **aquí te quiero ~** ce n'est pas le moment de se dérober.
▶ Fusil de guerre se dit *fusil.*

**escopetazo** *m* **1.** coup de fusil **2.** FAM sale coup, mauvaise nouvelle *f.*

**escopeteo** *m* fusillade *f.*

**escopetero** *m* **1.** fusilier **2.** armurier.

**escopladura, escopleadura** *f* TECN mortaise.

**escoplear** *vt* TECN mortaiser.

**escoplo** *m* TECN bédane.

**escora** *f* MAR **1.** accore **2.** *(inclinación)* bande, gîte.

**escorar** *vt* MAR *(apuntalar)* accorer. ◇ *vi* MAR *(inclinarse)* donner de la bande, donner de la gîte, gîter, s'incliner. ◆ **~se** *vpr* MAR donner de la gîte.

**escorbútico, a** *a/s* scorbutique.

**escorbuto** *m* scorbut.

**escorchar** *vt* AMER *(fastidiar)* assommer, tanner, fatiguer.

**escoria** *f* **1.** scorie, laitier *m* **2.** FIG lie, rebut *m.*

**escoriación** → **excoriación.**

**escoriar** → **excoriar.**

**Escorial (el)** *np m* Escurial (l').
▶ Vient du mot *escorial*, tas de scories, de laitier.

**escorpio** *m* ASTR scorpion.

**escorpión** *m* **1.** scorpion **2. ser de ~** être du Scorpion **3.** FIG **lengua de ~** langue de vipère.

**escorzar** *vt* peindre en raccourci.

**escorzo** *m* raccourci.

**escota** *f* MAR écoute.

**escotado** *m*, **escotadura** *f* **1.** échancrure *f* **2.** *(en el cuello)* décolleté *m*.

**escotar** *vt* **1.** échancrer **2.** *(el cuello)* décolleter: **un vestido muy escotado** une robe très décolletée **3.** payer son écot.

**escote** *m* **1.** *(parte de un vestido, del busto)* décolleté: **~ en pico, en v, barco** décolleté en pointe, en v, bateau **2.** ANT tour de gorge en dentelle **3.** *(gasto)* écot ◊ **a ~** chacun sa part.

**escotilla** *f* MAR écoutille.

**escotillón** *m* TEAT trappe *f*.

**escozor** *m* **1.** cuisson *f*, picotement, sensation *f* de brûlure **2.** FIG peine *f*, regret.

**escriba** *m* scribe.

**escribanía** *f* **1.** JUR greffe *m* **2.** *(de notario)* étude **3.** *(recado de escribir)* écritoire.

**escribano** *m* **1.** notaire **2.** JUR secrétaire, greffier.

**escribiente** *s* employé, e de bureau, employé, e aux écritures.

**escribir*** *vt* **1.** écrire: **~ con lápiz** écrire au crayon; **escribió su primera novela cuando tenía veinte años** il écrivit son premier roman quand il avait vingt ans; **estaba escrito** c'était écrit **2. ~ a máquina** taper à la machine. ◆ **~se** *vpr* s'écrire: **yate se escribe con y** yacht s'écrit avec un y; **se escriben todos los días** ils s'écrivent tous les jours.
▶ Part. pas.: *escrito, a* écrit, e.

**escrito** *m* **1.** écrit, texte **2. por ~** par écrit.

**escritor, a** *s* écrivain: **es escritora** elle est écrivain.

**escritorio** *m* bureau *m*.

**escritorzuelo, a** *s* écrivaillon.

**escritura** *f* **1.** *(acción)* écriture **2.** *(obra escrita)* écrit *m* **3.** JUR acte *m*: **~ privada** acte sous seing privé; **~ pública** acte authentique, notarié **4. la Sagrada Escritura** l'Écriture sainte.

**escriturar** *vt* passer par-devant notaire.

**escriturario, a** *a* scriptural, e.

**escrófula** *f* MED scrofule.

**escrofuloso, a** *a/s* scrofuleux, euse.

**escroto** *m* ANAT scrotum.

**escrúpulo** *m* **1.** scrupule: **un hombre sin escrúpulos** un homme sans scrupules **2.** appréhension *f*: **me da escrúpulos beber en este vaso** j'ai un peu d'appréhension à boire dans ce verre **3.** *(piedrecilla)* petit caillou.

**escrupulosamente** *adv* scrupuleusement.

**escrupulosidad** *f* minutie, méticulosité.

**escrupuloso, a** *a* escrupuleux, euse.

**escrutador, a** *a/s* scrutateur, trice.

**escrutar** *vt* **1.** scruter **2.** *(en unas elecciones)* dépouiller le scrutin: **~ los votos** dépouiller les bulletins.

**escrutinio** *m* **1.** examen **2.** *(en una votación)* dépouillement du scrutin.

**escuadra** *f* **1.** équerre: **falsa ~** fausse équerre; **a ~** d'équerre, en équerre **2.** MAR escadre **3.** MIL escouade **4.** *(de obreros, etc.)* équipe **5.** *(de la portería, en fútbol)* lucarne **6.** AMER revolver: **~ en mano** le revolver à la main.

**escuadrar** *vt* équarrir, tailler pour rendre carré.

**escuadrilla** *f* escadrille.

**escuadrón** *m* escadron.

**escualidez** *f* maigreur extrême.

**escuálido, a** *a* **1.** *(flaco)* maigre, hâve **2.** *(sucio)* sale. ◇ *m pl* ZOOL squales.

**escualo** *m* squale.

**escucha** *f* **1.** écoute: **escuchas telefónicas** écoutes téléphoniques ◊ **estar a la ~** être attentif, ive, écouter attentivement **2.** MIL sentinelle qui va aux écoutes **3.** *(monja)* sœur écoute.

**escuchar** *vt* écouter: **escucha lo que te voy a decir** écoute ce que je vais te dire; **~ la radio** écouter la radio. ◆ **~se** *vpr* s'écouter.

**escuchimizado, a** *a* chétif, ive, malingre.

**escudar** *vt* **1.** couvrir d'un bouclier **2.** FIG protéger. ◆ **~se** *vpr* se retrancher, s'abriter: **escudarse en un pretexto** se retrancher derrière un pretexte.

**escudería** *f* *(de automóviles de carrera)* écurie.

**escuderil** *a* propre aux écuyers.

**escudero** *m* **1.** *(paje, hidalgo)* écuyer **2.** *(criado)* laquais, valet.

**escudete** *m* **1.** écusson **2.** AGR **injerto de ~** greffe en écusson **3.** nénuphar.

**escudilla** *f* écuelle.

**escudo** *m* **1.** *(arma)* bouclier **2.** *(moneda)* écu **3. ~ (de armas)** écu, armes *f pl*, blason **4.** *(moneda portuguesa)* escudo.

**escudriñador, a** *a* fureteur, euse.

**escudriñar** *vt* **1.** fouiller du regard **2.** scruter **3.** *(inquirir)* fureter dans, fouiner dans, examiner en detail.

**escuece** → **escocer.**

**escuela** *f* **1.** école: **~ de párvulos** école maternelle **2.** *(en arte, etc.)* **la ~ flamenca, romántica** l'école flamande, romantique; **formar ~** faire école **3.** FIG **la ~ de la vida** l'école de la vie.

**escuerzo** *m* **1.** *(sapo)* crapaud **2.** FIG gringalet, avorton.

**escueto, a** *a* **1.** sobre, dépouillé, e **2.** *(lenguaje)* concis, e, succinct, e, bref, brève: **una escueta información** une information succincte.

**escuincle** *m* AMER *(muchacho)* gosse.

**Esculapio** *np m* Esculape.

**esculcar** *vt* AMER *(registrar)* fouiller.

**esculpir** *vt* **1.** *(una estatua, etc.)* sculpter **2.** graver.

**escultismo** → **escutismo.**

**escultor, a** *s* sculpteur: **es escultora** elle est sculpteur.

**escultórico, a** *a* sculptural, e.

**escultura** *f* sculpture.

**escultural** *a* sculptural, e.

**escuna** *f* MAR goélette.

**escupidera** *f* **1.** crachoir *m* **2.** AMER *(orinal)* pot *m* de chambre.

**escupido, a** *a* *(semejante)* tout craché, e: **es ~ su padre** c'est son père tout craché. ◇ *m* crachat.

**escupidura** *f* crachat *m*.

**escupiña** *f* *(molusco)* praire.

**escupir** *vi/t* cracher ◊ FIG **~ a alguien, a la cara de alguien** cracher au visage de quelqu'un; **~ al cielo** cracher en l'air; **~ por el colmillo** → **colmillo.** ◇ *vt* **1.** *(arrojar)* cracher: **~ sangre** cracher du sang; **el volcán escupe lava** le volcan crache de la lave **2.** *(soltar)* rejeter.

**escupitajo** *m*, **escupitina** *f*, **escupitinajo** *m*, **escupo** *m* crachat *m*.

**escurana** *f* AMER obscurité.

**escurialense** *a/s* de l'Escurial.

**escurra** *m* ANT bouffon.

**escurreplatos** *m* égouttoir à vaisselle.

**escurridera** *f* passoire.

**escurridizo, a** *a* **1.** *(resbaladizo)* glissant, e **2.** *FIG* difficile à saisir, fuyant.

**escurrido, a** *a* étroit, e de hanches, mince.

**escurridor** *m* **1.** passoire *f* **2.** *(escurreplatos)* égouttoir à vaisselle **3.** *(de lavadora)* essoreuse *f.*

**escurriduras** *f pl* égouttures.

**escurrir** *vt* **1.** égoutter, faire égoutter, laisser s'égoutter: **~ los platos** faire égoutter la vaisselle **2.** *FIG* **~ el bulto** s'esquiver, se défiler. ◇ *vi/pr* **1.** s'égoutter **2.** *(resbalar)* glisser. ◆ **~se** *vpr* **1.** glisser: **el pez se le escurrió de las manos** le poisson lui glissa des mains **2.** *(escaparse)* s'échapper, s'éclipser.

**escúter** *m* scooter.

**escutismo** *m* scoutisme.

**esdrújulo, a** *a* qui a l'accent tonique sur l'antépénultième syllabe.

[1]**ese** *f* **1.** s *m*, lettre s ◊ *FIG* **ir haciendo eses** aller en zigzagant, zigzaguer **2.** *(de violín)* ouïe.

[2]**ese, esa, esos, esas** *a dem* ce, cet *(delante de vocal o h muda)* cette, ces (-là) : **~ hombre es malo** cet homme est méchant.
▶ *Ese* a souvent une valeur péjorative, notamment lorsqu'il est placé après le nom: *el tío ~* ce type-là.

[3]**ése, ésa, ésos, ésas** *pron dem* **1.** celui-là, celle-là, ceux-là, celles-là **2.** *(con ser)* **ésa es mi opinión** voilà mon avis, tel est mon avis; **ésa es una buena pregunta** voilà une bonne question; **~ era otro problema** c'était un autre problème; **ésa es la verdad** c'est la vérité; **¿es ~ el motivo?** est-ce là la raison?; **~ sí que es un imbécil** en voilà un imbécile **3. ni por ésas** rien à faire.
▶ L'accent écrit permet de différencier les pronoms des adjectifs. Il est souvent omis.
▶ Dans la correspondance, *ésa* désigne la ville où se trouve le destinataire de la lettre: *llegaré a ésa mañana* j'arriverai demain dans votre ville.

**esencia** *f* **1.** essence **2. quinta ~** quintessence **3. en, por ~** par essence.

**esencial** *a* essentiel, elle. ◇ *m* **lo ~ es tener éxito** l'essentiel est de réussir.

**esencialmente** *adv* essentiellement.

**esfenoides** *a/m ANAT* sphénoïde.

**esfera** *f* **1.** sphère ◊ **~ celeste, terrestre** sphère céleste, terrestre **2.** *(de un reloj)* cadran *m* **3.** *FIG* sphère, milieu *m.*

**esfericidad** *f* sphéricité.

**esférico, a** *a* sphérique. ◇ *m FAM* ballon (de football).

**esferoide** *m GEOM* sphéroïde.

**esfinge** *f* **1.** sphinx *m:* **una ~** un sphinx **2.** *(mariposa)* sphinx *m.*

**esfínter** *m ANAT* sphincter.

**esfirena** *f (pez)* sphyrène.

**esforzado, a** *a* courageux, euse, vaillant, e.

**esforzar*** *vt* forcer. ◆ **~se** *vpr* s'efforcer: **se esfuerza por sonreír** il s'efforce de sourire; **esfórzate por recordarlo** efforce-toi, fais un effort pour t'en souvenir.

**esfuerzo** *m* effort: **la ley del mínimo ~** la loi du moindre effort.

**esfumar** *vt* estomper. ◆ **~se** *vpr* **1.** s'estomper, se dissiper **2.** *FIG* disparaître, se volatiliser.

**esfuminar** *vt* estomper.

**esfumino** *m* estompe *f.*

**esgrima** *f* escrime: **practicar la ~** faire de l'escrime.

**esgrimidor, a** *s* escrimeur, euse.

**esgrimir** *vt* **1.** *(un arma)* manier, brandir **2.** *FIG (argumentos, etc.)* invoquer, fournir, mettre en avant, faire valoir, présenter: **~ nuevos argumentos en apoyo de una tesis** fournir de nouveaux arguments à l'appui d'une thèse; **las razones esgrimidas por sus adversarios...** les raisons invoquées par ses adversaires...

**esguazar** *vt (vadear)* guéer, passer à gué.

**esguín** *m* petit saumon, sarione *f.*

**esguince** *m* **1.** *(movimiento del cuerpo)* écart **2.** *(torcedura)* foulure *f*, entorse *f:* **hacerse un ~** se faire une entorse.

**eskay** → **skay.**

**eslabón** *m* **1.** *(de una cadena)* maillon, chaînon **2.** *FIG* **~ perdido** chaînon manquant.

**eslabonamiento** *m* enchaînement.

**eslabonar** *vt* **1.** unir **2.** enchaîner. ◆ **~se** *vpr FIG* s'enchaîner.

**eslalón** *m* slalom.

**eslavista** *s* slavisant, e.

**eslavo, a** *a/s* slave.

**eslavófilo, a** *a/s* slavophile.

**eslinga** *f MAR* élingue.

**eslip** *m* slip.

**eslogan** *m* slogan: **eslóganes publicitarios** slogans publicitaires.

**eslora** *m MAR* longueur: **velero de ocho metros de ~** voilier de huit mètres de long.

**eslovaco, a** *a/s* slovaque.

**Eslovaquia** *np f* Slovaquie.

**Eslovenia** *np f* Slovénie.

**esloveno, a** *a/s* slovène.

**esmaltado** *m* émaillage.

**esmaltador, a** *s* émailleur, euse.

**esmaltar** *vt* émailler.

**esmalte** *m* **1.** émail: **esmaltes alveolados** des émaux cloisonnés **2.** *(color)* smalt **3.** *(para las uñas)* vernis.

**esmerado, a** *a* **1.** *(hecho con esmero)* soigné, e: **trabajo ~** travail soigné; **esmerada cocina** cuisine soignée **2.** *(que se esmera)* soigneux, euse.

**esmeralda** *f* émeraude.

**esmerar** *vt* polir, nettoyer. ◆ **~se** *vpr* s'appliquer, faire de son mieux: **esmerarse en** s'appliquer à.

**esmerejón** *m (ave)* émerillon.

**esmeril** *m* émeri.

**esmerilar** *vt* passer à l'émeri ◊ **tapón esmerilado** bouchon à l'émeri; **cristal esmerilado** verre dépoli.

**esmero** *m* soin.

**Esmirna** *np* Smyrne.

**esmirriado, a** *a* chétif, ive, malingre.

**esmoquin** *m* smoking.

**esmorecer*** *vi AMER* défaillir.

**esnifar** *vt (droga)* sniffer.

**esnob** *a/s* snob.

**esnobismo** *m* snobisme.

**eso** *pron* **1.** cela, ça, c' *(delante de vocal):* **~ es imposible** c'est impossible; **~ es, ~ mismo** c'est cela, c'est ça; **por ~ mismo** c'est justement pour ça; **¿qué es ~?** qu'est-ce que c'est que ça?; **¿cómo va ~?** comment ça va?; **~ sí** ça oui, effectivement; **~ sí es verdad** ça, c'est vrai **2. ~ es lo que te va a pasar a ti** c'est ce qui, voilà ce qui va t'arriver; **~ te preguntaba** c'est ce que je te demandais; **por ~ vuelvo a repetírtelo** c'est pourquoi je te le redis **3. ¿qué quieres decir con ~?** que veux-tu dire par là? **4. a ~ de las 6** vers 6 heures; **y ~ que** et pourtant.
▶ *Ça* es la forma usual en la lengua hablada.

**esófago** *m* œsophage.

**Esopo** *np m* Ésope.

**esos, ésos** → **ese, ése.**

**esotérico, a** *a* ésotérique.

**esoterismo** *m* ésotérisme.

**esotro, a** *a/pron* cet autre, cette autre.

**espabiladeras** → **despabiladeras.**

**espabilado, a** → **despabilado.**

**espabilar** → **despabilar.**

**espachurrar** *vt* écrabouiller.

**espaciador** *m (de máquina de escribir)* barre *f* d'espacement.

**espacial** *a* spatial, e: **nave ~** vaisseau spatial.

**espaciar** *vt* espacer. ◆ **~se** *vpr (en un discurso, etc.)* s'étendre.

**espacio** *m* **1.** espace: **la conquista del ~** la conquête de l'espace; **lanzar un cohete al ~** lancer une fusée dans l'espace; **~ vital** espace vital **2.** place *f*: **ocupar ~** prendre de la place **3.** *(entre dos líneas)* interligne **4.** *(de tiempo)* laps ◊ *loc prep* **por ~ de una hora, una semana** pendant une heure, une semaine **5.** *(televisión, radio)* émission *f*, programme: **~ musical** programme musical, plage *f* musicale; **~ publicitario** espace publicitaire.

**espacioso, a** *a* spacieux, euse.

**espada** *f* **1.** épée ◊ *FIG* **~ de Damocles** épée de Damoclès; **~ de dos filos** arme à deux tranchants; **desnudar la ~** tirer l'épée; **entre la ~ y la pared** au pied du mur **2.** *(persona)* fine lame. ◇ *m TAUROM* matador. ◇ *f pl* une des couleurs du jeu de cartes espagnol.

**espadachín** *m* **1.** fine lame *f* **2.** *(pendenciero)* spadassin.

**espadaña** *f* **1.** *(planta)* massette **2.** *(campanario)* clocher-mur *m.*

**espadero** *m* armurier qui fait et vend des épées.

**espadilla** *f* **1.** petite épée **2.** *MAR* godille.

**espadín** *m* épée *f* de cérémonie.

**espadón** *m* rapière *f.*

**espagueti** *m* spaghetti.

**espahí** *m* spahi.

**espalda** *f (parte del cuerpo, de un vestido)* dos *m*: **me duele la ~** j'ai mal au dos; **con las manos en la ~** les mains dans le dos; **disparar por la ~** tirer dans le dos; **dar la ~ a, volver la ~ a** tourner le dos à ◊ **a mi ~** dans mon dos, derrière moi; *FIG* **la suerte nos ha vuelto la ~** la chance nous a tourné le dos. ◇ *pl* **1.** dos *m sing*: **de espaldas al fuego** le dos au feu ◊ **dar de espaldas** tomber à la renverse, sur le dos; **ser cargado de espaldas** être voûté, e, avoir le dos voûté; *FIG* **echarse sobre las espaldas una cosa** se charger d'une chose; **caerse de espaldas** tomber à la renverse; **tirar de espaldas** renverser; **tener buenas espaldas** avoir bon dos; **tener guardadas las espaldas** être couvert, e; **volver las espaldas** tourner le dos **2.** *(de una cosa)* derrière *m* **3.** *FIG* **a espaldas de** dans le dos de, derrière le dos de: **no creas que esto lo digo a tus espaldas** ne crois pas que je dis ça derrière ton dos; **con 30 años más a las espaldas** avec 30 ans de plus derrière soi.

▶ Notez l'emploi du pluriel en espagnol dans de nombreuses expressions.

**espaldar** *m* **1.** *(espalda)* dos **2.** *(de asiento)* dossier **3.** *(para plantas)* espalier.

**espaldarazo** *m* **1.** coup donné avec le plat de l'épée **2.** *FIG* consécration *f* ◊ **dar el ~ a** consacrer.

**espaldera** *f* **1.** *(enrejado)* treillage *m* **2.** *(pared)* espalier *m* ◊ **de ~** en espalier.

**espaldilla** *f* **1.** omoplate **2.** *(de cordero)* palette, épaule.

**espaldón** *m* épaulement.

**espantable** → **espantoso.**

**espantada** *f* **1.** *(de un animal)* fuite **2.** *FIG FAM* dérobade, lâchage *m* ◊ **pegar una ~** lâcher, faire faux bond.

**espantadizo, a** *a* ombrageux, euse.

**espantajo** *m* épouvantail.

**espantalobos** *m (arbusto)* baguenaudier.

**espantamoscas** *m inv* chasse-mouches.

**espantapájaros** *m inv* épouvantail.

**espantar** *vt* **1.** effrayer, épouvanter **2.** *(ahuyentar)* chasser: **~ sus penas** chasser ses peines. ◆ **~se** *vpr* s'effrayer, être épouvanté, e, avoir très peur.

**espanto** *m* **1.** frayeur *f*, épouvante *f*, effroi: **causar ~** remplir d'épouvante, effrayer **2. estar curado de ~** en avoir vu bien d'autres, ne s'étonner de rien, être blasé, e **3.** *FAM* **de ~** épouvantable: **un frío ~** un froid épouvantable **4.** *AMER* fantôme, revenant.

**espantosamente** *adv* effroyablement, horriblement.

**espantoso, a** *a* **1.** effrayant, e, épouvantable **2.** *FIG* **un frío, un miedo ~** un froid, une peur épouvantable; **una sed espantosa** une soif horrible.

**España** *np f* Espagne.

**español, a** *a/s* espagnol, e: **los españoles** les Espagnols ◇ *m (lengua)* español.

**españolada** *f* espagnolade.

**españolismo** *m* **1.** goût pour tout ce qui est espagnol **2.** caractère espagnol **3.** hispanisme.

**españolizar** *vt* espagnoliser.

**esparadrapo** *m* sparadrap, pansement adhésif.

**esparaván** *m* **1.** *(ave)* épervier **2.** *(tumor)* éparvin, épervin.

**esparavel** *m* **1.** *(red)* épervier **2.** *(de albañil)* taloche *f.*

**esparceta** *f* sainfoin *m.*

**esparciata** *a/s* spartiate.

**esparcimiento** *m* **1.** éparpillement, dispersion *f* **2.** divulgation *f* **3.** *(recreo)* distraction *f* **4.** *(solaz)* détente *f.*

**esparcir** *vt* **1.** répandre **2.** *(diseminar)* éparpiller **3.** *FIG (una noticia)* répandre, divulguer **4.** *(el ánimo)* distraire. ◆ **~se** *vpr* **1.** se répandre **2.** *FIG (distraerse)* se distraire, se détendre.

**esparragal** *m* champ d'asperges.

**espárrago** *m* asperge *f*: **~ triguero, verde** asperge sauvage, verte ◊ *FAM* **mandar a freír espárragos** envoyer promener, envoyer sur les roses; **¡vete a freír espárragos!** va te faire cuire un œuf!

**esparraguera** *f* **1.** *(planta)* asperge **2.** *(campo)* champ *m* d'asperges **3.** *(fuente de forma adecuada)* plat *m* à asperges.

**esparrancarse** *vpr FAM* écarter les jambes: **dormía muy esparrancado** il dormait, les jambes très écartées.

**Esparta** *np* Sparte.

**espartal** → **espartizal.**

**espartano, a** *a/s* spartiate.

**espartería** *f* sparterie.

**espartero, a** *s* qui fabrique ou vend de la sparterie.

**espartizal** *m* champ de sparte, d'alfa.

**esparto** *m* sparte, alfa.

**espasmo** *m* spasme.

**espasmódico, a** *a* spasmodique.

**espasmofilia** *f MED* spasmophilie.

**espata** *f BOT* spathe.

**espatarrado, a** *FAM* les jambes écartées.

**espatarrarse** *vpr FAM* écarter les jambes.

**espato** *m* spath: **~ flúor** spath fluor.

**espátula** *f* spatule.

**especia** *f* épice.

**especial** *a* **1.** spécial, e **2.** *(extraño)* spécial, e, curieux, euse **3. en ~** spécialement, particulièrement.

**especialidad** *f* spécialité.

**especialista** *a/s* spécialiste: **~ en pediatría** spécialiste en pédiatrie.

**especialización** *f* spécialisation.

**especializado, a** *a* spécialisé, e.

**especializar** *vt* spécialiser. ◆ **~se** *vpr* se spécialiser: **especializarse en literatura medieval, en neurología** se spécialiser dans la littérature médiévale, en neurologie.

**especialmente** *adv* **1.** spécialement **2.** particulièrement.

**especie** *f* **1.** espèce: **la ~ humana** l'espèce humaine **2.** espèce, sorte: **una ~ de** une espèce de, une sorte de **3.** *(noticia)* bruit *m*, nouvelle: **una ~ falsa** une fausse nouvelle **4. pagar en ~** payer en nature. ◇ *pl* RELIG **especies sacramentales** saintes espèces.

**especiero** *m* **1.** marchand d'épices **2.** boîte *f* à épices.

**especificación** *f* spécification.

**especificar** *vt* spécifier.

**especificativo, a** GRAM déterminatif, ive.

**especificidad** *f* spécificité.

**específico, a** *a* spécifique. ◇ *m* **1.** *(medicamento para una enfermedad determinada)* spécifique **2.** *(medicamento fabricado al por mayor)* spécialité *f* pharmaceutique.

**espécimen** *m* spécimen: **especímenes** des spécimens.

**especioso, a** *a* spécieux, euse: **razonamiento ~** raisonnement spécieux.

**espectacular** *a* spectaculaire.

**espectacularidad** *f* aspect *m* spectaculaire, côté *m* spectaculaire.

**espectáculo** *m* **1.** spectacle **2.** FAM **dar el ~, un ~** se donner en spectacle.

**espectador, a** *s* spectateur, trice.

**espectral** *a* spectral, e.

**espectro** *m* **1.** *(fantasma)* spectre **2.** FÍS spectre **3.** FIG spectre.

**espectroscopia** *f* spectroscopie.

**espectroscopio** *m* spectroscope.

**especulación** *f* spéculation.

**especulador, a** *a/s* spéculateur, trice.

**especular** *vt/i* **1.** *(meditar, comerciar)* spéculer **2.** FIG s'interroger, réfléchir: **se especula con la posibilidad...** on s'interroge sur la possibilité...

**especulativo, a** spéculatif, ive.

**espéculo** *m* spéculum.

**espejeante** *m* miroitant, e.

**espejear** *vi* miroiter.

**espejeo** *m* miroitement.

**espejería** *f* miroiterie.

**espejero** *m* miroitier.

**espejismo** *m* mirage.

**espejo** *m* **1.** miroir, glace *f*: **mirarse al ~** se regarder dans la glace: **~ de cuerpo entero** grande glace; **~ ustorio** miroir ardent; **~ parabólico** miroir parabolique; **~ retrovisor** rétroviseur ◊ FIG **mírate en ese ~** prends-en de la graine **2.** FIG miroir, reflet: **la cara es el ~ del alma** le visage est le miroir de l'âme **3.** *(modelo)* exemple, modèle.

**espejuelo** *m* **1.** petit miroir **2.** *(para cazar)* miroir à alouettes **3.** *(yeso)* gypse. ◇ *pl (anteojos)* lunettes *f*.

**espeleología** *f* spéléologie.

**espeleólogo, a** *s* spéléologue.

**espeluznante** *a* épouvantable, à faire dresser les cheveux sur la tête.

**espeluznar** *vt* faire dresser les cheveux sur la tête, épouvanter.

**espera** *f* **1.** attente: **sala de ~** salle d'attente; **lista de ~** liste d'attente **2.** patience, calme *m* **3.** affût *m*: **cazar a ~** chasser à l'affût **4.** *(plazo)* délai *m* **5.** *loc prep/conj* **a la ~ de, en ~ de** dans l'attente de: **a la ~ de tiempos mejores** dans l'attente de jours meilleurs; **estoy a la ~ de noticias** j'attends des nouvelles; **a la ~ de que** en attendant que.

**esperantista** *a/s* espérantiste.

**esperanto** *m* espéranto.

**esperanza** *f* **1.** *(confianza, virtud)* espérance: **la ~ de vida** l'espérance de vie **2.** espoir *m*: **tengo pocas esperanzas de que me aprueben el examen** j'ai peu d'espoir d'être reçu à l'examen ◊ **alimentarse de esperanzas** vivre d'espoir.

**esperanzado, a** *a* plein, e d'espoir, confiant, e: **una juventud esperanzada** une jeunesse pleine d'espoir.

**esperanzador, a** *a* encourageant, e: **perspectivas esperanzadoras** des perspectives encourageantes.

**esperanzar** *vt* donner de l'espoir.

**esperar** *vt/i* **1.** *(aguardar)* attendre: **te esperamos a cenar** nous t'attendons pour le dîner; **estuve esperando a que me recibiera** j'ai attendu qu'il me reçoive; **nos espera una mala noticia** une mauvaise nouvelle nous attend; **como era de ~** comme il fallait s'y attendre; **mujer que está esperando** femme qui attend un enfant; **hacerse ~** se faire attendre; **la respuesta no se hizo ~** la réponse ne s'est pas fait attendre ◊ FAM **¡ya puedes ~ sentado!** tu peux toujours courir!, tu peux te fouiller!, tu repasseras! **2.** *(confiar)* espérer: **espero que no lloverá, que no llueva mañana** j'espère qu'il ne pleuvra pas demain **3. ~ en Dios** espérer en Dieu. ◆ **~se** *vpr* **1.** attendre: **espérate a que escampe** attends qu'il cesse de pleuvoir; **espérese** attendez **2. me lo esperaba** je m'y attendais.

**esperma** *m/f* **1.** sperme *m* **2. ~ de ballena** blanc de baleine.

**espermaticida** *a/s* spermicide.

**espermatozoide, espermatozoo** *m* spermatozoïde.

**espermicida** *a/m* spermicide.

**esperonte** *m (fortificación)* éperon.

**esperpéntico, a** *a* caricatural, e, grotesque.

**esperpento** *m* **1.** horreur *f*, personne, chose affreuse ou ridicule, caricature *f*, épouvantail **2.** *(desatino)* absurdité *f*, ânerie *f*.

**espesante** *m* épaississant.

**espesar** *vt* **1.** *(un líquido)* épaissir **2.** *(apretar)* serrer. ◆ **~se** *vpr* **1.** s'épaissir, épaissir **2.** *(bosque)* devenir touffu, e.

**espeso, a** *a* **1.** *(líquido, humo, muro, etc.)* épais, aisse **2.** *(vegetación)* dru, e, touffu, e **3.** *(sucio)* crasseux, euse **4.** FAM **me encuentro muy ~** je me sens complètement dans le cirage.

**espesor** *m* épaisseur *f*.

**espesura** *f* **1.** *(calidad de espeso)* épaisseur **2.** *(matorrales)* fourré *m*.

**espetar** *vt* **1.** embrocher **2.** FIG *(decir)* sortir, lâcher, assener, décocher **3. a espeta perros** brusquement.

**espetera** *f* planche pour accrocher la batterie de cuisine.

**espetón** *m* **1.** *(asador)* broche *f* **2.** *(hurgón)* tisonnier.

**espía** *s* espion, onne.

**espiantar, espiantarse** *vi/pr* AMER *(huir)* filer, se débiner.

**espiar*** *vt* **1.** *(acechar)* épier **2.** *(dicho de un espía)* espionner **3.** MAR touer.

**espichar** *vt* **1.** piquer **2.** FAM **espicharla** claquer, casser sa pipe.

**espiche** *m* chevillette *f.*

**espiga** *f* **1.** BOT épi *m* **2.** *(de la espada)* soie **3.** *(clavo de madera)* cheville **4.** chevron *m*: **chaqueta de ~** veste à chevrons.

**espigado, a** *a* **1.** *(planta)* monté, e en graine **2.** FIG *(un joven)* grand, e, élancé, e: **una niña espigada para su edad** une petite fille déjà grande pour son âge.

**espigador, a** *s* glaneur, euse.

**espigar** *vt* **1.** glaner **2.** *(carpintería)* tailler en tenon. ◇ *vi* BOT épier, former les épis. ◆ **~se** *vpr* **1.** monter en graine **2.** *(una persona)* grandir beaucoup, pousser.

**espigón** *m* *(en un puerto, un río)* jetée *f*, épi.

**espigueo** *m* glanage.

**espiguilla** *f* **1.** BOT épillet *m* **2.** *(cinta)* ruban *m* étroit **3.** *(dibujo)* chevron *m*.

**espín** *m* *(puerco espín)* porc-épic.

**espina** *f* **1.** *(de ciertas plantas)* épine: **no hay rosa sin espinas** il n'y a pas de roses sans épines **2.** *(astilla)* écharde **3.** *(de pez)* arête **4.** **~ dorsal** épine dorsale **5.** FIG épine ◊ FAM **a mí esto me da mala ~** cela ne me dit rien qui vaille, me paraît suspect; **me da mala ~ el que Ana no haya venido** ça me paraît mauvais signe qu'Anne ne soit pas venue; **quedarse en la ~ de Santa Lucía** n'avoir que la peau et les os.

**espinaca** *f* épinard *m*.

**espinal** *a* **1.** spinal, e **2. médula ~** moelle épinière.

**espinazo** *m* **1.** échine *f*, épine *f* dorsale **2.** FIG **doblar el ~** courber l'échine.

**espinela** *f* *(décima)* dizain *m*.

**espineta** *f* MÚS épinette.

**espingarda** *f* **1.** long fusil *m* mauresque **2.** FAM *(persona)* asperge, grande bringue, grande perche.

**espinilla** *f* **1.** *(parte de la pierna)* tibia *m*, arête du tibia **2.** *(en la piel)* point *m* noir, comédon, bouton *m* d'acné.

**espinillera** *f* **1.** jambière *f* **2.** *(de los deportistas)* protège-tibia *m*.

**espinillo** *m* AMER variété d'acacia.

**espino** *m* **1.** épine *f*, aubépine *f* ◊ **~ albar, blanco** aubépine *f*; **~ cerval** nerprun **2. ~ artificial** fil de fer barbelé.

**espinosismo** *m* spinozisme.

**espinoso, a** *a* **1.** épineux, euse **2.** FIG épineux, euse, délicat, e: **cuestión espinosa** question épineuse.

**espionaje** *m* espionnage: **novela de ~** roman d'espionnage.

**espira** *f* **1.** spire **2.** spirale.

**espiración** *f* expiration.

**espiral** *a/f* **1.** spiral, e: **en ~** en spirale ◊ FIG **~ de violencia** spirale de violence **2.** *(dispositivo intrauterino)* stérilet.

**espirar** *vt* *(un olor)* exhaler. ◇ *vt/i* *(aire)* expirer: **inspirar y ~** inspirer et expirer.

**espirilo** *m* *(bacteria)* spirille.

**espiritado, a** *a* **1.** possédé, e **2.** *(flaco)* maigre, hâve.

**espiritismo** *m* spiritisme.

**espiritista** *a/s* spirite.

**espiritoso, a → espirituoso.**

**espíritu** *m* **1.** esprit: **el Espíritu Santo** le Saint-Esprit; **~ de vino** esprit-de-vin ◊ **exhalar el ~** rendre l'esprit, l'âme **2.** esprit: **~ de contradicción** esprit de contradiction; **~ de equipo** esprit d'équipe; **~ de trabajo** goût du travail **3.** *(ánimo)* énergie *f*, courage ◊ **levantar el ~** remonter le moral; **pobre de ~** pauvre d'esprit, timide **4.** FIG **el ~ y la letra de una ley** l'esprit et la lettre d'une loi.

**espiritual** *a* spirituel, elle.

**espiritualidad** *f* spiritualité.

**espiritualismo** *m* spiritualisme.

**espiritualista** *a/s* spiritualiste.

**espiritualizar** *vt* spiritualiser.

**espiritualmente** *adv* spirituellement.

**espirituoso, a** *a* *(bebida)* spiritueux, euse.

**espirómetro** *m* spiromètre.

**espita** *f* **1.** *(de cuba)* cannelle, chantepleure **2.** *(grifo)* robinet *m* **3.** FAM *(borracho)* soiffard *m*.

**esplendente** *a* resplendissant, e.

**esplender** *vi* resplendir.

**esplendidez** *f* **1.** splendeur, magnificence **2.** largesse, générosité.

**espléndido, a** *a* **1.** *(magnífico)* splendide **2.** *(generoso)* large, généreux, euse.

**esplendor** *m* splendeur *f*.

**esplendoroso, a** *a* splendide.

**espliego** *m* lavande *f*.

**esplín** *m* spleen.

**espolada** *f*, **espolazo** *m* coup *m* d'éperon.

**espolear** *vt* **1.** éperonner **2.** FIG éperonner, stimuler, aiguillonner, piquer: **espoleado por la curiosidad** piqué par la curiosité.

**espoleta** *f* **1.** *(de proyectil)* fusée, détonateur *m* **2.** *(de las aves)* fourchette.

**espolín** *m* éperon fixé à la botte.

**espolio** *m* RELIG biens *pl* qu'un évêque laisse à sa mort.

**espolique** *m* valet qui accompagne à pied un cavalier.

**espolón** *m* **1.** *(de un barco, puente)* éperon **2.** *(de gallo)* ergot, éperon **3.** *(malecón)* digue *f*, jetée *f* **4.** *(paseo)* promenade *f*.

**espolonazo** *m* **1.** coup d'ergot **2.** coup d'éperon.

**espolvorear** *vt* saupoudrer: **~ con azúcar** saupoudrer de sucre.

**espondeo** *m* spondée.

**espóndilo** *m* ANAT spondyle.

**espongiarios** *m pl* ZOOL spongiaires.

**esponja** *f* **1.** éponge ◊ FIG **pasar la ~** passer l'éponge; FAM **beber más que una ~** boire comme un trou **2. ~ de platino** mousse de platine.

**esponjar** *vt* **1.** *(la tierra)* rendre spongieux, euse **2.** faire gonfler. ◆ **~se** *vpr* **1.** se gonfler: **pájaro que se esponja** oiseau qui fait gonfler ses plumes; **se esponja la melena** elle fait gonfler sa longue chevelure **2.** FIG *(envanecerse)* se rengorger **3.** reprendre des forces, s'épanouir, se requinquer.

**esponjera** *f* porte-éponge *m*.

**esponjosidad** *f* spongiosité.

**esponjoso, a** *a* spongieux, euse.

**esponsales** *f pl* fiançailles.

**espontáneamente** *adv* spontanément.

**espontanearse** *vpr* s'ouvrir: **~ con alguien** s'ouvrir à quelqu'un.

**espontaneidad** *f* spontanéité.

**espontáneo, a** *a* spontané, e. ◇ *m* TAUROM spectateur qui saute dans l'arène pour toréer.

**espora** *f BOT* spore.

**esporádico, a** *a* sporadique.

**esporangio** *m BOT* sporange.

**esportilla** *f* cabas *m*, couffin *m*.

**esportón** *m* couffin.

**esposa** *f* **1.** épouse **2.** *AMER* anneau *m* pastoral.

**esposar** *vt* passer les menottes à: **un hombre esposado** un homme portant des menottes aux poignets.

**esposas** *f pl (de los presos)* menottes.

**esposo, a** *s* époux, ouse: **tomar por ~** prendre pour époux.

**esprint** *m* sprint.

**espuela** *f* **1.** *(de jinete)* éperon *m* ◊ **calzarse la ~** devenir chevalier **2.** *FIG* aiguillon *m* **3. ~ de caballero** pied-d'alouette *m*, delphinium *m* **4.** *AMER (de ave)* ergot *m*.

**espuerta** *f* **1.** couffin *m*, cabas *m* **2.** *loc adv* **a espuertas** à foison, en abondance, à profusion, à la pelle: **gana dinero a espuertas** il gagne de l'argent à la pelle.

**espulgar** *vt* **1.** épucer, épouiller **2.** *FIG (examinar minuciosamente)* éplucher.

**espulgo** *m* **1.** épouillage **2.** *FIG* épluchage.

**espuma** *f* **1.** *(del agua)* écume **2.** *(del jabón, de la cerveza, del champán)* mousse ◊ *FIG* **crecer como la ~** grandir à vue d'œil **3. ~ de mar** écume de mer **4. ~ de afeitar** mousse à raser.

**espumadera** *f* écumoire.

**espumajear** *vi (por la boca)* écumer.

**espumajo** *m (saliva)* écume *f*.

**espumante** *a* écumant, e, moussant, e.

**espumar** *vt (quitar la espuma)* écumer. ◇ *vi* écumer, mousser.

**espumarajo** *m (saliva)* écume *f* ◊ **echar espumarajos** écumer.

**espumilla** *f* **1.** *(tejido)* crêpe *m* **2.** *AMER* meringue.

**espumoso, a** *a* **1.** écumeux, euse **2.** *(vino, etc.)* mousseux, euse. ◇ *m (vino)* mousseux.

**espurio, a** *a* **1.** bâtard, e, illégitime **2.** *FIG (falso)* faux, fausse.

**espurrear, espurriar** *vt* arroser avec la bouche.

**esputar** *vt* expectorer, cracher.

**esputo** *m* crachat.

**esqueje** *m BOT* bouture *f*.

**esquela** *f* **1.** *(carta breve)* billet *m* **2.** lettre de faire-part, faire-part *m inv*: **~ mortuoria** faire-part de décès.

**esquelético, a** *a* squelettique.

**esqueleto** *m* **1.** squelette **2.** *POP* **menear, mover el ~** danser, guincher.

**esquema** *m* **1.** schéma **2.** *(filosofía)* schème.

**esquemáticamente** *adv* schématiquement.

**esquemático, a** *a* schématique.

**esquematización** *f* schématisation.

**esquematizar** *vt* schématiser.

**esquí** *m* **1.** ski: **un par de esquíes** une paire de skis; **practicar el ~** faire du ski; **~ alpino, de fondo** ski alpin, de fond **2. ~ acuático** ski nautique.

**esquiable** *a* skiable.

**esquiador, a** *s* skieur, euse.

**esquiar** *vi* skier.

**esquiciar** *vt* esquisser, ébaucher.

**esquife** *m* esquif.

**¹esquila** *f* **1.** *(cencerro)* sonnaille **2.** *(campanilla)* clochette.

**²esquila** *f (esquileo)* tonte.

**³esquila** *f* **1.** *(camarón)* crevette **2.** *(planta)* scille.

**esquilador, a** *s* tondeur, euse.

**esquilar** *vt (los animales)* tondre.

**esquileo** *m* tonte *f*.

**esquilimoso, a** *a* délicat, e.

**esquilmar** *vt* **1.** récolter **2.** *(la tierra)* épuiser **3.** *FIG (una fuente de riqueza)* appauvrir **4.** *FIG (a alguien)* ruiner, dépouiller de ses biens, plumer ◊ **~ la herencia** manger son héritage.

**Esquilo** *np m* Eschyle.

**esquilón** *m* grande sonnaille *f*.

**esquimal** *a/s* esquimau, aude.

**esquina** *f* **1.** coin *m*, angle *m*: **el café de la ~** le café du coin; **~ a (la calle) Serrano** à l'angle de la rue Serrano; **en la misma ~** juste à l'angle; **doblar la ~** tourner au coin; **hacer ~** faire l'angle, être à l'angle **2. jugar a las cuatro esquinas** jouer aux quatre coins; **en las cuatro esquinas del mundo** aux quatre coins du monde **3. a la vuelta de la ~** au coin de la rue; *FIG (cerca)* tout près, tout proche.

**esquinadamente** *adv* avec hostilité: **mirar ~ a** regarder d'un air mauvais.

**esquinado, a** *a* **1.** qui forme un angle **2.** *FIG* difficile à vivre **3. estar esquinados** être en froid.

**esquinar** *vi/t* former un angle. ◆ **~se** *vpr FIG* se fâcher, se brouiller.

**esquinazo** *m FAM* coin ◊ **dar ~ a alguien** fausser compagnie à quelqu'un, semer quelqu'un.

**esquinera** *f* **1.** prostituée **2.** *AMER (mueble)* encoignure.

**esquirla** *f* **1.** *(de hueso)* esquille **2.** *(de vidrio)* éclat *m*.

**esquirol** *m* jaune, briseur de grève.

**esquisto** *m* schiste.

**esquistoso, a** *a* schisteux, euse.

**esquivar** *vt* **1.** esquiver **2.** éviter de: **esquivaba mirarme** elle évitait de me regarder. ◆ **~se** *vpr* s'esquiver.

**esquivez** *f* froideur, dédain *m*.

**esquivo, a** *a* farouche, méprisant, e.

**esquizofrenia** *f* schizophrénie.

**esquizofrénico, a** *a* schizophrénique.

**esquizófreno, a** *a/s* schizophrène.

**esquizoide** *a/s* schizoïde.

**esta → este.**

**estabilidad** *f* stabilité.

**estabilización** *f* stabilisation.

**estabilizador, a** *a/m* stabilisateur, trice.

**estabilizar** *vt* stabiliser. ◆ **~se** *vpr* se stabiliser.

**estable** *a* stable: **un empleo ~** un emploi stable.

**establecer*** *vt* établir. ◆ **~se** *vpr* s'établir: **se ha establecido de panadero en Guadalajara** il s'est établi boulanger à Guadalajara.

**establecimiento** *m* établissement: **~ público, comercial** établissement public, commercial.

**establo** *m* étable *f*.

**estabulación** *f* stabulation.

**estabular** *vt* loger et engraisser à l'étable (des bestiaux).

**estaca** *f* **1.** *(palo)* pieu *m*, piquet *m* **2.** *(garrote)* bâton *m*, trique **3.** *(de árbol)* bouture **4.** *(clavo)* cheville.

**estacada** *f* **1.** palissade **2.** champ *m* clos, lice ◊ *FIG* **dejar a alguien en la ~** laisser quelqu'un en plan, abandonner quelqu'un à son triste sort; **quedar en la ~** rester en plan, rester sur le carreau, avoir le dessous.

**estacar** *vt (sujetar)* attacher à un pieu.

**estacazo** *m* **1.** coup de trique, coup de bâton **2.** *FIG* blâme.

**estacha** *f MAR* aussière.

**estación** *f* **1.** *(del año, época)* saison; **las cuatro estaciones** les quatre saisons **2.** *(en un sitio)* station **3.** *(de ferrocarril)* gare: **el tren entra en la ~** le train entre en gare **4.** *(de metro, autobús)* station **5.** *(metereológica, geodésica, etc.)* station: **~ espacial** station spaciale; **~ de esquí** station de ski, de sports d'hiver ◊ **~ emisora** station émettrice, poste *m* émetteur **6. ~ de servicio** station-service **7.** *RELIG* station: **andar las estaciones** visiter les églises.

**estacional** *a* saisonnier, ère: **paro ~** chômage saisonnier; **migración ~** migration saisonnière.

**estacionamiento** *m* stationnement.

**estacionar** *vt (un coche)* garer. ◆ **~se** *vpr* **1.** *(persona, coche)* stationner: **no estacionarse en la plataforma** ne pas stationner sur la plate-forme; **vehículo estacionado** véhicule en stationnement **2.** *(quedarse estancada una cosa)* être stationnaire.

**estacionario, a** *a* stationnaire: **temperaturas estacionarias** températures stationnaires.

**estada** *f* séjour *m*.

**estadía** *f* **1.** *(estancia)* séjour *m* **2.** *MAR* estarie.

**estadio** *m* **1.** stade: **~ olímpico** stade olympique **2.** *(fase)* stade.

**estadista** *m* **1.** homme d'État **2.** statisticien.

**estadística** *f* statistique.

**estadístico, a** *a* statistique. ◇ *s* statisticien, enne.

**estadizo, a** *a (agua)* stagnant, e.

**estado** *m* **1.** état: **~ de salud** état de santé; **en buen, mal ~** en bon, mauvais état; **en ~ puro** à l'état pur ◊ **~ de ánimo** état d'âme; **~ de gracia** état de grâce; **~ de guerra, de sitio** état de guerre, de siège; *(mujer)* **en ~, en ~ interesante** enceinte; **en ~ de merecer** en âge de se marier; **tomar ~** *(casarse)* se marier; *(profesar)* entrer dans les ordres **2. ~ llano** tiers-état **3.** *MIL* **~ mayor** état-major **4.** État: **jefe de ~** chef d'État; **hombre de ~** homme d'État; **golpe de Estado** coup d'État; **razón de ~** raison d'État.

**Estados Unidos** *np m pl* États-Unis.

**estadounidense** *a/s* américain, e, des États-Unis d'Amérique.

**estafa** *f* escroquerie.

**estafador, a** *s* escroc.
▶ *Escroc* no tiene femenino.

**estafar** *vt* escroquer.

**estafermo** *m* **1.** *(muñeco)* quintaine *f* **2.** *FIG* nigaud, gourde *f*.

**estafeta** *f* **1.** estafette **2. ~ de correos** bureau *m* de poste secondaire **3.** courrier *m* de cabinet.

**estafilococo** *m* staphylocoque.

**estajo** → **destajo.**

**estalactita** *f* stalactite.

**estalagmita** *f* stalagmite.

**estallar** *vi* **1.** *(una bomba)* éclater, exploser: **el artefacto estalló al cabo de cinco minutos** l'engin a éclaté, a explosé au bout de cinq minutes **2.** *(un látigo)* claquer **3.** *(un incendio, un motín, la ira, etc.)* éclater: **al ~ la guerra civil, se marchó...** lorsque la guerre civile éclata, il partit...; **~ en sollozos** éclater en sanglots.

**estallido** *m* **1.** *(de una bomba)* éclatement, explosion *f*; *(de un neumático)* éclatement **2.** *(del látigo)* claquement **3.** *(de risa, ira)* éclat **4.** explosion *f*: **~ de racismo** explosion de racisme **5. dar ~** éclater, exploser.

**estambre** *m* **1.** fil de laine **2.** *BOT* étamine *f*.

**Estambul** *np* Istanbul.

**estamento** *m* **1.** *ANT* état (de la couronne d'Aragon) **2.** *(de la sociedad)* couche *f*, classe *f*, sphère *f*.

**estameña** *f (tejido)* étamine.

**estampa** *f* **1.** *(imagen impresa)* estampe **2.** *(ilustración pequeña)* image **3.** *FIG (de una persona, un animal)* allure, aspect *m*, apparence **4.** *(ejemplo)* image: **ser la viva ~ de** être l'image même de **5.** *(huella)* marque **6.** impression, imprimerie: **dar a la ~** envoyer à l'impression, faire imprimer, publier.

**estampación** *f* **1.** estampage *m* **2.** *(en relieve)* gaufrage *m* **3.** *(de un tejido)* impression.

**estampado, a** *a (tejido)* imprimé, e. ◇ *m* **1.** → **estampación 2.** *(tejido)* imprimé, tissu imprimé.

**estampador** *m* estampeur.

**estampar** *vt* **1.** *(metal, etc.)* estamper **2.** *(en relieve)* gaufrer **3.** *(un tejido)* imprimer **4.** *(dejar huella)* imprimer **5.** *(arrojar)* lancer **6.** *FAM (un beso, una bofetada)* appliquer.

**estampería** *f* imagerie.

**estampía (de)** *loc adv* **salir de ~** partir en quatrième vitesse, précipitamment.

**estampida** *f AMER* fuite précipitée.

**estampido** *m* détonation *f*, bruit d'explosion.

**estampilla** *f* **1.** *(sello con firma)* cachet *m*, griffe **2.** estampille **3.** *AMER (sello de correo)* timbre *m*.

**estampillado** *m* timbrage.

**estampillar** *vt* **1.** estampiller **2.** timbrer.

**estampita** *f* (petite) image.

**estancación** *f*, **estancamiento** *m* **1.** *FIG* stagnation *f*: **el mercado está en un periodo de ~** le marché est dans une période de stagnation **2.** monopole *m*.

**estancar** *vt* **1.** *(detener)* retenir, arrêter **2.** *FIG* paralyser **3.** *(una mercancía)* mettre en régie, monopoliser. ◆ **~se** *vpr* **1.** *(el agua)* stagner: **aguas estancadas** eaux stagnantes **2.** *FIG (un asunto)* stagner, rester en suspens, s'arrêter **3. las ventas de coches se estancaron en el mes de abril** les ventes de voitures ont stagné en avril; **el precio de los pisos nuevos se estanca** le prix des appartements neufs ne bouge pas.

**estancia** *f* **1.** *(en un lugar)* séjour *m*: **nuestra ~ en Marruecos fue muy breve** notre séjour au Maroc a été très court **2.** *(habitación)* pièce, chambre **3.** *(estrofa)* stance **4.** *AMER* «estancia», grande exploitation agricole (et surtout grand domaine d'élevage).

**estanciero** *m AMER* fermier.

**estanco, a** *a* étanche: **compartimiento ~** cloison étanche. ◇ *m* **1.** régie *f*, monopole de l'État **2.** *(tienda)* bureau de tabac.

**estándar** *m* **1.** standard **2. ~ de vida** niveau de vie.

**estandarización** *f* standardisation.

**estandarizar** *vt* standardiser.

**estandarte** *m* **1.** étendard **2.** *(de cofradía)* bannière *f*.

**estanflación** *f ECON* stagflation.

**Estanislao** *np m* Stanislas.

**estannífero, a** *a* stannifère.

**estanque** *m* **1.** étang **2.** *(en un parque)* bassin.

**estanqueidad** → **estanquidad.**

**estanquero, a** *s (que vende tabaco, etc.)* buraliste.

**estanquidad** *f* étanchéité.

**estante** *m* **1.** *(anaquel)* étagère *f* **2.** *AMER (estaca)* pieu.

**estantería** *f* rayonnage *m*.

**estantigua** *f* **1.** apparition **2.** *FAM* échalas *m*, perche, grand escogriffe *m*, grande bringue.

**estañador** *m* étameur.

**estañadura** *f* étamage *m*.

**estañar** *vt* étamer.

**estaño** *m* étain: **papel de ~** papier d'étain.

**estaquear** *vt AMER* étirer (une peau) entre des pieux pour la faire sécher.

**estaquilla** *f* **1.** chevillette **2.** clou *m*.

**estar*** *vi* **1.** *(lugar)* être, se trouver: **¿dónde estás?** où es-tu?; **estoy en casa** je suis chez moi; **¿está el doctor?** le docteur est-il là?; **el pueblo está a dos kilómetros de...** le village se trouve à deux kilomètres de... **2.** *(tiempo)* être: **¿a cuánto estamos?** le combien sommes-nous?; **estamos a 10 de agosto, en verano** nous sommes le 10 août, en été **3.** *(exprime une caractéristique accidentelle, l'état résultant d'une action dans la voie passive)* être: **todo está listo** tout est prêt; **estoy de mal humor** je suis de mauvaise humeur; **~ malo** être malade; **¿estás loco?** tu es fou?, ça ne va pas?; **la cena está servida** le dîner est servi **4.** *(de salud)* aller, se porter: **¿cómo está usted?** comment allez-vous?, comment ça va?; **el enfermo está mejor** le malade va mieux; **está grave** il est dans un état grave **5.** *(un vestido, etc.)* aller: **esta corbata te está bien** cette cravate te va bien **6. ~ de viaje, de vacaciones, de luto** être en voyage, en vacances, en deuil; **está de secretaria en una agencia de viajes** elle est, elle travaille comme secrétaire dans une agence de voyages; **~ de más, de sobra** être en trop, de trop **7. ~ en** croire: **estoy en que vendrá** je crois qu'il viendra; **~ en sí** être conscient, lucide, avoir toute sa tête; **~ en todo** s'occuper de tout, avoir l'œil à tout **8. ~ para** *(a punto de)* être sur le point de; **estos zapatos están para tirarlos a la basura** ces chaussures sont bonnes à jeter à la poubelle; *(en condiciones)* être d'humeur à, disposé, e à: **no estoy para bromas** je ne suis pas d'humeur à plaisanter; **no estás como para conducir** tu n'es pas en état de conduire **9. ~ por** être à, rester à: **todo está por hacer** tout reste à faire; **está por ver si...** reste à voir si...; être tenté, e de: **estoy por renunciar** je suis tenté de renoncer, j'ai bien envie de renoncer; *(a punto de)* **el avión está por despegar** l'avion est sur le point de décoller; *(en favor de)* **estoy por los más débiles** je suis pour les plus faibles; **estoy por este color** je préfère cette couleur **10. estuvo sin hablar todo el día** il est resté sans parler toute le journée; **este cuadro está sin terminar** ce tableau n'est pas fini **11.** *(+ gérondif, exprime la durée)* être en train de *(souvent ne se traduit pas)* : **estábamos comiendo** nous étions en train de manger, nous mangions; **¿qué estás haciendo?** que fais-tu?; **estuve esperándola una hora** je l'ai attendue pendant une heure; **lo estás viendo** tu vois bien; **me acuerdo de él como si le estuviera viendo** je me souviens de lui comme si je le voyais **12. ~ a la que salta → saltar; ~ a matar → matar; ~ con alguien** être d'accord avec quelqu'un: **estoy con usted, contigo** je suis d'accord avec vous, avec toi; **~ en sí** être très conscient, e; **~ en todo** avoir l'œil à tout; **~ sobre alguien** être toujours derrière quelqu'un; **~ sobre sí** se dominer, être sur ses gardes **13. está bien** c'est bien, ça va; **¿estamos?** *(de acuerdo)* d'accord?, entendu?, *(listos)* nous y sommes?; **esté como esté** tel quel; **ya está** ça y est; **ya está bien** ça suffit, ça va comme ça; *FAM* **~ que arde, que bota, etc. → arder, botar, etc.** ◆ **~se** *vpr* rester: **se estuvo charlando con nosotros toda la tarde** il est resté à bavarder avec nous toute la soirée; **¡estaos quietos!** restez tranquilles!, tenez-vous tranquilles!
▶ Voir l'article *être,* partie français-espagnol.

**estarcido** *m (dibujo)* poncif.

**estarcir** *vt (un dibujo)* poncer.

**estárter → starter.**

**estas → este.**

**estatal** *a* de l'État: **bajo control ~** sous contrôle de l'État; **ayudas estatales** aides de l'État; **empresa ~** entreprise d'État; **la televisión ~** la télévision d'État, publique.

**estático, a** *a* statique.

**estatificar** *vt* étatiser, nationaliser.

**estatismo** *m* **1.** immobilité *f* **2.** *(en política)* étatisme.

**estator** *m* stator.

**estatorreactor** *m* statoréacteur.

**estatua** *f* statue.

**estatuaria** *f* statuaire.

**estatuario, a** *a/s* statuaire.

**estatúder** *m* stathouder.

**estatuilla** *f* statuette.

**estatuir*** *vt* statuer.

**estatura** *f* **1.** stature **2.** taille: **por orden de ~** par rang de taille; **~ mediana** taille moyenne.

**estatus → status.**

**estatutario, a** *a* statutaire.

**estatuto** *m* statut.

**estay** *m MAR* étai.

[1]**este** *m* est: **al ~** à l'est; **viento ~** vent d'est; **los países del ~** les pays de l'Est.

[2]**este, esta, estos, estas** *a dem* ce, cet *(delante de vocal o h muda)*, cette, ces (-ci): **~ hombre, esta mujer** cet homme, cette femme; **se casan ~ año** ils se marient cette année.
▶ Désignent ce qui est près du sujet parlant, dans l'espace ou dans le temps (voir *ese, aquel).* Se placent parfois après le nom ou avec un possessif: ~ *sobrino mío* ce neveu- ci; ~ *su servidor* votre serviteur.

[3]**éste, ésta, éstos, éstas** *pron dem* **1.** celui-ci, celle-ci, ceux-ci, celles-ci: **prefiero ~** je préfère celui-ci **2.** *(con ser)* **ésta es mi mujer y éstos son mis hijos** voici ma femme et voilà mes enfants; **era ésta una vieja canción asturiana** c'était là une vieille chanson asturienne; **ésta es la cuestión** telle est la question; **~ es el recibo** voici le reçu; **éstos sí que han tenido suerte** en voilà qui ont eu de la chance **3. en éstas** sur ces entrefaites.
▶ Dans la correspondance, *ésta* désigne la ville de celui qui écrit. Dans une énumération, *éste* se rapporte au dernier nommé.

**estearina** *f* stéarine.

**esteatita** *f* stéatite.

**Esteban** *np m* Étienne.

**Estefanía** *np f* Stéphanie.

[1]**estela** *f* **1.** *(rastro)* sillage *m* **2.** *FIG* sillage *m*.

[2]**estela** *f (monumento)* stèle.

**estelar** *a* stellaire.

**estenografía** *f* sténographie.

**estenográfico, a** *a* sténographique.

**estenógrafo, a** *s* sténographe.

**estenosis** *f MED* sténose.

**estenotipia** *f* sténotypie.

**estentóreo, a** *a* de stentor: **voz estentórea** voix de stentor.

**estepa** *f* steppe.

**estepario, a** *a* de la steppe, steppique.

**éster** *m QUÍM* ester.

**Ester** *np* Esther.

**estera** *f* natte.

**esterar** *vt* couvrir de nattes.

**estercoladura** *f AGR* fumage *m*, fumure *f*.

**estercolar** *vt AGR* fumer. ◇ *vi* fienter.

**estercolero** *m* fumier, tas de fumier.

[1]**estéreo** *m (medida)* stère.

[2]**estéreo** *f FAM* stéréo: **cadena, equipo ~** chaîne stéréo.

**estereofonía** *f* stéréophonie.

**estereofónico, a** *a* stéréophonique.

**estereoscópico, a** *a* stéréoscopique.

**estereoscopio** *m* stéréoscope.

**estereotipado, a** *a* stéréotypé, e: **frase estereotipada** phrase stéréotypée.

**estereotipar** *vt* stéréotyper.

**estereotipia** *f* stéréotypie.

**estereotipo** *m* stéréotype.

**esterería** *f* boutique du nattier.

**esterero, a** *s* nattier, ère.

**estéril** *a* stérile.

**esterilidad** *f* stérilité.

**esterilización** *f* stérilisation.

**esterilizador, a** *a* stérilisant, e. ◇ *m (aparato)* stérilisateur.

**esterilizar** *vt* stériliser.

**esterilla** *f* **1.** petite natte **2.** AMER **silla de ~** chaise cannée.

**estérilmente** *adv* stérilement.

**esterlina** *a* **libra ~** livre sterling.

**esternón** *m* ANAT sternum.

**estero** *m* **1.** *(acción de esterar)* nattage **2.** *(de un río)* estuaire **3.** AMER *(terreno pantanoso)* marais, marécage.

**esterol** *m* QUÍM stérol.

**estertor** *m* râle.

**estertoroso, a** *a* stertoreux, euse.

**estesudeste** *m* est-sud-est.

**esteta** *s* esthète.

**estética** *f* esthétique.

**estéticamente** *adv* esthétiquement.

**esteticismo** *m* esthétisme.

**esteticista** *s* esthéticien, enne, visagiste.

**estético, a** *a* esthétique ◊ **cirugía estética** chirurgie esthétique, plastique. ◇ *s* esthéticien, enne.

**estetoscopio** *m* MED stéthoscope.

**esteva** *f (del arado)* mancheron *m*.

**estevado, a** *a* bancroche, bancal, e.

**estiaje** *m* étiage.

**estiba** *f* MAR arrimage *m*.

**estibador** *m* docker, arrimeur: **~ portuario** docker.

**estibar** *vt* **1.** *(apretar)* comprimer, tasser **2.** MAR arrimer.

**estibio** *m* antimoine.

**estiércol** *m* fumier.

**estigio, a** *a* stygien, enne ◊ **la laguna Estigia** le Styx.

**estigma** *m* **1.** *(señal, huella)* stigmate **2.** BOT stigmate.

**estigmatizar** *vt* stigmatiser.

**estilar** *vi* avoir l'habitude de. ◆ **~se** *vpr* **1.** se porter, être à la mode: **ya no se estilan los miriñaques** les crinolines ne se portent plus **2.** être en usage.

**estilete** *m* stylet.

**estilista** *s* styliste.

**estilístico, a** *a/f* stylistique.

**estilita** *a/m* stylite.

**estilización** *f* stylisation.

**estilizar** *vt* styliser.

**estilo** *m* **1.** style: **el ~ románico** le style roman **2.** *(modo)* manière *f*, façon *f*, genre: **no me gusta su ~ de obrar** je n'aime pas sa façon d'agir; **cada uno en su ~ trata de...** chacun a sa façon essaie de...; **no era ese mi ~** ce n'était pas mon genre ◊ **al ~ de** à la mode de; **por el ~** du même genre; **algo por el ~** quelque chose de semblable, à peu près la même chose, quelque chose du même genre; **por el ~ de** dans le genre de, semblable à **3.** BOT style **4.** *(natación)* nage *f*: **~ libre** nage libre; **200 metros ~** 200 mètres quatre nages **5.** AMER danse *f* populaire du Río de la Plata.

**estilóbato** *m* ARQ stylobate.

**estilográfico, a** *a* stylographique ◊ **pluma estilográfica** stylo *m*. ◇ *f* stylo *m*, stylographe *m*.

**estima** *f* **1.** estime: **le tengo mucha ~** j'ai beaucoup d'estime, de considération pour lui, je le tiens en grande estime **2.** MAR estime.

**estimable** *a* estimable.

**estimación** *f* **1.** estimation, évaluation: **en ~ de la Policía** d'après les estimations de la Police **2.** *(afecto)* estime.

**estimado, a** *a* **1.** estimé, e **2.** cher, chère: **~ amigo** cher ami.

**estimar** *vt* **1.** estimer, apprécier: **estimo mucho a este hombre** j'estime beaucoup cet homme **2.** *(juzgar)* estimer, considérer: **estimo necesario que vayas tú** j'estime nécessaire que ce soit toi qui y ailles **3.** *(evaluar)* estimer: **se estiman en diez millones de dólares los...** on estime à dix millions de dollars les... ◆ **~se** *vpr* **1.** s'estimer **2.** se respecter.

**estimativa** *f* jugement *m*, faculté de juger.

**estimativo, a** *a* estimatif, ive **2.** prévisionnel, elle.

**estimulante** *a/m* stimulant, e.

**estimular** *vt* **1.** *(el apetito)* stimuler **2.** encourager, stimuler: **hay que estimularla para que estudie** il faut la stimuler pour qu'elle étudie.

**estímulo** *m* **1.** *(incentivo)* stimulant, stimulation *f* **2.** *(en fisiología)* stimulus.

**estío** *m* LIT été.

**estipendiar** *vt* rémunérer.

**estipendiario, a** *a/s* salarié, e.

**estipendio** *m* rémunération *f*, salaire, paie *f*.

**estípite** *m* BOT stipe.

**estipulación** *f* stipulation.

**estipular** *vt* stipuler.

**estirada** *f (en fútbol)* plongeon *m*.

**estirado, a** *a* **1.** *(afectado)* guindé, e, compassé, e, gourmé, e; *(esmerado)* tiré, e à quatre épingles **2.** *(orgulloso)* fier, fière, hautain, e, prétentieux, euse **3.** juste **4.** *(mezquino)* pingre. ◇ *m* TECN étirage.

**estiramiento** *m* étirage.

**estirar** *vt* **1.** étirer, allonger, tendre: **~ el cuello** tendre le cou; **los brazos estirados** les bras tendus **2. ~ las piernas** se dégourdir les jambes **3.** FAM **~ la pata** casser sa pipe **4.** TECN étirer **5.** *(el dinero)* faire durer **6.** AMER *(matar)* descendre. ◆ **~se** *vpr* **1.** s'étirer **2.** *(crecer)* grandir, s'allonger.

**estireno** *m* QUÍM styrène.

**estirón** *m* FAM croissance *f* rapide ◊ **dar, pegar un ~** grandir, pousser d'un seul coup.

**estirpe** *f* souche, lignée: **de rancia ~** de vieille souche.

**estival** *a* estival, e, d'été.

**esto** *pron dem* **1.** ceci, cela, ça, c' *(delante de vocal)*: **~ es verdad** ceci est vrai, c'est vrai; **hace de ~ diez años** il y a de cela dix ans **2. ~ es** c'est-à-dire; **no hay nada como ~** il n'y a rien de tel **3.** *loc adv* **en ~** sur ces entrefaites, sur ce.
▶ *Ça es la forma usual en la lengua hablada.*

**estocada** *f* **1.** estocade **2.** *(esgrima)* botte.

**Estocolmo** *np* Stokholm.

**estofa** *f* **1.** étoffe de soie **2.** *FIG* qualité, nature ◊ **de baja ~** de bas étage.

**estofado, a** *a CULIN* à l'étouffée, à l'étuvée. ◇ *m* **1.** plat à l'étouffée ◊ **~ de vaca** bœuf mode **2.** polychromie *f* ou dorure *f* (d'une sculpture) **3.** ornement.

**estofar** *vt* **1.** *(bordar)* broder en relief **2.** préparer pour la polychromie ou la dorure (une sculpture en bois) **3.** *(adorno)* *CULIN* faire cuire à l'étouffée.

**estoicamente** *adv* stoïquement.

**estoicismo** *m* stoïcisme.

**estoico, a** *a* stoïque. ◇ *a/s (filósofo)* stoïcien, enne.

**estola** *f* étole.

**estolidez** *f* stupidité.

**estólido, a** *a/s* stupide.

**estolón** *m* **1.** grande étole *f* **2.** *BOT* stolon.

**estoma** *m BOT* stomate.

**estomacal** *a (del estómago)* stomacal, e. ◇ *a/m (bueno para el estómago)* stomachique.

**estomagante** *a FAM* antipathique, pénible, écœurant, e.

**estomagar** *vt* **1.** causer une indigestion **2.** *FIG FAM* dégoûter, écœurer, être antipathique.

**estómago** *m* **1.** estomac ◊ **la boca del ~** le creux de l'estomac; **ladrarle a uno el ~** avoir l'estomac qui crie famine **2.** *FIG* **revolver el ~** soulever le cœur; **tener a uno sentado en el ~** ne pas pouvoir digérer quelqu'un **3. ~ plano** ventre plat; **meter ~** rentrer le ventre.

**estomatitis** *f MED* stomatite.

**estomatología** *f* stomatologie.

**estomatólogo, a** *s* stomatologiste, stomatologue.

**Estonia** *np f* Estonie.

**estonio, a** *a/s* estonien, enne.

**estopa** *f* étoupe.

**estopín** *m* étoupille *f*, détonateur.

**estoque** *m* **1.** *(espada)* estoc **2.** *(del matador)* épée *f* **3.** *(bastón)* canne-épée *f* **4.** *(planta)* glaïeul.

**estoqueador** *m TAUROM* matador.

**estoquear** *vt TAUROM* estoquer.

**estor** *m* store.

**estoraque** *m* **1.** *(árbol)* styrax **2.** *(resina)* storax.

**estorbar** *vt* **1.** gêner, embarrasser: **~ el paso** gêner le passage, empêcher de passer **2.** déranger, entraver: **la lluvia estorbó nuestros planes** la pluie a dérangé nos projets **3.** *(molestar)* déranger, gêner: **me estás estorbando** tu me déranges; **¿os estorbo?** je vous dérange?

**estorbo** *m* **1.** gêne *f*, embarras, empêchement **2.** *(obstáculo)* entrave *f*, obstacle.

**estornino** *m* étourneau, sansonnet.

**estornudar** *vi* éternuer.

**estornudo** *m* éternuement.

**estornutatorio, a** *a MED* sternutatoire.

**estos** → **este.**

**estotro, a** *a/pron dem ANT* cet autre, cette autre.

**estoy** → **estar.**

**estrabismo** *m* strabisme.

**estrado** *m* **1.** *(tarima)* estrade *f* **2.** *ANT (sala)* salon. ◇ *pl* salle *f sing* de tribunal, tribunaux.

**estrafalario, a** *a* bizarre, extravagant, e, farfelu, e. ◇ *s* original, e, excentrique.

**estragar** *vt* **1.** *(asolar)* ravager, dévaster, détruire **2.** *(estropear)* corrompre, gâter.

**estrago** *m* ravage ◊ **causar estragos** faire des ravages; **hacer estragos** faire des ravages, sévir.

**estragón** *m* estragon.

**estrambote** *m* groupe de vers ajoutés à un sonnet.

**estrambótico, a** *a* extravagant, e, bizarre.

**estramonio** *m* stramoine.

**estrangul** *m MÚS* anche *f*.

**estrangulación** *f* étranglement *m*, strangulation.

**estrangulador, a** *a/s* étrangleur, euse.

**estrangulamiento** *m* étranglement.

**estrangular** *vt* **1.** étrangler **2. con voz estrangulada** d'une voix étranglée **3.** *(una vena, etc.)* comprimer. ◆ **~se** *vpr* s'étrangler.

**estraperlear** *vi FAM* faire du marché noir.

**estraperlista** *s* trafiquant, e qui fait du marché noir.

**estraperlo** *m* marché noir: **de ~** au marché noir.

**estrás** *m* strass.

**Estrasburgo** *np* Strasbourg.

**estratagema** *f* stratagème *m*.

**estratega** *s* stratège.

**estrategia** *f* stratégie.

**estratégico, a** *a* stratégique.

**estratificación** *f* stratification.

**estratificar** *vt* stratifier.

**estratigrafía** *f* stratigraphie.

**estratigráfico, a** *a* stratigraphique.

**estrato** *m* **1.** *GEOL* strate *f* **2.** *(nube)* stratus **3.** *(social)* couche *f*.

**estratocúmulo** *m* strato-cumulus.

**estratosfera** *f* stratosphère.

**estratosférico, a** *a* stratosphérique.

**estraza** *f* **1.** chiffon *m* de toile grossière **2. papel ~** papier gris.

**estrechamente** *adv* **1.** étroitement: **~ unidos** étroilement unis **2.** *(con estrechez económica)* petitement, chichement.

**estrechamiento** *m* **1.** rétrécissement **2.** *FIG (de las relaciones, etc.)* resserrement.

**estrechar** *vt* **1.** rétrécir **2. ~ entre los brazos** serrer dans ses bras, étreindre; **~ la mano** serrer la main **3.** *FIG (una relación, amistad)* resserrer **4.** *FIG* presser, contraindre, forcer, pousser: **~ a alguien a confesar** forcer quelqu'un à avouer. ◆ **~se** *vpr* **1.** *(hacerse más estrecho)* se resserrer **2.** *(apretarse)* se serrer **3.** *(reducir los gastos)* se restreindre.

**estrechez** *f* **1.** étroitesse **2.** *FIG (apuro)* gêne, embarras *m*: **pasar estrecheces** être dans la gêne, avoir des ennuis d'argent, tirer le diable par la queue.

**estrecho, a** *a* **1.** étroit, e: **una calle estrecha** une rue étroite; **esta falda me va estrecha** cette jupe est trop étroite **2.** *FIG (amistad, relación)* étroit, e ◊ **~ colaborador de** proche collaborateur de **3.** *FIG* strict, e. ◇ *m* détroit: **el ~ de Gibraltrar** le détroit de Gibraltar.

**estrechura** *f* **1.** passage *m* étroit **2.** *FIG (aprieto)* gêne.

**estregadura** *f*, **estregamiento** *m* frottement *m*.

**estregar*** *vt* frotter. ◆ **~se** *vpr* se frotter.

**estregón** *m* frottement vigoureux.

**estrella** *f* **1.** étoile: **~ fugaz** étoile filante ◊ *FIG* **nacer con buena ~** naître sous une bonne étoile; **ver las estrellas** en voir trente-six chandelles **2.** *FIG (celebridad)* étoile, star **3. ~ de mar** étoile de mer **4.** *PROV* **unos nacen con ~ y otros estrellados** la chance ne sourit pas à tout le monde.

**estrellado, a** *a* **1.** *(cielo, etc.)* étoilé, e **2. huevo ~** œuf sur le plat.

**estrellamar** *f* étoile de mer.

**¹estrellar** *a* stellaire.

**²estrellar** *vt* **1.** *(el cielo)* étoiler, consteller **2.** *(arrojar)* jeter violemment, écraser, briser, mettre en morceaux **3.** *(un huevo)* faire cuire sur le plat. ◆ **~se** *vpr* **1.** s'écraser: **el coche se estrelló contra un árbol** la voiture s'est écrasée contre un arbre **2.** *(fracasar)* échouer.

**estrellato** *m* vedettariat.

**estremecedor, a** *a FIG* impressionnant, e, qui fait frémir.

**estremecer*** *vt* **1.** faire trembler, ébranler: **el golpe estremeció la casa** le coup fit trembler la maison **2.** *FIG* faire frémir, faire tressaillir. ◆ **~se** *vpr* trembler, frémir, tressaillir: **se estremeció al verla** il frémit en la voyant.

**estremecimiento** *m* **1.** tremblement **2.** *FIG* frémissement, tressaillement.

**estrena** *f* étrenne, cadeau *m.*

**estrenar** *vt* **1.** *(hacer uso por primera vez)* étrenner: **~ un coche** étrenner une voiture; **piso a ~** appartement neuf, encore jamais occupé **2.** *(una comedia)* représenter pour la première fois, *(una película)* projeter pour la première fois, en exclusivité. ◆ **~se** *vpr (en un papel, un empleo)* débuter.

**estreno** *m* **1.** *(primer uso)* étrenne *f,* premier usage **2.** début **3.** *(primera representación)* première *f* **4.** *(de una película)* sortie *f:* **el día del ~ del filme** le jour de la sortie du film.

**estreñido, a** *a* constipé, e.

**estreñimiento** *m* constipation *f:* **laxante contra el ~** laxatif contre la constipation.

**estreñir*** *vt* constiper.

**estrépito** *m* **1.** fracas **2.** *FIG* éclat.

**estrepitosamente** *adv* bruyamment, avec fracas.

**estrepitoso, a** *a* **1.** très bruyant, e **2.** *FIG* retentissant, e: **un fracaso ~** un échec retentissant.

**estreptococo** *m* streptocoque.

**estreptomicina** *f* streptomycine.

**estrés** *m* stress.

**estresante** *a* stressant, e.

**estresar** *vt* stresser: **los jóvenes van estresados** les jeunes sont stressés.

**estría** *f* strie, cannelure. ◇ *pl (en la piel)* vergetures.

**estriado, a** *a* strié, e.

**estriar** *vt* **1.** strier, canneler **2.** rayer.

**estribación** *f (de montañas)* contrefort *m.*

**estribar** *vi* **1. ~ en** s'appuyer sur, reposer sur: **la diferencia estriba en que...** la différence repose sur le fait que... **2.** résider: **en eso estriba la dificultad** en cela réside la difficulté.

**estribera** *f* **1.** étrier *m* **2.** *AMER (ación)* étrivière.

**estribillo** *m* **1.** refrain **2.** *FIG* rengaine *f.*

**estribo** *m* **1.** étrier ◊ **perder los estribos** vider les étriers; *FIG (disparatar)* perdre la tête, perdre les pédales, dérailler **2.** *(de un coche)* marchepied **3.** *ARQ, GEOG* contrefort **4.** *(de un puente, una bóveda)* culée *f,* butée *f* **5.** *ANAT (del oído)* étrier **6.** *FIG* appui, fondement.

**estribor** *m MAR* tribord: **a ~** à tribord.

**estricnina** *f* strychnine.

**estrictamente** *adv* **1.** strictement **2. lo ~ necesario** le strict nécessaire **3. ~ hablando** au sens strict, à strictement parler.

**estrictez** *f AMER* rigueur.

**estricto, a** *a* **1.** strict, e **2. en el ~ sentido de la palabra** au sens strict.

**estridencia** *f* stridence.

**estridente** *a* strident, e.

**estridulación** *f* stridulation.

**estridular** *vi* striduler.

**estrilar** *vi AMER* enrager, rager.

**estrilo** *m AMER* colère *f,* rogne *f.*

**estro** *m* **1.** inspiration *f* **2.** *(período de celo)* œstrus.

**estrobo** *m MAR* estrope *f,* erse *f.*

**estrofa** *f* strophe.

**estrógeno** *m* œstrogène.

**estroncio** *m QUÍM* strontium.

**estropajo** *m* **1.** *(de esparto)* lavette *f* **2.** *(metálico)* éponge *f* métallique, tampon à récurer **3.** *FIG (desecho)* rebut; *(persona)* paumé.

**estropajoso, a** *a* **1.** *(carne)* filandreux, euse, difficile à mâcher **2.** *FAM (que pronuncia mal)* bafouilleur, euse: **hablar con lengua estropajosa** parler en bafouillant **3.** *(andrajoso)* déguenillé, e.

**estropear** *vt* **1.** abîmer: **el granizo ha estropeado las cosechas** la grêle a abîmé les récoltes **2.** *(un aparato, etc.)* détraquer **3.** *(un asunto)* gâcher **4.** *(un proyecto, etc.)* faire échouer. ◆ **~se** *vpr* **1.** s'abîmer: **estropearse la vista** s'abîmer les yeux **2.** *(dejar de funcionar)* se détraquer.

**estropicio** *m* **1.** *(ruido)* bruit de casse **2.** *(destrozo)* dégât, casse *f.*

**estructura** *f* structure.

**estructuración** *f* structuration.

**estructural** *a* **1.** structural, e **2.** *ECON* structurel, elle: **reformas estructurales** réformes structurelles.

**estructuralismo** *m* structuralisme.

**estructuralista** *a/s* structuraliste.

**estructurar** *vt* structurer.

**estruendo** *m* **1.** *(ruido)* fracas, vacarme **2.** *(confusión)* tumulte.

**estruendosamente** *adv* bruyamment, avec fracas.

**estruendoso, a** *a* bruyant, e.

**estrujamiento** *m* pressage.

**estrujar** *vt* **1.** *(un limón, una naranja)* presser **2.** *(el pie)* écraser **3.** *(un papel, etc.)* chiffonner, froisser: **estrujo la carta** il froissa la lettre **4.** *FIG (explotar)* pressurer. ◆ **~se** *vpr FIG* **estrujarse el cerebro** se creuser la cervelle.

**estrujón** *m* pressage ◊ **dar un ~** presser.

**Estuardo** *np* Stuart.

**estuario** *m* estuaire.

**estucado** *m* stucage.

**estucador** → **estuquista.**

**estucar** *vt* stuquer.

**estuche** *m* **1.** *(para gafas, etc.)* étui **2.** *(para joyas, cubiertos, etc.)* coffret, écrin **3.** *(de compases, etc.)* boîte *f* **4.** *(de cirujano, manicura, etc.)* trousse *f* **5. ~ de aseo** nécessaire de toilette **6.** *FAM* **ser un ~** savoir tout faire.

**estuco** *m* stuc.

**estudiantado** *m* étudiants *pl:* **es muy popular entre el ~** il est très populaire parmi les étudiants.

**estudiante** *s* étudiant, e: **~ de derecho** étudiant en droit.

**estudiantil** *a* d'étudiant, estudiantin, e, étudiant, e: **vida ~** vie étudiante; **manifestaciones estudiantiles** manifestations étudiantes.

**estudiantina** *f* groupe *m* d'étudiants, vêtus à l'ancienne, qui parcourent les rues en jouant de divers instruments et en chantant.

**estudiar** *vt/i* **1.** étudier: **~ latin, proyecto** étudier le latin, un projet **2. ~ medicina, para médico** faire sa médecine, faire ses études de médecine; **estudia derecho** elle fait son droit; **estudia la carrera de comercio** il fait des études de commerce **3.** travailler: **estudia mucho** il travaille beaucoup.

**estudio** *m* **1.** étude *f*: **este proyecto está en ~** ce projet est à l'étude; **un ~ de Chopin** une étude de Chopin **2.** *(de pintor, escultor)* atelier, studio **3.** *(radiofónico, de televisión, etc.)* studio. ◇ *pl* études *f*: **cursar estudios** faire des études; **dar estudios a** faire faire des études à; **no tiene estudios** il n'a pas fait d'études.

**estudioso, a** *a* studieux, euse. ◇ *s* spécialiste.

**estufa** *f* **1.** *(para la calefacción)* poêle *m*: **una ~ de leña, de carbón** un poêle à bois, à charbon **2.** *(para desinfectar, para baños de vapor)* étuve **3.** *(para las plantas)* serre **4.** *AMER (cocina)* cuisinière: **~ eléctrica** cuisinière électrique.

**estufilla** *f* chaufferette.

**estufista** *m* fumiste.

**estulticia** *f* sottise, niaiserie.

**estulto, a** *a* sot, sotte, niais, e.

**estupefacción** *f* stupéfaction.

**estupefaciente** *a/m* stupéfiant, e: **la brigada de estupefacientes** la brigade des stups.

**estupefacto, a** *a* stupéfait, e.

**estupendamente** *adv* merveilleusement bien, admirablement, épatamment.

**estupendo, a** *a* formidable, épatant, e: **unas vacaciones estupendas** des vacances épatantes.

**estupidez** *f* stupidité.

**estúpido, a** *a* stupide.

**estupor** *m* stupeur *f*.

**estupro** *m* stupre.

**estuquista** *m* stucateur.

**esturión** *m* esturgeon.

**estuve, estuviste,** etc. → **estar.**

**esvástica** *f* svastika *m*, croix gammée.

**esviaje** *m ARQ* biais.

**etano** *m QUÍM* éthane.

**etapa** *f* étape ◊ *FIG* **quemar etapas** brûler les étapes.

**etarra** *a/s* de l'ETA (organisation basque révolutionnaire).

**etcétera** *loc adv* et cætera ◊ *FAM* **y un largo ~** et bien d'autres, et j'en passe.

**éter** *m* **1.** *QUÍM* éther **2.** *(fluido, espacio)* éther.

**etéreo, a** *a* éthéré, e.

**eternal** *a LIT* éternel, elle.

**eternamente** *adv* éternellement.

**eternidad** *f* **1.** éternité **2.** *FIG* **una ~** une éternité; **llevo una ~ esperando...** ça fait une éternité que j'attends...

**eternizar** *vt* éterniser. ◆ **~se** *vpr* s'éterniser.

**eterno, a** *a* éternel, elle: **la vida eterna** la vie éternelle; **el Padre ~** le Père éternel; **amor ~** amour éternel. ◇ *m* **el Eterno** l'Éternel.

**eteromanía** *f* éthéromanie.

**eterómano, a** *s* éthéromane.

**ética** *f* éthique.

**ético, a** *a* éthique. ◇ *m* moraliste.

**etileno** *m QUÍM* éthylène.

**etílico, a** *a* éthylique: **alcohol ~** alcool éthylique.

**etilismo** *m* éthylisme.

**etimología** *f* étymologie.

**etimológicamente** *adv* étymologiquement.

**etimológico, a** *a* étymologique.

**etimólogo, a** *s* étymologiste.

**etiología** *f* étiologie.

**etíope** *a/s* éthiopien, enne.

**Etiopía** *np f* Éthiopie.

**etiqueta** *f* **1.** *(rótulo)* étiquette **2.** *FIG (ceremonial)* étiquette ◊ **traje de ~** tenue de soirée **se ruega ~** tenue de soirée de rigueur.

**etiquetado** *m* étiquetage.

**etiquetar** *vt* étiqueter.

**etiquetero, a** *a* cérémonieux, euse.

**etnia** *f* ethnie.

**étnico, a** *a* ethnique.

**etnografía** *f* ethnographie.

**etnográfico, a** *a* ethnographique.

**etnógrafo, a** *s* ethnographe.

**etnolingüística** *f* ethnolinguistique.

**etnología** *f* ethnologie.

**etnológico, a** *a* ethnologique.

**etnólogo, a** *s* ethnologue.

**etología** *f* éthologie.

**etológico, a** *a* éthologique.

**Etruria** *np f* Étrurie.

**etrusco, a** *a/s* étrusque.

**eucalipto** *m* eucalyptus.

**eucaristía** *f* eucharistie.

**eucarístico, a** *a* eucharistique.

**Euclides** *np m* Euclide.

**euclidiano, a** *a* euclidien, enne.

**eufemismo** *m* euphémisme.

**eufemístico, a** *a* euphémistique.

**eufonía** *f* euphonie.

**euforbiáceas** *f pl BOT* euphorbiacées.

**euforbio** *m* euphorbe *f*.

**euforia** *f* euphorie.

**eufórico, a** *a* euphorique.

**Éufrates, a** *a* Euphrate.

**eugenesia** *f* eugénique, eugénisme *m*.

**Eugenio, a** *np* Eugène, Eugénie.

**Eulalia** *np f* Eulalie.

**eunuco** *m* eunuque.

**Eurasia** *np f* Eurasie.

**eurasiático, a** *a/s* eurasien, enne.

**¡eureka!** *interj* eurêka!

**Eurídice** *np f* Euridice.

**Eurípides** *np m* Euripide.

**eurodiputado, a** *s* député *m* européen.

**eurodivisa** *f* eurodevise.

**eurodólar** *m* eurodollar.

**euroescéptico, a** *a/s* eurosceptique.

**euromercado** *m* euromarché.

**euromisil** *m* euromissile.

**Europa** *np f* Europe: **~ central** l'Europe centrale.

**europeísmo** *m* européanisme.

**europeísta** *a* européen, enne. ◇ *s* partisan de l'Europe unie.

**europeización** *f* européanisation.

**europeizar** *vt* européaniser.

**europeo, a** *a/s* européen, enne.

**eurovisión** *f* eurovision.

**éuscaro, a** *a/s* basque.

**Eusebio** *np m* Eusèbe.

**Eustaquio** *np m* **1.** Eustache **2.** *ANAT* **trompa de ~** trompe d'Eustache.

**eutanasia** *f* euthanasie.

**eutrofización** *f (ecología)* eutrophisation.

**Eva** *np f* Eve.

**evacuación** *f* évacuation.

**evacuar** *vt* **1.** évacuer: **~ la sala, a los habitantes** évacuer la salle, les habitants **2. ~ el vientre** aller à la selle **3.** *(un trámite)* effectuer, mener à bonne fin; *(un asunto)* régler.

**evadir** *vt* éviter, éluder: **~ una dificultad** éluder une difficulté; **evadió la respuesta** il se garda de répondre, il éluda la question. ◆ **~se** *vpr (escaparse)* s'évader.

**evaluación** *f* **1.** évaluation **2.** *(escolar)* **~ continua** contrôle *m* continu.

**evaluar** *vt* évaluer: **~ en cien mil pesos** évaluer à cent mille pesos.

**evanescente** *a* evanescent, e.

**evangeliario** *m* évangéliaire.

**evangélico, a** *a* évangélique.

**evangelio** *m* évangile: **Evangelio según san Lucas** Évangile selon saint Luc.

**evangelista** *m* évangéliste.

**evangelización** *f* évangélisation.

**evangelizador, a** *a/s* évangélisateur, trice.

**evangelizar** *vt* évangéliser.

**evaporación** *f* évaporation.

**evaporar** *vt* **1.** faire s'évaporer **2.** *FIG* dissiper. ◆ **~se** *vpr* s'évaporer, disparaître.

**evasión** *f* évasion.

**evasiva** *f* échappatoire, réponse évasive.

**evasivamente** *adv* évasivement.

**evasivo, a** *a* évasif, ive: **una respuesta evasiva** une réponse évasive.

**evento** *m* **1.** *(suceso)* événement **2. a todo ~** à tout hasard **3.** manifestation *f* **4** réunion *f*.
▶ Mot courant en Amérique latine.

**eventual** *a* éventuel, elle.

**eventualidad** *f* éventualité.

**eventualmente** *adv* éventuellement.

**evicción** *f JUR* éviction.

**evidencia** *f* évidence: **poner en ~** mettre en évidence; **rendirse ante la ~, asumir la ~** se rendre à l'évidence.

**evidenciar** *vt* mettre en évidence, faire ressortir.

**evidente** *a* évident, e: **es ~ que...** il est évident que...

**evidentemente** *adv* évidemment.

**evitable** *a* évitable.

**evitación** *f* **en ~ de** pour éviter de.

**evitar** *vt* **1.** éviter: **~ un accidente** éviter un accident **2.** éviter de: **evita hablar conmigo** il évite de me parler. ◆ **~se** *vpr* s'éviter.

**evocación** *f* évocation.

**evocador, a** *a* évocateur, trice.

**evocar** *vt* évoquer.

**evolución** *f* évolution.

**evolucionar** *vi* évoluer.

**evolucionismo** *m* évolutionnisme.

**evolucionista** *a* évolutionniste.

**evolutivo, a** *a* évolutif, ive.

**ex** *prefijo* ex, ancien, enne: **~ director** ancien directeur, ex-directeur; **~ combatiente** ancien combattant; **~ alumno** ancien élève; **~ URSS** ex-U.R.S.S.
▶ Obsérvese el guión, en francés, entre *ex* y el nombre.

**exabrupto** *m* invective *f*, sortie *f*, algarade *f*.

**ex abrupto** *adv* ex abrupto.

**ex aequo** *loc adv* ex aequo.

**exacción** *f* exaction.

**exacerbación** *f* exacerbation.

**exacerbar** *vt* **1.** *(agravar)* exacerber **2.** *(irritar)* irriter.

**exactamente** *adv* exactement.

**exactitud** *f* exactitude.

**exacto, a** *a* exact, e: **la hora exacta** l'heure exacte; **ciencias exactas** sciences exactes ◊ **dos metros exactos** deux mètres juste.

**exageración** *f* exagération.

**exageradamente** *adv* exagérément.

**exagerado, a** *a* **1.** exagéré, e **2.** excessif, ive: **precio ~** prix excessif **3. ¡no seas ~!** n'exagère pas!, tu exagères!

**exagerar** *vt/i* exagérer: **Gerardo siempre exagera cuando habla** Gérard exagère toujours quand il parle; **no hay que ~** il ne faut rien exagérer.

**exaltación** *f* **1.** élévation, accession: **su ~ al trono** son accession au trône **2.** *(entusiasmo)* exaltation.

**exaltado, a** *a/s* exalté, e.

**exaltamiento → exaltación.**

**exaltar** *vt* **1.** *(a mayor dignidad)* élever **2.** *(realzar el mérito)* exalter. ◆ **~se** *vpr* s'exalter, s'emporter, s'exciter.

**examen** *m* **1.** examen: **sufrir un ~** passer un examen; **ha aprobado todos los exámenes** il a été reçu a tous les examens **2. ~ de conciencia** examen de conscience.

**examinador, a** *s* examinateur, trice.

**examinando, da** *s* candidat, e (à un examen).

**examinar** *vt* **1.** examiner **2.** *(a un candidato)* faire passer un examen à, interroger. ◆ **~se** *vpr* passer un examen, se présenter à un examen: **se examinó de derecho civil hace poco** il a passé son examen de droit civil récemment.

**exangüe** *a* **1.** *(desangrado)* exsangue **2.** *FIG* épuisé, e, exténué, e.

**exánime** *a* **1.** inanimé, e **2.** *FIG* très faible, sans force, exténué, e.

**exantema** *m MED* exanthème.

**exarca** *m* exarque.

**exasperación** *f* exaspération.

**exasperante** *a* exaspérant, e.

**exasperar** *vt* exaspérer. ◆ **~se** *vpr* s'irriter.

**excarcelación** *f* mise en liberté, élargissement *m*.

**excarcelar** *vt (a un preso)* mettre en liberté, élargir.

**excavación** *f* **1.** excavation **2.** *(arqueológica)* fouille.

**excavadora** *f* excavatrice, pelleteuse.

**excavar** *vt* creuser.

**excedencia** *f* **1.** congé *m* temporaire d'un fonctionnaire pour convenance personnelle: **~ por maternidad** congé de maternité **2.** mise en disponibilité: **pedir la ~** demander sa mise en disponibilité.

**excedente** *a* **1.** excédentaire **2.** *(funcionario)* en congé temporaire, en disponibilité. ◇ *m* excédent: **los excedentes agrícolas** les excédents agricoles.

**exceder** *vt* **1.** dépasser: **el número de parados excede de dos millones** le nombre des chômeurs dépasse deux millions; **~ de diez líneas** dépasser dix lignes **2.** surpasser: **excede a su hermana en belleza** elle surpasse sa sœur en beauté. ◆ **~se** *vpr* **1.** dépasser les bornes, exagérer, aller trop loin: **te excedes** tu dépasses les bornes, tu exagères; **creo que me he excedido en la amabilidad** je crois que j'ai été trop aimable **2. excederse a sí mismo** se surpasser.

**excelencia** *f* **1.** excellence **2. por ~** par excellence **3. su ~** votre excellence.

**excelente** *a* excellent, e.

**excelentísimo, a** *a* excellentissime.

**excelsitud** *f* excellence, éminence, élévation.

**excelso, a** *a* éminent, e. ◇ *np* **el Excelso** le Très-Haut.

**excentricidad** *f* excentricité.

**excéntrico, a** *a* excentrique. ◇ *f* TECN excentrique *m*.

**excepción** *f* **1.** exception: **salvo contadas excepciones** à de rares exceptions près; **la ~ confirma la regla** l'exception confirme la règle; **~ hecha de...** exception faite de... **2.** *loc prep* **a ~ de, con ~ de** à l'exception de.

**excepcional** *a* exceptionnel, elle.

**excepcionalmente** *adv* exceptionnellement.

**excepto** *adv* excepté, sauf: **todos ~ él** tous sauf lui.

**exceptuar** *vt* **1.** *(excluir)* excepter, exclure **2.** *(eximir)* exempter.

**excesivamente** *adv* excessivement.

**excesivo, a** *a* excessif, ive.

**exceso** *m* **1.** excès: **~ de velocidad** excès de vitesse **2.** *loc adv* **con ~, en ~** à l'excès, exagérément, trop, outre-mesure: **comer en ~ es malo** manger exagérément est mauvais. ◇ *pl* excès: **cometer excesos** commettre des excès.

**excipiente** *m* excipient.

**excisión** *f* MED excision.

**excitabilidad** *f* excitabilité.

**excitable** *a* excitable.

**excitación** *f* excitation.

**excitador, a** *a/m* excitateur, trice.

**excitante** *a/m* excitant, e.

**excitar** *vt* exciter. ◆ **~se** *vpr* s'exciter: **no te excites** ne t'excite pas.

**exclamación** *f* **1.** exclamation **2.** *(signo)* point *m* d'exclamation.

**exclamar** *vi* s'exclamer, s'écrier.

**exclamativo, a, exclamatorio, a** *a* exclamatif, ive.

**exclaustrado, a** *s* religieux sécularisé, religieuse sécularisée.

**exclaustrar** *vt (un religioso)* séculariser.

**excluir*** *vt* exclure: **lo han excluido del partido** on l'a exclu du parti; **su intransigencia excluye toda posibilidad de arreglo** son intransigeance exclut toute possibilité d'arrangement.

**exclusión** *f* exclusion: **con ~ de** à l'exclusion de.

**exclusiva** *f* **1.** exclusivité: **artículo en ~** article en exclusivité **2.** *(noticia)* scoop *m*.

**exclusive** *adv* **1.** exclusivement **2.** non compris: **hasta el cinco de abril ~** jusqu'au cinq avril non compris.

**exclusivismo** *m* exclusivisme.

**exclusivista** *a/s* exclusiviste.

**exclusivo, a** *a* **1.** exclusif, ive **2.** unique.

**excluye, excluyendo → excluir.**

**excomulgado, a** *a/s* excommunié, e.

**excomulgar** *vt* excommunier.

**excomunión** *f* excommunication.

**excoriación** *f* excoriation.

**excoriar** *vt* excorier, écorcher. ◆ **~se** *vpr* s'excorier, s'écorcher.

**excrecencia** *f* excroissance.

**excreción** *f* excrétion.

**excrementicio, a** *a* excrémentiel, elle.

**excremento** *m* excrément.

**excrescencia** *f* excroissance.

**excretar** *vi/t* excréter.

**excretor, a** *a* excréteur, trice: **conducto ~** canal excréteur.

**exculpación** *f* disculpation.

**exculpar** *vt* disculper.

**excursión** *f* excursión: **ir de ~, hacer una ~** faire une excursion.

**excursionista** *s* excursionniste.

**excusa** *f* excuse: **presentar sus excusas** présenter ses excuses.

**excusable** *a* excusable.

**excusado, a** *a* **1.** inutile, superflu, e: **~ es decir** inutile de dire **2.** *(reservado)* reservé, e, privé, e **3. puerta excusada** porte dérobée. ◇ *m (retrete)* cabinets *pl*.

**excusar** *vt* **1.** *(disculpar)* excuser **2.** *(evitar)* éviter **3.** pouvoir se dispenser de. ◆ **~se** *vpr* **1.** *(disculparse)* s'excuser **2.** *(eludir)* se dispenser.

**execrable** *a* exécrable.

**execración** *f* exécration.

**execrar** *vt* exécrer.

**exégesis** *f* exégèse.

**exegeta** *m* exégète.

**exención** *f* **1.** exemption **2.** *(de impuestos)* exonération.

**exentar → eximir.**

**exento, a** *a* exempt, e, libre, à l'abri de: **~ de impuestos** exempt d'impôts; **vida exenta de preocupaciones** vie exempte de soucis; **nadie está ~ de un problema de salud** personne n'est à l'abri d'un problème de santé.

**exequias** *f pl* obsèques.

**exergo** *m* exergue.

**exfoliación** *f* exfoliation.

**exfoliar** *vt* exfolier.

**exhalación** *f* **1.** *(acción)* exhalation **2.** *(vapor, gas, etc.)* exhalaison **3.** étoile filante **4.** *(rayo)* éclair *m*: **como una ~** comme un éclair, avec la rapidité de l'éclair.

**exhalar** *vt* **1.** *(un olor)* exhaler **2.** exhaler, pousser: **exhaló un largo suspiro** il poussa un long soupir. ◆ **~se** *vpr* **1.** s'exhaler **2.** *(correr)* filer.

**exhaustivo, a** *a* exhaustif, ive.

**exhausto, a** *a* épuisé, e.

**exhibición** *f* **1.** exhibition **2.** *(de modelos, etc.)* présentation: **~ de moda** présentation de mode **3.** *(exposición)* exposition **4.** *(de una película)* projection.

**exhibicionismo** *m* exhibitionnisme.

**exhibicionista** *a/s* exhibitionniste.

**exhibir** *vt* **1.** *(un documento)* exhiber, présenter, montrer: **~ el carnet de identidad** présenter sa carte d'identité **2.** *(al público, modelos, etc.)* présenter: **~ una nueva colección de zapatos, una nueva película** présenter une nouvelle collection de chaussures, un nouveau film **3.** *(en un escaparate, cuadros, etc.)* exposer **4.** *(una película)* passer, projeter. ◆ **~se** *vpr* s'exhiber, se faire voir, se montrer: **le gusta exhibirse en bikini** elle aime s'exhiber en bikini.

**exhortación** *f* exhortation.

**exhortar** *vt* exhorter.

**exhorto** *m* JUR commission *f* rogatoire.

**exhumación** *f* exhumation.

**exhumar** *vt* exhumer.

**exigencia** *f* exigence.

**exigente** *a/s* exigeant, e: **no seas ~** ne sois pas exigeant.

**exigible** *a* exigible.

**exigir** *vt* **1.** exiger: **te exijo que me respondas** j'exige que tu me répondes, j'exige de toi une réponse; **te lo exijo** je l'exige (de toi) **2.** réclamer: **nos exigió dinero** il nous réclama de l'argent; **exijimos silencio** nous réclamons le silence **3.** *(requerir)* exiger, demander: **esto exige paciencia** ceci exige de la patience; **van a exigirle cuentas** on va lui demander des comptes.

**exigüidad** *f* exiguïté.

**exiguo, a** *a* **1.** exigu, uë **2.** insuffisant, e.

**exilado, a, exiliado, a** *a/s* exilé, e.

**exilar, exiliar** *vt* exiler. ◆ **~se** *vpr* s'exiler.

**exilio** *m* exil: **vivir en el ~** vivre en exil; **salir al ~** s'exiler.

**eximente** *a* JUR atténuant, e: **circunstancia ~** circonstance atténuante.

**eximio, a** *a* illustre, insigne: **el ~ escritor** l'illustre écrivain.

**eximir** *vt* **1.** exempter, dispenser: **~ de impuestos** dispenser d'impôts **2.** *(de un compromiso, responsabilidades, etc.)* décharger. ◆ **~se** *vpr* **1.** se libérer **2. se eximió del servicio militar** il a été dispensé du service militaire **3. no me eximo de culpa** je ne me disculpe pas.

**existencia** *f* existence. ◇ *pl (mercancías)* stock *m sing*, stocks *m*: **las existencias** le stock.

**existencial** *a* existentiel, elle.

**existencialismo** *m* existentialisme.

**existencialista** *a/s* existentialiste.

**existente** *a* existant, e.

**existir** *vi* **1.** exister **2. ha dejado de ~** il est décédé, il est mort, il a cessé de vivre.

**exitazo** *m* FAM succès fou.

**éxito** *m* succès: **llevarse un gran ~** remporter un vif succès; **un autor de ~** un auteur à succès; **tener ~** avoir du succès; **tener ~ en la vida** réussir dans la vie; **esta moda no tuvo ~** cette mode n'a pas eu de succès.

**exitoso, a** *a* qui a du succès, apprécié, e: **fue un proyecto ~** c'est un projet qui a eu du succès; **una exitosa comedia teatral** une comédie à succès.

**exocrina** *a* **glándula ~** glande exocrine.

**éxodo** *m* exode.

**exoftalmía** *f* MED exophtalmie.

**exogamia** *f* exogamie.

**exogámico, a** *a* exogame.

**exógeno, a** *a* exogène.

**exoneración** *f* **1.** exonération **2.** destitution.

**exonerar** *vt* **1.** exonérer **2. ~ de vientre** aller à la selle **3.** destituer.

**exorar** *vt* prier, supplier.

**exorbitante** *a* exorbitant, e.

**exorcismo** *s* exorcisme.

**exorcista** *s* exorciste.

**exorcizar** *vt* exorciser.

**exordio** *m* exorde.

**exornar** *vt* orner, embellir.

**exótico, a** *a* exotique.

**exotismo** *m* exotisme.

**expandido, a** *a* TECN expansé, e.

**expandir** *vt (una noticia, etc.)* répandre. ◆ **~se** *vpr* répandre.

**expansibilidad** *f* expansibilité.

**expansible** *a* expansible.

**expansión** *f* **1.** *(de un gas, etc.)* expansion **2.** FIG *(de un afecto)* épanchement *m* **3.** *(en política, etc.)* expansion **4.** *(recreo)* délassement *m*, distraction.

**expansionarse** *vpr* **1. ~ con alguien** s'épancher auprès de, s'ouvrir à quelqu'un **2.** se détendre.

**expansionismo** *m* expansionnisme.

**expansionista** *a/s* expansionniste.

**expansivo, a** *a* **1.** FÍS expansif, ive **2.** FIG expansif, ive: **carácter ~** caractère expansif.

**expatriación** *f* expatriation.

**expatriar** *vt* expatrier. ◆ **~se** *vpr* s'expatrier.

**expectación** *f* **1.** attente **2.** curiosité **3. ambiente de gran ~** atmosphère fébrile; **comenzó el partido en medio de una gran ~** le match a commencé dans l'impatience générale.

**expectante** *a* **1.** *(actitud, etc.)* expectant, e **2.** dans l'attente: **estar ~ del resultado, por saber...** être dans l'attente du résultat, de savoir...

**expectativa** *f* **1.** expectative: **estar a la ~** être dans l'expectative ◊ **a la ~ de** dans l'attente de **2. ~ de vida** espérance de vie.

**expectoración** *f* expectoration.

**expectorante** *a/m* MED expectorant, e.

**expectorar** *vt* expectorer.

**expedición** *f* **1.** *(envío)* expédition **2.** expédition: **una ~ científica** une expédition scientifique **3.** promptitude, diligence.

**expedicionario, a** *a/s* expéditionnaire.

**expedidor, a** *s* expéditeur, trice.

**expedientar** *vt* JUR poursuivre, assigner en justice: **no se sabe si los agitadores serán expedientados** on ne sait pas si les agitateurs seront poursuivis en justice.

**expediente** *m* **1.** *(conjunto de documentos)* dossier ◊ **~ académico** dossier universitaire; **buen ~ académico** bon niveau d'études **2.** *(negocio)* affaire *f*: **instruir un ~** instruire une affaire **3.** *(investigación)* enquête *f* **4.** *(medio)* expédient **5.** FIG **cubrir el ~** sauver les apparences.

**expedienteo** *m* paperasserie *f*.

**expedir*** *vt* **1.** *(un negocio, etc.)* faire suivre son cours à **2.** *(una carta, etc.)* expédier, envoyer **3.** *(un documento)* délivrer: **~ un pasaporte** délivrer un passeport **4.** *(un cheque, etc.)* émettre.

**expeditivo, a** *a* expéditif, ive.

**expedito, a** *a* **1.** *(sin estorbos)* libre, dégagé, e: **el camino está ~** le chemin est libre; **dejar la vía expedita** laisser la voie libre; **al cabo de una hora quedó expedita la vía** au bout d'une heure la voie était libre **2.** prompt, e.

**expeler** *vt* **1.** *(una cosa)* rejeter, cracher: **la chimenea expele un humo apestoso** la cheminée crache une fumée pestilentielle **2.** *(a alguien)* expulser.

**expendedor, a** *s* **1.** débitant, e **2.** *(de tabaco)* buraliste **3.** *(de billetes de lotería)* vendeur, euse **4.** *(en un teatro)* caissier, ère **5.** celui qui écoule de la fausse monnaie. ◇ *m (máquina)* distributeur: **~ de tiques** distributeur de tickets.

**expendeduría** *f* bureau *m*, débit *m*: **~ de tabacos** bureau de tabac.

**expender** *vt* **1.** *(gastar)* dépenser **2.** *(al por menor)* débiter, vendre au détail **3.** *(falsa moneda)* écouler.

**expendición** *f* vente au détail.

**expendio** *m* AMER *(expendeduría)* débit.

**expensas** *f pl* **1.** dépenses, frais *m* **2.** *loc prep* **a ~ de** aux dépens de; **a nuestras ~** à nos dépens.

**experiencia** *f* expérience: **saber por ~** savoir par expérience; **tener ~** avoir de l'expérience.

**experimentación** *f* expérimentation.

**experimentado, a** *a* expérimenté, e.

**experimentador, a** *a/s* expérimentateur, trice.

**experimental** *a* expérimental, e: **método ~** méthode expérimentale; **física ~** physique expérimentale.

**experimentalmente** *adv* expérimentalement.

**experimentar** *vt* **1.** *(científicamente)* expérimenter **2.** éprouver par expérience **3.** *(sentir)* éprouver, ressentir: **~ una gran alegría** éprouver une grande joie; **~ una sensación de malestar** éprouver une sensation de malaise **4.** *(un cambio, etc.)* subir.

**experimento** *m* expérience *f*: **un ~ de química** une expérience de chimie; **a título de ~** à titre expérimental.

**experto, a** *a/s* expert, e.

**expiación** *f* expiation.

**expiar** *vt* expier: **~ una culpa** expier une faute.

**expiatorio, a** *a* expiatoire: **víctima expiatoria** victime expiatoire; **chivo ~ → chivo.**

**expiración** *f* expiration.

**expirante** *a* expirant, e.

**expirar** *vi* expirer.

**explanación** *f* **1.** aplanissement *m* **2.** FIG explication, éclaircissement *m*.

**explanada** *f* esplanade.

**explanar** *vt* **1.** *(un terreno)* aplanir, niveler **2.** FIG expliquer, éclaircir.

**explayar** *vt* étendre. ◆ **~se** *vpr* **1.** *(un paisaje)* s'étendre **2.** *(en un discurso, etc.)* s'étendre **3.** *(con alguien)* s'épancher auprès de, s'ouvrir à, se confier à **4.** *(recrearse)* se délasser, se détendre.

**expletivo, a** *a* GRAM explétif, ive.

**explicable** *a* explicable.

**explicación** *f* explication.

**explicaderas** *f pl* façons de s'expliquer.

**explicar** *vt* expliquer: **déjeme que le explique** laissez-moi vous expliquer. ◆ **~se** *vpr* s'expliquer: **no me explico cómo...** je ne m'explique pas comment...; **¡explíquese!** expliquez-vous!

**explicativo, a** *a* explicatif, ive.

**explícitamente** *adv* explicitement.

**explícito, a** *a* explicite ◊ **hacer ~** rendre explicite.

**exploración** *f* **1.** exploration **2.** MED exploration, examen *m*.

**explorador, a** *a/s* explorateur, trice. ◇ *m (muchacho)* éclaireur, scout.

**explorar** *vt* **1.** explorer **2.** MED examiner.

**exploratorio, a** *a* MED explorateur, trice.

**explosión** *f* explosion: **motor de ~** moteur à explosion; **hacer ~** faire explosion; FIG **una ~ de cólera** une explosion de colère.

**explosionar** *vi* exploser: **bomba que explosiona** bombe qui explose; **hacer ~** faire exploser. ◇ *vt* faire exploser.

**explosivo, a** *a/m* explosif, ive.

**explotación** *f* exploitation.

**explotador, a** *a/s* **1.** exploitant, e **2.** *(que explota abusivamente)* exploiteur, euse.

**explotar** *vt* **1.** *(una mina, etc.)* exploiter **2.** FIG **~ a los trabajadores** exploiter les travailleurs. ◇ *vi (hacer explosión)* exploser: **la bomba explotó** la bombe explosa.

**expoliación** *f* spoliation.

**expoliador, a** *a/s* spoliateur, trice.

**expoliar** *vt* spolier.

**expolio** *m (robo)* vol, spoliation *f*.

**exponencial** *a/f* MAT exponentiel, elle.

**exponente** *a/s* exposant, e. ◇ *m* **1.** MAT exposant **2.** *(ejemplo)* exemple, modèle, preuve *f*.

**exponer*** *vt* exposer: **este escultor no ha expuesto nunca sus obras** ce sculpteur n'a jamais exposé ses œuvres; **le expuse mis razones** je lui ai exposé mes raisons; **planta expuesta al sol** plante exposée au soleil; **~ su vida** exposer sa vie. ◆ **~se** *vpr* **1.** s'exposer **2. exponerse a que...** courir le risque que...

**exportable** *a* exportable.

**exportación** *f* exportation.

**exportador, a** *a/s* exportateur, trice.

**exportar** *vt* exporter.

**exposición** *f* **1.** *(de pinturas, etc.)* exposition: **~ universal** exposition universelle **2.** *(narración)* exposé *m*: **la ~ de los hechos** l'exposé des faits **3.** *(foto)* exposition, pose: **tiempo de ~** temps de pose.

**expósito, a** *a (niño)* trouvé, e. ◇ *s* enfant trouvé.

**expositor, a** *s* **1.** *(en una exposición o feria)* exposant, e **2.** commentateur, trice.

**exprés** *a/m (tren, café)* express.

**expresamente** *adv* **1.** expressément **2.** *(adrede)* exprès, à dessein.

**expresar** *vt* exprimer. ◆ **~se** *vpr* s'exprimer: **se expresa bien en francés** il s'exprime bien en français.

**expresión** *f* **1.** expression: **libertad de ~** liberté d'expression; **~ corporal** expression corporelle **2.** *(locución)* **una ~ corriente** une expression courante **3. reducir a la mínima ~** réduire à sa plus simple expression. ◇ *pl* **expresiones a...** mes amitiés à..., mon bon souvenir à...

**expresionismo** *m* expressionnisme.

**expresionista** *a/s* expressionniste.

**expresividad** *f* expressivité.

**expresivo, a** *a* expressif, ive.

**expreso, a** *a* **1.** *(no tácito)* exprimé, e **2.** exprès, esse. ◇ *m* **1.** *(tren)* express **2.** *(mensajero)* exprès.

**exprimidera** *f*, **exprimidor** *m* presse-fruits *m inv*, presse-citron *m inv*.

**exprimir** *vt* **1.** *(un limón, etc.)* presser: **naranja exprimida** orange pressée **2.** FIG pressurer. ◆ **~se** *vpr* FIG **exprimirse el seso** se triturer les méninges.

**expropiación** *f* expropriation.

**expropiar** *vt* exproprier.

**expuesto, a** *pp* de **exponer** ◊ **según lo ~** d'après ce qui a été exposé. ◇ *a (peligroso)* dangereux, euse.

**expugnación** *f* prise d'assaut.

**expugnar** *vt* prendre d'assaut.

**expulsar** *vt* **1.** *(a una persona)* expulser **2.** *(humo)* rejeter.

**expulsión** *f* expulsion.

**expulsor** *m* éjecteur.

**expurgar** *vt* expurger.

**expurgo** *m* expurgation *f*.

**expuse,** etc. → **exponer.**

**exquisitez** *f* délicatesse.

**exquisito, a** *a* **1.** exquis, e: **un plato ~** un plat exquis; **cortesía exquisita** politesse exquise **2. una prudencia exquisita** une prudence extrême; **con un cuidado ~** avec un soin extrême.

**extasiarse** *vpr* s'extasier.

**éxtasis** *m* extase *f*: **quedar en ~ ante...** être en extase devant...

**extático, a** *a* extatique.

**extemporáneamente** *adv* hors de propos.

**extemporáneo, a** *a* **1.** inhabituel, elle **2.** *(inoportuno)* hors de saison, hors de propos, intempestif, ive, inopportun, e.

**extender*** *vt* **1.** étendre **2.** *(desdoblar)* étendre, déplier, dérouler: **~ una alfombra** étendre un tapis **3.** *(pintura etc.)* étendre ◊ **queso para ~** fromage à tartiner **4.** *FIG (influencia, etc.)* étendre **5.** *(un documento)* rédiger, dresser, établir: **~ un certificado de defunción** rédiger un certificat de décès ◊ **~ un cheque** libeller, faire un chèque. ◆ **~se** *vpr* **1.** s'étendre: **la llanura se extiende hasta el horizonte** la plaine s'étend jusqu'à l'horizon; **su fama se extendía por todo el país** sa renommée s'étendait à tout le pays **2.** *FIG* se répandre, s'étendre, se propager: **la epidemia se extendió rápidamente** l'épidémie s'est rapidement étendue; **creencia muy extendida** croyance très répandue **3.** *(hablar dilatadamente)* s'étendre.

**extensamente** *adv* amplement, longuement.

**extensible** *a* extensible.

**extensión** *f* **1.** *(amplitud, duración)* étendue **2.** *(acción, propagación)* extension ◊ *lov adv* **por ~** par extension **3.** *(de un cheque)* établissement *m*.

**extensivo, a** *a* **1.** extensif, ive **2. ~ a** qui s'adresse également à; **atentos saludo extensivos a sus colaboradores** meilleurs sentiments à partager avec vos collaborateurs, ainsi qu'à vos collaborateurs.

**extenso, a** *a* **1.** *(amplio)* étendu, e, vaste **2.** *loc adv* **por ~** in extenso.

**extensor, a** *a/m* extenseur: **músculo ~** muscle extenseur.

**extenuación** *f* exténuation, épuisement *m*.

**extenuado, a** *a* exténué, e.

**extenuar** *vt* exténuer.

**exterior** *a/m* extérieur, e: **aspecto ~** aspect extérieur; **comercio ~** commerce extérieur ◊ **ministerio de Exteriores** ministère des Affaires étrangères. ◇ *pl (cine)* extérieurs. ◇ *np m pl* ministère des Affaires étrangères.

**exterioridad** *f* apparence, dehors *m*.

**exteriorización** *f* extériorisation.

**exteriorizar** *vt* extérioriser.

**exteriormente** *adv* extérieurement.

**exterminación** *f* extermination.

**exterminador, a** *a/s* exterminateur, trice: **ángel ~** ange exterminateur.

**exterminar** *vt* exterminer.

**exterminio** *m* extermination *f*.

**externado** *m* externat.

**externamente** *adv* extérieurement.

**externar** *vt AMER* exprimer, faire connaître: **~ su opinión** exprimer son avis.

**externo, a** *a* **1.** externe: **medicamento de uso ~** médicament à usage externe **2.** extérieur, e: **circunstancias externas** circonstances extérieures; **signos externos de riqueza** signes extérieurs de richesse. ◇ *a/s (alumno)* externe.

**extinción** *f* extinction.

**extinguible** *a* extinguible.

**extinguir** *vt* **1.** éteindre **2.** *FIG* éteindre. ◆ **~se** *vpr* s'éteindre: **el fuego se extinguió** le feu s'éteignit.

**extinto, a** *a* éteint, e. ◇ *s (difunto)* défunt, e.

**extintor** *a/m* extincteur.

**extirpación** *f* extirpation.

**extirpar** *vt* extirper.

**extorsión** *f* **1.** *(usurpación violenta)* extorsion **2.** *(molestia)* dérangement *m*: **causar ~** causer du dérangement.

**extorsionar** *vt* **1.** *(usurpar por fuerza)* extorquer **2.** déranger, porter préjudice à.

**extra** *a* **1.** extra *inv* **2. horas extras** heures supplémentaires. ◇ *m* **1.** *(plus)* gratification *f* **2.** *(gasto, comida especial)* extra **3.** *(comparsa)* figurant.

**extracción** *f* **1.** *(de una muela, de una raíz cuadrada)* extraction **2.** *(lotería)* tirage *m* **3.** *(origen)* extraction.

**extractar** *vt* résumer: **~ un discurso** résumer un discours.

**extractivo, a** *a* extractif, ive.

**extracto** *m* **1.** *(sustancia, resumen)* extrait **2.** *(de una cuenta)* relevé.

**extractor** *m* extracteur.

**extracurricular** *a* périscolaire, parascolaire.

**extradición** *f* extradition: **solicitud de ~** demande d'extradition.

**extraditar** *vt* extrader.

**extradós** *m ARQ* extrados.

**extraer*** *vt* **1.** *(sacar)* extraire **2.** *MAT* **~ una raíz cuadrada** extraire une racine carrée.

**extraescolar** *a* périscolaire, parascolaire.

**extrajudicial** *a JUR* extrajudiciaire.

**extralimitarse** *vpr* outrepasser ses droits, dépasser les bornes, aller trop loin: **se ha extralimitado, abusando de su autoridad** il a outrepassé ses droits en abusant de son autorité.

**extramatrimonial** *a* hors mariage: **relaciones sexuales extramatrimoniales** rapports sexuels hors mariage.

**extramuros** *adv* extra-muros.

**extranjería** *f* qualité d'étranger dans un pays.

**extranjerismo** *m* **1.** manie *f* d'imiter ce qui est d'un autre pays **2.** mot, tournure *f*, expression *f* étrangers à l'espagnol.

**extranjero, a** *a/s* étranger, ère. ◇ *m* étranger: **viajar por el ~** voyager à l'étranger.

**extranjis (de)** *loc FAM* en cachette.

**extrañamiento** *m* bannissement, exil.

**extrañar** *vt* **1.** *(desterrar)* bannir, exiler **2.** étonner, surprendre: **me extraña que digas eso** je suis étonné que, ça me surprend que tu dises cela; **le extrañó mi presencia** ma présence l'a surpris; **no me extraña en absoluto** ça ne m'étonne absolument pas ◊ **es de ~** c'est étonnant; **no era de ~** ce n'était pas étonnant **3.** **~ la cama** ne pas être habitué, e au lit **4.** *AMER (echar de menos)* regretter: **todos extrañaban su ausencia** tous regrettaient son absence ◊ **yo te extraño mucho** tu me manques beaucoup. ◆ **~se** *vpr* **1.** *(asombrarse)* s'étonner **2.** s'exiler, s'expatrier.

**extrañeza** *f* **1.** *(rareza)* étrangeté, bizarrerie **2.** *(asombro)* étonnement *m*, surprise.

**extraño, a** *a* **1.** *(raro)* étrange, bizarre, curieux, euse, drôle: **un ruido ~** un bruit bizarre, un drôle de bruit; **¿no le parece a usted ~?** ça ne vous paraît pas curieux?; **me resulta ~ ver...** ça me fait drôle de voir... ◊ **es ~ que...** c'est étonnant que... **2.** étranger, ère: **cuerpo ~** corps étranger. ◇ *a/s* **1.** *(persona)* étranger, ère: **me encontraba ~ en mi propio país** je me sentais étranger dans mon propre pays **2.** **ser ~ a** être étranger à. ◇ *m (de una caballería)* écart.

**extraoficial** *a* officieux, euse.

**extraoficialmente** *adv* officieusement.

**extraordinariamente** *adv* extraordinairement.

**extraordinario, a** *a* **1.** extraordinaire **2.** **horas extraordinarias** heures supplémentaires; **paga extraordinaria** gratification, prime. ◇ *m* **1.** courrier exprès **2.** *(plato)* extra **3.** *(periódico)* numéro spécial.

**extraplano, a** *a* extraplat, e.

**extrapolación** *f* extrapolation.

**extrapolar** *vt* extrapoler.

**extrarradio** *m* banlieue *f*, périphérie *f*.

**extraterrestre** *a/s* extraterrestre.

**extraterritorialidad** *f* extraterritorialité.

**extrauterino, a** *a MED* extra-utérin, e.

**extravagancia** *f* extravagance.

**extravagante** *a* extravagant, e.

**extravasarse** *vpr* s'extravaser.

**extraversión** *f* extraversion.

**extravertido, a** *a/s* extraverti, e.

**extraviado, a** *a* **1.** égaré, e, perdu, e: **perro ~** chien perdu **2.** *(lugar)* isolé, e **3.** *(ojos)* hagard, e, égaré, e, effaré, e: **una mirada extraviada** un regard effaré.

**extraviar** *vt* égarer, perdre: **he extraviado mi llave** j'ai égaré ma clé. ◆ **~se** *vpr* **1.** s'égarer, se perdre **2.** *FIG (pervertirse)* se fourvoyer, sortir du droit chemin.

**extravío** *m* égarement.

**extremadamente** *adv* extrêmement.

**extremado, a** *a* extrême, excessif, ive, exagéré, e.

**Extremadura** *np f* Estrémadure.

**extremar** *vt* pousser à l'extrême, redoubler de: **~ su celo** pousser son zèle à l'extrême; **~ su amabilidad** redoubler d'amabilité; **~ su atención** redoubler d'attention; **~ su vigilancia** redoubler de vigilance; **~ las precauciones** prendre encore plus de précautions. ◆ **~se** *vpr* se surpasser, faire tout son possible.

**extremaunción** *f* extrême-onction.

**extremeño, a** *a/s* d'Estrémadure.

**extremidad** *f* extrémité. ◇ *pl (manos y pies)* extrémités.

**extremismo** *m* extrémisme.

**extremista** *a/s* extrémiste.

**extremo, a** *a* extrême: **la extrema derecha** l'extrême droite; **de una amabilidad extrema** d'une extrême amabilité; **Extremo Oriente** Extrême-Orient. ◇ *m* **1.** extrémité *f*, bout: **en el ~ del ala** à l'extrémité de l'aile; **en el ~ de la calle** au bout de la rue **2.** extrême: **los extremos se tocan** les extrêmes se touchent; **pasar de un ~ a otro** passer d'un extrême à l'autre **3.** *FIG (de una cuestión, de un tema)* point, sujet **4.** *(en fútbol)* ailier **5.** *loc adv* **de ~ a ~** d'un bout à l'autre; **en último ~** en dernier recours, en désespoir de cause; **en ~, con ~, por ~** à l'extrême, extrêmement. ◇ *pl* manifestations *f* exagérées (d'un sentiment).

**extremoso, a** *a* excessif, ive.

**extrínseco, a** *a* extrinsèque.

**extroversión** *f* extraversion.

**extrovertido, a** *a/s* extraverti, e, extroverti, e.

**extrusión** *f* extrusion.

**exuberancia** *f* exubérance.

**exuberante** *a* exubérant, e.

**exudación** *f MED* exsudation.

**exudado** *m MED* exsudat.

**exudar** *vt/i* exsuder.

**exulceración** *f MED* ulcération superficielle.

**exultación** *f* exultation.

**exultar** *vi* exulter.

**exvoto** *m* ex-voto *inv*.

**eyaculación** *f* éjaculation: **~ precoz** éjaculation précoce.

**eyacular** *vt/i* éjaculer.

**eyección** *f* éjection.

**eyectable** *a* **asiento ~** siège éjectable.

**eyectar** *vt* éjecter.

**eyector** *m* éjecteur.

**Ezequiel** *np m* Ézéchiel.

# F

**f** [efe] *f* f *m:* **una ~** un f.

**fa** *m MÚS* fa: **la clave de ~** la clé de fa.

**faba** *f (judía)* haricot *m* (blanc).

**fabada** *f* cassoulet *m* asturien.

**Fabián, ana** *np* Fabien, enne.

**fabla** *f* imitation littéraire de l'ancien espagnol.

**fábrica** *f* **1.** usine ◊ **~ de hilados** filature **2.** fabrique: **marca de ~** marque de fabrique **3.** *(edificio)* bâtiment *m* **4. pared de ~** mur en maçonnerie.

**fabricación** *f* fabrication: **defecto de ~** défaut de fabrication.

**fabricante** *s* fabricant, e.

**fabricar** *vt* fabriquer.

**Fabricio** *np m* Fabrice.

**fabril** *a* manufacturier, ère.

**fabriquero** *m (de una iglesia)* fabricien.

**fabuco** *m* faîne *f.*

**fábula** *f* **1.** fable **2.** *(rumor)* fable, histoire.

**fabulación** *f* affabulation, fabulation.

**fabular** *vi* fabuler, affabuler.

**fabulario** *m* fablier.

**fabulista** *s* fabuliste.

**fabulosamente** *adv (muy)* fabuleusement.

**fabuloso, a** *a* fabuleux, euse.

**faca** *f* couteau *m.*

**facción** *f (banda)* faction. ◇ *pl* traits *m* (du visage): **facciones delicadas, enérgicas, marcadas** des traits délicats, énergiques, marqués.

**faccioso, a** *a/s* factieux, euse.

**faceta** *f* facette.

**facetada** *f AMER* plaisanterie de mauvais goût.

**faceto, a** *a AMER* **1.** *(chismoso)* blagueur, euse **2.** prétentieux, euse **3.** maniéré, e.

**¹facha** *f* **1.** allure, aspect *m:* **buena ~** belle allure; **~ imponente** allure impressionante; **tiene ~ de mono** il a l'aspect d'un singe; **¡vaya ~!** quelle dégaine!, quelle drôle de touche il a! **2.** horreur: **con este traje estás hecho una ~** avec ce costume tu as l'air d'un clown **3.** *MAR* **ponerse en ~** empanner.

**²facha** *s FAM* facho, fasciste.

**fachada** *f* **1.** *(de un edificio)* façade **2.** *FIG (presencia)* allure, prestance.

**fachenda** *f* vantardise.

**fachendear** *vi FAM* prendre de grands airs, crâner.

**fachendista, fachendón, ona** *a/s* vantard, e, hâbleur, euse.

**fachinal** *m AMER* marécage.

**fachoso, a** *a* qui a une drôle d'allure, ridicule.

**facial** *a* facial, e: **nervio ~** nerf facial; **músculos faciales** muscles faciaux.

**facies** *f MED* faciès *m.*

**fácil** *a* **1.** facile: **~ de hacer, de manejar, de contentar** facile à faire, à manier, à contenter; **así de ~** c'est facile comme tout, ce n'est pas plus difficile que ça **2.** probable: **es ~ que venga esta noche** il est probable qu'il viendra ce soir.

**facilidad** *f* facilité: **Alicia tiene ~ para los idiomas** Alice a de la facilité pour les langues; **~ de palabra** facilité de parole. ◇ *pl COM* **facilidades** facilités de paiement.

**facilillo, a** *a FAM* très facile, fastoche.

**facilísimo, a** *a* très facile.

**facilitar** *vt* **1.** *(hacer fácil)* faciliter **2.** fournir, communiquer: **~ datos** fournir des renseignements; **información facilitada por la Agencia X** information fournie par l'Agence X; **agradeceremos nos facilite su dirección** nous vous serons reconnaissants de nous communiquer votre adresse **3.** fournir, procurer: **~ armas** fournir des armes.

**fácilmente** *adv* facilement.

**facilón, ona** *a FAM* simplet, ette.

**facineroso, a** *a/s* malfaiteur.

**facistol** *m* lutrin.

**facón** *m AMER* grand couteau des gauchos.

**facsímil, facsímile** *m* fac-similé.

**factibilidad** *f* faisabilité.

**factible** *a* faisable, possible.

**facticio, a** *a* factice.

**fáctico, a** *a* effectif, ive, concret, ète: **poder ~** pouvoir effectif.

**factor** *m* **1.** facteur: **los factores de la crisis** les facteurs de la crise; **~ Rhesus** facteur Rhésus; **el ~ tiempo** le facteur temps **2.** *MAT* facteur.

**factoría** *f* **1.** *(establecimiento)* factorerie, comptoir *m* **2.** *(fábrica)* usine.

**factorial** *f MAT* factorielle.

**factótum** *m* factotum.

**factura** *f* **1.** *(hechura)* facture: **extender una ~** dresser une facture; **~ falsa** fausse facture **3.** *AMER (panecillo, etc.)* viennoiserie.

**facturación** *f* **1.** *(equipaje)* enregistrement *m*: **mostrador de ~** comptoir d'enregistrement des bagages **2.** COM facturation **3.** COM *(volumen de negocios)* chiffre d'affaires; **una ~ de 500 millones de dólares** un chiffre d'affaires de 500 millions de dollars.

**facturar** *vt* **1.** COM *(extender facturas)* facturer **2.** COM réaliser un chiffre d'affaires de: **~ mil millones de pesetas al año** réaliser un chiffre d'affaires annuel d'un milliard de pesetas **3. ~ el equipaje** faire enregistrer ses bagages.

**facultad** *f* **1.** *(aptitud)* faculté **2. estar en la plenitud de sus facultades** jouir de toutes ses facultés, être en possession de tous ses moyens; **facultades mentales** facultés mentales **3.** *(poder)* faculté, pouvoir *m*: **tener ~ para...** avoir la faculté de, être habilité à... **4.** faculté: **~ de derecho, de medicina** faculté de droit, de médecine.

**facultar** *vt* autoriser, habiliter, donner le pouvoir: **le facultamos para que...** nous vous autorisons à...; **la ley faculta al alcalde para...** la loi donne au maire le pouvoir de...

**facultativamente** *adv* facultativement.

**facultativo, a** *a* **1.** *(no obligatorio)* facultatif, ive **2.** médical, e: **el cuerpo ~** le corps médical ◊ **parte ~** bulletin de santé; **según dictamen ~** de l'avis des médecins **3.** technique. ◇ *m* médecin, chirurgien.

**facundia** *f* faconde.

**facundo, a** *a* éloquent, e, loquace.

**fado** *m (canción portuguesa)* fado.

**faena** *f* **1.** travail *m*: **las faenas del campo** les travaux des champs; **faenas domésticas** travaux ménagers; **en plena ~** en plein travail; **~ de pesca** pêche **2.** TAUROM travail *m* du torero **3.** FIG **hacer una ~ a** jouer un sale tour à, faire une crasse à.

**faenar** *vi (pescar)* pêcher.

**faetón** *m* phaéton.

**fagocitar** *vt* phagocyter.

**fagocito** *m* phagocyte.

**fagocitosis** *f* BIOL phagocytose.

**fagot** *m* basson: **tocar el ~** jouer du basson.

**fagotista** *s (músico)* basson, bassoniste.

**fainada** *f* AMER grossièreté, bêtise.

**faino, a** *a* AMER grossier, ère, bête.

**faisán** *m* faisan.

**faisana** *f* faisane.

**faisanería** *f* faisanderie.

**faja** *f* **1.** *(de terreno, de periódico)* bande **2.** *(que rodea el cuerpo)* ceinture **3.** *(de mujer)* gaine **4.** *(insignia)* écharpe.

**fajador** *m (boxeo)* battant.

**fajar** *vt* **1.** bander, mettre une ceinture d'étoffe **2.** *(a un niño)* emmailloter **3.** *(un periódico)* mettre sous bande **4.** AMER *(pegar)* battre, frapper **5. ~ con uno** attaquer quelqu'un. ◆ **~se** *vpr* AMER se battre.

**fajero** *m* bande *f* pour emmailloter un enfant.

**fajilla** *f* AMER *(de papel)* bande (pour les imprimés).

**fajín** *m* écharpe *f* (de général ou de haut fonctionnaire).

**fajina** *f* **1.** tas *m* de gerbes **2.** *(leña)* menu bois *m* **3.** MIL fascine.

**fajo** *m* **1.** *(de billetes)* liasse *f* **2.** *(haz)* botte *f*.

**falacia** *f* mensonge *m*, supercherie.

**falange** *f* **1.** HIST phalange **2.** ANAT phalange.

**falangeta** *f* ANAT phalangette.

**falangina** *f* ANAT phalangine.

**falangista** *s* phalangiste.

**falansterio** *m* phalanstère.

**falaz** *a* fallacieux, euse.

**falbalá** *m* falbala.

**falcón** *m* faucon.

**falconete** *m* fauconneau.

**falcónidas** *f pl* ZOOL falconidés *m*.

**falda** *f* **1.** jupe: **~ recta, plisada** jupe droite, plissée; **~ pantalón** jupe-culotte ◊ FIG **estar pegado a las faldas de su madre** être dans les jupes de sa mère; **hay faldas mezcladas en el asunto** cherchez la femme **2.** *(regazo)* giron *m*, genoux *m pl*: **sentó al niño en su ~** elle assit l'enfant sur ses genoux **3.** *(de una montaña)* flanc *m* **4.** *(de una res)* flanchet *m*, tendron *m*: **~ de ternera** tendron de veau.

**faldear** *vt (una montaña)* côtoyer, longer, contourner.

**faldellín** *m* **1.** jupon **2.** jupe *f* courte.

**faldeo** *m* AMER flanc: **los faldeos de un cerro** les flancs d'une colline.

**faldero** *a* **perro ~** chien de manchon. ◇ *m* coureur de jupons.

**faldillas** *f pl* basques.

**faldón** *m* **1.** *(de la camisa)* pan, *(de un frac)* basque *f* ◊ FIG **agarrarse a los faldones de alguien** s'accrocher aux basques de quelqu'un **2.** ARQ *(de un tejado)* pente *f*, pan.

**falena** *f* phalène.

**falencia** *f* **1.** erreur **2.** AMER *(quiebra)* faillite.

**falibilidad** *f* faillibilité.

**falible** *a* faillible.

**fálico, a** *a* phallique.

**falla** *f* **1.** *(defecto)* défaut *m* **2.** GEOL faille. ◇ *pl* fêtes de la Saint-Joseph, à Valence (Espagne).

[1]**fallar** *vt* **1.** JUR juger, se prononcer: **~ a favor de** se prononcer en faveur de **2. ~ un premio** décerner un prix **3.** *(naipes)* couper.

[2]**fallar** *vi* **1.** *(fracasar)* échouer, rater: **sus planes fallaron** ses projets ont échoué; **falló el tiro** le coup a raté, manqué; **¡fallé!** j'ai raté!; **no falla** ça ne rate pas; **aquí falla algo** il y a ici quelque chose qui cloche **2. ~ a sus amigos** manquer à ses amis **3.** lâcher, céder, flancher: **los frenos pueden ~** les freins peuvent lâcher; **le fallaron los nervios** ses nerfs ont lâché, ont craqué.

**fallas** *pl* → **falla.**

**falleba** *f* espagnolette.

**fallecer*** *vi* décéder, mourir: **falleció ayer** il est décédé hier.

**fallecimiento** *m* décès.

**fallero, a** *a* des «fallas».

**fallido, a** *a* **1.** manqué, e, raté, e: **acto ~** acte manqué; **~ golpe de Estado** coup d'État manqué; **intento de suicidio ~** tentative de suicide manquée **2.** déçu, e: **esperanza fallida** espoir déçu **3.** COM irrecouvrable.

**fallo** *m* **1.** *(de un juez)* sentence *f*, jugement, arrêt **2.** décision *f* **3.** *(error)* faute *f*, erreur *f*: **cometer un ~** commettre une faute; **el tenista cometió muchos fallos** le joueur de tennis a commis de nombreuses fautes **4.** *(deficiencia)* défaillance *f*: **memoria sin fallos** mémoire sans défaillance ◊ **~ de memoria** trou de mémoire **5.** *(de un mecanismo)* défaillance *f*, panne *f*: **fallos mecánicos** ennuis mécaniques, pannes; **fallos de fabricación** défauts de fabrication **6.** *(en los naipes)* manque d'une couleur, renonce *f*, chicane *f*.

**falluto, a** *a* AMER **1.** sans sérieux **2.** hypocrite **3.** *(mal hecho)* raté, e.

**falo** *m* phallus.

**falócrata** *a/m* phallocrate.

**falsario, a** *a/s* **1.** *(mentiroso)* menteur, euse, imposteur **2.** calomniateur, trice.

**falsarregla** *f* fausse équerre.

**falsear** *vt* fausser, dénaturer. ◇ *vi* fléchir.

**falsedad** *f* **1.** fausseté **2.** *JUR* faux *m:* **~ en documento público** faux en écriture publique **3.** *(mentira)* mensonge *m:* **decir falsedades** dire des mensonges, mentir.

**falsete** *m* **1.** fausset, voix *f* de tête **2.** *(de tonel)* fausset **3.** *(puerta)* petite porte *f* de communication.

**falsía** *f* fausseté, déloyauté.

**falsificación** *f* falsification, contrefaçon.

**falsificador, a** *a/s* falsificateur, trice.

**falsificar** *vt* falsifier: **~ una firma** falsifier une signature; **~ un carné de identidad** falsifier une carte d'identité.

**falsilla** *f* transparent *m*.

**falso, a** *a* faux, fausse: **una falsa maniobra** une fausse manœuvre; **nota falsa** fausse note; **billete ~** faux billet; **llave falsa** fausse clé; **un nombre ~** un faux nom ◊ **dar un paso en ~** faire un faux pas; **un golpe en ~** un coup manqué; **un movimiento en ~** un faux mouvement. ◇ *m (en un vestido)* renfort.

**falta** *f* **1.** *(error)* faute: **~ de ortografía** faute d'orthographe; **cometer una ~** faire une faute **2.** manque *m*, absence: **una ~ de entusiasmo** un manque d'enthousiasme; **una ~ de dinero, de medios** un manque d'argent, de moyens; **por ~ de recursos** par manque de ressources; **~ de escrúpulos** absence de scrupules; **~ de educación** manque d'éducation **3. hacer ~** falloir: **para eso, hace ~ dinero** pour ça, il faut de l'argent; **me haces mucha ~** tu me manques beaucoup; **hago ~ en casa** on a besoin de moi à la maison **4. echar en ~** *(echar de menos)* regretter, regretter l'absence de: **echaba en ~ su infancia** il regrettait son enfance, *(notar que falta algo)* remarquer l'absence de; **coger en ~** prendre en faute, en défaut **5.** *loc prep* **a ~ de** faute de, à défaut de; **a ~ de otra cosa mejor** faute de mieux **6.** *loc adv* **sin ~** sans faute.

**faltar** *vi* **1.** manquer: **le falta un botón a mi chaqueta** il manque un bouton à ma veste; **~ a su palabra** manquer à sa parole; **~ el respeto a** manquer de respect à; **¡no faltaba más!, ¡lo que faltaba!** il ne manquait plus que cela!; **¡no faltaría más!** *(desde luego)* bien sûr!, mais comment donc!; **no faltes a la cita** ne manque pas d'être au rendez-vous, n'oublie pas le rendez-vous, sois-y sans faute **2. poco faltó para que me cayera** j'ai failli tomber; **faltó poco para que la atropellase la moto** il s'est en fallu de peu que la moto ne la renverse **3.** *(quedar)* rester: **sólo le faltaba convencer a sus padres** il ne lui restait plus qu'à convaincre ses parents; **falta una semana para las vacaciones** il reste une semaine avant les vacances; **faltan dos kilómetros para llegar** il reste deux kilomètres avant d'arriver; **¿falta mucho para el pueblo?** le village est encore loin?; **falta por saber si...** reste à savoir si...

**falto, a** *a* dépourvu, e, privé, e, dénué, e: **~ de imaginación** dénué d'imagination.

**faltón, ona** *a* **1.** qui ne tient pas sa parole, ses promesses, etc. **2.** irrespectueux, euse.

**faltriquera** *f* poche.

**falúa** *f* vedette.

**falucho** *m* felouque *f*.

**fama** *f* renommée, réputation ◊ **de ~** réputé, e; **tiene ~ de embustero** il a la réputation d'être menteur; **un bar de mala ~** un bar mal famé, de mauvaise réputation; *PROV* **unos cobran la ~ y otros cardan la lana** l'un fait le drap, l'autre s'en habille.

**famélico, a** *a* famélique.

**familia** *f* famille: **~ numerosa** famille nombreuse; **padre de ~** père de famille; **de buena ~** de bonne famille; **~ política** belle-famille; **la Sagrada Familia** la Sainte Famille.

**familiar** *a* **1.** *(relativo a la familia)* familial, e, de famille: **por razones familiares** pour des raisons familiales; **vida ~** vie de famille, familiale **2.** *(sencillo, conocido)* familier, ère: **estilo ~** style familier. ◇ *m* parent, membre de la famille: **un ~ de mi marido** un parent de mon mari ◊ *HIST* **los familiares de la Inquisición** les familiers de l'Inquisition.

**familiaridad** *f* familiarité.

**familiarizar** *vt* familiariser. ◆ **~se** *vpr* se familiariser.

**familiarmente** *adv* familièrement.

**familión** *m FAM* famille *f* nombreuse.

**famoso, a** *a* **1.** célèbre, renommé, e, fameux, euse: **un pintor ~** un peintre célèbre; **hacerse ~** se rendre célèbre **2.** *FAM (bueno)* fameux, euse. ◇ *s FAM* **un ~** un homme célèbre; **los famosos** les célébrités, les gens connus; **los famosos del cine** les célébrités du monde du cinéma.

**fámula** *f* servante, domestique.

**fámulo** *m* domestique.

**fan** *s FAM* fan.

**fanal** *m* **1.** fanal **2.** *(campana de cristal)* globe.

**fanático, a** *a/s* fanatique.

**fanatismo** *m* fanatisme.

**fanatizar** *vt* fanatiser.

**fandango** *m* **1.** *(baile)* fandango **2.** *FIG* tapage, bruit.

**fandanguero, a** *a/s* **1.** amateur de fandango **2.** *(juerguista)* noceur, euse.

**fandanguillo** *m* danse *f* andalouse.

**fanega** *f* **1.** *ANT* mesure pour grains **2.** *ANT* **~ de tierra** mesure agraire, fanega.

**fanegada** *f* fanega.

**fanerógamas** *f pl BOT* phanérogames.

**fanfarria** *f* **1.** fanfare **2.** *(bravata)* fanfaronnade, vantardise.

**fanfarrón, ona** *a/s* fanfarron, onne.

**fanfarronada** *f* fanfaronnade.

**fanfarronear** *vi* fanfaronner, crâner, plastronner.

**fanfarronería** *f* fanfaronnade.

**fangal, fangar** *m* bourbier.

**fango** *m* boue *f*, fange *f*.

**fangoso, a** *a* boueux, euse.

**fantasear** *vi* **1.** rêver, laisser courir son imagination **2.** *(presumir)* se vanter de.

**fantasía** *f* **1.** fantaisie ◊ **de ~** de fantaisie **2.** imagination **3.** *MÚS* fantaisie.

**fantasioso, a** *a* **1.** présomptueux, euse **2.** qui a beaucoup d'imagination.

**fantasma** *m* **1.** *(aparición)* fantôme **2.** *(alucinación)* fantasme **3.** *FAM (presumido)* crâneur.

**fantasmada** *f FAM* fanfaronnade.

**fantasmagoría** *f* fantasmagorie.

**fantasmagórico, a** *a* fantasmagorique.

**fantasmal** *a* fantomatique.

**fantasmear** *vi FAM* crâner, frimer.

**fantasmón, ona** *a/s FAM* prétentieux, euse, suffisant, e.

**fantástico, a** *a* fantastique.

**fantochada** *f* **1.** fanfaronnade **2.** *(tontería)* loufoquerie.

**fantoche** *m* **1.** fantoche, pantin **2.** *(presumido)* esbroufeur.

**fanzine** *m* fanzine.

**fañoso, a** *a AMER* nasillard, e: **voz fañosa** voix nasillarde.

**faquín** *m* portefaix.

**faquir** *m* fakir.

**faradio** *m FÍS* farad.

**faralá** *m* **1.** *(en un vestido, etc.)* falbala, volant **2.** *FIG* falbala. ▶ Au pluriel, *faralaes* désigne notamment les volants au bas des robes typiques des Andalouses.

**farallón** *m* rocher escarpé.

**faramalla** *f FAM* boniment *m*, baratin *m*.

**faramallero, a** *a* bonimenteur, euse.

**farándula** *f* **1.** monde *m* du spectacle **2.** troupe de comédiens **3.** *(charla)* boniment *m*.

**farandulear** *vi* se pavaner, crâner.

**farandulero, a** *s* **1.** hâbleur, euse **2.** cabotin, e.

**faraón** *m* pharaon.

**faraónico, a** *a* pharaonique.

**faraute** *m* héraut.

**fardada** *f FAM* fanfaronnade, vantardise.

**fardar** *vi FAM* **1.** poser, classer: **ser miembro de este club farda mucho** être membre de ce club, ça vous pose, ça vous classe **2. ir bien fardado** être bien sapé **3.** *(presumir)* se vanter, frimer.

**fardel** *m* baluchon.

**fardo** *m (lío)* ballot, paquet.

**fardón, ona** *a FAM* **1.** *(presumido)* poseur, euse, frimeur, euse, crâneur, euse, bêcheur, euse **2.** *(elegante)* élégant, e, chic.

**farero** *m* gardien de phare.

**farfallón, ona** → **farfullero.**

**fárfara** *f* **1.** *(del huevo)* pellicule **2.** *(planta)* tussilage *m*.

**farfolla** *f* **1.** *(del maíz)* spathe **2.** *FIG* clinquant *m*, tape-à-l'œil *m*.

**farfulla** *f* bredouillage *m*. ◇ *a/s* bredouilleur, euse.

**farfullar** *vt* **1.** bredouiller **2.** *(hacer de prisa y mal)* bâcler.

**farfullero, a** *a/s* **1.** bredouilleur, euse **2.** *(chapucero)* bâcleur, euse.

**farináceo, a** *a* farinacé, e.

**faringe** *f ANAT* pharynx *m*.

**faríngeo, a** *a ANAT* pharyngien, enne.

**faringitis** *f MED* pharyngite.

**fariña** *f AMER* farine de manioc.

**fariñera** *f AMER* grand couteau *m*.

**fario** *m FAM* augure: **mal ~** mauvais augure.

**farisaico, a** *a* **1.** pharisaïque **2.** *FIG* hypocrite.

**farisaísmo, fariseísmo** *m* pharisaïsme.

**fariseo** *m* pharisien.

**farmacéutico, a** *a* pharmaceutique. ◇ *s* pharmacien, enne.

**farmacia** *f* pharmacie.

**fármaco** *m* médicament.

**farmacología** *f* pharmacologie.

**farmacológico, a** *a* pharmacologique.

**farmacopea** *f* pharmacopée.

**Farnesio** *np m* Farnèse.

**faro** *m* **1.** *(torre)* phare **2.** *(de coche)* phare: **faros antiniebla** phares antibrouillard.

**farol** *m* **1.** lanterne *f*, fanal **2.** *(en las calles)* réverbère **3.** *FAM* épate *f*, bluff, esbroufe *f*: **lo que cuentas es un ~** ce que tu racontes c'est du bluff ◊ **marcarse, echarse, tirarse un ~** bluffer, raconter un bobard **4.** *FAM (persona jactanciosa)* esbroufeur, euse, frimeur, euse **5.** *(en las cartas)* bluff **6. ¡adelante con los faroles!** allons!, continuons! **7.** *TAUROM* passe *f* de cape.

**farola** *f* **1.** lampadaire *m*, réverbère *m* **2.** bec *m* de gaz.

**farolear** *vi FAM* faire de l'esbroufe, de l'épate, crâner, plastronner.

**faroleo** *m FAM* esbroufe *f*, épate *f*, bluff.

**farolero, a** *a/s FAM* esbroufeur, euse, frimeur, euse.

**farolillo** *m* **1.** lampion, lanterne *f* ◊ **~ a la veneciana** lanterne vénitienne; *FIG* **el ~ rojo** la lanterne rouge **2.** *(planta)* campanule *f*.

[1]**farra** *f* noce, bringue: **ir de ~** faire la noce.

[2]**farra** *f (pez)* omble *m* (chevalier).

**fárrago** *m* fatras, ramassis: **un ~ de palabras inconexas** un fatras de mots sans suite.

**farrear** *vi AMER* faire la bringue. ◇ *vt* se payer la tête de.

**farrista** *s AMER* noceur, euse, fêtard, e.

**farro** *m* gruau d'orge.

**farrogoso, a** *a* compliqué, e, confus, e, chargé, e, entortillé, e: **una descripción farragosa** une description confuse.

**farruco, a** *a/s* galicien, enne nouvellement arrivé, e de son pays. ◇ *a FAM* intrépide, culotté, e ◊ **ponerse ~** faire le brave, faire le flambard.

**farsa** *f* farce.

**Farsalia** *np f* Pharsale.

**farsante** *a/m* comédien, enne.

**fas o por nefas (por)** *loc adv* à tort ou à raison, pour une raison ou pour une autre.

**fasces** *f pl (de lictor)* faisceaux *m*.

**fasciculado, a** *a* fasciculé, e.

**fascículo** *m* fascicule.

**fascinación** *f* fascination.

**fascinador, a** *a* fascinant, e.

**fascinante** *a* fascinant, e.

**fascinar** *vt* fasciner.

**fascismo** *m* fascisme.

**fascista** *a/s* fasciste.

**fase** *f* **1.** phase **2.** *FIS* phase.

**fastidiar** *vt* **1.** *(aburrir)* ennuyer **2.** *FAM* embêter, assommer ◊ **¡no fastidies!** la paix!; **¡me fastidias!** tu m'agaces!, tu me fais suer!; **¡no me fastidies más!** arrête de m'agacer, de m'embêter! ◆ **~se** *vpr FAM* endurer ◊ **¡fastídiate!** tant pis pour toi! va te faire fiche!; **¡no te fastidia!** quand même!, tu te rends compte!

**fastidio** *m* ennui ◊ **¡qué ~!** quelle barbe!; **es un ~** c'est la barbe.

**fastidioso, a** *a* ennuyeux, euse, embêtant, e, assommant, e, fastidieux, euse: **un trabajo ~** un travail ennuyeux, fastidieux.

**fasto, a** *a* faste: **día ~** jour faste. ◇ *m* faste.

**fastos** *m pl* fastes.

**fastuoso, a** *a* fastueux, euse.

**fatal** *a* **1.** fatal, e: **el momento ~** le moment fatal **2.** *FAM* **tiene una letra ~** il a une très mauvaise écriture; **la corrida resultó ~** la corrida a été minable, lamentable. ◇ *adv FAM* **baila ~** il danse affreusement mal; **a ella los pantalones le sientan ~** les pantalons lui vont horriblement mal; **todo va ~** tout va mal; **me he sentido ~** je me suis senti mal.

**fatalidad** *f* fatalité.

**fatalismo** *m* fatalisme.

**fatalista** *a/s* fataliste.

**fatalizarse** *vpr AMER* être endommagé, e, se dégrader.

**fatalmente** *adv* **1.** fatalement **2.** *FAM* affreusement mal.

**fatídico, a** *a* fatidique.

**fatiga** *f* **1.** fatigue: **caerse de ~** tomber de fatigue **2.** gêne respiratoire. ◇ *pl (penalidades)* peines, ennuis *m*, tracas *m*, difficultés ◊ **pasar muchas fatigas para...** avoir beaucoup de mal à...

**fatigar** *vt* fatiguer. ◆ **~se** *vpr* se fatiguer.

**fatigosamente** *adv* péniblement, avec difficulté: **respiraba ~** il respirait péniblement.

**fatigoso, a** *a* **1.** fatigant, e, pénible **3. respiración fatigosa** respiration haletante.

**Fátima** *np f* Fatima.

**fatuidad** *f* **1.** fatuité **2.** sottise.

**fatuo, a** *a/s* **1.** *(presumido)* fat, e, prétentieux, euse **2.** *(necio)* sot, sotte. ◇ *a* **fuego ~** feu follet.

**fauces** *f pl* gosier *m sing*.

**fauna** *f* faune.

**fauno** *m* faune.

**fausto, a** *a (feliz)* heureux, euse. ◇ *m (lujo)* faste, pompe *f*.

**Fausto** *np m* Faust.

**fautor, a** *a* fauteur, trice.

**fauvismo** *m* fauvisme.

**favela** *f* favela, bidonville *m*.

**favor** *m* **1.** faveur *f* **2.** aide *f*, service: **pedir un ~** demander un service; **hacer un ~** rendre (un) service; **¿podrías hacerme un ~?** tu pourrais me rendre un service? **3.** grâce *f* ◊ **hacer el ~ de** faire le plaisir de; **haga el ~ de...** ayez l'obligeance de..., veuillez...; **¿me hace el ~ de decirme dónde está correos?** pourriez-vous me dire, auriez-vous l'amabilité de me dire où se trouve la poste?; **haz el ~** s'il te plaît **4.** *loc adv* **por ~** s'il te (vous) plaît: **hable más despacio, por ~** parlez plus lentement s'il vous plaît, je vous prie; **¡por ~!** de grâce! **5.** *loc prep* **a ~ de** *(en beneficio de)* en faveur de; **el tiempo juega a su ~** le temps joue en sa faveur; **en ~ de** *(merced a)* à la faveur de **6. tres votos a ~ y cinco abstenciones** trois voix pour et cinq abstentions.

**favorable** *a* favorable.

**favorecedor** *a/s* qui favorise, qui met en valeur, qui avantage.

**favorecer*** *vt* **1.** favoriser **2.** *(sentar bien)* avantager, aller bien: **este peinado la favorece, no la favorece nada** cette coiffure l'avantage, ne lui va pas du tout. ◆ **~se** *vpr* se servir de, se prévaloir de.

**favoritismo** *m* favoritisme.

**favorito, a** *a/s* favori, te.

**fax** *m* fax: **enviar un ~** envoyer un fax, faxer; **recibir faxes** recevoir des fax.

**faya** *f (tejido)* faille.

**faz** *f* face: **la ~ del mundo** la face du monde; **la Santa Faz** la Sainte Face.

**fe** *f* **1.** foi: **de buena, mala ~** de bonne, mauvaise foi ◊ **dar ~ de** témoigner, faire foi de, certifier; **doy ~ de que...** j'atteste que, je certifie que... **2.** confiance: **tener ~ en un médico** avoir confiance en un médecin; **su palabra es digna de ~** sa parole est digne de foi ◊ **a ~** en vérité; **a ~ mía, por mi ~** par ma foi, sur ma foi; **creer a ~ ciega** croire les yeux fermés **3.** *(documento)* acte *m*, extrait *m*, certificat *m*: **~ de bautismo** extrait de baptême ◊ **~ de vida** fiche d'état civil **4. ~ de erratas** errata.

**fealdad** *f* laideur.

**feamente** *adv* **1.** laidement **2.** *FIG* honteusement, d'une manière indigne.

**Febo** *np m* Phébus.

**febrero** *m* février: **el 5 de ~ de 1933** le 5 février 1933.

**febrífugo** *a/m* fébrifuge.

**febril** *a* fébrile.

**febrilidad** *f* fébrilité.

**febrilmente** *adv* fébrilement, fiévreusement.

**fecal** *a* fécal, e.

**fecha** *f* **1.** date: **poner la ~ en una carta** mettre la date sur une lettre; **una carta de ~ 3 de marzo** une lettre datée du 3 mars; **con ~ 6 de abril** en date du 6 avril; **con ~ reciente** de fraîche date **2.** *(día)* jour *m*: **su paquete tardó seis fechas...** son colis a mis six jours...; **anticipar su regreso en dos fechas** avancer son retour de deux jours **3.** *loc adv* **a estas fechas** actuellement, à présent; **hasta la ~** jusqu'à présent; **a ~ fija** à date fixe.

**fechable** *a* datable.

**fechador** *m* timbre dateur.

**fechar** *vt* dater: **carta fechada el lunes** lettre datée de lundi; **talla fechada hacia 1500** sculpture datée des années 1500.

**fechoría** *f* mauvais tour *m*, méfait *m*.

**fécula** *f* fécule.

**feculento, a** *a/m* féculent, e.

**fecundación** *f* fécondation: **~ artificial, in vitro** fécondation artificielle, in vitro.

**fecundar** *vt* féconder.

**fecundidad** *f* fécondité.

**fecundización** *f* fécondation.

**fecundizar** *vt* **1.** féconder **2.** *(un terreno)* fertiliser.

**fecundo, a** *a* fécond, e.

**federación** *f* fédération.

**federal** *a/s* fédéral, e: **los federales** les fédéraux.

**federalismo** *m* fédéralisme.

**federalista** *a/s* fédéraliste.

**federar** *vt* fédérer. ◆ **~se** *vpr* se fédérer.

**federativo, a** *a* fédératif, ive.

**Federico** *np m* Frédéric.

**Fedra** *np f* Phèdre.

**féferes** *m pl AMER* affaires *f*.

**fehaciente** *a* **1.** *JUR* qui fait foi, digne de foi **2. prueba ~** preuve irréfutable, formelle.

**felación** *f* fellation.

**feldespato** *m* feldspath.

**felibre** *m* félibre.

**felices** → **feliz.**

**felicidad** *f* **1.** bonheur *m*: **la ~** le bonheur; **la riqueza no hace la ~** la richesse ne fait pas le bonheur **2. ¡felicidades!** *(año nuevo, cumpleaños)* meilleurs vœux!; *(acontecimiento feliz)* mes félicitations!; *(santo)* bonne fête!; **le deseo muchas felicidades** je vous présente mes meilleurs vœux **3. hacer un viaje con toda ~** faire un très bon voyage, sans incident.

**felicitación** *f* félicitation. ◇ *pl* compliments *m*, souhaits *m*, vœux *m*: **~ navideña** souhaits à l'occasion de Noël.

**felicitar** *vt* **1.** féliciter **2. ~ las Pascuas, el Año Nuevo** souhaiter un joyeux Noël, la bonne année. ◆ **~se** *vpr* se féliciter.

**félidos** *m pl ZOOL* félidés.

**feligrés, esa** *s* paroissien, enne.

**feligresía** *f* paroisse.

**felino, a** *a/s* félin, e.

**Felipe** *np m* Philippe.

**Félix** *np m* Félix.

**feliz** *a* heureux, euse: **¡qué ~ soy!** comme je suis heureux!; **el ~ padre** l'heureux père; **un matrimonio ~** un ménage heureux; **hacer felices a los demás** rendre les autres heureux; **¡~ Año nuevo!** bonne année!; **hemos tenido un ~ viaje** nous avons fait un bon voyage ◊ **prometérselas muy felices → prometer.**

**felizmente** *adv* heureusement.

**felón, ona** *a/s* félon, onne.

**felonía** *f* félonie.

**felpa** *f* **1.** peluche **2. una toalla de ~** une serviette éponge **3.** *FAM (paliza)* raclée, *(reprensión)* savon *m.*

**felpeada** *f AMER* raclée.

**felpear** *vt AMER* flanquer une raclée, une volée à.

**felpilla** *f (cordón)* chenille.

**felpudo** *m* paillasson.

**femenil** *a* féminin, e.

**femenino, a** *a* féminin, e. ◇ *a/m GRAM* féminin, e.

**fementido, a** *a* faux, fausse, déloyal, e.

**fémina** *f* femme.

**femineidad** *f* féminité.

**feminidad** *f* féminité.

**feminismo** *m* féminisme.

**feminista** *a/s* féministe.

**feminización** *f* féminisation.

**feminizar** *vt* féminiser.

**femoral** *a* fémoral, e: **arteria ~** artère fémorale.

**fémur** *m* fémur.

**fenecer*** *vi* **1.** mourir, périr **2.** *(terminarse)* finir, terminer, s'achever **3.** *(un plazo)* expirer.

**fenecimiento** *m* **1.** *(fallecimiento)* trépas, mort *f* **2.** fin *f*, achèvement.

**fenicado, a** *a* phéniqué, e.

**Fenicia** *np f* Phénicie.

**fenicio, a** *a/s* phénicien, enne.

**fénico** *a* phénique.

**fénix** *m* phénix.

**fenol** *m* phénol.

**fenomenal** *a* **1.** phénoménal, e **2.** *FAM* formidable, terrible, du tonnerre: **un partido ~** un match formidable; **una chica ~** une fille terrible. ◇ *adv FAM* **lo pasamos ~** on s'est drôlement bien amusés.

**fenomenalmente** *adv FAM* formidablement, drôlement bien.

**fenómeno** *m* phénomène. ◇ *a FAM* formidable. ◇ *adv FAM* formidablement: **lo vamos a pasar ~** on va drôlement bien s'amuser.

**fenomenología** *f* phénoménologie.

**fenomenológico, a** *a* phénoménologique.

**fenotipo** *m BIOL* phénotype.

**feo, a** *a* **1.** laid, e: **una mujer fea** une femme laide; **más ~ que Picio → Picio** ◊ *FIG* **la cosa se está poniendo fea, huele ~** ça prend une mauvaise tournure; **las cosas se han puesto feas** les choses ont mal tourné; **dejar ~ a alguien** ridiculiser, mettre quelqu'un dans l'embarras **2.** vilain, e: **¡qué tiempo más ~!** quel vilain temps!; **una nariz fea** un vilain nez **3. bailar con la más fea → bailar.** ◇ *m* affront, camouflet: **hacer un ~** faire un affront, infliger un camouflet.

**feote** *a FAM* assez moche.

**feracidad** *f* fertilité.

**feral** *a ANT* cruel, elle.

**feraz** *a* fertile, fécond, e.

**féretro** *m* cercueil, bière *f.*

**feria** *f* **1.** foire: **~ de ganado** foire aux bestiaux; **la ~ de Sevilla** la foire de Séville; **~ de muestras** foire-exposition **2.** *(verbena)* fête foraine.

**feriado, a** *a* férié e: **día ~** jour férié.

**ferial** *m (lugar)* champ de foire.

**feriante** *s* forain.

**feriar** *vt* acheter à la foire. ◇ *vi (suspender el trabajo)* chômer. ◆ **~se** *vpr* s'acheter, s'offrir.

**ferino, a** *a* **1.** de bête féroce **2. tos ferina** coqueluche.

**fermata** *f MÚS* point *m* d'orgue.

**fermentación** *f* fermentation.

**fermentar** *vi* fermenter. ◇ *vt* faire fermenter.

**fermentescible** *a* fermentescible.

**fermento** *m* ferment.

**Fermín** *np m* Firmin.

**Fernando** *np m* Ferdinand, Fernand.

**ferocidad** *f* férocité.

**feroz** *a* féroce: **animales feroces** bêtes féroces.

**ferrallista** *m* ferrailleur.

**Ferrara** *np* Ferrare.

**férreo, a** *a* **1. vía férrea** voie ferrée **2.** de fer: **voluntad férrea** volonté de fer; **disciplina férrea** discipline de fer; **con mano férrea** d'une main de fer.

**ferrería** *f* forge.

**ferreruelo** *m* manteau court.

**ferretería** *f* quincaillerie.

**ferretero, a** *s* quincaillier, ère.

**férrico, a** *a QUÍM* ferrique.

**ferrocarril** *m* chemin de fer: **los ferrocarriles españoles** les chemins de fer espagnols.

**ferrocarrilero, a** *a AMER* ferroviaire.

**ferroníquel** *m* ferronickel.

**ferroso, a** *a QUÍM* ferreux, euse.

**ferroviario, a** *a* ferroviaire. ◇ *m (empleado de ferrocarriles)* cheminot.

**ferruginoso, a** *a* ferrugineux, euse.

**ferry** *m (transbordador)* ferry-boat, ferry.

**fértil** *a* fertile.

**fertilidad** *f* fertilité.

**fertilización** *f* fertilisation.

**fertilizante** *a* fertilisant, e. ◇ *m (abono)* engrais, fertilisant.

**fertilizar** *vt* fertiliser.

**férula** *f* **1.** férule ◊ **estar bajo la ~ de alguien** être sous la férule de quelqu'un **2.** *MED* éclisse, gouttière.

**férvido, a** *a* **1.** bouillant, e **2.** ardent, e, fervent, e: **un católico ~** un catholique fervent; **un ~ partidario de la laicidad** un chaud partisan de la laïcité.

**ferviente** *a* fervent, e: **un ~ admirador** un fervent admirateur.

**fervor** *m* ferveur *f*: **rezar con ~** prier avec ferveur.

**fervorín** *m* prière *f* jaculatoire.

**fervorosamente** *adv* avec ferveur.

**fervoroso, a** *a* fervent, e, enthousiaste: **un ~ creyente** un croyant fervent.

**festejador, a** *a/s* **1.** qui festoie **2.** qui courtise.

**festejar** *vt* **1.** *(a alguien)* fêter, faire fête à **2.** *(conmemorar)* fêter: **¡esto hay que festejarlo!** il faut fêter ça, arroser ça! **3.** *(a una mujer)* courtiser **4.** *AMER (azotar)* fouetter, rosser.

**festejo** *m* **1.** festoiement **2.** *(galanteo)* cour *f.* ◇ *pl* réjouissances *f.*

**festín** *m* festin.

**festinación** *f* LIT hâte, diligence, promptitude.

**festinar** *vt* AMER **1.** *(apresurar)* hâter **2.** faire fête à.

**festival** *m* festival: **festivales taurinos** des festivals taurins.

**festividad** *f* festivité.

**festivo, a** *a* **1.** de fête, férié, e: **en un ambiente ~** dans une ambiance de fête ◊ **día ~** jour férié; **cerrado los domingos y festivos** fermé le dimanche et jours fériés **2.** amusant, e, gai, e, plaisant, e, enjoué, e, badin, e: **un semanario ~** un hebdomadaire amusant, humoristique; **hablar en tono ~** parler sur un ton badin; **carácter ~** caractère enjoué.

**festón** *m* feston.

**festonear** *vt* festonner.

**fetal** *a* fœtal, e.

**fetén** *a* FAM **1.** *(estupendo)* du tonnerre, terrible, super: **una chica ~** une fille du tonnerre **2.** *(auténtico)* vrai, e, véritable ◊ **la ~** la vérité.

**fetiche** *m* fétiche.

**fetichismo** *m* fétichisme.

**fetichista** *a/s* fétichiste.

**fetidez** *f* fétidité.

**fétido, a** *a* **1.** fétide **2. bomba fétida** boule puante.

**feto** *m* **1.** fœtus **2.** FIG FAM avorton, mocheté *f.*

**feúco, a, feúcho, a** *a* PEYOR pas très joli, e, moche.

**feudal** *a* féodal, e: **señores feudales** seigneurs féodaux.

**feudalidad** *f* féodalité.

**feudalismo** *m* féodalisme.

**feudatario, a** *a/s* feudataire.

**feudo** *m* fief.

**fez** *m (gorro)* fez.

**Fez** *np* Fès.

**fiabilidad** *f* fiabilité.

**fiable** *a* de confiance, sûr, e, fiable.

**fiado (al)** *adv* à crédit: **comprar ~** acheter à crédit.

**fiador, a** *s* garant, e, répondant, e ◊ **salir ~** se porter garant. ◇ *m* **1.** *(fianza)* caution *f* **2.** *(cerrojo)* verrou de sûreté **3.** *(de un arma)* cran d'arrêt **4.** *(de una capa, broche, etc.)* attache *f*, agrafe *f* **5.** *(garfio)* crochet.

**fiambre** *m* **1.** plat froid ◊ **fiambres variados** assiette anglaise **2.** POP *(cadáver)* macchabée.

**fiambrera** *f* **1.** *(recipiente)* gamelle **2.** *(de plástico)* boîte hermétique **3.** AMER *(fresquera)* garde-manger *m.*

**fianza** *f* caution, cautionnement *m*: **dar ~** verser une caution; **libertad bajo ~** liberté sous caution.

**fiar*** *vt* **1.** garantir, cautionner **2.** vendre à crédit, faire crédit ◊ **no se fía** la maison ne fait pas crédit **3.** *(una cosa)* confier. ◇ *vi* **esta persona no es de ~** on ne peut pas faire confiance, on ne peut pas se fier à cette personne, ce n'est pas une personne de confiance, sûre; **~ en uno mismo** avoir confiance en soi. ◆ **~se** *vpr* avoir confiance, se fier: **no me fío de él** je n'ai pas confiance en lui; **no se fía de nadie** il n'a confiance en personne; **fiarse de su memoria** se fier à sa mémoire.

**fiasco** *m* fiasco.

**fiat** *m* consentement, bénédiction *f* ◊ **dar el ~** donner sa bénédiction.

**fibra** *f* **1.** fibre: **~ muscular** fibre musculaire; **~ textil** fibre textile; **~ de vidrio** fibre de verre **2.** FIG nerf *m*, ressort *m* **3. ~ óptica** fibre optique.

**fibrana** *f* fibranne.

**fibrilación** *f* MED fibrillation.

**fibrilla** *f* fibrille.

**fibrina** *f* BIOL fibrine.

**fibrocemento** *m* fibrociment.

**fibroma** *m* MED fibrome.

**fibroscopia** *f* MED fibroscopie.

**fibroso, a** *a* fibreux, euse.

**fíbula** *f* fibule.

**ficción** *f* fiction.

**ficha** *f* **1.** *(de teléfono)* jeton *m* **2.** *(tarjeta)* fiche: **~ antropométrica** fiche anthropométrique **3. ~ de dominó** domino *m* **4. ~ técnica** générique *m.*

**fichaje** *m* **1.** engagement (d'un sportif dans un club) **2.** somme *f* versée à la signature du contrat.

**fichar** *vt* **1.** *(a un jugador, particularmente de fútbol)* engager **2.** dresser la fiche anthropométrique de **3.** *(anotar en una ficha)* mettre sur fiche **4.** FIG classer, repérer. ◇ *vi* **1.** *(en una fábrica)* pointer ◊ **reloj de ~** pointeuse **2.** *(a un deportista)* signer un engagement.

**fichero** *m* fichier.

**ficticio, a** *a* fictif, ive.

**ficus** *m* ficus.

**fidedigno, a** *a* digne de foi, crédible.

**fideicomiso** *m* JUR fidéicommis.

**fidelidad** *f* **1.** fidélité: **~ conyugal** fidélité conjugale **2. alta ~** haute fidélité.

**fideo** *m* **1.** vermicelle **2.** FIG **está hecha un ~** elle est maigre comme un clou.

**fiduciario, a** *a* JUR fiduciaire.

**fiebre** *f* **1.** fièvre: **tengo ~** j'ai de la fièvre; **~ alta** forte fièvre; **~ amarilla** fièvre jaune ◊ **~ del heno** rhume des foins **2.** FIG fièvre.

**fiel** *a/m* fidèle: **testigo, relato ~** témoin, récit fidèle; **~ a sus convicciones** fidèle à ses convictions; **los fieles** les fidèles. ◇ *m* **1.** contrôleur **2.** *(de la balanza)* aiguille *f.*

**fielato** *m* octroi.

**fieltro** *m* feutre.

**fiera** *f* **1.** fauve *m*, bête féroce **2.** FIG brute **3. ponerse hecho una ~** se mettre dans une colère noire; **una ~ para el trabajo** un grand abatteur de besogne, un bourreau de travail **4. La fierecilla domada** *(Shakespeare)* la Mégère apprivoisée.

**fierabrás** *m* **1.** personne méchante, perverse **2.** enfant terrible.

**fierecilla → fiera.**

**fiereza** *f* sauvagerie.

**fiero, a** *a* **1.** *(animal)* féroce, sauvage **2.** cruel, elle **3.** FIG terrible, énorme. ◇ *m pl* bravades *f* ◊ **echar fieros** faire le bravache, proférer des menaces.

**fierro → hierro.**

**fiesta** *f* fête: **~ de guardar** fête d'obligation; **las fiestas navideñas** les fêtes de Noël ◊ **hacer ~** chômer, se reposer; **aguar la ~ → aguar; se acabó la ~** ça suffit; **tengamos la ~ en paz** ne nous disputons pas, que ce soit fini; **no estar para fiestas** ne pas être d'humeur à plaisanter. ◇ *pl* cajoleries, caresses.

**fiestear** *vi* AMER festoyer, faire la fête.

**fiestero, a** *a/s* noceur, euse.

**fifí** *m* AMER snobinard.

**fifiriche** *a* AMER malingre, chétif, ive. ◇ *m* gringalet, minet.

**fígaro** *m* **1.** *(barbero)* figaro **2.** veste *f* très courte, boléro.

**figle** *m MÚS* ophicléide.

**figón** *m* gargote *f*.

**figonero, a** *s* gargotier, ère.

**figulino, a** *a* en terre cuite. ◇*f* figuline.

**figura** *f* **1.** figure: **~ geométrica** figure géométrique ◊ **hacer figuras** faire des grimaces **2.** *(silueta)* silhouette **3.** *(de una obra de teatro)* personnage *m* **4.** *FIG* **una de las grandes figuras del arte contemporáneo** une des grandes figures de l'art contemporain.

**figuración** *f* **1.** figuration **2.** idée, imagination: **a lo mejor, son figuraciones mías** ce sont peut-être des idées à moi.

**figuradamente** *adv* au sens figuré.

**figurado, a** *a* figuré, e: **en sentido ~** au sens figuré.

**figurante** *s* figurant, e.

**figurar** *vt/i* figurer. ◇*vt (fingir)* feindre: **~ una retirada** feindre de battre en retraite. ◆ **~se** *vpr* **1.** se figurer, s'imaginer, croire: **me figuro que volverá pronto** j'imagine qu'il reviendra vite; **eso es más complicado de lo que te figuras** c'est plus compliqué que tu le crois; **¡figúrese usted que...!** imaginez-vous que...! **2.** croire: **¿qué te has figurado?** qu'est-ce que tu crois? **3. me lo figuraba** je m'en doutais.

**figurativo, a** *a* figuratif, ive: **arte ~** art figuratif; **pintor ~** peintre figuratif.

**figurilla** *f* figurine.

**figurín** *m* **1.** gravure *f* de mode **2.** journal de mode **3.** *FIG (petimetre)* gommeux.

**figurinista** *s* styliste de mode.

**figurón** *m* **1.** *(presumido)* poseur **2.** *TEAT* personnage grotesque **3.** *MAR* **~ de proa** figure *f* de proue.

**fija** *f* truelle de maçon.

**fijación** *f* **1.** fixation **2.** *(de esquí)* **fijaciones de seguridad** fixations de sécurité **3.** *(psicoanálisis)* fixation.

**fijador, a** *a/s* qui fixe. ◇*m* **1.** *(para el cabello, las fotos)* fixateur **2.** *(en pintura)* fixatif.

**fijamente** *adv* fixement: **me miraba ~** il me regardait fixement.

**fijante** *a MIL* fichant.

**fijapelo** *m* fixateur.

**fijar** *vt* **1.** *(sujetar)* fixer ◊ **~ un sello** coller un timbre; **~ carteles** poser, coller des affiches, afficher **2.** *FIG* **~ la mirada en** fixer ses yeux sur; **~ la atención** fixer son attention **3.** *FIG* **~ un precio, la hora de salir** fixer un prix, l'heure du départ; **sin ~ fecha** sans fixer de date; **fijó su residencia en Bilbao** il s'est fixé à Bilbao. ◆ **~se** *vpr* **1.** *(en un lugar)* se fixer **2.** *FIG* **fijarse en** remarquer, faire attention à: **fíjate en lo que te digo** fais attention à ce que je te dis; **nadie se fija en mí** personne ne fait attention à moi **3. ¡fíjate!** rends-toi compte!; **¡fíjese usted!** rendez-vous compte!, regardez-moi ça!; **¡fíjate qué tontería!** tu te rends compte si c'est idiot!

**fijeza** *f* **1.** fixité ◊ **mirar con ~** regarder fixement **2.** *(firmeza)* fermeté, constance **3.** stabilité.

**fijismo** *m BIOL* fixisme.

**fijo, a** *a* **1.** fixé, e: **~ a la pared** fixé au mur **2.** fixe: **punto ~** point fixe; **mirada fija** regard fixe ◊ **la miró ~ a los ojos** il la regarda droit dans les yeux **3.** certain, e, sûr, e **4.** *loc adv* **de ~** sûrement, à coup sûr, d'une façon certaine: **lo sé de ~** je le sais d'une façon certaine.

**fila** *f* **1.** file: **en ~** à la file; **en ~ india** en file indienne; **en doble ~** en double file **2.** *(en las salas de espectáculos)* rang *m*, rangée: **sentarse en (la) primera ~** s'asseoir au premier rang **3.** *(línea de soldados)* rang *m*: **ponerse en ~** se mettre en rang; **cerrar filas en torno a...** serrer les rangs, se serrer les coudes autour de...; **romper filas** rompre les rangs **4.** *FAM (antipatía)* **le ha cogido ~** il l'a pris en grippe. ◇*pl MIL* **llamar a filas** appeler sous les drapeaux; **incorporarse a filas** être sous les drapeaux; **el tiempo en filas** la durée du service militaire.

**filacteria** *f* phylactère *m*.

**Filadelfia** *np* Philadelphie.

**filadiz** *m* filoselle *f*.

**filamento** *m* filament.

**filamentoso, a** *a* filamenteux, euse.

**filantropía** *f* philanthropie.

**filantrópico, a** *a* philanthropique.

**filántropo** *m* philanthrope.

**filar** *vt* **1.** *MAR (un cable)* filer **2.** *FAM (ver)* repérer.

**filaria** *f* filaire.

**filarmónico, a** *a* philarmonique.

**filástica** *f MAR* fil *m* de caret.

**filatelia** *f* philatélie.

**filatélico, a** *a* philatélique.

**filatelista** *s* philatéliste.

**filático, a** *a AMER* capricieux, euse.

**Filemón** *np m* Philémon.

**filete** *m* **1.** *(moldura, adorno)* filet **2.** *(de carne, pescado)* filet: **un ~ de lenguado** un filet de sole **3.** *(de vaca)* filet de bœuf, bifteck.

**filetear** *vt* orner de filets.

**filfa** *f FAM* mensonge *m*, blague.

**filiación** *f* **1.** filiation **2.** *(señas)* signalement *m*.

**filial** *a* filial, e: **amor ~** amour filial; **los deberes filiales** les devoirs filiaux. ◇*f (establecimiento, etc.)* filiale.

**filiar** *vt* prendre le signalement. ◆ **~se** *vpr* **1.** *MIL* s'enrôler **2.** s'affilier.

**Filiberto** *np m* Philibert.

**filibustero** *m* **1.** *(pirata)* flibustier **2.** *HIST* indépendantiste (dans les colonies espagnoles d'Amérique).

**filiforme** *a* filiforme.

**filigrana** *f* **1.** filigrane *m* **2.** *FIG* travail *m* délicat, merveille **3.** prouesse.

**filipense** *a/m* oratorien.

**filípica** *f* engueulade.

**Filipinas** *np f pl* Philippines.

**filipino, a** *a/s* philippin, e ◊ **punto ~** → **punto.**

**Filipo** *np m* Philippe (de Macédoine).

**filis** *f* habileté, grâce, délicatesse.

**filisteo, a** *a/s* philistin, e.

**film, filme** *m* film.

**filmación** *f* tournage *m*, prise de vues.

**filmadora** *f* caméra.

**filmar** *vt* filmer.

**filme** → **film.**

**filmografía** *f* filmographie.

**filmología** *f* filmologie.

**filmoteca** *f* cinémathèque.

**filo** *m* **1.** tranchant, fil: **arma de dos filos** arme à double tranchant; **el ~ de la navaja** le fil du rasoir; *FIG* **de doble ~** à double tranchant ◊ **dar ~** aiguiser **2. el ~ del viento** la direction du vent **3. al ~ de la medianoche** à minuit juste, sur le coup de minuit; **por ~** exactement **4.** bord. ◇*s AMER* petit ami, petite amie.

**filología** *f* philologie.

**filólogo, a** *s* philologue.

**Filomena** *np f* Philomène.

**filón** *m* filon.

**filoso, a** *a* AMER aiguisé, e, affilé, e, tranchant, e.

**filosofal** *a* **piedra ~** pierre philosophale.

**filosofar** *vi* philosopher.

**filosofía** *f* philosophie.

**filosófico, a** *a* philosophique.

**filósofo, a** *a/s* philosophe.

**filoxera** *f* phylloxéra *m*.

**filtración** *f* **1.** *(acción de filtrar)* filtration, filtrage *m* **2.** *(efecto)* infiltration: **las filtraciones de agua** les infiltrations d'eau **3.** FIG *(divulgación, de una noticia)* fuite.

**filtrado** *m* filtrage.

**filtrante** *a* filtrant, e.

**filtrar** *vt/i* filtrer. ◇ *vt* FIG *(asuntos confidenciales)* divulguer, laisser filtrer. ◆ **~se** *vpr* **1.** filtrer: **el sol se filtra a través de las hojas** le soleil filtre à travers le feuillage; **rayos que se filtran por las rendijas de las persianas** rayons qui filtrent par les fentes des persiennes **2.** FIG *(el dinero)* disparaître, s'évanouir, être détourné.

**filtro** *m* **1.** filtre: **~ de aire** filtre à air; **papel de ~** papier-filtre **2.** *(bebedizo)* philtre.

**filván** *m* morfil.

**fimbria** *f* frange, bas *m* (d'une robe longue, etc.).

**fin** *m* **1.** fin *f*: **el ~ del mundo** la fin du monde ◊ **~ de semana** week-end *m*: **vamos al campo todos los fines de semana** nous allons à la campagne tous les week-ends; **a fines de mes** à la fin du mois; **dar ~ a** mettre fin à **2.** *(objeto)* but, fin *f*: **el ~ justifica los medios** la fin justifie les moyens; **lograr sus fines** arriver à ses fins; **¿con qué ~?** dans quel but?, à quelle fin?; **con estos fines** à ces fins ◊ **por buen ~** pour la bonne cause, à des fins honorables **3.** *loc adv* **al ~, en ~, por ~** enfin: **¡al ~ solos!** enfin seuls!; **por ~ llegaron** ils arrivèrent enfin; **al ~ y al cabo, en ~ de cuentas** en fin de compte, tout compte fait.

**finado, a** *s* défunt, e.

**final** *a* final, e: **punto ~** point final. ◇ *m* **1.** fin *f*: **al ~ del año** à la fin de l'année **2.** bout: **al ~ de la calle** au bout de la rue; **hasta el ~** jusqu'au bout. ◇ *f (deporte)* finale: **cuarto de ~** quart de finale.

**finalidad** *f* finalité, but *m*.

**finalista** *a/s* finaliste.

**finalizar** *vt* terminer, achever. ◇ *vi* prendre fin, se terminer, finir, s'achever: **el plazo finaliza en enero** le délai prend fin en janvier; **ayer finalizó la huelga** la grève a pris fin hier; **finalizaban las vacaciones** les vacances s'achevaient; **al ~ diciembre** à la fin décembre.

**finalmente** *adv* finalement.

**finamiento** *m* décès.

**financiación** *f* financement *m*: **la ~ de los partidos políticos** le financement des partis politiques.

**financiar** *vt* financer.

**financiero, a** *a/m* financier, ère.

**finanzas** *f pl* finances.

**finar** *vi* décéder, mourir.

**finca** *f* propriété: **~ rústica** propriété rurale; **~ urbana** immeuble *m*.

**fincar** *vi* acheter des propriétés. ◆ **~se** *vpr* s'établir, se fixer.

**finchado, a** *a* FAM vaniteux, euse, gonflé, e d'orgueil.

**finés, esa** *a/s* finnois, e.

**fineza** *f* **1.** finesse **2.** *(atención)* attention délicate, gentillesse **3.** amabilité.

**fingido, a** *a* **1.** feint, e **2.** *(persona)* hypocrite, faux, fausse.

**fingimiento** *m* feinte *f*, simulation.

**fingir** *vt* feindre, faire semblant de, affecter de: **~ sorpresa** feindre l'étonnement; **finge no oír** il fait semblant de ne pas entendre; **fingió dormir** il fit semblant de dormir. ◆ **~se** *vpr* faire semblant d'être, se faire passer pour: **se fingió enferma** elle se fit passer pour malade; **se finge mudo** il fait semblant d'être muet; **se fingía distraída** elle jouait les distraites.

**finible** *a* finissable.

**finiquitar** *vt* **1.** achever, terminer, mettre au point **2.** *(una cuenta)* solder, arrêter.

**finiquito** *m* solde, règlement (d'un compte), quitus.

**finisecular** *a* fin de siècle.

**finito, a** *a* fini, e.

**finlandés, esa** *a/s* finlandais, e.

**Filandia** *np f* Finlande.

**fino, a** *a* **1.** fin, e: **arena fina** sable fin; **oído ~** ouïe fine **2.** *(delicado)* délicat, e, raffiné, e. ◇ *m (vino de Jerez)* xérès sec.

**finolis** *a/s* FAM snobinard, e, chichiteux, euse.

**finta** *f* feinte.

**finura** *f* **1.** finesse **2.** *(delicadeza)* délicatese **3.** *(cortesía)* politesse.

**fiordo** *m* fjord.

**fiorituras** *f pl* fioritures.

**firma** *f* **1.** signature: **poner su ~** apposer sa signature **2.** seing *m*: **~ en blanco** blanc-seing **3.** *(empresa)* firme, maison.

**firmamento** *m* firmament.

**firmante** *a/s* signataire: **los países firmantes** les pays signataires; **los firmantes** les signataires ◊ **el abajo ~** le soussigné.

**firmar** *vt* signer.

**firme** *a* **1.** ferme: **tierra ~** terre ferme; **a pie ~** de pied ferme ◊ FIG **estar en lo ~** être dans le vrai **2.** MIL **¡firmes!** garde à vous!, fixe!; **ponerse en firmes** se mettre au garde-à-vous; **en posición de firmes** au garde-à-vous. ◇ *adv* **1.** ferme **2.** *loc adv* **de ~** ferme, dur: **estudia de ~** il étudie ferme; **llovía de ~** il pleuvait beaucoup, fort; COM **una compra en ~** un achat ferme; **pedido en ~** commande ferme. ◇ *m* chaussée *f*, revêtement: **~ en mal estado en 2 kilómetros** chaussée en mauvais état sur 2 kilomètres.

**firmeza** *f* **1.** fermeté **2.** AMER danse populaire argentine.

**firuletes** *m pl* AMER ornements superflus, colifichets.

**fiscal** *a* fiscal, e: **reforma ~** réforme fiscale; **paraísos fiscales** paradis fiscaux. ◇ *m* **1.** procureur: **~ togado** procureur général **2.** agent du fisc **3.** FIG FAM critiqueur.

**fiscalía** *f* **1.** ministère *m* public, charge de procureur **2.** cabinet *m* du procureur.

**fiscalización** *f* **1.** contrôle *m* **2.** critique.

**fiscalizar** *vt* **1.** contrôler **2.** surveiller **3.** *(criticar)* critiquer.

**fisco** *m* fisc.

**fisga** *f* **1.** *(arpón)* foëne **2.** *(burla)* raillerie.

**fisgar** *vt* **1.** *(pescar con fisga)* pêcher à la foëne **2.** épier, chercher à savoir **3.** *(curiosear)* fouiner.

**fisgón, ona** *s* curieux, euse, fouineur, euse.

**fisgonear** → **fisgar.**

**fisgoneo** *m* curiosité *f* indiscrète.

**fisible** *a* fissible, fissile.

**física** *f* physique.

**físicamente** *adv* physiquement.

**físico, a** *a* physique. ◇ *s* physicien, enne. ◇ *m (aspecto de una persona)* **un ~ agradable** un physique agréable.

**fisicoquímica** *f* physicochimie.

**fisicoquímico, a** *a* physicochimique. ◇ *s* physicochimiste.

**físil** *a* fissile.

**fisiocracia** *f* physiocratie.

**fisiócrata** *s* physiocrate.

**fisiología** *f* physiologie.

**fisiológicamente** *adv* physiologiquement.

**fisiológico, a** *a* physiologique.

**fisiólogo, a** *s* physiologiste.

**fisión** *f* FIS fission.

**fisionomía** *f* physionomie.

**fisioterapia** *f* physiothérapie.

**fisonomía** *f* physionomie.

**fisonomista** *s* physionomiste.

**fistol** *m* malin, finaud.

**fístula** *f* MED fistule.

**fistuloso, a** *a* MED fistuleux, euse.

**fisura** *f* fissure.

**fitófago, a** *a/s* phytophage.

**Fiyi** *np* Fidji.

**flabelo** *m* flabellum.

**flaccidez, flacidez** *m* flaccidité.

**fláccido, a, flácido, a** *a* flasque, mou, molle: **las piernas flaccidas** les jambes molles.

**flaco, a** *a* **1.** *(delgado)* maigre **2.** faible: **punto ~** point faible; **la carne es flaca** la chair est faible ◊ **memoria flaca** mauvaise mémoire; **~ servicio → servicio.** ◇ *m (afición)* faible, péché mignon.

**flacuchento, a** AMER **→ flacucho.**

**flacucho, a** *a* maigrelet, ette, maigrichon, onne.

**flacura** *f* maigreur.

**flagelación** *f* flagellation.

**flagelado, a** *a/m* BIOL flagellé, e.

**flagelar** *vt* flageller. ◆ **~se** *vpr* se flageller.

**flagelo** *m* **1.** fouet **2.** *(calamidad)* fléau **3.** ZOOL flagelle.

**flagrante** *a* flagrant, e ◊ **en ~** en flagrant délit.

**flagrar** *vi* POÉT **1.** brûler **2.** flamboyer.

**flama** *f* ANT flamme.

**flamante** *a* **1.** flambant neuf: **su ~ coche** sa voiture flambant neuve **2.** FAM **nuestro ~ director** notre tout nouveau directeur.

**flamear** *vi* **1.** *(despedir llamas)* flamber **2.** *(ondear al viento)* flotter, ondoyer. ◇ *vt* MED, CULIN flamber.

**flamen** *m* flamine.

**flamenco, a** *a/s* **1.** *(de Flandes)* flamand, e **2.** **cante ~** chant flamenco. ◇ *m (ave)* flamant.

**flamenquería** *f* crânerie.

**flamenquismo** *m* goût pour les coutumes populaires andalouses.

**flamígero, a** *a* flamboyant, e: **gótico ~** gothique flamboyant.

**flámula** *f* banderole, flamme.

**flan** *m* **1.** flan, crème *f* caramel **2.** **~ de arena** pâté de sable **3.** FAM **estar hecho un ~** être très nerveux.

**flanco** *m* flanc.

**Flandes** *np m* Flandre *f* ◊ **poner una pica en ~ → pica.**

**flanera** *f* moule *m* à flan.

**flanquear** *vt* flanquer.

**flanqueo** *m* flanquement.

**flap** *m (de ala de avión)* volet.

**flaquear** *vi* **1.** faiblir, flancher: **le flaquean las fuerzas** ses forces faiblissent; **le flaqueó la voluntad** sa volonté a flanché **2.** flageoler: **me flaquean las piernas** j'ai les jambes qui flageolent.

**flaqueza** *f* **1.** maigreur **2.** *(debilidad)* faiblesse.

**flash** *m* **1.** *(de fotógrafo)* flash: **~ incorporado** flash incorporé **2.** **~ informativo** flash d'information.

**flato** *m* **1.** flatuosité *f*, gaz *pl*: **el ~** les gaz; **estar con flatos** avoir des gaz **2.** AMER mélancolie *f*, cafard.

**flatulencia** *f* flatulence.

**flatulento, a** *a* flatulent, e.

**flauta** *f* **1.** flûte: **tocar la ~** jouer de la flûte; **~ dulce, travesera** flûte douce, traversière **2.** FIG **sonó la ~ por casualidad** ça a été un coup de veine, un heureux hasard.

**flautado, a** *a* flûté, e. ◇ *m (del órgano)* jeu de flûtes.

**flauteado, a** *a* flûté, e.

**flautillo** *m* chalumeau.

**flautín** *m* fifre.

**flautista** *s* flûtiste.

**flavo, a** *a* LIT fauve.

**flébil** *a* POÉT lamentable, triste.

**flebitis** *f* phlébite.

**flebología** *f* MED phlébologie.

**flebotomía** *f* MED phlébotomie, saignée.

**flecha** *f* flèche.

**flechadura** *f* MAR enfléchures *pl*.

**flechar** *vt* **1.** *(el arco)* bander **2.** tuer avec des flèches **3.** FIG inspirer un amour soudain.

**flechaste** *m* MAR enfléchure *f*.

**flechazo** *m* **1.** coup de flèche **2.** FIG *(amor)* coup de foudre.

**flechero** *m* archer.

**fleco** *m* frange *f*.

**fleje** *m* cercle métallique.

**flema** *f* **1.** mucosités *pl* **2.** FIG *(calma)* flegme *m*, calme.

**flemático, a** *a* flegmatique.

**fleme** *m* flamme *f*.

**flemón** *m* flegmon, phlegmon.

**flequillo** *m* frange *f*.

**fleta** *f* AMER *(paliza)* raclée.

**fletador** *m* affréteur, fréteur.

**fletamento** *m* affrètement, frètement.

**fletante** *m* fréteur.

**fletar** *vt* **1.** *(un barco, un avión, un autocar, etc.)* affréter, fréter **2.** AMER *(alquilar)* louer.

**flete** *m* **1.** fret **2.** AMER chargement, transport.

**fletero** *m* AMER transporteur.

**flexibilidad** *f* **1.** flexibilité **2.** **ejercicios de ~** exercices d'assouplissement.

**flexibilizar** *vt* assouplir.

**flexible** *a* **1.** flexible **2.** *(persona)* souple. ◇ *m* **1.** *(cable)* fil électrique **2.** chapeau mou.

**flexión** *f* flexion.

**flexional** *a GRAM* flexionnel, elle.

**flexionar** *vt* plier, fléchir: **~ las rodillas** plier les genoux.

**flexo** *m* lampe *f* de bureau (à tige flexible).

**flexor, a** *a/m* fléchisseur: **músculo ~** muscle fléchisseur.

**flipante** *a FAM* planant, e.

**flipar** *vt FAM (gustar)* emballer, plaire énormement. ◇ *vi* planer, flipper. ◆ **~se** *vpr* **1.** *(tomar droga)* se défoncer **2.** s'éclater.

**flipper** *m* flipper.

**flirt** → **flirteo.**

**flirtear** *vi* flirter.

**flirteo** *m* flirt.

**flocadura** *f* garniture de franges.

**floculación** *f QUÍM* floculation.

**flojear** *vi* **1.** faiblir **2.** *(obrar con pereza)* se la couler douce, se tourner les pouces, ne rien faire.

**flojedad** *f* **1.** faiblesse **2.** *(de ánimo, etc.)* mollesse, paresse, nonchalance, relâchement *m*.

**flojel** *m* duvet.

**flojera** *f FAM* manque *m* d'énergie, flemme.

**flojo, a** *a* **1.** *(no apretado)* lâche **2.** *(blando)* mou, molle **3.** *(débil)* faible: **viento ~** vent faible; **vino ~** vin léger, faible en alcool; **~ en cálculo** faible en calcul; **una novela muy floja** un roman très faible, médiocre **4. cuerda floja** corde raide. ◇ *a/s* paresseux, euse, mou, molle, flemmard, e.

**flor** *f* **1.** fleur: **un ramo de flores** un bouquet de fleurs; **en ~** en fleur; **flores silvestres** fleurs des champs ◊ **~ de lis** amaryllis, *(blasón)* fleur de lis **2.** *FIG* **la ~ y nata** la fine fleur; **la ~ de la canela** le nec plus ultra; **en la ~ de la edad, de la vida** à la fleur de l'âge **3.** *(polvillo que cubre frutas)* pruine; *(del vino)* fleur **4.** compliment *m*, propos *m* galant: **echar flores** adresser des propos galants **5. dar en la ~ de** contracter la manie, l'habitude de **6.** *loc prep* **a ~ de agua** à fleur d'eau; **a ~ de piel** à fleur de peau.

**flora** *f* **1.** flore **2.** *MED* **~ intestinal** flore intestinale.

**Flora** *np f* Flore.

**floración** *f* floraison.

**floral** *a* **1.** floral, e **2. juegos florales** jeux floraux.

**flordelisado, a** *a* fleurdelisé, e.

**florear** *vt (adornar con flores)* fleurir. ◇ *vi* **1.** exécuter des arpèges sur la guitare **2.** *(requebrar)* adresser des propos galants.

**florecer*** *vi* **1.** fleurir: **estos rosales florecen en verano** ces rosiers fleurissent en été **2.** *FIG* fleurir, être florissant, e, prospérer. ◆ **~se** *vpr (criar moho)* moisir.

**floreciente** *a* **1.** fleurissant, e **2.** *FIG (próspero)* florissant, e.

**florecilla** *f* fleurette, petite fleur.

**florecimiento** *m* **1.** floraison *f* **2.** *FIG* prospérité *f*, épanouissement, essor.

**Florencia** *np f* Florence.

**florentino, a** *a/s* florentin, e.

**floreo** *m* **1.** *(conversación)* bavardage; *(dicho vano)* baliverne *f* **2.** *(adorno)* fioriture *f* **3.** sorte d'arpège sur la guitare.

**florero** *m (vasija)* vase à fleurs.

**florescencia** *f* floraison.

**floresta** *f* **1.** *(bosque)* bocage *m*, bosquet *m* **2.** *FIG* florilège *m*.

**florete** *m* fleuret.

**floricultor, a** *a/s* horticulteur, trice.

**floricultura** *f* floriculture.

**Florida** *np f* Floride.

**florido, a** *a* **1.** fleuri, e **2. lo más ~** la fine fleur, la crème **3.** *FIG (lenguaje)* fleuri, e **4. Pascua florida** Pâques.

**florífero, a** *a* florifère.

**florilegio** *m* florilège.

**florín** *m (unidad monetaria)* florin.

**floripondio** *m* **1.** *(adorno)* grande fleur *f* décorative de mauvais goût **2.** *(arbusto)* datura.

**florista** *s* fleuriste.

**floristería** *f* magasin *m* de fleurs, fleuriste *m*.

**florón** *m* fleuron.

**flota** *f (barcos, aviones)* flotte.

**flotabilidad** *f* flottabilité.

**flotable** *a* flottable.

**flotación** *f* **1.** flottement *m* **2.** flottaison: **línea de ~** ligne de flottaison.

**flotador** *m* **1.** flotteur **2.** *(para nadar)* bouée *f*.

**flotante** *a* flottant, e: **costillas flotantes** côtes flottantes; **deuda ~** dette flottante.

**flotar** *vi* **1.** *(en la superficie de un líquido, del aire)* flotter **2.** *ECON (una moneda)* flotter.

**flote** *m* **sacar a ~** remettre à flot; **salir a ~** se tirer d'affaire.

**flotilla** *f* flottille.

**flox** *m* phlox.

**fluctuación** *f* fluctuation.

**fluctuante** *a* fluctuant, e.

**fluctuar** *vi* **1.** fluctuer **2.** *FIG* hésiter.

**fluidez** *f* fluidité.

**fluidificar** *vt* fluidifier, rendre (plus) fluide.

**fluido, a** *a/m* fluide. ◇ *m (eléctrico)* courant, électricité *f*: **cortar el ~** couper l'électricité.

**fluir*** *vi* **1.** couler, s'écouler: **el agua fluye** l'eau coule **2.** *FIG* jaillir.

**flujo** *m* **1.** flux **2.** *FIG* **~ de palabras** flux de paroles **3. ~ de vientre** diarrhée *f*.

**flúor** *m* fluor.

**fluorescencia** *f* fluorescente.

**fluorescente** *a* fluorescent, e.

**fluorina, fluorita** *f* fluorine.

**fluoruro** *m QUÍM* fluorure.

**flus** → **flux.**

**fluvial** *a* fluvial, e.

**flux** *m* **1.** *(en ciertos juegos)* flush, ensemble de cartes d'une couleur **2.** *AMER (traje de hombre)* costume.

**fluxión** *f* fluxion: **~ de pecho** fluxion de poitrine.

**fluye,** etc. → **fluir.**

**fobia** *f* phobie: **la ~ a...** la phobie de...

**fóbico, a** *a* phobique.

**foca** *f* phoque *m*.

**focal** *a* focal, e: **distancia ~** distance focale.

**focalizar** *vt* focaliser.

**focense** *a/s* phocéen, enne.

**focha** *f (ave)* foulque.

**foco** *m* **1.** *FÍS* foyer **2.** *(lámpara)* projecteur: **focos halógenos** projecteurs à halogène **3.** *FIG* foyer: **~ de corrupción** foyer de corruption; **~ de infección** foyer d'infection **4.** *AMER (bombilla)* ampoule *f*.

**foete** *m AMER* fouet.

**fofo, a** *a* **1.** mou, molle, flasque **2.** *(esponjoso)* spongieux, euse.

**fogarada** *f* flambée.

**fogata** *f* **1.** flambée **2.** feu *m* de joie.

**fogón** *m* **1.** *(de cocina)* fourneau: **los fogones** les fourneaux **2.** *(de caldera)* foyer **3.** *(de un arma)* lumière *f* **4.** *AMER (fuego)* feu; réunion *f* autour d'un feu.

**fogonazo** *m* **1.** *(relámpago)* éclair **2.** flash.

**fogonero** *m (de máquina de vapor)* chauffeur.

**fogosidad** *f* fougue.

**fogoso, a** *a* fougueux, euse.

**foguear** *vt* **1.** *(un fusil)* nettoyer au moyen du feu **2.** *(a los soldados)* habituer au feu **3.** *FIG* aguerrir, habituer à la peine, aux difficultés **4.** *TAUROM* mettre des banderilles de feu. ◆ **~se** *vpr* s'aguerrir.

**fogueo** *m* **disparo de ~** tir à blanc.

**foguista** *AMER* → **fogonero.**

**foie-gras** *m* **1.** foie-gras **2.** pâté.
► Voir l'article «pâté» dans la seconde partie du dictionnaire.

**¹foja** *f (hoja)* feuille.

**²foja** *f (ave)* foulque.

**folclor, folclore,** etc. → **folklore,** etc.

**folder** *m AMER* chemise *f*, dossier.

**folgo** *m* chancelière *f*.

**folía** *f* **1.** air *m* d'une danse espagnole **2.** chant *m* des îles Canaries. ◇ *pl* danse portugaise.

**foliación** *f* **1.** *BOT (acción de echar hojas)* feuillaison, *(disposición de las hojas)* foliation **2.** *(acción de numerar los folios de un libro)* foliotage *m*.

**foliado, a** *a BOT* folié, e.

**foliar** *vt* folioter.

**foliculario** *m* folliculaire.

**folículo** *m* follicule.

**folio** *m* **1.** folio ◊ **~ vuelto** folio verso; **en ~** in-folio; *FIG* **de a ~** énorme **2.** feuillet: **un ~ mecanografiado** un feuillet dactylographié.

**folíolo** *m BOT* foliole *f*.

**folklore** *m* folklore.

**folklórico, a** *a* folklorique.

**folklorista** *s* folkloriste.

**follada** *f (empanadilla)* feuilleté *m*.

**follador, a** *s VULG* baiseur, euse.

**follaje** *m* **1.** feuillage **2.** *FIG* ornement compliqué; *(palabrería)* verbiage **3.** *VULG* baise *f*.

**follar** *vt/i VULG (practicar el coito)* baiser. ◆ **~se** *vpr* **1.** *VULG* baiser **2.** *(ventosear)* vesser.

**folletín** *m* feuilleton.

**folletinesco, a** *a* de roman-feuilleton.

**folletinista** *s* feuilletoniste.

**folleto** *m* **1.** brochure *f*, dépliant **2.** **~ explicativo** notice *f* explicative.

**follón** *m FAM* **1.** pagaille *f*, chahut: **se armó un ~ enorme** il y a eu une pagaille, un chahut monstre; **armar ~** faire du chahut **2.** *(dificultad)* ennui, emmerdement: **como si yo no tuviera bastante ~...** comme si je n'avais pas assez d'ennuis...

**fomentación** *f* fomentation.

**fomentador, a** *a/s* fomentateur, trice.

**fomentar** *vt* **1.** *(avivar)* fomenter **2.** encourager, stimuler, développer, favoriser, promouvoir: **~ las exportaciones** encourager les exportations: **plan para ~ los nacimientos** plan pour favoriser les naissances.

**fomento** *m* **1.** encouragement, aide *f* **2.** *(desarrollo)* développement **3.** *MED* compresse *f* chaude, fomentation *f*.

**fonación** *f* phonation.

**fonda** *f* **1.** pension, auberge **2.** *(en una estación)* buffet *m*.

**fondeadero** *m MAR* mouillage.

**fondear** *vi MAR* jeter l'ancre, mouiller: **el crucero ha fondeado en el puerto** le croiseur a jeté l'ancre dans le port. ◇ *vt* **1.** *MAR* sonder **2.** *FIG* examiner à fond. ◆ **~se** *vpr AMER* s'enrichir.

**fondeo** *m MAR* mouillage.

**fondero, a** *s AMER (fondista)* aubergiste.

**fondillos** *m pl* fonds (de culotte).

**fondista** *s* **1.** aubergiste, hôtelier, ère **2.** *(deportista)* coureur de fond.

**fondo** *m* **1.** fond: **el ~ de un pozo** le fond d'un puits; **maleta de doble ~** valise à double fond; **tocar ~** toucher le fond; **~ sonoro** fond sonore ◊ *MAR* **irse a ~** couler; **dar ~** mouiller, jeter l'ancre **2.** **artículo de ~** article de fond, éditorial **3.** **de dos, tres en ~** en colonne par deux, par trois; **formarse de dos en ~** se mettre en rang par deux **4.** *(hondura)* profondeur *f* **5.** *(de una biblioteca, de erudición, etc.)* fonds **6.** *(capital)* fonds: **~ de inversión** fonds commun de placement; **~ de pensiones** fonds de pension; **el ~ monetario internacional** le fonds monétaire international **7.** *(deportes)* **carreras de ~** courses de fond **8.** *loc adv* **a ~** à fond; **en el ~** au fond, dans le fond. ◇ *pl* **1.** *(caudal, dinero)* fonds: **fondos públicos** fonds publics ◊ **cheque sin fondos** chèque sans provision; **estar mal de fondos** ne pas être en fonds, être gêné, e **2.** **los bajos fondos** les bas-fonds.

**fondón, ona** *a FAM* fessu, e.

**fonducho** *m FAM* auberge *f* minable, gargote *f*.

**fonema** *m* phonème.

**fonéticamente** *adv* phonétiquement.

**fonético, a** *a/f* phonétique.

**fonetista** *s* phonéticien, enne.

**foniatría** *f* phoniatrie.

**fónico, a** *a* phonique.

**fono** *m* **1.** téléphone **2.** *AMER* téléphone, récepteur: **colgó el ~** il raccrocha le récepteur.

**fonocaptor** *m* pick-up.

**fonógrafo** *m* phonographe.

**fonología** *f* phonologie.

**fonológico, a** *a* phonologique.

**fonoteca** *f* phonothèque.

**fontanal** *m* lieu où abondent les sources.

**fontanela** *f ANAT* fontanelle.

**fontanería** *f* plomberie.

**fontanero** *m* plombier.

**foque** *m MAR* foc.

**forado** *m AMER (agujero)* trou.

**forajido, a** *a/s* bandit, hors-la-loi.

**foral** *a* des «fueros».

**foramen** *m* trou.

**foraminíferos** *m pl ZOOL* foraminifères.

**foráneo, a** *a* étranger, ère.

**forastero, a** *a/s* étranger, ère.
► D'une autre région ou d'une autre ville.

**forcejear** *vi* **1.** *(para desasirse)* se débattre **2.** *(luchar)* lutter **3.** résister.

**forcejeo** *m* **1.** effort **2.** lutte *f*, compétition *f*.

**forcejón** *m* effort violent.

**fórceps** *m* forceps.

**forense** *a* **1.** des tribunaux **2.** **médico ~** médecin légiste. ◇ *s* médecin légiste.

**forestación** *f* AMER reboisement *m*.

**forestal** *a* forestier, ère ◊ **incendio ~** incendie de forêt; **repoblación ~** reboisement *m*.

**forestar** *vt* reboiser.

**forfait** *m* forfait.

**forja** *f* **1.** forge **2.** *(acción)* forgeage *m*.

**forjador, a** *a/m* forgeur, euse.

**forjar** *vt* **1.** forger: **hierro forjado** fer forgé **2.** FIG imaginer, concevoir. ◆ **~se** *vpr* se forger, se faire: **forjarse ilusiones** se faire des illusions.

**forma** *f* **1.** forme: **en ~ de** en forme de, sous forme de: **fármaco en ~ de comprimido** médicament sous forme de comprimé ◊ **en ~, en debida ~** en forme, en bonne et due forme, en règle **2.** **estar en ~** être en forme; **hoy no me siento en ~** aujourd'hui je ne me sens pas en forme, en train **3.** *(modo)* façon, manière: **no sé en qué ~ decírselo** je ne sais pas de quelle façon le lui dire; **es una ~ de hablar** c'est une façon de parler; **es mi ~ de ser** c'est ma façon d'être; **escribir de ~ bien legible** écrire d'une manière bien lisible; **en ~ inesperada** d'une façon inattendue; **de todas formas** de toute façon; **de una u otra ~** d'une façon ou d'une autre ◊ **no hay ~ de...** il n'y a pas moyen de...; **veremos si hay ~ de arreglar esto** on verra s'il y a moyen d'arranger ça **4.** *loc conj* **de ~ que** de sorte que **5.** *(hostia)* hostie **6.** *(formato)* format *m*. ◇ *pl* manières, convenances: **hay que enseñarle (las) formas** il faut lui apprendre les bonnes manières.

**formación** *f* formation ◊ **~ profesional** formation professionnelle, apprentissage *m*.

**formador, a** *s* formateur, trice.

**formal** *a* **1.** formel, elle **2.** *(serio)* sérieux, euse: **una chica ~** une fille sérieuse.

**formalete** *m* ARQ arc de plein cintre.

**formalidad** *f* **1.** *(requisito)* formalité: **una mera ~** une simple formalité **2.** *(seriedad)* sérieux *m*.

**formalismo** *m* formalisme.

**formalista** *a/s* formaliste.

**formalización** *f* validation.

**formalizar** *vt* **1.** régulariser **2.** *(un contrato, etc.)* ratifier, valider **3.** *(legalizar)* légaliser. ◆ **~se** *vpr* **1.** *(ponerse serio)* devenir sérieux, euse **2.** se concrétiser.

**formalmente** *adv* **1.** formellement **2.** sérieusement.

**formalote** *a* FAM on ne peut plus sérieux, euse.

**formar** *vt* **1.** former **2.** **~ parte de** faire partie de **3.** MIL rassembler. ◇ *vi* **1.** MIL former les rangs, se mettre en rangs, se rassembler: **la hora de ~** l'heure du rassemblement **2.** **~ en** faire partie de. ◆ **~se** *vpr* **1.** se former **2.** **formarse una idea de...** se faire une idée de...

**formatear** *vt* INFORM formater.

**formativo, a** *a* formatif, ive.

**formato** *m* format.

**formero** *m* ARQ formeret.

**fórmica** *f* *(laminado plastificado, marca registrada)* formica *m*.

**fórmico** *a* QUÍM formique.

**formidable** *a* formidable.

**formol** *m* formol.

**formón** *m* ciseau à bois.

**fórmula** *f* **1.** formule: **~ de cortesía** formule de politesse; **~ química** formule chimique; **piloto de ~ 1** pilote de formule 1 **2.** **por ~** pour la forme.

**formulación** *f* formulation.

**formular** *vt* **1.** formuler **2.** *(un deseo, etc.)* formuler, exprimer.

**formulario** *m* formulaire.

**formulismo** *m* formalisme.

**formulista** *a/s* formaliste.

**fornicación** *f* fornication.

**fornicar** *vi* forniquer.

**fornido, a** *a* robuste.

**fornitura** *f* **1.** articles *m pl* de mercerie **2.** MIL fourniment *m*.

**foro** *m* **1.** *(plaza)* forum **2.** tribunal **3.** *(abogacía)* barreau **4.** TEAT fond de la scène: **hacer mutis por el ~** sortir de scène ◊ FIG **marcharse por el ~** s'éclipser, partir furtivement.

**forofo, a** *s* FAM fan, supporter, admirateur, trice, mordu, e, fana: **un ~ del jazz** un fana de jazz; **un ~ del Real Madrid** un supporter du Real Madrid.

**forrado, a** *a* FAM **estar ~** être plein aux as.

**forraje** *m* fourrage.

**forrajear** *vi* fourrager.

**forrajero, a** *a* *(planta)* fourragère, qui sert de fourrage.

**forrar** *vt* **1.** *(un traje)* doubler **2.** *(con pieles)* fourrer **3.** *(un libro)* couvrir **4.** recouvrir. ◆ **~se** *vpr* FAM **1.** se remplir les poches, faire son beurre, gagner du fric: **se está forrando (el riñón)** il est en train de se remplir les poches **2.** *(hartarse de comida)* s'empiffrer, se remplir la panse.

**forro** *m* **1.** *(de un traje)* doublure *f* **2.** *(de un libro)* couverture *f* **3.** revêtement, garniture *f* **4.** MAR bordage ◊ **~ interior** vaigrage **5.** FIG **ni por el ~** absolument pas, pas du tout: **no conoce el tema ni por el ~** il ne connait absolument pas le sujet.

**forsythia** *f* forsythia *m*.

**fortachón, ona** *a* FAM costaud, e.

**fortalecedor, a** *a* fortifiant, e.

**fortalecer*** *vt* **1.** *(dar vigor)* fortifier **2.** *(reforzar)* renforcer **3.** *(animar)* réconforter.

**fortalecimiento** *m* action *f* de fortifier, renforcement, affermissement.

**fortaleza** *f* **1.** force **2.** FIG fermeté, force d'âme **3.** *(recinto fortificado)* forteresse.

**fortificación** *f* fortification.

**fortificante** *a/m* fortifiant, e.

**fortificar** *vt* fortifier.

**fortín** *m* fortin.

**fortísimo, a** *a* *(muy fuerte)* très fort, e. ◇ *adv/m* MÚS fortissimo.

**fortran** *m* INFORM fortran.

**fortuitamente** *adv* fortuitement.

**fortuito, a** *a* fortuit, e.

**fortuna** *f* **1.** *(suerte)* fortune, chance ◊ **probar ~** tenter fortune; **por ~** heureusement, par bonheur, par chance **2.** *(capital)* fortune: **una gran ~** une grosse fortune.

**fortunón** *m* FAM grosse fortune *f*.

**forúnculo** *m* furoncle.

**forzadamente** *adv* **1.** par la force **2.** d'une manière forcée, pas naturelle.

**forzado, a** *a* forcé, e ◊ **trabajos forzados** travaux forcés. ◇ *m* forçat.

**forzamiento** *m* contrainte *f*.

**forzar*** *vt* **1.** forcer: **~ una puerta** forcer une porte **2.** forcer, obliger: **me forzaron a irme** on m'a forcé à partir. ◆ **~se** *vpr* se forcer.

**forzosamente** *adv* forcément.

**forzoso, a** *a* forcé, e, obligé, e ◊ **trabajos forzosos** travaux forcés.

**forzudo, a** *a* très fort, e, costaud, e.

**fosa** *f* **1.** fosse: **~ común** fosse commune; **~ séptica** fosse septique **2.** *ANAT* **fosas nasales** fosses nasales.

**fosco, a** *a* **1.** *(hosco)* hargneux, euse, renfrogné, e **2.** *(oscuro)* obscur, e, sombre.

**fosfatado, a** *a* phosphaté, e.

**fosfatar** *vt* phosphater.

**fosfato** *m* phosphate.

**fosforado, a** *a* phosphoré, e.

**fosforecer*** *vi* émettre une lueur phosphorescente.

**fosforera** *f* porte-allumettes *m inv*.

**fosforescencia** *f* phosphorescence.

**fosforescente** *a* phosphorescent, e.

**fosfórico, a** *a* phosphorique.

**fósforo** *m* **1.** phosphore **2.** *(cerilla)* allumette *f*.

**fósil** *a/m* fossile.

**fosilización** *f* fossilisation.

**fosilizado, a** *a* fossilisé, e.

**fosilizarse** *vpr* se fossiliser.

**foso** *m* **1.** fosse *f* **2.** *(fortificación)* fossé **3.** *TEAT* dessous.

**foto** *f* photo: **sacar una ~** prendre une photo ◊ **hacerse una ~** se faire photographier; **¡hazme una ~!** prends-moi en photo!

**fotocélula** *f* cellule photoélectrique.

**fotocomponedora** *f* photocomposeuse.

**fotocomposición** *f* photocomposition.

**fotoconductor, a** *a* photoconducteur, trice.

**fotocopia** *f* photocopie.

**fotocopiadora** *f* photocopieur *m*, photocopieuse.

**fotocopiar** *vt* photocopier.

**fotoeléctrico, a** *a* photoélectrique: **célula fotoeléctrica** cellule photoélectrique.

**fotofobia** *f* photophobie.

**fotogénico, a** *a* photogénique.

**fotograbado** *m* photogravure *f*.

**fotografía** *f* photographie.

**fotografiar** *vt* photographier.

**fotográfico, a** *a* photographique.

**fotógrafo, a** *s* photographe.

**fotograma** *m* photogramme.

**fotometría** *f* photométrie.

**fotomontaje** *m* photomontage.

**fotón** *m FÍS* photon.

**fotonovela** *f* roman-photo *m*, photo-roman *m*.

**fotopila** *f TECN* photopile.

**fotorrobot** *f* portrait-robot *m*, photo-robot.

**fotosensible** *a* photosensible.

**fotosfera** *f ASTR* photosphère.

**fotosíntesis** *f* photosynthèse.

**fototeca** *f* photothèque.

**fototipia** *f* phototypie.

**fotuto** *m AMER* **1.** *(trompa)* trompe *f* **2.** klaxon.

**foulard** *m* foulard.

**fox-terrier** *m* fox-terrier.

**frac** *m* frac, habit.

**fracasado, a** *a/s (persona)* raté, e: **un ~** un raté.

**fracasar** *vi* échouer, rater, ne pas réussir: **las negociaciones han fracasado** les négociations ont échoué.

**fracaso** *m* **1.** échec **2.** ratage.

**fracción** *f* **1.** fraction: **una ~ de segundo** une fraction de seconde.

**fraccionamiento** *m* fractionnement.

**fraccionar** *vt* fractionner.

**fraccionario, a** *a* fractionnaire.

**fractura** *f* **1.** fracture: **~ de cadera, de cráneo, de tibia** fracture de la hanche, du crâne, du tibia **2.** *(para robar)* effraction: **robo con ~** vol avec effraction.

**fracturar** *vt* fracturer. ◆ **~se** *vpr* se fracturer: **se ha fracturado la tibia** il s'est fracturé le tibia.

**fraga** *f* **1.** *(breñal)* fourré *m* **2.** *(frambueso)* framboisier *m*.

**fragancia** *f* parfum *m* agréable, fragrance.

**fragante** *a* odorant, e, parfumé, e.

**fraganti (in)** *loc adv* en flagrant délit.

**fragaria** *f* fraisier *m*.

**fragata** *f* frégate.

**frágil** *a* **1.** *(cristal, salud)* fragile **2.** *FIG (débil)* faible ◊ **memoria ~** mauvaise mémoire.

**fragilidad** *f* fragilité.

**fragmentación** *f* fragmentation.

**fragmentar** *vt* fragmenter. ◆ **~se** *vpr* se fragmenter.

**fragmentario, a** *a* fragmentaire.

**fragmento** *m* **1.** fragment **2.** *(de una obra literaria, musical)* morceau, fragment **3.** **fragmentos de conversación** des bribes *f* de conversation.

**fragor** *m* fracas.

**fragoroso, a** *a* bruyant, e.

**fragosidad** *f* **1.** partie accidentée et épaisse d'un bois **3.** *(breñal)* fourré *m*.

**fragoso, a** *a* **1.** *(áspero)* accidente, e **2.** *(ruidoso)* bruyant, e.

**fragua** *f* forge.

**fraguar** *vt* **1.** *(el metal)* forger **2.** *FIG* ourdir, machiner. ◇ *vi (el cemento, el yeso, etc.)* prendre.

**fraile** *m* **1.** *(religioso)* moine **2.** *(doblez)* faux pli.

**frailecillo** *m* **1.** moinillon **2.** *(ave)* vanneau.

**frailecito** *m* moinillon.

**frailuno, a** *a* monacal, e, de moine.

**frambuesa** *f* framboise.

**frambueso** *m* framboisier.

**frámea** *f* framée.

**francachela** *f* bombance, ripaille.

**francamente** *adv* franchement.

**francés, esa** *a/s* **1.** français, e: **los franceses** les Français **2.** **despedirse a la francesa** filer à l'anglaise ◇ *m (lengua)* français.

**francesada** *f* **1.** fait *m*, expression propre aux Français **2.** invasion française de 1808.

**francesilla** *f* renoncule des jardins.

**franchute, a** *s FAM PEYOR* français, e.

**Francia** *np f* France.

**franciscano, a** *a/s* franciscain, e.

**Francisco, a** *np* François, e.

**francmasón, ona** *s* franc-maçon, onne.

**francmasonería** *f* franc-maçonnerie.

**franco, a** *a* **1.** *(sincero)* franc, franche: **yo te soy ~** je suis franc avec toi; **voy a serle ~** je vais être franc avec vous; **séame ~** soyez franc avec moi **2.** *(exento)* exempté, e ◊ **puerto ~** port franc; **~ de porte** franc de port, franco **3.** réel, elle, net, nette: **franca mejoría** nette amélioration; **en franca convalecencia** en pleine convalescence. ◇ *a/s (pueblo)* franc, franque. ◇ *m (moneda)* franc.

**Franco Condado** *np m* Franche-Comté *f*.

**francófilo, a** *a/s* francophile.

**francófobo, a** *a/s* francophobe.

**francolín** *m (ave)* francolin.

**francote, a** *a* très franc, franche.

**francotirador** *m* franc-tireur.

**franela** *f* flanelle.

**frangir** *vt* partager.

**frangollar** *vt FAM* bâcler.

**frangollo** *m* **1.** grains *pl* concassés **2.** blé (ou maïs) concassé et cuit **3.** *FIG* bâclage *m*.

**frangollón, ona** *a/s FAM* bâcleur, euse.

**franja** *f* **1.** bande, galon *m* **2.** *(borde)* frange **3. ~ horaria** tranche, plage horaire **4. la ~ de Gaza** la bande de Gaza.

**Frankfurt** *np* Francfort.

**franqueable** *a* franchissable.

**franquear** *vt* **1.** *(a un esclavo, una carta)* affranchir **2.** dégager: **~ el paso, la entrada** dégager le passage, l'entrée **3.** *(salvar)* franchir. ◆ **~se** *vpr* s'ouvrir: **franquearse con alguien** s'ouvrir à quelqu'un.

**franqueo** *m* affranchissement ◊ **~ concertado** dispensé de timbrage.

**franqueza** *f* **1.** franchise **2. con toda ~** en toute franchiste, bien franchement.

**franquía (en)** *loc adv* **1.** *MAR* en partance **2.** libre d'agir.

**franquicia** *f* **1.** franchise: **~ postal** franchise postale **2.** *COM* franchisage *m*, franchise ◊ **tienda en régimen de ~** magasin franchisé.

**franquismo** *m* franquisme.

**franquista** *a/s* franquiste.

**frasco** *m* flacon.

**frase** *f* phrase ◊ **~ hecha** expression toute faite.

**frasear** *vt* phraser.

**fraseología** *f* phraséologie.

**frasquera** *f* coffret *m* à flacons.

**fraterna** *f FAM* savon *m*, réprimande.

**fraternal** *a* fraternel, elle.

**fraternalmente** *adv* fraternellement.

**fraternidad** *f* fraternité.

**fraternizar** *vi* fraterniser.

**fraterno, a** *a* fraternel, elle.

**fratría** *f* fratrie.

**fratricida** *a/s* fraticide.

**fratricidio** *m* fratricide.

**fraude** *m* fraude *f*: **el ~ fiscal** la fraude fiscale; **~ electoral** fraude électorale.

**fraudulentamente** *adv* frauduleusement.

**fraudulento, a** *a* frauduleux, euse.

**fray** *m* frère (devant le nom d'un religieux).

**frazada** *f* couverture (de lit).

**freático, a** *a* phréatique: **capa freática** nappe phréatique.

**frecuencia** *f* **1.** fréquence **2. ~ modulada** modulation de fréquence **3. con mucha ~** très fréquemment; **con bastante ~** assez fréquemment.

**frecuentación** *f* fréquentation.

**frecuentar** *vt* fréquenter.

**frecuentativo, a** *a/m* fréquentatif, ive.

**frecuente** *a* fréquent, e.

**frecuentemente** *adv* fréquemment.

**freesia** *f* freesia *m*.

**fregadero** *m* évier.

**¹fregado** *m* **1.** *(de los platos, del pavimento)* lavage ◊ **servir lo mismo para un barrido que para un ~ → barrido 2.** *(de las cacerolas, etc.)* récurage **3.** *FIG (pelea)* dispute *f*, bagarre *f* **4.** *FIG (lío)* histoire *f*.

**²fregado, a** *a AMER (fastidioso)* casse-pieds, emmerdant, e.

**fregar*** *vt* **1.** *(con fuerza)* frotter **2.** laver ◊ **~ los platos** faire la vaisselle **3.** *(las cacerolas, etc.)* récurer **4.** *AMER FAM (fastidiar)* embêter, casser les pieds, emmerder, avoir: **¡estoy fregado!** on m'a eu!, je suis cuit!, je me suis fait baiser! ◆ **~se** *vpr AMER* **1.** s'emmerder: **me friego todo el día** je m'emmerde toute la journée **2.** se faire avoir.

**fregatina** *f AMER* ennui *m*.

**fregona** *f* **1.** *(criada)* laveuse de vaisselle **2.** *PEYOR* souillon **3.** *(utensilio doméstico)* balai *m* à franges, lave-sols *m*.

**fregotear** *vt FAM* laver vite et mal.

**fregoteo** *m* lavage fait à la hâte.

**freidora** *f* friteuse.

**freidura** *f* friture.

**freiduría** *f* friterie, où l'on vend du poisson frit.

**freír*** *vt* **1.** frire, faire frire: **~ en aceite** faire frire dans de l'huile ◊ *FIG* **al ~ será el reír** rira bien qui rira le dernier; **mandar a ~ espárragos, monas → espárrago, mona 2.** *FAM* énerver, exaspérer, tanner ◊ **~ a preguntas** accabler de questions; **~ la sangre → sangre 3.** *POP (matar)* descendre, buter. ◆ **~se** *vpr* **1.** frire: **el pescado se está friendo** le poisson est en train de frire **2.** *FIG (de calor)* cuire.

▶ Deux participes passés: *freído, frito* (irrég.) → **frito.**

**fréjol** *m* haricot.

**frenado** *m* freinage.

**frenar** *vt/i* **1.** freiner **2.** *FIG* freiner. ◆ **~se** *vpr* ralentir.

**frenazo** *m* coup de frein.

**frenesí** *m* frénésie *f*.

**frenéticamente** *adv* frénétiquement.

**frenético, a** *a* frénétique.

**frenillo** *m ANAT (de la lengua)* filet, frein.

**freno** *m* **1.** frein: **~ de mano** frein à main **2.** *(bocado)* mors, frein **3.** *FIG* frein.

**frenología** *f* phrénologie.

**frenopatía** *f* phrénopathie.

**frente** *f* front *m*: **alzar la ~** relever le front ◊ **hacer ~ a** faire face à, faire front à, tenir tête à; **arrugar la ~** plisser le front, froncer les sourcils; **con la ~ muy alta** la tête haute; **no tener**

**dos dedos de ~** → **dedo.** ◇ *m* **1.** *(de una cosa)* face *f* antérieure **2.** *MIL* front **3. el Frente Popular** le Front Populaire **4.** *(meteorología)* front: **~ cálido, frío** front chaud, froid **5.** *loc adv* **~ a ~** face à face; **~ por ~ (a)** juste en face (de); **al ~** en avant: **un paso al ~** un pas en avant; **de ~** de face, de front; **de ~ al espectador** face au spectateur; **chocar de ~** se heurter de plein fouet; **en ~** en face **6.** *loc prep* **~ a** en face de: **~ a la iglesia** en face de l'église; *(en presencia de)* face à, devant: **~ a la competencia** face à la concurrence; **al ~ de la orquesta de...** à la tête de l'orchestre de...; **ponerse al ~ de** prendre la direction de. ◇ *interj MIL* **¡de ~!** en avant!

**fresa** *f* **1.** fraise: **~ silvestre** fraise des bois **2.** *(planta)* fraisier *m* **3.** *TECN* fraise.

**fresado** *m TECN* fraisage.

**fresador** *m* fraiseur.

**fresadora** *f TECN* fraiseuse.

**fresal** *m* fraiseraie *f*, fraisière *f*.

**fresar** *vt TECN* fraiser.

**fresca** *f* **1.** fraîche: **por la mañana, con la ~** le matin à la fraîche **2.** *FIG FAM* **decir cuatro frescas a alguien** dire ses quatre vérités à quelqu'un.

**frescachón, ona** *a* robuste et sain, e, solide.

**frescales** *s inv FAM* dévergondé, e, sans-gêne.

**fresco, a** *a* **1.** frais, fraîche: **agua fresca** eau fraîche; **huevos frescos** œufs frais; **noticia fresca** nouvelle fraîche **2.** *FIG* imperturbable, impassible: **quedarse tan ~** rester impassible **3.** *FIG FAM* **estar ~** se faire des illusions; **estás ~ si...** tu te fais des illusions, tu te mets le doigt dans l'œil si... **4.** *FAM (descarado)* culotté, e, cynique. ◇ *s FAM* **ser un ~** être culotté, avoir du toupet. ◇ *m* **1.** frais: **poner al ~** mettre au frais; **tomar el ~** prendre le frais **2.** *(pintura)* fresque *f*: **pintar al ~** peindre à fresque; **los frescos de Miguel Ángel** les fresques de Michel-Ange. ◇ *adv* **hace ~** il fait frais.

**frescor** *m* fraîcheur *f*.

**frescote, a** *a FAM* robuste et sain, e.

**frescura** *f* **1.** fraîcheur **2.** *FIG (descaro)* toupet *m*, culot *m*, aplomb *m*, désinvolture, sans-gêne *m* **3.** insolence, impertinence.

**fresera** *f* fraisier *m*.

**fresneda** *f* frênaie.

**fresnillo** *m* fraxinelle *f*.

**fresno** *m* frêne.

**fresón** *m* fraise *f*.
▶ Désigne les fraises de culture.

**fresquera** *f* garde-manger *m*.

**fresquería** *f AMER* buvette.

**fresquista** *s* fresquiste, peintre de fresques.

**freudiano, a** *a* freudien, enne.

**freudismo** *m* freudisme.

**freza** *f* **1.** *(de los peces)* frai *m* **2.** *(excremento)* fiente.

**frezar** *vi* frayer.

**friable** *a* friable.

**frialdad** *f* **1.** froideur **2.** *(frigidez)* frigidité **3.** *FIG* froideur, indifférence.

**fríamente** *adv* froidement.

**Friburgo** *np* Fribourg.

**fricandó** *m CULIN* fricandeau.

**fricasé** *m CULIN* fricassée *f*.

**fricativo, a** *a/f* fricatif, ive: **consonante fricativa** consome fricative.

**fricción** *f* **1.** friction ◊ **dar fricciones a** frictionner **2.** *FIG (desacuerdo)* friction, frottement *m*.

**friccionar** *vt* frictionner.

**fríe** → **freír.**

**friega** *f* friction ◇ **darse friegas de agua de colonia** se frictionner à l'eau de Cologne.

**friera** *f (sabañón)* engelure.

**Frigia** *np f* Phrygie.

**frigidez** *f* frigidité.

**frigio, a** *a/s* phrygien, enne.

**frigorífico, a** *a* frigorifique: **camión ~** camion frigorifique; **cámara frigorífica** chambre frigorifique, chambre froide. ◇ *m* réfrigérateur, frigo (*FAM*).
▶ Dans les pays du Río de la Plata on donne le nom de *frigorífico* à un établissement industriel où l'on conditionne la viande.

**frigorizado, a** *a AMER (carne)* frigorifié, e, congelé, e.

**frijol, fríjol** *m (judía)* haricot.

**frijolar** *m* champ de haricots.

**frimario** *m* frimaire.

**fringílidos** *m pl ZOOL* fringillidés.

**frío, a** *a/m* froid, e: **agua fría** eau froide; **hace mucho ~** il fait très froid ◊ *FIG* **no dar ni ~ ni calor** ne faire ni chaud ni froid; **dejar ~ a** *(impasible)* laisser froid, *(pasmado)* stupéfier; **quedarse ~** *(impasible)* rester de glace, de marbre, *(pasmado)* être abasourdi; *(en las adivinanzas)* **¡frío!** tu gèles! ◇ *loc adv* **en ~** à froid.

**friolento, a** *a* frileux, euse.

**friolera** *f* bagatelle: **me costó la ~ de dos millones** ça m'a coûté la bagatelle de deux millions.

**friolero, a** *a* frileux, euse.

**frisa** *f* frise.

**frisadura** *f* frisage *m*.

**frisar** *vt (un tejido)* friser, ratiner. ◇ *vi FIG* **~ (en) los cincuenta años** friser la cinquantaine.

**Frisia** *np f* Frise.

**friso** *m ARQ* frise *f*.

**frisón, ona** *a/s* frison, onne.

**frisuelo** *m (judía)* haricot.

**fritada** *f* friture.

**fritanga** *f* friture (trop grasse), graillon *m*.

**fritar** *vt AMER* frire.

**frito, a** *a* **1.** frit, e: **pescado ~** poisson frit; **patatas fritas** frites **2.** *FIG* **me tiene ~** il m'énerve, il m'enquiquine, il me tape sur le système **3.** *FAM* fichu, e ◊ **~ a impuestos** accablé d'impôts **4.** *FAM* **o te vas de aquí o te dejo ~** ou bien tu files ou je te bute.
▶ Participe passé irrég. de *freír*.

**fritura** *f* friture.

**frivolidad** *f* frivolité.

**frívolo, a** *a* frivole.

**fronda** *f* feuillage *m*, frondaison.

**frondosidad** *f* abondance de feuilles.

**frondoso, a** *a* touffu, e.

**frontal** *a/m* frontal, e. ◇ *m (del altar)* parement d'autel.

**frontalera** *f* frontail *m*.

**frontera** *f* **1.** frontière: **~ natural** frontière naturelle; **médicos sin fronteras** médecins sans frontières **2.** *FIG* limite, frontière.

**fronterizo, a** *a* **1.** frontalier, ère, frontière: **ciudad fronteriza** ville frontalière; **zona fronteriza** zone frontalière, frontière **2. ~ con** limitrophe de.

**frontero, a** *a* qui est en face. ◇ *adv* en face, vis-à-vis.

**frontil** *m* coussinet placé sous le joug des bœufs.

**frontis** *m* frontispice, façade *f.*

**frontispicio** *m* **1.** frontispice **2.** *FIG FAM* figure *f.*

**frontón** *m* fronton.

**frontudo, a** *a* au front large.

**frotación** *f*, **frotamiento** *m* frottement *m.*

**frotar** *vt* frotter. ◆ **~se** *vpr* se frotter: **frotarse las manos** se frotter les mains.

**frote** *m* frottement.

**frotis** *m MED* frottis.

**fructidor** *m* fructidor.

**fructífero, a** *a* fructueux, euse: **colaboración fructífera** collaboration fructueuse; **un cambio de impresiones ~** un échange d'impressions fructueux.

**fructificación** *f* fructification.

**fructificar** *vi* fructifier.

**fructuoso, a** *a* fructueux, euse.

**frufrú** *m* froufrou.

**frugal** *a* frugal, e: **comidas frugales** repas frugaux.

**frugalidad** *f* frugalité.

**frugalmente** *adv* frugalement.

**frugívoro, a** *a* frugivore.

**fruición** *f* délectation, vif plaisir *m.*

**frunas** *m AMER* petit caramel (marque colombienne).

**frunce** *m* fronce *f*, froncis.

**fruncimiento** *m* froncement.

**fruncir** *vt* froncer, plisser: **~ el entrecejo, el ceño** froncer les sourcils.

**fruslería** *f* vétille.

**fruslero, a** *a* frivole. ◇ *m* rouleau à pâtisserie.

**frustración** *f* frustration.

**frustrante** *a* frustrant, e.

**frustrar** *vt* **1.** frustrer: **quedar frustrado** se sentir frustré **2.** *(defraudar)* décevoir **3.** faire échouer, empêcher de se réaliser: **~ el proceso de paz** faire échouer le processus de paix. ◆ **~se** *vpr* échouer, rater, manquer: **el frustrado golpe de Estado** le coup d'État manqué.

**fruta** *f* **1.** fruit *m* **2.** fruits *m pl*: **¿le gusta la ~ ?** aimez-vous les fruits?; **~ del tiempo** fruits de saison **3. ~ de sartén** mets en pâte à frire (beignets, etc.).

▶ *Fruta* désigne les fruits comestibles et sucrés tels que poires, pommes, etc. Notez le sens collectif (2).

**frutal** *a/m* **árboles frutales** arbres fruitiers.

**frutería** *f* fruiterie.

**frutero, a** *a/s* fruitier, ère. ◇ *m (plato)* coupe *f* à fruits.

**frutilla** *f AMER* grosse fraise.

**fruto** *m* **1.** fruit: **frutos secos** fruits secs **2.** *FIG* fruit: **«el fruto de tu vientre»** «le fruit de vos entrailles»; **el ~ prohibido** le fruit défendu; **dar sus frutos** porter ses fruits ◊ **sacar ~** tirer profit **3. por el ~ se conoce el árbol → árbol.**

**fu** *m* **1.** grognement du chat ◊ *FAM* **ni ~ ni fa** comme ci, comme ça **2.** *interj* pouah!

**fuagrás → foie-gras.**

**fúcar** *m* richard, crésus.

**¡fucha!, ¡fuchi!** *interj AMER* pouah!

**fuco** *m* fucus, varech.

**fucsia** *f* fuchsia *m.*

**fucsina** *f* fuchsine.

**fue → ir, ser.**

**fuego** *m* **1.** feu: **encender ~** faire du feu; **armas de ~** armes à feu; **potencia de ~** puissance de feu ◊ **fuegos artificiales** feu d'artifice; **pegar ~ a** mettre le feu à; **abrir ~, romper el ~** ouvrir le feu; **hacer ~** faire feu; **tocar a ~** *(para un incendio)* sonner le tocsin; *FIG* **echar ~ por los ojos** jeter feu et flamme; **estar cogido entre dos fuegos** être pris entre deux feux; **jugar con ~** jouer avec le feu **2. ~ fatuo** feu follet **3.** *FIG (ardor)* feu, ardeur *f* ◊ **el ~ sagrado** le feu sacré **4.** *loc adv* **a ~ lento** à petit feu. ◇ *interj MIL* feu!; *(incendio)* au feu! ◇ *np f* **la Tierra del Fuego** la Terre de Feu.

**fueguino, a** *a/s* fuégien, enne.

**fuel, fuel-oil** *m* fuel, fioul, mazout.

**fuelle** *m* **1** *(para soplar aire)* soufflet **2.** *(de cámara fotográfica, de tren, etc.)* soufflet **3.** *(de carruaje)* capote *f* **4.** *AMER* bandonéon.

**fuente** *f* **1.** fontaine: **la ~ de la plaza** la fontaine de la place; **la ~ de Trevi en Roma** la fontaine de Trevi à Rome **2.** *(manantial)* source **3.** *FIG* source: **una ~ de energía, de ingresos** une source d'énergie, de revenus; **de buena ~** de bonne source; **en, según fuentes solventes** de source sûre **4.** *(plato)* plat *m* **5.** *(contenido del plato)* platée, plat *m*: **una ~ de macarrones** un plat de macaronis **6.** *MED* exutoire *m* **7.** fonts baptismaux *m pl.*

**Fuenterrabía** *np* Fontarabie.

[1]**fuera** *adv* **1.** dehors, au-dehors, à l'extérieur: **por la noche dejo el coche ~** la nuit je laisse la voiture dehors; **no como en casa sino ~** je ne mange pas chez moi mais au-dehors, à l'extérieur; **visto de ~** vu de l'extérieur **2. ~ de casa** hors de chez soi, absent, e; **cenar ~ de casa** dîner en ville **3. ~ de alcance** hors de portée; **~ de serie** hors série; **~ de peligro** hors de danger; **~ de propósito** hors de propos; **~ de uso** hors d'usage; **estar ~ de sí** être hors de soi **4.** *interj* **¡~!, no quiero verte más aquí** dehors!, file! je ne veux plus te voir ici; **¡~ de aquí!** hors d'ici!, dehors!, ouste! **5.** *MAR* **~ borda** hors-bord **6. ~ de juego** hors-jeu **7.** *loc adv* **por ~** de l'extérieur, en apparence, du dehors: **ver las cosas por ~** voir les choses de l'extérieur **8.** *loc prep* **~ de** en dehors de, hormis, hors: **~ de nosotros, no vino nadie más** à part nous, personne d'autre n'est venu; **~ de eso** à part ça, en dehors de cela **9.** *loc conj* **~ de que...** en dehors du fait que..., outre que...

[2]**fuera,** etc. **→ ir, ser.**

**fueraborda** *m/f MAR* hors-bord *m.*

**fuer de (a)** *loc* à titre de, en tant que: **a ~ de hombre honrado** en tant qu'honnête homme.

**fuereño, a** *a/s AMER* provincial, e.

**fuero** *m* **1.** privilège **2.** «fuero», recueil de lois locales, charte *f* **3.** juridiction *f* **4. en mi ~ interno** dans mon for intérieur **5. volver por sus fueros** défendre son droit, sa cause. ◇ *pl FIG* arrogance *f sing*, présomption *f sing*: **tener muchos fueros** être très arrogant.

**fueron → ir, ser.**

**fuerte** *a* **1.** fort, e: **la ley del más ~** la loi du plus fort **2.** *(cosa)* solide **3. está muy ~ en álgebra** il est très fort en algèbre **4. plaza ~** place forte. ◇ *adv* **1. hablar ~** parler fort **2. comer ~** manger beaucoup, copieusement. ◇ *m* fort: **el dibujo no es mi ~** le dessin n'est pas mon fort.

**fuertemente** *adv* fortement, fort.

**fuerza** *f* **1.** force: **~ centrífuga** force centrifuge; **la ~ del viento** la force du vent ◊ **una ~ de la naturaleza** une force de la nature; **~ mayor** force majeure **2. cobrar fuerzas, recobrar las fuerzas** reprendre des forces; **gritaba con todas sus fuerzas** il criait de toutes ses forces; **hacer ~** faire pression; **sacar fuerzas de flaqueza** reprendre du poil de la bête, prendre son courage à deux mains; **volver con ~** revenir en force **3.** *loc adv* **a la ~, por ~** de force, par force; **a viva ~** de vive force; **a la ~ ahorcan → ahorcar 4.** *loc prep* **a ~ de** à force de. ◇ *pl* **1.** *MIL* forces: **fuerzas armadas** forces armées; **las fuerzas del orden** les forces de l'ordre **2. las fuerzas vivas** les forces vives.

**fuese,** etc. **→ ir, ser.**

**fuete** *m AMER (látigo)* fouet.

**fufú** *m AMER* sorte de purée *f* de bananes cuites.

**fuga** *f* **1.** fuite: **una ~ de gas** une fuite de gaz ◊ **darse a la ~** prendre la fuite **2. ~ de capitales** fuite, évasion des capitaux; **~ de cerebros** exode, fuite des cerveaux **3.** *(de un ciclista)* échappée **4.** *MÚS* fugue.

**fugacidad** *f* fugacité.

**fugarse** *vpr* s'échapper, s'évader, s'enfuir: **~ de una cárcel** s'évader d'une prison; **dos presos intentaron ~** deux prisonniers ont tenté de s'évader; **su marido se ha fugado con una extranjera** son mari s'est enfui avec une étrangère.

**fugaz** *a* fugace: **impresiones fugaces** impressions fugaces.

**fugazmente** *adv* fugitivement.

**fugitivo, a** *a/s* fugitif, ive.

**fui,** etc. → **ir, ser.**

**fuina** *f* fouine.

**ful** *a POP* faux, fausse.

**fulano, a** *s* un tel, une telle, Machin, e ◊ **un ~** un type; **vive con su ~** elle vit avec son type. ◇ *f (prostituta)* cocotte, grue, poule: **una fulana de lujo** une poule de luxe.

**fular** *m* foulard.

**fulastre** *a FAM* bâclé, e, mal fait, e.

**fulbito** *m AMER* baby-foot.

**fulcro** *m* point d'appui.

**fulero, a** *a FAM* **1.** bâclé, e **2.** *(embustero)* fumiste **3.** *AMER (feo)* moche.

**Fulgencio** *np m* Fulgence.

**fulgente, fúlgido, a** *a LIT* brillant, e, resplendissant, e.

**fulgir** *vi LIT* briller, resplendir.

**fulgor** *m* éclat.

**fulguración** *f* éclat *m.*

**fulgurante** *a* fulgurant, e.

**fulgurar** *vi* fulgurer, resplendir.

**fúlica** *f* foulque.

**fuliginoso, a** *a* fuligineux, euse.

**fullería** *f (trampa)* tricherie.

**fullero, a** *a/s* tricheur, euse.

**fulminación** *f* fulmination.

**fulminante** *a (enfermedad, réplica, etc.)* foudroyant, e. ◇ *m (materia explosiva)* amorce *f.*

**fulminar** *vt* **1.** *(un rayo)* foudroyer **2.** *FIG* foudroyer: **~ con la mirada** foudroyer du regard **3.** *(excomuniones, anatemas, etc.)* fulminer.

**fulminato** *m* fulminate.

**fulo, a** *a AMER* fou, folle de rage, furieux, euse.

**fumada** *f* bouffée de fumée.

**fumadero** *m* **1.** fumoir **2.** *(de opio)* fumerie *f.*

**fumador, a** *a/s* fumeur, euse.

**fumar** *vt/i* fumer: **~ un cigarrillo, en pipa** fumer une cigarette, la pipe; **prohibido ~** défense de fumer. ◆ **~se** *vpr* **1.** fumer **2.** *(gastar)* manger: **se fumó la herencia** il a mangé son héritage **3.** sécher: **se fuma las clases** il sèche les cours.

**fumarada** *f* **1.** bouffée de fumée **2.** *(porción de tabaco)* pipe de tabac.

**fumaria** *f* fumeterre.

**fumarola** *f* fumerolle.

**fumigación** *f* fumigation.

**fumigar** *vt* fumiger, désinfecter.

**fumígeno, a** *a* fumigène.

**fumista** *m* fumiste.

**fumistería** *f* fumisterie.

**fumoso, a** *a* fumeux, euse.

**funambulesco, a** *a* funambulesque.

**funámbulo, a** *s* funambule.

**funche** *m AMER* bouillie *f* de farine de maïs.

**función** *f* **1.** fonction: **ejercer las funciones de** exercer les fonctions de; **la ~ pública** la fonction publique ◊ **en ~ de** en fonction de **2.** *(religiosa)* fête **3.** spectacle *m* ◊ **~ de tarde** matinée; **~ de noche** soirée; **no hay ~** relâche **4.** *BIOL, MAT* fonction.

**funcional** *a* fonctionnel, elle.

**funcionalidad** *f* caractère *m* fonctionnel, efficacité.

**funcionamiento** *m* fonctionnement ◊ **en ~** en marche, en service.

**funcionar** *vi* fonctionner ◊ **«no funciona»** «en dérangement», «hors service».

**funcionario, a** *s* fonctionnaire.

**funcionarismo** *m* fonctionnarisme.

**funda** *f* **1.** *(de mueble)* housse **2.** *(de almohada)* taie **3.** *(de gafas, etc.)* étui *m* **4.** *(de paraguas)* fourreau *m* **5.** *(de pistola, etc.)* gaine **6.** *(de disco)* pochette **7. ~ nórdica** couette.

**fundación** *f* fondation.

**fundadamente** *adv* avec fondement.

**fundador, a** *a/s* fondateur, trice.

**fundamental** *a* fondamental, e: **elementos fundamentales** éléments fondamentaux.

**fundamentalismo** *m* fondamentalisme.

**fundamentalista** *a* fondamentaliste.

**fundamentalmente** *adv* fondamentalement.

**fundamentar** *vt* **1.** *(un edificio)* jeter les fondements de **2.** *FIG (una idea, una teoría, etc.)* **~ en** fonder sur, faire reposer sur. ◆ **~se** *vpr* reposer, se fonder, être fondé, e.

**fundamento** *m* fondement.

**fundar** *vt* fonder. ◆ **~se** *vpr* **fundarse en** se fonder sur, s'appuyer sur, reposer sur.

**fundente** *a/m QUÍM* fondant.

**fundición** *f* **1.** *(acción, hierro colado)* fonte **2.** *(fábrica)* fonderie.

**fundido** *m (cine)* fondu: **~ encadenado** fondu enchaîné.

**fundidor** *m* fondeur.

**fundillo** *m AMER* fond de culotte.

**fundir** *vt* **1.** *(metales, etc.)* fondre **2.** *FIG (gastar)* dépenser, gaspiller, claquer. ◆ **~se** *vpr* **1.** *(bombilla)* griller **2. se fundieron los plomos** les plombs ont sauté **3.** *FIG (intereses, etc.)* se fondre, s'unir **4.** *AMER (un negocio)* couler, faire faillite.

**fundo** *m* grande propriété *f.*

**fúnebre** *a* **1.** funèbre: **cortejo ~** cortège, convoi funèbre; **honras fúnebres** honneurs funèbres ◊ **coche ~** corbillard **2.** *FIG (triste)* funèbre.

**funeral** *m* **el ~, los funerales** les funérailles *f,* les obsèques *f.*

**funerala (a la)** *loc adv* **1.** *MIL (forma de llevar las armas)* le bout du canon en bas (en signe de deuil) **2.** *FAM* **ojo a la ~** œil au beurre noir.

**funerario, a** *a* funéraire. ◇ *f* entreprise de pompes funèbres.

**funesto, a** *a* funeste.

**fungible** *a JUR* fongible.

**fungicida** *a/m* fongicide.

**fungir** *vi* AMER remplir la fonction de, jouer le rôle de, faire office de.
**fungosidad** *f* fongosité.
**fungoso, a** *a* fongueux, euse.
**funicular** *m* funiculaire.
**furcia** *f* FAM grue, garce.
**furgón** *m* fourgon: **~ blindado** fourgon blindé; **~ de cola** fourgon de queue.
**furgoneta** *f* fourgonnette.
**furia** *f* **1.** furie ◊ **hecho una ~** furieux, fou de rage; **ponerse hecho una ~** entrer dans une fureur noire **2.** *(del mar, etc.)* furie, fureur **3. a toda ~** en toute hâte.
**furibundo, a** *a* furibond, e.
**furiosamente** *adv* furieusement.
**furioso, a** *a* **1.** furieux, euse: **loco ~** fou furieux; **estar ~** être furieux **2.** violent, e **3.** FIG **unas ganas furiosas de reír** une furieuse envie de rire.
**furor** *m* fureur *f* ◊ **hacer ~** faire fureur.
**furriel** *m* MIL fourrier.
**furtivamente** *adv* furtivement.
**furtivo, a** *a* **1.** furtif, ive **2. cazador ~** braconnier.
**furúnculo** *m* furoncle.
**furunculosis** *f* furonculose.
**fusa** *f* MÚS triple croche.
**fusco, a** *a* obscur, e, sombre.
**fuselaje** *m* fuselage.
**fusible** *a/m* fusible.
**fusiforme** *a* fusiforme.
**fusil** *m* fusil (de guerre): **~ ametrallador** fusil-mitrailleur.
▶ Un fusil (de chasse) se dit *una escopeta*.
**fusilamiento** *m* exécution *f*.
**fusilar** *vt* **1.** fusiller **2.** FAM *(plagiar)* plagier.
**fusilazo** *m* coup de fusil.
**fusilería** *f* **1.** ensemble *m* de fusils **2.** *(soldados)* corps *m* de fusiliers **3.** *(descarga de fusiles)* fusillade.
**fusilero** *m* fusilier.
**fusión** *f* **1.** fusion **2.** *(de la nieve)* fonte **3.** *(de empresas, etc.)* fusion, fusionnement *m*.
**fusionar** *vt* fusionner. ◆ **~se** *vpr* fusionner: **ambas sociedades acordaron fusionarse** les deux sociétés ont décidé de fusionner.
**fusta** *f* cravache.
**fustán** *m* **1.** futaine *f* **2.** AMER *(enaguas)* jupon.
**fuste** *m* **1.** *(de lanza)* hampe *f* **2.** *(de columna)* fût **3.** FIG importance *f*, envergure *f* ◊ **de ~** important, e: **un hombre de mucho ~** un homme très important.
**fustigar** *vt* **1.** *(a un caballo)* frapper à coups de cravache **2.** FIG fustiger.
**fútbol** *m* football: **jugador de ~** joueur de football, footballeur; **~ americano** football américain; **~ sala** football en salle.
**futbolero, a** *a* FAM amateur de football.
**futbolín** *m* baby-foot.
**futbolista** *m* footballeur.
**futbolístico, a** *a* de football.
**futesa** *f* bagatelle, foutaise.
**fútil** *a* futile.
**futilidad** *f* futilité.
**futraque** *m* PEYOR gommeux, gandin.
**futre** *m* AMER gommeux, jules.
**futura** *f* **1.** *(derecho)* survivance **2.** *(novia)* future, fiancée.
**futurible** *a* possible, probable, envisageable. ◇ *m* éventualité *f*, probabilité *f*.
**futurismo** *m* futurisme.
**futurista** *a/s* futuriste.
**futuro, a** *a/m* **1.** futur, e: **su ~ marido** son futur mari ◊ **el ~** le futur, l'avenir: **predecir el ~** prédire l'avenir **2.** GRAM **~ imperfecto** futur simple; **~ perfecto** futur antérieur.
**futurología** *f* futurologie.
**futurólogo, a** *s* futurologue.
**fututo, a** *a* AMER fichu, e.

# G

**g** [xe] *g m:* **una ~** un g.

**gabacho, a** *a/s PEYOR* français, e. ◇ *m (idioma)* espagnol mêlé de gallicismes.

**gabán** *m* pardessus.

**gabardina** *f* gabardine.

**gabarra** *f* gabare, allège.

**gabarro** *m* **1.** *GEOL* rognon **2.** défaut d'un tissu.

**gabela** *f* impôt *m,* charge.

**gabinete** *m* **1.** *(habitación, mobiliario)* cabinet **2.** *(de señora)* boudoir **3.** *(ministerio)* cabinet, ministère; **jefe de ~** chef de cabinet **4. ~ de crisis** cellule *f* de crise.

**gablete** *m ARQ* gable, gâble.

**Gabón** *np m* Gabon.

**gabonés, esa** *a/s* gabonais, e.

**Gabriel, a** *np* Gabriel, elle.

**gabrieles** *m pl FAM* pois chiches.

**gacela** *f* gazelle.

**gaceta** *f* **1.** gazette **2.** *ANT (en España)* journal *m* officiel ◊ **mentir más que la ~** mentir comme un arracheur de dents **3.** *FIG (chismoso)* gazette, pipelet *m.*

**gacetilla** *f (en un periódico)* nouvelle brève, petit article *m,* chronique, fait divers *m.*

**gacetillero** *m* journaliste qui s'occupe des faits divers.

**gachas** *f pl (comida)* bouillie *sing.*
▶ *A gachas* → **gacho, a.**

**gaché** *m* **1.** Andalou (dans le langage des gitans) **2.** → **gachó.**

**gacheta** *f* **1.** *(engrudo)* empois *m* **2.** *(de cerradura)* gâchette.

**gachí** *f POP* gonzesse, pépée, nana, fille.

**gacho, a** *a* **1.** *(hacia abajo)* incliné, e, penché, e: **con las orejas gachas** les oreilles basses; **sombrero ~** chapeau mou à bords rabattus **2.** *(buey)* bas encorné **3.** *loc adv* **a gachas** à quatre pattes.

**gachó** *m POP* type, gars, mec.

**gachón, ona** *a FAM* charmant, e, attrayant, e, provocant, e.

**gachupín** *m AMER* espagnol (établi en Amérique latine).

**gaditano, a** *a/s* gaditain, e, de Cadix.

**gaélico, a** *a/m* gaélique.

**gafa** *f (grapa)* gaffe. ◇ *pl* lunettes: **gafas de sol** lunettes de soleil; **gafas negras, oscuras** lunettes noires; **llevar gafas** porter des lunettes.

**gafar** *vt FAM* porter la poisse à.

**gafe** *a/m FAM* oiseau de malheur ◊ **ser ~** porter la guigne, la poisse.

**gafedad** *f* **1.** contraction des doigts **2.** lèpre.

**gafete** *m* agrafe *f,* crochet, broche *f.*

**gafo, a** *a/s* **1.** qui a les doigts crochus et paralysés **2.** lépreux, euse.

**gafudo, a** *a/s FAM* binoclard, e.

**gag** *m* gag.

**gagá** *a FAM* **¡estás ~!** tu es fou!, tu as perdu la tête!

**gago, a** *a AMER* bègue.

**gaguear** *vi AMER* bégayer.

**gaita** *f* **1.** *MÚS* **~ gallega** musette, cornemuse **2.** *FIG (fastidio)* corvée, ennui *m:* **¡vaya ~ ...!** que c'est barbant...! **3.** *FAM* **estoy hecho una ~** je me sens patraque, flagada **4.** *FAM (cuello)* cou *m* **5.** *FIG* **templar gaitas** arrondir les angles, calmer les esprits, détendre l'atmosphère **6.** *AMER* Galicien.

**gaitero, a** *s* joueur, euse de musette, de biniou.

**gajes** *m pl* gages, émoluments ◊ *FIG* **los ~ del oficio** les inconvénients du métier.

**gajo** *m* **1.** *(de naranja, etc.)* quartier **2.** *(de uvas)* grapillon **3.** *(de árbol)* branche *f* **4.** *(de horca, etc.)* dent *f.*

**gala** *f* **1.** *(fiesta)* gala *m:* **una ~ benéfica** un gala de bienfaisance; **función de ~** gala, soirée de gala ◊ **con traje de ~** en grande tenue; **vestir de ~** être en grande tenue, en tenue de soirée **2.** le meilleur ◊ **hacer ~ de** faire étalage de, faire montre de: **hace ~ de su hermosura, de la mayor prudencia** elle fait étalage de sa beauté, elle fait montre de la plus grande prudence ◊ **tener a ~** se faire gloire de: **tiene a ~ hablar seis idiomas** il se fait gloire de parler six langues. ◇ *pl (joyas)* bijoux *m; (vestidos)* atours *m,* toilette *sing:* **se puso sus mejores galas** elle mit sa plus belle toilette.

**galáctico, a** *a* galactique.

**galactosa** *f QUÍM* galactose.

**galaico, a** *a* galicien, enne, de Galice.

**galalita** *f* galalithe.

**galán** *a* beau, élégant. ◇ *m* **1.** homme de belle prestance, beau garçon **2.** galant, amoureux, chevalier servant **3.** *TEAT* premier acteur: **~ joven** jeune premier **4. ~ de noche** valet de nuit (portemanteau) **5.** *AMER* **~ de día, de noche** arbustes tropicaux, cestrum.

**galanamente** *adv* galamment, avec grâce, avec élégance.

**galancete** *m* **1.** jeune élégant **2.** *TEAT* jeune premier.

**galano, a** *a* **1.** élégant, e **2.** *(plantas)* frais, fraîche **2.** *FIG* **cuentas galanas** projets *m* en l'air, calculs *m* mal fondés.

**galante** *a* **1.** galant, e **2. mujer ~** femme galante **3. novelas galantes** romans d'amour.

**galanteador** *a/m* galant, soupirant, qui fait la cour aux femmes.

**galantear** *vt* courtiser, faire la cour à.

**galantemente** *adv* galamment, gentiment, courtoisement.

**galanteo** *m* cour *f*, assiduités *f pl*.

**galantería** *f* galanterie, courtoisie.

**galantina** *f* galantine.

**galanura** *f* grâce, élégance.

**galápago** *m* **1.** tortue *f* (aquatique) **2.** *(polea)* galoche *f* **3.** *(lingote)* lingot **4.** *(silla de montar)* selle *f* anglaise **5.** *(veterinaria)* crapaud.

**galardón** *m* récompense *f*, prix.

**galardonar** *vt (premiar)* récompenser, couronner: **ha sido galardonado con el premio Nobel** on lui a décerné le prix Nobel; **su novela fue galardoneada con el Premio de literatura en 1997** son roman a obtenu le Prix de littérature en 1997.

**gálata** *a/s* galate.

**Galatea** *np f* Galatée.

**galaxia** *f* galaxie.

**galbana** *f FAM* flemme, paresse.

**galbanoso, a** *a FAM* flemmard, e, cossard, e.

**galdosiano,a** *a* de l'écrivain espagnol Pérez Galdós.

**galeaza** *f MAR* galéasse.

**galena** *f* galène.

**galénico, a** *a* galénique.

**galeno** *m FAM* toubib, médecin.

**Galeno** *np m* Galien.

**galeón** *m MAR* galion.

**galeota** *f MAR* galiote.

**galeote** *m* galérien, forçat.

**galera** *f* **1.** *MAR* galère **2.** *(carro)* guimbarde **3.** *(carpintería)* riflard *m* **4.** *(imprenta)* galée **5.** *(crustáceo)* squille, mante de mer **6.** *AMER (sombrero)* haut-de-forme *m*. ◇ *pl* galères: **condenado a galeras** condamné aux galères.

**galerada** *f (prueba)* placard *m*.

**galería** *f* **1.** galerie **2.** *(paraíso del teatro)* galerie, poulailler *m* **3.** *FIG* galerie, public *m* ◊ **de cara a la ~** pour la galerie.

**galerín** *m (imprenta)* galée *f*.

**galerista** *s* galeriste.

**galerna** *f*, **galerno** *m (viento)* galerne *f*.

**galerón** *m AMER* **1.** romance *f* populaire **2.** air populaire du Venezuela.

**galés, esa** *a/s* gallois, e: **los galeses** les Gallois.

**Gales** *np m* le pays de Galles: **el príncipe de ~** le prince de Galles.

**galga** *f (freno)* frein *m*.

**galgo, a** *s* lévrier *m*, levrette *f* ◊ **¡échale un ~!** tu peux toujours courir!

**galguear** *vi AMER* mourir de faim.

**Galia** *np f* Gaule.

**gálibo** *m* gabarit.

**galicanismo** *m* gallicanisme.

**galicano, a** *a* gallican, e.

**Galicia** *np f* Galice.

**galiciano, a** *a* galicien, enne, de Galice.

**galicismo** *m* gallicisme.

**gálico, a** *a* **1.** gaulois, e ◊ **el mal ~** le mal français, la syphilis **2.** *(ácido)* gallique.

**Galieno** *np m* Galien.

**Galilea** *np f (región)* Galilée.

**Galileo** *np m* Galilée.

**galileo, a** *a/s* galiléen, enne ◊ **el Galileo** le Galiléen.

**galillo** *m* **1.** *(úvula)* luette *f* **2.** *FAM* gosier *m*: **a todo ~** à plein gosier.

**galimatías** *m* galimatias, charabia: **es un ~** c'est du charabia.

**galio** *m* **1.** *(metal)* gallium **2.** *(planta)* gaillet, caillelait.

**galiparlista, galiparlante** *a/s* qui emploie beaucoup de gallicismes.

**galladura** *f* germe *m* de l'œuf, cicatricule.

**gallar** → **gallear.**

**gallarda** *f (danza)* gaillarde.

**gallardemente** *adv* **1.** avec grâce **2.** *(con valentía)* bravement, hardiment, courageusement.

**gallardear** *vi (presumir)* crâner, poser.

**gallardete** *m MAR* flamme *f*.

**gallardetón** *m MAR* guidon.

**gallardía** *f* **1.** grâce, allure, prestance **2.** *(valor)* bravoure, hardiesse.

**gallardo, a** *a* **1.** de belle prestance, de belle allure **2.** *(valeroso)* hardi, e, courageux, euse **3.** *FIG* grand, e, magnifique.

**gallear** *vt (a la gallina)* côcher. ◇ *vi FAM* **1.** *(alzar la voz)* hausser le ton **2.** *(presumir)* crâner, plastronner.

**gallegada** *f (danza)* danse galicienne.

**gallego, a** *a/s* galicien, enne. ◇ *s AMER* **los gallegos** les immigrants espagnols. ◇ *m (idioma)* galicien.

**galleguismo** *m (giro)* tournure *f* galicienne.

**galleo** *m TAUROM* jeu de cape.

**gallera** *f* gallodrome *m*, parc *m* (pour les combats de coqs).

**galleta** *f* **1.** biscuit *m*, gâteau *m* sec **2.** *MAR* biscuit *m* **3.** *FAM (bofetada)* gifle, claque, baffe **4.** *(carbón)* sorte d'anthracite **5.** *AMER* calebasse aplatie pour prendre le maté.

**galletero** *m* boîte *f* à biscuits.

**gallina** *f* **1.** poule ◊ *FIG* **acostarse con, como las gallinas** se coucher comme les poules; **estar como ~ en corral ajeno** être mal à l'aise, dépaysé, e; **matar la ~ de los huevos de oro** tuer la poule aux œufs d'or; **poner carne de ~** → **carne 2. ~ sorda** bécasse; **~ de Guinea** pintade; **~ de río** foulque **3. jugar a la ~ ciega** jouer à colin-maillard. ◇ *s FAM* **una ~** une poule mouillée, une mauviette.

**gallináceo, a** *a* gallinacé, e. ◇ *f pl* gallinacées.

**gallinaza** *f* fiente des poules.

**gallinazo** *m* vautour d'Amérique, charognard.

**gallinero** *m* **1.** *(corral)* poulailler **2.** *TEAT* poulailler **3.** *FAM (lugar ruidoso)* volière *f*.

**gallineta** *f* **1.** *(foja)* foulque **2.** *(chocha)* bécasse.

**gallipavo** *m* dindon.

**gallístico, a** *a* pour les combats de coqs.

**gallito** *m* **1.** jeune coq **2.** *FIG* **el ~ del lugar** le coq du village **3.** *FIG (matón)* dur.

**gallo** *m* **1.** coq: **~ de pelea** coq de combat; **~ silvestre** coq de bruyère ◊ *FIG* **como el ~ de Morón** fier, digne (dans l'adversité); **en menos que canta un ~** en un clin d'œil; **otro ~ te cantara** ton sort serait tout autre, serait bien meilleur; **si mi marido hubiese aceptado este cargo, otro ~ nos cantara** si mon mari avait accepté ce poste, nous serions mieux lotis **2.** *FIG* **ser el ~** être celui qui commande **3.** *FIG* **levantar, alzar el ~**

hausser le ton; **bajar el ~** baisser le ton; **tener mucho ~** être arrogant, e, bagarreur, euse **4.** *(nota falsa)* couac, canard: **soltar un ~** faire un couac. ◇ *a (boxeo)* **peso ~** poids coq.

**gallofa** *f* soupe (que l'on donnait aux pèlerins).

**gallofo, a** *a/s* vagabond, e.

**gallón** *m* ARQ ove, godron.

**galo, a** *a/s* **1.** *(de la Galia)* gaulois, e **2.** français, e: **la política gala** la politique française; **el presidente ~** le président français. ◇ *m (idioma)* gaulois.
▶ Le sens 2 est fréquent dans le style journalistique.

**galocha** *f* galoche, sabot *m*.

[1]**galón** *m (cinta)* galon.

[2]**galón** *m (medida)* gallon.

**galoneadura** *f* ornement *m* de galons.

**galonear** *vt* galonner.

**galop** *m*, **galopa** *f (baile)* galop *m*.

**galopada** *f* galopade.

**galopante** *a* **1.** galopant, e: **inflación ~** inflation galopante **2. tisis ~** phtisie galopante.

**galopar** *vi* galoper.

**galope** *m* galop ◊ FIG **a ~** au galop, à toute allure; **a ~ tendido** au triple galop, ventre à terre.

**galopear** → **galopar.**

**galopillo** *m (pinche)* marmiton.

**galopín** *m* **1.** *(muchacho)* galopin, garnement **2.** *(de cocina)* marmiton **3.** *(grumete)* mousse.

**galorromano, a** *a/s* gallo-romain, e.

**galpón** *m* AMER hangar.

**galúa** *f (pez)* sorte de muge.

**galucha** *f* AMER galop *m*.

**galuchar** *vi* AMER galoper.

**galvánico, a** *a* galvanique.

**galvanismo** *m* galvanisme.

**galvanización** *f* galvanisation.

**galvanizar** *vt* **1.** galvaniser **2.** FIG **el tribuno galvaniza la muchedumbre** le tribun galvanise la foule.

**galvanómetro** *m* galvanomètre.

**galvanoplastia** *f* galvanoplastie.

**galvanoplástico, a** *a* galvanoplastique.

[1]**gama** *f* **1.** MÚS gamme **2.** gamme: **~ de colores, de productos** gamme de couleurs, de produits.

[2]**gama** *f (hembra del gramo)* daine.

**gamada** *a* **cruz ~** croix gammée.

**gamarra** *f (correa)* martingale.

[1]**gamba** *f* grosse crevette rose, gamba.

[2]**gamba** *f* AMER *(pierna)* jambe, guibole.

**gambalúa** *m* escogriffe.

**gámbaro** *m* crevette *f* grise.

**gamberrada** *f* acte *m* de violence gratuite, acte de vandalisme.

**gamberrismo** *m* violence *f* gratuite, vandalisme, délinquance *f*: **ola de ~** vague de vandalisme.

**gamberro, a** *s* voyou, loubard, blouson noir.

**gambeta** *f* **1.** pas *m* de danse, entrechat *m* **2.** *(equitación)* courbette **3.** AMER *(esguince)* écart *m*, esquive, feinte; *(evasiva)* échappatoire.

**gambetear** *vi* **1.** faire des entrechats **2.** faire des courbettes **3.** AMER feinter.

**Gambia** *np f* Gambie.

**gambito** *m* gambit.

**gamboa** *f* **1.** *(árbol)* variété de cognassier *m* **2.** *(fruta)* coing *m*.

**gambrona** *f* AMER grosse toile.

**gamella** *f* **1.** *(artesa)* auge **2.** partie courbe du joug.

**gameto** *m* BIOL gamète.

**gamezno** *m* faon.

**gamín** *m* AMER gamin des rues, en Colombie.

**gamitar** *vi* bramer.

**gamma** *f* **1.** *(letra griega)* gamma *m* **2. rayos ~** rayons gamma.

**gamo** *m* daim ◊ **correr como un ~** courir comme un lapin, un zèbre.

**gamón** *m*, **gamonita** *f* asphodèle *m*.

**gamonal** *m* **1.** lieu où poussent des asphodèles **2.** AMER cacique.

**gamonalismo** *m* AMER caciquisme.

**gamopétalo, a** *a* BOT gamopétale.

**gamosépalo, a** *a* BOT gamosépale.

**gamuza** *f* **1.** *(animal)* chamois *m*, isard *m* **2.** *(piel)* peau de chamois.

**gamuzado, a** *a (color)* chamois *inv*.

**gana** *f* **1.** envie, désir *m*: **tengo ganas de dormir** j'ai envie de dormir; **no tengo ninguna ~ de levantarme** je n'ai aucunement envie de me lever; **tenía unas ganas locas de...** il avait une envie folle de...; **morirse de ganas por ir...** mourir d'envie d'aller... ◊ FAM **hace lo que le da la (real) ~** il n'en fait qu'à sa tête; **hago lo que me da la ~** je fais ce qui me plaît, ce dont j'ai envie; **no me da la (real) ~** je n'en ai pas envie; **venir en ~** avoir envie; **puedes hacer lo que te venga en ~** tu peux faire ce qui te chante; **cuando te venga en ~** quand tu en auras envie; FIG **quedarse con las ganas** rester sur sa faim **2.** *loc adv* **de buena ~** de bon gré, volontiers; **de mala ~** de mauvais gré, à contrecœur **3.** *(deseo de comer)* faim, envie de manger **4.** *(apetito)* appétit: **abrir las ganas** ouvrir l'appétit; **atacó el plato con ganas** il attaqua le plat de bon appétit **5. tenerle ganas a alguien** avoir une dent contre quelqu'un, avoir envie d'en découdre avec quelqu'un.
▶ S'emploie surtout au pluriel dans *tener ganas de* avoir envie de.

**ganadería** *f* **1.** *(ganado)* bétail *m* **2.** *(conjunto de reses)* troupeau *m* **3.** *(cría de ganado)* élevage *m*.

**ganadero, a** *a* d'élevage: **comarca ganadera** région d'élevage. ◇ *s* éleveur, euse.

**ganado** *m* **1.** bétail: **~ mayor** gros bétail; **~ menor** menu bétail ◊ **~ cabrío** les chèvres: **~ de cerda** les porcs; **~ ovejuno, lanar** les moutons; **~ vacuno** espèce bovine, bovins *pl*; **~ caballar** espèce chevaline, chevaux *pl* **2.** FAM *(de personas)* foule *f*, troupeau.

**ganador, a** *a/s* gagnant, e.

**ganancia** *f* **1.** gain *m* **2.** COM **pérdidas y ganancias** pertes et profits **3.** FIG **no te arriendo la ~** je ne voudrais pas être à ta place **4.** AMER *(propina)* pourboire *m*, gratification.

**ganancial** *a* JUR **bienes gananciales** acquêts.

**ganancioso, a** *a/s* gagnant, e, bénéficiaire.

**ganapán** *m* **1.** portefaix **2.** FIG rustaud, rustre.

**ganapierde** *m* **al ~** à qui perd gagne.

**ganar** *vt/i* **1.** gagner: **~ un concurso** gagner un concours; **~ dinero** gagner de l'argent **2 Esteban me gana en altura** Étienne est plus grand que moi, me dépasse **3.** *(aventajar)* surpasser, l'emporter sur ◊ **~ a uno por la mano** devancer quelqu'un; FAM **a inteligente no hay quien le gane, no le gana nadie** il n'y a pas plus intelligent que lui; **¡a imbécil no hay quien te gane!**

comme imbécile, on ne fait pas mieux!; **a testarudo no hay quien te gane** comme cabochard, tu te poses là **4.** *(llegar a un lugar)* gagner **5. ~ terreno** gagner du terrain **6. ~ con el cambio** gagner au change **7. ¿qué ganas con esperar?** qu'est-ce que tu gagnes à attendre? ◆ **~se** *vpr* **1. ganarse la vida, el pan** gagner sa vie, son pain **2. ganarse la estimación de alguien** gagner l'estime de quelqu'un: **ganarse al público** gagner, s'attirer les faveurs du public **3. se lo ha ganado** il l'a bien mérité.

**ganchillo** *m* **1.** *(aguja)* crochet **2. labor de ~** ouvrage au crochet.

**gancho** *m* **1.** *(garfio, en boxeo)* crochet **2.** *FAM (atractivo de una mujer)* chien, charme, attrait, sex-appeal: **esta chica tiene mucho ~** cette fille est très sexy **3.** *FAM* attrait ◊ **echar el ~ a alguien** mettre le grappin sur quelqu'un **4.** *(de rama)* ergot, moignon **5.** *AMER (horquilla para sujetar el pelo)* épingle à cheveux; **~ de nodriza** épingle de nourrice.

**ganchoso, a, ganchudo, a** *a* crochu, e: **nariz ganchuda** nez crochu.

**gandul, a** *a/s FAM* fainéant, e, flemmard, e, cossard, e.

**gandulear** *vi* flemmarder, fainéanter, traînasser.

**gandulería** *f* fainéantise, flemme, paresse.

**gandulitis** *f FAM* flemme, cosse.

**gang** *m* gang.

**ganga** *f* **1.** aubaine, occasion, bonne affaire **2.** *(de un mineral)* gangue **3.** *(ave)* gélinotte, ganga *m*.

**Ganges** *np m* Gange.

**ganglio** *m* ganglion.

**ganglionar** *a* ganglionnaire.

**gangosear** *vi* nasiller.

**gangosidad** *f* nasillement *m*.

**gangoso, a** *a* nasillard, e: **voz gangosa** voix nasillarde ◊ **era vieja y gangosa** elle était vieille et nasillait, parlait du nez.

**gangrena** *f* gangrène.

**gangrenarse** *vpr* se gangrener.

**gangrenoso, a** *a* grangreneux, euse.

**gángster** *m* gangster.

**gangsterismo** *m* gangstérisme.

**ganguear** *vi* nasiller, parler du nez.

**gangueo** *m* nasillement.

**gánguil** *m MAR* **1.** bateau de pêche à un mât **2.** *(de draga)* marie-salope *f*.

**Ganimedes** *np m* Ganymède.

**ganoso, a** *a* désireux, euse: **estar ~ de...** être désireux de, avoir envie de...

**gansada** *f* bêtise, ânerie, niaiserie.

**gansarón** *m (ansarón)* oison.

**gansear** *vi* faire, dire des bêtises.

**ganso, a** *s* oie *f*, jars *m*: **pluma de ~** plume d'oie; **los gansos del Capitolio** les oies du Capitole. ◇ *a/s FIG* lourdaud, e, bête, idiot, e ◊ **hacer el ~** faire l'idiot.
▶ *Jars:* nombre del macho.

**Gante** *np* Gand.

**gantés, esa** *a/s* gantois, e.

**ganzúa** *f* **1.** *(garfio)* rossignol *m*, crochet *m*, pincemonseigneur **2.** *(ladrón)* filou *m*.

**gañán** *m* **1.** valet de ferme **2.** *FIG* rustre.

**gañido** *m* glapissement.

**gañiles** *m pl* **1.** *(de los peces)* branchies *f* **2.** *(de un animal)* gorge *f sing*.

**gañir*** *vi (animales)* glapir.

**gañote, gañón** *m FAM* gosier, gorge *f*.

**garabatear** *vt/i* **1.** *(hacer garabatos)* griffonner, gribouiller **2.** *FIG* tergiverser.

**garabato** *m* **1.** *(de carnicero)* allonge *f* **2.** *(gancho)* crochet **3.** *(escritura)* griffonnage, gribouillage **4.** *AMER (dicho grosero)* grossièreté *f*, gros mot.

**garaje** *m* garage.

**garajista** *m* garagiste.

**garambaina** *f*. *(adorno)* ornement *m* de mauvais goût. ◇ *pl* **1.** grimaces, gestes *m* ridicules **2.** *(tonterías)* bêtises, sottises: **déjate de garambainas** trêve de bêtises.

**garante** *a/s COM* garant, e.

**garantía** *f* **1.** garantie **2. es una persona de ~** c'est une personne de confiance **3. garantías constitucionales** droits constitutionnels.

**garantir*** → **garantizar.**

**garantizador, a** *a* garant, e.

**garantizar** *vt* **1.** garantir: **satisfacción garantizada** satisfaction garantie **2.** *(hacerse responsable de alguien)* se porter garant de.

**garañón** *m* **1.** *(asno)* baudet, âne mâle **2.** *AMER (caballo semental)* étalon.

**garapiña** *f* **1.** liquide *m* grumeleux **2.** *AMER* boisson rafraîchissante à l'écorce d'ananas.

**garapiñado, a** *a* **almendras garapiñadas** pralines, amandes pralinées.

**garapiñar** *vt* praliner.

**garapito** *m* punaise *f* d'eau.

**garatusa** *f FAM* cajolerie, flatterie.

**garbancero, a** *a* du pois chiche.

**garbanzo** *m* **1.** pois chiche **2.** *FIG* **el ~ negro de la familia** la brebis galeuse de la famille **3.** *FAM* **en cualquier tierra de garbanzos** partout; **ganarse los garbanzos** gagner sa croûte, son bifteck.

**garbear** *vi* avoir de l'aisance. ◆ **~se** *vpr* **1.** se débrouiller **2.** *FAM (dar un paseo)* faire une balade, un tour.

**garbeo** *m FAM* **darse un ~** faire une balade, un tour.

**garbillo** *m* crible.

**garbo** *m (en los movimientos)* allure *f*, prestance *f*.

**garbosamente** *adv* avec élégance.

**garboso, a** *a* **1.** *(persona)* qui a de l'allure, de la grâce **2.** élégant, e.

**garbullo** *m* animation *f*, confusion *f*.

**garceta** *f* **1.** *(ave)* aigrette **2.** *(pelo)* accroche-cœur *m*.

**gardenia** *f* gardénia *m*.

**garden-party** *f* garden-party.

**garduña** *f* fouine.

**garete (al)** *loc adv MAR* à la dérive, en dérive ◊ *FIG FAM* **irse al ~** aller à la dérive; *(fracasar)* échouer, tomber à l'eau.

**garfa** *f (de un animal)* griffe.

**garfada** *f* coup *m* de griffe.

**garfio** *m* crochet, croc.

**gargajear** *vi* cracher, graillonner.

**gargajo** *m POP* crachat, glaviot.

**garganta** *f* **1.** gorge: **me duele la ~** j'ai mal à la gorge **2.** *(entre montañas)* gorge, défilé *m* **3.** *(de polea, columna)* gorge **4.** *(del pie)* cou-de-pied *m*.

**gargantada** *f* gorgée.

**gargantear** *vi* faire des roulades.

**garganteo** *m* roulade *f*.

**gargantilla** *f (collar)* collier *m*.

**gárgaras** *f pl* **1.** gargarismes *m*: **hacer ~** se gargariser **2.** FAM **mandar a hacer ~** envoyer promener, envoyer paître; **¡vete a hacer gárgaras!** va te faire voir ailleurs!, va te faire foutre!

**gargarismo** *m* gargarisme.

**gargarizar** *vi* se gargariser.

**gárgol** *m* rainure *f*.

**gárgola** *f* ARQ gargouille.

**garguero** *m* FAM gosier.

**garifo, a** *a* AMER vif, vive, éveillé, e, de bonne humeur.

**garita** *f* **1.** MIL guérite **2.** *(de portero)* loge.

**garito** *m* tripot.

**garlar** *vi* FAM causer, bavarder.

**garlito** *m* **1.** *(arte de pesca)* nasse *f*, verveux **2.** FIG piège: **caer en el ~** tomber dans le piège; **coger en el ~** prendre au piège.

**garlopa** *f* varlope.

**garnacha** *f* **1.** *(uva, vino)* grenache *m* **2.** *(de magistrado)* robe **3.** gens *m pl* de robe.

**Garona** *np m* **el ~** la Garonne.

**garoso, a** *a* AMER *(hambriento)* affamé, e.

**garra** *f* **1.** *(de león, etc.)* griffe; *(de aves de rapiña)* serre **2.** FIG *(mano)* main, griffe ◊ **caer en las garras de alguien** tomber sous les griffes de quelqu'un; **echarle a uno la ~** mettre la main, le grappin sur quelqu'un; **sacar a una persona de las garras de otra** arracher une personne des griffes d'une autre **3.** FIG *(vigor)* nerf *m*, ressort *m* **4.** FIG personnalité **5.** *(firma)* griffe. ◇ *pl* AMER *(harapos)* haillons *m*, lambeaux *m*.

**garrafa** *f* carafe.

**garrafal** *a* FAM monumental, e, énorme: **un error ~** une erreur monumentale.

**garrafón** *m* **1.** grande carafe *f* **2.** dame-jeanne *f*.

**garrancha** *f* FAM épée, rapière.

**garranchazo** *m* déchirure *f*.

**garrancho** *m (de rama)* moignon.

**garrapata** *f (insecto)* tique.

**garrapatear** *vi* griffonner, gribouiller.

**garrapato** *m* griffonnage, gribouillage. ◇ *pl* gribouillis.

**garrapiñar → garapiñar.**

**garrar** *vi* MAR chasser sur ses ancres.

**garrido, a** *a* beau, belle, bien bâti, e.

**garriga** *f* garrigue.

**garroba** *f* caroube.

**garrobo** *m* gros lézard d'Amérique centrale.

**garrocha** *f* TAUROM pique.

**garrochar, garrochear** *vt* TAUROM piquer.

**garrochazo** *m* TAUROM coup *m* de pique.

**garrochón** *m* TAUROM pique *f* courte.

**garrón** *m* **1.** *(de ave)* ergot **2.** extrémité *f* de la patte, jarret (par où l'on suspend certains animaux) **3.** *(calcañar)* talon **4.** *(de rama)* moignon.

**garrotazo** *m* coup de bâton.

**garrote** *m* **1.** bâton, trique *f*, gourdin **2.** MED garrot **3.** *(suplicio)* garrot, garrotte *f*: **dar ~ a** faire subir le supplice du garrot à.

**garrotear** *vt* AMER battre.

**garrotillo** *m* MED croup.

**garrucha** *f* poulie.

**garrudo, a** *a* AMER fort, e, puissant, e.

**garrulería, garrulidad** *f* papotage *m*, bavardage *m*, verbiage *m*.

**gárrulo, a** *a* **1.** *(hablador)* bavard, e, prolixe **2.** *(ave, arroyo)* gazouillant, e **3.** *(brisa)* murmurant, e.

**garúa** *f* AMER bruine, crachin *m*.

**garuar** *v impers* AMER bruiner, pleuvoter.

**garufa** *f* AMER *(juerga)* fête, bringue, noce.

**garufear** *vi* AMER faire la bringue.

**garullada** *f* FAM cohue, foule.

**garza** *f* **1.** *(ave)* héron *m*, aigrette **2.** AMER *(copa)* verre *m* de bière.

**garzo, a** *a* **ojos garzos** yeux pers. ◇ *m (hongo)* agaric.

**garzón** *m* garçon, jeune homme.

**garzota** *f (ave)* aigrette, héron *m* aigrette.

**gas** *m* **1.** gaz: **~ ciudad** gaz de ville; **cocina de ~** cuisinière à gaz; **gases lacrimógenos** gaz lacrimogènes; **~ de los pantanos** gaz des marais **2. agua con ~, sin ~** eau gazeuse, non gazeuse **3. cámara de ~** chambre à gaz **4.** FAM **a todo ~** à plein gaz, à pleins tubes, à toute allure, à toute vitesse.

**gasa** *f* **1.** gaze **2.** *(de luto)* crêpe *m*.

**gascón, ona** *a/s* gascon, onne.

**gasconada** *f* gasconnade.

**Gascuña** *np p* Gascogne.

**gaseoducto → gasoducto.**

**gaseosa** *f* limonade.

**gaseoso, a** *a* gazeux, euse.

**gasfitería** *f* AMER plomberie.

**gasfitero** *m* AMER plombier.

**gasificación** *f* gazéification.

**gasificar** *vt* gazéifier.

**gasista** *m* gazier.

**gasoducto** *m* gazoduc.

**gasógeno** *m* gazogène.

**gasoil** *m* gas-oil.

**gasóleo** *m* gas-oil.

**gasolina** *f* essence ◊ **~ súper** super *m*.

**gasolinera** *f* **1.** *(lancha)* canot *m* automobile **2.** *(surtidor de gasolina)* poste *m* d'essence, pompe à essence.

**gasómetro** *m* gazomètre.

**Gaspar** *np m* Gaspard.

**gastado, a** *a* **1.** usé, e: **un traje ~** un costume usé **2.** usagé, e: **pilas gastadas** piles usagées **3.** FIG **un hombre ~** un homme usé **4.** *(tema, etc.)* rebattu, e, éculé, e.

**gastador, a** *a/s* gaspilleur, euse, dépensier, ère. ◇ *m* MIL sapeur.

**gastamiento** *m* usure *f*.

**gastar** *vt/i* **1. ~ dinero, el tiempo, las fuerzas** dépenser de l'argent, son temps, ses forces **2.** *(consumir)* consommer: **este coche gasta mucho** cette voiture consomme beaucoup **3.** *(deteriorar)* user: **mi jersey está gastado en los codos** mon pull est usé aux coudes **4.** *(llevar)* porter: **~ barba, gafas** porter la barbe, des lunettes; **gastaba bigote fino** il portait une fine moustache **5. ~ coche** avoir une voiture; **~ buen humor** être habituellement de bonne humeur ◊ FAM **ya sé muy bien cómo las gasta este tipo** je sais très bien comment ce type se comporte, se conduit **6.** **~ una broma** jouer un tour, faire une farce **7.** *FIG (envejecer)* user, affaiblir. ◆ **~se** *vpr (deteriorarse)* s'user **2.** **gastarse dinero** dépenser de l'argent.

**gasterópodo** *m ZOOL* gastéropode.

**gasto** *m* **1.** dépense *f*: **un ~ imprevisto** une dépense imprévue; **el ~ público, los gastos públicos** les dépenses publiques; **gastos corrientes** dépenses courantes **2.** frais *pl*: **gastos de viaje** frais de déplacement; **cubrir los gastos de** couvrir les frais de ◊ *FIG* **hacer el ~** faire les frais de la conversation **3.** *(consumo)* consommation *f* **4.** *FÍS (de un fluido)* débit.

**Gastón** *np m* Gaston.

**gastralgia** *f MED* gastralgie.

**gástrico, a** *a* gastrique: **jugo gástrico** suc gastrique.

**gastritis** *f MED* gastrite.

**gastroenteritis** *f* gastro-entérite.

**gastroenterólogo, a** *s* gastroentérologue.

**gastrointestinal** *a* gastro-intestinal, e.

**gastronomía** *f* gastronomie.

**gastronómico, a** *a* gastronomique.

**gastrónomo, a** *s* gastronome.

**gata** *f* **1.** *(hembra del gato)* chatte **2.** *FAM (madrileña)* madrilène **3.** *FIG* **~, gatita muerta** sainte nitouche.

**gatas (a)** *loc adv* **1.** à quatre pattes: **andar a ~** marcher à quatre pattes **2.** *AMER* à peine, à grand-peine.

**gatazo** *m* **1.** gros chat, gros matou **2.** *FAM (timo)* escroquerie *f*, vol.

**gatear** *vi* **1.** *(andar)* marcher à quatre pattes **2.** *(trepar)* grimper.

**gatera** *f* chatière.

**gatería** *f* **1.** bande de chats **2.** *FIG* bande de voyous **3.** *FAM* cajolerie.

**gatillo** *m* **1.** *(de un arma de fuego)* détente *f* **2.** *(de dentista)* davier.

**gatito, a** *s* chaton, onne → **gata.**

**gato** *m* **1.** chat: **~ montés** chat sauvage; **~ de Angora** chat angora; **~ cerval** serval; **~ de algalia** civette *f* ◊ *FIG* **cuatro gatos** quatre pelés et un tondu; **ni un ~** personne; **buscar tres pies al ~** chercher midi à quatorze heures, couper les cheveux en quatre; *FAM* **dar ~ por liebre** rouler, tromper, avoir; **lavarse a lo ~** faire une toilette de chats; **llevarse el ~ al agua** emporter le morceau, l'emporter; *PROV* **~ escaldado del agua fría huye** chat échaudé craint l'eau froide; **de noche todos los gatos son pardos** la nuit tous les chats sont gris **2.** *(para levantar pesos)* cric, vérin: **~ hidráulico** cric hydraulique **3.** *(dinero)* magot ◊ **hay ~ encerrado** il y a anguille sous roche **4.** *(ladronzuelo)* filou **5.** *FIG* **ser ~ viejo** être un vieux renard **6.** *FAM (madrileño)* madrilène **7.** *AMER* danse *f* populaire du Río de la Plata.

**gatuno, a** *a* félin, e.

**gatuña** *f (planta)* bugrane, arrête-bœuf *m*.

**gatuperio** *m (embrollo)* imbroglio, intrigue *f*, manigance *f*.

**gauchada** *f AMER* **1.** *(hazaña)* prouesse **2.** petit service *m*: **hágame la ~** rendez-moi ce petit service.

**gauchesco, a** *a AMER* **1.** du gaucho **2.** *(literatura)* qui traite de la vie des gauchos.

**gaucho, a** *a/s AMER* gaucho. ◇ *a (astuto)* rusé, e.

**gaulismo, gaullismo** *m* gaullisme.

**gavanza** *f* églantine.

**gavanzo** *m* **1.** *(escaramujo)* églantier **2.** *(fruto)* gratte-cul.

**gaveta** *f* tiroir *m*.

**gavia** *f* **1.** *(zanja)* fossé *m*, rigole **2.** *MAR (vela)* hunier *m*.

**gavial** *m* gavial.

**gaviero** *m* gabier.

**gavilán** *m* **1.** *(ave)* épervier **2.** *(de una espada)* quillon **3.** *(flor del cardo)* fleur *f* du chardon **4.** *AMER (uñero)* ongle incarné.

**gavilla** *f* **1.** *(de cereales)* gerbe, *(de sarmientos)* fagot *m* **2.** *FIG (de malhechores)* bande.

**gavillero** *m* gerbier.

**gavina** *f* mouette.

**gavión** *m* gabion.

**gaviota** *f* mouette.

**gavota** *f* gavotte.

**gay** *m FAM* homosexuel, homo.

**gayo, a** *a* **1.** gai, e, voyant, e **2.** **gaya ciencia** gai savoir.

**gayola** *f* **1.** *(jaula)* cage **2.** *(cárcel)* prison, taule.

**gayomba** *f* genêt *m* d'Espagne.

**Gaza** *np* Gaza: **la franja de ~** la bande de Gaza.

**gazapa** *f* mensonge *m*.

**gazapera** *f* **1.** *(madriguera)* terrier *m* **2.** *FIG* réunion de fripouilles **3.** *(riña)* dispute, rixe.

**gazapo** *m* **1.** *(conejo joven)* lapereau **2.** *FIG FAM (hombre astuto)* malin **3.** *(disparate)* lapsus, erreur *f*.

**gazmoñería** *f* **1.** pruderie **2.** *(beatería)* bigoterie.

**gazmoño, a** *a/s* **1.** prude **2.** *(santurrón)* bigot, e, cagot, e.

**gaznápiro, a** *a/s FAM* idiot, e, cloche, andouille.

**gaznate** *m* **1.** *(garganta)* gorge *f*, gosier **2.** cou **3.** *(fruta de sartén)* beignet rond **4.** *AMER* confiture *f* d'ananas.

**gazpacho** *m* «gazpacho» (soupe froide à l'huile, au vinaigre et à l'ail).

**gazuza** *f FAM* faim de loup, fringale.

**gazuzo, a** *a AMER* affamé, e.

**ge** *f* g *m*, lettre *g*.

**gehena** *f* géhenne.

**géiser** *m* geyser.

**gel** *m* **1.** *QUÍM* gel **2** gel: **~ de baño** gel pour le bain.

**gelatina** *f* **1.** *(sustancia transparente)* gélatine **2.** *CULIN* **pato con ~** canard en gelée **3.** *(de frutas)* gelée.

**gelatinoso, a** *a* gélatineux, euse.

**gélido, a** *a* glacé, e, gelé, e, glacial, e: **viento ~** vent glacial.

**gema** *f* **1.** gemme **2.** **sal ~** sel gemme.

**gemebundo, a** *a* gémissant, e.

**gemelo, a** *a* jumeau, jumelle. ◇ *m pl* **1.** *(anteojos)* jumelles *f*: **gemelos de teatro** jumelles de théâtre **2.** *(de camisa)* boutons de manchette. ◇ *f* **triple gemela** tiercé jumelé *m*.

**gemido** *m* gémissement.

**gemidor, a** *a* geignard, e.

**geminación** *f* gémination.

**geminado, a** *a* géminé, e: **columnas geminadas** colonnes géminées.

**Géminis** *np m pl* Gémeaux: **ser (de) ~** être (des) Gémeaux.

**gemiquear** → **gimotear.**

**gemiqueo** → **gimoteo.**

**gemir*** *vi* **1.** gémir: **el enfermo gimió de dolor** le malade gémit de douleur **2.** *FIG* **el viento gemía** le vent gémissait.

**gemonías** *f pl* gémonies.

**gen, gene** *m BIOL* gène.

**genciana** *f* gentiane.

**gendarme** *m* gendarme.

**gendarmería** *f* gendarmerie.

**gene** → **gen.**

**genealogía** *f* généalogie.

**genealógico, a** *a* **árbol ~** arbre généalogique.

**genealogista** *s* généalogiste.

**generación** *f* **1.** génération: **~ espontánea** génération spontanée **2.** génération: **la ~ de la postguerra** la génération de l'après-guerre.

**generador, a** *a* générateur, trice. ◇ *m (máquina)* générateur.

**general** *a* général, e ◊ **en líneas generales** dans les grandes lignes. ◇ *m* **1.** général: **~ en jefe** général en chef; **~ de brigada, de división** général de brigade, de division; **el ~ de los jesuitas** le général des jésuites **2.** *loc adv* **en ~, por lo ~** en général, généralement.

**generala** *f* **1.** *(mujer de un general)* générale **2.** *MIL* **tocar a ~** battre la générale.

**generalato** *m* **1.** généralat **2.** ensemble des généraux d'une armée.

**generalidad** *f* généralité. ◇ *pl* généralités: **contestó con generalidades** il répondit par des généralités.
▶ Voir le mot *Generalitat.*

**generalísimo** *m MIL* généralissime.

**generalista** *a/s* **médico ~** médecin généraliste.

**Generalitat** *np f* Généralité.
▶ Mot catalan pour désigner le gouvernement autonome.

**generalización** *f* généralisation.

**generalizar** *vt* généraliser. ◆ **~se** *vpr* se généraliser.

**generalmente** *adv* généralement, en général.

**generar** *vt* **1.** engendrer **2.** *FIG* provoquer, produire, susciter, générer.

**generativo, a** *a* génératif, ive.

**generatriz** *a/f* génératrice.

**genérico, a** *a* générique: **nombre ~** nom générique; **medicamento ~** médicament générique.

**género** *m* **1.** genre: **el ~ humano** le genre humain **2.** *(clase)* sorte *f*: **hacer todo ~ de esfuerzos** faire toutes sortes d'efforts **3.** *(manera)* façon *f* **4. ~ de vida** genre, mode de vie **5.** *(tela)* tissu ◊ **~ de punto** tricot **6.** *(mercancía)* marchandise *f*, article **7.** *GRAM, LIT* genre **8. el ~ chico** l'opérette *f* **9. pintor de ~** peintre de genre.

**generosamente** *adv* généreusement.

**generosidad** *f* générosité.

**generoso, a** *a* **1.** *(noble, dadivoso)* généreux, euse **2. vino ~** vin généreux.

**genesiaco, a, genesíaco, a** *a* génésiaque.

**genésico, a** génésique.

**génesis** *f (origen)* genèse.

**Génesis** *np m (libro)* **el ~** la Genèse.

**genético, a** *a* génétique: **manipulaciones genéticas** manipulations génétiques. ◇ *f* génétique.

**genetista** *s* généticien, enne.

**genial** *a* **1.** génial, e **2.** *FAM* génial, e, formidable ◊ **nos lo hemos pasado ~** ça a été super, génial.

**genialidad** *f* **1.** *(talento)* génie *m* **2.** *(originalidad)* originalité **3.** *(ocurrencia)* idée géniale, idée baroque.

**geniazo** *m FAM* sale caractère, caractère de cochon.

**génico, a** *a BIOL* génique: **terapia génica** thérapie génique.

**geniecillo** *m (duende)* lutin, esprit follet.

**genio** *m* **1.** *(talento)* génie **2.** caractère: **tener buen, mal ~** avoir bon, mauvais caractère ◊ **corto de ~** timide; **tener el ~ vivo** s'irriter facilement, être irritable; *PROV* **~ y figura hasta la sepultura** chassez le naturel, il revient au galop **3.** *(estado de ánimo)* humeur *f* **4.** *(deidad)* génie.

**genital** *a* génital, e: **órganos genitales** organes génitaux.

**genitivo** *m GRAM* génitif.

**genitor, a** *a/s* géniteur, trice.

**genitourinario, a** *a ANAT* génito-urinaire.

**genízaro** *m* janissaire.

**genocidio** *m* génocide.

**genoma** *m BIOL* génome.

**genotipo** *m BIOL* génotype.

**Génova** *np f* Gênes.

**genovés, esa** *a/s* génois, e.

**Genoveva** *np f* Geneviève.

**gentada** *f FAM* foule, cohue.

**gente** *f* **1.** gens *m pl*: **la ~ se atropella en el metro** les gens se bousculent dans le métro; **es ~ rica** ce sont des gens riches: **~ feliz** des gens heureux ◊ **~ (de) bien** les gens bien; **la ~ menuda** le petit monde, les enfants; **buena ~** de braves gens; **el portero es buena ~** le concierge est un brave homme, est gentil, sympa; **ser (mucha) ~** être quelqu'un d'important; *FAM* **la ~ gorda** les gens huppés, haut placés **2.** monde *m*: **había mucha ~** il y avait beaucoup de monde; **¡cuánta ~ hay aquí!** que de monde ici! **3.** *AMER* **como la ~** comme il faut. ◇ *pl* **1. el apóstol de las gentes** l'apôtre des gentils **2. derecho de gentes** droit des gens.
▶ Voir l'artiste «gens» dans la partie français-espagnol.

**gentecilla** *f PEYOR* des gens *m pl* de rien.

**gentil** *a/s (pagano)* gentil: **evangelizar a los gentiles** évangéliser les gentils. ◇ *a* **1.** *(apuesto)* gracieux, euse, élégant, e **2.** *(notable)* grand, e, considérable **3.** *(amable)* gentil, ille.
▶ Le sens 3. est un gallicisme.

**gentileshombres** → **gentilhombre.**

**gentileza** *f* **1.** *(garbo)* grâce, beauté **2.** courtoisie **3.** gentillesse, amabilité: **tener la ~ de** avoir la gentillesse, l'amabilité de.

**gentilhombre** *m* gentilhomme: **gentileshombres** des gentilshommes.

**gentilicio** *m* nom des habitants d'un pays, d'une ville.

**gentilidad** *f* gentilité, paganisme *m*.

**gentilmente** *adv* **1.** gentiment **2.** avec grâce.

**gentío** *m* foule *f*, affluence *f*: **un ~ inmenso** une foule immense.

**gentuza** *f PEYOR* populace, canaille.

**genuflexión** *f* génuflexion: **hacer una ~** faire une génuflexion.

**genuinamente** *adv* authentiquement, typiquement.

**genuino, a** *a* **1.** naturel, elle **2.** *(verdadero)* véritable, authentique.

**geocéntrico, a** *a* géocentrique.

**geoda** *f GEOL* géode.

**geodesia** *f* géodésie.

**geodésico, a** *a* géodésique.

**geoestacionario, a** *a* géostationnaire: **satélite ~** satellite géostationnaire.

**geoestrategia** *f* géostratégie.

**geoestratégico, a** *a* géostratégique.

**geofísica** *f* géophysique.

**geografía** *f* géographie: **~ física, humana** géographie physique, humaine.

**geográfico, a** *a* géographique.

**geógrafo, a** *s* géographe.

**geología** *f* géologie.

**geológico, a** *a* géologique.

**geólogo, a** *s* géologue.

**geomancia** *f* géomancie.

**geómetra** *s* géomètre.

**geometría** *f* **1.** géométrie: **~ plana, del espacio** géométrie plane, dans l'espace **2. avión de ~ variable** avion à géométrie variable.

**geométrico, a** *a* géométrique.

**geomorfología** *f* géomorphologie.

**geopolítica** *f* géopolitique.

**Georgia** *np f* Géorgie.

**georgiano, a** *a/s* géorgien, enne.

**geórgicas** *f pl* géorgiques.

**geosinclinal** *m* GEOL géosynclinal.

**geotermia** *f* géothermie.

**geotérmico, a** *a* géothermique.

**geotropismo** *m* BIOL géotropisme.

**geranio** *m* géranium.

**Gerardo** *np m* Gérard.

**gerbo** *m* gerboise *f*.

**gerencia** *f* gérance.

**gerente** *s* gérant, e ◊ **director ~** directeur général.

**geriatra** *s* gériatre.

**geriatría** *f* gériatrie.

**geriátrico, a** *a* gériatrique.

**gerifalte** *m* **1.** *(ave)* gerfaut **2.** FIG magnat ◊ **vivir como un ~** vivre comme un prince.

**germanía** *f* **1.** argot *m* (de la pègre) **2.** ANT corporation (à Valence).

**Germania** *np f* Germanie.

**germánico, a** *a* germanique.

**germanio** *m* QUÍM germanium.

**germanismo** *m* germanisme.

**germanista** *a/s* germaniste.

**germanización** *f* germanisation.

**germanizar** *vt* germaniser.

**germano, a** *a/s* germain, e.

**germanófilo, a** *a/s* germanophile.

**germen** *m* **1.** BIOL, BOT germe: **gérmenes patógenos** germes pathogènes **2.** FIG germe.

**germicida** *a/m* germicide.

**germinación** *f* germination.

**germinal** *m (mes)* germinal.

**germinar** *vi (las plantas, las ideas)* germer.

**germinativo, a** *a* germinatif, ive.

**Gerona** *np* Gérone.

**gerontocracia** *f* gérontocratie.

**gerontología** *f* gérontologie.

**gerontológico, a** *a* gérontologique.

**gerontólogo, a** *a/s* gérontologue.

**Gertrudis** *np f* Gertrude.

**gerundense** *a/s* de Gérone.

**gerundio** *m* gérondif.

**Gervasio** *np m* Gervais.

**gesta** *f* geste: **cantares de ~** chansons de geste.

**gestación** *f* gestation.

**gestar** *vt* concevoir. ◆ **~se** *vpr* FIG se préparer.

**gestatoria** *a* ANT **silla ~** chaise gestatoire.

**gestear** *vi* grimacer.

**gestero, a** *a* FAM grimacier, ère.

**gesticulación** *f* **1.** *(mueca)* grimace, mine **2.** *(ademán)* gesticulation.
► Le sens 2. est impropre.

**gesticular** *vi* **1.** *(hacer muecas)* grimacer, faire des grimaces **2.** gesticuler.
► Le sens 2. est impropre.

**gestión** *f* **1.** *(diligencia)* démarche: **gestiones administrativas** démarches administratives **2.** gestion: **la ~ de una empresa** la gestion d'une entreprise.

**gestionar** *vt* **1.** faire des démarches pour, traiter, négocier: **~ un asunto** traiter une affaire **2.** administrer.

**gesto** *m* **1.** expression *f* du visage, mine *f*, air **2.** *(mueca)* grimace *f*: **hacer gestos a** faire des grimaces à; **torcer el ~** faire une grimace ◊ **poner ~** se renfrogner **3.** *(ademán)* geste: **acompañar el ~ a la palabra** joindre le geste à la parole **4.** FIG *(acción)* **tener un ~** faire un beau geste.
► Le sens 3. est impropre mais courant.

**gestor, a** *a* gestionnaire. ◇ *s* gérant, e, gestionnaire, responsable adjoint à la direction où à l'administration d'une entreprise: **este ministro tiene fama de buen ~** ce ministre a la réputation d'être un bon gestionnaire. ◇ *f* assemblée de gestionnaires.

**gestoría** *f* agence, cabinet *m* de gestion, cabinet *m* d'affaires.

**gestual** *a* gestuel, elle.

**géyser** *m* geyser.

**ghanés, esa** *a/s* ghanéen, enne.

**giba** *f* bosse, gibbosité.

**gibado, a** *a* bossu, e.

**gibar** *vt* **1.** rendre bossu, e **2.** FAM *(fastidiar)* raser, casser les pieds, assommer ◊ **¡~!** merde!

**gibelino, a** *a/s* HIST gibelin, e.

**gibón** *m (mono)* gibbon.

**gibosidad** *f* gibbosité, bosse.

**giboso, a** *a* bossu, e.

**gibraltareño, a** *a/s* de Gibraltar.

**giga** *f* MÚS gigue.

**giganta** *f* **1.** FAM *(mujer)* géante **2.** → **gigantona.**

**gigante** *a* géant, e. ◇ *m* **1.** géant **2.** → **gigantón.**

**gigantesco, a** *a* gigantesque, énorme.

**gigantismo** *m* gigantisme.

**gigantón, ona** *s* **1.** géant, e **2.** *(de las fiestas)* géant, e (en carton, dans les mascarades).

**gigoló** *m* gigolo.

**gijonense** *a* de Gijón.

**gil** *m* AMER benêt.

**Gil** *np m* Gilles.

**Gilberto, a** *np* Gilbert, e.

**gilí** *a/m* FAM idiot, e, crétin, e, con, conne: **puso cara de ~** il prit un air idiot; **¿tú eres ~ o qué?** tu es idiot ou quoi?

**gilipollada, gilipollez** *f POP* ânerie, connerie.

**gilipollas** *a/m POP* con, andouille *f*, couillon.

**gilipollez → gilipollada.**

**gime → gemir.**

**gimnasia** *f* **1.** gymnastique: **~ rítmica, sueca** gymnastique rythmique, suédoise **2. ~ tónica** gym tonique **3. ~ mental** gymnastique mentale.

**gimnasio** *m* gymnase.

**gimnasta** *s* gymnaste.

**gimnástico, a** *a* gymnastique.

**gímnico, a** gymnique.

**gimnospermas** *f pl BOT* gymnospermes.

**gimnoto** *m* gymnote.

**gimotear** *vi FAM* pleurnicher, larmoyer.

**gimoteo** *m FAM* pleurnicherie *f*.

**ginebra** *f* gin *m*.

**Ginebra** *np* Genève.

**ginebrino, a** *a* genevois, e.

**gineceo** *m* **1.** gynécée **2.** *BOT* pistil.

**ginecología** *f* gynécologie.

**ginecológico, a** *a* gynécologique.

**ginecólogo, a** *s* gynécologue.

**ginesta** *f* genêt *m*.

**gingival** *a* gingival, e.

**gingivitis** *f* gingivite.

**ginseng** *m* ginseng.

**Gioconda (la)** *np f* la Joconde.

**gira** *f* **1.** *(de artistas, políticos)* tournée: **el cantante realizó una ~ por España** le chanteur a effectué une tournée en Espagne; **está de ~** il est en tournée **2.** voyage *m*, excursion: **una ~ turística** un voyage touristique **3. ~ campestre** partie de campagne.

**giradiscos** *m* tourne-disque.

**girador, a** *s COM (de una letra de cambio)* tireur *m*.

**giralda** *f* girouette (à forme d'homme ou d'animal).

**Giralda (La)** *np f* La Giralda (tour de la cathédrale de Séville).

**girar** *vi* **1.** tourner: **la tierra gira alrededor del sol** la terre tourne autour du soleil **2.** *(coche)* braquer **3.** *FIG* **la charla giró en torno al problema del paro** la conversation a tourné autour, a porté sur le problème du chômage **4.** *(el viento)* tourner. ◇ *vt* **1.** tourner: **~ la cabeza** tourner la tête **2.** *(dinero)* virer **3.** *COM (letra)* tirer; *(una cantidad de dinero)* virer **4. ~ visita** rendre visite, faire une visite.

**girasol** *m (planta)* tournesol.

**giratorio, a** *a* giratoire, tournant, e: **sillón ~** fauteuil tournant.

**[1]giro** *m* **1.** *(movimiento circular)* tour ◊ **dio un ~ lento sobre sus talones** il tourna lentement sur ses talons; **sentido de ~ obligatorio** sens giratoire obligatoire ◊ *FIG* **un ~ de 180 grados** un virage à 180 degrés **2.** *(de la conversación, de un asunto)* tournure *f* **3.** *(frase)* tournure *f*: **un ~ elegante** une tournure élégante **4.** *COM* virement, traite *f* **5. ~ postal** mandat (postal) **6.** *(automóvil)* **círculo de ~** rayon de braquage.

**[2]giro, a** *a AMER (coq)* au plumage moucheté, e de jaune et de noir.

**girofaro** *m* gyrophare.

**girola** *f ARQ* nef absidale, déambulatoire *m*.

**Gironda** *np m* Gironde *f*.

**girondino, a** *a* girondin, e.

**giroscópico, a** *a* gyroscopique.

**giroscopio** *m* gyroscope.

**giróstato** *m* gyrostat.

**gis** *m* **1.** craie *f* **2.** *AMER (pizarrín)* crayon d'ardoise.

**gitanada** *f* **1.** action propre aux gitans **2.** *FIG* sale tour *m* **3.** *(zalamería)* flatterie, flagornerie.

**gitanear** *vi* **1.** traficoter **2.** *FIG* flagorner.

**gitanería** *f* **1.** réunion de gitans **2.** *FIG* flatterie, flagornerie.

**gitanesco, a** *a* de gitan, e.

**gitanillo, a** *s* petit gitan, petite gitane.

**gitanismo** *m* gitanisme.

**gitano, a** *a/s* **1.** gitan, e **2.** bohémien, enne. ◇ *a (zalamero)* flagorneur, euse, enjôleur, euse.

**glabro, a** *a* glabre.

**glaciación** *f* glaciation.

**glacial** *a* **1.** glacial, e: **vientos glaciales** des vents glacials **2.** *FIG* glacial, e: **una acogida ~** un accueil glacial.

**glacialmente** *adv* de façon glaciale.

**glaciar** *m* glacier: **los glaciares de los Alpes** les glaciers des Alpes. ◇ *a* **época ~** période glaciaire.

**glaciarismo** *m*, **glaciología** *f* glaciologie *f*.

**glacis** *m* glacis.

**gladiador** *m* gladiateur.

**gladiolo, gladíolo** *m* glaïeul.

**glamour** *m* glamour.

**glande** *m ANAT* gland.

**glándula** *f* glande: **~ endocrina** glande endocrine.

**glandular** *a* glandulaire.

**glanduloso, a** *a* glanduleux, euse.

**glasé** *m* taffetas glacé.

**glaseado, a** *a* glacé, e: **papel ~** papier glacé. ◇ *m* glaçage.

**glasear** *vt* **1.** *TECN* glacer **2. ~ un pastel** glacer un gâteau.

**glauco, a** *a* glauque.

**glaucoma** *m MED* glaucome.

**gleba** *f* glèbe.

**glera** *f* pierraille, caillasse.

**glicerina** *f* glycérine.

**glicina** *f* glycine.

**glíptica** *f* glyptique.

**global** *a* global, e: **precios globales** prix globaux.

**globalidad** *f* globalité.

**globalización** *f* globalisation.

**globalizar** *vt* globaliser. ◆ **~se** *vpr* se mondialiser.

**globalmente** *adv* globalement, de façon globale.

**globo** *m* **1.** *(cuerpo esférico)* globe: **~ terráqueo, terrestre** globe terrestre; **~ ocular** globe oculaire **2.** *(de lámpara)* globe **3.** *(aeróstato, juguete)* ballon: **~ cautivo, dirigible** ballon captif, dirigeable; **~ sonda** ballon sonde ◊ **~ aerostático** ballon **4.** *(de historieta)* bulle *f* **5.** *(en tenis)* lob **6. en ~** en bloc, globalement **7.** *FAM (enfado)* colère *f* noire, rogne *f* **8.** *FAM (preservativo)* capote *f* anglaise.

**globular** *a* **1.** globuleux, euse, globulaire **2.** sphérique.

**glóbulo** *m* globule: **glóbulos blancos, rojos** globules blancs, rouges.

**globuloso, a** *a* globuleux, euse.

**glomérulo** *m* glomérule.

**gloria** *f* **1.** gloire: **cubrirse de ~** se couvrir de gloire; **sin pena ni ~ → pena 2.** *(cielo)* ciel *m*, paradis *m* ◊ *FIG* **estar en la ~** être aux anges; **que en ~ esté** Dieu ait son âme **3.** bonheur *m*, plaisir *m* ◊ **da ~, es una ~ ver lo contento que está** ça fait plaisir de le voir si content; **este vino sabe a ~** ce vin est délicieux, est à se mettre à genoux devant **4.** *(pastel)* gâteau *m* feuilleté. ◇ *m* *RELIG (cántico, rezo)* gloria.

**gloriado** *m AMER* punch, grog.

**gloriar** *vt* glorifier. ◆ **~se** *vpr* se glorifier, se flatter.

**glorieta** *f* **1.** *(cenador)* tonnelle, kiosque *m* **2.** *(encrucijada)* rond-point *m*.

**glorificación** *f* glorification.

**glorificar** *vt* glorifier. ◆ **~se** *vpr* se glorifier, se flatter.

**glorioso, a** *a* glorieux, euse.

**glosa** *f* **1.** *(de un texto)* glose **2.** composition poétique.

**glosador, a** *a/s* glossateur, trice, commentateur, trice.

**glosar** *vt* **1.** gloser, commenter, annoter **2.** *(tergiversar)* déformer.

**glosario** *m* glossaire.

**glosopeda** *f* fièvre aphteuse.

**glotis** *f* glotte.

**glotón, ona** *a/s* glouton, onne, goulu, e.

**glotonear** *vi* bâfrer, goinfrer.

**glotonería** *f* gloutonnerie.

**glucemia** *f* glycémie.

**glúcido** *m* glucide.

**glucógeno, a** *a QUÍM* glycogène.

**glucosa** *f* glucose *m*.

**glucosuria** *f MED* glycosurie.

**gluglú** *m* glouglou.

**gluten** *m* gluten.

**glúteo, a** *a ANAT* fessier, ère. ◇ *m pl* muscles fessiers.

**gneis** [néis] *m* gneiss.

**gnomo** [nómo] *m* gnome, lutin, nain.

**gnomon** [nómon] *m* gnomon.

**gnosis** [nósis] *f* gnose.

**gnosticismo** [nosticismo] *m* gnosticisme.

**gnóstico, a** [nóstiko, a] *a/s* gnostique.

**gobelino** *m* gobelin.

**gobernable** *a* gouvernable.

**gobernación** *f* **1.** gouvernement *m* **2. ministerio de la Gobernación** ministère de l'Intérieur.

**gobernador, a** *a/s* qui gourverne, gouvernant, e. ◇ *m* **1.** gouverneur: **~ militar** gouverneur militaire; **~ del Banco de España** gouverneur de la Banque d'Espagne **2. ~ civil** préfet.

**gobernadora** *f* femme du gouverneur.

**gobernalle** *m* gouvernail.

**gobernanta** *f* intendante.

**gobernante** *a/s* gouvernant, e, dirigeant, e.

**gobernar*** *vt/i* **1.** gouverner, diriger **2.** *(conducir)* conduire **3.** *(dominar)* gouverner, mener: **se deja ~ por su mujer** il se laisse gouverner par sa femme. ◇ *vi MAR* gouverner. ◆ **~se** *vpr* **1.** s'administrer **2.** *(guiarse)* se conduire.

**gobernativo, a → gubernativo.**

**gobierna** *f* girouette.

**gobierno** *m* **1.** gouvernement, pouvoirs *pl* publics: **~ parlamentario** gouvernement parlementaire; **apoyar al ~** soutenir le gouvernement ◊ **~ civil** préfecture *f* **2.** gouverne *f*: **se lo digo para su ~** je vous le dis pour votre gouverne ◊ **servir de ~** servir de leçon, d'avertissement.

**gobio** *m* **1.** *(de mar)* gobie *f* **2.** *(de río)* goujon.

**goce** *m* jouissance *f*, plaisir.

**godo, a** *a/s* **1.** goth **2.** *AMER* espagnol, e.

**Godofredo** *np m* Geoffroy, Godefroi.

**gofio** *m* farine *f* de maïs grillé.

**gofrar** *vt TECN* gaufrer.

**gogó (a)** *adv FAM* à gogo.

**gol** *m* but: **meter, marcar goles** marquer des buts; **ganó por un ~ a cero** il a gagné par un but à zéro; **línea de ~** ligne de but.

**gola** *f* **1.** *(garganta)* gorge, gosier *m* **2.** *(de la armadura)* gorgerin *m* **3.** *(adorno)* hausse-col *m* **4.** *ARQ* doucine, cimaise **5.** *(canal)* goulet *m*.

**goleada** *f* nombre *m* considérable de buts, victoire écrasante.

**goleador** *m (en fútbol)* buteur.

**golear** *vi* marquer des buts ◊ **el Atletic golea al Racing** l'Atletic bat le Racing.

**goleta** *f* goélette.

**golf** *m* golf: **jugar al ~** jouer au golf; **campo de ~** terrain de golf.

**golfa** *f FAM* traînée, fille.

**golfante** *a/s FAM* fripouille *f*.

**golfear** *vi* courir, faire la vie, traîner les rues.

**golfería** *f* **1.** bande de gamins, de voyous **2.** friponnerie.

**golfillo** *m* galopin, chenapan.

**golfín** *m* gamin.

**golfista** *s* golfeur, euse, joueur, joueuse de golf.

[1]**golfo** *m GEOG* golfe: **el ~ de México** le golfe du Mexique; **la guerra del Golfo** la guerre du Golfe.

[2]**golfo** *m* **1.** *(pilluelo)* polisson, chenapan **2.** *(gamberro)* voyou.

**Gólgota** *np m* Golgotha.

**goliardo, a** *a* libertin, e. ◇ *m (en la Edad Media)* étudiant ou clerc qui menait une vie désordonnée.

**Goliat** *np m* Goliath.

**golilla** *f* **1.** *ANT (de magistrado)* rabat *m*, col *m* rabattu **2.** *TECN* manchon *m* **3.** *AMER* foulard *m* du gaucho. ◇ *m PEYOR (magistrado)* homme de robe.

**gollería** *f* **1.** friandise **2.** *FIG* chose superflue ◊ **pedir gollerías** demander la lune, l'impossible.

**golletazo** *m* **1.** *TAUROM* estocade *f* au cou du taureau **2.** *FIG* **dar ~ a** mettre fin à.

**gollete** *m* **1.** *(de una botella)* goulot: **beber del ~** boire au goulot **2.** partie *f* supérieure du cou ◊ **estar hasta el ~** en avoir par-dessus la tête; *(haber comido mucho)* être repu, e.

**gollizno, gollizo** *m* gorge f, défilé.

**golondrina** *f* **1.** hirondelle ◊ **una ~ no hace verano** une hirondelle ne fait pas le printemps; **~ de mar** hirondelle de mer, sterne **2.** *(barco)* vedette, bateau-mouche *m*.

**golondrino** *m* **1.** *(ave)* hirondeau **2.** *FIG* nomade **2.** *MED* ganglion à l'aisselle.

**golosamente** *adv* avec gourmandise.

**golosear** *vi* manger des friandises.

**golosina** *f* **1.** *(dulce)* gourmandise, friandise **2.** *FIG* gourmandise.

**golosinear** *vi* manger des friandises.

**goloso, a** *a/s* gourmand, e: **niño ~** enfant gourmand. ◇ *a (apetitoso)* appétissant, e.

**golpazo** *m* grand coup.

**golpe** *m* **1.** coup: **recibió un ~ en la cabeza** il a reçu un coup sur la tête; *(tenis)* **~ derecho** coup droit ◊ **~ bajo** coup bas; **~ de gracia** coup de grâce; **~ de efecto** effet de surprise; **~ de pecho** mea-culpa; **~ de vista** coup d'œil: **al primer ~ de vista** du premier coup d'œil; **errar el ~** rater son coup; *FAM* **no dar (ni) ~** se la couler douce, tirer sa flemme, ne pas en ficher une rame: **pasa el día sin dar ~** il passe sa journée à ne rien fiche **2. ~ de Estado** coup d'État; **~ militar** putsch; **~ de mano** coup monté **3.** *(desgracia)* coup dur **4.** *(de gente)* foule *f* **5. ~ de mar** paquet de mer **6.** *(del corazón)* battement **7.** *(de cerradura)* pêne en biseau **8.** *(ocurrencia)* trait d'esprit, saillie *f* **9.** *FAM* **dar el ~** épater, faire sensation **10.** *(en el juego)* mise *f* réussie **11.** *loc adv* **a golpes** en donnant des coups, *(con intermitencias)* par à-coups; **de ~, de ~ y porrazo** subitement, soudain, tout à coup; **de un (solo) ~** d'un seul coup; **cerrar la puerta de un ~** claquer la porte **12.** *loc prep* **a ~ de, a golpes de** à coups de.

**golpeador** *m AMER* heurtoir.

**golpear** *vt/i* frapper: **~ en la cara** frapper au visage.

**golpeo** *m* frappement, coup.

**golpetear** *vt/i* frapper à coups redoublés.

**golpeteo** *m* coups *pl* redoublés.

**golpismo** *m* putschisme.

**golpista** *a/s* putschiste.

**golpiza** *f AMER* raclée, volée, rossée.

**goma** *f* **1.** *BOT* gomme: **~ arábiga** gomme arabique **2.** caoutchouc *m*: **guantes de ~** gants en caoutchouc; **suelas de ~** semelles en caoutchouc **3.** *(tira de caucho)* élastique *m*: **fajo de billetes ligados por una ~** liasse de billets attachés par un élastique **4. ~ de borrar** gomme **5. ~ de pegar** colle **6. ~ de mascar** chewing-gum *m* **7. ~ 2** plastic *m* **8.** *FAM (preservativo)* capote anglaise **9.** *AMER FAM (resaca)* gueule de bois, mal *m* aux cheveux **10.** *AMER (neumático)* pneu *m*.

**gomaespuma** *f* caoutchouc *m* mousse.

**gomal** *m AMER* plantation *f* d'hévéas.

**[1]gomero, a** *a* relatif, ive à la gomme. ◇ *f AMER (juguete)* lance-pierres *inv*. ◇ *m AMER* **1.** *(árbol)* arbre à caoutchouc **2.** producteur de caoutchouc **3.** marchand de pneus.

**[2]gomero, a** *a/s* de l'île de Gomera (Canaries).

**gomia** *f* **1.** tarasque **2.** croque-mitaine *m* **3.** *FAM* glouton, onne, goinfre.

**gomina** *f* gomina.

**Gomorra** *np* Gomorrhe.

**gomorresina** *f* gomme-résine.

**gomosidad** *f* viscosité.

**gomoso, a** *a* gommeux, euse. ◇ *m (petimetre)* gommeux, gandin.

**gónada** *f BIOL* gonade.

**góndola** *f* gondole.

**gondolero** *m* gondolier.

**gonfalón** *m* gonfalon, gonfanon.

**gonfalonero, gonfalonier** *m* gonfalonier, gonfanonier.

**gong** *m* gong.

**gongorino, a** *a* relatif, ive à Góngora.

**gongorismo** *m* gongorisme.

**goniómetro** *m* goniomètre.

**gonococo** *m* gonocoque.

**gonorrea** *f MED* gonorrhée, blennorragie.

**Gonzalo** *np m* Gonzalve.

**gordal** *a* gros, grosse: **aceituna ~** grosse olive.

**gordiano** *a* **nudo ~** nœud gordien.

**gordinflón, ona** *a/s* grassouillet, ette, gros, grosse, joufflu, e.

**gordo, a** *a* **1.** gros, grosse: **un gato muy ~** un très gros chat; **una mujer gorda** une grosse femme; **es ~ de piernas** il a de grosses jambes ◊ **dedo ~** pouce; **el premio ~** le gros lot; **perra gorda** pièce de deux sous; *FAM* **Pablo me cae ~** Paul m'agace, m'est antipathique; **es gente gorda** c'est une grosse légume **2.** *(con grasa)* gras, grasse **3.** épais, épaisse **4.** *FIG* important, e, grave: **ocurrió algo ~** il est arrivé quelque chose de grave; **algo ~ se debe estar cociendo** il doit se manigancer quelque chose d'important; **va a pasar algo ~** ça va barder, ça va mal tourner; **meterse en algo ~** se fourrer dans une sale affaire; **mudar de piso es un follón de los gordos** déménager, c'est toute une histoire. ◇ *m* **1.** *(del animal)* gras, graisse *f* **2.** *(de la lotería)* gros lot: **si me tocase el ~ ...** si je gagnais le gros lot... ◇ *f* **1.** sou *m*: **no tener ni gorda, estar sin una gorda** être sans le sou **2.** *FAM* **se va a armar la gorda** ça va barder, il va y avoir du vilain, ça va être du sport.

**gordolobo** *m* bouillon blanc.

**gordura** *f* **1.** *(del cuerpo)* graisse **2.** *(en las personas)* obésité, embonpoint *m*.

**gorgojo** *m* **1.** *(insecto)* charançon **2.** *FIG FAM* nain.

**gorgojoso, a** *a* charançonné, e.

**Gorgona** *np f (personaje mitológico)* Gorgone.

**gorgoritear** *vi* faire des roulades.

**gorgorito** *m* roulade *f*.

**gorgoteo** *m* gargouillement, gargouillis.

**gorguera** *f* **1.** *(adorno del cuello)* fraise **2.** *(de armadura)* gorgerin *m*.

**gorigori** *m FAM* chant funèbre.

**gorila** *m* **1.** *(mono)* gorille **2.** *FAM (guardaespaldas)* gorille.

**gorja** *f* gorge ◊ **estar de ~** être gai, e.

**gorjal** *m* **1.** *(de eclesiástico)* collet **2.** *(de armadura)* gorgerin.

**gorjear** *vi* **1.** *(los pájaros)* gazouiller **2.** *MÚS* faire des roulades **3.** *(los niños)* gazouiller **4.** *AMER* se moquer.

**gorjeo** *m* **1.** *(de los pájaros)* gazouillement **2.** *(de los niños)* gazouillement, gazouillis **3.** *MÚS* roulade *f*.

**gorra** *f* **1.** casquette: **~ de plato** casquette **2.** *(de niño)* bonnet *m*. ◇ *m FIG* pique-assiette ◊ **de ~** à l'œil; **vivir de ~** vivre aux frais de la princesse, aux frais d'autrui.
▶ *Gorra de plato:* casquette d'uniforme.

**gorrear** *vi* vivre frais d'autrui, en parasite, resquiller. ◇ *vt* emprunter.

**gorrero, a** *s* **1.** casquettier, ère **2.** *FAM (gorrón)* pique-assiette *inv*.

**gorrinada** *f* cochonnerie.

**gorrinería** *f* cochonnerie.

**gorrino, a** *s (cerdo pequeño)* goret, *(cerdo)* cochon. ◇ *a/s FIG (persona)* cochon, onne.

**gorrión** *m* moineau.

**gorrista** *a/s* parasite, pique-assiette *inv*.

**gorro** *m* **1.** bonnet: **~ frigio** bonnet phrygien; **~ de dormir** bonnet de nuit **2. ~ de cuartel** calot, bonnet de police **3.** *(de cocinero)* toque *f* **4.** *FAM* **estar hasta el ~** en avoir par-dessus la tête, en avoir ras le bol.

**gorrón, ona** *a/s* parasite, pique-assiette *inv*. ◇ *m TECN* tourillon, pivot.

**gorronear** *vi* vivre en parasite, aux frais de la princesse.

**gorronería** *f* parasitisme *m*.

**gota** *f* **1.** goutte: **~ de agua, de sangre** goutte d'eau, de sang; **sólo han caído cuatro gotas** il n'est tombé que quelques gouttes ◊ **sudar la ~ gorda** suer sang et eau; **no ver ni ~** n'y voir goutte; **es la (última) ~ que colma la medida, el vaso** c'est la goutte d'eau qui fait déborder le vase **2.** *MED* goutte **3.** *loc adv* **~ a ~** goutte à goutte. ◇ *m MED* **~ a ~** goutte-à-goutte.

**gotear** *vi* **1.** tomber goutte à goutte, couler, dégoutter: **le goteaba sangre de la rodilla** du sang coulait de son genou **2.** *(llover)* pleuviner, tomber quelques gouttes.

**goteo** *m* le fait de tomber goutte à goutte, dégouttement.

**gotera** *f* **1.** fuite d'eau **2.** *(en un tejado)* gouttière **3.** *(achaque)* infirmité. ◇ *pl* AMER alentours *m* (d'une ville).

**gotero** *m* **1** MED goutte-à-goutte, perfusion *f* **2.** AMER *(cuentagotas)* compte-gouttes.

**goterón** *m* **1.** grosse goutte *f* **2.** ARQ gouttière *f*, larmier.

**gótico, a** *a* **1.** gothique: **catedral gótica** cathédrale gothique **2.** FIG **niño ~** petit bêcheur. ◇ *m* gothique: **~ flamígero** gothique flamboyant.

**gotita** *f* gouttelette.

**gotoso, a** *a/s* goutteux, euse.

**gouache** *m* gouache *f*.

**goyesco, a** *a* de Goya.

**gozada** *f* FAM plaisir *m*, régal *m*, joie: **para mí es una ~ ver progresar al enfermo** c'est pour moi une joie de voir le malade faire des progrès.

**gozar** *vt/i* jouir de: **gozaba de buena salud** il jouissait d'une bonne santé ◊ FAM **gozarla** *(pasarlo bien)* s'en payer. ◇ *vi* jouir. ◆ **~se** *vpr* **gozarse en** se réjouir de, prendre plaisir à, se complaire à: **se goza en gastar bromas a sus amigos** il prend plaisir, un malin plaisir à taquiner ses amis.

**gozne** *m* gond.

**gozo** *m* plaisir, joie *f*: **da ~ verla** ça fait plaisir de la voir ◊ FAM **mi ~ en un pozo** tout est fichu, il n'y a plus d'espoir; **no caber en sí de ~** ne pas se sentir de joie. ◇ *m pl* cantique *sing* en honneur de la Vierge ou d'un saint.

**gozoso, a** *a* joyeux, euse, heureux, euse.

**gozque** *m (perro)* roquet.

**grabación** *f* enregistrement *m*: **la ~ del sonido** l'enregistrement du son; **una nueva ~ del Barbero de Sevilla** un nouvel enregistrement du Barbier de Séville.

**grabado** *m* **1.** gravure *f*: **~ al agua fuerte** gravure à l'eau forte; **~ en cobre** gravure sur cuivre **2.** *(grabación)* enregistrement.

**grabador, a** *s* graveur *m*. ◇ *m* **~ de cinta** magnétophone. ◇ *f* magnétophone *m*.

**grabar** *vt* **1.** graver: **~ en madera** graver sur bois **2.** *(discos, cassettes)* enregistrer: **~ un concierto** enregistrer un concert. ◆ **~se** *vpr* FIG **grabarse en la memoria** se graver dans la mémoire.

**gracejo** *m* badinage, enjouement ◊ **hablar con ~** badiner.

**gracia** *f* **1.** grâce ◊ **estado de ~** état de grâce; **caer en ~ a alguien** plaire à quelqu'un; **hacer ~ de** faire grâce de **2.** *(indulto)* grâce: **prerrogativa de ~** droit de grâce **3.** *(de un mujer)* charme *m* **4.** *(chiste)* mot *m* d'esprit, plaisanterie: **reírle las gracias a alguien** rire des plaisanteries de quelqu'un; **no estoy para gracias** je n'ai pas envie de plaisanter **5. tener ~** être drôle, amusant, e: **eso no tiene maldita la ~** ce n'est pas drôle du tout; **tiene ~ la cosa** c'est tout de même drôle, c'est un peu fort; **tendría ~ que...** il ne manquerait plus que...; **hacer ~** *(resultar gracioso)* amuser, *(agradar)* plaire: **no me hace (ninguna) ~** ça ne m'amuse pas du tout, je ne trouve pas ça drôle du tout; **no le veo la ~** je ne vois pas ce que ça a de drôle **6.** FAM *(cosa que fastidia)* **ya hizo otra de sus gracias** il a encore fait une bêtise **7.** FAM **¡qué ~!** que c'est drôle!, c'est amusant!; **¡vaya una ~!** c'est malin! **8.** *loc prep* **en ~ a** en considération de, en raison de; **gracias a** grâce à. ◇ *pl* **1.** merci *m*: **un millón de gracias** mille mercis; **gracias por su acogida** merci de votre accueil; **gracias por haber venido** merci d'être venu ◊ **dar las gracias** remercier, dire merci; **le di las gracias** je le remerciai; **doy gracias a Dios** je rends grâce à Dieu; **¡a Dios gracias!,** Dieu merci!; **gracias a Dios** grâce à Dieu **2. y aún gracias si...,** et encore heureux si... ◇ *interj* **¡gracias!** merci!; **¡muchas gracias!** merci beaucoup!, merci bien!

**Graciano** *np m* Gratien.

**grácil** *a* gracile.

**gracilidad** *f* gracilité.

**graciosamente** *adv* **1.** *(gratis)* gracieusement **2.** plaisamment, avec grâce.

**graciosidad** *f* grâce, beauté.

**gracioso, a** *a* **1.** *(divertido)* amusant, e, drôle: **¡qué ~!** que c'est drôle!; **lo ~ es que...** ce qu'il y a d'amusant c'est que... **2.** *(atractivo)* gracieux, euse **3.** *(gratuito)* gracieux, euse **4. su graciosa Majestad** sa gracieuse Majesté. ◇ *s (actor)* acteur, actrice qui joue les rôles comiques. ◇ *m. (bromista)* plaisantin, pitre.

**grada** *f* **1.** *(peldaño)* marche **2.** *(en un estadio, anfiteatro)* gradin *m* **3.** *(de un altar)* estrade **4.** MAR cale, chantier *m* **5.** AGR herse ◊ **~ de discos** brise-mottes. ◇ *pl* gradins *m*.

**gradación** *f* gradation.

**gradar** *vt* AGR herser.

**gradeo** *m* AGR hersage.

**gradería** *f* **graderío** *m* gradins *m pl*.

**gradiente** *m* FÍS gradient. ◇ *f* AMER *(pendiente)* pente, déclivité.

**grado** *m* **1.** degré: **un ~ bajo cero** un degré au-dessous de zéro; **parientes en quinto ~** parents au cinquième degré; **quemadura de primer ~** brûlure du premier degré; **alcohol de noventa grados** alcool à quatre-vingt-dix degrés **2.** *(de un curso escolar)* année *f* **3.** *(título)* grade **4.** gré: **de buen ~** de bon gré; **mal de su ~** contre son gré; **de ~ o por fuerza** de gré ou de force **5.** *loc adv* **en alto ~** sur une grande échelle, en grande quantité; **en ~ superlativo, en sumo ~** au plus haut point.

**graduable** *a* réglable: **tirantes graduables de un sujetador** bretelles réglables d'un soutien-gorge.

**graduación** *f* **1.** graduation **2.** *(de un alcohol)* titre *m*, teneur **3.** MIL grade *m*.

**graduado, a** *a* gradué, e: **regla graduada** règle graduée. ◇ *a/s* diplômé, e.

**gradual** *a/m* graduel, elle.

**graduando** *m* cantidat à un grade universitaire.

**graduar** *vt* **1.** *(regular)* régler **3.** *(medir)* mesurer **3.** *(escalonar)* graduer **4.** MIL élever au grade de, nommer: **~ de capitán** nommer capitaine. ◆ **~se** *vpr* être reçu, e, recevoir un titre universitaire: **se graduó en biología** il a été reçu en biologie.

**graffiti** *m pl* graffiti.

**grafía** *f* graphie.

**gráfica** *f* **1.** graphique *m*, courbe: **una ~ de la temperatura** une courbe de la température **2.** AMER photo.

**gráfico, a** *a* **1.** graphique **2.** FIG vivant, e, coloré, e, imagé, e. ◇ *m* graphique.

**gráfila, grafila** *f* grénetis *m*.

**grafioles** *m pl* petits gâteaux en forme d's.

**grafismo** *m* graphisme.

**grafito** *m* graphite.

**grafología** *f* graphologie.

**grafológico, a** *a* graphologique.

**grafólogo, a** *a/s* graphologue.

**gragea** *f* dragée.

**graja** *f* femelle du freux.

**grajo** *m* freux.

**grama** *f* **1.** *(planta gramínea)* chiendent *m* **2.** *AMER (hierba)* herbe, gazon *m.*

**gramática** *f* **1.** grammaire **2.** *FIG* **~ parda** astuce, savoir-faire *m,* débrouillardise, système D.

**gramatical** *a* grammatical, e.

**gramaticalmente** *adv* grammaticalement.

**gramático, a** *a* grammatical, e. ◇ *s* grammairien, enne.

**gramil** *m* trusquin.

**gramilla** *f* **1.** *TECN* broie **2.** *AMER* nom d'une graminée.

**gramíneas, gramináceas** *f pl BOT* graminées.

**gramo** *m* gramme.

**gramófono** *m* gramophone.

**gramola** *f* tourne-disques *m.*

**gran** *a* forme apocopée de **grande** qui ne s'emploie que devant un substantif au singulier: **un ~ pintor** un grand peintre; **una ~ fiesta** une grande fête; **un ~ error** une grosse erreur; **~ cilindrada** grosse cylindrée.

**Gran Bretaña** *np f* Grande-Bretagne.

**grana** *f* **1.** *(color)* écarlate ◊ **ponerse como la ~** rougir, devenir écarlate **2.** *(insecto)* cochenille **3.** *(quermes)* kermès *m* **4.** *(paño)* sorte de drap *m* fin.

**granada** *f* **1.** *(fruto)* grenade **2.** *(proyectil)* grenade: **~ de mano** grenade à main.

**Granada** *np* **1.** Grenade **2.** *(Antillas)* la Grenade.

**granadero** *m MIL* grenadier.

**granadilla** *f* **1.** fleur de la passiflore **2.** *(liana, fruto)* grenadille.

**granadillo** *m* **1.** ébénier rouge **2.** ébène *f* rouge.

**granadino, a** *a/s (de Granada)* grenadin, e. ◇ *f* **1.** *(cante andaluz)* chant *m* andalou **2.** *(refresco)* grenadine.

[1]**granado** *m (árbol)* grenadier.

[2]**granado, a** *a* **1.** *(maduro)* mûr, e **2.** *(notable)* illustre, remarquable ◊ **lo más ~** le gratin, la crème.

**granalla** *f* grenaille.

**granar** *vi* grener.

**granate** *a/m (piedra)* grenat ◊ **~ almandino** almandin. ◇ *a (color)* grenat.

**granazón** *f* grenaison.

**grancanario, a** *a/s* de Grande Canarie.

**grancé** *a (color)* garance.

**grande** *a* **1.** grand, e: **una ventana ~** une grande fenêtre; **los grandes pintores** les grands peintres; **esta chaqueta me está ~, me viene ~** cette veste est trop grande pour moi **2.** gros, grosse: **un coche muy ~** une très grosse voiture; **un pecho ~** une grosse poitrine; **grandes nalgas** de grosses fesses **3.** *FAM* **es ~ que...** c'est quand même un peu fort que..., un comble que... **4. el día más ~ de mi vida** le plus beau jour de ma vie **5.** *lov adv* **en ~, a lo ~** en grand; **vivir a lo ~** vivre sur un grand pied, mener grand train; **pasarlo en ~** s'amuser comme un fou; **lo pasamos en ~** on s'est amusé comme des fous. ◇ *m* **~ de España** grand d'Espagne.

**grandecito, a** *a* grandelet, ette.

**grandemente** *adv* très, grandement.

**grandeza** *f* **1.** grandeur ◊ **tener delirio de grandezas** avoir la folie des grandeurs **2.** *(dignidad)* grandesse.

**grandilocuencia** *f* grandiloquence.

**grandilocuente, grandílocuo, a** *a* grandiloquent, e.

**grandiosidad** *f* magnificence, grandeur.

**grandioso, a** *a* grandiose.

**grandísimo, a** *a* très grand, e, grandissime.

**grandor** *m (tamaño)* grandeur *f.*

**grandote, a** *a FAM* très grand, e.

**grandullón, ona** *FAM a* **1.** trop grand, e **2. un ~** un grand escogriffe, un grand dadais; **una grandullona** une grande bringue, une grande perche.

**grandulón, ona** *AMER* → **grandullón.**

**graneado, a** *a* **1.** *(reducido a grano)* grené, e **2.** tacheté, e **3. fuego ~** feu roulant.

**granear** *vt (sembrar)* semer.

**granel (a)** *loc adv* **1.** *COM* en vrac, au détail **2.** *FIG* en abondance.

**granero** *m* grenier.

**granífugo, a** *a* paragrêle: **cañón, cohete ~** canon, fusée paragrêle.

**granillo** *m* petit bouton.

**granítico, a** *a* granitique.

**granito** *m* **1.** *(mineral)* granit, granite **2.** *(en la piel)* petit bouton **3.** *FIG* **echar su ~ de sal** mettre son grain de sel.

**granívoro, a** *a* granivore.

**granizada** *f* **1.** grêle, chute de grêle **2.** *FIG* grêle: **una ~ de piedras** une grêle de pierres.

**granizado** *m* boisson *f* glacée.

**granizar** *v impers* grêler.

**granizo** *m* **1.** grêle *f:* **caer ~** tomber de la grêle **2.** *(pedrisca)* grêlon.

**granja** *f* ferme, exploitation agricole: **una ~ modelo** une ferme modèle.

**granjear** *vt* **1.** acquérir **2.** *FIG* gagner, s'attirer. ◆ **~se** *vpr* gagner, s'attirer: **se granjeó nuestra simpatía** il s'est attiré notre sympathie.

**granjería** *f* **1.** bénéfice *m,* profit *m* **2.** gain *m.*

**granjero, a** *s* fermier, ère, exploitant, e agricole.

**grano** *m* **1.** *(de los cereales, de uva, de café, etc.)* grain **2.** *(semilla)* graine *f* ◊ *FIG* **no es ~ de anís** ce n'est pas rien; *PROV* **un ~ no hace granero pero ayuda al compañero** les petits ruisseaux font les grandes rivières **3.** *(de arena, de la superficie del cuero, etc.)* grain **4.** *(en la piel)* bouton **5.** *FIG* **ir al ~** aller au fait, droit au but, à l'essentiel; **vayamos al ~** venons-en au fait.

**granoso, a** *a* granuleux, euse, grenu, e.

**granuja** *f* **1.** raisin *m* égrappé **2.** pépin *m.* ◇ *m* **1.** *FAM (pilluelo)* gamin, garnement **2.** *(golfo)* voyou, vaurien **3.** *(hombre)* fripouille *f.*

**granujada** *f* vilain tour *m,* escroquerie.

**granujería** *f* bande de gamins, de mauvais garnements, de voyous.

**granujiento, a** *a* **1.** granuleux, euse, grenu, e **2.** *(cara)* boutonneux, euse.

**granujilla** *m* garnement.

**granulación** *f* granulation.

**granulado** *a/m* granulé, e.

[1]**granular** *a* granulaire.

[2]**granular** *vt* granuler. ◆ **~se** *vpr* se couvrir de boutons.

**gránulo** *m* granule.

**granuloso** *a* granuleux, euse, grenu, e.

**granza** *f* garance. ◇ *pl* **1.** *(de los metales)* scories **2.** *(de las semillas)* criblures.

**granzón** *m* gros morceau de minerai.

**grao** *m* port naturel.

**Grao (El)** *np m* El Grao, port de Valence.

**grapa** *f* **1.** crampon *m* **2.** *(para el papel, en cirugía)* agrafe **3.** AMER eau-de-vie, marc *m*, grappa.

**grapadora** *f* agrafeuse.

**grapar** *vt* agrafer.

**grasa** *f* **1.** graisse ◊ **~ de cerdo** saindoux *m* **2.** *(mugre)* crasse.

**grasera** *f (de cocina)* lèchefrite.

**grasiento, a** *a* **1.** graisseux, euse **2.** *(sucio)* crasseux, euse.

**graso, a** *a* gras, grasse: **queso ~** fromage gras. ◇ *m* gras.

**grasoso, a** *a* graisseux, euse, gras, grasse: **el pelo ~** les cheveux gras.

**gratamente** *adv* agréablement.

**gratén** *m* CULIN gratin: **al ~** au gratin.

**gratificación** *f* **1.** récompense **2.** *(retribución)* gratification.

**gratificador, a** *a/s* gratifiant, e.

**gratificante** *a* gratifiant, e.

**gratificar** *vt* **1.** *(recompensar)* récompenser: **~ a alguien por algún servicio prestado** récompenser quelqu'un pour un service rendu; **«se gratificará»** «récompense» **2.** *(retribuir, complacer)* gratifier.

**grátil, gratil** *m* MAR **1.** envergure *f* **2.** partie *f* centrale d'une vergue.

**gratinar** *vt* gratiner: **sopa gratinada** soupe gratinée.

**gratis** *adv* gratis, gratuitement.

**gratitud** *f* gratitude, reconnaissance.

**grato, a** *a* agréable: **una grata sorpresa** une agréable surprise; **tiene usted una casa muy grata** vous avez une maison très agréable; **~ de escuchar** agréable à écouter; **hacer grata la vida** rendre la vie agréable. ◇ *f (carta)* honorée: **su grata del 6** votre honorée du 6 courant.

**gratuidad** *f* gratuité.

**gratuitamente** *adv* gratuitement.

**gratuito, a** *a* **1.** gratuit, e: **billete ~** billet gratuit **2.** *(arbitrario)* gratuit, e.

**gratularse** *vpr* se réjouir.

**grava** *f* **1.** gravier *m* **2.** *(guijarros)* cailloutis *m*.

**gravamen** *m* **1.** *(obligación)* charge *f* **2.** *(tributo)* impôt, taxe *f*.

**gravar** *vt* grever, taxer, imposer: **~ un producto** taxer un produit.

**grave** *a* **1.** grave: **la situación es ~** la situation est grave; **voz ~** voix grave **2. estar muy ~** être gravement malade, être au plus mal; **mi padre estuvo muy ~** mon père a été très malade **3.** GRAM *(palabra)* paroxyton, *(acento)* grave.

**gravedad** *f* **1.** gravité **2. enfermo de ~** gravement malade; **herido de ~** gravement blessé **3. centro de ~** centre de gravité **4.** FÍS pesanteur: **leyes de la ~** lois de la pesanteur.

**gravedoso, a** *a* guindé, e, sérieux, euse.

**gravidez** *f* grossesse.

**grávido, a** *a* **1.** lourd, e **2.** *(embarazada)* gravide.

**gravilla** *f* gravillon *m*.

**gravimetría** *f* FÍS gravimétrie.

**gravitación** *f* gravitation: **las leyes de la ~ universal** les lois de la gravitation universelle.

**gravitar** *vi* **1.** FÍS graviter: **los planetas gravitan alrededor del Sol** les planètes gravitent autour du Soleil **2.** *(apoyarse)* reposer **3.** FIG *(obligación, etc.)* peser, reposer: **~ sobre** peser sur.

**gravoso, a** *a* **1.** *(costoso)* onéreux, euse, coûteux, euse **2.** *(pesado)* pesant, e, ennuyeux, euse.

**graznar** *vi* **1.** *(el cuervo)* croasser **2.** *(el ganso)* cacarder.

**graznido** *m* **1.** *(del cuervo)* croassement **2.** *(del ganso)* cri de l'oie.

**greca** *f (adorno)* grecque.

**Grecia** *np f* Grèce.

**grecizar** *vt* gréciser.

**grecolatino, a** *a* gréco-latin, e.

**grecorromano, a** *a* gréco-romain, e.

**greda** *f* glaise, terre à foulon.

**gredal** *m* glaisière *f*.

**gredoso, a** *a* glaiseux, euse.

**gregal** *a* grégaire.

**gregario, a** *a* grégaire.

**gregarismo** *m* grégarisme.

**gregoriano, a** *a* grégorien, enne: **calendario, canto ~** calendrier, chant grégorien.

**Gregorio** *np m* Grégoire.

**greguería** *f* **1.** *(ruido)* brouhaha *m*, raffut *m* **2.** nom donné par l'écrivain espagnol Ramón Gómez de la Serna à des sortes d'aphorismes ou de métaphores dont il est l'auteur.

**gregüescos** *m pl* grègues *f*.

**grelo** *m* feuille *f* tendre et comestible de jeune navet.

**gremial** *a* corporatif, ive. ◇ *m* membre d'une corporation.

**gremio** *m* **1.** corporation *f*, corps de métier **2.** FAM *(grupo)* clan.

**greña** *f* tignasse, chevelure ébouriffée ◊ FAM **andar a la ~** se disputer, se crêper le chignon, se chamailler.

**greñudo, a** *a* échevelé, e.

**gres** *m* grès.

**gresca** *f* **1.** *(riña)* querelle, dispute **2.** *(bulla)* tapage *m*, vacarme *m*.

**grey** *f* **1.** *(rebaño)* troupeau *m* **2.** *(fieles)* congrégation des fidèles, ouailles *pl*.

**Grial (el)** *np m* le Graal.

**griego, a** *a/s* grec, grecque. ◇ *a* **fuego ~** feu grégeois. ◇ *m* **1.** *(idioma)* grec **2.** *(jerga)* hébreu, chinois: **eso es ~ para mí** c'est de l'hébreu pour moi.

**grieta** *f* **1.** *(en la pared)* fissure, lézarde; *(en el suelo)* crevasse **2.** *(en la piel)* gerçure, crevasse.

**grietarse** *vpr* se crevasser.

**grifa** *f* marijuana.

**grifería** *f* robinetterie.

**grifo, a** *a* **1.** *(pelo)* crépu, e, ébouriffé, e **2.** AMER drogué, e, *(borracho)* ivre. ◇ *m* **1.** *(llave)* robinet: **el agua del ~** l'eau du robinet **2.** *(animal fabuloso)* griffon **3.** AMER *(gasolinera)* poste d'essence.

**grifón** *m (perro)* griffon.

**grilla** *f* grillon *m* femelle.

**grillado, a** *a* FAM fou, folle, cinglé, e, piqué, e.

**grillarse** *vpr* AGR germer, commencer à monter en tige.

**grillera** *f* **1.** trou *m* de grillon **2.** *(jaula)* cage à grillons.

**grillete** *m* **1.** *(de preso)* fer **2.** MAR manille *f*.

**grillo** *m* **1.** grillon, cricri **2. ~ cebollero** courtilière *f* **3.** *(brote)* germe. ◇ *pl (de un preso)* fers.

**grillotalpa** *m* courtilière *f*, taupe-grillon.

**grima** *f* irritation, dégoût *m* ◊ **dar ~** dégoûter, écœurer, horripiler; **me da ~ verla sin hacer nada** ça m'horripile de la voir ne rien faire; **da ~ sólo pensarlo** ça vous dégoûte rien que d'y penser. ◇ *m (jerga)* **hablar en ~** parler hébreu.

**grímpola** *f* MAR flamme, banderole.

**gringada** *f* action propre d'un "gringo".

**gringo, a** *a/s* PEYOR **1.** étranger, ère (s'applique surtout aux Anglo-Saxons) **2.** AMER yankee, gringo: **la economía gringa** l'économie yankee; **los gringos** les gringos. ◇ *m (jerga)* **hablar en ~** parler hébreu.

**griñón** *m* **1.** *(fruto)* brugnon **2.** *(de monja)* béguin, guimpe *f.*

**gripal** *a* grippal, e.

**gripe** *f* grippe ◊ **está con ~** il est grippé, il a la grippe; **un gripazo** une grosse grippe, une grippe carabinée.

**gris** *a/m* **1.** *(color)* gris, e: **~ perla** gris perle; **tonos grises** des tons gris; **pintar de ~** peindre en gris **2.** FIG gris, e, terne. ◇ *m* **1.** *(animal)* petit-gris **2.** *(viento)* vent froid, bise *f*: **hace un ~ que corta** il fait un vent froid qui pince **3.** FAM *(policía)* flic (policier qui portait un uniforme gris).

**grisáceo, a, gríseo, a** *a* grisâtre.

**grisalla** *f (pintura)* grisaille.

**grisgrís** *m* grigri, gris-gris, gri-gri.

**grisma** *f* AMER brin *m*, petite quantité.

**grisón, ona** *a/s* grison, onne.

**Grisones (los)** *np m pl* les Grisons.

**grisú** *m* grisou: **una explosión de ~** un coup de grisou.

**grita** *f* clameur, huée ◊ **dar ~ a alguien** huer quelqu'un.

**gritador, a** *a/s* crieur, euse.

**gritar** *vi* crier: **¡no grites tanto!** ne crie pas si fort! ◇ *vt/i* **1.** crier **2.** *(abuchear)* huer, siffler, conspuer.

**gritería** *f*, **griterío** *m* cris *m pl*, brouhaha *m*, raffut *m*, vacarme *m*.

**grito** *m* **1.** cri ◊ **dar gritos** pousser des cris, crier; FIG **pedir a gritos** réclamer à cor et à cri; **poner el ~ en el cielo** jeter les hauts cris; **andar a gritos** se disputer **2.** FIG **el último ~** le dernier cri **3.** *loc adv* **a ~ herido, a ~ pelado, a voz en ~, a gritos** à grands cris, à tue-tête; **hablar a gritos** parler en criant.

**gritón, ona** *a* braillard, e, criard, e.

**groar** *vi* coasser.

**groenlandés, esa** *a/s* groenlandais, e.

**Groenlandia** *np f* Groenland *m.*

**grog** *m* grog.

**grogui** *a* **1.** *(boxeador)* groggy **2.** FAM groggy, sonné, e.

**grosella** *f* groseille.

**grosellero** *m* **1.** groseillier **2.** **~ negro** cassis.

**grosería** *f* **1.** *(descortesía)* grossièreté **2.** *(tosquedad)* rusticité.

**grosero, a** *a. (tosco, descortés)* grossier, ère.

**grosísimo, a** *a* très gros, grosse.

**grosor** *m* **1.** *(espesor)* épaisseur *f*: **pared de un metro de ~** mur d'un mètre d'épaisseur **2.** grosseur *f.*

**grosso modo** *adv* grosso modo.

**grosura** *f* graisse.

**grotescamente** *adv* grotesquement.

**grotesco, a** *a* grotesque, ridicule.

**grúa** *f* **1.** grue **2.** *(municipal)* véhicule *m* d'enlèvement, camion grue *m* de la fourrière **3.** dépanneuse **4.** *(cine)* grue.

**gruesa** *f (doce docenas)* grosse.

**grueso, a** *a* **1.** *(gordo)* gros, grosse: **un hombre ~** un homme gros; **un árbol ~** un gros arbre; **escribir en caracteres muy gruesos** écrire en très gros caractères **2.** épais, épaisse: **una capa gruesa de pintura** une couche épaisse de peinture **3.** *(basto)* gros, grosse, grossier, ère. ◇ *m* **1.** épaisseur *f* **2.** grosseur *f* **3.** gros: **el ~ del ejército** le gros de l'armée; **el ~ de la producción mundial** le gros de la production mondiale **4.** *(de una letra)* plein **5.** COM **por, en ~** en gros.

**gruir*** *vi (la grulla)* craquer, trompeter.

**grujidor** *m* grésoir.

**grujir** *vt* TECN gréser.

**grulla** *f* grue.

**grumete** *m* MAR mousse.

**grumo** *m (en un líquido)* grumeau.

**grumoso, a** *a* grumeleux, euse.

**gruñido** *m* grognement.

**gruñir*** *vi* grogner.

**gruñón, ona** *a* grognon, onne, bougon, onne.

**grupa** *f* croupe ◊ **volver grupas** tourner bride.

**grupera** *f* croupière.

**grupo** *m* groupe: **~ de presión** groupe de pression; **~ sanguíneo** groupe sanguin; **~ electrógeno** groupe électrogène.

**grupúsculo** *m* groupuscule.

**gruta** *f* grotte.

**grutescos** *m pl* grotesques *f.*

**gruyere** *m* gruyère: **queso ~** fromage de gruyère.

**gua** *m* jeu de billes.

**¡gua!** *interj* AMER oh!, ah!

**guaba → guama.**

**guabina** *f* AMER **1.** poisson *m* d'eau douce **2.** air *m* populaire colombien.

**guabo → guamo.**

**guaca** *f* AMER **1.** sépulture indienne **2.** trésor *m* caché **3.** *(hucha)* tirelire.

**guacal** *m* AMER **1.** calebasse *f* **2.** *(cesta)* cageot, panier.

**guacamaya** *f*, **guacamayo** *m* AMER *(ave)* ara *m.*

**guacamole** *m* AMER salade *f* d'avocats, tomates, oignons hachés.

**guachapear** *vi* **1.** barboter, patauger **2.** *(chapucear)* FAM bâcler **3.** *(una chapa de hierro)* faire du bruit, branler.

**guachapelí** *m* AMER sorte d'acacia.

**guache** *m (pintura)* gouache *f.*

**guachimán** *m* AMER gardien.

**guacho** *m* **1.** poussin, petit oiseau **2.** petit enfant **3.** AMER *(huérfano)* orphelin, *(hijo natural)* bâtard.

**guaco** *m* **1.** *(ave)* hocco **2.** *(planta)* guaco **3.** poterie *f* précolombienne (trouvée dans une sépulture).

**guadal** *m* AMER marécage sableux, marais.

**guadalajareño, a** *a/s* de Guadalajara (Espagne).

**Guadalupe** *np f* Guadeloupe.

**guadamecí, guadamecil** *m* cuir orné de dessins peints ou en relief, maroquin.

**guadaña** *f* faux.

**guadañador, a** *a/s* faucheur, euse. ◇ *f (máquina)* faucheuse.

**guadañar** *vt* faucher.

**guadarnés** *m* **1.** *(lugar)* sellerie *f* **2.** gardien de la sellerie **3.** *(armería)* armurerie *f.*

**guadua** *f* AMER bambou *m.*

**guáduba → guadua.**

**guagua** *f* **1.** *(cosa de poco valor)* bagatelle **2.** FAM autobus *m* **3.** AMER bébé *m* **4. de ~** gratis, à l'oeil.
▶ Sens 2. se dit à Cuba, aux Canaries.

**guajaca** *f* tillandsia *m*, plante tropicale.

**guaira** *f* **1.** MAR voile triangulaire **2.** AMER flûte de Pan.

**guajalote** → **guajolote.**

**guaje** *a/m* AMER idiot, e.

**guajira** *f* AMER chanson populaire de Cuba.

**guajiro, a** *s* AMER paysan, anne à Cuba.

**guajolote** *m* AMER dindon, dinde *f.*

**gualda** *f* gaude.

**gualdera** *f (de una cureña)* flasque *m.*

**gualdo, a** *a* jaune: **la bandera roja y gualda,** le drapeau rouge et jaune (espagnol).

**gualdrapa** *f* **1.** *(de caballo, mula)* housse **2.** FAM *(andrajo)* lambeau *m,* loque.

**gualdrapazo** *m* MAR claquement (des voiles contre le mât).

**gualdrapear** *vi* MAR claquer, fouetter.

**gualicho** *m* AMER **1.** diable, génie du mal **2.** talisman.

**Gualterio** *np m* Gauthier.

**guama** *f* fruit *m* de l'inga.

**guamazo** *m* AMER gifle *f.*

**guambía** *f* AMER musette, sac *m.*

**guambra** *s* AMER garçon, fille.

**guamo** *m (árbol)* inga.

**guampa** *f* AMER corne.

**guampudo, a** *a* AMER qui a de grandes cornes.

**guanábana** *f* AMER corossol *m.*

**guanábano** *m* AMER **1.** corossolier **2.** FIG nigaud, benêt.

**guanaco** *m* **1.** guanaco **2.** AMER FIG rustaud.

**guanche** *s* «guanche» (indigène des îles Canaries).

**guandoca** *f* AMER prison.

**guanero, a** *s* relatif, ive au guano. ◇ *f* gisement *m* de guano.

**guangana** *f* AMER pécari *m.*

**guango, a** *a* AMER *(flojo)* mou, molle. ◇ *m* **1.** régime de bananes **2.** *(trenza de pelo)* natte *f.*

**guano** *m* **1.** *(abono)* guano **2.** nom de divers palmiers.

**guantada** *f,* **guantazo** *m* gifle *f,* claque *f,* baffe *f.*

**guante** *m* gant: **un par de guantes** une paire de gants; **guantes de goma** gants de caoutchouc; **~ de crin** gant de crin ◊ FIG **arrojar, recoger el ~** jeter, relever le gant; **ponerse, estar más suave que un ~** être souple comme un gant, filer doux; FAM **echar el ~ a alguien** pincer, arrêter, prendre au collet quelqu'un; **echar el ~ a algo** faucher, chiper quelque chose. ◇ *pl* gratification *f sing,* dessous-de-table *sing.*

**guantelete** *m* gantelet.

**guantera** *f (de coche)* boîte à gants.

**guantería** *f* ganterie.

**guantero, a** *s* gantier, ère.

**guapamente** *adv* **1.** bravement, hardiment **2.** très bien.

**guapear** *vi* FAM **1.** se croire beau, belle **2.** faire le brave **3.** *(fanfarronear)* faire le fanfaron, crâner.

**guaperas** *a/s* FAM beau gosse.

**guapetón, ona** *a/s* FAM beau, belle, bien bâti, e, bien fait, e: **una mujer guapetona** une belle femme.

**guapeza** *f* **1.** affectation dans la mise **2.** *(ánimo)* hardiesse **3.** *(fanfarronería)* fanfaronnade, vantardise.

**guapo, a** *a* **1.** beau, belle: **una mujer muy guapa** une très belle femme; **es guapísima** elle est très belle; **ponerse guapa** se faire belle **2.** FAM élégant, e, chouette **3.** *(interpelación)* mon chou, ma belle: **oye, ~** écoute, mon chou **4.** FAM *(animoso)* qui a du cran, du culot. ◇ *m* **1.** FAM *(galán)* jules **2.** FAM *(bravucón)* dur, bagarreur.

**guapote, a** *a* FAM beau, belle, bien fait, bien faite.

**guapura** *f* FAM beauté.

**guaquear** *vi* AMER fouiller les sépultures précolombiennes.

**guaquero, a** *s* AMER pilleur, euse de sépultures précolombiennes (à la recherche de poteries).

**guarache** *m* AMER sandale *f.*

**guarangada** *f* AMER grossièreté.

**guarango, a** *a* AMER **1.** grossier, ère, mal élevé, e **2.** *(sucio)* sale.

**guaraní** *a/s* AMER guarani.

**guarapo** *m* **1.** vesou **2.** boisson *f* faite avec du vesou.

**guarapón** *m* AMER chapeau à larges bords.

**guarda** *s* **1.** *(de jardín público)* garde; *(de museo, etc.)* gardien, enne, surveillant, e ◊ **~ rural** garde champêtre; **~ jurado** agent de sécurité, vigile; **~ nocturno** veilleur de nuit **2.** AMER *(cobrador)* contrôleur. ◇ *f* **1.** garde, surveillance ◊ **ángel de la guarda** ange gardien **2.** *(de un libro)* page de garde **3.** *(de una espada, cerradura)* garde **4.** *(de una llave)* bouterolle **5.** *(de una ley)* observance.

**guardabarrera** *s* garde-barrière.

**guardabarros** *m inv* garde-boue.

**guardabosque** *m* garde forestier.

**guardabrisa** *m* **1.** pare-brise *inv* **2.** *(fanal)* globe.

**guardacantón** *m* bouteroue *f,* borne *f.*

**guardacoches** *m inv* gardien de voitures.

**guardacostas** *m inv* garde-côte.

**guardador, a** *a/s* **1.** gardeur, euse **2.** *(de una ley)* observateur, trice **3.** *(tacaño)* avare.

**guardaespaldas** *m inv* garde du corps, gorille *m.*

**guardafango** *m* AMER garde-boue.

**guardafrenos** *m inv* garde-frein.

**guardaganado** *m* AMER fossé couvert de traverses qui empêche le passage du bétail dans certaines «estancias».

**guardagujas** *m inv* aiguilleur.

**guardainfante** *m* sorte de vertugadin.

**guardalmacén** *s* garde-magasin.

**guardamalleta** *f* cantonnière.

**guardamano** *m (de espada)* garde *f.*

**guardameta** *m (fútbol)* gardien de but.

**guardamonte** *m* **1.** *(del fusil)* pontet **2.** AMER protège-jambe.

**guardamuebles** *m inv* garde-meubles.

**guardapelo** *m (joya)* médaillon.

**guardapesca** *m (barco)* garde-pêche.

**guardapolvo** *m* **1.** *(de mueble, etc.)* housse *f* **2.** *(bata)* blouse *f.*

**guardar** *vt* **1.** garder: **~ bajo llave** garder sous clef; **~ un secreto** garder un secret **2.** *(proteger)* protéger **3.** *(colocar en su sitio)* ranger: **~ los vestidos en el armario** ranger les vêtements dans l'armoire **4.** FIG **~ cama** garder le lit; **~ silencio** garder le silence; **~ un minuto de silencio** observer une minute de silence. ◆ **~se** *vpr* **1.** *(para sí)* garder **2.** *(abstenerse)* se garder: **ya me guardaré (mucho) de aceptar** je me garderai bien d'accepter **3.** *(precaverse)* prendre garde: **¡guárdate de...!** prends garde de...! **4.** FAM **guardársela a alguien** garder un chien de sa chienne à quelqu'un.

**guarda raíl** *m* glissière *f* de sécurité.

**guardarropa** *m* **1.** *(en lugares públicos)* vestiaire **2.** *(armario, conjunto de prendas de vestir)* garde-robe *f* **3.** TEAT costumier, accessoiriste.

**guardarropía** *f* **1.** *TEAT* accessoires *m pl*, costumes *m pl* **2.** *(lugar)* magasin *m* des accessoires **3. de ~** d'apparence.

**guardarruedas** *m inv* bouteroue *f*, borne *f*.

**guardavalla** *m AMER* gardien de but.

**guardavía** *m* garde-voie.

**guardería** *f* **1.** *(empleo)* garde, surveillance **2. ~ infantil** crèche, garderie.

**guardesa** *f* **1.** gardienne **2.** femme du gardien.

**guardia** *f* **1.** *(defensa, custodia)* garde **2.** *MIL* garde: **el relevo de la ~** la relève de la garde; **montar la ~** monter la garde ◊ **la ~ civil** la gendarmerie; **~ urbana** police; **la vieja ~** la vieille garde **3.** *(esgrima)* garde ◊ **ponerse en ~** se mettre en garde **4.** *MAR* **hacer ~** être de quart. ◇ *m* **1.** garde **2. ~ civil** gendarme **3.** *(de tráfico)* agent, agent de police **4. ~ urbano, municipal** gardien de la paix.

**guardián, ana** *s* gardien, enne.

**guardilla** *f* galetas *m*.

**guardín** *m MAR (del timón)* drosse *f*.

**guarecer*** *vt* abriter, protéger. ◆ **~se** *vpr* se protéger, s'abriter, se mettre à l'abri: **guarecerse de la lluvia** se protéger de la pluie.

**guarén** *m AMER* gros rat d'eau du Chili.

**guarida** *f* **1.** *(de animales)* tanière, repaire *m* **2.** *(de maleantes)* repaire *m*.

**guarín** *m* cochonnet, goret.

**guarismo** *m* **1.** *MAT* chiffre **2.** *(número)* nombre.

**guarnecer*** *vt* **1.** *(adornar, proveer)* garnir: **~ con** garnir de **2.** *MIL* être en garnison à.

**guarnición** *f* **1.** *(adorno)* garniture **2.** *(en una joya)* chaton *m*, sertissure **3.** *CULIN* garniture ◊ **plato de carne con ~** plat de viande garni **4.** *MIL* garnison: **estar de ~** être en garnison **5.** *(de espada)* garde **6.** *TECN (de freno, etc.)* garniture. ◇ *pl (arreos)* harnais *m*.

**guarnicionar** *vt MIL* établir une garnison.

**guarnicionería** *f* sellerie, bourrellerie.

**guarnicionero** *m* bourrelier, sellier.

**guarnimiento** *m* garniture *f*.

**guarnir*** *vt* garnir.

[1]**guaro** *m* petit perroquet.

[2]**guaro** *m AMER* tafia, eau-de-vie *f* de canne à sucre.

**guarrada, guarrería** *f* **1.** cochonnerie **2.** *(jugada)* mauvais tour *m*, vacherie, saloperie.

**guarro, a** *a/s* **1.** cochon, onne **2.** *FIG FAM* cochon, onne: **chiste ~** plaisanterie cochonne ◊ **una tía guarra** une salope.

**¡guarte!** *interj* gare!, prends garde!

**guasa** *f FAM* raillerie, plaisanterie, blague ◊ **estar de ~** plaisanter, blaguer; **en ~** pour rire; **se lo toma a ~** il le prend à la rigolade.

**guasada** *f AMER* grossièreté.

**guasca** *f AMER (látigo)* fouet *m*.

**guascazo** *m AMER* coup de fouet.

**guasearse** *vpr* **1.** *(burlarse)* se moquer: **se guasea de mí** il se moque de moi **2.** *(chancear)* blaguer.

**guasipongo → huasipungo.**

**guaso, a** *a AMER* rustre, grossier, ère. ◇ *m* → **huaso.**

**guasón, ona** *a/s FAM (bromista)* blagueur, euse; *(burlón)* railleur, euse, moqueur, euse.

**guata** *f* **1.** *(algodón)* ouate **2.** *AMER (barriga)* panse, bedaine.

**guate** *m AMER* maïs.

**Guatemala** *np m* Guatemala.

**guatemalteco, a** *a/s* guatémaltèque.

**guateque** *m FAM (fiesta casera)* boum *f*, surboum *f*, surprise-partie *f*.

**guatón, ona** *a AMER* bedonnant, e.

**¡guau!** *interj* ouah! (cri du chien).

[1]**¡guay!** *interj* malheur!

[2]**guay** *a FAM* super, chouette, génial: **¡qué ~ (es esto)!** comme c'est chouette!, génial!

**guayaba** *f* **1.** *(fruto)* goyave **2.** gelée de goyave.

**guayabal** *m* plantation *f* de goyaviers.

**guayabera** *f AMER* saharienne, veste de toile.

**guayabo** *m (árbol)* goyavier.

**guayaca** *f AMER* bourse, blague à tabac.

**guayacán, guayaco** *m* gaïac.

**Guayana** *np p* Guyane.

**guayanés, esa** *a/s* guyanais, e.

**gubernamental** *a* gouvernemental, e, du gouvernement, ministériel, elle.

**gubernativo, a** *a* **1.** gouvernemental, e, du gouvernement **2.** administratif, ive.

**gubia** *f* gouge.

**guedeja** *f* **1.** longue chevelure **2.** *(del león)* crinière **3.** *(mechón)* mèche.

**güelfo, a** *a/s HIST* guelfe.

**güemul → huemul.**

**güero, a** *a AMER (rubio)* blond, e.

**guerra** *f* **1.** guerre: **~ civil, fría** guerre civile, froide; **~ a muerte, sin cuartel** guerre à outrance; **~ de desgaste** guerre d'usure; **~ santa** guerre sainte; **estar en pie de ~** être sur le pied de guerre; **~ de nervios** guerre des nerfs; **~ de precios** guerre des prix **2.** *FIG* **dar ~** donner du fil à retordre, donner du mal: **el niño nos da mucha ~** le gamin nous donne beaucoup de mal **3.** *(moral)* combat *m*, lutte.

**guerrear** *vi* guerroyer.

**guerrera** *f MIL* vareuse, tunique.

**guerrero, a** *a* **1.** guerrier, ère, belliqueux, euse **2.** *(niño)* turbulent, e. ◇ *m* guerrier.

**guerrilla** *f* guérilla.

**guerrillear** *vi* combattre en guérillas.

**guerrillero** *m* guérillero.

**gueto** *m* ghetto.

**güevo** *AMER* → **huevo.**

**guía** *s (persona)* guide. ◇ *m* **1.** *MIL* guide **2.** *(de bicicleta)* guidon. ◇ *f* **1.** *(libro)* guide *m*: **una ~ turística** un guide touristique **2.** *(de ferrocarriles)* indicateur *m* **3. ~ telefónica, de teléfonos** annuaire *m* du téléphone **4.** *(mecánica)* guide *m*, glissière. **5.** *(de cortina)* tringle **6.** *(del bigote)* pointe **7.** *BOT* branche mère **8.** cheval *m* de volée **9.** *COM (permiso)* passavant *m*. ◇ *f pl (riendas)* guides.

**guiadera** *f (de noria)* bras *m*.

**guiado** *m (aeronáutica)* guidage.

**guiar** *vt* **1.** guider **2.** diriger **3.** conduire: **~ un coche** conduire une voiture. ◆ **~se** *vpr* se laisser guider, se laisser conduire.

**Guido** *np m* Guy.

**guija** *f* caillou *m*.

**guijarral** *m* terrain caillouteux.

**guijarro** *m* caillou.

**guijarroso, a** *a* caillouteux, euse.

**guijo** *m* cailloutis, gravier.

**guijoso, a** *a* caillouteux, euse.

**guillado, a** *a* FAM toqué, e, cinglé, e, siphonné, e.

**guilladura** *f* FAM toquade, manie.

**guillame** *m* *(de carpintero)* guillaume.

**guillar** *vt* FAM rendre fou, folle. ◆ **~se** *vpr* FAM **1.** s'enfuir, décamper ◊ **guillárselas** se tirer, se tailler **2.** *(volverse loco)* devenir toqué, e, timbré, e.

**Guillermo** *np m* Guillaume.

**güillín** → **huillín.**

**guillotina** *f* **1.** guillotine **2.** *(para cortar papeles)* massicot *m* **3. ventana de ~** fenêtre à guillotine.

**guillotinar** *vt* **1.** guillotiner **2.** *(papel)* massicoter.

**guimbalete** *m* TECN brimbale *f*, brinquebale *f*.

**guinche** *m* AMER treuil.

**guinda** *f* **1.** *(fruto)* guigne **2.** FIG **la ~ en el pastel, en la tarta** la cerise sur le gâteau.

**guindaleza** *f* MAR guinderesse.

**guindar** *vt* **1.** *(subir)* guinder, hisser **2.** FAM *(robar)* faucher, piquer: **le guindaron la bici** on lui a fauché son vélo **3.** *(ahorcar)* pendre. ◆ **~se** *vpr* **1.** *(ahorcarse)* se pendre **2.** *(bajar)* se laisser glisser.

**guindilla** *f* **1.** piment *m* piquant **2.** POP *(guardia)* flic *m*.

**guindo** *m* guignier.

**guindola** *f* MAR **1.** triangle *m* **2.** bouée de sauvetage **3.** *(barquilla de la corredera)* bateau *m* du loch, poisson *m* du loch.

**Guinea** *np f* Guinée: **~ Ecuatorial** Guinée-Équatoriale.

**guinea** *f* *(moneda)* guinée.

**guineano, a** *a/s* guinéen, enne.

**guineo, a** *a/s* *(de Guinea)* guinéen, enne. ◇ *m* AMER *(plátano)* banane *f*.

**guinja** *f* jujube.

**guinjolero** *m* jujubier.

**guiñada** *f* **1.** clin *m* d'œil, clignement *m* d'œil, œillade **2.** MAR embardée.

**guiñadura** *f* clin *m* d'œil, clignement *m* d'œil, œillade.

**guiñapo** *m* **1.** haillon, guenille *f* **2.** FIG *(persona)* loque *f*: **estar hecho un ~** être une loque.

**guiñaposo, a** *a* déguenillé, e.

**guiñar** *vt* cligner ◊ **~ el ojo** cligner de l'œil; *(para avisar)* faire un clin d'œil, lancer, faire une œillade; **me guiñó el ojo** elle me fit un clin d'œil. ◇ *vi* MAR faire une embardée. ◆ **~se** *vpr* se faire des clins d'œil.

**guiño** *m* clin d'œil, œillade *f*: **hacer guiños a** faire, lancer des clins d'œil à.

**guiñol** *m* guignol.

**guión** *m* **1.** *(de una película)* scénario **2.** *(de un discurso, etc.)* plan **3.** *(estandarte)* bannière *f* en tête d'une procession **4.** *(cruz)* croix *f* **5.** FIG guide, conducteur **6.** GRAM *(raya horizontal)* tiret; *(en las palabras compuestas)* trait d'union.

**guionista** *s* scénariste.

**guipar** *vt* POP **1.** *(ver)* voir: **sin las gafas no guipa nada** sans lunettes, il ne voit rien **2.** *(entender)* piger **3.** *(descubrir)* repérer.

**guipur** *m* guipure *f*.

**guipuzcoano, a** *a/s* de Guipúzcoa (province basque).

**güira** *f* **1.** *(árbol)* calebassier *m* **2.** *(fruto)* calebasse.

**guiri** *s* PEYOR étranger, ère.

**guirigay** *m* FAM **1.** *(galimatías, confusión)* charabia, baragouin **2.** *(griterío)* brouhaha: **un ~ ensordecedor** un brouhaha assourdissant.

**guirlache** *m* touron au caramel.

**guirnalda** *f* guirlande.

**güiro** *m* AMER **1.** *(maíz)* tige *f* de maïs vert **2.** intrument de musique fait d'une calebasse que l'on frotte.

**guisa** *f* **1.** façon, manière: **apareció de esta ~ en la pantalla de televisión** il est apparu de cette façon sur l'écran de télévision **2.** *loc prep* **a ~ de** en guise de.

**guisado** *m* ragoût.

**guisador, a, guisandero, a** *a/s* cuisinier, ère.

**guisante** *m* **1.** *(legumbre)* petit pois **2.** pois: **~ de olor** pois de senteur.

**guisar** *vi* cuisiner, faire la cuisine. ◇ *vt* **1.** cuisiner, préparer **2.** FIG préparer, mijoter. ◆ **~se** *vpr* FIG **se está guisando algo** il se mijote quelque chose.

**guiso** *m* plat, mets.

**guisote** *m* FAM tambouille *f*.

**güisqui** *m* whisky.

**guita** *f* **1.** ficelle, cordelette **2.** FAM *(dinero)* fric *m*, galette, pognon *m*.

**guitarra** *f* guitare: **tocar la ~** jouer de la guitare.

**guitarrear** *vt/i* jouer de la guitare, gratter de la guitare.

**guitarreo** *m* jeu monotone de la guitare.

**guitarrería** *f* lutherie.

**guitarrero, a** *s* luthier.

**guitarrillo** *m* petite guitare *f* à quatre cordes.

**guitarrista** *s* guitariste.

**guitarro** *m* petite guitare *f*.

**güito** *m* **1.** *(hueso de fruta)* noyau **2.** FAM chapeau melon.

**guitonear** *vi* vagabonder, vivre comme un vagabond.

**guitonería** *f* vagabondage *m*.

**gula** *f* gourmandise, goinfrerie.

**gulag** *m* goulag.

**gulasch** *m* goulache.

**gules** *m pl* *(blasón)* gueules.

**gulusmear** *vi* **1.** manger des friandises **2.** renifler tous les plats **3.** *(curiosear)* fourrer son nez partout, fouiner.

**gumía** *f* dague mauresque recourbée.

**gurí, isa** *s* AMER petit garçon, petite fille, gosse, gamin, e.

**guripa** *m* FAM **1.** *(soldado)* bidasse, troufion **2.** *(guardia)* flic.

**gurisa** → **gurí.**

**gurriato, gurripato** *m* petit du moineau.

**gurrumina** *f* FAM adoration (pour sa femme).

**gurrumino, a** *a* chétif, ive. ◇ *m* FIG *(marido)* jobard.

**gurú** *m* gourou, guru.

**gusanear** *vi* fourmiller, grouiller.

**gusanera** *f* **1.** endroit *m* où fourmillent les vers **2.** FIG passion, folie.

**gusanillo** *m* **1.** petit ver, vermisseau **2.** FAM **matar el ~** tuer le ver **3. ~ de la conciencia** ver rongeur.

**gusano** *m* **1.** ver: **~ de luz** ver luisant; **~ de seda** ver à soie; FIG **~ de la conciencia** ver rongeur **2.** *(lombriz)* ver de terre **3.** *(oruga)* chenille *f* **4.** FIG **un vil ~** un chétif vermisseau.

**gusanoso, a** *a* véreux, euse.

**gusarapiento, a** *a* **1.** grouillant, e de vers **2.** FIG corrompu, e, immonde.

**gusarapo** *m* bestiole *f*, vermisseau.

**gustación** *f* dégustation.

**gustar** *vt* **1.** *(probar, experimentar)* goûter **2.** *(saborear)* déguster, savourer. ◇ *vi* **1.** aimer, plaire: **me gusta el tenis** j'aime le tennis, le tennis me plaît; **a mi padre le gustan mucho las corridas** mon père aime beaucoup les corridas; **no me gustó la película** je n'ai pas aimé le film, le film ne m'a pas plu; **me gusta todo** j'aime tout; **¡así me gusta!** voilà qui me plaît!, à la bonne heure! ◊ **los helados me gustan con locura** j'adore les glaces; **como guste** comme il vous plaira **2. ~ de** aimer: **gusto de viajar** j'aime voyager.

**gustativo, a** *a* gustatif, ive.

**Gustavo** *np m* Gustave.

**gustazo** *m FAM* grand plaisir ◊ **darse el ~ de** s'offrir le luxe de, se payer le luxe de.

**gustillo** *m* arrière-goût, petit goût.

**gusto** *m* **1.** *(sentido, sabor)* goût **2.** goût: **mal ~** mauvais goût; **de buen ~** de bon goût; **de dudoso ~** d'un goût douteux; **coger, tomar ~ a** prendre goût à; **para mi ~** à mon goût; **hay gustos que merecen palos** il y a des gens qui ont des goûts bizarres, qui ont une drôle de façon de voir les choses; **despacharse a su ~** → **despachar;** *PROV* **sobre gustos no hay nada escrito** tous les goûts sont dans la nature **3.** plaisir: **tengo el ~ de informarle...** j'ai le plaisir de vous informer...; **dar ~** faire plaisir; **con usted da ~ hablar** ça fait plaisir, c'est agréable de parler avec vous ◊ **darse el ~ de** s'offrir le luxe de, la satisfaction de; **estar a ~** être à son aise, se trouver bien **4. tanto ~ en haberle conocido** enchanté d'avoir fait votre connaissance; **tanto ~** enchanté, très honoré **5.** *loc adv* **con mucho ~** avec plaisir, très volontiers.

**gustosamente** *adv* avec plaisir.

**gustoso, a** *a* **1.** *(comida)* savoureux, euse **2.** avec grand plaisir, très volontiers: **vendré muy ~** je viendrai avec grand plaisir.

**gutagamba** *f* gomme-gutte.

**gutapercha** *f* guttapercha.

**gutural** *a* guttural, e: **sonidos guturales** des sons gutturaux.

**Guyena** *np f* Guyenne.

**guzla** *f* guzla.

**guzmán** *m ANT* noble qui servait comme simple soldat.

**gymkhana** *f* gymkhana *m.*

**h** *f* h *m:* **una ~** un h; **la hora H** l'heure H.

**ha → haber.**

**haba** *f* **1.** fève ◊ *FIG* **eso son habas contadas** c'est une chose certaine; **en todas partes cuecen habas** c'est partout pareil, on est tous logés à la même enseigne; **ser más tonto que una mata de habas** être bête comme ses pieds **2. ~ panosa** féverole **3.** *(roncha)* grosseur, cloque.

**Habana (La)** *np f* La Havane.

**habanero, a** *a/s* havanais, e. ◇ *f (danza)* habanera.

**habano, a** *a* **1.** havanais, e **2.** *(color)* havane. ◇ *m (cigarro puro)* havane.

**habar** *m* champ de fèves.

**[1]haber** *m* **1.** *COM* avoir **2.** crédit: **tener en su ~** avoir à son crédit, à son actif. ◇ *pl* **1.** *(caudal)* biens, avoir *sing* **2.** *(paga)* appointements, émoluments.

**[2]haber** *v auxil* **1.** avoir: **he comprado una moto** j'ai acheté une moto; **¿has visto el telefilme?** tu as vu le téléfilm? **2.** *(con ciertos verbos intransitivos o pronominales)* être: **he llegado** je suis arrivé; **nos hemos levantado** nous nous sommes levés **3. ~ de** devoir: **he de marcharme** je dois partir, il faut que je parte; **hemos de marcharnos** nous devons partir; **ha de ser buen jinete** il doit être bon cavalier ◊ **¿qué le he de hacer?** que voulez-vous que j'y fasse? **4. ¡~ venido antes!** il fallait venir plus tôt!; **¡haberme avisado!** il fallait me prévenir!; **¡haberme hecho caso!** si on m'avait écouté! ◇ *v impers* **1.** y avoir: **mañana habrá huelga** il y aura grève demain; **no hubo sesión ayer** il n'y a pas eu de séance hier; **no había nadie** il n'y avait personne; **algo habrá, algo debe haber...** il doit (bien) y avoir quelque chose... **2.** A la 3e. pers. du présent de l'indicatif, prend la forme **hay** il y a: **hay un hotel cerca de aquí** il y a un hôtel près d'ici; **¿hay aquí un intérprete?** y a-t-il ici un interprète?; **hay quien cree que...** il y a des gens qui croient que...; **no hay quien pueda hacerlo** il n'y a personne qui puisse le faire, capable de le faire; **no hay más que..., no hay sino...** il n'y a qu'à..., il suffit de...; **no hay otro como él para...** il n'y en a pas deux comme lui pour...; **como hay pocos** comme il y en a peu ◊ **si los hay** s'il en est, s'il en fut; **no hay tal, no hay tal cosa** ce n'est pas vrai; *FAM* **¿qué hay?** comment ça va?, ça va?; **¿qué hay de nuevo?** quoi de neuf? **3.** *ANT (ha = hace)* **diez años ha** il y a dix ans **4. ~ que** falloir: **habrá que comprobarlo** il faudra le vérifier; **hay que darse prisa** il faut se dépêcher; **no hay que exagerar** il ne faut pas exagérer. ◇ *vt* **1.** *ANT (tener)* avoir **2.** *(apresar)* arrêter: **el ladrón ha sido habido** le voleur a été arrêté **3. los accidentes habidos en los últimos meses** les accidents qui se sont produits pendant les derniers mois. ◆ **~se** *vpr* **1. ¡habráse visto!** a-t-on déjà vu ça! **2.** *FIG* **habérselas con alguien** avoir affaire à quelqu'un; **¡allá se las haya!** qu'il se débrouille!, qu'il s'arrange!

▶ *Haber de* + infinitif traduit l'obligation; souvent n'exprime qu'une simple idée de conjecture (valeur de futur, de conditionnel): *¿quién había de decir que...?* qui aurait dit que...? *Haber que* exprime l'obligation personnelle.

**habichuela** *f* haricot *m.*

**habiente** *a JUR* **derecho ~** ayant droit.

**hábil** *a* **1.** *(diestro, ingenioso)* habile, adroit, e **2.** *JUR* **~ para** habile à, apte à **3. en tiempo ~** en temps utile; **días hábiles** jours ouvrables.

**habilidad** *f* **1.** *(destreza)* habileté, adresse, savoir-faire *m* **2.** talent **3.** *JUR* habilité.

**habilidoso, a** *a* habile, adroit, e.

**habilitación** *f* **1.** *JUR* habilitation **2.** charge du payeur **3.** *(oficina)* paierie.

**habilitado** *m* trésorier-payeur.

**habilitar** *vt* **1.** *JUR* habiliter **2.** aménager, arranger, agencer: **~ un local para una exposición** aménager un local pour une exposition; **un antiguo convento que el municipio había habilitado** un ancien couvent que la municipalité avait aménagé **3.** *(proveer)* pourvoir.

**hábilmente** *adv* habilement, adroitement.

**habitabilidad** *f* habitabilité.

**habitable** *a* habitable.

**habitación** *f* **1.** habitation **2.** *(cuarto de dormir)* chambre: **~ doble** chambre pour deux personnes; **~ individual** chambre pour une personne **3.** pièce: **piso de cuatro habitaciones** appartement de quatre pièces.

**habitáculo** *m* habitacle.

**habitante** *s* habitant, e.

**habitar** *vt/i* habiter.

**hábitat** *m* habitat.

**hábito** *m* **1.** *(costumbre)* habitude *f:* **tiene el ~ de dormir la siesta** il a l'habitude de faire la sieste; **los hábitos alimenticios** les habitudes alimentaires ◊ **hábitos de vida** manières *f* de vivre **2.** *(de religioso)* habit: **tomar el ~** prendre l'habit ◊ **ahorcar los hábitos** jeter le froc aux orties; **el ~ no hace al monje** l'habit ne fait pas le moine.

**habituación** *f* accoutumance.

**habitual** *a* habituel, elle.

**habitualmente** *adv* habituellement.

**habituar** *vt* habituer. ◆ **~se** *vpr* s'habituer: **nunca he podido habituarme al calor** je n'ai jamais pu m'habituer à la chaleur.

**habla** *f* **1.** *(facultad de hablar)* parole: **perder el ~** perdre la parole **2.** *(idioma)* langue: **países de ~ española** pays de langue espagnole **3.** *(manera de hablar)* parler *m*, langage *m* **4.** *loc adv* **al ~** *(en tratos)* en pourparlers; *(teléfono)* en communication; **¡al ~!** je vous écoute!

**hablado, a** *a* **1.** parlé, e: **el francés ~ y el francés escrito** le français parlé et le français écrit **2. bien ~** qui s'exprime bien; *(cortés)* poli, e; **mal ~** grossier, ère.

**hablador, a** *a* bavard, e.

**habladuría** *f* commérage *m*, cancan *m*, potin *m*.

**hablanchín, ina** *a* bavard, e.

**hablar** *vi* **1.** parler: **~ en público** parler en public; **hablaba con voz sorda, entre dientes** il parlait d'une voix sourde, entre ses dents; **me ha hablado de ti** il m'a parlé de toi; **~ de política** parler (de) politique; **~ por ~** parler pour parler, parler pour ne rien dire **2.** *FIG* **~ alto, claro, fuerte** parler clairement, ne pas mâcher ses mots; **~ bien, mal de alguien** dire du bien, du mal de quelqu'un; **~ de tú, de usted** tutoyer, vouvoyer; **~ consigo mismo, para sí** réfléchir, se parler à soi-même; **~ en cristiano → cristiano; no se hable más de ello** qu'on n'en parle plus, que ce soit fini; **dar que ~** faire jaser; *FAM* **¡ni ~!** pas question!; *PROV* **quien mucho habla, mucho yerra** trop parler nuit. ◇ *vt* **1.** parler: **Matilde habla portugués e italiano** Mathilde parle (le) portugais et (l') italien; **¿quieres que lo hable con el señor X?** veux-tu que j'en parle à monsieur X? **2.** dire: **~ estupideces** dire des âneries; **sin ~ palabra** sans dire un mot. ◆ **~se** *vpr (tratarse)* se parler: **ya no se hablan** ils ne se parlent plus ◊ **no se habla con nadie** il ne parle à personne.

**hablilla** *f* bruit *m*, bobard *m*.

**hablista** *s* puriste.

**habón** *m* enflure *f*, cloque *f*.

**Habsburgo** *np m* Habsbourg.

**hacanea** *f* haquenée.

**hacecillo** *m* petit fagot.

**hacedero, a** *a* faisable, possible.

**hacedor, a** *a/s* **1.** auteur, créateur, trice **2. el Sumo Hacedor, el Supremo Hacedor** le Créateur.

**hacendado, a** *s* propiétaire foncier.

**hacendarse*** *vpr* acheter des terres, s'établir.

**hacendista** *m* financier, économiste.

**hacendístico, a** *a* des finances publiques, financier, ère: **desequilibrio ~** déséquilibre des finances publiques.

**hacendoso, a** *a* laborieux, euse, actif, ive: **mujer hacendosa** femme active, bonne ménagère.

**hacer*** *vt* **1.** faire: **haré eso mañana** je ferai ça demain; **haz lo que quieras** fais ce que tu veux; **haz algo** fais quelque chose; **hazles callar** fais-les taire; **no hacía más que lamentarse** il ne faisait que de se lamenter; **~ ruido** faire du bruit ◊ **dar que ~ → dar; haga lo que se haga** quoi qu'on fasse; **¿qué le vamos a ~?** on n'y peut rien, que faire?; *FAM* **¡la hiciste bien!** c'est du propre!; **¡la que me has hecho!** tu m'en as fait voir! **2.** *(suponer)* croire: **yo te hacía en Nueva York** je te croyais à New York; **yo te hacía muerto** je te croyais mort; **no le hacía tan necio** je ne le croyais pas aussi bête **3.** rendre: **~ feliz a los demás** rendre les autres heureux; **le hicieron la vida imposible** ils lui rendirent la vie impossible **4. esta foto la hace más vieja** cette photo la fait paraître plus âgée **5.** passer, jouer: **¿qué película hacen esta tarde?** quel film passe-t-on ce soir? **6. ~ pedazos** mettre en pièces; **~ una vida desordenada** mener une vie désordonnée. ◇ *vi* **1.** faire: **has hecho bien en...** tu as bien fait de... ◊ **el buen ~** le savoir-faire **2.** *(convenir)* convenir, aller, dire: **¿te hace que nos vayamos al cine?** ça te convient, ça te va que nous allions au cinéma? ◊ **¿hace?**, ça va?, d'accord?; **¿hace o no hace?**, oui ou non?; **no le hace** ça ne fait rien; **por lo que hace a** en ce qui concerne, pour ce qui est de **3. ~ de** exercer (temporairement) les fonctions de: **hace de intérprete** il fait fonction d'interprète, il est interprète; jouer le rôle de, faire: **el actor que hará de Hamlet...** l'acteur qui jouera, tiendra le rôle d'Hamlet... **4. ~ como que** faire semblant de: **hace como que no oye** il fait semblant de ne pas entendre, il fait celui qui n'entend pas; **hizo como que buscaba algo** il fit semblant de chercher quelque chose **5. ~ por, para** tâcher, faire son possible pour: **haz por llegar temprano** tâche d'arriver tôt. ◇ *v impers* **1.** faire: **hace frío, calor, sol** il fait froid, chaud, du soleil **2.** y avoir: **hace diez años** il y a dix ans; **hace mucho tiempo** il y a longtemps; **hace poco** il y a peu, il n'y a pas longtemps. ◆ **~se** *vpr* **1.** se faire: **mis ojos se hicieron a la oscuridad** mes yeux se firent à l'obscurité; **hacerse fraile** se faire moine; **me hice a la idea de...** je me suis fait à l'idée de...; **hacerse (de) rogar** se faire prier **2.** devenir: **mi madre se ha hecho muy amiga de la tuya** ma mère est devenue très amie de la tienne; **nos hicimos muy amigos** nous devînmes très amis; **se hizo famoso** il est devenu célèbre, il s'est rendu célèbre; **la vida se va haciendo imposible** la vie devient impossible; **hacerse viejo** devenir vieux, se faire vieux **3.** sembler, paraître: **se me hace que...** il me semble que...; **el día se me ha hecho muy largo** la journée m'a semblé très longue; **los minutos se me hacían siglos** les minutes me paraissaient des siècles; **se me hace muy difícil creer eso** il m'est bien difficile d'y croire **4.** *(fingir)* **hacerse el indiferente** faire l'indifférent, jouer les indifférents; **no te hagas el mártir** ne joue pas les martyrs; **no te hagas el idiota** ne fais pas l'idiot **5. hacerse a un lado** s'écarter, se ranger de côté; **hacerse atrás** reculer **6. hacerse con** obtenir, prendre, s'emparer de: **los extremistas se hicieron con el poder** les extrémistes se sont emparés du pouvoir; **se hicieron con el control de...** ils ont pris le contrôle de...; **hacerse con el primer set** remporter le premier set.

**haces** *m pl* de **haz.**

**[1]hacha** *f* **1.** *(antorcha)* torche, flambeau *m* **2.** *FIG* **ser un ~**, être un as, un champion.

**[2]hacha** *f (herramienta)* hache.

**hachar → hachear.**

**hachazo** *m* **1.** coup de hache: **a hachazos** à coups de hache **2.** *(del toro)* coup de corne.

**hache** *f* h *m*, lettre h ◊ *FAM* **llámale, llámelo ~** c'est du pareil au même, c'est tout comme.

**hachear** *vt* dégrossir à coups de hache.

**hachero** *m (candelero)* torchère *f*.

**hachís** *m* haschisch, hachisch.

**hacho** *m* promontoire.

**hachón** *m* torche *f*, flambeau.

**hacia** *prep* **1.** vers, en direction de: **estaba mirando ~ nosotros** il regardait vers nous, dans notre direction; **¿~ dónde vamos?** où allons-nous?, dans quelle direction allons-nous? **2. ~ las tres** vers trois heures **3. sentir cariño ~** ... avoir de l'affection pour...

**hacienda** *f* **1.** propriété rurale, domaine *m* **2.** *AMER* «hacienda» **3.** fortune, biens *m pl* **4.** finance: **ministro de Economía y Hacienda** ministre de l'Économie et des Finances; **inspectores de Hacienda** inspecteurs des Finances **5. Hacienda pública** le Trésor public; **declarar a Hacienda** déclarer au Trésor, au fisc.

**hacina** *f* **1.** meule **2.** *(montón)* tas *m*.

**hacinamiento** *m* entassement.

**hacinar** *vt* entasser. ◆ **~se** *vpr* s'entasser: **viven hacinados en una pequeña habitación** ils vivent entassés dans une petite chambre.

**hada** *f* fée: **el ~** la fée; **cuento de hadas** conte de fées.

**hado** *m* destin, sort: **los hados** le destin; **el ~ lo dispuso así** le destin en a décidé ainsi.

**haga,** etc. **→ hacer.**

**hagiografía** *f* hagiographie.

**hagiográfico, a** *a* hagiographique.

**hagiógrafo, a** *s* hagiographe.

**hago → hacer.**

**haiga** *m FAM* grosse bagnole *f*.

**Haití** *np* Haïti.

**haitiano, a** *a/s* haïtien, enne.

**¡hala!** *interj* allons!, allez!

**halagador, a** *a* flatteur, euse.

**halagar** *vt* **1.** flatter: **me halaga que hayas pensado en mí** cela me flatte que tu aies pensé à moi; **se sintió halagada** elle se sentit flattée **2.** *(adular)* flatter.

**halago** *m* flatterie *f*.

**halagüeño, a** *a* **1.** flatteur, euse: **palabras halagüeñas** des paroles flatteuses **2.** *(prometedor)* encourageant, e, prometteur, euse: **las previsiones no son muy halagüeñas** les prévisions ne sont guère encourageantes.

**halar** *vt* **1.** *MAR* haler **2.** *(tirar hacia sí)* tirer.

**halcón** *m* faucon.

**halconería** *f* fauconnerie.

**halconero** *m* fauconnier.

**halda** *f* **1.** *(falda)* jupe **2.** *(arpillera)* serpillère.

**haldeta** *f* courte basque.

**¡hale!** *interj* allez!, vite!

**haleche** *m (pez)* anchois.

**halieto** *m (ave)* balbuzard fluviatile, aigle pêcheur.

**hálito** *m* **1.** *(aliento)* souffle, haleine *f* **2.** vapeur *f* **2.** *POÉT (viento)* brise *f*.

**hall** [xol] *m* hall.

**hallado, a** *a* **bien, mal ~** être en bons, mauvais termes.

**hallar** *vt* trouver. ◆ **~se** *vpr* **1.** se trouver, être: **nos hallamos en Madrid** nous sommes à Madrid; **se hallaba sola** elle se trouvait seule, elle était seule; **hallarse enfermo** être malade **2. hallarse con un obstáculo** rencontrer un obstacle **3. no hallarse a gusto** ne pas se sentir à l'aise.

**hallazgo** *m* trouvaille *f*: **un ~** une trouvaille.

**halo** *m* **1.** halo **2.** *FIG* halo.

**halógeno, a** *a QUÍM* halogène: **focos halógenos** projecteurs à halogène.

**haltera** *f* haltère *m*.

**halterofilia** *f* haltérophilie.

**halterófilo, a** *s* haltérophile.

**hamaca** *f* **1.** hamac *m* **2.** *AMER (mecedora)* fauteuil *m* à bascule, *(columpio)* balançoire.

**hamacarse** *vpr AMER* se balancer.

**hamaquear** *vt AMER* bercer. ◆ **~se** *vpr* se balancer.

**hamaquero** *m* **1.** fabricant de hamacs **2.** *(gancho)* crochet auquel est suspendu le hamac.

**hambre** *f* **1.** faim: **el ~** la faim; **tengo mucha ~** j'ai très faim; **~ canina** boulimie, faim canine, faim de loup ◊ **matar de ~** faire mourir de faim; **morirse de ~** mourir de faim; **un muerto de ~** un crève-la-faim; **pasar ~** souffrir de la faim, avoir faim; **tener un ~ que no ve** avoir une faim de loup, avoir la dent; **ser más listo que él ~ → listo;** *PROV* **a buen ~ no hay pan duro** il n'est sauce que d'appétit **2.** *(escasez de alimentos)* famine.

**hambriento, a** *a* affamé, e.

**hambrón, ona** *a* affamé, e, famélique. ◇ *m* crève-la-faim *inv*.

**hambruna** *f AMER* **1.** famine **2.** fringale.

**Hamburgo** *np* Hambourg.

[1]**hamburgués, esa** *a/s* hambourgeois, e.

[2]**hamburguesa** *f* hamburger *m*: **comer una ~** manger un hamburger.

**hamburguesería** *f* «fast-food» *m*.

**hampa** *f* pègre: **el ~** la pègre.

**hampesco, a** *a* de la pègre.

**hampón** *m* malfaiteur, voyou, filou.

**hámster** *m* hamster.

**handicap** *m* handicap.

**hanega → fanega.**

**hangar** *m* hangar.

**Hannóver** *np* Hanovre.

**hannoveriano, a** *a/s* hanovrien, enne.

**hansa** *f HIST* hanse.

**hanseático, a** *a* hanséatique.

**hará,** etc. **→ hacer.**

**haragán, ana** *a/s* fainéant, e, flemmard, e.

**haraganear** *vi* fainéanter, flemmarder.

**haraganería** *f* fainéantise.

**harakiri → haraquiri.**

**harapiento, a** *a* déguenillé, e.

**harapo** *m* haillon, guenille *f*.

**haraposo, a → harapiento.**

**haraquiri** *m* haraquiri: **hacerse (el) ~** se faire haraquiri.

**harca** *f* tribu marocaine insurgée.

**haré, haremos → hacer.**

**harén, harem** *m* harem.

**harina** *f* farine: **~ de trigo, lacteada** farine de froment, lactée ◊ *FIG* **esto es ~ de otro costal** c'est une autre affaire, une autre histoire, une autre paire de manches; **estar metido en ~** être dans le bain, plongé jusqu'au cou (dans une affaire).

**harinero, a** *a* **1. molino ~** moulin à farine **2. industria harinera** minoterie, meunerie. ◇ *m* minotier.

**harinoso, a** *a* **1.** farineux, euse: **pera harinosa** poire farineuse **2.** farinacé, e.

**harmonía → armonía.**

**harmónico, a → armónico.**

**harmonio → armonio.**

**harmonioso → armonioso.**

**harnero** *m* crible.

**harpa → arpa.**

**harpía → arpía.**

**harpillera** *f* serpillière.

**hartada → hartazgo.**

**hartar** *vt* **1.** gaver: **~ de golosinas** gaver de friandises **2.** *(saciar)* rassasier **3.** *FIG (fastidiar)* fatiguer, assommer, lasser: **me estás hartando con tus necedades** tu m'assommes avec tes bêtises **4.** *FIG* **~ de insultos** couvrir, accabler d'injures; **~ de besos** couvrir de baisers; **~ de palos** rouer de coups. ◆ **~se** *vpr* **1.** se gaver **2.** *FIG* se lasser.

**hartazgo** *m* indigestion *f*, rassasiement ◊ **darse un ~ de** se gaver de, se donner une indigestion de.

**harto, a** *a* **1.** rassasié, e **2.** *FIG* **estar ~ de** en avoir assez, marre, soupé, plein le dos de; **estoy ~ de tus barbaridades** j'en ai assez de tes bêtises; **estoy ~** j'en ai marre; **me tienes ~** j'en ai plein le dos de toi, j'en ai marre de toi. ◇ *adv (bastante)* assez; *(demasiado)* trop.

**hartón** *m (hartazgo)* indigestion *f* ◊ *FIG* **se dio un ~ de llorar** elle pleura tout son soûl.

**hartura** *f* **1.** satiété **2.** abondance **3.** *(de un deseo)* satisfaction.

**hasta** *prep* **1.** jusqu'à: **~ aquí** jusqu'ici; **~ la hora de comer** jusqu'à l'heure du repas; **contar ~ tres** compter jusqu'à trois; **~ mil personas** jusqu'à mille personnes ◊ **¡~ ahora!** à tout de suite!; **¡~ la vista!** au revoir!; **¡~ luego!** à tout à l'heure!; **¡~ mañana!** à demain! **2.** avant: **el tren no sale ~ las tres** le train ne part pas avant trois heures; **faltan dos semanas ~ Navidad** il reste deux semaines avant Noël. ◇ *conj* **1.** *(también, incluso)* même: **~ me parece que...** il me semble même que... **2.** *loc conj* **~ que** jusqu'à ce que: **te esperaré ~ que vuelvas** je t'attendrai jusqu'à ce que tu reviennes; **no me moveré de aquí ~ que (no) me des la respuesta** je ne bougerai pas d'ici tant que tu ne m'auras pas donné la réponse.

**hastial** *m* **1.** *ARQ* pignon **2.** façade *f* **3.** *(en una mina)* paroi *f* latérale.

**hastiar** *vt* **1.** dégoûter, écœurer **2.** *(fastidiar)* ennuyer, fatiguer, assommer.

**hastío** *m* **1.** dégoût **2.** *(tedio)* ennui.

**hatajo** *m* **1.** *(rebaño)* petit troupeau: **un ~ de burros** un petit troupeau d'ânes **2.** FAM tas: **un ~ de disparates** un tas de sottises **3.** FAM bande *f*: **un ~ de gamberros** une bande de voyous.

**hatillo** *m* **1.** *(rebaño)* petit troupeau **2.** *(de ropa, etc.)* balluchon.

**hato** *m* **1.** balluchon ◊ FIG **liar el ~** plier bagage, faire sa malle; **andar con el ~ a cuestas** rouler sa bosse; **revolver el ~** semer la discorde **2.** *(rebaño)* troupeau **3.** *(de personas)* bande *f*, ramassis **4.** *(cúmulo)* tas **5.** AMER *(finca)* ferme *f* d'élevage, propriété *f*.

**Hawai** *np* Hawaii.

**hawaiano, a** *a/s* hawaïen, enne.

**haxis → hachís.**

**hay, haya,** etc. **→ haber.**

**haya** *f (árbol)* hêtre *m*.

**Haya (La)** *np f* La Haye.

**hayaca** *f* AMER pâté *m* de maïs au poisson ou à la viande.

**hayal, hayedo** *m* hêtraie *f*.

**hayo** *m* coca *f*.

**hayuco** *m* BOT faine *f*.

[1]**haz** *m* **1.** *(de rayos luminosos, etc.)* faisceau: **~ hertziano** faisceau hertzien **2.** *(de hierba)* gerbe *f*, botte *f* **3.** *(de leña)* fagot.

[2]**haz** *f* **1.** *(rostro)* face, visage *m* **2.** *(de una tela, etc.)* face, endroit *m* **3. el ~ de la tierra** la surface de la terre **4. a dos haces** hypocritement.

[3]**haz → hacer.**

**haza** *f* pièce de terre.

**hazaña** *f* exploit *m*, prouesse, action d'éclat.

**hazañeria** *f* simagrée.

**hazmerreír** *m* risée *f*, jouet: **es el ~ de todos** il est la risée de tout le monde.

**he → haber.** ◇ adverbe démonstratif qui se combine avec **aquí, allí** et avec quelques pronoms personnels: **~ aquí** voici; **~ allí** voilà; **heme aquí** me voici; **hele aquí, helo allí** le voici, le voilà; **henos aquí** nous voici; **hete aquí** te voici.

**hebdomadario, a** *a* hebdomadaire.

**hebijón** *m* ardillon.

**hebilla** *f* boucle.

**hebra** *f* **1.** *(de hilo)* brin *m*, aiguillée **2.** *(de las legumbres)* fil *m* **3.** filament *m* **4.** *(de la carne)* fibre, filandre **5.** *(de la madera)* fibre **6.** POÉT *(cabello)* cheveu *m* **7.** *(vena)* filon *m*, veine **8.** FIG **pegar la ~** engager la conversation, tailler une bavette, bavarder.

**hebraico, a** *a* hébraïque.

**hebraísmo** *m* hébraïsme.

**hebraísta** *s* hébraïste.

**hebraizante** *a/s* hébraïsant, e.

**hebreo, a** *a/s* hébreu.

**hebroso, a** *a* fibreux, euse, filandreux, euse.

**hecatombe** *f* hécatombe.

**heces** *pl* de **hez.**

**hecha (de esta)** *loc adv* dorénavant.

**hechicería** *f* sorcellerie.

**hechicero, a** *a/s (brujo)* sorcier, ère. ◇ *a* charmant, e, ensorceleur, euse, ensorcelant, e, ravissant, e.

**hechizar** *vt* **1.** ensorceler **2.** FIG charmer, ensorceler, envoûter.

**hechizo** *m* **1.** sortilège **2.** FIG charme, attrait.

**hecho, a** *pp* de **hacer.** ◇ *a* **1.** fait, e: **bien ~** bien fait; **mal ~** mal fait; **~ esto** cela étant fait ◊ **a lo ~ pecho** ce qui est fait est fait; **un hombre ~ y derecho** un homme accompli; **¡~!** d'accord! **2. carne poco hecha** viande saignante **3.** FIG **está ~ un demonio** c'est un vrai diable; **Alejandro vino ~ una fiera** Alexandre était furibond. ◇ *m* **1.** fait: **~ de armas** fait d'armes; **el ~ es que...** le fait est que...; **el ~ de que...** le fait que... **2.** *(suceso)* événement **3.** *loc adv* **de ~** en fait. ◇ *pl* RELIG **los hechos de los Apóstoles** les actes des Apôtres.

**hechura** *f* **1.** *(acción de hacer, de un vestido)* façon: **este traje me ha costado 25.000 pesetas de hechuras** ce costume m'a coûté 25.000 pesetas de façon **2.** *(obra)* œuvre **3.** *(persona)* créature: **el delegado es ~ del presidente** le délégué est la créature du président **4.** forme, aspect *m*.

**hectárea** *f* hectare *m*.

**hectogramo** *m* hectogramme.

**hectolitro** *m* hectolitre.

**hectómetro** *m* hectomètre.

**Héctor** *np m* Hector.

**hectovatio** *m* hectowatt.

**hedentina** *f* puanteur.

**heder*** *vi* **1.** *(despedir mal olor)* puer **2.** FIG ennuyer, embêter.

**hediondez** *f* puanteur.

**hediondo, a** *a* **1.** puant, e, fétide, infect, e **2.** FIG répugnant, e.

**hedonismo** *m* hédonisme.

**hedonista** *a/s* hédoniste.

**hedor** *m* puanteur *f*.

**hegelianismo** *m* hégélianisme.

**hegeliano, a** *a* hégélien, enne.

**hegemonía** *f* hégémonie.

**hegemónico, a** *a* hégémonique.

**hégira, héjira** *f* hégire.

**helada** *f* **1.** gelée: **el tiempo se pone de ~** le temps se met à la gelée **2. ~ blanca** gelée blanche, givre *m* **3. caer una ~, heladas** geler.

**heladera** *f* **1.** sorbetière **2.** AMER réfrigérateur *m*.

**heladería** *f* boutique du marchand de glace.

**heladero, a** *s* marchand, e de glaces, glacier.

**helado, a** *a* **1.** glacé, e, gelé, e: **tengo los pies helados** j'ai les pieds glacés, gelés **2.** FIG **estoy ~** je suis gelé; **quedarse ~** rester saisi, e. ◇ *m* glace *f*: **un ~ de fresa, de vainilla** une glace à la fraise, à la vanille.

**heladora** *f* sorbetière.

**helar*** *vt* **1.** geler **2.** *(aceite)* figer. ◇ *impers* geler: **esta noche ha helado** cette nuit il a gelé. ◆ **~se** *vpr* **1.** geler: **el estanque se ha helado** l'étang a gelé **2.** *(plantas)* geler **3.** FIG **aquí se hiela uno** on gèle ici.

**hele → he.**

**helechal** *m* fougeraie *f*.

**helecho** *m* fougère *f*.

**Helena** *np f* Hélène.

**helénico, a** *a* hellénique.

**helenismo** *m* hellénisme.

**helenista** *a/s* **1.** helléniste **2.** hellénisant, e.

**helenístico, a** *a* hellénistique.

**helenizar** *vt* helléniser.

**heleno, a** *a/s* hellène.

**helero** *m* glacier.

**helgado, a** *a* aux dents écartées et irrégulières.

**helgadura** *f* espace *m* entre les dents.

**helianto** *m* hélianthe.

**hélice** *f* **1.** hélice **2.** *ANAT* hélix *m.*
**helicoidal** *a* hélicoïdal, e.
**helicóptero** *m* hélicoptère.
**helio** *m QUÍM* hélium.
**heliograbado** *m* héliogravure *f.*
**helioterapia** *f* héliothérapie.
**heliotropismo** *m* héliotropisme.
**heliotropo** *m* héliotrope.
**helipuerto** *m* héliport.
**helminto** *m (gusano)* helminthe.
**helo** → **he.**
**Helvecia** *np f* Helvétie.
**helvecios** *m pl* Helvètes.
**helvético, a** *a* helvétique.
**hematíe** *m BIOL* hématie *f.*
**hematites** *f* hématite.
**hematología** *f* hématologie.
**hematológico, a** *a* hématologique.
**hematólogo, a** *s* hématologue.
**hematoma** *m* hématome.
**hematuría** *f MED* hématurie.
**hembra** *f* **1.** femelle: **la ~ del lobo** la femelle du loup **2.** *FAM* femme, nana: **una ~ macanuda** une femme du tonnerre **3.** *(pieza con un hueco)* partie femelle.
**hembrilla** *f* **1.** partie femelle **2.** *(armella)* piton *m.*
**heme** → **he.**
**hemeroteca** *f* bibliothèque de périodiques.
**hemiciclo** *m* hémicycle.
**hemiplejía** *f MED* hémiplégie.
**hemipléjico, a** *a/s* hémiplégique.
**hemíptero, a** *a/m ZOOL* hémiptère.
**hemisférico, a** *a* hémisphérique.
**hemisferio** *m* hémisphère.
**hemistiquio** *m* hémistiche.
**hemodiálisis** *f MED* hémodialyse.
**hemofilia** *f MED* hémophilie.
**hemofílico, a** *a/s* hémophile.
**hemoglobina** *f* hémoglobine.
**hemopatía** *f* hémopathie.
**hemoptisis** *f MED* hémophtysie.
**hemorragia** *f* hémorragie.
**hemorrágico, a** *a* hémorragique.
**hemorroidal** *a* hemorroïdal, e.
**hemorroides** *f pl* hémorroïdes.
**hemostático, a** *a* hémostatique: **apósito ~** pansement hémostatique.
**henal** *m* fenil.
**henar** *m* pré (à foin).
**henchidura** *f*, **henchimiento** *m* remplissage *m*, bourrage *m.*
**henchir*** *vt* **1.** *(llenar)* remplir, bourrer **2.** *(inflar)* gonfler: **~ de aire** gonfler d'air. ◆ **~se** *vpr* se bourrer.
**hendedura** → **hendidura.**
**hender*** *vt* **1.** fendre **2.** *FIG* fendre: **la flecha hiende el aire** la flèche fend l'air.
**hendido, a** *a* fendu, e.
**hendidura** *f* fente, crevasse.
**hendija** *f AMER* fente.
**hendir** → **hender.**
**henequén** *m* agavé, agave.
**henil** *m* fenil.
**henne** *m* henné.
**heno** *m* foin.
**heñir*** *vt* pétrir.
**hepático, a** *a/s* hépatique: **arteria hepática** artère hépatique. ◇ *f BOT* hépatique.
**hepatitis** *f MED* hépatite: **~ vírica** hépatite virale.
**hepatología** *f MED* hépatologie.
**heptaedro** *m* heptaèdre.
**heptágono** *m* heptagone.
**heptámetro** *m* heptamètre.
**Heracles** *np m* Héraclès.
**Heráclito** *np m* Héraclite.
**heráldico, a** *a/f* héraldique.
**heraldista** *s* héraldiste.
**heraldo** *m* héraut.
**herbáceo, a** *a* herbacé, e.
**herbajar** *vi/t* paître.
**herbaje** *m* herbage.
**herbario, a** *a* relatif, ive aux herbes. ◇ *m* **1.** *(colección)* herbier **2.** *(de los rumiantes)* panse *f.*
**herbazal** *m* herbage.
**herbero** *m (de los rumiantes)* panse *f.*
**herbicida** *a/m* herbicide.
**herbívoro, a** *a/m* herbivore.
**herbolario** *m* **1.** *(persona)* herboriste **2.** *(tienda)* herboristerie *f.*
**herborista** *s* herboriste.
**herboristería** *f* herboristerie.
**herborizar** *vi* herboriser.
**herboso, a** *a* herbeux, euse, herbu, e.
**herciniano, a** *a GEOL* hercynien, enne.
**hercio** → **hertz.**
**hercúleo, a** *a* herculéen, enne.
**Hércules** *np m* Hercule. ◇ *m (hombre fuerte)* hercule, colosse.
**heredad** *f (finca)* domaine *m*, propriété.
**heredar** *vt* hériter: **~ una casa** hériter d'une maison; **~ una casa de su tío** hériter une maison de son oncle; **ha heredado el talento de su padre** il a hérité le talent de son père.
**heredero, a** *a/s* héritier, ère: **~ forzoso** héritier réservataire; **el ~ al trono** l'héritier du trône.
**hereditario, a** *a* héréditaire: **enfermedad hereditaria** maladie héréditaire.
**hereje** *s* hérétique.
**herejía** *f* hérésie.
**herencia** *f* **1.** *(lo que se hereda)* héritage *m* **2.** *BIOL* hérédité **3.** *FIG* **~ espiritual** héritage spirituel.
**heresiarca** *m* hérésiarque.
**herético, a** *a/s* hérétique.
**herida** *f* **1.** blessure **2.** *FIG* blessure, plaie: **renovar la ~** retourner le fer dans la plaie; **tocar a alguien en la ~** toucher quelqu'un au vif **3.** *FIG* **respirar por la ~** laisser percer son amertume, sa tristesse.
**herido, a** *a/s* blessé, e: **~ de gravedad** grièvement blessé; **un muerto y dos heridos graves** un mort et deux blessés graves.

**herir*** *vt* **1.** blesser: **~ de bala** blesser par balle **2.** *(los rayos del sol)* frapper **3.** *(producir una impresión desagradable)* blesser: **sonido que hiere el oído** son qui blesse l'oreille **4.** *FIG* blesser, choquer, froisser: **me han herido sus palabras** ses paroles m'ont blessé **5.** *MÚS* jouer de, pincer de. ◆ **~se** *vpr* se blesser.

**hermafrodita** *a/m* hermaphrodite.

**hermafroditismo** *m BIOL* hermaphrodisme.

**hermana** *f* **1.** sœur: **~ mayor** sœur aînée; **~ política** belle-sœur **2.** *(religiosa)* sœur → **hermano.**

**hermanamiento** *m* **1.** assortiment **2.** union *f* fraternelle, spirituelle **3.** *(de ciudades)* jumelage.

**hermanar** *vt* **1.** unir, réunir, allier **2.** assortir, harmoniser **3.** *(ciudades)* jumeler. ◆ **~se** *vpr* fraterniser.

**hermanastro, a** *s* demi-frère, demi-sœur.

**hermandad** *f* **1.** fraternité **2.** *(entre varias cosas)* harmonie **3.** *(cofradía)* confrérie **4.** association.

**hermano, a** *s* **1.** frère, sœur: **~ mayor** frère aîné; **~ político** beau-frère; **~ carnal** frère germain; **~ de leche** frère de lait; **~ gemelo** frère jumeau; **medio ~** demi-frère **2. ~ lego** frère lai.

**hermenéutica** *f* herméneutique.

**Hermes** *np m* Hermès.

**herméticamente** *adv* hermétiquement.

**hermético, a** *a* hermétique.

**hermetismo** *m* hermétisme.

**hermoseamiento** *m* embellissement.

**hermosear** *vt* embellir.

**hermoso, a** *a* beau, belle: **un ~ retrato** un beau portrait; **una hermosa mujer** une belle femme; **un ~ día de primavera** une belle journée de printemps ◊ **hermosísimo, a** très beau, très belle, de toute beauté.
▶ *Bel* en lugar de *beau* delante de una vocal o h muda: *un ~ edificio* un bel édifice.

**hermosura** *f* **1.** beauté **2. ¡qué ~ de niño!** quel bel enfant!

**hernia** *f* hernie: **~ estrangulada** hernie étranglée.

**herniario, a** *a* herniaire.

**herniarse** *vpr* contracter une hernie.

**hernista** *m* chirurgien herniaire.

**Herodes** *np m* Hérode ◊ *FIG* **ir de ~ a Pilatos** tomber de Charybde en Scylla.

**Herodoto** *np m* Hérodote.

**héroe** *m* héros.

**heroicamente** *adv* héroïquement.

**heroicidad** *f* **1.** héroïcité **2.** prouesse.

**heroico, a** *f* héroïque ◊ **los tiempos heroicos** les temps héroïques.

**heroína** *f* **1.** *(mujer ilustre)* héroïne **2.** *(estupefaciente)* héroïne.

**heroinómano, a** *s* héroïnomane.

**heroísmo** *m* héroïsme.

**herpe, herpes** *m MED* herpès.

**herpetología** *f ZOOL* erpétologie, herpétologie.

**herrada** *f* baquet *m*, seau *m* en bois.

**herradero** *m* **1.** ferrade *f* **2.** époque *f* de la ferrade.

**herrado, a** *a* ferré, e.

**herrador** *m* maréchal-ferrant.

**herradura** *f* **1.** fer *m* à cheval **2. camino de ~** chemin muletier **3.** *ARQ* **arco de ~** arc en fer à cheval, arc outrepassé.

**herraj** *m* charbon de noyaux d'olives.

**herraje** *m* ferrure *f*.

**herramental** *m* **1.** *(herramienta)* outillage **2.** trousse *f* à outils.

**herramienta** *f* **1.** outil *m* **2.** *(conjunto)* outils *m pl*, outillage *m*: **caja de las herramientas** boîte à outils **3.** *FAM (de animales)* cornes *pl* **4.** *FAM* denture **5.** *FAM* arme blanche, couteau *m*.

**herrar*** *vt* **1.** ferrer **2.** *(ganado, etc.)* marquer au fer rouge.

**herrera** *f* femme du forgeron.

**herrería** *f (taller)* forge.

**herrerillo** *m* **1.** *(pájaro)* mésange *f* bleue **2.** *(pájaro)* sittelle *f*.

**herrero** *m* forgeron.

**herreruelo** *m (pájaro)* mésange *f* noire.

**herrete** *m* ferret.

**herrín** *m* rouille *f*.

**herrumbre** *f* **1.** *(orín)* rouille **2.** *(sabor)* goût *m* de fer.

**herrumbroso, a** *a* rouillé, e.

**hertz, hertzio** *m* hertz.

**hertziano, a** *a FÍS* hertzien, enne: **ondas hertzianas** ondes hertziennes.

**hervidero** *m* **1.** *(de un líquido)* bouillonnement **2.** *(manantial)* source *f* bouillonnante **3.** *FIG (de gente)* grouillement, fourmilière *f*.

**hervir*** *vi* **1.** bouillir: **el agua hierve a los cien grados** l'eau bout à cent degrés **2.** *(burbujear)* bouillonner **3.** *FIG* grouiller, fourmiller: **la calle hervía de gente** la rue grouillait de monde **4. ~ en cólera** bouillir de colère. ◇ *vt* faire bouillir: **se hierve un litro de leche** faites bouillir un litre de lait.

**hervor** *m* ébullition *f*, bouillonnement ◊ **dar un ~** porter à ébullition; **levantar un ~** entrer en ébullition.

**hervoroso, a** *a* bouillonnant, e.

**hesitación** *f* hésitation.

**Hespérides** *np f pl* Hespérides.

**hetaira** *f* hétaïre.

**hete** → **he.**

**heteróclito, a** *a* hétéroclite.

**heterodino** *m* hétérodyne.

**heterodoxia** *f* hétérodoxie.

**heterodoxo, a** *a/s* hétérodoxe.

**heterogeneidad** *f* hétérogénéité.

**heterogéneo, a** *a* hétérogène.

**heteromorfo, a** *a* hétéromorphe.

**heteroplastia** *f MED* hétéroplastie.

**heterosexual** *a/s* hétérosexuel, elle.

**heterosexualidad** *f* hétérosexualité.

**hético, a** *a* **1.** phtisique **2.** *(flaco)* étique.

**hevea** *m* hévéa.

**hexaedro** *m* héxaèdre.

**hexagonal** *a* hexagonal, e.

**hexágono** *m* hexagone.

**hexámetro** *m* hexamètre.

**hez** *f* **1.** lie **2.** *FIG* lie, rebut *m*: **la ~ de la sociedad** la lie de la société. ◇ *pl (excrementos)* **las heces** les selles.
▶ Sens 1. s'emploie aussi au pluriel.

**hiato** *m* hiatus.

**hibernación** *f* hibernation.

**hibernal** → **invernal.**

**hibernar** *vi* hiberner.

**hibridación** *f* hybridation.

**hibridar** *vt BIOL* hybrider.

**híbrido, a** *a/m* hybride.

**hicaco** *m* **1.** *(árbol)* icaquier **2.** *(fruto)* icaque *f*.

**hice, hiciera, hicimos,** etc. → **hacer.**
**hico** *m AMER* corde *f* (d'un hamac).
**hicoteca** *f AMER* tortue d'eau douce.
**hidalgo, a** *a* noble, généreux, euse. ◇ *m* gentilhomme, hidalgo ◊ **~ de gotera** nobliau. ◇ *f* femme noble.
**hidalguía** *f* **1.** noblesse **2.** générosité.
**hidra** *f* hydre.
**hidrácido** *m* hydracide.
**hidratación** *f* hydratation.
**hidratante** *a* hydratant, e: **crema ~** crème hydratante.
**hidratar** *vt* hydrater.
**hidrato** *m* hydrate.
**hidráulico, a** *a/f* hydraulique: **freno ~** frein hydraulique.
**hidroala** *m* hydrofoil.
**hidroavión** *m* hydravion.
**hidrocarburo** *m* hydrocarbure.
**hidrocefalia** *f* hydrocéphalie.
**hidrocéfalo, a** *a* hydrocéphale.
**hidrocución** *f* hydrocution.
**hidrodinámico, a** *a/f* hydrodynamique.
**hidroeléctrico, a** *a* hydro-électrique, hidroélectrique.
**hidrófilo, a** *a* hydrophile: **algodón ~** coton hydrophile.
**hidrofobia** *f* hydrophobie.
**hidrófobo, a** *a* hydrophobe.
**hidrófugo, a** hydrofuge.
**hidrogenación** *f* hydrogénation.
**hidrogenar** *vt* hydrogéner.
**hidrógeno** *m* hydrogène: **bomba de ~** bombe à hydrogène.
**hidrografía** *f* hydrographie.
**hidrográfico, a** *a* hydrographique.
**hidrólisis** *f QUÍM* hydrolyse.
**hidrología** *f* hydrologie.
**hidrológico, a** *a* hydrologique.
**hidrometría** *f* hydrométrie.
**hidrométrico, a** *a* hydrométrique.
**hidromiel** *m* hydromel.
**hidropedal** *m* pédalo.
**hidropesía** *f MED* hydropisie.
**hidrópico, a** *a* hydropique.
**hidroplano** *m* hydroglisseur.
**hidrosfera** *f* hydrosphère.
**hidrostático, a** *a/f* hydrostatique.
**hidroterapia** *f* hydrothérapie.
**hidroterápico, a** *a* hydrothérapique.
**hidróxido** *m QUÍM* hydroxyde.
**hidruro** *m QUÍM* hydrure.
**hiedra** *f* lierre *m.*
**hiel** *f* **1.** fiel *m* **2.** *FIG* **echar la ~** se tuer au travail.
**hielo** *m* **1.** glace *f:* **una capa de ~** une couche de glace; **~ picado** glace pilée **2.** *(en las carreteras)* verglas: **placas de ~** plaques de verglas **3.** *FIG* froideur *f* ◊ **romper el ~** rompre la glace. ◇ *pl (heladas)* gelées *f.*
**hiena** *f* hyène.
**hierático, a** *a* hiératique.
**hieratismo** *m* hiératisme.
**hierba** *f* **1.** herbe: **mala ~** mauvaise herbe; **hierbas finas, finas hierbas** fines herbes ◊ **~ cana** seneçon *m;* **en ~** en herbe; **crecer como la mala ~** pousser comme de la mauvaise herbe; **~ de los canónigos** mâche; **~ del Paraguay** maté *m; FIG* **y otras hierbas** et j'en passe **2. hierbas medicinales** plantes médicinales **3.** *FAM (droga)* herbe.
**hierbabuena** *f* menthe.
**hierbajo** *m* mauvaise herbe *f.*
**hierbal** *m AMER* herbage.
**hierbero** *m AMER* **1.** marchand de plantes médicinales, herboriste **2.** *(curandero)* guérisseur (utilisant des simples).
**hieroglífico** → **jeroglífico.**
**hierosolimitano** → **jerosolimitano.**
**hierra** → **yerra.**
**hierro** *m* **1.** fer: **~ forjado** fer forgé ◊ **~ colado** fonte *f* **2.** *FIG* **una salud de ~** une santé de fer; **machacar en ~ frío** parler à un mur; **quitar ~ a** minimiser, réduire à une juste mesure, dédramatiser: **Luis le quitó ~ al asunto** Louis minimisa l'importance de l'affaire, calma le jeu; *PROV* **el que a ~ mata, a ~ muere** quiconque se sert de l'épée périra par l'épée **3.** *(marca hecha por un hierro candente)* marque *f.* ◇ *pl (para aprisionar)* fers.
**higa** *f* **1.** signe de mépris ◊ **hacer la ~** faire la figue **2.** amulette en forme de poing **3.** *FAM* **se me da una ~ de** je me fiche de.
**higadillo** *m* foie (de volaille surtout). ◇ *pl FAM* → **hígado.**
**hígado** *m* foie. ◇ *pl (ánimo)* courage *sing,* cran *sing* ◊ *FIG FAM* **echar los hígados** se tuer au travail, se crever, s'éreinter, se décarcasser.
**higiene** *f* hygiène.
**higiénico, a** *a* hygiénique: **papel ~** papier hygiénique.
**higienista** *s* hygiéniste.
**higienizar** *vt* conformer aux règles de l'hygiène, assainir. ◆ **~se** *vpr AMER* se laver.
**higo** *m* **1.** *(fruto)* figue *f:* **~ chumbo** figue de Barbarie **2.** *FIG FAM* **de higos a brevas** de loin en loin, très rarement; **no dársele a alguien un ~** s'en ficher complètement; **me importa un ~ que...** je me fiche complètement, je m'en balance que...; **hecho un ~** fripé.
**higrometría** *f* hygrométrie.
**higrométrico, a** *a* hygrométrique.
**higrómetro** *m* hygromètre.
**higroscopio** *m* hygroscope.
**higuera** *f* figuier *m:* **~ chumba** figuier de Barbarie; **~ loca** figuier sauvage ◊ *FIG* **estar en la ~** être dans la lune, ne pas être dans le coup.
**higueral** *m* lieu planté de figuiers, figuerie *f.*
**higuereta** *f* ricin *m.*
**higuerón** *m* figuier d'Amérique.
**hijastro, a** *s* beau-fils, belle-fille (fils, fille du conjoint épousé en secondes noces).
**hijo, a** *s* **1.** fils, fille, enfant: **el ~, la hija del rey** le fils, la fille du roi; **matrimonio sin hijos** ménage sans enfants ◊ **~ político, hija política** beau-fils, belle-fille; **~ de papá** fils à papa; **cada ~ de vecino** n'importe qui, tout un chacun; **ser ~ de sus obras** être le fils de ses œuvres **2. el Hijo del hombre** le Fils de l'homme. ◇ *interj* **¡~ mío!** mon fils!, mon petit!, mon vieux!; **pues hija, yo que tú...** eh bien ma fille, ma petite, si j'étais toi...
**hijodalgo** → **hidalgo.**
**hijuela** *f* **1.** *JUR* part d'héritage **2.** *(acequia)* rigole d'arrosage **3.** *(anexo)* annexe **4.** *AMER* propriété qui provient d'un partage.
**hijuelo** *m (retoño)* rejeton.
**hila** *f (acción de hilar)* filage *m.* ◇ *pl* charpie *sing.*
**hilacha** *f,* **hilacho** *m* effilochure *f,* effilure *f.*
**hilachento, a** *a AMER (andrajoso)* déguenillé, e.
**hilada** *f* **1.** file, rangée **2.** *(de piedras, ladrillos)* assise.

**hilado** *m* **1.** *(acción de hilar)* filage **2.** filé **3. fábrica de hilados** filature.

**hilador, a** *s* fileur, euse.

**hilandería** *f* filature.

**hilandero, a** *s* fileur, euse. ◇ *m (taller)* atelier où l'on file. ◇ *f* filandière.

**hilar** *vt* **1.** filer **2.** *FIG* **~ delgado, fino** *(discurrir)* se livrer à des subtilités, *(proceder)* faire preuve de subtilité, de beaucoup de doigté.

**hilarante** *a* hilarant, e.

**hilaridad** *f* hilarité.

**Hilario** *np m* Hilaire.

**hilatura** *f* filature.

**hilaza** *f* **1.** *(hilado)* filé *m* ◊ *FIG* **descubrir la ~** montrer le bout de l'oreille **2.** *(hilo)* fil *m* grossier.

**hilera** *f* **1.** file, rangée: **una ~ de coches** une file de voitures **2.** *(de piedras)* assise **3.** *(de soldados)* file **4.** *TECN (para metales)* filière.

**hilo** *m* **1.** fil: **~ de lino** fil de lin; **calcetines de ~** chaussettes en fil ◊ *FIG* **estar pendiente de un ~** ne tenir qu'à un fil; **estar con el alma en un ~ → alma; por el ~ se saca el ovillo** on finit par tout savoir **2.** *(de un líquido)* filet: **~ de sangre** filet de sang **3. ~, hilillo de voz** filet de voix **4.** *FIG* fil: **el ~ de la conversación** le fil de la conversation; **perder el ~** perdre le fil **5. cortar al ~** couper dans la direction du fil **6. al ~ de mediodía, de medianoche** à midi, à minuit.

**hilván** *m* **1.** *(costura)* faufilure *f* **2.** *(hilo)* faufil.

**hilvanar** *vt* faufiler, bâtir.

**Himalaya** *np m* Himalaya.

**himalayo, a** *a* himalayen, enne.

**himen** *m ANAT* hymen.

**himeneo** *m* hyménée, hymen.

**himenópteros** *m pl ZOOL* hyménoptères.

**himno** *m* hymne.

**himplar** *vi (la pantera)* rugir.

**hincapié** *m* **1.** effort que l'on fait en appuyant le pied **2.** *FIG* **hacer ~ en** insister sur, mettre l'accent sur.

**hincar** *vt* **1.** planter, enfoncer: **~ una estaca** planter un piquet **2.** *FIG* **~ el diente a** s'attaquer à; **~ el diente en** dire du mal de **3.** *POP* **~ el pico** casser sa pipe, claquer. ◆ **~se** *vpr* **1.** s'enfoncer **2. hincarse de rodillas** se mettre à genoux.

**hincha** *f FAM* antipathie: **me tiene ~** il ne peut pas me souffrir, il m'a pris en grippe. ◇ *a/s FAM* supporter, supporteur: **los hinchas del equipo nacional** les supporters de l'équipe nationale.

**hinchable** *a* gonflable.

**hinchada** *f FAM* **la ~** les supporters *m pl.*

**hinchado, a** *a* **1.** gonflé, e, bouffi, e: **ojos hinchados por el sueño** yeux gonflés de sommeil **2.** *(estilo)* boursouflé, e, enflé, e **3.** *(presumido)* gonflé, e d'orgueil.

**hinchamiento → hinchazón.**

**hinchar** *vt* **1.** *(un globo, etc.)* gonfler **2.** *(la cara)* bouffir **3.** *(el vientre)* ballonner **4.** *FIG (exagerar)* enfler, gonfler **5. ~ la cabeza** bourrer le crâne **6.** *AMER FAM (fastidiar)* casser les pieds, faire suer, assommer. ◆ **~se** *vpr* **1.** *(una parte del cuerpo)* enfler **2.** *FAM (de orgullo)* se gonfler **3. hincharse de pasteles, de reír** se gaver, se bourrer de gâteaux, rire tout son soûl **4.** *FAM (ganar dinero)* faire sa pelote **5. hincharse las narices → nariz.**

**hinchazón** *f* **1.** enflure, gonflement *m*, boursouflure **2.** *(del vientre)* ballonnement *m* **3.** *FIG (del lenguaje)* enflure **4.** *FIG* orgueil *m*.

**hinche, hinchió → henchir.**

**Hindostán** *np m* Hindoustan.

**hindú** *a/s* **1.** hindou, e **2.** *(indio)* indien, enne.

**hinduismo** *m* hindouisme.

**hinduista** *a/s* hindouiste.

**hiniesta** *f* genêt *m*.

**[1]hinojo** *m* fenouil.

**[2]hinojo** *m (rodilla)* genou: **de hinojos** à genoux.

**hinterland** *m* hinterland.

**hipar** *vi* **1.** hoqueter **2.** *(los perros)* haleter **3.** *FIG* **~ por** désirer vivement, avoir une folle envie de.

**hiper** *m FAM* hyper, hypermarché.

**hipérbola** *f GEOM* hyperbole.

**hipérbole** *f. (retórica)* hyperbole.

**hiperbólico, a** *a* hyperbolique.

**hiperbóreo, a** *a* hyperboréen, enne.

**hiperglucemia** *f MED* hyperglycémie.

**hipermercado** *m* hypermarché.

**hipermétrope** *a* hypermétrope.

**hipermetropía** *f* hypermétropie.

**hipersensibilidad** *f* hypersensibilité.

**hipersensible** *a* hypersensible.

**hipersónico, a** *a* hypersonique.

**hipertensión** *f* hypertension.

**hipertenso, a** *a/s* hypertendu, e.

**hipertexto** *m INFORM* hypertexte.

**hipertrofia** *f* hypertrophie.

**hipertrofiarse** *vpr* s'hypertrophier.

**hipertrófico, a** *a* hypertrophique.

**hípico, a** *a* hippique: **concurso ~** concours hippique.

**hípido** *m* gémissement.

**hipismo** *m* hippisme.

**hipnosis** *f* hypnose.

**hipnotismo** *m* hypnotisme.

**hipnotizador, a** *a/s* hypnotiseur.

**hipnotizar** *vt* hypnotiser.

**hipo** *m* **1.** hoquet: **tener ~** avoir le hoquet **2.** *FIG* vif désir **3.** *FIG* antipathie *f* **4.** *FAM* **que quita el ~** à vous couper le souffle, impressionnant, e: **se ha comprado un cochazo que quita el ~** il s'est acheté une grosse bagnole du tonnerre, terrible.

**hipocampo** *m* hippocampe.

**hipocondría** *f* hypocondrie.

**hipocondríaco, a** *a/s* hypocondriaque.

**Hipócrates** *np m* Hippocrate.

**hipocrático, a** *a* hippocratique ◊ **juramento ~** serment d'Hippocrate.

**hipocresía** *f* hypocrisie.

**hipócrita** *a/s* hypocrite.

**hipócritamente** *adv* hypocritement.

**hipodérmico, a** *a* hypodermique: **inyección hipodérmica** piqûre hypodermique.

**hipódromo** *m* hippodrome.

**hipofagia** *f* hippophagie.

**hipófisis** *f ANAT* hypophyse.

**hipogastrio** *m ANAT* hypogastre.

**hipogeo** *m* hypogée.

**hipoglucemia** *f MED* hypoglycémie.

**Hipólito** *np m* Hippolite.

**hipomóvil** *a* hippomobile.

**hipopótamo** *m* hippopotame.

**hiposo, a** *a* qui a le hoquet.
**hipostilo, a** *a* ARQ hypostyle.
**hipotálamo** *m* ANAT hypothalamus.
**hipoteca** *f* hypothèque.
**hipotecar** *vt* hypothéquer.
**hipotecario, a** *a* hypothécaire.
**hipotensión** *f* hypotension.
**hipotenso, a** *a* hypotendu, e.
**hipotensor** *m* MED hypotenseur.
**hipotenusa** *f* MAT hypoténuse.
**hipótesis** *f* hypothèse: **en la ~ de que...** dans l'hypothèse où...
**hipotéticamente** *adv* hypothétiquement.
**hipotético, a** *a* hypothétique.
**hippy** *m* hippie, hippy.
**hirco** *m* chèvre *f* sauvage.
**hiriente** *a* blessant, e.
**hirsuto, a** *a* hirsute.
**hirviendo** *a* bouillant, e.
**hirviente** *a* bouillant, e.
**hisopada** *f* aspersion, coup *m* de goupillon.
**hisopear** *vt* asperger.
**hisopo** *m* **1.** *(para echar agua bendita)* goupillon, aspersoir **2.** *(planta)* hysope *f* **3.** AMER *(brocha)* brosse *f*; *(de afeitar)* blaireau.
**hispalense** *a/s* sévillan, e.
**hispánico, a** *a* hispanique.
**hispanidad** *f* **1.** ensemble *m* des peuples hispaniques **2.** caractère *m* hispanique.
**hispanismo** *m* hispanisme.
**hispanista** *s* hispanisant, e.
**hispanizar** *vt* espagnoliser.
**hispano, a** *a/s* espagnol, e.
**Hispanoamérica** *np f* Amérique espagnole.
**hispanoamericanismo** *m* hispano-américanisme.
**hispanoamericano, a** *a/s* hispano-américain, e.
**hispanoárabe** *a* hispano-arabe.
**hispanófilo, a** *a/s* hispanophile.
**hispanohablante** *a/s* hispanophone.
**híspido, a** *a* hirsute.
**histamina** *f* histamine.
**histeria** *f* hystérie.
**histérico, a** *a/s* hystérique.
**histología** *f* histologie.
**histológico, a** *a* histologique.
**histólogo, a** *s* histologue.
**historia** *f* **1.** histoire: **~ universal** histoire universelle; **~ sagrada** histoire sainte; **~ natural** histoire naturelle ◊ **pasar a la ~** entrer dans l'histoire; **haber pasado a la ~** appartenir au passé, être de l'histoire ancienne **2.** FIG histoire: **¡no me salgas con historias!** ne me raconte pas d'histoires! **3.** FIG FAM **dejarse de historias** aller aux faits; **picar en ~** devenir sérieux.
**historiado, a** *a* **1.** historié, e **2.** surchargé, e.
**historiador, a** *s* historien, enne.
**historial** *m* **1.** *(reseña)* historique **2.** *(profesional)* curriculum vitæ.
**historiar** *vt* **1.** *(un suceso)* faire l'historique de **2.** AMER mélanger.
**históricamente** *adv* historiquement.
**historicidad** *f* historicité.
**historicismo** *m* historicisme.
**histórico, a** *a* historique.
**historieta** *f* **1.** historiette **2.** *(tira cómica)* bande dessinée: **el Salón de la ~** le Salon de la bande dessinée, de la B.D.
**historiografía** *f* historiographie.
**historiógrafo, a** *s* historiographe.
**histrión** *m* histrion.
**histrionismo** *m* **1.** métier d'histrion **2.** *(aparatosidad)* histrionisme.
**hita** *f* **1.** *(clavo)* petit clou *m* sans tête **2.** *(mojón)* borne.
**hitita** *a/s* HIST hittite.
**hitleriano, a** *a/s* hitlérien, enne.
**hitlerismo** *m* hitlérisme.
**hito, a** *a* contigu, ë, proche. ◇ *m* **1.** *(mojón)* borne *f* **2.** FIG but ◊ **dar en el ~** mettre dans le mille **3.** FIG jalon, moment qui fait date, étape *f*: **un ~ en la historia de las ciencias** une étape dans l'histoire des sciences **4. mirar de ~ en ~** regarder fixement, dans les yeux.
**hizo** → **hacer.**
**hobby** *m* hobby.
**hocicada** *f* coup *m* de museau.
**hocicar** *vt (hozar)* fouger, vermiller. ◇ *vi* **1.** piquer du nez **2.** *(contra algo)* se heurter.
**hocico** *m* **1.** *(de animal)* museau, mufle; *(del cerdo)* groin **2.** *(boca)* bouche *f* aux grosses lèvres **3.** POP gueule *f*, figure *f*: **darse de hocicos** se casser la figure; **romper los hocicos** casser la gueule; **meter el ~ en todo** fourrer son nez partout **4. estar de hocicos, poner ~** faire la moue, faire la lippe.
**hocicudo, a** *a* **1.** *(animal)* à gros museau **2.** *(persona)* lippu, e.
**hocino** *m* **1.** *(para cortar leña)* serpe *f*, gouet **2.** partie *f* encaissée d'une rivière, terrain en bordure d'une rivière.
**hockey** *m* hockey: **~ sobre hielo, hierba** hockey sur glace, sur gazon.
**hodierno, a** *a* moderne, actuel, elle.
**hogaño** *adv* **1.** *(este año)* cette année **2.** *(ahora)* de nos jours.
**hogar** *m* **1.** foyer, âtre **2.** FIG *(domicilio, familia)* foyer: **fundar un ~** fonder un foyer ◊ **no tener casa ni ~** → **casa.**
**hogareño, a** *a* **1.** familial, e: **ambiente ~** atmosphère familiale **2.** *(persona)* casanier, ère.
**hogaza** *f* miche, pain *m* de ménage.
**hoguera** *f* **1.** bûcher *m* **2.** *(en una fiesta)* feu *m* de joie.
**hoja** *f* **1.** *(de un vegetal, de papel, etc.)* feuille: **árbol de hojas perennes** arbre à feuilles persistantes; **~ seca** feuille morte; **~ de parra** feuille de vigne ◊ **~ suelta** feuille volante; **~ de ruta** lettre de voiture; **~ de servicios** état *m* de service; **poner como ~ de perejil** → **perejil 2.** *(de un libro, cuaderno)* feuillet *m*, page ◊ FIG **volvamos la ~** tournons la page, n'en parlons plus; **sin vuelta de ~** → **vuelta 3.** *(de un cuchillo, espada, etc.)* lame: **~ de afeitar** lame de rasoir **4.** *(de puerta)* battant *m*: **puerta de dos hojas** porte à deux battants **5.** *(de biombo)* panneau *m*; *(de tríptico)* volet *m* **6.** *(en un metal)* paille.
**hojalata** *f* fer-blanc *m*.
**hojalatería** *f* ferblanterie.
**hojalatero** *m* ferblantier.
**hojaldrado, a** *a* feuilleté, e.
**hojaldrar** *vt* CULIN feuilleter.
**hojaldre** *m* pâte *f* feuilletée: **pastel de ~** gâteau en pâte feuilletée, gâteau feuilleté.
**hojarasca** *f* **1.** *(hojas secas)* feuilles *pl* mortes **2.** *(fronda)* feuillage *m* trop touffu **3.** FIG verbiage *m*.

**hojear** *vt (un libro)* feuilleter.
**hojoso, a, hojudo, a** *a* feuillu, e.
**hojuela** *f* **1.** petite feuille **2.** *(masa frita)* sorte de crêpe ◊ *FIG* **miel sobre hojuelas** encore mieux, de mieux en mieux.
**¡hola!** *interj* **1.** *(saludo)* bonjour!, bonsoir!, salut!, hello! **2.** *(para denotar sorpresa)* tiens! **3.** *(para llamar)* hola!
**holanda** *f (tela)* hollande.
**Holanda** *np f* Hollande.
**holandés, esa** *a/s* hollandais, e. ◇ *f (hoja de papel)* feuille de papier à lettre.
**holding** *m* holding.
**holgachón, ona** *a* qui aime ses aises, paresseux, euse.
**holgadamente** *adv* **1.** à l'aise: **en este coche cinco personas pueden viajar ~** dans cette voiture cinq personnes peuvent voyager à l'aise **2.** largement.
**holgado, a** *a* **1.** *(ancho)* large, ample **2.** *(en un lugar)* **ir ~** être à l'aise **3.** *(situación económica)* aisé, e **4.** *(desocupado)* oisif, ive **5.** *FIG* **una holgada mayoría de votantes** une forte majorité de votants; **holgada victoria del partido** large victoire du parti.
**holganza** *f* **1.** *(descanso)* repos *m* **2.** *(ociosidad)* oisiveté **3.** plaisir *m.*
**holgar*** *vi* **1.** *(tener descanso)* se reposer **2.** être oisif, ive **3.** être inutile, superflu, e: **huelga decir que...,** inutile de dire que...; **huelga decirlo** cela va sans dire ◊ **¡huelgan (los) comentarios!** sans commentaires!, cela se passe de commentaires! ◆ **~se** *vpr* **1.** *(distraerse)* se divertir, s'amuser **2.** *(de algo)* se réjouir.
**holgazán, ana** *a/s* paresseux, euse, fainéant, e.
**holgazanear** *vi* paresser, fainéanter.
**holgazanería** *f* paresse, fainéantise.
**holgón, ona** *a/s* fainéant, e.
**holgorio** *m* réjouissance *f*, fête *f* bruyante.
**holgura** *f* **1.** largeur, ampleur **2.** aisance: **vivir con ~** vivre dans l'aisance **3.** *(entre dos piezas mecánicas)* jeu *m.*
**holladura** *f* **1.** foulage *m* **2.** *FIG* humiliation.
**hollar*** *vt* **1.** fouler, marcher sur: **es el primer hombre que holló con su pie la superficie de la luna** il est le premier homme a avoir foulé la surface de la lune **2.** *FIG* fouler aux pieds, humilier.
**hollejo** *m* peau *f* (du raisin, du haricot, etc.).
**hollín** *m* suie *f.*
**holocausto** *m* holocauste.
**holografía** *f* holographie.
**hológrafo → ológrafo.**
**holoturia** *f* holothurie.
**hombracho** *m* gros homme, gros balèze.
**hombrada** *f* action courageuse ou généreuse.
**hombradía** *f* virilité, courage *m*, fermeté.
**hombre** *m* **1.** homme: **un ~ de acción** un homme d'action; **un buen ~** un brave homme; **el ~ de la calle** l'homme de la rue ◊ **~ anuncio** homme-sandwich; **~ de Estado** homme d'État; **~ de letras** homme de lettres; **~ de mundo** homme du monde; **~ de negocios** homme d'affaires; **~ rana** homme grenouille; **como un solo ~** comme un seul homme; **hacer (un) ~ a alguien** aider, favoriser quelqu'un; *FIG* **ser ~ al agua** être perdu; **ser ~ para** être homme à; **ser mucho ~** être très supérieur; *RELIG* **el ~ viejo** le vieil homme; *PROV* **~ prevenido vale por dos** un homme averti en vaut deux; **el ~ propone y Dios dispone** l'homme propose et Dieu dispose **2.** monsieur: **¿quién es este ~?** qui est ce monsieur? **3.** *FAM (marido)* mari, homme **4.** *(juego de naipes)* hombre. ◇ *interj* **1.** *(sorpresa)* tiens!; *(asombro)* quoi!; *(incredulidad)* allons donc!; *(ironía)* voyons!; *(cariño)* mon vieux! **2. ¡~ al agua!** un homme à la mer!
**¹hombrear** *vi* **1.** jouer à l'homme adulte, se donner des airs d'homme **2.** *(querer competir)* rivaliser avec, vouloir égaler quelqu'un de supérieur).
**²hombrear** *vt AMER* porter sur ses épaules.
**hombrecillo** *m* **1.** petit homme **2.** *(lúpulo)* houblon.
**hombrera** *f (de un vestido)* épaulette.
**hombretón** *m* homme grand et fort, gaillard.
**hombría** *f* **~ de bien** honnêteté, probité.
**hombro** *m* épaule *f*: **con la escopeta al ~** le fusil sur l'épaule; **a hombros** sur les épaules ◊ *FIG* **arrimar el ~** *(trabajar)* travailler dur; *(ayudar)* donner un coup d'épaule, de main; **echarse al ~ una cosa** prendre quelque chose sur soi; **encogerse de hombros** hausser les épaules; **hurtar el ~** se défiler; **mirar por encima del ~** regarder pardessus l'épaule, de haut.
**hombrón** *m* homme grand, grand type.
**hombruno, a** *a* hommasse.
**homenaje** *m* hommage: **rendir ~ a** rendre hommage à.
**homenajeado, a** *a/s* personne à qui on rend hommage, que l'on fête.
**homenajear** *vt* rendre hommage à: **el famoso actor fue homenajeado** un hommage a été rendu au célèbre acteur.
**homeópata** *s* homéopathe.
**homeopatía** *f* homéopathie.
**homeopático, a** *a* homéopathique.
**homérico, a** *a* homérique.
**Homero** *np m* Homère.
**homicida** *a/s* homicide.
**homicidio** *m* homicide.
**homilia** *f* homélie.
**hominicaco** *m FAM* gringalet, freluquet.
**homínidos** *m pl* hominiens.
**hominización** *f* hominisation.
**homófono, a** *a* homophone.
**homogeneidad** *f* homogénéité.
**homogeneización** *f* homogénéisation.
**homogeneizar** *vt* homogénéiser.
**homogéneo, a** *a* homogène.
**homógrafo, a** *a* homographe.
**homologación** *f* homologation.
**homologar** *vt* homologuer.
**homólogo, a** *a* homologue.
**homonimia** *f* homonymie.
**homónimo, a** *a/m* homonyme.
**homosexual** *a/s* homosexuel, elle.
**homosexualidad** *f* homosexualité.
**homúnculo** *m* homoncule.
**honda** *f (arma)* fronde.
**hondamente** *adv* profondément: **respirar ~** respirer profondément, à fond.
**hondazo** *m* coup de fronde.
**hondero** *m (soldado)* frondeur.
**hondo, a** *a* **1.** *(profundo)* profond, e ◊ **plato ~** assiette creuse **2.** *(terreno)* bas, basse **3.** *FIG* **honda gratitud** profonde gratitude **4. cante ~ → jondo 5. respirar ~** respirer à fond. ◇ *m* fond ◊ **en lo ~ de** au fond de.
**hondón** *m* **1.** fond **2.** *(hondonada)* terrain bas.
**hondonada** *f* terrain *m* bas et encaissé, dépression, cuvette.
**hondura** *f* profondeur ◊ *FIG* **meterse en honduras** se mêler de choses difficiles, vouloir trop aller au fond des choses.
**Honduras** *np f* Honduras *m.*
**hondureño, a** *a/s* du Honduras, hondurien, enne.

**honestamente** *adv* avec décence, pudiquement.

**honestidad** *f* **1.** décence, pudeur, modestie **2.** *(urbanidad)* bienséance **3.** *(honradez)* honnêteté.

**honesto, a** *a* **1.** décent, e, pudique **2.** raisonnable **3.** *(honrado)* honnête: **una vida honesta** une vie honnête.

**hongo** *m* **1.** champignon: **~ venenoso** champignon vénéneux ◊ **~ yesquero** amadouvier **2. ~ atómico** champignon atomique **3. sombrero ~** chapeau melon.

**honor** *m* **1.** honneur: **hombre de ~** homme d'honneur; **palabra de ~** parole d'honneur; **hacer ~ a** faire honneur à **2.** *loc prep* **en ~ de** en l'honneur de; **en ~ mío** en mon honneur; **por su ~** sur l'honneur; **en ~ a la verdad** pour dire les choses comme elles sont. ◇ *pl* honneurs: **rendir honores** rendre les honneurs.

**honorabilidad** *f* honorabilité.

**honorable** *a* honorable.

**honorablemente** *adv* honorablement.

**honorario, a** *a* honoraire: **presidente ~** président honoraire. ◇ *m pl (emolumentos)* honoraires.

**Honorato** *np m* Honoré.

**honorífico, a** *a* honorifique.

**honra** *f* honneur *m* ◊ **tener a mucha ~** s'honorer de, être très flatté, e de; **¡a mucha ~!** et j'en suis fier!, et fier de l'être! ◇ *pl* **honras fúnebres** honneurs *m* funèbres.

**honradamente** *adv* honnêtement.

**honradez** *f* honnêteté, probité.

**honrado, a** *a* honnête: **un comerciante ~** un commerçant honnête; **una mujer honrada** une femme honnête.

**honrar** *vt* **1.** honorer: **~ a Dios** honorer Dieu; **~ con su presencia** honorer de sa présence; **muy honrado con su visita** très honoré de votre visite **2. ~ a su familia** faire honneur à sa famille. ◆ **~se** *vpr* s'honorer, se faire honneur: **me honro con, en...** je m'honore de...

**honrilla** *f* faux point *m* d'honneur: **por la negra ~** par amour-propre.

**honroso, a** *a* honorable.

**hontanar** *m* lieu où jaillissent les sources.

**hooligan** *m* hooligan, houligan.

**hopa** *f* tunique des condamnés à mort.

**hopalanda** *f* houppelande.

**hoplita** *m* hoplite.

**hopo** *m* **1.** *(cola)* queue *f* **2.** *(copete)* houppe *f*.

**hora** *f* **1.** heure: **cien kilómetros por ~** cent kilomètres à l'heure; **está pagado por horas** il est payé à l'heure; **a 500 pesetas la ~** 500 pesetas de l'heure; **abierto las veinticuatro horas (del día)** ouvert vingt-quatre heures sur vingt-quatre ◊ **horas extraordinarias** heures supplémentaires; **horas punta** heures de pointe **2. ¿qué ~ es?** quelle heure est-il?; **~ oficial, de verano** heure légale, d'été; **la ~ H,** l'heure H; **la ~ suprema** l'heure suprême; **dar la ~** sonner l'heure; **poner el reloj en ~** mettre sa montre à l'heure ◊ **la ~ de la verdad** la minute de vérité; **ya es ~ de que...** il est temps que...; **ya era ~** il était temps **3.** *(cita)* **pedir ~** demander un rendez-vous; **dar ~** fixer un rendez-vous; **reservar ~** prendre rendez-vous **4.** *loc adv* **a estas horas** à l'heure qu'il est, à présent; **a última ~** au dernier moment; **a última ~ de la mañana** en fin de matinée; **de ~ en ~** d'heure en heure; **en buena ~** au bon moment; **en mala ~** mal à propos.

▶ Notez l'emploi du pluriel, indiquant un moment peu précis: *¿cómo es que vienes a estas horas?* comment peux-tu arriver à une heure pareille?; *en las altas horas de la noche* tard dans la nuit.

**horaciano, a** *a* horacien, enne.

**Horacio** *np m* Horace.

**horadar** *vt* forer, perforer.

**horario, a** *a* horaire. ◇ *m* **1.** *(de reloj)* petite aiguille *f*, aiguille *f* des heures **2.** *(de los trenes)* horaire **3.** *(cuadro de repartición de las horas de trabajo)* emploi du temps, horaire: **~ flexible** horaire variable, flexible.

**horca** *f* **1.** *(cadalso)* potence, gibet *m* ◊ *FIG* **señor de ~ y cuchillo** seigneur haut justicier **2.** *(palo con dos o más púas)* fourche **3.** *(de ajos, cebollas)* chapelet *m* **4.** *FIG* **pasar por las horcas caudinas** passer sous les fourches caudines.

**horcado, a** *a* fourchu, e.

**horcadura** *f (de un árbol)* enfourchure.

**horcajadas (a)** *loc adv* à califourchon.

**horcajadura** *f* entrecuisse.

**horcajo** *m* **1.** collier en bois (pour les mulets) **2.** jonction *f* de deux montagnes, confluent de deux rivières.

**horcate** *m (arreo)* attelle *f*.

**horchata** *f* **1.** *(bebida refrescante)* orgeat *m* **2.** *FIG* **sangre de ~ → sangre.**

▶ Sens 1: souvent préparée avec des amandes de terre, fruits du souchet *(chufa)*.

**horchatería** *f* buvette où l'on vend de l'orgeat.

**horchatero, a** *s* personne qui fait, vend de l'orgeat.

**horcón** *m* **1.** *(horca)* fourche *f* **2.** *AMER (madero vertical)* poteau.

**horda** *f* horde.

**horizontal** *a* horizontal, e.

**horizontalidad** *f* horizontalité.

**horizontalmente** *adv* horizontalement.

**horizonte** *m* horizon: **en el ~** à l'horizon.

**horma** *f* **1.** *(para los zapatos, los sombreros)* forme ◊ *FIG* **encontrar la ~ de su zapato** trouver chaussure à son pied; trouver à qui parler **2.** *(para que los zapatos conserven su forma)* embauchoir *m*.

**hormaza** *f* mur *m* de pierres sèches.

**hormiga** *f* **1.** fourmi **2.** *FIG* **es una ~** c'est une vraie fourmi.

**hormigón** *m* béton: **~ armado** béton armé.

**hormigonado** *m* bétonnage.

**hormigonera** *f* bétonneuse, bétonnière.

**hormiguear** *vi* **1.** fourmiller **2.** *(la muchedumbre, etc.)* grouiller, fourmiller.

**hormigueo** *m* **1.** fourmillement **2.** *(sensación)* fourmis *f pl*, picotement *m*.

**hormiguero** *m* fourmilière *f*. ◇ *a* **oso ~** fourmilier.

**hormiguillo** *m* **1.** *(cosquilleo)* fourmillement, picotement **2.** personnes *f pl* qui font la chaîne.

**hormiguita** *f FIG* fourmi: **su mujer es una ~** sa femme est une vraie fourmi.

**hormona** *f* hormone.

**hormonal** *a* hormonal, e.

**hornacina** *f* niche.

**hornada** *f* **1.** fournée **2.** *FIG* fournée.

**hornaguera** *f* houille.

**hornalla** *f AMER* fourneau *m*, foyer *m*.

**hornaza** *f* **1.** fourneau *m* d'orfèvre **2.** *(color amarillo)* vernis *m* jaune.

**hornazo** *m* galette *f* de Pâques aux œufs durs.

**hornear** *vt* mettre au four.

**hornero, a** *s* fournier, ère.

**hornija** *f* menu bois *m*.

**hornilla → hornillo.**

**hornillo** *m* **1.** fourneau: **~ de gas** fourneau à gaz **2.** *(transportable)* réchaud.

**horno** *m* **1.** four **~ de panadero, de reverbero, crematorio** four de boulanger, à réverbère, crématoire ◊ *FIG* **no está el ~ par**

**bollos** le moment est mal choisi **2. alto ~** haut fourneau **3.** *FIG (lugar donde hace mucho calor)* four, fournaise *f*.

**Hornos (cabo de)** *np m* cap Horn.

**horóscopo** *m* horoscope.

**horqueta** *f* fourche.

**horquilla** *f* **1.** fourche **2.** *(de bicicleta)* fourche **3.** *(para sujetarse el peinado)* épingle à cheveux **4.** *(estadística)* fourchette.

**horrendo, a** *a* affreux, euse, horrible.

**hórreo** *m* grenier (à grains).
▶ Sur pilotis, typique du nord-ouest de l'Espagne.

**horrible** *a* horrible.

**horriblemente** *adv* horriblement.

**hórrido, a, horrífico, a** *a* horrifique.

**horripilante** *a* effrayant, e, épouvantable, terrifiant, e: **un grito ~** un cri effrayant; **un relato ~** un récit à faire dresser les cheveux sur la tête.

**horripilar** *vt* faire frémir, faire dresser les cheveux sur la tête.

**horrísono, a** *a* qui fait un bruit terrifiant, effrayant.

**horro, a** *a* **1.** *(esclavo)* affranchi, e **2. ~ de** libre, exempt, e, dépourvu, e de **3.** *(hembra)* stérile.

**horror** *m* **1.** horreur *f*: **tengo ~ a...** j'ai horreur de...; **la naturaleza tiene ~ al vacío** la nature a horreur du vide; **dar ~** faire horreur; **¡qué ~!** quelle horreur! **2.** *FAM* **un ~ de calor** affreusement chaud; **la quiere horrores** il l'aime à la folie; **me duele horrores** ça me fait affreusement mal; **gasta horrores en ropa** elle dépense des fortunes en vêtements.

**horrorizar** *vt* horrifier, faire horreur, épouvanter. ◆ **~se** *vpr* frémir d'horreur.

**horrorosamente** *adv* horriblement.

**horroroso, a** *a* **1.** horrible, affreux, euse **2.** *(muy feo)* hideux, euse, affreux, euse.

**hortaliza** *f* légume *m* , légume *m* vert.

**hortelano, a** *a/s* jardinier, ère, maraîcher, ère. ◇ *m (pájaro)* ortolan.

**hortense** *a* potager, ère, maraîcher, ère.

**hortensia** *f* hortensia *m*.

**Hortensia** *np f* Hortense.

**hortera** *f (escudilla)* écuelle en bois. ◇ *m ANT FAM* calicot, commis de magasin ◊ **~ de ultramarinos** garçon épicier. ◇ *s FAM* frimeur, euse, beauf. ◇ *a FAM (ordinario)* tape-à-l'œil, quelconque, ringard.

**horterada** *f FAM* ringardise ◊ **es una ~** c'est vulgaire, quelconque.

**hortícola** *a* horticole.

**horticultor, a** *s* horticulteur, trice.

**horticultura** *f* horticulture.

**hosanna** *m* hosanna.

**hosco, a** *a* **1.** *(ceñudo)* renfrogné, e, bourru, e, rébarbatif, ive, hargneux, euse **2.** *(lugar)* inhospitalier, ère.

**hospedaje** *m* **1.** logement ◊ **dar ~** loger; **tomar ~** prendre pension **2.** prix de la pension.

**hospedar** *vt* loger, héberger. ◆ **~se** *vpr* se loger, être hébergé, e, loger, descendre: **en Barcelona nos hospedamos siempre en la misma pensión** à Barcelone nous logeons toujours dans la même pension.

**hospedería** *f* **1.** *(establecimiento)* hôtellerie, auberge **2.** hébergement *m*.

**hospedero, a** *s* hôtelier, ère.

**hospiciano, a** *s* pensionnaire d'un hospice.

**hospicio** *m* hospice.

**hospital** *m* hôpital: **en los hospitales** dans les hôpitaux. ◊ *MIL* **~ de sangre** hôpital de campagne.

**hospitalario, a** *a* hospitalier, ère.

**hospitalidad** *f* hospitalité.

**hospitalización** *f* hospitalisation.

**hospitalizar** *vt* hospitaliser. ◆ **~se** *vpr* se faire hospitaliser: **se negó a hospitalizarse** il a refusé de se faire hospitaliser.

**hosquedad** *f* rudesse, âpreté, renfrognement *m*.

**hostal** *m* hôtellerie *f*.

**hostelería** *f* hôtellerie.

**hostelero, a** *s* aubergiste.

**hostería** *f* auberge, hôtellerie.

**hostia** *f* **1.** *(oblea)* hostie **2.** *VULG (bofetada)* baffe, beigne ◊ **darse una ~** se cogner; **estar de mala ~** être de mauvais poil; **ser la ~** être incroyable. ◇ *interj VULG* nom de Dieu!; **¡Hostias!** merde!, putain!

**hostiar** *vt VULG (abofetar)* flanquer une baffe à, *(pegar)* casser la gueule à.

**hostiario** *m* boîte *f* à hosties.

**hostigamiento** *m* harcèlement.

**hostigar** *vt* **1.** harceler, tarabuster **2.** *(al enemigo)* harceler.

**hostil** *a* hostile.

**hostilidad** *f* hostilité. ◇ *pl (guerra)* **romper las hostilidades** engager les hostilités.

**hostilizar** *vt* harceler, attaquer.

**hostión** *m VULG* grosse baffe *f*.

**hotel** *m* **1.** hôtel **2.** *(casa aislada)* pavillon, villa *f*.

**hotelero, a** *s* hôtelier, ère.

**hotelito** *m* pavillon, villa *f*.

**hotentote** *a/s* hottentot, e.

**hoy** *adv* **1.** aujourd'hui: **~ es mi santo** c'est aujourd'hui ma fête; **~ es lunes** c'est aujourd'hui lundi; **los jóvenes de ~** les jeunes d'aujourd hui **2.** *loc adv* **de ~ a mañana** d'un moment à l'autre; **de ~ en adelante** désormais, dorénavant; **~ día, ~ en día** de nos jours, aujourd'hui; **~ por ~** actuellement, pour le moment.

**hoya** *f* **1.** creux *m* **2.** *(sepultura)* fosse, tombe **3.** *(llanura)* cuvette **4.** vallée.

**hoyada** *f* dépression.

**hoyo** *m* **1.** trou: **golf de 18 hoyos** golf à 18 trous **2.** *(sepultura)* fosse *f* ◊ **el muerto al bollo y el vivo al ~ → muerto.**

**hoyuelo** *m* **1.** petit trou **2.** *(en la barbilla, la mejilla)* fossette *f*.

**hoz** *f* **1.** *(para segar)* faucille **2.** *(desfiladero)* gorge **3. de ~ y coz** en plein, à fond.

**hozadero** *m* endroit où un sanglier fouge, boutis.

**hozar** *vt* fouger, vermiller.

**huaca → guaca.**

**huacal → guacal**

**huachafería** *f AMER* snobisme *m*.

**huachafo, a** *a AMER (cursi)* snob, prétentieux, euse.

**huaco → guaco**

**huaico** *m AMER* **1.** vallée *f* **2.** éboulement de rochers.

**huangana** *f AMER* pécari *m*.

**huaquecar → guaquear.**

**huaquero → guaquero.**

**huarache** *m AMER* sandale *f*.

**huasca** *f AMER (látigo)* fouet *m*.

**huasicama** *s AMER* domestique indien.

**huasipungo** *m AMER* lopin de terre octroyé à un Indien par un propriétaire, en Équateur.

**huaso, a** *s AMER* paysan, anne (du Chili).

**huasquear** *vt AMER* fouetter.

**huata → guata**

**hube → haber.**

**Huberto** *np m* Hubert.

**hubiese, hubo → haber.**

**hucha** *f* **1.** tirelire **2.** *(ahorros)* bas *m* de laine **3.** *(arca)* huche.

**hueco, a** *a* **1.** creux, euse: **ladrillo ~** brique creuse **2.** *(vacío)* vide **3.** *FIG (presumido)* fier, fière, vaniteux, euse ◊ **ponerse ~** se sentir flatté **4.** *FIG (estilo, sonido)* creux, euse: **voz hueca** voix creuse **5.** moelleux, euse, spongieux, euse. ◊ *m* **1.** *(cavidad)* creux: **sonar a ~** sonner creux **2.** *ARQ* ouverture *f*, baie *f*; *(de una puerta, ventana)* embrasure *f* **3. el ~ de la escalera** la cage de l'escalier **4.** *(espacio)* vide **5.** *(sitio no ocupado)* place *f* (libre): **¿me hacéis un ~ en el sofá?** vous me faites une place sur le canapé? **6.** *FIG* vide: **llenar un ~** combler un vide **7.** moment libre **8.** emploi vacant.

**huecograbado** *m* héliogravure *f*, gravure *f* en creux.

**huecú** *m AMER* marais où l'on peut s'enliser.

**huele,** etc. **→ oler.**

**[1]huelga** *f* **1.** grève: **convocar ~** lancer un ordre de grève; **declararse en ~** se mettre en grève; **estar en ~** faire grève: **~ general** grève générale; **~ de hambre, de celo** grève de la faim, du zèle; **~ de brazos caídos** grève sur le tas; **~ salvaje** grève sauvage **2.** *(recreo)* jeu *m*, distraction.

**[2]huelga,** etc. **→ holgar.**

**huelgo** *m* **1.** *(aliento)* souffle, haleine *f* **2.** *(entre dos piezas)* jeu.

**huelguista** *s* gréviste.

**huelguístico, a** *a* de grève: **movimiento ~** mouvement de grève.

**huella** *f* **1.** trace, empreinte ◊ **~ dactilar, digital** empreinte digitale; *FIG* **seguir las huellas de** suivre les traces de **2.** *(de un escalón)* giron *m*.

**huemul** *m AMER* cerf des Andes de Patagonie.

**huérfano, a** *a/s* orphelin, e: **~ de padre, de madre** orphelin de père, de mère.

**huero, a** *a* **1.** creux, euse, vide: **palabrería huera** bavardage creux **2.** *(huevo)* clair.

**huerta** *f* **1.** *(de árboles frutales)* verger *m* **2.** *(de hortalizas)* jardin *m* potager **3.** *(tierra de regadío)* plaine irriguée, «huerta»: **la ~ de Valencia** la huerta de Valence.

**huertano, a** *a/s* qui habite une «huerta».

**huerto** *m* **1.** jardin potager **2.** *(de árboles frutales)* verger.

**huesa** *f* fosse, tombe.

**huesecillo** *m* osselet.

**hueso** *m* **1.** os: **~ de caña** os à moelle ◊ *FIG* **calado hasta los huesos** trempé jusqu'aux os; *FAM* **dar con sus huesos por tierra** se casser la figure, ramasser une gamelle; **dar con sus huesos en un hospicio** échouer dans un hospice; **estar en los huesos** n'avoir que la peau et les os; **no dejar ~ sano a alguien** éreinter quelqu'un; **la sin ~** la langue; **mover, soltar la sin ~** faire marcher sa langue; **tener los huesos molidos** être moulu, e **2.** *(de fruta)* noyau: **~ de aceituna** noyau d'olive **3.** *FAM (persona)* rosse *f*, vache *f*, quelqu'un de pas commode **4.** *FAM (cosa trabajosa)* corvée *f*.

**huesoso, a** *a* osseux, euse.

**huésped, a** *s* **1.** hôte, hôtesse **2. casa de huéspedes** pension de famille **3. antojársele a uno los dedos huéspedes → dedo.**

**hueste** *f* armée. ◊ *pl* troupes.

**huesudo, a** *a* osseux, euse.

**hueva** *f* œufs *m pl* de poisson, frai *m*.

**huevada** *f AMER POP* bêtise, connerie.

**huevera** *f* **1.** *(para los huevos pasados por agua)* coquetier *m* **2.** *(de las aves)* oviducte *m* **3.** marchande d'œufs.

**huevero** *m* marchand d'œufs.

**huevo** *m* œuf: **~ al plato** œuf sur le plat; **~ duro** œuf dur; **~ estrellado, frito** œuf sur le plat; **~ pasado por agua** œuf à la coque; **huevos revueltos** œufs brouillés; *AMER* **~ tibio** œuf à la coque **2.** *FIG* **el ~ de Colón** l'œuf de Colomb; **ir pisando huevos** marcher sur des œufs; **no por el ~ sino por el fuero** c'est pour le principe; **parecerse como un ~ a otro ~** se ressembler comme deux gouttes d'eau; **parecerse como un ~ a una castaña** n'avoir aucune ressemblance; *FAM* **límpiate que estás a ~** tu peux te fouiller; *FAM* **costar un ~** coûter la peau des fesses. ◊ *pl VULG (testículos)* couilles *f*.

▶ *Œuf* se pronuncia [œf], *œufs* [ø].

**huevón, ona** *a AMER POP (estúpido)* con, conne.

**¡huf! → ¡uf!**

**Hugo** *np m* Hugues.

**hugonote, a** *a/s* huguenot, e.

**huida** *f* fuite: **la ~ a Egipto** la fuite en Égypte; **emprender la ~** prendre la fuite; **~ hacia adelante** fuite en avant.

**huidizo, a** *a* **1.** fuyant, e **2.** *(persona, animal)* farouche, craintif, ive.

**huido, a** *a* **andar, estar ~** être en fuite.

**¡huifa!** *interj AMER* chic!

**huillín** *m AMER* loutre *f* du Chili.

**huincha** *f AMER (cinta)* ruban *m*.

**huipil** *m AMER* chemise *f* de femme.

**huir*** *vi* **1.** fuir: **~ del peligro, de alguien** fuir le danger, quelqu'un; **~ como de la peste** fuir comme la peste **2.** *(alejarse rápidamente)* s'enfuir: **huyó de la cárcel** il s'est enfui de la prison **3.** fuir: **huyen los años** les années fuient **4. ~ de** (+ *inf.*) refuser de.

**huisache** *m AMER* avocaillon.

**hujier → ujier.**

**hule** *m* **1.** toile *f* cirée **2.** *(caucho)* caoutchouc **3.** *FIG* **haber ~** y avoir des blessés ou des morts.

**hulla** *f* **1.** houille **2. ~ blanca** houille blanche.

**hullero, a** *a* houiller, ère. ◊ *f* houillère.

**humanamente** *adv* humainement.

**humanar** *vt* humaniser.

**humanidad** *f* **1.** humanité **2.** *(corpulencia)* embonpoint *m*. ◊ *pl* humanités: **las humanidades** les humanités.

**humanismo** *m* humanisme.

**humanista** *s* humaniste.

**humanitario, a** *a* humanitaire: **organizaciones humanitarias** organisations humanitaires.

**humanización** *f* humanisation.

**humanizar** *vt* humaniser.

**humano, a** *a/m* humain, e: **el género ~** le genre humain; **los seres humanos** les êtres humains.

**humarazo** *m* fumée *f* épaisse.

**humareda** *f* grande fumée.

**humazo** *m* fumée *f* épaisse.

**Humberto** *np m* Humbert.

**humeante** *a* fumant, e.

**humear** *vi* fumer.

**humectador** *m* humidificateur, saturateur.

**humectar** *vt* humecter.

**humedad** *f* humidité.

**humedal** *m* zone *f* humide.

**humedecer*** *vt* humecter, humidifier.

**húmedo, a** *a* humide.

**humera** *f FAM* cuite.

**humeral** *a* huméral, e. ◇ *m* voile huméral.
**húmero** *m ANAT* humérus.
**humidificador** *m* humidificateur, saturateur.
**humildad** *f* humilité.
**humilde** *a* humble.
**humildemente** *adv* humblement.
**humillación** *f* humiliation.
**humilladero** *m* calvaire (à l'entrée d'un village).
**humillante** *a* humiliant, e.
**humillar** *vt* **1.** humilier, abaisser: **sentirse humillado** se sentir humilié **2.** baisser: **~ la cabeza** baisser la tête. ◆ **~se** *vpr* s'humilier, s'abaisser: **quien se humilla será ensalzado** quiconque s'abaissera sera élevé.
**humillos** *m pl ANT* vanité *sing.*
**humita** *f AMER* boulette de maïs assaisonnée, bouillie puis rôtie, parfois servie dans l'enveloppe d'un épi.
**humitero, a** *s AMER* marchand, e d'«humitas».
**humo** *m* **1.** fumée *f* ◊ **echar ~** fumer **2.** *(vapor)* vapeur *f* **3.** *FIG* **a ~ de pajas** à la légère, sans réflexion; **hacerse ~** disparaître, s'éclipser; **se le subió el ~ a las narices** la moutarde lui est montée au nez. ◇ *pl FIG* vanité *f sing,* prétention *f sing* ◊ **¡vaya humos que tiene!** il ne se prend pas pour n'importe qui!, pour qui se prend-il?; **bajarle los humos a alguien** rabattre l'orgueil de quelqu'un, rabaisser le caquet à quelqu'un.
**humor** *m* **1.** *(líquido orgánico)* humeur *f* **2.** *(disposición de ánimo)* humeur *f*: **estar de buen, de mal ~** être de bonne, de mauvaise humeur **3.** bonne humeur *f* **4.** humour: **tener sentido del ~** avoir le sens de l'humour; **~ negro** humour noir.
**humorada** *f* caprice *m,* fantaisie.
**humorado, a** *a* **bien, mal ~** de bonne, de mauvaise humeur.
**humoral** *a* humoral, e.
**humorismo** *m* humour.
**humorista** *s* humoriste.
**humorísticamente** *adv* avec humour.
**humorístico, a** *a* humoristique.
**humus** *m* humus.
**hundido, a** *a* **1.** enfoncé, e **2.** *(ojos)* cave **3.** *(barco)* coulé, e.
**hundimiento** *m* **1.** enfoncement **2.** *(del suelo)* affaissement **3.** *(de un edificio)* écroulement **4.** *FIG* effrondrement: **el ~ del bloque comunista** l'effondrement du bloc communiste.
**hundir** *vt* **1.** enfoncer **2.** *(un puñal, etc.)* plonger **3.** *(el suelo)* affaisser **4.** *FIG (abrumar)* abattre, accabler; *(arruinar)* ruiner. ◆ **~se** *vpr* **1.** *(el suelo)* s'affaisser **2.** *(un edificio)* s'écrouler **3.** *(un barco)* couler, sombrer, faire naufrage: **el yate se hundió** le yacht a coulé **4.** *FIG* s'écrouler, s'effondrer, sombrer: **se han hundido nuestros proyectos** nos projets se sont écroulés; **hundirse en la locura** sombrer dans la folie; **hundirse el mundo** → **mundo.**

**húngaro, a** *a/s* hongrois, e.
**Hungría** *np f* Hongrie.
**Hunos** *np m pl HIST* Huns.
**hura** *f (madriguera)* terrier *m.*
**huracán** *m* **1.** ouragan **2.** *FIG* ouragan **3. el ojo del ~** l'œil du cyclone.
**huracanado, a** *a (viento)* violent, e.
**huraño, a** *a* sauvage, peu sociable, insociable.
**hurgar** *vt* **1.** remuer, fourgonner **2.** *FIG* fouiller. ◆ **~se** *vpr* **1.** se curer: **hurgarse los dientes** se curer les dents **2. hurgarse el cerebro** se creuser la cervelle.
**hurgón** *m* tisonnier.
**hurgonear** *vt (el fuego)* tisonner.
**hurguetear** *vt AMER* fouiller.
**huri** *f* houri.
**hurón** *m* **1.** *(mamífero)* furet **2.** *FIG (persona huraña)* sauvage, *(entrometida)* fouineur.
**hurón, ona** *a/s (indio norteamericano)* huron, onne.
**huronear** *vi* fureter.
**huronera** *f* **1.** terrier *m* du furet **2.** *FIG* tanière.
**¡hurra!** *interj* hourra!
**hurtadillas (a)** *loc adv* à la dérobée, en cachette: **mirar a ~** regarder à la dérobée.
**hurtador, a** *a/s* voleur, euse.
**hurtar** *vt* **1.** voler, dérober: **«no hurtarás»** *(Decálogo)* «tu ne voleras point» **2. ~ el cuerpo** se dérober, esquiver le coup; **~ el hombro** se défiler. ◆ **~se** *vpr* se dérober, se cacher: **hurtarse a la vista de** se dérober aux regards de.
**hurto** *m* vol, larcin.
**husada** *f* fusée, quenouille.
**húsar** *m* hussard.
**huscazo** *m AMER* coup de fouet.
**husillo** *m* vis *f.*
**husita** *a/s HIST* hussite.
**husma** *f* **andar a la ~** chercher à savoir, être à l'affût.
**husmear** *vt* **1.** chercher en flairant **2.** *FIG (indagar)* fouiner, fureter: **le encanta ~ por todas partes** il adore fouiner partout.
**husmeo** *m* action *f* de flairer.
**husmo** *m* odeur *f* des viandes faisandées.
**huso** *m* **1.** *(para hilar la lana)* fuseau **2.** *(de un torno)* arbre **3. ~ horario** fuseau horaire.
**hutía** *f* agouti *m.*
**¡huy!** *interj* **1.** *(dolor)* aïe! **2.** *(sorpresa)* oh!: **¡~, qué raro!** oh!, comme c'est curieux!; **¡~!, no soy tan viejo** hé là! je ne suis pas si vieux que ça! **3. ¡~, qué frío hace!** brrr!, ce qu'il fait froid!
**huya, huyera,** etc. → **huir.**

**i** *f* i *m:* **una ~** un i ◊ **poner los puntos sobre las íes** mettre les points sur les i.

**iba, ibas,** etc. → **ir.**

**Iberia** *np f* Ibérie.

**ibérico, a** *a* ibérique: **la península ibérica** la péninsule Ibérique.

**ibero, a** *a* ibère.

**Iberoamérica** *np f* Amérique latine.

**iberoamericano, a** *a/s* d'Amérique latine.

**íbice** *m* bouquetin.

**ibicenco, a** *a/s* d'Ibiza.

**ibídem** *adv* ibidem.

**ibis** *f* ibis *m.*

**icaco** → **hicaco.**

**Icaro** *np m* Icare.

**icé** → **izar.**

**iceberg** *m* iceberg ◊ *FIG* **la punta del ~** la partie émergée de l'iceberg.

**icono** *m* **1.** *(imagen)* icône *f* **2.** *INFORM* icône *f.*

**iconoclasta** *a/s* iconoclaste.

**iconografía** *f* iconographie.

**iconográfico, a** *a* iconographique.

**iconostasio** *m* iconostase *f.*

**ictericia** *f MED* ictère *m,* jaunisse.

**ictérico, a** *a/s* ictérique.

**ictiófago, a** *a/s* ichtyophage.

**ictiología** *f* ichtyologie.

**ictiólogo, a** *s* ichtyologiste.

**ictiosauro** *m* ichtyosaure.

**id** → **ir.**

**ida** *f* **1.** aller *m:* **un billete de ~** un aller simple; **un billete de ~ y vuelta** un aller et retour **2.** *FIG* impétuosité, action irréfléchie. ◇ *f pl* **idas y venidas** allées et venues.

**idea** *f* **1.** idée: **una ~ fija** une idée fixe; **¡ni ~!** aucune idée!; **no tengo (ni) la más remota ~ de...** je n'ai pas la moindre idée de... ◊ **formarse una ~** se faire une idée; **hacerse a la ~ de** se faire à l'idée de; **tener una ~ en la cabeza** avoir une idée derrière la tête **2.** intention, idée: **llevo ~ de irme de vacaciones** j'ai l'intention de partir en vacances. ◇ *pl (opiniones)* idées.

**ideal** *a* **1.** idéal, e: **son zapatos ideales para el campo** ce sont des chaussures idéales pour la campagne **2.** joli, e, ravissant, e: **este vestido es ~** cette robe est ravissante. ◇ *m* idéal: **el ~ caballeresco** l'idéal chevaleresque.

**idealidad** *f* beauté, merveille.

**idealismo** *m* idéalisme.

**idealista** *a/s* idéaliste.

**idealización** *f* idéalisation.

**idealizar** *vt* idéaliser.

**idear** *vt* concevoir, inventer, imaginer: **ha ideado un plan** il a conçu un projet; **~ un aparato** inventer un appareil.

**ideario** *m* idéologie *f,* doctrine *f.*

**ideático, a** *a AMER* fantasque, changeant, e, bizarre, lunatique.

**idem** *adv* idem ◊ *FAM* **~ de lienzo** kif-kif, pareil.

**idéntico, a** *a* identique.

**identidad** *f* identité: **documento de ~, carné de ~** carte d'identité.

**identificable** *a* identifiable.

**identificación** *f* identification.

**identificar** *vt* identifier. ◆ **~se** *vpr* s'identifier, entrer dans la peau de: **actor que se identifica con su personaje** acteur qui entre dans la peau de son personnage **2.** *(compenetrarse)* s'entendre, être d'accord.

**ideográfico, a** *a* idéographique.

**ideograma** *m* idéogramme.

**ideología** *f* **1.** idéologie **2.** idées *f pl,* doctrine.

**ideológico, a** *a* idéologique.

**ideólogo, a** *s* idéologue.

**idílico, a** *a* idyllique.

**idilio** *m* idylle *f.*

**idiocia** *f MED* idiotie.

**idioma** *m* langue *f,* idiome: **habla tres idiomas** il parle trois langues.

**idiomático, a** *a* idiomatique.

**idiosincrasia** *f* idiosyncrasie.

**idiota** *a/s* idiot, e: **hacer el ~** faire l'idiot.

**idiotez** *f* idiotie.

**idiotismo** *m* **1.** *GRAM* idiotisme **2.** ignorance *f.*

**idiotizar** *vt* rendre idiot, e. ◆ **~se** *vpr* devenir idiot, e: **se está idiotizando** il devient idiot; **parecía idiotizada** on aurait cru qu'elle était devenue idiote.

[1]**ido** → **ir.**

**²ido, a** *a FAM (chiflado)* timbré, e.

**idólatra** *a/s* idolâtre.

**idolatrar** *vt* idolâtrer.

**idolatría** *f* idolâtrie.

**ídolo** *m* **1.** idole *f* **2.** *FIG* idole *f*: **el ~ de la juventud** l'idole des jeunes.

**idoneidad** *f* aptitude, capacité, convenance.

**idóneo, a** *a* **1.** approprié, e, indiqué, e, qui convient: **~ para** approprié à; **el momento ~ para cambiar de coche** le moment indiqué pour changer de voiture; **el trayecto ~ para ir de un punto a otro** le meilleur trajet pour aller d'un point à un autre **2.** apte.
▶ El adjetivo francés «idoine» se emplea poco, o en tono jocoso.

**Idumea** *np f* Idumée.

**idumeo, a** *a/s* iduméen, enne, édomite.

**idus** *m pl* ides *f*.

**iglesia** *f* église: **la Iglesia católica** l'Église catholique; **una ~ románica** une église romane; **casarse por la ~** se marier religieusement, à l'église.

**iglu** *m* igloo, iglou.

**ignaciano, a** *a* ignatien, enne.

**Ignacio** *np m* Ignace.

**ignaro, a** *a/s* ignare.

**ignavia** *f* paresse, mollesse.

**ígneo, a** *a* igné, e.

**ignición** *f* **1.** ignition **2.** *(de un cohete)* mise à feu.

**ignifugar** *vt* ignifuger.

**ignífugo, a** *a* ignifuge.

**ignominia** *f* ignominie.

**ignominiosamente** *adv* ignominieusement, honteusement.

**ignominioso, a** *a* ignominieux, euse.

**ignorancia** *f* ignorance: **mantener a alguien en la ~ de algo** tenir quelqu'un dans l'ignorance de quelque chose: **~ crasa, supina** ignorance crasse.

**ignorante** *a/s* ignorant, e.

**ignorantismo** *m* ignorantisme.

**ignorar** *vt* ignorer: **ignoramos la hora de su llegada** nous ignorons son heure d'arrivée. ◆ **~se** *vpr* s'ignorer.

**ignoto, a** *a* inconnu, e.

**igual** *a* **1.** égal, e: **dos números iguales** deux nombres égaux ◊ **sin ~** sans égal, e, sans pareil, eille **2.** semblable, pareil, eille: **dos vestidos iguales** deux robes semblables; **cosa ~** pareille chose; **¿has visto cosa ~?** tu as déjà vu ça?; **de ~ manera** de la même façon **3. a mí me da ~** ça m'est égal; **es ~, da ~, ~ da** ça ne fait rien, peu importe; **a mí me da ~ un sitio que otro** peu m'importe l'endroit **4.** *loc adv* **por ~** également, de la même façon, autant **5.** *loc conj* **~ que, al ~ que** comme: **yo pienso ~ que tú** je pense comme toi; **~ que si...** comme si...; **~ que antes** comme avant; **es un reproche ~ de falso** c'est un reproche tout aussi faux. ◇ *adv* de la même manière, pareil ◊ **a mí me pasa ~** il m'arrive la même chose, c'est pareil pour moi; **~ me podría haber muerto en el accidente** j'aurais aussi bien pu mourir dans cet accident; *(tenis)* **30 iguales** 30 partout; **iguales** égalité. ◇ *s* égal, e: **tratar de ~ a ~** traiter d'égal à égal ◊ **entre sus iguales** parmi ses semblables, ses pairs. ◇ *m MAT* signe d'égalité.

**iguala** *f* **1.** égalisation **2.** *(ajuste)* convention, accord *m*, arrangement *m* **3.** *(sanitaria)* abonnement *m* annuel, contrat *m* d'assistance médicale.

**igualación** *f* **1.** égalisation **2.** *(convenio)* convention, accord *m*.

**igualada** *f (deportes)* égalisation.

**igualado, a** *a* **1.** égal, e, semblable **2.** *(deportes)* **estar igualados** être à égalité; **España está igualada con Argentina** l'Espagne est à égalité avec l'Argentine.

**igualamiento** *m* égalisation *f*.

**igualar** *vt* **1.** *(allanar)* égaliser **2.** égaler **3.** *FIG* considérer comme égal, e, mettre sur un même pied **4.** passer un contrat d'assistance médicale. ◇ *vi* égaler. ◆ **~se** *vpr* égaler: **igualarse a, con alguien** égaler quelqu'un.

**igualatorio** *m* mutuelle *f*.

**igualdad** *f* égalité: **~ de oportunidades** égalité de chances ◊ **en pie de ~** sur un pied d'égalité.

**igualitario, a** *a* **1.** égalitaire **2.** égal, e, identique: **todos recibieron una prima igualitaria** ils ont tous reçu une prime égale.

**igualitarismo** *m* égalitarisme.

**igualmente** *adv* **1.** également, pareillement **2.** *(respuestas de cortesía)* **recuerdos a tu familia... – ~** mon bon souvenir à ta famille... – et moi de même.

**iguana** *f* iguane *m*.

**iguanodonte** *m* iguanodon.

**ijada** *f* flanc *m*.

**ijadear** *vi* haleter.

**ijar** *m* flanc.

**ilación** *f* **1.** déduction **2.** *(conexión)* rapport *m*, liaison **3.** *(de las ideas)* enchaînement *m*.

**ilativo, a** *a* **1.** que l'on peut déduire **2.** *GRAM* **conjunción ilativa** conjonction copulative.

**Ildefonso** *np m* Ildefonse.

**ilegal** *a* **1.** illégal, e **2.** clandestin, e: **inmigrantes ilegales** immigrants clandestins.

**ilegalidad** *f* illégalité.

**ilegalmente** *adv* illégalement.

**ilegibilidad** *f* illisibilité.

**ilegible** *a* illisible.

**ilegitimidad** *f* illégitimité.

**ilegítimo, a** *a* illégitime.

**íleon** *m ANAT* iléon, iléum.

**ilerdense** *a/s* de Lérida.

**ileso, a** *a* sain et sauf, saine et sauve, indemne: **salió ilesa del accidente** elle est sortie indemne de l'accident.

**iletrado, a** *a* illettré, e, analphabète.

**ilíaco, a** *a ANAT* iliaque: **hueso ~** os iliaque; **fosa ilíaca** fosse iliaque.

**Ilíada** *np f* Iliade.

**ilicitano, a** *a/s* de Elche.

**ilícito, a** *a* illicite.

**ilicitud** *f* caractère *m* illicite.

**ilimitado, a** *a* illimité, e.

**ilión** *m ANAT* ilion.

**Iliria** *np f* Illyrie.

**ilirio, a** *a/s* illyrien, enne.

**iliterato, a** *a* illettré, e.

**ilógico, a** *a* illogique.

**ilota** *s* ilote.

**iluminación** *f* **1.** *(alumbrado)* éclairage *m* **2.** illumination: **la ~ de las calles durante las fiestas** l'illumination des rues pendant les fêtes **3.** *(pintura)* enluminure.

**iluminado, a** *a* éclairé, e: **calle mal iluminada** rue mal éclairée. ◇ *s (hereje)* illuminé, e.

**iluminador, a** *a* qui illumine. ◇ *s* **1.** enlumineur, euse **2.** *(de cine)* éclairagiste.

**iluminar** *vt* **1.** éclairer, illuminer: **~ un monumento** illuminer un monument **2.** *(estampas, libros)* enluminer **3.** *FIG (el espíritu)* éclairer.

**iluminismo** *m* illuminisme.

**ilusión** *f* **1.** illusion: **~ óptica** illusion d'optique ◊ **hacerse ilusiones, forjarse ilusiones** se faire des illusions; **vivir de ilusiones** vivre d'illusions **2.** *(ensueño)* rêve *m:* **la ~ de mi vida** le rêve de ma vie **3.** *(esperanza)* espoir *m:* **yo tenía ~** j'avais de l'espoir; **espera, desconfiada pero con cierta ~, el resultado del examen** elle attend, inquiète mais avec quelque espoir, le résultat de l'examen **4.** *(alegría)* joie, plaisir *m:* **tu carta me hizo mucha ~** ta lettre m'a fait grand plaisir; **a mí no me hace ~ viajar solo** ça ne m'enchante guère de voyager seul.

**ilusionado, a** *a* **1.** enthousiaste ◊ **está ~ con la idea de...** il est enthousiasmé à l'idée de... **2.** joyeux, euse **3. está ~ con su nieta** il est fou de sa petite-fille.

**ilusionar** *vt* **1.** illusionner **2.** faire rêver: **¡me ilusionaba tanto ir a Miami!** ça me faisait tellement rêver, je rêvais tellement d'aller à Miami!. ◆ **~se** *vpr* **1.** se faire des illusions **2.** s'enthousiasmer.

**ilusionista** *s* illusionniste, prestidigitateur.

**iluso, a** *a/s* rêveur, euse, utopiste.

**ilusorio, a** *a* illusoire.

**ilustración** *f* **1.** savoir *m,* instruction **2.** *(grabado)* illustration **3.** magazine *m* illustré **4.** *HIST* **la Ilustración** les Lumières.

**ilustrado, a** *a (culto)* instruit, e, cultivé, e ◊ **el despotismo ~** le despotisme éclairé.

**ilustrador, a** *s* illustrateur, trice.

**ilustrar** *vt* **1.** *(aclarar)* illustrer, éclairer **2.** *(adornar con grabados)* illustrer **3.** *(instruir)* instruire. ◆ **~se** *vpr* **1.** s'instruire **2.** s'illustrer.

**ilustrativo, a** *a* qui illustre.

**ilustre** *a* illustre.

**ilustrísimo, a** *a* **1.** illustrissime **2. su Ilustrísima** sa Grandeur.

**imagen** *f* **1.** image: **Dios creó al hombre a su ~** Dieu créa l'homme à son image ◊ **a ~ de, a ~ y semejanza de** à l'image de; **ser la viva ~ de** être l'image même de **2.** *(escultura)* statue (religieuse) **3. ~ de marca** image de marque **4.** image: **estilo rico en imágenes** style riche en images **5.** *FIG FAM* **quedarse para vestir imágenes** rester vieille fille, coiffer sainte Catherine.

**imaginable** *a* imaginable.

**imaginación** *f* imagination: **~ creadora** imagination créatrice. ◇ *pl* idées: **todo esto son imaginaciones tuyas** tout cela, ce sont des idées à toi.

**imaginar** *vt* imaginer. ◆ **~se** *vpr* **1.** s'imaginer: **no te puedes ~...** tu ne peux pas t'imaginer... **2.** se douter: **ya te lo puedes ~** tu peux t'en douter **3.** imaginer: **imagínese usted que...** imaginez que...; **imagínate mi alegría** imagine ma joie.

**imaginaria** *f MIL* garde: **estar de ~** être de garde, monter la garde. ◇ *m MIL* sentinelle *f.*

**imaginario, a** *a* imaginaire.

**imaginativo, a** *a* imaginatif, ive.

**imaginería** *f* **1.** *(bordado)* broderie imitant la peinture **2.** statuaire religieuse.

**imaginero** *m (escultor, pintor)* imagier, sculpteur.

[1]**imán** *m* **1.** aimant: **el ~ atrae el hierro** l'aimant attire le fer **2.** *FIG* aimant.

[2]**imán** *m (musulmán)* imam.

**imanación** *f* aimantation.

**imanar** *vt* aimanter.

**imantación** → **imanación.**

**imantar** → **imanar.**

**imbatible** *a* imbattable.

**imbatido, a** *a* invaincu, e.

**imbécil** *a/s* imbécile, idiot, e.

**imbecilidad** *f* imbécillité.

**imberbe** *a* imberbe.

**imbibición** *f* imbibition.

**imbornal** *m* **1.** trou pour l'écoulement des eaux (d'une terrasse, etc.) **2.** *MAR* dalot.

**imborrable** *a* ineffaçable, indélébile: **tinta, recuerdo ~** encre, souvenir ineffaçable.

**imbricación** *f* imbrication.

**imbricado, a** *a* imbriqué, e.

**imbricarse** *vpr* s'imbriquer.

**imbuido, a** *a* imbu, e.

**imbuir*** *vt* inculquer, inspirer. ◆ **~se** *vpr* s'imprégner, se pénétrer: **se ha imbuido de esta idea** il s'est imprégné de cette idée.

**imbunchar** *vt AMER* **1.** *(hechizar)* ensorceler **2.** *(estafar)* escroquer.

**imbunche** *m AMER* **1.** *(brujo)* sorcier **2.** *(maleficio)* maléfice **3.** *(lío)* imbroglio **4.** *(niño)* enfant gros et laid.

**imitable** *a* imitable.

**imitación** *f* **1.** imitation **2. joya de ~** bijou en imitation; **bolso ~ de cocodrilo** sac imitation croco **3. a ~ de** à l'imitation de.

**imitador, a** *a/s* imitateur, trice.

**imitar** *vt* imiter.

**imitativo, a** *a* imitatif, ive.

**impaciencia** *f* impatience.

**impacientar** *vt* **1.** impatienter **2.** exaspérer: **no me impacientes con tus preguntas** ne m'exaspère pas avec tes questions. ◆ **~se** *vpr* s'impatienter, s'énerver: **se impacienta por nada** il s'impatiente pour rien.

**impaciente** *a/s* impatient, e: **estoy ~ por volver a verte** je suis impatient de te revoir ◊ **estamos impacientes por recibir su respuesta** il nous tarde de recevoir votre réponse.

**impacientemente** *adv* impatiemment.

**impactante** *a AMER* impressionnant, e, marquant, e, émouvant, e.

**impactar** *vt/i* **1.** *(chocar)* frapper **2.** *FIG* frapper, marquer, impressionner **3. ~ en** avoir de l'impact sur. ◆ **~se** *vpr* **impactarse contra un camión** heurter, percuter un camion.

**impacto** *m* **1.** impact **2.** *(señal)* point d'impact **3.** *FIG* choc (émotionnel) **4. estudio de ~** étude d'impact.

**impagable** *a* **1.** *(que no se puede pagar)* impayable **2.** *FIG* inestimable.

**impagado, a** *a* impayé, e. ◇ *m COM* impayé.

**impago, a** *a AMER* impayé, e. ◇ *m* non-paiement.

**impalpable** *a* impalpable.

**impar** *a/m* impair, e: **número ~** nombre impair.

**imparcial** *a* impartial, e.

**imparcialidad** *f* impartialité.

**imparcialmente** *adv* impartialement.

**imparisílabo, a** *a* imparisyllabe.

**impartible** *a* impartageable.

**impartir** *vt* **1.** donner, accorder: **~ su bendición** donner sa bénédiction **2.** donner, dispenser: **~ clases** donner des cours.

**impasibilidad** *f* impassibilité.

**impasible** *a* impassible.

**impasse** *m* impasse *f*: **estamos en un ~** nous sommes dans une impasse.

**impávidamente** *adv* sans crainte, sans peur.

**impavidez** *f* calme *m*, impassibilité, flegme *m*.

**impávido, a** *a* imperturbable, impavide.

**impecable** *a* impeccable.

**impecablement** *adv* impeccablement.

**impedancia** *f* ELECT impédance.

**impedido, a** *a/s* infirme, impotent, e.

**impedimenta** *f* bagages *m pl*.

**impedimento** *m* empêchement, obstacle.

**impedir*** *vt* **1.** empêcher: **¿qué te lo impide?** qu'est-ce qui t'en empêche?; **eso no impide para que vayamos juntos** rien ne nous empêche d'y aller ensemble **2.** *(estorbar)* gêner.

**impelente** *a* **1.** qui pousse **2. bomba ~** pompe foulante.

**impeler** *vt* **1.** *(impulsar)* pousser, faire avancer **2.** FIG inciter.

**impenetrabilidad** *f* impénétrabilité.

**impenetrable** *a* **1.** impénétrable **2.** FIG *(misterio, rostro, etc.)* impénétrable.

**impenitencia** *f* impénitence.

**impenitente** *a/s* impénitent, e.

**impensable** *a* impensable.

**impensadamente** *adv* inopinément, à l'improviste.

**impensado, a** *a* **1.** inattendu, e, inopiné, e **2.** imprévu, e.

**impepinable** *a* FAM **1.** inévitable **2.** *(indiscutible)* indiscutable.

**impepinablemente** *adv* inévitablement, immanquablement.

**imperante** *a* **1.** régnant, e: **la dinastía ~** la dynastie régnante; **el régimen ~** le régime en place **2.** FIG régnant, e, dominant, e: **las ideas imperantes** les idées régnantes.

**imperar** *vt* **1.** commander, régner **2.** FIG régner, dominer: **las opiniones que imperan** les opinions qui règnent; **el desorden que impera en el país** le désordre qui règne dans le pays.

**imperativo, a** *a* impératif, ive. ◇ *m* GRAM impératif.

**imperceptible** *a* imperceptible: **una sonrisa ~** un sourire imperceptible.

**imperceptiblemente** *adv* imperceptiblement.

**imperdible** *a* imperdable. ◇ *m* épingle *f* de nourrice.

**imperdonable** *a* impardonnable.

**imperecedero, a** *a* impérissable: **un recuerdo ~** un souvenir impérissable.

**imperfección** *f* imperfection.

**imperfecto, a** *a* imparfait, e. ◇ *m* GRAM **pretérito ~** imparfait; **futuro ~** futur simple.

**imperial** *a* impérial, e. ◇ *f (de ciertos vehículos)* impériale.

**imperialismo** *m* impérialisme.

**imperialista** *a/s* impérialiste.

**impericia** *f* impéritie, incompétence.

**imperio** *m* empire.

**imperiosamente** *adv* impérieusement.

**imperioso, a** *a* impérieux, euse.

**impermeabilidad** *f* imperméabilité.

**impermeabilización** *f* imperméabilisation.

**impermeabilizar** *vt* imperméabiliser.

**impermeable** *a* imperméable. ◇ *m (prenda de vestir)* imperméable, imper.

**impersonal** *a* impersonnel, elle.

**impertérrito, a** *a* imperturbable, impassible.

**impertinencia** *f* impertinence, insolence.

**impertinente** *a/s* **1.** impertinent, e **2.** exigeant, e. ◇ *m pl* face-à-main *sing*.

**imperturbabilidad** *f* imperturbabilité.

**imperturbable** *a* imperturbable.

**imperturbablemente** *adv* imperturbablement.

**impétigo** *m* MED impétigo.

**impetrante** *a/s* qui sollicite, impétrant, e.

**impetrar** *vt* solliciter, demander.

**ímpetu** *m* élan, impétuosité *f*, fougue *f*.

**impetuosamente** *adv* impétueusement.

**impetuosidad** *f* impétuosité.

**impetuoso, a** *a* impétueux, euse.

**impíamente** *adv* **1.** d'une manière impie **2.** *(sin compasión)* impitoyablement.

**impiedad** *f* impiété, irreligion.

**impío a** *a* **1.** *(irreligioso)* impie **2.** impitoyable.

**implacable** *a* implacable.

**implacablemente** *adv* implacablement.

**implantación** *f* **1.** implantation **2.** MED implantation.

**implantar** *vt* implanter. ◆ **~se** *vpr* s'implanter.

**implante** *m* MED implant.

**implemento** *m* AMER instrument, outil, accessoire: **implementos de trabajo** instruments de travail; **implementos deportivos** équipements sportifs.
▶ Anglicisme.

**implicación** *f* implication.

**implicar** *vt* impliquer: **~ a alguien en un escándalo** impliquer quelqu'un dans un scandale.

**implícitamente** *adv* implicitement.

**implícito, a** *a* implicite.

**imploración** *f* imploration, supplication.

**implorar** *vt* implorer.

**implosivo, a** *a (fonética)* implosif, ive.

**implosión** *f* implosion.

**implume** *a* sans plumes.

**impolítico, a** *a* **1.** maladroit, e, impolitique **2.** *(descortés)* impoli, e.

**impoluto, a** *a* pur, e, sans tache, sans souillure.

**imponderable** *a* **1.** impondérable **2.** inestimable. ◇ *m pl* impondérables.

**imponencia** *f* AMER grandeur, magnificence, majesté.

**imponente** *a* **1.** imposant, e, impressionnant, e: **aspecto ~** aspect imposant **2.** FAM superbe.

**imponer*** *vt* **1.** imposer: **~ su voluntad** imposer sa volonté; **~ silencio** imposer le silence **2. ~ las manos** imposer les mains **3.** déposer: **~ dinero en el banco** déposer de l'argent à la banque **4.** *(una condecoración)* remettre: **el presidente impuso la medalla de oro al vencedor** le président a remis la médaille d'or au vainqueur **5.** donner: **le impusieron el nombre de Cristóbal** on lui a donné pour prénom Christophe **6. ~ una multa**

infliger une amende **7.** instruire, mettre au courant. ◇ *vi* en imposer: **su gravedad impone** sa gravité en impose. ◆ **~se** *vpr* **1.** s'imposer: **se impuso en el primer set** il s'est imposé au premier set **2.** se mettre au courant, s'informer.

**imponible** *a* imposable ◊ **base ~** assiette de l'impôt.

**impopular** *a* impopulaire.

**impopularidad** *f* impopularité.

**importable** *a* COM importable.

**importación** *f* importation: **volumen de importaciones** volume des importations.

**importador, a** *a/s* importateur, trice.

**importancia** *f* **1.** importance: **conceder, dar ~ a** attacher de l'importance à ◊ **darse ~** faire l'important, e, se donner de l'importance **2. de ~** important, e; **nada de ~** rien d'important.

**importante** *a* important, e.

**importar** *vt* **1.** importer: **~ petróleo, una moda** importer du pétrole, une mode **2.** *(valer)* valoir, s'élever à: **el total de la factura importa 1.000 pesetas** la facture s'élève au total à 1.000 pesetas. ◇ *vi* importer, avoir de l'importance ◊ **no importa** ça ne fait rien, peu importe; **no me importa** ça m'est égal; **se diría que no te importa** on dirait que ça t'est égal, que tu t'en moques; **¿le importaría responder a unas preguntas para un sondeo de opinión?** ça ne vous ennuie pas de répondre à quelques questions pour un sondage d'opinion?; **¿te importaría llevar esta maleta?** cela te dérangerait de porter cette valise?; **y a ti qué te importa?** qu'est-ce que ça peut te faire?, ça te regarde?

**importe** *m* montant: **por un ~ total de...** pour un montant total de...

**importunación** *f* importunité.

**importunar** *vt* importuner.

**importunidad** *f* **1.** importunité **2.** inopportunité.

**importuno, a** *a* **1.** *(molesto)* importun, e **2.** *(inadecuado)* inopportun, e.

**imposibilidad** *f* impossibilité.

**imposibilitado, a** *a* **1.** *(tullido)* impotent, e, invalide **2. estar ~ para hacer...** ne pas être en état de faire...

**imposibilitar** *vt* **1.** *(impedir)* rendre impossible, empêcher **2.** mettre dans l'impossibilité.

**imposible** *a* **1.** impossible: **le es ~ venir** il lui est impossible de venir ◊ **parece ~** ce n'est pas possible, pas croyable **2.** *(inaguantable)* insupportable, impossible: **le hacía la vida ~** il lui rendait la vie impossible; **el chaval está hoy ~** le gamin est aujourd'hui insupportable. ◇ *m* impossible: **hacer lo ~** faire l'impossible; **pedir imposibles** demander l'impossible; **a lo ~ nadie está obligado** à l'impossible nul n'est tenu.

**imposición** *f* **1.** imposition **2.** *(de dinero)* dépôt *m* **3.** *(de una condecoración)* remise **4.** RELIG **la ~ de manos** l'imposition des mains.

**imposta** *f* ARQ imposte.

**impostergable** *a* qu'on ne peut remettre à plus tard.

**impostor, a** *a/s* **1.** *(falsario)* imposteur **2.** *(calumniador)* calomniateur, trice.

**impostura** *f* **1.** *(mentira)* imposture **2.** calomnie.

**impotencia** *f* impuissance.

**impotente** *a/s* impuissant, e.

**impracticable** *a* **1.** *(camino, lugar, etc.)* impraticable **2.** *(irrealizable)* irréalisable.

**imprecación** *f* imprécation: **proferir imprecaciones** proférer des imprécations.

**imprecar** *vt* proférer des imprécations contre.

**imprecatorio, a** *a* imprécatoire.

**imprecisión** *f* imprécision.

**impreciso, a** *a* imprécis, e, flou, e.

**impregnación** *f* imprégnation.

**impregnar** *vt* imprégner ◆ **~se** *vpr* s'imprégner.

**impremeditación** *f* non préméditation.

**impremeditado, a** *a* non prémédité, e.

**imprenta** *f* **1.** imprimerie ◊ **dar a la ~** faire imprimer **2. libertad de ~** liberté de la presse.

**imprescindible** *a* indispensable ◊ **lo más ~** le strict nécessaire.

**imprescriptible** *a* imprescriptible.

**impresentable** *a* qui n'est pas présentable.

**impresión** *f* **1.** *(imprenta)* impression **2.** FIG impression: **me ha causado buena ~, mala ~** il m'a fait bonne impression, mauvaise impression; **tengo la ~ de que..., me da la ~ de que...** j'ai l'impression que...; **le dio la ~ de conocer esta voz** il lui sembla reconnaître cette voix **3. ~ digital** empreinte digitale. ◇ *pl* **cambiar impresiones** échanger des impressions.

**impresionable** *a* impressionnable.

**impresionante** *a* impressionnant, e.

**impresionar** *vt* **1.** impressionner: **dejarse ~** se laisser impressionner **2.** *(un sonido, etc.)* enregistrer. ◆ **~se** *vpr* être impressionné, e.

**impresionismo** *m* impressionnisme.

**impresionista** *a/s* impressionniste.

**impreso, a** *a* imprimé, e: **libro ~ en España** livre imprimé en Espagne. ◇ *m* **1.** imprimé **2.** formulaire.
▶ Participe passé irrég. de *imprimir.*

**impresor** *m* imprimeur.

**impresora** *f* *(de ordenador)* imprimante: **~ de inyección de tinta, láser** imprimante à jet d'encre, (à) laser.

**imprevisible** *a* imprévisible.

**imprevisión** *f* **1.** imprévoyance **2.** imprévision.

**imprevisor, a** *a* imprévoyant, e.

**imprevisto, a** *a* imprévu, e. ◇ *m pl (gastos)* dépenses *f* imprévues, faux frais.

**imprimación** *f* apprêt *m.*

**imprimar** *vt* imprimer, apprêter.

**imprimátur** *m* imprimatur.

**imprimir*** *vt* **1.** *(un libro, etc.)* imprimer **2.** FIG *(en la mente)* imprimer **3.** FIG *(transmitir)* communiquer, imprimer.

**improbabilidad** *f* improbabilité.

**improbable** *a* improbable.

**ímprobo, a** *a* **1.** sans probité **2.** *(trabajo)* pénible, considérable.

**improcedencia** *f* inopportunité.

**improcedente** *a* **1.** inopportun, e, déplacé, e, hors de saison, malvenu, e: **una pregunta ~** une question déplacée **2.** non fondé, e ◊ **despido ~** licenciement abusif **3.** JUR *(demanda)* irrecevable.

**improductivo, a** *a* improductif, ive.

**impromptu** *m* MÚS impromptu.

**impronta** *f* **1.** empreinte **2.** FIG empreinte, marque **3.** BIOL **~ genética** empreinte génétique.

**impronunciable** *a* imprononçable.

**improperio** *m* injure *f*, insulte *f.*

**impropiamente** *adv* improprement.

**impropiedad** *f* impropriété.

**impropio, a** *a* **1.** *(inadecuado)* impropre **2.** anormal, e, inhabituel, elle: **frío ~ de, para la estación** froid anormal pour la saison; **es ~ de él** c'est inhabituel de sa part **3.** *(incorrecto)* peu convenable.

**improrrogable** *a* qui ne peut pas être prorogé, e.

**improvisación** *f* **1.** improvisation **2.** impromptu *m* **3.** MÚS improvisation.

**improvisadamente** *adv* à l'improviste.

**improvisado, a** *a* improvisé, e, de fortune.

**improvisador, a** *a/s* improvisateur, trice.

**improvisar** *vt* improviser.

**improviso, a** *a* imprévu, e ◊ *loc adv* **de ~** à l'improviste, subitement; **coger de ~** prendre à l'improviste, au dépourvu.

**improvisto, a** *a* imprévu, e.

**imprudencia** *f* **1.** imprudence **2.** indiscrétion **3.** JUR **~ temeraria** imprudence.

**imprudente** *a/s* **1.** imprudent, e **2.** indiscret, ète.

**imprudentemente** *adv* imprudemment.

**impúber** *a/s* impubère.

**impudencia** *f* impudence.

**impudente** *a* impudent, e.

**impudicia** *f* impudicité.

**impúdico, a** *a* impudique.

**impudor** *m* **1.** impudeur *f* **2.** cynisme.

**impuesto** *m* **1.** impôt: **~ sobre la renta** impôt sur le revenu; **~ sobre el patrimonio** impôt sur le capital; **~ sobre sociedades** impôt sur les sociétés **2. ~ sobre el valor añadido, I.V.A.** taxe *f* à la valeur ajoutée, T.V.A.

**impuesto, a → imponer.**

**impugnación** *f* **1.** contestation, réfutation **2.** JUR requête.

**impugnador, a** *a/s* contradicteur, adversaire.

**impugnar** *vt* **1.** *(combatir)* attaquer **2.** *(refutar)* contester, réfuter.

**impulsar** *vt* **1.** pousser, faire avancer **2.** FIG pousser, inciter, conduire à: **¿qué te impulsó a escribir esta novela?** qu'est-ce qui t'a poussé à écrire ce roman? **3.** *(desarrollar)* développer: **~ la producción** développer la production.

**impulsión** *f* impulsion.

**impulsivo, a** *a* impulsif, ive.

**impulso** *m* **1.** impulsion *f*: **dar un gran ~ al comercio exterior** donner une grande impulsion au commerce extérieur **2.** élan: **antes de saltar, toma ~** avant de sauter, prends ton élan; **un ~ de generosidad** un élan de générosité ◊ **a impulsos de** poussé par; **al primer ~** du premier coup **3.** *(fuerza interior)* pulsion *f*.

**impulsor, a** *a/s* instigateur, trice.

**impune** *a* impuni, e.

**impunemente** *adv* impunément.

**impunidad** *f* impunité.

**impureza** *f* impureté.

**impurificar** *vt* rendre impur, e.

**impuro, a** *a* impur, e.

**imputable** *a* imputable.

**imputación** *f* imputation, accusation.

**imputar** *vt* imputer: **se le imputa este asesinato** on lui impute cet assassinat.

**imputrescible** *a* imputrescible.

**inabordable** *a* inabordable.

**inacabable** *f* interminable.

**inaccesible** *a* inaccessible.

**inacción** *f* inaction.

**inacentuado** *a* inaccentué, e.

**inaceptable** *a* inacceptable.

**inactividad** *f* inactivité.

**inactivo, a** *a* inactif, ive.

**inadaptabilidad → inadaptación.**

**inadaptable** *a* inadaptable.

**inadaptación** *f* inadaptation.

**inadaptado, a** *a/s* inadapté, e.

**inadecuación** *f* inadéquation.

**inadecuado, a** *a* inadéquat, e, non approprié, e.

**inadmisible** *a* inadmissible.

**inadvertencia** *f* inadvertance: **por ~** par inadvertance.

**inadvertidamente** *adv* par inadvertance.

**inadvertido, a** *a* **1.** distrait, e, imprudent, e **2. pasar ~** passer inaperçu, e: **su ausencia pasó inadvertida** son absence est passée inaperçue.

**inagotable** *a* inépuisable, intarissable.

**inaguantable** *a* **1.** *(dolor)* insupportable, intolérable **2.** *(persona, etc.)* insupportable.

**inajenable** *a* inaliénable.

**inalámbrico, a** *a* *(telégrafo, etc.)* sans fil: **teléfono ~** téléphone sans fil.

**in albis** *loc adv* **quedarse ~** ne rien comprendre, n'y voir que du feu; **se ha quedado ~ de lo que he dicho** il n'a rien compris à ce que j'ai dit.

**inalcanzable** *a* inaccessible.

**inalienabilidad** *f* inaliénabilité.

**inalienable** *a* inaliénable.

**inalterable** *a* **1.** inaltérable **2.** FIG imperturbable.

**inalterado, a** *a* inaltéré, e.

**inamovible** *a* inamovible.

**inane** *a* vain, e, futile, inutile.

**inanición** *f* inanition: **desfallecer de ~** tomber d'inanition.

**inanidad** *f* inanité.

**inanimado, a** *a* inanimé, e.

**inapagable** *a* inextinguible.

**inapelable** *a* **1.** JUR sans appel: **juicio ~** jugement sans appel **2.** FIG **victoria ~** victoire indiscutable.

**inapetencia** *f* inappétence.

**inapetente** *a* qui manque d'appétit.

**inaplazable** *a* qu'on ne peut pas différer.

**inaplicable** *a* inapplicable.

**inapreciable** *a* inappréciable, inestimable.

**inaprensible** *a* insaisissable.

**inarmónico, a** *a* inharmonieux, euse.

**inarrugable** *a* infroissable.

**inarticulado, a** *a* inarticulé,e.

**inasequible** *a* inaccessible.

**inasible** *a* insaisissable.

**inasimilable** *a* inassimilable.

**inastillable** *a* *(vidrio)* sécurit, de sécurité.

**inatacable** *a* inattaquable.

**inaudible** *a* inaudible.

**inaudito, a** inouï, e.

**inauguración** *f* **1.** inauguration **2.** *(de una exposición de pintura, etc.)* vernissage *m.*

**inaugural** *a* inaugural, e: **discurso ~** discours d'inauguration, inaugural.

**inaugurar** *vt* inaugurer.

**inca** *a/s* inca: **el Imperio ~** l'Empire inca; **la civilización ~** la civilisation inca.

**incaico, a** *a* inca, incasique.

**incalculable** *a* incalculable.

**incalificable** *a* inqualifiable.

**incandescencia** *f* incandescence.

**incandescente** *a* incandescent, e.

**incansable** *f* infatigable, inlassable.

**incansablemente** *adv* inlassablement.

**incapacidad** *f* **1.** incapacité, inaptitude **2.** *JUR* incapacité.

**incapacitado, a** *a/s JUR* incapable.

**incapacitar** *vt* **1. ~ para** rendre inapte à **2.** *JUR* déclarer incapable, inhabile.

**incapaz** *a/s* incapable: **~ para...** incapable de...; **es un ~** c'est un incapable.

**incasable** *a* difficile à marier.

**incásico → incaico.**

**incautación** *f* saisie, réquisition.

**incautamente** *adv* imprudemment, sans précaution.

**incautarse** *vpr* saisir, réquisitionner, s'emparer de: **~ de un periódico** saisir un journal; **200 kilógramos de cocaína incautados en Vigo** 200 kilogrammes de cocaïne saisis à Vigo.

**incauto, a** *a* **1.** imprudent, e **2.** *(cándido)* naïf, ive, crédule.

**incendiar** *vt* incendier. ◆ **~se** *vpr* prendre feu.

**incendiario, a** *a/s* incendiaire.

**incendio** *m* incendie: **~ intencionado** incendie criminel, volontaire; **~ forestal** incendie de forêt.

**incensación** *f* encensement *m.*

**incensada** *f* coup *m* d'encensoir.

**incensar*** *vt* encenser.

**incensario** *m* encensoir.

**incentivar** *vt* **1.** stimuler, encourager: **~ el ahorro** encourager l'épargne; **~ la investigación científica** encourager la recherche scientifique; **~ el consumo** stimuler la consommation **2.** motiver: **trabajadores poco incentivados** des travailleurs peu motivés.

**incentivo** *m* **1.** *(estímulo)* stimulant **2.** attrait **3.** prime *f,* gratification *f:* **un ~ de mil pesetas otorgado por...** une prime de mille pesetas accordée par...

**incertidumbre** *f* incertitude.

**incesante** *a* incessant, e.

**incesantemente** *adv* sans cesse.

**incesto** *m* inceste.

**incestuoso, a** *a* incestueux, euse.

**incidencia** *f* **1.** *GEOM* incidence: **ángulo de ~** angle d'incidence **2.** *(suceso)* incident *m* **3.** *FIG (repercusión)* incidence ◊ **por ~** incidemment.

**incidental** *a* incident, e.

**incidentalmente** *adv* incidemment.

**incidente** *a* incident, e. ◇ *m* incident.

**incidentemente** *adv* incidemment.

**incidir** *vi* **1.** tomber dans **2.** *GEOM* tomber **3.** avoir une incidence: **este asunto puede ~ sobre la economía nacional** cette affaire peut avoir une incidence sur l'économie nationale **4.** *MED* faire une incision, inciser.

**incienso** *m* encens ◊ *FIG* **dar ~** encenser, flatter, faire de la lèche.

**incierto, a** *a* incertain, e.

**incineración** *f* incinération.

**incinerar** *vt* incinérer.

**incipiente** *a* **1.** naissant, e, qui commence: **barba ~, industria ~** barbe naissante, industrie naissante **2. ~ edad** jeune âge.

**incircunciso, a** *a/s* incirconcis, e.

**incisión** *f* incision.

**incisivo, a** *a* **1.** acéré, e **2.** *FIG (mordaz)* incisif, ive. ◇ *m (diente)* incisive *f.*

**inciso, a** *a (estilo)* hâché, e. ◇ *m GRAM* incise *f.*

**incitación** *f* incitation: **~ a la violencia** incitation à la violence.

**incitante** *a* **1.** qui incite **2.** provocant, e.

**incitar** *vt* inciter, pousser: **~ a la rebelión** inciter à la révolte.

**incivil** *a* incivil, e, impoli, e.

**incivilidad** *f* impolitesse, grossièreté.

**inclasificable** *a* inclassable.

**inclemencia** *f* **1.** inclémence **2.** *(del tiempo)* rigueur **3. a la ~** en plein air.

**inclemente** *a* inclément, e.

**inclinación** *f* **1.** *(estado de lo inclinado)* inclinaison **2.** *(acción)* inclination **3.** *FIG* penchant *m,* inclination: **tener, sentir ~ por la música** avoir un penchant, du goût pour la musique **4.** *ASTR, FÍS* **~ magnética** inclinaison magnétique.

**inclinar** *vt* **1.** *(doblar)* incliner **2.** *FIG* incliner, pousser. ◆ **~se** *vpr* **1.** s'incliner, se pencher: **se inclinó hacia mí** il se pencha vers moi **2.** *FIG* incliner, tendre: **me inclino a creerlo** je tends à, je veux bien le croire.

**ínclito, a** *a LIT* illustre.

**incluir*** *vt* **1.** inclure **2.** comprendre: **vino incluido** vin compris **3.** *(en una lista)* inscrire: **he ordenado que le incluyan a usted en la lista de invitados** j'ai donné l'ordre qu'on vous inscrive dans la liste des invités.

**inclusa** *f* hospice *m* des enfants trouvés, Assistance: **la madre colocó al niño en la ~** la mère mit l'enfant à l'hospice.

**inclusero, a** *s FAM* enfant trouvé, e. ◇ *a* **un niño ~** un enfant de l'Assistance.

**inclusión** *f* inclusion.

**inclusivamente → inclusive.**

**inclusive** *adv* **1.** inclusivement, inclus, e: **hasta la página 10 ~** jusqu'à la page 10 incluse **2. exploró toda la casa ~ el sótano** il explora toute la maison, y compris le sous-sol, et même le sous-sol.

**incluso, a** *a* inclus, e. ◇ *adv* même: **habla muchos idiomas, ~ el chino** il parle de nombreuses langues, même le chinois.

**incoacción** *f* commencement *m.*

**incoar** *vt* **1.** *(un proceso, un pleito)* commencer, entamer **2.** *(un expediente, etc.)* ouvrir: **~ expediente informativo** ouvrir une enquête.

**incoativo, a** *a GRAM* inchoatif, ive: **verbo ~** verbe inchoatif.

**incobrable** *a* irrécouvrable.

**incoercible** *a* incoercible.

**incógnita** *f* **1.** *MAT* inconnue: **despejar la ~** dégager l'inconnue; **ecuación de dos incógnitas** équation à deux inconnues **2.** *FIG* inconnue.

**incógnito, a** *a* inconnu, e. ◇ *m* incognito ◊ *loc adv* **de ~** incognito.

**incognoscible** *a* inconnaissable.

**incoherencia** *a* incohérence.

**incoherente** *a* incohérent, e.

**incoloro, a** *a* incolore.

**incólume** *a* **1.** indemne, sain et sauf, saine et sauve: **salir ~ de un accidente** sortir indemne d'un accident **2.** *(intacto)* intact, e.

**incombustible** *a* incombustible.

**incomestible** *a* impropre à la consommation.

**incomible** *a* immangeable.

**incomodar** *vt (molestar)* incommoder, gêner, déranger. ◆ **~se** *vpr* **1.** se déranger **2.** *(enfadarse)* se fâcher.

**incomodidad** *f* **1.** incommodité **2.** *(molestia)* gêne.

**incómodo, a** *a* **1.** inconfortable **2.** *(poco práctico)* incommode, malcommode **3.** *(molesto)* gênant, e, embarrassant, dérangeant, e: **un personaje ~** un personnage gênant **4.** gêné, e, mal à l'aise: **me siento ~ en esta casa** je me sens mal à l'aise dans cette maison; **qué incómoda debes ir con estos zapatos de tacones altos** comme tu dois être mal à l'aise avec ces chaussures à talons hauts.

**incomparable** *a* incomparable.

**incomparablemente** *adv* incomparablement.

**incompasible, incompasivo, a** *a* insensible, impitoyable.

**incompatibilidad** *f* incompatibilité: **~ de caracteres** incompatibilité de caractères.

**incompatible** *a* incompatible.

**incompetencia** *f* incompétence.

**incompetente** *a* incompétent, e.

**incompleto, a** *a* incomplet, ète.

**incomprendido, a** *a/s* incompris, e: **un artista ~, un ~** un artiste incompris, un incompris.

**incomprensible** *a* incompréhensible.

**incomprensión** *f* incompréhension.

**incompresibilidad** *f* incompressibilité.

**incompresible** *a* incompressible.

**incomunicable** *a* incommunicable.

**incomunicación** *f* **1.** manque *m* de communication **2.** *(de un preso)* mise au secret, garde à vue **3.** *(aislamiento)* isolement *m*.

**incomunicado, a** *a* **1.** isolé, e: **varios pueblos están incomunicados** plusieurs villages sont isolés **2.** *(un preso)* mis, e au secret, gardé, e à vue.

**incomunicar** *vt* **1.** *(un lugar)* priver de communication, isoler **2.** *(a un preso)* mettre au secret. ◆ **~se** *vpr* s'isoler.

**inconcebible** *a* inconcevable: **por ~ que pueda parecer** aussi inconcevable que cela puisse paraître.

**inconciliable** *a* inconciliable.

**inconcluso, a** *a* inachevé, e.

**inconcuso, a** *a* indubitable, indiscutable.

**incondicional** *a/s* inconditionnel, elle: **los incondicionales de...** les inconditionnels de...

**incondicionalmente** *adv* inconditionnellement.

**inconexión** *f* incohérence, manque *m* d'unité.

**inconexo, a** *a* **1.** incohérent, e **2. palabras inconexas** des mots sans suite.

**inconfesable** *a* inavouable.

**inconfeso, a** *a (reo)* qui n'avoue pas.

**inconformismo** *m* non-conformisme.

**inconformista** *a/s* non-conformiste.

**inconfundible** *a* caractéristique, unique en son genre.

**incongruencia** *f* **1.** incongruité **2.** *(contradicción)* contradiction, décalage *m*.

**incongruente** *a* **1.** incongru, e **2.** contradictoire.

**incongruentemente** *adv* incongrûment.

**inconmensurable** *a* incommensurable.

**inconmovible** *a* **1.** inébranlable: **fe ~** foi inébranlable **2.** *(persona)* impassible, inflexible.

**inconquistable** *a* **1.** *(lugar)* imprenable, inexpugnable **2.** *(persona)* incorruptible.

**inconsciencia** *f* inconscience.

**inconsciente** *a/s* inconscient, e. ◇ *m (en psicología)* **el ~** l'inconscient.

**inconscientemente** *adv* inconsciemment.

**inconsecuencia** *f* inconséquence.

**inconsecuente** *a* inconséquent, e.

**inconsideración** *f* manque *m* de considération, de réflexion.

**inconsideramente** *adv* inconsidérément.

**inconsiderado, a** *a* inconsidéré, e, irréfléchi, e.

**inconsistencia** *f* inconsistance.

**inconsistente** *a* inconsistant, e.

**inconsolable** *a* inconsolable.

**inconstancia** *f* inconstance.

**inconstante** *a/s* inconstant, e.

**inconstitucional** *a* inconstitutionnel, elle.

**inconstitucionalidad** *f* inconstitutionnalité.

**inconsútil** *a* sans coutures.

**incontable** *a* **1.** *(innumerable)* innombrable **2.** *(que no se puede referir)* inracontable.

**incontaminado, a** *a* **1.** nom contaminé, e **2.** non pollué, e.

**incontenible** *a* irrépressible.

**incontestable** *a* incontestable.

**incontestablemente** *adv* incontestablement.

**incontinencia** *f* incontinence.

**incontinente** *a* incontinent, e. ◇ *adv* incontinent, sur-le-champ.

**incontinenti** *adv* incontinent, sur-le-champ.

**incontrastable** *a* **1.** irréfutable **2.** invincible.

**incontrolable** *a* incontrôlable.

**incontrovertible** *a* indiscutable, irréfutable.

**inconvencible** *a* difficile à convaincre, entêté, e.

**inconveniencia** *f* **1.** inconvénient *m*, inopportunité **2.** *(grosería)* inconvenance **3.** *(despropósito)* sottise, absurdité.

**inconveniente** *a (incorrecto)* inconvenant, e. ◇ *m* **1.** inconvénient: **no tengo ~ en...** je ne vois pas d'inconvénient à..., ça ne me dérange pas de...; **si no tienes ~** si tu n'y vois pas d'inconvénient; **no tengo ~** je n'y vois pas d'inconvénient **2. poner algún ~** faire des difficultés, trouver à redire.

**incoordinación** *f* incoordination.

**incordiar** *vt FAM* enquiquiner, assommer, faire suer, casser les pieds: **no incordies** ne nous casse pas les pieds.

**incordio** *m FAM* corvée *f*, ennui, barbe *f*.

**incorporación** *f* incorporation.

**incorporar** *vt* **1.** incorporer **2.** *(levantar)* soulever, asseoir: **la enfermera me ayudó a ~ al enfermo** l'infirmière m'a aidé à soulever le malade **3. ~ una provincia a un Estado** rattacher une province à un État. ◆ **~se** *vpr* **1.** *(el que está echado)* se redresser, s'asseoir, se mettre sur son séant: **se incorporó en la cama** il se redressa dans son lit; **incorpórese lentamente** redressez-vous lentement **2.** *MIL* **incorporarse a su regimiento** rejoindre, rallier son régiment; **incorporarse a filas** commencer son service militaire **3. incorporarse a un grupo** se joindre à un groupe; **se incorporó a la conversación** il se joignit, se mêla à la conversation.

**incorpóreo, a** *a* incorporel, elle.

**incorrección** *f* incorrection.

**incorrectamente** *adv* incorrectement.

**incorrecto, a** *a* incorrect, e.

**incorregible** *a* incorrigible.

**incorruptible** *a* incorruptible.

**incorrupto, a** *a* non corrompu, e.

**increado, a** *a* incréé, e.

**incredibilidad** *f* incrédibilité.

**incredulidad** *f* **1.** incrédulité **2.** *(falta de fe)* incroyance.

**incrédulo, a** *a/s* **1.** incrédule **2.** *(en materia religiosa)* incroyant, e.

**increíble** *a* incroyable.

**incrementar** *vt* augmenter, accroître: **~ las tarifas, la presión fiscal** augmenter les tarifs, la pression fiscale. ◆ **~se** *vpr* augmenter.

**incremento** *m* **1.** *(aumento)* accroissement, augmentation *f*: **~ del desempleo, de los salarios** augmentation du chômage, des salaires; **~ de la producción** accroissement de la production; **un ~ espectacular del número de estudiantes** une augmentation spectaculaire du nombre d'étudiants **2.** développement.

**increpación** *f* **1.** réprimande, reproche *m* **2.** insulte.

**increpar** *vt* **1.** réprimander sévèrement, tancer vertement, attraper **2.** insulter, engueuler.

**incriminación** *f* incrimination.

**incriminar** *vt* incriminer.

**incruento, a** *a* non sanglant, e, sans effusion de sang.

**incrustación** *f* incrustation.

**incrustar** *vt* incruster. ◆ **~se** *vpr* s'incruster.

**incubación** *f* incubation.

**incubadora** *f* couveuse, couveuse artificielle, incubateur *m*.

**incubar** *vt* **1.** *(las aves)* couver **2.** *FIG* **estoy incubando una gripe** je suis en train de couver une grippe. ◆ **~se** *vpr* couver.

**íncubo** *m* incube.

**incuestionable** *a* incontestable, indubitable, indiscutable.

**inculcar** *vt* inculquer.

**inculpabilidad** *f* absence de culpabilité, innocence.

**inculpación** *f JUR* **1.** inculpation **2.** mise en examen.

**inculpado, a** *a/s* inculpé, e.

**inculpar** *vt JUR* inculper.

**incultivable** *a* incultivable.

**inculto, a** *a (terreno, persona)* inculte.

**incultura** *f* inculture.

**incumbencia** *f* ressort *m*, compétence: **eso no es de mi ~** cela n'est pas de mon ressort.

**incumbir** *vi* incomber, concerner: **eso no me incumbe** ça ne me concerne pas.

**incumplido, a** *a* **1.** inaccompli, e **2. promesas incumplidas** des promesses non tenues.

**incumplimiento** *m* **1.** inaccomplissement **2.** inexécution *f*, inobservation *f*, non-exécution *f*: **el ~ de las normas comunitarias** l'inobservation des normes communautaires; **el ~ de un contrato** l'inexécution d'un contrat **3.** infraction *f*.

**incumplir** *vt* **1.** *(una promesa)* faillir à, manquer à: **~ sus compromisos** manquer à ses engagements **2.** *(una regla, etc.)* ne pas respecter, violer, enfreindre, transgresser.

**incunable** *a/m* incunable.

**incurable** *a/s* incurable: **enfermedad ~** maladie incurable.

**incuria** *f* incurie.

**incurioso, a** *a* négligent, e.

**incurrir*** *vi* **1.** encourir: **~ en el menosprecio de** encourir le mépris de **2.** *(en un error, etc.)* tomber.

**incursión** *f* **1.** incursion **2.** raid *m*: **~ aérea** raid aérien.

**incursionar** *vi AMER* **1. ~ en** faire une incursion dans, faire irruption dans **2. ~ en un mercado** prospecter un marché.

**indagación** *f* **1.** investigation, recherche **2.** *(policíaca)* enquête.

**indagar** *vt* **1.** rechercher, faire des recherches sur **2.** *JUR* enquêter sur.

**indagatoria** *f JUR* interrogatoire *m*.

**indagatorio, a** *a JUR* relatif, ive à l'enquête, informatif, ive.

**indebidamente** *adv* indûment.

**indebido, a** *a* indu, e, illicite.

**indecencia** *f* indécence.

**indecente** *a* **1.** *(no decente)* indécent, e **2.** *(asqueroso)* infect, e, infâme, ignoble.

**indecentemente** *adv* indécemment.

**indecible** *a* indicible, inexprimable.

**indecisión** *f* indécision.

**indeciso, a** *a/s* indécis, e.

**indeclinable** *a* indéclinable.

**indecoro** *m* indécence *f*, inconvenance *f*.

**indecorosamente** *adv* incorrectement.

**indecoroso, a** *a* indécent, e, malséant, e: **una postura indecorosa** une posture indécente.

**indefectible** *a* indéfectible.

**indefendible** *a* indéfendable.

**indefensión** *f* absence de défense, isolement *m*.

**indefenso, a** *a* sans défense.

**indefinible** *a* indéfinissable.

**indefinidamente** *adv* indéfiniment.

**indefinido, a** *a* **1.** indéfini, e **2.** *GRAM* **pronombre ~** pronom indéfini; **pretérito ~** passé simple.

**indeformable** *a* indéformable.

**indehiscente** *a BOT* indéhiscent, e.

**indeleble** *a* indélébile.

**indeliberado, a** *a* irréfléchi, e.

**indelicadeza** *f* indélicatesse.

**indelicado, a** *a* indélicat, e.

**indemne** *a* indemne: **salir ~** sortir indemne.

**indemnidad** *f* état *m* de ce qui est indemne, immunité.

**indemnización** *f* **1.** *(acción)* indemnisation **2.** *(cantidad)* indemnité.

**indemnizar** *vt* indemniser.

**indemostrable** *a* indémontrable.

**independencia** *f* indépendance.

**independiente** *a* indépendant, e.

**independientemente** *adv* indépendamment: **~ de...** indépendamment de...

**independentismo** *m* indépendantisme.

**independentista** *a/s* indépendantiste.

**independizar** *vt* rendre indépendant, e, émanciper. ◆ **~se** *vpr* **1.** s'émanciper **2.** *(un país)* acquérir son indépendance, devenir indépendant, e.

**indescifrable** *a* indéchiffrable.

**indescriptible** *a* indescriptible.

**indeseable** *a/s* indésirable.

**indesmallable** *a* indémaillable.

**indestructible** *a* indestructible.

**indeterminación** *f* indétermination.

**indeterminado, a** *a* **1.** indéterminé, e **2.** GRAM *(artículo, pronombre)* indéfini.

**indexar** *vt* indexer.

**India** *np f* Inde.

**indiada** *f* AMER foule d'Indiens.

**indiana** *f (tela)* indienne.

**indianismo** *m* indianisme.

**indianista** *a/s* indianiste.

**indiano, a** *a/s* **1.** indien, enne **2.** *(emigrante)* espagnol, e qui revient riche d'Amérique.

**Indias (las)** *np f pl* les Indes.

**indicación** *f* indication.

**indicador, a** *a* indicateur, trice. ◇ *m* **1.** indicateur **2. ~ económico** indicateur économique, clignotant.

**indicar** *vt* **1.** indiquer **2.** *(el médico)* prescrire.

**indicativo, a** *a/m* **1.** indicatif, ive **2.** GRAM **modo ~** mode indicatif.

**índice** *a/m (dedo)* index. ◇ *m* **1.** indice: **~ de precios, del coste de la vida** indice des prix, du coût de la vie; **~ de audiencia** indice d'écoute **2.** *(lista)* index **3.** *(lista de capítulos)* table *f* des matières **4.** catalogue **5.** RELIG Index: **este libro está en el índice** ce livre est à l'Index **5.** FÍS indice **7.** taux: **~ de natalidad** taux de natalité.

**indicio** *m* indice, signe, trace *f*.

**índico, a** *a* indien, enne: **océano ~** océan indien.

**indiferencia** *f* indifférence.

**indiferente** *a* indifférent, e.

**indiferentemente** *adv* indifféremment.

**indiferentismo** *m* indifférentisme.

**indígena** *a/s* indigène.

**indigencia** *f* indigence.

**indigenismo** *m* indigénisme.

**indigenista** *a/s* indigéniste.

**indigente** *a/s* indigent, e.

**indigestarse** *vpr* **1.** rester sur l'estomac **2.** avoir une indigestion, se rendre malade: **¡te vas a indigestar con tanto comer!** tu vas avoir une indigestion, te rendre malade à manger autant! **3.** FAM *(una persona)* ne pas pouvoir sentir, digérer.

**indigestión** *f* indigestion: **sufrir ~** avoir une indigestion.

**indigesto, a** *a* **1.** *(un alimento)* indigeste **2.** FIG indigeste.

**indignación** *f* indignation.

**indignante** *a* révoltant, e.

**indignar** *vt* indigner, outrer: **estoy indignado por su desfachatez** je suis outré de son sans-gêne. ◆ **~se** *vpr* s'indigner, se fâcher, se mettre en colère.

**indignidad** *f* indignité.

**indigno, a** *a* indigne: **ser ~ de...** être indigne de...; **padres indignos** parents indignes.

**índigo** *m* **1.** *(color)* indigo **2.** *(árbol)* indigotier.

**indino, a** *a* **1.** indigne **2.** FAM espiègle, polisson, onne.

**indio, a** *a/s* **1.** *(de la India, de América)* indien, enne ◊ **en fila india** en fila indienne **2.** FIG **hacer el ~** faire l'idiot, le pitre, le zouave; **trabajar como un ~** travailler comme un nègre.

**indirecta** *f* insinuation, allusion.

**indirecto, a** *a* indirect, e.

**indiscernible** *a* indiscernable.

**indisciplina** *f* indiscipline.

**indisciplinado, a** *a* indiscipliné, e.

**indisciplinarse** *vpr* enfreindre la discipline, se rebeller.

**indiscreción** *f* indiscrétion.

**indiscretamente** *adv* indiscrètement.

**indiscreto, a** *a/s* indiscret, ète.

**indisculpable** *a* inexcusable.

**indiscutible** *a* indiscutable.

**indisolubilidad** *f* indissolubilité.

**indisoluble** *a* indissoluble.

**indisolublemente** *adv* indissolublement.

**indispensable** *a* indispensable. ◇ *m* **lo ~** l'indispensable.

**indisponer*** *vt* **1.** *(malquistar)* indisposer, brouiller: **~ con** indisposer contre **2.** indisposer, incommoder: **el calor me ha indispuesto** la chaleur m'a indisposé. ◆ **~se** *vpr* **1.** se fâcher, se brouiller: **no es la primera vez que se indispone contra mí** ce n'est pas la première fois qu'il se brouille avec moi **2.** *(ponerse mal)* se sentir indisposé, e: **se indispuso durante la comida** il s'est senti indisposé pendant le repas.

**indisposición** *f* indisposition.

**indispuesto, a** *a* **1.** fâché, e, brouillé, e **2.** indisposé, e, légèrement souffrant, e: **está ~ y no podrá venir** il est indisposé et il ne pourra pas venir.

**indisputable** *a* indiscutable.

**indistinto, a** *a* indistinct, e.

**individual** *a* **1.** individuel, elle **2.** *(tenis)* simple: **~ masculino** simple messieurs.

**individualidad** *f* individualité.

**individualismo** *m* individualisme.

**individualista** *a/s* individualiste.

**individualizar** *vt* **1.** individualiser, caractériser, isoler **2.** repérer.

**individualmente** *adv* individuellement.

**individuo** *m* **1.** individu **2.** *(miembro)* membre.

**indivisibilidad** *f* indivisibilité.

**indivisible** *a* indivisible.

**indivisión** *f* indivision.

**indiviso, a** *a* indivis, e ◊ **por ~** par indivis.

**indo, a** *a/s* hindou, e, indien, enne.

**Indo** *np m (río)* Indus.

**Indochina** *np f* Indochine.

**indochino, a** *a/s* indochinois, e.

**indócil** *a* indocile.

**indocto, a** *a* ignorant, e.

**indocumentado, a** *a* sans pièces d'identité. ◇ *a/s* **1.** sans-papiers **2.** *FAM (ignorante)* nullard, e: **un ~** une nullité, un nullard.

**indoeuropeo, a** *a/s* indoeuropéen, enne.

**índole** *f* **1.** *(de una persona)* nature, caractère *m*, naturel *m*: **es de ~ perezosa** il est d'un naturel paresseux **2.** *(de una cosa)* nature, caractère *m*, ordre *m*: **problemas de otra ~** des problèmes d'un autre ordre **3.** *(género)* genre *m*.

**indolencia** *f* indolence.

**indolente** *a* indolent, e.

**indolentemente** *adv* indolemment.

**indoloro, a** *a* indolore.

**indomable** *a* indomptable.

**indomesticable** *a* inapprivoisable.

**indoméstico, a** *a* inapprivoisé, e.

**indómito, a** *a* **1.** indompté, e **2.** *(indomable)* indomptable.

**Indonesia** *np f* Indonésie.

**indonesio, a** *a/s* indonésien, enne.

**Indostán** *np m* Hindoustan.

**indostanés, esa** *a/s* hindou, e.

**indostaní** *m* hindoustani.

**indostánico, a** *a* hindoustanique.

**indubitable** *a* indubitable.

**inducción** *f* induction.

**inducido, a** *a/m* induit, e.

**inducir*** *vt* **1.** induire: **~ a error** induire en erreur **2.** pousser, conduire, amener: **le indujeron a cambiar de parecer** ils l'ont amené à changer d'avis **3.** *(deducir)* déduire **4.** *FÍS* induire.

**inductancia** *f FÍS* inductance.

**inductor, a** *a/m* **1.** *FÍS* inducteur, trice **2.** *(persona)* instigateur, trice: **el presunto ~ del atentado** l'instigateur présumé de l'attentat.

**indudable** *a* indubitable, indéniable: **es ~ que...** il est indéniable que...

**indudablemente** *adv* indubitablement, incontestablement, assurément.

**indujera,** etc. → **inducir.**

**indulgencia** *f* indulgence.

**indulgente** *a* indulgent, e: **~ con, hacia los alumnos** indulgent envers, pour les élèves.

**indultar** *vt JUR* gracier.

**indulto** *m* **1.** *JUR* grâce *f*, remise *f* de peine ◊ **petición de ~** recours en grâce **2.** amnistie *f* **3.** *(del Papa)* indult.

**indumentaria** *f* **1.** histoire du costume **2.** *(ropa)* habillement *m*, vêtement *m*, costume *m*.

**indumentario, a** *a* vestimentaire.

**indumento** *m* vêtement.

**induración** *f MED* induration.

**industria** *f* industrie: **~ ligera, pesada** industrie légère, lourde; **la ~ del automóvil** l'industrie automobile ◊ **caballero de ~** chevalier d'industrie.

**industrial** *a* industriel, elle. ◇ *m* industriel.

**industrialmente** *adv* industriellement.

**industrialización** *f* industrialisation.

**industrializar** *vt* industrialiser. ◆ **~se** *vpr* s'industrialiser ◊ **los países industrializados** les pays industrialisés.

**industriar** *vt* instruire. ◆ **~se** *vpr* s'ingénier.

**industrioso, a** *a* industrieux, euse.

**induzca,** etc. → **inducir.**

**inédito, a** *a* inédit, e.

**ineducación** *f* mauvaise éducation, impolitesse.

**ineducado, a** *a* mal élevé, e, impoli, e.

**inefable** *a* ineffable.

**inefectivo, a** *a* inefficace.

**ineficacia** *f* inefficacité.

**ineficaz** *a* inefficace.

**ineficiente** *a* inefficace.

**inelegancia** *f* inélégance.

**inelegante** *a* inélégant, e.

**ineluctable** *a* inéluctable.

**ineludible** *a* inévitable, inéluctable, incontournable.

**inembargable** *a JUR* insaisissable.

**inenarrable** *a* inénarrable.

**inencogible** *a* irrétrécissable.

**inepcia** *f* ineptie.

**ineptitud** *f* inaptitude, incapacité, incompétence.

**inepto, a** *a* inepte, incapable. ◇ *s* incapable.

**inequívocamente** *adv* manifestement, indubitablement.

**inequívoco, a** *a* indubitable, évident, e, manifeste: **muestras inequívocas de desagrado** des signes manifestes de mécontentement.

**inercia** *f* **1.** inertie **2.** *FÍS* inertie.

**inerme** *a* désarmé, e.

**inerte** *a* inerte.

**inervación** *f* innervation.

**inervar** *vt* innerver.

**Inés** *np f* Agnès.

**inescrupuloso, a** *a* sans scrupules.

**inescrutable** *a* insondable, impénétrable.

**inesperadamente** *adv* de manière inattendue.

**inesperado, a** *a* inespéré, e, inattendu, e, imprévu, e: **un resultado ~** un résultat inattendu.

**inestabilidad** *f* instabilité.

**inestable** *a* instable: **equilibrio ~** équilibre instable; **tiempo, carácter ~** temps, caractère instable.

**inestimable** *a* inestimable.

**inevitable** *a* inévitable.

**inexactitud** *f* inexactitude.

**inexacto, a** *a* inexact, e.

**inexcusable** *a* **1.** *(injustificable)* inexcusable **2.** *(ineludible)* incontournable.

**inexhausto, a** *a* inépuisable.

**inexistencia** *f* inexistence.

**inexistente** *a* inexistant, e.

**inexorable** *a* inexorable.

**inexorablemente** *adv* inexorablemente.

**inexperiencia** *f* inexpérience.

**inexperto, a** *a* inexpérimenté, e.

**inexplicable** *a* inexplicable.

**inexplicado, a** *a* inexpliqué, e.

**inexplorado, a** *a* inexploré, e.

**inexplosible** *a* inexplosible.

**inexplotable** *a* inexploitable.

**inexpresable** *a* inexprimable.

**inexpresivo, a** *a* inexpressif, ive: **una cara inexpresiva** un visage inexpressif.

**inexpugnable** *a* inexpugnable, imprenable.

**inextensible** *a* inextensible.

**inextinguible** *a* inextinguible.

**in extremis** *loc adv* in extremis.

**inextricable** *a* inextricable.

**infalibilidad** *f* infaillibilité: **~ pontificia** infaillibilité pontificale.

**infalible** *a* infaillible: **un remedio ~** un remède infaillible; **nadie es ~** nul n'est infaillible.

**infaliblemente** *adv* infailliblement.

**infalsificable** *a* infalsifiable.

**infamación** *f* diffamation.

**infamador, a** *a/s* diffamateur, trice.

**infamante** *a* infamant, e.

**infamar** *vt* déshonorer, diffamer, calomnier.

**infame** *a/s* infâme.

**infamia** *f* infamie.

**infancia** *f* enfance: **amigo de la ~** ami d'enfance; **desde su más tierna ~** dès sa plus tendre enfance ◊ **jardín de ~** jardin d'enfants.

**infanta** *f* infante.

**infantado** *m* territoire, fief appartenant à un infant ou à une infante.

**infante** *m* **1.** *(niño)* enfant **2.** *(hijo del rey)* infant **3.** MIL fantassin.

**infantería** *f* infanterie: **hace la mili en ~** il fait son service dans l'infanterie; **~ de marina** infanterie de marine.

**infanticida** *a/s* infanticide.

**infanticidio** *m (crimen)* infanticide.

**infantil** *a* **1.** infantile: **mortalidad ~** mortalité infantile **2.** enfantin, e: **canción, literatura ~** chanson, littérature enfantine ◊ **la edad ~** l'enfance **3.** *(ingenuo)* enfantin, e, puéril, e, infantile: **mentalidad ~** mentalité infantile **4.** pour enfants: **calzado ~** chaussures pour enfants; **prendas infantiles** vêtements pour enfants; **alimentos, revistas infantiles** aliments, revues pour enfants.

**infantilismo** *m* MED, FIG infantilisme.

**infanzón, ona** *s* personne de la noblesse aux prérogatives limitées.

**infartado, a** *a/s* victime d'un infarctus.

**infartarse** *vpr* MED subir un infarctus.

**infarto** *m* **1.** infarctus: **~ de miocardio** infarctus du myocarde; **sufrió un ~, le dio un ~ el año pasado** il a eu un infarctus l'an dernier **2.** engorgement.

**infatigable** *a* infatigable.

**infatuación** *f* présomption, infatuation.

**infatuar** *vt* enorgueillir, rendre fat, e. ◆ **~se** *vpr* s'enorgueillir, s'infatuer.

**infausto, a** *a* malheureux, euse, funeste.

**infección** *f* infection.

**infeccioso, a** *a* infectieux, euse: **enfermedades infecciosas** maladies infectieuses; **foco ~** foyer d'infection.

**infectar** *vt* infecter ◊ **personas infectadas con el virus del sida** personnes contaminées par le virus du sida. ◆ **~se** *vpr* s'infecter: **la llaga se ha infectado** la plaie s'est infectée.

**infecto, a** *a* infect, e.

**infecundidad, a** *f* infécondité, stérilité.

**infecundo, a** *a* stérile, infécond, e: **pareja infecunda** couple stérile.

**infelicidad** *f* malheur *m*, infortune.

**infeliz** *a/s* **1.** malheureux, euse, infortuné, e ◊ **¡~ de mí!,** pauvre de moi! **2.** FAM bonasse, bête ◊ **un ~** un pauvre type, un pauvre diable; **más ~ que un cubo** bête à manger du foin.

**infelizmente** *adv* malheureusement.

**infelizote** *m* FAM bon diable, bon bougre.

**inferencia** *f* inférence.

**inferior** *a/s* inférieur, e: **calidad ~** qualité inférieure; **miembros inferiores** membres inférieurs; **amable con sus inferiores** aimable avec ses inférieurs.

**inferioridad** *f* infériorité: **complejo de ~** complexe d'infériorité.

**inferir*** *vt* **1.** déduire, induire, conclure, inférer: **infiero de su carta que va a llegar pronto** d'après sa lettre, j'en déduis qu'il va bientôt arriver **2.** *(ofensa, daño)* faire, causer **3.** **~ una herida** faire une blessure; **el agresor le infirió una herida punzante en el abdomen** l'agresseur l'a blessé violemment à l'abdomen.

**infernáculo** *m (juego)* marelle *f*.

**infernal** *a* infernal, e: **ruidos infernales** des bruits infernaux.

**infernar** *vt* **1.** faire damner **2.** FIG exaspérer.

**infernillo → infiernillo.**

**infestar** *vt* **1.** infester, envahir: **los mosquitos infestan la región** les moustiques infestent la région **2.** FIG envahir: **estos anuncios infestan toda la ciudad** ces affiches envahissent toute la ville **3.** *(infectar)* infecter.

**infeudar** *vt* inféoder.

**inficionar** *vt* **1.** infecter, corrompre **2.** FIG corrompre.

**infidelidad** *f* infidélité.

**infidencia** *f* LIT infidélité, déloyauté.

**infidente** *a* LIT infidèle, déloyal, e.

**infiel** *a/s* **1.** infidèle **2.** **los infieles** les infidèles.

**infiernillo** *m* réchaud à alcool.

**infierno** *m* enfer ◊ FAM **mandar al ~** envoyer au diable; **¡vete al ~!** va au diable! ◇ *pl (mitología)* enfers ◊ **en los quintos infiernos** au diable vauvert.

**infiltración** *f* **1.** *(de un líquido)* infiltration **2.** FIG *(en las líneas enemigas)* infiltration, *(en un partido)* noyautage *m*.

**infiltrar** *vt* **1.** faire s'infiltrer **2.** FIG *(ideas)* insinuer. ◆ **~se** *vpr* **1.** *(un líquido)* s'infiltrer **2.** FIG s'infiltrer: **espías se infiltraron en las filas enemigas** des espions se sont infiltrés dans les rangs ennemis.

**ínfimo, a** *a* infime.

**infinidad** *f* infinité.

**infinitamente** *adv* infiniment.

**infinitesimal** *a* infinitésimal, e.

**infinitivo, a** *a* infinitif, ive. ◇ *m* GRAM infinitif.

**infinito, a** *a* **1.** infini, e: **el espacio ~** l'espace infini **2.** un nombre infini de: **infinitas veces** un nombre infini de fois. ◇ *m* **el ~** l'infini. ◇ *adv* infiniment, extrêmement, énormément: **me alegro ~ de que** je suis extrêmement content que, je suis absolument ravi que.

**infinitud** *f* infini *m*.

**infirmar** *vt* infirmer, invalider.

**inflable** *a* gonflable.

**inflación** *f* ECON inflation.

**inflacionario, a** *a* ECON inflationniste.

**inflacionista** *a* inflationniste: **política ~** politique inflationniste.

**inflado** *m* gonflage.

**inflador** *m* pompe *f* (à bicyclette).

**inflamable** *a* inflammable.

**inflamación** *f* **1.** inflammation **2.** *(de las pasiones)* exaltation.

**inflamar** *vt* enflammer. ◆ **~se** *vpr* s'enflammer.

**inflamatorio, a** *a* MED inflammatoire: **proceso ~** processus inflammatoire.

**inflar** *vt* **1.** gonfler, enfler: **~ un globo** gonfler un ballon **2.** FIG *(exagerar)* enfler, exagérer, grossir. ◆ **~se** *vpr* **1.** se gonfler **2.** FIG se gonfler d'orgueil, se rengorger.

**inflexibilidad** *f* inflexibilité.

**inflexible** *a* inflexible.

**inflexión** *f* inflexion.

**infligir** *vt* infliger: **~ una derrota, un castigo** infliger une défaite, un châtiment.

**inflorescencia** *f* BOT inflorescence.

**influencia** *f* influence: **ha tenido mucha ~ sobre su hijo** il a eu beaucoup d'influence sur son fils ◊ **un hombre de ~** un homme influent. ◇ *pl* **1.** relations: **tener influencias** avoir des relations **2. tráfico de influencias** trafic d'influence.

**influenciar** → **influir.**

**influenza** *f* influenza.

**influir*** *vi/vt* **1.** influer: **~ en, sobre** influer sur; **su educación influye en su carácter** son éducation influe sur son caractère **2.** *(ejercer una influencia moral)* influencer: **este filósofo le ha influido mucho** ce philosophe l'a beaucoup influencé.

**influjo** *m* **1.** *(influencia)* influence *f* **2.** *(de la marea)* flux.

**influyente** *a* influent, e.

**infografía** *f* infographie.

**infolio** *m inv* in-folio.

**información** *f* **1.** information, renseignement *m*: **a título de ~** à titre de renseignement; **facilitar ~** fournir des renseignements, renseigner **2.** *(de la policía)* enquête. ◇ *pl (radio, etc.)* informations.

**informado, a** *a* **1.** informé, e: **bien, mal ~** bien, mal informé; **manténgame ~** tenez-moi au courant **2.** *(criado)* avec des références.

**informador, a** *a/s* **1.** informateur, trice **2.** *(de radio, televisión)* commentateur, trice **3.** *(periodista)* journaliste.

**informal** *a/s* fantaisiste.

**informalidad** *f* fantaisie, légèreté, manque *m* de sérieux.

**informante** *m* **1.** informateur **2.** rapporteur.

**informar** *vt* **1.** *(dar noticia)* informer, renseigner: **voy a llamar al cine para informarme del horario** je vais téléphoner au cinéma pour me renseigner sur les horaires **2.** faire savoir: **el nuevo ministro informó de que iba a hablar de la reforma** le nouveau ministre a fait savoir qu'il allait parler de la réforme. ◇ *vi* **1. ~ de, sobre** informer sur **2.** *(dar un informe)* faire un rapport **3.** *(dictaminar)* se prononcer **4.** communiquer, annoncer: **como informábamos ayer** comme nous le communiquions hier **5.** JUR instruire; *(el abogado)* plaider. ◆ **~se** *vpr* s'informer, se renseigner.

**informática** *f* informatique ◊ **especialista en ~** informaticien, enne.

**informático, a** *a* informatique.

**informativo, a** *a* d'informations: **parte ~** bulletin d'informations; **flash ~** flash d'informations; **campaña informativa** campagne d'information; **los servicios informativos** le service des informations. ◇ *m* **el ~ de las 8** le bulletin d'information de 8 heures; **los informativos** les informations.

**informatización** *f* informatisation.

**informatizar** *vt* informatiser.

**informe** *a* informe: **un bulto ~** une masse informe. ◇ *m* **1.** renseignement, information *f*: **facilitar informes** fournir des renseignements **2.** *(de una comisión)* rapport. **3.** mémoire **4.** JUR plaidoyer, plaidoirie *f* **5.** *(del fiscal)* réquisitoire. ◇ *pl (de un criado)* références *f*.

**infortunado, a** *a* infortuné, e.

**infortunio** *m* infortune *f*.

**infracción** *f* infraction: **cometer una ~** commettre une infraction.

**infractor, a** *a* qui enfreint, en infraction. ◇ *s* infracteur, transgresseur.

**infraestructura** *f* infrastructure.

**in fraganti** *loc adv* en flagrant délit, sur le fait.

**infrahumano, a** *a* inhumain, e.

**infranqueable** *a* infranchissable.

**infrarrojo, a** *a/m* infrarouge: **rayos infrarrojos** rayons infrarouges.

**infrascrito, a** *a/m* soussigné, e: **yo, el ~** je soussigné.

**infrasonido** *m* FÍS infrason.

**infravaloración** *f* sous-estimation.

**infravalorar** *vt* sous-estimer.

**infrecuente** *a* rare, inhabituel, elle.

**infringir** *vt* enfreindre, transgresser.

**infructífero, a** *a* infructueux, euse.

**infructuoso, a** *a* infructueux, euse, vain, e.

**ínfulas** *f pl* **1.** *(de mitra)* fanons *m* **2.** FIG prétention *sing*: **tener muchas ~** être très prétentieux, euse, très vaniteux, euse; FAM **venirse con ~** la ramener.

**infumable** *a* infumable.

**infundado, a** *a* sans fondement, non fondé, e: **rumores infundados** des rumeurs sans fondement.

**infundio** *m* bobard, mensonge.

**infundir** *vt* **1.** inspirer, communiquer: **~ respeto** inspirer le respect; **~ miedo** inspirer de la peur **2.** donner: **~ ánimo** donner du courage.

**infusión** *f* infusion: **~ de manzanilla** infusion de camomille.

**infuso, a** *a* infus, e: **tener la ciencia infusa** avoir la science infuse.

**infusorios** *m pl* ZOOL infusoires.

**ingeniar** *vt* inventer. ◆ **~se** *vpr* **1.** s'ingénier **2. ingeniárselas para** s'arranger, se débrouiller pour: **se las ingenió para terminar el trabajo en diez minutos** il s'est arrangé pour finir le travail en dix minutes.

**ingeniería** *f* **1.** ingénierie **2. ~ civil** génie *m* civil; **~ genética** génie génétique, ingénierie génétique **3. obra de ~** réalisation technique.

**ingeniero** *m* **1.** ingénieur: **~ agrónomo** ingénieur agronome; **~ de Caminos, Canales y Puertos** ingénieur des Ponts et Chaussées; **~ de Montes** ingénieur des Eaux et Forêts; **~ naval** architecte naval **2.** MIL **el arma de ingenieros** le génie **3.** MIL soldat du génie.

**ingenio** *m* **1.** *(agudeza)* esprit, ingéniosité *f*, habileté *f* ◊ **aguzar el ~** réfléchir, se concentrer **2.** homme de talent, génie **3.** *(máquina)* engin: **~ espacial** engin spatial **4. ~ de**

**azúcar** exploitation *f* de canne à sucre; *(fábrica)* sucrerie *f*, raffinerie *f* **5.** *(de encuadernador)* presse *f* à rogner.

**ingeniosamente** *adv* ingénieusement.

**ingeniosidad** *f* ingéniosité.

**ingenioso, a** *a* ingénieux, euse.

**ingénito, a** *a* inné, e.

**ingente** *a* énorme: **una ~ cantidad de...** une énorme quantité de...

**ingenuidad** *f* ingénuité.

**ingenuamente** *adv* ingénument.

**ingenuo, a** *a/s* ingénu, e.

**ingerencia** *f* ingérence ◇ **no ~** non-ingérence.

**ingerir*** *vt* ingérer.

**ingestión** *f* ingestion.

**Inglaterra** *np f* Angleterre.

**ingle** *f* ANAT aine.

**inglés, esa** *a/s* anglais, e: **los ingleses** les Anglais; **hablar ~** parler anglais.

**inglete** *m* onglet: **caja de ingletes** boîte à onglets.

**ingobernable** *a* ingouvernable.

**ingratitud** *f* ingratitude.

**ingrato, a** *a/s* ingrat, e: **hijo ~** fils ingrat; **tarea ingrata** tâche ingrate.

**ingravidez** *f* apesanteur.

**ingrávido, a** *a* léger, ère, sans poids.

**ingrediente** *m* ingrédient.

**ingresar** *vi* entrer, être admis, e: **~ en la Universidad** entrer à l'Université; **falleció a poco de ~ en el hospital** il est mort peu de temps après avoir été admis à l'hôpital; **fue ingresada en los servicios de urgencia** elle a été admise dans les services d'urgence. ◇ *vt* **1.** *(dinero, en el banco, etc.)* déposer, verser **2.** *(cobrar)* encaisser.

**ingreso** *m* **1.** *(entrada)* entrée *f* **2.** *(en una escuela, un hospital)* admission *f*, entrée *f*: **examen de ~** examen d'entrée **3.** *(en una academia)* réception *f*: **discurso de ~** discours de réception **4.** *(en una cuenta)* versement **5.** *(cantidad)* recette *f*, rentrée *f*: **los ingresos en divisas** les rentrées en devises. ◇ *pl (sueldo)* revenus: **mis ingresos** mes revenus; **fuente de ingresos** source de revenus.

**íngrimo, a** *a* AMER seul, e, solitaire.

**inguinal** *a* inguinal, e.

**ingurgitar** *vt* ingurgiter.

**inhábil** *a* **1.** maladroit, e, inhabile **2.** JUR inhabile **3. día ~** jour férié; **hora ~** heure de fermeture.

**inhabilidad** *f* **1.** maladresse, inhabileté **2.** *(para ciertos empleos)* inhabileté.

**inhabilitación** *f* JUR incapacité: **~ para ejercer...** incapacité à exercer...

**inhabilitar** *vt* JUR **1.** déclarer inhabile, incapable **2.** *(prohibir)* interdire. ◆ **~se** *vpr* devenir incapable.

**inhabitable** *a* inhabitable.

**inhabitado, a** *a* inhabité, e.

**inhalación** *f* inhalation.

**inhalador** *m* inhalateur.

**inhalar** *vt* inhaler.

**inherencia** *f* inhérence.

**inherente** *a* inhérent, e: **~ a** inhérent à.

**inhibición** *f* **1.** inhibition **2.** JUR dessaisissement *m*.

**inhibidor** *m* QUÍM inhibiteur.

**inhibir** *vt* **1.** inhiber **2.** JUR *(a un juez)* dessaisir. ◆ **~se** *vpr* **1.** s'abstenir **2.** JUR se dessaisir.

**inhibitorio, a** *a* JUR inhibitoire.

**inhospitalario, a** *a* inhospitalier, ère.

**inhóspito, a** *a* inhospitalier, ère: **región inhóspita** région inhospitalière.

**inhumación** *f* inhumation.

**inhumanidad** *f* inhumanité.

**inhumano, a** *a* inhumain, e.

**inhumar** *vt* inhumer.

**iniciación** *f* **1.** *(en una doctrina, etc.)* initiation **2.** *(principio)* début *m*, commencement *m*, mise en train.

**iniciado, a** *a/s* initié, e.

**iniciador, a** *a/s* initiateur, trice.

**inicial** *a* initial, e. ◇ *f (letra)* initiale.

**inicializar** *vt* INFORM initialiser.

**iniciar** *vt* **1.** *(comenzar)* commencer, entamer, ouvrir: **inició su discurso** il commença son discours; **~ un debate, las hostilidades** ouvrir un débat, les hostilités **2.** initier: **me inició en la pintura** il m'a initié à la peinture. ◆ **~se** *vpr* **1. iniciarse en** s'initier à **2. se iniciaron las clases** les cours ont commencé.

**iniciático, a** *a* initiatique.

**iniciativa** *f* initiative: **tomar la ~** prendre l'initiative; **por ~ de** sur l'initiative de.

**inicio** *m* début, commencement: **en el ~ de los años 70** au début des années 70.

**inicuo, a** *a* inique.

**inigualable** *a* inégalable.

**inigualado, a** *a* inégalé, e.

**inimaginable** *a* inimaginable.

**inimitable** *a* inimitable.

**ininflamable** *a* ininflammable.

**ininteligible** *a* inintelligible.

**ininteresante** *a* inintéressant, e.

**ininterrumpido, a** *a* ininterrompu, e.

**ininterrumpidamente** *adv* sans interruption: **abierto desde las 10 de la mañana hasta las 11 de la noche ~** ouvert de 10 heures du matin à 11 heures du soir sans interruption.

**iniquidad** *f* iniquité.

**injerencia** *f* ingérence ◇ **no ~** non ingérence.

**injerir*** *vt* **1.** *(introducir)* introduire **2.** *(tragar)* ingérer. ◆ **~se** *vpr* s'ingérer, s'immiscer: **injerirse en** s'ingérer dans.

**injertar** *vt* **1.** *(parte de una planta)* greffer **2.** *(cirugía)* greffer.

**injerto** *m* **1.** *(parte de una planta)* greffe *f*, greffon **2.** *(acción)* greffe *f*, greffage **3.** *(cirugía)* greffe *f*.

**injuria** *f* injure, outrage *m*.

**injuriar** *vt* injurier.

**injurioso, a** *a* injurieux, euse.

**injustamente** *adv* injustement.

**injusticia** *f* injustice.

**injustificable** *a* injustifiable.

**injustificado, a** *a* injustifié, e.

**injusto, a** *a* injuste.

**inmaculado, a** *a* immaculé, e. ◇ *np f* **la Inmaculada, la Inmaculada Concepción** l'Immaculée Conception.

**inmadurez** *f* immaturité.

**inmaduro, a** *a* immature.

**inmanejable** *a* difficile à diriger, à conduire.

**inmanencia** *f* immanence.

**inmanente** *a* immanent, e.

**inmarcesible, inmarchitable** *a* immarcescible.

**inmaterial** *a* immatériel, elle.

**inmaturo, a** *a* non mûr, e, vert, e.

**inmediaciones** *fpl* abords *m*, environs *m*, alentours *m*: **las ~ de Madrid** les environs de Madrid.

**inmediatamente** *adv* immédiatement.

**inmediatez** *f* imminence, proximité.

**inmediato, a** *a* **1.** immédiat, e **2.** *(cercano)* contigu, ë, voisin, e **3.** *loc adv* **de ~** immédiatement, aussitôt.

**inmejorable** *a* excellent, e, parfait, e, exceptionnel, elle: **~ estado** parfait état; **chalet, ~ situación** villa, situation exceptionnelle.

**inmemorable, inmemorial** *a* immémorial, e: **desde tiempos inmemoriales** depuis des temps immémoriaux, de toute éternité.

**inmensamente** *adv* immensément: **~ rico** immensément riche.

**inmensidad** *f* immensité.

**inmenso, a** *a* immense.

**inmerecidamente** *adv* sans l'avoir mérité, injustement, à tort.

**inmerecido, a** *a* immérité, e.

**inmersión** *f* **1.** immersion **2. ~ linguística** bain *m* linguistique.

**inmerso, a** *a* **1.** immergé, e, plongé, e **2.** *FIG* **~ en** plongé dans.

**inmigración** *f* immigration.

**inmigrante** *a/s* immigrant, e.

**inmigrar** *vi* immigrer.

**inmigratorio, a** *a* relatif, ive à l'immigration.

**inminencia** *f* imminence.

**inminente** *a* imminent, e.

**inmiscuir*** *vt* immiscer. ◆ **~se** *vpr* **inmiscuirse en** s'immiscer dans, se mêler de: **no soporto que te inmiscuyas en mis problemas** je ne supporte pas que tu t'immisces dans mes problèmes.

**inmobiliario, a** *a* immobilier, ère. ◇ *f* société immobilière.

**inmoble** *a* immobile, fixe.

**inmoderadamente** *adv* immodérément.

**inmoderado, a** *a* immodéré, e.

**inmodestia** *f* immodestie, vanité.

**inmodesto, a** *a* immodeste, vaniteux, euse.

**inmolación** *f* immolation.

**inmolar** *vt* immoler. ◆ **~se** *vpr* s'immoler, se sacrifier.

**inmoral** *a* immoral, e.

**inmoralidad** *f* immoralité.

**inmortal** *a* immortel, elle.

**inmortalidad** *f* immortalité.

**inmortalizar** *vt* immortaliser.

**inmotivado, a** *a* immotivé, e.

**inmoto, a** *a* immobile.

**inmóvil** *a* immobile: **permanecer ~** rester immobile.

**inmovilidad** *f* immobilité.

**inmovilismo** *m* immobilisme.

**inmovilización** *f* immobilisation.

**inmovilizar** *vt* immobiliser. ◆ **~se** *vpr* s'immobiliser.

**inmueble** *a (bienes)* immeuble. ◇ *m (edificio)* immeuble.

**inmundicia** *f* immondice.

**inmundo, a** *a* immonde.

**inmune** *a* **1.** *(de cargos)* exempt, e **2.** *(contra ciertas enfermedades)* immunisé, e: **~ a** immunisé contre.

**inmunidad** *f* **1.** *MED* immunité **2. ~ parlamentaria** immunité parlementaire.

**inmunitario, a** *a MED* immunitaire.

**inmunización** *f* immunisation.

**inmunizar** *vt* **1.** *MED* immuniser **2.** *FIG* **estar inmunizado contra** être immunisé contre.

**inmunodeficiencia** *f MED* immunodéficience.

**inmunología** *f* immunologie.

**inmunoterapia** *f MED* immunothérapie.

**inmutabilidad** *f* immutabilité, constance.

**inmutable** *a* **1.** immuable **2.** impassible, imperturbable: **su interlocutor permaneció ~** son interlocuteur resta impassible.

**inmutación** *f* altération, changement *m*.

**inmutar** *vt* altérer, changer. ◆ **~se** *vpr* se troubler, perdre contenance: **no se inmutó** il ne se troubla pas.

**innato, a** *a* inné, e.

**innecesariamente** *adv* sans nécessité, inutilement.

**innecesario, a** *a* inutile, non nécessaire, superflu, e: **riesgos innecesarios** des risques inutiles.

**innegable** *a* indéniable: **es ~ que** il est indéniable que.

**innoble** *a* ignoble.

**innocuidad → inocuidad.**

**innocuo, a → inocuo.**

**innombrable** *a* innombrable.

**innominado, a** *a* **1.** innommé, e **2.** anonyme.

**innovación** *f* innovation.

**innovador, a** *a/s* innovateur, trice, novateur, trice.

**innovar** *vt* innover.

**innumerable, innúmero, a** *a* innombrable.

**inobservancia** *f* inobservance.

**inocencia** *f* innocence.

**Inocencio** *np m* Innocent.

**inocentada** *f* **1.** *FAM (acción, palabra)* bêtise **2.** farce, plaisanterie du jour des Saints-Innocents (28 décembre).
▶ Farces semblables au «poisson d'avril».

**inocente** *a/s* **1.** innocent, e ◇ **echárselas de ~** faire l'innocent **2.** *(ingenuo)* naïf, ive. ◇ *m pl* **los Santos Inocentes** les Saints-Innocents; **la degollación de los Inocentes** le massacre des Innocents.

**inocentemente** *adv* innocemment.

**inocentón, ona** *a/s* naïf, ive, niais, e.

**inocuidad** *f* innocuité.

**inoculación** *f* inoculation.

**inocular** *vt* **1.** *MED* inoculer **2.** *FIG* inoculer, transmettre, communiquer.

**inocuo, a** *a* **1.** *(no nocivo)* inoffensif, ive **2.** *(soso)* insipide.

**inodoro, a** *a* inodore. ◇ *m* water-closet.

**inofensivo, a** *a* inoffensif, ive.

**inolvidable** *a* inoubliable.

**inope** *a* pauvre, indigent, e.

**inoperable** *a* MED inopérable.

**inoperante** *a* inefficace, inopérant, e.

**inopia** *f* **1.** pauvreté, indigence **2.** FIG **estar en la ~** être dans les nuages.

**inopinadamente** *adv* inopinément.

**inopinado, a** *a* inopiné, e.

**inoportunidad** *f* inopportunité.

**inoportuno, a** *a* inopportun, e.

**inorgánico, a** *a* inorganique.

**inoxidable** *a* inoxydable.

**inquebrantable** *a* **1.** incassable **2.** FIG inébranlable: **una fe ~** una foi inébranlable.

**inquietante** *a* inquiétant, e.

**inquietar** *vt* inquiéter. ◆ **~se** *vpr* s'inquiéter: **no inquietarse por nada** ne s'inquiéter de rien.

**inquieto, a** *a* **1.** *(bullicioso)* remuant, e, agité, e **2.** *(preocupado)* inquiet, ète.

**inquietud** *f* **1.** *(ansiedad)* inquiétude, crainte: **no tenga usted ~ alguna** n'ayez aucune inquiétude **2.** agitation.

**inquilinato** *m* **1.** *(de una vivienda)* location *f* **2.** impôt sur le loyer **3.** AMER *(casa de vecindad)* immeuble de rapport.

**inquilino, a** *a/s* locataire.

**inquina** *f* aversion, animosité ◊ **tomarle ~ a alguien** prendre quelqu'un en grippe.

**inquiridor, a** *a/s* inquisiteur, trice.

**inquirir*** *vt* s'enquérir de, se renseigner sur, chercher à savoir: **~ la verdad** chercher à savoir la vérité.

**inquisición** *f* **1.** recherche, enquête **2.** HIST *(tribunal eclesiástico)* Inquisition.

**inquisidor, a** *a/s* inquisiteur, trice. ◇ *m (juez de la Inquisición)* inquisiteur.

**inquisitivo, a** *a* inquisiteur, trice: **miradas inquisitivas** des regards inquisiteurs.

**inquisitorial** *a* inquisitorial, e: **juez, procedimiento ~** juge, procédé inquisitorial.

**inri** *m* **1.** dérision *f* **2. para más ~, para mayor ~** pour comble.

**insaciabilidad** *f* insatiabilité, inassouvissement *m*.

**insaciable** *a* insatiable.

**insaculación** *f* mise dans une bourse, dans une urne etc., pour un tirage au sort.

**insacular** *vt* mettre dans une bourse, dans une urne, etc., pour un tirage au sort.

**insalivar** *vt (alimentos)* imprégner de salive.

**insalubre** *a* insalubre.

**insalubridad** *f* insalubrité.

**insalvable** *a* **1.** *(obstáculo, etc.)* insurmontable **2.** irrécupérable.

**insanable** *a* incurable.

**insania** *f* insanité, folie.

**insano, a** *a* **1.** insalubre **2.** *(loco)* dément, e.

**insatisfacción** *f* insatisfaction.

**insatisfecho, a** *a* insatisfait, e.

**inscribir*** *vt* inscrire: **te he inscrito en la lista** je t'ai inscrit sur la liste. ◆ **~se** *vpr* s'inscrire.

**inscripción** *f* inscription.

**inscrito, a** *a/s* inscrit, e ◊ **polígono ~** polygone inscrit.

**insecticida** *a/m* insecticide.

**insectívoro, a** *a/m* insectivore.

**insecto** *m* insecte.

**inseguridad** *f* insécurité: **~ ciudadana** insécurité dans les zones urbaines.

**inseguro, a** *a* **1.** qui n'est pas sûr, e **2.** incertain, e **3.** *(inestable)* instable.

**inseminación** *f* insémination: **~ artificial** insémination artificielle.

**insensatez** *f* stupidité, bêtise.

**insensato, a** *a* stupide, bête, absurde. ◇ *a/s* insensé, e.

**insensibilidad** *f* insensibilité.

**insensibilización** *f* insensibilisation.

**insensibilizar** *vt* insensibiliser.

**insensible** *a* **1.** insensible **2.** imperceptible.

**insensiblemente** *adv* insensiblement.

**inseparable** *a* inséparable.

**insepulto, a** *a* non enseveli, e, non enterré, e.

**inserción** *f* insertion.

**insertar** *vt* insérer.

**inserto, a** *a* inséré, e.

**inservible** *a* inutilisable.

**insidia** *f* **1.** piège *m*, embûche, ruse **2.** *(palabras)* insinuation malveillante.

**insidioso, a** *a* **1.** insidieux, euse **2.** *(una persona)* rusé, e **3.** MED insidieux, euse.

**insigne** *a* insigne, éminent, e, remarquable.

**insignia** *f* **1.** *(distintivo)* insigne *m* **2.** *(de una cofradía)* bannière **3.** MAR *(de almirante)* pavillon *m* ◊ **buque ~** vaisseau amiral.

**insignificancia** *f* insignifiance.

**insignificante** *a* insignifiant, e.

**insinceridad** *f* insincérité, hypocrisie.

**insincero, a** *a* insincère, peu sincère.

**insinuación** *f* insinuation.

**insinuante** *a* insinuant, e.

**insinuar** *vt* **1.** insinuer, glisser, laisser entendre **2.** suggérer. ◆ **~se** *vpr* **1.** s'insinuer **2.** *(ganar el afecto)* faire des avances à **3. este sentimiento se insinuó en él en cuanto la vio** ce sentiment s'éveilla en lui dès qu'il la vit.

**insipidez** *f* insipidité.

**insípido, a** *a* insipide.

**insistencia** *f* insistance.

**insistente** *a* insistant, e.

**insistentemente** *adv* avec insistance.

**insistir** *vi/t* **1.** insister: **insiste en que me vaya** il insiste pour que je m'en aille; **voy a insistirle para que te escriba** je vais insister pour qu'il t'écrive; **me insistía para que fuera a verle** il insistait pour que j'aille le voir; **ya ves lo que te insiste** tu vois bien comme il insiste auprès de toi; **¡no insistas en ello!** n'insiste pas! **2.** répéter: **yo te insisto en que no es verdad** je te répète que ce n'est pas vrai.

**insociable** *a* insociable.

**insolación** *f* insolation.

**insolarse** *vpr* attraper une insolation.

**insolencia** *f* insolence.

**insolentar** *vt* rendre insolent, e. ◆ **~se** *vpr* se montrer insolent, e, être insolent, e: **se insolentó con su padre, conmigo** il a été insolent avec son père, avec moi.

**insolente** *a/s* insolent, e.

**insolentemente** *adv* insolemment.

**insólito, a** *a* insolite.

**insoluble** *a* insoluble: **~ en el agua** insoluble dans l'eau; **problema ~** problème insoluble.

**insolvencia** *f* insolvabilité.

**insolvente** *a* insolvable.

**insomne** *a* éveillé, e, insomniaque ◊ **lleva una semana ~** depuis une semaine il n'arrive pas à dormir.

**insomnio** *m* insomnie *f*.

**insondable** *a* insondable.

**insonorización** *f* insonorisation.

**insonorizar** *vt* insonoriser.

**insonoro, a** *a* insonore.

**insoportable** *a* insupportable.

**insoslayable** *a* inévitable, inéluctable, incontournable.

**insospechable** *a* insoupçonnable.

**insospechado, a** *a* insoupçonné, e.

**insostenible** *a* insoutenable.

**inspección** *f* inspection.

**inspeccionar** *vt* inspecter.

**inspector, a** *s* inspecteur, trice: **~ de policía** inspecteur de police.

**inspiración** *f* inspiration.

**inspirador, a** *a/s* inspirateur, trice.

**inspirar** *vt* inspirer. ◆ **~se** *vpr* s'inspirer: **se inspiró en una canción de...,** il s'est inspiré d'une chanson de...

**instalación** *f* installation.

**instalador, a** *a/s* installateur, trice.

**instalar** *vt* **1.** installer **2.** *(un cable, el teléfono)* poser. ◆ **~se** *vpr* s'installer.

**instancia** *f* **1.** instance, sollicitation ◊ **a instancias de...** à la demande de..., à la requête de...; **en primera ~** d'abord, avant toute chose; **en última ~** en dernier ressort **2.** *(escrito)* demande **3.** *JUR* instance: **juez de primera ~** juge de première instance.

**instantáneo, a** *a* instantané, e. ◇ *f (foto)* instantané *m*: **una instantánea** un instantané.

**instante** *m* **1.** instant **2.** *loc adv* **a cada ~** à chaque instant, à tout instant; **al ~** aussitôt, immédiatement, à l'instant; **en este ~** en ce moment; **en un ~** en un clin d'œil, en un instant; **por instantes** rapidement, à vue d'œil.

**instantemente** *adv* instamment.

**instar** *vt* demander, prier avec insistance, instamment: **le instaron para que se presentara** on lui a demandé instamment de se présenter. ◇ *vi* presser, être urgent.

**instauración** *f* instauration.

**instaurador, a** *a/s* instaurateur, trice.

**instaurar** *vt* instaurer.

**instigación** *f* instigation.

**instigador, a** *a/s* instigateur, trice.

**instigar** *vt* inciter, pousser.

**instilación** *f* instillation.

**instilar** *vt* instiller.

**instintivamente** *adv* instinctivement.

**instintivo, a** *a* instinctif, ive.

**instinto** *m* instinct: **~ materno, de conservación** instinct maternel, de conservation; **por ~** d'instinct.

**institución** *f* institution. ◇ *pl (leyes)* institutions.

**institucional** *a* institutionnel, elle.

**institucionalización** *f* institutionnalisation.

**institucionalizar** *vt* institutionnaliser.

**instituir*** *vt* instituer.

**instituta** *f JUR* institutes *pl*.

**instituto** *m* **1.** institut: **~ de belleza** institut de beauté **2.** lycée: **~ de enseñanza media** lycée, établissement d'enseignement secondaire **3.** office: **~ de la vivienda** office du logement **4. institutos armados** corps militaires.

**institutriz** *f* préceptrice, gouvernante.
▶ N'a pas le sens de «maîtresse d'école».

**instrucción** *f* **1.** instruction: **~ primaria** instruction primaire; **juez de ~** juge d'instruction **2.** *INFORM* instruction. ◇ *pl* **1.** instructions: **cursar instrucciones** donner des instructions **2. instrucciones de uso** mode *m sing* d'emploi.

**instructivo, a** *a* instructif, ive.

**instructor, a** *a/s* **1.** instructeur, trice ◊ **juez ~** juge d'instruction, juge instructeur **2.** *(de gimnasia)* moniteur, trice.

**instruido, a** *a* instruit, e.

**instruir*** *vt* **1.** instruire, former **2.** *JUR* instruire. ◆ **~se** *vpr* s'instruire.

**instrumentación** *f* instrumentation.

**instrumental** *a* **1.** instrumental, e **2.** *JUR* instrumentaire: **testigo ~** témoin instrumentaire. ◇ *m* ensemble des instruments, instruments *pl*: **el ~ de un cirujano** les instruments d'un chirurgien.

**instrumentalizar** *vt* manipuler.

**instrumentar** *vt MÚS* instrumenter.

**instrumentista** *s* **1.** *(músico, enfermera)* instrumentiste **2.** fabricant d'instruments.

**instrumento** *m* **1.** instrument: **~ de medida** instrument de mesure **2.** *MÚS* instrument: **~ musical** instrument de musique; **~ de viento, de cuerda** instrument à vent, à cordes **3.** *JUR* acte.

**insubordinación** *f* insubordination.

**insubordinado, a** *s* insurgé, e.

**insubordinar** *vt* soulever. ◆ **~se** *vpr* se rebeller, s'insurger.

**insubstancial → insustancial.**

**insubstituible → insustituible.**

**insuficiencia** *f* **1.** insuffisance **2.** *MED* **~ cardíaca** insuffisance cardiaque; **~ respiratoria** insuffisance respiratoire.

**insuficiente** *a* insuffisant, e. ◇ *m (nota)* **un ~ en historia** une note au-dessous de la moyenne en histoire.

**insuflar** *vt* insuffler.

**insufrible** *a (dolor, persona)* insupportable.

**ínsula** *f* **1.** île **2.** *FIG* petit gouvernement *m*.

**insular** *a/s* insulaire.

**insularidad** *f* insularité.

**insulina** *f* insuline.

**Insulindia** *np f* Insulinde.

**insulsez** *f* **1.** insipidité, fadeur **2.** *(dicho)* fadaise.

**insulso, a** *a* **1.** insipide, fade **2.** *FIG* fade, terne, morne.

**insultante** *a* insultant, e, injurieux, euse.

**insultar** *vt* insulter, injurier.

**insulto** *m* **1.** insulte *f*, injure *f*: **proferir insultos** proférer des injures **2.** *(desmayo)* évanouissement.

**insumergible** *a* insubmersible.

**insumisión** *f* insoumission.

**insumiso, a** *a/s* insoumis, e, rebelle.

**insumo** *m* ECON intrant, input.

**insuperable** *a* **1.** *(excelente)* incomparable, insurpassable, imbattable **2.** *(invencible)* insurmontable: **un obstáculo ~** un obstacle insurmontable; **dificultad ~** difficulté insurmontable.

**insurgente** *a/s* insurgé, e.

**insurrección** *f* insurrection.

**insurreccional** *a* insurrectionnel, elle.

**insurreccionar** *vt* soulever, exciter à la révolte. ◆ **~se** *vpr* s'insurger.

**insurrecto, a** *a/s* insurgé, e, rebelle ◊ **gobierno ~** gouvernement insurrectionnel.

**insustancial** *a* **1.** fade, insipide **2.** FIG insipide.

**insustituible** *a* irremplaçable.

**intachable** *a* irréprochable: **conducta ~** conduite irréprochable.

**intacto, a** *a* intact, e.

**intangibilidad** *f* intangibilité.

**intangible** *a* intangible.

**integérrimo, a** *a* très intègre.

**integrable** *a* intégrable.

**integración** *f* **1.** intégration **2.** fusion.

**integral** *a* **1.** intégral, e **2. cálculo ~** calcul intégral **3. pan ~** pain complet. ◊ *f* MAT intégrale.

**integralmente** *adv* intégralement.

**íntegramente** *adv* **1.** *(enteramente)* intégralement **2.** intègrement.

**integrante** *a* intégrant, e. ◊ *m* membre: **los integrantes de este partido** les membres de ce parti.

**integrar** *vt* **1.** composer, former, constituer: **las personas que integran esta asamblea** les personnes qui forment cette assemblée; **el jurado está integrado por niños** le jury est composé d'enfants **2.** intégrer: **~ en un grupo** intégrer dans un groupe **3.** réintégrer. ◆ **~se** *vpr* s'intégrer: **se integró fácilmente en nuestro grupo** il s'est intégré facilement dans notre groupe.

**integridad** *f* intégrité.

**integrismo** *m* intégrisme.

**integrista** *a/s* intégriste.

**íntegro, a** *a* **1.** *(completo)* intégral, e: **película en versión íntegra** film en version intégrale **2.** *(probo)* intègre: **una persona íntegra** une personne intègre.

**intelectiva** *f* intellect *m*.

**intelecto** *m* intellect, entendement.

**intelectual** *a/s* intellectuel, elle: **los intelectuales** les intellectuels.

**intelectualidad** *f* **1.** intellectualité **2. la ~** les intellectuels.

**intelectualismo** *m* intellectualisme.

**intelectualizar** *vt* intellectualiser.

**intelectualmente** *adv* intellectuellement.

**inteligencia** *f* **1.** intelligence **2.** intelligence, compréhension ◊ **una mirada de ~** un regard d'intelligence **3.** *loc conj* **en la ~ de que** en supposant que, étant entendu que.

**inteligenciado, a** *a* informé, e, renseigné, e.

**inteligente** *a* intelligent, e.

**inteligible** *a* intelligible.

**intemperancia** *f* intempérance.

**intemperante** *a* intempérant, e.

**intemperie** *f* **1.** intempéries *pl*: **expuesto a la ~** exposé aux intempéries **2.** *loc adv* **a la ~** en plein air.

**intempestivamente** *adv* intempestivement.

**intempestivo, a** *a* intempestif, ive.

**intemporal** *a* intemporel, elle.

**intención** *f* **1.** intention: **tener la ~ de** avoir l'intention de; **lo que cuenta es la ~** c'est l'intention qui compte; **con la ~ de** dans l'intention de ◊ **¿con qué ~ me hace usted esta oferta?** dans quel but me faites-vous cette proposition?; **con ~** volontairement, exprès: **sin ~** involontairement **2. primera ~** premier mouvement *m*; **segunda ~** arrière-pensée **3. persona de buena ~** personne bien intentionnée, ayant de bonnes intentions **4. toro de ~** taureau vicieux.

**intencionadamente** *adv* exprès, intentionnellement.

**intencionado, a** *a* **1.** intentionné, e: **bien, mal ~** bien, mal intentionné **2.** volontaire, intentionnel, elle: **incendio ~** incendie volontaire, incendie criminel.

**intencional** *a* intentionnel, elle.

**intendencia** *f* intendance.

**intendenta** *f* intendante.

**intendente** *m* intendant.

**intensamente** *adv* intensément, intensivement.

**intensidad** *f* intensité.

**intensificación** *f* intensification.

**intensificar** *vt* intensifier, augmenter, renforcer: **~ el trabajo** augmenter le travail. ◆ **~se** *vpr* s'intensifier, augmenter, se renforcer.

**intensión** *f* intensité.

**intensivamente** *adv* intensivement.

**intensivo, a** *a* intensif, ive.

**intenso, a** *a* intense.

**intentar** *vt* tenter, tâcher, essayer de: **intentaré explicarle** j'essaierai de lui expliquer.

**intento** *m* **1.** tentative *f*: **un ~ de suicidio** une tentative de suicide; **al primer ~** à la première tentative **2.** dessein, intention *f* ◊ **de ~** exprès, à dessein.

**intentona** *f* tentative risquée, tentative malheureuse.
▶ *La intentona golpista:* se dit de la tentative manquée de coup d'État le 23 février 1981 à Madrid.

**interacción** *f* interaction.

**interactividad** *f* INFORM interactivité.

**interactivo, a** *a* interactif, ive: **videojuegos interactivos** jeux vidéo interactifs.

**interaliado, a** *a* MIL interallié, e.

**intercadente** *a* irrégulier, ère.

**intercalación** *f* intercalation.

[1]**intercalar** *a* intercalaire.

[2]**intercalar** *vt* intercaler. ◆ **~se** *vpr* s'intercaler.

**intercambiable** *a* interchangeable.

**intercambiar** *vt* échanger.

**intercambio** *m* *(cambio mutuo)* échange: **un ~ de regalos** un échange de cadeaux; **intercambios comerciales** échanges commerciaux.

**interceder** *vi* intercéder: **~ con alguien** intercéder auprès de quelqu'un.

**interceptación** *f* interception.

**interceptar** *vt* **1.** intercepter **2.** obstruer.

**interceptor** *m* *(avión)* intercepteur.

**intercesión** *f* intercession.

**intercesor, a** *a/s* intercesseur, médiateur, trice.

**intercolumnio** *m* ARQ entrecolonnement.

**intercomunicador** *m* interphone.

**intercomunicación** *f* communication.

**intercomunicarse** *vpr* communiquer.

**interconectar** *vt* interconnecter.

**interconexión** *f* interconnexion.

**intercontinental** *a* intercontinental, e: **cohete ~** fusée intercontinentale.

**intercostal** *a* intercostal, e: **músculos intercostales** muscles intercostaux.

**interdependencia** *f* interdépendance.

**interdependiente** *a* interdépendant, e.

**interdicción** *f* **1.** interdiction, prohibition **2. ~ civil** interdiction judiciaire **3. ~ de residencia, de lugar** interdiction de séjour.

**interdicto** *m* interdit.

**interdigital** *a* interdigital, e.

**interdisciplinario, a** *a* interdisciplinaire.

**interés** *m* **1.** intérêt ◊ **tener ~ por** s'intéresser à; **ser de mucho ~** être très intéressant; **tengo ~ en saber si...**, ça m'intéresse de, je tiens à savoir si...; **yo tendría ~ en recuperar mis fotos** j'aimerais récupérer mes photos ◊ *loc prep* **en ~ de** dans l'intérêt de; **lo digo en ~ tuyo** je le dis dans ton intérêt **2.** COM intérêt: **intereses compuestos** intérêts composés; **un ~ de un 12%** un intérêt de 12%. ◇ *pl* **1.** *(bienes)* biens **2.** intérêts: **defender sus intereses** défendre ses intérêts.

**interesado, a** *a/s* **1.** intéressé, e **2. si usted está ~ en el jazz...** si vous vous intéressez au jazz...

**interesante** *a* intéressant, e: **hacerse el ~** faire l'intéressant.

**interesar** *vt* **1.** intéresser **2.** MED affecter. ♦ **~se** *vpr* s'intéresser: **no se interesa por nada** il ne s'intéresse à rien.

**interface, interfaz** *f* INFORM interface.

**interestelar** *a* interstellaire.

**interétnico, a** *a* interethnique.

**interfecto, a** *a/s* **1.** JUR mort, e de mort violente **2.** FAM la personne en question, l'autre.

**interferencia** *f* **1.** interférence **2.** *(en las transmisiones radiofónicas, etc.)* brouillage *m*.

**interferir*** *vi* interférer. ◇ *vt (una transmisión radiofónica, etc.)* brouiller.

**interfono** *m* interphone.

**ínterin** *m* intérim. ◇ *adv* en attendant.

**interinamente** *adv* par intérim, provisoirement.

**interinato** *m* AMER intérim.

**interinidad** *f* intérim *m*, intérimat *m*.

**interino, a** *a/s* intérimaire. ◇ *a* **1. presidente ~** président par intérim **2.** *(cosa)* provisoire.

**interior** *a* intérieur, e: **política, vida ~** politique, vie intérieure ◊ **ropa ~ → ropa.** ◇ *m* **1.** intérieur **2.** *(ánimo)* for intérieur **3.** *(en fútbol)* intérieur, inter **4. ministro de Interior** ministre de l'Intérieur.

**interioridad** *f* intériorité. ◇ *pl* **1. las interioridades** la vie privée, intime, les secrets (d'une personne, famille, etc.) **2.** *(de un asunto)* le fond, les dessous: **no conozco las interioridades del problema** je ne connais pas le fond du problème.

**interiorización** *f* intériorisation.

**interiorizar** *vt* intérioriser.

**interiormente** *adv* intérieurement.

**interjección** *f* interjection.

**interjectivo, a** *a* interjectif, ive.

**interlínea** *f* **1.** *(espacio)* interligne *m* **2.** *(regleta)* interligne.

**interlineación** *f* interlignage *m*.

**interlinear** *vt* interligner.

**interlocutor, a** *s* interlocuteur, trice: **~ válido** interlocuteur valable ◊ **interlocutores sociales** partenaires sociaux.

**intérlope** *a* interlope.

**interludio** *m* interlude.

**intermediario, a** *a/s* intermédiaire.

**intermedio, a** *a* intermédiaire. ◇ *m* **1.** *(de tiempo)* intervalle **2.** *(entreacto)* entracte **3.** *(baile, música)* intermède **4. por ~ de** par l'intermédiaire de.

**interminable** *a* interminable.

**interministerial** *a* interministériel, elle.

**intermitencia** *f* intermittence: **con intermitencias** par intermittence.

**intermitente** *a* intermittent, e. ◇ *m (luz de un automóvil)* clignotant.

**intermitentemente** *adv* par intermittence.

**intermolecular** *a* intermoléculaire.

**internación** *f* internement *m*.

**internacional** *a/f* international, e: **organismos internacionales** organismes internationaux.

**internacionalismo** *m* internationalisme.

**internacionalización** *f* internationalisation.

**internacionalizar** *vt* internationaliser.

**internado, a** *a/s* **1.** interné, e **2.** *(alumno)* interne. ◇ *m (centro educativo)* internat. ◇ *f (fútbol)* percée.

**internamente** *adv* intérieurement.

**internar** *vt* **1.** interner **2.** *(a un enfermo)* hospitaliser: **ha sido internado en una clínica madrileña** il a été hospitalisé dans une clinique madrilène. ♦ **~se** *vpr* **1.** pénétrer, s'enfoncer: **se internó en el bosque** il s'enfonça dans le bois **2.** FIG approfondir.

**internauta** *s* internaute.

**internista** *a/s (médico)* interniste.

**interno, a** *a* **1.** interne: **el oído ~** l'oreille interne; **medicina interna** médecine interne **2. fuero ~** for intérieur. ◇ *a/s (alumno)* interne.

**inter nos** *loc adv* entre nous.

**interoceánico, a** *a* interocéanique.

**interóseo, a** *a* ANAT interosseux, euse.

**interpelación** *f* interpellation.

**interpelador, a** *s* interpellateur, trice.

**interpelar** *vt* interpeller.

**interpenetración** *f* interpénétration.

**interplanetario, a** *a* interplanétaire.

**interpolación** *f* interpolation.

**interpolar** *vt* interpoler.

**interponer*** *vt* **1.** interposer **2.** JUR *(un recurso)* interjeter. ♦ **~se** *vpr* s'interposer: **su padre se interpuso para separarles** son père s'interposa pour les séparer.

**interposición** *f* **1.** interposition **2.** JUR interjection.

**interpretación** *f* interprétation.

**interpretar** *vt* interpréter: **~ mal** mal interpréter.

**interpretariado** *m* interprétariat.

**intérprete** *s* interprète.

**interpuesto, a** *a* interposé, e: **por persona interpuesta** par persone interposée.

**interpuse,** etc. → **interponer.**

**interregno** *m* interrègne.

**interrogación** *f* **1.** interrogation **2.** *(signo)* point *m* d'interrogation.

**interrogante** *a/s* interrogateur, trice. ◇ *m (incógnita)* question *f*, point d'interrogation, inconnue *f*, problème: **varios interrogantes permanecen todavía sin respuesta** de nombreuses questions demeurent encore sans réponse; **semana cuajada de interrogantes** semaine remplie d'incertitudes.

**interrogar** *vt* interroger: **~ a alguien sobre** interroger quelqu'un sur.

**interrogativo, a** *a* interrogatif, ive: **pronombre ~** pronom interrogatif.

**interrogatorio** *m* interrogatoire.

**interrumpir** *vt* **1.** interrompre: **interrumpió su discurso** il interrompit son discours; **¡no me interrumpas!** ne m'interromps pas! **2.** bloquer, arrêter: **un coche averiado interrumpe el tráfico** une voiture en panne bloque la circulation **3.** *(la corriente, etc.)* couper. ◆ **~se** *vpr* s'interrompre.

**interrupción** *f* interruption: **~ del embarazo** interruption de grossesse; **sin ~** sans interruption.

**interruptor** *m* interrupteur.

**intersección** *f* intersection: **en la ~ de las calles X e Y** à l'intersection des rues X et Y.

**intersideral** *a* intersidéral, e.

**intersticial** *a* MED interstitiel, elle.

**intersticio** *m* interstice.

**intertropical** *a* intertropical, e.

**interurbano, a** *a* interurbain, e.

**intervalo** *m* **1.** intervalle: **en el ~** dans l'intervalle; **a intervalos** par intervalles **2.** MÚS intervalle.

**intervención** *f* **1.** intervention: **~ armada** intervention armée; **~ televisiva** intervention télévisée **2.** *(cargo del interventor)* contrôle *m* **3.** *(oficina)* bureau *m* du contrôleur **4.** **~ quirúrgica** intervention chirurgicale **5.** *(de teléfonos)* mise sur écoute.

**intervencionismo** *m* interventionnisme.

**intervencionista** *a/s* interventionniste.

**intervenir*** *vi* **1.** *(tomar parte)* participer, prendre part: **~ en un debate** participer à un débat **2.** *(mediar)* intervenir: **el juez intervino en el reparto** le juge est intervenu dans le partage. ◇ *vt* **1.** intercepter, saisir: **intervinieron 30 kilos de hachís** on a saisi 30 kilos de hachish **2.** *(una comunicación telefónica)* surveiller, mettre sur écoute: **la policía interviene su teléfono particular** la police surveille son téléphone particulier; **la línea está intervenida** la ligne est surveillée **3.** MED opérer: **el cirujano intervino al enfermo esta mañana** le chirurgien a opéré le malade ce matin; **el campeón acaba de ser intervenido de menisco** le champion vient d'être opéré du ménisque; **ha sido necesario intervenirle quirúrgicamente** il a fallu l'opérer **4.** *(cuentas, una administración, etc.)* contrôler.

**interventor, a** *a/s* **1.** qui intervient **2.** intervenant, e **3.** *(de las cuentas)* contrôleur.

**intervine,** etc. → **intervenir.**

**interviú** *m* interview *f*.

**interviuvador, a** *s* interviewer.

**interviuvar** *vt* interviewer: **~ a un diputado** interviewer un député.

**intestado, a** *a/s* JUR intestat.

**intestinal** *a* intestinal, e: **gases intestinales** gaz intestinaux.

**[1]intestino, a** *a* intestin, e, interne: **discordias intestinas** querelles intestines.

**[2]intestino** *m* **1.** ANAT intestin: **~ delgado** intestin grêle; **~ grueso** gros intestin **2.** **~ ciego** cæcum.

**intimación** *f* intimation, sommation.

**íntimamente** *adv* intimement.

**intimar** *vt (conminar)* intimer, sommer, mettre en demeure: **le intimaron a que se presentase** ils le sommèrent de, ils lui intimèrent l'ordre de se présenter. ◇ *vi* se lier, devenir amis, sympathiser: **intimamos en seguida** nous sommes devenus aussitôt très amis; **no intima con nadie** il ne se lie avec personne.

**intimidación** *f* intimidation.

**intimidad** *f* intimité: **en la ~** dans l'intimité.

**intimidar** *vt* intimider. ◆ **~se** *vpr* se laisser intimider: **no es hombre para intimidarse** il n'est pas homme à se laisser intimider.

**intimista** *a/s (artista)* intimiste.

**íntimo, a** *a/s* intime: **amigo ~** ami intime; **fiesta íntima** fête intime.

**intitular** *vt* intituler. ◆ **~se** *vpr* s'intituler.

**intocable** *a/s* intouchable.

**intolerable** *a* intolérable.

**intolerancia** *f* intolérance.

**intolerante** *a* intolérant, e.

**intonso, a** *a* qui n'est pas tondu, e.

**intoxicación** *f* **1.** intoxication: **~ alimentaria** intoxication alimentaire **2.** *(en política, etc.)* intoxication.

**intoxicar** *vt* intoxiquer. ◆ **~se** *vpr* s'intoxiquer.

**intradérmico, a** *a* intradermique.

**intradermorreacción** *f* MED intradermo-réaction, intradermo.

**intradós** *m* ARQ intrados.

**intraducible** *a* intraduisible.

**intramuros** *loc adv* intra-muros.

**intramuscular** *a* intramusculaire.

**intranquilidad** *f* inquiétude.

**intranquilizador, a** *a* inquiétant, e.

**intranquilizar** *vt* inquiéter.

**intranquilo, a** *a* **1.** *(preocupado)* inquiet, ète, anxieux, euse: **~ por su tardanza** inquiet de son retard **2.** *(nervioso)* nerveux, euse, agité, e: **la he notado muy intranquila todo el día** je l'ai trouvée très nerveuse toute la journée.

**intransferible** *a* incessible.

**intransigencia** *f* intransigeance.

**intransigente** *a* intransigeant, e.

**intransitable** *a (camino)* impraticable.

**intransitivo, a** *a/m* GRAM intransitif, ive.

**intransmisible** *a* intransmissible.

**intransportable** *a* intransportable.

**intrascendencia** *f* insignifiance.

**intrascendente** *a* peu important, e.

**intratable** *a* intraitable.

**intrauterino, a** *a* MED intra-utérin, e ◊ **dispositivo ~** stérilet.

**intravenoso, a** *a/f* intraveineux, euse: **inyección intravenosa** piqûre intraveineuse.

**intrepidez** *f* intrépidité.

**intrépido, a** *a/s* intrépide.

**intriga** *f* intrigue.

**intrigante** *a/s* intrigant, e.

**intrigar** *vi* intriguer. ◇ *vt* intriguer: **su silencio me intriga** son silence m'intrigue.

**intrincadamente** *adv* d'une manière embrouillée.

**intrincado, a** *a* embrouillé, e, compliqué, e, enchevêtré, e.

**intrincamiento** *m* embrouillement.

**intrincar** *vt* embrouiller, compliquer.

**intríngulis** *m FAM* **1.** intention *f* cachée, mystère, dessous des cartes: **los ~ políticos** les dessous de la politique **2.** complication *f* **3.** difficulté *f*, hic: **eso es el ~** voilà le hic.

**intrínsecamente** *adv* intrinsèquement.

**intrínseco, a** *a* intrinsèque.

**introducción** *f* **1.** introduction **2.** *COM* lancement *m*: **oferta de ~** offre de lancement.

**introducir*** *vt* introduire. ◆ **~se** *vpr* s'introduire: **se introdujo en el salón** il s'est introduit dans le salon.

**introito** *m* **1.** *RELIG (oración)* introït **2.** *(de un discurso)* début.

**intromisión** *f* immixtion, ingérence.

**introspección** *f* introspection.

**introspectivo, a** *a* introspectif, ive.

**introversión** *f* introversion.

**introvertido, a** *a/s* introverti, e.

**intrusión** *f* intrusion.

**intrusismo** *m* exercice illégal d'une profession.

**intruso, a** *a/s* intrus, e.

**intubación** *f MED* tubage *m*, intubation.

**intuición** *f* intuition: **tener ~** avoir de l'intuition.

**intuir*** *vt* **1.** pressentir, avoir l'intuition: **se intuye que va a ocurrir algo** on pressent qu'il va se passer quelque chose **2.** deviner.

**intuitivamente** *adv* intuitivement.

**intuitivo, a** *a* intuitif, ive.

**intumescencia** *f* intumescence.

**inulto, a** *a POÉT* impuni, e.

**inundación** *f* inondation.

**inundar** *vt* **1.** inonder **2.** *FIG* **~ el mercado con productos** inonder le marché de produits.

**inurbanidad** *f* impolitesse.

**inusitado, a** *a* inusité, e.

**inusual** *a* inhabituel, elle.

**inútil** *a* **1.** inutile: **es ~ que vengas** il est inutile que tu viennes; **~ decir...** inutile de dire... **2.** invalide, impotent, e, infirme: **está ~ de una pierna** il est impotent d'une jambe **3.** *MIL* **declarar ~** réformer; **fue dado por ~** il a été réformé. ◇ *m FAM* **un ~** un bon à rien, un inutile.

**inutilidad** *f* **1.** inutilité **2.** **~ física** incapacité physique.

**inutilizar** *vt* mettre hors d'état, rendre inutilisable.

**inútilmente** *adv* inutilement.

**invadeable** *a* qui n'est pas guéable.

**invadir** *vt* **1.** envahir **2.** *FIG* **me invade la duda** le doute m'envahit **3.** **el coche invadió la acera** la voiture est montée sur le trottoir.

**invaginación** *f MED* invagination.

**invalidación** *f* invalidation.

**invalidar** *vt* invalider.

**invalidez** *f* invalidité.

**inválido, a** *a/s* invalide.

**invariable** *a* invariable.

**invariablemente** *adv* invariablement.

**invasión** *f* invasion.

**invasor, a** *a/s* envahisseur.

**invectiva** *f* invective.

**invencible** *a* **1.** invincible, imbattable: **un ejército ~** une armée invincible ◊ **la Armada ~** l'Invincible Armada **2.** *FIG* insurmontable.

**invención** *f* **1.** invention: **patente de ~** brevet d'invention **2.** *RELIG* **la Invención de la Santa Cruz** l'Invention de la Sainte Croix.

**invendible** *a* invendable.

**inventar** *vt* inventer. ◆ **~se** *vpr* inventer, imaginer: **no me invento nada** je n'invente rien; **no nos inventamos nada** nous n'inventos rien.

**inventariar** *vt* inventorier.

**inventario** *m* inventaire: **hacer el ~** faire l'inventaire, dresser l'inventaire; **a beneficio de ~** sous bénéfice d'inventaire.

**inventivo, a** *a* inventif, ive. ◇ *f* esprit *m* inventif, imagination, inventivité.

**invento** *m* invention *f*: **es un ~ mío** c'est une invention à moi.

**inventor, a** *a/s* inventeur, trice.

**inverecundia** *f* effronterie.

**invernáculo** *m (para las plantas)* serre *f*.

**invernada** *f* **1.** hiver *m* **2.** *AMER* période d'embouche; *(campo)* pré *m* d'embouche.

**invernadero** *m* **1.** *AGR* pâturage d'hiver **2.** *(invernáculo)* serre *f* ◊ **el efecto ~** l'effet de serre.

**invernal** *a* hivernal, e.

**invernar*** *vi* hiverner.

**inverosímil** *a* invraisemblable.

**inverosimilitud** *f* invraisemblance.

**inversión** *f* **1.** inversion **2.** *(de la situación, etc.)* renversement *m* **3.** *(de dinero)* placement *m*, investissement *m*: **una buena ~** un bon placement.

**inversionista** *m* investisseur.

**inverso, a** *a* **1.** inverse: **en sentido ~** en sens inverse **2.** **a la inversa, por la inversa** à l'inverse **3.** **traducción inversa** thème *m*.

**invertebrado, a** *a/s* invertébré, e.

**invertido, a** *a* inversé, e, renversé,e: **cono ~** cône renversé. ◇ *a/s* inverti, e, homosexuel, elle.

**invertir*** *vt* **1.** invertir, inverser: **~ el sentido de la corriente** inverser le sens du courant **2.** *(cambiar el orden)* intervertir: **~ los papeles** intervertir les rôles **3.** *(dinero)* investir, placer: **ha invertido todo su dinero en acciones** il a placé tout son argent dans des actions **4.** *(volcar)* renverser **5.** *(tiempo)* passer, employer: **invirtió mucho tiempo en este trabajo** il passa beaucoup de temps à faire ce travail.

**investidura** *f* investiture.

**investigación** *f* **1.** investigation, enquête: **~ policíaca** enquête policière; **comisión de ~** commission d'enquête **2.** recherche: **~ científica** recherche scientifique; **sus investigaciones en cancerología...** ses recherches en cancérologie...

**investigador, a** *a/s* **1.** investigateur, trice **2.** *(científico)* chercheur, euse.

**investigar** *vt* **1.** faire des recherches sur **2.** rechercher, enquêter sur, mener une enquête sur: **la policía investiga las**

**causas del accidente** la police recherche les causes de l'accident.

**investir*** *vt* investir: **~ a alguien con un cargo** investir quelqu'un d'une fonction.

**inveterado, a** *a* invétéré, e.

**inviable** *a* irréalisable, impossible: **un acuerdo ~** un accord impossible.

**invicto, a** *a* **1.** invaincu, e **2.** glorieux, euse.

**invidente** *s* aveugle, non-voyant, e, malvoyant, e.

**invierno** *m* hiver.

**inviolabilidad** *f* inviolabilité.

**inviolable** *a* inviolable.

**inviolado, a** *a* inviolé, e.

**invisible** *a* **1.** invisible **2. avión ~** avion furtif.

**invitación** *f* invitation.

**invitado, a** *a/s* invité, e.

**invitar** *vt* **1.** inviter **2.** *FAM* **nos ha invitado a café, a una copa** il nous a invités à prendre le café, à prendre un vere; **invito yo** c'est moi qui invite, qui paie.

**invocación** *f* invocation.

**invocar** *vt* invoquer.

**involución** *f* **1.** *BIOL* involution **2.** *FIG* régression.

**involucrar** *vt* mêler, impliquer: **estaba involucrado en un asunto poco limpio** il était impliqué dans une affaire louche. ◆ **~se** *vpr* s'impliquer, se compromettre.

**involuntario, a** *a* involontaire.

**involutivo, a** *a* **1.** involutif, ive **2.** régressif, ive.

**invulnerabilidad** *f* invulnérabilité.

**invulnerable** *a* invulnérable.

**inyección** *f* **1.** injection: **motor de ~** moteur à injection **2.** *MED* piqûre, injection: **poner una ~** faire une piqûre **3. impresora con ~ de tinta** imprimante à jet d'encre.

**inyectable** *a* injectable. ◇ *m* ampoule *f* injectable.

**inyectar** *vt* **1.** injecter **2. ojos inyectados de sangre** yeux injectés de sang.

**inyector** *m* injecteur.

**Iñigo** *np m* Ignace.

**iodo** *m* iode.

**ion** *m FÍS* ion.

**iónico, a** *a* ionique.

**ionización** *f QUÍM* ionisation.

**ionizar** *vt QUÍM* ioniser.

**ionosfera** *f* ionosphère.

**iota** *f (letra griega)* iota.

**ipecacuana** *f* ipécacuana, ipéca.

**iperita** *f* ypérite.

**ir*** *vi* **1.** *(moverse)* aller: **voy a París** je vais à Paris; **este tren va a Roma** ce train va à Rome; **no iré a la conferencia** je n'irai pas à la conférence; **yendo a misa** en allant à la messe; **~ de caza** aller à la chasse; **~ de paseo** aller se promener; **~ de compras** aller faire des courses; **vaya donde usted vaya** où que vous alliez; **sin ~ más lejos** sans aller plus loin; **el ~ y venir de la gente** les allées et venues des gens ◊ **~ tras de uno** poursuivre quelqu'un; **¿quién va?** qui va là?; **¡ya voy!** j'arrive!; **a eso voy** c'est là où je veux en venir **2. ~ a +** *infinitivo* aller: **voy a pasearme** je vais me promener; **iba a escribirte** j'allais t'écrire; **¡vamos a ver!** voyons!; **~ a parar** → **parar 3.** *(bien o mal)* aller: **¿cómo le va?** comment ça va?; **todo va bien** tout va bien; **¿cómo va tu trabajo?** comment va ton travail?; **este vestido le va fatal** cette robe lui va affreusement mal **4.** *(extenderse)* aller, s'étendre: **la playa va desde ... a...** la plage va de... à ... **5.** être: **la carta iba sin firma** la lettre n'était pas signée; **iba furioso** il était furieux; **iba armado con una pistola** il était armé d'un pistolet; **va muy mal afeitado** il est très mal rasé; **iba (vestida) de negro** elle était habillée en noir **6.** *(avec le gérondif, indique que l'action est progressive)* **~ disminuyendo** diminuer (peu à peu); **va amaneciendo** le jour se lève; **va cayendo el telón** le rideau tombe; **fue rompiendo la carta lentamente** il déchira lentement la lettre; **creo que deberías ~ pensando en ello** je crois que tu devrais y penser; **como yo iba diciendo** comme je disais; **~ tirando** → **tirar 7.** *(obrar)* agir: **~ con cuidado** agir prudemment **8.** y aller de: **te va en eso tu porvenir** il y va de ton avenir **9.** *(apostar)* parier: **van mil pesetas a que gano** je parie mille pesetas que je gagne **10. ~ por** aller chercher: **~ por agua** aller chercher de l'eau; **~ por el médico** aller chercher le médecin. (Dans la langue parlée, cette tournure est souvent renforcée par la préposition *a:* **¡ve a por pan!** va chercher le pain!) → **por 11.** voici, voilà: **aquí van tres ejemplos** voici trois exemples; **allá va la historia de...** voilà l'histoire de...; **¡ahí va!** voici!, voilà!, tiens!, tenez! **12. mucho va del uno al otro** ils sont bien différents l'un de l'autre **13. no vaya a ser que se enfade como el otro día** il ne faudrait pas qu'il se fâche comme l'autre jour; **no vayas a llorar** tu ne vas pas te mettre à pleurer; **no vayas a creer que te critico** ne vas pas croire que je te critique; **apúntelo usted, no se le vaya a olvidar** notez-le, au cas où vous l'oublieriez **14. a mí ni me va ni me viene que venga** ça ne me fait ni chaud ni froid qu'il vienne; **a ella esto no le va ni le viene** ça lui est égal **15. en lo que va de año** depuis le début de l'année **16. ya va para viejo** il se fait vieux. ◇ *interj* **¡qué va!, ¡vamos anda!** allons donc!; **¡vaya!, ¡vamos!** allons!, ça alors!; **¡vaya tiempo!** quel temps!; **¡vaya una ocurrencia!** en voilà une idée!; **¡vaya una pregunta!** quelle question!, cette question! **¡vaya que sí!** et comment donc!, bien sûr!; **vaya sí me acuerdo** pour sûr je me souviens. ◆ **~se** *vpr* **1.** *(marcharse)* s'en aller, partir: **irse de viaje** partir en voyage; **¡vete!** va-t'en!; **¡vete a dormir!** va te coucher!; **¡vámonos!** allons-nous- en!; **no te vayas** ne t'en vas pas; **¡no os vayáis!** ne partez pas!; **¡idos!** allez!; **se fueron a almorzar** ils sont allés, ils sont partis déjeuner **2.** *(un recipiente)* fuir: **el tonel se va** le tonneau fuit **3.** glisser: **se le fue el pie** son pied a glissé **4. la mancha se ha ido fácilmente** la tache est partie facilement **5. su nombre se me ha ido de la cabeza** son nom m'est sorti de la tête, m'échappe **6. irse abajo** s'écrouler **7. allá se va** ça revient au même; **váyase lo uno por lo otro** une chose vaut l'autre; **¡vete a saber!** allez savoir!

**ira** *f* colère: **descargar su ~ contra** passer sa colère sur.

**iracundia** *f* irascibilité, colère.

**iracundo, a** *a* coléreux, euse, colérique, irascible.

**Irán** *np m* Iran.

**iraní** *a/s* iraquien, enne.

**Irak, Iraq** *np m* Iraq, Irak.

**iraquí** *a/s* irakien, ienne, iraquien, enne.

**irascibilidad** *f* irascibilité.

**irascible** *a* irascible.

**Irene** *np f* Irène.

**Ireneo** *np m* Irénée.

**irga, irguió,** etc. → **erguir.**

**iribú** *m AMER (ave)* urubu.

**iridescente** *a* iridescent, e.

**iridio** *m* iridium.

**iris** *m* **1.** iris **2.** *(arco iris)* arc-en-ciel.

**irisación** *f* irisation.

**irisar** *vi* s'iriser. ◆ **~se** *vpr* s'iriser.

**Irlanda** *np f* Irlande: **~ del Norte** l'Irlande du Nord.

**irlandés, esa** *a/s* irlandais, e.

**ironía** *f* ironie.

**irónicamente** *adv* ironiquement.

**irónico, a** *a* ironique.

**ironista** *s* ironiste.

**ironizar** *vi* ironiser.

**iroqués, esa** *a/s* iroquois, e.

**irracional** *a* **1.** *(que carece de razón)* irraisonnable **2.** *(opuesto a la razón)* irrationnel, elle. ◇ *m* animal.

**irracionalidad** *f* irrationalité.

**irradiación** *f* irradiation.

**irradiar** *vt* **1.** *(despedir rayos)* irradier **2.** FIG faire rayonner **3.** FÍS irradier.

**irrazonable** *a* déraisonnable.

**irreal** *a* irréel, elle.

**irrealidad** *f* irréalité.

**irrealizable** *a* irréalisable, infaisable.

**irrebatible** *a* irréfutable.

**irrecobrable** *a* irrécupérable.

**irreconciliable** *a* irréconciliable.

**irreconocible** *a* méconnaissable: **desde que lo dejó su mujer, está ~** depuis que sa femme l'a quitté, il est méconnaissable, il n'est plus le même.

**irrecuperable** *a* irrécupérable.

**irrecusable** *a* irrécusable.

**irredentismo** *m* irrédentisme.

**irredimible** *a* irrachetable.

**irreducible, irreductible** *a* irréductible.

**irreemplazable** *a* irremplaçable.

**irreflexión** *f* irréflexion.

**irreflexivo, a** *a* irréfléchi, e.

**irrefragable** *a* irréfragable, irrésistible.

**irrefutable** *a* irréfutable.

**irregular** *a* irrégulier, ère.

**irregularidad** *f* **1.** irrégularité **2. cometer irregularidades** commettre des irrégularités.

**irregularmente** *adv* irrégulièrement.

**irrelevancia** *f* insignifiance.

**irrelevante** *a* insignifiant, e, minime: **detalles irrelevantes** des détails insignifiants.

**irreligión** *f* irréligion.

**irreligiosidad** *f* irréligiosité.

**irreligioso, a** *a* irréligieux, euse.

**irremediable** *a* irrémédiable.

**irremediablemente** *adv* irremédiablement.

**irremisible** *a* irrémissible.

**irrenunciable** *a* inévitable.

**irreparable** *a* irréparable.

**irreprensible** *a* irrépréhensible.

**irreprimible** *a* irrépressible.

**irreprochable** *a* irréprochable.

**irresistible** *a* irrésistible.

**irresistiblemente** *adv* irrésistiblement.

**irresoluble** *a* insoluble, que l'on ne peut résoudre.

**irresolución** *f* irrésolution.

**irresoluto, a** *a/s* irrésolu, e, indécis, e.

**irrespetuoso, a** *a* irrespectueux, euse.

**irrespirable** *a* irrespirable: **atmósfera ~** atmosphère irrespirable.

**irresponsabilidad** *a* irresponsabilité.

**irresponsable** *a* irresponsable.

**irresuelto, a** *a* irrésolu, e, non résolu, e.

**irreverencia** *f* irrévérence.

**irreverente** *a* irrévérencieux, euse.

**irreverentemente** *adv* irrévérencieusement.

**irreversibilidad** *f* irréversibilité.

**irreversible** *a* irréversible.

**irrevocabilidad** *f* irrévocabilité.

**irrevocable** *a* irrévocable.

**irrevocablemente** *adv* irrevocablement.

**irrigable** *a* irrigable.

**irrigación** *f* irrigation.

**irrigador** *m* irrigateur, bock à lavements.

**irrigar** *vt* irriguer.

**irrisión** *f* **1.** dérision **2.** objet *m* de dérision.

**irrisorio, a** *a* dérisoire.

**irritabilidad** *f* irritabilité.

**irritable** *a* irritable.

**irritación** *f* irritation.

**irritante** *a* irritant, e.

**irritar** *vt* **1.** *(enfadar)* irriter **2.** *(la piel, etc.)* irriter. ◆ **~se** *vpr* *(enfadarse)* s'irriter, se fâcher.

**irrogar** *vt* causer, occasionner.

**irrompible** *a* incassable.

**irrumpir** *vi* faire irruption: **la muchedumbre irrumpió en la sala** la foule fit irruption dans la salle.

**irrupción** *f* irruption.

**irunés, esa** *a/s* d'Irún.

**irupé** *m* AMER *(planta acuática)* victoria *f*.

**Isaac** *np m* Isaac.

**Isabel** *np f* Isabelle, Élisabeth.

**isabelino, a** *a* **1.** *(en Inglaterra)* élisabéthain, e **2.** qui a rapport à Isabelle I ou II d'Espagne **3.** *(color)* isabelle. ◇ *a/s* partisan d'Isabelle II.

**Isaías** *np m* Isaïe.

**isba** *f* isba.

**Iseo** *np f* Iseut.

**isidoriano, a** *a* de saint Isidore.

**Isidoro, Isidro** *np m* Isidore.

**isidro, a** *a* FAM paysan, anne.
▶ Qualificatif employé à Madrid.

**isla** *f* **1.** île **2.** pâté *m* de maisons **3.** *(bosquecillo)* boqueteau *m*.

**Islam** *np m* Islam.

**islámico, a** *a* islamique.

**islamismo** *m* islamisme.

**islamita** *a/s* islamiste.

**islamización** *f* islamisation.

**islamizar** *vt* islamiser.

**islandés, esa** *a/s* islandais, e.

**Islandia** *np f* Islande.

**isleño, a** *a/s* insulaire.

**isleta** *f* **1.** îlot *m* **2.** *(en una calle, plaza)* refuge *m*.

**islote** *m* îlot.

**Ismael** *np m* Ismaël.

**ismaelita** *a/s* ismaélite.

**isobara, isóbara** *f (meteorología)* isobare.

**isobárico, a** *a* isobare.

**isoca** *f* AMER chenille nuisible.

**isócrono, a** *a* isochrone.

**Isolda** *np f* Isolde, Iseut.

**isomería** *f* QUÍM isomérie.

**isómero, a** *a/m* QUÍM isomère.

**isomorfismo** *m* isomorphisme.

**isomorfo, a** *a* isomorphe.

**isósceles** *a* GEOM isocèle: **triángulo ~** triangle isocèle.

**isotermo, a** *a/f* isotherme.

**isótopo** *m* isotope.

**isquión** *m* ANAT ischion.

**Israel** *np m* Israël.

**israelí** *a/s* israélien, enne.

**israelita** *a/s* israélite.

**ístmico, a** *a* isthmique.

**istmo** *m* isthme.

**Itaca** *np* Ithaque.

**Italia** *np f* Italie.

**italianismo** *m* italianisme.

**italiano, a** *a/s* italien, enne.

**itálico, a** *a/s* italique.

**ítalo, a** *a/s* italien, enne.

**ítem** *adv* **1.** item **2. ~ más** et aussi. ◇ *m* **1.** chapitre, article **2.** INFORM élément.

**iterativo, a** *a* itératif, ive.

**iterbio** *m* QUÍM ytterbium.

**itinerante** *a* itinérant, e: **exposición ~** exposition itinérante.

**itinerario** *m* itinéraire: **~ alternativo** itinéraire bis, de délestage.

**itrio** *m* QUÍM yttrium.

**IVA → impuesto.**

**izar** *vt* hisser: **icé** je hissai.

**izote** *m* variété de yucca.

**izquierda** *f* **1.** *(lado)* gauche: **primera calle a la ~** première rue à gauche; **a la ~ de** à gauche de **2.** *(mano)* main gauche **3.** *(política)* gauche: **votar por la ~** voter pour la gauche; **ser de izquierdas** être de gauche.

**izquierdista** *a/s* **1.** de gauche, gauchisant, e **2. un ~** un homme de gauche.

**izquierdo, a** *a* **1.** gauche: **brazo ~** bras gauche **2. a mano izquierda** à gauche; **tener mano izquierda → mano 3. → izquierda.**

# J

**j** [xóta] *f* j *m*: **una ~** un j.

**¡ja!** → **¡ja, ja, ja!**

**jabalcón** *m* ARQ jambe *f* de force.

**jabalí** *m* sanglier.

[1]**jabalina** *f* (*hembra del jabalí*) laie.

[2]**jabalina** *f* **1.** (*arma*) javeline **2.** (*deporte*) javelot *m*.

**jabardillo** *m* **1.** (*de avecillas*) volée *f*, (*de insectos*) essaim **2.** FIG (*de gente*) cohue *f*: **es un ~** c'est la cohue.

**jabato** *m* **1.** marcassin **2.** FIG lion.

**jábega** *f* **1.** (*red*) seine, senne **2.** (*barco*) bateau *m* de pêche.

[1]**jabeque** *m* MAR chébec.

[2]**jabeque** *m* FAM (*herida*) balafre *f*.

**jabirú** *m* (*ave*) jabiru.

**jabón** *m* **1.** savon: **~ de tocador** savon de toilette, savonnette *f* **2.** FAM **dar ~ a** (*adular*) passer de la pommade à, faire du plat à; **dar un ~ a** (*reprender*) passer un savon à **3. ~ de sastre** stéatite *f*, craie *f* de tailleur **4.** AMER (*miedo*) frousse *f*.

**jabonada** *f* savonnage *m*.

**jabonadura** *f* **1.** savonnage *m* **2.** (*espuma*) mousse.

**jabonar** *vt* savonner.

**jaboncillo** *m* **1.** savonnette *f* **2. ~ de sastre** stéatite *f*, craie *f* de tailleur **3.** (*árbol*) savonnier.

**jabonera** *f* **1.** (*caja*) boîte à savon **2.** (*planta*) **~ de la Mancha** gypsophile.

**jabonería** *f* savonnerie.

**jabonero, a** *a* (*toro*) blanc jaunâtre. ◇ *m* (*fabricante*) savonnier. ◇ *f* → **jabonera.**

**jabonoso, a** *a* savonneux, euse.

**jaborandi** *m* (*arbusto*) jaborandi, pilocarpus.

**jabotí** *m* AMER tortue *f* comestible à carapace noire.

**jaca** *f* bidet *m*, petit cheval *m*.

**jacal** *m* AMER hutte *f*, cabane *f*.

**jacalón** *m* AMER (*cobertizo*) hangar.

**jácara** *f* **1.** sorte de poème *m* picaresque **2.** chanson et danse populaires **3.** bande joyeuse de noctambules **4.** FAM (*molestia*) ennui *m* **5.** FAM (*mentira*) histoire, blague.

**jacarandá** *m* (*árbol*) jacaranda.

**jacarandoso, a** *a* alerte, joyeux, euse, déluré, e, fringant, e.

**jacaré** *m* AMER caïman.

**jacarear** *vi* **1.** chanter des «jácaras» **2.** faire du tapage dans la rue, la nuit. ◇ *vt* (*molestar*) embêter, asticoter.

**jacarero** *m* gai luron, joyeux drille.

**jácaro, a** *a/s* fanfaron, onne.

**jácena** *f* ARQ poutre maîtresse.

**jachalí** *m* AMER arbre de la famille des anonacées.

**Jacinto** *np m* Hyacinthe.

**jacinto** *m* (*planta*) jacinthe *f*.

**jaco** *m* (*caballo*) rosse *f*, canasson, haridelle *f*.

**Jacob** *np m* Jacob.

**Jacoba** *np f* Jacqueline.

**jacobeo, a** *a* qui a rapport à l'apôtre saint Jacques: **fiestas jacobeas** fêtes en l'honneur de saint Jacques, à Saint-Jacques-de-Compostelle.

**jacobinismo** *m* jacobinisme.

**jacobino, a** *a/s* jacobin, e.

**jacobita** *a/s* jacobite.

**Jacobo** *np m* Jacques.

**jactancia** *f* vantardise, vanité.

**jactancioso, a** *a/s* vantard, e.

**jactarse** *vpr* se vanter, se targuer: **se jacta de ser...** il se vante d'être...

**jaculatorio, a** *a* jaculatoire. ◇ *f* prière jaculatoire.

**jacuzzi** *m* jacuzzi.

**jade** *m* jade.

**jadeante** *a* haletant, e.

**jadear** *vi* haleter.

**jadeo** *m* halètement.

**jaecero** *m* sellier.

**jaenés, esa** *a/s* de Jaén.

**jaez** *m* **1.** harnachement, harnais **2.** FIG espèce *f*, nature *f*: **gente de este ~** des gens de cet acabit, de cette espèce.

**Jafa** *np* Jaffa.

**jaguar** *m* jaguar.

**jagüel, jagüey** *m* AMER (*balsa*) mare *f*.

**jaharrar** *vt* (*una pared*) crépir.

**jaharro** *m* crépi.

**jahuel** → **jagüel.**

**jaiba** *f* AMER **1.** (*cámbaro*) crabe *m* **2.** (*cangrejo de río*) écrevisse.

**Jaime** *np m* Jacques.

**jaique** *m* (*capa árabe*) burnous.

**¡ja, ja, ja!** *interj* ha, ha, ha!

**jalar** *vt* **1.** tirer: **~ (de) un cable** tirer (sur) un câble; **~ las orejas** tirer les oreilles **2.** *AMER FAM* coller: **me jalaron en química** j'ai été collé en chimie **3.** *POP (comer)* bouffer, s'empiffrer. ◇ *vi AMER (irse)* filer. ◆ **~se** *vpr AMER (emborracharse)* s'enivrer.

**jalbegar** *vt* **1.** *(las paredes)* passer à la chaux, badigeonner **2.** *(el rostro)* farder.

**jalbegue** *m* **1.** lait de chaux **2.** *(afeite)* fard.

**jalde** *a* jaune vif.

**jalea** *f* **1.** *(de frutas)* gelée **2. ~ real** gelée royale.

**jalear** *vt (a los que cantan, bailan, etc.)* encourager, applaudir.

**jaleo** *m FAM* **1.** *(ruido)* boucan, raffut, tapage; *(alboroto)* chahut, chambard: **no armes tanto ~ que no puedo escuchar la radio** ne fais pas tant de boucan, je ne peux pas écouter la radio; **armaron ~ a la salida de la discoteca** ils firent du chahut à la sortie de la discothèque **2.** *(riña)* dispute *f*, querelle *f*, engueulade *f*: **tuvo un ~ con la Juana** il s'est disputé avec la mère Jeanne **3.** *(enredo)* histoire *f*, affaire *f*: **¿por qué te metiste en este ~?** pourquoi t'es-tu embarqué dans cette affaire? **4.** *(desorden)* pagaille *f* **5.** danse *f* et chant andalou.

**jaletina** *f* gélatine.

**jalifa** *m ANT (en el Marruecos español)* calife.

**jalisco, a** *AMER (borracho)* ivre. ◇ *m* chapeau de paille.

**jalón** *m* **1.** jalon **2.** *FIG* étape *f*, jalon **3.** *AMER* parcours, distance *f* **4.** *AMER (tirón)* traction *f* brusque.

**jalonamiento** *m* jalonnement.

**jalonar** *vt* **1.** jalonner **2.** *FIG* jalonner.

**jalonear** *vt AMER* tirer.

**jaloque** *m* sirocco.

**Jamaica** *np f* Jamaïque.

**jamaicano, a** *a/s* jamaïcain, e.

**jamarse** *vpr POP* bouffer, boulotter, s'empiffrer.

**jamás** *adv* **1.** jamais: **~ lo permitiré** je ne le permettrai jamais; **~ volvió** il n'est jamais revenu **2.** *loc adv* **nunca ~, ~ por ~, ~ de los jamases** jamais de la vie, jamais au grand jamais; **para, por siempre ~** à jamais.

**jamba** *f (de puerta, ventana)* jambage *m*.

**jambaje** *m (de puerta, ventana)* chambranle.

**jamelgo** *m. (caballo malo)* rosse *f*, canasson.

**jamón** *m* **1.** jambon: **bocadillo de ~** sandwich au jambon; **~ en dulce** jambon blanc, jambon cuit; **~ serrano** jambon cru, de pays **2.** *POP* **¡y un ~ (con chorreras)!** mon œil!, et puis quoi encore!

**jamona** *a (mujer)* mûre et replète. ◇ *f POP* grosse mémère, grosse dondon.

**jamugas** *f pl* selle *sing* de femme à dossier.

**jándalo, a** *a FAM* andalou, se.

**jangada** *f* **1.** *(despropósito)* bêtise, sottise **2.** *(trastada)* mauvais tour *m* **3.** *(balsa)* radeau *m* **4.** *AMER* jangada, radeau *m* de pêcheurs brésiliens.

**Jano** *np m* Janus.

**jansenismo** *m* jansénisme.

**jansenista** *a/s* janséniste.

**Japón** *np m* Japon.

**japonés, esa** *a/s* japonais, e.

**japuta** *f* castagnole, poisson comestible.

**jaque** *m* **1.** *(ajedrez)* échec: **~ mate** échec et mat **2.** *FIG* **tener en ~** tenir en échec, embarrasser **3.** *(valentón)* fanfaron, crâneur.

**jaquear** *vt* **1.** faire échec **2.** *FIG (al enemigo)* harceler.

**jaqueca** *f* **1.** migraine: **tener ~** avoir la migraine **2.** *FAM* **dar ~** casser la tête, assommer, barber.

**jaquecoso, a** *a (fastidioso)* assommant, e, barbant, e.

**jaqués, esa** *a/s* de Jaca (Espagne).

**jaquetón** *m* fanfaron, fier-à-bras.

**jáquima** *f* **1.** licou *m* **2.** *AMER (borrachera)* cuite.

**jara** *f (planta)* ciste *m*.

**jarabe** *m* **1.** sirop **2.** *FIG FAM* **~ de pico** promesses *f pl* en l'air, blabla; **~ de palo** volée *f*, raclée *f*, bonne correction *f* **3.** *AMER* danse *f* populaire mexicaine.

**jaral** *m* lieu couvert de cistes.

**jarana** *f FAM* **1.** tapage *m* **2.** noce, foire, bamboula: **irse de ~, andar de ~** faire la noce **3.** *(gresca)* dispute **4.** *AMER* bal *m* populaire **5.** *AMER (chanza)* blague.

**jaranear** *vi* **1.** faire la foire **2.** *AMER* plaisanter.

**jaranero, a** *a/s* fêtard, e, noceur, euse.

**jarano** *a* **sombrero ~** chapeau à larges bords.

**jarcia** *f* **1.** *MAR* manœuvres *pl*, agrès *m pl* **2.** *(desorden)* bazar *m*.

**jardín** *m* **1.** jardin (d'agrément) **2.** *(en una esmeralda)* jardinage **3. ~ de (la) infancia** jardin d'enfants, crèche *f*.

**jardincillo** *m* jardinet.

**jardinera** *f* **1.** *(mueble, caja, carruaje)* jardinière **2.** tramway *m* ouvert pour l'été.

**jardinería** *f* jardinage *m*: **la ~** le jardinage.

**jardinero, a** *s* jardinier, ère.

**jareta** *f* **1.** *(dobladillo)* coulisse **2.** *(de adorno)* nervure.

**jaripe** *m AMER* sorte de rodéo mexicain (cavaliers contre taureaux, etc.).

**jaro, a** *a. (animal)* roux, rousse. ◇ *m (planta)* gouet.

**jarocho, a** *a/s* de Veracruz (México).

**jarope** *m* **1.** *(jarabe)* sirop **2.** *FAM* breuvage.

**jarra** *f* **1.** *(de barro cocido)* jarre **2.** *(para agua, vino)* pichet *m*; *(de cristal)* carafe **3.** *loc adv* **en jarras** les poings sur les hanches: **se puso en jarras** elle mit les poings sur les hanches.

**jarrear** *vi FAM* pleuvoir à verse.

**jarrero** *m* potier.

**jarrete** *m* jarret.

**jarretera** *f* jarretière. ◇ *np f (orden)* la Jarretière.

**jarro** *m* **1.** pot **2.** *(para bebidas)* pichet **3.** *(de metal)* broc **4.** *FIG* **echar a alguien un ~ de agua fría** administrer une douche froide à quelqu'un, faire tomber quelqu'un de haut; **el anuncio ha sentado como un ~ de agua fría** la nouvelle a fait l'effet d'une douche froide **5. a boca de ~ → boca.**

**jarrón** *m* vase (ornemental, pour fleurs coupées).

**Jasón** *np m* Jason.

**jaspe** *m* jaspe, marbre veiné.

**jaspeado, a** *a* jaspé, e, marbré, e. ◇ *m* jaspure *f*, marbrure *f*.

**jaspear** *vt* jasper, marbrer.

**jata** *f* génisse.

**jato** *m* veau.

**Jauja** *np f FIG* pays *m* de Cocagne ◊ **¡esto es ~!** c'est le paradis sur terre!

► De *Jauja*, ville et province du Pérou, célèbres par la douceur de leur climat et leur richesse.

**jaula** *f* **1.** *(para animales)* cage **2.** *(para locos)* cabanon *m* **3.** *(embalaje)* cageot *m*, caisse à claire-voie **4.** *(en una mina)* cage.

**jauría** *f* meute.

**java** *f (baile)* java.

**Java** *np* Java.

**javanés, esa** *a/s* javanais, e.

**Javier** *np m* Xavier.

**jayán, ana** *s* géant, e, colosse.

**jazmín** *m* jasmin ◊ **~ de la India** gardénia.

**jazz** *m* jazz: **músico de ~** musicien de jazz, jazzman.

**jazzístico, a** *a* jazzique, jazzistique, jazzy.

**¡je, je, je!** *interj* hi, hi, hi!

**jeans** [dzin] *m pl* jean.

**jebe** *m* **1.** QUIM alun **2.** AMER *(caucho)* caoutchouc.

**jedive** *m* khédive.

**jeep** [dʒip] *m* jeep *f.*

**jefa** *f* chef *m,* chef.

**jefatura** *f* **1.** dignité, charge de chef **2.** *(sede)* direction **3.** *(de Policía)* commissariat *m* central.

**jefazo** *m* FAM grand chef, manitou.

**jefe** *m* **1.** chef: **~ de familia** chef de famille; **~ de estación** chef de gare; **~ de negociado** chef de bureau; **en ~** en chef **2.** *(de una empresa)* patron **3.** MIL officier supérieur **4.** *(heráldica)* chef (de l'écu).

**jefecillo** *m* petit chef.

**Jehová** [xeoßa] *np m* Jéhovah.

**jehuite** *m* AMER broussailles *f pl.*

**jeito** *m* filet (pour la pêche des anchois ou des sardines).

**jején** *m* moustique d'Amérique.

**jeme** *m* **1.** espace entre le pouce et l'index écartés **2.** FAM *(de una mujer)* frimousse *f,* minois.

**jemer** *a/s* khmer: **los jemeres rojos** les khmers rouges.

**Jena** *np* Iéna.

**jengibre** *m* gingembre.

**jenízaro, a** *a* mêlé, e. ◇ *m* janissaire.

**Jenofonte** *np m* Xénophon.

**jeque** *m* **1.** cheik **2.** FIG tyran.

**jerarca** *m* **1.** RELIG hiérarque, haut dignitaire **2.** hiérarque, chef.

**jerarquía** *f* **1.** hiérarchie **2.** *(persona)* dignitaire *m:* **una alta ~** un haut dignitaire **3.** FIG classe.

**jerárquicamente** *adv* hiérarchiquement.

**jerárquico, a** *a* hiérarchique: **orden ~** ordre hiérarchique.

**jerarquizar** *vt* hiérarchiser.

**jerbo** *m* gerboise *f.*

**jeremiada** *f* jérémiade.

**jeremías** *s* pleurnicheur, euse.

**Jeremías** *np m* Jérémie.

**jeremiquear** *vi* AMER geindre, pleurnicher.

**jeremiqueo** *m* AMER pleurnicherie *f.*

**jerez** *m (vino)* xérès, jerez.

**Jerez** *np* Jerez, Xérès.

**jerezano, a** *a/s* de Jerez.

**[1]jerga** *f (tela)* étoffe grossière, grosse toile.

**[2]jerga** *f (lenguaje)* jargon *m,* argot *m:* **la ~ de los médicos** le jargon des médecins.

**jergal** *a* argotique.

**jergón** *m* **1.** paillasse *f* **2.** FAM *(persona)* gros patapouf.

**jeribeques** *m pl* **hacer ~** faire des gestes désordonnés.

**Jericó** *np* Jéricho.

**jerife** *m* chérif.

**jerifiano, a** *a* chérifien, enne.

**jerigonza** *f* **1.** *(jerga)* jargon *m* **2.** FAM charabia *m,* galimatias *m.*

**jeringa** *f* seringue.

**jeringar** *vt* FAM assommer, empoisonner, enquiquiner, faire suer. ◆ **~se** *vpr* FAM **¡que se jeringue!** qu'il se débrouille!, tant pis pour lui!

**jeringuilla** *f* **1.** *(para inyecciones)* seringue **2.** *(arbusto)* seringa *m.*

**jeroglífico, a** *a* hiéroglyphique. ◇ *m* **1.** hiéroglyphe **2.** *(acertijo)* rébus.

**jerónimo, a** *a/m* hiéronymite.

**Jerónimo** *np m* Jérôme.

**jerosolimitano, a** *a (de Jerusalén)* hiérosolymitain, e.

**jersey** *m* chandail, pull-over, pull: **jerseys, jerseis** des pull-overs, des pulls.

**Jerusalén** *np* Jérusalem.

**Jesucristo** *np m* Jésus-Christ.

**jesuita** *a/m* jésuite.

**jesuítico, a** *a* jésuitique.

**Jesús** *np m* Jesús: **el niño ~** l'enfant Jésus, le petit Jésus. ◇ *loc adv* **en un ~, en un decir ~** en un clin d'œil; **sin decir ~** subitement. ◇ *interj (al que estornuda)* à vos souhaits!, Dieu vous bénisse!; *(susto)* mon Dieu!, doux Jésus!

**jet** *m (avión)* jet.

**jeta** *f* **1.** bouche saillante **2.** *(del cerdo)* groin *m* **3.** POP *(cara)* gueule: **romper la ~** casser la gueule; **está de ~, pone ~** il fait la gueule; **me puso ~** il me fit la gueule; **tiene ~** il a du toupet, du culot, il est gonflé. ◇ *s* POP **un ~** un type sans scrupule.

**jetudo, a** *a* qui a la bouche saillante, lippu, e.

**ji** [xi] *f (letra griega)* khi *m.*

**¡ji, ji, ji!** *interj* ha, ha, ha!

**jíbaro, a** *a/s* AMER paysan, anne. ◇ *s (indio)* jivaro.

**jibia** *f* seiche.

**jibión** *m* os de seiche.

**jícara** *f* **1.** petite tasse (pour le chocolat) **2.** AMER calebasse.

**jicote** *m* AMER grosse guêpe *f.*

**jiennense** *a/s* de Jaén.

**jifa** *f* déchets *m pl* d'abattoir.

**jifero, a** *a* **1.** de l'abattoir **2.** *(sucio)* sale, malpropre. ◇ *m* **1.** *(el que mata las reses)* boucher, tueur **2.** *(cuchillo)* couteau de boucher d'abattoir.

**jijona** *m (dulce)* touron de Jijona.

**jilguero** *m* chardonneret.

**jilí** → **gilí.**

**jindama** *f* POP trouille, frousse, pétoche: **tener ~** avoir la trouille.

**[1]jineta** *f (mamífero)* genette.

**[2]jineta** *f* **1.** lance courte **2. montar a la ~** monter à la genette.

**jinete** *m* cavalier.

**jingle** *m* jingle.

**jingoísmo** *m* chauvinisme.

**jingoísta** *s* chauvin.

**jínjol** *m (azufaifa)* jujube.

**jinjolero** *m* jujubier.

**jipato, a** *a AMER* blême, livide, au teint jaunâtre.

**[1]jipi** *m FAM (sombrero)* panama.

**[2]jipi** *s (hippy)* hippie.

**jipijapa** *f* paille qui sert à fabriquer les panamas. ◇ *m (sombrero)* panama.

**jipío** *m* sorte de gémissement (dans le chant flamenco).

**jira** *f* **1.** *(de tela)* morceau *m* d'étoffe, lambeau *m* **2.** repas *m* champêtre, pique-nique *m*, partie de campagne **3.** → **gira.**

**jirafa** *f* **1.** girafe **2.** *(brazo articulado con un micrófono)* girafe.

**jirafista** *s* perchiste.

**jirón** *m* **1.** lambeau: **una camisa hecha jirones** une chemise en lambeaux, en loques **2.** *FIG* lambeau, morceau **2.** *AMER (vía urbana)* avenue *f* (au Pérou).

**jironado, a** *a* en lambeaux.

**jitomate** *m AMER* variété de tomate *f* du Mexique.

**jiu-jitsu** *m* jiu-jitsu.

**¡jo!** *interj FAM* oh!

**Joaquín** *np m* Joachim.

**Job** *np m* Job.

**jockey** [xoke] *m* jockey.

**jocoserio, a** *a* mi-sérieux, mi-plaisant, mi-sérieuse, mi-plaisante.

**jocosidad** *f* **1.** drôlerie, gaieté **2.** *(chiste)* plaisanterie.

**jocoso, a** *a* drôle, amusant,e, plaisant, e: **en tono ~** sur un ton plaisant.

**jocundidad** *f LIT* gaieté.

**jocundo, a** *a* gai, e, jovial, e.

**joder** *vt VULG* **1.** *(practicar el coito)* baiser **2.** *(fastidiar)* emmerder, faire chier **3.** *(estropear)* esquinter **4. ~ la vida** gâcher la vie, empoisonner la vie **5.** *(matar)* bousiller. ◇ *interj* merde! ◆ **~se** *vpr VULG* **1. ¡que se joda!** tant pis pour lui! **2.** *(fallar)* foirer, rater **3. ¡hay que joderse!** putain!.

**jodido, a** *a VULG* **1.** *(estropeado)* foutu, e, fichu, e, esquinté, e **2. ¡~ oficio!** foutu métier!, putain de métier!, maudit métier!

**¡jodo!** *interj VULG* merde! putain!

**jofaina** *f* cuvette.

**jogging** *m* jogging.

**jojoto** *m AMER* maïs tendre.

**jol** *m AMER* hall.

**jolgorio** *m* fête *f*, réjouissance *f*, liesse *f*.

**¡jolín!, ¡jolines!** *interj VULG* merde!

**jollín** *m FAM* **1.** vacarme, tapage **2.** *(gresca)* bagarre *f*, dispute *f*.

**jolote** *m AMER* dindon.

**joma** *f FAM* bosse.

**Jonás** *np m* Jonas.

**Jonatán** *np m* Jonathan.

**jondo** *a* **cante ~** chant flamenco.

**Jonia** *np f* Ionie.

**jónico, a** *a/s* **1.** ionien, ienne, ionique **2.** *ARQ* ionique: **capitel ~** chapiteau ionique.

**jonio, a** *a/s* ionique.

**jonja** *f AMER (burla)* plaisanterie.

**¡jopé!** *interj VULG* merde!

**jopo** *m AMER* **1.** *(de pelo)* houppe *f* de cheveux, toupet **2.** *(alfiler)* épingle *f* à cheveux.

**Jordán** *np m* Jourdain.

**Jordania** *np f* Jordanie.

**jordano, a** *a/s* jordanien, enne.

**Jorge** *np m* Georges.

**jornada** *f* **1.** journée: **~ de huelga, de duelo nacional** journée de grève, de deuil national; **~ intensiva** journée continue; **~ laboral** journée de travail ◊ **trabajar media ~** travailler à mi-temps; **trabajo de media ~** travail à mi-temps; **2.** voyage **3.** *FIG* vie d'une personne **4.** *FIG* **a grandes jornadas** en mettant les bouchées doubles **5.** *TEAT* journée, acte *m* **6** épisode *m*.

**jornal** *m* salaire journalier, journée *f* ◊ **trabajar a ~** travailler à la journée.

**jornalero, a** *s (obrero)* journalier, ière.

**joroba** *f* **1.** *(corcova)* bosse **2.** *FIG FAM (cosa molesta)* corvée. ◇ *interj.* ◆ **~se** *vpr VULG* merde!, bigre!

**jorobado, a** *a/s* bossu, e.

**jorobar** *vt FAM* **1.** *(fastidiar)* casser les pieds, faire suer, emmerder **2.** *(estropear)* esquinter, bousiller. ◆ **~se** *vpr FAM* **¡que se jorobe!** qu'il aille se faire voir ailleurs!, tant pis pour lui!

**jorobeta** *s FAM* bossu, e.

**jorongo** *m AMER* poncho mexicain.

**joropo** *m AMER* danse *f* populaire du Venezuela.

**José** *np m* Joseph.

**Josefa, Josefina** *np f* Josèphe, Joséphine.

**jota** *f* **1.** *(letra)* j *m* **2.** *(baile)* jota **3.** *(cosa mínima)* iota *m*, rien *m* ◊ **no sabe ni ~ de alemán** il ne sait pas un traître mot d'allemand; **no entiendo ni ~** je n'y comprends rien du tout, que dalle; **no veo ni ~** je n'y vois goutte; **no recuerdo ni ~ de lo que hice ayer** je ne me souviens absolument pas de ce que j'ai fait hier.

**jote** *m* vautour noir du Chili.

**joto** *m AMER* **1.** *(lío)* paquet, *(maleta)* valise *f* **2.** efféminé, pédale *f*.

**joule** *m ELECT (julio)* joule.

**Jove** *np m* Jupiter.

**joven** *a* jeune: **un chico ~** un jeune garçon; **un gato ~** un jeune chat; **casarse ~** se marier jeune ◊ **de muy ~, aprendió ruso** très jeune, il apprit le russe. ◇ *m* jeune homme. ◇ *f* jeune fille. ◇ *pl* **los jóvenes** les jeunes, les jeunes gens.

**jovencito, a** *a* tout jeune, toute jeune, jeunet, ette. ◇ *m* jouvenceau, jeunot. ◇ *f* jeune fille.

**jovenzuelo, a** *s* petit jeune homme, petite jeune fille.

**jovial** *f* jovial, e.

**jovialidad** *f* jovialité.

**jovialmente** *adv* jovialement.

**joya** *f* **1.** bijou *m*: **lleva magníficas joyas** elle porte de magnifiques bijoux **2.** joyau *m*: **las joyas de la corona** les joyaux de la couronne **3.** *FIG (cosa)* bijou *m*, *(persona)* perle.

**joyel** *m* petit bijou.

**joyería** *f* bijouterie, joaillerie.

**joyero, a** *s* bijoutier, ière, joaillier, ière. ◇ *m (estuche)* coffret à bijoux.

**Juan** *np m* **1.** Jean **2.** *FIG* **un ~ Lanas** une lavette, une baudruche, un mollasson; **un ~ Palomo** un égoïste.

**Juana** *np f* Jeanne.

**juanete** *m* **1.** *(del dedo gordo del pie)* phalange *f* du gros orteil très saillant, oignon **2.** *(pómulo)* pommette *f* très grosse **3.** *MAR* perroquet.

**Juanito, a** *np* Jeannot, Jeannette.

**juarista** *a/s* partisan de Benito Juárez, au Mexique.

**jubete** *m* cotte *f* de mailles.

**jubilación** *f* **1.** mise à la retraite ◊ **~ anticipada** retraite anticipée, préretraite; **la edad de ~** l'âge de la retraite **2.** *(pensión)* retraite.

**jubilado, a** *a/s* retraité, e ◊ **estoy ~** je suis en retraite, à la retraite.

[1]**jubilar** *a* jubilaire.

[2]**jubilar** *vt* **1.** mettre à la retraite **2.** *FIG (una cosa)* mettre au rebut. ◆ **~se** *vpr* **1.** prendre sa retraite: **se jubiló el año pasado** il a pris sa retraite l'année dernière **2.** *(alegrarse)* se réjouir, jubiler.

**jubileo** *m* jubilée.

**júbilo** *m* jubilation *f*, grande joie *f*.

**jubiloso, a** *a* joyeux, euse, allègre.

**jubón** *m* pourpoint.

**Judá** *np m* Juda.

**judaico, a** *a* judaïque.

**judaísmo** *m* judaïsme.

**judaizante** *a/s* judaïsant, e.

**judaizar** *vi* judaïser.

**Judas** *np m* **1.** Judas **2. árbol de ~** arbre de Judée, gainier. ◇ *m* **un ~** un Judas, un traître.

**Judea** *np f* Judée.

**judeocristiano, a** *a/s* judéo-chrétien, ienne.

**judeoespañol, a** *a/s* judéo-espagnol, e.

**judería** *f* juiverie, quartier *m* juif.

**judía** *f (planta, semilla)* haricot *m*.

**judiada** *f* **1.** juiverie **2.** *FIG* mauvais tour *m*, crasse.

**judicatura** *f* judicature, magistrature.

**judicial** *a* judiciaire.

**judiciario, a** *ANT* judiciaire. ◇ *m* astrologue.

**judío, a** *a/s* juif, juive.

**judión** *m* variété de haricot.

**Judit** *np f* Judith.

**judo** *m* judo: **practicar (el) ~** faire du judo.

**judoka** *s* judoka.

**jueces** *pl* de **juez.**

**juego** *m* **1.** jeu: **sala de juegos** salle de jeu; **~ de naipes** jeu de cartes; **juegos de azar, de ingenio** jeux de hasard, d'esprit; **perder dinero en el ~** perdre de l'argent au jeu; **fuera de ~** hors jeu; **por ~** par jeu; **¡hagan ~!** faites vos jeux! ◊ **~ de manos** prestidigitation *f*, tour de passe-passe; **~ de palabras** jeu de mots, calembour; **~ limpio** → **limpio;** *PROV* **~ de manos, ~ de villanos** jeux de mains, jeux de vilain **2. descubrirle el ~ a alguien** voir clair dans le jeu de quelqu'un; **estar en ~, poner en ~** être en jeu, mettre en jeu; **entrar en ~** entrer en jeu; **hacer el ~ a alguien** faire le jeu de quelqu'un; **echar, tomar a ~ una cosa** prendre une chose à la légère; **mostrar el ~** montrer son jeu; **dar ~** faire jaser; **es un ~ de niños** c'est un jeu d'enfant **3.** *(en tenis)* jeu **4.** service: **un ~ de té** un service à thé **5.** jeu: **un ~ de llaves** un jeu de clés; **juegos de luces** jeux de lumière **6. un ~ de cama** une parure *f* de lit; *(de útiles)* assortiment, jeu, ensemble ◊ **hacer ~** être assorti, e, faire pendant, aller ensemble: **blusa haciendo ~ con la falda** chemisier assorti à la jupe; **corbata y pañuelo a ~** cravate et pochette assorties, coordonnées **7.** *(movimiento)* jeu: **el ~ de la llave en la cerradura** le jeu de la clef dans la serrure **8.** *(de un coche)* **~ delantero, trasero** train avant, arrière. ◇ *pl* **juegos Olímpicos** jeux Olympiques; **juegos florales** jeux floraux; **juegos malabares** → **malabar.**

**juerga** *f FAM* noce, bombe, foire, bringue, ribouldingue: **estar de ~** faire la bringue; **no estoy para juergas** je n'ai pas envie de faire la fête.

**juerguearse** *vpr FAM* faire la noce.

**juerguista** *s FAM* fêtard, e, noceur, euse.

**jueves** *m* jeudi: **~ Santo** jeudi Saint ◊ *FIG* **no es nada, no es cosa del otro ~** il n'y a pas de quoi fouetter un chat, ça n'a rien d'extraordinaire, ce n'est pas terrible, ça ne casse rien.

**juez** *m* **1.** juge: **los jueces** les juges; **ser ~ y parte** être juge et partie **2. ~ de línea** juge de touche, juge de ligne **3.** *AMER* **juez de raya** juge d'une course de chevaux.

**jueza** *f* femme juge.

**jugada** *f* **1.** *(lance en el juego)* coup *m*: **~ nula** coup nul **2.** *FIG (mala pasada)* mauvais tour *m*, entourloupette, sale coup *m*: **nos hizo una (mala) ~** il nous a joué un mauvais tour **3.** *FIG* **una ~ maestra** un coup de maître **4. hacer uno su ~** faire une bonne affaire.

**jugador, a** *a/s* joueur, euse.

**jugar*** *vi* **1.** jouer: **los niños juegan al balón** les enfants jouent au ballon; **~ a las cartas, al tenis** jouer aux cartes, au tennis; **ahora me toca ~ a mí,** c'est à moi de jouer; **~ con su salud** jouer avec sa santé; **~ fuerte** jouer gros jeu; **~ limpio** jouer franc jeu; **~ del vocablo** jouer sur les mots; **por ~** par jeu **2.** *(funcionar)* jouer **3.** *FIG* **~ con alguien** se jouer, se moquer de quelqu'un: **conmigo no se juega** je n'aime pas qu'on se moque de moi, on ne me la fait pas **4. el tiempo jugaba en su favor** le temps jouait en sa faveur. ◇ *vt* **1.** jouer: **~ un as, un partido de fútbol, una partida de ajedrez** jouer un as, un match de football, une partie d'échecs **2.** *(manejar un arma)* jouer de. ◆ **~se** *vpr* **1.** jouer, risquer: **jugarse la vida, el pellejo** jouer sa vie, risquer sa peau ◊ **jugarse el todo por el todo** risquer le tout pour le tout, jouer son va-tout, mettre le paquet **2.** *FAM* **jugársela a alguien** jouer un sale tour à quelqu'un; **se la jugó a usted bien** il vous a bien eu **3.** parier: **¿qué te juegas a que...?** qu'est-ce que tu paries que...?

**jugarreta** *f FAM* sale tour *m*, entourloupette.

**juglar, esa** *s* jongleur, eresse (au Moyen Âge).

**juglaresco, a** *a* propre aux jongleurs.
► Se dit notamment des poèmes récités ou chantés par les jongleurs.

**juglaría** *f* art *m* des jongleurs (au Moyen Âge).

**jugo** *m* **1.** jus: **~ de naranja** jus d'orange **2.** *(secreción)* suc: **~ gástrico** suc gastrique **3.** *FIG* substance *f*, suc ◊ **sacar el ~ a algo** tirer profit de quelque chose; **sacarle el ~ a alguien** exploiter, pressurer quelqu'un.

**jugosidad** *f* qualité de ce qui est juteux.

**jugoso, a 1.** juteux, euse **2.** *FIG* **jugosos beneficios** des bénéfices juteux, substantiels.

**juguete** *m* **1.** jouet **2.** *FIG* **ser el ~ de** être le jouet de **3.** *TEAT* divertissement, petite pièce *f* d'un genre léger.

**juguetear** *vi* jouer, batifoler, folâtrer.

**jugueteo** *m* batifolage.

**juguetería** *f* **1.** *(tienda)* magasin *m* de jouets **2. la industria de la ~** l'industrie du jouet.

**juguetón, ona** *a* joueur, joueuse.

**juicio** *m* **1.** jugement: **~ en rebeldía** jugement par contumace; **el ~ final** le jugement dernier **2.** *(opinión)* jugement: **emitir un ~ sobre alguien** porter un jugement sur quelqu'un ◊ **a mi ~** à mon avis, à mon sentiment; **a ~ de** de l'avis de, au dire de, selon **3.** *(sensatez)* jugement, bon sens, sagesse *f*: **tiene mucho ~** il a beaucoup de jugement **4.** raison *f*, esprit: **estar en su sano ~** avoir toute sa raison, être sain d'esprit, être en possession de toutes ses facultés ◊ **falto de ~** fou; **perder el ~** perdre la raison, la tête; **quitar el ~** faire perdre la tête.

**juiciosamente** *adv* sagement, judicieusement.

**juicioso, a** *a* judicieux, euse, sage ◊ **volverse ~** s'assagir.

**julepe** *m* **1.** *(juego de naipes)* jeu de cartes **2.** *FAM* savon, réprimande *f*: **me dio ~** il m'a passé un savon **3.** *(poción)* julep **4.** *AMER (miedo)* peur *f*, trouille *f*, frousse *f*.

**julepear** *vt AMER* flanquer la trouille.

**Julia → Julio.**

**Julián, ana** *np* Julien, ienne.

**juliana** *f BOT* julienne. ◇ *a* **sopa juliana** julienne.

**juliano, a** *a* julien, ienne: **calendario ~** calendrier julien.

**Julieta** *np f* Juliette.

[1]**julio** *m* juillet: **el 14 de ~ de 1789** le 14 juillet 1789.

[2]**julio** *m FIS* joule.

**Julio, a** *np* Jules, Julie.

**juma → jumera.**

**jumarse** *vpr FAM* se saouler.

**jumbo** *m (avión)* gros-porteur.

**jumento, a** *s* âne, ânesse.

**jumera** *f FAM (borrachera)* cuite.

**junar** *vt AMER (mirar)* regarder.

**juncal** *a FIG* élancé, e, svelte. ◇ *m* **→ juncar.**

**juncar** *m* jonchaie *f*, joncheraie *f*.

**juncia** *f* souchet *m*.

**junco** *m* **1.** jonc ◊ **~ de Indias** rotang, rotin **2.** *(bastón)* jonc **3.** *(embarcación)* jonque *f*.

**junio** *m* juin: **el 24 de ~ de 1950** le 24 juin 1950.

**júnior** *m* junior.

**junípero** *m* genévrier.

**Juno** *np f* Junon.

**junquera** *f (junco)* jonc *m*.

**junquillo** *m* **1.** *(planta)* jonquille *f* **2.** *(moldura)* baguette *f* **3.** *(junco de Indias)* rotang, rotin.

**junta** *f* **1.** assemblée: **~ general ordinaria** assemblée générale ordinaire **2.** conseil *m*: **la ~ municipal** le conseil municipal **3.** comité *m*: **~ directiva** comité directeur **4.** *(sesión)* réunion, séance **5.** *(militar, insurreccional)* junte **6.** *TECN* joint *m*: **la ~ de un grifo** le joint d'un robinet; **~ de culata** joint de culasse.

**juntamente** *adv* **1.** *(conjuntamente)* ensemble, conjointement **2.** *(simultáneamente)* en même temps.

**juntar** *vt* **1.** joindre: **juntó las manos** il joignit les mains **2.** réunir: **juntamos diez mil personas para la huelga** nous avons réuni dix mille personnes pour la grève **3.** rassembler: **~ documentos** rassembler des documents **4. ~ dinero** amasser de l'argent. ◆ **~se** *vpr* **1. juntarse a** se joindre à **2. me junto con ustedes** je vous rejoins **3.** *(congregarse)* se réunir, se rassembler **4** *(amancebarse)* **juntarse con una chica** se coller avec, vivre avec une fille **5.** *FAM* **se juntó con cinco gatos...** elle s'est retrouvée avec cinq chats...

**junto, a** *a* **1.** *(unido)* joint, e, réuni, e: **con las manos juntas** les mains jointes **2.** ensemble: **viven juntos** ils vivent ensemble; **todos juntos** tous ensemble. ◇ *adv* **1. ~ a** près de, contre, à côté de: **aguardé ~ al hotel** j'attendis près de l'hôtel; **sentado ~ a la entrada** assis près de l'entrée, à côté de l'entrée; **~ a la pared** contre le mur; *FIG* **~ a ello** à côté de cela **2. ~ con** avec; **en ~** en tout, au total; *COM* **por ~** en gros.

**juntura** *f* **1.** jointure, articulation **2.** *(junta)* joint *m*.

**Júpiter** *np m* Jupiter.

**jupiterino, a** *a* jupitérien, ienne.

**jura** *f* prestation de serment, serment *m*: **la ~ de la bandera** le serment au drapeau.

**jurado, a** *a* **1.** juré, e **2.** assermenté, e: **intérprete ~** interprète assermenté. ◇ *m* **1.** *(tribunal)* jury **2.** membre d'un jury **3.** *JUR* **el ~** les jurés **4. ~ de empresa** comité d'entreprise.

**jurador, a** *a/s* jureur, qui jure.

**juramentar** *vt* assermenter. ◆ **~se** *vpr* s'engager par serment.

**juramento** *m* **1.** serment: **el ~ hipocrático, de Hipócrates** le serment d'Hippocrate: ◊ **quebrantar un ~** violer un serment, se parjurer **2.** *(blasfemia)* juron, blasphème.

**jurar** *vt* **1.** jurer: **juro por mi honor que** je jure sur l'honneur que; **juraron que no dirían nada** ils jurèrent de ne rien dire; **¡te lo juro!** je te le jure! **2.** prêter serment: **~ la bandera** prêter serment sur le drapeau; **los ministros juraron su cargo ayer** les ministres ont prêté serment hier; **~ en falso** faire un faux serment, porter un faux témoignage. ◇ *vi* jurer, proférer des jurons. ◆ **~se** *vpr FAM* **jurársela a** promettre de se venger de, garder un chien de sa chienne à.

**jurásico, a** *a/m GEOL* jurassique.

**jurel** *m (pez)* chinchard, saurel.

**jurídicamente** *adv* juridiquement.

**jurídico, a** *a* juridique.

**jurisconsulto** *m* jurisconsulte.

**jurisdicción** *f* **1.** juridiction ◊ *FIG* **este problema no entra en mi ~** ce problème n'est pas de mon ressort **2.** district *m*.

**jurisdiccional** *a* **aguas jurisdiccionales** eaux territoriales.

**jurisperito** *m* juriste.

**jurisprudencia** *f* jurisprudence.

**jurista** *s* juriste.

**juro** *m* droit perpétuel de propriété.

**justa** *f* **1.** *(combate)* joute **2.** *FIG* joute: **justas literarias** joutes littéraires.

**justador** *m* jouteur.

**justamente** *adv* **1.** justement **2.** *(justo)* exactement.

**justedad** *f* justesse.

**justicia** *f* **1.** justice ◊ **administrar ~** rendre la justice; **hacer ~ a** faire justice à, rendre justice à; **ser de ~** être juste; **es de ~ reconocer que...** il faut reconnaître que...; **en ~, según ~** en bonne justice **2.** *FIG* **jugar a justicias y ladrones** jouer aux gendarmes et aux voleurs **3. un sol de ~** un soleil de plomb. ◇ *m ANT* **~ mayor** magistrat suprême de l'ancien royaume d'Aragon.

**justiciable** *a* justiciable.

**justicialismo** *m* justicialisme (doctrine du général Perón, en Argentine).

**justiciero, a** *a/s* justicier, ère.

**justificación** *f* **1.** justification **2.** *(imprenta)* justification.

**justificado, a** *a* justifié, e.

**justificante** *a* justifiant, e. ◇ *m* justificatif.

**justificar** *vt* justifier: **el fin justifica los medios** la fin justifie les moyens. ◆ **~se** *vpr* se justifier: **justificarse ante, con alguien** se justifier auprès de quelqu'un; **¡no te justifiques!** ne te justifie pas!

**justificativo, a** *a* justificatif, ive.

**justillo** *m* sorte de corsage sans manches.

**Justiniano** *np m* Justinien.

**Justino, a** *np* Justin, e.

**justipreciar** *vt* estimer, apprécier, évaluer.

**justiprecio** *m* appréciation *f*, évaluation *f*.

**justo, a** *a* **1.** juste: **una ley justa** une loi juste; **un hombre ~** un homme juste; **es ~ que...** il est juste que... **2.** juste, serré, e: **el pantalón me está ~** le pantalon est un peu juste; **los zapatos me vienen muy justos** mes chaussures me serrent **3. tengo el tiempo ~ para...** j'ai juste le temps pour...; **se gana lo justito para...** il gagne tout juste assez pour... **4. el momento ~** le moment exact. ◇ *m* juste ◊ **dormir el sueño de los justos** dormir du sommeil du juste. ◇ *adv* juste: **llegar ~** arriver juste.

**Justo** *np m* Juste.

**jutía → hutía.**
**Jutlandia** *np f* Jutland *m.*
**juvenil** *a* **1.** juvénile: **entusiasmo ~** enthousiasme juvénile **2.** jeune: **una cara ~** un visage jeune; **moda ~** mode jeune **3.** des jeunes: **el paro ~** le chômage des jeunes. ◇ *a/s (deportista)* cadet, ette.
**juventud** *f* jeunesse ◊ **si la ~ supiera, si la edad pudiera** si jeunesse savait, si vieillesse pouvait.
**juzgado** *m* tribunal: **~ municipal** tribunal du juge de paix; **~ de primera instancia** tribunal de première instance.
**juzgamundos** *s inv FAM* médisant, e.
**juzgar** *vt* **1.** juger: **~ a un reo** juger un accusé; **juzgue usted mismo** jugez vous-même, je vous en fais juge **2.** juger, croire, considérer: **no lo juzgo capaz de...** je ne le crois pas capable de... **3.** *loc prep* **a ~ por** à en juger d'après; **a ~ por como habla** à en juger d'après sa façon de parler.

**k** [ka] k *m:* **una ~** un k.

**ka** *f* k *m*, lettre k.

**Kabul** *np* Kaboul.

**kafkiano, a** *a* kafkaïen, enne.

**káiser** *m* kaiser.

**kaki** *a/m* kaki.

**kan** *m* kan.

**kamikaze** *m* kamikaze.

**kantiano, a** *a* kantien, enne.

**kantismo** *m* kantisme.

**kárate** *m* karaté.

**karateka** *s* karatéka.

**kart** *m* kart.

**kayac** *m* kayak, kayac.

**kéfir** *m* képhir, kéfir.

**Kenia** *np m* Kenya.

**kepis → quepi.**

**kermes** *m* kermès.

**kermesse** *f* kermesse.

**kerosén, keroseno → queroseno.**

**ketchup** [ketʃup] *m* ketchup.

**kibutz** *m* kibboutz.

**kif** *m* kif.

**kilim** *m (alfombra)* kilim.

**kilo** *m* **1.** *(kilógramo)* kilo **2.** FAM un million de pesetas.

**kilociclo** *m* kilocycle.

**kilogramo** *m* kilogramme.

**kilometraje** *m* kilométrage.

**kilométrico, a** *a* **1.** kilométrique **2.** FAM *(muy largo)* interminable **3. billete ~** billet de chemin de fer à prix réduit en fonction du nombre de kilomètres parcourus.

**kilómetro** *m* kilomètre: **cien kilómetros por hora** cent kilomètres à l'heure; **~ cuadrado** kilomètre carré.

**kilovatio** *m* kilowatt ◊ **~ -hora** kilowattheure.

**kilt** *m* kilt.

**kimono** *m* kimono.

**kinesiterapeuta** *s* kinésithérapeute.

**kinesiterapia** *f* kinésithérapie.

**kiosco** *m* kiosque: **~ de periódicos** kiosque à journaux.

**kirie, kirieleisón** *m* kyrie, kyrie eleison.

**kirsch** *m* kirsh.

**kit** *m* kit.

**kitsch** *a* kitsch.

**kiwi** *m (pájaro, fruta)* kiwi.

**knock-out** *m* knock-out.

**know-how** *m* savoir-faire.

**knut** *m* knout.

**k.o.** *m* k.o.: **dejar ~** mettre k.o.

**koala** *m* koala.

**koljoz** *m* kolkhoz(e).

**kopek** *m* kopeck.

**kraft** *a/m (papel)* kraft.

**krill** *m* krill.

**kriptón** *m* kripton.

**kummel** *m* kummel.

**kurdo, a** *a/s* kurde.

**Kuwait** *np m* Koweït.

**kuwaití** *a/s* koweïtien, enne.

# L

**l** *f* l *m*: **una ~,** un l.

**[1]la** *art* **1.** la ◊ **~ de** celle de; **~ que** celle que, celle qui **2.** *FAM* **~ de cosas** la quantité, le nombre de choses; **con ~ de cosas que tengo aún que hacer** avec tout ce qui me reste à faire.
▶ El artículo *la* debe traducirse a menudo por el adjetivo posesivo: *se quitó ~ gabardina* il ôta sa gabardine.

**[2]la** *pron pers* la: **~ conozco** je la connais; **~ he visto** je l'ai vue; **¡mírala!** regarde-la!
▶ L'emploi de *la* au lieu de *le*, dans le régime indirect, est critiqué: *~ sonríe* il lui sourit; *¿puedo hablarla?* puis-je vous parler? Voir l'article «laísmo».

**[3]la** *m MÚS* la: **dar el ~** donner le la.

**lábaro** *m* labarum.

**laberíntico, a** *a FIG* confus, e, embrouillé, e.

**laberinto** *m* **1.** labyrinthe **2.** *ANAT (del oído)* labyrinthe.

**labia** *f FAM* bagout *m*, faconde.

**labiado, a** *a BOT* labié, e. ◊ *f pl BOT* labiacées.

**labial** *a* labial, e: **consonante ~** consonne labiale.

**labiérnago** *m* troène.

**labihendido, a** *a* qui a la lèvre supérieure fendue.

**lábil** *a* labile, instable.

**labio** *m* **1.** lèvre *f* ◊ *FIG* **estar pendiente de los labios de...** être suspendu aux lèvres de...; **no despegar los labios** ne pas desserrer les dents; **cerrar los labios** se taire **2. los labios de una llaga** les lèvres d'une plaie **3.** *(de la vulva)* **labios mayores, menores** grandes, petites lèvres **4. ~ leporino** bec-de-lièvre.

**labiodental** *a/f* labiodental, e.

**labor** *f* **1.** travail *m*, œuvre: **realizó una extraordinaria ~ de acercamiento entre los pueblos** il a réalisé un extraordinaire travail de rapprochement entre les peuples; **una ~ literaria** un travail, une œuvre littéraire **2.** travail *m*: **labores domésticas** travaux domestiques; **labores de aguja** travaux d'aiguille ◊ **sus labores** sans profession (pour une femme au foyer) **3.** *(de costura)* ouvrage *m* **4.** *(adorno)* ornement *m* **5.** *AGR* labour *m*, façon ◊ **tierra de ~** terre labourable **6.** tabac *m* manufacturé. ◊ *pl AGR* **las labores del campo** les travaux des champs.
▶ *Sus labores* (en abrégé *SL*) est une formule administrative s'appliquant aux femmes qui n'exercent pas d'activité rémunérée.

**laborable** *a* **1.** *AGR* labourable **2. día ~** jour ouvrable.

**laboral** *a* **1. accidente ~** accident de travail; **jornada, semana ~** journée, semaine de travail; **horarios laborales** horaires de travail; **el mercado ~** le marché du travail **2.** *(enseñanza)* technique.

**laboralista** *a/s JUR* spécialiste du droit du travail.

**laborar** *vi* travailler, œuvrer.

**laboratorio** *m* laboratoire: **~ farmacéutico** laboratoire pharmaceutique; **~ de idiomas** laboratoire de langues.

**laborear** *vt* **1.** *(la tierra)* labourer, travailler **2.** *(una mina)* creuser.

**laboreo** *m* **1.** *AGR* labourage **2.** *(de las minas)* travail, exploitation *f*.

**laboriosidad** *f* application au travail.

**laborioso, a** *a* laborieux, euse.

**laborismo** *m* travaillisme.

**laborista** *a/s* travailliste.

**labra** *f*, **labrado** *m (de la piedra, etc.)* taille *f*.

**labrado, a** *a (el oro, etc.)* travaillé, e, ouvragé, e.

**[1]labrador, a** *s* **1.** paysan, anne, cultivateur, trice, agriculteur, trice **2.** *(que ara)* laboureur.

**[2]labrador** *m (perro)* labrador.

**labrantín** *m* petit fermier, petit propriétaire.

**labrantío, a** *a (tierra)* labourable. ◊ *m* terre *f* de labour.

**labranza** *f* **1.** *(de los campos)* labourage *m* **2.** propriété rurale.

**labrar** *vt* **1.** *(la madera, la piedra)* travailler **2.** *(hacer adornos)* ouvrager **3.** *AGR* cultiver; *(arar)* labourer **4.** *FIG* **~ la felicidad de, su perdición** travailler au bonheur de, à sa perte.

**labriego, a** *s* paysan, anne.

**labro** *m (pez)* labre, vieille *f* de mer.

**labrusca** *f* lambruche, lambrusque.

**laburante** *a AMER* travailleur, ouvrier.

**laburar** *vi AMER* travailler, bosser.

**laburo** *m AMER* travail, boulot.

**laca** *f* **1.** *(resina, barniz)* laque **2.** *(para el pelo)* laque **3. ~ de uñas** vernis *m* à ongles, laque **4.** *(objeto de laca)* laque *m*.

**lacado, a** *a* laqué, e: **pato ~** canard laqué.

**lacayo** *m* laquais.

**lacayuno, a** *a* servile.

**Lacedemonia** *np f* Lacédémone.

**lacedemonio, a** *a/s* lacédémonien, enne.

**laceración** *f* lacération, déchirure.

**lacerante** *a* **1.** *(dolor)* aigu, ë **2.** *FIG* blessant, e.

**lacerar** *vt* **1.** *(desgarrar)* lacérer, déchirer **2.** *(herir)* blesser, meurtrir.

**laceria** *f* peine, misère.

**lacería** *f ARQ* entrelacs *m*.

**lacero** *m* **1.** homme adroit à manier le lasso **2.** *(cazador furtivo)* chasseur au collet.

**[1]lacha** *f (boquerón)* anchois *m.*

**[2]lacha** *f (pundonor)* fierté, amour-propre *m*, quant-à-soi *m.*

**lachear** *vt AMER* courtiser.

**lacho, a** *a/s AMER* amoureux, euse.

**lacio, a** *a* **1.** *(marchito)* flétri, e, fané, e **2.** *(sin vigor)* mou, molle **3. cabello ~** cheveu raide, plat.

**Lacio** *np m* Latium.

**lacito** *m* petit ruban.

**lacón** *m* jarret, paleron de porc, jambonneau: **~ con grelos** jambonneau aux pousses de navet.

**lacónicamente** *adv* laconiquement.

**lacónico, a** *a* laconique.

**laconismo** *m* laconisme.

**lacra** *f* **1.** cicatrice, trace **2.** *FIG* tare, plaie, fléau *m*: **una ~ social** une plaie sociale; **la ~ del terrorismo** le fléau du terrorisme **3.** *AMER* plaie *f.*

**lacrar** *vt* **1.** *(cerrar con lacre)* cacheter avec de la cire **2.** contaminer.

**lacre** *m* cire *f* à cacheter.

**lacrimal** *a* lacrymal, e → **lagrimal.**

**lacrimógeno, a** *a* **gas ~** gaz lacrymogène.

**lacrimoso, a** *a* larmoyant, e.

**lactación** *f* lactation.

**lactancia** *f* allaitement *m*: **~ materna** allaitement maternel.

**lactante** *s* nourrisson.

**lactar** *vt* **1.** *(amamantar)* allaiter **2.** *(mamar)* têter.

**lacteado, a** *a* lacté, e: **harina lacteada** farine lactée.

**lácteo, a** *a* **1.** lacté, e, laitier, ère: **productos lácteos** produits laitiers **2. Vía láctea** Voie lactée.

**láctico, a** *a* lactique.

**lactífero, a** *a* lactifère.

**lactosa** *f QUIM* lactose.

**lacustre** *a* lacustre.

**lada** *f* ciste *m.*

**ladear** *vt* **1.** pencher, incliner **2.** *(torcer)* tordre. ◆ **~se** *vpr* **1.** se pencher **2.** *(apartarse)* s'écarter.

**ladeo** *m* **1.** inclinaison *f* **2.** déviation *f.*

**ladera** *f* pente, versant *m.*

**ladi** *f* lady.

**ladilla** *f (insecto)* morpion *m.*

**ladino, a** *a* **1.** *(astuto)* rusé, e, malin, igne, finaud, e **2.** qui parle plusieurs langues. ◇ *m* judéo-espagnol, ladino.

**Ladislao** *np m* Ladislas.

**lado** *m* **1.** côté: **a un ~** d'un côté; **al otro ~ del río** de l'autre côté de la rivière; **a ambos lados de la tribuna** des deux côtés de la tribune; **sentado a mi ~** assis à côté de moi; **al ~ tuyo** à côté de toi; **la ciudad se extiende por el ~ del mar** la ville s'étend du côté de la mer ◊ *FIG* **el ~ bueno, malo de las cosas** le bon, le mauvais côté des choses; **dar de ~ a alguien** éviter, laisser tomber quelqu'un; **dejar a un ~** laisser de côté; **echarse, hacerse a un ~** s'écarter, se ranger; **ir cada uno por su ~** aller chacun de son côté; **ir de un ~ para otro** courir de droite et de gauche; **mirar de ~ a alguien** regarder quelqu'un de haut; **ponerse del ~ de alguien** se ranger du côté de quelqu'un **2.** *GEOM* **los tres lados de un triángulo** les trois côtés d'un triangle **3.** *(sitio)* place *f* **4.** *(genealogía)* **son primos por el ~ de la madre** ils sont cousins du côté de la mère. **5.** *loc adv* **vivo al ~** j'habite à côté; **a un ~ y a otro ~, a uno y otro ~** d'un côté ou de l'autre, des deux côtés; **por todos lados** de tous côtés; **por otro ~** d'autre part, d'un autre côté **6.** *loc prep FIG* **mi piso es pequeño al ~ del suyo** mon appartement est petit à côté du sien.

**ladrador, a** *a* aboyeur, euse.

**ladrar** *vi* aboyer: **el perro ladra** le chien aboie; **~ a alguien** aboyer après quelqu'un; **~ a la luna → luna.**

**ladrido** *m* aboiement.

**ladrillado** *m* carrelage en briques.

**ladrillero** *m* briquetier.

**ladrillo** *m* **1.** brique *f*: **pared de ~** mur de brique **2.** *(de chocolate)* plaque *f* **3.** *FIG* **su novela es un ~** son roman est indigeste.

**ladrón, ona** *a/s* **1.** voleur, euse: **¡al ~!, ¡ladrones!** au voleur! **2. el buen, el mal ~** le bon, le mauvais larron; *PROV* **la ocasión hace al ~** l'occasion fait le larron.

**ladroncillo** *m* petit voleur.

**ladronzuelo** *m* petit voleur.

**lagar** *m* pressoir.

**lagarta** *f* **1.** lézarde **2.** *FIG* femme rusée, fine mouche.

**lagartija** *f* lézard *m* des murailles, petit lézard *m* gris.

**lagarto** *m* **1.** lézard **2.** *FIG* fin renard **3. ~ de Indias** caïman.

**lagartona** *f FAM* femme rusée, fine mouche.

**lago** *m* lac.

**lagotería** *f FAM* cajolerie.

**lagotero, a** *a/s FAM* cajoleur, euse.

**lágrima** *f* **1.** larme ◊ **llorar a ~ viva, deshacerse en lágrimas** pleurer à chaudes larmes; **se le saltaron las lágrimas** les larmes lui montèrent aux yeux, il fondit en larmes; **no poder reprimir las lágrimas** avoir du mal à retenir ses larmes **2.** *FIG* **lágrimas de cocodrilo,** des larmes de crocodile **3.** *FIG* **este valle de lágrimas** cette vallée de larmes.

**lagrimal** *a* lacrymal, e: **conducto ~** canal lacrymal; **glándulas lagrimales** glandes lacrymales. ◇ *m ANAT* larmier.

**lagrimear** *vi* larmoyer.

**lagrimeo** *m* larmoiement.

**lagrimón** *m* grosse larme *f.*

**lagrimoso, a** *a* larmoyant, e.

**laguna** *f* **1.** petit lac *m* **2.** *(marítima)* lagune **3.** *(de un atolón)* lagon *m* **4.** *FIG (fallo, omisión)* lacune.

**lagunajo** *m* mare *f*, flaque *f* d'eau.

**lagunar** *m ARQ* caisson.

**lagunoso, a** *a* marécageux, euse.

**laicismo** *m* laïcité *f*, laïcisme.

**laicización** *f* laïcisation.

**laicizar** *vt* laïciser.

**laico, a** *a/s* laïque, laïc: **enseñanza, escuela laica** enseignement, école laïque; **los laicos** les laïcs, les laïques.

**laísmo** *m GRAM* emploi critiqué de «la» et de «las» au datif au lieu de «le» et de «les».

**laísta** *s GRAM* partisan du «laísmo».

**laja** *f* pierre plate et lisse.

**[1]lama** *f (cieno)* vase, limon *m* **2.** *(alga)* ulve **3.** *(tejido)* lamé *m* **4.** *AMER* vert-de-gris *m* **5.** *AMER (musgo)* mousse.

**[2]lama** *m. (sacerdote budista)* lama.

**lamaísmo** *m* lamaïsme.

**lamaísta** *a* lamaïste.

**lamasería** *f* lamaserie.

**lambada** *f (baile)* lambada.

**lambda** *f* lambda *m.*

**lambedor, a** *a AMER (adulón)* lèche-bottes.

**lamber** *vt AMER (lamer)* lécher

**lambiscón, ona** *a/s AMER FAM* flatteur, euse, lèche-bottes.

**lamé** *m (tejido)* lamé.

**lameculos** *s FAM* lèche-cul.

**lamedor, a** *a/s* lécheur, euse.

**lamedura** *f* lèchement *m*.

**lamelibranquios** *m pl ZOOL* lamellibranches.

**lamentable** *a* lamentable.

**lamentablemente** *adv* lamentablement.

**lamentación** *f* lamentation: **el Muro de las Lamentaciones** le Mur des Lamentations; **las Lamentaciones de Jeremías** les Lamentations de Jérémie.

**lamentar** *vt* **1.** regretter: **lamento molestarle** je regrette de vous déranger **2.** déplorer: **~ el fallecimiento de alguien** déplorer la mort de quelqu'un; **no hay que ~ ninguna víctima** on ne déplore aucune victime **3. es de ~ que...** il est regrettable que, il est dommage que... ◆ **~se** *vpr* se lamenter: **lamentarse de su suerte** se lamenter sur son sort.

**lamento** *m* lamentation *f*.

**lamentoso, a** *a* plaintif, ive.

**lameplatos** *s* pique-assiette, crève-la-faim.

**lamer** *vt* lécher: **el perro le lame la mano** le chien lui lèche la main. ◆ **~se** *vpr* se lécher.

**lamerón, ona** *a FAM (goloso)* gourmand, e.

**lametón** *m* lèchement, coup de langue.

**lamia** *f (monstruo, tiburón)* lamie.

**lamido, a** *a* léché, e.

**lámina** *f* **1.** plaque **2.** *(de metal grabado)* planche **3.** *(grabado)* estampe, planche, gravure.

**laminado, a** *a* **1.** laminé, e **2.** feuilleté, e. ◇ *m TECN* laminage.

**laminador** *m* **1.** *(máquina)* laminoir **2.** *(obrero)* lamineur.

**laminadora** *f* laminoir *m*.

[1]**laminar** *vt TECN* laminer.

[2]**laminar** *a* laminaire.

**laminilla** *f* lamelle.

**lamiscar** *vt* laper avidement.

**lampa** *f AMER* houe, bêche.

**lámpara** *f* **1.** lampe: **~ de aceite, de incandescencia** lampe à huile, à incandescence; **~ de rayos UVA** lampe à bronzer **2. ~ de pie** lampadaire *m* **3.** *(mancha)* tache (d'huile, de graisse).

**lamparería** *f* lampisterie.

**lamparilla** *f* petite lampe, veilleuse.

**lamparón** *m (mancha)* tache *f* d'huile. ◇ *pl MED* écrouelles *f*.

**lampazo** *m* **1.** *(planta)* bardane *f* **2.** *MAR* faubert.

**lampiño, a** *a* imberbe, glabre.

**lamprea** *f* lamproie.

**lana** *f* **1.** laine: **~ virgen** laine vierge **2. ~ de vidrio** laine de verre **3.** *PROV* **ir por ~ y volver trasquilado** tel est pris qui croyait prendre.

**lanar** *a* **el ganado ~** les bêtes à laine, les ovins.

**lance** *m* **1.** *(acción)* lancement **2.** situation *f*, moment: **un ~ difícil** un moment difficile **3.** incident ◊ **~ de fortuna** coup du sort; **~ de honor** affaire *f* d'honneur **4.** *(en el juego)* coup **5.** *TAUROM* passe *f* de cape **6. de ~** d'occasion.

**lancear** *vt* frapper de la lance.

**lanceolado, a** *a BOT* lancéolé, e.

**lancero** *m* lancier. ◇ *pl (baile)* quarille *sing* des lanciers.

**lanceta** *f* lancette.

**lancha** *f* **1.** canot *m*, vedette ◊ **~ cañonera** canonnière; **~ lanzamisiles** vedette lance-missiles; **~ rápida** vedette; **~ de desembarco** péniche de débarquement **2.** *(bote pequeño)* canot *m* **3.** *(piedra lisa)* pierre plate.

**lanchero** *m* patron d'un canot, d'une vedette.

**lanchón** *m* grande chaloupe *f*.

**lancinante** *a* lancinant, e.

**lancinar** *vt* blesser.

**landa** *f* lande.

**landés, esa** *a/s* landais, e.

**landgrave** *m* landgrave.

**landó** *m* landeau.

**landre** *f* bubon *m*.

**lanero, a** *a/m* lainier, ère.

**langosta** *f* **1.** *(insecto)* sauterelle, criquet *m* **2.** *(crustáceo)* langouste.

**langostino** *m* grosse crevette *f*.
▶ *Langoustine* se dit «cigala».

**languedociano, a** *a/s* languedocien, enne.

**languidecer*** *vi* **1.** *(una persona)* languir **2.** *FIG* languir: **la conversación languidecía** la conversation languissait.

**languidez** *f* langueur.

**lánguido, a** *a* **1.** *(decaído)* languissant, e, alangui, e **2.** langoureux, euse.

**lanilla** *f* lainage *m* fin.

**lanolina** *f* lanoline.

**lanosidad** *f (de los vegetales)* duvet *m*.

**lanoso, a** *a* **1.** laineux, euse **2.** duveteux, euse.

**lansquenete** *m* lansquenet.

**lantano** *m QUÍM* lanthane.

**lanudo, a** *a* **1.** laineux, euse **2.** *AMER* grossier, ère, rustre.

**lanza** *f* **1.** *(arma)* lance ◊ *FIG* **estar con la ~ en ristre** être fin prêt; **romper lanzas por alguien** rompre une lance en faveur de quelqu'un **2.** *(soldado)* lancier **3.** *(de una manga de riego)* lance **4.** *(de un coche)* timon *m*, flèche.

**lanzable** *a* **1.** largable **2. asiento ~** siège ejectable.

**lanzacabos** *a inv* porte-amarre.

**lanzacohetes** *m inv* lance-fusées.

**lanzada** *f* coup *m* de lance.

**lanzadera** *f* **1.** *(para tejer)* navette **2. ~ espacial** navette spatiale; **el tren ~ Le Shuttle** la navette Le Shuttle.

**lanzador, a** *s* lanceur, euse: **~ de peso** lanceur de poids. ◇ *m (de misil, etc.)* lanceur.

**lanzagranadas** *m inv* lance-grenades.

**lanzallamas** *m inv* lance-flammes.

**lanzamiento** *m* **1.** *(de un cohete, etc.)* lancement **2.** *(de la jabalina, discos, etc.)* lancement, lancer **3.** *(de un producto nuevo)* lancement.

**lanzaplatos** *m* ball-trap.

**lanzar** *vt* **1.** lancer, envoyer: **~ un cohete al espacio** lancer une fusée dans l'espace; **~ un balón** lancer un ballon **2.** *(paracaidistas)* lâcher, larguer **3.** *FIG (gritos, suspiros, quejas, etc.)* pousser **4. ~ una moda** lancer une mode; **~ un producto nuevo al mercado** lancer un produit nouveau sur le marché **5.** *JUR* déposséder. ◆ **~se** *vpr* **1.** se lancer, se jeter: **lanzarse al vacío** se lancer dans le vide; **se lanzó sobre su presa** il se jeta sur sa proie **2.** *FIG* **lanzarse a la política** se lancer dans la politique; **millares de manifestantes se lanzaron a la calle** des milliers de manifestants sont descendus dans la rue **3.** *FIG* se précipiter, s'emballer.

**lanzatorpedos** *m inv* lance-torpilles.

**lanzazo** *m* coup de lance.

**laña** *f (grapa)* agrafe, crampon *m*.

**lañador** *m* raccommodeur de vaisselle.

**lañar** *vt* raccommoder avec des agrafes.

**Laocoonte** *np m* Laocoon.

**laosiano, a** *a/s* laotien, enne.

**lapa** *f* **1.** *(molusco)* patelle **2.** *FAM (persona)* crampon *m*, pot *m* de colle **3.** *(en la superficie del vino, etc.)* fleur **4.** *(lampazo)* bardane *f* **5.** *AMER (guacamayo)* ara *m*.

**lapacho** *m* lapacho, arbre d'Amérique du Sud.

**laparoscopia** *f MED* laparoscopie.

**lapicera** *f AMER* **1.** *(estilográfica)* stylo *m* **2.** porte-plume *m*.

**lapicero** *m* **1.** porte-mine, porte-crayon **2.** *(lápiz)* crayon **3.** *AMER* porte-plume.

**lápida** *f* **1.** plaque commémorative **2. ~ sepulcral** pierre tombale.

**lapidación** *f* lapidation: **la ~ de san Esteban** la lapidation de saint Étienne.

**lapidar** *vt* lapider.

**lapidario, a** *a* lapidaire. ◇ *m* lapidaire.

**lapislázuli** *m* lapis-lazuli.

**lápiz** *m* **1.** crayon: **dibujo a ~** dessin au crayon; **lápices de color** crayons de couleur **2. ~ de labios, ~ labial** bâton de rouge à lèvres; **~ de ojos** crayon pour les yeux **3. ~ óptico** crayon optique, photostyle.

**lapo** *m FAM* **1.** *(golpe)* coup **2.** *(bofetada)* baffe *f* **3.** *(trago)* coup **4.** *(escupitajo)* glaviot.

**lapón, ona** *a/s* lapon, one.

**Laponia** *np f* Laponie.

**lapso** *m* **1.** *(de tiempo)* laps (de temps) **2.** *(error)* lapsus.

**lapsus** *m* lapsus: **tener un ~** faire un lapsus.

**laqueado** *m* laquage.

**laquear** *vt* laquer.

**lar** *m (hogar)* foyer. ◇ *pl* → **lares.**

**lardero** *a* **jueves ~** jeudi gras.

**lardo** *m* **1.** *(tocino)* lard **2.** *(grasa)* graisse *f*.

**lares** *m pl* **1.** *(dioses)* lares **2.** *(hogar)* foyer *sing*, pénates: **volver a los ~** regagner son foyer, ses pénates, rentrer dans ses foyers.

**larga** *f* **1. a la ~** à la longue; **dar largas a un asunto** faire traîner une affaire en longueur **2.** *TAUROM* passe de cape.

**largamente** *adv* **1.** longuement **2.** *(con generosidad)* largement.

**largar** *vt* **1.** *(soltar)* lâcher **2.** *FAM* flanquer, allonger, filer: **~ una bofetada** flanquer une gifle **3.** *FAM (una palabrota)* lâcher; *(un discurso)* faire avaler, débiter **4.** *MAR (cable)* larguer, filer: **~ amarras** larguer les amarres; *(vela)* larguer. ◆ **~se** *vpr* **1.** *MAR* prendre le large **2.** *FAM* filer, décamper, prendre le large, ficher le camp, débarrasser le plancher, se tirer: **¡lárgate!** file!, dégage!, tire-toi!; **¡larguémonos!** filons!, tirons-nous d'ici!

**largo, a** *a* **1.** long, longue: **un pasillo ~ y ancho** un couloir long et large; **largos años** de longues années; **dos horas largas** deux bonnes heures; **un mes ~** un bon mois; **siete larguísimos días** sept jours interminables ◊ **~ tiempo** longtemps; **cayó cuan ~ era** il tomba de tout son long; **este vestido me está ~** cette robe est trop longue pour moi **2.** *FAM (astuto)* malin, igne **3.** *GRAM* **sílaba, vocal larga** syllabe, voyelle longue. ◇ *m* **1.** longueur *f*: **el ~ y el ancho** la longueur et la largeur **2.** long: **diez metros de ~** dix mètres de long **3.** *MÚS* largo **4. a lo ~ del río** le long de la rivière; **a lo ~ del año** tout au long de l'année; **ir para ~** ne pas être pour demain; **pasar de ~** passer sans s'arrêter; **ponerse de ~** faire son entrée dans le monde. ◇ *adv* longuement ◊ **hablar ~ y tendido** parler longuement. ◇ *interj* **¡largo!, ¡~ de aquí!** du vent!, ouste!, hors d'ici! ◇ *f* → **larga.**

**largometraje** *m* long-métrage.

**larguero** *m* **1.** montant **2.** *(deportes)* **el ~** la barre transversale, la transversale; **el balón rozó el ~** le ballon frôla la barre transversale.

**largueza** *f (generosidad)* largesse, générosité.

**larguirucho, a** *a* long, longue et maigre, longiligne; **una rubia larguirucha** une blonde longiligne.

**larguísimo, a** → **largo.**

**largura** *f* longueur.

**laringe** *f ANAT* larynx *m*.

**laríngeo, a** *a* laryngé, e, laryngien, enne.

**laringitis** *f MED* laryngite.

**laringología** *f* laryngologie.

**laringólogo, a** *s* laryngologue.

**larva** *f* larve.

**larvado, a** *a* larvé, e.

**larval, larvario, a** *a* larvaire.

[1]**las** *art f pl* **1.** les **2. ~ de** celles de; **~ que** celles que, celles qui.

▶ El artículo *las* debe traducirse a menudo por el adjetivo posesivo: *se quitó ~ gafas* il ôta ses lunettes; *escondió el rostro entre ~ manos* elle cacha son visage entre ses mains.

[2]**las** *pron pers f pl* **1.** les: **~ he visto** je les ai vues **2. ~ hay que** il y en a qui.

▶ L'emploi de *las* au lieu de *les* dans le régime indirect, est critiqué: *a ellas, ~ he dicho* je leur ai dit. Voir l'article «laísmo».

**lasaña** *f* lasagne.

**lasca** *f* **1.** *(de una piedra)* éclat *m* de pierre **2.** *(lonja)* tranche.

**lascivia** *f* lascivité.

**lascivo, a** *a* lascif, ive.

**láser** *m* laser: **rayo ~** rayon laser.

**lasitud** *f* lassitude, fatigue.

**laso, a** *a* faible, mou, molle.

**lástex** *m* lastex.

**lástima** *f* **1.** pitié: **dar ~** faire pitié, faire de la peine; **me da ~, le tengo ~** j'ai pitié de lui; **daba ~ nada más que verla** elle faisait pitié rien qu'à la voir ◊ **sentir ~ de, por** plaindre: **siento ~ por esa pobre gente** je plains ces pauvres gens; **estar hecho una ~** être dans un piteux état **2. es una ~ que...,** c'est dommage que..., c'est bête que...; **¡qué ~ que no hayas venido con nosotros!** quel dommage que tu ne sois pas venu avec nous!; **~ que yo no estuviese presente** dommage que je n'aie pas été présent. ◇ *pl* misères, malheurs *m*.

**lastimadura** *f* blessure.

**lastimar** *vt* **1.** blesser, faire mal à **2.** *FIG* blesser, offenser. ◆ **~se** *vpr* se faire mal à, se blesser: **me he lastimado en la rodilla** je me suis fait mal au genou.

**lastimero, a** *a* plaintif, ive: **tono ~** ton plaintif.

**lastimoso, a** *a* pitoyable, déplorable.

**lastra** *f* pierre plate et mince.

**lastrar** *vt* lester.

**lastre** *m* **1.** *(peso)* lest **2.** *FIG* jugement, bon sens **3.** *(piedras)* ballast.

**lata** *f* **1.** *(hojalata)* fer-blanc *m* **2.** *(envase)* boîte en fer-blanc, boîte de conserve: **una ~ de anchoas** une boîte d'anchois

3. *FIG* **dar la ~** casser les pieds, embêter, empoisonner, faire suer; **es una ~ tener que...** c'est barbant, c'est rasoir d'être obligé de...; **¡qué ~!, ¡vaya una ~!** quelle barbe!

**latazo** *m FAM* embêtement, empoisonnement: **¡menudo ~!** quelle barbe!

**latear** *vt AMER (fastidiar)* embêter, empoisonner, faire suer.

**latente** *a* latent, e.

**lateral** *a* latéral, e. ◇ *m* **1.** *(lado)* côté **2.** *(en fútbol)* arrière latéral.

**lateralmente** *adv* latéralement.

**laterita** *f* latérite.

**latero, a** *a AMER (latoso)* assommant, e, rasoir.

**látex** *m* latex.

**latido** *m* battement ◊ **corazón que da latidos** cœur qui bat.

**latifundio** *m* grande propriété *f* rurale, latifundium.

**latifundista** *s* grand propriétaire foncier.

**latigazo** *m* coup de fouet.

**látigo** *m* **1.** fouet: **chasqueó el ~** il fit claquer son fouet **2.** *AMER (latigazo)* coup de fouet.

**latiguillo** *m* **1.** petit fouet **2.** *FIG* effet oratoire.

**latín** *m* latin: **~ clásico, vulgar** latin classique, vulgaire; **bajo ~** bas latin ◊ **~ macarrónico** latin de cuisine; *FIG* **saber mucho ~** être malin, igne, rusé, e.

**latinajo** *m PEYOR* **1.** mot latin, citation *f* latine **2.** latin de cuisine.

**latinidad** *f* latinité.

**latiniparla** *f* langage *m* semé de latinismes.

**latinismo** *m* latinisme.

**latinista** *s* latiniste.

**latinización** *f* latinisation.

**latinizar** *vt* latiniser.

**latino, a** *a/s* latin, e: **literatura latina** littérature latine; **América latina** Amérique latine; **vela latina** voile latine.

**Latinoamérica** *np f* Amérique latine.

**latinoamericano, a** *a/s* latino-américain, e.

**latir** *vi* **1.** battre: **corazón que late** cœur qui bat **2.** *(una herida, etc.)* produire des élancements **3.** *(perro)* glapir.

**latitud** *f* latitude: **~ norte, sur** latitude nord, sud.

**lato, a** *a* large, étendu, e ◊ **en sentido ~** au sens large.

**latón** *m* **1.** *(aleación)* laiton **2.** *AMER (cubo)* seau.

**latonería** *f* dinanderie.

**latoso, a** *a FAM* assommant, e, rasoir, casse-pieds.

**latría** *f* latrie.

**latrocinio** *m* vol, larcin.

**laucha** *f AMER (ratón)* souris.

**lauco, a** *a AMER* chauve.

**laúd** *m* **1.** *MUS* luth **2.** *MAR* sorte de felouque *f* **3.** *(tortuga)* tortue *f* luth, luth.

**laudable** *a* louable.

**láudano** *m* laudanum.

**laudatorio, a** *a* laudatif, ive.

**laude** *f* pierre tombale.

**laudes** *f pl* laudes.

**laudo** *m JUR* arbitrage, sentence *f* arbitrale.

**Laura** *np f* Laure.

**laureado, a** *a/s* **1.** lauréat, e **2.** *MIL* décoré, e (en particulier de la «Cruz Laureada de San Fernando»). ◇ *a* lauré, e.

**laurear** *vt* **1.** couronner de lauriers **2.** récompenser, décorer.

**laurel** *m* **1.** laurier: **~ común** laurier-sauce; **~ rosa** laurier-rose **2.** *FIG* **dormirse sobre sus laureles** s'endormir sur ses lauriers.

**lauro** *m* laurier.

**Lausana** *np* Lausanne.

**lautista** *s* luthiste.

**lava** *f (de un volcán)* lave.

**lavable** *a* lavable.

**lavabo** *m* **1.** lavabo **2.** *(cuarto de aseo)* lavabo **3.** *(retrete)* toilettes *f pl*: **¿dónde está el ~?** où sont les toilettes?

**lavacoches** *m* laveur de voitures.

**lavacopas** *m inv AMER* plongeur (dans un café).

**lavacristales** *m* laveur de vitres.

**lavadero** *m* **1.** *(público)* lavoir **2.** *(local en una casa)* buanderie *f* **3.** *AMER (fregadero)* évier: **~ inoxidable** évier en inox.

**lavado** *m* **1.** lavage **2. ~ de cerebro** lavage de cerveau **3.** *(pintura)* lavis.

**lavadora** *f* machine à laver, lave-linge *m*.

**lavafrutas** *m inv* petit récipient contenant de l'eau servant à laver les fruits à table, rince-doigts.

**lavanco** *m* canard sauvage.

**lavanda** *f* lavande.

**lavandera** *f* blanchisseuse, lavandière.

**lavandería** *f* **1.** blanchisserie **2.** *(de autoservicio)* laverie automatique.

**lavandero** *m* blanchisseur.

**lavandina** *f AMER (lejía)* eau de Javel.

**lavaojos** *m inv* œillère *f*.

**lavaparabrisas** *m inv* lave-glace.

**lavaplatos** *m* **1.** *(persona)* plongeur, laveur de vaisselle **2.** *(máquina)* lave-vaisselle.

**lavar** *vt* **1.** laver **2.** *FIG* **~ una ofensa** laver un affront. ◆ **~se** *vpr* se laver ◊ *FIG* **me lavo las manos** je m'en lave les mains.

**lavativa** *f* **1.** *MED* lavement *m* **2.** seringue à lavements **3.** *FAM* ennui *m*, empoisonnement *m*.

**lavatorio** *m* **1.** *(acción)* lavage **2.** *(ceremonia)* lavement des pieds **3.** *(de la misa)* lavabo **4.** *AMER* lavabo **5.** *AMER (palangana)* cuvette *f*.

**lavavajillas** *m inv* lave-vaisselle.

**lavazas** *f pl* eaux de lavage, lavures.

**lavotear** *vt* laver vite et mal.

**lavoteo** *m* lavage mal fait.

**laxante** *a/m* laxatif, ive.

**laxar** *vt* purger.

**laxismo** *m* laxisme.

**laxista** *a* laxiste.

**laxitud** *f* relâchement *m*.

**laxo, a** *a* **1.** lâche **2.** *FIG (la moral)* relâché, e, laxiste.

**lay** *m (poema)* lai.

[1]**laya** *f* nature, espèce, acabit *m*: **gente de toda ~** des gens de toute espèce.

[2]**laya** *f (pala fuerte)* bêche.

**layar** *vt* bêcher.

**lazada** *f (nudo)* nœud *m*.

**lazareto** *m* **1.** *(en un puerto, etc.)* lazaret **2.** léproserie *f*.

**lazarillo** *m* guide d'aveugle.

**lazarista** *m* lazariste.

**Lázaro** *np m* Lazare.

**lazo** *m* **1.** *(nudo)* nœud **2.** *(de adorno)* cravate *f* **3.** *(para sujetar caballos, toros, etc.)* lasso **4.** *(para cazar)* collet, lacet **5.** *FIG (vínculo)* lien: **lazos de amistad** liens d'amitié **6.** *FIG (trampa)* piège: **caer en el ~** tomber dans le piège.

**lazulita** *f* lazulite.

**le** *pron pers* **1.** *(en dativo)* lui: **~ he hablado mucho de ti** je lui ai beaucoup parlé de toi; **a él ~ dejan hacer lo que quiere** on lui laisse faire ce qu'il veut; **tardó en responderle** il mit longtemps à lui répondre **2.** *(en acusativo)* le: (a él) **~ conozco** je le connais; **~ vi ayer** je l'ai vu hier. Avec **usted,** vous: **~ aseguro a usted que...** je vous assure que... **3.** *(emploi explétif)* **~ quiero mucho a mi sobrino** j'aime beaucoup mon neveu (le pronom pers. ne se traduit pas).

▶ Sens 2. à l'accusatif, *le* peut être remplacé par *lo* pour désigner une personne.

**leader → líder.**

**leal** *a* **1.** loyal, e: **unos súbditos leales** des sujets loyaux **2.** fidèle: **amigo ~** ami fidèle; **~ a sus ideas** fidèle à ses idées.

**lealmente** *adv* loyalement.

**lealtad** *f* **1.** loyauté **2.** fidélité.

**lebrada** *f* civet *m* de lièvre.

**lebrato** *m* levraut.

**lebrel** *m* lévrier.

**lebrillo** *m* grande terrine *f*, bassine *f*.

**lección** *f* leçon: **estudiar las lecciones** étudier ses leçons; **por la tarde da lecciones de inglés** l'après-midi il donne des leçons d'anglais; **dar la ~** réciter la leçon; **tomar la ~** faire réciter la leçon; *FIG* **dar una ~ a alguien** donner une leçon à quelqu'un; **servir de ~** servir de leçon.

**lecha** *f (de los peces)* laitance, laite.

**lechada** *f* lait *m* de chaux.

**lechal** *a* **1.** qui tète encore: **cordero ~** agneau de lait **2.** *BOT* laiteux, euse.

**lechaza → lecha.**

**lechazo** *m* agneau de lait.

**leche** *f* **1.** lait *m*: **la ~ de vaca y la ~ materna** le lait de vache et le lait maternel; **~ desnatada, condensada** lait écrémé, condensé; **chocolate con ~** chocolat au lait; **~ de almendras** lait d'amandes; **diente de ~** dent de lait; **hermano de ~** frère de lait; *AMER* **dulce de ~ → dulce 2.** *VULG* **estar de mala ~** être de mauvais poil; **tener muy mala ~** avoir un foutu caractère; **¡qué ~ tiene!** il a une de ces veines!; **¡~!** merde!; **¿qué ~ le importa a usted?** qu'est-ce que ça peut bien vous foutre?; **pegarse una ~ contra...** se cogner contre...; **a toda ~** à toute berzingue, à toute blinde; **la radio a toda ~** la radio à fond.

**lechecillas** *f pl* **1.** *(de ternera, de cordero)* ris *m sing* **2.** *(asadura)* fressure *sing*.

**lechera** *f* **1.** *(que vende leche)* laitière ◊ **el cuento de la ~** la fable de Perrette et le pot au lait **2.** *(recipiente)* pot *m* à lait.

**lechería** *f* laiterie, crémerie.

**lechero, a** *a/s* laitier, ère: **vaca lechera** vache laitière. ◊ *f* → **lechera.**

**lechigada** *f* **1.** *(de una hembra)* portée **2.** *FIG* bande.

**lechín** *m* olivier andalou.

**lecho** *m* **1.** lit: **~ mortal** lit de mort **2.** *(de un río, de piedras)* lit **3.** *(de cosas extendidas)* lit, couche *f*.

**lechón** *m* cochon de lait.

**lechoncillo** *m* cochonnet, cochon de lait.

**lechoso, a** *a* laiteux, euse. ◊ *m (papayo)* papayer.

**lechuga** *f* **1.** laitue ◊ *FIG* **ser más fresco que una ~** avoir un culot monstre **2.** *(pliegue)* godron *m* **3.** *(cuello)* fraise.

**lechuguilla** *f* **1.** laitue sauvage **2.** *(cuello alechugado)* fraise **3.** *(puño)* manchette godronnée.

**lechuguino** *m* **1.** plant de laiture **2.** *FIG FAM* jeune gommeux, dandy.

**lechuza** *f (ave)* chouette.

**lecitina** *f* lécithine.

**lectivo, a** *a* scolaire, de classe: **año ~** année scolaire.

**lector, a** *s* lecteur, trice. ◊ *f* **lectora óptica** lecteur *m* optique.

**lectorado** *m* **1.** ordre mineur de lecteur **2.** *(en una universidad)* lectorat.

**lectoral** *a* théologal, e.

**lectoría** *f* chaire de lecteur.

**lectura** *f* lecture.

**ledo, a** *a POÉT* joyeux, euse, gai, e.

**leer*** *vt* **1.** lire: **he leído en el periódico** j'ai lu dans le journal; **leyó su discurso** il lut son discours **2.** *FIG* **~ entre líneas** lire entre les lignes; **el miedo se le leía en la cara** la peur se lisait sur son visage.

**lega** *f* sœur converse, sœur laie.

**legacía** *f* légation.

**legación** *f* légation.

**legado** *m* **1.** *(herencia)* legs **2.** héritage: **~ cultural** héritage culturel **3.** *(enviado)* légat.

**legajo** *m* liasse *f* de papiers, dossier.

**legal** *a* légal, e: **medios legales** moyens légaux.

**legalidad** *f* légalité.

**legalista** *a* légaliste.

**legalización** *f* légalisation.

**legalizar** *vt* légaliser.

**legalmente** *adv* légalement.

**légamo** *m* limon, vase *f*.

**legamoso, a** *a* bourbeux, euse, fangeux, euse.

**legaña** *f* chassie.

**legañoso, a** *a* chassieux, euse.

**legar** *vt* **1.** léguer **2.** *FIG* **~ su sentido del deber a sus hijos** léguer son sens du devoir à ses enfants.

**legatario, a** *s* légataire.

**legenda** *f ANT* vie d'un saint.

**legendario, a** *a* légendaire.

**legible** *a* lisible.

**legión** *f* légion.

**legionario** *m* légionnaire.

**legislación** *f* législation: **conforme con la ~ vigente** selon la législation en vigueur.

**legislador, a** *a/m* législateur, trice.

**legislar** *vi* légiférer.

**legislativo, a** *a* législatif, ive: **poder ~** pouvoir législatif; **asamblea legislativa** assemblée législative.

**legislatura** *f* législature.

**legista** *s* légiste.

**legítima** *f JUR* réserve (légale).

**legitimación** *f* légitimation.

**legítimamente** *adv* **1.** légitimement **2.** authentiquement.

**legitimar** *vt* légitimer.

**legitimidad** *f* légitimité.

**legitimista** *a/s* légitimiste.

**legítimo, a** *a* **1.** légitime ◊ **en legítima defensa** en état de légitime défense **2.** véritable, authentique: **oro ~** or véritable.

**lego, a** *a/s* laïque. ◇ *a* **1.** lai, e: **hermano ~** frère lai **2.** ignorant, e, profane. ◇ *m* frère lai. ◇ *f* sœur converse, sœur laie.

**legón** *m* houe *f*.

**legrado, legradura** *f* *MED* **1.** rugination *f* **2.** curetage *m*.

**legrar** *vt* *MED* **1.** *(los huesos)* ruginer **2.** *(el útero)* cureter.

**legua** *f* **1.** *(medida)* lieue ◊ *FIG* **se ve a la ~ que...** ça se voit de loin, d'une lieue, c'est évident, c'est l'évidence même que... **2. cómico de la ~** comédien ambulant.

**leguleyo** *m* avocaillon.

**legumbre** *f* légume *m*: **~ seca** légume sec.
▶ Désigne spécialement les légumes secs.

**leguminoso, a** *a* légumineux, euse. ◇ *f pl* *BOT* légumineuses.

**leíble** *a* lisible.

**leída** *f* lecture: **a la primera ~** à la première lecture.

**leído, a** *pp* **de leer.** ◇ *a* **1.** lu, lue **2.** *(erudito)* instruit, e, érudit, e.

**leísmo** *m* emploi exclusif de «le» comme pronom accusatif masculin *(«te le doy»* et non *«te lo doy»)*.

**leísta** *a/s* partisan du «leísmo».

**leitmotiv** *m* leitmotiv.

**lejanía** *f* lointain *m*: **en la ~** dans le lointain, au loin.

**lejano, a** *a* lointain, e, éloigné, e: **países lejanos** des pays lointains; **un futuro no muy ~** un futur pas très éloigné.

**lejía** *f* **1.** *(agua alcalina)* lessive **2.** *(con hipoclórito)* eau de Javel.

**lejísimos** *adv* très loin.

**lejitos** *adv* assez loin.

**lejos** *adv* **1.** loin: **vive ~** il habite loin ◊ *FIG* **este muchacho llegará ~** ce garçon ira loin; **sin ir más ~** sans aller plus loin **2. ~ de reconocer sus errores...** loin de reconnaître ses erreurs... **3.** *loc adv* **a lo ~** au loin; **de ~, desde ~** de loin.

**lelo, a** *a* sot, sotte, ahuri, e, idiot, e: **hacer el ~** faire l'idiot.

**lema** *m* **1.** *(en los emblemas, etc.)* devise *f* **2.** thème.

**Lemán (lago)** *np* Léman (lac).

**lemosín, ina** *a/s* limousin, e.

**lempira** *m* lempira, unité monétaire du Honduras.

**lemúridos** *m pl* lémuriens.

**lencería** *f* **1.** *(ropa interior)* lingerie **2. ~ de hogar** linge *m* de maison.

**lencero, a** *s* linger, ère.

**lendrera** *f* peigne *m* fin.

**lene** *a* doux, douce.

**lengua** *f* **1.** *(órgano)* langue: **sacar la ~** tirer la langue; **con la ~ fuera** la langue pendante ◊ *FIG* **mala ~, ~ viperina** mauvaise langue, langue de vipère; **media ~** *(de los niños)* babil *m*; **andar en lenguas** faire parler de soi; **buscar la ~ a alguien** provoquer quelqu'un; **hacerse lenguas de** ne pas tarir d'éloges sur; **todos se hacían lenguas de...** tous faisaient l'éloge de, disaient le plus grand bien de...; **írsele de la ~** ne pas savoir tenir sa langue, parler trop vite; **morderse la ~** se retenir de parler: **no se muerde la ~** il ne mâche pas ses mots, il dit ce qu'il a sur le cœur; **no tener pelos en la ~** ne pas avoir la langue dans sa poche, avoir son franc-parler; **ser largo de ~** être trop bavard; être mauvaise langue; **ser ligero de ~** parler étourdiment, sans réfléchir; **tener una palabra en la punta de la ~** avoir un mot sur le bout de la langue; **tirar de la ~ a alguien** tirer les vers du nez à quelqu'un **2.** *(idioma)* langue: **~ viva, muerta** langue vivante, morte; **~ materna** langue maternelle **3.** langue: **~ de fuego** langue de feu; **~ de tierra** langue de terre **4. ~ de ciervo** scolopendre **5. ~ de gato** *(bizcocho)* langue-de-chat.

**lenguado** *m* *(pez)* sole *f*.

**lenguaje** *m* **1.** langage: **~ técnico** langage technique; **el ~ de los sordomudos** le langage des sourds-muets **2.** *INFORM* langage.

**lenguaraz** *a* **1.** polyglotte **2.** *(deslenguado)* insolent, e, mauvaise langue.

**lengüeta** *f* **1.** languette **2.** *(de una saeta)* barbillon *m*.

**lengüetada** *f*, **lengüetazo** *m* coup *m* de langue, lapement *m*.

**lenidad** *f* indulgence.

**lenificar** *vt* lénifier.

**Lenin** *np m* Lénine.

**leninismo** *m* léninisme.

**leninista** *a/s* léniniste.

**lenitivo, a** *a/m* lénitif, ive.

**lenocinio** *m* **casa de ~** maison close.

**lentamente** *adv* lentement.

**lente** *f* *(óptica)* lentille: **~ convergente, divergente** lentille convergente, divergente. ◇ *m pl* **1.** *(gafas)* lunettes *f*, verres; *(quevedos)* lorgnon *sing* **2. lentes de contacto** verres de contact, lentilles *f* cornéennes.

**lenteja** *f* **1.** lentille: **un plato de lentejas** un plat de lentilles **2. ~ de agua** lentille d'eau.

**lentejuela** *f* paillette.

**lenticular** *a* lenticulaire.

**lentilla** *f* lentille cornéenne.

**lentisco** *m* lentisque.

**lentitud** *f* lenteur.

**lento, a** *a* **1.** lent, e: **con paso ~** d'un pas lent **2. a fuego ~** à petit feu.

**leña** *f* **1.** bois *m* de chauffage, bois *m* à brûler ◊ *FIG* **echar ~ al fuego** jeter de l'huile sur le feu **2.** *FIG* *(paliza)* rossée, raclée, coups *m pl* ◊ **dar ~** cogner **3.** *AMER* **~ de vaca** bouse de vache.

**leñador, a** *s* bûcheron, onne.

**leñazo** *m* *FAM* **1.** coup de bâton: **pegar un ~** flanquer un coup de bâton **2.** coup ◊ **darse un ~** se rentrer dedans.

**¡leñe!** *interj* *VULG* merde!

**leñera** *f* bûcher *m*.

**leño** *m* **1.** *(trozo de árbol)* bûche *f* **2.** *(madera)* bois **3.** *FIG FAM* *(persona)* bûche *f*, cloche *f* **4.** *POÉT* bateau.

**leñoso, a** *a* ligneux, euse.

**Leo** *np m* *ASTR* **ser de ~** être du Lion.

**león** *m* **1.** lion ◊ *FIG* **llevarse la parte del ~** se tailler la part du lion **2.** *FIG* *(hombre valiente)* lion **3.** *ASTR* Lion **4.** *AMER* puma **5.** *FIG* **no es tan fiero el ~ como lo pintan** *(cosa)* c'est moins difficile qu'on pense, *(persona)* il est plus aimable qu'il n'en a l'air. ◇ *pl* *AMER* pantalon *sing*, falzar *sing*.

**León** *np m* **1.** *(nombre)* León **2.** *(ciudad)* León.

**leona** *f* **1.** lionne **2.** *FIG* maîtresse femme.

**leonado, a** *a* *(color)* fauve.

**Leonardo, a** *np* Léonard, e.

**leonera** *f* **1.** cage, fosse aux lions **2.** *FIG* *(habitación)* foutoir *m*, bazar *m*, capharnaüm *m* **3.** *AMER* salle commune (dans une prison).

**leonés, esa** *a/s* de León.

**leonino, a** *a* léonin, e.

**Leonor** *np f* Eléonore.

**leontina** *f* léontine, chaîne de montre.

**leopardo** *m* léopard.

**Leopoldo** *np m* Léopold.

**leotardo** *m* collant: **leotardos infantiles** collants pour enfants.
▶ De Jules Léotard (1830-1870), acrobate français.

**Lepanto** *np m* Lépante.

**Lepe** *np m* **saber más que ~** être très malin, très futé.

**lépero, a** *a* AMER grossier, ère.

**lepidópteros** *mp pl* ZOOL lépidoptères.

**lepiota** *f* *(seta)* lépiote.

**lepisma** *f* lépisme *m*.

**leporino, a** *a* **1.** du lièvre **2. labio ~** bec-de-lièvre.

**lepra** *f* lèpre.

**leprosería** *f* léproserie.

**leproso, a** *a/s* lépreux, euse.

**lerdo, a** *a* lourd, e, maladroit, e.

**leridano, a** *a/s* de Lérida.

**les** *pron pers* **1.** *(en dativo)* leur: **(a ellos) ~ hablé de ti** je leur ai parlé de toi; **dales de beber** donne-leur à boire **2.** *(con ustedes)* vous: **¿~ molesto a ustedes?** je vous dérange?

**lesbiana** *a/f* lesbienne.

**lesera** *f* AMER bêtise, niaiserie.

**lesión** *f* **1.** MED, JUR lésion **2.** *(herida)* blessure: **una ~ en el hombro** une blessure à l'épaule.

**lesionar** *vt* **1.** *(herir)* blesser **2.** *(perjudicar)* léser. ◆ **~se** *vpr* se blesser: **se lesionó el tobillo** il s'est blessé à la cheville.

**lesivo, a** *a* préjudiciable, qui fait du tort.

**leso, a** *a* **1.** lésé, e **2.** lèse: **lesa majestad** lèse-majesté **3.** AMER *(tonto)* bête, sot, sotte.

**letal** *a* létal, e.

**letanía** *f* **1.** litanie **2.** FIG litanie.

**letárgico, a** *a* léthargique.

**letargo** *m* léthargie *f*.

**Leteo** *np m* Léthé.

**letificante** *a* réjouissant, e.

**letón, ona** *a/s* letton, onne.

**Letonía** *np f* Lettonie.

**letra** *f* **1.** lettre: **~ mayúscula, minúscula** lettre majuscule, minuscule; **escriba su nombre con todas las letras** écrivez votre nom en toutes lettres; **con letras de oro** en lettres d'or ◊ **~ de molde** caractère *m* d'imprimerie; FIG **a la ~, al pie de la ~** à la lettre, au pied de la lettre; **ser ~ muerta** être lettre morte **2.** écriture: **tener buena ~** avoir une belle écriture **3. la ~ de una canción** les paroles d'une chanson **4.** COM traite, lettre de change: **girar, pagar una ~** tirer, payer une traite. ◇ *pl* **1. las bellas letras** les belles lettres; **facultad de Letras** faculté des lettres; **hombre de letras** homme de lettres **2. las primeras letras** l'enseignement primaire **3.** FIG **escribir cuatro letras, dos letras** écrire un mot.

**letrado** *m* *(abogado)* avocat, juriste.

**Letrán** *np m* Latran.

**letrero** *m* **1.** écriteau, panonceau **2.** *(de las tiendas, etc.)* enseigne *f*: **~ de neón** enseigne au néon.

**letrilla** *f* composition poétique.

**letrina** *f* latrines *pl*.

**leucemia** *f* leucémie.

**leucémico, a** *a/s* leucémique.

**leucocitario, a** *a* BIOL leucocytaire.

**leucocito** *m* BIOL leucocyte.

**leucoma** *m* MED leucome.

**leucorrea** *f* MED leucorrhée.

**leudar** *vt* mélanger le levain (à la pâte). ◇ *vpr (la masa)* lever.

**leva** *f* **1.** *(de un barco)* départ *m* **2.** *(de soldados)* levée **3.** TECN came: **árbol de levas** arbre à cames.

**levadizo, a** *a* **puente ~** pont-levis.

**levadura** *f* **1.** levure: **~ de cerveza** levure de bière **2.** *(para el pan)* levain *m*.

**levantador, a** *s* **~ de pesos** haltérophile.

**levantamiento** *m* **1.** levée *f*: **el ~ del embargo** la levée de l'embargo ◊ **el ~ de la veda** → **veda 2. el ~ del cadáver** la levée du corps **3.** *(sedición)* soulèvement, rébellion *f*, sédition *f*, insurrection *f* **4.** *(topográfico)* relevé.

**levantar** *vt* **1.** lever: **~ el brazo** lever le bras **2.** *(algo caído o inclinado)* relever, redresser **3.** *(una estatua, etc.)* élever, dresser; *(un edificio)* construire **4.** soulever: **~ una polvareda** soulever un nuage de poussière **5. ~ un chichón, habones** faire une bosse, des cloques **6. ~ el tono, la voz** élever, hausser le ton, la voix; **no me levantes la voz** ne crie pas **7.** *(un plano)* lever, dresser **8. ~ acta** dresser procès-verbal **9.** *(la caza)* lever **10.** *(quitar)* enlever, ôter ◊ **~ la casa** déménager **11. ~ la sesión, el sitio, la excomunión** lever la séance, la siège, l'excommunication; **~ la veda** → **veda 12.** MIL *(tropas)* lever **13.** FIG *(el pensamiento, el corazón)* élever **14. ~ el ánimo** redonner du courage, relever le moral **15.** FIG **no ~ cabeza** ne pas s'en sortir **16.** FIG **~ protestas** soulever des protestations; **~ sospechas** éveiller des soupçons. ◆ **~se** *vpr* **1.** se lever: **me levanté a las seis** je me suis levé à six heures; **levántate** lève-toi: **se está levantando viento** le vent se lève **2. levantarse en armas** se soulever **3.** *(erguirse)* s'élever, se dresser **4. al levantarse el telón** au lever du rideau.

**levante** *m* **1.** levant **2.** *(viento)* vent d'est. ◇ *np m* région *f* de Valence et de Murcie.

**levantino, a** *a/s* **1.** levantin, e **2.** de la région de Valence et de Murcie.

**levantisco, a** *a* turbulent, e, agité, e, rebelle.

**levar** *vt* lever: **~ anclas** lever l'ancre.

**leve** *a* **1.** léger, ère: **una ~ sonrisa** un léger sourire **2.** FIG pas trop grave.

**levedad** *f* légèreté.

**Leviatán** *np m* Léviathan.

**levita** *m* *(persona)* lévite. ◇ *f (prenda de vestir)* redingote.

**levitación** *f* lévitation.

**levitón** *m* longue redingote *f*, lévite *f*.

**lexical** *a* lexical, e.

**lexicalizar** *vt* lexicaliser.

**léxico** *m* lexique.

**lexicografía** *f* lexicographie.

**lexicográfico, a** *a* lexicographique.

**lexicógrafo, a** *s* lexicographe.

**lexicología** *f* lexicologie.

**lexicológico, a** *a* lexicologique.

**lexicólogo, a** *s* lexicologue.

**lexicón** *m* lexique.

**ley** *f* **1.** loi: **infringir las leyes** enfreindre les lois; **~ de bases** loi-cadre; **~ marcial** loi martiale; **poner fuera de la ~** mettre hors la loi; **la ~ de la selva** la loi de la jungle; **la ~ antigua, de Moisés** l'ancienne loi, de Moïse; **las tablas de la ~** les tables de la loi; FIG **la ~ del embudo** l'application arbitraire de la loi, deux poids, deux mesures **2.** *(de un metal)* titre *m*, aloi *m* ◊ **oro, plata de ~** , or, argent véritable; **de buena ~** de bon aloi; **ser de ~** être juste, normal **3.** *lov adv* **con todas las de la ~** dans les règles. ◇ *pl* droit *m sing*.

**leyenda** *f* légende: **entrar en la ~** entrer dans la légende; **Leyenda áurea** la Légende dorée.

**leyeron, leyó** → **leer.**

**lezna** *f* alène.

**lía** *f* **1.** *(sedimento)* lie **2.** *(cuerda)* corte tressée de sparte.

**liado, a** *a FAM* **estar ~** avoir une liaison, être à la colle.

**liana** *f* liane.

**liar** *vt* **1.** *(atar)* attacher **2.** *(envolver)* envelopper **3.** *(un cigarrillo)* rouler **4.** *FIG (a alguien)* embobiner, embobeliner **5.** *FAM* **liarlas** *(huir)* décamper, *(morir)* claquer. ◆ **~se** *vpr* **1.** *FIG* s'embrouiller ◊ **¡te la has liado!** tu t'es mis dans de beaux draps!; **¡la hemos liado!** nous voilà frais! **2.** se battre **3.** *POP (amancebarse)* se mettre à la colle.

**libación** *f* libation.

**libanés, esa** *a/s* libanais, e.

**Líbano** *np m* Liban.

**libar** *vt* **1.** *(abejas)* butiner, sucer **2.** boire.

**libelista** *m* libelliste, pamphlétaire.

**libelo** *m* libelle, pamphlet.

**libélula** *f* libellule.

**líber** *m BOT* liber.

**liberación** *f* **1.** libération: **la ~ de los rehenes** la libération des otages; **Movimiento de ~ de la mujer** Mouvement de libération de la femme **2.** *(alivio)* délivrance.

**liberador, a** *a/s* libérateur, trice.

**liberal** *a/s* libéral, e: **los liberales** les libéraux.

**liberalidad** *f* libéralité.

**liberalismo** *m* libéralisme.

**liberalización** *f* libéralisation.

**liberalizar** *vt* libéraliser.

**liberar** *vt* **1.** libérer, délivrer **2.** *FÍS* libérer: **~ energía** libérer de l'énergie.

**liberiano, a** *a/s* libérien, enne.

**líbero** *m (fútbol)* libéro.

**libérrimo, a** *a* totalement libre.

**libertad** *f* **1.** liberté: **~ provisional** liberté provisoire; **poner en ~** mettre en liberté; **me tomo la ~ de...** je prends la liberté de...; **con toda ~** en toute liberté; **~ de conciencia, de opinión** liberté de conscience, d'opinion; **~ de cultos** liberté du culte; **~ de imprenta** liberté de la presse **2. tomarse libertades** prendre des libertés.

**libertador, a** *a/s* libérateur, trice.
▶ *El Libertador:* surnom de Bolívar.

**libertar** *vt* libérer, mettre en liberté.

**libertario, a** *a/s* libertaire.

**libertinaje** *m* libertinage.

**libertino, a** *a/s* libertin, e.

**liberto, a** *a (esclavo)* affranchi, e.

**Libia** *np f* Libye.

**libídine** *f* lasciveté.

**libidinoso, a** *a* libidineux, euse.

**libido** *f* libido.

**libio, a** *a/s* libyen, enne.

**libra** *f* **1.** *(peso, moneda)* livre **2.** *ASTR* **ser de ~** être de la Balance.

**libraco** *m PEYOR* bouquin.

**librado** *m COM* tiré.

**librado, a** *a* **salir bien ~** s'en tirer, se tirer d'affaire; **salir mal ~** échouer.

**librador** *m COM* tireur.

**libramiento** *m* **1.** délivrance *f* **2.** *COM* ordre de paiement.

**libranza** *f COM* ordre *m* de paiement.

**librar** *vt* **1.** *(de un peligro, una preocupación, etc.)* délivrer: **mas líbranos del mal** mais délivre-nous du mal ◊ **¡Dios me libre!** Dieu m'en préserve! **2.** *(un documento)* délivrer **3.** *COM (una letra de cambio)* tirer **4.** *(una batalla)* livrer. ◇ *vi* prendre son jour de repos. ◆ **~se** *vpr* échapper: **librarse de un peligro** échapper à un danger ◊ **librarse de una buena** l'échapper belle.

**libre** *a* **1.** libre: **un hombre ~** un homme libre; **¿está usted ~ esta noche?** êtes-vous libre ce soir?; **no tengo ~ ni un momento** je n'ai pas un seul instant de libre; **dejar el campo ~** → **campo 2. ~ de** exempté, e de; **~ del servicio militar** dégagé des obligations militaires, exempt du service militaire; **~ de gastos** sans frais **3. nadie está ~ de una enfermedad** personne n'est à l'abri d'une maladie; **~ de preocupaciones** à l'abri des soucis **4. ir por ~** être à son compte, indépendant; **¿trabajas por ~?** tu travailles à ton compte?

**librea** *f* livrée: **criado de ~** domestique en livrée.

**librecambio** *m* libre-échange.

**librecambista** *a/s* libre-échangiste.

**librejo** *m PEYOR* bouquin.

**librepensador** *m* libre penseur.

**librepensamiento** *m* libre pensée *f.*

**librería** *f* **1.** librairie **2.** *(mueble)* bibliothèque.

**librero, a** *s* libraire. ◇ *m AMER* bibliothèque *f*, étagère *f* à livres.

**libresco, a** *a* livresque.

**libreta** *f* **1.** carnet *m:* **~ de direcciones** carnet d'adresses **2.** livret *m:* **~ de ahorros** livret de caisse d'épargne **3.** *(pan)* pain *m* d'une livre.

**libretista** *m* librettiste.

**libreto** *m MÚS* livret, libretto.

**librillo** *m* **1.** petit livre **2.** *(de papel de fumar)* cahier.

**libro** *m* **1.** livre: **~ de bolsillo** livre de poche; **~ de cocina** livre de cuisine; **~ blanco** livre blanc; **~ de oro, de honor** livre d'or; *FIG* **hablar como un ~** parler comme un livre ◊ *COM* **~ borrador** brouillard, main courante; **~ diario** livre journal, journal; **~ mayor** grand-livre; **~ talonario** registre à souche; **llevar los libros** tenir les livres **2. ~ de familia** livret de famille **3.** *ZOOL (del estómago de los rumiantes)* feuillet.

**librote** *m FAM* bouquin.

**Lic.** *abrev de licenciado* licencié.

**liceísta** *s* membre d'un «liceo», société littéraire.

**licencia** *f* **1.** permission, autorisation: **dar ~ para** donner l'autorisation de, permettre de **2. ~ de importación** licence d'importation **3.** *(de caza, pesca, etc.)* permis *m:* **~ de obras** permis de construire **4.** *MIL* congé *m:* **~ absoluta** congé définitif, libération **5.** *(libertad excesiva)* licence **6. ~ poética** licence poétique.

**licenciado, a** *a/s* **1.** licencié, e: **~ en letras, en derecho** licencié ès lettres, en droit **2.** *(un soldado)* libéré, e. ◇ *m* soldat libéré.

**licenciamiento** *m* licenciement.

**licenciar** *vt* **1.** conférer le grade de licencié **2.** *(despedir)* licencier **3.** *(a un soldado)* libérer. ◆ **~se** *vpr* passer sa licence.

**licenciatura** *f (grado, estudios)* licence.

**licencioso, a** *a* licencieux, euse.

**liceo** *m* **1.** nom de certaines sociétés littéraires **2.** *(establecimiento de enseñanza)* lycée.
▶ *El Liceo*, à Barcelone: l'Opéra.

**lichi** *m* litchi.

**licio, a** *a/s* lycien, enne.

**licitación** *f* **1.** *(subasta)* licitation **2.** *(para la realización de una obra pública)* appel *m* d'offres.

**licitador, licitante** *s* soumissionnaire.

**licitar** *vt* offrir un prix dans une vente aux enchères, dans une adjudication, enchérir, soumissionner.

**lícito, a** *a* licite.

**licitud** *f* caractère *m* de ce qui est licite, légalité.

**licor** *m* liqueur *f*.

**licorera** *f* cave à liqueurs.

**licorista** *m* liquoriste.

**licoroso, a** *a* liquoreux, euse.

**lictor** *m* licteur.

**licuable** *a* liquéfiable.

**licuación** *f* liquéfaction.

**licuadora** *f* mixer *m*.

**licuar** *vt* liquéfier.

**licuefacción** *f* liquéfaction.

**licuefacer*** *vt* liquéfier.

**lid** *f* **1.** combat *m*, lutte **2.** controverse **3.** *loc adv* **en buena ~** loyalement, de bonne guerre.

**líder** *m* leader.

**liderar** *vt* **1.** diriger **2.** *(ciclismo)* mener.

**liderato, liderazgo** *m* leadership.

**lidia** *f* combat *m*: **toro de ~** taureau de combat.

**Lidia** *np f* Lydie.

**lidiador, a** *s* lutteur, euse. ◇ *m* torero.

**lidiar** *vi* batailler, lutter. ◇ *vt* TAUROM combattre (le taureau).

**lidio, a** *a/s* lydien, enne.

**liebre** *f* **1.** lièvre *m* ◊ FIG **levantar la ~** lever un lièvre; FAM **coger una ~** ramasser une pelle; PROV **donde menos se piensa, salta la ~** les choses arrivent toujours au moment où l'on s'y attend le moins **2.** *(atleta)* lièvre *m* **3.** AMER minibus *m*, microbus *m*.

**lied** *m* MÚS lied.

**Lieja** *np* Liège.

**liendre** *f* lente.

**lienzo** *m* **1.** *(tela)* toile *f* **2.** *(pintura)* toile *f*: **un ~ de Miró** une toile de Miró **3.** *(de pared)* pan de mur **4. idem de ~ → idem.**

**liftar** *vt (la pelota)* lifter.

**lifting** *m* lifting.

**liga** *f* **1** *(para medias)* jarretière, jarretelle **2.** *(materia pegajosa)* glu **3.** *(confederación)* ligue **4.** *(competición deportiva)* championnat *m* **5.** *(mezcla)* union, mélange *m* **6.** *(aleación)* alliage *m* **7.** FIG **hacer buena ~** faire bon ménage.

**ligado** *m (en música, en la escritura)* liaison *f*.

**ligadura** *f* **1.** *(acción, venda)* ligature **2.** *(sujeción)* lien *m* **3.** MÚS liaison.

**ligamento** *m* ANAT ligament.

**ligamentoso, a** *a* ligamenteux, euse.

**ligamiento** *m* attache *f*.

**ligar** *vt* **1.** *(atar)* lier, attacher **2.** FIG lier, unir: **estos problemas están intimamente ligados entre sí** ces problèmes sont étroitement liés **3.** *(metales)* allier **4.** MED ligaturer **5.** MÚS lier. ◇ *vi* **1.** réunir des cartes de la même couleur **2.** FAM *(entablar relaciones amorosas)* draguer, avoir une liaison, sortir: **ha ligado con su vecina** il a una liaison avec sa voisine; **han ligado** ils sortent ensemble. ◆ **~se** *vpr* **1.** s'attacher **2.** s'allier, se liguer: **todos se han ligado contra mí** ils se sont tous ligués contre moi.

**ligazón** *f* liaison, union, lien *m*.

**ligeramente** *adv* légèrement.

**ligereza** *f* légèreté.

**ligero, a** *a* **1.** léger, ère: **con paso ~** d'un pas léger ◊ **ligera de ropa** court vêtue; FIG **~ de cascos** écervelé, e, tête en l'air; **ser ~ de manos** avoir la main leste **2.** *loc adv* **a la ligera** à la légère; **de ~** à la légère, inconsidérément. ◇ *adv* vite.

**lignito** *m* lignite.

**ligón, ona** *a/s* FAM dragueur, euse, coureur, euse.

**ligue** *m* FAM **1.** liaison *f*, flirt, aventure *f* **2.** *(persona)* flirt, petit copain, petite copine.

**liguero** *m* porte-jarretelles. ◇ *a (deportes)* du championnat.

**liguilla** *f* championnat *m*.

**ligur** *a/s* ligurien, enne.

**Liguria** *np f* Ligurie.

**ligustro** *m* troène.

**lija** *f* **1.** *(pez)* roussette, chien *m* de mer **2.** *(piel)* peau de roussette **3. papel de ~** papier de verre **4.** AMER **darse ~** faire l'important.

**lijar** *vt* polir.

**lila** *f (arbusto, color)* lilas *m*. ◇ *a/s* FAM *(tonto)* sot, sotte, cloche, gourde.

**Lila** *np* Lille.

**liliáceas** *f pl* BOT liliacées.

**Liliput** *np m* Lilliput.

**liliputiense** *a/s* lilliputien, enne.

**lima** *f* **1.** *(herramienta)* lime ◊ FAM **comer como una ~** manger comme quatre **2.** *(fruta)* lime, limette **3.** *(limero)* limettier *m* **4.** ARQ *(madero)* arêtier *m* ◊ **~ hoya** noue; **~ tesa** arête.

**limado** *m* limage.

**limadura** *m* limage *m*. ◇ *pl* limaille *sing*.

**limalla** *f* limaille.

**limar** *vt* limer ◊ FIG **~ asperezas** arrondir les angles.

**limaza** *f* limace.

**limbo** *m* **1.** limbe **2.** *(de las almas)* limbes *pl* ◊ FIG **estar en el ~** être dans les nuages.

**limen** *m* POÉT seuil.

**limeño, a** *a/s* de Lima, liménien, enne.

**limero** *m (árbol)* limettier.

**limeta** *f* fiasque.

**liminar** *a* liminaire.

**limitación** *f* limitation. ◇ *pl* limites: **conocer sus limitaciones** connaître ses limites.

**limitado, a** *a* **1.** limité, e **2.** *(poco inteligente)* borné, e.

**limitar** *vt* limiter. ◇ *vi* **~ con** confiner à, être limitrophe de. ◆ **~se** *vpr* se limiter, se borner: **se limitó a decir...** il se borna à dire...

**limitativo, a** *a* limitatif, ive.

**límite** *m* limite *f*: **~ de edad** limite d'âge; **rebasar los límites** dépasser les limites; **casos límites** cas limites; **fecha ~** date limite.

**limítrofe** *a* limitrophe.

**limo** *m* limon, boue *f*.

**limón** *m* **1.** *(fruto)* citron **2.** *(árbol)* citronnier. ◇ *pl* FAM *(pechos de una mujer)* nichons.

**limonada** *f* citronnade.

**limonar** *m* bois de citronnier.

**limonera** *f (de un carruaje)* limon *m*, limonière.

**limonero** *m (árbol)* citronnier.

**limosna** *f* aumône: **pedir ~** demander l'aumône, mendier.

**limosnero, a** *a* charitable.

**limoso, a** *a* limoneux, euse, boueux, euse.

**limpia** *f* nettoyage *m.* ◇ *m* FAM cireur (de chaussures).

**limpiabarros** *m inv* paillasson, gratte-pieds, décrottoir.

**limpiabotas** *m inv* cireur (de chaussures).

**limpiada** *f* **1.** *(acción de limpiar)* nettoyage *m* **2.** AMER clairière.

**limpiadientes** *m inv* cure-dents.

**limpiado** *m* nettoyage.

**limpiador, a** *a/s* nettoyeur, euse.

**limpiamente** *adv* **1.** proprement **2.** FIG honnêtement **3.** *(con destreza)* adroitement.

**limpiaparabrisas** *m inv* essuie-glace.

**limpiar** *vt* **1.** nettoyer: **~ los cristales, los muebles, las lentejas** nettoyer les vitres, les meubles, les lentilles **2.** *(un pozo)* curer **3. ~ de** débarrasser de; **~ de minas** déminer **4.** FAM faucher, barboter, piquer: **me limpiaron la cartera** on m'a fauché mon portefeuille **5.** AMER *(matar)* tuer, liquider.

**limpiaúñas** *m inv* cure-ongles.

**limpidez** *f* limpidité.

**límpido, a** *a* limpide.

**limpieza** *f* **1.** propreté **2.** *(acción de limpiar la casa, la ropa, etc.)* nettoyage *m* ◊ **hacer la ~** faire le ménage; **la mujer de la ~** la femme de ménage **3.** *(de la vía pública)* nettoiement *m* **4.** FIG *(destreza)* habileté, adresse **5.** FIG rectitude, honnêteté ◊ **~ de corazón** droiture **6. ~ de sangre** pureté de sang **7. ~ étnica** purification ethnique, nettoyage ethnique.

**limpio, a** *a* **1.** propre: **una toalla limpia** une serviette propre; **manos limpias** mains propes ◊ **pasar a ~ un escrito** mettre au propre un écrit **2.** pur, e, net, nette: **corazón ~** cœur pur; **conciencia limpia** conscience pure, nette ◊ **cien pesetas limpias** cent pesetas net **3. juego ~** franc jeu, fair play **4.** FAM *(sin dinero)* sans un radis. ◇ *adv* **1. jugar ~** jouer franc jeu **2.** *loc adv* **en ~** net: **cien pesetas en ~** cent pesetas net; **poner en ~** mettre au net, au propre; **sacar en ~** tirer au clair.

**limpión** *m* nettoyage superficiel.

**linaje** *m* **1.** lignage, lignée *f* **2. el ~ humano** le genre humain.

**linajudo, a** *a* de haut lignage, de noble extraction.

**linaza** *f (semilla de lino)* linette ◊ **aceite de ~** huile de lin.

**lince** *m* **1.** lynx: **ojos de ~** yeux de lynx **2.** FIG malin.

**linchamiento** *m* lynchage.

**linchar** *vt* lyncher.

**lindamente** *adv* joliment, gentiment.

**lindante** *a* contigu, ë, attenant, e, avoisinant, e.

**lindar** *vi* **~ con,** être contigu, ë à, attenant, e à, limitrophe de.

**lindazo** *m* limite *f.*

**linde** *f* **1.** limite: **la ~ de una finca** la limite d'une propriété **2.** *(de un bosque)* orée, lisière.

▶ *Linde* s'emploie parfois au masculin.

**lindero, a** *a* limitrophe, contigu, ë. ◇ *m (linde)* limite *f,* bord, orée *f.*

**lindeza** *f* beauté, joliesse. ◇ *pl (irónico)* gentillesses, amabilités.

**lindo, a** *a* **1.** joli, e, gentil, ille: **una linda cara** un joli visage **2.** exquis, e. ◇ *adv* **de lo ~** joliment, drôlement: **nos hemos aburrido de lo ~** on s'est joliment ennuyés; **hoy pica el sol de lo ~** aujourd'hui le soleil tape drôlement. ◇ *m* petit-maître.

**línea** *f* **1.** ligne: **~ recta, quebrada** ligne droite, brisée; **~ telefónica** ligne téléphonique; **servicios en ~** services en ligne; **~ aérea** ligne aérienne; **~ de gol** ligne de but; **las líneas enemigas** les lignes ennemies ◊ FIG **leer entre líneas** lire entre les lignes **2. guardar la ~** garder la ligne **3. córtese por la ~ de puntos** détachez suivant le pointillé **4. descendientes por ~ recta** descendants en ligne directe **5.** COM **una nueva ~ de productos** une nouvelle ligne de produits **6.** *loc adv* **en toda la ~** sur toute la ligne, complètement; **en líneas generales** en gros, dans ses grandes lignes.

**lineal** *a* linéaire.

**lineamiento** *m* linéament.

**linfa** *f* **1.** *(líquido orgánico)* lymphe **2.** POÉT eau, onde.

**linfático, a** *a/s* lymphatique.

**linfatismo** *m* lymphatisme.

**linfocito** *m* lymphocyte.

**linfoide** *a* lymphoïde: **tejido ~** tissu lymphoïde.

**lingotazo** *m* POP lampée *f:* **echarse un ~** boire un coup.

**lingote** *m* lingot.

**lingual** *a* lingual, e.

**lingüista** *s* linguiste.

**lingüístico, a** *a/f* linguistique.

**linier** *m (fútbol)* juge de touche.

**linimento** *m* liniment.

**Linneo** *np m* Linné.

**lino** *m (planta, tejido)* lin.

**linóleo, linóleum** *m* linoléum.

**linón** *m* linon.

**linotipia** *f* **1.** *(máquina)* linotype **2.** linotypie.

**linotipista** *s* linotypiste.

**lintel** *m* linteau.

**linterna** *f* **1.** lanterne: **~ sorda** lanterne sourde; **~ mágica** lanterna magique **2.** *(con pila)* lampe de poche **3.** ARQ lanterne.

**lío** *m* **1.** *(de ropas, etc.)* paquet, balluchon **2.** FIG imbroglio, histoire *f:* **no quiero líos** je ne veux pas d'histoires; **armar un ~** faire un scandale; **meterse en líos** se mêler à des histoires **3.** FIG *(desorden)* pagaille *f:* **todo está hecho un ~** tout est en pagaille **4.** FAM **hacerse un ~** s'embrouiller; **me hago un ~** je m'embrouille; **está hecho un ~** il est complètement paumé **5.** *(relación amorosa)* liaison *f.*

**liofilización** *f* lyophilisation.

**liofilizar** *vt* lyophiliser.

**lionés, esa** *a/s* lyonnais, e. ◇ *f (pastel)* sorte de chou *m* à la crème.

**lioso, a** *a* **1.** *(persona)* qui a l'esprit compliqué, qui aime faire des histoires **2.** *(cosa)* embrouillé, e.

**lípido** *m* QUÍM lipide.

**liposucción** *f* liposuccion.

**liquen** *m* lichen.

**liquidación** *f* **1.** COM liquidation **2.** reçu *m.*

**liquidador, a** *s* JUR liquidateur, trice.

**liquidámbar** *m* liquidambar.

**liquidar** *vt* **1.** COM liquider **2.** *(pagar)* régler **3.** FIG liquider **4.** *(licuar)* liquéfier **5.** FAM *(matar)* liquider, tuer.

**liquidez** *f* liquidité.

**líquido, a** *a/m* **1.** liquide **2.** COM liquide ◊ **~ imponible** quantité imposable. ◇ *a (cantidad)* net, nette.

**[1]lira** *f* MÚS, ASTR lyre.

**[2]lira** *f (moneda italiana)* lire.

**lírico, a** *a* lyrique. ◇ *m (poeta)* lyrique. ◇ *f* poésie lyrique.

**lirio** *m* **1.** iris **2. ~ blanco,** lis; **~ de los valles** muguet **3. ~ de agua** variété d'arum.

**lirismo** *m* lyrisme.

**lirón** *m* loir ◊ *FIG* **dormir como un ~** dormir comme un loir, comme une marmotte.

**lirondo** → **mondo y lirondo.**

**lis** *f* **1.** *(heráldica)* lis *m* **2.** *(lirio)* iris.

**lisa** *f* *(pez)* poisson semblable à la loche.

**lisamente** *adv* franchement ◊ **lisa y llanamente** → **llanamente.**

**Lisboa** *np* Lisbonne.

**lisboeta, lisbonense** *a/s* lisbonnin, e, de Lisbonne.

**lisiado, a** *a/s* estropié, e, mutilé, e: **cayó del andamio y quedó ~ de por vida** il tomba de l'échafaudage et resta estropié pour la vie.

**lisiar** *vt* estropier, blesser.

**liso, a** *a* **1.** *(sin asperezas)* lisse, uni, e **2.** *(llano)* plat, e: **pecho ~** poitrine plate; **60 metros lisos** 60 mètres plat **3.** uni, e: **tela lisa** étoffe unie; **blusa lisa** chemisier uni; **colores lisos** couleurs unies **4. ~ y llano** simple.

**lisonja** *f* flatterie.

**lisonjeador, a** *a/s* flatteur, euse.

**lisonjear** *vt* flatter. ◆ **~se** *vpr* se flatter.

**lisonjero, a** *a/s* flatteur, euse.

**lista** *f* **1.** *(línea)* rayure, raie, bande **2.** *(enumeración)* liste: **~ de boda** liste de mariage; **~ negra** liste noire; **cabeza de ~** tête de liste ◊ **pasar ~** faire l'appel **3. ~ de platos** menu *m* **4. ~ de correos** poste restante.

**listado, a** *a* rayé, e. ◇ *m INFORM* listing, listage.

**listar** *vt INFORM* lister.

**listel** *m ARQ* listel, liteau.

**listerioris** *f MED* listériose.

**listero** *m* pointeur, pointeau.

**listeza** *f* intelligence, perspicacité.

**listillo** *m FAM* petit malin.

**listín** *m* **1.** répertoire **2. ~ de teléfonos** annuaire du téléphone.

**listo, a** *a* **1.** intelligent, e **2.** vif, vive, dégourdi, e **3.** malin, igne: **echárselas de ~** faire le malin; **pasarse de ~** vouloir faire le malin, jouer au plus malin; **más ~ que el hambre, que Cardona** malin comme tout, comme un singe; **no te hagas el ~** ne fais pas le malin; **un ~** un malin, une fine mouche **4.** *(dispuesto)* prêt, e: **todo está ~** tout est prêt; **¡listo!** prêt!; **~ para trabajar** prêt à travailler.

**listón** *m* **1.** *(de madera)* latte *f*, baguette *f* **2.** *(para el salto)* barre *f* ◊ *FIG* **poner el ~ muy alto** placer la barre très haut **3.** *(cinta)* ruban étroit.

**lisura** *f* **1.** *(de una superficie)* poli *m* **2.** *FIG* sincérité, franchise **3.** *AMER* grossièreté.

**litera** *f* **1.** *(vehículo)* litière **2.** *(en un barco, un tren)* couchette **3.** lit *m* superposé.

**literal** *a* littéral, e.

**literalidad** *f* littéralité.

**literalmente** *adv* littéralement.

**literario, a** *a* littéraire.

**literata** *f* femme de lettres.

**literato** *m* homme de lettres, littérateur.

**literatura** *f* littérature.

**litiasis** *f MED* lithiase.

**lítico, a** *a* lithique.

**litigante** *a* **parte ~** partie plaidante. ◇ *s* plaideur, euse.

**litigar** *vi* **1.** *(pleitar)* plaider **2.** *FIG* être en litige.

**litigio** *m* litige: **estar en ~** être en litige.

**litigioso, a** *a* litigieux, euse.

**litio** *m QUÍM* lithium.

**litisconsorte** *s JUR* colitigant, e.

**litografía** *f* lithographie.

**litografiar** *vt* lithographier.

**litográfico, a** *a* lithographique.

**litógrafo, a** *s* lithographe.

**litoral** *a/m* littoral, e.

**litosfera** *f* lithosphère.

**lítote** *f* litote.

**litri** *a FAM* snobinard, e.

**litro** *m* litre.

**litrona** *f FAM* bouteille de bière (d'un litre).

**Lituania** *np f* Lituanie.

**lituano, a** *a/s* lituanien, enne.

**liturgia** *f* liturgie.

**litúrgico, a** *a* liturgique.

**liviandad** *f* **1.** légèreté **2.** *FIG* inconstance, frivolité **3.** lasciveté.

**liviano, a** *a* **1.** *(de poco peso)* léger, ère **2.** *FIG* inconstant, e, léger, ère, volage **3.** *FIG* lascif, ive.

**lividecer*** *vi* devenir livide.

**lividez** *f* lividité.

**lívido, a** *a* livide.

**living** *m* living.

**liza** *f* **1.** *(campo)* lice: **entrar en ~** entrer en lice **2.** *(lid)* lutte.

**lizo** *m* *(de un telar)* lisse *f*, lice *f*.

**ll** *f* double l *m*, l mouillé.

**llaga** *f* plaie ◇ **poner el dedo en la ~** mettre le doigt sur la plaie, toucher au vif.

**llagar** *vt* faire des plaies. ◆ **~se** *vpr* s'ulcérer.

**[1]llama** *f* *(del fuego, de la pasión)* flamme.

**[2]llama** *f* *(mamífero)* lama *m*.

**llamada** *f* **1.** appel *m*: **~ de auxilio** appel à l'aide, au secours; **lanzar una ~ de socorro** lancer un appel au secours ◊ **~ telefónica** appel téléphonique, coup *m* de téléphone **2.** *FIG* *(atracción)* appel *m*: **la ~ del deber** l'appel du devoir **3. ~ de atención** rappel *m* à l'ordre **4.** *MIL* rappel *m*: **tocar ~** battre le rappel **5.** *(en un libro)* renvoi *m*.

**llamado, a** *a* appelé, e ◊ **muchos son los llamados y pocos los escogidos** il y a beaucoup d'appelés et peu d'élus. ◇ *m* *(llamada)* appel.

**llamador** *m* **1.** *(aldaba)* heurtoir **2.** bouton de sonnette.

**llamamiento** *m* appel: **un ~ a la calma** un appel au calme; **~ a filas** appel sous les drapeaux.

**llamar** *vt* **1.** *(con la voz, la mano, etc.)* appeler ◊ **~ por teléfono** téléphoner, appeler au téléphone; *MIL* **~ a filas** appeler sous les drapeaux **2.** *(nombrar)* appeler; **volver a ~** rappeler **3. ~ la atención** → **atención; ~ al orden** rappeler à l'ordre. ◇ *vi* *(a una puerta)* frapper; *(con el timbre)* sonner. ◆ **~se** *vpr* s'appeler: **¿cómo se llama usted?** comment vous appelez-vous?; **me llamo Enrique** je m'appelle Henri; **lo que se llama...** ce qu'on appelle... ◊ *FIG* **llamarse andana** faire la sourde oreille.

**llamarada** *f* **1.** flambée **2.** *(del rostro)* rougeur momentanée.

**llamativo, a** *a* criard, e, voyant, e: **colores llamativos** couleurs criardes.

**llameante** *a* flamboyant, e.

**llamear** *vi* flamber, flamboyer.

**llana** *f* *(herramienta)* truelle.

**llanada** *f* *(llanura)* plaine.

**llanamente** *adv* simplement, naturellement ◊ **lisa y ~** *(sin rodeos)* tout simplement, franchement, *(con sencillez)* simplement, sans façon.

**llanear** *vi (ciclista)* rouler sur du plat.

**llanero, a** *s* habitant, e des plaines.

**llaneza** *f* **1.** *(sencillez)* simplicité, bonhomie **2.** franchise, familiarité.

**llanito, a** *a/s* FAM habitant, e de Gibraltar.

**¹llano** *m (llanura)* plaine *f.*

**²llano, a** *a* **1.** plat, e: **plato ~** assiette plate **2.** *(persona)* simple, naturel, elle **3. estado ~** tiers-état; **el pueblo ~** les petites gens, les gens modestes, le petit peuple **4.** GRAM qui a l'accent tonique sur la pénultième syllabe, paroxyton **5. a la llana** sans façon, sans cérémonie.

**llanque** *m* AMER sandale *f.*

**llanta** *f* **1.** *(de bicicleta, de coche)* jante **2.** *(cerco)* bandage *m* **3.** AMER *(neumático)* pneu *m.*

**llantén** *m* plantain.

**llantera, llantina** *f* FAM pleurs *m pl*, pleurnicheries *pl*, pleurnichements *m pl.*

**llanto** *m* pleurs *pl*, larmes *f pl*: **al borde del ~** au bord des larmes; **no pude contener el ~** je ne pus retenir mes larmes.

**llanura** *f* plaine.

**llapingacho** *m* AMER omelette *f* de pommes de terre au fromage.

**llar** *m* fourneau, foyer.

**llares** *f pl* crémaillère *sing.*

**llave** *f* **1.** clef, clé: **cerrar con ~, echar la llave** fermer à clef; **~ falsa** fausse clef; **bajo ~** sous clef; **~ en mano** clefs en main; **cerrar con dos vueltas de ~** fermer à double tour; FIG **bajo siete llaves** en lieu sûr ◊ **~ maestra** passe-partout *m*; **~ inglesa** clef anglaise **2.** FIG *(medio para descubrir lo oculto)* clef **3.** *(grifo)* robinet *m* **4. ~ de la luz** interrupteur *m*: **darle a la ~ de la luz** tourner l'interrupteur **5.** *(corchete)* accolade **6.** MÚS clef: **~ de sol, de fa** clef de sol, de fa **7.** *(en la lucha)* clef **8.** *(de un arma de fuego)* platine.

**llavero, a** *s* personne qui garde les clefs. ◇ *m* porte-clefs, porte-clés *inv.*

**llavín** *m* petite clef *f.*

**llegada** *f* **1.** arrivée: **la ~ del tren** l'arrivée du train; **desde su ~ al poder** depuis son arrivée au pouvoir **2.** venue.

**llegar** *vi* **1.** arriver: **llegaron ayer** ils sont arrivés hier; **todo llega** tout arrive; **ha llegado el momento de...** le moment est arrivé, venu de...; **el agua le llegaba a las rodillas** l'eau lui arrivait, lui venait aux genoux ◊ **«llegué, vi, vencí»** «je suis venu, j'ai vu, j'ai vaincu»; **no llegará lejos → lejos 2.** parvenir: **no me ha llegado todavía tu carta** ta lettre ne m'est pas encore parvenue **3.** atteindre: **~ a una edad avanzada** atteindre un âge avancé ◊ **no llegará a viejo** il ne fera pas de vieux os **4. ~ al alma** toucher profondément; **~ a las manos** en venir aux mains **5. ~ a ser** devenir: **llegó a (ser) director** il est devenu directeur **6. ~ a saber** arriver à savoir, parvenir à savoir, réussir à savoir, finir par savoir: **nunca he llegado a saber si...** je ne suis jamais parvenu a savoir si...; **nunca llegaré a comprender...** je n'arriverai jamais à comprendre...; **a veces llego a preguntarme** j'en arrive parfois à me demander... **7.** suffire, être suffisant, e. ◆ **~se** *vpr* **1.** aller, se rendre: **llégate al estanco** va au bureau de tabac; **se llegó al ayuntamiento** il se rendit à la mairie; **me llegaré por tu casa** je passerai chez toi **2.** *(acercarse)* s'approcher de.

**llena** *f (de un río)* crue.

**llenado** *m* remplissage.

**llenar** *vt* **1.** remplir: **llenaron sus vasos** ils remplirent leurs verres **2.** FIG *(un cargo, etc.)* remplir **3.** FIG **~ de alegría** remplir de joie **4.** *(de favores, etc.)* combler **5.** *(de injurias, elogios)* couvrir **6.** *(satisfacer)* satisfaire, plaire. ◆ **~se** *vpr* se remplir: **la sala se llenaba poco a poco** la salle se remplissait peu à peu.

**llenazo** *m* FAM affluence *f*, foule *f.*

**llenito, a** *a* FAM rondelet, ette, grassouillet, ette.

**lleno, a** *a* **1.** plein, e **2.** plein, e, rempli, e: **texto ~ de errores** texte rempli d'erreurs. ◇ *m* **1.** pleine lune *f* **2.** *(en una sala de espectáculos)* **hay un ~ en el estadio** le stade est comble; **el teatro registró un ~ total el pasado viernes** le théâtre a fait salle comble vendredi dernier **3.** *loc adv* **de ~** entièrement, totalement, directement, en plein.

**lleudar → leudar.**

**llevadero, a** *a* supportable.

**llevar** *vt* **1.** porter: **~ una maleta, un jersey, una corbata** porter une valise, un chandail, une cravate; **lleva un paquetito en la mano** il porte un petit paquet à la main **2.** mener, conduire: **~ a su hija a la escuela** mener sa fille à l'école; **~ de la mano** mener par la main; **lléveme a la estación** conduisez-moi à la gare; FIG **~ a la victoria** conduire à la victoire; **esto nos llevaría demasiado lejos** ceci nous entraînerait trop loin; **sería ~ la comparación demasiado lejos** ce serait pousser la comparaison trop loin **3.** emmener: **llevó a su prima al restaurante** il a emmené sa cousine au restaurant **4.** *(a lo lejos)* emporter **5.** avoir: **llevo poco dinero encima** j'ai peu d'argent sur moi; **lleva usted razón** vous avez raison; **lleva las manos sucias** il a les mains sales **6.** *(inducir)* amener, conduire: **esto me lleva a pensar que...** ceci m'amène à penser que... **7.** mener: **~ una vida tranquila** mener une vie tranquille; **~ una política de austeridad** mener une politique d'austérité ◊ **~ a cabo, ~ adelante** mener à bien; **~ consigo** entraîner; **dejarse ~** se laisser aller **8.** *(cobrar)* prendre: **¿cuánto te ha llevado el garajista?** combien t'a pris le garagiste?; **lleva muy caro** il prend très cher **9.** supporter: **~ su enfermedad con paciencia** supporter sa maladie avec patience **10.** *(cuidar)* avoir la charge de, s'occuper de, diriger: **lleva él el negocio** c'est lui qui dirige l'affaire ◊ **~ las cuentas** tenir les comptes **11.** MAT retenir: **pongo seis y llevo dos** je pose six et je retiens deux **12.** *(exceder)* **me lleva tres años** il a trois ans de plus que moi, il est de trois ans mon aîné; **me lleva diez metros de ventaja** il a dix mètres d'avance sur moi **13.** *(cierto tiempo)* **llevo dos días sin comer** je n'ai pas mangé depuis deux jours; **llevo aquí mucho rato** je suis ici depuis longtemps; **¿llevas mucho tiempo de casada?** il y a longtemps que tu es mariée?; *(+ gerundio)* **lleva viviendo aquí diez años** il habite ici depuis dix ans; **llevo una hora esperándote** ça fait une heure que je t'attends; *(+ participio pasado)* **llevo escritas tres cartas** j'ai déjà écrit trois lettres; **lleva tres días encerrado en su cuarto,** ça fait trois jours qu'il est enfermé dans sa chambre ◊ **14. 70 años bien llevados** 70 ans bien tassés. ◆ **~se** *vpr* **1.** emporter: **la crecida se lo llevó todo** la crue a tout emporté; **lo que el viento se llevó → viento 2.** emmener: **¡llévesela!** emmenez-la!; **¡llévenselo!,** emmenez-le! **3.** porter: **se llevó la copa a los labios** il porta la coupe à ses lèvres **4. llevarse un premio** remporter un prix; **llevarse la palma** remporter la palme; **se ha llevado el Tour** il a remporté le Tour de France **5.** *(estar de moda)* se porter **6.** *(un disgusto, etc.)* avoir **7. llevarse bien, mal** bien, mal s'entendre: **se lleva bien con su suegra** il s'entend bien avec sa belle-mère.

**llicila** *f* AMER châle *m.*

**llorador, a** *a/s* pleureur, euse.

**lloraduelos** *s* pleurnicheur, euse, geignard, e.

**llorar** *vi/t* pleurer: **~ a lágrima viva** pleurer à chaudes larmes; **~ la muerte de** pleurer la mort de ◊ **el que no llora no mama** qui ne demande rien n'a rien.

**llorera** *f* crise de larmes.

**llorica** *s* pleurnicheur, euse.

**lloriquear** *vi* pleurnicher.

**lloriqueo** *m* pleurnicherie *f.*

**lloro** *m* pleurs *pl*, larmes *f pl.*

**llorón, ona** *a/s* pleurnicheur, euse, pleureur, euse. ◇ *a* **sauce ~** saule pleureur. ◇ *m* plumet. ◇ *f* **1.** pleureuse **2.** *AMER (espuela)* éperon *m*.

**lloroso, a** *a* **1** *(persona)* en larmes, en pleurs, éploré, e **2. ojos llorosos** des yeux pleins de larmes, larmoyants.

**llovedizo, a** *a* **1. agua llovediza** eau de pluie **2.** *(tejado)* qui laisse passer la pluie.

**llover*** *v impers* pleuvoir; **llueve a cántaros** il pleut à verse; **ha llovido mucho** il a beaucoup plu ◊ *FIG* **ha llovido mucho desde entonces** il a passé beaucoup d'eau sous les ponts depuis; **~ sobre mojado** arriver coup sur coup; **llovido del cielo** tombé du ciel; **como quien oye ~** sans faire attention, d'une oreille distraite.

**llovizna** *f* bruine, pluie fine.

**lloviznar** *v impers* bruiner.

**lluvia** *f* **1.** pluie ◊ **~ ácida** pluies *pl* acides **2.** *FIG* pluie, déluge *m*, avalanche: **una ~ de improperios** une pluie d'injures **3.** *AMER (ducha)* douche.

**lluvioso, a** *a* pluvieux, euse.

**lo** *art neutro* **1.** ce qui est: **~ difícil** ce qui est difficile; **~ mío** ce qui est à moi; **~ más gracioso es que...** le plus drôle c'est que... **2. ~ que quiero decir** ce que je veux dire; **~ que es cierto** ce qui est sûr; **~ que no es lo mismo** ce qui n'est pas la même chose; **no sé ~ qué hacer** je ne sais pas quoi faire; **~ que tú quieras** comme tu voudras; **le pasó ~ que a mí** il lui est arrivé la même chose qu'à moi; **haré ~ que tú** je ferai la même chose que toi, comme toi **3. si supieras ~ bonita que es** si tu savais combien, comme, à quel point elle est jolie; **me di cuenta de ~ estúpidos que hemos sido** je me suis rendu compte à quel point nous avons été stupides; **con ~ listo que es** malin comme il est; **¡~ que han cambiado los tiempos!** comme les temps ont changé!; **~ mucho que** combien **4. ~ de** ce qui concerne, l'histoire de, l'affaire de: **es como ~ de su amigo japonés** c'est comme l'histoire de son ami japonais; **~ de ayer** ce qu'il s'est passé hier; *(souvent ne se traduit pas:* **¿y ~ de tu viaje a Suecia?** et ton voyage en Suède?) **5.** *loc adv* **a ~** à la manière de, à la: **a ~ gaucho** à la manière des gauchos; **bigote a ~ Charlot** moustache à la Charlot. ◇ *pron pers* **1.** le: **~ haré** je le ferai; **no ~ olvidemos** ne l'oublions pas; **hay que hacerlo** il faut le faire; **dímelo** dis-le moi; **~ vi a la salida del cine** je l'ai vu à la sortie du cinéma **2.** y: **no quiero pensarlo** je ne veux pas y penser; **piénselo** pensez-y; **nunca ~ había pensado** je n'y avais jamais pensé **3.** en: **te ~ agradezco** je t'en remercie; **~ necesito** j'en ai besoin.
▶ *Lo* pron. personnel: ~ vi... = *le vi...*

**loa** *f* **1.** louange **2.** poème *m* laudatif **3.** *ANT* prologue *m* d'une pièce dramatique.

**loable** *a* louable.

**loar** *vt* louer, vanter.

**loba** *f* **1.** *(hembra del lobo)* louve **2.** *(vestidura)* soutane.

**lobanillo** *m MED* loupe *f*.

**lobato** *m* louveteau.

**lobby** *m* lobby.

**lobectomía** *f MED* lobectomie.

**lobelia** *f* lobélie.

**lobero, a** *a* de loup. ◇ *m* chasseur de loups. ◇ *f* repaire *m* du loup.

**lobezno** *m* louveteau.

**lobina** *f (pez)* bar *m*.

**lobo** *m* **1.** loup ◊ *FIG* **el ~ feroz** le grand méchant loup; **ver las orejas al ~** prendre conscience du danger; **meterse en la boca del ~** → **boca 2.** *FIG* **~ de mar** loup de mer **3. ~ cerval** loup-cervier; **~ marino** loup de mer, phoque **4.** *FIG (borrachera)* cuite *f*.

**lobotomía** *f MED* lobotomie.

**lóbrego, a** *a* **1.** sombre, ténébreux, euse. **2.** *FIG* sombre, lugubre.

**lobreguez** *f* **1.** obscurité **2.** tristesse.

**lobulado, a** *a* lobé, e, lobulé, e: **hoja lobulada** feuille lobée; **arco ~** arc lobé.

**lóbulo** *m ANAT, ARQ, BOT* lobe.

**lobuno, a** *a* de loup.

**loca** *f AMER* mauvaise humeur. → **loco.**

**locación** *f JUR* location.

**local** *a* local, e: **el equipo ~** l'équipe locale; **los impuestos locales** les impôts locaux. ◇ *m* local: **locales comerciales** locaux commerciaux.

**localidad** *f* **1.** localité **2.** *(en un espectáculo)* place: **precio de las localidades** prix des places.

**localización** *f* localisation.

**localizar** *vt* **1.** localiser **2.** repérer.

**locamente** *adv* follement.

**locatario, a** *s* locataire.

**locatis** *s FAM* cinglé, e, piqué, e.

**locativo, a** *a/m* locatif, ive.

**locha** *f (pez)* loche.

**loción** *f* lotion: **~ capilar** lotion capillaire.

**lock-out** *m* lock-out.

[1]**loco, a** *a* **1.** fou, fol *(delante de un masculino que empieza por una vocal)*, folle: **~ de atar, de remate** fou à lier; **es para volverse ~** il y a de quoi devenir fou; *FIG* **~ de alegría** fou de joie; **estar ~ con, por** être fou de; **me vuelve ~** il me rend fou; **hacerse el ~** faire l'innocent **2.** *FIG (muy grande)* **unas ganas locas de...** une envie folle de...; **una suerte loca** une chance folle, inouïe **3.** *loc adv* **a tontas y a locas** à tort et à travers. ◇ *s* fou, folle: **cada ~ con su tema** à chaque fou sa marotte ◊ **conduce siempre a lo ~** il conduit toujours comme un fou; **empezaron a disparar a lo ~** ils commencèrent à tirer comme des fous; *FIG* **la loca de la casa** la folle du logis, l'imagination.

[2]**loco** *m AMER* mollusque comestible du Chili.

**locomoción** *f* locomotion.

**locomotor, a** *a* locomoteur, trice. ◇ *f* locomotive.

**locomóvil** *a/f* locomobile.

**locro** *m AMER* ragoût au maïs.

**locuacidad** *f* loquacité.

**locuaz** *a* loquace.

**locución** *f* locution.

**locuelo, a** *a/s FAM* écervelé, e.

**locura** *f* **1.** folie **2. con ~** à la folie **3. Elogio de la ~, de Erasmo** Éloge de la folie, d'Érasme.

**locutor, a** *s* speaker, speakerine, présentateur, trice.

**locutorio** *m* **1.** *(en una cárcel, un convento)* parloir **2.** cabine *f* téléphonique.

**lodazal, lodazar** *m* bourbier.

**loden** *m* loden.

**lodo** *m* boue *f*.

**logarítmico, a** *a* logarithmique.

**logaritmo** *m* logarithme.

**logia** *f* **1.** *ARQ* loge **2.** *(de francmasón)* loge.

**lógica** *f* logique.

**logicial** *m* logiciel.

**lógico, a** *a* logique. ◇ *s* logicien, enne.

**logístico, a** *a/f* logistique.

**logomaquia** *f* logomachie.

**logopedia** *f* logopédie, orthophonie.

**logotipo** *m* logo.

**logrado, a** *a* réussi, e: **una película lograda** un film réussi.

**lograr** *vt* **1.** obtenir ◊ **~sus fines** arriver à ses fins **2.** *(+ infinitivo)* réussir à, parvenir à: **he logrado convencerle** j'ai réussi, je suis parvenu à le convaincre. ◆ **~se** *vpr* réussir.

**logrear** *vt* prêter à usure.

**logrero, a** *a/s* **1.** *(usurero)* usurier, ère **2.** accapareur, euse.

**logro** *m* **1.** obtention *f* ◊ **los logros sociales** les acquis sociaux **2.** *(éxito)* succès, réussite *f*: **logros deportivos** succès sportifs **3.** usure *f*.

**logroñés, esa** *a/s* de Logroño.

**loica** *f* oiseau chanteur du Chili.

**Loira** *np m* **el ~** la Loire.

**loísmo** *m GRAM* emploi abusif de «lo» au lieu de «le» comme pronom datif ou accusatif masculin.

**loísta** *a/s GRAM* partisan du «loísmo».

**Lola** *np f FAM* Dolores.

**lolas** *f pl AMER FAM* nichons *m*.

**loma** *f* coteau *m*, hauteur, colline.

**lombarda** *f* **1.** bombarde **2.** *(col)* chou *m* rouge.

**Lombardía** *np f* Lombardie.

**lombardo, a** *a/s* lombard, e ◊ *ARQ* **bandas lombardas** bandes lombardes.

**lombriz** *f* **1.** ver *m* de terre, lombric *m* **2.** *(intestinal)* ver *m* ◊ **~ intestinal** ascaride *m*.

**lomera** *f* **1.** *(de tejado)* faîte *m* **2.** *(de libro)* dos *m*.

**lomienhiesto, a** *a FIG* fier, fière.

**lomo** *m* **1.** *(del hombre)* reins *pl*, lombes *f pl* **2.** *(de un animal, un libro, un cuchillo)* dos **3.** *(carne de vaca)* entrecôte *f*, faux-filet, *(de cerdo)* échine *f*, *(de liebre)* râble **4.** *AGR* billon.

**lona** *f* **1.** toile: **~ de cáñamo** toile de chanvre **2.** *(boxeo, etc.)* tapis *m*: **tirar a la ~** envoyer au tapis.

**loncha** *f* tranche: **una ~ de jamón** une tranche de jambon; **en lonchas** en tranches.

**lonchería** *f AMER* café-restaurant *m*, snack *m*.

**londinense** *a/s* londonien, enne.

**Londres** *np* Londres.

**longanimidad** *f* longanimité.

**longánimo, a** *a* longanime.

**longaniza** *f* saucisse ◊ *FIG* **atar los perros con ~ → perro.**

**longevidad** *f* longévité.

**longevo, a** *a* très âgé, e.

**longitud** *f* **1.** longueur: **salto de ~** saut en longueur; **~ de onda** longueur d'onde **2.** *GEOG* longitude.

**longitudinal** *a* longitudinal, e.

**longo, a** *s AMER* jeune indien, enne (de l'Équateur).

**longobardo, a** *a/s* lombard, e.

**longui, longuis** *m* **hacerse el ~** faire l'ignorant, faire la sourde oreille.

**[1]lonja** *f (loncha)* tranche: **~ de jamón** tranche de jambon.

**[2]lonja** *f* **1** *(edificio público)* bourse de commerce **2.** *(tienda)* magasin *m* d'alimentation, épicerie **3.** *(atrio)* parvis *m*.

**lonjista** *m* épicier en gros.

**lontananza** *f* **1.** lointain *m* **2.** *loc adv* **en ~** au loin, dans le lointain.

**look** *m* look.

**loor** *f* louange.

**López** *np* **ésos son otros ~** c'est une autre affaire.

**loquear** *vi* faire, dire des bêtises.

**loquería** *f AMER* asile *m* d'aliénés.

**loquero, a** *s* gardien, enne d'un asile de fous. ◇ *m AMER* hôpital psychiatrique, asile d'aliénés.

**loquios** *m pl MED* lochies *f*.

**lora** *f AMER* perroquet *m* femelle.

**lord** *m* lord.

**lordosis** *f ANAT* lordose.

**Lorena** *np f* Lorraine.

**lorenés, esa** *a/s* lorrain, e.

**Lorenzo, a** *np* Laurent, Laurence.

**lores** *pl* de **lord**: **la Cámara de los ~** la Chambres des lords.

**loriga** *f* **1.** sorte de cotte de maille **2.** *(de rueda)* frette.

**loro** *m* perroquet ◊ **el chocolate del ~ → chocolate.**

**lorquiano, a** *a* de Federico García Lorca.

**[1]los** *art* **1.** les **2. ~ de** ceux de; **~ que** ceux que, ceux qui: **~ que dicen...;** eux qui disent...; **~ que prefiero** ceux que je préfère **3. ~ hay** il y en a.
▶ El artículo *los* debe traducirse a menudo por el adjetivo posesivo: *se quitó ~ zapatos* il ôta ses chaussures.

**[2]los** *pron pers* **les: ~ he visto** je les ai vus; **¡míralos!** regarde-les!

**losa** *f* **1.** dalle **2. ~ sepulcral** pierre tombale.

**losange** *m* losange.

**loseta** *f* carreau *m* (pour le sol).

**Lot** *np m* Loth.

**lota** *f (pez)* lotte.

**lote** *m* **1.** *(parte)* lot **2. ~ navideño** cadeau de Noël (friandises, vins, etc.) offert aux employés d'une entreprise **3.** *VULG* **darse el ~** se peloter.

**lotería** *f* **1.** loterie **2.** *(juego casero)* loto.
▶ *Lotería primitiva:* sorte de loterie nationale, très populaire en Espagne, proche du «loto».

**lotero, a** *s* vendeur, euse de billets de loterie.

**[1]loto** *m (planta acuática)* lotus.

**[2]loto** *f FAM* loto *m*.
▶ Nom familier de la *lotería primitiva*.

**loza** *f* **1.** *(barro fino)* faïence **2.** *(vajilla)* vaisselle.

**lozanía** *f* **1.** vigueur, fraîcheur **2.** *(de la vegetación)* exubérance.

**lozano, a** *a* **1.** vigoureux, euse, frais, fraîche **2.** *(vegetación)* exubérant, e.

**lubina** *f (pez)* bar *m*, loup *m* de mer: **~ al hinojo** loup au fenouil.

**lubricación** *f* lubrification.

**lubricante** *a/m* lubrifiant, e.

**lubricar** *vt* lubrifier.

**lubricidad** *f* lubricité.

**lúbrico, a** *a* lubrique.

**lubrificación** *f* lubrification.

**lubrificante** *a/s* lubrifiant, e.

**lubrificar** *vt* lubrifier.

**Lucas** *np m* Luc.

**lucense** *a/s* de Lugo (Espagne).

**lucera** *f* lucarne, œil-de-bœuf *m*.

**lucerna** *f* **1.** *(lumbrera)* lucarne **2.** *(luciérnaga)* ver *m* luisant.

**lucero** *m* **1.** étoile *f* brillante **2. el ~ del alba, de la tarde** l'étoile du matin, du soir, l'étoile du berger. ◇ *pl (ojos)* yeux.

**luces** *pl* de **luz.**

**lucha** *f* lutte: **la ~ de clases** la lutte des classes.

**luchador, a** *a/s* lutteur, euse.

**luchar** *vi* **1.** lutter **2.** *FIG* se battre, lutter: **hay que ~ en la vida** il faut se battre dans la vie; **~ por un ideal, por el bien de su país** se battre pour un idéal, pour le bien de son pays.

**Lucía** *np f* Lucie.

**Luciano, a** *np* Lucien, enne.

**lúcidamente** *adv* lucidement.

**lucidez** *f* lucidité.

**lúcido, a** *a* lucide: **une mente lúcida** un esprit lucide; **estar ~** être lucide.

**lucido, a** *a* **1.** *(actuación, etc.)* brillant, e **2. → lucir.**

**luciente** *a* brillant, e.

**luciérnaga** *f* ver *m* luisant.

**Lucifer** *np m* Lucifer.

**luciferino, a** *a* de Lucifer, diabolique, luciférien, enne.

**lucífero** *m* étoile *f* du matin.

**Lucila** *np f* Lucile.

**lucimiento** *m* **1.** éclat, lustre **2.** *(éxito)* réussite *f*, succès.

**lucio** *m (pez)* brochet.

**lución** *m* orvet.

**lucioperca** *f (pez)* sandre.

**lucir*** *vi* **1.** briller, luire **2.** *FIG* briller, se distinguer **3.** *(cundir)* profiter, servir: **poco le luce lo que estudia** ce qu'il apprend ne lui profite pas beaucoup **4.** faire de l'effet **5.** *AMER* **lucía hermosa** elle était belle; **luce radiante esta mañana** elle est radieuse ce matin; **luce joven** elle fait jeune; **luce descansado** il a l'air reposé. ◇ *vt* **1.** *(llevar)* porter, arborer: **luce hermosos aretes** elle porte de belles boucles d'oreille **2.** montrer, exhiber: **lucía las piernas desnudas** elle exhibait ses jambes nues. ◆ **~se** *vpr* **1.** *(hacerse ver)* se montrer **2.** briller, se distinguer: **lucirse en un examen** briller dans un examen; **espero que te luzcas en el torneo de tenis** j'espère que tu vas te distinguer au tournoi de tennis **3.** *FAM* **¡estamos lucidos!, ¡nos hemos lucido!** nous voilà propres!; **me quedé lucido** j'avais l'air fin, j'avais bonne mine.

**lucrarse** *vpr* **1.** profiter, tirer profit **2.** *(enriquecerse)* s'enrichir, gagner de l'argent.

**lucrativo, a** *a* lucratif, ive.

**Lucrecia** *np f* Lucrèce.

**lucro** *m* lucre, gain, profit ◊ **asociación sin ánimo de ~** association à but non lucratif.

**luctuoso, a** *a* triste, sombre.

**lucubración** *f* élucubration.

**lucubrar** *vt* élucubrer.

**Lúculo** *np m* Luculus.

**lúcumo** *m (arbre)* lucuma.

**ludibrio** *m* **1.** *(desprecio)* mépris **2.** *(burla)* dérision *f*.

**lúdico, a, ludicro, a** *a* ludique.

**ludimiento** *m* frottement.

**ludión** *m* ludion.

**ludir** *vt* frotter.

**ludoteca** *f* ludothèque.

**lúe** *f* infection.

**luego** *adv* **1.** *(en seguida)* aussitôt, tout de suite: **muy ~** tout de suite, immédiatement **2.** *(pronto)* bientôt, tout à l'heure ◊ **hasta ~** à bientôt, au revoir **3.** *(después)* ensuite, après ◊ **~ de** après; **~ de lavarse** après s'être lavé; **~ de unos segundos** au bout de quelques secondes; **~ de su llegada al aeropuerto** dès son arrivée à l'aéroport; **~ que** aussitôt après que; **~ que tengas...** dès que tu auras... **4.** *loc adv* **desde ~** bien entendu, évidemment, naturellement. ◇ *conj* donc: **pienso, ~ existo** je pense, donc je suis.

**luengo, a** *a* **1.** long, longue **2. de luengas tierras, largas mentiras** a beau mentir qui vient de loin.

**lugano** *m* oiseau voisin du chardonneret.

**lugar** *m* **1.** lieu, endroit: **~ de nacimiento** lieu de naissance; **en un ~ de su discurso** à un endroit de son discours; **en el ~ del crimen** sur les lieux du crime; **un ~ pintoresco** un endroit, un site pittoresque **2.** emplacement: **en este ~ se alzaba un templo romano** à cet endroit, sur cet emplacement se dressait un temple romain **3.** place *f*: **cada cosa en su ~** chaque chose à sa place; **un ~ en el sol** une place au soleil; **ponte en su ~** mets-toi à sa place; **hacer ~** faire de la place; **¡en su ~, descanso! → descanso 4.** *(en una clasificación)* place *f*, rang: **ocupa el tercer ~** il occupe la troisième place **5.** *loc adv* **en primer ~** en premier lieu, d'abord; **en segundo ~** en deuxième lieu, deuxièmement; **en último ~** en dernier lieu **6.** *loc prep* **en ~ de** au lieu de **7. dar ~ a** donner lieu à; **fuera de ~** hors de propos; **no dejar ~ a dudas** être hors de doute; **tener ~** avoir lieu **8.** *(aldea)* village, bourgade *f*, localité *f* **9.** *(tiempo disponible)* temps, loisir **10. ~ común** lieu commun, poncif. ◇ *pl* **los Lugares Santos** les Lieux saints.

**lugareño, a** *a/s* villageois, e, campagnard, e: **costumbres lugareñas** coutumes villageoises.

**lugartenencia** *f* lieutenance.

**lugarteniente** *m* lieutenant.

**lúgubre** *a* lugubre.

**luir*** *vt AMER (ajar)* chiffonner, friper, froisser: **un overol luido** un bleu de travail fripé.

**Luis, Luisa** *np* Louis, Louise.

**luisa** *f* citronnelle.

**Luisiana** *np f* Louisiane.

**lujación** *f* luxation.

**lujo** *m* luxe: **hotel de ~** hôtel de luxe ◊ **permitirse el ~ de** se payer, s'offrir le luxe de; **con gran ~ de detalles** avec un grand luxe de détails; **~ asiático** luxe fou.

**lujosamente** *adv* luxueusement.

**lujoso, a** *a* luxueux, euse.

**lujuria** *f* luxure.

**lujuriante** *a* luxuriant, e.

**lujurioso, a** *a* luxurieux, euse.

**luliano, a** *a* relatif, ive à Raymond Lulle ou à son système philosophique, lulliste.

**lulismo** *m* lullisme.

**lulú** *m (perro)* loulou.

**lumbago** *m* lumbago.

**lumbar** *a* lombaire.

**lumbrada** *f* grand feu *m*.

**lumbre** *f* **1.** *(fuego)* feu *m*: **al amor de la ~** au coin du feu; **dar ~** donner du feu **2.** *(luz)* lumière. ◇ *pl* briquet *m sing* à amadou.

**lumbrera** *f* **1.** lumière **2.** *(en un tejado)* lucarne; *(de un sótano)* soupirail *m* **3.** *FIG (persona muy sabia)* lumière ◊ **siempre fue una ~ en su clase** il a toujours été le plus brillant de sa classe **4.** *AMER (palco)* loge.

**luminancia** *f FÍS* brillance.

**luminar** *m FIG (sabio)* lumière *f*, phare.

**luminaria** *f* **1.** *(en fiestas públicas)* illumination **2.** luminaire *m*.

**luminescencia** *f* luminescense.

**luminescente** *a* luminescent, e.

**lumínico, a** *a* lumineux, euse.

**luminosidad** *f* luminosité.

**luminoso, a** *a* **1.** lumineux, euse **2.** *FIG* **una idea luminosa** una idée lumineuse.

**luminotécnico, a** *s* éclairagiste.

**luna** *f* **1.** lune: **~ llena** pleine lune; **~ nueva** nouvelle lune; **~ rosa** lune rousse; **claro de ~** clair de lune; **~ creciente, menguante** → **creciente, menguante,** ◊ *FIG* **estar en la ~** être dans la lune; **pedir la ~** demander la lune; **a la ~ de Valencia** déçu, e, trompé, e, floué, e; **quedarse a la ~ de Valencia** se retrouver gros-Jean; **ladrar a la ~** aboyer à la lune, vociférer, pester **2. ~ de miel** lune de miel **3. media ~** croissant *m* **4.** *(de un espejo, un escaparate, etc.)* glace: **armario de ~** armoire à glace. ▶ En Amérique latine, l'expression *a la luna de Valencia* est remplacée par *a la luna de Paita.*

**lunación** *f* lunaison.

**lunar** *a* lunaire. ◊ *m* **1.** *(en la piel)* grain de beauté **2.** *(en un tejido)* pois: **corbata de lunares** cravate à pois **3.** *FIG* tache *f*, petit défaut.

**lunático, a** *a* lunatique.

**lunch** *m* lunch.

**lunes** *m* lundi: **el ~ que viene** lundi prochain ◊ **cada ~ y cada martes** tous les jours.

**luneta** *f* **1.** *ARQ* lunette **2.** *TEAT* fauteuil *m* d'orchestre **3.** *(de un coche)* **~ trasera** lunette arrière.

**lunfardo** *m* argot de Buenos Aires.

**lungo, a** *s AMER* grand échalas, grande perche.

**lúnula** *f* lunule.

**lupa** *f* loupe: **mirar con ~** regarder à la loupe.

**lupanar** *m* lupanar.

**lupercales** *f pl* lupercales.

**lupia** *f (tumor)* loupe.

**lupino, a** *a* du loup. ◊ *m (planta)* lupin.

**lúpulo** *m* houblon.

**lupus** *m MED* lupus.

**luquete** *m* tranche *f* d'orange, de citron dans du vin.

**Lusitania** *np f* Lusitanie.

**lusitanismo** *m* mot portugais, tournure *f* portugaise.

**lusitano, a, luso, a** *a/s* lusitanien, enne, portugais, e: **el Gobierno ~** le Gouvernement portugais.

**lustrabotas** *m inv AMER* cireur (de chaussures).

**lustrado** *m* lustrage.

**lustral** *a* lustral, e.

**lustrar** *vt* **1.** purifier par des sacrifices **2.** *(los zapatos)* cirer **3.** *(dar brillo)* lustrer.

**lustre** *m* **1.** lustre, brillant ◊ **dar, sacar ~ a** faire briller **2.** *FIG* éclat, splendeur *f* **3.** *(betún)* cirage.

**lustrina** *f* **1.** *(tela)* lustrine **2.** *AMER (betún)* cirage *m.*

**lustro** *m (cinco años)* lustre.

**lustroso, a** *a* lustré, e, brillant, e.

**Lutecia** *np f* Lutèce.

**luteranismo** *m* luthéranisme.

**luterano, a** *a/s* luthérien, enne.

**Lutero** *np m* Luther.

**luto** *m* deuil: **estar de ~** être en deuil; **llevar ~** porter le deuil; **ponerse de ~** prendre le deuil; **medio ~** demi-deuil; **mujer vestida de ~** femme en deuil. ◊ *pl* tentures *f* de deuil.

**lutria** *f (nutria)* loutre.

**luxación** *f* luxation.

**Luxemburgo** *np m* Luxembourg.

**luxemburgués, esa** *a/s* luxembourgeois, e.

**luz** *f* **1.** lumière: **~ artificial** lumière artificielle; **efectos de ~** effets de lumière; **¡hágase la ~!** que la lumière soit!; **se hace la ~ en la escena** la lumière se fait sur la scène; **~ y sonido** son et lumière; **a la ~ de** à la lumière de; **dar ~** éclairer; *FIG* **echar, arrojar ~ sobre** faire (toute) la lumière sur **2.** électricité: **dar la ~** allumer (l'électricité); **apagar la ~** éteindre **3.** *(de un coche, avión, etc.)* feu *m:* **luces traseras** feux arrière; **luces de cruce** feux de croisement, codes; **luces de posición, de situación** feux de position; **luces de población** lanternes, veilleuses; **~ de marcha atrás** phare *m* de recul; *FIG* **dar ~ verde** donner le feu vert **4. ~ de Bengala** feu *m* de Bengale **5.** *(lámpara)* lampe **6.** jour *m:* **claro como la ~ del día** clair comme le jour ◊ **dar a ~** donner le jour, accoucher, mettre au monde: **dio a ~ una niña** elle a accouché d'une fille; *FIG* **sacar a ~** faire paraître, publier; révéler; **ver la ~** voir le jour **7.** *ARQ (ventana)* jour *m; (dimensión)* largeur. ◊ *pl* **1.** *(de una persona)* lumières ◊ **tener pocas luces** ne pas être très malin **2. el siglo de las luces** le Siècle des lumières **3. traje de luces** → **traje 4.** *loc adv* **a todas luces** de toute évidence; **entre dos luces** à l'aube, au crépuscule, entre chien et loup; *FAM (borracho)* à moitié ivre, entre deux vins, un peu éméché.

**Luzbel** *np m* Lucifer.

**luzca,** *etc.* → **lucir.**

**Luzón** *np* Luçon.

**m** [eme] *f* m *m:* **una ~** un m.

**maca** *f* **1.** *(en una fruta)* meurtrissure, tavelure **2.** *(desperfecto)* défaut *m.*

**macá** *f* AMER *(ave)* variété de plongeon *m.*

**Macabeo** *np m* Macchabée.

**macabro, a** *a* macabre.

**macaco, a** *s (mono)* macaque. ◇ *a* AMER *(feo)* laid, e.

**macadam, macadán** *m* macadam.

**macadamizar** *vt* macadamiser.

**macana** *f* **1** *(porra)* massue **2.** *(broma)* blague **3.** *(tontería)* bêtise, sottise **4.** AMER *(mentira)* mensonge *m,* bluff *m.*

**macanazo** *m* coup de massue.

**macaneador, a** *a/s* AMER menteur, euse, bluffeur, euse.

**macanear** *vi* AMER **1.** *(chancear)* blaguer, raconter des bêtises **2.** *(mentir)* mentir, raconter des craques, bluffer.

**macaneo** *m* AMER **1.** blague *f* **2.** bluff.

**macanero, a** AMER → **macaneador.**

**macanudo, a** *a* FAM terrible, du tonnerre, formidable, épatant, e: **una chica macanuda** une fille terrible.

**macaón** *m (mariposa)* machaon.

**macareno, a** *a/s* **1.** du quartier de la Macarena (à Séville) **2.** FIG bravache.

**macareo** *m* mascaret.

**macarra** *m* POP *(chulo)* maquereau. ◇ *a (pendenciero)* bagarreur.

**macarrón** *m* macaron.

**macarrones** *m pl* macaronis.

**macarrónico, a** *a* macaronique.

**macarse** *vpr (las frutas)* se gâter.

**macedonia** *f (de frutas o verduras)* macédoine.

**Macedonia** *np f* Macédoine.

**macedonio, a** *a/s* macédonien, ienne.

**maceración** *f* macération.

**macerar** *vt* **1.** macérer, faire macérer: **macérese en vinagre...** faites macérer dans du vinaigre... **2.** FIG *(el cuerpo)* macérer, mortifier.

**macero** *m* massier.

**maceta** *f* **1.** *(tiesto)* pot *m* à fleurs **2.** *(con una planta)* pot *m* de fleur **3.** *(herramienta)* masse.

**macetero** *m* **1.** meuble servant de support pour des pots à fleurs **2.** AMER *(tiesto)* pot à fleurs.

**macetón** *m* grand pot à fleurs.

**macfarlán, macferlán** *m* macfarlane.

**macha** *f* AMER **1.** mollusque *m* comestible du Chili, couteau *m* **2.** *(broma)* blague.

**machaca** *f (para machacar)* pilon *m.* ◇ *s* FIG *(persona pesada)* raseur, euse.

**machacar** *vt* **1.** *(triturar)* piler, broyer, écraser **2.** *(bombardear)* pilonner **3.** FIG **~ los oídos** rebattre les oreilles. ◇ *vi* FIG rabâcher, répéter.

**machacón, ona** *a* **1.** insistant, e, répétitif, ive **2.** *(pesado)* assommant, e **3. publicidad machacona** publicité matraqueuse, obsédante.

**machaconamente** *adv* avec insistance.

**machaconería** *f* insistance ennuyeuse, rabâchage *m.*

**machamartillo (a)** *loc adv* **1.** solidement, fermement **2.** à fond: **saber a ~** savoir à fond **3. católicos a ~** catholiques convaincus jusqu'au bout des ongles.

**machada** *f* FIG **1.** *(necedad)* bêtise, sottise **2.** bravade.

**machado, a** *a* AMER *(ebrio)* ivre, soûl, e.

**machaqueo** *m* FIG rabâchage.

**machetazo** *m* coup de machette.

**machete** *m* machette *f,* sabre d'abattis.

**machetear** *vt* frapper à coups de machette.

**machi** *s* AMER guérisseur, euse, rebouteux, euse.

**machiega** *a (abeja)* reine.

**machihembrar** *vt (carpintería)* assembler, emboîter.

**machismo** *m* machisme.

**machista** *a/s* machiste.

**macho** *a/m* **1.** mâle ◊ **~ cabrío** bouc **2.** fort: **vino ~** vin fort **3.** FAM macho, phallocrate ◊ **¡adelante ~!** vas-y mon gars!; **hola ~!** salut, mec!. ◇ *m* **1.** *(mulo)* mulet **2.** TECN pièce *f* mâle **3.** *(de corchete)* crochet **4.** *(de herrero)* marteau **5.** *(yunque)* enclume *f.*

**machón** *m* ARQ pilier.

**machorra** *a/f* **1.** *(estéril)* stérile **2.** *(marimacho)* virago.

**machota** *f* FAM **1.** garçon *m* manqué, forte femme **2.** virago.

**machote** *m* **1.** FAM dur: **dárselas de ~** jouer les durs **2.** *(mujer)* garçon manqué, forte femme *f* **3.** *(mazo)* mailloche *f.*

**machucadura** *f,* **machucamiento** *m* **1.** *(de una fruta)* meurtrissure *f* **2.** bosselure *f.*

**machucar** *vt* **1.** *(aplastar)* écraser, écrabouiller **2.** *(abollar)* bosseler **3.** *(frutas)* meurtrir.

**machucho, a** *a* **1.** calme **2.** *(entrado en años)* vieux, vieille, rassis, e, sur le retour.

**macilento, a** *a* **1.** *(flaco)* hâve, émacié, e **2** *(pálido)* pâle.

**macillo** *m* **1.** *(del piano)* marteau **2.** petit maillet.

**macizamente** *adv* massivement.

**macizo, a** *a* **1.** massif, ive: **de oro ~** en or massif; **mesa de pino ~** table en pin massif **2.** *(persona)* robuste, solide. ◇ *m* **1.** *(de flores, de montañas)* massif **2.** ARQ trumeau.

**macla** *f* macle.

**macolla** *f (de una planta)* touffe.

**macramé** *m (tejido)* macramé.

**macró** *m* AMER FAM souteneur, maquereau.

**macrobiótico, a** *a/f* macrobiotique.

**macrocéfalo, a** *a* macrocéphale.

**macrocosmo** *m* macrocosme.

**macroeconomía** *f* macroéconomie.

**macroeconómico, a** *a* macroéconomique.

**macrofotografía** *f* macrophotographie.

**macroscópico, a** *a* macroscopique.

**mácula** *f* **1.** *(mancha)* tache, macule **2.** *(del sol)* tache.

**macular** *vt* maculer, souiller.

**macundos** *m pl* AMER *(trastos)* affaires *f*.

**macuto** *m* sac à dos (de soldat, d'écolier, etc.).

**madapolán** *m* madapolam.

**madeja** *f* **1.** *(de lana, de hilo)* écheveau *m* **2.** *(de pelo)* touffe **3.** *(hombre)* lavette.

**madera** *f* **1.** bois *m*: **una mesa de ~** une table en bois **2.** FIG nature, étoffe: **tener ~ de...** avoir l'étoffe de...; **no tiene ~ de político** il n'a pas l'étoffe d'un homme politique; **~ de asesinos** graine d'assassins **3. tocar ~** toucher du bois. ◇ *m (vino)* madère.

**Madera** *np* Madère.

**maderable** *a* dont on tire le bois pour la construction, l'ébénisterie, etc.

**maderaje, maderamen** *m* charpente *f*.

**maderería** *f* chantier *m* de bois.

**maderero, a** *a* du bois: **la industria maderera** l'industrie du bois. ◇ *m* **1.** marchand de bois **2.** *(conductor de almadía)* flotteur.

**madero** *m* **1.** *(tablón)* madrier **2.** FIG bûche *f*, sot **3.** POP *(policía)* flic.

**madona** *f* madone.

**madrastra** *f* marâtre.

**madrás** *m* madras.

**madraza** *f* FAM maman gâteau.

**madre** *f* **1.** mère ◊ **~ de leche** nourrice; **~ de familia** mère de famille; **~ alquilada** mère porteuse; **~ política** belle-mère; **~ soltera** mère célibataire; **día de la ~** fête des mères **2.** *(origen)* **lengua ~** langue mère; **la ~ patria** la mère patrie **3.** *(religiosa)* mère: **sí, ~** oui, ma mère; **~ superiora** mère supérieure **4.** *(de un río)* lit *m* ◊ **salir de ~** déborder, sortir de son lit **5.** FIG **esa es la ~ del cordero** voilà la vraie raison, le hic; **sacar de ~ a alguien** mettre quelqu'un hors de soi, horripiler quelqu'un; **ser ciento y la ~** être très nombreux **6.** *(del vino)* lie.

**madrearse** *vpr (vino, etc.)* s'aigrir.

**madrecilla** *f* oviducte *m*.

**madreña** *f* sabot *m*.

**madreperla** *f* huître perlière.

**madrépora** *f* madrépore *m*.

**madrero, a** *a* très attaché, e à sa mère.

**madreselva** *f* chèvrefeuille *m*.

**Madrid** *np* Madrid.

**madrigal** *m* madrigal.

**madriguera** *f* **1.** terrier *m*, tanière **2.** *(de malhechores)* repaire *m*.

**madrileño, a** *a/s* madrilène.

**Madriles (los)** *np m* FAM Madrid.
► Nom populaire donné à Madrid comme «Paname» à Paris.

**madrina** *f* **1.** marraine ◊ **~ de guerra** marraine de guerre **2.** *(yegua)* jument qui guide un train de bêtes.
► Voir le mot *padrino*.

**madrinazgo** *m* parrainage.

**madroñal** *m* lieu planté d'arbousiers.

**madroñero** *m* arbousier.

**madroño** *m* **1.** *(arbusto)* arbousier **2.** *(fruto)* arbouse *f* **3.** FIG petit pompon, gland.

**madrugada** *f* **1.** aube, petit jour *m*, point *m* du jour **2.** matin *m*: **a las tres de la ~** à trois heures du matin **3.** *loc adv* **de ~** à l'aube, au petit jour.

**madrugador, a** *a/s* matinal, e, matineux, euse.

**madrugar** *vi* **1.** se lever de bon matin ◊ PROV **a quien madruga, Dios le ayuda** aide-toi, le ciel t'aidera **2.** FIG prendre les devants, se dépêcher.

**madrugón** *m* **darse, pegarse un ~** se lever à l'aube, très tôt.

**maduración** *f* maturation.

**maduradero** *m* fruitier, mûrisserie *f*.

**madurar** *vt/i* mûrir.

**madurez** *f* **1.** *(de los frutos)* maturité **2.** FIG maturité.

**maduro, a** *a* **1.** mûr, e **2.** FIG mûr, e: **la edad madura** l'âge mûr.

**maesa** *a* **abeja ~** reine des abeilles.

**maese** *m* ANT maître.

**maestra → maestro.**

**maestral** *a* magistral, e. ◇ *a/m (viento)* mistral.

**maestranza** *f* **1.** MAR maistrance **2.** *(talleres)* atelier *m* de l'artillerie et son personnel **3.** ordre *m* de chevaliers écuyers.

**maestrazgo** *m* dignité *f*, territoire du grand maître.

**maestre** *m* **1.** *(de una orden militar)* grand maître **2. ~ de campo** mestre de camp.

**maestresala** *m* ANT maître d'hôtel.

**maestrescuela** *m (de una catedral)* écolâtre.

**maestría** *f* maîtrise.

**maestril** *m* cellule *f* (de la reine des abeilles).

**maestrillo** *m* PROV **cada ~ tiene su librillo** chacun a sa méthode, sa manière d'agir.

**maestro, a** *s* maître, esse: **~ de escuela** maître d'école, instituteur; **maestra de escuela** maîtresse d'école, institutrice. ◇ *m* **1.** maître: **los grandes maestros del arte contemporáneo** les grands maîtres de l'art contemporain. **2. ~ de armas, de capilla, de ceremonias** maître d'armes, de chapelle, des cérémonies **3. ~ de obras** entrepreneur en bâtiment **4.** *(compositor de música)* maestro **5.** TAUROM matador. ◇ *a* **1.** maître, esse, principal, e: **viga maestra** poutre maîtresse ◊ **llave maestra** passe-partout *m*; **obra maestra** chef-d'œuvre *m* **2. golpe ~** coup de maître **3.** *(animal)* dressé, e.

**mafia** *f* mafia, maffia.

**mafioso, a** *a* mafieux, euse. ◇ *m* mafioso, maffioso.

**magacín** *m* magazine.

**Magallanes** *np m* Magellan.

**magaña** *f* ruse.

**magazine** *m* magazine.

**magdalena** *f (dulce)* madeleine.

**Magdalena** *np f* Madeleine ◊ *FAM* **llorar como una ~** pleurer comme une Madeleine.

**magia** *f* **1.** magie: **~ negra** magie noire **2.** *FIG* **por arte de ~** comme par enchantement.

**magiar** *a/s* magyar, e.

**mágico, a** *a* magique: **varita mágica** baguette magique.

**magín** *m* **1.** imagination *f* **2.** *FAM* ciboulot, cerveau, esprit.

**magisterial** *a* de l'enseignement, professoral, e: **huelga ~** grève des enseignants.

**magisterio** *m* **1.** enseignement **2.** profession *f* d'instituteur ◊ **hacer ~** devenir instituteur **3. el ~** le corps enseignant.

**magistrado** *m* magistrat.

**magistral** *a* magistral, e.

**magistratura** *f* **1.** magistrature **2. la ~ de trabajo** le conseil des prud'hommes; **llevar a ~** attaquer aux prud'hommes.

**magma** *m* magma.

**magnanimidad** *f* magnanimité.

**magnánimo, a** *a* magnanime.

**magnate** *m* magnat.

**magnesia** *f* magnésie ◊ *FIG* **confundir la ~ con la gimnasia** tout mélanger, tout confondre.

**magnesio** *m* magnésium.

**magnético, a** *a* magnétique.

**magnetismo** *m* magnétisme.

**magnetizador, a** *s* magnétiseur, euse.

**magnetizar** *vt* magnétiser.

**magneto** *f* magnéto.

**magnetofón, magnetófono** *m* magnétophone.

**magnetofónico, a** *a* **cinta magnetofónica** bande magnétique.

**magnetoscopio** *m* magnétoscope.

**magnicidio** *m* meurtre d'un haut personnage.

**magníficamente** *adv* magnifiquement.

**magnificar** *vt* magnifier, exalter.

**magníficat** *m* magnificat.

**magnificencia** *f* magnificence.

**magnificente** *a* magnifique.

**magnífico, a** *a* magnifique.
▶ Titre accordé aux recteurs d'Université: *rector magnífico.*

**magnitud** *f* **1.** grandeur **2.** importance, ampleur, grandeur: **la ~ de los daños** l'ampleur des dégâts; **un documento de primera ~** un document de la plus haute importance; **un disparate de primera ~** une sottise de première grandeur **3.** *ASTR* magnitude.

**magno, a** *a* grand, e ◊ **Alejandro ~** Alexandre le Grand; **aula magna** grand amphithéâtre.

**magnolia** *f* magnolia *m.*

**mago, a** *s* magicien, ienne. ◊ *a* **los Reyes Magos** les Rois Mages ◊ **creer en los Reyes Magos** croire au Père Noël. ◊ *m FIG* enchanteur, magicien.

**magra** *f (lonja de jamón)* tranche de jambon.

**magrear** *vt VULG (sobar)* peloter.

**Magreb** *np m* Maghreb.

**magrebí** *a/s* maghrébin, e.

**magreo** *m VULG* pelotage.

**magro, a** *a/m* maigre: **tocino ~** lard maigre. ◊ *m (de cerdo)* filet maigre.

**magrura** *f* maigreur.

**maguer** *conj ANT* quoique.

**maguey, magüey** *m* agave.

**maguillo** *m* pommier sauvage.

**magulladura** *f*, **magullamiento** *m* meurtrissure *f.*

**magullar** *vt (persona, fruta)* meurtrir. ◆ **~se** *vpr* **1.** se faire mal **2.** *(fruta)* s'abîmer.

**Maguncia** *np* Mayence.

**maharajá** *m* maharaja, maharadja.

**Mahoma** *np m* Mahomet.

**mahometano, a** *a/s* mahométan, e.

**mahometismo** *m* mahométisme.

**mahon** *m (tela)* nankin.

**mahonesa** *f* mayonnaise: **salsa ~** sauce mayonnaise.

**mailing** *m* mailing.

**maillot** *m* maillot.
▶ Gallicisme pour maillot de cycliste (*el maillot amarillo* le maillot jaune), de danse, de bain.

**maitines** *m pl RELIG* matines *f.*

**maître** *m (jefe de comedor)* maître d'hôtel.

**maíz** *m* maïs.

**maizal** *m* champ de maïs.

**maja** → **majo.**

**majá** *m AMER* serpent de Cuba.

**majada** *f* **1.** bergerie **2.** *AMER* troupeau *m* de moutons.

**majadería** *f* sottise, idiotie.

**majadero, a** *a/s* sot, sotte. ◊ *m (maza)* pilon.

**majador** *s* pilon.

**majar** *vt* piler, broyer, écraser.

**majara** → **majareta.**

**majareta** *a/s FAM* cinglé, e, maboul, e, timbré: **~ perdido** complètement cinglé.

**majestad** *f* majesté: **su ~ el rey** sa majesté le roi ◊ **Su Divina ~** Dieu.

**majestuosamente** *adv* majestueusement.

**majestuosidad** *f* majesté.

**majestuoso, a** *a* majestueux, euse.

**majeza** *f* **1.** élégance, chic *m* **2.** *(bravuconería)* fanfaronnade.

**majo, a** *a/s* élégant, e. ◊ *a* **1.** *(bonito)* joli, e **2.** *(mono)* 000mignon, onne **3.** *FAM* sympathique, sympa **4.** *FAM (como apelativo)* **de acuerdo ~, maja** d'accord mon vieux, ma belle.
▶ Vers la fin du XVIIIe siècle, désigne de jeunes élégants issus des milieux populaires, surtout à Madrid.

**majuela** *f* cenelle de l'aubépine.

**majuelo** *m* **1.** variété d'aubépine *f* **2.** jeune cep.

**mal** *a (apócope de* **malo** *devant un substantif masculin)* mauvais, e: **~ carácter** mauvais caractère; **~ olor** mauvaise odeur; **de ~ gusto** de mauvais goût. ◊ *m* **1.** mal: **no quiero el ~ de nadie** je ne veux de mal à personne; **no hay ~ en ello** il n'y a pas de mal à cela; **desear ~ a alguien** vouloir du mal à quelqu'un; **el ~ está hecho** le mal est fait ◊ **del ~ el menos** de deux maux, il faut choisir le moindre; **no hay ~ que dure cien años** après la pluie le beau temps, tout finit par s'arranger; **no hay ~ que por bien no venga** à quelque chose malheur est bon; **tomar a ~** prendre mal, prendre en mauvaise part **2. un ~ menor** un moindre mal, un pis-aller **3. ~ de ojo** mauvais œil. ◇ *adv* **1.** mal: **oigo ~** j'entends mal; **eso va ~** ça va mal; **hablar ~ de** dire du mal de; **lo hace todo ~** il fait tout mal; **no he hecho nada ~** je n'ai rien fait de mal; **no está ~** ce n'est pas mal ◊ **estar ~ de dinero** être gêné, e, fauché, e; **esta chica me cae ~** cette fille m'est antipathique; **salir ~** échouer; **ser un ~ pensado → pensado 2. oler ~** sentir mauvais **3.** difficilement: **~ puedo yo saberlo** je peux difficilement le savoir **4. menos ~ que...** heureusement que...; **→ menos 5.** *loc adv* **ir de ~ en peor** aller de mal en pis; **~ que bien** tant bien que mal, vaille que vaille; **~ que le pese** malgré lui.

**mala** *f (correo)* malle.

**malabar** *a/s* malabare ◊ **juegos malabares** jongleries *f*.

**malabarismos** *m pl* tours d'adresse, acrobaties *f*.

**malabarista** *s* jongleur, euse.

**malacate** *m* **1.** *(cabrestante)* manège **2.** *AMER (huso)* fuseau.

**malacitano, a** *a/s ANT* de Málaga.

**malacología** *f* malacologie.

**malaconsejado, a** *a/s* mal conseillé, e.

**malacostumbrado, a** *a* **1.** mal élevé, e **2.** *(mimado)* gâté, e, choyé, e.

**málaga** *m (vino)* malaga.

**malagana** *f FAM* état *m* de lassitude.

**malagradecido, a** *a/s* ingrat, e.

**malagueño, a** *a/s* de Málaga. ◇ *f* air *m* populaire andalou.

**malambo** *m AMER* **1.** malambo, danse des gauchos d'Argentine **2.** sorte de quinquina.

**malamente** *adv* mal.

**malandante** *a* malheureux, euse, infortuné, e.

**malandanza** *f* malheur *m*, infortune.

**malandra** *m AMER* coquin, chenapan.

**maladrín, ina** *a/s* coquin, e, fripon, onne, canaille *f*.

**malanga** *f AMER* sorte de topinambour *m* des Antilles.

**malapata** *f FAM* déveine, guigne, manque *m* de pot: **¡qué ~!** quelle déveine!

**malaquita** *f* malachite.

**malaria** *f* malaria.

**malas → malo.**

**Malasia** *np f* Malaisie.

**malasombra** *s* empoisonneur, euse.

**malatería** *f* maladrerie, ladrerie.

**malatía** *f* lèpre.

**malavenido, a** *a* en désaccord, en mauvais termes.

**malaventura** *f* infortune, mésaventure.

**malaventurado, a** *a* malheureux, euse, infortuné, e.

**malaventuranza** *f* malheur *m*, infortune.

**malaxar** *vt* malaxer.

**malaya** *f AMER* morceau de viande de bœuf, plat *m* de côtes.

**malayo, a** *a/s (de Malasia)* malais, e.

**malbaratar** *vt* **1.** vendre à vil prix, brader **2.** *(derrochar)* gaspiller, dissiper.

**malcarado, a** *a* bourru, e, à mine rébarbative.

**malcasado, a** *a* mal marié, e.

**malcomer** *vi* manger peu ou mal.

**malcomido** *a* mal nourri, e.

**malcontento, a** *a/s* mécontent, e.

**malcriado, a** *a* mal élevé, e, malappris, e.

**malcriar** *vt* **1.** mal élever (les enfants) **2.** *(mimar)* gâter.

**maldad** *f* méchanceté: **actuar sin ~** agir sans méchanceté; **hacer maldades** faire des méchancetés.

**maldecir*** *vt* maudire: **Dios maldijo a Caín** Dieu a maudit Caïn; **maldigo a ese hombre** je maudis cet homme; **maldecía el día en que...** il maudissait le jour où... ◇ *vi* médire, dire du mal de: **maldice de todos** il médit de tout le monde.

**maldiciente** *a* médisant, e.

**maldición** *f* malédiction.

**maldito, a** *a/s* maudit, e. ◇ *a* maudit, e, satané, e, sacré, e: **este ~ chiquillo** ce maudit gamin; **un ~ embustero** un satané menteur ◊ **no saber maldita la cosa** ne savoir absolument rien; *FAM* **¡maldita sea!** merde alors!

**Maldivas** *np f pl* Maldives.

**maleabilidad** *f* malléabilité.

**maleable** *a* malléable.

**maleante** *a/m* malfaiteur, délinquant ◊ **gente ~** des voyous, des délinquants.

**malear** *vt* **1.** *(una cosa)* gâter **2.** *FIG (a alguien)* corrompre, pervertir. ◆ **~se** *vpr FIG* se corrompre, se dévoyer.

**malecón** *m* jetée *f*.

**maledicencia** *f* médisance.

**maleducado, a** *a/s* mal élevé, e.

**maleficencia** *f* malfaisance.

**maleficio** *m* maléfice.

**maléfico, a** *a* **1.** malfaisant, e **2.** *(perverso)* maléfique.

**malejo, a** *a* assez mauvais, e.

**malencarado, a** *a* grossier, ère, mal élevé, e.

**malentendido** *m* malentendu: **es un ~** c'est un malentendu.

**maléolo** *m ANAT* malléole *f*.

**malestar** *m* malaise.

**maleta** *f* valise ◊ **hacer la ~** faire sa valise, ses valises. ◇ *m (torpe)* empoté, maladroit.

**maletero** *m* **1.** *(de coche)* coffre à bagages **2.** *(mozo de estación)* porteur.

**maletilla** *m* apprenti torero.

**maletín** *m* **1.** mallette *f*, petite valise *f* **2.** *(portafolio)* attaché case, porte-documents.

**malevo, a** *AMER* **→ malévolo.**

**malevolencia** *f* malveillance.

**malévolo, a** *a* malveillant, e, méchant, e. ◇ *s* canaille *f*.

**maleza** *f* broussailles *pl*.

**malformación** *f* malformation: **malformaciones congénitas** malformations congénitales.

**malgache** *a/s* malgache.

**malgastador, a** *a/s* gaspilleur, euse.

**malgastar** *vt* gaspiller.

**malhablado, a** *a* grossier, ière. ◇ *s* **un ~** un grossier personnage.

**malhadado, a** *a* malheureux, euse, infortuné, e.

**malhecho, a** *a* contrefait, e, difforme. ◇ *m* méfait, mauvaise action *f*.

**malhechor** *m* malfaiteur.

**malherir*** *vt* blesser grièvement.

**malhumor** *m* mauvaise humeur *f*.

**malhumorado, a** *a* de mauvaise humeur, grincheux, euse.

**malicia** *f* **1.** *(intención malévola)* malice, malignité, malveillance **2.** *(maldad)* méchanceté **3.** *(astucia)* malice. ◇ *pl FAM* soupçons *m*, petite idée *sing*.

**maliciar** *vt/vpr* soupçonner deviner, pressentir: **(me) malicio que...** je soupçonne que...; **desde el principio me malicié que ocurría algo raro** dès le début, je devinai qu'il se passait quelque chose de bizarre.

**maliciosamente** *adv* avec malice.

**malicioso, a** *a* **1.** malveillant, e **2.** *(astuto)* malicieux, euse.

**maliense** *a/s* malien, enne.

**malignar** *vt* corrompre, vicier.

**malignidad** *f* malignité.

**maligno, a** *a* **1.** malin, igne: **tumor ~** tumeur maligne **2.** *(malo)* méchant, e.

**malilla** *f (juego)* manille.

**Malinas** *np* Malines.

**malintencionado, a** *a* malintentionné, e.

**malla** *f* **1.** maille **2** *(para la danza)* maillot *m* **3.** AMER *(traje de baño)* maillot *m* de bain **4.** AMER *(alambrera)* grillage *m*.

**mallete** *m* petit maillet.

**mallo** *m* **1.** *(mazo)* maillet **2.** *(juego, terreno)* mail.

**Mallorca** *np* Majorque.

**mallorquín, ina** *a/s* majorquin, e.

**malmandado, a** *a* désobéissant, e.

**malmirado, a** *a* mal vu, e.

**malnutrición** *f* malnutrition.

**malo, a** *a* **1.** *(no bueno)* mauvais, e: **este vino está ~** ce vin est mauvais; **mala memoria** mauvaise mémoire; **tener mala vista** avoir une mauvaise vue; **una película muy mala** un très mauvais film; **mala fama** mauvaise réputation; **fumar es ~ para la salud** fumer est mauvais pour la santé ◊ **no he hecho nada ~** je n'ai rien fait de mal **2.** *(propenso al mal)* méchant, e: **se volvió ~** il est devenu méchant **3.** *(enfermo)* **estar ~** être malade, souffrant, e **4.** *(no hábil)* peu doué, e: **es ~ para las matemáticas** il est peu doué pour les mathématiques **5.** *(travieso)* vilain, e **6.** difficile: **~ de entender** difficile à comprendre **7. lo ~ es que...** ce qui est ennuyeux c'est que...; **eso es lo ~** c'est ça qui est ennuyeux **8. estar de malas** *(con desgracia)* avoir la guigne, *(malhumorado)* être de mauvais poil, *(enfadado)* être brouillé, e **9.** *loc adv* **por las malas** de force; **por las buenas o por las malas** bon gré mal gré, de gré ou de force. ◇ *interj* mauvais signe!, mauvais présage! ◇ *m* **el ~** *(el diablo)* le Malin; *(en una película)* le méchant.

**maloca** *f* AMER **1.** → **malón 2.** *(guarida)* abri *m*.

**malogrado, a** *a (artista, actor, etc.)* prematurément disparu, e.

**malogramiento** → **malogro.**

**malograr** *vt* **1.** *(estropear)* endommager: **el granizo ha malogrado la cosecha** la grêle a endommagé la récolte **2.** *(la oportunidad, etc.)* perdre, ne pas profiter de: **~ su juventud** ne pas profiter de, gaspiller sa jeunesse **3.** *(una empresa)* faire échouer. ◆ **~se** *vpr* **1.** *(fracasar)* échouer, avorter, tourner court **2.** mourir prématurément.

**malogro** *m* échec, insuccès.

**maloliente** *a* malodorant, e.

**malón** *m* AMER attaque *f* surprise des Indiens.

**malparado, a** *a* mal en point, en mauvaise posture ◊ **dejar ~** mettre dans un drôle d'état; **salir ~ de** se mal tirer de; **ha salido ~ de la discusión** la discussion a tourné à son désavantage.

**malparto** *m* fausse couche *f*.

**malpensado, a** *a/s* qui a l'esprit mal tourné, mauvais esprit.

**malquerencia** *f* antipathie.

**malquerer*** *vt* détester.

**malquistar** *vt* brouiller, fâcher. ◆ **~se** *vpr* se brouiller, se fâcher.

**malquisto, a** *a* brouillé, e, fâché, e.

**malsano, a** *a* malsain, e.

**malsonante** *a* malsonnant, e, grossier, ère: **palabra ~** mot grossier.

**malsufrido, a** *a* peu endurant, e.

**malta** *f* **1.** malt *m* **2.** AMER bière brune.

**Malta** *np* Malte: **cruz de ~** croix de Malte; **la orden de ~** l'ordre de Malte.

**malteado** *m* TECN maltage.

**maltés, esa** *a/s* maltais, e.

**maltosa** *f* QUÍM maltose.

**maltraer*** *vt* maltraiter ◊ **llevar a ~** malmener, maltraiter.

**maltratar** *vt* **1.** maltraiter, malmener **2.** *(estropear)* endommager, abîmer.

**maltrecho, a** *a* en piteux état.

**maltusianismo** *m* malthusianisme.

**maltusiano, a** *a/s* malthusien, enne.

**maluco, a, malucho, a** *a* FAM **1.** mal fichu, e, patraque, un peu malade, flagada **2.** *(cosa)* très ordinaire.

**malva** *f* **1.** mauve ◊ **~ loca, real, rósea** rose trémière **2.** FAM **estar criando malvas, criar malvas** manger les pissenlits par la racine; **ser, estar como una ~** être doux comme un agneau **3.** AMER marijuana. ◇ *a/m (color)* mauve.

**malváceas** *f pl* BOT malvacées.

**malvado, a** *a/s* méchant, e, scélérat, e.

**malvarrosa** *f* rose trémière.

**malvasía** *f (vino, uva)* malvoisie *m*.

**malvavisco** *m* guimauve *f*.

**malvender** *vt* vendre à perte.

**malversación** *f* **1.** malversation **2. ~ de fondos** détournement *m* de fonds.

**malversador, a** *a/s* concursionnaire.

**malversar** *vt* détourner (des fonds).

**Malvinas (Islas)** *np f pl* îles Malouines.

**malvís** *m (pájaro)* mauvis.

**malviviente** *m* AMER bandit.

**malvivir** *vi* vivre mal.

**mama** *f* **1.** mamelle **2** *(pecho)* sein *m*: **cáncer de ~** cancer du sein **3.** *(mamá)* maman.

**mamá** *f* **1.** *(madre)* maman **2.** AMER **~ grande** grand-mère.

**mamacona** *f* prêtresse des Incas.

**mamada** *f* **1.** tétée **2.** AMER *(ganga)* aubaine, bonne affaire.

**mamadera** *f* **1.** tire-lait *m inv* **2.** AMER biberon *m* **3.** AMER *(del biberón)* tétine.

**mamado, a** *a* POP paf, bourré, e.

**mamaíta** *f* petite maman.

**mamandurria** *f* AMER sinécure.

**mamantón, ona** *a (animal)* qui tète encore.

**mamar** *vt* téter: **dar de ~** donner à téter. ◆ **~se** *vpr* **1.** FAM *(emborracharse)* se soûler, prendre une cuite **2.** AMER *(matar)* descendre, tuer.

**mamario, a** *a* mammaire.

**mamarrachada** *f* ânerie, sottise.

**mamarracho** *m* **1.** *(persona que viste grotescamente)* polichinelle ◊ **va hecha un ~** elle est déguisée, c'est un vrai clown **2.** *(persona despreciable)* pauvre type, crétin **3.** *(cuadro malo)* croûte *f*, navet.

**mambís** *m* AMER séparatista cubain.

**mambo** *m* (*baile*) mambo.

**mamelón** *m* mamelon.

**mameluco** *m* **1.** mameluk, mamelouk **2.** AMER FAM (*tonto*) nigaud, idiot **3.** AMER (*mono*) bleu, combinaison *f* (de travail, etc.).

**mamerto** *m* FAM imbécile.

**mamey** *m* AMER mammea, arbre tropical.

**mamífero** *a/m* mammifère.

**mamografía** *f* MED mammographie.

**mamola** *f* caresse sous le menton ◊ FIG **hacer la ~ a alguien** se moquer de quelqu'un.

**mamón, ona** *a/s* **1.** qui tète encore, nourrisson **2.** FAM (*tonto*) idiot, con. ◇ *m* **1.** BOT gourmand **2.** (*árbol*) papayer; (*fruto*) papaye *f* **3.** AMER biscuit spongieux.

**mamotreto** *m* **1.** calepin **2.** FAM gros livre, gros bouquin **3.** chose *f* encombrante.

**mampara** *f* **1.** paravent *m* **2.** contre-porte.

**mamparo** *m* MAR cloison *f*.

**mamporro** *m* FAM coup, gnon ◊ **darse un ~** se cogner.

**mampostería** *f* maçonnerie.

**mampostero** *m* maçon.

**mampuesto** *m* **1.** moellon, pierre *f* non taillée **2.** parapet.

**mamúa** *f* AMER (*borrachera*) cuite.

**mamut** *m* mammouth.

**maná** *m* manne *f*: **el ~** la manne.

**manada** *f* **1.** (*de animales domésticos*) troupeau *m*; (*de animales salvajes, de personas*) bande **2** (*puñado*) poignée.

**manager** *m* manager.

**managüense** *a/s* de Managua (Nicaragua).

**manantial** *m* source *f*. ◇ *a* **agua ~** eau de source.

**manantío, a** *a* jaillissant, e.

**manar** *vi* jaillir, sourdre: **el agua manaba de las rocas** l'eau jaillissait des rochers.

**manatí** *m* **1.** (*mamífero*) lamantin **2.** AMER (*látigo*) fouet.

**manaza** *f* grosse main, grosse paluche. ◇ *m* **un manazas** un brise-tout.

**mancar** *vt* **1.** rendre manchot, otte **2.** (*lisiar*) estropier.

**manceba** *f* concubine.

**mancebía** *f* maison close.

**mancebo** *m* **1.** jeune homme **2.** (*soltero*) garçon, célibataire **3.** (*de un farmacéutico*) aide-pharmacien **4** (*dependiente*) commis de magasin.

**mancera** *f* mancheron *m*.

**mancha** *f* **1.** tache: **quitar una ~** enlever une tache ◊ FIG **extenderse como ~ de aceite** faire tache d'huile **2.** FIG souillure, tache ◊ **sin ~** sans tache.

**Mancha** *np f* **1. el Canal de la ~** la Manche **2.** (*región de España*) **La ~** La Manche.

**manchar** *vt* **1.** tacher, salir **2.** FIG souiller, tacher, salir: **~ la reputación de alguien** salir la réputation de quelqu'un. ◆ **~se** *vpr* se tacher, se salir: **tiene las manos manchadas de sangre** il a les mains tachées de sang.

**manchego, a** *a/s* de la Manche (région d'Espagne). ◇ *m* (*queso*) fromage au lait de brebis (de la Mancha).

**manchón** *m* grosse tache *f*.

**manchú** *a/s* mandchou, e.

**Manchuria** *np f* Mandchourie.

**mancilla** *f* FIG souillure, tache.

**mancillar** *vt* souiller, déshonorer.

**mancipar** *vt* ANT assujetir, réduire en esclavage.

**manco, a** *a/s* **1.** manchot, e ◊ FIG **no ser ~, no ser cojo ni ~** n'être pas manchot **2.** FIG boiteux, euse, incomplet, ète: **verso ~** vers boiteux.

**mancomún (del)** → **mancomunadamente.**

**mancomunadamente** *adv* de concert, d'un commun accord.

**mancomunar** *vt* unir, associer. ◆ **~se** *vpr* s'unir, s'associer.

**mancomunidad** *f* association.

**mancornar*** *vt* **1.** terrasser un jeune taureau **2.** (*atar dos reses*) attacher deux bêtes par les cornes **3.** (*dos cosas*) apparier.

**mancuerna** *f* **1.** (*de animales, de cosas*) paire **2.** (*correa*) entrave.

**mancuernillas** *f pl* AMER boutons *m* de manchettes.

**manda** *f* **1.** legs *m* **2.** AMER (*voto*) vœu *m*.

**mandadero, a** *s* commissionnaire.

**mandado** *m* (*encargo*) commission *f*, course *f*: **hacer un ~** faire une commission.

**mandamás** *m* FAM grand manitou, caïd, ponte.

**mandamiento** *m* **1.** commandement: **los diez mandamientos** les dix commandements **2.** JUR mandat, ordre.

**mandanga** *f* **1.** FIG flegme, calme, placidité *f* **2.** FAM marijuana. ◇ *pl* histoires: **no me vengas con mandangas** ne me raconte pas d'histoires.

**mandante** *s* JUR mandant, e.

**mandar** *vt* **1.** ordonner: **me mandó confesarlo todo** il m'a ordonné de tout avouer; **os mando que os calléis** je vous ordonne de vous taire **2. ~ hacer** faire faire: **se mandó hacer un traje** il s'est fait faire un costume **3.** (*dirigir*) commander ◊ **proyectil mandado a distancia** projectile téléguidé **4.** (*enviar*) envoyer: **te mandé un paquete por correo** je t'ai envoyé un paquet par la poste; **ahí le mando una foto** je vous envoie ci-joint une photo ◊ **~ por** envoyer chercher **5.** FAM **~ a paseo, al cuerno, al diablo** envoyer promener, envoyer balader **6. bien, mal mandado** obéissant, désobéissant. ◇ *vi* **1.** commander: **en casa mando yo** chez moi, c'est moi qui commande **2. ¡usted manda!** à vos ordres!, comme il vous plaira!; **¡mande!** à vos ordres!. ◆ **~se** *vpr* **1. ¡no te mandas solo!** ce n'est pas toi qui commande! **2.** AMER **mandarse cambiar, mudar** s'en aller, ficher le camp.

**mandarín** *m* mandarin.

**mandarina** *f* mandarine.

**mandarinato** *m* mandarinat.

**mandarinero, mandarino** *m* mandarinier.

**mandarria** *f* MAR maillet *m* de calfat.

**mandatario** *m* mandataire.

**mandato** *m* **1.** ordre **2.** (*de un diputado, soberanía*) mandat: **durante su ~** pendant son mandat **3.** (*ceremonia litúrgica*) lavement des pieds le jeudi saint.

**mandíbula** *f* **1.** mandibule **2.** FAM **reír a ~ batiente** rire à gorge déployée.

**mandil** *m* **1.** (*delantal*) tablier **2.** torchon (pour bouchonner les chevaux) **3.** AMER tapis de selle.

**mandilar** *vt* (*un caballo*) bouchonner.

**mandinga** *m* AMER **1.** (le) diable **2.** enfant espiègle. ◇ *f* (*red*) sorte de filet de pêche.

**mandioca** *f* manioc *m*.

**mando** *m* **1.** commandement: **el alto ~** le haut commandement ◊ **estar al ~ de** être sous les ordres de; **los cuadros de ~**

l'encadrement **2.** *(dispositivo)* commande *f*: **~ a distancia** commande à distance. ◇ *pl (jefes)* cadres, dirigeants.

**mandoble** *m* coup d'épée porté avec les deux mains.

**mandolina** *f* mandoline.

**mandón, ona** *a/s* autoritaire.

**mandrágora** *f* mandragore.

**mandria** *a/m* froussard, e.

**¹mandril** *m (mono)* mandril.

**²mandril** *m (pieza cilíndrica)* mandrin.

**mandriladora** *f* aléseuse.

**manduca** *f* FAM bouffe, bectance.

**manducar** *vt* FAM bouffer. ◆ **~se** *vpr* FAM bouffer.

**manducatoria** *f* FAM boustifaille, bectance.

**manear** *vt (un caballo)* entraver.

**manecilla** *f* **1.** *(de reloj)* aiguille: **en el sentido de las manecillas de un reloj** dans le sens des aiguilles d'une montre **2.** *(de un libro)* fermoir *m* **3.** *(de ciertos mecanismos)* manette.

**manejable** *a* maniable.

**manejador** *m* AMER conducteur, chauffeur.

**manejar** *vt* **1.** *(una herramienta, un caballo, un idioma, etc.)* manier **2.** *(dinero)* brasser, manier **3.** FIG **~ a alguien** mener quelqu'un par le bout du nez **4.** AMER *(un coche)* conduire: **licencia de ~** permis de conduire. ◆ **~se** *vpr (arreglárselas)* se débrouiller ◊ FAM **manejárselas** se débrouiller, se dépatouiller.

**manejo** *m* **1.** maniement **2.** FIG machination *f*, intrigue *f*, manipulation *f* ◊ **manejos turbios** manigances *f* **3.** AMER *(de un coche)* conduite *f*.

**manera** *f* **1.** manière, façon: **a su ~** à sa manière; **una ~ de ver las cosas** une façon de voir les choses; **~ de pensar** façon de penser ◊ **le contestó de mala ~** il lui répondit grossièrement; **no hay ~ de...** il n'y a pas moyen de...; FAM **¡qué ~ de llover!** qu'est-ce qu'il pleut! **2.** *loc prep* **a ~ de** comme, en guise de, à titre de, en manière de: **a ~ de ejemplo** à titre d'exemple; **a la ~ de** à la manière de, à la mode de **3.** *loc conj* **de ~ que** de manière à ce que, de sorte que **4.** *loc adv* **de cualquier ~** n'importe comment; **de ninguna ~** en aucune façon; **de todas maneras** de toute façon; **de una ~ o de otra** d'une façon ou d'une autre; **en cierta ~** d'une certaine façon; **no hay ~** il n'y a pas moyen, rien à faire, ce n'est pas possible; **sobre ~, en gran ~** extrêmement, beaucoup. ◇ *pl (modales)* manières: **no me gustan sus maneras** je n'aime pas ses manières.

**manes** *m pl* mânes.

**manflora, manflorita** *m* AMER efféminé.

**manga** *f* **1.** manche: **camisa de mangas cortas** chemise à manches courtes; **blusa sin mangas** chemisier sans manches ◊ **en mangas de camisa** en bras de chemise **2.** FIG **tener ~ ancha** être coulant, e, avoir les idées larges; **hacer mangas y capirotes** agir sans réflexion; **ir ~ por hombro** aller à vau-l'eau, être en pagaille; **tener algo en la ~** avoir quelque chose en réserve; **corte de mangas → corte 3. ~ de riego** tuyau *m* d'arrosage **4.** *(de agua)* trombe **5.** *(de un carruaje)* fusée **6.** *(de caza)* filet *m* **7.** *(de pesca)* épervier *m* **8.** *(para ventilar, para indicar la dirección del viento)* manche à air **9.** MAR *(ancho de un barco)* largeur d'un bateau **10.** *(para filtrar)* chausse, filtre *m* **11.** *(en algunos deportes)* manche: **la primera ~** la première manche **12.** *(árbol)* variété de manguier *m*; *(fruto)* mangue **13.** AMER *(para el ganado)* passage *m* (pour le bétail).

**mangana** *f* lasso *m*.

**manganato** *m* manganate.

**manganeso** *m* manganèse.

**manganeta** AMER → **manganilla.**

**mangangá** *m* AMER *(abejorro)* gros bourdon.

**manganilla** *f* ruse, artifice *m*.

**mangante** *m* FAM **1.** bon à rien, *(sinvergüenza)* crapule *f* **2.** *(mendigo)* mendiant **3.** *(ladrón)* voleur.

**manganzón, ona** *a* AMER fainéant, e.

**mangar** *vt* **1.** *(robar)* faucher, chiper, piquer **2.** AMER *(pedir dinero)* taper.

**manglar** *m* mangrove *f*.

**¹mango** *m* **1.** manche: **el ~ de un martillo** le manche d'un marteau **2.** *(de una sartén)* queue *f*.

**²mango** *m* **1.** *(fruto)* mangue *f* **2.** *(árbol)* manguier **3.** AMER sou, peso.

**mangón** *m* AMER enclos, parc à bestiaux.

**mangonear** *vi* **1.** se mêler de tout: **le gusta ~ en todo** il aime se mêler de tout **2.** *(mandar)* commander, faire la loi.

**mangoneo** *m* **1.** goût du commandement **2.** ingérence *f*, immixtion *f*.

**mangosta** *f* mangouste.

**mangote** *m* manchette *f*.

**mangrullo** *m* AMER poste de guet (en haut d'un arbre, d'un mât).

**mangual** *m* fléau d'armes.

**manguardia** *f* ARQ culée.

**manguera** *f* **1.** *(tubo)* tuyau *m* d'arrosage **2.** AMER *(corral)* enclos *m* pour le bétail.

**manguero** *m* arroseur.

**manguito** *m* **1.** *(para las manos)* manchon **2.** *(manga postiza)* manchette *f* **3.** TECN **~ de acoplamiento** manchon d'accouplement.

**mani** *f* FAM *(manifestación)* manif.

**maní** *m* **1.** arachide *f* **2.** AMER cacahuète *f*.

**manía** *f* **1.** manie: **~ persecutoria** manie de la persécution; **2. tiene la ~ de que lo siguen** il s'est mis dans la tête qu'on le suit **3. me tiene ~** il m'a pris en grippe; **la tenían ~** ils l'avaient prise en grippe; **Laura ha cogido ~ a su vecina** Laure a pris sa voisine en grippe.

**maníaco, a** *a/s* maniaque.

**maniacodepresivo, a** *a/s* maniacodépressif, ive.

**manialbo, a** *a* balzan, e.

**maniatar** *vt* lier les mains de.

**maniático, a** *a/s* maniaque.

**manicomio** *m* asile d'aliénés.

**manicorto, a** *a* radin, e, chiche.

**manicuro, a** *s* manucure. ◇ *f* **hacerse la manicura** se faire manucurer, se faire les ongles.

**manido, a** *a* **1.** faisandé, e **2.** FIG usé, e, rebattu, e, éculé, e: **una fórmula manida** une formule usée; **un tema ~** un sujet rebattu, usé jusqu'à la corde.

**manierismo** *m* maniérisme.

**manifestación** *f* manifestation.

**manifestante** *s* manifestant, e.

**manifestar*** *vt/i* **1.** manifester: **~ la intención de** manifester l'intention de **2.** manifester, montrer: **~ su sorpresa** manifester sa surprise. ◆ **~se** *vpr* **1.** se manifester **2.** manifester: **se han manifestado más de mil trabajadores** plus de mille travailleurs ont manifesté.

**manifiestamente** *adv* manifestement.

**manifiesto, a** *a* manifeste. ◇ *m (escrito)* manifeste ◊ **poner de ~** mettre en évidence.

**manigua** *f* AMER maquis *m*, brousse.

**manija** *f* **1.** *(puño)* poignée **2.** *(mango)* manche *m* **3.** *(maniota)* entrave **4.** *AMER* dragonne du fouet.

**Manila** *np* Manille.

**manilargo, a** *a* **1.** qui a la main leste (pour dérober) **2.** généreux, euse.

**manilense, manileño, a** *a/s* de Manille.

**manilla** *f* **1.** *(de presos)* menotte **2.** *(pulsera)* bracelet *m.*

**manillar** *m* guidon (de bicyclette, moto).

**maniobra** *f* manœuvre. ◇ *pl MIL* **estar de maniobras** être en manœuvres.

**maniobrabilidad** *f* maniabilité, manœuvrabilité.

**maniobrable** *a* maniable.

**maniobrar** *vi* manœuvrer.

**maniobrero, a** *a* manœuvrier, ère.

**maniota** *f* entrave.

**manipulación** *f* manipulation: **manipulaciones genéticas** manipulations génétiques.

**manipulador, a** *a/s* manipulateur, trice.

**manipular** *vt* **1.** manipuler: **~ ácidos, con ácidos** manipuler des acides **2.** *(a una persona, un grupo)* manipuler.

**manipuleo** *m* manipulation *f.*

**manípulo** *m* manipule.

**maniqueísmo** *m* manichéisme.

**maniqueo, a** *a/s* manichéen, enne.

**maniquí** *m* **1.** mannequin: **desfile de maniquíes** défilé de mannequins **2.** *FIG (persona débil)* marionnette *f,* fantoche.

**manir** *vt (la carne)* faisander.

**manirroto, a** *a/s* dépensier, ère, panier percé.

**manita** *f* **1.** petite main, menotte **2.** *CULIN* **manitas de cerdo, de cordero** pieds *m* de porc, de mouton. ◇ *s FAM (persona habilidosa)* **un manitas** un bricoleur.

**manitú** *m* manitou.

**manivela** *f* manivelle.

**manjar** *m* **1.** mets, plat **2.** *CULIN* **~ blanco** blanc-manger **3.** *FIG* **~ espiritual** nourriture *f* de l'esprit.

**[1]mano** *f* **1.** main: **~ izquierda, derecha** main gauche, droite; **iban cogidos de la ~** ils allaient la main dans la main; **una pistola en ~** un pistolet à la main; **dar, estrechar la ~** serrer la main; **hecho a ~** fait à la main; **cosido a ~** cousu main; **con ambas manos** à deux mains; **¡manos arriba!** haut les mains!, les mains en l'air!; **alargar, tender la ~** tendre la main; **política de ~ tendida** politique de la main tendue ◊ *FIG* **alzar la ~ a alguien** lever la main sur quelqu'un; **apretar la ~** serrer la vis; **asentar la ~** punir, réprimander; **cambiar de manos** changer de mains; **cargar la ~** exagérer, y aller un peu fort, forcer la dose; **caer en manos de** tomber aux mains de, entre les mains de; **coger, pillar con las manos en la masa** prendre la main dans le sac; **dar de ~** abandonner, laisser de côté, *(en un trabajo)* s'arrêter de travailler; **dar la última ~** mettre la dernière main; **echar ~ a** mettre la main sur, saisir; **echar ~ de** avoir recours à, faire appel à, se servir de; **echar una ~ a alguien** donner un coup de main à quelqu'un: **¡écheme una ~!** donnez-moi un coup de main!; **estar en buenas manos** être en bonnes mains; **eso está en tus manos** cela dépend de toi; **írsele a uno la ~** avoir la main lourde; **írsele de las manos** échapper, glisser des mains: **la situación se le está yendo de las manos** la situation est en train de lui échapper; **llegar, venir a las manos** en venir aux mains; **llevarse las manos a la cabeza** lever les bras au ciel; **morderse las manos → morder; pedir la ~ de una joven** demander la main d'une jeune fille; **pondría la ~ en el fuego que...** je mettrais ma main au feu que...; **ponerse en manos de uno** se mettre entre les mains de, s'en remettre à quelqu'un; **¡quite las manos!** bas les pattes!; **tener buena ~** avoir la main heureuse, être adroit savoir s'y prendre; **tener ~ izquierda** avoir de l'habileté, savoir y faire, être malin; **traer entre manos** comploter, mijoter; **untar la ~ → untar; vivir de sus manos** vivre de son travail **2. ~ de obra** main-d'œuvre **3.** influence ◊ **hombre de mucha ~** homme très influent, qui a le bras long; **tiene mucha ~ con el alcalde** il a beaucoup d'influence sur le maire **4.** *(de reloj)* aiguille **5.** *(de cuadrúpedo)* patte de devant **6.** *(carnicería)* pied *m:* **~ de cerdo** pied de porc **7.** *loc adv* **tener a ~** avoir sous la main, à portée de la main; **a ~ airada** d'une façon violente; **robo a ~ armada** vol à main armée; **a manos llenas** à pleines mains; **bajo ~, por debajo de ~** en sous main; **con las manos vacías** les mains vides; **con una ~ atrás y otra delante** la bourse vide, sans le sou; **de ~ maestra** de main de maître; **de ~ en ~** de main en main; **de manos a boca** inopinément, d'une façon inattendue; **encontrarse de manos a boca con alguien** se trouver nez à nez avec quelqu'un; **de primera ~** de première main; **de segunda ~** d'occasion; **~ a ~** en tête à tête: **cenó ~ a ~ con su mujer** il dîna en tête à tête avec sa femme; *AMER* **estamos ~ a ~** nous sommes quittes; **estar ~ sobre ~** rester les bras croisés, sans rien faire; **si a ~ viene** peut-être, le cas échéant **8.** *(lado)* **a ~ derecha, izquierda** à droite, à gauche **9.** *(capa)* couche: **dar una ~ de pintura** passer una couche de peinture **10.** *(de golpes)* volée **11.** *(en el juego)* partie **12.** *(juego de naipes)* main: **ser ~** avoir la main ◊ *FIG* **ganar a uno por la ~** devancer quelqu'un **13.** *(de papel)* main **14.** *(del almirez)* pilon **15. ser ~ de santo** être un remède miracle **16.** *TAUROM* **~ a ~** corrida à laquelle ne participent que deux matadors.

**[2]mano** *m AMER* ami, copain.

**manojo** *m* **1.** *(hacecilla)* botte: **un ~ de claveles, de espárragos** une botte d'œillets, d'asperges **2.** *(puñado)* poignée *f* **3.** *FIG* **un ~ de nervios** un paquet de nerfs.

**manolo, a** *s* personne du bas peuple de Madrid.

**Manolo** *np m* Emmanuel, Manuel.

**manómetro** *m* manomètre.

**manopla** *f* **1.** *(guante)* moufle **2.** *(para lavarse)* gant *m* de toilette **3.** *(de armadura)* gantelet *m.*

**manoseado, a** *a FIG* rebattu, e, éculé, e: **un tema muy ~** un sujet très rebattu.

**manoseador, a** *a* tripoteur, euse, touche-à-tout.

**manosear** *vt* tripoter.

**manoseo** *m* tripotage.

**manotada** *f,* **manotazo** *m* tape *f,* claque *f.*

**manotear** *vi* gesticuler.

**manoteo** *m* gesticulation *f.*

**manotón** *m* tape *f.*

**mansalva (a)** *loc adv* sans danger, sans risque.

**mansamente** *adv* doucement, avec mansuétude.

**mansedumbre** *f* mansuétude.

**mansión** *f* **1.** demeure **2.** séjour *m* ◊ **hacer ~** séjourner, demeurer.

**manso, a** *a* **1.** doux, douce **2.** *(animal)* docile, apprivoisé, e, doux, douce **3.** *FIG* paisible, tranquille, calme: **aguas mansas** eaux calmes. ◇ *m (de un rebaño)* sonnailler.

**mansurrón, ona** *a* trop doux, douce, trop calme.

**manta** *f* **1.** couverture: **~ de viaje** couverture de voyage ◊ *FIG* **liarse la ~ a la cabeza** franchir le pas, ne faire ni une ni deux; **tirar de la ~** tout révéler, tout dévoiler, découvrir ce qu'il y aurait intérêt à cacher **2. ~ de palos** volée, raclée **3.** *AMER* sorte de poncho *m* **4.** *loc adv* **a ~, a ~ de Dios** en abondance; **llovía a ~ de Dios** il pleuvait à torrent.

**manteado** *m AMER (tienda de campaña)* tente *f.*

**manteamiento** *m* berne *f,* brimade *f.*

**mantear** *vt* berner, faire sauter sur une couverture.

**manteca** *f* **1.** graisse **2. ~ de cerdo** saindoux *m* **3.** *(mantequilla)* beurre *m* **4. ~ de cacao** beurre *m* de cacao ◊ **como ~** mou, molle.

**mantecada** *f* **1.** beurrée, tartine de beurre **2.** petit gâteau *m* au beurre.

**mantecado** *m* **1.** *(bollo)* petit gâteau au saindoux **2.** *(helado)* glace *f* à la crème.

**mantecoso, a** *a* gras, grasse, onctueux, euse.

**mantel** *m* nappe *f* ◊ **alzar, levantar el ~, los manteles** desservir la table; **~ individual** napperon *m* individuel, set de table.

**mantelería** *f* linge *m* de table, service *m* de table.

**mantelito** *m* napperon.

**mantenedor** *m* **1.** *(de un torneo)* tenant **2.** *(juegos florales)* mainteneur.

**mantener*** *vt* **1.** maintenir: **una cuña mantiene la puerta abierta** une cale maintient la porte ouverte **2.** *FIG* maintenir, soutenir: **mantengo mi punto de vista** je maintiens mon point de vue; **le mantiene la mirada** il soutient son regard **3.** *(una correspondencia, relaciones)* entretenir **4.** tenir: **mantuvo ayer una rueda de prensa** il a tenu hier une conférence de presse; **~ un cambio de impresiones** avoir un échange de vues **5. ~ el fuego** entretenir le feu **6.** *(a alguien)* entretenir, nourrir: **lo mantiene su familia** sa famille l'entretient. ◆ **~se** *vpr* **1.** se maintenir: **mantenerse en equilibrio** se maintenir en équilibre **2.** se tenir, rester: **los precios se mantienen estables** les prix restent stables; **mantenerse tranquilo, derecho** se tenir tranquille, droit; **mantenerse firme** rester ferme, tenir bon; **mantenerse serio** garder son sérieux; **mantenerse en su trece → trece.**

**mantenido, a** *a (persona)* entretenu, e.

**mantenimiento** *m* **1.** entretien: **gastos de ~** frais d'entretien **2.** *(alimento)* nourriture *f* **3.** maintien, maintenance *f*.

**manteo** *m* **1.** *(capa)* manteau sans manches porté par les prêtres **2 → manteamiento.**

**mantequera** *f* **1.** *(máquina)* baratte **2.** *(recipiente)* beurrier *m*.

**mantequería** *f* crémerie, beurrerie.

**mantequero** *m (recipiente)* beurrier.

**mantequilla** *f* beurre *m*.

**mantilla** *f* **1.** *(de señora)* mantille **2.** *(de niño)* lange *m* **3.** *(de caballo)* housse. ◇ *pl FIG* **estar en mantillas** en être à ses débuts.

**mantillo** *m* **1.** humus **2.** *(abono)* terreau, compost.

**manto** *m* **1.** cape *f* **2.** *(de chimenea)* manteau **3.** *FIG* **un ~ de nieve** un manteau de neige.

**mantón** *m* châle ◊ **~ de Manila** châle de soie brodé.

**mantuve,** etc. **→ mantener.**

**manual** *a/m* manuel, elle.

**manualmente** *adv* manuellement.

**manubrio** *m* **1.** manivelle *f* **2.** *AMER* volant; *(de bicicleta)* guidon.

**Manuel, a** *np* Emmanuel, elle.

**manuela** *f* fiacre *m* ouvert.

**manuelino, a** *a (estilo)* manuélin, e.

**manufactura** *f* **1.** *(fábrica)* manufacture **2.** produit *m* manufacturé.

**manufacturar** *vt* manufacturer ◊ **productos manufacturados** produits manufacturés.

**manufacturero, a** *a* manufacturier, ère.

**manumisión** *f* manumission.

**manumiso** *a* affranchi, e.

**manumitir** *vt* affranchir.

**manuscribir** *vt* écrire à la main.

**manuscrito, a** *a/m* manuscrit, e.

**manutención** *f* **1.** *(de una persona, etc.)* entretien *m* **2.** *(manipulación de mercancías)* manutention.

**manzana** *f* **1.** pomme ◊ *FIG* **~ de la discordia** pomme de discorde **2.** *(grupo de casas)* pâté *m* de maisons **3.** *AMER* pomme d'Adam **4.** *FAM* **más sano que una ~** frais comme une rose.

**manzanar** *m* pommeraie *f*.

**manzanilla** *f* **1.** *(planta, infusión)* camomille **2.** *(vino)* manzanilla *m*.

**manzanillo** *m* **1.** mancenillier **2.** *(olivo)* variété d'olivier à petites olives.

**manzano** *m* pommier.

**maña** *f* adresse, habileté ◊ **darse (buena) ~ para** se débrouiller, savoir y faire, savoir s'y prendre, avoir le chic pour; **más vale ~ que fuerza** plus fait douceur que violence. ◇ *pl* **1.** ruses, manœuvres, astuces **2.** mauvaises habitudes.

**mañana** *f* **1.** matin *m*: **las siete de la ~** sept heures du matin; **hoy por la ~** ce matin; **a la ~ siguiente** le lendemain matin; **trabajo por la ~** je travaille le matin ◊ **muy de ~** de bon matin, de très bonne heure, très tôt **2.** matinée: **en una triste ~ de invierno** par une triste matinée d'hiver; **al final de la ~** en fin de matinée; **ha llovido toda la ~** il a plu toute la matinée; **a media ~** vers le milieu de la matinée **3. cambiar de la noche a la ~** changer du jour au lendemain. ◇ *adv* demain: **hasta ~** à demain; **~ por la ~** demain matin; **pasado ~** après-demain. ◇ *m* **el ~** le lendemain, l'avenir: **pensar en el ~** penser au lendemain.

**mañanear** *vi* être matinal, e.

**mañanero, a** *a* **1.** *(madrugador)* matinal, e **2.** matinal, e: **nieblas mañaneras** brouillards matinaux.

**mañanita** *f* **1.** petit matin *m* **2.** *(manteleta)* liseuse. ◇ *pl AMER* chansons populaires mexicaines.

**mañear** *vi* agir habilement.

**maño, a** *s FAM* Aragonais, e.

**mañoco** *m* tapioca.

**mañosamente** *adv* adroitement.

**mañoso, a** *a* **1.** adroit, e, habile **2.** capricieux, euse.

**maoísmo** *m* maoïsme.

**maoísta** *a/s* maoïste.

**maorí** *a/s* maori, e.

**mapa** *m* **1.** carte *f*: **un ~ turístico** une carte touristique; **~ mudo** carte muette **2.** *FIG* **desaparecer del ~** disparaître de la circulation.

**mapache** *m* raton laveur.

**mapamundi** *m* mappemonde *f*.

**mapuche** *a/s* araucan, e.

**mapurite** *m* mouffette *f* de l'Amérique centrale.

**maque** *m* **1.** *(laca)* laque *f* **2.** *(árbol)* vernis du Japon.

**maquear** *vt* laquer. ◆ **~se** *vpr FAM* se saper: **ir bien maqueado** être bien sapé.

**maqueta** *f* maquette.

**maquetista** *s* maquettiste.

**maqui → maquis.**

**maquiavélico, a** *a* machiavélique.

**maquiavelismo** *m* machiavélisme.

**Maquiavelo** *np m* Machiavel.

**maquiladora** *a/f AMER (fábrica)* usine ou atelier de soustraitance au Mexique.

**maquillador, a** *s* maquilleur, euse.

**maquillaje** *m* maquillage.

**maquillar** *vt* maquiller. ◆ **~se** *vpr* se maquiller.

**máquina** *f* **1.** machine: **~ de coser** machine à coudre; **~ de vapor** machine à vapeur; **~ de escribir** machine à écrire; **pasar**

**a ~** taper à la machine; **escrito a ~** tapé à la machine; **~ tragaperras** machine à sous; **~ herramienta** machine-outil **2.** *(locomotora)* locomotive **3. ~ de afeitar** rasoir *m* **4. ~ fotográfica** appareil *m* photo **5. a toda ~** à toute vitesse.

**maquinación** *f* machination.

**maquinal** *a* machinal, e.

**maquinalmente** *adv* machinalement.

**maquinar** *vt* machiner, tramer.

**maquinaria** *f* **1.** *(conjunto de máquinas)* machinerie **2. ~ agrícola** matériel *m* agricole **3.** mécanisme *m*: **la ~ del reloj** le mécanisme de la pendule.

**maquinilla** *f* **~ de afeitar** rasoir *m*.

**maquinismo** *m* machinisme.

**maquinista** *m* machiniste, mécanicien (d'un train).

**maquinización** *f* mécanisation.

**maquinizar** *vt* mécaniser.

**maquis** *m* **1.** *(guerrillero)* maquisard **2.** *(guerrilla)* maquis.

**mar** *m/f* **1.** mer *f*: **el ~ Mediterráneo** la mer Méditerranée; **pesca en el ~** pêche en mer ◊ **en alta ~** en haute mer, en pleine mer, au large; **hacerse a la ~** prendre la mer, gagner le large; **en ~ gruesa** par grosse mer; **gente de la ~** gens de mer; **~ de fondo** lame de fond **2.** FAM **la ~ de cosas** plein de choses, une foule de choses, un tas de choses; **la ~ de trabajo** énormément de, plein de travail; **la ~ de bien** drôlement bien, rudement bien; **la ~ de bonita** drôlement mignonne; **la ~ de preocupada** très, teriblement soucieuse; **las calles están la ~ de sucias** les rues sont affreusement sales; **un ~ de** beaucoup de, un tas de, tout plein de; **me tienes en la ~ de confusiones** tu me sidères absolument **3.** *loc adv* **a mares** abondamment.

► Voir l'article *mer*, partie français-espagnol.

**marabú** *m* marabout.

**marabunta** *f* **1.** AMER marabunta, migration massive de fourmis **2.** FIG foule.

**marabuto** *m* *(ermitaño)* marabout.

**maraca** *f* MÚS maraca.

**maracure** *m* AMER liane *f* dont on extrait le curare.

**Maragatería (la)** *np f* région de la province de León (Espagne).

**maragato, a** *a/s* de la Maragatería.

**maraña** *f* **1.** *(maleza)* broussaille **2.** *(de hilos, etc.)* enchevêtrement *m* **3.** FIG embrouillamini, meli-mélo.

**marasmo** *m* marasme.

**maratón** *m* marathon.

**maratoniano, a** *s* marathonien, enne.

**maravedí** *m* *(moneda)* maravédis.

**maravilla** *f* **1.** merveille: **hacer maravillas** faire des merveilles; **las Siete Maravillas del Mundo** les Sept Merveilles du monde; **Alicia en el país de las maravillas** Alice au pays des merveilles **2.** *loc adv* **a las mil maravillas, de ~** à merveille: **este traje te sienta de ~** ce costume te va à merveille; **se llevan a las mil maravillas** ils s'entendent à merveille; **está de ~** il se porte à merveille **3.** *(admiración)* émerveillement *m* **4.** *(planta de flores amarillas)* souci *m* **5.** *(dondiego de noche)* belle-de-nuit.

**maravillar** *vt* émerveiller, étonner. ◆ **~se** *vpr* s'étonner, s'émerveiller: **se maravilla por cualquier cosa** il s'étonne de tout.

**maravillosamente** *adv* merveilleusement.

**maravilloso, a** *a* merveilleux, euse.

**marbete** *m* étiquette *f*.

**marca** *f* **1.** marque: **~ de fábrica, registrada** marque de fabrique, déposée; **productos de ~** produits de marque **2.** *(acción de marcar)* marquage *m* **3.** *(territorio fronterizo)* marche **4.** *(deporte)* record *m*, score *m*: **batir la ~** battre le record; **mejorar una ~** améliorer un record; **la mejor ~** le meilleur score **5. ¡en sus marcas!** à vos marques! **6.** FIG **de ~ mayor, de ~** de taille, de première grandeur, achevé, e: **un idiota de ~** un idiot fini; **unos brutos de ~** de vraies brutes; **una borrachera de ~ mayor** une sacrée cuite.

**marcación** *f* *(teléfono)* numérotation.

**marcado, a** *a* marqué, e. ◇ *m* *(peinado)* mise *f* en pli.

**marcador, a** *a/s* **1.** marqueur, euse **2.** *(imprenta)* margeur, euse. ◇ *m* **1.** tableau d'affichage **2.** la marque, le score: **abrir, inaugurar el ~** ouvrir le score, la marque; **ir por delante en el ~** mener à la marque.

**marcaje** *m* *(deportes)* marquage.

**marcapasos** *m* stimulateur cardiaque, pacemaker.

**marcar** *vt* **1.** *(poner una marca)* marquer **2. el reloj marca las doce** la pendule marque midi **3.** *(con un signo)* cocher: **marque con una x el cuadro correspondiente** cochez d'un x la case qui convient **4. ~ el paso** marquer le pas, marcher au pas cadencé **5. le marqué el camino que debía seguir** je lui indiquai, montrai le chemin qu'il devait suivre **6.** *(deporte)* marquer: **~ un tanto** marquer un point; **~ un gol** marquer un but **7. ~ un número de teléfono** composer un numéro de téléphone **8.** *(imprenta)* marger **9.** *(el cabello)* **lavar y ~** faire un shampoing et une mise en pli. ◆ **~se** *vpr* FAM **marcarse un tanto** marquer un point.

**marcasita** *f* marcassite.

**Marcelo, a** *np* Marcel, elle.

**marcha** *f* **1.** marche: **abrir, cerrar la ~** ouvrir, fermer la marche; **~ atlética** marche athlétique; **~ de protesta** marche de protestation **2.** FIG *(de un asunto, negocio, etc.)* marche ◊ **la ~ de los acontecimientos** le cours des évènements; **poner en ~** mettre en marche, en route; **dar ~ atrás** faire marche arrière; **a marchas forzadas** en mettant les bouchées doubles, à marches forcées; **a toda ~** à toute vitesse **3.** *(de un vehículo)* vitesse, marche: **cambio de marchas** changement de vitesses; **quinta ~** cinquième vitesse; **~ atrás** marche arrière ◊ **en ~ lenta** au ralenti *m* **4.** *(acción de marcharse)* départ *m*: **me sorprendió su ~ repentina** son départ imprévu m'a surpris **5.** marche: **~ militar, nupcial, fúnebre** marche militaire, nuptiale, funèbre **6.** *loc adv* **sobre la ~** sur-le-champ; *(sin plan previo)* au fur et à mesure.

► La *Marcha Real* est l'hymne national espagnol.

**marchamar** *vt* plomber.

**marchamo** *m* *(de la aduana)* plomb.

**marchante** *m* **1.** marchand **2.** *(cliente)* client. ◇ *a* mercantile.

**marchar** *vi* **1.** marcher **2.** *(un vehículo)* marcher, rouler **3.** FIG **los negocios marchan bien** les affaires marchent bien, tournent rond; **~ sobre ruedas** aller comme sur des roulettes; **todo marcha** tout va bien **4.** *(irse)* partir: **marche tranquilo** partez tranquille. ◆ **~se** *vpr* s'en aller, partir: **me marcho** je m'en vais; **se marchó de vacaciones** il est parti en vacances.

**marchitamiento** *m* flétrissure *f*, étiolement.

**marchitar** *vt* faner, flétrir. ◆ **~se** *vpr* *(una planta, una persona)* se faner, se flétrir, s'étioler: **casi todas las rosas se han marchitado** presque toutes les roses se sont fanées.

**marchitez** *f* flétrissure.

**marchito, a** *a* *(planta, rostro, etc.)* fané, e, flétri, e.

**marchoso, a** *a* FAM **1.** *(alegre)* gai, e **2.** dynamique **3.** *(juerguista)* fêtard, e **4.** *(música)* entraînant, e.

**marcial** *a* martial, e: **artes marciales** arts martiaux ◊ **ley ~** loi martiale.

**marcialidad** *f* air *m* martial.

**marciano, a** *a/s* martien, enne.

**marco** *m* **1.** *(de un cuadro, espejo)* cadre **2.** *(de una puerta o* *ventana)* encadrement **3.** *FIG* cadre: **en el ~ de...** dans le cadre de... **4.** *(moneda alemana)* mark **5.** *(patrón)* étalon.

**Marco Aurelio** *np m* Marc-Aurèle.

**Marcos** *np m* Marc.

**marea** *f* **1.** marée: **en la ~ alta, baja** à marée haute, basse; **~ negra** marée noire **2.** *FIG* **~ humana** marée humaine **3.** *(viento)* brise de mer.

**mareaje** *m* **1.** navigation *f* **2.** *MAR* route *f.*

**mareante** *a/s* navigateur. ◇ *a FIG (pesado)* assommant, e, fatigant, e.

**marear** *vt/i* **1.** *(aturdir)* étourdir, faire tourner la tête **2.** soulever le cœur **3.** *(fastidiar)* assommer, fatiguer, casser les pieds, rendre malade: **¡cállate y no marees!** tais-toi, tu me fatigues!. ◆ **~se** *vpr* **1.** *(en un barco)* avoir le mal de mer **2. me mareo** la tête me tourne; **se sentía mareada** elle avait la nausée, la tête qui tournait.

**marejada** *f* **1.** houle: **fuerte ~** forte houle **2.** *FIG* effervescence, agitation.

**marejadilla** *f* houle moyenne.

**maremagno, maremágnum** *m* **1.** *(de cosas)* profusion *f,* avalanche *f,* méli-mélo, fatras **2.** *(de personas)* foule *f,* cohue *f.*

**maremoto** *m* raz de marée.

**marengo** *a (color)* marengo.

**mareo** *m* **1.** *(en un barco)* mal de mer **2.** *(náusea)* mal au cœur, nausée *f* **3.** *(vértigo)* étourdissement, vertige **4.** *FIG (molestia)* tracas.

**mareta** *f (de las olas)* houle.

**marfil** *m* ivoire.

**marfileño, a** *a* ivoirin, e.

**marga** *f* marne.

**margallón** *m* palmier nain.

**margar** *vt AGR* marner.

**margarina** *f* margarine.

**margarita** *f* **1.** marguerite ◊ **deshojar la ~** effeuiller la marguerite **2.** perle ◊ **echar margaritas a los puercos** jeter des perles aux pourceaux, aux cochons **3.** *(de máquina de escribir)* marguerite.

**Margarita** *np f* Marguerite.

**margen** *m/f* **1.** marge *f*: **escribir en el ~** écrire dans la marge ◊ *FIG* **al ~** en marge; **mantenerse al ~ de** se tenir en marge, à l'écart de; **dejar ~** laisser de la marge **2.** apostille *f* **3.** *(de un río)* bord *m,* rive *f; (de un bosque)* lisière *f* **4. ~ de beneficios** marge bénéficiaire **5. ~ de maniobras** marge de manœuvres; **ganar por un escaso ~, por un ajustado ~** gagner de justesse; **por un amplio ~** largement **6.** *FIG* **dar ~ para** fournir l'occasion de.

**marginación** *f* marginalisation.

**marginado, a** *a* marginalisé, e. ◇ *m pl* **los marginados** les marginaux.

**marginal** *a* marginal, e.

**marginar** *vt* **1.** marger **2.** *(apostillar)* marginer **3.** *(dejar de lado)* écarter, tenir à l'écart, ignorer **4.** *(excluir de un grupo)* marginaliser.

**margoso** *a* marneux, euse.

**margrave** *m* margrave.

**marguay** *m (gato montés)* margay.

**marguera** *f* marnière.

**María** *np f* Marie.

**mariachi** *m AMER* orchestre populaire mexicain.

**marial** *a* marial, e.

**Mariana** *np f* Marianne.

**mariano, a** *a* marial, e.

**marica** *f (urraca)* pie. ◇ *m FAM* homme efféminé, pédale *f,* tapette *f.*

**Maricastaña** *np f* **en tiempos de ~** au temps où la reine Berthe filait, jadis.

**maricón** *m FAM* pédale *f,* pédé, tapette *f.*

**mariconada** *f FAM (mala pasada)* saloperie, vacherie.

**maridable** *a* conjugal, e.

**maridaje** *m* **1.** bon ménage **2.** *FIG (unión)* accord, harmonie *f.*

**maridar** *vi* se marier. ◇ *vt FIG (unir)* marier.

**marido** *m* mari.

**mariguana, marihuana** *f* marijuana.

**marimacho** *m FAM* femme *f* d'allure masculine, virago *f.*

**marimandona** *f* femme autoritaire, gendarme *m.*

**marimba** *f* **1.** tambour *m* des Noirs d'Afrique **2.** sorte de xylophone *m* **3.** *AMER* **~ de palos** raclée.

**marimoña** *f* bouton-d'or *m.*

**marimorena** *f FAM* grabuge *m,* dispute, bagarre: **se armó la ~** il y a eu de la bagarre, du tapage.

**marina** *f* **1.** marine: **~ de guerra, mercante** marine de guerre, marchande; **hace la mili en ~** il fait son service dans la marine **2.** *(pintura)* marine **3.** région du bord de la mer.

**marinar** *vt* **1.** *(el pescado)* mariner, faire mariner **2.** *(un barco)* équiper d'hommes.

**marinera** *f* **1.** *(de marinero)* vareuse **2.** *(blusa)* marinière **3.** *AMER* danse populaire.

**marinería** *f* **1.** profession de marin **2.** équipage *m,* ensemble *m* de matelots.

**marinero, a** *a* **1.** marinier, ère **2. barco ~** bâtiment marin. ◇ *m* marin, matelot.

**marino, a** *a* marin, e: **corrientes marinas** courants marins; **brisa marina** brise marine; **azul ~** bleu marine. ◇ *m* marin, matelot.

**Mario** *np m* Marius.

**marioneta** *f* marionnette: **~ de hilo** marionnette à fil.

**marionetista** *s* marionnettiste.

**mariposa** *f* **1.** papillon *m* **2.** *(lamparilla)* veilleuse **3.** *(natación)* brasse papillon.

**mariposear** *vi FIG* papillonner.

**mariposón** *m FAM (hombre galanteador)* coureur, dragueur.

**mariquita** *f* coccinelle. ◇ *m FAM* homme efféminé, folle *f,* tante *f.*

**marisabidilla** *f* bas-bleu *m.*

**mariscador, a** *s* **1.** pêcheur, euse de coquillages **2.** conchyliculteur, trice.

**[1]mariscal** *m* maréchal.

**[2]mariscal** *m AMER* plat de fruits de mer.

**mariscalía** *f* maréchalat *m.*

**marisco** *m* coquillage. ◇ *pl (comestibles)* fruits de mer.

**marisma** *f* marais *m* (du littoral).

**marismeño, a** *a* des marais.

**marisquería** *f* **1.** boutique où l'on vend des fruits de mer **2.** bar *m* où l'on sert des fruits de mer.

**marisquero** *m* pêcheur et marchand de coquillages.

**marista** *a/s* mariste.

**marital** *a* marital, e.

**marítimo, a** *a* maritime.

**maritornes** *f* maritorne.

**marjal** *m* fondrière *f*, marécage.

**marjoleto** *m* aubépine *f*.

**marketing** *m* marketing.

**marmita** *f* marmite.

**marmitón** *m* marmiton.

**mármol** *m* marbre.

**marmolería** *f* marbrerie.

**marmolillo** *m* **1.** *(guardacantón)* bouteroue *f*, borne *f* **2.** *FIG* sot, individu très borné.

**marmolista** *m* marbrier.

**marmóreo, a** *a* marmoréen, enne.

**marmosete** *m* *(imprenta)* vignette *f* allégorique.

**marmota** *f* **1.** marmotte **2.** *FIG (persona dormilona)* marmotte **3.** *FAM (criada)* bonniche.

**maroma** *f* **1.** *(cuerda)* grosse corde **2.** *AMER* voltige.

**maromear** *vi AMER* **1.** faire de la voltige **2.** *FIG* choisir son camp selon les circonstances.

**maromero, a** *s AMER* **1.** acrobate **2.** politicien opportuniste.

**maronita** *a/s* maronite.

**marote** *m AMER* **1.** danse *f* populaire d'Argentine **2.** *(cabeza)* caboche *f*.

**marque,** etc. → **marcar.**

**marqués** *m* marquis.

**marquesa** *f* marquise.

**marquesado** *m* marquisat.

**marquesina** *f (cobertizo)* marquise.

**marquetería** *f* marqueterie.

**marquilla** *a (papel)* raisin.

**marrajo, a** *a* **1.** rusé, e, hypocrite **2.** *(toro)* rusé. ◇ *m (tiburón)* requin.

**marramao, marramau** *m* miaulement du chat.

**marrana** *f* **1.** truie **2.** *FAM (mujer)* cochonne, salope.

**marranada** *f POP* saloperie.

**marrano** *m* **1.** cochon **2.** *FIG FAM* cochon, saligaud **3.** *ANT* marrane, juif converti mais pratiquant le judaïsme en secret.

**marrar** *vt/i* manquer, rater: **~ el tiro** rater son coup.

**marras (de)** *loc* en question, dont on a déjà parlé, que vous savez.

**marro** *m* **1.** palet **2.** *(juego de niños)* barres *f pl* **3.** *(movimiento del cuerpo)* écart **4.** *AMER (mazo)* masse *f*.

**marrón** *a/m (color)* marron. ◇ *m* **1.** *(para jugar)* palet **2. ~ glacé** marron glacé.

**marroquí** *a/s* marocain, e.

**marroquinería** *f* maroquinerie.

**marrueco** *m AMER* braguette *f*: **abrocharse el ~** boutonner sa braguette.

**Marruecos** *np m* Maroc: **~ exporta naranjas** le Maroc exporte des oranges.

**marrullería** *f* roublardise, finauderie, ruse.

**marrullero, a** *a/s* roublard, e, finaud, e.

**Marsella** *np* Marseille.

**marsellés, esa** *a/s* marseillais, e. ◇ *f* **la Marsellesa** la Marseillaise. ◇ *m ANT* veste *f* en gros drap brodée.

**marsopa** *f* marsouin *m*.

**marsupial** *a/m* marsupial, e.

**marta** *f* martre: **~ cebellina** martre zibeline.

**Marta** *np f* Marthe.

**Marte** *np m* Mars.

**martes** *m* mardi: **el ~ pasado, próximo** mardi dernier, prochain; **~ de carnaval** mardi gras.

**martillar** *vt* marteler.

**martillazo** *m* coup de marteau.

**martillear** *vt* marteler.

**martilleo** *m* martèlement.

**martillero** *m AMER* commissaire-priseur.

**martillo** *m* **1.** marteau: **~ neumático** marteau pneumatique; **~ pilón** marteau pilon **2.** *ANAT* marteau **3.** *(atletismo)* marteau: **lanzamiento de ~** lancement du marteau **4.** *loc adv* **a macha ~** → **machamartillo.**

**Martín** *np m* Martin ◊ *FIG* **a cada puerto le llega su San ~** chacun son tour.

**martineta** *f AMER* perdrix de la pampa, tinamou *m*.

**martinete** *m* **1.** *(ave zancuda)* héron **2.** *(mazo)* marteau **3.** *(para clavar estacas)* mouton.

**martingala** *f* **1.** martingale **2.** *(ardid)* truc *m*, artifice *m*, astuce.

**Martinica** *np f* Martinique.

**martín pescador** *m* martin-pêcheur.

**mártir** *s* martyr, e: **mártires cristianos** martyrs chrétiens ◊ **hacerse el ~, la ~** prendre des airs de martyr, jouer les martyrs; **no te hagas la ~** ne joue pas les martyrs.

**martirio** *m* martyre.

**martirizar** *vt* martyriser.

**martirologio** *m* martyrologe.

**maruca** *f (pez)* lingue.

**maruga** *f AMER (maraca)* maracas.

**maruja** *f PEYOR* femme popote, bobonne.
▶ *Maruja* est un diminutif du prénom *María:* Mariette.

**marxismo** *m* marxisme.

**marxista** *a/s* marxiste.

**marzo** *m* mars: **el 8 de ~ de 1987** le 8 mars 1987.

**mas** *conj* mais.

**más** *adv* **1.** plus: **~ de uno** plus d'un; **es ~ joven de lo que parece** il est plus jeune qu'il n'en a l'air; **lo ~ posible** le plus possible; **ni ~ ni menos** ni plus ni moins **¿qué ~ quiere que le diga?** que voulez-vous que je vous dise de plus?; **¿qué ~ se puede decir?** que peut-on dire de plus? ◊ *FAM* **¡~ eres tú!** tu ne t'es pas regardé! **2.** plus, davantage: **no digo ~** je n'en dis pas plus **3.** *(delante de un sustantivo)* plus de, davantage de: **~ dinero** davantage d'argent **4.** *(después de un sustantivo)* de plus: **no se quedó ni un minuto ~** il ne resta pas une minute de plus; **tiene cinco años ~ que ella** il a cinq ans de plus qu'elle **5.** *(con artículo)* le, la, les plus: **el tren ~ rápido** le train le plus rapide; **las cosas ~ diversas** les choses les plus variées **6.** encore: **quédate un rato ~** reste encore un moment **7.** mieux: **me gustaría ~...** j'aimerais mieux...; **~ vale no insistir** mieux vaut ne pas insister; **que más quisiera yo** je ne demanderais pas mieux **8. los ~, las ~,** la plupart: **las ~ de las veces** la plupart du temps, le plus souvent **9. no... ~ que** ne... que: **no hace ~ que llorar** il ne fait que pleurer; autre: **no hay ~ solución que...** il n'y a pas d'autre solution que... **10. por ~ que diga, haga** quoi que je dise, fasse, j'ai beau dire, faire **11.** (= *muy*; valeur intensive) **¡qué día ~ bueno!** quelle belle journée! **12.** *loc adv* **a ~ (de)** en plus (de); **a ~ no poder** on ne peut plus, au possible; **a ~ tardar** au plus tard; **a ~ y mejor** beaucoup, abondamment; **a lo ~, lo ~, todo lo ~** (tout) au plus: **ha engordado lo ~ un kilo** il a grossi d'un kilo tout au plus; **como el que ~** autant que n'importe qui, autant que quiconque, comme tout un chacun; **de ~** en trop, de trop; **~ aún** surtout; **~ bien** plutôt; **~ y ~** de plus en plus: **~ y ~ victorias** de plus en plus de victoires, victoire sur victoire; **no ~ → no; poco ~ o menos** à peu près, plus ou moins; **sin ~ ni ~** comme ça, sans motif, sans raison. ◇ *m* **1.** plus: **el ~ y el menos** le plus et le moins *(signo de la adición)* plus **2. el ~ allá** l'au-delà **3.** *FAM* **sus ~ y sus menos** difficultés *f*, problèmes; **tener sus ~ y sus menos** présenter des inconvénients, poser des problèmes avoir des hauts et des bas.

**masa** *f* **1.** *(conjunto, volumen)* masse **2.** *(de harina)* pâte: **~ quebrada** pâte brisée **3.** *(multitud)* masse: **las masas populares** les masses populaires ◊ **en ~** en masse **4.** *FÍS* masse **5.** *FIG* **en la ~ de la sangre** dans le sang **6. la gran ~** la quasi-totalité **7. ~ coral** chorale.

**masacrar** *vt* massacrer.

**masacre** *f* massacre *m*: **la ~** le massacre.

**masada** *f* métairie, ferme.

**masaje** *m* massage: **dar masajes** faire des massages ◊ **hacerse dar un ~** se faire masser.

**masajista** *s* masseur, euse.

**masar** *vt* pétrir.

**masato** *m* *AMER* boisson *f* préparée avec de la farine de manioc, du maïs, des bananes, etc.

**mascada** *f* **1.** *(de un alimento)* bouchée **2.** *AMER* *(de tabaco)* chique **3.** *AMER* *(pañuelo)* foulard *m* de soie.

**mascadura** *f* mastication.

**mascar** *vt* **1.** mâcher **2. ~ tabaco** chiquer **3.** *FAM* **estar mascando tierra** être mort et enterré.

**máscara** *f* **1.** *(para taparse el rostro o protegerse)* masque *m*: **antigás** masque à gaz **2.** *FIG* **quitarse la ~** lever, jeter le masque **3** *(para las pestañas)* mascara *m*. ◇ *m/f* *(persona disfrazada)* masque. ◇ *pl* mascarade *sing* ◊ **baile de máscaras** bal masqué *sing*.

**mascarada** *f* **1.** mascarade **2.** bal *m* masqué.

**mascarilla** *f* **1.** *(vaciado)* masque *m* **2.** *(antifaz)* loup *m* **3.** *(de cirujano, en cosmética)* masque *m*.

**mascarón** *m* **1.** *ARQ* mascaron **2. ~ de proa** figure *f* de proue.

**mascota** *f* **1.** mascotte **2.** *AMER* animal *m* familier, de compagnie.

**mascujar → mascullar.**

**masculinidad** *a* masculinité.

**masculino, a** *a/m* masculin, e.

**mascullar** *vt* **1.** *(mascar)* mâchonner **2.** *(decir)* marmotter.

**masía → masada.**

**masificación** *f* massification, démocratisation.

**masilla** *f* mastic *m*.

**masivo, a** *a* **1.** massif, ive: **dosis masiva** dose massive; **importación masiva de cereales** importation massive de céréales **2. turismo ~** tourisme de masse.

**maslo** *m* **1.** *(de la cola de los animales)* tronçon **2.** *(de una planta)* tige *f*.

**masoca** *a/s* *FAM* maso.

**masón** *m* franc-maçon.

**masonería** *f* franc-maçonnerie.

**masónico** *a* maçonnique.

**masoquismo** *m* masochisme.

**masoquista** *a/s* masochiste.

**masovero** *m* fermier (en Catalogne).

**mastaba** *f* mastaba *m*.

**mastelerillo** *m* *MAR* cacatois.

**mastelero** *m* *MAR* mât de hune, perroquet.

**masticación** *f* mastication.

**masticador, a** *a* masticateur, trice.

**masticar** *vt* mâcher, mastiquer.

**masticatorio, a** *a/m* masticatoire.

**mástil** *m* **1.** mât **2.** *(de pluma)* tuyau *m* **3.** *(de la guitarra)* manche.

**mastín** *m* mâtin.

**mastodonte** *m* mastodonte.

**mastoides** *a/s* *ANAT* mastoïde.

**mastoiditis** *f* *MED* mastoïdite.

**mastranzo** *m* menthe *f* sauvage.

**Mastrique** *np* Maastricht.

**mastuerzo** *m* **1.** *(planta)* cresson alénois **2.** cardamine *f* **3.** *FIG* crétin, abruti.

**masturbación** *f* masturbation.

**masturbarse** *vpr* se masturber.

**mata** *f* **1.** *(de hierba)* touffe **2.** *(de una planta)* pied *m* ◊ **ser más tonto que una ~ de habas → haba 3.** plantation **4.** *FIG* **~ de pelo** chevelure épaisse.

**matacán** *m* **1.** *(de fortificación)* mâchicoulis **2.** noix *f* vomique.

**matacandelas** *m* éteignoir.

**matachín** *m* **1.** tueur d'abattoir **2.** *(bravucón)* querelleur, bagarreur.

**mataco** *m* *AMER* *(armadillo)* sorte de tatou.

**matadero** *m* abattoir ◊ *FIG* **llevar al ~** conduire à l'abattoir.

**matador, a** *a/s* tueur, euse. ◇ *m* *(torero)* matador.

**matadura** *f* plaie (faite par le bât, la selle).

**matafuego** *m* extincteur.

**matalahúga, matalahúva** *f* anis *m*.

**mátalas callando** *s* *FAM* roublard, e, hypocrite.

**matalobos** *m* aconit.

**matalón** *a* *(caballo)* étique, maigre. ◇ *m* *(caballo malo)* rosse *f*, haridelle *f*.

**matalotaje** *m* *MAR* vivres *pl*.

**matambre** *m* *AMER* dessus des côtes, flanchet.

**matamoros** *m* matamore.

**matamoscas** *m inv* tue-mouche.

[1]**matancero** *m* *AMER* tueur d'abattoir.

[2]**matancero, a** *a/s* de Matanzas (Cuba).

**matanza** *f* **1.** massacre *m*, tuerie: **~ de refugiados** massacre de réfugiés **2.** *(del cerdo)* abattage *m* **3.** *(carne del cerdo)* charcuterie.

**mataperros** *m* *FAM* gamin.

**matar** *vt* **1.** tuer **2.** *FIG* **estar a ~ con alguien** être à couteaux tirés avec quelqu'un, être mal avec quelqu'un; **~ el tiempo** tuer le temps; **mátalas callando** faux jeton, sournois; **matarlas callando** faire ses coups en dessous; **que me maten si...** que je meure si... **3.** *(la cal)* éteindre **4.** *(los colores)* adoucir **5.** *(naipes)* monter. ◆ **~se** *vpr* **1.** se tuer: **matarse trabajando** se tuer au travail; **se mata cosiendo todo el día** elle s'use à coudre toute la journée **2.** *(unos a otros)* s'entretuer.

**matarife** *m* boucher (d'abattoir).

**matarile** *m* *POP* **dar ~ a alguien** tuer, buter quelqu'un.

**matarratas** *m inv* **1.** mort-aux-rats **2.** *FAM* *(aguardiente)* tord-boyaux.

**matasanos** *m* *FAM* mauvais médecin, charlatan.

**matasellos** *m* **1.** oblitérateur **2.** *(marca)* cachet, tampon.

**matasiete** *m* fier-à-bras, fanfarron.

**matate** *m* *AMER* sorte de filet à provisions.

**matatías** *m inv* usurier.

**match** *m* match.

[1]**mate** *a* mat, e. ◇ *m* **1.** *(ajedrez)* mat: **dar jaque ~** faire échec et mat **2.** *(en el tenis)* smash.

[2]**mate** *m* **1.** *(planta, infusión)* maté: **cebar el ~** faire infuser le maté; **~ cocido** infusion de maté **2.** AMER *(recipiente)* calebasse *f* **3.** AMER FAM tête *f*, caboche *f*.

▶ Ce mot désigne l'arbre (variété de houx), l'infusion faite avec ses feuilles torréfiées et pulvérisées et la petite calebasse dans laquelle on la boit avec une *bombilla* (voir ce mot).

**matear** *vi* AMER prendre le maté, boire le maté.

**matemáticamente** *adv* mathématiquement.

**matemáticas** *f pl* mathématiques.

**matemático, a** *a/f* mathématique. ◇ *s* mathématicien, enne.

**Mateo** *np m* Mathieu.

**materia** *f* **1.** matière: **~ prima** matière première; **~ grasa** matière grasse ◊ **entrar en ~** entrer en matière **2.** *loc prep* **en ~ de** en matière de **3.** MED pus *m*.

**material** *a* matériel, elle. ◇ *m* **1.** matériel: **~ para el camping** matériel de camping **2. ~ plástico** matière *f* plastique. ◇ *pl* matériaux.

**materialidad** *f* matérialité.

**materialismo** *m* matérialisme: **~ dialéctico** matérialisme dialectique.

**materialista** *a/s* matérialiste. ◇ *m* AMER marchand de matériaux de construction.

**materialización** *f* matérialisation.

**materializar** *vt* matérialiser. ◆ **~se** *vpr* **1.** devenir matérialiste **2.** *(concretarse)* se matérialiser.

**materialmente** *adv* matériellement: **~ es imposible** c'est matériellement impossible.

**maternal** *a* maternel, elle: **cuidados maternales** soins maternels.

**maternalmente** *adv* maternellement.

**maternidad** *f* maternité.

**maternizado, a** *a* **leche maternizada** lait maternisé.

**materno, a** *a* maternel, elle: **leche materna** lait maternel; **abuelo ~** grand-père maternel; **lengua materna** langue maternelle.

**matero, a** *a* AMER amateur de maté.

**matete** *m* AMER **1.** mélange **2.** méli-mélo **3.** *(reyerta)* bagarre *f*.

**Matilde** *np f* Mathilde.

**matinal** *a* matinal, e.

**matiné** *f* AMER *(espectáculo)* matinée.

**matiz** *m* nuance *f*: **todos los matices** toutes les nuances.

**matización** *f* nuance.

**matizar** *vt* nuancer.

**matojo** *m (matorral)* buisson.

**matón** *m* FAM dur, fier-à-bras.

**matonear** *vi* FAM jouer les durs, faire le crack.

**matorral** *m* buisson, hallier.

**matra** *f* AMER tapis *m* de selle en laine.

**matraca** *f* **1.** crécelle **2.** FIG FAM **dar (la) ~** casser les pieds, assommer; **ser un ~** être un casse-pieds, une scie.

**matraquear** *vi* **1.** faire du bruit avec la crécelle **2.** FIG assommer.

**matraqueo** *m* **1.** bruit de la crécelle **2.** FIG ennui, agacement.

**matraz** *m* QUÍM ballon, matras.

**matrerear** *vi* AMER vagabonder.

**matrería** *f* finauderie, ruse.

**matrero, a** *a* rusé, e, futé, e. ◇ *a/m* AMER fugitif, hors-la-loi.

**matriarcado** *m* matriarcat.

**matriarcal** *a* matriarcal, e.

**matrícula** *f* **1.** *(lista)* matricule **2.** *(de estudiantes)* inscription **3.** *(de un coche)* immatriculation **4.** *(placa)* plaque d'immatriculation **5.** *(número)* numéro *m* minéralogique **6. ~ de honor** mention très honorable (donnant droit à l'étudiant à son inscription gratuite pour l'année suivante).

**matricular** *vt* **1.** *(un vehículo)* immatriculer **2.** *(en la universidad, etc.)* inscrire. ◆ **~se** *vpr* s'inscrire: **me he matriculado en la facultad de Letras** je me suis inscrit à la faculté des lettres.

**matrimonial** *a* matrimonial, e ◊ **enlace ~** mariage.

**matrimoniar** *vi* se marier. ◆ **~se** *vpr* AMER se marier.

**matrimonio** *m* **1.** *(ceremonia)* mariage: **~ civil** mariage civil ◊ **contraer ~** se marier; **contrajeron ~ ayer** ils se sont mariés hier **2.** *(marido y mujer)* ménage **3. cama de ~** lit à deux personnes.

**matritense** *a* madrilène.

**matriz** *f* **1.** ANAT matrice **2.** *(molde)* matrice **3.** *(de un libro talonario)* souche. ◇ *a* **casa ~** maison mère.

**matrona** *f* **1.** matrone **2.** *(partera)* sage-femme **3.** *(de la aduana, cárcel, etc.)* fouilleuse.

**matufia** *f* AMER *(engaño)* tromperie, supercherie.

**matungo** *m* AMER *(caballo)* canasson, rosse *f*.

**Matusalén** *np m* Mathusalem: **ser más viejo que ~** être vieux comme Mathusalem.

**matute** *m* contrebande *f*: **de ~** de contrebande.

**matutear** *vi* faire de la contrebande.

**matutero** *s* contrebandier, ère.

**matutino, a** *a* **1.** matinal, e: **nieblas matutinas** brouillards matinaux **2.** du matin: **estrella matutina** étoile du matin. ◇ *m (diario)* journal du matin.

**maula** *f* **1.** vieux machin *m* inutile, rebut *m* **2.** *(engaño)* tromperie **3.** *(trampa)* tricherie ◊ **hacer ~** tricher. ◇ *s* FAM **1.** *(holgazán)* flemmard, e **2.** mauvais payeur, mauvaise payeuse **3.** AMER *(cobarde)* froussard, e.

**maulería** *f (maña)* ruse, fourberie.

**maulero** *s* **1.** trompeur, euse **2.** AMER tricheur, euse.

**maullador, a** *a* miauleur, euse.

**maullar** *vi* miauler.

**maullido** *m* miaulement ◊ **dar maullidos** miauler.

**Mauricio** *np m* Maurice.

**Mauritania** *np f* Mauritanie.

**máuser** *m* mauser.

**mausoleo** *m* mausolée.

**maxilar** *a/m* maxillaire.

**máxima** *f (sentencia)* maxime.

**máxime** *adv* surtout, principalement, à plus forte raison: **no es fácil, ~ cuando...** ce n'est pas facile, surtout lorsque...

**Maximiliano** *np m* Maximilien.

**máximo, a** *a* **1.** le plus grand, la plus grande, le plus haut, la plus haute: **el ~ galardón** la plus haute récompense; **el ~ responsable de** le plus haut responsable de **2.** maximum: **plazo ~** délai maximum **3. temperatura, velocidad máxima** température, vitesse maximale. ◇ *m* maximum: **hacer lo ~** faire le maximum; **llegar al ~** atteindre son maximum ◊ *loc adv* **como ~** au maximum, tout au plus.

**Máximo** *np m* Maxime.

**máximum** *m* maximum.

**¹maya** *f (planta)* pâquerette.

**²maya** *a/s* maya: **arte ~** art maya.

**mayador → maullador.**

**mayal** *m AGR* fléau.

**mayar** *vi (maullar)* miauler.

**mayestático, a** *a* **1.** majestueux, euse **2. plural ~** pluriel de majesté.

**mayido → maullido.**

**mayo** *m* mai: **el 2 de ~ de 1808** le 2 mai 1808.

**mayólica** *f* majolique, maïolique.

**mayonesa** *f* mayonnaise: **salsa ~** sauce mayonnaise.

**mayor** *a* **1.** plus grand, e ◊ **la ~ parte** la majeure partie, la plus grande partie, **→ parte 2.** majeur, e: **es ~ de edad** elle est majeure; **hijos mayores de edad** enfants majeurs; **fuerza ~** force majeure **3.** *(de más edad)* aîné, e: **mi hermano, hijo ~** mon frère, fils aîné **4.** âgé, e: **las personas mayores de 40 años** les personnes âgées de plus de 40 ans; **una mujer muy ~** une femme très âgée ◊ **las personas mayores** les grandes personnes; **¿qué te gustaría ser de ~?** qu'est-ce que tu aimerais être quand tu seras grand?; **yo de ~ quiero ser actor** moi, quand je serai grand, je veux être acteur **5.** *FIG* **pasar a mayores** prendre de l'importance, aller plus loin: **la cosa no pasó a mayores** ça n'a pas été plus loin **6.** *MÚS* majeur: **en do ~** en do majeur **7.** *MIL* **estado ~** état-major **8. el lago Mayor** le lac Majeur **9.** *loc adv* **al por ~** en gros. ◇ *f (silogismo)* majeure. ◇ *m* major, commandant. ◇ *m pl* **1.** *(antepasados)* aïeux **2. los mayores** les grandes personnes.

**mayoral** *m* **1.** *(capataz)* contremaître **2.** maître-berger **3.** *(de diligencia)* postillon.

**mayorazgo** *m* **1.** majorat **2.** possesseur, héritier d'un majorat **3.** *(hijo mayor)* fils aîné.

**mayordomía** *f* intendance.

**mayordomo** *m* **1.** majordome, intendant **2.** *(de una cofradía)* administrateur.

**mayoría** *f* **1.** majorité: **~ absoluta** majorité absolue; **elegido por ~ de votos** élu à la majorité; **en la ~ de los casos** dans la majorité des cas, dans la plupart des cas; **la gran ~ de los españoles** la grande majorité des Espagnols ◊ **la ~ de las veces** la plupart du temps; **la ~ de ellos** la plupart d'entre eux **2. ~ de edad** majorité.

**mayorista** *m* grossiste.

**mayoritario, a** *a* majoritaire.

**mayormente** *adv* surtout.

**mayúsculo, a** *a/f (letra)* majuscule. ◇ *a* **error ~** erreur monumentale; **estupidez mayúscula** bêtise monumentale; **sorpresa mayúscula** énorme surprise; **un susto ~** une peur bleue.

**maza** *f* **1.** masse **2.** *(arma)* masse d'armes **3.** *MÚS (de bombo)* mailloche.

**mazacote** *m* **1.** chose *f* compacte **2.** *FIG (plato)* colle *f* de pâte.

**mazacotudo, a** *a AMER* lourd, e, pesant, e.

**mazada** *f* coup *m* de masse, de maillet.

**mazamorra** *f AMER* **1.** bouillie de maïs **2.** *FIG* salmigondis *m*.

**mazapán** *m* massepain.

**mazazo → mazada.**

**mazmorra** *f* oubliette, cul-de-basse-fosse *m*.

**mazo** *m* **1.** *(martillo)* maillet, masse *f* **2.** *(manojo)* paquet: **~ de naipes** paquet de cartes **2. ~ de llaves** trousseau de clefs **4.** *FAM (hombre pesado)* raseur.

**mazorca** *f* **1.** *(de maíz)* épi *m* **2.** *(de cacao)* cabosse.

**mazorral** *a* grossier, ère.

**mazurca** *f* mazurka.

**me** *pron pers* **1.** me, m' *(delante de vocal)*: **~ dice** il me dit; **~ dijo** il m'a dit **2.** *(con el imperativo)* moi: **dame** donne-moi; **démelo,** donnez-le moi.

**mea culpa** *m inv* mea culpa.

**meada** *f FAM* pipi *m*.

**meadero** *m VULG* pissotière *f*, urinoir.

**meados** *m pl VULG* pisse *f sing*.

**meandro** *m* méandre.

**meapilas** *s inv FAM* bigot, e, cul-bénit.

**mear** *vi VULG* pisser. ◆ **~se** *vpr* pisser, faire pipi ◊ **mearse de risa** rire à en pisser dans sa culotte.

**meato** *m ANAT* méat: **~ urinario** méat urinaire.

**Meca (La)** *np f* La Mecque.

**¡mecachis!** *interj* sapristi!, flûte!, zut!

**mecánica** *f* **1.** mécanique: **~ celeste, cuántica** mécanique céleste, quantique **2.** mécanisme *m*.

**mecánico, a** *a* mécanique. ◇ *s (obrero)* mécanicien, enne.

**mecanismo** *m* mécanisme.

**mecanización** *f* mécanisation.

**mecanizado** *m* usinage.

**mecanizar** *vt* mécaniser.

**mecanografía** *f* dactylographie.

**mecanografiar** *vt* dactylographier.

**mecanógrafo, a** *s* dactylographe, dactylo.

**mecapal** *m AMER* sangle *f* de portefaix.

**mecapalero** *m AMER* portefaix, porteur.

**mecate** *m AMER* corde *f* d'agave.

**mecedor** *m (columpio)* balançoire *f*, escarpolette *f*.

**mecedora** *f* rocking-chair *m*, fauteuil *m* à bascule.

**mecenas** *m* mécène.

**mecenazgo** *m* mécénat.

**mecer** *vt* **1.** *(a un niño)* bercer **2.** *(la cuna)* balancer **3.** *(un líquido)* remuer. ◆ **~se** *vpr* se balancer.

**mecha** *f* **1.** *(en las velas, para prender fuego, etc.)* mèche: **encender la ~** allumer la mèche **2.** *(de cabellos)* mèche **3.** *(de tocino)* lardon *m* **4.** *FAM* **aguantar ~** supporter patiemment, tenir bon; **a toda ~** à toute vitesse, à fond de train, à toute pompe.

**mechar** *vt (la carne)* larder, piquer: **pierna de cordero mechada con ajos** gigot de mouton piqué d'ails. ◆ **~se** *vpr AMER* se bagarrer.

**mechera** *f* voleuse à l'étalage.

**mechero** *m* **1.** *(encendedor)* briquet **2.** *(de lámpara)* bec **3.** brûleur ◊ **~ Bunsen** bec Bunsen **4.** *(ladrón)* voleur à l'étalage.

**mechificar** *vi AMER* se moquer.

**mechinal** *m FIG* trou, réduit.

**mechón** *m* **1.** *(de cabellos)* mèche *f* **2.** *(de lana, algodón, etc.)* touffe *f*.

**mechoso, a** *a AMER (harapiento)* déguenillé, e.

**meconio** *m MED* méconium.

**medalla** *f* médaille: **~ de oro, de plata** médaille d'or, d'argent ◊ **el reverso de la ~** le revers de la médaille.

**medallista** *m* **1.** *(grabador)* médailleur, médalliste **2.** *(deportista)* médaillé, e.

**medallón** *m* médaillon.

**médano** *m* **1.** dune *f* **2.** banc de sable.

**Medardo** *np m* Médard.

**Medea** *np f* Médée.

**media** *f* **1.** bas *m:* **un par de medias** une paire de bas; **ponerse las medias** mettre, enfiler ses bas; **medias de encaje** bas résille ◊ **hacer ~** tricoter **2.** AMER *(calcetín)* chaussette **3.** MAT moyenne: **~ aritmética** moyenne arithmétique; → **medio.** ◊ *m pl* **los medias** les médias.

**mediacaña** *f* **1.** *(moldura)* gorge **2.** baguette moulurée **3.** *(formón)* gouge **4.** *(lima)* lime demi-ronde **5.** *(para rizar el pelo)* fer *m* à friser **6.** *(imprenta)* filet *m* double.

**mediación** *f* médiation, entremise ◊ **por ~ de** par l'intermédiaire de, par l'entremise de.

**mediado, a** *a* **1.** à moitié plein, e, à demi plein, e: **una botella mediada** une bouteille à demi pleine, entamée; **un vaso ~ de agua** un verre rempli d'eau à moitié **2. mediada la semana** vers le milieu de la semaine; **era ya mediada la tarde** la soirée était déjà à moitié écoulée **3. a mediados del mes, del año** vers le milieu du mois, de l'année; **a mediados de enero** vers la mi-janvier.

**mediador, a** *a/s* médiateur, trice.

**mediagua** *f* **1.** *(tejado)* toit *m* à un seul versant **2.** AMER maison à toit à un seul versant.

**medialuna** *f* croissant *m.*

**mediana** *f* GEOM médiane.

**medianamente** *adv* passablement, médiocrement.

**medianejo, a** *a* passable, médiocre.

**medianería** *f* **1.** *(pared)* mur *m* mitoyen **2.** mitoyenneté.

**medianero, a** *a (muro, etc.)* mitoyen, enne. ◊ *a/s* médiateur, trice. ◊ *m* propriétaire mitoyen.

**medianía** *f* médiocrité.

**mediano, a** *a* moyen, enne, médiocre: **inteligencia mediana** intelligence moyenne; **~ de cuerpo** de taille moyenne; **de estatura mediana** de taille moyenne; **bomba de mediana potencia** bombe de moyenne puissance.

**medianoche** *f* minuit *m:* **a ~** à minuit; **esta ~** ce soir à minuit; **el sol de ~** le soleil de minuit.

**mediante** *a* **Dios ~** si Dieu le veut. ◊ *prep* au moyen de, moyennant, grâce à: **~ su colaboración** grâce à votre collaboration.

**mediar** *vi* **1.** intervenir, s'interposer: **~ entre dos amigos** s'interposer entre deux amis **2.** intercéder, intervenir: **mediará por usted ante el director** il intercédera pour vous auprès du directeur **3.** *(una cosa)* arriver à la moitié: **al ~ la semana** vers le milieu de la semaine; **mediaba la tarde** l'après-midi était à moitié écoulée **4.** *(ocurrir)* survenir, se produire: **mediaron serias dificultades** de sérieuses difficultés survinrent **5.** *(transcurrir)* s'écouler: **mediaron dos semanas** deux semaines s'écoulèrent **6. entre tú y yo media un abismo** il y a un abîme entre toi et moi.

**medias (a)** *loc adv* **1.** à moitié, à demi: **satisfecho a ~** à moitié satisfait **2.** par moitié.

**mediateca** *f* médiathèque.

**mediático, a** *a* médiatique.

**mediatización** *f* influence, pression.

**mediatizar** *vt (influir)* influencer.

**mediato, a** *a* médiat, e.

**mediatriz** *f* GEOM médiatrice.

**médica** *f* femme médecin, médecin *m.*

**medicable** *a* guérissable.

**medicación** *f* médication.

**medicamento** *m* médicament.

**medicamentoso, a** *a* médicamenteux, euse.

**medicar** *vt* donner des médicaments à. ◆ **~se** *vpr* prendre des médicaments, se soigner: **mucha gente necesita medicarse para poder dormir** beaucoup de gens doivent prendre des médicaments pour pouvoir dormir.

**medicastro** *m* mauvais médecin, médicastre.

**medicina** *f* **1.** médecine: **~ general, laboral, legal** médecine générale, du travail, légale; **~ deportiva** médecine du sport; **estudiante de ~** étudiant en médecine **2.** *(medicamento)* médicament *m.*

**medicinal** *a* médicinal, e.

**medicinar** *vt* administrer des médicaments à. ◆ **~se** *vpr* prendre des médicaments.

**medición** *f* mesure.

[1]**médico, a** *a* médical, e: **reconocimiento ~** examen médical; **cuidados médicos** soins médicaux; **receta médica** ordonnance. ◊ *m* médecin: **~ de cabecera** médecin traitant; **~ de familia** médecin de famille; **~ forense** médecin légiste. ◊ *f* → **médica.**

[2]**médico, a** *a* HIST médique.

**medicucho** *m* mauvais médecin, charlatan.

**medida** *f* **1.** mesure: **traje a la ~** costume sur mesure; **en cierta ~** dans une certaine mesure; **en menor ~** dans une moindre mesure; **en la medida de lo posible** dans la mesure du possible; **en la ~ en que** dans la mesure où; **en gran ~** dans une large mesure, en grande partie; FIG **un mundo a la ~ humana** un monde à la mesure de l'homme, à l'échelle humaine **2. tomar medidas enérgicas** prendre des mesures énergiques; **medidas de seguridad** mesures de sécurité **3.** *loc conj* **a ~ que** au fur et à mesure que, à mesure que **4.** *loc adv* **sin ~** sans mesure, exagérément.

**medidor, a** *s* mesureur, métreur, euse. ◊ *m* AMER compteur (à eau, à gaz ou d'électricité).

**mediero, a** *s* métayer, ère.

**medieval** *a* médiéval, e.

**medievalista** *s* médiéviste.

**medievo** *m* Moyen Âge.

**medio, a** *a* **1.** demi, e: **media docena de huevos** une demi-douzaine d'œufs; **media botella de vino** une demi-bouteille de vin; **media hora** une demi-heure; **hora y media** une heure et demie. (Es invariable delante del substantivo, variable después de él.) **2.** moyen, enne: **clase media** classe moyenne; **término ~** moyen terme; **el español ~** l'Espagnol moyen **3. a ~, a media** à mi-: **a ~ camino** à mi-chemin; **a media pierna** à mi-jambe; **a media altura** à mi-hauteur. ◊ *m* **1.** milieu: **el justo ~** le juste milieu ◊ *loc prep* **en ~ de la carretera** au milieu de la route; **justo en ~ de** au beau milieu de, en plein milieu de **2. quitar a uno de en ~** écarter quelqu'un, se débarrasser de quelqu'un; **quitarse de en ~** s'écarter; **¡quítate de en ~!** ôte-toi de là! **3. de por ~** au milieu; FIG **hay mucho dinero de por ~** il y a beaucoup d'argent en jeu; **poner tierra de por ~** s'éloigner, prendre le large **4. de ~ a ~** complètement, entièrement: **se equivoca de ~ a ~** il se trompe complètement, sur toute la ligne **5. el ~ ambiente** l'environnement; **adaptación al ~** adaptation au milieu **6.** *(para conseguir algo)* moyen: **no hay ~ de...** il n'y a pas moyen de...; **intentar por todos los medios** essayer par tous les moyens ◊ *loc prep* **por ~ de** au moyen de, par l'intermédiaire de **7.** *(mitad)* demi **8.** *(persona)* médium **9.** *(deporte)* demi **10.** AMER *(moneda)* pièce *m.* ◊ *pl* **1.** milieux: **en los medios autorizados** dans les milieux autorisés; **medios intelectuales** milieux intellectuels **2. medios de transporte** moyens de transport; **regresar a casa por sus propios medios** rentrer chez soi par ses propres moyens **2. los medios de comunicación, los medios** les médias **3.** *(recursos)* moyens, ressources *f.* ◊ *adv* **1.** à moitié, à demi: **está ~ loco** il est à moitié fou **2. a ~** *(+ infinitivo)* à moitié: **a ~ vestir** à moitié habillé.

**medioambiental** *a* environnemental, e.

**mediocampista** → **centrocampista.**

**mediocre** *a* médiocre: **vida ~** vie médiocre.

**mediocridad** *f* médiocrité.

**mediodía** *m* **1.** midi: **al ~** à midi; **a ~ de ayer** hier à midi; **a ~ de jueves** jeudi à midi; **son las doce del ~, es ~** il est midi **2.** *(sur)* midi.

**medioeval** *a* médiéval, e.

**medioevo** *m* Moyen Âge.

**mediopensionista** *a/s* demi-pensionnaire.

**mediquillo** *m* mauvais médecin, charlatan.

**medir*** *vt* **1.** mesurer: **¿cuánto mide esta tabla?** combien mesure cette planche? **2. ~ las palabras** peser ses mots, mesurer ses paroles; **~ sus pasos** y aller prudemment. ◆ **~se** *vpr* **1. medirse con alguien** se mesurer avec quelqu'un **2. medirse con la mirada** se mesurer du regard.

**meditabundo, a** *a* méditatif, ive.

**meditación** *f* méditation.

**meditar** *vt/i* méditer.

**meditativo, a** *a* méditatif, ive.

**mediterráneo, a** *a/s* méditerranéen, enne.

**Mediterráneo** *np m* **el (mar) ~** la (mer) Méditerranée *f*.

**médium** *m* médium.

**medo, a** *a/s* mède.

**medrar** *vi* **1.** *(animales, plantas)* croître **2.** *FIG* prospérer ◊ **¡medrados estamos!** nous voilà bien!, nous voilà propres!

**medro** *m* croissance *f*, développement, progrès.

**medroso, a** *a/s* **1.** peureux, euse, craintif, ive, pusillanime **2.** timide.

**médula** *f* moelle: **~ espinal** moelle épinière ◊ *FIG* **hasta la ~** jusqu'à la moelle.

**medular** *a* médullaire.

**medusa** *f* méduse.

**Mefistófeles** *np m* Méphistophélès.

**mefistofélico, a** *a* méphistophélique.

**mefítico, a** *a* méphitique.

**megaciclo** *m* mégacycle.

**megáfono** *m* mégaphone.

**megalítico, a** *a* mégalithique.

**megalito** *m* mégalithe.

**megalomanía** *f* mégalomanie.

**megalómano, a** *a/s* mégalomane.

**megalópolis** *f* mégapole.

**megatón** *m* mégatonne *f*.

**mehala** *f MIL* mehalla.

**meharí** *m* méhari.

**meiosis** *f BIOL* méiose.

**mejicanismo** *m* mot, tournure propres aux mexicains.

**mejicano, a** *a/s* mexicain, e.

**Méjico** *np m* **1.** *(país)* Mexique **2.** *(ciudad)* Mexico.

**mejido, a** *a* battu, e dans du lait sucré ◊ **yema mejida** lait *m* de poule.

**mejilla** *f* joue: **besar en la ~** embrasser sur la joue; **bailar ~ a ~** danser joue contre joue.

**mejillón** *m* moule *f*: **mejillones a la marinera** moules marinière.

**mejor** *a* **1.** meilleur, e: **mi ~ amiga** ma meilleure amie; **mucho ~** bien meilleur; **las mejores canciones** les meilleures chansons **2. ~ que te marches** il vaut mieux que tu t'en ailles **3. lo ~** le mieux: **es lo ~ que hay** c'est ce qu'il y a de mieux; **hacer lo ~ posible** faire pour le mieux; **lo ~ de lo ~** le fin du fin ◊ **dar lo ~ de uno mismo** donner le meilleur de soi-même; **¿sabes lo ~?** tu connais la meilleure? ◇ *adv* **1.** mieux: **el enfermo está ~** le malade va mieux; **¿ya estás mejor, Ana?** tu vas mieux, ça va mieux, Anne?; **se sintió un poco ~** il se sentit un peu mieux; **lo sé ~ que tú** je le sais mieux que toi; **para entender ~** pour mieux comprendre **2.** *loc adv* **a lo ~** peut-être; **a cual ~** à qui mieux mieux; **~ dicho** ou plutôt; **¡tanto ~!, ¡mejor!, ¡~que ~!** tant mieux!; **¡~ para él!** tant mieux pour lui!

**mejora** *f* **1.** amélioration **2.** *(del sueldo)* augmentation **3.** *(puja)* enchère **4.** *JUR* préciput *m*.

**mejorable** *a* améliorable, perfectible.

**mejoramiento** *m* amélioration *f*.

**mejorana** *f* marjolaine.

**mejorar** *vt* **1.** améliorer **2.** *(en una subasta)* enchérir. ◇ *vi/pr* **1.** aller mieux: **el enfermo ha mejorado mucho** le malade va beaucoup mieux; **está muy mejorado** il va beaucoup mieux ◊ **¡qué se mejore!** meilleure santé!, prompt rétablissement! **2.** *(el tiempo)* s'améliorer **3.** améliorer sa situation **4. las cosas han mejorado** les choses se sont améliorées ◊ **mejorando lo presente → presente; el vino mejora con los años** le vin se bonifie, s'améliore, gagne en vieillissant.

**mejorcito, a** *a* **1.** le meilleur, la meilleure: **Sonia es la mejorcita del grupo** Sonia est la meilleure du groupe **2. lo ~** ce qu'il y a de mieux. ◇ *adv FAM* un peu mieux.

**mejoría** *f (de la salud, etc.)* amélioration: **una ligera ~** une légère, amélioration, un léger mieux.

**mejunje** *m* mixture *f*.

**melado, a** *a* couleur de miel. ◇ *m* **1.** *(jarabe)* sirop de canne à sucre **2.** gâteau au miel. ◇ *f (tostada)* tartine de miel.

**melancolía** *f* mélancolie.

**melancólicamente** *adv* mélancoliquement.

**melancólico, a** *a/s* mélancolique.

**Melanesia** *np f* Mélanésie.

**melanesio, a** *a/s* mélanésien, enne.

**melanina** *f* mélanine.

**melanoma** *m* mélanome.

**melaza** *f* mélasse.

**Melchor** *np m* Melchior.

**melcocha** *f* **1.** miel *m* cuit **2.** pâte faite avec du miel cuit **3.** *AMER FIG* méli-mélo *m*, fatras *m*.

**melée** *f (rugby)* mêlée.

**melena** *f* **1.** *(cabellos)* cheveux *m pl* longs, longue chevelure **2.** *(de león)* crinière. ◇ *pl* crinière *sing*.

**melenudo, a** *a* chevelu, e.

**melífero, a** *a* mellifère.

**melifluo, a** *a* melliflu, e.

**melindre** *m* **1.** beignet au miel **2.** *FIG* minauderie *f* ◊ **hacer melindres** minauder.

**melindrear** *vi* minauder.

**melindrosamente** *adv* en minaudant.

**melindroso, a** *a* minaudier, ère.

**melinita** *f* mélinite.

**melisa** *f* mélisse.

**mella** *f* **1.** *(en el filo de un arma, de una dentadura, etc.)* brèche **2.** *FIG (menoscabo)* dommage *m* ◊ **hacer ~** faire de l'effet, impressionner: **tus palabras no le han hecho ~** tes paroles n'ont fait aucun effet sur lui; *(producir menoscabo)* porter atteinte.

**mellado, a** *a* ébréché, e. ◇ *a/s* brèche-dent.

**melladura → mella.**

**mellar** *vt* **1.** ébrécher **2.** *FIG (la honra, etc.)* porter atteinte à, ternir.

**mellizo, a** *a/s* jumeau, jumelle.

**melocotón** *m* pêche *f*.

**melocotonar** *m* plantation *f* de pêchers.

**melocotonero** *m* pêcher.

**melodía** *f* mélodie.

**melódico, a** *a* mélodique.

**melodioso, a** *a* mélodieux, euse.

**melodrama** *m* mélodrame.

**melodramático, a** *a* mélodramatique.

**melodreña** *a* **piedra ~** pierre à aiguiser.

**melojo** *m* espèce de chêne.

**melómano, a** *a/s* mélomane.

**melón** *m* **1.** melon **2. ~ de agua** melon d'eau, pastèque *f* **3.** FAM idiot, poire *f* **4.** FAM *(cabeza)* tête *f*.

**melonar** *m* champ de melons.

**meloncillo** *m* sorte de mangouste *f* d'Espagne.

**melonero** *m* marchand de melons.

**melopea** *f* **1.** mélopée **2.** FAM cuite, biture: **agarrar una ~** prendre une cuite.

**melosidad** *f* douceur.

**meloso, a** *a* mielleux, euse, doucereux, euse.

**melva** *f* sorte de thon *m*.

**memada** *f* sottise, niaiserie.

**membrana** *f* membrane.

**membranoso, a** *a* membraneux, euse.

**membrete** *m* en-tête.

**membrillero** *m* cognassier.

**membrillo** *m* **1.** coing: **carne, dulce de ~** pâte de coing **2.** *(árbol)* cognassier.

**membrudo, a** *a* robuste, corpulent, e.

**memento** *m* mémento.

**memez** *f* niaiserie, idiotie, bêtise.

**memo, a** *a* idiot, e, niais, e.

**memorable** *a* mémorable.

**memorándum** *m* **1.** *(nota diplomática)* mémorandum **2.** *(cuadernito)* aide-mémoire, agenda.

**memorar** *vt* rappeler.

**memoratísimo, a** *a* très mémorable.

**memoria** *f* **1.** mémoire: **refrescar la ~** rafraîchir la mémoire ◊ **ser flaco de ~** ne pas avoir de mémoire, avoir mauvaise mémoire; **en ~ de** en mémoire de, à la mémoire de; **traer a la ~** rappeller ◊ *loc adv* **de ~** par cœur, de mémoire: **aprender de ~** apprendre par cœur **2.** *(recuerdo)* souvenir *m*: **guardar ~ de** garder le souvenir de; **hacer ~ de una cosa** essayer de se rappeler une chose, de se souvenir d'une chose; **haz ~** essaie de te rappeler; **haga ~** essayez de vous rappeler **3.** INFORM mémoire: **~ de masa** mémoire de masse; **~ de lectura solamente** mémoire morte; **~ intermedia** mémoire tampon **4.** *(informe, tesis)* mémoire *m*. ◇ *pl* **1.** *(escrito)* mémoires *m* **2.** ANT compliments *m*, souvenirs *m*: **dele memorias de mi parte** rappelez-moi à son bon souvenir.

**memorial** *m* **1** *(petición)* requête *f*, placet **2.** *(libro)* mémorial.

**memorialista** *m* mémorialiste.

**memorión** *m* bonne mémoire *f*. ◇ *a/s* qui a une bonne mémoire.

**memorioso, a** *a* qui a une très bonne mémoire.

**memorización** *f* mémorisation.

**memorizar** *vt* mémoriser.

**mena** *f* *(mineral)* minerai *m*.

**ménade** *f* ménade.

**menaje** *m* mobilier, ustensiles de cuisine, etc.

**mención** *f* **1.** mention: **hacer ~ de** faire mention de **2. ~ honorífica** mention honorable.

**mencionar** *vt* mentionner.

**menda** *pron* FAM **mi ~** ma pomme, bibi, mézigue.

**mendaz** *a/s* menteur, euse.

**mendelismo** *m* BIOL mendélisme.

**mendicante** *a/s* mendiant, e: **órdenes mendicantes** ordres mendiants.

**mendicidad** *f* mendicité.

**mendigar** *vt/i* mendier.

**mendigo, a** *a/s* mendiant, e.

**mendrugo** *m* **1.** croûton, morceau de pain dur **2.** FAM *(tonto)* imbécile, abruti, e.

**menear** *vt* **1.** remuer, agiter: **perro que menea la cola** chien qui remue la queue ◊ **~ la cabeza** hocher la tête; **~ las caderas** rouler les hanches **2.** FIG **peor es meneallo** n'en parlons plus, mieux vaut laisser ça tranquille. ◆ **~se** *vpr* **1.** s'agiter **2.** FAM se remuer, se grouiller, se manier: **¡meneáte, que llegamos tarde!** grouille-toi, on va être en retard! **3.** FAM **de no te menees** un peu là, monstre.

**menegilda** *f* FAM bonne, soubrette.

**meneo** *m* **1.** remuement **2.** mouvement **3.** *(contoneo)* dandinement **4.** FIG *(vapuleo)* raclée *f*.

**menester** *m* **1.** besoin, nécessité *f* ◊ **haber ~ de una cosa** avoir besoin d'une chose; **ser ~** falloir, être nécessaire: **es ~ que vengáis** il faut que vous veniez **2.** *(tarea)* occupation *f*, tâche *f*.

**menesteroso, a** *a/s* nécessiteux, euse.

**menestra** *f* **~ de verduras** jardinière de légumes.

**menestral** *s* artisan.

**Menfis** *np m* Memphis.

**mengano, a** *s* un tel, une telle.

**mengua** *f* **1.** diminution **2.** *(falta)* manque *m* **3.** FIG discrédit *m* **4. en ~ de** au détriment de, au préjudice de; **sin ~ de** sans porter atteinte à.

**menguado, a** *a* diminué, e. ◇ *a/s* **1.** lâche, poltron, onne **2.** imbécile. ◇ *m* *(al hacer punto de media)* diminution *f*.

**menguante** *a* décroissant, e ◊ **cuarto ~, luna ~** dernier quartier de la lune. ◇ *f* **1.** *(de las aguas de los ríos)* baisse **2.** *(marea)* reflux *m* **3.** FIG décadence.

**menguar** *vt/i* **1.** diminuer, décroître: **sus fuerzas menguan día a día** ses forces diminuent jour après jour **2.** *(en las labores de punto)* diminuer.

**menhir** *m* menhir.

**menina** *f* HIST ménine, fille d'honneur des infantes.

**meninge** *f* ANAT méninge.

**meníngeo, a** *a* méningé, e.

**meningitis** *f* MED méningite.

**meningococo** *m* MED méningocoque.

**menisco** *m* ménisque.

**menjunje → mejunje.**

**menopausia** *f* ménopause.

**menopáusica** *a* ménauposée.

**menor** *a* **1.** plus petit, e **2.** *(en cantidad, importancia)* moindre: **ni la ~ duda** pas le moindre doute; **al ~ ruido...** au moindre bruit...; **no tener la ~ idea de...** ne pas avoir la moindre idée de...; **un mal ~** un moindre mal. **3** plus jeune: **la ~ de sus hijas**

la plus jeune de ses filles; **los niños menores de cuatro años** les enfants âgés de moins de quatre ans ◊ **hermano, hijo ~** cadet; **es un año ~ que ella** il est son cadet d'un an **4.** *loc adv* **por ~** en détail; **al por ~** au détail. ◇ *a/s* **1.** mineur, e: **hijos menores de edad** des enfants mineurs **2. tribunal de menores** tribunal pour enfants **3.** *RELIG* **órdenes menores** ordres mineurs. ◇ *m* frère mineur. ◇ *f MAT* mineure.

**Menorca** *np f* Minorque.

**menoría** *f (de edad)* minorité.

**menorista** *m AMER* détaillant, petit commerçant.

**menorquín, ina** *a/s* minorquin, e.

**menos** *adv* **1.** moins: **~ frío** moins froid; **dos años ~** deux ans de moins; **~ que tú** moins que toi; **cada vez ~** de moins en moins; **más o ~** plus ou moins **2.** *(delante de un sustantivo)* moins de: **~ viento** moins de vent **3.** *(con artículo)* **el hotel ~ caro** l'hôtel le moins cher **4. echar de ~** *(añorar)* regretter; **eso es lo de ~** ce n'est pas le plus important; **no es para ~** il y a de quoi; **no podía ~ de pensar** je ne pouvais pas m'empêcher de penser; **no pude ~ de sonreír** je n'ai pas pu m'empêcher de sourire: **tener en ~** sous-estimer; **ser ~** être en reste; **venir a ~** → **venir 5.** *(salvo)* excepté, sauf: **todo ~ eso** tout sauf cela; **todo el mundo lo sabía ~ tú** tout le monde le savait sauf toi **6.** *loc adv* **al ~, a lo ~, por lo ~** au moins, du moins; **si al ~...** si seulement...; **de ~** en moins; **¡~ mal!** heureusement!, c'est heureux!; **ni mucho ~** loin de là, encore moins, loin s'en faut **7.** *loc prep* **a ~ de** à moins de **8.** *loc conj* **a ~ que** à moins que; **~ aún cuando...** d'autant moins que... ◇ *m* **1.** moins: **el más y el ~** le plus et le moins; **lo ~ que se puede decir** le moins qu'on puisse dire **2.** *MAT* moins.

**menoscabar** *vt* **1.** diminuer, amoindrir **2.** *FIG* porter atteinte à.

**menoscabo** *m* **1.** diminution *f* **2.** *FIG* détérioration *f*, dommage, atteinte *f* ◊ **en ~ de** au détriment de.

**menospreciable** *a* méprisable.

**menospreciar** *vt* **1.** *(desdeñar)* mépriser **2.** *(subestimar)* sous-estimer.

**menospreciativo, a** *a* méprisant, e.

**menosprecio** *m* mépris.

**mensaje** *m* message.

**mensajería** *f* messagerie.

**mensajero, a** *s* messager, ère. ◇ *a* **paloma mensajera** pigeon voyageur.

**menso, a** *a AMER* bête.

**menstruación** *f* menstruation.

**menstrual** *a* menstruel, elle.

**menstruar** *vi* avoir ses règles.

**menstruo** *m* menstrues *f pl*, règles *f pl*.

**mensual** *a* mensuel, elle.

**mensualidad** *f* mensualité.

**mensualización** *f* mensualisation.

**mensualizar** *vt* mensualiser.

**ménsula** *f ARQ* console.

**mensurable** *a* mesurable.

**mensurar** *vt* mesurer.

**menta** *f* menthe.

**mentado, a** *a* **1.** *(famoso)* renommé, e, célèbre **2.** mentionné, e.

**mental** *a* mental, e: **cálculo ~** calcul mental; **edad ~** âge mental; **débiles mentales** débiles mentaux.

**mentalidad** *f* mentalité.

**mentalización** *f* préparation psychologique, concentration d'esprit.

**mentalizar** *vt* préparer psychologiquement, faire prendre conscience. ◆ **~se** *vpr* se préparer psychologiquement, se mettre en tête: **el entrenador quiere que sus jugadores se mentalicen ante el próximo partido** l'entraîneur veut que ses joueurs soient prêts psychologiquement avant le prochain match.

**mentalmente** *adv* mentalement.

**mentar** *vt* mentionner, nommer, faire allusion à: **no mientes a ese tío, te lo suplico** ne fais pas allusion à ce type, je t'en supplie.

**mente** *f* **1.** esprit *m*: **una ~ clara** un esprit clair ◊ **tener la ~ en blanco** avoir la tête vide **2.** *(propósito)* intention ◊ **tener en la ~** *(pensar en)* avoir en tête, présent à l'esprit; *(proyectar)* envisager, avoir en vue de; **irse de la ~** oublier.

**mentecatez** *f* sottise.

**mentecato, a** *a* sot, sotte, imbécile.

**mentidero** *m* potinière *f*, lieu où l'on bavarde.

**mentido, a** *a* faux, fausse, mensonger, ère.

**mentir*** *vi* mentir: **miente más que habla** il ment comme il respire; **me mintió descaradamente** il m'a menti effrontément ◊ **¡miento!** je me trompe!, ce n'est pas ça!, que dis-je!. ◇ *vt (lo prometido)* manquer à.

**mentira** *f* mensonge *m* ◊ **una ~ piadosa** un pieux mensonge; **parece ~** c'est incroyable, on croit rêver; **parece ~ que...** on a peine à croire que..., c'est tout de même incroyable que...; **aunque parezca ~** bien que cela semble incroyable; **decir ~ para sacar verdad** plaider le faux pour savoir le vrai.

**mentirijillas (de)** *loc adv* pour rire.

**mentiroso, a** *a/s* menteur, euse.

**mentís** *m* démenti ◊ **dar un ~ rotundo** démentir formellement.

**mentol** *m* menthol.

**mentolado, a** *a* mentholé, e.

**mentón** *m* menton.

**mentor** *m* mentor.

**menú** *m* menu.

**menudamente** *adv* en détail, par le menu.

**menudear** *vt* multiplier: **menudeó sus viajes a la capital, sus visitas** il multiplia ses voyages à la capitale, ses visites. ◇ *vi* abonder, se multiplier, être de plus en plus fréquent: **menudean los casos de rebelión** les cas d'insoumission sont de plus en plus fréquents.

**menudencia** *f* **1.** *(cosa de poca importancia)* babiole, bagatelle, bricole **2.** bibelot *m*. ◇ *pl* **1.** *(despojos)* abats, *(de cerdo)* issues **2.** *(de ave)* abattis *m*.

**menudeo** *m* **1.** répétition *f*, fréquence *f* **2. venta al ~** vente *f* au détail.

**menudillo** *m (de cuadrúpedo)* boulet. ◇ *pl (de ave)* abattis.

**menudo, a** *a* **1.** petit, e, menu, e **2.** *FIG* sans importance, insignifiant, e **3.** *FAM* drôle de, fichu, e: **¡~ lío!** drôle d'histoire! **~ gandul es** c'est un drôle de flemmard; **¡~ susto me has dado!** tu m'as fait une de ces peurs!; **¡~ golpe se ha dado!** il s'est flanqué un de ces coups!; **¡menuda sorpresa!** quelle surprise! **4.** *loc adv* **a ~** souvent: **se equivoca a ~** il se trompe souvent; **por la menuda** *COM* au détail; **contar por la menuda** raconter en détail, par le menu. ◇ *m pl* **1.** *(de una res)* abats **2.** *(de un ave)* abattis.

**meñique** *m* petit doigt.

**meollo** *m* **1.** moelle, *f* cervelle *f* **2.** *FIG* **ese es el ~ de la cuestión** c'est le fond du problème **3.** *FIG (juicio)* jugement, cervelle *f*.

**meón, ona** *a FAM* pisseur, euse.

**mequetrefe** *m* freluquet, gringalet.

**meramente** *adv* simplement, purement.

**mercachifle** *m* mercanti, margoulin.

**mercadear** *vi* commercer.

**mercader** *m* marchand.

**mercadería** *f* marchandise.

**mercado** *m* **1.** marché **2.** *COM* marché: **lanzar un producto al ~** lancer un produit sur le marché ◊ **el ~ de trabajo, laboral** le marché du travail; **~ negro** marché noir.

**mercadotecnia** *f ECON* marketing *m*, mercatique.

**mercancía** *f* marchandise.

**mercante** *a* marchand, e: **marina ~** marine marchande. ◇ *m* navire marchand.

**mercantil** *a* mercantile, commercial, e ◊ **derecho ~** droit commercial.

**mercantilismo** *m* mercantilisme, affairisme.

**mercantilista** *s* expert, e en droit commercial.

**mercar** *vt* acheter.

**merced** *f* **1.** grâce, faveur **2** *(título de cortesía)* **vuestra ~** votre grâce **3.** merci, volonté ◊ **estar a ~ de** être à la merci de **4.** *loc prep* **~ a** grâce à. ◇ *np* **Nuestra Señora de las Mercedes** Notre-Dame de la Merci.

**mercedario, a** *a/s* de l'ordre de Notre-Dame de la Merci.

**mercenario, a** *a/s* mercenaire.

**mercería** *f* mercerie.

**mercerizar** *vt* merceriser.

**mercero, a** *s* mercier, ère.

**merchante** *m* commerçant.

**Merche** *np f FAM* Mercedes.

**mercurial** *f (planta)* mercuriale.

**mercurio** *(metal)* mercure.

**Mercurio** *np m* Mercure.

**merdoso, a** *a FAM* crasseux, euse, dégueulasse, merdeux, euse.

**merecedor, a** *a* digne, qui mérite: **un sueldo ~ de este nombre** un salaire digne de ce nom ◊ **ser ~ de** être digne de, mériter; **es ~ de su confianza** il mérite votre confiance; **~ de una multa** passible d'une amende.

**merecer*** *vt/i* **1.** mériter: **~ una recompensa** mériter une récompense; **¿qué he hecho yo para merecerme esto?** qu'ai-je donc fait pour mériter ça? **2.** valoir: **no merece la pena** cela ne vaut pas la peine **3. ¿qué opinión le merece este escritor?** quelle est votre opinion sur, que pensez-vous de cet écrivain? **4. ~ bien de la patria** bien mériter de la patrie **5. en edad de ~** en âge de se marier.

**merecidamente** *adv* à juste titre, à bon droit.

**merecido, a** *a* **se lo tiene bien ~** il l'a bien mérité; **nos lo tenemos bien ~** nous l'avons bien mérité. ◇ *m* **ha llevado su ~** il a eu ce qu'il méritait.

**merecimiento** *m* **1.** action *f* de mériter **2.** mérite.

**merendar*** *vi* goûter. ◇ *vt* manger, boire à son goûter: **~ té** boire un thé au goûter. ◆ **~se** *vpr FIG* **merendarse una cosa** ne faire qu'une bouchée d'une chose.

**merendero** *m* guinguette *f*.

**merendola, merendona** *f* goûter *m* copieux.

**merengado, a** *a* meringué, e.

**merengue** *m* **1.** *(dulce)* meringue *f* **2.** *FAM* mauviette *f* **3.** danse *f* de la République dominicaine **4.** *AMER* méli-mélo.

**meretriz** *f* prostituée.

**mergo** *m* cormoran.

**merideño, a** *a/s* de Mérida.

**meridiano, a** *a* **1.** méridien, enne **2.** *FIG* très clair, e, évident, e: **una razón meridiana** une raison évidente; **con claridad meridiana** très clairement; **este asunto es ~** cette affaire est très claire. ◇ *m ASTR* méridien. ◇ *f* **1.** *GEOM* méridienne **2.** *(cama, siesta)* méridienne.

**meridional** *a* méridional, e.

**merienda** *f* **1.** goûter *m*: **una ~ campestre** un goûter champêtre **2. ~ de negros** foire d'empoigne.

**merino** *a/m (carnero, lana)* mérinos. ◇ *m ANT* ancien magistrat, bailli.

**mérito** *m* mérite ◊ **de ~** de valeur; **hacer méritos** faire ce qu'il faut, faire ses preuves, faire du zèle.

**merito, a → mero, a.**

**meritorio, a** *a* méritoire. ◇ *s* stagiaire.

**Merlín** *np m* Merlin.

**merlo** *m* **1** *(pez)* labre **2.** *AMER* idiot.

**merlón** *m* merlon.

**merluza** *f* **1.** *(pez)* colin *m*, merluche: **rodaja de ~** tranche de colin **2.** *FAM (borrachera)* cuite.

**merma** *f* diminution.

**mermar** *vt/i* diminuer, réduire. ◆ **~se** *vpr* diminuer.

**mermelada** *f* **1.** marmelade **2.** confiture.

[1]**mero, a** *a* **1.** simple, pur, e: **el ~ hecho** le simple fait; **mera curiosidad** simple curiosité **2.** *AMER* juste, même: **~, merito en medio de** juste au milieu de; **en el ~ lugar** à l'endroit même; **aquí merito** juste ici.

[2]**mero** *m (pez)* mérou.

**merodeador** *a/s* **1.** rôdeur, euse, flâneur, euse **2.** maraudeur, euse.

**merodear** *vi* **1.** *(vagar)* rôder, traîner: **~ por el barrio** rôder dans le quartier **2.** *(robar)* marauder.

**merodeo** *m* **1.** flânerie *f* **2.** *(para robar)* maraudage.

**merovingio, a** *a/s* mérovingien, enne.

**mes** *m* **1.** mois: **doce meses** douze mois; **en el ~ de marzo** au mois de mars; **dentro de tres meses** dans trois mois **2.** *(una mujer)* **estar con el ~** avoir ses règles, être indisposée.

**mesa** *f* **1.** table: **sobre, en la ~** sur la table; **trece en la ~** treize à table ◊ **poner la ~** mettre la table, mettre le couvert; **quitar la ~** débarrasser la table, desservir; **sentarse a la ~** se mettre à table; **levantarse de la ~** se lever de table, quitter la table; **tener ~ franca** tenir table ouverte; **tener ~ y cama** être logé et nourri; **tener a uno a ~ y mantel** nourrir quelqu'un; **vivir a ~ puesta** se faire entretenir **2. ~ redonda** table ronde **3.** *(de una asamblea)* bureau *m*: **~ electoral** bureau de vote **4.** *GEOG* plateau *m* **5.** *RELIG* **la Santa ~** la sainte table **6. ~ revuelta** miscellanées *pl*.

**mesada** *f* mois *m*, mensualité, salaire *m* mensuel.

**Mesalina** *np f* Messaline.

**mesana** *f MAR* artimon *m*.

**mesar** *vt* tirer, arracher (les cheveux, la barbe). ◆ **~se** *vpr* s'arracher, tirer sur.

**mescal → mezcal.**

**mesenterio** *m ANAT* mésentère.

**mesero, a** *s AMER (de restaurante)* serveur, euse.

**meseta** *f* **1.** *GEOG* plateau *m* **2.** *(de escalera)* palier *m*.

**mesiánico, a** *a* messianique.

**mesianismo** *m* messianisme.

**Mesías** *np m* Messie.

**mesidor** *m* messidor.

**mesilla** *f* **1.** petite table ◊ **~ de noche** table de nuit, table de chevet **2.** *(descansillo)* palier *m* **3.** *(de balaustrada, etc.)* appui *m*.

**Mesina** *np* Messine.

**mesita** → **mesilla.**

**mesnada** *f* compagnie de gens d'armes.

**mesnadero** *m* homme d'armes.

**mesocarpio** *m* BOT mésocarpe.

**mesocracia** *f* gouvernement *m* de la bourgeoisie.

**mesolítico, a** *a/s* mésolithique.

**mesón** *m* **1** *(posada)* auberge *f*, hôtellerie *f* **2.** AMER *(mostrador)* comptoir, bar.

**mesonero, a** *s* aubergiste.

**Mesopotamia** *np f* Mésopotamie.

**mesopotámico, a** *a/f* mésopotamien, enne.

**mesosfera** *f* mésosphère.

**mesta** *f* ANT organisation d'éleveurs de bétail.

**mester** *m* **1.** ANT *(oficio)* métier **2.** **~ de clerecía** genre poétique cultivé par les lettrés, au Moyen Âge; **~ de juglaría** genre poétique cultivé par les jongleurs.

**mestizaje** *m* métissage.

**mestizar** *vt* métisser.

**mestizo, a** *a/s* métis, isse.

**mesura** *f* **1.** mesure, modération **2.** *(cortesía)* politesse.

**mesurado, a** *a* mesuré, e.

**mesurar** *vt* modérer, mesurer: **~ las palabras** mesurer ses paroles. ◆ **~se** *vpr* se modérer.

**meta** *f* **1.** but *m*: **alcanzar la ~** atteindre le but; **la ~ de su vida** le but de sa vie **2.** *(en una carrera)* **línea de ~** ligne d'arrivée **3.** *(portería del fútbol)* buts *m pl.*

**metabolismo** *m* métabolisme.

**metacarpo** *m* ANAT métacarpe.

**metadona** *f* méthadone.

**metafísica** *f* métaphysique.

**metafísico, a** *a* métaphysique. ◇ *s* métaphysicien, enne.

**metáfora** *f* métaphore.

**metafóricamente** *adv* métaphoriquement.

**metafórico, a** *a* métaphorique.

**metal** *m* **1.** métal: **metales preciosos** métaux précieux ◊ FIG **el vil ~** le vil métal, l'argent **2.** *(de la voz)* timbre **3.** MÚS **el ~** les cuivres **4.** FIG qualité *f*, caractère.

**metalenguaje** *m* métalangage, métalangue *f.*

**metálico, a** *a* métallique. ◇ *m* **pagar en ~** payer en espèces.

**metalífero, a** *a* métallifère.

**metalización** *f* métallisation.

**metalizar** *vt* métalliser.

**metaloide** *m* métalloïde.

**metalurgia** *f* métallurgie.

**metalúrgico, a** *a* métallurgique. ◇ *m* métallurgiste.

**metamórfico, a** *a* métamorphique.

**metamorfosear** *vt* métamorphoser. ◆ **~se** *vpr* se métamorphoser.

**metamorfosis** *f* métamorphose.

**metanero** *m* méthanier.

**metano** *m* QUÍM méthane.

**metapsíquica** *f* métapsychique.

**metástasis** *f* MED métastase.

**metatarso** *m* ANAT métatarse.

**metate** *m* AMER pierre *f* pour broyer (le maïs, etc.).

**metátesis** *f* GRAM métathèse.

**metazoo** *m* métazoaire.

**meteco** *m* métèque.

**metedor** *m* **1.** *(de niño)* lange, couche *f* **2.** contrebandier.

**metedura de pata** *f* FAM gaffe, impair *m.*

**metejón** *m* AMER **1.** passion *f*, flirt **2.** *(lío)* imbroglio.

**metempsicosis** *f* métempsycose.

**meteórico, a** *a* météorique.

**meteorismo** *m* MED météorisme.

**meteorito** *m* météorite *f.*

**meteoro** *m* météore.

**meteorología** *f* météorologie.

**meteorológico, a** *a* météorologique.

**meteorólogo, a** *s* météorologiste, météorologue.

**meter** *vt* **1.** *(introducir)* mettre: **mete esto en el cajón** mets ça dans le tiroir; **~ en la cárcel** mettre en prison **2.** FAM **~ la nariz por todas partes** fourrer son nez partout **3.** faire entrer, rentrer: **~ un coche en el garaje** rentrer une voiture au garage **4.** *(fraudulentamente)* introduire en contrebande **5.** mettre, placer: **metió a su hijo de aprendiz** elle a mis son fils en apprentissage **6.** *(causar)* causer: **~ miedo, ruido** faire peur, du bruit ◊ **~ prisa a uno** presser quelqu'un **7.** FAM *(un golpe)* flanquer, administrer **8.** *(letras, renglones)* resserrer **9.** FAM **a todo ~** à toute allure, à fond de train. ◆ **~se** *vpr* **1.** se mettre: **no saber dónde meterse** ne pas savoir où se mettre; **meterse en la cama** se mettre au lit **2.** entrer: **se metieron en un bar** ils entrèrent dans un bar **3.** s'engager: **se metió por una calle desierta** il s'engagea dans une rue déserte **4.** s'enfourner: **se metió en un cine** il s'enfourna dans un cinéma **5.** se fourrer: **¿dónde te has metido?** où t'es-tu fourré? **6.** se mêler de: **¿por qué te metes?** de quoi te mêles-tu?; **no se meta en lo que no le importa** mêlez-vous de ce qui vous regarde; **meterse en todo** se mêler de tout; **no te metas en eso** ne t'occupe pas de ça **7.** **mételo en la cabeza** fourre-toi ça dans la tête, enfonce-toi ça dans la tête **8.** *(con nombres de oficio o estados)* se faire, devenir: **meterse a fraile** se faire moine; **meterse monja** se faire religieuse; **se metió a actriz** elle est devenue actrice **9.** **meterse a** *(con infinitivo)*, se mettre à **10.** **meterse con uno,** *(atacar)* attaquer, houspiller quelqu'un, chercher querelle à quelqu'un; *(molestar)* embêter, taquiner quelqu'un; s'en prendre à quelqu'un.

**metete, meterete** *s* AMER indiscret, ète.

**meticulosidad** *f* méticulosité.

**meticuloso, a** *a* méticuleux, euse.

**metido, a** *a* **~ en carnes** bien en chair, grassouillet, ette: **metidita en años** d'un âge avancé, plus toute jeune. ◇ *m* FAM coup.

**metijón, ona** *s* FAM indiscret, ète, fouineur, euse.

**metileno** *m* QUÍM méthylène.

**metílico, a** *a* QUÍM méthylique.

**metilo** *m* QUÍM méthyle.

**metódicamente** *adv* méthodiquement.

**metódico, a** *a* méthodique.

**metodismo** *m* méthodisme.

**metodista** *a/s* méthodiste.

**método** *m* méthode *f*: **un nuevo ~** une nouvelle méthode; **trabajar con ~** travailler avec méthode.

**metodología** *f* méthodologie.

**metomentodo** *m/f* FAM qui se mêle de tout, fouineur, euse, indiscret, ète.

**metonimia** *f* métonymie.

**metopa** *f* ARQ métope.

**metralla** *f* mitraille.

**metralleta** *f* mitraillette.

**métrico, a** *a/f* métrique.

**metrificación** *f* versification.

**metritis** *f* MED métrite.

[1]**metro** *m* **1.** mètre: **~ cuadrado, cúbico** mètre carré, cube **2. un ~ plegable** un mètre pliant.

[2]**metro** *m* (*ferrocarril*) métro.

**metrónomo** *m* métronome.

**metrópoli** *f* métropole.

**metropolitano, a** *a/m* métropolitain, e.

**mexicanismo** *m* mot, tournure propres aux mexicains.

**mexicano, a** *a/s* mexicain, e.

**México** *np m* **1.** (*país*) Mexique **2.** (*ciudad*) Mexico.

**mexiquense** *a/s* de Toluca, capitale de l'État de México.

**mezcal** *m* **1.** (*pita*) agavé, agave **2.** eau-de-vie *f* d'agave.

**mezcla** *f* **1.** mélange *m*: **una ~ de razas** un mélange de races **2. ~ de sonidos** mixage *m* **3. ~ explosiva** mélange détonant, explosif **4.** (*tela*) toile métisse.

**mezclar** *vt* mélanger: **~ con** mélanger à. ◆ **~se** *vpr* **1.** se mélanger, se mêler: **mezclarse en, entre la muchedumbre** se mêler à la foule **2.** FIG (*intervenir*) se mêler: **se mezcló en mis asuntos** il s'est mêlé de mes affaires.

**mezclilla** *f* tissu *m* léger, toile légère.

**mezcolanza** *f* mélange *m*, méli-mélo *m*.

**mezquinar** *vi/t* AMER mesurer, donner avec parcimonie.

**mezquindad** *f* **1.** mesquinerie **2.** pauvreté.

**mezquino, a** *a* **1.** (*tacaño*) mesquin, e **2.** (*escaso*) petit, e, faible, misérable: **mezquina cantidad** petite quantité.

**mezquita** *f* mosquée.

**mezquite** *m* AMER sorte d'acacia.

[1]**mi** *m* (*nota*) mi.

[2]**mi, mis** *a pos* mon, ma, mes: **~ padre y ~ madre** mon père et ma mère; **mis padres** mes parents.

[3]**mí** *pron pers* moi: **¡a ~!** à moi!; **para ~** pour moi; **por ~ mismo** par moi-même; **en lo que respecta a ~** quant à moi, en ce qui me concerne; **y a ~ qué** et alors.

[1]**mía** *a pos* → **mío.**

[2]**mía** *f* unité de l'armée coloniale du Maroc espagnol.

**miaja** *f* miette.

**miasma** *m* miasme.

**miasmático, a** *a* miasmatique.

**miastenia** *f* MED myasthénie.

**miau** *m* miaou.

**mica** *f* mica *m*.

**micacita** *f* micaschiste *m*.

**micado** *m* mikado.

**micción** *f* miction.

**Micenas** *np f* Mycènes.

**micénico, a** *a* HIST mycénien, ienne.

**micer** *m* ANT messire.

**michelines** *m pl* FAM bourrelets.
▶ Allusion au «Bibendum» de Michelin.

**michino, a** *s* FAM minet, ette.

**micho** *m* FAM minet.

**mico** *m* **1.** singe **2.** FIG FAM **dar el ~** décevoir: **quedarse hecho un ~** être honteux et confus; **volverse ~ para...** en baver pour..., avoir un mal de chien pour...

**micología** *f* mycologie.

**micosis** *f* MED mycose.

**micra** *f* micron *m*.

**micro** *m* **1.** (*micrófono*) micro **2.** AMER minibus.

**microbiano, a** *a* microbien, ienne.

**microbio** *m* microbe.

**microbiología** *f* microbiologie.

**microbús** *m* minibus.

**microcéfalo, a** *a/s* microcéphale.

**microchip** *m* INFORM puce *f*.

**microcirurgía** *f* microchirurgie.

**microclima** *m* microclimat.

**micrococo** *m* BIOL microcoque.

**microcomputador** *m* micro-ordinateur.

**microcosmo** *m* microcosme.

**microfibra** *f* microfibre.

**microficha** *f* microfiche.

**microfilm(e)** *m* microfilm.

**micrófono** *m* microphone ◊ **~ de presilla, de solapa** micro-cravate.

**microinformática** *f* micro-informatique.

**micrón** *m* micron.

**microonda** *f* micro-onde: **horno de microondas** four à micro-ondes; **cocina con microondas** cuisine au microondes.

**microordenador** *m* micro-ordinateur.

**microorganismo** *m* microorganisme.

**microprocesador** *m* microprocesseur.

**microscópico, a** *a* microscopique.

**microscopio** *m* microscope: **~ electrónico** microscope électronique.

**microsurco** *m* microsillon.

**miedica** *a/s* FAM froussard, e, trouillard, e.

**mieditis** *f* FAM frousse: **tener ~** avoir la frousse, la trouille, la pétoche, les jetons.

**miedo** *m* **1.** peur *f*: **el ~ a la oscuridad** la peur de l'obscurité; **~ cerval** peur bleue; **dar ~** faire peur; **¿no te da un poco de ~?** ça ne te fait pas un peu peur?; **me da mucho ~ pensar...** ça me fait très peur de penser...; **tener ~ a** avoir peur de; **no te tengo ~** je n'ai pas peur de toi; **tener ~ a que...** avoir peur que...; **me empezó a entrar ~** je commençai à prendre peur, à avoir peur **2.** *loc prep* **por ~ de** de peur de; **por ~ de que** de peur que... ne **3.** FAM **de ~** du tonnerre, terrible.

**miedoso, a** *a/s* peureux, euse.

**miel** *f* miel *m*: **la ~** le miel ◊ **hacerse de ~** être tout miel; **~ sobre hojuelas** → **hojuela;** PROV **no hay ~ sin hiel** il n'y a pas de roses sans épines.

[1]**mielga** *f* (*planta*) luzerne.

[2]**mielga** *f* (*pez*) espèce de chien *m* de mer.

**mielina** *f* ANAT myéline.

**mielitis** *f* MED myélite.

**miembro** *m* **1.** membre: **miembros superiores, inferiores** membres supérieurs, inférieurs ◊ **~ viril** membre viril **2.** (*socio*) membre. ◇ *a* **estado ~** état membre.

**mienta,** etc. → **mentar, mentir.**

**mientes** *f pl* **caer en las ~** venir à l'esprit; **parar ~ en** faire attention à, considérer, s'arrêter à: **parar ~ en detalles** s'arrêter à des détails; **traer a las ~** rappeler; **venir a las ~** venir à l'esprit.

**miento** → **mentir.**

**mientras** *adv/conj* **1.** pendant ce temps, cependant ◊ *loc adv* **~, ~ tanto** pendant ce temps, en attendant **2.** *(simultaneidad)* pendant que, tandis que: **~ tú preparas la comida, pongo la mesa** pendant que tu prépares le repas, je mets la table ◊ *loc conj* **~ que** tandis que **3.** tant que: **~ viva** tant que je vivrai; **~ el mundo sea mundo** tant que le monde sera monde; **~ Dios que me dé vida** tant que Dieu me prêtera vie; **~ haya salud** tant qu'on a la santé; **~ no se demuestre lo contrario** tant qu'on ne démontrera pas le contraire, jusqu'à preuve du contraire **4. ~ más** plus: **~ más la mira, más le gusta** plus il la regarde, plus elle lui plaît; **~ más... menos...** plus... moins...

**miera** *f* **1.** *(aceite)* huile de cade **2.** térébenthine de pin.

**miércoles** *m* mercredi: **el ~ pasado** mercredi dernier; **~ de ceniza** mercredi des cendres.

**mierda** *f VULG* merde, crotte ◊ **¡vete a la ~!** va te faire voir ailleurs!; **¡~!** merde!

**mierdica** *m POP* dégonflé, dégonflard.

**mies** *f* moisson. ◊ *pl (sembrados)* semis *m.*

**miga** *f* **1.** *(parte interior del pan)* mie **2.** *(trocito)* miette ◊ **hacer migas** mettre en miettes; **el vaso se hizo migas al caer** le verre s'est réduit en miettes en tombant **3.** *FIG* substance: **el discurso tenía ~** le discours était substantiel, plein d'intérêt. ◊ *pl* **1.** *(guiso)* pain *m sing* émietté et frit, pain perdu **2.** *FIG FAM* **hacer buenas migas** faire bon ménage: **nunca he hecho buenas migas con él** je n'ai jamais fait bon ménage avec lui, je ne me suis jamais entendu avec lui; **estar hecho migas** être à plat, à ramasser à la petite cuiller.

**migaja** *f* **1.** miette: **una ~ de pan** une miette de pain **2.** *FIG* bribe, miette, brin *m.* ◊ *pl (sobras)* restes *m.*

**migar** *vt* **1.** *(el pan)* émietter **2.** *(en un líquido)* tremper.

**migración** *f* migration.

**migraña** *f (jaqueca)* migraine.

**migratorio, a** *a* migratoire: **movimiento ~** mouvement migratoire.

**Miguel** *np m* Michel.

**Miguel Ángel** *np m* Michel-Ange.

**miguelete** *m* miquelet.

**mihrab** *m* mihrâb.

**mijo** *m* millet.

**mil** *a/m* mille: **el año ~** l'an mille; **dos ~** deux mille; **~ veces** mille fois; **Las Mil y una noches** les Mille et une nuits ◊ **a las ~ y quinientas** à une heure impossible. ◊ *pl* milliers: **cientos de miles de manifestantes** des centaines de milliers de manifestants ◊ **a miles** par milliers.

**milagrería** *f* histoire extraordinaire.

**milagrero, a** *a* **1.** qui prend tout pour un miracle **2.** *(milagroso)* miraculeux, euse.

**milagro** *m* miracle ◊ **de ~** par miracle: **no estaba muerto de ~** il n'était pas mort par miracle; **hacer milagros** faire des miracles; **la ciencia hace milagros** la science fait des miracles; **la vida y milagros de** → **vida.**

**milagrosamente** *adv* miraculeusement.

**milagroso, a** *a* miraculeux, euse.

**milamores** *f* valériane sauvage.

**Milán** *np* Milan.

**Milanesado** *np m* Milanais.

**milanés, esa** *a/s* milanais, e. ◊ *f* escalope milanaise, panée.

**milano** *m (ave)* milan.

**mildeu, mildiu** *m* mildiou.

**milenario, a** *a/m* millénaire.

**milenio** *m* millénaire: **el tercer ~** le troisième millénaire.

**milenrama** *f* mille-feuille.

**milésimo, a** *a/s* millième.

**milhojas** *m (pastel)* mille-feuille, millefeuille.

**mili** *f FAM* service *m* militaire: **hacer la ~** faire son service.

**miliar** *a HIST (columna, piedra)* milliaire.

**milibar** *m* millibar.

**milicia** *f* **1.** milice **2.** service *m* militaire.

**miliciano, a** *s* milicien, enne.

**milico** *m AMER* troufion, militaire.

**miligramo** *m* milligramme.

**mililitro** *m* millilitre.

**milimetrado, a** *a* **papel ~** papier millimétré.

**milímetro** *m* millimètre.

**militancia** *f* militantisme *m:* **el partido ha perdido más de la mitad de su ~** le parti a perdu plus de la moitié de ses militants.

**militante** *a/s* militant, e.

[1]**militar** *a/m* militaire: **servicio ~** service militaire; **los militares** les militaires.

[2]**militar** *vi* militer: **militan en el mismo partido** ils militent dans le même parti.

**militara** *f* femme, veuve, fille d'un militaire.

**militarada** *f* putsch *m.*

**militarismo** *m* militarisme.

**militarización** *f* militarisation.

**militarizar** *vt* militariser.

**militarmente** *adv* militairement.

**milla** *f* mille *m:* **~ marina** mille marin, mille nautique.

**millar** *m* millier: **millares de personas** des milliers de personnes ◊ **a millares** par milliers.

**millarada** *f* millier *m:* **a millaradas** par milliers.

**millón** *m* million *m* ◊ **mil millones** un milliard; **un ~ de gracias** merci mille fois.

**millonada** *f (cantidad muy grande)* fortune.

**millonario, a** *a/s* millionnaire.

**millonésimo, a** *a/s* millionième.

**miloca** *f (ave)* sorte de hibou *m.*

**milord** *m* milord.

**milonga** *AMER f* chanson et danse populaires d'Argentine.

**milonguear** *vi AMER (bailar)* danser.

**milonguero** *m AMER* **1.** chanteur, danseur de «milongas» **2.** amateur de bals populaires.

**milpa** *f AMER* champ *m* de maïs.

**milpiés** *m* cloporte.

**mimar** *vt* **1.** gâter: **~ a sus hijos** gâter ses enfants; **niño mimado** enfant gâté **2.** *FAM* chouchouter: **el niño mimado de...** l'enfant chéri de, le chouchou de... **3.** *(tratar con mucha consideración)* choyer **4.** *TEAT* mimer.

**mimbral** *m* oseraie *f.*

**mimbre** *m/f* **1.** osier *m* **2.** baguette *f* d'osier.

**mimbrear** *vi* osciller. ◆ **~se** *vpr* se mouvoir avec souplesse.

**mimbreño, a** *a* souple, flexible comme l'osier.

**mimbrera** *f* **1.** *(arbusto)* osier *m* **2.** *(mimbreral)* oseraie.

**mimbreral** *m* oseraie *f.*

**mimeografiar** *vt* ronéotyper, polycopier.

**mimeógrafo** *m* ronéo *f.*

**mimetismo** *m* mimétisme.

**mímica** *f* mimique.

**mímico, a** *a* mimique.

**mimo** *m* **1.** *(teatro, actor)* mime **2.** *(caricia)* caresse *f*, cajolerie *f*, câlin **3.** *(con los niños)* gâterie *f* **4.** *(halago)* flatterie *f* **5.** *(cuidado)* soin, amour.

**mimodrama** *m* mimodrame.

**mimosa** *f* mimosa *m*.

**mimoso, a** *a* **1.** *(afectuoso)* câlin, e **2.** *(melindroso)* minaudier, ière.

**mina** *f* **1.** *(yacimiento)* mine: **~ de carbón a cielo abierto** mine de charbon à ciel ouvert **2.** *FIG* **una ~ de informaciones** une mine de renseignements **3.** *(de lápiz)* mine **4.** *(explosivo)* mine ◊ **la limpieza de minas** le déminage; **limpiar de minas** déminer **5.** *AMER (mujer)* nana, pépée.

**minador** *a/m* **1.** sapeur, mineur **2.** *MAR* mouilleur de mines.

**minar** *vt* **1.** miner **2.** *FIG (consumir)* miner: **~ la salud** miner la santé **3.** *FIG* **~ el terreno a uno** saper les projets de, couper l'herbe sous le pied de quelqu'un.

**minarete** *m* minaret.

**mineral** *a/m* minéral, e: **agua ~** eau minérale; **los minerales** les minéraux. ◊ *m* minerai.

**mineralización** *f* minéralisation.

**mineralizar** *vt* minéraliser.

**mineralogía** *f* minéralogie.

**mineralogista** *s* minéralogiste.

**minería** *f* exploitation des mines.

**minero, a** *a* minier, ère: **zona minera** zone minière. ◊ *m* mineur.

**minerva** *f (máquina de imprimir)* minerve.

**Minerva** *np f* Minerve.

**mingitorio** *m* urinoir.

**mingo** *m* **1.** *(billar)* bille *f* rouge **2.** *FIG* **poner el ~** se distinguer, se signaler.

**Mingo** *np m FIG* **ir más galán que ~** être habillé comme un prince, très chic.

**miniar** *vt* peindre en miniature.

**miniatura** *f* **1.** miniature **2. en ~** en miniature.

**miniaturista** *a/s* miniaturiste.

**miniaturización** *f* miniaturisation.

**miniaturizar** *vt* miniaturiser.

**minicadena** *f* minichaîne.

**minifalda** *f* minijupe.

**minifundio** *m* petite propriété *f*.

**minigolf** *m* minigolf.

**minimizar** *vt* minimiser.

**mínimo, a** *a* **1.** minime **2. sueldo ~** salaire minimum; **temperatura mínima** température minimale **3.** moindre: **el ~ esfuerzo** le moindre effort; **el más ~ comentario** le moindre commentaire; **hasta los más mínimos detalles** dans les moindres détails. ◊ *m* minimum: **un ~ de...** un minimum de...; **como ~** au minimum ◊ **lo más ~** le moins du monde. ◊ *a/s (religioso)* minime.

**mínimum** *m* minimum.

**minino, a** *s (gato)* minet, ette.

**minio** *m* minium.

**ministerial** *a* ministériel, elle.

**ministerio** *m* **1.** ministère: **~ de Asuntos Exteriores** ministère des Affaires étrangères, des Relations extérieures; **~ de la Gobernación, de Hacienda** ministère de l'Intérieur, des Finances; **~ de Educación Nacional** ministère de l'Éducation nationale **2.** *JUR* **~ público, fiscal** ministère public.

**ministrable** *a FAM* ministrable.

**ministro, a** *s* ministre: **primer ~** premier ministre; **~ sin cartera** ministre sans portefeuille; **consejo de ministros** conseil des ministres.

**minoración** *f* amoindrissement *m*.

**minorar** *vt* amoindrir.

**minoría** *f* **1.** *(grupo)* minorité: **estar en ~** être en minorité **2. ~ de edad** minorité.

**minorista** *m (comerciante que vende al por menor)* détaillant. ◊ *a*u *COM* au détail.

**minoritario, a** *a* minoritaire.

**mintiendo, mintió,** etc. → **mentir.**

**minucia** *f* petit détail *m*, bagatelle.

**minuciosamente** *adv* minutieusement.

**minuciosidad** *f* minutie.

**minucioso, a** *a* minutieux, euse.

**minué** *m* menuet.

**minuendo** *m MAT* grand nombre (dont on soustrait un autre).

**minúsculo, a** *a/f* minuscule.

**minusvalía** *f* **1.** *ECON* moins-value **2.** → **minusvalidez.**

**minusvalidez** *f* handicap *m*.

**minusválido, a** *a/s* handicapé, e.

**minusvalorar** *vt* sous-estimer: **~ los problemas del paro** sous-estimer les problèmes du chômage.

**minuta** *f* **1.** *(escrito)* minute **2.** *(cuenta)* note d'honoraires (d'un avocat, etc.) **3.** *(de una comida)* menu *m*.

**minutero** *m* aiguille *f* des minutes.

**minutisa** *f* œillet *m* de poète.

**minuto** *m*. *(tiempo, ángulo)* minute *f*: **vuelvo dentro de un ~** je reviens dans une minute; **sin perder un ~** sans perdre une minute.

**miñón** *m ANT* soldat, milicien.

**mío, a** *a pos* **1.** à moi: **este coche es ~** cette voiture est à moi; **estos discos son míos** ces disques sont à moi **2.** mon, ma, mes: **esta casa mía** ma maison; **no es culpa mía** ce n'est pas ma faute; **no fue mía la culpa** ça n'a pas été de ma faute; **¡Dios ~!** mon Dieu!; **una amiga mía** une de mes amies; **de ~** par nature. ◊ *pron pos* **1.** *(con artículo)* **el ~** le mien; **la mía** la mienne; **los míos** les miens **2.** *FAM* **ésta es la mía** voici le moment que j'attendais.

**miocardio** *m ANAT* myocarde.

**mioma** *f (tumor)* myome.

**miopatía** *f MED* myopathie.

**miope** *a/s* myope.

**miopía** *f* myopie.

**miosota** *f* myosotis *m*.

**mira** *f* **1.** mire: **línea de ~** ligne de mire; **punto de ~** point de mire, collimateur *m*; **en el punto de ~** dans le collimateur **2.** *FIG* intention, visée, vue, dessein *m*, but *m*: **no sé cuáles son sus miras** je ne sais pas quelles sont ses intentions; **lo hizo con miras desinteresadas** il l'a fait dans un but désintéressé ◊ **con miras a** en vue de; **poner la ~ en** viser **3. estar a la ~** guetter.

**mirada** *f* **1.** regard *m*: **una ~ furtiva** un regard furtif; **le dirigió una ~ tímida** il lui lança un regard timide ◊ **seguir con la ~** suivre du regard, des yeux; **devorar con la ~** dévorer des yeux **2.** *(ojeada)* coup *m* d'œil: **echar una ~ a** jeter un coup d'œil sur.

**mirado, a** *a* **1.** vu, e: **bien, mal ~** bien, mal vu **2.** *FIG* **bien ~** en y regardant de près, réflexion faite, tout bien considéré, tout compte fait **3.** réservé, e, réfléchi, e.

**mirador** m **1.** mirador, belvédère **2.** *(balcón cerrado)* balcon fermé, bow-window.

**miraguano** *m* kapok.

**miramientos** *m pl* égards, ménagements ◊ **sin ~** sans ménagements.

[1]**mirar** *vt* **1.** regarder: **miró a otra dirección** il regarda dans une autre direction; **el balcón mira al mar** le balcon regarde sur la mer ◊ *FIG* **~ con buenos, malos ojos** regarder d'un bon, mauvais œil; **~ de arriba abajo** regarder de haut en bas, toiser: **~ a la cara** regarder en face; **~ por encima** jeter un coup d'œil sur **2.** *FIG* penser, faire attention à, prendre garde: **mira lo que vas a decir** pense, fais attention à ce que tu vas dire; **mira lo que haces** fais attention à ce que tu fais, réfléchis bien ◊ **mirándolo bien, si bien se mira** en y regardant de près, tout bien pesé, tout bien considéré, à tout prendre **3. ~ por** prendre soin de, veiller sur, s'occuper de **4. ¡mira!** écoute!, tiens!; **bueno, mira** bon, écoute; **¡mire usted!** écoutez!, eh bien voilà! ◆ **~se** *vpr* **1.** se regarder: **mirarse al espejo** se regarder dans la glace; *FIG* **mirarse unos a otros** se regarder **2.** *FIG* **mirarse en alguien** prendre exemple sur, être en admiration devant quelqu'un.

[2]**mirar** *m* regard: **un ~ cargado de amargura** un regard chargé d'amertume.

**mirasol** *m* **1.** *(girasol)* tournesol **2.** *AMER (ave)* aigrette *f*.

**miríada** *f* myriade.

**miriápodos** *m pl ZOOL* myriapodes.

**mirífico, a** *a* mirifique.

**mirilla** *f* **1.** *(en una puerta)* judas *m* **2.** *(de instrumento topográfico)* viseur *m*.

**miriñaque** *m* crinoline *f*.

**mirla** *f* merlette.

**mirlo** *m* merle ◊ *FIG* **el ~ blanco** le merle blanc, l'oiseau rare.

**mirón, ona** *a/s* curieux, euse, badaud, e.

**mirra** *f* myrrhe.

**mirtillo** *m* myrtille *f*.

**mirto** *m* myrte.

**mis** → [2]**mi.**

**misa** *f* messe: **ir a ~** aller à la messe; **decir ~** dire la messe; **ayudar a ~** servir la messe; **~ mayor** grand-messe; **~ rezada** messe basse; **~ del gallo** messe de minuit; **~ de difuntos** messe des morts; **~ negra** messe noire ◊ *FAM* **no saber de la ~ la media, la mitad** être mal informé, e, ne pas être au courant, n'être au courant de rien; **aunque digáis ~** quoi que vous disiez.

**misacantano** *m* prêtre qui dit sa première messe.

**misal** *m* missel.

**misantropía** *f* misanthropie.

**misántropo** *a/s* misanthrope.

**miscelánea** *f* **1.** *(mezcla)* mélange *m* **2.** *LIT* miscellanées *pl*, mélanges *m pl*.

**miscible** *a* miscible.

**miserable** *a* **1.** misérable **2.** *(mezquino)* mesquin, e. ◊ *s* misérable.

**miserablemente** *adv* **1.** misérablement **2.** *(con tacañería)* chichement.

**miserere** *m* **1.** miserere **2.** *MED* **cólico ~** colique de miserere.

**miseria** *f* **1.** misère **2.** *(tacañería)* mesquinerie, avarice.

**misericordia** *f* miséricorde.

**misericordioso, a** *a/s* miséricordieux, euse.

**mísero, a** *a* misérable.

**misérrimo, a** *a* très misérable.

**misia, misiá** *f AMER* madame.

**misil** *m* missile: **misiles tácticos, de crucero** missiles tactiques, de croisière: **~ aire-superficie** missile air-sol.

**misional** *a* missionnaire, propre aux missionnaires.

**misión** *f* **1.** mission: **~ científica** mission scientifique **~ cumplida** mission accomplie **2.** *RELIG* mission.

[1]**misionero, a** *a/s* missionnaire.

[2]**misionero, a** *a/s AMER* de la province de Misiones (Argentine).

**Misisipí** *np m* Mississipi.

**misiva** *f* missive.

**mismamente** *adv FAM* justement, précisément.

**mismísimo** *a* même ◊ **es el ~ diablo** c'est le diable en personne.

**mismito** *adv AMER* de suite.

**mismo, a** *a* **1.** même: **al ~ tiempo** en même temps; **del ~ color** de la même couleur; **en el ~ suelo** à même le sol; **yo ~** moi-même; **ellos mismos** eux-mêmes **2.** lui-même, etc.: **el ~ Juan** Jean lui-même; **la reina misma** la reine elle-même **3.** *(adverbial)* même: **aquí ~** ici même; **hoy mismo** aujourd'hui même **4. lo ~** la même chose; **es lo ~, eso viene a ser lo ~** cela revient au même, c'est tout comme; **me da lo ~** ça m'est égal; **lo ~ da** peu importe **5.** *loc adv* **ahora ~** tout de suite; **por lo ~, por eso ~** pour cette raison même, justement **6.** *loc conj* **lo ~ que** aussi bien que, autant que: **te quiero lo ~ que si fueras mi hija** je t'aime autant que si tu étais me fille: **lo ~ en pintura que en música** aussi bien en peinture qu'en musique.

**misoginia** *f* misogynie.

**misógino, a** *a/s* misogyne.

**misterio** *m* **1.** mystère **2. con mucho ~** en grand secret.

**misteriosamente** *adv* mystérieusement.

**misterioso, a** *a* mystérieux, euse.

**mística** *f* mistique.

**misticismo** *m* mysticisme.

**místico, a** *a/s* mystique.

**mistificación** *f* **1.** falsification **2.** *(engaño)* mystification.

**mistificar** *vt* **1.** *(falsear)* fausser, dénaturer, falsifier **2.** *(engañar)* mystifier.

**mistol** *m AMER* jujubier d'Amérique.

**mistral** *m* mistral.

**Misuri** *np m* Missouri.

**mita** *f AMER* **1.** tirage *m* au sort (pour désigner les Indiens soumis à des corvées) **2.** ancien tribut *m*.

**mitaca** *f AMER* récolte.

**mitad** *f* **1.** moitié: **reducir a la ~** réduire de moitié; **a ~ de precio** à moitié prix; **~ y ~** moitié-moitié; **~ español ~ indio** moitié Espagnol, moitié Indien; **partir una manzana por la ~** partager une pomme en deux **2.** *(centro)* milieu *m*: **en ~ de** au milieu de; **en ~ de la noche** au milieu de la nuit **3.** *FAM* **cara ~** moitié, conjoint *m*.

**mitayo** *m AMER* Indien soumis à la «mita».

**mítico, a** *a* mythique.

**miticultura** *f* myticulture.

**mitigar** *vt* **1.** *(dolor, hambre, etc.)* calmer **2.** mitiger **3. ~ el paro** diminuer, ralentir le chômage.

**mitin** *m* meeting: **mítines** des meetings.

**mito** *m* mythe.

**mitología** *f* mythologie.

**mitológico, a** *a* mythologique.

**mitomanía** *f* mythomanie.

**mitomano, a** *a/s* mythomane.

**mitón** *m* mitaine *f*.

**mitosis** *f* BIOL mitose.

**mitote** *m* AMER **1.** fête *f* de famille **2.** *(bulla)* tapage **3.** *(pendencia)* bagarre *f* **4.** *(melindre)* minauderie *f*.

**mitra** *f* mitre.

**mitrado, a** *a* mitré, e. ◇ *m* prélat.

**mitral** *a* ANAT mitral, e: **válvula ~** valvule mitrale.

**Mitrídates** *np m* Mithridate.

**mitridatizar** *vt* mithridatiser.

**mixomatosis** *f* myxomatose.

**mixtificar → mistificar.**

**mixto, a** *a* mixte: **escuela mixta** école mixte. ◇ *m* **1.** *(fósforo)* allumette *f* **2.** amorce *f* (pour explosifs).

**mixtura** *f* mixture.

**mízcalo** *m (seta)* lactaire délicieux.

**mnemotécnico, a** *a* mnémotechnique.

**moaré** *m (tela)* moire *f*.

**mobiliario, a** *a* mobilier, ière. ◇ *m* mobilier, ameublement: **~ de estilo** mobilier de style.

**moblaje** *m* ameublement, mobilier.

**moblar*** *vt* meubler.

**moca** *m (café)* moka.

**mocasín** *m* mocassin.

**mocedad** *f* jeunesse.

**mocerío** *m* **el ~** les jeunes, la jeunesse.

**mocetón, ona** *s* grand gaillard, belle fille.

**mocha** *f* FAM tête.

**mochales** *a* FAM **estar ~** être dingue, cinglé, e.

**mochila** *f* sac *m* à dos.

**mochilero** *m* routard.

**mocho, a** *a* **1.** *(sin punta)* émoussé, e **2.** *(sin cuernos)* écorné, e **3.** *(pelado)* tondu,e **4.** *(árbol)* ébranché, e, étêté, e. ◇ *m* **1.** *(de fusil)* crosse *f* **2.** *(de un utensilio)* manche **3.** AMER *(manco)* manchot **4.** AMER réactionnaire.

**mochuelo** *m* **1.** *(ave)* chevêche *f*, chouette *f* **2.** FIG corvée *f*: **cargar con el ~** se taper toute la corvée, le sale boulot ◊ **cargar a uno el ~** rendre quelqu'un responsable **3. cada ~ a su olivo** chacun à sa place.

**moción** *f* **1.** motion: **~ de censura** motion de censure **2.** mouvement *m*.

**mocito, a** *a* tout jeune, toute jeune. ◇ *s* petit jeune homme, petite jeune fille.

**moco** *m* **1.** *(secreción de las narices)* morve *f* **2.** *(mucosidad)* mucus, mucosité *f* **3.** *(del pavo)* caroncule *f* ◊ FIG **no es ~ de pavo** ce n'est pas rien, ce n'est pas de la blague; **llorar a ~ tendido** pleurer comme un veau, comme une Madeleine **3.** *(de una vela)* coulure *f*.

**mocoso, a** *a/s* morveux, euse.

**mocosuelo, a** *a/s* gamin, e.

**moda** *f* mode: **una playa de ~** une plage à la mode; **estar de ~** être à la mode; **de última ~** à la dernière mode; **revista de modas** journal de mode ◊ **pasado de ~** démodé.

**modal** *a* GRAM modal, e.

**modales** *m pl* manières *f*, tenue *f sing*: **buenos ~** bonnes manières; **no tener buenos ~** manquer de tenue; **¡vaya ~!** en voilà des manières!

**modalidad** *f* **1.** modalité, forme **2.** *(categoría)* catégorie.

**modelado** *m* **1.** *(acción)* modelage **2.** *(aspecto)* modelé.

**modelador, a** *a/s* modeleur, euse.

**modelar** *vt* modeler.

**modélico, a** *a* modèle, exemplaire: **padre de familia ~** père de famille modèle.

**modelismo** *m* modélisme.

**modelista** *s* **1.** modeleur, euse **2.** *(de costura)* modéliste.

**modelo** *a/m* modèle: **~ reducido** modèle réduit; **niño ~** enfant modèle. ◇ *f* mannequin *m*: **desfile de modelos** défilé de mannequins.

**modem** *m* INFORM modem.

**Módena** *np* Modène.

**moderación** *f* modération.

**moderadamente** *adv* modérément.

**moderado, a** *a/s* modéré, e.

**moderador, a** *a/s* modérateur, trice.

**moderar** *vt* modérer. ◆ **~se** *vpr* se modérer.

**modernamente** *adv* récemment, actuellement.

**modernidad** *f* modernité.

**modernismo** *m* modernisme.

**modernista** *a/s* moderniste.

**modernización** *f* modernisation.

**modernizar** *vt* moderniser. ◆ **~se** *vpr* se moderniser.

**moderno** *a/m* moderne.

**modestamente** *adv* modestement.

**modestia** *f* modestie: **falsa ~** fausse modestie.

**modesto, a** *a* modeste.

**modicidad** *f* modicité.

**módico, a** *a* modique.

**modificación** *f* modification.

**modificar** *vt* modifier.

**modillón** *m* ARQ modillon.

**modismo** *m* idiotisme.

**modista** *s* couturier, ère.

**modistería** *f* AMER magasin *m* d'articles de mode.

**modistilla** *f* midinette, cousette.

**modisto** *m* couturier.

**modo** *m* **1.** manière *f*, façon *f*: **~ de ser, de obrar** manière d'être, façon d'agir ◊ **a su ~** à sa manière; **de todos modos** de toute façon; **de ningún ~** en aucune façon; **de un ~ o de otro** d'une façon ou d'une autre; **en cierto ~** en quelque sorte, d'une certaine manière, dans un sens; **dicho de otro ~** en d'autres termes, autrement dit; **sobre ~ → sobremanera** **2.** mode: **~ de vida** mode de vie **3.** GRAM, MÚS mode **4.** GRAM **~ adverbial** locution *f* adverbiale **5.** *loc conj* **de ~ que** de sorte que; **¿de ~ que tú no te quedas con nosotros?** alors, comme ça, tu ne restes pas avec nous? **6.** *loc prep* **a ~ de** en guise de, en manière de. ◇ *pl* **1.** *(modales)* manières *f* **2. con buenos modos** poliment; **con malos modos** grossièrement.

**modorra** *f* **1.** torpeur, sommeil *m* profond, assoupissement *m* **2.** *(del ganado lanar)* tournis *m*.

**modorro, a** *a* **1.** assoupi, e **2.** *(fruta)* gâté, e, blet, blette. ◇ *a/s* FIG abruti, e, ignorant, e, lourdaud, e.

**modosidad** *f* réserve, modestie, sagesse.

**modoso, a** *a* sage, bien élevé, e: **niña modosita** petite fille bien sage.

**modulación** *f* modulation.

**modular** *vt/i* **1.** moduler **2. frecuencia modulada** modulation de fréquence.

**módulo** *m* **1.** module **2.** *(de un mueble)* élément **3. ~ lunar** module lunaire.

**mofa** *f* raillerie, moquerie ◊ **hacer ~ de** se moquer de, se gausser de.

**mofar** *vi* railler. ◆ **~se** *vpr* se moquer: **se mofa de todo** il se moque de tout.

**mofeta** *f (gas, animal)* mouffette.

**moflete** *m* grosse joue *f.*

**mofletudo, a** *a* joufflu, e.

**mogate** *m* vernis (de potier).

**mogol** *a/s* mongol, e.

**mogollón** *m* **1.** *FAM* **un ~ de...** une foule de, un tas de, plein de...; **había ~ de gente** il y avait un monde fou; **estoy ~ de contento** je suis vachement content; **nos hemos divertido un ~** on s'est drôlement amusé **2.** *loc adv* **de ~** gratis, à l'œil.

**mogón, ona** *a (res)* à la corne cassée.

**mogote** *m* **1.** butte *f*, monticule isolé **2.** *(del ciervo, del gamo)* dague *f.*

**Mogreb → Magreb.**

**mohair** *m* mohair.

**mohatra** *f* fraude.

**moharra** *f* fer *m* de lance.

**mohín** *m* moue *f*, grimace *f*: **un ~ desdeñoso** une moue dédaigneuse.

**mohíno, a** *a* boudeur, euse, fâché, e: **ponerse ~** prendre un air boudeur.

**moho** *m* **1.** moisissure *f*: **oler a ~** sentir le moisi ◊ **criar ~** moisir **2.** *(del hierro)* rouille *f.*

**mohoso, a** *a* **1.** moisi, e **2.** *(metal)* rouillé,e.

**moisés** *m (cuna)* moïse, couffin.

**Moisés** *np m* Moïse.

**mojada** *f* **1.** mouillure **2.** blessure d'arme blanche **3.** *(medida)* mesure agraire.

**mojadura** *f* mouillure, trempage *m.*

**mojama** *f* thon *m* salé et séché.

**mojar** *vt* **1.** mouiller, tremper: **~ pan en la salsa** tremper du pain dans la sauce **2.** *(un éxito, etc.)* arroser: **¡esto, hay que mojarlo!** il faut arroser ça! ◇ *vi FIG (en un asunto)* tremper, mouiller. ◆ **~se** *vpr* **1.** se mouiller: **no te mojes** no te mouille pas **2.** *FIG (comprometerse)* se mouiller.

**mojarra** *f* **1.** *(pez)* poisson *m* de mer comestible **2.** *AMER* couteau *m.*

**moje** *m* jus, sauce *f.*

**mojicón** *m* **1.** *FAM (puñetazo)* marron **2.** sorte de gâteau.

**mojiganga** *f* **1.** fête publique avec mascarade, farce **2.** *FIG* plaisanterie.

**mojigatería** *f* pruderie, bigoterie.

**mojigato, a** *a* prude, bigot, e.

**mojito** *m* cocktail a base de rhum, de jus de citron, etc.

**mojón** *m* **1.** *(hito)* borne *f* **2.** *(excremento)* crotte *f.*

**mojonar** *vt* borner.

**mojonera** *f* rangée de bornes.

**[1]molar** *m (diente)* molaire *f.*

**[2]molar** *vi FAM* **1.** *(gustar)* plaire botter, brancher: **si te mola...** si ça te plaît, te botte...; **me mola cantidad** ça me plaît vachement; **esta música mola cantidad** cette musique, on l'adore **2.** *(dar categoría)* classer.

**molcajete** *m* mortier à trois pieds.

**molcate** *m AMER* petit épi de maïs.

**Moldavia** *np f* Moldavie.

**molde** *m* **1.** moule ◊ *FIG* **como de ~, que ni de ~** à propos, à merveille, parfaitement **2.** *(imprenta)* forme *f* **3. pan de ~** pain de mie.

**moldeado** *m* moulage.

**moldear** *vt* mouler.

**moldura** *f* moulure.

**moldurar** *vt* moulurer.

**[1]mole** *f* masse: **el ~ de la catedral** la masse de la cathédrale.

**[2]mole** *m AMER* ragoût de dinde avec une sauce pimentée.

**molécula** *f* molécule.

**molecular** *a* moléculaire.

**moledor, a** *a/s* **1.** qui moud, broyeur, euse **2.** *FAM (persona)* raseur, euse.

**moledura** *f (del trigo)* mouture, broyage *m.*

**moleña** *f (piedra)* meulière.

**moler*** *vt* **1.** moudre, broyer **2.** *FIG (cansar)* éreinter, fatiguer **3.** *FIG* assommer, ennuyer **4. ~ a palos** rouer de coups.

**molestar** *vt* **1.** gêner, déranger: **¿le molesta el humo?** est-ce que la fumée vous gêne?; **perdone que le moleste** excusez-moi de vous déranger; **siento haberla molestado** je regrette de vous avoir dérangée **2.** ennuyer, embêter: **me molesta tener que repetir las mismas cosas** ça m'ennuie d'avoir toujours à répéter les mêmes choses **3.** *(hacer daño)* faire mal, gêner: **me molesta esta muela** cette dent me fait mal. ◆ **~se** *vpr* **1.** se déranger, se donner la peine, se gêner: **no se moleste usted** ne vous dérangez pas **2.** s'offenser, se vexer.

**molestia** *f* **1.** gêne, dérangement *m* ◊ **no es ninguna ~** ça ne me dérange pas; **perdone la ~** excusez-moi de vous déranger; **si no es una ~ para ti** si cela ne te gêne pas **2. tomarse la ~ de** prendre la peine de. ◇ *pl (de salud)* indispositions, légers malaises *m.*

**molesto, a** *a* **1.** gênant, e **2.** *(fastidioso)* embêtant, e, ennuyeux, euse **3.** *(incómodo)* mal à l'aise: **me encuentro ~ aquí** je me sens mal à l'aise ici **4.** *(resentido)* fâché, e.

**molestoso, a → molesto.**

**molibdeno** *m* molybdène.

**molicie** *f* mollesse.

**molido, a** *pp* de **moler.** ◇ *a FIG* éreinté, e, moulu, e, vanné, e, lessivé, e: **estoy ~** je suis moulu; **dejar ~** éreinter.

**molienda** *f* **1.** *(del trigo)* mouture **2.** *(trituración)* broyage *m.*

**molimiento** *m FIG* fatigue *f*, éreintement.

**molinería** *f* meunerie, minoterie.

**molinero, a** *s* meunier, ère. ◇ *a* de la meunerie.

**molinete** *m* **1.** petit moulin **2.** ventilateur **3.** *(movimiento, figura de danza)* moulinet **3.** *MAR* guindeau.

**molinillo** *m* **1. ~ de café, de pimienta** moulin à café, à poivre **2.** moulinet.

**molino** *m* **1.** moulin: **~ de agua, de viento** moulin à eau, à vent ◊ *FIG* **llevar el agua a su ~** faire venir de l'eau à son moulin **2. ~ arrocero** rizerie *f* **3.** *FIG* personne agitée, remuante.

**molla** *f* maigre *m* (de la viande).

**mollar** *a* **1.** tendre, facile à ouvrir **2.** *FIG (persona)* naïf, ive, facile à tromper.

**molle** *m (turbinto)* térebinthe, poivrier, mollé.

**molledo** *m* **1.** partie *f* charnue du bras **2.** *(de la pierna)* gras **3.** *(del pan)* mie *f.*

**molleja** *f* **1.** *(de las aves)* gésier *m* **2.** *(de las reses)* ris *m*: **~ de ternera** ris de veau.

**mollera** *f FAM* cervelle, jugeote ◊ **cerrado de ~** bouché, borné; **duro de ~** cabochard.

**mollete** *m* **1.** petit pain mollet **2.** grosse joue *f* **3.** *(del brazo)* partie *f* charnue du bras.

**mollizna** *f* bruine, pluie fine.

**molliznar** *v impers* bruiner.

**molón, ona** *a* **1.** *FAM (que gusta)* génial, e, super, classe **2.** *AMER (fastidioso)* assommant, e, rasoir.

**molondro, molondrón** *m FAM* lourdaud.

**moloso** *m (perro)* molosse.

**molote** *m AMER* **1.** tumulte, émeute *f* **2.** *(lío)* paquet **3.** *(moño)* chignon **4.** galette *f* de maïs roulée et fourrée.

**moltura** *f* mouture.

**molturar** *vt* moudre.

**Molucas** *np f pl* Moluques.

**molusco** *m* mollusque.

**momear** *vi* faire des grimaces.

**momentáneamente** *adv* momentanément.

**momentáneo, a** *a* momentané, e.

**momento** *m* **1.** moment, instant: **dentro de un ~** dans un moment; **en un ~ dado** à un moment donné; **¡un ~!, ¡un momentito!** un instant!, un moment! **2.** *loc adv* **a cada ~** à tout moment; **al ~** à l'instant, sur-le-champ, tout de suite: **vuelvo al ~** je reviens tout de suite; **de ~** pour le moment, pour l'instant; **de un ~ a otro** d'un moment à l'autre; **en este ~** en ce moment; **por momentos** par moments **3.** *loc prep* **en el ~ de** au moment de **4.** *loc conj* **en el ~ en que** au moment où **5.** *FÍS* moment.

**momería** *f* singerie, pitrerie.

**momia** *f* momie.

**momificar** *vt* momifier.

**momio, a** *a* **1.** maigre **2.** *AMER* réactionnaire, réac. ◇ *m (ganga)* aubaine *f*, occasion *f*.

**momo** *m* grimace *f*, singerie *f*.

**mona** *f* **1.** guenon **2.** *FIG (persona que imita)* singe *m* **3.** *FAM (borrachera)* cuite: **pillar una ~** prendre une cuite ◊ **dormir la ~** cuver son vin; **estar como una ~** être complètement rond **4.** *FAM* **mandar a freír monas** envoyer paître; **¡vete a freír monas!** fous-moi le camp! **5.** *FIG* **corrido como una ~** tout honteux, tout penaud; **me he quedado aburrido como una ~** je ne suis ennuyé comme un rat mort **6.** *AMER* **estar como la ~** être mal fichu, e.

**monacal** *a* monacal, e.

**monacato** *m RELIG* monachisme.

**Mónaco** *np* Monaco.

**monada** *f* **1.** *(cosa bonita)* jolie petite chose, petit bijou *m* ◊ **ser una ~** être joli, e, gentil, ille comme tout, être mignon, onne tout plein: **es una ~ de chica** elle est gentille comme tout **2.** *(mimo)* cajolerie **3.** *(gesto)* singerie **4.** *(acción graciosa)* drôlerie.

**monaguillo** *m* enfant de chœur.

**monarca** *m* monarque.

**monarquía** *f* monarchie.

**monárquico, a** *a* monarchique. ◇ *a/s* monarchiste.

**monarquismo** *m* monarchisme.

**monasterio** *m* monastère.

**monástico, a** *a* monastique.

**Moncloa (La)** *np f* la résidence du chef du gouvernement, à Madrid, depuis 1977.

**monda** *f* **1.** *(de los árboles)* émondage *m* **2.** *(de frutas o verduras)* épluchage *m* **3.** *(despojo)* épluchure: **mondas de patatas** épluchures de pommes de terre **4.** *FAM* **ser la ~** être incroyable, inouï, e; *(divertido)* être tordant, e; **fue la ~** ça a été super.

**mondadientes** *m* cure-dent.

**mondaduras** *f pl* épluchures.

**mondaoídos** *m* cure-oreille.

**mondante** *a FAM* marrant, e, poilant, e.

**mondar** *vt* **1.** *(frutas, verduras)* éplucher, peler: **~ patatas, tomates** éplucher des pommes de terre, peler des tomates **2.** *(canal, pozo)* curer **3.** *(árbol)* émonder **4.** *(limpiar)* nettoyer. ◆ **~se** *vpr FAM* **mondarse de risa** se tordre de rire, se gondoler, se fendre la pipe.

**mondarajas** *f* épluchures.

**mondo, a** *a* **1.** net, nette **2.** *(sin pelo)* tondu, e **3.** *(sin dinero)* fauché, e **4.** *FIG* **~ y lirondo** sans rien avec.

**mondongo** *m* **1.** tripes *f pl* (surtout de porc) **2.** *FAM (intestinos)* tripes *f pl*, boyaux *pl*.

**mondonguero, a** *s* tripier, ère.

**monear** *vi* **1.** grimacer **2.** minauder **3.** *AMER* se donner des airs.

**moneda** *f* **1.** monnaie: **~ falsa** fausse monnaie; **~ suelta** petite monnaie; **la ~ única** la monnaie unique **2. casa de la ~** hôtel des monnaies **3.** *(pieza)* pièce de monnaie **4.** *FIG* **pagar a alguien con la misma ~** rendre à quelqu'un la monnaie de sa pièce; **es ~ corriente** c'est monnaie courante.

**monedero** *m* **1.** *(bolsa)* porte-monnaie *inv* **2. ~ falso,** faux-monnayeur.

**monegasco, a** *a/s* monégasque.

**monería → monada.**

**monetario, a** *a* monétaire. ◇ *m* collection *f* de monnaies.

**monetarismo** *m ECON* monétarisme.

**monetizar** *vt ECON* monétiser.

**mongol** *a/s* mongol, e.

**Mongolia** *np f* Mongolie.

**mongólico, a** *a/s* mongolien, enne.

**mongolismo** *m MED* mongolisme.

**mongoloide** *a* mongoloïde.

**moniato** *m* patate *f* douce.

**Mónica** *np f* Monique.

**monicaco** *m* pauvre type, gringalet.

**monigote** *m* **1.** *(muñeco)* pantin, polichinelle **2.** *(dibujo)* bonhomme **3. ~ de nieve** bonhomme de neige **4.** *FAM (persona sin personalidad)* pantin.

**monín, ina** *a* mignon, onne.

**monis, monises** *m pl FAM* fric *sing*, galette *f sing*, picaillons, pépètes *f*: **tener ~** avoir du fric, de la galette.

**monitor, a** *s* moniteur, trice: **~ de esgrima, de esquí** moniteur d'escrime, de ski. ◇ *m INFORM, TECN* moniteur.

**monja** *f* religieuse, bonne sœur.
▶ *Bonne sœur* es familiar.

**monje** *m* moine.

**monjil** *a* de religieuse, monacal, e.

**monjío** *m* **1.** état de religieuse **2.** prise *f* de voile.

**monjita** *f* **1.** nonnette, jeune religieuse, sœur **2.** *AMER (ave)* petit oiseau à tête noire.

**mono, a** *a* joli, e, mignon, onne: **¡qué nene más ~!** quel joli bébé!; **es un niño muy ~** c'est un enfant très mignon; **tiene un pisito muy ~** il a un appartement très coquet. ◇ *m* **1.** *(animal)* singe **2.** *(traje)* salopette *f*, bleu, combinaison *f*: **~ de mecánico** bleu de mécanicien; **~ de esquiar** combinaison de ski **3.** *(dibujo)* bonhomme **4. estar de monos** être en froid, brouillé, e; **ponerse de monos** se faire la tête **5.** *FIG* **ser el último ~** être la cinquième roue du carrosse; *FAM* **¿tengo monos en la cara?** tu veux ma photo? **6.** *TAUROM* **~ sabio** valet **7.** *FAM (síndrome de abstinencia)* état de manque **8. → mona.** ◇ *pl AMER* **revista de monitos** illustré, bande dessinée.

**monocorde** *a* monocorde.

**monocotiledóneo, a** *a/f* BOT monocotylédone.

**monocromo, a** *a* monochrome.

**monóculo** *m* monocle.

**monocultivo** *m* monoculture *f*.

**monoesquí** *m* monoski.

**monofásico, a** *a* ELECT monophasé, e.

**monogamia** *f* monogamie.

**monógamo, a** *a* monogame.

**monografía** *f* monographie.

**monográfico, a** *a* monographique.

**monograma** *m* monogramme.

**monokini** *m* monokini.

**monolingüe** *a/s* monolingue.

**monolítico, a** *a* monolithique.

**monolito** *m* monolithe.

**monologar** *vi* monologuer.

**monólogo** *m* monologue.

**monomanía** *f* idée fixe, monomanie.

**monomio** *m* MAT monôme.

**monomotor** *a* monomoteur.

**monono, a** *a* AMER beau garçon, belle fille.

**monoparental** *a* **familia ~** famille monoparentale.

**monopatín** *m* skateboard, planche *f* à roulettes.

**monoplano** *m* monoplan.

**monoplaza** *a/m* monoplace.

**monopolio** *m* monopole.

**monopolización** *f* monopolisation.

**monopolizar** *vt* monopoliser ◊ FIG **~ la atención** monopoliser l'attention.

**monosabio** *m* TAUROM valet.

**monosilábico, a** *a* monosyllabique.

**monosílabo, a** *a/m* monosyllabe: **contestar con monosílabos** répondre par monosyllabes.

**monoteísmo** *m* monothéisme.

**monoteísta** *a/s* monothéiste.

**monotipo** *m* *(máquina)* monotype *f*.

**monotonía** *f* monotonie.

**monótono, a** *a* monotone.

**monovolumen** *a* *(coche)* monospace.

**monóxido** *m* QUIM **~ de carbono** monoxyde de carbone.

**monseñor** *m* monseigneur.

**monserga** *f* discours *m*, histoire: **¡no me vengas con monsergas!** ne me raconte pas d'histoires!; **¡basta de monsergas!** assez de discours!

**monstruo** *m* monstre ◊ **~ sagrado** monstre sacré.

**monstruosidad** *f* monstruosité.

**monstruoso, a** *a* monstrueux, euse.

**monta** *f* **1.** *(suma)* montant *m*, total *m* **2.** valeur, importance: **de poca ~** de peu d'importance **3.** *(manera de montar)* monte.

**montacargas** *m inv* monte-charge.

**montadero** *m* montoir.

**montado, a** *a* monté, e. ◇ *m* *(bocadillo)* sandwich (à la viande).

**montador, a** *s* **1.** *(obrero)* monteur, euse **2.** *(cine)* monteur, euse. ◇ *m* *(para montar a caballo)* montoir.

**montaje** *m* montage.

**montante** *m* **1.** *(pieza vertical)* montant **2.** *(espada)* espadon **3.** *(importe)* montant. ◇ *f* marée montante.

**montaña** *f* **1.** montagne ◊ **la fe mueve montañas** la foi soulève, déplace les montagnes **2. ~ rusa** montagnes *pl* russes.

**montañero, a** *s* alpiniste.

**montañés, esa** *a/s* **1.** montagnard, e **2.** de la province de Santander (Espagne).

**montañismo** *m* alpinisme.

**montañoso, a** *a* montagneux, euse.

**montaplatos** *m inv* monte-plats.

**montar** *vi* **1.** *(encima de algo, en un vehículo, etc.)* monter: **~ a caballo, en bicicleta, en avión** monter à cheval, à bicyclette, en avion **2.** FIG avoir de l'importance, être important, e ◊ **tanto monta** c'est la même chose, c'est pareil **3. ~ en cólera** se mettre en colère. ◇ *vt* **1.** *(un caballo, etc.)* monter: **pantalones de ~** pantalon de cheval **2.** *(una cantidad)* se monter à, s'élever à **3.** *(una máquina, un aparato, etc.)* monter **4.** *(un negocio, un espectáculo, etc.)* monter: **~ una librería** monter une librairie; **~ una fiesta** organiser une fête **5.** *(un fusil, etc.)* armer **6.** *(realizar el montaje de una película)* monter **7. ~ la guardia** monter la garde **8.** CULIN fouetter, battre: **nata montada** crème fouettée.

**montaraz** *a* sauvage.

**monte** *m* **1.** montagne *f* **2.** mont: **el Monte Blanco** le mont Blanc **3.** *(bosque)* bois: **~ alto** futaie *f*, bois de haute futaie; **~ bajo** taillis ◊ **batir el ~** battre les buissons; **echarse al ~** prendre le maquis; **ingeniero de Montes** ingénieur des Eaux et Forêts **4.** *(naipes que quedan para robar)* talon **5. ~ de piedad** mont-de-piété **6.** ANAT **~ de Venus** mont de Vénus **7.** AMER *(campo)* campagne *f*.

**montea** *f* **1.** *(cacería)* battue **2.** ARQ *(dibujo)* épure **3.** *(de una arco)* montée.

**montear** *vt* **1.** *(la caza)* rabattre **2.** ARQ tracer l'épure de.

**montenegrino, a** *a/s* monténégrin, e.

**Montenegro** *np m* Monténégro.

**montepío** *m* caisse *f* de secours.

**montera** *f* **1.** bonnet *m* **2.** *(cubierta de cristales)* verrière **3. ponerse el mundo por ~ → mundo.**

**montería** *f* **1.** *(arte de cazar)* vénerie **2.** *(cacería)* chasse à courre.

**monterilla** *f* **1.** FAM **alcalde de ~** maire *m* d'un petit village **2.** MAR voile triangulaire.

**montero** *m* rabatteur, veneur: **~ mayor** grand veneur.

**montés** *a* sauvage: **gato ~** chat sauvage.

**montevideano, a** *a/s* de Montevideo.

**montículo** *m* monticule.

**monto** *m* *(total)* montant.

**montón** *m* **1.** tas, monceau **2.** FIG tas, flopée *f*, foule *f*: **un ~ de amigos** un tas d'amis; **por un ~ de razones** pour des tas, pour une foule de raisons; **un ~ de cosas** un tas, une foule de choses **3.** *loc adv* **a montones** à foison, en grande quantité, en masse, tant et plus; **del ~** quelconque, ordinaire: **gente del ~** des gens quelconques; **en ~** en tas, pêle-mêle.

**montonera** *f* AMER troupe de francs-tireurs à cheval.

**montonero** *s* AMER guérillero.

**montubio, a** *a* AMER paysan, anne de la côte (Équateur, Pérou).

**montuno, a** *a* AMER sauvage.

**montuoso, a** *a* montueux, euse.

**montura** *f* **1.** *(cabalgadura)* monture **2.** *(arreos)* harnais *m* **3.** *(de gafas, etc.)* monture.

**monumental** *a* monumental e.

**monumento** *m* **1.** monument: **~ a los caídos** monument aux morts **2.** reposoir (pour le jeudi saint).

**monzón** *m* mousson *f.*

**monzónico, a** *a* **el Asia monzónica** l'Asie des moussons.

**moña** *f* **1.** *(lazo)* nœud *m* de rubans, cocarde **2.** FAM *(borrachera)* cuite: **cogerse una ~** attraper une cuite.

**moño** *m* **1.** *(de pelo)* chignon **2.** *(de pájaro)* houppe *f*, huppe *f* **3.** *(lazo de cintas)* nœud **4.** FAM **ponerse moños** se vanter, se faire mousser, la ramener.

**moñudo** *a (ave)* huppé, e.

**moquear** *vi* avoir le nez qui coule.

**moquero** *m* FAM mouchoir, tire-jus.

**moqueta** *f* moquette.

**moquete** *m* gnon, coup de poing sur la figure.

**moquillo** *m* **1.** maladie catarrhale des chiens et des chats **2.** *(de las aves)* pépie *f.*

**moquita** *f* roupie.

**moquitear** *vi* avoir le nez qui coule.

**¹mora** *f (fruto del moral)* mûre.

**²mora** *f* JUR retard *m.*

**morabito** *m* marabout.

**moráceas** *f pl* BOT moracées.

**morada** *f* **1.** demeure: **una humilde ~** une humble demeure **2.** *(estancia)* séjour *m.*

**morado, a** *a/m* **1.** violet, ette **2.** FIG **pasarlas moradas** en voir de toutes les couleurs, des vertes et des pas mûres, en baver.

**morador, a** *s* habitant, e.

**moradux** *m* marjolaine *f.*

**¹moral** *a* moral, e. ◇ *f* **1.** *(ética)* morale ◊ **faltar a la ~** manquer de principes **2.** *(estado de ánimo)* moral *m*: **levantar la ~** remonter le moral; **ir con mucha ~** avoir très bon moral.

**²moral** *m (árbol)* mûrier noir.

**moraleja** *f (de una fábula, etc.)* moralité, morale.

**moralidad** *f* moralité.

**moralina** *f* morale, discours *m* moralisateur, prêchiprêcha *m*: **una lección de ~** une leçon de morale.

**moralista** *s* moraliste.

**moralización** *f* moralisation.

**moralizador, a** *a/s* moralisateur, trice.

**moralizar** *vt/i* moraliser.

**moralmente** *adv* moralement.

**morapio** *m* FAM *(vino)* gros rouge.

**morar** *vi* demeurer, habiter.

**moratoria** *f* JUR *m*, moratoire *m*, moratorium *m.*

**Moravia** *np f* Moravie.

**morbidez** *f* morbidesse.

**mórbido, a** *a* **1.** morbide **2.** délicat, e, doux, douce.

**morbo** *m* **1.** maladie *f* **2.** morbidité, sensualité *f* un peu malsaine.

**morbosidad** *f* morbidité.

**morboso, a** *a* **1.** morbide **2.** FIG morbide, maladif, ive, malsain, e.

**morcajo** *m* méteil.

**morcilla** *f* **1.** *(embutido)* boudin *m* **2.** TEAT improvisation (mot qu'un acteur ajoute à son rôle) **3.** FAM **¡que te den ~!** va te faire voir ailleurs!, va te faire foutre!

**morcillo, a** *a (caballo)* moreau, morelle. ◇ *m* **1.** biceps **2.** *(trozo de carne)* jarret.

**morcón** *m* boudin.

**mordacidad** *f* mordacité, mordant *m.*

**mordaga** *f* FAM *(borrachera)* cuite.

**mordaz** *a* mordant, e.

**mordaza** *f* **1.** *(en la boca)* bâillon **2.** MAR *(del ancla)* étrangloir *m.*

**mor de (por)** *loc prep* en raison de, à cause de.

**mordedor, a** *a* mordant, e.

**mordedura** *f* morsure.

**mordente** *m* QUÍM mordant.

**morder*** *vt* **1.** mordre: **me mordió un perro** un chien m'a mordu; **~ una manzana** mordre dans une pomme; **la lima muerde el metal** la lime mord le métal ◊ **morderse las uñas** se ronger les ongles **2.** FIG **estar que muerde** être d'une humeur exécrable. ◆ **~se** *vpr* **1.** se mordre **2.** FIG **morderse las manos** s'en mordre les doigts; **morderse la lengua → lengua.**

**mordido, a** *a* mordu, e. ◇ *f (soborno)* AMER pot-de-vin *m*, backchich *m* (en México).

**mordiente** *a* mordant, e. ◇ *m* TECN mordant.

**mordiscar** *vt* mordiller.

**mordisco** *m* **1.** coup de dent ◊ **tirar un ~** mordre **2.** *(herida)* morsure *f.*

**mordisquear** *vt* mordiller.

**¹morena** *f (pez)* murène.

**²morena** *f* GEOL moraine.

**moreno, a** *a/s* **1.** *(pelo, tez)* brun, e **2.** *(de raza negra)* noir, e **3.** AMER mulâtre, mulâtresse **4.** **azúcar ~** sucre roux; **pan ~** pan bis. ◇ *a (por el sol)* bronzé, e: **se puso morena este verano** elle a bronzé cet été.

**morera** *f* mûrier *m.*

**moreral** *m* lieu planté de mûriers.

**morería** *f* **1.** *(barrio)* quartier *m* maure **2.** pays *m* des maures.

**moretón** *m* FAM *(equimosis)* bleu.

**morfar** *vt* AMER POP *(comer)* bouffer.

**morfema** *m* morphème.

**Morfeo** *np m* Morphée ◊ **en brazos de ~** dans les bras de Morphée.

**morfina** *f* morphine.

**morfinismo** *m* morphinisme.

**morfinómano, a** *a/s* morphinomane.

**morfología** *f* morphologie.

**morfológico, a** *a* morphologique.

**morganático, a** *a* morganatique.

**morgue** *f (depósito de cadáveres)* morgue.

**moribundo, a** *a/s* moribond, e.

**morichal** *m* palmeraie *f* (de mauritias).

**moriche** *m* **1.** mauritia, palmier d'Amérique **2.** *(pájaro)* oiseau d'Amérique.

**morigeración** *f* modération, mesure.

**morigerado, a** *a* modéré, e, rangé, e, réglé, e: **una vida morigerada** une vie rangée.

**morigerar** *vt* modérer, tempérer.

**morilla** *f (hongo)* morille.

**morillo** *m.* chenet.

**morir*** *vi* mourir: **murió en la guerra** il est mort à la guerre; **~ de muerte natural** mourir de sa belle mort; **al ~ su marido...** à la mort de son mari... ◊ **¡muera!** à mort!. ◆ **~se** *vpr* **1.** mourir: **se murió joven** il est mort jeune; **morir(se) de viejo** mourir de vieillesse; **me muero de hambre, de sed** je meurs de faim, de soif; **es para morirse de risa** c'est à mourir de rire **2.** *(por algo)* aimer à la folie, raffoler de **3. me muero por viajar contigo** je meurs d'envie de voyager avec toi **4. ¡muérete!** à mort!

**morisco, a** *a* mauresque, maure. ◇ *a/s (moro bautizado)* morisque.

**morisma** *f* **1.** islamisme **2.** ensemble *m* de maures.

**morisqueta** *f* **1.** *(ardid)* ruse **2.** *AMER (mueca)* grimace: **hacer morisquetas** faire des grimaces.

**morlaco** *a/s* finaud, e. ◇ *m* **1.** *FAM* taureau (de combat) **2.** *AMER* peso.

**mormón, a** *s* mormon, e.

**mormónico, a** *a* mormon, e.

**moro, a** *a/s* **1.** maure **2.** *FIG* **hay moros en la costa** il faut prendre garde, attention! on nous surveille; *ANT* **haber moros y cristianos** y avoir du grabuge **3. vino ~** vin pur.

**morocho, a** *a AMER* **1.** robuste, solide **2.** *(moreno)* brun, e.

**morocota** *f AMER* once d'or.

**morón** *m* tertre, butte *f.*

**morondanga** *f* méli-mélo *m,* fouillis *m* de choses inutiles, bazar *m* ◊ **de ~** minable.

**morondo, a** *a* **1.** *(persona)* pelé, e, tondu, e **2.** *(árbol)* effeuillé, e.

**morosidad** *f* **1.** lenteur, nonchalance **2.** retard *m.*

**moroso, a** *a* **1.** lent, e, nonchalant, e **2.** *(deudor)* retardataire, en retard. ◇ *m* mauvais payeur.

**morrada** *f* **1.** coup *m* donné avec la tête **2.** *(bofetada)* gifle **3.** *(puñetazo)* marron *m.*

**morral** *m* **1.** *(saco)* musette *f* **2.** *(de cazador)* carnassière *f* **3.** *FAM* rustaud, brute *f.*

**morralla** *f* **1.** *(pescado menudo)* fretin *m* **2** *(conjunto de personas)* menu fretin *m.*

**morrear** *vt VULG* rouler un patin à. ◆ **~se** *vpr* s'embrasser.

**morrena** *f GEOL* moraine.

**morrillo** *m* **1.** *(de las reses)* gras du cou **2.** *FAM* grosse nuque *f* **3.** *(canto rodado)* gros galet.

**morriña** *f* **1.** *(añoranza)* cafard *m,* mélancolie, mal *m* du pays **2.** hydropisie des bêtes à laine.

**morrión** *m* **1.** *(casco)* morion **2.** *(gorro)* shako.

**morro** *m* **1.** *(hocico)* mufle **2.** *(de persona)* lippe *f* ◊ *FIG FAM* **estar de morros** faire la tête, faire la gueule, bouder **3.** *(de coche)* capot **4.** *(de un avión, etc.)* nez **5.** *(monte)* colline *f,* mamelon **6** *(peñasco)* rocher.

**morrocotudo, a** *a FAM* formidable, terrible, monstre: **un susto, un banquete ~** une peur terrible, un banquet monstre.

**morrocoyo** *m AMER* tortue *f.*

**morrón** *a* **pimiento ~** gros poivron. ◇ *m FAM (golpe)* coup, gnon.

**morrongo** *s FAM* chat, chatte.

**morrudo, a** *a* lippu, e.

**morsa** *f* morse *m.*

**morse** *m (alfabeto)* morse.

**mortadela** *f* mortadelle.

**mortaja** *f* **1.** linceul *m* **2.** *TECN* mortaise.

**mortal** *a* mortel, elle: **pecado ~** péché mortel. ◇ *s* mortel, elle.

**mortalidad** *f* mortalité: **~ infantil** mortalité infantile.

**mortalmente** *adv* mortellement.

**mortandad** *f* **1.** *(matanza)* hécatombe **2.** mortalité: **tasas de ~** taux de mortalité.

**mortecino, a** *a FIG* éteint,e, terne, faible: **color mortecino** couleur éteinte; **luz mortecina** lumière faible.

**morterazo** *m* coup de mortier.

**morterete** *m (artillería)* petit mortier.

**mortero** *m* **1.** *(almirez, pieza de artillería)* mortier **2.** *(argamasa)* mortier.

**morteruelo** *m (guisado)* hachis de foie de porc.

**mortífero, a** *a* meurtrier, ière, mortel, elle, mortifère.

**mortificación** *f* mortification.

**mortificar** *vt* **1.** mortifier **2.** *(atormentar)* tourmenter, faire souffrir **3.** affliger. ◆ **~se** *vpr* **1.** *(como penitencia)* se mortifier **2.** se tourmenter: **no se mortifique por mí** ne vous tourmentez pas pour moi.

**mortuorio, a** *a* mortuaire.

**morucho** *m TAUROM* taurillon à cornes boulées. ◇ *a* brun, e.

**morueco** *m* bélier.

**moruno, a** *a* mauresque.

**Mosa** *np m* Meuse *f.*

**¹mosaico** *m* mosaïque *f:* **un ~ bizantino** une mosaïque byzantine.

**²mosaico, a** *a (de Moisés)* mosaïque.

**mosca** *f* **1.** mouche ◊ *FIG* **~ muerta** sainte nitouche; **caer como moscas** tomber comme des mouches; **papar moscas** gober les mouches; **por si las moscas** au cas où; **¿qué ~ le ha picado?** quelle mouche l'a piqué? **2.** *FIG* **estar con la ~ en la oreja** avoir la puce à l'oreille; **estar ~** être méfiant, e **3.** *(barba)* mouche **4.** *FAM* **aflojar la ~, soltar la ~** abouler le fric, les lâcher, casquer **5.** *(boxeo)* **peso ~** poids mouche.

**moscada** *a* **nuez ~** noix muscade.

**moscarda** *f* **1.** mouche de la viande **2.** *(de la abeja)* couvain *m.*

**moscardón** *m* **1.** *(mosca parásita)* œstre **2.** *(avispón)* frelon **3.** *(moscón)* mouche *f* de la viande **4.** *FIG (persona pesada)* raseur.

**moscareta** *f (pájaro)* traquet *m.*

**moscatel** *a/m* muscat.

**moscón** *m* **1.** mouche *f* de la viande, grosse mouche *f* **2.** *FIG* raseur, casse-pieds.

**mosconear** *vt/i* importuner, raser. ◇ *vi* insister.

**moscovita** *a/s* moscovite.

**Moscú** *np* Moscou.

**Mosela** *np m* Moselle *f.*

**mosén** *m* **1.** messire **2.** titre que l'on donne aux prêtres en Catalogne et en Aragon.

**mosqueado, a** *a FIG* **estar ~** être agacé, e.

**mosquear** *vt* **1.** chasser les mouches **2.** *FIG* irriter. ◆ **~se** *vpr FIG* **1.** *(ofenderse)* se piquer, prendre la mouche **2.** se méfier.

**mosqueo** *m* irritation *f,* agacement.

**mosquero** *m* **1.** chasse-mouches, émouchoir **2.** *(que se cuelga del techo)* attrape-mouches.

**mosquete** *m* mousquet.

**mosquetear** *vt AMER (curiosear)* épier.

**mosquetería** *f* troupe de mousquetaires.

**mosquetero** *m* **1.** *(soldado)* mousquetaire **2.** *ANT* spectateur debout (au fond du parterre).

**mosquetón** *m* mousqueton.

**mosquita** *f FIG* **~ muerta** sainte nitouche.

**mosquitero** *m* moustiquaire *f*.

**mosquito** *m* moustique.

**mostacera** *f* moutardier *m*.

**mostacho** *m* **1.** *(bigote)* moustache *f* **2.** MAR hauban de beaupré.

**mostachón** *m* macaron.

**mostacilla** *f* **1.** cendrée, menuise, plomb *m* de chasse **2.** verroterie, perle de verre.

**mostajo** → **mostellar.**

**mostaza** *f* moutarde.

**mostellar** *m* sorbier.

**mostense** *a/m* prémontré.

**mostillo** *m* moût cuit et aromatisé.

**mosto** *m* **1.** *(zumo de la uva)* moût **2.** *(vino)* vin.

**mostrador** *m* comptoir: **se tomó una cerveza en el ~** il prit une bière au comptoir.

**mostrar*** *vt* montrer: **muestra su sorpresa** il montre sa surprise: **le mostraré cómo esto funciona** je vous montrerai comment ça fonctionne. ◆ **~se** *vpr* **1.** se montrer: **se mostró prudente** il se montra prudent **2.** paraître.

**mostrenco** *a* sans propriétaire connu ◊ JUR **bienes mostrencos** biens vacants. ◇ *a/s* FAM lourdaud, e.

**mota** *f* **1.** *(partícula)* brin *m*, grain *m*: **~ de polvo** grain de poussière **2.** *(en el paño)* nœud *m* **3.** *(mancha)* tache **4.** *(defecto ligero)* léger défaut *m* **5.** *(elevación del terreno)* butte.

**mote** *m* **1.** *(apodo)* sobriquet **2.** AMER maïs cuit à l'eau salée.

**motear** *vt* moucheter, tacheter.

**motejar** *vt* traiter de, qualifier de: **~ de ignorante** traiter d'ignorant.

**motel** *m* motel.

**motete** *m* MÚS motet.

**motilar** *vt* tondre.

**motilidad** *f* motilité.

**motilón, ona** *a/s* tondu, e. ◇ *m* frère lai.

**motín** *m* **1.** émeute *f* **2.** *(de tropas)* mutinerie *f*.

**motivación** *f* motivation.

**motivador, a** *a* motivant, e.

**motivar** *vt* **1.** motiver: **estar muy motivado** être très motivé **2.** expliquer, justifier.

**motivo** *m* **1.** motif, raison *f*: **sin ~ alguno** sans aucune raison, sans motif; **por este ~** pour cette raison; **usted no tiene ~ para quejarse** vous n'avez pas de raison de vous plaindre; **dar ~ para** fournir le motif de, l'occasion de **2. ser ~ de chacota** être un sujet de plaisanterie **3.** *loc prep* **con ~ de** à l'occasion de **4.** *(dibujo)* motif **5.** MÚS motif.

**moto** *f* moto: **en ~** à, en moto; **una ~ de gran cilindrada** une moto de grosse cylindrée, un gros cube ◊ **~ de nieve** motoneige.

**motobomba** *f* motopompe.

**motocicleta** *f* motocyclette.

**motociclismo** *m* motocyclisme.

**motociclista** *s* motocycliste.

**motocross** *m* moto-cross.

**motocultivadora** *f* motoculteur *m*.

**motón** *m* MAR poulie *f*.

**motonave** *f* bateau *m* à moteur.

**motor, a** *a* moteur, trice. ◇ *m* moteur: **~ de explosión** moteur à explosion; **~ de dos, de cuatro tiempos** moteur à deux, à quatre temps. ◇ *f (lancha)* vedette.

**motorista** *m* motard, motocycliste.

**motorización** *f* motorisation.

**motorizar** *vt* motoriser.

**motricidad** *f* motricité.

**motriz** *a* motrice: **fuerza ~** force motrice; **ruedas motrices** roues motrices.

**movedizo, a** *a* **1.** mouvant, e: **arenas movedizas** sables mouvants **2.** FIG inconstant, e, changeant, e.

**mover*** *vt* **1.** remuer: **mueve los pies** il remue les pieds; **~ la cabeza** remuer, hocher la tête **2.** *(accionar)* mouvoir **3.** déplacer: **~ una ficha** déplacer un jeton ◊ **la fe mueve montañas** la foi soulève, déplace les montagnes **4.** FIG susciter, provoquer **5.** *(incitar)* pousser: **fue él quien me movió a hacerlo** c'est lui qui m'a poussé à le faire **6. ~ a compasión** inspirer de la compassion; **~ a piedad** faire pitié, exciter la pitié; **~ a risa, a lágrimas** faire rire, faire pleurer **7. un negocio que mueve mucho dinero** une affaire qui met en jeu, en circulation beaucoup d'argent. ◆ **~se** *vpr* **1.** bouger: **¡que nadie se mueva!** que personne ne bouge! **2.** *(hacer gestiones)* se remuer ◊ FAM **¡muévete!** secoue-toi!, remue-toi! **3.** FIG évoluer.

**movible** *a* mobile.

**movido, a** *a* **1.** mû, mue, poussé, e: **~ por la envidia, el interés** mû par l'envie, l'intérêt **2.** agité, e, mouvementé, e: **la sesión fue movida** la séance fut mouvementée **3. foto movida** photo floue. ◇ **1. la movida** le mouvement (des idées, etc., dans l'Espagne des années 80), la modernité **2.** FAM agitation, remue-ménage *m*.

**moviente** *a* mouvant, e.

**móvil** *a/m* mobile: **teléfono ~** téléphone mobile; **el ~ del crimen** le mobile du crime. ◇ *m (teléfono)* portable.

**movilidad** *f* mobilité.

**movilizable** *a* mobilisable.

**movilización** *f* mobilisation.

**movilizar** *vt* mobiliser: **~ a todos los militantes** mobiliser tous les militants. ◆ **~se** *vpr* se mobiliser.

**movimiento** *m* **1.** mouvement: **poner en ~** mettre en mouvement **2.** FIG **~ de ira** mouvement de colère **3.** *(artístico, literario, social)* mouvement **4.** MÚS mouvement.

**moyo** *m* muid.

**moza** *f* **1.** jeune fille ◊ **una buena ~** une belle fille, une jolie fille, une belle femme **2.** *(criada)* servante, domestique **3.** *(de lavandera)* battoir *m*.

**mozalbete** *m* gamin, jeune garçon.

**mozárabe** *a/s* mozarabe.
▶ Se dit des chrétiens d'Espagne sous la domination musulmane.

**mozo, a** *a* jeune. ◇ *m* **1.** jeune homme ◊ **un buen ~** un beau garçon **2.** *(soltero)* célibataire **3.** *(camarero)* garçon **4.** *(criado)* domestique ◊ **~ de equipajes** porteur, bagagiste; **~ de cordel, de cuerda** portefaix, porteur; **~ de cuadra** valet d'écurie **7.** TAUROM **~ de estoques, de espadas** valet du matador.

**mozuelo, a** *s* jeune garçon, toute jeune fille.

**mu** *onomatopeya* meuh ◊ FIG **no decir ni ~** ne pas souffler mot; **habló el buey y dijo ~** → **buey.**

**muaré** *m (tela)* moire *f*.

**mucamo, a** *s* AMER domestique.

**muceta** *f* mosette, mozette.

**muchacha** → **muchacho.**

**muchachada** *f* **1.** *(acción)* gaminerie **2.** bande de jeunes gens.

**muchachería** *f* bande d'enfants ou de jeunes gens.

**muchacho, a** *s* **1.** *(joven)* garcon, fille, jeune homme, jeune fille **2.** *(niño)* enfant. ◇ *f (criada)* bonne, domestique.

**muchedumbre** *f* foule.

**muchísimo** → **mucho.**

**[1]mucho, a** *a* **1.** beaucoup de: **~ viento** beaucoup de vent; **muchas dificultades** beaucoup de difficultés; **muchos más errores** beaucoup plus d'erreurs; **gana muchísimo dinero** il gagne énormément d'argent ◊ **~ tiempo** longtemps **2. ~ calor, ~ frío** très chaud, très froid **3.** *PROV* **muchos pocos hacen un ~** → **poco.** ◇ *pl* **muchos lo desean** beaucoup de gens le souhaitent; **son muchos los que...** nombreux sont ceux qui...; **tiene muchos primos** il a de nombreux cousins.

**[2]mucho** *adv* **1.** beaucoup: **come ~** il mange beaucoup **2.** bien: **~ antes** bien avant; **~ mejor** bien mieux, bien meilleur; **~ más** beaucoup, bien plus; **~ menos** beaucoup, bien moins **3. ~ será que no llueva mañana** ce serait bien étonnant qu'il ne pleuve pas demain **4.** *FAM* **~ que sí** très certainement, bien sûr **5. hace ~ que...** il y a longtemps que... **6. por ~ que digas, hagas** tu as beau dire, faire; **por ~ que corras, no me alcanzarás** tu auras beau courir, tu ne me rattrapera pas **7.** *loc adv* **como ~** tout au plus; **con ~** de beaucoup, de loin; **ni con ~** tant s'en faut; **ni ~ menos** loin de là, pas le moins du monde.

**mucilaginoso, a** *a* mucilagineux, euse.

**mucílago** *m* mucilage.

**mucosidad** *f* mucosité.

**mucoso, a** *a* muqueux, euse. ◇ *f (membrana)* muqueuse.

**mucoviscidosis** *f MED* mucoviscidose.

**múcura** *f AMER* vase *m* de terre cuite.

**muda** *f* **1.** *(de la piel, de la voz)* mue **2.** *(ropa)* linge *m* de rechange: **tráigame una ~ limpia** apportez-moi du linge propre.

**mudable** *a* changeant, e.

**mudadizo, a** *a* changeant, e, inconstant, e.

**mudanza** *f* **1.** *(cambio)* changement *m* **2.** *(cambio de domicilio)* déménagement *m*: **empresa, camión de mudanzas** entreprise, camion de déménagement **3.** figure de danse.

**mudar** *vt/i* **1.** changer ◊ **~ de casa** changer de domicile, déménager; **~ a un niño** changer un enfant **2.** *FIG* **~ de parecer** changer d'avis. ◇ *vi (la piel, la voz)* muer: **muda de voz** sa voix mue. ◆ **~se** *vpr* **1.** *(de ropa)* se changer ◊ **mudarse de ropa** changer de linge **2. mudarse de casa** déménager: **nos mudamos de casa el mes pasado** nous avons déménagé le mois dernier.

**mudéjar** *a/s* mudéjar.
▶ Se dit des Musulmans restés en Espagne après la Reconquête et de leur art.

**mudez** *f* mutité, mutisme *m*.

**mudo, a** *a/s* muet, ette. ◇ *a* **1. cine ~** cinéma muet **2.** *(letra)* muet, ette.

**mueblaje** *m* mobilier.

**mueble** *a/m* meuble: **muebles antiguos** meubles anciens; **muebles de oficina** meubles de bureau.

**mueblista** *s* fabricant, e, marchand, e de meubles.

**mueca** *f* grimace, moue: **hacer muecas** faire des grimaces.

**muecín** *m* muezzin.

**muela** *f* **1.** *(piedra)* meule **2.** *(diente)* dent: **~ cordal, del juicio** dent de sagesse; **dolor de muelas** mal aux dents **3.** *(diente molar)* molaire **4.** *FAM* **estar uno que echa las muelas** être furibond, e.

**[1]muelle** *a* **1.** *(blando)* mou, molle, doux, douce **2. llevar una vida ~** avoir la vie douce. ◇ *m* **1.** ressort: **colchón de muelles** sommier métallique, sommier à ressorts **2.** *(de un arma)* cran d'arrêt.

**[2]muelle** *m (de puerto, estación)* quai.

**muera,** etc. → **morir.**

**muérdago** *m* gui.

**muérgano, a** *a/s AMER* idiot, e, imbécile. ◇ *m AMER* truc inutile, invendable.

**muergo** *m (molusco)* couteau.

**muermo** *m* **1.** *(del caballo)* morve *f* **2.** *FAM (cosa pesada)* chose *f* barbante, truc rasoir.

**muermoso, a** *a (caballo)* morveux, euse.

**muerte** *f* **1.** mort ◊ **herido de ~** blessé à mort; **odiar a ~** haïr à mort; *FAM* **de mala ~** de rien du tout, minable: **un hotel de mala ~** un hôtel minable; **un susto de ~** une peur terrible **2.** *(homicidio)* meurtre *m* **3. ~ súbita** mort subite; *(tenis)* tie-break *m*, jeu *m* décisif.

**[1]muerto, a** *pp* de **morir: ha ~** il est mort; **quedó ~ en el acto** il est mort sur-le-champ.

**[2]muerto, a** *a/s* **1.** mort, e **2.** *FAM (matado)* tué, e: **le han ~** on l'a tué **3.** *FIG* **estar ~ de miedo, de cansancio** être mort de peur, de fatigue; **más ~ que vivo** plus mort que vif; **~ de risa** mort de rire, plié en deux; **cargar con el ~** endosser tout; **echar el ~ a alguien** mettre tout sur le dos de quelqu'un, rejeter la faute sur quelqu'un; **no tener dónde caerse ~** → **caer;** *PROV* **el ~ al hoyo y el vivo al bollo** laissez les morts enterrer leurs morts, après le deuil il faut reprendre goût à la vie **4.** *(natación)* **hacer el ~** faire la planche **5. un ~ de hambre** un crève-la-faim **6.** *FIG* **cal muerta** chaux éteinte; **lengua muerta** langue morte **7. el mar Muerto** la mer Morte.

**muesca** *f* encoche.

**muestra** *f* **1.** *(de una mercancía, de personas sometidas a una encuesta, etc.)* échantillon *m* **2.** *(modelo)* modèle *m* **3.** *(prueba)* preuve, témoignage *m*, marque: **~ de cariño** témoignage d'affection ◊ **eso es una ~ de que no quería hacerlo** cela prouve qu'il ne voulait pas le faire **4.** *(señal)* signe *m*: **dar muestras de cansancio** donner des signes de fatigue **5.** exposition: **inaugurar una ~ de artesanía** inaugurer une exposition d'artisanat; **feria de muestras** foire-exposition **6.** *(de una tienda)* enseigne **7.** *(de reloj)* cadran *m* **8. perro de ~** chien d'arrêt.

**muestrario** *m* échantillonnage.

**muestreo** *m (estadística)* échantillonnage.

**mueva,** etc. → **mover.**

**mufla** *f (hornillo)* moufle *m/f*.

**muftí** *m* mufti.

**mugido** *m* mugissement.

**mugiente** *a* mugissant, e.

**mugir** *vi* **1.** mugir **2.** *FIG* **el viento mugía** le vent mugissait.

**mugre** *f* crasse, saleté.

**mugriento, a** *a* crasseux, euse, sale.

**mugrón** *m* **1.** *(de vid)* provin **2.** *BOT* rejeton.

**muguete** *m* muguet.

**mui** *f FAM* **achantar la ~** la boucler, fermer sa gueule.

**mujer** *f* **1.** femme: **las mujeres** les femmes; **mi ~** ma femme; **~ objeto** femme-objet ◊ **~ de su casa** femme d'intérieur, bonne ménagère; **~ de la limpieza** femme de ménage; **~ pública** fille publique, prostituée **2. tomar ~** prendre femme.
▶ *¡Mujer!* ma vieille! allons!, etc. Interjection comparable à *¡hombre!*

**mujercilla** *f* petite femme.

**mujeriego, a** *a/m* **1.** coureur de jupon **2.** *loc adv* **a mujeriegas** en amazone.

**mujeril** *a* féminin, e.

**mujerío** *m* ensemble de femmes.

**mujerona** *f* grande femme, matrone.

**mujeruca** *f PEYOR* bonne femme, gonzesse.

**mujerzuela** *f* prostituée.

**mujic** *m* mujik.

**mújol** *m* mulet, muge.

**mula** *f* **1.** mule ◊ *FAM* **terco como una ~** têtu comme une mule **2.** *(del papa)* mule **3.** *AMER* coussin *m* **4.** *AMER* *(mentira)* mensonge *m*.

**mulada** *f* troupeau *m* de mulets.

**muladar** *m* **1.** fumier **2.** *(de basuras)* dépotoir.

**muladí** *a/s* renégat, e (en Espagne, pendant la domination arabe).

**mular** *a* mulassier, ière: **ganado ~** les mulets.

**mulato, a** *a/s* mulâtre, esse. ◇ *a (color)* brun, e.

**mulero** *m* muletier.

**muleta** *f* **1.** béquille **2.** *TAUROM* muleta.

**muletada** *f* troupe de mulets.

**muletear** *vt TAUROM* toréer avec la muleta.

**muletilla** *f* **1.** *(estribillo)* tic *m* de langage, cheville, terme *m* de remplissage **2.** *TAUROM* muleta.

**muleto** *m* jeune mulet.

**muletón** *m* molleton.

**mulillas** *f pl TAUROM* mules chargées de tirer le taureau mort hors de l'arène.

**mulita** *f AMER* tatou *m*.

**mullido, a** *a* moelleux, euse, douillet, ette: **cama mullida** lit douillet. ◇ *m* bourre *f*.

**mullir*** *vt* **1.** *(la tierra)* ameublir **2.** *(un colchón, la lana, etc.)* assouplir, battre.

**mulo** *m* mulet.

**multa** *f* **1.** amende: **so pena de ~** sous peine d'amende **2.** contravention: **poner ~ por exceso de velocidad** donner une contravention pour excès de vitesse.

**multar** *vt* **1.** condamner à une amende **2.** *(a un conductor)* donner une contravention à.

**multicasco** *a MAR* multicoque.

**multicelular** *a BIOL* multicellulaire.

**multicolor** *a* multicolore.

**multicopiar** *vt* polycopier.

**multicopista** *f* machine à polycopier ◊ **tirar a ~** polycopier.

**multidisciplinario, a** *a* multidisciplinaire.

**multiforme** *a* multiforme.

**multilateral** *a (acuerdo)* multilatéral, e.

**multimedia** *a* multimédia.

**multimillonario, a** *a/s* multimillionnaire.

**multinacional** *a/f* multinational; e: **una ~** une multinationale.

**múltiple** *a* multiple.

**multiplicable** *a* multipliable.

**multiplicación** *f* **1.** multiplication: **el milagro de la ~ de los panes** le miracle de la multiplication des pains **2.** *MAT* multiplication.

**multiplicador, a** *a* multiplicateur, trice. ◇ *m MAT* multiplicateur.

**multiplicando** *m MAT* multiplicande.

**multiplicar** *vt* multiplier ◊ **tabla de ~** table de multiplication. ◆ **~se** *vpr* se multiplier ◊ **«creced y multiplicaos»** croissez et multipliez.

**multiplicidad** *f* multiplicité.

**múltiplo, a** *a/m MAT* multiple: **el mínimo común ~** le plus petit commun multiple.

**multiprogramación** *f INFORM* multiprogrammation.

**multirracial** *a* multiracial, e.

**multisala** *f* multisalle *m*.

**multitud** *f* multitude, foule.

**multitudinario, a** *a* populaire: **~ funeral** funérailles populaires, suivies par une foule immense.

**mundanal** *a* mondain, e ◊ **huir del ~ ruido** fuir le tumulte du monde.

**mundanidad, mundanería** *f* mondanité.

**mundano, a** *a/s* mondain, e.

**mundial** *a* mondial, e.

**mundillo** *m* **1. el ~ teatral, financiero** le monde du théâtre, des finances **2.** *(para hacer encajes)* coussin pour faire de la dentelle **3.** *(para calentar)* moine **4.** *(arbusto)* obier, boule-de-neige *f*.

**mundo** *m* **1.** monde: **la creación del ~** la création du monde; **desde que el ~ es ~** depuis que le monde est monde ◊ **el ~ antiguo** l'Ancien Monde; **el Nuevo ~** le Nouveau Monde; **el tercer ~** le tiers-monde; **correr, ver ~** voir du pays, courir le monde **2.** *FIG* **el otro ~** l'autre monde; **irse de este ~** passer dans l'autre monde; **venir al ~** venir au monde; **aunque se hunda el ~** même s'il arrive une catastrophe; **no es cosa del otro ~** ça n'a rien d'extraordinaire, de rare, ça ne casse rien; *(no es difícil)* ce n'est pas sorcier; **por nada del ~** pour rien au monde; **ponerse el ~ por montera** se moquer du qu'en-dira-t'on **3.** *(sociedad)* monde: **mujer de ~** femme du monde ◊ **tener ~** avoir de l'expérience, de l'entregent **4. medio ~** beaucoup de monde; **había medio ~ en la conferencia** il y avait un monde fou à la conférence; **empresa que tiene sucursales en medio ~** entreprise qui a des succursales dans le monde entier, partout **5. todo el ~** tout le monde, tous **6.** globe terrestre **7.** *(baúl)* malle *f*.

**mundología** *f* savoir-vivre *m*, entregent *m*.

**mundonuevo** *m* cosmorama.

**munición** *f* munition.

**municionar** *vt* pourvoir de munitions.

**municipal** *a* municipal, e: **aparcamiento, estadío ~** parking, stade municipal. ◇ *m* agent.

**municipalidad** *f* municipalité.

**municipalizar** *vt* communaliser, municipaliser.

**munícipe** *m* habitant d'une commune.

**municipio** *m* **1.** commune *f* **2.** *(ayuntamiento)* municipalité *f*.

**munificencia** *f* munificence.

**munificente** *a* munificent, e.

**munífico, a** *a* munificent, e.

**muniqués, esa** *a/s* munichois, e.

**munir** *vt AMER* munir. ◆ **~se** *vpr* se munir.

**muñeca** *f* **1.** *(juguete)* poupée **2.** *(parte del brazo)* poignet *m*: **se le torció la ~** il s'est foulé le poignet **3.** *(de barnizador)* tampon *m* **4.** *FIG (mujer)* poupée **5.** *AMER* adresse, habileté: **tener buena ~** savoir y faire.

**muñeco** *m* **1.** *(juguete)* poupée *f* **2.** *(monigote)* bonhomme: **~ de nieve** bonhomme de neige **3.** *FIG* marionnette *m*.

**muñeira** *f* danse de Galice.

**muñequear** *vi* **1.** *(esgrima)* jouer du poignet **2.** *AMER* manœuvrer.

**muñequera** *f* poignet *m* en cuir.

**muñón** *m* **1.** *(de un miembro amputado)* moignon **2.** *(de cañón)* tourillon.

**murajes** *m pl* mouron *sing*.

**mural** *a* mural, e. ◇ *m* peinture *f* murale, mur peint, mural.

**muralismo** *m* muralisme.

**muralla** *f* **1.** muraille: **la Gran Muralla de China** la Grande Muraille de Chine **2.** *(defensiva)* rempart *m*.

**murallón** *m* grosse muraille *f.*

**murar** *vt* murer, entourer de murs.

**Murcia** *np* Murcie.

**murciano, a** *a/s* murcien, enne, de Murcie.

**murciélago** *m* chauve-souris *f.*

**murena** *f (pez)* murène.

**murga** *f* **1.** bande de musiciens ambulants **2.** *FAM* **dar la ~** casser les pieds, embêter.

**muriático, a** *a QUÍM* muriatique.

**múrice** *m* murex.

**murmullar** *vi* murmurer.

**murmullo** *m* murmure.

**murmuración** *m* médisance.

**murmurador, a** *a/s* médisant, e.

**murmurar** *vi (el viento, etc.)* murmurer. ◇ *vi/t* **1.** murmurer, marmonner **2. ~ de alguien** médire de quelqu'un.

**murmureo** *m* murmure.

**muro** *m* mur.

**murria** *f* cafard *m*: **tener ~** avoir le cafard.

**murrio, a** *a* cafardeux, euse, sombre.

**murta** *f* myrte *m.*

**murtón** *m* fruit du myrte.

**mus** *m* jeu de cartes.

**musa** *f* muse.

**musaraña** *f* **1.** *(mamífero)* musaraigne **2.** *(delante de los ojos)* mouche volante ◇ *FIG* **pensar en las musarañas** être dans les nuages, rêvasser **3.** *AMER* grimace.

**musculación** *f* **1.** musculation **2.** *AMER* musculature.

**muscular** *a* musculaire.

**musculatura** *f* musculature.

**músculo** *m* muscle.

**musculoso, a** *a* **1.** musclé, e: **un hombre ~** un homme musclé **2.** *ANAT* musculeux, euse.

**muselina** *f* mousseline.

**museo** *m* musée.

**museografía** *f* muséographie.

**museología** *f* muséologie.

**muserola** *f* muserolle.

**musgaño** *m* petite musaraigne *f.*

**musgo** *m* mousse *f.*

**musgoso, a** *a* moussu, e.

**música** *f* **1.** musique: **~ de cámara** musique de chambre: **~ vocal** musique vocale; **~ de cine** musique de film **2.** *FIG* **~ celestial** paroles en l'air, vaines paroles; **irse con la ~ a otra parte** prendre ses cliques et ses claques, filer.

**musical** *a* musical, e ◇ **instrumento ~** instrument de musique. ◇ *m* comédie *f* musicale.

**musicalidad** *f* musicalité.

**music-hall** *m* music-hall.

**músico, a** *a* musical, e ◇ **instrumento ~** instrument de musique. ◇ *s* musicien, ienne: **un gran ~** un grand musicien.

**musicografía** *f* musicographie.

**musicología** *f* musicologie.

**musicólogo, a** *s* musicologue.

**musiquero** *m* casier à musique.

**musitar** *vi* marmonner, marmotter.

**muslime** *a/s* musulman, e.

**muslamen** *m POP* cuisses *f pl.*

**muslo** *m* cuisse *f.*

**musmón** *m* mouflon.

**mustiarse** *vpr* se faner, se flétrir.

**mustio, a** *a* **1.** *(planta)* fané, e **2.** *(persona)* triste, morne, cafardeux, euse.

**musulmán, ana** *a/s* musulman, e.

**mutabilidad** *f* mutabilité.

**mutable → mudable.**

**mutación** *f* **1.** *BIOL* mutation **2.** *TEAT* changement *m* de décors.

**mutante** *a/s* mutant, e.

**mutilación** *f* mutilation.

**mutilado, a** *a/s* mutilé, e.

**mutilar** *vt* mutiler.

**mutis** *m TEAT* sortie *f* ◇ **hacer ~** sortir de scène; *(callarse)* se taire. ◇ *interj FAM* chut!

**mutismo** *m* mutisme.

**mutua** *f* mutuelle.

**mutualidad** *f* **1.** mutualité **2.** *(asociación)* mutuelle.

**mutualista** *a/s* mutualiste.

**mutuamente** *adv* mutuellement.

**mutuo, a** *a* mutuel, elle.

**muy** *adv* **1.** très: **~ cerca** très près; **~ a menudo** très souvent; **~ de mañana** de très bon matin; **~ de prisa** très vite; **¡~ bien!** très bien!, fort bien! **2. por ~ inteligente que sea** aussi intelligent soit-il, il a beau être intelligent **3.** *FAM* **el ~ idiota** cette espèce d'idiot; **el ~ listo** le gros malin; **la ~ tal** la chipie, la garce **4.** *(en las cartas)* **~ señor mío** cher monsieur, monsieur; **~ señores nuestros** messieurs.

**muzárabe** *a* mozárabe.

**my** *f (letra griega)* mu *m.*

# N

**n** [éne] *f* n *m:* **una ~** un n.

**naba** *f* rave.

**nabab** *m* nabab.

**nabal, nabar** *m* champ de navets.

**nabicol** *m* chou-rave.

**nabiza** *f* feuille tendre de navet.

**nabo** *m* **1.** navet **2.** *(de escalera)* noyau.

**naboría** *f* AMER répartition des Indiens qui devaient servir comme domestiques.

**Nabucodonosor** *np m* Nabuchodonosor.

**nácar** *m* nacre *f.*

**nacarado, a** *a* nacré, e.

**nacarino, a** *a* nacré, e, propre à la nacre.

**nacatamal** *m* AMER pâté de maïs garni de viande de porc.

**nacela** *f* ARQ scotie.

**nacer*** *vi* **1.** naître: **nació en Sevilla en 1986** il est né à Séville en 1986; **al ~** en naissant ◊ **haber nacido para** être né pour; **ha nacido para poeta** il est né poète; **volver a ~** renaître; FIG **volver a ~** l'avoir échappé belle; FAM **haber nacido de pie, con suerte** être né coiffé **2.** *(un astro, el día)* se lever **3.** *(un río)* naître, avoir sa source **4.** FIG *(originarse)* **~ de** naître de, provenir de.

**nacido, a** *a* né, e ◊ **recién ~** nouveau-né; **bien ~** bien né; **mal ~** mal élevé, malhonnête. ◇ *s pl* êtres humains ◊ **los nacidos el 8 de enero...** les personnes nées le 8 janvier...

**naciente** *a* **1.** naissant, e **2. sol ~** soleil levant. ◇ *m* levant, orient.

**nacimiento** *m* **1.** naissance *f* ◊ **ciego de ~** aveugle de naissance: **lugar de ~** lieu de naissance; **partida de ~** acte de naissance **2.** *(de un río)* source *f,* naissance *f* **3. en el ~ del pecho, del cuello** à la naissance de la gorge, du cou **4.** *(belén)* crèche *f* (de Noël).

**nación** *f* **1.** nation **2. Organización de las Naciones Unidas** Organisation des Nations-Unies.

**nacional** *a* national, e: **himno ~** hymne national; **carretera ~** route nationale. ◇ *m pl* **los nacionales** les nationaux, les ressortissants.

► Pendant la guerre civile d'Espagne, on a donné le nom de *nacionales* aux «nationalistes» placés sous l'autorité de Franco.

**nacionalidad** *f* nationalité.

**nacionalismo** *m* nationalisme.

**nacionalista** *a/s* nationaliste.

**nacionalización** *f* nationalisation.

**nacionalizar** *vt* **1.** nationaliser: **empresas nacionalizadas** entreprises nationalisées **2.** naturaliser. ◆ **~se** *vpr* se faire naturaliser: **se nacionalizó español** il s'est fait naturaliser espagnol.

**nacionalsocialismo** *m* national-socialisme.

**nada** *pron indef* **1.** rien: **no sé ~, ~ sé** je ne sais rien; **~ temas** ne crains rien; **~ que ver** rien à voir; **¿~ que declarar?** rien à déclarer?; **de ~** de rien; **sin decir ~** sans rien dire; **~ hay comparable a...** rien n'est comparable à...; **~ como el deporte para mantenerse en forma** il n'y a rien de tel que le sport pour se maintenir en forme; **no comprende ~ de ~** il ne comprend rien à rien ◊ **~ de excusas, por favor** pas d'excuses, s'il vous plaît; **¡~ de eso!** pas question!; **¡~ de llegar tarde!** pas question d'arriver en retard!; **en ~ estuvo que...** il s'en est fallu de peu que...; **te has molestado para ~** tu t'es dérangé pour rien; **se amilana por ~** il se décourage pour un rien; **por ~ del mundo** pour rien au monde; FAM **¡no somos ~!** nous sommes peu de chose!; **¡ahí es ~!** ce n'est pas rien!, excusez du peu!; **¡casi ~!** → **casi 2.** *loc adv* **~ más** rien d'autre, seulement; *(+ infinitivo)* **~ más entrar, llegar** à peine entré, e, à peine arrivé, e, sitôt entré, e, sitôt arrivé, e; **~ más salir de mi despacho** à peine sorti de mon bureau; **~ más comer** aussitôt après avoir mangé; **como si ~** comme si de rien n'était, sans avoir l'air de rien **3. ~ más que** rien que; **~ menos que** rien de moins que. ◇ *adv* pas du tout; **no es ~ difícil** ce n'est pas difficile du tout; **una chica ~ cursi** une fille pas snob du tout; **no se encuentra ~ bien** il ne va pas bien du tout; **no me gusta ~** ça ne me plaît pas du tout, ça ne me plaît vraiment pas. ◇ *f* **1.** néant *m:* **sacar de la ~** tirer du néant **2. salir de la ~** partir de zéro.

**nadador, a** *a/s* nageur, euse.

**nadar** *vi* **1.** nager: **~ de espalda** nager sur le dos **2.** FIG **~ en la abundancia** nager dans l'opulence; **~ entre dos aguas** nager entre deux eaux; **~ y guardar la ropa** se montrer prudent, éviter de se mouiller, prendre le minimum de risques. ◇ *vt* nager: **~ el crawl** nager le crawl.

**nadería** *f* rien *m,* bricole: **las pequeñas naderías de la vida** les petits riens de la vie.

**nadie** *pron* personne, nul: **~ lo sabe** personne ne le sait; **no vino ~** personne n'est venu; **no vi a ~** je n'ai vu personne; **~ es perfecto** nul n'est parfait, personne n'est parfait; **~ más** personne d'autre. ◇ *m* **1. un ~** une nullité *f* ◊ **un don ~** un rien du tout **2.** FAM **¡no somos ~!** nous sommes peu de chose!

**nadir** *m* ASTR nadir.

**nado** *m* nage *f.* ◇ *loc adv* **a ~** à la nage.

**nafta** *f* **1.** naphte *m* **2.** AMER *(gasolina)* essence.

**naftalina** *f* naphtaline.

**nagual** *m* AMER *(hechicero)* sorcier. ◇ *f (mentira)* mensonge *m.*

**naif** *a (arte)* naïf.

**nailon** *m* nylon: **de ~** en nylon.

**naipe** *m* carte *f* (à jouer). ◇ *pl* **1.** *(baraja)* jeu de cartes **2.** FIG **castillo de naipes** château de cartes.

**¹naja** *f (serpiente)* naja *m.*

**²naja (salir de)** *loc POP* se tirer, se tailler, filer.

**najarse** *vpr POP* se tirer, s'esbigner.

**nalga** *f* fesse.

**nalgada** *f* fessée.

**nalgudo, a** *a* fessu, e.

**Namibia** *np f* Namibie.

**nana** *f* **1.** *(canción)* berceuse **2.** *FAM (abuela)* mémé **3.** *FIG* **el año de la ~** le temps jadis **4.** *AMER (niñera)* bonne d'enfant.

**¡nanay!** *interj* pas question!, tintin!: **ella dijo que ~** elle a dit qu'il n'en était pas question.

**nance, nanche** *m AMER* malpighia.

**Nankin** *np* Nankin.

**nanquín** *m (tela)* nankin.

**nansú** *m* nansouk.

**nantés, esa** *a/s* nantais, e.

**nao** *f (nave)* nef.

**napa** *f* peau, cuir *m* souple.

**napalm** *m* napalm: **bomba de ~** bombe au napalm.

**napias** *f pl FAM* pif *m sing*, blair *m sing.*

**Napoleón** *np m* Napoléon.

**napoleónico, a** *a* napoléonien, ienne.

**Nápoles** *np* Naples.

**napolitano, a** *a/s* napolitain, e.

**naranja** *f* **1.** orange: **~ agria** orange amère **2. media ~** *(cúpula)* coupole, dôme; *FIG (esposa)* moitié: **mi media ~** ma moitié **3.** *FAM* **¡naranjas (de la China)!** des nèfles!, des clous!, peau de balle! ◇ *a/m (color)* orange.

**naranjada** *f (bebida)* orangeade.

**naranjado, a** *a* orangé, e.

**naranjal** *m* orangeraie.

**naranjero, a** *a* **1.** qui a rapport à l'orange **2. trabuco ~** tromblon. ◇ *s* marchand, e d'oranges.

**naranjo** *m* oranger.

**Narbona** *np* Narbonne.

**narcisismo** *m* narcissisme.

**narciso** *m (planta)* narcisse. ◊ **~ de las nieves** perce-neige *f inv.*

**Narciso** *np m* Narcisse.

**narcosis** *f MED* narcose.

**narcótico, a** *a/m* narcotique.

**narcotismo** *m* narcose *f.*

**narcotizar** *vt* **1.** administrar un narcotique **2.** endormir.

**narcotraficante** *m* narcotrafiquant.

**narcotráfico** *m* trafic de stupéfiants, narcotrafic.

**nardo** *m* nard, tubéreuse *f.*

**narguile** *m* narguilé.

**narices** *f pl* → **nariz.**

**narigón, ona** *a* qui a un grand nez. ◇ *m (nariz)* grand nez.

**narigudo, a** *a* qui a un grand nez.

**narigueta** *a AMER FAM* qui a un grand pif.

**nariz** *f* **1.** nez *m:* **~ aguileña, chata, respingona** nez aquilin, camus, retroussé; **tener la ~ tapada** avoir le nez bouché; **hablar con la ~** parler du nez, nasiller; **sangrar por la ~** saigner du nez **2.** *(ventana de la nariz)* narine **3.** *(de los animales)* naseau *m* **4.** *(olfato)* nez *m*, odorat *m* ◊ *FIG* **me da en la ~ que el muchacho nos oculta algo** je sens que, je soupçonne que le garçon nous cache quelque chose **5.** *(de algunas cosas)* bec *m* **6.** *(del picaporte)* mentonnet *m.* ◇ *pl* nez *m sing* ◊ *FIG FAM* **de narices** formidable; **dar con la puerta en las narices** → **puerta**; **darse de narices con** se cogner le nez contre; **dejar a alguien con un palmo de narices** décevoir, tromper quelqu'un; **en mis propias narices** à mon nez et à ma barbe; **estar hasta las narices** en avoir ras le bol, en avoir plein le dos, en avoir sa claque; **se me hincharon las narices** la moutarde m'est montée au nez, j'ai perdu patience; **meter las narices en** fourrer son nez dans; **no ver más allá de sus narices** ne pas voir plus loin que le bout de son nez; **romper las narices** casser la figure. ◇ *interj FAM* **¡narices!, ¡ni narices!** des clous!, peau de balle!; **¡qué narices!** que diable!

**narizotas** *f pl FAM* **1.** grand pif *m sing* **2.** individu à long nez.

**narración** *f* narration, récit *m.*

**narrador, a** *s* narrateur, trice.

**narrar** *vt* raconter, narrer.

**narrativa** *f* narration.

**narrativo, a** *a* narratif, ive.

**nártex** *m ARQ* narthex.

**narval** *m* narval.

**nasa** *f* nasse.

**nasal** *a* nasal, e: **fosas nasales** fosses nasales. ◇ *f (consonante)* nasale.

**nasalización** *f* nasalisation.

**nasalizar** *vt* nasaliser.

**nasico** *m (mono)* nasique.

**nata** *f* **1.** *(de la leche)* crème **2. ~ batida, montada** crème fouettée **3.** *FIG* **la flor y ~** la fine fleur, la crème.

**natación** *f* natation.

**natal** *a* natal, e: **país ~** pays natal.

**Natalia** *np f* Nathalie.

**natalicio** *m* **1.** jour de la naissance **2.** anniversaire.

**natalidad** *f* natalité: **índice de ~** taux de natalité.

**natatorio, a** *a* **1.** natatoire: **vejiga natatoria** vessie natatoire **2.** pour la nage.

**natillas** *f pl* crème *sing* aux œufs.

**natividad** *f* **1.** nativité **2. la Natividad** la Nativité.

**nativo, a** *a/s* natif, ive. ◇ *a* natal, e: **suelo ~** sol natal; **ciudad nativa** ville natale.

**nato, a** *a* **1.** né, née: **criminal ~** criminel-né **2.** investi, e de la fonction indiquée.

**natura** *f* nature.

**natural** *a* **1.** naturel, elle: **ciencias naturales** sciences naturelles; **seda ~** soie naturelle; **¡es ~!** c'est naturel! **2. hijo ~** enfant naturel **3.** nature: **tamaño ~** grandeur nature; **yogur ~** yaourt nature. ◇ *m* **1.** *(índole)* naturel, nature *f* **2.** *loc adv* **al ~** au naturel; **pintar del ~** peindre d'après nature **3.** *(originario de un lugar)* natif, naturel: **los naturales de Mallorca** les natifs de Majorque. ◇ *adv (por supuesto)* naturellement.

**naturaleza** *f* **1.** nature: **las leyes de la ~** les lois de la nature **2.** *(índole)* nature, naturel *m*, caractère *m:* **persona de una ~ violenta** personne d'un naturel violent; **es tímido por ~** il est timide par nature **3. carta de ~** lettre de naturalisation **4. ~ muerta** nature morte.

**naturalidad** *f* **1.** naturel *m*, simplicité, aisance: **contestar con ~** répondre avec naturel **2. con la mayor ~, con toda ~** tout naturellement, tout simplement.

**naturalismo** *m* naturalisme.

**naturalista** *a/s* naturaliste.

**naturalización** *f* naturalisation.

**naturalizar** *vt* naturaliser. ◆ **~se** *vpr* se faire naturaliser: **se naturalizó español** il s'est fait naturaliser espagnol.

**naturalmente** *adv* naturellement.

**naturismo** *m* naturisme.

**naturista** *s* naturiste.

**naufragar** *vi* **1.** faire naufrage **2.** *FIG (fracasar)* échouer.

**naufragio** *m* naufrage.

**náufrago, a** *a/s* naufragé, e.

**náusea** *f* nausée: **tener náuseas** avoir la nausée; **dar náuseas** donner la nausée.

**nauseabundo, a** *a* nauséabond, e: **un olor ~** une odeur nauséabonde.

**nauta** *m LIT* nautonier.

**náutica** *f* art *m* nautique, science nautique.

**náutico, a** *a* nautique: **deportes náuticos** sports nautiques.

**nautilo** *m* nautile.

**nava** *f* cuvette, dépression.

**navaja** *f* **1.** couteau *m* (à lame pliante) **2. ~ de afeitar** rasoir *m*; **un corte de ~** une coupe au rasoir **3.** *(de jabalí)* défense **4.** *(molusco)* couteau *m*.

**navajada** *f*, **navajazo** *m* coup *m* de couteau.

**naval** *a* naval, e: **combates navales** combats navals.

**Navarra** *np f* Navarre.

**navarro, a** *a/s* navarrais, e.

**nave** *f* **1.** *(barco)* navire *m*, vaisseau *m*, nef ◊ *FIG* **quemar las naves** brûler ses vaisseaux, couper les ponts **2. ~ espacial** vaisseau spatial **3.** *ARQ (en una iglesia)* nef ◊ **~ lateral** bas-côté *m* **4.** *(cobertizo)* hangar *m*.

**navegabilidad** *f* navigabilité.

**navegable** *a* navigable.

**navegación** *f* **1.** navigation: **~ de altura, fluvial** navigation au long cours, fluviale; **~ de recreo** navigation de plaisance; **~ aérea** navigation aérienne **2. certificado de ~** certificat de navigabilité.

**navegante** *m* **1.** navigateur **2. ~ de recreo** plaisancier.

**navegar** *vi* **1.** naviguer **2.** *INFORM* **~ por Internet** naviguer, surfer sur Internet.

**naveta** *f* **1.** *(para el incienso)* navette **2.** *(gaveta)* tiroir *m* **3.** monument *m* préhistorique de l'île de Minorque.

**Navidad** *f* Noël *m*: **¡feliz Navidad!** joyeux Noël!. ◇ *pl* Noël *m sing*: **por las Navidades** vers Noël; **pasaremos las Navidades en la montaña** nous passerons Noël, les fêtes de Noël à la montagne.

**navideño, a** *a* de Noël: **abeto ~** sapin de Noël; **las fiestas navideñas** les fêtes de Noël; **las vacaciones navideñas** les vacances de Noël.

**naviero, a** *a* **1.** de la navigation **2. compañía naviera** compagnie de navigation. ◇ *m* armateur.

**navío** *m* navire, vaisseau ◊ **capitán de ~** capitaine de vaisseau.

**náyade** *f* naïade.

**nazarenas** *f pl AMER* éperons *m* à grandes molettes.

**nazareno, a** *a/s* **1.** nazaréen, enne **2. El Nazareno** le Nazaréen, Jésus-Christ. ◇ *m (penitente)* pénitent.

**Nazaret** *np m* Nazareth.

**nazca,** etc. → **nacer.**

**nazi** *a/s* nazi, e.

**nazismo** *m* nazisme.

**nébeda** *f* cataire, herbe eux chats.

**neblí** *m* variété de faucon.

**neblina** *f* brouillard *m*.

**neblinoso, a** *a* brumeux, euse.

**nebulizador** *m* nébuliseur.

**nebulosa** *f ASTR* nébuleuse.

**nebulosidad** *f* nébulosité.

**nebuloso, a 1.** nébuleux, euse **2.** *FIG* nébuleux, euse, flou, e.

**necedad** *f* sottise, bêtise: **decir necedades** dire des sottises.

**necesariamente** *adv* nécessairement.

**necesario, a** *a* **1.** nécessaire **2. ser ~** être nécessaire, falloir: **es ~ que le hables** il est nécessaire, il faut que tu lui parles **3. hacer ~** rendre nécessaire. ◇ *m* **hacer lo ~** faire le nécessaire.

**neceser** *m* **1.** nécessaire: **~ de tocador** nécessaire de toilette. **2.** *(maleta)* vanity-case.

**necesidad** *f* **1.** nécessité: **de primera ~** de première nécessité ◊ **hacer de la ~ virtud** faire de nécessité vertu; **por ~** par nécessité, nécessairement **2.** besoin *m*: **en caso de ~** en cas de besoin; **sentir la ~ de** éprouver le besoin de; **pasar ~** être dans le besoin ◊ **no hay ~ de repetírmelo** ce n'est pas nécessaire, point n'est besoin de me le répéter; **sin que haya ~ de...** sans qu'il soit nécessaire de... **3. verse en la ~ de** se voir dans l'obligation de. ◇ *pl* nécessités, besoins *m* naturels: **hacer sus necesidades** faire ses petits besoins, se soulager.

**necesitado, a** *a/s* nécessiteux, euse ◊ **estar ~ de** avoir besoin de.

**necesitar** *vt* **1.** avoir besoin de: **necesito verte** j'ai besoin de te voir; **llámame si me necesitas para algo** appelle-moi si tu as besoin de moi pour quelque chose; **necesito de ti** j'ai besoin de toi; **necesita alguien para que la ayude** elle a besoin de quelqu'un pour l'aider; **¿necesitas algo?** as-tu besoin de quelque chose?; **no necesito nada** je n'ai besoin de rien **2. se necesita chica para todo** on demande bonne à tout faire.

**neciamente** *adv* bêtement, sottement.

**necio, a** *a* sot, sotte, bête.

**nécora** *f (cangrejo de mar)* étrille.

**necrocomio** *m* morgue *f*.

**necrófago** *a/s ZOOL* nécrophage.

**necrofilia** *f* nécrophilie.

**necrología** *f* nécrologie.

**necrológico, a** *a* nécrologique.

**necromancia → nigromancia.**

**necrópolis** *f* nécropole.

**necrosis** *f MED* nécrose.

**néctar** *m* nectar.

**nectarina** *f* nectarine.

**neerlandés, esa** *a/s* néerlandais, e.

**nefando, a** *a* abominable, exécrable.

**nefas (por fas o por)** *loc adv* à tort ou à raison.

**nefasto, a** *a* néfaste.

**nefrítico, a** *a MED* néphrétique: **cólico ~** colique néphrétique.

**nefritis** *f MED* néphrite.

**nefrología** *f* néphrologie.

**negable** *a* niable.

**negación** *f* **1.** négation **2.** *(negativa)* refus *m* **3. la negación de San Pedro** le reniement de saint Pierre.

**negado, a** *a* incapable, inepte, peu doué, e, nul, nulle.

**negar*** *vt* **1.** nier: **niega los hechos** il nie les faits; **no me negarás que te soy franco** tu ne nieras pas que je suis franc avec toi **2.** *(rehusar)* refuser: **~ una autorización** refuser une autorisation; **~ hospitalidad** refuser l'hospitalité ◊ **me niega el saludo** il ne me dit plus bonjour **3.** *(prohibir)* interdire **4.** *(decir que no* *se conoce)* renier: **San Pedro negó a Jesús** saint Pierre renia Jésus. ◆ **~se** *vpr* refuser: **se negó a ayudarme** il a refusé de m'aider; **se niega a salir** il refuse de sortir; **yo me negué** je refusai.

**negativamente** *adv* négativement.

**negativo, a** *a* négatif, ive. ◇ *m (foto)* négatif. ◇ *f* **1.** *(acción de rehusar)* refus *m*: **negativa rotunda** refus catégorique; **~ a colaborar** refus de collaborer; **~ al servicio militar** refus d'accomplir les obligations militaires **2.** *(negación)* négation.

**negligé** *m (bata de mujer)* négligé.

**negligencia** *f* négligence.

**negligente** *a/s* négligent, e.

**negligentemente** *adv* négligemment.

**negociable** *a* **1.** négociable **2. valores negociables** valeurs négociables **3.** *(precio)* à débattre.

**negociación** *f* négociation.

**negociado** *m* **1.** bureau: **jefe de ~** chef de bureau **2.** *AMER* transaction *f* illégale, affaire *f* scandaleuse.

**negociador, a** *s* négociateur, trice.

**negociante** *s* négociant, e: **~ en vinos** négociant en vins.

**negociar** *vi* faire du commerce. ◇ *vi/t* négocier: **~ un tratado** négocier un traité.

**negocio** *m* **1.** affaire *f*: **un buen, mal ~** une bonne, mauvaise affaire; **hombre de negocios** homme d'affaires; **viaje de negocios** voyage d'affaires: **volumen de negocios** chiffre d'affaires ◊ **el ~ es el ~** les affaires sont les affaires; **~ redondo** affaire en or; **~ sucio** affaire louche **2.** *(comercio)* commerce, négoce: **el sentido del ~** le sens du commerce **3.** *(casa comercial)* affaire **4.** *AMER (tienda)* commerce, magasin.

**negra → negro.**

**negrear** *vi* tirer sur le noir, devenir noir, e.

**negrecer*** *vi* noircir.

**negrería** *f* ensemble *m* de travailleurs noirs.

**negrero, a** *a/m* négrier.

**negreta** *f* macreuse.

**negrilla, negrita** *f (letra)* caractère *m* gras.

**negrito, a** *s* négrillon, onne.

**negritud** *f* négritude.

**negro, a** *a* **1.** noir, e: **ojos negros** yeux noirs; **raza negra** race noire **2.** *FIG* sombre, triste ◊ **tener ideas negras** avoir des idées noires, broyer du noir; **verlo todo ~** voir tout en noir; *FAM* **pasarlas negras** en voir des vertes et des pas mûres, en baver; **poner ~ a alguien** exaspérer quelqu'un, mettre quelqu'un en boule; **verse ~ para...** avoir un mal de chien pour... **3. trabajo ~** travail (au) noir; **mercado ~** marché noir **4. novela negra** roman noir. ◇ *m (color)* noir: **foto en blanco y ~** photo en noir et blanc; **~ de humo** noir de fumée. ◇ *s* **1** *(persona)* noir, e, nègre, négresse: **los negros de Africa** les Noirs d'Afrique **2.** *FIG* **trabajar como un ~** travailler comme un forçat. ◇ *f* **1.** *MÚS* noire **2.** *FAM* **tener la negra** avoir la poisse, la guigne.

▶ Las palabras *nègre, négresse,* tienen un sentido despectivo, pero se puede utilizar el adjetivo *nègre* para lo relacionado con el arte: *música negra* musique nègre.

**negroide** *a* négroïde.

**negrura** *f* noirceur.

**negruzco, a** *a* noirâtre.

**neguilla** *f (planta)* nielle.

**negus** *m* négus.

**nema** *f (de una carta)* cachet *m*.

**nemoroso, a** *a POÉT* boisé, e, des bois, relatif, ive aux bois.

**nemotécnico, a** *a* mnémotechnique.

**nene, a** *s* **1.** bébé **2.** petit, e.

**nenúfar** *m* nénuphar.

**neocaledonio, a** *a/s* néo-calédonien, enne.

**neocapitalismo** *m* néocapitalisme.

**neocelandés, esa** *a/s* néo-zélandais, e.

**neoclasicismo** *m* néoclassicisme.

**neoclásico, a** *a/m* néoclassique.

**neocolonialismo** *m* néocolonialisme.

**neófito, a** *s* néophyte.

**neogótico, a** *a/m* néogothique.

**neolatino, a** *a* néolatin, e.

**neoliberalismo** *m* néolibéralisme.

**neolítico, a** *a/m* néolithique.

**neologismo** *m* néologisme.

**neón** *m* néon: **letrero de ~** enseigne au néon; **tubo de ~** tube au néon.

**neonatal** *a* néonatal, e.

**neonazi** *a/s* néonazi.

**neoplasma** *m MED* néoplasme.

**neoplatónico, a** *a/s* néoplatonicien, enne.

**neoplatonismo** *m* néoplatonisme.

**neopreno** *m* néoprène.

**neoyorquino, a** *a/s* new-yorkais, e.

**neozelandés → neocelandés.**

**Nepal** *np m* Népal.

**nepalés, esa** *a/s* népalais, e.

**nepotismo** *m* népotisme.

**Neptuno** *np m* Neptune.

**nequáquam** *adv FAM* pas question.

**nereida** *f* néréide.

**Nerón** *np m* Néron.

**nervadura** *f* **1.** *ARQ* nervure **2.** *BOT* nervation.

**nervio** *m* **1.** nerf: **tener un ataque de nervios** faire une crise de nerfs ◊ *FAM* **un manojo de nervios** un paquet de nerfs; **estar de los nervios** avoir les nerfs à vif; **poner los nervios de punta** porter sur les nerfs, mettre les nerfs en boule, en pelote **2.** *FIG* nerf, vigueur *f*: **tener ~** avoir du nerf **3.** *(encuadernación)* nerf **4.** *BOT, ARQ* nervure *f*.

**nerviosidad** *f* **1.** *(estado de inquietud)* nervosité **2.** *(irritación)* énervement *m*.

**nerviosismo** *m* nervosité *f*: **da muestras de ~** il donne des signes de nervosité.

**nervioso, a** *a/s* **1.** nerveux, euse: **sistema ~** système nerveux; **es muy ~** il est très nerveux **2.** *(irritado)* énervé, e ◊ **poner ~** énerver; **ponerse ~** s'énerver.

**nervosidad → nerviosidad.**

**nervudo, a** *a* nerveux, euse, robuste.

**nervura** *f* nervure.

**nesga** *f* chanteau *m*, pièce triangulaire.

**nesgar** *vt* couper en biais (une étoffe).

**Neso** *np m* Nessus.

**Néstor** *np m* Nestor.

**nestoriano, a** *a/s* nestorien, ienne.

**netamente** *adv* nettement.

**neto, a** *a* net, nette: **precio, peso ~** prix, poids net. ◇ *m ARQ* piédestal.

**neuma** *m MÚS* neume.

**neumático, a** *a* pneumatique. ◇ *m* pneu, pneumatique: **inflar un ~** gonfler un pneu.

**neumococo** *m MED* pneumocoque.

**neumogástrico, a** *a ANAT* pneumogastrique.

**neumólogo, a** *s* pneumologue.

**neumonía** *f* pneumonie.

**neumotórax** *m MED* pneumothorax.

**neuralgia** *f* névralgie.

**neurálgico, a** *a* névralgique.

**neurastenia** *f* neurasthénie.

**neurasténico, a** *a/s* neurasthénique.

**neuritis** *f MED* névrite.

**neurocirugía** *f* neurochirurgie.

**neurocirujano** *m* neurochirurgien.

**neuroléptico** *m* neuroleptique.

**neurología** *f* neurologie.

**neurólogo, a** *s* neurologue.

**neurona** *f ANAT* neurone *m*.

**neurópata** *a/s* névropathe.

**neuropatía** *f MED* névropathie.

**neuropsiquiatra** *s* neuropsychiatre.

**neurosis** *f* névrose.

**neurótico, a** *a* névrotique. ◇ *a/s* névrosé, e.

**neurotransmisor** *m BIOL* neurotransmetteur, neuromédiateur.

**neurovegetativo, a** *a* neurovégétatif, ive.

**neutral** *a* neutre: **país ~** pays neutre; **permaneció ~ en la discusión** il est resté neutre dans la discussion.

**neutralidad** *f* neutralité.

**neutralismo** *m* neutralisme.

**neutralista** *a/s* neutraliste.

**neutralización** *f* neutralisation.

**neutralizar** *vt* neutraliser.

**neutrino** *m FÍS* neutrino.

**neutro, a** *a* neutre. ◇ *m GRAM* neutre.

**neutrón** *m FÍS* neutron.

**nevada** *f* chute de neige: **copiosa ~** abondante chute de neige.

**nevado, a** *a* enneigé, e, neigeux, euse: **cumbres nevadas** cimes enneigées, neigeuses.

**nevar*** *impers* neiger: **nevó ayer** il a neigé hier.

**nevasca** *f* tempête de neige.

**nevatilla** *f (pájaro)* bergeronnette.

**nevazón** *m AMER* tempête *f* de neige.

**nevera** *f* **1.** glacière, réfrigérateur *m* **2.** *(habitación muy fría)* glacière.

**nevero** *m* glacier.

**nevisca** *f* légère chute de neige.

**neviscar** *vi* neiger légèrement.

**nevoso, a** *a* neigeux, euse: **tiempo ~** temps neigeux.

**nexo** *m* lien ◊ **~ de unión** trait d'union.

**ni** *conj* **1.** ni: **~ uno ~ otro** ni l'un ni l'autre **2.** ne... même pas: **no quiero ~ pensarlo** je ne veux même pas y penser; **~ mi padre lo sabe** même mon père ne le sait pas; **~ lo pienses** n'y compte pas; **~ lo sueñes** n'y songe pas; **~ siquiera** ne... même pas **3.** et: **qué importa ~ que sirve...** qu'importe et à quoi sert... ◊ **¡~ hablar!** pas question! **4. ~ que** comme si: **¡~ que fuera yo idiota!** comme si j'étais idiot!, je ne suis tout de même pas idiot!; **¡~ que tuviera yo cien años!** je n'ai tout de même pas cent ans!; **¡ ~ que volviera de la luna!** on dirait que je reviens de la lune! **5. ~ que decir que...** inutile de dire que...; **~ que hablar tiene** inutile d'en parler.

**Niágara** *np m* Niagara.

**Nicaragua** *np f* Nicaragua *m*.

**nicaragüense** *a/s* nicaraguayen, enne.

**Nicea** *np* Nicée.

**nicho** *m* **1.** niche *f* (dans un mur) **2. ~ ecológico** niche écologique.

**nicky** → **niki.**

**Nicolás** *np m* Nicolas.

**nicotina** *f* nicotine.

**nicotinismo, nicotismo** *a/s* nicotinisme.

**nictálope** *a/s* nyctalope.

**nidada** *f* nichée, couvée.

**nidal** *m* **1.** pondoir, nichoir **2.** *(huevo)* nichet.

**nidificar** *vi* nidifier.

**nido** *m* **1.** nid **2.** *FIG* nid: **~ de ametralladoras** nid de mitrailleuses; **~ de maleantes** nid, repaire de malfaiteurs **3.** *(en costura)* **~ de abejas** nid-d'abeilles **4. cama ~** lit gigogne; **mesas ~** tables gigognes.

**niebla** *f* **1.** brouillard *m*, brume: **~ densa y fría** brouillard dense et froid **2.** *FIG* **la ~ del alcohol** les brumes, les vapeurs de l'ivresse **3.** *(de los cereales)* nielle.

**niega,** etc. → **negar.**

**niel** *m TECN* nielle *f*.

**nielado** *m TECN* niellure *f*.

**nielar** *vt TECN* nieller.

**nieto, a** *s* petit-fils, petite-fille. ◇ *pl* petits-enfants.

**nietzcheano, a** *a/s* nietzschéen, enne.

**nieve** *f* **1.** neige: **blanco como la ~** blanc comme neige; **cae ~** il tombe de la neige; **~ polvo** neige poudreuse; **~ carbónica** neige carbonique **2.** *CULIN* **huevos a punto de ~** œufs en neige **3.** *AMER (helado)* glace: **~ de limón** glace au citron **4.** *(cocaína)* neige.

**Níger** *np m* Niger.

**Nigeria** *np m* Nigeria.

**nigeriano, a** *a/s* nigérian, e.

**nigerino, a** *a/s* nigérien, enne.

**nigromancia** *f* nécromancie.

**nigromante** *m* nécromant.

**nigromántico, a** *a* relatif, ive à la nécromancie.

**nigua** *f (insecto)* chique.

**nihilismo** *m* nihilisme.

**nihilista** *a/s* nihiliste.

**niki** *m* tricot, tee-shirt.

**Nilo** *np m* Nil.

**nilón** *m* nylon.

**nimbar** *vt* nimber.

**nimbo** *m* **1.** *(aureola)* nimbe **2.** *(nube)* nimbus.

**nimiamente** *adv* **1.** minutieusement **2.** chichement.

**nimiedad** *f (pequeñez)* bagatelle, rien *m*: **las pequeñas nimiedades de cada día** les petits riens de chaque jour.

**nimio, a** *a* **1.** insignifiant, e, minime, dérisoire: **detalles nimios** détails insignifiants **2.** méticuleux, euse, minutieux, euse.

**ninfa 1.** nymphe **2.** *ZOOL* nymphe. ◇ *pl ANAT* nymphes.

**ninfea** *m* nymphéa.

**ninfomana** *a/f* nymphomane.

**ninfomanía** *f MED* nymphomanie.

**ningún, ninguno, a** *a indef* **1.** aucun, e, nul, nulle *(ningún devant un substantif masculin)* : **~ hombre** aucun homme; **de ninguna manera** en aucune manière; **en ninguna parte** nulle part. 2. **no es ~ sabio** il n'a rien d'un savant; **ya no era ninguna niña** ce n'était plus une gamine; **no es ~ secreto** ça n'a rien d'un secret; **ser zurdo no es ninguna deshonra** être gaucher, ce n'est absolument pas déshonorant. ◇ *pron indef* **1.** aucun, e: **ninguno de ellos** aucun d'entre eux **2.** personne: **no vino ninguno** personne n'est venu.

**niña** *f* **1.** petite fille **2.** *(del ojo)* pupille ◊ *FIG* **como a las niñas de sus ojos** comme la prunelle de ses yeux **3.** *FAM* **la ~ bonita** le numéro 15 (dans une loterie).

**niñada** *f* enfantillage *m*, gaminerie.

**niñato** *a s FAM* morveux, euse, blanc-bec.

**niñear** *vi* faire, dire des enfantillages.

**niñera** *f* bonne d'enfant.

**niñería** *f* **1.** *(acción o dicho)* enfantillage *m*, gaminerie **2.** *(pequeñez)* bagatelle.

**niñez** *f* enfance.

**niñito, a** *s* petit enfant.

**niño, a** *a/s* enfant, petit, e: **los niños** les enfants; **de ~, aprendió a nadar** enfant, quand il était enfant, il apprit à nager; **es muy ~ aún** il est encore très enfant; **¡no seas ~!,** ne fais pas l'enfant! ◊ **~ de pecho, de teta** nourrisson; **desde ~** dès l'enfance; **~ bonito, gótico** snobinard; *FAM* **¿qué marciano ni qué ~ muerto?** qu'est-ce que c'est cette histoire de martien?, un martien?, tu parles; **¡qué enfermedad ni qué ~ muerto!** quelle maladie, grands dieux!. ◇ *m* petit garçon ◊ **Niño Jesús** Enfant Jésus; **el Niño de la bola** l'Enfant Jésus.

**nipis** *m* toile *f* fine d'agavé.

**nipón, ona** *a/s* nippon, onne.

**níquel** *m* **1.** *(metal)* nickel **2.** *AMER* monnaie *f* de cinq centavos.

**niquelado, a** *a* nickelé, e. ◇ *m* nickelage.

**niquelar** *vt* nickeler.

**niqui** → **niki.**

**nirvana** *m* nirvana.

**níscalo** → **mízcalo.**

**níspero** *m* **1.** *(árbol)* néflier **2.** *(fruto)* nèfle *f*.

**níspola** *f* nèfle.

**nitidez** *f* netteté.

**nítido, a** *a* net, nette: **imagen nítida** image nette.

**nitral** *m* nitrière *f*.

**nitrato** *m* nitrate: **~ de plata** nitrate d'argent; **~ de Chile** nitrate naturel du Chili, nitrate de sodium.

**nitrería** *f* nitrière.

**nítrico, a** *a* nitrique: **ácido ~** acide nitrique.

**nitro** *m* nitre, salpêtre.

**nitrobenceno** *m* nitrobenzène.

**nitrocelulosa** *f* nitrocellulose.

**nitrogenado, a** *a* azoté, e.

**nitrógeno** *m* azote.

**nitroglicerina** *f* nitroglycérine.

**nitroso, a** *a* nitreux, euse.

**nivel** *m* **1.** niveau: **al ~ del mar** au niveau de la mer; **sobre el ~ del mar** au-dessus du niveau de la mer ◊ **~ de aire** niveau à bulle; **curva de ~** courbe de niveau; **paso a ~** passage à niveau **2.** *FIG* **~ de vida** niveau de vie; **~ intelectual** niveau intellectuel; **a ~ internacional** au niveau international, sur le plan international; **estar al mismo ~** être du même niveau **3.** *loc adv* **a ~** de niveau, au niveau.

**nivelación** *f* nivellement *m*.

**nivelador, a** *s* niveleur, euse.

**niveladora** *f TECN* niveleuse.

**nivelar** *vt* **1.** *(un terreno)* niveler, égaliser, aplanir **2.** *FIG* nivelar, égaliser. ◆ **~se** *vpr* se mettre au même niveau.

**níveo, a** *POÉT* blanc, blanche comme neige.

**nivoso** *m* nivôse.

**nixtamal** *m AMER* maïs bouilli.

**Niza** *np f* Nice.

**nizardo, a** *a/s* niçois, e.

**no** *adv* **1.** *(en respuestas)* non: **contestar que ~** répondre non; **decir que ~** dire non; **¡eso sí que ~!** ça non!; **es horrible, ¿~?** c'est horrible, non?; **¿sí o ~?** oui ou non? ◊ *FAM* **¡a que ~!** chiche! **2.** *(delante de un verbo)* ne... pas: **~ come** il ne mange pas; **~ sé** je ne sais pas **3.** *(con otra negación)* ne: **esto ~ vale nada** cela ne vaut rien; **~ vino nadie** personne n'est venu **4.** pas: **¿por qué ~?** pourquoi pas?; **todavía ~** pas encore; **¿te vas a callar o ~?** tu vas te taire ou pas? ◊ **~ más** *(basta)* assez de, plus de: **¡~ más problemas!** plus de problèmes!; *(simplemente)* seulement, simplement; **(a) ~ más entrar...** à peine était-il entré...; *(explétif)* **¡váyase ~ más!** allez-vous en!; **¡siéntese ~ más!** asseyez-vous donc!; **~ más... que** ne... que; → **nomás 5. ~ sólo, ~ ya** non seulement **6. ~ bien** → **bien; ~ obstante** → **obstante 7. ¡cómo ~!** bien sûr!, naturellement!. ◇ *m* non: **un ~ rotundo** un non catégorique; **noes** des non.

▶ En Amérique latine *no más* explétif est très usuel et s'écrit souvent en un seul mot *(nomás)*.

**no agresión** *f* non-agression.

**no alineación** *f* non-alignement *m*.

**no alineado, a** *a/s* non-aligné, e.

**no beligerancia** *f* non-belligérance.

**nobiliario, a** *a/m* nobiliaire.

**nobilísimo, a** *a* très noble.

**noble** *a/s* noble.

**noblemente** *adv* noblement.

**nobleza** *f* **1.** noblesse **2.** *FIG* **~ obliga** noblesse oblige.

**noblote, a** *a* franc, franche, noble.

**noche** *f* **1.** nuit: **es de ~** il fait nuit; **es ~ cerrada** il fait nuit noire; **~ de bodas** nuit de noces; **~ en blanco, ~ toledana** nuit blanche; **pasar la ~ en claro** passer la nuit sans dormir; **hacer ~ en** passer la nuit à, dans: **hicimos ~ en un pueblecito** nous passâmes la nuit dans un petit village; **se hizo de ~** la nuit tomba; **se nos hizo de ~** la nuit nous surprit; **trabajar por la ~** travailler de nuit **2.** *(principio de la noche)* soir *m*: **las once de la ~** onze heures du soir; **hasta la ~** à ce soir; **ayer ~** hier soir; **a la ~ siguiente** le lendemain soir ◊ **función de ~** spectacle en soirée **3.** *loc adv* **de ~** de nuit, la nuit; **de la ~ a la mañana** du jour au lendemain **4. ¡buenas noches!** bonsoir!, bonne nuit! **5. ~ buena** → **Nochebuena; ~ vieja** → **Nochevieja.**

**Nochebuena** *f* nuit de Noël.

**nochero, a** *s AMER* **1.** gardien, ienne de nuit **2.** noctambule. ◇ *m AMER* table *f* de nuit.

**Nochevieja** *f* nuit de la Saint-Sylvestre.

**nochizo** *m* noisetier sauvage.

**noción** *f* notion: **tiene nociones de astronomía** il a des notions d'astronomie.

**nocividad** *f* nocivité.

**nocivo, a** *a* nocif, ive, nuisible: **animales nocivos** animaux nuisibles; **~ para la salud** nuisible à la santé.

**no conformismo** *m* non-conformisme.

**no conformista** *a/s* non-conformiste.

**noctambulismo** *m* noctambulisme.

**noctámbulo, a** *a/s* noctambule.

**noctívago, a** *a/s* noctambule.

**nocturno, a** *a* **1.** nocturne ◊ **partido ~** match en nocturne **2.** de nuit: **tren, servicio ~** train, service de nuit; **viaje ~** voyage de nuit; **aves nocturnas** oiseaux de nuit, nocturnes. ◇ *m MÚS* nocturne.

**nodo** *m ASTR, FÍS* nœud.

**no-do** *m* actualités *f pl.*

**nodriza** *f* **1.** nourrice **2.** *TECN* nourrice.

**nódulo** *m* nodule.

**Noé** *np m* Noé.

**noes → no.**

**nogal** *m* noyer.

**nogalina** *f* brou *m* de noix.

**noguera** *f* noyer *m.*

**nogueral** *m* noiseraie *f.*

**no intervención** *f* non-intervention.

**nómada** *a/s* nomade.

**nomadismo** *m* nomadisme.

**nomás** *adv AMER (no más)* simplement, seulement: **escríbele ~** tu n'as qu'à lui écrire, écris-lui donc; **la miró ~** il la regarda simplement; **alegre ~** joyeux sans plus; **ahí ~** tout près.

**nombradía** *f* renom *m,* renommée.

**nombrado, a** *a (célebre)* renommé, e, réputé, e, connu, e.

**nombramiento** *m* nomination *f.*

**nombrar** *vt* **1.** *(citar)* nommer: **un amigo a quien no nombraré** un ami que je ne nommerai pas **2. lo nombraron director** on l'a nommé directeur.

**nombre** *m* **1.** nom: **~ propio, común** nom propre, commun ◊ **llamar las cosas por su ~** appeler les choses par leur nom; *FIG* **¡esto no tiene nombre!** c'est vraiment inouï! **2.** *(de una persona)* prénom, nom: **recuerdo su apellido pero he olvidado su ~** je me souviens de votre nom de famille mais j'ai oublié votre prénom; **~ y dirección** nom et adresse ◊ **~ de pila** prénom, nom de baptême, petit nom **3. mal ~** sobriquet **4.** *(fama)* renom **5.** *loc prep* **en ~ de** au nom de; **en mi ~** en mon nom.

**nomenclátor** *m* catalogue de noms.

**nomenclatura** *f* **1.** nomenclature **2.** *(en política)* nomenklatura.

**nomeolvides** *f inv* **1.** *(planta)* myosotis *m* **2.** *(pulsera)* gourmette *f.*

**nómina** *f* **1.** liste **2.** *(relación del personal)* état *m* du personnel ◊ **estar en ~** faire partie du personnel **3.** feuille de paie, bulletin *m* de salaire **4.** *(paga)* salaire *m,* paye, paie: **el importe de la ~** le montant du salaire; **cobrar la ~** toucher sa paye.

**nominación** *f* nomination.

**nominal** *a* **1.** nominal, e: **valor ~** valeur nominale **2.** *(que contiene nombres)* nominatif, ive.

**nominalmente** *adv* nominalement.

**nominar** *vt* nommer.

**nominativo, a** *a* nominatif, ive: **título ~** titre nominatif. ◇ *m GRAM* nominatif.

**nomo → gnomo.**

**non** *a* impair, e. ◇ *m pl* **1. pares o nones** pair ou impair **2. decir que nones** refuser, dire non.

**nona** *f (hora)* none. ◇ *pl HIST* nones.

**nonada** *f* vétille.

**nonagenario, a** *a/s* nonagénaire.

**nonagésimo, a** *a/s* quatre-vingt-dixième.

**nonato, a** *a* **1.** né, e grâce à une césarienne **2.** *FIG* qui n'existe pas encore.

**nones → non.**

**noningentésimo, a** *a/s* neuf-centième.

**nonio** *m* vernier, nonius.

**nono, a** *a* neuvième ◊ **Pío ~** Pie neuf.

**nopal** *m* nopal, raquette *f.*

**noquear** *vt* mettre knock-out, mettre K.O.

**norabuena → enhorabuena.**

**noramala → enhoramala.**

**noray** *m MAR* bitte *f* d'amarrage.

**Norberto** *np m* Norbert.

**nordeste** *m* nord-est.

**nórdico, a** *a* nordique.

**noria** *f* **1.** *(para elevar agua)* noria **2.** *(recreo de feria)* grande roue.

**norirlandés, esa** *a/s* de l'Irlande du Nord.

**norma** *f* norme, règle: **~ de conducta** règle de conduite.

**normal** *a* normal, e: **es ~** c'est normal. ◇ *f* **1.** école normale **2.** *GEOM* normale.

**normalidad** *f* état *m* normal, normale, normalité: **volver a la ~** redevenir normal, e, revenir à la normale; **con ~** normalement; **con toda ~** très normalement.

**normalista** *s* normalien, enne.

**normalización** *f* normalisation.

**normalizar** *vt* **1.** *(una situación, etc.)* normaliser, faire redevenir normal, e, régulariser **2.** normaliser, standardiser. ◆ **~se** *vpr* se normaliser.

**normalmente** *adv* normalement.

**Normandía** *np f* Normandie.

**normando, a** *a/s* normand, e.

**normar** *vt AMER* règler, régulariser, normaliser.

**normativo, a** *a* normatif, ive. ◇ *f* réglementation, règles *pl,* normes *pl:* **normativa internacional** réglementation internationale.

**nornordeste** *m* nord-nord-est.

**nornoroeste** *m* nord-nord-ouest.

**noroeste** *m* nord-ouest.

**norte** *m* nord: **al ~ de** au nord de; **América del ~** l'Amérique du Nord. ◇ *a* **polo ~** pôle Nord.

**norteamericano, a** *a/s* nord-américain, e, des États-Unis. ◇ *s* américain, e.

**norteño** *a* du Nord (d'un pays).

**nortino, a** *AMER* **→ norteño.**

**Noruega** *np f* Norvège.

**noruego, a** *a/s* norvégien, enne.

**nos** *pron pers* **1.** *(complemento sin preposición)* nous: **~ habla** il nous parle; **~ veremos mañana** nous nous verrons demain; **marchémonos** allons-nous-en **2.** *(nominativo usado por los reyes, obispos, etc.)* nous: **~, el Rey** nous, le roi.

▶ *Marchémonos:* notez la chute du s final *(marchemos)* dans l'enclise de *nos.*

**nosocomio** *m* hôpital.

**nosografía** *f MED* nosographie.

**nosología** *f MED* nosologie.

**nosotros, as** *pron pers* nous: **entre ~** entre nous; **~ mismos, nosotras mismas** nous-mêmes.

**nostalgia** *f* nostalgie.

**nostálgico, a** *a* nostalgique.

**nota** *f* **1.** note: **tomar ~ de** prendre note de; **~ diplomática** note diplomatique **2.** *(calificación)* note: **sacar buenas notas** avoir de bonnes notes **3. de ~** de marque, réputé, e; **de mala ~** mal famé, e **4.** *MÚS* note: **~ falsa** fausse note **5.** *FIG* note: **una ~ de melancolía** une note de mélancolie.

**nota bene** *f* nota *m*, nota bene *m inv*.

**notabilidad** *f* notabilité.

**notabilísimo, a** *a* très remarquable.

**notable** *a* remarquable, notable. ◇ *m (en exámenes)* bien, mention *f* bien. ◇ *pl* **los notables** les notables.

**notablemente** *adv* notablement, sensiblement.

**notación** *f* notation.

**notar** *vt* **1.** *(advertir)* remarquer: **~ la diferencia** remarquer la différence; **lo he notado** je l'ai remarqué **2.** trouver: **te noto una voz extraña** je te trouve une drôle de voix; **¿no notas calor?** tu ne trouves pas qu'il fait chaud?; **no noto frío** je ne trouve pas qu'il fasse froid **3.** *(un escrito)* noter **4. hacerse ~** se faire remarquer.

**notaría** *f* **1.** *(empleo)* notariat *m* **2.** *(oficina)* étude de notaire.

**notariado, a** *a* notarié, e. ◇ *m* notariat.

**notarial** *a* notarial, e: **actas notariales** actes notariaux.

**notariato** *m* notariat.

**notario** *m* notaire.

**noticia** *f* **1.** nouvelle: **~ falsa** fausse nouvelle; **últimas noticias** dernières nouvelles; **¡la primera ~!** première nouvelle! ◇ **me dio la ~ de su llegada** il m'a informé de son arrivée; *FIG* **estar atrasado de noticias** retarder, ne pas être à la page **2. no tener ~ de** ne pas être au courant de, ne pas avoir connaissance de **3. ser ~** faire parler de soi, être à la une, défrayer la chronique: **la nieve fue ayer ~ en Madrid** on a beaucoup parlé de la neige hier à Madrid. ◇ *f pl* **las noticias** les nouvelles, les informations.

**noticiar** *vt* faire savoir.

**noticiario** *m* **1.** *(cine)* actualités *f pl* **2.** *(radio)* informations *f pl*, journal parlé.

**noticiero** *m* **1.** reporter, journaliste **2.** *(periódico)* journal **3.** *AMER* journal parlé; **~ de televisión** journal télévisé.

**notición** *m* nouvelle *f* sensationnelle.

**noticioso, a** *a* **1.** informé, e **2.** *AMER* **agencia noticiosa** agence de presse. ◇ *m AMER* **el ~** le journal parlé, les informations *f pl*.

**notificación** *f* notification.

**notificar** *vt* notifier.

**notoriamente** *adv* notoirement.

**notoriedad** *f* notoriété.

**notorio, a** *a* notoire.

**nova** *f ASTR* nova.

**novador, a** *a/s* novateur, trice.

**novatada** *f* **1.** *(broma)* brimade, bizutage *m* **2.** *(error por falta de experiencia)* maladresse, pas *m* de clerc.

**novato, a** *a/s* nouveau, elle, novice, débutant, e. ◇ *m (en un colegio)* nouveau, bizut.

**novecientos, as** *a/m* neuf cents.

**novedad** *f* **1.** nouveauté **2.** du nouveau *m*: **¿hay novedades?** quoi de nouveau? ◇ **llegar sin ~** arriver sans encombre, sans difficulté; **sin ~** rien de nouveau, rien à signaler; **seguimos sin ~** il n'y a rien de changé pour nous **3.** *(noticia)* nouvelle. ◇ *pl* nouveautés: **tienda de novedades** magasin de nouveautés.

**novedoso, a** *a AMER* nouveau, elle, original, e: **lo ~ es...** ce qui est nouveau c'est...; **un ~ sistema** un nouveau système; **el ~ espacio de tele** le tout nouveau programme de télé; **un regalo práctico y ~** un cadeau pratique et original.

**novel** *a* débutant, e: **un pintor ~** un peintre débutant.

**novela** *f* **1.** roman *m*: **~ policíaca** roman policier; **~ rosa** roman à l'eau de rose; **la ~ hispanoamericana** le roman hispanoaméricain **2. ~ corta** nouvelle **3. Novelas ejemplares, de Cervantes** Nouvelles exemplaires, de Cervantes.

**novelar** *vi* écrire des romans. ◇ *vt* romancer: **biografía novelada** biographie romancée.

**novelero, a** *a/s (aficionado a novelas)* **1.** amateur de romans **2.** *(amigo de ficciones)* fantaisiste.

**novelesco, a** *a* romanesque.

**novelista** *s* romancier, ère.

**novelón** *m* roman long et mauvais, roman-fleuve.

**novena** *f RELIG* neuvaine.

**novenario** *m* **1.** neuvaine *f* avec sermon **2.** neuf jours de deuil.

**noveno, a** *a/s* neuvième: **la Novena Sinfonía de Beethoven** la Neuvième Symphonie de Beethoven.

**noventa** *a/m* quatre-vingt-dix.

**noventavo, a** *a/m* quatre-vingt-dixième.

**noventón, a** *a/s* nonagénaire.

**novia** *f* **1.** *(prometida)* fiancée **2.** *(amiga)* petite amie **3.** *(recién casada)* jeune mariée: **traje de ~** robe de mariée.

**noviar** *vi AMER* flirter.

**noviazgo** *m* fiançailles *f pl*.

**noviciado** *m* **1.** *RELIG* noviciat **2.** *FIG* apprentissage.

**novicio, a** *a/s* novice.

**noviembre** *m* novembre: **el 11 de ~ de 1918** le 11 novembre 1918.

**novilla** *f* génisse.

**novillada** *f* course de jeunes taureaux.

**novillero** *m TAUROM* torero qui combat les jeunes taureaux.

**novillo** *m* **1.** jeune taureau **2. hacer novillos** faire l'école buissonnière **3.** *FAM (cornudo)* cocu.

**novilunio** *m* nouvelle lune *f*.

**novio** *m* **1.** *(prometido)* fiancé **2.** *(amigo)* petit ami **3.** *(recién casado)* jeune marié ◇ **viaje de novios** voyage de noce; *FIG* **quedarse compuesta y sin ~** en être pour ses frais **4.** *AMER (planta)* pélargonium, géranium.

**novísimo, a** *a* tout nouveau, toute nouvelle. ◇ *m pl* fins *f* dernières de l'homme.

**novocaína** *f* novocaïne.

**nubada, nubarrada** *f* **1.** ondée **2.** *FIG (multitud)* nuée.

**nubarrón** *m* gros nuage noir.

**nube** *f* **1.** nuage *m* ◇ *FIG* **caerse de las nubes** tomber des nues; **estar en las nubes** être dans les nuages; **estar por las nubes** être hors de prix; **los hoteles se han puesto por las nubes** les hôtels sont devenus hors de prix, inabordables; **poner los precios por las nubes** faire grimper les prix; **poner a alguien por las nubes** porter quelqu'un aux nues, au pinacle **2.** *(de polvo, etc.)* nuage *m*: **una ~ de humo** un nuage de fumée **3.** *(multitud)* nuée **4.** *(en el ojo)* taie.

**nubecilla** *f* petit nuage *m*.

**Nubia** *np f* Nubie.

**núbil** *a* nubile.

**nubilidad** *f* nubilité, âge *m* nubile.

**nublado, a** *a* nuageux, euse: **cielo ~** ciel nuageux. ◇ *m* **1.** nuage menaçant **2.** *FIG* orage, situation *f* menaçante.

**nublar** *vt* **1.** *(el cielo)* obscurcir, assombrir **2.** *FIG (la mente)* troubler. ◆ **~se** *vpr* **1.** se couvrir: **se está nublando** le temps se couvre **2.** *FIG (la vista)* se brouiller: **la vista se me nubla** ma vue se brouille; **se le nublaron los ojos, se le nubló la vista y cayó al suelo** ses yeux se brouillèrent et il tomba.

**nublo** *m (tizón)* nielle *f*.

**nubloso, a, nuboso, a** *a* nuageux, euse.

**nubosidad** *f* nébulosité.

**nuboso, a → nubloso, a.**

**nuca** *f* nuque.

**nuclear** *a* nucléaire: **energía ~** énergie nucléaire; **central ~** centrale nucléaire.

**nuclearización** *f* nucléarisation.

**nuclearizar** *vt* nucléariser.

**nucleico, a** *a BIOL* **ácidos nucleicos** acides nucléiques.

**núcleo** *m* **1.** *BIOL, FÍS* noyau **2.** *(pequeño grupo)* noyau **3.** *(de un reactor nuclear)* cœur.

**nucléolo** *m BIOL* nucléole.

**nudillo** *m* jointure *f* (des doigts) ◊ **llamar con los nudillos (en la puerta)** frapper à la porte.

**nudismo** *m* nudisme.

**nudista** *s* nudiste.

**nudo** *m* **1.** nœud: **~ corredizo** nœud coulant; **hacer un ~ en su pañuelo** faire un nœud à son mouchoir; **~ gordiano** nœud gordien ◊ *FIG* **hacérsele, tener un ~ en la garganta** avoir la gorge serrée **2.** *(en la madera, de comunicaciones, etc.)* nœud **3.** *MAR* nœud: **ir a veinte nudos** filer vingt nœuds **4.** *FIG (de una cuestión)* nœud.

**nudo, a** *a JUR* nu, e: **nuda propiedad** nue-propriété.

**nudosidad** *f* nodosité.

**nudoso, a** *a* noueux, euse.

**nueces → nuez.**

**nuera** *f* belle-fille, bru.

**nuestro, a, os, as** *a pos* **1.** notre, nos: **nuestra casa** notre maison; **nuestros padres** nos parents; **el pan ~ de cada día** notre pain de chaque jour **2.** à nous: **esta casa es nuestra** cette maison est à nous ◊ **un primo ~** un de nos cousins, un cousin à nous. ◇ *pron pos* nôtre, nôtres: **los nuestros** les nôtres.

**nueva** *f* **1.** nouvelle: **la Buena ~** la Bonne Nouvelle **2. coger de nuevas** surprendre, étonner; **hacerse de nuevas** faire l'étonné, faire l'ignorant, faire semblant d'être surpris, feindre la surprise: **no se haga de nuevas** ne faites pas celui qui n'est pas au courant.

**Nueva Caledonia** *np f* Nouvelle-Calédonie.

**Nueva Guinea** *np f* Nouvelle-Guinée.

**nuevamente** *adv* de nouveau, à nouveau, encore une fois: **se detuvo ~** il s'arrêta de nouveau.

**Nueva York** *np* New York.

**Nueva Zelandia** *np f* Nouvelle-Zélande.

**nueve** *a/m* **1.** neuf **2. son las ~** il est neuf heures.

**nuevo, a** *a* **1.** *(reciente)* nouveau, nouvelle *(nouvel delante de vocal o «h» muda)*: **el día de año ~** le nouvel an; **un ~ modelo** un nouveau modèle; **~ rico** nouveau riche; **la luna nueva** la nouvelle lune **2.** *(no o poco gastado)* neuf, neuve: **un coche ~** une voiture neuve ◊ *FIG* **dejar, poner como ~** remettre à neuf; *(a una persona)* remettre d'aplomb, retaper, requinquer **3.** *loc adv* **de ~** de nouveau, à nouveau **4. ¿qué hay de ~?** quoi de neuf?

**nuez** *f* **1.** noix: **nueces** des noix; **~ moscada** noix muscade **2.** *(en la garganta)* pomme d'Adam **3. mucho ruido y pocas nueces → ruido.**

**nueza** *f (planta)* bryone.

**nulamente** *adv* sans effet.

**nulidad** *f* **1.** nullité **2.** *FIG* **este hombre es una ~** cet homme est une nullité.

**nulificar** *vt AMER* supprimer, détruire.

**nulo, a** *a* **1.** nul, nulle **2. soy ~ para las mates** je suis nul en maths.

**Numancia** *np f* Numance.

**numantino, a** *a/s* numantin, e.

**numen** *m* inspiration *f* (poétique).

**numerable** *a* dénombrable.

**numeración** *f* **1.** *(sistema)* numération **2.** *(acción de numerar)* numérotage *m*, numérotation.

**numerador** *m* **1.** *MAT* numérateur **2.** *(aparato)* numéroteur.

**numeral** *a/m* numéral, e: **adjetivos numerales** adjectifs numéraux.

**numerar** *vt* **1.** numéroter: **edición numerada** édition numérotée **2.** *(contar)* dénombrer.

**numerario, a** *a/m* numéraire.

**numérico, a** *a* numérique.

**número** *m* **1.** nombre: **un gran ~ de personas** un grand nombre de personnes; **un ~ incalculable** un nombre incalculable; **~ entero, primo** nombre entier, premier; **~ fraccionario** nombre fractionnaire; **~ de Mach** nombre de Mach ◊ **sin ~** innombrable, sans nombre; **en ~ de mil** au nombre de mille **2.** *(en una serie, un sorteo, de un periódico, de un espectáculo)* numéro **~ de teléfono** numéro de téléphone; **el ~ uno del partido** le numéro un du parti **3.** chiffre: **números arábigos** chiffres arabes; **números romanos** chiffres romains; **en números redondos** en chiffres ronds ◊ **hacer números** calculer, faire des comptes **4.** *(medida de los zapatos, etc.)* pointure *f* **5.** *MIL* homme: **cien números de la Benemérita** cent hommes de la Gendarmerie **6.** *(de una sociedad)* titulaire **7.** *FIG* **hacer un ~** faire tout un numéro, se donner en spectacle; **montar el ~** faire tout un scandale. ◇ *m pl (cuarto libro del Pentateuco)* Nombres.

**numeroso, a** *a* nombreux, euse: **numerosas personas** de nombreuses personnes.

**númida** *a/s* numide.

**Numidia** *np f* Numidie.

**numismática** *f* numismatique.

**numismático, a** *a* numismatique. ◇ *s* numismate.

**numulita** *f* nummulite.

**nunca** *adv* **1.** jamais: **no lo he visto ~** je ne l'ai jamais vu; **no viene ~, ~ viene** il ne vient jamais; **~ he comprendido...** je n'ai jamais compris...; **~ se sabe si...** on ne sait jamais si... **2.** *loc adv* **~ jamás** jamais, au grand jamais; **~ más** jamais plus, plus jamais.

**nunciatura** *f* nonciature.

**nuncio** *m* **1.** nonce: **~ apostólico** nonce apostolique **2.** messager **3.** *FIG* présage, signe.

**nupcial** *a* nuptial, e.

**nupcialidad** *f* nuptialité: **tasa de ~** taux de nuptialité.

**nupcias** *f pl* noces: **casarse en segundas ~** se marier en secondes noces, se remarier.

**nurse** *f* nurse.

**nutria** *f* loutre.

**nutricio, a** *a* nourricier, ère: **padre ~** père nourricier.

**nutrición** *f* nutrition.

**nutrido, a** *a* **1.** nourri, e: **mal ~** mal nourri **2.** *FIG* nombreux, euse, important, e, abondant, e.

**nutriólogo, a** *s* nutritionniste.

**nutrir** *vt* **1.** nourrir **2.** *(llenar)* remplir. ◆ **~se** *vpr* se nourrir.

**nutritivo, a** *a* nutritif, ive, nourrissant, e.

**ny** *f (letra griega)* nu *m*.

**nylon** *m* nylon: **una camisa de ~** une chemise en nylon.

**ñ** [eɲe] *f* ñ *m*, quinzième lettre de l'alphabet espagnol. Elle a le son du *gn* français dans *espagnol*.

**ñacurutú** *m AMER* grande chouette *f*.

**ñame** *m* igname *f*.

**ñam ñam** *interj FAM* miam-miam.

**ñandú** *m* nandou.

**ñandubay** *m AMER* arbre à bois très dur.

**ñandutí** *m AMER* dentelle *f* imitant une toile d'araignée (Paraguay, Argentine).
▶ Mot guarani désignant une araignée blanche.

**ñangas** *f pl AMER* racines de palétuvier.

**ñaña** *f AMER* **1.** *(hermana)* grande sœur, sœur aînée **2.** *(niñera)* bonne d'enfant.

**ñaño** *m AMER (hermano)* frère.

**ñapa** *AMER* → **yapa.**

**ñapango, a** *a AMER* métis, isse, mulâtre.

**ñapo** *m AMER* jonc.

**ñato, a** *a AMER (nariz)* camus, e. ◇ *s* type, bonne femme.

**ñeque** *a AMER* fort, e, vigoureux, euse. ◇ *m AMER* force *f*.

**ñiquiñaque** *m AMER* **1.** personne *f* insignifiante **2.** chose *f* insignifiante, vétille *f*.

**ñizca** *f AMER* bribe, petit morceau *m*, miette.

**ñoclo** *m* petit gâteau.

**ñoñería, nonez** *f* mièvrerie.

**ñoño, a** *a* **1.** *(soso)* mièvre, fade **2.** délicat, e, douillet, ette **3.** *(quejumbroso)* geignard, e. ◇ *s* sot, sotte, niais, e.

**ñoqui** *m* gnocchi.

**ñora** *f* piment *m* fort (de Murcie).

**ñu** *m* gnou.

**ñudo** *m* nœud ◇ *AMER* **al ~** en vain, en pure perte.

**ñuto, a** *a AMER* moulu, e.

**¹o** *f* o *m:* **una o** un o.

**²o** *conj* ou: **¿sí ~ no?** oui ou non?; **20 ó 30** 20 ou 30.
▶ Notez l'accent, lorsque la conjonction est placée entre deux chiffres.

**oasis** *m* **1.** oasis *f:* **un ~** une oasis **2.** *FIG* oasis *f.*

**obcecación** *f* aveuglement *m.*

**obcecar** *vt* aveugler. ◆ **~se** *vpr* **1.** être aveuglé, e, obnubilé, e: **obcecado por la ira** aveuglé par la colère **2.** s'obstiner aveuglément.

**obedecer*** *vt/i* obéir: **~ a un superior, a un impulso** obéir à un supérieur, à une impulsion; **calla y obedece** tais-toi et obéis.

**obedecimiento** *m* obéissance *f.*

**obediencia** *f* **1.** obéissance: **~ ciega** obéissance aveugle; **prestar ~** prêter obéissance **2.** *RELIG* obédience.

**obediente** *a* obéissant, e.

**obelisco** *m* obélisque.

**obencadura** *f MAR* haubans *m pl.*

**obenque** *m MAR* hauban.

**obertura** *f MÚS* ouverture.

**obesidad** *f* obésité.

**obeso, a** *a* obèse.

**óbice** *m* obstacle, empêchement: **eso no ha sido ~ para que mantuviésemos relaciones** cela ne nous a pas empêchés de rester en contact.

**obispado** *m* évêché.

**obispal** *a* épiscopal, e.

**obispillo** *m* **1.** *(morcilla)* sorte de boudin **2.** *(de las aves)* croupion.

**obispo** *m* évêque ◊ *FIG* **trabajar para el ~** travailler pour le roi de Prusse.

**óbito** *m* décès.

**obituario** *m* **1.** *RELIG* obituaire **2.** nécrologie *f,* rubrique *f* nécrologique.

**objeción** *f* objection.

**objetante** *a/s* objecteur, trice.

**objetar** *vt* objecter: **no tengo nada que ~** je n'ai rien à objecter.

**objetivamente** *adv* objectivement.

**objetividad** *f* objectivité.

**objetivo, a** *a* objectif, ive. ◇ *m (propósito, lente)* objectif.

**objeto** *m* **1.** objet ◊ **ser ~ de** faire l'objet de; **sin ~** sans objet **2.** *loc prep* **con ~ de** afin de, pour, en vue de, dans le but de.

**objetor** *m* **~ de conciencia** objecteur de conscience.

**oblación** *f* oblation.

**oblada** *f* offrande pour les défunts.

**oblato, a** *a/s (religioso, religiosa)* oblat, e. ◇ *f* offrande pour les frais de la messe.

**oblea** *f* pain *m* à cacheter.

**oblicuamente** *adv* obliquement.

**oblicuar** *vt* rendre oblique.

**oblicuidad** *f* obliquité.

**oblicuo, a** *a* oblique.

**obligación** *f* **1.** *(deber)* obligation, devoir *m:* **cumplir con sus obligaciones** remplir ses devoirs, faire honneur à ses obligations **2.** *COM (título)* obligation.

**obligacionista** *s COM* obligataire.

**obligado, a** *a* obligé, e: **estar ~ a** être obligé de; **no estás ~ a hacerlo** tu n'es pas obligé de le faire. ◇ *m* fournisseur.

**obligar** *vt* obliger. ◆ **~se** *vpr* s'engager, s'obliger.

**obligatoriedad** *f* caractère *m* obligatoire.

**obligatorio, a** *a* obligatoire.

**obliteración** *f MED* oblitération.

**obliterar** *vt MED* oblitérer.

**oblongo, a** *a* oblong, gue.

**oboe** *m* **1.** hautbois: **tocar el ~** jouer du hautbois **2.** *(músico)* hautboïste, hautbois.

**óbolo** *m* obole *f.*

**obra** *f* **1.** *(labor)* œuvre ◊ *FIG* **~ de romanos** travail *m* de Romain; **¡manos a la ~!** au travail! **2.** *(producción artística, literaria)* œuvre: **~ de arte** œuvre d'art; **la ~ de un pintor** l'œuvre d'un peintre; **obras completas** œuvres complètes; **~ maestra** chef-d'œuvre *m* **3.** *(libro)* ouvrage *m:* **ha publicado ya dos obras** il a déjà publié deux ouvrages **4.** *(de teatro)* pièce **5. ~ benéfica** œuvre de bienfaisance **6.** *(edificio en construcción)* chantier *m:* **jefe de ~** chef de chantier **7.** *(edificio)* construction ◊ **~ de fábrica** ouvrage *m* d'art **8.** *MAR* **~ muerta, viva** œuvres *pl* mortes, vives **9. por ~ de** par l'action de; **por ~ y gracia del Espíritu Santo** par l'opération du Saint-Esprit **10. buena ~** bonne action; **ofender de palabra y de obras** offenser en paroles et en actions **11.** *(tiempo)* **fue ~ de un instante** ce fut l'affaire d'un instant. ◇ *pl* travaux *m:* **obras públicas** travaux publics; **¡atención obras!** attention, travaux!; **estar en obra(s)** être en travaux.

**obrador** *m* **1.** *(taller)* atelier **2.** *(para la ropa)* ouvroir.

**obraje** *m* **1.** manufacture *f* **2.** *AMER* exploitation *f* forestière.

**obrar** *vi* **1.** agir **2.** se trouver: **el expediente obra en poder del juez** le dossier se trouve entre les mains du juge; **obra en**

**nuestro poder...** nous avons entre les mains, nous sommes en possession de, nous avons bien reçu... **3.** *FAM (exonerar el vientre)* aller à la selle. ◇ *vt* **1.** faire: **~ milagros** faire des miracles; **medicamento que obra maravillas** médicament qui fait merveille; **~ el bien** faire le bien **2.** bâtir.

**obrerismo** *m* ouvriérisme.

**obrero, a** *a/s* ouvrier, ère.

**obrizo** *a* **oro ~** or pur.

**obscenidad** *f* obscénité.

**obsceno, a** *a* obscène.

**obscuridad, obscuro,** etc. → **oscuridad, oscuro,** etc.
▶ Dans la langue actuelle, les mots de cette famille s'écrivent de préférence sans *b*.

**obsequiar** *vt* **1. ~ a alguien con un regalo** offrir un cadeau à quelqu'un; **los invitados fueron obsequiados con un cóctel** un cocktail a été offert aux invités; **nos obsequió con...** il nous a offert...; **obsequiamos a todos nuestros lectores con una suscripción...** nous offrons à tous nos lecteurs un abonnement...; **la persona obsequiada** la personne qui reçoit un cadeau **2.** *(agasajar)* combler de prévenances **3.** *ANT (galantear)* courtiser.

**obsequio** *m* **1.** *(regalo)* cadeau **2.** *(agasajo)* prévenance *f*, attention *f*.

**obsequiosidad** *f* **1.** *(cortesía)* empressement *m* **2.** *(amabilidad excesiva)* obséquiosité.

**obsequioso, a** *a* **1.** *(cortés)* obligeant, e, empressé, e **2.** *(con exceso)* obséquieux, euse.

**observación** *f* **1.** observation **2.** *(advertencia)* observation, remarque.

**observador, a** *a/s* observateur, trice.

**observancia** *f* observance: **la ~ de la regla** l'observance de la règle.

**observante** *a (de una ley, etc.)* observateur, trice.

**observar** *vt* **1.** observer **2.** *(advertir)* remarquer **3. hacer ~** faire remarquer.

**observatorio** *m* observatoire.

**obsesión** *f* obsession.

**obsesionar** *vt* obséder: **esta idea me obsesiona** cette idée m'obsède; **está obsesionado con los problemas de dinero** il est obsédé par les problèmes d'argent. ◆ **~se** *vpr* être obsédé, e: **se ha obsesionado con...,** il est obsédé par...

**obsesivo, a** *a* obsessionnel, elle: **neurosis obsesiva** névrose obsessionnelle. ◇ *s* obsédé, e.

**obseso, a** *a/s* obsédé, e: **un ~ sexual** un obsédé sexuel.

**obsidiana** *f* obsidienne.

**obsolescencia** *f* obsolescence.

**obsoleto, a** *a* obsolète.

**obstaculizar** *vt* **1.** gêner, entraver **2** *(impedir)* faire obstacle à: **una densa niebla obstaculizó las tareas de rescate** un épais brouillard a gêné les opérations de sauvetage; **~ el tráfico** entraver la circulation.

**obstáculo** *m* **1.** obstacle **2. carrera de obstáculos** course d'obstacles.

**obstante (no)** *adv* cependant, néanmoins, nonobstant.

**obstar** *vi* empêcher, faire obstacle: **eso no obsta para que yo actúe como antes** cela ne m'empêche pas d'agir comme avant.

**obstetra** *s* obstétricien, enne.

**obstetricia** *f* obstétrique.

**obstinación** *f* obstination.

**obstinadamente** *adv* obstinément.

**obstinado, a** *a* obstiné, e.

**obstinarse** *vpr* s'obstiner, s'entêter: **se obstina en...** il s'obstine à...

**obstrucción** *f* obstruction.

**obstruccionismo** *m* obstructionnisme.

**obstruir*** *vt* **1.** *(un conducto, camino)* obstruer **2.** *FIG* entraver, contrarier. ◆ **~se** *vpr* s'obstruer, se boucher.

**obtemperar** *vt* obtempérer.

**obtención** *f* obtention.

**obtener*** *vt* obtenir: **obtuvo una beca** il a obtenu une bourse; **se obtiene este ácido...** on obtient cet acide... ◆ **~se** *vpr* s'obtenir.

**obturación** *f* obturation.

**obturador** *a* obturateur, trice. ◇ *m (de una cámara fotográfica)* obturateur.

**obturar** *vt* obturer.

**obtusángulo** *m GEOM* obtusangle.

**obtuso, a** *a* obtus, e.

**obtuve,** etc. → **obtener.**

**obús** *m* **1.** *(cañón corto)* obusier **2.** *(proyectil)* obus.

**obvenciones** *f pl* gratification *sing*.

**obviamente** *adv* évidemment.

**obviar** *vt* obvier à, éviter, éluder, contourner: **~ un problema** éluder un problème.

**obviedad** *f* évidence.

**obvio, a** *a* évident, e: **por razones obvias** pour des raisons évidentes; **resulta ~ que...** il est évident que...

**oc** *m* **lengua de ~** langue d'oc.

**oca** *f* **1.** *(ave)* oie **2. juego de la ~** jeu de l'oie **3. el paso de la ~** le pas de l'oie.

**ocarina** *f* ocarina *m*.

**ocasión** *f* **1.** occasion: **tener (la) ~ de** avoir l'occasion de; **en la primera ~** à la première occasion; **dar ~ para** fournir l'occasion de, donner des motifs, des raisons de; **desperdiciar la ~** laisser échapper l'occasion; *PROV* **la ~ hace al ladrón** l'occasion fait le larron **2. de ~** d'occasion **3.** *loc adv* **en ocasiones** parfois; **en cierta ~, en una ~** une fois **4.** *loc prep* **con ~ de** à l'occasion de: **con ~ de su cumpleaños** à l'occasion de son anniversaire.

**ocasional** *a* occasionnel, elle.

**ocasionalmente** *adv* occasionnellement.

**ocasionar** *vt* occasionner, causer, provoquer: **~ una catástrofe** provoquer une catastrophe; **~ un disgusto** causer un ennui; **el accidente le ocasionó la muerte** il est mort dans l'accident.

**ocaso** *m* **1.** *(de un astro)* coucher **2.** *FIG* déclin, crépuscule: **el ~ de los dioses** le crépuscule des dieux; **en el ~ de su vida** au crépuscule de sa vie **3.** *(occidente)* couchant.

**occidental** *a/s* occidental, e: **los occidentales** les Occidentaux.

**occidentalizar** *vt* occidentaliser. ◆ **~se** *vpr* s'occidentaliser.

**occidente** *m* occident.

**occipital** *a ANAT* occipital.

**occipucio** *m ANAT* occiput.

**occiso, a** *a/s* **1.** tué, e **2.** *AMER* **el ~** la victime: **un amigo del ~** un ami de la victime.

**Oceanía** *np f* Océanie.

**oceánico, a** *a* océanique.

**oceánida** *f* océanide.

**océano** *m* océan.

**oceanografía** *f* océanographie.

**oceanográfico, a** *a* océanographique.

**oceanógrafo, a** *s* océanographe.

**ocelado, a** *a* ocellé, e.

**ocelo** *m* ocelle.

**ocelote** *m* ocelot.

**ochava** *f* **1.** huitième partie **2.** *AMER* pan *m* coupé, angle *m*.

**ochavado, a** *a* **1.** octogonal, e **2.** à pans coupés.

**ochavo** *m ANT* monnaie *f* en cuivre, liard.

**ochenta** *a/m* quatre-vingts.

**ochentavo, a** *a/s* quatre-vingtième.

**ochentón, ona** *a/s FAM* octogénaire.

**ocho** *a/m* huit: **son las ~** il est huit heures.

**ochocientos, as** *a* huit cents, huit cent.

**ocio** *m* **1.** désœuvrement, inaction *f* **2.** loisir: **ratos de ~** moments de loisir; **la civilización del ~** la civilisation des loisirs.

**ociosamente** *adv* oisivement.

**ociosidad** *f* oisiveté.

**ocioso, a** *a/s* oisif, ive. ◇ *a* inutile, oiseux, euse: **~ es recordar...** inutile de rappeler...

**ocluir*** *vt* occlure.

**oclusión** *f* occlusion: **~ intestinal** occlusion intestinale.

**oclusivo, a** *a/f* occlusif, ive: **consonante oclusiva** consonne occlusive.

**ocotal** *m AMER* forêt *f* d'«ocotes».

**ocote** *m AMER* variété de pin très résineux du Mexique.

**ocozoal** *m AMER* serpent à sonnette du Mexique.

**ocre** *m* ocre *f*. ◇ *a* ocre.

**octaedro** *m GEOM* octaèdre.

**octano** *m* octane: **índice de ~** indice d'octane.

**octava** *f* **1.** *(liturgia, música)* octave **2.** *(estrofa)* huitain *m*.

**Octaviano** *np m* Octavien.

**octavilla** *f* **1.** huitième *m* d'une feuille de papier **2.** *(hoja de propaganda)* tract *m* **3.** *(estrofa)* huitain *m* de vers octosyllabes.

**Octavio** *np m* Octave.

**octavo, a** *a/s* **1.** huitième ◇ **la octava parte** le huitième **2.** *(libro)* **en ~** in-octavo.

**octeto** *m INFORM* octet.

**octingentésimo, a** *a/s* huit-centième.

**octogenario, a** *a/s* octogénaire.

**octogésimo, a** *a/s* quatre-vingtième.

**octogonal** *a GEOM* octogonal, e.

**octógono** *a/m GEOM* octogone.

**octópodos** *mpl ZOOL* octopodes.

**octosílabo, a** *a/m* octosyllabe.

**octubre** *m* octobre: **el 12 de ~ de 1492** le 12 octobre 1492.

**ocular** *a* oculaire: **globo ~** globe oculaire; **testigo ~** témoin oculaire. ◇ *m (lente)* oculaire.

**oculista** *s* oculiste.

**ocultación** *f* **1.** dissimulation, action de cacher **2.** *(de cosas robadas)* recel *m* **3.** *ASTR* occultation.

**ocultamente** *adv* secrètement.

**ocultar** *vt* **1.** cacher, dissimuler: **ocultó el rostro entre las manos** elle cacha son visage entre ses mains **2. a nadie se le oculta...** ce n'est un mystère pour personne..., personne n'ignore... ◆ **~se** *vpr* se cacher.

**ocultismo** *m* occultisme.

**ocultista** *s* occultiste.

**oculto, a** *a* **1.** *(escondido)* caché, e: **tesoro ~** trésor caché; **la cara oculta de la luna** la face cachée de la Lune; **cámara oculta** caméra cachée **2.** *(secreto)* occulte.

**ocume** *m (árbol, madera)* okoumé.

**ocumo** *m AMER* plante *f* à racine féculente comestible.

**ocupa** *s FAM* squatter.

**ocupación** *f* **1.** *(toma de posesión, actividad)* occupation **2.** *(empleo)* emploi.

**ocupado, a** *a* occupé, e: **territorio ~** territoire occupe; **estoy muy ~** je suis très occupé.

**ocupante** *a/s* **1.** occupant, e: **el ejército ~** l'armée occupante **2.** *(de un vehículo)* passager, ère, occupant, e: **los ocupantes del taxi** les passagers du taxi.

**ocupar** *vt* **1.** occuper **2.** *JUR* saisir, confisquer. ◆ **~se** *vpr* s'occuper: **ocúpate de tus asuntos** occupe-toi de tes affaires.

**ocurrencia** *f* **1.** circonstance **2.** *(idea)* idée: **¡qué ~!** quelle drôle d'idée!; **¡vaya ~!** en voilà une idée! **3.** *(agudeza)* trait *m* d'esprit, saillie, boutade.

**ocurrente** *a* spirituel, elle, drôle, à la répartie facile.

**ocurrir** *vi* **1.** arriver, se produire: **ha ocurrido una desgracia** il est arrivé un malheur; **me ha ocurrido algo raro** il m'est arrivé quelque chose de curieux; **ocurre que...** il arrive que...; **ocurra lo que ocurra** quoi qu'il arrive **2.** se passer: **¿qué ocurre?** que se passe-t-il?; **después de lo ocurrido** après ce qui s'est passé. ◆ **~se** *vpr* **1.** venir à l'idée, à l'esprit: **se me ocurrió escribirle** il m'est venu à l'idée de lui écrire; **a nadie se le ocurre llamar...** il ne vient a l'idée de personne d'appeler... **2. se me ocurre que...** je pense que, j'ai idée que...; **¡a quién se le ocurre!** a-t-on idée (de cela)!; **se me ocurrió una idea** j'ai eu une idée, une idée m'est passée par la tête; **no se me ocurre otra explicación** je ne vois pas d'autre explication; **es la primera explicación que se le ocurre a uno** c'est la première explication qui vous vient à l'esprit; **¡las cosas que te ocurren!** qu'est-ce que tu vas chercher là!

**oda** *f* ode.

**odalisca** *f* odalisque.

**odeón** *m* odéon.

**Odesa** *np* Odessa.

**odiar** *vt* haïr, détester: **odio a los mentirosos** je hais les menteurs; **odio el ruido** je déteste le bruit.

**odio** *m* haine *f* ◇ **tener ~ a** haïr, détester.

**odiosidad** *f* caractère *m* odieux.

**odioso, a** *a* odieux, euse.

**odisea** *f* odyssée.

**odontología** *f* ondologie.

**odontólogo, a** *s* **1.** odontologiste **2.** *(dentista)* dentiste, chirurgien-dentiste.

**odorífero, a** *a* odoriférant, e.

**odre** *m* outre *f*.

**oeste** *m* **1.** ouest: **al ~ de...** à l'ouest de... **2. película del Oeste** western *m*.

**Ofelia** *np f* Ophélie.

**ofender** *vt* offenser. ◆ **~se** *vpr* s'offenser, se vexer, se froisser: **se ofende por nada** il se vexe d'un rien.

**ofendido, a** *a/s* offensé, e. ◇ *a* fâché, e.

**ofensa** *f* **1.** offense **2.** *JUR* **~ al pudor** outrage *m* à la pudeur.

**ofensivo, a** *a* **1.** offensif, ive **2.** *(injurioso)* offensant, e. ◇ *f* offensive: **tomar la ofensiva** prendre l'offensive.

**ofensor, a** *a/s* offenseur, euse.

**oferente** *a* qui offre, offrant, e.

**oferta** *f* **1.** offre: **la ~ y la demanda** l'offre et la demande: **~ de trabajo** offre d'emploi; **~ pública de adquisición** offre publique d'achat **2.** *(precio ventajoso)* promotion, occasion: **artículo de ~** article en promotion.

**ofertar** *vt (en venta)* offrir, proposer.

**ofertorio** *m* offertoire.

**off** *a* **en ~** off: **voz en ~** voix off.

**offshore** *a* **instalaciones petrolíferas ~** installations pétrolières offshore.

**offset** *m* offset.

**oficial** *a* officiel, elle. ◇ *m* **1.** ouvrier, compagnon: **~ de sastre** ouvrier tailleur; **~ de peluquería** garçon coiffeur **2.** *(oficinista)* employé de bureau **3.** *MIL* officier.

**oficiala** *f* **1.** ouvrière **2.** *(empleada)* employée.

**oficialidad** *f* **1.** caractère *m* officiel **2.** *MIL* **la ~** les officiers *m pl*, les cadres *m pl*.

**oficializar** *vt* officialiser.

**oficialmente** *adv* officiellement.

**oficiante** *m* officiant.

**oficiar** *vi* **1.** officier **2. ~ de** faire office de. ◇ *vt* célébrer: **misa oficiada por...** messe célébrée par...; **se oficiará una misa en la iglesia de...** une messe sera célébrée en l'église de...

**oficina** *f* **1.** *(despacho)* bureau *m*: **trabajar en una ~** travailler dans un bureau; **las oficinas de una agencia** les bureaux d'une agence **2.** *(de farmacia)* officine **3. ~ de turismo** office *m* de tourisme.

**oficinal** *a* officinal, e.

**oficinesco, a** *a* bureaucratique.

**oficinista** *s* employé, e de bureau.

**oficio** *m* **1.** *(profesión)* métier: **cada uno a su ~** chacun son métier; **el ~ más viejo del mundo** le plus vieux métier du monde; **es relojero de ~** il est horloger de son métier; **artes y oficios** arts et métiers ◊ **no tener ~ ni beneficio** n'avoir aucune occupation connue; **sin ~ ni beneficio** sans profession **2.** *(función, papel)* office ◊ **abogado de ~** avocat d'office **3. buenos oficios** bons offices **4.** communication *f* officielle écrite **5.** *RELIG* office: **~ de difuntos** office des morts **6. el Santo Oficio** le Saint-Office **7.** *(antecocina)* office *m/f*.

**oficiosamente** *adv* officieusement.

**oficiosidad** *f* **1.** *(diligencia)* empressement *m* **2.** caractère *f* officieux.

**oficioso, a** *a* **1.** *(no oficial)* officieux, euse **2.** *(servicial)* obligeant, e, empressé, e.

**ofidios** *m pl ZOOL* ophidiens.

**ofimática** *f* bureautique.

**ofrecer*** *vt* **1.** offrir: **me ofreció su ayuda** il m'a offert son aide; **mis colegas me ofrecieron una comida por mi cumpleaños** mes collègues m'ont offert un repas pour mon anniversaire **2.** offrir, présenter: **~ un aspecto...** offrir un aspect...; **la calzada ofrecía un aspecto lamentable** la chaussée présentait un aspect lamentable **3.** promettre. ◆ **~se** *vpr* **1.** s'offrir: **ofrecerse en sacrificio** s'offrir en sacrifice **2.** se proposer, offrir ses services: **se ofrece de camarero, para dar clases** il se propose comme garçon de café, pour donner des cours **3.** s'offrir à l'esprit **4. ¿qué se le ofrece?** que désirez-vous?

**ofrecimiento** *m* offre *f*.

**ofrenda** *f* offrande.

**ofrendar** *vt* offrir, faire don de.

**oftalmía** *f MED* ophtalmie.

**oftálmico, a** *a* opthalmique.

**oftalmología** *f* ophtalmologie.

**oftalmólogo, a** *s* ophtalmologiste, ophtalmologue.

**ofuscación** *f*, **ofuscamiento** *m* **1.** *(de la vista)* éblouissement *m* **2.** *(del espíritu)* aveuglement *m*.

**ofuscar** *vt* **1.** *(la vista)* aveugler, éblouir: **la reverberación de la nieve ofuscaba** la réverbération de la neige éblouissait **2.** *FIG* *(la mente, etc.)* aveugler, troubler, égarer. ◆ **~se** *vpr* **1.** être aveuglé, e **2.** *FIG* être troublé, e.

**ogaño** *adv* de nos jours.

**ogro** *m* ogre.

**¡oh!** *interj* oh!

**ohm, ohmio** *m* ohm.

**oíble** *a* audible.

**oídas (de)** *loc adv* par ouï-dire.

**oídio** *m* oïdium.

**oído** *m* **1.** *(sentido)* ouïe *f*, oreille *f*; *(órgano)* oreille *f*: **~ medio, interno** oreille moyenne, interne ◊ **aguzar el ~** dresser, tendre l'oreille; **dar oídos** prêter l'oreille, ajouter foi; **duro de ~** dur d'oreille; **entrar por un ~ y salir por el otro** entrer par une oreille et sortir par l'autre; **cuchichear, hablar al ~ de** chuchoter, parler à l'oreille de; **hacer oídos de mercader** faire la sourde oreille; **llegar a oídos de** venir aux oreilles de; **ser todo oídos** être tout ouïe; **tener (buen) ~** avoir de l'oreille; **tener el ~ fino** avoir l'ouïe fine; **tener buen ~** avoir de l'oreille, l'oreille musicale; *FAM* **¡~ al parche!** attention! **2.** *loc adv* **de ~** de mémoire.

**oidor** *m ANT* auditeur, magistrat.

**oiga, oigo** → **oír.**

**oíl** *m* **lengua de ~** langue d'oïl.

**oír*** *vt* **1.** *(percibir los sonidos)* entendre: **oigo pasos** j'entends des pas; **oí decir que...** j'ai entendu dire que... **2.** *(escuchar, atender)* écouter: **óyeme** écoute-moi; **¡oiga usted!** écoutez! ◊ *(teléfono)* **¡oiga!** allô!; **¡oye, ven aquí!** eh dis donc, viens ici!; **¿me oyes?** tu m'écoutes?, tu m'entends?; **como lo oye usted, lo que oye usted** exactement, comme je vous le dis, vous avez bien entendu; **como quien oye llover** → **llover; las paredes oyen** les murs ont des oreilles; **lo que hay que ~** ce qu'il faut entendre, ce qu'il ne faut pas entendre.

**oíslo** *s (esposa)* femme, moitié.

**ojal** *m* boutonnière *f*: **una flor en el ~** une fleur à la boutonnière.

**¡ojalá!** *interj* **1.** plaise à Dieu! **2.** pourvu que, fasse le ciel que: **¡~ no llueva mañana!** pourvu qu'il ne pleuve pas demain!; **~ siga así** pourvu que ça dure; **¡~ tengas razón!** puisses-tu avoir raison!; **¡~ que te equivoques!** puisses-tu te tromper! **3. ¡~ fuera verdad!** si seulement c'était vrai!

**ojeada** *f* coup *m* d'œil: **dar, echar una ~** jeter un coup d'œil.

**ojeador** *m* rabatteur.

**ojear** *vt* **1.** *(mirar)* regarder, examiner **2.** *(la caza)* rabattre **3.** *FIG* faire fuir.

**ojén** *m* espèce d'anisette *f*.

**ojeo** *m (en la caza)* battue *f*.

**ojera** *f* cerne *m*: **tener ojeras** avoir les yeux cernés.

**ojeriza** *f* aversion ◊ **tener ~ a alguien** en vouloir à quelqu'un, avoir une dent contre quelqu'un.

**ojeroso, a** *a* qui a les yeux battus.

**ojete** *m* **1.** œillet (pour lacets, etc.) **2.** *VULG (ano)* trou de balle, trou du cul.

**ojetear** *vt* faire des œillets.

**ojímetro (a)** *loc adv FAM* au pifomètre.

**ojinegro, a** *a/s* qui a les yeux noirs.

**ojituerto, a** *a* bigle.

**ojiva** *f* **1.** *ARQ* ogive **2. ~ nuclear** ogive nucléaire.

**ojival** *a ARQ* ogival, e.

**ojo** *m* **1.** œil: **tiene los ojos verdes** il a les yeux verts; **bajar los ojos** baisser les yeux ◊ *FIG* **costar, salir por un ~ de la cara** coûter les yeux de la tête; **¡dichosos los ojos!** quelle bonne surprise!;

**dormir con los ojos abiertos** ne dormir que d'un œil; **mirar con buenos, malos ojos** regarder d'un bon, mauvais œil; **no he pegado ~ en toda la noche** je n'ai pas fermé l'œil de toute la nuit; **no quitar ~ a** ne pas quitter des yeux; **no nos quitaban ~** ils ne nous quittaient pas des yeux; **poner los ojos en** jeter son dévolu sur; **poner los ojos en blanco** lever les yeux au ciel, se pâmer; **ser el ~ derecho de** être le préféré, le chouchou de; **ser todo ~** être tout yeux; **tener a alguien entre ojos** avoir quelqu'un dans le nez; **valer un ~ de la cara** valoir une fortune; *FAM* **cuatro ojos** binoclard **2.** *(atención)* **andarse con ~** avoir l'œil, ouvrir l'œil, faire attention; **¡~!, ¡mucho ~!** attention!, gare!; **ándate con ~** fais bien attention; **¡~ con resbalar!** attention de ne pas glisser!; **andar con cien ojos** faire très attention, ouvrir l'œil; **estar ~ alerta, ~ avizor → alerta, avizor** **3.** *loc adv* **a ~ de buen cubero** à vue de nez; **a ojos cerrados** les yeux fermés; **a ojos vistas** à vue d'œil; **en un abrir y cerrar de ojos** en un clin d'œil **4.** *(en el pan, queso, caldo)* œil **5.** *(de una aguja)* chas; *FIG* **meterse por el ~ de una aguja** savoir y faire **6. el ~ de la cerradura** le trou de la serrure **7.** *(de llave)* anneau **8.** *(de un puente)* arche *f* **9. ~ de buey** œil-de-bœuf **10. ~ de gallo** œil-de-perdrix **11.** *ANT* **~ de boticario** endroit où l'apothicaire gardait ses médicaments les plus rares.

**ojoso, a** *a* plein, e d'yeux.

**ojota** *a AMER* sandale.

**ojuelos** *m pl* petits yeux vifs.

**okapi** *m* okapi.

**okupa** *s FAM* squatter.

**ola** *f* **1.** vague **2.** *FIG* **~ de calor, de frío** vague de chaleur, de froid; **~ de protestas** vague de protestations.

**¡ole!** *interj* bravo!

**oleada** *f* **1.** grosse vague **2.** *FIG* vague, série: **~ de atracos** série de hold-up; **una ~ de protestas** une tempête de protestations **3.** *(de gente)* foule.

**oleaginoso, a** *a* oléagineux, euse.

**oleaje** *m* houle *f.*

**olear** *vt* donner l'extrême-onction à.

**oleicultor, a** *s* oléiculteur, trice.

**oleicultura** *f* oléiculture.

**óleo** *m* huile *f:* **pintura al ~** peinture à l'huile; **un ~ sobre lienzo** une huile sur toile; *RELIG* **los santos óleos** les saintes huiles.

**oleoducto** *m* oléoduc, pipe-line.

**oleoso, a** *a* huileux, euse.

**oler*** *vt* **1.** sentir **2.** *FIG* flairer. ◇ *vi* **1.** sentir: **~ bien, mal** sentir bon, mauvais; **~ a rosa, a podrido** sentir la rose, le pourri; **este cuarto huele a humedad, a cerrado** cette pièce sent l'humidité, le renfermé; **hueles a tabaco** tu sens le tabac **2.** *FIG* **eso huele a mentira** ça sent le mensonge; **el asunto no me huele bien** l'affaire me semble suspecte; **me huele mal** ça me semble louche, ça sent le roussi ◆ **~se** *vpr* pressentir, soupçonner.

**olfatear** *vt* flairer.

**olfativo, a** *a* olfactif, ive.

**olfato** *m* **1.** odorat **2.** *FIG (sagacidad)* flair.

**oliente** *a* odorant, e.

**oligarca** *m* oligarque.

**oligarquía** *f* oligarchie.

**oligárquico, a** *a* oligarchique.

**oligoelemento** *m BIOL* oligo-élément.

**oligofrenia** *f MED* oligophrénie.

**oligofrénico, a** *a/s* oligophrène.

**oligopolio** *m ECON* oligopole.

**Olimpia** *np f* Olympie.

**olimpiada** *f* olympiade.

**olímpico, a** *a* **1.** *(del Olimpo)* olympien, enne **2.** olympique: **Juegos Olímpicos** Jeux olympiques; **campeón ~, piscina olímpica** champion, piscine olympique.

**Olimpo** *np m* Olympe.

**oliscar** *vt* **1.** flairer **2.** *FIG* flairer, fureter. ◇ *vi (carne)* commencer à sentir.

**olisquear → oliscar.**

**oliva** *f* olive.

**oliváceo, a** *a* olivâtre.

**olivar** *m* oliveraie *f*, olivaie *f.*

**olivarero, a** *a* relatif, ive à la culture de l'olivier, à la production des olives.

**Oliverio** *np m* Olivier.

**olivicultor, a** *s* oléiculteur, trice.

**olivicultura** *f* oléiculture.

**olivillo** *m* olivier nain.

**olivo** *m* olivier: **el Huerto, el Monte de los Olivos** le jardin, le monts des Oliviers.

**olla** *f* **1.** *(vasija)* marmite ◊ **~ a presión** autocuiseur *m*, cocotte-minute *(marca registrada)* **2.** *(guiso)* pot-au-feu *m inv* **3. ~ podrida** pot-pourri *m* **4.** *FIG* **~ de grillos** pétaudière; **tengo la cabeza como una ~ de grillos** j'ai l'impression que ma tête va éclater.

**ollar** *m (de caballos)* naseau.

**ollero** *m* potier.

**olluco** *m AMER* tubercule comestible du Pérou.

**olmeda** *f*, **olmedo** *m* ormaie *f.*

**olmo** *m* orme.

**ológrafo, a** *a* olographe: **testamento ~** testament olographe.

**olor** *m* **1.** odeur *f:* **un ~ a fritura, a desinfectante, a naftalina** une odeur de friture, de désinfectant, de naphtaline; **buen, mal ~** bonne, mauvaise odeur **2. en ~ de santidad** en odeur de sainteté.

**oloroso, a** *a* odorant, e. ◇ *m (vino)* «oloroso», nom d'un xérès.

**olvidadizo, a** *a* oublieux, euse ◊ **ser ~** ne pas avoir de mémoire; **hacerse el ~** feindre de ne pas se souvenir.

**olvidar** *vt* oublier: **no olvide señalar...** n'oubliez pas d'indiquer... ◊ *FAM* **¡olvídame!** fiche-moi la paix! ◆ **~se** *vpr* oublier: **me he olvidado de, se me ha olvidado su dirección** j'ai oublié votre adresse; **ah, se me olvidaba** ah, j'oubliais; **¡casi se me olvida!** j'allais oublier!; **antes que se me olvide** avant que j'oublie.

**olvido** *m* oubli: **caer en el ~** tomber dans l'oubli ◊ **echar en el ~** oublier; **enterrar en el ~** oublier pour toujours.

**Omán** *np* Oman.

**ombligo** *m* nombril, ombilic ◊ *FAM* **arrugársele, encogérsele a uno el ~** avoir la trouille, les avoir à zéro.

**ombú** *m* ombu, arbre de la pampa.

**omega** *f* oméga *m.*

**Omeyas** *np m pl HIST* Omeyyades.

**ómicron** *f* omicron *m.*

**ominoso, a** *a* abominable.

**omisión** *f* omission.

**omiso, a** *a* **1.** omis, e **2. hacer caso ~ de → caso.**

**omitir** *vt* omettre: **omití escribir la fecha** j'ai omis d'écrire la date.

**ómnibus** *m* omnibus.

**omnímodo, a** *a* absolu, e, total, e, illimité, e: **poder ~** pouvoir absolu.

**omnipotencia** *f* omnipotence.

**omnipotente** *a* omnipotent, e.

**omnipresencia** *f* omniprésence.

**omnipresente** *a* omniprésent, e.

**omnisciencia** *f* omniscience.

**omnisciente** *a* omniscient, e.

**ómnium** *m* omnium.

**omnívoro, a** *a* omnivore.

**omóplato, omoplato** *m* omoplate *f*.

**onagra** *f (planta)* onagre.

**onagro** *m (asno salvaje)* onagre.

**onanismo** *m* onanisme.

**once** *a/m* **1.** onze **2. son las ~** il est onze heures **3. el siglo ~** le onzième siècle.

**ONCE** *f (Organización Nacional de Ciegos Españoles).*
► Créée pour défendre les intérêts des aveugles *(ciegos)*, elle est aujourd'hui une véritable institution qui compte, parmi ses activités, une importante loterie au profit des handicapés.

**oncejo** *m (pájaro)* martinet.

**onceno, a** *a* onzième.

**oncogénico, a** *a* oncogène.

**oncología** *f MED* oncologie.

**oncólogo, a** *s* oncologue.

**onda** *f* **1.** onde: **longitud de ~** longueur d'onde; **~ corta** ondes courtes; **~ larga** grandes ondes; **~ expansiva** onde explosive ◊ *FAM* **estar en la ~** être à la page, branché, e, dans le vent **2.** *(del pelo)* ondulation **3.** *AMER* **~ de calor** vague de chaleur.

**ondeante** *a* ondoyant, e.

**ondear** *vi* flotter, ondoyer, onduler: **la bandera ondea al viento** le drapeau flotte au vent.

**ondeo** *m* ondoiement, ondulation *f*.

**ondina** *f* ondine.

**ondulación** *f* ondulation.

**ondulado, a** *a* ondulé, e.

**ondulante** *a* ondulant, e.

**ondular** *vi* onduler. ◇ *vt* faire onduler.

**ondulatorio, a** *a* ondulatoire: **mecánica ondulatoria** mécanique ondulatoire.

**oneroso, a** *a* onéreux, euse.

**ónice** *m* onyx.

**onírico, a** *a* onirique.

**onirismo** *m MED* onirisme.

**oniromancia** *f* oniromancie.

**ónix** *m* onyx.

**onomástico, a** *a/f* onomastique. ◇ *f (de una persona)* fête.

**onomatopeya** *f* onomatopée.

**onomatopéyico, a** *a* onomatopéique.

**ontogenia** *f BIOL* ontogénèse, ontogénie.

**ontología** *f* ontologie.

**ontológico, a** *a* ontologique.

**onubense** *a/s* de Huelva (España).

**[1]onza** *f (peso)* once.

**[2]onza** *f (mamífero)* once.

**onzavo, a** *a/s* onzième.

**oolítico, a** *a* oolithique.

**opa** *a AMER* idiot, e.

**opacar** *vt* assombrir, assourdir.

**opacidad** *f* opacité.

**opaco, a** *a* **1.** *(que impide el paso de la luz)* opaque **2.** *(luz)* voilé, e, sans éclat **3.** *(ruido, etc.)* sourd, e, étouffé, e: **con voz opaca** d'une voix sourde **4.** *FIG* triste, sombre **5.** *FIG* insignifiant, e.

**opalescente** *a* opalescent, e.

**opalino, a** *a* opalin, e. ◇ *f* opaline.

**ópalo** *m* opale *f*.

**opción** *f* **1.** option, choix *m*: **no hay ~** il n'y a pas le choix **2.** *(derecho)* droit *m*.

**opcional** *a* facultatif, ive.

**ópera** *f* **1.** opéra *m*: **una ~ de Mozart** un opéra de Mozart; **ir a la ~** aller à l'opéra; **~ bufa** opéra bouffe **2. ~ cómica** opéra-comique *m*.

**operable** *a* opérable.

**operación** *f* **1.** opération: **~ (quirúrgica)** opération (chirurgicale); **~ mercantil** opération commerciale **2.** *MAT* opération. ◇ *pl MIL* opérations.

**operacional** *a* opérationnel, elle.

**operado, a** *a/s* opéré, e.

**operador, a** *a/s* opérateur, trice ◊ **~ turístico** tour-opérateur, voyagiste.

**operar** *vt* opérer. ◇ *vi (actuar)* agir. ◆ **~se** *vpr* se faire opérer: **me he operado de apendicitis** je me suis fait opérer de l'appendicite; **me tengo que ~** je dois me faire opérer.

**operario, a** *s* ouvrier, ère.

**operativo, a** *a* opérationnel, elle. ◇ *m AMER* opération *f*, intervention *f*: **un ~ antidroga, sorpresa** une opération antidrogue, une opération-surprise.

**operatorio, a** *a* opératoire: **medicina operatoria** médecine opératoire.

**opérculo** *m* opercule.

**opereta** *f* opérette.

**opiado, a** *a* opiacé, e.

**opimo, a** *a* abondant, e, riche.

**opinable** *a* sujet, ette à discussion, discutable.

**opinar** *vi* **1.** penser: **¿qué opina usted de este actor?** que pensez-vous de cet acteur?; **tú, ¿qué opinas?** qu'est-ce que tu en penses, toi? **2.** penser, être d'avis: **opino que...** je pense que... **3.** donner son opinion, exprimer son avis, émettre un avis: **tienes derecho a ~ sobre lo que piensas** tu as le droit de donner ton avis sur ce que tu penses.

**opinión** *f* **1.** opinion: **tener buena, mala ~ de** avoir bonne, mauvaise opinion de; **la ~ pública** l'opinion publique; **sondeo de ~** sondage d'opinion **2.** avis *m*: **cambiar de ~** changer d'avis; **en ~ general** de l'avis de tous ◊ **en mi ~** à mon avis, à mon sens, selon moi, à mon sentiment; **ésa es mi ~** c'est mon avis; **en ~ del señor X** d'après monsieur X, au dire de monsieur X.

**opio** *m* opium.

**opiómano, a** *s* opiomane.

**opíparo, a** *a (comida)* plantureux, euse, splendide.

**oponente** *s* adversaire.

**oponer*** *vt* opposer: **ella no opuso la menor resistencia** elle n'opposa pas la moindre résistance. ◆ **~se** *vpr* s'opposer: **me opongo a que...** je m'oppose à ce que...; **se opuso a mi proyecto** il s'est opposé à mon projet; **¿no se opondrá a ello?** il ne s'y opposera pas?; **yo no me opuse** je ne m'y suis pas opposé.

**oponible** *a* opposable.

**oporto** *m (vino)* porto.

**Oporto** *np* Porto.

**oportunamente** *adv* opportunément.

**oportunidad** *f* **1.** *(calidad de oportuno)* opportunité **2.** *(circunstancia oportuna)* occasion: **aprovechar la ~** profiter de l'occasion; **una ~ de oro** une occasion en or; **coger la ~ al vuelo** sauter sur l'occasion, saisir l'occasion au vol; **no pierde ~ para...** il ne perd pas l'occasion de... **3.** chance: **la igualdad de oportunidades** l'égalité des chances; **le daremos su ~** nous lui donnerons sa chance. ◇ *pl (rebajas)* soldes *m*, articles *m* en réclame.

**oportunismo** *m* opportunisme.

**oportunista** *a/s* opportuniste.

**oportuno, a** *a/s* **1.** opportun, e **2.** adéquat, e, qui convient **3.** *(ocurrente)* spirituel, elle, drôle.

**oposición** *f* **1.** opposition **2.** concours *m*: **hacer oposiciones a un puesto** passer un concours en vue d'obtenir un poste; **ingreso por ~** admission par concours.

**oposicionista** *m* opposant.

**opositar** *vi* passer un concours: **~ a una cátedra** passer un concours en vue d'obtenir une chaire, concourir pour une chaire; **~ a un puesto de profesora de inglés** concourir pour un poste de professeur d'anglais.

**opositor, a** *s* **1.** opposant, e **2.** *(en oposiciones)* candidat, e.

**oposum** *m* opossum.

**opresión** *f* oppression.

**opresivo, a** *a* oppressif, ive.

**opresor, a** *a/s* oppresseur.

**oprimir** *vt* **1.** presser, appuyer sur: **oprima el botón** pressez le bouton **2.** *(apretar)* serrer: **le oprime con afecto la mano** il lui serre affectueusement la main **3.** *(ahogar)* oppresser **4.** *FIG (tiranizar)* opprimer.

**oprobio** *m* opprobe.

**oprobioso, a** *a* ignominieux, euse.

**optar** *vt* choisir, opter: **optó por salir** il a choisi de partir; **mis dos hermanos optaron por el periodismo** mes deux frères ont choisi le journalisme.

**optativo, a** *a* **1.** *GRAM* optatif, ive **2.** à option, facultatif, ive: **asignatura optativa** matière à option.

**óptica** *f* **1.** optique **2.** *(tienda)* magasin *m* d'opticien.

**óptico, a** *a* optique: **nervio ~** nerf optique ◊ **ilusión óptica** illusion d'optique. ◇ *s* opticien, enne.

**optimación** *f* optimisation.

**optimar** *vt* optimiser.

**optimismo** *m* optimisme.

**optimista** *a/s* optimiste.

**optimizar → optimar.**

**óptimo, a** *a* parfait, e, optimal, e, optimum: **un rendimiento ~** un rendement optimal.

**opuesto, a** *pp* de **oponer.** ◇ *a* opposé, e.

**opugnar** *vt* combattre, attaquer.

**opulencia** *f* opulence.

**opulente** *a* opulent, e.

**opúsculo** *m* opuscule.

**opuse, opuso → oponer.**

**oquedad** *f* creux *m*, vide *m*.

**oquedal** *m* futaie *f*.

**ora** *conj* **1.** tantôt: **~ llora, ~ ríe** tantôt il pleure, tantôt il rit **2.** *(ahora)* maintenant.

**oración** *f* **1.** prière, oraison: **rezar sus oraciones** dire ses prières; **~ fúnebre** oraison funèbre **2.** *GRAM* proposition ◊ **las partes de la ~** les parties du discours **3.** *(frase)* phrase. ◇ *pl* angélus *m sing*.

**oráculo** *m* oracle.

**orador, a** *s* orateur, trice.

**oral** *a* oral, e: **exámenes orales** examens oraux; **vía ~** voie orale.

**oralmente** *adv* oralement.

**Orán** *np* Oran.

**oranés, esa** *a/s* oranais, e.

**orangután** *m* orang-outang.

**orante** *a* orant, e.

**orar** *vi/t* prier: **~ por los difuntos** prier pour les défunts.

**orate** *s* fou, folle, aliéné, e.

**oratoria** *f* **1.** art *m* oratoire **2.** *(elocuencia)* éloquence.

**oratoriano, a** *a/m* oratorien, enne.

**oratorio, a** *a* oratoire: **precauciones oratorias** précautions oratoires. ◇ *m* **1.** *(capilla)* oratoire **2.** *MÚS* oratorio.

**orbe** *m* **1.** *(círculo)* orbe **2.** *(esfera)* sphère *f* **3.** monde, univers: **en todo el ~** à travers le monde, dans tout l'univers.

**órbita** *f* **1.** orbite: **poner en ~** mettre sur orbite **2.** *(del ojo)* orbite **3.** *FIG (ámbito)* orbite.

**orbital** *a* orbital, e.

**orbitar** *vi* tourner: **~ alrededor de la Tierra** tourner autour de la Terre.

**orca** *f* orque, épaulard *m*.

**Orcadas** *np f pl* Orcades.

**órdago (de)** *loc FAM* terrible, du tonnerre, gratiné, e, monstre: **un susto, un follón de ~** une peur terrible, une pagaille monstre.

▶ *Órdago:* nouvelle mise aux cartes.

**ordalías** *f pl* ordalie *sing*.

**orden** *m* **1.** ordre: **~ alfabético** ordre alphabétique; **el ~ público** l'ordre public; **poner en ~** mettre en ordre; **llamar al ~ a alguien** rappeler quelqu'un à l'ordre; **en otro orden de cosas** dans un autre ordre d'idées; **por ~ de aparición** par ordre d'entrée en scène; **en ~ cerrado** en rangs serrés; **por ~ de estatura** par rang de taille ◊ **del ~ del 2%** de l'ordre de 2% **2. en el ~ intelectual, político** dans le domaine intellectuel, politique **3.** *ARQ* ordre: **~ dórico** ordre dorique **4.** *ZOOL* ordre **5.** *loc adv* **sin ~ ni concierto** à tort et à travers. ◇ *f* **1.** *(mando)* ordre *m*: **dar (la) ~ de** donner l'ordre de; **ejecutar una ~** exécuter un ordre; **¡a la ~, mi capitán!** à vos ordres, mon capitaine!; **a la ~ del día** à l'ordre du jour; **hasta nueva ~** jusqu'à nouvel ordre **2.** *(militar, religiosa)* ordre *m*: **~ de caballería** ordre de chevalerie; **las órdenes sagradas** les ordres **3.** *COM* **páguese a la ~ de** payer à l'ordre de **4.** *JUR* mandat *m*: **~ de detención, de comparecer** mandat d'arrêt, d'amener **5.** *loc prep* **de ~ de, por ~ de** par ordre de; **en ~ a** pour, afin de: **hizo correcciones de estilo en ~ a lograr un texto más claro** il fit des corrections de style afin d'obtenir un texte plus clair.

▶ Dans le sens de «commandement» et d'«ordre militaire ou religieux», ce mot s'emploie au féminin.

**ordenación** *f* **1.** ordre *m*, arrangement *m*, ordonnance, disposition **2.** *RELIG (de un sacerdote)* ordination.

**ordenada** *f GEOM* ordonnée.

**ordenadamente** *adv* avec ordre.

**ordenador, a** *a/s* ordonnateur, trice. ◇ *m (calculador electrónico)* ordinateur: **~ personal** ordinateur personnel.

**ordenamiento** *m* **1.** mise *f* en ordre **2.** *(ley)* ordonnance *f*.

**ordenancista** *s* qui applique les règlements à la lettre.

**ordenando** *m* ordinand.

**ordenanza** *f* ordonnance, règlement *m*. ◇ *m* **1.** *(soldado)* ordonnance **2.** *(en las oficinas)* garçon de bureau.

**ordenar** *vt* **1.** mettre en ordre, ranger, ordonner, classer: **voy a ~ mis libros** je vais mettre mes livres en ordre, ranger mes livres; **~ por orden alfabético** classer par ordre alphabétique **2.** régler: **~ el tráfico** régler la circulation **3.** *(mandar)* ordonner, commander: **le ordeno que se calle** je vous ordonne de vous taire; **ordené dos cafés al camarero** j'ai commandé deux cafés au garçon **4.** *RELIG* **~ (de) sacerdote** ordonner prêtre. ◆ **~se** *vpr* être ordonné.

**ordeñadora** *f* trayeuse.

**ordeñar** *vt* **1.** *(una vaca, cabra)* traire **2.** *(las aceitunas)* cueillir à la main.

**ordeño** *m (de las vacas)* traite *f.*

**¡órdiga!** *interj FAM* **¡(anda) la ~ !**, oh là là!, mince!

**ordinal** *a* ordinal, e.

**ordinariamente** *adv* ordinairement.

**ordinariez** *f* grossièreté, vulgarité.

**ordinario, a** *a* **1.** *(corriente)* ordinaire **2** *(grosero)* grossier, ère, vulgaire. ◇ *m* **1.** ordinaire **2.** *(recadero)* commissionnaire **3.** *loc adv* **de ~** d'ordinaire, d'habitude, le plus souvent.

**orear** *vt* aérer. ◆ **~se** *vpr* **1.** sécher à l'air **2.** *(una persona)* prendre l'air.

**orégano** *m* origan ◊ *FIG* **no todo el monte es ~** ça ne va pas toujours tout seul, tout n'est pas rose.

**oreja** *f* **1.** oreille ◊ *FIG* **aguzar las orejas** tendre l'oreille; **apearse por las orejas** vider les arçons; **calentarle las orejas a** frotter les oreilles à; **con las orejas gachas** l'oreille basse; **descubrir la ~** montrer le bout de l'oreille; **mojarle la ~ a uno** *(provocarle)* chercher querelle à, provoquer quelqu'un *(superarle)* faire la pige à quelqu'un; *FAM* **tirar de la ~ a Jorge** taper le carton, jouer aux cartes; **ver las orejas al lobo → lobo 2. orejas de burro** bonnet *m sing* d'âne **3. ~ de mar** ormeau *m,* oreille-de-mer.

**orejera** *f (de sillón)* oreille, *(de gorra)* oreillette.

**orejón** *m* oreille *f* d'abricot, de pêche.

**orejudo, a** *a/s* à grandes oreilles. ◇ *m (murciélago)* oreillard.

**orejuela** *f (de olla, etc.)* oreille.

**oreo** *m* **1.** aération *f* **2.** souffle d'air, brise *f.*

**Orestes** *np m* Oreste.

**orfanato** *m* orphelinat.

**orfandad** *f* **1.** orphelinage *m* **2.** pension accordée à un orphelin.

**orfebre** *m* orfèvre.

**orfebrería** *f* orfèvrerie.

**Orfeo** *np m* Orphée.

**orfeón** *m* chorale *f,* orphéon.

**orfeonista** *s* chanteur, euse, orphéoniste.

**organdí** *m* organdi.

**organero** *m* facteur d'orgue.

**orgánico, a** *a* organique.

**organigrama** *m* organigramme.

**organillero, a** *s* joueur, euse d'orgue de Barbarie.

**organillo** *m* orgue de Barbarie.

**organismo** *m* **1.** organisme **2. ~ internacional** organisme international.

**organista** *s* organiste.

**organización** *f* organisation ◊ **Organización de las Naciones Unidas** Organisation des Nations Unies.

**organizado, a** *a* organisé, e: **viaje ~** voyage organisé.

**organizador, a** *a/s* organisateur, trice.

**organizar** *vt* organiser. ◆ **~se** *vpr* s'organiser.

**órgano** *m* **1.** *(parte del cuerpo, etc.)* organe **2.** *(instrumento musical)* orgue: **tocar el ~** jouer de l'orgue.

**organogénesis** *f BIOL* organogenèse.

**orgasmo** *m* orgasme.

**orgía** *f* orgie.

**orgiástico, a** *a* orgiaque.

**orgullo** *m* **1.** *(soberbia)* orgueil **2.** *(sentimiento legítimo de satisfacción)* fierté *f.*

**orgullosamente** *adv* orgueilleusement.

**orgulloso, a** *m* **1.** *(soberbio)* orgueilleux, euse **2.** *(satisfecho)* fier, fière: **está ~ de su familia** il est fier de sa famille; **estoy ~ de vosotros** je suis fier de vous; **estoy ~ de ello** j'en suis fier; **no es para estar ~** il n'y a pas de quoi être fier.

**orientable** *a* orientable.

**orientación** *f* **1.** orientation: **tener el sentido de la ~** avoir le sens de l'orientation **2. ~ profesional** orientation professionnelle.

**orientador, a** *s* orienteur, euse, conseiller, ère d'orientation.

**oriental** *a/s* oriental, e: **los orientales** les Orientaux ◊ *AMER* uruguayen, enne.

**orientalismo** *m* orientalisme.

**orientalista** *s* orientaliste.

**orientar** *vt* orienter: **piso orientado al sur** appartement orienté au sud. ◆ **~se** *vpr* s'orienter.

**oriente** *m* orient ◊ **Cercano, Próximo ~** Proche-Orient; **Extremo, Lejano ~** Extrême-Orient; **~ Medio,** Moyen-Orient.

**orificar** *vt (un diente)* aurifier.

**orífice** *m* orfèvre.

**orificio** *m* orifice.

**oriflama** *f* oriflamme *m.*

**origen** *m* origine *f*: **los orígenes del cristianismo** les origines du christianisme; **es de ~ italiano** il est d'origine italienne; **país de ~** pays d'origine; **en su ~** à l'origine ◊ **dar ~ a** donner naissance à, causer, provoquer.

**Orígenes** *np m* Origène.

**original** *a (relativo al origen)* originel, elle: **pecado ~** péché originel. ◇ *a/s (nuevo, extraño, excéntrico)* original, e. ◇ *m* **1.** *(texto, cuadro)* original **2.** *(de imprenta)* copie *f.*

**originalidad** *f* **1.** originalité **2.** *(acción)* originalité, excentricité.

**originalmente** *adv* **1.** d'une manière originale **2.** originairement.

**originar** *vt* causer, provoquer: **el fuego ha originado tres víctimas e importantes daños materiales** le feu a fait trois victimes et a causé d'importants dégâts matériels. ◆ **~se** *vpr* **1.** provenir, découler, tirer son origine, venir: **se originan de ahí todos nuestros males** tous nos maux viennent de là **2.** prendre naissance.

**originariamente** *adv* originairement, à l'origine.

**originario, a** *a* originaire: **familia originaria de Cataluña** famille originaire de Catalogne.

**orilla** *f* **1.** bord *m*: **a ~, en la ~ de la mesa** au bord de la table **2.** *(de un río, lago, mar)* bord *m,* rive: **a ~ del mar, a orillas del mar** au bord de la mer; **pasearse por la ~ del río** se promener au bord de la rivière **3.** *(de un bosque)* lisière, orée.

**orillar** *vt* **1.** *(una tela, etc.)* border **2.** *(calle, etc.)* border: **una avenida orillada de palmeras** une avenue bordée de palmiers **3.** *FIG (un asunto)* régler, arranger **4.** *FIG* éviter.

**orillero, a** *a AMER (arrabalero)* faubourien, enne.

**orillo** *m* lisière *f* (d'une étoffe).

**orín** *m (de un metal)* rouille *f.* ◇ *pl* → **orines.**

**orina** *f* urine.

**orinal** *m* pot de chambre, vase de nuit.

**orinar** *vi* uriner. ◇ *vt* **~ sangre** pisser du sang. ◆ **~se** *vpr* faire pipi, uriner.

**orines** *m pl* urines *f.*

**oriniento, a** *a* rouillé, e.

**Orinoco** *np m* Orénoque.

**oriol** *m (oropéndola)* loriot.

**Orion** *m ASTR* Orion.

**oriundo, a** *a* originaire: **es ~ de Galicia** il est originaire de Galice.

**orla** *f (de una tela, etc.)* bordure.

**orladura** *f* bordure.

**Orlando** *np m* Roland.

**orlar** *vt* border.

**ornamentación** *f* ornementation.

**ornamental** *a* ornemental, e.

**ornamentar** *vt* ornementer, orner.

**ornamento** *m* ornement.

**ornar** *vt* orner.

**ornato** *m* ornement, parure *f.*

**ornitología** *f* ornithologie.

**ornitólogo, a** *s* ornithologue.

**ornitorrinco** *m* ornithorynque.

**oro** *m* **1.** or: **joyas de ~** bijoux en or; **~ de ley** or véritable; **~ batido** or en feuilles ◊ *FIG* **apalear ~** rouler sur l'or; **hacerse de ~** faire fortune, se remplir les poches; **prometer el ~ y el moro** promettre monts et merveilles, la lune; *PROV* **no es ~ todo lo que reluce** tout ce qui brille n'est pas or **2.** *FIG* **un corazón de ~** un cœur en or; **la edad de ~** l'âge d'or **3.** *loc adv* **como ~ en paño** précieusement, comme une relique. ◇ *pl* une des couleurs du jeu de cartes espagnol.

**orogénesis** *f GEOL* orogenèse.

**orogenia** *f GEOL* orogénie.

**orografía** *f* orographie.

**orográfico, a** *a* orographique.

**orondo, a** *a* **1.** *(vasija)* ventru, e **2.** *FIG* fier, fière, content, e de soi.

**oronja** *f* oronge: **~ verdadera** oronge vraie; **falsa ~** fausse oronge.

**oropel** *m* **1.** oripeau **2.** *FIG* clinquant.

**oropéndola** *f* loriot *m.*

**oroya** *f AMER* nacelle d'un va-et-vient (pour passer les rivières).

**orozuz** *m* réglisse *f.*

**orquesta** *f* orchestre *m.*

**orquestación** *f* orchestration.

**orquestal** *a* orchestral, e.

**orquestar** *vt* **1.** orchestrer **2.** *FIG* **~ una campaña de prensa** orchestrer une campagne de presse.

**orquestina** *f* petit orchestre *m,* petite formation.

**orquídea** *f* orchidée.

**orsay** *m* hors-jeu.

**ortega** *f* gelinotte des bois.

**ortiga** *f* ortie.

**orto** *m ASTR* lever.

**ortodoncia** *f MED* orthodontie.

**ortodoxia** *f* ortohodoxie.

**ortodoxo, a** *a/s* orthodoxe.

**ortofonía** *f* orthophonie.

**ortogonal** *a* orthogonal,e.

**ortografía** *f* orthographe.

**ortográfico, a** *a* orthographique.

**ortopedia** *f* orthopédie.

**ortopédico, a** *a* orthopédique: **aparato ~** appareil orthopédique. ◇ *s (persona)* orthopédiste.

**ortopedista** *s* orthopédiste.

**oruga** *f* **1.** chenille **2.** *(de vehículo)* chenille **3.** *(planta)* roquette.

**orujo** *m* marc de raisin, d'olive.

**orvallar** *vi* bruiner.

**orvallo** *m* bruine *f.*

**orza** *f* **1.** pot *m* de terre vernie **2.** *MAR (pieza triangular)* dérive.

**orzar** *vi MAR* lofer.

**orzuelo** *m* **1.** *(en el párpado)* orgelet, compère-loriot **2.** *(trampa)* piège.

**os** *pron pers* vous: **~ veo** je vous vois; **sentaos** asseyez-vous; **¿~ acordaréis?** vous vous souviendrez?; **¿ ~ habéis fijado?** vous avez remarqué?

▶ *Os est pronom complément pluriel.*

**¡os!, ¡oste! → ¡oxte!**

**osteítis** *f MED* ostéite.

**osa** *f* **1.** ourse **2.** *ASTR* **la ~ Mayor, Menor** la Grande, Petite Ourse.

**osadamente** *adv* audacieusement.

**osadía** *f* audace, hardiesse.

**osado, a** *a* audacieux, euse, osé, e.

**osamenta** *f* squelette *m,* ossature.

**osar** *vi* oser.

**osario** *m* ossuaire.

**oscar, óscar** *m (premio)* oscar.

**oscense** *a/s* de Huesca (España).

**oscilación** *f* oscillation.

**oscilador** *m* oscillateur.

**oscilar** *vi* **1.** osciller **2.** *(una llama)* vaciller, trembloter **3.** *FIG (estar indeciso)* hésiter.

**oscilatorio, a** *a* oscillatoire.

**oscilógrafo** *m* oscillographe.

**ósculo** *m (beso)* baiser.

**oscuramente** *adv* obscurément.

**oscurantismo** *m* obscurantisme.

**oscurecer*** *vt* obscurcir, assombrir. ◇ *vi* commencer à faire nuit ◊ **al ~** à la tombée de la nuit. ◆ **~se** *vpr* s'obscurcir, s'assombrir: **el cielo se iba oscureciendo** le ciel s'obscurcissait.

**oscurecimiento** *m* obscurcissement.

**oscuridad** *f* obscurité.

**oscuro, a** *a* **1.** obscur, e, sombre: **un pasillo ~** un couloir obscur; **cielo ~** ciel sombre; **está ~** il fait sombre. (2. *(color)* foncé, e: **verde ~** vert foncé **3.** *FIG* obscur, e: **razonamiento ~** raisonnement obscur **4.** *(preocupante)* sombre: **un porvenir muy ~** un avenir très sombre **5.** . *loc adv* **a oscuras** dans l'obscurité, dans le noir; *FIG* **estar a oscuras** n'y rien comprendre. ◇ *m TEAT* **el ~** l'obscurité *f.*

**Oseas** *np m* Osée.

**óseo, a** *a* osseux, euse.

**osezno** *m* ourson.

**osificación** *f* ossification.

**osificarse** *vpr* s'ossifier.

**osito** *m (de peluche)* ours (en peluche).

**ósmosis** *f* osmose.

**osmótico, a** *a* osmotique.

**oso** *m* **1.** ours: **~ pardo, blanco** ours brun, blanc ◊ *FAM* **hacer el ~** faire l'idiot, le zouave, le pitre, se donner en spectacle **2. ~ hormiguero** fourmilier, tamanoir.

**Ostende** *np* Ostende.

**ostensible** *a* **1.** ostensible **2.** *(patente)* manifeste, apparent, e, visible.

**ostensiblemente** *adv* ostensiblement, visiblement.

**ostensivo, a** *a* manifeste, visible.

**ostentación** *f* ostentation ◊ **hacer ~ de** faire ostentation de, faire étalage de, étaler.

**ostentar** *vt* **1.** montrer, exhiber **2.** *(lucir)* arborer **3.** *(hacer alarde)* faire étalage de **4.** *(poseer)* porter, détenir: **~ el título de, el nombre de** porter le titre de, le nom de; **~ un récord** détenir un record.

**ostentosamente** *adv* avec ostentation.

**ostentoso, a** *a* **1.** magnifique, somptueux, euse, superbe **2.** manifeste.

**osteología** *f* ostéologie.

**osteopata** *s* ostéopathe.

**osteopatía** *f MED* ostéopathie.

**osteoporosis** *f MED* ostéoporose.

**Ostia** *np* Ostie.

**ostiario** *m (clérigo)* portier.

**ostión → ostrón.**

**ostra** *f* **1.** huître **2.** *FAM* **aburrirse como (una) ~** s'ennuyer à mourir, mortellement, comme un rat mort, à cent sous de l'heure **3.** *POP* **¡ostras!** merde!

**ostracismo** *m* ostracisme.

**ostrero, a** *a* huîtrier, ère. ◇ *m (criadero)* parc à huîtres.

**ostrícola** *f* ostréicole.

**ostricultor, a** *s* ostréiculteur, trice.

**ostricultura** *f* ostréiculture.

**ostrogodo, a** *a/s* ostrogoth, e.

**ostrón** *m* grande huître *f.*

**osudo, a** *a* osseux, euse.

**osuno, a** *a* de l'ours.

**otalgia** *f MED* otalgie.

**otaria** *f* otarie.

**otario, a** *a AMER* idiot, e, imbécile.

**otate** *m AMER* sorte de bambou.

**otear** *vt* **1.** observer, guetter **2.** scruter: **~ el horizonte** scruter l'horizon.

**Otelo** *np m* Othello.

**otero** *m* coteau.

**otitis** *f MED* otite.

**otomano, a** *a/s* ottoman, e. ◇ *f (sofá)* ottomane. ◇ *m (tela)* ottoman, gros-grain.

**Otón** *np m* Othon.

**otoñada** *f* automne *m.*

**otoñal** *a* automnal, e.

**otoño** *m* **1.** automne **2.** *FIG* **en el ~ de su vida** à l'automne de sa vie.

**otorgamiento** *m* **1.** octroi, concession *f* **2.** *JUR* passation *f.*

**otorgante** *a/s* **1.** qui accorde, qui décerne **2.** *(ante notario)* contractant, e.

**otorgar** *vt* **1.** accorder, octroyer, consentir: **~ una ayuda** accorder une aide ◊ **quien calla otorga → callar 2.** *(un premio)* décerner **3.** *(poderes)* conférer **4.** *JUR (un acta)* passer pardevant notaire.

**otorrino** *s* oto-rhino.

**otorrinolaringología** *f* oto-rhino-laryngologie.

**otorrinolaringólogo, a** *s* oto-rhino-laryngologiste.

**otoscopia** *f MED* otoscopie.

**otro, a** *a/pron indef* **1.** autre: **déme ~ pastel** donnez-moi un autre gâteau; **una manera como otra de...** une façon comme une autre de...; **otros dos, otros tres, etc.** deux autres, trois autres, etc.; **~ que no fuera yo...** un autre que moi...; **por otra parte** d'autre part; **la realidad es muy otra** la réalité est toute autre chose, est bien différente ◊ **~ tanto** autant **2. ¡ésta es otra!** voilà la dernière! **3. ¡otra!** encore!, bis!

▶ *Autre* va siempre precedido del artículo *un, une* delante de un sustantivo.

**otrora** *adv* jadis.

**otrosí** *adv* en outre. ◇ *m JUR* clause *f* additionnelle.

**outsider** *m* outsider.

**ova** *f (alga)* ulve.

**ovación** *f* ovation.

**ovacionar** *vt* ovationner, acclamer.

**oval, ovalado, a** *a* ovale.

**ovalar** *vt* ovaliser.

**óvalo** *m* ovale.

**ovárico, a** *a* ovarien, enne.

**ovario** *m* ovaire.

**oveja** *f* **1.** *(hembra del carnero)* brebis: **queso de ~** fromage de brebis; *(carnero)* mouton *m* **2.** *FIG* **~ descarriada** brebis égarée; **~ negra** brebis galeuse; **cada ~ con su pareja** que chacun garde son rang, aille avec ses semblables, chacun avec sa chacune **3.** *AMER (llama)* lama *m.*

▶ Désigne la brebis au sens strict mais s'emploie couramment dans le sens de mouton: *un rebaño de ovejas* un troupeau de moutons.

**ovejuno, a** *a* de brebis.

**overa** *f* ovaire *m* des oiseaux.

**overo, a** *a (caballo)* aubère.

**overol** *m AMER* bleu de travail.

**ovetense** *a/s* de Oviedo.

**Ovidio** *np m* Ovide.

**oviducto** *m ANAT* oviducte.

**ovillar** *vi* mettre en pelote. ◆ **~se** *vpr* se pelotonner.

**ovillejo** *m* **1.** petite pelote *f* **2.** sorte de strophe *f.*

**ovillo** *m* pelote *f* ◊ **hacerse un ~** se pelotonner, se rouler en boule: **ha dormido toda la noche hecho un ~** il a dormi toute la nuit roulé en boule; *FIG* s'embrouiller.

**ovino, a** *a/m* ovin, e.

**ovíparo, a** *a* ovipare.

**ovni** *m* ovni.

**ovocito** *m BIOL* ovocyte.

**ovoide** *a* ovoïde.

**óvolo** *m ARQ* ove.

**ovulación** *f* ovulation.

**óvulo** *m* ovule.

**¡ox!** *interj* oust!

**oxálico** *a* QUÍM **ácido ~** acide oxalique.

**oxear** *vt* chasser (les poules).

**oxidable** *a* oxydable.

**oxidación** *f* oxydation.

**oxidante** *a/m* oxydant, e.

**oxidar** *vt* oxyder. ♦ **~se** *vpr* **1.** s'oxyder **2.** *(el hierro)* se rouiller.

**óxido** *m* oxyde.

**oxigenación** *f* oxygénation.

**oxigenar** *vt* **1.** oxygéner **2. agua oxigenada** eau oxygénée. ♦ **~se** *vpr* s'oxygéner, s'aérer.

**oxígeno** *m* oxygène.

**oxítono, a** *a/m* GRAM oxyton.

**oxiuro** *m* oxyure.

**oxoniense** *a/s* oxfordien, enne.

**¡oxte!** *interj* oust! ◊ **sin decir ~ ni moxte** sans piper mot, sans souffler mot.

**oye,** etc. → **oír.**

**oyente** *s* auditeur, trice.

**oyera,** etc. → **oír.**

**ozonizar** *vt* ozoniser.

**ozono** *m* ozone: **la capa de ~** la couche d'ozone.

# P

**p** *f* p *m*: **una ~** un p.

**pabellón** *m* **1.** *(edificio, bandera)* pavillon **2.** ANAT *(de la oreja)* pavillon **3.** *(de fusiles)* faisceau.

**pabilo** *m (de vela)* mèche *f*.

**Pablo** *np m* Paul.

**pábulo** *m* aliment, pâture *f* ◊ **dar ~ a** alimenter, nourrir.

[1]**paca** *f (de algodón, etc.)* balle.

[2]**paca** *f (animal)* paca *m*.

**Paca → Paco.**

**pacato, a** *a* **1.** *(tranquilo)* paisible, placide, doux, douce **2.** *(timorato)* timoré, e **3.** *(mojigato)* prude.

**pacay** *m* AMER *(guano)* inga.

**pacense** *a/s* de Badajoz.

**paceño, a** *a/s* de La Paz.

**pacer*** *vi/t* paître.

**paces** *pl* de **paz.**

**pachá** *m* pacha.

**pachamanca** *f* AMER viande rôtie entre des pierres brûlantes.

**pachanga** *f (fiesta)* fête, bamboula.

**pachanguero, a** *a (música, etc.)* entraînante et facile.

**pacharán** *m* liqueur *f* anisée à la prunelle.

**pachón, ona** *a/m (perro)* basset.

**pachorra** *f* FAM calme *m*, placidité, flegme *m*: **con su santa ~** avec sa placidité habituelle.

**pachorrudo, a** *a* FAM flegmatique.

**pachucho, a** *a* **1.** *(fruta)* blet, blette **2.** *(persona)* patraque, mal en point, vaseux, euse, raplapla: **ando algo ~** je suis un peu patraque.

**pachuco** *m* émigrant d'origine mexicaine dans le sud des États Unis.

**pachulí** *m* patchouli.

**paciencia** *f* patience: **no tener ~ para...** ne pas avoir la patience de... ◊ **acabar la ~ a uno** pousser quelqu'un à bout, faire perdre patience à quelqu'un; **armarse de ~** s'armer de patience; **perder la ~** perdre patience; **se me acabó la ~** je suis à bout de patience; **santa ~** patience d'ange; **ten ~** sois patient; **¡~ y barajar!**, courage.

**paciente** *a* patient, e ◊ *s (enfermo)* patient, e.

**pacientemente** *adv* patiemment.

**pacienzudo, a** *a* très patient, e.

**pacificación** *f* pacification.

**pacificador, a** *a/s* pacificateur, trice.

**pacíficamente** *adv* pacifiquement.

**pacificar** *vt* pacifier.

**pacífico, a** *a* pacifique.

**Pacífico** *np m* **el océano ~** l'océan Pacifique.

**pacifismo** *m* pacifisme.

**pacifista** *a/s* pacifiste.

**pack** *m (de hielo, en rugby)* pack.

**packaging** *m* packaging, conditionnement.

**paco** *m* alpaga.

**Paco, a** *np* FAM François, e.

**pacotilla** *f* pacotille: **de ~** de pacotille.

**pactar** *vt* convenir de, négocier: **~ un convenio,la paz** négocier un accord, la paix. ◊ *vi* transiger, pactiser, conclure un arrangement: **el ministro pactó con los responsables sindicales** le ministre a conclu un arrangement avec les responsables syndicaux.

**pacto** *m* pacte.

**pactolo** *m* pactole.

**pacú** *m* AMER poisson de rivière à chair très estimée.

**padecer*** *vi/t* **1.** souffrir: **~ del estómago** souffrir de l'estomac; **padece reumas** il souffre de rhumatismes, il a des rhumatismes; **los enfermos que padecen diabetes** les malades qui ont du diabète; **acaba de ~ un ataque de ciática** il vient d'avoir une attaque de sciatique; **padecimos mucho** nous avons beaucoup souffert **2.** FIG **~ serias dificultades** connaître de sérieuses difficultés; **~ un error** faire erreur **3.** *(aguantar)* supporter, tolérer.

**padecimiento** *m* souffrance *f*, douleur *f*.

**padrastro** *m* **1.** beau-père, nouveau mari d'une mère veuve **2.** *(en las uñas)* envie *f*.

**padrazo** *m* FAM papa gâteau.

**padre** *m* **1.** père: **~ de familia** père de famille ◊ **el ~ eterno** le Père éternel **2.** *(religioso)* père: **el reverendo ~ Luis** le révérend père Louis; **~ Santo** Saint-Père **3. ~ nuestro** Notre Père, Pater **4.** FAM **de ~ y muy señor mío** terrible, *(muy grande)* monstre, de taille, impressionnant, e, *(extraordinario)* super. ◊ *pl* **1.** *(el padre y la madre)* parents: **mis padres** mes parents; **padres de alumnos** parents d'élèves ◊ **de padres a hijos** de père en fils **2.** *(antepasados)* ancêtres, aïeux **3. los Padres de la Iglesia** les Pères de l'Église. ◊ *a* FAM **un jaleo ~** un raffut terrible, monstre; **le has dado el susto ~** tu lui as fait une peur bleue.

**padrear** *vi (dicho de un animal)* engendrer.

**padrenuestro** *m* Notre Père, Pater.

**padrillo** *m AMER* étalon.

**padrinazgo** *m* parrainage.

**padrino** *m* **1.** parrain **2.** *(en una boda, un desafío)* témoin **3.** *FIG* protecteur.
▶ Le *padrino de boda* a le rôle de témoin dans un mariage avec la *madrina de boda.*

**padrón** *m* **1.** liste *f* des habitants ◊ **hacer el ~** faire le recensement, recenser **2.** *(dechado)* modèle **3. ~ de ignominia** note *f* d'infamie.

**padrote** *m AMER* **1.** animal reproducteur **2.** proxénète, souteneur, marlou.

**Padua** *np* Padoue.

**paduano, a** *a/s* padouan, e.

**paella** *f* paella, riz *m* à la valencienne.

**paellera** *f (sarten)* poêle à paella.

**¡paf!** *interj* paf!

**paga** *f (sueldo)* paye, paie: **cobrar la ~** toucher sa paye.

**pagable, pagadero, a** *a* payable: **pagadero a la vista** payable à vue.

**pagado, a** *a FIG* **~ de sí mismo** content, e de soi, infatué, e de sa personne.

**pagador, a** *a/s* payeur, euse: **mal ~** mauvais payeur.

**pagaduría** *f* paierie, trésorerie.

**paganismo** *m* paganisme.

**pagano, a** *a/s* **1.** païen, enne **2.** *FAM* celui qui paie les frais, le lampiste, le dindon de la farce, le pigeon, la victime: **los paganos de la crisis** les victimes de la crise.

**pagar** *vt* **1.** payer: **paga mal a sus empleados** il paie mal ses employés; **~ con cheque** payer par chèque, régler par chèque ◊ *FIG* **pagamos cara nuestra libertad** nous avons payé cher notre liberté; **~ con su vida** payer de sa vie; **~ con la misma moneda** payer de retour, rendre à quelqu'un la monnaie de sa pièce; **¡ya me las pagarás!** tu me le paieras! tu ne l'emporteras pas au paradis!; *PROV* **el que la hace la paga** qui casse les verres les paie. **2.** fig *(corresponder al cariño, etc.)* rendre. ◆ **~se** *vpr* **1.** se payer: **eso se paga** ça se paie **2.** être fier, fière.

**pagaré** *m COM* **1.** billet à ordre **2.** *(del Tesoro)* bon.

**pagaya** *f* pagaie.

**pagel** *m (pez)* pagel, daurade *f.*

**página** *f* **1.** page **2.** *FIG (suceso)* page **3. pasar ~** tourner la page.

**paginación** *f* pagination.

**paginar** *vt* paginer.

[1]**pago** *m* **1.** paiement: **~ al contado, a plazos,** paiement comptant, à tempérament; **~ adelantado,** paiement anticipé **2. de ~** payant, e: **aparcamiento de ~** parking payant **3. hacer un ~** faire un versement **4.** *FIG* prix, récompense *f*: **¿éste es el ~ que das?** c'est comme ça que tu me remercies? ◊ **en ~ de** en récompense de.

[2]**pago** *m* **1.** *(heredad)* domaine, terres *f pl* **2.** *AMER* pays, village.

[3]**pago** *a (pagado)* payé, e.

**pagoda** *f* pagode.

**pagro** *m (pez)* pagre.

**pague,** etc. → **pagar.**

**paguro** *m* pagure, bernard-l'ermite.

**paico** *m AMER* thé du Mexique.

**paidología** *f* paidologie, pédologie.

**paila** *f* sorte de poêle.

**pailebote** *m* petite goélette *f.*

**paipai** *m* éventail (en palme pourvu d'un manche).

**pairo (al)** *adv MAR* en panne.

**país** *m* **1.** pays: **los países subdesarrollados** les pays sous-développés **2.** *(del abanico)* feuille *f* de l'éventail.

**paisaje** *m* paysage.

**paisajista** *a/s* paysagiste.

**paisanaje** *m* **1.** les civils *pl* **2.** qualité *f* de compatriote.

**paisano, a** *a/s* **1.** compatriote **2.** *(campesino)* paysan, anne. ◇ *m* civil: **policía vestido de ~** policier en civil; **agente de ~** agent en civil.

**Países Bajos** *np m pl* Pays-Bas.

**paja** *f* **1.** *(del trigo, etc.)* paille ◊ *FIG* **echar pajas** tirer à la courte paille; **no dormirse en las pajas** ne pas s'endormir, ouvrir l'œil; **en un quítame allá esas pajas** en un clin d'œil; **por un quítame allá esas pajas** pour un oui, pour un non **2.** *(en un texto)* remplissage *m,* délayage *m* **3.** *VULG* **hacerse una ~** se branler.

**pajar** *m* pailler, grenier à paille.

**pájara** *f* **1.** oiseau *m* **2.** *(de papel)* cocotte **3.** *(cometa)* cerf-volant *m* **4.** *FIG (mujer)* fine mouche **5.** *FAM (desfallecimiento brusco de un deportista)* coup *m* de pompe: **sufrir una ~** avoir un coup de pompe (un cyliste, notamment).

**pajarera** *f* volière.

**pajarería** *f* oisellerie.

**pajarero, a** *a* **1.** *(persona)* gai, e, enjoué, e, blagueur, euse **2.** *(tela)* aux couleurs criardes. ◇ *m* **1.** oiselier **2.** *(cazador)* oiseleur.

**pajarete** *m* vin liquoreux.

**pajarilla** *f (planta)* ancolie.

**pajarillo** *m* petit oiseau, oisillon.

**pajarita** *f* **1.** *(de papel)* cocotte en papier **2.** *(corbata)* nœud *m* papillon **3. cuello de ~** col cassé **4. ~ de las nieves** bergeronette.

**pajarito** *m* **1.** petit oiseau, oisillon **2.** *FIG* **quedarse como un ~** mourir paisiblement.

**pájaro** *m* **1.** oiseau ◊ **~ bobo** guillemot, manchot; **~ carpintero** pic; **~ mosca** oiseau-mouche; **~ niño** manchot ◊ *FIG* **matar dos pájaros de un tiro** faire d'une pierre deux coups, faire coup double; *PROV* **más vale ~ en mano que ciento volando** mieux vaut tenir que courir; **tener la cabeza a pájaros → cabeza** **2.** *FIG* fin renard ◊ **~ de cuenta** drôle d'oiseau, drôle de personnage **3.** *loc adv* **a vista de ~** vu d'en haut.

**pajarota** *f FAM* bobard *m.*

**pajarraco** *m* **1.** *PEYOR* vilain oiseau **2.** *FIG* drôle d'oiseau, sale oiseau, sale bonhomme.

**paje** *m* **1.** page **2.** *MAR* mousse.

**pajecillo** *m* petit page.

**pajilla** *f (para beber)* paille.

**pajizo, a** *a* **1.** *(color)* paille **2.** comme de la paille.

**pajolero, a** *a FAM* sacré, e, maudit, e, fichu, e, de malheur: **esos pajoleros críos** ces sacrés gosses.

**pajón** *m* chaume.

**pajote** *m AGR* paillasson.

**pajuela** *f* **1.** mèche soufrée **2.** *AMER (del látigo)* mèche d'un fouet.

**pajuelazo** *m AMER* coup de fouet.

**pajuerano, a** *s AMER* péquenaud, e, plouc.

**Pakistán** *np m* Pakistan.

**pakistaní** *a/s* pakistanais, e.

**pala** *f* **1.** pelle ◊ **~ mecánica** pelleteuse **2.** *(de la azada, etc.)* fer *m* **3.** *(de remo, de una hélice)* pale **4.** *(del calzado)* empeigne *m*

5. *(de lavandera)* battoir *m* **6.** *(para jugar)* raquette **7.** *(de béisbol)* batte **8.** *(del nopal)* raquette **9.** *FAM (mano)* paluche.

**palabra** *f* **1.** *(vocablo)* mot *m*: **una ~ técnica** un mot technique ◊ *FIG* **la última ~** le dernier mot; **decir su última ~** dire son dernier mot; **comerse las palabras** manger ses mots; **dejar a uno con la ~ en la boca** tourner le dos à quelqu'un; **medir las palabras** peser ses mots; **no decir ~** ne pas souffler mot; **sin decir ~** sans dire un mot; **tomar la ~ a uno** prendre quelqu'un au mot; **te tomo, te cojo la ~** je te prends au mot; **en cuatro palabras** en deux mots ◊ *loc adv* **~ por ~** mot à mot; **con medias palabras** à demi-mot; **en una ~** en un mot **2.** *(habla, promesa)* parole: **el don de la ~** le don de la parole; **beber las palabras de uno** boire les paroles de quelqu'un; **hombre de ~** homme de parole; **~ de honor** parole d'honneur; **dirigir la ~** adresser la parole; **cumplir su ~** tenir parole; **empeñar la ~** donner sa parole; **faltar a su ~** manquer à sa parole; **no tener ~** ne pas tenir ses promesses; **pedir, tomar la ~** demander, prendre la parole; **de pocas palabras** peu bavard, peu causeur, peu causeuse ◊ *loc adv* **bajo ~** sur parole; **de ~** de vive voix, verbalement **3. ~ de matrimonio** promesse de mariage; **darse ~ de matrimonio** se fiancer. ◇ *interj* **1.** parole d'honneur! **2. ¡ni ~!** pas un mot!, motus!

**palabreja** *f* mot *m* bizarre.

**palabreo** *m*, **palabrería** *f* bavardage *m*, papotage *m*, verbiage *m*: **eso es pura palabrería** c'est du pur bavardage.

**palabrota** *f* gros mot *m*, grossièreté *f*.

**palacete** *m* **1.** villa *f*, hôtel particulier **2.** petit palais.

**palaciego, a** *a* du palais. ◇ *s (persona)* courtisan, e.

**palacio** *m* **1.** *(real, de Justicia de los Deportes, etc.)* palais **2.** château.

**palada** *f* **1.** pelletée: **una ~ de tierra** une pelletée de terre **2.** *(en el agua)* coup *m* d'aviron.

**paladar** *m* **1.** *ANAT* palais **2.** *FIG* **tiene un ~ muy fino** il a le palais très fin **3.** *FIG (gusto)* goût.

**paladear** *vt* savourer.

**paladeo** *m* action *f* de savourer.

**paladín** *m* **1.** paladin **2.** *FIG* champion.

**paladino, a** *a* manifeste, évident, e.

**paladio** *m QUÍM* palladium.

**palafito** *m* palafitte.

**palafrén** *m* palefroi.

**palafrenero** *m* palefrenier.

**palamenta** *f* rames *pl*.

**palanca** *f* **1.** levier *m*: **~ de mando** levier de commande; **~ de cambio** levier de changement de vitesses **2.** manette **3.** *FIG* appui *m*.

**palancada** *f* coup *m* de levier.

**palangana** *f* cuvette. ◇ *m AMER* fanfaron, vantard.

**palanganear** *vi AMER* fanfaronner, se vanter, crâner.

**palanganero** *m* table *f* de toilette, lavabo.

**palangre** *m* palangre *f*.

**palanquera** *f* palissade.

**palanqueta** *f* pince-monseigneur.

**palanquín** *m* **1.** *(litera)* palanquin **2.** *(mozo)* portefaix.

**Palas** *np f* Pallas.

**palastro** *m (chapa)* tôle *f*.

**palatal** *a* palatal, e.

**palatalización** *f* palatalisation.

**palatalizar** *vt* palataliser.

**Palatinado** *np m* Palatinat.

**palatino, a** *a* palatin, e.

**palco** *m* **1.** *(en un teatro)* loge *f* ◊ **~ de platea** baignoire *f*; **~ de proscenio** avant-scène *f* **2.** *(tabladillo)* tribune *f*.

**palear** *vt* pelleter.

**palenque** *m* **1.** *(valla)* palissade *f* **2.** *(recinto)* champ clos, arène *f* **3.** *AMER (estaca)* poteau (pour attacher les animaux).

**palentino, a** *a/s* de Palencia.

**paleografía** *f* paléographie.

**paleográfico, a** *a* paléographique.

**paleógrafo, a** *s* paléographe.

**paleolítico, a** *a/m* paléolithique.

**paleontología** *f* paléontologie.

**paleontológico, a** *a* paléontologique.

**paleontólogo, a** *s* paléontologiste, paléontologue.

**palermitano, a** *a/s* palermitain, e.

**Palermo** *np* Palerme.

**Palestina** *np f* Palestine.

**palestino, a** *a/s* palestinien, enne.

**palestra** *f* **1.** *ANT* palestre **2.** *FIG* arène ◊ **salir a la ~** entrer en lice **3.** *FIG* lutte.

**paleta** *f* **1.** petite pelle **2.** *(de pintor)* palette **3.** *(de hélice, ventilador)* pale **4.** *(de albañil)* truelle **5.** *TECN (para la manutención)* palette **6.** *AMER (helado)* bâtonnet *m* glacé, *(dulce)* sucette.

**paletada** *f* **1.** truellée **2.** pelletée.

**paletilla** *f* **1.** *ANAT* omoplate **2.** *(carne)* palette, épaule **3.** *(del esternón)* appendice *m* xiphoïde.

**paletización** *f TECN* palettisation.

**paleto, a** *a/s* paysan, anne, pedzouille, plouc, bouseux. ◇ *m (gamo)* daim.

**paletón** *m (de la llave)* panneton.

**palia** *f* **1.** *(del cáliz)* pale **2.** rideau *m* du tabernacle.

**paliar** *vt* pallier: **~ un dolor** pallier une douleur.

**paliativo, a** *a/m* palliatif, ive.

**pálida** *f AMER* **1.** dépression, déprime **2.** mauvaise passe.

**palidecer*** *vi* pâlir.

**palidez** *f* pâleur.

**pálido, a** *a* pâle.

**paliducho, a** *a* pâlot, otte.

**palier** *m TECN* palier.

**palillero** *m* **1.** porte-cure-dents **2.** porte-plume.

**palillo** *m* **1.** *(de encajera)* fuseau **2.** *(mondadientes)* cure-dents *inv* **3.** *(de tambor)* baguette *f* **4.** *(de escultor)* ébauchoir. ◇ *pl* **1.** *(para comer arroz)* baguettes *f* **2.** *(del billar)* quilles *f* **3.** *(castañuelas)* castagnettes *f* **4.** *TAUROM* banderilles *f*.

**palimpsesto** *m* palimpseste.

**palinodia** *f* palinodie ◊ **cantar la ~** se rétracter, reconnaître ses erreurs, faire amende honorable.

**palio** *m* **1.** pallium **2.** *(dosel)* dais.

**palique** *m* conversation *f*, causette *f* ◊ **estar de ~** faire la causette, papoter, tailler une bavette: **estaba de ~ con su vecina** elle faisait la causette, elle papotait avec sa voisine.

**palisandro** *m* palissandre.

**palito** *m* bâtonnet, petit bâton.

**palitroque** *m* **1.** *(palo pequeño)* bout de bois, petit bâton **2.** *TAUROM* banderille *f*.

**paliza** *f* raclée, rossée, tripotée: **dar una ~** flanquer une raclée. ◇ *m FAM* **un palizas** un emmerdeur.

**palizada** *f* palissade.

**pallar** *vt (el mineral)* trier.

**palma** *f* **1.** *(hoja)* palme ◊ *FIG* **llevarse la ~** remporter la palme; **llevar en palmas a uno** entourer quelqu'un de prévenances, chouchouter quelqu'un **2.** *(árbol)* palmier *m*; *(datilera)* dattier *m* **3.** *(de la mano)* paume ◊ *FIG* **conocer como la ~ de la mano** connaître comme sa poche **4.** *(del casco de las caballerías)* sole. ◇ *pl* applaudissements *m* ◊ **batir palmas** applaudir, battre des mains.

**palmada** *f* **1.** *(golpe)* tape: **le dio unas palmaditas cariñosas en el hombro** il lui donna quelques petites tapes affectueuses sur l'épaule; **dio una ~ sobre la mesa** il tapa sur la table **2.** battement *m* de mains ◊ **dar palmadas** battre des mains, applaudir.

**palmado, a** *a* palmé, e.

[1]**palmar** *a* **1.** palmaire **2.** *FIG* clair, e, évident, e. ◇ *m (sitio poblado de palmas)* palmeraie *f* ◊ **ser más viejo que un ~** être vieux comme Hérode.

[2]**palmar** *vi FAM* **palmarla** casser sa pipe, claquer, clamser.

**palmarés** *m* palmarès.

**palmariamente** *adv* clairement.

**palmario, a** *a* clair, e, évident, e: **una muestra palmaria** une preuve évidente.

**palmatoria** *f* bougeoir *m*.

**palmeado, a** *a* palmé, e.

**palmear** *vi* applaudir, battre des mains. ◇ *vt* tapoter: **le palmeaba la mejilla** il lui tapotait la joie.

**palmera** *f* palmier *m*, dattier *m*.

**palmeral** *m* palmeraie *f*.

**palmesano, a** *a/s* de Palma de Majorque.

**palmeta** *f* férule.

**palmetazo** *m* coup de férule.

**palmiche** *m* **1.** palmier royal **2.** *(fruto)* chou palmiste.

**palmípedas** *f pl ZOOL* palmipèdes *m*.

**palmito** *m* **1.** palmier nain **2.** *(tallo comestible)* cœur de palmier **3.** *FAM (cara de mujer)* **buen ~** joli minois, jolie frimousse.

**palmo** *m* **1.** *(medida)* empan **2.** pouce: **sin moverse un ~** sans bouger d'un pouce **3. ~ a ~** *(minuciosamente)* à fond; **conozco el barrio ~ a ~** je connais le quartier comme ma poche **4.** *FIG* **dejar con un ~ de narices → nariz; abrir unos ojos de ~** ouvrir de grands yeux; **no levantar un ~ del suelo** ne pas être plus haut que trois pommes **5.** *FAM* **con un ~ de lengua fuera** haletant, la langue pendante, à bout de forces.

**palmotear** *vi* battre des mains.

**palmoteo** *m* battement de mains, applaudissement.

**palo** *m* **1.** bâton **2.** *(madera)* bois: **~ de campeche** bois de Campêche; **~ de rosa** bois de rose; **cuchara de ~** cuillère en bois ◊ *PROV* **de tal ~ tal astilla** tel père, tel fils **3.** *(golpe)* coup de bâton: **moler a palos** rouer de coups ◊ *FIG* **a ~ seco** simplement, sans plus; **andar a palos** se disputer; **dar palos de ciego** frapper à tort et à travers, *FIG* agir sans réflexion et de façon arbitraire; *FAM* **dar un ~ a alguien** critiquer, éreinter quelqu'un **4.** *(de la escoba)* manche **5.** *MAR* mât: **~ mayor** grand mât ◊ *FIG* **cada ~ aguante su vela** à chacun de prendre ses responsabilités ◊ *loc adv FIG* **a ~ seco** simplement, sans plus, de but en blanc **6.** *(suplicio)* gibet **7.** *(de la baraja)* couleur *f* **8.** *(para jugar al billar)* quille *f* **9.** *AMER* **~ borracho** sorte de fromager, arbre d'Argentine.

**paloma** *f* **1.** pigeon *m*: **~ mensajera** pigeon voyageur; **~ torcaz** pigeon ramier, palombe **2.** colombe: **la ~ de la paz** la colombe de la paix.

**palomar** *m* pigeonnier, colombier. ◇ *a* **hilo ~** sorte de ficelle *f*.

**palometa** *f* nom de plusieurs poissons.

**palomilla** *f* **1.** petit papillon *m* **2.** *(de los granos)* teigne **3.** *(tuerca)* papillon *m* **4.** support *m* en forme de console. ◇ *pl (olas)* moutons *m*.

**palomina** *f (excremento)* colombine, fiente.

**palomino** *m* **1.** pigeonneau sauvage **2.** *FAM* caca.

**palomita** *f* pop-corn *m*, grain *m* de maïs soufflé.

**palomo** *m* **1.** pigeon mâle **2.** *(paloma torcaz)* ramier.

**palotada** *f* coup *m* de baguette ◊ *FAM* **no dar ~** rater, se tromper, ne rien faire de bon.

**palote** *m* **1.** baguette *f* **2.** *(para aprender a escribir)* bâton.

**palpable** *a* **1.** palpable **2.** *FIG* tangible, évident, e.

**palpación** *f*, **palpamiento** *m* palpation *f*.

**palpar** *vt* **1.** palper **2.** *(andar a tientas)* tâtonner **3.** *FIG* comprendre clairement.

**palpebral** *a ANAT* palpébral, e.

**palpitación** *f* palpitation. ◇ *pl (del corazón)* palpitations.

**palpitante** *a* palpitant, e.

**palpitar** *vi* palpiter.

**pálpito** *m* pressentiment: **me da el ~ de que** j'ai le pressentiment que.

**palta** *f AMER (fruto)* avocat *m*.

**palto** *m AMER (árbol)* avocatier.

**palúdico, a** *a/s* paludéen, enne.

**paludismo** *m* paludisme.

**palurdo, a** *a/s* paysan, anne, rustre, pedzouille.

**palustre** *m (de albañil)* truelle *f*. ◇ *a (relativo a los pantanos)* palustre, paludéen, enne.

**pamela** *f* capeline.

**pamema** *f FAM* **1.** *(tontería)* niaiserie, bêtise, baliverne **2.** *(melindre)* simagrée.

**pampa** *f* pampa.

**pámpana** *f* feuille de vigne.

**pampanilla** *f (taparrabo)* pagne *m*.

**pámpano** *m* **1.** pampre, jeune sarment **2.** *(hoja)* feuille *f* de vigne.

**pampeano, a → pampero.**

**pampero, a** *a* pampéen, enne. ◇ *m (viento)* pampero, vent de la pampa.

**pampirolada** *f* **1.** sauce à l'ail **2.** *FIG* bêtise, vétille.

**pamplina** *f* **1.** *(planta)* mouron *m* **2.** *FIG* niaiserie, baliverne, sornette, foutaise.

**pamplinero, a** *a* niais, e, sot, sotte.

**Pamplona** *np* Pampelune.

**pamplonés, esa** *a/s* de Pampelune.

**pamporcino** *m* cyclamen.

**pan** *m* **1.** pain: **~ tierno** pain frais; **~ integral** pain complet; **~ de flor** pain de gruau; **~ de molde** pain de mie; **el ~ nuestro de cada día** notre pain de chaque jour; **~ bendito** pain bénit ◊ **a ~ y agua** au pain sec; **al ~ ~ y al vino vino** il faut appeler un chat un chat; **contigo ~ y cebolla** une chaumière et un cœur; **con su ~ se lo coma** qu'il se débrouille, c'est son affaire, grand bien lui fasse; **ganarse el ~** gagner son pain; *FAM* **esto es ~ comido** c'est du tout cuit **2. ~ rallado** chapelure *f* **3. ~ de azúcar** pain de sucre **4.** *(de oro, plata)* feuille *f* **5.** *(trigo)* blé: **tierra de ~ llevar** terre à blé.

**pana** *f* velours *m* côtelé: **chaqueta, pantalón de ~** veste, pantalon de velours.

**panacea** *f* panacée.

**panadería** *f* boulangerie.

**panadero, a** *s* boulanger, ère.

**panadizo** *m* panaris.

**panafricanismo** *m* panafricanisme.

**panal** *m* rayon, gâteau de miel.

**panamá** *m (sombrero)* panama.

**Panamá** *np* Panama.

**panameño, a** *a/s* panaméen, enne, de Panama.

**panamericanismo** *m* panaméricanisme.

**panamericano, a** *a* panaméricain, e.

**panárabe** *a* panarabe.

[1]**panatela** *f* biscuit *m* allongé.

[2]**panatela** *f* **1.** *(sopa)* sorte de panade **2.** *(cigarro)* panatela *m*.

**panateneas** *f pl* panathénées.

**pancarta** *f* **1.** pancarte **2.** *(de tela, en las manifestaciones)* banderole, calicot *m*.

**panceta** *f* lard *m*: **~ ahumada** lard fumé.

**pancho, a** *a* FAM calme, décontracté, e, relax: **ponerse tan ~** être très décontracté. ◇ *m* FAM *(panza)* bedaine.

**Pancho** *np m* FAM François.

**pancista** *s* opportuniste.

**pancracio** *m (lucha)* pancrace.

**páncreas** *m* ANAT pancréas.

**pancreático, a** *a* pancréatique: **jugo ~** suc pancréatique.

[1]**panda** *m (animal)* panda.

[2]**panda** *f (pandilla)* bande: **una ~ de amigos** une bande d'amis.

**pandear** *vi* **1.** s'incurver **2.** *(pared)* bomber.

**pandemia** *f* pandémie.

**pandemónium** *m* pandémonium.

**pandeo** *m* **1.** gauchissement **2.** *(de una pared)* bombement.

**pandereta** *f* **1.** tambour *m* de basque **2.** FIG **la España de ~** l'Espagne d'opérette.

**panderete → tabique.**

**panderetear** *vi* jouer du tambour de basque.

**pandero** *m* **1.** tambour de basque **2.** *(juguete)* cerf-volant **3.** POP cul, popotin.

**pandilla** *f* **1.** *(grupo de personas)* bande **2.** *(camarilla)* coterie, ligue, clique.

**pandillero, a** *s* membre d'une bande.

**pando, a** *a* **1.** bombé, e **2.** lent, e.

**Pandora** *np f* Pandore: **caja de ~** boîte de Pandore.

**pandorga** *f* **1.** *(juguete)* cerf-volant *m* **2.** FAM femme très grosse, grosse dondon.

**panecillo** *m* petit pain.

**panegírico** *m* panégyrique.

**panegirista** *s* panégyriste.

**panel** *m* **1.** *(de puerta, etc.)* panneau **2.** *(tablero)* tableau: **~ de instrumentos** tableau de bord **3.** *(en una encuesta)* panel **4.** TECN **~ solar** panneau solaire.

**panela** *f* AMER pain *m* de sucre roux.

**panera** *f* **1.** grenier *m* **2.** *(cesta)* corbeille à pain.

**paneslavismo** *m* panslavisme.

**panfilismo** *m* bonté *f* excessive.

**pánfilo, a** *a/s* **1.** *(flojo)* mou, molle, endormi, e **2.** *(bobo)* sot, sotte.

**panfletista** *s* pamphlétaire.

**panfleto** *m* pamphlet.

**pangaré** *m* AMER cheval dont la robe est claire en partie.

**pangermanismo** *m* pangermanisme.

**pangolín** *m* pangolin.

**paniaguado** *m* **1.** ANT serviteur nourri et logé **2.** FIG protégé.

**pánico, a** *a* panique. ◇ *m* **1.** panique *f*: **sembrar el ~** semer la panique **2.** FAM **de ~** extraordinaire, terrible: **un jaleo de ~** une pagaille monstre.

**panícula** *f* BOT panicule.

**panificable** *a* panifiable.

**panificación** *f* panification.

**panificadora** *f* boulangerie.

**panificar** *vt* panifier.

**panislamismo** *m* panislamisme.

**panizo** *m* **1.** panic **2.** *(maíz)* maïs.

**panocha, panoja** *f (de maíz, mijo)* épi *m*.

**panoli** *a/s* FAM idiot, e, bête, andouille *f*.

**panoplia** *f* panoplie.

**panorámico, a** *a* panoramique. ◇ *f (cine)* panoramique *m*.

**panoso, a** *a* farineux, euse.

**panqueque** *m* AMER sorte de crêpe *f*.

**pantagruélico, a** *a* pantagruélique.

**pantaleta** *f* AMER culotte.

**pantalla** *f* **1.** *(de lámpara)* abat-jour *m inv* **2.** *(de cine, televisión)* écran *m* ◊ **la pequeña ~, la ~ chica** le petit écran; **llevar a la ~** porter à l'écran **3.** *(de chimenea)* écran *m* **4.** FIG *(una persona)* écran *m*, paravent *m*: **servir de ~** servir de paravent **5. hacer ~ con la mano** faire un écran de sa main, mettre la main en visière **6.** AMER. *(abanico)* éventail *m*.

**pantalón** *m* **1.** pantalon ◊ **~ corto** culotte courte; **~ tubo** fuseau; **~ vaquero** jean; **~ pirata → pirata 2.** *(de mujer)* culotte *f* ◊ FAM **llevar los pantalones** porter la culotte.

**pantanal** *m* marais, marécage.

**pantano** *m* **1.** marais **2.** *(de una presa)* réservoir, lac artificiel.

**pantanoso, a** *a* marécageux, euse.

**panteísmo** *m* panthéisme.

**panteísta** *a/s* panthéiste.

**panteón** *m* **1.** panthéon **2.** *(sepultura)* caveau de famille **3.** AMER *(cementerio)* cimetière.

**pantera** *f* panthère.

**pantógrafo** *m* pantographe.

**pantomima** *f* pantomime.

**pantomimo** *m (actor)* pantomime.

**pantorrilla** *f* mollet *m*.

**pantufla** *f* pantoufle.

**panty** *m* collant: **los pantys y las medias** les collants et les bas; **~ de red** collant résille.

**panza** *f* **1.** panse **2.** FAM bedaine, ventre *m*: **echar ~** prendre du ventre **2.** ZOOL panse **3.** *(de vasija)* panse.

**panzada** *f* **1.** coup *m* sur le ventre **2.** *(al zambullirse)* plat *m*: **darse una ~** faire un plat **3.** FAM ventrée: **darse una ~ de,** se gaver de.

**panzudo, a** *a* pansu, e, ventru, e, ventripotent, e.

**pañal** *m* **1.** *(de recién nacido)* lange **2.** *(braguita de celulosa absorbente)* change **3.** *(de camisa)* pan. ◇ *pl (del niño)* couches *f* ◊ **niño de pañales** enfant au maillot; FIG **estar en pañales** ne pas savoir grand chose, en être à ses débuts, être dans l'enfance; **el proyecto todavía está en pañales** le projet est encore tout nouveau, à l'état d'ébauche.

**pañería** *f* magasin *m* de draps, draperie.

**pañero, a** *s* drapier, ère.

**pañete** *m* **1.** *(paño)* drap léger **2.** *AMER (enlucido)* badigeon. ◇ *pl* linge *sing* (dans les représentations de Jésus crucifié).

**paño** *m* **1.** *(de lana)* drap **2.** *(tela)* étoffe *f*, tissu **3.** *(trapo para limpiar, secar)* torchon ◊ **~ de manos** essuie-mains; *FIG* **~ de lágrimas** confident, consolateur; **conocer el ~** s'y connaître, connaître la musique, être à la coule; **ser del mismo ~** être semblable **4.** *(colgadura)* tenture *f* **5.** *MAR* voilure *f* **6.** *(en el ojo)* taie *f* **7.** *(en la piel)* tache *f*, envie *f* **8.** *(de pared)* pan de mur **9.** *TEAT* **hablar al ~** parler à la cantonnade. ◇ *pl* **1.** vêtements ◊ **paños menores** sous-vêtements, linge *sing* de corps; **estar en paños menores** être en petite tenue **2.** *FIG* **paños calientes** palliatifs, expédients.

**pañol** *m* soute *f*.

**pañolero** *m MAR* soutier.

**pañoleta** *f* fichu *m*.

**pañolón** *m* châle.

**pañosa** *f FAM* cape de drap.

**pañuelo** *m* **1.** mouchoir: **~ de bolsillo** mouchoir de poche **2.** *(para el cuello)* foulard **3.** *FIG. (lugar)* **el mundo es un ~** le monde est petit.

[1]**papa** *m* **1.** *(sumo pontífice)* pape **2.** *FAM (papá)* papa.

[2]**papa** *f* **1.** *(patata)* pomme de terre **2.** *FAM* **ni ~** rien, que dalle; **no entendí ni ~ de lo que dijo** je n'ai absolument rien compris de ce qu'il a dit. ◇ *pl* **1.** *(papillas)* bouillie *sing* **2.** chips.

▶ En Amérique latine, le mot *papa* est le mot usuel pour «pomme de terre».

**papá** *m* **1.** papa **2. ~ Noel** le père Noël.

**papable** *a* papable.

**papachar** *vt AMER* caresser; *(a los niños)* câliner.

**papacho** *m AMER* caresse *f*, câlin.

**papada** *f* **1.** double menton *m* **2.** *(de los bueyes)* fanon *m*.

**papado** *m* **1.** papauté *f* **2.** pontificat.

**papafigo** *m* becfigue.

**papagayo** *m* **1.** *(ave)* perroquet **2.** *FIG* **como un ~** comme un perroquet.

**papahígo** *m (pájaro)* becfigue.

[1]**papal** *a (del Papa)* papal, e.

[2]**papal** *m AMER* champ de pommes de terre.

**papalina** *f* **1.** *(de mujer)* coiffe **2.** bonnet *m* à oreilles **3.** *FAM (borrachera)* cuite.

**papalote** *m AMER (cometa)* cerf-volant.

**papamoscas** *m inv* gobe-mouches.

**papanatas** *m inv FAM* niais, nigaud, jobard.

**papar** *vt* gober, avaler ◊ *FIG* **~ moscas** bayer aux corneilles, gober les mouches; **¡pápate ésa!** attrape!

**paparrucha** *f* **1.** *(mentira)* bobard *m*, mensonge *m*, craque **2.** *(tontería)* bêtise **3.** ouvrage *m* sans valeur, bricole, navet *m*.

**papaveráceas** *f pl BOT* papavéracées.

**papaya** *f* papaye.

**papayo** *m* papayer.

**papel** *m* **1.** papier: **una hoja de ~** une feuille de papier; **~ carbón** papier carbone; **~ de calcar** papier-calque; **~ de cartas** papier à lettre; **~ de envolver** papier d'emballage; **~ de filtro** papier- filtre; **~ de fumar** papier à cigarettes; **~ higiénico** papier hygiénique, papier toilette; **~ moneda** papier monnaie; **~ pintado** papier peint; **~ secante** papier buvard; **~ sellado** papier timbré; *FIG* **~ mojado** chiffon de papier; **ser ~ mojado** rester lettre morte **2. ~ de aluminio, de estaño** papier d'aluminium, d'étain **3.** *(de un actor)* rôle: **hace el ~ de detective en la película** il joue le rôle du détective dans le film; **papeles secundarios** rôles secondaires **4.** *FIG* rôle: **desempeñar un ~** jouer un rôle ◊ **hacer buen, mal ~** faire bonne, mauvaise figure. ◇ *pl (documentos, etc.)* papiers: **tener los papeles en regla** avoir ses papiers en règle.

**papela** *f FAM (documentación)* papiers *m pl*.

**papelear** *vi* fouiller dans ses papiers.

**papeleo** *m* paperasserie *f*: **el ~** la paperasserie; **cuesta mucho al Estado todo ese ~ inútil** toute cette paperasserie inutile coûte cher à l'État.

**papelera** *f* **1.** *(cesto)* corbeille à papiers **2.** *(comercio)* papeterie.

**papelería** *f* papeterie.

**papelero, a** *a (farolero)* poseur, euse. ◇ *m* papetier.

**papeleta** *f* **1.** *(de rifa, etc.)* billet *m*, *(para votar)* bulletin *m* (de vote): **una ~ en blanco** un bulletin blanc **3.** *(del monte de piedad)* reconnaissance **4.** *(de examen)* bulletin *m* **5.** *FIG* problème *m*, difficulté: **plantear una buena ~** poser un sacré problème.

**papelillo** *m* **1.** petit papier **2.** *(de medicina)* sachet **3.** cigarette *f*.

**papelina** *f FAM* **~ de caballo** dose d'héroïne, de blanche.

**papelón, ona** *a* poseur, euse, fanfaron, onne. ◇ *m* **1.** *(escrito)* papelard **2.** *AMER (papel ridículo)* rôle ridicule, *(desacierto)* gaffe *f* **3.** *AMER (azúcar)* sucre roux.

**papelorio** *m* paperasse *f*.

**papelote, papelucho** *m* papelard.

**papera** *f (bocio)* goitre *m*. ◇ *pl* **1.** *(enfermedad)* oreillons *m*: **sufrir las paperas** avoir les oreillons **2.** *ANT* écrouelles, scrofules.

**papi** *m FAM* papa.

**papila** *f* papille.

**papilar** *a ANAT* papillaire.

**papilionáceas** *f pl BOT* papillonacées.

**papilla** *f* **1.** *(para los niños)* bouillie **2.** *FIG* **hacer ~ a** réduire en bouillie; **tengo el estómago hecho ~** j'ai l'estomac en compote; **hecho ~** *(cansado)* crevé, claqué.

**papillote** *m* papillote *f*.

**papión** *m (mono)* papion.

**papiro** *m* papyrus.

**papirotazo** *m* chiquenaude *f*, pichenette *f*.

**papirote** *m* **1.** *(golpe)* chiquenaude *f*, pichenette *f* **2.** *(tonto)* nigaud, sot.

**papisa** *f* papesse.

**papismo** *m* papisme.

**papista** *a/s* papiste ◊ *FIG* **más ~ que el papa** plus royaliste que le roi.

**papo** *m* **1.** *(de ave)* jabot **2.** renflement au cou d'un animal **3.** *(bocio)* goitre.

**papú** *a/s* papou, e.

**Papuasia** *np f* Papouasie.

**papudo, a** *a* qui a un gros jabot.

**pápula** *f MED* papule.

**paquebot, paquebote** *m* paquebot.

**paquete** *m* **1.** paquet: **un ~ de café,** un paquet de café **2.** paquet, colis: **~ postal** paquet-poste, colis postal; **~ bomba** colis piégé **3.** *(serie)* **un ~ de medidas económicas** un train de mesures économique **4.** *ECON* **~ de acciones** paquet d'actions **5.** *(televisión)* **~ de canales temáticos** bouquet de chaînes thématiques **6.** *FIG (en una moto)* passager **7.** *(buque)* paquebot **8.** *FAM* **hecho un ~** très élégant **9.** *FAM* **meter un ~ a** passer un savon à.

**paquetería** *f* **1.** mercerie **2.** *AMER* élégance, recherche.

**paquidermo** *m* pachyderme.

**Paquistán** *np m* Pakistan.

**paquistaní** *a/s* pakistanais, e.

**Paquito, a** *np FAM* François, e.

**par** *a* **1.** pair, e: **número ~** nombre pair; **días pares** jours pairs **2.** pareil, eille, semblable: **sin ~** sans pareil; **una belleza sin ~** une beauté sans pareille. ◇ *m* **1.** paire *f*: **un ~ de guantes** une paire de gants; **a pares** par paires **2.** couple: **un ~ de fuerzas** un couple de forces **3.** *ELECT* couple **4.** deux: **un ~ de días, de horas, de meses** deux jours, deux heures, deux mois (environ) ; **un ~ de veces a la semana** deux fois par semaine **5.** *(título)* pair **6.** *ARQ* arbalétrier **7.** *loc adv* **a la ~** en même temps, à la fois, ensemble; **a la ~ que yo** en même temps que moi; **útil al ~ que bonito** à la fois utile et joli; *(monedas, valores)* **a la ~** au pair; **de ~ en ~** grand ouvert, grande ouverte; **abrir de ~ en ~** ouvrir en grand; **por debajo de la ~** au-dessous du pair.

**para** *prep* **1.** pour: **salir ~ Buenos Aires** partir pour Buenos Aires; **trabajar ~ vivir** travailler pour vivre; **una carta ~ usted** une lettre pour vous; **tú eres todo ~ mí** tu es tout pour moi; **es alto ~ su edad** il est grand pour son âge; *(punto de vista)* **~ mí, eso es imposible** pour moi, c'est impossible **2.** à: **¿~ qué sirve esto?** à quoi ça sert?; **no servir ~ nada** ne servir à rien; **nocivo ~ la salud** nuisible à la santé **3.** *(dirección)* vers: **corrió ~ el lugar del accidente** il courut vers le lieu de l'accident; **yo volvía ~ casa** je rentrais à la maison, chez moi **4.** *(tiempo)* **lo quiero ~ mañana** je le veux pour demain; **me casaré ~ fines de diciembre** je me marierai vers la fin décembre; **~ Navidad** vers Noël, à Noël; **nos veremos ~ el mes que viene** nous nous verrons le mois prochain; **faltan dos días ~ el examen** il reste deux jours avant l'examen **5.** **~ con** envers, à l'égard de: **siente una gran ternura ~ con ella** il éprouve une grande tendresse envers elle **6.** **¿~ qué?** pourquoi?: **¿~ qué me llamaste?** pourquoi m'as-tu appelé? (dans quel but?) **que ~ qué** → **qué 7.** *(avec les pronoms mí, ti, sí, etc., sens réfléchi)* **decir ~ sí,** dire à part soi, se dire; **tengo ~ mí que** je pense que **8. estar ~, ser ~** → **estar, ser 9** *loc conj* **~ que** pour que, afin que: **te llamo ~ que vengas** je t'appelle pour que tu viennes.

**parabién** *m* félicitations *f pl*, compliments *pl*: **le doy mis parabienes** je vous présente mes félicitations.

**parábola** *f (narración, curva)* parabole.

**parabólico, a** *a* parabolique: **antena parabólica** antenne parabolique.

[1]**paraca** *m FAM (paracaidista)* para.

[2]**paraca** *f AMER* brise très forte soufflant du Pacifique.

**parabrisas** *m inv* pare-brise.

**paracaídas** *m inv* parachute.

**paracaidismo** *m* parachutisme.

**paracaidista** *s* parachutiste.

**parachispas** *m inv* pare-étincelles.

**parachoques** *m inv* pare-chocs.

**Paráclito, Paracleto** *m RELIG* Paraclet.

**parada** *f* **1.** *(acción, lugar)* arrêt *m*: **la ~ del autobús** l'arrêt de l'autobus; **~ discrecional** arrêt facultatif **2. ~ de taxis** station de taxis **3.** *MIL* parade **4.** *(en esgrima)* parade **5.** *(para cambiar de caballerías)* relais *m* **6.** *(acaballadero)* haras *m* **7.** *(en el juego)* mise.

**paradero** *m* **1.** lieu où l'on s'arrête, où l'on se trouve, domicile: **se ignora su ~** on se sait pas où il se trouve; **en ~ desconocido** dans un endroit inconnu **2.** *FIG* **¿cuál será nuestro ~?** quel sera notre sort? **3.** terme, aboutissement **4.** *AMER (apeadero)* halte *f*, arrêt: **uno de los paraderos del tranvía** un des arrêts du tramway.

**paradigma** *m* paradigme.

**paradisiaco, a, paradisíaco, a** *a* paradisiaque.

**parado, a** *pp* de **parar.** ◇ *a* **1.** *(sin trabajo)* au chômage, en chômage: **tiene al marido ~** son mari est au chômage **2.** *(desocupado)* désœuvré, e **3.** *AMER (de pie)* debout **4.** *FIG (confuso)* **quedarse ~** rester interdit: **no te quedes ahí ~** ne reste pas planté là **5. salir bien, mal ~** s'en tirer bien, mal. ◇ *s* chômeur, euse, sans-emploi *inv*: **ha aumentado el número de los parados** le nombre des chômeurs a augmenté; **~ de larga duración** chômeur de longue durée.

**paradoja** *f* paradoxe *m*: **es una ~** c'est un paradoxe.

**paradójicamente** *adv* paradoxalement.

**paradójico, a** *a* paradoxal, e.

**parador** *m* **1.** *(posada)* auberge *f* **2.** «parador», hôtel de luxe géré par l'État.

**paraestatal** *a* de l'État.

**parafango** *m AMER* garde-boue.

**parafernalia** *f FAM* **1.** attirail *m*, gadgets *m pl*, bric-à-brac *m*, fourbi *m*: **vendedores ambulantes ofrecían una ~ de gafas de sol, objetos folclóricos, relojes...** des vendeurs ambulants offraient tout un bric-à-brac de lunettes de soleil, objets folkloriques, montres... **2.** mise en scène.

**parafina** *f* paraffine.

**parafinar** *vt* paraffiner.

**parafrasear** *vt* paraphraser.

**paráfrasis** *f* paraphrase.

**paragolpes** *m* pare-chocs.

**parágrafo** *m* paragraphe.

**paraguas** *m inv* parapluie.

**Paraguay** *np m* Paraguay.

**paraguayo, a** *a/s* paraguayen, enne.

**paragüero, a** *s* fabricant, marchand de parapluies. ◇ *m (mueble)* porte-parapluies.

**parahúso** *m* drille *f*.

**paraíso** *m* paradis: **~ terrenal** paradis terrestre; **paraísos fiscales** paradis fiscaux.

**paraje** *m* endroit, parage, site.

**paralaje** *f ASTR* parallaxe.

**paralela** *f* parallèle. ◇ *pl* barres parallèles.

**paralelamente** *adv* parallèlement.

**paralelepípedo** *m* parallélépipède.

**paralelismo** *m* parallélisme.

**paralelo, a** *a* parallèle. ◇ *m* **1.** *GEOG* parallèle **2.** *FIG* **establecer un ~** établir un parallèle.

**paralelogramo** *m* parallélogramme.

**paralímpico, a** *a* paralympique.

**parálisis** *f* paralysie.

**paralítico, a** *a/s* paralytique.

**paralización** *f* paralysie, arrêt *m*.

**paralizador, a, paralizante** *a* paralysant, e.

**paralizar** *vt* paralyser.

**paramédico, a** *a* paramédical, e.

**paramentar** *vt* parementer.

**paramento** *m* **1.** ornement: **paramentos sacerdotales** ornements sacerdotaux **2.** *(de una pared)* parement.

**paramera** *f* région de landes.

**parámetro** *m* paramètre.

**paramilitar** *a* paramilitaire.

**páramo** *m* **1.** lande *f*, étendue *f* désertique **2.** *FIG* désert, lieu inhospitalier **3.** *AMER (llovizna)* bruine *f*.

**parangón** *m* comparaison *f*.

**parangonar** *vt* comparer: **el estilo de este escritor puede parangonarse con el de...** le style de cet écrivain peut être comparé à celui de...

**paraninfo** *m (en las Universidades)* grand amphithéâtre.

**paranoia** *f MED* paranoïa.

**paranoico, a** *a/s* paranoïaque.

**parapara** *f AMER* fruit *m* du «paraparo».

**paraparo** *m AMER (árbol)* savonnier du Venezuela.

**parapente** *m* parapente.

**parapetarse** *vpr* **1.** s'abriter, se retrancher **2.** *FIG* **~ tras...** se retrancher, se mettre à l'abri derrière...

**parapeto** *m* parapet.

**paraplejía** *f MED* paraplégie.

**parapléjico, a** *a/s* paraplégique.

**parapsicología** *f* parapsychologie.

**parar** *vi* **1.** s'arrêter: **este tren para en todas las estaciones** ce train s'arrête à toutes les gares **2.** cesser, arrêter: **no ~ de** ne pas cesser de; **el teléfono no paraba de sonar** le téléphone n'arrêtait pas de sonner ◊ **sin ~** sans arrêt; **y pare usted de contar** un point c'est tout **3.** *(hospedarse)* loger, descendre: **pararé en el hotel Bristol** je descendrai à l'hôtel Bristol **4.** finir, échouer: **~ en la cárcel** finir en prison **5.** *(convertirse)* devenir **6. ir a ~, venir a ~ a** échouer dans: **fuimos a ~ a un café** nous avons échoué dans un café; **¿adónde vamos a ~?** où allons-nous?; **¿adónde quieres ir a ~?** où veux-tu en venir? **7. ir, venir a ~ en** finir par, aboutir à, se réduire à. ◇ *vt* **1.** *(detener)* arrêter **2.** *(un golpe)* parer **3.** *(el balón)* arrêter, bloquer. ◆ **~se** *vpr* **1.** s'arrêter: **¡párese!** arrêtez-vous! **2.** *AMER* se lever, se mettre debout: **el niño ya se para solito** l'enfant se met maintenant debout tout seul **3. pararse a pensar** réfléchir.

**pararrayos** *m inv* paratonnerre.

**parasicología → parapsicología.**

**parasitario, a** *a* parasitaire.

**parasitismo** *m* parasitisme.

**parásito, a** *a/s* parasite. ◇ *m pl (radio)* parasites, friture *f sing.*

**parasitología** *f* parasitologie.

**parasol** *m* parasol.

**paratifoidea** *f MED* paratyphoïde.

**Parca** *np f* **1.** Parque **2.** *FIG* la Mort.

**parcamente** *adv* modérément, chichement.

**parcela** *f* parcelle.

**parcelación** *f* parcellement *m.*

**parcelar** *vt* parceller.

**parcelario, a** *a* parcellaire.

**parchar** *vt AMER (remendar)* rapiécer, raccommoder, réparer.

**parche** *m* **1.** emplâtre **2.** *(en un neumático)* rustine *f* **3.** *(del tambor)* peau *f* ◊ **oído al ~ → oído 4.** pièce *f*, retouche *f* **5.** *FAM* **pegar un ~ a alguien** rouler quelqu'un.

**parchís** *m* sorte de jeu de l'oie.

**parcial** *a* **1.** *(no completo)* partiel, elle: **eclipse ~** éclipse partielle **2.** *(no justo)* partial, e: **juicios parciales** des jugements partiaux. ◇ *a/s (partidario)* partisan, e.

**parcialidad** *f* **1.** *(preferencia)* partialité **2.** *(facción)* parti *m*, clan *m*, faction.

**parcialmente** *adv* **1.** *(en parte)* partiellement **2.** *(injustamente)* partialement.

**parco, a** *a* **1.** sobre: **~ en la comida** sobre, frugal, e **2.** *(escaso)* parcimonieux, euse, mesquin, e **3. ~ en palabras** avare, chiche de paroles.

**pardal** *m* **1.** *(gorrión)* moineau **2.** *(pardillo)* linotte *f* **3.** *(planta)* aconit. ◇ *a* campagnard, e.

**pardear** *vi* tirer sur le brun.

**pardela** *f* petite mouette grise.

**¡pardiez!** *interj* pardi!

**pardillo** *m* **1.** *(pájaro)* linotte *f* **2.** *FAM (novato)* novice, *(ingenuo)* bênet. ◇ *a* campagnard, e.

**pardo, a** *a* **1.** brun, e: **oso ~** ours brun; **camisa parda** chemise brune ◊ **de noche todos los gatos son pardos** la nuit, tous les chats sont gris **2.** *(tiempo, nubes)* sombre **3. gramática parda → gramática.** ◇ *a/s AMER* mulâtre.

**pardusco, a** *a* brunâtre.

**pareado** *m* couple de vers rimant ensemble. ◇ *a* **versos pareados** rimes plates; **chalé ~** villa jumelle.

**parear** *vt* **1.** apparier **2.** *TAUROM* planter les banderilles.

[1]**parecer** *m* **1.** avis, opinion *f*: **a mi ~** à mon avis; **no soy de tu mismo ~** je ne suis pas du même avis que toi **2.** *(aspecto)* physique, air, physionomie *f*, mine *f*: **de buen ~** au physique agréable.

[2]**parecer*** *vi* **1.** *(dejarse ver)* paraître, se montrer **2.** *(aparecer)* apparaître **3.** *(algo que se había perdido)* **¿ha parecido la llave?** a-t-on retrouvé la clef? **4.** avoir l'air, sembler, paraître: **parece enfadada** elle a l'air, elle semble fâchée **5.** sembler: **me parece que...** il me semble que...; **me parece muy bien** je trouve ça très bien **6.** penser: **¿qué te parece la película?** qu'est-ce que tu penses du film?; **¿qué le parece?** qu'en pensez-vous?, qu'en dites-vous?; **un poco pesada la película, ¿no te parece?** un peu ennuyeux le film, tu ne trouves pas? **7.** *(convenir)* aller, convenir: **¿os parece?** ça vous va?; **¿te parece que vayamos andando?** ça te va qu'on aille à pied?; **si te parece...** si cela te convient...; **como le parezca** comme vous voudrez. ◇ *v impers* **1. parece que va a llover** on dirait qu'il va pleuvoir **2. parece que, parece ser que vas a mudarte de casa** il paraît que tu vas déménager; **parece ser que...** il semble que... **3. parece increíble** ça semble incroyable; **parece que no, pero...** on ne le croirait pas, mais... **4.** *loc adv* **al ~** semble-t-il, apparemment; **según parece** à ce qu'il paraît. ◆ **~se** *vpr* ressembler: **se parece mucho a su padre** il ressemble beaucoup à son père; **no se parece en nada a su madre** elle ne ressemble pas du tout à sa mère.

**parecido, a** *a* **1.** ressemblant, e **2. bien, mal ~** d'un physique agréable, désagréable. ◇ *m* ressemblance *f*: **hay cierto ~ entre...** il y a une certaine ressemblance entre...; **cualquier ~ con X es pura coincidencia** toute ressemblance avec X est purement fortuite.

**pared** *f* **1.** mur *m*: **~ maestra** gros mur; **~ medianera** mur mitoyen ◊ *FIG* **entre cuatro paredes** entre quatre murs; **las paredes oyen** les murs ont des oreilles **2.** *(de un órgano, de una montaña, etc.)* paroi **3. blanco como la ~** pâle comme un linge **4.** *FAM* **está que se sube por las paredes** il est en rogne, hors de lui.

**paredaño, a** *a* séparé, e par un mur mitoyen.

**paredón** *m* **1.** gros mur **2. llevar al ~** envoyer au poteau; **¡al ~!** au poteau!

**pareja** *f* **1.** *(de personas, de animales)* couple *m* ◊ **en parejas** deux par deux **2.** *(consortes)* couple *m*: **convivir en ~** vivre en couple **3.** *(en los bailes)* cavalier, ière, partenaire **4.** *(en los dados)* doublet *m* **5.** *(objeto que completa el par)* pendant **6.** *(de la guardia civil)* deux gendarmes *m pl.* ◇ *pl* **correr parejas** aller de pair.

**parejero, a** *a AMER* vaniteux, euse.

**parejo, a** *a* **1.** semblable, pareil, eille: **somos de estatura pareja** nous sommes de taille semblable, nous avons la même taille **2.** égal, e, régulier, ère.

**parénquima** *m ANAT, BOT* parenchyme.

**parentela** *f* parentèle.

**parentesco** *m* parenté *f*: **lazos de ~** liens de parenté.

**paréntesis** *m* parenthèse *f*: **entre ~** entre parenthèses; **abrir un ~** ouvrir une parenthèse.

[1]**pareo** *m* appariement.

[2]**pareo** *m (especie de taparrabo)* paréo.

**pargo** *m (pez)* pagre.

**parhilera** *f ARQ* faîtage *m.*

**paria** *s* paria.

**parida** *f* **1.** *(mujer)* accouchée **2.** *FAM (tontería)* bêtise, connerie: **¡no digas paridas!** ne dis pas de conneries!

**paridad** *f* parité.

**paridera** *a (hembra)* féconde. ◇ *f* mise bas.

**paridora** *a* très féconde.

**pariente, a** *a/s* parent, e: **parientes en segundo grado** parents au second degré; **~ cercano, lejano** proche parent, parent éloigné. ◇ *m POP* mari. ◇ *f POP* **mi parienta** ma bourgeoise, ma moitié.

**parietal** *a ANAT* pariétal, e.

**parigual** *a* égal, e, semblable.

**parihuela** *f* civière, brancard *m.*

**paripé** *m FAM* **hacer el ~** se donner des airs, *(fingir)* faire semblant, jouer la comédie.

**parir** *vi* **1.** *(los animales)* mettre bas **2.** *(la mujer)* accoucher, enfanter ◊ **éramos pocos y parió la abuela → abuela 3.** *FIG* accoucher.

**París** *np* Paris.

**parisiense, parisino, a** *a/s* parisien, enne.

**paritario, a** *a* paritaire: **comité ~** comité paritaire.

**parka** *f* parka.

**parking** *m* parking.

**parla** *f* verbiage *m,* caquet *m.*

**parlamentar** *vi* parlementer.

**parlamentario, a** *a/s* parlementaire.

**parlamentarismo** *m* parlementarisme.

**parlamento** *m* **1.** *(asamblea)* parlement: **el Parlamento Europeo** le Parlement européen **2.** *(discurso)* discours, laïus **3.** *(de un actor)* tirade *f.*

**parlanchín, ina** *a/s* bavard, e.

**parlante** *a* parlant, e. ◇ *m AMER (altavoz)* haut-parleur.

**parlar** *vi* bavarder, jaser.

**parlería** *f* **1.** verbiage *m* **2.** *(chisme)* cancan *m.*

**parlero, a** *a* **1.** bavard, e **2.** *(chismoso)* cancanier, ère **3.** *(ave)* chanteur, euse.

**parlotear** *vi* papoter.

**parloteo** *m* papotage.

**Parma** *np* Parme.

**parmesano, a** *a/s* parmesan, e. ◇ *m (queso)* parmesan.

**parmhilera** *f ARQ* faîtage.

**parnasiano, a** *a/s* parnassien, enne.

**Parnaso** *np m* Parnasse.

**parné** *m POP* fric, pèze, galette *f,* pognon.

[1]**paro** *m* **1.** *(del trabajo, del movimiento)* arrêt **2.** chômage: **~ estacional** chômage saisonnier; **el ~ juvenil** le chômage des jeunes; **estar en ~, en el ~** être au chômage ◊ **~ forzoso** chômage **3.** *(huelga)* **~ laboral** grève *f,* arrêt de travail **4.** *MED* **~ cardíaco** arrêt du cœur.

[2]**paro** *m (pájaro)* mésange *f:* **~ carbonero** mésange charbonnière.

**parodia** *f* parodie.

**parodiar** *vt* parodier.

**paródico, a** *a* parodique.

**paronimia** *f GRAM* paronymie.

**paronomasia** *f (retórica)* paronomase.

**parótida** *f ANAT* parotide.

**paroxismo** *m* paroxysme: **en el ~ de** au paroxysme de.

**parpadear** *vi* **1.** battre des paupières, ciller **2.** *(una luz)* clignoter, papilloter.

**parpadeo** *m* **1.** battement de paupières, cillement **2.** *(de una luz)* clignotement.

**párpado** *m* paupière *f.*

**parpar** *vi (el pato)* cancaner.

**parque** *m* **1.** parc: **~ zoológico** parc zoologique, zoo; **~ nacional** parc national **2.** *(de vehículos)* parc **3.** *(para niños pequeños)* parc.

**parqué → parquet.**

**parqueadero** *m AMER* parking.

**parquear** *vt AMER* garer. ◇ *vi* se garer, stationner.

**parquedad** *f* **1.** parcimonie **2.** *(moderación)* modération, sobriété, retenue.

**parqueo** *m AMER* stationnement, parking.

**parquet** *m* **1.** parquet **2. el ~** la Bourse.

**parquímetro** *m* parcmètre.

**parra** *f (vid)* treille ◊ *FIG* **subirse a la ~** se mettre en colère, se monter, monter sur ses grands chevaux, s'emballer.

**parrafada** *f* long discours *m,* long bavardage *m* ◊ **echar una ~** tailler une bavette.

**párrafo** *m* **1.** paragraphe **2.** *FIG* **echar un ~** tailler une bavette.

**parral** *m* treille *f.*

**parranda** *f* **1.** fête, noce, foire: **ir de ~** faire la foire **2.** troupe de musiciens qui donnent des sérénades.

**parrandear** *vi* faire la noce, la foire.

**parrandeo** *m* fête *f,* noce *f.*

**parricida** *s (persona)* parricide.

**parricidio** *m (crimen)* parricide.

**parrilla** *f* **1.** *(para asar)* gril *m:* **a la ~** sur le gril **2.** *(de un horno)* foyer *m* **3.** *(restaurante)* grill-room *m,* grill *m* **4.** *(calandra)* calandre **5.** *(organización)* grille: **la ~ de programación** la grille des programmes.

**parrillada** *f AMER* plat *m* de viande et abats grillés.

**párroco** *m* curé.

**parronal** *m AMER* treille *f.*

**parroquia** *f* **1.** paroisse **2.** *(de una tienda, etc.)* clientèle.

**parroquial** *a* paroissial, e.

**parroquiano, a** *s* **1.** *(de una tienda, etc.)* client, e **2.** *(feligrés)* paroissien, enne.

**parsi** *a/s* parsi.

**parsimonia** *f* **1.** parcimonie **2.** circonspection.

**parsimonioso, a** *a* **1.** parcimonieux, euse **2.** circonspect, e.

[1]**parte** *f* **1.** partie: **las cinco partes del mundo** les cinq parties du monde; **formar ~ de** faire partie de; **en ~** en partie; **en gran ~** en grande partie; **la mayor ~** la plupart, la majeur partie: **en la mayor ~ de los casos** dans la plupart des cas; **la mayor ~ del tiempo** la plupart du temps ◊ **vamos por partes** procédons par ordre; **la cuarta ~, la tercera ~ → cuarto, tercero 2.** *JUR* partie: **la ~ contraria** la partie adverse; **~ civil** partie civile **3.** *MÚS* partie **4.** part: **dile de mi ~** dis-lui de ma part; **a partes iguales** à parts égales; **tomar ~ en** prendre part à; *FIG* **la ~ del león** la part du lion; **echar a mala ~** prendre en mauvaise part; **llevarse la mejor ~** avoir la meilleure part; **poner de su ~** y mettre du sien **5.** *(lado)* côté *m* **6.** *TEAT (papel)* rôle *m* **7.** *loc adv* **de ~ a ~** de part en part; **en ninguna ~** nulle part; **tengo la cabeza en otra ~** j'ai la tête ailleurs; **por mi ~** pour ma part, quant à moi, en ce qui me concerne; **por otra ~** d'autre part, par ailleurs; **por partes** méthodiquement, une chose après l'autre; **por todas partes** partout **8.** *loc prep* **de ~ de** de la part de: **¿de ~ de quién?** c'est de la part de qui?; **primos por ~ de madre** cousins du côté

de la mère **9. de un mes a esta ~** depuis un mois; **de algún tiempo a esta ~** depuis quelque temps. ◇ *pl (genitales)* parties: **las partes pudendas** les parties honteuses.

**²parte** *m* **1.** dépêche *f,* télégramme **2. ~ de guerra** communiqué de guerre ◊ **dar ~ de** faire part de, communiquer **3.** bulletin: **~ meteorológico, de nieve** bulletin météorologique, d'enneigement; **~ facultativo** bulletin de santé **4. ~ de boda** faire-part de mariage.

**parteluz** *m ARQ* colonne *f* qui divise une fenêtre, meneau.

**partenaire** *s* partenaire.

**partenogénesis** *f BIOL* parthénogénèse.

**Partenón** *np m* Parthénon.

**partera** *f* accoucheuse, sage-femme.

**parterre** *m (en un jardín)* parterre.

**partesana** *f* pertuisane.

**partición** *f (en una herencia, etc.)* partage *m.*

**participación** *f* **1.** participation: **~ en una conferencia, en los gastos** participation à une conférence, aux frais; **denegar toda ~ en los hechos** nier toute participation aux faits **2.** lettre de faire-part, faire-part *m inv:* **~ de boda** faire-part de mariage; **las participaciones** les faire-part.

**participante** *a/s* participant, e: **los participantes en un congreso** les participants à un congrès.

**participar** *vi* **1.** participer: **~ en un festival** participer à un festival **2.** partager: **participo de su punto de vista** je partage votre point de vue. ◇ *vt* faire part de, communiquer: **~ un proyecto** faire part d'un projet.

**partícipe** *a/s* participant, e ◊ **ser ~ de** partager; **hacer ~ de** faire partager; *(notificar)* faire part de: **lo hago ~ de la buena nueva** je vous fais part la bonne nouvelle.

**participial** *a* participial, e.

**participio** *m* participe: **~ activo, de presente** participe présent; **~ pasivo, de pretérito** participe passé.

**partícula** *f* particule.

**particular** *a* **1.** *(propio)* particulier, ère: **domicilio, caso ~** domicile, cas particulier ◊ **en ~** en particulier, notamment **2.** *(raro)* particulier, ère, spécial, e **3.** *(no oficial)* privé, e: **viaje ~** voyage privé. ◇ *m* **1.** *(persona)* particulier ◊ **vestido de ~** habillé en civil **2.** *(asunto)* sujet, matière *f* point: **sobre este ~** sur ce sujet, sur ce point.

▶ *Sin otro particular:* formule stéréotypée à la fin d'une lettre commerciale; peut ne pas être traduite.

**particularidad** *f* particularité.

**particularismo** *m* particularisme.

**particularización** *f* particularisation.

**particularizar** *vt* particulariser. ◆ **~se** *vpr* se particulariser, se singulariser.

**particularmente** *adv* particulièrement.

**partida** *f* **1.** *(salida)* départ *m:* **la hora de la ~** l'heure du départ; **aplazar la ~** retarder le départ; **punto de ~** point de départ **2.** *(de nacimiento, defunción, etc.)* acte *m; (copia)* extrait *m* **3.** *COM (en una cuenta, un presupuesto)* poste *m,* article *m* ◊ **en ~ doble** en partie double **4.** *(de mercancías)* lot *m* **5.** *(en el juego)* partie: **una ~ de ajedrez** une partie d'échecs **6. ~ de caza** partie de chasse **7.** *(grupo)* bande **8.** *FAM* tour *m:* **jugar una mala ~** jouer un mauvais tour; **~ serrana** mauvais tour, sale tour, crasse.

**partidario, a** *a/s* partisan, e.

**partidismo** *m* esprit de parti.

**partidista** *a/s* partisan, e.

**partido** *m* **1.** parti: **~ político** parti politique; **tomar ~ por** prendre parti pour **2. sacar ~ de** tirer parti de **3.** *(competición deportiva)* partie *f,* match: **un ~ de fútbol** un match de football; **~ de vuelta** match-retour **4.** *(de jugadores)* équipe *f* **5.** *(para casarse)* parti: **buen ~** beau parti **6. ~ judicial** arrondissement.

**partidor** *m* répartiteur.

**partir** *vt* **1.** *(dividir)* diviser **2.** *(cortar)* couper: **~ por la mitad** couper en deux **3.** *(hender)* fendre, *(romper)* casser **4.** *(el pan, con las manos)* rompre: **Jesús partió el pan** Jésus rompit le pain **5.** *(compartir)* partager **6.** *FIG (el corazón)* briser, fendre **7.** *MAT* diviser. ◇ *vi* **1.** partir: **~ a, para Roma** partir pour Rome **2.** *FIG* partir: **~ de una hipótesis** partir d'une hypothèse **3.** *loc prep* **a ~ de** à partir de. ◆ **~se** *vpr* se casser: **se le partió el fémur** il s'est cassé le fémur.

**partisano, a** *s* partisan, e.

**partitivo, a** *a* partitif, ive.

**partitura** *f MÚS* partition.

**parto** *m* **1.** *(de una mujer)* accouchement ◊ **morir de ~** mourir en couches **2.** *(de un animal)* mise bas *f* **3.** *FIG (del entendimiento)* production *f* **4.** *FIG* **el ~ de los montes** la montagne qui accouche d'une souris.

**parto, a** *a/s HIST* parthe.

**parturienta** *f* **1.** femme en couches **2.** *(recién parida)* accouchée.

**parva** *f* **1.** *(mies)* airée **2.** *(montón)* tas *m.*

**parvada** *f AMER* bande: **una ~ de niños** une bande d'enfants.

**parvedad** *f* petitesse.

**parvo, a** *a* petit, e.

**parvulario** *m* école *f* maternelle ◊ **el parvu** la maternelle.

**párvulo, a** *a/s* petit, e. ◇ *m (niño)* enfant.

**pasa** *f* raisin *m* sec.

**pasable** *a* passable.

**pasacalle** *m MÚS* passacaille *f.*

**pasada** *f* **1.** *(acción)* passage *m:* **¿estás de ~?** tu es de passage? **2. hacer una mala ~** jouer un mauvais tour, faire une entourloupette **3. dicho sea de ~** soit dit en passant; **contar de ~** raconter en passant, sans s'y arrêter.

**pasadero, a** *a* **1.** passable **2.** praticable.

**pasadizo** *m* corridor, couloir.

**pasado, a** *a* **1.** passé, e **2.** *(año, mes, etc.)* dernier, ère: **el lunes ~** lundi dernier; **a mediados del ~ siglo** au milieu du siècle dernier **3.** *(fruta)* blet, ette **4.** *(tejido, etc.)* défraîchi, e. ◇ *m* passé ◊ **lo ~ ~** ce qui est passé est passé, oublions le passé.

**pasador** *m* **1.** *(contrabandista)* passeur, contrebandier **2.** broche *f,* agrafe *f* **3.** *(para el pelo)* barrette *f* **4.** *(pestillo)* targette *f* **5.** *(varilla de bisagra)* goupille *f* **6.** *(colador)* passoire *f.* ◇ *pl (gemelos)* boutons de manchettes.

**pasaje** *m* **1.** passage **2.** *(de una obra musical o literaria)* passage **3.** *(pasajeros)* passagers *pl* **4.** *AMER* billet: **un ~ de avión a México** un billet d'avion pour Mexico.

**pasajero, a** *a* **1.** *(fugaz)* passager, ère **2.** *(por donde pasa mucha gente)* passant, e. ◇ *s* passager, ère, voyageur, euse.

**pasamanería** *f* passementerie.

**pasamanero** *m* passementier.

**pasamano(s)** *m* **1.** *(de escalera)* main courante *f,* rampe *f* **2.** *(galón)* passement.

**pasamontañas** *m inv* passe-montagne.

**pasante** *m* **1.** *(abogado)* stagiaire **2.** *(de notario)* clerc **3.** *(profesor)* répétiteur.

**pasantía** *f* stage *m.*

**pasapasa** *m* tour de passe-passe.

**pasaporte** *m* passeport.

**pasar** *vi* **1.** passer: **el cartero ha pasado por mi casa** le facteur est passé chez moi; **¡cómo pasa el tiempo!** comme le temps passe! ◊ **~ adelante** continuer, poursuivre; **ir pasando** vivoter **2.** *(entrar)* entrer: **¡pase!, ¡pasad!** entrez! **3.** *(acontecer)* se passer, arriver: **si pasa algo, avísame** s'il se passe quelque chose, préviens-moi; **me tenía que ~ a mí** ça devait m'arriver **4. ~ de** dépasser: **ya he pasado de la edad en que...** j'ai passé l'âge où... ◊ **de ahí no pasa** ça ne va pas plus loin **5. pasó a dueño del hotel** il est devenu patron de l'hôtel **6. ~ por rico** passer pour riche **7. fuera del trabajo paso de reloj** en dehors de mon travail je me passe de montre; **puedo ~ sin coche** je peux très bien me passer de voiture. ◇ *v impers* se passer, arriver: **¿qué pasa?** que se passe-t-il; **¿qué ha pasado?** que s'est-il passé?; **pase lo que pase** quoi qu'il arrive. ◇ *vt* **1.** passer: **~ la frontera** passer la frontière; **pásame el diccionario** passe-moi le dictionnaire; **~ tabaco de contrabando** passer du tabac en fraude; **pasé las vacaciones en Suiza** j'ai passé mes vacances en Suisse; **pasó un año en Bogotá** il passa une année à Bogota ◊ *FIG* **~ el Rubicón** franchir le Rubicon **2. me hizo ~, me paso al salón** il me fit entrer dans le salon **3.** *(superar, aventajar)* dépasser **4.** *(tolerar)* tolérer **5.** *(sufrir)* endurer, souffrir: **~ frío, hambre** souffrir du froid, de la faim, avoir froid, faim **6.** *(un examen, una prueba)* passer avec succès **7. ¿qué tal lo pasas?** comment ça va?; **¿qué tal lo pasaste?** Comment ça s'est passé?; **pasarlo bien** *(divertirse)* s'amuser, se donner du bon temps; **¡qué lo pases bien!** amuse-toi bien!, passe un bon moment!; **pasarlo mal** *(aburrirse)* s'ennuyer; **¡qué mal lo pasé!** qu'est-ce que je me suis ennuyé!, ça s'est très mal passé!; **~ por alto** → **alto.** ◆ **~se** *vpr* **1.** passer: **mañana me pasaré por tu casa** je passerai demain chez toi; **pasarse al enemigo** passer à l'ennemi; **me pasé el día escribiendo, leyendo** j'ai passé ma journée à écrire, à lire **2.** *(cesar)* passer: **se me pasó la jaqueca** ma migraine a passé **3.** *(olvidarse)* oublier: **se me pasó llamarte por teléfono** j'ai oublié de te téléphoner **4.** *(frutas, legumbres)* se gâter **5.** *(cambiar de grupo, etc.)* changer de camp **6.** *(excederse)* dépasser les bornes, aller trop loin ◊ **pasarse de amable** être trop aimable, d'une amabilité excessive; **pasarse de listo** → **listo 7. se me pasó el turno** j'ai laissé passer mon tour.

**pasarela** *f* **1.** *(puente pequeño)* passerelle **2.** *MAR* passerelle **3.** *(para desfiles de modelos)* podium *m.*

**pasatiempo** *m* passe-temps.

**pascana** *f AMER* halte.

**pascua** *f* **1.** *(fiesta judía)* Pâque **2.** *(de Resurrección)* Pâques ◊ **~ florida, de Resurrección** Pâques **3. ~ de Navidad** Noël **4. ~ de Pentecostés** Pentecôte **5.** *FAM* **hacer la ~** enquiquiner, casser les pieds; **nos han hecho la ~** on s'est fait avoir. ◇ *pl* Noël *m sing:* **felicitar por Pascuas** souhaiter un bon Noël **¡felices Pascuas!** joyeux Noël! ◊ *FIG* **estar como unas pascuas** être gai, gaie comme un pinson; **de Pascuas a Ramos** de loin en loin, une fois de temps en temps; **y santas Pascuas** un point c'est tout, n'en parlons plus.

**pascual** *a* pascal, e: **cirio, cordero ~** cierge, agneau pascal.

**Pascual** *np m* Pascal.

**pase** *m* **1.** permis, laissez-passer **2.** *(de magnetizador, en fútbol, etc.)* passe *f* **3.** *(en esgrima)* feinte *f* **4.** *TAUROM* passe *f.*

**paseante** *a/s* promeneur, euse.

**pasear** *vi* promener. ◇ *vi/pr* se promener: **voy a ~, a pasearme** je vais me promener; **~ por el parque** se promener dans le parc; **no quiero que te pasees sola** je ne veux pas que tu te promènes seule.

**paseíllo** *m TAUROM* défilé (des toreros).

**paseo** *m* **1.** promenade *f:* **dar un ~** faire une promenade ◊ *FIG* **mandar, enviar a ~** envoyer promener; **¡vete a ~ !** fiche-moi le camp!, va te faire voir! **2.** *(lugar)* promenade *f* **3.** *TAUROM* défilé.

**pasera** *f* séchoir *m* pour les fruits.

**pasible** *a* passible.

**pasicorto, a** *a* qui marche à petits pas.

**pasiflora** *f* passiflore.

**pasilargo, a** *a* qui marche à grands pas.

**pasillo** *m* **1.** *(en una casa, un autobús, etc.)* couloir, *(en una casa)* corridor **2.** *TEAT* petite saynète *f.*

**pasión** *f* **1.** passion: **tener ~ por** avoir la passion de **2.** *RELIG* **semana de Pasión** semaine de la Passion.

**pasional** *a* passionnel, elle.

**pasionaria** *f* passiflore, grenadille.

**pasito** *m* petit pas. ◇ *adv* tout doucement.

**pasitrote** *m* petit trot.

**pasivamente** *adv* passivement.

**pasividad** *f* passivité.

**pasivo, a** *a* passif, ive. ◇ *m COM* passif.

**pasma** *f FAM* **la ~** les flics.

**pasmado, a** *a FAM* empoté, e, patate *f.*

**pasmar** *vt* **1.** *(asombrar)* stupéfier, ébahir ◊ **dejar pasmado** stupéfier; **quedarse pasmado** rester stupéfait **2.** *(helar)* geler. ◆ **~se** *vpr* **1.** s'étonner, être stupéfait, e **2.** prendre froid.

**pasmarote** *m FAM* ahuri ◊ **quedarse como un ~** rester planté, avoir l'air ahuri.

**pasmazón** *f AMER* blessure provoquée par la selle.

**pasmo** *m* **1.** *(enfriamiento)* refroidissement **2.** *(asombro)* étonnement extrême, ébahissement, stupéfaction *f* **3.** *(lo que causa asombro)* sujet d'étonnement, d'admiration.

**pasmón, ona** *a/s FAM* ahuri, e.

**pasmoso, a** *a* étonnant, supéfiant, e, ahurissant, e.

**paso** *m* **1.** pas: **dar un ~ adelante** faire un pas en avant: **andar a ~ largo, con pasos largos** marcher à grands pas; **a ~ ligero** au pas de gymnastique; **acelerar el ~** allonger le pas; **llevar el ~** marcher au pas; **dar un ~ en falso** faire un faux pas; **dar los primeros pasos** faire le premier pas **2.** *(manera de andar)* allure *f,* démarche *f* **3.** *(acción de pasar, lugar por donde se pasa)* passage: **ceda el ~** cédez le passage; **cerrar, cortar el ~** barrer le passage; **ave de ~** oiseau de passage; **~ a nivel** passage à niveau; **~ de peatones, de cebra** passage pour piétons; **prohibido el ~** passage interdit ◊ **con el ~ de los años** au fur et à mesure que les années passent, au fil des années; **¡abran ~ !** laissez passer!; **abrirse ~** se frayer un passage; *FIG* percer; **salir al ~ a, de** aller au-devant de, se présenter à; **me salió al ~ para decirme adiós** il vint vers moi pour me dire au-revoir; **salir al ~ de los rumores** couper court aux rumeurs; **salir al ~ de una cuestión** en finir avec une question; **salir del ~** se tirer d'affaire; **seguir los pasos de** suivre les traces de **4.** *GEOG* **~ de Calais** pas de Calais **5.** *TECN* **~ de rosca** pas de vis **6.** épisode de la Passion du Christ **7.** «paso», statues figurant une scène de la Passion dans les processions de la Semaine Sainte **8.** *TEAT* petite pièce *f* dramatique, intermède **9.** *loc adv* **a cada ~** à chaque instant; **a ese ~** à ce train-là; **al ~ que se va** du train ou vont les choses; **~ a ~** pas à pas; **de ~** en passant, au passage; **dicho sea de ~** soit dit en passant **10.** *loc conj* **al ~ que** tandis que. ◇ *pl (gestiones)* démarches *f:* **dar pasos inútiles** faire des démarches inutiles.

**paso, a** *a* **1.** *(fruta)* sec, sèche: **uvas pasas** raisins secs **2. ciruela pasa** pruneau *m.*

**pasodoble** *m* paso doble.

**pasota** *a/s FAM* je-m'en-fichiste, je-m'en-foutiste.

**pasotismo** *m FAM* je-m'en-fichisme, je-m'en-foutisme.

**paspadura** *f AMER (en la piel)* gerçure, crevasse.

**paspar** *vt AMER (la piel)* gerçer, crevasser.

**paspartú** *m (recuadro de cartón)* passe-partout.

**pasquín** *m* affiche *f* placard, écrit satirique.

**pasta** *f* **1.** pâte: **~ de papel** pâte à papier; **~ dentífrica** pâte dentifrice; **~ para tarta** pâte à tarte **2.** *(de un libro)* reliure ◊ **media ~** demi-reliure **3.** *FIG* **tener ~ de jefe** avoir l'étoffe d'un chef; **no tiene ~ de héroe** il n'est pas de l'étoffe dont sont faits les héros. **4.** *POP (dinero)* fric *m,* galette: **gente de ~** des gens à fric, friqués; **soltar la ~** lâcher du fric; **costar una ~** coûter un argent fou, une fortune. ◇ *pl* **1.** *(dulces)* petits gâteaux *m,* petits fours *m* **2. pastas alimenticias** pâtes alimentaires.

**pastal** *m AMER* pâturage.

**pastar** *vt* mener paître. ◇ *vi* paître.

**pastel** *m* **1.** gâteau: **pasteles de crema** gâteaux à la crème **2.** *(de carne)* pâté **3.** *FIG* arrangement secret ◊ **descubrir el ~** découvrir le pot aux roses, éventer la mèche **4.** *(lápiz, dibujo)* pastel: **al ~** au pastel.

**pastelear** *vi* fricoter, trafiquer.

**pasteleo** *m* fricotage, tripotage.

**pastelero, a** *s* pâtissier, ère.

**pastelista** *s* pastelliste.

**pasterización, pasteurización** *f* pasteurisation.

**pasterizar, pasteurizar** *vt* pasteuriser: **leche pasteurizada** lait pasteurisé.

**pastiche** *m* pastiche.

**pastilla** *f* **1.** *(medicinal, de menta)* pastille **2.** *(medicamento)* comprimé *m*, cachet *m* **3. ~ de café con leche** caramel *m*; **~ de goma** boule de gomme **4.** *(de chocolate)* morceau *m* **5 ~ de jabón** savonnette **6.** *TECN (de freno)* plaquette **7.** *FAM* **a toda ~** à toute pompe, à fond de train.

**pastinaca** *f* panais *m*.

**pastizal** *m* pâturage pour les chevaux.

**pasto** *m* **1.** *(acción, sitio)* pâturage **2.** *(alimento)* pâture *f* **3.** *(hierba)* herbe *f* ◊ **~ seco, verde** fourrage sec, vert **4.** *FIG* pâture *f* ◊ **ser ~ de las llamas** être la proie des flammes **5.** *FIG* **~ espiritual** nourriture *f* spirituelle **6. de ~** ordinaire **7.** *loc adv* **a todo ~** en abondance, à profusion, à discrétion.

**pastón** *m FAM* **costar un ~** coûter un fric fou.

**pastor, a** *s* berger, ère. ◇ *m* **1.** *(sacerdote)* pasteur **2. el buen Pastor** le bon Pasteur **3.** *(perro)* **un ~ alemán** un berger allemand.

**pastoral** *a* pastoral, e: **anillo ~** anneau pastoral; **carta ~** lettre pastorale; **visita ~** tournée pastorale. ◇ *f* pastorale.

**pastorcillo, a** *s* pastoureau, pastourelle.

**pastorear** *vt (el ganado)* mener paître.

**pastorela** *f* pastourelle.

**pastoreo** *m* garde *f* des troupeaux.

**pastoril** *a* pastoral, e: **novelas pastoriles** romans pastoraux.

**pastosidad** *f* consistance pâteuse.

**pastoso, a** *a* **1.** pâteux, euse **2.** *(voz)* moelleux, euse **3.** *(pintura)* empâté, e.

**[1]pata** *f* **1.** *(pierna, pie de un animal)* patte, pied *m* **2.** *(de un mueble)* pied *m* **3.** *(de un vestido)* patte **4.** *FAM (del hombre)* patte, jambe ◊ **a ~** à pattes, à pinces, pedibus **5.** *FIG* **~ de banco** sottise, bourde; **~ de gallo** *(arrugas)* patte-d'oie; *(tela)* pied-de-poule; *(despropósito)* sottise, ânerie; *FAM* **estirar la ~** casser sa pipe; **meter la ~** faire une gaffe, gaffer; **habré metido la ~** j'ai dû faire une gaffe; **metedura de ~** → **metedura; tener mala ~** avoir la guigne, manquer de veine, de pot, de bol; **¡qué mala ~!** quel manque de pot! **6.** *loc adv* **a la ~ coja** à cloche-pied; **a la ~ la llana** à la bonne franquette; **a cuatro patas** à quatre pattes; **patas arriba** *(caído)* les quatre fers en l'air; *(en desorden)* sens dessus dessous, en l'air: **todo está ~ arriba** tout est sens dessus dessous.

▶ *Pata negra:* nom donné à un jambon de pays de qualité supérieure.

**[2]pata** *f (hembra del pato)* cane.

**pataca** *f* topinambour *m*.

**patacón** *m* **1.** monnaie *f* ancienne **2.** *AMER* banane *f* coupée en rondelles et frites.

**patada** *f* **1.** coup *m* de pied ◊ *FAM* **a patadas** à la pelle, en pagaille; **echar a patadas** flanquer dehors; **tratar a patadas** traiter par-dessus la jambe; **dar la ~ a alguien** flanquer dehors, virer quelqu'un; **dar cien patadas a** horripiler, ennuyer, énormément **2.** *(paso)* pas *m*.

**patagón, ona** *a/s* patagon, onne.

**Patagonia** *np f* Patagonie.

**patagónico, a** *a* patagonique.

**patalear** *vi* **1.** agiter les jambes, gigoter **2.** *(en señal de enfado)* trépigner.

**pataleo** *m* **1.** trépignement **2.** *FAM* **derecho de ~** droit de se plaindre, de rouspéter.

**pataleta** *f FAM* crise de nerfs (plus ou moins affectée): **armar una ~** piquer une crise.

**patán** *m* rustre, rustaud, plouc.

**patanería** *f* grossièreté, rusticité, lourdeur d'esprit.

**¡pataplum! → ¡cataplum!**

**patata** *f* pomme de terre: **puré de patatas** purée de pommes de terre; **patatas fritas** frites.

**patatal, patatar** *m* champ de pommes de terre.

**patatero, a 1.** de la pomme de terre **2.** *FAM (oficial)* sorti du rang. ◇ *m* producteur de pommes de terre.

**patatín patatán (que)** *loc FAM* et patati et patata.

**patatús** *m FAM* évanouissement ◊ **le dio un ~** il est tombé dans les pommes, il a tourné de l'œil.

**paté** *m* pâté

**pateadura** *f*, **pateamiento** *m* piétinement *m*, trépignement *m*.

**patear** *vt* **1.** frapper à coups de pieds **2.** *FIG* piétiner, traiter par le mépris, malmener. ◇ *vi* **1.** trépigner, taper des pieds **2.** *(en el teatro)* siffler **3.** *FAM* se démener. ◆ **~se** *vpr* **1.** parcourir **2.** *FAM (dinero)* claquer.

**patena** *f* patène.

**patentar** *vi* **1.** breveter, patenter **2.** déposer: **marca patentada** marque déposée.

**patente** *a (manifiesto)* patent, e, évident, e ◊ **hacer ~** mettre en évidence, faire ressortir. ◇ *f* **1.** patente **2. ~ de invención** brevet *m* d'invention **3. ~ de corso** lettre de marque; *FIG* autorisation, droit *m* **4.** *AMER* plaque d'immatriculation.

**patentizar** *vt* manifester, mettre en évidence.

**pateo** *m* trépignement.

**patera** *f* barque à fond plat.

**pátera** *f (plato)* patère.

**paternal** *a* paternel, elle.

**paternalismo** *m* paternalisme.

**paternalista** *a* paternaliste.

**paternalmente** *adv* paternellement.

**paternidad** *f* paternité.

**paterno, a** *a* paternel, elle: **abuelo ~** grand-père paternel.

**paternóster** *m* pater.

**pateta** *m FAM* le diable.

**patético, a** *a* pathétique.

**patetismo** *m* pathétisme.

**patibulario, a** *a* patibulaire.

**patíbulo** *m* échafaud, gibet.

**paticojo, a** *a* boiteux, euse.

**patidifuso, a** *a* stupéfait, e, pantois, e, baba: **quedarse ~** rester pantois.

**patilla** *f* **1.** *(porción de barba)* favori *m*, patte, rouflaquette **2.** *(de gafas)* branche **3.** certaine position de la main gauche sur la guitare **4.** *AMER (sandía)* pastèque.

**patilludo, a** *a* à longs favoris.

[1]**patín** *m* **1.** patin: **patines de cuchilla, de ruedas** patins à glace, à roulettes **2.** *(juguete de niño)* patinette *f*, trottinette *f* **3. ~ de playa** pédalo.

[2]**patín** *m (ave)* sorte de pétrel.

[3]**patín** *m (patio pequeño)* courette *f*.

**pátina** *f* patine.

**patinador, a** *a/s* patineur, euse.

**patinaje** *m* patinage: **~ artístico, de velocidad** patinage artistique, de vitesse.

**patinar** *vi* **1.** *(sobre patines)* patiner **2.** *(un vehículo)* déraper **3.** FAM gaffer. ◇ *vi (dar pátina)* patiner.

**patinazo** *m* **1.** *(de un vehículo)* dérapage **2.** FAM gaffe *f*, impair, maladresse *f*: **dar un ~** faire une gaffe, une maladresse.

**patineta** *f*, **patinete** *m* patinette *f*, trottinette *f*.

**patinillo** *m* courette *f*.

**patio** *m* **1.** *(espacio cerrado)* cour *f* **2.** *(en las casas españolas)* patio **3.** TEAT parterre ◊ **~ de butacas** orchestre.

[1]**patita** *f* FAM **a ~** à pattes, pedibus; **poner de patitas en la calle** flanquer à la porte, virer, lourder.

[2]**patita** *f (pata joven)* canette.

**patitieso, a** *a* **1.** qui a les jambes engourdies, raides **2.** FIG *(tieso)* raide **3.** *(asombrado)* stupéfait, e, ahuri, e.

**patito** *m (pato joven)* caneton.

**patituerto, a** *a* bancroche, bancal, e.

**patizambo, a** *a* **1.** cagneux, euse **2.** (dicho de un caballo) panard, e.

**pato** *m* **1.** canard ◊ FAM **pagar el ~** payer pour les autres, être le dindon de la farce, trinquer: **los pobres siempre pagan el ~** ce sont toujours les pauvres qui trinquent **2. ~ de flojel** eider.

**patochada** *f* sottise, ânerie.

**patógeno, a** *a* pathogène.

**patología** *f* pathologie.

**patológico, a** *a* pathologique.

**patólogo, a** *s* pathologiste.

**patoso, a** *a* pataud, e, lourdaud, e, empoté, e, abruti, e.

**patota** *f* AMER bande: **salir en ~** sortir en bande.

**patotero** *m* AMER voyou, loubard.

**patraña** *f* mensonge *m*, bobard *m*.

**patrañero, a** *s* menteur, euse.

**patria** *f* **1.** patrie **2. ~ chica** ville natale.

**patriada** *f* AMER **1.** soulèvement *m* **2.** acte *m* de bravoure.

**patriarca** *m* patriarche.

**patriarcado** *m* patriarcat.

**patriarcal** *a* patriarcal, e.

**patricio, a** *s* HIST patricien, enne. ◇ *m* citoyen éminent.

**Patricio** *np m* Patrice.

**patrimonial** *a* patrimonial, e.

**patrimonio** *m* **1.** patrimoine **2.** FIG **el ~ cultural** le patrimoine culturel; **~ del Estado** domaine de l'État.

**patrio, a** *a* **1.** de la patrie **2. patria potestad** puissance paternelle.

**patriota** *s* patriote.

**patriotería** *f* chauvinisme *m*.

**patriotero, a** *a/s* patriotard, e, chauvin, e, cocardier, ère.

**patriótico, a** *a/s* patriotique.

**patriotismo** *m* patriotisme.

**patrística** *f* patristique.

**patrocinador, a** *a/s* qui patronne, qui parraine, protecteur, trice, parrain, marraine, sponsor: **los patrocinadores de un equipo de fútbol** les sponsors d'une équipe de football.

**patrocinar** *vt* **1.** patronner, appuyer ◊ **jornada benéfica patrocinada por...** journée de bienfaisance sous le patronage de... **2.** *(dicho de una empresa)* parrainer, sponsoriser, commanditer: **~ un programa de televisión, una competición** parrainer, sponsoriser un programme de télévision, une compétition.

**patrocinio** *m* patronage, parrainage, sponsorisation *f*: **con el ~ de** sous le patronage de; **el ~ de un equipo** le parrainage d'une équipe.

**patrón, ona** *s* **1.** *(santo, dueño)* patron, onne **2.** *(en una casa de huéspedes)* hôte, hôtesse ◊ **vivir de patrona** loger dans une pension de famille. ◇ *m* **1.** *(de barco)* patron **2.** *(de yate)* skipper **3.** *(modelo)* patron ◊ **cortado por el mismo ~** taillé sur le même modèle **4.** *(monetario)* étalon.

**patronal** *a* patronal, e. ◇ *f* **la ~** le patronat: **los sindicatos y la ~** les syndicats et le patronat.

**patronato** *m* **1.** *(asociación benéfica)* patronage, société *f*, œuvre *f* **2.** *(conjunto de patronos)* patronat.

**patronear** *vt* MAR commander.

**patronímico, a** *a* patronymique. ◇ *m (apellido)* patronyme.

**patrono, a** *s* patron, onne.

**patrulla** *f* patrouille ◊ **coche ~** voiture de police.

**patrullar** *vi* patrouiller.

**patrullera** *f (barco)* vedette (de la douane, etc.).

**patrullero** *a/m* patrouilleur.

**patuco** *m* chausson de bébé.

**patudo, a** *a* pattu, e.

**patulea** *f* FAM **1.** soldatesque **2.** bande **3.** *(chusma)* racaille, canaille.

**paují** *m (ave)* pauxi, hocco.

[1]**paúl** *m* marécage herbeux.

[2]**paúl** *m (religioso)* lazariste.

**Paula** *np f* Paule.

**paular** *m* marais, bourbier.

**paulatinamente** *adv* lentement, progressivement, peu à peu.

**paulatino, a** *a* lent, e, progressif, ive.

**Paulina** *np f* Pauline.

**paulonia** *f* paulownia *m*.

**pauperismo** *m* paupérisme.

**pauperización** *f* paupérisation.

**paupérrimo, a** *a* très pauvre.

**pausa** *f* **1.** *(interrupción momentánea)* pause **2.** intervalle *m*: **a pausas** par intervalles **3.** *(lentitud)* lenteur **4.** MUS pause.

**pausadamente** *adv* lentement, posément.

**pauta** *f* **1.** *(regla)* règle **2.** *(rayas)* lignes *pl* d'un papier réglé **3.** FIG règle, norme, modèle *m*: **~ de conducta** règle de conduite.

**pautado, a** *a* **papel ~** papier réglé, papier à musique. ◇ *f* portée.

**pautar** *vt (rayar, dar reglas)* régler.

**pava** *f* **1.** dinde, **2.** *(mujer sosa)* dinde sotte ◊ FIG **pelar la ~** converser, bavarder longuement (des amoureux) **3.** AMER *(recipiente)* bouilloire (pour préparer le maté) .

**pavada** *f* **1.** troupeau *m* de dindons **2.** FIG *(sosería)* niaiserie, fadaise.

**pavana** *f (danza)* pavance.

**pavero, a** *s* éleveur, euse de dindons. ◇ *a/s (presumido)* prétentieux, euse, crâneur, euse. ◇ *m (sombrero)* chapeau andalou.

**pavés** *m* pavois.

**pavesa** *f* flammèche, brandon *m*.

**Pavía** *np* Pavie.

**pávido, a** *a* POÉT craintif, ive, timide.

**pavimentación** *f* **1.** *(con adoquines)* pavage *m* **2.** *(con losas)* carrelage *m*, dallage *m*.

**pavimentar** *f* **1.** *(con adoquines)* paver **2.** *(con losas)* carreler, daller.

**pavimento** *m* **1.** *(de adoquines)* pavage, pavement, pavé **2.** *(de losas)* carrelage, dallage **3.** *(de asfalto, etc.)* revêtement.

**pavipollo** *m* dindonneau.

**pavisoso, a, pavitonto,a** *a (persona)* niais, e, sot, sotte.

**pavo** *m* **1.** dindon **2. ~ real** paon **3.** FIG FAM âne ◊ **la edad del ~** l'âge ingrat; **subírsele a uno el ~** piquer un fard; **no es moco de ~ → moco.**

▶ En lenguaje culinario, el francés emplea el femenino *dinde: ~ relleno* dinde farcie.

**pavón** *m* **1.** *(ave)* paon **2.** *(del acero)* brunissage.

**pavonado, a** *a (el acero)* bruni, e. ◇ *m (del acero)* brunissage.

**pavonar** *vt (el acero)* brunir.

**pavonearse** *vpr* se pavaner, se vanter: **se pavonea de sus éxitos** il se vante de ses succès.

**pavor** *m* frayeur *f*.

**pavoroso, a** *a* effrayant, e, épouvantable.

**payada** *f* AMER composition poétique interprétée par le «payador».

**payador** *m* AMER chanteur ambulant (dans les pays de la Plata).

**payasada** *f* singerie, pitrerie, clownerie.

**payasear** *vi* AMER faire des pitreries, dire des blagues.

**payaso** *m* clown ◊ **hacerse el ~** faire le clown, le guignol.

**payés, esa** *s* paysan, anne de Catalogne.

**payo, a** *a/s* **1.** villageois, e **2.** non gitan.

**paz** *f* paix ◊ **dejar en ~** laisser tranquille; **¡déjame en ~!** laisse-moi tranquille!, fiche-moi la paix!; **estar, quedar en ~** être en paix; *(descargado de deudas)* être quitte; **que en ~ descanse (q.e.p.d.)** qu'il repose en paix, Dieu ait son âme. ◇ *pl* paix *sing*: **hacer las paces** se réconcilier, faire la paix.

**pazguatería** *f* bêtise, niaiserie.

**pazguato, a** *a/s* naïf, ive, niais, e.

**pazo** *m* manoir en Galice.

**pazote** *m* AMER thé du Mexique, chénopode.

**pazpuerca** *f* FAM cochonne, femme sale.

**pche, pchs** *interj* bah!, peuh!

**pe** *f* p *m*, lettre p ◊ **de ~ a pa** de a jusqu'à z, de a à z: **le conté la historia de ~ a pa** je lui ai raconté l'histoire de a à z.

**peaje** *m* péage: **autopista de ~** autoroute à péage.

**peana** *f* **1.** *(de una estatua)* socle *m* **2.** *(de altar)* marchepied *m* **3.** *(tarima)* estrade.

**peatón** *m* **1.** piéton: **paso de peatones** passage pour piétons **2.** *(cartero)* facteur rural.

**peatonal** *a* piétonnier, ère: **calle ~** rue piétonnière.

**pebeta** *f* AMER gamine, jeune fille.

**pebete** *m* **1.** parfum à brûler **2.** AMER *(niño)* gamin **3.** AMER petit pain.

**pebetero** *m* brûle-parfum.

**pebrada → pebre.**

**pebre** *m* **1.** sauce *f* au poivre, poivrade *f* **2.** AMER purée *f*.

**peca** *f* tache de rousseur.

**pecadillo** *m* peccadille *f*.

**pecado** *m* péché: **el ~ original** le péché originel; **~ mortal, venial** péché mortel, véniel.

**pecador, a** *a/s* pécheur, pécheresse ◊ **el yo ~** le confiteor.

**pecaminoso, a** *a* coupable, pécamineux, euse.

**pecar** *vi* **1.** pécher: **~ por omisión** pécher par omission; **pequé gravemente** j'ai beaucoup péché **2. ~ de** pécher par, être trop: **~ de confiado** pécher par excès de confiance, être trop confiant; **~ de severo** être trop sévère; **esta postura peca de pesimismo** cette prise de position est par trop pessimiste.

**pécari, pecarí** *m* pécari.

**pecblenda** *f* pechblende.

**peccata minuta** FAM faute légère, peccadille.

**pececillo** *m* petit poisson.

**pecera** *f* aquarium *m*.

**peces** *pl* de **pez.**

**pechar** *vt* **1.** *(un tributo)* payer **2.** AMER *(empujar)* pousser, *(atropellar)* renverser, *(pedir prestado)* taper. ◇ *vi* **~ con** accepter à contre-cœur, endosser: **~ con las consecuencias** endosser les conséquences.

**pechblenda** *f* pechblende.

**pechera** *f* **1.** *(de camisa)* plastron *m* **2.** *(chorrera)* jabot *m* **3.** FAM *(pecho)* poitrine.

**pechero, a** *a/s* roturier, ère. ◇ *m (de niño)* bavette *f*, bavoir.

**pechina** *f* **1.** *(venera)* coquille Saint-Jacques **2.** ARQ *(de cúpula)* pendentif *m*.

**pecho** *m* **1.** poitrine *f*: **un ~ bonito** une jolie poitrine; **un ~ grande** une grosse poitrine; **sacar (el) ~** bomber la poitrine, le torse ◊ **a ~ descubierto** à découvert; FAM **echarse entre ~ y espalda tres cervezas** s'envoyer, avaler trois bières; **el do de ~ → do 2.** *(cada una de las mamas de la mujer)* sein: **dar el ~ a un niño** donner le sein à un enfant ◊ **niño de ~** nourrisson, enfant à la mamelle **3.** *(del caballo)* poitrail **4.** FIG *(corazón)* cœur, *(valor)* courage ◊ **a lo hecho ~** ce qui est fait est fait; **abrir su ~** ouvrir son cœur; **tomar a ~** prendre à cœur. ◇ *pl* FAM **pechos generosos** une poitrine généreuse; **los pechos al aire** les seins à l'air.

**pechuga** *f* **1.** *(del ave)* blanc *m* (de volaille) **2.** FAM *(pecho)* poitrine.

**pechugona** *a* FAM à gros nichons, mamelue.

**pecina** *f* vase, fange.

**pecio** *m (de un barco)* épave *f*.

**pecíolo** *m* BOT pétiole.

**pécora** *m* **1.** *(res)* bête à laine **2.** FAM **mala ~** mégère, chameau *m*.

**pecoso, a** *a* qui a des taches de rousseur: **niña pecosa** fillette au visage criblé de taches de rousseur.

**pectina** *f* QUÍM pectine.

**pectoral** *a/m* pectoral, e. ◇ *m (cruz)* croix *f* pectorale.

**pecuario, a** *a* relatif, ive au bétail, à l'élevage.

**peculiar** *a* particulier, ère, caractéristique, propre.

**peculiaridad** *f* particularité.

**peculio** *m* pécule.

**pecunia** *f* FAM argent *m*, galette.

**pecuniario, a** *a* pécuniaire.

**pedagogía** *f* pédagogie.

**pedagógico, a** *a* pédagogique.

**pedagogo, a** *s* pédagogue.

**pedal** *m* pédale *f*: **el ~ del embrague** la pédale de l'embrayage; **los pedales de una bicicleta, de un piano** les pédales d'une bicyclette, d'un piano; **dar a los pedales** pédaler.

**pedalada** *f* coup *m* de pédale.

**pedalear** *vi* pédaler.

**pedaleo** *m* pédalage.

**pedaleta** *f* pédalo *m*.

**pedáneo** *a* se dit du maire d'un petit village.

**pedanía** *f* commune, district.

**pedante** *a/s* pédant, e.

**pedantear** *vi* faire le pédant.

**pedantería** *f* pédanterie, pédantisme *m*.

**pedantesco, a** *a* pédantesque.

**pedazo** *m* morceau ◊ FIG **~ de alcornoque** brute épaisse; **¡~ de animal!** espèce d'abruti!; **caerse a pedazos** *(de cansancio)* tomber de fatigue; **estar hecho pedazos** *(de cansancio)* être claqué, e; **hacer pedazos** mettre en morceaux, en pièces; FIG abattre, démolir; **ser un ~ de pan** être bon comme le bon pain; **morirse por los pedazos de...** en pincer pour...

**pederasta** *m* pédéraste.

**pederastía** *f* pédérastie.

**pedernal** *m* silex.

**pedestal** *m* **1.** piédestal, socle **2.** FIG piédestal.

**pedestre** *a* **1.** pédestre **2.** FIG *(vulgar)* vulgaire, ordinaire.

**pediatra** *s* pédiatre.

**pediatría** *f* pédiatrie.

**pedículo** *m* pédicule.

**pedicuro, a** *s* pédicure.

**pedida** *f* fiançailles *pl*: **anillo de ~** bague de fiançailles.

**pedido** *m* **1.** COM commande *f*: **hacer, entregar un ~** passer, livrer une commande; **~ en firme** commande ferme **2.** *(petición)* demande *f*.

**pedidor, a** *a/s* demandeur, euse.

**pedigree, pedigrí** *m* pedigree.

**pedigüeño, a** *a/s* quémandeur, euse.

**pedilón, ona** *a* AMER quémandeur, euse.

**pediluvio** *m* bain de pieds.

**pedimento** *m* demande *f*, requête *f*.

**pedir*** *vt* **1.** demander: **me pidió un cigarrillo** il me demanda une cigarette; **le pido que se calle** je vous demande de vous taire; **~ limosna** demander l'aumône, mendier **2.** *(encargar)* commander: **pidió un café al camarero** il commanda un café au serveur **3.** *(requerir)* demander, réclamer **4.** *(un vendedor)* demander: **¿cuánto pide por la casa?** combien demande-t-il pour la maison? **5. a ~ de boca → boca.**

**pedo** *m* **1.** *(ventosidad)* pet **2.** AMER *(borrachera)* cuite *f*.

**pedofilia** *f* pédophilie.

**pedófilo, a** *s* pédophile.

**pedorrera** *f* FAM pétarade.

**pedrada** *f* **1.** coup *m* de pierre ◊ FIG **venir como ~ en ojo de boticario** tomber à pic, arriver à propos, comme marée en carême **2.** FIG pique.

**pedrea** *f* **1.** combat *m* à coups de pierres **2.** *(lotería)* petits lots *m pl*, lots *m pl* de consolation.

**pedregal** *m* terrain pierreux.

**pedregoso, a** *a* pierreux, euse.

**pedregullo** *m* AMER gravier.

**pedrera** *f* carrière.

**pedrería** *f* pierreries *pl*.

**pedrero** *m* carrier.

**pedrisco** *m* grêle *f*.

**Pedro** *np m* **1.** Pierre **2.** FAM **como ~ por su casa** comme chez soi.

**pedrusco** *m* bloc de pierre.

**pedúnculo** *m* pédoncule.

**peerse** *vpr* POP péter.

[1]**pega** *f* **1.** *(acción de pegar)* collage *m* **2.** enduit *m* de poix **3.** FAM *(pregunta difícil)* colle: **poner una ~ a un alumno** poser une colle à un élève **4.** *(dificultad)* difficulté **5.** *(paliza)* raclée **6. de ~** faux, fausse.

[2]**pega** *f* *(pájaro)* pie: **~ reborda** pie-grièche.

**pegada** *f* *(en boxeo)* frappe.

**pegadizo, a** *a* **1.** collant, e **2.** contagieux, euse **3.** *(canción, etc.)* qu'on retient facilement.

**pegado** *m* emplâtre.

**pegadura** *f* collage *m*.

**pegajoso, a** *a* **1.** collant, e, poisseux, euse, gluant, e **2.** contagieux, euse **3.** FIG *(persona)* mielleux, euse, collant, e.

**pegamento** *m* colle *f*.

**pegar** *vt* **1.** *(con cola, etc., acercar)* coller: **~ un sello al sobre** coller un timbre sur l'enveloppe; **~ el oído a la puerta** coller son oreille à la porte **2. ~ un botón** coudre un bouton **3.** *(sujetar)* fixer **4.** *(contagiar)* passer, communiquer: **me pegó la gripe** il m'a passé sa grippe **5. ~ fuego** mettre le feu **6.** battre: **~ a un niño** battre un enfant **7.** *(un golpe, etc.)* donner, flanquer: **~ un bofetón** donner une gifle; **~ un tiro** tirer un coup de feu **8. ~ gritos, un salto** pousser des cris, faire un bond **9.** FIG **sin ~ ojo** sans fermer l'œil; **quedarse pegado** rester interdit, sans voix. ◇ *vi* **1.** *(golpear)* frapper, cogner, taper **2. el sol pega fuerte** le soleil tape dur **3.** *(armonizar)* aller: **esta corbata no pega con la chaqueta** cette cravate ne va pas avec la veste ◊ **eso no pega** ça ne va pas **4.** *(estar contiguo)* toucher à. ◆ **~se** *vpr* **1.** se coller, coller: **se pegó a la pared** il se colla contre le mur **2.** *(hablando de guisos)* attacher **3.** *(tropezar)* se heurter **4.** *(contagiarse)* s'attraper: **se le pegó el acento andaluz** il a attrapé l'accent andalou **5.** FAM **pegársela a alguien** tromper, faire marcher quelqu'un: **a mí no me la pegas** je ne suis pas dupe, je ne marche pas; **su mujer se la pega con un arquitecto** sa femme le trompe avec un architecte.

**Pegaso** *np m* Pégase.

**pegatina** *f* autocollant *m*.

**pegmatita** *f* pegmatite.

**pego** *m* tricherie *f* ◊ **dar el ~** tromper, donner le change, faire illusion: **como va muy arreglada, esta vieja da el ~** comme elle est très arrangée, cette vieille femme donne le change.

**pegote** *m* **1.** emplâtre **2.** FIG *(guiso)* emplâtre, cataplasme **3.** *(gorrón)* pique-assiette **4.** FAM *(chapuza)* bricolage **5.** FAM **tirarse pegotes** frimer, faire de l'épate.

**pegotear** *vt* *(pegar)* coller.

**pegual** *m* AMER sangle *f*, courroie *f*.

**pegujal** *m* lopin de terre.

**pegujalero** *m* petit cultivateur.

**pehuén** *m* AMER araucaria.

**peinado** *m* coiffure *f*: **un nuevo ~** une nouvelle coiffure.

**peinador, a** *s* coiffeur, euse. ◇ *m* *(prenda)* peignoir.

**peinadura** *f* coiffure.

**peinar** *vt* **1.** *(el cabello)* peigner, coiffer **2.** *(la lana)* peigner **3.** FIG *(rastrear una zona)* ratisser, passer au peigne fin: **la policía**

**acaba de ~ todo el barrio** la police vient de ratisser tout le quartier. ◆ **~se** *vpr* se peigner, se coiffer.

**peine** *m* **1.** peigne: **un ~ de concha** un peigne en écaille **2.** *(cargador de fusil)* chargeur.

**peineta** *f* grand peigne *m.*
▶ De forme convexe, sert de parure et à maintenir les cheveux ou la mantille.

**peje** *m* **1.** *(pez)* poisson **2.** FIG homme malin, débrouillard.

**pejepalo** *m* stockfish.

**pejerrey** *m* athérine *f* (poisson de mer) ou poisson de rivière, en Argentine.

**pejesapo** *m* baudroie *f*, lotte *f* de mer.

**pejiguera** *f* FAM ennui *m*, corvée, embêtement *m.*

**Pekín** *np* Pékin.

**pekinés, esa → pequinés.**

[1]**pela** *f* FAM peseta.

[2]**pela** *f* AMER *(zurra)* raclée, tripotée.

**peladera** *f* MED pelade.

**peladero** *m* **1.** échaudoir **2.** AMER terrain inculte.

**peladilla** *f* **1.** *(almendra)* dragée **2.** *(guijarro)* petit caillou *m.*

**pelado, a** *a* **1.** pelé, e, dénudé, e **2.** *(cabeza)* tondu, e **3.** *(hueso)* décharné, e **4. canto ~** caillou poli **5.** *(número)* rond **6.** FAM **estar ~** être à sec, fauché, e. ◇ *m (corte de pelo)* coupe *f.*

**peladura** *f* **1.** *(de frutas)* épluchage *m* **2.** *(de árboles)* écorçage *m.* ◇ *pl (mondaduras)* épluchures: **peladuras de patatas** épluchures de pommes de terre.

**pelafustán, ana** *s* fainéant, e, propre à rien.

**pelagatos** *m inv* pauvre diable.

**pelágico, a** *a* pélagique.

**pelagra** *f* MED pellagre.

**pelaire** *m* cardeur de draps.

**pelaje** *m* **1.** *(de un animal)* pelage **2.** FIG *(aspecto)* aspect, allure *f*; *(índole)* acabit ◊ **de todo ~** de tout poil.

**pelambre** *m* **1.** *(pelos)* poils *pl* **2.** *(pieles)* peaux *f pl* **3.** *(pelo revuelto)* tignasse *f.*

**pelambrera** *f* **1.** touffe de poils **2.** *(pelo revuelto)* tignasse **3.** MED pelade.

**pelamen** *m* FAM poils *pl.*

**pelandusca** *f* FAM fille, grue, gourgandine.

**pelar** *vt* **1.** *(el pelo)* tondre **2.** *(frutas, etc.)* peler, éplucher: **~ una pera** éplucher une poire; *(guisantes)* écosser **3.** *(aves)* plumer **4.** *(crustáceos)* décortiquer **5.** FIG *(despojar a alguien)* plumer **6.** *(murmurar de alguien)* critiquer, taper sur **7.** FIG **un frío que pela** un froid de canard **8.** FAM **duro de ~** difficile; *(persona)* pas commode, coriace. ◆ **~se** *vpr* **1.** se faire couper les cheveux **2.** peler: **se me está pelando la nariz** mon nez pèle **3.** FIG **que se las pela** avec ardeur, tant et plus; **corre que se las pela** il court comme un dératé.

**pelargonio** *m* pélargonium.

**peldaño** *m* **1.** *(de escalera)* marche *f* **2.** *(de escalera de mano)* échelon.

**pelea** *f* **1.** combat *m*, lutte ◊ FAM **buscar ~** chercher la bagarre **2.** *(boxeo)* combat *m* **3. ~ de gallos** combat *m* de coqs **4.** dispute.

**pelear** *vi* **1.** se battre: **pelearon a puñetazos** ils se sont battus à coups de poing **2.** FIG lutter, se battre. ◆ **~se** *vpr* **1.** se battre, se bagarrer **2.** *(reñir)* se disputer: **se pelearon por diez pesetas** ils se sont disputés pour dix pesetas **3.** *(enemistarse)* se brouiller, se fâcher: **se ha peleado con su mejor amigo** il s'est brouillé avec son meilleur ami.

**pelechar** *vi* **1.** se couvrir de poils, de plumes **2.** FIG se remplumer.

**pelele** *m* **1.** mannequin **2.** *(persona)* pantin **3.** *(traje para niños)* grenouillère *f.*

**peleón, ona** *a/s* **1.** *(pendenciero)* bagarreur, euse, combatif, ive **2. vino ~** vinasse *f*, gros rouge: **media botella de ~** une demie bouteille de gros rouge.

**peletería** *f* pelleterie.

**peletero, a** *a/s* pelletier, ère. ◇ *m* fourreur.

**peli** *f* FAM film *m*: **una ~ porno** un film porno.

**peliagudo, a** *a* difficile, épineux, euse, ardu, e: **cuestión peliaguda** question épineuse.

**peliblanco, a** *a* au poil blanc.

**pelícano** *m (ave)* pélican.

**pelicano, a** *a* chenu, e.

**película** *f* **1.** pellicule **2.** *(cine)* film *m*: **una ~ muda, sonora** un film muet, parlant **~ de terror** film d'épouvante **3.** FAM **de ~** du tonnerre, formidable; **¡allá películas!** je m'en balance!

**peliculero, a** *s* FAM **1.** artiste de cinéma **2.** cinéphile.

**peligrar** *vi* être en danger: **su vida peligra** sa vie est en danger.

**peligro** *m* danger: **en ~ de muerte** en danger de mort; **fuera de ~** hors de danger ◊ **correr ~** être en danger; **poner en ~** mettre en danger, mettre en péril.

**peligrosamente** *adv* dangereusement.

**peligrosidad** *f* danger *m*, risque *m*: **la ~ de la situación en Oriente Medio** le danger que représente la situation au Moyen-Orient; **plus de ~** prime de risque.

**peligroso, a** *a* **1.** *(arriesgado)* dangereux, euse, périlleux, euse **2.** *(persona)* dangereux, euse.

**pelilla** *f* FAM peseta, sou *m.*

**pelillo** *m* **1.** petit poil **2.** FIG petit ennui ◊ **echar pelillos a la mar** se réconcilier, passer l'éponge; **no pararse en pelillos** ne pas s'arrêter à des détails.

**pelín** *m* FAM **un ~** un rien, un brin, un poil, un chouïa: **estoy un ~ acatarrado** je suis un brin enrhumé.

**pelinegro, a** *a* au poil noir, aux cheveux noirs.

**pelirrojo, a** *a/s* roux, rousse.

**pelirrubio, a** *a* blond, e.

**pella** *f* **1.** *(masa apretada)* boule, motte **2.** *(del cerdo)* graisse **3.** *(de coliflor, etc.)* pomme **4.** FIG *(dinero)* somme d'argent, magot *m.*

**pellada** *f* truellée.

**pelleja** *f* **1.** *(piel)* peau **2.** FAM **salvar la ~** sauver sa peau **3.** FAM *(ramera)* pute, grue.

**pellejería** *f* peausserie.

**pellejero** *m* peaussier.

**pellejo** *m* **1.** peau *m* ◊ FIG FAM **dejar, salvar el ~** laisser, sauver sa peau; **mudar de ~** faire peau neuve; **no caber en el ~** ne pas se tenir de joie; **quitar el ~ a alguien** dire pis que pendre de quelqu'un **2.** *(odre)* outre **3.** FAM *(borracho)* soulard, sac à vin.

**pellica** *f* **1.** *(cobertor)* couverture en peau **2.** *(pellico)* veste en peau.

**pellico** *m* veste *f* en peau.

**pelliza** *f* pelisse.

**pellizcar** *vt* pincer.

**pellizco** *m* **1.** *(acción)* pincement ◊ **dar, tirar un ~** pincer **2.** *(huella)* pinçon **3.** *(porción pequeña)* pincée *f.*

**pelma, pelmazo** *a/m* FAM raseur, casse-pieds: **no seas ~** ne sois pas casse-pieds; **¡vaya tío ~!** ce qu'il peut être casse-pieds!, ce qu'il peut être pénible!, quel crampon!, quel emmerdeur!

**pelo** *m* **1.** poil **2.** *(cabello)* cheveu **3.** *(cabellos)* cheveux *pl*: **tiene el ~ rubio, rizado** il a les cheveux blonds, frisés ◊ FIG **de ~**

**en pecho** costaud, courageux, intrépide; **de medio ~** très ordinaire, quelconque; **gente de medio ~** des gens très ordinaires; **un restaurante de medio ~** un restaurant quelconque; **agarrarse a un ~** sauter sur la moindre occasion; **cortar un ~ en el aire** être futé, savoir s'y prendre; **estar hasta los pelos de** en avoir par-dessus la tête de; **no tener ~ de tonto** ne pas être sot, sotte du tout; **no tener pelos en la lengua → lengua; poner los pelos de punta** faire dresser les cheveux sur la tête; **los pelos se me pusieron de punta** les cheveux se dressèrent sur ma tête; **soltarse el ~** s'émanciper; **tirarse de los pelos** s'arracher les cheveux; **quitar el ~ de la dehesa → dehesa; tomarle el ~ a alguien** se payer la tête de quelqu'un; **traído por los pelos** tiré par les cheveux; **venir al ~** tomber bien, convenir, arranger: **esta beca me viene al ~** cette bourse tombe à pic, m'arrange bien **4.** *loc adv* **con pelos y señales** dans les moindres détails, très en détail; **por un ~, por los pelos** de justesse: **resultado conseguido por los pelos** résultat obtenu de justesse; **a contra ~ → contrapelo 5.** *(de las aves, plantas)* duvet **6.** *(en una piedra preciosa)* gendarme **7.** *(en un metal)* paille *f* **8.** *FIG* **no había ni un ~ de aire** il n'y avait pas un souffle d'air.

**pelón, ona** *a/s* **1.** chauve **2.** *(sin dinero)* sans le sou, fauché, e.

**Peloponeso** *np m* Péloponèse.

**pelota** *f* **1.** balle: **~ de tenis** balle de tennis ◊ *FIG* **devolver la ~** renvoyer la balle; **aún está la ~ en el tejado** la partie n'est pas encore jouée, rien n'est sûr; **la ~ está en el campo de...** la balle est dans le camp de... **2.** ballon *m* **3. ~ vasca** pelote basque **4.** *(de nieve, papel, etc.)* boule **5.** *FAM* **hacer la ~ a → pelotilla 6. en pelotas** à poil, nu, nue comme un ver. ◇ *a/s FAM (pelotillero)* lèche-bottes.

**pelotari** *m* pelotari.

**pelotazo** *m* coup donné avec le ballon, tir.

**pelote** *m* bourre *f*.

**pelotear** *vi* **1.** faire des balles **2.** *FIG (reñir)* se disputer.

**peloteo** *m* **1.** échange de balles **2.** *FAM (adulación)* lèche *f*.

**pelotera** *f FAM* dispute, empoignade, scène.

**pelotero** *m AMER* joueur (de football ou de base-ball).

**pelotilla** *f FAM* lèche: **hacer la ~ a** faire de la lèche à, lécher les bottes de, passer la main dans le dos de.

**pelotillero, a** *a/s FAM* lèche-bottes.

**pelotón** *m* **1.** peloton: **~ de cabeza** peloton de tête **2. ~ de fusilamiento** peloton d'exécution.

**pelotudo, a** *a/s AMER VULG* con, conne.

**peltre** *m* alliage de zinc, de plomb et d'étain.

**peluca** *f* **1.** *(cabellera postiza)* perruque **2.** *FIG* réprimande.

**peluche** *m* peluche *f*: **un osito de ~** un ours en peluche.

**pelucón, ona** *s (en Chile)* conservateur, trice. ◇ *f (moneda)* once d'or.

**peludo, a** *a* poilu, e, velu, e. ◇ *m (ruedo afelpado)* paillasson.

**peluquería** *f* **1.** *(tienda)* salon *m* de coiffure **2. la alta ~** la haute coiffure.

**peluquero, a** *s* coiffeur, euse: **~ de señoras** coiffeur pour dames.

**peluquín** *m* petite perruque *f*.

**pelusa** *f* **1.** *BOT* duvet *m* **2.** *(de la alcachofa)* foin *m* **3.** *(de las telas)* peluche **4.** *(debajo de los muebles)* moutons *m pl* **5.** *FIG (envidia)* jalousie d'enfant.

**pelusilla** *f (planta)* piloselle.

**pelviano, a** *a ANAT* pelvien, enne.

**pelvis** *f* **1.** *ANAT* bassin *m*, pelvis *m*: **fractura de la ~** fracture du bassin **2.** *(del riñón)* bassinet *m*.

[1]**pena** *f* **1.** *(castigo)* peine: **~ de muerte** peine de mort; **~ capital** peine capitale; **las penas eternas** les peines éternelles; **bajo ~ de, so ~ de** sous peine de **2.** *(pesar)* peine, chagrin *m*: **me da ~ él** j'ai de la peine pour lui; **da ~ verlo** il fait peine à voir; **~ de amor** chagrin d'amour ◊ **¡qué ~!, ¡es una ~ !** quel dommage!; **es una verdadera ~** c'est vraiment dommage **3.** *(trabajo)* peine: **merecer, valer la ~** valoir la peine; **no vale la ~** ça ne vaut pas la peine **4.** *loc adv* **a duras penas** à grand-peine; **sin ~ ni gloria** sans éclat, discrètement; **estudió en Cambridge sin ~ ni gloria** il fit des études sans éclat, ni bonnes ni mauvaises à Cambridge.

[2]**pena** *f* **1.** *(de ave)* penne **2.** *MAR* penne.

**penable** *a* punissable, condamnable.

**penacho** *m* **1.** *(de ave)* huppe *f*, aigrette *f* **2.** *(adorno)* panache.

**penado, a** *s (delincuente)* condamné, e.

**penal** *a* pénal, e. ◇ *m* **1.** *(presidio)* pénitencier **2.** *(en fútbol)* penalty.

**penalidad** *f* **1.** souffrance, peine ◊ **ha pasado muchas penalidades** il en a vu de toutes les couleurs **2.** *JUR* pénalité.

**penalista** *m* spécialiste du droit pénal.

**penalización** *f* pénalisation.

**penalizar** *vt* pénaliser.

**penalti, penalty** *m* penalty.

**penar** *vt (castigar)* punir. ◇ *vi (padecer)* peiner, souffrir.

**penates** *m pl* pénates.

**penca** *f* **1.** *(hoja)* feuille charnue, côte: **~ de acelga** côte de bette **2.** *(de nopal)* raquette **3.** *(del verdugo)* fouet **4.** *AMER (chumbera)* figuier *m* de Barbarie.

**pencal** *m AMER* terrain couvert de figuiers de Barbarie.

**penco** *m* **1.** *(caballo)* rosse *f* **2.** *FIG (persona inútil)* bon à rien.

**pendejada** *f AMER* crétinerie, idiotie, connerie.

**pendejo** *m* **1.** poil du pubis **2.** *FAM (cobarde)* froussard **3.** *AMER* crétin, idiot, con: **no seas ~** ne sois pas con.

**pendencia** *f* dispute, querelle.

**pendenciero, a** *a* querelleur, euse, bagarreur, euse.

**pender** *vi* **1.** pendre: **~ de** pendre à **2.** dépendre **3.** peser: **amenaza que pende sobre...** menace qui pèse sur.

**pendiente** *a* **1.** qui pend, qui est suspendu, e **2.** *(en declive)* en pente **3.** *FIG (por resolver)* en suspens, en instance: **asuntos pendientes** affaires en suspens **4.** *FIG* **estar ~ de la boca de, de las palabras de alguien** être suspendu, pendu aux lèvres de quelqu'un; **~ de sus noticias** dans l'attente de vous lire. ◇ *m (adorno)* pendant d'oreille. ◇ *f (declive)* pente: **una ~ del 4%** une pente de 4%.

**péndola** *f* **1.** *(del reloj)* balancier *m* **2.** *(reloj)* pendule **3.** plume.

**pendón** *m* **1.** *(de caballero)* pennon **2.** *(de cofradía, etc.)* bannière *f* **3.** *FAM (prostituta)* traînée *f*, grue *f*, gourgandine *f*.

**pendonear** *vi FAM* traîner, courir les rues.

**pendoneo** *m FAM* vadrouille *f*, équipée *f*.

**pendular** *a* pendulaire.

**péndulo** *m* pendule.

**pene** *m ANAT* pénis.

**penene** *s FAM* maître auxiliaire, assistant.

**peneque** *a FAM* paf, ivre.

**penetrable** *a* pénétrable.

**penetración** *f* pénétration.

**penetrante** *a* **1.** pénétrant, e **2.** *(sonido, voz, etc.)* perçant, e.

**penetrar** *vt/i* pénétrer. ◆ **~se** *vpr* se pénétrer.

**penicilina** *f* pénicilline.

**península** *f* péninsule, presqu'île: **la ~ Ibérica** la péninsule Ibérique.

**peninsular** *a* péninsulaire.

**penique** *m* penny.

**penitencia** *f* pénitence.

**penitencial** *a* pénitentiel, elle.

**penitenciaría** *f (cárcel)* pénitencier *m*.

**penitenciario, a** *a* pénitentiaire: **el sistema ~** le système pénitentiaire. ◇ *m (eclesiástico)* pénitencier.

**penitente** *a/s* pénitent, e.

**penol** *m MAR* bout de vergue.

**penosamente** *adv* péniblement, à grand-peine, difficilement: **se levantó ~** il se leva à grand-peine.

**penoso, a** *a* **1.** pénible **2.** douloureux, euse.

**penquista** *a/s* de Concepción (Chili).

**pensado, a** *a* pensé, e, réfléchi, e ◊ **el día menos ~** le jour où l'on s'y attend le moins. ◇ *a/s* **ser un mal ~** avoir mauvais esprit, avoir l'esprit mal tourné; **la gente es muy mal pensada** les gens ont l'esprit très mal tourné.

**pensador, a** *a/s* penseur, euse.

**pensamiento** *m* **1.** pensée *f*: **un mal ~** une mauvaise pensée; **libertad de ~** liberté de pensée **2.** *(idea)* idée *f* **3.** *(frase)* pensée *f* **4.** *(planta)* pensée *f*.

**pensar*** *vt/i* **1.** penser: **pienso, luego existo** je pense, donc je suis; **~ en** penser à; **¿sabes en qué estaba pensando?** tu sais à quoi je pensais?; **pienso quedarme aquí un mes** je pense rester ici un mois **2.** penser, réfléchir: **voy a pensarlo** je vais y penser; **piénselo** pensez-y, réfléchissez bien à cela; **voy a pensarlo otra vez** je vais y repenser; **pensarlo dos veces** y réfléchir à deux fois ◊ **dar que ~** donner à penser, à réfléchir; **pensándolo bien** tout bien considéré; **¡ni pensarlo!** pas question!; **sin ~** sans réfléchir, sans faire attention **3.** croire: **¿quién lo iba a ~ ?** qui l'aurait cru? ◆ **~se** *vpr* penser ◊ **me pienso yo** il me semble.

**pensativamente** *adv* pensivement, d'un air songeur.

**pensativo, a** *a* pensif, ive, songeur, euse: **se quedó ~** il resta songeur.

**Pensilvania** *np f* Pennsylvanie.

**pensión** *f* **1.** pension: **~ completa** pension complète; **media ~** demi-pension **2. ~ de jubilación** retraite **3.** *(beca)* bourse.

**pensionado, a** *a/s* pensionné, e, retraité, e ◇ *m (colegio)* pensionnat.

**pensionar** *vt* **1.** pensionner **2.** accorder une bourse.

**pensionista** *s* **1.** *(en un colegio o casa particular)* pensionnaire **2.** *(jubilado)* retraité, e, pensionné, e.

**pentaedro** *m GEOM* pentaèdre.

**pentagonal** *a GEOM* pentagonal, e.

**pentágono** *m GEOM* pentagone. ◇ *np* **el Pentágono** le Pentagone.

**pentagrama** *m MÚS* portée *f*.

**pentámetro** *m (verso)* pentamètre.

**Pentateuco** *m* Pentateuque.

**pentatlón** *m* pentathlon.

**Pentecostés** *m* Pentecôte *f*: **domingo de ~** dimanche de Pentecôte.

**penúltimo, a** *a* avant-dernier, ère, pénultième.

**penumbra** *f* pénombre.

**penuria** *f* pénurie.

**peña** *f* **1.** rocher *m* **2.** *(grupo de amigos, círculo)* cercle *m*, réunion d'amis, club *m*.

**peñaranda** *f FAM* **en ~** chez ma tante, au clou.

**peñascal** *m* endroit rocheux.

**peñasco** *m* rocher.

**peñascoso, a** *a* rocheux, euse.

**peñista** *s* membre d'un club.

**péñola** *f* plume d'oie (pour écrire).

**peñón** *m* rocher.
▶ *El Peñón* = Gibraltar.

**peón** *m* **1.** *(obrero)* manœuvre **2.** ouvrier agricole **3. ~ caminero** cantonnier **4.** *(de damas, ajedrez)* pion **5.** *(juguete)* toupie *f* **6.** *TAUROM* péon.

**peonada** *f* **1.** journée (de travail) d'un manœuvre **2.** *AMER* → **peonaje.**

**peonaje** *m* ensemble, équipe *f* de manœuvres.

**peonía** *f (planta)* pivoine.

**peonza** *f* toupie.

**peor** *a* **1.** pire: **mucho ~** bien pire; **los peores disgustos** les pires ennuis; **cada vez ~** de pire en pire; **en el ~ de los casos** en mettant les choses au pire; **lo que es ~** ce qui est pire, qui pis est **2.** plus mauvais, e: **del ~ gusto** du plus mauvais goût. ◇ *adv* pis: **tanto ~, ~ que ~** c'est encore pire; **ir a ~, ir de mal en ~** aller de mal en pis, empirer, s'aggraver; **~ para tí** tant pis pour toi. ◇ *m* **lo ~** le pire; **lo ~ de todo** le pire de tout; **lo ~ está aún por llegar** le pire peut encore arriver; **esto es lo ~ que nos puede suceder** c'est la pire chose, le pis qui puisse nous arriver.

**peoría** *f* aggravation.

**Pepa** *np f FAM* Joséphine ◊ *FAM* **¡viva la ~!** qu'importe!

**Pepe** *np m FAM* Joseph.

**pepenador, a** *a/s AMER* chiffonnier, ère (qui fouille dans les décharges).

**pepinillo** *m* cornichon.

**pepino** *m* concombre ◊ *FAM* **me importa un ~ que...** je me fiche, je me contrefiche que...

**pepita** *f* **1.** *(enfermedad de las gallinas)* pépie **2.** *(de fruta)* pépin *m* **3.** *(de oro)* pépite.

**Pepita** *np f FAM* Josette.

**pepito** *m* petit sandwich de viande, généralement dans un pain rond.

**Pepito** *np m FAM* Joseph.

**pepitoria** *f CULIN* fricassée de volaille.

**peplo** *m* péplum.

**pepona** *f* grande poupée.

**pepsina** *f* pepsine.

**peptona** *f* peptone.

[1]**peque** *s FAM* petit, e, gosse, mioche.

[2]**peque** → **pecar.**

**pequeñajo, a** *s FAM* petit, e.

**pequeñez** *f* **1.** petitesse **2.** *(cosa insignificante)* vétille, bagatelle, rien *m*.

**pequeñín, a** *s FAM (niño)* petit, e.

**pequeñito, a** *a* tout petit, toute petite: **hacerse ~** se faire tout petit.

**pequeño, a** *a/s* petit, e: **una nariz pequeña** un petit nez; **un ~ comerciante** un petit commerçant; **los niños pequeños** les petits enfants; **recuerdo que, de ~, me decían...** je me souviens que, quand j'étais petit, on me disait...; **~ burgués** petit bourgeois.

**pequeñuelo, a** *s FAM (niño)* petit, e.

**Pequín** *np* Pékin.

**pequinés, esa** *a/s* pékinois, e. ◇ *m (perro)* pékinois.

**pera** *f* **1.** *(fruto)* poire: **~ de agua** poire fondante ◊ *FIG* **pedir peras al olmo** demander l'impossible; **ponerle a alguien las**

**peras a cuarto** rappeler quelqu'un à l'ordre, remettre quelqu'un à sa place **2.** *(barba)* impériale, barbiche **3.** *FAM* **ser la ~** être incroyable. ◇ *a FAM* **niño ~** snobinard, minet.

**peral** *m* poirier.

**peraltar** *vt* **1.** *ARQ* surhausser **2.** *(carretera)* relever: **curva peraltada** virage relevé.

**peralte** *m* **1.** *ARQ* surhaussement **2.** *(de una curva)* relèvement **3.** *(curva)* virage relevé.

**perborato** *m QUÍM* perborate.

**perca** *f (pez)* perche.

**percal** *m* percale f ◊ *FIG* **conocer el ~** s'y connaître, savoir de quoi il s'agit.

**percalina** *f* percaline.

**percance** *m* contretemps, incident, anicroche *f*.

**percatarse** *vpr* s'apercevoir, se rendre compte: **no se percató de mi presencia** il ne s'est pas aperçu de ma présence; **se había percatado de que yo le seguía** il s'était rendu compte que je le suivais; **¿tú te percatas?** tu te rends compte?

**percebe** *m (crustáceo)* anatife, pouce-pied, pousse- pied.

**percepción** *f* perception.

**perceptible** *a* **1.** *(por los sentidos)* perceptible **2.** *(que se puede cobrar)* percevable.

**perceptivo, a** *a* perceptif, ive.

**perceptor, a** *a/s* percepteur, trice.

**percha** *f* **1.** portemanteau *m*: **colgar la gabardina en la ~** pendre sa gabardine au portemanteau **2.** *(vástago con un gancho)* cintre *m* **3.** *(palo)* perche **4.** *(para cazar)* lacet *m* **5. de ~** de confection.

**perchar** *vt (el paño)* carder.

**perchero** *m* portemanteau.

**percherón, ona** *a/s* percheron, onne.

**perchista** *s (cine, televisión)* perchiste.

**percibir** *vt* **1.** percevoir: **percibo una luz, tus intenciones** je perçois une lumière, tes intentions **2.** *(cobrar)* percevoir.

**percibo** *m* perception *f*.

**perclorato** *m QUÍM* perchlorate.

**percudir** *vt* **1.** *(ensuciar)* salir, encrasser ◊ **ropa percutida** linge crasseux **2.** *(ajar)* ternir.

**percusión** *f* percussion: **instrumento de ~** instrument à percussion.

**percusionista** *s* percussionniste.

**percusor, percutor** *m* percuteur.

**percutir** *vt* percuter.

**perdedor, a** *a/s* perdant, e.

**perder*** *vt* **1.** perdre: **~ la calma** perdre son calme; **no tener nada que ~** n'avoir rien à perdre ◊ *FIG* **~ el hilo** perdre le fil **2. ~ el tren, la ocasión** rater, manquer le train, l'occasion **3. ~ el tiempo** perdre son temps; **no hay tiempo que ~** il n'y a pas de temps à perdre **4. echar a ~** gâter, gâcher; **echarlo todo a ~** tout gâter; **echarse a ~** s'abîmer, se gâter **5. llevar las de ~** avoir le dessous, être en fâcheuse posture. ◇ *vi* **1.** perdre: **nuestro equipo ha perdido** notre équipe a perdu **2.** *(decaer)* baisser **3.** *(tratándose de una tela)* déteindre. ◆ **~se** *vpr* **1.** perdre, égarer: **se me ha perdido el pasaporte** j'ai perdu mon passeport **2.** se perdre: **nos hemos perdido** nous nous sommes perdus; **una costumbre que se pierde** une coutume qui se perd; **perderse de vista** se perdre de vue **3. tú te lo pierdes** tant pis pour toi.

**perdición** *f* **1.** perte **2.** ruine **3.** *(condenación eterna)* perdition.

**pérdida** *f* perte: **una ~ de tiempo** une perte de temps; **pérdidas y ganancias** profits et pertes; **vender con ~** vendre à perte.

**perdidamente** *adv* éperdument, follement: **estar ~ enamorado** être éperdument amoureux.

**perdido, a** *a* **1.** perdu, e: **tiempo ~** temps perdu **2.** *FIG* **estar ~ por** être follement épris, e de. ◇ *m* vaurien.

**perdigar** *vt CULIN (ave, carne)* faire revenir.

**perdigón** *m* **1.** *(pájaro)* perdreau **2.** *(munición)* plomb de chasse **3.** *(de saliva)* postillon.

**perdigonada** *f* volée de plombs de chasse.

**perdiguero, a** *a* **perro ~** braque, chien d'arrêt.

**perdimiento** *m* perte *f*.

**perdis** *m* débauché, viveur.

**perdiz** *f* perdrix: **~ roja** perdrix rouge.

**perdón** *m* pardon: **pedir ~** demander pardon; **¡~!** pardon! ◊ *FAM* **con ~** avec votre permission, sauf votre respect.

**perdonable** *a* pardonnable.

**perdonar** *vt* **1.** pardonner: **perdónanos nuestras deudas** pardonne-nous nos offenses **2.** excuser: **¡perdone usted!** excusez-moi!; **perdona** excuse-moi, pardon **3.** *(eximir)* dispenser de, faire grâce de ◊ **~ la vida** laisser la vie sauve; **no ~ medio para** ne rien épargner pour; **no ~ ni un detalle** ne faire grâce d'aucun détail.

**perdonavidas** *m inv* matamore, fier-à-bras.

**perdulario, a** *a/s* **1.** négligent, e **2.** *(vicioso)* dépravé, e, vicieux, euse.

**perdurable** *a* **1.** éternel, elle **2.** interminable, qui dure longtemps.

**perdurar** *vi* **1.** durer longtemps, demeurer **2.** *(persistir)* persister: **la sequía perdura** la sécheresse persiste.

**perecedero, a** *a* périssable.

**perecer*** *vi* périr, mourir: **~ de hambre** mourir de faim. ◆ **~se por** *vpr* mourir d'envie de.

**peregrinación** *f* **1.** pèlerinage *m*: **~ a Lourdes, a Tierra Santa** pèlerinage à Lourdes, en Terre Sainte **2.** *(viaje)* pérégrination.

**peregrinar** *vi* **1.** *(a un santuario)* aller en pèlerinage **2.** voyager, pérégriner.

**peregrino, a** *a/s* pèlerin, e: **los peregrinos de Compostela** les pèlerins de Compostelle. ◇ *a* **1.** *(raro)* étrange, curieux, euse, bizarre **2.** extraordinaire, remarquable.

**perejil** *m* persil ◊ *FIG* **poner a uno como hoja de ~** traiter quelqu'un de tous les noms. ◇ *pl* colifichets.

**perendengue** *m (adorno)* colifichet. ◇ *pl FAM* problèmes; inconvénients.

**perengano, a** *s* un tel, une telle.

**perenne** *a* **1.** perpétuel, elle **2.** continuel, elle **3.** *BOT (planta)* vivace, *(hoja)* persistante.

**perennemente** *adv* perpétuellement, continuellement.

**perennidad** *f* pérennité.

**perentoriedad** *f* urgence.

**perentorio, a** *a* **1.** péremptoire **2.** *(urgente)* urgent, e, pressant, e ◊ **en un plazo ~** à bref délai.

**pereza** *f* **1.** paresse **2. me da ~ salir después de cenar** j'ai la flemme de, je n'ai pas le courage de, ça ne me dit rien de sortir après dîner.

**perezoso, a** *a/s* paresseux, euse ◊ **ni corto ni ~** → **corto.** ◇ *m (mamífero)* paresseux, aï. ◇ *f AMER (tumbona)* chaise-longue.

**perfección** *f* perfection: **a la ~** à la perfection.

**perfeccionamiento** *m* perfectionnement.

**perfeccionar** *vt* **1.** perfectionner **2.** *(mejorar)* améliorer.

**perfeccionismo** *m* perfectionnisme.

**perfeccionista** *a/s* perfectionniste.

**perfectamente** *adv* parfaitement.

**perfectibilidad** *f* perfectibilité.

**perfectible** *a* perfectible.

**perfecto, a** *a* **1.** parfait, e **2. un ~ imbécil** un parfait imbécile.

**perfidia** *f* perfidie.

**pérfido, a** *a* perfide.

**perfil** *m* **1.** profil: **de ~** de profil **2.** *(silueta)* silhouette *f* **3.** *(de una letra)* délié **4.** *(psicología)* profil: **el ~ de un candidato** le profil d'un candidat **5.** *TECN (de metal)* profilé.

**perfilar** *vt* **1.** profiler **2.** *FIG (afinar)* parfaire, fignoler. ◆ **~se** *vpr* se profiler.

**perforación** *f* **1.** perforation **2.** *(de un pozo)* forage *m*: **plataforma de ~** plateforme de forage; **torre de ~** tour de forage, derrick *m* **3.** *MED* perforation.

**perforador, a** *a/s* perforateur, trice. ◇ *m (máquina)* perforatrice, perforeuse.

**perforar** *vt* **1.** perforer: **tarjeta perforada** carte perforée **2.** *(un pozo)* forer, creuser.

**perforista** *f (persona)* perforatrice, perforeuse.

**performance** *f/m* performance *f*.

**perfumador** *m* **1.** brûle-parfum *inv* **2.** *(pulverizador)* vaporisateur.

**perfumar** *vt* parfumer.

**perfume** *m* parfum.

**perfumería** *f* parfumerie.

**perfumista** *s* parfumeur, euse.

**perfusión** *f MED* perfusion.

**pergamino** *m* parchemin. ◇ *pl* titres de noblesse, parchemins.

**Pérgamo** *np* Pergame.

**pergenio** → **pergeño.**

**pergeñar** *vt FAM* esquisser, ébaucher, arranger, agencer.

**pergeño** *m FAM* air, apparence *f*, allure *f*. ◇ *m AMER* gamin.

**pérgola** *f* pergola.

**pericardio** *m ANAT* péricarde.

**pericarpio** *m BOT* péricarpe.

**pericia** *f* habileté, adresse, savoir-faire *m*: **la ~ de un cirujano** l'habileté d'un chirurgien.

**pericial** *a* des experts ◊ **informe ~** expertise; **prueba ~** expertise.

**periclitar** *vi* péricliter.

**perico** *m* **1.** *(ave)* perruche *f* **2.** *(abanico)* grand éventail **3.** *(orinal)* pot de chambre **4.** *MAR* perruche *f* **5. ~ ligero** aï, paresseux **6.** *AMER* café crème.

**Perico** *np m FAM* Pierrot ◊ **~ el de los palotes** Untel, tartempion, n'importe qui; **~ entre ellas** coureur de jupons.

**pericón** *m* **1.** *(abanico)* grand éventail **2.** danse *f* populaire de l'Argentine.

**peridural** *f MED* péridurale.

**periferia** *f* périphérie.

**periférico, a** *a* périphérique. ◇ *m INFORM* périphérique.

**perifollo** *m (planta)* cerfeuil. ◇ *pl FIG* colifichets.

**perífrasis** *f* périphrase.

**perifrástico, a** *a* périphrastique.

**perigeo** *m ASTR* périgée.

**perihelio** *m ASTR* périhélie.

**perilla** *f* **1.** *(barba)* barbiche, impériale **2.** *(de silla de montar)* pommeau *m* **3.** ornement *m* en forme de poire **4.** *loc adv FAM* **de ~** à point, à pic.

**perillán, ana** *a/s* coquin, e.

**perímetro** *m* périmètre.

**perinatal** *a* périnatal, e.

**perineo** *m ANAT* périnée.

**perinola** *f* toton *m*.

**periódicamente** *adv* périodiquement.

**periodicidad** *f* périodicité.

**periódico, a** *a* périodique. ◇ *m* journal: **quiosco de periódicos** kiosque à journaux.

**periodicucho** *m PEYOR* canard, feuille *f* de chou.

**periodismo** *m* journalisme.

**periodista** *s* journaliste ◊ **carnet de ~** carte *f* de presse.

**periodístico, a** *a* journalistique.

**periodo, período** *m* **1.** période *f*: **el ~ de las vacaciones** la période des vacances; **el ~ glaciar** la période glaciaire **2.** *(menstruación)* règles *f pl*.

**periostio** *m ANAT* périoste.

**peripatético, a** *a/s* péripatéticien, enne.

**peripecia** *f* péripétie.

**periplo** *m* périple.

**peripuesto, a** *a* bien mis, bien mise, pomponné, e.

**periquete (en un)** *loc adv* en un rien de temps, en moins de deux, en un clin d'œil.

**periquito** *m (ave)* perruche *f*.

**periscopio** *m* périscope.

**perista** *m POP* acheteur d'objets volés.

**peristáltico, a** *a* péristaltique.

**peristilo** *m ARQ* péristyle.

**peritación** *f* expertise.

**peritaje** *m* expertise *f*.

**perito, a** *a* expert, e, compétent, e: **~ en la materia** expert en la matière. ◇ *m* **1.** expert ◊ **~ mercantil** expert-comptable. **2.** diplômé d'une école technique, sous-ingénieur.

**peritoneo** *m ANAT* péritoine.

**peritonitis** *f MED* péritonite.

**perjudicar** *vt* **1.** faire du mal à, nuire à: **la leche le perjudica** le lait lui fait du mal; **fumar perjudica seriamente la salud** fumer nuit sérieusement à la santé **2.** *(en lo moral)* porter préjudice à, nuire à, faire du tort à.

**perjudicial** *a* nuisible, préjudiciable.

**perjuicio** *m* **1.** *(daño)* dommage **2.** *(en lo moral)* préjudice, tort **3.** *loc prep* **en ~ de** au préjudice de, au détriment de; **no lo haría si ello pudiera repercutir en ~ tuyo** je ne le ferais pas si cela pouvait tourner à ton désavantage; **sin ~ de** sans préjudice de, ce qui n'exclut pas.

**perjurar** *vi* **1.** *(jurar en falso)* se parjurer **2.** jurer, blasphémer **3. jurar y ~ que...** jurer ses grands dieux que...

**perjurio** *m* parjure.

**perjuro, a** *a/s* parjure.

**perla** *f* **1.** perle **2.** *loc adv* **de perlas** à merveille, parfaitement bien; **venir de perlas** tomber à pic, arriver à point; **me parece de perlas tu idea** ton idée me semble épatante, super.

**perlado, a** *a* perlé, e.

**perlero, a** *a* perlier, ère.

**perlesía** *f MED* sorte de paralysie accompagnée de tremblement.

**permanecer*** *vi* **1.** *(en un lugar)* rester, demeurer, séjourner **2.** *(mantenerse)* rester: **~ silencioso, de rodillas** rester silencieux, à genoux; **permanecí sin moverme** je restai sans bouger.

**permanencia** *f* **1.** *(duración)* permanence, durée **2.** *(estancia en un lugar)* séjour *m* **3.** maintien *m*: **la ~ de España en la O.T.A.N.** le maintien de l'Espagne dans l'O.T.A.N.

**permanente** *a* permanent, e. ◇ *f (del pelo)* permanente.

**permanganato** *m* permanganate.

**permeabilidad** *f* perméabilité.

**permeable** *a* perméable.

**permi** *f* FAM perme.

**permisividad** *f* permissivité.

**permisivo, a** *a* permissif, ive.

**permiso** *m* **1.** permission *f*, autorisation *f*: **pedir ~ para** demander la permission de; **dar ~ para** donner la permission de, permettre; **¿con su ~?, ¿~?** vous permettez? **2.** MIL permission *f*: **soldado de ~** soldat en permission **3.** *(escrito)* permis: **~ de residencia** permis de séjour.

**permitir** *vi* permettre: **te permito que salgas** je te permets de sortir; **¿me permite?** vous permettez?; **permítame que me presente** permettez-moi de me présenter. ◆ **~se** *vpr* se permettre: **me permito recordarle** je me permets de vous rappeler.

**permuta** *f* **1.** *(de empleo)* permutation **2.** *(cambio)* échange *m*.

**permutable** *a* permutable.

**permutación** *f* permutation.

**permutar** *vt* **1.** *(empleos)* permuter **2.** échanger: **~ una cosa por otra** échanger une chose contre une autre.

**pernear** *vi* **1.** gigoter, agiter les jambes **2.** FIG se démener.

**pernera** *f (de un pantalón)* jambe.

**pernetas (en)** *loc adv* les jambes nues.

**perniabierto, a** *a* qui a les jambes écartées.

**pernicioso, a** *a* **1.** pernicieux, euse **2.** *(nocivo)* nuisible.

**pernil** *m* **1.** *(de animal)* cuisse *f* **2.** *(de cerdo)* jambon.

**pernio** *m* gond, penture *f*.

**perniquebrar*** *vt* casser une jambe, les jambes.

**pernituerto, a** *a* bancal, e.

**perno** *m* boulon.

**pernoctación** *f* nuitée.

[1]**pero** *conj* mais: **el hotel es viejo ~ confortable** l'hôtel est vieux mais confortable; **no me gusta el té ~ sí me gusta mucho el café** je n'aime pas le thé mais, en revanche, j'aime beaucoup le café ◊ FAM **¡~ sí te dije que vinieras!** mais puisque je t'ai dit de venir! ◇ *m* **1.** défaut: **sin un ~** sans défaut **2.** objection *f*: **poner peros a** trouver à redire à, faire des objections à.

[2]**pero** *m* **1.** *(árbol)* variété de pommier **2.** *(fruto)* variété de pomme *f* allongée.

**pernoctar** *vt* passer la nuit.

**perogrullada** *f* lapalissade, truisme *m*.

**perogrullesco, a** *a (evidente y natural)* qui tient de la lapalissade, évident, e.

**Perogrullo** *np m* Monsieur de La Palice ◊ **verdad de ~** vérité de La Palice, lapalissade.

**perol** *m* sorte de chaudron, bassine *f*.

**peroné** *m* ANAT péroné.

**peroración** *f* péroraison.

**perorar** *vi* pérorer.

**perorata** *f* harangue, long laïus *m*, discours *m* ennuyeux.

**peróxido** *m* QUIM péroxyde.

**perpendicular** *a/f* perpendiculaire.

**perpendicularmente** *adv* perpendiculairement.

**perpetración** *f* perpétration.

**perpetrar** *vt* perpétrer: **~ un atentado, un crimen** perpétrer un attentat, un crime.

**perpetua** *f (planta)* immortelle.

**perpetuación** *f* perpétuation.

**perpetuamente** *adv* perpétuellement.

**perpetuar** *vt* perpétuer. ◆ **~se** *vpr* se perpétuer, se survivre.

**perpetuidad** *f* perpétuité: **a ~** à perpétuité.

**perpetuo, a** *a* **1.** perpétuel, elle **2.** **nieves perpetuas** neiges éternelles **3.** **cadena perpetua** travaux forcés à perpétuité.

**perpiaño** *a* ARQ **arco ~** arc-doubleau. ◇ *m* parpaing.

**Perpiñán** *np* Perpignan.

**perplejidad** *f* perplexité.

**perplejo, a** *a* perplexe.

**perquirir*** *vt* rechercher.

**perra** *f* **1.** *(hembra del perro)* chienne **2.** *(dinero)* sou *m*: **estar sin una ~** être sans le sou ◊ **~ chica, ~ gorda** pièce de 5, 10 centimes **3.** FAM *(borrachera)* cuite **4.** *(rabieta)* colère d'enfant: **coger una ~** piquer une colère **5.** FAM *(deseo)* envie folle, *(idea fija)* idée fixe **6.** *(pereza)* flemme **7.** → **perro.**

**perrada** *f* **1.** troupe de chiens **2.** FIG *(vileza)* tour *m* de cochon.

**perramente** *adv* FAM très mal.

**perrera** *f* **1.** chenil *m* **2.** *(para perros vagabundos)* fourrière **3.** *(vehículos)* fourgon *m* pour chiens errants **4.** *(rabieta)* colère d'enfant.

**perrería** *f* **1.** troupe de chiens **2.** FIG *(vileza)* mauvais tour *m*, tour *m* de cochon, saloperie **3.** injure.

**perrillo** *m* **1.** petit chien **2.** *(de las armas de fuego)* chien.

**perrito, a** *s* **1.** petit chien, petite chienne, toutou **2.** **~ caliente** hot-dog.

[1]**perro, a** *a* très mauvais, e, épouvantable, de chien: **vida perra** vie de chien, chienne de vie; **lleva una vida perra** il mène une vie de chien.

[2]**perro** *m* **1.** chien: **~ de guarda, ~ guardián** chien de garde; **~ de muestra** chien d'arrêt; **~ faldero** chien de manchon; **~ lobo** chien-loup; **~ policía** chien policier; **~ de aguas** barbet; FIG **como el ~ y el gato** comme chien et chat; **¡a otro ~ con ese hueso!** à d'autres!; **atar los perros con longanizas** tout avoir en abondance; **creía que en París ataban los perros con longanizas** il croyait qu'à Paris tout le monde roulait sur l'or; **de perros** de chien, horrible; **¡qué tiempo de perros!** quel temps de chien!; **echar a perros** gaspiller; **tratar a alguien como un ~** traiter quelqu'un comme un chien **2.** FIG **ser ~ viejo** être un vieux renard, ne pas être né d'hier, de la dernière pluie **3.** FAM *(moneda)* sou **4.** **~ caliente** hot-dog.

**perruno, a** *a* chien, canin, e.

**persa** *a/s* **1.** *(de la Persia antigua)* perse **2.** persan, e.

**persecución** *f* **1.** poursuite: **en ~ de** à la poursuite de **2.** *(tormentos)* persécution.

**persecutorio, a** *a* **manía persecutoria** manie, délire de la persécution.

**perseguidor, a** *a/s* **1.** qui poursuit, poursuivant, e **2.** persécuteur, trice **3.** *(ciclista)* poursuiteur.

**perseguimiento** *m (persecución)* poursuite *f*.

**perseguir*** *vt* **1.** poursuivre: **el guardia persigue al ladrón** l'agent poursuit le voleur **2.** *(ir siempre detrás)* pourchasser **3.** *(combatir, atormentar)* persécuter **4.** FIG poursuivre, harceler: **le persiguen los remordimientos** les remords le poursuivent.

**Perseo** *np m* Persée.

**perseverancia** *f* persévérance.

**perseverante** *a* persévérant, e.

**Persia** *np f* Perse.

**persiana** *f* **1.** *(rígida)* persienne **2.** *(enrollable)* store *m*: **~ veneciana** store vénitien.

**persianista** *m* storiste.

**persicaria** *f* persicaire.

**pérsico, a** *a* persique ◊ **golfo Pérsico** golfe Persique. ◇ *m* **1.** *(fruto)* pêche *f* **2.** *(árbol)* pêcher.

**persignarse** *vpr* se signer.

**persigue** → **perseguir.**

**persistencia** *f* persistance.

**persistente** *a* persistant, e.

**persistir** *vt* **1.** persister: **persiste en su opinión** il persiste dans son opinion **2.** *(seguir durando)* persister, durer: **esta situación puede ~ por mucho tiempo** cette situation peut durer longtemps.

**persona** *f* **1.** personne: **las personas mayores** les grandes personnes ◊ **en ~** en personne; **una tercera ~** un tiers, une tierce personne **2.** personnage *m* **3. ~ grata** persona grata **4.** GRAM personne: **en primera, tercera ~** à la première, troisième personne **5.** JUR **~ jurídica** personne morale.

**personaje** *m* personnage.

**personal** *a* personnel, elle: **opinión ~** opinion personnelle; **pronombre ~** pronom personnel. ◇ *m* personnel: **departamento, jefe de ~** service, chef du personnel.

**personalidad** *f* **1.** personnalité: **culto a la ~** culte de la personnalité **2. tener ~** avoir de la personnalité.

**personalismo** *m* **1.** allusion *f* personnelle **2.** *(filosofía)* personnalisme.

**personalizar** *vt* personnaliser.

**personalmente** *adv* personnellement.

**personarse** *vpr* **1.** se présenter en personne **2. ~ en el lugar** se rendre sur les lieux; **los bomberos se personaron en el lugar del siniestro** les pompiers se sont rendus sur les lieux du sinistre **3.** JUR comparaître.

**personero** *m* **1.** AMER *(representante)* représentant **2.** ANT procureur.

**personificación** *f* personnification.

**personificar** *vt* **1.** personnifier **2. es la bondad personificada** il est la bonté personnifiée, la bonté incarnée, la bonté même.

**personilla** *f* petite persone.

**perspectiva** *f* **1.** perspective **2.** FIG perspective: **perspectivas halagüeñas** perspectives encourageantes; **en ~** en perspective; FIG *(distancia temporal)* recul *m*.

**perspicacia** *f* perspicacité.

**perspicaz** *a* **1.** perspicace: **un psicólogo ~** un psychologue perspicace **2.** *(vista, mirada)* pénétrant, e.

**perspicuo, a** *a* clair, e.

**persuadir** *vt* persuader. ◆ **~se** *vpr* se persuader.

**persuasión** *f* persuasion.

**persuasivo, a** *a* persuasif, ive.

**pertenecer*** *vi* **1.** appartenir: **este libro me pertenece** ce livre m'appartient **2.** incomber, être à: **a él no le pertenece atender al teléfono** ce n'est pas à lui de répondre au téléphone.

**perteneciente** *a* appartenant, e.

**pertenencia** *f* **1.** appartenance **2.** *(propiedad)* propriété **3.** possession. ◇ *pl (bienes)* biens *m*.

**pértiga** *f* perche: **salto con ~** saut à la perche.

**pértigo** *m (de carro)* timon.

**pertiguero** *m (de iglesia)* suisse.

**pertinacia** *f* **1.** *(terquedad)* obstination, ténacité **2.** *(duración)* persistance.

**pertinaz** *a* **1.** *(terco)* obstiné, e, tenace, opiniâtre **2.** *(que dura mucho)* persistant, e: **la ~ sequía** la sécheresse persistante.

**pertinazmente** *adv* obstinément.

**pertinencia** *f* pertinence.

**pertinente** *a* pertinent, e, opportun, e.

**pertrechar** *vt* munir, équiper: **~ a un soldado** équiper un soldat. ◆ **~se** *vpr* se munir: **pertrecharse con, de** se munir de.

**pertrechos** *m pl* **1.** munitions *f*, armes *f* **2.** équipements **3.** *(utensilios)* attirail *sing*.

**perturbación** *f* **1.** perturbation: **~ atmosférica** perturbation atmosphérique **2.** *(mental, etc.)* trouble *m*.

**perturbado, a** *a/s (loco)* déséquilibré, e, fou, folle.

**perturbador, a** *a* troublant, e, dérangeant, e. ◇ *a/s (del orden público)* perturbateur, trice.

**perturbar** *vt* perturber, troubler ◆ **~se** *vpr* se troubler.

**Perú** *np m* Pérou ◊ FIG **valer un ~** valoir de l'or, son pesant d'or.

**peruano, a** *a/s* péruvien, enne.

**perulero, a** *a/s* péruvien, enne. ◇ *m* Espagnol qui revient riche du Pérou.

**perversidad** *f* perversité.

**perversión** *f* perversion.

**perverso, a** *a* **1.** pervers, e **2. efecto ~** effet pervers.

**pervertimiento** *m* perversion *f*.

**pervertir*** *vt* pervertir.

**pervivencia** *f* survie, survivance.

**pervivir** *vi* survivre.

**pesa** *f (de balanza, de reloj)* poids *m*. ◇ *pl (de gimnasia)* haltères *m*.

**pesabebés** *m inv* pèse-bébé.

**pesacartas** *m inv* pèse-lettre.

**pesada** *f* pesée.

**pesadamente** *adv* lourdement, pesamment.

**pesadez** *f* **1.** pesanteur, poids *m*, lourdeur **2. ~ de estómago** lourdeur d'estomac; **tener ~ de cabeza** avoir la tête lourde **3.** FIG ennui *m*, chose assommante: **¡qué ~ este trabajo!** que ce travail est assommant!, ennuyeux!; **es una ~ ...** c'est assommant...; **¡vaya ~ !** que c'est pénible!

**pesadilla** *f* cauchemar *m*.

**pesado, a** *a* **1.** lourd, e, pesant, e **2. sueño ~** sommeil lourd, profond **3.** *(tiempo)* lourd, e **4.** *(estómago, cabeza)* lourd, e **5.** *(armas)* lourd, e: **ametralladora pesada** mitrailleuse lourde **6.** *(fastidioso)* ennuyeux, euse, assommant, e: **la conferencia se nos hizo muy pesada** nous avons trouvé la conférence très ennuyeuse; **¡qué ~ eres!** que tu es fatigant!; **¡qué ~ te pones!** ce que tu deviens assommant!, casse-pieds! **7.** *(trabajoso)* pénible.

**pesadumbre** *f* peine, chagrin *m*.

**pesalicores** *m inv* pèse-liqueur.

**pésame** *m* condoléances *f pl*: **dar el ~** présenter ses condoléances; **mi más sentido ~** toutes mes condoléances.

**pesantez** *f* pesanteur.

**¹pesar** *vt* **1.** peser **2.** FIG **~ el pro y el contra** peser le pour et le contre ◇ *vi* **1.** peser: **~ mucho** peser lourd; **~ sobre** peser sur **2.** FIG regretter: **me pesa haberlo dicho** je regrette de l'avoir dit; **ya te pesará** tu le regretteras ◊ **mal que le pese** ne vous en déplaise, que vous le vouliez ou non **3. pese a** malgré, en dépit de: **pese a ello** malgré cela; **~ a todo** malgré tout; **~ a las apariencias** en dépit des apparences; **pese a que** bien que; **pese a quien pese** quoi qu'il arrive, envers et contre tout.

**²pesar** *m* **1.** chagrin, peine *f* **2.** *(arrepentimiento)* regret **3.** *loc prep* **a ~ de** malgré: **a ~ de todo** malgré tout; **a ~ de los pesares**

malgré tout, qu'on le veuille ou non; **a ~ suyo, a su ~** malgré lui; **a ~ de ser aún muy niño** bien qu'il soit encore très enfant **4.** *loc conj* **a ~ de que** bien que.

**pesaroso, a** *a* **1.** peiné, e, chagriné, e, contrarié, e **2.** *(arrepentido)* repentant, e: **está ~ de haberlo hecho** il regrette de l'avoir fait.

**pesca** *f* **1.** pêche: **~ con caña, en el mar** pêche à la ligne, en mer; **la ~ de la ballena, de la trucha** la pêche à la baleine, à la truite; **~ de altura, de gran altura** pêche hauturière, grande pêche **2.** *FAM* **y toda la ~** et tout le tremblement.

**pescada** *f (merluza)* colin *m*, merluche.

**pescadería** *f* poissonnerie.

**pescadero, a** *s* poissonnier, ère.

**pescadilla** *f* merlan *m*.

**pescado** *m* poisson.

▶ Désigne le poisson après qu'il a été pêché, et *pez* le poisson encore dans l'eau.

**pescador, a** *a/s* pêcheur, euse: **~ de caña** pêcheur à la ligne.

**pescante** *m* **1.** *(del cochero)* siège du cocher **2.** *(para colgar algo)* potence *f* **3.** *MAR* bossoir.

**pescar** *vt* **1.** pêcher: **~ con caña** pêcher à la ligne ◊ *FIG* **~ en río revuelto** pêcher en eau trouble **2.** *FIG (coger)* attraper: **~ un catarro** attraper un rhume; **yo pesqué la gripe** j'ai attrapé la grippe **3.** *FIG* décrocher, dénicher: **~ una buena colocación** décrocher une bonne situation **4.** *FIG (a alguien por sorpresa)* pincer.

**pescozón** *m* taloche *f*.

**pescozudo, a** *a* qui a un gros cou.

**pescuezo** *m* cou ◊ *FAM* **retorcer el ~ a alguien** tordre le cou à quelqu'un.

**pese a** → **[1]pesar.**

**pesebre** *m* **1.** mangeoire *f*, râtelier **2.** *(de Navidad)* crèche *f*.

**pesero** *m AMER* taxi collectif au Mexique.

**peseta** *f* **1.** peseta **2.** *FIG FAM* **cambiar la ~** rendre, dégobiller.

**pesetero, a** *a/s FAM* qui aime l'argent, âpre au gain, rapace.

**pesillo** *m (balanza)* trébuchet.

**pésimamente** *adv* très mal.

**pesimismo** *m* pessimisme.

**pesimista** *a/s* pessimiste.

**pésimo, a** *a* très mauvais, e.

**peso** *m* **1.** poids: **vender a ~** vendre au poids; **~ bruto, neto** poids brut, net ◊ *FIG* **a ~ de oro** à prix d'or; **caer de, por su ~ , ~ de su propio ~** être évident, aller de soi, tomber sous le sens; **levantar en ~** soulever **2.** *(boxeo)* **~ gallo, pluma, medio, pesado** poids coq, plume, moyen, lourd **3.** *(balanza)* balance **4.** *FIG* poids: **el ~ de los años** le poids des ans **5.** *(moneda)* peso.

**pespuntar** *vt* piquer.

**pespunte** *m* piqûre *f*, point de piqûre: **vaqueros con ~ en blanco** jeans avec des piqûres, des surpiqûres blanches.

**pespuntear** *vt* piquer.

**pesqué** → **pescar.**

**pesquera** *f* pêcherie.

**pesquería** *f* **1.** *(acción)* pêche **2.** *(lugar)* pêcherie.

**pesquero, a** *a (barco, etc.)* de pêche; *(industria)* de la pêche; *(acuerdo)* concernant la pêche. ◇ *m* bateau de pêche.

**pesquis** *m FAM* jugeotte *f*: **tener mucho ~** avoir beaucoup de jugeotte.

**pesquisa** *f* recherche, enquête.

**pesquisar** *vt* rechercher, enquêter sur.

**pestaña** *f* **1.** *ANAT, ZOOL* cil *m* ◊ *FIG* **quemarse las pestañas estudiando** s'user les yeux à étudier **2.** *(de una tela)* lisière **3.** *(borde)* bord *m*, rebord *m*.

**pestañear** *vi* **1.** ciller, cligner des yeux **2.** *loc adv* **sin ~** sans sourciller.

**pestañeo** *m* clignement d'yeux.

**peste** *f* **1.** *(enfermedad)* peste ◊ *FIG* **huir a alguien como de la ~** fuir quelqu'un comme la peste **2.** *(hedor)* puanteur **3.** *FIG* poison *m*, fléau *m* **4.** *(excesiva abundancia)* profusion. ◇ *pl* **decir, echar pestes de** dire pis que pendre de; **echar pestes** pester, tempêter.

**pesticida** *a/m* pesticide.

**pestífero, a** *a* puant, e, pestilentiel, elle.

**pestilencia** *f* pestilence.

**pestilente** *a* pestilentiel, elle.

**pestillo** *m* **1.** targette *f* **2.** *(de la cerradura)* pène.

**pestiño** *m* sorte de beignet au miel.

**pestorejo** *m* nuque *f*.

**pesuña** → **pezuña.**

**petaca** *f* **1.** blague à tabac **2.** étui *m* à cigarettes **3. hacer la ~** faire le lit en portefeuille.

**petacona** *f AMER* grosse dondon.

**pétalo** *m* pétale.

**petanca** *f* pétanque: **jugar a la ~** jouer à la pétanque.

**petar** *vt POP* plaire, botter: **no me petaba el plan** le projet ne me plaisait pas, ne m'emballait pas.

**petardista** *s FAM (sablista)* tapeur, euse.

**petardo** *m* **1.** *(artefacto explosivo)* pétard **2.** *FIG FAM (estafa)* escroquerie *f* ◊ **pegar petardos** taper, emprunter **3.** *FAM (mujer fea)* laideron *f*, mocheté *f*; *(persona mediocre)* bon à rien.

**petate** *m* **1.** natte *f* (sur laquelle on dort) **2.** *(lío)* balluchon ◊ *FAM* **liar el ~** plier bagage; *(morir)* passer l'arme à gauche **3.** *(bolso)* sac de plage.

**peteneras** *f pl* chant *m sing* andalou ◊ *FIG* **salir por ~** s'en tirer par une pirouette; **cuando le preguntaron cuál era su edad, la actriz salió por ~** quand on lui demanda son âge, l'actrice répondit par une pirouette.

**petición** *f* **1.** demande: **a ~ de** à la demande de: **a ~ propia** à sa demande ◊ **previa ~ de hora** sur rendez-vous **2.** *(escrita)* pétition **3. ~ de principio** pétition de principe **4.** *JUR* requête, recours *m*: **~ de gracia, de indulto** recours en grâce.

**peticionario, a** *a/s* pétitionnaire.

**petifoque** *m MAR* clinfoc.

**petigrís** *m* petit-gris.

**petimetre, a** *s* petit-maître, petite-maîtresse.

**petirrojo** *m* rouge-gorge.

**petiso, a** *a AMER* petit, e: **un hombre ~ y barbudo** un homme petit et barbu. ◇ *m AMER (caballo)* petit cheval.

**petitorio, a** *a* pétitoire. ◇ *m* **1.** réclamation *f*, pétition *f* **2.** répertoire de médicaments.

**peto** *m* **1.** *(de armadura)* plastron **2.** *(de un delantal, mono)* bavette *f*.

**Petrarca** *np m* Pétrarque.

**petrel** *m* pétrel.

**pétreo, a** *a* pierreux, euse, de pierre.

**petrificación** *f* pétrification.

**petrificar** *vt* pétrifier.

**petrodólar** *m* pétrodollar.

**petrografía** *f* pétrographie.

**petróleo** *m* pétrole.

**petrolero, a** *a* pétrolier, ère: **la crisis petrolera** la crise pétrolière. ◇ *m (barco)* pétrolier. ◇ *s (incendiario)* pétroleur, euse.

**petrolífero, a** *a* **1.** pétrolifère **2.** pétrolier, ère: **productos petrolíferos** produits pétroliers.

**petroquímico, a** *a* pétrochimique. ◇ *f* pétrochimie.

**petulancia** *f* prétention, fierté, outrecuidance.

**petulante** *a (vanidoso)* prétentieux, euse, fier, fière, outrecuidant, e.

**petunia** *f* pétunia *m*.

**peuco** *m* AMER épervier du Chili.

**peúco** *m* chausson de bébé.

**peyorativo, a** *a* péjoratif, ive.

[1]**pez** *m* **1.** poisson: **peces de colores** poissons rouges ◇ **~ espada** espadon; *FIG* **como (el) ~ en el agua** comme un poisson dans l'eau **2.** *FAM* **~ gordo** gros bonnet, grosse légume *f* **3.** *FAM* **estar ~** être nul, nulle.

[2]**pez** *f (materia viscosa)* poix ◇ **~ griega** collophane.

**pezón** *m* **1.** *(de hojas, frutos, etc.)* queue *f* **2.** *(de la mama)* mamelon, bout du sein.

**pezonera** *f (clavija)* cheville.

**pezuña** *f* sabot *m* (fourchu des ruminants).

**pi** *f (letra griega)* pi *m*.

**pía** → **pío.**

**piada** *f* piaillement *m*.

**piadosamente** *adv* pieusement.

**piadoso, a** *a* pieux, euse.

**piafar** *vi* piaffer.

**pial** *m* AMER lasso, corde *f*.

**pialar** *vt* AMER entraver.

**piamadre, piamáter** *f* ANAT pie-mère.

**Piamonte** *np m* Piémont.

**piamontés, esa** *a/s* piémontais, e.

**pian, piano** *adv* FAM piano, lentement.

**pianista** *s* pianiste.

**piano** *m* **1.** piano: **tocar el ~** jouer du piano; **estar en el ~** être au piano; **~ de cola** piano à queue; **~ vertical** piano droit **2. ~ de manubrio** orgue de Barbarie.

**pianola** *f* piano *m* mécanique.

**piantarse** AMER → **espiantarse.**

**piante** *a* FAM râleur, euse.

**piar** *vi* **1.** *(las aves)* pépier, piailler **2.** *FAM* **~ por** réclamer; **pía por volver a su tierra** il crève d'envie de rentrer dans son pays **3.** *FAM (protestar)* protester, râler; **piarlas** râler: **no las píes** cesse de râler. ◇ *m (de las aves)* pépiement.

**piara** *f* troupeau *m* (surtout de cochons).

**piastra** *f* piastre.

**pibe, a** *s* AMER gamin, e.

**piberío** *m* AMER marmaille *f*.

**pica** *f* pique ◇ *FIG* **poner una ~ en Flandes** réaliser un exploit, une prouesse.

**picacho** *m* pic.

**picada** *f* **1.** coup *m* de bec **2.** *(picadura)* piqûre **3.** *(del pez)* touche **4.** AMER *(trocha)* sentier *m* **5.** AMER *(sablazo)* emprunt *m*.

**picadero** *m (equitación)* manège.

**picadillo** *m* hachis.

**picado, a** *a* **1.** piqué, e **2.** *(diente)* gâté, e, carié, e **3. ~ de viruelas** marqué par la petite vérole, grêlé **4.** CULIN haché, e: **carne picada** viande hachée ◇ **hielo ~** glace pilée **5.** *(mar)* houleuse **6.** AMER *(ebrio)* ivre. ◇ *m* **1.** piquage **2.** *(de la carne)* hachage **3.** *(avión)* **en ~** en piqué **4.** *(picadillo)* hachis **5.** *(cine)* plongée *f*.

**picador** *m* **1.** TAUROM picador **2.** dresseur de chevaux **3.** *(tajo de cocina)* hachoir.

**picadura** *f* **1.** piqûre **2.** *(agujero)* trou *m* **3.** *(tabaco)* tabac *m* haché **4.** *(de la carne)* hachage *m*.

**picaflor** *m* oiseau-mouche.

**picajoso, a** *a* très susceptible, chatouilleux, euse.

**picamaderos** *m inv (ave)* pic noir.

**picana** *f* AMER **1.** *(aguijada)* aiguillon *m* **2.** *(eléctrica)* gégène.

**picante** *a* **1.** piquant, e **2.** *(mordaz)* piquant, e, mordant, e. ◇ *m* **1.** *(sabor)* goût piquant **2.** *FIG* piquant, mordacité *f*.

**picapedrero** *m* tailleur de pierre.

**picapica** *f* **polvos de ~** poil *m* à gratter, poudre à éternuer.

**picapleitos** *m* **1.** chicaneur **2.** *(abogado)* avocaillon.

**picaporte** *m* **1.** loquet **2.** *(manubrio)* bec-de-cane **3.** *(aldaba)* heurtoir, marteau de porte.

**picar** *vt* **1.** piquer: **me picó un avispón** un frelon m'a piqué **2.** *(los peces)* mordre: **~ el anzuelo, el cebo** mordre à l'hameçon, à l'appât; **¿pican?** ça mord? **3.** *(comer, las aves)* picorer **4.** *(dar comezón)* démanger, gratter **5.** *(un billete)* poinçonner, composter **6.** CULIN hacher: **~ carne, cebollas** hacher de la viande, des oignons **7.** *FIG* piquer: **~ el amor propio** piquer l'amour propre **8.** MÚS **~ una nota** piquer une note. ◇ *vi* **1.** piquer **2.** taper: **pica el sol** le soleil tape **3.** *FIG* se laisser tenter **4.** *FIG* **~ en todo** connaître un peu de tout, toucher à tout; **~ muy alto** viser trop haut, avoir des prétentions. ◆ **~se** *vpr* **1.** *(la ropa)* se miter **2.** *(el vino)* se piquer **3.** *(dientes, frutas)* se gâter **4.** *(el mar)* s'agiter **5.** *FIG (ofenderse)* se vexer, se froisser, se piquer: **se picó porque no le avisé** il s'est vexé parce que je ne l'ai pas prévenu **6. picarse de** se piquer de: **se pica de culto** il se pique d'être savant.

**picardear** *vt* corrompre, dépraver. ◆ **~se** *vpr* se pervertir.

**picardía** *f* **1.** malice **2.** *(bellaquería)* friponnerie **3.** *(travesura)* espièglerie, niche **4.** mauvais tour *m*.

**Picardía** *np f* Picardie.

**picaresco, a** *a* **1.** picaresque: **novela picaresca** roman picaresque **2.** espiègle, coquin, e. ◇ *f* gueuserie, canaille.

**pícaro, a** *a/s* **1.** *(granuja)* vaurien, enne **2.** *(astuto)* malin, igne **3.** *(pillo)* coquin, e, fripon, onne, polisson, onne, malicieux, euse, espiègle: **una sonrisa pícara** un sourire malicieux; **chiquillo con semblante ~** gamin à l'air espiègle. ◇ *m (en la literatura española)* picaro.

**picarón** *m* **1.** FAM grand coquin **2.** AMER *(buñuelo)* beignet (au potiron).

**picaruelo, a** *a/s* petit coquin, petite coquine.

**picatoste** *m* rôtie *f* beurrée, tranche *f* de pain frit.

**picaza** *f* pie.

**picazo, a** *f* AMER *(color)* pie.

**picazón** *f* démangeaison, picotement *m*.

**picea** *f* épicéa *m*.

**picha** *f* VULG bite.

**pichel** *m* pichet.

**pichi** *m* robe *f* chasuble.

**pichicato, pichirre** *a* AMER avare, radin, e, pingre.

**pichicho** *m* AMER petit chien, toutou.

[1]**pichón** *m* **1.** pigeonneau **2. tiro de ~** tir au pigeon.

[2]**pichón, ona** *s* FAM mon chéri, ma poule.

**Picio** *np m* FAM **ser más feo que ~** être laid comme un pou, à faire peur.

**pick-up** *m* pick-up.

**picnic** *m* pique-nique.

**pico** *m* **1.** *(de un ave, una vasija)* bec **2.** FIG *(boca)* bec: **callar, cerrar el ~** fermer son bec **3.** FIG *(facundia)* faconde *f*, facilité *f* de parole ◊ **~ de oro** beau parleur; **irse del ~, perderse por el ~** être trop bavard, e **4.** *(parte puntiaguda)* pointe *f*: **cuello en ~** col en pointe ◊ **sombrero de tres picos** tricorne **5.** *(herramienta)* pic **6.** *(montaña)* pic, piton **7. y ~** et quelques, environ: **cien pesetas y ~** cent pesetas et quelques; **son las tres y ~** il est trois heures et quelques, trois heures passées; **costar un ~** coûter une fortune **8.** FAM **andar, irse de picos pardos** faire la noce; **hincar el ~** casser sa pipe, claquer **9.** *(pájaro)* pic: **~ verde** pic-vert, pivert **10.** AMER *(beso)* baiser, bise *f*: **darse el ~** se bécoter.

**picón** *m* **1.** *(broma)* raillerie *f*, blague *f* **2.** menu charbon de bois.

**picor** *m* démangeaison *f* ◊ **dar ~** démanger, gratter.

**picota** *f* pilori *m* ◊ FIG **poner en la ~** clouer au pilori.

**picotazo** *m* **1.** coup de bec **2.** *(de insecto)* piqûre *f*.

**picotear** *vt/i* **1.** *(las aves)* picorer, becqueter **2.** FIG *(comer)* grignoter.

**picotero, a** *a/s* FAM bavard, e.

**pícrico** *a* QUÍM **ácido ~** acide picrique.

**pictografía** *f* pictographie.

**pictográfico, a** *a* pictographique.

**pictograma** *m* pictogramme.

**pictórico, a** *a* pictural, e.

**picudilla** *f (ave)* chevalier *m*.

**picudo, a** *a* **1.** pointu, e **2.** FAM bavard, e.

**pida, pide, pido,** etc → **pedir.**

**pídola** *f* saute-mouton.

**pie** *m* **1.** pied: **ir a ~** aller à pied; **a ~ enjuto** à pied sec; **echar ~ a tierra** mettre pied à terre ◊ **de ~ ,en ~** debout; **ponte de ~** mets-toi debout; FIG **buscarle tres pies al gato** chercher midi à quatorze heures, couper les cheveux en quatre; **caer de pies** retomber sur ses pieds, bien s'en tirer; **comenzar con buen ~** bien commencer; **la sesión empezó con mal ~** la séance a mal commencé; **dar ~ a** donner lieu à, fournir l'occasion de, occasionner; **echar los pies por alto** se mettre en rogne; **haber nacido de ~ →nacer; hacer ~** avoir pied; **no dar ~ con bola** se tromper constamment; **no tener pies ni cabeza** n'avoir ni queue ni tête; **no tenerse de ~** ne pas tenir debout; **pararle los pies a alguien** remettre quelqu'un à sa place, freiner quelqu'un; **perder ~** perdre pied; **poner pies en polvorosa** prendre la poudre d'escampette, **saber de que ~ cojea uno → cojear; sacar los pies del plato, de las alforjas** prendre de l'assurance; **salir por pies** partir à toute vitesse **2.** *(de un objeto, una planta)* pied **3.** bas: **al ~ de la escalera, de la página** au bas de l'escalier, de la page ◊ **~ de la imprenta** nom de l'imprimeur **4.** *(medida, en poesía)* pied ◊ **~ forzado** rime forcée; **~ quebrado** vers court **5. ~ de rey** pied à coulisse **6. de a ~** de l'infanterie; **el ciudadano de a ~** le simple citoyen; **el español de a ~** l'espagnol moyen **7.** *loc adv* **a ~ firme** de pied ferme; **a ~ juntillas** à pieds joints; FIG **creer a pies juntillas** croire dur comme fer; **al ~ de la letra** au pied de la lettre; **al ~ del cañón →cañón; con los pies** n'importe comment, à la va-vite: **todo lo hace con los pies** il fait tout n'importe comment; **con pies de plomo** avec prudence: **andar con pies de plomo** agir avec prudence, se montrer prudent; **de pies a cabeza** de pied en cap; **en ~ de guerra** sur le pied de guerre.

**piececito** *m* petit pied, peton.

**piedad** *f* **1.** *(compasión)* pitié: **ten ~ de mí** aie pitié de moi; **por ~** par pitié; **¡ ~ !** pitié! **2.** *(devoción)* piété **3. la Piedad de Miguel Ángel** la Pietà de Michel-Ange.

**piedra** *f* **1.** pierre: **~ preciosa** pierre précieuse; **~ berroqueña** granit *m*; **~ de amolar** pierre à aiguiser; **~ de mechero** pierre à briquet; **~ de toque** pierre de touche; **poner la primera ~** poser la première pierre; FIG **~ de escándalo** sujet *m* de scandale; **menos de una ~** c'est mieux que rien, ça ou rien; **no dejar ~ por mover** se démener, remuer ciel el terre; **señalar con ~ blanca** marquer d'une pierre blanche; **tirar la primera ~ a** jeter la première pierre à; **tirar la ~ y esconder la mano** faire ses coups en dessous ◊ *loc adv* **a ~ y lodo** hermétiquement **2.** *(granizo)* grêlon *m* **3.** MED calcul *m*.

**piedrecita** *f* petite pierre, caillou *m*.

**piel** *f* **1.** peau ◊ **Pieles Rojas** Peaux-Rouges; FIG **ser de la ~ del diablo** avoir le diable au corps; **dejarse la ~** y laisser sa peau, se décarcasser; **jugarse la ~** risquer sa peau **2.** fourrure: **abrigo de ~ , de pieles** manteau de fourrure **3.** *(cuero)* cuir *m*: **maleta de ~** valise en cuir; **~ de Rusia** cuir de Russie **4.** *(de algunas frutas)* peau **5. la ~ de toro** l'Espagne (en raison de sa forme).

**piélago** *m* LIT mer *f*, océan.

[1]**pienso** *m* aliment, nourriture *f* (pour le bétail).

[2]**pienso → pensar.** ◇ **ni por ~** *loc adv* en aucune façon.

**pierna** *f* **1.** jambe ◊ FIG **dormir a ~ suelta** dormir à poings fermés, sur ses deux oreilles; **estirar las piernas** se dégourdir les jambes **2.** *(de aves)* cuisse **3.** *(de cordero)* gigot *m* **4.** *(del compás)* branche.

**pietismo** *m* piétisme.

**pieza** *f* **1.** pièce: **~ de recambio** pièce de rechange ◊ FIG **dejar de una ~** stupéfier, souffler, sidérer; **quedarse de una ~** rester stupéfait, e, rester pantois, en rester comme deux ronds de flan; **ser de una sola ~** être tout d'une pièce **2. ~ de convicción** pièce à conviction **3. ~ de artillería** pièce d'artillerie **4. dos piezas** deux pièces, bikini **5. ~ teatral** pièce de théâtre **6.** FAM **buena ~** drôle de numéro, de zèbre.

**piezoeléctrico, a** *a* piézo-électrique.

**pífano** *m* fifre.

**pifia** *f* **1.** *(en el billar)* fausse queue **2.** FAM *(error)* boulette, gaffe **3.** AMER *(rechifla)* huées *pl*, sifflets *m pl*.

**pifiar** *vi* **1.** *(en el billar)* faire fausse queue **2.** FAM gaffer, faire une gaffe **3.** AMER *(rechiflar)* siffler, huer: **el jurado fue pifiado** le jury a été sifflé.

**pigargo** *m (ave)* pygargue.

**pigmentación** *f* pigmentation.

**pigmentario, a** *a* pigmentaire.

**pigmento** *m* pigment.

**pigmeo, a** *a/s* pigmée.

**pignoración** *f* engagement *m*.

**pignorar** *vt* engager, mettre en gage.

**pignoraticio, a** *a* JUR pignoratif, ive.

**pigre** *a* paresseux, euse.

**pigricia** *f* paresse.

**pija** *f* VULG bite.

**pijada** *f* FAM *(tontería)* crétinerie.

**pijama** *m* pyjama.

**pije** *a* AMER snob.

**pijo, a** *a/s* FAM *(cursi)* snobinard, e ◊ **un (niño) ~** un petit snob, un minet. ◇ *m* VULG *(pene)* bite *f*.

**pijotada → pijada.**

**pijotear** *vi* AMER lésiner.

**pijotería** *f* **1.** FAM sottise, niaiserie **2.** AMER *(tacañería)* pingrerie, radinerie.

**pijotero, a** *a* **1.** FAM assommant, e **2.** AMER *(tacaño)* radin, e, pingre.

**[1]pila** *f* **1.** *(montón)* pile, tas *m* **2.** *ARQ* pile **3.** *FAM* **una ~ de** un tas de, une foule de une flopée de; **una ~ de años** un nombre respectable d'années.

**[2]pila** *f* **1.** *(de fuente)* bassin *m* **2.** *(de la cocina)* évier *m* **3.** *(de abrevadero)* auge **4.** *(de agua bendita)* bénitier *m* **5. ~ bautismal** fonts *m pl* baptismaux; **nombre de ~** nom de baptême **6.** *(eléctrica, atómica)* pile.

**pilar** *m* **1.** pilier **2.** *(de fuente)* vasque *f* **3.** *(rugby)* pilier **4.** *FIG* pilier: **los cinco pilares del islam** les cinq piliers de l'islam.

**pilastra** *f* pilastre *m.*

**Pilatos (Poncio)** *np m* Ponce Pilate.

**pilca** *f AMER* muret *m* murette (en pierres sèches).

**pilcha** *f AMER (prenda)* vêtement *m,* fringue.

**pilche** *m AMER* calebasse *f* (récipient).

**píldora** *f* **1.** pilule: **~ anticonceptiva** pilule contraceptive **2.** *FAM* **dorar la ~** dorer la pilule; **tragarse la ~** avaler la pilule.

**pileta** *f* **1.** petit bénitier *m* **2.** *AMER* piscine.

**pilila** *f FAM* quéquette, zizi *m.*

**pillada** *f* friponnerie.

**pillaje** *m* pillage.

**pillar** *vt* **1.** *(saquear)* piller **2.** *FAM* attraper: **~ a un ladrón** attraper un voleur **3.** *(atropellar)* renverser: **me pilló una moto** une moto m'a renversé **4.** *(sorprender)* surprendre: **le pillaron durmiendo** on l'a surpris en train de dormir; **~ de, por sorpresa** prendre par surprise **5.** *(una enfermedad, etc.)* attraper, ramasser, choper: **~ un resfriado** attraper un rhume **6.** être: **la oficina me pilla muy cerca** mon bureau est tout près ◆ **~se** *vpr* se pincer, se prendre: **me pillé el dedo con la puerta** je me suis pincé, pris le doigt dans la porte.

**pillastre** *m FAM* coquin, vaurien.

**pillería** *f* **1.** bande de coquins, de vauriens **2.** *(pillada)* friponnerie.

**pillete → pilluelo.**

**pillín, ina** *a/s* petit coquin, petite coquine.

**pillo, a** *a/s* **1.** coquin, e, vaurien, enne **2.** *(niño)* garnement *m,* chenapan *m* **3.** *(astuto)* malin, igne.

**pilluelo, a** *s* gamin, e, galopin *m.*

**pilón** *m* **1.** *(de fuente)* vasque *f* **2.** *(de abrevadero)* auge *f* **3.** poids (de la balance romaine) **4.** *(de azúcar)* pain de sucre **5.** *ARQ (de templo)* pylône.

**piloncillo** *m AMER* pain de sucre roux.

**pilongo, a** *a* **1.** maigre **2. castaña pilonga** châtaigne séchée.

**píloro** *m ANAT* pylore.

**piloso, a** *a* pileux, euse.

**pilotaje** *m (acción de pilotar)* pilotage.

**pilotar** *vt* piloter.

**pilote** *m* pilotis.

**piloto** *m* **1.** pilote: **~ de pruebas** pilote d'essai; **~ automático** pilote automatique ◊ *MAR* **~ de altura** pilote hauturier; **~ de puerto** lamaneur **2.** *(luz de un vehículo)* feu *m:* **~ trasero** feu arrière; **~ de situación** feu de position **3.** *(luz de un aparato)* voyant lumineux **4.** *(en los aparatos de gas)* veilleuse *f* **5.** *AMER* imperméable. ◇ *a* **1.** pilote: **granja ~** ferme pilote **2. piso ~** appartement témoin.

**piltra** *f FAM (cama)* pieu *m,* plumard *m.*

**piltrafa** *f* **1.** déchet *m* de viande **2.** *FIG* **una ~ humana** une loque. ◇ *pl* déchets *m.*

**pilucho, a** *a AMER* nu, e.

**pimentero** *m* **1.** poivrier **2.** *(utensilio)* poivrière *f.*

**pimentón** *m (polvo)* piment rouge moulu.

**pimienta** *f* poivre *m.*

**pimiento** *m* **1.** *(planta)* piment **2.** *(fruto)* poivron; **~ relleno** poivron farci **3.** *FAM* **me importa un ~** je m'en fiche; **no valer ni un ~** ne rien valoir du tout.

**pimpampum** *m* jeu de massacre.

**pimpante** *a* pimpant, e.

**pimpinela** *f* pimprenelle.

**pimplar** *vi FAM* biberonner, picoler.

**pimpollecer*** *vi* bourgeonner.

**pimpollo** *m* **1.** pousse *f,* rejeton **2.** *(pino)* jeune pin **3.** jeune arbre **4.** *(de rosa)* bouton de rose **5.** *FIG* bel enfant, beau garçon, belle fille.

**pinabete** *m* sapin.

**pinacoteca** *f* pinacothèque.

**pináculo** *m* **1.** *ARQ* pinacle **2.** *FIG* pinacle, sommet: **en el ~ de la fama** au sommet de la gloire.

**pinar** *m* pinède *f.*

**pinaza** *f* pinasse.

**pincel** *m* pinceau.

**pincelada** *f* coup *m* de pinceau, touche ◊ *FIG* **dar la última ~** mettre la dernière main.

**pincelar** *vt* peindre.

**pinchadiscos** *m* disc-jockey, animateur.

**pinchadura** *f* piqûre.

**pinchar** *vt* **1.** piquer ◊ *FIG* **ni ~ ni cortar** n'avoir aucun pouvoir, ne pas avoir voix au chapitre **2.** *FIG (incitar)* tarabuster, *(irritar)* énerver **3.** *(un teléfono)* mettre sur écoute, sur table d'écoute: **tiene pinchado su teléfono** son téléphone est sur table d'écoute. ◇ *vi (un neumático)* crever. ◆ **~se** *vpr* se piquer: **me he pinchado el dedo con un alfiler** je me suis piqué le doigt avec une épingle.

**pinchazo** *m* **1.** piqûre *f* **2.** *(de un neumático)* crevaison *f* **3.** *(de teléfono)* écoute *f.*

**pinche** *m (ayudante de cocina)* marmiton. ◇ *a AMER FAM* fichu, e, satané, e, maudit, e, misérable: **el ~ mentiroso este** ce satané menteur; **por unos pinches dólares** pour quelques misérables dollars.

**pinchincha** *f AMER* aubaine.

**pinchirre → pichicato.**

**pinchito** *m* «tapa» piquée sur un cure-dent.

**pincho** *m* **1.** pointe *f* **2.** aiguille *f* **3.** *CULIN* brochette *f.*

**pindárico, a** *a* pindarique.

**Píndaro** *np m* Pindare.

**pindonga** *f FAM* coureuse.

**pindonguear** *vi FAM* courir les rues, traîner, traînasser.

**pineda** *f* pinède.

**pingajo** *m* haillon, loque *f.*

**pingajoso, a** *a* déguenillé, e.

**pingo** *m* **1.** haillon **2.** *FAM* **ir de ~** courir partout, traînasser **3.** *(prostituta)* traînée *f,* dévergondée *f* **4.** *AMER* cheval. ◇ *pl FAM (vestidos malos)* nippes *f.*

**pingonear** *vi FAM* courir partout, traînasser.

**pingorotudo, a** *a* haut, e, élevé, e.

**ping-pong** *m* ping-pong.

**pingüe** *a* **1.** gras, grasse **2.** abondant, e **3.** gros, grosse: **pingües beneficios** de gros bénéfices, des bénéfices substantiels.

**pingüino** *m* pingouin.

**pinito** *m* premier pas: **hacer sus pinitos** faire ses premiers pas.

**pinnípedos** *m pl ZOOL* pinnipèdes.

**pino** *m* **1.** *(árbol)* pin: **~ piñonero** pin parasol **2. hacer el ~** faire le poirier.

**pino, a** *a* raide, en pente raide, escarpé, e: **calle pina** rue en pente raide.

**pinocha** *f* aiguille de pin.

**pinrel** *m POP* panard, arpion, pied.

**pinsapo** *m* sapin d'Espagne.

**pinta** *f* **1.** *(mancha)* tache, moucheture **2.** *(en naipes)* marque **3.** *FIG* aspect *m,* air *m,* allure: **esta fruta tiene buena ~** ces fruits ont bel aspect; **un hombre con ~ de despistado** un homme à l'air ahuri; **tiene ~ de inglés** il ressemble à un Anglais **4.** *(medida de capacidad)* ) pinte. ◇ *m FAM* **un ~** un bon à rien.

[1]**pintada** *f* **1.** *(ave)* pintade **2. pollo de ~** pintadeau.

[2]**pintada** *f* graffiti *m inv,* bombage *m:* **pintadas antimilitaristas** des graffiti antimilitaristes.

**pintado, a** *a* **1.** peint, e: **~ de rojo** peint en rouge; **papel ~** papier peint **2.** *(de diversos colores)* tacheté, e **3.** *FIG* **el más ~** le plus malin, le plus expérimenté; **venir como ~, que ni ~** aller à merveille, tomber à point.

**pintalabios** *m inv* rouge à lèvres.

**pintamonas** *s FAM* barbouilleur, euse, mauvais peintre.

**pintar** *vt* **1.** peindre: **~ de azul** peindre en bleu; **Zurbarán pintó este cuadro en 1633** Zurbarán peignit ce tableau en 1633 **2.** *(dibujar)* dessiner **3.** *(describir)* dépeindre, décrire. ◇ *vi FIG FAM* ficher: **yo no pinto nada aquí** je n'ai rien à fiche ici, je ne suis pas à ma place ici, ma présence est ici déplacée; **¿qué pintas tú aquí?** qu'est-ce que tu fiches ici?; **le pregunté qué pintaba allí su hermano** je lui ai demandé ce que fichait là son frère; **¿qué pinto yo en todo esto?** qu'est-ce que je viens faire là-dedans?; **aquí tú no pintas nada** tu n'as rien à voir là-dedans. ◆ **~se** *vpr* **1. pintarse las uñas** se vernir les ongles **2.** *(el rostro)* se farder, se maquiller: **pintarse los labios** se farder les lèvres, se mettre du rouge **3. pintárselas solo para...** ne pas avoir son pareil, sa pareille pour...

**pintarrajear** *vt* peinturlurer, barbouiller: **rostro pintarrajeado** visage barbouillé.

**pintarrajo** *m* peinturlurage, barbouillage.

**pintiparado, a** *a* **1.** tout à fait semblable **2. venir que ni ~** aller à merveille.

**Pinto** *np m FAM* **estar entre ~ y Valdemoro** être un peu éméché, e, entre deux vins; *(indeciso)* hésitant, e.

▶ Nom de deux localités au sud de Madrid.

**pintón, a** *a AMER* bien balancé, e, chic.

**pintor** *m* **1.** peintre **2. ~ de brocha gorda** peintre en bâtiment.

**pintora** *f* femme peintre, peintre *m.*

**pintoresco, a** *a* pittoresque.

**pintorrear** *vt* peinturlurer.

**pintura** *f* **1.** peinture: **~ al óleo, al temple** peinture à l'huile, à la détrempe **2.** *FAM* **no puedo verle ni en ~** je ne peux pas le voir en peinture.

**pinturero, a** *a/s* **1.** coquet, ette **2.** *(presumido)* poseur, euse, faraud, e.

**pinza** *f* **1.** *(de crustáceo, etc.)* pince **2. ~ de tender la ropa** pince à linge, épingle à linge. ◇ *pl (instrumento)* pince *sing:* **pinzas de depilar** pince à épiler.

**pinzón** *f* pinson.

**piña** *f* **1.** *(del pino)* pomme de pin **2.** ananas *m* **3.** *FIG* groupe *m* uni ◊ **formar una ~, hacer una ~** faire bloc **4.** *AMER (puñetazo)* marron *m,* beigne, coup *m* de poing.

**piñata** *f* **baile de ~** bal masqué du premier dimanche de Carême.

**piñazo** *m AMER* coup de poing.

**piñón** *m* **1.** *BOT* pignon ◊ *FIG* **estar a partir un ~** être à tu et à toi, être au mieux **2.** *TECN (rueda dentada)* pignon: **~ fijo** pignon fixe **3.** noix *f* (de la platine d'un fusil).

**piñonate** *m* nougat de pignons.

**piñonero** *a* **pino ~** pin parasol.

[1]**pío, a** *a* **1.** pie: **obra pía** œuvre pie **2.** *(piadoso)* pieux, euse.

[2]**pío, a** *a (caballo)* pie.

**pío** *m* pépiement, piaulement, cui-cui ◊ *FIG* **no decir ni ~** ne pas souffler mot, ne pas piper.

**Pío** *np m* Pie.

**piocha** *f* pioche.

**piojería** *f* **1.** pouillerie **2.** *FIG* misère.

**piojo** *m* **1.** *(insecto)* pou **2.** *FAM* **~ resucitado** nouveau riche; **como piojos en costura** serrés comme des harengs.

**piojoso, a** *a/s* pouilleux, euse.

**piola** *f AMER* corde, ficelle. ◇ *a AMER (astuto)* malin, igne, futé, e.

**piolet** *m* piolet.

**piolín** *m AMER* cordelette *f.*

**pionero, a** *s* pionner, ère.

**piorrea** *f MED* pyorrhée.

**pipa** *f* **1.** pipe: **fumar la ~, en ~** fumer la pipe ◊ **la ~ de la paz** le calumet de la paix **2.** *(tonel)* fût *m,* tonneau *m* **3.** *(semilla)* pépin *m* **4.** *(de girasol)* graine (de tournesol) **5.** *POP (pistola)* flingue *m.* ◇ *a FAM* **pasarlo ~** drôlement bien s'amuser.

**pipería** *f* futaille, ensemble *m* de tonneaux.

**pipeta** *f* pipette.

**pipí** *m* pipi: **hacer ~** faire pipi.

**pipiar** *vi* pépier.

**Pipino** *np m* Pépin.

**pipiolo** *m* **1.** *FAM* novice, bleu, blanc-bec **2.** *AMER* libéral (au Chili).

**pipirigallo** *m* sainfoin.

**pipo** *m (ave)* épeiche *f.*

**pipote** *m* petit tonneau.

**pipudo, a** *a FAM* super, formidable.

**pique** *m* **1.** brouille *f,* brouillerie *f* ◊ **estar de ~** être en froid **2.** émulation *f* **3.** amour propre **4.** *MAR* **echar a ~** envoyer par le fond, couler; **irse a ~** couler, sombrer; *FIG* **echar a ~ un proyecto** faire échouer, ruiner un projet; **irse a ~** échouer **5.** *loc prep* **a ~ de** sur le point de: **estuvo a ~ de morirse de hambre** il fut sur le point de mourir de faim.

**piqué** *m (tela)* piqué.

**piquera** *f* **1.** *(de tonel)* trou *m,* bonde **2.** *(de un horno)* trou *m* de coulée **3.** *AMER* station de taxis (Cuba).

**piquero** *m ANT* piquier.

**piqueta** *f* pic *m,* pioche.

**piquete** *m* **1.** *(jalón)* piquet **2. ~ de huelga** piquet de grève **3. ~ de ejecución** peloton d'exécution **4.** *(herida)* piqûre *f.*

**pira** *f* bûcher *m.*

**pirado, a** *a FAM* cinglé, e, détraqué, e.

**piragua** *f* **1.** pirogue **2.** *(deporte)* canoë *m,* kayac *m.*

**piragüismo** *m* canoéisme.

**piragüista** *s* canoéiste.

**piramidal** *a* pyramidal, e.

**pirámide** *f* pyramide ◊ *FIG* **la ~ de las edades** la pyramide des âges.

**piraña** *f* piranha *m.*

**pirarse** *vpr FAM* se tailler, se barrer: **se las ha pirado** il s'est taillé.

**pirata** *a/m* pirate ◊ **~ aéreo** pirate de l'air. ◇ *a* **1.** pirate: **emisión ~** émission pirate **2. pantalón ~** pantalon corsaire.

**piratear** *vi* pirater.

**pirateo** *m* piratage.

**piratería** *f* piraterie.

**pirca** *m* AMER muret, murette *f* (en pierres sèches).

**pirenaico, a** *a* pyrénéen, enne.

**piriforme** *a* piriforme.

**Pirineos** *np m pl* Pyrénées *f*.

**piripi** *a* FAM éméché, e, pompette.

**pirita** *f* pyrite.

**piro** *m* FAM **darse el ~** se barrer, se tailler; **date el ~** barre-toi.

**piroctenia** *f* pyrotechnie.

**pirograbado** *m* pyrogravure *f*.

**pirolisis** *f* pyrolyse.

**piromanía** *f* pyromanie.

**pirómano, a** *s* pyromane.

**piropear** *vt* dire des galanteries à.

**piropo** *m* galanterie *f*, compliment: **echar piropos** faire des compliments.

**pirosis** *f* MED pyrosis *m*.

**pirotecnia** *f* pyrotechnie.

**pirotécnico, a** *a* pyrotechnique. ◇ *m* pyrotechnicien.

**pirrarse** *vpr* FAM **~ por** raffoler de, adorer: **se pirra por los helados** il raffole des glaces; **se pirra por este actor** elle est folle de cet acteur, elle rêve de cet acteur.

**pírrico, a** *a* **1.** pyrrhique **2. victoria pírrica** victoire à la Pyrrhus.

**Pirro** *np m* Pyrrhus.

**pirueta** *f* pirouette.

**piruja** *f* AMER **1.** *(mujerzuela)* fille, petite coureuse **2.** prostituée.

**pirulí** *m* sucette *f*.

**pirulo** *m* *(botijo)* gargoulette *f*.

**pis** *m* FAM **hacer ~** faire pipi; **oler a ~ de gato** sentir le pipi de chat.

**pisa** *f* *(de la uva, del paño)* foulage *m*.

**Pisa** *np f* Pise.

**pisada** *f* **1.** pas *m*: **el ruido de sus pisadas** le bruit de ses pas **2.** *(huella)* trace: **seguir las pisadas de** suivre les traces de, marcher sur les traces de.

**pisapapeles** *m inv* presse-papiers.

**pisar** *vt* **1.** marcher sur: **~ una alfombra** marcher sur un tapis; **prohibido ~ el cesped** défense de marcher sur le gazon; **~ la Luna** marcher sur la Lune; **al bailar, me pisó varias veces** en dansant il m'a marché plusieurs fois sur les pieds; **perdona, te he pisado** excuse-moi, je t'ai marché sur les pieds ◊ **~ fuerte** marcher d'un pas ferme **2.** *(los paños, la uva, etc.)* fouler **3. ~ un pedal, el acelerador** appuyer sur une pédale, sur l'accélérateur **4.** *(las cuerdas de un instrumento musical)* presser, pincer **5.** FIG fouler aux pieds, marcher sur les pieds: **no dejarse ~** ne pas se laisser marcher sur les pieds **6.** *(un lugar)* mettre les pieds: **desde entonces, no pisaba la iglesia** depuis lors, il ne mettait plus les pieds à l'église **7.** FAM souffler: **me pisaron el puesto** on m'a soufflé la place.

**pisaverde** *m* gommeux, mirliflore, muguet.

**piscardo** *m* *(pez)* vairon.

**piscícola** *f* piscicole.

**piscicultor, a** *s* pisciculteur, trice.

**piscicultura** *f* pisciculture.

**piscifactoría** *f* établissement *m* piscicole.

**piscina** *f* piscine.

**Piscis** *np m* ASTR les Poissons: **ser de ~** être des Poissons.

**pisco** *m* AMER pisco, eau-de-vie *f* (fabriquée à Pisco, Pérou).

**piscolabis** *m inv* casse-croûte.

**piso** *m* **1.** *(de una casa)* étage: **vivo en el tercer ~** j'habite au troisième étage **2.** *(vivienda)* appartement: **~ de cuatro habitaciones** appartement de quatre pièces; **~ piloto** appartement témoin ◊ **~ de soltero** garçonnière *f* **3.** *(suelo)* sol **4.** *(suelo de madera)* plancher **5.** *(del calzado)* semelle *f*: **~ de goma** semelle en caoutchouc **6.** GEOL couche *f*.

**pisón** *m* hie *f*, demoiselle *f*.

**pisotear** *vt* **1.** piétiner **2.** FIG fouler aux pieds, piétiner.

**pisoteo** *m* piétinement.

**pisotón** *m* action *f* de marcher sur le pied: **dar un ~ a alguien** marcher sur le pied de, écraser le pied de quelqu'un.

**pispar** *vt* **1.** FAM *(hurtar)* chiper, faucher **2.** AMER *(acechar)* épier, guetter.

**pista** *f* **1.** *(huella)* piste: **seguir la ~ a** être sur la piste de; **~ falsa** fausse piste **2.** *(de un hipódromo, de baile, etc)* piste **3. ~ de aterrizaje** piste d'atterrissage **4. ~ de tenis** court *m* de tennis **5.** *(de baloncesto, etc.)* terrain *m* ◊ **~ de ceniza** cendrée **6.** *(de autopista)* voie.

**pistachero** *m* pistachier.

**pistacho** *m* pistache *f*.

**pistero** *m* verre à bec.

**pistilo** *m* BOT pistil.

**pisto** *m* **1.** ratatouille *f* de tomates, piments, etc. **2.** FIG **darse ~** faire de l'épate, frimer, faire l'important.

**pistola** *f* **1.** pistolet *m* ◊ **~ ametralladora** pistolet-mitrailleur **2.** *(para pintar)* pistolet *m*, aérographe *m* **3.** *(pan)* petite baguette de pain.

**pistolera** *f* étui *m* à pistolet, fonte.

**pistolero** *m* **1.** bandit **2.** *(a sueldo)* tueur à gages.

**pistoletazo** *m* coup de pistolet, de revolver.

**pistolete** *m* petit pistolet.

**pistón** *m* **1.** piston **2.** *(de la cápsula)* amorce *f*.

**pistonudo, a** *a* FAM du tonnerre, formidable, super.

**pita** *f* **1.** *(planta)* agave *m* **2.** fibre d'agave **3.** *(abucheo)* sifflets *m pl*, huées *pl*, tollé *m*.

**pitada** *f* **1.** coup *m* de sifflet **2.** *(abucheo)* huées *pl*, tollé *m* **3.** AMER *(de cigarrillo)* bouffée.

**Pitágoras** *np m* Pythagore.

**pitagórico** *a/s* pythagoricien, enne.

**pitahaya** *f* AMER cactus *m* à grandes fleurs.

**pitanza** *f* pitance.

**pitar** *vi* **1.** siffler **2.** FAM aller bien, gazer ◊ **salir pitando** partir en quatrième vitesse, filer **3.** FAM *(tocar el claxon)* klaxonner. ◇ *vt* **1. el árbitro pitó el final de la primera parte** l'arbitre siffla la fin de première mi-temps **2.** *(en un espectáculo)* siffler **3.** AMER *(un cigarrillo)* fumer, tirer des bouffées de.

**pitecántropo** *m* pithécanthrope.

**pitido** *m* coup de sifflet, sifflement.

**pitillera** *f* porte-cigarettes *m inv*.

**pitillo** *m* cigarette *f*, sèche *f*: **echar un ~** fumer une sèche, en griller une.

**pítima** *f* FAM *(borrachera)* cuite.

**pito** *m* **1.** sifflet **2.** FAM **no me importa un ~** je m'en fiche complètement, je m'en moque éperdument; **esto no vale un ~** ça ne vaut rien; **cuando pitos, flautas, cuando flautas, pitos**

quand on attend oui, c'est non, quand on attend non, c'est oui **3.** klaxon **4.** *(pitillo)* cigarette *f*, sèche *f* **5.** *VULG (pene)* bite *f* **6.** *AMER (insecto)* tique *f*.

[1]**pitón** *m (serpiente)* python.

[2]**pitón** *m* **1.** corne *f* naissante **2.** *(de un toro)* bout de la corne **3.** *(de vasija)* bec **4.** *(utilizado en montañismo)* piton.

**pitonisa** *f* pythonisse, voyante.

**pitorrearse** *vpr FAM* **~ de** se moquer de, se ficher de, se payer la tête de.

**pitorreo** *m FAM* moquerie *f*, mise *f* en boîte.

**pitorro** *m (de vasija)* bec.

**pitote** *m FAM* chambard, chahut.

**pituco, a** *a AMER* coquet, ette.

**pituso, a** *a/s (niños)* mignon, onne. ◇ *s* petit enfant.

**pívot** *m (en baloncesto)* pivot.

**pivote** *m* pivot.

**píxide** *f* pyxide, custode.

**piyama** *m AMER* pyjama.

**pizarra** *f* **1.** ardoise **2.** *(encerado)* tableau *m* (noir).

**pizarral** *m* ardoisière *f*.

**pizarreño, a** *a* ardoisier, ère, ardoiseux, euse.

**pizarrería** *f* ardoisière.

**pizarrín** *m* crayon d'ardoise.

**Pizarro** *np m* Pizarre.

**pizarrón** *m AMER* tableau noir.

**pizarroso, a → pizarreño.**

**pizca** *f* **1.** brin *m*, soupçon *m*, miette, atome *m*, tantinet *m*: **tengo una ~ de fiebre** j'ai un tout petit peu de fièvre; **tiene su ~ de gracia el que...** c'est un peu drôle que... **2. no tiene ni ~ de amor propio** il n'a pas le moindre amour-propre; **nadie nos hacía ni ~ de caso** personne ne faisait le moins du monde attention à nous.

**pizcar** *vt* **1.** pincer **2.** *AMER* récolter (le maïs).

**pizpireta** *a FAM* vive, alerte, sémillante, délurée.

**pizza** *f* pizza.

**pizzería** *f* pizzeria.

**placa** *f* **1.** plaque **2. ~ de matrícula** plaque d'immatriculation **3. ~ giratoria** plaque tournante.

**placaje** *m (en rugby)* placage.

**placard** *m AMER* placard.

**placebo** *m MED* placebo ◊ **efecto ~** effet placebo.

**pláceme** *m* félicitation *f*, compliment.

**placenta** *f* placenta *m*.

**placentario, a** *a* placentaire.

**placentero, a** *a* agréable, plaisant, e.

[1]**placer** *m* **1.** plaisir: **los placeres de la mesa** les plaisirs de la table **2. viaje de ~** voyage d'agrément **3. a ~** à loisir.

[2]**placer** *m* **1.** *(arena)* banc de sable **2.** *(con oro)* placer **3.** *AMER* pêcherie *f* de perles **4.** *AMER (solar)* terrain vague.

[3]**placer*** *vi* plaire: **me place leer poemas** il me plaît de, j'aime lire des poèmes.

**placero, a** *a* du marché. ◇ *s* marchand, e. ◇ *m AMER (coche de punto)* fiacre.

**placet** *m (aprobación)* agrément.

**placeta** *f* petite place, placette.

**placidez** *f* placidité.

**plácido, a** *a* placide.

**plácito** *m* avis, opinion *f*.

**plafón** *m* **1.** *ARQ* soffite **2.** *(lámpara)* plafonnier.

**plaga** *f* **1.** plaie, fléau *m*, calamité: **las siete plagas de Egipto** les sept plaies d'Égypte **2.** *FIG (abundancia)* invasion.

**plagar** *vt* **1.** *(llenar)* remplir, bourrer: **texto plagado de errores** texte rempli de fautes **2.** *(cubrir)* couvrir **3.** *(con algo dañino)* infester.

**plagiar** *vt* **1.** *(copiar)* plagier **2.** *AMER (secuestrar)* prendre en otage, kidnapper, enlever.

**plagiario, a** *a/s* **1.** plagiaire **2.** *AMER (secuestrador)* ravisseur.

**plagio** *m* **1.** *(copia)* plagiat **2.** *AMER (secuestro)* enlèvement, kidnapping.

**plaguicida** *m* pesticide.

**plan** *m* **1.** *(programa, esbozo)* plan: **~ quinquenal** plan quinquennal **2.** *(propósito)* projet **3.** *MED* régime: **estar a ~** être au régime **4.** *FAM* petit ami, petite amie ◊ **tenemos ~ para el domingo** nous sortons ensemble dimanche **5. en ~ de descanso** pour se reposer; **en ~ de broma** pour rire; **en ~ más sencillo** d'une façon plus simple; **contestó en ~ chulo** il répondit d'une façon désinvolte; **en ~ industrial** de façon industrielle, industriellement; **se fue a Inglaterra en ~ de aprender el idioma** il alla en Angleterre dans l'intention d'apprendre la langue **6.** *FAM* **a todo ~** en grande pompe.

**plana** *f* **1.** *(página)* page; **en primer ~ del periódico** en première page du journal, à la une ◊ **a toda ~** sur toute la page; *FIG* **enmendar la ~ a** en remontrer à **2.** *(llanura)* plaine **3.** *MIL* **~ mayor** état-major *m*.

**plancha** *f* **1.** *(de metal)* plaque **2.** *(utensilio para planchar)* fer *m* à repasser **3.** *(acción de planchar, ropa planchada)* repassage *m* **4.** *(natación)* **hacer la ~** faire la planche **5.** *CULIN* **a la ~** grillé, e, au gril **6.** *FIG FAM* gaffe, impair *m*: **tirarse una ~** faire une gaffe; **¡qué ~ me tiré!** j'ai fait une de ces gaffes!

**planchada** *f* appontement *m*.

**planchado** *m* repassage.

**planchador, a** *s* repasseur, euse.

**planchar** *vt* repasser ◊ **mesa de ~** table à repasser. ◇ *vi AMER (en un baile)* faire tapisserie.

**planchazo** *m* **1. dar un ~** donner un coup de fer **2.** *FAM (desacierto)* gaffe *f*.

**planchón** *m AMER* embarcation *f*.

**plancton** *m* plancton.

**planeador** *m (avión)* planeur.

**planeadora** *f (lancha)* vedette.

**planeamiento** *m* élaboration *f* d'un plan.

**planear** *vt* **1.** projeter, faire le plan de **2.** organiser **3.** planifier. ◇ *vi (un avión)* planer: **vuelo planeado** vol plané.

**planeta** *m* planète *f*.

**planetario, a** *a* planétaire. ◇ *m* planétarium.

**planetarium** *m* planétarium.

**planicie** *f* plaine.

**planificación** *f* **1.** planification **2. ~ familiar** planning *m* familial.

**planificar** *vt* planifier.

**planilla** *f AMER* **1.** liste **2.** tableau *m* **3.** justificatif *m*, reçu *m* **4.** compte *m*.

**planimetría** *f* planimétrie.

**planisferio** *m* planisphère.

**plano, a** *a* **1.** plat, e: **pies planos** pieds plats; **pecho ~** poitrine plate; **zapatos planos** chaussures plates **2.** *GEOM* plan, e. ◇ *m* **1.** plan: **~ inclinado** plan incliné; **el ~ de una ciudad** le plan d'une ville; **en el primer ~** au premier plan **2.** *(aspecto)* plan: **en el ~ afectivo** sur le plan affectif **3.** *loc adv* **de ~** entièrement, carrément; **confesar de ~** avouer franchement; **rechazar de ~** refuser catégoriquement; **dar de ~** frapper avec le plat (de la main, épée).

**planta** *f* **1.** *(vegetal)* plante: **~ de interior** plante d'appartement **2.** *(plano)* plan *m* **3.** *(del pie)* plante **4.** étage *m:* **vivo en la quinta ~** j'habite au cinquième étage; **un autobús de dos plantas** un autobus à deux étages ◊ **~ baja** rez-de-chaussée *m;* **de (nueva) ~** nouvellement construit, e **5.** *(fábrica)* usine: **~ siderúrgica** usine sidérurgique; centrale: **~ nuclear** centrale nucléaire **6.** *FIG* **buena ~** belle prestance.

**plantación** *f* plantation.

**plantado, a** → **plantar.**

**plantador, a** *s* planteur, euse ◊ *m (instrumento)* plantoir.

**¹plantar** *a (de la planta del pie)* plantaire.

**²plantar** *vt* **1.** *(una planta, un poste)* planter **2.** *(un golpe, etc.)* flanquer, coller: **le plantó dos bofetadas** il lui flanqua deux gifles **3. ~ en la calle** flanquer à la porte **4.** *(decir)* **le planté cuatro frescas** je lui ai lâché ses quatre vérités **5.** *(a alguien)* planter là, laisser tomber, lâcher, plaquer: **su amiga lo plantó, lo dejó plantado** son amie l'a plaqué **6. bien plantado** bien bâti. ◆ **~se** *vpr* **1.** se planter, se camper: **se plantó ante nosotros** il se planta devant nous **2.** *(negarse a andar)* rester planté, e **3.** *(resistirse a hacer algo)* se buter **4.** *FAM (llegar)* arriver: **en dos horas me planté en su casa** en deux heures, j'étais chez lui.

**plante** *m* **1.** mouvement revendicatif: **~ de las enfermeras** mouvement revendicatif des infirmières **2.** *(en una cárcel)* mutinerie *f.*

**planteamiento** *m* **1.** façon *f* de poser (un problème) **2.** *(de un proyecto)* établissement **3.** *(de una cuestión, etc.)* exposé, présentation *f* **4.** prise *f* de position: **planteamientos políticos** des prises de position politiques **5.** proposition *f,* suggestion *f.*

**plantear** *vt* **1.** *(una cuestión, etc.)* poser, soulever: **el problema está mal planteado** le problème est mal posé **2.** *(una reforma, etc.)* instaurer **3.** présenter, proposer. ◆ **~se** *vpr* se poser: **todavía el problema no se ha planteado seriamente** le problème ne s'est pas encore posé sérieusement; **no nos lo hemos planteado** nous ne nous sommes pas posés la question; **no se me ha ocurrido planteármelo** il ne m'est pas venu à l'esprit de me poser la question.

**plantel** *m* **1.** pépinière *f* **2.** *FIG* pépinière *f* **3.** *(conjunto)* groupe, troupe *f,* équipe *f.*

**planteo** *m,* **plantificación** *f* → **planteamiento.**

**plantificar** *vt* **1.** établir, instituer **2.** *FAM (un golpe)* flanquer, *(un insulto)* lâcher **3.** *(a uno, en un sitio)* fourrer. ◆ **~se** *vpr FAM* débarquer, se pointer: **en menos de dos minutos, me plantifiqué en su casa** en moins de deux minutes, je débarquai chez lui.

**plantígrado, a** *a/m ZOOL* plantigrade.

**plantilla** *f* **1.** *(del zapato)* semelle **2.** *(modelo)* patron *m* **3.** *(de dibujante)* pistolet *m* **4.** personnel *m,* effectifs *m pl:* **la ~ de una empresa** le personnel d'une entreprise; **reducir la ~** réduire les effectifs **5.** *(lista)* tableau *m* des effectifs.

**plantillazo** *m (en fútbol)* plat du pied.

**plantío** *m* plantation *f.*

**plantón** *m* **1.** *AGR* plant **2.** *(persona)* planton **3.** *FAM* **dar un ~** poser un lapin; **estar de ~** faire le pied de grue, poireauter.

**plañidera** *f (mujer)* pleureuse.

**plañidero, a** *a* plaintif, ive.

**plañido** *m* plainte *f,* gémissement.

**plañir*** *vi* gémir. ◇ *vt* se lamenter sur.

**plaqué** *m* plaqué.

**plaqueta** *f* plaquette.

**plasma** *m BIOL, FIS* plasma.

**plasmar** *vt* **1.** former, façonner **2.** *(concretar)* fixer, concrétiser, matérialiser, rendre: **el artista plasmó perfectamente la personalidad de su modelo en ese retrato** l'artiste a parfaitement rendu la personnalité de son modèle dans ce portrait; **lleva un diario personal donde quedan plasmadas sus vivencias** elle tient un journal intime où sont notées ses expériences personnelles. ◆ **~se** *vpr* prendre forme, se concrétiser.

**plasta** *f* **1.** *(cosa blanda)* pâte molle, bouillie **2.** *FAM (excremento)* crotte **3.** *FIG* gâchis *m,* travail *m* bâclé. ◇ *a/s FAM* casse-pieds, raseur, euse: **¡que tío más ~ !** quel casse-pieds!

**plástica** *f* plastique.

**plasticidad** *f* plasticité.

**plástico, a** *a* plastique: **material ~** matière plastique; **cirugía plástica** chirurgie plastique. ◇ *m* **1.** plastique, matière *f* plastique: **bolso de ~** sac en plastique **2.** *(explosivo)* plastic. **3.** *FAM* carte *f* de crédit.

**plastificar** *vt* plastifier.

**plastilina** *f* pâte à modeler.

**plasturgia** *f* plasturgie.

**plata** *f* **1.** *(metal)* argent *m:* **una cuchara de ~** une cuillère en argent ◊ *FIG* **bodas de ~** noces d'argent; **hablar en ~** parler clairement, franchement **2. vajilla de ~** argenterie **3.** *(dinero)* argent *m:* **pagar en ~** payer en argent; **tiene mucha ~** il a beaucoup d'argent.

► Sens 3. (monnaie): usuel en Amérique latine.

**platabanda** *f* plate-bande.

**plataforma** *f* **1.** plate-forme, plateforme: **~ de perforación** plateforme de forage; **~ continental** plateforme continentale, plateau *m* continental **2. ~ de lanzamiento** pas *m* de tir. **3** *FIG (en política)* plateforme: **~ reivindicativa** plateforme revendicative.

**platal** *m AMER* **un ~** une fortune, un argent fou.

**platanal, platanar** *m* **1.** *(bananal)* bananeraie *f* **2.** platanerale *f.*

**platanero** *m* bananier.

**plátano** *m* **1.** *(árbol)* platane **2.** *(planta tropical)* bananier **3.** *(fruto de esta planta)* banane *f:* **mondar un ~** peler une banane.

**platea** *f* parterre *m,* orchestre *m.*

**plateado, a** *a* argenté, e: **sienes plateadas** tempes argentées. ◇ *m* argenture *f.*

**platear** *vt* argenter.

**platense** *a/s* de la Plata (Argentine).

**plateresco, a** *a/m* plateresque.

► Se dit d'un style de la Renaissance espagnole dont les décors chargés font penser à des pièces d'orfèvrerie (de *platero* orfèvre).

**platería** *f* orfèvrerie.

**platero** *m* orfèvre.

**plática** *f* **1.** conversation, entretien *m* **2.** *RELIG* sermon *m,* homélie.

**platicar** *vi* parler, causer, converser. ◇ *vt AMER (decir)* dire, raconter: **platícame cómo estuvo eso** raconte-moi comment ça s'est passé.

**platija** *f (pez)* carrelet *m,* limande, plie.

**platillo** *m* **1.** soucoupe *f* ◊ **~ volante** soucoupe volante **2.** *(de balanza)* plateau **3.** *FIG* sujet de conversation. ◇ *pl MÚS* cymbales *f.*

**platina** *f* **1.** *(de microscopio, etc.)* platine **2.** *(imprenta)* marbre *m.*

**platinar** *vt* platiner.

**platino** *m* **1.** platine **2. rubia ~** blonde platinée. ◇ *pl* vis *f* platinées.

**plato** *m* **1.** assiette *f:* **~ llano, hondo, sopero** assiette plate, creuse, à soupe ◊ *FIG* **comer en un mismo ~** être à tu et à toi; **no haber roto un ~** n'avoir jamais rien fait de mal; **pagar los platos rotos** payer les pots cassés **2.** *(manjar)* plat: **un ~ de lentejas** un plat de lentilles; **~ con guarnición** plat garni; **~ fuerte** plat de résistance; **~ preparado** plat cuisiné ◊ *FIG* **ser un ~ de segunda mesa** être, se sentir mis à l'écart **3.** *(de balanza, bicicleta, etc.)* plateau **4.** *(de tocadiscos)* platine *f*, plateau.

**plató** *m (de cine, televisión)* plateau.

**platón** *m AMER* cuvette *f*.

**Platón** *np m* Platon.

**platónico, a** *a* platonique.

**platonismo** *m* platonisme.

**platudo, a** *a AMER* riche, fortuné, argenté, e, friqué, e.

**plausible** *a* plausible.

**Plauto** *np m* Plaute.

**playa** *f* **1.** plage **2.** *AMER* terrain *m* découvert ◊ **~ de estacionamiento** parking *m*, parc *m* de stationnement.

**play-back** *m* play-back.

**play-boy** *m* play-boy.

**playero, a** *a* de plage: **sombrero ~** chapeau de plage; **sandalias playeras** sandales de plage. ◇ *f* **1.** air *m* populaire andalou **2.** *AMER (camiseta)* tee-shirt *m*.

**plaza** *f* **1.** *(lugar público)* place: **~ mayor** grand-place **2. ~ de toros** arènes *pl* **3.** *(mercado)* marché *m* **4.** *(espacio)* place: **parking de cien plazas** parking de cent places **5.** *(empleo)* place, emploi *m*: **sacar ~** obtenir une place **6.** *(en una clasificación)* place **7.** *MIL* **~ fuerte** place forte **8.** *MIL* **sentar ~** s'engager.

**plazo** *m* **1.** délai: **en el ~ de un mes** dans un délai d'un mois **2.** terme: **a corto ~** à court terme; **a largo ~** à long terme **3.** *(vencimiento)* échéance *f* **4.** *loc adv COM* **a plazos** à tempérament, à crédit, par versements échelonnés: **pagar a plazos** payer en plusieurs versements.

**plazoleta, plazuela** *f* petite place, placette.

**pleamar** *f* pleine mer.

**plebe** *f* plèbe.

**plebeyo, a** *a/s* plébéien, enne.

**plebiscitar** *vt* plébisciter.

**plebiscitario, a** *a* plébiscitaire.

**plebiscito** *m* plébiscite.

**pleca** *f* tiret *m*.

**plectro** *m MÚS* plectre.

**plegable** *a* pliable, pliant, e: **bicicleta ~** bicyclette pliante.

**plegadera** *f* coupe-papier *m inv*.

**plegado** *m* **1.** *(acción de plegar)* pliage **2.** *(encuadernación)* pliure *f* **3.** *(acción de hacer tablas)* plissage.

**plegador, a** *a/s* plieur, euse.

**plegadura → plegado.**

**plegamiento** *m GEOL* plissement.

**plegar*** *vt* **1.** *(doblar)* plier **2.** *(hacer tablas)* plisser. ◆ **~se** *vpr* **1.** *(un asiento)* se plier, se rabattre **2.** *FIG* se plier, se soumettre: **plegarse a las circunstancias** se plier aux circonstances.

**plegaria** *f* prière.

**pleita** *f* tresse de sparte.

**pleiteante** *a* plaidant, e. ◇ *s* plaideur, euse.

**pleitear** *vt JUR* plaider.

**pleitesía** *f* **rendir ~ a** rendre hommage à.

**pleitista** *a/s* chicaneur, euse.

**pleito** *m* **1.** procès: **poner ~ a alguien** intenter un procès à quelqu'un **2.** *(disputa)* dispute *f*, querelle *f*.

**plenamar** *f* pleine mer.

**plenamente** *adv* pleinement.

**plenario, a** *a* plénier, ère. ◇ *m JUR* partie *f* du procès qui suit l'instruction.

**plenilunio** *m* pleine lune *f*.

**plenipotenciario, a** *a/s* plénipotentiaire.

**plenitud** *f* plénitude: **en la ~ de sus facultades** dans la plénitude de ses facultés.

**pleno, a** *a* plein, e: **en ~ verano** en plein été; **en ~ centro de la ciudad** en plein centre de la ville; **plenos poderes** pleins pouvoirs; **con ~ derecho** de plein droit; **~ empleo** plein-emploi. ◇ *m* séance *f* plénière ◊ **en ~** au grand complet: **el Gobierno en ~** le Gouvernement au grand complet.

**pleonasmo** *m* pléonasme.

**pleonástico, a** *a* pléonastique.

**plesiosauro** *m* plésiosaure.

**pletina** *f* fer *m* plat.

**plétora** *f* pléthore.

**pletórico, a** *a* pléthorique.

**pleura** *f ANAT* plèvre.

**pleural** *a* pleural, e.

**pleuresía** *f MED* pleurésie.

**pleurítico, a** *a/s MED* pleurétique.

**pleuroto** *m (seta)* pleurote.

**plexiglás** *m* plexiglas.

**plexo** *m ANAT* plexus: **~ solar** plexus solaire.

**pléyade** *f* pléiade.

**plica** *f* pli *m* scellé.

**pliego** *m* **1.** *(hoja)* feuille *f* de papier **2.** *(carta)* pli **3. ~ de condiciones** cahier des charges.

**pliegue** *m* **1.** *(de una tela, etc.)* pli **2.** *GEOL* pli.

**Plinio** *np m* Pline.

**plinto** *m ARQ* plinthe *f*.

**plisado** *m* **1.** *(acción)* plissage **2.** *(efecto)* plissé.

**plisar** *vt* plisser.

**plomada** *f* **1.** *(para comprobar la verticalidad)* fil *m* à plomb **2.** *(de una red de pescar)* plombée.

**plomería** *f* **1.** plomberie **2.** toit *m* en plomb.

**plomero** *m* plombier.

**plomizo, a** *a* plombé, e: **cielo ~** ciel plombé.

**plomo** *m* **1.** plomb ◊ *FIG* **andar con pies de ~** agir avec prudence, se montrer prudent, e **2.** *ELECT* plomb: **se fundieron los plomos** les plombs ont sauté **2.** *FIG FAM* **ser un ~** être assommant, e, un casse-pieds **4.** *loc adv* **a ~** verticalement, à plomb: **el sol caía a ~ sobre...** le soleil tombait verticalement sur...; **se cayó a ~** il est tombé comme une masse.

**pluma** *f* **1.** plume **2.** *(para escribir, dibujar)* plume: **dibujo a ~** dessin à la plume; **al correr de la ~, a vuela ~** au courant de la plume; **tomar la ~** prendre la plume **3. ~ estilográfica** stylo *m* **4.** *(de una grúa)* flèche.

**plumada** *f* trait *m* de plume.

**plumaje** *m* **1.** plumage **2.** *(penacho)* plumet.

**plumajería** *f* plumasserie.

**plumazo** *m* **1.** trait de plume **2.** *FIG* **de un ~** d'un trait de plume.

**plúmbeo, a** *a* de plomb.

**plumeado** *m* hachures *f pl*.

**plumear** *vt* hachurer.

**plumero** *m* **1.** plumeau **2.** *(adorno)* plumet ◊ *FIG* **se te ve el ~** on te voit venir; **enseñar el ~** montrer le bout de l'oreille **3.** *(cajita)* plumier.

**plumier** *m* plumier.

**plumífero** *m* **1.** FAM *(escritor mediocre)* plumitif **2.** *(prenda de abrigo)* doudoune *f*.

**plumilla** *f* **1.** plume (de stylo) **2.** AMER *(para polvos de tocador)* houppette.

**plumón** *m* **1.** *(de las aves)* duvet **2.** *(de la cama)* édredon.

**plural** *a/m* pluriel, elle: **poner en ~** mettre au pluriel.

**pluralidad** *f* pluralité.

**pluralismo** *m* pluralisme.

**pluralizar** *vt* **1.** GRAM mettre au pluriel **2.** généraliser: **¡no pluralices!** ne généralise pas!

**pluricelular** *a* BIOL pluricellulaire.

**pluridisciplinario, a** *a* pluridisciplinaire.

**pluriempleado** *m* cumulard.

**pluriempleo** *m* cumul d'emplois.

**plurilingüe** *a* plurilingue, multilingue.

**plurinacional** *a* plurinational, e, multinational, e.

**plus** *m* **1.** gratification *f*, prime *f*: **~ de puntualidad** prime d'assiduité **2.** MIL supplément de solde **3.** supplément.

**pluscuamperfecto** *m* GRAM plus-que-parfait.

**plusmarca** *f* record *m*: **la nueva ~ mundial** le nouveau record mondial.

**plusmarquista** *s* recordman *m*, recordwoman *f*.

**plusvalía** *f* plus-value.

**Plutarco** *np m* Plutarque.

**plutocracia** *f* ploutocratie.

**plutócrata** *s* ploutocrate.

**plutocrático, a** *a* ploutocratique.

**Plutón** *np m* Pluton.

**plutonio** *m* plutonium: **~ enriquecido** plutonium enrichi.

**pluvial** *a* pluvial, e.

**pluviómetro** *m* pluviomètre.

**pluviosidad** *f* pluviosité.

**pluvioso, a** *a* pluvieux, euse. ◇ *m* *(mes revolucionario)* pluviôse.

**poblacho** *m* trou, patelin, bled.

**población** *f* **1.** *(acción de poblar)* peuplement *m* **2.** *(habitantes)* population: **~ activa** population active **3.** *(ciudad)* ville, *(lugar)* localité, agglomération **4.** AMER **poblaciones (marginales)** bidonvilles *m*.

**poblada** *f* AMER foule.

**poblado, da** *a* **1.** peuplé, e **2.** *(barba, cejas)* fourni, e, touffu, e. ◇ *m* *(población)* agglomération *f*, localité *f*, village *m*.

**poblador, a** *a/s* **1.** habitant, e **2.** colonisateur, trice.

**poblano, a** *s* AMER **1.** paysan, e **2.** de Puebla (México).

**poblar*** *vt* **1.** peupler **2.** *(con árboles)* planter. ◆ **~se** *vpr* **1.** se peupler **2.** *(llenarse)* se remplir **3.** se couvrir de feuilles.

**pobo** *m* peuplier blanc.

**pobre** *a* **1.** pauvre ◊ **ser más ~ que las ratas, que una rata** être pauvre comme Job; **salir de ~** échapper à la misère, s'en sortir **2. comida ~ en calorías** repas pauvre en calories **3. la ~ mujer** la pauvre femme; **¡ ~ de mí!** pauvre de moi! ◇ *s* pauvre, pauvresse: **los pobres** les pauvres.

**pobrecillo, a → pobrecito.**

**pobrecito, a** *a* pauvre petit, e, malheureux, euse, pauvret, ette.

**pobremente** *adv* pauvrement.

**pobrete** *a/s* pauvret, ette, malheureux, euse.

**pobretería** *f* **1.** pauvreté **2.** ensemble *m* de mendiants.

**pobretón, ona** *a/s* misérable.

**pobreza** *f* pauvreté ◊ PROV **~ no es vileza** pauvreté n'est pas vice.

**pocero** *m* **1.** puisatier **2.** *(el que limpia los pozos o letrinas)* vidangeur.

**pocho, a** *a* **1.** pâle, décoloré, e **2.** *(fruta)* blet, ette **3.** FIG *(persona)* raplapla, patraque. ◇ *a/s* AMER chicano.

**pochote** *m* AMER coton.

**pocilga** *f* **1.** porcherie, bauge **2.** FIG porcherie, écurie.

**pocillo** *m* petite tasse *f*.

**pócima** *f* potion, décoction médicinale.

**poción** *f* potion.

**poco, a** *a* **1.** peu de: **~ tiempo** peu de temps; **poca gente** peu de monde; **pocas cosas** peu de choses ◊ **a los pocos días de muerto su marido** quelques jours seulement après la mort de son mari **2. las oportunidades son pocas** les occasions sont rares, peu nombreuses; **una de las pocas empresas...** une des rares entreprises... ◇ *m* **un ~ de** un peu de; **lo ~ que...** le peu que... ◊ **tener en ~** faire peu de cas de; PROV **muchos pocos hacen un mucho** les petits ruisseaux font les grandes rivières. ◇ *adv* **1.** peu: **come ~** il mange peu; **~ amable** peu aimable; **~ después** peu après ◊ **por ~ yo pierdo el tren** il s'en est fallu d'un cheveu que, il était moins cinq que je rate mon train, pour un peu je manquais mon train; **por si fuera ~** comme si ce n'était pas suffisant, par-dessus le marché, pour comble **2.** *(tiempo)* **hace ~** il n'y a pas longtemps; **dentro de ~** sous peu; **desde hace ~** depuis peu; **a ~** peu après; **a ~ de irse él** peu après son départ, peu après qu'il soit parti **3.** *los adv* **~ a ~** peu à peu, petit à petit; **~ más o menos** à peu près, plus ou moins; FAM **de ~ más o menos** sans grande valeur, quelconque **4.** *loc conj* **a ~ que** pour peu que.

**poda** *f* taille, émondage *m*, élagage *m*.

**podadera** *f* *(hoz)* serpe, *(tijeras)* sécateur *m*.

**podagra** *f* MED podagre.

**podar** *vt* *(un arbusto)* tailler, *(un árbol)* élaguer, émonder: **~ un rosal** tailler un rosier ◊ **tijeras de ~** sécateur.

**podenco** *a/m* *(perro)* épagneul.

[1]**poder*** *vt* **1.** pouvoir: **no pude venir** je n'ai pas pu venir; **puedes hacer lo que quieras** tu peux faire ce que tu voudras; **podías haberme avisado** tu aurais pu me prévenir; **ya no puedo más** je n'en peux plus; **no puedo de dolor** je n'en peux plus tellement j'ai mal ◊ **a más no ~ , hasta más no ~** on ne peut plus, au possible; **satisfecho hasta más no poder** on ne peut plus satisfait; **a ~ ser, de ~ ser** si possible; **no ~ menos de** ne pas pouvoir s'empêcher de **2. ~ a, con** être plus fort que; **a tí te puedo yo** je suis plus fort que toi; **eso me puede** c'est plus fort que moi; **no ~ con** *(aguantar)* supporter, *(someter)* venir à bout de, maîtriser. ◇ *v impers* se pouvoir, être possible: **puede que venga** il se peut, il se pourrait qu'il vienne; **no puede ser** ce n'est pas possible; **puede ser** c'est possible, peut-être; **¿se puede?** puis-je entrer?, peut-on entrer?

[2]**poder** *m* **1.** pouvoir: **~ ejecutivo, legislativo** pouvoir exécutif, législatif; **~ judicial** pouvoir judiciaire; **caer bajo el ~ de** tomber au pouvoir de; **estar en el ~** être au pouvoir ◊ **~ adquisitivo** pouvoir d'achat **2. estar en ~ de** être en la possession de, entre les mains de **3.** *(fuerza, capacidad)* puissance *f* **4. de ~ a ~** d'égal à égal. ◇ *pl* **1.** pouvoirs: **plenos poderes** pleins pouvoirs **2. por poderes, por ~** par procuration.

**poderdante** *s* JUR comettant, e.

**poderhabiente** *s* fondé, e de pouvoir.

**poderío** *m* puissance *f*: **voluntad de ~** volonté de puissance.

**poderosamente** *adv* puissamment.

**poderoso, a** *a/s* puissant, e.

**podio, podium** *m* podium: **subir al ~ , subirse al ~** monter sur le podium.

**podólogo, a** *s* podologue.

**podón** *m* gouet, grosse serpe *f*.

**podrá,** etc. → **poder.**

**podre** *f* pus *m*.

**podredumbre** *f* pourriture, corruption.

**podrido, a** *a* pourri, e, corrompu, e: **huele a ~** ça sent le pourri.

**podrir** → **pudrir.**

**poema** *m* **1.** poème **2.** *FIG* **es todo un ~** c'est tout un poème.

**poesía** *f* poésie.

**poeta** *m* poète.

**poetastro** *m PEYOR* rimailleur.

**poético, a** *a/f* poétique.

**poetisa** *f* poétesse.

**poetizar** *vt* poétiser.

**pogromo** *m* pogrom, progrome.

**póker** *m* poker: **~ de ases** poker d'as.

**polaco, a** *a/s* polonais, e.

**polaina** *f* guêtre.

**polar** *a* polaire: **círculo ~** cercle polaire; **estrella ~** étoile Polaire.

**polaridad** *f* polarité.

**polarización** *f* polarisation.

**polarizar** *vt* **1.** *FIS* polariser **2.** *FIG* *(la atención)* polariser. ◆ **~se** *vpr* se polariser.

**polca** *f* polka.

**pólder** *m* polder.

**polea** *f* poulie.

**poleadas** *f pl ANT* bouillies.

**polémico, a** *a* polémique. ◇ *f* polémique.

**polemista** *s* polémiste.

**polemizar** *vi* polémiquer.

**polen** *m BOT* pollen.

**polenta** *f* polenta.

**polera** *f AMER* pull *m*.

**poli** *m FAM* flic. ◇ *f FAM* **la ~** les flics.

**poliamida** *f* polyamide *m*.

**poliandria** *f* polyandrie.

**polichinela** *m* polichinelle.

**policía** *f* police: **~ de tráfico** police de la route; **~ judicial, urbana** police judiciaire, municipale. ◇ *m* policier ◇ **jugar a policías y ladrones** jouer aux gendarmes et aux voleurs; **perro ~** chien policier.

**policiaco, a, policíaco, a** *a* **1.** policier, ère, de la police **2. novela policiaca** roman policier.

**policial** *a/m* policier, ère: **medidas policiales** mesures policières.

**policlínica** *f* polyclinique.

**policopia** → **multicopista.**

**policromía** *f* polychromie.

**policromo, a** *a* polychrome.

**policultivo** *m* polyculture *f*.

**polideportivo, a** *a* omnisports *inv*. ◇ *m* complexe sportif.

**poliedro** *m GEOM* polyèdre.

**poliéster** *m* polyester.

**poliestireno** *m* polystyrène.

**polifacético, a** *a* **1.** multiforme, protéiforme, qui a plusieurs aspects **2.** aux talents multiples.

**polifásico, a** *a ELECT* polyphasé, e.

**polifonía** *f* polyphonie.

**polifónico, a** *a* polyphonique.

**poligamia** *f* polygamie.

**polígamo, a** *a/s* polygame.

**polígloto, a, poligloto, a** *a/s* polyglotte.

**poligonal** *a* polygonal, e.

**polígono** *m* **1.** *GEOM* polygone **2. ~ industrial** zone *f* industrielle **3. ~ de tiro** polygone de tir.

**polilla** *f* mite.

**polimerización** *f QUÍM* polymérisation.

**polimerizar** *vt QUÍM* polymériser.

**polímero** *m QUÍM* polymère.

**polimorfismo** *m* polymorphisme.

**polimorfo, a** *a* polymorphe.

**Polinesia** *np f* Polynésie.

**polinesio, a** *a/s* polynésien, enne.

**polinización** *f* pollinisation.

**polinomio** *m MAT* polynôme.

**poliomielitis** *f MED* poliomyélite.

**polipasto** *m (poleas)* moufles *f pl*.

**polipero** *m* polypier.

**pólipo** *m ZOOL, MED* polype.

**políptico** *m* polyptique.

**polisemia** *f* polysémie.

**polisílabo, a** *a/m* polysyllabe.

**polisón** *m* tournure *f*, pouf, faux cul.

**politécnico, a** *a* polytechnique.

**politeísmo** *m* polythéisme.

**politeísta** *a/s* polythéiste.

**política** *f* politique: **~ exterior** politique extérieure, étrangère.

**políticamente** *adv* politiquement.

**politicastro** *m PEYOR* politicard, politicien.

**político, a** *a* **1.** politique: **partido ~** parti politique **2.** *(cortés)* poli, e, courtois, e **3.** marque la parenté par mariage: **padre ~** beau-père; **hermano ~** beau-frère; **tío ~** oncle par alliance. ◇ *m* homme politique.

**politicón, ona** *a/s* **1.** passionné, e de politique **2.** trop poli, e, cérémonieux, euse.

**politiquear** *vi* **1.** faire de la politique **2.** faire de la basse politique.

**politiqueo** *m PEYOR* politicaillerie *f*, basse politique *f*.

**politización** *f* politisation.

**politizar** *vt* politiser.

**politólogo, a** *s* politologue.

**politransfundido, a** *s* polytransfusé, e.

**poliuretano** *m QUÍM* polyuréthane.

**poliuria** *f MED* polyurie.

**polivalente** *a* polyvalent, e.

**póliza** *f* **1.** police: **~ de seguros** police d'assurance **2.** *(del impuesto)* vignette, timbre *m* **3.** document *m* certifiant la propriété d'un effet public.

**polizón** *m* passager clandestin.

**polizonte** *m* PEYOR flic.

**polla** *f* **1.** *(gallina joven)* poulette **2. ~ de agua** poule d'eau **3.** FIG *(muchacha)* jeune fille, poulette, nana **4.** *(en el juego)* poule **5.** VULG bite.

**pollada** *f* couvée.

**pollastre** *m* FIG petit jeunot.

**pollear** *vi* FAM faire comme les grands.

**pollera** *f* **1.** *(para los pollos)* mue **2.** *(para los niños)* chariot *m* d'enfant en osier **3.** *(vendedora)* marchande de volaille **4.** AMER *(falda)* jupe.

**pollerín** *m* AMER jupon.

**pollero** *m* *(vendedor)* volailler.

**pollina** *f* jeune ânesse.

**pollino** *s* **1.** *(asno joven)* ânon **2.** FIG âne, imbécile.

**pollito, a** *s* jeune garçon, jeune fille. ◇ *m* *(polluelo)* poussin.

**pollo** *m* **1.** *(cría de gallina)* poulet **2.** *(cría de cualquier ave)* petit **3.** FAM petit jeune homme, petit jeunot **4.** POP *(esputo)* glaviot, mollard.

**polluelo** *m* poussin.

**¹polo** *m* **1.** pôle: **~ Norte, Sur** pôle Nord, Sud **2.** *(de un imán, de una pila)* pôle **3.** *(helado)* esquimau **4.** FIG pôle: **~ de atención** pôle d'attraction; **soy tu ~ opuesto** je suis tout le contraire de toi.

**²polo** *m* *(juego, camisa)* polo.

**³polo** *m* air populaire andalou.

**polola** *f* AMER petite amie.

**pololear** *vt* AMER **1.** *(galantear)* courtiser, faire la cour à. **2.** *(molestar)* ennuyer, embêter. ◇ *vi* AMER **~ con** flirter avec, faire la cour à.

**pololeo** *m* AMER flirt.

**pololo** *m* AMER petit ami.

**pololos** *m pl* culottes *f* bouffantes.

**polonesa** *f* MÚS polonaise.

**Polonia** *np f* Pologne.

**poltrón, ona** *a* paresseux, euse.

**poltrona** *f* **1.** *(sillón)* bergère, fauteuil *m* **2.** *(cargo)* fauteuil *m*: **una ~ ministerial** un fauteuil ministériel.

**poltronería** *f* paresse, fainéantise.

**polución** *f* pollution.

**polucionante** *a* polluant, e.

**polucionar** *vt* polluer.

**poluto, a** *a* pollué, e.

**Pólux** *np m* Pollux.

**polvareda** *f* **1.** nuage *m* de poussière, tourbillon *m* de poussière **2.** FIG **su discurso ha levantado una ~** son discours a provoqué un scandale, a déchaîné une tempête.

**polvera** *f* poudrier *m*.

**polvero** *m* AMER → **polvareda.**

**polvillo** *m* poussière *f* fine.

**polvo** *m* **1.** poussière *f*: **levantar ~** faire de la poussière ◊ FIG **hacer ~** démolir, tuer; *(arruinar)* ruiner; **esta noticia me ha dejado hecho ~** cette nouvelle m'a anéanti; **estar hecho ~** être claqué, pompé, rétamé; **tengo el estómago hecho ~** j'ai l'estomac en compote; **morder el ~** mordre la poussière; **sacudir el ~ a alguien** tabasser quelqu'un, secouer les puces à quelqu'un **2.** *(sustancia pulverizada)* poudre: **leche en ~** lait en poudre ◊ **~ de carbón** poussier; **nieve (en) ~** neige poudreuse **3.** *(de tabaco)* prise *f* **4. limpio de ~ y paja** net, nette, tous frais déduits **5.** VULG **echar un ~** baiser. ◇ *pl* **1.** *(afeite)* poudre *f sing*: **polvos de tocador** poudre **2. polvos de la madre Celestina** poudre de Perlimpinpin.

**pólvora** *f* *(explosivo)* poudre ◊ FIG **gastar la ~ en salvas** tirer sa poudre aux moineaux, se fatiguer en pure perte, perdre son temps; **no ha inventado la ~** il n'a pas inventé la poudre; **ser un ~** être vif, vive comme la poudre.

**polvoriento, a** *a* **1.** poussiéreux, euse **2.** poudreux, euse.

**polvorilla** *s* FAM **es un ~** il est soupe au lait.

**polvorín** *m* **1.** *(almacén)* poudrière *f* **2.** *(frasquito)* poire *f* à poudre.

**polvorón** *m* sorte de sablé.

**poma** *f* pomme.

**pomada** *f* **1.** pommade **2.** AMER *(betún)* cirage *m*.

**pomar** *m* pommeraie *f*.

**pomelo** *m* pamplemousse, pomélo.

**Pomeranio** *np f* Poméranie.

**pómez** *a* **piedra ~** pierre ponce.

**pomo** *m* **1.** *(de pueta, cajón, etc.)* bouton **2.** *(de espada)* pommeau **3.** *(frasco)* flacon **4.** BOT fruit à pépins **5.** AMER *(recipiente)* pot: **~ de crema hidratante** pot de crème hydratante.

**pompa** *f* **1.** pompe, apparat *m* ◊ **pompas fúnebres** pompes funèbres **2.** bulle: **~ de jabón** bulle de savon.

**Pompeya** *np* Pompéi.

**pompeyano, a** *a/s* pompéien, enne.

**Pompeyo** *np m* Pompée.

**pompis** *m* FAM postérieur, popotin, cul.

**pompón** *m* MIL pompon.

**pomposidad** *f* ostentation, apparat *m*.

**pomposo, a** *a* pompeux, euse.

**pómulo** *m* pommette *f*.

**pon** → **poner.**

**ponchada** *f* AMER **una ~ de** une grande quantité de, un tas de, plein de.

**ponchar** AMER → **pinchar.**

**ponche** *m* punch.

**ponchera** *f* bol *m* à punch.

**poncho** *m* poncho.

**Poncio Pilatos** → **Pilatos.**

**ponderación** *f* **1.** *(encomio)* éloge *m* **2.** *(moderación)* pondération, mesure **3.** exagération.

**ponderado, a** *a* pondéré, e, mesuré, e, équilibré, e.

**ponderar** *vt* **1.** *(alabar)* vanter, faire l'éloge de **2.** *(examinar)* examiner attentivement, peser **3.** *(equilibrar)* pondérer, équilibrer.

**ponderativo, a** *a.* **1.** qui exagère **2.** louangeur, euse.

**ponedero, a** *a* **1.** mettable **2.** *(ave)* pondeuse. ◇ *m* *(lugar)* pondoir.

**ponedor, a** *a* *(gallina)* pondeuse. ◇ *m* pondoir.

**ponencia** *f* **1.** *(informe)* rapport *m*, exposé *m*, communication: **es el autor de la tercera ~ sobre...** il est l'auteur du troisième rapport sur... **2.** *(cargo)* charge de rapporteur **3.** *(comisión)* commission: **el trabajo realizado por la ~** le travail réalisé par la commission.

**ponente** *a/m* JUR rapporteur.

**poner*** *vt* **1.** mettre, poser, placer: **pon esto aquí** mets ça ici; **puso el bolso en la cama** elle posa son sac sur le lit **2.** mettre: **~**

**la mesa, la radio** mettre la table, la radio; **puso a su hijo de aprendiz** elle a mis son fils en apprentissage; **~ de mal humor** mettre de mauvaise humeur; **~ en peligro → peligro 3.** *(+ ciertos adjetivos)* rendre: **~ triste, furioso** rendre triste, furieux **4.** faire, prendre: **¡no pongas esa cara!** ne fais pas cette tête!; **ponía una voz infantil** il prenait une voix d'enfant **5.** *(un nombre, un mote)* donner **6. ~ a alguien de idiota, de ladrón** traiter quelqu'un d'idiot, de voleur **7.** *(instalar)* installer, monter **8.** ouvrir: **~ un restaurante** ouvrir un restaurant; **han puesto un supermercado enfrente de casa** on a ouvert un supermarché en face de chez nous **9.** *(en el teatro)* jouer, donner **10.** *(en el cine, televisión)* passer, donner: **¿qué película ponen en el Miramar?** quel film passe-t-on au Miramar? **11.** *(tardar)* **~ cinco horas para llegar** mettre cinq heures pour arriver **12.** *(suponer)* mettre, supposer: **pon, pongamos que las cosas salgan bien** mettons que les choses aillent au mieux; **me ausentaré, pongamos ocho días** je m'absenterai mettons, disons huit jours **13.** *(huevos)* pondre: **este año, las gallinas ponen muy poco** cette année, les poules pondent très peu **14. ~ en claro → claro; ~ por testigo → testigo 15.** *(teléfono)* **por favor, póngame con Elisa** s'il vous plaît, passez-moi Élise. ◆ **~se** *vpr* **1.** se mettre: **ponerse de pie, de rodillas** se mettre debout, à genoux; **nos pusimos a comer** nous nous sommes mis à manger **2.** devenir: **ponerse furioso** devenir furieux; **se puso sofocada** elle devint cramoisie; **se ponía melancólica** elle devenait mélancolique; **¡no se ponga usted así!** ne vous mettez pas dans cet état! ◊ **ponerse malo** tomber malade; **ponerse bien** se rétablir; **ponte guapa** fais-toi belle **3.** *(vestidos, zapatos)* mettre: **se puso el vestido nuevo** elle mit sa robe neuve; **ponte la falda azul** mets ta jupe bleue **4.** *(un astro)* se coucher **5.** *(llegar)* arriver: **en dos horas te pones en la frontera** en deux heures tu arrives, tu es à la frontière; **nos pusimos en Valladolid en una hora** nous sommes arrivés à Valladolid en une heure.

**poney** *m* poney.

**¹pongo → poner.**

**²pongo** *m AMER* **1.** *(de un río)* gorge *f* **2.** domestique indien.

**poni** *m* poney.

**poniente** *m* **1.** couchant, ponant **2.** vent d'ouest. ◇ *a* **sol ~** soleil couchant.

**ponqué** *m AMER* sorte de tarte *f.*

**pontazgo** *m* péage.

**ponteduro** *m AMER* friandise *f* mexicaine à base de maïs grillé enrobé de sucre roux ou de miel.

**pontificado** *m* pontificat.

**pontifical** *a* pontifical, e: **misa de ~** messe pontificale. ◇ *m* ornements *pl* pontificaux.

**pontificar** *vi* pontifier.

**pontífice** *m* pontife: **el sumo ~** le souverain pontife.

**pontificio, a** *a* pontifical, e.

**pontón** *m* ponton.

**pontonero** *m* pontonnier.

**ponzoña** *f* **1.** poison *m*, venin *m* **2.** *FIG* poison *m.*

**ponzoñoso, a** *a* **1.** empoisonné, e **2.** *(nocivo)* nuisible **3.** *FIG (un escrito, etc.)* venimeux, euse.

**pop** *a* pop: **música ~** musique pop.

**popa** *f MAR* poupe ◊ *FIG* **ir viento en ~** avoir le vent en poupe.

**pope** *m* pope.

**popelín** *m*, **popelina** *f* popeline *f.*

**popote** *m AMER* paille *f.*

**populachería** *f* popularité.

**populachero, a** *a* **1.** populaire, populacier, ère **2.** démagogique **3.** démagogue.

**populacho** *m PEYOR* populace *f.*

**popular** *a* populaire: **hacerse ~** se rendre populaire.

**popularidad** *f* popularité.

**popularizar** *vt* populariser.

**populismo** *m* populisme.

**populista** *a/s* populiste.

**populoso, a** *a* populeux, euse.

**popurrí** *m MÚS* pot-pourri.

**poquedad** *f* **1.** pauvreté, petitesse, petite quantité **2.** *(timidez)* timidité.

**póquer** *m* poker: **~ de ases** poker d'as.

**poquito, a** *a* **1.** très peu de **2. ~ a poco** petit à petit; **a poquitos** peu à peu. ◇ *m* **un ~ de** un petit peu de.

**por** *prep* **1.** *(indica agente, medio, lugar por donde se pasa)* par: **detenido ~ la policía** arrêté par la police; **~ avión** par avion; **~ escrito** par écrit; **pasar ~ Pamplona** passer par Pampelune **2.** *(con movimiento)* dans: **andar ~ la calle** marcher dans la rue; sur: **~ el andén** sur le quai; **se pasó la mano ~ la frente** il passa la main sur son front; **las lágrimas le corrían ~ las mejillas** les larmes coulaient sur ses joues, le long de ses joues; **viajamos ~ toda Europa** nous avons voyagé à travers toute l'Europe **3.** *(lugar aproximado)* **no se oía nada ~ la casa** on n'entendait rien dans la maison; **está ~ Alicante** c'est vers, du côté d'Alicante; **~ donde vayas** où que tu ailles; **~ entre** parmi, au milieu de **4.** *(distribución)* **tanto ~ cabeza** tant par tête; **cien km ~ hora** cent km à l'heure; **60 francos ~ hora** 60 francs de l'heure; **página ~ página** page par page **5.** *(causa)* pour, à cause de, parce que: **castigado ~ su pereza** puni pour sa paresse; **lo despidieron ~ indisciplinado** on l'a renvoyé pour indiscipline, à cause de son indiscipline; **no vendrá ~ estar enfermo** il ne viendra pas parce qu'il est malade; **~ eso he venido** c'est pour cela, c'est pourquoi je suis venu; **acaba de fallecer ~ parada cardíaca** il vient de mourir d'un arrêt du cœur **6.** *(= según)* **~ la voz, parecía joven** à la voix, d'après sa voix, il semblait jeune; **~ lo que sé** d'après ce que je sais **7.** *(finalidad)* pour: **hazlo ~ mí** fais-le pour moi; **luchar ~ un ideal** lutter pour un idéal; **~ decir algo** pour dire quelque chose; **protestáis ~ protestar** vous protestez pour protester **8.** *(precio, reciprocidad)* pour: **~ cien pesetas** pour cent pesetas; **ojo ~ ojo** œil pour œil **9.** *(= como)* **dejar ~ muerto** laisser pour mort **10.** *(tiempo)* **se fue ~ un mes** il est parti pour un mois; **~ aquella época** à cette époque-là; **~ ahora** pour le moment; **~ mayo** en mai, au mois de mai; **~ Navidad** à Noël, vers Noël; **~ la mañana, ~ la tarde** le matin, le soir; **~ las noches, no cenaba en casa** le soir, il ne dînait pas chez lui **11.** *(multiplicación)* fois: **dos ~ dos, cuatro** deux fois deux, quatre **12. ~ mucho que haga** quoi qu'il fasse, il a beau faire; **~ muy inteligente que sea** si, aussi intelligent soit-il; **~ extraño que parezca** aussi curieux que cela paraisse **13. estar ~ → estar 14. ir ~** aller chercher; **mandar ~** envoyer chercher; **salir ~** sortir pour aller chercher; dans la langue parlée, cette tournure (verbe de mouvement, suivi de *por*) est souvent renforcée par la préposition *a:* **¡ve a ~ pan!** va chercher le pain!; **voy a ~ mis gafas** je vais chercher mes lunettes **15.** *loc conj* **~ qué** pourquoi: **¿ ~ qué has hecho eso?** pourquoi as-tu fait cela?; **no se sabe ~ qué** on ne sait pas pourquoi; **~ si (acaso)** au cas où: **~ si no lo sabes** au cas où tu ne le saurais pas; **no te lo decía ~ sí a tí no te gustaba** je ne te le disais pas au cas où ça ne t'aurait pas plu; **era ~ sí no querías salir conmigo** c'était au cas où tu n'aurais pas voulu sortir avec moi; **~ si fuera poco → poco.**

► *~ detrás, ~ encima,* etc.; par-derrière, par-dessus: fíjese en el guión.

**porcelana** *f* porcelaine.

**porcentaje** *m* pourcentage.

**porche** *m* porche. ◇ *pl (soportales)* arcades *f.*

**porcino, a** *a/s* porcin, e. ◇ *m* porcelet.

**porción** *f* **1.** *(cantidad separada)* portion **2.** *(parte)* part **3.** *(número)* foule, tas *m*, grand nombre *m:* **una ~ de anécdotas** une foule d'anecdotes; **una ~ de gente** une foule de gens.

**porcuno, a** *a* porcin, e.

**pordiosear** *vi* mendier.

**pordioseo, pordiosería** *m* mendicité *f.*

**pordiosero, a** *s* mendiant, e.

**porfía** *f* **1.** obstination, insistance **2.** *(lucha)* dispute acharnée **3.** *loc adv* **a ~** à qui mieux mieux, à l'envi.

**porfiado, a** *a* obstiné, e.

**porfiar** *vi* **1. ~ en** s'entêter, s'obstiner à **2.** *(discutir)* discuter avec acharnement **3.** se disputer.

**pórfido** *m* porphyre.

**pormenor** *m* **1.** détail: **entrar en los pormenores** entrer dans les détails **2. los pormenores de un asunto** les tenants et les aboutissants d'une affaire.

**pormenorizar** *vt* détailler, décrire en détail: **un inventario pormenorizado** un inventaire détaillé.

**porno** *a FAM* porno.

**pornografía** *f* pornographie.

**pornográfico, a** *a* pornographique.

**poro** *m* pore.

**porongo** *m AMER* calebasse *f.*

**pororó** *m AMER* pop-corn.

**porosidad** *f* porosité.

**poroso, a** *a* poreux, euse.

**poroto** *m AMER* haricot: **porotos blancos** haricots blancs.

**porque** *conj* **1.** parce que: **no pude entrar ~ no tenía la llave** je n'ai pas pu entrer parce que je n'avais pas la clé **2.** *(para que)* pour que **3. ~ sí** parce que c'est comme ça.

**porqué** *m* **el ~** le pourquoi.

**porquera** *f* bauge.

**porquería** *f* **1.** *(suciedad)* cochonnerie, saleté **2. comer porquerías** manger des cochonneries, des saloperies **3.** *(acción vil)* saloperie.

**porqueriza** *f* porcherie.

**porquerizo, porquero** *m* porcher.

**porqueta** *f* cloporte *m.*

**porra** *f* **1.** massue **2.** *(de caucho)* matraque **3.** *(churro)* beignet *m* **4.** *FAM* **mandar a la ~** envoyer paître, envoyer balader; **¡vete a la ~!** va te faire voir ailleurs! ◇ *interj POP* **¡porras!** merde!; **¿quien porras os ha dado permiso?** qui vous a donné la permission, nom de Dieu?

**porrada** *f* **1.** coup *m* de massue **2.** *FAM (tontería)* bêtise, idiotie **3.** *FAM* **una ~ de** un tas de, plein de, une flopée de.

**porrazo** *m* **1.** coup de massue **2.** *(golpe)* coup, gnon.

**porrería** *f* bêtise, idiotie.

**porreta** *f FAM* **en ~** à poil. ◇ *s FAM* fumeur, euse de hasch.

**porretada** *f* tas *m.*

**porrillo (a)** *loc adv* à foison, en pagaille, à la pelle, à gogo.

**porro** *m* **1.** *(cigarrillo de droga)* joint **2.** *AMER* nom d'une danse colombienne. ◇ *a FAM* abruti.

**porrón** *m* cruche *f* de verre à long bec (avec laquelle on boit à la régalade).

**porta** *f MAR* sabord *m.* ◇ *a ANAT* **vena ~** veine porte.

**portaaviones** *m inv* porte-avions.

**portabandera** *f* porte-étendard *m inv.*

**portabebés** *m inv* porte-bébé.

**portabultos** *m inv* porte-bagages.

**portacaja** *f (de tambor)* baudrier *m.*

**portacontenedores** *m inv* porte-conteneurs.

**portada** *f* **1.** frontispice *m* **2.** *(puerta)* portail *m* **3.** *(de un libro)* page de titre, *(de una revista)* couverture.

**portadilla** *f* faux titre *m.*

**portador, a** *a/s* **1.** porteur, euse: **las personas portadoras del virus** les personnes porteuses du virus **2.** *COM* **al ~** au porteur.

**portaequipajes** *m inv* **1.** *(exterior)* porte-bagages **2.** *(interior)* coffre à bagages.

**portaestandarte** *m* porte-étendard *inv.*

**portafolio** *m* porte-documents, attaché-case.

**portafusil** *m* bretelle *f.*

**portahelicópteros** *m inv* porte-hélicoptères.

**portal** *m* **1.** entrée *f,* vestibule **2.** portique **3.** *(de una ciudad)* porte *f* **4. ~ de Belén** crèche *f* **5.** *INFORM* portail. ◇ *pl (soportales)* arcades *f.*

**portalada** *f* portail *m.*

**portalámparas** *m ELECT* douille *f.*

**portalápiz** *m* porte-crayon.

**portaligas** *m inv AMER* porte-jarretelles.

**portalón** *m* **1.** grande porte *f* (sur la cour d'entrée) **2.** *MAR* coupée *f.*

**portamaletas** *m inv AMER (maletero de coche)* coffre.

**portamonedas** *m inv* porte-monnaie.

**portante** *m (de un caballo)* amble ◊ *FAM* **tomar el ~** mettre les bouts, se débiner.

**portañola** *f MAR* sabord *m.*

**portañuela** *f AMER* braguette.

**portaplumas** *m inv* porte-plume.

**portarse** *vpr* **1.** se conduire, se comporter: **se ha portado bien** il s'est bien conduit **2.** *(un niño)* **~ bien** être sage: **¡pórtate bien!** sois sage!, tiens-toi bien!; **niño que se porta mal** enfant qui n'est pas sage.

**portátil** *a* portatif, ive, portable: **televisor ~** téléviseur portatif; **teléfono ~** téléphone portable.

**portaviandas** *m inv (fiambrera)* gamelle.

**portaviones → portaaviones.**

**portavoz** *m* **1.** *(persona)* porte-parole *inv* **2.** *(bocina)* porte-voix.

**portazgo** *m* péage.

**portazo** *m* claquement de porte ◊ **dar un ~** claquer la porte.

**porte** *m* **1.** *(de una persona)* allure *f,* maintien, port, prestance *f:* **un hombre de ~ elegante, de buen ~** un homme à l'allure élégante, de belle prestance **2.** *(transporte)* port, transport: **~ debido** en port dû.

**porteador, a** *a/s* porteur, euse.

**portear** *vt* porter, transporter.

**portento** *m* prodige.

**portentoso, a** *a* prodigieux, euse.

**porteño** *a/s* de Buenos Aires.
► Désigne aussi les habitants de Valparaíso (Chili).

**porteo** *m* port, transport.

**portería** *f* **1.** loge de concierge, conciergerie **2.** *(fútbol)* **la ~** les buts, la cage.

**portero, a** *s* **1.** concierge, gardien, enne **2.** *(de convento)* portier, ère **3. ~ automático** portier électronique, interphone. ◇ *m (fútbol)* gardien de but.

**portezuela** *f* **1.** portillon *m* **2.** *(de coche)* portière **3.** *(en un bolsillo)* patte.

**pórtico** *m* **1.** portique **2.** *(de catedral)* portail.

**portilla** *f MAR* hublot *m.*

**portillo** *m* **1.** *(en una muralla, vasija, etc.)* brèche *f* **2.** *(en una puerta)* guichet **3.** *GEOG* col **4.** *FIG* passage, issue *f.*

**portón** *m* **1.** grande porte *f* **2. ~ trasero** hayon.

**portorriqueño, a** *a/s* portoricain, e, de Porto Rico.

**portuario, a** *a* portuaire.

**Portugal** *np m* Portugal.

**portugués, esa** *a/s* portugais, e.

**portulano** *m* portulan.

**porvenir** *m* avenir: **tiene el ~ asegurado** il a son avenir assuré.

**pos (en)** *loc* **en ~ de** *(detrás)* derrière, après: **uno en ~ de otro** l'un derrière l'autre; *FIG* à la poursuite de, en quête de.

**posada** *f* **1.** *(mesón)* auberge **2.** *(casa de huéspedes)* pension de famille **3.** *(casa)* demeure **4.** hébergement *m*, refuge *m*, gîte *m*: **dar ~ a** héberger.

**posaderas** *f pl* fesses.

**posadero, a** *s* aubergiste.

**posar** *vi* **1.** *(ante un pintor o fotógrafo)* poser **2.** *(alojarse)* loger. ◇ *vt (dicho de la mirada, etc.)* poser. ◆ **~se** *vpr* **1.** *(las aves, aeronaves, etc.)* se poser **2.** *(un líquido)* déposer.

**posavasos** *m inv* dessous-de-verre.

**poscomunión** *f RELIG* postcommunion.

**posdata** *f* post-scriptum *m inv.*

**pose** *f (postura, afectación)* pose.

**poseedor, a** *a/s* **1.** possesseur **2.** *(de un récord)* détenteur, trice.

**poseer*** *vt* **1.** posséder: **~ una casa** posséder une maison; **posee las dos lenguas: español e inglés** il possède les deux langues: l'espagnol et l'anglais **2.** *(un récord)* détenir.

**poseído, a** *a/s* **1.** possédé, e **2. ~ de sí mismo** imbu, e de soi-même.

**posesión** *f* **1.** possession: **tomar ~ de** prendre possession de; **dar ~ a uno de** mettre quelqu'un en possession de ◇ **toma de ~ de un ministro** prise de fonction d'un ministre **2.** *(finca)* propriété.

**posesionar** *vt* mettre en possession. ◆ **~se** *vpr* **1.** prendre possession **2.** *(apoderarse)* s'emparer.

**posesivo, a** *a (una persona)* possessif, ive. ◇ *a/m GRAM* possessif, ive.

**poseso, a** *a/s* possédé, e (du démon).

**posesor, a** *a/s* possesseur.

**posfecha** *f* postdate.

**posguerra** *f* après-guerre.

**posibilidad** *f* possibilité. ◇ *pl* moyens *m*, possibilités: **vivir por encima de sus posibilidades** vivre au-dessus de ses moyens.

**posibilitar** *vt* rendre possible, permettre.

**posible** *a* possible: **es ~** c'est possible; **a ser ~** autant que possible; **dentro de lo ~** dans la mesure du possible, si possible; **hacer ~** rendre possible; **hacer todo lo ~** faire tout son possible; **voy a hacer todo lo ~ para...** je vais faire tout mon possible pour...; **¡no es ~ !** pas possible!; **¿como es ~ que pueda suceder este tipo de cosas?** comment est-il possible que ce genre de choses puisse arriver? ◇ *m pl (medios)* moyens, ressources *f*: **un hombre de posibles** un homme qui a des moyens.

**posiblemente** *adv* probablement.

**posición** *f* **1.** position **2.** *(social)* situation: **tiene una buena ~** il a une bonne, une belle situation **3.** *FIG* position, prise de position, attitude **4.** *MIL* position.

**posicionamiento** *m ECON* positionnement.

**positivamente** *adv* positivement.

**positivismo** *m* positivisme.

**positivista** *a/s* positiviste.

**positivo, a** *a* positif, ive ◇ **lo ~** ce qui est positif, le positif. ◇ *m (prueba fotográfica)* positif.

**pósito** *m* grenier communal.

**positrón** *m FÍS* positon, positron.

**posma** *a/s (pesado)* ennuyeux, euse, rasoir.

**posmodernismo** *m* postmodernisme.

**posmoderno, a** *a* postmoderne.

**poso** *m* **1.** dépôt, lie *f* **2.** *(de café)* marc **3.** *FIG* fond.

**posología** *f MED* posologie.

**posponer*** *vt* **1.** faire passer après, placer au second rang **2.** *(diferir)* remettre, reporter: **pospone hasta abril su viaje a Italia** il remet au mois d'avril son voyage en Italie.

**pospuesto, a** *a GRAM* postposé, e.

**posta** *f* **1.** *(de caballos)* poste, relais *m* **2.** *(bala)* chevrotine **3.** *loc adv* **a ~** à dessein, exprès.

**postal** *a* postal, e: **tarifas postales** tarifs postaux. ◇ *f (tarjeta)* carte postale.

**postbalance** *m COM* après inventaire.

**postdata → posdata.**

**poste** *m* **1.** poteau: **~ de señalización** poteau indicateur **2.** *(castigo)* piquet.

**postema** *f* abcès *m*.

**póster** *m (cartel)* poster.

**postergación** *f* **1.** *(aplazamiento)* ajournement *m* **2.** sursis *m* **3.** mise *f* à l'écart.

**postergar** *vt* **1.** *(aplazar)* ajourner, reporter, remettre: **~ una decisión** remettre une décision à plus tard; **~ la fecha de una conferencia** reporter, renvoyer à plus tard la date d'une conférence **2.** *(a alguien)* laisser en arrière, reléguer.

**posteridad** *f* postérité ◇ **para la ~** pour la postérité.

**posterior** *a* **1.** postérieur, e **2. la parte ~** la partie arrière.

**posterioridad** *f* postériorité ◇ **con ~ a** postérieurement à, après.

**posteriormente** *adv* postérieurement, ultérieurement, après.

**postigo** *m* **1.** *(de ventana)* volet **2.** *(puerta falsa)* porte dérobée **3.** guichet.

**postilla** *f MED* croûte.

**postillón** *m (a caballo)* postillon.

**postín** *m FAM* prétention *f* ◇ **darse ~** faire l'important, e, crâner, la ramener; **de ~** chic, sélect, e: **un hotel de mucho ~** un hôtel très chic.

**postinero, a** *a* prétentieux, euse, poseur ,euse.

**postizas** *f pl* castagnettes.

**postizo, a** *a* **1.** postiche **2.** faux, fausse: **cuello ~** faux col; **dentadura postiza** fausses dents **3** fictif, ive. ◇ *m (añadido de pelo)* postiche.

**postmeridiano, a** *a* de l'après-midi.

**postoperatorio, a** *a* postopératoire.

**postor** *m* enchérisseur, offrant: **al mayor ~** au plus offrant.

**postración** *f (abatimiento)* prostration.

**postrar** *vt (debilitar)* abattre. ◆ **~se** *vpr (hincarse de rodillas)* se prosterner.

**postre** *m* **1.** dessert: **a los postres** au dessert; **de ~ tomaré...** comme dessert, je prendrai... **2. a la ~** finalmente; **para ~** pour comble.

**postremo, a** *a* dernier, ère.

**postrer** forme apocopée de **postrero.**

**postrero, a** *a* dernier, ère.

**postrimerías** *f pl* fin *sing*: **en las ~ de** à la fin de; **las ~** les fins dernières.

**postrimero, a** *a* dernier, ère.

**postsincronización** *f* postsynchronisation.

**postsincronizar** *vt* postsynchroniser.

**postulación** *f* **1.** *(colecta)* quête **2.** *AMER* candidature.

**postulado** *m* postulat.

**postulante** *s* postulant, e.

**postular** *vt* **1.** *(en una colecta)* quêter **2.** *(pedir)* réclamer. ◆ **~se** *vpr AMER* poser sa candidature.

**póstumo, a** *a* posthume.

**postura** *f* **1.** posture **2.** *FIG* attitude, position: **toma de ~** prise de position; **adoptar una ~ ante un problema** adopter une attitude en face d'un problème; **es una ~ ante la vida** c'est une attitude devant la vie **3.** *(en una subasta)* enchère **4.** *(en el juego)* mise, enjeu *m* **5.** *(de los huevos)* ponte.

**post-venta, postventa** *a* **servicio ~** service après- vente.

**potable** *a* **1.** *(bebible)* potable **2.** *FIG* potable, acceptable.

**potaje** *m* **1.** *(caldo)* potage **2.** légumes *pl* secs.

**potasa** *f QUÍM* potasse.

**potasio** *m QUÍM* potassium.

**pote** *m* **1.** *(vasija)* pot **2.** *(para cocer viandas)* marmite *f* **3.** *FAM* **darse ~** faire de l'épate, de l'esbrouffe, crâner.

**potencia** *f* **1.** puissance **2.** **las grandes potencias** les grandes puissances **3.** *MAT* puissance: **elevar a la segunda ~** élever à la puissance deux; **cinco elevado a la tercera ~** cinq puissance trois **4.** *loc adv* **en ~** en puissance.

**potenciación** *f* **1.** développement *m*, essor *m* **2.** renforcement *m*.

**potencial** *a/m* **1.** potentiel, elle **2.** *GRAM* **modo ~** conditionnel. ◇ *m ELECT* potentiel.

**potencialidad** *f* potentialité.

**potencialmente** *adv* potentiellement.

**potenciar** *vt* **1.** donner de la puissance à, rendre efficace, renforcer **2.** *(fomentar)* promouvoir: **~ la formación profesional** promouvoir la formation professionnelle.

**potentado** *m* potentat.

**potente** *a* puissant, e.

**potentila** *f* potentille.

**poterna** *f* poterne.

**potestad** *f* puissance, pouvoir *m*, autorité, faculté: **tener ~ para...** être autorisé à... ◊ **patria ~** puissance paternelle. ◇ *pl (coro de ángeles)* puissances.

**potestativo, a** *a* facultatif, ive.

**potingue** *m FAM* potion *f*, breuvage.

**potito** *m (para niño)* petit pot.

**poto** *m AMER* derrière, fesses *f pl*.

**potosí** *m FIG* **valer un ~** valoir une fortune, valoir de l'or. ► De *Potosí* ville de Bolivie célèbre pour ses mines d'argent.

**potra** *f* **1.** *(yegua)* pouliche **2.** *FAM* hernie **3.** *FAM* **tener ~** avoir de la veine, du pot, être verni, e.

**potrada** *f* troupe de poulains.

**potranca** *f* jeune jument, pouliche.

**potranco** *m* poulain.

**potrero** *m* **1.** gardien de poulains **2.** *(lugar de pasto)* pâturage pour les chevaux, herbage **3.** *AMER* ferme *f* d'élevage.

**potrilla** *m FAM* vieux beau.

**potrillo** *m* jeune poulain.

**potro** *m* **1.** *(animal)* poulain **2.** *(de tormento)* chevalet **3.** *(para sujetar a los caballos)* travail **4.** *(en los gimnasios)* cheval de bois.

**potroso, a** *a FAM* veinard, e.

**poyo** *m* banc de pierre.

**poza** *f* mare.

**pozal** *m* **1.** *(cubo)* seau **2.** *(brocal)* margelle *f*.

**pozo** *m* **1.** puits **2.** *FIG* **un ~ de ciencia** un puits de science; **caer en un ~** tomber dans l'oubli **3.** **~ negro** puisard.

**pozole** *m AMER* **1.** maïs bouilli au porc **2.** *(bebida)* boisson *f* rafraîchissante.

**práctica** *f* pratique: **en la ~** dans la pratique; **poner en ~** mettre en pratique. ◇ *pl* **1.** *(ejercicios)* travaux *m* pratiques, exercices **2.** *(período)* stage *m sing*: **hacer prácticas, dos años de prácticas en una empresa** faire un stage, deux années de stage dans une entreprise **3.** *(religiosa)* pratiques.

**practicable** *a* praticable.

**prácticamente** *adv* pratiquement.

**practicanta** *f* **1.** infirmière, auxiliaire médicale **2.** préparatrice en pharmacie.

**practicante** *a/s (en religión)* practiquant, e. ◇ *m* **1.** infirmier, auxiliaire médical **2.** *(en una farmacia)* préparateur en pharmacie.

**practicar** *vt* **1.** pratiquer **2.** pratiquer, faire: **~ esquí, natación** faire du ski, de la natation ◇ *vi* faire un stage.

**práctico, a** *a* **1.** pratique **2.** *(diestro)* habile, expert, e, expérimenté, e. ◇ *m MAR* lamaneur, pilote.

**pradera** *f* prairie.

**pradial** *m (mes)* prairial.

**prado** *m* pré.

**pragmático, a** *a* pragmatique.

**pragmatismo** *m* pragmatisme.

**praguense** *a/s* pragois, e, praguois, e.

**praliné** *m* **1.** *(bombón)* chocolat praliné **2.** *(crema)* crème pralinée.

**pratense** *a* des prés.

**pre** *m MIL* prêt.

**preámbulo** *m* préambule.

**prebenda** *f* prébende.

**preboste** *m* prévôt.

**precariedad** *f* précarité.

**precario, a** *a* précaire: **salud, situación precaria** santé, situation précaire. ◇ *m AMER* bidonville.

**precaución** *f* précaution: **tomar precauciones** prendre des précautions; **por ~** par précaution.

**precautorio, a** *a* préventif, ive.

**precaver** *vt (un peligro)* prévenir. ◆ **~se** *vpr* se prémunir: **precaverse contra, de** se prémunir contre.

**precavido, a** *a* prévoyant, e, précautionneux, euse, prudent, e.

**precedencia** *f* **1.** antériorité **2.** *(prioridad)* priorité **3.** *(derecho)* préséance.

**precedente** *a/m* **1.** précédent, e: **un éxito sin precedentes** un succès sans précédent **2.** **sentar un ~** créer un précédent.

**preceder** *vt* précéder.

**preceptista** *a/s* qui enseigne les règles, maître.

**preceptivo, a** *a* obligatoire. ◇ *f* **preceptiva literaria** préceptes *m pl* de rhétorique et de littérature.

**precepto** *m* **1.** disposition *f* **2.** règle *f* **3.** *(moral, religioso)* précepte ◊ **cumplir con el ~** faire ses Pâques.

**preceptor, a** *s* précepteur, trice.

**preceptuar** *vt* prescrire, établir, fixer, décréter.

**preces** *f pl* prières.

**precesión** *f* ASTR **~ de los equinoccios** précession des équinoxes.

**preciado, a** *a (valioso)* précieux, euse, estimé, e, apprécié, e.

**preciar** *vt* apprécier. ◆ **~se** *vpr* se vanter, se piquer: **se precia de listo** il se pique d'être malin; **una cosa que toda persona que se precie de culta debe saber** une chose que toute personne qui se pique d'être cultivée doit savoir.

**precintar** *vt* **1.** *(un paquete, etc.)* sceller, plomber, cacheter **2. ~ un local** apposer les scellés sur la porte d'un local, mettre un local sous scellés.

**precinto** *m* **1.** *(acción)* pose *f* de scellés **2.** attache *f* scellée, plomb, bande *f* de sûreté: **~ de garantía** bande de garantie.

**precio** *m* **1.** prix: **~ de coste** prix de revient ◊ **poner ~ a la cabeza de...** mettre à prix la tête de...; **no tener ~** n'avoir pas de prix, être sans prix; **a cualquier ~ , al ~ que sea** à n'importe quel prix **2.** *loc prep* **al ~ de** au prix de.

**preciosidad** *f* **1.** valeur, beauté **2.** *(cosa)* merveille, chose ravissante, bijou *m*: **este reloj es una ~** cette montre est une petite merveille; **en esta exposición hay verdaderas preciosidades** dans cette exposition il y a de vraies petites merveilles; **esta chica es una ~** cette fille est ravissante.

**preciosismo** *m* préciosité *f*.

**preciosista** *a/s* précieux, euse.

**precioso, a** *a* **1.** *(de mucho valor)* précieux, euse **2.** *(bonito)* ravissant, e, très joli, e: **una niña preciosa** une petite fille ravissante.

**preciosura** *f* AMER *(cosa)* merveille, chose ravissante, bijou *m*, *(persona)* beauté.

**precipicio** *m* précipice.

**precipitación** *f* précipitation. ◇ *pl (atmosféricas)* précipitations.

**precipitadamente** *adv* précipitamment.

**precipitado, a** *a* précipité, e. ◇ *m* QUÍM précipité.

**precipitar** *vt* précipiter. ◆ **~se** *vpr* se précipiter.

**precisamente** *adv* précisément, justement.

**precisar** *vt* **1.** *(fijar)* préciser **2.** *(obligar)* forcer, obliger **3.** *(necesitar)* avoir besoin de: **no preciso tu ayuda** je n'ai pas besoin de ton aide **4.** demander, rechercher: **agencia precisa dos secretarias** agence recherche deux secrétaires. ◇ *v impers* falloir.

**precisión** *f* **1.** précision: **instrumentos de ~** instruments de précision **2.** obligation, nécessité, besoin *m*: **tener ~ de** avoir besoin de; **verse en la ~ de** se voir dans l'obligation de, se voir obligé, e de.

**preciso, a** *a* **1.** *(exacto, claro)* précis, e **2.** nécessaire: **no es ~** ce n'est pas nécessaire ◊ **ser ~** falloir: **es ~ que vengáis** il faut que vous veniez ◊ **si es ~** au besoin, s'il le faut, si besoin est.

**precitado, a** *a* précité, e.

**preclaro, a** *a* illustre, éminent, e.

**precocidad** *f* précocité.

**precolombino, a** *a* précolombien, enne.

**preconcebido, a** *a* préconçu, e: **idea preconcebida** idée préconçue.

**preconcebir*** *vt* imaginer par avance.

**preconizar** *vt* préconiser.

**precoz** *a* précoce: **niño ~** enfant précoce; **manzanas precoces** pommes précoces.

**precursor, a** *a* précurseur, avant-coureur. ◇ *m* précurseur.

**predador, a** *a/m* prédateur, trice: **los predadores** les prédateurs.

**predecesor, a** *s* **1.** prédécesseur **2.** *(antepasado)* ancêtre.

**predecir*** *vt* prédire: **como lo predije** comme je l'ai prédit.

**predela** *f (de retablo)* prédelle.

**predestinación** *f* prédestination.

**predestinar** *vt* prédestiner: **estar predestinado a** être prédestiné à.

**predeterminación** *f* prédétermination.

**predeterminar** *vt* prédéterminer.

**predial** *a* foncier, ère: **impuesto ~** impôt foncier.

**prédica** *f* prêche *m*, sermon *m*.

**predicable** *a* prédicable.

**predicación** *f* prédication.

**predicaderas** *f pl* FAM qualités oratoires.

**predicado** *m* **1.** prédicat **2.** GRAM attribut.

**predicador, a** *a* prêcheur, euse. ◇ *m* prédicateur.

**predicamento** *m* influence *f*, prestige, notoriété *f*: **goza de gran ~ en la Universidad** il jouit d'une grande notoriété à l'Université.

**predicar** *vt/i* **1.** prêcher ◊ **~ con el ejemplo** prêcher d'exemple, par l'exemple **2.** *(reprender)* sermonner **3.** PROV **una cosa es ~ y otra dar trigo** il est plus facile de dire que de faire.

**predicción** *f* prédiction.

**predicho, a** *a* prédit, e.

**predije,** etc. → **predecir.**

**predilección** *f* prédilection.

**predilecto, a** *a* préféré, e, bien-aimé, e: **su hijo ~** son enfant préféré.

**predio** *m* **1.** propriété *f*: **~ rústico** propriété rurale **2. ~ urbano** immeuble.

**predisponer*** *vt* prédisposer.

**predisposición** *f* prédisposition.

**predispuesto, a** *a* prédisposé, e.

**predominante** *a* prédominant, e.

**predominar** *vi/t* prédominer.

**predominio** *m* prédominance *f*.

**preelectoral** *a* préélectoral, e.

**preeminencia** *f* prééminent, e.

**preeminente** *a* prééminent, e.

**preescolar** *a* préscolaire.

**preestablecido, a** *a* préétabli, e.

**preexistencia** *f* péexistence.

**preexistente** *a* préexistant, e.

**preexistir** *vi* préexister.

**prefabricado, a** *a* préfabriqué, e.

**prefacio** *m* préface *f*.

**prefecto** *m* préfet.

**prefectura** *f* préfecture.

**preferencia** *f* **1.** préférence ◊ **de ~** de préférence; **tarifa de ~** tarif préférentiel **2. ~ de paso** priorité **3.** *(en un espectáculo público)* place réservée.

▶ Dans les arènes, etc. *preferencias:* places considérées comme les meilleures, tribunes.

**preferente** *a* **1.** préférentiel, elle, de faveur: **trato ~** traitement préférentiel **2.** *(mejor)* de choix: **lugar ~** place de choix.

**preferentemente** *adv* **1.** de préférence **2.** *(principalmente)* principalement.

**preferible** *a* préférable: **es ~ ...a...** il est préférable de... plutôt que de... ◊ **¡es ~ !** c'est préférable!, ça vaut mieux!

**preferiblemente → preferentemente.**

**preferido, a** *a* préféré, e.

**preferir*** *vt* préférer: **prefiero el verano al invierno** je préfère l'été à l'hiver; **prefiero callarme a hablar** je préfère me taire (plutôt) que de parler: **el terrorista prefirió morir a entregarse** le terroriste a préféré mourir (plutôt) que de se rendre.

**prefiguración** *f* préfiguration.

**prefigurar** *vt* préfigurer.

**prefijar** *vt* GRAM préfixer.

**prefijo** *m* **1.** GRAM préfixe **2.** *(de teléfono)* indicatif.

**pregón** *m* **1.** *(noticia)* proclamation *f*, annonce *f* **2.** *(de vendedor)* cri.

**pregonar** *vt* **1.** annoncer à haute voix, crier **2.** *(publicar)* publier **3.** *(alabar públicamente)* prôner, vanter.

**pregonero** *m* crieur public.

**pregrabado, a** *a* préenregistré, e.

**pregunta** *f* **1.** question, demande: **hacer una ~** poser une question; **¿puedo hacerle una ~ ?** est-ce que je peux vous poser une question? ◊ **a preguntas de X, contestó...** interrogé parX, à la demande de X, il répondit... **2.** FIG **estar a la cuarta ~** être sans le sou, fauché, à sec, tirer le diable par la queue.

**preguntar** *vt* **1.** demander: **le pregunté por qué...** je lui ai demandé pourquoi... **2.** interroger, questionner: **preguntado sobre el motivo de...** interrogé sur le motif de... **3. ~ por** demander des nouvelles de: **me han preguntado por ti** on m'a demandé de tes nouvelles. ◆ **~se** *vpr* se demander: **me pregunto si...** je me demande si...

**preguntón, ona** *a/s* questionneur, euse.

**prehelénico, a** *a* HIST préhellénique.

**prehistoria** *f* préhistoire.

**prehistórico, a** *a* préhistorique.

**prejubilado, a** *s* préretraité, e.

**prejudicial** *a* préjudiciel, elle.

**prejuicio** *m* préjugé, parti pris.

**prejuzgar** *vt* préjuger.

**prelacía** *f* prélature.

**prelación** *f* préférence, priorité.

**prelado** *m* prélat.

**prelatura** *f* prélature.

**preliminar** *a/m* préliminaire: **los preliminares de paz** les préliminaires de paix.

**preludiar** *vi* MÚS préluder. ◇ *vt (anunciar)* préluder à, annoncer.

**preludio** *m* prélude.

**prematuramente** *adv* prématurément.

**prematuro, a** *a* **1.** prématuré, e **2.** précoce. ◇ *a/s (niño)* prématuré, e.

**premeditación** *f* préméditation.

**premeditadamente** *adv* avec préméditation.

**premeditar** *vt* préméditer.

**premiado, a** *a/s* gagnant, e: **número ~** numéro gagnant.

**premiar** *vt* **1.** récompenser **2.** *(dar un premio a)* accorder un prix à, primer, couronner.

**premio** *m* **1.** prix: **obtener un ~** remporter un prix; **el ~ Nobel** le prix Nobel; **gran ~ de fórmula 1** grand prix de formule 1 **2.** *(de lotería)* lot: **~ gordo** gros lot **3.** COM prime *f*.

**premiosamente** *adv* avec difficulté, péniblement.

**premiosidad** *f* **1.** difficulté, manque *m* de facilité pour parler ou pour écrire **2.** lourdeur.

**premioso, a** *a* **1.** serré, e **2.** urgent, e **3.** *(estilo, lenguaje, etc.)* lourd, e, embarrassé, e, gauche.

**premisa** *f* prémisse.

**premolar** *m* prémolaire *f*.

**premonición** *f* prémonition.

**premonitorio, a** *a* prémonitoire.

**premonstratense** *a/m* prémontré, e.

**premura** *f* **1.** urgence **2. ~ de tiempo** hâte.

**prenatal** *a* prénatal, e.

**prenda** *f* **1.** *(garantía)* gage *m*: **dar, dejar en ~** laisser en gage ◊ FIG **no dolerle prendas a alguien** tenir parole, *(no escatimar esfuerzos)* ne pas épargner sa peine, ne pas ménager sa peine, *(admitir)* reconnaître volontiers, admettre; **no soltar ~** ne rien dire, savoir se taire **2.** *(de amistad, etc.)* gage *m* **3.** *(ropa)* vêtement *m*: **~ de abrigo, de vestir** vêtement; **prendas deportivas** vêtements de sport; **~ interior** sous-vêtement **4.** COM nantissement *m* **5.** *(apelativo cariñoso)* mon chére, ma chérie. ◇ *pl (cualidades)* qualités: **altas prendas morales** de hautes qualités morales.

**prendado, a** *a* épris, e.

**prendarse** *vpr* s'éprendre.

**prendedor** *m* agrafe *f*, broche *f*.

**prender** *vt* **1.** *(detener a una persona)* arrêter, prendre **2.** *(sujetar)* attacher, fixer: **~ de** fixer à; *(agarrar)* accrocher; *(con un alfiler)* épingler: **~ una insignia en la solapa de** épingler, accrocher un insigne au revers de **3.** *(encender)* allumer: **~ un cigarrillo, una cerilla** allumer une cigarette, une allumette; **~ fuego a** mettre le feu à. ◇ *vi* **1.** prendre; **el fuego prendió en un montón de paja** le feu a pris dans un tas de paille **2.** *(un injerto, una vacuna)* prendre **3.** *(una planta)* prendre racine **4. prendidos de la mano** la main dans la main.

**prendería** *f* friperie.

**prendero, a** *s* fripier, ère.

**prendido, a** *pp* de **prender.** ◇ *m (adorno)* parure *f*.

**prendimiento** *m* arrestation *f*: **el ~ de Cristo** l'arrestation du Christ.

**prensa** *f* **1.** *(máquina)* presse ◊ **dar a la ~** faire imprimer; **meter en ~** mettre sous presse **2.** *(publicaciones)* presse: **la ~ diaria** la presse quotidienne; **~ amarilla** presse à sensation; **libertad de ~** liberté de presse; **agencia de ~** agence de presse; ◊ **tener buena, mala ~** avoir bonne, mauvaise presse **3.** *(para la uva)* pressoir *m*.

**prensado** *m* TECN calandrage.

**prensadura** *f* pressurage *m*.

**prensar** *vt* **1.** *(en una prensa)* presser **2.** *(la uva, etc.)* pressurer.

**prensil** *a* préhensile, prenant, e.

**prensor, a** *a* préhenseur.

**prenupcial** *a* prénuptial, e.

**preñado, a** *a* **1.** *(mujer)* enceinte: **estar preñada** être enceinte; *(animales)* pleine **2.** FIG chargé, e, lourd, e, plein, e: **porvenir ~ de amenazas** avenir lourd de menaces; **una mirada preñada de odio** un regard chargé de haine.

**preñar** *vt* FAM féconder, engrosser.

**preñez** *f* **1.** *(de mujer)* grossesse **2.** gestation.

**preocupación** *f* **1.** préoccupation **2.** *(inquietud)* souci *m*.

**preocupado, a** *a* préoccupé, e, inquiet, ète, soucieux, euse: **anda muy ~ con...** il est très préoccupé par...

**preocupar** *vt* **1.** préoccuper **2.** inquiéter: **me preocupar su retraso** son retard m'inquiète. ◆ **~se** *vpr* se préoccuper, s'en faire, se soucier: **preocuparse de, por** se préoccuper de; **no te preocupes** ne t'en fais pas.

**preparación** *f* préparation.

**preparado, a** *a* préparé, e, prêt, e: **ya estoy ~ para todo** je suis prêt à tout. ◇ *m (medicamento)* préparation *f*.

**preparador, a** *s* **1.** préparateur, trice **2.** *(en deportes)* coach, entraîneur, euse.

**preparar** *vt* préparer. ◆ **~se** *vpr* se préparer: **me preparo para salir** je me prépare à partir.

**preparativos** *m pl* préparatifs.

**preparatorio, a** *a* préparatoire.

**preponderancia** *f* prépondérance.

**preponderante** *a* prépondérant, e.

**preponderar** *vi* être prépondérant, e, prédominer.

**preposición** *f* GRAM préposition.

**prepositivo, a** *a* GRAM prépositif, ive.

**prepósito** *m* RELIG supérieur.

**prepotencia** *f* **1.** toute-puissance **2.** AMER arrogance.

**prepucio** *m* ANAT prépuce.

**prerafaelista** *a/s* préraphaélite.

**prerrafaelismo** *m* préraphaélisme.

**prerrogativa** *f* prérogative.

**prerromántico, a** *a/s* préromantique.

**presa** *f* **1.** *(acción, cosa apresada)* prise **2.** *(de un animal)* proie: **ave de ~** oiseau de proie ◊ FIG **ser ~ de** être en proie à; **me marché ~ de viva agitación** je m'en allai, en proie à une vive agitation; **~ de pánico** pris de panique **3.** *(construcción a través de un río)* barrage *m*: **la ~ de Asuán** le barrage d'Assouan **4.** *(acequia)* canal *m* **5.** *(colmillo)* croc *m* **6.** *(pedazo)* morceau *m*.

**presagiar** *vt* présager, annoncer: **eso no presagia nada bueno** cela ne présage rien de bon.

**presagio** *m* présage.

**presbicia** *f* presbytie.

**présbita, présbite** *a/s* presbyte.

**presbiterado** *m* prêtrise *f*.

**presbiteriano, a** *a/s* presbytérien, enne.

**presbiterio** *m (de una iglesia)* chœur, sanctuaire.

**presbítero** *m* prêtre.

**presciencia** *f* prescience.

**prescindir** *vi* **1. ~ de** se passer de: **tuvo que ~ del coche** il a dû se passer de voiture **2.** faire abstraction de: **prescindiendo de este detalle** abstraction faite de ce détail.

**prescribir*** *vt* **1.** prescrire: **el médico ha prescrito un reposo absoluto** le médecin a prescrit un repos absolu **2.** JUR prescrire. ◇ *vi* JUR se prescrire.

**prescripción** *f* **1.** JUR prescription **2. ~ médica** ordonnance.

**prescrito → prescribir.**

**presea** *f* bijou *m*.

**presencia** *f* **1.** présence: **en ~ de** en présence de **2. ~ de ánimo** présence d'esprit **3.** *(aspecto exterior)* prestance, allure, aspect *m*: **buena ~** belle prestance, bonne présentation.

**presencial** *a* **testigo ~** témoin oculaire.

**presenciar** *vt* **1.** assister à, être présent, e à: **~ una corrida** assister à une corrida **2.** *(ser testigo)* être témoin de.

**presentable** *a* présentable: **no estoy ~** je ne suis pas présentable.

**presentación** *f* **1.** présentation **2.** RELIG **~ de la Virgen** présentation de la Vierge.

**presentador, a** *s* présentateur, trice.

**presentar** *vt* **1.** présenter **2. ~ sus excusas** présenter ses excuses **3.** *(una queja, etc.)* déposer **4.** MIL **¡presenten armas!** présentez armes! ◆ **~se** *vpr* **1.** se présenter: **presentarse en el domicilio de** se présenter au domicile de; **no se presentó al examen** il ne s'est pas présenté à l'examen **2. presentarse en sociedad** faire son entrée dans le monde.

**presente** *a/m* **1.** présent, e ◊ **hacer ~** rappeler; **tener ~** se rappeler, avoir présent à l'esprit, ne pas oublier: **ten ~ lo que te he dicho** n'oublie pas ce que je t'ai dit; FAM **mejorando lo ~** sauf votre respect **2.** *loc adv* **al ~** à présent; **por el ~** pour l'instant, pour le moment. ◇ *f (carta)* **la ~** la présente.

**presentimiento** *m* pressentiment.

**presentir*** *vt* pressentir: **lo presiento** je le pressens.

**preservación** *f* préservation.

**preservar** *vt* préserver. ◆ **~se** *vpr* se mettre à l'abri de.

**preservativo** *m* préservatif.

**presidencia** *f* présidence.

**presidencial** *a* présidentiel, elle.

**presidencialismo** *m* présidentialisme.

**presidencialista** *a* présidentiel, elle: **régimen ~** régime présidentiel.

**presidenta** *f* présidente.

**presidente** *m* **1.** président: **~ de la República** président de la République **2. ~ del Gobierno** chef du gouvernement.

**presidiable** *a* qui mérite le bagne.

**presidiario** *m* forçat, bagnard.

**presidio** *m* **1.** bagne **2.** *(pena)* travaux *pl* forcés **3.** *(fortaleza)* place *f* forte **4.** garnison *f*.

**presidir** *vt* **1.** présider: **~ una asamblea** présider une assemblée **2.** FIG présider à.

**presidium** *m* praesidium, présidium.

**presilla** *f* **1.** *(anilla)* bride **2.** *(cordoncillo)* ganse.

**presión** *f* **1.** pression ◊ FIG **la ~ fiscal** la pression fiscale; **hacer, ejercer ~ sobre** faire pression sur **2. a ~** sous pression **3. ~ arterial** pression artérielle, tension.

**presionar** *vt* **1.** faire pression sur: **~ al Gobierno** faire pression sur le gouvernement **2.** *(apretar)* appuyer sur, presser.

**preso, a** *a* pris, e. ◇ *a/s* prisonnier, ère, détenu, e: **~ común, político** prisonnier de droit commun, politique.

**prest** *m* MIL prêt.

**prestación** *f* prestation.

**prestado, a** *a* **1.** prêté, e **2.** emprunté, e ◊ **pedir ~** emprunter; **pedir dinero ~** emprunter de l'argent; **de ~** d'emprunt.

**prestamente** *adv* prestement, rapidement.

**prestamista** *s* prêteur, euse.

**préstamo** *m* **1.** *(acción, cosa prestada)* prêt: **~ hipotecario, bancario** prêt hypothécaire, bancaire **2.** emprunt.

**prestancia** *f* **1.** excellence **2.** distinction.

**prestar** *vt* **1.** prêter: **~ dinero** prêter de l'argent **2. ~ atención, oídos** prêter attention, l'oreille **3.** *(un servicio, un favor)* rendre. ◇ *vi (dar de sí)* prêter, s'étirer. ◆ **~se** *vpr* **1.** s'offrir, se proposer: **se prestó a acompañarme** il s'est offert à m'accompagner **2.** prêter: **esto se presta a confusión** cela prête à confusion.

**prestatario, a** *a/s* emprunteur, euse.

**preste** *m* prêtre.

**presteza** *f* prestesse, promptitude, rapidité.

**prestidigitación** *f* prestidigitation.

**prestidigitador, a** *s* prestidigitateur, trice.

**prestigiar** *vt* donner du prestige, de l'éclat à, ajouter au prestige de, rehausser le prestige de.

**prestigio** *m* prestige.

**prestigioso, a** *a* prestigieux, euse.

**presto, a** *a* **1.** *(pronto)* preste, prompt, e **2.** *(dispuesto)* prêt, e. ◇ *adv* aussitôt, promptement.

**presumible** *a* présumable, probable.

**presumido, a** *a/s* **1.** prétentieux, euse, crâneur, euse, frimeur, euse **2.** coquet, ette.

**presumir** *vt (suponer)* présumer. ◇ *vi* **1.** se piquer, se targuer, se croire: **presume de imparcial** il se pique d'être impartial; **presume de guapa** elle se croit belle; **presume de conocerte mejor que nadie** il se targue de te connaître mieux que personne **2. Lorenzo presume mucho** Laurent est très prétentieux, se prend pour quelqu'un.

**presunción** *f* **1.** *(suposición)* présomption **2.** *(vanidad)* prétention.

**presuntamente** *adv* par supposition, en apparence, prétendument.

**presunto, a** *a* **1.** présumé, e: **el ~ autor del atentado** l'auteur présumé de l'attentat; **el ~ asesino** l'assassin présumé; **~ culpable** présumé coupable **2.** prétendu, e: **la presunta normalización...** la prétendue normalisation... **3.** *(heredero)* présomptif, ive.

**presuntuoso, a** *a* présomptueux, euse, prétentieux, euse.

**presuponer*** *vt* présupposer.

**presuposición** *f* présupposition.

**presupuestar** *vt* **1.** établir le budget de **2.** budgétiser.

**presupuestario, a** *a* budgétaire.

**presupuesto, a** *a* présupposé, e. ◇ *m* **1.** budget: **el ~ nacional** le budget de l'État **2.** *(de una obra)* devis **3.** *(suposición)* supposition *f.*

**presura** *f* **1.** oppression, angoisse **2.** *(prisa)* hâte, empressement *m.*

**presurización** *f* pressurisation.

**presurizar** *vt* pressuriser: **cabina presurizada** cabine pressurisée.

**presurosamente** *adv* rapidement.

**presuroso, a** *a* rapide, prompt, e.

**prêt-à-porter** *m* prêt-à-porter.

**pretender** *vt* **1.** solliciter, briguer: **~ un cargo** solliciter un poste **2.** *(esforzarse)* essayer de **3.** prétendre: **pretende saberlo todo** il prétend tout savoir.

**pretendido, a** *a* prétendu, e.

**pretendiente** *a/s* prétendant, e.

**pretensión** *f* prétention ◊ **un hombre sin pretensiones** un homme sans prétentions, sans ambition.

**preterición** *f* omission.

**preterir*** *vt* omettre, laisser de côté.

**pretérito, a** *a/m* passé, e. ◇ *m* GRAM passé: **~ imperfecto** imparfait; **~ indefinido** passé simple, prétérit; **~ perfecto** passé composé; **~ pluscuamperfecto** plus-que-parfait.

**pretexta** *a/f (toga)* prétexte.

**pretextar** *vt* prétexter.

**pretexto** *m* prétexte: **con el ~ de, so ~ de** sous prétexte de; **con el pretexto de que** sous prétexte que; **con cualquier ~** sous un prétexte quelconque; **con el menor ~** sous le moindre prétexte, pour un oui pour un non; **bajo ningún ~** sous aucun prétexte.

**pretil** *m* garde-fou, parapet.

**pretina** *f (correa)* ceinture.

**pretor** *m* préteur.

**pretoriano, a** *a* prétorien, enne: **la guardia pretoriana** la garde prétorienne.

**pretorio** *m* prétoire.

**preuniversitario, a** *a* préparatoire à l'Université.

**prevalecer*** *vi* prévaloir, l'emporter.

**prevaleciente** *a* qui prévaut.

**prevaler*** *vi* prévaloir. ◆ **~se** *vpr* se prévaloir: **se prevalió de su títulos para...** il s'est prévalu de ses titres pour...

**prevaricación** *f* JUR prévarication.

**prevaricador, a** *s* JUR prévaricateur, trice.

**prevaricar** *vi* **1.** JUR prévariquer **2.** FAM déménager, dérailler.

**prevención** *f* **1.** *(idea preconcebida)* prévention, parti-pris *m,* préjugé *m* **2.** *(precaución)* précaution, disposition **3.** *(puesto de policía)* poste *m* de police **4.** *(de un cuartel)* poste *m* de garde.

**prevenido, a** *a* **1.** préparé, e **2.** *(en favor o en contra)* prévenu, e **3.** prudent, e, averti, e: **hombre ~ vale por dos** un homme averti en vaut deux.

**prevenir*** *vt* **1.** préparer, disposer **2.** *(precaver)* prévenir: **más vale ~ que curar** mieux vaut prévenir que guérir **3.** *(avisar, predisponer)* prévenir, mettre en garde: **ya le he prevenido del peligro** je l'ai prévenu du danger. ◆ **~se** *vpr* **1.** se préparer **2.** se pourvoir **2.** *(tomar precauciones)* se prémunir, prendre ses précautions.

**prevento, a** *a* **1.** préventif, ive **2. prisión preventiva** détention préventive.

**preventorio** *m* préventorium.

**prever*** *vt* prévoir: **como era de ~** comme il était à prévoir; **todo está previsto** tout est prévu.

**previamente** *adv* préalablement, au préalable.

**previo, a** *a* **1.** préalable: **un acuerdo ~** une entente préalable **2.** après: **previa entrega del cupón** après remise du coupon; **previa inscripción en la lista** après s'être inscrit sur la liste. ◇ *m* play-back.

**previsible** *a* prévisible.

**previsión** *f* **1.** prévision: **en ~ de** en prévision de **2.** *(precaución)* prévoyance.

**previsor, a** *a* prévoyant, e.

**previsto, a** *a* prévu, e: **lo que estaba ~ ha sucedido** ce qui était prévu est arrivé.

**prez** *m/f* honneur *m,* gloire *f.*

**priesa** ANT → **prisa.**

**prieto, a** *a* **1.** *(apretado)* serré, e **2. carne prieta** chair ferme **3.** *(color)* très foncé, e, sombre **4.** FIG avare.

**prima** *f* **1.** cousine: **~ hermana, carnal** cousine germaine **2.** *(cantidad de dinero añadida como suplemento o pagada al asegurador)* prime **3.** *(hora)* prime **4.** MUS *(cuerda)* chanterelle. ◇ *a* MAT prime: **a ~** a prime.

**primacía** *f* **1.** primauté, supériorité absolue. **2.** *(dignidad)* primatie.

**primada** *f* FAM bêtise.

**primado** *m (superior eclesiástico)* primat.

**primar** *vt (dar una prima)* primer. ◇ *vi* **~ sobre** l'emporter sur, primer.

**primario, a** *a* primaire: **enseñanza primaria** enseignement primaire. ◇ *a/m* GEOL primaire: **era primaria** ère primaire.

**primate** *m* **1.** grand personnage **2.** ZOOL primate.

**primavera** *f* **1.** *(estación)* printemps *m:* **en la ~** au printemps **2.** *(planta)* primevère. ◇ *a/m* FAM crétin, e, idiot, e, poire *f:* **es un ~** c'est un crétin.

**primaveral** *a* printanier, ère.

**primazgo** *m (parentesco)* cousinage.

**primer** *a* premier: **~ piso** premier étage; **el ~ hombre** le premier homme.

▶ Forme apocopée de *primero.* Ne s'emploie que devant un substantif masculin.

**primera** → **primero.**

**primeramente** *adv* premièrement, d'abord.

**primerizo, a** *a/f* **1.** débutant, e. **2.** *(hembra)* primipare **3.** *(mujer)* qui accouche pour la première fois.

**primero, a** *a/s* premier, ère: **el ~ de la clase** le premier de la clase; **a primera vista** à première vue ◊ **a primeros de julio** au début juillet. ◊ *m (piso)* premier étage. ◊ *f (clase, velocidad)* première: **viajar en primera** voyager en première. ◊ *adv* **1.** *(ante todo)* d'abord, premièrement **2.** *(más bien)* plutôt **3.** *loc adv* **a las primeras** d'entrée; **a las primeras de cambio** → **cambio; de primera** à merveille, parfaitement: **esto me viene de ~** ça me convient parfaitement; *(muy bueno)* extra, de premier ordre.

**primicias** *f pl* prémices.

**primigenio, a** *a* originel, elle, primitif, ive.

**primípara** *f* primipare.

**primitivismo** *m* primitivisme.

**primitivo,a** *a/s* primitif, ive. ◊ *f* sorte de loterie.

**primo, a** *a* premier, ère: **número ~** nombre premier. ◊ *s* **1.** cousin, e: **~ hermano, carnal** cousin germain; **~ segundo** cousin issu de germain **2.** FAM gogo *m*, poire *f*, naïf, naïve ◊ **hacer el ~** se faire rouler, se faire avoir: **pues, ¡hemos hecho el ~!** eh bien, on s'est fait avoir! ◊ *adv* primo.

**primogénito, a** *a/s* premier-né, première-née.

**primogenitura** *f* aînesse, primogéniture.

**primoinfección** *f* MED primo-infection.

**primor** *m* **1.** délicatesse *f*, habileté *f*, perfection *f* **2.** *(cosa hecha con primor)* merveille *f* ◊ **que es un ~** à merveille.

**primordial** *a* primordial, e.

**primorosamente** *adv* merveilleusement, à la perfection.

**primoroso, a** *a* **1.** *(diestro)* habile **2.** *(hecho con primor)* délicat, e, ravissant, e.

**prímula** *f* primevère.

**princesa** *f* princesse.

**principado** *m* **1.** *(territorio)* principauté *f* **3.** *(título)* principat.

**principal** *a* **1.** princial, e: **los principales países** les principaux pays **2.** illustre, important, e, de haut rang **3.** *(esencial)* principal, e, essentiel, elle. ◊ *a/m (piso)* premier étage. ◊ *m* **1.** chef, patron, directeur **2. lo ~** le principal, l'essentiel; **es lo ~** c'est le principal.

**príncipe** *m* **1.** prince: **~ de la sangre, heredero** prince du sang, héritier; **~ de Gales** prince de Galles **2. ~ azul** prince charmant. ◊ *a (edición)* princeps.

▶ *Príncipe de Asturias:* titre donné au fils du roi, héritier de la couronne.

**principesco, a** *a* princier, ère.

**principiante, a** *a/s* débutant, e.

**principiar** *vt/i* commencer: **principiaba a amanecer** il commençait à faire jour.

**principio** *m* **1.** commencement, début: **el ~ del fin** le commencement de la fin; **al ~, en un ~** au début; **a principios de** au début de: **a principios del mes** au début du mois; **a principios de octubre** début octobre **2.** *(en una comida)* entrée *f* **3.** *(fundamento, máxima)* principe ◊ *loc adv* **en ~** en principe; **por ~** par principe. ◊ *pl (reglas)* principes: **faltar a sus principios** manquer à ses principes.

**pringada** *f* tartine imprégnée de graisse.

**pringar** *vt* **1.** tremper dans de la graisse **2.** *(manchar)* tacher de graisse, graisser **3.** FIG *(a alguien)* salir, noircir **4.** FAM **pringarla** faire une bêtise: **¡la he pringado!** j'ai fait une bêtise!; *(morir)* claquer **5.** FAM *(trabajar)* bosser. ◆ **~se** *vpr* **1.** se tacher de graisse **2.** FAM **pringarse en un asunto** se salir les mains, tremper dans une affaire; **están pringadas altas personalidades del mundo político** de hautes personnalités du monde politique sont impliquées.

**pringoso, a** *a* graisseux, euse.

**pringue** *m/f* **1.** graisse *f* fondue **2.** *(suciedad)* crasse *f*, saleté *f*.

**prior** *m* prieur.

**priora** *f* prieure.

**priorato** *m* **1.** prieuré **2.** *(cargo)* priorat **3.** *(vino)* vin du Priorato (région de Tarragone).

**priori (a)** *loc adv* à priori.

**prioridad** *f* priorité: **tener ~** avoir la priorité.

**prioritario, a** *a* prioritaire.

**prisa** *f* **1.** hâte ◊ **darse ~** se dépêcher, se hâter, se presser; **¡date ~!** dépêche-toi!; **tener ~** être pressé, e, avoir hâte: **tengo mucha ~** je suis très pressé; **tener ~ por llegar** avoir hâte d'arriver; **no corre ~** ce n'est pas pressé, ça ne presse pas **2.** *loc adv* **a ~, de ~** vite: **ir muy de ~** aller très vite; **a toda ~** à toute vitesse; **de ~ y corriendo** en toute hâte, avec précipitation, hâtivement; **sin prisas** tranquillement.

**prisión** *f* **1.** *(cárcel)* prison **2.** *(acción de prender)* arrestation **3.** *(pena)* détention: **~ preventiva** détention préventive, provisoire ◊ **~ mayor** détention supérieure à six ans; **~ menor** détention supérieure à six mois. ◊ *pl (grillos)* fers *m*.

**prisionero, a** *s* prisonnier, ère: **~ de guerra** prisonnier de guerre.

**prisma** *m* prisme.

**prismático, a** *a* prismatique. ◊ *m pl* jumelles *f*.

**prístino, a** *a* primitif, ive, originel, elle.

**privación** *f* privation: **pasar privaciones** souffrir de privations.

**privadamente** *adv* en privé.

**privado, a** *a* privé, e: **club ~** club privé; **vida privada** vie privée. ◊ *m (de un príncipe)* favori.

**privanza** *f* faveur, intimité, qualité de favori.

**privar** *vt* **1.** *(quitar)* priver **2.** *(prohibir)* interdire **3.** *(impedir)* empêcher. ◊ *vi* **1.** *(con alguien)* être en faveur **2.** être en vogue, à la mode: **este año privan los trajes sastre** cette année les tailleurs sont à la mode **3.** régner: **el optimismo que privaba** l'optimisme qui régnait. ◆ **~se** *vpr* se priver: **se priva de todo** il se prive de tout.

**privativo, a** *a* **1.** privatif, ive **2. ser ~ de** être propre à, particulier, ère à, l'apanage de.

**privatización** *f* privatisation.

**privatizar** *vt* privatiser.

**privilegiado, a** *a/s* privilégié, e.

**privilegiar** *vt* privilégier.

**privilegio** *m* privilège.

**pro** *m* **1.** profit ◊ **hombre de ~** homme de bien **2. el ~ y el contra** le pour et le contre; **los pros y los contras** les avantages et les inconvénients **3.** *loc prep* **en ~ de** en faveur de.

**proa** *f* **1.** MAR proue **2.** FIG **poner la ~ a alguien** mettre des bâtons dans les roues à quelqu'un.

**probabilidad** *f* probabilité.

**probable** *a* **1.** probable: **es ~ que** il est probable que; **es ~ que venga** il est probable qu'il viendra, il y a des chances qu'il vienne; **es ~ que nieve** il est probable qu'il neigera; **es ~** c'est probable **2.** *(que se puede probar)* prouvable.

**probablemente** *adv* probablement.

**probado, a** *a* éprouvé, e.

**probador** *m* salon d'essayage, cabine *f* d'essayage.

**probanza** *f JUR* preuve.

**probar*** *vt* **1.** *(demostrar)* prouver: **esto prueba que...** cela prouve que... **2.** *(experimentar)* essayer, mettre à l'épreuve **3.** *(un vestido, un coche, etc.)* essayer **4.** *(un manjar, un líquido)* goûter: **prueba este vino** goûte ce vin **5.** ~ **fortuna** tenter fortune; **¡pruebe su suerte!** tentez votre chance! ◇ *vi* **1.** ~ **a** essayer de: **probaré a terminar pronto este trabajo** j'essaierai de terminer rapidement ce travail **2.** convenir, réussir: **le prueba bien el clima** le climat lui réussit, lui convient; **el mar no le prueba** la mer ne lui vaut rien. ◆ **~se** *vpr* **probarse un traje** essayer un costume.

**probatorio, a** *a* probatoire.

**probatura** *f FAM* essai *m*.

**probeta** *f* éprouvette ◊ **bebé** ~ bébé-éprouvette.

**probidad** *f* probité.

**problema** *m* problème: **plantear un** ~ poser un problème; **es tu** ~ c'est ton problème.

**problemático, a** *a/f* problématique.

**probo, a** *a* probe.

**procacidad** *f* **1.** impudence, effronterie, insolence **2.** *(dicho procaz)* grossièreté.

**procaz** *a* **1.** impudent, e, effronté, e, insolent, e **2.** grossier, ère **3.** indécent, e.

**procedencia** *f* **1.** origine, provenance **2.** *(de un barco, un tren, etc.)* provenance ◊ *(carta)* **a su** ~ retour à l'envoyeur **3.** convenance **4.** *(de una demanda, etc.)* bien-fondé *m*.

**¹proceder** *m* conduite *f*, procédé.

**²proceder** *vi* **1.** venir, provenir: **estas naranjas proceden de España** ces oranges viennent d'Espagne; **esta joya procede de una tumba incaica** ce bijou provient d'une tombe inca **2.** *(ser conveniente)* convenir, être nécessaire, être opportun, e: **si procede** si cela convient, est nécessaire, s'il y a lieu; **táchese lo que no proceda** biffez la mention inutile **3.** ~ **a** procéder à, se mettre à **4.** *JUR* ~ **contra** poursuivre en justice.

**procedimiento** *m* **1.** procédé, méthode *f* **2.** *JUR* procédure *f*: ~ **arbitral** procédure d'arbitrage.

**proceloso, a** *a POÉT* orageux, euse, tempétueux, euse.

**procendente** *a* **1.** provenant, e, en provenance: **barco ~ de Mallorca** bateau en provenance de Majorque **2.** *(oportuno)* opportun, e, fondé, e, pertinent, e, adéquat, e.

**prócer** *a* grand, e. ◇ *m* personnage illustre.

**procesado, a** *a/s JUR* inculpé, e.

**procesador** *m INFORM* processeur, unité *f* de traitement.

**procesal** *a* relatif, ive au procès, à la procédure.

**procesamiento** *m* **1.** *JUR* inculpation *f*, mise *f* en accusation: **auto de** ~ arrêt de mise en accusation **2.** *(de un mineral, de datos, etc.)* traitement.

**procesar** *vt* **1.** *JUR* instruire un procès **2.** *(a una persona)* inculper **3.** *(una sustancia, un mineral, etc.)* traiter **4.** *INFORM* traiter.

**procesión** *f* **1.** procession **2.** *FIG* **la ~ va por dentro** je (il, etc.) n'en pense pas moins, cache mes (ses, etc.) sentiments.

**procesionaria** *f* processionnaire, chenille processionnaire.

**proceso** *m* **1.** *JUR* procès **2.** *(desarrollo de una cosa)* processus: ~ **de modernización** processus de modernisation; ~ **de paz** processus de paix **3.** *(transcurso)* cours: **en ~ de restauración** en cours de restauration **4.** *INFORM* ~ **de datos, de textos** traitement de l'information, de texte.

**proclama** *f* proclamation. ◇ *pl (amonestaciones)* bans *m*.

**proclamación** *f* proclamation.

**proclamar** *vt* proclamer. ◆ **~se** *vpr* se proclamer.

**proclítico, a** *a GRAM* proclitique.

**proclive** *a* enclin, e: ~ **a** enclin à, prédisposé, e à.

**proclividad** *f* inclination, penchant *m*.

**procomún** *m* bien public, intérêt général.

**procónsul** *m* proconsul.

**procreación** *f* procréation.

**procreador, a** *s* procréateur, trice.

**procrear** *vt* procréer.

**procura** *f AMER* recherche: **en ~ de** à la recherche de.

**procuración** *f* procuration.

**procurador** *m* **1.** procureur **2.** *(abogado)* avoué **3.** ~ **en Cortes** membre du Parlement.

**procuraduría** *f* charge, bureau *m* du procureur.

**procurar** *vt* **1.** *(tratar de)* tâcher de, essayer de: **procura llegar temprano** essaie d'arriver tôt; **procura recordar** essaie de te souvenir **2.** faire en sorte: **procura que nadie te vea** fais en sorte que personne ne te voie **3.** *(proporcionar)* procurer. ◇ *vi* exercer la charge d'avoué. ◆ **~se** *vpr* se procurer.

**prodigalidad** *f* prodigalité.

**prodigar** *vt* prodiguer. ◆ **~se** *vpr* se prodiguer.

**prodigio** *m* prodige.

**prodigiosamente** *adv* prodigieusement.

**prodigioso, a** *a* prodigieux, euse.

**pródigo, a** *a/s* prodigue ◊ **el hijo** ~ l'enfant prodigue.

**pródromo** *m* prodrome.

**producción** *f* production.

**producir*** *vt* **1.** produire: **este ciruelo produce ciruelas muy jugosas** ce prunier produit des prunes très juteuses; **entre las obras que produjo...** parmi les œuvres qu'il a produites... **2.** faire, causer: **su muerte me produjo una gran tristeza** sa mort m'a fait une grande peine; **déjame llorar, me produce bien** laisse-moi pleurer, ça me fait du bien; ~ **asco** dégoûter. ◆ **~se** *vpr* se produire.

**productividad** *f* productivité.

**productivo, a** *a* productif, ive.

**producto** *m* produit: **productos químicos, de belleza** produits chimiques, de beauté.

**productor, a** *a/s* producteur, trice.

**proemio** *m* préface *f*, avant-propos.

**proeza** *f* prouesse, exploit *m*.

**profanación** *f* profanation.

**profanador, a** *a/s* profanateur, trice.

**profanar** *vt* profaner.

**profano, a** *a/s* profane.

**profe** *s FAM* prof: **los profes** les profs.

**profecía** *f* prophétie.

**proferir*** *vt* proférer.

**profesar** *vt* professer. ◇ *vi RELIG* prononcer ses vœux.

**profesión** *f* **1.** profession: ~ **liberal** profession libérale; **de ~, albañil** profession, maçon **2.** *RELIG* profession: ~ **de fe** profession de foi **3. hacer ~ de** faire profession de.

**profesional** *a/s* professionnel, elle.

**profesionalidad** *f* professionnalisme *m*, compétence.

**profesionalismo** *m* professionnalisme.

**profeso, a** *a RELIG* profès, esse.

**profesor, a** *s* professeur *(sin femenino en francés)*: **es profesora de piano** elle est professeur de piano.

**profesorado** *m* **1.** professorat **2.** *(cuerpo de profesores)* corps enseignant, corps professoral, ensemble des professeurs, des enseignants.

**profeta** *m* prophète ◊ *PROV* **nadie es ~ en su tierra** nul n'est prophète en son pays.

**profético, a** *a* prophétique.

**profetiza** *f* prophétesse.

**profetizar** *vt* prophétiser.

**profiláctico, a** *a* prophylactique. ◇ *f* prophylaxie.

**profilaxis** *f* prophylaxie.

**prófugo, a** *a/s* fugitif, ive. ◇ *m MIL* réfractaire, insoumis.

**profundamente** *adv* profondément.

**profundidad** *f* **1.** profondeur **2.** *(foto)* **~ de campo** profondeur de champ.

**profundizar** *vt/i* approfondir, creuser: **~ en una cuestión** approfondir une question; **una obra que profundiza en la realidad** une œuvre qui plonge dans la réalité.

**profundo, a** *a* **1.** profond, e **2.** *FIG* profond, e: **un sueño ~** un profond sommeil. ◇ *m* **lo ~** la profondeur.

**profusamente** *adv* profusément.

**profusión** *f* profusion.

**profuso, a** *a* profus, e, abondant, e.

**progenie** *f* race, ascendance.

**progenitor, a** *s* géniteur, trice. ◇ *pl FAM* géniteurs, parents.

**progenitura** *f* progéniture.

**progestágeno** *m MED* progestatif.

**progesterona** *f* progestérone.

**prognato, a** *a/s* prognathe.

**programa** *m* programme ◊ **todo un ~** tout un programme.

**programable** *a* programmable.

**programación** *f* programmation.

**programador, a** *s* **1.** programmateur, trice **2.** *(para un ordenador)* programmeur, euse.

**programar** *vt* programmer.

**progre** *a/s FAM* progressiste.

**progresar** *vi* progresser.

**progresión** *f* **1.** progression **2.** *MAT* **~ aritmética, geométrica** progression arithmétique, géométrique.

**progresista** *a/s* progressiste.

**progresivamente** *adv* progressivement.

**progresividad** *f* progressivité.

**progresivo, a** *a* progressif, ive.

**progreso** *m* progrès.

**prohibición** *f* interdiction, prohibition.

**prohibicionista** *a* prohibitionniste.

**prohibir** *vt* défendre, interdire, prohiber: **el médico me ha prohibido fumar** le médecin m'a défendu de fumer; **se prohibe fumar** défense de fumer; **se prohibe el paso** passage interdit; **prohibida la entrada** entrée interdite; **prohibido fijar carteles** défense d'afficher.

**prohibitivo, a** *a* prohibitif, ive.

**prohijamiento** *m* adoption *f*.

**prohijar** *vt* adopter.

**prohombre** *m* homme important, notable.

**pro indiviso** *loc JUR* par indivis.

**proís** *m MAR* bitte *f* d'amarrage.

**prójima** *f FAM* **1.** femme légère, traînée **2.** *(esposa)* moitié.

**prójimo** *m* **1.** prochain, autrui: **amar al ~** aimer son prochain **2.** *PEYOR* individu.

**prolapso** *m MED* prolapsus.

**prole** *f* progéniture *f*, enfants *m pl*.

**prolegómenos** *m pl* prolégomènes.

**proletariado** *m* prolétariat.

**proletario, a** *a* prolétarien, enne. ◇ *a/s* prolétaire.

**proletarización** *f* prolétarisation.

**proliferación** *f* prolifération.

**proliferar** *vi* proliférer.

**prolífico, a** *a* prolifique.

**prolijidad** *f* prolixité.

**prolijo, a** *a* **1.** *(demasiado extenso)* prolixe **2.** *(minucioso)* minutieux, euse, méticuleux, euse.

**prologar** *vt* préfacer.

**prólogo** *m* préface *f*, prologue.

**prologuista** *s* préfacier.

**prolongación** *f* **1.** prolongation **2.** *(parte prolongada)* prolongement *m*.

**prolongado, a** *a* allongé, e, oblong, gue.

**prolongamiento → prolongación.**

**prolongar** *vt* prolonger. ◆ **~se** *vpr* se prolonger.

**promediar** *vt* partager par moitié, diviser en deux. ◇ *vi* **1.** être à sa moitié: **antes de ~ el mes de febrero** avant la mi-février: **al ~ la mañana** au milieu de la matinée; **la tarde promediaba** on était au milieu de l'après-midi **2.** *(mediar)* intervenir.

**promedio** *m* **1.** *(punto medio)* milieu **2.** *(término medio)* moyenne *f*: **un ~ de 80 km por hora** une moyenne de 80 km à l'heure; **como ~** en moyenne.

**promesa** *f* promesse: **no has cumplido tu ~** tu n'as pas tenu ta promesse.

**prometedor, a** *a* prometteur, euse.

**Prometeo** *np m* Prométhée.

**prometer** *vt/i* promettre: **me ha prometido ayudarme** il m'a promis de m'aider; **nos tiene prometida una sorpresa** il nous a promis une surprise; **este chico promete** ce garçon promet. ◆ **~se** *vpr* **1.** se promettre ◊ *FAM* **prometérselas muy felices** se promettre du plaisir, se réjouir par avance, s'en promettre de belles **2.** *(desposarse)* se fiancer: **se prometieron y se casaron** ils se fiancèrent et se marièrent.

**prometido, a** *s (novio)* promis, e, fiancé, e. ◇ *m* promesse *f* ◊ **lo ~ es deuda** chose promise, chose due.

**prominencia** *f* proéminence.

**prominente** *a* proéminent, e.

**promiscuidad** *f* promiscuité.

**promiscuo, a** *a* mélangé, e, mêlé, e.

**promisión** *f* **Tierra de ~** Terre promise.

**promisorio, a** *a* qui renferme une promesse.

**promoción** *f* promotion.

**promocionar** *vt (un producto, etc.)* promouvoir.

**promontorio** *m* promontoire.

**promotor, a** *a/s* promoteur, trice.

**promover*** *vt* **1.** provoquer, susciter, occasionner, soulever: **~ un escándalo** provoquer un scandale; **~ una polémica, una oleada de protestas** soulever une polémique, une tempête de protestations **2.** engager, entamer: **~ un pleito contra** engager un procès contre **3.** *(ascender a alguien)* promouvoir: **~ a coronel** promouvoir au grade de colonel.

**promulgación** *f* promulgation.

**promulgar** *vt* promulguer.

**prono, a** *a* **1.** enclin, e **2.** couché, e sur le ventre.

**pronombre** *m* GRAM pronom: **~ personal** pronom personnel.

**pronominal** *a* pronominal, e: **verbo ~** verbe pronominal.

**pronosticar** *vt* pronostiquer.

**pronóstico** *m* **1.** pronostic: **~ reservado** pronostic réservé **2. ~ del tiempo** prévisions *f pl* météorologiques.

**prontamente** *adv* promptement, rapidement.

**prontitud** *f* promptitude, rapidité.

**pronto, a** *a* **1.** prompt, e, rapide: **la pronta acción de los bomberos** la rapide intervention des pompiers; **en espera de una pronta respuesta** dans l'attente d'une prompte réponse **2.** *(dispuesto, listo)* prêt, e: **estar ~ para marchar** être prêt à partir. ◇ *m* FAM mouvement d'humeur, crise *f* de colère: **tener prontos** avoir des mouvements d'humeur. ◇ *adv* **1.** *(temprano)* tôt: **aún es ~ para...** il est encore trop tôt pour... **2.** *(rápidamente)* vite: **~ está dicho** c'est vite dit; **¡pronto!** vite! **3.** *(enseguida)* bientôt: **¡hasta ~ !** à bientôt!; **abordaremos este tema muy ~** nous aborderons ce sujet très prochainement ◊ **tan ~ como** dès que **4.** *loc adv* **al ~** au premier abord, sur le moment, tout de suite: **no le reconocí al ~** je ne vous ai pas reconnu sur le moment; **de ~** soudain; **por de ~ , por lo ~** pour le moment, pour l'instant, en attendant.

**prontuario** *m* **1.** *(compendio)* abrégé, précis **2.** aide-mémoire **3.** AMER fiche *f* (d'un détenu).

**pronunciable** *a* prononçable.

**pronunciación** *f* prononciation.

**pronunciamiento** *m* **1.** soulèvement militaire, pronunciamiento **2.** JUR prononcé.

**pronunciar** *vt* prononcer. ◆ **~se** *vpr* **1.** se prononcer: **pronunciarse en favor de...** se prononcer en faveur de... **2.** *(sublevarse)* se soulever.

**propagación** *f* propagation.

**propagador, a** *a/s* propagateur, trice.

**propaganda** *f* **1.** *(en política)* propagande **2.** publicité: **hacer ~ de** faire de la publicité pour; **cartel de ~** affiche publicitaire.

**propagandista** *s* propagandiste.

**propagandístico, a** *a* de propagande, publicitaire: **octavilla propagandística** tract de propagande.

**propagar** *vt* propager. ◆ **~se** *vpr* se propager.

**propalar** *vt* divulguer, propager, répandre.

**propano** *m* propane.

**propasarse** *vpr* dépasser les bornes, aller trop loin, exagérer.

**propedéutico, a** *a* propédeutique.

**propender** *vi* tendre à, avoir tendance à, avoir une propension à.

**propensión** *f* propension, prédisposition, penchant *m*.

**propenso, a** *a* enclin, e, porté, e, sujet, ette: **ser ~ a quejarse** être enclin à se plaindre.

**propergol** *m* propergol.

**propiamente** *adv* **1.** proprement: **~ dicho** proprement dit **2.** *(exactamente)* à proprement parler.

**propiciar** *vt* **1.** rendre propice **2.** *(favorecer)* favoriser: **~ un acercamiento entre ambos partidos** favoriser un rapprochement entre les deux partis; **la vida sedentaria propicia la obesidad** la vie sédentaire favorise l'obésité **3.** *(aplacar)* apaiser. ◆ **~se** *vpr* s'attirer.

**propiciatorio, a** *a* propitiatoire.

**propicio, a** *a* propice, favorable.

**propiedad** *f* **1.** propriété: **~ privada, industrial, intelectual** propriété privée, industrielle, intellectuelle ◊ **ser de ~ de** être la propriété de, appartenir à; **en ~** en propre; **quedar en ~ de** rester la propriété de **2.** *(características)* propriété **3.** *(semejanza)* ressemblance.

**propileo** *m* ARQ propylée.

**propina** *f* pourboire *m*: **dar una ~** donner un pourboire.

**propinar** *vt* **1.** donner à boire, un pourboire **2.** FIG administrer: **~ una paliza** administrer une raclée.

**propincuo, a** *a* proche, voisin, e.

**propio, a** *a* **1.** propre: **nombre ~** nom propre; **con mis propios ojos** de mes propres yeux **2. ~ de** propre à, particulier, ère à, caractéristique de: **es muy ~ de él** c'est bien de lui; **~ para** approprié, e à **3.** même: **aparcamiento en el ~ edificio** parking dans l'immeuble même **4.** lui- même, elle-même, etc.: **el ~ director** le directeur lui-même **5. no tiene nada ~** il n'a rien à lui, de personnel; **tiene coche ~** il a sa propre voiture, il possède une voiture; **ese coche es suyo ~** cette voiture est à lui **6. lo ~** la même chose: **ocurrió lo ~ ayer** la même chose est arrivée hier. ◇ *m (mensajero)* messager.

**proponer*** *vt* proposer: **me propuso ir al cine** il m'a proposé d'aller au cinéma. ◆ **~se** *vpr* se proposer: **me propongo escribirte** je me propose de t'écrire.

**proporción** *f* **1.** proportion **2.** *(oportunidad)* occasion **3.** MAT proportion. ◇ *pl (tamaño)* **estadio de proporciones gigantescas** stade aux proportions, aux dimensions gigantesques.

**proporcionado, a** *a* proportionné, e: **bien ~** bien proportionné.

**proporcional** *a* proportionnel, elle.

**proporcionalidad** *f* proportionnalité.

**proporcionalmente** *adv* proportionnellement.

**proporcionar** *vt* **1.** proportionner **2.** *(suministrar)* procurer, fournir, faire avoir **3.** *(dar)* donner. ◆ **~se** *vpr* se procurer.

**proposición** *f* proposition: **hacer proposiciones de paz** faire des propositions de paix.

**propósito** *m* **1.** intention *f*, dessein: **tengo el ~ de visitar Grecia** j'ai l'intention de visiter la Grèce; **hacer ~ de** avoir l'intention de, se proposer de **2.** *(objetivo)* but **3.** *loc adv* **a ~** à propos; *(adrede)* exprès: **no lo hice a ~** je ne l'ai pas fait exprès, volontairement; **de ~** exprès, à dessein; **fuera de ~** hors de propos **4.** *loc prep* **a ~ de** à propos de; **a ~ para** fait pour, faite pour, qui convient à: **no es hombre a ~ para...** il n'est pas homme à, il n'est pas fait pour...

**propuesta** *f* proposition: **a ~ de** sur la proposition de; **recharzar una ~** rejeter une proposition.

**propuesto, a** *pp* de **proponer.** ◇ *a* proposé, e.

**propugnar** *vt* défendre, soutenir, plaider pour: **~ un programa** défendre un programme.

**propulsar** *vt* propulser.

**propulsión** *f* propulsion.

**propulsor** *m* propulseur.

**prorrata** *f* prorata *m inv*: **a ~** au prorata.

**prorratear** *vt* partager au prorata.

**prorrateo** *m* partage au prorata.

**prórroga** *f* **1.** prorogation **2.** *(de un partido)* prolongation **3.** MIL sursis *m* d'incorporation.

**prorrogable** *a* qui peut être prorogé, e.

**prorrogar** *vt* proroger: **~ un plazo** proroger un délai.

**prorrumpir** *vi* **1.** jaillir impétueusement **2.** FIG **~ en sollozos** éclater en sanglots: **~ en gritos, en suspiros** pousser des cris, des soupirs.

**prosa** *f* prose.

**prosaicamente** *adv* prosaïquement.

**prosaico, a** *a* prosaïque.

**prosaísmo** *m* prosaïsme.

**prosapia** *f* ascendance, lignage *m*.

**proscenio** *m* avant-scène *f*.

**proscribir*** *vt* **1.** *(expulsar)* proscrire, bannir **2.** *(prohibir)* proscrire, interdire, défendre.

**proscripción** *f* proscription.

**proscripto, a, proscrito, a** *a/s* proscrit, e.

**prosecución** *f*, **proseguimiento** *m* poursuite *f*.

**proseguir*** *vt/i* poursuivre, continuer: **~ con, en sus estudios** poursuivre ses études; **prosigue el mal tiempo** le mauvais temps continue.

**proselitismo** *m* prosélytisme.

**prosélito** *m* prosélyte.

**Proserpina** *np f* Proserpine.

**prosista** *s* prosateur: **un, una ~** un prosateur.

**prosodia** *f* prosodie.

**prosódico, a** *a* prosodique.

**prosopopeya** *f* **1.** *(figura retórica)* prosopopée **2.** FAM emphase, affectation, solennité.

**prospección** *f* prospection.

**prospectar** *vt* prospecter.

**prospectiva** *f* prospective.

**prospecto** *m* prospectus.

**prosperar** *vi* prospérer.

**prosperidad** *f* **1.** prospérité **2.** *(éxito)* succès *m*.

**próspero, a** *a* **1.** prospère **2. ¡ ~ año nuevo!** bonne et heureuse année!

**próstata** *f* prostate.

**prostático, a** *a* prostatique.

**prosternación** *f* prosternation.

**prosternarse** *vpr* se prosterner.

**prostíbulo** *m* maison *f* close.

**prostitución** *f* prostitution.

**prostituir*** *vt* prostituer. ◆ **~se** *vpr* se prostituer.

**prostituta** *f* prostituée.

**protagonismo** *m* **1.** premier rôle, situation *f* de vedette **2.** vedettariat.

**protagonista** *s* **1.** protagoniste, acteur principal, actrice principale **2.** *(de una obra literaria o de un suceso cualquiera)* héros, héroïne.

**protagonizar** *vt* jouer le rôle principal, interpréter, être la vedette de, le héros de: **~ una película** être la vedette d'un film; **película protagonizada por X** film avec X pour acteur principal.

**protección** *f* protection: **bajo la ~ de** sous la protection de; **~ civil, social** protection civile, sociale.

**proteccionismo** *m* protectionnisme.

**proteccionista** *a* protectionniste.

**protector, a** *a/s* protecteur, trice. ◇ *m (boxeo)* protège-dents *inv*.

**protectorado** *m* protectorat.

**proteger** *vt* protéger: **proteja sus bienes** protégez vos biens. ◆ **~se** *vpr* se protéger.

**protegido, a** *s* protégé, e.

**proteico, a** *a* **1.** protéiforme **2.** QUÍM protéique.

**proteína** *f* protéine.

**Proteo** *np m* Protée.

**protervo, a** *a* pervers, e.

**protésico** *m* mécanicien-dentiste.

**prótesis** *f* prothèse: **~ dental** prothèse dentaire.

**protesta** *f* protestation.

**protestante** *a/s* **1.** RELIG protestant, e **2.** protestataire.

**protestantismo** *m* protestantisme.

**protestar** *vi/t* **1.** protester: **~ contra, de** protester contre ◇ **~ de su inocencia** protester de son innocence **2.** COM **~ una letra** protester une lettre de change.

**protesto** *m* COM protêt.

**protestón, ona** *a* FAM râleur, euse, rouspéteur, euse.

**prótido** *m* protide.

**protocolario, a** *a* protocolaire.

**protocolizar** *vt* insérer dans un minutier.

**protocolo** *m* **1.** *(cuaderno de actas, reglas)* protocole **2.** *(de notario)* minutier, registre.

**protohistoria** *f* protohistoire.

**protón** *m* FÍS proton.

**protoplasma** *m* BIOL protoplasme.

**prototipo** *m* prototype.

**protozoos** *m pl* ZOOL protozoaires.

**protuberancia** *f* protubérance.

**protuberante** *a* protubérant, e.

**provecho** *m* **1.** profit: **sacar ~ de** tirer profit de, profiter de **2. ¡buen ~ !** bon appétit! **3. de ~** utile **4.** *loc prep* **en ~ de** au profit de.

**provechoso, a** *a* profitable.

**provecto, a** *a* mûr, e, avancé, e: **edad provecta** âge avancé.

**proveedor, a** *s* fournisseur, euse, pourvoyeur, euse.

**proveeduría** *f* magasin *m*.

**proveer*** *vt* **1.** pourvoir, fournir **2.** *(abastecer)* approvisionner **3. ~ a las necesidades** pourvoir aux besoins **4.** *(un cargo)* octroyer **5.** JUR *(una resolución)* prononcer, statuer sur. ◆ **~se** *vpr* se pourvoir de, s'approvisionner en.

**proveimiento** *m* approvisionnement.

**proveniente** *a* provenant, e ◇ **productos provenientes de África** des produits en provenance d'Afrique.

**provenir*** *vi* provenir: **¿de dónde proviene el error?** d'où provient l'erreur?

**Provenza** *np f* Provence.

**provenzal** *a/s* provençal, e.

**proverbial** *a* proverbial, e.

**proverbio** *m* proverbe.

**providencia** *f* **1.** providence: **la divina ~** la divine providence **2.** mesure, disposition: **tomar providencias** prendre des mesures **3.** JUR *(del tribunal)* arrêt *m*.

**providencial** *a* providentiel, elle.

**providente** *a* **1.** prévoyant, e **2.** prudent, e.

**próvido, a** *a* **1.** *(previsor)* prévoyant, e **2.** propice.

**provincia** *f* **1.** province: **ir a provincias** aller en province **2.** département *m*.

**provincial** *a/m* provincial, e.

**provinciala** *f* supérieure provinciale.

**provincialismo** *m* provincialisme.

**provinciano, a** *a/s* provincial, e: **los provincianos en Madrid** les provinciaux à Madrid.

**provisión** *f* **1.** *(víveres, etc.)* provision **2.** *(medida)* mesure, disposition **3.** *COM* **~ de fondos** provision.

**provisional** *a* provisoire: **en libertad ~** en liberté provisoire.

**provisionalmente** *adv* provisoirement.

**provisor** *m* **1.** pourvoyeur, fournisseur **2.** juge ecclésiastique, official.

**provisorio, a** *a AMER* provisoire.

**provisto, a** *pp irreg* de **proveer.**

**provocación** *f* provocation.

**provocador, a** *a/s* provocateur, trice.

**provocar** *vt* **1.** *(excitar, causar)* provoquer: **~ a alguien, un incendio** provoquer quelqu'un, un incendie **2.** *(con coqueterías)* aguicher **3.** *AMER* faire envie, donner envie de: **¡me provoca darte una bofetada!** j'ai une de ces envies de te donner une gifle!

**provocativo, a** *a* provoquant, e.

**proxeneta** *m* proxénète.

**proxenetismo** *m* proxénétisme.

**próximamente** *adv (pronto)* prochainement.

**proximidad** *f* proximité. ◇ *pl (cercanías)* alentours *m*.

**próximo, a** *a* **1.** *(cercano)* proche: **hotel ~ a la estación** hôtel proche de la gare; **sus colaboradores más próximos** ses collaborateurs les plus proches **2.** prochain, e: **la semana próxima** la semaine prochaine; **el ~ 5 de febrero** le 5 février prochain; **la próxima vez** la prochaine fois **3.** *FIG* **están próximos a casarse** il sont sur le point de se marier; **empresa próxima a la quiebra** entreprise proche de, au bord de la faillite; **estar ~ a la jubilación** être près de la retraite.

**proyección** *f* projection.

**proyectar** *vt* **1.** *(lanzar)* projeter **2.** *FIG (idear)* projeter, envisager **3.** *(una película, silueta)* projeter. ◆ **~se** *vpr* se projeter.

**proyectil** *m* projectile.

**proyectista** *s* **1.** faiseur, euse de projets **2.** projeteur, euse.

**proyecto** *m* projet: **en ~** en projet.

**proyector** *m* projecteur.

**prudencia** *f* **1.** prudence **2.** *(sensatez)* sagesse.

**prudencial** *a* **1.** prudent, e **2.** *(cálculo)* approximatif, ive.

**prudente** *a* prudent, e.

**prudentemente** *adv* prudemment.

[1]**prueba** *f* **1.** preuve: **dar pruebas de** faire preuve de; **ser ~ de que** être la preuve que; **aducir pruebas** apporter des preuves **2.** épreuve: **poner a ~** mettre à l'épreuve; **a ~ de** à l'épreuve de; *FIG* **a toda ~, a ~ de bomba** à toute épreuve **3.** *(ensayo)* essai *m*: **pruebas nucleares** essais nucléaires; **piloto de ~** pilote d'essai; **~ en vuelo** essai, expérimentation en vol; **a ~, en ~** à l'essai: **televisor a ~ por diez días** téléviseur à l'essai pour dix jours; **la ~ del sida** le test du sida **4.** *(de un vestido)* essayage *m* **5.** *FIG (testimonio)* preuve, marque, témoignage *m*: **una ~ de afecto** une marque d'affection; **en ~ de su cariño** comme preuve de son affection **6.** *(de imprenta, foto)* épreuve: **~ negativa** épreuve négative; **sacar pruebas** tirer des épreuves **7.** *(deporte, en un examen)* épreuve: **~ eliminatoria** épreuve éliminatoire **8.** *MAT* **~ del nueve** preuve par neuf.

[2]**prueba, pruebas,** etc → **probar.**

**prurigo** *m MED* prurigo.

**prurito** *m* **1.** prurit, démangeaison *f* **2.** *FIG (afán)* souci, désir: **un ~ de exactitud** un souci d'exactitude.

**Prusia** *np f* Prusse.

**prusiano, a** *a/s* prussien, enne.

**¡psché!, ¡psé!** *interj* peuh!, bah!, bof!: **¡ ~ !¿qué más da?** bah! qu'est-ce que ça peut faire?

**pseudo** → **seudo.**

**psicoanálisis** *f* psychanalyse.

**psicoanalista** *s* psychanalyste.

**psicoanalítico, a** *a* psychanalitique.

**psicodélico, a** *a* psychédélique.

**psicodrama** *m* psychodrame.

**psicofármaco** *m* psychotrope.

**psicología** *f* psychologie.

**psicologicamente** *adv* psychologiquement.

**psicológico, a** *a* psychologique.

**psicólogo, a** *s* psychologue.

**psicomotor, a** *a* psychomoteur, trice.

**psicomotricidad** *f* psychomotricité.

**psicópata** *s* psychopathe.

**psicopatía** *f* psychopathie.

**psicopatología** *f* psychopathologie.

**psicosis** *f* psychose.

**psicosomático, a** *a* psychosomatique.

**psicotecnia** *f* psychotechnie.

**psicoterapeuta** *s* psychotérapeute.

**psicoterapia** *f* psychothérapie.

**psicótropo** *m* psychotrope.

**psique** *f* psyché.

**psiquiatra** *s* psychiatre.

**psiquiatría** *f* psychiatrie.

**psiquiátrico, a** *a* psychiatrique.

**psíquico, a** *a* psychique.

**psiquismo** *m* psychisme.

**psitacismo** *m* psittacisme.

**psoriasis** *f MED* psoriasis *m*.

**Ptolemeo** *np m* Ptolémée.

**púa** *f* **1.** piquant *m*, épine **2.** *(de erizo)* piquant *m* **3.** *(de peine)* dent **4.** *MÚS* médiator *m* **5.** *FIG (astuto)* malin, igne.

**¡puah!** *interj* pouah!

**púber** *a/s* pubère.

**pubertad** *f* puberté.

**pubiano, a** *a* pubien, enne.

**pubis** *m* pubis.

**publicación** *f* publication.

**publicano** *m HIST* publicain.

**publicar** *vt* **1.** publier **2.** **libro que acaba de publicarse** livre qui vient de paraître.

**publicidad** *f* publicité.

**publicista** *s* **1.** publiciste **2.** publicitaire.

**publicitario, a** *a* publicitaire ◇ *s* publicitaire.

**público, a** *a* public, ique: **el sector ~** le secteur public; **la vía pública** la voie publique ◇ **hacer ~** rendre public; **declaración hecha pública** déclaration rendue publique. ◇ *m* **1.** public: **el ~ en general** le grand public; **en ~** en public ◇ **dar al ~** publier **2.** *(gente)* monde.

**¡pucha(s)!** *interj AMER* putain!, mince!

**pucherazo** *m* truquage des élections: **dar ~** truquer les élections.

**puchero** *m* **1.** *(vasija)* marmite *f*, pot-au-feu **2.** *(manjar)* pot-au-feu **3.** *FIG (alimento diario)* croûte *f*, pitance *f*: **ganar el ~** gagner sa croûte, faire bouillir la marmite. ◇ *pl* **hacer pucheros** faire la lippe, des grimaces (avant d'éclater en sanglots).

**puches** *m/f pl (gacha)* bouillie *f sing*.

**pucho** *m AMER (colilla)* mégot.

**pude** → **poder.**

**pudelación** *f TECN* puddlage *m*.

**pudendo, a** *a* honteux, euse: **partes pudendas** parties honteuses.

**pudibundez** *f* pudibonderie.

**pudibundo, a** *a* pudibond, e.

**pudidicia** *f* pudicité.

**púdico, a** *a* pudique.

**pudiente** *a/s* puissant, e, riche.

**pudiera, pudiese, pudimos,** etc. → **poder.**

**pudín** *m* pudding.

**pudinga** *f GEOL* poudingue *m*.

**pudo** → **poder.**

**pudor** *m* pudeur *f*.

**pudoroso, a** *a* pudique.

**pudrición** *f* putréfaction.

**pudridero** *m* pourrissoir.

**pudrimiento** *m* putréfaction *f*.

**pudrir*** *vt* **1.** pourrir, putréfier **2.** *FIG* horripiler, exaspérer. ◇ *vi* être mort, e. ◆ **~se** *vpr* **1.** *(descomponerse)* pourrir **2.** *FAM* **¡que se pudra!** qu'il aille se faire voir ailleurs!

**pudú** *m* bouquetin du Chili.

**pueblada** *f AMER* émeute.

**pueblecito** *m* petit village.

**pueblerino, a** *a* villageois, e.

**pueblo** *m* **1.** *(población pequeña)* village **2.** *(conjunto de personas)* peuple **3.** *AMER* **pueblos jóvenes** bidonvilles (au Pérou).

**pueblucho** *m* patelin.

**puedo,** etc. → **poder.**

**puente** *m* **1.** pont: **~ colgante, giratorio, transbordador** pont suspendu, tournant, transbordeur; **~ levadizo** pont-levis **2.** *MAR* passerelle *f* **3.** *(de violín, etc.)* chevalet **4. hacer ~** faire le pont: **el ~ del Primero de Mayo** le pont du Premier Mai **5. ~ aéreo** pont aérien **6.** *(diente)* bridge **7.** *FIG* **hacer, tender un ~ de plata a** tendre la perche à.

▶ *Puente aéreo:* désigne, en particulier, une liaison aérienne régulière entre Madrid et Barcelone.

**puenting** *m* saut à l'élastique.

**puercamente** *adv* salement.

**puerco, a** *a (sucio)* sale. ◇ *m* **1.** *(cerdo)* cochon, porc ◊ **~ montés** sanglier **2. ~ espín** porc-épic **3.** *FIG* cochon. ◇ *f* **1.** *(hembra del puerco)* truie **2.** *FIG* cochonne.

**puericultora** *f* puéricultrice.

**puericultura** *f* puériculture.

**pueril** *a* puéril, e.

**puerilidad** *f* puérilité.

**puerilmente** *adv* puérilement.

**puérpera** *f* accouchée.

**puerperal** *a MED* puerpéral, e.

**puerro** *m* poireau.

**puerta** *f* **1.** porte: **~ excusada, falsa** porte dérobée; **~ vidriera** porte vitrée ◊ *FIG* **coger, tomar la ~** prendre la porte; **dar con la ~ en las narices a** fermer la porte au nez de, claquer la porte au nez de; **con los exámenes en puertas** à la veille des examens; **llamar a la ~ de** frapper à la porte de; **poner puertas al campo** sécher la mer avec une éponge **2.** *(esquí)* porte **3.** *(fútbol)* buts *m pl* **4.** *loc adv* **a ~ cerrada** à huis clos: **la sesión ha sido a ~ cerrada** la séance a eu lieu à huis clos; **ir de ~ en ~** aller de porte en porte. ◇ *pl ANT* **derecho de puertas** droit d'entrée (dans une ville).

**puertaventana** *f* volet *m*, contrevent *m*.

**puerto** *m* **1.** port: **~ pesquero, de recreo** port de pêche, de plaisance; *FIG* **llegar a (buen) ~** arriver à bon port; **tomar ~** arriver au port **2.** *(entre dos montañas)* col, défilé **3.** *FAM* **~ de arrebatacapas** caverne *f* de voleurs.

**Puerto Rico** *np m* Porto Rico.

**puertorriqueño, a** *a/s* portoricain, e.

**pues** *conj* **1.** *(puesto que)* puisque **2.** *(porque)* car **3.** *(indica continuación)* donc: **decíamos ~** nous disions donc; **así ~** ainsi donc **4.** eh bien: **~ , quizá** eh bien, peut-être: **~ , sí** eh bien, oui; **~ , no sé** eh bien, je ne sais pas **5.** *(ahora bien)* or **6. ¡ ~ claro!** bien sûr! **7.** *(interrogación)* **¿pues?** et alors?, et pourquoi?; **¿ ~ qué creías?** et alors, qu'est-ce que tu croyais?; **¿ ~ qué?** et alors?

**puesta** *f* **1.** *(de un astro)* coucher *m*: **la ~ del sol** le coucher du soleil **2.** *(en el juego)* mise **3. ~ en escena** mise en scène **4. ~ en marcha** mise en marche **5. ~ en cuestión** mise en question **6. ~ de largo** entrée dans le monde, débuts *m pl* dans le monde (d'une jeune fille).

**puesto, a** *pp* de **poner.** ◇ *a* mis, e: **bien ~** bien mis, bien habillé. ◇ *m* **1.** *(lugar)* place *f*: **un ~ en el banco** une place sur le banc ◊ **estar en su ~** être à sa place **2.** *(empleo)* place *f*, poste, situation *f*: **tiene un buen ~** il a une bonne place; **~ de trabajo** emploi, poste de travail; **creación de nuevos puestos de trabajo** création de nouveaux emplois **3.** *(en un mercado, etc.)* petite boutique *f*, étal, étalage: **~ de helados** petite boutique de marchand de glaces; **~ de verduras** boutique de marchand de légumes; **los puestos de flores de las Ramblas** les kiosques de fleuristes des Ramblas; **los clientes merodeaban por los puestos** les clients traînaient autour des étals **4.** *(militar, de policía, etc.)* poste: **~ de socorro** poste de secours **5.** *(caza)* affût **6.** *loc conj* **~ que** puisque, attendu que.

**¹¡puf!** *interj* pouah!

**²puf** *m (asiento)* pouf.

**pufo** *m FAM* **1.** escroquerie *f*, arnaque *f* **2.** *(deuda)* ardoise *f*.

**púgil** *m* pugiliste.

**pugilato** *m* pugilat.

**pugna** *f* **1.** lutte, combat *m* **2.** opposition, conflit *m*.

**pugnacidad** *f* pugnacité.

**pugnar** *vi* **1.** lutter: **~ por el poder** lutter pour le pouvoir **2.** *FIG (esforzarse)* **~ por** lutter pour, se battre pour, s'efforcer de: **~ por no dormirse** faire des efforts pour ne pas s'endormir; **pugna por acercarse al cantante** il se bat pour s'approcher du chanteur.

**pugnaz** *a* pugnace.

**puja** *f* enchère.

**pujador, a** *s* enchérisseur, euse.

**pujante** *a* puissant, e, fort, e.

**pujanza** *f* force, vigueur.

**pujar** *vt (en una subasta)* enchérir, surenchérir. ◇ *vi* **1.** lutter, faire des efforts **2.** *(vacilar)* hésiter.

**pujo** *m* **1.** *MED* épreintes *f pl* **2.** *FIG* envie *f* irrésistible: **tuvo un ~ de risa, de reírse** elle fut prise d'une envie irrésistible de rire **3.** *FIG* prétention *f*, ambition *f*: **es un cantero con pujos de**

**escultor** c'est un tailleur de pierre avec des prétentions de sculpteur.

**pulcritud** *f* **1.** propreté **2.** *(esmero)* soin *m.*

**pulcro, a** *a* **1.** *(aseado)* soigné, e, propre **2.** *(cuidadoso)* soigneux, euse.

**pulga** *f* **1.** puce **2.** *FIG* **buscar las pulgas a uno** chercher des poux, des crosses à quelqu'un; **tener malas pulgas** avoir mauvais caractère, prendre facilement la mouche.

**pulgada** *f (medida)* pouce *m.*

**pulgar** *a/m (dedo)* pouce.

**pulgarada** *f* pincée, prise.

**Pulgarcito** *np m* le Petit Poucet.

**pulgón** *m* puceron.

**pulguillas** *s FAM* personne susceptible et irritable.

**pulido, a** *a* **1.** poli, e **2.** *(esmerado)* soigné, e. ◇ *m* polissage, ponçage.

**pulidor, a** *a/s* polisseur, euse. ◇ *m* polissoir. ◇ *f* ponceuse.

**pulimentar** *vt* polir: **la edad de la piedra pulimentada** l'âge de la pierre polie.

**pulimento** *m* **1.** *(acción)* polissage **2.** *(aspecto)* poli.

**pulir** *vt* **1.** polir, poncer **2.** *(dar brillo)* polir **3.** *FIG (a una persona)* dégrossir **4.** *POP (robar)* piquer, faucher. ◆ **~se** *vpr FAM (derrochar)* claquer: **en dos días se ha pulido diez mil pesetas** en deux jours il a claqué dix mille pesetas.

**pulla** *f* raillerie, pique, brocard *m,* quolibet *m,* lazzi *m* ◊ **lanzar pullas contra** brocarder, railler.

**pullóver** *m* pull-over, pull.

**pulmón** *m* **1.** poumon **2.** *MED* **~ de acero** poumon d'acier.

**pulmonar** *a* pulmonaire: **congestión ~** congestion pulmonaire.

**pulmonía** *f* pneumonie.

**pulpa** *f (de las frutas, de los dientes)* pulpe.

**pulpejo** *m* **1.** partie *f* charnue **2.** *(del dedo)* pulpe *f* **3.** *(del caballo)* talon.

**pulpería** *f AMER* épicerie-buvette.

**pulpero** *m AMER* patron d'une «pulpería».

**púlpito** *m (en una iglesia)* chaire *f*: **en el ~** en chaire.

**pulpo** *m* **1.** *(molusco)* poulpe, pieuvre *f* **2.** *FIG* **poner como un ~** battre comme plâtre.

**pulposo, a** *a* pulpeux, euse.

**pulque** *m AMER (bebida)* pulque.

**pulquería** *f AMER* débit *m* de pulque.

**pulquérrimo, a** *a (muy pulcro)* très propre, impeccable, irréprochable.

**pulsación** *f* pulsation.

**pulsador** *m* poussoir, bouton.

**pulsar** *vt* **1.** appuyer sur: **~ el timbre, la tecla** appuyer sur la sonnette, sur la touche **2.** *MÚS* jouer de, pincer **3.** *FIG (tantear)* sonder. ◇ *vi (latir)* battre.

**pulsera** *f* bracelet *m*: **una ~ de oro** un bracelet en or.

**pulsión** *f* pulsion.

**pulso** *m* **1.** pouls: **tomar el ~** prendre, tâter le pouls **2.** sûreté *f,* fermeté *f* du poignet ◊ **a ~** à bout de bras; *FIG* à la force du poignet: **se gana la vida a ~** il gagne sa vie à la force du poignet **3.** *FIG (prudencia)* prudence *f,* tact **4.** (partie *f* de) bras de fer: **echar, mantener un ~** se livrer à une partie de bras de fer, à un bras de fer; **~ entre el Gobierno y los mineros** bras de fer entre le Gouvernement et les mineurs.

**pulular** *vi* **1.** pulluler **2.** *BOT* bourgeonner.

**pulverización** *f* pulvérisation.

**pulverizador** *m* pulvérisateur.

**pulverizar** *vt* **1.** pulvériser **2.** *FIG (aniquilar)* pulvériser.

**pulverulento, a** *a* pulvérulent, e.

**¡pum!** *interj* pan!, poum!

**puma** *m* puma.

**puna** *f AMER* puna (haut-plateau des Andes, mal des montagnes).

**punción** *f MED* ponction: **~ lumbar** ponction lombaire.

**puncionar** *MED* ponctionner.

**pundonor** *m* point d'honneur.

**pundonoroso, a** *a* digne.

**punga** *s AMER (ratero)* voleur, pick-pocket.

**pungitivo, a** *a* lancinant, e.

**punguista** → **punga.**

**punible** *a* punissable, condamnable.

**punición** *f* punition.

**púnico, a** *a HIST* punique.

**punitivo, a** *a* punitif, ive.

**punk** *a/s* punk: **punkis** des punks.

**punta** *f* **1.** *(extremo agudo)* pointe ◊ *FIG* **a ~ de lanza** à la baguette, avec rigueur **2.** *(extremo)* bout *m*: **la ~ de la nariz** le bout du nez; **la ~ de los dedos** le bout des doigts; **en la ~ de la lengua** sur le bout de la langue; **en la ~ de los pies** sur la pointe des pieds ◊ **de ~ a cabo** d'un bout à l'autre; **de ~ en blanco** tiré, e à quatre épingles; **estar de ~** être brouillé, e; **estar hasta la ~ de los pelos de** en avoir par-dessus la tête de; **sacar ~ a** *(un lápiz)* tailler; *FIG (una cosa que se dice)* interpréter dans un mauvais sens, voir des sous-entendus dans; *(aprovechar)* tirer profit au maximum de **3.** *FIG* **tener sus puntas de loco** avoir un brin de folie, être un peu fou **4.** *(de tierra)* pointe **5.** *(clavo)* pointe **6. ~ seca** pointe sèche **7.** *(colilla)* mégot *m* **8.** *(de ganado)* petit troupeau *m* **9. horas ~** heures de pointe; **velocidad ~** vitesse de pointe; **tecnologías ~** technologies de pointe. ◇ *pl (encaje)* dentelle *f sing* à bord dentelé.

**puntada** *f* **1.** *(al coser)* point *m* **2.** *FIG* insinuation, allusion, pointe **3.** *FIG* **no dar ~** se tourner les pouces.

**puntal** *m* **1.** étançon, étai **2.** *FIG* soutien, appui, pilier **3.** *AMER (tentempié)* casse-croûte.

**puntapié** *m* coup de pied ◊ *FIG* **a puntapies** à grands coups de pieds dans le derrière, avec mépris.

**puntazo** *m* coup de corne.

**punteado** *m* **1.** *(acción)* pointillage **2.** *(conjunto de puntos)* pointillé **3.** *MÚS* action *f* de pincer, pincement.

**puntear** *vt* **1.** pointiller **2.** *MÚS (la guitarra, etc.)* pincer **3.** *AMER (con la laya)* bêcher.

**puntera** *f* **1.** *(de calzado, media)* bout *m* **2.** coup *m* de pied.

**puntería** *f* **1.** *(de un arma)* pointage *m,* visée, tir *m*: **afinar la ~** rectifier le tir **2.** adresse au tir: **tener buena ~** être bon tireur, bien viser.

**puntero, a** *a* de premier plan: **un cirujano ~** un chirurgien de premier plan. ◇ *m* baguette *f* (pour tableau noir).

**puntiagudo, a** *a* pointu, e.

**puntilla** *f* **1.** dentelle étroite à festons, à picots **2.** *(puñal)* poignard *m* pour achever les animaux **3.** coup *m* de grâce ◊ **dar la ~** donner le coup de grâce, achever **4.** *loc adv* **de puntillas** sur la pointe des pieds.

**puntillero** *m TAUROM* celui qui achève les taureaux.

**puntillismo** *m* pointillisme.

**puntillo** *m* **1.** point d'honneur, susceptibilité *f* **2.** *MÚS* point.

**puntilloso, a** *a* pointilleux, euse, susceptible.

**punto** *m* **1.** point: **~ y aparte** point à la ligne; **~ y coma** point virgule; **puntos suspensivos** points de suspension; *FIG* **poner los puntos sobre las íes** mettre les points sur les i; **poner ~ final a** mettre un point final à; **... y ~ ...** un point c'est tout; **~ por ~** point par point; **con puntos y comas** en détail, par le menu ◊ **línea de puntos** → **línea 2.** **~ de apoyo** point d'appui; **~ de partida** point de départ: **~ de vista** point de vue; **desde el ~ de vista de** du point de vue de; **~ negro** *(en una carretera)* point noir **3.** *(grado)* point: **~ de ebulición, de fusión** point d'ébullition, de fusion; **hasta cierto ~** jusqu'à un certain point; **hasta tal ~ que...** à tel point que... **4.** **~ muerto** point mort; **estar en un ~ muerto** être au point mort **5.** *(al coser o bordar)* point: **~ de cruz** point de croix ◊ **¡punto en boca!** motus et bouche cousue!, chut! **6.** tricot: **chaleco de ~** gilet de tricot ◊ **géneros de ~** bonneterie *f*; **hacer ~** tricoter: **hace una bufanda de ~** elle tricote une écharpe **7.** maille *f*: **coger puntos a** remmailler **8.** station *f* de voiture: **coche de ~** voiture de place **9.** *(de arma de fuego)* guidon **10.** *(en el juego)* ponte *f* **11.** *(boxeo)* **victoria por puntos** victoire aux points **12.** **poner a ~** mettre au point; **subir de ~** augmenter, croître **13.** *ARQ* **arco de medio ~** arc en plein cintre **14.** *FIG* **~ débil, ~ flaco** point faible; *MED* **~ de costado** point de côté **15.** *FAM* **~ (filipino)** fripouille *f*, canaille *f* **16.** *loc adv* **a ~** à point, à point nommé; **al ~** sur-le-champ, tout de suite; **a ~ fijo** exactement; **de todo ~** absolument; **en ~** juste: **son las tres en ~** il est trois heures juste, précises, tapantes; **cocido en su ~** cuit à point **17.** *loc prep* **a ~ de** sur le point de: **a ~ de caerse** sur le point de tomber; **en ~ a...** en ce qui concerne...

**puntuación** *f* **1.** ponctuation **2.** notation.

**puntual** *a* ponctuel, elle.

**puntualidad** *f* ponctualité.

**puntualización** *f* mise au point.

**puntualizar** *vt* **1.** *(especificar)* préciser, spécifier: **~ la hora de una cita** préciser l'heure d'un rendez-vous **2.** raconter en détail.

**puntualmente** *adv* ponctuellement: **llegar ~** arriver à l'heure.

**puntuar** *vt* **1.** *(en un escrito)* ponctuer **2.** *(calificar un exámen, etc.)* noter: **~ de cero a diez** noter de zéro à dix **3.** *(en una competición, etc.)* marquer des points.

**puntura** *f (herida)* piqûre.

**punzada** *f* **1.** *(herida)* piqûre **2.** *(dolor)* élancement *m*, douleur aiguë et soudaine: **me ha dado una ~ en el costado** j'ai ressenti une douleur soudaine dans le côté **3.** *FIG* douleur morale.

**punzante** *a* **1.** piquant, e **2.** *(dolor)* lancinant, e **3.** *FIG* poignant, e **4.** *(mordaz)* mordant, e, blessant, e.

**punzar** *v* **1.** *(herir)* piquer **2.** *(doler)* lanciner.

**punzó** *a (color)* ponceau, rouge vif.

**punzón** *m* **1.** poinçon **2.** *(buril)* burin.

**puñada** *f* coup *m* de poing.

**puñado** *m* **1.** *(porción)* poignée *f* **2.** **a puñados** abondance, à profusion, à la pelle.

**puñal** *m* poignard.

**puñalada** *f* **1.** coup *m* de poignard **2.** **~ trapera** coup *m* en traître, coup fourré **3.** *FAM* **ser ~ de pícaro** être urgent; **no es ~ de pícaro** rien ne presse, il n'y a pas le feu.

**puñeta** *f POP* **1.** **hacer la ~ a** enquiquiner, emmerder; **mandar a hacer puñetas** envoyer au diable; **¡vete a hacer puñetas!** va te faire voir ailleurs!; **¡a hacer puñetas los estudios!** au diable les études! **2.** **¡puñeta!** merde!, nom de Dieu!; **¿qué puñetas hago yo aquí?** qu'est-ce que diable je fous ici?

**puñetazo** *m* coup de poing.

**puñetero, a** *a/s POP* enquiquineur, euse, casse-pieds: **no seas ~** ne sois pas casse-pieds. ◇ *a* misérable, fichu, e, damné, e, foutu, e: **este ~ país** ce fichu pays; **de una puñetera vez** une bonne fois pour toutes; **ni puñetera idea** pas la moindre idée; **esta vida puñetera** cette chienne de vie.

**puño** *m* **1.** poing ◊ *FIG* **apretar los puños** travailler dur; **como puños** énorme; **comerse los puños** crever de faim; **creer a ~ cerrado** croire fermement; **meter en un ~** intimider, tenir à sa merci, sous sa coupe **2.** *loc adv* **de su ~ y letra** à la main, de sa, de votre propre main; **escribir de ~ y letra** écrire à la main; **una carta de ~ y letra** une lettre écrite à la main **3.** *(de camisa)* manchette *f* **4.** *(de un arma, bastón, etc.)* poignée *f.* ◇ *pl* **hombre de puños** homme à poigne.

**pupa** *f* **1.** *(pústula)* bouton *m* **2.** *FAM* bobo *m*: **hacer ~** faire bobo.

**pupila** *f* **1.** *(huérfano)* pupille **2.** *(del ojo)* pupille, prunelle.

**pupilaje** *m* **1.** tutelle *f* **2.** *(casa de huéspedes)* pension *f* de famille **3.** *(precio)* prix de la pension.

**pupilo, a** *s* **1.** *(en una casa de huéspedes)* pensionnaire **2.** *JUR* pupille.

**pupitre** *m* pupitre.

**pupo** *m AMER* nombril.

**pupusa** *f AMER* sorte de gâteau de maïs au fromage.

**puquial, puquio** *m AMER* source *f.*

**puramente** *adv* purement.

**purasangre** *m* pur-sang.

**puré** *m* **1.** purée *f*: **~ de patatas** purée de pommes de terre **2.** *FAM* **hacer ~** flanquer par terre; **hecho ~** en compote, en capilotade, *(cansado)* flapi, crevé, sur les genoux; **al regresar de la excursión yo estaba hecho ~** en revenant de l'excursion j'étais crevé.

**pureza** *f* pureté.

**purga** *f* purge.

**purgación** *f* purgation.

**purgante** *a/m* purgatif, ive.

**purgar** *vt* **1.** purger **2.** *FIG (expiar)* expier, purger. ◆ **~se** *vpr* se purger.

**purgatorio** *m* purgatoire.

**puridad** *f* **1.** pureté **2.** secret *m* **3.** **en ~** (pour parler) clairement.

**purificación** *f* purification.

**purificador, a** *a/s* purificateur, trice.

**purificante** *a* purifiant, e.

**purificar** *vt* purifier. ◆ **~se** *vpr* se purifier.

**Purísima (la)** *np f* l'Immaculée Conception.

**purismo** *m* purisme.

**purista** *s* puriste.

**puritanismo** *m* puritanisme.

**puritano, a** *a/s* puritain, e.

**puro, a** *a* **1.** pur, e: **agua pura** eau pure; **aire ~** air pur **2.** **~ y simple** pur et simple; **una pura casualidad** un pur hasard; **por pura curiosidad** par pure curiosité; **es la pura verdad** c'est la pure vérité **3.** **a ~ de** à force de; **de ~** tant, tellement: **se detuvo, de ~ cansado** il s'arrêta, tellement il était fatigué; **se atropella al hablar, de pura rabia** il bafouille, tant il est furieux. ◇ *m (cigarro)* cigare.

**púrpura** *f* **1.** *(molusco, color)* pourpre *m* **2.** *(tinte, tela)* pourpre: **la ~ cardenalicia** la pourpre cardinalice.

**purpurado** *m* cardinal.

**purpúreo, a** *a* pourpre, e, pourpre.

**purrete** *m AMER* gamin, mioche, gosse.

**purulencia** *f* purulence.

**purulento, a** *a* purulent, e.

**pus** *m* pus.

**puse, pusieron,** etc. → **poner.**

**pusilánime** *a* pusillanime.

**pusilanimidad** *f* pusillanimité.

**puso** → **poner.**

**pústula** *f* pustule.

**pustuloso, a** *a* pustuleux, euse.

**puta** *f* putain. ◇ *a* VULG foutu, e: **esta ~ casa** cette foutue maison; **ni ~ idea** pas la moindre idée.

**putada** *f* VULG saloperie, vacherie.

**putativo, a** *a* putatif, ive.

**putear** *vt* VULG **1.** *(fastidiar)* faire chier **2.** exploiter.

**puto** *m* VULG pédé, pédéraste. ◇ *a* VULG foutu, e: **el ~ coche** cette foutue bagnole.

**putrefacción** *f* putréfaction.

**putrefacto, a** *a* pourri, e, putréfié, e.

**putrescible** *a* putrescible.

**pútrido, a** *a* putride.

**puya** *f* **1.** fer *m*, pointe (de la pique) **2.** FIG pique.

**puyar** *vt* AMER piquer.

**puyazo** *m* coup de pique, blessure *f* faite avec la pique.

**puyo** *m* AMER sorte de poncho.

**puzolana** *f* pouzzolane.

**Pyme** *f* petite et moyenne entreprise.

**q** *f* q *m*: **una ~** un q.

**quásar** *m ASTR* quasar.

**que** *pron rel* **1.** *(sujet)* qui: **el pájaro ~ canta** l'oiseau qui chante; **el chico ~ vino ayer** le garçon qui est venu hier; **lo ~ →lo 2.** *(complemento)* que: **la flor ~ prefiero** la fleur que je préfère; **haz lo ~ quieras** fais ce que tu veux; **~ yo sepa** que je sache **3.** lequel, laquelle, lesquels, lesquelles: **la generosidad con ~ nos ofreció su ayuda** la générosité avec laquelle il nous offrit son aide; **con el ~** avec lequel; **detrás de la ~** derrière laquelle **4.** quoi: **por lo ~** ce pour quoi; **es en lo ~ pienso** c'est ce à quoi je pense **5. a ~** auquel, à laquelle, auxquels, auxquelles, à quoi; **el peligro a ~ se había expuesto** le danger auquel il s'était exposé; **los acontecimientos a ~ me refiero** les évènements auxquels je fais allusion; **→ a 6. de ~, del ~, de la ~, de los ~, de las ~** dont, duquel, etc.: **el asunto de ~ se trata** l'affaire dont il s'agit; **una cosa de la ~ no me acuerdo** une chose dont je ne me souviens pas **7. en ~** où: **la casa en ~ vive** la maison où il habite; **el año (en) ~ nació** l'année où il est né. ◇ *conj* **1.** que, qu': **quisiera ~ me escuchases** j'aimerais que tu m'écoutes; **dudo ~ venga** je doute qu'il vienne; **es más joven ~ tú** il est plus jeune que toi; **me alegro de ~ hayas venido** je suis heureux que tu sois venu *(la prep. de no se traduce)* **2. de lo ~** que: **más listo de lo ~ pensaba** plus malin que je ne pensais **3.** car: **ábreme la puerta ~ no tengo la llave** ouvre-moi la porte car je n'ai pas la clef; **no tenga miedo, ~ no le voy a hacer daño** n'ayez pas peur, (car) je ne vais pas vous faire de mal **4.** *(ne se traduit pas)* **¡ ~ vuelvas pronto!** reviens vite!; **¡ ~ pase, ~ pase!** entrez, entrez!; **¡ ~ espere un momento!** attendez un instant!; **¡ ~ te calles!** tais-toi donc!; **le pregunté ~ qué quería** je lui ai demandé ce qu'il voulait; **sí ~ → sí 5. y corre ~ corre, canta ~ canta** et le voilà qui court, qui chante de plus belle **6. ~ no** sans: **no salgo una vez ~ no le encuentre** je ne peux pas sortir une seule fois sans le rencontrer; **quiera ~ no** qu'il le veuille ou non.

**qué** *a interr, exclam* **1.** quel, quelle, quels, quelles: **¿ ~ hora es?** quelle heure est-il?; **¡ ~ alegría!** quelle joie!; **¡ ~ pena!** quel dommage!; **¡ ~ chicas más simpáticas!** quelles filles sympathiques! **2.** comme, que, ce que: **¡ ~ bonito!** comme c'est joli!, que c'est joli!; **¡ ~ tonto eres!** (ce) que tu es bête!; **¡ ~ bien se está aquí!** comme on est bien ici!; **¡ ~ triste estoy sin ti!** comme je suis triste sans toi! ◇ *pron* **1.** que: **¿ ~ quiere usted?** que voulez-vous?; **¿ ~ pasa?** que se passe-t-il?; **¿ ~ dices?** que dis-tu? qu'est-ce que tu dis?; **¿ ~ es lo que quieres hacer cuando seas mayor?** qu'est-ce que tu veux faire quand tu seras grand?; **¿ ~ tal? → tal; ¿ ~ hay? → haber 2.** quoi: **no sé ~ hacer** je ne sais pas quoi faire; **no supe ~ contestar** je n'ai pas su quoi répondre; **tener con ~ vivir** avoir de quoi vivre; **¿de ~ se trata?** de quoi s'agit-il?; **¿en ~ piensas?** à quoi penses-tu?; **¿por ~ ?** pourquoi? **→ por 3. a ~ → a; ¿a ~ esas quejas?** à quoi riment ces lamentations?; **¿para ~ ?** à quoi bon?; **¿pues ~ ?, ¿y ~ ?** et alors?, et après?; **¿y a mí ~ ?** qu'est-ce que ça peut me faire?; *FAM* **que para ~** terrible, énorme: **una alegría que para ~** une joie folle; **un hambre que para ~** une faim terrible, une de ces fringales **4. ~ de...** que de..., combien de...: **¡ ~ de recuerdos!** que de souvenirs! ◇ *m* **el ~ dirán →decir.**

**Quebec** *np m* Québec.

**quebequés, esa** *a/s* québécois, e.

**quebracho** *m* quebracho, arbre américain riche en tanin.

**quebrada** *f* gorge, ravin *m.*

**quebradero** *m* **~ de cabeza** cassement de tête, souci.

**quebradizo, a** *a* cassant, e, fragile.

**quebrado, a** *a* **1.** brisé, e: **línea quebrada** ligne brisée; **con voz quebrada** d'une voix brisée **2.** *(color)* pâle, éteint, e **3.** *(terreno)* accidenté, e. ◇ *a/s* **1.** *COM* failli, e **2.** *MED* hernieux, euse. ◇ *m MAT* fraction *f* ◊ **número ~** nombre fractionnaire.

**quebradura** *f* **1.** brisure **2.** hernie.

**quebraja** *f* fente.

**quebrantahuesos** *m* **1.** *(ave rapaz)* gypaète **2.** *(ave acuática)* orfraie *f*, pygargue.

**quebrantamiento** *m* **1.** brisement, fracture *f* **2.** concassage **3.** *FIG* violation *f*, infraction *f.*

**quebrantar** *vt* **1.** casser, briser ◊ *FIG* **~ la cabeza** casser la tête **2.** *(machacar)* broyer, concasser **3.** *FIG* *(la ley, etc.)* enfreindre, violer, transgresser **4.** *FIG* *(la resistencia, etc.)* briser: **~ la moral** briser le moral; *(la salud, etc.)* affaiblir, ébranler **5.** *(el ayuno)* rompre. ◆ **~se** *vpr* **1.** se casser **2.** *FIG* s'inquiéter.

**quebranto** *n* **1.** brisement **2.** *(de la salud)* affaiblissement **3.** *(pérdida)* perte *f*, dommage **4.** *(pena)* peine *f.*

**quebrar*** *vt* **1.** casser, briser, rompre **2.** *(doblar)* plier **3.** *FIG* *(interrumpir)* briser. ◇ *vi COM* faire faillite. ◆ **~se** *vpr* **1.** se briser, se casser, se rompre ◊ *FIG* **quebrarse la cabeza** se casser la tête, se fatiguer les méninges; **se le quiebra la voz** sa voix se brise **2.** *MED* contracter une hernie.

**queche** *m (barco)* ketch.

**quechua** *a/s* quechua, quichua.

**queco** *m AMER* bordel.

**queda** *f* couvre-feu *m* ◊ **toque de ~** couvre feu.

**quedamente** *adv* doucement.

**quedar** *vi* **1.** rester: **me quedan diez pesetas** il me reste dix pesetas; **que esto quede entre nosotros** que cela reste entre nous; **la carta quedó sin contestar** la lettre est restée sans réponse; **las cosas quedaron ahí** les choses en sout restées là; **quedan dos días para Navidad** il reste deux jours avant Noël; **lo poco que me queda por vivir** le peu qu'il me reste à vivre; **queda mucho por hacer** il reste beaucoup à faire **2.** *(resultar)* **~ ciego** devenir aveugle; **quedó muerto en el acto** il est mort sur-le-champ; **todo ha quedado destruido** tout a été détruit **3.** *(estar)* être: **queda muy cerca** c'est tout près; **quedamos convencidos,**

satisfechos nous sommes convaincus, satisfaits; **queda roto nuestro contrato** notre contrat est rompu **4. ~ en** convenir, décider: **quedamos en vernos al día siguiente** nous avons convenu de nous voir le lendemain; **hemos de ~ en la hora** nous devons convenir de l'heure; **¿en qué quedamos?** que décidons- nous? ◊ **he quedado con Alicia en ir al cine** j'ai rendez-vous avec Alice pour aller au cinéma **5. ~ bien, airoso** s'en tirer avec honneur, réussir; **~ bien, mal con alguien** se conduire bien, mal avec quelqu'un **6.** *(en cartas)* **quedo de Vd. atentamente** veuillez agréer l'expression de mes meilleurs sentiments **7. por mí que no quede** que ce ne soit pas à cause de moi. ◆ **~se** *vpr* **1.** rester, demeurer: **quedarse en cama** rester au lit; **me he quedado en casa** je suis resté chez moi; **tú, quédate donde estás** toi, reste où tu es; **quédese aquí!** restez ici!; **quedarse atrás** rester en arrière; **se quedó asombrada** elle resta stupéfaite **2.** devenir: **quedarse ciego, cojo** devenir aveugle, boiteux; **se quedó sordo** il est devenu sourd **3.** *(repentinamente)* se retrouver: **me quedé sin trabajo** je me suis retrouvé sans travail; **se quedó viuda a poco de casarse** elle s'est retrouvée veuve peu après son mariage; **quedarse sin blanca** se retrouver sans un sou **4.** *(conservar)* garder: **se quedó con todos mis discos** il a gardé tous mes disques; **¿te gusta la sortija?, pues quédate con ella** la bague te plaît?, eh bien garde-la; **¡quédese con la vuelta!** gardez la monnaie!; **yo me lo quedo** je le garde (pour moi); **seguramente se lo quedará** il le gardera sûrement **5.** *FAM (engañar)* **quedarse con uno** rouler, avoir quelqu'un.

**quedito** *adv* tout bas, tout doucement.

**quedo, a** *a* **1.** calme, tranquille **2. con voz queda** à voix basse. ◇ *adv* tout bas, doucement.

**quehacer** *m* travail, occupation *f*: **los quehaceres de la casa** les travaux ménagers; **tener muchos quehaceres** avoir beaucoup de travail, d'occupations.

**queja** *f* plainte ◊ **dar quejas** se plaindre; **tener ~ de** avoir à se plaindre de.

**quejarse** *vpr* se plaindre: **se queja de que no le escuchan** il se plaint qu'on ne l'écoute pas; **no me quejo** je ne me plains pas; **~ de vicio → vicio.**

**quejica, quejicoso, a** *a* geignard, e.

**quejido** *m* plainte *f*, gémissement.

**quejigo** *m* sorte de chêne rouvre.

**quejoso, a** *a* **1.** mécontent, e: **el director está ~ de mí** le directeur est mécontent de moi **2.** *AMER JUR* plaignant, e.

**quejumbre** *f* plainte continuelle.

**quejumbroso, a** *a* plaintif, ive, geignard, e.

**quelonios** *m pl ZOOL* chéloniens.

**quema** *f* **1.** brûlage *m* **2.** feu *m* **3.** *(incendio)* incendie *m* **4.** *FIG* **huir de la ~** se dérober, se défiler.

**quemadero** *m* **1.** *(de basuras)* incinérateur **2.** *(para los condenados)* bûcher.

**quemado, a** *a/m* brûlé, e: **piel quemada por el sol, del sol** peau brûlée par le soleil; **oler a ~** sentir le brûlé; **los grandes quemados** les grands brûlés. ◇ *a FAM* **1.** furieux, euse **2.** dégoûté, e **3.** *(gastado)* usé, e, fini, e: **este político está ya ~** cet homme politique est maintenant fini.

**quemador** *m* brûleur.

**quemadura** *f* brûlure: **~ de tercer grado** brûlure au troisième degré.

**quemante** *a* brûlant, e.

**quemar** *vt* **1.** brûler: **~ papeles** brûler des papiers ◊ *FIG* **~ las naves** brûler ses vaisseaux, couper les ponts; **~ la sangre → sangre 2.** *(malbaratar)* gaspiller, vendre à vil prix **3.** *FIG* irriter, exaspérer **4.** *AMER (matar)* descendre. ◇ *vi* brûler: **esta sopa quema, está quemando** ce potage brûle, est brûlant; **el sol quema** le soleil brûle. ◆ **~se** *vpr* **1.** se brûler: **me he quemado con la plancha** je me suis brûlé avec le fer à repasser; *FIG* **quemarse las cejas → ceja 2.** brûler: **¡el asado se quema!** le rôti brûle! **3.** *(en los acertijos)* **¡que te quemas!** tu brûles! **4.** *FIG (un político, etc.)* compromettre son nom, galvauder sa réputation, se brûler les ailes.

**quemarropa (a)** *loc adv* **1.** à bout portant **2.** *(bruscamente)* à brûle-pourpoint.

**quemazón** *f* **1.** chaleur excessive **2.** *(sensación de ardor)* brûlure **3.** *(comezón)* démangeaison.

**quena** *f AMER* quena, petite flûte indienne.

**queo** *m FAM* **dar el ~** avertir, crier "vingt-deux".

**quepa,** etc. **→ caber.**

**quepis** *m* képi.

**quepo → caber.**

**queratina** *f* kératine.

**querella** *f* **1.** *JUR* plainte: **presentar una ~ contra...** déposer une plainte contre...; **una ~ criminal** une plainte au criminel **2.** dispute.

**querellante** *a/s JUR* plaignant, e.

**querellarse** *vpr JUR* **~ contra...** porter plainte contre...

**querencia** *f* **1.** attachement *m* **2.** tendance (instinctive de certains animaux en particulier) à revenir à un endroit (où ils ont été élevés, dont ils ont l'habitude) **3.** *(lugar)* endroit *m* préféré **4.** attirance, prédilection.

**¹querer*** *vt* **1.** vouloir: **¿qué quiere usted?** que voulez-vous?; **quisiera saber...** je voudrais savoir...; **¿quieres que nos vayamos?** veux-tu que nous partions?; **no quiso decírmelo** il n'a pas voulu me le dire; **¿qué quiere decir eso?** qu'est-ce que ça veut dire?; **¡qué quieres que le haga!** que veux-tu que j'y fasse!; **¿qué más quieres?** que veux-tu de plus?; **como usted quiera** comme vous voudrez; **Dios lo quiera** Dieu le veuille; **lo queramos o no** qu'on le veuille ou non; **lo quieras o no, quieras que no** que tu le veuilles ou non ◊ **como quien no quiere la cosa → cosa; un quiero y no puedo** quelqu'un qui veut paraître; *PROV* **~ es poder** vouloir c'est pouvoir **2.** *(tener amor o cariño a)* aimer: **quiero mucho a mi sobrina** j'aime beaucoup ma nièce ◊ *PROV* **quien bien te quiere te hará llorar** qui aime bien, châtie bien **3. dejarse, hacerse ~** se faire désirer **4.** *loc adv* **cuando quiera** n'importe quand; **donde quiera** n'importe où; **quiera o no quiera** bon gré, mal gré; **¡que si quieres!** rien à faire!, impossible!; **sin ~** sans le vouloir: **disculpe, ha sido sin ~** excusez-moi, c'était involontaire, je ne l'ai pas fait exprès **5.** *loc prep* **como quiera que** puisque, comme, étant donné que; **donde quiera que** où que. ◆ **~se** *vpr* s'aimer: **se quieren con ternura** ils s'aiment tendrement.

**²querer** *m* amour, affection *f*.

**querido, a** *a* **1.** cher, chère: **~ Felipe** cher Philippe; **mi querida amiga** ma chère amie; **un ser ~** un être cher **2.** chéri, e: **su hija querida** sa fille chérie. ◇ *m (amante)* amant, ami. ◇ *f (amante)* maîtresse.

**quermes** *m (insecto)* kermès.

**quermesse** *f* kermesse.

**queroseno** *m* **1.** kérosène **2.** pétrole.

**querrá,** etc. **→ querer.**

**querubín** *m* **1.** *(ángel)* chérubin **2.** *(niño)* chérubin.

**quesadilla** *f* **1.** pâtisserie au fromage **2.** *AMER* crêpe de maïs fourrée au fromage.

**quesera** *f* **1.** plateau *m* à fromage **2.** *(cubierta de cristal)* cloche à fromage.

**quesería** *f* fromagerie.

**quesero, a** *a/s* fromager, ère.

**queso** *m* fromage: **~ de cabra** fromage de chèvre; **~ de bola** fromage de Hollande; **~ de cerdo** fromage de tête ◊ *FAM* **darla con ~ a alguien** avoir, rouler quelqu'un, faire marcher quelqu'un: **me parece que nos la han dado con ~** j'ai l'impression qu'on s'est fait avoir; **a mí no me la dan con ~** on ne me la fait pas.

**quetzal** *m* **1.** *(ave)* quetzal **2.** quetzal (unité *f* monétaire du Guatemala).

**quevedos** *m pl* lorgnons.

**¡quiá!** *interj* **1.** allons donc! **2.** *(negación)* mais non!

**quibey** *m* lobélie *f*.

**quiché** *a/s* quiché (indien du Guatemala).

**quichua → quechua.**

**quicial** *m (de puerta o ventana)* jambage.

**quicio** *m* **1.** penture *f* **2.** *FIG* **sacar de ~ a alguien** faire sortir quelqu'un de ses gonds, mettre quelqu'un hors de soi: **me saca de ~ con sus manías** il me met hors de moi avec ses manies; **no saques las cosas de ~** ne force pas les choses, n'en rajoute pas.

**quid** *m (de un asunto)* hic, nœud: **ahí está el ~** voilà le hic ◊ **dar en el ~** tomber juste.

**quídam** *m* quidam.

**quid pro quo** *m* quiproquo.

**quiebra** *f* **1.** *(grieta)* crevasse **2.** *COM* faillite: **declaración de ~** déclaration de faillite, dépôt *m* de bilan **3.** *FIG (fracaso)* faillite, échec *m*.

**quiebro** *m* **1.** *(del cuerpo)* écart, inflexion *f* du corps **2.** *MUS* roulade *f*.

**quien, quienes** *pron rel* **1.** qui: **la señora con ~ estaba hablando** la dame avec qui je parlais **2.** qui, celui qui, celle qui, ceux qui, celles qui, quelqu'un: **~ fue a Sevilla perdió su silla** qui va à la chasse perd sa place; **quienes van a tomar el avión** ceux qui vont prendre l'avion; **~ afirma esto se equivoca** celui qui affirme cela se trompe; **~ ha envejecido mucho, es...** quelqu'un qui a, un qui a beaucoup vieilli, c'est...; **con los ojos hinchados como ~ ha llorado mucho** les yeux gonflés comme quelqu'un qui a beaucoup pleuré; **como ~ no quiere la cosa → cosa; hay ~ , no hay ~ → haber 3.** *(complemento)* que: **mi prima, a ~ quiero mucho** ma cousine, que j'aime beaucoup **5. de ~** dont: **este es el chico de ~ te hablé** c'est le garçon dont je t'ai parlé.

**quién, quiénes** *pron interr, exclam* **1.** qui: **¿ ~ ha dicho esto?** qui a dit cela?; **¿quiénes son ustedes?** qui êtes-vous?; **dime a ~ buscas** dis-moi qui tu cherches; **¿a ~ has pedido permiso?** à qui as-tu demandé la permission?; **¿ ~ sabe?** qui sait?; **¿ ~ vive?** qui vive? **2.** *(en frases admirativas)* **¡ ~ supiera cantar!** si (seulement) je savais chanter! (suivi du subjonctif imparfait, marque un souhait ou un regret) **3. ~ ..., ~** l'un..., l'autre **4. no soy ~ para...** je ne suis pas qualifié pour..., je n'ai pas qualité pour...

**quienesquiera** *pron indef pl de* **quienquiera.**

**quienquiera** *pron indef* **1.** quiconque: **~ que lo sepa** quiconque le saura **2. ~ que sea** qui que ce soit.

**quietismo** *m* quiétisme.

**quieto, a** *a* tranquille, calme, immobile: **estarse ~** rester tranquille, sage; **estáte ~ , quédate ~** tiens-toi tranquille, reste tranquille ◊ **¡estése ~ !** du calme!; **¡las manos quietas!** bas les pattes!; **¡todo el mundo ~ !** que personne ne bouge! ◊ *interj* du calme!

**quietud** *f* **1.** tranquillité **2.** *(sosiego)* quiétude.

**quijada** *f* mâchoire.

**quijotada** *f* action digne d'un don Quichotte, extravagance.

**quijote** *m* **1.** *(pieza de la armadura)* cuissard **2.** *(del caballo)* croupe *f*.

**Quijote (Don)** *np m* Don Quichotte. ◊ *m* don Quichotte.

**quijotería** *f* don-quichottisme *m*.

**quijotesco, a** *a* digne de Don Quichotte.

**quijotismo** *m* don-quichottisme.

**quila** *f AMER* chusquea *m*, bambou *m* arborescent.

**quilate** *m* carat: **oro de 18 quilates** or à 18 carats. ◊ *pl FIG* **de muchos quilates** d'une grande valeur, de haute qualité.

**quilla** *f* **1.** *MAR* quille **2.** *(de las aves)* bréchet *m*.

**quillango** *m AMER* couverture *f* de peaux cousues.

**quillay** *m AMER* quillaja, arbre à l'écorce riche en saponine.

**[1]quilo** *m* **1.** *(líquido)* chyle **2.** *FAM* **sudar el ~** suer sang et eau, se crever, en baver.

**[2]quilo** *m (kilogramo)* kilo **→ kilo.**

**quilombo** *m AMER* **1.** maison *f* de prostitution, bordel **2.** *(choza)* hutte *f*.

**quilómetro → kilómetro.**

**quimbambas** *f pl FAM* **las ~** l'autre bout du monde.

**quimera** *f* **1.** chimère ◊ **«La ~ del oro»** *(Chaplin)* «la Ruée vers l'or» **2.** *(aprensión)* appréhension **3.** *(riña)* dispute, querelle.

**quimérico, a** *a* chimérique.

**quimerista** *a* **1.** rêveur, euse **2.** *(pendenciero)* querelleur, euse.

**química** *f* chimie: **~ orgánica, inorgánica** chimie organique, minérale.

**químicamente** *adv* chimiquement.

**químico, a** *a* chimique: **industria química** industrie chimique; **producto ~** produit chimique. ◊ *s (persona)* chimiste.

**quimioterapia** *f* chimiothérapie.

**quimo** *m* chyme.

**quimono** *m* kimono.

**quina** *f* **1.** *(corteza, bebida)* quinquina *m* **2.** *FAM* **tragar ~** supporter, avaler ça sans broncher, encaisser, garder ça pour soi.

**quincalla** *f (objetos)* quincaillerie.

**quincallería** *f* quincaillerie.

**quincallero, a** *s* quincaillier, ère.

**quince** *a/s* **1.** quinze **2. el siglo ~** le quinzième siècle **3. dar ~ y raya a → raya.**

**quinceañera** *a/f* fille âgée de quinze ans.

**quincena** *f* quinzaine.

**quincenal** *a* **1.** bimensuel, elle **2.** *(que dura una quincena)* qui dure quinze jours.

**quincenario, a → quincenal.**

**quinceno, a** *a* quinzième.

**quincha** *f AMER* claie de joncs ou de roseaux.

**quinchar** *vt AMER* couvrir ou clôturer d'une «quincha».

**quincuagenario, a** *a/s* quinquagénaire.

**quincuagésimo, a** *a* cinquantième. ◊ *f RELIG* quinquagésime.

**quingentésimo, a** *a/s* cinq-centième.

**quingos** *m AMER* zigzag.

**quiniela** *f* sorte de pari *m* mutuel (courses de chevaux, football, etc.).

**quinielista** *s* joueur, euse de «quinielas», parieur, euse.

**quinientos, as** *a* **1.** cinq cents **2.** *(seguido de otra cifra)* cinq cent: **~ tres** cinq cent trois.

**quinina** *f* quinine.

**quino** *m (árbol)* quinquina.

**quínoa** *f (planta)* quinoa *m*.

**quinoto** *m AMER* kumquat.

**quinqué** *m* quinquet.

**quinquenal** *a* quinquennal, e.

**quinquenio** *m* espace de cinq ans, quinquennat.

**quinqui** *m FAM* délinquant, marginal.

**quinta** *f* **1.** maison de campagne **2.** *MIL* classe: **ser de la ~ del 65** être de la classe 65 **3.** *MUS* quinte. ◇ *pl MIL* tirage *m sing* au sort, conscription *sing.* ◊ **entrar en quintas** atteindre l'âge du service militaire; **llamar a quintas** appeler sous les drapeaux; **salir de quintas** être libéré.

**quintaescencia** *f* quintessence.

**quintaescenciar** *vt* quintessencier, raffiner.

**quintal** *m* quintal: **diez quintales** dix quintaux.

**quintana** *f* maison de campagne.

**quintar** *vt* tirer au sort.

**quinteto** *m* **1.** *MUS* quintette **2.** strophe *f* de cinq vers.

**quintillizos, as** *s pl* quintuplés, ées.

**Quintín** *np m* **1.** Quentin **2.** *FIG* **se armó la de San ~** il y a eu du grabuge, tout un scandale, du chahut, ça a bardé.

**quinto, a** *a/s* cinquième ◊ **en ~ lugar** cinquièmement. ◇ *a* **1.** cinq: **Felipe ~** Philippe cinq **2. Carlos Quinto** Charles Quint. ◇ *m (recluta)* conscrit, recrue *f*, bleu.

**quintuplicar** *vt* quintupler.

**quintuplo, a** *a/m* quintuple.

**quinua** *f (planta)* quinoa *m*.

**quinzavo, a** *a/s* quinzième.

**quiñón** *m* lopin de terre.

**quiosco** *m* kiosque: **~ de periódicos** kiosque à journaux.

**quipo** *m AMER* quipu, cordelettes colorées et à noeuds servant aux Incas à compter.

**quiquiriquí** *m* cocorico.

**quirófano** *m* salle *f* d'opération ◊ **pasar por el ~** passer sur le billard.

**quiromancia** *f* chiromancie.

**quiromántico, a** *s* chiromancien, enne.

**quirquincho** *m AMER* tatou.

**quirúrgico, a** *a* chirurgical, e.

**quisco** *m AMER (cacto)* cierge.

**quise** → **querer.**

**quisicosa** *f FAM* énigme.

**quisiste, quiso,** etc. → **querer.**

**quisque (cada)** *loc FAM* tout un chacun: **tiene sus manías, como ~** il a ses manies, comme tout un chacun.
▶ Plus familièrement: *quisqui*.

**quisquilla** *f* **1.** vétille **2.** *(camarón)* crevette.

**quisquilloso, a** *a* pointilleux, euse, susceptible.

**quiste** *m MED* kyste.

**quisto, a** *a* **bien ~ , mal ~** bien vu, mal vu, e, aimé, e, peu aimé, e.

**quita** *f* **1.** *(de una deuda)* libération **2. de ~ y pon** → **quitar.**

**quitaesmalte** *m* dissolvant.

**quitaipon (de)** *a* amovible.

**quitamanchas** *m inv* détachant.

**quitanieves** *m inv* chasse-neige.

**quitapesares** *m inv* soulagement.

**quitar** *vt* **1.** enlever, ôter: **~ el hueso a un melocotón** enlever le noyau d'une pêche; **~ una mancha** ôter une tache; *FIG* **~ una idea de la cabeza** ôter une idée de la tête ◊ **~ la mesa** → **mesa 2.** *(hurtar)* prendre, dérober, voler **3.** *(impedir)* empêcher: **esto no quita (para) que usted vaya...** cela ne doit pas vous empêcher d'aller...; **esto no quita (para) que se reconozca que...** il faut bien reconnaître que..., il n'empêche que...; **no me gusta el cine pero esto no quita que algún día vaya a ver una buena película** je n'aime pas le cinéma mais ça ne m'empêchera pas d'aller un de ces jours voir un bon film; **~ el sueño** empêcher de dormir **4.** *MAT (restar)* ôter **5. ¡quita!** va-t-en!, pas touche!, suffit!, allons!; **¡quita allá!** laisse! **6. de quita y pon** amovible. ◆ **~se** *vpr* **1.** s'enlever, s'ôter **2.** enlever, ôter, retirer: **quitarse el abrigo, los zapatos** enlever son manteau, ses chaussures; **se quita las gafas** il enlève, ôte ses lunettes **3.** *FIG* **quitarse de encima a alguien** se débarrasser de quelqu'un; **quitarse de en medio** → **medio; ¡quítate de ahí!** ôte-toi de là!, fiche le camp! **4. quitarse la vida** se tuer, se suicider.

**quitasol** *m* parasol.

**quitasueño** *m* souci, préoccupation *f*.

**quite** *m* **1.** *(esgrima)* parade *f* **2.** *TAUROM* passe *f* d'un torero consistant à écarter le taureau qui menace un autre torero ◊ *FIG* **estar al ~** être prêt à venir en aide, à porter secours à quelqu'un.

**quiteño, a** *a/s* de Quito (Équateur).

**quitina** *f* chitine.

**quizá, quizás** *adv* peut-être: **~ tengas razón** peut-être as-tu raison; **~ usted no lo sepa** peut-être ne le savez-vous pas; **~ sea verdad** c'est peut-être vrai; **~ sea una equivocación** c'est peut-être une erreur; **~ sea eso** c'est peut-être ça.
▶ + subjonctif en espagnol, indicatif en français.

**quórum** *m* quorum.

# R

**r** *f* r *m*: **una ~** un r.

**rabada** *f* quartier *m* postérieur (d'un animal de boucherie).

**rabadán** *m* maître berger.

**rabadilla** *f (de ave)* croupion *m*.

**rabanera** *f* **1.** marchande de radis **2.** FIG *(mujer grosera)* poissarde.

**rabanero, a** *a* court, e.

**rabanillo** *m* **1.** petit radis **2.** ravenelle *f*.

**rábano** *m* radis ◊ FAM **coger, tomar el ~ por las hojas** interpréter tout de travers; **me importa un ~** je m'en fiche éperdument, je m'en moque complètement; **¡un ~!** pas question!, tintin!

**rabel** *m (instrumento músico)* rebec.

**rabí** *m* rabbin.

**rabia** *f* **1.** *(enfermedad)* rage **2.** FIG rage, colère ◊ **dar ~** faire rager, mettre en rogne; **da ~ que...** ça fait rager que...; **tener ~ a alguien** ne pas pouvoir souffrir quelqu'un, avoir une dent contre quelqu'un: **ya sabía que me tenía ~** je savais bien qu'il ne pouvait pas me souffrir qu'il m'avait dans le nez.

**rabiar** *vi* **1.** avoir la rage **2.** FIG enrager, rager ◊ **hacer ~** a faire enrager; **¡que rabie!** bien fait pour lui!, tralala! **3. ~ de hambre** mourir de faim **4. ~ por** mourir d'envie de: **está que rabia por...** il meurt d'envie de... **5.** *loc adv* **a ~** beaucoup, énormément; **aplaudir a ~** applaudir à tout rompre; **picar a ~** piquer affreusement; **le gusta a ~ ...** il aime à la folie...

**rábico, a** *a* rabique.

**rabicorto, a** *a* à queue courte.

**rabieta** *f* colère, rogne, crise: **coger una ~** piquer une colère; **una ~ infantil** une colère d'enfant.

**rabihorcado** *a (ave)* frégate.

**rabilargo, a** *a* à longue queue ◊ PROV **de casta le viene al galgo el ser ~** bon chien chasse de race. ◇ *m (ave)* rollier, pie *f* bleue.

**rabillo** *m* **1.** *(de hoja, flor, fruto)* queue *f* **2.** *(del ojo)* coin: **mirar con el ~ del ojo** regarder du coin de l'œil.

**rabínico, a** *a* rabbinique.

**rabino** *m* rabbin.

**rabión** *m (de un río)* rapide.

**rabiosamente** *adv* rageusement.

**rabioso, a** *a* **1.** enragé, e: **perro ~** chien enragé **2.** FIG *(colérico)* furieux, euse, en fureur: **estar ~** être furieux **3.** FIG *(muy violento)* furieux, euse.

**rabisalsera** *a* FAM délurée.

**rabiza** *f (de la caña de pescar)* scion *m*.

**rabo** *m* **1.** queue *f* ◊ FIG **con el ~ entre las piernas** la queue entre les jambes, la queue basse, tout confus, toute confuse, tout penaud; **aún falta el ~ por desollar** le plus dur reste à faire **2.** *(del ojo)* coin → **rabillo** **3.** *(de camisa)* pan.

**rabón, ona** *a (animal)* à queue courte, sans queue.

**rabona** *f* **1.** AMER cantinière **2. hacer ~** faire l'école buissonnière.

**rabotada** *f* FAM grossièreté, muflerie.

**rabudo, a** *a* à grosse queue.

**rábula** *m* PEYOR avocaillon.

**rácano, a** *a* FAM **1.** *(gandul)* flemmard, e **2.** *(avaro)* radin, e.

**racha** *f* **1.** rafale **2.** FIG série: **una ~ de éxitos, de mala suerte** une série de succès, de malchances **3. buena, mala ~** veine, déveine.

**racheado, a** *a* **vientos racheados** vents soufflant par rafales.

**racial** *a* racial, e: **caracteres raciales** caractères raciaux.

**racimo** *m* **1.** grappe *f*: **un ~ de uvas** une grappe de raisins **2.** *(de dátiles, plátanos)* régime.

**raciocinar** *vi* raisonner.

**raciocinio** *m* raisonnement.

**ración** *f* **1.** ration: **distribuir raciones** distribuer des rations **2.** *(en una fonda, etc.)* portion.

**racional** *a* **1.** *(dotado de razón)* raisonnable **2.** *(lógico)* rationnel, elle. ◇ *m* être doué de raison.

**racionalidad** *f* rationalité.

**racionalismo** *m* rationalisme.

**racionalista** *a/s* rationaliste.

**racionalización** *f* rationalisation.

**racionalizar** *vt* rationaliser.

**racionalmente** *adv* rationnellement.

**racionamiento** *m* rationnement.

**racionar** *vt* rationner.

**racismo** *m* racisme.

**racista** *a/s* raciste.

**racor** *m* raccord.

**rada** *f* rade.

**radar** *m* radar: **misil guiado por ~** missile guidé par radar; **estación de radares** station radar.

**radarista** *s* radariste.

**radiación** *f* radiation: **emitir radiaciones** émettre des radiations **2.** rayonnement *m*: **~ cósmica** rayonnement cosmique.

**radiactividad** *f* radioactivité.

**radiactivo, a** *a* radioactif, ive.

**radiado, a** *a* **1.** *BOT* radié, e **2.** radiodiffusé, e: **mensaje ~** message radiodiffusé.

**radiador** *m* radiateur.

**radial** *a* **1.** radial, e **2.** *ANAT* **nervio ~** nerf radial **2.** *AMER* radiodiffusé, e.

**radián** *m MAT* radian.

**radiante** *a* **1.** radiant, e, rayonnant, e **2.** *FIG* rayonnant, e, radieux, euse: **~ de alegría** rayonnant de joie; **con cara ~** le visage radieux.

**radiar** *vi/t* irradier. ◇ *vt* radiodiffuser, retransmettre: **el partido será radiado** le match sera retransmis.

**radicación** *f* **1.** enracinement *m* **2.** établissement *m* ◇ **impuesto de ~** taxe *f* d'habitation **3.** permanence.

**radical** *a/m* radical, e.

**radicalismo** *m* radicalisme.

**radicalización** *f* radicalisation.

**radicalizar** *vt* radicaliser.

**radicalmente** *adv* radicalement.

**radicar** *vi* **1.** être, situé, e, se trouver: **inmueble radicado en la calle...** immeuble situé (dans la) rue... **2.** *FIG* **~ en** résider dans, consister dans. ◆ **~se** *vpr* s'établir, s'installer.

**radícula** *f* radicule.

**radiestesia** *f* radiesthésie.

**radiestesista** *s* radiesthésiste.

**[1]radio** *m* **1.** *(de un círculo, etc.)* rayon: **en un ~ de diez kilómetros** dans un rayon de dix kilomètres; **~ de acción** rayon d'action **2.** *(de una rueda)* rayon **3.** *ANAT (hueso)* radius **4.** *(metal radiactivo)* radium.

**[2]radio** *f* radio: **hablar por la ~** parler à la radio; **oír por la ~** entendre à la radio. ◇ *m* radio.

**radioaficionado, a** *s* radiomateur *m*.

**radiobaliza** *f* **1.** radiobalisage *m* **2.** *(emisor)* radiobalise.

**radiocasete** *m* radiocassette *f*.

**radiocompás** *m* radiocompas.

**radiocomunicación** *f* radiocommunication.

**radiodespertador** *m* radio-réveil.

**radiodifusión** *f* radiodiffusion.

**radioeléctrico, a** *a* radioélectrique.

**radioescucha** *s* auditeur, trice.

**radiofaro** *m* radiophare.

**radiofonía** radiophonie.

**radiofónico, a** *a* radiophonique.

**radiografía** *f* radiographie ◇ **hacerse una ~** se faire radiographier, passer une radio.

**radiografiar** *vt* radiographier.

**radiográfico, a** *a* radiographique.

**radiograma** *m* radiogramme.

**radiología** *f* radiologie.

**radiológico, a** *a* radiologique.

**radiólogo, a** *s* radiologue, radiologiste.

**radiomensajería** *f* radiomessagerie.

**radionavegación** *f* radionavigation.

**radionovela** *f* feuilleton *m* radiophonique.

**radiorreceptor** *m* poste de radio.

**radioscopia** *f* radioscopie.

**radioso, a** *a* radieux, euse.

**radiosonda** *f* radiosonde.

**radiotaxi** *m* radio-taxi.

**radiotelefonía** *f* radiotéléphonie.

**radioteléfono** *m* radiotéléphone.

**radiotelegrafista** *m* radiotélégraphiste.

**radiotelevisado, a** *a* radiotélévisé, e.

**radioterapia** *f* radiothérapie.

**radioyente** *s* auditeur, trice.

**raedera** *f* racloir *m*, raclette.

**raedura** *f* **1.** *(acción)* raclage *m* **2.** *(parte raída)* raclure.

**raer*** *vt* **1.** racler, râper **2.** *FIG* extirper.

**Rafael** *np m* Raphaël.

**ráfaga** *f* **1.** *(de viento)* rafale **2.** *(de luz)* jet *m* **3.** **~ de ametralladora** rafade de mitrailleuse.

**rafia** *f* raphia *m*.

**rafting** *m* rafting.

**raglán** *m* raglan.

**ragout, ragú** *m* ragoût.

**raíces** *pl* **de raíz.**

**raicilla** *f* radicelle.

**raid** *m* raid.

**raído, a** *a (vestido)* râpé, e, usé, e.

**raigambre** *f* **1.** *(de una planta)* racines *pl*, souche **2.** *FIG (antecedentes)* racines *pl*, origine.

**raigón** *m* **1.** grosse racine *f* **2.** *(de un diente)* racine *f*; *(trozo de diente)* chicot.

**raíl** *m* **1.** *(reil)* rail **2.** *(de seguridad)* glissière *f*.

**Raimundo** *np m* Raymond.

**raíz** *f* **1.** racine: **las raíces de una planta** les racines d'une plante ◇ *FIG* **echar raíces** s'enraciner, prendre racine; **cortar de ~** extirper, couper à la racine **2.** *(de un diente, de una palabra, etc.)* racine **3.** *MAT* **~ cuadrada** racine carrée; **~ cúbica** racine cubique **4.** *loc prep* **a ~ de** aussitôt après, à la suite de: **a ~ de la muerte de...** aussitôt après la mort de...; **¿a ~ de qué?** à la suite de quoi?; **a ~ de entonces** à partir d'alors. ◇ *a* **bienes raíces** biens-fonds.

**raja** *f* **1.** *(hendidura)* fente, *(grieta)* crevasse, fissure **2.** *(de melón, sandía, etc.)* tranche **3.** *FIG* **sacar ~** avoir sa part.

**rajá** *m* rajah, radjah.

**rajadizo, a** *a* qui se fend facilement.

**rajado, a** *a/s FAM (que falta a su palabra)* dégonflé, e.

**rajar** *vt (hender)* fendre: **tiesto rajado** pot de fleur fendu. ◇ *vi* **1.** *FAM (hablar mucho)*parler, jaspiner **2.** *AMER (huir)* se tailler, se débiner, filer: **¡rajemos!** taillons-nous! ◆ **~se** *vpr* **1.** se fendre **2.** *FAM* se dégonfler: **a última hora, se rajó** au dernier moment, il s'est dégonflé.

**rajatabla (a)** *loc adv* rigoureusement, scrupuleusement, strictement, à tout prix.

**raje** *m* fuite *f* ◇ *AMER* **dar el ~** virer, ficher dehors; **tomarse el ~** mettre les bouts.

**rajuela** *f* petite pierre plate.

**ralea** *f* espèce, acabit *m*, engeance: **gente de la misma ~** des gens du même acabit; **gente de baja ~** des gens de bas étage, la racaille.

**ralear** *vi* s'éclaircir, devenir plus clairsemé, e, plus rare.

**ralentí** *m* ralenti: **al ~** au ralenti.

**ralentización** *f* ralentissement *m*.

**ralentizar** *vt* ralentir.

**rallador** *m* râpe *f*.

**ralladura** *f* **1.** râpure **2. ~ de limón** zeste *m* de citron.

**rallar** *vt* râper: **queso rallado** fromage râpé ◊ **pan rallado** chapelure *f*.

**rallo** *m* **1.** râpe *f* **2.** *(vasija)* alcarazas.

**rallye** *m* rallye.

**ralo, a** *a* clairsemé, e, rare: **barba rala** barbe rare, peu fournie.

**rama** *f* **1.** branche ◊ *FIG* **andarse por las ramas** tourner autour du pot, se perdre dans les détails; **no andarse por las ramas** ne pas y aller par quatre chemins **2.** *(de una ciencia, etc.)* branche: **~ de actividad** branche d'activité **3. en ~** brut: **algodón en ~** coton brut.

**ramada → ramaje.**

**ramadán** *m* ramadan.

**ramaje** *m* branchage, ramure *f*.

**ramal** *m* **1.** *(de cuerda)* brin **2.** *(ronzal)* longe *f*, licou **3.** *(de vía)* embranchement **4.** *(de una cordillera)* ramification *f* **5.** *(de una escalera)* volée *f*.

**ramalazo** *m* **1.** *(señal)* marque *f* **2.** douleur *f* subite, attaque *f* **3.** *(de viento)* rafale *f*.

**ramazón** *f* branchages *m pl*.

**rambla** *f* **1.** *(barranco)* ravin *m* **2.** *(calle ancha)* avenue, cours *m* ◊ *(en Barcelona)* **las Ramblas** les "Ramblas", promenade ombragée de platanes.

**ramblazo, ramblizo** *m* ravine *f*, ravin.

**rameado, a** *a* *(tela, etc.)* à ramages.

**ramera** *f* prostituée.

**ramificación** *f* ramification.

**ramificarse** *vpr* se ramifier.

**ramilla** *f* ramille.

**ramillete** *m* **1.** *(de flores, etc.)* bouquet **2.** *(pastel)* pièce *f* montée **3.** *(colección)* recueil.

**ramilletera** *f* bouquetière.

**ramita** *f* branchette, brindille, petite branche: **una ~ de tomillo** une petite branche de thym.

**ramito** *m CULIN* bouquet garni.

**ramo** *m* **1.** *(rama cortada)* rameau: **~ de olivo** rameau d'olivier **2.** *(de flores)* bouquet, gerbe *f* **3.** *FIG* *(de una ciencia, actividad)* branche *f*: **el ~ de la hostelería** la branche de l'hôtellerie **4.** *FIG* grain, léger accès. ◇ *pl* **domingo de Ramos** dimanche des Rameaux.

**Ramón** *np m* Raymond.

**ramonear** *vi* **1.** couper les pointes des branches **2.** *(los animales)* brouter les jeunes pousses.

**ramoso, a** *a* branchu, e.

**rampa** *f* **1.** *(calambre)* crampe: **tener ~ en la pantorrilla** avoir une crampe au mollet **2.** *(plano inclinado)* rampe: **~ de lanzamiento** rampe de lancement.

**ramplón, ona** *a* vulgaire, de mauvais goût, grossier, ère.

**ramplonería** *f* vulgarité, grossièreté.

**rana** *f* **1.** grenouille: **la rana croa** la grenouille coasse ◊ *FIG FAM* **cuando las ranas críen pelos** quand les poules auront des dents, à la saint-glinglin; **no ser ~** s'y connaître; **salir ~** tromper, décevoir; **me salió ~** j'ai été déçu **2.** *(juego)* tonneau *m*.

**rancajo** *m* écharde *f*.

**ranchear** *vi* camper.

**ranchera** *f AMER* danse populaire.

**ranchería** *f* *(conjunto de ranchos)* campement *m*.

**ranchero, a** *s AMER* fermier, ère, paysan, anne.

**ranchito** *m AMER* cabane *f*.

**rancho** *m* **1.** *(comida de los soldados, etc.)* soupe *f*, gamelle *f*: **el toque de ~** la soupe **2.** *(campamento)* campement **3.** *(en Norteamérica)* ranch **4.** *(choza)* cabane *f* **5.** *FIG* **hacer ~ aparte** faire bande à part, faire cavalier seul.

**ranciedad** *f* **1.** rancidité, rance *m* **2.** *FIG* antiquité, ancienneté.

**rancio, a** *a* **1.** rance **2. vino ~** vin vieux **2.** *FIG* vieux, vieille, ancien, enne; **de ~ abolengo** de vieille souche; **una rancia familia aristocrática** une vieille famille aristocratique **4.** *(ideas, costumbres)* démodé, e. ◇ *m* rance.

**randa** *f* *(encaje)* dentelle. ◇ *m FAM* *(granuja)* voyou, filou.

**ranfañote** *m AMER* dessert péruvien à la noix de coco, aux noix, etc.

**ranga** *f AMER* *(matalón)* rosse, haridelle.

**rango** *m* rang: **una familia de alto ~** une famille d'un rang social élevé.

**ranilla** *f* *(del caballo)* fourchette.

**ranita** *f* pyjama *m* de bébé.

**ranking** *m* palmarès, classement.

**ranúnculo** *m* renoncule *f*.

**ranura** *f* **1.** rainure **2.** *(donde se introduce una ficha, una moneda)* fente.

**raña** *f* crochet *m* à pêcher les poulpes.

**raño** *m* *(pez)* serran, perche *f* de mer.

**rap** *m* rap.

**rapaces** *f pl ZOOL* rapaces *m*.

**rapacidad** *f* rapacité.

**rapado, a → rapar.**

**rapador** *m FAM* barbier.

**rapadura** *f* **1.** *(afeitado)* rasage *m* **2.** tonte.

**rapapolvo** *m FAM* savon: **echar un ~ a** passer un savon à.

**rapar** *vt* **1.** *(afeitar)* raser **2.** *(cortar el pelo)* tondre **3. cabeza rapada** crâne rasé, skinhead.

**rapaz** *a* rapace. ◇ *m* *(muchacho)* gamin, mioche.

**rapaza** *f* gamine.

**rapazada** *f* gaminerie.

**rapazuelo, a** *s* petit gamin, petite gamine.

[1]**rape** *m* *(pez)* baudroie *f*, lotte *f*: **~ a la catalana** lotte à la catalane.

[2]**rape** *m* rasage ◊ **al ~** ras: **cortar al ~** couper ras.

**rapé** *m* tabac à priser.

**rápidamente** *adv* rapidement.

**rapidez** *f* rapidité.

**rápido, a** *a* rapide. ◇ *m* *(en un río)* rapide.

**rapiña** *f* **1.** rapine, pillage *m* **2. ave de ~** oiseau de proie.

**rapiñar** *vt* voler.

**raposa** *f* **1.** renarde **2.** *FIG* vieux renard *m*.

**raposear** *vi* ruser.

**raposería** *f* ruse, astuce.

**raposo** *m* renard.

**rapsoda** *m* rhapsode, rapsode.

**rapsodia** *f* rhapsodie, rapsodie.

**raptar** *vt* **1.** *(a una persona)* enlever **2.** *(para obtener rescate)* kidnapper.

**rapto** *m* **1.** enlèvement, rapt: **el ~ de las Sabinas, de Ganimedes** l'enlèvement des Sabines, de Ganimède **2.** extase *f* **3.** *(de cólera, etc.)* accès: **en un ~ de locura** dans un accès de folie.

**raptor, a** *a/s* ravisseur, euse.

**raque** *m* pillage d'épaves.

**raquear** *vi* piller les épaves.

**Raquel** *np f* Rachel.

**raquero** *m* pilleur d'épaves.

**raqueta** *f* **1.** raquette: **~ de tenis** raquette de tennis **2.** *(para andar por la nieve)* raquette **3.** *(de crupier)* rateau *m.*

**raquídeo, a** *a ANAT* bulbe, canal rachidien, enne: **bulbo, canal ~** bulbe, canal rachidien.

**raquis** *m ANAT* rachis.

**raquítico, a** *a/s* rachitique.

**raquitismo** *m* rachitisme.

**rara avis** *f* oiseau *m* rare.

**raramente** *adv* **1.** *(pocas veces)* rarement **2.** bizarrement.

**rarefacción** *f* raréfaction.

**rarefacer*** *vt* raréfier.

**rarefacto, a** *a* raréfié, e.

**rareza** *f* **1.** rareté: **este sello vale una fortuna por su ~** ce timbre vaut une fortune en raison de sa rareté **2.** *(extravagancia)* bizarrerie, idée bizarre, extravagance.

**rarificar** *vt* raréfier.

**raro, a** *a* **1.** *(escaso, poco frecuente)* rare ◊ **rara vez** rarement **2.** *(extraño)* bizarre, drôle: **es ~ que no me haya dicho nada** c'est drôle qu'il ne m'ait rien dit; **hace ~** ça fait drôle; **tiene usted un hermano rarito** vous avez un frère un peu bizarre; **me siento ~** je me sens tout drôle.

**ras** *m* **1. a ~ de** au ras de; **a ~ de tierra** à ras de terre **2. ~ con ~** au même niveau.

**rasante** *a* **1.** *(tiro)* rasant, e **2. vuelo ~** vol en rase-mottes. ◇ *m* inclinaison *f* (d'une rue, d'un chemin, etc. par rapport au plan horizontal) ◊ **cambio de ~** haut d'une côte.

**rasar** *vt* **1.** remplir à ras ◊ **dos cucharadas soperas rasadas de azúcar** deux cuillerées à soupe rases de sucre **2.** *(pasar rozando)* raser, frôler.

**rasca** *f AMER (borrachera)* cuite. ◇ *a/s (sin recursos)* fauché, e.

**rascacielos** *m inv* gratte-ciel.

**rascadera** *f* grattoir *m*, racloir *m.*

**rascador** *m* **1.** grattoir, racloir **2.** *(para las cerillas)* frottoir **3.** sorte d'épingle *f* à cheveux.

**rascadura** *f* grattage *m.*

**rascar** *vt* **1.** *(la piel, etc.)* gratter ◊ **~ una cerilla** gratter une allumette **2.** *(raspar)* racler **3.** *(un violín, etc.)* racler. ◆ **~se** *vpr* **1.** se gratter: **deja de rascarte la nariz** arrête de te gratter le nez **2.** *AMER (emborracharse)* s'enivrer.

**rascatripas** *m inv FAM* racleur de violon.

**rascón** *m (ave)* râle d'eau.

**rasera** *f* spatule, pelle à friture.

**rasero** *m* racloire *f* ◊ *FIG* **medir con el mismo ~** traiter de la même façon, mettre sur le même pied.

**rasete** *m* satinette *f.*

**rasgado, a** *m* **ojos rasgados** yeux bridés, fendus, en amande. ◇ *m (rasgón)* déchirure *f.*

**rasgar** *vt (papel, tela)* déchirer: **rasgó el sobre** il déchira l'enveloppe ◊ **rasgarse las vestiduras → vestidura.**

**rasgo** *m* **1.** trait **2.** *loc adv* **a grandes rasgos** à grands traits. ◇ *pl (del rostro)* traits.

**rasgón** *m* déchirure *f.*

**rasguear** *vi* faire des traits (avec la plume). ◇ *vt (la guitarra)* faire des arpèges sur.

**rasgueo** *m (con la guitarra)* arpèges *pl.*

**rasguñar** *vt* **1.** égratigner **2.** *(un dibujo)* esquisser.

**rasguño** *m* **1.** *(arañazo)* égratignure *f* **2.** *(boceto)* esquisse *f.*

**raso, a** *a* **1.** *(llano)* plat, e, ras, e ◊ **campo ~** rase campagne; **cielo ~** plafond **2.** *(cielo)* dégagé, e, serein, e **3. soldado ~** simple soldat **4.** *loc adv* **al ~** à la belle étoile. ◇ *m (tela)* satin.

**raspa** *f* **1.** *(de pescado)* arête **2.** *(de uva)* rafle **3.** *FAM (persona desagradable)* teigne **4.** *AMER* réprimande, savon *m.*

**raspado** *m MED* curetage.

**raspador** *m* **1.** grattoir **2.** *MED* curette *f.*

**raspadura** *f* **1.** grattage *m* **2.** raclage *m* **3.** *(lo que se quita)* grature, raclure **4.** *(huella)* égratignure.

**raspar** *vt* **1.** gratter, râper **2.** *(un vino, etc.)* racler le gosier **3.** *MED* cureter **4.** *(rozar)* frôler **5.** *(hurtar)* voler, chiper **6.** *AMER (reprender)* réprimander, engueuler.

**raspilla** *f* myosotis *m.*

**raspón** *m (arañazo)* égratignure *f.*

**rasposo, a** *a* âpre, râpeux, euse.

**rasqueta** *f* **1.** racloir *m*, grattoir *m* **2.** *AMER (almohaza)* étrille.

**rasquetear** *vt* **1.** *(raer)* gratter, poncer **2.** *AMER (almohazar)* étriller.

**rastra** *f* **1.** *(grada)* herse **2.** *(rastrillo)* râteau *m* **3.** *(de fruta seca)* chapelet *m* **4.** *(huella)* trace **5.** *loc adv* **a rastras** en traînant, en se traînant; *FIG* à contrecœur, contraint et forcé, par force: **fui a rastras al dentista** je suis allé chez le dentiste contraint et forcé; **lleva a rastras su enfermedad** il supporte très mal sa maladie **6.** *AMER* boucle (de la ceinture des gauchos).

**rastreador, a** *a* qui suit à la trace.

**rastrear** *vt* **1.** suivre à la trace **2.** ratisser, passer au peigne fin: **la policía está rastreando toda la zona** la police passe toute la zone au peigne fin **3.** *(por el fondo del agua)* traîner au fond de l'eau. ◇ *vi* **1.** voler bas **2.** *FIG* s'informer, enquêter, sonder.

**rastreo** *m* ratissage.

**rastreramente** *adv* bassement.

**rastrero, a** *a* **1.** rampant, e: **tallo ~** tige rampante **2.** qui vole en rasant le sol **3.** *FIG (persona, conducta)* vil, e, bas, basse, rampant, e. ◇ *m ANT* employé des abattoirs.

**rastrillado** *m* ratissage.

**rastrillar** *vt* **1.** *(las calles de un jardín)* ratisser **2.** *(el lino, el cáñamo)* peigner.

**rastrillo** *m* **1.** râteau **2.** *(en una fortaleza)* herse *f.*

**rastro** *m* **1.** *(huella)* trace *f*, vestige: **desaparecer sin dejar ~** disparaître sans laisser de trace; **no se ha encontrado ningún ~ de vida en la luna** on n'a trouvé aucune trace de vie dans la lune; **no queda ni ~ de** il ne reste pas trace de; **no tiene ni ~ de acento inglés** il n'a pas la moindre pointe d'accent anglais **2.** *(rastrillo)* râteau **3.** *(matadero)* abattoir. ◇ *np m* **el Rastro** le marché aux puces de Madrid.

**rastrojar** *vt AGR* chaumer.

**rastrojera** *f* **1.** *(tierras)* chaumes *m pl* **2.** saison où les bestiaux paissent sur les chaumes.

**rastrojo** *m (parte del tallo, campo)* chaume.

**rasurador** *m* rasoir électrique.

**rasurar** *vt (la barba)* raser: **mejillas mal rasuradas** joues mal rasées.

**rata** *f* **1.** rat *m*: **~ de alcantarilla** rat d'égout: **~ de agua** rat d'eau; **~ de campo** rat des champs ◊ *FIG* **más pobre que las ratas**

pauvre comme Job **2.** *(hembra)* femelle du rat, rate **3. ~ blanca** souris blanche. ◇ *m (ratero)* filou, voleur. ◇ *a/s FAM (tacaño)* pingre, radin, e.

**ratafía** *f* ratafia *m.*

**rataplán** *m (del tambor)* rataplan, rantanplan.

**rata por cantidad** *loc adv* au prorata.

**ratear** *vt* **1.** distribuer au prorata **2.** *(hurtar)* voler, chaparder. ◇ *vi* **1.** se traîner **2.** *(un motor)* avoir des ratés **3.** *AMER* faire l'école buissonnière.

**ratería** *f (hurto)* larcin *m.*

**ratero, a** *s* voleur, euse, pickpocket, filou.

**raticida** *m* raticide.

**ratificación** *f* ratification.

**ratificar** *vt* ratifier. ◆ **~se** *vpr* **ratificarse en** confirmer; **me ratifico en lo dicho** je confirme ce que j'ai dit.

**ratina** *f* ratine.

**rato** *m* **1.** *(espacio de tiempo)* moment, instant: **hemos pasado un buen ~ juntos** nous avons passé un bon moment ensemble ◊ **al ~** peu après; **al poco ~ de** peu de temps après; **pasar el ~** passer le temps, tuer le temps; **pasar un mal ~** passer un mauvais quart d'heure; **hay para ~** il y en a pour un bon moment; *FAM* **¡hasta otro ~ !** à bientôt!, à la prochaine! **2.** *loc adv* **a ratos** par moments, parfois; **a ratos perdidos** à ses moments perdus, à temps perdu; **de ~ en ~** de temps en temps **3.** *FAM* **un ~** plein de, beaucoup, drôlement, vachement; **un ~ de cosas, de gente** plein de, des tas de choses, de gens; **la chica está un ~ bien** la fille est drôlement bien; **tenía ya un ~ de experiencia** il avait déjà énormément d'expérience.

**ratón** *m* **1.** souris *f* ◊ **~ de campo, campesino** mulot **2.** *FAM* **~ de biblioteca** rat de bibliothèque **3.** *INFORM* souris *f.*

**ratoncillo** *m* souriceau.

**ratonera** *f* souricière ◊ *FIG* **caer en la ~** tomber dans le piège.

**ratonero, a, ratonil** *a* souriquois, e, de souris.

**rauco, a** *a POÉT* rauque.

**raudal** *m* torrent ◊ **a raudales** à flots: **el sol entra a raudales** le soleil entre à flots; **llover a raudales** pleuvoir à torrents.

**raudo, a** *a* rapide.

**Raúl** *np m* Raoul.

**raulí** *m AMER* hêtre géant du Chili.

**Ravena** *np* Ravenne.

**ravioles** *m pl* ravioli.

[1]**raya** *f* **1.** *(línea)* raie **2.** rayure: **corbata a rayas** cravate à rayures **3.** *(de los cabellos)* raie **4.** *(en el cañón de un arma)* rayure **5.** *(del pantalón)* pli *m* **6.** *(guión)* tiret *m* **7.** *(del alfabeto Morse)* trait *m* **8.** *FIG* limite, frontière ◊ *FIG* **dar quince y ~** a dépasser de beaucoup, surpasser, damer le pion à; **pasar de la ~** dépasser les bornes; **tener a ~** tenir à distance, tenir en respect; **poner a ~** tenir à distance, tenir tête **9.** *(juego)* **tres en ~** marelle.

[2]**raya** *f (pez)* raie.

**rayadillo** *m* toile *f* de coton rayée.

**rayado, a** *a* rayé, e. ◇ *m* **1.** *(en una tela)* rayure *f* **2.** *(del papel)* réglure *f.*

**rayano, a** *a* **1.** limitrophe **2. ~ en** proche de: **una indiferencia rayana en desprecio** une indifférence proche du mépris.

**rayar** *vt* **1.** *(hacer rayas)* rayer **2.** *(subrayar)* souligner. ◇ *vi* **1. ~ con** confiner à, toucher à **2.** *FIG* friser: **esto raya en lo ridículo, lo absurdo** cela frise le ridicule, l'absurde ◊ **~ a gran altura** briller, exceller **3.** *(el alba, el día)* poindre ◊ **al ~ el alba** à l'aube, au point du jour. ◆ **~se** *vpr* se rayer: **estas nuevas lentes no se rayan** ces nouvelles lentilles ne se raient pas.

**rayero** *m AMER* juge d'une course de chevaux.

**rayo** *m* **1.** *(de luz, del sol, etc.)* rayon: **rayos cósmicos** rayons cosmiques; **rayos x** rayons x ◊ **pasar por rayos** passer une radio; *FIG* **un ~ de luz** un trait de lumière **2.** *(meteoro)* foudre *f* ◊ *FIG* **como el ~** comme l'éclair; **echar rayos** tempêter, être furibond, e, fulminer; **¡mal ~ te parta!** que le diable t'emporte! **3.** *(de rueda)* rayon.

**rayón** *m* rayonne *f.*

**rayuela** *f (juego)* palet *m*, marelle.

**raza** *f* **1.** race: **la ~ blanca, amarilla, negra** la race blanche, jaune, noire; **de ~** de race **2.** rayon *m* **3.** *(grieta)* fente.

**razón** *f* **1.** raison: **perder la ~** perdre la raison; **dar la ~ a** donner raison à; **tener ~** avoir raison; **no tener ~** avoir tort; **tienes toda la ~** tu as entièrement raison; **lleva usted ~** vous avez raison ◊ **atender a razones** entendre raison, se laisser convaincre; **dar ~ de** donner des nouvelles de, renseigner sur; **entrar en ~** se raisonner, entendre raison; **ponerse en ~** se montrer raisonnable; **tomar ~ de** prendre note de, noter; **~ de pie de banco** → **banco 2.** *(motivo)* raison: **no hay ninguna ~ para ser pesimista** il n'y a aucune raison d'être pessimiste; **por una ~ u otra** pour une raison ou une autre; **por la sencilla ~ de que...** pour la simple raison que...; **~ de más** raison de plus; **~ de Estado** raison d'État ◊ **cerrado, ~ enfrente** fermé, s'adresser en face **3.** *COM* **~ social** raison sociale **4.** *MAT* rapport *m* **5.** *loc adv* **con mayor ~** à plus forte raison: **con ~ o sin ella** à tort ou à raison; **con toda la ~** à juste titre; **sin ~** à tort **6.** *loc prep* **a ~ de** à raison de: **a ~ de una hora por día** à raison d'une heure par jour; **en ~ directa, inversa de** en raison directe, inverse de.

**razonable** *a* raisonnable: **sé ~** sois raisonnable; **precio ~** prix raisonnable.

**razonado, a** *a* raisonné, e.

**razonador, a** *a* raisonneur, euse.

**razonamiento** *m* raisonnement.

**razonar** *vi* raisonner. ◇ *vt* justifier.

**razzia** *f* razzia.

**re** *m MÚS* ré.

**rea** *f JUR* accusée, coupable.

**reabastecer** *vt* réapprovisionner.

**reabrir** *vt* rouvrir.

**reabsorber** *vt* résorber.

**reabsorción** *f* résorption.

**reacción** *f* réaction ◊ **avión de ~** avion à réaction; **~ en cadena** réaction en chaîne.

**reaccionar** *vi* réagir: **reaccionó con violencia** il a réagi violemment.

**reaccionario, a** *a/s* réactionnaire.

**reacio, a** *a* rétif, ive, réticent, e.

**reactivación** *f* **1.** réactivation **2.** *(de la economía)* relance.

**reactivar** *vt* relancer, réactiver.

**reactivo, a** *a/m* réactif, ive.

**reactor** *m* réacteur: **~ nuclear** réacteur nucléaire.

**readaptación** *f* réadaptation.

**readaptar** *vt* réadapter. ◆ **~se** *vpr* se réadapter.

**readmisión** *f* réadmission.

**readmitir** *vt* réadmettre.

**reafirmar** *vt* réaffirmer.

**reagravarse** *vpr* empirer, s'aggraver de nouveau.

**reagrupación** *f* regroupement *m.*

**reagrupar** *vt* regrouper. ◆ **~se** *vpr* se regrouper.

**reajustar** *vt* rajuster, réajuster.

**reajuste** *m* rajustement, réajustement: **~ de los salarios** rajustement des salaires.

[1]**real** *a (verdadero)* réel, elle: **un hecho ~** un fait réel; **imagen ~** image réelle.

**²real** *a* **1.** *(del rey)* royal, e: **palacio ~** palais royal; **la familia ~** la famille royale ◊ **águila ~** aigle royal **2.** *FIG* superbe. ◇ *m* **1.** *MIL* camp ◊ **alzar los reales** lever le camp; **sentar los reales** s'installer **2.** *(de la feria)* champ de foire, foirail **3.** *(moneda)* réal (25 centimes) ◊ *FIG* **no valer un ~** ne pas valoir tripette, ne pas valoir grand-chose.

**realce** *m* **1.** relief: **bordado de ~** broderie en relief **2.** *FIG (brillo)* éclat: **dar ~ a** donner de l'éclat à.

**realengo, a** *a* royal, e, du domaine royal, de l'État.

**realeza** *f* royauté.

**realidad** *f* réalité: **en ~** en réalité; **la cruda ~** la dure réalité ◊ **hacerse, tomar ~** se réaliser, prendre corps.

**realismo** *m* **1.** réalisme **2.** *(ideología de los partidarios de la monarquía)* royalisme.

**realista** *a/s* **1.** réaliste **2.** *(monárquico)* royaliste.

**realizable** *a* réalisable.

**realización** *f* réalisation.

**realizador, a** *a/s* réalisateur, trice. ◇ *s (cine, televisión)* réalisateur, trice, metteur en scène.

**realizar** *vt* **1.** réaliser: **~ un deseo, un proyecto** réaliser un souhait, un projet **2.** faire, effectuer: **~ un viaje** faire un voyage: **~ un pago** effectuer un paiement. ◆ **~se** *vpr* se réaliser.

**realmente** *adv* réellement.

**realojar** *vt* reloger.

**realojo** *m* relogement.

**realquilar** *vt* sous-louer.

**realzar** *vt* **1.** rehausser, relever **2.** *FIG* rehausser, faire valoir **3.** *(un sabor)* relever.

**reanimación** *f MED* réanimation.

**reanimar** *vt* **1.** ranimer **2.** *MED* réanimer.

**reanudación** *f* reprise: **la ~ del diálogo** la reprise du dialogue.

**reanudar** *vt* **1.** *(el trato)* renouer **2.** *(la conversación, etc.)* reprendre: **reanudó la faena** il reprit son travail; **reanudemos nuestro trabajo** reprenons notre travail; **~ las pruebas nucleares** reprendre les essais nucléaires. ◆ **~se** *vpr* reprendre: **se reanudan las clases** les cours reprennent.

**reaparecer*** *vi* réapparaître, reparaître.

**reaparición** *f* réapparition.

**reapertura** *f* **1.** réouverture **2.** *(de clases, tribunales, etc.)* rentrée.

**rearmar** *vt* réarmer.

**rearme** *m* réarmement.

**reasegurar** *vt* réassurer.

**reaseguro** *m* réassurance *f*.

**reasumir** *vt (un cargo)* reprendre.

**reata** *f* **1.** file de chevaux, de mulets **2.** *(cuerda)* corde qui les attache **3. de ~** en file.

**reavivar** *vt* raviver.

**rebaba** *f* bavure.

**rebaja** *f* **1.** rabais *m*: **vender con ~** vendre au rabais **2.** *(descuento)* remise: **una ~ del 5%** une remise de 5%. ◇ *pl* soldes *m*: **rebajas de invierno** soldes d'hiver; **¡grandes rebajas!** soldes monstres!

**rebajado, a** *pp* de **rebajar.** ◇ *a ARQ* surbaissé, e. ◇ *a/m MIL* exempté de service.

**rebajamiento** *m* abaissement.

**rebajar** *vt* **1.** abaisser, rabaisser **2.** réduire, diminuer, faire baisser: **~ la inflación, los precios** réduire l'inflation, faire baisser les prix; **~ el paro** réduire le chômage **3.** *(luz, color, etc.)* affaiblir, assourdir **4.** *FIG* rabaisser, humilier **5.** *COM* consentir un rabais sur, solder, mettre en solde: **la casa rebaja todos sus modelos** la maison solde tous ses modèles; **modelos rebajados** modèles en solde; **todos nuestros artículos están rebajados un 20%** tous nos articles bénéficient d'une remise de 20%; **precios rebajados** prix sacrifiés **6.** *ARQ* surbaisser **7.** *MIL* dispenser. ◆ **~se** *vpr* **1.** s'abaisser, se rabaisser: **rebajarse a solicitar un favor** s'abaisser à solliciter une faveur **2.** *MIL* être dispensé, exempté.

**rebaje** *m MIL* dispense *f*.

**rebajo** *m (de puerta o ventana)* feuillure *f*.

**rebalsar** *vt (el agua)* retenir. ◆ **~se** *vpr* stagner.

**rebanada** *f (de pan, etc.)* tranche.

**rebanar** *vt* couper (en tranches).

**rebañadera** *f* grappin *m*.

**rebañar** *vt* **1.** ramasser **2.** *(un plato)* nettoyer, enlever les restes de.

**rebaño** *m* troupeau.

**rebasadero** *m MAR* passe *f*.

**rebasar** *vt* dépasser, aller au-delà de, franchir: **~ los límites** dépasser les limites.

**rebatible** *a* réfutable.

**rebatir** *vt* **1.** *(un argumento, una tesis, etc.)* réfuter **2.** *(a alguien)* donner la réplique à, renvoyer la balle à **3.** *(rechazar)* repousser.

**rebatir** *vt* remplir, bourrer.

**rebato** *m* tocsin, alarme *f*: **tocar a ~** sonner le tocsin.

**rebeca** *f* cardigan *m*.

**Rebeca** *np f* Rebecca.

**rebeco** *m* isard, chamois.

**rebelarse** *vpr* se rebeller.

**rebelde** *a/s* **1.** rebelle: **tropas rebeldes** troupes rebelles; **los rebeldes** les rebelles **2.** *JUR* défaillant, contumace. ◇ *a (cosas)* rebelle.

**rebeldía** *f* **1.** rébellion, révolte **2.** *JUR* défaut *m*, contumace: **en ~** par défaut, par contumace.

**rebelión** *f* rébellion, révolte.

**rebencazo** *m* coup de fouet.

**rebenque** *m* **1.** *(látigo)* fouet **2.** *AMER* fouet à large lanière de cuir.

**rebién** *adv* très bien.

**reblandecer*** *vt* ramollir. ◆ **~se** *vpr* ramollir.

**reblandecimiento** *m* ramollissement.

**rebobinado** *m* rembobinage.

**rebobinar** *vt* rembobiner.

**rebollo** *m* sorte de chêne rouvre.

**rebolludo, a** *a* trapu, e.

**reborde** *m* rebord.

**rebosadero** *m* déversoir.

**rebosante** *a* débordant, e: **~ de salud, de entusiasmo** débordant de santé, d'enthousiasme.

**rebosar** *vi* **1.** déborder: **la bañera rebosa** la baignoire déborde; **lleno a ~** plein à déborder **2.** *FIG* déborder: **~ (de) alegría** déborder de joie **3.** *(tener en abundancia)* regorger.

**rebotar** *vi* **1.** *(una pelota)* rebondir **2.** *(bala, piedra)* ricocher. ◇ *vt* **1.** *(un clavo)* river **2.** *FIG* mettre hors de soi.

**rebote** *m* **1.** *(de una pelota)* rebond **2.** *(de una bala, piedra)* ricochet **3. de ~** par ricochet.

**rebotica** *f* arrière-boutique.

**rebozar** *vt* **1.** cacher (son visage) sous sa cape **2.** CULIN enrober dans de la pâte à frire: **bacalao rebozado** beignet de morue; **~ con pan rallado** paner. ◆ **~se** *vpr* se couvrir le visage.

**rebozo** *m* **1.** manière *f* de porter la cape en se couvrant le visage **2.** FIG prétexte **3. sin ~** franchement, ouvertement.

**rebozuelo** *m (seta)* girolle *f*, chanterelle *f*.

**rebrotar** *vi* **1.** repaisse **2.** FIG renaître.

**rebrote** *m* **1.** repousse *f* **2.** FIG recrudescence *f*, renouveau, réapparition *f*, nouvel essor.

**rebufar** *vi* souffler de colère.

**rebujar → arrebujar.**

**rebujo** *m (envoltorio)* paquet mal fait.

**rebullicio** *m* agitation *f*, tumulte, tapage.

**rebullir*** *vi* commencer à s'agiter, commencer à bouger: **rebulló en su asiento** il commença à s'agiter sur son siège.

**rebusca** *f* **1.** recherche minutieuse **2.** *(de uvas)* grappillage *m*, *(de cereales)* glanage *m*.

**rebuscado, a** *a* recherché, e.

**rebuscamiento** *m* recherche *f*.

**rebuscar** *vt* **1.** rechercher, chercher **2.** *(uvas)* grappiller, *(cereales)* glaner.

**rebutir** *vt* remplir, bourrer.

**rebuznar** *vi (el asno)* braire.

**rebuzno** *m* braiment.

**recabar** *vt* **1.** *(conseguir)* obtenir ◊ **~ para sí toda la gloria** s'attribuer toute la gloire **2.** *(pedir)* demander, réclamer, solliciter ◊ **~ datos sobre...** recueillir des renseignements sur...; **~ firmas** recueillir des signatures.

**recadero, a** *s* commissionnaire.

**recado** *m* **1.** message: **dejar un ~** laisser un message **2.** commission *f*: **darle un ~ a** faire une commission à ◊ **chico de los recados** garçon de courses, coursier **3.** nécessaire, attirail, accessoires *pl* ◊ **~ de escribir** écritoire *f* **4.** *(arreos)* AMER harnais. ◇ *pl (saludos)* souvenirs, compliments.

**recaer*** *vi* **1.** *(en vicios, errores, etc.)* retomber **2.** *(un enfermo)* rechuter **3.** FIG **~ sobre** retomber, rejaillir sur: **la responsabilidad recayó sobre mí** la responsabilité est retombée sur moi **4.** *(un premio)* échoir.

**recaída** *f* rechute: **tener una ~** faire une rechute.

**recalar** *vt (hablando de un líquido)* mouiller, pénétrer. ◇ *vi* **1.** MAR arriver, aborder, atterrir **2.** FIG *(llegar)* arriver, échouer.

**recalcar** *vt* **1.** *(apretar)* presser, tasser **2.** FIG appuyer sur, insister sur, mettre l'accent sur, souligner: **agregó, recalcando la palabra** il ajouta, en insistant sur le mot; **le recalqué que yo no lo sabía** je lui répétai, j'insistai sur le fait que je ne le savais pas; **recálcale a tu hermano que el concierto empieza a las nueve** rappelle bien à ton frère que le concert commence à neuf heures.

**recalcificación** *f* recalcification.

**recalcificar** *vt* recalcifier.

**recalcitrante** *a* récalcitrant, e.

**recalentamiento** *m* **1.** réchauffement **2.** *(excesivo)* surchauffe *f*.

**recalentar*** *vt* **1.** *(calentar de nuevo)* réchauffer, faire réchauffer **2.** *(calentar demasiado)* surchauffer. ◆ **~se** *vpr* s'échauffer.

**recalmón** *m* MAR accalmie *f* soudaine.

**recalzar** *vt* **1.** *(una planta)* butter **2.** ARQ rehausser, reprendre en sous- œuvre.

**recamado** *m* broderie *f* en relief.

**recamar** *vt* broder en relief.

**recámara** *f* **1.** *(cuarto)* garde-robe **2.** *(de un arma de fuego)* chambre **3.** FIG dissimulation, ruse: **un hombre con ~** un homme dissimulé **4.** *(alcoba)* AMER chambre à coucher.

**recamarera** *f* AMER *(criada)* bonne.

**recambiar** *vt* rechanger.

**recambio** *m* rechange: **pieza de ~** pièces de rechange.

**recancanilla** *f* **1.** FAM cloche-pied *m* **2.** FIG insistance (en appuyant sur les mots).

**recapacitar** *vi* réfléchir, méditer, se remémorer: **~ en** réfléchir à.

**recapitulación** *f* récapituler.

**recapitular** *vt* récapituler.

**recapitulativo, a** *a* récapitulatif, ive.

**recargable** *a* rechargeable: **batería ~** batterie rechargeable.

**recargar** *vt* **1.** *(cargar de nuevo)* recharger: **~ un fusil, una pila** recharger un fusil, une pile **2.** *(cargar demasiado, adornar con exceso)* surcharger: **estilo recargado** style surchargé **3.** *(un impuesto, etc.)* majorer, alourdir **4.** *(una condena)* aggraver.

**recargo** *m* **1.** surcharge *f* **2.** *(aumento de los precios)* majoration *f* **2.** poussée *f* de fièvre.

**recatado, a** *a* **1.** *(honesto)* modeste, réservé, e, décent, e **2.** prudent, e.

**recatar** *vt (ocultar)* cacher. ◆ **~se** *vpr* **1.** *(esconderse)* se cacher **2.** *(mostrarse receloso)* se méfier.

**recato** *m* **1.** *(pudor)* modestie *f*, pudeur *f*, honnêteté *f* **2.** réserve *f*, circonspection *f*, prudence *f*.

**recauchutado** *m* rechapage.

**recauchutar** *vt* rechaper.

**recaudación** *f* **1.** *(de impuestos, tasas)* recouvrement *m*, perception **2.** *(cantidad)* recette **3.** *(oficina)* perception, recette.

**recaudador** *m* percepteur, receveur.

**recaudar** *vt* **1.** *(impuestos, etc.)* recouvrer, percevoir **2. ~ fondos** collecter des fonds.

**recaudatorio, a** *a* relatif, ive au recouvrement.

**recaudo** *m* **1.** précaution *f* **2. a buen ~** en lieu sûr **3.** *(recaudación)* recouvrement, recette *f*.

**recazo** *m* **1.** *(de la espada)* garde *f* **2.** *(del cuchillo)* dos.

**rece → rezar.**

**recelar** *vt* **1.** *(temer)* craindre **2.** *(sospechar)* soupçonner **3.** *(desconfiar)* se méfier: **recela de su vecina** elle se méfie de sa voisine.

**recelo** *m* **1.** *(desconfianza)* méfiance *f* **2.** *(temor)* crainte *f*.

**receloso, a** *a* **1.** *(desconfiado)* méfiant, e **2.** *(temeroso)* craintif, ive.

**recensión** *f* compte rendu *m*.

**recental** *a* de lait: **cordero, ternero ~** agneau, veau de lait.

**recentísimo, a** *a* très récent, e.

**recepción** *f* réception.

**recepcionista** *s* réceptionniste.

**receptáculo** *m* réceptable.

**receptividad** *f* réceptivité.

**receptivo, a** *a* réceptif, ive.

**receptor, a** *a/s* **1.** récepteur, trice **2.** MED receveur, euse: **~ universal** receveur universel. ◇ *m (aparato)* récepteur.

**recesión** *f* récession.

**receso** *m* AMER **1.** suspension *f* de séance **2.** *(tiempo que dura la supensión)* vacance *f*.

**receta** *f* **1.** *(fórmula)* recette: **~ de cocina** recette de cuisine **2.** *(del médico)* ordonnance: **venta con ~ médica** vente sur ordonnance; **sin ~ médica** sans ordonnance.

**recetar** *vt* prescrire, ordonner: **el médico le recetó un jarabe** le médecin lui a prescrit un sirop.

**recetario** *m* **1.** livre de recettes (de cuisine) **2.** *(del médico)* registre d'ordonnances **3.** pharmacopée *f.*

**rechazar** *vt* **1.** *(repeler)* repousser: **~ a alguien, al enemigo** repousser quelqu'un, l'ennemi **2.** *(desestimar)* rejeter, décliner: **~ una oferta** rejeter une offre **3.** *(no aceptar)* refuser.

**rechazo** *m* **1.** contrecoup ◊ **de ~** par ricochet; *FIG* par contrecoup **2.** *(de un arma de fuego)* recul **3.** *FIG* rejet, refus, opposition *f*: **el ~ a una política** le rejet d'une politique, l'opposition à une politique; **~ a abrir negociaciones** refus d'ouvrir des négotiations **4.** *MED (de un injerto)* rejet.

**rechifla** *f* **1.** *(abucheo)* huées *pl*, sifflements *m pl*, tollé *m*: **una prolongada ~** des sifflements prolongés **2.** *(burla)* moquerie, raillerie.

**rechiflar** *vt* huer, siffler: **~ a un actor** siffler un acteur. ◆ **~se** *vpr* **1.** se moquer **2.** *AMER (enojarse)* se fâcher.

**rechinamiento** *m* grincement.

**rechinar** *vi* grincer: **le rechinan los dientes** il grince des dents.

**rechistar** *vi* **1.** murmurer **2. obedecer sin ~** obéir sans broncher, sans piper, sans tiquer.

**rechoncho, a** *a* trapu, e, boulot, otte.

**rechupete (de)** *loc FAM* délicieux, euse, exquis, e.

**reciamente** *adv* fortement, vigoureusement.

**recibí** *m COM* pour acquit.

**recibidor** *m (antesala)* antichambre *f*, vestibule.

**recibimiento** *m* **1.** *(acogida)* réception *f*, accueil **2.** *(antesala)* antichambre *f*, vestibule **3.** salon.

**recibir** *vt/i* **1.** recevoir: **recibí su carta** j'ai bien reçu votre lettre: **~ a un amigo** recevoir un ami; **el alcalde recibe los lunes** le maire reçoit le lundi; **~ una bofetada** recevoir une gifle; **río que recibe varios afluentes** fleuve qui reçoit plusieurs affluents **2.** *TAUROM* attendre de pied ferme (le taureau, au moment de l'estocade). ◆ **~se** *vpr* être reçu, e, recevoir le titre de: **recibirse de abogado** être reçu avocat.

**recibo** *m* **1.** réception *f*: **acusar ~ de** accuser réception de ◊ **no estar de ~** ne pas être présentable; **yo no estoy de ~** je ne suis pas prêt; **no es de ~...** il n'est pas admissible... **2.** *(documento)* reçu, quittance *f*, note *f*: **el ~ de la luz** la note d'électricité.

**reciclable** *a* recyclable.

**reciclaje** *m* recyclage.

**reciclar** *vt* recycler. ◆ **~se** *vpr* se recycler.

**recidiva** *f MED* récidive, rechute.

**reciedumbre** *f* force, vigueur.

**recién** *adv* **1.** récemment, nouvellement: **casa ~ construida** maison récemment construite ◊ **~ nacido** nouveau-né; **~ casados** jeunes mariés; **~ llegado** nouveau venu; **flor ~ cortada** fleur fraîchement coupée; **~ afeitado** rasé de frais; **estoy ~ comido** je viens de manger **2.** *AMER* **~ entró** il venait juste d'entrer, à peine entré; **llegó ~ al amanecer** il arriva juste à l'aube; **~ hoy** aujourd'hui même; **~ entonces se acordó de que...** c'est alors qu'il se souvint que...; **~ después de...** peu après...

▶ *Recién* forme apocopée de *recientemente* s'emploie toujours devant un participe passé. En Amérique latine, son emploi devant d'autres formes (verbales, adverbiales, etc.) est fréquent.

**reciente** *a* récent, e.

**recientemente** *adv* récemment, nouvellement.

**recinto** *m* enceinte *f.*

**recio, a** *a* **1.** *(fuerte)* fort, e, robuste, vigoureux, euse **2.** *(grueso)* gros, grosse **3.** dur, e, pénible **4.** *(de genio)* revêche **5.** *(tiempo)* rigoureux, euse. ◇ *adv* fort: **pegar ~** taper fort; **hablar ~** parler fort, haut ◊ **de ~** vigoureusement.

**recipiendario** *m* récipiendaire.

**recipiente** *m* récipient.

**recíprocamente** *adv* réciproquement.

**reciprocidad** *f* réciprocité.

**recíproco, a** *a* réciproque ◊ *loc adv* **a la recíproca** réciproquement.

**recitación** *f* récitation.

**recitado** *m MÚS* récitatif.

**recital** *m* récital: **recitales de violín** des récitals de violon.

**recitar** *vt* réciter.

**recitativo, a** *a/m MÚS* récitatif, ive.

**reciura** *f* force, vigueur.

**reclamación** *f* réclamation.

**reclamar** *vt* **1.** réclamer **2.** revendiquer **3.** *(las aves)* appeler **4.** *JUR* citer, sommer à comparaître. ◇ *vi* réclamer, protester.

**reclamo** *m* **1.** *(especie de pito)* appeau **2.** *(ave amaestrada)* appelant **3.** *(publicidad)* réclame *f* **4.** *FIG* attrait.

**reclinable** *a* inclinable: **asiento ~** siège inclinable.

**reclinar** *vt* incliner, appuyer: **reclinó la cabeza sobre el hombro de su marido** elle appuya sa tête sur l'épaule de son mari. ◆ **~se** *vpr* s'appuyer: **se reclinó en su hombro** elle s'appuya sur son épaule.

**reclinatorio** *m* prie-Dieu *inv.*

**recluir*** *vt* enfermer, reclure, retenir. ◆ **~se** *vpr* s'enfermer, se confiner, se cloîtrer: **se recluye en su casa y no quiere ver a nadie** il se cloître chez lui et ne veut voir personne.

**reclusión** *f* réclusion.

**recluso, a** *s (preso)* prisonnier, ère, détenu, e.

**reclusorio** *m* prison *f.*

**recluta** *f* **1.** *(reclutamiento)* recrutement *m* **1.** *(soldado)* recrue *f*, appelé **2.** *(quinto, soldado bisoño)* conscrit.

**reclutador** *m* recruteur.

**reclutamiento** *m* **1.** recrutement **2.** *(conjuntos de reclutas)* recrues *f pl.*

**reclutar** *vt* recruter.

**recobrar** *vt* **1.** retrouver: **~ la serenidad** retrouver son calme **2.** *(salud)* retrouver, recouvrer **3. ~ el aliento** reprendre haleine; **~ las fuerzas** reprendre des forces; **~ el conocimiento** reprendre connaissance. ◆ **~se** *vpr* **1.** être dédommagé, e **2.** *(de una enfermedad, de una emoción, etc.)* se remettre **3.** *(volver en sí)* revenir à soi.

**recobro** *m* **1.** recouvrement **2.** *(desquite)* dédommagement.

**recocer** *vt* recuire.

**recochinearse** *vpr FAM* se ficher de, se payer la tête de.

**recochineo** *m FAM* moquerie *f* ◊ **y encima se anda con ~** et en plus il se paie ma (ta, etc.) tête.

**recocido** *m* recuit.

**recocina** *f (de la cocina)* office *m.*

**recodo** *m (de un río, camino, etc.)* coude, tournant ◊ **en el ~ del camino** au détour du chemin.

**recogedor** *m* pelle *f* à poussière.

**recogemigas** *m inv* ramasse-miettes.

**recogepelotas** *m inv* ramasseur de balles.

**recoger** *vt* **1.** *(coger de nuevo)* reprendre: **recoja su ticket** reprenez votre ticket **2.** *(algo que se ha caído)* ramasser: **recogió**

**su pañuelo** il ramassa son mouchoir; **recoge del suelo su cartera** il ramasse son portefeuille **3.** *(reunir, juntar, dar asilo)* recueillir: **ha recogido a un niño huérfano** il a recueilli un jeune orphelin; **~ datos, fondos** recueillir des renseignements, des fonds **4.** prendre: **ha venido a recogerme en coche** il est venu me prendre en voiture; **te recojo a las seis** je passe te prendre à six heures **5.** *(cosechar)* récolter **6.** *(ordenar y guardar)* ranger: **~ la casa** ranger la maison ◊ **~ la mesa** débarrasser la table, enlever le couvert **7.** *(una publicación)* saisir **8.** *(la falda, etc.)* relever, retrousser **9.** *(ceñir)* resserrer, froncer **10.** *(una noticia)* relever, noter. ◆ **~se** *vpr* **1.** *(retirarse)* se retirer **2.** *(a su casa)* rentrer chez soi **3.** *(irse a dormir)* aller se coucher **4.** *(abstraerse)* se recueillir.

**recogida** *f* **1.** *(de basuras, etc.)* ramassage *m*, enlèvement *m*, collecte **2.** *(del correo)* levée **3.** *(de muestras)* prélèvement *m* **4.** *(cosecha)* récolte **5.** *(de una publicación, de datos)* saisie.

**recogido, a** *a* **1.** *(persona, vida)* retiré, e **2.** *(arremangado)* relevé, e ◊ **lleva un pelo rubio ~** elle porte des cheveux blonds relevés **3.** *(ceñido)* resserré, e **4.** *(macizo)* ramassé, e, massif, ive.

**recogimiento** *m* recueillement.

**recolección** *f* **1.** *(cosecha)* récolte **2.** *(de los frutos)* cueillette **3.** *(de mariscos)* ramassage *m* **4.** collecte **5.** *(devoción)* recueillement *m*.

**recolectar** *vt* récolter.

**recoleto, a** *a (lugar, persona)* paisible, retiré, e. ◇ *s (religioso)* récollet, ette.

**recolocación** *f* réemploi *m*.

**recolocar** *vt* procurer un nouvel emploi, réemployer, recaser. ◆ **~se** *vpr* se recaser.

**recomendable** *a* recommandable.

**recomendación** *f* recommandation: **carta de ~** lettre de recommandation.

**recomendar*** *vt* recommander: **te recomiendo que seas prudente** je te recommande d'être prudent; **~ a alguien ante el alcalde** recommander quelqu'un auprès du maire.

**recomenzar*** *vt* recommencer.

**recomerse** *vpr FIG* se ronger.

**recompensa** *f* récompense.

**recompensar** *vt* récompenser.

**recomponer*** *vt (arreglar)* réparer, arranger.

**recompra** *f* rachat *m*.

**recompuesto, a** *pp* de **recomponer.**

**reconcentrar** *vt* concentrer. ◆ **~se** *vpr* se concentrer.

**reconciliación** *f* réconciliation.

**reconciliar** *vt* réconcilier. ◆ **~se** *vpr* se réconcilier.

**reconcomerse** *vpr* enrager, se ronger les sangs.

**reconcomio** *m* **1.** démangeaison *f* **2.** *FIG* rage *f* **3.** *FIG* défiance *f*, rancœur *f*.

**reconditez** *f* recoin *m*.

**recóndito, a** *a* **1.** *(lugar)* caché, e, secret, ète **2.** *FIG* secret, ète, intime: **en lo más ~ de mi corazón** dans le secret de mon cœur.

**reconducción** *f* reconduction.

**reconducir*** *vt JUR* reconduire.

**reconfortante** *a* réconfortant, e.

**reconfortar** *vt* réconforter.

**reconocer*** *vt* **1.** reconnaître: **reconozco su voz** je reconnais sa voix; **~ por la voz** reconnaître à la voix; **el ciego la reconoció por la voz** l'aveugle la reconnut à la voix; **ha reconocido que yo tenía razón** il a reconnu que j'avais raison; **~ su firma** reconnaître sa signature **2.** examiner: **el médico reconoció al enfermo** le médecin examina le malade **3.** *(registrar)* fouiller **4.** *MIL* reconnaître. ◆ **~se** *vpr* se reconnaître, s'avouer: **reconocerse culpable** se reconnaître coupable.

**reconocible** *a* reconnaissable.

**reconocido, a** *a* **1.** reconnu,e **2.** *(agradecido)* reconnaissant, e.

**reconocimiento** *m* **1.** reconnaissance *f* **2.** *MIL* **patrulla de ~** patrouille de reconnaissance **3.** **~ médico** examen médical, visite *f* médicale.

**reconquista** *f* reconquête.
▶ La *Reconquista* = celle de l'Espagne sur les Arabes par les chrétiens (718-1492).

**reconquistar** *vt* reconquérir.

**reconsiderar** *vt* reconsidérer.

**reconstitución** *f* reconstitution.

**reconstituir*** *vt* reconstituer. ◆ **~se** *vpr* se reconstituer.

**reconstituyente** *a* reconstituant, e. ◇ *m (medicina)* reconstituant, fortifiant, remontant.

**reconstrucción** *f* **1.** reconstruction **2.** *(de un crimen, accidente)* reconstitution.

**reconstruir*** *vt* **1.** reconstruire **2.** **~ un crimen** reconstituer un crime.

**recontar*** *vt* **1.** recompter, compter de nouveau **2.** *(referir)* raconter.

**reconvención** *f* reproche *m*.

**reconvenir*** *vt* gronder, faire des reproches à: **reconvino a su hija por llegar tarde** il gronda sa fille pour être arrivée en retard.

**reconversión** *f* reconversion: **~ industrial** reconversion industrielle.

**reconvertir*** *vt* reconvertir.

**recopilación** *f* **1.** compilation **2.** *(compendio)* résumé *m* **3.** *(colección de leyes, etc.)* recueil *m*.

**recopilador, a** *s* compilateur, trice.

**recopilar** *vt* compiler.

**récord** *m* record: **batir el ~** battre le record; **establecer un ~** établir un record; **cifra ~** chiffre record; **en tiempo ~** en un temps record.

**recordable** *a* mémorable.

**recordación** *f* souvenir *m*, mémoire.

**recordar*** *vt* **1.** se rappeler, se souvenir de: **recuerdo muy bien nuestro primer encuentro** je me rappelle fort bien notre première recontre, je me souviens fort bien de notre première rencontre; **recuerde que...** rappelez-vous que... ◊ **si mal no recuerdo** si je me souviens bien, si j'ai bonne mémoire, autant qu'il m'en souvienne **2.** *(traer a la memoria, parecerse a)* rappeler: **recuérdale que salimos temprano** rappelle-lui que nous partons de bonne heure; **este pueblo me recuerda el de mi niñez** ce village me rappelle celui de mon enfance.

**recordatorio** *m* **1.** *(aviso)* avis, rappel, message **2.** *(escrito para hacer recordar algo)* pense-bête **3.** *(estampa de primera comunión, etc.)* image *f*, image *f* pieuse, souvenir.

**recorrer** *vt* **1.** parcourir: **hemos recorrido toda Andalucía** nous avons parcouru toute l'Andalousie; **~ el periódico** parcourir le journal **2.** faire, parcourir: **nos queda mucho camino por ~** il nous reste beaucoup de chemin à faire; **~ diez kilómetros a pie** faire dix kilomètres à pied **3.** *(registrar)* fouiller.

**recorrido** *m* **1.** *(trayecto)* parcours: **~ turístico** parcours touristique ◊ **vuelo de largo ~** vol sur de longues distances **2.** *(del émbolo)* course *f* **3.** *FAM* **dar un ~** passer un savon.

**recortable** *m* découpage.

**recortado, a** *a* **1.** découpé, e: **costa recortada** côte découpée **2. cañón ~** canon scié. ◇ *m AMER* revolver.

**recortadura → recorte.**

**recortar** *vt* **1.** *(figuras dibujadas)* découper **2.** *(quitar los bordes o puntas)* rogner **3.** *(cortar el pelo, el bigote, etc.)* couper **4.** réduire, diminuer: **~ la producción** réduire la production. ◆ **~se** *vpr (perfilarse)* se découper.

**recorte** *m* **1.** *(acción)* découpage **2.** découpure *f* **3. ~ de prensa** coupure *f* de presse **4.** réduction *f*, diminution *f*, compression *f*, coupe sombre: **el ~ de las subvenciones** la réduction des subventions; **~ de las pensiones** diminution des retraites; **recortes presupuestarios** compressions budgétaires; **~ de plantilla** compression du personnel; **recortes de empleo** suppression d'emplois. ◇ *pl (restos)* rognures.

**recoser** *vt* **1.** recoudre **2.** *(remendar)* raccommoder.

**recosido** *m* raccommodage.

**recostar*** *vt* **1.** appuyer: **recostó la cabeza en mi hombro, en el respaldo de la silla** elle appuya la tête sur mon épaule, sur le dos de la chaise **2.** incliner. ◆ **~se** *vpr* **1.** s'appuyer: **se recuesta en, sobre el pretil** il s'appuie sur le parapet **2.** *(en un sillón)* se caler, s'allonger à moitié: **estaba recostado en una butaca** il était calé dans un fauteuil **3.** *(hacia atrás)* se renverser.

**recova** *f* **1.** commerce *m* d'œufs et de volailles **2.** *(mercado)* marché à la volaille **3.** *(perros de caza)* meute.
▶ En Andalousie, en Argentine *recova:* arcades sous lesquelles on peut s'abriter.

**recoveco** *m* **1.** *(de un camino, etc.)* détour **2.** *(escondrijo)* recoin: **casa llena de recovecos** maison pleine de recoins **3.** *FIG* détour, subterfuge, faux-fuyant.

**recovero, a** *s* marchand, e d'œufs et de volailles.

**recreación** *f* récréation.

**recrear** *vt* **1.** distraire, récréer **2.** *(crear de nuevo)* recréer. ◆ **~se** *vpr* se distraire, se récréer, s'amuser.

**recreativo, a** *a* récréatif, ive ◇ **círulo ~** cercle.

**recreo** *m* **1.** récréation *f*: **en el ~ , durante el ~** pendant la récréation **2.** agrément: **viaje de ~** voyage d'agrément **3. barco, casa de ~** bateau, maison de plaisance.

**recría** *f* élevage *m*, embouche.

**recriar** *vt* élever, engraisser.

**recriminación** *f* récrimination.

**recriminar** *vt* **1.** récriminer **2.** reprocher: **le recrimino su grosería** je lui reproche sa grossièreté; **todos se lo recriminan** tous le lui reprochent. ◆ **~se** *vpr* s'accuser mutuellement.

**recrudecer*** *vi/pr* redoubler, s'intensifier: **se recrudecen los combates** les combats redoublent de violence.

**recrudecimiento** *m*, **recrudescencia** *f* recrudescence *f*: **el recrudecimiento de la epidemia** la recrudescence de l'épidémie.

**recta** *f* **1.** *GEOM* droite **2.** *(línea recta)* ligne droite: **en la ~ final** dans la dernière ligne droite.

**rectal** *a* rectal, e: **temperatura ~** température rectale.

**rectangular** *a* rectangulaire.

**rectángulo** *m* rectangle.

**rectificable** *a* rectifiable.

**rectificación** *f* rectification.

**rectificador** *m ELECT* redresseur.

**rectificar** *vt* **1.** rectifier: **~ un error** rectifier une erreur **2.** *ELECT* redresser.

**rectificativo, a** *a/m* rectificatif, ive.

**rectilíneo, a** *a* rectiligne.

**rectitud** *f* rectitude.

**recto, a** *a* **1.** droit, e: **línea recta** ligne droite; **nariz recta** nez droit; **espíritu ~** esprit droit **2.** *(justo)* juste, équitable **3.** *GRAM* **sentido ~** sens propre. ◇ *m* **1.** *(folio)* recto **2.** *ANAT (última parte del intestino grueso)* rectum. ◇ *adv* droit: **siga** (todo) **~** suivez tout droit; **mirar ~ a los ojos** regarder droit dans les yeux. ◇ *f* **→ recta.**

**rector, a** *a* directeur, trice. ◇ *s (de universidad)* recteur. ◇ *m (párroco)* curé.

**rectorado** *m* rectorat.

**rectoral** *a* rectoral, e.

**rectoría** *f* rectorat *m*.

**recua** *f* **1.** troupe de bêtes de somme **2.** *FIG* ribambelle.

**recuadro** *m* **1.** cadre **2.** *(en un periódico)* encadré, entrefilet.

**recubrimiento** *m* revêtement.

**recubrir** *vt* recouvrir: **mesa recubierta con un mantel** table recouverte d'une nappe.

**recuelo** *m (café)* repasse *f*.

**recuento** *m* **1.** *(cálculo)* dénombrement, décompte **2.** *(de votos)* dépouillement, recensement **3.** inventaire.

**recuerdo** *m* souvenir: **un mal ~** un mauvais souvenir; **despertar recuerdos** éveiller des souvenirs; **este poncho es un ~ de mi viaje a Bolivia** ce poncho est un souvenir de mon voyage en Bolivie; **guardar algo de ~** garder quelque chose en souvenir. ◇ *pl* **recuerdos a tu hermana** mon bon souvenir à, bien des choses à ta sœur; **muchos recuerdos** meilleurs souvenirs.

**reculada** *f* reculade.

**recular** *vi* reculer: **~ un metro** reculer d'un mètre.

**reculones (a)** *loc adv* à reculons.

**recuperable** *a* récupérable.

**recuperación** *f* **1.** *(de materiales usados, etc.)* récupération **2.** rattrapage *m*: **clase de ~** cours de rattrapage **3.** *(de la economía, etc.)* redressement *m*, reprise, relèvement *m*: **~ económica** reprise économique; **leve ~ de la siderurgia** légère reprise de la sidérurgie; **la ~ tarda en notarse en Europa** la reprise se fait attendre en Europe; **~ del dólar** remontée du dollar **4.** *(de la salud)* convalescence.

**recuperar** *vt* **1.** *(lo perdido, chatarra, etc.)* récupérer **2.** *(recobrar la salud, etc.)* retrouver, recouvrer: **~ el habla** retrouver la parole **3. ~ el tiempo perdido** rattraper le temps perdu. ◆ **~se** *vpr* se remettre, se rétablir: **se recupera satisfactoriamente** il se remet d'une façon satisfaisante; **se ha recuperado de un infarto** il s'est remis d'un infarctus; **está completamente recuperado** il est complètement remis; **nunca se recuperó** il ne s'est jamais remis.

**recurrencia** *f* récurrence.

**recurrente** *a* récurrent, e. ◇ *s JUR* appelant, e.

**recurrir** *vi* **1. ~ a** recourir à, avoir recours à, faire appel à: **no saber a quien ~** ne pas savoir à qui faire appel, à quel saint se vouer **2.** *JUR* se pourvoir, faire appel: **recurriré** je ferai appel; **recurrió la sentencia** il fit appel.

**recurso** *m* **1.** recours ◇ **en último ~** en dernier recours, en désespoir de cause **2.** *(medio)* moyen ◇ **no hay otro ~** il n'y a pas d'autre solution **3.** *JUR* recours, pourvoi, appel: **~ de casación** pourvoi en cassation: **interponer ~** interjeter appel. ◇ *pl* ressources *f*: **los recursos naturales de un país** les ressources naturelles d'un pays; **recursos humanos** ressources humaines.

**recusación** *f* **1.** refus *m*, rejet *m* **2.** *JUR* récusation.

**recusar** *vt* récuser.

**red** *f* **1.** *(para pescar, cazar, de tenis, etc.)* filet *m*: **las mallas de una ~** les mailles d'un filet; **echar la ~** jeter le filet; **recoger las redes** remonter les filets; **~ barredera, de deriva → barredero, deriva;**

*(tenis)* **subir a la ~** monter au filet **2.** *(para el pelo)* résille **3.** *FIG (trampa)* piège *m* ◊ **caer en la ~** tomber dans le piège, donner dans le panneau **4.** réseau *m:* **~ ferroviaria, telefónica, de espionaje** réseau ferroviaire, téléphonique, d'espionnage; **~ de carreteras** réseau routier **5.** chaîne: **~ de supermercados** chaîne de supermarchés **6.** *ELECT* secteur *m:* **conectar a la ~** brancher sur le secteur **7.** *INFORM* **la ~ de redes** le réseau des réseaux; **la ~** le net.

**redacción** *f* rédaction.

**redactar** *vt* rédiger.

**redactor, a** *s* rédacteur, trice: **~ jefe** rédacteur en chef.

**redada** *f* **1.** coup *m* de filet **2.** *(de la policía)* rafle, coup *m* de filet **3.** *(conjunto de personas)* bande.

**redaño** *m ANAT* épiploon. ◇ *pl FAM* énergie *f sing,* cran *sing,* tripes *f.*

**redargüir*** *vt* rétorquer.

**redecilla** *f* **1.** *(red)* filet *m* **2.** *(para el pelo)* résille **3.** *ZOOL (de los rumiantes)* bonnet *m.*

**redecir** *vt* redire, répéter: **te lo digo y te lo redigo** je te le dis et je te le répète.

**rededor** *m* alentour ◊ **al ~ , en ~ , a su ~** autour.

**redefinir** *vt* redéfinir.

**redención** *f* **1.** rédemption: **la ~ del género humano por Jesucristo** la rédemption du genre humain par Jésus-Christ **2.** *(rescate)* rachat *m.*

**redentor, a** *a/s* rédempteur, trice. ◇ *np m* **el Redentor** le Rédempteur.

**redentorista** *a/s* rédemptoriste.

**redescontar** *vt* réescompter.

**redescuento** *m* réescompte.

**redicho, a** *a* **1.** redit, e **2.** *FAM* poseur, euse, prétentieux, euse, frimeur, euse.

**redil** *m* bercail, parc.

**redimir** *vt* **1.** racheter **2.** *(de una deuda, obligación, etc.)* libérer. ◆ **~se** *vpr* se racheter.

**redingote** *m* redingote *f.*

**redistribución** *f* redistribution.

**redistribuir*** *vt* redistribuer.

**rédito** *m (de un capital)* intérêt.

**redituar** *vt (un interés)* rapporter.

**redivivo, a** *a* ressuscité, e.

**redoblado, a** *a* redoublé, e: **paso ~** pas redoublé.

**redoblar** *vt* **1.** *(intensificar)* redoubler: **~ su actividad** redoubler d'activité; **el niño redobla sus berridos** l'enfant braille de plus belle **2.** *(un clavo)* river. ◇ *vi* battre le tambour.

**redoble** *m* **1.** redoublement **2.** *(de tambor)* roulement.

**redoblón** *m* rivet.

**redoma** *f* fiole.

**redomado, a** *a* **1.** retors, e, rusé, e **2.** fieffé, e: **un embustero ~** un fieffé menteur.

**redomón, ona** *a/m AMER (caballo)* à demi dressé, e.

**redonda** *v* **1.** *(letra)* ronde **2.** *MÚS* ronde **3.** *loc adv* **a la ~** à la ronde.

**redondamente** *adv* catégoriquement, nettement.

**redondear** *vt* **1.** arrondir **2.** *(una cantidad)* arrondir **3.** **~ sus ingresos** arrondir ses revenus **4.** *FIG* parfaire, parachever. ◆ **~se** *vpr FIG* arrondir sa fortune.

**redondel** *m* **1.** rond **2.** *TAUROM* arène *f.*

**redondez** *f* **1.** rondeur **2.** rotondité **3.** **en toda la ~ de la Tierra** sur toute la surface de la Terre.

**redondilla** *f (estrofa)* quatrain *m.* ◇ *a (letra)* ronde.

**redondo, a** *a* **1.** *(circular, esférico)* rond, e **2.** **número ~** chiffre rond **3.** *FIG* clair, e, catégorique **4.** *FIG* **caer, caerse ~** tomber raide. ◇ *m* **1.** *(cosa redonda)* rond **2.** *loc adv* **en ~** *(girar)* en rond; *(rotundamente)* catégoriquement, nettement, tout net: **negarse en ~** refuser catégoriquement, tout net. ◇ *m (carne)* romsteck. ◇ *f* → **redonda.**

**redopelo (a)** *loc adv* à rebrousse-poil.

**redorar** *vt* redorer.

**redrojo** *m* **1.** grappillon **2.** *FIG (niño)* enfant rachitique.

**reducción** *f* **1.** réduction: **~ de plantilla** réduction, compression du personnel **2.** *MED* réduction.
▶ En Amérique, village d'Indiens convertis au christianisme fondé pendant la colonisation par les missionnaires.

**reducible** *a* réductible.

**reducido, a** *a* **1.** réduit, e: **precio ~** prix réduit **2.** petit, e **3.** étroit, e.

**reducir*** *vt* **1.** réduire: **~ a la mitad** réduire de moitié; **~ sus gastos** réduire ses dépenses **2.** **~ a cenizas, a polvo** réduire en cendres, en poussière; **~ al silencio** réduire au silence **3.** *FIG* soumettre, réduire à l'obéissance: **~ rebeldes** soumettre des rebelles **4.** *FIG* amener, convaincre: **lo redujeron a que acepatase el cargo** on l'a amené à, convaincu d'accepter le poste **5.** *QUÍM* réduire. ◆ **~se** *vpr* **1.** se réduire **2.** se limiter, se borner: **redúcete a cumplir mis órdenes** borne-toi à exécuter mes ordres; **me he reducido a callar** je me suis contenté de me taire.

**reductible** *a* réductible.

**reducto** *m* **1.** réduit **2.** *(fortificación)* redoute *f.*

**reductor, a** *a/m* réducteur, trice.

**redundancia** *f* redondance.

**redundante** *a* redondant, e.

**redundar** *vi* **1.** déborder, surabonder **2.** **~ en beneficio, en perjuicio de** tourner à l'avantage, au désavantage de.

**reduplicación** *f* redoublement *m.*

**reduplicar** *vt* redoubler.

**reedición** *f* réédition.

**reedificar** *vt* réédifier.

**reeditar** *vt* rééditer.

**reeducación** *f* rééducation.

**reeducar** *vt* rééduquer.

**reelección** *f* réélection.

**reelecto, a** *a* réélu, e.

**reelegible** *a* rééligible.

**reelegir*** *vt* réélire.

**reembarcar** *vt* rembarquer.

**reembarque** *m* rembarquement.

**reembolsable** *a* remboursable.

**reembolsar** *vt* rembourser.

**reembolso** *m* remboursement: **contra ~** contre remboursement.

**reemplazable** *vt* remplacer.

**reemplazo** *m* **1.** remplacement **2.** *MIL (quinta)* classe *f* ◊ **en ~** en non-activité.

**reemprender** *vt* reprendre.

**reencarnación** *f* réincarnation.

**reencarnarse** *vpr* se réincarner.

**reencuadernar** *vt* relier de nouveau, remboîter.

**reencuentro** *m* **1.** heurt, choc **2.** *MIL* rencontre *f,* engagement.

**reenganchar** *vt MIL* rengager, réengager. ◆ **~se** *vpr* se rengager.

**reenganche** *m MIL* **1.** rengagement **2.** prime *f* de rengagement.

**reenviar** *vt* renvoyer.

**reenvidar** *vt (en el juego)* relancer.

**reenvío** *m* renvoi.

**reestrenar** *vt (obra teatral, cinematográfica)* reprendre.

**reestreno** *m (película)* reprise *f*.

**reestructuración** *f* restructuration.

**reestructurar** *vt* restructurer.

**reexaminar** *vt* examiner de nouveau, réexaminer.

**reexpedición** *f* réexpédition, renvoi m.

**reexpedir*** *vt* réexpédier.

**reexportar** *vt* réexporter.

**refacción** *f* **1.** *(comida)* collation **2.** *AMER (arreglo)* réparation *f* **2.** *AMER* pièce *f* détachée.

**refaccionar** *vt AMER (un edificio)* renover, restaurer.

**refajo** *m* **1.** *(enagua)* jupon **2.** *(falda)* jupe *f*.

**refalosa** *f AMER* danse argentine d'origine péruvienne.

**refección** *f* réfection.

**refectorio** *m* réfectoire.

**referencia** *f* **1.** *(relato)* récit *m*, compte rendu *m*, rapport *m* **2.** *(alusión)* référence ◊ **con ~ a** en ce qui concerne **3.** *(remisión en un texto)* renvoi *m*. ◇ *pl* références.

**referendo → referéndum.**

**referéndum** *m* référendum: **convocar ~** organiser un référendum.

**referente** *a* **~ a** relatif, ive à, se rapportant à.

**referí** *m AMER* arbitre.

**referir*** *vt* **1.** *(contar)* rapporter, raconter **2.** *(citar)* rapporter: **~ las palabras de** rapporter les paroles de. ◆ **~se** *vpr* **1.** *(remitirse)* se rapporter, se référer ◊ **por lo que se refiere a...** en ce qui concerne... **2.** *(aludir)* faire allusion, parler de: **no me refería a nadie en concreto** je ne faisais allusion à personne en particulier; **¿a qué te refieres?** à quoi fais-tu allusion?

**refilón (de)** *loc adv* **1.** de biais, indirectement **2.** *(de paso)* au passage.

**refinación** *f* raffinage *m*.

**refinado, a** *a* raffiné, e. ◇ *m (refinación)* raffinage.

**refinador** *m* raffineur.

**refinamiento** *m* raffinement.

**refinar** *vt* **1.** *(petróleo, azúcar)* raffiner **2.** *(metal)* affiner.

**refinería** *f* raffinerie: **~ de petróleo, de azúcar** raffinerie de pétrole, de sucre.

**refino, a** *a* surfin, e. ◇ *m* raffinage.

**refistolero, a** *a AMER* pédant, e.

**refitolero, a** *a/s* indiscret, ète, curieux, euse.

**reflectante** *a* réfléchissant, e.

**reflectar** *vt FÍS* réfléchir.

**reflector, a** *a* réfléchissant, e. ◇ *m (aparato)* réflecteur.

**reflejar** *vt* **1.** *(la luz, el calor, el sonido)* réfléchir **2.** *FIG (revelar)* refléter. ◆ **~se** *vpr* **1.** *(en un espejo, en el agua)* se réfléchir, se refléter **2.** se refléter: **la alegría se reflejaba en su semblante** la joie se reflétait sur son visage.

**reflejo, a** *a* **1.** réfléchi, e: **onda refleja** onde réfléchie **2.** réflexe. ◇ *m* **1.** *(luz reflejada, imagen)* reflet **2.** *(reacción rápida)* réflexe: **~ condicionado** réflexe conditionné.

**reflex** *a* reflex. ◇ *f (cámara fotográfica)* **una ~** un reflex.

**reflexión** *f* réflexion.

**reflexionar** *vi* réfléchir: **reflexiona bien sobre lo que te he dicho** réfléchis bien à ce que je t'ai dit.

**reflexivamente** *adv* avec réflexion.

**reflexivo, a** *a* réfléchi, e.

**reflorecer*** *vi* refleurir.

**refluir*** *vi* refluer.

**reflujo** *m* reflux.

**refocilar** *vt* réjouir. ◆ **~se** *vpr* se réjouir, se régaler.

**reforestación** *f* reboisement *m*.

**reforestar** *vt* reboiser.

**reforma** *f* **1.** réforme **2.** *(de un local, etc.)* rénovation, transformation: **~ completa de su cocina** rénovation complète de votre cuisine **3.** *RELIG* **la Reforma** la Réforme.

**reformable** *a* reformable.

**reformador, a** *a/s* réformateur, trice.

**reformar** *vt* **1.** *(las costumbres, etc.)* réformer **2.** *(un local, etc.)* rénover, refaire, transformer: **~ un piso** rénover un appartement; **hotel totalmente reformado** hôtel entièrement rénové. ◆ **~se** *vpr* se réformer, se corriger.

**reformatorio** *m* maison *f* de correction.

**reformismo** *m* réformisme.

**reformista** *a/s* réformiste.

**reforzado, a** *a* renforcé, e.

**reforzar*** *vt* renforcer.

**refracción** *f FÍS* réfraction.

**refractar** *vt FÍS* réfracter.

**refractario, a** *a* **1.** *(incombustible)* réfractaire **2.** *FIG* **ser ~ a** être réfractaire à.

**refrán** *m* proverbe.

**refranero** *m* recueil de proverbes.

**refregar*** *vt* **1.** *(frotar)* frotter **2.** *FIG* jeter à la figure.

**refregón** *m* frottement énergique.

**refreír*** **1.** frire de nouveau **2.** *(freír demasiado)* trop faire frire.

**refrenamiento** *m* refrènement.

**refrenar** *vt* **1.** *(al caballo)* contenir avec le frein **2.** *(las pasiones)* réfréner, réprimer, contenir: **~ la ira** contenir sa colère. ◆ **~se** *vpr* se contenir.

**refrendación** *f* action de contresigner.

**refrendar** *vt* **1.** *(firmar)* contresigner **2.** *(un pasaporte, etc.)* viser **3.** *FIG* confirmer.

**refrendata** *f* contreseing *m*.

**refrendo** *m* **1.** *(firma de un ministro, etc.)* contreseing **2.** visa **3.** approbation *f*, ratification *f*: **el ~ de la Asamblea** l'approbation de l'Assemblée.

**refrescante** *a* rafraîchissant, e.

**refrescar** *vt* **1.** rafraîchir **2.** *FIG* **~ la memoria** rafraîchir la mémoire. ◇ *vi* se rafraîchir: **ha refrescado el tiempo** le temps s'est rafraîchi. ◆ **~se** *vpr* **1.** *(beber)* se rafraîchir **2.** *(tomar el fresco)* prendre le frais.

**refresco** *m* **1.** *(bebida)* rafraîchissement **2.** **de ~** de renfort.

**refriega** *f* rencontre, échauffourée, combat *m*.

**refrigeración** *f* **1.** réfrigération **2.** *(de un local)* climatisation.

**refrigerador, a** *m/f* réfrigérateur *m.*

**refrigerante** *a* réfrigérant, e.

**refrigerar** *vt* **1.** *(un producto)* réfrigérer **2.** *(un local)* réfrigérer, climatiser.

**refrigerio** *m* **1.** *(comida)* collation *f*, repas léger **2.** *FIG (alivio)* soulagement.

**refringente** *a FIS* réfringent, e.

**refringir** *vi FIS* réfracter.

**refrito, a** *pp* de **refreír.** ◇ *m FIG (obra literaria, etc.)* reprise *f*, nouvelle mouture *f*, resucée *f.*

**refucilo** *m AMER (relámpago)* éclair.

**refuerzo** *m* renfort. ◇ *pl MIL* renforts.

**refugiado, a** *s* réfugié, e.

**refugiar** *vt* accueillir. ◆ **~se** *vpr* se réfugier.

**refugio** *m* **1.** *(amparo)* refuge, asile: **buscar ~ en casa de un amigo** chercher refuge chez un ami **2.** *(construcción en la montaña)* refuge **3.** abri: **~ antiaéreo** abri antiaérien.

**refulgencia** *f* éclat *m.*

**refulgente** *a* resplendissant, e.

**refulgir** *vi* resplendir.

**refundición** *f* refonte.

**refundir** *vt* refondre.

**refunfuñar** *vi* grommeler, ronchonner, bougonner.

**refunfuño** *m* grommellement, ronchonnement, bougonnement.

**refutable** *a* réfutable.

**refutación** *f* réfutation.

**refutar** *vt* réfuter.

**regada** *f* arrosage *m.*

**regadera** *f* **1.** *(recipiente para regar)* arrosoir *m* **2.** *FAM* **estar como una ~** être cinglé, e piqué, e **3.** *AMER (ducha)* douche.

**regadío, a** *a* irrigable. ◇ *m* **1.** terrain irrigable ◊ **de ~** irrigable: **zonas de ~** zones irrigables; **cultivos de ~** cultures irriguées **2.** *(riego)* irrigation *f.*

**regaladamente** *adv* à l'aise, confortablement.

**regalado, a** *a* **1.** donné, e en cadeau **2.** *(barato)* très bon marché, donné, e **3.** *FIG* **vida regalada** vie très agréable **4.** délicieux, euse.

**regalar** *vt* **1.** offrir, faire cadeau de: **le ha regalado una sortija** il lui a offert une bague **2.** *(halagar)* flatter **3.** *(deleitar)* **~ con** régaler de. ◆ **~se** *vpr* **1.** se régaler **2. tengo tiempo de regalarme con una buena cena** j'ai le temps de m'offrir un bon dîner.

**regalía** *f* **1.** prérogative royale, régale **2.** privilège *m* **3.** *(gratificación)* prime **4.** *(por la explotación de un yacimiento, etc.)* royalties *pl.*

**regalicia** *f* réglisse.

**regaliz** *m* **1.** *(planta)* réglisse *f* **2.** *(pasta)* réglisse *m:* **~ de palo** bâton de réglisse.

**regalo** *m* **1.** cadeau, présent: **ofrecer un ~** offrir un cadeau; **~ navideño** cadeau de Noël **2.** *(placer)* régal, plaisir **3.** aisance *f*, confort.

**regalón, ona** *a* **1.** qui aime ses aises **2.** *AMER* câlin, e.

**regalonear** *vt AMER (mimar)* cajoler, câliner.

**regalonería** *f AMER* cajolerie, câlinerie.

**regante** *m* agriculteur qui cultive des terres irriguées.

**regañadientes (a)** *loc adv* à contrecœur, en rechignant.

**regañar** *vi (reñir)* se disputer. ◇ *vt* gronder, réprimander: **~ a los hijos** gronder ses enfants.

**regañina** *f* gronderie.

**regaño** *m* gronderie *f*, réprimande *f.*

**regañón, ona** *a* bougon, onne, grognon, onne.

**regar*** *vt* **1.** arroser: **~ las plantas** arroser les plantes **2.** *AGR* irriguer: **~ los campos** irriguer les champs **3.** *(un río)* arroser: **el Duero riega varias provincias** le Douro arrose plusieurs provinces **4.** *(derramar)* répandre, éparpiller.

**regata** *f* **1.** *MAR* régate **2.** *(reguera)* rigole.

**regate** *m* **1.** *(del cuerpo)* écart, esquive *f*, feinte *f* **2.** *(con el balón)* dribble **3.** *FIG* faux-fuyant, échappatoire *f.*

**regatear** *vt* marchander ◊ **no ~ esfuerzo** ne pas ménager, marchander sa peine; **no le regateo mérito alguno** je ne mets absolument pas en doute son mérite. ◇ *vi* **1.** *(con el balón)* dribbler **2.** prendre part à des régates.

**regateo** *m* **1.** marchandage **2.** *(fútbol)* dribble.

**regatista** *s MAR* régatier, ère.

**regatón, ona** *a/s* marchandeur, euse. ◇ *m (de un bastón)* embout, virole *f.*

**regazo** *m* **1.** giron, genoux *pl:* **sentó al niño en su ~** elle assit l'enfant sur ses genoux **2.** *FIG* giron, sein.

**regencia** *f* régence.

**regeneración** *f* **1.** régénération **2.** *(transformación)* régénérescence.

**regenerar** *vt* régénérer.

**regenta** *f* femme d'un «regente».

**regentar** *vt* **1.** *(un almacén, etc.)* gérer, tenir, diriger: **~ un restaurante, un hotel** tenir un restaurant, un hôtel; **residencia regentada por religiosas** résidence gérée, tenue par des religieuses **2.** *PEYOR* régenter.

**regente** *s (que ejerce el gobierno de un Estado)* régent, e. ◇ *m* **1.** gérant: **el ~ de una sucursal** le gérant d'une succursale **2.** président **3. ~ de imprenta** prote **4.** *AMER (alcalde)* maire.

**regentear** → **regentar.**

**regiamente** *adv* royalement, magnifiquement.

**regicida** *a/s (persona)* régicide.

**regicidio** *m (crimen)* régicide.

**regidor** *m* **1.** conseiller municipal **2.** *(cine)* régisseur.

**regidora** *f* **1.** femme du conseiller municipal **2.** conseillère municipale.

**régimen** *m* **1.** régime: **regímenes políticos** régimes politiques **2. estar a ~** être au régime **3.** *(de un motor)* régime.

**regimiento** *m* régiment.

**regio, a** *a* **1.** *(real)* royal, e **2.** *FIG* magnifique, superbe: **una mujer regia** une femme superbe, du tonnerre **3. agua regia** eau régale.

**región** *f* région.

**regional** *a* régional, e.

**regionalismo** *m* régionalisme.

**regionalista** *a/s* régionaliste.

**regionalización** *f* régionalisation.

**regir*** *vt* régir: **las leyes que rigen los fenómenos de la naturaleza** les lois qui régissent les phénomènes de la nature. ◇ *vi* **1.** être en vigueur: **la ley que rige** la loi qui est en vigueur **2.** *(un organismo)* bien fonctionner.

**registrado, a** *a* **marca registrada** marque déposée.

**registrador, a** *a/s* enregistreur, euse: **caja registradora** caisse enregistreuse. ◇ *m* **1.** fonctionnaire de l'enregistrement **2. ~ de la propiedad** conservateur des hypothèques.

**registrar** *vt* **1.** *(inspeccionar, cachear)* fouiller **2.** *(anotar, inscribir)* enregistrer: **~ una palabra en un diccionario** enregistrer un mot dans un dictionnaire; **~ un disco** enregistrer un disque. ◆ **~se** *vpr* **1.** *(matricularse)* s'inscrire **2.** *(ocurrir)* avoir lieu, se produire: **ayer, fuertes tormentas se registraron en todo el territorio nacional** hier, de forts orages se sont produits sur l'ensemble du territoire national.

**registro** *m* **1.** *(acción de registrar en la aduana, etc.)* fouille *f*, contrôle: **~ de vehículos por la policía** fouille de véhicules par la police ◊ **~ domiciliario** perquisition *f*, visite *f* domiciliaire **2.** *(acción de inscribir, oficina)* enregistrement **3.** **~ civil** état civil **4.** *(libro)* registre: **~ mercantil** registre du commerce **5.** *(señal en un libro)* signet **6.** *(abertura en el suelo, etc.)* regard **7.** *MUS (de la voz, del órgano)* registre **8.** *FIG* **tocar todos los registros** mettre tout en œuvre, jouer sur tous les tableaux, faire flèche de tout bois.

**regla** *f* **1.** règle: **~ de cálculo** règle à calcul **2.** règle: **no hay ~ sin excepción** il n'y a pas de règle sans exception; **~ de tres** règle de trois: **en ~** en règle; **por ~ general** en règle générale; **salirse de la ~** dépasser les bornes **3.** *(menstruación)* règles *pl*: **tener la ~** avoir ses règles; **chica que tiene la primera ~** fille qui a ses premières règles.

**reglado, a** *a* réglé, e.

**reglaje** *m* réglage.

**reglamentación** *f* réglementation.

**reglamentar** *vt* réglementer.

**reglamentario, a** *a* réglementaire.

**reglamento** *m* règlement.

**reglar** *vt* régler.

**regleta** *f* réglette.

**regletear** *vt* interligner.

**reglón** *m* règle *f* (de maçon, de paveur).

**regocijado, a** *a* joyeux, euse.

**regocijar** *vt* amuser, réjouir. ◆ **~se** *vpr* se réjouir.

**regocijo** *m* joie *f*, plaisir. ◇ *pl* réjouissances *f*.

**regodearse** *vpr* **1.** *(deleitarse)* se délecter, se régaler **2.** *(alegrarse)* se réjouir, jubiler.

**regodeo** *m* délectation *f*, jubilation *f*, plaisir, réjouissance *f*.

**regoldano, a** *a* sauvage (châtaignier).

**regoldar*** *vi FAM* roter, éructer.

**regoldo** *m* châtaignier sauvage.

**regolfar** *vi* refluer.

**regordete, a** *a* grassouillet, ette, rondelet, ette, potelé, e ◊ **dedos regordetes** des doigts boudinés.

**regresar** *vi* revenir, rentrer: **regresé a casa a las ocho** je suis rentré chez moi à huit heures. ◇ *vt AMER (restituir)* rendre. ◆ **~se** *vpr AMER* revenir.

**regresión** *f* **1.** régression **2.** recul *m*.

**regresivo, a** *a* régressif, ive.

**regreso** *m* retour: **a mi ~ de Argentina** à mon retour d'Argentine.

**regüeldo** *m FAM* rot.

**reguera** *f* rigole.

**reguero** *m* **1.** *(reguera)* rigole **2.** *(de sangre, etc.)* filet **3.** *(señal)* traînée ◊ *FIG* **como un ~ de pólvora** comme une traînée de poudre.

**regulable** *a* réglable.

**regulación** *f* **1.** *(del tráfico, etc.)* régulation **2.** *(de un mecanismo)* réglage *m* **3.** réglementation **4.** contrôle *m*, régulation: **~ de los nacimientos** régulation des naissances.

**regulador, a** *a/m* régulateur, trice.

**¹regular** *a* **1.** régulier, ère: **verbos regulares** verbes réguliers **2.** *(mediano)* moyen, enne: **de estatura ~** de taille moyenne **3.** *(no muy bueno)* moyen, enne, passable **4.** *loc adv* **por lo ~** généralement, en général. ◇ *adv FAM* comme ci, comme ça, pas mal, moyennement: **estar ~ de salud** aller comme ci, comme ça; **¿qué tal? - Pues yo, ~** ça va? - Oh moi, tout doucement, moyennement.

**²regular** *vt* **1.** *(el tráfico, un mecanismo,etc.)* régler **2.** *(un caudal de agua)* régulariser **3.** *(someter a un reglamento)* réglementer: **~ las exportaciones** réglementer les exportations.

**regularidad** *f* régularité ◊ **con ~** avec régularité, régulièrement.

**regularización** *f* régularisation.

**regularizar** *vt* régulariser.

**regularmente** *adv* **1.** régulièrement **2.** *(ordinariamente)* habituellement **3.** *(medianamente)* moyennement.

**régulo** *m (pájaro)* roitelet.

**regurgitación** *f* régurgitation.

**regurgitar** *vi* régurgiter.

**regusto** *m* arrière-goût.

**rehabilitación** *f* **1.** réhabilitation **2.** *MED* rééducation.

**rehabilitar** *vt* **1.** réhabiliter **2.** *MED* rééduquer. ◆ **~se** *vpr* se réhabiliter.

**rehacer*** *vt* refaire: **~ su vida** refaire sa vie. ◆ **~se** *vpr* **1.** se refaire, reprendre des forces **2.** *(serenarse)* se remettre, reprendre le dessus: **todavía no se ha rehecho de la muerte de su mujer** il ne s'est pas encore remis de la mort de sa femme.

**rehala** *f* troupeau *m* de moutons appartenant à plusieurs propriétaires.

**rehecho, a** *pp* de **rehacer.** ◇ *a* refait, e.

**rehén** *m* otage: **canjear rehenes** échanger des otages.

**rehenchir*** *vt* rembourrer.

**rehice,** etc. → **rehacer.**

**rehilete** *m* **1.** fléchette *f* **2.** banderille *f* **3.** volant.

**rehogar** *vt* faire revenir: **rehogue una cebolla en el aceite...** faites revenir un oignon dans l'huile...; **cuando la carne está bien rehogada** quand la viande est bien revenue.

**rehuir*** *vt* **1.** fuir, éviter: **rehúye mi compañía, a la gente, los cócteles** il fuit ma compagnie, les gens, les cocktails; **rehuía mi mirada** il évitait mon regard **2.** refuser: **rehuyó hablar de...** il refusa de parler de...

**rehusar** *vt* refuser: **~ un favor, sentarse** refuser une faveur, de s'asseoir.

**reidor, a** *a/s* rieur, euse.

**reimplantación** *f* rétablissement *m*.

**reimportar** *vt* réimporter.

**reimpresión** *f* réimpression.

**reimprimir** *vt* réimprimer.

**reina** *f* **1.** reine: **el rey y la ~** le roi et la reine **2.** *(en el juego de ajedrez)* reine **3.** *(abeja)* reine **4.** **~ de los prados** reine des-prés.

**reinado** *m* **1.** règne: **bajo el ~ de...** sous le règne de... **2.** *FIG (predominio)* règne.

**Reinaldo** *np m* Renaud.

**reinante** *a* régnant, e.

**reinar** *vi* **1.** régner **2.** *FIG* **reina el orden** l'ordre règne.

**reincidencia** *f JUR* récidive.

**reincidente** *a/s* récidiviste.

**reincidir** *vi* récidiver.

**reincorporar** *vt* réincorporer. ◆ **~se** *vpr* rejoindre: **reincorporarse a su puesto** rejoindre son poste; **reincorporarse al trabajo, al servicio** reprendre le travail, son service.

**reineta** *f (manzana)* reinette.

**reingresar** *vi* rentrer (dans un corps).

**reingreso** *m* retour, rentrée *f*.

**reino** *m* **1.** royaume ◊ **el ~ de los cielos** le royaume des cieux; **"venga a nos el tu ~ "** que ton règne vienne **2.** *(animal, vegetal)* règne. ◇ *np m* **el Reino Unido** le Royaume-Uni.

**reinserción** *f* réinsertion.

**reinsertar** *vt* réinsérer, réadapter.

**reinstalación** *f* réinstallation.

**reinstalar** *vt* réinstaller.

**reintegración** *f* réintégration.

**reintegrar** *vt* **1.** réintégrer, restituer **2.** *(reembolsar)* rembourser **3.** mettre les timbres requis (sur un document). ◆ **~se** *vpr* **1.** rejoindre: **reintegrarse a su destino** rejoindre son poste **2.** *(indemnizarse)* rentrer dans ses frais, récupérer ses biens.

**reintegro** *m* **1.** réintégration **2.** *(pago)* paiement **3.** *(en la lotería, etc.)* remboursement: **fecha de ~** date de remboursement.

**reír** *vi* rire: **hacer ~** faire rire. ◇ *vt* rire de: **le ríen la gracia** ils rient de sa plaisanterie; **reímos mucho sus chistes** nous avons bien ri de ses blagues. ◆ **~se** *vpr* rire: **reírse a carcajadas** rire aux éclats; **se ríe** il rit; **deje usted que me ría** laissez-moi rire; **¿de qué te estás riendo?** de quoi ris- tu?, qu'est-ce qui te fait rire?; **¡ríete!** ris!

**reiteración** *f* récidive.

**reiterar** *vt* **1.** *(repetir)* répéter, redire, réaffirmer: **el ministro reiteró ayer que...** le ministre a réaffirmé hier que... ◊ *(en cartas)* **le reitero mis más atentos saludos** veuillez agréer mes sentiments les meilleurs **2.** *(volver a hacer)* réitérer.

**reitre** *m* reître.

**reivindicación** *f* revendication.

**reivindicar** *vt* revendiquer: **~ un atentado** revendiquer un attentat.

**reivindicativo, a** *a* revendicatif, ive.

**reja** *f* **1.** *(parte del arado)* soc *m* **2. dar una ~** donner un labour **3.** *(conjunto de barrotes)* grille **4.** *FAM* **estar entre rejas** être sous les verroux, derrière les barreaux.

**rejilla** *f* **1.** *(de ventana, etc.)* grillage *m* **2.** *(abertura pequeña)* guichet *m* **3.** *(de silla)* cannage *m* ◊ **de ~** canné, e **4.** *(de hogar, de lámpara de radio, etc.)* grille **5.** *(en un vagón de ferrocarril)* filet *m* **6.** *(brasero pequeño)* chaufferette **7.** *(televisión)* **~ de programación** grille de programmes **8. medias de ~** bas résille.

**rejo** *m* **1.** pointe *f*, aiguillon **2.** *BOT* radicule *f* **3.** *AMER (látigo)* fouet.

**rejón** *m TAUROM* pique *f* courte.

**rejoneador** *m TAUROM* cavalier qui torée avec le «rejón».

**rejonear** *vi TAUROM* toréer à cheval avec le «rejón».

**rejudo, a** *a AMER* mou, molle.

**rejuego** *m AMER (enredo)* intrigue *f*, combine *f*.

**rejuela** *f* chaufferette.

**rejuvenecer** *vt/i* rajeunir. ◆ **~se** *vpr* rajeunir: **se ha rejuvenecido desde que practica deportes** il a rajeuni depuis qu'il fait du sport.

**rejuvenecimiento** *m* rajeunissement.

**relación** *f* **1.** *(entre personas o cosas)* relation, rapport *m*: **relaciones diplomáticas** relations diplomatiques; **~ de fuerzas** rapport de forces; **una ~ de causa a efecto** une relation de cause à effet; **relaciones amorosas, sexuales** relations amoureuses, rapports sexuels; **relaciones públicas** relations publiques **2.** *(lista)* liste: **~ de ganadores, de heridos** liste des gagnants, des blessés **3.** *(relato)* récit *m*, relation **4.** *JUR (informe)* rapport *m* **5.** *loc prep* **con ~ a, en ~ con** par rapport à: **con ~ al año pasado** par rapport à l'an dernier. ◇ *pl* **1.** *(personas conocidas)* relations **2. mantener buenas relaciones con** entretenir de bonnes relations avec, être en bons termes avec.

**relacionado, a → relacionar.**

**relacional** *a* relationnel, elle.

**relacionar** *vt* **1.** *(relatar)* rapporter **2.** *(a varias personas)* mettre en rapport **3.** *(cosas)* relier, rattacher. ◆ **~se** *vpr* **1.** se rattacher, se rapporter ◊ **temas relacionados con la actualidad** des sujets liés à, se rapportant à, relatifs à l'actualité; **en lo que se relaciona a...** en ce qui concerne... **2.** *(personas)* se mettre en rapport, se faire des relations ◊ **estar muy bien relacionado** avoir beaucoup de relations.

**relajación** *f*, **relajamiento** *m* relâchement *m*: **la relajación de las costumbres** le relâchement des moeurs.

**relajante** *a/s (medicamento)* relaxant, e. ◇ *a AMER (empalagoso)* écœurant, e.

**relajar** *vt* **1.** *(hacer menos tenso, menos riguroso)* relâcher **2.** *(un músculo)* décontracter **3.** *FIG (descansar)* détendre ◊ **mostrarse muy relajado** se montrer très détendu, très décontracté. ◆ **~se** *vpr* **1.** se détendre: **relájate** détends-toi **2.** *(en la conducta)* se relâcher.

**relajo** *m AMER* **1.** *(alboroto)* pagaille *f*, désordre **2.** *(burla)* moquerie *f*, blague *f*.

**relamer** *vt* lécher de nouveau. ◆ **~se** *vpr* **1.** se pourlécher **2.** *FIG* se délecter ◊ **se relame (de gusto) pensando ya en las vacaciones** il se réjouit d'avance à l'idée des vacances.

**relamido, a** *a* **1.** *(afectado)* affecté, e, précieux, euse **2.** *(pulcro)* recherché, e, soigné, e.

**relámpago** *m* **1.** éclair **2.** *FAM* **guerra ~** guerre éclair; **visita ~** visite éclair.

**relampagueante** *a* étincelant, e, brillant, e.

**relampaguear** *vi* **1.** faire des éclairs **2.** *FIG* lancer des éclairs, étinceler.

**relanzamiento** *m* relance *f*: **un ~ de la actividad económica** une relance de l'activité économique.

**relanzar** *vt* **1.** *(dar nuevo impulso a)* relancer **2.** *(repeler)* repousser.

**relapso, a** *a/s* relaps, e.

**relatar** *vt* raconter, relater.

**relativamente** *adv* relativement.

**relatividad** *f* relativité.

**relativismo** *m* relativisme.

**relativizar** *vt* relativiser.

**relativo, a** *a* **1.** relatif, ive ◊ **en lo ~ a** en ce qui concerne **2.** *GRAM* **pronombre ~** pronom relatif.

**relato** *m* récit.

**relator, a** *a/s* narrateur, trice. ◇ *m JUR* rapporteur.

**relatoría** *f JUR* charge du rapporteur.

**relax** *m* relax ◊ **sillón ~** fauteuil relax.

**relé** *m ELECT* relais.

**releer*** *vt* relire.

**relegación** *f* relégation.

**relegar** *vt* reléguer: **~ a segundo término** reléguer au second plan ◊ **~ al olvido** oublier.

**releje** *m (rodada)* ornière *f*.

**relente** *m* serein, fraîcheur *f* noctune.

**relevador** *m* ELECT relais.

**relevancia** *f* importance ◊ **un puesto de ~** un poste important; **gente de escasa ~** des gens assez ordinaires.

**relevante** *a* remarquable, notable, éminent, e, important, e: **un cargo ~** un poste important; **un ~ éxito** un succès notable.

**relevar** *vt* **1.** *(de una obligación, etc.)* dispenser, exempter **2. ~ a alguien de su cargo** relever quelqu'un de ses fonctions **3.** *(sustituir a una persona)* relayer **4. ~ a un centinela** relever une sentinelle. ◆ **~se** *vpr* se relayer: **las enfermeras se relevan a la cabecera de su cama** les infirmières se relaient à son chevet.

**relevo** *m* **1.** MIL relève *f*: **tomar el ~** prendre la relève; **el ~ de la guardia** la relève de la garde **2.** relais: **carrera de relevos** course de relais.

**relicario** *m* reliquaire.

**relieve** *m* **1.** relief: **en ~** en relief ◊ **alto ~** haut-relief; **bajo ~** bas-relief **2.** FIG importance *f*, notoriété *f*, prestige **3.** FIG **poner de ~** mettre en relief. ◇ *pl (de lo que se come)* reliefs.

**religión** *f* religion ◊ **entrar en ~** entrer en religion, prononcer ses vœux.

**religiosamente** *adv* religieusement.

**religiosidad** *f* religiosité.

**religioso, a** *a/s* religieux, euse.

**relimpio, a** *a* FAM très propre.

**relinchar** *vi* hennir: **los caballos relinchaban** les chevaux hennissaient.

**relincho** *m* hennissement.

**relinga** *f* MAR ralingue.

**reliquia** *f* **1.** relique **2.** FIG *(huella)* trace.

**rellano** *m (de una escalera)* palier.

**rellenar** *vt* **1.** remplir: **~ un cuestionario** remplir un questionnaire **2.** *(de borra,crin, etc.)* rembourrer, bourrer **3.** CULIN *(de carne picada, etc.)* farcir **4.** *(cebar)* bourrer, graver.

**relleno, a** *a* **1.** très plein, e, rempli, e **2.** farci, e: **aceitunas rellenas** olives farcies **3.** fourré, e: **chocolatina rellena** barre chocolatée fourrée **4.** *(persona)* potelé, e: **mujer rellenita** femme bien en chair. ◇ *m* **1.** CULIN farce *f* **2.** *(acción)* remplissage **3.** *(con borra, crin)* rembourrage **4.** FIG *(cosas superfluas)* remplissage: **de ~** de remplissage.

**reloj** *m* **1.** horloge *f*: **son las diez en el ~ del pueblo** il est dix heures à l'horloge du village **2.** *(de pared, de chimenea)* pendule *f* **3.** montre *f*: **~ de bolsillo** montre de poche; **~ de pulsera** montre-bracelet; **un ~ de cuarzo** une montre à quartz **4. ~ de arena** sablier; **~ de sol** cadran solaire **5.** *(carrera)* **contra ~** course contre la montre →**contrarreloj** **6.** FIG **funcionar como un ~** fonctionner parfaitement, tourner rond.

**relojería** *f* **1.** horlogerie ◊ **la industria de la ~** l'industrie horlogère **2. bomba de ~** bombe à retardement.

**relojero, a** *s* horloger, ère.

**reluciente** *a* reluisant, e, brillant, e.

**relucir*** *vi* **1.** *(despedir luz)* briller ◊ PROV **no es oro todo lo que reluce** tout ce qui brille n'est pas or **2.** *(reflejar luz)* reluire **3.** FIG **sacar a ~** faire ressortir, mettre en avant.

**relumbrante** *a* brillant, e, étincelant, e.

**relumbrar** *vi* briller, étinceler.

**relumbrón** *m* **1.** éclat passager, éclair **2.** FIG clinquant ◊ **de ~** clinquant, en toc.

**remachadora** *f* TECN riveteuse.

**remachar** *vt* **1.** *(un clavo, roblón)* river, riveter **2.** FIG confirmer, revenir sur, insister sur; **~ el clavo** → **clavo.**

**remache** *m* **1.** *(acción)* rivetage, rivure *f* **2.** *(roblón)* rivet.

**remake** *m* remake.

**remanente** *m* reste, restant.

**remangar** *vt* retrousser. ◆ **~se** *vpr* se retrousser: **se remanga** il retrousse ses manches; **remangarse las faldas** retrousser ses jupes.

**remansarse** *vpr* s'arrêter de couler, stagner.

**remanso** *m* **1.** eau *f* dormante, nappe *f* d'eau dormante **2.** FIG havre de paix.

**remar** *vi* ramer.

**remarcable** *a* remarquable.

**remarcar** *vt* **1.** remarquer **2.** faire remarquer, souligner.

**rematadamente** *adv* totalement, absolument.

**rematado, a** *a* achevé, e, fini, e ◊ **loco ~** fou à lier.

**rematador** *m* AMER commissaire-priseur.

**rematante** *m* adjudicataire.

**rematar** *vt* **1.** *(matar, finalizar)* achever: **~ a un herido** achever un blessé **2.** *(en una subasta)* adjuger **3.** *(perfeccionar)* parachever **4.** *(en fútbol)* tirer au but. ◇ *vi* se terminer, finir.

**remate** *m* **1.** achèvement, fin *f* ◊ **dar ~ a** achever; **para ~** pour comble, pour couronner le tout; **por ~** pour finir, à la fin **2.** *(de un edificio)* couronnement **3.** *(en una subasta)* adjudication *f* **4.** *(en fútbol)* tir au but **5. loco de ~** fou à lier; **tonto de ~** bête comme ses pieds **6.** AMER *(subasta pública)* vente *f* aux enchères.

**remedar** *vt* **1.** imiter **2.** *(por burla)* singer, contrefaire.

**remediar** *vt* **1.** remédier à, porter remède à **2.** *(enmendar)* arranger **3.** éviter, empêcher ◊ **no lo puedo ~** je n'y peux rien, c'est plus fort que moi.

**remedio** *m* **1.** remède: **el ~ es peor que la enfermedad** le remède est pire que le mal; **~ casero** remède de bonne femme **2.** FIG remède, recours: **poner ~ a** remédier à; **como último ~** en dernier recours **3. no hay ~** on n'y peut rien, il n'y a pas moyen de faire autrement, il n'y a pas le choix; **no hay más ~ que...** il n'y a pas d'autre solution que de...; **no tenemos más ~ que...** nous n'avons pas d'autre possibilité que de...; **¿qué remedio?** que faire? **4. no tener ni para un ~** manquer absolument de tout.

**remedo** *m* imitation *f*.

**remembranza** *f* souvenir *m*.

**rememorar** *vt* remémorer.

**remendado, a** *a* **1.** *(con remiendos)* rapiécé, e, raccommodé, e **2.** *(que tiene manchas)* tacheté, e.

**remendar*** *vt* rapiécer, raccommoder.

**remendón, ona** *a/s* **1.** ravaudeur, euse **2. zapatero ~** savetier.

**remera** *f* **1.** *(pluma)* rémige **2.** AMER *(camiseta)* tee-shirt *m*.

**remero, a** *s* rameur, euse.

**remesa** *f* envoi *m*, expédition.

**remesar** *vt* envoyer, expédier.

**remeter** *vt* **1.** *(meter de nuevo)* remettre **2.** *(meter más adentro)* enfoncer.

**remezón** *m* AMER tremblement de terre léger, faible secousse *f* sismique.

**remiendo** *m* **1.** *(trozo de tela, etc.)* pièce *f* **2.** *(compostura)* raccommodage, repiéçage **3.** *(remiendo mal hecho)* rafistolage.

**Remigio** *np m* Rémi.

**remilgado, a** *a* minaudier, ère, maniéré, e, chichiteux, euse.

**remilgarse** *vpr* minauder.

**remilgo** *m* minauderie *f*, manière *f*, chichi: **andar con remilgos** faire des manières.

**remilgoso, a** AMER → **remilgado, a.**

**reminiscencia** *f* réminiscence.

**remirado, a** *a* circonspect, e.

**remirar** *vt* regarder de nouveau, examiner attentivement.

**remisión** *f* **1.** *(a un tribunal, en un texto)* renvoi *m* **2.** *(acción de enviar)* envoi *m* **3.** *(perdón)* rémission, pardon *m* **4.** *(de una persona)* remise **5.** *MED* rémission.

**remiso, a** *a* réticent, e, hésitant, e, peu empressé, e: **~ en irse** peu empressé à s'en aller.

**remisor, a** *s* expéditeur, trice.

**remite** *m* nom et adresse de l'expéditeur.

**remitente** *s (de una carta)* expéditeur, trice.

**remitir** *vt* **1.** envoyer, expédier **2.** *(en un texto)* renvoyer **3.** *(aplazar, perdonar)*remettre. ◇ *vi* perdre de son intensité, faiblir, se calmer, céder: **la tormenta remite** la tempête se calme; **la fiebre no remite** la fièvre ne cède pas, ne baisse pas. ◆ **~se** *vpr* **1.** *(atenerse)* s'en remettre à, s'en rapporter à **2.** se reporter: **remítanse a la página cincuenta** reportez-vous à la page cinquante.

**remo** *m* **1.** rame *f*, aviron: **a ~** à la rame **2.** *(deporte)* aviron. ◇ *pl* **1.** *(patas de los animales)* pattes *f* **2.** *(alas)* ailes *f* **3.** *FAM* bras, jambes *f*.

**Remo** *np m* Rémus.

**remoción** *f* déplacement *m*, remuement *m*.

**remodelación** *f* remaniement *m*.

**remodelar** *vt* remanier.

**remojar** *vt* **1.** tremper **2.** *(garbanzos, ropa, etc.)* mettre à tremper, faire tremper: **póngase los garbanzos a ~ la víspera** faites tremper les pois chiches la veille **3.** *FAM (un asunto feliz)* arroser.

**remojo** *m* **1.** trempage ◊ *CULIN* **poner en ~** mettre à tremper, faire tremper **2.** *AMER (propina)* pourboire.

**remojón** *m FAM (lluvia)* douche *f*, saucée *f*: **un buen ~** une bonne douche.

**rémol** *m (pez)* barbue *f*.

**remolacha** *f* betterave: **~ azucarera** betterave à sucre, betterave sucrière.

**remolachero, a** *a* betteravier, ère.

**remolcador, a** *a/m* remorqueur, euse: **los remolcadores del puerto** les remorqueurs du port.

**remolcar** *vt* remorquer.

**remolinar** *vi* tourbilloner.

**remolino** *m* **1.** *(de agua, aire, polvo, etc.)* tourbillon **2.** *(de agua)* remous **3.** *(del pelo)* épi **4.** *(de gente)* cohue *f*.

**remolón, ona** *a/s* lambin, e, nonchalant, e.

**remolonear** *vi* lambiner.

**remolque** *m* **1.** *(acción)* remorquage **2.** *(vehículo)* remorque *f* **3.** *loc adv* **a ~** à la remorque, à la traîne; **estar a ~ de** être à la remorque de.

**remono, a** *a FAM* très mignon, onne, ravissant, e.

**remonta** *f* **1.** *(del calzado)* ressemelage *m*, remontage *m* **2.** *MIL* remonte **3.** *MIL (depósito de sementales)* haras *m*.

**remontada** *f (de un deportista)* remontée.

**remontar** *vt (una dificultad)* surmonter. ◆ **~se** *vpr* **1.** *(subir)* s'élever, prendre son essor: **el águila se remontó** l'aigle s'éleva **2.** remonter: **remontarse al siglo doce** remonter au douzième siècle; **remontarse a veinte años atrás** remonter à vingt ans en arrière.

**remonte** *m* **~ mécanico** remontée *f* mécanique; **los remontes** les remontées mécaniques.

**remoquete** *m* **1.** coup de poing **2.** *(dicho agudo)* mot piquant **3.** *(apodo)* sobriquet, surnom.

**rémora** *f* **1.** *(pez)* rémora **2.** *FIG* obstacle *m*, entrave *f*, frein *m*, handicap *m*: **una ~ para la economía** un frein pour l'économie.

**remorder*** *vt* **1.** remordre **2.** *FIG* causer du remords, ronger intérieurement: **me remuerde el haber sido tan injusto con él** je m'en veux, j'ai des remords d'avoir été si injuste avec lui.

**remordimiento** *m* remords.

**remotamente** *adv* **1.** au loin **2.** *FIG* vaguement: **se parece ~ a un primo mío** il ressemble vaguement à un de mes cousins.

**remoto, a** *a* **1.** lointain, e **2.** *(tiempo)* reculé, e ◊ **desde la más remota antigüedad** depuis la plus haute antiquité **3.** *FIG* improbable, vague ◊ **no tengo ni la más remota idea de...** je n'ai pas la moindre idée de...

**remover*** *vt* **1.** remuer: **añada leche y remueva** ajoutez du lait et remuez **2.** *(trasladar)* déplacer **3.** *(apartar)* écarter **4.** *(destituir a uno de su cargo)* destituer **5.** *FIG* remuer. ◆ **~se** *vpr* s'agiter, remuer.

**remozar** *vt* **1.** rajeunir: **parecía remozado** il semblait rajeuni **2.** *(renovar)* rénover, rafraîchir: **~ un local** rénover un local.

**remplazar** → **reemplazar.**

**remplazo** → **reemplazo.**

**remuneración** *f* rémunération.

**remunerador, a** *a* rémunérateur, trice.

**remunerar** *vt* rémunérer: **un trabajo remunerado** un travail rémunéré.

**renacentista** *a* de la Renaissance.

**renacer*** *vi* renaître: **~ de sus cenizas** renaître de ses cendres; **me siento ~** je me sens renaître.

**renacimiento** *m* renaissance *f*. ◇ *np* **el Renacimiento** la Renaissance.

**renacuajo** *m* **1.** têtard **2.** *FIG (niño)* nabot, morpion.

**renadío** *m AGR* regain.

**renal** *a* rénal, e.

**Renania** *np f* Rhénanie.

**renano, a** *a/s* rhénan, e.

**Renata** *np f* Renée.

**Renato** *np m* René.

**rencilla** *f* querelle, dispute, brouille: **rencillas personales** des querelles de personnes.

**rencilloso, a** *a* **1.** querelleur, euse,ombrageux, euse **2.** rancunier, ère.

**renco, a** *a* boiteux, euse.

**rencor** *m* **1.** rancune *f* ◊ **guardar ~** garder rancune, tenir rigueur, en vouloir; **no me guardes ~ por...** ne m'en veux pas de...; **no te guardo ~** je ne t'en veux pas **2.** *(amargura)* rancœur *f*.

**rencoroso, a** *a* rancunier, ère.

**rendibú** *m FAM* empressement.

**rendición** *f* reddition.

**rendido** *a* **1.** soumis, e **2.** *(muy cansado)* épuisé, e, fourbu, e, rendu, e, sur les genoux.

**rendija** *f* fente.

**rendimiento** *m* **1.** *(de una máquina, una tierra, etc.)* rendement **2.** *(sometimiento)* soumission *f* **3.** *(cansancio)* épuisement.

**rendir*** *vt* **1.** vaincre, soumettre **2.** rendre: **~ las armas, el espíritu, homenaje** rendre les armes, l'esprit, hommage; **~ gracias** rendre grâce; **~ culto** → **culto 3.** *(producir)* rapporter, rendre: **estas acciones rinden mucho** ces actions rapportent beaucoup; **una tierra que rinde poco** une terre qui rend peu; **¿su negocio no le rinde?** votre commerce ne vous rapporte rien? **4. este obrero rinde poco** cet ouvrier n'a pas un bon rendement **5.** *(cansar)* épuiser, éreinter: **esta gripe me rinde** cette grippe m'épuise. ◆ **~se** *vpr* **1.** se rendre, se soumettre: **la ciudad se rindió sin condiciones** la ville s'est rendue sans conditions; **ríndete** rends-toi **2.** *(en un acertijo)* **me rindo** je donne ma langue au chat.

**renegado, a** *a/s* renégat, e.

**renegar*** *vt* nier avec insistance. ◇ *vi* **1.** renier, abjurer: **~ de su fe, de sus orígenes** renier sa foi, ses origines; **nunca renegó de sus convicciones** il n'a jamais renié ses convictions **2.** blasphémer, jurer: **se marcha renegando** il part en jurant.

**renegón, ona** *a/s* FAM **1.** *(gruñón)* râleur, euse, bougon, onne **2.** blasphémateur, trice.

**renegrido, a** *a* noirâtre.

**rengífero** *m* renne.

**renglón** *m* **1.** *(de un escrito)* ligne *f* ◊ *loc adv* **a ~ seguido** immédiatement après **2.** *(parte del gasto, etc.)* chapitre, article. ◇ *pl* lignes: **leer entre renglones** lire entre les lignes.

**rengo, a → renco.**

**renguear** *vi* AMER **1. → renquear 2.** *(andar tras de una mujer)* tourner autour d'une femme.

**reniego** *m* blasphème, juron.

**reno** *m* renne.

**renombrado, a** *a* renommé, e.

**renombre** *m* **1.** renom, renommée *f* **2. de ~** de renom.

**renovable** *a* renouvelable: **las energías renovables** les énergies renouvelables.

**renovación** *f* **1.** rénovation **2.** renouvellement *m*: **~ de existencias** renouvellement des stocks; **la ~ de un contrato** le renouvellement d'un contrat.

**renovador, a** *a/s* rénovateur, trice.

**renovar*** *vi* **1.** *(dar nueva forma)* rénover **2.** *(reemplazar, reiterar)* renouveler: **~ su suscripción** renouveler son abonnement; **~ el pasaporte** faire renouveler son passeport; **~ las gracias** renouveler ses remerciements **3.** *(reanudar)* reprendre, renouer: **las tropas han renovado sus ataques contra...** les troupes ont repris leurs attaques contre.... ◆ **~se** *vpr* **1.** se renouveler **2.** reprendre: **se renovó la guerra** la guerre reprit.

**renquear** *vi* **1.** traîner la jambre, clopiner **2.** *(cojear)* boiter.

**renquera** *f* boiterie.

**renta** *f* **1.** rente: **vivir de rentas** vivre de ses rentes; **~ vitalicia** rente viagère, viager **2.** revenu *m*: **~ nacional, per cápita** revenu national, par habitant; **impuesto sobre la ~** impôt sur le revenu **3.** *(beneficio)* rapport *m* **4.** *(de un arrendatario)* fermage *m* ◊ **a ~** à bail **5. vivienda de ~ limitada** habitation à loyer modéré, H.L.M.

**rentabilidad** *f* rentabilité.

**rentable** *a* rentable.

**rentado, a** *a* qui a des rentes, des revenus.

**rentar** *vt* rapporter: **su finca le renta lo bastante para vivir** sa propriété lui rapporte assez pour vivre; **el dinero que tengo ahorrado me renta el 5% anual** l'argent que j'épargne me rapporte 5% par an.

**rentero, a** *s* fermier, ère.

**rentista** *s* rentier, ère.

**rentístico, a** *a* financier, ère.

**rentrée** *f* rentrée: **la ~ política, escolar** la rentrée politique, scolaire.
▶ Gallicisme, dans le sens de «reprise des activités».

**renuencia** *f* répugnance, réticence.

**renuente** *a* rebelle, réticent, e, rétif, ive.

**renueve → renovar.**

**renuevo** *m* **1.** BOT rejet, rejeton, pousse *f* **2.** *(renovación)* renouvellement.

**renuncia** *f* **1.** renonciation **2.** *(con sacrificio)* renoncement *m* **3.** démission.

**renunciación → renuncia.**

**renunciamiento** *m* renoncement.

**renunciar** *vt* renoncer: **~ a una herencia, a hacer...** renoncer à un héritage, à faire...

**renuncio** *m* FAM contradiction *f* ◊ **coger en ~** prendre en faute.

**renvalso** *m (en una puerta o ventana)* feuillure *f*.

**reñidamente** *adv* avec acharnement.

**reñido, a** *a* **1.** *(enemistado)* fâché, e, brouillé, e: **está ~ con su familia** il est brouillé avec sa famille **2.** *(batalla, etc.)* acharné, e, disputé, e **3.** incompatible: **su desprecio de la vida no está ~ con sus creencias** son mépris de la vie n'est pas incompatible avec ses croyances.

**reñir* 1.** se disputer, se quereller: **se pasan la vida riñendo** ils passent leur vie à se disputer **2.** se brouiller, se fâcher: **ha reñido con su mejor amigo** il s'est brouillé avec son meilleur ami. ◇ *vt* **1.** *(reprender)* gronder, attraper, réprimander: **~ a un niño** gronder un enfant **2.** *(un combate, etc.)* soutenir.

**¹reo** *s (culpado)* accusé, e.

**²reo** *m (pez)* truite *f* de mer.

**reoca** *f* POP **ser la ~** être extraordinaire, incroyable.

**reojo (de)** *loc adv* du coin de l'œil: **mirar de ~** regarder du coin de l'œil; *(con enfado)* de travers.

**reordenación** *f* remise en ordre.

**reordenar** *vt* remettre en ordre, réorganiser.

**reorganización** *f* **1.** réorganisation **2.** *(del Gobierno)* remaniement *m*.

**reorganizar** *vt* **1.** réorganiser **2.** *(el Gobierno)* remanier.

**reorientación** *f* réorientation.

**reorientar** *vt* réorienter.

**reóstato** *m* rhéostat.

**repajolero, a** *a* FAM scélérat, e.

**¡repámpanos!** *interj* FAM fichtre!, diable!

**repanchigarse, repantigarse** *vpr* **~ en una butaca** se carrer, se caler, s'étaler dans un fauteuil.

**repanocha** POP **→ reoca.**

**reparable** *a* réparable.

**reparación** *f* réparation.

**reparador, a** *a/s* **1.** réparateur, trice **2.** *(descontentadizo)* qui trouve des défauts à tout, critiqueur, euse.

**reparar** *vt* réparer: **~ un motor** réparer un moteur; **~ una injusticia** réparer une injustice. ◇ *vt/i* **1.** *(notar)* remarquer, observer: **¿reparaste en que...?** as-tu remarqué que...? **2.** réfléchir, faire attention: **repare usted en lo que va a hacer** réfléchissez à ce que vous allez faire; **¿has reparado en ello?** y as-tu songé?; **no reparé mucho en sus palabras** je ne fis pas très attention à ses paroles **3. ~ en un obstáculo** s'arrêter devant un obstacle; **no repara en ningún sacrificio** il ne recule devant aucun sacrifice **4. ~ en gastos** regarder à la dépense.

**reparo** *m* **1.** réparation *f*, remède **2.** objection *f*, réserve *f*: **poner reparos** faire des objections, des réserves **3.** *(dificultad)* gêne *f*, difficulté ◊ **tener ~ en** hésiter à; **si no tiene usted ~** si vous n'y voyez pas d'inconvénient.

**reparón, ona** *a/s* critiqueur, euse, pointilleux, euse.

**repartición** *f* répartition.

**repartidor, a** *s* **1.** livreur, euse **2. ~ de telegramas** télégraphiste.

**repartija** *f AMER* partage *m*.

**repartimiento** *m* répartition *f*, partage.

**repartir** *vt* **1.** répartir, partager ◊ **el que reparte se lleva la mejor parte** on n'est jamais si bien servi que par soi-même **2.** distribuer: **~ octavillas, los naipes** distribuer des tracts, les cartes **3.** livrer: **~ el vino a domicilio** livrer le vin à domicile. ◆ **~se** *vpr* se répartir: **los obreros se reparten el trabajo** les ouvriers se répartissent le travail.

**reparto** *m* **1.** répartition *f*: **el ~ de los escaños en la Asamblea** la répartition des sièges à l'Assemblée **2.** *(del correo, etc.)* distribution *f* **3.** livraison *f*: **~ a domicilio** livraison à domicile **4.** *(teatro, cine)* distribution *f*.

**repasador** *m AMER (paño de cocina)* torchon.

**repasar** *vt/i (volver a pasar)* repasser. ◇ *vt* **1.** *(volver a examinar)* revoir: **~ un trabajo antes de entregarlo** revoir un travail avant de le remettre **2.** *(la lección, etc.)* repasser, réviser **3.** *(la ropa)* raccommoder.

**repasata** *f FAM* réprimande, savon *m*.

**repaso** *m* **1.** *(de una lección, etc.)* révision *f* ◊ **dar un ~ a** jeter un coup d'œil sur **2.** *(de la ropa)* raccommodage **3.** *FAM* **dar un ~ a alguien** remettre quelqu'un à sa place.

**repatear** *vt FAM* agacer, horripiler: **me repatean los sabihondos** les pédants m'horripilent.

**repatriación** *f* rapatriement *m*.

**repatriado, a** *a/s* rapatrié, e.

**repatriar** *vt* rapatrier. ◆ **~se** *vpr* être rapatrié, e.

**repechar** *vi/t* monter, grimper.

**repecho** *m* raidillon, côte *f* raide.

**repeinado, a** *a* bien coiffé, e.

**repeinar** *vt* recoiffer.

**repelente** *a* **1.** repoussant, e **2.** *FIG* écœurant, e.

**repeler** *vt* **1.** *(rechazar)* repousser: **~ un ataque, un argumento** repousser une attaque, un argument **2.** *FIG (repugnar)* dégoûter, écœurer: **me repele su cobardía** sa lâcheté me dégoûte.

**repello** *m* crépi.

**repelo** *m* **1.** contre-poil, rebours **2.** *(de las uñas)* envie *f* **3.** *FIG* répugnance *f*, dégoût.

**repelón** *m* **1.** action *f* de tirer les cheveux **2.** galop **3. de ~** en passant.

**repelús** *m FAM* **dar (un) ~** mettre mal à l'aise, faire froid dans le dos.

**repeluzno** *m (escalofrío)* frisson: **dar un ~** donner le frisson.

**repensar*** *vt* repenser.

**repente** *m* **1.** mouvement brusque **2.** impulsion *f* **3.** *loc adv* **de ~** soudain, tout à coup.

**repentinamente** *adv* soudain, soudainement, subitement.

**repentino, a** *a* soudain, e, subit, e, brusque, imprévu, e: **un cambio ~** un changement brusque.

**repentista** *s* improvisateur, trice.

**repentizar** *vi* **1.** improviser **2.** *MÚS* déchiffrer.

**repercusión** *f* **1.** répercussion **2.** *FIG* répercussion, retentissement *m*: **tener repercusiones** avoir des répercussions.

**repercutir** *vt* répercuter. ◇ *vi FIG* **~ en** se répercuter sur.

**repertorio** *m* **1.** *(lista)* répertoire **2.** *TEAT* répertoire.

**repesar** *vt* repeser.

**repesca** *f FAM* examen *m* de repêchage.

**repescar** *vt (al que ha sido eliminado)* repêcher.

**repetición** *f* répétition: **arma de ~** arme à répétition.

**repetidamente** *adv* maintes fois, à plusieurs reprises.

**repetido, a** *a* **1.** répété, e **2. repetidas veces** à plusieurs reprises, plusieurs fois; **en repetidas ocasiones** à maintes reprises.

**repetidor, a** *a/s* **1.** *(alumno)* redoublant, e **2.** répétiteur, trice. ◇ *m (radio, televisión)* relais.

**repetir** *vt* **1.** *(volver a hacer, decir)* répéter **2. ~ curso** redoubler une classe. ◇ *vi* **1.** *(el curso)* redoubler: **esta alumna repite** cette élève redouble **2.** *(un sabor)* revenir: **el ajo repite** l'ail revient. ◆ **~se** *vpr* **1.** se répéter: **este conferenciante se repite mucho** ce conférencier se répète beaucoup; **la historia se repite** l'histoire se répète **2.** se reproduire: **espero que aquello nunca vuelva a repetirse** j'espère que ça ne se reproduira jamais.

**repetitivo, a** *a* répétitif, ive.

**repicar** *vt* **1** hacher menu **2.** *(las campanas)* sonner. ◇ *vi* **1.** *(las campanas)* carillonner: **fiesta repicada** fête carillonnée **2.** *(el tambor)* battre.

**repintar** *vt* repeindre. ◆ **~se** *vpr* se maquiller (exagérément).

**repipi** *a FAM* bêcheur, euse, snobinard, e, poseur, euse.

**repique** *m (de las campanas)* carillonnement.

**repiquetear** *vi* **1.** *(las campanas)* carillonner **2.** *(un timbre)* sonner **3.** *(la lluvia, los dedos)* tambouriner.

**repiqueteo** *m* **1.** carillonnement **2.** *(de los dedos)* tambourinement **3.** tintement.

**repisa** *f* **1.** *ARQ* console **2.** *(de chimenea, lavabo)* tablette **3.** *(estante)* étagère.

**repite,** etc. → **repetir.**

**replantar** *vt* replanter.

**replantear** *vt* **1.** *(un problema, etc.)* poser de nouveau, reposer **2.** *(un asunto)* remettre en question **2.** tracer sur le terrain (le plan d'un édifice).

**replanteo** *m (de un asunto)* remise *f* en question.

**repleción** *f* réplétion.

**replegar*** *vt* replier. ◆ **~se** *vpr MIL* se replier.

**repleto, a** *a* **1.** plein, e, rempli, e, bourré, e: **cine ~ de gente** cinéma plein, bourré de monde; **salón ~ de cuadros** salon rempli de tableaux **2.** qui a trop mangé, repu, e.

**réplica** *f* **1.** réplique **2. derecho de ~** droit de réponse **3.** *(copia)* réplique.

**replicar** *vt* répliquer: **¡no repliques!** ne réplique pas!

**replicón, ona** *a/s FAM* raisonneur, euse, discutailleur, euse.

**repliegue** *m* **1.** repli **2.** *MIL* repliement, repli **3.** *FIG* **el ~ sobre sí mismo** le repli sur soi-même.

**repoblación** *f* **1.** repeuplement *m* **2. ~ forestal** reboisement *m*.

**repoblar*** *vt* **1.** repeupler **2.** *(con árboles)* reboiser.

**repollo** *m* chou pommé.

**repolludo, a** *a* **1.** *(planta)* pommé, e **2.** *FIG (persona)* boulot, otte, rondouillard, e.

**reponer*** *vt* **1.** replacer, remettre **2.** *(en un empleo)* réintégrer **3.** *(lo que falta)* remplacer ◊ **~ gasolina** prendre de l'essence **4.** *(replicar)* répliquer, répondre: **repuso que él no lo sabía** il répliqua qu'il ne le savait pas **5.** *(una obra teatral o cinematográfica)* reprendre **6. necesita ~ fuerzas** il a besoin de reprendre des forces. ◆ **~se** *vpr* **1.** *(recobrar la salud)* se remettre, se rétablir: **se repone lentamente** il se remet lentement **2.** *(serenarse)* se remettre, se ressaisir: **tardó mucho en reponerse del susto** il mit beaucoup de temps à se remettre de sa frayeur.

**reportaje** *m* reportage: **~ gráfico** reportage photographique.

**reportar** *vt* **1.** *(beneficios, disgustos, etc.)* apporter, rapporter **2.** *(en litografía)* reporter **3.** AMER informer. ◆ **~se** *vpr* **1.** se contenir **2.** se calmer: **¡repórtate!** calme-toi!

**reporte** *m* **1.** *(litográfico)* report **2.** AMER *(informe)* rapport, compte rendu.

**reporteril** *a* qui concerne les reporters.

**reporterismo** *m* reportage, journalisme.

**reportero, a** *s* reporter ◊ **~ gráfico** reporter-photographe, photoreporter.

**reposadamente** *adv* calmement, tranquillement.

**reposado, a** *a* calme, tranquille.

**reposapiés** *m inv* repose-pieds.

**reposar** *vi/pr* **1.** reposer **2.** *(descansar)* se reposer **3. aquí reposan los restos mortales de...** ici reposent les restes de... ◆ **~se** *vpr (los líquidos)* déposer.

**reposera** *f* AMER chaise-longue, transat *m*.

**reposición** *f* **1.** remise en place **2.** *(en un empleo)* réintégration **3.** *(de una obra teatral, una película)* reprise: **la ~ de "Lo que el viento se llevó"** la reprise de "Autant en emporte le vent".

**reposo** *m* repos.

**repostar** *vi* **1.** se ravitailler **2.** *(reponer carburante)* **~ gasolina** prendre de l'essence, faire le plein.

**repostería** *f* **1.** *(pastelería)* pâtisserie **2.** office *m*.

**repostero** *m* **1.** pâtissier **2.** *(en una casa real)* chef d'office **3.** *(tapiz bordado con un escudo)* tenture *f* de balcon avec des armoiries **4.** AMER *(despensa)* garde-manger.

**reprendre** *vt* réprimander, gronder: **su padre le reprende por llegar tarde** son père le gronde parce qu'il arrive en retard.

**reprensible** *a* répréhensible.

**reprensión** *f* réprimande.

**reprensor, a** *a/s* qui réprimande.

**represa** *f* barrage *m*.

**represalia** *f* représaille: **temer represalias** craindre des représailles.

**represar** *vt* **1.** *(el agua corriente)* retenir **2.** FIG contenir, réprimer.

**representación** *f* **1.** représentation **2. ~ proporcional** représentation proportionnelle **3. en ~ de...** en qualité de représentant de...

**representante** *s* **1.** représentant, e **2.** *(agente comercial)* représentant (de commerce) **3.** acteur, actrice.

**representar** *vt* **1.** représenter **2.** *(aparentar)* paraître, faire: **no reprensenta la edad que tiene** il ne fait pas son âge; **representa unos cincuenta años** il paraît avoir dans les cinquante ans **3.** TEAT jouer, représenter: **representa el papel de don Juan** il joue le rôle don Juan. ◆ **~se** *vpr* se représenter, s'imaginer: **no puedo representármelo con una barba** je ne peux pas me l'imaginer avec une barbe.

**representatividad** *f* représentativité.

**representativo, a** *a* représentatif, ive.

**represión** *f* **1.** répression **2.** *(de una pasión)* refoulement *m*.

**represivo, a** *a* répressif, ive.

**reprimenda** *f* réprimande.

**reprimir** *vt* **1.** réprimer **2.** *(una pasión, etc.)* refouler. ◆ **~se** *vpr* se retenir.

**reprise** *m/f* reprise *f*.

**reprobable** *a* blâmable, censurable.

**reprobación** *f* réprobation.

**reprobador, a** *a* réprobateur, trice.

**reprobar*** *vt* réprouver.

**réprobo, a** *a/s* réprouvé, e.

**reprocesamiento** *m* retraitement.

**reprocesar** *vt* retraiter.

**reprochar** *vt* reprocher.

**reproche** *m* reproche.

**reproducción** *f* **1.** reproduction: **~ sexual, asexual** reproduction sexuée, asexuée **2.** *(copia)* reproduction ◊ **derecho de ~** droit de reproduction.

**reproducir*** *vt* reproduire. ◆ **~se** *vpr* se reproduire: **es posible que esto se reproduzca** il est possible que cela se reproduise.

**reproductor, a** *a/s* reproducteur, trice. ◇ *m (animal)* reproducteur.

**reprografía** *f* reprographie.

**reps** *m* reps.

**reptación** *f* reptation.

**reptar** *vi* ramper.

**reptil** *m* reptile.

**república** *f* république.

**republicanismo** *m* républicanisme.

**republicano, a** *a/s* républicain, e.

**repudiación** *f* répudiation.

**repudiar** *vt* **1.** *(a su mujer)* répudier **2.** *(la violencia)* rejeter, refuser.

**repudio** *m* **1.** répudiation *f* **2.** rejet, refus.

**repudrise** *vpr* FIG se ronger les sangs, être torturé, e.

**repuesto, a** *pp* de **reponer.** ◇ *m* **1.** provisions *f pl* **2.** *(pieza)* pièce *f* de rechange **3. de ~** en réserve; *(de recambio)* de rechange.

**repugnancia** *f* répugnance.

**repugnante** *a* **1.** répugnant, e **2.** FAM dégueulasse.

**repugnar** *vi* répugner, dégoûter: **me repugnan las babosas** les limaces me dégoûtent.

**repujado, a** *a/m* repoussé, e: **cuero ~** cuir repoussé. ◇ *m* TECN repoussage.

**repujar** *vt* repousser.

**repulgar** *vt* TECN ourler.

**repulgo** *m* **1.** *(en costura)* ourlet **2.** CULIN rebord (autour d'un pâté, etc.).

**repulido, a** *a* pomponné, e, tiré, e à quatre épingles.

**repulir** *vt* **1.** repolir **2.** FIG *(a una persona)* pomponner.

**repullo** *m* **1.** *(flechilla)* fléchette *f* **2.** *(respingo)* sursaut, bond: **pegar un ~** sursauter.

**repulsa** *f* **1.** refus *m*, rejet *m* **2.** *(condena)* réprobation, condamnation: **~ general ante el acto de terrorismo** réprobation générale devant l'acte de terrorisme.

**repulsar** *vt* rejeter.

**repulsión** *f* **1.** *(repugnancia)* répulsion **2.** *(rechazo)* rejet *m*.

**repulsivo, a** *a* répugnant, e, répulsif, ive.

**repuntar** *vi (la marea)* commencer à monter, à descendre. ◇ *vt* AMER *(reunir los animales)* rassembler.

**repunte** *m* **1.** commencement de la marée **2.** AMER rassemblement du bétail **3.** AMER *(de precios)* hausse *f* ◊ **se espera un ~ económico, en las ventas** on attend une reprise économique, un accroissement des ventes.

**repuse, repuso,** etc. → **reponer.**

**reputación** *f* réputation: **mala ~** mauvaise réputation.

**reputado, a** *a* réputé, e.

**reputar** *vt* estimer, considérer comme, tenir pour, réputer: **lo reputan por honrado** on le considère comme honnête, il est réputé honnête; **está reputado como el mejor prosista de su época** il est tenu pour le meilleur prosateur de son époque.

**requebrar*** *vt* **1.** courtiser, dire des galanteries **2.** *(alabar)* flatter.

**requemar** *vt* **1.** *(un guiso, la lengua, etc.)* brûler **2.** *(la tez)* hâler **3.** *(la sangre)* échauffer. ◆ **~se** *vpr* **1.** brûler **2.** *FIG* se consumer, souffrir en silence.

**requerido, a** *a* requis, e.

**requerimiento** *m* **1.** *JUR* sommation *f*, mise *f* en demeure **2.** requête *f*: **a ~ de** à la requête de.

**requerir*** *vt* **1.** requérir, demander: **eso requiere tiempo** cela demande du temps **2.** *JUR* intimer l'ordre, requérir: **~ a que...** requérir de... **3. ~ de amores** courtiser, faire la cour.

**requesón** *m* **1.** caillé, **2.** *(queso)* fromage blanc.

**requeté** *m HIST* volontaire carliste.

**requetebién** *adv FAM* très bien: **muy ~** drôlement bien, parfait, e.

**requiebro** *m* galanterie *f*, compliment.

**réquiem** *m* requiem.

**requilorios** *m pl* détours, formalités *f*, manières *f*.

**requintar** *vt* **1.** surenchérir **2.** *AMER (el ala de un sombrero)* relever **3.** *AMER (mandar enhora mala)* envoyer au diable.

**requinto** *m* **1.** petite clarinette *f* **2.** *(guitarrillo)* petite guitare *f*.

**requirente** *a/s JUR* requérant, e.

**requisa** *f* **1.** inspection **2.** *MIL* réquisition.

**requisar** *vt* réquisitionner.

**requisición** *f* réquisition.

**requisito** *m* **1.** condition *f* requise: **los candidatos que cumplan con los requisitos** les candidats qui remplissent les conditions ◊ **es ~ indispensable...** il est indispensable de... **2.** formalité *f*.

**requisitoria** *f JUR, FIG* réquisitoire *m*.

**res** *f* **1.** tête de bétail, bête **2.** *AMER* bœuf *m*: **carne de ~** viande de bœuf **3.** *TAUROM* taureau *m*.

**resabiado, a** *a (animal)* vicieux, euse.

**resabiarse** *vpr* contracter un vice.

**resabido, a** *a* pédant, e.

**resabio** *m* **1.** *(vicio)* mauvaise habitude *f*, travers **2.** *(sabor)* arrière-goût.

**resaca** *f* **1.** *(movimiento de las olas)* ressac *m* **2.** *COM* retraite **3.** *FAM* **tener ~** avoir la gueule de bois, avoir mal aux cheveux.

**resalado, a** *a (persona)* très gracieux, euse.

**resaltar** *vi* **1.** *(balcón, etc.)* faire saillie **2.** *FIG* ressortir, se détacher, se distinguer ◊ **hacer ~** faire ressortir; **en su discurso, el rey resaltó que...** dans son discours, le roi souligna que, mit l'accent sur le fait que... **3.** *(rebotar)* rebondir.

**resalte** *m* saillie *f*.

**resalto** *m* **1.** *(parte que sobresale)* saillie *f*, ressaut **2.** *(rebote)* rebond.

**resarcible** *a* réparable.

**resarcimiento** *m* dédommagement, indemnisation *f*, réparation *f*, compensation *f*.

**resarcir** *vt* dédommager, indemniser. ◆ **~se** *vpr* se dédommager.

**resayo** *m* pente *f*.

**resbaladero, a** *a* glissant, e. ◇ *m* endroit glissant.

**resbaladizo, a** *a* **1.** glissant, e **2.** *FIG* glissant, e, compromettant, e.

**resbalar** *vi* **1.** glisser **2.** *FIG* faire un faux pas. ◆ **~se** *vpr* glisser: **me resbalé con una piel de plátano** j'ai glissé sur une peau de banane.

**resbalón** *m* **1.** glissade *f* **2.** *FIG (desliz)* faux pas.

**resbaloso, a** *a* glissant, e. ◇ *f AMER* → **refalosa.**

**rescatar** *vt* **1.** *(mediante dinero, etc.)* racheter **2.** *(libertar)* délivrer **3.** *(a un náufrago)* repêcher **4. ~ del olvido** sauver de l'oubli.

**rescate** *m* **1.** rachat **2.** délivrance *f* **3.** *(de personas en peligro)* sauvetage: **las operaciones, labores, tareas de ~** les opérations de sauvetage **4.** *(dinero)* rançon *f*: **un ~ de cien millones de pesetas** une rançon de cent millions de pesetas.

**rescindible** *a* résiliable.

**rescindir** *vt* résilier, annuler, rescinder: **~ un contrato** résilier un contrat.

**rescisión** *f* résiliation: **la ~ de un contrato** la résiliation d'un contrat.

**rescoldo** *m* braise *f* sous la cendre.

**resecar** *vt* **1.** dessécher **2.** *MED* réséquer. ◆ **~se** *vpr* se dessécher.

**resección** *f MED* résection.

**reseco, a** *a* **1.** *(muy seco)* desséché, e: **piel reseca** peau desséchée **2.** *(flaco)* sec, sèche.

**reseda** *f* réséda *m*.

**resellar** *vt (las monedas)* refrapper.

**resentido, a** *a/s* **1.** amer, ère, aigri, e: **es una resentida** c'est une aigrie **2. estar ~ con alguien** être fâché, monté contre quelqu'un, en vouloir à quelqu'un; **está ~ conmigo** il est monté contre moi, il m'en veut.

**resentimiento** *m* ressentiment.

**resentirse*** *vpr* **1.** se ressentir: **se resiente de su lesión** il se ressent de sa blessure **2.** *FIG (con alguien)* se fâcher **3.** s'offenser.

**reseña** *f* **1.** description **2.** *(de una obra)* compte rendu *m* **3.** *(narración sucinta)* notice.

**reseñar** *vt* **1.** décrire **2.** faire le compte rendu de.

**resero** *m AMER* conducteur de troupeaux.

**reserva** *f* **1.** réserve ◊ **a ~ de** sous réserve de; **a ~ de que** sous réserve que; **de ~** en réserve; **sin ~** sans réserve **2.** *(en un avión, hotel, etc.)* réservation **3.** *FIG (discreción)* réserve, discrétion **4. ~ mental** arrière-pensée **5.** *MIL* réserve: **oficial en la ~** officier de réserve **6.** *(territorio)* réserve: **~ natural** réserve naturelle. ◇ *s (jugador suplente)* remplaçant, e.

**reservadamente** *adv* confidentiellement.

**reservado, a** *a* réservé, e. ◇ *m* **1.** compartiment réservé **2.** *(en un restaurante)* cabinet particulier.

**reservar** *vt* **1.** réserver **2.** *(plaza en un avión, hotel, etc.)* retenir, réserver: **he reservado una mesa** j'ai retenu une table; **~ hora** → **hora 3.** *(ocultar)* taire, cacher. ◆ **~se** *vpr* **1.** se réserver **2. se reserva su opinión** il réserve son jugement.

**reservista** *m MIL* réserviste.

**reservón, ona** *a* renfermé, e, cachottier, ère.

**resfriado, a** *a* enrhumé, e. ◇ *m* rhume, refroidissement: **coger un ~** attraper un rhume.

**resfriamiento** *m* refroidissement.

**resfriar** *vt* refroidir. ◆ **~se** *vpr* s'enrhumer, attraper un refroidissement, prendre froid.

**resfrío** *m* rhume, refroidissement.

**resguardar** *vt* garantir, protéger, défendre, abriter. ◆ **~se** *vpr* se protéger: **resguardarse de la lluvia** se protéger de la pluie.

**resguardo** *m* **1.** défense *f*, protection *f*, abri **2.** garantie *f* **3.** *(recibo)* récépissé, reçu **4.** poste de l'octroi.

**residencia** *f* **1.** résidence: **segunda ~** résidence secondaire **2. ~ de ancianos** résidence pour personnes âgées; **~ de estudiantes** foyer *m* d'étudiants, résidence universitaire **3. permiso de ~** permis de séjour.

**residencial** *a* résidentiel, elle: **barrios residenciales** quartiers résidentiels.

**residente** *a/s* **1.** résidant, e **2. ministro ~** résident.

**residir** *vi* **1.** résider, habiter **2.** FIG **~ en** résider dans.

**residual** *a* résiduel, elle, résiduaire: **aguas residuales** eaux résiduaires, eaux usées.

**residuo** *m* **1.** résidu **2.** MAT reste. ◇ *pl* déchet: **residuos radiactivos** déchets radioactifs; **residuos industriales** déchets industriels; **el reciclaje de los residuos** le recyclage des déchets.

**resignación** *f* résignation.

**resignar** *vt* résigner. ◆ **~se** *vpr* se résigner: **resignarse a, con** se résigner à.

**resina** *f* résine.

**resinación** *f* gemmage *m*.

**resinar** *vt* résiner.

**resinero, a** *a/s* résinier, ère.

**resinoso, a** *a* résineux, euse.

**resistencia** *f* **1.** résistance: **ofrecer ~** opposer une résistance **2.** ELECT résistance.

**resistente** *a* résistant, e.

**resistero** *m* chaleur *f*.

**resistir** *vi* résister. ◇ *vt* **1.** résister à: **~ la tentación** résister à la tentation; **no puede ~ el hacer un chiste** il ne peut pas résister à la tentation de, s'empêcher de faire une plaisanterie; **no le gusta que se la resistan** elle n'aime pas qu'on lui résiste, qu'on lui tienne tête **2.** *(aguantar)* supporter: **no resisto el ruido** je ne supporte pas le bruit **3. ya no lo resisto más** je n'en peux plus. ◆ **~se** *vpr* **1.** résister: **resistirse al invasor** résister à l'envahisseur **2.** *(repugnar)* refuser de: **se resistía a hablar** il refusait de parler **3. me resisto a creerlo** j'ai du mal à le croire; **no me resistí a meter baza** je n'ai pas pu m'empêcher d'intervenir.

**resma** *f (de papel)* rame.

**resobado, a** *a* rebattu, e.

**resobrino, a** *s* arrière-neveu, arrière-nièce.

**resol** *m* réverbération *f* du soleil.

**resolana** *f* endroit *m* ensoleillé et à l'abri du vent.

**resollar*** *vi* **1.** respirer, souffler **2.** respirer bruyamment **3.** FAM donner signe de vie.

**resoluble** *a* résoluble.

**resolución** *f* **1.** résolution **2.** décision **3.** JUR *(texto)* **~ del Consejo de Seguridad** résolution du Conseil de Sécurité.

**resolutorio, a** *a* JUR résolutoire.

**resolver*** *vt* **1.** résoudre: **resolví el problema** j'ai résolu le problème; **problema sin ~** problème non résolu **2.** résoudre de, décider de: **resolvieron marcharse** ils ont résolu de s'en aller; **resolvió pasar una temporada en Inglaterra** il décida de faire un séjour en Angleterre. ◆ **~se** *vpr* se résoudre.

**resonador** *m* résonateur.

**resonancia** *f* **1.** résonance ◊ **caja de ~** caisse de résonance **2.** FIG *(de un hecho)* retentissement *m*.

**resonante** *a* **1.** résonant, e **2.** FIG retentissant, e.

**resonar*** *vi* **1.** résonner **2.** FIG retentir.

**resondrar** *vt* AMER insulter.

**resoplar** *vi* **1.** souffler bruyamment **2.** *(el caballo)* s'ébrouer.

**resoplido** *m* **1.** soufflement **2.** *(del caballo)* ébrouement.

**resorber** *vt* résorber.

**resorción** *f* résorption.

**resorte** *m* **1.** *(muelle)* ressort **2.** FIG moyen ◊ **tocar todos los resortes** faire flèche de tout bois.

[1]**respaldar** *vt* **1.** écrire au dos **2.** FIG *(apoyar)* soutenir, appuyer, cautionner: **~ la acción del Gobierno** soutenir l'action du gouvernement; **candidato respaldado por...** candidat soutenu par... **3.** *(garantizar)* garantir. ◆ **~se** *vpr* s'adosser.

[2]**respaldar** *m (respaldo)* dossier.

**respaldo** *m* **1.** *(de un asiento)* dossier **2.** *(de un escrito)* dos **2.** FIG appui, soutien, caution *f*, garantie *f*: **con el ~ del partido** avec le soutien du parti; **obtuvo el ~ de sus colegas** il a obtenu l'appui de ses collègues; **el ~ legal** la caution légale.

**respectar** *vi* concerner: **en, por lo que respecta a...** en ce qui concerne...; **por lo que a mí respecta** en ce qui me concerne, quant à moi.

▶ Verbe défectif; à ne pas confondre avec *respetar*.

**respectivamente** *adv* respectivement.

**respective** *adv* **1.** respectivement **2. ~ a** quant à, par rapport à.

**respecto** *m* **1.** *(relación)* rapport ◊ **al ~, a este ~** à ce sujet, à cet égard: **observaciones al ~** remarques à ce sujet; **¿qué piensa usted al ~ ?** qu'en pensez-vous? **2.** *loc prep* **~ a, con ~ a, de ~ a, de** en ce qui concerne, au sujet de, quant à, à l'égard de: **no hay nada nuevo ~ al viaje** il n'y a rien de nouveau quant au voyage; **yo tenía unos vagos remordimientos ~ a él** j'avais quelques vagues remords à son égard; *(con relación a)* par rapport à: **artículos rebajados un 20% ~ al precio normal** articles bénéficiant d'une remise de 20% par rapport au prix normal.

**résped** *f* langue (de vipère).

**respetabilidad** *f* respectabilité.

**respetable** *a* **1.** respectable **2.** FIG respectable: **una ~ cantidad de dinero** une somme respectable. ◇ *m* FAM **el ~** le public.

**respetar** *vt (a alguien, una ley, etc.)* respecter.

**respeto** *m* respect: **el ~ a la palabra dada, al bien ajeno** le respect de la parole donnée, du bien d'autrui; **por ~ a** par respect pour; **una falta de ~ para con...** un manque de respect envers...; **faltar al ~, perder el ~ a alguien** manquer de respect envers quelqu'un; **~ humano** respect humain ◊ **campar por sus respetos** → **campar.** ◇ *pl* **presentar sus respetos** présenter ses respects, ses hommages.

**respetuosamente** *adv* respectueusement.

**respetuoso, a** *a* respectueux, euse.

**réspice** *m* **1.** réponse *f* brusque **2.** *(reprensión)* semonce *f*.

**respingado, a** *a* retroussé, e.

**respingar** *vi* **1.** regimber, renâcler **2.** *(la falda)* remonter **3.** FIG regimber. ◆ **~se** *vpr (una prenda de vestir)* remonter.

**respingo** *m* **1.** *(salto)* sursaut, haut-le-corps: **dar un ~** sursauter, avoir un sursaut **2.** réplique *f* **3.** AMER *(frunce)* retroussis.

**respingona** *a* **nariz ~** nez retroussé, en trompette.

**respirable** *a* respirable.

**respiración** *f* **1.** respiration: **~ artificial** respiration artificielle **2.** *(aliento)* souffle *m* ◊ **dejar a uno sin ~** couper le souffle à quelqu'un.

**respiradero** *m* **1.** *(de un sótano)* soupirail **2.** bouche *f* d'aération.

**respirar** *vi/t* **1.** respirer **2.** *(cobrar aliento)* souffler **3.** FIG *(sentir alivio)* respirer; *(descansar)* respirer, souffler: **empezamos a ~** on commence à respirer ◊ **no ~** ne pas souffler mot; **sin ~**

sans relâche, sans prendre le temps de souffler, d'une seule haleine **4.** *FIG* **~ alegría, paz** respirer la joie, la paix **5.** *FIG* **~ por la herida → herida.**

**respiratorio, a** *a* respiratoire.

**respiro** *m* **1.** respiration *f* **2.** *FIG* répit, relâche *f*, repos.

**resplandecer*** *vi* **1.** *(brillar)* resplendir **2.** *FIG* rayonner.

**resplandeciente** *a* resplendissant, e.

**resplandor** *m* éclat.

**responder** *vt/i* **1.** répondre: **respondió en seguida** il a répondu aussitôt; **no respondas y haz lo que te mandan** ne réponds pas et fais ce qu'on t'ordonne; **~ a una oferta** répondre à une offre **2. ~ de** répondre de, se porter garant de: **respondo de él, por él** je réponds de lui; **no se responde de los objetos depositados** nous ne sommes pas responsables des objets en dépôt.

**respondón, ona** *a* raisonneur, euse, discutailleur, euse.

**responsabilidad** *f* responsabilité.

**responsabilizar** *vt* **~ a alguien de** rendre quelqu'un responsable de. ◆ **~se** *vpr* **1.** assumer la responsabilité **2.** se considérer comme responsable: **un error del cual me responsabilizo** une erreur dont je me considère responsable **3.** revendiquer la responsabilité ◊ **responsabilizarse de un atentado** revendiquer un attentat.

**responsable** *a/s* responsable: **hacer ~ de** rendre responsable de.

**responso** *m* *(rezo)* absoute *f*.

**responsorio** *m* *(rezo)* répons.

**respuesta** *f* réponse: **en ~ a su carta** en réponse à votre lettre; **tener ~ para todo** avoir réponse à tout; **dar la callada por ~ → callada.**

**resquebrajadizo, a** *a* fragile, cassant, e.

**resquebrajadura** *f* **1.** fente, fêlure **2.** *(del barniz)* craquelure.

**resquebrajar** *vt* **1.** fendre, fendiller, fêler **2.** *(barniz)* craqueler. ◆ **~se** *vpr* se fendiller, se craqueler.

**resquemar** *vt* **1.** brûler, piquer **2.** *FIG* peiner.

**resquemor** *m* **1.** brûlure *f* **2.** *FIG* peine *f*, amertume *f*, rancœur *f* **3.** *(remordimiento)* remords.

**resquicio** *m* **1.** *(de la puerta)* entrebâillement **2.** *(hendedura)* fente *f* **3.** *FIG* occasion *f* **4. un ~ de esperanza** une lueur d'espoir, un léger espoir.

**resta** *f* *MAT* **1.** *(operación)* soustraction **2.** *(resultado)* reste *m*.

**restablecer*** *vt* rétablir. ◆ **~se** *vpr* se rétablir: **se ha restablecido pronto** il s'est vite rétabli.

**restablecimiento** *m* rétablissement.

**restallar** *vi* **1.** *(el látigo)* claquer **2.** *(crujir)* craquer.

**restallido** *m* *(del látigo)* claquement.

**restante** *a* restant, e. ◇ *m* *(resto)* reste.

**restañar** *vt* **1.** *(estañar de nuevo)* rétamer **2.** *(la sangre)* étancher **3. ~ una herida** panser une plaie. ◇ *vi* *FIG* **las heridas tardan en ~** les blessures sont longues à se cicatriser.

**restar** *vt* **1.** *MAT* soustraire **2.** *(quitar)* ôter, retrancher, enlever **3. ~ importancia a un hecho** minimiser, réduire l'importance d'un fait. ◇ *vi* *(quedar)* rester.

**restauración** *f* restauration.

**restaurador, a** *a/s* restaurateur, trice.

**restaurante** *m* restaurant.

**restaurar** *vt* **1.** *(restablecer)* restaurer **2.** *(reparar una obra de arte, etc.)* restaurer.

**restitución** *f* **1.** *(devolución)* restitution **2.** rétablissement *m* **3.** *(de un muro, etc.)* réfection.

**restituir*** *vt* restituer, rendre. ◆ **~se** *vpr* *(al lugar de donde se había salido)* revenir.

**resto** *m* reste ◊ **echar el ~** jouer son va-tout, faire l'impossible. ◇ *pl* **1.** restes **2. restos de series** fins *f* de séries **3. restos mortales** restes, dépouille *f sing* mortelle.

**restorán** *m* restaurant.

**restregar** *vt* frotter vigoureusement. ◆ **~se** *vpr* se frotter: **se restregó los ojos** il se frotta les yeux.

**restregón** *m* frottement vigoureux.

**restricción** *f* **1.** restriction **2. ~ mental** restriction mentale.

**restrictivo, a** *a* restrictif, ive.

**restringente** *a* restringent, e.

**restringido, a** *a* restreint, e, limité, e.

**restringir** *vt* restreindre.

**restriñimiento** *m* *MED* rétention *f*.

**restriñir*** *vt* resserrer.

**resucitar** *vi/t* ressusciter: **Jesús resucitó al tercer día** Jésus ressuscita le troisième jour; **~ de entre los muertos** ressusciter d'entre les morts; **~ una costumbre** ressusciter une coutume ◊ **Cristo resucitado** le Christ ressuscité.

**resudar** *vi* suer légèrement.

**resudor** *m* sueur *f* légère.

**resuello** *m* haleine *f*, souffle ◊ *FIG* **meterle a uno el ~ en el cuerpo** remettre quelqu'un à sa place, moucher quelqu'un.

**resueltamente** *adv* résolument.

**resuelto, a** *pp* de **resolver: estoy ~ a hacerlo** je suis décidé à le faire. ◇ *a* résolu, e, décidé, e.

**resulta** *f* suite, résultat *m*. ◇ *pl* **1.** *(vacantes)* vacances, emplois *m* vacants **2.** *loc prep* **de resultas de** par suite de, à la suite de.

**resultado** *m* résultat ◊ *JUR* **negligencia con ~ de muerte** négligence ayant entraîné la mort.

**resultando** *m* *JUR* attendu.

**resultante** *f* résultante.

**resultar** *vi* **1.** résulter: **de eso resulta que...** il résulte de cela que... **2.** être: **la película resulta entretenida** le film est amusant; **el día resultó caluroso** la journée fut chaude; **resultó elegido** il a été élu; **el piso resulta pequeño** l'appartement, tout compte fait, est petit ◊ **esta señora resultaba ser la viuda de...** il se trouve que cette dame était la veuve de...; **dos obreros resultaron muertos en un accidente de trabajo** deux ouvriers ont trouvé la mort dans un accident de travail **3.** s'avérer: **el cálculo resulta exacto** le calcul s'avère exact **4.** *(costar)* revenir: **el viaje me ha resultado caro** le voyage m'est revenu cher **5. resulta que yo no estaba en casa** il se trouve que je n'étais pas chez moi.

**resultón, ona** *a* *FAM* agréable, plaisant, e: **una chica resultona** une fille mignonne; **un vestidito ~** une jolie petite robe.

**resumen** *m* **1.** résumé **2. en ~** en résumé.

**resumidamente** *adv* en résumé.

**resumidero** *m* *AMER* puisard, égout.

**resumir** *vt* résumer ◊ **en resumidas cuentas → cuenta.** ◆ **~se** *vpr* se résumer.

**resurgimiento** *m* renaissance *f*, renouveau.

**resurgir** *vi* resurgir, réapparaître.

**resurrección** *f* résurrection.

**retablo** *m* retable.

**retacear** *vt* *AMER* lésiner, marchander.

**retaceo** *m* *AMER* marchandage, restriction *f* ◊ **sin retaceos** sans restriction, sans réserve.

**retaco** *m* **1.** sorte de fusil court **2.** *FIG* petit homme trapu, pot à tabac, nabot.

**retacón, ona** *a* trapu, e.

**retador, a** *a/s* provocateur, trice.

**retaguardia** *f* arrière-garde ◊ **a ~** à la traîne.

**retahíla** *f* kyrielle, ribambelle, litanie.

**retal** *m* **1.** *(de tela)* coupon **2.** *(trozo sobrante)* rognure *f*.

**retallecer*** *vi* repousser.

**retama** *f* genêt *m*: **~ de olor** genêt d'Espagne.

**retamal, retamar** *m* genêtière *f*.

**retar** *vt* **1.** provoquer, défier, mettre au défi: **le retó a duelo** il le provoqua en duel; **te reto a hacer...** je te défie de faire... **2.** *FAM (regañar)* gronder, attraper **3.** *AMER* insulter.

**retardador, a** *a/s* retardateur, trice.

**retardar** *vt* **1.** *(diferir)* retarder **2.** *(hacer más lento)* ralentir. ◆ **~se** *vpr* se retarder, s'attarder.

**retardatario, a** *a* qui retarde.

**retardo** *m* retard.

**retazo** *m* **1.** *(de tela)* coupon **2.** *(de discurso, etc.)* morceau **3.** bribe *f*: **retazos de conversación** des bribes de conversation.

**retebién** *adv FAM* très bien.

**retejar** *vt* renfaîter.

**retel** *m (red)* balance *f*.

**retemblar*** *vi* trembler, frémir.

**retén** *m* troupe *f* de renfort, piquet de renfort, renfort.

**retención** *f* **1.** rétention **2.** *(de un sueldo, etc.)* retenue: **~ en la fuente** retenue à la source **3. ~ fiscal** prélèvement *m* fiscal **4.** *(secuestro)* séquestration *f* **5.** *(en la carretera)* bouchon *m*: **se produjeron muchas retenciones en las cercanías de Bilbao** de nombreux bouchons se sont produits dans les environs de Bilbao.

**retener*** *vt* **1.** retenir: **le retienen parte del sueldo** on lui retient une partie de son salaire; **me retuvo durante una hora** il m'a retenu pendant une heure **2. ~ una poesía** retenir une poésie **3.** séquestrer, retenir en otage: **el director fue retenido por los manifestantes** le directeur a été retenu en otage par les manifestants; **los periodistas abandonaron el cuartel en que se hallaban retenidos** les journalistes abandonnèrent la caserne où ils étaient retenus en otage.

**retentiva** *f* mémoire.

**reteñir*** *vt* reteindre.

**reticencia** *f* **1.** *(insinuación)* sous-entendu *m* **2.** *(en retórica)* réticence.

**reticente** *a* réticent, e.

**rético** *m (lengua)* rhétique.

**retículo** *m* **1.** *(óptica)* réticule **2.** *(de los rumiantes)* bonnet.

**retina** *f* rétine.

**retiniano, a** *a ANAT* rétinien, enne.

**retintín** *m* **1.** *(en el oído)* tintement **2.** *FIG* ton moqueur, ton narquois; **hablar con ~** parler d'un ton moqueur.

**retinto, a** *a* châtain.

**retirada** *f* **1.** *(acción de retirarse)* retraite **2.** *(acción de quitar)* retrait *m*: **la ~ del carnet de conducir** le retrait du permis de conduire **3.** *MIL* retraite: **tocar ~** battre la retraite.

**retirado, a** *a (apartado)* retiré, e. ◇ *a/s (militar)* retraité, e.

**retirar** *vt* **1.** retirer, enlever: **~ su candidatura** retirer sa candidature; **retiro lo dicho** je retire ce que j'ai dit **2.** *(sacar)* retirer: **~ dinero del banco** retirer de l'argent de la banque **3.** *(jubilar)* mettre à la retraite. ◆ **~se** *vpr* **1.** se retirer: **retirarse a su cuarto** se retirer dans sa chambre ◊ **retirarse a dormir** aller se coucher **2.** *(en el teléfono)* **¡no se retire!** ne quittez pas! **3.** *(jubilarse)* prendre sa retraite.

**retiro** *m* retraite *f*.

**reto** *m* **1.** défi: **un ~ a la muerte** un défi à la mort **2.** *AMER* engueulade *f* ◊ **dar un buen ~** engueuler, passer un savon.

**retobado, a** *a AMER* **1.** rebelle **2.** *(rezongón)* râleur, euse **3.** *(socarrón)* sournois, e.

**retobar** *vt AMER* garnir de cuir. ◆ **~se** *vpr (enojarse)* se fâcher.

**retobo** *m AMER* rebut, chose *f* inutile.

**retocador, a** *s* retoucheur, euse.

**retocar** *vt* retoucher: **~ una foto** retoucher une photo ◊ **~ su maquillaje** faire une retouche, un raccord à son maquillage.

**retomar** *vt* reprendre.

**retoñar** *vi* repousser.

**retoño** *m* pousse *f*, rejeton.

**retoque** *m* retouche *f*.

**retor** *m* grosse toile *f* de coton retors.

**retorcedura → retorcimiento.**

**retorcer** *vt* **1.** retordre **2.** *(el brazo, la ropa, etc.)* tordre: **~ el pescuezo** tordre le cou **3.** *(dando muchas vueltas)* tortiller **4.** *FIG (un argumento)* retourner. ◆ **~se** *vpr (de dolor, etc.)* se tordre: **nos retorcíamos de risa** nous nous tordions de rire.

**retorcido, a** *a* tordu, e, retors, e.

**retorcijón → retortijón.**

**retorcimiento** *m* **1.** *(del hilo)* retordage **2.** tortillement.

**retórica** *f* rhétorique. ◇ *pl FAM* bavardages *m*, arguties, grands discours *m*.

**retórico, a** *a* de la rhétorique. ◇ *s* rhétoricien, enne.

**retornar** *vt* **1.** *(regresar)* retourner **2.** *(devolver)* rendre. ◇ *vi* retourner, revenir.

**retorno** *m* **1.** retour ◊ **punto de no ~** point de non-retour **2.** *(cambio)* échange.

**retorsión** *f* rétorsion.

**retorta** *f* cornue.

**retortero** *m FIG* **llevar, traer a uno al ~** faire tourner quelqu'un en bourrique; *(engañar)* faire marcher quelqu'un.

**retortijón** *m* tortillement. ◇ *pl (de tripas)* coliques *f*.

**retostar*** *vt* griller beaucoup.

**retozar** *vi* **1.** *(saltar)* bondir, sauter, gambader **2.** *(travesear)* folâtrer, batifoler.

**retozo** *m* **1.** *(salto)* bond, saut, gambade *f*. ◇ *pl* ébats.

**retozón, ona** *a* **1.** bondissant, e **2.** *FIG* folâtre.

**retracción** *f* rétraction.

**retractación** *f* rétractation.

**retractar** *vt* rétracter. ◆ **~se** *vpr* se rétracter, se dédire.

**retráctil** *a* rétractile. ◇ *m* pack de six bouteilles.

**retracto** *m JUR* retrait.

**retraer*** *vt* **1.** *(de un intento)* détourner **2.** *(las uñas, etc.)* rétracter **3.** *JUR* retraire. ◆ **~se** *vpr* **1.** *(del mundo, de la vida política)* se retirer **2.** se réfugier.

**retraído, a** *a* **1.** retiré, e **2.** *FIG* renfermé, e, timide.

**retraimiento** *m* **1.** retraite *f*, solitude *f* **2.** *FIG* réserve *f*, timidité *f*, insociabilité *f*.

**retranca** *f (del arnés)* avaloire.

**retransmisión** *f* retransmission.

**retransmitir** *vt* retransmettre.

**retrasado, a** *a* **1.** retardé, e **2. estar, ir ~** être en retard: **tengo mucho trabajo ~** j'ai beaucoup de travail en retard; **mi reloj va un poco ~** ma montre retarde un peu. ◇ *a/s* **1.** retardataire **2. un ~ mental** un retardé.

**retrasar** *vt/i* retarder: **he retrasado mi viaje** j'ai retardé mon voyage; **mi reloj retrasa** ma montre retarde. ◆ **~se** *vpr* **1.** être en retard: **disculpe, me he retrasado** excusez-moi, je suis en retard **2.** se mettre en retard, se retarder, s'attarder: **no te retrases** ne te retarde pas **3.** être retardé, e: **su viaje se ha retrasado en un día** son voyage a été retardé d'un jour.

**retraso** *m* retard: **llegar con ~** arriver en retard.

**retratar** *vt* **1.** faire le portrait de, portraiturer **2.** photographier **3.** *FIG* peindre, dépeindre: **retrató en sus novelas la vida de los pescadores** il a peint dans ses romans la vie des pêcheurs. ◆ **~se** *vpr* se peindre.

**retratería** *f AMER* studio *m* de photographe.

**retratista** *s* **1.** portraitiste **2.** *FAM* photographe.

**retrato** *m* **1.** portrait **2.** *FIG* **es el vivo ~ de su padre** c'est (tout) le portrait de son père **3.** **~ robot** portrait-robot.

**retrechería** *f* séduction.

**retrechero, a** *a* **1.** séduisant, e, enjôleur, euse **2.** *(astuto)* rusé, e, futé, e.

**retrepado, a** *a* **~ en su tumbona** renversé en arrière dans son transat.

**retreparse** *vpr* se renverser en arrière.

**retreta** *f* **1.** *MIL* retraite **2.** *AMER* série, ribambelle.

**retrete** *m* cabinets *pl*, toilettes *f pl*.

**retribución** *f* rétribution, rémunération.

**retribuir*** *vt* rétribuer.

**retributivo, a** *a* salarial, e.

**retro** *a* rétro.

**retroacción** *f* rétroaction.

**retroactividad** *f* rétroactivité.

**retroactivo, a** *a* rétroactif, ive.

**retroceder** *vi* **1.** *(volver hacia atrás)* reculer, revenir en arrière: **~ tres años** revenir trois ans en arrière **2.** *FIG* reculer **3.** *TECN* rétrograder.

**retrocesión** *f JUR* rétrocession.

**retroceso** *m* **1.** recul **2.** marche *f* arrière **2.** *(de una enfermedad)* recrudescence *f* **4.** *(billar)* rétro.

**retrocohete** *m* rétrofusée *f*.

**retrogradación** *f* rétrogradation.

**retrogradar** *vi* rétrograder.

**retrógrado, a** *a* rétrograde.

**retrospectivo, a** *a* rétrospectif, ive. ◇ *f* rétrospective.

**retrotraer*** *vt* reporter. ◆ **~se** *vpr* se reporter.

**retroventa** *f* vente à réméré.

**retrovirus** *m BIOL* rétrovirus.

**retrovisor** *m* rétroviseur.

**retrucar** *vi* **1.** *(en el billar)* faire un contre **2.** répliquer, rétorquer.

**retruécano** *m* calembour, jeu de mots.

**retruque** *m* *(en el billar)* contre.

**retuerce,** etc. → **retorcer.**

**retuve, retuvo,** etc. → **retener.**

**reubicación** *f AMER* réinstallation.

**retumbante** *a* **1.** retentissant, e **2.** *FIG* pompeux, euse, ronflant, e.

**retumbar** *vi* **1.** retentir, résonner **2.** *(trueno, cañon)* gronder, tonner.

**retumbo** *m* **1.** retentissement **2.** *(del trueno)* grondement.

**reubicar** *vt AMER* **1.** replacer **2.** réinstaller.

**reuma, reúma** *m* rhumatisme: **padecer ~** avoir des rhumatismes.

**reumático, a** *a* rhumatismal, e: **dolores reumáticos** douleurs rhumatismales. ◇ *a/s (que padece reuma)* rhumatisant, e.

**reumatismo** *m* rhumatisme.

**reumatólogo, a** *s* rhumatologue.

**reunificación** *f* réunification.

**reunión** *f* réunion: **celebrar una ~** organiser une réunion.

**reunir** *vt* réunir, rassembler: **nos reunió a todos** il nous a tous réunis; **~ todas sus fuerzas** rassembler toutes ses forces. ◆ **~se** *vpr* **1.** se réunir **2.** rejoindre: **me reuniré con ustedes a las seis** je vous rejoindrai à six heures.

**reutilizable** *a* réutilisable.

**reutilización** *f* réutilisation.

**reutilizar** *vt* réutiliser.

**revacunación** *f* revaccination, rappel *m*, injection de rappel.

**revacunar** *vt* revacciner. ◆ **~se** *vpr* se faire faire un rappel.

**reválida** *f* examen *m* de fin d'études.

**revalidación** *f* ratification.

**revalidar** *vt* confirmer, ratifier, homologuer: **~ un título** homologuer un titre. ◆ **~se** *vpr* passer l'examen de fin d'études.

**revalorización** *f* revalorisation.

**revalorizar** *vt* revaloriser.

**revaluación** *f* réévaluation.

**revaluar** *vt* réévaluer.

**revancha** *f* revanche: **tomarse la ~** prendre sa revanche.

**revanchista** *a/s* revanchard, e.

**revelación** *f* révélation: **la gran ~ del año** la grande révélation de l'année.

**revelado, a** *a* révélé, e: **religión revelada** religion révélée. ◇ *m (foto)* développement.

**revelador, a** *a/m* révélateur, trice.

**revelar** *vt* **1.** révéler **2.** *(una foto)* développer. ◆ **~se** *vpr* se révéler.

**revendedor, a** *s* revendeur, euse.

**revender** *vt* revendre.

**revenirse*** *vpr* **1.** se rétrécir **2.** *(agriarse)* (s')aigrir **3.** *FIG* céder.

**reventa** *f* revente.

**reventar*** *vi* **1.** éclater, crever **2.** *(las olas)* se briser **3.** *(una pasión)* éclater **4.** *FIG* **~ por** mourir d'envie de; **~ de risa** mourir de rire **5.** *FAM (morir)* claquer. ◇ *vt* **1.** *(un globo, etc.)* faire éclater, crever **2.** *FAM (cansar mucho)* crever, éreinter, claquer, pomper: **estoy reventando** je suis crevé **3.** *FAM (fastidiar)* assommer, faire suer, agacer, exaspérer: **a mí me revienta tener que pedirle este favor** ça me fait suer de devoir lui demander cette faveur: **me reventan los cumplidos** les chichis m'agacent **4.** *FAM (hacer fracasar un espectáculo, etc.)* faire échouer **5.** *FAM (matar)* tuer, liquider **6.** **~ los precios** casser les prix. ◆ **~se** *vpr* **1.** *(neumático, tubería, etc.)* éclater, crever: **se ha reventado el neumático** le pneu a éclaté **2.** *FAM (cansarse mucho)* se crever, se claquer.

**reventazón** *f* **1.** éclatement *m* **2.** *AMER (de una montaña)* contrefort *m*.

**reventón** *m* **1.** *(de un neumático)* éclatement **2.** *FAM* **darse un ~** se crever. ◇ *a* **clavel ~** œillet double.

**rever*** *vt* revoir.

**reverberación** *f* réverbération.

**reverberar** *vi* se réverbérer.

**reverbero** *m* **1.** réverbère **2.** *AMER (infiernillo)* réchaud.

**reverdecer*** *vi/t* reverdir.

**reverencia** *f* **1.** *(respeto)* révérence, vénération, respect *m* **2.** *(saludo)* révérence: **hacer una ~** faire une révérence.

**reverenciar** *vt* révérer, honorer, respecter: **un hombre reverenciado** un homme respecté.

**reverendo, a** *a* respectable. ◇ *a/s RELIG* révérend, e.

**reverente** *a* respectueux, euse, révérencieux, euse.

**reversibilidad** *f* réversibilité.

**reversible** *a* réversible.

**reversión** *f* retour *m*.

**reverso** *m* **1.** revers, envers, dos: **en el ~ de la foto** au dos de la photo **2.** *FIG* **el ~ de la medalla** l'opposé.

**revertir*** *vi* retourner, revenir: **el solar debe ~ a la ciudad el año próximo** le terrain doit revenir à la ville l'année prochaine. ◇ *vt* **~ la situación** retourner la situation.

**revés** *m* **1.** envers, revers **2.** *(golpe, en tenis, etc.)* revers **3.** *FIG (contratiempo)* revers: **sufrir reveses** essuyer des revers **4.** *loc adv* **al ~** à l'envers; **comprender al ~** comprendre de travers; **del ~** à l'envers **5.** *loc prep* **al ~ de** contrairement à: **al ~ de lo que cree la gente** contrairement à ce que croient les gens.

**revesado, a** *a* **1.** embrouillé, e, compliqué, e **2.** turbulent, e.

**revestimiento** *m* revêtement.

**revestir*** *vt* **1.** revêtir **2.** *FIG* revêtir, présenter: **~ importancia** revêtir de l'importance. ◆ **~se** *vpr* **1.** se revêtir **2.** *FIG* s'armer: **revestirse de paciencia** s'armer de patience.

**reviejo, a** *a* très vieux, très vieille.

**revirarse** *vpr AMER* se rebeller, se rebiffer.

**revisable** *a* révisable.

**revisación, revisada** *AMER* → **revisión.**

**revisar** *vt* **1.** *(un trabajo, un motor, una cuenta, etc.)* réviser: **coche totalmente revisado** voiture entièrement révisée **2.** *(volver a ver)* revoir **3.** *(los billetes)* contrôler **4.** *(examinar)* examiner, dépouiller: **~ el correo** dépouiller son courrier **5.** *AMER (registrar)* fouiller.

**revisión** *f* **1.** révision **2.** contrôle *m* **3.** **~ médica** examen *m* médical, visite médicale; **hacerse revisiones** se faire faire des examens.

**revisionismo** *m* révisionnisme.

**revisionista** *a/s* révisionniste.

**revisor** *m* **1.** réviseur **2.** *(en los ferrocarriles)* contrôleur.

**revista** *f* **1.** revue ◊ **pasar ~ a** passer en revue **2.** *(publicación)* revue, magazine *m*.

**revistar** *vt MIL* passer en revue.

**revistero, a** *s* chroniqueur, journaliste chargé des comptes rendus. ◇ *m (mueble)* porte-revues.

**revisto, a** *a* revu, e.

**revitalización** *f* revitalisation.

**revitalizar** *vt* **1.** revitaliser **2.** *FIG* revitaliser, redonner de la vigueur à, ranimer: **~ el consumo** relancer la consommation.

**revival** *m* revival.

**revivificar** *vt* **1.** revivifier **2.** *(a un enfermo, etc.)* remonter, revigorer.

**revivir** *vi* revivre.

**reviviscencia** *f* reviviscence.

**revocable** *a* révocable.

**revocación** *f* révocation, annulation.

**revocar** *vt* **1.** révoquer, annuler **2.** *(las paredes exteriores)* ravaler, recrépir **3.** *(el humo)* refouler.

**revoco** *m (de una pared)* ravalement.

**revolar** *vi* voleter, voltiger.

**revolcar*** *vt* **1.** renverser, terrasser **2.** *FIG (en una discusión, etc.)* écraser, battre **3.** *(en un examen)* recaler, coller. ◆ **~se** *vpr* se rouler, se vautrer: **revolcarse por el suelo, en el lodo** se rouler par terre, se vautrer dans la boue.

**revolcón** *m* **1.** *(caída)* chute *f* ◊ **dar un ~ a alguien** renverser, piétiner quelqu'un **2.** *FIG* **dar un buen ~ a alguien** flanquer la piquette à quelqu'un **3.** *VULG* **darse un ~** se peloter.

**revolotear** *vi* voleter, voltiger.

**revoloteo** *m* voltigement.

**revoltijo, revoltillo** *m* **1.** *(cosas revueltas)* mélange, méli-mélo, fouillis, fatras, embrouillamini **2.** œufs *pl* brouillés.

**revoltoso, a** *a/s* **1.** *(travieso)* turbulent, e, remuant, e, espiègle **2.** *(alborotador)* rebelle.

**revolución** *f* révolution.

**revolucionar** *vt* révolutionner.

**revolucionario, a** *a/s* révolutionnaire.

**revólver** *m* revolver.

**revolver*** *vt* **1.** remuer, agiter **2.** *(buscando)* fouiller dans **3.** *(poner en desorden)* mettre sens dessus dessous, bouleverser: **los niños revolvieron la casa** les enfants ont mis la maison sens dessus dessous **4.** *FIG* agiter, exciter, troubler **5.** *(algo en la mente)* tourner et retourner **6.** **~ Roma con Santiago** → **Roma.** ◆ **~se** *vpr* **1.** *(moverse)* bouger, remuer **2.** se retourner: **se revolvió en su cama** il se retouna dans son lit; *FIG* **se habrá revuelto en su tumba** il se sera retourné dans sa tombe **3.** *(contra alguien, algo)* se retourner.

**revoque** *m* **1.** *(acción)* ravalement, recrépissage **2.** *(cal y arena)* crépi.

**revuelco** *m* renversement, culbute *f* ◊ **dar un ~** renverser, piétiner.

**revuelo** *m* **1.** *(de un ave)* nouvel essor **2.** *(dando vueltas)* vol, tournoiement **3.** *FIG* agitation *f*, pagaille *f*: **armar ~** semer la pagaille **4.** trouble, émotion *f*.

**revuelta** *f* **1.** révolte, soulèvement *m*, sédition **2.** *(riña)* bagarre **3.** *(vuelta)* détour *m*, tournant *m*, virage *m*.

**revuelto, a** *pp* de **revolver.** ◇ *a* **1.** *(el tiempo)* brouillé, e, variable **2.** *(el mar)* agité, e **3.** en désordre **4.** embrouillé, e, compliqué, e **5.** **huevos revueltos** œufs brouillés. ◇ *m CULIN* œufs *pl* brouillés aux champignons, fèves, au jambon, etc.

**revulsión** *f MED* révulsion.

**revulsivo, a** *a/m MED* révulsif, ive.

**rey** *m* **1.** roi: **los Reyes Magos** les Rois mages; **el roscón de reyes** la galette des rois; **el ~ del petróleo** le roi du pétrole; **aquí, el cliente es ~** ici, le client est roi ◊ **a ~ muerto, ~ puesto** un de perdu, dix de retrouvés, le roi est mort, vive le roi; **en tiempo del ~ que rabió** au temps que la reine Berthe filait; **estar atendido a cuerpo de ~** être servi comme un prince; **ni quito ni pongo ~** je ne prends pas parti, je ne m'en mêle pas, ça ne me regarde pas, ça m'est égal; **ni ~ ni Roque** personne; *PROV* **hablando del ~ de Roma, por la puerta asoma** → **Roma 2.** **~ de codornices** roi des cailles, râle des genêts.

▶ Selon la tradition, les Rois mages sont censés apporter des cadeaux *(regalos de Reyes)* le jour de l'Épiphanie *(6 janvier)* ou jour des Rois *(día de Reyes)*. Notez, d'autre part, que le pluriel *los Reyes* désigne souvent le couple royal: *los Reyes inauguran la feria internacional* le roi et la reine inaugurent la foire internationale.

**reyerta** *f* rixe, dispute, altercation.

**reyezuelo** *m (rey de poca importancia; pájaro)* roitelet.

**rezado, a** *a* prié, e ◊ **misa rezada** messe basse.

**rezagado, a** *pp* de **rezagar.** ◇ *a/s* retardataire, traînard, e.

**rezagar** *vt* **1.** laisser en arrière **2.** retarder. ◆ **~se** *vpr* rester en arrière, à la traîne: **el país está rezagado en materia de tecnologías puntas** le pays est en retard en matière de technologies de pointe; **Carlota se había quedado rezagada** Charlotte était restée à la traîne.

**rezago** *m* **1.** *(atraso)* retard **2.** *(reses)* bétail faible ou malade.

**rezar** *vt* **1.** réciter, dire, faire: **~ una oración** réciter une prière; **~ el rosario** réciter, dire son chapelet **2.** *(una misa)* dire **3.** *(un escrito)* dire, annoncer. ◇ *vi* **1.** prier: **~ por los difuntos** prier pour les défunts **2.** dire: **como reza el refrán...** comme dit le proverbe... **3.** **~ con** concerner, regarder: **esto no reza conmigo** cela ne me regarde pas.

**rezo** *m* prière *f.*

**rezón** *m* MAR grappin.

**rezongar** *vi* rouspéter, ronchonner.

**rezongón, ona** *a/s* rouspéteur, euse, ronchonneur, euse.

**rezumar** *vi/t* **1.** suinter: **el agua rezuma por las paredes** l'eau suinte le long des murs **2.** **~ humedad** laisser passer l'humidité **3.** FIG *(rebosar)* être débordant, e de. ◆ **~se** *vpr* suinter.

**Rhesus** *m* **factor ~** facteur Rhésus.

**Rhodesia** *np f* Rhodésie.

**ría** *f* GEOG estuaire *m,* ria.

**riachuelo** *m* petite rivière *f,* ruisseau.

**riada** *f* **1.** *(crecida)* crue **2.** *(inundación)* inondation.

**ribaldo, a** *s* ribaud, e.

**ribazo** *m* talus, pente *f.*

**ribera** *f* rive, rivage *m.*

**ribereño, a** *a/s* riverain, e.

**ribete** *m* liseré, passepoil, bordure *f.* ◇ *pl* FIG traces *f,* pointes *f* ◊ **un pobre hombre con ribetes de artista** un pauvre homme un peu artiste sur les bords; **una comedia con ribetes trágicos** une comédie tragique par certains côtés; **un discurso de ribetes patrióticos** un discours aux accents vaguement patriotiques.

**ribetear** *vt* border, galonner: **chaqueta ribeteada con un galón** veste bordée d'un galon.

**ribonucléico** *a* BIOL **ácido ~** acide ribonucléique.

**ricacho, a, ricachón, ona** *s* FAM richard, e, rupin, e.

**ricahembra** *f* ANT femme noble.

**ricamente** *adv* **1.** richement **2.** *(muy bien)* très bien, magnifiquement **3.** *(a gusto)* agréablement, à l'aise.

**Ricardo** *np m* Richard.

**ricino** *m* ricin: **aceite de ~** huile de ricin.

**ricito** *m (de pelo)* bouclette *f,* petite boucle *f.*

**rico, a** *a* **1.** riche: **un país ~** un pays riche; **un alimento ~ en proteínas** un aliment riche en protéines ◊ **hacerse ~** s'enrichir **2.** délicieux, euse, exquis, e: **unos caramelos muy ricos** des bonbons délicieux ◊ **está el día ~ , ¿eh?** quelle belle journée, hein? **3.** *(expresión de cariño)* mignon, onne **4.** FAM **¡vamos, ~ !** allons, mon vieux! ◇ *s* riche: **un nuevo ~** un nouveau riche.

**ricohombre** *m* ANT noble.

**rictus** *m* rictus.

**ricura** *f* **1.** délice *m:* **estos chocolatines son una ~** ces chocolats sont un délice, un régal **2.** **una ~ de niña** une petite fille délicieuse, adorable.

**ridículamente** *adv* ridiculement.

**ridiculez** *f* chose, action ridicule.

**ridiculizar** *vt* ridiculiser.

**ridículo, a** *a/m* **1.** ridicule **2.** **hacer el ~** se ridiculiser; **poner en ~** tourner en ridicule; **quedar en ~** tomber dans le ridicule. ◇ *m (bolso de señora)* réticule.

**ríe,** etc. → **reír.**

**riego** *m* **1.** arrosage: **el ~ de las calles** l'arrosage des rues; **manga de ~** tuyau d'arrosage; **~ automático del jardín** arrosage automatique du jardin **2.** AGR irrigation *f* **3.** **~ sanguíneo** irrigation sanguine.

**riel** *m* **1.** petit lingot **2.** *(de vía férrea)* rail **3.** *(para cortinas)* tringle *f* à rideaux.

**rielar** *vi* scintiller, brasiller.

**rienda** *f* rêne, guide, bride ◊ FIG **a ~ suelta** à bride abattue; **aflojar las riendas** lâcher la bride; **dar ~ suelta a** donner libre cours à. ◇ *pl (dirección)* rênes: **llevar las riendas del Estado** tenir les rênes de l'État.

**riente** *a* riant, e.

**riesgo** *m* **1.** risque: **correr el ~ de** courir le risque de; **grupo de ~** groupe à risque ◊ **por su cuenta y ~** à ses risques et périls **2.** *loc prep* **a ~ de** au risque de.

**riesgoso, a** *a* AMER risqué, e, hasardeux, euse: **una empresa riesgosa** une entreprise risquée, qui présente des risques.

**rifa** *f* tombola, loterie.

**rifar** *vt* tirer au sort, faire le tirage de. ◆ **~se** *vpr* se disputer.

**rifeño, a** *a/s* rifain, e.

**rifirrafe** *m* FAM dispute *f,* bagarre *f,* chambard.

**rifle** *m (fusil)* rifle.

**rige,** etc. → **regir.**

**rigidez** *f* rigidité ◊ **~ cadavérica** rigidité cadavérique.

**rígido, a** *a* **1.** rigide **2.** FIG rigide, sévère.

**rigodón** *m* rigodon.

**rigor** *m* **1.** rigueur *f:* **el ~ de un juez, del frío, de un cálculo** la rigueur d'un juge, du froid, d'un calcul ◊ FIG **ser de ~** être de rigueur; **ser el ~ de las desdichas** jouer de malheur **2.** *loc adv* **en ~** en réalité.

**rigorismo** *m* rigorisme.

**rigorista** *a/s* rigoriste.

**rigurosamente** *adv* rigoureusement.

**rigurosidad** *f* rigueur.

**riguroso, a** *a* rigoureux, euse.

**rija,** etc. → **regir.**

**rijoso, a** *a* **1.** *(pendenciero)* querelleur, euse **2.** *(sensual)* lascif, ive, sensuel, elle.

[1]**rima** *f (poesía)* rime.

[2]**rima** *f (rimero)* tas *m,* pile.

**rimador, a** *a/s* rimeur, euse.

**rimar** *vi* rimer. ◇ *vt* faire rimer.

**rimbombante** *a* **1.** retentissant, e **2.** pompeux, euse **3.** *(el lenguaje)* emphatique, ampoulé, e.

**rímel** *m* rimmel.

**rimero** *m* tas, pile *f.*

**Rin** *np m* Rhin.

**rincón** *m* **1.** coin, encoignure *f* **2.** *(lugar apartado)* coin retiré, recoin **3.** **viajar por todos los rincones de España** voyager dans tous les coins de l'Espagne.

**rinconada** *f* encoignure.

**rinconera** *f (mueble)* encoignure.

[1]**rinde,** etc. → **rendir.**

[2]**rinde** *m* AMER *(rendimiento)* rendement.

**ring** *m* ring.

**ringla** *f,* **ringle** *m,* **ringlera** *f* file, rangée.

**ringlero** *m* ligne *f* (du papier réglé).

**ringorrango** *m FAM* fioriture *f*, ornement superflu.

**rinitis** *f MED* rhinite.

**rinoceronte** *m* rhinocéros.

**rinofaringitis** *f MED* rhinopharyngite.

**riña** *f* **1.** querelle, rixe, bagarre **2.** dispute **3. ~ conyugal** scène de ménage.

**riñón** *m* **1.** *ANAT* rein ◊ *FIG* **costar un ~** coûter les yeux de la tête, coûter une fortune, la peau des fesses; **tener el ~ bien cubierto** avoir de quoi, avoir le portefeuille bien garni, avoir les reins solides, avoir de l'argent plein les poches; **tener riñones** avoir du sang dans les veines **2.** *CULIN* rognon: **riñones de cerdo** des rognons de porc **3.** *FIG* cœur. ◇ *pl* reins: **dolor de riñones** mal aux reins.

**riñonada** *f* **1.** région lombaire **2.** *(guiso)* plat *m* de rognons.

**río** *m (que desemboca en el mar)* fleuve; *(que desemboca en otros)* rivière *f* ◊ **~ arriba** en amont; **~ abajo** en aval; *FIG* **pescar en ~ revuelto** pêcher en eau trouble; *PROV* **cuando el ~ suena, agua lleva** il n'y a pas de fumée sans feu.

**rioja** *m* vin de la Rioja.

**riojano, a** *a/s* de la Rioja (région d'Espagne, ville d'Argentine).

**rioplatense** *a/s* du Río de la Plata.

**riostra** *f ARQ* jambe de force.

**ripia** *f (tabla delgada)* volige.

**ripio** *m* **1.** restes *pl* **2.** *(cascotes)* gravats *pl* **3.** *(para rellenar huecos)* blocage **4.** *(para completar un verso)* cheville *f* **5.** *(palabrería)* remplissage, verbiage **6. no perder ~** ne pas en perdre une miette, être attentif à tout **7.** *AMER (guijo)* gravier.

**ripioso, a** *a* **versos ripiosos** vers pleins de chevilles, vers de mirliton, mauvais vers.

**riqueza** *f* richesse.

**riquísimo, a** *a* **1.** très riche, richissime **2.** délicieux, euse, exquis, e.

**risa** *f* rire *m* ◊ **un ataque de ~** une crise de fou rire; **~ del conejo** rire jaune; **caerse, mondarse, morirse de ~** mourir de rire; **desternillarse, troncharse de ~** se tordre de rire, se tenir les côtes; **causar, dar ~** faire rire, donner envie de rire; **me dio la ~** le fou rire m'a pris; **todo eso me da mucha ~** tout ça me fait bien rire; **es de ~** c'est à mourir de rire; **¡ay, qué ~!** que c'est drôle!; **tomar a ~** prendre à la blague, à la rigolade, ne pas prendre au sérieux.

**risco** *m* rocher escarpé, roc.

**riscoso, a** *a* rocheux, euse.

**risible** *a* risible.

**risita** *f* **1.** petit rire *m* **2.** *(risa falsa)* ricanement *m*.

**risotada** *f* éclat *m* de rire.

**ristra** *f* **1.** chapelet *m*: **una ~ de ajos, de cebollas** un chapelet d'ails, d'oignons **2.** *FIG* série, ribambelle.

**ristre** *m* arrêt: **la lanza en ~** la lance en arrêt; **con el paraguas en ~** le parapluie brandi en l'air.

**risueño, a** *a* souriant, e; riant, e.

**Rita** *np f* Rita ◊ *FAM* **¡cuéntaselo a ~!** tu parles!, allons donc!

**rítmico, a** *a* rythmique: **gimnasia rítmica** gymnastique rythmique.

**ritmo** *m* rythme: **cambiar de ~** changer de rythme: **al ~ de** au rythme de; **a ~ acelerado** à un rythme accéléré; **al ~ que van las cosas** au rythme où vont les choses.

**rito** *m* rite.

**ritual** *a/m* rituel, elle ◊ **ser de ~** être habituel, elle.

**rival** *a/s* rival: **sus rivales** ses rivaux.

**rivalidad** *f* rivalité.

**rivalizar** *vi* rivaliser: **~ en** rivaliser de.

**rizado, a** *a* **1.** frisé, e: **el pelo ~** les cheveux frisés **2. mar rizada** mer ridée. ◇ *m* frisage, frisure *f*.

**rizar** *vt* **1.** *(el pelo)* friser **2.** *(la superficie del agua)* rider **3.** *(papel, tela)* plisser. ◆ **~se** *vpr* **1.** *(el pelo)* friser **2.** *(el mar)* se rider.

**rizo** *m* **1.** *(de cabellos)* boucle *f* **2.** *(tela)* tissu-éponge *m*: **toalla de ~** serviette en tissu-éponge **3.** *(acrobacia aérea)* looping *m*: **rizar el ~** faire un looping **4.** *MAR* ris.

**rizoma** *m BOT* rhizome.

**roano, a** *a* rouan, enne.

**róbalo, robalo** *m (pez)* bar, loup de mer.

**robar** *vt* **1.** voler, dérober: **me han robado el coche** je me suis fait voler ma voiture **2.** *FIG (el afecto, etc.)* conquérir **3.** *(raptar)* ravir **4.** *(naipes, dominó)* piocher, prendre dans le talon.

**Roberto** *np m* Robert.

**robín** *m* rouille *f*.

**robinia** *f* robinier *m*.

**roblar** *vt (un clavo, etc.)* river.

**roble** *m* **1.** *(árbol)* chêne rouvre, rouvre **2.** *FIG* **estar como un ~** être solide comme un roc.

**robledal, robledo** *m* rouvraie *f*.

**roblón** *m* rivet.

**robo** *m* **1.** vol: **cometer un ~** commettre un vol **2.** *(rapto)* rapt, enlèvement **3.** *(en algunos juegos)* rentrée *f*.

**robot** *m* robot.

**robótica** *f* robotique.

**robotización** *f* robotization.

**robotizar** *vt* robotiser.

**robustecer*** *vt* fortifier, rendre robuste.

**robustecimiento** *m* renforcement, raffermissement.

**robustez** *f* robustesse, solidité.

**robusto, a** *a* robuste, solide.

**roca** *f* **1.** roche **2.** *(peñasco)* rocher *m*, roc *m*.

**rocada** *f* quenouillée.

**rocalla** *f* rocaille.

**rocambolesco, a** *a* rocambolesque.

**rocambor** *m AMER* sorte de jeu de l'hombre.

**roce** *m* **1.** *(de dos cuerpos)* frottement **2.** *(ligero)* frôlement **3.** *FIG (trato de personas)* contact, fréquentation *f* **4.** *FAM (leve disgusto)* friction *f*, frottement.

**rociada** *f* **1.** aspersion **2.** *(rocío)* rosée **3.** *FIG (de cosas esparcidas)* grêle **4.** *FIG* **una ~ de insultos** une grêle, un torrent, une bordée d'injures **5.** *FAM* semonce, savon *m*.

**rociadera** *f* arroseur *m*.

**rociar** *vt* **1.** asperger, arroser **2.** arroser: **una cena rociada con buen vino** un dîner arrosé d'un bon vin.

**rocín** *m* **1.** *(caballo)* rosse *f* **2.** *FIG (hombre tosco)* rustre.

**rocinante** *m* rossinante *f*.

**rocío** *m* rosée *f*.

**rockero, a** *s* rocker.

**rococó** *a/m* rococo.

**rocoso, a** *a* rocheux, euse.

**rocote, rocoto** *m AMER* poivron: **~ relleno** poivron farci.

**roda** *f MAR* étrave.

**rodaballo** *m (pez)* turbot.

**rodada** *f (huella de una rueda)* ornière.

**rodado, a** *a* **1.** *(caballo)* tisonné, e **2. canto ~** galet **3. tránsito ~** circulation routière, trafic routier **4.** *FIG (lenguaje)* coulant, e **5.** *FIG* **venir ~** arriver à point. ◇ *m AMER* véhicule (voiture, camion).

**rodaja** *f* **1.** *(de salchichón, etc.)* rondelle, tranche: **piña en rodajas** ananas en tranches **2.** *(de cuero, etc.)* rondelle **3.** *(de la espuela)* molette **4.** *TECN* galet *m*, roulette.

**rodaje** *m* **1.** *(de una película)* tournage **2.** *(de un automóvil, etc.)* rodage: **en ~** en rodage.

**rodal** *m* trace *f* circulaire (d'usure, etc.).

**rodamiento** *m TECN* **~ de bolas** roulement à billes.

**Ródano** *np m* Rhône.

**rodante** *a* roulant, e.

**rodapié** *m* **1.** *(de una pared)* plinthe *f*, lambris **2.** soubassement.

**rodar*** *vi* **1.** *(dando vueltas)* rouler ◊ **dejar que ruede la bola → bola 2.** *(sobre ruedas)* rouler: **aquel viejo coche rueda todavía** cette vieille voiture roule toujours **3. ~ por las escaleras** dégringoler l'escalier **4.** *(ir una persona de un sitio a otro)* traîner, aller sans but, errer çà et là ◊ **andar, ir rodando** traîner **5.** *(estar fuera de sitio)* traîner **6.** *FIG* **echarlo todo a ~** tout ficher en l'air, tout ficher par terre. ◇ *vt* **1. ~ una película** tourner un film **2.** *(un automóvil nuevo, etc.)* roder.

**Rodas** *np* Rhodes.

**rodear** *vt* **1.** entourer: **~ de, con** entourer de; **el mundo que nos rodea** le monde qui nous entoure **2.** *(dar la vuelta)* contourner. ◆ **~se** *vpr* s'entourer.

**rodela** *f* rondache.

**rodeo** *m* **1.** détour, crochet: **dar un ~** faire un détour **2.** *FIG* détour: **hablar sin rodeos** parler sans détour ◊ **andar con rodeos** tergiverser, tourner autour du pot; **no andarse con rodeos** ne pas y aller par quatre chemins **3.** «rodeo», rassemblement du gros bétail.

**rodera** *f* ornière.

**Rodesia** *np f* Rhodésie.

**rodete** *m* **1.** *(peinado)* chignon **2.** *(rosca de lienzo)* tortillon, torche *f* **3.** *(de cerradura)* rouet.

**rodilla** *f* genou *m*: **de rodillas** à genoux; **doblar, hincar la ~** plier, fléchir le genou; **póngase de rodillas** mettez-vous à genoux.

**rodillazo** *m* coup de genou.

**rodillera** *f* **1.** genouillère **2.** *(abombamiento)* poche au genou, genou *m* (d'un pantalon).

**rodillo** *m* **1.** rouleau **2.** *(utensilio de cocina)* rouleau à pâtisserie.

**rododendro** *m* rhododendron.

**Rodolfo** *np m* Rodolphe.

**rodrigar** *vt AGR* tuteurer, échalasser, ramer.

**Rodrigo** *np m* Rodrigue.

**rodrigón** *m* **1.** *AGR* tuteur, échalas, rame *f* **2.** *FIG (acompañante)* chaperon.

**rodríguez** *m FAM* homme qui vit en célibataire pendant que sa femme et ses enfants sont en vacances.

**roedor, a** *a/m* rongeur. ◇ *m pl ZOOL* **los roedores** les rongeurs.

**roedura** *f* **1.** rongement *m* **2.** *(parte roída)* mangeure.

**roer*** *vt* **1.** *(un hueso)* ronger **2.** grignoter **3.** *FIG* ronger, tourmenter ◊ **duro de ~** dur à avaler. ◆ **~se** *vpr* se ronger.

**rogación** *f* prière. ◇ *pl (letanías)* rogations.

**rogar*** *vt* prier: **le ruego que disculpe mi retraso** je vous prie d'excuser mon retard; **se lo ruego** je vous en prie; **hacerse ~** se faire prier; **no me hice ~** je ne me suis pas fait prier; **rogamos devuelva el cuestionario** nous vous prions de, prière de retourner le questionnaire.

**rogativas** *f pl* rogations, prières publiques.

**Rogelio** *np m* Roger.

**roído, a** *pp* de **roer.**

**rojear** *vi* rougeoyer.

**rojez** *f* rougeur.

**rojizo, a** *a* rougeâtre.

**rojo, a** *a* **1.** rouge: **glóbulo ~** globule rouge **2.** *(el pelo)* roux, rousse. ◇ *a/s (en política)* rouge. ◇ *m* **1.** rouge **2. al ~ vivo** chauffé, e au rouge; **la situación internacional está al ~ vivo** la situation internationale est explosive; **los ánimos están al ~ vivo** les esprits sont surexcités.

**rol** *m* **1.** *(lista)* rôle, liste *f* **2.** *MAR* rôle **3.** *(papel, función)* rôle: **desempeñar un ~** jouer un rôle **4. juego de ~** jeu de rôle.

**Roldán** *np m* Roland.

**roldana** *f (de la polea)* réa *m*.

**rollito** *m CULIN* **~ de primavera** rouleau de printemps.

**rollizo, a** *a* **1.** rond, e, cylindrique **2.** *(persona)* potelé, e, dodu, e, bien en chair.

**rollo** *m* **1.** *(de papel, tela, etc.)* rouleau **2.** *(utilizado en la cocina)* **~ pastelero, de pastelería** rouleau à pâtisserie **3.** *(madero)* bille *f* de bois **4.** *FAM* **la conferencia era un ~** la conférence était assommante, rasoir; **nos soltó un ~ sobre los incas** il nous a sorti un blabla sur les Incas; **no seas ~** ne sois pas casse-pieds; **¡déjate de rollos!** arrête de nous faire suer!

**Roma** *np* Rome ◊ **revolver ~ con Santiago** remuer ciel et terre; *PROV* **en nombrando al ruin de ~, luego asoma, hablando del rey de ~, por la puerta asoma** quand on parle du loup, on en voit la queue; **por todas partes se va a ~** tous les chemins mènent à Rome.

**romadizo** *m* rhume de cerveau.

**Román** *np m* Romain.

**romana** *f (balanza)* romaine.

**romance** *a/m (lengua)* roman, e ◊ *FIG* **hablar en ~** parler clairement. ◇ *m* **1.** langue *f* espagnole, espagnol **2.** poème espagnol formé d'une suite indéfinie de vers octosyllabes qui a la même assonance dans tous les vers pairs **3.** *(aventura amorosa)* idylle *f*, histoire *f* d'amour. ◇ *pl* mauvaises excuses *f*.

**romancero** *m* romancero, recueil de «romances».

**romanche** *m* romanche.

**romancista** *s* **1.** personne écrivant en castillan par opposition au latin **2.** auteur de«romances».

**románico, a** *a* **1.** roman, e: **estilo, capitel ~** style, chapiteau roman **2.** néolatin, e.

**romanilla** *f AMER* grille de porte (au Venezuela).

**romanista** *s* romaniste.

**romanizar** *vt* romaniser.

**romano, a** *a/s* romain, e.

**romanticismo** *m* romantisme.

**romántico, a** *a/s* romantique.

**romanza** *f* romance.

**rombo** *m GEOM* losange.

**romboide** *m GEOM* rhomboïde.

**Romeo** *np m* Roméo: **~ y Julieta** Roméo et Juliette.

**romeral** *m* lieu couvert de romarins.

**romería** *f* **1.** *(peregrinación)* pèlerinage *m* **2.** fête populaire autour d'un sanctuaire.

[1]**romero** *m (planta)* romarin.

[2]**romero, a** *s* pèlerin, e.

**romo, a** *a* **1.** sans pointe, émoussé, e **2.** *(nariz)* camus, e.

**rompecabezas** *m inv* **1.** *(arma)* casse-tête **2.** *(juego)* puzzle **3.** *FIG (problema)* casse-tête, casse-tête chinois.

**rompedero, a** *a* cassant, e, fragile.

**rompehielos** *m inv* brise-glace.

**rompehuelgas** *m inv* briseur de grève, jaune.

**rompenueces** *m inv* casse-noisettes, casse-noix.

**rompeolas** *m inv* brise-lames.

**romper*** *vt* **1.** casser, briser: **~ un cristal, una rama** casser un carreau, une branche **2.** *(papel, tela)* déchirer: **~ una carta** déchirer une lettre **3.** *(estropear, gastar)* abîmer, user **4.** *(el aire, las aguas)* fendre **5.** *AGR* défricher **6.** *FIG* rompre: **~ el silencio, un contrato** rompre le silence, un contrat; **~ las relaciones diplomáticas** rompre les relations diplomatiques; **¡rompan filas!** rompez les rangs!; *FAM* **~ la cara** casser la figure; **~ los precios** casser les prix. ◇ *vi* **1** rompre: **Natalia ha roto con su novio** Nathalie a rompu avec son fiancé **2.** *(las olas)* se briser, déferler **3.** *(las flores)* s'épanouir **4.** *(empezar algo)* commencer ◊ **al ~ el día** au point du jour **5.** **~ a** se mettre à: **rompió a gritar** il se mit à crier; **~ a llorar, en llanto** éclater en sanglots; **~ a reír** éclater de rire; **rompió a llover súbitamente** il se mit à pleuvoir tout d'un coup **6.** **~ la marcha** ouvrir la marche **7.** *FIG* **de rompe y rasga** énergique, qui n'a pas froid aux yeux. ◆ **~se** *vpr* **1.** casser, rompre, se casser: **la cuerda se va a ~** la corde va casser; **se ha roto el fémur** il s'est cassé le fémur **2.** *FIG* **romperse la cabeza** se casser, se creuser la tête.

**rompible** *a* cassable.

**rompiente** *m* **1.** *(escollo)* brisant **2.** *(ola)* déferlante *f.*

**rompimiento** *m* **1.** rupture: **un ~ de las relaciones entre los dos países** une rupture des relations entre les deux pays **2.** *(hendedura)* fente *f* **3.** *TEAT* décor qui en laisse voir un autre derrière.

**Rómulo** *np m* Romulus.

**ron** *m* rhum.

**roncadera → roncadora.**

**roncador, a** *a/s* ronfleur, euse.

**roncadora** *f AMER (espuela)* éperon *f* à grosse molette.

**roncar** *vi* **1.** *(cuando se duerme)* ronfler **2.** *(el mar, el viento)* mugir **3.** **roncó el motor** le moteur ronfla.

**roncear** *vi* **1.** lambiner, faire de mauvais gré **2.** *(halagar)* cajoler, flatter.

**roncería** *f* **1.** lenteur **2.** *(halago)* flatterie, cajolerie.

**roncero, a** *a* **1.** lent, e, lambin, e **2.** *(regañón)* grognon, onne **3.** *(halagador)* flatteur, euse.

**Roncesvalles** *np* Roncevaux.

**roncha** *f* **1.** *(bulto sobre la piel)* cloque, grosseur **2.** ecchymose **3.** *(rodaja)* rondelle, tranche ronde.

**ronchar → ronzar.**

**ronda** *f* **1.** *(inspección, patrulla)* ronde **2.** *(del cartero)* tournée **3.** groupe *m* de jeunes gens donnant des sérénades **4.** *(convidada)* tournée **5.** *(vuelta)* tour *m*: **en la primera ~** au premier tour; **derrotado en la segunda ~** battu au deuxième tour **6.** chemin *m* de ronde **7.** *(paseo o calle)* boulevard *m* extérieur.

**ronco, a** *a* **1.** rauque **2.** *(que padece ronquera)* enroué, e.

**rondador** *m AMER* sorte de flûte *f* de Pan.

**rondalla** *f* troupe *f* de jeunes gens donnant des sérénades.

**rondar** *vi* **1.** *(de vigilancia)* faire une ronde **2.** courir les rues **3.** donner des sérénades. ◇ *vt* **1.** tourner autour de **2.** *(cortejar)* faire la cour ◊ **~ la calle** faire les cent pas (sous les fenêtres de la jeune fille courtisée) **3.** *(una enfermedad)* menacer, guetter **4.** tourner autour de, avoisiner, friser, approcher: **la población de la isla ronda los cuatro millones de habitantes** la population de l'île tourne autour de quatre millions d'habitants; **su fortuna ronda los cien mil dólares** sa fortune avoisine les cent mille dollars; **ronda los cincuenta años** il frise la cinquantaine.

**rondel** *m* rondeau.

**rondeña** *f* air *m* populaire andalou (de la región de Ronda).

**rondeño, a** *a/s* de Ronda (Espagne).

**rondín** *m* **1.** *(para la vigilancia)* ronde *f* **2.** surveillant.

**rondó** *m MUS* rondeau.

**rondón (de)** *loc adv* tout de go, sans crier gare.

**ronquear** *vi* être enroué, e.

**ronquedad** *f* raucité.

**ronquera** *f* enrouement *m.*

**ronquido** *m* ronflement.

**ronronear** *vi* ronronner.

**ronroneo** *m* ronronnement, ronron.

**ronsoco** *m AMER* cabiai.

**ronzal** *m* licou.

**ronzar** *vt* croquer, faire craquer sous la dent.

**roña** *f* **1.** *(del ganado lanar)* gale **2.** *(mugre)* crasse **3.** *FIG (tacañería)* ladrerie, avarice. ◇ *s (persona)* pingre, radin, e.

**roñería** *f* pingrerie, ladrerie, mesquinerie, radinerie.

**roñica** *s FAM* radin, e, pingre, grippe-sou.

**roñosería → roñería.**

**roñoso, a** *a* **1.** *(animal)* galeux, euse **2.** *(sucio)* crasseux, euse **3.** *(tacaño)* pingre, rapiat, e, radin, e, ladre.

**ropa** *f* **1.** *(prendas de vestir)* vêtements *m pl*: **~ de hombres** vêtements pour hommes; **~ deportiva** vêtements de sport; **quitarse la ~** ôter ses vêtements, se déshabiller; **acostarse con la ~ puesta** se coucher tout habillé **2.** linge *m*: **~ de casa** linge de maison ◊ **~ blanca** linge *m*; **~ de cama** literie; **~ hecha** confection; **~ interior** linge de corps, sous-vêtements; *(de mujer)* dessous *m pl*: **~ interior de seda** des dessous en soie; *FIG* **la ~ sucia se lava en casa** il faut laver son linge sale en famille **3.** *(guiso)* **~ vieja** salmigondis **4.** *FIG* **hay ~ tendida** méfiez-vous, il y a des oreilles indiscrètes; **nadar y guardar la ~ → nadar; no tocarle un pelo de la ~ a alguien** ne pas toucher à un cheveu de quelqu'un; **tentarse la ~** réfléchir avant d'agir, y regarder a deux fois **5.** *loc adv* **a quema ~ → quemarropa (a).**

**ropaje** *m* **1.** vêtements *pl* **2.** *(en arte)* draperie *f* **3.** *FIG* langage *m*, forme *f.*

**ropavejería** *f* friperie.

**ropavejero, a** *s* fripier, ère, marchand, e d'habits.

**ropero** *m* **1.** *(armario)* armoire *f* à linge **2.** *(cuarto)* penderie *f* **3.** *(de caridad)* ouvroir, association *f* de bienfaisance qui distribue des vêtements aux pauvres.

**ropilla** *f ANT* vêtement *m* court de dessous.

**ropón** *m* robe *f* de chambre.

**Roque** *np m* Roch.

**roquedal** *m* lieu rocheux.

**roqueño, a** *a* **1.** rocheux, euse **2.** dur, e comme le roc.

**¹roquero, a** *a* **1.** des roches **2.** bâti, e sur le roc.

**²roquero, a → rockero.**

**roquete** *m (sobrepelliz)* rochet.

**rorcual** *m* rorqual.

**rorro** *m FAM* bébé.

**ros** *m* sorte de shako.

**rosa** *f* **1.** rose: **~ de pitimini** rose pompon; **no hay ~ sin espinas** il n'y a pas de roses sans épines; *FIG* **estar como una ~** être frais comme une rose; **como las propias rosas** à merveille, parfaitement bien **2. ~ de los vientos, náutica** rose des vents. ◇ *a/m* **1.** *(color)* rose ◇ *FIG* **verlo todo color de ~** voir tout en rose **2. novela ~** roman à l'eau de rose.

**Rosa** *np f* Rose.

**rosáceas** *f pl BOT* rosacées.

**rosacruz** *m* rose-croix.

**rosada** *f (escarcha)* gelée blanche.

**rosadelfa** *f* azalée.

**rosado, a** *a (color de rosa)* rose. ◇ *a/m (vino)* rosé.
► La *Casa Rosada* = la résidence du président de la République à Buenos Aires.

**rosal** *m* rosier: **~ trepador** rosier grimpant.

**rosaleda** *f* roseraie.

**Rosalía** *np f* Rosalie.

**rosario** *m* **1.** chapelet: **rezar el ~** dire son chapelet **2.** *(de quince decenas)* rosaire **3.** *FIG* **acabar como el ~ de la aurora** finir mal, mal tourner **4.** *FIG* chapelet, série *f*, suite *f*.

**rosbif** *m* rosbif.

**rosca** *f* **1.** vis: **~ de Arquímedes** vis d'Archimède; **paso de ~** pas de vis **2.** *(de un tornillo, una tuerca)* filet *m* ◇ **pasarse de ~** *(tornillo)* foirer; *FIG (excederse)* dépasser les bornes **3.** *(pan)* couronne **4.** *(carnosidad)* bourrelet *m* **5.** *(cosa circular)* rond *m* **6.** *FAM* **hacer la ~ a** lécher les bottes à **7.** *AMER* discussion, controverse, dispute.

**roscar** *vt TECN* fileter.

**rosco** *m* **1.** *(pan)* couronne *f* **2.** *(carnosidad)* bourrelet *m* **3.** *FAM* zéro.

**roscón** *m* **1.** *(rosco)* couronne *f* **2. ~ de Reyes** galette *f* des Rois.

**Rosellón** *np m* Roussillon.

**rosellonés, esa** *a/s* roussillonnais, e.

**róseo, a** *a* rosé, e.

**roséola** *f MED* roséole.

**roseta** *f* rougeur (au visage). ◇ *pl* pop-corn *m inv*, grains *m* de maïs éclatés.

**rosetón** *m ARQ* rosace *f*.

**rosicler** *m* teinte *f* rosée de l'aurore.

**rosillo, a** *a* rouge clair.

**rositas** *f pl* pop-corn *m inv* ◇ **de ~** sans effort, comme ça, *(gratis)* gratis.

**rosquero** *a/m AMER* bagarreur.

**rosquilla** *f (bollo)* gimblette ◇ **venderse como rosquillas** se vendre comme des petits pains.

**rosticería** *f AMER* rôtisserie.

**rostizar** *vt AMER* rôtir.

**rostrado, a, rostral** *a ARQ* rostral, e.

**rostro** *m* **1.** *(cara)* visage, figure *f* **2.** *(de ave)* bec **3.** *MAR* rostre, éperon **4.** *FAM* **tener ~** avoir du culot.

**[1]rota** *f (planta)* rotin *m*.

**[2]rota** *f* déroute.

**rotación** *f* **1.** rotation **2.** *AGR* **~ de cultivos** rotation des cultures.

**rotar** *vi/t AMER* tourner.

**rotativo, a** *a* rotatif, ive. ◇ *m (periódico)* journal. ◇ *f (máquina)* rotative.

**rotatorio, a** *a* rotatoire.

**roten** *m* **1.** *(rota)* rotin **2.** canne *f* en rotin.

**rotería** *f AMER* **1.** *(plebe)* populace **2.** *(torpeza)* maladresse.

**roto, a** *pp* de **romper.** ◇ *a* **1.** cassé, e: **una botella rota** une bouteille cassée **2.** déchiré, e: **vestido ~** robe déchirée **3.** *(vida, etc.)* brisé, e: **un hombre ~** un homme brisé, usé, fini. ◇ *a/s* **1.** *(andrajoso)* déguenillé, e **2.** *AMER* homme, femme du peuple (au Chili). ◇ *m* **1.** *(agujero)* trou **2.** *FIG* **servir lo mismo para un ~ que para un descosido** servir à tout, être bon à tout faire, être polyvalent; **nunca falta un ~ para un descosido** on fait toujours envie à quelqu'un, qui se ressemble s'assemble.

**rotonda** *f* rotonde.

**rotor** *m* rotor.

**rotoso, a** *a/s AMER* déguenillé, e, loqueteux, euse.

**rótula** *f (hueso)* rotule.

**rotulador** *m (lapiz)* marqueur, feutre, crayon feutre.

**rotular** *vt* **1.** étiqueter **2.** mettre un titre, une légende, etc. à.

**rótulo** *m* **1.** *(de tienda)* enseigne *f*; *(letrero)* écriteau, panneau; *(placa)* panonceau, plaque *f* **2.** étiquette *f* **3.** titre.

**rotundamente** *adv* catégoriquement, formellement: **negarse ~** refuser catégoriquement; **desmentir ~** démentir formellement.

**rotundidad** *f* **1.** rotondité **2.** franchise, ton catégorique **3.** *(del lenguaje)* sonorité.

**rotundo, a** *a* **1.** catégorique: **un no ~** un non catégorique **2.** complet, ète, total, e: **un éxito ~** une réussite totale, éclatante **3.** *(lenguaje)* sonore.

**rotura** *f* **1.** *(de una tubería, etc.)* rupture **2.** *(de una tela, de un ligamento, etc.)* déchirure **3.** *(fractura)* cassure, fracture **4.** *(de un cristal)* bris *m* **5.** *FIG* rupture.

**roturación** *f AGR* défrichage *m*, défrichement *m*.

**roturar** *vt AGR* défricher.

**rouge** *m* rouge à lèvres.

**roulotte, rulot** *f* caravane, camping-car *m*; *(de feriante)* roulotte.

**round** *m* round.

**roya** *f BOT* rouille.

**royalty** *m* royalty *f*.

**royera,** etc. → **roer.**

**roza** *f AGR* **1.** *(acción)* essartage *m* **2.** *(tierra rozada)* essart *m*.

**rozadora** *f* haveuse.

**rozadura** *f* **1.** frottement *m* **2.** *(huella)* éraflure **3.** *(en la piel)* écorchure.

**rozagante** *a* pimpant, e, fringant, e.

**rozamiento** *m* **1.** frottement, friction *f* **2.** *FIG* friction, heurt.

**rozar** *vt* **1.** *(tocar ligeramente)* frôler, effleurer, raser: **pasar rozando los muros** passer en rasant les murs **2.** *(raspar ligeramente)* érafler **3.** *AGR (un terreno)* essarter. ◇ *vi* frotter. ◆ **~se** *vpr* **1.** *(la piel)* s'écorcher **2.** *FIG* **rozarse con alguien** fréquenter quelqu'un.

**rozno** *m* ânon, bourricot.

**rúa** *f* rue.

**Ruán** *np* Rouen.

**ruana** *f AMER* sorte de poncho *m*.

**ruano, a** *a (caballo)* rouan, e.

**rubéola** *f MED* rubéole.

**rubí** *m* rubis.

**rubia** *f* **1.** *(planta)* garance **2.** *FAM* peseta **3.** *FAM (automóvil)* commerciale **4.** → **rubio.**

**rubiales** *s FAM* blondinet, ette.

**Rubicón** *np m* Rubicon: **pasar el ~** franchir le Rubicon.

**rubicundez** *f* rougeur.

**rubicundo, a** *a* **1.** rubicond, e **2.** *(el pelo)* roux, rousse.

**rubio, a** *a/s* blond,e: **tiene el pelo ~** elle a les cheveux blonds; **~ platino** blond platine; **una rubia teñida** une fausse blonde; **"Los caballeros las prefieren rubias"** *(Hawks)* les Hommes préfèrent les blondes. ◇ *m (pez)* grondin, rouget grondin. ◇ *pl* centre du garrot d'un taureau.

**rubito, a** *a* blondinet, ette.

**rublo** *m* rouble.

**rubor** *m* **1.** rougeur *f* **2.** *FIG (vergüenza)* honte *f*: **¿no le da a usted ~ ...?** ça ne vous fait pas honte, pas rougir...?

**ruborizar** *vt* faire rougir. ◆ **~se** *vpr* rougir: **contestó, ruborizándose** il répondit en rougissant.

**ruboroso, a** *a* rougissant, e.

**rúbrica** *f* **1.** *(de una firma)* parafe *m*, paraphe *m* **2.** *(título, epígrafe)* rubrique **3. de ~** en règle, de rigueur, d'usage.

**rubricar** *vt* **1.** *(un escrito)* parafer, parapher **2.** *(firmar)* signer **3.** *(asentir)* souscrire à.

**rubro, a** *a* rouge. ◇ *m AMER* **1.** rubrique *f*, catégorie *f* **2.** *(partida)* poste.

**rucho** *m* ânon.

**rucio, a** *a (animal)* gris clair. ◇ *m (asno)* baudet, grison.

**ruda** *f* **1.** *(planta)* rue **2.** *FIG* **más conocido que la ~** connu comme le loup blanc.

**rudeza** *f* **1.** rudesse **2.** *(grosería)* grossièreté.

**rudimentario, a** *a* rudimentaire.

**rudimento** *m* rudiment.

**rudo, a** *a* **1.** rude **2.** *(tosco)* grossier, ère **3.** *(torpe)* lourdaud, e.

**rueca** *f* quenouille.

**rueda** *f* **1.** roue: **~ delantera, trasera, de repuesto** roue avant, arrière, de secours; **~ dentada** roue dentée ◊ *FIG* **marchar sobre ruedas** → **marchar 2.** *(corro)* cercle *m*, ronde **3.** *(tajada redonda)* tranche ronde, rondelle: **cortar las berenjenas en ruedas** couper les aubergines en rondelles; *(de pescado)* darne **4.** *(el pavo)* **hacer la ~** faire la roue **5.** *(de molino)* meule ◊ *FIG* **comulgar con ruedas de molino** être très crédule, avaler n'importe quoi, tout gober, prendre tout pour argent comptant **6. ~ de prensa** conférence de presse.

**ruedo** *m* **1.** bord, bordure *f* **2.** *(esterilla)* paillasson **3.** cercle **4.** *TAUROM* arène *f* ◊ *FIG* **echarse al ~** descendre dans l'arène.

**ruega, ruego,** etc. → **rogar.**

**ruego** *m* prière *f*.

**rufián** *m* **1.** *(chulo)* ruffian, souteneur **2.** *FIG* canaille *f*.

**rufianesco, a** *a* des ruffians. ◇ *f* pègre.

**rufo, a** *a (rubio)* roux, rousse.

**rugby** *m* rugby ◊ **jugador de ~** rugbyman.

**rugiente** *a* rugissant, e.

**rugir** *vi* rugir: **el león rugía** le lion rugissait.

**rugosidad** *f* rugosité.

**rugoso, a** *a* rugueux, euse.

**ruibarbo** *m* rhubarbe *f*.

**ruido** *m* **1.** bruit **2.** *FIG* bruit: **armar, meter ~** faire du bruit; **mucho ~ y pocas nueces** beaucoup de bruit pour rien.

**ruidosamente** *adv* bruyamment.

**ruidoso, a** *a* **1.** bruyant, e **2.** *FIG* qui fait beaucoup de bruit, retentissant, e.

**ruin** *a* **1.** vil, e, méprisable, bas, basse **2.** mesquin, e, avare, ladre **3.** *(desmedrado)* chétif, ive **4.** *PROV* **en nombrando al ~ de Roma, luego asoma** → **Roma.**

**ruina** *f* **1.** ruine: **amenazar ~** menacer ruine **2.** délabrement *m* **3.** *FIG* ruine: **llevar a la ~** conduire à la ruine; **estar en la ~** être ruiné, e. ◇ *pl* ruines.

**ruindad** *f* **1.** bassesse, méchanceté **2.** *(tacañería)* mesquinerie, avarice, ladrerie.

**ruinoso, a** *a* **1.** *(edificio)* délabré, e, qui menace ruine, en ruine: **una capilla ruinosa** une chapelle en ruine **2.** *(que arruina)* ruineux, euse.

**ruiseñor** *m* rossignol.

**rulero** *m AMER* rouleau, bigoudi.

**ruleta** *f* roulette: **ganar en la ~** gagner à la roulette; **~ rusa** roulette russe.

**rulo** *m* **1.** *(rodillo)* rouleau **2.** *(para rizar el pelo)* rouleau, bigoudi.

**rulot** → **roulotte.**

**ruma** *f AMER* tas *m*.

**Rumania** *np f* Roumanie.

**rumano, a** *a/s* roumain, e.

**rumba** *f (baile)* rumba.

**rumbear** *vi AMER* **1.** se diriger vers **2.** faire la fête.

**rumbo** *m* **1.** *MAR* route *f*, cap: **hacer ~ a** faire route vers, mettre le cap sur; **abatir el ~** changer de route **2.** direction *f*: **con ~ a** en direction de: **cambiar de ~** changer de direction; **me puse a caminar ~ a casa** je me mis à marcher en direction de chez moi; **ir sin ~** aller sans but précis **3.** *(esplendidez)* faste, apparat, pompe *f* **4.** *(generosidad)* largesse *f*.

**rumboso, a** *a* **1.** *(dadivoso)* généreux, euse, large **2.** *(espléndido)* fastueux, euse, magnifique.

**rumia** *f* rumination.

**rumiante** *a/s* ruminant, e.

**rumiar** *vt* ruminer.

**rumor** *m* **1.** rumeur *f*, bruit: **corre el ~** le bruit court ◊ **levantar rumores** faire jaser **2.** *(de voces.)* rumeur *f* **3.** murmure.

**rumorear** *v impers* courir le bruit: **se rumorea que...** le bruit court que...

**rumoroso, a** *a* murmurante.

[1]**runa** *f (carácter de escritura)* rune.

[2]**runa** *m AMER* indien du peuple (en Equateur).

**rúnico, a** *a* runique.

**runrún** *m* **1.** *FAM* rumeur *f*, bruit **2.** *(del gato)* ronron.

**runrunear** *v impers* courir le bruit: **se runrunea que...** le bruit court que...

**rupestre** *a* rupestre: **pinturas rupestres** peintures rupestres.

**rupia** *f* roupie.

**rupicabra, rupicapra** *f (gamuza)* chamois *m*.

**ruptor** *m ELECT* rupteur.

**ruptura** *f* rupture.

**rural** *a* rural, e: **los medios rurales** les milieux ruraux.

**Rusia** *np f* Russie.

**rusificación** *f* russification.

**rusificar** *vt* russifier.

**ruso, a** *a/s* russe. ◇ *m (lengua)* russe.

**rusófilo, a** *a/s* russophile.

**rusticidad** *f* rusticité.

**rústico, a** *a* **1.** rustique **2.** *(libro)* **en rústica** broché, e. ◇ *a/s* **1.** *(tosco)* rustre, grossier, ère **2.** campagnard, e, paysan, e.

**Rut** *np f* Ruth.

**ruta** *f* **1.** route **2.** itinéraire *m*: **rutas alternativas** itinéraires bis, de délestage **3.** FIG voie **4.** AMER *(de metro)* ligne.

**rutar** *vi* grogner.

**rutero** *a (coche)* **un gran ~** une bonne routière.

**rutilante** *a* rutilant, e.

**rutilar** *vi* rutiler.

**rutina** *f* **1.** routine **2.** INFORM routine, programme *m*.

**rutinario, a** *a/s* routinier, ère.

# S

**s** *f* s *m*: **una ~** un s.

**sábado** *m* **1.** samedi: **el ~ próximo** samedi prochain; **~ de gloria** samedi saint **2.** *(día santo judío)* sabbat.

**sábalo** *m* alose *f*.

**sabana** *f (llanura)* savane.

**sábana** *f* **1.** drap *m*: **~ bajera, encimera** drap de dessous, de dessus ◊ *FAM* **pegársele a uno las sábanas** avoir du mal à se tirer du lit, faire la grasse matinée **2. la ~ santa** le saint suaire.

**sabandija** *f* **1.** bestiole **2.** *FIG* sale bête.

**sabanero, a** *a* de la savance. ◇ *s* habitant, e de la savane.

**sabanilla** *f (del altar)* nappe d'autel.

**sabañón** *m* **1.** engelure *f* **2.** *FAM* **comer como un ~** manger comme quatre.

**sabat** *m* sabbat.

**sabático, a** *a* sabbatique: **año sabático** année sabbatique.

**sabatina** *f* office *m* du samedi.

**sabayón** *m (crema)* sabayon.

**sabbat → sabat.**

**sabedor, a** *a* au courant, informé, e: **hacer ~ de** mettre au courant de; **ser ~ de** être au courant de; **~ de que** sachant que.

**sabelotodo** *s FAM* je-sais-tout, incollable.

**¹saber*** *vt/i* **1.** savoir: **no sé** je ne sais pas; **no sé qué hacer** je ne sais pas quoi faire; **nunca supe si era español o colombiano** ja n'ai jamais su s'il était espagnol ou colombien; **nunca lo supo** il ne l'a jamais su; **si tú supieras...** si tu savais...; **ya lo sabía** je le savais; **hacer ~** faire savoir ◊ **a ~** à savoir; **¡haberlo sabido!** si j'avais su!; **no ~ dónde meterse** ne pas savoir où se fourrer; **no sabe por dónde anda** il ne sait plus ce qu'il fait; **¿qué sé yo?** que sais-je?; **que yo sepa** que je sache, à ma connaissance; **¡quién sabe!** qui sait!; **¡yo qué sé!** est-ce que je le sais!; **¿y tú qué sabes?** qu'est-ce que tu en sais?; **¡vaya usted a ~ !** allez-savoir!, qui sait! **2. un no sé qué** un je-ne-sais-quoi **3. el señor no sé cuántos** monsieur untel. ◇ *vi* **1.** *(tener sabor)* **~ a** avoir le goût de: **este jarabe sabe a frambuesa** ce sirop a un goût de framboise; **no ~ a nada** n'avoir aucun goût; **~ mal** avoir mauvais goût; *FIG (causar disgusto)* déplaire, contrarier, la trouver mauvaise: **me supo mal no ver la exposición** j'ai été contrarié de ne pas voir l'exposition **2.** *(tener noticias)* **~ de alguien** avoir des nouvelles de quelqu'un: **¡un mes sin ~ de Silvia!** un mois sans nouvelles de Sylvie!; **nunca he vuelto a ~ de ella** je n'ai jamais plus eu de nouvelles d'elle **3. ~ de** être au courant de: **él seguramente sabía de algo** il était sûrement au courant de quelque chose; *(conocer)* connaître; **sé de gente que...** je connais des gens qui...; *(entender de)* s'y connaître en: **presume de ~ de rugby** il prétend s'y connaître en rugby. ◆ **~se** *vpr* savoir, connaître: **me sé tu dirección de memoria** je sais ton adresse par cœur; **nunca se sabe** on ne sait jamais.

**²saber** *m* **1.** savoir **2. ~ hacer** savoir-faire **3.** *PROV* **el ~ no ocupa lugar** on n'en sait jamais trop.

**sabiamente** *adv* **1.** savamment **2.** *(con prudencia)* sagement.

**sabidillo, a** *a/s* pédant, e.

**sabido, a** *pp* de **saber.** ◇ *a* **1.** connu, e, su, e: **es (bien) ~ que..., ~ es que...** il est bien connu que...; **como es ~** comme chacun sait **2.** instruit, e.

**sabiduría** *f* **1.** *(ciencia)* savoir *m* **2.** *(prudencia)* sagesse: **el Libro de la Sabiduría** le Livre de la Sagesse.

**sabiendas (a)** *loc adv* **1.** sciemment **2. a ~ de que...** sachant que, conscient du fait que...

**sabihondo, a** *a/s* pédant, e, savantasse.

**sabina** *f (arbusto)* sabine.

**Sabina** *np f* Sabine.

**sabino,a** *a/s HIST* sabin, e: **el rapto de las sabinas** l'enlèvement des Sabines.

**sabio, a** *a/s* **1.** savant, e **2.** sage: **los siete sabios de Grecia** les sept sages de Grèce **3. perro ~** chien savant.

**sablazo** *m* **1.** coup de sabre **2.** *FAM* emprunt: **dar un ~ a alguien** taper quelqu'un.

**sable** *m* **1.** *(arma)* sabre **2.** *(heráldica)* sable **3.** *FAM* **vivir del ~** vivre aux crochets des autres, en pique-assiette.

**sableador, a** *s FAM* tapeur, euse.

**sablear** *vi FAM* taper, emprunter.

**sablista** *a/s FAM* tapeur, euse.

**saboga** *f* alose.

**sabor** *m* **1.** saveur *f*, goût: **un ~ a frambuesa** un goût de framboise **2.** *FIG* goût **3.** *FIG* **dejar mal ~ de boca** laisser un goût d'amertume, laisser sur une impression désagréable.

**saborear** *vt* savourer.

**saboreo** *m* dégustation *f*.

**sabotaje** *m* sabotage.

**saboteador, a** *s* saboteur, euse.

**sabotear** *vt* saboter.

**Saboya** *np f* Savoie.

**saboyano, a** *a/s* savoyard, e.

**sabré,** etc. **→ saber.**

**sabroso, a** *a* savoureux, euse.

**sabuco** *m* sureau.

**sabueso** *m* **1.** limier **2.** *FIG (detective)* fin limier.

**sabuloso, a** *a* sablonneux, euse.

**saburroso, a** *a* saburral, e.

**¹saca** *f* **1.** *(acción de sacar)* extraction **2.** *COM* exportation **3.** *(copia)* expédition notariale.

**²saca** *f (costal)* gros sac *m*.

**sacabocados** *m inv* emporte-pièce.

**sacabotas** *m inv* tire-botte.

**sacabuche** *m* trombone à coulisse.

**sacaclavos** *m inv* tire-clou.

**sacacorchos** *m inv* tire-bouchon.

**sacacuartos, sacadineros** *m inv* **1.** attrape-nigaud **2.** *(persona)* charlatan.

**sacamantecas** *m inv FAM* éventreur.

**sacamuelas** *m inv* arracheur de dents, charlatan.

**sacapuntas** *m inv* taille-crayon.

**sacar** *vt* **1.** tirer: **~ la lengua** tirer la langue; *FIG* **~ de la miseria** tirer de la misère; **~ una conclusión** tirer une conclusion; **~ provecho de** tirer profit de; **no he sacado nada de esta venta** je n'ai rien tiré, retiré de cette vente **2.** sortir, faire sortir: **~ el coche del garaje** sortir la voiture du garage; **~ al perro** sortir le chien **3.** retirer: **~ al niño de la escuela** retirer l'enfant de l'école **4.** *(el jugo, etc.)* extraire **5.** *(una muela, un clavo, un ojo, etc.)* arracher **6.** **~ una mancha** enlever, ôter une tache **7.** **~ (el) pecho** bomber la poitrine, le torse **8.** *(billete, entrada, foto)* prendre: **saqué varias fotos de la catedral** j'ai pris plusieurs photos de la cathédrale **9.** *(una copia, ficha)* faire **10.** *(un pasaporte, etc.)* se faire délivrer, faire faire **11.** *(un premio)* gagner **12.** *(una nota, cierto número en un sorteo)* obtenir, avoir: **Alicia siempre saca buenas notas** Alice a toujours des bonnes notes **13.** **~ un nuevo modelo** sortir un nouveau modèle **14.** *(una moda)* lancer **15.** *(un problema)* résoudre **16.** *(deducir)* déduire, conclure ◊ **¿de dónde saca usted que me hago ilusiones?** où allez-vous chercher que je me fais des illusions? **17.** *(en tenis)* servir; *(en fútbol)* tirer, botter, dégager **18.** *MAT (raíz cuadrada)* extraire **19.** **~ a bailar** inviter à danser; **~ adelante** *(a sus hijos)* élever; *(un negocio)* mener à bien, faire avancer: **~ adelante un proyecto** mener un projet à bien; **~ de pila** être parrain ou marraine; **~ de sí** mettre hors de soi; **~ en claro, en limpio** tirer au clair. ◆ **~se** *vpr* **sacarse una muela** se faire arracher une dent.

**sacarificación** *f* saccharification.

**sacarificar** *vt* saccharifier.

**sacarina** *f* saccharine.

**sacarosa** *f* saccharose.

**sacatapón** *m* tire-bouchon.

**sacerdocio** *m* sacerdoce.

**sacerdotal** *a* sacerdotal, e.

**sacerdote** *m* prêtre.

**sacerdotista** *f* prêtresse.

**sachar** *vt* sarcler.

**sacho** *m* sarclette *f*.

**saciar** *vt* **1.** rassasier, assouvir: **~ el hambre** rassasier la faim **2.** *FIG* assouvir, satisfaire: **~ su curiosidad** satisfaire sa curiosité. ◆ **~se** *vpr* se rassassier.

**saciedad** *f* satiété, rassasiement *m*: **hasta la ~** à satiété.

**saco** *m* **1.** *(receptáculo, su contenido)* sac: **un ~ de cemento** un sac de ciment; **carrera de sacos** course en sac ◊ **~ de dormir** sac de couchage; **~ de plumas** duvet; *FIG* **no echar en ~ roto** prendre bonne note de, se garder d'oublier, tenir compte de; **caer en ~ roto** rester sans écho, tomber dans l'oreille d'un sourd **2.** *ANAT* **~ lacrimal** sac lacrymal **3.** grand manteau **4.** *AMER (chaqueta)* veste *f* **5.** *(saqueo)* sac, pillage: **el ~ de Roma** le sac de Rome ◊ **entrar a ~** mettre à sac.

**sacón** *m AMER* vareuse *f*, veston.

**sacralización** *f* sacralisation.

**sacralizar** *vt* sacraliser.

**sacramental** *a* sacramentel, elle.

**sacramentar** *vt* administrer les sacrements (à un malade).

**sacramento** *m* sacrement: **el Santísimo Sacramento** le saint sacrement.

**sacratísimo, a** *a* très sacré, e.

**sacrificador, a** *s* sacrificateur, trice.

**sacrificar** *vt* **1.** sacrifier **2.** *(las reses)* abattre, tuer. ◆ **~se** *vpr* se sacrifier.

**sacrificio** *m* **1.** sacrifice **2.** **el santo ~** le saint sacrifice.

**sacrilegio** *m* sacrilège.

**sacrílego, a** *a/s* sacrilège.

**sacristán** *m* sacristain.

**sacristana** *f* **1.** femme du sacristain **2.** *(religiosa)* sacristine.

**sacristanía** *f* emploi *m* du sacristain.

**sacristía** *f* sacristie.

**sacro, a** *a* **1.** sacré, e: **música sacra** musique sacrée ◊ **concierto de música sacra** concert spirituel **2.** saint, e: **historia sacra** histoire sainte. ◇ *m ANAT* sacrum.

**sacrosanto, a** *a* sacro-saint, e.

**sacudida** *f* secousse.

**sacudido, a** *a* **1.** secoué, e **2.** *FIG (áspero)* brusque, irascible **3.** *(desenfadado)* décidé, e.

**sacudidura** *f*, **sacudimiento** *m* **1.** secouement *m*, secousse *f* **2.** *(para quitar el polvo)* époussetage *m*.

**sacudir** *vt* **1.** *(mover)* secouer **2.** *(dando golpes)* battre **3.** *FAM (un golpe, etc.)* flanquer: **~ una buena paliza** flanquer une bonne raclée **4.** *FAM (dinero)* refiler. ◆ **~se** *vpr* se débarrasser de.

**sacudón** *m AMER* secousse *f*.

**sádico, a** *a/s* sadique.

**sadismo** *m* sadisme.

**sadomasoquismo** *m* sadomasochisme.

**sadomasoquista** *a/s* sadomasochiste.

**saduceo, a** *a/s* saducéen, enne.

**saeta** *f* **1.** *(proyectil)* flèche **2.** *(del reloj, de la brújula)* aiguille **3.** *(copla breve)* oraison jaculatoire andalouse que l'on chante au passage de la procession pendant la semaine sainte.

**saetazo** *m* coup de flèche.

**saetera** *f* meurtrière.

**saetero** *m* archer.

**saetilla** *f* **1.** fléchette **2.** *(del reloj, etc.)* aiguille.

**saetín** *m* **1.** petit clou sans tête **2.** *(de molino)* bief.

**safari** *m* safari ◊ **~ fotográfico** safari-photo.

**sáfico, a** *a* saphique.

**Safo** *np f* Sapho.

**saga** *f* saga.

**sagacidad** *f* sagacité.

**sagaz** *a* sagace.

**sagita** *f GEOM* flèche.

**sagitaria** *f (planta)* sagittaire.

**sagitario** *m ASTR* sagittaire.

**sagrado, a** *a* **1.** sacré, e: **~ Corazón** Sacré-Cœur; *FIG* **fuego ~** feu sacré **2.** **Sagrada Escritura** Écriture sainte; **la Sagrada Familia** la sainte Famille. ◇ *m* asile, refuge: **acogerse a ~** demander asile.

**sagrario** *m* **1.** *(del altar)* tabernacle **2.** *(de una iglesia)* sanctuaire.

**sagú** *m* **1.** *(árbol)* sagoutier **2.** *(fécula)* sagou.

**Sagunto** *np* Sagonte.

**Sáhara (el)** *np m* le Sahara.

**sahariano, a** *a* saharien, enne. ◇ *f (chaqueta)* saharienne.

**sahumador** *m* brûle-parfums *inv*.

**sahumar** *vt* parfumer (avec une fumée aromatique).

**sahumerio** *m* **1.** *(acción)* fumigation *f* **2.** fumée *f* (que produit une substance aromatique) **3.** substance *f* aromatique.

**saín** *m* **1.** *(de un animal)* graisse *f* **2.** *(en los vestidos)* crasse *f*.

**sainete** *m* TEAT saynète *f*.

**sainetero, sainetista** *m* auteur de saynètes.

**saíno** *m* pécari.

**sajadura** *f* coupure, incision.

**sajar** *vt* couper, inciser.

**sajón, ona** *a/s* saxon, onne.

**Sajonia** *np f* Saxe.

**sajú** *m* sapajou, sajou.

**sake** *m (bebida japonesa)* saké.

[1]**sal** *f* **1.** sel *m*: **~ fina** sel fin; **~ gorda, de cocina** gros sel; **~ gema** sel gemme **2.** FIG *(en el habla)* sel *m*, piquant *m*, esprit *m* **3.** *(garbo)* grâce, charme *m* **4. con su ~ y pimienta** avec drôlerie et une pointe de malice. ◇ *pl* **1.** QUÍM sels. **2. sales de baño** sels de bain.

[2]**sal** → **salir.**

**sala** *f* **1.** salle: **~ de espera** salle d'attente; **~ de fiestas** salle des fêtes **2.** *(salón)* salon *m* **3.** *(de un tribunal)* chambre ◊ **~ de lo criminal** cour d'assises.

**salacidad** *f* salacité, lascivité.

**salacot** *m* casque colonial.

**saladar** *m* marais salant, saline *f*.

**saladero** *m* saloir.

**salado, a** *a* **1.** salé, e: **agua salada** eau salée **2.** FIG *(chistoso)* spirituel, elle, drôle, piquant, e **3.** gracieux, euse.

**salador, a** *s* saleur, euse. ◇ *m* saloir.

**saladura** *f* salage *m*.

**Salamanca** *np* Salamanque.

**salamandra** *f* salamandre.

**salamanquesa** *f* gecko *m*.

**salamanquina** *f* AMER lézard *m*.

**salame** *m* salami.

[1]**salar** *vt* saler.

[2]**salar** *m* AMER marais salant, saline *f*.

**salariado** *m* salariat.

**salarial** *a* salarial, e: **masa ~** masse salariale ◊ **un aumento ~** une augmentation (de salaire).

**salario** *m* salaire: **~ base** salaire de base.

**salaz** *a* salace, lascif, ive.

**salazón** *f* salaison.

**salce** *m* saule.

**salchicha** *f* saucisse: **~ de Frankfurt** saucisse de Francfort.

**salchichería** *f* charcuterie.

**salchichero, a** *s* charcutier, ère.

**salchichón** *m* saucisson.

**salcochar** *vt* cuire à l'eau salée.

**saldar** *vt* **1.** *(una cuenta, una mercancía)* solder **2.** *(una deuda)* s'acquitter de, régler. ◆ **~se** *vpr* **saldarse con un fracaso** se solder par un échec.

**saldista** *m* soldeur.

**saldo** *m* COM solde.

**saledizo, a** *a* saillant, e, en saillie. ◇ *m* ARQ encorbellement, saillie *f*.

**salero** *m* **1.** *(en la mesa)* salière *f*; *(en la cocina)* boîte *f* à sel **2.** FIG grâce *f*, charme, esprit.

**saleroso, a** *a* gracieux, euse, charmant, e, spirituel, elle.

**sales** → **sal, salir.**

**salguera** *f (sauce)* saule *m*.

**salesa** *f* visitandine.

**salesiano, a** *a/s* salésien, enne.

**salicílico, a** *a* salicylique.

**sálico, a** *a* salique: **ley sálica** loi salique.

**salida** *f* **1.** *(acción, parte por donde se sale)* sortie: **~ de emergencia** sortie de secours **2.** *(de un tren, etc.)* départ *m*: **la ~ de los corredores** le départ des coureurs; **tomar la ~** prendre le départ **3.** *(de un astro)* **la ~ del sol** le lever du soleil **4.** *(de géneros)* écoulement *m*, vente, débouché *m*: **producto que tiene mucha ~** produit qui se vend bien; **dar ~ a los stocks** écouler les stocks; *(profesional)* débouché *m* **5.** *(en una subasta)* mise à prix **6.** FIG *(solución)* issue, solution: **ceder es nuestra única ~** céder est notre seule issue; **no hay otra ~ posible** il n'y a pas d'autre solution; **buscar salidas a un problema** chercher des solutions à un problème **7.** *(escapatoria)* échappatoire **8.** *(ocurrencia)* mot *m* d'esprit, saillie, boutade ◊ **~ de pie de banco** ânerie; **~ de tono** sortie, propos *m* déplacé **9.** *(parte que sobresale)* saillie **10.** TEAT *(de un actor a escena)* entrée.

**salidizo** *m* ARQ encorbellement.

**saliente** *a* **1.** saillant, e **2.** MIL **guardia ~** garde descendante. ◇ *m* **1.** orient **2.** ARQ saillie *f*.

**salina** *f* **1.** saline **2.** *(marítima)* marais *m* salant.

**salinero** *m* saunier.

**salinidad** *f* salinité.

**salino, a** *a* salin, e.

**salir*** *vi* **1.** sortir: **ha salido de casa a las seis** il est sorti de chez lui à six heures: **salió a buscar un periódico** il sortit chercher un journal; **~ al balcón** sortir sur le balcon; **mañana saldré con mis amigos** je sortirai demain avec mes amis; **~ a la calle** sortir dans la rue, *(manifestantes)* descendre dans la rue **2.** *(marcharse)* partir: **el tren sale dentro de cinco minutos** le train part dans cinq minutes; **~ de viaje** partir en voyage; FAM **~ pitando** partir en quatrième vitesse, filer **3.** TEAT **~ a la escena** entrer en scène **4.** *(un astro)* se lever **5.** *(planta, pelo)* pousser, sortir **6.** *(una mancha)* disparaître, partir **7.** *(desembocar)* déboucher sur **8.** *(una oportunidad, etc.)* se présenter ◊ **me ha salido un trabajito bien remunerado** j'ai trouvé un petit boulot bien rémunéré **9.** *(un periódico, etc.)* paraître: **esta revista sale los lunes** cette revue paraît le lundi **10. ~ en el periódico** paraître dans le journal; **su foto salió en todos los periódicos** sa photo a paru dans tous les journaux; **~ en la televisión** passer à la télévision **11.** être élu, e: **~ diputado** être élu député **12. ~ bien, mal** réussir, échouer; **hoy no me sale nada bien** aujourd'hui rien ne me réussit, je rate tout **13.** *(costar)* **¿a cuánto puede ~ ?** combien cela peut-il coûter?; **~ caro** revenir, coûter cher; **la instalación me ha salido (por) dos millones** l'installation m'est revenue à, m'a coûté deux millions **14. ~ a** ressembler à: **¿a quién sale el niño?** à qui ressemble l'enfant?, de qui tient l'enfant?; **ha salido a su padre** il ressemble à son père **15. ahora sale con que no lo sabía** le voilà maintenant qu'il nous sort, nous raconte qu'il ne le savait pas **16. ~ adelante** s'en tirer, s'en sortir; **~ de un apuro** se tirer d'affaire; **a lo que salga** au petit bonheur; **salga lo que salga** advienne que pourra **17.** FIG **no ~ de su asombro** → **asombro.** ◆ **~se** *vpr* **1.** sortir, quitter: **el camión se salió de la carretera** le camion est sorti de, a quitté la route **2.** *(un gas, un líquido)* s'échapper ◊ **la leche se me va a salir** le lait va déborder **3.** *(un recipiente)* fuir: **este depósito se sale** ce réservoir fuit **4. salirse con la suya** arriver à ses fins.

**salita** *f* petite salle.

**salitral** *m* nitrière *f.*

**salitre** *m* salpêtre.

**salitrera** *f* nitrière.

**salitrería** *f* salpêtrière.

**salitroso, a** *a* salpêtreux, euse.

**saliva** *f* salive ◊ *FIG* **gastar ~ en balde** perdre sa salive; **tragar ~** avaler sa salive.

**salivación** *f* salivation.

**salivadera** *f AMER* crachoir *m.*

**salivajo** *m* jet de salive, crachat.

**salival** *a* salivaire: **glándulas salivales** glandes salivaires.

**salivar** *vi* **1.** saliver **2.** *AMER (escupir)* cracher.

**salivazo** *m* jet de salive, crachat.

**salmantino, a** *a/s* de Salamanque.

**salmear** *vi* psalmodier.

**salmista** *m* psalmiste.

**salmo** *m* psaume.

**salmodia** *f* psalmodie.

**salmodiar** *vt* psalmodier.

**salmón** *m* saumon.

**salmonado, a** *a* saumoné, e: **trucha salmonada** truite saumonée.

**salmonella** *f BIOL* salmonelle.

**salmonelosis** *f MED* salmonellose.

**salmonete** *m* rouget.

**salmorejo** *m* **1.** vinaigrette *f* épicée **2.** sorte de "gazpacho".

**salmuera** *f* saumure.

**salobre** *a* saumâtre.

**salobreño, a** *a (tierra)* qui contient du sel.

**salobridad** *f* salinité.

**saloma** *f* chant *m* cadencé des matelots, pendant les manœuvres.

**Salomé** *np f* Salomé.

**Salomón** *np m* Salomon.

**salomónico, a** *a* **1.** de Salomon: **juicio ~** jugement de Salomon **2. columna salomónica** colonne torse.

**salón** *m* **1.** *(pieza, muebles)* salon **2.** salle *f*: **~ de actos** salle des fêtes **3. ~ de té** salon de thé.

**saloncillo** *m* **1.** petit salon **2.** *TEAT* foyer.

**salpicadero** *m* tableau de bord, planche *f* de bord.

**salpicadura** *f* **1.** *(acción)* éclaboussement *m* **2.** *(efecto)* éclaboussure.

**salpicar** *vt* **1.** éclabousser **2.** *(rociar)* asperger **3.** *FIG (esparcir)* parsemer, émailler **4.** *FIG* éclabousser: **verse salpicado por un escándalo** se voir éclaboussé par un scandale.

**salpicón** *m* **1.** *(fiambre)* viande *f* hachée (ou poisson, coquillages) en salade, salpicon **2.** *(salpicadura)* éclaboussure *f.*

**salpimentar*** *vt* **1.** assaisonner de sel et de poivre **2.** *FIG (un relato)* pimenter.

**salpingitis** *f MED* salpingite.

**salpresar** *vt* saler et presser.

**salpullido** *m* légère éruption *f* cutanée.

**salsa** *f* **1.** sauce: **~ de tomate** sauce tomate; **~ blanca** sauce blanche **2.** *FIG* **en su propia ~** dans son élément **3.** *(baile)* salsa.

**salsera** *f* saucière.

**salserilla** *f (para mezclar los colores)* godet *m.*

**salsifí** *m* salsifis.

**saltabanco(s)** *m* charlatan, saltimbanque.

**saltadero** *m* sautoir.

**saltador, a** *s* sauteur, euse: **~ de altura, con pértiga** sauteur en hauteur, à la perche. ◇ *m (comba)* corde *f* à sauter.

**saltamontes** *m* sauterelle *f.*

**saltaojos** *m inv* pivoine *f.*

**saltar** *vi* **1.** sauter: **~ con pértiga** sauter à la perche; **~ de la cama** sauter du lit; **~ por la ventana** sauter par la fenêtre ◊ *FIG* **~ a la vista** sauter aux yeux; **~ de un tema a otro** sauter d'un sujet à l'autre **2.** *(brincar)* bondir **3.** *(un líquido)* jaillir, gicler: **la sangre saltó** le sang gicla **4.** *(estallar)* éclater, exploser, sauter: **hacer ~ por los aires...** faire sauter...; **el puente ha saltado por los aires** le pont a sauté **5.** *(romperse)* casser, lâcher **6.** *FIG* **~ de gozo** bondir, sauter de joie **7.** *FIG* **estar a la que salta** être aux aguets, être toujours prêt à profiter de l'occasion **8.** *FIG* **~ con una tontería** lâcher une bêtise **9.** *FIG (ser destituido)* sauter. ◇ *vt* **1.** *(un obstáculo)* sauter **2.** *(omitir)* sauter **3.** *(con un explosivo)* faire sauter **4.** *(un ojo)* crever. ◆ **~se** *vpr* **1.** *(omitir)* sauter: **me salté dos líneas** j'ai sauté deux lignes **2. saltarse un semáforo en rojo** griller, brûler un feu rouge **3. saltársele a uno las lágrimas** → **lágrima.**

**saltarín, ina** *a* sautillant, e. ◇ *a/s* **1.** danseur, euse **2.** *FIG* écervelé, e.

**salteado, a** *a/m CULIN* sauté, e.

**salteador** *m* brigand, voleur de grand chemin.

**salteamiento** *m* brigandage.

**saltear** *vt* **1.** *(asaltar)* attaquer, assaillir **2.** *(robar)* détrousser **3.** *CULIN* faire sauter, poêler **4.** *FIG* passer d'une chose à l'autre.

**salterio** *m* **1.** *(libro)* psautier **2.** *MÚS* psaltérion.

**saltimbanqui** *m* saltimbanque.

**salto** *m* **1.** saut: **~ de altura, de longitud, mortal** saut en hauteur, en longueur, périlleux; **~ con pértiga** saut à la perche; **~ del ángel** saut de l'ange **2.** bond, saut: **dar un ~** faire un bond; **dar saltos** sauter, bondir; **de un ~** d'un bond; *FIG* **el gran ~ adelante** le grand bond en avant **3.** *(despeñadero)* précipice **4. ~ de agua** chute *f* d'eau **5. ~ de cama** saut-de-lit, peignoir **6.** *loc adv* **a saltos** par bonds; **a ~ de mata** en fuyant; **vivir a ~ de mata** vivre au jour le jour.

**saltón, ona** *a* **1.** saillant, e: **ojos saltones** yeux à fleur de tête, saillants **2.** sauteur, euse.

**salubérrimo, a** *a* très salubre.

**salubre** *a* salubre.

**salubridad** *f* salubrité.

**salud** *f* **1.** *(del cuerpo, del espíritu)* santé: **una ~ de hierro** une santé de fer; **beber a la ~ de** boire à la santé de; **está bien de ~** il est en parfaite santé, il se porte bien; **no ando bien de ~** je ne suis pas en très bonne santé, je suis mal en point ◊ *FIG* **curarse en ~** prendre ses précautions, prendre les devants **2.** *(salvación, de la patria)* salut. ◇ *interj* **1.** salut! **2.** *(para brindar)* **¡a su ~!, ¡ ~ !** à votre santé!, à la bonne vôtre!

**saludable** *a* **1.** *(bueno para la salud)* sain, e **2.** *(de aspecto sano)* frais, fraîche **3.** *(provechoso)* salutaire.

**saludador** *m* guérisseur.

**saludar** *vt* **1.** saluer: **~ con la mano** saluer de la main **2. salude de mi parte a** mon bon souvenir à; **les saludamos atentamente** nos salutations distinguées.

**saludo** *m* **1.** salut **2.** salutation *f*: **muchos saludos** sincères salutations; **con los atentos saludos de** avec les compliments de.

**salutación** *f* salutation.

**salutífero, a** *a* salutaire.

**salva** *f* **1.** salut *m* **2.** *MIL* salve **3. ~ de aplausos** salve d'applaudissements.

**salvación** *f* salut *m*: **la ~ del alma** le salut de l'âme; **el ejército de ~** l'armée du Salut; **tabla de ~ → tabla.**

**salvado** *m (del grano)* son.

**salvador, a** *a/s* **1.** sauveur, salvatrice **2. El Salvador** *(Jesucristo)* le Sauveur.

**Salvador (El)** *np m* le Salvador.

**salvadoreño, a** *a/s* du Salvador.

**salvaguarda** *f* sauvegarde.

**salvaguardar** *vt* sauvegarder.

**salvaguardia** *f* sauvegarde.

**salvajada** *f* acte *m* de sauvagerie, atrocité, monstruosité.

**salvaje** *a* **1.** *(animal, etc.)* sauvage **2.** brutal, e **3. huelga ~** grève sauvage. ◇ *a/s* sauvage.

**salvajina** *f* **1.** bêtes *pl* sauvages **2.** *(pieles)* sauvagine.

**salvajismo** *m* sauvagerie *f*.

**salvamano (a) → mansalva (a).**

**salvamanteles** *m inv* dessous-de-plat.

**salvamento** *m* sauvetage.

**salvar** *vt* **1.** *(de un peligro)* sauver: **me has salvado la vida** tu m'a sauvé la vie **2.** *(un obstáculo, recorrer una distancia)* franchir **3.** *(una dificultad)* surmonter, éviter **4.** *(exceptuar)* exclure, écarter **5. Dios te salve María...** je vous salue Marie... ◆ **~se** *vpr* **1.** se sauver, se tirer d'affaire, en réchapper: **se salvó de milagro** il s'en est tiré par miracle; **salvarse de un atentado** réchapper d'un attentat, se sortir vivant d'un attentat **2. ¡sálvese quién pueda!** sauve qui peut!

**salvavidas** *m inv* bouée *f* de sauvetage. ◇ *a* **bote, chaleco ~** canot, gilet de sauvetage.

**salve** *f (oración)* salvé *m*.

**salvedad** *f* **1.** réserve, restriction, condition: **con la ~ de** sous réserve de, à condition de; **hacer una ~** émettre une réserve, une restriction **2.** exception.

**salvia** *f* sauge.

**salvo, a** *a* **1.** sauf, sauve: **sano y ~** sain et sauf **2.** *loc adv* **a ~** en sûreté, en lieu sûr: **estar a ~ de** être à l'abri de; **poner a ~** mettre à l'abri, en lieu sûr; **dejar a ~** excepter. ◇ *adv* sauf, excepté, hormis: **todos ~ él** tous sauf lui: **~ error u omisión** sauf erreur ou omission; **~ aviso en contrario** sauf avis contraire; **~ que...** à moins que...

**salvoconducto** *m* sauf-conduit.

**samaritano, a** *a/s* samaritain, e: **el buen ~** le bon Samaritain.

**samba** *f (baile)* samba.

**sambenito** *m* **1.** san-benito, casaque *f* dont on revêtait les condamnés de l'Inquisition **2.** *FIG* note *f* de discrédit, marque *f* d'infamie ◊ **le han colgado el ~ de juerguista** on lui a fait une réputation de noceur, on lui a collé l'étiquette de noceur.

**samovar** *m* samovar.

**sampán** *m* sampan, sampang.

**samurai** *m* samouraï.

**san** *a* saint: **~ Pedro** saint Pierre; **el día de ~ Juan** la Saint-Jean.
▶ Forme apocopée de *santo* que l'on place devant le nom sauf devant *Domingo, Tomás, Tomé* et *Toribio*.

**sanable** *a* guérissable, curable.

**sanalotodo** *m* panacée, remède miracle.

**sanamente** *adv* sainement.

**sanar** *vt/i* guérir: **si te cuidas, sanarás pronto** si tu te soignes, tu guériras bientôt.

**sanatorio** *m* **1.** *(para tuberculosos)* sanatorium **2.** clinique *f* **3.** hôpital.

**Sancho** *np m* **1.** Sanche **2. ~ Panza** Sancho Pança **3.** *PROV* **al buen callar llaman ~** la parole est d'argent mais le silence est d'or, trop parler nuit.

**sanchopancesco, a** *a* de Sancho Pança, terre à terre.

**sanción** *f* sanction: **imponer sanciones** imposer des sanctions.

**sancionar** *vt* **1.** *(una ley, etc.)* sanctionner **2.** sanctionner, punir: **~ con una multa** punir d'une amende; **fueron sancionados con quince días de suspensión de empleo y sueldo** ils ont été mis à pied pour quinze jours.

**sancochado** *m AMER* **→ sancocho.**

**sancochar** *vt* cuire à moitié, faire revenir.

**sancocho** *m AMER* sorte de pot-au-feu avec de la viande, des bananes, du manioc, etc.

**sanctasanctórum** *m* **1.** saint des saints **2.** *FIG (lo muy reservado)* saint des saints.

**sanctus** *m RELIG* sanctus.

**sandalia** *f* sandale.

**sándalo** *m* santal.

**sandez** *f* niaiserie, sottise, stupidité.

**sandía** *f* pastèque, melon *m* d'eau.

**sandial, sandiar** *m* champ de pastèques.

**sandio, a** *a* niais, e.

**sanducero, a** *a/s* de Paysandú (Uruguay).

**sandunga** *f* **1.** *FAM* charme *m*, grâce **2.** *AMER (jarana)* fête **3.** danse régionale du Mexique.

**sandunguero, a** *a FAM* charmant, e, gracieux, euse.

**sandwich** *m* sandwich.

**saneado, a** *a (un bien, una renta)* libre de charges.

**saneamiento** *m* **1.** *(de un terreno, etc.)* assainissement **2. los saneamientos** les sanitaires **3.** redressement: **el ~ de la seguridad social** le redressement de la sécurité sociale **4.** *JUR* garantie *f*, indemnisation *f*.

**sanear** *vt* **1.** *(un terreno, etc.)* assainir **2.** *(la hacienda, etc.)* redresser, équilibrer, assainir **3.** *JUR* garantir, indemniser.

**sanedrín** *m* sanhédrin.

**sanfermines** *m pl* fêtes *f* à Pampelune, en l'honneur de Saint Firmin, au mois de juillet.

**sangrador** *m* saigneur.

**sangradura** *f* saignée.

**sangrante** *a* **1.** saignant, e **2.** *FIG* inhumain, e, douloureux, euse.

**sangrar** *vt* **1.** saigner **2.** *(un pino)* gemmer. ◇ *vi* saigner: **le sangra la nariz** il saigne du nez.

**sangre** *f* sang *m*: **animales de ~ caliente, fría** animaux à sang chaud, froid; **caballo de pura ~** cheval pur-sang; **~ azul** sang bleu; **~ fría** sang-froid *m*; **a ~ fría** de sang-froid; **conservar la ~ fría** garder son sang-froid; **a ~ y fuego** à feu et à sang; **echar ~** saigner; *FIG* **encenderle, freírle, quemarle a uno la ~** exaspérer quelqu'un, échauffer les oreilles à quelqu'un; **no me frías más la ~** arrête de m'énerver; **no llegará la ~ al río** ça n'ira pas plus loin, ça ne tirera pas à conséquence; **nunca la ~ llegó al río** ça n'a jamais été plus loin; **no tener ~ en las venas** ne pas avoir de sang dans les veines; **quemarse la ~** se faire du mauvais sang; **subírsele a uno la ~ a la cabeza** sentir son sang monter au visage, devenir rouge de colère; **sudar ~ → sudar; tener mala ~** être méchant; *FAM* **tener ~ de horchata** être placide, avoir du sang de navet.

**sangría** *f* **1.** saignée **2.** *(al comienzo de una línea)* alinéa *m* **3.** «sangría» boisson rafraîchissante à base de vin sucré et de fruits macérés **4.** *FIG (gasto)* ponction.

**sangriento, a** *a* sanglant, e.

**sanguaza** *f* jus *m* rougeâtre.

**sanguijuela** *f* **1.** sangsue **2.** *FIG* sangsue.

**sanguina** *f* sanguine.

**sanguinario, a** *a* sanguinaire.

**sanguíneo, a** *a* **1.** sanguin, e: **grupo ~** groupe sanguin **2.** *(temperamento)* sanguin, e.

**sanguinolento, a** *a* sanguinolent, e.

**sanidad** *f* **1.** *(salud)* santé **2.** salubrité, hygiène **3. ~ militar** service *m* de santé; **ministerio de Sanidad** ministère de la Santé.

**sanie, sanies** *f MED* sanie.

**sanitario, a** *a* **1.** sanitaire **2. personal ~** personnel médical. ◇ *s* membre du personnel médical. ◇ *m pl (aparatos)* sanitaires.

**sanjuanista** *a/m* de l'ordre de Saint-Jean de Jérusalem.

**San Lorenzo** *np m (río)* Saint-Laurent.

**sano, a** *a* **1.** sain, e, en bonne santé, bien portant, e ◊ **~ y salvo** sain et sauf **2.** sain, e: **alimentación sana** nourriture saine; **clima ~** climat sain; **juicio ~** jugement sain; **estar en su ~ juicio → juicio 3.** *(en buen estado)* en bon état **4.** *FIG* **cortar por lo ~** trancher dans le vif.

**San Petersburgo** *np* Saint-Pétersbourg.

**sánscrito, a** *a/m* sanscrit, e.

**sanseacabó** *loc FAM* un point c'est tout, n'en parlons plus, c'est terminé, point à la ligne.

**San Sebastián** *np* Saint-Sébastien.

**sansimonismo** *m* saint-simonisme.

**Sansón** *np m* Samson.

**santabárbara** *f MAR* sainte-barbe.

**santafecino, a** *a/s* de Santa Fe (Argentine).

**santaguero, a** *a/s* de Santiago de Cuba.

**santamente** *adv* saintement.

**santelmo** *m* feu Saint-Elme.

**santero, a** *s* **1.** gardien, enne d'un sanctuaire **2.** personne qui quête en portant l'image d'un saint.

**Santiago** *np m* **1.** Jacques **2. ~ de Compostela** Saint-Jacques-de-Compostelle **3. ~ de Chile** Santiago du Chili.

**santiagueño, a** *a/s* de Santiago del Estero.

**santiagués, esa** *a/s* de Saint-Jacques-de-Compostelle.

**santiaguino, a** *a/s* de Santiago du Chili.

**santiaguista** *a/m* de l'ordre de Saint-Jacques.

**santiamén (en un)** *loc adv* en un clin d'œil, en moins de rien, en un rien de temps.

**santidad** *f* sainteté.

**santificación** *f* sanctification.

**santificante** *a* sanctifiant, e.

**santificar** *vt* sanctifier: **"santificado sea el tu nombre"** "que ton nom soit sanctifié".

**santiguada** *f* signe *m* de croix.

**santiguar** *vt* faire le signe de croix sur. ◆ **~se** *vpr* se signer.

**santísimo, a** *a* très saint, e. ◇ *np m* le Saint Sacrement. ◇ *f FAM* **hacer la santísima → hacer la pascua.**

**santo, a** *a/s* saint, e: **~ Tomás** saint Thomas; **la semana santa** la semaine sainte; **el Padre ~** le Saint-Père; *FAM* **todo el ~ día** toute la sainte journée; **hacer su santa ~** faire sa sainte volonté ◊ *FIG* **¿a ~ de qué?** en quel honneur?; **desnudar un ~ para vestir a otro** déshabiller saint Pierre pour habiller saint Paul; **írsele el ~ al cielo** perdre le fil, oublier ce qu'on allait dire, faire; **llegar y besar el ~** se baisser et prendre, obtenir facilement et tout de suite ce qu'on désire; **no saber a qué ~ encomendarse** ne pas savoir à quel saint se vouer; **no es ~ de mi devoción** je ne le porte pas dans mon cœur; **quedarse para vestir santos** rester vieille fille; **tener el ~ de espaldas** avoir la guigne, jouer de malchance; **fiesta de Todos los Santos** la Toussaint. ◇ *m* **1.** statue *f* d'un saint **2.** *(de una persona)* fête *f*: **hoy es mi ~** c'est aujourd'hui ma fête **3.** *MIL* **~ y seña** mot de passe **4.** *loc adv* **~ y bueno** parfaitement d'accord, passe encore.

▶ Voir l'observation à *San*.

**Santo Domingo** *np* Saint-Domingue.

**santón** *m* **1.** *FIG* hypocrite, tartufe **2.** *FAM (persona influyente)* pontife, manitou.

**santoral** *m* **1.** vie *f* des saints **2.** *(lista)* liste *f* des saints **3.** livre liturgique contenant les offices des saints.

**santuario** *m* sanctuaire.

**santurrón, onna** *a/s* **1.** *(beato)* bigot, e **2.** *(hipócrita)* tartufe, faux dévot, fausse dévote.

**santurronería** *f* bigoterie, tartuferie.

**saña** *f* **1.** *(ensañamiento)* acharnement *m* **2.** *(furia)* fureur, rage.

**sañudamente** *adv* **1.** furieusement **2.** avec acharnement.

**sañudo, a** *a* furieux, euse, violent, e, acharné, e.

**sapidez** *f* sapidité.

**sápido, a** *a* sapide.

**sapiencia** *f* sagesse, savoir *m*.

**sapientísimo, a** *a* très savant, e.

**sapo** *m* **1.** *(batracio)* crapaud **2.** *FIG* **echar sapos y culebras** jurer, pester, tempêter.

**saponáceo, a** *a* saponacé, e.

**saponaria** *f* saponaire.

**saponificación** *f* saponification.

**saponificar** *vt* saponifier.

**sapote** *m* **1.** sapote **2.** *(árbol)* sapotier.

**saprófago, a** *a/s ZOOL* saprophage.

**saprófito, a** *a/m BOT* saprophyte.

[1]**saque** *m* **1.** *(juego de pelota, tenis)* service **2.** *(fútbol)* coup d'envoi: **efectuar el ~** donner le coup d'envoi ◊ *(después de una interrupción)* remise *f* en jeu; **~ de esquina** corner; *(del guardameta)* dégagement **3.** *(jugador)* serveur **4.** *FAM* **tener buen ~** avoir un bon coup de fourchette.

[2]**saque, saqué → sacar.**

**saquear** *vt* saccager, piller.

**saqueo** *m* pillage.

**saquete** *m* sachet.

**saquito** *m* sachet.

**Sara** *np f* Sarah.

**saraguate, saraguato** *m AMER* singe hurleur.

**saragüete** *m (sarao)* sauterie *f*.

**sarampión** *m* rougeole *f*.

**sarao** *m* soirée *f* dansante, sauterie *f*.

**sarape** *m AMER* sorte de poncho.

**sarasa** *m VULG* tapette *f*.

**sarcasmo** *m* sarcasme.

**sarcástico, a** *a* sarcastique.

**sarcófago** *m* sarcophage.

**sarcoma** *m MED* sarcome.

**sardana** *f* sardane, danse catalane.

**Sardanápalo** *np m* Sardanapale.

**sardina** *f* sardine: **sardinas en aceite** sardine à l'huile ◊ *FIG* **estar como sardinas** être serrés comme des sardines, comme des harengs.

**sardinel** *m* **1.** *(construcción de ladrillos)* galandage **2.** *AMER (de la acera)* bord du trottoir.

**sardinero, a** *a/s* sardinier, ère ◊ **barco ~** (bateau) sardinier.

**sardo, a** *a/s* sarde.

**sardónice** *f* sardoine.

**sardónico, a** *a* sardonique: **risa sardónica** rire sardonique.

**¹sarga** *f (tela)* serge.

**²sarga** *m (sauce)* petit saule *m*.

**sargazo** *m* sargasse *f* ◊ **el mar de los Sargazos** la mer des Sargasses.

**sargento** *m* sergent.

**sargentona** *f FAM* virago.

**sari** *m* sari.

**saripanta** *f* **1.** *TEAT* choriste **2.** *FAM* femme facile, catin, gourgandine.

**sarmentoso, a** *a* **1.** sarmenteux, euse **2.** *(dedos)* noueux: **dedos sarmentosos** des doigts noueux.

**sarmiento** *m* sarment.

**sarna** *f (enfermedad cutánea)* gale ◊ *FAM* **ser más viejo que la ~** être vieux comme le monde, dater des croisades.

**sarnoso, a** *a/s* galeux, euse.

**sarpullido** *m* légère éruption *f* cutanée.

**sarraceno, a** *a/s* sarrasin, e.

**sarracina** *f* **1.** *(pelea)* bagarre **2.** hécatombe.

**Sarre (el)** *np m* la Sarre.

**sarrillo** *m* **1.** *(estertor)* râle **2.** *(planta)* arum.

**sarro** *m* **1.** *(de los dientes, de una caldera)* tartre **2.** *(en una vasija)* dépôt.

**sarta** *f* **1.** *(de objetos)* chapelet *m* **2.** *FIG* chapelet *m*, kyrielle, série: **una ~ de desgracias** une kyrielle de mésaventures; **una ~ de desatinos** un chapelet de sottises.

**sartén** *f* poêle (à frire) ◊ *FIG* **tener la ~ por el mango** tenir la queue de la poêle.

**sartenada** *f* poêlée.

**sartenazo** *m* coup (donné avec une poêle).

**sasacamanchas** *m inv* détachant.

**sasafrás** *m* sassafras.

**sasánida** *a/s HIST* sassanide.

**sastra** *f* couturière.

**sastre** *m* **1.** tailleur **2. traje ~** tailleur **3.** *FIG* **cajón de ~**, → **cajón**.

**sastrería** *f* métier *m*, boutique du tailleur.

**Satán, Satanás** *np m* Satan.

**satánico, a** *a* satanique.

**satanizar** *vt* diaboliser.

**satélite** *a/m* satellite: **~ artificial** satellite artificiel; **~ meteorológico** satellite météorologique; **por ~ , por vía ~** par satellite; **país ~** pays satellite.

**satén** *m* satin.

**satinado, a** *a* satiné, e.

**satinar** *vt* satiner.

**sátira** *f* satire.

**satírico, a** *a (de la sátira)* satirique. ◇ *m* auteur satirique.

**satirizar** *vt* satiriser.

**sátiro** *m* satyre.

**satisfacción** *f* **1.** satisfaction: **obtener ~** obtenir satisfaction **2. a su plena ~** à votre convenance.

**satisfacer*** *vt* **1.** satisfaire: **~ los deseos, la curiosidad de alguien** satisfaire les désirs, la curiosité de quelqu'un; **el resultado no me satisface** le résultat ne me satisfait pas **2.** *(pagar)* régler, acquitter. ◆ **~se** *vpr* se satisfaire: **me satisfago con poco** je me satisfais de peu.

**satisfactoriamente** *adv* d'une manière satisfaisante: **contestar, recuperarse ~** répondre, se remettre de manière satisfaisante.

**satisfactorio, a** *a* satisfaisant, e.

**satisfecho, a** *pp* de **satisfacer.** ◇ *a* **1.** satisfait, e, content, e: **está ~ con su trabajo** il est satisfait de son travail; **~ con su suerte** satisfait de son sort; **me doy por ~** je m'estime satisfait **2. ~ de sí mismo** content de soi.

**sátrapa** *m* satrape.

**saturación** *f* saturation.

**saturar** *vt* **1.** saturer, gorger: **tierra saturada de agua** terre gorgée d'eau **2.** saturer: **el mercado está saturado** le marché est saturé.

**saturnales** *f pl* saturnales.

**saturnino, a** *a* **1.** triste, taciturne **2.** *MED* saturnin, e.

**saturnismo** *m* saturnisme.

**Saturnino** *np m* Saturnin, Sernin.

**Saturno** *np m* Saturne.

**sauce** *m* saule: **~ llorón** saule pleureur.

**sauceda** *f*, **saucedal** *m* saulaie *f*.

**saúco** *m* sureau.

**saudade** *f* nostalgie.

**Saúl** *np m* Saül.

**sauna** *f* sauna *m*.

**sauquillo** *m* obier.

**saurios** *m pl ZOOL* sauriens.

**savia** *f* sève.

**saxífraga** *f* saxifrage.

**saxofón, saxófono** *m* saxophone: **tocar el ~** jouer du saxophone.

**saya** *f* **1.** jupe **2.** *(interior)* jupon *m*.

**sayal** *m (tela)* bure *f*.

**sayo** *m* sorte de casaque *f* ◊ *FIG* **cortar a uno un ~** médire de quelqu'un; **hacer de su capa un ~** → **capa.**

**sayón** *m ANT* bourreau.

**sazón** *f* **1.** maturité ◊ **en ~** mûr, e, à point **2.** occasion, moment *m* ◊ *loc adv* **a la ~** alors, à ce moment-là, à l'époque; **fuera de ~** inopportunément **3.** *(aderezo)* assaisonnement *m*.

**sazonado, a** *a* **1.** *(condimentado)* assaisonné, e **2.** *(maduro)* mûr, e **3.** *FIG* piquant, e, spirituel, elle.

**sazonar** *vt* **1.** *(un guiso)* assaisonner **2.** *FIG* mettre au point **3.** *(amenizar)* agrémenter. ◆ **~se** *vpr* mûrir, arriver à maturité.

**scooter** *m* scooter.

**se** *pron pers* **1.** se, s': **~ levanta** il se lève; **~ sienta** il s'asseoit; **~ quieren** ils s'aiment **2.** *(+ usted, ustedes)* vous: **siéntense ustedes** asseyez-vous **3.** *(en oraciones impersonales)* on: **~ dice** on dit; **~ está bien aquí** on est bien ici; **~ oían gritos** on entendait des cris; **cuando ~ está cansado** quand on est fatigué **4.** *(dativo, delante de lo, la, los, las)* lui, leur: **~ lo daré** je le lui donnerai, je le leur donnerai; **díselo** dis-le-lui, dis-le-leur ◊ **~ lo daré a usted** je vous le donnerai; **no ~ lo digas a nadie** ne le dis à personne **5.** *(forma reflexiva de algunos verbos)* **~ cayó** il, elle tomba; **~ murió** il, elle mourut.

► Peut donner un sens passif au verbe: *no ~ admiten propinas* les pourboires ne sont pas admis. Voir l'abrégé de grammaire espagnole de ce dictionnaire au chapitre "pronoms personnels".

**sé → saber, ser.**

**sebáceo, a** *a* sébacé, e.

**Sebastián** *np m* Sébastien.

**sebo** *m* **1.** *(para hacer velas, jabón)* suif **2.** *(grasa)* graisse *f.*

**seborrea** *f* séborrhée.

**seboso, a** *a* graisseux, euse.

**seca** *f* sécheresse.

**secadero** *m* séchoir.

**secado** *m* séchage.

**secador** *m* **1.** séchoir **2.** *(para secar el pelo)* sèche-cheveux *inv*, séchoir.

**secamente** *adv* sèchement.

**secamiento** *m* séchage.

**secano** *m* terrain non irrigué ◊ **cultivo de ~** culture sèche.

**secante** *a/m* **1.** *(pintura)* siccatif, ive **2. papel ~** buvard. ◇ *a/f* GEOM sécant, e.

**secar** *vt* **1.** *(la ropa, el sudor, etc.)* sécher **2.** *(con un trapo)* essuyer **3.** *(las plantas)* dessécher. ◆ **~se** *vpr* **1.** sécher: **la ropa se seca al sol** le linge sèche au soleil; **séquese las lágrimas** séchez vos larmes **2.** *(enjugarse)* se sécher **3.** *(fuente, pozo)* tarir **4.** *(plantas)* se dessécher **5.** FIG *(el corazón)* se dessécher.

**sección** *f* **1.** *(cortadura)* section **2.** *(dibujo)* coupe: **~ de un motor** coupe d'un moteur; **terreno en ~** terrain en coupe **3.** *(de un almacén, una tienda)* rayon *m*: **la ~ de perfumería** le rayon de parfumerie **4.** service *m*, département *m*: **la ~ de pediatría de un hospital** le service de pédiatrie d'un hôpital **5.** MIL section.

**seccionar** *vt* sectionner.

**secesión** *f* sécession: **la guerra de Secesión** la guerre de Sécession.

**seco, a** *a* **1.** sec, sèche: **la ropa está seca** le linge est sec; **higo ~** figue sèche; **golpe ~** coup sec ◊ FIG **dejar ~ a alguien** tuer net, étendre quelqu'un raide mort **2.** *loc adv* **a secas** tout court: **me llaman Paco a secas** on m'appelle Paco tout simplement; **en ~** à sec: **limpieza en ~** nettoyage à sec; **pararse en ~** s'arrêter net, pile; **frenar en ~** freiner sec, brusquement, piler.

**secoya** *f* séquoia *m.*

**secreción** *f* sécrétion.

**secreta** *f* **1.** *(oración)* secrète **2.** police secrète.

**secretamente** *adv* secrètement.

**secretar** *vt* sécréter.

**secretaría** *f* **1.** *(cargo y oficina)* secrétariat *m*: **la ~ de la Universidad** le secrétariat de l'Université **2.** ministère *m.*

**secretariado** *m* secrétariat.

**secretario, a** *s* *(persona)* secrétaire: **~ de Estado** secrétaire d'État; **secretaria de dirección** secrétaire de direction.

**secretear** *vi* FAM chuchoter, faire des messes basses.

**secreteo** *m* FAM chuchotement.

**secreter** *m* *(mueble)* secrétaire.

**secreto, a** *a* secret, ète. ◇ *m* **1.** secret: **~ de Estado, de fabricación, profesional** secret d'État, de fabrication, professionnel; **en ~** en secret; **guardar un ~** garder un secret; **~ a voces** secret de Polichinelle **2.** *(de órgano)* sommier.

**secretor, a** *a* sécréteur, trice.

**secta** *f* secte.

**sectario, a** *a/s* **1.** sectateur, trice **2.** *(fanático)* sectaire.

**sectarismo** *m* sectarisme.

**sector** *m* secteur: **~ privado, público** secteur privé, public.

**sectorial** *a* sectoriel, elle: **acuerdos sectoriales** accords sectoriels.

**secuaz** *a/s* partisan, acolyte: **sus secuaces** ses acolytes.

**secuela** *f* séquelle, suite.

**secuencia** *f* séquence.

**secuencial** *a* séquentiel, elle.

**secuestrador, a** *a/s* **1.** ravisseur, euse: **los secuestradores del cónsul** les ravisseurs du consul **2. ~ aéreo** pirate de l'air.

**secuestrar** *vt* **1.** *(detener a alguien por la fuerza)* séquestrer **2.** *(raptar)* enlever, kidnapper: **~ a un niño** enlever un enfant **3.** *(un avión)* détourner **4.** *(a un rehén)* prendre en otage **5.** *(una publicación)* saisir.

**secuestro** *m* **1.** *(de bienes)* séquestre **2.** *(de una persona)* séquestration *f* **3.** *(rapto)* enlèvement **4.** *(de rehenes)* prise *f* d'otages **5. ~ aéreo** détournement d'avion **6.** *(de una publicación)* saisie *f.*

**secular** *a* séculaire. ◇ *a/s* *(no eclesiástico)* séculier, ère.

**secularización** *f* sécularisation.

**secularizar** *vt* séculariser.

**secundar** *vt* seconder.

**secundario, a** *a* **1.** secondaire: **efectos secundarios** effets secondaires; **era secundaria** ère secondaire **2. actor ~** acteur secondaire, second rôle.

**secuoya** *f* séquoia.

**[1]sed** *f* **1.** soif: **tengo mucha ~** j'ai très soif ◊ **quitar la ~** désaltérer **2.** FIG soif: **~ de libertad** soif de liberté.

**[2]sed → ser.**

**seda** *f* **1.** soie: **corbata de ~** cravate en soie; **papel de ~** papier de soie **2.** *(del jabalí)* soie **3.** FIG **como una ~** *(con mucha facilidad)* comme sur des roulettes, parfaitement; *(una persona)* doux, douce comme un agneau; **todo ha ido como una ~** tout a parfaitement marché, tout s'est très bien passé **4.** FAM **hacer ~** roupiller.

**sedación** *f* sédation.

**sedal** *m* *(para la pesca)* ligne *f.*

**sedán** *m* *(coche)* berline *f*, conduite intérieure *f.*

**sedante** *m* sédatif, calmant.

**sedativo, a** *a/m* sédatif, ive.

**sede** *f* *(episcopal, de un organismo)* siège *m*: **la ~ de las Naciones Unidas** le siège des Nations-Unies; **la Santa Sede** le Saint-Siège.

**sedentario, a** *a* sédentaire.

**sedentarización** *f* sédentarisation.

**sedente** *a* assis, e.

**sedería** *f* soierie.

**sedero, a** *a* de la soie. ◇ *m* fabricant, marchand de soieries.

**sedicente, sediciente** *a* soi-disant *inv*: **el ~ estudiante** le soi-disant étudiant.

**sedición** *f* sédition.

**sedicioso, a** *a* séditieux, euse.

**sediento, a** *a* **1.** assoiffé, e, altéré, e **2.** FIG **~ de gloria** assoiffé de gloire.

**sedimentación** *f* sédimentation.

**sedimentar** *vt* *(un sedimento)* déposer. ◆ **~se** *vpr* se déposer.

**sedimentario, a** *a* sédimentaire.

**sedimento** *m* sédiment.

**sedoso, a** *a* soyeux, euse.

**seducción** *f* séduction.

**seducir*** *vt* **1.** séduire: **~ a una mujer** séduire une femme **2.** séduire: **me seduce tu idea** ton idée me séduit.

**seductor, a** *a* séduissant, e. ◇ *a/s (persona)* séducteur, trice.

**sefardí, sefardita** *a/s* séfarade, séfardi.

**segador, a** *a/s* faucheur, euse, moissonneur, euse. ◇ *m (araña)* faucheux. ◇ *f (máquina)* moissonneuse.

**segar*** *vt* **1.** faucher, moissonner **2.** *FIG* faucher: **~ las ilusiones** faucher les illusions.

**Segismundo** *np m* Sigismond.

**seglar** *a/m* séculier, ère, laïque, laïc.

**segmentación** *f BIOL* segmentation.

**segmentar** *vt* segmenter.

**segmento** *m* **1.** segment **2.** *(fase)* tranche *f*: **~ horario** tranche horaire.

**Segovia** *np* Ségovie.

**segregación** *f* **1.** ségrégation: **~ racial** ségrégation raciale **2.** *(separación)* séparation **3.** *(secreción)* sécrétion.

**segregacionista** *a/s* ségrégationniste.

**segregar** *vt* **1.** séparer **2.** *(una sustancia líquida)* sécréter.

**segueta** *f* scie à découper.

**seguida** *f* **1.** suite **2.** *loc adv* **de ~** immédiatement; **en ~** tout de suite, immédiatement: **el médico llegó en ~** le médecin est arrivé immédiatement; **en ~ de cenar** aussitôt après avoir dîné; **en ~ que llegaron** sitôt arrivés.

**seguidamente** *adv* aussitôt après, tout de suite après.

**seguidilla** *f* séguedille.

**seguido, a** *a* **1.** suivi, e **2.** continu, e, ininterrompu, e **3.** de suite, d'affilée: **diez días seguidos** dix jours de suite; **cinco veces seguidas** cinq fois de suite; **fumar tres cigarrillos seguidos** fumer trois cigarettes d'affilée, à la suite ◊ **acto ~ → acto 4.** en ligne droite. ◇ *adv* tout droit: **ir todo ~** aller tout droit **2.** *AMER (a menudo)* souvent, fréquemment.

**seguidor, a** *a* qui suit. ◇ *m* **1.** disciple, adepte **2.** supporter: **los seguidores del Club X** les supporters du Club X.

**seguimiento** *m* **1.** poursuite *f*, action *f* de suivre **2.** *(por un detective)* filature *f* **3.** *(de un negocio, etc.)* suivi.

**seguir*** *vt* **1.** suivre: **el perro sigue a su amo** le chien suit son maître; **sígame** suivez-moi; **~ con la mirada** suivre du regard; **~ el ejemplo, las huellas de** suivre l'exemple, les traces de **2.** poursuivre, continuer **3. el que la sigue la consigue** celui qui persévère dans son effort réussit. ◇ *vi* **1.** continuer à, de: **~ leyendo** continuer à lire; **sigue lloviendo** il continue de pleuvoir; **me seguía haciendo regalos** il continuait de me faire des cadeaux; **papá sigue bien** papa continue à bien se porter, papa va bien **2.** rester: **~ en la misma postura** rester dans la même position; **seguía con los ojos cerrados** il restait les yeux fermés; **sigue ocupando el primer puesto en la clasificación** il reste en tête du classement; **sigo siendo tu amigo** je reste ton ami **3.** être toujours: **sigue en el hospital** il est toujours à l'hôpital; **seguimos sin noticias de él** nous sommes toujours sans nouvelles de lui, nous n'avons toujours pas de nouvelles de lui; **sigo sin entender** je ne comprends toujours pas; **sigue soltero** il est toujours célibataire **4. esto no puede ~ así** ça ne peut pas continuer ainsi. ◆ **~se** *vpr* **1.** se suivre **2.** *(inferirse)* s'ensuivre.

**según** *prep* **1.** selon, d'après, suivant: **~ él** d'après lui; **~ tú** d'après toi; **Evangelio ~ San Lucas** Évangile selon saint Luc; **~ los casos** suivant les cas; **~ parece** à ce qu'il paraît; **~ ha declarado el presidente** d'après ce qu'a déclaré le président; **~ he oído decir** d'après ce que j'ai entendu dire; **~ se desprende de...** d'après ce qu'il ressort de...; **~ se encuentre el enfermo** selon l'état du malade; **~ vayas vestido** selon la façon dont tu es habillé **2.** *(como)* comme **3.** *(a medida que)* à mesure que: **~ iba subiendo la escalera** à mesure qu'il montait l'escalier; **~ iba creciendo, su hija...** à mesure qu'elle grandissait, sa fille... **4.** *(en respuestas)* c'est selon, ça dépend **5.** tant, tellement **6.** *loc adv* **~ y como, ~ y conforme** exactement comme; *(en respuestas)* ça dépend **7.** *loc conj* **~ que** suivant que, selon que.

**segunda** *f* **1.** *(velocidad, clase en ferrocarril)* seconde **2.** *FIG (segunda intención)* arrière-pensée: **con ~** avec une arrière-pensée.

**segundero** *m (de reloj)* trotteuse *f*.

**segundo, a** *a* second, e, deuxième, deux: **segunda vez** deuxième fois; **capítulo ~** chapitre deux. ◇ *m* **1.** *(en una jerarquía)* second **2.** *(división del minuto)* seconde *f*: **vuelvo en un ~** je reviens dans une seconde **3.** *(piso)* second.

**segundogénito, a** *a/s* cadet, ette.

**segundón** *m* **1.** *(hijo segundo)* cadet **2.** *FIG* second: **el eterno ~** l'éternel second.

**segur** *f* **1.** *(hacha grande)* hache, cognée **2.** *(hoz)* faucille.

**seguramente** *adv* sûrement, assurément.

**seguridad** *f* **1.** sûreté: **cerradura de ~** serrure de sûreté **2.** sécurité: **~ social** sécurité sociale; **cinturón de ~** ceinture de sécurité **3.** assurance: **hablar con ~** parler avec assurance ◊ **~ en sí mismo** confiance en soi, assurance: **no tiene ~ en sí misma** elle n'a pas confiance en elle **4.** *(fianza)* garantie **5.** *loc adv* **en ~** en sûreté; **con toda ~** sûrement, certainement, à coup sûr; **saber con ~** savoir d'une façon sûre.

**seguro, a** *a* **1.** sûr, e, certain, e: **¿estás ~ de que vendrá?** es-tu sûr qu'il viendra?; **ten por ~ que...** tiens pour certain que..., sois bien persuadé que... **2.** *(firme)* sûr, e **3.** *(en que se puede confiar)* sûr, e. ◇ *m* **1.** assurance *f*: **compañía de seguros** compagnie d'assurances; **~ de incendios** assurance contre l'incendie; **~ de desempleo** assurance chômage; **~ de enfermedad** assurance maladie; **~ de vida** assurance sur la vie, assurance-vie **2.** *(de un arma de fuego)* cran de sûreté **3.** *loc adv* **a buen ~ , de ~** sûrement, certainement, à coup sûr; **en ~** en sécurité; **sobre ~** sans courir aucun risque, à coup sûr. ◇ *adv (en respuestas)* sûrement.

**seibo** *AMER* **→ ceibo.**

**seis** *a/m* six: **son las ~** il est six heures.

**seisavo, a** *a/s* sixième.

**seiscientos, as** *a/m* six cents.

**seise** *m* petit chanteur de la cathédrale de Séville.

**seísmo** *m* séisme.

**seje** *m AMER* variété de cocotier.

**selección** *f* **1.** sélection, choix *m* **2. la ~ natural** la sélection naturelle.

**seleccionador, a** *s* sélectionneur, euse.

**seleccionar** *vt* sélectionner.

**selectividad** *f* **1.** sélectivité **2.** examen *m* d'accès à l'enseignement supérieur.

**selectivo, a** *a* sélectif, ive. ◇ *m (curso)* année *f* préparatoire.

**selecto, a** *a* choisi, e.

**selenio** *m QUÍM* sélénium.

**self-made-man** *m* self-made-man.

**self-service** *m* self-service.

**sellado, a** *a* **papel ~** papier timbré. ◇ *m* scellage.

**selladura** *f* scellage *m*, cachetage *m*.

**sellar** *vt* **1.** *(imprimir el sello a)* sceller **2.** *(cerrar con un sello)* cacheter **3.** *(una carta, etc.)* timbrer **4.** *(el oro)* poinçonner **5.** *FIG* sceller: **~ un pacto** sceller un pacte.

**sello** *m* **1.** *(disco de cera o plomo)* sceau **2.** *(instrumento para estampar y su marca)* cachet **3.** *(viñeta de papel)* timbre: **~ postal** timbre-poste; **un ~ y un sobre** un timbre et une enveloppe **4.** *(medicina)* cachet: **un ~ de aspirina** un cachet d'aspirine **5.** *(para contrastar el oro)* poinçon **6.** *FIG* cachet, marque *f* distinctive **7. ~ de Salomón** sceau-de- Salomon.

**selva** *f* **1.** forêt: **~ virgen** forêt vierge **2. la ley de la ~** la loi de la jungle; **El libro de la ~** *(Kipling)* le Livre de la jungle.

**selvático, a** *a* **1.** *(de las selvas)* sylvestre **2.** *FIG* sauvage, rustre.

**selvoso, a** *a* boisé, e.

**semáforo** *m* **1.** *(para comunicarse con los barcos, de ferrocarril)* sémaphore **2.** *(en las calles)* feu, feux *pl*: **pararse en un ~ en rojo** s'arrêter à un feu rouge; **el ~ se pone (en) verde** le feu passe au vert.

**semana** *f* **1.** semaine: **~ inglesa** semaine anglaise; **~ santa** la semaine sainte; **entre ~** en semaine; **40 horas a la ~** 40 heures par semaine; *FIG* **la ~ que no tenga viernes** la semaine des quatre jeudis ◊ **fin de ~ → fin 2. ha cobrado su ~** il a touché sa semaine.

**semanal** *a* **1.** hebdomadaire **2. 40 horas semanales** 40 heures par semaine.

**semanalmente** *adv* chaque semaine.

**semanario** *a/m* hebdomadaire.

**semanero, a** *a/s* semainier, ère.

**semántico, a** *a/f* sémantique.

**semblante** *m* **1.** visage, figure *f*, mine *f*: **la expresión del ~** l'expression du visage; **un ~ risueño** un visage souriant, une mine souriante **2.** *FIG* aspect.

**semblantear** *vt AMER* dévisager, fixer.

**semblanza** *f* notice biographique, portrait *m*.

**sembradera** *f* semoir *m*.

**sembradío, a** *a (terreno)* propre à être ensemencé, e.

**sembrado** *m* champ ensemencé, terre *f* ensemencée.

**sembrador, a** *s* semeur, euse. ◇ *f (máquina para sembrar)* semoir *m*.

**sembradura** *f* ensemencement *m*.

**sembrar*** *vt* **1.** semer, ensemencer **2.** *(esparcir)* joncher **3.** *FIG* semer: **~ la discordia** semer la discorde **4.** *PROV* **quien siembra vientos recoge tempestades → viento.**

**sembrío** *m AMER* champ ensemencé.

**semejante** *a* **1.** semblable: **dos polígonos semejantes** deux polygones semblables **2.** pareil, eille, tel, telle: **¿cómo explicar ~ éxito?** comment expliquer un pareil, un tel succès?; **nunca he visto cosa ~** je n'ai jamais vu pareille chose, une chose semblable. ◇ *m* semblable: **nuestros semejantes** nos semblables.

**semejanza** *f* ressemblance.

**semejar** *vi* ressembler. ◆ **~se** *vpr* se ressembler.

**semen** *m* **1.** sperme **2.** *BOT* semence *f*.

**semental** *a* relatif, ive aux semailles. ◇ *a/m (animal)* étalon.

**sementera** *f* **1.** *(acción, tiempo)* semailles *pl* **2.** *(tierra sembrada)* semis *m*.

**semestral** *a* semestriel, elle.

**semestre** *m* semestre.

**semibreve** *f MÚS* ronde.

**semicircular** *a* semi-circulaire, demi-circulaire.

**semicírculo** *m* demi-cercle.

**semiconductor** *m ELECT* semi-conducteur.

**semiconserva** *f* semi-conserve.

**semiconsonante** *f* semi-consonne.

**semicorchea** *f MÚS* double-croche.

**semidescremado, a, semidesnatado, a** *a (leche)* demi-écrémé, e.

**semidiós** *m* demi-dieu.

**semidormido, a** *a* à moitié endormi, e.

**semiesférico, a** *a* hémisphérique.

**semifinal** *f* demi-finale.

**semifinalista** *s* demi-finaliste.

**semifusa** *f MÚS* quadruple croche.

**semilla** *f* **1.** graine, semence **2.** *FIG* semence.

**semillero** *m* **1.** pépinière *f* **2.** *FIG* source *f*, cause *f*.

**seminal** *a* séminal, e.

**seminario** *m* **1.** séminaire: **~ mayor** grand séminaire; **~ menor** petit séminaire **2.** *(grupo de personas)* séminaire.

**seminarista** *m* séminariste.

**semínima** *f MÚS* noire.

**semiología** *f* sémiologie.

**semiótica** *f* sémiotique.

**semipesado** *a/m (en boxeo)* mi-lourd.

**semirremolque** *m* semi-remorque *f*.

**semita** *a/s* sémite. ◇ *f AMER (bollo)* sorte de petit pain *m*.

**semítico, a** *a* sémitique.

**semitono** *m MÚS* demi-ton, semi-ton.

**semivocal** *f* semi-voyelle.

**sémola** *f* semoule.

**semovientes** *a* **bienes ~** bétail *sing*.

**sempiterno, a** *a* sempiternel, elle. ◇ *f (planta)* immortelle.

**[1]sen** *m (arbusto)* séné.

**[2]sen** *m (moneda)* sen.

**Sena** *np m* **el ~** la Seine.

**senado** *m* sénat.

**senadoconsulto** *m* sénatus-consulte.

**senador** *m* sénateur.

**senaduría** *f* dignité sénatoriale.

**senatorial** *a* sénatorial, e.

**sencillamente** *adv* simplement.

**sencillez** *f* simplicité.

**sencillo, a** *a* **1.** simple **2.** *FIG* simple, naïf, naïve, candide.

**senda** *f*, **sendero** *m* **1.** *(camino)* sentier *m*, sente *f* **2.** *FIG* chemin **3. Sendero luminoso** Sentier lumineux.

**senderismo** *m* randonnée *f* (pédestre).

**sendero → senda.**

**sendos, as** *a* chacun, chacune un, chacun, chacune une: **los turistas llevaban sendas maletas** les touristes portaient chacun une valise.

**Séneca** *np m* Sénèque.

**senectud** *f* vieillesse.

**Senegal** *np m* Sénégal.

**senegalés, esa** *a/s* sénégalais, e.

**senescal** *m* sénéchal.

**senescencia** *f* sénescence.

**senil** *a* sénile.

**senilidad** *f* sénilité: **~ prematura** sénilité précoce.

**senior** *a/s* senior.

**seno** *m* **1.** *(pecho)* sein **2.** *FIG* sein: **en el ~ de** au sein de **3.** *(de la Iglesia)* giron **4.** *(bahía)* golfe **5.** *ANAT, MAT* sinus.

**sensación** *f* **1.** sensation: **~ de calor, de frío** sensation de chaleur, de froid **2.** sensation, impression: **causar ~** faire sensation **3. me da la ~ de que** j'ai l'impression, le sentiment que; **tuve la ~ de que** j'ai eu l'impression que.

**sensacional** *a* sensationnel, elle.

**sensacionalismo** *m* sensationnalisme.

**sensacionalista** *a* **prensa ~** presse à sensation.

**sensatamente** *adv* sensément, judicieusement.

**sensatez** *f* bons sens *m*, sagesse.

**sensato, a** *a* sensé, e.

**sensibilidad** *f* sensibilité.

**sensibilización** *f* sensibilisation.

**sensibilizar** *vt* sensibiliser.

**sensible** *a* **1.** sensible: **~ al frío** sensible au froid; **soy muy ~ a...** je suis très sensible à...; **placa ~** plaque sensible **2.** regrettable, déplorable **3.** pénible.

**sensiblemente** *adv* sensiblement.

**sensiblería** *f* sensiblerie.

**sensitivo, a** *a* sensitif, ive. ◇ *f (planta)* sensitive.

**sensor** *m* TECN senseur, capteur.

**sensorial** *a* sensoriel, elle.

**sensorio, a** *a* sensoriel, elle.

**sensual** *a* sensuel, elle.

**sensualidad** *f* sensualité.

**sensualismo** *m* sensualisme.

**sensualista** *a* sensualiste.

**sentada** → **asentada.** ◇ *f (acción de protesta)* sit-in *m*.

**sentado, a** *a* **1.** assis, e **2.** *(juicioso)* sensé, e, réfléchi, e, prudent, e **3. pan ~** pain rassis **4.** BOT sessile **5. dar por ~** considérer comme acquis; **esperar ~** → **esperar.**

**sentar*** *vt* **1.** asseoir **2.** FIG établir, fonder **3.** inscrire **4. ~ la cabeza** → **cabeza.** ◇ *vi* **1.** réussir, ne pas réussir, faire du bien, du mal: **no me sienta bien la leche** le lait ne me réussit pas; **he comido algo que me ha sentado mal** j'ai mangé quelque chose qui m'est resté sur l'estomac, qui a eu du mal à passer; **te sentará bien tomar el aire** ça te fera du bien de prendre l'air **2.** *(vestido, peinado, etc.)* aller bien, mal: **este pantalón te sienta mal** ce pantalon te va mal **3.** *(agradar o no)* plaire, ne pas plaire: **le sentó mal tu consejo** ton conseil ne lui a pas plus. ◆ **~se** *vpr* s'asseoir: **se sentó en el sofá** il s'assit sur le canapé; **siéntese** asseyez-vous; **sentarse en el suelo** s'asseoir par terre; **volver a sentarse** se rasseoir.

**sentazón** *f* AMER éboulement *m*.

**sentencia** *f* **1.** *(frase)* sentence **2.** JUR sentence, jugement *m*, arrêt *m*: **~ firme** jugement sans appel.

**sentenciar** *vt* **1.** juger **2.** condamner: **~ a destierro** condamner à l'exil; **~ a muerte** condamner à mort. ◇ *vi* juger, prononcer, rendre un jugement.

**sentencioso, a** *a* sentencieux, euse.

**sentido, a** *a* **1.** senti, e **2.** ému, e, sincère: **mi más ~ pésame** mes sincères condoléances; **unas sentidas palabras de agradecimiento** quelques paroles bien senties, émues de remerciement **3.** susceptible. ◇ *m* **1.** sens: **los cinco sentidos** les cinq sens; **~ común** sens commun, bons sens; **el ~ del deber** le sens du devoir; **el ~ del humor** le sens de l'humour; **el sexto ~** le sixième sens ◊ **no tener ~** ne pas avoir de sens, ne pas tenir debout; **perder el ~** perdre connaissance; **con los cinco sentidos** avec la plus grande attention; **poner los cinco sentidos en** apporter la plus grande attention à; FAM **costar un ~** coûter les yeux de la tête **2.** *(de una palabra)* sens: **en ~ figurado** au sens figuré **3.** *(direción)* sens: **calle en ~ único** rue à sens unique; **en ~ opuesto** en sens inverse.

**sentimental** *a* sentimental, e.

**sentimentalismo** *m (calidad de sentimental)* sentimentalisme, sentimentalité *f*.

**sentimiento** *m* **1.** sentiment: **un ~ de tristeza** un sentiment de tristesse; **buenos sentimientos** de bons sentiments **2.** *(pesar)* regret: **tenemos el ~ de comunicarle...** nous avons le regret de vous faire savoir... **3.** *(pena)* peine *f*, chagrin, douleur *f*: **le acompaño en el ~** je prends part à votre chagrin.

**sentina** *f* **1.** MAR sentine **2.** FIG cloaque *m*.

**¹sentir** *m* **1.** sentiment **2.** avis, opinion *f*: **en mi ~** à mon avis.

**²sentir*** *vt* **1.** sentir: **~ un dolor** sentir une douleur **2.** *(oír)* entendre: **siento pasos** j'entends des pas **3.** éprouver, ressentir, avoir: **~ cariño, tristeza** éprouver de l'affection, de la tristesse; **~ lástima por** éprouver de la pitié pour, avoir pitié de; **~ frío, miedo** avoir froid, peur; **sintió sed** il eut soif **4. dejarse ~** se faire sentir **5.** penser: **digo lo que siento** je dis ce que je pense **6.** *(lamentar)* regretter: **siento no poder acompañarte** je regrette de ne pas pouvoir t'accompagner; **lo siento mucho** je le regrette vivement; **¡lo siento!** désolé! **7. sin ~** sans que l'on s'en rende compte. ◆ **~se** *vpr* **1.** se sentir: **me siento cansado, feliz** je me sens fatigué, heureux; **no me siento bien** je ne me sens pas bien; **se sintió un poco mejor** il se sentit un peu mieux; **se siente humillado** il se sent humilié **2. sentirse de** souffrir de **3.** s'offenser **4.** *(rajarse)* se fendiller.

**seña** *f* **1.** signe *m*: **le hace señas de que se calle** il lui fait signe de se taire; **le hizo señas de que esperara** il lui fit signe d'attendre **2.** *(ademán)* geste: **hablar por señas** s'exprimer par gestes. ◇ *pl* **1.** *(dirección)* adresse *sing*: **dame tus señas** donne-moi ton adresse **2.** *(rasgos característicos de alguien)* signalement *m sing* **3.** *loc adv* **por más señas** pour être plus précis.

**señal** *f* **1.** *(marca, indicio)* signe *m* **2.** signe *m*, preuve, témoignage *m* ◊ **en ~ de** en signe de: **en ~ de duelo** en signe de deuil; **en ~ de solidaridad** en signe, en témoignage de solidarité; **en ~ de confianza** comme preuve de confiance **3.** *(huella)* trace **4.** *(cicatriz)* cicatrice **5.** *(para avisar)* signal *m*: **señales acústicas, luminosas** signaux acoustiques, lumineux; **~ de alarma** signal d'alarme; **dar la ~** donner le signal ◊ **señales de tráfico** panneaux *m* de signalisation; **una ~ de prohibido aparcar** un panneau d'interdiction de stationner **6.** *(teléfono)* tonalité **7. ~ de la cruz** signe *m* de croix **8.** *(cantidad de dinero)* arrhes *pl* **9. ni ~ de...** pas la moindre trace de; **con pelos y señales** → **pelo.**

**señaladamente** *adv* particulièrement.

**señalado, a** *a* **1.** remarquable, notable, appréciable **2.** fameux, euse **3.** *(día, fecha)* marquant, e, mémorable **4. en señaladas ocasiones** dans les grandes occasions.

**señalamiento** *m* fixation *f* (d'un rendez-vous, etc.).

**señalar** *vt* **1.** montrer, indiquer: **~ con el dedo** montrer du doigt **2.** marquer: **~ con tiza** marquer à la craie **3.** signaler: **~ un error** signaler une erreur **4.** *(determinar la fecha, etc.)* fixer. ◆ **~se** *vpr* se distinguer, se signaler.

**señalización** *f* signalisation.

**señalizar** *vt* signaliser.

**señero, a** *a* **1.** solitaire **2.** unique, sans égal: **una figura señera de la pintura contemporánea** une grande figure, une figure de proue de la peinture contemporaine.

**¹señor, a** *a/s (dueño)* maître, esse. ◇ *a* noble, distingué, e, élégant, e, imposant, e: **un ~ coche** une voiture de classe. ◇ *s* **1.** *(feudal)* seigneur **2. el Señor** le Seigneur; **Nuestro Señor** Notre-Seigneur **3.** monsieur: **¿quién es ese ~ ?** qui est ce monsieur?; **el ~ Gómez** monsieur Gómez; **el ~ director** monsieur le directeur; **el ~ cura** monsieur le curé; **muy ~ mío** monsieur, cher monsieur **4. señores** messieurs **5. su padre es todo un ~** son père est un vrai gentleman **6.** *(título real)* sire.

**²señora** *f* **1.** dame: **¿quién es esa ~ ?** qui est cette dame?; **~ de compañía** dame de compagnie **2. Nuestra Señora** Notre-Dame **3.** madame: **la ~ de Gómez** madame Gómez (**de** signifie épouse de M. Gómez); **la ~ condesa** madame la comtesse; **muy ~ mía** madame, chère madame **4. señoras** mesdames **5.** *(esposa)* femme: **recuerdos a tu ~** mon bon souvenir à ta femme.

**señorear** *vt* **1.** commander en maître **2.** *(estar en posición superior)* dominer **3.** FIG *(las pasiones)* maîtriser.

**señoría** *f* **1.** seigneurie **2. su ~** votre Seigneurie.

**señorial** *a* **1.** seigneurial, e **2.** noble, majestueux, euse **3.** de grande classe.

**señoril** *a* propre au seigneur, seigneurial, e.

**señorío** *m* **1.** *(dignidad, territorio)* seigneurie *f* **2.** *(dominio)* pouvoir, autorité *f* **3.** *FIG (en el porte, etc.)* distinction *f* **4.** maîtrise *f* de soi **5.** *FAM* gens *pl* huppés.

**señorita** *f* **1.** jeune fille **2.** demoiselle: **dos viejas señoritas** deux vieilles demoiselles **3.** *(tratamiento de cortesía)* mademoiselle: **la ~ Ana** mademoiselle Anne **4.** mademoiselle, madame (par rapport aux domestiques).

**señoritingo, a** *s PEYOR* fils, fille à papa.

**señorito** *m* **1.** *(tramiento que dan los criados a las personas jóvenes de una casa)* monsieur: **el ~ no está** monsieur n'est pas là **2.** *FAM* fils à papa, fils de famille.

**señorón, ona** *a/s* grand seigneur, grande dame.

**señuelo** *m* **1.** *(para atraer a las aves)* appeau, leurre **2.** *FIG* appât, leurre **3.** *AMER* groupe de bœufs qui guident le troupeau.

**seo** *f* cathédrale (en Aragon).

**sepa,** etc. → **saber.**

**sépalo** *m BOT* sépale.

**separable** *a* séparable.

**separación** *f* **1.** séparation **2.** *JUR* **~ conyugal** séparation de corps.

**separadamente** *adv* séparément.

**separado, a** *a* **1.** séparé, e **2.** *loc adv* **por ~** séparément.

**separador, a** *a/m* séparateur, trice.

**separar** *vt* **1.** séparer **2.** *(alejar)* écarter. ◆ **~se** *vpr* **1.** *(dejar de estar en contacto)* s'écarter **2.** *(esposos)* se séparer: **se han separado** ils se sont séparés **3.** se séparer: **se ha separado de su socio** il s'est séparé de son associé.

**separata** *f* tirage *m* à part.

**separatismo** *m* séparatisme.

**separatista** *a/s* séparatiste.

**separo** *m AMER* cachot, cellule *f.*

**sepelio** *m* enterrement, inhumation *f.*

**sepia** *f* **1.** *(molusco)* seiche **2.** *(color)* sépia.

**septenio** *m* espace de sept ans, septennat.

**septentrión** *m* septentrion.

**septentrional** *a* septentrionnal, e.

**septeto** *m MÚS* septuor.

**septicemia** *f* septicémie.

**séptico, a** *a* septique: **fosa séptica** fosse septique.

**septiembre** *m* septembre: **el 2 de ~ de 1900** le 2 septembre 1900.

**séptimo, a** *a/s* septième: **en el ~ piso** au septième étage **el ~ arte** le septième art. ◇ *f MÚS* septième.

**septuagenario, a** *a/s* septuagénaire.

**septuagésima** *f RELIG* septuagésime.

**septuagésimo, a** *a* soixante-dizième.

**septuplicar** *vt* septupler.

**séptuplo, a** *a/m* septuple.

**sepulcral** *a* sépulcral, e: **un silencio ~** un silence sépulcral.

**sepulcro** *m* **1.** tombeau, sépulcre: **bajar al ~** descendre au tombeau **2. Santo ~** Saint sépulcre; **sepulcros blanqueados** sépulcres blanchis **3.** *FIG* **ser un ~** être muet comme une tombe.

**sepultar** *vt* **1.** enterrer, ensevelir, inhumer **2.** *FIG (ocultar)* cacher **3.** *(sumergir)* plonger.

**sepulto, a** *a* enterré, e, enseveli, e.

**sepultura** *f* **1.** sépulture, inhumation *f* ◊ **dar ~ a alguien** enterrer quelqu'un **2.** *(fosa)* tombe, sépulture ◊ **estar con un pie en la ~** avoir un pied dans la tombe.

**sepulturero** *m* fossoyeur.

**seque,** etc. → **secar.**

**saqueador, a** *s* saccageur, euse.

**sequía** *f* sécheresse.

**sequedad** *f* sécheresse.

**séquito** *m* **1.** suite *f,* cortège: **el rey y su ~** le roi et sa suite **2.** *FIG* cortège.

[1]**ser*** *m* **1.** être: **el Ser supremo** l'Être suprême; **un ~ querido** un être cher; **los seres vivos** les êtres vivants **2.** existence *f,* vie *f.*

[2]**ser** *vi* **1.** être: **soy como soy** je suis comme je suis: **cada cual es como es** chacun est comme il est; **todos los hombres son mortales** tous les hommes sont mortels; **esta pulsera es de oro** ce bracelet est en or; **mi hermano es abogado, es de Guadalajara** mon frère est avocat, il est de Guadalajara; **somos cinco** nous sommes cinq; **si yo fuera usted** si j'étais vous; **es tarde** il est tard; **son las seis** il est six heures; **es verdad** c'est vrai; **hoy es lunes** c'est aujourd'hui lundi; **¿quién es?** qui est-ce?; **soy yo** c'est moi; **¿eres tú, Luis?** c'est toi, Louis?; **son mis primas** ce sont mes cousines; **era la primera vez que...** c'était la première fois que...; **aquí es** c'est ici; **sí, es en el salón** oui, c'est dans le salon; *FAM* **¡más eres tú!** → **más 2.** *(pertenecer)* être à: **esto es mío, tuyo** ceci est à moi, à toi; **estos discos son de mi hermana** ces disques sont à ma sœur **3.** *(suceder)* avoir lieu, se produire, se passer, arriver: **el entierro fue ayer** l'enterrement a eu lieu hier; **la clase era por la tarde** le cours avait lieu l'après-midi; **la escena es en un bar** la scène se passe dans un bar; **¿cómo fue eso?** comment cela s'est-il produit?, est-il arrivé?; **¿cómo te fue en Chile?** comment ça s'est passé pour toi au Chili? **4.** *(costar)* **¿cuánto es?** c'est combien? **5.** *MAT* **4 y 4 son 8** 4 et 4 font 8 **6.** *(comme auxiliare, sert à former la voix passive)* être: **su discurso fue muy aplaudido** son discours a été très applaudi **7. ¿qué ha sido de él?** qu'est-il devenu?; **¿qué será de todo esto?** que deviendra tout cela? **8. es muy de él** c'est bien de lui; **es de suponer que...** il faut supposer que...; **~ de lo que no hay** être extraordinaire, unique **9. ~ para** être fait pour, être bon à: **no soy para eso** je ne suis pas fait pour cela; **~ para poco** ne pas être bon à grand-chose; **¡es para volverse loco!** il y a de quoi devenir fou! **10. a no ~ que** à moins que: **iré a no ~ que me necesites** j'irai à moins que tu n'aies besoin de moi; **¡cómo es eso!** voyons!, comment est-ce possible!; **con ~** bien que; **de no ~** si ce n'est; **érase una vez, érase que se era...** il était une fois...; **¡eso es!** c'est ça!; **lo que sea** n'importe quoi; **no sea que...** il ne faudrait pas que...; **o sea** autrement dit; **sea lo que fuere, sea lo que sea, sea como fuere** quoi qu'il en soit; **sea cual fuere la decisión** quelque soit la décision; **sean lo que sean...** quelqu'ils soient, quelqu'elles soient...; **sea ... sea** soit ... soit; **siendo así** cela étant, dans ce cas **11. un si es no es** un tout petit peu.

▶ Voir aussi l'article *être* dans la partie français-espagnol.

**sera** *f* couffe, couffin *m.*

**será** → **ser.**

**seráfico, a** *a* séraphique.

**serafín** *m* séraphin.

**serba** *f* sorbe, corme.

**serbal** *m* sorbier, cormier.

**Serbia** *np f* Serbie.

**serbio, a** *a/s* serbe.

**serbocroata** *a/m* serbo-croate.

**serenar** *vt* **1.** calmer, apaiser, tranquilliser **2.** *(a uno)* rasséréner. ◆ **~se** *vpr* se calmer: **yo me serené** je me calmai.

**serenata** *f* sérénade.

**serenidad** *f* sérénité, calme *m.*

**serenísimo, a** *a* sérénissime.

**sereno, a** *a* **1.** *(cielo, tiempo)* serein, e **2.** *FIG* paisible, calme, serein, e. ◇ *m* **1.** *(vigilante nocturno)* veilleur de nuit **2.** *(humedad nocturna)* serein **3.** *loc adv* **al ~** à la belle étoile.

**Sergio** *np m* Serge.

**serial** *m* feuilleton: **~ radiofónico** feuilleton radiophonique.

**seriamente** *adv* sérieusement.

**sericicultor, a, sericultor, a** *s* séricicultеur, euse.

**sericicultura, sericultura** *f* sériciculture.

**serie** *f* série: **en ~** en série; **fuera de ~** hors série; **restos de series** fins de séries.

**seriedad** *f* sérieux *m*: **¡un poco de ~ !** un peu de sérieux! ◊ **de toda ~** très sérieux, euse.

**serigrafía** *f* sérigraphie.

**serio, a** *a* **1.** sérieux, euse: **seamos serios** soyons sérieux **2. hablar en ~** parler sérieusement; **tomar en ~** prendre au sérieux; **se lo toma todo en ~** il prend tout au sérieux; **esto va en ~** c'est sérieux; **esta vez va en ~** cette fois c'est sérieux, c'est pour de bon; **¡en ~!** sans blague!

**sermón** *m* **1.** sermon: **el Sermón de la montaña** le Sermon sur la montagne **2.** *FIG* sermon.

**sermoneador, a** *a/s* sermonneur, euse.

**sermonear** *vt* sermonner. ◇ *vi* faire un sermon.

**sermoneo** *m* sermon, semonce *f*.

**serodiagnóstico** *m MED* sérodiagnostic.

**serología** *f* sérologie.

**serón** *m* couffe *f*, couffin.

**seronegativo, a** *a/s* séronégatif, ive.

**seropositivo, a** *a/s* séropositif, ive.

**serosidad** *f* sérosité.

**seroso, a** *a* séreux, euse.

**seroterapia** *f* sérothérapie.

**serpear** *vi* serpenter.

**serpentaria** *f (planta)* serpentaire.

**serpentario** *m (ave)* serpentaire.

**serpentear** *vi* serpenter.

**serpenteo** *m* mouvement sinueux, serpentement.

**serpentín** *m (de alambique)* serpentin *m*.

**serpentina** *f* **1.** *(tira de papel)* serpentin *m* **2.** *(piedra)* serpentine.

**serpentino, a** *a* serpentin, e.

**serpentón** *m MÚS* serpent.

**serpiente** *f* **1.** serpent *m*: **~ de anteojos** serpent à lunettes; **~ de cascabel** serpent à sonnette **2.** *ECON* **~ monetaria** serpent monétaire.

**serpol** *m* serpolet.

**serpollo** *m* rejeton, drageon.

**serrado, a** *a* dentellé, e.

**serraduras** *f pl* sciure *sing*.

**serrallo** *m* sérail: **El rapto en el ~** *(Mozart)* l'Enlèvement au sérail.

**serranía** *f* terrain *m* montagneux.

**serranilla** *f* sorte de pastourelle.

**serrano, a** *a/s* **1.** montagnard, e **2. jamón ~** jambon cru, de pays, de montagne.

**serrar*** *vt* scier.

**serrería** *f* scierie.

**serreta** *f* petite scie.

**serrín** *m* sciure *f*.

**serrucho** *m* égoïne *f*.

**serventesio** *m* sirventès.

**servible** *a* utilisable.

**servicial** *a* serviable.

**servicio** *m* **1.** service: **al ~ de** au service de; **~ militar, público** service militaire, public; **~ de publicidad** service de publicité; **estoy de ~** je suis de service; **prestar un gran ~** rendre un grand service; *FAM* **hacer un flaco ~** rendre un fichu service ◊ **prestar servicios** *(funcionarios, etc.)* exercer ses activités, ses fonctions **2. ~ de mesa** service de table; **~ de té** service à thé **3.** *(orinal)* vase de nuit **4.** *(retrete)* **el ~ de caballeros** les toilettes pour hommes **5.** *(en el tenis)* service. ◇ *pl (aseo)* toilettes *f*.

**servidor, a** *s* serviteur, servante, domestique ◊ **~ de usted** à votre service; **su seguro ~** votre tout dévoué; **él y un ~** lui et votre serviteur. ◇ *m* **1.** *(artillero)* servant **2.** *INFORM* serveur.

**servidumbre** *f* **1.** *(sujeción)* servitude **2.** *(conjunto de criados)* domesticité, domestiques *m pl* **3.** *JUR* servitude: **~ de paso** servitude de passage **4.** *(condición de siervo)* servage *m*.

**servil** *a* servile.

**servilismo** *m* servilité *f*.

**servilleta** *f* serviette (de table): **~ de papel** serviette en papier.

**servilletero** *m* rond de serviette.

**servilmente** *adv* servilement.

**servilón, ona** *s* absolutiste.

**servio, a** *a/s (serbio)* serbe.

**serviola** *f MAR* bossoir *m*.

**servir*** *vt/i* **1.** servir: **~ para** servir à; **¿para qué sirve esto?** à quoi ça sert?; **la señora está servida** madame est servie; **no sirve de nada que le escribas** ça ne sert à rien de lui écrire; **¿de qué me sirve?** à quoi ça me sert?; **¿eso sirve de algo?** ça sert à quelque chose? ◊ **no sirvo para eso** je ne suis pas fait pour ça; **él no sirve para nada** il n'est bon à rien **2.** être utile, rendre service: **¿en qué puedo servirle?** en quoi puis-je vous être utile?; **para servirle** à votre service **3.** *(poner la pelota en juego)* servir. ◇ *vt (una parroquia)* desservir. ◆ **~se** *vpr* **1.** se servir: **me sirvo de un bolígrafo para escribir** je me sers d'un sytlo à bille pour écrire; **sírvase usted más** servez-vous mieux; **sírvete** sers-toi **2.** vouloir, daigner: **sírvase entrar** veuillez entrer.

**servofreno** *m* servofrein.

**servomando** *m* servocommande *f*.

**servomecanismo** *m* servomécanisme.

**servomotor** *m* servomoteur.

**sesada** *f* cervelle.

**sésamo** *m* **1.** *(planta)* sésame **2. ¡ábrete, Sésamo!** Sésame, ouvre-toi!

**sesear** *vi* prononcer le *c* et le *z* comme un *s*, zézayer.

**sesenta** *a/s* soixante: **~ y ocho** soixante-huit.

**sesentavo, a** *a/s* soixantième.

**sesentena** *f* soixantaine.

**sesentón, ona** *a/s* sexagénaire.

**seseo** *m* défaut qui consiste à prononcer le *c* et le *z* comme un *s*, zézaiement, blèsement.

**sesera** *f* **1.** boîte crânienne **2.** *FIG* cervelle.

**sesgado, a** *a* en biais.

**sesgar** *vt* couper en biais.

**sesgo, a** *a* en biais. ◇ *m* **1.** biais: **al ~** en biais **2.** *FIG (de un asunto)* tournure *f*.

**sesión** *f* **1.** séance: **abrir, levantar la ~** ouvrir, lever la séance; **reunirse en ~ extraordinaria** se réunir en séance extraordinaire; **celebrar ~** tenir séance, siéger **2.** *(de cine)* séance ◊ **cine de ~ continua** cinéma permanent **3.** *(de un concilio)* session.

**sesionar** *vi* tenir séance, siéger.

**seso** *m* **1.** cervelle *f* **2.** *FIG* jugement, bon sens ◊ **perder el ~** perdre la tête; **su vecina le tiene sorbido el ~** sa voisine lui a tourné la tête. ◇ *pl* cervelle *f sing* ◊ *FIG* **devanarse los sesos** se creuser la tête, la cervelle.

**sestear** *vi* **1.** faire la sieste **2.** *(el ganado)* se reposer dans un lieu ombragé.

**sestercio** *m* sesterce.

**sesudamente** *adv* sagement, savamment, doctement.

**sesudo, a** *a* **1.** sage, sensé, e **2.** docte, savant, e: **sesudos intelectuales** de doctes intellectuels.

**set** *m (tenis)* set.

**seta** *f* champignon *m*: **~ venenosa** champignon vénéneux; **setas secas** champignons secs; *FIG* **crecer como setas** pousser comme des champignons.

**setecientos, as** *a/m* sept cents.

**setenta** *a/m* soixante-dix ◊ **~ y uno, ~ y dos, etc.** soixante et onze, soixante-douze, etc.

**setentavo, a** *a/s* soixante-dixième.

**setentón, ona** *a/s* septuagénaire.

**setiembre** → **septiembre.**

**sétimo** → **séptimo.**

**seto** *m* haie *f*: **~ vivo** haie vive.

**setter** *m (perro)* setter.

**seudo** *a* pseudo.

**seudónimo** *a/m* pseudonyme.

**seudópodo** *m* pseudopode.

**Seúl** *np* Séoul.

**severamente** *adv* sévèrement.

**severidad** *f* sévérité.

**Severino** *np m* Séverin.

**severo, a** *a* sévère: **profesor, semblante ~** professeur, visage sévère.

**seviche** → **cebiche.**

**sevicia** *f* cruauté.

**Sevilla** *np* Séville ◊ *PROV* **quien fue a ~ perdió su silla** qui va à la chasse perd sa place.

**sevillanas** *f pl* air et danse de Séville.

**sevillano, a** *a/s* sévillan, e.

**sex-appeal** *m* sex-appeal.

**sexagenario, a** *a/s* sexagénaire.

**sexagésima** *f RELIG* sexagésime.

**sexagésimo, a** *a/s* soixantième.

**sexcentésimo, a** *a/s* six-centième.

**sexismo** *m* sexisme.

**sexista** *a/s* sexiste.

**sexo** *m* sexe: **el bello ~** le beau sexe; **el ~ débil, fuerte** le sexe faible, fort.

**sexología** *f* sexologie.

**sexólogo, a** *s* sexologue.

**sexta** *f* **1.** *(hora)* sexte **2.** *MUS* sixte.

**sextante** *m* sextant.

**sexteto** *m MUS* sextuor.

**sextilla** *f (poesía)* sizain *m.*

**sexto, a** *a/s* sixième.

**sextuplicar** *vt* sextupler.

**séxtuplo, a** *a* sextuple.

**sexuado, a** *a* sexué, e.

**sexual** *a* sexuel, elle: **órganos sexuales** organes sexuels ◊ **enfermedad de transmisión ~** maladie sexuellement transmissible.

**sexualidad** *f* sexualité.

**sexualmente** *adv* sexuellement.

**sexy** *a* sexy.

**sha** *m* sha, chah.

**sheriff** *m* shérif.

**sherpa** *m* sherpa.

**sherry** *m* sherry.

**shock** *m* choc: **~ quirúrgico** choc opératoire.

**short, shorts** *m* short.

**show** *m* show.

**shullo** *m AMER* bonnet de laine.

[1]**si** *m MÚS (nota)* si: **en ~ bemol** en si bémol.

[2]**si** *conj* **1.** si, s': **~ quieres** si tu veux; **~ llueve** s'il pleut; **~ yo fuera más joven** si j'étais plus jeune; **y ~ fuéramos a cenar** et si nous allions dîner; **y ~ yo no hubiera aceptado** et si je n'avais pas accepté; **~ supieras** si tu savais ◊ **~ bien** bien que, quoique; **~ no** sinon, autrement: **ven pronto, ~ no me marcho yo** viens vite, sinon je m'en vais; **por ~ (acaso)** au cas où **2.** *(en oraciones ponderativas)* **¡~ no me voy!** mais (vous voyez bien que) je ne m'en vais pas!; **~ no se oye nada con este ruido** mais on n'entend rien avec ce bruit; **¡ ~ ya lo decía yo!** c'est bien ce que je disais!; **¡ ~ no lo sabía!** mais je ne le savais pas!; **~ es que puedes** si toutefois tu peux, si tant est que tu puisses **3. un ~ es no es** → **ser.**

▶ Si + pretérito imperfecto de subjuntivo en español = *si* + pretérito imperfecto de indicativo en francés.

[1]**sí** *pron pers* **1.** lui, elle, eux, elles: **lo quiere todo para ~** il veut tout pour lui **2.** soi: **volver en ~** revenir à soi; **estar fuera de ~** être hors de soi **3. de por ~ , en ~** en soi: **decir para ~** dire à part soi; **sobre ~** sur ses gardes.

[2]**sí** *adv* **1.** oui: **ni ~ ni no** ni oui ni non; **decir que ~ a...** dire oui à... **2.** *(como respuesta a una negación o duda)* si ◊ **¡claro que ~!** mais oui!, mais si!, bien sûr!; **¡eso ~!** ça oui!, c'est vrai!; **eso ~ es verdad** ça, c'est vrai; **¡eso ~ que no!** ça non!; **lo que ~ es seguro...** ce qui est sûr, en revanche...; **¡ ~ que lo siento!** assurément, je le regrette!; **¡ ~ que lo haré!** bien sûr que je le ferai!; **por ~ o por no** dans tous les cas, à tout hasard; **porque ~** → **porque.** ◇ *m* oui: **los síes y los noes** les oui et les non ◊ **dar el ~** dire oui, donner son approbation.

**siamés, esa** *a/s* siamois, e: **hermanos siameses** frères siamois; **gato ~** chat siamois.

**sibarita** *a/s* sybarite.

**sibaritismo** *m* sybaritisme.

**Siberia** *np f* Sibérie.

**siberiano, a** *a/s* sibérien, enne.

**sibila** *f* sibylle.

**sibilante** *a GRAM* sifflant, e.

**sibilino, a** *a* sibyllin, e.

**sicalíptico, a** *a* pornographique.

**sicario** *m* sicaire, tueur à gages.

**Sicilia** *np f* Sicile.

**siciliano, a** *a/s* sicilien, enne.

**sicoanálisis,** etc. → **psicoanálisis,** etc.

**sicodélico, a** → **psicodélico.**

**sicología,** etc. → **psicología,** etc.

**sicomoro** *m* sycomore.

**sicopatía,** etc. → **psicopatía,** etc.

**sicoterapia** → **psicoterapia.**

**sicótropo** → **psicótropo.**

**sida** *m* sida: **los enfermos de ~** les malades atteints du sida.

**sidecar** *m* side-car.

**sideral, sidéreo, a** *a* sidéral, e.

**siderurgia** *f* sidérugie.

**siderúrgico, a** *a* sidérurgique.

**sido** *pp* de **ser.**

**sidoso, a** *a/s* sidéen, enne.

**sidra** *f* cidre *m.*

**siega** *f* moisson.

**siembra** *f* **1.** *(acción, época)* semailles *pl* **2.** *(acción)* ensemencement *m.*

**siempre** *adv* **1.** toujours: **~ está llorando** il est toujours en train de pleurer; **no ~ es fácil** ce n'est pas toujours facile; **~ es así** c'est toujours comme ça; **de ~ , desde ~** depuis toujours; **nos conocemos de ~** nous nous connaissons depuis toujours; **para ~** pour toujours; **por ~ jamás** à jamais; **¡tan bobo como ~!** toujours aussi bête! **2. de ~** habituel, elle: **a la hora de ~** à l'heure habituelle; **lo de ~** comme d'habitude, comme toujours; **sigues siendo el de ~** tu es toujours le même, tu ne changes pas **3.** *loc conj* **~ que, ~ y cuando** *(+ subj.)* à condition que, pourvu que, si toutefois: **~ que lo hagas con cuidado** à condition que tu le fasses avec soin; **puedes comer de todo ~ y cuando no tengas problemas de colesterol** tu peux manger de tout à condition que tu n'aies pas de problèmes de cholestérol; *(+ ind.)* chaque fois que: **~ que se habla de...** chaque fois qu'on parle de...

**siempreviva** *f* **1.** immortelle **2. ~ mayor** joubarbe.

**sien** *f* tempe: **las sienes** les tempes.

**Siena** *np* Sienne.

**sienés, esa** *a/s* siennois, e.

**sierpe** *f* serpent *m.*

**sierra** *f* **1.** *(herramienta, pez)* scie: **~ circular, continua** scie circulaire, à ruban; **~ de vaivén** scie sauteuse **2.** *(cordillera)* chaîne de montagnes **3.** montagne: **pasar el fin de semana en la ~** passer le week-end à la montagne.

**siervo, a** *s* **1.** serf, serve: **siervos de la gleba** serfs attachés à la glèbe **2.** *(de Dios)* serviteur, servante.

**síes** *m pl* oui *inv.*

**siesta** *f* sieste: **dormir, echar la ~** faire la sieste.

**siete** *a/m* **1.** sept: **son las ~** il est sept heures ◊ FAM **comer más que ~** manger comme quatre; **hablar más que ~** ne pas arrêter de parler **2.** AMER *(ano)* trou de balle ◊ **¡la gran ~!** diable!; **de la gran ~** terrible. ◇ *m* **1.** *(en una tela)* accroc, déchirure *f* **2.** *(de carpintero)* valet.

**sietemesino, a** *a/s* né, e à sept mois.

**sífilis** *f* syphilis.

**sifilítico, a** *a/s* syphilitique.

**sifón** *m* **1.** siphon **2.** *(agua)* eau *f* de seltz.

**siga,** etc. → **seguir.** ◇ *f* AMER poursuite: **andar a la ~ de...** suivre, aller derrière...

**sigilar** *vt* **1.** sceller, cacheter **2.** *(ocultar)* cacher, taire.

**sigilo** *m* **1.** sceau **2.** secret: **~ sacramental** secret de la confession **3.** discrétion *f*: **abre la puerta con ~** il ouvre discrètement la porte.

**sigilografía** *f* sigillographie.

**sigilosamente** *adv* **1.** secrètement **2.** discrètement.

**sigiloso, a** *a* discret, ète, réservé, e.

**sigla** *f* sigle *m.*

**siglo** *m* siècle: **el ~ xx** le XXe siècle; **el ~ de las luces** le Siècle des lumières; **el ~ de oro** le Siècle d'or; FAM **hace un ~ que...** il y a un siècle que...

**sigma** *f* sigma *m.*

**signar** *vt* marquer d'un signe. ◆ **~se** *vpr* se signer

**signatario, a** *a/s* signataire.

**signatura** *f* **1.** *(en una biblioteca)* cote **2.** *(imprenta)* signature.

**significación** *f* **1.** signification **2.** importance.

**significado, a** *a* important, e, notoire. ◇ *m* **1.** *(sentido)* sens, signification *f* **2.** *(lingüística)* signifié.

**significante** *a* significatif, ive. ◇ *m (lingüística)* signifiant.

**significar** *vt* signifier.

**significativamente** *adv* d'une façon significative.

**significativo, a** *a* significatif, ive.

**signo** *m* **1.** signe: **~ de puntuación** signe de ponctuation; **signos externos de riqueza** signes extérieurs de richesse; **los signos del zodiaco** les signes du zodiaque **2.** point: **~ de admiración, de interrogación** point d'exclamation, d'interrogation.

**sigo, sigue,** etc. → **seguir.**

**siguiente** *a/s* **1.** suivant, e: **página ~** page suivante **2. al día ~** le jour suivant, le lendemain; **al día ~ de su muerte, de morir su madre** le lendemain de sa mort, de la mort de sa mère; **al día ~ de confesarme que...** le lendemain du jour où il m'avoua que...; **a la mañana ~** le lendemain matin; **a la noche ~** le lendemain soir. ◇ *m* **lo ~** ce qui suit, ce qui vient après.

**sílaba** *f* syllabe.

**silabario** *m* syllabaire.

**silabear** *vi* détacher les syllabes.

**silábico, a** *a* syllabique.

**sílabo** *m* syllabus.

**silba** *f* sifflets *m pl.*

**silbador, a** *a/s* siffleur, euse.

**silbante** *a* sifflant, e.

**silbar** *vt/i* siffler.

**silbatina** *f* AMER sifflets *m pl.*

**silbato** *m* sifflet.

**silbido** *m* **1.** sifflement **2.** *(pitido)* sifflement, coup de sifflet **3. ~ de oídos** sifflement d'oreilles.

**silbo** *m* sifflement.

**silenciador** *m (de motores, armas de fuego)* silencieux.

**silenciar** *vt* **1.** passer sous silence, taire: **la prensa ha silenciado el suceso** la presse a passé l'événement sous silence **2.** AMER *(acallar)* faire taire.

**silencio** *m* **1.** silence: **un minuto de ~** une minute de silence; **sufrir en ~** souffrir en silence; **guardar ~ sobre** garder le silence sur; **pasar en ~** passer sous silence; **reducir al ~** réduire au silence; **romper el ~** rompre le silence; **¡~!** silence! **2.** MUS silence.

**silenciosamente** *adv* silencieusement.

**silencioso, a** *a* silencieux, euse.

**Sileno** *np m* Silène.

**silente** *a* silencieux, euse.

**silepsis** *f* GRAM syllepse.

**Silesia** *np f* Silésie.

**silesio, a** *a/s* silésien, enne.

**sílex** *m* silex.

**sílfide** *f* sylphide.

**silfo** *m* sylphe.

**silicato** *m* silicate.

**sílice** *f* silice.

**silíceo, a** *a* siliceux, euse.

**silicio** *m* silicium.

**silicona** *f* silicone.

**silicosis** *f MED* silicose.

**silla** *f* **1.** chaise ◊ **~ de manos** chaise à porteurs; **~ de posta** chaise de poste; **~ de ruedas** fauteuil *m* roulant; **~ de tijera → tijera; hacer la ~ de la reina** faire la chaise (avec les mains entrelacées de deux personnes) **2.** *(sede, dignidad)* siège *m* **3.** *(de jinete)* selle: **~ de montar** selle.

**sillar** *m* pierre *f* de taille.

**sillería** *f* **1.** *(conjunto de asientos)* sièges *m pl* **2.** *(del coro de las iglesias)* stalles *pl* **3.** fabrique de chaises **4.** construction en pierres de taille.

**sillero, a** *s* chaisier, ère.

**sillín** *m (de bicicleta, moto)* selle *f.*

**sillón** *m* fauteuil: **~ giratorio** fauteuil tournant; **~ relax** fauteuil relax.

**silo** *m* silo.

**silogismo** *m* syllogisme.

**silueta** *f* silhouette.

**siluro** *m* silure.

**silva** *f* **1.** recueil *m* **2.** sorte de composition poétique.

**silvestre** *a* **1.** sauvage: **planta ~** plante sauvage; **rosal ~** rosier sauvage, églantier; **fresas silvestres** fraises sauvages, des bois; **flores silvestres** fleurs des champs; **pato ~** canard sauvage **3.** *(selvático)* sylvestre.

**Silvestre** *np m* Sylvestre.

**Silvia** *np f* Sylvie.

**silvicultor, a** *s* sylviculteur, trice.

**silvicultura** *f* sylviculture.

**sima** *f* abîme *m*, gouffre *m.*

**simbiosis** *f* symbiose.

**simbol** *m AMER* nom d'une graminée utilisée en vannerie.

**simbólicamente** *adv* symboliquement.

**simbólico, a** *a* symbolique.

**simbolismo** *m* symbolisme.

**simbolista** *a/s* symboliste.

**simbolización** *f* symbolisation.

**simbolizar** *vt* symboliser.

**símbolo** *m* symbole.

**simetría** *f* symétrie.

**simétricamente** *adv* symétriquement.

**simétrico, a** *a* symétrique.

**simiente** *f* semence, graine.

**simiesco, a** *a* simiesque.

**símil** *a* semblable. ◇ *m (comparación)* comparaison *f*, parallèle.

**similar** *a* similaire.

**similitud** *f* similitude.

**similor** *m* similor ◊ **de ~** en toc.

**simio** *m (mono)* singe. ◇ *m pl ZOOL* simiens.

**simón** *m* fiacre.

**Simón** *np m* Simon.

**simonía** *f* simonie.

**simoniaco, a** *a/s* simoniaque.

**simpatía** *f* sympathie: **le tiene mucha ~** il a beaucoup de sympathie pour lui.

**simpático, a** *a* sympathique: **sale con una chica muy simpática, simpatiquísima** il sort avec une fille très sympathique; **siempre me ha caído ~** je l'ai toujours trouvé sympathique. ◇ *a/m ANAT* sympathique.

**simpaticón, ona** *a FAM* sympa.

**simpatizante** *s* sympathisant, e.

**simpatizar** *vi* sympathiser.

**simplainas** *m FAM* crétin, sot.

**simple** *a* simple: **cuerpo ~** corps simple; **una ~ observación** une simple remarque; **tiempos simples** temps simples. ◇ *a/s (tonto)* naïf, naïve, niais, e. ◇ *m* **1.** *(tenis)* simple **2.** *(planta)* simple *f.*

**simplemente** *adv* simplement.

**simpleza** *f* **1.** *(necedad)* sottise, niaiserie **2.** *(ingenuidad)* naiveté.

**simplicidad** *f* **1.** simplicité **2.** naïveté.

**simplificación** *f* simplification.

**simplificador, a** *a* simplificateur, trice.

**simplificar** *vt* simplifier.

**simplismo** *m* simplisme.

**simplista** *a/s* simpliste.

**simplón, ona** *a/s* simplet, ette.

**simposio, simposium** *m* symposium.

**simulación** *f* simulation.

**simulacro** *m* simulacre.

**simulador, a** *a/s* simulateur, trice.

**simular** *vt* **1.** simuler: **~ un ataque de nervios** simuler une crise de nerfs **2.** faire semblant, feindre de: **simulé no verlo** je fis semblant de ne pas le voir.

**simultáneamente** *adv* simultanément.

**simultanear** *vt* faire simultanément, mener de front: **~ dos cargos** exercer simultanément deux fonctions; **simultaneaba su actividad de profesor con el estudio del japonés** il menait de front son activité de professeur et l'étude du japonais.

**simultaneidad** *f* simultanéité.

**simultáneo, a** *a* simultané, e.

**simún** *m* simoun.

**sin** *prep* **1.** sans: **dieta ~ sal** régime sans sel; **~ cesar** sans cesse; **~ lo cual** sans quoi **2.** *(+ infinitivo)* **zona ~ urbanizar** zone non urbanisée; **cuerpos ~ identificar** corps non identifiés; **mercancías ~ vender** marchandises invendues; **el cuadro está ~ terminar** le tableau est inachevé; **está ~ afeitar** il n'est pas rasé; **estaba ~ maquillar** elle n'était pas maquillée.

**sinagoga** *f* synagogue.

**Sinaí** *np m* Sinaï.

**sinalefa** *f* synalèphe.

**sinapismo** *m* sinapisme.

**sinapsis** *f ANAT* synapse.

**sinceramente** *adv* sincèrement.

**sincerarse** *vpr* **1.** se justifier, s'expliquer **2.** *(confiarse)* s'épancher, parler à cœur ouvert ◊ **~ con alguien** se confier, s'ouvrir à quelqu'un.

**sinceridad** *f* sincérité, franchise: **con toda ~** en toute franchise.

**sincero, a** *a* sincère, franc, franche: **te voy a ser ~** je vais être franc avec toi.

**sinclinal** *m GEOL* synclinal.

**síncopa** *f GRAM MÚS* syncope.

**sincopar** *vt* syncoper.

**síncope** *m MED, GRAM* syncope *f.*

**sincretismo** *m* syncrétisme.

**sincrónico, a** *a* synchrone, synchronique.

**sincronismo** *m* synchronisme.

**sincronización** *f* synchronisation.

**sincronizar** *vt* synchroniser.

**sindéresis** *f* bon sens *m*, jugement *m*.

**sindicación** *f* syndicalisation, affiliation à un syndicat.

**sindicado, a** *a/s* syndiqué, e. ◇ *m (junta)* syndicat.

**sindical** *a* syndical, e: **enlaces sindicales** délégués syndicaux.

**sindicalismo** *m* syndicalisme.

**sindicalista** *a/s* syndicaliste.

**sindicar** *vt* **1.** *(acusar)* accuser, dénoncer: **~ a alguien como el principal responsable de ...** accuser quelqu'un d'être le principal responsable de **2.** considérer **3.** *(organizar en sindicatos)* syndiquer. ◆ **~se** *vpr* se syndiquer.

**sindicato** *m* syndicat.

**sindicatura** *f* charge de syndic.

**síndrome** *m* syndrome ◊ **~ de abstinencia** état de manque.

**sinécdoque** *f* synecdoque.

**sinecura** *f* sinécure.

**sinergia** *f* synergie.

**sinfín** *m* infinité *f*, foule *f*, grand nombre: **un ~ de datos** une foule de renseignements.

**sinfonía** *f* **1.** *MÚS* symphonie **2.** *FIG (de colores, etc.)* symphonie.

**sinfónico, a** *a* symphonique: **música sinfónica** musique symphonique.

**Singapur** *np* Singapour.

**singladura** *f* **1.** *MAR* cinglage *m* **2.** *FIG* orientation.

**singlar** *vi MAR* cingler.

**singular** *a* singulier, ère. ◇ *m* **1.** *GRAM* singulier: **en ~** au singulier **2.** *loc adv* **en ~** en particulier.

**singularidad** *f* singularité.

**singularizar** *vt* singulariser. ◆ **~se** *vpr* se singulariser.

**singularmente** *adv* singulièrement, particulièrement.

**sinhueso (la)** *f POP* la langue, la babillarde.

**siniestra** *f* main gauche.

**siniestrado, a** *a/s* sinistré, e.

**siniestro, a** *a* **1.** *(izquierdo)* gauche **2.** *(funesto)* sinistre **3. ese tío ~** ce sinistre individu, ce sombre individu. ◇ *m (avería, desgracia)* sinistre.

**sinnúmero** *m* infinité *f*, nombre incalculable, foule *f*: **un ~ de preguntas** une foule de questions.

[1]**sino** *m* sort, destin: **su ~ era morir joven** c'était son destin de mourir jeune.

[2]**sino** *conj* **1.** mais: **no es argentino ~ uruguayo** il n'est pas argentin mais uruguayen; **no sólo... ~ también** non seulement... mais encore **2.** sauf, excepté, sinon: **nadie lo sabe ~ él** personne ne le sait sauf lui, lui seul le sait; **no hace ~ decir tonterías** il ne fait que dire des bêtises; **no te pido ~ que me digas sí o no** je te demande seulement de me dire oui ou non.

**sinodal** *a* synodal, e.

**sinódico, a** *a* synodique.

**sínodo** *m* synode.

**sinoidal** *a* synodal, e.

**sinología** *f* sinologie.

**sinólogo, a** *s* sinologue.

**sinonimia** *f* synonymie.

**sinónimo, a** *a/m* synonyme.

**sinopsis** *f* synopsis, résumé *m*.

**sinóptico, a** *a* synoptique: **cuadro ~** tableau synoptique.

**sinovia** *f* synovie.

**sinovial** *a* synovial, e ◊ **derrame ~** épanchement de synovie.

**sinrazón** *f* tort *m*, injustice.

**sinsabor** *m* **1.** insipidité *f* **2.** *(pesar)* peine *f*, chagrin **3.** *(disgusto)* désagrément, ennui, déboire.

**sinsonte** *m (pájaro)* moqueur, merle d'Amérique.

**sintáctico, a** *a* syntaxique.

**sintagma** *m* syntagme.

**sintaxis** *f* syntaxe.

**síntesis** *f* **1.** synthèse **2. en ~** en résumé, en bref.

**sintético, a** *a* synthétique.

**sintetizador** *m* synthétiseur.

**sintetizar** *vt* synthétiser.

**sintió** → **sentir.**

**sintoísmo** *m* shintoïsme.

**síntoma** *m* symptôme.

**sintomático, a** *a* symptomatique.

**sintomatología** *f MED* synptomatologie.

**sintonía** *f* **1.** *FÍS* syntonie **2.** *(música al comienzo de una emisión)* indicatif *m* **3.** *FIG* concordance, harmonie, entente, accord *m*: **en ~ con** en harmonie avec; **estar en ~ con alguien** être sur la même longueur d'onde que quelqu'un, en phase avec quelqu'un; **la buena ~ entre ambos políticos** la bonne entente entre les deux hommes politiques.

**sintonización** *f* **1.** *FÍS* syntonisation **2.** *FIG* harmonie, entente.

**sintonizador** *m* syntoniseur.

**sintonizar** *vt* **1.** syntoniser **2.** prendre l'écoute de **2.** *FIG* s'entendre, se comprendre, sympathiser, s'accorder.

**sinuosidad** *f* sinuosité.

**sinuoso, a** *a* **1.** sinueux, euse **2.** *FIG* tortueux, euse.

**sinusitis** *f* sinusite.

**sinusoidal** *a GEOM* sinusoïdal, e.

**sinusoide** *f GEOM* sinusoïde.

**sinvergüencería** *f FAM* culot *m*, effronterie.

**sinvergüenza** *a* effronté, e, sans scrupule. ◇ *s* crapule *f*, voyou, type sans scrupule, polisson.

**sinvivir** *m FIG* supplice, calvaire.

**sionismo** *m* sionisme.

**sionista** *a/s* sioniste.

**siquiatra,** etc.→**psiquiatra,** etc.

**síquico, a** → **psíquico, a.**

**siquiera** *conj* **1.** même si, ne serait-ce que: **escúchame, ~ sea un minuto** écoute-moi, ne serait-ce qu'une minute; **le gusta este restaurante, ~ la comida sea poco original** il aime ce restaurant, même si la nourriture n'y est pas très originale **2. ~ ... ~** soit que... soit que... ◇ *adv* **1.** au moins: **dame ~ tu número de teléfono** donne-moi au moins ton numéro de téléphone **2. ni ~** pas même: **ni ~ me saludó** il ne m'a même pas salué.

**Siracusa** *np* Syracuse.

**sirena** *f* **1.** *(ser fabuloso)* sirène **2.** *(aparato)* sirène.

**sirga** *f* **1.** corde pour le halage **2. camino de ~** chemin de halage.

**sirgar** *vt* haler.

**Siria** *np f* Syrie.

**sirimiri** *m* bruine *f*, crachin.

**siringa** *f* **1.** flûte de Pan **2.** arbre *m* à caoutchouc d'Amérique méridionale.

**sirio, a** *a/s* syrien, enne.

**Sirio** *np m (estrella)* Sirius.

**sirle** *m* crotte *f* (des chèvres, des ovins).

**siroco** *m* sirocco.

**sirope** *m* sirop.

**sirte** *m* banc de sable.

**sirva, sirve,** etc. → **servir.**

**sirvienta** *f* domestique, servante.

**sirviente** *a/m* domestique, serviteur. ◇ *m MIL* servant.

**sisa** *f* **1.** menus profits *m pl*, larcin, chapardage *m* **2.** *(de la manga)* emmanchure.

**sisal** *m* sisal.

**sisar** *vt* **1.** *(robar)* carotter, chaparder, faire danser l'anse du panier **2.** *(un vestido)* échancrer.

**sisear** *vi/t* siffler.

**siseo** *m* sifflets *pl*.

**Sísifo** *np m* Sisyphe.

**sísmico, a** *a* sismique.

**sismo** *m* séisme.

**sismógrafo** *m* sismographe.

**sismología** *f* sismologie.

**sismólogo, a** *s* sismologue.

**sisón** *m (ave)* canepetière *f*.

**sistema** *m* système: **~ solar, nervioso** système solaire, nerveux.

**sistemáticamente** *adv* systématiquement.

**sistemático, a** *a* systématique.

**sistematizar** *vt* systématiser.

**sístole** *f* systole.

**sitiado, a** *a/s* assiégé, c.

**sitiador** *a/s* assiégeant, e.

**sitial** *m* siège de cérémonie.

**sitiar** *vt* assiéger.

**sitio** *m* **1.** endroit: **un ~ tranquilo** un endroit tranquille **2.** place *f*: **hay ~** il y a de la place; **~ de honor** place d'honneur. ◇ **en cualquier ~** n'importe où; **en otro ~** ailleurs; **en todos los sitios** partout **3.** *FIG* **dejar en el ~** tuer net; **quedarse en el ~** rester sur le carreau; **poner a alguien en su ~** remettre quelqu'un à sa place **4.** *MIL* siège: **estado de ~** état de siège.

**sito, a** *a* sis, e, situé, e: **edificio ~ en el número 5 de la calle...** édifice sis au numéro 5 de la rue...

**situación** *f* **1.** situation **2. ~ de ánimo** état d'esprit **3. estar en ~ de** être en situation de.

**situar** *vt* **1.** situer, placer: **casa bien situada** maison bien située **2.** *(colocar)* placer **3.** *(fondos)* affecter. ◆ **~se** *vpr* **1.** se placer: **se situó a su lado** il se plaça à côté de lui **2.** trouver une situation: **gracias a sus influencias se ha situado muy bien** grâce à ses relations, il a trouvé une très bonne situation.

**siútico, a** *a AMER* snob, maniéré, e.

**siux** *a/s (indio)* sioux.

**skay** *m* skaï: **un sillón de ~** un fauteuil en skaï.

**sketch** *m* sketch.

**s.l.** → **labor.**

**slam** *m (deporte)* **el gran ~** le grand chelem.

**slip** *m* slip.

**slogan** *m* slogan.

**smoking** *m* smoking.

**snob** *a/s* snob.

**so** *prep* sous: **~ pena de** sous peine de. ◇ *m FAM* espèce de, bougre de: **¡~ idiota!** espèce d'idiot! ◇ *interj* ho! (pour faire arrêter un cheval).

**soasar** *vt* rôtir légèrement, saisir.

**soba** *f* **1.** pétrissage *m* **2.** *(de los pieles)* foulage *m* **3.** *(acción de manosear)* tripotage *m* **4.** *(zurra)* raclée: **propinar una ~** administrer une raclée.

**sobaco** *m* aisselle *f*.

**sobado, a** *a* **1.** usé, e **2.** *FIG (tema, etc.)* rebattu, e, éculé, e, usé, e.

**sobajar** *vt AMER* rabaisser, humilier.

**sobaquera** *f* dessous-de-bras *m*.

**sobaquina** *f* sueur de l'aisselle.

**sobar** *vt* **1.** pétrir **2.** *(las pieles)* fouler **3.** *(manosear a alguien)* tripoter, peloter **4.** *(golpear)* rosser **5.** *FAM (molestar)* assommer. **6.** *AMER (halagar)* flatter.

**soberanamente** *adv* souverainement.

**soberanía** *f* souveraineté.

**soberano, a** *a* **1.** souverain, e **2.** *FAM* **le propinó una soberana paliza** il lui flanqua une raclée magistrale. ◇ *s* souverain, e.

**soberbia** *f* **1.** orgueil *m*, superbe, arrogance **2.** *(ira)* emportement *m*, colère.

**soberbiamente** *adv* magnifiquement, superbement.

**soberbio, a** *a* **1.** superbe, magnifique **2.** *(altivo)* hautain, e, arrogant, e.

**sobo** → **soba.**

**sobón, ona** *a/s FAM* peloteur, euse, collant, e.

**sobornar** *vt* suborner, soudoyer, corrompre.

**soborno** *m* **1.** subornation *f*, corruption *f* **2.** *(dádiva)* pot-de-vin, dessous-de-table.

**sobra** *f* **1.** excès *m*, abondance **2.** *loc adv* **de ~** largement assez, plus qu'il n'en faut, de trop, de reste: **llegar con tiempo de ~** arriver largement à l'heure; **usted lo sabe de ~** vous le savez fort bien, parfaitement; **te conozco de ~** je te connais bien trop. ◇ *pl* **1.** *(de una comida)* reliefs *m*, restes *m* **2.** *(deshechos)* déchets *m*.

**sobradamente** *adv* par trop, largement assez, surabondamment.

**sobradillo** *m* auvent.

**sobrado, a** *a* **1.** de trop, en trop ◇ **tener sobrada razón** avoir parfaitement raison; **estar ~ de dinero** avoir de l'argent à ne savoir qu'en faire; **tiene ~ talento** il a du talent a revendre, de reste **2.** insolent, e. ◇ *m (desván)* comble, grenier.

**sobrador, a** *a AMER* prétentieux, euse, insolent, e.

**sobrante** *a* restant, e. ◇ *m* excédent.

**sobrar** *vi* **1.** avoir de trop, en trop: **dice que le sobran diez empleados** il dit qu'il a dix employés de trop. ◇ **ambición le sobra** il a de l'ambition a revendre, de reste; **le sobra la pasta** il a du fric à savoir qu'en faire **2.** *(estar de más)* être de trop: **tú sobras aquí** tu es de trop ici **3.** *(quedar)* rester: **sobran pasteles** il reste des gâteaux; **le sobraba tiempo** il lui restait du temps.

**sobrasada** *f* saucisse de Majorque.

**¹sobre** *m* **1.** *(de carta)* enveloppe *f* **2.** sachet: **sopa de ~** soupe en sachet **3.** *FAM (cama)* pieu, plumard.

**²sobre** *prep* **1.** sur: **de codos ~ la mesa** les coudes sur la table; **~ el respaldo de la silla** sur le dos de la chaise; **~ las rodillas** sur les genoux; **conferencia ~ los mayas** conférence sur les Mayas **2.** *(por encima de)* au-dessus de: **el cielo ~ las casas** le ciel au-dessus des maisons **3.** *(repetición)* sur: **desgracia ~ desgracia** malheur sur malheur **4.** *(además de)* en plus de, outre: **~ esto** en plus de ceci **5.** *(aproximadamente)* environ, aux alentours de, vers: **~ cien kilos** environ cent kilos; **~ las ocho de la noche** vers huit heures du soir **6.** *loc adv* **~ más o menos** à peu près; **~ todo** surtout.

**sobreabundancia** *f* surabondance.

**sobreabundante** *a* surabondant, e.

**sobreabundar** *vi* surabonder.

**sobreagudo, a** *a* suraigu, üe.

**sobrealimentación** *f* suralimentation.

**sobrealimentar** *vt* suralimenter.

**sobrealzar** *vt* surhausser.

**sobreañadir** *vt* surajouter.

**sobrecama** *f* dessus-de-lit *m*, courtepointe.

**sobrecarga** *f* surcharge.

**sobrecargar** *vt* surcharger.

**sobrecargo** *m* MAR subrécargue.

**sobreceja** *f* bas *m* du front (au-dessus des sourcils).

**sobrecejo, sobreceño** *m* froncement des sourcils.

**sobrecito** *m* sachet.

**sobrecogedor, a** *a* saisissant, e, impressionnant, e.

**sobrecoger** *vt* surprendre, saisir, impressionner. ◆ **~se** *vpr* être saisi, e.

**sobrecogimiento** *m* surprise *f*, saisissement.

**sobrecubierta** *f (de un libro)* jaquette.

**sobredicho, a** *a* susdit, e.

**sobredimensionado, a** *a* surdimensionné, e.

**sobredorar** *vt* dorer.

**sobredosis** *f* overdose, surdose.

**sobreentender*** → **sobrentender.**

**sobreesdrújulo, a** → **sobresdrújulo.**

**sobreestimar** → **sobrestimar.**

**sobreexcitación** *f* surexcitation.

**sobreexcitar** *vt* surexciter.

**sobreexponer*** *vt* surexposer.

**sobreexposición** *f* surexposition.

**sobrefalda** *f* jupe courte.

**sobrefaz** *f* surface.

**sobrehilar** *vt* surfiler.

**sobrehumano, a** *a* surhumain, e.

**sobreimpresión** *f* surimpression.

**sobrejuanete** *m* MAR cacatois.

**sobrellevar** *vt* supporter, endurer: **~ un dolor, una desgracia** supporter une douleur, un malheur.

**sobremanera** *adv* extrêmement, hautement, énormément: **es ~ improbable que** il est hautement improbable que; **me gusta ~** ça me plaît énormément; **me repugna ~ tener que hablar de esas cosas** ça me répugne au plus haut point d'avoir à parler de ces choses.

**sobremesa** *f* **1.** tapis *m* de table **2.** temps *m* que l'on passe à table après le repas ◊ **de ~** après le repas.

**sobremodo** → **sobremanera.**

**sobrenadar** *vi* surnager, flotter.

**sobrenatural** *a* surnaturel, elle.

**sobrenombre** *m* surnom.

**sobrentender*** *vt* sous-entendre: **queda sobrentendido que** il est sous-entendu que.

**sobrepaga** *f* gratification, prime.

**sobreparto** *m* suites *f pl* de couches.

**sobrepasar** *vt* **1.** dépasser: **me sobrepasa unos centímetros** il me dépasse de quelques centimètres; **el número de víctimas sobrepasa al centenar** le nombre des victimes dépasse la centaine **2.** *(superar)* surpasser.

**sobrepelliz** *f* surplis *m*.

**sobrepeso** *m* excès de poids.

**sobrepoblación** *f* surpeuplement *m*.

**sobreponer*** *vt* **1.** superposer **2.** FIG faire passer avant. ◆ **~se** *vpr* dominer, surmonter: **se sobrepuso a las dificultades, al asco** il surmonta les difficultés, le dégoût; **¡sobrepóngase usted!** dominez-vous!

**sobreprecio** *m* augmentation *f* de prix.

**sobreprima** *f* surprime.

**sobreproducción** *f* surproduction.

**sobrepticiamente** *adv* subrepticement.

**sobrepuerta** *f (colgadura)* portière.

**sobrepuesto, a** *a* superposé, e.

**sobrepujar** *vt* surpasser, dépasser; **sobrepuja en agilidad a todos sus compañeros** il surpasse en agilité tous ses camarades.

**sobrero** *a/m (toro)* de réserve.

**sobresaliente** *a* **1.** qui dépasse **2.** *(notable)* remarquable ◇ *m* **1.** *(en los exámenes)* mention *f* très bien **2.** TAUROM matador de réserve. ◇ *s* TEAT doublure *f*.

**sobresalir*** *vi* **1.** dépasser, surpasser **2.** *(resaltar)* faire saillie **3.** FIG se distinguer, exceller: **sobresale por su inteligencia** il se distingue par son intelligence.

**sobresaltar** *vt (asustar)* faire sursauter, effrayer. ◆ **~se** *vpr* sursauter: **se sobresaltó al oír el timbre** il sursauta en entendant la sonnette ◊ **despertar sobresaltado** se réveiller en sursaut.

**sobresalto** *m* **1.** alarme *f* **2.** *(temor)* frayeur *f* soudaine, effroi, crainte *f*: **vive en un perpetuo ~** il vit dans une crainte perpétuelle **3.** *(movimiento brusco)* sursaut **4. de ~** à l'improviste.

**sobresaturar** *vt* sursaturer.

**sobrescrito** *m* adresse *f*.

**sobresdrújulo, a** *a* qui a l'accent tonique avant l'antépénultième syllabe.

**sobreseer*** *vi/t* JUR surseoir à, suspendre, différer.

**sobreseimiento** *m* **1.** suspension *f* **2.** JUR non-lieu.

**sobrestante** *m* conducteur de travaux, contremaître.

**sobrestimar** *vt* surestimer.

**sobresueldo** *m* gratification *f*, salaire d'appoint.

**sobretasa** *f* surtaxe.

**sobretensión** *f* ELECT survoltage *m*.

**sobretodo** *m (abrigo)* pardessus.

**sobrevaluar** *vt* surévaluer.

**sobrevenir*** *vi* survenir.

**sobreviviente** *a/s* survivant, e.

**sobrevivir** *vi* survivre: **sobrevivió a la catástrofe** il survécut à la catastrophe.

**sobrevolar*** *vt* survoler: **el avión sobrevuela la región** l'avion survole la région.

**sobrexceder** *vt* surpasser.

**sobrexcitación, sobrexcitar** → **sobreexcitación, sobreexcitar.**

**sobriamente** *adv* sobrement.

**sobriedad** *f* sobriété.

**sobrino, a** *s* neveu, nièce: **mis sobrinos** mes neveux; **~ segundo** petit-neveu; **sobrina segunda** petite-nièce.

**sobrio, a** *a* sobre.

**socaire** *m* MAR abri contre le vent ◊ **al ~** à l'abri.

**socaliña** *f* artifice *m*, ruse.

**socapa** *f* prétexte *m* ◊ **a ~** en cachette.

**socar** *vt* AMER *(apretar)* serrer. ◆ **~se** *vpr* AMER *(emborracharse)* se soûler.

**socarrar** *vt* brûler légèrement, roussir.

**socarrón, ona** *a/s* **1.** dissimulateur, trice, sournois, e **2.** *(burlón)* narquois, e.

**socarronamente** *adv* **1.** sournoisement **2.** narquoisement, d'un air moqueur.

**socarronería** *f* **1.** sournoiserie **2.** *(burla)* moquerie.

**socavar** *vt* **1.** creuser ◊ **carretera socavada** route défoncée **2.** FIG miner, saper: **~ la autoridad** saper l'autorité.

**socavón** *m* **1.** excavation *f* **2.** *(hundimiento)* effondrement, affaissement (de la chaussée).

**sociabilidad** *f* sociabilité.

**sociable** *a* sociable, liant, e.

**social** *a* social, e: **conflictos sociales** conflits sociaux.

**socialdemocracia** *f* social-démocratie.

**socialdemócrata** *a/s* social-démocrate.

**socialismo** *m* socialisme.

**socialista** *a/s* socialiste.

**socialización** *f* socialisation.

**socializar** *vt* socialiser.

**socialmente** *adv* socialement.

**sociata** *a/s* FAM socialo.

**sociedad** *f* **1.** société: **vivir en ~** vivre en société; **la alta, la buena ~** la haute, la bonne société; **~ de consumo** société de consommation ◊ **entrar, presentarse en ~** faire ses débuts dans le monde, débuter dans le monde **2.** COM société: **~ anónima** société anonyme.

**socio, a** *s* **1.** *(de una asociación, club)* sociétaire, membre **2.** COM associé, e. ◊ **~ capitalista** associé, bailleur de fonds.

**sociocultural** *a* socioculturel, elle.

**socioeconómico, a** *a* socioéconomique.

**sociología** *f* sociologie.

**sociológico, a** *a* sociologique.

**sociólogo, a** *s* sociologue.

**socioprofesional** *a* socioprofesionnel, elle.

**socolor** *m* prétexte ◊ **~ de** sous couleur de.

**soconusco** *m* chocolat.

**socorrer** *vt* secourir, aider.

**socorrido, a** *a* **1.** secourable **2.** *(trillado)* banal, e, passe-partout *inv*, quelconque: **un tema ~** un sujet banal **3.** pratique.

**socorrismo** *m* secourisme.

**socorrista** *a* secouriste.

**socorro** *m* secours, aide *f*. ◇ *interj* au secours!

**Sócrates** *np m* Socrate.

**socrático, a** *a* socratique.

**socucho** AMER → **sucucho.**

**soda** *f* **1.** *(bebida)* soda *m*: **una ~** un soda **2.** QUIM soude.

**sódico, a** *a* QUIM sodique.

**sodio** *m* QUIM sodium.

**Sodoma** *np* Sodome: **~ y Gomorra** Sodome et Gomorrhe.

**sodomía** *f* sodomie.

**sodomita** *a/s* sodomite.

**sodomizar** *vt* sodomiser.

**soez** *a* grossier, ère.

**sofá** *m* canapé, sofa ◊ **~ cama** canapé-lit, convertible.

**Sofía** *np f* **1.** Sophie **2.** *(capital de Bulgaria)* Sofia.

**sofión** *m* rebuffade *f*.

**sofisma** *m* sophisme.

**sofista** *a/s* sophiste.

**sofistería** *f* raisonnement *m* sophistiqué.

**sofisticación** *f* sophistication.

**sofisticado, a** *a* sophistiqué, e.

**sofisticar** *vt* sophistiquer.

**sofito** *m* ARQ soffite.

**soflama** *f* **1.** flamme pâle **2.** *(en el rostro)* rougeur **3.** *(engaño)* tromperie **4.** *(discurso)* long discours *m*.

**soflamar** *vt* **1.** enjôler **2.** *(avergonzar)* faire rougir. ◆ **~se** *vpr* brûler légèrement.

**sofocación** *f* **1.** suffocation **2.** étouffement *m*.

**sofocante** *a* suffoquant, e, étouffant, e: **calor ~** chaleur étouffante.

**sofocar** *vt* **1.** suffoquer, étouffer **2.** *(avergonzar)* faire rougir **3.** *(apagar)* étouffer, éteindre, maîtriser: **~ un incendio** maîtriser un incendie; **~ un ruido** étouffer un bruit; **sofocó un grito** il étouffa un cri. ◆ **~se** *vpr* **1.** étouffer, suffoquer: **me sofoco a causa del calor** j'étouffe à cause de la chaleur **2.** *(ruborizarse)* rougir.

**Sófocles** *np m* Sophocle.

**sofoco** *m* **1.** suffocation *f*, étouffement **2.** *(rubor)* rougeur *f* **3.** *(disgusto)* gros ennui, contrariété *f*.

**sofocón** *m* FAM gros ennui, vive contrariété *f*. ◊ **tomar un ~** piquer une rogne.

**sofoquina** → **sofocón.**

**sofreír*** *vt* faire revenir, faire frire légèrement.

**sofrenar** *vt* **1.** *(reprender)* réprimander **2.** *(una pasión)* réfréner.

**sofrito** *m* sauce *f*, coulis: **~ de tomate** coulis de tomates.

**software** *m* INFOR software, logiciel.

**soga** *f* **1.** corde **2.** FIG **estar con la ~ al cuello** être dans le pétrin; **dar ~ a uno** *(burlarse)* se moquer de quelqu'un **3.** PROV **no hay que mentar la ~ en casa del ahorcado** il ne faut pas parler de corde dans la maison d'un pendu.

**soguería** *f* corderie.

**soguero** *m* cordier.

**soguilla** *f* **1.** cordelette **2.** *(de pelo)* tresse.

**sois** → **ser.**

**soja** *f* soja *m*: **aceite de ~** huile de soja.

**sojuzgar** *vt* asservir, soumettre, subjuguer.

[1]**sol** *m* **1.** soleil: **~ naciente** soleil levant; **un ~ de justicia** un soleil de plomb; **hoy pica el ~** aujourd'hui le soleil tape; **exponer al ~, a pleno ~** exposer au soleil, en plein soleil; **tomar el ~** prendre le soleil ◊ FIG **arrimarse al ~ que más calienta** → **arrimar; no dejar a alguien ni a ~ ni a sombra** harceler quelqu'un, être toujours sur le dos de quelqu'un **2.** *loc adv* **a ~**

**puesto** au coucher du soleil; **de ~ a ~** du lever au coucher du soleil, du matin au soir **3.** monnaie *f* du Pérou. **4.** *FAM* amour, ange **5. ~ de las Indias** tournesol, soleil.
▶ Se dit des places exposées au soleil dans les arènes par opposition aux places à l'ombre (*sombra*).

**²sol** *m MÚS* (*nota*) sol: **clave de ~** clé de sol.

**solado** *m* carrelage, dallage.

**solador** *m* carreleur.

**solamente** *adv* seulement.

**solana** *f* **1.** endroit *m* exposé au soleil **2.** véranda, galerie.

**solanáceas** *f pl BOT* solanacées.

**solano** *m* vent d'est.

**solapa** *f* **1.** (*de una prenda de vestir*) revers *m* **2.** (*de la sobrecubierta de un libro*) revers *m* **3.** *FIG* prétexte *m*.

**solapadamente** *adv* sournoisement.

**solapado, a** *a* sournois, e.

**solapar** *vt* **1.** mettre des revers à **2.** *FIG* (*ocultar*) dissimuler, cacher. ◇ *vi* (*hablando de un vestido*) croiser.

**¹solar** *a* (*relativo al sol*) solaire: **sistema ~** système solaire; **rayos solares** rayons solaires; **energía ~** énergie solaire.

**²solar** *a/s* **casa ~** manoir *m*. ◇ *m* **1.** (*linaje*) maison *f*, linage, souche *f* **2.** (*terreno donde se va a edificar*) terrain à bâtir, terrain vague.

**³solar*** *vt* **1.** (*el suelo*) carreler, daller **2.** (*el calzado*) ressemeler.

**solariego, a** *a* **1.** qui appartient à une famille noble ◊ **casa solariega** manoir *m* **2.** noble, ancien, enne.

**solario, solárium** *m* solarium.

**solaz** *m* distraction *f*, délassement.

**solazar** *vt* distraire, récréer. ◆ **~se** *vpr* se distraire.

**solazo** *m FAM* soleil de plomb.

**soldada** *f* **1.** salaire *m* **2.** (*de un soldado*) solde.

**soldadesco, a** *a/f* soldatesque.

**soldadito** *m* **~ de plomo** soldat de plomb.

**soldado** *m* soldat: **~ raso** simple soldat.

**soldador** *m* **1.** soudeur **2.** (*instrumento*) fer à souder.

**soldadote** *m PEYOR* soudard.

**soldadura** *f* soudure.

**soldar*** *vt* souder.

**soleá → soleares.**

**soleado, a** *a* ensoleillé, e: **tiempo ~** temps ensoleillé; **una habitación soleada** une chambre insoleillée.

**solear** *vt* exposer au soleil.

**soleares** *f pl*, **soleá** *f* air et danse andalous.
▶ Formes andalouses du mot *soledad* et de son pluriel *soledades*.

**solecismo** *m* solécisme.

**soledad** *f* solitude. ◇ *pl* **1.** (*lugar*) solitudes **2. → soleares.**

**solemne** *a* solennel, elle.

**solemnemente** *adv* solennellement.

**solemnidad** *f* solennité.

**solemnizar** *vt* solenniser.

**solenoide** *m ELEC* solénoïde.

**soler*** *vi* **1.** avoir l'habitude de, avoir coutume de: **suelo parar en este hotel** j'ai l'habitude de descendre à cet hôtel; **solemos cenar a las 8** nous avons l'habitude de dîner à 8 heures **2. aquí suele llover mucho** ici il pleut généralement beaucoup; **como suele suceder** comme il arrive généralement, d'habitude.

**solera** *f* **1.** (*viga*) poutre **2.** (*del molino*) meule gisante **3.** (*de un horno*) sole **4.** (*heces del vino*) lie **5.** *FIG* tradition, ancienneté. ◊ **editorial de gran ~** maison d'édition ayant de longues années d'expérience **6. vino de ~** vin vieux (destiné au coupage des vins nouveaux) **7.** *AMER* (*prenda femenina*) bain *m* de soleil.
▶ *Vino de solera*: vin qui a vieilli dans une cave où les fûts sont superposés et qu'on a tiré des tonneaux de la rangée inférieure appelée *solera* parce que se trouvant au ras du sol.

**soleta** *f* **1.** (*de una media*) semelle **2.** *FAM* **tomar ~** mettre les voiles, se débiner.

**solfa** *f* **1.** *MÚS* solfège *m* **2.** *FAM* (*paliza*) raclée **3.** *FIG* **poner en ~** ridiculiser, tourner en ridicule.

**solfatara** *f* solfatare.

**solfear** *vt* **1.** *MÚS* solfier **2.** *FIG* (*dar una paliza*) rosser, battre **3.** *FIG* (*reprender*) attraper, engueuler.

**solfeo** *m MÚS* solfège.

**solferino, a** *a* violine, violet, pourpre.

**solicitación** *f* **1.** sollicitation **2.** candidature.

**solicitador, a → solicitante.**

**solicitante** *a/s* **1.** solliciteur, euse, demandeur, euse **2.** candidat, e.

**solicitar** *vt* **1.** (*un empleo, etc.*) solliciter: **~ una beca** solliciter une bourse **2.** demander, réclamer: **solicite nuestro folleto ilustrado** demandez notre brochure illustrée **3.** (*la amistad, etc.*) rechercher.

**solícito, a** *a* **1.** (*diligente*) empressé, e **2.** (*atento*) attentionné, e.

**solicitud** *f* **1.** sollicitude **2.** (*petición*) demande, requête: **dirigir una ~** adresser une demande; **solicitudes de subvención** demandes de subvention; **~ de empleo** demande d'emploi.

**solidar** *vt* consolider.

**solidaridad** *f* solidarité.

**solidario, a** *a* solidaire.

**solidarizarse** *vpr* se solidariser.

**solideo** *m* (*de eclesiástico*) calotte *f*.

**solidez** *f* solidité.

**solidificación** *f* solidification.

**solidificar** *vt* solidifier.

**sólido, a** *a/m* solide.

**soliloquiar** *vi* soliloquer.

**soliloquio** *m* soliloque.

**solio** *m* trône.

**solípedo, a** *a/m ZOOL* solipède.

**solista** *s* soliste.

**solitaria** *f* ver *m* solitaire, ténia *m*.

**solitario, a** *a/s* solitaire: **travesía en ~** traversée en solitaire. ◇ *m* (*diamante, juego*) solitaire.

**solito, a** *a FAM* tout seul, toute seule.

**sólito, a** *a* (*acostumbrado*) habituel, elle.

**soliviantar** *vt* **1.** soulever, exciter à la révolte, agiter; **las nuevas disposiciones han soliviantado la opinión pública** les nouvelles mesures ont soulevé l'opinion publique **2.** (*indignar*) irriter, exaspérer, exciter ◊ **los estudiantes andan soliviantados** les étudiants sont en effervescence.

**soliviar** *vt* soulever.

**solla** *f* (*pez*) plie, carrelet *m*.

**sollado** *m MAR* entrepont.

**sollamar** *vt* flamber.

**sollastre** *m* **1.** marmiton **2.** (*pícaro*) fripon.

**sollo** *m (esturión)* esturgeon.

**sollozar** *vi* sangloter.

**sollozo** *m* sanglot: **romper en sollozos** éclater en sanglots.

**solo, a** *a* **1.** seul, e: **vive ~** il vit seul; **lo hizo ~** il l'a fait tout seul; **las cosas no se arreglan por sí solas** les choses ne s'arrangent pas toutes seules **2.** *loc adv* **a solas** tout seul, toute seule. ◇ *m* **1.** *MÚS* solo **2.** jeu de cartes, solitaire.

**sólo** *adv* **1.** seulement: **no ~ ... sino también** non seulement... mais encore; **~ quería ayudarle** je voulais seulement, simplement vous aider **2. ~ con mirarlo** rien que de le regarder; **~ con pensarlo, de ~ pensarlo** rien que d'y penser **3. ~ que** mais **4. tan ~** seulement: **tan ~ se oía...** on entendait seulement...; **había tan ~ tres personas** il y avait seulement trois personnes; **iba vestido tan ~ con un pantalón vaquero** il portait seulement un jean, il ne portait qu'un jean.

**solomillo** *m* filet, aloyau.

**solsticio** *m* solstice: **~ de invierno, de verano** solstice d'hiver, d'été.

**soltar*** *vt* **1.** *(lo que estaba atado)* détacher, défaire **2.** *(lo que se tiene cogido)* lâcher: **~ un globo** lâcher un ballon; **¡suéltenme!** lâchez-moi! **3.** *(a un preso)* relâcher, élargir **4.** *FIG* **~ la risa** éclater de rire; **~ el llanto** éclater en sanglots **5.** *FAM* lâcher, débiter: **~ una tontería, un taco** lâcher une bêtise, un gros mot **6.** *FAM (un golpe, etc.)* flanquer: **le soltó un par de bofetadas** il lui flanqua une paire de gifles **7.** *FAM* **~ la mosca → mosca.** ◆ **~se** *vpr* **1.** se détacher **2.** *(de las manos de)* se dégager **3.** *(puntos)* filer **4.** *(adquirir desenvoltura)* se dégourdir, se débrouiller **5.** commencer: **soltarse a andar, a hablar** commencer à marcher, à parler.

**soltería** *f* célibat *m.*

**soltero, a** *a/s* **1.** célibataire **2. apellido de soltera** nom de jeune fille.

**solterón, ona** *s* vieux garçon, vieille fille.

**soltura** *f* **1.** aisance, facilité: **habla el alemán con ~** il parle allemand avec aisance, il parle couramment l'allemand **2.** *(descaro)* désinvolture **3.** *(de un preso)* élargissement *m.*

**solubilidad** *f* solubilité.

**soluble** *a* soluble.

**solución** *f* **1.** solution **2. sin ~ de continuidad** sans solution de continuité **3.** *QUÍM* solution.

**solucionar** *vt* résoudre: **~ un problema** résoudre un problème; **hemos solucionado su problema** nous avons résolu votre problème; **~ la crisis** résoudre la crise. ◊ **asunto solucionado** affaire réglée.

**solvencia** *f* **1.** *(garantía económica)* solvabilité **2.** capacité, compétence **3.** crédibilité, sérieux *m:* **un periódico cuya ~ es notoria** un journal dont le sérieux est reconnu **4. médico de toda ~** médecin sûr, en qui on peut avoir toute confiance.

**solventar** *vt* **1.** *(una dificultad, etc)* résoudre **2.** *(una deuda)* payer.

**solvente** *a* **1.** *(capaz de pagar sus deudas)* solvable **2.** capable, compétent, c. **3.** sûr, e: **de fuentes solventes** de sources sûres. ◇ *m (disolvente químico)* solvant.

**somalí** *a/s* somalien, enne.

**Somalia** *np f* Somalie.

**somanta** *f* raclée, rossée.

**somatén** *m* **1.** milice *f* catalane **2.** *(rebato)* tocsin.

**somático, a** *a* somatique.

**somatizar** *vt* somatiser.

**sombra** *f* **1.** ombre: **descansar a la ~** se reposer à l'ombre; **30 grados a la ~** 30 degrés à l'ombre; **dar ~** faire de l'ombre; **~ proyectada** ombre portée; **sombras chinescas** ombres chinoises; *FIG* **hacer ~ a alguien** porter ombrage, faire du tort à quelqu'un; *FAM* **a la ~** à l'ombre, en prison **2.** *FIG* **ni ~ de...** pas l'ombre de, pas trace de...; **ni por ~** en aucune façon **3.** *(suerte)* chance **4.** *(gracia)* esprit **5. tener buena ~** *(suerte)* avoir de la chance; *(gracia)* être drôle; être sympathique; **tener mal ~** *(mala suerte)* avoir la guigne; être antipathique; *(traer mala suerte)* porter malheur. **6. ~ de ojos** ombre à paupières.

▶ Se dit des places à l'ombre dans les arènes par opposition aux places exposées au soleil *(sol).*

**sombrajo** *m* **1.** abri de branchages **2.** ombre *f.*

**sombreado, a** *a (lugar)* ombragé, e.

**sombrear** *vt* **1.** ombrager **2.** *(en una pintura o dibujo)* ombrer.

**sombrerazo** *m* coup de chapeau.

**sombrerera** *f* **1.** *(mujer)* chapelière **2.** *(la que hace sombreros)* modiste **3.** *(caja)* carton *m* à chapeaux.

**sombrerería** *f* chapellerie.

**sombrerero** *m* chapelier.

**sombrerete** *m* **1.** petit chapeau **2.** *BOT (de los hongos)* chapeau **3.** *(de chimenea)* abat-vent *inv*, mitre *f.*

**sombrerillo** *m BOT* chapeau.

**sombrero** *m* **1.** chapeau: **~ cordobés** chapeau à larges bords; **~ de copa** chapeau haut de forme; **~ de teja** ancien chapeau d'ecclésiastique; **~ de tres picos** tricorne; **~ flexible** chapeau mou; **~ hongo** chapeau melon; *FIG* **quitarse el ~** tirer son chapeau **2.** *BOT (de los hongos)* chapeau **3.** *(del púlpito)* abat-voix *inv.*

**sombrilla** *f* **1.** ombrelle **2.** *(quitasol)* parasol *m.*

**sombrío, a** *a* **1.** sombre **2.** *FIG (melancólico)* sombre.

**someramente** *adv* sommairement.

**somero, a** *a* superficiel, elle, sommaire.

**someter** *vt* soumettre: **someteré mi proyecto a...** je soumettrai mon projet à... ◆ **~se** *vpr* se soumettre: **me someto a sus deseos** je me soumets à vos désirs; **los rebeldes se han sometido** les rebelles se sont soumis.

**sometimiento** *m* soumission *f.*

**somier** *m* sommier.

**somnífero, a** *a/m* somnifère.

**somnolencia** *f* somnolence.

**somnoliento, a** *a* somnolent, e.

**somorgujar** *vt* plonger. ◆ **~se** *vpr* plonger.

**somorgujo, somormujo** *m (ave)* grèbe.

**somormujar → somorgujar.**

**somos, son → ser.**

**son** *m* **1.** son. ◊ *FIG* **bailar al ~ que tocan** suivre le mouvement, s'adapter **2.** *(rumor)* bruit **2.** *(modo)* manière *f*, façon *f*: **a este ~** de cette manière. ◊ **en ~ de burla** sur un ton de moquerie **4.** prétexte: **¿a ~ de qué?** pour quelle raison?, sous quel prétexte?, au nom de quoi? **5.** *loc adv* **sin ton ni ~** sans rime ni raison **6.** *AMER* air et danse afro-cubains.

**sonado, a** *a* **1.** sonné, e **2.** *(famoso)* célèbre, fameux, euse **3.** *(divulgado)* qui fait du bruit, retentissant, e: **un incidente muy ~** un incident qui a fait beaucoup de bruit; **un ~ escándalo bursatil** un scandale boursier retentissant. ◊ *FAM* **hacer una que sea sonada** faire un esclandre **4.** *FAM (chiflado)* sonné, é, toqué, e, timbré, e. **5.** *(boxeador)* sonné, e.

**sonajeras** *f pl* sorte de tambour *m sing* de basque (sans peau).

**sonajero** *m* hochet.

**sonambulismo** *m* somnambulisme.

**sonámbulo, a** *a/s* somnambule.

**sonante** *a* sonnant, e.

**¹sonar*** *vi* **1.** sonner: **suena el teléfono** le téléphone sonne **2.** se faire entendre: **suena una voz** une voix se fait entendre, on entend une voix; **sonaban las risas de los niños** on entendait les rires des enfants; **sonaron ladridos** on entendit des aboiements. **3.** *(una letra)* se prononcer **4.** *FIG* être cité, e, être mentionné, e, figurer **5.** *FIG* dire quelque chose: **me suena ese apellido, esa cara** ce nom, ce visage me dit quelque chose; **¿le suena?** ça vous dit quelque chose?, ça ne vous rappelle rien? **6.** *FIG* **~ a** avoir quelque chose de, sembler: **esta expresión suena a popular** cette expression a quelque chose de populaire **7. (así) como suena** littéralement, comme je vous le dis **8.** *AMER (morir)* mourir, claquer, *(fracasar)* échouer. ◇ *vt* **1.** *(un instrumento)* jouer de **2.** *(las narices)* moucher **3.** *AMER (matar)* tuer. ◆ **~se** *vpr (las narices)* se moucher: **suénate** mouche-toi.

**²sonar** *m MAR* sonar.

**sonata** *f* sonate: **~ para violín** sonate pour violon.

**sonatina** *f* sonatine.

**sonda** *f* **1.** sonde ◊ **globo ~** ballon-sonde **2.** *MED* sonde.

**sondar, sondear** *vt* sonder.

**sondeo** *m* **1.** sondage **2. ~ de opinión** sondage d'opinion.

**sonecillo** *m* **1.** son faible **2.** air vif.

**sonetista** *s* auteur de sonnets.

**soneto** *m* sonnet.

**songa** *f AMER* raillerie.

**sónico, a** *a* sonique.

**sonido** *m* son: **la barrera del ~** le mur du son.

**soniquete → sonsonete.**

**sonoridad** *f* sonorité.

**sonorización** *f* sonorisation.

**sonorizar** *vt* sonoriser.

**sonoro, a** *a* sonore.

**sonreír*** *vi* **1.** sourire **2.** *FIG* **la suerte le sonríe** la chance lui sourit. ◆ **~se** *vpr* sourire.

**sonriente** *a* souriant, e.

**sonrisa** *f* sourire *m*: **una hermosa ~** un beau sourire; **con la ~ en los labios** le sourire aux lèvres.

**sonrojar** *vt* faire rougir: **a mí me sonroja que...** ça me fait rougir, ça me fait honte que... ◆ **~se** *vpr* rougir.

**sonrojo** *m* **1.** rougeur *f*, honte *f* **2.** affront qui fait rougir.

**sonrosado, a** *a* rosé, e.

**sonsacar** *vt* **1.** soutirer, arracher: **~ un secreto** arracher un secret **2.** *(procurar que uno hable)* tirer les vers du nez à **3.** *(a un empleado)* débaucher.

**sonsera** *f AMER* sottise, bêtise.

**sonso, a** *a AMER* sot, sotte, bête.

**sonsonete** *m* **1.** bruit monotone **2.** *(tonillo)* ton (ironique, moqueur, monotone, etc.).

**soñador, a** *a/s* rêveur, euse.

**soñar*** *vi/t* **1.** rêver: **soñé que me ahogaba** j'ai rêvé que je me noyais **2. ~ con** rêver de: **he soñado con ella esta noche** j'ai rêvé d'elle cette nuit; **sueña con hacer este viaje, con una moto** il rêve de faire ce voyage, d'une moto. ◊ **~ despierto** rêver tout éveillé; **¡ni lo sueñe!, !ni soñarlo!** il ne faut même pas y songer!, pas question!, jamais de la vie!

**soñarrera** *f* **1.** *(ganas de dormir)* envie de dormir **2.** sommeil *m* lourd.

**soñera** *f* envie de dormir.

**soñolencia** *f* somnolence.

**soñoliento, a** *a* somnolent, e.

**sopa** *f* **1.** soupe, potage *m*: **~ de leche** soupe au lait; **~ de ajo** soupe à l'ail; **~ de cebolla** soupe à l'oignon ◊ **~ juliana** julienne **2.** *FIG* **como una ~, hecho una ~** trempé comme une soupe; **vengo hecho una ~** je suis trempé; **comer la ~ boba** vivre en parasite, aux crochets d'autrui; **dar a uno sopas con honda** en remontrer à quelqu'un, se montrer très supérieur à quelqu'un.

**sopapear** *vt FAM* gifler.

**sopapo** *m* **1.** tape *f* sous le menton **2.** *(bofetada)* gifle *f*, claque *f*.

**sopar** *vt* tremper.

**sopera** *f* soupière.

**sopero** *a* **plato ~** assiette à soupe.

**sopesar** *vt* soupeser.

**sopetón** *m* **1.** forte tape *f* **2.** *loc adv* **de ~** à l'improviste, inopinément, sans crier gare: **la noticia me llegó de ~** la nouvelle m'est arrivée inopinément.

**soplado, a** *a FAM* **1.** très soigné, e **2.** *(engreído)* bouffi, e d'orgueil. ◇ *m (de vidrio)* soufflage.

**soplador, a** *s* soufleur, euse.

**soplamocos** *m* mornifle *f*, torgniole.

**soplar** *vi (el viento)* souffler. ◇ *vt* **1.** souffler: **~ una vela** souffler une bougie; **soplarse los dedos** souffler sur ses doigts **2.** *(hinchar)* gonfler **3.** *FIG (apuntar la lección)* souffler **4.** *(delatar)* rapporter, moucharder **5.** *FAM (hurtar)* piquer, faucher **6.** *FAM (una bofetada)* flanquer. ◇ *interj* **¡sopla!** mince!, oh là là! ◆ **~se** *vpr FAM (comerse, beberse)* engloutir, avaler, *(beberse)* pomper.

**soplete** *m* chalumeau.

**soplido** *m* souffle.

**soplillo** *m* éventoir.

**soplo** *m* **1.** souffle **2.** *MED* souffle: **~ en el corazón, ~ de corazón** souffle au cœur **3.** *FIG* instant ◊ **me pasó el verano en un ~** je n'ai pas vu passer l'été, l'été a passé très vite, en un clin d'œil **4.** *(delación)* mouchardage, cafardage, dénonciation *f*.

**soplón, ona** *a/s* mouchard, e, rapporteur, euse.

**soplonear** *vt* moucharder.

**soplonería** *f* mouchardage *m*.

**soponcio** *m FAM* évanouissement ◊ **le ha dado un ~** il est tombé dans les pommes, il a eu un étourdissement.

**sopor** *m* assoupissement.

**soporífero, a, soporífico, a** *a/m* soporifique.

**soportable** *a* supportable.

**soportal** *m* porche. ◇ *pl* arcades *f*.

**soportar** *vt* **1.** *(sostener)* supporter **2.** *(aguantar)* supporter.

**soporte** *m* support.

**soprano** *s* soprano.

**soquete** *m AMER* socquette *f*.

**sor** *f* sœur (devant un nom de religieuse): **~ Teresa** soeur Thérèse.

**sorber** *vt* **1.** boire, avaler en aspirant **2.** *(absorber)* absorber **3.** *(tragar)* engloutir **4.** *FIG* **~ el seso, la sesera, el coco** mettre la tête à l'envers, tourner la tête.

**sorbete** *m* sorbet.

**sorbetera** *f* sorbetière.

**sorbetón** *m* grande gorgée *f*.

**sorbo** *m* **1.** gorgée *f*: **a sorbos** à petites gorgées; **beber a sorbos** siroter **2.** petite quantité *f*.

**sorche, sorchi** *m FAM* troufion, bidasse.

**sordera** *f* surdité.

**sordidez** *f* sordidité.

**sórdido, a** *a* sordide.

**sordina** *f* sourdine: **con ~** en sourdine.

**sordo, a** *a/s* sourd, e: **más ~ que una tapia** sourd comme un pot; *FIG* **un dialogo de sordos** un dialogue de sourds; **hacerse el ~** faire la sourde oreille; *PROV* **no hay peor ~ que el que no quiere oír** il n'est pire sourd que celui qui ne veut pas entendre.

**sordomudez** *f* surdi-mutité.

**sordomudo, a** *a/s* sourd-muet, sourde-muette.

**sorgo** *m* sorgho.

**soriano, a** *a/s* de Soria.

**sorna** *f* **1.** lenteur **2.** *(burla)* moquerie **3.** *(tono burlón)* air *m* narquois, ton *m* goguenard.

**soroche** *m AMER* **1.** mal des montagnes **2.** *(rubor)* rougeur *f.*

**sorprendente** *a* surprenant, e.

**sorprendentemente** *adv* d'une façon surprenante.

**sorprender** *vt* surprendre: **le sorprendieron robando** on l'a surpris en train de voler; **me sorprende que vengas tan pronto** ça me surprend que tu viennes si tôt. ◆ **~se** *vpr* être surpris, e, s'étonner: **se sorprendía mucho** il était très surpris; **se sorprendía con cada cosa** il s'étonnait de tout; **usted se sorprenderá de la rapidez con que...** vous serez surpris de la rapidité avec laquelle...

**sorpresa** *f* surprise: **dar una ~** faire une surprise; **con gran ~ de mi parte** à ma grande surprise; **con gran ~ de ella** à sa grande surprise; **para ~ de todos** à la surprise générale; **ésa sí que era una ~** ça c'était une surprise; **ataque ~** attaque-surprise ◊ **coger, pillar de ~** prendre au dépourvu, prendre de court; *loc adv* **por ~** par surprise.

**sorpresivo, a** *a AMER* surprenant, e.

**sortear** *vt* **1.** tirer au sort **2.** *FIG* éviter, esquiver, éluder: **~ los coches, los atascos** éviter les voitures, les embouteillages; **~ una dificultad** esquiver une difficulté. **3.** *TAUROM* combattre (le taureau).

**sorteo** *m* **1.** tirage au sort **2.** *(de la lotería)* tirage.

**sortija** *f* **1.** *(anillo)* bague **2.** *(de pelo)* boucle **3.** *(juego)* furet *m.*

**sortilegio** *m* sortilège.

**sortílego, a** *a/s* devin, devineresse.

**sos** *AMER (= eres)* es: **vos ~ la más linda** tu es la plus jolie.

**sosa** *f* soude: **~ cáustica** soude caustique.

**sosaina** *a FAM* falot, otte, nunuche ◊ *s* niais, e.

**sosamente** *adv* avec fadeur, sans grâce, sans charme.

**sosegado, a** *a* calme, tranquille, paisible: **una vida sosegada y feliz** une vie paisible et heureuse.

**sosegar*** *vt* calmer, apaiser: **~ los nervios** calmer les nerfs. ◊ *vi* reposer. ◆ **~se** *vpr* se calmer, s'apaiser: **me sosegué** je me calmai; **sosiégate** calme-toi.

**sosegate** *m AMER* coup.

**sosera, sosería** *f* **1.** fadeur **2.** bêtise, niaiserie.

**soseras** *a/s FAM* nunuche.

**sosia** *m* sosie.

**sosiego** *m* calme, tranquillité *f.*

**soslayar** *vt* **1.** mettre en biais **2.** *FIG (una dificultad, etc.)* éluder, esquiver, tourner: **~ un problema** éluder un problème.

**soslayo** *a* de travers ◊ **al, de ~** de biais, de côté: **mirar de ~** regarder du coin de l'œil.

**soso, a** *a* **1.** *(un alimento)* fade, insipide **2.** *FIG* fade, sans charme, sans esprit, mièvre, fadasse: **su hermana es guapa pero muy sosa** sa sœur est jolie mais très mièvre.

**sospecha** *f* soupçon *m*: **levantar sospechas** éveiller des soupçons; **por encima de toda ~** au-dessus de tout soupçon.

**sospechar** *vt* **1.** *(conjeturar)* soupçonner **2.** se douter de: **lo sospechaba** je m'en doutais. ◊ *vi* soupçonner, suspecter: **sospecha de todos** il soupçonne tout le monde.

**sospechoso, a** *a/s (que inspira sospechas)* suspect, e.

**sostén** *m* **1.** soutien: **~ de familia** soutien de famille **2.** *(prenda femenina)* soutien-gorge: **~ de aros** soutien-gorge à armature; **sostenes** des soutiens-gorge.

**sostenedor, a** *a/s* qui soutient.

**sostener*** *vt* **1.** soutenir: **las vigas sostienen el techo** les poutres soutiennent le toit **2.** *FIG* **~ su punto de vista** soutenir, défendre son point de vue **3.** *(mantener a una familia, etc.)* entretenir. ◆ **~se** *vpr* **1.** se soutenir **2.** *(en el poder, etc.)* se maintenir, rester.

**sostenido, a** *a* soutenu, e. ◊ *a/m MÚS* dièse.

**sostenimiento** *m* **1.** soutien, appui **2.** *(mantenimiento)* entretien.

**sota** *f* valet *m* (au jeu de cartes).

**sotabanco** *m* mansarde *f.*

**sotabarba** *f* **1.** *(barba)* collier *m* **2.** *(papada)* double menton *m.*

**sotana** *f* soutane.

**sótano** *m* **1.** sous-sol: **el restaurante está en el ~** le restaurant est au sous-sol **2.** cave *f.*

**sotavento** *m MAR* côté sous le vent.

**Sotavento (islas de)** *a/s* Sous-le-Vent (îles).

**sotechado** *m* hangar.

**soterrar*** *vt* enterrer, enfouir.

**soto** *m* **1.** *(bosque)* bois **2.** *(matas)* fourré.

**sotobosque** *m* taillis, sous-bois.

**sotreta** *f AMER (caballo)* canasson *m*, haridelle.

**soufflé** *m* soufflé.

**soviet** *m* soviet.

**soviético, a** *a/s* soviétique.

**soy→ser.**

**soya** *f* soja *m.*

**spinnaker, spinaker** *m MAR* spinnaker, spi.

**sponsor** *m* sponsor.

**sport** *m* sport: **chaqueta de ~** veste sport.

**spot** *m* spot: **~ publicitario** spot publicitaire.

**spray** *m* **1.** atomiseur, spray **2.** *(de pintura, espuma de afeitar, etc.)* bombe *f.*

**sprint** *m* sprint; **victoria al ~** victoire au sprint.

**sprinter** *m* sprinter.

**squash** *m* squash.

**stand** *m* stand.

**standard** *a/m (estándar)* standard.

**standarizar** *vt (estandarizar)* standardiser.

**star** *f* star.

**starter** *m TECN* starter.

**status** *m* **1.** statut **2.** statut social, position *f* sociale.

**stick** *m* stick.

**stock** *m* stock.

**stop** *m* stop.

**strip-tease** *m* strip-tease.

**stupa** *m ARQ* stupa.

**su, sus** *a pos* **1.** *(un solo poseedor)* son, sa, ses: **sale con ~ marido y sus hijos** elle sort avec son mari et ses enfants **2.** *(varios poseedores)* leur, leurs **3.** *(de usted, de ustedes)* votre, vos: **déme ~ dirección** donnez-moi votre adresse; **sus sobrinos de usted** vos neveux.

**suasorio, a** *a* persuasif, ive.

**suave** *a* **1.** doux, douce: **piel ~** peau douce; **clima ~** climat doux. ◊ **el tiempo se ha puesto ~** le temps s'est radouci **2.** *(una persona)* doux, douce, aimable.

**suavemente** *adv* doucement.

**suavidad** *f* douceur.

**suavizador** *m* **1.** *(para las navajas de afeitar)* cuir à rasoir **2. ~ de agua** adoucisseur d'eau.

**suavizar** *vt* adoucir: **~ el cutis, la voz** adoucir la peau, la voix. ◆ **~se** *vpr* s'adoucir.

**Suazilandia** *np f* Swaziland *m*.

**suba** *f* AMER hausse (des prix).

**subacuático, a** *a* sous-marin, e.

**subafluente** *m* sous-affluent.

**subalimentación** *f* sous-alimentation.

**subalimentado, a** *a* sous-alimenté, e.

**subalterno, a** *a/s* subalterne.

**subarrendador, a** *s* sous-bailleur, ceresse.

**subarrendar*** *vt* sous-louer.

**subarrendatario, a** *s* sous-locataire.

**subarriendo** *m* sous-location *f*.

**subasta** *f* **1.** vente aux enchères ◊ **sacar a pública ~** mettre aux enchères **2.** *(para un servicio)* adjudication **3. ~ de pescado** criée.

**subastar** *vt* vendre aux enchères.

**subclase** *f* sous-classe.

**subcomisión** *f* sous-commission.

**subcomité** *m* sous-comité.

**subconsciente** *a/m* subconscient, e.

**subcontinente** *m* sous-continent.

**subcutáneo, a** *a* sous-cutané, e.

**subdelegado, a** *a/s* subdélégué, e.

**subdelegar** *vt* subdéléguer.

**subdesarrollado, a** *a* sous-développé, e: **países subdesarrollados** pays sous-développés.

**subdesarrollo** *m* sous-développement.

**subdiaconado** *m* sous-diaconat.

**subdiácono** *m* sous-diacre.

**subdirector, a** *s* sous-directeur, trice.

**súbdito, a** *a/s* **1.** sujet, ette **2.** *(natural de un país)* ressortissant, e.

**subdividir** *vt* subdiviser.

**subdivisión** *f* subdivision.

**subdominante** *f* MÚS sous-dominante.

**subemplear** *vt* sous-employer.

**subempleo** *m* sous-emploi.

**subestimar** *vt* sous-estimer.

**subfamilia** *f* BIOL sous-famille.

**subfusil** *m* mitraillette *f*.

**subgénero** *m* BIOL sous-genre.

**subida** *f* **1.** montée, ascension **2.** *(cuesta)* côte, montée **3.** *(de los precios, de la temperatura)* hausse, augmentation: **la ~ de los productos alimenticios** la hausse des produits alimentaires; **subidas salariales** hausses des salaires; **la ~ del pan** l'augmentation du prix du pain; **ligera ~ de las temperaturas** légère hausse des températures **4.** *(de las aguas)* crue **5.** *(tenis)* **~ a la red** montée au filet **6.** TEAT **la ~ del telón** le lever du rideau.

**subido, a** *a* **1.** *(olor)* fort, e **2.** *(color)* vif, vive **3.** *(precio)* élevé, e **4. ~ de color → color.**

**subintendente** *m* sous-intendant.

**subir** *vi* **1.** monter: **~ a caballo** monter à cheval; **~ al tren, al coche** monter dans le train, en voiture; **subió al taxi** il monta dans le taxi **2.** *(río, temperatura, etc.)* monter **3.** *(precios)* augmenter: **subió la gasolina** l'essence a augmenté; **todo sube** tout augmente; **las tarifas subirán 2 pesetas** les tarifs augmenteront de 2 pesetas **4.** *(una cuenta)* s'élever, se monter: **los gastos suben a mil pesetas** les frais s'élèvent à mille pesetas **5.** *(en un empleo)* **~ de categoría** monter en grade. ◇ *vt* **1.** monter, gravir: **~ una pendiente** monter une côte **2.** *(llevar a un sitio más elevado)* monter **3.** *(precio)* augmenter **4.** *(el tono)* hausser **5.** *(levantar)* lever, relever: **con el cuello subido** le col relevé. ◆ **~se** *vpr* **1.** monter, grimper: **se subió a una silla, al árbol** il monta sur une chaise, il grimpa sur, à l'arbre; **me subí al autobús** je montai dans l'autobus **2.** remonter: **esta falda se sube demasiado** cette jupe remonte trop **3. me subí el cuello de la americana** je relevai le col de ma veste **4. el vino se le estaba subiendo a la cabeza** le vin lui montait à la tête.

**súbitamente** *adv* subitement.

**súbito, a** *a* subit, e, soudain, e ◊ **de ~** soudain. ◇ *adv* subitement, soudain.

**subjefe** *m* sous-chef.

**subjetivamente** *adv* subjectivement.

**subjetividad** *f* subjectivité.

**subjetivismo** *m* subjectivisme.

**subjetivo, a** *a* subjectif, ive.

**subjuntivo** *m* GRAM subjonctif.

**sublevación** *f* soulèvement *m*.

**sublevado, a** *a/s* insurgé, e.

**sublevar** *vt* **1.** soulever: **~ al pueblo** soulever le peuple **2.** FIG soulever, révolter. ◆ **~se** *vpr* se soulever.

**sublimación** *f* sublimation.

**sublimado** *m* QUÍM sublimé.

**sublimar** *vt* sublimer.

**sublime** *a* sublime.

**sublimidad** *f* sublimité.

**subliminal** *a* subliminal, e.

**sublingual** *a* sublingual, e.

**submarinismo** *m (deporte)* plongée *f* sous-marine.

**submarinista** *m (tripulante de un submarino)* sous-marinier. ◇ *s* plongeur, euse.

**submarino, a** *a* sous-marin, e: **pesca submarina** pêche sous-marine. ◇ *m* sous-marin: **~ nuclear** sous-marin nucléaire.

**submúltiplo, a** *a/m* MAT sous-multiple.

**subnormal** *a/s* anormal, e, débile: **niños subnormales** enfants anormaux; **~ ligero, profundo** débile léger, profond.

**suboficial** *m* sous-officier.

**suborden** *m* BIOL sous-ordre.

**subordinación** *f* subordination.

**subordinado, a** *a/s* subordonné, e.

**subordinar** *vt* subordonner.

**subprefecto** *m* sous-préfet.

**subprefectura** *f* sous-préfecture.

**subproducción** *f* sous-production.

**subproducto** *m* sous-produit.

**subrayado** *m* mot souligné.

**subrayar** *vt* souligner.

**sobrepticiamente** *adv* subrepticement.

**subrepticio, a** *a* subreptice.

**subrogación** *f* subrogation.

**subrogar** *vt* subroger.

**subrutina** *f INFORM* sous-programme *m*.

**subsanable** *a* réparable, remédiable, à quoi l'on peut remédier.

**subsanar** *vt* **1.** réparer, rectifier, remédier à: **~ un error** rectifier une erreur; **~ un inconveniente** remédier à un inconvénient **2.** résoudre.

**subscribir, subscripción,** etc. → **suscribir, suscripción,** etc.

**subsecretaría** *f* sous-secrétariat *m*.

**subsecretario, a** *s* sous-secrétaire.

**subsecuente** *a* subséquent, e.

**subseguirse*** *vpr* s'ensuivre.

**subsidiar** *vt* subventionner.

**subsidiario, a** *a* subsidiaire.

**subsidio** *m* **1.** subside, subvention *f* **2.** allocation *f*: **~ de desempleo, de paro** allocation de chômage; **subsidios familiares** allocations familiales.

**subsiguiente** *a* subséquent, e.

**subsistencia** *f* subsistance. ◇ *pl* subsistances, vivres *m pl*.

**subsistente** *a* subsistant, e, vivant, e.

**subsistir** *vi* subsister.

**subsónico, a** *a* subsonique.

**substancia, substancial,** etc. → **sustancia, sustancial,** etc.

**substantivo** → **sustantivo.**

**substitución, substituir,** etc. → **sustitución, sustituir,** etc.

**substracción, substraer,** etc. → **sustracción, sustraer,** etc.

**substrato** *m* substrat.

**subsuelo** *m* sous-sol.

**subtangente** *f GEOM* sous-tangente.

**subte** *m AMER* métro.

**subtender*** *vt* sous-tendre.

**subteniente** *m* sous-lieutenant.

**subtenso, a** *a* sous-tendu, e.

**subterfugio** *m* subterfuge, échappatoire *f*.

**subterráneo, a** *a* souterrain, e ◇ *m* **1.** souterrain **2.** *AMER* métro.

**subtitular** *vt* sous-titrer: **versión original subtitulada** version originale sous-titrée.

**subtítulo** *m* sous-titre.

**subtropical** *a* subtropical, e.

**suburbano, a** *a* suburbain, e, de banlieue.

**suburbial** → **suburbano.**

**suburbio** *m* faubourg, banlieue *f*: **suburbios miserables** des faubourgs, des banlieues misérables.

**subvalorar** *vt* sous-estimer.

**subvención** *f* subvention.

**subvencionar** *vt* subventionner.

**subvenir*** *vi* subvenir.

**subversión** *f* subversion.

**subversivo, a** *a* subversif, ive. ◇ *s* rebelle.

**subvertir*** *vt* bouleverser.

**subyacente** *a* sous-jacent, e.

**subyugación** *f* soumission.

**subyugar** *vt* subjuguer.

**succión** *f* succion.

**sucedáneo** *m* succédané, ersatz.

**suceder** *vi* **1.** succéder, venir après **2.** *(heredar)* succéder: **sucedió a su padre** il a succédé à son père. ◇ *v impers* arriver, se passer: **sucedió lo que tenía que ~** il est arrivé ce qu'il devait arriver; **¿qué sucede?** que se passe-t-il?; **¿qué te sucede?** qu'est-ce qu'il t'arrive?; **a mí me va a ~ algo** il va m'arriver quelque chose; **sólo a mí me sucede** ça n'arrive qu'à moi; **siempre sucede así** ça se passe toujours comme ça; **suceda lo que suceda** quoi qu'il arrive, quoi qu'il advienne.

**sucedido** *m* événement.

**sucesión** *f* **1.** *(serie)* succession **2.** *(herencia)* succession.

**sucesivamente** *adv* successivement ◊ **y así ~** et ainsi de suite.

**sucesivo, a** *a* **1.** successif, ive **2.** suivant, e ◊ **en lo ~** à l'avenir, désormais, dorénavant, par la suite.

**suceso** *m* **1.** événement **2.** *(en los periódicos)* fait divers **3. el lugar del ~** le lieu de l'accident, du sinistre, de l'incident.

**sucesor, a** *s* successeur.

**sucesorio, a** *a JUR* successoral, e.

**suciamente** *adv* salement.

**suciedad** *f* **1.** saleté, malpropreté **2.** *FIG* saleté.

**sucintamente** *adv* succinctement.

**sucinto, a** *a* succinct, e.

**sucio, a** *a* sale. ◇ *adv* sans respecter les règles.

**sucre** *m* sucre, unité monétaire de l'Équateur.

**sucucho** *m AMER* réduit, cagibi, galetas.

**suculencia** *f* succulence.

**suculento, a** *a* **1.** succulent, e **2.** substantiel, elle.

**sucumbir** *vi* **1.** succomber: **~ a la tentación** succomber à la tentation **2.** *(morir)* succomber.

**sucursal** *f* succursale.

**sudaca** *a/s FAM* latino, latino-américain, e.

**sudación** *f* sudation.

**sudadera** *f* **1.** *(sudor)* suée **2.** *(prenda)* sweat-shirt *m*, sweat *m*.

**sudadero** *m* **1.** étuve *f* **2.** *(manta)* tapis de selle.

**sudado, a** *a* trempé, e de sueur: **camisa sudada** chemise trempée de sueur.

**Sudáfrica** *np f* Afrique du Sud.

**sudafricano, a** *a/s* sudafricain, e.

**Sudamérica** *np f* Amérique du Sud.

**sudamericano, a** *a/s* sud-américain, e, américain, e du Sud.

**Sudán** *np m* Soudan.

**sudanés, esa** *a/s* soudanais, e.

**sudar** *vi/t* **1.** suer, transpirer ◊ **~ la gota gorda** suer à grosses gouttes; *FAM* **~ el quilo, ~ tinta, ~ sangre** suer sang et eau, se crever, en baver: **para aprobar hay que ~ tinta** pour être reçu il faut bosser dur **2.** *FIG* suer, peiner, travailler dur. ◇ *vt* tremper de sueur.

**sudario** *m* suaire: **el santo ~** le saint suaire.

**sudestada** *f AMER* vent *m* et pluie du sud-est.

**sudeste** *m* sud-est.

**sudista** *a/s* sudiste.

**sudoeste** *m* **1.** sud-ouest **2.** *(viento)* suroît.

**sudor** *m* sueur *f*: **con el ~ de su frente** à la sueur de son front; **estar bañado en ~** être en sueur, en nage, trempé; **~ frío** sueur froide.

**sudoriento, a** *a* en sueur.

**sudorífero, a, sudorífico, a** *a/s* sudorifique.

**sudoríparo, a** *a ANAT* sudoripare: **glándulas sudoríparas** glandes sudoripares.

**sudoroso, a** *a* **1.** en sueur **2.** qui sue beaucoup.

**Suecia** *np f* Suède.
**sueco, a** *a/s* **1.** suédois, e **3.** *FIG* **hacerse el ~** faire semblant de ne pas comprendre.
**suedina** *f* suédine.
**suegra** *f* belle-mère.
**suegro** *m* beau-père.
**suela** *f* **1.** *(del calzado)* semelle ◊ **echar medias suelas** ressemeler; *FIG* **de siete suelas** fieffé, e, de première grandeur; **no llegarle a alguien a la ~ del zapato** ne pas arriver à la cheville de quelqu'un **2.** cuir *m* **3.** *(del taco de billar)* procédé *m* **4.** *(pez)* sole.
**sueldo** *m* **1.** *(paga mensual)* salaire: **un buen ~** un bon salaire: **un ~ de miseria** un salaire de misère; **~ base** salaire de base ◊ **baja sin ~** congé sans solde **2.** *(de un empleado)* appointements *pl; (de un funcionario)* traitement; *(de un criado)* gages *pl; (de un militar)* solde *f* **3. estar al ~ de** être à la solde de **4.** *(moneda)* sou.
**suele,** etc. → **soler.**
**suelo** *m* **1.** sol: **un ~ fértil** un sol fertile; **caer al ~, dar en el ~** tomber par terre; **por el ~, por los suelos** par terre: **busca algo por el ~** il cherche quelque chose par terre; **rueda por los suelos** il roule par terre; *FIG* **arrastrar a alguien por los suelos** traîner quelqu'un dans la boue; **estar por los suelos** être méprisé, e, être tombé, e bien bas; **tener la moral por los suelos** avoir le moral très bas, à zéro; **venirse al ~** s'écrouler **2.** *(piso de una casa)* sol, plancher **3.** *(de una vasija)* fond **4.** *FIG* **~ natal, patrio** sol natal.
**suelta** *f* **1.** *(de palomas, etc.)* lâcher *m* **2.** *(de un preso)* élargissement *m* **3. dar ~ a** remettre en liberté, relâcher: **dar ~ a un rehén** relâcher un otage **4.** *(traba del caballo)* entrave.
**sueltamente** *adv* aisément.
**suelto, ta** *pp* de **soltar.** ◇ *a* **1.** libre **2.** *(no atado)* défait, e, détaché, e ◊ **hoja suelta** feuille volante **3.** *(aislado)* isolé, e **4.** *(que no hace juego)* dépareillé, e **5.** *(en los movimientos)* rapide, agile **6.** *(estilo)* coulant, e **7.** *(atrevido)* osé, e, libre **8.** *(no ceñido)* ample. ◇ *a/m (dinero)* petite monnaie *f*: **¿tiene usted ~?** avez-vous de la monnaie? ◇ *m (de pediódico)* entrefilet.
**sueño** *m* **1.** sommeil: **tengo mucho ~** j'ai très sommeil; **tengo un ~ que no veo** j'ai un sommeil épouvantable, de plomb; **caerse de ~** tomber de sommeil; **estar muerto de ~** être mort de sommeil; **trastornos del ~** troubles du sommeil; **conciliar el ~** → **conciliar; descabezar un ~** → **descabezar; el ~ eterno** le sommeil éternel ◊ *FIG* **quitar el ~** empêcher de dormir **2.** rêve, songe: **esta noche he tenido un mal ~** cette nuit j'ai fait un mauvais rêve; **El ~ de una noche de verano** *(Shakespeare)* le Songe d'une nuit d'été **3.** *(deseo)* rêve: **su ~ dorado es un viaje a Grecia** le rêve de sa vie, c'est un voyage en Grèce; **el ~ de su vida** le rêve de sa vie ◊ **en sueños** en rêve **4.** *loc adv* **ni en, ni por sueños** en aucune façon, jamais de la vie.
**suero** *m* **1.** petit-lait **2.** *MED* sérum: **~ sanguíneo** sérum sanguin ◊ **~ de la verdad** sérum de vérité.
**sueroterapia** *f* sérothérapie.
**suerte** *f* **1.** sort *m*: **la ~ está echada** le sort en est jeté ◊ **echar a suertes** tirer au sort **2.** chance *f*: **tener ~** avoir de la chance; **hemos tenido ~** on a eu de la chance; **tener mala ~** ne pas avoir de chance, jouer de malchance; **probar su ~** tenter sa chance ◊ **dar, traer ~** porter bonheur, porter chance; **estar de ~** être chanceux, euse, avoir de la veine; **¡suerte!** bonne chance!; **por ~** heureusement, par bonheur **3.** *(condición)* sort *m*: **estar contento con su ~** être content de son sort **4.** sorte: **toda ~ de** toutes sortes de; **de ~ que** de sorte que. **5.** manière, façon: **de igual ~** de la même façon; **de otra ~** autrement **6.** *TAUROM* chacune des phases d'une course de taureaux: **~ de matar** mise à mort.
[1]**suertero** *m AMER* vendeur de billets de loterie.
[2]**suertero, a, suertudo, a** *a AMER* chanceux, euse, veinard, e.
**sueste** *m* **1.** sud-est **2.** *(sombrero)* suroît.
**suéter** *m* pull: **~ con cuello cisne** pull à col roulé.
**suevos** *m pl* suèves.
**suficiencia** *f* **1.** capacité, aptitude **2.** *(presunción)* suffisance.
**suficiente** *a* **1.** *(bastante)* suffisant, e **2.** assez de, suffisamment de: **tengo gasolina ~** j'ai assez d' essence, suffisamment d'essence; **suficientes víveres** assez de vivres; **¡como si no tuviéramos suficientes problemas!** comme si on n'avait assez de problèmes! **3. lo ~** suffisamment, assez: **no duermo lo ~** je ne dors pas suffisament; **lo ~ para vivir** suffisamment pour vivre **4.** *(presumido)* suffisant, e, prétentieux, euse **5.** capable, apte.
**sufijo** *m* suffixe.
**sufismo** *m* soufisme.
**sufragáneo, a** *a* **1.** qui dépend d'une autorité supérieure **2.** *(obispo)* suffragant.
**sufragar** *vt* **1.** *(ayudar)* aider **2.** *(costear)* payer, financer, supporter, subvenir à: **~ los gastos** subvenir aux dépenses. ◇ *vi AMER* voter.
**sufragio** *m* **1.** suffrage: **elegir por ~ universal** élire au suffrage universel **2.** *(oración)* prière *f* pour les âmes du Purgatoire.
**sufragista** *f* suffragette.
**sufrible** *a* supportable, tolérable.
**sufrido, a** *a* **1.** endurant, e, patient, e **2.** *(color)* non salissant, e, résistant, e.
**sufrimiento** *m* **1.** *(dolor)* souffrance *f* **2.** *(resignación)* patience *f*, résignation *f*.
**sufrir** *vi/t* souffrir: **ha sufrido mucho** il a beaucoup souffert; **sufre del hígado** il souffre du foie. ◇ *vt* **1. ~ un accidente, un atentado** être victime d'un accident, d'un attentat **2.** *(aguantar)* supporter **3.** *(un examen, una operación, etc.)* subir **4.** *(una derrota, afrenta, etc.)* essuyer **5. ~ un desengaño** éprouver une déception **6. ~ una crisis religiosa** traverser une crise religieuse.
**sugerencia** *f* suggestion.
**sugerente, sugeridor, a** *a* suggestif, ive.
**sugerir*** *vt* suggérer: **le sugiero que vaya a verle** je vous suggère d'aller le voir.
**sugestión** *f* suggestion.
**sugestionable** *a* influençable, facile à influencer.
**sugestionar** *vt* **1.** suggestionner **2.** *(seducir)* fasciner.
**sugestivo, a** *a* suggestif, ive.
**suicida** *a/s* suicidaire: **tendencias suicidas** tendances suicidaires ◊ **operación ~** opération suicide. ◇ *s (persona)* suicidé, e.
**suicidarse** *vpr* se suicider.
**suicidio** *m* suicide.
**suidos** *m pl ZOOL* suidés.
**suirirí** *m AMER* sorte de canard.
**suite** *f* **1.** *MÚS* suite **2.** *(en un hotel)* suite.
**Suiza** *np f* Suisse.
**suizo, a** *a/s* suisse. ◇ *m* sorte de brioche *f*.
**sujeción** *f* **1.** *(acción)* assujettissement *m*. **2.** *(estado)* sujétion. **3.** *(atadura)* attache, fixation.
**sujetador** *m (sostén)* soutien-gorge: **sujetadores de aros** des soutiens-gorge à armature.
**sujetapapeles** *m inv* pince *f* à dessin.
**sujetar** *vt* **1.** *(someter)* assujettir, soumettre **2.** *(dominar)* maîtriser **3.** *(mantener asido)* tenir: **sujeta al perro por la piel del cuello** il tient son chien par la peau du cou **4.** *(contener)* retenir: **la sujetó para que no resbalara** il la retint pour qu'elle ne glissât pas **5.** *(fijar)* fixer: **deberías ~ mejor este cuadro** tu devrais mieux fixer ce tableau **6.** *(atar)* attacher: **~ papeles con un clip** attacher des papiers ensemble avec un trombone; **~ con pinzas** attacher avec des pinces, pincer. ◆ **~se** *vpr* **1.** attacher, fixer: **se sujetó el pelo con unas horquillas** elle fixa

ses cheveux avec des épingles **2.** s'assujettir, se soumettre: **sujetarse a una disciplina** s'assujettir à une discipline **3. sujetarse a un régimen alimenticio** s'astreindre à un régime alimentaire.

**sujeto, a** *pp* de **sujetar.** ◇ *a* **1.** *(dependiente)* assujetti, e, soumis, e **2.** *(expuesto)* sujet, ette, exposé, e. ◇ *m* **1.** *(asunto)* sujet. **2.** *GRAM* sujet **3.** *(persona)* sujet, individu.

**sulfamida** *f* sulfamide *m.*

**sulfatado** *m* sulfatage.

**sulfatadora** *f* sulfateuse.

**sulfatar** *vt* sulfater.

**sulfato** *m* sulfate.

**sulfhídrico, a** *a QUÍM* sulfhydrique.

**sulfito** *m QUÍM* sulfite.

**sulfurar** *vt* **1.** sulfurer **2.** *FIG* mettre en colère, faire enrager, pousser à bout. ◆ **~se** *vpr* se mettre en colère, en rogne, en boule, se monter, s'irriter: **no se sulfure** ne vous mettez pas en colère.

**sulfúrico, a** *a* sulfurique: **ácido ~** acide sulfurique.

**sulfuro** *m* sulfure.

**sulfuroso, a** *a* sulfureux, euse: **anhídrido ~** anhydride sulfureux.

**sulky** *m* sulky.

**Sulpicio** *np m* Sulpice.

**sultán** *m* sultan.

**sultana** *f* sultane.

**sultanato** *m* sultanat.

**suma** *f* **1.** somme **2.** *(operación aritmética)* addition **3.** *loc adv* **en ~** en somme.

**sumamente** *adv* extrêmement, tout à fait: **~ improbable** tout à fait, hautement improbable.

**sumando** *m MAT* terme d'une addition.

**sumar** *vt* **1.** *MAT* additionner **2.** *(ascender)* se monter à, totaliser, atteindre: **los parados suman 3 millones** le nombre de chômeurs atteint 3 millions **3.** *COM* **suma y sigue** à reporter. ◆ **~se** *vpr (adherirse)* se joindre, se rallier; **se sumó a la manifestación** il se joignit à la manifestation.

**sumaria** *f* **1.** *JUR* procédure **2.** instruction d'une cause militaire.

**sumarial** *a JUR* de l'instruction: **el secreto ~** le secret de l'instruction.

**sumariamente** *adv* sommairement.

**sumariar** *vt JUR* engager un procès contre.

**sumario, a** *a* sommaire. ◇ *m* **1.** sommaire, résumé. **2.** *JUR (de una causa)* instruction *f*: **instruir el ~** ouvrir l'instruction.

**sumarísimo, a** *a JUR* très sommaire.

**sumergible** *a/m* submersible.

**sumergido, a** *a FIG* clandestin, e: **economía sumergida** travail clandestin, travail au noir. ◇ *s* travailleur clandestin.

**sumergir** *vt* submerger. ◆ **~se** *vpr* **1.** *(hundirse debajo de la superfcie del agua)* plonger **2.** *FIG* **sumergirse en** se plonger dans, s'absorber dans: **se sumergió en sus meditaciones** il se plongea dans ses méditations.

**sumerio, a** *a/s HIST* sumérien, enne.

**sumersión** *f* submersion.

**sumidero** *m* bouche *f* d'égout.

**sumiller** *m* sommelier.

**suministrador, a** *s* fournisseur.

**suministrar** *vt* **1.** fournir: **~ armas a los rebeldes** fournir des armes aux rebelles **2.** *(agua, gas, etc.)* distribuer: **~ gas a las zonas industriales** distribuer du gaz dans les zones industrielles.

**suministro** *m* **1.** fourniture *f* **2.** *(de agua, gas, etc.)* distribution *f*: **el ~ de gas natural a las zonas industriales** la distribution de gaz naturel dans les zones industrielles.

**sumir** *vt* **1.** plonger; enfoncer **2.** *FIG* plonger: **~ en el aburrimiento, la tristeza** plonger dans l'ennui, la tristesse; **vive sumido en sus cavilaciones** il vit plongé dans ses réflexions. **3.** *RELIG* consommer. ◆ **~se** *vpr FIG* se plonger.

**sumisión** *f* soumission.

**sumiso, a** *a* soumis, e.

**súmmum** *m* summum.

**sumo** *m (lucha japonesa)* sumo.

**sumo, a** *a* **1.** suprême. ◇ **el ~ Pontífice** le souverain Pontife **2.** extrême, très grand, e: **con suma prudencia** avec une extrême prudence; **con suma facilidad** avec une très grande facilité; **con ~ respeto** avec le plus grand respect; **un tema de ~ interés** un sujet du plus haut intérêt; **de suma importancia** de la plus haute importance. ◇ *loc adv* **a lo ~** tout au plus.

**sunní, sunnita** *a/s* sunnite.

**suntuario, a** *a* somptuaire.

**suntuosamente** *adv* somptueusement.

**suntuosidad** *f* somptuosité.

**suntuoso, a** *a* somptueux, euse.

**supe** → **saber.**

**supeditación** *f* **1.** assujettissement *m* **2.** subordination, dépendance.

**supeditar** *vt* **1.** *(sujetar)* assujettir **2.** *FIG* subordonner: **su viaje está supeditado al resultado de las negociaciones** son voyage est subordonné à, dépend du résultat des négociations. ◆ **~se** *vpr* se soumettre.

**súper** *a/f FAM* **~, gasolina ~** super *m.*

**superable** *a* surmontable.

**superabundancia** *f* surabondance.

**superabundante** *a* surabondant, e.

**superabundar** *vi* surabonder.

**superación** *f* action de surpasser, dépassement *m*: **afán de ~** désir de se dépasser, de faire mieux.

**superar** *vt* **1.** surpasser, dépasser: **~ en elegancia** surpasser en élégance **2.** dépasser: **la realidad supera la ficción** la réalité dépasse la fiction; **el precio no superará el millón de pesetas** le prix ne dépassera pas un million de pesetas **3.** *(una dificultad, etc.)* surmonter: **~ los obstáculos** surmonter les obstacles; **~ la crisis** surmonter la crise; **~ su temor** surmonter sa peur **4. ~ un test** passer un test avec succès. ◆ **~se** *vpr* se surpasser.

**superávit** *m COM* excédent.

**supercarburante** *m* supercarburant.

**superchería** *f* supercherie.

**superconductividad** *f FÍS* supraconductivité.

**superconductor** *m FÍS* supraconducteur.

**superdominante** *f MÚS* sus-dominante.

**superdotado, a** *a/s* surdoué, e.

**supererogación** *f* surérogation.

**superestructura** *f* superstructure.

**superficial** *a* superficiel, elle.

**superficialidad** *f FIG* futilité.

**superficialmente** *adv* superficiellement.

**superficie** *f* **1.** surface, superficie: **la ~ del mar** la surface de la mer **2.** *GEOM* surface: **~ plana** surface plane **3. grandes superficies** grandes surfaces.

**superfino, a** *a* surfin, e, superfin, e.

**superfluidad** *f* superfluité.

**superfluo, a** *a* superflu, e.

**superfosfato** *m* superphosphate.

**superhombre** *m* surhomme.
**superintendencia** *f* surintendance.
**superintendente** *m* surintendant.
**superior** *a* supérieur, e: **calidad ~** qualité supérieure. ◇ *s* supérieur, e: **mis superiores jerárquicos** mes supérieurs hiérarchiques.
**superiora** *a/f (de una comunidad religiosa)* supérieure.
**superioridad** *f* **1.** supériorité **2. la ~** les autorités.
**superiormente** *adv* supérieurement.
**superlativo, a** *a* superlatif, ive. ◊ **en grado ~** au plus haut degré. ◇ *m* GRAM superlatif.
**supermercado** *m* supermarché.
**supernova** *f* ASTR supernova.
**supernumerario, a** *a/s* surnuméraire.
**superpetrolero** *m* supertanker.
**superpoblación** *f* surpeuplement *m*, surpopulation.
**superpoblado, a** *a* surpeuplé, e.
**superponer*** *vt* **1.** superposer **2.** FIG *(anteponer)* faire passer avant. ◆ **~se** *vpr* se superposer.
**superponible** *a* superposable.
**superposición** *f* superposition.
**superpotencia** *f* superpuissance.
**superproducción** *f* superproduction.
**superpuesto, a** *a* superposé, e.
**supersónico, a** *a* supersonique: **velocidad supersónica** vitesse supersonique.
**superstición** *f* superstition.
**supersticioso, a** *a* superstitieux, euse.
**supervaloración** *f* surestimation.
**supervalorar** *vt* surestimer, surévaluer.
**supervisar** *vt* **1.** superviser **2.** contrôler.
**supervisión** *f* **1.** supervision **2.** contrôle.
**supervisor, a** *s* contrôleur, euse.
**supervivencia** *f* **1.** survie: **la ~ de un herido** la survie d'un blessé **2.** *(de una tradición, etc.)* survivance.
**superviviente** *a/s* survivant, e.
**superyó** *m (psicoanálisis)* surmoi.
**supiera, supiese,** etc. → **saber.**
**supinación** *f* supination.
**supino, a** *a* **1.** couché, e sur le dos **2. ignorancia supina** ignorance crasse. ◇ *m* GRAM supin.
**supiste** → **saber.**
**suplantar** *vt* supplanter.
**suplefaltas** *s inv* remplaçant, e.
**suplementario, a** *a* supplémentaire.
**suplementero** *m* AMER crieur de journaux.
**suplemento** *m* **1.** supplément **2.** *(de un periódico o revista)* supplément.
**suplencia** *f* suppléance.
**suplente** *a/s* **1.** suppléant, e **2.** *(deportes)* remplaçant, e.
**supletorio, a** *a* supplémentaire, d'appoint: **cama supletoria** lit d'appoint.
**súplica** *f* **1.** *(ruego)* prière **2.** *(escrito)* requête, supplique, demande écrite.
**suplicación** *f* **1.** supplication **2.** *(barquillo)* oublie, plaisir *m.*
**suplicante** *a/s* suppliant, e.
**suplicar** *vt* **1.** supplier: **te suplico que me escuches** je te supplie de m'écouter; **te lo suplico** je t'en supplie, je t'en conjure **2.** *(rogar)* prier: **se suplica...** on est prié de...
**suplicatorio, a** *a* suppliant, e. ◇ *f* JUR commission rogatoire. ◇ *m* JUR demande *f* de levée de l'immunité parlementaire.
**suplicio** *m* supplice ◊ **~ de Tantalo** supplice de Tantale.
**suplido** *m (anticipo)* avance *f.*
**suplir** *vt* **1.** suppléer à: **~ la falta de ... con** suppléer au manque de... par **2.** *(reemplazar)* suppléer, remplacer.
**supo** → **saber.**
[1]**suponer*** *vt* **1.** supposer: **supongamos que...** supposons que...; **suponiendo que...** en supposant que... **2.** supposer, imaginer: **vendrás mañana, supongo** tu viendras demain, je suppose, j'imagine, je présume; **le supongo unos sesenta años** j'imagine qu'il doit avoir dans les soixante ans **3.** *(implicar)* supposer.
[2]**suponer** *m* FAM **es un ~** c'est une supposition.
**suposición** *f* supposition.
**supositorio** *m* suppositoire.
**supranacional** *a* supranational, e.
**suprarrenal** *a* ANAT surrénal, e.
**suprasensible** *a* suprasensible.
**supremacía** *f* suprématie.
**supremo, a** *a* suprême: **el Tribunal ~, el Supremo** la Cour suprême; **la hora suprema** l'heure, l'instant suprême.
**supresión** *f* suppression.
**suprimir** *vt* supprimer.
**supuesto, a** *pp* de **suponer.** ◇ **a 1.** supposé, e, présumé, e: **el ~ autor de...** l'auteur supposé de, l'auteur présumé de... **2.** *(seudo)* prétendu, e, soi-disant **3. nombre ~** faux nom **4. dar por ~** présumer. ◇ *m* **1.** supposition *f*, hypothèse *f*: **en el ~ de que** dans l'hypothèse où, en supposant que, au cas où; **~ que** à supposer que **2.** *loc adv* **por ~** bien sûr, évidemment, naturellement, certainement; **por ~ que no** bien sûr que non, certainement pas.
**supuración** *f* suppuration.
**supurar** *vi* suppurer.
**supuse, supusiste,** etc. → **suponer.**
**suputar** *vt* supputer.
**sur** *m* sud: **al ~ de...** au sud de...; **África del ~** l'Afrique du Sud.
**sura** *f (del Alcorán)* sourate, surate.
**surá** *m* surah.
**suramericano** → **sudamericano.**
**surcar** *vt* sillonner: **~ el mar, los aires** silloner la mer, les airs.
**surco** *m* **1.** *(en la tierra, de disco)* sillon **2.** *(arruga)* ride *f.*
**surcoreano, a** *a/s* sud-coréen, enne.
**sureño, a** *a* du sud.
**sureste** *m* sud-est.
**surf** *m* surf.
**surfista** *s* surfeur, euse.
**surgidero** *m* MAR mouillage.
**surgimiento** *m* apparition *f.*
**surgir** *vi* **1.** surgir **2.** *(un líquido)* jaillir **3.** FIG surgir, apparaître tout à coup: **graves dificultades han surgido** de graves difficultés ont surgi. **4.** MAR mouiller.
**surí** *m* AMER autruche *f.*
**suripanta** *f* **1.** TEAT choriste **2.** FAM femme facile, catin, gourgandine.
**surmenaje** *m* surmenage.
**suroeste** *m* sud-ouest.
**surrealismo** *m* surréalisme.

**surrealista** *a/s* surréaliste.

**surtido, a** *a* **1.** *(variado)* assorti, e: **galletas surtidas** gâteaux secs assortis **2. estar bien ~ de** être bien approvisionné, e, fourni, e, monté, e en. ◇ *m* assortiment, choix: **un gran ~ de botones** un grand assortiment de boutons.

**surtidor, a** *a/s* fournisseur, euse. ◇ *m* **1.** *(chorro de agua)* jet d'eau **2.** *(de gasolina)* pompe *f* à essence **3.** *TECN (del carburador)* gicleur.

**surtir** *vt* **1.** *(proveer)* fournir, approvisionner **2. ~ efecto → efecto.** ◇ *vi (brotar)* jaillir. ◆ **~se** *vpr* se fournir.

**surto, a** *a MAR* mouillé, e, ancré, e.

**surubí** *m AMER* poisson-chat géant.

**sus** *pl* de **su.**

**Susana** *np f* Suzanne: **~ y los ancianos** Suzanne et les vieillards.

**susceptibilidad** *f* susceptibilité.

**susceptible** *a* susceptible.

**suscitar** *vt* susciter.

**suscribir** *vt* **1.** *(firmar)* souscrire **2.** *FIG (aceptar la opinión de otro)* souscrire à **3. ~ acciones** souscrire à des actions **4.** abonner. ◆ **~se** *vpr* **1.** s'abonner: **me he suscrito a esta revista** je me suis abonné à cette revue; **suscríbase a...** abonnez-vous à...; **estar suscrito a un periódico** être abonné a un journal **2.** *(obligarse a comprar acciones, valores en Bolsa, etc.)* souscrire (à).

**suscripción** *f* **1.** souscription **2.** *(a una publicación periódica)* abonnement *m.*

**suscriptor, a** *s* **1.** souscripteur, trice **2.** *(de una publicación periódica)* abonné, e.

**suscrito, a → suscribir.**

**susodicho, a** *a* susdit, e.

**suspender** *vt* **1.** *(colgar)* suspendre, pendre **2.** *(interrumpir)* suspendre, interrompre: **se ha suspendido la sesión** la séance a été suspendue **3.** *(en un examen)* refuser, recaler, coller, étendre: **le han suspendido en junio** il s'est fait coller en juin; **me suspendieron en el examen de ingreso** je me suis fait recaler à, j'ai échoué à l'examen d'entrée.

**suspense** *m* suspense.

**suspensión** *f* **1.** *(acción y efecto de colgar)* suspension **2.** *(interrupción)* suspension, interruption **3.** suspension, cessation: **~ de pagos** cessation de paiements. **4. ~ de empleo y sueldo** mise à pied. **5.** *(eclesiástica)* suspense **6.** *TECN (en un vehículo)* suspension **7.** *QUÍM* **en ~** en suspension.

**suspensivo, a** *a* **1.** suspensif, ive **2. puntos suspensivos** points de suspension.

**suspenso, a** *a* **1.** suspendu, e **2.** *FIG* étonné, e, interdit, e, perplexe **3.** *(en un examen)* refusé, e, recalé, e **4.** *loc adv* **en ~** en suspens. ◇ *m* **1.** ajournement **2.** *(nota)* note *f* éliminatoire.

**suspensores** *m pl AMER* bretelles *f.*

**suspicacia** *f* méfiance.

**suspicaz** *a* méfiant, e, soupçonneux, euse.

**suspicazmente** *adv* avec méfiance.

**suspirado, a** *a* désiré, e.

**suspirar** *vi* soupirer: **~ por** soupirer après.

**suspiro** *m* **1.** soupir: **dar un ~** pousser un soupir; **un hondo ~** un profond soupir ◊ **exhalar el último ~** rendre le dernier soupir **2.** *(golosina)* nom d'une sorte de meringue **3.** *MÚS* soupir **4.** *(flor)* pensée *f* **5.** *AMER* volubilis.

**sustancia** *f* **1.** substance **2. ~ gris** matière grise **3.** *FIG* **un hombre sin ~** un homme sans jugeote, écervelé **4. en ~** en substance.

**sustanciación** *f JUR* instruction.

**sustancial** *a* substantiel, elle.

**sustanciar** *vt* **1.** abréger **2.** *JUR* instruire.

**sustancioso, a** *a* substantiel, elle.

**sustantivar** *vt* substantiver.

**sustantivo** *m* substantif.

**sustentación** *f* **1.** sustentation **2.** *(apoyo)* soutien *m.*

**sustentáculo** *m* support, soutien.

**sustentante** *a* qui soutient. ◇ *m (de una tesis)* soutenant.

**sustentar** *vt* **1.** *(sostener)* soutenir **2.** *(alimentar)* nourrir **3.** *FIG (una opinión, etc.)* soutenir: **las tesis sustentadas por el Gobierno** les thèses soutenues par le Gouvernement **4. ~ una conferencia** tenir une conférence. ◆ **~se** *vpr* se nourrir: **sustentarse de esperanzas** se nourrir d'espoir.

**sustento** *m* **1.** nourriture *f* **2.** *(apoyo)* soutien.

**sustitución** *f* **1.** remplacement *m:* **la ~ de un jugador** le remplacement d'un joueur ◊ **en ~ de** en remplacement de, à la place de **2.** substitution.

**sustituible** *a* remplaçable.

**sustituir*** *vt* remplacer: **sustituye al árbitro** il remplace l'arbitre; **X será sustituido en el papel más importante por Y** X sera remplacé dans le rôle principal par Y; **nuevo edificio que sustituye al antiguo** nouveau bâtiment qui remplace l'ancien; **~ una palabra por otra** remplacer un mot par un autre.

**sustitutivo, a** *a/m* succédané, e.

**sustituto, a** *a/s* remplaçant, e, suppléant, e.

**susto** *m* peur *f:* **dar un ~** faire peur; **llevarse un buen ~** avoir très peur; **nos hemos llevado un ~ de muerte** on a eu une peur bleue; **me pegué un ~ mayúsculo** j'ai eu une sacrée peur; **todo quedó en un ~** on en a été quitte pour la peur.

**sustracción** *f* **1.** *(robo)* vol *m,* soustraction: **la ~ de un coche** le vol d'une voiture **2.** *MAT* soustraction.

**sustraendo** *m* nombre soustractif.

**sustraer*** *vt* **1.** *(robar)* voler, dérober, soustraire: **me han sustraído la cartera en el metro** on m'a volé mon portefeuille dans le métro; **le sustrajeron el coche en un aparcamiento** on lui a volé sa voiture dans un parking **2.** *(restar)* soustraire. ◆ **~se** *vpr* se soustraire, se dérober.

**sustrato** *m* substrat.

**susurrar** *vi* **1.** chuchoter, parler bas, susurrer **2.** *(el viento, el agua)* murmurer, bruire **3. se susurra** le bruit court.

**susurro** *m* **1.** chuchotement **2.** murmure: **el ~ del agua** le murmure de l'eau.

**sutás** *m* soutache *f.*

**sutil** *a* **1.** subtil, e, fin, e **2.** *FIG* subtil, e, ingénieux, euse.

**sutileza** *f* subtilité.

**sutilizar** *vt* **1.** amicir **2.** *FIG* subtiliser, raffiner.

**sutilmente** *adv* subtilement.

**sutura** *f* suture: **puntos de ~** points de suture.

**suturar** *vt* suturer.

**suyo, a, os, as** *a pos* **1.** à lui, à elle, à eux, à elles; *(de usted, de ustedes)* à vous: **estas muñecas son suyas** ces poupées sont à elle **2.** à lui, etc., un de ses, etc.: **un amigo ~** un ami à lui, un de ses amis; **una prima suya** une de ses cousines; **no tener nada ~** ne rien avoir à soi. ◇ *pron pos* **1. el ~, la ~** le sien, la sienne, le leur, la leur; *(de usted, de ustedes)* le vôtre, la vôtre ◊ **hacer ~** faire sien: **hizo suyas mis afirmaciones** il fit siennes mes affirmations; **hacer una de las suyas** faire des siennes; **ir a la suya** n'en faire qu'à sa tête; **salirse con la suya** parvenir à ses fins **2. lo ~** le sien **3.** *loc adv* **de ~** en soi, par nature. ◇ *m pl (parientes)* **los suyos** les siens.

**svástica** *f* svastika *m*.

**swing** *m* swing.

# T

**t** *f* t *m*: **una ~** un t.

**taba** *f* **1.** *(hueso)* astragale *m* **2.** *(juego)* osselets *m pl*: **jugar a la ~** jouer aux osselets **3.** FAM **menear las tabas** tricoter des jambes.

**tabacal** *m* plantation *f* de tabac.

**tabacalero, a** *a* du tabac. ◇ *np f* **la Tabacalera** la régie des tabacs en Espagne.

**tabaco** *m* **1.** *(planta)* tabac **2.** tabac: **~ rubio, negro** tabac blond, brun; **~ de mascar** tabac à chiquer; **~ de pipa** tabac pour la pipe **3.** *(puro)* cigare. ◇ *a (color)* tabac.

**tabalear** *vt* remuer, balancer. ◇ *vi (con los dedos)* tambouriner.

**tabaleo** *m* tambourinage (avec les doigts).

**tabanco** *m* **1.** étal **2.** AMER *(desván)* grenier.

**tábano** *m* taon.

**tabaquera** *f* **1.** *(caja)* tabatière **2.** *(de pipa)* fourneau *m* **3.** AMER *(petaca)* blague à tabac.

**tabaquería** *f* bureau *m* de tabac.

**tabaquismo** *m* tabagisme.

**tabardillo** *m* **1.** *(insolación)* coup de soleil, insolation *f* **2.** FIG *(persona)* raseur, casse-pieds.

**tabardo** *m (antigua prenda de abrigo)* tabard, manteau.

**tabarra** *f* FAM ennui *m* ◊ **dar la ~** bassiner, tanner, raser, casser les pieds: **da la ~ a sus padres para que le compren un gato** il tanne ses parents pour qu'ils lui achètent un chat.

**taberna** *f* **1.** *(antiguamente)* cabaret *m*, taverne **2.** *(en la actualidad)* café *m*, bistrot *m*.

**tabernáculo** *m* tabernacle.

**tabernario, a** *a* grossier, ère.

**tabernero, a** *s* cabaretier, ère, patron, onne d'un café.

**tabernucho** *m* FAM bistrot, caboulot.

**tabes** *f* MED tabès *m*.

**tabicar** *vt* **1.** cloisonner **2.** *(puerta, ventana)* murer **3.** *(tapar)* boucher. ◆ **~se** *vpr (las narices)* se boucher.

**tabique** *m* cloison *f*: **un ~ de ladrillos** une cloison de briques; **~ nasal** cloison nasale ◊ **~ de panderete** galandage.

**tabla** *f* **1.** *(de madera)* planche ◊ **~ de lavar, de planchar** planche à laver, à repasser; **~ a vela, ~ de surf** planche à voile; **~ de ruedas** planche à roulettes **2.** *(de otra materia rígida)* plaque **3.** FIG **~ de salvación** planche de salut; **hacer ~ rasa de** faire table rase de **4.** *(en un vestido)* pli *m* plat **5.** *(lista)* table, tableau *m* **6.** MAT table: **~ de multiplicar** table de multiplication; **~ de logaritmos** table de logarithmes **7.** *(en un huerto)* planche **8.** *(de carnicero)*, étal *m* **9.** *(pintura hecha sobre tabla)* panneau *m* **10.** *loc adv* **a raja ~ → rajatabla.** ◇ *pl* **1.** *(en el ajedrez, damas)* partie *sing* nulle: **hacer tablas** faire partie nulle **2. tablas reales** sorte de jeu de trictrac *m* **3. tablas de la Ley** tables de la Loi **4.** TEAT planches: **pisar las tablas** monter sur les planches **5.** TAUROM barrières (des arènes) **6.** *(los esquíes)* **las tablas** les planches.

**tablado** *m* **1.** *(suelo)* plancher **2.** *(tarima)* estrade *f*. **3.** *(de saltimbanqui)* tréteaux *pl* **4.** *(escenario)* scène *f*, planches *f pl* **5.** *(patíbulo)* échaufaud.

**tablao** *m* cabaret andalou.

**tablazón** *f* planches *pl*.

**tableado, a** *a* plissé, e: **falda tableada** jupe plissée.

**tablear** *vt* **1.** *(un madero)* débiter en planches **2.** *(un terreno)* diviser en planches **3.** *(una tela)* plisser.

**tablero** *m* **1.** *(de ajedrez)* échiquier **2.** *(de damas)* damier **3.** *(encerado)* tableau noir **4.** *(para anuncios)* tableau, panneau **5. ~ de dibujo** planche *f* à dessin **6. ~ de mandos** tableau de bord **7.** *(de una tienda)* comptoir **8. ~ contador** boulier.

**tableta** *f* **1.** *(de sustancia medicinal)* comprimé *m* **2.** *(de chocolate)* tablette.

**tabletear** *vi* **1.** cliqueter **2.** *(ametralladora)* crépiter.

**tableteo** *m* **1.** cliquetis **2.** *(de una ametralladora)* crépitement.

**tablilla** *f* **1.** planchette **2.** *(para anuncios)* panneau *m*. **3.** *(para fracturas)* éclisse. ◇ *pl* claquettes de lépreux.

**tabloide** *a/m* tabloïd(e).

**tablón** *m* **1.** grosse planche *f* **2. ~ de anuncios** tableau d'affichage **3.** FAM *(borrachera)* cuite *f*.

**tabor** *m* MIL tabor.

**Tabor (monte)** *np m* Thabor (mont).

**tabú** *a/m* tabou: **los tabúes** les tabous.

**tabuco** *m* cagibi, réduit.

**tabulador** *m* tabulateur.

**tabuladora** *f* tabulatrice.

**¹tabular** *a* tabulaire.

**²tabular** *vt* présenter, classer sous forme de tableaux.

**taburete** *m* tabouret.

**tacada** *f* **1.** *(billar)* coup *m* de queue **2.** série de carambolages **3.** FAM **de una ~** d'un seul coup, d'un trait.

**tacañear** *vi* lésiner.

**tacañería** *f* pingrerie, ladrerie, avarice.

**tacaño, a** *a/s* pingre, radin, e, avare.

**tacazo** *m* coup de queue (au billard).

**tacha** *f* **1.** défaut *m*, tache ◊ **sin ~** irréprochable; **poner tachas** trouver des défauts **2.** *(clavo)* petit clou *m*.

**tachable** *a* blâmable.

**tachadura** *f* biffure, rature.

**tachar** *vt* **1.** *(borrar)* rayer, biffer: **táchese lo que no proceda** rayer la mention inutile **2.** *(culpar)* accuser, taxer: **le tachan de parcial** on l'accuse d'être partial, on le taxe de partialité; **no quiero que me tachen de tacaño** je ne veux pas qu'on m'accuse d'être radin, qu'on me traite de radin.

**tachero, a** *s* AMER chauffeur de taxi.

**tachines** *m pl* POP *(pie)* panards.

**tacho** *m* AMER **1.** chaudron **2. ~ de basura** poubelle *f*, boîte *f* à ordures.

**tachón** *m* **1.** *(raya)* rature *f* **2.** *(clavo)* clou de tapissier.

**tachonar** *vt* **1.** garnir de clous de tapissier **2.** FIG parsemer, consteller: **cielo tachonado de estrellas** ciel constellé d'étoiles.

**tachuela** *f* **1.** *(clavo corto)* clou *m*, broquette, semence **2.** AMER *(taza)* écuelle.

**tacita** *f* petite tasse.
▶ *La Tacita de plata:* nom donné familièrement à la ville de Cadix.

**tácitamente** *adv* tacitement.

**tácito, a** *a* tacite.

**Tácito** *np m* Tacite.

**taciturno, a** *a* taciturne.

**tacle** *m* tacle.

**taco** *m* **1.** *(de madera, plástico)* cheville *f* **2.** *(cuña)* taquet **3.** *(de arma de fuego)* bourre *f* **4.** *(de billar)* queue *f* **5.** *(de bota de fútbol)* crampon **6.** *(de calendario)* bloc **7.** *(de billetes)* carnet **8.** *(de jamón, queso, etc.)* petit cube, carré: **tacos de queso** petits carrés de fromage (servis comme «tapas») **9.** *(juguete)* canonnière *f* **10.** FAM *(palabrota)* gros mot, juron: **soltar tacos** lâcher des jurons, jurer **11.** FAM *(confusión)* pagaille *f*, imbroglio ◊ **armar un ~** semer la pagaille; **armarse, hacerse un ~** s'embrouiller, s'emmêler les pédales **12.** AMER *(atasco)* embouteillage, bouchon **13.** AMER *(tacón)* talon **14.** AMER galette *f* de maïs roulée et farcie. ◇ *pl* FAM *(años de edad)* ans, berges *f*, balais, piges *f*.

**tacógrafo** *m* tachygraphe.

**tacómetro** *m* tachymètre.

**tacón** *m* talon (de chaussure); **zapatos de ~ alto, bajo** chaussures à talons hauts, plats.

**taconazo** *m* coup de talon.

**taconear** *vi* frapper du talon (en marchant, en dansant).

**taconeo** *m* bruit fait en frappant du talon (en marchant, en dansant).

**táctica** *f* tactique.

**táctico, a** *a* tactique. ◇ *s* tacticien, enne.

**táctil** *a* tactile.

**tacto** *m* **1.** *(sentido)* toucher **2.** FIG tact, doigté, diplomatie *f*, habileté *f* **3.** MED toucher: **~ rectal, vaginal** toucher rectal, vaginal.

**tacuara** *f* AMER sorte de bambou.

**tacurú** *m* AMER **1.** fourmi *f*, petit termite **2.** *(montículo)* termitière *f*.

**tafetán** *m* taffetas.

**tafia** *f* tafia *m*.

**tafilete** *m* maroquin.

**tafiletería** *f* maroquinerie.

**tagalo, a** *a/s* tagal, e (des îles Philippines).

**tagarnina** *f* FAM mauvais cigare *m*.

**tagarote** *m* **1.** *(ave)* sorte de petit faucon **2.** FAM escogriffe.

**tahalí** *m* baudrier.

**Tahití** *np* Tahiti.

**tahona** *f* **1.** moulin *m* (mû par un cheval) **2.** *(panadería)* boulangerie.

**tahonero, a** *s* boulanger, ère.

**tahúr** *m* **1.** joueur invétéré **2.** *(fullero)* tricheur.

**taifa** *f* bande, clique.
▶ *Reinos de ~:* petits royaumes formés lors du démembrement du califat de Cordoue.

**taiga** *f* taïga.

**tailandés, esa** *a/s* thaïlandais, e.

**Tailandia** *np f* Thaïlande.

**taimado, a** *a* **1.** *(astuto)* rusé, e **2.** *(maligno)* fourbe.

**taimería** *f* ruse, fourberie.

**taíno, a** *a/s* taïno.

**taita** *m* **1.** papa **2.** AMER père **3.** AMER **un ~** un dur.

**Taiwán** *np* Taiwan.

**tajada** *f* **1.** *(de jamón, melón, etc.)* tranche ◊ FIG **sacar ~** faire du bénéfice, avoir sa part du gâteau; **aquí todo el mundo quiere sacar ~ del boom turístico** ici tout le monde veut tirer profit, profiter du boom touristique **2.** FAM *(borrachera)* cuite: **agarrar una ~** prendre une cuite.

**tajadera** *f* **1.** *(cuchilla)* hachoir *m* **2.** *(cortafrío)* ciseau *m* à froid.

**tajadero** *m* billot, tranchoir.

**tajado, a** *a* taillé, e à pic.

**tajador** *m* *(tajo para picar la carne)* tranchoir.

**tajadura** *f* coupure.

**tajamar** *m* **1.** MAR taille-mer, éperon **2.** *(de puente)* avant-bec **3.** AMER *(dique)* môle, *(presa)* barrage.

**tajante** *a* **1.** tranchant, e **2.** *(categórico)* catégorique, formel, elle: **un no ~** un non catégorique.

**tajantemente** *adv* catégoriquement, formellement: **lo niega ~** il le nie catégoriquement.

**tajar** *vt* **1.** couper, trancher **2.** *(una pluma)* tailler.

**tajo** *m* **1.** *(corte)* coupure *f*, estafilade *f* **2.** *(en el terreno)* ravin, à-pic **3.** *(filo)* tranchant **4.** *(de cocina)* tranchoir, billot **5.** *(del verdugo)* billot **6.** *(tarca)* travail, boulot: **ir al ~** aller au boulot.

**Tajo** *np m* Tage: **el ~** le Tage.

**tajuela** *f*, **tajuelo** *m* *(asiento)* tabouret *m*.

**tal** *a/pron* **1.** tel, telle: **~ día a ~ hora** tel jour à telle heure; **~ o cual palabra** tel ou tel mot; **~ o ~ cosa** telle ou telle chose **2.** *(semejante)* tel, telle, pareil, pareille: **~ actitud es inadmisible** une telle attitude est inadmissible; **con ~ entusiasmo** avec un tel enthousiasme; **tales errores son inadmisibles** de telles erreurs sont inadmissibles; **en mi vida he visto ~ cosa** je n'ai jamais rien vu de tel **3.** en question: **la ~ frase** la phrase en question **4. un ~ Alberto** un certain, un dénommé Albert. ◇ *pron* **1.** *(neutro)* cela, ça, une pareille chose: **no haría yo ~** je ne ferais pas cela; **no he dicho ~** je n'ai pas dit ça ◊ **no hay ~** ce n'est pas vrai **2. son ~ para cual** l'un vaut l'autre, les deux font la paire **3. el ~, la ~** cet homme, cette femme **4.** FAM **una ~** une prostituée. ◇ *adv* **1.** ainsi, de cette manière ◊ **~ como, ~ cual** tel que; **~ como es, prefiero el mío** tel qu'il est, je préfère le mien; **~ como le decía** comme je vous le disais; **~ y como se pretende** comme on le prétend; **~ y como vienen las cosas** les choses étant ce qu'elles sont, dans l'état actuel des choses **2.** *loc adv* **~ cual** comme ci, comme ça; **~ vez** peut-être → **vez 3.** FAM **¿qué ~?** comment ça va?, ça va?; **¿qué ~ (va) tu rodilla?** comment va ton genou?; **¿qué ~ el viaje?** et ce voyage, ça s'est bien passé?; **¿qué ~ has dormido?** tu as bien dormi?; **¿qué ~ si comemos algo?** et si on mangeait quelque chose? **4.** *loc prep/*

*conj* **con ~ de, con ~ de que, con ~ que** à condition de, pourvu que: **con ~ de llegar, con ~ de que llegues temprano** à condition que tu arrives tôt; **¡estos jóvenes, con ~ de no dar el golpe!** ces jeunes, pourvu qu'ils ne fichent rien!

**¹tala** *f* **1.** *(de árboles)* abattage *m*, coupe **2.** *(en la guerra)* destruction, dévastation **3.** *(juego)* bâtonnet *m*.

**²tala** *f* AMER arbre à fruits rouges et à racine tinctoriale, sorte de micocoulier *m*.

**talabarte** *m* cinturon.

**talabartería** *f* bourrellerie, sellerie.

**talabartero** *m* bourrelier, sellier.

**taladrado** *m* forage.

**taladradora** *f* perceuse.

**taladrante** *a* perçant, e.

**taladrar** *vt* **1.** percer, forer **2.** FIG **~ los oídos** percer les oreilles.

**taladro** *m* **1.** perceuse *f*: **~ eléctrico** perceuse électrique **2.** *(barrena)* foret, tarière *f* **3.** *(agujero)* trou percé par le foret.

**tálamo** *m* **1.** lit nuptial **2.** ANAT thalamus.

**talán, talán** *m* ding-ding-dong.

**talanquera** *f* barrière de planches, palissade.

**talante** *m* **1.** *(disposición de ánimo)* humeur *f*: **estar de buen, mal ~** être de bonne, mauvaise humeur ◊ **hacer algo de buen ~** faire quelque chose de bon gré, de bonne grâce **2.** *(aspecto)* air, mine *f* **3.** *(semblante)* visage **4.** *(gusto)* volonté *f*, gré, guise *f*: **a mi ~** à ma guise.

**¹talar** *a* long, longue. ◇ *m pl (de Mercurio)* talonnières *f*.

**²talar** *vt* **1.** *(árboles)* couper, abattre **2.** *(destruir)* détruire, ravager.

**³talar** *m* AMER bois planté de «²talas».

**talasemia** *f* MED thalassémie.

**talasoterapia** *f* thalassothérapie.

**talayote** *m* monument mégalithique des Baléares.

**talco** *m* talc.

**talcualillo, a** *a* FAM comme ci comme ça, moyen.

**talega** *f (bolsa)* sac *m*. ◇ *pl* FIG argent *m sing*, magot *m sing*.

**talego** *m* **1.** *(saco)* sac (de toile) **2.** FAM *(persona)* paquet de graisse **3.** POP billet de mille pesetas.

**taleguilla** *f* **1.** petit sac *m* **2.** TAUROM culotte de torero.

**talento** *m* talent.

**talentoso, a, talentudo, a** *a* talentueux, euse.

**talero** *m* AMER fouet court.

**tales** *pl* de **tal.**

**Talgo** *m* train articulé d'invention espagnole.

**talión** *m* talion: **la ley del ~** la loi du talion.

**talismán** *m* talisman.

**talla** *f* **1.** sculpture (en bois): **una ~ del siglo XV** une sculpture du XVᵉ siècle **2.** *(estatura, medida para vestidos)* taille: **~ 6** taille 6 **3.** *(instrumento para medir)* toise **4.** *(de piedras preciosas)* taille **5.** *(por el rescate de un cautivo)* rançon **6.** FIG **dar la ~** être à la hauteur.

**tallado, a** *pp* de **tallar.** ◇ *m* **1.** sculpture *f* **2.** *(de piedras preciosas)* taille *f* **3.** gravure *f*.

**tallar** *vt* **1.** sculpter: **madera tallada** bois sculpté **2.** *(piedras preciosas)* tailler: **cristal tallado** cristal taillé **3.** *(grabar)* graver **4.** *(medir la estatura)* toiser **5.** *(en el juego)* tailler. ◇ *vi* AMER *(charlar)* parler, causer, prendre la parole.

**tallarines** *m pl* nouilles *f*.

**talle** *m* **1.** *(cintura)* taille *f*: **un ~ esbelto** une taille fine; **~ de avispa** taille de guêpe **2.** *(de un vestido)* taille *f*, ceinture *f* **3.** *(forma que se da a un vestido)* coupe *f*, forme *f* **4.** *(del cuerpo)* air, allure *f*.

**taller** *m* atelier: **~ mecánico, de reparación** atelier de réparations.

**tallista** *s* sculpteur sur bois.

**tallo** *m* **1.** *(de una planta)* tige *f* **2.** *(renuevo)* pousse *f*, rejeton.

**talludo, a** *a* **1.** *(planta)* à forte tige **2.** *(alto)* grand, e **3.** FIG *(que ha dejado de ser joven)* monté, e en graine, qui n'est plus dans sa première jeunesse.

**talma** *f* pèlerine.

**talmente** *adv* comme.

**Talmud** *np m* Talmud.

**talmúdico, a** *a* talmudique.

**talmudista** *m* talmudiste.

**talo** *m* BOT thalle.

**talón** *m* **1.** *(del pie, de una media)* talon: **giró sobre sus talones** il pivota sur ses talons ◊ **el ~ de Aquiles** le talon d'Achille; FIG **apretar los talones** prendre ses jambes à son cou; **pisarle los talones a alguien** marcher sur les talons de quelqu'un, talonner quelqu'un, serrer quelqu'un de près; **Con la muerte en los talones** *(Hitchcock)* la Mort aux trousses **2.** chèque: **~ bancario** chèque bancaire; **~ sin fondos** chèque sans provision **3.** *(de un talonario)* volant **4.** *(resguardo)* récépissé **5.** *(monetario)* étalon.

**talonador** *m (rugby)* talonneur.

**talonario, a** *a* à souche: **libro ~** registre à souche. ◇ *m* **1.** carnet, registre à souche **2. ~ de cheques** carnet de chèques.

**talonazo** *m* coup de talon.

**talud** *m* talus.

**tamal** *m* AMER **1.** sorte de crêpe *f* de maïs, farcie et roulée dans une feuille de maïs ou de bananier **2.** FIG *(lío)* histoire *f*, affaire *f*.

**tamalero, a** *s* AMER marchand, e de «tamales».

**tamanduá** *m* tamandua.

**tamango** *m* AMER *(zapato)* godasse *f*.

**tamañito, a** *a* FAM **dejar ~** déconcerter, laisser tout penaud, e.

**tamaño, a** *a* **1.** aussi grand, e, aussi petit, e **2.** très grand, e, immense. ◇ *m* grandeur *f*, taille *f*, volume, dimension *f*: **el ~ de un animal** la taille d'un animal; **de ~ natural** grandeur nature.

**támara** *f (palmera)* dattier *m* des îles Canaries. ◇ *pl* dattes (en régime).

**tamarindo** *m* tamarinier.

**tamarisco, tamariz** *m* tamaris.

**tamarugo** *m* AMER variété de caroubier.

**tambaleante** *a* chancelant, e.

**tambalear** *vi/vpr* chanceler, vaciller: **se tambaleó y cayó** il chancela et tomba.

**tambaleo** *m* chancellement, vacillation *f*.

**tambero, a** *a* AMER laitier, ère: **productores tamberos** producteurs laitiers. ◇ *m* propriétaire d'un «tambo».

**también** *adv* aussi.

**tambo** *m* AMER **1.** *(posada)* auberge *f* **2.** *(vaquería)* laiterie *f*.

**tambor** *m* **1.** tambour: **tocar el ~** battre le tambour ◊ **a ~ batiente** tambour battant **2.** *(de freno, lavadora, para bordar, etc.)* tambour **3.** *(de revólver)* barillet **4.** ARQ *(de una cúpula)* tambour **5.** AMER *(envase)* baril.

**tambora** *f* grosse caisse.

**tamboril** *m* tambourin.

**tamborilear** *vi* tambouriner.

**tamborileo** *m* tambourinage, tambourinement.

**tamborilero** *m* tambourinaire.

**Támesis** *np m* **el ~** la Tamise.

**tamiz** *m* tamis ◊ *FIG* **pasar por el ~** passer au crible.

**tamizar** *vt* tamiser.

**tamo** *m* **1.** *(pelusa)* duvet, bourre *f* **2.** *(paja menuda)* poussière *f* de paille **3.** *(polvo bajo los muebles)* moutons *pl*.

**tampoco** *adv* non plus: **no iré a la boda y ~ mi mujer** je n'irai pas au mariage et ma femme non plus.

**tampón** *m* **1.** tampon **2. ~ higiénico** tampon hygiénique.

**tamujo** *m* plante euphorbiacée (dont on fait des balais).

**tamul** *a/s* tamoul, e.

[1]**tan** *adv (forme apocopée de* **tanto***)* **1.** si: **no vaya usted ~ de prisa** n'allez pas si vite **2.** aussi: **soy ~ fuerte como tú** je suis aussi fort que toi; **¡~ bobo como siempre!** toujours aussi bête! ◊ **~ pronto como...** aussitôt que... **3. de ~** tellement **4.** *loc adv* **~ siquiera** au moins, tout au moins; **~ sólo → sólo.**

[2]**tan** *m (onomatopeya)* **~, ~ toc toc, pan pan.**

**tanate** *m AMER* **1.** sac: **~ de cuero** sac de cuir **2.** paquet, balluchon.

**tanda** *f* **1.** *(turno)* tour *m* **2.** *(de personas)* équipe **3.** *(serie)* série: **una ~ de catástrofes** une série de catastrophes; **una ~ de reproches** une kyrielle de reproches **4.** *(capa)* couche **5.** volée: **una ~ de palos** une volée de coups de bâton **6.** *AMER (sesión de teatro, de cine)* séance **7.** *AMER (resabio)* mauvaise habitude, manie.

**tándem** *m* tandem.

**tandeo** *m* distribution *f* de l'eau des canaux d'irrigation par roulement.

**tanga** *m* cache-sexe, string.

**tangana** *f AMER* rame.

**tanganillas (en)** *loc adv* en équilibre instable.

**tangencia** *f GEOM* tangence.

**tangencial** *a* tangentiel, elle.

**tangente** *a* tangent, e. ◇ *f* tangente ◊ *FIG* **irse, salirse por la ~** prendre la tangente.

**Tánger** *np* Tanger.

**tangerino, a** *a/s* de Tanger. ◇ *f (mandarina)* tangerine.

**tangible** *a* tangible.

**tango** *m* tango.

**tanguista** *f* entraîneuse de cabaret.

**tanino** *m* tanin.

**tano, a** *a/s AMER (napolitano)* rital.

**tanque** *m* **1.** *(carro de combate)* tank **2.** *(cisterna)* citerne *f* **3.** *(depósito)* réservoir: **~ de gasolina** réservoir d'essence.

**tanqueta** *f* char *m* léger.

**tantalio** *m QUÍM* tantale.

**tántalo** *m (ave)* tantale.

**Tántalo** *np m* Tantale: **suplicio de ~** supplice de Tantale.

**tantán** *m* **1.** *(en África)* tam-tam **2.** *(batintín)* gong.

**tanteador** *m (marcador)* tableau d'affichage.

**tantear** *vt* **1.** mesurer, évaluer, calculer **2.** *FIG (una cosa)* examiner attentivement, vérifier **3.** *FIG (a una persona)* tâter, sonder **4.** *(en el juego)* marquer les points **5.** *(un dibujo)* ébaucher **6.** *AMER* calculer approximativement.

**tanteo** *m* **1.** examen **2.** *(prueba)* essai, sondage **3.** *(en deportes)* score, nombre de points **4.** *JUR* retrait **5. a ~** au juger, à vue d'œil.

**tantico** *a/adv* un peu.

**tanto, a** *a* **1.** tant de: **no comas ~ pan** ne mange pas tant de pain **2.** *(comparación)* autant de: **tantas sillas como invitados** autant de chaises que d'invités **3.** tellement de, tant de: **¡había tanta gente!, ~ ruido!** il y avait tellement de monde!, tant de bruit! **4.** aussi: **nunca he tenido ~ miedo** je n'ai jamais eu aussi peur, une telle peur. ◇ *adv* **1.** tant, autant: **no grites ~** ne crie pas tant **2.** tellement: **¿~ llueve?** il pleut tellement? **3. ~ como** autant que **4.** si longtemps: **hace ya ~ que...** il y a si longtemps que... **5. no es para ~** il ne faut pas exagérer, il n'y a pas de quoi en faire tout un plat, il n'y a pas de quoi fouetter un chat **6.** *FAM* **ni ~ ni tan calvo → calvo;** *PROV* **~ tienes cuanto vales** sois riche si tu veux qu'on t'honore, on ne prête qu'aux riches **7.** *loc adv* **~ mejor** tant mieux; **~ peor** tant pis; **algún ~, un ~** un peu, quelque peu: **es un ~ mentiroso** il est un peu menteur: **otro ~** autant; **por (lo) ~** par conséquent, de ce fait; *FAM* **¡y ~!** et comment!, je pense bien! **8.** *loc conj* **~ es así que...** tant est si bien que...; **~ más cuanto que** d'autant plus que; **en ~ (que)** pendant que, tandis que: **en ~ preparas la comida...** pendant que tu prépares le repas... ◇ *m* **1.** quantité *f*, somme *f*, tant: **un ~ por ciento** un tant pour cent **2.** *(ficha)* jeton, fiche *f* **3.** *(en el juego)* point: **apuntarse un ~** marquer un point **4.** *(en fútbol)* but **5. estar al ~ de** être au courant de; **poner al ~ de** mettre au courant de. ◇ *pl* **1.** *(indique un nombre indéterminé)* **a tantos de abril** tel jour du mois d'avril; **30 alumnos y tantos** 30 et quelques élèves; **por 1950 y tantos** vers 1950 **2.** *FAM* **las tantas** une heure avancée de la nuit, tard dans la nuit; **hasta las tantas** jusqu'à une heure avancée de la nuit.

**Tanzania** *np f* Tanzanie.

**tañedor, a** *s* joueur, euse (d'un instrument).

**tañer*** *vt* **1.** *(un instrumento)* jouer de **2.** *(las campanas)* sonner.

**tañido** *m (de un instrumento, una campana)* son.

**taoísmo** *m* taoïsme.

**taoísta** *a/s* taoïsta.

**tapa** *f* **1.** couvercle *m*: **la ~ de una olla** la couvercle d'une marmite; **la ~ del retrete** le couvercle des cabinets ◊ *FIG* **levantarse, saltarse la ~ de los sesos** se faire sauter la cervelle **2.** *(de un libro)* couverture **3.** chacune des semelles du talon d'une chaussure **4.** *(que se sirve con vino o aperitivo)* amuse-gueule *m*. **5.** *AMER (de botella)* capsule.

**tapaboca** *m* **1.** *(bufanda)* cache-nez *m* **2.** *FIG* réponse *f* sans réplique.

**tapabocas** *m inv* cache-nez.

**tapacubos** *m inv (de rueda)* enjoliveur.

**tapada** *f* femme voilée.

**tapadera** *f* **1.** couvercle *m* **2.** *FIG* couverture, paravent *m*.

**tapadillo (de)** *loc adv* en cachette, en catimini.

**tapado** *m AMER* **1.** *(abrigo)* manteau: **~ de pieles** manteau de fourrure **2.** *(tesoro)* trésor enfoui, caché.

**tapagujeros** *m inv* **1.** mauvais maçon **2.** *(suplente)* bouche-trou.

**tapar** *vt* **1.** *(cerrar)* boucher, fermer: **~ una botella** boucher une bouteille; **tener la nariz tapada** avoir le nez bouché **2.** *(cubrir, abrigar)* couvrir: **le gusta estarse en la cama, muy tapado** il aime rester au lit, bien couvert **3.** *(obstruir)* bloquer, barrer, boucher: **~ el paso** barrer le passage **4.** *FIG (ocultar)* cacher. ◆ **~se** *vpr* **1.** se couvrir: **tápate, que hace frío** couvre-toi, il fait froid **2. taparse los oídos** se boucher les oreilles.

**taparrabo(s)** *m* **1.** *(de primitivos)* pagne **2.** slip de bain.

**tapatío, a** *a/s AMER* de Guadalajara (México).

**tape** *m AMER* indien guarani.

**tapera** *f AMER* **1.** maison en ruine **2.** ruines *pl* d'un village.

**tapete** *m* **1.** tapis de table ◊ **~ verde** tapis vert **2.** *FIG* **poner sobre el ~** mettre sur le tapis.

**tapia** *f* **1.** mur *m* en pisé **2.** *(muro de cerca)* mur *m* de clôture **3.** *FAM* **más sordo que una ~ → sordo.**

**tapial** *m* moule à pisé.

**tapiar** *vt* **1.** *(cerrar)* murer, entourer de murs: **el jardín ha sido tapiado** le jardin a été muré **2.** *(una puerta, ventana)* murer.

**tapicería** *f* **1.** *(arte, obra)* tapisserie **2.** *(tienda)* magasin *m* du tapissier **3.** *(de un coche)* garniture.

**tapicero, a** *s* tapissier, ère.

**tapioca** *f* tapioca *m.*

**tapir** *m* tapir.

**tapisca** *f* AMER récolte du maïs.

**tapiz** *m* tapisserie *f.*

**tapizar** *vt* tapisser.

**tapón** *m* **1.** *(de botella, etc.)* bouchon **2.** *(de toneles)* bonde *f* **3.** MED *(masa de algodón, etc.)* tampon **4.** *(aglomeración de vehículos)* bouchon **5.** FAM *(persona)* pot à tabac.

**taponamiento** *m* **1.** bouchage **2.** AMER tamponnement **3.** encombrement.

**taponar** *vt* **1.** *(un orificio)* boucher **2.** MED tamponner **3.** *(una calle, etc.)* obstruer, boucher, encombrer.

**taponazo** *m (ruido)* bruit d'un bouchon qui saute.

**taponería** *f* **1.** fabrique de bouchons **2.** industrie du bouchon.

**taponero, a** *a* du bouchon.

**tapujo** *m* FAM cachotterie *f,* mystère: **hablar sin tapujos** parler sans faire de mystères; **andar sin tapujos** ne pas s'entourer de mystère, se montrer au grand jour, ne pas se cacher.

**taqué** *m* TECN taquet.

**taquería** *f* AMER boutique où l'on vend des «tacos».

**taquicardia** *f* tachycardie.

**taquigrafía** *f* sténographie.

**taquigrafiar** *vt* sténographier.

**taquígrafo, a** *s* sténographe.

**taquilla** *f* **1.** casier *m* **2.** *(de una estación, un teatro, etc.)* guichet *m* **3.** *(dinero recaudado)* recette: **cien mil pesetas de ~** cent mille pesetas de recette.

**taquillaje** *m* recette *f,* vente *f* de billets.

**taquillero, a** *s* employé, e d'un guichet, caissier, ère. ◇ *a (espectáculo, artista)* qui fait recette: **película taquillera** film qui fait recette; **la película más taquillera del año** le film qui a été le plus grand succès de l'année, qui a battu le record de recette.

**taquillón** *m* sorte de buffet, de bahut.

**taquimeca** *f* FAM sténodactylo.

**taquimecanógrafa** *f* sténodactylo.

**taquímetro** *m* tachymètre.

**tara** *f (peso, defecto)* tare.

**tarabilla** *f* **1.** *(de molino)* traquet *m* **2.** *(de sierra)* garrot *m* **3.** FAM *(persona)* moulin *m* à paroles **4.** *(palabrería)* flot *m* de paroles.

**taracea** *f* marqueterie.

**taracear** *vt* marqueter.

**tarado, a** *a/s (persona)* taré, e.

**taramá** *m* CULIN tarama.

**tarambana** *a/s* écervelé, e, hurluberlu, e.

**tarantela** *f (música y baile)* tarentelle.

**tarántula** *f* tarentule.

**tararear** *vt* fredonner.

**tarareo** *m* fredonnement.

**tararí** *interj* FAM taratata.

[1]**tararira** *f* FAM *(bullicio)* boucan. ◇ *a/s (chiflado)* braque, dingue.

[2]**tararira** *f* AMER poisson *m* d'eau douce comestible.

**tarasca** *f* **1.** tarasque **2.** FIG *(mujer)* mégère.

**tarascada** *f* **1.** *(mordedura)* coup *m* de dent, morsure **2.** FIG grossièreté.

**tarascar** *vt* mordre.

**tarascón** *m* AMER coup de dent, morsure *f:* **los tarascones de un perro** les morsures d'un chien.

**taray** *m* tamaris.

**tarbea** *f* grande salle.

**tardanza** *f* retard *m.*

**tardar** *vi* **1.** tarder, mettre longtemps, mettre du temps: **tardé en contestarle** j'ai tardé à vous répondre; **sin ~** sans tarder; **no tardó en venir** il n'a pas tardé à, il n'a pas mis longtemps à venir; **tarda mucho en vestirse** elle met beaucoup de temps à s'habiller, elle est longue à s'habiller **2.** mettre, en avoir pour: **tardé una hora en terminar este trabajo** j'ai mis une heure à finir ce travail; **he tardado diez minutos en ir de mi casa a la estación** j'ai mis dix minutes pour aller de chez moi à la gare; **tardaré cinco minutos** j'en ai pour cinq minutes ◊ **a no ~ mucho** sans tarder, très prochainement, dans peu de temps **3.** *loc adv* **a más ~** au plus tard.

**tarde** *f* **1.** *(desde el mediodía hasta el anochecer)* après-midi: **vendré por la ~** je viendrai cet après-midi **2.** *(atardecer)* soir *m* **3. buenas tardes** bonjour, bonsoir **4. función de ~** matinée. ◇ *adv* **1.** tard: **levantarse ~** se lever tard; **más vale ~ que nunca** mieux vaut tard que jamais **2.** trop tard: **nunca es ~ para empezar a...** il n'est jamais trop tard pour commencer à... **3.** *loc adv* **de ~ en ~** de loin en loin; **~ o temprano, más ~ o más temprano** tôt ou tard.

▶ *Après-midi* es masculino o femenino e invariable.

**tardíamente** *adv* tardivement.

**tardío, a** *a* tardif, ive: **frutos tardíos** fruits tardifs.

**tardísimo** *adv* très tard.

**tardo, a** *a* **1.** lent, e **2.** *(torpe)* lent, e: **~ en comprender** lent à comprendre **3. ~ de oído** dur d'oreille.

**tardón, ona** *a/s* **1.** traînard, e, lambin, e **2.** retardataire **3.** à l'esprit lent.

**tarea** *f* **1.** travail *m,* tâche: **las tareas de la casa, del hogar, domésticas** les travaux de la maison, domestiques; **las tareas de una asamblea** les travaux d'une assemblée; **no acabé la ~** je n'ai pas fini mon travail; **no es ~ fácil** ce n'est pas tâche facile; **es ~ de todos combatir la injusticia** c'est la tâche, le devoir, l'affaire de tous de combattre l'injustice **2.** *(de un escolar)* devoir *m* **3.** FAM **~ te mando** je te souhaite bien du plaisir.

**tarifa** *f* tarif *m:* **la nueva ~** le nouveau tarif.

**tarifar** *vt* tarifer.

**tarima** *f* estrade.

**tarjeta** *f* **1.** carte: **~ de visita** carte de visite; **~ postal** carte postale; **~ de felicitación** carte de vœux; **~ de abono, de crédito** carte d'abonnement, de crédit; **~ perforada** carte perforée; **~ con chip** carte à puce **2.** *(de los mapas)* cartouche *m* **3.** *(fútbol)* **~ amarilla, roja** carton *m* jaune, rouge.

**tarjeteo** *m* échange de cartes de visite.

**tarjetero** *m* porte-cartes *inv.*

**tarjetón** *m* grande carte *f* ◊ **~ de boda** faire-part de mariage.

**tarlatana** *f* tarlatane.

**Tarpeya (roca)** *np f* Tarpéienne (roche).

**tarquín** *m* vase *f,* limon.

**tarraconense** *a/s* de Tarragone.

**Tarragona** *np* Tarragone.

**tarreñas** *f pl* cliquettes.

**tarrina** *f* barquette.

**tarrito** *m* petit pot.

**tarro** *m* **1.** pot: **~ de mermelada, de miel, de crema hidratante** pot de confiture, de miel, de crème hydratante **2.** *(de vidrio)* bocal **3.** FAM *(cabeza)* tête *f*, cervelle *f* ◊ **comerse el ~** se torturer les méninges **4.** AMER *(de lata)* bidon: **tarros de leche, de kerosén** des bidons de lait, de kérosène **5.** AMER *(cuerno)* corne *f* **6.** AMER *(sombrero de copa)* haut-de-forme.

**tarso** *m* ANAT tarse.

**tarta** *f* **1.** tarte, gâteau *m*: **~ de cumpleaños** gâteau d'anniversaire: **~ de manzanas, de fresas** tarte aux pommes, aux fraises **2.** FIG **un pedazo de la ~** une part du gâteau.

**tartajear** *vi* bredouiller.

**tartajeo** *m* bredouillement.

**tartajoso, a** *a/s* bredouilleur, euse, bafouilleur, euse.

**tartamudear** *vi* bégayer.

**tartamudeo** *m* bégaiement.

**tartamudez** *f* bégaiement *m*.

**tartamudo, a** *a/s* bègue.

**tartán** *m* tartan.

**tartana** *f* **1.** *(barco)* tartane **2.** *(carruaje)* carriole.

**tártaro, a** *a/s* **1.** tartare **2.** CULIN **bistec ~** steak tartare; **salsa tártara** sauce tartare. ◇ *m (sarro)* tartre.

**tartera** *f* **1.** *(fiambrera)* gamelle **2.** *(cazuela de barro)* tourtière.

**tártrico, a** *a* QUÍM **ácido ~** acide tartrique.

**tarugo** *m* **1.** morceau de bois **2.** *(clavija)* cheville *f* **3.** *(para pavimentar)* pavé de bois **4.** FIG crétin, demeuré, bûche *f*.

**tarumba** *a* FAM **volver ~ a alguien** faire tourner la tête à, rendre dingue quelqu'un.

**tasa** *f* **1.** taxation **2.** *(precio)* taxe ◊ **tasas académicas** droits *m* d'inscription **3.** taux *m*: **~ de mortalidad** taux de mortalité; **~ de inflación** taux d'inflation; **~ de paro** taux de chômage; **~ de radiactividad** taux de radioactivité **4.** mesure, limite.

**tasación** *f* **1.** taxation **2.** estimation, évaluation ◊ **~ pericial** expertise.

**tasador** *m* commissaire-priseur.

**tasajo** *m* **1.** morceau de viande boucanée **2.** morceau de viande.

**tasajudo, a** *a* AMER efflanqué, e.

**tasar** *vt* **1.** *(fijar el precio)* taxer **2.** *(valorar)* estimer, évaluer: **~ en 1000 pesetas** estimer à 1000 pesetas **3.** mesurer, restreindre, doser, rationner.

**tasca** *f* **1.** *(taberna)* bistrot *m* **2.** *(garito)* tripot *m*.

**tasi** *m* AMER plante *f* grimpante, tasi, araujia.

**Tasmania** *np f* Tasmanie.

**tasqueo** *m* FAM **ir de ~** courir les bistrots.

**tata** *f* FAM *(niñera)* nounou. ◇ *m* AMER papa. ◇ *pl* AMER parents.

**tatami** *m* tatami.

**tatarabuelo, a** *s* trisaïeul, e.

**tataranieto, a** *s* arrière-arrière-petit-fils, arrière-arrière-petite-fille. ◇ *pl* arrière-arrière petits-enfants.

**¡tate!** *interj (sorpresa)* tiens!; *(precaución)* doucement!

**tatema** *f* AMER brûlure.

**tatemar** *vt* AMER **1.** *(quemar)* brûler **2.** *(asar)* griller.

**tatetí** *m* AMER sorte de marelle *f*.

**tato** *m* AMER frangin.

**tatú** *m* tatou.

**tatuaje** *m* tatouage.

**tatuar** *vt* tatouer.

**tau** *f (letra griega)* tau *m*.

**taumaturgo** *m* thaumaturge.

**taurino, a** *a* taurin, e.

**tauro** *m* ASTR **ser ~** être du taureau.

**tauromaquia** *f* tauromachie.

**tauromáquico, a** *a* tauromachique.

**tautología** *f* tautologie.

**tautológico, a** *a* tautologique.

**taxativamente** *adv* d'une manière précise, précisément.

**taxativo, a** *a* précis, e.

**taxi** *m* taxi.

**taxidermia** *f* taxidermie.

**taxidermista** *s* taxidermiste.

**taxímetro** *m* taximètre.

**taxista** *s* chauffeur de taxi.

**taxonomía** *f* taxinomie, taxonomie.

**taza** *f* **1.** tasse: **una ~ de porcelana** une tasse en porcelaine; **una ~ de té** une tasse de thé **2.** *(de fuente)* vasque **3. la ~ del retrete** la cuvette des cabinets **4.** *(de la espada)* coquille **5.** *(del sostén)* bonnet *m*.

**tazón** *m* bol.

**[1]te** *f* **1.** lettre t, té *m* **2.** *(regla)* té *m*.

**[2]te** *pron pers* **1.** te, t': **~ hablo** je te parle; **~ llamo** je t'appelle; **quiero verte** je veux te voir **2.** *(en imperativo)* toi: **¡levántate!** lève-toi!

**té** *m* **1.** *(arbusto)* théier, thé **2.** *(hojas, bebida)* thé: **~ con leche** thé au lait ◊ **~ de los jesuitas, del Paraguay** maté **3.** *(reunión)* thé: **salón de ~** salon de thé **4.** FAM **dar el ~** bassiner, assommer, soûler de paroles.

**tea** *f* torche.

**teatino** *m* RELIG théatin.

**teatral** *a* théâtral, e ◊ **obra ~** pièce de théâtre.

**teatralidad** *f* théâtralité.

**teatro** *m* **1.** théâtre **2.** FIG **ser el ~ de** être le théâtre de **3.** FIG **hacer ~** jouer la comédie, faire du cinéma.

**Tebaida** *np f* Thébaïde.

**Tebas** *np* Thèbes.

**tebeo** *m* illustré (pour enfants).
▶ Acronyme de TBO, titre d'une revue illustrée pour enfants fondée à Barcelone en 1917.

**teca** *f (árbol)* teck *m*, tek *m*.

**techado** *m* toit, toiture *f* ◊ **bajo ~** à l'abri.

**techador** *m* couvreur.

**techar** *vt (una casa)* couvrir (un édifice).

**techo** *m* **1.** *(interior)* plafond: **~ artesonado** plafond à caissons **2.** *(tejado)* toit ◊ **el ~ del mundo** le toit du monde **3.** FIG *(hogar)* toit, abri: **varias familias quedaron sin ~** plusieurs familles se sont retrouvées sans abri ◊ **los sin ~** les sans-abri, les sans-logis **4.** *(altura máxima que puede alcanzar un avión)* plafond **5.** FIG plafond, limite *f* maximum.

**techumbre** *f* toiture, toit *m*.

**tecla** *f* **1.** *(de piano, máquina de escribir, etc.)* touche **2.** FIG **dar en la ~** tomber juste; **tocar muchas teclas** frapper à beaucoup de portes, se mettre en quatre.

**teclado** *m* clavier.

**teclear** *vi* **1.** frapper les touches d'un clavier, pianoter **2.** *(escribir a máquina)* taper **3.** FIG tapoter, pianoter.

**tecleo** *m* **1.** frappe *f* **2.** FIG *(golpeteo)* tapotement **3.** MÚS doigté.

**técnica** *f* technique.
**técnicamente** *adv* techniquement.
**tecnicidad** *f* technicité.
**tecnicismo** *m* **1.** technicité *f* **2.** *(palabra)* terme technique.
**técnico, a** *a* technique. ◇ *s* technicien, enne.
**tecnocracia** *f* technocratie.
**tecnócrata** *s* technocrate.
**tecnocrático, a** *a* technocratique.
**tecnología** *f* technologie.
**tecnológico, a** *a* technologique.
**tecolote** *m* AMER *(búho)* hibou.
**tecomate** *m* AMER calebasse *f*, gourde *f*.
**tectónico, a** *a/f* tectonique.
**tedéum** *m* Te Deum.
**tedio** *m* ennui, dégoût.
**tedioso, a** *a* ennuyeux, euse.
**tegumento** *m* tégument.
**Teherán** *np* Téhéran.
**teína** *f* théine.
**teísmo** *m* théisme.
**teja** *f* **1.** tuile: **~ plana** tuile plate **2. sombrero de ~** chapeau d'ecclésiastique **3.** *loc adv* **a toca ~** comptant, rubis sur l'ongle; **de tejas abajo** ici-bas; **de tejas arriba** là-haut, au ciel.
**tejadillo** *m* auvent.
**tejado** *m* toit.
**tejamaní, tejamanil** *m* AMER planchette *f* utilisée comme tuile.
**tejano, a** *a/s* texan, e, du Texas. ◇ *m* **1.** *(tejido)* jean **2. pantalón ~** jean, blue-jean. ◇ *m pl* jeans.
[1]**tejar** *vt* couvrir de tuiles.
[2]**tejar** *m* tuilerie *f*.
**Tejas** *np m* Texas.
**tejavana** *f* hangar *m*, appentis *m*.
**tejedor, a** *a* qui tisse. ◇ *s* tisseur, euse, tisserand, e. ◇ *m* *(insecto)* araignée *f* d'eau.
**tejedura** *f* tissage *m*.
**tejeduría** *f* *(arte)* tissanderie.
**tejemaneje** *m* **1.** *(destreza)* adresse *f* **2.** *(chanchullos)* manigances *f pl*, combines *f pl*.
**tejer** *vt* **1.** tisser **2.** *(trenzar)* tresser **3.** *(hacer punto)* tricoter **4.** FIG ourdir, tramer, tisser: **~ una intriga** ourdir une intrigue **5.** FIG **~ y destejer** faire et défaire.
**tejería** *f* tuilerie.
**tejido** *m* **1.** tissu **2.** ANAT tissu: **~ óseo, nervioso** tissu osseux, nerveux.
[1]**tejo** *m* **1.** *(para jugar)* palet **2.** *(juego)* bouchon **3.** FAM douro, pièce *f* de cinq pesetas.
[2]**tejo** *m* *(árbol)* if.
**tejoleta** *f* tesson *m*.
**tejón** *m* blaireau.
**tejuelo** *m* *(encuadernación)* pièce *f* de titre.
**tela** *f* **1.** *(tejido)* tissu *m*, étoffe ◊ **~ de rizo** tissu-éponge **2.** *(tejido basto)* toile ◊ **~ de araña** toile d'araignée; **~ metálica** treillis *m* de fil de fer **3.** FIG matière ◊ **hay ~ para rato** il y a du pain sur la planche; **hay ~ que cortar** il y a beaucoup à dire; **poner en ~ de juicio** mettre en doute **4.** membrane **5. ~ de cebolla** pelure d'oignon **6.** *(en la superficie de un líquido)* peau, pellicule **7.** *(en el ojo)* taie **8.** *(cuadro)* toile **9.** POP *(dinero)* fric *m*, flouze *m*.
**telar** *m* **1.** métier à tisser **2.** TEAT cintre.
**telaraña** *f* **1.** toile d'araignée **2.** FIG **tener telarañas en los ojos** ne pas voir les choses objectivement.
**tele** *f* FAM télé: **en la ~** à la télé.
**telecabina** *f* télécabine, télébenne.
**telecinematógrafo** *m* téléciněma.
**telecomedia** *f* comédie télévisée.
**telecompra** *f* téléachat *m*.
**telecomunicación** *f* télécommunication.
**teledebate** *m* débat télévisé.
**telediario** *m* journal télévisé.
**teledifusión** *f* télédiffusion.
**teledirección** *f* téléguidage *m*.
**teledirigido, a** *a* téléguidé, e.
**teledirigir** *vt* téléguider, télécommander.
**teleeducación** *f* téléenseignement *m*.
**telefax** *m* télécopie *f*, téléfax.
**teleférico** *m* téléphérique.
**telefilme** *m* téléfilm.
**telefio** *m* *(planta)* sédum, orpin.
**telefonazo** *m* FAM coup de fil: **dame un ~** donne-moi un coup de fil.
**telefonear** *vi/t* téléphoner.
**telefonema** *m* message téléphonique.
**telefonía** *f* téléphonie: **~ celular** téléphonie cellulaire.
**telefónico, a** *a* téléphonique ◊ **llamada telefónica** coup *m* de téléphone.
**telefonista** *s* téléphoniste.
**teléfono** *m* téléphone: **~ móvil, inalámbrico** téléphone mobile, sans fil; **~ celular** téléphone cellulaire; **llamar por ~** téléphoner.
**telegénico, a** *a* télégénique.
**telegrafía** *f* télégraphie.
**telegrafiar** *vt* télégraphier.
**telegráfico, a** *a* télégraphique.
**telegrafista** *s* télégraphiste.
**telégrafo** *m* télégraphe.
**telegrama** *m* télégramme.
**teleimpresor** *m* téléimprimeur, téléscripteur.
**teleinformática** *f* téléinformatique.
**telele** *m* FAM malaise: **a su madre le dio el ~** sa mère a eu un malaise, a tourné de l'œil.
**Telémaco** *np m* Télémaque.
**telemando** *m* télécommande *f*.
**telemática** *f* télématique.
**telémetro** *m* télémètre.
**telenovela** *f* feuilleton *m* télévisé.
**teleobjetivo** *m* téléobjectif.
**teleósteos** *m pl* ZOOL téléostéens.
**telepatía** *f* télépathie.
**telepático, a** *a* télépathique.
**teleproceso** *m* INFORM télétraitement.
**telera** *f* **1.** *(de prensa)* montant *m* **2.** *(travesaño)* entretoise.
**telescópico, a** *a* télescopique.
**telescopio** *m* télescope.

**teleserie** *f (televisiva)* série (télévisée).

**telesilla** *m* télésiège.

**telespectador, a** *s* téléspectateur, trice.

**telesquí** *m* téléski, remonte-pente.

**teleteca** *f* téléthèque.

**teletipo** *m* télétype.

**teletratamiento** *m* télétraitement.

**televenta** *f* télévente.

**televidente** *s* téléspectateur, trice.

**televisar** *vt* téléviser.

**televisión** *f* télévision: **ver (la) ~** regarder la télévision; **lo he visto en ~** je l'ai vu à la télévision; **la ~ por cable** la télévision par cable.

**televisivo, a** *a* pour la télévision, télévisuel, elle, télévisé, e: **publicidad televisiva** publicité pour la télévision; **programa ~** programme de télévision; **cadenas televisivas** chaînes de télévision; **el nuevo mercado ~** le nouveau marché télévisuel; **mensaje ~** message télévisé.

**televisor** *m* téléviseur.

**televisual → televisivo.**

**télex** *m* télex.

**telilla** *f* pellicule, peau.

**telón** *m* **1.** *TEAT* rideau: **~ de boca** rideau d'avant-scène; **alzar, bajar el ~** lever, baisser le rideau ◊ *FIG* **~ de fondo** toile *f* de fond **2.** *FIG* **el ~ de acero** le rideau de fer.

**telonero, a** *a/s* artiste qui passe en première partie du spectacle, etc., vedette américaine.

**telúrico, a** *a* tellurique.

**tema** *m* **1.** sujet, thème: **un buen ~ de conversación** un bon sujet de conversation; **cambiemos de ~** changeons de sujet **2.** *MÚS* thème **3.** manie *f*, marotte *f*, idée *f* fixe: **cada loco con su ~** à chacun sa marotte.

**temario** *m* programme.

**temático, a** *a/f* thématique.

**tembladera** *f* **1.** *(pez)* torpille **2.** *(planta)* amourette **3.** *(temblor)* tremblement *m* **4.** *AMER* *(tremedal)* bourbier *m*, terrain *m* marécageux et mouvant **5.** *AMER* maladie des animaux dans les Andes.

**tembladeral** *m* *AMER* bourbier, terrain marécageux et mouvant.

**temblante** *a* tremblant, e.

**temblar*** *vi* **1.** trembler: **~ de frío** trembler de froid; **~ como un azogado** trembler comme une feuille **2.** *FIG* trembler: **tiembla por su bebé** elle tremble pour son bébé **3. le temblaba la voz** sa voix tremblait.

**tembleque** *a* tremblant, e. ◇ *m* tremblement.

**temblequeante** *a* tremblotant, e.

**temblequear** *vi FAM* trembler, trembloter.

**temblón, ona** *a* **1.** trembleur, euse **2. álamo ~** tremble.

**temblor** *m* **1.** tremblement **2.** *AMER* *(terremoto)* secousse *f* tellurique.

**tembloroso, a** *a* **1.** tremblant, e **2.** *(voz)* chevrotant, e, tremblotant, e.

**tembo, a** *a AMER* hébété, e, ahuri, e.

**temer** *vt* craindre, avoir peur de, redouter, appréhender: **teme a su jefe** il craint son chef, il a peur de son chef; **se teme un atentado** on redoute, on appréhende un attentat; **¿quién teme al lobo feroz?** qui a peur du grand méchant loup? ◇ *vi/pr* craindre, avoir peur: **temo por ti** j'ai peur pour toi; **no temáis** ne craignez rien, n'ayez pas peur; **me temo que llegues tarde** je crains que tu n'arrives en retard; **me temo que vamos a perder el tren** je crains que nous ne rations le train; **me lo temía** je le craignais.

**temerario, a** *a* **1.** *(imprudente)* téméraire **2. juicio ~** jugement téméraire.

**temeridad** *f* témérité.

**temerosamente** *adv* craintivement.

**temeroso, a** *a* **1.** *(medroso)* craintif, ive, peureux, euse **2.** *(que causa temor)* effrayant, e.

**temible** *a* redoutable.

**temido, a** *a* craint, e, redouté, e.

**temor** *m* crainte *f*, peur *f*: **el ~ a la muerte, de morir** la peur de la mort, de mourir; **el ~ al contagio** la peur de la contagion; **el ~ a quedarse en el paro** la crainte de se retrouver au chômage; **causar ~** faire peur; **sin ~ a equivocarse** sans craindre de se tromper.

**témpano** *m* **1.** *(de hielo)* glaçon ◊ *FIG* **quedarse como un ~** être gelé, e **2.** *MÚS* cymbale *f*.

**temperamental** *a* du tempérament.

**temperamento** *m* **1.** tempérament **2. es un gran ~** c'est un tempérament, une nature.

**temperancia** *f* tempérance.

**temperante** *a* tempérant, e.

**temperar** *vt* tempérer.

**temperatura** *f* **1.** température **2. tomar la ~ a un enfermo** prendre la température d'un malade.

**temperie** *f* température (de l'air).

**tempestad** *f* **1.** *(en tierra o en mar)* tempête **2.** *(tormenta)* orage *m* **3.** *FIG* tempête.

**tempestuoso, a** *a* tempétueux, euse, orageux, euse.

**templado, a** *a* **1.** *(en sus apetitos)* modéré, e, tempérant, e **2.** tempéré, e: **clima ~** climat tempéré **3.** *(agua, etc.)* tiède **4.** *FAM* calme, courageux, euse **5.** *AMER* *(enamorado)* épris, e, amoureux, euse.

**templador, a** *a* qui tempère. ◇ *m MÚS* accordoir.

**templaducho, a** *a* tiédasse.

**templanza** *f* tempérance.

**templar** *vt* **1.** tempérer **2.** *(un líquido, etc.)* tiédir **3.** *(un metal, etc.)* tremper: **acero templado** acier trempé **4.** *FIG* calmer, apaiser **5.** *MÚS* *(un instrumento)* accorder. ◇ *vi* s'adoucir. ◆ **~se** *vpr* **1.** *(la temperatura)* se radoucir, se réchauffer **2.** *(moderarse)* se modérer **3.** *AMER* *(enamorarse)* tomber amoureux, euse.

**templario** *m* templier.

**[1]temple** *m* **1.** température *f* **2.** *(de un metal)* trempe *f* **3.** *FIG* humeur *f*: **de buen, mal ~** de bonne, mauvaise humeur **4.** *(valentía)* trempe *f*, énergie *f* **5.** *MÚS* *(de los instrumentos)* accord **6.** *(pintura)* **al ~** à la détrempe, en détrempe.

**[2]temple** *m (orden militar)* ordre des templiers, Temple.

**templete** *m* **1.** pavillon, kiosque **2.** niche *f* en forme de petit temple.

**templo** *m* **1.** temple **2.** *RELIG* *(iglesia)* église *f*.

**tempo** *m MÚS* tempo.

**témpora** *f RELIG* chacun des quatre-temps. ◇ *pl* quatre-temps *m*.

**temporada** *f* **1.** *(turística, teatral, etc.)* saison: **~ alta, baja** haute, basse saison **2.** période, époque **3.** séjour *m*: **pasar una larga ~ en el campo** faire un long séjour à la campagne **4. de ~** temporairement, passagèrement.

**temporal** *a* **1.** *(no religioso)* temporel, elle: **bienes temporales** bien temporels **2.** *(no permanente)* temporaire: **contrato ~** contrat temporaire; **trabajo ~** emploi temporaire, précaire.

◇ *a/m* ANAT temporal, e. ◇ *m* **1.** *(tempestad)* tempête *f* **2.** mauvais temps ◊ **capear el ~** affronter la tempête; FIG s'en tirer.

**temporalidad** *f* **1.** *(de un empleo, etc.)* caractère temporaire, précarité **2.** *(filosofía)* temporalité. ◇ *pl* temporel *m sing*.

**temporalmente** *adv* temporairement.

**témporas → témpora.**

**temporero, a** *a* saisonnier, ère, temporaire. ◇ *s (obrero del campo)* saisonnier, ère.

**tempranamente** *adv* de bonne heure, tôt.

**tempranero, a** *a* **1.** *(temprano)* précoce **2.** *(madrugador)* matinal, e.

**tempranito** *adv* FAM de très bonne heure.

**temprano, a** *a* précoce, hâtif, ive: **cerezas tempranas** cerises précoces ◊ **hortalizas tempranas** primeurs. ◇ *adv* **1.** de bonne heure, tôt: **me levanté ~** je me suis levé de bonne heure **2.** *(pronto)* tôt.

**ten → tener.**

**tenacidad** *f* ténacité.

**tenacillas** *f pl* **1.** pincettes **2.** *(para rizar el pelo)* fer *m sing* à friser **3.** pince *sing* à sucre.

**tenaz** *a* tenace.

**tenaza(s)** *f* **1.** *(herramienta)* tenailles *pl* **2.** *(para el fuego)* pincettes *pl* **3.** *(de crustáceo)* pince **4.** FIG **no se le puede coger ni con tenazas** il n'est pas à prendre avec des pincettes.

**tenca** *f (pez)* tanche.

**ten con ten** *m* FAM prudence *f*, modération *f*, retenue *f*, tact.

**tendal** *m* **1.** *(toldo)* bâche *f* **2.** séchoir **3.** AMER amas de choses éparses sur le sol **4.** AMER grande quantité *f*, tas.

**tendalero, tendedero** *m* étendoir, séchoir.

**tendel** *m (de albañil)* cordeau.

**tendencia** *f* tendance.

**tendencioso, a** *a* tendancieux, euse.

**tendente** *a* tendant, e: **medidas tendentes a mejorar...** mesures tendant à améliorer...

**tender*** *vt* **1.** *(lo que estaba doblado, la ropa mojada)* étendre **2.** tendre: **~ la mano** tendre la main; **~ un cable** tendre un câble, poser un câble **3. ~ un puente** jeter un pont **→ puente.** ◇ *vi* tendre: **la situación tiende a mejorar** la situation tend à s'améliorer. ◆ **~se** *vpr* **1.** *(tumbarse)* s'étendre, se coucher: **se tendió en el sofá** il s'étendit sur le canapé **2.** *(en los juegos de baraja)* étaler son jeu.

**ténder** *m* tender.

**tenderete** *m* étalage, éventaire.

**tendero, a** *s* commerçant, e ◊ **~ de comestibles** épicier, ère; **el ~ de la esquina** l'épicier du coin.

**tendidamente** *adv* longuement.

**tendido, a** *pp* de **tender.** ◇ *a* étendu, e **2.** tendu, e **3.** **a galope ~ → galope 3. largo y ~** longuement. ◇ *m* **1.** *(de un cable, etc.)* pose *f* **2.** *(de un puente)* lancement **3.** ligne *f*: **~ eléctrico** ligne électrique **4.** TAUROM gradins *pl* (découverts).

**tendiente → tendente.**

**tendinitis** *f* MED tendinite.

**tendinoso, a** *a* tendineux, euse.

**tendón** *m* tendon: **~ de Aquiles** tendon d'Achille.

**tendrá,** etc. **→ tener.**

**tenducha** *f*, **tenducho** *m* petite boutique *f*.

**tenebrario** *m* herse *f* (pour cierges).

**tenebrosidad** *f* obscurité.

**tenebroso, a** *a* ténébreux, euse.

**tenedor** *m* **1.** *(utensilio de mesa)* fourchette *f* **2.** *(de acciones, obligaciones, etc.)* porteur **3.** possesseur **4. ~ de libros** teneur de livres, comptable.

**teneduría de libros** *f* COM comptabilité, tenue des livres.

**tenencia** *f* **1.** possession, détention: **~ de armas** détention d'armes **2.** *(cargo)* lieutenance.

**tener*** *vt* **1.** avoir: **tengo una moto** j'ai une moto; **¿qué edad tienes?** quel âge as-tu?; **tengo algo que decirte** j'ai quelque chose à te dire; **usted tiene razón** vous avez raison; **no tuvo suerte** il n'a pas eu de chance; **si tuviéramos...** si nous avions...; **eso no tiene nada que ver con...** ceci n'a rien à voir avec...; **tenga la bondad de** ayez la bonté de; **ir teniendo años** prendre de l'âge; PROV **tanto tienes, tanto vales → tanto 2.** *(sujetar, mantener)* tenir **3.** *(+ participio = haber)* avoir: **tengo decidido marcharme** j'ai décidé de m'en aller; **me tiene prometido llevarme al cine** il m'a promis de m'emmener au cinéma; **según tengo leído** d'après ce que j'ai lu; **ya te lo tengo dicho** je te l'ai déjà dit; **hace tiempo que tenemos terminado nuestro trabajo** il y a longtemps que nous avons fini notre travail **4. ~ por** tenir pour, considérer comme: **lo tenía por un hombre inteligente** je le tenais pour un homme intelligent; **es tenida por una mujer ambiciosa** elle est considérée comme, tenue pour une femme ambitieuse; **ten por seguro que...** tu peux être sûr que... **5. ~ que** *(+ infinitivo)* falloir, devoir: **tengo que ir al dentista** il faut que j'aille, je dois aller chez le dentiste; **me tengo que marchar** il faut que je m'en aille; **tuve que sentarme** je dus m'asseoir **6. aquí tiene...** voici...; **aquí me tienes** me voici; **~ a bien** vouloir bien, daigner: **le rogamos tenga a bien...** nous vous prions de bien vouloir...; **~ a menos** dédaigner; **~ en menos** mépriser; **~ en mucho** tenir en haute estime; **~ para sí** croire, penser; **no tenerlas todas consigo** ne pas être très rassuré, e, ne pas en mener large. ◆ **~se** *vpr* **1.** se tenir: **tenerse de pie** se tenir debout **2. tenerse por** se croire, s'estimer **3.** se dominer **4.** FAM **tenérselas tiesas, tenerse tieso** se montrer ferme, ne pas céder.

▶ Sens 3. *tener* peut avoir un rôle d'auxiliaire pour renforcer l'action ou son résultat. Dans ce cas, le participe s'accorde en genre et en nombre: *tengo estudiada esta cuestión* j'ai (bien) étudié cette question; *todo esto me tenía inquieta* tout ça m'inquiétait; *tengo sacadas las entradas* j'ai pris les billets; *tenemos abierto hasta las nueve de la noche* nous restons ouverts jusqu'à neuf heures du soir.

**tenería** *f* tannerie.

**tenia** *f* ténia *m*, tænia *m*.

**tenida** *f* AMER tenue: **~ deportiva, de tenis** tenue de sport, de tennis.

**teniente** *m* **1.** lieutenant: **~ coronel** lieutenant-colonel **2. ~ de alcalde** adjoint au maire. ◇ *a* FAM *(algo sordo)* dur, e d'oreille.

**tenis** *m* **1.** tennis: **pista de ~** court de tennis **2. ~ de mesa** tennis de table ◊ **codo de ~** tennis-elbow.

**tenista** *s* joueur, joueuse de tennis.

**tenístico, a** *a* du tennis.

**tenor** *m* **1.** *(de un escrito)* teneur *f* ◊ **a este ~** de cette façon, ainsi; **a ~ de** d'après, selon; **a ~ de nuestros informes, de la ley** d'après nos informations, d'après la loi **2.** MÚS ténor **3.** FIG **los tenores de la política** les ténors de la politique.

**tenorio** *m* don Juan, séducteur, bourreau des cœurs.

**tensar** *vt* tendre.

**tensión** *f* **1.** *(de una cuerda, del espíritu, etc.)* tension ◊ **las tensiones raciales** les tensions raciales **2.** MED **~ arterial** tension artérielle; **tomar la ~** prendre la tension; **tener ~** avoir de la tension **3.** ELECT tension: **alta ~** haute tension.

**tenso, a** *a* tendu, e: **no esté ~** ne soyez pas tendu; **la situación en la frontera es tensa** la situation à la frontière est tendue.

**tensor, a** *a/m (músculo)* tenseur. ◇ *m* tendeur.

**tentación** *f* tentation: **caer en la ~** succomber à la tentation.

**tentacular** *a* tentaculaire.

**tentáculo** *m* tentacule.

**tentadero** *m* TAUROM enclos où l'on essaie les taurillons.

**tentador, a** *a/s (persona)* tentateur, trice ◊ RELIG **el ~** le tentateur. ◇ *a (apetecible)* tentant, e.

**tentalear** *vt* tâter.

**tentar*** *vt* **1.** *(palpar)* tâter **2.** *(atraer)* tenter: **si te tienta la idea** si l'idée te tente; **eso no me tienta absolutamente nada** ça ne me tente absolument pas **3.** *(intentar)* tenter **4.** *(una herida)* sonder.

**tentativa** *f* tentative.

**tentemozo** *m* **1.** *(puntal)* étai **2.** *(de un carro)* chambrière *f* **3.** *(juguete)* poussah.

**tentempié** *m* casse-croûte.

**tentetieso** *m* poussah.

**tenue** *a* **1.** *(delgado)* ténu, e, fin, e, mince **2.** *(luz)* faible **3.** peu important, e, léger, ère.

**tenuidad** *f* **1.** ténuité, finesse **2.** *(luz)* faiblesse **3.** légèreté.

**teñido, a** *a* teint, e: **~ de negro** teint en noir; **el pelo ~** les cheveux teints. ◇ *m* **1.** *(acción)* teinture *f* **2.** *(tinte)* teinte *f*.

**teñir*** *vt* teindre: **~ de azul** teindre en bleu. ◆ **~se** *vpr* se teindre: **se tiñe el pelo de negro** elle se teint les cheveux en noir.

**Teobaldo** *np m* Thibaut.

**teocracia** *f* théocratie.

**teocrático, a** *a* théocratique.

**teodicea** *f* théodicée.

**teodolito** *m* théodolite.

**Teodoro** *np m* Théodore.

**Teodosio** *np m* Théodose.

**Teófilo** *np m* Théophile.

**Teofrasto** *np m* Théophraste.

**teogonía** *f* théogonie.

**teologal** *a* théologal, e: **virtudes teologales** vertus théologales.

**teología** *f* théologie.

**teológico, a** *a* théologique.

**teólogo, a** *s* théologien, enne.

**teorema** *m* théorème.

**teoría** *f* théorie: **en ~** en théorie.

**teóricamente** *adv* théoriquement.

**teórico, a** *a* théorique. ◇ *s* théoricien, enne.

**teorizante** *s* théoricien, enne.

**teorizar** *vi/t* théoriser.

**teosofía** *f* théosophie.

**teósofo, a** *s* théosophe.

**tepache** *m* AMER boisson *f* fermentée mexicaine à l'ananas, etc.

**tepe** *m* motte *f* de gazon.

**tepú** *m* AMER sorte de myrthe du Chili.

**tequila** *f* tequila, eau-de-vie d'agave.

**terapeuta** *s* thérapeute.

**terapéutico, a** *a/f* thérapeutique.

**terapia** *f* thérapie.

**teratología** *f* tératologie.

**tercelete** *a* ARQ **arco ~** tierceron.

**tercer** *a (forme apocopée de* **tercero** *devant un substantif masculin sing.)* **1.** troisième: **~ piso** troisième étage **2. el ~ mundo** le tiers-monde.

**tercera** *f* **1.** *(en el juego)* tierce **2.** MÚS tierce **3.** *(alcahueta)* entremetteuse **4.** → **tercero.**

**tercería** *f* entremise, médiation.

**tercerilla** *f* tercet *m* de vers courts.

**tercermundismo** *m* tiers-mondisme.

**tercermundista** *a* tiers-mondiste.

**tercero, a** *a/s* **1.** troisième **2. tercera persona** tierce personne **3. la tercera parte de...** le tiers de...; **las dos terceras partes de** les deux tiers de **4.** RELIG **orden tercera** tiers ordre **5. Carlos ~** Charles trois. ◇ *m* **1.** tiers, tierce personne *f* ◊ **~ en discordia** tiers arbitre **2.** *(religioso)* tertiaire.

**tercerola** *f (arma de fuego)* mousqueton *m*.

**terceto** *m* **1.** tercet **2.** MÚS trio.

**tercia** *f* **1.** ancienne mesure de longueur **2.** *(tercera parte)* tiers *m* **3.** RELIG tierce.

**terciado, a** *a* en bandoulière.

**terciana** *f* fièvre tierce.

**terciar** *vt* **1.** *(poner diagonalmente)* mettre en travers **2.** porter en bandoulière **3.** *(dividir)* diviser en trois **4.** *(una carga)* équilibrer **5.** AMER *(aguar)* couper. ◇ *vi (en una conversación, un debate)* intervenir, s'entremettre, mettre son grain de sel: **sus amigos terciaron** ses amis intervinrent. ◆ **~se** *vpr (una oportunidad)* se présenter ◊ **si se tercia** si l'occasion se présente, à l'occasion, si ça se trouve.

**terciario, a** *a/s* **1.** tertiaire: **sector ~** secteur tertiaire **2.** GEOL tertiaire. ◇ *s (religioso)* tertiaire.

**tercio, a** *a* troisième. ◇ *m* **1.** *(tercera parte)* tiers **2.** ancien régiment d'infanterie **3.** régiment de la «guardia civil» **4.** légion *f* étrangère espagnole **5.** TAUROM *(de una corrida)* phase *f*.

**terciopelo** *m* velours.

**terco, a** *a* têtu, e, entêté, e: **~ como una mula** têtu comme une mule.

**terebinto** *m* térébinthe.

**tereré** *m* AMER maté froid.

**Teresa** *np f* Thérèse.

**teresiana** *f* sorte de képi *m*.

**teresiano, a** *a* de sainte Thérèse d'Ávila.

**tergal** *m (marca registrada)* tergal.

**tergiversación** *f* déformation, interprétation tendancieuse.

**tergiversar** *vt* déformer, dénaturer, fausser, interpréter de façon tendancieuse: **~ el sentido de una frase** fausser le sens d'une phrase; **usted tergiversa mis palabras** vous dénaturez mes propos; **~ los hechos** déformer, dénaturer les faits.

**termal** *a* thermal, e: **aguas termales** eaux thermales.

**termalismo** *m* thermalisme.

**termas** *f pl* thermes *m*.

**termes** *m* termite.

**termia** *f* FÍS thermie.

**térmico, a** *a* **1.** thermique **2. papel ~** papier thermique, thermosensible.

**termidor** *m* thermidor.

**terminacho** *m* mot grossier.

**terminación** *f* **1.** *(fin)* fin, terminaison, achèvement *m*: **la ~ de la guerra fría** la fin de la guerre froide **2.** *(parte final)* extrémité, fin **3.** GRAM terminaison.

**terminal** *a* terminal, e: **enfermo ~** malade en phase terminale. ◇ *m (de ordenador)* terminal. ◇ *f* **1.** *(de una línea aérea)* terminal *m*, aérogare **2.** *(de autobús)* terminus **3.** *(petrolero)* terminal *m*: **la ~ petrolera** le terminal pétrolier.

**terminante** *a* **1.** formel, elle, catégorique: **respuesta ~** réponse catégorique **2.** décisif, ive, concluant, e.

**terminantemente** *adv* formellement: **queda ~ prohibido...** il est formellement interdit de...

**terminar** *vt* terminer, finir, achever: **~ la carrera** terminer ses études; **~ de cenar** finir de dîner ◊ **un cuadro sin ~** un tableau inachevé. ◇ *vi* finir: **terminó por irse** il a fini par s'en aller; **~ en la cárcel** finir en prison; **así tenía que ~** ça devait finir comme ça. ◇ *vi/pr* finir, se terminer: **el viaje ha terminado** le voyage est fini.

**término** *m* **1.** terme, fin *f*: **el ~ de sus días** la fin de ses jours; **al ~ de la reunión** à la fin de la réunion; **todo tiene ~** tout a une fin; **poner ~ a** mettre fin à, mettre un terme à; **llevar a ~** mener à son terme, à bonne fin, achever **2.** *(de un territorio)* limite *f* **3.** *(de un municipio)* territoire **4.** *(de una línea de transportes)* terminus **5.** *(plano)* plan: **en primer ~** au premier plan **6.** *(plazo)* délai **7.** *(palabra)* terme **8.** *MAT* terme **9. ~ medio** moyen terme, moyenne *f*; **por ~ medio** en moyenne **10.** *loc adv* **en último ~** finalement, en fin de compte. ◇ *pl* termes: **los términos de un contrato** les termes d'un contrat; **estar en buenos, malos términos con** être en bons, mauvais termes avec; **en términos generales** en général.

**terminología** *f* terminologie.

**termita** *f*, **termite** *m* termite *m*.

**termitero** *m* termitière *f*.

**termo** *m* thermos *f/m*.

**termocauterio** *m* thermocautère.

**termodinámica** *f* thermodynamique.

**termoelectricidad** *f* thermoélectricité.

**termoeléctrico, a** *a* thermoélectrique.

**termógeno, a** *a* thermogène.

**termométrico, a** *a* thermométrique.

**termómetro** *m* thermomètre: **~ de mercurio** thermomètre à mercure; **~ clínico** thermomètre médical.

**termonuclear** *a* thermonucléaire.

**Termópilas** *np f pl* Thermopyles.

**termoquímica** *f* thermochimie.

**termorregulación** *f* thermorégulation.

**termostato** *m* thermostat.

**terna** *f* **1.** liste de trois candidats (proposés pour un emploi) **2.** *(de dados)* terne *m*.

**ternario, a** *a* ternaire.

**ternasco** *m* agneau.

**terne** *a/s FAM* **1.** bravache **2.** robuste **3.** *(obstinado)* têtu, e, obstiné, e.

**ternera** *f* **1.** *(animal)* génisse **2.** *(carne)* veau *m*: **escalope de ~** escalope de veau; **chuleta de ~** côte de veau.

**ternero** *m (animal)* veau.

**terneza** *f* tendresse. ◇ *pl* mots *m* tendres.

**ternilla** *f* cartilage *m*.

**ternilloso, a** *a* cartilagineux, euse.

**terno** *m* **1.** ensemble de trois choses **2.** *(traje de hombre)* complet **3.** *(lotería)* terne **4.** *(juramento)* juron.

**ternura** *f* **1.** *(cariño)* tendresse **2.** *(de la carne)* tendreté.

**ternurismo** *m* sentimentalisme.

**tero** → **teruteru.**

**terquedad** *f* obstination, entêtement *m*.

**terracota** *f* terre cuite.

**terrado** *m* terrasse *f*.

**terraja** *f* filière, taraud *m*.

**terral** *a/m (viento)* vent soufflant de l'intérieur des terres.

**Terranova** *np* Terre-Neuve.

**terraplén** *m* terre-plein, remblai.

**terraplenar** *vt* remblayer.

**terráqueo, a** *a* terrestre: **globo ~** globe terrestre.

**terrateniente** *s* propriétaire foncier.

**terraza** *f* **1.** *(de una casa, terreno)* terrasse **2. sentarse en la ~ de un café** s'asseoir à la terrasse d'un café.

**terremoto** *m* tremblement de terre.

**terrenal** *a* terrestre: **el paraíso ~** le paradis terrestre.

**terreno, a** *a* terrestre. ◇ *m* **1.** terrain ◊ *FIG* **ganar, perder ~** gagner, perdre du terrain; **minarle el ~ a uno** saper les projets de, couper l'herbe sous le pied de quelqu'un; **preparar el ~** préparer le terrain; **saber uno el ~ que pisa** connaître son affaire; **sobre el ~** sur le terrain, sur place **2.** *FIG* domaine: **en el ~ de la enseñanza** dans le domaine de l'enseignement.

**térreo, a** *a* terreux, euse.

**terrero, a** *a* **1.** de terre: **saco ~** sac de terre **2.** *(vuelo)* bas **3.** *FIG* bas, basse, humble. ◇ *m* **1.** tas de terre **2.** tertre, butte *f* **3.** *(de una mina)* terril.

**terrestre** *a* terrestre.

**terrible** *a* terrible.

**terrícola** *s (habitante de la Tierra)* terrien, enne.

**terrífico, a** *a* terrible, effrayant, e.

**territorial** *a* territorial, e.

**territorialidad** *f JUR* territorialité.

**territorio** *m* territoire.

**terrizo, a** *a* de terre.

**terrón** *m* **1.** *(de tierra)* motte *f* **2.** morceau: **~ de azúcar** morceau de sucre.

**terror** *m* **1.** terreur *f*: **sembrar el ~** semer la terreur; **terrores nocturnos** terreurs nocturnes ◊ **causar ~** terroriser **2.** épouvante *f*: **película de ~** film d'épouvante.

**terrorífico, a** *a* terrifiant, e.

**terrorismo** *m* terrorisme.

**terrorista** *a/s* terroriste.

**terroso, a** *a* terreux, euse.

**terruño** *m* **1.** lopin de terre **2.** terroir **3.** *(país natal)* pays natal.

**terso, a** *a* **1.** clair, e, poli, e, brillant, e **2.** *(piel, cara)* lisse **3.** *(lenguaje, estilo)* pur, e.

**tersura** *f* **1.** poli *m* **2.** éclat *m* **3.** *(del lenguaje, estilo)* pureté.

**tertulia** *f* **1.** réunion (entre amis, pour converser, s'amuser) **2.** cercle *m*: **~ literaria** cercle littéraire **3.** *TEAT* promenoir *m* **3.** *AMER* fauteuil *m* d'orchestre, orchestre *m*.

**tertuliano, a** *s* habitué, e (d'une «tertulia»).

**Tertuliano** *np m* Tertulien.

**tertuliar** *vi AMER* se réunir, bavarder.

**teruteru** *m AMER (ave)* sorte de vanneau.

**terzuelo** *m (halcón)* tiercelet.

**Tesalia** *np f* Thessalie.

**Tesalónica** *np f* Thessalonique.

**tesar** *vt MAR* raidir, tendre.

**Teseo** *np m* Thésée.

**tesina** *f* thèse, mémoire *m* (pour obtenir la licence)

**tesis** *f* thèse.

**tesitura** *f* **1.** *MÚS* tessiture **2.** *FIG* état *m* d'esprit **3.** *(circunstancia)* cas *m*, situation, circonstance ◊ **verse en la ~ de** se voir obligé de.

**teso, a** *a* raide, tendu, e. ◇ *m* **1.** *(colina)* colline *f* **2.** *(cima)* sommet *m* (d'une colline).

**tesón** *m* fermeté *f*, ténacité *f*, opiniâtreté *f*.

**tesonería** *f* obstination.

**tesorería** *f* trésorerie.

**tesorero, a** *s* trésorier, ère.

**tesoro** *m* **1.** trésor: **la isla del ~** l'île au trésor; **Tesoro público** Trésor public **2.** *FAM* **~ mío** mon trésor.

**test** *m* test.

**testa** *f* **1.** *(cabeza)* tête ◊ **~ coronada** tête couronnée **2.** *FIG* tête, intelligence.

**testador, a** *s JUR* testateur, trice.

**testaferro** *m* homme de paille, prête-nom.

**testamentaría** *f* exécution testamentaire.

**testamentario, a** *a* testamentaire. ◇ *s* exécuteur, trice testamentaire.

**testamento** *m* **1.** testament: **~ abierto, cerrado** testament authentique, mystique; **hacer ~** faire son testament **2. Antiguo, Nuevo Testamento** Ancien, Nouveau Testament.

**testar** *vi JUR* tester.

**testarada** *f*, **testarazo** *m* coup *m* de tête.

**testarudez** *f* entêtement *m*, obstination.

**testarudo, a** *a/s* têtu, e, entêté, e.

**testera** *f* **1.** *(de una cosa)* devant *m* **2.** *(de un animal)* front *m* **3.** *(de un coche)* fond *m*.

**testero** *m* **1.** devant *m* **2.** *(de chimenea)* contrecœur **3.** *(pared)* pan de mur.

**testículo** *m* testicule.

**testificación** *f* attestation.

**testifical** *a* testimonial, e: **prueba ~** preuve testimoniale.

**testificar** *vt* attester, témoigner. ◇ *vi JUR* témoigner.

**testificativo, a** *a* qui atteste, probant, e.

**testigo** *s* témoin: **~ de cargo, de descargo** témoin à charge, à décharge; **~ ocular** témoin oculaire; **~ falso** faux témoin; **poner a alguien por ~** prendre quelqu'un à témoin; **los testigos de Jehová** les Témoins de Jéhovah. ◇ *m (deportes)* témoin.

**testimonial** *a* testimonial, e.

**testimoniar** *vt* témoigner.

**testimonio** *m* témoignage: **falso ~** faux témoignage; **dar ~** porter témoignage, témoigner.

**testosterona** *f (hormona)* testostérone.

**testudo** *m MIL* tortue *f*.

**testuz** *m* front, nuque *f* (de certains animaux).

**teta** *f* **1.** mamelle: **niño de ~** enfant à la mamelle ◊ *FAM* **dar la ~** donner le sein; **quitar la ~ a un niño** sevrer un enfant **2.** *(pezón)* mamelon *m*. ◇ *pl VULG* nichons *m*, nénés.

**tetania** *f MED* tétanie.

**tetánico, a** *a* tétanique.

**tetanizar** *vt* tétaniser.

**tétanos** *m* tétanos.

**tetera** *f* **1.** théière **2.** *AMER (del biberón)* tétine.

**tetero** *m AMER* biberon.

**tetilla** *f* **1.** *(de los mamíferos machos)* mamelon *m* **2.** *(del biberón)* tétine.

**tetina** *f (del biberón)* tétine.

**tetona** *a FAM* mamelue.

**tetraedro** *m GEOM* tétraèdre.

**tetralogía** *f* tétralogie.

**tetrapodos** *m pl ZOOL* tétrapodes.

**tetrarca** *m HIST* tétrarque.

**tétrico, a** *a* sombre, triste.

**Tetuán** *np* Tétouan.

**tetuaní** *a/s* de Tétouan.

**tetuda** *a FAM* mamelue.

**teucrio** *m* germandrée *f*.

**teutón, ona** *a/s* teuton, e.

**teutónico, a** *a* teutonique.

**Texas** *np m* Texas.

**textil** *a/m* textile.

**texto** *m* texto ◊ **libro de ~** livre de classe.

**textual** *a* textuel, elle.

**textualmente** *adv* textuellement.

**textura** *f* texture.

**teyú** *m AMER* téju, grand lézard.

**tez** *f (del rostro)* teint *m*.

**thriller** *m* thriller.

**ti** *pron pers* toi: **es para ~** c'est pour toi; **a ~ te gustaría mucho** ça te plairait beaucoup ◊ **de ~ para mí** entre nous, entre nous soit dit.

► Toujours précédé d'une préposition.

**tía** *f* **1.** tante: **~ abuela** grand-tante ◊ *FAM* **¡cuéntaselo a tu ~!** à d'autres!, tu parles!, allons donc!; **no hay tu ~** rien à faire, ce n'est pas possible, il n'y a pas mèche **2.** *(mujer del pueblo)* mère: **la ~ Juana** la mère Jeanne **3.** *FAM (mujer cualquiera)* bonne femme, nana, gonzesse.

**tianguis** *m inv AMER* marché.

**tiara** *f* tiare.

**Tíber** *np m* Tibre.

**tiberio** *m FAM* chahut, chambard, scandale: **buen ~ se ha armado** ça a fait un drôle de chambard.

**Tiberio** *np m* Tibère.

**Tibet** *np m* Tibet.

**tibetano, a** *a/s* tibétain, e.

**tibia** *f (hueso)* tibia *m*.

**tibiamente** *adv* tièdement.

**tibieza** *f* tiédeur.

**tibio, a** *a* **1.** tiède **2.** *FIG (poco fervoroso)* tiède **3.** *FAM* **poner ~ a alguien** dire pis que pendre de quelqu'un.

**tibor** *m* potiche *f*, vase de Chine ou du Japon.

**tiburón** *m* **1.** *(pez)* requin **2.** *(finanzas)* raider.

**tic** *m* tic.

**Ticiano** *np m* Titien.

**ticket** *m* ticket.

**tico, a** *a/s AMER FAM* costaricien, enne.

**tictac** *m* tic-tac, tic tac.

**tiemblo** *m* tremble, peuplier tremble.

**tiempo** *m* **1.** temps: **tener ~ para...** avoir le temps de...; **no tengo ~** je n'ai pas le temps; **tómese su ~** prenez votre temps ◊ **dar ~ al ~** laisser faire le temps; **ganar ~** gagner du temps; **hacer ~** passer le temps, tuer le temps; **perder el ~** perdre son temps; **no tengo ~ que perder** je n'ai pas de temps à perdre; **es ~ perdido** c'est du temps perdu; **sin perder ~** sans perdre de temps; **todavía estoy a ~ de...** j'ai encore le temps de... **2.** *(estado atmosférico)* temps: **mal ~** mauvais temps; **hace buen**

~ il fait beau; *FAM* **~ de perros** temps de chien, de cochon ◊ *FIG* **al mal ~ buena cara** contre mauvaise fortune bon cœur **3.** *(época)* temps: **en ~ de...** du temps de...; **en aquel ~** en ce temps-là ◊ **hace ~ que...** il y a longtemps que...; **desde hace mucho ~** depuis très longtemps; **demasiado ~** trop longtemps; **más ~** plus longtemps **4.** *loc adv* **a ~** à temps; **al ~, al mismo ~, a un ~** en même temps: **todos hablan casi al ~** tous parlent presque en même temps; **al ~ que** au moment où, en même temps que; **andando el ~, con el ~** avec le temps; **a su ~, a su debido ~** en temps utile, le moment voulu; **de ~ en ~** de temps en temps; **de un ~ a esta parte** depuis quelque temps; **fuera de ~** intempestivement **5.** *(deportes)* mi-temps *f* **6.** *GRAM MÚS* temps **7.** *TECN* **motor de dos tiempos, de cuatro tiempos** moteur à deux temps, à quatre temps. ◇ *pl* **1.** temps: **en los tiempos que corremos, que corren** par les temps qui courent; **en mis tiempos** de mon temps; **¡aquéllos eran buenos tiempos!** c'était le bon temps!; **en otros tiempos** autrefois; **un amigo de mis tiempos de estudiante** un ami du temps où j'étais étudiant; **esperar tiempos mejores** attendre des jours meilleurs **2.** époque *f sing:* **¡ay, qué tiempos aquellos!** quelle époque (était-ce!); **¡eran otros tiempos!** c'était une autre époque!; **¡qué tiempos!** quelle époque nous vivons!

**tienda** *f* **1.** boutique, magasin *m:* **una ~ de muebles, de electrodomésticos** un magasin de meubles, d'appareils électroménagers; **~ de modas** boutique de modes; **~ de comestibles, de ultramarinos** magasin d'alimentation, épicerie ◊ **ir de tiendas** courir les magasins, faire les boutiques, faire des courses, faire du lèche-vitrine **2.** *AMER* magasin *m* de tissus **3.** **~ de campaña** tente: **armar una ~ de campaña** monter une tente!

**tiene,** etc. → **tener.**

**tienta** *f* **1.** essai *m* par lequel on évalue la bravoure des jeunes taureaux **2.** sagacité **3.** *(cirugía)* sonde **4.** *loc adv* **a tientas** à tâtons.

**tiento** *m* **1.** toucher ◊ **a ~** à tâtons **2.** *(de ciego)* bâton d'aveugle **3.** sûreté *f* de la main **4.** *FIG* tact, prudence *f* ◊ **con ~** avec prudence, doucement **5.** *(golpe)* coup ◊ *FIG* **dar un ~ a la bota** boire un coup **6.** *(de pintor)* appui-main **7.** *AMER (tira de cuero)* lanière *f* de cuir.

**tiernamente** *adv* tendrement.

**tierno, a** *a* **1.** *(blando)* tendre **2.** **pan ~** pain frais **3.** *FIG (cariñoso)* tendre **4.** **la tierna edad** l'âge tendre **5.** *AMER (fruto)* vert, e.

**tierra** *f* **1.** terre: **~ de pan llevar** terre à blé; **~ de brezo** terre de bruyère; **~ vegetal** terre végétale; **~ batida** terre battue; **bajo ~** sous terre; **en (la) ~** sur (la) terre; **caer en ~** tomber par terre; **el ejército de ~** l'armée de terre; **política de ~ quemada** politique de la terre brûlée; **Tierra santa** la Terre sainte; **Tierra de promisión** → **promisión** ◊ **dar consigo en ~** tomber; **dar en ~ con** laisser tomber, renverser; *FIG* **echar por ~** abattre, détruire, ruiner; **echar ~ a un asunto, a un escándalo** enterrer une affaire, étouffer un scandale; **poner ~ por medio** prendre le large; **tomar ~** *(avión)* aterrir, se poser; **venir a ~** tomber par terre, s'effondrer **2.** *(país)* pays *m* ◊ **en ~ de ciegos...** → **ciego; ver tierras** voir du pays **3.** **~ adentro** à l'intérieur des terres; **~ firme** terre ferme; **~ de nadie** no man's land *m* **4.** *ELECT* terre: **toma de ~** prise de terre. ◇ *pl QUÍM* **tierras raras** terres rares.
▶ La *Tierra de María Santísima:* nom donné à l'Andalousie.

**Tierra del Fuego** *np f* Terre de Feu.

**tieso, a** *a* **1.** raide, rigide **2.** *(robusto)* solide **3.** *FIG (engreído)* raide, guindé, e **4.** *FAM* **dejar ~** a descendre, tuer; **tenérselas tiesas** → **tener.**

**tiesto** *m* **1.** *(maceta)* pot à fleur: **un ~ de geranios** un pot de géraniums **2.** *(pedazo de vasija)* tesson.

**tiesura** *f* raideur.

**tífico, a** *a* typhique.

**tifoideo, a** *a/f* typhoïde.

**tifón** *m* typhon.

**tifus** *m* typhus.

**tigra** *f AMER* jaguar *m* femelle.

**tigre** *m* **1.** tigre **2.** *AMER* jaguar **3.** *FAM* **huele a ~** ça sent le fauve.

**tigresa** *f* tigresse.

**tigrillo** *m AMER* renard d'Amérique.

**Tigris** *np m* Tigre.

**tija** *f* tige (d'une clef).

**tijera** *f* **1.** ciseaux *m pl:* **unas tijeras** une paire de ciseaux, des ciseaux **2.** **tijeras de podar** sécateur *m* **3.** **cama de ~** lit de sangles; **silla de ~** chaise pliante, pliant *m* **4.** *(para aserrar madera)* chevalet *m*, chèvre **5.** *FAM* **buena ~** mauvaise langue.

**tijereta** *f* **1.** *(de la vid)* vrille **2.** *(insecto)* forticule *m* **3.** *AMER (ave)* milvule *m.*

**tijeretada** *f*, **tijeretazo** *m* coup *m* de ciseaux.

**tijeretear** *vt* donner des coups de ciseaux à.

**tijereteo** *m* bruit des ciseaux.

**tila** *f* **1.** tilleul *m* **2.** *(infusión)* tilleul *m.*

**tílburi** *m* tilbury.

**tildar** *vt* **1.** mettre un tilde (sur une lettre) **2.** *(borrar)* biffer **3.** *FIG* traiter, taxer: **lo tildan de vago** on le traite de fainéant, on le taxe de fainéantise; **palabra tildada de malsonante** mot qualifié de grossier.

**tilde** *f* **1.** *(sobre la ñ)* tilde *m* **2.** *(acento)* accent *m* **3.** *FIG* défaut *m* **4.** *FIG* chose insignifiante, vétille *f.*
▶ Outre son sens de «tilde» (**~**), ce mot peut désigner un accent: *esta palabra no lleva tilde* ce mot ne porte pas d'accent.

**tiliche** *m AMER* babiole *f.*

**tilín** *m (onomatopeya)* drelin, dring ◊ *FIG* **hacer ~** plaire, taper dans l'œil, botter: **esta chica le ha hecho ~** cette fille lui a tapé dans l'œil.

**tilingo, a** *a AMER (memo)* sot, sotte, idiot, e.

**tilo** *m (árbol)* tilleul.

**timador, a** *s* escroc.

**tímalo** *m (pez)* ombre.

**timar** *vt* **1.** *(estafar)* escroquer, carotter **2.** *(engañar)* rouler, avoir: **dejarse ~** se laisser avoir. ◆ **~se** *vpr FAM* se faire de l'œil: **llevaba ya un rato timándose con su vecina** ça faisait déjà un moment qu'ils se faisaient de l'œil, sa voisine et lui.

**timba** *f* **1.** *(garito)* maison de jeu, tripot *m* **2.** partie (de cartes, etc.) **3.** *AMER (barriga)* bedaine.

**timbal** *m* **1.** *MÚS* timbale *f* **2.** *CULIN* timbale *f.*

**timbalero** *m MÚS* timbalier.

**timbear** *vi AMER* jouer (aux cartes, etc.).

**timbero** *m AMER* joueur.

**timbrado, a** *a* timbré, e: **papel ~** papier timbré.

**timbrar** *vt* timbrer.

**timbrazo** *m* coup de sonnette.

**timbre** *m* **1.** *(sello)* timbre ◊ **~ móvil** timbre-quittance **2.** sonnette *f:* **tocar el ~** sonner **3.** *(sonido)* timbre **4.** *FIG* **~ de gloria** exploit.
▶ Le mot espagnol *timbre* ne désigne pas le timbre-poste qui se dit *sello.*

**tímidamente** *adv* timidement.

**timidez** *f* timidité.

**tímido, a** *a/s* timide.

[1]**timo** *m ANAT* thymus.

[2]**timo** *m (acción de timar)* escroquerie *f.*

**timol** *m* tymol.

**timón** *m* **1.** *(del arado)* timon **2.** *(de barco, avión)* gouvernail ◊ **caña del ~** barre *f*, direction *f* **3.** *FIG* barre *f* **4.** *AMER (volante)* volant.

**timonazo** *m* AMER coup de volant.

**timonear** *vi* MAR gouverner, barrer.

**timonel** *m* MAR timonier, barreur.

**timonera** *f (pluma)* rectrice.

**timorato, a** *a* timoré, e.

**tímpano** *m* **1.** ANAT tympan: **la caja del ~** la caisse du tympan **2.** ARQ tympan **3.** MÚS tympanon.

**tina** *f* **1.** cuve **2.** *(bañera)* baignoire.

**tinaco** *m* baquet.

**tinaja** *f* jarre.

**tinamú** *m (ave)* tinamou.

**tincazo** *m* AMER chiquenaude *f.*

**tinerfeño, a** *a/s* de Ténérife.

**tineta** *f* petite cuve, cuveau *m.*

**tinglado** *m* **1.** *(cobertizo)* hangar **2.** *(tablado)* estrade *f* **3.** FIG intrigue *f,* machination *f* **4.** *(lío)* pagaille *f.*

**tinieblas** *f pl* ténèbres.

**tino** *m* **1.** *(destreza)* adresse *f* **2.** *(juicio)* FIG bon sens, sagesse *f* ◊ **perder el ~** perdre la tête; **sacar de ~** exaspérer **3.** modération *f* ◊ **sin ~** sans mesure.

**tinta** *f* **1.** encre: **~ china** encre de Chine; **~ de imprenta, simpática** encre d'imprimerie, sympathique ◊ FIG **cargar, recargar las tintas** forcer la note, exagérer; **saber de buena ~** savoir de bonne source; **sudar ~ → sudar 2.** *(color)* teinte: **media ~** demi-teinte **3.** FIG **medias tintas** demi-mesures, propos *m* vagues.

**tintar** *vt (teñir)* teindre.

**tinte** *m* **1.** *(acción, sustancia)* teinture *f* **2.** *(establecimiento)* teinturerie *f:* **llevar una gabardina al ~** porter une gabardine à la teinturerie, chez le teinturier **3.** *(color)* teinte *f* **4.** FIG teinte *f,* couleur *f,* coloration *f.*

**tinterillada** *f* AMER avocasserie, chicane, subtilité captieuse.

**tinterillo** *m* **1.** PEYOR *(empleado)* gratte-papier, rond-de-cuir **2.** AMER avocaillon.

**tintero** *m* encrier ◊ FIG **quedársele a uno en el ~** oublier, omettre.

**tintín** *m* tintement.

**tintinear** *vi* **1.** *(campanillas)* tintinnabuler **2.** *(copas, etc.)* tinter.

**tintineo** *m* tintement.

**tinto, a** *a* **1.** teint, e: **~ en sangre** teint de sang **2. vino ~** vin rouge **3.** AMER café noir. ◇ *m* vin rouge.

**tintóreo, a** *a* tinctorial, e.

**tintorera** *f* **1.** teinturière **2.** *(pez)* requin *m.*

**tintorería** *f* teinturerie.

**tintorero, a** *s* teinturier, ère.

**tintorro** *m* FAM *(vino)* gros rouge.

**tintura** *f* teinture.

**tiña** *f* **1.** MED teigne **2.** FIG misère, ladrerie.

**tiña, tiñe,** etc. **→ teñir.**

**tiñoso, a** *a* **1.** teigneux, euse **2.** FIG *(tacaño)* ladre, pingre.

**tío** *m* **1.** oncle: **~ abuelo** grand-oncle; **el ~ Sam** l'oncle Sam **2.** FAM *(hombre de cierta edad)* père: **el ~ Alfredo** le père Alfred **3.** FAM type, mec: **un ~ raro** un drôle de type; **¡qué ~!** quel type!, quel mec!; **un ~ grande** un mec super.

**tiorba** *f* théorbe *m.*

**tiovivo** *m* manège, chevaux *pl* de bois.

**¹tipa** *f* AMER machærium *m,* arbre *m* à bois jaune et dur.

**²tipa** *f* POP fille, nana, gonzesse.

**tipejo** *m* PEYOR pauvre type, polichinelle.

**típicamente** *adv* typiquement.

**típico, a** *a* typique.

**tipificación** *f* normalisation, classification.

**tipificar** *vt* **1.** normaliser **2.** spécifier, définir.

**tipismo** *m* couleur *f* locale.

**tiple** *s* MÚS soprano. ◇ *m* petite guitare *f.*

**tipo** *m* **1.** type **2.** *(figura)* allure *f,* air: **tener buen ~** avoir beaucoup d'allure, de l'allure **3.** FAM *(persona)* type: **un ~ raro** un drôle de type **4.** FAM **aguantar, mantener el ~** rester serein, e, garder son calme; **jugarse el ~** risquer sa peau **5.** ECON taux: **~ de descuento, de interés** taux d'escompte, d'intérêt; **~ impositivo** taux de l'impôt.

**tipografía** *f* typographie.

**tipográfico, a** *a* typographique.

**tipógrafo** *m* typographe.

**tipología** *f* typologie.

**tipómetro** *m* typomètre.

**tique, tíquet, tiquete** *m* ticket, billet: **~ aéreo** billet d'avion.

**tiquismiquis** *m pl* FAM **1.** *(reparos)* scrupules **2.** *(discusiones)* chipotages; **andar con ~** ergoter, chipoter **3.** *(remilgos)* manières *f,* chichis: **déjate de ~** assez de chichis. ◇ *s (persona)* pinailleur, euse.

**tira** *f* **1.** *(de tela, papel, etc.)* bande **2.** *(de cuero)* lanière **3.** *(serie de dibujos)* bande dessinée **4.** POP **la ~** vachement; **la ~ de gente, de tiempo** plein de monde, vachement longtemps; **hay la ~ de expresiones para...** il y a une foule d'expressions pour...; **hace la ~ de años...** ça fait des années...; **~ y afloja → tirar.** ◇ *m* AMER *(policía)* policier, flic (en civil).

**tirabeque** *m (guisante)* mange-tout.

**tirabuzón** *m* tire-bouchon. ◇ *pl (rizos)* anglaises *f.*

**tirachinas** *m inv* lance-pierres.

**tirada** *f* **1.** *(acción de tirar)* tir *m,* jet *m* **2.** *(imprenta)* tirage *m:* **periódico de gran ~** journal à gros tirage **3.** *(de versos)* tirade **4.** *(distancia)* trotte **5.** *loc adv* **de una ~** tout d'une traite, d'une seule traite.

**tirado, a** *pp* de **tirar.** ◇ *a* **1.** courant, e **2.** *(barato)* bon marché, donné, e **3.** *(fácil)* facile, simple, pas foulant, e. ◇ *m (de los metales)* tirage, tréfilage.

**tirador, a** *s* tireur, euse: **~ de élite** tireur d'élite; **~ de florete** tireur de fleuret. ◇ *m* **1.** *(de cajón, de puerta)* bouton **2.** *(de campanilla)* cordon **3.** *(tiragomas)* lance-pierres **4.** MIL tirailleur **5.** AMER ceinture *f* de gaucho (large et souvent ornée de pièces de monnaie). ◇ *pl* AMER *(tirantes)* bretelles *f.*

**tirafondo** *m* tire-fonds.

**tiragomas** *m inv* lance-pierres.

**tiraje** *m (tirada)* tirage.

**tiralíneas** *m inv* tire-ligne.

**tiranía** *f* tyrannie.

**tiránico, a** *a* tyrannique.

**tiranizar** *vt* tyranniser.

**tirano, a** *s (persona)* tyran. ◇ *a* tyrannique.

**tirante** *a* tendu, e: **una situación ~** une situation tendue ◊ **estar tirantes** être en froid. ◇ *m* **1.** ARQ tirant **2.** TECN entretoise *f* **3.** *(de arreos)* trait. ◇ *pl (del pantalón, del sostén, etc.)* bretelles *f.*

**tirantez** *f* **1.** tensión: **~ nerviosa** tension nerveuse **2.** FIG tension, tiraillement *m:* **~ entre los dos estadistas** tension entre les deux hommes d'État.

**tiranuelo** *m* tyranneau.

**tirar** *vt* **1.** jeter, lancer: **~ al suelo** jeter par terre; **~ algo por la ventana** jeter quelque chose par la fenêtre; **~ una piedra** lancer une pierre **2.** *(desechar)* jeter: **~ a la papelera** jeter dans la corbeille à papier **3.** *(derribar)* abattre, démolir **4.** *(disparar)* tirer **5.** *(malgastar)* gaspiller: **ha tirado toda su fortuna** il a gaspillé, fichu en l'air toute sa fortune **6.** *(una línea)* tirer, tracer **7.** *(imprimir)* tirer: **periódico que tira cien mil ejemplares** journal qui tire à cent mille exemplaires **8. ~ un pellizco** pincer. ◇ *vi* **1.** tirer: **~ de las orejas** tirer les oreilles; **~ de una cuerda** tirer sur une corde; **~ de un remolque** tirer une remorque **2.** *(una chimenea)* tirer **3.** *FIG (atraer)* attirer: **no le tira estudiar, el estudio** les études ne l'attirent pas; **lo que más le tira es la mecánica** ce qui l'attire, le tente le plus, c'est la mécanique **4.** *(dirigirse)* aller: **cada uno tira para su lado** chacun va de son côté; **~ por un atajo** prendre un raccourci **5.** *(torcer)* tourner: **tire a la derecha** tournez à droite **6. ~ a** *(color)* tirer sur: **~ a verde** tirer sur le vert; *(propender)* tendre à, viser à **7.** *(durar)* se maintenir péniblement, tenir le coup; **ir tirando** aller comme ci, comme ça, se débrouiller, vivoter; **vamos tirando** ça se maintient, ça va doucement, on fait aller **8.** tirer: **~ al blanco, con arco** tirer à la cible, à l'arc **9.** *(jugar)* jouer: **ahora te toca ~ a ti** c'est maintenant à toi de jouer **10. ~ de largo** gaspiller, calculer largement **11.** *FIG* **un tira y afloja** un marchandage **12.** *loc adv* **a todo ~** tout au plus. ◆ **~se** *vpr* **1.** se jeter: **tirarse al agua** se jeter à l'eau; **tirarse al mar** se jeter dans la mer ◊ **¡tírense al suelo!** couchez-vous par terre! **2.** *(tumbarse)* s'étendre **3.** *FIG (pasar)* passer: **me tiré seis años sin regresar a España** je suis resté six ans sans revenir en Espagne **4.** *(tener que aguantar)* s'envoyer, se taper **5. tirarse de los pelos** → **pelo 6.** *VULG (poseer sexualmente)* se taper, s'envoyer, se farcir.

**tirilla** *f* bandelette.

**tirio, a** *a/s* tyrien, enne ◊ *FIG* **tirios y troyanos** partisans et adversaires, gens de camps opposés.

**tirita** *f* pansement *m* adhésif.

**tiritar** *vi* grelotter.

**tiritón** *m* frisson, tremblement.

**tiritona** *f* tremblement *m*, grelottement *m*, frisson *m*: **dar tiritonas** donner des frissons.

**tiro** *m* **1.** tir: **~ con carabina** tir à la carabine; **~ con pichón** tir au pigeon; **~ al blanco** tir à la cible; **cañón de ~ rápido** canon à tir rapide; *(en una feria)* tir, tir forain; **~ al plato** ball-trap **2.** *(disparo, estampido)* coup de feu: **se oyó un ~** on entendit un coup de feu; **~ de gracia** coup de grâce; **pistola de 6 tiros** pistolet à 6 coups ◊ *FIG* **errar el ~** rater son coup; **ni a tiros** en aucune façon, même par la force; **salir el ~ por la culata** → **culata 3.** balle *f*: **matar a tiros** tuer par balles; **recibió dos tiros a bocajarro** il reçut deux balles tirées à bout portant; **pegarse un ~ en la cabeza** se tirer une balle dans la tête **4.** *(alcance de un arma)* portée *f*: **a ~** à portée; **ponerse a ~** se mettre à la portée ◊ **a un ~ de piedra** à un jet de pierre **5.** *(en fútbol)* shoot, tir: **~ a puerta** tir au but **6.** *(de caballería)* attelage **7.** *(de arreos)* trait: **caballo de tiro** cheval de trait **8.** *(de una chimenea)* tirage **9.** *(longitud de una pieza de tejido)* longueur *f* **10.** *(de escalera)* volée *f* **11.** *loc adv* **a ~ hecho** à coup sûr; de propos délibéré, intentionnellement; **de tiros largos** sur son trente et un, à quatre épingles **12.** *AMER* **al ~** aussitôt, tout de suite.

**Tiro** *np* Tyr.

**tiroideo, a** *a ANAT* thyroïdien, enne.

**tiroides** *a/m ANAT* thyroïde *f*.

**Tirol** *np m* Tyrol.

**tirolés, esa** *a/s* tyrolien, enne. ◇ *f (canción)* tyrolienne.

**tirón** *m* **1.** secousse *f*, action *f* de tirer brusquement; **dar un ~ de pelo** tirer les cheveux ◊ **robo al ~** vol à l'arraché **2.** *(de estómago, etc.)* tiraillement **3.** *(muscular)* crampe *f* **4.** *FIG (atractivo)* attrait **5.** *(distancia)* trotte *f* **6.** *loc adv* **de un ~** d'une traite, d'un seul coup, en une seule fois: **me leí la novela de un ~** j'ai lu le roman d'une seule traite **7.** *FAM* **ni a tres tirones** en aucune façon.

**tironear** *vi AMER* tirailler, tirer.

**tirotear** *vt* tirer sur. ◆ **~se** *vpr* échanger des coups de feu.

**tiroteo** *m* fusillade *f*, échange de coups de feu.

**Tirreno (mar)** *np* mer Tyrrhénienne.

**tirria** *f* antipathie ◊ **tener ~ a alguien** avoir une dent contre quelqu'un, avoir pris quelqu'un en grippe.

**tirso** *m* thyrse.

**tisana** *f* tisane.

**tísico, a** *a/s* phtisique.

**tisiólogo, a** *s* phtisiologue.

**tisis** *f MED* phtisie: **~ galopante** phtisie galopante.

**tiste** *m AMER* boisson *f* rafraîchissante au cacao.

**tisú** *m* tissu de soie, d'or et d'argent.

**tita** *f FAM* tata.

**titán** *m* titan.

**titánico, a** *a* titanesque.

**titanio** *m QUÍM* titane.

**titear** *vt AMER* se moquer de, se payer la tête de.

**titeo** *m AMER* moquerie *f*.

**títere** *m* **1.** marionnette *f* ◊ *FAM* **no dejar ~ con cabeza** chambarder tout, démolir tout, ne rien laisser en place, n'épargner personne; **panfleto que no deja ~ con cabeza** pamphlet qui n'épargne personne **2.** *FIG* pantin.

**tití** *m (mono)* ouistiti.

**titi** *f FAM* nana, pépée.

**titilar** *vi* **1.** *(temblar)* trembloter, palpiter, frémir **2.** *(un cuerpo luminoso)* scintiller.

**titileo** *m* **1.** tremblotement **2.** scintillement.

**titiritar** *vi* grelotter.

**titiritero, a** *s* montreur, euse de marionnettes, bateleur, euse.

**tito** *m FAM* tonton.

**Tito** *np m* Titus.

**Tito Livio** *np m* Tite-Live.

**titubeante** *a* **1.** titubant, e **2.** *FIG (perplejo)* hésitant, e: **una actitud ~** une attitude hésitante.

**titubear** *vi* **1.** tituber **2.** *FIG (vacilar)* hésiter: **contestó sin ~** il répondit sans hésiter.

**titubeo** *m FIG* hésitation *f*: **sin titubeos** sans hésitation.

**titulación** *f* **1.** action de titrer, titrage *m* (article de journal) **2.** titre: **~ a cuatro columnas** titre sur quatre colonnes **3.** *(título académico)* titre *m* (universitaire).

**titulado, a** *a/s* diplômé, e.

**[1]titular** *a/s* titulaire: **juez ~** juge titulaire; **el ~ de un cargo** le titulaire d'un poste. ◇ *m* **1.** *(letra)* lettre *f* capitale **2.** *(en un periódico)* **los grandes titulares** les gros titres, les manchettes *f*.

**[2]titular** *vt* **1.** intituler **2.** *(un artículo de periódico)* titrer. **~se** *vpr (llamarse)* s'intituler.

**titularizar** *vt* titulariser.

**titulillo** *m* titre courant.

**título** *m* **1.** *(de un libro, nobiliario, etc.)* titre: **el ~ de una canción** le titre d'une chanson; **el ~ de abogado** le titre d'avocat **2. ~ de propiedad** titre de propriété; **~ al portador** titre au porteur **3.** *(certificado)* diplôme, brevet, titre **4.** *loc prep* **a ~ de** à titre de; **a ~ personal** à titre personnel.

**tiza** *f* craie.

**Tiziano** *np m* Titien.

**tiznado, a** *a AMER (borracho)* ivre.

**tiznar** *vt* tacher de noir. ◆ **~se** *vpr* **1.** se tacher, se salir **2.** AMER *(emborracharse)* s'enivrer, se cuiter.

**tizne** *m/f* suie *f*.

**tiznón** *m* tache *f* de suie, de charbon.

**tizón** *m* **1.** tison **2.** *(de los cereales)* charbon, nielle *f* **3.** FIG tache *f*, souillure *f*.

**tizona** *f* FIG épée.
▶ De *Tizona*, nom de l'épée du Cid.

**tizonear** *vi* tisonner.

**tlacuache** *m* AMER sarigue *f*.

**toa** *f* AMER câble *m*.

**toalla** *f* serviette (de toilette): **~ de felpa** serviette éponge ◊ FIG **arrojar, lanzar, tirar la ~** jeter l'éponge, abandonner, tout lâcher, tout plaquer, baisser les bras; *(en boxeo)* jeter l'éponge.

**toallero** *m* porte-serviettes *inv*.

**toar** *vt* MAR touer.

**toba** *f (piedra)* tuf *m*.

**tobera** *f* tuyère.

**tobiano, a** *a* AMER *(caballo)* à grandes taches de deux couleurs.

**Tobías** *np m* Tobie.

**tobillera** *a/f (jovencita)* gamine.

**tobillo** *m* cheville *f*.

**tobogán** *m* toboggan.

**toca** *f* **1.** coiffe **2.** *(de religiosa)* béguin *m* **3.** *(sombrero femenino)* toque.

**tocable** *a* **1.** touchable **2.** MÚS jouable.

**tocadiscos** *m inv* tourne-disque.

**tocado, a** *a* FAM *(medio loco)* toqué, e, maboul, e. ◇ *m (prenda, peinado)* coiffure *f*.

**tocador, a** *a/s* joueur, euse. ◇ *m* **1.** *(mueble)* table *f* de toilette, coiffeuse *f* **2.** *(cuarto)* cabinet de toilette.

**tocante a** *loc prep* en ce qui concerne, au sujet de, pour ce qui est de, quant à: **~ las condiciones...** en ce qui concerne les conditions.

**tocar** *vt* **1.** toucher: **~ con el codo** toucher du coude; **no toques este jarrón** ne touche pas à ce vase **2.** jouer de: **~ el piano, el arpa, el órgano** jouer du piano, de la harpe, de l'orgue; **¿qué quiere usted que le toque?** que voulez-vous que je vous joue?; **~ una melodía** jouer une mélodie **3.** *(tambor)* battre **4.** *(campana)* sonner: **~ a muerto** sonner le glas **5.** *(barco, avión)* faire escale à **6.** FIG *(aludir)* aborder, toucher à: **el director no tocó la cuestión de los sueldos** le directeur n'a pas abordé la question des salaires. ◇ *vi* **1.** frapper: **toqué a la puerta** je frappai à la porte **2.** incomber, appartenir: **a mí me toca pagar** c'est à moi de payer, c'est mon tour de payer; **a ti te toca jugar** c'est à toi de jouer **3.** concerner: **en, por lo que toca a...** en ce qui concerne... **4.** *(en un reparto)* revenir, échoir **5.** *(caer en suerte)* gagner: **le tocó el gordo** il a gagné le gros lot; **si a mí me tocase...** si je gagnais... **6.** *(ser pariente)* être parent. ◆ **~se** *vpr* **1.** se toucher: **las dos camas se tocan** les deux lits se touchent **2.** *(cubrirse la cabeza)* se coiffer.

**tocata** *f* **1.** MÚS toccata **2.** FAM *(paliza)* raclée.

**tocateja (a)** → **teja.**

**tocayo, a** *s* homonyme.

**tocho, a** *a (tosco)* lourdaud, e, sot, sotte. ◇ *m* **1.** lingot (de fer) **2.** *(ladrillo)* grosse brique *f*.

**tocinería** *f* charcuterie.

**tocinero, a** *s* charcutier, ère.

**tocino** *m* **1.** *(del cerdo)* lard: **~ saladillo** lard salé ◊ **confundir la velocidad con el ~** → **velocidad 2. ~ del cielo** crème *f* renversée au caramel **3.** *(en el juego de la comba)* vinaigre: **dar ~** faire vinaigre.

**tocología** *f* obstétrique.

**tocólogo, a** *s* obstétricien, enne, médecin accoucheur.

**tocón** *m* **1.** *(de un árbol)* souche *f* **2.** *(de un miembro cortado)* moignon. ◇ *a/m* VULG peloteur.

**tocona** *f* grosse souche.

**tocuyo** *m* AMER grosse toile *f* de coton.

**todavía** *adv* **1.** encore: **~ no ha llegado** il n'est pas encore arrivé; **~ más** encore plus; **~ peor** encore pire **2.** *(encima)* en plus: **...y ~ se ríe** ...et en plus de cela, il rit.

**todito, a** *a* FAM tout, e, absolument tout, e: **toditos los días** tous les jours.

**todo, a, os, as** *a/pron* tout, e, tous, toutes: **ha llovido ~ el día** il a plu toute la journée; **todos los días** tous les jours; **toda Europa** toute l'Europe; **come de ~** il mange de tout; **me lo he comido ~** j'ai tout mangé; **Dios lo ve ~** Dieu voit tout; **lo sé ~** je sais tout; **eso es ~** c'est tout; **o ~ o nada** tout ou rien; **era toda sonrisas** elle était tout sourire; **su cuerpo ~** son corps tout entier **2.** vrai, e: **es ~ un sabio** c'est un vrai savant; **es ~ un acierto** c'est une vraie réussite; **¡toda una fortuna!** une vraie fortune!; **era toda una mujer** c'était une sacrée femme **3. ~ aquél que diga...** quiconque dira...; **~ el que...** tous ceux qui...; **contaba a ~ el que quería oírle...** il racontait à qui voulait l'entendre... **4. estar en ~** → **estar; no tenerlas todas consigo** → **tener; por ~ lo alto** → **alto 5.** *loc adv* **a ~ esto, a todas estas** pendant ce temps-là; **ante ~** avant tout; **así y ~, con ~** malgré tout, néanmoins; **del ~** tout à fait, complètement: **resulta del ~ sorprendente que...** il est tout à fait surprenant que...; **no está mal del ~** elle n'est pas mal du tout; **sobre ~** surtout; **~ lo más** tout au plus. ◇ *adv* tout: **~ lana** tout laine. ◇ *m* tout: **jugarse el ~ por el ~** jouer le tout pour le tout.

**todopoderoso, a** *a* tout-puissant, toute-puissante. ◇ *m* **El Todopoderoso** le Tout-Puissant.

**toesa** *f (medida)* toise.

**toga** *f* **1.** toge **2.** *(de magistrado, etc.)* robe.

**togado** *m* homme de robe.

**Togo** *np m* Togo.

**togolés, esa** *a/s* togolais, e.

**toisón de oro** *m (orden, insignia)* toison *f* d'or.

**tojo** *m* genêt épineux.

**Tokio** *np* Tokyo.

**toldería** *f* AMER campement *m*.

**toldilla** *f* MAR dunette.

**toldo** *m* **1.** *(en una calle)* vélum **2.** *(de un camión)* bâche *f* **3.** *(de una tienda, un café)* banne *f* **4.** *(en una ventana)* store **5.** AMER tente *f* d'Indiens.

**tole** *m* **1.** *(jaleo)* **~ ~** vacarme, chahut, tollé **2.** FIG **tomar el ~** mettre les voiles, les bouts.

**toledano, a** *a/s* de Tolède, tolédan, e.

**Toledo** *np* Tolède.

**tolerable** *a* tolérable.

**tolerancia** *f* tolérance.

**tolerante** *a* tolérant, e.

**tolerantismo** *m* tolérantisme.

**tolerar** *vt* **1.** *(soportar)* tolérer **2.** tolérer, admettre: **no te tolero insultos** je ne tolère pas, je n'admets pas que tu m'insultes; **no te tolero que repliques** je ne tolère pas que tu répliques, je ne te permets pas de répliquer **3.** *(un medicamento, etc.)* tolérer, supporter.

**tolete** *m* **1.** MAR tolet **2.** AMER *(garrote)* matraque *f*.

**tollina** *f* FAM raclée.

**tollo** *m (pez)* chien de mer.

**tolmo** *m* rocher pointu.

**Tolomeo** *np m* Ptolémée.

**Tolón** *np* Toulon.

**tolondro, a, tolondrón, ona** *a* étourdi, e. ◇ *m (chichón)* bosse *f.*

**Tolosa** *np* **1.** *(España)* Tolosa **2.** *(Francia)* Toulouse.

**tolteca** *a/s* toltèque.

**tolueno** *m* toluène.

**tolva** *f (de molino)* trémie.

**tolvanera** *f* tourbillon *m* de poussière, nuage *m* de poussière.

**toma** *f* **1.** *(acción)* prise: **~ de conciencia** prise de conscience **2.** *(porción)* prise, dose **3.** *(de agua, electricidad, etc.)* prise: **~ de tierra** prise de terre **4. ~ de sangre** prise de sang **5. ~ de posesión** entrée en fonctions, investiture **6. ~ y daca → daca.**

**tomacorriente** *m* AMER prise *f* de courant.

**tomado, a** *a* **1.** pris, e: **voz tomada** voix prise, enrouée **2.** *(ebrio)* soûl, e, pris, e de boisson.

**tomador, a** *a/s* **1.** preneur, euse **2.** AMER buveur, euse. ◇ *m* COM preneur, bénéficiaire.

**tomadura** *f* **1.** prise **2.** FAM **~ de pelo** plaisanterie, blague.

**tomar** *vt* **1.** prendre: **toma este paquete** prends ce paquet; **me tomó del brazo** il me prit par le bras; **~ el avión** prendre l'avion; **¿quieres ~ algo?** veux-tu prendre quelque chose?; **hemos tomado una asistenta** nous avons pris une femme de ménage; **~ precauciones** prendre des précautions ◊ **~ a bien, a mal** prendre en bonne, en mauvaise part; **tomó a bien, a mal la broma** il a bien pris, mal pris la plaisanterie; **~ a pecho → pecho; ~ en serio** prendre au sérieux; **tomarla con alguien** s'en prendre à quelqu'un; **lo tomas o lo dejas** c'est à prendre ou à laisser **2. ~ por** prendre pour; **¿me tomas por tonto?** tu me prends pour un idiot? **3.** AMER *(beber)* boire: **¿quiere un coñac? -gracias, no tomo** voulez-vous un cognac? -merci, je ne bois pas. ◇ *vi* **1.** prendre: **~ a la izquierda** prendre à gauche **2. ¡toma!** tiens!, bah! ◆ **~se** *vpr* **1.** prendre: **me tomaré un café** je prendrai un café; **me tomé las vacaciones en junio** j'ai pris mes vacances en juin; **sin tomarse un minuto de descanso** sans prendre une minute de repos; **tómese dos aspirinas** prenez deux aspirines; **me tomo la libertad de...** je prends la liberté de...; FAM **no te lo tomes así** ne le prends pas sur ce ton **2. tomarse de orín** (se) rouiller **3. ¡tómate ésa!** attrape!

**Tomás** *np m* Thomas.

**tomatal** *m* champ de tomates.

**tomate** *m* **1.** tomate *f*: **tomates rellenos** tomates farcies; **salsa de ~** sauce tomate ◊ **rojo como un ~** rouge comme une tomate, une pivoine. **2.** *(roto)* trou **3.** FAM confusion *f*, pagaille *f*, salade *f*; *(alboroto)* bagarre *f*: **esta noche va a haber ~** ce soir il va y avoir du sport.

**tomatera** *f (planta)* tomate.

**tomavistas** *m* caméra *f.*

**tómbola** *f* tombola.

**tomento** *m* **1.** BOT duvet **2.** *(estopa)* étoupe *f.*

**tomillar** *m* lieu couvert de thym.

**tomillo** *m* thym.

**tomismo** *m* thomisme.

**tomista** *a/s* thomiste.

**tomo** *m* **1.** tome **2.** FIG **de ~ y lomo** de taille: **un golfo de ~ y lomo** un chenapan fini, un parfait chenapan.

**tomografía** *f* MED tomographie.

**ton** *m* **sin ~ ni son** sans rime ni raison.

**tonada** *f* air *m*, chanson.

**tonadilla** *f* **1.** chansonnette **2.** TEAT «tonadilla», petite pièce chantée.

**tonadillera** *f* chanteuse de «tonadillas».

**tonadillero** *m* auteur de «tonadillas».

**tonal** *a* tonal, e.

**tonalidad** *f* tonalité.

**tonante** *a* tonnant, e.

**tonca** *a* **haba ~** tonka, fève tonka.

**tondero** *m* AMER danse *f* populaire des régions côtières du Pérou.

**tonel** *m* tonneau, fût.

**tonelada** *f* **1.** *(peso)* tonne **2.** MAR *(de arqueo)* tonneau *m.*

**tonelaje** *m* tonnage.

**tonelería** *f* tonnellerie.

**tonelero** *m* tonnelier.

**tonelete** *m* **1.** tonnelet **2.** *(de bailarina)* tutu.

**tonga** *f* **1.** *(capa)* couche **2.** AMER *(pila)* pile: **una ~ de libros** une pile de livres.

**tongada → tonga.**

**tongo** *m* tricherie *f.*

**tónica → tónico.**

**tonicidad** *f* tonicité.

**tónico, a** *a* tonique. ◇ *m* MED tonique, fortifiant, remontant. ◇ *f* **1.** MÚS tonique **2.** FIG ton *m*, tendance **3.** *(bebida)* soda *m.*

**tonificante** *m* tonifiant.

**tonificar** *vt* tonifier.

**tonillo** *m* ton monotone, désagréable, impertinent: **un ~ seco** un petit ton sec.

**tonina** *f* thon *m.*

**Tonkín** *np m* Tonkin.

**tono** *m* **1.** ton: **hablar en ~ persuasivo** parler sur un ton persuasif ◊ FIG **bajar el ~** baisser le ton; **darse ~** faire l'important; **fuera de ~** déplacé, e, mal à propos; **subirse de ~** hausser le ton; **salida de ~ → salida 2.** *(colorido)* ton **3. a ~ con** en harmonie avec **4.** *(de un músculo)* tonus.

**tonsura** *f (eclesiástica)* tonsure.

**tonsurado** *a/m* tonsuré.

**tonsurar** *vt* **1.** *(al aspirante a sacerdote)* tonsurer **2.** *(el pelo la lana)* tondre.

**tontada** *f* sottise, bêtise.

**tontaina** *s* FAM idiot, e, sot, sotte.

**tontamente** *adv* bêtement.

**tontazo** *m* FAM gros bêta.

**tontear** *vi* **1.** faire, dire des bêtises **2.** FAM *(coquetear)* flirter.

**tontería** *f* bêtise, sottise.

**tontillo** *m* panier, crinoline *f.*

**tontina** *f* JUR tontine.

**tonto, a** *a/s* **1.** idiot, e, sot, sotte, bête: **~ de capirote** idiot fini; **¡tonta de mí!** que je suis bête! ◊ **hacer(se) el ~** faire l'idiot; **no seas ~** ne soit pas idiot, ne soit pas bête **2.** *loc adv* **a tontas y a locas** à tort et à travers.

**tontuelo, a** *a* FAM bêta, asse.

**toña** *f* POP **1.** *(golpe)* coup *m* **2.** *(borrachera)* cuite.

**topacio** *m* topaze *f.*

**topar** *vt/i* **1.** *(chocar)* se heurter **2.** *(hallar una cosa)* trouver **3. ~ con un amigo** rencontrer un ami **4.** FIG consister. ◆ **~se** *vpr* **me topé con él en el aeropuerto** je l'ai rencontré par hasard à l'aéroport, je suis tombé sur lui à l'aéroport.

**tope** *m* **1.** *(de puerta, etc.)* butoir **2.** *(de vagón, locomotora)* tampon **3.** *FIG* plafond, limite *f*: **precio ~** prix plafond; **edad ~** âge limite; **fecha ~** date limite; **velocidad ~** vitesse maxi **4. el tren iba a ~, hasta los topes** le train était bondé, plein à craquer, plein comme un œuf; **carrito de compra lleno hasta los topes** caddie plein à ras bord; **sala a ~** salle comble; **moto que corre a ~** moto qui roule à sa vitesse maximale, à fond; **aprovechar a ~** profiter à fond, au maximum **5.** *AMER* défilé de cavaliers, cavalcade *f* (Costa Rica).

**topera** *f* taupinière.

**topetada** *f* coup *m* donné avec la tête.

**topetar** *vi* se donner des coups de tête.

**topetazo** *m* coup donné avec la tête.

**topetón** *m* choc, heurt.

**tópico, a** *a/m MED* topique. ◇ *a* banal, e, commun, e. ◇ *m* **1.** *(lugar común)* lieu commun, poncif, stéréotype **2.** *AMER (tema)* sujet, question *f*.

[1]**topo** *m* **1.** *(mamífero)* taupe *f* **2.** *(lunar de una tela)* pois.

[2]**topo** *m AMER (alfiler grande)* épingle *f*.

**topografía** *f* topographie.

**topográfico, a** *a* topographique.

**topógrafo, a** *s* topographe.

**topología** *f* topologie.

**toponimia** *f* toponymie.

**topónimo** *m* toponyme.

**toque** *m* **1.** *(acción de tocar)* attouchement **2.** *(ensayo)* touche *f*: **piedra de ~** pierre de touche **3.** *(pincelada)* touche *f*; *(pincelada de sustancia medicinal)* application *f* **4.** *(de trompeta, corneta, campanas)* sonnerie *f*; *(de tambor)* batterie *f* ◊ **~ de difuntos** glas; **~ de queda** couvre-feu; *FIG* **~ de atención** mise *f* en garde **5.** *(punto delicado)* difficulté *f*, problème **6.** *FIG* **dar un ~ a alguien** *(avisar)* prévenir, avertir quelqu'un, *(tantear)* sonder quelqu'un, mettre quelqu'un à l'épreuve.

**toque, toques,** etc. → **tocar.**

**toquetear** *vt FAM* tripoter.

**toquilla** *f* fichu *m*.

**tora** *f (libro de la ley de los judíos)* thora, torah.

**torácico, a** *a* thoracique: **caja, cavidad torácica** cage thoracique.

**toral** *a* **1.** principal, e **2. arco ~** arc qui supporte une coupole.

**tórax** *m* thorax.

**torbellino** *m* **1.** *(de viento)* tourbillon **2.** *FIG* tourbillon.

**torcaz** *a* **paloma ~** pigeon ramier.

**torcedor** *m* **1.** *(para hilar)* fuseau **2.** *FIG* tourment.

**torcedura** *f* **1.** torsion **2.** *MED* entorse, foulure.

**torcer*** *vt* **1.** tordre **2. ~ el gesto** faire la moue **3.** *(desviar)* détourner, infléchir: **~ los ojos** détourner les yeux; **~ el curso de...** infléchir le cours de... **4.** *FIG* faire changer, fausser **5.** *FIG (lo que alguien dice)* mal interpréter. ◇ *vi* tourner: **tuerza a la derecha** tournez à droite. ◆ **~se** *vpr* **1.** se tordre: **me torcí el tobillo** je me suis tordu la cheville **2.** *(la leche)* tourner **3.** *(el vino)* se piquer **4.** *FIG* mal tourner: **creo que las cosas se están torciendo** je crois que les choses sont en train de mal tourner.

**torcida** *f* mèche (d'une bougie, etc.).

**torcido, a** *a* **1.** tordu, e. **2.** *FIG* retors, e, fourbe. ◇ *m* gros fil de soie torse, cordonnet.

**torcijón** *m MED* tranchées *f pl*, colique *f*.

**torcimiento** → **torcedura.**

**tórculo** *m* petite presse *f* à vis.

**tordo, a** *a (caballo)* gris, e. ◇ *m (ave)* grive *f* ◊ **~ alirrojo** mauvis.

**torear** *vt* **1.** combattre (le taureau) **2.** *FIG (evitar)* esquiver, éviter **3.** *(engañar)* faire marcher **4.** *(burlarse)* se moquer. ◇ *vi* **1.** *(lidiar los toros)* toréer **2.** *AMER (ladrar)* aboyer.

**toreo** *m* tauromachie *f*.

**torera** *f (chaquetilla)* veste très courte.

**torería** *f* les toreros *m pl*.

**torero** *m* torero.

**torero, a** *a* du torero ◊ *FIG* **saltarse a la torera** faire fi de, se soucier comme d'une guigne de.

**torete** *m* taurillon.

**toril** *m TAUROM* toril (loge où l'on enferme les taureaux avant la corrida).

**torio** *m QUÍM* thorium.

**torito** *m* **1.** taurillon **2.** *AMER (pez)* coffre **3.** *AMER (escarabajo)* scarabée.

**tormenta** *f* **1.** *(en la tierra)* orage *m* **2.** *(en el mar)* tempête **3.** *FIG* tempête: **una ~ en un vaso de agua** une tempête dans un verre d'eau.

**tormentín** *m MAR* tourmentin.

**tormento** *m* **1.** tourment **2.** *(suplicio)* torture *f*.

**tormentoso, a** *a* orageux, euse.

**torna** *f* **1.** restitution **2.** retour *m* **3. volver las tornas** rendre la pareille, renverser la situation; **se han vuelto las tornas** les choses ont changé, les rôles se sont inversés, le vent a tourné; **no desespero de que, más tarde o más temprano, se vuelvan las tornas** je ne désespère pas que, tôt ou tard, la chance tourne.

**tornaboda** *f* lendemain *m* de noces.

**tornadizo, a** *a* changeant, e.

**tornado** *m* tornade *f*.

**tornapunta** *f* étai *m*.

**tornar** *vt* rendre. ◇ *vi* **1.** *(regresar)* revenir, retourner: **viejo y enfermo, tornó a su tierra** vieux et malade, il revint dans son pays **2. ~ a escribir, a llorar...** recommencer à écrire, à pleurer...; **~ a aparecer** apparaître de nouveau, réapparaître. ◆ **~se** *vpr* devenir: **~ pálido** devenir pâle, pâlir.

**tornasol** *m* **1.** tournesol **2.** *(visos)* reflets *pl*.

**tornasolado, a** *a* chatoyant, e.

**tornasolar** *vt* faire chatoyer.

**tornavoz** *m* abat-voix *inv*.

**torneador** *m* tourneur.

**tornear** *vt (labrar con el torno)* tourner, façonner au tour. ◇ *vi* **1.** *(dar vueltas)* tourner **2.** *HIST* combattre dans un tournoi.

**torneo** *m* **1.** *HIST* tournoi **2.** *(de tenis, etc.)* tournoi.

**tornera** *f (monja)* tourière: **la hermana ~** la sœur tourière.

**tornero** *m* tourneur.

**tornillo** *m* **1.** vis *f*: **~ sin fin** vis sans fin ◊ *FIG* **apretarle los tornillos a alguien** serrer la vis à quelqu'un; **le falta un ~, tiene flojos los tornillos** il travaille du chapeau, il a le cerveau fêlé, il a une case vide **2. ~ de banco** étau.

**torniquete** *m* **1.** tourniquet **2.** *MED* garrot.

**torniscón** *m FAM* **1.** *(golpe)* taloche *f*, torgnole *f* **2.** *(pellizco)* pinçon.

**torno** *m* **1.** *(máquina)* tour **2.** *(para elevar pesos)* treuil **3.** *(para hilar)* rouet **4.** *(de carpintero o cerrajero)* étau **5.** *(de dentista)* roulette *f* **6.** *(en los conventos)* tour **7.** *(movimiento circular)* tour **8. en ~ a** autour de: **en ~ a la iglesia** autour de l'église.

[1]**toro** *m* **1.** taureau: **~ de lidia** taureau de combat ◊ *FIG* **coger el ~ por los cuernos** prendre le taureau par les cornes; **fuerte como un ~** fort comme un Turc **2.** *ASTR* **ser ~** être du

Taureau. ◇ *pl* course *f sing* de taureaux, corrida *f sing*: **vengo de los toros** je reviens de la corrida; **un día de toros** un jour de corrida ◊ *FIG* **ciertos son los toros** la chose est certaine; **echarle, soltarle el ~ a alguien** dire à quelqu'un son fait, engueuler quelqu'un; **ver los toros desde la barrera** ne pas prendre de risques, ne pas se mouiller.

**²toro** *m ARQ, GEOM* tore.

**toronja** *f* pamplemousse *m*.

**toronjil** *m* mélisse *f*, citronnelle *f*.

**toronjo** *m* pamplemoussier.

**torpe** *a* **1.** lent, e **2.** *(falto de habilidad)* maladroit, e, gauche, empoté, e **3.** *(tardo en comprender)* bête, borné, e, lourd, e **4.** indécent, e.

**torpedeamiento** *m* torpillage.

**torpedear** *vt* **1.** torpiller **2.** *FIG* **~ las negociaciones** torpiller les négociations.

**torpedeo** *m* torpillage.

**torpedero** *a/m (barco)* torpilleur.

**torpedo** *m* **1.** *(pez, proyectil)* torpille *f* **2.** *(coche)* torpédo *f*.

**torpeza** *f* **1.** *(inhabilidad)* maladresse, gaucherie, lourdeur **2.** lenteur **3.** *(necedad)* bêtise.

**torpor** *m* torpeur *f*.

**torrado** *m (garbanzo)* pois chiche grillé.

**torrar** *vt* griller.

**torre** *f* **1.** tour: **la ~ de Babel** la tour de Babel; **la ~ inclinada de Pisa** la tour penchée de Pise; **~ de control** tour de contrôle; **~ de lanzamiento** tour de lancement; **~ de perforación** tour de forage, derrick *m* ◊ **~ del homenaje** donjon *m*; *FIG* **~ de marfil** tour d'ivoire **2.** *(del juego de ajedrez)* tour **3.** *(de iglesia)* clocher *m* **4.** *(casa de campo)* maison de campagne **5.** *(de un buque de guerra)* tourelle.

**torrecilla** *f* tourelle.

**torrefacción** *f* torréfaction.

**torrefactar** *vt* torréfier: **café torrefacto** café torréfié.

**torreja** *AMER* → **torrija.**

**torrencial** *a* torrentiel, elle: **una lluvia ~** une pluie torrentielle.

**torrente** *m* **1.** torrent **2.** *FIG* torrent, flot **3.** **un ~ de voz** une voix puissante.

**torrentera** *f* ravin *m*.

**torrentoso, a** *a AMER* torrentueux, euse.

**torreón** *m* **1.** grosse tour *m* **2.** *(del homenaje)* donjon.

**torrero** *m* gardien de phare.

**torreta** *f MIL* tourelle.

**torrezno** *m* lardon.

**tórrido, a** *a* torride.

**torrija** *f* pain *m* perdu.

**torsión** *f* torsion.

**torso** *m* torse.

**torta** *f* **1.** galette **2.** *FAM (bofetada)* gifle, baffe, calotte: **le dio un par de tortas** il lui donna une paire de gifles ◊ **darse una ~** se casser la figure **3.** *FAM (borrachera)* cuite **4.** *FAM* **ni ~** rien du tout, que dalle; **costar la ~ un pan** revenir très cher; **ser tortas y pan pintado** être très facile.

**tortada** *f* tourte.

**tortazo** *m FAM* **1.** *(bofetada)* baffe *f*, beigne *f* **2.** **pegarse un ~** se casser la figure.

**tortera** *f* tourtière.

**tortícolis** *m* torticolis.

**tortilla** *f* **1.** omelette: **~ de patatas, a la francesa** omelette aux pommes de terre, nature **2.** *AMER* galette de maïs **3.** *FIG* **se volvió la ~** la chance a tourné.

**tortillera** *f FAM* gouine, lesbienne.

**tórtola** *f* tourterelle.

**tortolillo** *m* tourtereau.

**tórtolo** *m* tourterelle *f* mâle. ◇ *pl (enamorados)* tourtereaux.

**tortuga** *f* tortue: **~ de mar** tortue marine ◊ **a paso de ~** à pas de tortue.

**tortuosidad** *f* tortuosité.

**tortuoso, a** *a* tortueux, euse.

**tortura** *f* **1.** torture **2.** *FIG* torture, tourment *m*.

**torturador, a** *a* torturant, e. ◇ *m* tortionnaire.

**torturar** *vt* torturer. ◆ **~se** *vpr* se torturer.

**torvamente** *adv* d'un œil mauvais.

**torvisco** *m* sainbois, garou.

**torvo, a** *a (mirada)* torve, menaçant, e, mauvais, e.

**torzal** *m* **1.** cordonnet de soie **2.** *AMER* longe *f* en cuir tressé.

**tos** *f* **1.** toux **2.** **~ ferina** coqueluche.

**tosca** *f* tuf *m*.

**toscamente** *adv* grossièrement.

**Toscana** *np f* Toscane.

**toscano, a** *a/s* toscan, e.

**tosco, a** *a* **1.** grossier, ère **2.** *(persona)* grossier, ère, fruste, rustre.

**toser** *vi* **1.** tousser **2.** *FAM* **no hay quien le tosa, a él no le tose nadie** il n'a pas de rivaux, personne ne peut rivaliser avec lui, n'a le droit de lui en remontrer.

**tósigo** *m* **1.** *(ponzoña)* poison **2.** *FIG* tourment, angoisse *f*.

**tosigoso, a** *a* **1.** empoisonné, e **2.** catarrheux, euse, oppressé, e.

**tosquedad** *f* grossièreté, rusticité.

**tostada** *f* tartine grillée, tranche de pain grillé, toast *m* ◊ *FIG* **olerse la ~** subodorer un piège, soupçonner des difficultés cachées, etc.

**tostadero** *m* **1.** *(de café)* brûlerie *f* **2.** *FIG* four.

**tostado, a** *a* **1.** grillé, e: **pan ~** pain grillé **2.** *(la tez)* hâlé, e, bruni, e. ◇ *m* → **tostadura.**

**tostador, a** *a* qui grille. ◇ *m* **1.** *(de café)* brûloir, torréfacteur **2.** *(de pan)* grille-pain.

**tostadura** *f* torréfaction.

**tostar*** *vt* **1.** griller: **tueste el pan** faites griller le pain **2.** *(café)* torréfier **3.** *(la piel)* hâler, bronzer. ◆ **~se** *vpr* se bronzer.

**tostón** *m* **1.** morceau de pain grillé imprégné d'huile, croûton **2.** cochon de lait rôti **3.** *FAM* truc rasoir: **este libro es un ~** ce livre est barbant, rasoir **4.** *FAM (persona pesada)* raseur ◊ **dar el ~** barber, raser.

**total** *a/m* total, e. ◇ *adv* bref ◊ **en ~** bref, finalement.

**totalidad** *f* totalité.

**totalitario, a** *a* totalitaire.

**totalitarismo** *m* totalitarisme.

**totalizador, a** *a/m* totalisateur, trice.

**totalizar** *vt* totaliser.

**totalmente** *adv* totalement.

**tótem** *m* totem.

**totémico, a** *a* totémique.

**totemismo** *m* totémisme.

**totopo, totoposte** *m AMER* gâteau de maïs très grillé.

**totora** *f AMER* sorte de roseau *m*.

**totoral** *m AMER* endroit couvert de «totoras».

**totovía** *f* cochevis *m*.

**totuma** *f*, **totumo** *m* AMER calebasse *f*.

**touche** *f* *(rugby)* touche.

**tour operador** *m* tour-opérateur, voyagiste.

**tournée** *f* tournée (théâtrale).

**toxicidad** *f* toxicité.

**tóxico, a** *a/m* toxique.

**toxicodependencia** *f* pharmacodépendance.

**toxicología** *f* toxicologie.

**toxicológico, a** *a* toxicologique.

**toxicólogo, a** *s* toxicologue.

**toxicomanía** *f* toxicomanie.

**toxicómano, a** *a/s* toxicomane.

**toxina** *f* toxine.

**tozudez** *f* entêtement *m*.

**tozudo, a** *a* têtu, e, entêté, e: **~ como una mula** têtu comme une mule.

**tozuelo** *m* grosse nuque *f* (d'un animal).

**traba** *f* **1.** lien *m*, attache **2.** *(para animales)* entrave **3.** FIG *(estorbo)* entrave, obstacle *m*: **poner trabas à** faire obstacle à **4.** JUR saisie.

**trabacuenta** *f* **1.** erreur (dans un compte) **2.** FIG discussion, dispute.

**trabajado, a** *a* **1.** travaillé, e **2.** *(cansado)* fatigué, e, las, lasse, harassé, e.

**trabajador, a** *a/s* travailleur, euse.

**trabajar** *vi/t* travailler: **~ como un negro, como un burro** travailler comme un nègre, comme une bête de somme; **~ de firme** travailler dur ◊ **trabaja como, de mecánico** il est mécanicien; **trabaja de cajera en un supermercado** elle est caissière dans un supermarché.

**trabajillo** *m* FAM petit boulot.

**trabajo** *m* **1.** travail: **~ manual, intelectual** travail manuel, intellectuel; **~ negro** travail au noir; **puesto de ~** → **puesto** **2.** peine *f*, difficulté *f* ◊ **me cuesta ~ creer...** j'ai peine à, j'ai du mal à croire...; **tomarse el ~ de** se donner la peine de, prendre la peine de. ◇ *pl* **1.** *(penalidades)* peines *f*, misères *f*, difficultés *f* **2. trabajos forzados, forzosos** travaux forcés **3. los doce trabajos de Hércules** les douze travaux d'Hercule.

**trabajosamente** *adv* avec peine, avec difficulté, péniblement, à grand-peine: **respirar ~** respirer avec difficulté.

**trabajoso, a** *a* **1.** pénible, difficile **2.** laborieux, euse.

**trabalenguas** *m* mot, phrase *f* difficile à prononcer.

**trabar** *vt* **1.** *(un animal)* entraver **2.** *(cosas)* lier, attacher, immobiliser **3.** *(una salsa)* lier, épaissir **4.** FIG *(una lucha, conversación)* engager **5. ~ amistad con** lier amitié avec. ◆ **~se** *vpr* **1.** s'emmêler **2.** bredouiller ◊ **se me ha trabado la lengua** ma langue a fourché **3.** *(reñir)* se disputer.

**trabazón** *f* **1.** *(enlace)* liaison, union, jonction **2.** consistance **3.** FIG *(conexión)* liaison, enchaînement *m*.

**trabilla** *f* **1.** sous-pied *m* **2.** patte **3.** *(por la parte de detrás)* martingale.

**trabucaire** *m* guérillero catalan.

**trabucar** *vt* **1.** renverser **2.** intervertir **3.** FIG confondre, mélanger: **~ la b y la v** confondre le b et le v. ◆ **~se** *vpr* s'embrouiller.

**trabucazo** *m* coup de tromblon.

**trabuco** *m* **1.** tromblon **2. ~ naranjero** tromblon.

**traca** *f* chapelet *m* de pétards qui éclatent successivement.

**tracalada** *f* AMER foule.

**tracción** *f* **1.** traction **2. ~ delantera** traction avant.

**Tracia** *np f* Thrace.

**tracoma** *m* MED trachome.

**tracto** *m* ANAT tractus: **~ urinario** tractus urinaire.

**tractor** *m* tracteur.

**tractorista** *m* tractoriste.

**tradición** *f* tradition.

**tradicional** *a* traditionnel, elle.

**tradicionalismo** *m* traditionalisme.

**tradicionalista** *a/s* traditionaliste.

**tradicionalmente** *adv* traditionnellement.

**traducción** *f* **1.** traduction: **~ automática** traduction automatique **2. ~ directa** version; **~ inversa** thème *m*.

**traducible** *a* traduisible.

**traducir*** *vt* **1.** traduire: **~ al inglés** traduire en anglais **2.** FIG traduire: **su palidez traducía su emoción** sa pâleur traduisait son émotion. ◆ **~se** *vpr* se traduire.

**traductor, a** *a/s* traducteur, trice.

**traer*** *vt* **1.** apporter, amener: **tráigame mi desayuno** apportez-moi mon petit déjeuner; **trae a tu hermano** amène ton frère; **¿qué le trae por aquí?** quel bon vent vous amène? **2.** rapporter: **me trajo un poncho de Perú** il m'a rapporté un poncho du Pérou **3.** *(llevar puesto)* porter: **trae un vestido muy bonito** elle porte une très jolie robe **4.** *(causar)* causer, occasionner ◊ **~ consigo** entraîner **5.** *(tener)* avoir: **traía un hambre feroz** il avait une faim de loup; **publicó el libro que traía escrito** il publia le livre qu'il avait écrit **6. ~ inquieto** inquiéter; **~ loco** rendre fou: **este chico me trae loco** ce gamin me rend fou; **~ de cabeza** → **cabeza** **7. ¿qué trae el periódico de hoy?** que dit le journal d'aujourd'hui?; **trae un artículo de...** il contient un article de...; **¿trae lo de la huelga?** parle-t-il de la grève? **8. ~ a mal ~** malmener, maltraiter. ◆ **~se** *vpr* FAM **traérselas** être drôlement difficile, gratiné, e, n'être pas drôle: **este trabajo se las trae** ce travail n'est pas facile du tout.

**trafagar** *vi* aller et venir.

**tráfago** *m* **1.** *(ajetreo)* agitation *f* **2.** trafic.

**traficante** *s* trafiquant, e: **un ~ de armas** un trafiquant d'armes.

**traficar** *vi* trafiquer.

**tráfico** *m* **1.** trafic: **~ de droga** trafic de drogue; **~ de influencias** trafic d'influence **2.** *(de vehículos)* circulation *f*, trafic: **accidente de ~** accident de la circulation; **~ aéreo, ferroviario** trafic aérien, ferroviaire.

**tragacanto** *m* *(planta)* astragale.

**tragaderas** *f pl* **1.** *(faringe)* gosier *m sing* **2.** FIG crédulité *sing*: **tener buenas ~** avaler n'importe quoi, tout gober.

**tragadero** *m* **1.** *(faringe)* gosier **2.** *(agujero)* trou.

**tragador, a** *a/s* avaleur, euse.

**trágala** *m* chanson satirique des libéraux espagnols au début du XIXᵉ siècle.

**tragaldabas** *s* FAM glouton, onne.

**tragaleguas** *s* FAM marcheur, euse infatigable.

**tragaluz** *m* **1.** lucarne *f* **2.** *(de un sótano)* soupirail.

**traganíquel** *m* AMER → **tragaperras.**

**tragantada** *f* lampée.

**tragante** *m* **1.** *(de alcantarilla)* bouche *f* d'égout **2.** *(de horno)* gueulard.

**tragantona** *f* FAM *(comilona)* gueuleton *m*.

**tragaperras** *f* *(máquina)* machine à sous.

**tragar** *vt/pr* **1.** avaler: **se tragó una espina de pescado** il a avalé une arête de poisson ◊ FIG **~ quina, saliva** → **quina, saliva;**

tragarse la píldora → píldora **2.** *(comer con voracidad)* engloutir **3.** *(creer)* avaler **4.** *FAM* **a ése, no le trago** je ne peux pas le voir en peinture, le souffrir.

**tragasantos** *s FAM* bigot, e.

**tragedia** *f* tragédie.

**trágicamente** *adv* tragiquement.

**trágico, a** *a/m* tragique ◊ **tomar por lo ~** prendre au tragique. ◇ *s* **1.** *(actor, actriz)* tragédien, enne **2.** *(autor)* tragique.

**tragicomedia** *f* tragicomédie.

**tragicómico, a** *a* tragi-comique.

**trago** *m* **1.** gorgée *f*, coup: **echar, echarse un ~** boire un coup ◊ **beber de un ~** boire d'un trait **2.** *(bebida)* boisson *f*: **ser aficionado al ~** aimer la bouteille **3.** *AMER (bebida alcohólica)* eau-de-vie *f* **4.** *FIG* **un mal ~** un coup dur, un sale moment; **pasar un mal ~** traverser une mauvaise passe.

**tragón, ona** *a/m FAM* glouton, onne.

**tragonería** *f FAM* gloutonnerie.

**traguito** *m* petite gorgée *f*, petit coup.

**traición** *f* **1.** *(delito)* trahison: **alta ~** haute trahison **2.** *(alevosía)* traîtrise ◊ **a ~** en traître, traîtreusement.

**traicionar** *vt* trahir: **~ a un amigo, a su patria** trahir un ami, sa patrie.

**traicionero, a** *a/s* traître.

**traída** *f (de agua)* adduction.

**traído, a** *pp* de **traer.** ◇ *a (muy usado)* usé, e.

**traidor, a** *a/s* traître, esse.

**traiga,** etc. → **traer.**

**trailer** *m (cine)* bande-annonce *f*.

**traílla** *f* **1.** *(cuerda)* laisse **2.** *(conjunto de perros)* harde **3.** *(para allanar terrenos)* niveleuse.

**traína** *f (red)* traîne.

**trainera** *a/f* de pêche à la traîne.

**¹traje** *m* **1.** costume, vêtement: **~ de calle** costume de ville; **~ regional** costume régional **2. ~ de ceremonia, de etiqueta** habit, tenue *f* de soirée **3.** *(de mujer)* **~ de noche** robe *f* du soir; **~ de chaqueta, ~ sastre** tailleur **4. ~ de baño** maillot de bain **5.** *TAUROM* **~ de luces** habit de lumière **6. ~ espacial** combinaison *f* spatiale **7.** *FIG* **cortarle un ~ a alguien** casser du sucre sur le dos de quelqu'un.

**²traje** → **traer.**

**trajear** *vt* habiller ◊ **ir bien, mal trajeado** être bien, mal habillé, nippé.

**trajín** *m* **1.** occupations *f pl*, besogne *f* **2.** *(ajetreo)* agitation *f*, remue-ménage, allées et venues *f pl*.

**trajinante** *m* transporteur, voiturier.

**trajinar** *vt* **1.** transporter **2.** *AMER (registrar)* fouiller. ◇ *vi* s'agiter, s'activer, s'affairer.

**trajiste, trajo** → **traer.**

**tralla** *f* **1.** corde fine **2.** *(de látigo)* mèche **3.** *(látigo)* fouet *m*.

**trallazo** *m* coup de fouet, claquement de fouet.

**trama** *f* **1.** *(de hilos)* trame **2.** *FIG* trame.

**tramar** *vt* **1.** tramer **2.** *FIG* comploter, tramer, manigancer.

**tramitación** *f* **1.** cours *m* (que l'on fait suivre à une affaire) **2.** formalités *pl*, démarches *pl*.

**tramitar** *vt* **1.** *(un documento)* remplir les formalités requises pour obtenir, faire les démarches nécessaires pour obtenir **2.** *(un asunto)* faire suivre son cours à, s'occuper de.

**trámite** *m* **1.** formalité *f*: **puro ~** simple formalité **2.** *(diligencia)* démarche *f* **3.** procédure *f*.

**tramo** *m* **1.** *(de una carretera, vía férrea, etc.)* tronçon **2.** *(de escalera)* volée *f* **3.** *(en una construcción)* travée *f* **4.** *(de un cohete)* étage.

**tramontana** *f* **1.** *(viento)* tramontane **2.** *FIG* vanité.

**tramontar** *vi (el sol)* passer de l'autre côté de la montagne: **cuando el sol tramonta...** quand le soleil passe de l'autre côté de la montagne...

**tramoya** *f* **1.** *TEAT* machine, machinerie **2.** *FIG* intrigue, machination.

**tramoyista** *m* **1.** *TEAT* machiniste **2.** *FIG* intrigant.

**trampa** *f* **1.** *(para cazar)* piège *m* **2.** *(puerta en el suelo)* trappe **3.** *(de mostrador)* abattant *m* **4.** *FIG* **caer en la ~** tomber dans le piège, donner dans le panneau **5.** *(en el juego)* tricherie ◊ **hacer trampas** tricher **6.** *(deuda)* dette.

**trampantojo** *m* trompe-l'œil, illusion *f*.

**trampear** *vi* **1.** vivre d'expédients **2. ir trampeando** vivoter.

**trampero** *m* trappeur.

**trampilla** *f* **1.** *(en el suelo)* trappe **2.** *(portañuela)* braguette.

**trampolín** *m* **1.** *(para saltar)* tremplin **2.** *FIG* tremplin.

**tramposo, a** *a/s* **1.** *(en el juego)* tricheur, euse **2.** mauvais payeur, mauvaise payeuse.

**tranca** *f* **1.** trique, gros bâton **2.** *(de una puerta)* barre **3.** *FAM (borrachera)* cuite **4. a trancas y barrancas** non sans mal, non sans peine, péniblement.

**trancar** *vt (una puerta)* barrer, fermer au moyen d'une barre.

**trancazo** *m* **1.** coup de trique **2.** *FAM (gripe)* grippe *f*.

**trance** *m* **1.** moment critique: **los trances difíciles de la vida** les moments difficiles de la vie ◊ **último ~** derniers moments **2.** *(estado hipnótico)* transe *f* **3. estar en ~ de divorcio** être sur le point de divorcer; **está en ~ de dar a luz** elle est sur le point d'accoucher; **raza en ~ de extinción** race en voie d'extinction **4.** *loc adv* **a todo ~** à tout prix: **hay que evitar a todo ~ que esto se sepa** il faut éviter à tout prix que cela se sache.

**tranco** *m* **1.** *(paso largo)* enjambée *f* **2.** *(umbral)* seuil **3. a trancos** à grands pas, en vitesse **4.** *AMER* **al ~** au petit trot.

**tranquera** *f* **1.** palissade **2.** *AMER* barrière.

**tranquil** *m ARQ* **arco por ~** arc rampant.

**tranquilamente** *adv* tranquillement.

**tranquilidad** *f* tranquillité.

**tranquilizador, a** *a* rassurant, e: **las noticias son más tranquilizadoras** les nouvelles sont plus rassurantes.

**tranquilizante** *a/m* tranquillisant, e.

**tranquilizar** *vt* tranquilliser, rassurer. ◆ **~se** *vpr* se calmer: **tranquilícese** calmez-vous, rassurez-vous.

**tranquillo** *m FAM* truc.

**tranquilo, a** *a* **1.** tranquille **2. váyase ~** soyez tranquille, soyez sans crainte; **¡tú, ~!** toi, du calme!; **¡tranquilos, chicos!** du calme, les gars!

**transacción** *f* transaction.

**transalpino, a** *a* transalpin, e.

**transaminasa** *f BIOL* transaminase.

**transandino, a** *a* transandin, e.

**transar** *vi AMER* transiger, céder, faire des concessions.

**transatlántico, a** *a/m* transatlantique.

**transbordador, a** *a/m* **1.** transbordeur **2. ~ espacial** navette *f* spatiale.

**transbordar** *vt* transborder. ◇ *vi (de un tren a otro)* changer.

**transbordo** *m* **1.** transbordement **2.** *(tren, metro)* changement ◊ **hacer ~ en** changer à.

**transcendencia** → **trascendencia.**

**transcendental** → **trascendental.**

**transcendente** → **trascendente.**

**transcender** → **trascender.**

**transcontinental** *a* transcontinental, e.

**transcribir*** *vt* transcrire: **~ un texto chino en caracteres latinos** transcrire un texte chinois en caractères latins.

**transcripción** *f* transcription.

**transcrito, a** *a* transcrit, e.

**transcurrir** *vi* s'écouler, passer: **varios meses han transcurrido** plusieurs mois se sont écoulés, ont passé ◊ **al ~ los años** au fil des ans; **la comida transcurrió con mucha animación** une grande animation a régné tout au long du repas.

**transcurso** *m* **1.** cours: **en el ~ de la cena** au cours du dîner **2.** courant: **en el ~ del año** dans le courant de l'année **3.** déroulement: **la acción en su ~** l'action dans son déroulement.

**transepto** *m* *(crucero)* transept.

**transeúnte** *a/s* **1.** passant **2.** *(que no reside en un sitio)* de passage, sans domicile fixe: **cliente ~** client de passage.

**transexual** *a/s* transsexuel, elle.

**transexualismo** *m* transsexualisme.

**transferencia** *f* **1.** transfert *m* **2. ~ bancaria** virement *m* bancaire; **~ de crédito** virement de crédit.

**transferible** *a* qui peut être transféré, e, transférable.

**transferir*** *vt* transférer.

**transfiguración** *f* transfiguration.

**transfigurar** *vt* transfigurer. ◆ **~se** *vpr* se transfigurer.

**transflorar** *vi* transparaître, se montrer par transparence.

**transformable** *a* transformable.

**transformación** *f* transformation.

**transformador** *m* transformateur.

**transformar** *vt* transformer: **~ en** transformer en. ◆ **~se** *vpr* se transformer.

**transformismo** *m* transformisme.

**transformista** *a/s* transformiste.

**tránsfuga** *s* transfuge.

**transfundir** *vt* **1.** *(un líquido)* transfuser **2.** *(noticias, etc.)* propager, diffuser. ◆ **~se** *vpr* se propager.

**transfusión** *f* transfusion: **~ de sangre** transfusion sanguine; **hacer una ~** faire une transfusion.

**transfusor** *m* *(aparato)* transfuseur.

**transgénico, a** *a* BIOL transgénique.

**transgredir*** *vt* transgresser.

**transgresión** *f* transgression.

**transgresor, a** *a/s* contrevenant, e.

**transiberiano, a** *a/m* transsibérien, enne.

**transición** *f* transition: **Gobierno de ~** Gouvernement de transition; **pasar sin ~** passer sans transition.

**transido, a** *a* **1.** *(de dolor)* accablé, e **2.** *(de frío)* transi, e.

**transigente** *a* qui transige, accommodant, e.

**transigir** *vi* transiger: **no transijo en cuanto a la calidad** je ne transige pas sur la qualité; **~ con** transiger avec, sur.

**Transilvania** *npf* Transylvanie.

**transistor** *m* transistor.

**transistorizar** *vt* TECN transistoriser.

**transitable** *a* praticable: **camino ~** chemin praticable.

**transitar** *vi* passer, circuler, se promener: **la gente transitaba por la calle** les gens circulaient dans la rue.

**transitivo, a** *a* transitif, ive.

**tránsito** *m* **1.** passage, circulation *f*: **el ~ era denso** la circulation était dense; **accidente de ~** accident de la circulation ◊ **~ rodado** circulation; **calle de mucho ~** rue très passante **2.** *(paso)* passage: **el ~ de la dictadura a la democracia** le passage de la dictature à la démocratie; **de ~** de passage **3.** COM transit **4.** RELIG *(de la Virgen)* dormition *f*.

**transitorio, a** *a* transitoire.

**Transjordania** *npf* Transjordanie.

**translación** → **traslación.**

**translaticio, a** → **traslaticio.**

**translimitar** *vt* dépasser les limites de.

**translucidez** *f* translucidité.

**translúcido, a** *a* translucide.

**translucir** → **traslucir.**

**transmigración** *f* transmigration.

**transmisible** *a* transmissible.

**transmisión** *f* **1.** transmission: **~ en directo** transmission en direct **2. ~ de pensamiento** transmission de pensée **3. enfermedad de ~ sexual** maladie sexuellement transmissible **4.** TECN transmission.

**transmisor, a** *a/m* transmetteur.

**transmitir** *vt* transmettre: **la televisión transmitió el concierto en directo** la télévision a transmis le concert en direct; **correa que transmite el movimiento al ventilador** courroie qui transmet le mouvement au ventilateur; **~ una enfermedad** transmettre une maladie; **ha transmitido la varicela a su hermana** il a transmis la varicelle à sa sœur. ◆ **~se** *vpr* se transmettre.

**transmutación** *f* transmutation.

**transmutar** *vt* transmuer, transmuter.

**transoceánico, a** *a* transocéanique.

**transparencia** *f* transparence.

**transparentar** *vt* laisser transparaître. ◆ **~se** *vpr* **1.** transparaître: **su alegría se transparenta** sa joie transparaît; **se transparentaban sus preferencias** on devinait ses préférences **2.** *(un cuerpo, un vestido)* être transparent, e **3.** *(ser flaco)* être maigre comme un clou.

**transparente** *a* transparent, e.

**transpiración** *f* transpiration.

**transpirar** *vi* transpirer.

**transpirenaico, a** *a* transpyrénéen, enne.

**transplantar** → **trasplantar.**

**transplante** → **trasplante.**

**transponer*** *vt* **1.** *(a una persona o cosa)* déplacer **2.** transposer **3.** *(un obstáculo)* franchir, passer: **~ el umbral** franchir le seuil **4.** *(ocultarse a la vista)* disparaître derrière. ◆ **~se** *vpr* **1.** *(un astro)* se coucher **2.** *(quedarse algo dormido)* s'assoupir.

**transportable** *a* transportable.

**transportador, a** *a/s* transporteur, euse. ◇ *m* *(instrumento para medir o trazar ángulos)* rapporteur.

**transportar** *vt* **1.** transporter **2.** MÚS transposer. ◆ **~se** *vpr* FIG être transporté, e.

**transporte** *m* **1.** transport: **los transportes públicos** les transports publics **2.** MÚS transposition *f* **3.** FIG transport: **los transportes de la pasión** les transports de la passion.

**transportista** *s* transporteur ◊ **empresa ~** entreprise de transports.

**transposición** *f* transposition.

**transpuesto, a** *a* **1.** transposé, e **2.** *(dormido)* assoupi, e, endormi, e.

**transubstanciación** *f* transsubstantiation.

**transvasar** *vt* transvaser.

**transvase** *m* transvasement.

**transversal** *a/f* transversal, e.

**transversalmente** *adv* transversalement.

**transverso, a** *a* ANAT transverse.

**tranvía** *m* tramway.

**tranviario, a** *a* des tramways. ◇ *m* traminot, employé de tramway.

**trapa** *f* **1.** MAR *(cabo)* cordage *m* **2.** *(alboroto)* vacarme *m*.

**Trapa (la)** *np f* la Trappe.

**trapacear** *vi* **1.** ruser, finasser **2.** frauder.

**trapacería** *f* **1.** tromperie, finasserie **2.** *(en una venta, etc.)* fraude.

**trapacero, a, trapacista** *a/s* **1.** *(astuto)* rusé, e, malin, igne **2.** *(en ventas, etc.)* malhonnête.

**trapajo** *m* chiffon, guenille *f*.

**trapajoso, a** *a* **1.** déguenillé, e **2.** *(al hablar)* bredouilleur, euse.

**trápala** *f* **1.** *(de gente)* vacarme *m*, tapage *m* **2.** *(de un caballo)* bruit du trot ou du galop d'un cheval **3.** *(engaño)* mensonge *m*, tromperie. ◇ *a/s* **1.** *(parlanchín)* bavard, e **2.** *(embustero)* menteur, euse.

**trapalear** *vi* **1.** faire du bruit avec les pieds **2.** FAM bavarder **3.** mentir.

**trapalón, ona** *s* FAM *(embustero)* menteur, euse.

**trapatiesta** *f* **1.** *(ruido)* tapage *m*, raffut *m*, chambard *m*: **armar una ~** faire du chambard **2.** *(riña)* bagarre.

**trapaza → trapacería.**

**trapeador** *m* AMER serpillère *f*.

**trapear** *vt* AMER laver (le sol).

**trapecio** *m* trapèze.

**trapecista** *s* trapéziste.

**trapense** *a/m* trappiste. ◇ *f* trappistine.

**trapería** *f* **1.** *(tienda)* friperie **2.** *(trapos)* chiffons *m pl*.

**trapero, a** *s* chiffonnier, ère ◊ **puñalada trapera → puñalada.**

**trapezoidal** *a* trapézoïdal, e.

**trapiche** *m* moulin à huile, à canne à sucre.

**trapichear** *vi* FAM traficoter, trafiquer, fricoter, manigancer.

**trapicheo** *m* FAM petits trafics *pl*, manigance *f*, cuisine *f*, magouille *f*.

**trapillo** *m* petit chiffon ◊ **de ~** en négligé.

**trapío** *m* **1.** *(de una mujer)* belle prestance *f*, allure *f* **2.** *(de un toro)* bravoure *f*.

**trapisonda** *f* **1.** *(jaleo)* tapage *m*, grabuge *m*, chahut *m* **2.** *(riña)* bagarre **3.** *(enredo)* intrigue **4.** *(estafa)* escroquerie.

**trapisondista** *s* **1.** intrigant, e **2.** bagarreur, euse.

**trapito** *m* petit chiffon. ◇ *pl* FAM **1.** fringues: **elegante con cuatro trapitos** élégante avec trois fois rien sur le dos **2. los trapitos de cristianar** les habits du dimanche.

**trapo** *m* **1.** chiffon **2.** *(de cocina)* torchon **3.** MAR voilure *f* ◊ **a todo ~** toutes voiles dehors; FAM à toute vitesse, à toute pompe, à fond **4.** TAUROM muleta *f* **5.** FIG **estar hecho un ~** être vidé, à plat; **poner a alguien como un ~** traiter quelqu'un de tous les noms, dire pis que pendre de quelqu'un; **soltar el ~** éclater de rire, en sanglots. **6.** FIG **lengua de ~** bredouillement. ◇ *pl* FAM nippes *f*, chiffons, fringues *f*.

**traque** *m* détonation *f*.

**tráquea** *f* trachée.

**traquearteria** *f* trachée-artère.

**traqueítis** *f* trachéite.

**traqueotomía** *f* MED trachéotomie.

**traquetear** *vi* faire du bruit. ◇ *vt* **1.** *(sacudir)* secouer, agiter **2.** *(en un vehículo)* cahoter.

**traqueteo** *m* **1.** *(de cohetes)* pétarade *f* **2.** *(sacudidas)* cahotement, secousse *f*.

**traquido** *m* **1.** détonation *f* **2.** *(chasquido)* craquement.

**tras** *prep* **1.** après: **~ la tormenta** après l'orage; **~ una vacilación** après une hésitation; **uno ~ otro** l'un après l'autre; **~ descansar un momento, reanudó el trabajo** après s'être reposé un moment, il reprit son travail; **falleció en Madrid ~ dolorosa enfermedad** il est mort à Madrid des suites d'une cruelle maladie **2.** *(detrás)* derrière: **se escondió ~ un árbol** il se cacha derrière un arbre; **~ de él** derrière lui **3.** *(además)* non seulement, outre: **~ ser feo, es caro** non seulement c'est laid mais c'est cher **4. mes ~ mes** mois après mois; **fuma cigarrillo ~ cigarrillo** il fume cigarette sur cigarette **5.** *(en busca de)* à la recherche de, à la poursuite de.

**trasalpino, a → transalpino.**

**trasaltar** *m* espace derrière l'autel.

**trasandino, a → transandino.**

**trasatlántico, a → transatlántico.**

**trasbocar** *vt* AMER vomir.

**trasbordar → transbordar.**

**trasbordo → transbordo.**

**trascendencia** *f* **1.** transcendance **2.** FIG importance, portée: **tema de suma ~** sujet de la plus haute importance; **las cosas de ~** les choses importantes.

**trascendental** *a* transcendental, e, transcendant, e.

**trascendente** *a* **1.** *(en filosofía)* transcendant, e **2.** très important, e.

**trascender*** *vi* **1.** *(olor)* exhaler une odeur, sentir **2.** *(difundirse)* se répandre, se propager, s'ébruiter: **trascendió la noticia** la nouvelle s'est ébruitée **3. ~ de** dépasser. ◇ *vt* transcender.

**trascodificar** *vt* transcoder.

**trascolar*** *vt* filtrer.

**trasconejarse** *vpr* FIG s'égarer, se perdre.

**trascordarse*** *vpr* oublier.

**trascoro** *m* espace derrière le chœur, arrière-chœur.

**trascribir → transcribir.**

**trascripción → transcripción.**

**trascurrir → transcurrir.**

**trascurso → transcurso.**

**trasdós** *m* ARQ extrados.

**trasegar*** *vt* **1.** *(revolver)* remuer, déranger, mettre en désordre **2.** *(líquidos)* transvaser **3.** FAM *(beber)* écluser, boire.

**trasera** *f* arrière *m*, derrière *m*: **la ~ de un coche, de una casa** l'arrière d'une voiture, le derrière d'une maison.

**trasero, a** *a* arrière, postérieur, e: **ruedas traseras** roues arrières; **la puerta trasera** la porte de derrière. ◇ *m* *(de un animal, una persona)* derrière.

**trasferencia → transferencia.**

**trasferible → transferible.**

**trasferir → transferir.**

**trasfiguración → transfiguración.**

**trasfigurar → transfigurar.**

**trasfondo** *m* arrière-plan.

**trasformable → transformable.**

**trasformación** → **transformación.**

**trasformador** → **transformador.**

**trasformar** → **transformar.**

**trasformismo** → **transformismo.**

**trasformista** → **transformista.**

**trásfuga** → **tránsfuga.**

**trasfundir** → **transfundir.**

**trasfusión** → **transfusión.**

**trasgo** *m (duende)* lutin.

**trasgredir** → **transgredir.**

**trasgresión** → **transgresión.**

**trasgresor, a** → **transgresor.**

**trashoguero** *m* **1.** *(de chimenea)* contrecœur **2.** *(leño)* grosse bûche *f.*

**trashumación, trashumancia** *f* transhumance.

**trashumante** *a* transhumant, e.

**trashumar** *vi* transhumer.

**trasiego** *m* **1.** *(ajetreo)* remue-ménage, chambardement **2.** *(de líquidos)* transvasement **3.** *(para eliminar las heces)* soutirage.

**trasijado, a** *a* efflanqué, e.

**Trasimeno** *np* Trasimène.

**traslación** *f* **1.** transport *m,* transfert *m* **2.** traduction **3.** *(metáfora)* métaphore **4. movimiento de ~** mouvement de translation.

**trasladable** *a* transportable.

**trasladar** *vt* **1.** *(una cosa)* déplacer **2.** transporter: **~ a un herido al hospital** transporter un blessé à l'hôpital **3.** *(a un funcionario)* déplacer, muter **4.** *(una reunión, etc.)* reporter, ajourner **5.** traduire: **~ al inglés** traduire en anglais **6.** *(copiar)* transcrire, copier **7.** *(a otra página, columna)* reporter: **suma a ~ al anverso** somme à reporter au verso. ◆ **~se** *vpr* se déplacer, se rendre, se transporter ◊ **trasladarse de casa** déménager.

**traslado** *m* **1.** transport, transfert **2.** *(de un funcionario)* mutation *f,* déplacement **3.** *(copia)* copie *f,* double.

**traslaticio, a** *a* métaphorique.

**traslucidez** → **translucidez.**

**traslúcido, a** → **translúcido.**

**traslucir** *vt* laisser transparaître, laisser deviner: **sus miradas traslucían extrañeza** ses regards laissaient transparaître son étonnement. ◆ **~se** *vpr* **1.** être translucide **2.** *FIG* transparaître, percer: **la angustia se traslucía en sus palabras** l'angoisse perçait dans ses paroles.

**traslumbrar** *vt* éblouir.

**trasluz** *m* **1.** lumière *f* qui traverse un corps **2.** lumière *f* réfléchie obliquement **3. al ~** par transparence.

**trasmallo** *m (red)* tramail.

**trasmano (a)** *loc adv (fuera de alcance)* hors de portée; *(lejos)* à l'écart, loin: **queda a ~ de por donde usted va** ce n'est pas dans votre direction.

**trasmisible** → **transmisible.**

**trasmisión** → **transmisión.**

**trasmisor** → **transmisor.**

**trasmitir** → **transmitir.**

**trasmutación** → **transmutación.**

**trasmutar** → **transmutar.**

**trasnochado, a** *a* **1.** de la veille **2.** *(persona)* pâle, blême **3.** *FIG (falto de novedad)* usé, e, périmé, e, dépassé, e.

**trasnochador, a** *a/s* noctambule, qui se couche tard.

**trasnochar** *vi* **1.** *(pasar la noche sin dormir)* passer une nuit blanche **2.** se coucher tard **3.** passer la nuit dehors.

**traspapelar** *vt* égarer. ◆ **~se** *vpr* s'égarer: **su carta se ha traspapelado** votre lettre s'est égarée.

**trasparencia** → **transparencia.**

**trasparentar** → **transparentar.**

**trasparente** → **transparente.**

**traspasar** *vt* **1.** *(de una parte a otra)* traverser, franchir **2.** *(con una cosa punzante)* transpercer **3.** *(un derecho, etc.)* transmettre: **~ de padre a hijo** transmettre de père en fils **4.** *(un negocio)* céder ◊ **se traspasa** bail à céder **5.** *(a un jugador profesional)* transférer **6.** *(una ley)* enfreindre **7.** *(ciertos límites)* dépasser **8.** *FIG (de dolor, etc.)* transpercer.

**traspaso** *m* **1.** passage **2.** *(de un local comercial)* cession *f* **3.** *(precio)* reprise *f,* pas-de-porte **4. el ~ de poderes** la passation, la transmission des pouvoirs **5.** transfert: **el ~ de X al club italiano** le transfert de X au club italien **6.** *(de una ley)* transgression *f.*

**traspié** *m* **1.** faux pas: **dar un ~** faire un faux pas; **dar traspies** trébucher **2.** *FIG* **dar un ~** faire un faux pas, un pas de clerc, une boulette.

**traspiración** → **transpiración.**

**traspirar** → **transpirar.**

**traspirenaico, a** → **transpirenaico.**

**trasplantar** *vt* **1.** *(planta, persona, etc.)* transplanter **2.** *MED* transplanter: **~ un riñón** transplanter un rein; **los trasplantados** les transplantés. ◆ **~se** *vpr* se transplanter.

**trasplante** *m* **1.** transplantation *f* **2.** *MED* transplantation *f,* greffe *f:* **~ óseo** greffe osseuse **3.** *BIOL (órgano trasplantado)* transplant.

**trasponer** → **transponer.**

**trasportador, a** → **transportador.**

**trasportar** → **transportar.**

**trasporte** → **transporte.**

**trasportista** → **transportista.**

**trasposición** → **transposición.**

**traspuesto, a** → **transpuesto.**

**traspunte** *m TEAT* souffleur chargé de prévenir les acteurs de leur entrée en scène, régisseur.

**traspuntín** *m* strapontin.

**trasquilador** *m* tondeur.

**trasquiladura** *f* tonte.

**trasquilar** *vt* **1.** mal couper (les cheveux), faire des escaliers dans les cheveux **2.** *(un animal)* tondre **3.** *FIG* diminuer, rogner, écorner.

**trasquilón** *m* **1.** mauvaise coupe *f* de cheveux **2.** *(de dinero)* saignée *f.*

**trastabillar** *vi* **1.** *(dar traspiés)* trébucher **2.** *(tambalear)* vaciller, tituber **3.** *(tartamudear)* bégayer.

**trastada** *f FAM* mauvais tour *m,* tour *m* de cochon: **hacer una ~** jouer un mauvais tour.

**trastazo** *m* coup ◊ *(al caerse)* **pegarse un ~** se casser la figure.

**traste** *m* **1.** *(de la guitarra, etc.)* touchette *f* **2. dar al ~ con** détruire, anéantir, mettre par terre; **irse al ~** échouer, rater, tomber à l'eau **3.** *AMER (trasero)* derrière, postérieur.

**trastear** *vi/t* fouiller, mettre sens dessus dessous. ◇ *vt* **1.** *(tocar la guitarra, etc.)* jouer de **2.** *TAUROM* faire des passes de cape (à un taureau) **3.** *FIG (a alguien)* manœuvrer.

**trasteo** *m* **1.** *TAUROM* série *f* de passes **2.** *FIG* conduite *f* habile, manœuvre *f* habile.

**trastera** *f,* **trastero** *m (cuarto)* débarras *m.*

**trastienda** *f* **1.** arrière-boutique **2.** *FIG* prudence, ruse, savoir-faire *m.*

**trasto** *m* **1.** vieux meuble **2.** *(cosa inútil)* truc inutile, vieillerie *f,* saleté *f* **3.** *(persona)* propre-à-rien. ◇ *pl* **1.** engins, accessoires, attirail *sing:* **los trastos de pescar** les engins de pêche **2.** *FAM* **tirarse los trastos a la cabeza** se disputer, se chamailler, s'engueuler, se bouffer le nez.

**trastocar*** *vt* déranger.

**trastornar** *vt* **1.** mettre sens dessus dessous, bouleverser **2.** *FIG* troubler, bouleverser, perturber: **~ el orden público** troubler l'ordre public **3.** *(a alguien)* faire perdre la raison, la tête. ◆ **~se** *vpr (volverse loco)* perdre la tête, la raison.

**trastorno** *m* **1.** bouleversement **2.** trouble, désordre **3.** *(de la salud)* trouble: **trastornos del carácter** troubles caractériels; **trastornos del sueño** troubles du sommeil; **trastornos gastrointestinales** troubles gastro-intestinaux.

**trastrabillar → trastabillar.**

**trastrocar*** *vt* transformer, changer.

**trastrueque** *m* transformation *f,* changement.

**trasudar** *vi* suer légèrement.

**trasudor** *m* sueur *f* légère.

**trasunto** *m* **1.** *(de un escrito)* copie *f* **2.** *(representación exacta)* représentation *f,* image *f* fidèle.

**trasvasar → transvasar.**

**trasvase → transvase.**

**trasversal → transversal.**

**trata** *f* traite: **~ de negros, de blancas** traite des Nègres, des Blanches.

**tratable** *a* **1.** traitable **2.** *(amable)* aimable, affable.

**tratadista** *s* auteur de traités.

**tratado** *m* **1.** traité: **firmar un ~ de paz** signer un traité de paix **2.** *(escrito)* traité.

**tratamiento** *m* **1.** traitement: **~ con antibióticos** traitement aux antibiotiques; **~ de shock** traitement de choc; **instalaciones para el ~ del uranio** installations pour le traitement de l'uranium; **~ de belleza** traitement de beauté; **~ de textos** traitement de texte(s) **2.** *(de cortesía)* titre **3. ~ de tú, de usted** tutoiement, vouvoiement ◊ **apear el ~ → apear.**

**tratante** *m* marchand, négociant.

**tratar** *vt/i* **1.** *(bien o mal, un asunto, etc.)* traiter: **el sentimiento de ser tratado como un objeto** le sentiment d'être traité comme un objet **2.** *(tener trato)* fréquenter: **no trato con él** je ne le fréquente pas; **le gusta ~ con gente joven** il aime fréquenter les jeunes **3.** *(una sustancia)* traiter **4. ~ de** traiter de: **no me gusta que me traten de mentiroso** je n'aime pas qu'on me traite de menteur ◊ **~ de tú, de usted** tutoyer, vouvoyer. ◇ *vi* **1. ~ de, sobre** traiter de: **libro que trata de las costumbres de...** livre qui traite des coutumes de... **2. ~ de** *(+ infinitivo)* essayer de, tâcher de: **trataré de convencerle** j'essaierai de le convaincre; **trató de consolarla** il essaya de la consoler **3. ~ en** faire le commerce de, négocier en. ◆ **~se** *vpr* **1.** *(impersonal)* s'agir: **¿de qué se trata?** de quoi s'agit-il?; **se trata de...** il s'agit de...; **si sólo se trataba de eso** s'il ne s'agissait que de cela **2. tratarse con alguien** fréquenter quelqu'un **3.** se fréquenter: **hace tiempo que nos tratamos** il y a longtemps que nous nous fréquentons.

**tratativas** *f pl AMER* négociations.

**trato** *m* **1.** *(manera de tratar a alguien)* traitement: **malos tratos** mauvais traitements; **~ preferente** traitement préférentiel ◊ **el ~ que recibí...** l'accueil que j'ai reçu, la façon dont j'ai été traité...; **una persona de ~ muy amable** une personne très aimable (dans sa manière d'être); **~ de gentes** entregent **2.** relations *f pl,* fréquentations *f pl* **3.** *(convenio)* marché: **¡~ hecho!** marché conclu!

**trauma** *m* traumatisme.

**traumático, a** *a* traumatique.

**traumatismo** *m* traumatisme.

**traumatizante** *a* traumatisant, e.

**traumatizar** *vt* traumatiser.

**traumatología** *f* traumatologie.

**traumatólogo, a** *s* traumatologiste.

**través** *m* **1.** *(inclinación)* travers **2.** *FIG (desgracia)* revers, malheur **3.** *loc adv* **al ~** en travers; **de ~** de travers: **mirar de ~** regarder de travers **4.** *loc prep* **a ~ de** à travers, au travers de; **a ~ de los cristales** à travers la vitre; *(por medio de)* par le canal de: **a ~ de una agencia** par l'intermédiaire d'une agence; **el presidente pronunciará una alocución a ~ de la radio y la televisión** le président prononcera une allocution à la radio et à la télévision **5.** *MAR* **dar al ~** échouer **6. dar al ~ con** faire échouer.

**travesaño** *m* **1.** *(de madera, etc.)* traverse *f,* croisillon **2.** *(almohada)* traversin.

**travesear** *vi* mener une vie déréglée.

**travesía** *f* **1.** *(viaje por mar o aire)* traversée **2.** chemin *m* de traverse **3.** *(carretera)* tronçon *m* de route traversant une agglomération **4.** *FIG* **la ~ del desierto** la traversée du désert **5.** *AMER* grande étendue désertique.

**travestí, travesti, travestido** *m* travesti.

**travesura** *f* **1.** espièglerie, polissonnerie **2.** vivacité d'esprit.

**traviesa** *f (de vía férrea)* traverse.

**travieso, a** *a* **1.** mis, e en travers **2.** *(malicioso)* espiègle, coquin, e; *(inquieto)* turbulent, e: **es ~ como todos los niños de su edad** il est espiègle comme tous les enfants de son âge **3. a campo traviesa** à travers champs.

**trayecto** *m* trajet, parcours.

**trayectoria** *f* trajectoire.

**traza** *f* **1.** *(plano)* plan *m* **2.** *(aspecto)* air *m,* aspect *m,* apparence ◊ **llevar trazas de** avoir l'air de; **la cuestión no lleva, no tiene trazas de resolverse** la question ne semble pas près d'être résolue; **el conflicto no lleva trazas de disminuir** le conflit n'a pas l'air de vouloir s'apaiser; **por las trazas** apparemment.

**trazado** *m* **1.** *(de un camino, etc.)* tracé **2.** *(acción)* traçage.

**trazador, a** *a* **bala trazadora** balle traçante. ◇ *m* traceur.

**trazar** *vt* **1.** tracer **2.** *(línea, plano)* tirer **3.** *FIG (describir)* tracer.

**trazo** *m* **1.** trait, ligne *f* **2.** *(del ropaje)* pli.

**trébedes** *f pl* trépied *m sing.*

**trebejo** *m* **1.** ustensile **2.** *(ajedrez)* pièce *f* (du jeu d'échecs).

**trébol** *m* trèfle: **un ~ de cuatro hojas** un trèfle à quatre feuilles.

**trece** *a/m* **1.** treize: **el ~ de octubre** le treize octobre; **ser ~ en la mesa** être treize à table ◊ *FAM* **mantenerse en sus ~** rester sur ses positions, ne pas céder; **sigue en sus ~** il ne veut pas en démordre **2. el siglo ~** le treizième siècle.

**trecho** *m* **1.** espace, distance *f:* **para llegar, aún nos queda un buen ~** pour arriver, il nous reste encore un bon bout de chemin **2.** *(de tiempo)* intervalle **3.** *loc adv* **a trechos** par intervalles; **de ~ en ~** de loin en loin.

**tredécimo, a** *a* treizième.

**trefilado** *m TECN* tréfilage.

**trefilar** *vt TECN* tréfiler.

**trefilería** *f TECN* tréfilerie.

**tregua** *f* **1.** trêve **2.** *FIG* répit *m,* trêve ◊ **no dar ~** ne laisser aucun répit **3.** *HIST* **~ de Dios** trêve de Dieu.

**treinta** *a/m* **1.** trente: **el ~ de diciembre** le trente décembre; **~ y dos, ~ y tres...** trente-deux, trente-trois... **2.** *(juegos)* **~ y cuarenta** trente-et-quarante; **~ y una** trente et un.

**treintavo, a** *a/m* trentième.

**treintena** *f* **1.** trentaine **2.** *(parte)* trentième *m.*

**treinteno, a** *a* trentième.

**tremebundo, a** *a* épouvantable.

**tremedal** *m* marécage bourbeux qui tremble sous les pas, bourbier.

**tremendo, a** *a* **1.** terrible, formidable **2.** *FAM* énorme, monumental, e: **una estupidez tremenda** une bêtise monumentale **3.** *FAM* **se lo ha tomado a la tremenda** il en a fait toute une histoire, il a pris ça très mal; **echar por la tremenda** s'emporter.

**trementina** *f* térébenthine.

**tremolar** *vt* arborer, faire flotter. ◇ *vi* flotter, ondoyer (en parlant d'un drapeau).

**tremolina** *f* **1.** vent *m* violent qui siffle **2.** *FIG* vacarme *m,* boucan *m,* chambard *m.*

**trémolo** *m MÚS* trémolo.

**trémulo, a** *a* tremblant, e.

**tren** *m* **1.** train: **viajar en ~** voyager par le train; **~ de mercancías** train de marchandises; **~ mixto** train mixte; **~ de alta velocidad** train à grande vitesse ◊ **~ botijo** train de plaisir; **~ carreta** tortillard; **¡al ~!** en voiture! **2. ~ de aterrizaje** train d'atterrissage **3.** *FÍS* **~ de ondas** train d'ondes **4.** *FIG* **~ de vida** train de vie **5.** *FIG* **vivir a todo ~** mener grand train, vivre sur un grand pied, vivre largement, à grandes guides **6.** *FAM* **¡está como un ~, la rubia!** elle est canon, la blonde!

**trena** *f FAM (cárcel)* prison, taule, bloc *m:* **meter en la ~** mettre en taule, au bloc.

**trenca** *f (abrigo)* duffle-coat *m.*

**trencilla** *f* galon *m* étroit.

**treno** *m* thrène.

**Trento** *np* Trente.

**trenza** *f* **1.** tresse **2.** *(de pelo)* natte, tresse.

**trenzado** *m* **1.** *(acción)* tressage **2.** *(en la danza)* entrechat.

**trenzar** *vt* tresser, natter. ◇ *vi (en la danza)* faire des entrechats. ◆ **~se** *vpr AMER* **1.** lutter corps à corps **2.** *(en una discusión)* se disputer.

**trepa** *f* **1.** escalade **2.** culbute **3.** *(ardid)* ruse. ◇ *s FAM (arribista)* arriviste.

**trepado** *m* ligne *f* de trous, pointillé.

**trepador, a** *a* **1.** *BOT* grimpant, e **2.** grimpeur, euse. ◇ *s FIG (arribista)* arriviste. ◇ *f pl ZOOL* grimpeurs *m.*

**trepanación** *f* trépanation.

**trepanar** *vt* trépaner.

**trépano** *m* trépan.

**trepar** *vi* grimper: **~ a un árbol, por una pared** grimper à un arbre, le long d'un mur.

**trepe** *m FAM* **1.** *(reprimenda)* engueulade *f* **2. armar un ~** faire une scène.

**trepidación** *f* trépidation.

**trepidante** *a* trépidant.

**trepidar** *vi* **1.** *(temblar)* trépider **2.** *AMER (vacilar)* hésiter.

**treponema** *m* tréponème.

**tres** *a/m* **1.** trois: **el ~ de agosto** le trois août; **son las ~** il est trois heures; **regla de ~** règle de trois **2. ~ en raya** marelle *f* **3. ~ cuarto** trois-quarts **4. de ~ al cuarto → cuarto 5. como ~ y dos son cinco** aussi sûr que deux et deux font quatre; **no conseguí abrir la puerta, ni a la de ~** je ne suis pas arrivé à ouvrir la porte, il n'y a rien eu à faire; **no ver ~ en un burro → burro.**

**tresbolillo (al)** *loc adv* en quinconce.

**trescientos, as** *a/s* trois cents.

**tresillista** *s* joueur, euse de «tresillo».

**tresillo** *m* **1.** *(juego de naipes)* hombre, jeu de cartes espagnol **2.** *(muebles)* ensemble composé d'un canapé et de deux fauteuils, salon **3.** *MÚS* triolet.

**tresnal** *m* meule *f,* gerbier.

**treta** *f* **1.** ruse, artifice *m* **2.** *(esgrima)* feinte.

**Tréveris** *np* Trèves.

**trezavo, a** *a/m* treizième.

**tría** *f* triage *m,* tri *m.*

**triaca** *f FIG* remède *m.*

**tríada** *f* triade.

**trial** *m (prueba motociclista)* trial.

**triangulación** *f* triangulation.

**triangular** *a* triangulaire.

**triángulo** *m* **1.** triangle **2.** *MÚS* triangle.

**triar** *vt* trier.

**triásico, a** *a GEOL* triasique. ◇ *m* trias.

**tribal** *a* tribal, e.

**triboelectricidad** *f* triboélectricité.

**tribu** *f* tribu.

**tribulación** *f* tribulation.

**tribuna** *f* tribune.

**tribunal** *m* **1.** tribunal **2.** cour *f:* **~ de casación** Cour de cassation; **~ de Cuentas** Cour des comptes; **~ Supremo** Cour suprême **3.** *(en un concurso, etc.)* jury: **~ de examen** jury d'examen **4. pasar por el ~ médico** passer un examen médical.

**tribuno** *m* tribun.

**tributación** *f* **1.** paiement *m* d'un tribut, d'un impôt **2.** fiscalisation **3.** *(sistema)* fiscalité.

**tributar** *vt* **1.** payer (un impôt, une redevance) **2.** *FIG (respeto, gratitud)* témoigner **3. ~ un homenaje** rendre un hommage.

**tributario, a** *a* **1.** tributaire **2.** fiscal, e: **reforma tributaria** réforme fiscale; **la política tributaria** la politique fiscale; **el sistema ~** le système fiscal, la fiscalité.

**tributo** *m* **1.** tribut **2.** *(impuesto)* impôt.

**tricentenario** *m* tricentenaire.

**tricentésimo, a** *a/s* trois centième.

**tríceps** *m ANAT* triceps.

**triciclo** *m* tricycle.

**tricolor** *a* tricolore.

**tricornio** *a/m* tricorne.

**tricota** *f AMER* pull-over *m,* pull *m,* chandail *m.*

**tricotar** *vt* tricoter.

**tricotosa** *f* tricoteuse, machine à tricoter.

**tricromía** *f* trichromie.

**tridente** *m* trident.

**tridentino, a** *a/s* tridentin, e, de Trente.

**tridimensional** *a* tridimensionnel, elle, à trois dimensions.

**triedro** *m* trièdre.

**trienal** *a* triennal, e.

**trifásico, a** *a ELECT* triphasé, e.

**triforio** *m ARQ* triforium.

**trifulca** *f FAM (pelea)* dispute, bagarre.

**trigal** *m* champ de blé.

**trigémino** *m* ANAT trijumeau.

**trigésimo, a** *a/s* trentième.

**trigo** *m* **1.** blé **2.** **~ sarraceno** blé noir, sarrasin **3.** FAM **este negocio no es ~ limpio** cette affaire est louche; **ese tío no era ~ limpio** ce type était suspect **4.** FAM *(dinero)* blé, fric.

**trigonometría** *f* trigonométrie.

**trigonométrico, a** *a* trigonométrique.

**trigueño, a** *a* blond doré, brun clair.

**triguero, a** *a* **1.** de blé, du blé: **producción triguera** production de blé **2.** *(tierra)* à blé **3.** **espárrago ~ → espárrago.** ◇ *m* marchand de blé.

**trilingüe** *a* trilingue.

**trilla** *f* AGR battage *m,* dépiquage *m.*

**trillado, a** *a* **1.** FIG *(asunto)* rebattu, e, banal, e **2.** **camino ~** chemin battu.

**trilladora** *f* AGR batteuse.

**trillar** *vt* AGR battre, dépiquer.

**trillizos, as** *s pl* triplés, ées.

**trillo** *m* **1.** AGR herse *f* à dépiquer **2.** AMER *(senda)* sentier.

**trillón** *m* trillion.

**trilobulado, a** *a* trilobé, e.

**trilogía** *f* trilogie.

**trimarán** *m* trimaran.

**trimestral** *a* trimestriel, elle.

**trimestralmente** *adv* trimestriellement.

**trimestre** *m* trimestre.

**trimotor** *a/m* trimoteur.

**trinar** *vi* **1.** faire des trilles **2.** FAM **está que trina** il est furieux, il est furibard, il voit rouge.

**trinca** *f* **1.** ensemble *m* de trois choses **2.** groupe *m* de trois candidats à une place **3.** MAR amarre, nœud *m.*

**[1]trincar** *vt* **1.** casser, déchiqueter **2.** *(atar)* attacher solidement, ligoter **3.** FAM *(apresar)* attraper, pincer **4.** FAM *(robar)* piquer.

**[2]trincar** *vt/pr* FAM *(beber)* siffler, écluser: **se trincó media botella de coñac** il a sifflé une demi-bouteille de cognac.

**trincha** *f (de ciertos vestidos)* patte.

**trinchante** *m* **1.** celui qui découpe les mets **2.** *(tenedor)* fourchette *f* à découper **3.** *(mueble)* desserte *f.*

**trinchar** *vt* découper, couper.

**trinchera** *f* **1.** *(zanja)* tranchée **2.** *(prenda)* trench-coat *m.*

**trinchero** *m (mueble)* desserte *f.*

**trineo** *m* traîneau.

**trinidad** *f* trinité ◇ **la Santísima Trinidad** la sainte Trinité.

**trinitario, a** *a/s (religioso)* trinitaire. ◇ *f (planta)* pensée.

**trino** *m* trille *f,* roulade *f.*

**trinomio** *m* trinôme.

**trinquete** *m* **1.** AMER *(vela)* misaine *f; (palo)* mât de misaine **2.** TECN cliquet.

**trío** *m* trio.

**trip** *m (de un drogadicto)* trip.

**tripa** *f* **1.** *(intestino)* tripe, boyau *m* ◇ FIG **echar las tripas** rendre tripes et boyaux; **hacer de tripas corazón** prendre son courage à deux mains, faire de nécessité vertu, faire contre mauvaise fortune bon cœur; **revolver las tripas** soulever le cœur; **sacar la ~ de mal año** se gaver, manger plus que d'habitude **2.** *(vientre)* ventre *m,* tripes *pl:* **dolor de tripas** mal au ventre, aux tripes ◇ FAM **echar ~** prendre du ventre **3.** **cuerda de ~** boyau *m* **4.** *(de un cigarro puro)* tripe **5.** *(de una vasija)* panse.

**tripanosoma** *m* trypanosome.

**tripartito, a** *a* tripartite, triparti, e: **negociaciones tripartitas** des négociations tripartites.

**tripería** *f (tienda)* triperie.

**tripero, a** *s* tripier, ère. ◇ *m (paño)* ceinture *f* de flanelle.

**tripicallos** *m pl* tripes *f.*

**triple** *a/m* triple.

**triplicado** *m* **por ~** en triple exemplaire.

**triplicar** *vt* tripler. ◆ **~se** *vpr* tripler: **el número de turistas se ha triplicado** le nombre de touristes a triplé.

**triplo, a** *a/m* triple.

**trípode** *m* trépied.

**Trípoli** *np* Tripoli.

**Tripolitania** *np f* Tripolitaine.

**tripón, ona → tripudo.**

**tríptico** *m* triptyque.

**triptongo** *m* triphtongue *f.*

**tripudo, a** *a* ventru, e, ventripotent, e.

**tripulación** *f* équipage *m:* **la ~ de un barco, de un avión** l'équipage d'un bateau, d'un avion.

**tripulante** *s* membre de l'équipage.

**tripular** *vt* **1.** équiper **2.** *(formar parte de la tripulación)* faire partie de l'équipage de **3.** *(conducir)* piloter **4.** **satélite tripulado** satellite habité.

**trique** *m (estallido)* petit craquement.

**triquina** *f* trichine.

**triquinosis** *f* MED trichinose.

**triquiñuela** *f (ardid)* ruse, stratagème *m,* astuce, subterfuge *m.*

**triquitraque** *m* **1.** *(ruido)* bruit de coups répétés, tacatac **2.** *(cohete)* pétard.

**trirreme** *m* trirème *f.*

**tris** *m* FAM **estuvimos en un ~ de perder el tren** il s'en est fallu d'un rien, d'un cheveu que nous rations notre train; **en un ~ de casarse** à deux doigts de se marier.

**triscar** *vi* **1.** *(saltar)* gambader **2.** *(retozar)* s'ébattre, folâtrer.

**trisomía** *f* MED trisomie.

**triste** *a* **1.** triste: **a mí me pone ~ verla así** ça me rend triste de la voir ainsi; **no te pongas ~** ne sois pas triste, ne prends pas cet air triste **2.** *(insignificante)* malheureux, euse, misérable ◇ FAM **ni un ~...** pas le moindre... ◇ *m* AMER chanson *f* populaire aux accents mélancoliques.

**tristemente** *adv* tristement.

**tristeza** *f* **1.** tristesse **2.** **dar ~** rendre triste.

**tristón, ona** *a* un peu triste, morose, tristounet, ette: **un ambiente ~** un ambiance tristounette.

**tristura → tristeza.**

**tritón** *m* triton.

**trituración** *f* trituration, broyage *m.*

**triturar** *vt* triturer, broyer.

**triunfador, a** *s* triomphateur, trice.

**triunfal** *a* triomphal, e.

**triunfalismo** *m* triomphalisme.

**triunfalista** *a* triomphaliste.

**triunfalmente** *adv* triomphalement.

**triunfante** *a* triomphant, e.

**triunfar** *vi* **1.** triompher **2.** **~ sobre una dificultad** triompher d'une difficulté **3.** *(en naipes)* couper avec un atout.

**triunfo** *m* **1.** triomphe **2.** *(en naipes)* atout **3.** *AMER* danse *f* populaire d'Argentine.

**triunvirato** *m* triumvirat.

**triunviro** *m* triumvir.

**trivalente** *a* trivalent, e.

**trivial** *a* banal, e, insignifiant, e.

**trivialidad** *f* banalité.

**trivializar** *vt* ôter de l'importance à, de l'originalité à, minimiser.

**triza** *f* petit morceau *m*, miette: **hacer trizas** mettre en morceaux, réduire en miettes ◊ *FAM* **estar hecho trizas** *(cansado)* être crevé.

**trocánter** *m ANAT* trochanter.

**trocar*** *vt* **1.** échanger, troquer **2.** *(convertir)* changer: **~ en** changer en **3. ~ los papeles** inverser, intervertir les rôles. ◆ **~se** *vpr* changer.

**trocear** *vt* couper en morceaux: **hongos troceados** champignons coupés en morceaux.

**trocha** *f* **1.** sentier *m* **2.** *(atajo)* raccourci *m* **3.** *AMER (ancho)* écartement *m* (d'une voie ferrée); empattement *m* (des roues d'un véhicule).

**trochemoche (a), troche y moche (a)** *loc adv FAM* à tort et à travers, à l'étourdie.

**trocito** *m* petit morceau.

**trofeo** *m* trophée.

**troglodita** *a/s* troglodyte. ◇ *m (pájaro)* troglodyte.

**troglodítico, a** *a* troglodytique.

**troica** *f* troïka.

**troj, troje** *f* grenier *m* (à grains, etc.).

**troja** *f AMER* **1.** grenier *m* **2.** *(zarzo)* claie.

**trola** *f FAM* mensonge *m*, blague.

**trole** *m* trolley.

**trolebús** *m* trolleybus.

**trolero, a** *a/s FAM* menteur, euse.

**tromba** *f* trombe ◊ **~ de agua** trombe d'eau.

**trombo** *m (coágulo de sangre)* thrombus.

**trombón** *m* trombone: **~ de pistones, de varas** trombone à pistons, à coulisse.

**trombosis** *f MED* thrombose.

**trompa** *f* **1.** *(instrumento músico)* trompe, cor *m*: **~ de caza** trompe de chasse **2.** *(de elefante, de ciertos insectos)* trompe **3.** *FIG (nariz)* gros nez *m* **4.** *(juguete)* toupie *f* **5.** *ANAT* trompe: **~ de Eustaquio, de Falopio** trompe d'Eustache, de Fallope **6.** *ARQ* trompe **7.** *FAM (borrachera)* cuite: **coger una ~** prendre une cuite; **estar ~** être paf; **está ~ perdido** il est complètement rond, bourré. ◇ *m (músico)* cor.

**trompada** *f*, **trompazo** *m* **1.** *(golpe)* coup *m*, choc *m*: **darse un trompazo con** se cogner contre **2.** *(puñetazo)* coup *m* de poing, marron *m*.

**trompearse** *vpr AMER* se battre, se bigorner.

**trompeta** *f* trompette. ◇ *m* **1.** *(músico)* trompettiste **2.** *(soldado)* trompette, clairon.

**trompetazo** *m* coup de trompette.

**trompetilla** *f* cornet *m* acoustique.

**trompetista** *s* trompettiste.

**trompicar** *vi* trébucher. ◇ *vt* faire trébucher.

**trompicón** *m* **1.** faux pas **2.** *loc adv* **a trompicones** par à-coups, à grand-peine: **hablaba a trompicones** il parlait par à-coups, d'une voix saccadée.

**trompis** *m FAM* coup de poing, marron.

**trompo** *m (peonza)* toupie *f*.

**trompudo, a** *a AMER* lippu, e.

**tronada** *f* orage *m*.

**tronado, a** *a* **1.** *(deteriorado)* usé, e, rapé, e **2.** *FAM (sin dinero)* **estar ~** être fauché, e, être dans la dèche.

**tronar*** *v impers/vi* **1.** tonner: **estuvo tronando toda la noche** il a tonné toute la nuit; **truena el cañón** le canon tonne **2.** *FIG* **~ contra** tonner contre **3. por lo que pueda ~** au cas où. ◇ *vt AMER* **1.** tirer **2.** tuer.

**troncha** *f AMER* **1.** *(tajada)* tranche **2.** sinécure, fromage *m*.

**tronchante** *a FAM* tordant, e.

**tronchar** *vt* casser, briser. ◆ **~se** *vpr FAM* **troncharse de risa** se tordre de rire, se fendre la pipe, se marrer, se bidonner.

**troncho** *m* trognon.

**tronco** *m* **1.** *(de un árbol, del cuerpo humano)* tronc ◊ *FIG* **dormir como un ~** dormir comme une souche **2.** *(de una familia)* souche *f* **3.** *(de caballos)* paire *f*, attelage **4. ~ de cono** tronc de cône.

**tronera** *f* **1.** *(en las fortificaciones)* meurtrière **2.** *(de billar)* blouse. ◇ *s (persona)* tête brûlée, noceur, euse.

**tronido** *m* coup de tonnerre.

**tronío** *m FAM* ostentation *f*, épate *f*.

**trono** *m* trône.

**tronzador** *m* scie *f* à tronçonner, tronçonneuse *f*.

**tronzar** *vt* **1.** tronçonner **2.** *(cansar)* éreinter.

**tropa** *f* **1.** troupe **2.** *AMER (de ganado)* troupeau *m*. ◇ *pl MIL* troupes.

**tropear** *vi AMER* conduire des troupeaux.

**tropel** *m* **1.** *(de gente)* foule *f*, cohue *f* **2.** *(prisa)* hâte *f*, précipitation *f* **3. en ~** en foule, à la hâte.

**tropelía** *f* **1.** violence **2.** abus *m* (de pouvoir), acte *m* illégal.

**tropero** *m AMER* conducteur de troupeaux.

**tropezar*** *vi* **1.** trébucher, buter **2.** se heurter, buter: **~ con una dificultad** se heurter à, buter sur une difficulté **3.** *FIG* rencontrer par hasard, tomber sur: **tropecé con él a la salida del concierto** je suis tombé sur lui à la sortie du concert; **he vagado por las calles sin ~ con nadie** j'ai traîné dans les rues sans rencontrer personne. ◆ **~se** *vpr* se rencontrer, se trouver nez à nez.

**tropezón** *m* **1.** faux pas: **dar un ~** faire un faux pas **2. a tropezones** avec difficulté, par à-coups. ◇ *pl* petits morceaux de viande.

**tropical** *a* tropical, e: **países tropicales** pays tropicaux.

**trópico** *m* tropique: **~ de Cáncer, de Capricornio** tropique du Cancer, du Capricorne.

**tropiezo** *m* **1.** *(falta)* faux pas, faute *f*: **dar un ~** faire un faux pas **2.** *(dificultad)* difficulté *f*, obstacle **3.** contretemps **4.** dispute *f*.

**tropilla** *f AMER* troupeau *m* (de chevaux guidés par une jument dressée).

**tropismo** *m* tropisme.

**tropo** *m (retórica)* trope.

**troposfera** *f* troposphère.

**troquel** *m* coin.

**troquelar** *vt* **1.** *(monedas)* frapper **2.** *(cartón)* découper.

**troqueo** *m (en poesía)* trochée.

**trotaconventos** *f LIT* entremetteuse.

**trotador, a** *a/s* trotteur, euse.

**trotamundos** *s* globe-trotter, bourlingueur, euse.

**trotar** *vi* trotter.

**trote** *m* **1.** trot ◊ **al ~** au trot; **~ cochinero** petit trot **2.** *FIG* travail pénible ◊ **ya no estoy para tantos trotes** ce n'est plus de mon âge, je n'en ai plus la force, je ne peux plus suivre le rythme **3. de mucho ~** très résistant, e: **para todo ~** pour tous les jours **4.** *FAM (enredo)* histoire *f*, affaire *f* compliquée.

**trotón, ona** *a/s (caballo)* trotteur, euse. ◇ *f* dame de compagnie.

**trotskista** *a/s* trotskiste.

**troupe** *f* troupe (de comédiens).

**trova** *f* **1.** vers *m* **2.** *(poesía)* poésie **3.** chanson d'amour (des troubadours).

**trovador, a** *s* poète, poétesse. ◇ *m (provenzal)* troubadour.

**trovadoresco, a** *a* des troubadours.

**trovar** *vi* faire des vers.

**trovero** *m* trouvère.

**Troya** *np* Troie: **el caballo de ~** le cheval de Troie ◊ *FIG* **allí fue ~** les choses se sont alors gâtées; **aunque arda ~** quoi qu'il arrive; **arda ~** advienne que pourra.

**troyano, a** *a/s* troyen, enne.

**trozo** *m* **1.** morceau **2. ~ musical** morceau de musique; **trozos escogidos** morceaux choisis **3. un ~ de vida** une tranche de vie.

**trucaje** *m* truquage, trucage.

**trucar** *vt* truquer.

**trucha** *f* **1.** truite: **~ arco iris** truite arc-en-ciel ◊ *PROV* **no se pescan truchas a bragas enjutas** on n'a rien sans peine, on ne fait pas d'omelette sans casser des œufs **2.** *AMER (belfo)* lippe.

**truchimán** *m* **1.** truchement, interprète **2.** *FIG* coquin, malin.

**truchuela** *f* **1.** petite truite, truitelle **2.** *(bacalao)* morue séchée.

**truco** *m* **1.** truc ◊ **coger el ~** trouver le truc, piger **2.** *(de mago)* tour de magie, truc **3.** *(cinematográfico)* truquage.

**truculencia** *f* horreur, cruauté.

**truculento, a** *a* horrible, terrifiant, e.

**trueco → trueque, trocar.**

**trueno** *m* **1.** tonnerre, coup de tonnerre **2.** *(de un arma o cohete)* détonation *f* **3.** *FIG* écervelé, e.

**trueque** *m* échange, troc ◊ **a ~** en échange.

**trufa** *f* **1.** truffe **2.** *FIG* mensonge *m*.

**trufar** *vt* truffer: **capón trufado** chapon truffé.

**truhán, ana** *s* **1.** *(granuja)* truand, e, escroc **2.** *ANT* bouffon, onne.

**truhanería** *f* **1.** friponnerie **2.** *ANT* bouffonnerie, farce.

**trujamán** *m* **1.** interprète **2.** conseiller.

[1]**trullo** *m (ave)* sarcelle *f*.

[2]**trullo** *m POP (cárcel)* taule *f*: **estar en el ~** être en taule.

**truncado, a** *a* tronqué, e: **cono ~** cône tronqué.

**truncamiento** *m* action *f* de tronquer, de briser.

**truncar** *vt* **1.** *(texto, etc.)* tronquer **2.** *FIG (esperanzas, etc.)* briser, *(ilusiones)* ruiner.

**trupial → turpial.**

**truque** *m* jeu de cartes.

**trusa** *f AMER* **1.** *(braga)* culotte **2.** *(traje de baño)* maillot *m* de bain.

**trust** *m* trust.

**truza** *f AMER* **→trusa.**

**tse-tsé** *f* tsé-tsé.

[1]**tú** *pron pers* **1.** *(forma átona)* tu: **~ eres** tu es **2.** *(forma tónica y con prep.)* toi: **¡~ te callas!** toi, tu te tais; **¡~ mandas!** c'est toi qui commandes!; **¡y me lo dices ~!** et c'est toi qui me dis ça!; **¿~, qué opinas?** qu'est-ce que tu en penses, toi?; **excepto ~** sauf toi; **según ~** d'après toi **3. tratarse de ~** se tutoyer.

[2]**tu, tus** *a pos* ton, ta, tes: **~ hermano** ton frère; **~ hermana** ta sœur; **tus hijos** tes enfants.

**tuba** *f (instrumento de viento)* tuba *m*.

**tuberculina** *f* tuberculine.

**tubérculo** *m* tubercule.

**tuberculosis** *f* tuberculose.

**tuberculoso, a** *a/s* tuberculeux, euse.

**tubería** *f* **1.** *(conjunto de tubos)* tuyauterie **2.** *(tubo)* conduite.

**tuberoso, a** *a/f* tubéreux, euse.

**tubo** *m* **1.** tube: **~ de ensayo** tube à essai; **~ de néon** tube au néon; **~ de pasta dentífrica** tube de pâte dentifrice **2.** *(para transportar fluidos)* tuyau: **~ de desagüe** tuyau de vidange **3. ~ de escape** tuyau d'échappement **4.** *ANAT* **~ digestivo** tube digestif **5.** *AMER* écouteur (du téléphone): **colgó el ~** il raccrocha.

**tubular** *a* tubulaire. ◇ *m (neumático)* boyau.

**tucán** *m* toucan.

**Tucídides** *np m* Thucydide.

**tuco, a** *a AMER* manchot, e. ◇ *m* **1.** *(insecto)* luciole *f* **2.** *(búho)* hibou **3.** sauce *f* tomate.

**tucutuco** *m AMER* sorte de taupe *f*.

**tudesco, a** *a* tudesque.

**tuerca** *f* écrou *m* ◊ *FIG* **un apretón de ~** un tour de vis; **apretar las tuercas a alguien** serrer la vis à quelqu'un.

**tuerto, a** *a/s* borgne. ◇ *a (torcido)* tordu, e. ◇ *m ANT (agravio)* tort, outrage.

**tuesta, tueste → tostar.**

**tueste** *m (tostadura)* grillage, torréfaction *f*.

**tuétano** *m* **1.** moelle *f* **2.** *FIG* **hasta los tuétanos** jusqu'à la moelle (des os), jusqu'au bout des ongles.

**tufarada** *f* bouffée.

**tufillas** *s FAM* personne irritable, soupe au lait.

[1]**tufo** *m* **1.** émanation *f* **2.** *(olor)* odeur *f* forte et désagréable **3.** *FIG (vanidad)* orgueil, prétention *f*: **tener muchos tufos** être très prétentieux, euse, gonflé, e d'orgueil.

[2]**tufo** *m (mechón de pelo)* favori, mèche *f* de cheveux (devant l'oreille).

**tugurio** *m* **1.** *(vivienda miserable)* taudis **2.** *(de pastores)* cabane *f*.

**tul** *m* tulle.

**tule** *m AMER* sorte de jonc.

**tulipa** *f* **1.** petite tulipe **2.** *(pantalla)* tulipe.

**tulipán** *m (planta, flor)* tulipe *f*.

**tulipero** *m* tulipier.

**Tullerías** *np f pl* Tuileries.

**tullido, a** *a/s* perclus, e, impotent, e, infirme.

**tullir*** *vt* rendre impotent, e, paralyser.

[1]**tumba** *f* tombe, tombeau *m* ◊ **a ~ abierta** à tombeau ouvert.

[2]**tumba** *f AMER* **1.** *(de árboles)* coupe, abattage *m* **2.** *(carne)* viande bouillie, bidoche.

**tumbado** *m AMER* plafond.

**tumbal** *a* tombal, e.

**tumbar** *vt* **1.** *(derribar)* renverser, faire tomber **2.** *FAM (en un examen)* étendre, coller. ◆ **~se** *vpr* **1.** s'allonger, s'étendre, se coucher: **túmbese boca arriba** allongez-vous sur le dos; **se tumbó de espaldas** il s'étendit sur le dos; **tumbarse al sol** s'étendre au soleil **2.** *(con abandono)* se vautrer: **tumbado en un sofá** vautré sur un canapé.

**tumbilla** *f (de la cama)* moine *m*.

**tumbo** *m* **1.** *(de un vehículo)* cahot: **dar tumbos** cahoter **2.** *FIG* **dando tumbos** cahin-caha.

[1]**tumbón, ona** *a/s (holgazán)* paresseux, euse.

[2]**tumbona** *f (silla extensible)* chaise longue, transat *m*.

**tumefacción** *f* tuméfaction.

**tumefacto, a** *a* tuméfié, e.

**tumescencia** *f* tumescence.

**tumor** *m* tumeur *f*: **un ~ benigno, maligno** une tumeur bénigne, maligne.

**túmulo** *m* **1.** tumulus **2.** *(sepulcro)* tombeau **3.** *(armazón)* catafalque.

**tumulto** *m* **1.** tumulte **2.** bousculade *f*, cohue *f*: **se formó un ~ ante la puerta** une bousculade s'est produite devant la porte.

**tumultuoso, a** *a* tumultueux, euse.

[1]**tuna** *f* **1.** *(nopal)* figuier *m* de Barbarie, nopal *m* **2.** *(higo)* figue de Barbarie.

[2]**tuna** *f* **1.** vagabondage *m*, vie de vagabond: **correr la ~** vagabonder **2.** *(estudiantina)* orchestre *m* d'étudiants.

**tunal** *m* **1.** nopal **2.** terrain couvert de nopals.

**tunanta → tunante.**

**tunantada** *f* coquinerie.

**tunante, a** *a/s* coquin, e, fripon, onne.

**tunantuelo, a** *s* petit coquin, petite coquine, petit brigand.

**tunco, a** *a AMER (manco)* manchot, e. ◇ *m AMER (cerdo)* cochon, porc.

**tunda** *f* **1.** *FAM (paliza)* raclée, volée **2.** *(del paño)* tonture.

**tundidor, a** *a/s (de paños)* tondeur, euse.

**tundir** *vt* **1.** *(paños)* tondre **2.** *FIG* rosser.

**tundra** *f* toundra.

**tunecino, a** *a/s* tunisien, enne.

**túnel** *m* tunnel ◊ *FIG* **el fin del ~** le bout du tunnel.

**Túnez** *np* **1.** *(país)* Tunisie **2.** *(ciudad)* Tunis.

**tungsteno** *m* tungstène.

**túnica** *f* **1.** tunique **2.** *ANAT* tunique.

**tuno, a** *a/s (pícaro)* coquin, e, fripon, onne. ◇ *m* étudiant membre d'une «tuna».

**tuntún (al, al buen)** *loc adv* à la légère, inconsidérément, au petit bonheur, au jugé: **hablar al buen ~** parler à la légère.

**tupé** *m* **1.** *(copete)* toupet **2.** *(de rockero)* banane *f* **3.** *AMER* postiche **4.** *FAM (atrevimiento)* toupet.

**tupí** *a/s (indio americano)* Tupi.

**tupido, a** *a* **1.** épais, aisse, serré, e: **tejido ~** tissu serré **2.** serré, e, dense: **una red tupida** un réseau dense **3.** *FIG* obtus, e.

**tupinambo** *m (aguaturma)* topinambour.

**tupir** *vt* resserrer, serrer, comprimer.

**turba** *f* **1.** *(combustible)* tourbe **2.** *(muchedumbre)* foule, populace, tourbe.

**turbación** *f* trouble *m*.

**turbador, a** *a* troublant, e.

**turbamulta** *f* foule, cohue.

**turbante** *m* turban.

**turbar** *vt* **1.** troubler: **~ la paz, el silencio** troubler la paix, le silence **2.** *(desconcertar)* troubler, décontenancer. ◆ **~se** *vpr* se troubler.

**turbera** *f* tourbière.

**turbiamente** *adv* d'une façon confuse.

**turbidez** *f* turbidité.

**turbina** *f* turbine: **~ de gas** turbine à gaz.

**turbinto** *m* mollé, térébinthe, poivrier.

**turbio, a** *a* **1.** trouble **2.** *(sospechoso)* louche, suspect, e: **asuntos turbios** des affaires louches.

**turbión** *m* averse *f* avec du vent, grosse ondée *f*.

**turbo** *a/m* **motor ~** moteur turbo.

**turbocompresor** *m* turbocompresseur.

**turbomotor** *m* turbomoteur.

**turbonada** *f* averse orageuse.

**turbopropulsor** *m* turbopropulseur.

**turborreactor** *m* turboréacteur.

**turbulencia** *f* turbulence.

**turbulento, a** *a* turbulent, e.

**turco, a** *a/s* turc, turque ◊ **cabeza de ~ → cabeza.** ◇ *f FAM (borrachera)* cuite: **coger una turca** prendre une cuite.

**turgencia** *f* **1.** gonflement *m* **2.** *MED* turgescence.

**turgente** *a* **1.** gonflé, e **2.** *MED* turgescent, e.

**turíbulo** *m (incensario)* encensoir.

**turiferario** *m* thuriféraire.

**turismo** *m* **1.** tourisme: **el ~ de masas** le tourisme de masse; **oficina de ~** office de tourisme **2.** *(coche)* voiture *f* particulière.

**turista** *s* touriste.

**turístico, a** *a* touristique.

**turma** *f* **1.** testicule *m* **2.** **~ de tierra** truffe.

**turmalina** *f* tourmaline.

**turnar** *vi* alterner, se succéder à tour de rôle. ◆ **~se** *vpr* se relayer: **se turnan para vigilar la entrada** ils se relaient pour surveiller l'entrée, ils surveillent l'entrée à tour de rôle.

**turnedó** *m* tournedos.

**turné** *f (gira)* tournée.
► Gallicisme.

**turnio, a** *a (bizco)* bigle, louche.

**turno** *m* **1.** tour: **ya te va a llegar el ~** ça va être ton tour; **es mi ~** c'est mon tour; **cuando me tocó ~** quand ce fut mon tour; **esperar su ~** attendre son tour **2.** *(sucesión)* roulement ◊ **hacer turnos** se relayer **3.** *(de trabajadores)* équipe *f*: **~ de noche** équipe de nuit **4. de ~** de garde, de service: **farmacia, médico de ~** pharmacie, médecin de garde **5.** *loc adv* **a, por turnos** à tour de rôle.

**turolense** *a/s* de Teruel.

**turón** *m* putois.

**turonense** *a/s* tourangeau, elle.

**turpial** *m (pájaro)* troupiale.

**turquesa** *f* turquoise.

**Turquía** *np f* Turquie.

**turrar** *vt* griller (sur la braise).

**turro, a** *a AMER* idiot, e, imbécile.

**turrón** *m* touron.

**turronería** *f* boutique où l'on vend du touron.

**turronero, a** *s* marchand, e de touron.

**turulato, a** *a* ébahi, e, stupéfait, e, abasourdi, e.

**turupial → turpial.**

**tururú** *a FAM* **estar ~** être cinglé, e. ◇ *interj FAM* sans blague!, ça non!

**tus** → **tu.**

[1]**tusa** *f* FAM chienne.

[2]**tusa** *f* AMER **1.** *(del maíz)* rafle, épi *m* ou barbes *pl* de maïs **2.** crins *m pl*, crinière.

**tusar** *vt* AMER tondre.

**tusca** *f* AMER variété d'acacia *m* épineux.

**tuso** *m* FAM chien.

**tute** *m* **1.** *(juego de naipes)* mariage (jeu) **2.** FIG **darse un ~** donner un coup de collier, en mettre un coup.

**tutear** *vt* tutoyer. ◆ **~se** *vpr* se tutoyer: **se tutean** ils se tutoient.

**tutela** *f* tutelle.

[1]**tutelar** *a* tutélaire.

[2]**tutelar** *vt* encourager, appuyer, favoriser: **~ el acceso a la cultura** favoriser l'accès à la culture.

**tuteo** *m* tutoiement.

**tutiplén (a)** *loc adv* en abondance, à gogo.

**tutor, a** *s* tuteur, trice. ◇ *m (rodrigón)* tuteur.

**tutoría** *f* tutelle.

**tutú** *m* **1.** *(de bailarina)* tutu **2.** AMER *(ave)* oiseau de proie.

**tutuma** → **totuma.**

**tuve, tuviera, tuviste,** etc. → **tener.**

**tuya** *f* thuya *m*.

**tuyo, a** *a pos* **1.** à toi: **este coche es ~** cette voiture est à toi; **estos discos son tuyos** ces disques sont à toi ◊ **la culpa es tuya** c'est ta faute **2.** *(después del sustantivo)* **un amigo ~** un ami à toi, un de tes amis; **una prima tuya** une de tes cousines ◊ **eso es cosa tuya** c'est ton affaire. ◇ *pron pos* **1. el ~** le tien; **la tuya** la tienne; **los tuyos** les tiens; **las tuyas** les tiennes **2. lo ~** ce qui est à toi; **lo ~ no me importa** tes affaires ne m'intéressent pas; **esto es lo ~** ça te regarde, ce sont tes affaires. ◇ *m pl (los parientes)* **los tuyos** les tiens.

**tweed** *m (tejido)* tweed.

**txistu** *m* flûte *f* basque.

# U

**[1]u** [u] *f* u *m*: **una ~** un u.

**[2]u** *conj* (devant un mot qui commence par *o* ou *ho*) ou: **siete ~ ocho** sept ou huit; **un día ~ otro** un jour ou l'autre.

**Úbeda** *np* Úbeda (ville d'Andalousie) → **cerro.**

**ubérrimo, a** *a* **1.** très fertile, très fécond, e, luxuriant, e **2.** très abondant, e.

**ubicación** *f* **1.** situation, position, emplacement *m* **2.** *AMER* place: **tomó ~ en la tribuna** il prit place à la tribune.

**ubicar** *vi* être situé, e, se trouver. ◇ *vt AMER* **1.** *(situar)* situer, localiser, repérer **2.** *(encontrar)* trouver **3.** *(instalar)* placer **4.** *(un coche)* garer. ◆ **~se** *vpr* **1.** être situé, e, se trouver: **fábrica ubicada cerca de...** usine située près de... **2.** s'installer.

**ubicuidad** *f* ubiquité.

**ubicuo, a** *a* qui a le don d'ubiquité.

**ubre** *f* **1.** mamelle **2.** *(de la vaca)* pis *m*.

**ucase** *m* ukase, oukase.

**Ucrania** *np f* Ukraine.

**ucranio, a** *a/s* ukrainien, enne.

**ucumari** *m AMER* ours des Andes.

**Ud** abréviation de **usted.**

**¡uf!** *interj* **1.** oh là là!, ah! **2.** *(repugnancia)* pouah! **3.** *(sofocación)* ouf!

**ufanarse** *vpr* se vanter, s'enorgueillir.

**ufanía** *f* fierté.

**ufano, a** *a* **1.** *(engreído)* fier, ère, orgueilleux, euse **2.** *(satisfecho)* fier, ère, content, e.

**ufología** *f* ufologie.

**Uganda** *np* Ouganda.

**ugandés, esa** *a/s* ougandais, e.

**ujier** *m* huissier.

**ukelele** *m* ukulélé.

**ulano** *m MIL* uhlan.

**úlcera** *f* ulcère *m*: **una ~ de estómago, de duodeno** un ulcère à l'estomac, du duodénum.

**ulceración** *f* ulcération.

**ulcerar** *vt* ulcérer.

**ulceroso, a** *a* ulcéreux, euse.

**ulema** *m (doctor de la ley musulmana)* uléma.

**Ulises** *np m* Ulysse.

**ulterior** *a* ultérieur, e.

**ulteriormente** *adv* ultérieurement.

**ultimación** *f* achèvement *m*.

**últimamente** *adv* **1.** *(recientemente)* dernièrement **2.** finalement.

**ultimar** *vt* **1.** mettre la dernière main à, achever: **~ los preparativos de...** mettre la dernière main aux préparatifs de...; **~ los detalles** soigner, fignoler les détails **2.** *(un tratado, etc.)* conclure **3.** *AMER (matar)* tuer.

**ultimátum** *m* ultimatum.

**último, a** *a/s* **1.** dernier, ère: **las últimas noticias** les dernières nouvelles; **fueron los últimos en salir** ils furent les derniers à partir ◇ **a últimos de junio** fin juin; *FIG* **estar a las últimas** être au bout du rouleau; **vestirse a la última** s'habiller à la dernière mode, au goût du jour **2. ¡sería lo ~!** ce serait le comble!, la meilleure!, le bouquet!; **lo ~ de lo ~** le fin du fin.

**ultra** *a/m (extremista)* ultra.

**ultracentrifugadora** *f* ultracentrifugeuse.

**ultracongelado, a** *a/m* surgelé, e: **el consumo de ultracongelados** la consommation de surgelés.

**ultraísmo** *m* ultraïsme (mouvement littéraire espagnol créé en 1919).

**ultrajante** *a* outrageant, e.

**ultrajar** *vt* outrager.

**ultraje** *m* **1.** outrage **2. ~ al pudor** attentat à la pudeur.

**ultrajoso, a** *a* outrageant, e.

**ultraligero** *m (avión)* U.L.M.

**ultramar** *m* **1.** outre-mer **2. azul de ~** bleu outremer.

**ultramarino, a** *a* d'outre-mer. ◇ *m pl* **1.** denrées *f* coloniales **2. (tienda de) ultramarinos** épicerie *f*.

**ultramicroscopio** *m* ultramicroscope.

**ultramoderno, a** *a* ultramoderne.

**ultramontano, a** *a/s* ultramontain, e.

**ultranza (a)** *loc adv* à outrance.

**ultrarrojo, a** *a/m* infrarouge.

**ultrasensible** *a* ultrasensible.

**ultrasonido** *m* ultrason.

**ultratumba** *f* outre-tombe.

**ultravioleta** *a/m* ultraviolet, ette: **rayos ultravioletas** rayons ultraviolets.

**ultravirus** *m* ultravirus.

**úlula** *f (ave)* chat-huant *m*.

**ulular** *vi* **1.** *(aullar)* hurler **2.** *(las aves nocturnas)* ululer.

**ululato** *m* **1.** *(alarido)* hurlement **2.** ululement.

**ulva** *f (alga)* ulve.

**umbela** *f BOT* ombelle.

**umbelífero, a** *a/f BOT* ombellifère.

**umbilical** *a* ombilical, e: **cortar el cordón ~** couper le cordon ombilical.

**umbral** *m* **1.** seuil **2.** *FIG* seuil: **en el ~, en los umbrales del año nuevo** au seuil de l'année nouvelle **3. ~ de audibilidad** seuil d'audibilité.

**umbrático, a** *a* ombreux, euse.

**umbría** *f (en una montaña)* versant *m* à l'ombre, ubac *m*.

**Umbría** *np f* Ombrie.

**umbrío, a** *a* ombragé, e, ombreux, euse: **un bosque ~** un bois ombreux; **una alameda umbría** une promenade ombragée.

**umbroso, a** *a* ombreux, euse.

**un, una** *art indef* un, une: **~ mes** un mois; **una hora** une heure; **¡~ dos!, ¡~ dos!** une deux!, une deux!

▶ *Un* est la forme apocopée de *uno* devant un masculin ou de *una* devant un féminin commençant par *a* ou *ha* accentué: *~ arma* une arme. **Unos, unas → uno, una.**

**unánime** *a* unanime.

**unanimidad** *f* unanimité: **por ~** à l'unanimité.

**uncial** *a/f (escritura)* oncial, e.

**unción** *f* onction.

**uncir** *vt* atteler sous le joug.

**undécimo, a** *a/s* onzième.

**undulación** *f* ondulation.

**undular** *vi* onduler.

**ungido, a** *a/m* oint, e.

**ungimiento** *m* onction *f*.

**ungir** *vt* oindre: **el sacerdote ungió al moribundo** le prêtre oignit le moribond.

**ungüento** *m* onguent.

**ungulado, a** *a/m ZOOL* ongulé, e.

**únicamente** *adv* uniquement.

**unicelular** *a BIOL* unicellulaire.

**unicidad** *f* unicité.

**único, a** *a* **1.** unique: **hijo ~** fils unique; **moneda única** monnaie unique **2.** seul, e: **es el ~ libro que trata de esta materia** c'est le seul livre qui traite de ce sujet; **es la única ocasión en que...** c'est la seule occasion où... ◇ *m* **lo ~...** la seule chose...: **es lo ~ que se me ocurre** c'est la seule chose qui me vient à l'esprit.

**unicolor** *a* unicolore, monochrome.

**unicornio** *m* licorne *f*.

**unidad** *f* **1.** unité: **unidades de medida** unités de mesure; **~ de acción, de lugar, de tiempo** unité d'action, de lieu, de temps **2.** *MIL* unité **3.** *INFORM* **~ central** unité centrale.

**unido, a** *a* uni, e.

**unificación** *f* unification.

**unificador, a** *a* unificateur, trice.

**unificar** *vt* unifier. ◆ **~se** *vpr* s'unifier.

**uniformar** *vt* **1.** *(hacer uniforme)* uniformiser **2.** pourvoir d'un uniforme: **un empleado uniformado** un employé en uniforme.

**uniforme** *a* uniforme. ◇ *m* **1.** *(traje especial)* uniforme **2.** tenue *f*: **~ de gala** grande tenue; **~ de camuflaje** tenue de campagne.

**uniformemente** *adv* uniformément.

**uniformidad** *f* uniformité.

**unigénito, a** *a* unique. ◇ *np* **el Unigénito** le Fils de Dieu.

**unilateral** *a* unilatéral, e: **contratos unilaterales** contrats unilatéraux.

**unión** *f* **1.** union: **la ~ hace la fuerza** l'union fait la force; **~ aduanera** union douanière: **la Unión Europea** l'Union européenne **2.** jonction: **punto de ~** point de jonction **3.** *(matrimonio)* union.

**unionista** *a/s* unioniste.

**unir** *vt* **1.** unir **2.** *(enlazar)* unir, relier: **autopista que une dos ciudades** autoroute qui unit deux villes **3.** *(juntar)* joindre, rattacher **4.** unir, lier: **nos une una vieja amistad** une vieille amitié nous lie. ◆ **~se** *vpr* **1.** s'unir: **¡unámonos!** unissons-nous! **2.** *(reunirse)* se joindre: **se nos unieron** ils se joignirent à nous; **me uniré a ustedes** je serai des vôtres.

**unisex** *a* unisexe.

**unisexual** *a* unisexué, e.

**unisón** *m* unisson.

**unísono, a** *a* en accord. ◇ *m* **1.** unisson **2. al ~** à l'unisson.

**unitario, a** *a* unitaire.

**univalvo, a** *a* univalve.

**universal** *a* universel, elle. ◇ *m pl (filosofía)* **los universales** les universaux.

**universalidad** *f* universalité.

**universalismo** *m* universalisme.

**universalista** *a/s* universaliste.

**universalización** *f* universalisation.

**universalizar** *vt* universaliser.

**universalmente** *adv* universellement.

**universidad** *f* université.

**universitario, a** *a* universitaire. ◇ *s* universitaire.

**universo** *m* univers.

**unívoco, a** *a* univoque.

**uno, una** *a num* un, une ◊ **es todo ~** c'est tout un. ◇ *art indef pl* des: **unos zapatos** des chaussures; **le escribió unas cartas apasionadas** il lui écrivit des lettres passionnées; **los pisos alcanzan unos precios imposibles** les appartements atteignent des prix impossibles. ◇ *a indef pl* **1.** *(algunos)* quelques: **unos días después** quelques jours plus tard **2.** *(aproximadamente)* environ: **unos cien kilómetros** environ cent kilomètres; **unas dos semanas** environ deux semaines **3. unos cuantos** quelques. ◇ *pron indef* **1.** quelqu'un: **~ me lo ha dicho** quelqu'un me l'a dit **2.** l'un, l'une: **~ de ellos** l'un d'eux; **~ tras otro** l'un après l'autre; **~ y otro** l'un et l'autre; **amaos los unos a los otros** aimez-vous les uns les autres **3. cada ~** chacun; **cada una** chacune **4.** *(sujeto)* on: **acaba ~ por hartarse de todo** on finit par se lasser de tout; **a veces ~ necesita estar solo** parfois on a besoin d'être seul; **bien vestida, una se siente más joven** bien habillée, on se sent plus jeune **5.** *(complemento)* vous: **cuando la gente se ríe de ~** quand les gens se moquent de vous **6. ~ mismo** soi-même. ◇ *m (cifra)* un. ◇ *f* **1. es la una** il est une heure **2. a una** ensemble, en même temps; **claman todos a una** ils crient tous ensemble, d'une seule voix; **una de dos** de deux choses l'une. ◇ *loc adv* **~ a ~, de ~ en ~, ~ por ~** un par un, un à un, l'un après l'autre; **~ con otro** l'un dans l'autre; **~ que otro** quelques rares; **~ tras otro** l'un après l'autre.

▶ *Uno, una* pronom représentant la personne qui parle peut se rendre par «je»: *¡está una tan gorda!* je suis si grosse!

**untadura** *f* **1.** graissage *m* **2.** *MED* badigeonnage *m*.

**untar** *vt* **1.** *(con grasa)* graisser **2.** enduire: **~ con vaselina** enduire de vaseline; **~ con mantequilla** tartiner de, enduire de beurre, beurrer **3.** *MED* badigeonner **4.** *FIG* **~ (la mano, el carro)** graisser la patte. ◆ **~se** *vpr* **1.** se tacher, se salir (de graisse) **2.** *FAM* se sucrer.

**unto** *m* **1.** graisse *f* **2.** onguent.

**untuosidad** *f* onctuosité.

**untuoso, a** *a* gras, grasse, onctueux, euse.

**untura** *f* **1.** MED *(acción)* badigeonnage *m* **2.** *(sustancia)* liniment *m,* onguent *m.*

**uña** *f* **1.** ongle *m:* **lleva las uñas pintadas** elle a les ongles faits; **comerse las uñas** se ronger les ongles **2.** *(del gato, etc.)* griffe **3.** *(de los cuadrúpedos)* sabot *m* ◊ FIG **a ~ de caballo** ventre à terre, à bride abattue **4.** *(del alacrán)* dard *m* **5.** FIG FAM **de uñas** comme chien et chat, toutes griffes dehors, à couteaux tirés; **dejarse las uñas en...** s'esquinter à...; **enseñar las uñas** montrer les griffes; **ser ~ y carne, carne y ~** être comme les deux doigts de la main, être à tu et à toi, comme cul et chemise; **Gil y yo, nos habíamos hecho carne y ~** Gilles et moi, nous étions devenus très copains; **ser largo de ~** avoir les doigts crochus, avoir une tendance à voler **6.** *(muesca en un cortaplumas, etc.)* onglet *m* **7.** *(de un ancla)* bec *m.*

**uñada** *f* **1.** coup *m* d'ongle **2.** *(arañazo)* égratignure.

**uñero** *m* **1.** MED *(inflamación)* panaris **2.** *(uña que crece indebidamente)* ongle incarné.

**¡upa!** *interj* hop!

**uperización** *f* upérisation.

**ura** *f* AMER larve parasite.

**Ural** *np m* **1.** Oural **2. los montes Urales** les monts Oural.

**uranio** *m* uranium: **~ enriquecido** uranium enrichi.

**Urano** *np m* Uranus.

**urbanidad** *f* politesse, courtoisie, urbanité.

**urbanismo** *m* urbanisme.

**urbanista** *s* urbaniste.

**urbanístico, a** *a* **1.** urbain, e **2.** urbanistique: **plan ~** projet urbanistique.

**urbanizable** *a* qu'on peut urbaniser, constructible.

**urbanización** *f* **1.** urbanisation **2.** *(núcleo residencial)* ensemble *m* résidentiel, résidence, grand ensemble *m:* **una ~ de lujo** una résidence de luxe.

**urbanizar** *vt* **1.** urbaniser **2.** *(a alguien)* civiliser, rendre sociable.

**urbano, a** *a* **1.** urbain, e: **población urbana** population urbaine **2.** *(cortés)* poli, e, courtois, e. ◇ *m* *(guardia)* agent de police.

**urbe** *f* ville, métropole.

**urdidor, a** *a/s* ourdisseur, euse.

**urdidura** *f* ourdissage *m.*

**urdimbre** *f* **1.** *(de un tejido)* chaîne **2.** FIG machination.

**urdir** *vt* ourdir.

**urea** *f* urée.

**uremia** *f* MED urémie.

**uréter** *m* uretère.

**uretra** *f* urètre *m.*

**urgencia** *f* urgence: **con ~** d'urgence; **con toda ~** de toute urgence ◊ MED **servicio de urgencias** service des urgences.

**urgente** *a* urgent, e ◊ **es ~** c'est urgent, ça presse, ça urge.

**urgentemente** *adv* d'urgence.

**urgir** *vi* **1.** être urgent, e, presser: **urge que vengas** il est urgent que tu viennes; **urgen medidas más rigurosas** il est urgent de prendre des mesures plus rigoureuses **2. me urge tu respuesta** j'ai besoin de ta réponse tout de suite. ◇ *vt* **1.** réclamer **2.** presser: **urgidos por el movimiento sindical, los partidos han decidido...** pressés par le mouvement syndical, les partis ont décidé...

**úrico, a** *a* **1.** urique: **ácido ~** acide urique **2.** urinaire.

**urinario, a** *a* urinaire. ◇ *m* *(lugar para orinar)* urinoir.

**urna** *f* **1.** urne **2. acudir a las urnas** aller aux urnes; **estar convocado a las urnas** être appelé aux urnes.

**uro** *m* auroch.

**urodelos** *m pl* ZOOL urodèles.

**urogallo** *m* tétras, coq de bruyère.

**urogenital** *a* urogénital, e.

**urografía** *f* MED urographie.

**urología** *f* urologie.

**urólogo, a** *s* urologue.

**urraca** *f* pie.

**URSS** *np f* **la antigua ~** l'ex-U.R.S.S.

**Úrsula** *np f* Ursule.

**ursulina** *f* **1.** *(religiosa)* ursuline **2.** FIG FAM prude.

**urticante** *a* urticant, e.

**urticaria** *f* urticaire.

**urubú** *m* urubu, petit vautour noir.

**urucú** *m* AMER rocouyer.

**Uruguay** *np* Uruguay.

**uruguayo, a** *a/s* uruguayen, enne.

**urunday** *m* arbre d'Amérique du Sud qui produit un excellent bois d'ébénisterie et de construction.

**usado, a** *a* **1.** *(no nuevo)* usagé, e, qui a déjà servi: **ropa usada** vieux vêtements ◊ **coche ~** voiture d'occasion; **papel ~** vieux papier; **vajilla usada** vaisselle qui a déjà servi, sale **2.** *(gastado)* usé, e **3.** *(en uso)* usité, e.

**usagre** *m* MED croûtes *f pl* de lait.

**usanza** *f* **1.** usage *m* **2.** mode: **a la antigua ~, a la vieja ~** à l'ancienne mode.

**usar** *vt* **1.** *(utilizar)* utiliser, se servir de, employer: **apenas usa su coche** il se sert à peine de sa voiture **2.** *(llevar)* porter: **no uso gafas** je ne porte pas de lunettes; **ya no se usan los miriñaques** on ne porte plus de crinolines. ◇ *vi* **~ de** user de, faire usage de.

**usía** *s* votre seigneurie.

**usina** *f* AMER **1.** centrale: **~ hidroeléctrica** centrale hydroélectrique **2.** *(fábrica)* usine.

**uso** *m* **1.** usage: **artículos de ~ corriente** articles d'usage courant; **medicamento de ~ externo** médicament à usage externe; **para ~ de** à l'usage de; ◊ **en buen ~** en bon état; **fuera de ~** hors d'usage, hors d'état; **hacer ~ de** faire usage de; **hacer ~ de la palabra** prendre la parole **2.** *(empleo)* utilisation *f,* emploi **3.** port: **el ~ del casco, del cinturón de seguridad es obligatorio** le port du casque, de la ceinture de sécurité est obligatoire **4.** *(costumbre)* usage, coutume *f* ◊ **al ~** en usage, d'usage: **los discursos al ~** les discours d'usage; *(de moda)* à la mode **5. ~ de razón** faculté *f* de raison, âge de raison.

**usted, ustedes** *pron pers* **1.** vous: **~ es, ustedes son** vous êtes; **¿cómo está ~?** comment allez-vous?; **se lo juro a ~** je vous le jure; **venga ~** venez **2. tratar de ~** vouvoyer.

► *Usted* (singulier), *ustedes* (pluriel) traduisent le vouvoiement français. Contractions de *vuestra merced* (votre grâce), *vuestras mercedes* (vos grâces), ce sont des pronoms sujets de la 3e personne: le verbe, les pronoms et les adjectifs qui s'y rapportent doivent donc être à la 3e personne.

**ustorio** → **espejo.**

**usual** *a* usuel, elle.

**usualmente** *adv* habituellement.

**usuario, a** *a/s* usager, ère.

**usufructo** *m* usufruit.

**usufructuar** *vt* jouir de l'usufruit de.

**usufructuario, a** *a/s* usufruitier, ère.

**usura** *f* usure ◊ **pagar con ~** rendre avec usure.

**usurario, a** *a* usuraire.

**usurero, a** *s* usurier, ère.

**usurpación** *f* usurpation.

**usurpador, a** *s* usurpateur, trice.

**usurpar** *vt* usurper.

**uta** *f AMER* sorte de lèpre, ulcère *m* facial.

**utensilio** *m* ustensile.

**uterino, a** *a* utérin, e.

**útero** *m ANAT* utérus.

**útil** *a* **1.** utile **2.** *(para el servicio militar)* bon, apte. ◇ *m* **1.** *(herramienta)* outil **2.** ustensiles: **los útiles de cocina** les ustensiles de cuisine **3. útiles de labranza** instruments aratoires.

**utilería** *f* **1.** outillage *m* **2.** accessoires *m pl* de théâtre.

**utilero, a** *s AMER* accessoiriste.

**utilidad** *f* **1.** utilité: **de ~ pública** d'utilité publique **2.** *(provecho)* profit *m*, bénéfice *m*.

**utilitario, a** *a* utilitaire. ◇ *m (vehículo)* utilitaire.

**utilitarismo** *m* utilitarisme.

**utilizable** *a* utilisable.

**utilización** *f* utilisation.

**utilizar** *vt* utiliser.

**utillaje** *m* outillage.

**utopía** *f* utopie.

**utópico, a** *a* utopique.

**utopista** *a/s* utopiste.

**utrero, a** *s* taurillon, génisse.

**uva** *f* **1.** raisin *m*: **la ~** le raisin; **~ de mesa** raisin de table; **grano de ~** grain de raisin; **racimo de ~** grappe de raisin **2.** *FIG FAM* **de uvas a peras** de loin en loin; **entrar por uvas** risquer le coup; **estar de mala ~** être de mauvais poil, d'une humeur massacrante, comme un crin; **tener mala ~** avoir mauvais caractère, être malveillant, e.

**uvate** *m* raisiné.

**uve** *f* v *m*, lettre v ◊ **~ doble** double v (w).

**úvea** *f ANAT* uvée.

**uvero, a** *a* qui a rapport au raisin. ◇ *m (árbol)* raisinier, arbre des Antilles.

**úvula** *f ANAT* uvule, luette.

**¡uy!** *interj* → **¡huy!**

**v** [uBe] *f* v *m*: **una ~** un v.

**va** → **ir.**

**vaca** *f* **1.** vache: **~ lechera** vache laitière; **~ loca** vache folle **2.** *(carne)* bœuf *m*: **filete de ~** filet de bœuf **3.** *FIG* **vacas flacas, gordas** vaches maigres, grasses **4. ~ de San Antón** coccinelle **5. ~ marina** vache marine, lamantin *m*.

**vacaciones** *f pl* **1.** vacances: **las ~ de Navidad** les vacances de Noël; **¿a dónde se va usted de ~?** où allez-vous en vacances?; **marcharse de ~** partir en vacances; **estar de ~** être en vacances; **hacer vacaciones** prendre des vacances **2.** *(de un tribunal)* vacations **3.** congé *m*: **vacaciones pagadas** congés payés.

**vacada** *f* troupeau *m* de bœufs ou de vaches.

**vacancia** *f* vacance.

**vacante** *a* vacant, e. ◇ *f* vacance, emploi *m* vacant, poste *m* vacant: **cubrir una ~** pourvoir un poste vacant.

**vacar** *vi* être vacant, e, vaquer.

**vaciadero** *m* dépotoir.

**vaciado** *m* **1.** *(acción, objeto de yeso)* moulage **2.** *(de metales)* coulage **3.** *(hueco)* enfoncement **4.** *(de un cuchillo)* repassage **5.** *(de un escrito)* dépouillement.

**vaciador** *m* *(operario)* mouleur, fondeur.

**vaciamiento** *m* **1.** vidage **2.** évidement.

**vaciante** *f* marée descendante.

**vaciar** *vt* **1.** *(un recipiente, un local, etc.)* vider **2.** *(dejar hueco)* évider **3.** *(una estatua)* mouler **4.** *(metales)* couler **5.** *(un instrumento cortante)* affûter, repasser **6.** *(un libro, un escrito)* dépouiller. ◇ *vi* *(un río)* se jeter, déboucher. ◆ **~se** *vpr FIG* s'épancher, vider son sac.

**vaciedad** *f* sottise, fadaise.

**vacilación** *f* **1.** vacillement *m*, vacillation **2.** *FIG* hésitation: **tras una ~, se puso a hablar** après une hésitation, il se mit à parler ◊ **sin vacilaciones** sans hésitation, franchement.

**vacilante** *a* **1.** vacillant, e, chancelant, e **2.** *FIG* *(que duda)* hésitant, e.

**vacilar** *vi* **1.** vaciller, chanceler **2.** *(luz)* vaciller **3.** *FIG* *(dudar)* hésiter: **vacilé en aceptar** j'hésitai à accepter **4.** *POP* *(conversar con humor)* blaguer; *(burlarse)* se payer la tête de.

**vacile** *m POP* **estar de ~** blaguer.

**vacilón, ona** *a/s POP* *(burlón)* blagueur, euse. ◇ *m AMER* fête *f*.

**vacío, a** *a* **1.** vide: **botella vacía** bouteille vide; **las calles están vacías** les rues sont vides ◊ **de ~** *(sin carga)* à vide, *(sin conseguir lo que se quería)* bredouille **2.** *(hueco)* creux, creuse **3.** *FIG* superficiel, elle, vide **4.** *FIG* prétentieux, euse. ◇ *m* **1.** *(espacio vacío, ausencia de una persona o cosa)* vide: **lanzarse al ~** se jeter dans le vide; **su muerte ha dejado un gran ~** sa mort a laissé un grand vide ◊ **envasado al ~** emballage sous vide **2.** *(cavidad)* creux **3.** *(ijada)* flanc **4.** *FIG* **caer en el ~** rester sans écho; **hacer el ~ a alguien** faire le vide autour de quelqu'un.

**vacuidad** *f* vacuité.

**vacuna** *f* **1.** vaccin *m*: **inocular una ~** inoculer un vaccin; **la ~ prendió perfectamente** le vaccin a parfaitement pris **2.** *(de la vaca)* vaccine.

**vacunación** *f* vaccination.

**vacunar** *vt* vacciner. ◆ **~se** *vpr* se faire vacciner.

**vacuno, a** *a/m* bovin, e: **el ganado ~** les bovins ◊ **carne de ~** viande de bœuf, bœuf *m*.

**vacuo, a** *a* **1.** vide **2.** *FIG* superficiel, elle.

**vacuola** *f BIOL* vacuole.

**vade** *m* *(vademécum)* cartable, porte-documents.

**vadeable** *a* guéable.

**vadear** *vt* **1.** *(un río)* passer à gué **2.** *FIG* *(una dificultad)* surmonter.

**vademécum** *m* **1.** *(libro)* vade-mecum **2.** *(de colegial)* cartable, porte-documents.

**vado** *m* **1.** gué ◊ *FIG* **al ~ o a la puente** il faut se décider **2.** *(de la acera)* bateau ◊ **~ permanente** stationnement interdit, sortie de garage.

**vagabundear** *vi* vagabonder.

**vagabundeo** *m* vagabondage.

**vagabundo, a** *a/s* **1.** vagabond, e **2. perro ~** chien errant.

**vagamente** *adv* vaguement.

**vagancia** *f* **1.** oisiveté, fainéantise **2.** *(delito)* vagabondage *m*.

[1]**vagar** *vi* **1.** errer, traîner: **~ por la ciudad** errer dans la ville: **~ por las calles** traîner dans les rues **2.** *(andar ocioso)* flâner.

[2]**vagar** *m* loisir.

**vagaroso, a** *a* indécis, e.

**vagido** *m* vagissement.

**vagina** *f* vagin *m*.

**vaginal** *a* vaginal, e.

**vaginitis** *f MED* vaginite.

**vago, a** *a* **1.** *(impreciso)* vague: **un ~ parecido** une vague ressemblance; **un recuerdo muy ~** un souvenir très vague **2.** *(desdibujado)* flou, e **3.** *ANAT* **nervio ~** nerf vague. ◇ *a/s* **1.** *(holgazán)* fainéant, e, flemmard, e **2.** *(vagabundo)* vagabond, e.

**vagón** *m* wagon: **~ cuba** wagon-foudre; **~ restaurante** wagon-restaurant; **~ postal** wagon postal; *FIG* **~ de cola** fourgon de queue.

**vagoneta** *f* wagonnet *m*.

**vaguada** *f* thalweg *m*, talweg *m*, fond *m* d'une vallée.

**vaguear** → **vagar.**

**vaguedad** *f* **1.** imprécision: **la ~ de un texto** l'imprécision d'un texte **2.** *(expresión)* généralité, propos *m* vague.

**vaguemaestre** *m* vaguemestre.

**vaharada** *f* bouffée.

**vahído** *m* étourdissement, vertige.

**vaho** *m* **1.** vapeur *f* **2.** *(que empaña los cristales)* buée *f* **3.** *(aliento)* haleine *f*. ◇ *pl MED* inhalations *f*, fumigations *f*.

**vaída** *a ARQ* **bóveda ~** voûte sur pendentifs.

**vaina** *f* **1.** gaine, fourreau *m* **2.** *BOT (de los guisantes)* gousse, cosse **3.** *ANAT, BOT* gaine **4.** *AMER (molestia)* ennui *m*, embêtement *m*, emmerdement *m*; *(lío)* histoire **5.** *AMER* **salirse de la ~** bondir (d'impatience, d'indignation). ◇ *m FAM* pauvre type, propre à rien, imbécile.

**vainazas** *m FAM* mollasson, lavette *f*.

**vainica** *f* broderie à jour.

**vainilla** *f* **1.** vanille: **helado de ~** glace à la vanille **2.** *(planta)* vanillier *m*.

**vainillina** *f* vanilline.

**vais** → **ir.**

**vaivén** *m* **1.** va-et-vient *inv* **2.** *FIG* instabilité *f*, changement.

**vajilla** *f* vaisselle.

**Valaquia** *np f* Valachie.

**valdense** *a/s (hereje)* vaudois, e.

**valdepeñas** *m* vin de Valdepeñas (Espagne).

**valdrá**, etc. → **valer.**

[1]**vale** *m* **1.** bon: **~ de compra** bon d'achat **2.** *(recibo)* reçu **3.** billet gratuit **4.** *AMER FAM (compañero)* copain.

[2]**vale** → **valer.**

**valedero, a** *a* valable.

**valedor, a** *s* protecteur, trice.

**valencia** *f QUÍM* valence.

**Valencia** *np* Valence ◊ **a la luna de ~** → **luna.**

**valenciano, a** *a/s* valencien, enne.

**valentía** *f* **1.** *(ánimo)* vaillance, courage *m* **2.** *(hazaña)* haut fait *m* **3.** *(jactancia)* fanfaronnade.

**Valentín, ina** *np* Valentin, e.

**valentón, ona** *a/s* bravache, fanfaron, onne.

**valentonada** *f* fanfaronnade.

[1]**valer*** *vi* **1.** valoir: **¿cuánto vale este libro?** combien vaut ce livre?; **este reloj no vale nada** cette montre ne vaut rien; **eso bien vale un esfuerzo** cela vaut bien un effort; **vale más** il vaut mieux; **más vale tarde que nunca** mieux vaut tard que jamais ◊ **hacer ~** faire valoir **2.** avoir de la valeur, du mérite, valoir: **este chico vale mucho** ce garçon est très bien **3.** *(ser valedero)* être valable ◊ **tanto tienes cuanto vales** → **tanto 4.** *(servir)* servir, être utile: **¿de qué valen tantas riquezas?** à quoi servent tant de richesses?; **no ~ para nada** ne servir à rien, être inutile **5.** *FAM* **vale** *(conforme)* d'accord, ça va, o.k.; *(basta)* **¡ya vale!** ça suffit! ◇ *vt* **1.** *(amparar)* protéger ◊ **¡válgame Dios!** que Dieu me garde!, grand Dieu! **2.** valoir: **en música, una blanca vale dos negras** en musique, une blanche vaut deux noires **3.** valoir: **su amabilidad le valió el aprecio de todos** son amabilité lui a valu d'être estimé de tout le monde. ◆ **~se** *vpr* **1.** *(usar)* **valerse de** se servir de, utiliser **2.** **valerse por sí mismo** se débrouiller seul: **ya no me valgo, ya no me puedo ~** je ne peux plus me débrouiller seul.

[2]**valer** *m* mérite, valeur *f*.

**Valeria** *np f* Valérie.

**valeriana** *f* valériane.

**valerosamente** *adv* vaillamment, courageusement.

**valeroso, a** *a* vaillant, e, courageux, euse.

**valetudinario, a** *a* valétudinaire.

**valga**, etc. → **valer.**

**valía** *f* valeur: **un intelectual de gran ~** un intellectuel de grande valeur.

**validación** *f* validation.

**validar** *vt* valider.

**validez** *f* validité.

**valido** *m (favorito)* favori.

**válido, a** *a* **1.** *(documento, etc.)* valide, valable **2.** **interlocutores válidos** interlocuteurs valables **3.** *(fuerte)* valide, robuste.

**valiente** *a* **1.** courageux, euse, vaillant, e **2.** *(valentón)* bravache **3.** *FAM* fameux, euse, sacré, e, drôle de: **¡~ pillo!** fameux coquin!; **¡~ excusa!** drôle d'excuse!, belle excuse!; **¡~ bobada!** quelle bêtise! ◇ *s* brave.

**valientemente** *adv* courageusement.

**valija** *f* **1.** *(maleta)* valise **2.** sacoche (pour le courrier) **3.** **~ diplomática** valise diplomatique.

**valimiento** *m* **1.** influence *f*, crédit **2.** *(privanza)* faveur *f*, protection *f*.

**valioso, a** *a* précieux, euse, d'une grande valeur: **su valiosa colaboración** votre précieuse collaboration; **un sello ~** un timbre de valeur.

**valisoletano, a** *a/s* de Valladolid.

**valla** *f* **1.** clôture, palissade, barrière: **~ de seguridad** barrière de sécurité. **2.** **~ publicitaria** panneau *m* publicitaire; **vallas electorales** panneaux électoraux **3.** *(deporte)* haie: **carrera de vallas** course de haies; **la final de 100 metros vallas** la finale du 100 mètres haies **4.** *FIG* obstacle *m*.

**valladar** *m* **1.** clôture *f*, palissade *f* **2.** *FIG* obstacle.

**vallado** *m* clôture *f*, palissade *f*.

**vallar** *vt* clôturer, palissader.

**valle** *m* vallée *f* ◊ *FIG* **este ~ de lágrimas** cette vallée de larmes.

**vallisoletano, a** *a/s* de Valladolid.

**valón, ona** *a/s* wallon, onne. ◇ *f* grande collerette.

**valor** *m* **1.** valeur *f*: **objetos de ~** objets de valeur; **conceder ~ a** attacher de la valeur à; **~ añadido** valeur ajoutée **2.** *(valentía)* courage: **armarse de ~** s'armer de courage: **no tuvo ~ para entrar** il n'eut pas le courage d'entrer **3.** *(osadía)* audace *f*, toupet **4.** *MÚS* valeur *f*. ◇ *pl COM* valeurs *f*: **valores en alza** valeurs en hausse.

**valoración** *f* estimation, évaluation.

**valorar** *vt* **1.** estimer, évaluer: **cuadro valorado en dos millones de dólares** tableau estimé à deux millions de dollars **2.** *(apreciar)* apprécier **3.** *(aumentar el valor)* valoriser.

**valorización** *f* valorisation.

**valorizar** *vt* valoriser, mettre en valeur.

**valquiria** *f* walkyrie.

**vals** *m* valse *f*: **bailar un ~** danser une valse; **~ vienés** valse viennoise.

**valsar** *vi* valser.

**valuación** → **valoración.**

**valuar** *vt* estimer, évaluer.

**valva** *f (de molusco)* valve.

**válvula** *f* **1.** *(de bomba, etc.)* valve, clapet *m* **2.** *(de máquina de vapor, de motor)* soupape: **~ de seguridad** soupape de sûreté **3.** *ANAT* valvule **4.** *(de radio)* lampe.

**vamos** → **ir.**

**vampiresa** *f* vamp.

**vampirismo** *m* vampirisme.

**vampiro** *m* vampire.

**van** → **ir.**

**vanadio** *m* vanadium.

**vanagloria** *f* vanité, gloriole.

**vanagloriarse** *vpr* se glorifier, se vanter.

**vanamente** *adv* **1.** vainement, inutilement **2.** *(con presunción)* présomptueusement.

**vandálico, a** *a* de vandalisme: **actos vandálicos** des actes de vandalisme.

**vandalismo** *m* vandalisme.

**vándalo** *m* vandale.

**Vandea** *np f* Vendée.

**vandeano, a** *a/s* vendéen, enne.

**vanguardia** *f* **1.** avant-garde **2.** *FIG* **de ~** d'avant-garde; **en ~** à l'avant-garde.

**vanguardismo** *m* avant-gardisme.

**vanguardista** *a/s* d'avant-garde, avant-gardiste: **cine ~** cinéma d'avant-garde; **un ~** un avant-gardiste.

**vanidad** *f* vanité ◊ **~ de vanidades y todo es ~** vanité des vanités et tout n'est que vanité.

**vanidoso, a** *a/s* vaniteux, euse.

**vanilocuencia** *f* verbiage *m*.

**vano, a** *a* **1.** vain, e: **esfuerzos vanos** de vains efforts **2.** futile **3.** vaniteux, euse **4.** *loc adv* **en ~** en vain. ◇ *m* ouverture *f*, embrasure *f*: **el ~ de la puerta** l'embrasure de la porte.

**vapor** *m* **1.** vapeur *f*: **máquina de ~** machine à vapeur; **cocer al ~** cuire à la vapeur; **patatas al ~** pommes de terre vapeur ◊ *FIG* **al ~, a todo ~** à toute vapeur, à fond de train **2.** *(buque de vapor)* vapeur, bateau à vapeur. ◇ *pl (que suben a la cabeza)* vapeurs *f*.

**vaporización** *f* vaporisation.

**vaporizador** *m* vaporisateur.

**vaporizar** *vt* vaporiser.

**vaporoso, a** *a* vaporeux, euse.

**vapulear** *vt* **1.** *(azotar)* fouetter, rosser **2.** *FIG* critiquer sévèrement, éreinter, fustiger, malmener: **fue vapuleado por la prensa** il a été éreinté par la presse.

**vapuleo** *m* **1.** rossée *f* **2.** *FIG* critique *f* sévère, éreintement.

**vaquería** *f* étable à vaches, vacherie.

**vaquerizo, a** *a* des vaches. ◇ *s* vacher, ère.

**vaquero, a** *a* **1.** des vachers **2. pantalón ~** jean, blue-jean. ◇ *s* vacher, ère. ◇ *m (pantalón)* jean, blue-jean; **lleva vaqueros** il porte des jeans, un jean.

**vaqueta** *f* vachette.

**vaquilla** *f* vachette, génisse.

**vaquillona** *f AMER* génisse.

**vara** *f* **1.** baguette **2.** *(palo largo)* perche **3.** *(para derribar frutos)* gaule **4.** *(de mando)* bâton *m* ◊ *FIG* **tener ~ alta** avoir de l'autorité, de l'influence **5.** *(de carro)* limon *m*, brancard *m* **6.** *TAUROM* pique: **poner varas** piquer le taureau **7.** *ANT (medida de longitud)* aune, mesure de longueur (0.835 m).

**varada** *f MAR* échouement *m*.

**varadero** *m MAR* échouage.

**varadura** *f MAR* échouement *m*, mise à sec.

**varal** *m* **1.** longue perche *f*, gaule *f* **2.** *FIG (persona)* perche *f*, échalas.

**varapalo** *m* **1.** *(paliza)* coup de bâton **2.** *FIG* ennui **3.** *FIG (reprensión)* semonce *f*, réprimande *f*, savon: **propinar un ~** passer un savon.

**varar** *vi* **1.** *MAR* échouer: **una barca varada** une barque échouée **2.** *FIG (un asunto)* être en panne. ◇ *vt (un barco)* mettre à sec.

**varazo** *m* coup de bâton.

**varear** *vt* **1.** *(los frutos)* gauler **2.** *(golpear)* battre **3.** *(el toro)* piquer **4.** *AMER (los caballos)* entraîner.

**varenga** *f MAR* varangue.

**vareo** *m* **1.** *(de los frutos)* gaulage **2.** *AMER (de caballos)* entraînement.

**varetazo** *m TAUROM* coup de corne.

**varetón** *m (ciervo joven)* daguet.

**varga** *f (de una cuesta)* pente, montée.

**Vargas** *np m ANT* **averígüelo ~** c'est difficile à vérifier.

**variabilidad** *f* variabilité.

**variable** *a* variable, changeant, e. ◇ *f MAT* variable.

**variación** *f* **1.** variation **2.** *(cambio)* changement *m*: **temperaturas sin ~** températures sans changement **2.** *MÚS* variation.

**variado, a** *a* varié, e.

**variante** *f* **1.** variante **2.** *(de carretera)* déviation.

**variar** *vt* varier, changer, modifier. ◇ *vi* **1.** varier **2.** changer: **~ de peinado, de parecer** changer de coiffure, d'avis; **el tiempo ha variado** le temps a changé.

**varice, várice** *f* varice: **tener varices** avoir des varices.

**varicela** *f* varicelle.

**varicoso, a** *a* variqueux, euse.

**variedad** *f* variété. ◇ *pl (espectáculo)* variétés: **teatro de variedades** théâtre de variétés.

**varilarguero** *m* picador.

**varilla** *f* **1.** baguette **2.** *(para una cortina)* tringle **3.** *(de paraguas)* baleine **4.** *(de abanico)* brin *m* **5.** *(de gafas)* branche **6.** → **varita.**

**varillaje** *m* **1.** *(de un paraguas)* baleines *f pl* **2.** *(de abanico)* monture *f*.

**vario, a** *a* **1.** divers, e, différent, e, varié, e **2.** changeant, e. ◇ *pl* plusieurs: **varias veces** plusieurs fois; **varios capítulos** plusieurs chapitres.

**variólico, a** *a* variolique.

**varioloso, a** *a/s* varioleux, euse.

**variopinto, a** *a* **1.** bariolé, bigarré, e **2.** *FIG* divers, e, varié, e, hétéroclite, hétérogène: **un público ~** un public varié; **los más variopintos materiales** les matériaux les plus divers, les plus hétéroclites.

**varita** *f* baguette: **~ mágica, de (las) virtudes** baguette magique.

**variz** → **varice.**

**varón** *m* **1.** homme: **los varones ilustres** les hommes illustres **2.** garçon, enfant du sexe masculin: **no ha tenido ningún hijo ~** il n'a pas eu de garçon, d'enfant du sexe masculin **3.** *FIG* **un santo ~** un très brave homme.

**varonil** *a* viril, e.

**Varsovia** *np* Varsovie.

**vas** → **ir.**

**vasallaje** *m* vasselage, vassalité *f*.

**vasallo, a** *a/s* vassal, e: **los vasallos** les vassaux.

**vasar** *m* tablettes *f pl* pour recevoir la vaisselle.

**vasco, a, vascongado, a** *a/s* basque.

**vascuence** *a/m (lengua)* basque.

**vascular** *a* vasculaire.

**vascularización** *f* vascularisation.

**vascularizado, a** *a* vascularisé, e.

**vasectomía** *f MED* vasectomie.

**vaselina** *f* vaseline.

**vasija** *f* pot *m*, récipient *m*.

**vaso** *m* **1.** *(para beber)* verre: **un ~ de agua** un verre d'eau ◊ *FIG* **ahogarse en un ~ de agua** → **ahogar 2.** *(recipiente)* vase: **un ~ griego** un vase grec **3.** *ANAT, BOT* vaisseau: **vasos sanguíneos,**

**linfáticos** vaisseaux sanguins, lymphatiques **4. vasos comunicantes** vases communicants **5.** *(casco de las caballerías)* sabot.

**vasoconstrictor** *a/m* vasoconstricteur.

**vasodilatador, a** *a/m* vasodilatateur.

**vasomotor, a** *a* vasomoteur, trice.

**vástago** *m* **1.** *(de una planta)* rejeton **2.** *(del émbolo)* tige *f* **3.** *FIG (hijo)* rejeton.

**vastedad** *f* étendue, immensité.

**vasto, a** *a* vaste.

**vate** *m* **1.** *(poeta)* poète **2.** devin.

**vater → water.**

**vaticano, a** *a* du Vatican, vaticane.

**Vaticano** *np m* Vatican.

**vaticinar** *vt* prédire: **~ el futuro** prédire l'avenir.

**vaticinio** *m* vaticination *f*, prédiction *f*.

**vatio** *m ELECT* watt ◊ **~ por hora** wattheure.

[1]**vaya** *f* raillerie: **dar ~** railler, taquiner.

[2]**vaya, vayas,** etc. **→ ir.**

**Vd.** abréviation de **usted.**

**ve** *f* v *m*, lettre v.

**ve → ir, ver.**

**veces** *pl* de **vez.**

**vecinal** *a* **1.** communal, e, municipal, e **2.** vicinal, e: **camino ~** chemin vicinal.

**vecindad** *f* **1.** voisinage *m*: **relaciones de buena ~** rapports de bon voisinage **2.** *(de una ciudad, un barrio)* habitants *m pl*, population **3.** *(de una casa)* voisins *m pl*, voisinage *m*.

**vecindario** *m* **1.** *(de una ciudad)* ensemble des habitants, population *f* **2.** *(de una casa)* voisins *pl*, voisinage.

**vecino, a** *a/s* voisin, e: **~ a,** voisin de. ◇ *s (de una ciudad, un barrio)* habitant, e: **los vecinos de Madrid** les habitants de Madrid; **es ~ de Bilbao** il habite Bilbao.

**vector** *m* vecteur.

**vectorial** *a MAT* vectoriel, elle: **cálculo ~** calcul vectoriel.

**ved → ver.**

**veda** *f* **1.** défense **2.** fermeture (de la chasse, de la pêche) ◊ **levantamiento de la ~** ouverture; **mañana se levanta la ~ de la trucha** demain la pêche à la truite est ouverte; **esperaba que se levantara la ~ de la perdiz** il attendait l'ouverture de la chasse à la perdrix.

**Veda** *np m* Véda.

**vedado** *m (de caza)* chasse *f* gardée, réserve *f* de chasse.

**vedar** *vt* défendre, interdire.

**vedette** *f* vedette.

**védico, a** *a* védique.

**vedija** *f* **1.** *(de lana)* flocon *m* de laine **2.** *(de pelo)* touffe.

**vedismo** *m* védisme.

**veedor** *m* contrôleur, inspecteur.

**veeduría** *f* contrôle *m*, inspection.

**vega** *f* **1.** plaine fertile, riche vallée **2.** *(en Cuba)* plantation de tabac.

**vegetación** *f* végétation. ◇ *pl MED* végétations.

**vegetal** *a/m* végétal, e: **alimentos vegetales** aliments végétaux; **tierra ~** terre végétale; **los vegetales** les végétaux.

**vegetar** *vi* végéter.

**vegetarianismo** *m* végétarisme.

**vegetariano, a** *a/s* végétarien, enne.

**vegetativo, a** *a* végétatif, ive.

**veguer** *m (magistrado)* viguier.

**veguero** *m* cigare fait d'une seule feuille.

**vehemencia** *f* véhémence.

**vehemente** *a* véhément, e.

**vehículo** *m* **1.** véhicule ◊ **~ espacial** véhicule spatial, engin spatial **2.** *FIG* véhicule.

**veintavo, a** *a/m* vingtième.

**veinte** *a/m* **1.** vingt **2. el siglo ~** le vingtième siècle.

**veinteavo, a** *a/m* vingtième.

**veintena** *f* vingtaine.

**veinteno, a** *a/s* vingtième.

**veintidós, veintitrés, veinticuatro, veinticinco,** etc. *a/m* vingt-deux, vingt-trois, vingt-quatre, vingt-cinq, etc. ◊ **abierto las veinticuatro horas (del día)** ouvert vingt-quatre heures sur vingt-quatre.

**veintitantos, as** *a* environ vingt, vingt et quelques: **~ años** vingt ans et quelques.

**veintiún** *a* vingt et un (devant un nom masculin).

**veintiuno, a** *a/m* vingt et un. ◇ *f (juego)* vingt-et-un *m*.

**vejación** *f* vexation.

**vejamen** *m* **1.** vexation *f* **2.** *(burla)* raillerie *f*.

**vejancón, ona** *a/s PEYOR (persona)* vieux, vieille.

**vejar** *vt* **1.** vexer **2.** humilier, rabaisser.

**vejarrón, ona** *a/s PEYOR (persona)* vieux, vieille.

**vejatorio, a** *a* **1.** vexatoire **2.** humiliant, e.

**vejestorio** *m PEYOR* vieux barbon, vieux birbe, vieille bonne femme *f*.

**vejete** *m* petit vieux.

**vejez** *f* **1.** vieillesse **2.** *FIG* **¡a la ~ viruelas!** c'est un peu tard!, ce n'est pas de ton (son, etc.) âge!, ça te (le, etc.) prend sur le tard!

**vejiga** *f* **1.** vessie **2.** *(en la piel)* ampoule **3. ~ de la bilis** vésicule biliaire **4. ~ natatoria** vessie natatoire.

**vejigatorio** *m* vésicatoire.

**vejiguilla** *f* vésicule.

[1]**vela** *f* **1.** *(para alumbrar)* bougie, chandelle ◊ *FIG* **¿quién te dio ~ en este entierro?** qui t'a demandé ton avis?; *FAM* **estar a dos velas** être fauché, e, sans le sou, à sec; **poner una ~ a Dios y otra al diablo** être bien avec tout le monde, ménager la chèvre et le chou. **2.** *(acción de velar)* veille ◊ **pasar la noche en ~** passer la nuit sans dormir. ◇ *pl FAM (moco que cuelga de la nariz)* chandelles.

[2]**vela** *f* voile: **barco de ~** bateau à voile; **~ latina** voile latine; **hacerse a la ~** mettre à la voile; **practicar ~, hacer ~** faire de la voile; *FIG* **recoger velas** mettre de l'eau dans son vin, faire machine arrière, s'incliner ◊ *loc adv* **a toda ~** à pleines voiles.

**velacho** *m MAR* hunier de misaine.

**velación** *f* **1.** *(acción de velar)* veillée **2.** cérémonie qui consiste à tenir un voile au-dessus de la tête des mariés pendant la messe qui suit le mariage.

**velada** *f* veillée, soirée.

**velador** *m* **1.** *(mesita)* guéridon **2.** *AMER (mesita de noche)* table *f* de nuit; *(lámpara)* lampe *f* de chevet.

**veladura** *f* **1.** *(pintura)* glacis *m* **2.** *(foto)* voile *m*.

**velamen** *m MAR* voilure *f*.

[1]**velar** *vi* **1.** *(estar sin dormir)* veiller **2.** veiller: **~ por la salud de, por los intereses de** veiller à la santé de, aux intérêts de. ◇ *vt* **1.** veiller: **~ a un enfermo** veiller un malade **2.** *(cubrir con un velo)* voiler **3.** *FIG (disimular)* voiler **4.** *(una foto)* voiler. ◆ **~se** *vpr* se voiler.

**²velar** *a/f* vélaire: **una consonante ~** une consonne vélaire.

**velatorio** *m* veillée *f* funèbre.

**¡velay!** *interj* voilà!

**velazqueño, a** *a* du peintre Vélasquez.

**veleidad** *f* **1.** *(deseo vano)* velléité **2.** *(inconstancia)* inconstance.

**veleidoso, a** *a* **1.** velléitaire **2.** *(inconstante)* inconstant, e.

**velero** *a/m* **1.** *(barco)* voilier, bateau à voiles **2.** fabricant de bougies.

**veleta** *f* **1.** girouette **2.** *FIG* **un ~, una ~** une girouette.

**velilla** *f* allumette.

**velillo** *m* petit voile, voilette *f*.

**vello** *m* duvet: **el ~ superfluo** le duvet superflu ◊ **el ~ pubiano** la toison pubienne.

**vellocino** *m* **1.** toison *f* **2. ~ de oro** toison d'or.

**vellón** *m* **1.** *(vellocino)* toison *f* **2.** *(moneda)* billon.

**vellosidad** *f* villosité.

**vellosilla** *f* piloselle.

**velloso, a** *a* duveteux, euse.

**velludo, a** *a* velu, e. ◇ *m* **1.** *(terciopelo)* velours **2.** *(felpa)* peluche *f*.

**velo** *m* **1.** voile ◊ *FIG* **correr un tupido ~ sobre** jeter un voile sur, un voile pudique sur; **tomar el ~** prendre le voile **2.** *(de sombrero)* voilette *f* **3. ~ del paladar** voile du palais.

**velocidad** *f* vitesse: **tren de alta ~** train à grande vitesse; **~ punta** vitesse de pointe; **tomar ~** prendre de la vitesse; **perder ~** être en perte de vitesse ◊ *FAM* **confundir la ~ con el tocino** tout mélanger, tout confondre, prendre des vessies pour des lanternes.

**velocípedo** *m* vélocipède.

**velocista** *s* sprinter.

**velódromo** *m* vélodrome.

**velomotor** *m* vélomoteur.

**velón** *m* lampe *f* à huile.

**velorio** *m* **1.** *(reunión)* veillée *f* **2.** *(velatorio)* veillée *f* funèbre **3.** *(de una monja)* prise *f* de voile.

**veloz** *a* rapide: **unos ademanes veloces** des gestes rapides.

**velozmente** *adv* rapidement.

**ven** → **venir.**

**vena** *f* **1.** *(vaso sanguíneo)* veine **2.** *(de una hoja)* côte, nervure **3.** *(filón)* veine **4.** *FIG* **estar en ~** être en veine, être en train; **coger, hallar de ~ a alguien** trouver quelqu'un dans de bonnes dispositions **5.** *FIG* **~ de loco** grain *m* de folie **6.** *FIG* **le dio la ~ por...** ça lui a pris de..., il s'est mis en tête de...; **si le da la ~** si ça le prend tout d'un coup.

**venablo** *m* **1.** javelot **2.** *FIG* **echar venablos** vomir des injures, tempêter.

**venado** *m* *(ciervo)* cerf.

**venal** *a* **1.** *(vendible, sobornable)* vénal, e **2.** *(de las venas)* véneux, euse.

**venalidad** *f* vénalité.

**venático, a** *a* lunatique.

**venatorio, a** *a* cynégétique.

**vencedor, a** *a/s* vainqueur.

**vencejo** *m* **1.** *(pájaro)* martinet **2.** *(lazo)* lien pour les gerbes.

**vencer** *vt* **1.** vaincre **2.** *(en una competición, un partido)* battre: **X venció a Y en el tercer set** X a battu Y au troisième set **3.** *FIG* vaincre: **~ la resistencia de...** vaincre la résistance de... **4.** *(superar)* surmonter: **~ los obstáculos** surmonter les obstacles **5.** *(aventajar)* l'emporter sur **6. le venció el sueño** le sommeil a eu raison de lui **7.** *FIG* **dejarse ~** se laisser abattre. ◇ *vi* **1.** *(ganar)* gagner **2.** échoir, expirer, arriver à son terme: **mañana vence la letra** la traite échoit demain; **el plazo venció ayer** le délai a expiré hier. ◆ **~se** *vpr* **1.** *FIG* se dominer **2.** *(doblarse)* fléchir, ployer, se courber, *(inclinarse)* se pencher.

**vencida** *f* **1. ir de ~** être sur le point de céder, tirer à sa fin **2. a la tercera va la ~** la troisième fois sera la bonne.

**vencido, a** *a/s* vaincu, e ◊ **darse por ~** s'avouer vaincu, se tenir pour battu. ◇ *a* **1.** échu, e: **a plazo ~** à terme échu **2.** *(inclinado)* penché, e.

**vencimiento** *m* **1.** *(de un pago, etc.)* échéance *f* **2.** *(de un plazo)* expiration *f*: **la fecha del ~** la date d'expiration, l'échéance **3.** victoire *f* **4.** *(derrota)* défaite *f* **5.** torsion *f*, ploiement.

**venda** *f* **1.** *(de gasa, etc.)* bande, bandage *m* **2.** *(para los ojos)* bandeau *m* ◊ *FIG* **tener una ~ en los ojos** avoir un bandeau sur les yeux.

**vendaje** *m* bandage.

**vendar** *vt* bander.

**vendaval** *m* vent violent.

**vendedor, a** *s* **1.** vendeur, euse **2.** marchand, e: **~ de periódicos** marchand de journaux.

**vender** *vt* **1.** vendre: **ha vendido su coche en, por medio millón** il a vendu sa voiture un demi-million; **se vende** à vendre **2. artículo sin ~** article invendu **3.** *FIG* **~ cara su vida** vendre chèrement sa vie; **~ a sus hijos** vendre ses enfants. ◆ **~se** *vpr* *FIG* se vendre ◊ **venderse caro** se faire désirer.

**vendí** *m* *COM* bordereau de vente.

**vendible** *a* vendable.

**vendido, a** *pp* de **vender.** ◇ *a* **estar, ir ~** s'exposer à un danger, courir un risque.

**vendimia** *f* vendange.

**vendimiador, a** *s* vendangeur, euse.

**vendimiar** *vt* vendanger.

**vendimiario** *m* vendémiaire.

**vendrá,** etc. → **venir.**

**venduta** *f* *AMER* boutique de marchand de légumes.

**Venecia** *np* **1.** *(ciudad)* Venise **2.** *(región)* Vénétie.

**veneciano, a** *a/s* vénitien, enne.

**venencia** *f* petite louche à long manche pour puiser le vin de Jerez.

**veneno** *m* **1.** poison **2.** *(de ciertos animales)* venin **3.** *FIG* poison, venin.

**venenosidad** *f* venimosité.

**venenoso, a** *a* **1.** vénéneux, euse **2.** *(animal)* venimeux, euse **3.** *FIG* venimeux, euse.

**venera** *f* **1.** *(concha)* coquille Saint-Jacques **2.** croix d'un ordre militaire.

**venerable** *a* vénérable.

**veneración** *f* vénération.

**venerando** *a* vénérable.

**venerar** *vt* vénérer.

**venéreo, a** *a* vénérien, enne: **enfermedades venéreas** maladies vénériennes. ◇ *m* maladie *f* vénérienne.

**venero** *m* **1.** *(manantial)* source *f* **2.** gisement **3.** *FIG* source *f*, mine *f*.

**venezolano, a** *a/s* vénézuélien, enne.

**Venezuela** *np f* Venezuela *m*.

**venga,** etc. → **venir.**

**vengador, a** *a/s* vengeur, eresse.

**venganza** *f* vengeance.

**vengar** *vt* venger. ◆ **~se** *vpr* se venger: **se vengó de...** il se vengea de...

**vengativo, a** *a* vindicatif, ive.

**vengo** → **venir.**

**venia** *f* **1.** *(permiso)* permission, autorisation **2.** pardon *m* **3.** salut *m* **4.** AMER salut *m* militaire: **hizo una ~ al coronel** il salua le colonel.

**venial** *a* véniel, elle: **pecado ~** péché véniel.

**venida** *f* **1.** *(acción de venir)* venue: **idas y venidas** allées et venues **2.** *(llegada)* arrivée.

**venidero, a** *a* futur, e, à venir. ◇ *m* **lo ~** l'avenir. ◇ *m pl* générations *f* futures.

**venir*** *vi* **1.** venir: **vino ayer** il est venu hier; **venga cuando quiera** venez quand vous voudrez; **¡ven aquí!** viens ici!; **¿vendrás a cenar?** tu viendras dîner?; **vendré a por usted** je viendrai vous chercher ◊ **el mes que viene** le mois prochain; **en lo por ~** à l'avenir; **venga lo que viniere** advienne que pourra **2.** *(llegar)* arriver: **¿se va usted porque vengo yo?** vous partez parce que j'arrive? **3.** *(= estar)* être: **vengo muy contento** je suis très content; **venía bastante nervioso** il était assez nerveux; **mi mujer viene algo enferma** ma femme est un peu souffrante; **viene en el periódico** c'est dans le journal; **~ diciendo** dire; **yo venía pensando hacerlo** je pensais le faire **4. ¿a qué viene eso?** à quoi cela rime-t-il?; **¿a qué vienen esos gritos?** que signifient ces cris?, pourquoi ces cris? ◊ **sin ~ a qué, a nada** sans raison **5. ~ bien, mal** aller bien, mal: **esta camisa te viene bien** cette chemise te va bien; **este café me ha venido bien** ce café m'a fait du bien; **hoy me viene mal salir de paseo** aujourd'hui ça ne me dit rien d'aller me promener; **¿te viene bien el sábado por la noche? -me viene muy bien** ça te va, ça te convient samedi soir? -ça me va très bien; **~ de primera** tomber à pic; **~ rodado** → **rodado 6. ~ a menos** déchoir, perdre sa fortune: **familia venida a menos** famille déchue, ruinée **7. ~ a ser** devenir, revenir, être à peu près: **eso viene a ser lo mismo** cela revient au même; **~ en deseo** avoir envie de **8.** FAM **¡venga ya!** allons donc! ◆ **~se** *vpr* **1.** venir: **¿por qué no te vienes conmigo?** pourquoi ne viens-tu pas avec moi? **2. venirse abajo** s'écrouler, s'effondrer.

▶ *Venir* + gérondif traduit le déroulement de l'action, sa progression: *viene clareando* le jour se lève (peu à peu).

**venoso, a** *a* veineux, euse.

**venta** *f* **1.** vente: **estar a la ~, en ~** être en vente; **poner a la ~** mettre en vente; **salir a la ~** être mis en vente; **de ~ en farmacias** en vente dans les pharmacies; **el libro de más ~** le livre le plus vendu **2.** *(posada)* auberge.

**ventaja** *f* **1.** avantage *m*: **tener la ~** avoir l'avantage **2.** *(tenis)* **~ para Sánchez** avantage Sánchez **3.** avance: **llevar dos puntos de ~** avoir deux points d'avance.

**ventajero, a** AMER → **ventajista.**

**ventajista** *s* **1.** profiteur, euse **2.** *(en el juego)* tricheur, euse.

**ventajoso, a** *a* avantageux, euse.

**ventana** *f* **1.** fenêtre **2.** *(de la nariz)* narine.

**ventanaje** *m* fenêtrage.

**ventanal** *m* grande fenêtre *f*.

**ventanazo** *m* claquement d'une fenêtre qui se ferme.

**ventanilla** *f* **1.** petite fenêtre **2.** *(de tren)* fenêtre, *(de coche)* glace, *(de avión)* hublot *m* **3.** *(en una oficina, un despacho)* guichet *m*: **la ~ número 3** le guichet numéro 3 **4.** *(de la nariz)* narine.

**ventanillo** *m* **1.** petite fenêtre *f* **2.** *(en una puerta)* guichet **3.** *(mirilla)* judas.

**ventano** *m* petite fenêtre *f*.

**ventarrón** *m* coup de vent, vent violent.

**ventear** *v impers* venter. ◇ *vt* **1.** *(husmear)* flairer **2.** *(airear)* exposer au vent **3.** FIG **~ el peligro** flairer le danger **4.** FIG *(curiosear)* fureter, chercher à savoir. ◆ **~se** *vpr* **1.** *(henderse)* se fendiller **2.** s'éventer.

**venteril** *a* propre d'une auberge.

**ventero, a** *s* aubergiste.

**ventilación** *f* **1.** ventilation, aération **2.** *(abertura)* ouverture.

**ventilado, a** *a* ventilé, e, aéré, e.

**ventilador** *m* ventilateur.

**ventilar** *vt* **1.** ventiler **2.** aérer: **~ una habitación** aérer une pièce **3.** FIG *(dilucidar)* examiner, tirer au clair, élucider: **~ un asunto** examiner une question **4.** FIG rendre public, que **5.** FAM *(matar)* liquider. ◆ **~se** *vpr* **1.** *(airearse)* s'aérer **2.** VULG **ventilársela** se la taper, se l'envoyer.

**ventisca** *f* tempête de neige, bourrasque de neige.

**ventiscar, ventisquear** *v impers* neiger avec de fortes bourrasques.

**ventisquero** *m* **1.** bourrasque *f* de neige **2.** *(helero)* glacier, névé.

**vento** *m* AMER argent, fric.

**ventolera** *f* **1.** coup *m* de vent violent, bourrasque **2.** FIG caprice *m*, coup *m* de tête, idée saugrenue: **le ha dado la ~ de marcharse a China** ça lui a pris tout d'un coup de partir en Chine.

**ventolina** *f* MAR brise folle.

**ventorrillo** *m* petite auberge *f*, guinguette *f*.

**ventorro** *m* auberge *f*, gargote *f*.

**ventosa** *f* ventouse.

**ventosear** *vi* lâcher des vents, lâcher un pet, vesser.

**ventosidad** *f* ventosité, vent *m*.

**ventoso, a** *a* venteux, euse, venté, e. ◇ *m (mes)* ventôse.

**ventral** *a* ventral, e.

**ventregada** *f (camada)* portée.

**ventrera** *f* ventrière.

**ventrículo** *m* ANAT ventricule.

**ventrílocuo, a** *s* ventriloque.

**ventriloquia** *f* ventriloquie.

**ventrudo, a** *a* ventru, e, ventripotent, e.

**ventura** *f* **1.** *(felicidad)* bonheur *m* **2.** *(casualidad)* hasard *m* **3.** *(suerte)* chance **4. buena ~** bonne aventure: **echar la buena ~ a alguien** dire la bonne aventure à quelqu'un **5.** *loc adv* **a la ~** à l'aventure, au hasard; **por ~** par hasard, d'aventure.

**venturoso, a** *a* heureux, euse.

**venus** *f* vénus.

**Venus** *np f* Vénus ◊ **~ del espejo** *(Velázquez)* Vénus au miroir.

**venustez, venustidad** *f* beauté.

**¹ver*** *vt* **1.** voir: **nunca lo he visto** je ne l'ai jamais vu ◊ FIG **~ con buenos, malos ojos** voir d'un bon, d'un mauvais œil; **~ venir** voir venir; **te veo venir** je te vois venir; **verlas venir** voir venir les choses rapidement; **aquí donde me ves** tel que tu me vois; **está por ~** c'est à voir; **hay que ~** il faut voir; **lo está usted viendo** vous voyez bien; **no poder ~ a alguien** ne pas pouvoir voir, sentir quelqu'un; **ya veremos** on verra bien; **aceptó mi ayuda y luego si te he visto no me acuerdo** il accepta mon aide et après, bonsoir!, je ne te connais plus!; FAM **¡a ~!** voyons!; **¡habráse visto!** est-ce possible, ça, par exemple!; **¡hasta más ~!** au revoir!, salut!, à la prochaine!; **¡vamos a ~!** voyons! **2.** *(mirar)* regarder: **~ la televisión** regarder la télévision **3. volver a ~** revoir **4. ni visto ni oído** → **visto.** ◇ *vi* **~ de** essayer de, tâcher de. ◆ **~se** *vpr* **1.** se voir ◊ **ya se ve** ça se voit, c'est évident **2.** voir: **véase página 40** voir page 40 **3.** FAM **verse negro** ne pas savoir comment s'y prendre; **verse y desearse**

**para** avoir beaucoup de mal, un mal fou pour; **había tanta gente a la salida de la estación que se las vio y se las deseó para encontrar un taxi** il y avait tant de monde à la sortie de la gare qu'il eut un mal fou pour trouver un taxi; **vérselas con** avoir affaire à; **¡te las verás conmigo!** tu auras affaire à moi!

**²ver** *m* **1.** vue *f* **2.** aspect, allure *f*: **a pesar de sus años, aún está de buen ~** malgré son âge, elle a encore beaucoup d'allure **3.** avis: **a mi ~** à mon avis.

**vera** *f* **1.** *(orilla)* bord *m* **2.** *(lado)* côté *m*: **a la ~ de** à côté de; **a mi ~** à côté de moi.

**veracidad** *f* véracité.

**veranadero** *m* pâturage d'été.

**veranda** *f* véranda.

**veraneante** *a/s* estivant, e.

**veranear** *vi* passer ses vacances d'été.

**veraneo** *m* villégiature *f*, vacances *f pl* d'été: **ir de ~** partir en vacances; **estar de ~** être en villégiature.

**veraniego, a** *a* estival, e, d'été.

**veranillo** *m* **~ de San Martín** été de la Saint-Martin.

**verano** *m* été.

**veras (de)** *loc adv* **1.** vraiment, réellement, véritablement: **algo de ~ impresionante** quelque chose de vraiment impressionnant **2.** *(en serio)* sérieusement **3. lo siento de ~, de ~ que lo siento** je le regrette sincèrement, vraiment; **no, de ~, muchas gracias** non vraiment, merci beaucoup.

**veraz** *a* véridique.

**verba** *f* loquacité.

**verbal** *a* verbal, e: **adjetivos verbales** adjectifs verbaux.

**verbalismo** *m* verbalisme.

**verbalmente** *adv* verbalement.

**verbasco** *m* bouillon blanc.

**verbena** *f* **1.** *(planta)* verveine **2.** *(fiesta)* fête populaire (en plein air).

**verbenear** *vi* fourmiller, grouiller.

**verbenero, a** *a* de fête.

**verbigracia** *loc* par exemple.

**verbo** *m* **1.** GRAM verbe: **~ transitivo, intransitivo** verbe transitif, intransitif **2.** RELIG **el Verbo se hizo carne** le Verbe s'est fait chair.

**verborrea** *f* verbosité excessive, logorrhée.

**verbosidad** *f* verbosité.

**verboso, a** *a* verbeux, euse.

**verdad** *f* **1.** vérité: **es la pura ~** c'est la stricte vérité; **la hora de la ~** l'heure de vérité ◊ FIG **decir a alguien (las) cuatro verdades (del barquero)** dire à quelqu'un ses quatre vérités; **verdades como puños** des vérités évidentes, des évidences; **~ de Perogrullo → Perogrullo 2. es ~ que..., ~ es que...** il est vrai que...; **no es ~** ce n'est pas vrai; **¡ojalá fuera ~!** si c'était vrai!; **quizás sea ~** c'est peut-être vrai **3. ¿verdad?** n'est-ce pas?, pas vrai?; **¿~ que es bonita?** n'est-ce pas qu'elle est jolie? **4.** *loc adv* **a la ~** à la vérité; **a decir ~** à vrai dire; **de ~** vraiment, réellement; **de ~ que no sé cómo...** je ne sais vraiment pas comment...; **lo he pensado de ~** j'y ai pensé sérieusement; **¿de ~ es él?** c'est vraiment lui?, c'est vrai que c'est lui?; **la ~** à vrai dire, en vérité: **esta chica, la ~, no es guapa** cette fille, à vrai dire, n'est pas belle **5.** PROV **la ~ amarga** il n'y a que la vérité qui blesse.

**verdaderamente** *adv* vraiment, véritablement, assurément.

**verdadero, a** *a* véritable, vrai, e: **una amistad verdadera** une amitié véritable; **el ~ padre de la criatura** le vrai père de l'enfant.

**verdal** *a* vert, e (se dit de certains fruits qui gardent une couleur verte bien que mûrs).

**verdasca** *f* baguette.

**verde** *a* **1.** vert, e ◊ **luz ~** feu vert; **zona ~** espace vert **2.** *(indecente)* leste, grivois, e ◊ **un viejo ~** un vieux beau, un vert galant **3.** FIG **poner ~ a alguien** traiter quelqu'un de tous les noms, dire pis que pendre de quelqu'un **4.** *(ecologista)* vert, e ◊ **los Verdes** les Verts, les écolos. ◇ *m* **1.** vert: **pintar de ~** peindre en vert; **~ botella, oliva** vert bouteille, olive **2.** herbe *f*, fourrage vert **3.** AMER maté **4.** AMER *(plátano)* banane *f* verte.

**verdear** *vi* verdoyer.

**verdeceledón** *m* céladon.

**verdecer*** *vi* verdir, reverdir.

**verderón** *m* *(pájaro)* verdier.

**verdete** *m* vert-de-gris.

**verdín** *m* **1.** vert tendre (des plantes qui poussent) **2.** mousse *f* verte **3.** *(cardenillo)* vert-de-gris.

**verdolaga** *f* *(planta)* pourpier *m*.

**verdor** *m* **1.** *(color)* vert, verdure *f* **2.** *(lozanía)* verdeur *f*.

**verdoso, a** *a* verdâtre.

**verdugado** *m* vertugadin.

**verdugo** *m* **1.** *(funcionario de justicia)* bourreau **2.** *(azote)* fouet **3.** *(señal)* marque *f* d'un coup de fouet **4.** *(brote)* rejeton **5.** FIG bourreau **6.** *(capucha)* cagoule *f*.

**verdugón** *m* **1.** *(señal en el cuerpo)* marque *f* que laisse un coup de fouet **2.** *(renuevo de árbol)* rejeton.

**verdulera** *f* **1.** marchande de légumes **2.** *(mujer grosera)* poissarde.

**verdulería** *f* boutique du marchand de légumes.

**verdulero** *m* marchand de légumes.

**verdura** *f* **1.** *(hortaliza)* légumes *m pl* verts **2.** *(color)* vert *m*.

**verdusco, a** *a* verdâtre.

**verecundia** *f* honte.

**vereda** *f* **1.** sentier *m* ◊ FIG **hacer entrar en ~ a alguien** mettre quelqu'un au pas, remettre quelqu'un dans le droit chemin **2.** AMER *(acera)* trottoir *m*: **en medio de la ~** au milieu du trottoir **3.** AMER zone rurale, commune (en Colombie).

**veredicto** *m* verdict: **~ de inculpabilidad** verdict d'acquittement.

**veredón** *m* AMER large trottoir.

**verga** *f* **1.** MAR vergue **2.** ANAT verge.

**vergajazo** *m* coup de nerf de bœuf.

**vergajo** *m* nerf de bœuf.

**vergel** *m* verger.

**vergonzante** *a* honteux, euse: **pobre ~** pauvre honteux.

**vergonzosamente** *adv* **1.** honteusement **2.** timidement.

**vergonzoso, a** *a* honteux, euse. ◇ *a/s* *(persona)* timide.

**vergüenza** *f* **1.** honte: **dar ~** faire honte; **me das ~** tu me fais honte; **me da ~** ça me fait honte; **¿no te da ~ haber dicho esto?** tu n'as pas honte d'avoir dit ça?; **sentir, tener ~** avoir honte; **siento ~** j'ai honte; **¡es una ~!** c'est une honte!, c'est honteux!; **caerse a uno la cara de ~** mourir de honte **2.** honneur *m*, dignité ◊ **perder la ~** perdre toute retenue; **poca ~** culot *m* **3.** FIG **sacar a la ~** clouer au pilori. ◇ *pl* *(genitales)* parties honteuses.

**vericueto** *m* chemin scabreux, lieu escarpé.

**verídico, a** *a* véridique.

**verificación** *f* vérification.

**verificador, a** *a/s* vérificateur, trice.

**verificar** *vt* **1.** *(comprobar)* vérifier: **~ un cálculo** vérifier un calcul **2.** réaliser, effectuer. ◆ **~se** *vpr* **1.** *(efectuarse)* avoir lieu: **el acto se verificó ayer** la cérémonie a eu lieu hier **2.** se réaliser: **se verificaron nuestras predicciones** nos prédictions se sont réalisées.

**verigüeto** *m* praire *f.*

**verija** *f* **1.** pubis *m* **2.** *AMER (ijada)* flanc *m,* côté *m.*

**verismo** *m* vérisme.

**verja** *f* grille.

**verjurado** *a (papel)* vergé.

**vermes** *m pl* vers intestinaux.

**vermicida** *a/m* vermicide.

**vermicular** *a* vermiculaire.

**vermífugo, a** *a/m* vermifuge.

**vermut, vermú** *m* **1.** *(licor)* vermout, vermouth **2.** *AMER (de teatro, cine)* matinée *f.*

**vernáculo, a** *a* vernaculaire: **lengua vernácula** langue vernaculaire.

**vernissage** *m* vernissage.

**vero** *m* vair.

**Verona** *np* Vérone.

**veronal** *m* véronal.

**Veronés (el)** *np m* Véronèse.

**verónica** *f (planta, lance del toreo)* véronique.

**Verónica** *np f* Véronique.

**verosímil** *a* vraisemblable.

**verosimilitud** *f* vraisemblance.

**verosímilmente** *adv* vraisemblablement.

**verraco** *m* verrat.

**verraquear** *vi* **1.** grogner, gronder **2.** *(un niño)* brailler.

**verraquera** *f* braillements *m pl* (des enfants).

**verruga** *f* verrue.

**verrugoso, a** *a* verruqueux, euse.

**versación** *f AMER* compétence, expérience, connaissance.

**versado, a** *a* versé, e: **~ en** versé dans.

**versal** *a/f (letra)* capitale.

**versalita** *a/f (letra)* petite capitale.

**Versalles** *np* Versailles.

**versallesco, a** *a FIG* précieux, euse, raffiné, e.

**versar** *vi* **1.** tourner autour **2.** *FIG* **~ sobre** porter sur, traiter de: **la lección versaba sobre las preposiciones** la leçon portait sur les prépositions.

**versátil** *a* versatile.

**versatilidad** *f* versatilité.

**versículo** *m* verset.

**versificación** *f* versification.

**versificador, a** *s* versificateur, trice.

**versificar** *vi/t* versifier.

**versión** *f* **1.** version **2. película en ~ original** film en version originale.

**versista** *s* **1.** versificateur, trice **2.** *PEYOR* rimailleur, euse.

**verso** *m (poesía)* vers: **~ suelto** vers blanc. ◇ *a/m* **folio ~** verso.

**versta** *f* verste.

**vértebra** *f* vertèbre.

**vertebrado, a** *a/m ZOOL* vertébré, e: **los vertebrados** les vertébrés.

**vertebral** *a* vertébral, e: **columna ~** colonne vertébrale.

**vertedera** *f (del arado)* versoir *m.*

**vertedero** *m* **1.** *(de escombros, basuras)* décharge *f,* dépotoir: **~ municipal** décharge municipale; **~ de residuos tóxicos** décharge de déchets toxiques **2.** *(de un pantano)* déversoir **3.** *FIG* poubelle *f,* dépotoir: **el ~ de la historia** les poubelles de l'histoire.

**vertedor** *m* **1.** *(conducto)* tuyau de décharge **2.** *MAR* écope *f.*

**verter*** *vt* **1.** *(de un recipiente)* verser **2.** *(derramar)* répandre, renverser: **~ vino sobre el mantel** renverser du vin sur la nappe ◊ **río que vierte sus aguas en...** rivière qui se jette dans... **3.** traduire: **~ al español** traduire en espagnol **4.** *FIG* énoncer. ◇ *vi (un líquido)* couler. ◆ **~se** *vpr* se répandre.

**vertical** *a* vertical, e. ◇ *f* verticale. ◇ *m ASTR* vertical.

**verticalidad** *f* verticalité.

**verticalmente** *adv* verticalement.

**vértice** *m* sommet.

**vertido** *m* rejet, déversement: **~ de productos tóxicos** rejet de produits toxiques.

**vertiente** *f* **1.** *(de una montaña)* versant *m:* **la ~ atlántica** le versant atlantique **2.** *(de un tejado)* pente.

**vertiginoso, a** *a* vertigineux, euse.

**vértigo** *m* vertige: **dar, producir ~** donner le vertige ◊ *FAM* **de ~** vertigineux, euse, impressionnant, e, dingue: **a una velocidad de ~** à une vitesse vertigineuse.

**vesania** *f* démence, folie furieuse, furie.

**vesánico, a** *a* dément, e.

**vesical** *a* vésical, e.

**vesicante** *a/m* vésicant, e.

**vesícula** *f* vésicule: **~ biliar** vésicule biliaire.

**Vespasiano** *np m* Vespasien.

**vesperal** *m (libro)* vespéral.

**vespertino, a** *a* du soir, vespéral, e. ◇ *m AMER (diario)* journal du soir.

**vesre** *m AMER* verlan.

**vestal** *f* vestale.

**vestíbulo** *m* vestibule.

**vestido, a** *a* habillé, e, vêtu, e: **una mujer vestida de negro** une femme habillée de, en noir; **muñeca vestida** poupée habillée. ◇ *m* **1.** *(prenda de vestir)* vêtement **2.** costume: **museo del ~** musée du costume **3.** *(de mujer)* robe *f:* **prefiere un ~ a una falda** elle préfère une robe à une jupe; **~ de noche** robe du soir; **un vestidito primaveral** une petite robe printanière.

**vestidura** *f* vêtement *m.* ◇ *pl* **1.** habits *m* sacerdotaux **2.** *FIG* **rasgarse las vestiduras** crier au scandale, s'indigner, en faire tout un plat, toute une histoire.

**vestigio** *m* vestige.

**vestimenta** *f* vêtements *m pl,* tenue.

**vestir*** *vt* **1.** habiller **2.** *(llevar)* porter: **vestía una bata blanca** il portait une blouse blanche **3.** *(cubrir)* recouvrir **4.** *FIG* parer. ◇ *vi* **1.** *(bien o mal)* s'habiller **2.** être (habillé, e): **siempre viste de negro** elle est toujours habillée en noir; **vestía como una niña** elle était habillée comme une petite fille; **~ de paisano** être en civil **3.** faire habillé, habiller: **la seda viste mucho** la soie fait très habillé **4. traje de ~** costume habillé; **zapatos de ~** chaussures habillées; **un vestido de mucho ~** une robe très habillée **5.** *FIG* **el mismo que viste y calza** lui-même, en personne. ◆ **~se** *vpr* **1.** s'habiller: **antes de vestirme, me ducho** avant de m'habiller, je me douche; **se vistió y desayunó** il s'habilla et prit son petit déjeuner; **está vistiéndose** elle est en train de s'habiller **2.** se couvrir.

**vestón** *m AMER* veste *f.*

**vestuario** *m* **1.** *(de una persona)* garde-robe *f,* habillement: **el ~ femenino** la garde-robe féminine; **elegir el ~** choisir sa garde-robe **2.** *(de artistas de teatro, cine)* costumes *pl* **3.** *(lugar de los teatros)* loges *f pl* des acteurs **4.** *(en un gimnasio, una piscina)* vestiaire.

**Vesubio** *np m* Vésuve.

**veta** *f* **1.** *(de la madera, del mármol, etc.)* veine **2.** veine, filon *m*.

**vetar** *vt* mettre, opposer son veto à: **el Consejo de Seguridad vetará al acuerdo** le Conseil de Sécurité opposera son veto à l'accord.

**veteado, a** *a* veiné, e. ◇ *m* veinure *f*.

**veteranía** *f* ancienneté.

**veterano, a** *a* vieux, vieille. ◇ *m* vétéran.

**veterinaria** *f* médecine vétérinaire.

**veterinario, a** *s* vétérinaire.

**vetiver** *m* vétiver.

**veto** *m* veto: **derecho de ~** droit de veto; **poner el ~ a** mettre, opposer son veto à.

**vetustez** *f* vétusté.

**vetusto, a** *a* vétuste.

**vez** *f* **1.** fois: **una ~ al año** une fois par an; **cien veces** cent fois; **cada ~ que...** chaque fois que...; **érase una ~** il était une fois; **ligero a la ~ que sólido** léger et solide à la fois; **otra ~** encore une fois; **por primera ~ en mi vida** pour la première fois de ma vie; **por última ~** pour la dernière fois; **una ~ más** une fois encore; **las más de las veces** le plus souvent, la plupart du temps **2.** *(turno)* tour *m*: **cuando llegue mi ~** quand arrivera mon tour; **a mi ~** à mon tour; **¿quién da la ~?** à qui le tour?; **a tu ~** à ton tour **3.** *loc adv* **a la ~** à la fois, en même temps: **hablan todos a la ~** ils parlent tous à la fois, en même temps; **a veces, algunas veces, a las veces** parfois; **alguna que otra ~** de temps à autres; **cada ~ más** de plus en plus; **cada ~ menos** de moins en moins; **de una ~** d'un seul coup; **de una ~ (para siempre, por todas)** une fois pour toutes, une bonne fois: **cállate de una ~** tais-toi une fois pour toutes; **de ~ en cuando** de temps en temps; **en veces** en plusieurs fois; **muchas veces** souvent, maintes fois, bien des fois; **rara ~** rarement, peu souvent; **tal ~** peut-être: **tal ~ no me creyera si...** peut-être ne me croiriez-vous pas si... **4.** *loc prep* **en ~ de** au lieu de **5.** *loc conj* **toda ~ que** du moment que, puisque. ◇ *pl* **hacer las veces de** tenir lieu de, faire fonction de, faire office de: **una habitación que hace las veces de despacho** une chambre qui fait office de bureau.

▶ *Otra vez*, après un verbe, exprime l'idée de répétition qu'on peut rendre, en français, par un verbe à préfixe en «re-»: *hacer otra vez* refaire; *pensar otra vez* repenser, etc.

**vía** *f* **1.** voie: **~ de comunicación** voie de communication; **~ pública** voie publique; **~ férrea** voie ferrée; **ferrocarril de ~ estrecha** chemin de fer à voie étroite; **~ muerta** voie de garage; **~ de agua** voie d'eau **2.** *ANAT* voie: **vías digestivas, respiratorias** voies digestives, respiratoires; **por ~ oral** par voie orale **3.** *JUR* **vías de hecho** voies de fait **4.** *ASTR* **Vía Láctea** Voie lactée **5.** *RELIG* **las vías del Señor** les voies du Seigneur **6.** *loc prep* **en vías de** en voie de: **países en vías de desarrollo** pays en voie de développement. ◇ *prep (por vía de)* via, par: **~ satélite** par satellite.

**via crucis** *m* **1.** chemin de croix **2.** *FIG* calvaire.

**viabilidad** *f (de un proyecto, etc.)* viabilité.

**viable** *a* **1.** viable **2.** *FIG* réalisable, viable.

**viaducto** *m* viaduc.

**viajante** *m* voyageur de commerce, commis voyageur.

**viajar** *vi* voyager.

**viaje** *m* **1.** voyage: **ir de ~** partir en voyage; **hacer un ~ a Italia** faire un voyage en Italie; **~ de bodas, organizado** voyage de noces, organisé; **~ de negocio** voyage d'affaires; **~ de recreo, de placer** voyage d'agrément; **¡buen ~!** bon voyage! **2.** *FAM (bajo el efecto de la droga)* trip **3.** *POP* coup (de couteau, etc.).

**viajero, a** *a/s* voyageur, euse.

**vial** *a* routier, ère: **red ~** réseau routier; **seguridad ~** sécurité routière. ◇ *m* allée *f* d'arbres.

**vialidad** *f* voirie.

**vianda** *f* **1.** nourriture, aliment *m* (de l'homme) **2.** *(manjar)* mets *m inv* **3.** *AMER (fiambrera)* gamelle **4.** *AMER* **viandas** tubercules *m* comestibles.

**viandante** *s* voyageur, euse, chemineau.

**viaraza** *f AMER* coup *m* de tête, caprice *m*: **darle a uno una ~** avoir un caprice.

**viario, a** *a* routier, ère: **red viaria** réseau routier.

**viático** *m* viatique.

**víbora** *f* **1.** vipère ◊ *FIG* **lengua de ~** langue de vipère **2.** serpent *m*: **~ de coral** serpent corail.

**viborezno, a** *a* vipérin, e. ◇ *m* vipereau.

**vibración** *f* vibration.

**vibrador** *m* **1.** *ELECT* vibreur **2.** vibromasseur.

**vibráfono** *m* vibraphone.

**vibrante** *a/f* vibrant, e.

**vibrar** *vi* vibrer. ◇ *vt* faire vibrer.

**vibrátil** *a* vibratile: **pestaña ~** cil vibratile.

**vibratorio, a** *a* vibratoire.

**vibrión** *m* vibrion.

**viburno** *m* viorne *f*.

**vicaria** *f AMER* pervenche à fleurs blanches ou roses de Cuba.

**vicaría** *f* vicariat *m* ◊ *FAM* **pasar por la ~** convoler.

**vicariato** *m* vicariat.

**vicario** *m* vicaire: **~ general** vicaire général; **~ de Jesucristo** vicaire de Jésus-Christ.

**vice** *prefijo* vice: **vicealmirante** vice-amiral; **vicecónsul** vice-consul; **viceconsulado** vice-consulat.

**Vicente** *np m* Vincent ◊ **¿Adónde va ~? Donde va la gente** c'est de la moutonnerie.

**vicepresidencia** *f* vice-présidence.

**vicepresidente, a** *s* vice-président, e.

**vicerrector, a** *s* vice-recteur.

**vicesecretario, a** *s* sous-secrétaire.

**vicésimo** *a/s* vingtième.

**viceversa** *adv* vice versa.

**vichar, vichear** *vt AMER* épier, guetter.

**vichy** *m (tela)* vichy.

**viciar** *vt* **1.** vicier **2.** *(a una persona)* pervertir, corrompre **3.** falsifier. ◆ **~se** *vpr* **1.** se vicier **2.** *(una superficie)* gauchir.

**vicio** *m* **1.** vice: **~ de pronunciación** vice de prononciation **2.** *(mala costumbre)* défaut, mauvaise habitude *f* **3.** *(inclinación al mal)* vice **4.** *FIG* **quejarse de ~** se plaindre sans motif, par habitude, pour le plaisir, se plaindre que la mariée est trop belle **5.** *(torcedura)* gauchissement.

**vicioso, a** *a* **1.** *(depravado)* vicieux, euse ◊ **círculo ~** cercle vicieux **2.** *(vigoroso)* vigoureux, euse **3.** *FAM (un niño)* trop gâté, e.

**vicisitud** *f* vicissitude.

**víctima** *f* victime.

**victimar** *vt AMER* tuer: **victimado de un balazo en la nuca** tué d'une balle dans la nuque.

**victimario** *m AMER* meurtrier, assassin.

**Víctor** *np m* Victor.

**victoria** *f* **1.** victoire ◊ **cantar ~** chanter victoire **2.** *(coche, planta)* victoria.

**Victoria** *np f* Victoria.

**victoriano, a** *a* victorien, enne.

**victoriosamente** *adv* victorieusement.

**victorioso, a** *a* victorieux, euse.

**victrola** *f AMER* tourne-disque *m.*

**vicuña** *f* vigogne.

**vid** *f* vigne.

**vida** *f* **1.** vie: **¡así es la ~!** c'est la vie!; **~ privada** vie privée; **la ~ eterna** la vie éternelle; **esto no es ~** ce n'est pas une vie ◊ *FIG* **la ~ y milagros de** les faits et gestes de; **buscarse la ~** se débrouiller pour vivre; **dar mala ~ a** mener la vie dure à; **darse buena ~, la gran ~** mener joyeuse vie, la belle vie, se la couler douce; **estar entre la ~ y la muerte** être entre la vie et la mort; **ganarse la ~** gagner sa vie; **hacer la ~ imposible → imposible; meterse en vidas ajenas** se mêler des affaires d'autrui; **pasar a mejor ~** passer dans l'autre monde, dans un monde meilleur; **quitarse la ~** se donner la mort; **tener siete vidas como los gatos** être solide, avoir la vie dure; **vender cara su ~** vendre chèrement sa vie; **mujer de mala ~** femme de mauvaise vie **2. la conozco de toda la ~** je la connais depuis toujours; **un amigo de toda la ~** un ami de toujours, un vieil ami **3.** *FAM* **¿qué es de tu ~?** que deviens-tu?, qu'est-ce que tu deviens? **4.** *loc adv* **con ~, en ~** vivant, e, en vie: **escapar, salir con ~ de** sortir vivant, réchapper de; **estar con ~** être vivant; **sigue en ~** il est encore vivant, il vit toujours; **de por ~** pour toujours, pour la vie, à vie: **se quedó lisiado de por ~** il est resté estropié pour la vie, à vie; **en mi ~** de ma vie: **yo no he fumado en mi ~** je n'ai jamais fumé de ma vie **5.** *loc prep* **en ~ de** du vivant de. ◇ *interj FAM* **¡~ mía!** mon amour!

**vidala, vidalita** *f AMER* chanson triste des pays du Río de la Plata.

**videncia** *f* clairvoyance.

**vidente** *a/s* voyant, e.

**vídeo, video** *m* **1.** vidéo *f*: **el ~** la vidéo **2. un ~** un magnétoscope **3.** *(cinta)* bande *f* vidéo.

**videoasta** *s* vidéaste.

**videocámara** *f* caméra vidéo, caméscope *m.*

**videocasete** *m* cassette *f* vidéo, vidéocassette *f.*

**videoclip** *m* vidéoclip.

**videoclub** *m* vidéoclub.

**videoconferencia** *f* visioconférence, vidéoconférence.

**videoconsola** *f* console de jeux vidéo.

**videodisco** *m* vidéodisque.

**videofrecuencia** *f* vidéofréquence.

**videojuego** *m* jeu vidéo.

**videoteca** *f* vidéothèque.

**videoteléfono** *m* visiophone, vidéophone.

**videotex** *m* vidéotex.

**vidita** *f AMER* chérie.

**vidorra** *f FAM* **darse la ~** mener une vie de pacha, la bonne vie.

**vidriado, a** *a* vernissé, e. ◇ *m* **1.** *(loza)* poterie *f* vernissée **2.** *(barniz)* vernis.

**vidriar** *vt (la loza)* vernisser.

**vidriera** *f* **1.** vitrage *m* ◊ **puerta ~** porte vitrée **2.** *(con vidrios de colores)* vitrail *m*: **las vidrieras de una catedral** les vitraux d'une cathédrale **3.** *AMER (escaparate)* vitrine: **la ~ de una joyería** la vitrine d'une joaillerie.

**vidriería** *f* vitrerie, verrerie.

**vidriero** *m* **1.** *(que coloca cristales)* vitrier **2.** *(que fabrica o vende vidrios)* verrier.

**vidrio** *m* **1.** *(sustancia, objeto)* verre ◊ *FIG* **pagar los vidrios rotos** payer les pots cassés **2.** *(cristal)* vitre *f*, carreau.

**vidrioso, a** *a* **1.** vitreux, euse **2.** *FIG (asunto)* délicat, e: **es un asunto siempre ~** c'est une affaire toujours délicate **3.** *FIG* susceptible.

**vieira** *f* coquille Saint-Jacques.

**vieja** *f* **1.** *(pez)* vieille, labre *m* **2. → viejo.**

**viejales** *s FAM* petit vieux, petite vieille.

**viejecito, a** *s* petit vieux, petite vieille.

**viejo, a** *a* vieux, vieil (delante de vocal o *h* muda), vieille: **un hombre ~** un vieil homme; **una mujer vieja** une vieille femme; **un ~ profesor** un vieux professeur; **un abrigo ~** un vieux manteau; **me estoy haciendo ~, voy para ~** je me fais vieux, je vieillis ◊ **un ~ verde** un vieux beau. ◇ *s* **1.** vieux, vieille, vieillard **2.** *(padres)* vieux, vieille: **mis viejos** mes vieux.

**Viena** *np f* Vienne.

**viene**, etc. **→ venir.**

**vienés, esa** *a/s* viennois, e: **vals ~** valse viennoise.

**vientecillo** *m* vent léger.

**viento** *m* **1.** vent: **sopla el viento** le vent souffle; **hace ~** il y a du vent, il fait du vent ◊ *FIG* **beber los vientos por** brûler de, désirer vivement, avoir une envie folle de; **beber los vientos por alguien** être éperdument amoureux de quelqu'un; **contra ~ y marea** contre vents et marées; **echar con ~ fresco** envoyer au diable; **ir ~ en popa** avoir le vent en poupe; **largarse con ~ fresco** prendre le large, ficher le camp; *PROV* **quien siembra vientos recoge tempestades** qui sème le vent récolte la tempête **2.** *MÚS* **instrumento de ~** instrument à vent **3.** *(olor de la caza)* vent **4.** *(olfato)* flair.

**vientre** *m* **1.** ventre ◊ **danza del ~** danse du ventre **2. hacer de ~** aller à la selle **3. sacar el ~ de mal año** se gaver, manger plus que d'habitude.

**viernes** *m* vendredi: **el ~ pasado** vendredi dernier; **~ santo** vendredi saint ◊ *FAM* **haber aprendido en ~** rabâcher.

**Vietnam** *np m* Viêt-Nam.

**vietnamita** *a/s* vietnamien, enne.

**viga** *f* poutre: **~ maestra** poutre maîtresse; **~ de hierro** poutre en fer; **vigas vistas** poutres apparentes.

**vigencia** *f* **1.** actualité: **este tema hoy no tiene ninguna ~** ce sujet n'est plus du tout d'actualité **2. tomar ~** entrer en vigueur; **entrada en ~** entrée en vigueur **3.** validité, durée de validité.

**vigente** *a* en vigueur, actuel, elle: **la ley ~** la loi en vigueur.

**vigesimal** *a* vicésimal, e.

**vigésimo, a** *a/s* vingtième.

**vigía** *f* **1.** *(torre)* tour de guet **2.** *MAR* écueil *m*, vigie. ◇ *m* vigie *f*, guetteur.

**vigilancia** *f* **1.** surveillance: **bajo ~ médica** sous surveillance médicale **2.** *(atención)* vigilance.

**vigilante** *a* vigilant, e. ◇ *m* **1.** surveillant, garde, veilleur: **~ nocturno** veilleur de nuit; **~ jurado** garde assermenté **2.** *(policía)* agent de police.

**vigilar** *vi* veiller: **~ por, sobre** veiller à, sur. ◇ *vt* surveiller: **~ a los niños en el recreo** surveiller les enfants pendant la récréation.

**vigilia** *f* **1.** *(del que está despierto)* veille **2.** *RELIG* vigile **3.** *(víspera)* veille: **en 1991, en ~ de...** en 1991, la veille de... **4.** *(abstinencia)* abstinence, maigre: **comer de ~ hacer ~** faire maigre.

**vigor** *m* **1.** vigueur *f*, force *f* **2. en ~** en vigueur: **entrar, estar en ~** entrer, être en vigueur.

**vigorizador, a** *a* fortifiant, e.

**vigorizar** *vt* fortifier.

**vigorosamente** *adv* vigoureusement.

**vigoroso, a** *a* vigoureux, euse.

**viguería** *f* charpente.

**vigués, esa** *a/s* de Vigo.

**vigueta** *f* poutrelle, solive.

**vihuela** *f* **1.** sorte de guitare **2.** **~ de arco** viole.

**vikingo** *m* viking.

**vil** *a* vil, e.

**vilano** *m* BOT aigrette *f.*

**vileza** *f* bassesse, vilénie ◊ **pobreza no es ~** → **pobreza.**

**vilipendiar** *vt* vilipender.

**vilipendio** *m* mépris, dénigrement.

**villa** *f* **1.** *(ciudad)* ville **2.** *(casa)* villa **3.** AMER **~ miseria** bidonville *m.*
▶ *La Villa y Corte* = Madrid.

**Villadiego** *np* FIG **tomar las de ~** prendre la poudre d'escampette, prendre la clef des champs, jouer les filles de l'air.

**villamiseria** → **villa.**

**villanada** *f* vilenie.

**villanaje** *m* roture.

**villancico** *m* chant de Noël, noël.

**villanesca** *f (canción y danza)* villanelle.

**villanesco, a** *a* roturier, ère, paysan, e, rustre.

**villanía** *f* **1.** *(bajeza de nacimiento)* roture **2.** *(acción ruin)* vilenie, bassesse **3.** *(expresión indecorosa)* grossièreté.

**villano, a** *a/s* **1.** *(que no es noble)* roturier, ère, vilain, e **2.** *(rústico)* paysan, anne, rustaud, e, rustre **3.** FIG méchant, e. ◇ *m (danza)* danse *f* ancienne.

**villar** *m* petit village.

**villorrio** *m* PEYOR petit village, trou, bled.

**vilmente** *adv* bassement.

**vilo (en)** *loc adv* **1.** en l'air **2.** FIG dans l'incertitude, en haleine: **mantener en ~** tenir en haleine; **la película nos tuvo en ~** le film nous a tenu en haleine; **con el corazón en ~** le cœur battant.

**vinagre** *m* **1.** vinaigre **2.** FAM sale caractère ◊ **cara de ~** mine renfrognée, rébarbative.

**vinagrera** *f* **1.** *(vasija)* vinaigrier *m* **2.** AMER aigreur d'estomac. ◇ *pl* huilier *m sing.*

**vinagrero** *m (fabricante)* vinaigrier.

**vinagreta** *f* vinaigrette.

**vinagroso, a** *a* aigre.

**vinajera** *f* burette. ◇ *pl* plateau *m sing* avec les deux burettes.

**vinal** *m* AMER variété de caroubier.

**vinatería** *f* commerce *m* de vins, débit *m* de vins.

**vinatero, a** *a* vinicole. ◇ *m* négociant en vins.

**vinazo** *m* vinasse *f*, gros rouge.

**vincapervinca** *f* pervenche.

**vincha** *f* AMER bandeau *m* (qui ceint la tête).

**vinchuca** *f* AMER punaise ailée à la piqûre très douloureuse, réduve *m.*

**vinculación** *f* **1.** lien *m*, liaison, relation, rapport *m* **2.** rattachement *m.*

**vincular** *vt* **1.** lier, unir, attacher: **artista muy vinculado a las corrientes vanguardistas** artiste très lié aux courants d'avant-garde **2.** JUR rendre inaliénable. ◆ **~se** *vpr* se lier, se rattacher.

**vínculo** *m* lien: **los vínculos de la sangre** les liens du sang; **vínculos de parentesco** liens de parenté; **vínculos afectivos** des liens affectifs.

**vindicación** *f* **1.** vengeance **2.** revendication.

**vindicar** *vt* **1.** *(vengar)* venger **2.** défendre **3.** *(reivindicar)* revendiquer.

**vindicativo, a** *a* vindicatif, ive.

**vindicta** *f* vindicte: **~ pública** vindicte publique.

**vine** → **venir.**

**vinícola** *a* vinicole.

**vinicultor** *m* viniculteur.

**vinicultura** *f* viniculture.

**viniera,** etc. → **venir.**

**vinificación** *f* vinification.

**vinílico, a** *a* vinylique.

**vinillo** *m* petit vin.

**vinilo** *m* vinyle.

[1]**vino** *m* **1.** vin: **~ blanco, tinto** vin blanc, rouge: **~ rosado, clarete** vin rosé; **~ de mesa** vin de table; **~ de solera** → **solera; ~ peleón** → **peleón 2.** **~ de honor** vin d'honneur **3.** **dormir el ~** cuver son vin; **tener mal ~** avoir le vin mauvais.

[2]**vino** → **venir.**

**vinoso, a** *a* vineux, euse.

**vintén** *m* AMER sou.

**viña** *f* **1.** vigne **2.** FIG **ser una ~** être une mine, un bon filon **3.** **la ~ del Señor** la vigne du Seigneur; **de todo hay en la ~ del Señor** la perfection n'est pas de ce monde.

**viñador** *m* vigneron.

**viñatero** *m* AMER vigneron.

**viñedo** *m* vignoble.

**viñeta** *f* vignette.

**vio** → **ver.**

[1]**viola** *f (instrumento de cuerda)* viole: **~ de amor** viole d'amour.

[2]**viola** *f* violette.

**violáceo, a** *a* violacé, e.

**violación** *f* **1.** *(de las leyes)* violation **2.** *(de una mujer)* viol *m.*

**violado, a** *a* violacé, e.

**violador, a** *s* violateur, trice. ◇ *m (de una mujer)* violeur.

**violar** *vt* **1.** *(una ley, un lugar, etc.)* violer **2.** **~ a una mujer** violer une femme.

**violencia** *f* **1.** violence **2.** **hacer ~ a** faire violence à; **hacerse ~ a sí mismo** se faire violence **3.** **me cuesta ~...** ça me gêne beaucoup...

**violentamente** *adv* violemment.

**violentar** *vt* **1.** violenter **2.** FIG gêner **3.** *(una cerradura, etc.)* forcer. ◆ **~se** *vpr* se forcer, se faire violence: **no se violente** ne vous forcez pas.

**violento, a** *a* **1.** violent, e: **un hombre, un discurso ~** un homme, un discours violent ◊ **muerte violenta** mort violente **2.** *(molesto)* gênant, e: **me es muy ~ hablar de esas cosas** c'est très gênant pour moi, ça me gêne beaucoup de parler de ces choses-là **3.** *(cohibido)* gêné, e: **me encuentro ~ en su presencia** je me sens gêné en sa présence **4.** **voy ~ al no saber lo que piensas** ça me met mal à l'aise de ne pas savoir ce que tu penses.

**violero** *m (constructor de instrumentos de cuerda)* luthier.

**violeta** *f (planta)* violette. ◇ *a/m (color)* violet, ette.

**violetera** *f* marchande de violettes.

**violín** *m* **1.** violon: **tocar el ~** jouer du violon **2.** *(músico)* violoniste, violon **3.** AMER **meter ~ en bolsa** renoncer.

**violinista** *s* violoniste.

**violón** *m* contrebasse *f* ◊ FIG **tocar el ~** dire n'importe quoi, dérailler.

**violoncelista, violonchelista** *s* violoncelliste.

**violoncelo, violonchelo** *m* violoncelle: **tocar el ~** jouer du violoncelle.

**viperino, a** *a* vipérin, e, de vipère.

**vira** *f* **1.** *(flecha)* flèche **2.** *(del calzado)* trépointe.

**virada** *f MAR* virage *m.*

**virador** *m (foto)* virage.

**virago** *f* virago.

**viraje** *m* virage.

**virar** *vi (un barco, un vehículo, etc.)* virer ◊ **~ en redondo** virer de bord. ◇ *vt (foto)* virer. ◆ **~se** *vpr AMER* se tourner.

**virgen** *a/f* vierge: **lana ~** laine vierge; **cera ~** cire vierge. ◇ *np f* **1. la Santísima Virgen** la Sainte Vierge; **Virgen con el Niño** Vierge à l'Enfant; **Virgen morena** Vierge noire **2.** *FAM* **viva la ~ → vivalavirgen.**

**Virgilio** *np m* Virgile.

**virginal** *a* virginal, e. ◇ *m MÚS* virginal.

**Virginia** *np f* Virginie.

**virginidad** *f* virginité.

**virgo** *m* **1.** virginité *f* **2.** *ANAT* hymen **3.** *ASTR* **ser de Virgo** être de la Vierge.

**virguería** *f FAM* **1.** *(cosa primorosa)* petite merveille, bijou *m* **2.** *(detalle)* fioriture **3. hacer virguerías** faire des merveilles, des prouesses.

**virguero, a** *a FAM* super, chouette.

**vírgula** *f* **1.** petite baguette **2.** *(rayita)* petit trait *m* **3.** bacille *m* virgule.

**virgulilla** *f* petit signe *m* orthographique.

**vírico, a** *a* viral, e: **hepatitis vírica** hépatite virale.

**viril** *a* viril, e. ◇ *m* lunule *f* de l'ostensoir, custode *f.*

**virilidad** *f* virilité.

**virola** *f* virole.

**virolento, a** *a/s* varioleux, euse.

**virología** *f* virologie.

**virote** *m (saeta)* flèche *f:* **~ envenenado** flèche empoisonnée.

**virreina** *f* vice-reine.

**virreinato** *m* vice-royauté *f.*

**virrey** *m* vice-roi: **los virreyes** les vice-rois.

**virtual** *a* virtuel, elle: **imagen ~** image virtuelle.

**virtualidad** *f* virtualité.

**virtualmente** *adv* virtuellement.

**virtud** *f* **1.** vertu: **~ cardinal, teologal** vertu cardinale, théologale; **varita de virtudes → varita 2.** don *m:* **tiene la ~ de exasperarme** il a le don de m'exaspérer **3.** *loc prep* **en ~ de** en vertu de.

**virtuosismo** *m* virtuosité *f.*

**virtuoso, a** *a* vertueux, euse. ◇ *s (músico)* virtuose.

**viruela** *f* **1.** variole, petite vérole ◊ **picado de viruelas** grêlé **2. viruelas locas** varicelle *sing.*
▶ S'emploie surtout au pluriel.

**virulé (a la)** *loc FAM* en piteux état, en compote ◊ **ojo a la ~** œil au beurre noir.

**virulencia** *f* virulence.

**virulento, a** *a* virulent, e.

**virus** *m* **1.** virus: **el ~ del sida** le virus du sida **2. ~ informático** virus informatique.

**viruta** *f* copeau *m.*

**visa** *f AMER* visa *m.*

**visado** *m* visa.

**visaje** *m* grimace *f.*

**visar** *vt* **1.** *(un documento, etc.)* viser, marquer d'un visa **2.** *(apuntar)* viser.

**víscera** *f* viscère *m.*

**visceral** *a* **1.** viscéral, e **2.** *FIG* viscéral, e.

**vis cómica** *f* force comique.

**viscosa** *f* viscose.

**viscosidad** *f* viscosité.

**viscoso, a** *f* visqueux, euse.

**visera** *f* visière.

**visibilidad** *f* visibilité: **buena, mala ~** bonne, mauvaise visibilité.

**visible** *a* **1.** visible **2.** *FIG* visible, manifeste.

**visiblemente** *adv* visiblement.

**visigodo, a** *a/s* wisigoth, e, visigoth, e.

**visigótico, a** *a* wisigothique.

**visillo** *m* rideau.
▶ De fenêtre, en tissu léger.

**visión** *f* **1.** vision **2.** vue: **~ de conjunto** vue d'ensemble **3.** *FIG* **ver visiones** avoir des visions; **se quedaron todos viendo visiones** ils en restèrent tous comme deux ronds de flanc; **se quedó como quien ve visiones** il en est resté baba **4.** *FIG (persona, cosa fea)* horreur.

**visionado** *m* visionnage.

**visionar** *vt* visionner.

**visionario, a** *a/s* visionnaire.

**visir** *m* vizir.

**visita** *f* **1.** visite: **~ de cumplido, de cortesía** visite de politesse; **~ oficial** visite officielle; **la ~ a la exposición, al castillo** la visite de l'exposition, du château; **tarjeta de ~** carte de visite; **ir de ~ a casa de** aller rendre visite à; **devolver la ~ a alguien** rendre à quelqu'un sa visite; *(un médico)* **pasar ~** consulter; *FAM* **~ de médico** visite en coup de vent **2.** *(persona que visita)* visite, visiteur *m.*

**Visitación** *f RELIG* Visitation.

**visitador, a** *a/s* visiteur, euse.

**visitante** *a/s* visiteur, euse.

**visitar** *vt* **1.** visiter: **~ un museo, Grecia** visiter un musée, la Grèce **2.** *(a uno)* rendre visite: **~ a un amigo enfermo** rendre visite à un ami malade **3.** *(el médico)* examiner: **fui a ver al cardiólogo para que me visitara** je suis allé voir le cardiologue pour qu'il m'examine: **ha tenido que ser visitada por un ginecólogo** elle a dû se faire examiner par un gynécologue **4.** *(cuidar)* soigner.

**visiteo** *m* échange de visites.

**vislumbrar** *vt* **1.** entrevoir **2.** *FIG* entrevoir, deviner: **~ la solución** entrevoir la solution.

**vislumbre** *f* **1.** lueur **2.** *(indicio)* indice *m*, soupçon *m.*

**viso** *m* **1.** reflet, chatoiement, moirure *f* ◊ **hacer visos** chatoyer **2.** *FIG* apparence *f*, air: **visos de verdad** une apparence de vérité; **dar visos de realidad a** donner une apparence de réalité à **3.** *(forro)* fond de robe **4. de ~** *(persona)* en vue.

**visón** *m* vison.

**visor** *m* viseur.

**visorio** *m* expertise *f.*

**víspera** *f* **1.** veille **2. estar en vísperas de** être à la veille de. ◇ *pl RELIG* vêpres.

**vista** *f* **1.** vue: **ser corto de ~** avoir la vue basse, être myope; **conocer a alguien de ~** connaître quelqu'un de vue; **perder de ~** perdre de vue; **punto de ~ → punto** ◊ **dar ~ a** apercevoir; **hacer la ~ gorda** faire semblant de ne pas voir, fermer les yeux; **¡hasta la ~!** au revoir!; **volver la ~ atrás** regarder en arrière **2. alzar, bajar la ~** lever, baisser les yeux; **apartar la ~** détourner les yeux; **esto salta a la ~** cela saute aux yeux; **seguir con la ~** suivre des yeux, du regard; **tengo a la ~ un**

**documento** j'ai sous les yeux un document **3.** *(vistazo)* coup *m* d'œil: **echar una ~ a** jeter un coup d'œil sur **4.** *(panorama, fotografía, etc.)* vue: **~ al mar** vue sur la mer; **una ~ de Segovia** une vue de Ségovie **5.** *COM* **pagadero a la ~** payable à vue **6. está a la ~ que...** il est visible, manifeste que... **7.** *loc adv* **a la ~** *(al parecer)* apparemment; **a primera ~, a simple ~** à première vue; **a ~ de pájaro** → **pájaro 8.** *loc prep/conj* **llegaron a la ~ de la costa** ils arrivèrent en vue de la côte; **a la ~ de todo el mundo** à la vue de tous, en public; **con vistas a** en vue de, pour; **en ~ de** en raison de, eu égard à, vu; **en ~ de que** étant donné que. ◇ *m* *(de la Aduana)* visiteur (des douanes).

**vistazo** *m* coup d'œil: **dar, echar un ~** jeter un coup d'œil; **echó un ~ al periódico** il jeta un coup d'œil sur le journal.

**viste,** etc. → **vestir, ver.**

**vistillas** *f pl* point *m sing* de vue.

**visto, a** *pp* de **ver.** ◇ *a* **1.** vu, e: **bien, mal ~** bien, mal vu; **ni ~ ni oído** ni vu ni connu; **está ~** c'est certain, c'est évident; **esto es lo nunca ~** on n'a jamais vu ça, c'est incroyable **2. ~ bueno** lu et approuvé **3.** *loc adv* **por lo ~** apparemment, on dirait **4.** *loc conj* **~ que** vu que.

**vistosamente** *adv* richement, magnifiquement.

**vistosidad** *f* magnificence, éclat *m.*

**vistoso, a** *a* voyant, e.

**Vístula** *np m* Vistule *f.*

**visual** *a* visuel, elle: **campo ~** champ visuel. ◇ *f* **1.** rayon *m* visuel **2. línea de ~** ligne de mire.

**visualidad** *f* bel aspect *m.*

**visualización** *f* **1.** visualisation **2.** *INFORM* visualisation, affichage *m.*

**visualizar** *vt* **1.** *(hacer visible)* visualiser **2.** *INFORM* visualiser, afficher **3.** *FIG* voir, comprendre.

**vital** *a* vital, e.

**vitalicio, a** *a* **1.** viager, ère: **renta vitalicia** rente viagère **2.** *(cargo)* à vie: **senador ~** sénateur à vie. ◇ *m* **1.** viager **2.** police *f* d'assurance sur la vie.

**vitalidad** *f* vitalité.

**vitalismo** *m* vitalisme.

**vitalización** *f* dynamisation.

**vitalizar** *vt* dynamiser.

**vitamina** *f* vitamine: **carencia de vitaminas** carence en vitamines.

**vitaminado, a** *a* vitaminé, e.

**vitamínico, a** *a* vitaminique.

**vitando, a** *a* **1.** qui doit être évité, e **2.** odieux, euse, abominable.

**vitela** *f* vélin *m,* papier *m* vélin.

**vitelo** *m BIOL* vitellus.

**vitícola** *a* viticole. ◇ *s* viticulteur, trice.

**viticultor, a** *s* viticulteur, trice.

**viticultura** *f* viticulture.

**vitivinícola** *a* vinicole.

**vito** *m* air et danse andalous.

**Vito** *np m* Guy.

**vitola** *f* **1.** *(de cigarro puro)* bague **2.** *FIG* *(de una persona)* aspect *m.*

**vítor** *m* vivat: **los vítores** les vivats.

**vitorear** *vt* acclamer.

**vítreo, a** *a* vitré, e, vitreux, euse.

**vitrificación** *f* vitrification.

**vitrificar** *vt* vitrifier.

**vitrina** *f* *(armario)* vitrine.

**vitriolo** *m* vitriol.

**vitrola** *AMER* → **victrola.**

**Vitruvio** *np m* Vitruve.

**vitualla** *f* victuaille.

**vituperable** *a* blâmable.

**vituperación** *f* blâme *m.*

**vituperar** *vt* **1.** blâmer vivement **2.** critiquer.

**vituperio** *m* **1.** *(censura)* blâme, reproche **2.** critique *f* **3.** opprobe.

**viuda** *f* veuve: **la ~ alegre** la veuve joyeuse.

**viudedad** *f* **1.** *(viudez)* veuvage *m* **2.** *(pensión)* pension de veuve.

**viudez** *f* veuvage *m,* viduité.

**viudita** *f AMER* *(ave)* variété de perroquet *m.*

**viudo, a** *a/s* veuf, veuve.

**viva** *m* vivat: **dar vivas** pousser des vivats.

**vivac** *m* bivouac.

**vivacidad** *f* vivacité.

**vivalavirgen** *m FAM* je m'en-fichiste, gai luron.

**vivales** *m FAM* malin.

**vivamente** *adv* vivement.

**vivaque** *m* bivouac.

**vivaquear** *vi* bivouaquer.

[1]**vivar** *m* **1.** *(de conejos)* garenne *f* **2.** *(de peces)* vivier.

[2]**vivar** *vt AMER* acclamer.

**vivaracho, a** *a* vif, vive, éveillé, e.

**vivaz** *a* **1.** *BOT* vivace: **plantas vivaces** plantes vivaces **2.** *(ingenioso)* vif, vive **3.** vigoureux, euse.

**vivencia** *f* expérience: **las vivencias espirituales de un místico** les expériences spirituelles d'un mystique.

**víveres** *m pl* vivres.

**vivero** *m* **1.** *(para plantas)* pépinière *f* **2.** *(para peces)* vivier **3.** *(para moluscos)* parc **4.** *(para reptiles, etc.)* vivarium **5.** *FIG* pépinière *f.*

**viveza** *f* vivacité.

**vivido, a** *a* *(relato, etc.)* vécu, e.

**vívido, a** *a* **1.** vif, vive **2.** plein, e de vivacité.

**vividor, a** *a* vivace. ◇ *s* *(persona que vive a expensas de los demás)* profiteur, euse.

**vivienda** *f* **1.** logement *m:* **el problema de la ~** le problème du logement **2.** logement *m,* habitation, logis *m:* **construir viviendas** construire des logements; **una ~ decente** un logement décent; **bloque de viviendas** bloc d'habitations **3. ~ de protección oficial, VPO** habitation a loyer modéré, H.L.M. **4. ~ habitual** résidence principale; **segunda ~** résidence secondaire.

**viviente** *a/s* vivant, e: **ser ~** être vivant.

**vivificador, a, vivificante** *a* vivifiant, e.

**vivificar** *vt* vivifier.

**vivíparo, a** *a/s* vivipare.

[1]**vivir** *vi* **1.** vivre: **aún vive** il vit encore **2.** *(residir)* vivre, habiter: **ha vivido muchos años en Australia** il a longtemps vécu en Australie; **vivo en esta casa** j'habite dans cette maison; **antes vivíamos en Valladolid** avant nous habitions à Valladolid ◇ **~ al día** vivre au jour le jour; **~ a lo grande** vivre en grand seigneur, mener grand train; **~ del aire** vivre de l'air du temps; **saber ~** savoir vivre; **tener con que ~** avoir de quoi vivre; *FIG* **no dejar ~** ne pas laisser un instant de répit; **¡viva el**

**rey!** vive le roi!; **¡vive Dios!** sacrebleu!; **¡~ para ver!** on aura tout vu! **3.** *MIL* **¿quién vive?** qui vive? ◇ *vt* vivre: **vivió una juventud estudiosa** il a vécu une jeunesse studieuse; **vivimos una época difícil** nous vivons une époque difficile.

**²vivir** *m* vie *f* ◊ **persona de mal ~** personne de mauvaise vie.

**vivisección** *f* vivisection.

**vivo, a** *a/s* **1.** vivant, e: **los seres vivos** les êtres vivants; **los vivos y los muertos** les vivants et les morts ◊ **~ o muerto** mort ou vif: **~, vivito y coleando → colear 2. en ~** en direct. ◇ *a* vif, vive: **agua viva** eau vive; **tenía los ojos muy vivos** il avait les yeux très vifs; **arista viva** arête vive; **rojo ~** rouge vif; **de viva voz** de vive voix. ◇ *m* **1.** *JUR* **entre vivos** entre vifs **2.** *(lo más sensible)* vif: **herir en lo ~** piquer au vif; **tocar en lo ~** toucher au vif; **pintar a lo ~** saisir sur le vif ◊ *FIG* **hay una diferencia como de lo ~ a lo pintado** il y a un monde **3.** *(trencilla)* liséré.

**vizcacha** *f* viscache.

**vizcachera** *f* terrier *m* de la viscache.

**vizcaíno, a** *a/s* biscaïen, enne.

**Vizcaya** *np f* Biscaye.

**vizcondado** *m* vicomté.

**vizconde** *m* vicomte.

**vizcondesa** *f* vicomtesse.

**vocablo** *m* mot, vocable ◊ **jugar del ~** jouer sur les mots.

**vocabulario** *m* vocabulaire.

**vocación** *f* vocation.

**vocal** *a* vocal, e: **cuerdas vocales** cordes vocales; **música ~** musique vocale. ◇ *f* *GRAM* voyelle. ◇ *s* membre (d'une assemblée, association, etc.).

**vocálico, a** *a* vocalique.

**vocalización** *f* **1.** vocalisation **2.** *MÚS* vocalise.

**vocalizar** *vi* vocaliser.

**vocativo** *m* vocatif.

**voceador, a** *a/s* crieur, euse. ◇ *m* **1.** *(pregonero)* crieur public **2.** *AMER* **~ de diarios** crieur, vendeur de journaux.

**vocear** *vi* crier. ◇ *vt* **1.** *(pregonar)* crier **2.** *FIG* proclamer, manifester **3.** *FAM (divulgar)* crier sur les toits.

**vocería** *f*, **vocerío** *m* cris *m pl*, tapage *m*, vociférations *f pl*.

**vocero** *m* porte-parole.

**voces** *pl* de **voz.**

**vociferación** *f* vocifération.

**vociferar** *vi/t* vociférer.

**vocinglería** *f* cris *m pl*, braillement *m*.

**vocinglero, a** *a/s* braillard, e.

**vodevil** *m* vaudeville.

**vodevilesco, a** *a* vaudevillesque.

**vodka** *m* vodka *f*: **el ~** la vodka.

**volada** *f* **1.** volée, vol *m* court **2.** *AMER* **→ bolada.**

**voladero, a** *a* **1.** capable de voler **2.** *FIG* fugace.

**voladizo, a** *a* saillant, e, en saillie. ◇ *m ARQ* saillie *f*, encorbellement, auvent.

**volado, a** *a* **1. balcón ~ → volar 2.** *FAM* **estar ~** être mal à l'aise, inquiet, ète. ◇ *m AMER (de un vestido, una cortina)* volant, falbala.

**volador, a** *a* volant, e: **pez ~** poisson volant; **hormiga voladora** fourmi volante. ◇ *m (cohete)* fusée *f* volante.

**voladura** *f* **1.** destruction au moyen d'un explosif, action de faire sauter, dynamitage *m*, plasticage *m*: **la ~ de un puente, de un banco** le dynamitage d'un pont, le plasticage d'une banque **2.** explosion.

**volandas (en)** *loc adv* **1.** en l'air **2.** *FAM (rápidamente)* en vitesse.

**volandero, a** *a* **1.** mobile **2.** *(casual)* imprévu, e **3. hoja volandera** feuille volante.

**volando** *adv* en vitesse, à toute vitesse ◊ **voy ~ a telefonear...** je cours téléphoner...; **¡~!** vite!, pressons!

**volanta** *f AMER* calèche.

**volantazo** *m* coup de volant.

**volante** *a* **1.** volant, e **2.** *(fútbol)* **medio ~** demi-aile. ◇ *m* **1.** *(de un coche, etc.)* volant: **estar al, en el ~** être au volant; **ponerse al ~** se mettre au volant, prendre le volant; **un as del ~** un as du volant **2.** *(juego, guarnición de un vestido)* volant **3.** *(hoja de papel)* feuille *f* volante **4.** *(de un talonario, etc.)* volet **5.** *AMER (vehículo)* calèche *f*.

**volantín** *m* **1.** ligne *f* garnie de plusieurs hameçons **2.** *AMER (cometa)* cerf-volant.

**volapié** *m TAUROM* estocade *f* donnée au taureau immobile ◊ **a ~** en s'élançant vers le taureau.

**volar*** *vi* **1.** voler: **el avión vuela muy alto** l'avion vole très haut ◊ **echarse a ~** s'envoler **2.** *FIG* filer, courir, voler: **voló a decírselo** il courut le lui dire; **→ volando 3.** *ARQ* faire saillie ◊ **balcón volado** balcon en encorbellement. ◇ *vt* faire sauter: **los terroristas volaron el puente** les terroristes ont fait sauter le pont. ◆ **~se** *vpr* s'envoler: **se han volado las cuartillas que estaban en la mesa** les copies qui étaient sur la table se sont envolées.

**volatería** *f* volaille.

**volátil** *a* **1.** *QUÍM* volatile **2.** *FIG* inconstant, e, changeant, e. ◇ *m (ave)* volatile.

**volatilidad** *f* volatilité.

**volatilizar** *vt* volatiliser. ◆ **~se** *vpr* se volatiliser.

**volatín** *m* acrobatie *f*, exercice de voltige.

**volatinero, a** *s* danseur, danseuse de corde, funambule.

**vol-au-vent → volován.**

**volcán** *m* **1.** volcan: **~ activo** volcan actif; **~ apagado, extinto** volcan éteint **2.** *FIG* **estar sobre un ~** être sur un volcan.

**volcánico, a** *a* volcanique.

**volcanismo** *m* volcanisme.

**volcanólogo, a** *a* volcanologue, vulcanologue.

**volcar*** *vt (un recipiente, etc.)* renverser. ◇ *vi (un vehículo)* verser, capoter, se renverser: **el coche volcó** la voiture a capoté. ◆ **~se** *vpr* **1.** se renverser: **se volcó el vaso** le verre s'est renversé **2.** *FIG* se démener, se mettre en quatre, se décarcasser: **volcarse con uno** se mettre en quatre pour quelqu'un.

**volea** *f (tenis, etc.)* volée: **~ de revés** volée de revers.

**volear** *vt* **1.** frapper à la volée **2.** semer à la volée.

**voleibol** *m* volley-ball.

**voleo** *m* **1.** *(volea)* volée *f* **2.** *(bofetón)* gifle *f* **3. sembrar al ~** semer à la volée **4.** *FIG* **a ~, al ~** au petit bonheur, au hasard.

**volframio** *m* wolfram.

**Volga** *np m* **el ~** la Volga.

**volición** *f* volition.

**volitivo, a** *a* volitif, ive.

**volován** *m* vol-au-vent *inv*.

**volquete** *m* tombereau.

**volt** *m* volt.

**voltaico, a** *a* voltaïque.

**voltaje** *m* voltage.

**volteada** *f AMER* rabattage *m* du bétail pour le trier.

**volteador, a** *s* acrobate, voltigeur.

**voltear** *vt* **1.** *(dar vueltas)* faire tomber **2.** *(poner al revés)* retourner **3.** *(las campanas)* sonner à toute volée **4.** *(derribar)* renverser **5.** *AMER (volver)* tourner: **volteó la cabeza hacia ella** il tourna la tête vers elle; **me volteó la espalda** il me tourna le dos. ◇ *vi* culbuter, faire des culbutes. ◆ **~se** *vpr AMER* **1.** se tourner: **se volteó hacia la pared** il se tourna vers le mur **2.** *(chaquetear)* retourner sa veste.

**volteo** *m* **1.** culbute *f*, voltige *f* **2.** *(de campana)* volée *f*.

**voltereta** *f* **1.** culbute, cabriole, pirouette: **dar una ~** faire une cabriole, la culbute **2.** *FIG* pirouette, volte-face: **las volteretas del ministro** les pirouettes du ministre.

**volteriano, a** *a* voltairien, enne.

**voltímetro** *m* voltmètre.

**voltio** *m* volt.

**volubilidad** *f* versatilité.

**voluble** *a* **1.** versatile **2.** *BOT* volubile.

**volumen** *m* **1.** volume **2.** *(sonoro)* volume: **alzar el ~ de la radio** augmenter le volume de la radio ◊ **a todo ~** à fond, à pleine puissance **3.** volume: **diccionario en tres volúmenes** dictionnaire en trois volumes **4.** *COM* **~ de negocios, de facturación, de ventas** chiffre d'affaires.

**volumétrico, a** *a* volumétrique.

**voluminoso, a** *a* volumineux, euse.

**voluntad** *f* **1.** volonté: **~ de hierro** volonté de fer; **buena ~** bonne volonté; **poner mala ~ en...** mettre de la mauvaise volonté à...; **«hágase tu ~...»** «que ta volonté soit faite...» ◊ *FIG* **hacer su santa ~** n'en faire qu'à sa tête, faire ses quatre volontés **2. última ~** dernières volontés **3.** *loc adv* **a ~** à volonté **4.** gré *m*: **por mi ~** à mon gré; **de (buena) ~** de bon gré, avec plaisir **5.** *(cariño)* affection, attachement *m*, amour *m* ◊ **ganarse la ~ de** gagner les bonnes grâces de.

**voluntariado** *m* volontariat.

**voluntariamente** *adv* volontairement.

**voluntariedad** *f* **1.** caractère *m* de ce qui est volontaire **2.** choix *m* spontané **3.** fantaisie, caprice *m*.

**voluntario, a** *a* volontaire. ◇ *s (soldado, etc.)* volontaire.

**voluntarioso, a** *a* volontaire, obstiné, e.

**voluntarismo** *m* volontarisme.

**voluntarista** *a* volontariste.

**voluptuosamente** *adv* voluptueusement.

**voluptuosidad** *f* volupté.

**voluptuoso, a** *a/s* voluptueux, euse.

**voluta** *f* volute.

**volver*** *vt* **1.** tourner: **~ la cabeza, la espalda, la página** tourner la tête, le dos, la page; **~ los ojos hacia** tourner les yeux vers **2.** *(al revés)* retourner **3.** *(hacer)* rendre: **la soledad la ha vuelto desconfiada** la solitude l'a rendue méfiante; **~ loco, idiota** rendre fou, idiot **4.** *(devolver)* rendre **5.** *(cambiar)* changer. ◇ *vi* **1.** revenir, rentrer: **~ a casa** revenir, rentrer chez soi; **volveré mañana** je reviendrai demain; **al ~ del colegio** en revenant du lycée; **vuelva más tarde** revenez plus tard; **~ sobre sus pasos** revenir sur ses pas **2.** retourner: **vuelvo al dentista mañana** je retourne chez le dentiste demain; **volveremos a Galicia este verano** nous retournerons en Galice cet été **3.** *(torcer)* tourner: **~ a la derecha** tourner à droite **4.** revenir: **volvamos a nuestro asunto** revenons à notre affaire; **~ sobre un tema** revenir sur un sujet; **~ sobre su decisión** revenir sur sa décision **5. ~ a** *(+ infinitivo)*, recommencer à, se remettre à, de nouveau: **volvió a llorar** il se remit à pleurer; **volvieron a disparar** ils recommencèrent à tirer. On peut employer aussi, dans ce cas, un verbe à préfixe *re-*: **~ a salir** ressortir, sortir de nouveau; **~ a decir, a hacer, a poner, a tomar, a ver** etc., redire, refaire, remettre, reprendre, revoir, etc.; **vuelve a llover** il recommence à pleuvoir, la pluie reprend, il repleut ◊ **¡no lo vuelvas a hacer!** ne recommence pas!; **~ a ser** redevenir **6. ~ en sí** revenir à soi: **cuando yo volví en mí** quand je revins à moi. ◆ **~se** *vpr* **1.** se retourner **2.** devenir: **volverse pálido** devenir pâle, pâlir; **se ha vuelto muy presumida** elle est devenue très prétentieuse; **¡es para volverse uno loco!** il y a de quoi devenir fou! **3.** se tourner: **me volví a él** je me tournai vers lui **4. volverse contra alguien** se retourner contre quelqu'un **5.** *(regresar)* revenir, rentrer: **vuélvete a tu casa** rentre chez toi; **volvámonos arriba** remontons ◊ **volverse atrás** revenir en arrière, sur ses pas; *FIG* faire machine arrière.

**vómer** *m ANAT* vomer.

**vómico, a** *a* vomique: **nuez vómica** noix vomique.

**vomitar** *vt* **1.** vomir **2.** *FIG* vomir **3.** *FAM (revelar)* lâcher, avouer.

**vomitivo, a** *a/m* vomitif, ive.

**vómito** *m* **1.** vomissement **2.** *(lo que se vomita)* vomi **3. ~ de sangre** crachement de sang; **~ negro** fièvre *f* jaune.

**vomitona** *f FAM* vomissement *m* abondant.

**vomitorio, a** *a* vomitif, ive. ◇ *m ANT* vomitoire.

**voracidad** *f* voracité.

**vorágine** *f* tourbillon *m*.

**voraz** *a* vorace: **apetito ~** appétit vorace ◊ **hambre ~** faim dévorante.

**vorazmente** *adv* voracement.

**vórtice** *m* **1.** *(torbellino)* tourbillon, vortex **2.** centre d'un cyclone.

**vos** *pron pers* **1.** vous **2.** *AMER* tu, toi: **~ estás, ~ sos** tu es; **~ tenés** tu as; **para ~** pour toi.
▶ Ne s'emploie aujourd'hui que pour s'adresser à Dieu ou à un haut personnage. En Amérique latine, remplace le pronom *tú* dans la langue familière et s'accompagne de formes verbales particulières. Parfois, le pronom *te* est maintenu: *¿te decidís ~?* tu te décides? → **voseo.**

**vosear** *vt* **1.** vouvoyer **2.** *AMER* tutoyer, employer *"vos"*.

**voseo** *m* **1.** vouvoiement **2.** *AMER* tutoiement.
▶ Essentiellement en Argentine, en Uruguay et dans certaines zones d'Amérique centrale.

**Vosgos** *np m* Vosges.

**vosotros, as** *pron pers* vous: **~ sois** vous êtes.
▶ Représente le tutoiement collectif (2e pers. du pluriel).

**votación** *f* **1.** vote *m*, votation, scrutin *m*: **~ secreta** vote, scrutin secret **2.** tour *m* de scrutin **3. poner a ~** mettre aux voix.

**votante** *a/s* votant, e.

**votar** *vt/i* voter: **¿a quién ~?** pour qui voter?; **~ a favor, en contra** voter pour, contre: **~ en blanco** voter blanc. ◇ *vi* jurer.

**votivo, a** *a* votif, ive.

**voto** *m* **1.** vote: **~ por correo** vote par correspondance; **el derecho al ~** le droit de vote; **~ de confianza** vote de confiance; **~ de castigo** vote-sanction ◊ **tener ~, ser ~** avoir le droit de vote; *FIG* **no tener ~** ne pas avoir droit au chapitre **2.** voix *f*, suffrage: **dos votos a favor** deux voix pour; **tres votos en contra** trois voix contre **3.** *(promesa)* vœu: **hacer ~ de** faire vœu de; **~ de pobreza** vœu de pauvreté **4.** *(deseo)* vœu: **hacer votos por** former des vœux pour; **votos de felicidad** vœux de bonheur **5.** *(juramento)* juron: **echar votos** jurer ◊ **¡~ a tal!** nom de nom!

**voy** → **ir.**

**voyeur** *s* voyeur, euse.

**voz** *f* **1.** voix: **hablar en ~ alta, en ~ baja** parler à voix haute, à voix basse; **a media ~** à mi-voix; **de viva ~** de vive voix ◊ **a una ~** unanimement; *FIG* **la ~ de la conciencia** la voix de la conscience; **llevar la ~ cantante** commander, donner le ton, mener la danse; **tener ~ y voto** avoir voix au chapitre **2.** *(grito)* cri: **dar voces** pousser des cris, crier; **a voces** à grands cris; **a ~ en cuello, a ~ en grito** à tue-tête; **secreto a voces** → **secreto** ◊ **dar una**

~, **dar voces a alguien** appeler, héler quelqu'un; **dar voces al viento** faire des efforts inutiles, crier dans le désert, parler en pure perte **3.** *(rumor)* bruit *m:* **corre la ~ que** le bruit court que **4.** *(vocablo)* mot *m:* **una ~ de origen italiano** un mot d'origine italienne **5.** *GRAM* voix: **~ activa, pasiva** voix active, passive **6.** *MIL* **~ de mando** commandement *m.*

**vozarrón** *m* grosse voix *f.*

**vudú** *m* vaudou.

**vuecelencia, vuecencia** *m/f* votre excellence.

**vuelco** *m* **1.** *(caída)* culbute *f* **2.** retournement, renversement **3.** *(de un coche)* capotage ◊ **dar un ~** capoter, se retourner, faire un tonneau **4.** *FIG* **el corazón le dio un ~** son cœur se mit à battre, ça lui a fait un choc.

**vuelillo** *m* parement aux manches, manchette *f.*

**vuelo** *m* **1.** vol ◊ **alzar, emprender el ~** prendre son vol, s'envoler; **~ sin motor** vol à voile; **~ libre** vol libre; **personal de ~** personnel navigant; *FIG* **tener muchas horas de ~** avoir beaucoup d'heures de vol, avoir de l'expérience **2.** *loc adv* **al ~** au vol: **coger un diálogo al ~** saisir un dialogue au vol; **cogerlas, cazarlas, pescarlas al ~** tout saisir à demi-mot; **de un ~, en un ~** en un clin d'œil, en un rien de temps **3.** *FIG* essor ◊ **cortar los vuelos a alguien** rabattre le caquet à quelqu'un, remettre quelqu'un à sa place, créer des difficultés à quelqu'un **4.** *(de una falda)* ampleur *f* **5.** **echar las campanas al ~** sonner à toute volée **6.** *FIG* **tomar ~** se développer, prendre de l'importance **7.** *ARQ* saillie *f.*

**vuelta** *f* **1.** tour *m:* **dar la ~ al mundo** faire le tour du monde; **la ~ ciclista a Francia** le tour de France cycliste; **dio media ~** il fit demi-tour; **cerrar con dos vueltas de llave, con doble ~** fermer à double tour ◊ **dar una ~ de campana** faire un tonneau; **la Tierra da vueltas alrededor del Sol** la Terre tourne autour du Soleil; **la cabeza me da vueltas** la tête me tourne **2.** *(paseo)* tour *m:* **dar una ~ por el parque** faire un tour dans le parc **3.** *(de un camino, etc.)* tournant *m* ◊ **a la ~ de la esquina** → **esquina** **4.** *(regreso)* retour *m:* **estaré de ~ a las ocho** je serai de retour à huit heures; **de ~ al hotel** de retour à l'hôtel; **de ~ de su trabajo** à son retour du travail; **a mi ~** à mon retour; **ida y ~** aller et retour; **una ~ a las tradiciones** un retour aux traditions ◊ **a ~ de correo** par retour du courrier; **~ al colegio** rentrée des classes; **partido de ~** match retour; **~ atrás** retour en arrière, recul *m;* **la ~ al trabajo** la reprise du travail; *FIG* **estar de ~ de todo** être blasé, e, être revenu, e de tout **5.** **la ~ de la primavera** le retour du printemps **6.** *(dinero que se devuelve)* monnaie **7.** *(vez)* fois **8.** tour *m:* **elegido en la segunda ~** élu au second tour **9.** revers *m:* **pantalón con ~** pantalon à revers **10.** *(de una hoja de papel)* verso *m* ◊ *FIG* **no tener ~ de hoja** être indiscutable, incontestable, évident; **esto no tiene ~ de hoja** il n'y a pas à revenir là-dessus, c'est clair **11.** **a la ~ de dos semanas, de cinco años** au bout de deux semaines, de cinq ans **12.** **andar siempre a vueltas con los mismos pensamientos** toujours ressasser les mêmes pensées; **he estado toda la tarde a vueltas con esa hipótesis** j'ai passé tout l'après-midi à retourner cette hypothèse dans ma tête; **siempre a vueltas con sus achaques** toujours aux prises avec ses misères physiques; **buscar las vueltas a** chercher à prendre en défaut, à jouer un mauvais tour à; **cogerle las vueltas a alguien** percer quelqu'un à jour, lire dans le jeu de quelqu'un; **dar cien vueltas a alguien** être à cent coudées au-dessus de, être très supérieur, e à quelqu'un; **dar vueltas a una cuestión** retourner une question dans tous les sens; **no le demos más vueltas** inutile de tergiverser; **no hay que darle vueltas** il n'y a rien à faire, il n'y a pas à tortiller; **poner de ~ y media a alguien** arranger quelqu'un de la belle manière, traiter quelqu'un de tous les noms, dire pis que pendre de quelqu'un **13.** *FAM* **¡hasta la ~!** à la prochaine!; **¡vuelta!** encore!, ça recommence!

**vuelto, a** *pp* de **volver.** ◇ *a* **1.** tourné, e: **~ hacia él** tourné vers lui **2.** retourné, e **3.** **cuello ~** col rabattu **4.** **folio ~** verso. ◇ *m AMER* monnaie *f:* **dar el ~** rendre la monnaie.

**vuelva,** etc. → **volver.**

**vuestro, a, os, as** *a pos* votre, vos: **~ hermano** votre frère; **vuestras hermanas** vos sœurs: **vuestra excelencia** votre excellence ◊ **un amigo ~** un ami à vous, un de vos amis. ◇ *pron pos* **1.** vôtre, vôtres: **el ~** le vôtre ◊ **lo ~** ce qui est à vous, ce qui vous appartient **2.** **los vuestros** les vôtres (parents).
▶ S'applique à des personnes que l'on tutoie individuellement.

**vulcanismo** *m* vulcanisme.

**vulcanización** *f* vulcanisation.

**vulcanizar** *vt* vulcaniser.

**Vulcano** *np m* Vulcain.

**vulcanólogo, a** *s* vulcanologue.

**vulgar** *a* **1.** *(no distinguido)* vulgaire **2.** *(común)* banal, e, ordinaire **3.** **nombre ~** nom vulgaire; **latín ~** latin vulgaire.

**vulgaridad** *f* **1.** vulgarité **2.** *(que carece de novedad)* banalité: **no hizo sino decir vulgaridades** il n'a fait que dire des banalités.

**vulgarización** *f* vulgarisation.

**vulgarizador, a** *a/s* vulgarisateur, trice.

**vulgarizar** *vt* vulgariser.

**vulgarmente** *adv* vulgairement.

**Vulgata** *f* Vulgate.

**vulgo** *m* le peuple, le commun des hommes, le vulgaire.

**vulnerabilidad** *f* vulnérabilité.

**vulnerable** *a* vulnérable.

**vulneración** *f* *(de una ley, etc.)* violation.

**vulnerar** *vt* **1.** *(perjudicar)* nuire, porter atteinte à: **~ las libertades individuales, los principios democráticos** porter atteinte aux libertés individuelles, aux principes démocratiques **2.** *(una ley, etc.)* violer, enfreindre.

**vulnerario, a** *a MED* vulnéraire. ◇ *f* *(planta)* vulnéraire.

**vulpeja** *f* renard *m.*

**vulva** *f ANAT* vulve.

**vulvaria** *f* *(planta)* vulvaire.

**vulvario, a** *a ANAT* vulvaire.

**w** [ube doble] *f* w *m*: **una ~** un w.

**wagneriano, a** *a/s* wagnérien, enne.

**walkie-talkie** *m* talkie-walkie.

**walkman** *m* baladeur, walkman.

**wapití** *m* wapiti.

**warrant** *m* *COM* warrant.

**wat** [bat] *m* watt.

**water** [bater] *m* **el ~** les waters.

**water-polo** *m* water-polo.

**watt** [bat] *m* watt.

**Westfalia** *np f* Westphalie.

**whisky** [gwiski] *m* whisky.

**whist** *m* whist.

**windsurf** *m* **1.** planche *f* à voile: **hacer ~, practicar ~** faire de la planche à voile **2. tabla de ~** planche à voile.

**windsurfing** *m* planche *f* à voile.

**windsurfista** *s* planchiste, véliplanchiste.

**wolframio** *m* wolfram.

**x** [ekis] *f* x *m*: **una ~** un x.

**xenofilia** *f* xénophilie.

**xenófilo, a** *a/s* xénophile.

**xenofobia** *f* xénophobie.

**xenófobo, a** *a/s* xénophobe.

**xenón** *m* *QUÍM* xénon.

**xerófilo, a** *a* *BOT* xérophile.

**xerografía** *f* xérographie.

**xi** [si] *f* *(letra griega)* ksi *m*.

**xifoides** *a* *ANAT* **apéndice ~** appendice xyphoïde.

**xileno** *m* *QUÍM* xylène.

**xilófago, a** *a* xylophage.

**xilófono** *m* xylophone.

**xilografía** *f* xylographie.

**xilográfico, a** *a* xylographique.

**¹y** [i griega] *f* y *m*: **una ~** un y.

**²y** *conj* **1.** et: **Adán ~ Eva** Adam et Ève; **¿~ tu salud?** et ta santé? **2.** *(repetición)* **cartas ~ cartas** lettres sur lettres.

**ya** *adv* **1.** déjà: **~ me lo has dicho** tu me l'as déjà dit; **~ he terminado** j'ai déjà fini; **¿has vuelto ~ del banco?** tu es déjà revenu de la banque? **2.** *(ahora)* maintenant: **antes le tenía miedo pero ~ no** avant j'avais peur de lui, mais plus maintenant **3.** *(en ocasión futura)* plus tard: **~ hablaremos de eso** nous parlerons de cela plus tard **4.** *(en seguida)* tout de suite: **¡~ voy!** j'arrive! **5.** voici, voilà: **~ viene el otoño** voici venir l'automne **6.** *(renforce l'affirmation)* bien (ou ne se traduit pas): **~ ves** tu vois bien; **~ lo sé** je le sais; **~ veremos** nous verrons; **~ podías habérmelo dicho antes** tu aurais (bien) pu me le dire avant; **~ no es hora de...** ce n'est pas le moment de... **7. ~ no** ne plus: **~ no era como antes** ce n'était plus comme avant; **no ~** non seulement **8. ¿ya?** ¿déjà?; **¡ya!** je sais!, naturellement!, en effet!, ouais!; **¡ya, ya!** bon, bon!; **¡~ está!** ça y est!; **¡~ caigo!** j'y suis! ◇ *conj* **1. ~ ... ~** soit... soit, tantôt... tantôt: **~ ríe, ~ llora** tantôt il rit, tantôt il pleure **2.** *loc conj* **~ que** puisque, du moment où.

**yac** *m* yack, yak.

**yacaré** *m AMER* caïman.

**yacente** *a* gisant, e.

**yacer*** *vi* **1.** gésir: **aquí yace** ci-gît **2.** *ANT* **~ con** coucher avec **3.** paître pendant la nuit.

**yacht** *m* yacht.

**yaciente → yacente.**

**yacija** *f* **1.** *(cama)* couche, lit *m* **2.** sépulture.

**yacimiento** *m* **1.** *(de minerales, petróleo)* gisement **2.** *(prehistórico)* site **3.** *FIG* gisement: **~ de empleo** gisement d'emplois.

**yacumama** *f AMER* serpent *m* amphibie.

**yagua** *f AMER* **1.** palmier *m* **2.** fibre de palmier.

**yaguar** *m* jaguar.

**yaguareté** *m AMER* jaguar.

**yaguarú** *m AMER* loutre *f*.

**yaguasa** *f AMER* canard *m* sauvage.

**yaguré** *m AMER* mouffette *f*.

**Yahvé** *np m* Yavhé.

**yak** *m* yack, yak.

**yámbico, a** *a* ïambique.

**yambo** *m (en poesía)* ïambe.

**yana** *f AMER* arbre *m* à bois très dur de Cuba.

**yanacona** *s ANT* domestique indien.

**yanqui** *a/s* yankee.

**¹yantar** *m ANT* nourriture *f*.

**²yantar** *vi ANT* manger.

**yapa** *f AMER* supplément *m*, prime, gratification ◇ **de ~** en plus.

**yarará** *f AMER* bothrops *m*, serpent venimeux.

**yaraví** *m AMER* chanson *f* triste.

**yarda** *f (medida)* yard *m*.

**yarey** *m AMER* palmier des Antilles.

**yaro** *m* arum.

**yatagán** *m* yatagan.

**yate** *m* yacht.

**yayo, a** *s* papi, mamie, grand-père, grand-mère.

**ye** *f* i grec *m*, lettre y.

**yedra** *f* lierre *m*.

**yegua** *f* jument.

**yeguada** *f* troupeau *m* de chevaux.

**yegüero** *m* gardien d'un troupeau de juments.

**yeísmo** *m* prononciation *f* du *ll* comme un *y*.
▶ Fréquent en Amérique latine, dans les pays du Río de la Plata notamment.

**yelmo** *m* **1.** haume **2. El hombre del ~ de oro** *(Rembrandt)* l'Homme au casque d'or.

**yema** *f* **1.** *(brote)* bourgeon *m* **2.** *(del huevo)* jaune *m* (d'œuf) **3.** *(dulce)* confiserie aux jaunes d'œufs **4.** *(del dedo)* pulpe, bout *m* **5.** le meilleur *m*.

**Yemen** *np m* Yémen.

**yemení, yemenita** *a/s* yéménite.

**yen** *m* yen.

**yendo → ir.**

**yerba** *f* **1. → hierba. 2.** *AMER* maté *m*.

**yerbajo** *m* mauvaise herbe *f*.

**yerbal** *m AMER* plantation *f* de maté.

**yerbatero, a** *a AMER* du maté. ◇ *m AMER* **1.** producteur de maté **2.** *(curandero)* guérisseur.

**yerbear** *vi AMER* prendre, boire le maté.

**yerbero → hierbero.**

**yerga, yergo, yergue,** etc. **→ erguir.**

**yermo, a** *a* **1.** désert, e, inhabité, e **2.** inculte. ◇ *m* désert.

**yerno** *m* gendre.

**yero** *m* ers.

**yerra** *f AMER* marcage *m* du bétail.

**yerra, yerro,** etc. → **errar.**

**yerro** *m* erreur *f*, faute *f*.

**yerto, a** *a* **1.** raide, rigide **2.** *(de frío)* transi, e.

**yesal, yesar** *m* plâtrière *f*.

**yesca** *f* amadou *m*.

**yesería** *f* plâtrière, plâtrerie.

**yesero, a** *a* de plâtre, du plâtre. ◇ *m* plâtrier.

**yeso** *m* **1.** gypse, pierre *f* à plâtre **2.** *(polvo, escultura)* plâtre.

**yesoso, a** *a* plâtreux, euse, gypseux, euse.

**yesquero** *a* **1. hongo ~** amadouvier **2.** *(encendedor)* briquet à amadou.

**yeta** *f* AMER malchance, déveine.

**yeyuno** *m* ANAT jéjunum.

**Yibuti** *np* Djibouti.

**yiddish** *m* yiddish.

**yira** *f* AMER prostituée, racoleuse.

**yo** *pron pers* **1.** *(forma átona)* je: **~ soy** je suis **2.** *(forma tónica)* moi: **tú y ~** toi et moi; **¿~?, yo no sé nada** moi?, je ne sais rien; **soy ~ el que manda** c'est moi qui commande; **la culpa la tengo ~** c'est moi le fautif; **~ mismo** moi-même **3. ~ que tú, que usted** si j'étais toi, si j'étais vous, à ta place, à votre place. ◇ *m* **el ~** le moi.

**yod** *f* yod *m*.

**yodado, a** *a* iodé, e.

**yodo** *m* iode.

**yodoformo** *m* iodoforme.

**yoduro** *m* iodure.

**yoga** *m* yoga.

**yogui** *m* yogi.

**yogur, yogurt** *m* yaourt, yoghourt: **~ con frutas** yaourt aux fruits.

**yola** *f* yole.

**yonki, yonqui** *s* junkie.

**yoquey, yoqui** *m* jockey.

**yoyó** *m* yo-yo.

**ypsilón** *f* *(letra griega)* upsilon *m*.

**yubarta** *f* jubarte.

**yuca** *f* **1.** *(planta)* yucca *m* **2.** *(mandioca)* manioc *m*.

**yucal** *m* plantation *f* de yuccas.

**yucateco, a** *a/s* du Yucatán.

**yudo** *m* judo: **practicar (el) ~** faire du judo.

**yudoka** *m* judoka.

**yugada** *f* mesure agraire.

**yugar** *vi* AMER travailler dur, trimer.

**yugo** *m* **1.** joug **2.** *(de campana)* sommier **3.** *(velo)* poêle **4.** FIG *(dominio)* joug.

**yugoeslavo, a, yugoslavo, a** *a/s* yougoslave.

**Yugoslavia** *np f* Yougoslavie: **la antigua ~** l'ex-Yougoslavie.

[1]**yugular** *a/f* jugulaire.

[2]**yugular** *vt* juguler.

**yungas** *f pl* AMER vallées chaudes (Bolivie, Pérou).

**yunque** *m* **1.** enclume *f* **2.** ANAT *(en el oído)* enclume *f*.

**yunta** *f* **1.** paire de bœufs, de mules **2.** → **yugada.**

**yuruma** *f* AMER moelle de palmier.

**yurumí** *m* AMER fourmilier, tamanoir.

**yusera** *f* meule gisante.

**yute** *m* jute.

**yuxtalineal** *a* juxtalinéraire.

**yuxtaponer*** *vt* juxtaposer.

**yuxtaposición** *f* juxtaposition.

**yuxtapuesto, a** *a* juxtaposé, e.

**yuyal** *m* AMER herbes *f pl*, terrain couvert d'herbe.

**yuyo** *m* AMER **1.** herbe *f*, mauvaise herbe *f* **2.** herbe *f* médicinale.

**yuyuba** *f* jujube *m*.

# Z

**z** [zeta] *f* z *m*: **una ~** un z.

**zabordar** *vi* MAR échouer.

**Zacarías** *np m* Zacharie.

**zacatal** *m* AMER pâturage.

**zacate** *m* AMER fourrage, herbe *f*.

**zafacoca** *f* AMER *(riña)* bagarre, dispute.

**zafado, a** *a* AMER *(descarado)* effronté, e.

**zafaduría** *f* AMER effronterie, insolence.

**zafar** *vt* **1.** orner **2.** MAR dégager. ◆ **~se** *vpr* **1.** s'esquiver, se dérober **2. zafarse de** échapper à, esquiver **3.** AMER *(un hueso)* se déboîter **4.** AMER FIG *(incurrir en un desliz)* gaffer.

**zafarrancho** *m* **1.** MAR branle-bas *inv*: **~ de combate** branle-bas de combat **2.** FIG désastre **3.** *(riña)* bagarre *f*.

**zafiedad** *f* grossièreté, rusticité.

**zafio, a** *a* grossier, ère, rustre: **maneras zafias** manières grossières.

**zafiro** *m* saphir.

**zafra** *f* **1.** *(cosecha)* récolte de la canne à sucre, des olives **2.** *(vasija)* bidon *m* à huile.

**zaga** *f* **1.** *(parte posterior)* arrière *m* **2.** *(deportes)* défense, arrières *m pl* **3.** *loc adv* **a la ~, en ~** en arrière, derrière, à la traîne: **siempre va a la ~** il est toujours derrière, à la traîne.

**zagal** *m* **1.** garçon, gars **2.** *(pastor)* jeune berger.

**zagala** *f* **1.** jeune fille **2.** *(pastora)* jeune bergère.

**zagalejo** *m* *(refajo)* cotillon.

**zagalón, ona** *s* grand gars, grande fille.

**zaguán** *m* entrée *f*, vestibule.

**zaguero, a** *a* qui reste en arrière. ◇ *m* *(deportes)* arrière.

**zagüí** *m* *(mono)* sagouin.

**zahareño, a** *a* sauvage.

**zaherir*** *vt* **1.** blesser, offenser, mortifier **2.** critiquer.

**zahína** *f* sorgho *m*.

**zahones** *m pl* sorte de tablier *sing* en cuir attaché aux cuisses.

**zahorí** *m* **1.** *(de agua subterránea)* sourcier **2.** *(persona perspicaz)* devin.

**zahúrda** *f* porcherie.

**zaino, a** *a* **1.** *(traidor)* traître, fourbe **2.** *(caballo)* châtain foncé **3.** *(vacuno)* noir, e.

**Zaire** *np m* Zaïre: **el antiguo ~** l'ex-Zaïre.

**zaireño, a** *a/s* zaïrois, e.

**zalagarda** *f* **1.** embuscade **2.** FIG ruse **3.** *(alboroto)* tapage *m* **4.** *(riña)* bagarre.

**zalamería** *f* cajolerie, flatterie.

**zalamero, a** *a/s* cajoleur, euse, flatteur, euse.

**zalea** *f* peau de mouton.

**zalema** *f* courbette, salamalec *m*, cajolerie.

**zamacuco, a** *s* *(cazurro)* sournois, e, faux-jeton.

**zamacueca** *f* danse chilienne.

**zamarra** *f* **1.** *(prenda de vestir)* veste en peau de mouton.

**zamarrear** *vt* **1.** *(sacudir)* secouer **2.** FIG FAM malmener, houspiller.

**zamarreo** *m* secouement.

**zamarrilla** *f* germandrée.

**zamarro** *m* **1.** → **zamarra 2.** FIG *(hombre tosco)* rustre, rustaud **3.** FIG *(pillo)* coquin.

**zamba** *f* danse populaire argentine, chilienne, uruguayenne.

**Zambia** *np f* Zambie.

**zambo, a** *a/s* **1.** cagneux, euse **2.** métis, métisse d'un Noir et d'une Indienne ou d'un Indien et d'une Noire. ◇ *m* *(mono)* papion.

**zambomba** *f* instrument *m* rustique formé d'un cylindre sur lequel est tendue une peau percée d'une baguette avec laquelle on frotte cette peau. ◇ *interj* sapristi!

**zambombazo** *m* explosion *f*, coup violent.

**zambra** *f* **1.** fête mauresque ou gitane **2.** *(ruido)* tapage *m*, tintamarre *m*.

**zambullida** *f* plongeon *m*.

**zambullir*** *vt* plonger. ◆ **~se** *vpr* **1.** *(tirarse al agua)* plonger: **los chiquillos se zambullían en el mar** les gamins plongeaient dans la mer; **se zambulló de cabeza en la piscina** il piqua une tête dans la piscine **2.** FIG *(meterse en un asunto)* se plonger **3.** *(ocultarse)* se cacher.

**zamburiña** *f* pétoncle *m*, chlamis *m*.

**Zamora** *np* Zamora ◇ **no se ganó ~ en un día** Paris ne s'est pas fait en un jour.

**zampa** *f* pieu *m*, pilot *m*.

**zampabollos** *m inv* FAM glouton, onne, goinfre.

**zampar** *vt* fourrer. ◆ **~se** *vpr* **1.** se fourrer, entrer soudainement **2.** *(comerse)* avaler, engloutir.

**zampatortas** *s* FAM **1.** glouton, onne, goinfre **2.** *(torpe)* lourdaud, e.

**zampeado** *m* pilotis.

**zampear** *vt* garnir de pilots, de pieux.

**zampón, ona** *a/s* glouton, onne, goinfre.

**zampoña** *f* **1.** flûte de Pan **2.** *(flautilla)* chalumeau *m* **3.** *FIG FAM* bêtise, fadaise.

**zamuro** *m AMER (ave)* urubu.

**zanahoria** *f* **1.** carotte **2.** *FIG* **el palo o la ~** la carotte ou le bâton. ◇ *a AMER* imbécile, crétin, e.

**zanca** *f* **1.** patte d'échassier **2.** *FAM (pierna)* longue guibole, échasse **3.** *(de escalera)* limon *m*.

**zancada** *f* enjambée, grand pas *m* : **dar zancadas** faire de grandes enjambées ◊ *FIG* **en dos zancadas** en moins de deux.

**zancadilla** *f* **1.** croc-en-jambe *m*, croche-pied *m*: **echar, poner la ~** faire un croc-en-jambe **2.** *FIG* croc-en-jambe *m*, piège *m*, peau de banane.

**zancadillear** *vt* faire un croc-en-jambe.

**zancajo** *m* **1.** talon **2.** *FIG (persona)* avorton.

**zancarrón** *m* os décharné de la jambe.

**zanco** *m* échasse *f*.

**zancudo, a** *a* à longues jambes. ◇ *m AMER (mosquito)* moustique. ◇ *f pl (aves)* échassiers *m*.

**zanfonía** *f* vielle.

**zanganear** *vi FAM* fainéanter.

**zángano** *m* **1.** *(insecto)* faux bourdon **2.** *FIG (holgazán)* fainéant.

**zangarrear** *vi* racler de la guitare.

**zangolotear** *vt* remuer, agiter. ◇ *vi* s'agiter. ◆ **~se** *vpr (ciertas cosas)* branler.

**zangoloteo** *m* **1.** agitation *f* **2.** trépidation *f*.

**zangolotino, a** *a FAM (niño)* grand dadais, *(niña)* grande fille.

**zanguango, a** *a/s (gandul)* fainéant, e. ◇ *m AMER* grand dadais, crétin.

**zanja** *f* tranchée, fossé *m*.

**zanjar** *vt FIG (una dificultad, etc.)* trancher, résoudre.

**zanjón** *m* **1.** fossé large et profond **2.** *AMER* précipice.

**zanquilargo, a** *a* à longues jambes.

**zanquituerto, a** *a* cagneux, euse.

**zapa** *f* **1.** *(pala, zanja)* sape ◊ *FIG* **labor, trabajo de ~** travail de sape **2.** *(piel labrada)* chagrin *m*.

**zapador** *m MIL* sapeur.

**zapallo** *m AMER* **1.** *(calabaza)* calebasse *f*, courge *f*, citrouille *f* **2.** *(chiripa)* coup de chance.

**zapapico** *m* pioche *f*.

**zapar** *vt* saper.

**zaparrastroso, a → zarrapastroso, a.**

**zapata** *f* **1.** *(de freno)* patin *m*, sabot *m* **2.** *MAR* fausse quille.

**zapatazo** *m* **1.** coup donné avec un soulier **2.** *FIG* **tratar a uno a zapatazos** traiter quelqu'un comme un chien.

**zapateado** *m* «zapatéado», danse espagnole (rythmée par des coups de talon sur le sol).

**zapatear** *vt* **1.** frapper du pied **2.** *FIG (a alguien)* malmener. ◇ *vi* **1.** marteler le sol du pied à un rythme rapide **2.** *(las velas)* claquer.

**zapateo** *m* **1.** action *f* de «zapatear» **2.** *(americano)* claquettes *f pl*.

**zapatería** *f* cordonnerie.

**zapatero, a** *s* cordonnier, ère ◊ **~ de viejo, remendón** savetier; **~ a tus zapatos** chacun son métier, cordonnier, pas plus haut que la chaussure. ◇ *m (en el juego)* **quedarse ~** être capot.

**zapateta** *f* coup *m* donné sur sa chaussure en sautant.

**zapatilla** *f* **1.** *(para estar en casa)* pantoufle **2.** *(de baile)* chausson *m* **3.** **~ de deporte** chaussure de sport; **~ de baloncesto, de tenis** chaussure de basket, de tennis **4.** *(de un florete)* mouche **5.** *(billar)* procédé *m*.

**zapato** *m* chaussure *f*, soulier: **un par de zapatos** une paire de chaussures; **~ de tacón alto** chaussure à talon haut; **~ bajo** soulier plat ◊ *FIG* **como chico con zapatos nuevos** l'air ravi; **saber uno donde le aprieta el ~** connaître son affaire, savoir où le bât blesse, où est le point faible de quelqu'un; **no llegarle a alguien a la suela del ~ → suela.**

**zapatón** *m FAM* grosse godasse *f*.

**¡zape!** *interj* **1.** ouste! **2.** *(asombro)* mince!

**zapear** *vi (en la televisión)* zapper.

**zapeo** *m* zapping.

**zapote** *m* **1.** *(árbol)* sapotier, sapotillier **2.** *(fruto)* sapote *f*, sapotille *f*.

**zapoteca** *a/s* zapotèque.

**zapping** *m* zapping.

**zaque** *m* **1.** petite outre *f* **2.** *FAM* pochard.

**zaquizamí** *m* galetas, taudis.

**zar** *m* tsar.

**zara** *f* maïs *m*.

**zarabanda** *f* **1.** *(danza)* sarabande **2.** *FIG* tintamarre *m*, tapage *m*, sarabande.

**zaragata** *f (alboroto)* tapage *m*, bagarre.

**zaragate** *m AMER* pauvre type, bon à rien.

**zaragatero, a** *a* bagarreur, euse.

**Zaragoza** *np* Saragosse.

**zaragozano, a** *a/s* de Saragosse.

**zaragüelles** *m pl* culotte *f sing* bouffante et plissée.

**zaranda** *f* crible *m*.

**zarandajas** *f pl* bagatelles, fariboles, balivernes.

**zarandar → zarandear.**

**zarandear** *vt* **1.** *(cribar)* cribler **2.** *(sacudir)* secouer. ◆ **~se** *vpr (contonearse)* se dandiner.

**zarandeo** *m* **1.** *(con la zaranda)* criblage **2.** agitation *f* **3.** dandinement.

**zarandillo** *m* **1.** petit crible **2.** *FIG* personne *f* vive, remuante.

**zarapito** *m (ave)* courlis.

**zaraza** *f* indienne, étoffe de coton.

**zarceta** *f* sarcelle.

**zarcillo** *m* **1.** *(pendiente)* boucle *f* d'oreille **2.** *BOT* vrille *f* **3.** *AGR* serfouette *f*.

**zarco, a** *a* bleu clair: **ojos zarcos** yeux bleu clair.

**zarda** *f (danza)* csardas.

**zarigüeya** *f* sarigue.

**zarina** *f* tsarine.

**zarismo** *m* tsarisme.

**zarpa** *f* **1.** *(del león, etc.)* patte armée de griffes, griffes *pl* ◊ *FIG* **echar la ~ a** attraper, saisir **2.** *MAR* action de lever l'ancre.

**zarpada** *f* coup *m* de griffe.

**zarpanel** *a ARQ* **arco ~** arc surbaissé.

**zarpar** *vi MAR* appareiller, lever l'ancre, partir.

**zarpazo** *m* coup de griffe.

**zarrapastroso, a** *a* **1.** *(desaliñado)* déguenillé, e, dépenaillé, e **2.** *(sucio)* sale, crasseux, euse.

**zarza** *f* **1.** ronce **2.** *(Biblia)* **la ~ ardiente** le buisson ardent.

**zarzal** *m* ronceraie *f*.

**zarzamora** *f* **1.** *(fruto)* mûre **2.** *(zarza)* ronce.

**zarzaparrilla** *f* salsepareille.

**zarzaperruna** *f* églantier *m*.

**zarzarrosa** *f* églantine.

**zarzo** *m* claie *f* de roseaux.

**zarzuela** *f* **1.** «zarzuela», sorte d'opérette où la déclamation alterne avec le chant **2.** CULIN sorte de bouillabaisse.
▶ Sens 1.: du nom d'une résidence royale près de Madrid, jadis entourée de ronces *(zarzas)*, où ce genre théâtral a pris naissance. Le *Palacio de la Zarzuela* est, aujourd'hui, la résidence du roi et de la reine.

**zarzuelista** *s* auteur de «zarzuelas».

**¡zas!** *interj* vlan!

**zascandil** *m* fouineur, intrigant qui se mêle de tout.

**zascandilear** *vi* fouiner, se mêler de tout.

**zebra** *f* zèbre *m*.

**zeda** *f* z *m*, lettre z.

**zedilla** *f* cédille.

**zéjel** *m* composition *f* poétique hispano-arabe.

**Zelanda** *np f* Zélande.

**zelandés, esa** *a/s* zélandais, e.

**zelota** *s* HIST zélote.

**zen** *a/m* zen.

**zenit** → **cenit.**

**zepelín** *m* zeppelin.

**zeta** *f* **1.** *(letra griega)* zéta *m* **2.** *(zeda)* z *m*.

**zigurat** *m* ziggourat *f*.

**zigzag** *m* **1.** zigzag **2.** *(de carretera)* lacet, zigzag.

**zigzaguear** *vi* zigzaguer.

**zinc** [sink] *m* zinc.

**zíngaro** → **cíngaro.**

**zinnia** *f* zinnia *m*.

**zíper, zipper** *m* AMER fermeture *f* à glissière.

**zipizape** *m* FAM bagarre *f*, empoignade *f*: **se armó un buen ~** il y a eu une belle bagarre.

**¡zis, zas!** *onomat* pif!, paf!

**zócalo** *m* **1.** *(de un edificio)* soubassement **2.** *(del pedestal)* socle **3.** *(friso)* plinthe *f* **4.** AMER partie *f* centrale de la grand-place, au Mexique.

**zocato, a** *a/s* gaucher, ère.

**zoclo** *m* sabot, socque.

**zoco** *m* **1.** *(mercado en Marruecos)* souk **2.** → **zócalo, zueco.**

**zodiac** *f (embarcación, marca registrada)* zodiac *m*.

**zodiacal** *a* zodiacal, e.

**zodíaco** *m* zodiaque: **los signos del ~** les signes du zodiaque.

**zoilo** *m (crítico)* zoïle.

**zombi** *m* zombie, zombi.

**zompopo** *m* AMER fourmi *f* à grosse tête.

**zona** *f* **1.** zone: **~ templada, tropical** zone tempérée, tropicale; **~ franca** zone franche **2. ~ verde** espace *m* vert **3.** MED zona *m*.

**zoncera, zoncería** *f* AMER bêtise, sottise, ânerie.

**zonda** *f* AMER vent *m* chaud des Andes.

**zonificar** *vt* diviser en zones.

**zonzo, a** *a/s* AMER bête, sot, sotte.

**zoo** *m* zoo, parc zoologique.

**zoología** *f* zoologie.

**zoológico, a** *a* zoologique: **parque ~** parc zoologique.

**zoólogo, a** *s* zoologiste.

**zoom** *m* zoom.

**zoomorfo, a** *a* zoomorphe.

**zootecnia** *f* zootechnie.

**zootécnico, a** *s* zootechnicien, enne.

**zopas** *s* FAM personne qui zézaie, qui zozote.

**zopenco, a** *a/s* abruti, e, imbécile.

**zopetero** *m* talus.

**zopilote** *m (ave)* urubu.

**zopo, a** *a* **1.** contrefait, e, difforme **2.** *(pie)* bot.

**zoque** *m* «gazpacho» de Málaga.

**zoquete** *m* **1.** *(de madera)* morceau **2.** *(de pan)* quignon. ◇ *a/s (persona)* gourde *f*, abruti, e.

**zoquetudo, a** *a* grossier, ère.

**zorcico** *m* air et danse populaires basques.

**Zoroastro** *np m* Zoroastre.

**zorongo** *m* **1.** mouchoir noué autour de la tête que portent les paysans aragonais **2.** *(moño)* chignon large et aplati.

**zorra** *f* **1.** *(macho)* renard *m*, *(hembra)* renarde → **zorro 2.** FIG personne rusée, fin renard *m* **3.** FAM *(prostituta)* grue, traînée, pute **4.** FAM *(borrachera)* cuite **5.** POP **ni ~ idea** pas la moindre idée **6.** *(carro)* fardier *m*, wagonnet *m*.

**zorrastrón, ona** *a* matois, e, roublard, e. ◇ *m* vieux renard.

**zorrera** *f* **1.** *(cueva de zorros)* renardière **2.** *(habitación)* pièce enfumée.

**zorrería** *f* ruse, roublardise.

**zorrero, a** *a* rusé, e, roublard, e.

**zorrillo, zorrino** *m* AMER mouffette *f*.

**zorro** *m* **1.** renard **2.** *(piel)* **~ azul, plateado** renard bleu, argenté **3.** FIG vieux renard ◊ **un tío ~** un vieux renard. ◇ *pl (para sacudir el polvo)* époussette *f sing* ◊ FAM **hecho unos zorros** lessivé, e, à plat, rétamé, e; **estoy hecha unos zorros** je suis lessivée; **la Bolsa está hecha unos zorros** la Bourse est au plus bas.

**zorrón** *m (hombre)* vieux renard.

**zorruno, a** *a* du renard.

**zorzal** *m* **1.** *(pájaro)* litorne *f*, grive *f* litorne **2.** *(pez)* labre, vieille *f*.

**zote** *a* sot, sotte, ignorant, e.

**zozobra** *f* **1.** MAR naufrage *m* **2.** FIG angoisse, inquiétude.

**zozobrar** *vi* **1.** MAR *(irse a pique)* faire naufrage, couler, sombrer, *(volcarse)* chavirer **2.** FIG péricliter, échouer, sombrer **3.** FIG être dans l'angoisse.

**zuavo** *m* zouave.

**zueco** *m* **1.** *(de madera)* sabot **2.** *(de cuero y madera)* galoche *f*.

**zulaque** *m* lut, sorte de mastic.

**zulo** *m* cache *f*, planque *f*: **la policía ha descubierto un ~ lleno de explosivos** la police a découvert une cache remplie d'explosifs.

**zulú** *a/s* **1.** zoulou **2.** FAM sauvage.

**zumaque** *m* **1.** sumac **2. ~ del Japón** vernis du Japon.

**zumba** *f* **1.** *(cencerro)* sonnaille **2.** FIG *(burla)* raillerie, taquinerie, moquerie **3.** AMER *(tunda)* raclée.

**zumbador, a** *a* bourdonnant, e. ◇ *m (timbre)* ronfleur.

**zumbar** *vi* **1.** bourdonner: **me zumban los oídos** mes oreilles bourdonnent **2.** *(un motor)* ronfler, vrombir **3.** *FAM* **ir zumbando** filer, aller en quatrième vitesse; **sal zumbando** file, taille-toi. ◇ *vt* **1.** *FAM (un golpe)* flanquer **2.** *(burlarse)* se moquer de, railler.

**zumbido** *m* **1.** *(de insectos, oídos)* bourdonnement **2.** *(de motor)* ronflement, vrombissement.

**zumbón, ona** *a* moqueur, euse, railleur, euse: **una risa zumbona** un rire moqueur.

**zumo** *m* **1.** jus, jus de fruits: **~ de naranja, de tomate** jus d'orange, de tomate **2.** *(de ciertas plantas)* suc.

**zumoso, a** *a* juteux, euse.

**zuncho** *m* frette *f*.

**zunzún** *m AMER* colibri.

**zurcido** *m* **1.** *(acción)* raccommodage, reprisage **2.** *(cosido)* reprise *f* **3.** *(invisible)* stoppage *m*.

**zurcidor, a** *s* **1.** raccommodeur, euse **2.** stoppeur, euse.

**zurcidura → zurcido.**

**zurcir** *vt* **1.** repriser, raccommoder **2.** *(con la trama y la urdimbre)* stopper **3.** *(un tapiz)* rentraire **4.** *FIG* lier **5.** *FAM* **¡que te zurzan!** va te faire voir ailleurs!, va au diable!, va te faire fiche!

**zurdo, a** *a* gauche: **mano zurda** main gauche. ◇ *a/s* gaucher, ère ◊ *FIG* **no ser ~** n'être pas manchot. ◇ *f (mano)* main gauche.

**zuri** *m POP* **darse el ~** mettre les bouts, se tailler.

**zurita** *f* **1.** tourterelle **2. paloma ~** pigeon *m* colombin.

**zurra** *f* **1.** *(de las pieles)* corroyage *m* **2.** *FAM (paliza)* raclée, volée.

**zurrador** *m* corroyeur.

**zurrapa** *f* **1.** lie, dépôt *m* **2.** *FIG* déchet *m*, rebut *m*.

**zurrar** *vt* **1.** *(las pieles)* corroyer **2.** *FIG (pegar)* rosser ◊ **~ la badana a → badana 3.** *FIG* éreinter. ◆ **~se** *vpr* faire dans sa culotte.

**zurriaga → zurriago.**

**zurriagar** *vt* fouetter.

**zurriagazo** *m* **1.** coup de fouet **2.** *FIG* malheur.

**zurriago** *m* fouet.

**zurribanda** *f* **1.** *FAM (paliza)* raclée **2.** *(pendencia)* bagarre.

**zurriburri** *m* **1.** canaille *f* **2.** *(barullo)* tohu-bohu, chahut, chambard: **se armó un buen ~** il y eut un beau chambard.

**zurrón** *m* **1.** *(morral)* gibecière *f* **2.** sac en cuir **3.** *(de algunos frutos)* écorce *f*.

**zurumbático, a** *a* ahuri, e.

**zurza,** etc. **→ zurcir.**

**zutano, a** *s* un tel, une telle: **fulano, mengano y ~** un tel et un tel.

vox